dictionnaire du français contemporain

Jean DUBOIS
professeur à la Faculté des Lettres et Sciences humaines de Paris.

René LAGANE
maître-assistant à la Sorbonne.

Georges NIOBEY
secrétaire général de la Rédaction des Dictionnaires Larousse.

Didier CASALIS
secrétaire général de la Rédaction des Dictionnaires Larousse.

Jacqueline CASALIS
ancienne élève de l'École normale supérieure, agrégée de l'Université.

Henri MESCHONNIC
assistant à la Faculté des Lettres et Sciences humaines de Lille.

LIBRAIRIE LAROUSSE
17, rue du Montparnasse, boulevard Raspail, 114, Paris.

avant-propos

- *Le* **Dictionnaire du français contemporain** *vise à présenter un état actuel du lexique usuel. En ce sens, il contient tous les mots qui entrent dans l'usage écrit ou parlé du français le plus habituel. On a écarté les termes qui sont restreints à des milieux professionnels étroitement spécialisés ou qui appartiennent à une terminologie proprement scientifique, mais on a retenu les mots techniques vulgarisés, communs dans la presse et les conversations. Les mots, les expressions et les constructions qui ne se rencontrent que dans une langue écrite archaïque ont été abandonnés, comme les pluriels ou les féminins inusités; en revanche, les formes et les emplois récents, familiers ou populaires ont été enregistrés. Les termes ainsi retenus sont au nombre d'environ 25 000 et forment le vocabulaire commun du français contemporain.*

- *Les nécessités de l'ordre alphabétique doivent se concilier avec les exigences nouvelles de la lexicologie et de l'enseignement des langues; le dictionnaire doit être un instrument de travail qu'on puisse utiliser pour l'apprentissage du français. Les possibilités qu'offrent les systèmes de suffixation et de préfixation pour passer d'une construction de phrase à une autre construction, d'un verbe à un substantif, d'un substantif à un adjectif, etc., ont été mises en évidence dans cet ouvrage par des regroupements autour des termes de base; ces ensembles comportent à la fois les dérivés* (**calcul, calculer, calculateur,** *etc.*) *et les composés* (**incalculable**), *ordonnés selon leurs systèmes de correspondance* (**assimiler, assimilé, assimilable, inassimilable, assimilation**). *Les regroupements ne sont pas artificiels : ils n'intègrent pas les formes apparentées par la seule étymologie et ils n'admettent que celles qui demeurent liées les unes aux autres par des rapports à la fois morphologiques et sémantiques. Les termes dérivés et composés sont indiqués à leur ordre alphabétique et des renvois, quand ils sont indispensables, font référence aux mots de base.*

- *Cette classification met en évidence l'interdépendance des sens et des formes; aussi, le plus souvent, n'est-il pas nécessaire de définir un dérivé, qu'éclaire la valeur du suffixe, si ce n'est par des exemples précis qui mettent en évidence le jeu des transformations possibles de la racine :* **acheminement** *recouvre les sens de* **acheminer, accoutrement** *ceux de* **accoutrer.** *En revanche, la présence associée de plusieurs dérivés permet de préciser les emplois différents de chacun :* **avance** *et* **avancement** *renvoient chacun à un sens du verbe. Un tableau des suffixes et des préfixes usuels, placé au début du dictionnaire, donne le sens des mots dérivés.*

- *Ces regroupements ont été étendus à toutes les formes grammaticales appartenant à une même structure : ainsi, on a fait des tableaux réunissant les pronoms personnels* **je / me / moi,** *les prépositions* **à** *et* **de, entre** *et* **parmi,** *l'adverbe*

dehors *et la préposition* **hors de,** *etc. Dans la mesure où la comparaison a paru utile sans que la recherche en fût gênée, on a confronté* **an** *et* **année, matin** *et* **matinée, bonjour** *et* **bonsoir,** *etc. De même, des tableaux ont été faits sur les bases des structures sémantiques limitées : on trouvera réunis les noms des mois, ceux des jours, les mouvements musicaux, les noms de parenté, les grades, etc.; des renvois facilitent la consultation de l'ouvrage.*

- *Un dictionnaire du français contemporain doit être établi sur les bases d'une description scientifique du lexique. La forme qui constitue le mot-vedette ne peut plus être seulement le terme que détermine sa morphologie, mais doit être aussi celui que définit son emploi dans la phrase; aussi a-t-on distingué sous des articles différents les homonymes de quelque nature ou de quelque origine qu'ils soient :* **altérer (désaltérer)** *au sens de « donner soif » a été séparé de* **altérer (altération, inaltérable),** *« modifier l'état normal ». Les disjonctions rendent compte avec rigueur des dérivés différents :* **affiner** *(purifier) et* **affinage; affiner** *(rendre plus fin) et* **affinement,** *et facilitent l'acquisition du vocabulaire.*

- *Dans la mesure où le dictionnaire décrit l'usage parlé de la langue, on trouvera la prononciation du mot en tête d'article, aussitôt après son orthographe; elle est transcrite dans l'alphabet phonétique international (v. Introduction, p. VI); pour les dérivés et les composés, la prononciation n'est notée que lorsqu'elle diverge profondément de celle du terme de base.*

- *Le mot est suivi des indications grammaticales habituelles (n., adj., adv., etc.) et, pour les verbes, de la conjugaison (le numéro renvoie aux tableaux généraux placés en tête de l'ouvrage, sauf lorsque la forme même du verbe ne laisse aucune ambiguïté sur son type de conjugaison).*

- *Le plan de l'article se fonde sur l'usage actuel du français, et non sur l'histoire du mot; on a donc écarté l'étymologie, les sens vieillis ou disparus. Le point de départ est la construction du terme dans la phrase; aussi le plus souvent trouve-t-on en tête de l'article des indications sur cette construction, l'ordre étant celui de la nature des compléments; ainsi, pour* **agiter :** *1°* **Agiter quelque chose (un objet);** *2°* **Agiter une menace;** *3°* **Agiter une question, un problème;** *4°* **Agiter quelqu'un.** *Pour l'adjectif, la différence des sens s'établit selon qu'il est ou non suivi d'une préposition et d'un complément* **(capable / capable de),** *suivant sa place relativement au nom ou selon la nature du substantif qu'il qualifie (personne ou chose). La forme des compléments de verbes et la place des adjectifs sont donc indiquées avec précision* **(agréer une chose; se faire agréer par, dans; agréer à quelqu'un).** *Le mot peut être suivi immédiatement des emplois si ceux-ci sont limités à un petit nombre d'expressions, comme pour* **abjurer, ablutions, amène.** *Les locutions figées sont regroupées en une seule rubrique. L'ensemble de ces informations donne le statut du mot tel que la description scientifique peut en rendre compte et forme une grammaire normative du français.*

- *Les définitions se présentent comme une traduction explicite de tous les traits sémantiques distinctifs qui définissent le mot dans une structure donnée; on a donc évité, dans toute la mesure du possible, les simples équivalents synonymiques, sauf lorsqu'il y a correspondance d'un niveau de langue à l'autre* **(bouquin :** *syn. fam. de* **livre).**

- *Lorsque, dans le français actuel, les emplois sont limités, la définition est celle de l'expression; ainsi :* **(servante) accorte,** *d'une vivacité agréable.*

- *Les niveaux de langue et les marques stylistiques (fam., très fam., pop., argot; ou langue écrite, soignée, soutenue, littéraire, vieillie, etc.) sont indiqués avec la plus de précision possible.*

- *Le* **Dictionnaire du français contemporain** *est avant tout un dictionnaire de phrases; aussi chaque définition est-elle suivie de nombreux exemples. Ceux dont ne rendrait pas compte exactement la définition générale sont suivis entre parenthèses (et avec le signe =) d'un équivalent :* **Il vous suffira de faire acte de présence** (= *de paraître en un lieu en y restant quelques instants*).

- *Les synonymes* (SYN.) *et les contraires* (CONTR.) *ne sont pas présentés groupés, mais sont indiqués après les différents emplois, mettant en évidence les équivalences réalisées effectivement; car il arrive que tel synonyme, possible dans un emploi déterminé, soit exclu dans un autre. Ainsi pour* **arôme : Ce bordeaux a un arôme incomparable** (*syn. :* BOUQUET). **Le salon est plein de l'arôme des œillets** (*syn. :* PARFUM). **L'arôme d'un civet de lièvre** (*syn. :* FUMET). *La valeur intensive ou diminutive des synonymes est indiquée par une flèche dirigée vers le haut (plus fort) ou vers le bas (plus faible). Ainsi pour* **affreux : Son visage couvert de pustules est affreux à voir** (*syn. :* ↑ HIDEUX), *et pour* **abrutir : Il l'abrutit d'un flot de paroles** (*syn. :* ↓ ABASOURDIR).

- *Un tableau des proverbes a été placé en annexe du dictionnaire lui-même.*

- *Le* **Dictionnaire du français contemporain,** *par sa conception comme par sa réalisation, veut répondre aux nécessités nouvelles de l'enseignement moderne du français. Il est destiné à l'ensemble de ceux qui, ayant acquis les bases élémentaires de la langue, visent à affermir ou à perfectionner l'usage qu'ils ont du français. Tout en ayant à leur disposition un instrument commode de consultation, ils pourront y trouver une aide puissante pour un apprentissage systématique du lexique, de son fonctionnement tant sur le plan morphologique ou syntaxique que sur le plan sémantique, c'est-à-dire sur celui des sens et des nuances. Aux élèves de l'enseignement secondaire et aux étudiants étrangers, pour qui cet ouvrage a été spécialement réalisé, il donnera les moyens d'exprimer la pensée d'une manière correcte et précise, au niveau de la communication où ils désirent se situer ou du style dans lequel ils veulent s'exprimer.*

SYSTÈME PHONÉTIQUE ET TRANSCRIPTION

	SONS DU LANGAGE	NOTATION PHONÉTIQUE	EXEMPLES	GRAPHIE
VOYELLES ORALES	*a* antérieur	[a]	*lac, cave, agate, béat, soi, moelle, moyen, il plongea*	a, ea, oi, oy, oe
	a postérieur	[ɑ]	*tas, case, sabre, flamme, âme, noix, douceâtre, poêle*	a, â, oi, eâ, oê
	e fermé	[e]	*année, pays, désobéir, œdème, je mangeai*	é, ay, eai, œ, ai
	e ouvert	[ɛ]	*bec, poète, blême, Noël, il peigne, il aime, fraîche, j'aimais*	è, ê, e, ë, ei, ai, aî
	i bref ou long	[i]	*île, ville, épître, tu lis, partir, cyprès, dîner, naïf*	i, î, y, ï
	o ouvert long ou bref	[ɔ]	*note, robe, mode, col, roche, Paul*	o, au
	o fermé bref ou long	[o]	*drôle, aube, agneau, sot, pôle*	o, ô, au, eau
	ou	[u]	*outil, mou, pour, jour, goût, août*	ou, où, aoû
	u	[y]	*usage, luth, mur, uni, nu, il eut*	u, eû, eu
	eu ouvert bref ou long	[œ]	*peuple, bouvreuil, bœuf, œil, jeune*	eu, œu, œ
	eu fermé bref ou long	[ø]	*émeute, jeûne, aveu, nœud*	eu, eû, œu
	e	[ə]	*me, remède, grelotter, je serai*	e
NASALES. SEMI-VOYELLES OU SEMI-CONSONNES	*e* nasalisé ouvert	[ɛ̃]	*limbe, instinct, impie, main, bien, saint, dessein, lymphe, syncope, vendetta*	im, in, en, aim, ain, yin, yn
	a nasalisé ouvert	[ɑ̃]	*champ, ange, emballer, ennui, vengeance, Laon*	am, an, em, en, ean, aon
	o nasalisé	[ɔ̃]	*plomb, ongle, mon, lumbago*	on, om, un
	œ nasalisé	[œ̃]	*parfum, aucun, brun, à jeun*	un, um, eun
	y	[j]	*yeux, lieu, fermier, liane, piller*	y, i, ll (+ voyelle)
	u	[ɥ]	*lui, nuit, suivre, buée, sua*	u (+ voyelle)
	ou	[w]	*oui, ouest, miaou, moi, squale*	ou (+ voyelle), oi, u (a)
CONSONNES	occlusive labiale sourde	[p]	*prendre, apporter, stop*	p, pp
	occlusive bilabiale sonore	[b]	*bateau, combler, aborder, abbé, snob*	b, bb
	occlusive dentale sonore	[d]	*dalle, addition, cadenas*	d, dd
	occlusive dentale sourde	[t]	*train, théâtre, vendetta*	t, th, tt
	occlusive palatale sourde	[k]	*coq, quatre, carte, kilo, squelette, accabler, bacchante, chrome, chlore*	q, c (+ a, o, u), k, qu, cc, cch, ch (+ r, l)
	occlusive palatale sonore	[g]	*guêpe, diagnostic, garder, gondole*	g (+ a, o), gu, gn
	fricative labio-dentale sourde	[f]	*fable, physique, Fez, chef*	f, ph
	fricative labio-dentale sonore	[v]	*voir, wagon, aviver, révolte*	v, w
	fricative sifflante sourde	[s]	*savant, science, cela, ciel, façon, ça, reçu, patience, façade*	s, sc, ss, c (+ e, i), ç (+ a, o, u), t (i)
	fricative sifflante sonore	[z]	*zèle, azur, réseau, rasade*	z, s (entre voyelles)
	fricative chuintante sonore	[ʒ]	*jabot, déjouer, jongleur, âgé, gigot*	j, g (+ i, e)
	fricative chuintante sourde	[ʃ]	*charrue, échec, schéma, shah*	ch, sch, sh
	liquide latérale	[l]	*lier, pal, intelligence, illettré, calcul*	l, ll
	liquide (en français *r* dental)	[r]	*rare, arracher, âpre, sabre*	r, rr
	nasale labiale	[m]	*amas, mât, drame, grammaire*	m, mm
	nasale dentale	[n]	*nager, naine, neuf, dictionnaire*	n, nn
	nasale dentale mouillée	[ɲ]	*agneau, peigner, baigner, besogne*	gn

Il n'est pas tenu compte dans ce tableau des exceptions ni des variantes régionales ou individuelles; on remarquera, par ailleurs, que plusieurs graphies correspondent à des prononciations différentes. Seuls l'usage et les indications contenues dans le dictionnaire donneront la prononciation la plus courante dans les cas douteux.
La lettre *x* correspond à la prononciation [ks] et [gs] : *axe, Xavier.*
La lettre *h* ne se prononce pas et ne comporte aucune aspiration.
Le *h* dit « aspiré » empêche les liaisons.

ABRÉVIATIONS

abrév.	abréviation
absolum.	absolument
Acad.	Académie
adj.	adjectif
adjectiv.	adjectivement
admin.	administrative
adv.	adverbe
anc.	ancien
ancienn.	anciennement
arg.	argot
art.	article
auj.	aujourd'hui
autref.	autrefois
auxil.	auxiliaire
cardin.	cardinal
compl.	complément
conj.	conjonction
conj.	se conjugue comme (renvoi au nº de conjugaison)
contr.	contraire
démonstr.	démonstratif
dimin.	diminutif
dir.	direct
elliptiq.	elliptiquement
ex.	exemple
express.	expression
f. ou *fém.*	féminin
fam.	familier, familièrement
fig.	figuré
fin.	financier
imp.	imparfait
imper.	impératif
impers.	impersonnel
impersonnellem.	impersonnellement
indéf.	indéfini
indic.	indicatif
infin.	infinitif
interj.	interjection
interjectiv.	interjectivement
interr.	interrogatif
intr.	intransitif
intransitiv.	intransitivement
invar.	invariable

ironiq.	ironiquement
jurid.	juridique
littér.	littéraire
loc.	locution
m. ou *masc.*	masculin
majusc.	majuscule
minusc.	minuscule
mil.	militaire
n.	nom
n. pr.	nom propre
num.	numéral
onomat.	onomatopée
ordin.	ordinal
par oppos. à	par opposition à
part. adj.	participe adjectif
part. passé	participe passé
péjor.	péjoratif
pers.	personne(l)
pl., plur.	pluriel
pop.	populaire
poss.	possessif
prép.	préposition
prés.	présent
pron.	pronom ou pronominal
pronominalem.	pronominalement
rel.	relatif
relig.	religieux
s. ou *sing.*	singulier
scientif.	scientifique
scol.	scolaire
signif.	signifiant
subj.	subjonctif
subst.	substantif
substantiv.	substantivement
syn.	synonyme
techn.	technique
tr.	transitif
trans.	transitivement
tr. ind.	transitif indirect
v.	verbe
↑	synonyme à valeur superlative
↓	synonyme à valeur diminutive

AVOIR [avwar]

indicatif présent	subjonctif présent
j' ai [ɛ]	j' aie [ɛ]
tu as [a]	tu aies [ɛ]
il a [a]	il ait [ɛ]
nous avons [avɔ̃]	nous ayons [ɛjɔ̃]
vous avez [ave]	vous ayez [ɛje]
ils ont [ɔ̃]	ils aient [ɛ]

indicatif imparfait	subjonctif imparfait
j' avais [avɛ]	j' eusse [ys]
tu avais [avɛ]	tu eusses [ys]
il avait [avɛ]	il eût [y]
nous avions [avjɔ̃]	nous eussions [ysjɔ̃]
vous aviez [avje]	vous eussiez [ysje]
ils avaient [avɛ]	ils eussent [ys]

indicatif passé simple	conditionnel présent
j' eus [y]	j' aurais [ɔrɛ]
tu eus [y]	tu aurais [ɔrɛ]
il eut [y]	il aurait [ɔrɛ]
nous eûmes [ym]	nous aurions [ɔrjɔ̃]
vous eûtes [yt]	vous auriez [ɔrje]
ils eurent [yr]	ils auraient [ɔrɛ]

indicatif futur
j' aurai [ɔre]
tu auras [ɔra]
il aura [ɔra]
nous aurons [ɔrɔ̃]
vous aurez [ɔre]
ils auront [ɔrɔ̃]

● L'impératif a les formes du subjonctif sans pronom personnel : *aie, ayons, ayez.*
● Les temps composés du verbe sont formés avec le verbe *avoir* et le participe passé *eu, eue* [y] : *j'ai eu, j'avais eu, j'aurai eu, j'aurais eu, j'eus eu, j'aie eu, j'eusse eu.*
● Le participe présent est *ayant* [ɛjɑ̃].

ÊTRE [ɛtr]

indicatif présent	subjonctif présent
je suis [sɥi]	je soie [swa]
tu es [ɛ]	tu soies [swa]
il est [ɛ]	il soit [swa]
nous sommes [sɔm]	nous soyons [swajɔ̃]
vous êtes [ɛt]	vous soyez [swaje]
ils sont [sɔ̃]	ils soient [swa]

indicatif imparfait	subjonctif imparfait
j' étais [etɛ]	je fusse [fys]
tu étais [etɛ]	tu fusses [fys]
il était [etɛ]	il fût [fy]
nous étions [etjɔ̃]	nous fussions [fysjɔ̃]
vous étiez [etje]	vous fussiez [fysje]
ils étaient [etɛ]	ils fussent [fys]

indicatif passé simple	conditionnel présent
je fus [fy]	je serais [sərɛ]
tu fus [fy]	tu serais [sərɛ]
il fut [fy]	il serait [sərɛ]
nous fûmes [fym]	nous serions [sərjɔ̃]
vous fûtes [fyt]	vous seriez [sərje]
ils furent [fyr]	ils seraient [sərɛ]

indicatif futur
je serai [səre]
tu seras [səra]
il sera [səra]
nous serons [sərɔ̃]
vous serez [səre]
ils seront [sərɔ̃]

● L'impératif a les formes *sois, soyons, soyez.*
● Les temps composés sont formés avec le verbe *avoir* et le participe *été* [ete] : *j'ai été, j'avais été, j'aurai été, j'aurais été, j'eus été, j'aie été, j'eusse été.*
● Le participe présent est *étant* [etɑ̃].

AIMER [eme]

indicatif présent	subjonctif présent
j' aime [ɛm]	j' aime [ɛm]
tu aimes [ɛm]	tu aimes [ɛm]
il aime [ɛm]	il aime [ɛm]
nous aimons [emɔ̃]	nous aimions [emjɔ̃]
vous aimez [eme]	vous aimiez [emje]
ils aiment [ɛm]	ils aiment [ɛm]

indicatif imparfait	subjonctif imparfait
j' aimais [ɛmɛ]	j' aimasse [emas]
tu aimais [ɛmɛ]	tu aimasses [emas]
il aimait [ɛmɛ]	il aimât [ema]
nous aimions [emjɔ̃]	nous aimassions [emasjɔ̃]
vous aimiez [emje]	vous aimassiez [emasje]
ils aimaient [ɛmɛ]	ils aimassent [emas]

indicatif passé simple	conditionnel présent
j' aimai [eme]	j' aimerais [ɛmərɛ]
tu aimas [ema]	tu aimerais [ɛmərɛ]
il aima [ema]	il aimerait [ɛmərɛ]
nous aimâmes [emam]	nous aimerions [emərjɔ̃]
vous aimâtes [emat]	vous aimeriez [emərje]
ils aimèrent [ɛmɛr]	ils aimeraient [ɛmərɛ]

indicatif futur
j' aimerai [ɛməre]
tu aimeras [ɛməra]
il aimera [ɛməra]
nous aimerons [emərɔ̃]
vous aimerez [eməre]
ils aimeront [ɛmərɔ̃]

● L'impératif a les formes *aime, aimons, aimez.*
● Les temps composés et le passif sont formés avec l'auxiliaire *avoir* ou *être* et le participe passé *aimé, -e* [eme].
● Le participe présent et adjectif verbal est : *aimant, aimante* [emɑ̃, -ɑ̃t].

FINIR [finir]

indicatif présent	subjonctif présent
je finis [fini]	je finisse [finis]
tu finis [fini]	tu finisses [finis]
il finit [fini]	il finisse [finis]
nous finissons [finisɔ̃]	nous finissions [finisjɔ̃]
vous finissez [finise]	vous finissiez [finisje]
ils finissent [finis]	ils finissent [finis]

indicatif imparfait	subjonctif imparfait
je finissais [finisɛ]	je finisse [finis]
tu finissais [finisɛ]	tu finisses [finis]
il finissait [finisɛ]	il finît [fini]
nous finissions [finisjɔ̃]	nous finissions [finisjɔ̃]
vous finissiez [finisje]	vous finissiez [finisje]
ils finissaient [finisɛ]	ils finissent [finis]

indicatif passé simple	conditionnel présent
je finis [fini]	je finirais [finirɛ]
tu finis [fini]	tu finirais [finirɛ]
il finit [fini]	il finirait [finirɛ]
nous finîmes [finim]	nous finirions [finirjɔ̃]
vous finîtes [finit]	vous finiriez [finirje]
ils finirent [finir]	ils finiraient [finirɛ]

indicatif futur
je finirai [finire]
tu finiras [finira]
il finira [finira]
nous finirons [finirɔ̃]
vous finirez [finire]
ils finiront [finirɔ̃]

● L'impératif a les formes *finis, finissons, finissez.*
● Les temps composés et le passif sont formés avec l'auxiliaire *avoir* ou *être* et le participe passé *fini, -e* [fini].
● Le participe présent et adjectif verbal est : *finissant, finissante* [finisɑ̃, -ɑ̃t].

OFFRIR [ɔfrir]

indicatif présent	subjonctif présent
j' offre [ɔfr]	j' offre [ɔfr]
tu offres [ɔfr]	tu offres [ɔfr]
il offre [ɔfr]	il offre [ɔfr]
nous offrons [ɔfrɔ̃]	nous offrions [ɔfrijɔ̃]
vous offrez [ɔfre]	vous offriez [ɔfrije]
ils offrent [ɔfr]	ils offrent [ɔfr]

indicatif imparfait	subjonctif imparfait
j' offrais [ɔfrɛ]	j' offrisse [ɔfris]
tu offrais [ɔfrɛ]	tu offrisses [ɔfris]
il offrait [ɔfrɛ]	il offrît [ɔfri]
nous offrions [ɔfrijɔ̃]	nous offrissions [ɔfrisjɔ̃]
vous offriez [ɔfrije]	vous offrissiez [ɔfrisje]
ils offraient [ɔfrɛ]	ils offrissent [ɔfris]

indicatif passé simple	conditionnel présent
j' offris [ɔfri]	j' offrirais [ɔfrirɛ]
tu offris [ɔfri]	tu offrirais [ɔfrirɛ]
il offrit [ɔfri]	il offrirait [ɔfrirɛ]
nous offrîmes [ɔfrim]	nous offririons [ɔfrirjɔ̃]
vous offrîtes [ɔfrit]	vous offririez [ɔfrirje]
ils offrirent [ɔfrir]	ils offriraient [ɔfrirɛ]

indicatif futur
j' offrirai [ɔfrire]
tu offriras [ɔfrira]
il offrira [ɔfrira]
nous offrirons [ɔfrirɔ̃]
vous offrirez [ɔfrire]
ils offriront [ɔfrirɔ̃]

● L'impératif a les formes *offre, offrons, offrez*.
● Les temps composés et le passif sont formés avec l'auxiliaire *avoir* ou *être* et le participe passé *offert, -e* [ɔfɛr, -ɛrt].
● Le participe présent et adjectif verbal est *offrant, offrante* [ɔfrɑ̃, -ɑ̃t].

RECEVOIR [rəsəvwar]

indicatif présent	subjonctif présent
je reçois [rəswa]	je reçoive [rəswav]
tu reçois [rəswa]	tu reçoives [rəswav]
il reçoit [rəswa]	il reçoive [rəswav]
nous recevons [rəsəvɔ̃]	nous recevions [rəsəvjɔ̃]
vous recevez [rəsəve]	vous receviez [rəsəvje]
ils reçoivent [rəswav]	ils reçoivent [rəswav]

indicatif imparfait	subjonctif imparfait
je recevais [rəsəvɛ]	je reçusse [rəsys]
tu recevais [rəsəvɛ]	tu reçusses [rəsys]
il recevait [rəsəvɛ]	il reçût [rəsy]
nous recevions [rəsəvjɔ̃]	nous reçussions [rəsysjɔ̃]
vous receviez [rəsəvje]	vous reçussiez [rəsysje]
ils recevaient [rəsəvɛ]	ils reçussent [rəsys]

indicatif passé simple	conditionnel présent
je reçus [rəsy]	je recevrais [rəsəvrɛ]
tu reçus [rəsy]	tu recevrais [rəsəvrɛ]
il reçut [rəsy]	il recevrait [rəsəvrɛ]
nous reçûmes [rəsym]	nous recevrions [rəsəvrijɔ̃]
vous reçûtes [rəsyt]	vous recevriez [rəsəvrije]
ils reçurent [rəsyr]	ils recevraient [rəsəvrɛ]

indicatif futur
je recevrai [rəsəvre]
tu recevras [rəsəvra]
il recevra [rəsəvra]
nous recevrons [rəsəvrɔ̃]
vous recevrez [rəsəvre]
ils recevront [rəsəvrɔ̃]

● L'impératif a les formes *reçois, recevons, recevez*.
● Les temps composés et le passif sont formés avec l'auxiliaire *avoir* ou *être* et le participe passé *reçu, -e* [rəsy].
● Le participe présent est *recevant* [rəsəvɑ̃].

RENDRE [rɑ̃dr]

indicatif présent	subjonctif présent
je rends [rɑ̃]	je rende [rɑ̃d]
tu rends [rɑ̃]	tu rendes [rɑ̃d]
il rend [rɑ̃]	il rende [rɑ̃d]
nous rendons [rɑ̃dɔ̃]	nous rendions [rɑ̃djɔ̃]
vous rendez [rɑ̃de]	vous rendiez [rɑ̃dje]
ils rendent [rɑ̃d]	ils rendent [rɑ̃d]

indicatif imparfait	subjonctif imparfait
je rendais [rɑ̃dɛ]	je rendisse [rɑ̃dis]
tu rendais [rɑ̃dɛ]	tu rendisses [rɑ̃dis]
il rendait [rɑ̃dɛ]	il rendît [rɑ̃di]
nous rendions [rɑ̃djɔ̃]	nous rendissions [rɑ̃disjɔ̃]
vous rendiez [rɑ̃dje]	vous rendissiez [rɑ̃disje]
ils rendaient [rɑ̃dɛ]	ils rendissent [rɑ̃dis]

indicatif passé simple	conditionnel présent
je rendis [rɑ̃di]	je rendrais [rɑ̃drɛ]
tu rendis [rɑ̃di]	tu rendrais [rɑ̃drɛ]
il rendit [rɑ̃di]	il rendrait [rɑ̃drɛ]
nous rendîmes [rɑ̃dim]	nous rendrions [rɑ̃drijɔ̃]
vous rendîtes [rɑ̃dit]	vous rendriez [rɑ̃drije]
ils rendirent [rɑ̃dir]	ils rendraient [rɑ̃drɛ]

indicatif futur
je rendrai [rɑ̃dre]
tu rendras [rɑ̃dra]
il rendra [rɑ̃dra]
nous rendrons [rɔ̃drɑ̃]
vous rendrez [rɑ̃dre]
ils rendront [rɑ̃drɔ̃]

● L'impératif a les formes *rends, rendons, rendez*.
● Les temps composés et le passif sont formés avec l'auxiliaire *avoir* ou *être* et le participe *rendu, -e* [rɑ̃dy].
● Le participe présent est *rendant* [rɑ̃dɑ̃].

Verbes du 1er groupe (en *-er*).

	1	2	3
Inf. prés.	**placer**	**manger**	**nettoyer***
	[plas]	[mɑ̃ʒ]	[netwa]/[netwaj-]
Ind. prés.	je place [plas]	je mange [mɑ̃ʒ]	je nettoie [netwa]
— —	tu places [plas]	tu manges [mɑ̃ʒ]	tu nettoies [netwa]
— —	il place [plas]	il mange [mɑ̃ʒ]	il nettoie [netwa]
— —	nous plaçons [plasɔ̃]	nous mangeons [mɑ̃ʒɔ̃]	nous nettoyons [netwajɔ̃]
— —	ils placent [plas]	ils mangent [mɑ̃ʒ]	ils nettoient [netwa]
— imparf.	je plaçais [plasɛ]	je mangeais [mɑ̃ʒɛ]	je nettoyais [netwajɛ]
— passé simple	je plaçai [plase]	je mangeai [mɑ̃ʒe]	je nettoyai [netwaje]
— futur	je placerai [plasre]	je mangerai [mɑ̃ʒre]	je nettoierai [netware]
Cond. prés.	je placerais [plasrɛ]	je mangerais [mɑ̃ʒrɛ]	je nettoierais [netwarɛ]
Subj. prés.	je place [plas]	je mange [mɑ̃ʒ]	je nettoie [netwa]
— —	il place [plas]	il mange [mɑ̃ʒ]	il nettoie [netwa]
— —	nous placions [plasjɔ̃]	nous mangions [mɑ̃ʒjɔ̃]	nous nettoyions [netwajɔ̃]
— —	ils placent [plas]	ils mangent [mɑ̃ʒ]	ils nettoient [netwa]
— imparf.	il plaçât [plasa]	il mangeât [mɑ̃ʒa]	il nettoyât [netwaja]
Impératif	place [plas]	mange [mɑ̃ʒ]	nettoie [netwa]
	plaçons [plasɔ̃]	mangeons [mɑ̃ʒɔ̃]	nettoyons [netwajɔ̃]
Participes	plaçant [plasɑ̃]	mangeant [mɑ̃ʒɑ̃]	nettoyant [netwajɑ̃]
	placé [plase]	mangé [mɑ̃ʒe]	nettoyé [netwaje]

*De même les verbes en *-uyer* [-ɥi-] [-ɥij-].

	4	5	6
Inf. prés.	**payer**	**peler***	**appeler**
	[pɛ] [pej]	[pəl-] [pɛl]	[apəl-] [apɛl]
Ind. prés.	je paie [pɛ] ou paye [pej]	je pèle [pɛl]	j'appelle [apɛl]
— —	tu paies [pɛ] ou payes [pej]	tu pèles [pɛl]	tu appelles [apɛl]
— —	il paie [pɛ] ou paye [pej]	il pèle [pɛl]	il appelle [apɛl]
— —	nous payons [pejɔ̃]	nous pelons [pəlɔ̃]	nous appelons [aplɔ̃]
— —	ils paient [pɛ]	ils pèlent [pɛl]	ils appellent [apɛl]
— imparf.	je payais [pejɛ]	je pelais [pəlɛ]	j'appelais [aplɛ]
— passé simple	je payai [peje]	je pelai [pəle]	j'appelai [aple]
— futur	je paierai [pɛre] ou payerai [pejre]	je pèlerai [pɛlre]	j'appellerai [apɛlre]
Cond. prés.	je paierais [perɛ] ou payerais [pejrɛ]	je pèlerais [pɛlrɛ]	j'appellerais [apɛlrɛ]
Subj. prés.	je paie [pɛ] ou paye [pej]	je pèle [pɛl]	j'appelle [apɛl]
— —	il paie [pɛ]	il pèle [pɛl]	il appelle [apɛl]
— —	nous payions [pejɔ̃]	nous pelions [pəljɔ̃]	nous appelions [apəljɔ̃]
— —	ils paient [pɛ]	ils pèlent [pɛl]	ils appellent [apɛl]
— imparf.	il payât [peja]	il pelât [pəla]	il appelât [apla]
Impératif	paye [pɛj] ou paie [pɛ]	pèle [pɛl]	appelle [apɛl]
	payons [pejɔ̃]	pelons [pəlɔ̃]	appelons [aplɔ̃]
Participes	payant [pejɑ̃]	pelant [pəlɑ̃]	appelant [aplɑ̃]
	payé [peje]	pelé [pəle]	appelé [aple]

**celer, ciseler, congeler, déceler, démanteler, écarteler, geler, marteler, modeler*

	7	8	9
Inf. prés.	**acheter***	**jeter**	**semer**
	[aʃt-] [aʃɛt]	[ʒət-] [ʒɛt]	[səm-] [sɛm]
Ind. prés.	j'achète [aʃɛt]	je jette [ʒɛt]	je sème [sɛm]
— —	tu achètes [aʃɛt]	tu jettes [ʒɛt]	tu sèmes [sɛm]
— —	il achète [aʃɛt]	il jette [ʒɛt]	il sème [sɛm]
— —	nous achetons [aʃtɔ̃]	nous jetons [ʒətɔ̃]	nous semons [səmɔ̃]
— —	ils achètent [aʃɛt]	ils jettent [ʒɛt]	ils sèment [sɛm]
— imparf.	j'achetais [aʃtɛ]	je jetais [ʒətɛ]	je semais [səmɛ]
— passé simple	j'achetai [aʃte]	je jetai [ʒəte]	je semai [səme]
— futur	j'achèterai [aʃɛtre]	je jetterai [ʒɛtre]	je sèmerai [sɛmre]
Cond. prés.	j'achèterais [aʃɛtrɛ]	je jetterais [ʒɛtrɛ]	je sèmerais [sɛmrɛ]
Subj. prés.	j'achète [aʃɛt]	je jette [ʒɛt]	je sème [sɛm]
— —	il achète [aʃɛt]	il jette [ʒɛt]	il sème [sɛm]
— —	nous achetions [aʃtjɔ̃]	nous jetions [ʒətjɔ̃]	nous semions [səmjɔ̃]
— —	ils achètent [aʃɛt]	ils jettent [ʒɛt]	ils sèment [sɛm]
— imparf.	il achetât [aʃta]	il jetât [ʒəta]	il semât [səma]
Impératif	achète [aʃɛt]	jette [ʒɛt]	sème [sɛm]
	achetons [aʃtɔ̃]	jetons [ʒətɔ̃]	semons [səmɔ̃]
Participes	achetant [aʃtɑ̃]	jetant [ʒətɑ̃]	semant [səmɑ̃]
	acheté [aʃte]	jeté [ʒəte]	semé [səme]

**corseter, crocheter, fureter, haleter, racheter*

	10	11	12
Inf. prés.	**révéler**	**envoyer**	**aller**
	[revɛl] / [revel-]	[ɑ̃vwa] / [ɑ̃vwaj-] / [ɑ̃ve-]	[al-] / [aj-] / [v-] / [i-]
Ind. prés.	je révèle [revɛl]	j'envoie [ɑ̃vwa]	je vais [vɛ]
— —	tu révèles [revɛl]	tu envoies [ɑ̃vwa]	tu vas [va]
— —	il révèle [revɛl]	il envoie [ɑ̃vwa]	il va [va]
— —	nous révélons [revelɔ̃]	nous envoyons [ɑ̃vwajɔ̃]	nous allons [alɔ̃]
— —	ils révèlent [revɛl]	ils envoient [ɑ̃vwa]	ils vont [vɔ̃]
— imparf.	je révélais [revelɛ]	j'envoyais [ɑ̃vwajɛ]	j'allais [alɛ]
— passé simple	je révélai [revele]	j'envoyai [ɑ̃vwaje]	j'allai [ale]
— futur	je révèlerai [revɛlre]	j'enverrai [ɑ̃vere]	j'irai [ire]
Cond. prés.	je révèlerais [revɛlrɛ]	j'enverrais [ɑ̃verɛ]	j'irais [irɛ]
Sub. prés.	je révèle [revɛl]	j'envoie [ɑ̃vwa]	j'aille [aj]
— —	il révèle [revɛl]	il envoie [ɑ̃vwa]	il aille [aj]
— —	nous révélions [reveljɔ̃]	nous envoyions [ɑ̃vwajɔ̃]	nous allions [aljɔ̃]
— —	ils révèlent [revɛl]	ils envoient [ɑ̃vwa]	ils aillent [aj]
— imparf.	il révélât [revelɑ]	il envoyât [ɑ̃vwjɑ]	il allât [alɑ]
Impératif	révèle [revɛl]	envoie [ɑ̃vwa]	va [va]
	révélons [revelɔ̃]	envoyons [ɑ̃vwajɔ̃]	allons [alɔ̃]
Participes	révélant [revelɑ̃]	envoyant [ɑ̃vwajɑ̃]	allant [alɑ̃], allé [ale]
	révélé [revele]	envoyé [ɑ̃vwaje]	

Verbes du 2e groupe (en *-ir*).

	13	14	15
Inf. prés.	**haïr**	**fleurir**	**bénir**
	[ɛ] / [ai] / [ais]	[flœr] / [flor]	[beni] / [benis]
Ind. prés.	je hais [ɛ]		je bénis [beni]
— —	tu hais [ɛ]		tu bénis [beni]
— —	il hait [ɛ]		il bénit [beni]
— —	nous haïssons [aisɔ̃]		nous bénissons [benisɔ̃]
— —	ils haïssent [ais]		ils bénissent [benis]
— imparf.	je haïssais [aisɛ]		je bénissais [benisɛ]
— passé simple	je haïssai [aise]		je bénissai [benise]
— futur	je haïrai [aire]	Le verbe [flœrir] est régulier sur *finir;* la forme [flor-] n'existe au sens fig. que pour *florissant,* il *florissait.*	je bénirai [benire]
Cond. prés.	je haïrais [airɛ]		je bénirais [benirɛ]
Subj. prés.	je haïsse [ais]		je bénisse [benis]
— —	il haïsse [ais]		il bénisse [benis]
— —	nous haïssions [aisjɔ̃]		nous bénissions [benisjɔ̃]
— —	ils haïssent [ais]		ils bénissent [benis]
— imparf.	il haït [ai]		il bénît [beni]
Impératif	hais [ɛ], haïssons [aisɔ̃]		bénis [beni], bénissons [benisɔ̃]
Participes	haïssant [aisɑ̃], haï [ai]		bénissant [benisɑ̃], béni [beni] (bénit, e dans « eau bénite » et « pain bénit »)

Verbes du 3e groupe.

Ces verbes dont les infinitifs sont en *-ir,* en *oir,* ou en *-re,* et qui forment une catégorie fermée, ont une conjugaison qui repose souvent en langue parlée sur des variations du radical; celles-ci sont indiquées pour chaque verbe.

	16	17	18
Inf. prés.	**ouvrir***	**fuir***	**dormir**
	[uvr] / [uvɛr]	[fɥi] / [fɥj]	[dɔr] / [dɔrm]
Ind. prés.	j'ouvre [uvr]	je fuis [fɥi]	je dors [dɔr]
— —	tu ouvres [uvr]	tu fuis [fɥi]	tu dors [dɔr]
— —	il ouvre [uvr]	il fuit [fɥi]	il dort [dɔr]
— —	nous ouvrons [uvrɔ̃]	nous fuyons [fɥijɔ̃]	nous dormons [dɔrmɔ̃]
— —	ils ouvrent [uvr]	ils fuient [fɥi]	ils dorment [dɔrm]
— imparf.	j'ouvrais [uvrɛ]	je fuyais [fɥijɛ]	je dormais [dɔrmɛ]
— passé simple	j'ouvris [uvri]	je fuis [fɥi]	je dormis [dɔrmi]
— futur	j'ouvrirai [uvrire]	je fuirai [fɥire]	je dormirai [dɔrmire]
Cond. prés.	j'ouvrirais [uvrirɛ]	je fuirais [fɥirɛ]	je dormirais [dɔrmirɛ]
Subj. prés.	j'ouvre [uvr]	je fuie [fɥi]	je dorme [dɔrm]
— —	il ouvre [uvr]	il fuie [fɥi]	il dorme [dɔrm]
— —	nous ouvrions [uvrijɔ̃]	nous fuyions [fɥijɔ̃]	nous dormions [dɔrmijɔ̃]
— —	ils ouvrent [uvr]	ils fuient [fɥi]	ils dorment [dɔrm]
— imparf.	il ouvrît [uvri]	il fuît [fɥi]	il dormît [dɔrmi]
Impératif	ouvre [uvr], ouvrons [uvrɔ̃]	fuis [fɥi], fuyons [fɥijɔ̃]	dors [dɔr], dormons [dɔrmɔ̃]
Participes	ouvrant [uvrɑ̃], ouvert [uvɛr]	fuyant [fɥijɑ̃], fui [fɥi]	dormant [dɔrmɑ̃], dormi [dɔrmi]

*De même : *offrir, souffrir, couvrir.* — De même *s'enfuir*

	19*	20	21**
Inf. prés.	**mentir** [mɑ̃] / [mɑ̃t]	**servir** [sɛr] / [sɛrv]	**acquérir** [akjɛr] / [aker]
Ind. prés.	je mens [mɑ̃]	je sers [sɛr]	j'acquiers [akjɛr]
— —	tu mens [mɑ̃]	tu sers [sɛr]	tu acquiers [akjɛr]
— —	il ment [mɑ̃]	il sert [sɛr]	il acquiert [akjɛr]
— —	nous mentons [mɑ̃tɔ̃]	nous servons [sɛrvɔ̃]	nous acquérons [akerɔ̃]
— —	ils mentent [mɑ̃t]	ils servent [sɛrv]	ils acquièrent [akjɛr]
— imparf.	je mentais [mɑ̃tɛ]	je servais [sɛrvɛ]	j'acquérais [akerɛ]
— passé simple	je mentis [mɑ̃ti]	je servis [sɛrvi]	j'acquis [aki]
— futur	je mentirai [mɑ̃tire]	je servirai [sɛrvire]	j'acquerrai [akere]
Cond. prés.	je mentirais [mɑ̃tirɛ]	je servirais [sɛrvirɛ]	j'acquerrais [akɛrɛ]
Subj. prés.	je mente [mɑ̃t]	je serve [sɛrv]	j'acquière [akjɛr]
— —	il mente [mɑ̃t]	il serve [sɛrv]	il acquière [akjɛr]
— —	nous mentions [mɑ̃tjɔ̃]	nous servions [sɛrvjɔ̃]	nous acquiérions [akjerjɔ̃]
— —	ils mentent [mɑ̃t]	ils servent [sɛrv]	ils acquièrent [akjɛr]
— imparf.	il mentît [mɑ̃ti]	il servît [sɛrvi]	il acquît [aki]
Impératif	mens [mɑ̃], mentons [mɑ̃tɔ̃]	sers [sɛr], servons [sɛrvɔ̃]	acquiers [akjɛr] acquérons [akerɔ̃]
Participes	mentant [mɑ̃tɑ̃], menti [mɑ̃ti]	servant [sɛrvɑ̃], servi [sɛrvi]	acquérant [akerɑ̃], acquis [aki]

*De même *sentir, ressentir, se repentir*; **de même *conquérir, requérir, s'enquérir*

	22*	23**	24***
Inf. prés.	**tenir** [tjɛ̃] / [tjɛn]	**assaillir** [asaj]	**cueillir** [kœj]
Ind. prés.	je tiens [tjɛ̃]	j'assaille [asaj]	je cueille [kœj]
— —	tu tiens [tjɛ̃]	tu assailles [asaj]	tu cueilles [kœj]
— —	il tient [tjɛ̃]	il assaille [asaj]	il cueille [kœj]
— —	nous tenons [tənɔ̃]	nous assaillons [asajɔ̃]	nous cueillons [kœjɔ̃]
— —	ils tiennent [tjɛn]	ils assaillent [asaj]	ils cueillent [kœj]
— imparf.	je tenais [tənɛ]	j'assaillais [asajɛ]	je cueillais [kœjɛ]
— passé simple	je tins [tɛ̃], nous tînmes [tɛ̃m]	j'assaillis [asaji]	je cueillis [kœji]
— futur	je tiendrai [tjɛ̃dre]	j'assaillirai [asajire]	je cueillerai [kœjre]
Cond. prés.	je tiendrais [tjɛ̃drɛ]	j'assaillirais [asajirɛ]	je cueillerais [kœjrɛ]
Subj. prés.	je tienne [tjɛn]	j'assaille [asaj]	je cueille [kœj]
— —	il tienne [tjɛn]	il assaille [asaj]	il cueille [kœj]
— —	nous tenions [tənjɔ̃]	nous assaillions [asajɔ̃]	nous cueillions [kœjɔ̃]
— —	ils tiennent [tjɛn]	ils assaillent [asaj]	ils cueillent [kœj]
— imparf.	il tînt [tɛ̃]	il assaillît [asaji]	il cueillît [kœji]
Impératif	tiens [tjɛ̃], tenons [tənɔ̃]	assaille [asaj] assaillons [asajɔ̃]	cueille [kœj], cueillons [kœjɔ̃]
Participes	tenant [tənɑ̃], tenu [təny]	assaillant [asajɑ̃] assailli [asaji]	cueillant [kœjɑ̃], cueilli [kœji]

*De même *venir, convenir*; **de même *défaillir, tressaillir*; ***et ses composés

	25	26*	27
Inf. prés.	**mourir** [mœr] / [mur]	**partir** [par] / [part]	**vêtir** [vɛ] / [vet]
Ind. prés.	je meurs [mœr]	je pars [par]	je vêts [vɛ]
— —	tu meurs [mœr]	tu pars [par]	tu vêts [vɛ]
— —	il meurt [mœr]	il part [par]	il vêt [vɛ]
— —	nous mourons [murɔ̃]	nous partons [partɔ̃]	nous vêtons [vetɔ̃]
— —	ils meurent [mœr]	ils partent [part]	ils vêtent [vɛt]
— imparf.	je mourais [murɛ]	je partais [partɛ]	je vêtais [vetɛ]
— passé simple	je mourus [mury]	je partis [parti]	je vêtis [veti]
— futur	je mourrai [murre]	je partirai [partire]	je vêtirai [vetire]
Cond. prés.	je mourrais [murɛ]	je partirais [partirɛ]	je vêtirais [vetirɛ]
Subj. prés.	je meure [mœr]	je parte [part]	je vête [vɛt]
— —	il meure [mœr]	il parte [part]	il vête [vɛt]
— —	nous mourions [murjɔ̃]	nous partions [partjɔ̃]	nous vêtions [vetjɔ̃]
— —	ils meurent [mœr]	ils partent [part]	ils vêtent [vɛt]
— imparf.	il mourût [mury]	il partît [parti]	il vêtît [veti]
Impératif	meurs [mœr], mourons [murɔ̃]	pars [par], partons [partɔ̃]	vêts [vɛ], vêtons [vetɔ̃]
Participes	mourant [murɑ̃] mouru [mury]	partant [partɑ̃], parti [parti]	vêtant [vetɑ̃], vêtu [vety]

*et ses composés sauf *répartir* (sur *finir*)

	28*	29	30
Inf. prés.	**sortir** [sɔr] / [sɔrt]	**courir** [kur]	**faillir** [faj]
Ind. prés.	je sors [sɔr]	je cours [kur]	*inusité*
— —	tu sors [sɔr]	tu cours [kur]	—
— —	il sort [sɔr]	il court [kur]	—
— —	nous sortons [sɔrtɔ̃]	nous courons [kurɔ̃]	—
— —	ils sortent [sɔrt]	ils courent [kur]	—
— imparf.	je sortais [sɔrtɛ]	je courais [kurɛ]	—
— passé simple	je sortis [sɔrti]	je courus [kury]	je faillis [faji]
— futur	je sortirai [sɔrtire]	je courrai [kurre]	je faillirai [fajire]
Cond. prés.	je sortirais [sɔrtirɛ]	je courrais [kurrɛ]	je faillirais [fajirɛ]
Subj. prés.	je sorte [sɔrt]	je coure [kur]	*inusité*
— —	il sorte [sɔrt]	il coure [kur]	—
— —	nous sortions [sɔrtjɔ̃]	nous courions [kurjɔ̃]	—
— —	ils sortent [sɔrt]	ils courent [kur]	—
— imparf.	il sortît [sɔrti]	il courût [kury]	—
Impératif	sors [sɔr], sortons [sɔrtɔ̃]	cours [kur], courons [kurɔ̃]	—
Participes	sortant [sɔrtɑ̃], sorti [sɔrti]	courant [kurɑ̃], couru [kury]	*inusité*, failli [faji]

*et ses composés sauf *assortir* (sur *finir*)

	31	32	33
Inf. prés.	**bouillir** [bu] / [buj]	**gésir** [ʒez] / [ʒiz] / [ʒi]	**saillir** (être en saillie) [saj]
Ind. prés.	je bous [bu]	je gis [ʒi]	*inusité*
— —	tu bous [bu]	tu gis [ʒi]	—
— —	il bout [bu]	il gît [ʒi]	il saille [saj]
— —	nous bouillons [bujɔ̃]	nous gisons [ʒizɔ̃]	*inusité*
— —	ils bouillent [buj]	ils gisent [ʒiz]	—
— imparf.	je bouillais [bujɛ]	je gisais [ʒizɛ]	il saillait [sajɛ]
— passé simple	je bouillis [buji]	*inusité*	*inusité*
— futur	je bouillirai [bujire]	—	il saillera [sajra]
Cond. prés.	je bouillirais [bujirɛ]	—	il saillerait [sajrɛ]
Subj. prés.	je bouille [buj]	—	*inusité*
— —	*inusité*	—	—
— —	—	—	il saille [saj]
— —	—	—	*inusité*
— imparf.	—	—	—
Impératif	bous [bu], bouillons [buj]	—	—
Participes	bouillant [bujɑ̃], bouilli [buji]	gisant [ʒizɑ̃], *inusité*	saillant [sajɑ̃], sailli [saji]

	34*	35	36**
Inf. prés.	**recevoir** [rəsəv] / [reswa] / [reswav]	**devoir** [dəv] / [dwa] / [dwav] / [d-]	**mouvoir** [muv] / [mø] / [m-]
Ind. prés.	je reçois [rəswa]	je dois [dwa]	je meus [mø]
— —	tu reçois [rəswa]	tu dois [dwa]	tu meus [mø]
— —	il reçoit [rəswa]	il doit [dwa]	il meut [mø]
— —	nous recevons [rəsəvɔ̃]	nous devons [dəvɔ̃]	nous mouvons [muvɔ̃]
— —	ils reçoivent [reswav]	ils doivent [dwav]	ils meuvent [mœv]
— imparf.	je recevais [rəsəvɛ]	je devais [dəvɛ]	je mouvais [muvɛ]
— passé simple	je reçus [rəsy]	je dus [dy]	je mus [my]
— futur	je recevrai [rəsəvre]	je devrai [dəvre]	je mouvrai [muvre]
Cond. prés.	je recevrais [rəsəvrɛ]	je devrais [dəvrɛ]	je mouvrais [muvrɛ]
Subj. prés.	je reçoive [rəswav]	je doive [dwav]	je meuve [mœv]
— —	il reçoive [rəswav]	il doive [dwav]	il meuve [mœv]
— —	nous recevions [rəsəvjɔ̃]	nous devions [dəvjɔ̃]	nous mouvions [muvjɔ̃]
— —	ils reçoivent [rəswav]	ils doivent [dwav]	ils meuvent [mœv]
— imparf.	il reçût [rəsy]	il dût [dy]	il mût [my]
Impératif	reçois [rəswa] recevons [rəsəvɔ̃]	dois [dwa], devons [dəvɔ̃]	meus [mø], mouvons [muvɔ̃]
Participes	recevant [rəsəvɑ̃] reçu [rəsy]	devant [dəvɑ̃], dû [dy]	mouvant [muvɑ̃], mû [my]

*De même : *décevoir, percevoir, apercevoir, concevoir ;* **et ses composés, mais *ému* et *promu* n'ont pas d'accent circonflexe

	37	38	39
Inf. prés.	**vouloir** [vœ] / [vø] / [vul]	**pouvoir** [pu] / [pø] / [p-]	**savoir** [sav] / [sɛ] / [saʃ] / [s-]
Ind. prés.	je veux [vø]	je peux [pø]	je sais [sɛ]
— —	tu veux [vø]	tu peux [pø]	tu sais [sɛ]
— —	il veut [vø]	il peut [pø]	il sait [sɛ]
— —	nous voulons [vulɔ̃]	nous pouvons [puvɔ̃]	nous savons [savɔ̃]
— —	ils veulent [vœl]	ils peuvent [pœv]	ils savent [sav]
— imparf.	je voulais [vulɛ]	je pouvais [puvɛ]	je savais [savɛ]
— passé simple	je voulu [vuly]	je pus [py]	je sus [sy]
— futur	je voudrai [vudre]	je pourrai [pure]	je saurai [sore]
Cond. prés.	je voudrais [vudrɛ]	je pourrais [purɛ]	je saurais [sorɛ]
Subj. prés.	je veuille [vœj]	je puisse [pɥis]	je sache [saʃ]
— —	il veuille [vœj]	il puisse [pɥis]	il sache [saʃ]
— —	nous voulions [vuljɔ̃]	nous puissions [pɥisjɔ̃]	nous sachions [saʃjɔ̃]
— —	ils veuillent [vœj]	ils puissent [pɥis]	ils sachent [saʃ]
— imparf.	il voulût [vuly]	il pût [py]	il sût [sy]
Impératif	veuille [vœj], veuillons [vœjɔ̃]	*inusité*	sache [saʃ], sachons [saʃɔ̃]
Participes	voulant [vulɑ̃], voulu [vuly]	pouvant [puvɑ̃], pu [py]	sachant [saʃɑ̃], su [sy]

	40*	41	42
Inf. prés.	**valoir** [val] / [vo] / [vaj]	**voir** [vwa] / [vwaj] / [v-]	**prévoir** [vwa] / [vwaj] / [v-]
Ind. prés.	je vaux [vo]	je vois [vwa]	je prévois [prevwa]
— —	tu vaux [vo]	tu vois [vwa]	tu prévois [prevwa]
— —	il vaut [vo]	il voit [vwa]	il prévoit [prevwa]
— —	nous valons [valɔ̃]	nous voyons [vwajɔ̃]	nous prévoyons [prevwajɔ̃]
— —	vous valez [vale]	vous voyez [vwaje]	vous prévoyez [prevwaje]
— —	ils valent [val]	ils voient [vwa]	ils prévoient [prevwa]
— imparf.	je valais [valɛ]	je voyais [vwajɛ]	je prévoyais [prevwajɛ]
— passé simple	je valus [valy]	je vis [vi]	je prévis [previ]
— futur	je vaudrai [vodre]	je verrai [vere]	je prévoirai [prevware]
Cond. prés.	je vaudrais [vodrɛ]	je verrais [verɛ]	je prévoirais [prevwarɛ]
Subj. prés.	je vaille [vaj]	je voie [vwa]	je prévoie [prevwa]
— —	nous valions [valjɔ̃]	nous voyions [vwajɔ̃]	nous prévoyions [prevwajɔ̃]
— —	ils vaillent [vaj]	ils voient [vwa]	ils prévoient [prevwa]
— imparf.	il valût [valy]	il vît [vi]	il prévît [previ]
Impératif	*inusité*	vois [vwa], voyons [vwajɔ̃]	prévois [prevwa], prévoyons [prevwajɔ̃]
Participes	valant [valɑ̃], valu [valy]	voyant [vwajɑ̃], vu [vy]	prévoyant [prevwajɑ̃] prévu [prevy]

*et ses composés, mais *prévaloir* subj. prés. *prévale*

	43	44	
Inf. prés.	**pourvoir** [vwa] / [vwaj] / [v-]	**asseoir** [asj] / [aswaj] / [as] / [asɛj]	
Ind. prés.	je pourvois [purvwa]	j'assieds [asje]	j'assois [aswa]
— —	tu pourvois [purvwa]	tu assieds [asje]	tu assois [aswa]
— —	il pourvoit [purvwa]	il assied [asje]	il assoit [aswa]
— —	nous pourvoyons [purvwajɔ̃]	nous asseyons [asejɔ̃]	nous assoyons [aswajɔ̃]
— —	vous pourvoyez [purvwaje]	vous asseyez [aseje]	vous assoyez [aswaje]
— —	ils pourvoient [purvwa]	ils asseyent [asɛj]	ils assoient [aswa]
— imparf.	je pourvoyais [purvwajɛ]	j'asseyais [asejɛ]	j'assoyais [aswajɛ]
— passé simple	je pourvus [purvy]	j'assis [asi]	j'assis [asi]
— futur	je pourvoirai [purvware]	j'assiérai [asjere] asseyerai [asejre]	j'assoirai [asware]
Cond. prés.	je pourvoirais [purvwarɛ]	j'assiérais [asjerɛ] asseyerais [asejrɛ]	j'assoirais [aswarɛ]
Subj. prés.	je pourvoie [purvwa]	j'asseye [asɛj]	j'assoie [aswa]
— —	nous pourvoyions [purvwajɔ̃]	nous asseyions [asejɔ̃]	nous assoyions [aswajɔ̃]
— —	ils pourvoient [purvwa]	ils asseyent [asɛj]	ils assoient [asvwa]
Impératif	pourvois [purvwa] pourvoyons [purvwajɔ̃]	assieds [asje], asseyons [asejɔ̃]	assois [asvwa] assoyons [aswajɔ̃]
Participes	pourvoyant [purvwajɑ̃] pourvu [purvy]	asseyant [asejɑ̃], assis [asi]	assoyant [aswajɑ̃], assis [asi]

	45	46	47
Inf. prés.	**surseoir** [syrswa] / [syrswaj] / [syrs-]	**seoir** [swɑ] / [sɛj] / [s-]	**pleuvoir** [plø] / [pløev] / [pl-]
Ind. prés.	je sursois [syrswa]	*inusité*	*inusité*
— —	tu sursois [syrswa]	—	—
— —	il sursoit [syrswa]	il sied [sje]	il pleut [plø]
— —	nous sursoyons [syrswajɔ̃]	*inusité*	*inusité*
— —	ils sursoient [syrswa]	—	—
— imparf.	je sursoyais [syrswayɛ]	il seyait [sejɛ]	il pleuvait [pløvɛ]
— passé simple	je sursis [syrsi]	*inusité*	il plut [ply]
— futur	je sursoirai [syrsware]	il siéra [sjera]	il pleuvra [pløvra]
Cond. prés.	je sursoirais [syrswarɛ]	il siérait [sjerɛ]	il pleuvrait [pløvrɛ]
Subj. prés.	je sursoie [syrswa]	*inusité*	il pleuve [pløev]
— —	nous sursoyions [syrswajjɔ̃]	il siée [sje]	*inusité*
— —	ils sursoient [syrswa]	*inusité*	—
— imparf.	je sursis [syrsi]	—	il plût [ply]
Impératif	sursois [syrswa] sursoyons [syrswajɔ̃]		*inusité*
Participes	sursoyant [syrswajɑ̃] sursis [syrsi]	seyant [sejɑ̃], sis [sis]	pleuvant [pløvɑ̃], plu [ply]

	48	49*
Inf. prés.	**falloir** [fo] / [fal] / [faj]	**déchoir** [deʃwa] / [deʃy]
Ind. prés.	*inusité*	je déchois [deʃwa]
— —	—	tu déchois [deʃwa]
— —	il faut [fo]	il déchoit [dʃwa]
— —	*inusité*	*inusité*
— —	—	ils déchoient [deʃwa]
— imparf.	—	*inusité*
— passé simple	—	je déchus [deʃy]
— futur	il faudra [fodra]	*inusité*
Cond. prés.	il faudrait [fodrɛ]	—
Subj. prés.	il faille [faj]	je déchoie [deʃwa]
— —	*inusité*	*inusité*
— —	—	ils déchoient [deʃwa]
— imparf.	il fallût [faly]	*inusité*
Impératif	*inusité*	—
Participes	fallant [falɑ̃], fallu [faly]	*inusité*, déchu [deʃy]

*« échoir » : futur *il écherra;* participe *échéant ;* « choir » : futur *il choira* ou *cherra*

	50*	51**	52***
Inf. prés.	**tendre** [tɑ̃] / [tɑ̃d]	**fondre** [fɔ̃] / [fɔ̃d]	**mordre** [mɔr] / [mɔrd]
Ind. prés.	je tends [tɑ̃]	je fonds [fɔ̃]	je mords [mɔr]
— —	tu tends [tɑ̃]	tu fonds [fɔ̃]	tu mords [mɔr]
— —	il tend [tɑ̃]	il fond [fɔ̃]	il mord [mɔr]
— —	nous tendons [tɑ̃dɔ̃]	nous fondons [fɔ̃dɔ̃]	nous mordons [mɔrdɔ̃]
— —	vous tendez [tɑ̃de]	vous fondez [fɔ̃de]	vous mordez [mɔrde]
— —	ils tendent [tɑ̃d]	ils fondent [fɔ̃d]	ils mordent [mɔrd]
— imparf.	je tendais [tɑ̃dɛ]	je fondais [fɔ̃dɛ]	je mordais [mɔrdɛ]
— passé simple	je tendis [tɑ̃di]	je fondis [fɔ̃di]	je mordis [mɔrdi]
— futur	je tendrai [tɑ̃dre]	je fondrai [fɔ̃dre]	je mordrai [mɔrdre]
Cond. prés.	je tendrais [tɑ̃drɛ]	je fondrais [fɔ̃drɛ]	je mordrais [mɔrdrɛ]
Subj. prés.	je tende [tɑ̃d]	je fonde [fɔ̃d]	je morde [mɔrd]
— —	nous tendions [tɑ̃djɔ̃]	nous fondions [fɔ̃djɔ̃]	nous mordions [mɔrdjɔ̃]
— —	ils tendent [tɑ̃d]	ils fondent [fɔ̃d]	ils mordent [mɔrd]
— imparf.	il tendît [tɑ̃di]	il fondît [fɔ̃di]	il mordît [mɔrdi]
Impératif	tends [tɑ̃], tendons [tɑ̃dɔ̃]	fonds [fɔ̃], fondons [fɔ̃dɔ̃]	mords [mɔr], mordons [mɔrdɔ̃]
Participes	tendant [tɑ̃dɑ̃], tendu [tɑ̃dy]	fondant [fɔ̃dɑ̃], fondu [fɔ̃dy]	mordant [mɔrdɑ̃] mordu [mɔrdy]

*De même *vendre, rendre, épandre, défendre, descendre, fendre, pendre ;* ***répondre, tondre ;* *****perdre***

	53	54	55
Inf. prés.	**rompre** [rɔ̃] / [rɔ̃p]	**prendre** [prɑ̃] / [prɑ̃d] / [prɛn] / [prən] / [pr-]	**craindre** [krɛ̃] / [krɛɲ]
Ind. prés.	je romps [rɔ̃]	je prends [prɑ̃]	je crains [krɛ̃]
— —	tu romps [rɔ̃]	tu prends [prɑ̃]	tu crains [krɛ̃]
— —	il rompt [rɔ̃]	il prend [prɑ̃]	il craint [krɛ̃]
— —	nous rompons [rɔ̃pɔ̃]	nous prenons [prənɔ̃]	nous craignons [krɛɲɔ̃]
— —	vous rompez [rɔ̃pe]	vous prenez [prəne]	vous craignez [kreɲe]
— —	ils rompent [rɔ̃p]	ils prennent [prɛn]	ils craignent [krɛɲ]
— imparf.	je rompais [rɔ̃pɛ]	je prenais [prənɛ]	je craignais [krɛɲɛ]
— passé simple	je rompis [rɔ̃pi]	je pris [pri]	je craignis [kreɲi]
— futur	je romprai [rɔ̃pre]	je prendrai [prɑ̃dre]	je craindrai [krɛ̃dre]
Cond. prés.	je romprais [rɔ̃prɛ]	je prendrais [prɑ̃drɛ]	je craindrais [krɛ̃drɛ]
Subj. prés.	je rompe [rɔ̃p]	je prenne [prɛn]	je craigne [krɛɲ]
— —	nous rompions [rɔ̃pjɔ̃]	nous prenions [prənjɔ̃]	nous craignions [krɛɲɔ̃]
— —	ils rompent [rɔ̃p]	ils prennent [prɛn]	ils craignent [krɛɲ]
— imparf.	il rompît [rɔ̃pi]	il prît [pri]	il craignît [kreɲi]
Impératif	romps [rɔ̃], rompons [rɔ̃pɔ̃]	prends [prɑ̃], prenons [prɛn]	crains [krɛ̃], craignons [kreɲɔ̃]
Participes	rompant [rɔ̃pɑ̃], rompu [rɔ̃py]	prenant [prənɑ̃], pris [pri]	craignant [kreɲɑ̃], craint [krɛ̃]

	56	57	58
Inf. prés.	**battre** [ba] / [bat]	**mettre** [mɛ] / [mɛt] / [m-]	**moudre** [mu] / [mul] / [mud]
Ind. prés.	je bats [ba]	je mets [mɛ]	je mouds [mu]
— —	tu bats [ba]	tu mets [mɛ]	tu mouds [mu]
— —	il bat [ba]	il met [mɛ]	il moud [mu]
— —	nous battons [batɔ̃]	nous mettons [metɔ̃]	nous moulons [mulɔ̃]
— —	ils battent [bat]	ils mettent [mɛt]	ils moulent [mul]
— imparf.	je battais [batɛ]	je mettais [metɛ]	je moulais [mulɛ]
— passé simple	je battis [bati]	je mis [mi]	je moulus [muly]
— futur	je battrai [batre]	je mettrai [metre]	je moudrai [mudre]
Cond. prés.	je battrais [batrɛ]	je mettrais [metrɛ]	je moudrais [mudrɛ]
Subj. prés.	je batte [bat]	je mette [mɛt]	je moule [mul]
— —	nous battions [batjɔ̃]	nous mettions [metjɔ̃]	nous moulions [muljɔ̃]
— —	ils battent [bat]	ils mettent [mɛt]	ils moulent [mul]
— imparf.	il battît [bati]	il mît [mi]	il moulût [muly]
Impératif	bats [ba], battons [batɔ̃]	mets [mɛ], mettons [metɔ̃]	mouds [mu], moulons [mulɔ̃]
Participes	battant [batɑ̃], battu [baty]	mettant [metɑ̃], mis [mi]	moulant [mulɑ̃], moulu [muly]

	59	60	61
Inf. prés.	**coudre** [ku] / [kud] / [kuz]	**absoudre** [apsu] / [apsɔlv] / [apsud]	**résoudre** [resu] / [resɔlv] / [resud]
Ind. prés.	je couds [ku]	j'absous [apsu]	je résous [rezu]
— —	tu couds [ku]	tu absous [apsu]	tu résous [rezu]
— —	il coud [ku]	il absout [apsu]	il résout [rezu]
— —	nous cousons [kuzɔ̃]	nous absolvons [apsɔlvɔ̃]	nous résolvons [rezɔlvɔ̃]
— —	ils cousent [kuz]	ils absolvent [apsɔlv]	ils résolvent [rezɔlv]
— imparf.	je cousais [kuzɛ]	j'absolvais [apsɔlvɛ]	je résolvais [rezɔlvɛ]
— passé simple	je cousis [kuzi]	*inusité*	je résolus [rezɔly]
— futur	je coudrai [kudre]	j'absoudrai [apsudre]	je résoudrai [rezudre]
Cond. prés.	je coudrais [kudrɛ]	j'absoudrais [apsudrɛ]	je résoudrais [rezudrɛ]
Subj. prés.	je couse [kuz]	j'absolve [apsɔlv]	je résolve [rezɔlv]
— —	nous cousions [kuzjɔ̃]	nous absolvions [apsɔlvjɔ̃]	nous résolvions [rezɔlvjɔ̃]
— —	ils cousent [kuz]	ils absolvent [apsɔlv]	ils résolvent [rezɔlv]
— imparf.	il cousît [kuzi]		
Impératif	couds [ku], cousons [kuzɔ̃]	absous [apsu] absolvons [apsɔlvɔ̃]	résous [rezu] résolvons [rezɔlvɔ̃]
Participes	cousant [kusɑ̃], cousu [kusy]	absolvant [apsɔlvɑ̃] absous [apsu]	résolvant [rezɔlvɑ̃] résolu [rezɔly]

	62	63	64
Inf. prés.	**suivre** [sɥi] / [sɥiv]	**vivre** [vi] / [viv] / [vek]	**paraître** [parɛ] / [parɛs] / [par-]
Ind. prés.	je suis [sɥi]	je vis [vi]	je parais [parɛ]
— —	tu suis [sɥi]	tu vis [vi]	tu parais [parɛ]
— —	il suit [sɥi]	il vit [vi]	il paraît [parɛ]
— —	nous suivons [sɥivɔ̃]	nous vivons [vivɔ̃]	nous paraissons [parɛsɔ̃]
— —	ils suivent [sɥiv]	ils vivent [viv]	ils paraissent [parɛs]
— imparf.	je suivais [sɥiv]	je vivais [vivɛ]	je paraissais [parɛsɛ]
— passé simple	je suivis [sɥivi]	je vécus [veky]	je parus [pary]
— futur	je suivrai [sɥivre]	je vivrai [vivre]	je paraîtrai [parɛtre]
Cond. prés.	je suivrais [sɥivr]	je vivrais [vivrɛ]	je paraîtrais [parɛtrɛ]
Subj. prés.	je suive [sɥiv]	je vive [viv]	je paraisse [parɛs]
— —	nous suivions [sɥivjɔ̃]	nous vivions [vivjɔ̃]	nous paraissions [parɛsjɔ̃]
— —	ils suivent [sɥiv]	ils vivent [viv]	ils paraissent [parɛs]
— imparf.	il suivît [sɥivi]	il vécût [veky]	il parût [pary]
Impératif	suis [sɥi], suivons [sɥivɔ̃]	vis [vi], vivons [vivɔ̃]	parais [parɛ] paraissons [parɛsɔ̃]
Participes	suivant [sɥivɑ̃], suivi [sɥivi]	vivant [vivɑ̃], vécu [veky]	paraissant [parɛsɑ̃] paru [pary]

	65	66	67
Inf. prés.	**naître** [nɛ] / [nɛs] / [nak]	**croître** [krwɑ] / [krwɑs] / [kr-]	**rire** [ri]
Ind. prés.	je nais [nɛ]	je croîs [krwa]	je ris [ri]
— —	tu nais [nɛ]	tu croîs [krwa]	tu ris [ri]
— —	il naît [nɛ]	il croît [krwa]	il rit [ri]
— —	nous naissons [nɛsɔ̃]	nous croissons [krwasɔ̃]	nous rions [rijɔ̃]
— —	ils naissent [nɛs]	ils croissent [krwas]	ils rient [ri]
— imparf.	je naissais [nɛsɛ]	je croissais [krwasɛ]	je riais [rijɛ]
— passé simple	je naquis [naki]	je crûs [kry]	je ris [ri]
— futur	je naîtrai [nɛtre]	je croîtrai [krwatre]	je rirai [rire]
Cond. prés.	je naîtrais [nɛtrɛ]	je croîtrais [krwatrɛ]	je rirais [rirɛ]
Subj. prés.	je naisse [nɛs]	je croisse [krwas]	je rie [rie]
— —	nous naissions [nɛssjɔ̃]	nous croissions [krwasjɔ̃]	nous riions [rijɔ̃]
— —	ils naissent [nɛs]	ils croissent [krwas]	ils rient [ri]
— imparf.	il naquît [naki]	il crût [kry]	il rît [ri]
Impératif	nais [nɛ], naissons [nɛsɔ̃]	croîs [krwa], croissons [krwasɔ̃]	ris [ri], rions [rijɔ̃]
Participes	naissant [nɛsɑ̃], né [ne]	croissant [krwasɑ̃], crû [kry]	riant [rijɑ̃], ri [ri]

	68	69	70
Inf. prés.	**conclure** [kɔ̃kly]	**nuire** [nɥi] / [nɥiz]	**conduire** [kɔ̃dɥi] / [kɔ̃dɥiz]
Ind. prés.	je conclus [kɔ̃kly]	je nuis [nɥi]	je conduis [kɔ̃dɥi]
— —	tu conclus [kɔ̃kly]	tu nuis [nɥi]	tu conduis [kɔ̃dɥi]
— —	il conclut [kɔ̃kly]	il nuit [nɥi]	il conduit [kɔ̃dɥi]
— —	nous concluons [kɔ̃klyɔ̃]	nous nuisons [nɥizɔ̃]	nous conduisons [kɔ̃dɥizɔ̃]
— —	ils concluent [kɔ̃kly]	ils nuisent [nɥiz]	ils conduisent [kɔ̃dɥiz]
— imparf.	je concluais [kɔ̃klyɛ]	je nuisais [nɥizɛ]	je conduisais [kɔ̃dɥizɛ]
— passé simple	je conclus [kɔ̃kly]	je nuisis [nɥizi]	je conduisis [kɔ̃dɥizi]
— futur	je conclurai [kɔ̃klyre]	je nuirai [nɥire]	je conduirai [kɔ̃dɥire]
Cond. prés.	je conclurais [kɔ̃klyrɛ]	je nuirais [nɥirɛ]	je conduirais [kɔ̃dɥirɛ]
Subj. prés.	je conclue [kɔ̃kly]	je nuise [nɥiz]	je conduise [kɔ̃dɥiz]
— —	nous concluions [kɔ̃klyjɔ̃]	nous nuisions [nɥizjɔ̃]	nous conduisions [kɔ̃dɥizjɔ̃]
— —	ils concluent [kɔ̃kly]	ils nuisent [nɥiz]	ils conduisent [kɔ̃dɥiz]
— imparf.	il conclût [kɔ̃kly]	il nuisît [nɥizi]	il conduisît [kɔ̃dɥizi]
Impératif	conclus [kɔ̃kly] concluons [kɔ̃klyɔ̃]	nuis [nɥi], nuisons [nɥizɔ̃]	conduis [kɔ̃dɥi] conduisons [kɔ̃dɥizɔ̃]
Participes	concluant [kɔ̃klyɑ̃] conclu [kɔ̃klyɔ̃]	nuisant [nɥizɑ̃], nui [nɥi]	conduisant [kɔ̃dɥizɑ̃] conduit [kɔ̃dɥi]

	71	72*	73
Inf. prés.	**écrire** [ekri] / [ekriv]	**suffire** [syfi] / [syfiz]	**lire** [li] / [liz] / [l-]
Ind. prés.	j'écris [ekri]	je suffis [syfi]	je lis [li]
— —	tu écris [ekri]	tu suffis [syfi]	tu lis [li]
— —	il écrit [ekri]	il suffit [syfi]	il lit [li]
— —	nous écrivons [ekrivɔ̃]	nous suffisons [syfiz]	nous lisons [lizɔ̃]
— —	ils écrivent [ekriv]	ils suffisent [syfiz]	ils lisent [liz]
— imparf.	j'écrivais [ekrivɛ]	je suffisais [syfizɛ]	je lisais [lizɛ]
— passé simple	j'écrivis [ekrivi]	je suffis [syfi]	je lus [ly]
— futur	j'écrirai [ekrire]	je suffirai [syfire]	je lirai [lire]
Cond. prés.	j'écrirais [ekrirɛ]	je suffirais [syfirɛ]	je lirais [lirɛ]
Subj. prés.	j'écrive [ekriv]	je suffise [syfiz]	je lise [liz]
— —	nous écrivions [ekrivjɔ̃]	nous suffisions [syfizjɔ̃]	nous lisions [lizjɔ̃]
— —	ils écrivent [ekriv]	ils suffisent [syfiz]	ils lisent [liz]
— imparf.	il écrivît [ekrivi]	il suffît [syfi]	il lût [ly]
Impératif	écris [ekri], écrivons [ekrivɔ̃]	suffis [syfi], suffisons [syfizɔ̃]	lis [li], lisons [lizɔ̃]
Participes	écrivant [ekrivɑ̃], écrit [ekri]	suffisant [syfizɑ̃], suffi [syfi]	lisant [lizɑ̃], lu [ly]

*et *dire, redire,* sauf *vous dites, redites* (ind. prés.), mais les composés *contredire, prédire* sur *suffire*

	74	75	76
Inf. prés.	**croire** [krwa] / [krwaj] / [kr-]	**boire** [bwa] / [bwav] / [b-]	**faire** [fɛ] / [fas] / [f-]
Ind. prés.	je crois [krwa]	je bois [bwa]	je fais [fɛ]
— —	tu crois [krwa]	tu bois [bwa]	tu fais [fɛ]
— —	il croit [krwa]	il boit [bwa]	il fait [fɛ]
— —	nous croyons [krwajɔ̃]	nous buvons [byvɔ̃]	nous faisons [fəzɔ̃]
— —	ils croient [krwa]	ils boivent [bwav]	ils font [fɔ̃]
— imparf.	je croyais [krwajɛ]	je buvais [byvɛ]	je faisais [fəzɛ]
— passé simple	je crus [kry]	je bus [by]	je fis [fi]
— futur	je croirai [krware]	je boirai [bware]	je ferai [fəre]
Cond. prés.	je croirais [krwarɛ]	je boirais [bwarɛ]	je ferais [fərɛ]
Subj. prés.	je croie [krwa]	je boive [bwav]	je fasse [fas]
— —	nous croyions [krwajjɔ̃]	nous buvions [byvjɔ̃]	nous fassions [fasjɔ̃]
— —	ils croient [krwa]	ils boivent [bwav]	ils fassent [fas]
— imparf.	il crût [kry]	il bût [by]	il fît [fi]
Impératif	crois [krwa], croyons [krwajɔ̃]	bois [bwa], buvons [byvɔ̃]	fais [fɛ], faisons [fəzɔ̃] faites [fɛt]
Participes	croyant [krwajɑ̃], cru [kry]	buvant [byvɑ̃], bu [by]	faisant [fəzɑ̃], fait [fɛ]

	77	78	79*
Inf. prés.	**plaire** [plɛ] / [plɛz] / [pl-]	**taire** [tɛ] / [tɛz] / [t-]	**extraire** [ɛkstrɛ] / [ɛkstrɛj]
Ind. prés.	je plais [plɛ]	je tais [tɛ]	j'extrais [ɛkstrɛ]
— —	tu plais [plɛ]	tu tais [tɛ]	tu extrais [ɛkstrɛ]
— —	il plaît [plɛ]	il tait [tɛ]	il extrait [ɛkstrɛ]
— —	nous plaisons [plɛzɔ̃]	nous taisons [tɛzɔ̃]	nous extrayons [ɛkstrɛjɔ̃]
— —	ils plaisent [plɛz]	ils taisent [tɛz]	ils extraient [ɛkstrɛ]
— imparf.	je plaisais [plɛzɛ]	je taisais [tɛzɛ]	j'extrayais [ɛkstrɛjɛ]
— passé simple	je plus [ply]	je tus [ty]	*inusité*
— futur	je plairai [plɛre]	je tairai [tɛre]	j'extrairai [ɛkstrere]
Cond. prés.	je plairais [plɛrɛ]	je tairais [tɛrɛ]	j'extrairais [ɛkstrerɛ]
Subj. prés.	je plaise [plɛz]	je taise [tɛz]	j'extraie [ɛkstrɛ]
— —	nous plaisions [plɛzjɔ̃]	nous taisions [tɛzjɔ̃]	nous extrayions [ɛkstrɛjɔ̃]
— —	ils plaisent [plɛz]	ils taisent [tɛz]	ils extraient [ɛkstrɛ]
— imparf.	il plût [ply]	il tût [ty]	*inusité*
Impératif	plais [plɛ], plaisons [plɛz]	tais [tɛ], taisons [tɛzɔ̃]	extraits [ɛkstrɛ] extrayons [ɛkstrɛjɔ̃]
Participes	plaisant [plɛzɑ̃], plu [ply]	taisant [tɛzɑ̃], tu [ty]	extrayant [ɛkstrɛjɑ̃] extrait [ɛkstrɛ]

*De même *traire, abstraire, braire* (3e pers.), *soustraire*

	80*	81**	82***
Inf. prés.	**repaître** [rəpɛ] / [rəpɛs] / [rəp]	**clore** [klo] / [kloz]	**oindre** [wɛ̃] / [waɲ]
Ind. prés.	je repais [rəpɛ]	je clos [klo]	j'oins [wɛ̃]
— —	tu repais [rəpɛ]	tu clos [klo]	tu oins [wɛ̃]
— —	il repaît [rəpɛ]	il clot [klo]	il oint [wɛ̃]
— —	nous repaissons [rəpɛsɔ̃]	*inusité*	nous oignions [waɲɔ̃]
— —	ils repaissent [rəpɛs]	—	ils oignent [waɲ]
— imparf.	je repaissais [rəpɛsɛ]	—	j'oignais [waɲɛ]
— passé simple	je repus [rəpy]	—	j'oignis [waɲi]
— futur	je repaîtrai [rəpɛtre]	je clorai [klore]	j'oindrai [wɛ̃dre]
Cond. prés.	je repaîtrais [rəpɛtrɛ]	je clorais [klorɛ]	j'oindrais [wɛ̃drɛ]
Subj. prés.	je repaisse [rəpɛs]	je close [kloz]	j'oigne [waɲ]
— —	nous repaissions [rəpɛsjɔ̃]	nous closions [klozjɔ̃]	nous oignions [waɲɔ̃]
— —	ils repaissent [rəpɛs]	ils closent [kloz]	ils oignent [waɲ]
— imparf.	il repût [rəpy]	*inusité*	il oignît [waɲi]
Impératif	repais [rəpɛ] repaissons [rəpɛsɔ̃]	—	oins [wɛ̃], oignez [waɲe]
Participes	repaissant [rəpɛsɑ̃] repu [rəpy]	—, clos [klo]	oignant [waɲɑ̃], oint [wɛ̃]

*De même *paître*, sauf part. passé; ** de même *enclore, éclore;* ***de même *poindre* (impers.)

	83	84	85
Inf. prés.	**frire** [fri]	**sourdre** [sur] / [surd]	**vaincre** [vɛ̃] / [vɛ̃k]
Ind. prés.	je fris [fri]	*inusité*	je vaincs [vɛ̃]
— —	tu fris [fri]		tu vaincs [vɛ̃]
— —	il frit [fri]	il sourd [sur]	il vainc [vɛ̃]
— —	*inusité*	*inusité*	nous vainquons [vɛ̃kɔ̃]
— —		ils sourdent [surd]	ils vainquent [vɛ̃k]
— imparf.	—	*inusité*	je vainquais [vɛ̃kɛ]
— passé simple	—	—	je vainquis [vɛ̃ki]
— futur	je frirai [frire]	—	je vaincrai [vɛ̃kre]
Cond. prés.	je frirais [frirɛ]	—	je vaincrais [vɛ̃krɛ]
Subj. prés.	*inusité*	—	je vainque [vɛ̃k]
— —			nous vainquions [vɛ̃kjɔ̃]
— —			ils vainquent [vɛ̃k]
— imparf.	—	—	il vainquît [vɛ̃ki]
Impératif	fris [fri], *inusité*	—	vaincs [vɛ̃], vainquons [vɛ̃kɔ̃]
Participes	*inusité*, frit [fri]	—	vainquant [vɛ̃kɑ̃], vaincu [vɛ̃ky]

SUFFIXES ET PRÉFIXES

suffixes

Les *suffixes,* placés après le radical, sont utilisés pour passer d'un type de phrase à un autre, sans variation de sens, ou d'un mot à un autre terme de même catégorie, avec changement de sens. Le même suffixe peut servir à plusieurs usages.

• 1° Transformation d'un verbe en un substantif (nom d'action ou d'état).

arroser le jardin	*l'arrosage du jardin*	**-age**
l'avion atterrit	*l'atterrissage de l'avion*	**-issage**
remembrer une propriété	*le remembrement de la propriété*	**-ment**
ses enfants s'assagissent	*l'assagissement de ses enfants*	**-issement**
punir un coupable	*la punition du coupable*	**-(i)tion**
les prix augmentent	*l'augmentation des prix*	**-(a)tion**
lire un roman	*la lecture d'un roman*	**-ure**
reporter un rendez-vous	*le report d'un rendez-vous*	suffixe zéro
la troupe marche	*la marche de la troupe*	(déverbal)

• 2° Transformation d'un adjectif en un substantif (nom de qualité, de système, d'état).

le malade est fatigable	*la fatigabilité du malade*	**-(i)té**
la pièce est propre	*la propreté de la pièce*	**-(e)té**
les hommes sont fous	*la folie des hommes*	**-ie**
le procédé est fourbe	*la fourberie du procédé*	**-erie**
son discours est pédant	*le pédantisme de son discours*	**-isme**
cette construction est archaïque	*l'archaïsme de cette construction*	**-isme**
ses conceptions sont pessimistes	*le pessimisme de ses conceptions*	**-isme**
ses joues sont pâles	*la pâleur de ses joues*	**-eur** (féminin)
cette analyse est profonde	*la profondeur de cette analyse*	**-eur** (féminin)
sa tenue est élégante	*l'élégance de sa tenue*	**-ance**
ses propos sont incohérents	*l'incohérence de ses propos*	**-ence**
cet homme est sot	*la sottise de cet homme*	**-ise**
sa constitution est robuste	*la robustesse de sa constitution*	**-esse**
les parents sont inquiets	*l'inquiétude des parents*	**-(i)tude**

• 3° Transformation d'un verbe (et de son sujet) en un substantif (nom d'agent ou d'instrument; nom de personne exerçant un métier).

personne qui moissonne	*un moissonneur*	**-eur** (masculin)
appareil qui bat (les mélanges)	*un batteur*	**-eur** (masculin)
personne qui décore (les appartements)	*un décorateur*	**(-ateur, -teur)**
machine qui perfore (les cartes)	*une perforatrice*	**-trice**
machine qui arrose (les rues)	*une arroseuse*	**-euse**
personne qui cuisine	*un (une) cuisinier (-ère)*	**-ier (-ière)**
avion qui bombarde	*un bombardier*	**-ier (-ière)**
personne qui milite	*un militant*	**-ant**
machine qui imprime	*une imprimante*	**-ante**
personne qui signe une lettre	*le signataire d'une lettre*	**-aire**
appareil qui ferme (un sac)	*un fermoir*	**-oir**
ustensile qui passe une substance	*une passoire*	**-oire**
personne qui anesthésie	*un anesthésiste*	**-iste**

• 4° Transformation d'un substantif en un adjectif (dans les types de phrases : nom + complément de nom; *avoir* + nom; etc.).

une douleur de (à) l'abdomen	*une douleur abdominale*	**-al, -ale**
le voyage du président	*le voyage présidentiel*	**-el, -elle**
la politique de l'Autriche	*la politique autrichienne*	**-ien, -ienne**
le vin des Charentes	*le vin charentais*	**-ais, -aise**
les poètes d'Alexandrie	*les poètes alexandrins*	**-in, -ine**
l'industrie de Grenoble	*l'industrie grenobloise*	**-ois, -oise**
le commerce de l'Amérique	*le commerce américain*	**-ain, -aine**
une manœuvre de la spéculation	*une manœuvre spéculative*	**-if, ive**
le choc de l'opération	*le choc opératoire*	**-oire**
le budget a un déficit	*le budget est déficitaire*	**-aire**
il a le cafard	*il est cafardeux*	**-eux, euse**
elle a du charme	*elle est charmante*	**-ant, -ante**
il fait des dépenses	*il est dépensier*	**-ier, -ière**
il a de l'ironie	*il est ironique*	**-ique**
il a une barbe	*il est barbu*	**-u, -ue**
il a son domicile à Paris	*il est domicilié à Paris*	**-é, -ée**
petit déjeuner au cacao	*petit déjeuner cacaoté*	**-é, -ée**
une œuvre de titan	*une œuvre titanesque*	**-esque**

• 5° Transformation d'un verbe en un adjectif (équivalence entre un groupe verbal avec *pouvoir* et le verbe *être* suivi d'un adjectif).

cette proposition peut être acceptée	*cette proposition est acceptable*	**-able**
on ne peut croire cette histoire	*cette histoire est incroyable*	**in[...]able**
l'issue peut en être prévue	*l'issue est prévisible*	**-ible**

• 6° Transformation d'un adjectif en un verbe (équivalence entre *rendre, faire,* suivis d'un adjectif, et le verbe).

rendre uniformes les tarifs	*uniformiser les tarifs*	**-iser**
faire plus simple un exposé	*simplifier un exposé*	**-ifier**
rendre une feuille noire	*noircir une feuille*	suffixe zéro
rendre épais un mélange	*épaissir un mélange*	suffixe zéro

Cette transformation peut se faire au moyen de préfixes.

rendre plus grande une pièce	*agrandir une pièce*	**a...**
faire plus large un trou	*élargir un trou*	**é...**

• 7° Transformation de l'adjectif en un verbe (équivalence entre *devenir,* suivi d'un adjectif, et le verbe). Cette transformation se fait en général avec le suffixe zéro.

devenir grand	*grandir*	suffixe zéro
devenir rouge	*rougir*	suffixe zéro
devenir bleu	*bleuir*	suffixe zéro

• 8° Transformation d'un substantif en un verbe (*faire*, ou autre, suivi d'un substantif, équivalent du verbe).
Elle se fait au moyen du suffixe zéro.

la réforme de l'État	*réformer l'État*	suffixe zéro
le supplice d'un condamné	*supplicier un condamné*	
le programme d'un spectacle	*programmer un spectacle*	
se servir du téléphone	*téléphoner*	
donner des armes à une troupe	*armer une troupe*	

Transformation d'un adjectif en adverbe.

une expression vulgaire	*s'exprimer vulgairement*	**-ment**
une voix fausse	*chanter faux*	même forme

• 9° Transformation d'un substantif en un autre substantif, d'un adjectif en un autre adjectif, avec variation de sens (elle se fait dans les deux sens).

groupe / personne	*il fait partie d'une équipe*	*un équipier*	zéro / **-ier**
personne / métier	*il est professeur*	*exercer le professorat*	**-eur / -orat**
	il est interprète	*interprétariat*	zéro / **-at**
	il fait de la chirurgie	*il est chirurgien*	**-ie** / **-ien**
	il fait de l'électronique	*il est électronicien*	zéro / **-ien**
	il tient une charcuterie	*il est charcutier*	**-erie / -ier**
objet / commerce	*il vend des disques*	*il est disquaire*	zéro / **-aire**
	il fait des affiches	*il est affichiste*	zéro / **-iste**
	il fait des adresses	*il est adressier*	zéro / **-ier**
fruit / arbre	*arbre qui porte des abricots*	*abricotier*	zéro / **-ier**
arbre / collection d'arbres	*groupe de chênes*	*une chênaie*	zéro / **-aie**
objet / contenu	*le contenu d'une assiette*	*une assiettée*	zéro / **-ée**
nom / disciple	*disciple d'Hébert*	*hébertiste*	zéro / **-iste**
terme neutre / plus petit	*une petite maison*	*une maisonnette*	zéro / **-ette (-et)**
terme neutre / péjoratif	*un mauvais chauffeur*	*un chauffard*	**-eur / -ard**
	un homme lourd	*un lourdaud*	zéro / **-aud**
terme neutre / atténuatif	*une lueur rouge*	*rougeâtre*	zéro / **-âtre**

préfixes

Les préfixes, qui ne modifient pas la classe des mots, établissent un rapport univoque entre le terme simple et le terme préfixé.

• Préfixes des verbes portant sur l'action.

dé- (**dés-**)	privatif	*dépoétiser*, enlever le caractère poétique *déshabituer*, enlever l'habitude
en-	factitif	*engraisser*, faire devenir gras
entre-	réciproque	*s'entr'égorger*, *s'entretuer*
re-, **ré-**, **r-**	réitératif, répétition	*refaire*, faire de nouveau, une seconde fois *réimprimer*, imprimer de nouveau *rajuster*, ajuster de nouveau

• Préfixes privatifs.

in- (il-, im-, ir-)	*inaltérable, illisible, immangeable, irréel*
a-, an-	*apolitique, anormal*

• Préfixes intensifs.

archi-	*archifou; archisot*
extra-	*extra-fin; extra-souple*
hyper-	*hypersensible; hypertension*
super-	*supermarché; supercarburant*
sur-	*surabondant; suralimentation*
ultra-	*ultracolonialiste; ultra-court*

• Préfixes indiquant un rapport de position (espace ou temps).

après-	postériorité	*après-demain; après-guerre*
post-		*postface; postscolaire*
avant-	antériorité	*avant-hier; avant-guerre*
pré-		*préétabli; préhistoire*
anté-	antériorité (géologie)	*antécambrien*
co-, con-	simultanéité, réunion	*co-auteur; concitoyen*
entre-	position	*entre-deux; entre-deux-guerres*
inter-	au milieu	*interocéanique*
extra-	hors de	*extra-territorialité*
intra-	au-dedans de	*intramusculaire*
ex-	qui a cessé d'être	*ex-député; ex-sénateur*
trans-	à travers	*transsibérien; transocéanique*

• Préfixes indiquant l'hostilité, l'opposition ou la sympathie.

anti-	hostilité, opposition	*antidémocratique*
	protection	*antituberculeux*
contre-	réaction	*contre-attaque*
pro-	partisan	*procommuniste*

éléments grecs

Les éléments d'origine grecque jouant le rôle de suffixes ou de radicaux entrent dans les lexiques spécialisés; certains sont devenus des formes usuelles et sont seuls indiqués ici.

-logie	science	*lexicologie; dermatologie; neurologie*
-logue, -logiste	celui qui pratique cette science	*lexicologue; dermatologue; neurologiste*
-mètre	appareil ou personne qui mesure	*anémomètre; télémètre; géomètre*
-métrie	science ou description	*géométrie; audiométrie*
-graphie	description, enregistrement	*géographie; démographie; encéphalographie*
-graphe	appareil ou personne qui décrit ou enregistre	*sismographe; géographe; typographe*
-technie	technique	*pyrotechnie; zootechnie*
-technicien	savant ou technicien	*pyrotechnicien; zootechnicien*

a

a [a] n. m. 1° V. Introduction. — 2° *De A à Z, depuis* a *jusqu'à* z, du début à la fin : *Il connaît le règlement depuis* a *jusqu'à* z. ‖ *Prouver par A + B* [paraplysbe], démontrer d'une manière rigoureuse, comme en mathématiques : *Il me prouva par A + B que j'avais tort.*

à [a], **de** [də] prép. Indiquant des rapports variés, parallèles ou opposés à ceux qui sont indiqués par l'absence de prép., *à* et *de* peuvent se combiner avec l'article défini masculin singulier et pluriel : *au* (à le), *aux* (à les), *du* (de le), *des* (de les). [V. tableau pp. 2 et 3.]

1. abaisser [abese] v. tr. 1° *Abaisser un objet,* le faire descendre à un niveau inférieur ou en diminuer la hauteur (remplacé souvent par *baisser* à l'actif) : *Abaisser une manette* (contr. : LEVER). *Abaisser un talus. Le mur a été abaissé* (syn. : DIMINUER; contr. : RELEVER). — 2° *Abaisser une chose,* en diminuer l'importance ou la valeur (remplacé par *baisser* ou *diminuer* à l'actif) : *Abaisser une taxe. Les impôts ont été abaissés* (syn. : ALLÉGER). *Abaisser le niveau des études* (= les rendre moins fortes). *Abaissez vos prétentions* (syn. : DIMINUER). *L'hygiène a abaissé le taux de mortalité* (contr. : ACCROÎTRE, RELEVER). — 3° *Abaisser les regards sur quelqu'un,* le regarder avec condescendance (syn. : JETER UN REGARD SUR). ◆ ***s'abaisser*** v. pr. 1° (sujet nom de chose) Descendre à un niveau inférieur; perdre de son ampleur, de sa force : *Le rideau s'abaisse, le spectacle est fini* (contr. : SE LEVER). *Le taux d'expansion s'est abaissé ce mois-ci* (contr. : SE RELEVER). [Remplacé le plus souvent en ce sens par *baisser.*] — 2° *Son regard s'abaisse sur vous,* il daigne vous regarder. ◆ **abaissement** n. m. : *L'abaissement d'un store, d'un mur. L'abaissement du pouvoir d'achat* (syn. : BAISSE, DIMINUTION).

2. abaisser [abese] v. tr. *Abaisser quelqu'un,* le réduire à un état humiliant; lui faire perdre sa dignité (littér.; souvent remplacé par *rabaisser*) : *Il cherche à abaisser ses adversaires* (syn. : FAIRE DÉCHOIR, ↑ AVILIR). *La douleur abaisse plus qu'elle ne grandit l'homme* (syn. : ↑ DÉGRADER, RAVALER). ◆ ***s'abaisser*** v. pr. (sujet nom de personne). *S'abaisser à quelque chose, à faire quelque chose,* perdre de sa dignité, de sa fierté, de son élévation morale en agissant de telle ou telle façon : *Il s'abaisse à lui adresser la parole. Il s'abaisse à s'excuser pour une faute qu'il n'a pas commise. Il s'abaisse à de pareils procédés!* (syn. : SE COMMETTRE, en langue soignée); sans la prép. *à : Il s'abaisse par sa lâcheté* (syn. : ↑ S'AVILIR). ◆ **abaissement** n. m. (littér.) : *Tant d'abaissement m'indigne* (syn. : ↑ AVILISSEMENT).

abandonner [abɑ̃dɔne] v. tr. (sujet nom de personne). 1° *Abandonner un lieu,* s'en retirer d'une manière définitive : *Il abandonne Paris pour se fixer en province* (syn. : QUITTER, S'EN ALLER DE). *Les locataires ont abandonné cette maison qui tombait en ruine* (syn. : DÉLOGER DE, DÉMÉNAGER DE); le plus souvent avec une idée de défaite : *Les ennemis ont dû abandonner la ville occupée quelque temps avant.* — 2° *Abandonner une situation sociale,* cesser de l'occuper : *Abandonner ses fonctions au ministère. Abandonner l'enseignement pour entrer dans l'industrie privée* (syn. : RENONCER À); le plus souvent avec une idée de défaite ou de renonciation : *Abandonner son poste* (syn. : DÉSERTER). *Il a abandonné le pouvoir après sept ans de règne* (syn. : QUITTER; contr. : REPRENDRE). — 3° *Abandonner quelque chose,* cesser de s'en occuper, de s'y intéresser ou d'y prendre part (s'emploie souvent intransitiv. dans ce sens) : *Il abandonne ses projets les uns après les autres* (syn. : SE DÉTACHER DE, RENONCER À). *Il a abandonné l'affaire sans regret* (syn. : SE DÉSINTÉRESSER DE); et, avec une idée de renoncement, de défaite ou de lâcheté : *Abandonner la lutte* (= renoncer à lutter). *Un boxeur qui abandonne la compétition. Il a beaucoup abandonné de ses prétentions* (syn. : RABATTRE). *Abandonner le terrain* (= s'enfuir). — 4° *Abandonner une chose à quelqu'un,* la laisser définitivement à sa discrétion ou en son pouvoir : *Il a abandonné à ses enfants une partie de ses biens* (syn. : ↓ DONNER). *Il abandonne toujours aux autres le soin de décider pour lui* (syn. : LAISSER). — 5° *Abandonner quelqu'un,* le laisser dans la situation où il se trouve sans lui venir en aide : *Il abandonne un ami dans le besoin* (syn. fam. : LAISSER TOMBER, LÂCHER). *Abandonner une maîtresse* (syn. : ROMPRE AVEC, SE SÉPARER DE); et, au passif : *Rester abandonné de tous* (syn. : DÉLAISSER). ◆ ***s'abandonner*** v. pr. 1° (sans complément) Cesser de lutter : *Après sa retraite, il s'est abandonné et végète. Brisé par la douleur, il s'abandonna* (= il se confia librement). — 2° *S'abandonner à quelque sentiment, défaut,* etc., se laisser dominer par eux ou s'y laisser aller alors que l'on pouvait s'attendre à une résistance : *Il s'abandonne à sa facilité naturelle. Il s'abandonne à la paresse. Je m'abandonne au désespoir* (= je me désespère). ◆ **abandon** [abɑ̃dɔ̃] n. m. 1° Correspond à *abandonner* et à *s'abandonner : Faire abandon de ses biens* (syn. : CESSION). *L'abandon d'un enfant entre les mains de l'Assistance publique. L'abandon d'une région par ses habitants. Abandon de poste* (syn. : DÉSERTION). *L'abandon de ses projets* (syn. : RENONCIATION, REJET). — 2° Laisser-aller ou absence de réserve, d'effort dans sa manière de se comporter : *Attitude pleine d'abandon* (syn. : NATUREL, DÉTACHEMENT). *Parler avec abandon* (= avec une confiance totale, sans réserve). — 3° *Laisser quelque chose* ou *quelqu'un à l'abandon,* négliger de s'en occuper ou de le protéger : *Laisser sa maison à l'abandon. Laisser ses enfants à l'abandon. Laisser ses affaires à l'abandon* (= dans le désordre).

abasourdir [abazurdir] v. tr. 1° Etourdir quelqu'un à l'extrême par un grand bruit : *Je suis encore abasourdi par le bruit des travaux dans la rue* (syn. : ↑ ABRUTIR). *Cet enfant m'abasourdit avec ses cris continuels* (syn. : ↓ ÉTOURDIR). — 2° Provoquer chez quelqu'un un sentiment voisin de la stupeur : *La nouvelle de sa mort m'abasourdit, je l'avoue* (syn. : ↑ CONSTERNER). *Une réponse aussi stupide m'abasourdit* (syn. : ↓ ACCABLER, STUPÉFIER). ◆ **abasourdissant, e** adj. : *Un bruit abasourdissant. Une question abasourdissante* (= stupéfiante). ◆ **abasourdissement** n. m. (rare) : *Son abasourdissement, en constatant ma présence, était plaisant à voir* (syn. : STUPÉFACTION).

abâtardir (s') [sabɑtardir] v. pr. Perdre les qualités idéales d'une race, d'un groupe social, d'un art, etc. (littér.) : *Leur courage et leur respect d'eux-mêmes se sont-ils abâtardis dans cette longue soumission?* (syn. plus fréquent : DÉGÉNÉRER).

abat-jour [abaʒur] n. m. invar. Dispositif qui sert à rabattre la lumière d'une lampe : *Les abat-jour sont souvent en forme de cône et sont faits de papier, d'étoffe, de verre opaque ou de porcelaine.*

abats [abɑ] n. m. pl. Parties des animaux de boucherie (pieds, rognons, cœur, poumons, foie, etc.) qui ne sont pas considérées comme des viandes.

1. abattage n. m. V. ABATTRE 1.

2. abattage [abataʒ] n. m. Fam. *Avoir de l'abattage,* avoir de l'entrain, avoir une activité

EMPLOIS	à	de	ABSENCE DE PRÉPOSITION
1. Lieu.	Indique le lieu où l'on est et où l'on va, le point d'arrivée (compl. de nom, de verbe et d'adjectif). *Il se trouve à Lyon. Il est allé à Bordeaux. Il habite à Paris* (mais, avec un déterminant : *dans la belle ville de Toulouse*). *Il va à la campagne, au théâtre. L'arrivée à la gare. Sa naissance à Paris. Avoir mal à la tête* (localisation). *Etre pris aux tempes.*	Indique le lieu d'où l'on vient, le point de départ (compl. de nom, d'adjectif et de verbe). *Il vient de Paris, de la campagne. Il m'a fait venir de Rennes. Il est originaire de Marseille, d'une petite ville de province. Il est natif du Poitou. Il est né de parents universitaires* (origine).	Indique, plus rarement que « à », le lieu où l'on est (compl. de verbe). *Il habite Paris. Il habite le 7e arrondissement* (dans le 7e arrondissement). *Il loge, il demeure rue du Montparnasse. J'y suis allé jadis. J'en reviens.*
2. Temps.	Indique la date, le moment précis, le point d'arrivée, la durée. *Il viendra à six heures, à cinq heures précises. Perdre toute chance au départ. Le renvoi à huitaine. Des bons à cinq ans. Louable à l'année. A la veille de Pâques. Travailler du matin au soir.*	Indique le point de départ, plus rarement la date ou la durée. *Les vacances scolaires vont de juillet à septembre. Il viendra de bonne heure. Il ne fait rien de la semaine; il n'a rien fait de tout le mois. Il a débarqué de nuit. Un mort de quatre jours. Un travail de trois ans.*	Indique la date. *Il viendra dimanche, il arrivera le matin. Il est parti le 7 juillet. Un beau jour, il a disparu. Je l'ai vu une fois. La veille de Pâques, il a plu.*
3. Rapport distributif, approximation, évaluation.	*Faire du cent à l'heure. Etre payé au mois. Vendu au détail. Travailler aux pièces. La vente à cent francs de certains articles. Cinq à six heures* (= environ).	*Gagner tant de l'heure.*	*Articles vendus dix francs pièce, cent francs le kilo. Etre payé dix francs l'heure.*
4. Appartenance.	Emploi limité au verbe « être » et au pronom pers. complément du nom, ou à la langue pop. *Ce livre est à Jean. C'est un ami à moi. Ceci est à nous. Il a une manière bien à lui d'agir.*	Emploi général avec un nom complément du nom. *Le livre de Jean. C'est une lettre de François. C'est bien de lui* (indique la provenance avec le verbe « être »).	*Cela lui est personnel. Cette maison nous appartient. Cela leur est propre. Ce défaut t'est particulier.* (Il n'y a généralement pas de préposition « à » avec les pronoms personnels dépendant d'adjectifs ou de verbes, sauf « être ».)
5. Attribution ou provenance (objet secondaire de certains verbes).	Emploi général, surtout attribution. *Il a donné (prêté) un livre à son frère. Il a confié (livré) un secret à un ami. Il a arraché une confidence à quelqu'un. Puiser de l'eau à une source. Emprunter de l'argent à un ami.*	Emploi limité à la provenance. *Je n'ai rien reçu de lui, de Pierre.*	Emploi limité aux pronoms personnels. *Il lui a confié son secret. Il lui a arraché la serviette des mains.*
6. Complément d'un verbe (ou d'un nom d'action). Les verbes qui ont plusieurs constructions peuvent avoir plusieurs sens.	Transitifs indirects construits avec « à » (et un nom) : *Il obéit à son père (l'obéissance aux parents). Il manque à sa parole. Résister à l'ennemi (la résistance à l'ennemi). Il est fidèle à sa parole. Il rêve à son avenir. Il demande à sortir. Il aime à aller au cinéma.*	Transitifs indirects construits avec « de » (et un nom ou un pronom) : *Il use de son dimanche pour aller au cinéma. Il jouit du repos. Il manque de savoir-faire. Un manque de parole. Il se sert de son couteau. Nous parlons de lui. L'amour de la patrie. Il rêve de ses vacances passées.* Transitifs directs construits avec « de » (et un infinitif) : *Il lui demande de partir. Je crains de la voir.*	Transitifs directs ou transitifs indirects (« à », avec pronom personnel) : *Il use ses vêtements. Il manque son train. Cela sert son ambition. Il lui obéit. Il aime aller au théâtre.* L'infinitif sujet : *Mentir est honteux.*

débordante : *Lorsqu'il est en forme, il a vraiment de l'abattage et rien ne lui résiste* (syn. : BRIO, DYNAMISME).

abattement n. m. V. ABATTRE 2.

abattis [abati] n. m. pl. 1° Parties d'une volaille (pattes, tête, cou, ailerons, cœur, foie, gésier) qui ne sont pas considérées comme des viandes. — 2° *Pop.* Bras et jambes d'une personne : *Il a de drôles d'abattis* (= des jambes et des bras très longs). — 3° Pop. *Numérote tes abattis,* avertissement adressé à un adversaire avant une lutte ou un danger imminent qui risquent de lui faire perdre de ses forces : *Et maintenant, numérote tes abattis, je vais te montrer à qui tu as affaire* (syn. pop. : ↓ FAIS GAFFE).

1. abattre [abatr] v. tr. (conj. 56). 1° *Abattre une chose* (en général dressée en hauteur), la jeter bas, la renverser : *Le bûcheron abattit le chêne à coups de hache* (syn. : COUPER). *Les ouvriers abattent le mur* (syn. : DÉMOLIR). *Abattre un avion* (= le détruire, l'envoyer au sol). *Abattre les angles aigus d'une pierre* (syn. : RETRANCHER, ENLEVER); la diriger vers le bas, l'abaisser : *Abattre le canon de son fusil avant de franchir un fossé;* la faire retomber : *La pluie abat le vent, la poussière.* — 2° *Abattre de la besogne, du travail,* en faire une grande quantité : *Il était en retard, mais en quelques heures il abattit une besogne considérable.* — 3° *Abattre une carte,* la jouer en la tirant de son jeu et en la mettant sur la table. ‖ *Abattre ses cartes, son jeu,* les montrer à ses adversaires

EMPLOIS	à	de	ABSENCE DE PRÉPOSITION
		Devant un infinitif sujet : *Comme si de pleurer avançait à quelque chose. Il est honteux de mentir.*	
7. Moyen.	*Pêcher à la ligne. La pêche au lancer. Aller à bicyclette. Marcher à l'électricité. Ceci est jouable au piano. Examiner à la loupe.*	Emplois limités à ceux de la préposition « avec ». *Frapper de la main. Partir du pied gauche* (parties du corps). *Il me fait signe de la tête. Il vit de légumes. Faire quelque chose de rien.*	
8. Cause, agent.	Emploi limité à des expressions. *Manteau mangé aux mites. Livre mangé aux vers. Ceci est visible à l'œil nu.*	Emplois limités à ceux de la préposition « par ». *Pleurer de joie. Mourir de soif. Etre aimé de ses parents. Etre surpris de cette nouvelle. Il est mort de faim.*	
9. Manière (équivalent d'un adverbe ou d'un gérondif).	*Marcher au pas. Aller à l'aveuglette. Vendre à meilleur marché. Dormir à poings fermés. Vendre à perte. A dire vrai. A vouloir tout faire.*	*Manger de bon appétit. Il est photographié de côté.*	*Vendre bon marché. Rouler pleins gaz* (langue commerciale ou technique).
10. Caractérisation (équivalent d'un adjectif) : matière, contenu, convenance, etc.	*Un avion à réaction. Un moteur à essence. Un homard à l'américaine. Casque à pointe. Machine à vapeur. Manger à sa faim. Boire à volonté. Avoir du pain à discrétion.*	Emploi très étendu après un nom avec des valeurs variées. *Un tissu de laine. Une plaque de marbre. Une table de bois. Une maison de brique. Un homme de génie. Une barre de fer* (matière). *Une maison de campagne. Une tasse de thé* (contenu).	Emploi limité. *Chandail tout laine. Bas Nylon (en Nylon).*
11. Nom en apposition.		Emploi général. *La Ville de Paris. Le royaume de Naples. On abuse du mot de « beau »* (ou du mot « beau »). *Un fripon d'enfant. Une chienne de vie.*	Emploi limité, mais en expansion. *Une ferme modèle. Une classe pilote. Des industries clés.*
12. Destination.	Emploi général. *Tasse à thé. Donner à boire. Travail à refaire* (qui doit être refait). *Il est de taille à riposter. Vase à fleurs. Il n'est bon à rien. Il est apte à n'importe quel travail. L'aptitude à une fonction. Il est près du départ; prêt à partir. Au secours! au revoir!* (formules d'appel, de soutien, d'avertissement).	Emploi très limité. *A quelle heure passe le train de Paris?* (celui qui va à Paris ou qui vient de Paris).	Emploi commercial. *Destination New York.*
13. Nom attribut.	Emploi limité. *Prendre à partie. Je le prends à témoin de ma sincérité.*	Emploi limité. *On l'a traité de lâche. Si j'étais [que de] vous* (langue fam.). [Syn. : À VOTRE PLACE.]	Emploi général. *On l'a élu président* (emploi le plus courant).

REM. — Le groupement des deux prépositions a une valeur particulière :
de ... à indique un ensemble limité : *Du début à la fin. De Paris à Marseille.*
de ... en indique une progression : *Il travaille de plus en plus. Aller de ville en ville.*

pour indiquer que l'issue (bonne ou mauvaise) ne fait pas de doute; dévoiler ses intentions avec netteté, afin d'emporter la décision : *En fin de compte, il abattit son jeu et découvrit ses arrière-pensées.* — 4° *Abattre un animal,* le tuer à coups de feu ou en le frappant : *Le chasseur abattit trois perdrix dans l'après-midi. Abattre un bœuf* (= l'assommer dans un abattoir). — 5° (sujet nom de personne) *Abattre quelqu'un,* le tuer (alors qu'il est généralement sans défense; ou péjor.) : *Le criminel abattit ses victimes avec une sauvagerie inouïe. Abattre un bandit. Abattre un fuyard;* ruiner son autorité, sa puissance : *Abattre un adversaire politique.* ◆ ***s'abattre*** v. pr. 1° Etre jeté bas, renversé, etc. : *La maison s'abattit sous les bombes* (syn. : S'ÉCROULER). *L'arbre s'est abattu* (syn. : TOMBER). *Frappé d'une balle, il s'abattit dans la rue* (syn. : S'ÉCROULER, S'AFFAISSER). — 2° *S'abattre sur,* tomber sur quelque chose ou sur quelqu'un (le plus souvent avec l'intention d'écraser, d'anéantir, lorsque le sujet est un nom d'être animé) : *Les corbeaux s'abattent sur la charogne* (syn. : TOMBER SUR). *L'aigle s'abattit sur sa proie* (syn. : FONDRE SUR). *Les injures s'abattaient sur lui* (syn. : PLEUVOIR SUR). *La pluie s'abattait sur les promeneurs. Les ordres s'abattent sur les soldats.* ◆ **abattage** n. m. 1° Action de jeter bas, de tuer des animaux de boucherie (sens 1°, 2° et 4° de *abattre*) : *L'abattage des arbres. L'abattage des bœufs.* — 2° *Pop.* Sévères reproches : *Et le lendemain, lorsqu'il s'est aperçu de mon erreur, quel abattage!* (V. aussi ABATTAGE 2.) ◆ **abattoir** n. m. Etablissement où l'on abat les animaux destinés à la boucherie et à la charcuterie (sens 4 de *abattre*) : *Les abattoirs de La Villette, à Paris.*

2. abattre [abatr] v. tr. (conj. **56**). **1°** (sujet nom de chose) *Abattre quelqu'un,* lui ôter ses forces physiques ou morales : *Cette forte fièvre l'abat* (syn. : ÉPUISER). *Cette marche a abattu ses forces. Cette catastrophe l'abattit* (syn. : ↑ ANÉANTIR). *Cet échec m'a abattu* (syn. : DÉMORALISER, ↑ ATTERRER; contr. : RÉCONFORTER). — **2°** *Abattre le courage, l'énergie de quelqu'un,* les réduire à néant : *Cette défaite abattit leur courage. Le vrai courage ne se laisse pas abattre.* ‖ *Abattre la fierté, l'orgueil de quelqu'un,* les rabaisser en humiliant : *Ces critiques ont abattu chez lui toute fierté.* ◆ **abattement** n. m. Diminution considérable des forces physiques ou morales : *Cette maladie l'a laissé dans un profond abattement* (syn. : ACCABLEMENT). *La mort de son fils l'a jeté dans un grand abattement* (syn. : DÉMORALISATION, DÉSESPOIR). *L'abattement suivit la nouvelle du désastre* (syn. : CONSTERNATION). ◆ **abattu, e** adj. : *Après cet accident, il rentra abattu* (syn. ↓ DÉCOURAGÉ). *La fièvre l'avait laissé abattu et morne* (syn. : ↑ PROSTRÉ, ANÉANTI).

abbé [abe] n. m. **1°** Celui qui porte l'habit ecclésiastique; en particulier *Monsieur l'abbé,* titre porté par un prêtre, appellation qui lui est donnée dans la conversation (*curé* désignant la fonction) : *Dans les collèges religieux, le directeur est un abbé.* — **2°** Chef d'un monastère appelé *abbaye* (en ce sens, fém. *abbesse*). ◆ **abbaye** [abei] n. f. Monastère; ses bâtiments.

a b c (l') [abese] n. m. Les premiers éléments d'une science, d'une technique, la base élémentaire d'une activité : *Je vous recommande la politesse envers le client, c'est l'a b c du métier.*

abcès [apsɛ] n. m. **1°** Amas de pus : *Avoir un abcès à la gorge. Faire aboutir un abcès* (= le faire mûrir). — **2°** *Crever l'abcès,* résoudre immédiatement, par la force, une situation critique et dangereuse : *La désorganisation et le laisser-aller sont trop grands dans ce service, il faut crever l'abcès.*

abdiquer [abdike] v. tr. et intr. **1°** *Abdiquer (le pouvoir),* ou plus souvent intr., renoncer à l'autorité souveraine dans le cadre d'une monarchie absolue : *Abdiquer le trône, l'Empire. Charles X abdiqua à la suite de la révolution de 1830* (contr. : MONTER SUR LE TRÔNE). — **2°** *Abdiquer (ce qui vous appartient),* ou souvent intr., renoncer à ce qui vous est propre, renoncer à conserver ce qui est l'essentiel ou qui est jugé comme tel, renoncer à agir (langue soignée) : *Il a abdiqué sa dignité d'homme* (contr. : GARDER). *Il avait abdiqué toute prétention à commander. En dépit d'échecs répétés, il se refusait à abdiquer* (syn. : CAPITULER). *C'est un homme fini, il a complètement abdiqué* (contr. : RÉAGIR). ◆ **abdication** n. f. : *L'abdication de Louis-Philippe en 1848. L'abdication de la magistrature devant l'Empereur. Il y a chez lui une sorte d'abdication devant la vie* (syn. : DÉMISSION). *L'abdication du droit devant la force brutale.*

abdomen [abdɔmɛn] n. m. Région inférieure du tronc chez l'homme (techn.) : *Recevoir un coup dans l'abdomen* (syn. usuel : VENTRE). ◆ **abdominal, e, aux** adj. : *Avoir de violentes douleurs abdominales.* ◆ **abdominaux** n. m. pl. Muscles du ventre.

abeille [abɛj] n. f. Insecte qu'on élève dans une ruche et qui produit du miel et de la cire : *Un essaim d'abeilles. L'élevage des abeilles s'appelle l'apiculture.*

aberrant, e [abɛrɑ̃, ɑ̃t] adj. **1°** Qui s'écarte du bon sens, de la logique (superlatif d'*absurde*) : *Vouloir tout faire vous-même, mais c'est aberrant!* (= c'est de la folie). *Une idée aberrante.* — **2°** Qui s'écarte de la norme, du cas général : *Un phénomène aberrant n'infirme pas la loi générale.* ◆ **aberration** n. f. Erreur de jugement allant toujours jusqu'à l'absurdité (sans complément) : *Par quelle aberration avez-vous pu faire cela?* (syn. : AVEUGLEMENT).

abêtir [abetir] v. tr. Rendre bête, stupide (littér.) : *Le travail monotone a fini par l'abêtir* (syn. plus usuel : ABRUTIR). *Elle est abêtie par ses tâches journalières.* ◆ ***s'abêtir*** v. pr. Devenir bête, stupide : *Peu à peu et sans qu'il en ait conscience, il s'abêtit dans l'inaction* (syn. : S'ABRUTIR). ◆ **abêtissement** n. m. : *L'abêtissement d'un paresseux* (syn. : ABRUTISSEMENT). ◆ **abêtissant, e** adj. : *Un régime abêtissant.*

abhorrer [abɔre] v. tr. Avoir en horreur (langue littér. ou soignée; sert d'intensif à *détester*) : *J'abhorre le mensonge et la déloyauté* (syn. : EXÉCRER).

abîme [abim] n. m. **1°** Gouffre d'une profondeur insondable (limité, dans la langue usuelle, à quelques emplois) : *Les abîmes sous-marins (fosses marines) sont appelés des abysses par les géographes. Les spéléologues ont découvert un nouvel abîme.* — **2°** Sert, dans la langue soignée, d'intensif à *division, séparation : Il y a un abîme entre eux. Un abîme s'est creusé entre le père et le* *fils;* ou à *ruine, désastre* (dans quelques express.). *Elle est maintenant au bord de l'abîme. Après ces échecs, il est au fond de l'abîme;* ou à *immensité,* dans *un abîme de : Cet homme est un abîme d'égoïsme* (= c'est un très grand égoïste). *Un abîme de science* (= un homme très savant). ◆ **abîmer (s')** v. pr. Syn. littér. de *s'enfoncer : L'avion s'est abîmé dans les flots;* ou de *se plonger (dans des réflexions), se perdre (dans un rêve) : S'abîmer dans ses pensées. S'abîmer dans la douleur.*

1. abîmer [abime] v. tr. Causer des dommages à (terme usuel, d'emploi étendu) : *Le transport a abîmé le colis* (syn. : ↑ DÉTÉRIORER; fam. : ESQUINTER). *L'humidité a abîmé le papier peint de la chambre* (syn. : ENDOMMAGER, ↑ GÂCHER). *Le chat abîme tout. J'ai les yeux abîmés par la lumière* (= fatigués). ◆ ***s'abîmer*** v. pr. Subir un dommage : *C'est un tissu fragile, il s'abîme facilement.*

2. abîmer (s') v. pr. V. ABÎME.

abject, e [abʒɛkt] adj. Qui suscite le dégoût, le mépris, par sa bassesse : *Avoir une conduite abjecte envers quelqu'un* (syn. plus usuel : IGNOBLE). *C'est un être abject* (syn. : RÉPUGNANT). ◆ **abjection** n. f. (littér.) : *Etre au dernier degré de l'abjection* (= de l'abaissement moral). *Vivre dans l'abjection* (= la dégradation).

abjurer [abʒyre] v. tr. et intr. 1° *Abjurer (une religion),* l'abandonner solennellement. — 2° *Abjurer ses opinions, ses erreurs,* etc., y renoncer publiquement (syn. : FAIRE SON AUTOCRITIQUE, SE RÉTRACTER). ◆ **abjuration** n. f. : *L'abjuration d'Henri IV en 1593.*

ablatif n. m. V. CAS.

ablation [ablasjɔ̃] n. f. *Ablation d'un organe du corps, d'une tumeur,* son enlèvement par voie chirurgicale : *Procéder à l'ablation d'un rein malade.* (Mais on dit l'*amputation d'un bras, d'une jambe, d'un membre;* on enlève un rein, mais on coupe une jambe.)

ablutions [ablysjɔ̃] n. f. pl. *(Faire) ses ablutions,* se laver : *Dans cette maison de campagne, il fallait faire ses ablutions dans la cour, près de la pompe.* (Chez les catholiques, désigne le rite du prêtre qui verse l'eau et le vin sur ses doigts après la communion.)

abnégation [abnegasjɔ̃] n. f. Renoncement total, au bénéfice d'autrui, à ce qui est pour soi l'essentiel : *Malgré sa maladie et par abnégation, il a continué sa tâche quotidienne* (syn. : ↓ DÉVOUEMENT).

abois [abwa] n. m. pl. *Etre aux abois,* être dans une situation désespérée, dont on ne peut sortir même par des expédients : *Il a perdu de grosses sommes à la Bourse, il ne peut plus faire face à ses obligations, il est aux abois* (syn. : ÊTRE RÉDUIT À LA DERNIÈRE EXTRÉMITÉ). [Expression utilisée en vénerie pour un cerf qui s'arrête devant les chiens, ne pouvant plus leur échapper.]

abolir [abɔlir] v. tr. *Abolir une loi, une coutume,* etc., l'annuler, la supprimer (syn. : ABROGER, en langue admin.); surtout dans *abolir la peine de mort* (= en faire cesser l'application). ◆ **abolition** n. f. : *Réclamer l'abolition de la peine de mort.* ◆ **abolitionnisme** n. m. Ensemble des arguments de ceux qui réclament l'abolition d'une loi (ancienn. l'esclavage, auj. la peine de mort). ◆ **abolitionniste** adj. et n. : *Se faire le promoteur d'une campagne abolitionniste.*

abominable [abɔminabl] adj. (avant ou après le nom). 1° Qui provoque l'horreur, la répulsion : *Commettre un crime abominable* (syn. : ATROCE). *Un chantage abominable* (syn. : MONSTRUEUX). *Il a eu pour lui des paroles abominables* (syn. : HORRIBLE). *Une abominable odeur de putréfaction* (syn. : ÉPOUVANTABLE). — 2° Superlatif fam. de *mauvais, laid,* etc. : *Il fait un temps abominable. Elle porte un abominable chapeau.* ◆ **abominablement** adv. 1° Superlatif fam. de *mal : Chanter abominablement.* — 2° Marque l'intensité : *Cela coûte abominablement cher* (syn. : TRÈS, EXTRÊMEMENT). ◆ **abomination** n. f. (limité à quelques express.). *Avoir quelqu'un en abomination,* le détester au plus haut point. ‖ *Dire des abominations,* dire des choses horribles, des paroles grossières ou blasphématoires. ‖ *L'abomination de la désolation,* le comble de l'horreur.

1. abonder [abɔ̃de] v. intr. (sujet nom de chose, et complément de temps ou de lieu). Etre en grand nombre ou en grande quantité : *Le gibier abonde cet automne* (syn. : ↑ PULLULER; contr. : MANQUER). *Les fruits abondent sur le marché* (contr. : ÊTRE RARE). *Les expressions recherchées abondent dans ses écrits* (syn. : ↑ FOISONNER). ◆ v. tr. ind. (sujet surtout nom de chose). *Abonder en quelque chose,* le posséder ou le produire en grande quantité : *La région abonde en fruits* (syn. plus usuel : REGORGER DE). *Il abonde en anecdotes* (syn. : ÊTRE PRODIGUE DE). ◆ **abondance** n. f. 1° *Une abondance de,* une grande quantité ou un grand nombre de : *Une abondance de légumes cet été* (syn. : PROFUSION; contr. : PÉNURIE). *Il y a abondance de poissons dans cette rivière. L'abondance des récoltes dépasse les prévisions. Abondance de mauvaises nouvelles ce matin* (contr. : MANQUE). — 2° (sans complément) Ressources importantes qui donnent la prospérité : *Il a vécu dans l'abondance* (syn. : RICHESSE, OPULENCE). *Ce sont des années d'abondance* (syn. : FERTILITÉ). — 3° *Corne d'abondance,* corne qui regorge de fruits et de fleurs et qui est le symbole de la richesse et de la prospérité. ‖ *Parler d'abondance,* sans préparation, de simple mémoire (littér.). ‖ *Parler avec abondance,* s'exprimer avec une grande facilité, avec une richesse particulière de mots. • LOC. ADV. *En abondance,* en grande quantité : *Ses pleurs coulaient en abondance* (syn. : ↑ À FLOTS). *Il a trouvé des fautes en abondance* (syn. : ↑ À FOISON; fam. : EN PAGAILLE). ◆ **abondant, e** adj. En grande quantité ou dont l'importance est considérable : *Fruits et légumes abondants sur le marché* (syn. : ↓ COURANT; contr. : RARE). *Il versait des larmes abondantes. Il s'agit de rendre plus abondantes les récoltes de maïs* (= d'accroître). *La récolte a été abondante* (syn. : RICHE, PLANTUREUX). ◆ **abondamment** adv. : *Il pleut abondamment* (syn. : ↓ BEAUCOUP). *Il mange abondamment tous les soirs* (syn. : COPIEUSEMENT). *Les magasins sont abondamment pourvus* (contr. : PAUVREMENT). *Il a abondamment traité la question* (syn. : AMPLEMENT). ◆ **surabondance** n. f. Superlatif de *abondance : Il y a eu surabondance d'artichauts* (syn. : SURPRODUCTION). *Surabondance de biens ne nuit pas* (= excès dans l'abondance des richesses; syn. : PLÉTHORE). ◆ **surabondant, e** adj. Superlatif de *abondant : Il nous a fourni sur son voyage des détails surabondants* (syn. : SUPERFLU, EXCESSIF). *Une récolte de blé surabondante* (syn. : EXTRAORDINAIRE). ◆ **surabondamment** adv. : *Tu nous as parlé de toi-même surabondamment* (= plus que suffisamment). *Manger surabondamment* (syn. : TROP). ◆ **surabonder** v. intr. *Un pays où surabondent les richesses de toutes sortes.*

2. abonder [abɔ̃de] v. intr. *Abonder dans le sens de quelqu'un,* se ranger pleinement à son avis : *J'abonde dans votre sens : il faut réformer l'enseignement.*

abonnement [abɔnmɑ̃] n. m. Convention passée avec un service public ou une maison commerciale, pour l'usage habituel de ce service, la fourniture régulière d'un produit : *Renouveler son abonnement à un journal, à la S. N. C. F. Prendre un abonnement au théâtre. Certains commerces assurent un abonnement pour la livraison régulière de mazout, de charbon,* etc. ◆ **abonner** v. tr. *Abonner quelqu'un,* lui prendre un abonnement : *Abonnez-le à votre revue.* ◆ ***s'abonner*** v. pr. Prendre un abonnement pour soi : *Je me suis abonné à un hebdomadaire.* ◆ **abonné, e** n. : *Les abonnés du Théâtre-Français. Assurer par priorité le service des abonnés.* ◆ **désabonner (se)** v. pr. : *Je me suis désabonné de cette revue, qui était devenue inintéressante* (= j'ai fait cesser mon abonnement). ◆ **désabonnement** n. m. ◆ **réabonner (se)** v. pr. ou **réabonner** v. tr. : *Mon abonnement est terminé, je dois me réabonner. Il m'a réabonné à son journal.* ◆ **réabonnement** n. m. : *Il a payé pour moi mon réabonnement.*

1. abord [abɔr] n. m. (dans des loc. adv.). *D'abord, tout d'abord,* indique une première partie, un commencement, etc., qui s'oppose généralement à ce qui suit (indiqué par *puis, ensuite, après quoi,* etc.) : *Mettons-nous d'abord à l'œuvre, ensuite nous verrons mieux les difficultés* (syn. : AU PRÉALABLE). *Il fut tout d'abord extrêmement mécontent, puis il se calma* (syn. : EN PREMIER LIEU). ‖ *Dès l'abord,* indique le point de départ (littér.) : *Dès l'abord, l'entreprise me parut difficile* (syn. plus usuels : DÈS LE DÉBUT, DÈS LE COMMENCEMENT). ‖ *Au premier abord,* si l'on s'en tient à un premier examen : *Au premier abord, je ne suis pas hostile à ce projet, mais il faudra l'examiner plus à fond* (syn. : SUR LE COUP, À PREMIÈRE VUE; DE PRIME ABORD est un syn. de la langue soignée).

2. abord n. m. V. ABORDER 2.

1. aborder [abɔrde] v. intr. *Aborder à, dans, en, sur* (complément de lieu), arriver au rivage, au port, atteindre la terre : *Aborder dans une île déserte, sur une petite île* (syn. : ACCOSTER). *Aborder sur la côte bretonne. Le bateau aborde en Chine, au Brésil* (contr. : APPAREILLER, QUITTER). ◆ v. tr. 1° *Aborder un virage,* se dit d'une voiture ou d'un automobiliste qui s'engage dans un tournant, une courbe de la route : *Il a abordé le virage à grande vitesse.* — 2° *Aborder un navire,* le heurter accidentellement : *Un cargo norvégien a abordé un pétrolier anglais dans la Manche;* le prendre d'assaut : *Les pirates ont abordé le petit navire, puis ils l'ont coulé.* ◆ **abordable** adj. : *Une côte peu abordable* (syn. : ACCESSIBLE, HOSPITALIER). ◆ **inabordable** adj. ◆ **abordage** n. m. (sens intr. et sens tr. 2 du verbe *aborder*) : *L'abordage est difficile au milieu de ces rochers. Le navire a coulé à la suite d'un abordage. Prendre un navire à l'abordage* (= d'assaut). *Un sabre d'abordage.* ◆ **abords** n. m. pl. *Les abords de* (suivi d'un complément), les environs immédiats de : *Les abords de Paris sont encombrés aujourd'hui par de longues files de voitures* (syn. : LES ACCÈS). *Les abords de Grenoble sont très pittoresques* (syn. : LES ALENTOURS).

2. aborder [abɔrde] v. tr. 1° (sujet nom de personne) *Aborder quelqu'un,* s'approcher de lui : *Il l'aborde pour lui demander des nouvelles de son fils* (syn. : ACCOSTER). *Je n'ose l'aborder, il est en conversation avec un ami.* — 2° (sujet nom de personne) *Aborder quelque chose,* commencer à l'entreprendre, y faire face : *Aborder un problème difficile* (syn. : AFFRONTER, S'ATTAQUER À). *Il a abordé le cinéma après une première saison théâtrale. Aborder la vie avec réalisme.* ◆ **abord** [abɔr] n. m. Manière dont on accueille les autres (toujours accompagné d'un qualificatif et surtout dans les express. *avoir l'abord... et être d'un abord...;* appartient à la langue soignée) : *Avoir l'abord sévère. Il est d'un abord facile et aimable.* ◆ **abordable** adj. : *Un homme facilement abordable* (syn. : ACCOSTABLE). *Des articles d'un prix abordable* (= à la portée de tous). *Des légumes abordables* (= dont le prix est accessible à tous). ◆ **inabordable** adj. Contr. de *abordable* (surtout lorsqu'il s'agit de prix) : *Les séjours de vacances en hôtel étaient cet été inabordables* (= d'un prix très élevé). *Les oranges sont encore inabordables.* ◆ **réaborder** v. tr. : *La Chambre a réabordé l'examen des projets économiques du gouvernement.*

aborigène [abɔriʒɛn] n. m. Naturel d'un pays, par oppos. à ceux qui viennent s'y établir (surtout au plur.) : *Les aborigènes sont dits d'une manière plus usuelle les « indigènes » ou les « autochtones ».*

1. aboucher [abuʃe] v. tr. *Aboucher deux tuyaux, des tubes,* les joindre bout à bout pour qu'ils communiquent, les souder l'un à l'autre (techn.). ◆ **abouchement** n. m. : *Abouchement de deux tuyaux.*

2. aboucher (s') [sabuʃe] v. pr. Péjor. *S'aboucher avec quelqu'un,* se mettre en rapport avec lui, souvent pour une affaire suspecte, pour une intrigue, etc. : *Il s'est abouché directement avec le fournisseur en espérant se passer de l'intermédiaire* (syn. : NÉGOCIER). *Ils se sont abouchés avec un receleur pour la vente des objets volés.*

1. abouler [abule] v. tr. Syn. pop. de DONNER, d'APPORTER (fréquent à l'impér.) : *Aboule tes cinquante francs.*

2. abouler (s') [sabule] v. pr. *Pop.* Arriver, venir (surtout à la 2ᵉ pers. du sing.) : *Alors tu t'aboules? on t'attend!*

aboulique [abulik] adj. et n. Privé complètement de volonté (terme de médecine passé dans la langue courante) : *Son mari est un aboulique incapable d'initiative et de résolution.*

1. aboutir [abutir] v. tr. ind. 1° (sujet nom de chose) *Aboutir à un lieu,* y toucher par une extrémité : *La rue du Bac commence à la Seine et aboutit* *à la rue de Sèvres* (on dit aussi, intransitiv., *aboutir rue de Sèvres*). *Le sentier aboutit au village* (syn. : FINIR À, SE TERMINER À). *La Loire aboutit à l'Atlantique* (syn. : SE JETER DANS). — **2°** (sujet surtout nom de chose) *Aboutir à quelque chose,* y trouver sa conclusion, y mener par une série d'événements, de conséquences, avoir pour résultat : *Cette attitude aboutit au scepticisme le plus complet. Ma démarche n'a abouti à rien;* et avec un infin. : *Tous vos prétextes aboutissent à ne rien faire.* ◆ **aboutissement** n. m. : *Cette rue est l'aboutissement de la route qui mène à Poitiers* (syn. : FIN).

2. aboutir [abutir] v. intr. **1°** (sujet nom de chose) Avoir un résultat heureux, une issue favorable : *Les pourparlers ont abouti* (syn. : RÉUSSIR; contr. : ÉCHOUER). *Mes démarches ont abouti.* — **2°** (sujet nom de personne) Terminer heureusement quelque chose : *Après un long travail fastidieux, j'ai enfin abouti.* ◆ **aboutissants** n. m. pl. *Les tenants et les aboutissants,* v. TENANT. ◆ **aboutissement** n. m. : *Et quel a été l'aboutissement de vos démarches?* (syn. : POINT FINAL). *C'est l'aboutissement de toutes mes recherches* (syn. : TERME, ↑ COURONNEMENT).

aboyer [abwaje] v. intr. **1°** (sujet nom désignant un chien ou quelques animaux du même genre) Emettre des cris d'appel, de menace, etc. : *Chaque fois que le facteur se présente à la grille, le chien aboie de fureur;* complément indiquant l'objet visé par les cris introduit par *après, contre* (plus rarement *à*) : *Le chien de garde aboie après les visiteurs.* — **2°** (sujet nom de personne) *Fam.* Crier, articuler avec violence : *Ce n'est pas la peine d'aboyer comme ça : j'ai compris!;* et transitiv. : *Un sous-officier qui aboie des ordres.* ◆ **aboiement** [abwamɑ̃] n. m. : *Etre réveillé par les aboiements du chien dans la cour.*

abracadabrant, e [abrakadabrɑ̃, -ɑ̃t] adj. Se dit d'une chose qui provoque l'étonnement par son étrangeté ou son incohérence : *C'est une idée abracadabrante que de commencer un roman par la fin* (syn. : ↓ BIZARRE; fam. : FARFELU). *Il raconte une histoire abracadabrante pour justifier son absence* (syn. : INCROYABLE).

abréger [abreʒe] v. tr. (sujet nom de personne ou de chose). *Abréger quelque chose,* en diminuer la longueur, la durée : *Abréger un article trop long* (syn. : RACCOURCIR). *Abrégez votre exposé* (syn. : ÉCOURTER; contr. : ALLONGER). *Le mauvais temps a abrégé notre séjour à la campagne* (syn. : RÉDUIRE). *Il savait abréger les trop longues soirées par de curieuses anecdotes* (= les faire paraître moins longues). *Cette petite route abrège la distance qui nous sépare du village.* ◆ **abrégé** n. m. **1°** Forme réduite d'un écrit plus long ou d'un ensemble plus vaste : *Ces quelques pages ne sont qu'un abrégé de ce que j'ai écrit dans un gros ouvrage* (syn. : RÉDUCTION). — **2°** Ouvrage contenant le résumé d'une science, d'un livre d'études : *Un abrégé de géométrie* (syn. : UN PRÉCIS). *Les lycéens apprennent souvent leurs cours dans de simples abrégés* (syn. : RÉSUMÉ). ● LOC. ADV. *En abrégé,* en peu de mots : *Voilà, en abrégé, le récit de leur querelle* (syn. : SOMMAIREMENT, EN BREF, BRIÈVEMENT; langue soignée : SUCCINCTEMENT). ◆ **abrègement** n. m. : *Il se plaint de l'abrègement des vacances de Noël lorsque cette fête tombe un dimanche* (contr. : ALLONGEMENT). ◆ **abréviation** [abrevjasjɔ̃] n. f. Réduction d'un mot à une suite plus courte d'éléments (premières syllabes), ou réduction d'un composé à ses initiales : « *Métro* », « *bus* », « *S. N. C. F.* », « *S. M. I. G.* » *sont des abréviations de* « *chemin de fer métropolitain* », *de* « *autobus* », *de* « *Société nationale des chemins de fer français* », *de* « *salaire minimum interprofessionnel garanti* ».

1. abreuver [abrœve] v. tr. **1°** Faire boire des animaux domestiques (chevaux, bœufs, etc.) : *Apporter des seaux d'eau pour abreuver le bétail.* — **2°** *Terre, sol abreuvés d'eau,* pleins d'eau (au point qu'ils ne peuvent plus l'absorber). — **3°** *Le visage abreuvé de larmes,* inondé de larmes (littér.) : *Ainsi battu, le petit Paul revint chez lui le visage abreuvé de larmes.* ◆ ***s'abreuver*** v. pr. Boire : *Le cheval s'abreuve à la mare;* et, en parlant de l'homme, boire abondamment. ◆ **abreuvoir** n. m. Lieu où les bestiaux vont boire : *Mener des bœufs à l'abreuvoir.*

2. abreuver [abrœve] v. tr. *Abreuver quelqu'un d'injures, d'humiliations, de coups,* l'injurier, l'humilier, le battre jusqu'à l'écœurement, jusqu'à l'accablement : *Quand il vit que j'avais perdu sa lettre, il m'abreuva d'injures.*

abréviation n. f. V. ABRÉGER.

abri [abri] n. m. **1°** Lieu où l'on peut se mettre à couvert de la pluie, du soleil, etc., et en particulier endroit qui a été aménagé pour servir de refuge en cas de bombardement, d'incendie, etc. : *Gagner un abri en montagne* (syn. : REFUGE). *Construire un abri provisoire pour garer sa voiture. Certaines stations de métro ont servi d'abris pendant la guerre.* — **2°** *A l'abri,* à couvert des intempéries. *Pendant l'orage, il s'est mis à l'abri dans une cabane* (= s'est réfugié); être en sûreté, hors de danger : *La menace de guerre s'est éloignée, nous sommes maintenant à l'abri* (syn. : HORS D'ATTEINTE); suivi d'un compl. avec *de : Cette maison est construite à l'abri du vent. Il est à l'abri du besoin* (= il a de quoi vivre). *Je suis à l'abri de pareilles erreurs* (= je ne peux les commettre). ◆ **abriter** [abrite] v. tr. (souvent au passif et au pron.) : *Je me suis abrité sous le porche pendant l'averse* (syn. : PROTÉGER, PRÉSERVER). *Le versant de la colline abrité des vents du nord* (contr. : EXPOSER). *Cette maison abrite plusieurs familles* (= leur sert d'habitation).

abricot [abriko] n. m. Fruit jaune-orangé de l'*abricotier* (n. m.), cultivé surtout dans le sud de la France. ◆ **abricoté, e** adj. *Pêche abricotée,* qui tient de l'abricot.

abroger [abrɔʒe] v. tr. *Abroger une loi, un décret, un arrêt,* les annuler, les supprimer (syn. plus restreint : ABOLIR) : *On abrogea les dispositions contraires à la loi nouvelle.* ◆ **abrogation** n. f. : *Voter l'abrogation d'une loi* (syn. : ABOLITION, ANNULATION).

abrupt, e [abrypt] adj. **1°** Se dit d'une pente, d'une montagne, coupées droit, d'un chemin dont la montée est difficile : *Pente abrupte* (syn. : ESCARPÉ). *Un chemin abrupt au flanc de la montagne* (syn. ↓ : RAIDE). *Refuge élevé sur le versant abrupt de la montagne.* — **2°** Se dit d'une personne (ou de son comportement) dont l'abord est rude, qui est d'une franchise brutale (superlatif de *brusque*) : *Il a une manière abrupte de vous recevoir* (syn. : REVÊCHE).

abrutir [abrytir] v. tr. (sujet nom de personne et de chose). *Abrutir quelqu'un,* le rendre incapable de rien comprendre, de rien sentir; le mettre dans un état de torpeur ou d'accablement : *L'alcool l'abrutissait et lui faisait perdre toute volonté* (syn. moins fréquent : HÉBÉTER). *Il l'abrutit d'un flot de paroles* (syn. : ↓ ABASOURDIR); surtout au passif : *Il restait assis sur la banquette, abruti par l'alcool. Etre abruti par une migraine.* ◆ **s'abrutir** v. pr. *S'abrutir de travail,* s'exténuer par un travail excessif. ◆ **abruti, e** n. Fam. : *Ce sont tous des abrutis, on ne peut rien leur faire comprendre;* souvent injurieux : *Tu ne pouvais pas faire attention, abruti!* (syn. : IMBÉCILE, IDIOT). ◆ **abrutissant, e** adj. : *Travail abrutissant. La vie abrutissante de Paris.* ◆ **abrutissement** n. m. : *L'abrutissement, conséquence de la monotonie de son existence. L'abrutissement d'un peuple soumis à la dictature.*

absent, e [apsɑ̃, -ɑ̃t] adj. et n. (sans compl. introduit par *de*). Se dit de quelqu'un qui n'est pas présent dans un lieu où il devrait être normalement, où il se trouve habituellement et surtout où il travaille d'ordinaire : *Le directeur est absent aujourd'hui; revenez demain. Il a été absent la semaine dernière pour cause de maladie. Faire l'appel d'une classe afin de compter les absents* (contr. : PRÉSENT). *Il est souvent absent en classe* (= il manque). ◆ adj. 1° (avec un compl. de lieu introduit par *de*) Se dit de quelqu'un qui n'est pas présent dans un lieu : *Il est absent de Paris en ce moment* (= il n'est pas à Paris). *J'étais absent de la précédente réunion* (= je n'étais pas à la réunion). *Etre absent de son bureau, de son usine.* — 2° (avec ou sans compl.) Se dit de quelque chose qui fait défaut : *La sincérité est absente chez lui. La précision est absente de ce rapport* (syn. : MANQUER À). *La gaieté est absente de cette assemblée.* — 3° (sans compl.) Se dit de quelqu'un (ou de sa physionomie) qui montre une grande distraction; absorbé dans une réflexion profonde (littér.) : *Il vous parlait toujours d'un air absent, en ne prenant que peu d'intérêt à ce que vous pouviez répondre* (syn. : DISTRAIT). ◆ **absence** n. f. (correspond à tous les sens de *absent*). 1° *Son absence a été remarquée. S'excuser de son absence. Une absence pour cause de maladie. Son absence de Paris se prolongera jusqu'à la semaine prochaine* (contr. : PRÉSENCE). *Pendant son absence, j'ai pu repeindre sa chambre. En l'absence des enfants, nous avons pu prendre quelques jours de repos. En l'absence du chef de service, son adjoint peut signer les circulaires.* — 2° *Ce roman témoigne d'une absence totale de goût et de mesure* (syn. : MANQUE). *Ses travaux dénotent une absence regrettable de rigueur scientifique* (syn. : CARENCE, DÉFAUT). *En l'absence de preuves, il a été relâché* (= faute de, par manque de). *J'ai des absences de mémoire quand il s'agit de noms propres* (syn. fam. : TROU). — 3° *Depuis son accident, il a souvent des absences* (syn. : DISTRACTIONS). ◆ **absenter (s')** v. pr. (sujet nom de personne). Quitter un lieu où l'on est habituellement, où l'on se trouve en ce moment (avec ou sans compl. introduit par *de*) : *Je m'absente pour quelques instants; prenez les communications téléphoniques à ma place* (syn. : SORTIR). *Il s'absente trop souvent : les dossiers s'accumulent sur son bureau. Je m'absenterai de Paris du 3 au 12 février.* ◆ **absentéisme** n. m. Absence fréquente et non motivée du lieu de travail : *On ne compte pas dans l'absentéisme les congés médicalement ou légalement prescrits* (contr. : ASSIDUITÉ). ◆ **absentéiste** adj. et n. : *La proportion des absentéistes a tendance à augmenter avec la rigueur de l'hiver.*

1. absolu, e [apsɔly] adj. (après un nom de chose). 1° Qui ne comporte aucune restriction, aucune atténuation ni aucune exception : *Il a pour tous ceux qui l'entourent un mépris absolu* (syn. : TOTAL). *Il est dans l'impossibilité absolue de quitter sa chambre* (syn. : COMPLET). *Cette déclaration fut suivie d'un silence absolu dans l'auditoire. J'avais en lui une confiance absolue* (syn. : ENTIER, PLEIN; contr. : RELATIF). *Vous donnez à ses paroles un sens trop absolu* (= sans nuance); placé parfois avant le nom : *Ne m'appelez qu'en cas d'absolue nécessité* (syn. : IMPÉRIEUX). — 2° Qui s'inspire de principes rigoureux, sans tenir compte des circonstances, de la situation historique, etc. : *Vous voyez tout d'une manière absolue* (contr. : RELATIF). ◆ **absolu** n. m. Ce qui est à l'origine de tout; le parfait : *Etre toujours à la recherche de l'absolu.* ◆ **absolument** adv. 1° D'une manière qui n'admet aucune restriction ni réserve : *Par ce temps, il faut absolument vous couvrir de vêtements chauds* (syn. : NÉCESSAIREMENT). *Je dois absolument aller le voir cette semaine* (syn. : DE TOUTE NÉCESSITÉ). — 2° Avec un adjectif, un adverbe ou un verbe, sert à exprimer l'intensité à son plus haut degré (superlatif absolu) : *C'est absolument faux* (syn. : COMPLÈTEMENT, TOTALEMENT, ENTIÈREMENT). *Nous sommes absolument du même avis* (syn. : TOUT À FAIT). *Ceci s'oppose absolument à ce que vous avez dit précédemment* (syn. : RADICALEMENT).

2. absolu, e [apsɔly] adj. 1° (après un nom de personne ou un nom qui exprime la manière d'être : *ton, caractère, ordre,* etc.) Qui ne supporte aucune opposition, aucune contradiction, qui ne fait aucune concession : *Il est trop absolu dans ses jugements* (syn. : DOGMATIQUE, ENTIER). *Il prend pour me parler un ton bien absolu* (syn. : AUTORITAIRE, IMPÉRIEUX). *Il a un caractère absolu; il n'admettra aucun compromis* (syn. : INTRANSIGEANT). *C'est un ordre absolu* (= qui ne souffre aucune discussion). — 2° Se dit d'un chef d'Etat qui ne connaît pour limite à l'exercice de son autorité que la loi fixée par lui-même; se dit aussi de son pouvoir : *Louis XIV fut un monarque absolu. Un pouvoir absolu* (= sans contrôle; syn. : SOUVERAIN). *La royauté d'Ancien Régime fut une monarchie absolue.* ◆ **absolutisme** n. m. Régime politique dans lequel le chef de l'Etat concentre en lui tous les pouvoirs, sans admettre d'autres contrôles que ceux que lui-même a institués : *L'absolutisme est le principe de toute dictature* (syn. : AUTOCRATIE, ↑ TOTALITARISME; péjor. : DESPOTISME, TYRANNIE). ◆ **absolutiste** adj. et n. : *Théories absolutistes. On a parfois appelé « absolutistes » les partisans du second Empire.*

3. absolu, e [apsɔly] adj. En grammaire, se dit d'une construction ou d'un terme qui n'est pas rattaché ou lié grammaticalement à un autre terme de la phrase : *Les propositions participiales sont en français des constructions absolues, puisque aucun des mots qui les forment ne joue de rôle dans la proposition principale. On dit qu'un verbe transitif est pris dans un sens absolu quand il est employé sans complément d'objet* (ex. : *il mange du pain* [transitif]; *il mange* [pris dans un sens absolu]). *Le superlatif absolu* (ex. : *très juste*) *ne comporte pas de complément* (contr. : SUPERLATIF RELATIF). ◆ **absolument** adv. *Verbe, adjectif,* etc., *employé absolument,* sans complément : *Dans la phrase « il a bu », le verbe « boire » est employé absolument.*

absolution n. f. V. ABSOUDRE.

absolutisme n. m., **absolutiste** n. et adj. V. ABSOLU 2.

1. absorber [apsɔrbe] v. tr. 1° (sujet nom de chose) *Absorber un liquide,* le laisser pénétrer en soi en le retenant ou en le faisant disparaître : *L'éponge absorbe l'eau* (syn. : S'IMBIBER DE ; contr. : REJETER). *Le buvard absorbe l'encre* (syn. : S'IMPRÉGNER DE). *Le terrain sablonneux a absorbé les pluies torrentielles de ce matin* (contr. : DÉGORGER). — 2° (sujet nom d'être animé) *Absorber des aliments,* les consommer, s'en nourrir : *Il absorbe presque deux litres de vin par jour* (syn. : MANGER ou BOIRE). — 3° (sujet nom de chose) *Absorber quelque chose,* le faire disparaître, l'épuiser ou le neutraliser : *L'achat de l'appartement a absorbé toutes leurs économies* (syn. : ↑ ENGLOUTIR). *Le noir absorbe la lumière.* ◆ **absorbant, e** adj. : *Un tissu absorbant.* ◆ **absorption** n. f. : *Il a succombé à l'absorption d'une dose massive de somnifère. L'absorption du législatif par l'exécutif.*

2. absorber [apsɔrbe] v. tr. (sujet nom de chose). *Absorber quelqu'un, ses pensées, son temps,* etc., les occuper entièrement et fortement : *Ce travail l'absorbe complètement, absorbe toute son activité* (syn. : RETENIR, ↑ ACCAPARER). *Ses calculs savants absorbent l'attention de son auditoire.* ◆ **s'absorber** v. pr. Etre occupé entièrement : *Il s'absorbe dans la rédaction de son roman, dans la lecture de son journal* (syn. : ↑ SE PLONGER ; ↑ S'ABÎMER [littér.]). ◆ **absorbant, e** adj. : *Avoir un travail absorbant. Une lecture absorbante.*

absoudre [apsudr] v. tr. (conj. **60**). 1° *Absoudre quelqu'un,* le déclarer innocent (terme jurid.); chez les catholiques, remettre les péchés au pénitent (terme relig.). — 2° *Absoudre la faute de quelqu'un,* la lui pardonner, l'en excuser. ◆ **absolution** [apsɔlysjɔ̃] n. f. : *L'absolution est donnée par le prêtre qui confesse. Le pénitent reçoit l'absolution de ses fautes* (= est pardonné). *Prononcer l'absolution d'un accusé* (terme jurid.).

1. abstenir (s') [sapstənir] v. pr. (conj. 22) [sujet nom de personne]. 1° *S'abstenir de quelque chose,* l'éviter volontairement, y renoncer : *Il s'est abstenu de tout commentaire* (syn. : SE GARDER DE). — 2° *S'abstenir de faire quelque chose,* s'interdire de le faire : *Le Parlement s'est abstenu de voter ce projet de loi. Il s'abstint de le critiquer. Ils se sont abstenus de participer à la course.* — 3° (sans compl. d'objet) Ne pas se prononcer et, en particulier, ne pas prendre part, volontairement, à un vote ou à une délibération, en refuser la responsabilité : *Dans le doute, abstiens-toi. S'abstenir aux élections législatives.* ◆ **abstention** [apstɑ̃sjɔ̃] n. f. Refus personnel de prendre part à une action, et en particulier à un vote (sens 2 et 3 du verbe) : *Le nombre des abstentions, dans ce scrutin, atteint près du quart des électeurs. L'abstention est parfois une attitude politique.* ◆ **abstentionnisme** n. m. Non-participation d'une partie du corps électoral à un vote : *L'abstentionnisme est important dans certaines régions de France.* ◆ **abstentionniste** n. : *Les abstentionnistes sont plus nombreux aux élections partielles qu'aux élections générales.*

2. abstenir (s') [sapstənir] v. pr. (conj. 22) [sujet nom de personne]. *S'abstenir d'un aliment,* s'interdire d'en user : *Abstenez-vous de café et de tabac jusqu'à nouvel ordre* (syn. : SE PRIVER DE). ◆ **abstinence** [apstinɑ̃s] n. f. Action de se priver de certains aliments pour des raisons médicales (peu usuel) ou religieuses : *Pour préserver sa santé, il se pliait à une dure abstinence* (syn. : TEMPÉRANCE, SOBRIÉTÉ). *Le vendredi est pour les catholiques un jour d'abstinence* (= où l'on s'abstient de viande). ◆ **abstinent, e** adj. et n. Qui s'abstient de certains plaisirs, d'aliments (emploi très limité). [Syn. plus usuel : SOBRE, TEMPÉRANT.]

1. abstraire [apstrɛr] v. tr. (conj. **79**; surtout à l'infin. et aux temps composés) [sujet nom de personne]. Isoler un caractère d'un objet, d'un événement, afin de le considérer indépendamment des autres caractères : *Il avait en quelque sorte abstrait de la vie ce qui lui paraissait essentiel et abandonnait le reste au hasard.* ◆ **abstraction** [apstraksjɔ̃] n. f. 1° Action d'abstraire; idée ou raisonnement qui est le résultat de cette opération : *L'abstraction est inhérente à la généralisation. Sans abstraction, il n'est pas de science. La noirceur est une abstraction* (syn. : CONCEPT, NOTION). — 2° *Péjor.* Conception ou idée qui perd tout contact avec la réalité, qui est issue de la pure imagination : *La vie est pour lui une abstraction, il raisonne sans tenir compte de la situation. Il se laissait aller à développer des abstractions extraordinaires* (syn. : UTOPIE). *Ce personnage de comédie est une pure abstraction* (= est parfaitement irréel). — 3° *Faire abstraction de,* ne pas tenir compte de : *Dans vos projets d'avenir, vous faites abstraction de tous les incidents qui peuvent modifier le cours de l'existence* (syn. : ÉCARTER, EXCLURE ; contr. : FAIRE ENTRER EN LIGNE DE COMPTE). *Faites un moment abstraction des obstacles qui se dressent* (syn. : LAISSER DE CÔTÉ, OMETTRE, ÉLIMINER). *Abstraction faite des deux semaines où je ne serai pas à Paris, j'aurai tout le temps de faire ce que vous me demandez.* ◆ **abstrait, e** [apstrɛ, -ɛt] adj. 1° Se dit d'une qualité considérée en elle-même, indépendamment de l'objet *(concret)* dont elle est un des caractères, de sa représentation, ou de tout ce qui dépasse le particulier pour atteindre le général (v. ABSTRACTION) : *La couleur et la grandeur sont des qualités abstraites. La bonté, la haine et la fraternité sont des idées abstraites* (= concept). *Les noms abstraits, comme « blancheur » et « politesse », désignent en grammaire une qualité ou une manière d'être* (contr. : CONCRET). — 2° Se dit d'une personne (de son esprit ou de son œuvre) difficile à comprendre à cause de la généralité de son expression ou, péjor., dont la pensée est vague et exprimée de manière confuse : *Je suivais mal son raisonnement abstrait* (syn. sans péjor. : SUBTIL; contr. : CLAIR). *C'est un écrivain abstrait, qui se refuse à illustrer sa pensée par des exemples concrets* (syn. : ABSCONS, ABSTRUS [littér.]). *Un exposé abstrait qui ennuya l'auditoire* (syn. péjor. et fam. : FUMEUX; contr. : PRÉCIS). *L'art abstrait utilise les lignes et les masses pour traduire l'idée ou le sentiment* (contr. : FIGURATIF). ◆ **abstrait** n. m. : *Ne restez pas dans l'abstrait, donnez des exemples.* ◆ **abstraitement** adv. : *Raisonner abstraitement, indépendamment de la réalité* (contr. : CONCRÈTEMENT).

2. abstraire (s') [sapstrɛr] v. pr. (sujet nom de personne). *S'abstraire de quelque chose* (ou sans compl.), s'isoler du monde extérieur, du milieu dans lequel on se trouve, du cadre habituel de ses occupations, pour réfléchir ou rêver : *Il savait s'abstraire de la salle bruyante où il devait travailler. Il ne pouvait s'abstraire du spectacle affreux qu'il avait sous* *les yeux* (syn. : SE DÉTACHER). *Pour comprendre un fait historique, il faut s'abstraire de l'époque où l'on vit.*

absurde [apsyrd] adj. (avant ou après le nom). 1° *Idée, discours,* etc., *absurde,* contraire à la logique, à la raison, à ce qu'attend le sens commun : *Il tient des raisonnements absurdes* (syn. : ABERRANT, INSENSÉ ; contr. : JUDICIEUX, FONDÉ, LOGIQUE). *La vie est souvent absurde. Avec ce verglas, il est absurde de vouloir utiliser la voiture pour aller à Lyon* (syn. : DÉRAISONNABLE, ↑ FOU). *Ce projet est absurde, il ne tient pas compte des réalités* (syn. : ↑ EXTRAVAGANT, SAUGRENU ; contr. : RAISONNABLE). *Ses propos sur la situation politique sont absurdes* (syn. : STUPIDE ; contr. : JUSTE). — 2° *Personne absurde,* qui manque de logique, de suite dans les idées, qui agit contre les usages ou les normes considérés comme rationnels : *Vous êtes absurde de lui en vouloir pour quelques mots prononcés sous l'effet de la colère* (syn. : IDIOT, RIDICULE, STUPIDE, ↑ FOU ; contr. : SAGE, RAISONNABLE). *C'est une femme absurde, qui ne sait jamais ce qu'elle veut* (syn. : EXTRAVAGANT ; contr. : POSÉ, SENSÉ). ◆ **absurde** n. m. : *Ses paradoxes vont jusqu'à l'absurde.* ◆ **absurdité** n. f. 1° Manque de logique (aux deux sens de *absurde*) : *L'absurdité de sa conduite* (syn. : STUPIDITÉ). *L'absurdité de ses propos* (syn. : ILLOGISME). *L'absurdité de la mode* (syn. : EXTRAVAGANCE). *Ce garçon a montré toute son absurdité dans cette affaire* (syn. : SOTTISE). — 2° Propos ou conduite déraisonnable : *Il ne cesse de dire des absurdités. C'est une absurdité que de vouloir sortir par un temps pareil* (syn. : ↑ IDIOTIE, STUPIDITÉ).

1. abuser [abyze] v. tr. ind. (sujet nom de personne). 1° *Abuser de quelque chose,* en user mal, et, plus souvent, en user avec excès (péjor.) : *Il abuse de sa force envers les plus faibles. Tu abuses de la situation pour m'imposer tes conditions. Il abuse de ta complaisance. Ils ont abusé de ta crédulité. Le ministre avait abusé de son autorité* (= il avait outrepassé ses droits) ; et intransitiv. : *Je suis patient, mais il ne faut pas abuser* (syn. : DÉPASSER LA MESURE). *Laisse-le tranquille, tu abuses* (syn. : EXAGÉRER). — 2° *Abuser de quelqu'un,* user avec excès de sa bonté, de sa patience, etc. : *Il est paresseux et abuse de tous ceux qui l'entourent en leur faisant faire son travail.* — 3° *Abuser d'une femme,* la séduire, lui faire violence : *Sadique condamné pour avoir abusé d'une fillette* (syn. : ↑ VIOLER). ◆ **abus** [aby] n. m. 1° Mauvais emploi, usage excessif de quelque chose (sens 1 du verbe) : *Abus d'autorité* (= excès de pouvoir). *Abus de la force. L'abus des médicaments peut entraîner certains troubles. Commettre un abus de confiance* (= tromper la confiance de quelqu'un). — 2° Injustice sociale, qui s'est établie par habitude, par coutume (sans compl. et souvent au plur.) : *Tenter de réprimer des abus. S'élever contre des abus. Les syndicats protestaient contre cet abus* (syn. jurid. : ILLÉGALITÉ). — 3° Fam. *Il y a de l'abus,* c'est exagéré. ◆ **abusif, ive** adj. Qui constitue un abus : *Privilège abusif.* ◆ **abusivement** adv. : *Il s'est abusivement servi de votre naïveté pour arriver à ses fins.*

2. abuser [abyze] v. tr. (sujet nom de personne ou de chose). *Abuser quelqu'un,* le tromper par de faux prétextes, l'égarer en lui faisant illusion (littér.) : *Ne crois pas m'abuser par tes mensonges continuels.* ◆ **s'abuser** v. pr. Se tromper soi-même (langue soignée) : *Il s'abuse étrangement quand il pense être estimé* (syn. : SE FAIRE ILLUSION). *Il y a de cela cinq ans, si je ne m'abuse* (= sauf erreur). ◆ **désabuser** v. tr. Contr. de *abuser : Il gardait encore quelques illusions ; je l'ai vite désabusé* (syn. : DÉTROMPER) ; surtout comme part. passé : *Il a toujours sur les lèvres un sourire désabusé* (syn. : DÉSENCHANTÉ). *Avoir l'attitude désabusée d'un homme qui a tout vu* (syn. : BLASÉ).

acabit [akabi] n. m. *De cet acabit, du même acabit,* de cette nature, du même caractère (péjor. et fam.) : *Nous ne voulons plus avoir affaire à des gens du même acabit* (syn. fam. : DU MÊME TABAC). *Il y a trop de garçons de son acabit* (syn. : DE CE TYPE).

acacia [akasja] n. m. Arbre à fleurs jaunes odorantes, réunies en petites sphères, cultivé dans le midi de la France.

1. académie [akademi] n. f. Nom donné à certaines sociétés scientifiques, littéraires ou artistiques (souvent avec une majuscule) : *Académie des sciences, d'agriculture, de marine, de pharmacie ;* en particulier, sans adj. ni compl., désigne l'Académie française : *Conformément à ses statuts, l'Académie a poursuivi la rédaction d'un dictionnaire ; la première édition est de 1694, la dernière fut publiée en 1932.* ◆ **académique** adj. : *Séance, discours académique.*

2. académie [akademi] n. f. 1° *Académie de dessin, de peinture, de danse, d'architecture,* nom donné à des écoles publiques où un maître enseigne, selon ses méthodes propres, la pratique du dessin, de la peinture, etc. — 2° Représentation peinte ou dessinée d'un modèle nu, servant d'exercice dans les académies de dessin ou formant des études préparatoires à l'exécution de tableaux achevés : *L'art difficile de dessiner des académies.* ◆ **académique** adj. 1° *Une figure académique.* — 2° *Péjor.* Dont le conformisme à la tradition littéraire et artistique supplée au manque d'imagination et d'originalité (se dit de l'expression, du style, etc., ou des artistes) : *Son style est d'une parfaite correction, mais reste académique. Un peintre académique.* ◆ **académisme** n. m. : *Son académisme est à l'origine de son succès auprès des lecteurs les plus conformistes.*

3. académie [akademi] n. f. Circonscription universitaire de la France ; les bureaux et les services administratifs qui la concernent : *L'académie de Paris s'étend sur plusieurs départements. Passer à l'académie pour recevoir son affectation comme surveillant.* ◆ **académique** adj. : *L'inspection académique assure le contrôle administratif du personnel des établissements du premier et du second degré, ainsi que de l'enseignement technique.*

acajou [akaʒu] n. m. Arbre d'Amérique et d'Afrique, dont le bois rougeâtre est utilisé dans la fabrication des meubles : *Bibliothèque en acajou.*

acariâtre [akarjɑtr] adj. Se dit d'une personne (ou de son comportement), surtout d'une femme ou d'un vieillard, dont l'humeur, le caractère est difficile à supporter : *Son épouse acariâtre l'importunait de ses reproches incessants et injustifiés* (syn. plus usuel : HARGNEUX). *Une concierge acariâtre* (syn. : ↓ GRINCHEUX). *Une humeur acariâtre.*

accabler [akable] v. tr. *Accabler quelqu'un,* ou *son œuvre (de quelque chose),* le faire succomber sous la douleur, sous une charge excessive, sous la peine physique ou morale ; le priver de toute réaction par un choc moral : *Le départ de son meilleur ami l'accable* (contr. : SOULAGER). *Ce deuil cruel l'accable* (syn. : ABATTRE). *La chaleur accablait tous les touristes peu habitués à ce climat* (syn. : ÉPUISER). *Il tenta de porter la contradiction à son adversaire, mais il fut accablé d'injures* (syn. : ABREUVER). *La déposition du témoin accable l'accusé* (syn. : CHARGER, CONFONDRE). *Son roman est accablé de critiques. L'enfant accablait son père de questions* (syn. : ↓ IMPORTUNER, FATIGUER). *Le paysan était accablé de dettes* (syn. : ÉCRASER). *Le malade s'est assoupi, accablé par la fièvre.* ◆ **accablant, e** adj. : *Une preuve accablante de culpabilité* (syn. : ÉCRASANT). *La chaleur est accablante. Le poids accablant des soucis* (syn. : INTOLÉRABLE). *Il ne fait que courir et crier dans l'appartement; cet enfant est accablant* (= insupportable). *Il n'a encore rien compris : il est accablant* (= il est d'une stupidité qui laisse sans parole). ◆ **accablement** n. m. Etat d'une personne écrasée par la fatigue, la chaleur, la douleur, l'émotion, etc. : *Son accablement devant la mort de sa femme faisait peine à voir* (syn. : ABATTEMENT; contr. : SOULAGEMENT). *Etre dans l'accablement du désespoir.*

accalmie [akalmi] n. f. **1°** Calme momentané du vent et de la mer : *Une accalmie pendant la tempête, pendant un orage* (syn. : ÉCLAIRCIE). *Attendons l'accalmie* (de la pluie) *sous ce chêne. Profiter d'une accalmie pour rentrer en courant.* — **2°** Cessation momentanée d'une activité, d'une agitation, d'une crise, d'un état de maladie : *Il y a une accalmie dans sa fièvre. Accalmie sur le front après la bataille. N'avoir pas un instant d'accalmie dans sa journée* (syn. : RÉPIT, TRANQUILLITÉ). *La crise politique connaît quelque accalmie* (syn. : APAISEMENT).

accaparer [akapare] v. tr. **1°** (sujet nom de personne) Péjor. *Accaparer quelque chose,* amasser et retenir des biens de consommation, afin de profiter de leur rareté momentanée et de les revendre fort cher; prendre et garder quelque chose pour soi sans le partager avec d'autres : *Accaparer sur le marché tous les stocks d'étain pour maintenir les prix* (syn. : MONOPOLISER). *Pendant la guerre, certains accaparaient les pommes de terre pour les revendre au marché noir. Accaparer toute la banquette d'un compartiment* (syn. : ENVAHIR, OCCUPER). *A table, il accapare la conversation. Très vite, il réussit à accaparer tout le pouvoir. Cet élève accapare les places de premier* (syn. fam. : TRUSTER, COLLECTIONNER). — **2°** (sujet nom de personne ou de chose) Péjor. *Accaparer quelqu'un,* l'occuper exclusivement en ne lui permettant aucune distraction : *La cliente accaparait le vendeur depuis une demi-heure. Je ne veux vous accaparer qu'un moment; mais j'ai une affaire urgente à régler. Elle était furieuse contre les amis de son mari, qui, disait-elle, l'accaparaient sans cesse. Ce travail minutieux l'accapare depuis des semaines;* souvent au passif : *Il était accaparé toute la journée par des visites continuelles.* ◆ **accaparement** n. m. : *Pendant la Révolution, on condamnait les commerçants pour accaparement* (= stockage illicite). *L'accaparement d'un médecin par sa clientèle.* ◆ **accapareur, euse** n. : *Il a pris tous les romans intéressants de la bibliothèque : quel accapareur!*

1. accéder [aksede] v. intr. (conj. **10**). **1°** (sujet nom de personne ou de chose) *Accéder à un lieu,* permettre d'y aller : *La grande allée accédait au perron du château.* — **2°** (sujet nom d'être animé) Pénétrer dans ce lieu, l'atteindre : *Il accède péniblement au sommet de la montagne* (syn. : PARVENIR). *Par ce petit chemin, on accède directement à la ferme.* ◆ **accès** [aksɛ] n. m. **1°** Facilité plus ou moins grande d'atteindre un lieu, d'y pénétrer, de comprendre quelque chose : *L'île est d'un accès difficile* (syn. : ABORD). *L'accès du musée est interdit après seize heures* (syn. : ENTRÉE). *Ce livre de mathématiques est d'accès facile* (syn. : COMPRÉHENSION). — **2°** Chemin, voie quelconque, etc., qui permettent d'aller vers un lieu ou d'y entrer : *La police surveille tous les accès de la maison* (= les entrées et les sorties). *Les accès de Paris sont embouteillés le dimanche soir* (on dit aussi VOIE D'ACCÈS). — **3°** *Avoir accès auprès* (ou *près*) *de quelqu'un,* avoir la possibilité de l'approcher : *Avez-vous accès auprès du ministre?* ‖ *Donner accès* (*à un emploi*), offrir le moyen, le droit d'exercer telle ou telle profession : *Cet examen donne accès à la carrière d'ingénieur; donner accès* (*à un lieu*), permettre de l'atteindre : *La porte du jardin donne directement accès sur le chemin de la rivière.* (V. aussi ACCÈS 2.) ◆ **accessible** adj. Se dit d'un lieu que l'on peut atteindre : *Le sommet de cette montagne est accessible même à des alpinistes débutants.* (V. aussi ACCESSIBLE 2.) ◆ **inaccessible** adj. Contr. d'*accessible* (avec prép. *à*) : *La forêt, très dense, est inaccessible aux promeneurs* (syn. : IMPÉNÉTRABLE). *Certains sommets de l'Himalaya ont été longtemps inaccessibles. Une île inaccessible* (syn. : INABORDABLE).

2. accéder [aksede] v. intr. (conj. **10**) [sujet nom de personne]. Parvenir avec plus ou moins de difficulté à une situation jugée supérieure à celle que l'on occupe, à une dignité : *Louis XIV accéda au trône en 1643* (syn. : MONTER SUR). *Accéder à de hautes fonctions* (syn. : ATTEINDRE À). ◆ **accession** [aksɛsjɔ̃] n. f. Action de parvenir à une situation jugée supérieure, à une dignité : *L'accession au trône de Louis XV se fit à un moment où les difficultés financières s'accumulaient* (syn. : AVÈNEMENT). *L'accession à de hautes fonctions. L'accession à la propriété est rendue possible par les prêts. Son accession au rang d'ambassadeur l'a rempli d'une grande fierté. L'accession à l'indépendance des pays africains est un fait accompli.*

3. accéder [aksede] v. tr. ind. (conj. **10**) [sujet nom de personne]. *Accéder à quelque chose,* donner son accord, son assentiment : *Après de nombreuses démarches, l'inspecteur a accédé à ma demande de mutation* (syn. : ACCEPTER; contr. : S'OPPOSER À, REJETER). *Il est trop bon et accède à tous tes désirs* (syn. : SE RENDRE, ACQUIESCER; contr. : REPOUSSER).

1. accélérer [akselere] v. tr. (conj. **10**). Augmenter la vitesse d'un véhicule, d'un moteur, ou le rythme d'un organe, etc. : *Une fois sorti de Chartres, il accéléra la vitesse de la voiture* (syn. : AUGMENTER; contr. : FREINER). *Ce médicament accélère les mouvements du cœur.* ◆ v. intr. Donner au véhicule que l'on conduit ou à sa propre marche une vitesse plus grande : *Il accélérait légèrement pour doubler le véhicule lorsqu'il aperçut un camion venant en sens inverse. Accélérez au milieu du virage. Tu es en retard dans ton travail : accélère un peu* (= va un peu plus vite). ◆ ***s'accélérer*** v. pr. Devenir plus rapide; augmenter sa vitesse : *La vitesse du véhicule s'accélérait dangereusement* (syn. : S'ACCROÎTRE; contr. : DIMINUER). *Le pouls s'accélère* (contr. : RALENTIR). ◆ **accéléré, e** adj. : *Aller à vitesse accélérée* (= très rapide). ◆ **accélération**

n. f. : *L'accélération de la voiture fut très brutale* (contr. : RALENTISSEMENT). *L'accélération des battements du cœur devint inquiétante* (syn. : RYTHME). ◆ **accélérateur** n. m. Organe qui commande l'alimentation d'un moteur d'automobile et qui est actionné par une pédale sur laquelle appuie le conducteur; cette pédale elle-même : *Il poussa l'accélérateur à fond. Enfoncer l'accélérateur* (syn. fam. : CHAMPIGNON). ◆ **décélérer** [deselere] v. intr. Diminuer la vitesse d'un véhicule (techn.) [syn. usuel : RALENTIR]. ◆ **décélération** n. f. : *La décélération fut trop brusque : la voiture dérapa et alla dans le fossé* (syn. usuels : RALENTISSEMENT, FREINAGE).

2. accélérer [akselere] v. tr. (conj. **10**). *Accélérer (quelque chose)*, rendre plus rapide une action commencée : *Accélérez le pas. Il accéléra sa marche en entendant du bruit derrière lui* (syn. : PRESSER; contr. : RALENTIR). *Cette émeute accéléra la fin du régime* (syn. : HÂTER). *Une nouvelle attaque accéléra sa déchéance.* ◆ **s'accélérer** v. pr. : *Le débit de ses paroles s'accéléra* (contr. : SE MODÉRER). *Le progrès s'accélère.* ◆ **accéléré, e** adj. Sert de superlatif à *rapide : La chute accélérée de ses cheveux aboutit à une calvitie complète. Marcher au pas accéléré.* ◆ **accélération** n. f. : *L'accélération de l'histoire* (= cadence plus rapide à laquelle se succèdent les événements politiques au XIXe s. et surtout au XXe s.).

1. accent [aksɑ̃] n. m. **1°** Elévation ou abaissement de la voix sur une syllabe, en hauteur ou en intensité : *En anglais, certains mots se distinguent seulement par la place de l'accent.* — **2°** Ensemble des intonations, accents, etc., qui forment le caractère propre de la langue parlée dans un pays, dans un milieu déterminé : *L'accent bourguignon se caractérise en particulier par un* r *roulé. Passer quelques mois en Allemagne pour améliorer son accent. Avoir un fort accent faubourien* (= accent populaire de certains quartiers de Paris). *Bien qu'il ait vécu dix ans à Paris, il n'a pu se débarrasser de son accent anglais.* — **3°** Inflexion particulière de la voix qui traduit une émotion, un sentiment (suivi d'un compl. du nom sans art. ou d'un adj.) : *Il fut sensible à l'accent de détresse que l'on sentait dans ses paroles. Cet accent d'ironie me déplaît. Faire entendre des accents pitoyables. Il y a dans cet aveu un accent de sincérité qui me touche profondément.* — **4°** Signe graphique qui se met, en français, sur une voyelle pour indiquer que son timbre est différent de celui de la voyelle non accentuée (*ê, é* et *è, à* et *â*), ou pour éviter des homonymies (*a* verbe et *à* préposition) : *Relever plusieurs fautes d'accent dans une copie. En français, on distingue l'accent aigu, qui va de droite à gauche* (é), *l'accent grave, de gauche à droite* (è), *et l'accent circonflexe, qui combine les deux* (ê). ◆ **accentuer** v. tr. *Accentuer une syllabe, une lettre,* lui faire porter les caractéristiques de l'accent; mettre les accents graphiques; prononcer en accroissant l'intensité ou l'expressivité : *Accentuez vos lettres, vous êtes difficile à lire. Accentuer ses phrases pour retenir l'attention* (syn. : ↑ MARTELER). ◆ **accentuation** n. f. Action d'accentuer; ensemble des accents (sens 4) : *L'accentuation du texte est défectueuse.*

2. accent [aksɑ̃] n. m. *Mettre l'accent, faire porter l'accent sur quelque chose,* lui donner du relief, le faire ressortir : *Il met l'accent sur la nécessité d'apporter une solution rapide à ce problème* (syn. : INSISTER). *Le ministre, dans son exposé, fit porter l'accent sur la situation en Amérique du Sud* (syn. : SOULIGNER). ◆ **accentuer** v. tr. Rendre quelque chose plus fort, plus intense : *La barbe accentue la tristesse de sa physionomie* (syn. : ACCROÎTRE, ACCUSER). *D'un cerne noir il accentua les traits du visage qu'il était en train de peindre* (syn. : SOULIGNER). ◆ ***s'accentuer*** v. pr. (sujet nom de chose). Devenir plus fort, plus intense : *La crue de la Seine s'est accentuée ces dernières heures. Le froid s'accentue* (contr. : DIMINUER, S'ATTÉNUER). ◆ **accentuation** n. f. : *L'accentuation de la hausse des prix entraîne des revendications de la part des salariés.*

accepter [aksɛpte] v. tr. (sujet nom de personne). **1°** *Accepter quelque chose,* consentir à prendre ou à recevoir ce qui est offert ou proposé; *accepter quelqu'un,* se déclarer prêt à l'admettre : *Accepter avec plaisir le cadeau que l'on vous offre. Accepter une invitation à déjeuner. Accepter les reproches bienveillants d'un ami* (syn. : TOLÉRER). *Il accepte son sort avec résignation* (syn. : SE RÉSIGNER À, SUPPORTER). *Tu acceptes tout sans rien vérifier* (syn. : ACQUIESCER À). *Accepter les hommages* (syn. : AGRÉER; contr. : REFUSER). *J'accepte le défi que vous me lancez. Il accepte ses responsabilités* (syn. : PRENDRE). *Il n'accepte pas facilement la discussion. Il n'accepte aucune critique. J'accepte le risque d'échouer si mes calculs ne sont pas exacts. On l'a accepté dans le cercle familial* (syn. : ADMETTRE). — **2°** *Accepter de* (suivi d'un infin.), se déclarer prêt à faire telle ou telle chose : *Acceptez de venir à la maison demain* (syn. : CONSENTIR À). ◆ **acceptable** adj. Qui peut être accepté : *Cette offre est finalement très acceptable. Un travail acceptable* (syn. : PASSABLE, HONNÊTE). ◆ **inacceptable** adj. : *Il a tenu en ma présence des propos inacceptables* (syn. : INADMISSIBLE). *Une telle proposition est inacceptable* (syn. : IRRECEVABLE). ◆ **acceptation** n. f. : *Les nouvelles propositions faites rendaient l'acceptation britannique peu probable* (syn. : CONSENTEMENT; contr. : REFUS). *L'acceptation du risque fait partie de l'aventure elle-même.*

acception [aksɛpsjɔ̃] n. f. **1°** Sens dans lequel un mot de la langue est employé : *Chaque terme a une ou plusieurs acceptions; ainsi, l'adjectif* cher *signifie « à prix élevé »* (la vie est chère), *ou « tendrement aimé »* (sa chère épouse). *Prenez ce mot dans son acception la plus large.* — **2°** *Dans toute l'acception du mot, du terme,* au sens précis du mot employé, sans aucune restriction (souvent avec un terme péjor.) : *Ce sont des vues utopiques, dans toute l'acception du terme* (syn. : ABSOLUMENT, À LA LETTRE).

1. accès n. m. V. ACCÉDER 1.

2. accès [aksɛ] n. m. **1°** *Accès de fièvre,* forte élévation de la température de l'organisme, se produisant à intervalles réguliers ou irréguliers (syn. : ↓ POUSSÉE); se dit aussi d'une situation critique, mais peu durable : *Le Sud-Est asiatique a connu ces derniers temps de violents accès de fièvre.* — **2°** *Accès de colère, de jalousie,* etc., mouvement intérieur violent et passager, provoqué par la colère, la jalousie, etc. : *Il était sujet à des accès de jalousie* (syn. : BOUFFÉE, CRISE). — **3°** *Par accès,* d'une manière irrégulière : *Ses névralgies reviennent par accès. Il avait par accès des velléités de résistance.*

1. accessible adj. V. ACCÉDER 1.

2. accessible [aksɛsibl] adj. 1° Se dit de quelque chose que l'on peut comprendre : *L'exposé était difficilement accessible aux assistants* (syn. : INTELLIGIBLE ; contr. : OBSCUR, INCOMPRÉHENSIBLE). *La musique moderne est-elle accessible à tous?* — 2° Se dit de quelqu'un que l'on peut contacter ou toucher facilement : *C'est un homme accessible; vous pouvez aller le trouver en toute confiance* (syn. : ABORDABLE). *Il est peu accessible à la pitié* (syn. : SENSIBLE). ◆ **inaccessible** adj. : *Rien ne lui paraît inaccessible* (syn. : IMPOSSIBLE). *Ce sont des poèmes pratiquement inaccessibles* (syn. : INCOMPRÉHENSIBLE). *Il est inaccessible à la pitié* (syn. : INSENSIBLE). *Il est tellement occupé qu'il reste* INACCESSIBLE (syn. : INABORDABLE).

accession n. f. V. ACCÉDER 2.

accessit [aksɛsit] n. m. Distinction scolaire accordée à ceux qui n'ont pas été jugés dignes d'un prix, mais qui en ont été les plus proches : *Il a obtenu un accessit en gymnastique.*

1. accessoire [aksɛswar] adj. Qui s'ajoute, qui complète ou accompagne une chose principale, qui est subordonné ou inférieur à cette chose : *Retrancher d'un développement les idées accessoires* (syn. : SECONDAIRE ; contr. : ESSENTIEL, CAPITAL). *Ces remarques ne présentent qu'un intérêt accessoire* (contr. : PRIMORDIAL). *Au prix de la chambre s'ajoutent quelques frais accessoires* (syn. : SUPPLÉMENTAIRE). *Cette solution n'est pas seulement la plus économique, elle présente l'avantage accessoire d'être la plus rapide* (syn. : INCIDENT ; contr. : IMPORTANT). ◆ n. m. : *Laissons de côté l'accessoire pour en venir au principal.* ◆ **accessoirement** adv. : *Ce livre s'adresse principalement aux étudiants et accessoirement au grand public. Accessoirement, nous ferons appel à sa collaboration pour cet ouvrage* (= éventuellement). *On pourrait accessoirement mettre une prise de courant dans la cuisine.*

2. accessoire n. m. 1° Pièce, outil, objet qui ne font pas partie d'une machine, d'un instrument, mais qui servent à son fonctionnement : *Les accessoires d'automobile sont la manivelle, le cric,* etc. *Acheter un poêle à mazout avec ses accessoires.* — 2° *Accessoires de théâtre,* les objets, les meubles utilisés au cours d'une représentation théâtrale.

1. accident [aksidɑ̃] n. m. 1° Evénement malheureux, entraînant des dommages matériels ou corporels (souvent suivi d'un complément ou accompagné d'un adj.) : *Le nombre des accidents de la circulation est en constante augmentation. On a annoncé à la radio un accident d'avion* (syn. : ↑ CATASTROPHE AÉRIENNE). *Un accident de chemin de fer. Cet accident de montagne a coûté la vie à un alpiniste. Les accidents du travail sont encore trop fréquents. L'opération chirurgicale a entraîné plusieurs accidents secondaires* (syn. : COMPLICATION). — 2° Evénement fortuit qui vient rompre fâcheusement le cours régulier de quelque chose : *Les divers accidents de l'existence* (syn. : LES HAUTS ET LES BAS, LES INCIDENTS, LES VICISSITUDES). *On ne compte plus les accidents de sa carrière politique. Sa mauvaise composition est un accident; généralement, cet élève est excellent.* — 3° *Par accident,* par le fait du hasard : *Si par accident vous le rencontrez, vous lui ferez toutes mes amitiés* (syn. : FORTUITEMENT, PAR OCCASION). ◆ **accidenté, e** adj. et n. Qui a subi un accident : *On pouvait voir sur le bas-côté de la route une voiture accidentée. Secourir un accidenté de la route. Verser une rente à des accidentés du travail.* ◆ **accidenter** v. tr. *Accidenter quelqu'un, quelque chose,* lui causer un dommage : *En frôlant de trop près la balustrade du pont, il accidenta l'aile de sa voiture.* ◆ **accidentel, elle** adj. 1° Dû à un accident : *On apprend la mort accidentelle d'une vedette de cinéma.* — 2° Dû au hasard : *Notre première rencontre sur la plage fut purement accidentelle. Son absence est accidentelle; il est généralement à son bureau le lundi* (syn. : OCCASIONNEL, INHABITUEL). *J'ai été le témoin accidentel de leur querelle* (syn. : IMPRÉVU, FORTUIT). ◆ **accidentellement** adv. 1° Dans un accident : *Il est mort accidentellement l'année dernière.* — 2° Par hasard : *En parcourant votre manuscrit, je suis tombé accidentellement sur un détail que je n'ai pas compris* (syn. : FORTUITEMENT).

2. accident [aksidɑ̃] n. m. *Accident de terrain,* inégalité du terrain, du sol. ◆ **accidenté, e** adj. Qui présente de nombreuses montées et descentes; très varié dans son relief : *La route est accidentée : prenez quelques précautions. La voiture peut aller même sur terrain accidenté* (syn. : MOUVEMENTÉ). *Une vie accidentée* (= qui a connu des vicissitudes).

acclamer [aklame] v. tr. *Acclamer quelqu'un, quelque chose,* le saluer par de vifs cris d'approbation : *La foule acclame le vainqueur à son entrée sur la piste du vélodrome* (syn. : APPLAUDIR ; contr. : SIFFLER ; en langue soignée, CONSPUER). *Il fut acclamé à la fin de son discours* (contr. : HUER). ◆ **acclamation** n. f. 1° Cris de joie ou d'enthousiasme poussés par une foule ou un groupe (souvent au plur.) : *Etre salué par les acclamations des assistants* (syn. : ↓ APPLAUDISSEMENT, BRAVO ; contr. : HUÉES, SIFFLET). *Pousser des acclamations à l'adresse de quelqu'un. Le bruit des acclamations arrive jusqu'à nous* (syn. : OVATION, VIVAT). — 2° *Voter, adopter par acclamation,* unanimement, tout d'une voix, sans recourir à un scrutin : *L'affichage du discours fut voté par acclamation.*

acclimater [aklimate] v. tr. 1° *Acclimater un être vivant, un organisme,* l'adapter à un nouveau milieu biologique : *Acclimater des oiseaux exotiques. Il réussit à acclimater de jeunes panthères noires. Acclimater dans un jardin des environs de Paris quelques plantes alpestres.* — 2° *Acclimater quelqu'un,* l'adapter à un nouveau genre de vie, à une activité différente de celle qu'il exerçait jusqu'alors : *Il était habitué à vivre sans la moindre contrainte; son éducation n'était pas faite pour l'acclimater à la vie monotone du bureau* (syn. : HABITUER, ACCOUTUMER). ◆ ***s'acclimater*** v. pr. (sujet nom d'être animé ou de chose). S'adapter à un milieu différent : *Le petit paysan commençait à s'acclimater à la vie du lycée* (syn. : S'ACCOUTUMER, SE FAIRE). *Cet usage s'est très vite acclimaté en France* (syn. : S'ÉTABLIR, S'IMPLANTER). ◆ **acclimatation** n. f. *Jardin d'acclimatation,* jardin, à Paris, où se trouvent une ménagerie et des jeux pour les enfants. ◆ **acclimatement** n. m. : *L'acclimatement de ces fauves a été particulièrement difficile.*

accointances [akwɛ̃tɑ̃s] n. f. pl. *Avoir des accointances avec quelqu'un,* avoir avec lui des relations d'affaires, d'amitié, etc. (souvent péjor.) : *Il a des accointances avec les hommes au pouvoir.*

1. accolade [akɔlad] n. f. Marque d'amitié entre hommes, qui consiste à se tenir mutuellement entre les bras et, en particulier, geste de celui qui remet officiellement une décoration à un autre : *Le général lui épingla la Légion d'honneur et lui donna l'accolade. Recevoir l'accolade.*

2. accolade [akɔlad] n. f. Signe graphique ({) utilisé pour réunir plusieurs lignes, plusieurs groupes, etc. : *Mettez des accolades, cela rendra cette comptabilité plus claire.*

accoler [akɔle] v. tr. *Accoler une chose à une autre,* les mettre ensemble, faire figurer la première à côté de la seconde, de manière qu'elles forment un tout : *Sur la même affiche on avait accolé au nom de la vedette ceux d'artistes sans talent. Il a accolé la particule à son nom afin de s'anoblir* (syn. : AJOUTER, ADJOINDRE).

accommodant, e [akɔmɔdɑ̃, -ɑ̃t] adj. *Personne accommodante,* avec qui on s'entend sans peine : *Il s'est montré très accommodant dans cette affaire* (syn. : ARRANGEANT, CONCILIANT). ◆ **accommodement** n. m. Conciliation visant à terminer un différend : *Rechercher un accommodement entre deux gouvernements.*

1. accommoder [akɔmɔde] v. tr. *Accommoder une chose à une autre, avec une autre,* la disposer de manière qu'elle s'adapte à l'autre, lui faire subir des transformations afin qu'elle convienne à l'autre : *Accommoder ses paroles aux circonstances* (syn. usuel : ADAPTER). ◆ ***s'accommoder*** v. pr. 1° *S'accommoder de quelque chose,* s'en satisfaire, s'en contenter (langue soutenue) : *Il a dû s'accommoder de cette chambre d'hôtel inconfortable. C'est un homme conciliant, qui s'accommode de tout* (syn. : ACCEPTER, ADMETTRE). — 2° *S'accommoder à quelque chose,* se mettre en accord avec quelque chose, s'y adapter : *S'accommoder à de nouvelles conditions d'existence* (syn. : S'HABITUER). ◆ **accommodation** n. f. Adaptation au milieu (en physiologie et en psychologie).

2. accommoder [akɔmɔde] v. tr. *Accommoder un aliment,* le préparer selon un mode particulier (indiqué par le compl. de manière) : *Accommoder une salade* (syn. : ASSAISONNER). *Accommoder de la viande en ragoût* (syn. : PRÉPARER).

accompagner [akɔ̃paɲe] v. tr. 1° *Accompagner quelqu'un,* être présent auprès de lui ; aller à la suite de quelqu'un, d'un groupe, etc. : *Pouvez-vous m'accompagner au cinéma?* (syn. : VENIR AVEC). *La vedette de cinéma fut accompagnée d'une foule d'admirateurs jusqu'à son hôtel* (syn. : ESCORTER). *Il est toujours accompagné de gardes du corps* (syn. : FLANQUER). *Accompagner un ami à sa dernière demeure* (= suivre son convoi funèbre). *Tous mes vœux vous accompagnent* (= je vous souhaite de réussir). — 2° *Accompagner une chose d'une autre,* l'y ajouter, l'y joindre : *Il accompagna sa réponse d'un sourire bienveillant* (syn. : ASSORTIR). — 3° *Accompagner un chanteur, un soliste,* se dit du musicien qui soutient le chant avec un instrument. ◆ ***s'accompagner*** v. pr. [*de*] (sujet nom de chose). Etre joint à : *Cette phrase s'accompagne d'un geste de menace* (syn. : ÊTRE SUIVI DE). *L'expansion économique devrait toujours s'accompagner d'un accroissement du niveau de vie.* ◆ **accompagnement** n. m. 1° *La voiture présidentielle passa à grande vitesse avec un accompagnement imposant de motocyclistes* (syn. : ESCORTE, SUITE). — 2° En musique, partie accessoire destinée à soutenir le chant ou l'instrument principal. ◆ **accompagnateur, trice** n. 1° Personne qui accompagne un chanteur ou un instrumentiste. — 2° Personne qui accompagne et dirige un groupe de voyageurs, de spectateurs, etc. : *Le billet est valable pour dix enfants et un accompagnateur.* ◆ **raccompagner** v. tr. Accompagner quelqu'un qui s'en retourne : *Je vais vous raccompagner en voiture à votre hôtel. Il me raccompagna jusqu'à la porte.*

accomplir [akɔ̃plir] v. tr. (sujet nom de personne). *Accomplir une chose,* l'exécuter, la réaliser soi-même de manière complète : *Accomplissez ce qui vous a été commandé* (syn. : FAIRE). *Tu as accompli une mauvaise action en lui cachant la réalité* (syn. : COMMETTRE, ↑ PERPÉTRER). *Il a accompli un geste en ta faveur. Accomplir son devoir* (syn. : S'ACQUITTER DE). *Elle accomplit toutes ses volontés* (syn. : SE PLIER À). *Il n'a pas jusqu'à maintenant accompli de grandes choses* (syn. : RÉALISER). *A-t-il accompli son service militaire?* (syn. plus usuel : FAIRE). ◆ ***s'accomplir*** v. pr. (sujet nom de chose). Se produire : *La volonté de Dieu s'est accomplie* (syn. : SE RÉALISER). *Une transformation totale s'est accomplie dans ce domaine* (syn. : AVOIR LIEU). ◆ **accompli, e** adj. 1° Qui a été entièrement achevé : *Il a vingt ans accomplis.* — 2° Parfait en son genre : *C'est un diplomate accompli* (syn. : CONSOMMÉ). *Un modèle accompli de toutes les vertus* (syn. : IDÉAL). *C'est une maîtresse de maison accomplie* (syn. : MODÈLE). — 3° *Le fait accompli,* la chose, l'événement sur lequel on ne peut revenir, qui ne permet plus à un projet contraire de se réaliser : *Etre mis devant le fait accompli* (syn. : DÉFINITIF). *Devons-nous nous incliner devant le fait accompli?* ◆ **accomplissement** n. m. : *Souhaiter l'accomplissement des projets, des souhaits de ses amis* (syn. : RÉALISATION).

1. accord [akɔr] n. m. 1° Conformité de sentiments, de désirs entre des personnes : *L'accord ne règne pas toujours au sein de leur ménage* (syn. : CONCORDE, ENTENTE ; contr. : DÉSUNION, MÉSENTENTE). — 2° Convention passée entre des Etats ou entre des particuliers : *Les divers pays réunis à Genève conclurent un accord sur l'arrêt des expériences atomiques* (syn. : TRAITÉ). *Les syndicats et le directeur signèrent un accord de salaires* (syn. : CONVENTION). *Les pourparlers aboutirent à un accord* (syn. : PACTE). — 3° *D'accord,* expression traduisant la conformité totale de sentiments : *D'accord pour ce soir, je serai à l'heure!* (abrév. pop. : D'AC.). *Oui, oui, d'accord* (syn. : ASSURÉMENT). ‖ *D'un commun accord,* tout le monde étant du même avis (syn. : UNANIMEMENT). ‖ *Mettre d'accord des adversaires,* venir en arbitre pour les concilier : *Il les a mis d'accord en les renvoyant tous les deux.* ‖ *Se mettre d'accord,* parvenir au même avis, aux mêmes sentiments. ‖ *Tomber d'accord,* se retrouver du même avis. ◆ **accorder (s')** v. pr. (sujet nom de personne). Se mettre d'accord : *Ils se sont accordés pour faire tomber la responsabilité de l'affaire sur moi.* ◆ **désaccord** n. m. Contr. de *accord.* 1° Entre des personnes : *Il s'est élevé entre eux un sérieux désaccord* (syn. : ↓ BROUILLE, DIFFÉREND). *Le désaccord persiste entre les syndicats et la direction des Charbonnages* (syn : OPPOSITION). *Il y a désaccord grave entre les deux tendances de ce parti* (syn. : DISSENSION). *Il est en désaccord avec sa famille.* — 2° Entre des attitudes : *Le désaccord est flagrant entre ce qu'il dit et ce qu'il fait* (syn. : CONTRASTE).

2. accord [akɔr] n. m. 1° Parfaite adaptation entre les choses : *Il faut qu'il y ait accord entre la musique et les paroles* (syn. : HARMONIE). *Mettre* *en accord la couleur des tentures et celle des meubles. L'architecture de la maison est en accord avec le paysage* (= s'accorde, s'harmonise avec). — 2° Rapport formel établi entre plusieurs mots : *Il y a accord en nombre entre le verbe et le sujet, en genre entre l'adjectif et le nom auquel il se rapporte. L'accord des participes passés.* — **3°** Union des sons formant une harmonie : *Plaquer un accord sur le piano.* ◆ **accorder** [akɔrde] v. tr. (sujet nom de personne). *Accorder des choses,* les mettre en conformité, en harmonie : *Il a accordé le coloris des coussins avec celui de la tapisserie. On accorde le verbe avec le sujet. Accorder un piano* (= régler la justesse de ses sons en rapport avec le diapason). ◆ ***s'accorder*** v. pr. Etre accordé (sens 2 de *accord*) : *Le participe passé conjugué avec le verbe « être » s'accorde en genre et en nombre avec le sujet.* ◆ **accordeur** n. m. Celui qui accorde les instruments de musique. ◆ **désaccorder (se)** v. pr. ou **être désaccordé** v. passif (sujet nom d'instrument de musique). Perdre ou avoir perdu l'harmonie (sens 3 de *accord*) : *Le piano est désaccordé, il faudra faire venir l'accordeur.*

3. accord [akɔr] n. m. Approbation, consentement donné à une action (compl. nom de personne) : *Je ne puis rien faire sans l'accord de mes associés. Demandez d'abord l'accord de votre père* (syn. : CONSENTEMENT). *Puis-je espérer votre accord?* (syn. : APPROBATION). ◆ **accorder** v. tr. (sujet nom de personne). Consentir à donner quelque chose à quelqu'un : *Accorder la grâce d'un condamné* (= le gracier). *Accorder un congé exceptionnel pour l'arrivée d'un chef d'Etat étranger* (syn. : DONNER, OCTROYER). *Vous m'accorderez que l'hiver a été exceptionnel* (syn. : AVOUER, RECONNAÎTRE).

accordéon [akɔrdeɔ̃] n. m. Instrument de musique populaire portatif, dont le son est produit par des languettes de métal mises en vibration par un soufflet, et muni de touches : *L'accordéon est apparu au début du XIXe s.* ◆ **accordéoniste** n. Joueur, joueuse d'accordéon.

accorte [akɔrt] adj. f. (avant ou après le nom, masc. inusité). *Servante, jeune fille,* etc., *accorte,* d'une vivacité agréable, d'un abord gracieux et aimable (littér.) : *Dans cette auberge, une accorte serveuse s'empressait auprès des clients.*

1. accoster [akɔste] v. tr. et intr. *Navire qui accoste,* qui vient se placer le long d'un quai, d'un autre navire, etc. : *Le paquebot accosta à l'entrée de la rade. Le remorqueur tente d'accoster le cargo en détresse* (syn. : ABORDER). ◆ **accostage** n. m. : *L'accostage du quai était rendu impossible par la houle.*

2. accoster [akɔste] v. tr. (sujet nom de personne). *Accoster quelqu'un,* aller près de lui avec l'intention de lui parler : *Un passant l'accosta pour lui demander l'heure* (syn. : ABORDER). *Il fut accosté dans la rue par deux jeunes voyous qui le menacèrent.*

accoter [akɔte] v. tr. **[contre, à]**. Appuyer une chose par un de ses côtés contre une autre (technol.) : *Accotez l'échelle contre le mur, pour que nous montions au grenier.* ◆ ***s'accoter*** v. pr. S'appuyer contre quelque chose : *Le chasseur s'accota à un arbre pour tirer.* ◆ **accotement** n. m. Partie latérale d'une route, entre la chaussée et le fossé : *Sur l'autoroute, il est interdit de stationner sur les accotements* (syn. : BAS-CÔTÉ).

accoucher [akuʃe] v. intr. et tr. ind. 1° *Accoucher d'un enfant,* le mettre au monde : *Elle a accouché d'un garçon, d'une fille, de jumeaux* (syn. : ENFANTER [littér.]); et sans complément d'objet : *Elle a accouché dans une clinique parisienne.* (En langue médicale, parfois transitif direct : *Le médecin accouche une femme.*) — **2°** Fam. *Accoucher d'un roman, d'une pièce,* etc., le publier, l'écrire : *Chaque année, il accouche d'un roman policier.* — **3°** *Accouche!,* formule fam. de la conversation par laquelle on somme son interlocuteur de dire ce qu'il n'ose pas dire : *Tu inventes des prétextes. Accouche donc enfin!* ◆ **accouchement** n. m. *Femme qui a eu un accouchement difficile.* ◆ **accoucheur, euse** n. Médecin spécialiste des accouchements.

accouder (s') [sakude] v. pr. ou **être accoudé** v. passif **[à, sur]**. Poser ses coudes sur quelque chose dont on se sert comme d'appui : *Il reste des heures accoudé à la fenêtre* (syn. : APPUYÉ). *Il s'accoude au parapet pour regarder.* ◆ **accoudoir** n. m. : *Les accoudoirs ou les « bras » d'un fauteuil. L'accoudoir d'un prie-Dieu* (ce sur quoi on appuie ses coudes lorsqu'on est agenouillé).

1. accoupler [akuple] v. tr. *Accoupler des choses,* les réunir deux à deux, les rapprocher : *Vous avez accouplé dans cette phrase deux expressions contradictoires. La locomotive a huit roues accouplées* (syn. : JUMELÉ).

2. accoupler (s') [sakuple] v. pr. (sujet nom désignant des animaux). S'unir. ◆ **accouplement** n. m. Union sexuelle du mâle et de la femelle en vue de la reproduction.

accourir [akurir] v. intr. (conj. **29**, en général avec l'auxil. *être*). Venir, arriver en hâte, rapidement (généralement suivi d'une indication de but [*pour* + infin.], de lieu [*à, vers,* etc.] ou de temps) : *Elle est accourue vers lui pour l'embrasser* (syn. : SE PRÉCIPITER). *Ses amis accourent aussitôt pour le féliciter. Les assaillants étaient accourus de toutes parts.*

accoutrer [akutre] v. tr. Péjor. *Accoutrer un être animé,* l'habiller d'une manière ridicule, bizarre ou hétéroclite (surtout au passif) : *Il est grotesquement accoutré d'un habit trop court.* ◆ ***s'accoutrer*** v. pr. Etre habillé : *Elle s'accoutre toujours d'une manière étonnante* (syn. fam. : S'ATTIFER, S'AFFUBLER). ◆ **accoutrement** n. m. : *Il avait revêtu pour la circonstance un accoutrement qui tenait autant de l'explorateur que du campeur* (syn. plus rare : AFFUBLEMENT).

accoutumer [akutyme] v. tr. *Accoutumer quelqu'un à quelque chose, à faire quelque chose,* le disposer à le supporter, à l'accepter, à le faire (surtout au passif) : *Il faut peu à peu l'accoutumer à votre présence* (syn. plus fréquent : HABITUER). *Cet enfant est accoutumé à faire tous ses caprices* (= est habitué). ◆ ***s'accoutumer*** v. pr. (sujet nom d'être animé). **1°** Prendre l'habitude de : *Il s'accoutume à n'importe quelle nourriture* (= il s'adapte à). — **2°** *Avoir accoutumé de* (et l'infin.), avoir l'habitude de (littér.). ◆ **accoutumance** [akutymɑ̃s] n. f. Adaptation de l'organisme humain à de nouvelles conditions d'existence (climat, nourriture), à une nouvelle situation : *Après quelques semaines dans ce climat humide et chaud, il se produit une certaine accoutumance* (syn. : ADAPTATION; plus précis : ACCLIMATEMENT). ◆ **accoutumé, e** adj. Dont on a l'habitude : *Faire sa promenade accoutumée* (syn. plus fréquent : HABITUEL). *J'ai pris mon chemin accoutumé.* ◆ **désaccoutumer (se)** v. pr. Perdre l'habitude de (langue recherchée) : *Je me suis désaccoutumé de fumer* (syn. plus usuel : SE DÉSHABITUER). ◆ **inaccoutumé, e** adj. Contr. de *accoutumé* (généralement sans compl.) : *On entend un bruit inaccoutumé* (syn. : INHABITUEL, INSOLITE). *Recevoir des honneurs inaccoutumés* (= qui ne se produisent pas habituellement) [syn. : ↑ INATTENDU, EXCEPTIONNEL]. ◆ **réaccoutumer (se)** v. pr. : *Après sa maladie, il se réaccoutume lentement à la vie active* (syn. : SE RÉHABITUER).

1. accréditer [akredite] v. tr. *Accréditer un bruit, une nouvelle,* les rendre dignes de foi : *Les journaux ont accrédité la nouvelle d'une révolte militaire.* ◆ ***s'accréditer*** v. pr. Devenir sûr : *Le bruit de sa démission s'accrédite peu à peu dans les couloirs de l'Assemblée nationale.*

2. accréditer [akredite] v. tr. *Accréditer un ambassadeur auprès d'un chef d'Etat, d'un gouvernement,* lui donner l'autorité nécessaire pour représenter les intérêts de son pays auprès d'eux.

accroc n. m. V. ACCROCHER 3.

1. accrocher [akrɔʃe] v. tr. (sujet nom de personne). *Accrocher une chose à une autre,* l'y attacher par un clou, un crochet, etc. : *Accrocher un tableau de maître dans son salon* (syn. : SUSPENDRE). *Accrocher ses vêtements au porte-manteau* (syn. : PENDRE). ◆ ***s'accrocher*** v. pr. 1° *S'accrocher à quelque chose,* s'y retenir : *S'accrocher aux aspérités du rocher* (syn. : SE CRAMPONNER). *Il s'accroche à l'espoir de la voir arriver par le train suivant.* — 2° Pop. *Tu peux te l'accrocher,* tu peux être sûr que tu ne l'auras pas (syn. : TU PEUX EN FAIRE TON DEUIL; fam. : TU PEUX TE BROSSER). ◆ **accrochage** n. m. : *L'accrochage des toiles dans un musée.* (V. aussi ACCROCHER 3.)

2. accrocher [akrɔʃe] v. tr. (sujet nom de personne). 1° Fam. *Accrocher quelque chose* (*une place, un avantage, un bénéfice,* etc.), réussir à l'obtenir, à s'en emparer, à s'en saisir rapidement : *Le représentant de commerce a réussi à accrocher l'affaire. J'ai accroché quelques phrases au vol, mais l'orateur parlait trop bas* (syn. : SAISIR). — 2° Fam. *Accrocher quelqu'un,* l'arrêter dans sa marche, en le retardant : *J'ai été accroché au sortir du bureau par un importun qui m'a retenu une heure.* — 3° *Accrocher quelqu'un,* retenir son attention : *Le titre du journal accrochait les passants.* ◆ ***s'accrocher*** v. pr. *S'accrocher à quelqu'un,* le suivre d'une manière importune, tenir à lui : *Sa maîtresse ne l'aime plus, mais lui s'accroche à elle.* ◆ **accrocheur, euse** adj. et n. Se dit d'une personne qui montre une grande ténacité dans ce qu'elle entreprend (surtout langue sportive) : *Dans un match de tennis, il est accrocheur et court après chaque balle* (syn. : COMBATIF). *C'est un garçon accrocheur, qu'un échec ne décourage jamais* (syn. : TENACE; contr. : MOU).

3. accrocher [akrɔʃe] v. tr. (sujet nom de personne ou de chose). 1° *Accrocher sa jupe, sa manche, ses bas,* etc., y faire une déchirure en les prenant à quelque aspérité : *Un clou dépassait du banc; il a accroché son pantalon.* — 2° *Accrocher une voiture, un cycliste,* etc., les heurter légèrement avec son véhicule : *Accrocher l'aile de sa voiture contre le mur du garage. Au carrefour, il a accroché une camionnette avec sa 2 CV.* — 3° *Accrocher un objet,* le bousculer, le déplacer, le faire tomber involontairement : *Il a accroché le vase avec la manche de son veston et l'a cassé.* — 4° *Accrocher une troupe,* engager un combat inopiné et de peu de durée contre elle : *La colonne fut accrochée au sortir du défilé par de petits détachements.* ◆ ***s'accrocher*** v. pr. Fam. *S'accrocher avec quelqu'un,* se disputer avec lui : *Il s'est accroché avec un de ses collègues.* ◆ **accroc** [akro] n. m. 1° Déchirure faite par une chose pointue (clou, épine; sens 1 du verbe) : *Faire un accroc à son veston. La mère répare les accrocs de la culotte de son fils.* — 2° Incident malheureux qui crée des difficultés, des embarras, qui fait tache : *Notre voyage en Italie s'est déroulé sans le moindre accroc* (syn. : INCIDENT, CONTRETEMPS). *Cette défaillance est un sérieux accroc à sa réputation. Un accroc aux règlements* (syn. : ENTORSE). ◆ **accrochage** n. m. : *L'accident est sans gravité, ce n'est qu'un léger accrochage entre une voiture et un cycliste* (syn. : HEURT). *Il a eu un accrochage avec sa concierge* (syn. : DISPUTE, QUERELLE). *Il y a eu un accrochage à l'Assemblée nationale entre le gouvernement et l'opposition. On signalait un sérieux accrochage dans le delta du Mékong* (syn. : COMBAT).

accroire [akrwɑr] v. tr. *Faire, en faire accroire à quelqu'un,* lui faire croire ce qui n'est pas, abuser de sa confiance : *Le récit de tes exploits est faux; tu cherches à m'en faire accroire.*

accroître [akrwɑtr] v. tr. (conj. **66**) [sujet nom de personne ou de chose]. *Accroître quelque chose,* le rendre plus grand, plus intense : *Il a accru sa propriété par l'achat de plusieurs fermes. Le réarmement accroît les possibilités de guerre. Il s'agit d'accroître le bien-être d'une large partie de la population* (syn. : DÉVELOPPER). *Les nouvelles dispositions de la loi accroissent les possibilités d'avancement rapide* (syn. : AUGMENTER; contr. : DIMINUER). *Ce nouveau malheur a accru son désespoir.* ◆ ***s'accroître*** v. pr. (sujet nom de chose). Devenir plus grand, plus intense : *Sa popularité s'accroît de jour en jour* (syn. : SE RENFORCER, AUGMENTER). *Le danger d'inflation s'est sérieusement accru. Son irritation s'accroît devant les difficultés sans cesse renouvelées* (contr. : DÉCROÎTRE). *La tension s'est accrue entre les deux pays.* ◆ **accroissement** n. m. (sens du v. tr. ou, plus souvent, du v. pr.) : *L'accroissement de la production industrielle est subordonné à l'importance des investissements* (syn. : AUGMENTATION; contr. : DIMINUTION). *L'agrandissement des locaux ne correspond pas à l'accroissement du nombre des étudiants. Réclamer un accroissement du pouvoir d'achat* (syn. : PROGRESSION, ÉLÉVATION). *La publication de ce roman a provoqué un accroissement de l'intérêt que l'on portait à ces nouvelles tendances littéraires* (syn. : REGAIN, REDOUBLEMENT; contr. : AMOINDRISSEMENT, PERTE, BAISSE). ◆ **accru e,** adj. Plus grand : *Obtenir des responsabilités accrues. Maintenir une vigilance accrue. Préconiser une décentralisation accrue.*

accroupir (s') [sakrupir] v. pr. ou **être accroupi** v. passif (sujet nom de personne). S'asseoir ou être assis sur les talons : *L'enfant s'accroupit pour ramasser ses billes. Le chasseur resta accroupi derrière la haie en guettant le vol de la perdrix. Prenez la position accroupie.*

accueillir [akœjir] (conj. **24**) [sujet nom de personne]. 1° *Accueillir quelqu'un,* le recevoir bien ou mal (accompagné en général d'un adv. ou d'un compl. de manière) : *Accueillir les visiteurs avec chaleur. On accueillit assez froidement le nouveau venu* (syn. : RECEVOIR). *Le chef d'Etat a été accueilli à Orly par le président lui-même* (= reçu officiellement). *L'acteur fut accueilli à la sortie du théâtre par une foule enthousiaste. La patrouille de police fut accueillie par des coups de feu au moment où elle arrivait près de l'hôtel* (syn. : ASSAILLIR). — 2° *Accueillir quelque chose (demande, nouvelle,* etc.), l'apprendre ou le recevoir en manifestant une certaine attitude (toujours avec un adv. ou un compl. de manière) : *On a accueilli avec émotion l'annonce de l'attentat* (syn. : APPRENDRE). *La nouvelle a été accueillie avec une grande satisfaction. Il accueillit cette demande avec un sourire ironique. Il n'a pas accueilli cette proposition sans hésitation.* ◆ **accueillant, e** adj. : *Une maison accueillante* (= où l'on est bien reçu). *Une famille accueillante* (= qui reçoit bien). ◆ **accueil** [akœj] n. m. Action d'accueillir; réception faite à quelqu'un, ou manière d'apprendre quelque chose : *Réserver un accueil glacial à ces nouvelles propositions. Il reçut à son retour un accueil chaleureux. Le malheureux a été hospitalisé dans un centre d'accueil* (= lieu où l'on reçoit les indigents, les réfugiés). *L'Amérique latine fut la principale terre d'accueil pour tous ces exilés. Prendre des mesures d'accueil pour venir en aide aux réfugiés.*

acculer [akyle] v. tr. 1° *Acculer quelqu'un, un animal,* le pousser dans un endroit où il ne peut plus reculer : *Le cerf était acculé contre le chêne et faisait face aux chiens. Il se vit acculer au mur, sans espoir de fuite.* — 2° *Acculer quelqu'un à quelque chose,* le mettre dans une situation pénible, douloureuse, dangereuse : *Cette exigence nouvelle accula ses adversaires à un choix difficile* (syn. : ↓ POUSSER). *La ruine de la famille l'a acculé au désespoir. De nombreux petits commerçants sont acculés à la faillite* (syn. : RÉDUIRE).

accumuler [akymyle] v. tr. *Accumuler des choses,* les mettre en tas, les réunir en un ensemble important : *Accumuler du charbon sur le carreau des mines* (syn. : ENTASSER). *Accumuler de la terre pour faire les parterres d'un jardin* (syn. : AMONCELER; contr. : RÉPANDRE). *Accumuler des notes en vue de la rédaction d'un ouvrage* (syn. : AMASSER, RASSEMBLER, RÉUNIR). *Accumuler les sottises.* ◆ ***s'accumuler*** v. pr. Se mettre en tas : *Le sable s'est accumulé au fond du lac. Les livres s'accumulent sur ma table; je n'ai pas le temps de les lire* (syn. : S'ENTASSER). *Les charges se sont accumulées sur l'accusé au cours de l'audience* (= l'ont accablé). *Les nuages s'accumulent à l'horizon.* ◆ **accumulation** n. f. : *L'accumulation des marchandises dans les entrepôts, du fait du gel prolongé des canaux* (syn. : AMONCELLEMENT, ENTASSEMENT). *L'accumulation des preuves emporta la décision du jury.* ◆ **accumulateur** n. m. ou, plus usuellement, **accus** n. m. pl. Appareil destiné à emmagasiner l'énergie électrique : *Charger, décharger ses accus.*

accusatif n. m. V. CAS.

1. accuser [akyze] v. tr. (sujet nom de personne ou de chose). 1° *Accuser quelqu'un de quelque chose* ou *de* (et l'infin.), le représenter comme coupable d'une faute ou d'un délit, l'en rendre responsable : *Les habitants du village accusèrent le malheureux du vol qui avait été commis à la mairie. Tout l'accuse* (contr. : DISCULPER, INNOCENTER). *Il est accusé d'avoir renversé accidentellement un piéton. Ses parents l'accusent de négliger ses études. Le juge d'instruction l'accusa de meurtre* (syn. : INCULPER). — 2° (sujet nom de personne) *Accuser une chose,* faire retomber sur elle la responsabilité d'un fait : *Accuser la malchance de ses insuccès aux examens. Accuser les intempéries des difficultés de ravitaillement dans les grandes villes* (syn. : ↓ IMPUTER À). ◆ ***s'accuser*** v. pr. *S'accuser de quelque chose* ou *de* (et l'infin.), s'en reconnaître coupable : *S'accuser de ses péchés, de ses fautes* (syn. : SE CONFESSER). *Il s'accuse d'avoir abandonné trop vite. S'accuser d'un crime.* ◆ **accusateur, trice** adj. et n. Qui accuse (sens 1 et 2 du v. tr.) : *On dressa le bilan accusateur des conséquences financières de son imprévoyance* (syn. : ↑ DÉNONCIATEUR). *D'accusateur, le témoin fit figure d'accusé lorsque l'avocat commença à l'interroger.* ◆ **accusation** n. f. 1° Action en justice par laquelle on accuse une personne d'un délit (sens 1 du v. tr.) : *Les chefs d'accusation sont graves. Le procureur renonce à l'accusation. Le greffier lut l'acte d'accusation.* — 2° Reproche fait pour une action jugée mauvaise (sens 2 du verbe) : *Qui a porté contre moi de telles accusations? Etre l'objet d'une accusation infamante* (syn. : ↓ IMPUTATION). *Cette accusation de paresse et d'incapacité est injustifiée.* ◆ **accusé, e** n. Personne donnée comme coupable d'un délit (sens 1 du v. tr.) : *Le président ordonna de faire entrer l'accusé dans la salle d'audience. L'accusée a-t-elle été acquittée ou condamnée? L'accusé comparaît devant ses juges.*

2. accuser [akyze] v. tr. (sujet nom de chose). *Accuser quelque chose,* mettre en relief, faire ressortir par rapport à ce qui entoure : *La lumière rasante accuse les reliefs* (syn. : ACCENTUER). *Le rapprochement des deux rédactions accuse la différence de valeur* (syn. : SOULIGNER). *Les rides accusent son âge* (syn. : INDIQUER). ◆ ***s'accuser*** v. pr. Etre mis en relief : *Son mauvais caractère s'accuse avec l'âge* (syn. : S'ACCENTUER; contr. : S'ATTÉNUER). ◆ **accusé, e** adj. : *Une tendance nettement accusée vers la hausse des prix. Les traits accusés d'un visage* (syn. : MARQUÉ). *Une pointe accusée de pessimisme* (syn. : ACÉRÉ).

acerbe [asɛrb] adj. *Paroles, écrits, ton acerbes,* de caractère désagréable et d'intention blessante ou vexante : *Il se répandait en propos acerbes sur mon compte. Il lui répliqua d'un ton acerbe qu'il n'était pas le seul dans le bureau. Etre en butte aux critiques acerbes de l'opposition* (syn. : DUR, MORDANT).

acéré, e [asere] adj. 1° Superlatif de *tranchant* ou de *aigu,* avec quelques mots (*lame, couteau, dent,* etc.) : *La lame acérée d'un couteau* (syn. : AIGUISÉ). *Lancer une flèche acérée.* — 2° *(Ecrire) d'une plume acérée,* écrire en choisissant des mots intentionnellement durs et blessants (littér.) : *Il lui répondit d'une plume acérée qu'il ne comprenait pas pourquoi il insistait tant sur ce sujet.*

achalandé, e [aʃalɑ̃de] adj. Fourni en marchandises : *Librairie bien achalandée. Un épicier mal achalandé* (syn. : APPROVISIONNÉ). [Le sens « qui a des clients » est vieilli.]

acharné, e [aʃarne] adj. Se dit de quelqu'un qui témoigne d'une grande ardeur, d'une opiniâtreté que rien ne peut briser; se dit d'une action qui manifeste cette attitude : *Nos adversaires les plus acharnés. Un combat acharné* (syn. : ↑ ENRAGÉ,

FURIEUX). *Il est arrivé à cette situation par un travail acharné* (syn. : OPINIÂTRE). *Un match acharné entre les deux équipes de football.* ◆ **acharner (s')** v. pr. (sujet nom d'être animé). **1°** *S'acharner contre* ou *sur un être animé,* le poursuivre ou l'attaquer avec violence et obstination : *Tous s'acharnaient contre le malheureux en se moquant de sa sottise* (syn. : PERSÉCUTER QUELQU'UN). *Il sent son ennemi faiblir et il s'acharne sur lui dans l'espérance d'un succès rapide.* — **2°** *S'acharner à quelque chose,* ou *à faire quelque chose,* lutter avec ténacité pour l'acquérir, continuer son effort pour l'obtenir : *Il s'acharnait à réunir une documentation dont l'ampleur aurait découragé les autres* (syn. : S'OBSTINER ; ↓ S'ATTACHER). *Il s'acharne à ce jeu, comme il le fait pour n'importe quel travail.* ◆ **acharnement** n. m. : *Les défenseurs de la ville combattaient avec acharnement* (syn. : ↑ RAGE). *Il montre dans sa haine un acharnement extraordinaire* (syn. : ↓ OBSTINATION). *Son acharnement au travail comme au jeu est une preuve de sa vitalité* (syn. : OPINIÂTRETÉ).

achat n. m. V. ACHETER.

acheminer [aʃmine] v. tr. (sujet nom de personne ou de chose). *Acheminer quelque chose* ou *quelqu'un,* les diriger vers un but ou un résultat précis; les conduire à une destination fixée à l'avance : *On achemine la correspondance de Paris vers les villes de province. On a acheminé rapidement ces médicaments par avion* (syn. : TRANSPORTER). *Acheminer un train supplémentaire sur Lyon. Acheminer des troupes vers les points menacés* (syn. : ENVOYER). *L'abus de l'alcool l'achemine doucement vers la déchéance* (syn. : CONDUIRE). ◆ ***s'acheminer*** v. pr. **1°** (sujet nom d'être animé) Se diriger vers un lieu : *Il alluma une cigarette et s'achemina vers le petit bois.* — **2°** (sujet nom de chose) Aller vers un résultat : *Les pourparlers engagés s'acheminent vers leur conclusion.* ◆ **acheminement** n. m. : *Le froid et la neige ont empêché parfois l'acheminement normal de la correspondance. L'acheminement des trains vers Lille a subi aujourd'hui d'importants retards.*

acheter [aʃte] v. tr. (conj. **7**) [sujet nom de personne]. **1°** *Acheter un objet, un droit,* l'obtenir contre un paiement (compl. avec *à,* désignant soit le vendeur, soit la personne à qui on destine ce qui a été payé) : *Acheter un livre à un libraire. Acheter des jouets à ses enfants. Acheter une voiture* (syn. : ACQUÉRIR). *Achetez français!* (= des objets fabriqués en France). *Acheter comptant* (= en payant sur-le-champ). *Acheter à tempérament* ou *à crédit* (= selon des versements échelonnés). — **2°** *Acheter une chose,* l'obtenir au prix d'une privation, d'une peine : *Acheter très cher le bonheur. Acheter sa liberté par des lourds sacrifices.* — **3°** *Acheter quelqu'un,* le corrompre à prix d'argent, payer sa complicité ou ses faveurs : *Il acheta de faux témoins pour prouver son alibi* (syn. : SOUDOYER). *Candidat qui essaie d'acheter des suffrages. Il acheta quelques fonctionnaires subalternes en pensant enlever ainsi la commande de l'Etat* (syn. : CORROMPRE). ◆ **acheteur, euse** n. **1°** Personne qui achète dans un magasin (syn. : CLIENT). — **2°** Personne qui, dans une entreprise commerciale, a pour métier de faire les achats aux négociants en gros. ◆ **achat** [aʃa] n. m. **1°** Action d'acheter, d'acquérir comme bien : *L'achat d'une voiture représente pour lui un gros sacrifice d'argent* (syn. : ACQUISITION). *Le pouvoir d'achat effectif du salarié dépend du rapport entre les prix et les salaires. L'augmentation du pouvoir d'achat. Achat ferme, à crédit. La différence entre le prix d'achat et le prix de vente est élevée.* — **2°** Objet acheté : *Un cabas rempli des achats faits au marché. Montrer son nouvel achat : un très joli chapeau.* ◆ **racheter** [raʃte] v. tr. **1°** Acheter de nouveau ou en plus : *J'ai perdu mon parapluie; il faut que j'en rachète un autre. Vous n'avez pas emporté assez de pain, vous en rachèterez.* — **2°** Acheter quelque chose d'occasion à un particulier : *J'ai racheté la voiture de mon collègue.* — **3°** *Racheter les hommes,* en parlant de Jésus-Christ, sauver l'humanité par la rédemption : *Selon la religion chrétienne, le Fils de Dieu a racheté les hommes par sa mort.* — **4°** *Racheter une faute,* en obtenir le pardon : *Racheter ses fautes par la pénitence* (syn. : EXPIER). — **5°** *Racheter un défaut, un inconvénient,* le compenser, le faire oublier : *Sa gentillesse rachète sa laideur. Son application rachète sa lenteur.* ◆ ***se racheter*** v. pr. Réparer ses fautes, faire oublier sa mauvaise conduite : *Donner à un malfaiteur l'occasion de se racheter.* ◆ **rachat** [raʃa] n. m. Action de racheter (aux différents sens du verbe) : *Vendre une chose avec faculté de rachat. Le rachat d'un tapis.*

1. achever [aʃve] v. tr. et intr. (conj. **9**) [sujet nom d'être animé]. *Achever quelque chose,* le mener à bonne fin, finir ce qui a été commencé : *Achever rapidement son repas* (syn. : TERMINER ; contr. : COMMENCER). *Il achève son discours au milieu des applaudissements. Il achève la mise au point de la déclaration qu'il fera demain* (syn. : ↑ PARACHEVER). *Il achève ses jours dans une maison de retraite. A peine avait-il achevé que tous applaudirent.* ◆ ***s'achever*** v. pr. Etre mené à bien, se terminer : *Ainsi s'achèvent nos émissions de la soirée* (syn. : SE TERMINER). ◆ **achevé, e** adj. *D'un ridicule achevé,* grotesque, très comique : *Cette réflexion est d'un ridicule achevé.* ◆ **achèvement** [aʃɛvmɑ̃] n. m. Action de mener à son terme, de terminer : *L'achèvement de l'immeuble demandera encore six mois.* ◆ **inachevé, e** adj. Qui n'est pas terminé : *Remettre un devoir inachevé* (syn. : INCOMPLET). *Maison encore inachevée.* ◆ **inachèvement** n. m. : *L'inachèvement des travaux est scandaleux.*

2. achever [aʃve] v. tr. (conj. **9**). *Achever quelqu'un,* lui porter le dernier coup qui amène la mort; le perdre complètement, finir de l'accabler, de le décourager : *Achever un blessé* (syn. : TUER). *Cette grippe, après tout le travail fait ce trimestre, m'a achevé* (syn. : ↑ ANÉANTIR).

achopper [aʃɔpe] v. intr. **1°** (sujet nom d'être animé) Heurter du pied contre quelque chose : *Il achoppa sur une pierre et il serait tombé sans la corde qui le retint* (syn. : BUTER CONTRE, TRÉBUCHER). — **2°** (sujet nom de personne, d'action) Etre arrêté par une difficulté, un obstacle (langue soignée) : *Il achoppe toujours sur les problèmes de géométrie. Les négociations achoppèrent sur un différend mineur.* ◆ **achoppement** n. m. *Pierre d'achoppement,* ce qui cause de l'embarras ou de la difficulté : *La question des tarifs agricoles a été pendant longtemps la pierre d'achoppement des négociations* (syn. : OBSTACLE).

1. acide [asid] adj. **1°** D'une saveur piquante : *Les fruits encore verts sont acides* (syn. : AIGRE ; contr. : DOUX, SUCRÉ). — **2°** Se dit de propos qui marquant de la méchanceté, du dénigrement ironique : *Des chroniques théâtrales acides* (syn. : AMER; contr. : DOUX, AIMABLE). *Adresser une remarque acide à quelqu'un* (syn. : MORDANT, AIGRE, ACERBE). ◆ **acidité** n. f. : *L'acidité d'un citron. L'acidité de ses répliques le fait craindre de tous* (syn. : CAUSTICITÉ). ◆ **acidulé, e** adj. Dont la saveur est légèrement acide : *Bonbons acidulés. Eau acidulée. Ces groseilles ont un goût acidulé.*

2. acide [asid] n. m. Composé chimique. ◆ **acidité** n. f. Qualité de ce qui contient une substance acide : *L'acidité du suc gastrique.*

acier [asje] n. m. 1° Alliage métallique très dur, composé de fer et de carbone : *Les cloches d'acier de la cathédrale d'Hiroshima. Des aciers laminés. Un acier inoxydable. Un regard bleu d'acier* (= qui a des reflets bleus comme l'acier). — 2° *D'acier,* se dit de ce qui a une vigueur, une force, une résistance, une fermeté exceptionnelles : *Il a des muscles d'acier.* ◆ **aciérie** n. f. Usine où l'on fabrique de l'acier.

acolyte [akɔlit] n. m. Aide et compagnon habituel de quelqu'un auquel il est subordonné, son complice (souvent péjor.) : *Tous les membres de la bande sont sous les verrous : le chef comme les acolytes. Il n'était, prétendait-il, qu'un simple acolyte; son rôle dans toute cette affaire s'était limité à transmettre les ordres.*

acompte [akɔ̃t] n. m. Paiement partiel, à valoir sur une somme due : *Demander exceptionnellement un acompte sur son salaire mensuel* (syn. usuel : AVANCE). *Verser un acompte lors de la commande d'une voiture* (syn. : PROVISION). *Commerçant qui exige le versement d'un acompte* (syn. : ARRHES).

acoquiner (s') [sakɔkine] v. pr. ou **être acoquiné** v. passif [avec]. *Péjor.* Avoir de mauvaises fréquentations; prendre pour complice : *Il s'est acoquiné avec un individu peu recommandable. Pour cette entreprise douteuse, il est acoquiné avec un homme d'affaires véreux.*

à-côté [akote] n. m. 1° Ce qui ne se rapporte que de loin au sujet principal : *C'est un à-côté de la question; revenez à l'essentiel* (= c'est en marge de). *Les à-côtés d'une course cycliste fournissent un grand nombre d'articles de journaux.* — 2° Au plur. Ce que l'on gagne, en dehors de son salaire régulier, pour une activité secondaire; dépenses qui viennent en supplément : *Se faire quelques à-côtés, le samedi, par de petits travaux dans les appartements de l'immeuble. Il faut prévoir les réparations et les petits à-côtés imprévus.*

à-coup [aku] n. m. 1° Arrêt brusque, suivi d'une reprise brutale, d'un mouvement qui devrait être continu : *Le moteur eut quelques à-coups, puis s'arrêta* (syn. : RATÉ). *L'économie du pays subit quelques sérieux à-coups en ce moment* (syn. : SECOUSSE). *Ces organismes sont chargés d'atténuer les à-coups qui peuvent se produire dans l'adaptation des industries nationales à un marché plus vaste* (syn. : RETARD). — 2° *Par à-coups,* d'une manière non continue, par intermittence : *Il travaille par à-coups, sans persévérance dans l'effort* (syn. : PAR SACCADES). ‖ *Sans à-coups,* sans changement de rythme, de vitesse de mouvement; sans incident important : *La voiture a marché parfaitement, sans à-coups* (syn. : SANS HEURT). *La séance se déroule sans à-coups.*

acoustique [akustik] n. f. Qualité d'une salle d'un théâtre, etc., favorable ou non à la perception des sons par les auditeurs : *La mauvaise acoustique d'une salle de cinéma nuit à la qualité du spectacle.* (L'adj. *acoustique* est scientifique.)

acquérir [akerir] v. tr. (conj. **21**; surtout au prés., à l'infin. et aux temps composés). 1° (sujet nom de personne) Devenir propriétaire d'un bien quelconque par achat, échange ou succession (langue soignée ou admin.) : *Acquérir une maison de campagne* (syn. : ACHETER). *Cette voiture d'occasion a été acquise dans de bonnes conditions. Acquérir une propriété par voie d'héritage.* — 2° (sujet nom de personne et de chose) Réussir à obtenir, à avoir pour soi : *Acquérir l'habitude de traiter les affaires* (syn. : PRENDRE). *Il a acquis la célébrité avec son dernier film* (contr. : PERDRE). *L'avocat a acquis la certitude de l'innocence de son client. Tu as acquis une solide expérience en la matière* (syn. : GAGNER). *J'avais acquis la preuve de sa générosité* (syn. : DÉCOUVRIR). *Ce timbre acquiert de la valeur.* — 3° *Etre acquis à quelqu'un,* être entièrement dévoué à sa personne ou à ses intérêts; *être acquis à une idée,* y être gagné : *Vous pouvez compter sur moi, je vous suis tout acquis. Il est maintenant acquis à notre projet.* ◆ **s'acquérir** v. pr. *S'acquérir quelque chose,* l'obtenir pour soi : *Il s'est acquis de solides amitiés.* ◆ **acquéreur** n. m. Personne qui devient propriétaire d'un bien (sens 1 du verbe) : *J'ai trouvé un acquéreur pour ma voiture. Aucun acquéreur ne s'est présenté pour l'appartement. L'Etat s'est rendu acquéreur du tableau.* ◆ **acquis, e** adj. : *Les résultats acquis sont prometteurs. Tenir un point pour acquis* (= le considérer comme obtenu). *Défendre les droits acquis* (= les droits acquis par une catégorie professionnelle d'après son statut). ◆ **acquis** [aki] n. m. *Avoir un acquis, avoir de l'acquis,* posséder un ensemble important de connaissances, dues à l'expérience ou à l'étude (syn. : DU SAVOIR). ◆ **acquisition** n. f. Action d'acquérir; ce que l'on a obtenu par paiement : *Faire l'acquisition d'un aspirateur* (syn. : ACHAT; contr. : VENTE). *Tu as fait une bonne acquisition en achetant cet appartement. La lente acquisition des connaissances et de l'expérience. Au retour de la salle des ventes, il nous a montré ses acquisitions.*

acquiescer [akjese] v. intr. Se ranger à l'avis de l'interlocuteur (littér.) : *Il acquiesce d'un signe de tête* (syn. : DIRE OUI, ACCEPTER; contr. : REFUSER). ◆ v. tr. ind. *Acquiescer à quelque chose,* y donner son accord, son approbation : *J'acquiesce aux conditions énoncées dans votre lettre. Acquiescez à ma prière* (syn. : CONSENTIR; contr. : S'OPPOSER). ◆ **acquiescement** n. m. : *Le ministre refusa de donner son acquiescement à l'augmentation des salaires* (syn. : ACCEPTATION, ACCORD).

1. acquit n. m. V. ACQUITTER 2.

2. acquit [aki] n. m. *Par acquit de conscience,* pour n'avoir ensuite aucun remords (se dit quand on fait une chose sans en attendre de résultats) : *Je pensais qu'il n'était pas à Paris; par acquit de conscience, j'ai téléphoné chez lui.*

1. acquitter [akite] v. tr. (sujet nom de personne). *Acquitter quelqu'un,* le déclarer par jugement innocent du crime ou du délit dont il est accusé : *Le jury acquitta l'accusé. Il fut acquitté à l'issue de débats passionnés.* ◆ **acquittement** n. m. : *L'acquittement des accusés fut accueilli par le public avec une joie manifeste.*

2. acquitter [akite] v. tr. (sujet nom de personne). *Acquitter une facture, des droits,* etc., payer la somme indiquée, se libérer d'une obligation financière : *Acquitter la facture d'électricité* (syn. : PAYER). *Acquitter les dettes contractées pour l'achat d'un appartement. Acquitter une note d'hôtel* (syn. : RÉGLER). *Acquitter ses impôts.* ◆ ***s'acquitter*** v. pr. [**de**]. Faire ce que l'on doit, ce à quoi on s'est engagé, etc. : *Il s'acquitte parfaitement des obligations qui lui incombent* (syn. : SATISFAIRE À). *S'acquitter de ses fonctions* (syn. : REMPLIR). *S'acquitter de ses dettes* (= s'en libérer; syn. : REMBOURSER). *S'acquitter de ses engagements* (= y faire face). *Je me suis acquitté de ma promesse envers vous* (syn. : FAIRE HONNEUR). ◆ **acquit** [aki] n. m. 1° Quittance, décharge délivrée à celui qui a fourni quelque chose. — 2° *Pour acquit,* formule portée par le créancier sur un chèque, une facture, etc., pour attester qu'il en a reçu le paiement. ◆ **acquittement** n. m. : *L'acquittement d'une dette* (syn. : REMBOURSEMENT).

âcre [ɑkr] adj. 1° Dont la saveur ou l'odeur est forte et irritante : *Une fumée âcre. Fruits verts qui ont une saveur âcre.* — 2° Qui a un caractère agressif et violent (littér.) : *Il lui répliqua d'un ton âcre* (syn. : ACERBE, ÂPRE). ◆ **âcreté** n. f. : *L'âcreté d'un fruit. L'âcreté de ses propos* (syn. usuel : HARGNE).

acrimonie [akrimɔni] n. f. Caractère agressif d'une personne, qui se manifeste dans l'humeur ou le langage (littér.) : *Exprimer ses griefs avec acrimonie* (syn. usuel : AIGREUR; contr. : AFFABILITÉ). *Il lui a parlé sans acrimonie de son absence* (= avec douceur).

acrobate [akrɔbat] n. 1° Artiste de cirque, de music-hall qui fait des exercices d'équilibre, des sauts périlleux, etc. : *Les acrobates exécutèrent une pyramide humaine;* se dit aussi de celui qui se livre à des prouesses du même ordre : *Regardez-le grimper à l'arbre; cet enfant est un véritable acrobate.* — 2° Personne se signalant à l'attention par des procédés dont l'habileté intéressée est souvent jugée d'une manière péjorative : *Les spéculateurs, acrobates de l'industrie et de la finance.* ◆ **acrobatie** [akrɔbasi] n. f. 1° Exercice exécuté par l'acrobate, ou prouesse du même ordre : *L'aviateur effectua quelques acrobaties aériennes. Les clowns se livrèrent sur la piste à des acrobaties dont la maladresse calculée faisait rire.* — 2° Procédé habile, compliqué, dangereux ou malhonnête : *Il rétablit son budget par quelques acrobaties dont il a le secret* (syn. fam. : TOUR DE PASSE-PASSE). ◆ **acrobatique** adj. : *Ils exécutèrent un numéro acrobatique à quinze mètres du sol au Cirque d'Hiver. Le joueur de tennis sauva la balle de match par un coup acrobatique. Le redressement acrobatique d'une situation financière catastrophique.*

1. acte [akt] n. m. 1° Manifestation, réalisation de la volonté, considérée dans ses conséquences ou dans son but : *Les actes doivent suivre les paroles. On juge les hommes sur leurs actes. Traduire en acte les engagements pris à l'égard de ses électeurs* (= les réaliser, les tenir). *Les actes du gouvernement, du pouvoir* (syn. : DÉCISION). *Préméditer son acte* (syn. : ACTION); suivi d'un compl. du nom sans art. : *Un acte de bravoure* (= un exploit). *Un acte de générosité. Un acte de foi* (= action qui traduit une adhésion confiante, la confiance dans l'avenir). *Un acte de bonne volonté. Ce crime est un acte de folie* (syn. : GESTE). *Acte de faiblesse, de grandeur* (syn. : TRAIT). *Un acte de guerre, d'agression;* suivi d'un adj. : *Un acte méritoire. Un acte terroriste a été commis contre une banque* (syn. : ACTION). *C'est de votre part un acte inamical* (syn. : GESTE). *Ce mouvement de colère a été chez lui un acte instinctif.* — 2° *Faire acte de* (suivi d'un nom sans art.), donner une preuve concrète de : *Faire acte d'énergie* (= se montrer énergique). *Faire acte d'hostilité à l'égard d'un pays. Le chef de service doit faire acte d'autorité. Il a décidé de faire acte de candidature* (= de se présenter comme candidat). *Il vous suffira de faire acte de présence* (= de paraître en un lieu et n'y restant que quelques instants).

2. acte [akt] n. m. 1° Ecrit, texte constatant un fait, indiquant une convention passée entre plusieurs personnes : *Le greffier lut l'acte d'accusation* (= texte où sont énumérés les motifs de l'accusation). *Le tribunal conclut à la validité de l'acte de succession* (= testament). *Signer un acte devant notaire. Passer un acte de vente. Les actes de l'état civil sont les actes de naissance, de mariage et de décès.* — 2° *Demander acte,* faire constater : *Je vous demande acte que nous avons attiré votre attention depuis longtemps sur les dangers de décisions prises hâtivement.* ‖ *Donner acte,* reconnaître légalement ou ouvertement que le fait existe, qu'on est informé : *Je vous donne acte que vos promesses ont été remplies.* ‖ *Prendre acte,* déclarer que l'on se prévaudra par la suite du fait qui a été constaté : *L'Assemblée prit acte de la déclaration ministérielle. Je prends acte que vous acceptez aujourd'hui l'ensemble de nos propositions.* ◆ **actes** n. m. pl. Mémoires des sociétés savantes, des congrès, etc. : *Les actes du IXe congrès des linguistes.*

3. acte [akt] n. m. 1° Chacune des parties d'une pièce de théâtre, correspondant à une péripétie ou à un groupe de péripéties, et qui, à la représentation, est marquée par un baisser de rideau : *Les tragédies classiques ont cinq actes. La comédie en un acte ouvre en général le spectacle. Une pièce en trois actes d'un auteur contemporain.* — 2° *Le premier acte* (d'un événement), le premier épisode qui laisse prévoir des conséquences ultérieures : *Cette conférence diplomatique ne fut que le premier acte d'un conflit qui devait durer plus de dix ans.* ‖ *Le dernier acte,* la fin d'une série d'événements, leur conclusion (souvent en matière politique) : *Le dernier acte de la guerre se joua quelque part en Extrême-Orient. Le dernier acte de sa vie a été de confier le manuscrit de ses Mémoires à son fils.*

acteur, trice [aktœr, -tris] n. 1° Personne dont la profession est de jouer des rôles au théâtre ou qui les joue occasionnellement : *Les acteurs de la pièce furent remarquables* (syn. : COMÉDIEN). *Une actrice dont le jeu témoigne d'une rare finesse.* — 2° Personne qui, dans un événement, prend une part déterminante à l'action, à sa réalisation : *Il est le principal acteur de cette pitoyable tragédie. En cette occasion, je n'ai pas été un acteur, mais un simple spectateur.*

1. actif, ive [aktif, -iv] adj. 1° Se dit d'une personne pleine d'activité et d'énergie : *Elle est restée active malgré son âge* (contr. : INACTIF). *C'est un homme actif que rien ne fatigue* (syn. : ↑ ÉNERGIQUE, TRAVAILLEUR; contr. : APATHIQUE, INDOLENT). *Militant actif d'un parti politique* (syn. : ZÉLÉ;

contr. : MOU). *Collaborateur actif d'un journal.* — 2° Se dit de ce qui témoigne de la force, de l'énergie, de la violence; qui se manifeste par des résultats : *La participation active des diverses classes sociales à l'expansion économique* (contr. : PASSIF). *Mener une vie active* (contr. : NONCHALANT, OISIF, DÉSŒUVRÉ). *Avoir une politique active en Afrique. Un remède actif* (syn. : EFFICACE). *Une perturbation peu active traverse la France* (= qui ne se manifeste que par de petites pluies). *Les méthodes actives dans l'enseignement* (= celles qui donnent à l'élève un rôle important dans sa propre éducation). — 3° *Entrer dans une phase active,* arriver à la question essentielle : *La conférence de Genève entre dans sa phase active* (syn. : ENTRER DANS LE VIF DU SUJET). ‖ *Prendre une part active à quelque chose,* y participer d'une manière efficace : *Prendre une part active à l'élaboration d'un ouvrage, aux luttes politiques.* ‖ *Population active,* ensemble des personnes qui exercent une activité professionnelle. ‖ *Armée active,* v. ACTIVE n. f. ◆ **activement** adv. : *L'enquête se poursuit activement. Rechercher activement une personne disparue. Mener activement les préparatifs d'une action militaire. Collaborer activement à la modernisation du pays.* ◆ **activité** [aktivite] n. f. 1° Ensemble des phénomènes par lesquels se manifestent une certaine forme de vie ou un certain fonctionnement : *L'activité physique, intellectuelle.* — 2° Promptitude, vivacité ou énergie dans l'action de quelqu'un (ou de son esprit), dans la conduite d'une personne; animation constatée quelque part : *Il fait preuve d'une activité débordante* (syn. : ZÈLE; contr. : APATHIE, INACTIVITÉ). *On assiste à une intense activité diplomatique. L'activité de la rue. On constate une activité insolite dans les bureaux. Une activité fébrile.* — 3° Domaine dont s'occupe une personne, une entreprise, etc.; ensemble des actes d'une personne, d'une nation, d'une industrie, etc., qui intéressent un champ d'action déterminé : *Il est irréprochable dans son activité professionnelle. Se disperser dans de nombreuses activités. Sa sphère d'activité est très étendue. Industrie qui étend ses activités à l'étranger. Les activités dirigées dans les établissements scolaires visent à l'instruction des enfants par eux-mêmes. Etre obligé de réduire ses activités à cause d'une maladie. Les activités subversives. Rapport d'activité* (sur l'ensemble de l'action d'un syndicat, d'un parti, d'une organisation professionnelle, etc.). *Des activités de plein air. Contrôler l'activité d'un subordonné. Il a cessé toute activité* (= il est à la retraite). *L'activité théâtrale est particulièrement variée cet hiver.* — 4° *En activité,* se dit d'un fonctionnaire qui est en service (contr. : EN RETRAITE), ou d'un commerce, etc., qui est en fonctionnement : *Maintenir un officier en activité au-delà de la limite d'âge.* ◆ **inactif, ive** adj. Contr. de *actif* (souvent dans des phrases négatives) : *Il ne reste pas inactif* (syn. péjor. : INDOLENT, OISIF, DÉSŒUVRÉ). *Le commerce est inactif en ce moment de l'année* (syn. : CALME, ↑ MORT). *Etre las de sa vie inactive* (syn. : DÉSŒUVRÉ). ◆ **inaction** n. f. V. ACTION 1. ◆ **inactivité** n. f. : *L'inactivité forcée d'un malade* (syn. : INACTION, IMMOBILITÉ). *Officier qui se fait mettre en inactivité* (= état d'un fonctionnaire qui n'est plus en service). ◆ **suractivité** n. f. Activité intense, au-dessus de la normale (sens 2 de l'adj.) : *Une période exceptionnelle de suractivité, due à un afflux de commandes.*

2. actif, ive adj. V. VERBE.

3. actif n. m. 1° Ce que l'on possède (terme financier) : *L'actif de la société se compose d'immeubles, de matériel et de marchandises* (contr. : PASSIF). — 2° *A son actif,* au nombre de ses succès, de ses avantages, de ses actions : *Il a mis à son actif la réalisation de plusieurs cités ouvrières. Cette bande compte à son actif plusieurs agressions.*

1. action [aksjɔ̃] n. f. 1° Manifestation matérielle de la volonté humaine dans un domaine déterminé (souvent avec un adj. ou un compl. du nom sans art.) : *Les motifs de son action restent obscurs. L'action courageuse des sauveteurs a permis de limiter l'étendue du désastre. Par une action audacieuse, il a empêché un drame* (syn. : ACTE). *Il a attiré l'attention sur lui par une action d'éclat* (= un exploit). *Accomplir une bonne action. Action de grâces* (témoignage de reconnaissance). *Un homme d'action* (= entreprenant). *Il a une liberté d'action très réduite* (= une possibilité d'agir). L'*action* peut être celle d'un groupe humain, d'une profession, d'une classe sociale, d'une nation, d'une entité juridique recouvrant une réalité politique, etc. (en ce cas, le mot entre en composition avec un grand nombre d'expressions, où il est complément du nom sans article ou complément d'un verbe, formant avec eux une locution nominale ou verbale) : *L'action du gouvernement s'est exercée sur les prix. Mener une action d'ensemble, une action concertée qui s'oppose à l'action individuelle. L'entreprise dispose d'importants moyens d'action* (= des moyens d'agir efficacement). *Les fonctionnaires ont fixé la date de leur journée d'action, de leur semaine d'action* (= le jour, la semaine où ils feront connaître publiquement, par des manifestations, leurs revendications). *Un parti détermine son programme d'action, sa ligne d'action* (= sa manière d'agir et ses buts). *L'action sanitaire et sociale de la Sécurité sociale. Condamner l'action des agitateurs. L'espoir est dans une action décisive de l'Etat. L'unité d'action* (= manifestation faite par des groupes divers qui s'entendent pour présenter des revendications communes). *Un comité d'action réunit en un groupe limité des personnes responsables, décidées à agir en vue d'intérêts communs. Un roman, une pièce où il n'y a pas d'action* (= marche des événements, progression dramatique, péripéties). — 2° *Action des corps physiques, des éléments, des idées,* etc., manière dont ils agissent sur d'autres : *L'action du vent a brisé le sommet du peuplier. Sous l'action de pluies diluviennes, les torrents ont grossi soudainement* (= sous l'effet de). *L'action du médicament a été très brutale.* — 3° *Champ d'action,* étendue, domaine où s'exerce l'activité de quelqu'un. ‖ *Etre en action,* être en train d'agir, de participer à une entreprise projetée auparavant : *Des équipes sont déjà en action pour réparer les voies endommagées de la ligne de chemin de fer.* ‖ *Mettre en action,* réaliser ce qui n'était encore qu'une idée, une intention. ‖ *Passer à l'action,* prendre une attitude offensive. ◆ **inaction** n. f. Absence de toute action, de toute activité, de tout travail : *Il ne sort de son inaction que pour faire des sottises. Il supporte difficilement l'inaction* (syn. : DÉSŒUVREMENT, OISIVETÉ).

2. action [aksjɔ̃] n. f. 1° Titre représentant les droits d'un associé dans certaines sociétés : *Action nominative* (= qui porte le nom du possesseur). *Action au porteur. Acheter, vendre des actions.* — 2° *Ses actions montent, baissent,* se dit de quelqu'un dont la réputation croît ou diminue. ◆ **actionnaire** n. Personne qui possède une ou plusieurs actions dans une société financière ou commerciale.

3. action [aksjɔ̃] n. f. Exercice d'un droit en justice : *Intenter une action* (= déposer une plainte contre quelqu'un). *Introduire une action en justice.*

actionner [aksjɔne] v. tr. *Actionner quelque chose,* le mettre en mouvement : *Actionner la manivelle pour faire partir un moteur. Le moulin à café est actionné par un petit moteur électrique. Actionner la sonnette de la grille* (syn. : AGITER). *Un moulin à eau fournit le courant qui actionne les meules* (syn. : FAIRE FONCTIONNER).

active [aktiv] n. f. Ensemble des forces militaires présentes sous les drapeaux (on dit aussi *armée active*) : *Les officiers d'active sont des officiers qui font leur carrière dans l'armée* (contr. : RÉSERVE).

activer [aktive] v. tr. Rendre plus rapide dans son action, hâter l'achèvement ou la conclusion : *L'incendie était activé par un violent mistral. Activer les préparatifs* (syn. : ACCÉLÉRER). *Activer les travaux* (syn. : HÂTER ; contr. : RALENTIR). ◆ v. intr. (fam.) ou ***s'activer*** v. pr. Travailler activement; se hâter : *Des ouvriers s'activaient çà et là autour des constructions* (syn. : S'AFFAIRER). *Allons, activez un peu, le train n'attend pas* (syn. : SE PRESSER).

activisme [aktivism] n. m. Attitude politique de ceux qui visent à l'action directe ou qui font une propagande active pour un parti ou une doctrine politique d'extrême droite. ◆ **activiste** adj. et n. : *Attentat commis par des activistes.*

activité n. f. V. ACTIF 1.

actuel, elle [aktɥɛl] adj. (après ou, plus rarement, avant le nom). **1°** Qui existe ou se produit dans le moment présent : *Dans les circonstances actuelles, on recommande la plus grande prudence aux automobilistes* (syn. : PRÉSENT; contr. : ANCIEN). *La mode actuelle impose des couleurs vives. Sous le régime actuel ou sous l'actuel régime. Dans l'état actuel des choses. Le débat actuel ne menace pas l'existence du gouvernement.* — **2°** Qui convient particulièrement au moment présent : *La question des prix est très actuelle. Le sujet très actuel de son roman.* ◆ **actuellement** adv. Dans la période présente, en ce moment : *Le temps est actuellement très froid. Ma voiture est actuellement en réparation* (syn. : POUR LE MOMENT). *Actuellement, ce livre est épuisé* (syn. : PRÉSENTEMENT). *Le cinéma est actuellement concurrencé par la télévision* (syn. : DE NOS JOURS, AUJOURD'HUI). ◆ **actualiser** v. tr. Rendre actuel, manifeste (aux deux sens de l'adj.) : *Actualiser un problème, mais en le présentant sous un nouveau jour.* ◆ **actualisation** n. f. ◆ **actualité** n. f. **1°** Qualité de ce qui est actuel, de ce qui convient au moment présent : *L'actualité des problèmes agricoles. L'actualité d'un roman.* — **2°** Ensemble des circonstances, des événements présents, intéressant un domaine particulier de l'activité humaine : *L'actualité universitaire, politique, médicale, économique et sociale. L'actualité sportive nous offre plusieurs matches importants. Coller à l'actualité* (fam. = la suivre de très près). *Les relations économiques avec l'Afrique sont d'actualité. Un sujet d'actualité* (= qui convient à l'époque présente). *L'actualité quotidienne* (= les événements du jour). ◆ **actualités** n. f. pl. Courte bande cinématographique réunissant les principaux événements du jour (à la télévision), de la semaine ou du mois (au cinéma) : *Les actualités passent, en général, avant le grand film.* ◆ **inactuel, elle** adj. Qui ne convient pas au moment présent (sens 2 de *actuel*) : *La réforme communale est apparue inactuelle aux yeux du gouvernement* (syn. : INOPPORTUN). *Avoir des préoccupations inactuelles* (= dépassées par les événements, d'un autre âge; syn. : ANACHRONIQUE).

acuité [akɥite] n. f. Qualité de ce qui est aigu : *L'acuité d'un son, d'une douleur. Une bonne acuité visuelle. L'acuité du regard* (syn. : INTENSITÉ). *L'acuité d'une crise politique.*

adage [adaʒ] n. m. Formule sentencieuse, empruntée en général au droit coutumier : *L'adage se distingue du proverbe par son caractère juridique* (ex. : *Nul n'est censé ignorer la loi*).

adagio adv. et n. m. V. MOUVEMENT, *Mouvements musicaux.*

adapter [adapte] v. tr. (sujet nom de personne). **1°** *Adapter un objet à un autre objet,* les joindre, les rattacher de manière à obtenir un dispositif : *Adapter un robinet au tuyau d'arrivée d'eau* (syn. : AJUSTER). *Adapter un nouveau carburateur à un moteur d'automobile.* — **2°** *Adapter une chose à une autre,* la disposer par rapport à l'autre — considérée comme immuable — de manière à les mettre toutes deux en accord ou à obtenir un ensemble harmonieux ou cohérent : *Adapter la musique aux paroles* (syn. : APPROPRIER). *Adapter l'administration à ses tâches nouvelles. Adapter sa conduite aux circonstances. Adapter ses désirs à la réalité.* — **3°** *Adapter une œuvre littéraire,* la transformer afin de la rendre convenable à une nouvelle destination : *Adapter un roman au cinéma* (= l'arranger de manière à en faire le sujet d'un film). ◆ ***s'adapter*** v. pr. [**à**] (souvent avec un adverbe de manière) : *Le tuyau s'adapte bien au robinet* (syn. : CONVENIR). *Il doit s'adapter à sa nouvelle existence* (syn. : S'ACCOMMODER DE). *Il s'adapte au public* (= se conforme à ses goûts). *Il s'adapte aux circonstances.* ◆ **adaptation** n. f. Sens 2 et 3 du v. tr. et du v. pr. : *L'adaptation d'un plan de fabrication aux nécessités économiques* (syn. : HARMONISATION). *L'adaptation d'un roman à la scène. Il faut faire un effort d'adaptation* (= pour s'adapter à la situation). *C'est une adaptation pour le cinéma d'un roman de Balzac. L'adaptation d'un organisme humain, de végétaux, d'animaux à un nouveau milieu* (syn. : ACCLIMATEMENT). ◆ **adaptateur, trice** n. Sens 3 du v. tr. : *Les scénaristes se font souvent les adaptateurs des romans célèbres.* ◆ **inadapté, e** adj. et n. Contr. d'(*être*) *adapté* (se dit d'une personne) : *Enfant inadapté à la vie scolaire. Rééducation des inadaptés* (syn. : ASOCIAL). *L'enfance inadaptée.* ◆ **inadaptation** n. f. Contr. d'*adaptation* (en parlant d'une personne) : *Inadaptation d'un vieillard à la vie moderne.* ◆ **réadapter** v. tr. **1°** Adapter de nouveau : *Réadapter un joint à un tuyau.* — **2°** Rétablir, remettre en état un organisme, une partie d'un organisme afin de lui permettre de remplir sa fonction antérieure : *Réadapter les muscles de la jambe après un accident* (syn. plus usuel : RÉÉDUQUER). ◆ ***se réadapter*** v. pr. (sujet nom de personne) : *Se réadapter à la vie civile après le service militaire.* ◆ **réadaptation** n. f. : *La réadaptation d'un mutilé* (syn. plus usuel : RÉÉDUCATION). *La réadaptation à de nouvelles conditions d'existence.*

1. addition [adisjɔ̃ ou addisjɔ̃] n. f. Action d'ajouter une chose à une autre; ce qui est ajouté (surtout lorsqu'il s'agit d'écrits, de lettres, de textes de loi) : *Addition d'un « s » au pluriel des substantifs* (syn. : ADJONCTION ; contr. : RETRANCHEMENT, SUPPRESSION). *Faire une addition de quelques lignes à un article de journal* (syn. : ADDITIF, AJOUT). ◆ **additif** n. m. Petite addition faite à un texte écrit (terme jurid.) : *On a voté un additif au budget. Je proposerai un simple additif à votre article.* ◆ **additionnel, elle** adj. Qui s'ajoute : *Assemblée qui vote un article additionnel.* ◆ **additionner** v. tr. Ajouter une chose, une quantité quelconque à une autre : *Des produits chimiques ont été additionnés aux aliments* (syn. : AJOUTER). *Vin additionné d'eau* (syn. : ÉTENDU). ◆ ***s'additionner*** v. pr. Etre ajouté : *Toutes ces complications s'additionnent pour rendre la situation inextricable.*

2. addition [adisjɔ̃] n. f. Opération arithmétique consistant à ajouter un nombre à un autre : *Faire, vérifier une addition* (contr. : SOUSTRACTION). ◆ **additionner** v. tr. Faire l'addition de deux quantités, de deux nombres.

3. addition [adisjɔ̃] n. f. Note des dépenses faites au café, au restaurant, à l'hôtel, etc. : *Demander l'addition au garçon. Régler, payer une addition au bureau de l'hôtel. L'addition comprend le service* (= le pourboire donné au serveur).

adduction [adyksjɔ̃ ou addyksjɔ̃] n. f. *Adduction d'eau, de gaz, de pétrole,* action de conduire ce liquide ou ce fluide d'un lieu à un autre : *Dans les campagnes, le problème de l'adduction d'eau, c'est-à-dire celui d'amener l'eau de sa source à la destination, est resté très important.*

adepte [adɛpt] n. Membre d'une secte religieuse ou d'un parti politique; partisan convaincu d'une doctrine politique, scientifique, religieuse : *Un parti qui fait des adeptes* (syn. plus usuel : ADHÉRENT). *Les adeptes d'une religion. Les adeptes de la poésie moderne* (syn. : DÉFENSEUR). *C'est un adepte attardé du stoïcisme* (syn. : TENANT ; contr. : ADVERSAIRE).

adéquat, e [adekwa, -at] adj. *Adéquat (à quelque chose),* parfaitement adapté à son objet ; qui correspond exactement à ce qu'on attend : *L'expression ne paraît pas adéquate à la situation* (syn. : CONVENABLE). *Une définition parfaitement adéquate.* ◆ **inadéquat, e** adj. : *En raison de l'accroissement de la population, les plans de construction sont devenus inadéquats. Il use, dans ce livre, d'un vocabulaire inadéquat quand il essaie de décrire la vie de l'usine.*

1. adhérer [adere] v. tr. ind. (sujet nom de chose). *Adhérer à quelque chose,* y être fixé d'une manière telle qu'il est difficile d'en être séparé : *Le papier gommé adhérait à son doigt. La viande, mise à feu trop vif, adhérait au fond de la poêle. Il pose avec minutie le papier peint, afin que celui-ci adhère bien au mur* (syn. : COLLER); absol. : *La nouvelle suspension permet à cette voiture d'adhérer mieux dans les virages* (= de mieux tenir la route). ◆ **adhérent, e** adj. Fortement attaché, qui colle à quelque chose : *Des pneus très adhérents à la route.* ◆ **adhérence** n. f. Etat, qualité de ce qui adhère (seulement dans le sens de l'adj.) : *L'adhérence du timbre à l'enveloppe sur laquelle il est collé. L'adhérence d'une automobile sur la chaussée.* ◆ **adhésif, ive** adj. et n. m. Se dit d'une bande de toile, de papier, etc., enduite d'un produit qui colle sans être préalablement mouillé : *Pansement adhésif. Mettre un adhésif sur la coupure d'un doigt.*

2. adhérer [adere] v. tr. ind. (sujet nom de personne). 1° *Adhérer à une organisation,* y entrer comme membre : *Adhérer à un parti politique* (syn. : ENTRER DANS) ; et absol. : *Il a cessé d'adhérer depuis deux ans.* — 2° *Adhérer à une opinion,* se ranger à cet avis : *J'adhère à ce que vous avez dit* (syn. : SE RALLIER À, APPROUVER, SOUSCRIRE À). ◆ **adhérent, e** adj. et n. Membre d'une organisation, d'un parti : *Envoyer une circulaire aux adhérents d'un syndicat. Recruter de nouveaux adhérents.* ◆ **adhésion** n. f. 1° Action de s'inscrire à un parti, à un syndicat, d'entrer dans une organisation, etc. : *Remplir son bulletin d'adhésion. Parti qui mène une campagne d'adhésion. Adhésion d'un pays à un pacte.* — 2° Action de partager une idée, une opinion : *Donner son adhésion à un projet* (syn. : ACCORD, APPROBATION). *Recueillir une large adhésion auprès de l'opinion publique.*

ad hoc [adɔk] loc. adj. Qui convient au sujet, à la situation (terme admin.) : *Il s'agit, en cette occasion, de trouver les arguments* ad hoc (syn. iron. : IDOINE). *On créa à l'O. N. U. une commission* ad hoc *pour régler ce différend.*

adieu [adjø] interj. 1° Formule de salut employée quand on quitte quelqu'un pour un temps assez long, sinon définitivement : *Adieu donc! puisque vous partez définitivement de France;* se dit parfois quand on se sépare de quelque chose : *Les vacances sont finies. Adieu les longues promenades dans la montagne!* — 2° *Dire adieu à quelqu'un, à quelque chose,* prendre congé de cette personne, renoncer à cette chose : *Je ne vous dis pas adieu; nous nous reverrons demain. Lorsqu'il accepta ce travail, il dit adieu à sa tranquillité.* ◆ n. m. : *Faire ses adieux à la famille avant de partir. Ne prolongeons pas les adieux, le train ne vous attendra pas.*

adipeux, euse [adipø, -øz] adj. Se dit d'une personne bouffie de graisse, et en particulier de son visage (péjor.) : *L'homme était déplaisant avec son visage adipeux et ses mains humides* (contr. : MAIGRE). [Surtout vocabulaire de l'anatomie (*tissu adipeux*).]

adjacent, e [adʒasɑ̃, -ɑ̃t] adj. Situé auprès (seulement avec quelques noms : *rue, pays, terre,* etc.) : *Une grande rue, avec ses ruelles adjacentes* (syn. : VOISIN). [La géométrie parle d'*angles adjacents,* qui ont un côté commun.]

adjectif [adʒɛktif] n. m. V. CATÉGORIE. ‖ *Adjectif possessif,* v. MON. ‖ *Adjectif démonstratif,* v. CE. ‖ *Adjectif indéfini,* v. MÊME, QUELQUE, TOUT, etc. ‖ *Adjectif numéral,* v. NUMÉRATION. ‖ *Adjectif verbal,* v. PARTICIPE. ◆ **adjectif, ive** ou **adjectival, e, aux** adj. : *Les adjectifs composés « bleu foncé », « noir de jais » sont des locutions adjectives.* ◆ **adjectivement** adv. : *Dans une expression comme « une ferme modèle », le substantif « modèle » est employé adjectivement.*

adjoindre [adʒwɛ̃dr] v. tr. (conj. **55**). — 1° *Adjoindre une chose à une autre,* la lui associer, la lui mettre en plus : *Adjoindre un réservoir spécial à une voiture de course* (syn. : AJOUTER). — 2° *Adjoindre une personne à une autre,* la lui donner comme aide : *On m'a adjoint une secrétaire pour assurer le courrier.* ◆ **s'adjoindre** v. pr. *S'adjoindre quelqu'un,* se faire aider par lui : *Je me suis adjoint un collaborateur pour achever ce travail* (syn. : S'ATTACHER). ◆ **adjoint, e** n. Nom donné aux personnes qui sont associées à d'autres pour assurer un travail : *Les* *adjoints d'enseignement, d'économat,* etc. ◆ **adjonction** [adʒɔ̃ksjɔ̃] n. f. : *L'architecte décida l'adjonction d'un garage à la maison. Il faut faire une petite adjonction au texte que vous m'avez présenté* (syn. : ADDITION).

adjudant [adʒydɑ̃] n. m. Sous-officier du grade immédiatement supérieur à celui de sergent-chef. (V. GRADE.) ◆ **adjudant-chef** n. m. Sous-officier immédiatement supérieur à l'adjudant.

adjuger [adʒyʒe] v. tr. 1° *Adjuger une chose,* en parlant d'une autorité de justice, l'accorder après décision légale : *Le commissaire-priseur adjuge le tableau au plus offrant. Les meubles furent adjugés à la salle des ventes de Paris.* — 2° *Adjuger quelque chose à quelqu'un,* lui attribuer un avantage (en parlant d'un supérieur à un subordonné, d'un jury, d'une assemblée, etc.) : *Adjuger une récompense aux meilleurs élèves. Le prix lui fut adjugé à l'unanimité des présents.* ◆ ***s'adjuger*** v. pr. *S'adjuger quelque chose,* s'en emparer comme d'un droit, d'une manière arbitraire : *Jamais cette équipe de football n'avait donné l'impression de pouvoir s'adjuger le trophée. Il s'adjugea la meilleure part du gâteau* (syn. : S'APPROPRIER). ◆ **adjudication** n. f. Sens 1 du v. tr. : *L'adjudication des travaux de voirie à un entrepreneur* (syn. : ATTRIBUTION).

adjurer [adʒyre] v. tr. (sujet nom de personne). *Adjurer quelqu'un de* (et infin.), le supplier avec instance de dire ou de faire quelque chose : *On adjura le ministre de recevoir la délégation; il refusa avec hauteur. Je vous adjure de ne pas vous laisser emporter par le premier mouvement* (syn. : CONJURER, IMPLORER, SUPPLIER). *On l'adjura de ne pas exposer sa vie dans une aventure aussi risquée. Le juge l'adjura de dire la vérité.* ◆ **adjuration** n. f. : *Il céda aux adjurations de ses amis et accepta d'oublier l'affront qu'on lui avait fait* (syn. : SUPPLICATION). *L'adjuration solennelle adressée aux chefs d'Etat par les plus hautes personnalités religieuses et scientifiques empêcha le conflit d'éclater* (syn. : ↓ PRIÈRE).

1. admettre [admɛtr] v. tr. (conj. 57). 1° *Admettre quelqu'un, un être animé,* le laisser entrer dans un local, dans un lieu, dans un groupe ou une organisation : *Admettre des voyageurs en surnombre dans le métro. Les chiens ne sont pas admis dans le magasin. Il l'a admis parmi ses intimes. Admettre dans un parti.* — 2° *Admettre quelqu'un,* le recevoir à l'intérieur d'une école, d'une classe déterminée d'un collège ou d'un lycée; le considérer comme ayant satisfait aux épreuves d'un examen (souvent au passif) : *Le jury n'a admis qu'un nombre limité de candidats. Etre admis en bon rang à l'Ecole polytechnique. Sont admis définitivement dans la classe supérieure les élèves suivants...* ◆ **admissible** adj. et n. Se dit de celui qui, après avoir subi avec succès les épreuves écrites d'un examen ou d'un concours, est admis à passer les épreuves orales qui fixeront son classement final : *Etre admissible à l'Ecole normale* (contr. : REFUSÉ, RECALÉ [fam.]). ◆ **admissibilité** n. f. : *Afficher la liste d'admissibilité.* ◆ **admission** n. f. 1° Action de laisser entrer, de laisser passer, etc. (sens 1 du verbe) : *L'admission des républiques africaines aux Nations unies. Formuler une demande d'admission.* — 2° Fait d'être reçu définitivement à un examen ou à un concours : *Liste d'admission à un concours. Se féliciter de son admission à Polytechnique* (contr. : ÉCHEC). ◆ **réadmettre** v. tr. Admettre de nouveau (sens 1 et 2) : *Réadmettre un élève renvoyé. Réadmettre dans un parti.* ◆ **réadmission** n. f. : *La réadmission d'un fonctionnaire dans les cadres.*

2. admettre [admɛtr] v. tr. (conj. 57). 1° (sujet nom de personne) *Admettre quelque chose, admettre que* (suivi du subj. ou de l'indic.), reconnaître ou considérer comme vrai, comme valable, comme exact : *J'admets vos raisons. La direction a admis ses excuses. Il nous faut admettre le bien-fondé de ces remarques. Je veux bien admettre que vous n'ayez pu faire autrement. Il est admis qu'un gouvernement ne peut tenir longtemps contre la volonté déterminée d'un peuple.* — 2° *Admettons, admettez que,* formules introduisant une hypothèse provisoire, nécessaire pour la suite du raisonnement : *Admettons un moment que vous ayez réussi à votre examen, tous les problèmes n'étaient pas pour cela résolus* (syn. : SUPPOSER). — 3° (sujet nom de personne ou de chose) Etre capable de supporter, d'accepter ou de recevoir, de comprendre, de contenir (souvent avec une négation) : *Le règlement n'admet aucune exception* (syn. : COMPORTER). *Son ton n'admettait aucune réplique* (syn. : TOLÉRER, PERMETTRE). *Il n'admet aucune défaillance* (syn. : SOUFFRIR). *Ce poème de Rimbaud admet plusieurs interprétations.* ◆ **admissible** adj. Considéré comme valable, acceptable : *Présenter une excuse admissible* (syn. : PLAUSIBLE, RECEVABLE). *Vos raisons sont admissibles.* ◆ **inadmissible** adj. : *Il est inadmissible que tout n'ait pas été tenté pour secourir le blessé* (syn. : INTOLÉRABLE, SCANDALEUX). *Afficher des prétentions inadmissibles* (syn. : INACCEPTABLE, INSOUTENABLE). *Sa paresse est inadmissible.*

1. administrer [administre] v. tr. (sujet nom désignant un haut fonctionnaire, un ministre, un directeur, l'Etat, etc.). Diriger ou surveiller les affaires qui sont de sa responsabilité ou de son ressort : *Administrer une grande entreprise* (syn. : GÉRER). *Le préfet et le conseil général administrent le département. Administrer les finances d'un Etat. Administrer un département ministériel* (syn. : DIRIGER). *Administrer les biens d'un mineur.* ◆ **administration** n. f. 1° Action d'administrer les affaires publiques ou une entreprise privée : *Confier l'administration de l'usine à un directeur capable* (syn. : GESTION). *Son notaire s'occupe de l'administration de ses affaires financières.* — 2° Service public destiné à satisfaire les besoins de la collectivité (parfois avec une majusc.) : *Une administration capable. L'administration communale. Administration locale. L'administration des Douanes.* — 3° (avec une majusc. et sans compl.) Ensemble des services de l'Etat : *Les rouages de l'Administration. Faire carrière dans l'Administration. Il est entré dans l'Administration.* ◆ **administratif, ive** adj. Relatif à l'administration (sens 1) : *Prendre des dispositions, des mesures administratives. Les services administratifs. La capitale administrative d'une région. La cité administrative* (= où sont rassemblés les ministères, organismes officiels, etc.). ◆ **administrativement** adv. : *Etre chargé administrativement de veiller à la bonne exécution des travaux. Etre interné administrativement* (= par décret de l'autorité responsable). ◆ **administrateur, trice** n. Personne qui administre, gère des affaires publiques ou privées : *Un administrateur de sociétés. Les administrateurs de la Sécurité sociale. L'administrateur de la Comédie-Française. Le corps des administra-*

teurs civils. ◆ administré, e adj. et n. : *Le maire annonça à ses administrés que les travaux pour l'adduction d'eau commenceraient prochainement.*

2. administrer [administre] v. tr. A le sens de « donner », « fournir », dans quelques expressions : *Administrer un remède* (= l'appliquer). *Administrer des coups* (= frapper). *Administrer une fessée à un enfant. Administrer une preuve* (= la présenter, la produire [loc. jurid.]). *Administrer une preuve en matière de filiation.* ◆ **administration** n. f. : *L'administration de médicaments ne semble pas indiquée dans le cas présent. L'administration des derniers sacrements.*

admirer [admire] v. tr. (sujet nom d'être animé). 1° *Admirer quelqu'un, quelque chose,* le regarder avec un sentiment de respect pour sa beauté ou ses qualités morales (parfois ironiq.) : *Admirer le portail de la cathédrale de Chartres* (syn. : ↑ S'EXTASIER DEVANT, S'ENTHOUSIASMER DEVANT). *On le craignait et on l'admirait, mais on ne l'aimait pas* (contr. : MÉPRISER). *Assis sur la terrasse, il admire le coucher du soleil derrière la montagne* (syn. : ↓ APPRÉCIER ; contr. : DÉDAIGNER). *J'admire la désinvolture avec laquelle il vous a reçu.* — 2° *Admirer que* (suivi du subj.), considérer avec un étonnement ironique : *J'admire que vous restiez impassible devant tant de sottises* (syn. : S'ÉTONNER). ◆ **admirable** adj. Digne d'admiration (parfois ironiq.) : *Un effort admirable de redressement économique. Admirable réponse, en vérité, que celle-ci!* (syn. : ↓ BEAU). *Une œuvre admirable qui ne donne prise à aucune critique* (syn. : INCOMPARABLE). *Avoir un visage admirable qui respire l'intelligence* (syn. : SUPERBE, MERVEILLEUX). ◆ **admirablement** adv. : *Sculptures antiques admirablement conservées. Une femme admirablement faite* (syn. : MERVEILLEUSEMENT). ◆ **admirateur, trice** adj. et n. Qui admire : *Il pose sur elle un regard admirateur. Elle décourageait les admirateurs qui s'empressaient autour d'elle.* ◆ **admiratif, ive** adj. Qui manifeste un sentiment d'admiration : *Cette conclusion fut accompagnée d'un murmure admiratif. Elle est très admirative pour tout ce qu'il dit ou ce qu'il fait. L'auditoire admiratif applaudit à tout rompre.* ◆ **admiration** n. f. : *En le voyant sauter l'obstacle, il poussa un long sifflement d'admiration. Spectacle qui excite l'admiration* (syn. : ↑ ÉMERVEILLEMENT, RAVISSEMENT). *Elle professe à son égard une admiration qu'il ne mérite pas. Les couleurs de ce tableau me pénètrent d'admiration pour le talent de ce peintre. Ce discours improvisé souleva d'admiration l'auditoire* (syn. : ENTHOUSIASME). *Il force l'admiration par son courage* (contr. : MÉPRIS, HORREUR).

admissible adj. V. ADMETTRE 1 et 2.

admission n. f. V. ADMETTRE 1.

admonester [admɔneste] v. tr. (sujet nom de personne). *Admonester quelqu'un,* lui faire une remontrance sévère, lui adresser un blâme solennel (langue soutenue) : *Admonester publiquement un élève pour ses retards injustifiés* (syn. : ↓ GRONDER, MORIGÉNER). ◆ **admonestation** n. f. : *L'admonestation d'un policier à un prisonnier. L'admonestation d'un proviseur à un lycéen coupable d'une faute grave.*

adolescent, e [adolesɑ̃, -ɑ̃t] n. Dont l'âge est compris entre la puberté et l'âge viril (entre quinze et dix-huit ans environ) : *Film interdit aux adolescents* (syn. : JEUNE). *Quelques adolescents s'étaient réunis pour faire un orchestre de jazz et ils avaient formé un club.* ◆ **adolescence** n. f. : *L'âge critique de l'adolescence. Les problèmes particuliers de l'adolescence.*

adonner (s') [sadɔne] v. pr. (sujet nom de personne). *S'adonner à quelque chose,* s'y attacher avec constance ou avec ardeur (nombre limité de compléments possibles) : *Depuis ce grand malheur, il s'adonne à la boisson. Maintenant que je suis à la retraite, je puis m'adonner à mes lectures favorites* (syn. : SE CONSACRER). *Il s'adonne uniquement à l'étude* (syn. : S'APPLIQUER ; contr. : SE DÉTOURNER DE).

1. adopter [adɔpte] v. tr. (sujet nom de personne). *Adopter un enfant,* le prendre légalement pour fils ou fille, ou le traiter comme tel : *Ils ont adopté un enfant de l'Assistance publique. Après cet accident, Pierre fut adopté par un couple ami de la famille.* ◆ **adoption** n. f. 1° *L'adoption d'un enfant.* — 2° *Patrie d'adoption,* le pays dont on n'est pas originaire, mais où l'on a choisi de résider ; se dit aussi avec un nom ethnique : *Un Parisien d'adoption.* ◆ **adoptif, ive** adj. 1° Que l'on a adopté (comme enfant ou comme pays) : *Fils adoptif, fille adoptive. La France est sa patrie adoptive* (syn. : D'ADOPTION). — 2° Qui a adopté quelqu'un comme enfant : *Il passe ses vacances dans sa famille adoptive.*

2. adopter [adɔpte] v. tr. 1° (sujet nom de personne) *Adopter quelque chose,* faire sienne une conduite, une manière de voir, une doctrine politique ou religieuse, une mode, etc. : *Adopter une attitude d'expectative. Adopter une attitude réservée,* etc. (syn. : PRENDRE). *Il adopte pour me parler un ton qui ne lui est pas habituel* (syn. : CHOISIR). *Adopter la religion catholique* (syn. : SE CONVERTIR À). *Adopter une solution de rechange. Il a adopté un point de vue très différent du vôtre. Adopter des mesures exceptionnelles pour faire face à une situation économique désastreuse. Les couturiers ont adopté le mauve pour la mode de cette année.* — 2° (sujet nom désignant une assemblée) *Adopter une loi, un projet de loi,* etc., approuver, voter une loi, un projet de loi, etc. : *Le texte proposé a été adopté. Adopter une motion à mains levées* (syn. : VOTER). ◆ **adoption** n. f. : *L'adoption d'un projet de loi a demandé de longues heures de discussion. L'adoption des nouveaux programmes d'enseignement apporte une amélioration certaine.*

adorer [adɔre] v. tr. (sujet nom de personne). 1° Rendre un culte divin : *Adorer le feu. Adorer l'empereur de Rome comme un dieu. Adorer le Dieu des chrétiens.* — 2° Aimer passionnément quelqu'un ; avoir un goût très vif pour quelque chose : *Elle est adorée de ses filles* (syn. : ↓ AIMER). *Il adore sa femme et il est adoré d'elle* (contr. : HAÏR). *J'adore le chocolat* (syn. : ↓ APPRÉCIER). *Il adore la musique de Mozart* (contr. : DÉTESTER). ◆ **adorable** adj. (avant ou après le nom). Dont le charme ou l'agrément est extrême : *Elle a un sourire adorable* (syn. : ↓ CHARMANT, RAVISSANT ; contr. : LAID). *Vous avez là un enfant adorable* (contr. : INSUPPORTABLE). *Il habite une adorable petite maison dans la vallée de Chevreuse, près de Paris* (syn. : ↓ GENTIL, DÉLICIEUX). ◆ **adoration** n. f. : *L'Adoration des Mages a servi de sujet à de nombreux tableaux. Le peuple avait voué à ce dictateur une sorte d'adoration mystique* (syn. : DÉVOTION, ↓ ATTACHEMENT). *Il est en adoration devant elle.*

L'adoràtion des enfants pour leur mère (syn. : ↓ AMOUR). ◆ **adorateur, trice** n. Personne qui adore : *Ils se considèrent comme les adorateurs du vrai Dieu. La foule de ses adorateurs l'accueillit avec enthousiasme à la sortie du théâtre* (syn. : ↓ ADMIRATEUR).

adosser [adose] v. tr. 1° *Adosser une chose contre, à une autre,* la placer contre une autre qui lui sert d'appui ou d'abri : *Adosser une armoire à la cloison. Adosser une échelle contre un mur. Maison adossée à l'église, à une colline.* — 2° (sujet nom de personne) [*Etre*] *adossé à, contre,* avoir le dos appuyé contre quelque chose : *Il resta adossé à la palissade en faisant face résolument à celui qui le poursuivait* (syn. : ARC-BOUTÉ). ◆ ***s'adosser*** v. pr. (sujet nom de personne ou de chose) : *S'adosser à un pilier pour allumer une cigarette. Le château s'adossait au flanc du coteau, dominant la vallée.*

adoucir [adusir] v. tr. (sujet nom de personne ou de chose). *Adoucir quelque chose, quelqu'un,* en atténuer la dureté, l'aigreur, la brutalité : *Mettez un peu de sucre pour adoucir l'amertume de ce médicament. Ce savon au lait adoucit la peau. La cour d'appel adoucit la condamnation de l'accusé* (syn. : DIMINUER ; contr. : AGGRAVER). *Peut-être cette lettre adoucira-t-elle votre chagrin* (syn. : ALLÉGER, ATTÉNUER). *Ce second article adoucit un peu la dureté de ses critiques* (syn. : TEMPÉRER, CORRIGER, MITIGER). ◆ ***s'adoucir*** v. pr. Etre plus doux : *La pente s'adoucit lorsqu'on arrive près du sommet du col* (syn. : S'ATTÉNUER, FAIBLIR). *Le temps s'est adouci* (syn. : ↑ SE RADOUCIR ; contr. : SE REFROIDIR). *Son caractère ne s'est pas adouci avec les années* (contr. : S'AIGRIR, SE DURCIR). ◆ **adoucissement** n. m. (sens tr. et pr. du verbe) : *Un adoucissement des conditions d'internement* (syn. : HUMANISATION). *L'adoucissement de la température est aujourd'hui très sensible* (syn. : ↑ RADOUCISSEMENT ; contr. : REFROIDISSEMENT). *Apportez quelques adoucissements à vos reproches* (syn. : ATTÉNUATION ; contr. : AGGRAVATION). ◆ **radoucir** v. tr. Rendre plus doux : *La pluie a radouci la température.* ◆ ***se radoucir*** v. pr. 1° (sujet nom de personne) Devenir plus traitable, plus conciliant : *Quand le jeune patron est arrivé, il avait une attitude hautaine, un ton impératif et cassant, mais il s'est bientôt radouci* (syn. : SE CALMER, EN RABATTRE ; fam. : METTRE DE L'EAU DANS SON VIN). — 2° (sujet nom désignant le temps) Devenir plus doux : *Le temps se radoucit.* ◆ **radoucissement** n. m. : *Le radoucissement de la température, du caractère.*

1. adresse n. f. V. ADROIT.

2. adresse [adrɛs] n. f. 1° Indication du domicile de quelqu'un : *Ajouter une adresse dans son carnet. Partir sans laisser d'adresse. Il nous a donné l'adresse d'un hôtel excellent. N'oubliez pas de mettre l'adresse de l'expéditeur. Libeller correctement une adresse.* — 2° Ecrit présenté par une assemblée : *Le maire lut une adresse du conseil municipal à son illustre visiteur. Recevoir une adresse de félicitations.* — 3° *A l'adresse de quelqu'un,* à son intention : *Lire un communiqué à l'adresse des auditeurs de la région parisienne.*

adresser [adrɛse] v. tr. (sujet nom de personne). 1° *Adresser quelque chose à quelqu'un,* le lui faire parvenir, l'envoyer à son domicile : *J'ai adressé la semaine dernière un colis à mon fils* (syn. : ENVOYER, EXPÉDIER). *Adresser un faire-part de mariage à tous ses amis. Adresser un message au commandant d'un navire. Adresser son obole pour les sinistrés du dernier tremblement de terre* (syn. : DONNER). — 2° *Adresser quelqu'un à une personne précise, à un organisme déterminé,* lui demander de se rendre auprès d'eux, d'avoir recours à eux : *Son médecin habituel adressa le malade à un spécialiste. L'employé de la poste l'adressa à un autre guichet.* — 3° *Adresser un blâme, un compliment, des injures,* etc., équivaut au sens du verbe simple « blâmer », « complimenter », « injurier », etc. : *Adresser un regard* (= regarder). *Adresser un reproche* (= réprimander). *Adresser des questions* (= questionner). ◆ ***s'adresser*** v. pr. 1° (sujet nom de personne) *S'adresser à quelqu'un,* se rendre auprès de lui, aller le trouver pour quelque service : *Adressez-vous à la concierge. Il faut vous adresser directement au ministère pour obtenir ce renseignement.* — 2° (sujet nom de chose) *S'adresser à quelqu'un,* lui être destiné : *Ces mots ne s'adressent pas à vous* (syn. : CONCERNER). *Un argument qui s'adresse à votre cœur, non à votre raison* (syn. : FAIRE APPEL).

adroit, e [adrwa, -at] adj. (avant ou, plus souvent, après le nom). 1° Se dit de quelqu'un qui fait preuve d'habileté physique ou intellectuelle : *Il est très adroit de ses mains* (syn. : HABILE ; contr. : GAUCHE, MALADROIT). *Il se montre à la chasse un tireur adroit et rapide. Il était adroit ; il évita d'engager une discussion qui aurait pu se révéler dangereuse* (syn. : FIN, INTELLIGENT). *Etre adroit au billard. Ma fille est adroite en couture. D'un geste adroit, il lança la fléchette au centre de la cible.* — 2° Se dit de ce qui manifeste de la part de quelqu'un de l'intelligence, de la subtilité : *Mener une politique adroite* (syn. : HABILE, SOUPLE). *Le stratagème était adroit ; je m'y suis laissé prendre* (syn. : INGÉNIEUX ; contr. : LOURD). ◆ **adroitement** adv. : *Il sut adroitement se retirer de cette affaire dangereuse* (syn. : HABILEMENT ; contr. : MALADROITEMENT). *Il répondit adroitement qu'il n'avait rien entendu.* ◆ **adresse** [adrɛs] n. f. : *L'adresse d'un prestidigitateur. Le Ping-Pong exige de l'adresse et une grande rapidité des réflexes. Rattraper avec adresse un verre qui allait tomber* (syn. : DEXTÉRITÉ). *Il use d'adresse pour éviter de faire un travail* (syn. : RUSE). *Elle est d'une adresse remarquable à berner tous ceux qui l'approchent* (syn. : FINESSE, SUBTILITÉ). *L'adresse avec laquelle il éludait les difficultés était extraordinaire* (syn. : INGÉNIOSITÉ). *Il avait l'adresse de ne heurter personne* (syn. : INTELLIGENCE). ◆ **maladroit, e** adj. et n. Contr. de *adroit : Un maladroit qui renverse un verre* (syn. fam. : EMPOTÉ). *Un architecte maladroit qui a mal conçu le plan de la maison* (syn. : ↑ INCAPABLE). *Etre maladroit dans sa conduite avec les autres* (syn. : MALAVISÉ). *Un mot maladroit a éveillé sa susceptibilité* (syn. : INCONSIDÉRÉ, MALHEUREUX). ◆ **maladroitement** adv. : *Rédiger maladroitement une lettre pour demander un service* (syn. : GAUCHEMENT). ◆ **maladresse** n. f. 1° Contr. d'*adresse* 1 : *Casser un vase par maladresse. Il manque de délicatesse ; sa maladresse lui a fait beaucoup de tort* (syn. : GAUCHERIE). — 2° Action maladroite : *Il accumule les maladresses* (syn. : BÉVUE ; fam. : GAFFE). *Commettre une maladresse* (syn. : ↑ ERREUR).

aduler [adyle] v. tr. (sujet nom de personne). *Aduler quelqu'un,* le flatter avec exagération, lui témoigner des sentiments d'adoration (souvent au passif) : *Elle était entourée d'admirateurs, adulée,* *courtisée sans mesure. Arriviste sans scrupule, il a adulé tous les pouvoirs* (syn. : ENCENSER). *Artiste adulé du public, il tournait un grand nombre de films.* ◆ **adulateur, trice** n. : *Les louanges de ses adulateurs lui avaient tourné la tête.* ◆ **adulation** n. f. : *Il se comportait sans bassesse ni adulation à l'égard de ses chefs.*

adulte [adylt] adj. Parvenu au terme de sa croissance (se dit des personnes, des animaux et des végétaux) : *Un ours adulte qui joue avec ses oursons. Un insecte adulte. Etre arrivé à l'âge adulte.* ◆ n. Par opposition aux enfants et aux jeunes gens, personne de plus de vingt ans : *Cours du soir pour adultes. Ce film n'est permis qu'aux adultes. L'incompréhension fréquente des adultes pour les jeunes.*

adultère [adyltɛr] n. m. Acte qui consiste, pour un des époux, à entretenir des relations sexuelles en dehors du mariage : *L'adultère est un cas de divorce. Faire dresser un constat d'adultère.* ◆ adj. : *Entretenir des relations adultères. Une femme adultère.* ◆ **adultérin, e** adj. *Enfant adultérin,* terme administratif désignant l'enfant issu de relations sexuelles hors du mariage (syn. usuel : BÂTARD).

advenir [advənir] v. intr. (conj. 22). *Il advient,* il arrive, il se produit : *Quoi qu'il advienne, nous devons continuer son œuvre* (syn. : SURVENIR, ARRIVER). *On a vu ce qu'il est advenu du régime après sa mort. Que peut-il advenir d'un pareil projet?* (syn. : RÉSULTER). *Advienne que pourra!* (= nous nous en remettons au hasard, peu importent les conséquences).

adventice [advɑ̃tis] adj. Qui vient accidentellement se joindre au principal (terme admin.) : *Certaines circonstances adventices laissent à penser que l'événement ne s'est pas produit tel que le témoin le relate* (syn. : ACCESSOIRE).

adverbe [advɛrb] n. m. V. CATÉGORIE. ◆ **adverbial, e, aux** adj. : *Les termes « en face », « d'abord » sont des locutions adverbiales.* ◆ **adverbialement** adv. : *L'adjectif « haut » est employé adverbialement* (ou *comme adverbe*) *dans la phrase « il parle haut »*

adversaire [advɛrsɛr] n. Personne opposée à une autre sur le plan politique, idéologique, économique, juridique, dans un combat ou dans un jeu : *Nous avons affaire à un adversaire politique courtois, mais résolu* (contr. : ALLIÉ). *Cet ami de la veille est devenu un adversaire acharné. Nos adversaires ont emporté au bridge la première manche* (contr. : PARTENAIRE). *Cette réplique réduisit au silence ses adversaires* (syn. : CONTRADICTEUR ; contr. : DÉFENSEUR). *Il l'emporta facilement sur tous ses adversaires dans cette course* (syn. : CONCURRENT).

adverse [advɛrs] adj. (sans compl.). Opposé à quelqu'un, à un groupe de personnes, à une nation : *Les forces adverses sont restées sur leurs positions* (syn. : HOSTILE ; contr. : AMI). *Le parti adverse a pris le pouvoir à la faveur de nouvelles élections* (contr. : ALLIÉ). *La partie adverse a pour elle de sérieux arguments* (terme jurid. pour désigner l'adversaire dans un procès).

adversité [advɛrsite] n. f. (au sing. et avec l'art. défini ou un démonstr.). Le sort contraire, les circonstances malheureuses (deuil, misère, etc.) indépendantes de la volonté de celui qui subit l'infortune : *Dans cette adversité, son courage ne fléchit pas* (syn. : MALHEUR, DISGRÂCE). *Faire face à l'adversité avec détermination* (syn. : INFORTUNE ; contr. : BONHEUR).

aérer [aere] v. tr. 1° Renouveler l'air vicié d'un lieu clos; mettre à l'air afin de faire disparaître une odeur : *Aérer la chambre tous les matins en ouvrant largement les fenêtres* (syn. : VENTILER). *Aérer un lit en retournant le matelas.* — 2° Rendre un ensemble moins dense, moins épais, moins lourd : *Aérer une terre par un labour profond. On pourra aérer la présentation en disposant ces conjugaisons sous forme de tableaux* (syn. : ÉCLAIRCIR ; contr. : ALOURDIR). *Aérer un exposé par des anecdotes* (syn. : ALLÉGER). ◆ ***s'aérer*** v. pr. (sujet nom de personne). Sortir d'une atmosphère viciée pour respirer un air sain : *Il est allé s'aérer à la campagne pendant les vacances de Pâques* (syn. : PRENDRE L'AIR ; S'OXYGÉNER). ◆ **aéré, e** adj. : *Un bureau bien aéré* (= qui a une bonne ventilation). *Chambre mal aérée* (= où l'air n'est pas renouvelé). *Un tissu aéré* (*Nylon aéré*) *a une trame qui n'est pas serrée.* ◆ **aération** n. f. : *Un conduit d'aération dans une galerie de mines* (= qui sert à amener de l'air pur). ◆ **aérateur** n. m. Appareil destiné à renouveler rapidement l'air d'un local.

1. aérien, enne [aerjɛ̃, -ɛn] adj. Relatif à l'aviation, aux avions : *Base aérienne* (= où sont basés les avions). *Les forces maritimes et aériennes. Transports aériens* (= par avion). *Maintenir un pont aérien entre les bases et les localités touchées par un sinistre. Violer l'espace aérien d'un pays. Le trafic aérien est en augmentation. Se rendre aux Etats-Unis par voie aérienne. Une fête aérienne internationale.* ◆ **aérodrome** n. m. Terrain aménagé pour le décollage et l'atterrissage des avions : *Installer un aérodrome de fortune pour permettre l'arrivée de secours rapides.* ◆ **aérogare** n. f. Ensemble de bâtiments réservés aux voyageurs des lignes aériennes et à leurs bagages : *L'aérogare des Invalides permet de desservir l'aéroport d'Orly.* ◆ **aéronautique** adj. Relatif à l'aviation : *Les constructions aéronautiques. Une usine aéronautique.* ◆ n. f. Ensemble des techniques intéressant l'aviation : *Ecole d'aéronautique. Ingénieur de l'aéronautique.* ◆ **aéronaval, e, als** adj. Relatif à la fois à la marine et à l'aviation : *Forces aéronavales. La bataille aéronavale de Guadalcanal.* ◆ **aéronavale** n. f. : *Un appareil de l'aéronavale.* ◆ **aéroplane** n. m. Syn. vieilli de AVION (abrév. fam. : AÉRO). ◆ **aéroport** n. m. Ensemble des installations (pistes, halls pour les voyageurs, etc.) aménagées pour le trafic des lignes aériennes : *Paris a comme principaux aéroports Orly et Le Bourget.* ◆ **aéroporté, e** adj. Transporté au moyen d'avions, d'hélicoptères : *Troupes aéroportées. Division aéroportée.*

2. aérien, enne [aerjɛ̃, -ɛn] adj. Relatif à l'air; qui se trouve dans l'air : *Câble aérien.*

3. aérien, enne [aerjɛ̃, -ɛn] adj. *Démarche aérienne,* d'une légèreté extrême.

aérodynamique [aerodinamik] adj. Dont le profil offre la moindre résistance à l'air : *La nouvelle ligne aérodynamique de la voiture française.*

affable [afabl] adj. Se dit de quelqu'un (ou de sa conduite) qui manifeste de la politesse, de la bienveillance dans sa façon d'accueillir autrui : *Se montrer affable avec des visiteurs* (syn. : ACCUEILLANT, AIMABLE, POLI, COURTOIS; contr. : IMPOLI, DÉSAGRÉABLE, REVÊCHE). *Répondre d'un ton affable.* ◆ **affabilité** n. f. : *Recevoir des invités avec* *affabilité et prévenance* (syn. : CIVILITÉ, POLITESSE, COURTOISIE; contr. : IMPOLITESSE, ↑ GOUJATERIE). *Témoigner de l'affabilité à l'égard de ses compagnons de voyage.*

affadir [afadir] v. tr. *Affadir un mets, un style, une couleur,* etc., en affaiblir la saveur, le piquant, la vigueur, etc. : *Ces longues digressions affadissent cette histoire qui aurait pu être pittoresque.* ◆ ***s'affadir*** v. pr. Perdre de sa saveur; devenir insipide, ennuyeux : *Une sauce qui s'est affadie. Ces critiques se sont singulièrement affadies avec le temps* (contr. : S'AIGRIR).

affaiblir [afeblir] v. tr. 1° *Affaiblir quelqu'un,* diminuer progressivement son activité, son énergie (souvent au passif) : *La fièvre avait affaibli le malade* (syn. : ANÉMIER). *Il sortait de l'épreuve affaibli, presque brisé* (syn. : ABATTRE). — 2° *Affaiblir quelque chose,* en diminuer peu à peu l'intensité, la force : *Les nouvelles élections ont affaibli la représentation parlementaire de ce parti* (contr. : RENFORCER). *Les continuelles crises politiques affaiblissent l'autorité de l'Etat* (syn. : DIMINUER; contr. : ACCROÎTRE). ◆ ***s'affaiblir*** v. pr. Devenir faible : *Sa vue s'est affaiblie, il peut à peine lire. L'intérêt que je lui porte s'est affaibli* (syn. : BAISSER, DIMINUER). ◆ **affaiblissement** n. m. : *L'affaiblissement des forces, de la santé* (syn. : ALTÉRATION). *L'affaiblissement de l'autorité gouvernementale allait de pair avec son impopularité. Les divisions internes entraînent un affaiblissement de ce parti politique* (syn. : ↑ DÉCADENCE).

1. affaire [afɛr] n. f. 1° Terme vague désignant ce dont on s'occupe, ce qui regarde ou concerne quelqu'un, ce qui lui cause des difficultés ou ce qui lui convient : *J'ai à régler deux ou trois affaires urgentes, et je suis à vous. C'est mon affaire* (*ce sont mes affaires*) *et non la vôtre* (= cela me regarde). *C'est une autre affaire* (= cela change tout). *Voilà qui n'est pas une petite affaire* (= cela n'est pas facile). *Ne vous mêlez pas des affaires des autres* (syn. fam. : HISTOIRE). *On peut lui confier ce travail, il connaît son affaire. Une affaire d'honneur* (= un duel). *Le temps ne fait rien à l'affaire* (= n'améliore pas l'entreprise). *La belle affaire!* (= ce n'est pas si difficile). — 2° (*L'*) *affaire de quelque chose,* ce qui en dépend : *C'est l'affaire de quelques heures; je vous enverrai l'article dactylographié dès demain. La peinture est affaire de goût* (syn. : UNE QUESTION DE). — 3° Terme vague désignant un procès, un scandale, un crime : *Le juge d'instruction instruisit rapidement l'affaire. L'affaire viendra devant la justice à la prochaine session. Le tribunal a été saisi de l'affaire. Une affaire de vol, de mœurs. Son affaire est claire* (= il est sûr de sa condamnation). — 4° *Avoir affaire à quelqu'un,* être en rapport avec lui, avoir à lui parler. ‖ *Il aura affaire à moi* (avec un ton de menace), cela lui attirera des ennuis de ma part. ‖ Pop. *Il a son affaire,* il est abattu (syn. : IL A SON COMPTE). ‖ *Faire l'affaire,* convenir, être propre à la situation, à ce qui est prévu : *Ce morceau de ficelle fera l'affaire, le paquet n'est pas gros* (syn. : ÊTRE ADÉQUAT). ‖ *Faire son affaire d'une chose,* la prendre sur soi, s'en charger : *Je fais mon affaire de le persuader; ne vous inquiétez pas.* ‖ Pop. *Faire son affaire à quelqu'un,* lui régler son compte, l'attaquer afin de satisfaire sa vengeance. ‖ *Etre à son affaire,* se plaire à ce qu'on fait : *Il est à son affaire quand il s'agit de réparer un poste de radio.* ‖ *Se tirer d'affaire,* sortir d'une situation dangereuse, d'une difficulté. ◆ **affaires** n. f. pl. 1° Intérêts publics ou privés : *Les affaires de l'Etat. Le Parlement discutera à la rentrée des affaires étrangères.* — 2° Vêtements, objets usuels, etc. : *Il pose ses affaires chaque soir sur une chaise. Range tes affaires avant de te coucher. Il perd toujours ses affaires.* ◆ **affairer (s')** v. pr. (sujet nom de personne). Montrer une grande activité : *Les infirmières s'affairaient auprès du blessé* (syn. : S'EMPRESSER). ◆ **affairé, e** adj. Se dit de quelqu'un qui a ou paraît avoir beaucoup d'occupations, d'activités : *Il a toujours l'air affairé.* ◆ **affairement** n. m. : *L'affairement tient lieu chez lui de véritable travail.*

2. affaire [afɛr] n. f. 1° Entreprise industrielle ou commerciale : *Il a une grosse affaire de pâtes alimentaires dans la banlieue parisienne. Il gère son affaire de confiserie avec bonheur.* — 2° Marché ou transaction commerciale : *Il a fait de belles* (*bonnes*) *affaires. Conclure une affaire dans des conditions satisfaisantes. Avez-vous fait affaire avec lui?* (= conclu le marché). ◆ **affaires** n. f. pl. Activité d'ordre commercial, industriel ou financier : *Les affaires ne vont pas : les cours de Bourse baissent. Etre dans les affaires. Un agent d'affaires s'occupe de gérer les capitaux et tient un cabinet d'affaires. Un homme d'affaires est un financier ou quelqu'un qui s'occupe d'affaires commerciales.* ◆ **affairisme** n. m. Utilisation de relations politiques pour favoriser ses propres affaires commerciales ou industrielles. ◆ **affairiste** n. Péjor. : *A la tête de cette escroquerie, il y a un affairiste sans scrupule* (syn. fam. : COMBINARD).

affaisser [afese] v. tr. Faire plier sous le poids, sous la charge : *Les fortes pluies de ces jours derniers ont affaissé la route.* ◆ ***s'affaisser*** v. pr. ou ***être affaissé*** v. passif. 1° (sujet nom de chose) Plier sous le poids : *Le plancher s'est légèrement affaissé* (contr. : RELEVER). *Le sol est affaissé* (syn. : ÊTRE CREUSÉ). — 2° (sujet nom de personne) Ne plus se tenir debout, droit : *Frappé d'une congestion, il s'affaissa sur le trottoir* (syn. : S'ÉCROULER). *Il est affaissé dans son fauteuil, abattu par le chagrin* (syn. : S'EFFONDRER). ◆ **affaissement** n. m. : *Par suite d'un affaissement de terrain, on dut évacuer quelques maisons du village* (syn. : ÉBOULEMENT, TASSEMENT). *On s'inquiéta de cet affaissement progressif de son intelligence* (syn. : DIMINUTION).

affaler (s') [safale] v. pr. ou **être affalé** v. passif (sujet nom de personne). *Fam.* Se laisser tomber par fatigue : *Cette longue marche m'avait éreinté; je n'avais qu'une pensée, m'affaler sur une chaise dans un café* (syn. : S'EFFONDRER). *Il reste des soirées entières affalé dans un fauteuil, sans rien faire* (syn. : AVACHI).

affamer [afame] v. tr. *Affamer quelqu'un,* le faire souffrir de la faim (souvent au passif) : *En mettant le blocus devant la ville, l'armée tentait d'affamer les assiégés. Il revenait affamé de son excursion en montagne. Les populations affamées du nord du Brésil réclamaient la réforme agraire.* (V. FAMINE.) ◆ **affameur** n. m. *Péjor.* Personne qui, en accaparant les produits alimentaires, crée une situation de disette.

1. affecter [afɛkte] v. tr. (sujet nom de personne). 1° *Affecter quelque chose à quelqu'un ou à quelque chose,* le destiner à une personne, à un usage déterminé (terme admin. et fin.) : *Affecter une part de ses revenus à l'entretien de l'immeuble* (syn. : CONSACRER). *Affecter une résidence à un fonctionnaire* (syn. : ASSIGNER). *Affecter les nouveaux bâtiments à des bureaux ministériels.* — 2° *Affecter quelqu'un à un poste, à une formation,* le désigner pour occuper une fonction, pour être attaché à une formation (langue admin. et mil.) : *Affecter une recrue à un centre d'instruction. Se faire affecter à un service d'intendance.* — 3° *Affecter une quantité quelconque d'un coefficient, d'un signe,* etc., donner à cette quantité ce coefficient, ce signe (terme scientif.) : *Affecter un nombre du signe moins.* ◆ **affectation** n. f. : *L'affectation d'une part importante du budget à la construction de nouveaux logements. L'affectation du signe plus à ce chiffre constitue une erreur dans cette équation* (syn. : ADJONCTION). *L'affectation des officiers à une garnison de l'est de la France. Sa nomination comme professeur porte affectation au lycée d'Amiens.* ◆ **désaffecter** [desafɛkte] v. tr. *Désaffecter un immeuble, un local,* en changer la destination première (souvent au part. passé) : *A Sens, une église désaffectée sert de marché couvert. Le lycée a été installé dans une caserne désaffectée. Les autorités décidèrent de désaffecter certains bâtiments dépendant de la mairie pour y installer une nouvelle école.* ◆ **désaffectation** n. f. (avec un nom d'immeuble ou de local comme compl.) : *La désaffectation d'un édifice public.*

2. affecter [afɛkte] v. tr. 1° (sujet nom de personne) *Affecter un sentiment,* ou, plus rarement, *une conduite, une manière d'être,* faire paraître des sentiments que l'on n'éprouve pas; se conduire d'une manière qui n'est pas conforme à sa nature ou à sa situation réelle : *Il affecte une joie dont l'exagération cache mal le caractère hypocrite* (syn. : AFFICHER). *Il affecte d'être ému, alors que son indifférence devant la douleur des autres est connue* (syn. : FAIRE SEMBLANT). *Il affectait pour elle une tendresse qu'il n'éprouvait pas* (syn. : SIMULER). *Il affecte de grands airs, mais cette vanité est sans objet; personne ne s'y laisse prendre.* — 2° (sujet nom de chose) *Affecter une forme* (+ adj. ou compl. du nom), avoir telle ou telle forme : *La capsule de la fusée affecte la forme sphérique* (ou *la forme d'une sphère*). *La roche affecte une forme curieuse.* ◆ **affecté, e** adj. Sens 1 du verbe : *Il a une prononciation affectée* (syn. : RECHERCHÉ, PRÉCIEUX; contr. : SIMPLE, NATUREL). *Il parle d'un ton affecté qui marque son mépris* (syn. : PRÉTENTIEUX). *C'est une personne affectée, dont la conversation est toujours ennuyeuse* (syn. : MANIÉRÉ). *Il montre une douceur affectée* (syn. : COMPASSÉ, CONTRAINT). *Il témoigne une joie affectée* (syn. : FORCÉ). ◆ **affectation** n. f. Manque de naturel dans l'expression ou le comportement (le plus souvent sans adj. ni compl.) : *Il y a de l'affectation dans tout ce qu'il fait* (syn. : RECHERCHE, POSE; contr. : NATUREL, SIMPLICITÉ). *Parler avec affectation* (syn. : PRÉCIOSITÉ). *Il se conduit avec ses subordonnés sans affectation* (syn. : MORGUE; contr. : SINCÉRITÉ). *S'habiller sans affectation* (syn. : PRÉTENTION). *On remarque dans son attitude une affectation de bonhomie.*

3. affecter [afɛkte] v. tr. (sujet nom de chose). *Affecter quelqu'un,* provoquer chez lui une émotion pénible, lui causer une douleur morale (souvent renforcé par un adv., et aux formes composées) : *La maladie de sa femme l'a sérieusement affecté* (syn. : TOUCHER, FRAPPER). *J'ai été très affecté par la nouvelle de ce décès subit* (syn. : ÉMOUVOIR, PEINER, ATTRISTER). *J'ai perdu son amitié et j'en suis fort affecté* (syn. : PEINER).

affectif, ive [afɛktif, -iv] adj. Qui relève du sentiment et non de la raison : *Une réaction purement affective* (syn. : ÉMOTIONNEL, SENTIMENTAL; contr. : RATIONNEL). [Surtout vocabulaire philosophique.] ◆ **affectivité** n. f. Ensemble des sentiments, par oppos. à ce qui dépend du raisonnement : *Elle se décidait par affectivité; ses sautes d'humeur étaient fréquentes.* (Surtout vocabulaire philosophique.)

1. affection [afɛksjɔ̃] n. f. Sentiment de tendresse ou d'amitié d'une personne à l'égard d'une autre : *L'affection d'une mère pour ses enfants. L'affection paternelle. Il a pour elle une affection sincère. Prendre quelqu'un en affection* (= avoir de l'amitié, de l'amour pour lui). *Eprouver de l'affection pour sa mère. Gagner l'affection d'un enfant. Perdre l'affection de ses proches. Etre lié par une affection réciproque. Il est fidèle dans ses affections.* ◆ **affectionné, e** adj. (seulement en fin de lettre, dans une formule de politesse vieillie) : *Votre affectionné Paul. Votre neveu affectionné.* ◆ **affectionner** v. tr. *Affectionner quelqu'un, quelque chose,* marquer de l'amitié pour cette personne, du goût pour cette chose : *Affectionner son enfant* (syn. : CHÉRIR). *Affectionner les cartes* (= être joueur). *Les livres que j'affectionne le plus sont les romans policiers* (syn. : AIMER; contr. : DÉTESTER). ◆ **désaffection** n. f. Perte progressive de l'affection que l'on portait à quelqu'un ou à quelque chose : *Il était sensible à la désaffection du peuple pour sa personne* (syn. : DÉTACHEMENT). *Eprouver de la désaffection pour le métier que l'on exerce* (contr. : ATTACHEMENT). *Elle comprend difficilement la désaffection qu'il manifeste à son égard.* ◆ **désaffectionner (se)** v. pr. : *Il a beaucoup changé; il se désaffectionne de tout ce qui l'entoure* (syn. : SE DÉTACHER; contr. : S'ATTACHER).

2. affection [afɛksjɔ̃] n. f. Altération de la santé, sans considération des causes (terme médical) : *Il souffre d'une affection chronique de la gorge* (syn. : MALADIE).

affectivité n. f. V. AFFECTIF.

affectueux, euse [afɛktɥø, -øz] adj. (avant ou après le nom). Qui témoigne un sentiment tendre à l'égard de quelqu'un : *Je vous adresse mon souvenir affectueux. Enfant affectueux envers ses parents. Faire part de ses sentiments affectueux* (syn. : TENDRE). *Un sourire affectueux se dessina sur son visage* (syn. : BON; contr. : MALVEILLANT). *Une affectueuse sollicitude.* ◆ **affectueusement** adv. : *Embrasser affectueusement* (contr. : FROIDEMENT). *Il regarde affectueusement son jeune enfant faire ses premiers pas* (syn. : TENDREMENT).

afférent, e [aferɑ̃, -ɑ̃t] adj. Se dit de ce qui se rattache à quelque chose (terme admin.) : *Le Conseil des ministres a discuté du problème des importations et des questions afférentes* (syn. : ANNEXE). *Les devoirs afférents à sa charge.*

affermir [afɛrmir] v. tr. *Affermir quelque chose* (surtout nom abstrait), en assurer la solidité, le rendre ferme, stable : *La paix a été affermie par un accord sur le désarmement* (syn. : CONSOLIDER; contr. : AFFAIBLIR). *Il toussa légèrement pour affermir sa voix. Les difficultés ont affermi sa résolution* (syn. : CONFIRMER; contr. : ÉBRANLER). ◆ ***s'affermir*** v. pr. Etre stable, durable : *Sa santé s'est affermie depuis son séjour à la montagne* (syn. : SE FORTIFIER). *L'autorité du ministre s'affermit de* *jour en jour* (syn. : SE RENFORCER). *Sa pensée s'est affermie.* ◆ **affermissement** n. m. : *L'affermissement du pouvoir de l'Etat est un des buts essentiels du gouvernement* (contr. : AFFAIBLISSEMENT).

affiche [afiʃ] n. f. 1° Feuille imprimée, appliquée sur le mur d'une rue, d'un édifice, etc., pour annoncer quelque chose aux passants ou au public : *Poser une affiche sur le mur de la mairie. Coller, placarder une affiche.* — 2° *Mettre une pièce de théâtre à l'affiche,* annoncer sa représentation : *La Comédie-Française a mis cette année à l'affiche une pièce de Claudel.* ‖ *Une pièce quitte l'affiche,* elle cesse d'être représentée. ‖ *Tenir l'affiche,* être représenté longtemps : *Une comédie de boulevard tient l'affiche parfois deux ou trois ans.* ‖ *Etre tête d'affiche,* jouer le rôle principal dans une pièce de théâtre : *Un acteur vise toujours à être tête d'affiche.* ‖ *Une tête d'affiche,* l'acteur principal. ◆ **afficher** v. tr. 1° Annoncer par affiche, poser l'affiche qui annonce : *Afficher une vente aux enchères. Défense d'afficher* (= interdiction de poser des affiches). *Afficher une pièce de théâtre* (= en annoncer la représentation). *Afficher une vedette au programme.* — 2° *Afficher une qualité, un désir,* etc., en faire étalage, les montrer avec ostentation : *Afficher un savoir que l'on n'a pas. Afficher des prétentions exagérées.* — 3° *Afficher une femme,* la compromettre publiquement. ◆ ***s'afficher*** v. pr. (sujet nom de personne). 1° Montrer à tous le désordre de sa vie; se montrer avec ostentation : *Il s'affiche dans les endroits à la mode.* — 2° *S'afficher avec une femme,* se montrer ostensiblement avec elle : *Il s'affiche avec sa maîtresse pendant toutes ses vacances.* ◆ **affichage** n. m. : *L'affichage du discours du président. L'affichage privé est interdit sur les murs des édifices publics.* ◆ **affichette** n. f. Petite affiche de quelques centimètres : *Un parti politique qui fait poser des affichettes sur les murs.* ◆ **afficheur** n. m. : *Les afficheurs sont généralement au service d'offices publicitaires spécialisés.* ◆ **affichiste** n. m. : *Les affichistes sont les artistes qui créent les affiches, qui en dessinent les sujets.*

affilée (d') [dafile] loc. adv. Sans interruption : *Il a parlé dix heures d'affilée* (syn. : SANS DISCONTINUER). *Travailler douze heures d'affilée* (syn. : DE SUITE).

affiler [afile] v. tr. 1° Rendre tranchant : *Affiler son couteau avant de trancher la viande* (syn. : AFFÛTER, AIGUISER). — 2° Fam. *Avoir la langue bien affilée,* être très bavard ou indiscret (syn. : *avoir la langue bien pendue*). ◆ **affilage** n. m. : *L'affilage d'un rasoir.*

affilier [afilje] v. tr. *Affilier quelqu'un, un groupe de personnes,* les faire entrer dans une association, un parti, une société (souvent au passif) : *Un ami l'affilia à la franc-maçonnerie. Un syndicat affilié à une confédération générale.* ◆ ***s'affilier*** v. pr. Entrer comme membre dans un parti, un groupement : *Il s'est affilié à un parti révolutionnaire* (syn. usuel : ADHÉRER). *S'affilier au Racing-Club de France* (syn. : S'INSCRIRE). ◆ **affilié, e** n. : *Le groupement des industries textiles comporte plusieurs centaines d'affiliés* (syn. : ADHÉRENT). ◆ **affiliation** n. f. : *Son affiliation au club lui permettra de bénéficier des installations sportives* (syn. : ADHÉSION).

1. affiner [afine] v. tr. *Affiner quelque chose,* le purifier par élimination des impuretés, des éléments étrangers, etc. : *Affiner du cuivre, du verre, du sucre.* ◆ **affinage** n. m. : *L'affinage permet d'obtenir un métal très pur.*

2. affiner [afine] v. tr. *Affiner l'esprit, le goût,* etc., *de quelqu'un,* le rendre plus fin, plus délicat : *L'élargissement de ses connaissances a nuancé ses jugements et affiné son esprit.* ◆ ***s'affiner*** v. pr. Devenir plus fin : *Depuis son arrivée à Paris, son goût s'est singulièrement affiné.* ◆ **affinement** n. m. : *L'affinement et l'approfondissement de ses manières de juger.*

affinité [afinite] n. m. Conformité naturelle de caractère, de goûts, de sentiments, etc., entre deux ou plusieurs personnes; ressemblance entre plusieurs choses (au sing. et au plur.) : *Il y a entre eux une véritable affinité intellectuelle : leurs jugements se ressemblent étonnamment* (contr. : ANTAGONISME). *Dès la première rencontre, ils avaient reconnu leurs affinités réciproques. Il existe une certaine affinité entre les tendances actuelles de la peinture et celles de la musique* (syn. : PARENTÉ, ANALOGIE).

affirmer [afirme] v. tr. 1° *Affirmer une chose, affirmer que* (et l'indic.), soutenir fermement qu'une chose est vraie : *Je n'affirme rien, mais je crois l'avoir aperçu dans le métro* (syn. : SOUTENIR). *Il affirme que tu es responsable de l'erreur commise* (syn. : ASSURER, PRÉTENDRE). *J'affirme la réalité de ce que j'avance* (syn. : CERTIFIER, GARANTIR). *Continuez-vous d'affirmer sur l'honneur que vous ignoriez toute l'affaire?* (syn. : PROCLAMER, PROTESTER). — 2° *Affirmer quelque chose,* le manifester clairement aux yeux de tous : *Il cherche à affirmer son autorité* (syn. : MONTRER, PROUVER). *Le gouvernement affirme sa volonté d'en finir avec les abus* (syn. : EXPRIMER, MANIFESTER). ◆ ***s'affirmer*** v. pr. Se manifester clairement : *Sa personnalité s'affirme de jour en jour* (syn. : S'AFFERMIR, SE RENFORCER). ◆ **affirmatif, ive** adj. Qui indique une approbation, une certitude : *Son ton était nettement affirmatif, et je pense que nous pouvons compter sur lui. Un geste affirmatif* (contr. : NÉGATIF). ◆ **affirmative** n. f. Réponse par laquelle on assure qu'une chose est vraie, est approuvée : *Pencher pour l'affirmative. Dans l'affirmative, vous passerez au bureau pour signer l'acte définitif* (= en cas d'acceptation). ◆ **affirmativement** adv. : *Répondre affirmativement à une demande* (syn. : POSITIVEMENT; contr. : NÉGATIVEMENT). ◆ **affirmation** n. f. : *Son discours renferme une nouvelle affirmation des principes qui l'ont toujours guidé* (syn. : CONFIRMATION, RENFORCEMENT). *Personne ne fut convaincu par de telles affirmations* (syn. : ASSURANCE, DÉCLARATION). ◆ **réaffirmer** v. tr. Affirmer de nouveau et avec plus de force : *Le président a réaffirmé son désir de pouvoir s'entretenir avec les dirigeants des autres pays.* ◆ **réaffirmation** n. f. : *La réaffirmation de sa fidélité aux accords signés n'a pas modifié la situation.*

affleurer [aflœre] v. tr. et intr. *Affleurer quelque chose,* ou *à quelque chose,* être ou arriver au même niveau : *On apercevait les yeux du crocodile, dont la tête affleurait la surface de la rivière. Le fleuve est en crue; l'eau affleure les berges. Le rocher affleure à peine à la surface du sol.* ◆ **affleurement** n. m. : *L'affleurement du calcaire, de place en place, témoigne de la pauvreté de la région.*

affliction n. f. V. AFFLIGER.

affligé (être) [afliʒe] v. passif (sujet nom de personne). *Etre affligé d'une maladie, d'une infirmité,* d'un défaut, etc., en être atteint, frappé d'une manière durable : *Il était affligé d'un rhumatisme chronique. Etre affligé d'une très mauvaise mémoire.*

affliger [afliʒe] v. tr. *Affliger quelqu'un,* lui causer un profond chagrin : *Sa mort a affligé tous ceux qui le connaissaient* (syn. : PEINER, ATTRISTER). *Le spectacle de telles turpitudes m'afflige profondément* (syn. : DÉSOLER, NAVRER). *Je suis affligé par sa conduite* (syn. : ↑ ATTERRER). ◆ ***s'affliger*** v. pr. (sujet nom de personne). Eprouver de la douleur, du chagrin : *Je m'afflige de ne pouvoir vous aider dans une pareille occasion.* ◆ **affliction** [afliksjɔ̃] n. f. Chagrin profond (littér.) : *Ce malheur inattendu plongea son entourage dans une extrême affliction* (syn. : DOULEUR, PEINE). ◆ **affligeant, e** adj. : *J'ai appris la nouvelle affligeante de son nouvel échec à l'examen* (syn. : DÉSOLANT).

affluer [aflye] v. intr. 1° (sujet nom désignant un liquide, surtout le sang) Couler en abondance vers un point : *Dans ses moments de colère, le sang lui afflue au visage et il devient tout rouge.* — 2° (sujet nom désignant un grand nombre de personnes ou de choses) Se porter en même temps vers un lieu : *La foule afflue dans le métro dès six heures du soir. Les volontaires affluaient de toutes parts* (syn. : ACCOURIR). *Dès le lendemain de la catastrophe, les dons affluaient de toutes les régions au profit des sinistrés* (syn. : ARRIVER). ◆ **affluence** [aflyɑ̃s] n. f. (sens 2 du verbe). Grand nombre de personnes se rassemblant en un même lieu (sans compl.) : *L'affluence à l'entrée du stade est importante. Aux heures d'affluence, il attend parfois l'autobus une demi-heure* (syn. : PRESSE). *L'exposition a attiré une grande affluence* (syn. : FOULE). ◆ **afflux** [afly] n. m. 1° (sens 1 du verbe) : *Le bandage trop serré empêche l'afflux du sang dans le membre blessé* (syn. : CIRCULATION). — 2° Arrivée d'un grand nombre de personnes, de choses, en un même endroit (toujours avec un compl.) : *Un afflux de clients remplit en quelques instants la boutique. L'afflux des capitaux est considérable* (syn. : ARRIVÉE).

affoler [afɔle] v. tr. *Affoler quelqu'un,* lui faire perdre son sang-froid, créer chez lui une émotion violente, un sentiment de peur, etc. (souvent au passif) : *La nouvelle semble l'affoler* (syn. : ↓ BOULEVERSER; contr. : CALMER). *Sa façon de conduire m'affole; il finira par avoir un accident* (syn. : ↑ TERRIFIER, EFFRAYER). *Les gens furent affolés par la perspective de la guerre civile* (syn. : ÉPOUVANTER). *En voyant le taureau, l'enfant fut affolé* (syn. : ↓ PRIS DE PEUR). ◆ ***s'affoler*** v. pr. Devenir comme fou : *La mère s'affola en voyant que son fils ne jouait plus près d'elle et qu'il ne répondait pas à ses appels* (syn. : PERDRE LA TÊTE). *Ne vous affolez pas; nous allons retrouver votre portefeuille* (syn. : ↓ S'INQUIÉTER, SE TOURMENTER). ◆ **affoler** v. intr. ou ***s'affoler*** v. pr. *Pop.* Se dépêcher, se hâter (surtout argot scolaire). ◆ **affolant, e** adj. : *Le coût de la vie monte sans cesse : c'est affolant* (syn. : ↓ INQUIÉTANT). ◆ **affolement** n. m. : *L'affolement qu'il manifeste est hors de proportion avec l'événement* (syn. : ↓ DÉSARROI, BOULEVERSEMENT; contr. : CALME). *Il se sentit gagné par l'affolement de ceux qui étaient autour de lui* (syn. : TERREUR, FRAYEUR, PANIQUE).

1. affranchir [afrɑ̃ʃir] v. tr. 1° *Affranchir quelqu'un, un pays,* etc., le rendre libre, indépendant de toute servitude, etc. : *Il est affranchi des obligations pénibles d'un horaire de travail très strict* (syn. : LIBÉRER). *Il faut affranchir le pays de la domination étrangère. L'emprunt fait par l'Etat est affranchi de toute taxe* (syn. : EXONÉRER). — 2° Pop. *Affranchir quelqu'un,* le renseigner sur ce qui est considéré comme secret : *Il ne paraît pas connaître leurs machinations; affranchissons-le.* ◆ ***s'affranchir*** v. pr. *S'affranchir de quelque chose,* s'en libérer : *Il s'est enfin affranchi de cette timidité dont il était prisonnier* (syn. : SE DÉBARRASSER). *On ne peut s'affranchir ainsi des lois de son pays* (syn. : SE SOUSTRAIRE À). ◆ **affranchi, e** n. *Pop.* Personne qui est libérée de tout préjugé moral, de tout scrupule. ◆ **affranchissement** n. m. : *L'affranchissement de la femme au XXe siècle* (syn. : ÉMANCIPATION). *L'affranchissement des nations colonisées.*

2. affranchir [afrɑ̃ʃir] v. tr. *Affranchir une lettre, un paquet,* etc., en payer le port en mettant un timbre ou une marque postale. ◆ **affranchissement** n. m. : *L'affranchissement d'une lettre* (= l'apposition d'un timbre pour acquitter la taxe de transport).

affres [afr] n. f. pl. Usité dans des express. littér. : *les affres de la mort,* l'angoisse de l'agonie, des derniers moments de la vie; *les affres de l'incertitude, du désespoir,* la douleur morale ressentie au moment d'un choix décisif, d'un doute anxieux, d'un deuil, etc. : *Etre en proie aux affres du doute.*

affréter [afrete] v. tr. *Affréter un navire, un avion, un car,* le prendre en location pour un voyage et un temps déterminés (techn.) : *Des congressistes affrètent un avion pour se rendre en groupe au lieu du congrès.* ◆ **affrètement** n. m. *Contrat d'affrètement* (= de location). ◆ **affréteur** n. m. : *L'affréteur prend en location le navire, l'avion ou le car.*

affreux, euse [afrø, -øz] adj. (avant ou après le nom). 1° Dont la laideur physique ou morale provoque la peur, la répulsion, l'indignation, etc. : *Son visage, couvert de pustules, est affreux à voir* (syn. : ↑ HIDEUX, MONSTRUEUX). *Elle porte des robes d'un goût affreux. Un affreux bonhomme* (syn. : DÉGOÛTANT, VICIEUX). — 2° Qui cause une violente douleur, la peur ou un vif désagrément : *J'ai été le témoin d'un affreux accident* (syn. : ÉPOUVANTABLE). *Il avait une affreuse blessure au cou* (syn. : ATROCE). *J'ai fait un cauchemar affreux cette nuit* (syn. : TERRIBLE). *C'est affreux de le laisser là sans secours* (syn. : HORRIBLE, ↑ EFFROYABLE). *Le temps est affreux; il pleut à torrents* (contr. : ↓ BEAU). ◆ **affreusement** adv. : *Cette réponse le fit affreusement pâlir.*

affrioler [afrijɔle] v. tr. *Affrioler quelqu'un,* l'attirer par quelque chose de séduisant, d'alléchant (surtout au passif) : *Il est affriolé par l'idée d'aller passer ses vacances sur la Côte d'Azur* (syn. : ↓ CHARMER, TENTER). *Elle tentait de l'affrioler par quelques agaceries* (syn. : ↑ SÉDUIRE). ◆ **affriolant, e** adj. Qui séduit (surtout en parlant d'une femme) : *Il la trouvait très affriolante* (syn. : SÉDUISANT, DÉSIRABLE). *Ce voyage n'a rien d'affriolant* (syn. : ATTIRANT, PLAISANT).

affront [afrɔ̃] n. m. Acte ou parole témoignant publiquement du mépris : *Il a subi l'affront de se voir interdire l'entrée de la maison* (syn. : OUTRAGE, INSULTE, VEXATION). *Laver un affront dans le sang* (syn. : INJURE). *Vous lui avez fait là un affront qu'il ne supportera pas* (syn. : CAMOUFLET, HUMILIATION). *Je dévorai cet affront sans rien dire* (syn. : MORTIFICATION).

affronter v. tr. S'exposer avec courage à quelque chose ou à l'attaque de quelqu'un : *Affronter la* *mort. Le navire affronte la tempête* (syn. : FAIRE FACE À). *Il a affronté de grands dangers* (syn. : COURIR). *Affronter sans peur des adversaires nombreux.* ◆ ***s'affronter*** v. pr. Se combattre, lutter l'un contre l'autre : *Les deux empires s'affronteront en un combat qui les ruinera tous les deux* (syn. : SE HEURTER). ◆ **affrontement** n. m. : *L'affrontement des doctrines, des points de vue.*

affubler [afyble] v. tr. Péjor. *Affubler quelqu'un,* l'habiller de façon ridicule ou bizarre, lui attribuer ce qui ne lui convient pas : *Elle était affublée d'une affreuse robe verte* (syn. : ACCOUTRER). *Affubler quelqu'un d'un sobriquet.* ◆ ***s'affubler*** v. pr. : *Il ne savait pas s'habiller et s'affublait toujours de vêtements trop voyants* (syn. fam. : S'ATTIFER). ◆ **affublement** n. m. : *Pourquoi cet affublement lorsque vous venez ici ?* (emploi littér. rare; syn. : ACCOUTREMENT, plus fréquent).

1. affût [afy] n. m. 1° Endroit où l'on se place pour attendre le gibier : *Il choisit avec soin un bon affût pour tirer le lièvre. Les chasseurs à l'affût guettent l'envol des faisans.* — 2° *Se mettre à l'affût,* attendre quelqu'un derrière un endroit dissimulé, afin de l'observer ou de l'attaquer : *Mettez-vous à l'affût derrière cette porte et surveillez la sortie du café.* — 3° *Etre à l'affût de quelque chose,* attendre le moment favorable pour s'en emparer; guetter son apparition : *Ce journaliste est toujours à l'affût d'une nouvelle sensationnelle. Il est toujours à l'affût d'idées nouvelles.*

2. affût [afy] n. m. Support d'un canon, servant à le déplacer et à le pointer.

affûter [afyte] v. tr. Aiguiser un outil, le rendre tranchant : *Affûter un couteau* (syn. : AFFILER). ◆ **affûtage** n. m. (syn. : AFFILAGE).

afin de [afɛ̃də] loc. prép., **afin que** [afɛ̃kə] loc. conj. Indique l'intention dans laquelle on fait une chose, le but vers lequel on tend. — On emploie *afin de* (et l'infin. prés.) lorsque l'infinitif a le même sujet que le verbe dont il dépend; on emploie *afin que* (et le subj.) lorsque la subordonnée et la proposition dont elle dépend ont des sujets différents; *afin de, afin que* appartiennent surtout à la langue écrite ou soutenue (syn. usuel : POUR et POUR QUE) : *Je me hâte afin d'arriver à l'heure* (syn. : DANS L'INTENTION DE). *Il paya immédiatement la totalité de la somme afin de ne rien lui devoir* (syn. : DANS LE DESSEIN, L'INTENTION DE; fam. : DANS LE BUT DE). *Afin qu'on ne vous oublie pas, téléphonez à la fin de la semaine.*

a fortiori [afɔrsjɔri] loc. adv. Syn. savant de l'express. *à plus forte raison* (langue soutenue) : *Je ne suis pas capable de savoir si je serai prêt à la fin de la semaine; « a fortiori », je ne puis vous donner une réponse positive pour les vacances prochaines.*

agacer [agase] v. tr. 1° *Agacer quelqu'un,* lui causer une légère irritation allant jusqu'à un début de colère : *Je suis agacé par ce bruit continuel* (syn. : ÉNERVER, ↑ EXASPÉRER). *Il ne cesse pas d'agacer sa sœur* (syn. : TAQUINER; fam. : EMBÊTER). *Vous m'agacez avec vos bavardages continuels* (syn. : IMPATIENTER). — 2° *Agacer les dents,* causer aux gencives une sensation désagréable : *Le citron agace les dents.* — 3° *Agacer quelqu'un,* chercher à attirer son attention par quelque coquetterie, pour lui plaire ou le séduire : *Elle tente de l'agacer par des mines et des attitudes qui le font sourire* (syn. fam. : AGUICHER). ◆ ***s'agacer*** v. pr. Devenir irrité : *Il s'agace de te voir tourner autour de lui pendant qu'il travaille.* ◆ **agaçant, e** adj. : *Son rire aigu est particulièrement agaçant* (syn. : ↑ ÉNERVANT, IRRITANT). *Le crissement agaçant de la craie sur le tableau* (syn. : DÉSAGRÉABLE). ◆ **agacement** n. m. Sens 1 du v. tr. : *Ces critiques provoquaient visiblement l'agacement de celui qui en était l'objet* (syn. : IMPATIENCE, ÉNERVEMENT, IRRITATION, ↑ EXASPÉRATION). ◆ **agacerie** n. f. (sens 3 du verbe) : *Jalouse de l'attention qu'il portait à sa voisine, elle multipliait vainement les agaceries pour attirer ses regards* (syn. : COQUETTERIE).

agapes [agap] n. f. pl. Repas somptueux entre amis : *Agapes fraternelles* (= entre amis; syn. : ↑ FESTIN, BANQUET). [Le sing. a le sens historique de « repas en commun des premiers chrétiens ».]

agate [agat] n. f. Roche dure et de couleurs variées : *Des billes d'agate. Un camée travaillé dans l'agate.*

âge [ɑʒ] n. m. 1° Temps écoulé depuis la naissance de quelqu'un; période déterminée de sa vie : *Quel âge a-t-il? Quel est son âge? On ne lui donne pas son âge. Cet enfant est avancé pour son âge. Il est mort à l'âge de soixante ans. Un homme entre deux âges* (= ni jeune ni vieux). *Il porte bien son âge* (= il paraît plus âgé qu'il n'est). *Il paraît être dans la force de l'âge* (= la maturité). *Il y a une grande différence d'âge entre elle et son mari. Ce grand benêt est entré dans l'âge ingrat* (= période de formation qui termine l'enfance). *Un homme d'un certain âge, aux cheveux grisonnants. Ils sont du même âge. Une femme sans âge* (dont rien n'indique l'âge). *A votre âge, il faut prendre certaines précautions. L'âge moyen de cette classe est de quinze ans. Il n'est pas encore arrivé à l'âge de raison* (= sept ans, âge où les enfants sont capables de se conformer aux lois morales élémentaires). *Etre à l'âge mûr* (= celui où les facultés physiques et intellectuelles sont à leur plus haut développement). *Le président d'âge prononça le discours d'ouverture* (= celui qui préside parce qu'il est le plus âgé). — 2° (sans qualificatif et avec l'art. défini) La vieillesse : *Courbé par l'âge. L'âge a marqué les traits de son visage. Il est vieux avant l'âge.* — 3° Epoque, durée déterminée pendant laquelle une chose existe (emploi limité à quelques express.) : *L'âge du bronze. L'âge d'or. Les premiers âges de l'humanité.* ◆ **âgé, e** [aʒe] adj. 1° *Etre âgé de* (suivi d'un nom de nombre et de *ans*), avoir un certain nombre d'années, un certain âge : *Il est âgé de trente ans;* sans complément : *Il est moins âgé que moi.* — 2° *Etre âgé,* être vieux : *Des places assises sont réservées aux gens âgés* (= aux vieillards).

âge

1° Mots qualifiant ou désignant la personne qui a atteint un âge déterminé. (Ces termes vont par dizaines à partir de quarante.) [V. tableau p. suivante.]

2° Mots désignant l'âge atteint par une personne (ils vont par dizaine à partir de trente et jusqu'à soixante, et ce sont des substantifs féminins) : *Il a déjà la trentaine. Il approche de la quarantaine. Il frise la cinquantaine. Il doit avoir la soixantaine.*

3° Expression indiquant que l'on approche d'un âge déterminé ou qu'on le dépasse : *Il va sur ses quarante ans. Il approche des quarante ans. Il a plus de soixante ans;* etc.

quadragénaire [kwadraʒenɛr ou ka-] adj. et n. (devenu peu usuel).	*Les pères au théâtre de Molière sont des quadragénaires.*
quinquagénaire [kwɛ̃kwɑʒenɛr ou kɛ̃-] adj. et n. (devenu peu usuel).	*La passion d'un quinquagénaire pour son jardin.*
sexagénaire [sɛksaʒenɛr] adj. et n.	*Le café était tenu par un sexagénaire dont la corpulence était une attraction pour le voisinage.*
septuagénaire [sɛptyaʒenɛr] adj. et n.	*Un alerte septuagénaire.*
octogénaire [ɔktoʒenɛr] adj. et n.	*Un octogénaire qui a gardé toute sa vivacité d'esprit.*
nonagénaire [nɔnaʒenɛr] adj. et n.	*Le nonagénaire a été frappé de congestion en sortant de chez lui.*
centenaire [sɑ̃tnɛr] adj. et n.	*Le conseil municipal est venu féliciter chez elle la centenaire du village. Fêter son centenaire* (= le jour de ses cent ans).

agence [aʒɑ̃s] n. f. Entreprise commerciale, bureau d'une administration où l'on s'occupe de différentes affaires (indiquées par le compl.); succursale d'une banque : *L'agence d'informations gouvernementale a démenti la nouvelle. Prendre un billet d'avion dans une agence de voyages. Se rendre à l'agence de la banque pour retirer de l'argent.*

agencer [aʒɑ̃se] v. tr. *Agencer une chose,* la disposer de manière qu'elle soit adaptée à sa destination, la combiner avec d'autres pour former un tout harmonieux (souvent au passif) : *Agencer les divers éléments d'une bibliothèque démontable* (syn. : AJUSTER, COMBINER). *La phrase est mal agencée et n'est pas équilibrée* (syn. : COMPOSER, ORDONNER). *Leur appartement est très bien agencé; toutes les pièces donnent sur le couloir d'entrée* (syn. : DISPOSER). *Agencer l'intrigue d'une pièce de théâtre afin de ménager des effets de surprise* (syn. : ARRANGER). ◆ ***s'agencer*** v. pr. Etre arrangé : *Les pièces du jeu de construction s'agencent parfaitement.* ◆ **agencement** n. m. : *L'agencement des pièces d'un appartement* (syn. : DISTRIBUTION). *L'agencement très moderne de leur salle de bains* (syn. : AMÉNAGEMENT). *L'agencement d'une phrase* (syn. : ARRANGEMENT, COMPOSITION).

agenda [aʒɛ̃da] n. m. Registre ou petit carnet qui contient pour chaque jour une feuille ou une partie de feuille, et sur lequel on inscrit au jour le jour ce que l'on doit faire : *Je prends note sur mon agenda du rendez-vous que vous me donnez pour le mois prochain* (syn. : CARNET). *Il consulte son agenda pour voir s'il n'est pas occupé ce jour-là.*

agenouiller (s') [saʒnuje] v. pr. (sujet nom de personne). 1° Se mettre à genoux (souvent dans une attitude de respect, de prière ou d'adoration) : *S'agenouiller pour nettoyer le parquet. Il dut s'agenouiller pour retrouver sa clef qui était tombée de son trousseau. S'agenouiller à l'église sur un prie-Dieu. S'agenouiller devant la table de communion.* — 2° Prendre une attitude de soumission aveugle devant une autorité quelconque (langue soutenue) : *Habitué à s'agenouiller devant n'importe quel pouvoir, il accepta avec la même absence de dignité celui qui s'installait.* ◆ **être agenouillé** v. passif. Etre à genoux : *Agenouillé près d'un pilier, il semblait perdu dans sa méditation.* ◆ **agenouillement** n. m. (surtout littér.) : *L'agenouillement des fidèles à l'église.*

1. agent [aʒɑ̃] n. m. 1° Tout phénomène physique qui a une action déterminante (langue scientif.) : *Les agents atmosphériques.* — 2° *Complément d'agent,* v. FONCTION.

2. agent [aʒɑ̃] n. m. (suivi en général d'un compl. du nom ou d'un adj.). Celui qui est chargé d'une mission par une société, un gouvernement, un particulier : *Traiter ses adversaires politiques d'agents de l'ennemi. S'en remettre pour la suite à des agents d'exécution. Les romans d'espionnage relatent les exploits des agents secrets. Méfiez-vous des agents provocateurs qui vous entraîneraient à des actes inconsidérés* (= des personnes qui, à l'intérieur d'un groupe, poussent à l'action violente, afin de provoquer une répression). *L'agent de liaison assure les transmissions ou les communications entre plusieurs personnes, plusieurs unités militaires, plusieurs groupes. Les agents de l'Administration* (syn. : FONCTIONNAIRE).

3. agent [aʒɑ̃] n. m. Fonctionnaire de police d'une grande ville (syn. : GARDIEN DE LA PAIX; pop. : FLIC) : *L'agent dressa un procès-verbal à l'automobiliste qui avait brûlé un feu rouge.*

agglomérer [aglɔmere] v. tr. Réunir en une masse compacte des éléments divers; mettre quelque chose en un tas compact : *Agglomérer du sable et du ciment* (syn. : MÊLER). *Le vent a aggloméré la neige contre les murs de la maison* (syn. : ACCUMULER). ◆ ***s'agglomérer*** v. pr. Etre aggloméré : *Les mouches s'aggloméraient au bord du pot de confitures* (syn. : S'AGGLUTINER). *Les nouveaux venus se sont agglomérés dans les banlieues du nord et de l'est de la ville* (syn. : SE RASSEMBLER, SE GROUPER, S'ENTASSER). ◆ **agglomération** n. f. 1° *Une agglomération de terre et de pierre au bas de la colline effondrée* (syn. : ENTASSEMENT, ÉBOULIS). — 2° Groupe d'habitations constituant un village ou une ville, considéré indépendamment des limites administratives : *Le train traverse plusieurs petites agglomérations avant d'atteindre Dijon. L'agglomération parisienne comprend Paris et sa banlieue.* ◆ **agglomérat** n. m. Syn. de AGGLOMÉRATION au sens 1. (Ce mot s'emploie surtout en minéralogie, pour désigner des ensembles de minéraux agglomérés.)

agglutiner [aglytine] v. tr. Coller fortement une chose à une autre (surtout au passif) : *La chaleur et la pression avaient agglutiné les bonbons dans le sachet. Le rocher était couvert de moules* *agglutinées les unes contre les autres* (syn. : TASSER). ◆ ***s'agglutiner*** v. pr. Etre collé : *Les mouches viennent s'agglutiner contre la paroi du bocal de confitures.*

aggraver [agrave] v. tr. *Aggraver quelque chose,* le rendre plus difficile à supporter, plus grave : *La maladie a aggravé son sort déjà pénible. Vos excuses ne serviraient qu'à aggraver sa colère* (syn. : IRRITER, RENFORCER, ACCROÎTRE). *N'aggravez pas votre cas par une nouvelle incorrection. Le tribunal aggrava la peine qui avait été infligée à l'accusé. Le froid a aggravé les difficultés des mal-logés* (syn. : AUGMENTER; contr. : ADOUCIR). ◆ ***s'aggraver*** v. pr. Devenir plus grave : *L'état du malade s'est brusquement aggravé dans la nuit* (syn. : EMPIRER). *La situation internationale s'est aggravée* (syn. : SE DÉTÉRIORER). *L'épidémie de typhoïde s'est aggravée* (syn. : ↓ PROGRESSER). ◆ **aggravant, e** adj. : *Sa conduite antérieure a constitué une circonstance aggravante.* ◆ **aggravation** n. f. : *L'aggravation des gelées matinales est prévue pour demain. L'aggravation des impôts* (syn. : ACCROISSEMENT; contr. : ALLÉGEMENT). *L'aggravation du conflit entre les deux nations* (syn. : EXASPÉRATION). *On peut prévoir une aggravation du chômage* (syn. : RECRUDESCENCE).

agile [aʒil] adj. 1° Se dit de quelqu'un (ou de son aspect physique) qui a de la souplesse, de l'aisance et de la rapidité dans les mouvements : *Un enfant agile comme un singe* (syn. : VIF, LESTE). *Marcher d'un pas agile* (syn. : ALERTE, LÉGER; contr. : PESANT). *Saisir d'une main agile le verre qui allait tomber* (syn. : RAPIDE, PROMPT; contr. : LENT). *Ses jambes n'étaient plus agiles comme à vingt ans* (syn. : SOUPLE; contr. : LOURD, ENGOURDI). — 2° Se dit de quelqu'un qui est capable de comprendre vite : *Un esprit agile, toujours tourné vers les nouveautés* (syn. : SOUPLE). ◆ **agilité** n. f. : *L'agilité des doigts courant sur les touches du piano* (syn. : ↑ VIRTUOSITÉ). *Admirer l'agilité d'un acrobate. L'agilité des mouvements de la danseuse* (syn. : SOUPLESSE, LÉGÈRETÉ, VIVACITÉ). *Il y a dans son raisonnement plus d'agilité que de réelle profondeur* (syn. : DEXTÉRITÉ, HABILETÉ; contr. : GAUCHERIE).

1. agir [aʒir] v. intr. 1° (sujet nom d'être animé) Faire quelque chose : *Il n'a même plus la force d'agir* (syn. : ENTREPRENDRE). *Ne restez pas inerte, agissez* (syn. : TRAVAILLER). *Il faut agir tout de suite si l'on ne veut pas que la situation devienne très grave.* — 2° *Agir sur quelqu'un,* exercer sur lui une influence, faire pression sur lui. ‖ *Agir auprès de quelqu'un,* faire des démarches auprès de lui pour obtenir quelque chose : *Il faudrait essayer d'agir directement auprès du ministre* (syn. : S'EMPLOYER, INTERVENIR). ‖ *Faire agir,* mettre en action : *Quels sont les mobiles qui le font agir?* — 3° *Agir en, comme,* suivi d'un adv. ou d'une loc. adv., se conduire de telle ou telle manière : *Vous avez agi en honnête homme* (syn. : SE COMPORTER). *Ils agissent librement, en toute liberté. Agir par calcul. Vous avez mal agi.* — 4° (sujet nom de chose) Exercer une action sur quelqu'un ou sur quelque chose, en déterminer le développement (souvent avec la prép. *sur*) : *Les remèdes n'agissent plus sur le malade* (syn. : OPÉRER). *Laisser agir la nature. Le poison agit lentement.* ◆ **agissant, e** adj. Qui a une action puissante, une grande activité : *Une foi agissante* (syn. : VIVANT). *La communauté protestante de la ville forme une minorité agissante* (syn. : INFLUENT, ↓ ACTIF).

2. agir (s') [saʒir] v. pr. (seulement impers.). 1° *Il s'agit de* (suivi d'un nom), il est question de : *Il s'est agi de vous au cours de la réunion. De quoi s'agit-il?* — 2° *Il s'agit de* (et l'infin.), il convient, il est nécessaire : *Il s'agit de s'entendre : vous acceptez, oui ou non?* (syn. : IL FAUT). *Il ne s'agit plus de tergiverser.* — 3° *S'agissant de,* eu égard à, vu qu'il s'agit de, pour ce qui est de : *S'agissant de lui, vous pouvez avoir toute confiance* (= en ce qui le concerne). *S'agissant des difficultés de circulation, toutes mesures utiles seront prises.*

agissement [aʒismɑ̃] n. m. Action coupable commise pour parvenir à des fins blâmables (souvent au plur.) : *Condamner les agissements qui ont abouti à son éviction de la présidence* (syn. : MANŒUVRES; fam. : MANIGANCES). *La police découvrit trop tard les agissements de la bande. Les journaux ont relaté abondamment les agissements de l'escroc* (syn. : MENÉES).

agiter [aʒite] v. tr. 1° (sujet nom de chose ou de personne) *Agiter quelque chose* (*un objet*), le remuer vivement en tous sens : *La brise agite doucement les feuilles des arbres. Agiter le flacon avant de verser le liquide* (syn. : SECOUER). *Les enfants agitaient de petits drapeaux au passage du président* (syn. : BRANDIR). *Il agita le bras pour faire signe à l'automobiliste de s'arrêter. Le chien agite la queue en signe de contentement* (syn. : REMUER). — 2° (sujet nom de personne) *Agiter une menace,* présenter quelque chose comme un danger imminent : *Il agita la menace de sa démission.* — 3° *Agiter une question, un problème,* etc., les discuter avec d'autres personnes : *On a agité la question de savoir s'il devait poser sa candidature* (syn. : SOULEVER). — 4° (sujet nom de chose) *Agiter quelqu'un,* lui causer une vive inquiétude, une émotion ou une peine profonde; l'exciter facilement : *On sentait que ce retard l'agitait, l'inquiétait même* (syn. : REMUER, PRÉOCCUPER, BOULEVERSER). *Les souvenirs l'agitaient, le poursuivaient* (syn. : ÉMOUVOIR). *Il est agité par une violente colère* (syn. : ↑ TRANSPORTER). Tous *ces discours finissaient par agiter profondément les ouvriers* (syn. : EXCITER). ◆ ***s'agiter*** v. pr. Se remuer vivement : *Cesse de t'agiter ainsi sur ta chaise* (syn. : REMUER, BOUGER; fam. : SE TRÉMOUSSER). *La mer commence à s'agiter* (= la tempête se lève). *Les branches s'agitent. Le peuple s'agite.* ◆ **agité, e** adj. et n. Qui manifeste des sentiments violents, un trouble profond pouvant aller jusqu'à la folie, une excitation qui se marque par des mouvements rapides : *C'est un agité et un excité, toujours prêt aux solutions les plus folles. Avoir le sommeil agité* (syn. : FIÉVREUX, TOURMENTÉ). ◆ **agitation** n. f. 1° Mouvement irrégulier ou désordonné de quelque chose ou de quelqu'un (sens 1 du v. tr. et v. pr.) : *L'agitation de la mer. L'agitation des feuilles. Il est étourdi par l'agitation de toute cette foule* (syn. : MOUVEMENT). *Je suis réveillé dès cinq heures par l'agitation qui règne dans la maison* (syn. : BRUIT, ↑ REMUE-MÉNAGE). *Il y a chez lui plus d'agitation que d'activité réelle* (syn. : TURBULENCE). — 2° Trouble profond qui s'extériorise (sens 4 du v. tr.) : *L'agitation de son esprit se manifestait par le mouvement fébrile de ses mains* (syn. : ÉMOTION, ↑ BOULEVERSEMENT). *L'agitation du malade ne se calme pas : sa fièvre monte* (syn. : EXCITATION). *L'agitation ne cessait pas dans les régions de l'intérieur du pays* (syn. : TROUBLES, ↑ SOULÈVEMENT). *L'agitation avait gagné les centres ouvriers* (syn. : EFFERVESCENCE). ◆ **agitateur** n. m. *Péjor.* Celui qui cherche à soulever les passions pour causer des troubles sociaux : *Le gouvernement dénonça les agitateurs qui auraient été à l'origine de l'émeute* (syn. : MENEUR).

agneau [aɲo] n. m. 1° Petit de la brebis : *Les agneaux gambadent dans le champ, puis, apeurés, courent vers la brebis.* — 2° Chair de cet animal : *Des côtelettes d'agneau. Manger de l'agneau rôti.* — 3° *Doux comme un agneau,* d'une douceur extrême. ‖ *Mes agneaux,* formule légèrement ironique adressée à des personnes animées des meilleurs sentiments.

agonie [agɔni] n. f. 1° Moment de la vie qui précède immédiatement la mort et où l'organisme lutte contre cette dernière : *Son agonie fut longue; il entra dans le coma vers cinq heures et rendit le dernier soupir vers dix heures. Il est à l'agonie* (= à la dernière extrémité). *Les râles de l'agonie. Il gardait dans l'agonie la conscience de tout ce qui l'entourait.* — 2° Lente disparition de quelque chose (d'un régime politique, en particulier) : *Quelques soubresauts sanglants marquèrent l'agonie de cette monarchie. Le navire commença à sombrer, mais son agonie fut très longue.* ◆ **agoniser** v. intr. Etre à l'agonie (aux deux sens du nom) : *L'accident venait d'avoir lieu; un blessé agonisait sur le bas-côté de la route. Le régime agonisait dans l'indifférence générale* (syn. : S'ÉTEINDRE, DÉCLINER). ◆ **agonisant, e** adj. et n. : *Les voisins, inquiets de son absence, forcèrent la porte et le trouvèrent agonisant sur son lit. Administrer l'extrême-onction à un agonisant.*

agonir [agɔnir] v. tr. *Agonir quelqu'un d'injures* (ou un terme syn.), le couvrir, l'accabler d'injures (presque uniquement à l'infin. ou aux temps composés) : *Je me suis fait agonir d'injures pour avoir osé lui reprocher sa fainéantise* (syn. : INJURIER). *Il m'a agoni de sottises parce que je l'ai bousculé.*

agonisant, e adj. et n., **agoniser** v. intr. V. AGONIE.

agrafe [agraf] n. f. Crochet de métal ou broche qu'on utilise pour joindre les bords opposés d'un vêtement, pour attacher des feuilles : *Retenir un châle par une agrafe* (syn. : BROCHE). *Mettez une agrafe pour retenir les diverses feuilles du dossier.* ◆ **agrafer** v. tr. 1° *Agrafer quelque chose,* l'attacher avec une agrafe : *Agrafer sa ceinture. Agrafer une robe* (contr. : DÉGRAFER). — 2° Fam. *Agrafer quelqu'un,* le retenir afin de lui parler : *J'ai été agrafé dans la rue par un ami qui m'a raconté ses mésaventures* (syn. : ACCROCHER).

agraire [agrɛr] adj. Qui concerne la terre et en particulier la propriété du sol : *Les réformes agraires consistent à répartir les grandes propriétés entre les petits exploitants ou à installer des fermes collectives. Loi agraire.* ◆ **agrarien** n. m. et adj. m. Membre d'un parti qui défend les intérêts des exploitants agricoles.

agrandir [agrɑ̃dir] v. tr. *Agrandir quelque chose,* le rendre plus grand (dans tous les sens de l'adj. : « large », « noble », etc.) : *Il a agrandi la propriété par l'achat d'une nouvelle ferme. Faire agrandir une maison en ajoutant une aile. Agrandir un massif de fleurs* (contr. : DIMINUER). *Agrandir la scène d'un théâtre par des décors en perspective* (= faire paraître plus grand). *Faire agrandir une photographie* (= lui donner un format plus grand que celui du négatif; contr. : RÉDUIRE). *En s'intéressant à ces nouveaux domaines de la science, il agrandit le cercle de ses connaissances* (syn. : ACCROÎTRE, ÉTENDRE; contr. : RESTREINDRE). ◆ ***s'agrandir*** v. pr. Devenir plus grand : *Le Havre s'est agrandi considérablement au cours de ces dernières années. Un commerçant qui s'est agrandi* (= qui a développé son affaire, agrandi son magasin). ◆ **agrandissement** n. m. : *Les agrandissements successifs de l'Empire romain* (syn. : ACCROISSEMENT; contr. : AMOINDRISSEMENT). *Inaugurer les nouveaux agrandissements d'un magasin. Décorer un pan de mur par un agrandissement photographique.* ◆ **agrandisseur** n. m. Appareil utilisé pour tirer des épreuves photographiques agrandies d'un cliché.

agrarien n. et adj. m. V. AGRAIRE.

agréable [agreabl] adj. (avant ou après le nom). 1° Se dit de quelque chose qui fait plaisir, qui procure une sensation de joie, de bien-être, de satisfaction, etc. : *Nous avons fait une agréable promenade dans les environs. Faire un séjour agréable sur la Côte d'Azur. Une région agréable* (syn. : PLAISANT). *Il m'est agréable de vous recevoir chez moi. Passer une soirée agréable au théâtre* (contr. : ENNUYEUX). *Cette fraîcheur matinale est très agréable* (contr. : DÉSAGRÉABLE). — 2° Se dit d'une personne (de ses manières, de son visage, etc.) qui provoque un sentiment de sympathie par sa douceur, son charme, sa gaieté, etc. : *Vous verrez, c'est un garçon agréable* (syn. : AFFABLE, AIMABLE, ↑ CHARMANT; contr. : IMPORTUN). *Il a une conversation très agréable* (contr. : DÉPLAISANT). *Elle n'est pas belle, mais elle a un visage agréable* (syn. : GENTIL, ↑ JOLI). ◆ **agréablement** adv. : *Plaisanter agréablement sur les petits ridicules de chacun. La soirée s'est passée très agréablement.* ◆ **désagréable** [dezagreabl] adj. Qui n'est pas agréable : *Recevoir une nouvelle désagréable* (syn. : CONTRARIANT, ENNUYEUX, FÂCHEUX). *Il est désagréable avec tout le monde* (syn. : DÉSOBLIGEANT, IMPOLI, ↑ ODIEUX). *Etre dans une situation désagréable* (syn. : GÊNANT). *L'odeur désagréable du brûlé* (syn. : INCOMMODANT). *Le goût désagréable d'un fruit vert* (syn. : AIGRE, ÂCRE, ACIDE). *Prononcer des paroles désagréables* (syn. : BLESSANT, VEXANT). *Il m'a laissé une impression désagréable* (syn. : DÉPLAISANT). ◆ **désagréablement** adv. : *Je suis désagréablement surpris par votre réponse* (syn. : PÉNIBLEMENT).

agréer [agree] v. tr. 1° *Agréer une chose,* consentir à la recevoir, à l'accepter (restreint à quelques formules de politesse, ou terme admin.) : *Veuillez agréer mes respects, mes hommages, mes sentiments distingués* (formules de fin de lettre). *Le ministre a agréé votre demande* (syn. : ADMETTRE). *Agréez cette marque de reconnaissance* (syn. : RECEVOIR). — 2° *Se faire agréer par, dans,* se faire recevoir dans un groupe, un milieu (langue soutenue) : *Il s'est fait agréer dans ce milieu si fermé de la bourgeoisie sud-américaine.* ◆ v. tr. ind. (sujet nom de chose). *Agréer à quelqu'un,* être à sa convenance, lui plaire (langue soutenue) : *Ce projet d'un long voyage à l'étranger lui agréait particulièrement dans les circonstances actuelles* (syn. : PLAIRE; contr. : DÉPLAIRE). *Il ne lui agréait pas de se conformer à ce projet.*

agrégat n. m. V. AGRÉGER.

agrégation [agregasjɔ̃] n. f. Concours qui permet aux candidats reçus d'être professeurs dans l'enseignement secondaire ou, en droit, en médecine et en pharmacie, d'enseigner en faculté : *L'agrégation est le concours de recrutement le plus élevé dans l'enseignement.* ◆ **agrégé, e** adj. et n. Reçu à ce concours.

agréger [agreʒe] v. tr. 1° *Agréger quelque chose,* réunir en un tout des particules, des matières quelconques : *La glaise a agrégé les graviers en une masse compacte.* — 2° *Agréger quelqu'un,* l'admettre dans un groupe constitué : *Agréger quelques éléments jeunes à la direction d'un parti* (syn. : INTÉGRER, INCORPORER). ◆ ***s'agréger*** v. pr. : *La troupe théâtrale s'est agrégé quelques nouveaux acteurs.* ◆ **agrégat** [agrega] n. m. Assemblage de parties qui sont réunies en un tout : *Son livre est un agrégat informe de réflexions et d'anecdotes.* ◆ **désagréger** v. tr. *Désagréger un corps solide, un ensemble,* le décomposer en ses éléments constituants : *Le gel a désagrégé la pierre.* ◆ **se désagréger** v. pr. Se décomposer : *Une pâte qui se désagrège en séchant. La foule commençait à se désagréger* (syn. : SE DISLOQUER). ◆ **désagrégation** n. f. : *La désagrégation du ciment, d'une équipe.*

1. agrément [agremɑ̃] n. m. Qualité qui rend quelqu'un ou quelque chose agréable, qui en fait le charme; ce charme lui-même (souvent au plur.) : *Trouver de l'agrément dans un séjour à la mer* (syn. : PLAISIR). *Je suis charmé par l'agrément de sa conversation* (syn. : GRÂCE). *L'agrément de son visage* (syn. : ATTRAIT, SÉDUCTION). *Profiter autant que l'on peut des agréments de la vie. Les arts d'agrément* (= la danse, le dessin, la musique). ◆ **agrémenter** v. tr. *Agrémenter quelque chose,* lui ajouter un ornement, un attrait, une qualité (souvent au passif) : *Il agrémente toujours ses récits de détails piquants* (syn. : ENJOLIVER, RELEVER). *Une conversation agrémentée de réflexions ironiques* (syn. : ÉMAILLER). *Le salon était agrémenté de tentures vert et rouge du plus bel effet* (syn. : ORNER, ↓ GARNIR). ◆ **désagrément** n. m. 1° Sentiment causé par ce qui déplaît, ce qui contrarie : *Le désagrément causé par un échec* (syn. : DÉPLAISIR, CONTRARIÉTÉ). — 2° Chose qui déplaît : *Etre rebuté par les désagréments d'un déménagement* (syn. : ENNUI). *Ce voisinage nous attire bien des désagréments.*

2. agrément [agremɑ̃] n. m. Consentement donné par un supérieur à un subordonné, dont l'action est ainsi approuvée : *Je n'ai rien fait sans son agrément* (syn. : ACCORD, APPROBATION). *Il sollicite votre agrément avant d'entreprendre ces démarches* (syn. : AUTORISATION). *Demander l'agrément des membres de la famille pour vendre une propriété* (contr. : REFUS). *Refuser son agrément.*

agression [agrɛsjɔ̃] n. f. Attaque brutale et soudaine contre une personne ou un pays, sans qu'il y ait eu provocation (langue soignée ou admin.) : *Etre victime d'une agression nocturne dans une rue déserte* (syn. plus usuel : ATTAQUE). *Commettre une odieuse agression. Condamner l'acte d'agression commis à l'égard de la Pologne.* ◆ **agresser** [agrese] v. tr. (surtout au passif) : *Un passant a été agressé dans le quartier cette nuit* (syn. : ATTAQUER). ◆ **agresseur** adj. et n. m. : *Il n'a pas pu donner le signalement de ses agresseurs. Le pays agresseur a été condamné par l'O. N. U.* (= qui a attaqué le premier).◆ **agressif, ive** adj. : *Tenir un discours agressif* (syn. : MENAÇANT). *Avoir une attitude agressive* (syn. : PROVOCANT). *Un voisin agressif* (syn. : QUERELLEUR). ◆ **agressivité** n. f. : *Faire preuve d'agressivité envers quelqu'un* (syn. : MALVEILLANCE). *Les ennemis firent preuve d'agressivité* (syn. : COMBATIVITÉ). ◆ **non-agression** n. f. : *Un pacte de non-agression implique une neutralité réciproque ou une alliance, au cas où l'un des pays qui l'a conclu se trouve entraîné dans un conflit.*

agreste [agrɛst] adj. Qui appartient à la campagne (littér.) : *Paysage agreste, calme et reposant* (syn. : CHAMPÊTRE). *Mener une vie agreste* (syn. : RUSTIQUE).

agriculture [agrikyltyr] n. f. Activité économique ayant pour objet d'obtenir les végétaux utiles à l'homme, et en particulier ceux qui sont destinés à son alimentation (syn. : CULTURE). ◆ **agriculteur** n. m. : *Les agriculteurs de l'ouest de la France* (syn. : CULTIVATEUR). ◆ **agricole** adj. : *La population agricole d'un département* (= les agriculteurs). *Enseignement agricole* (= de l'agriculture). *Les travaux agricoles.*

agripper [agripe] v. tr. Saisir vivement et fermement : *Agrippez le crampon d'acier pour vous hisser sur la plate-forme. Le voleur agrippa le sac de la passante et s'enfuit sans que personne eût le temps de l'arrêter.* ◆ ***s'agripper*** v. pr. *S'agripper à quelque chose* ou *à quelqu'un,* s'y retenir vivement, solidement : *Il avait le vertige et s'agrippait à la rambarde qui était fixée le long de la passerelle* (syn. : ↓ SE CRAMPONNER). *L'enfant ne savait pas nager et s'agrippait au cou de son père* (syn. : SE RACCROCHER).

agronomie [agronomi] n. f. Science ayant pour objet l'agriculture. ◆ **agronome** n. et adj. ◆ **agronomique** adj. : *L'Institut national agronomique forme des ingénieurs agronomes.*

aguerrir [agɛrir] v. tr. *Aguerrir quelqu'un,* l'accoutumer à soutenir des combats, des épreuves difficiles ou pénibles (souvent au passif) : *Envoyer des troupes aguerries dans une base militaire* (syn. : ENTRAÎNÉ). *Ces âpres discussions l'ont aguerri.* ◆ ***s'aguerrir*** v. pr. Devenir capable de soutenir des épreuves pénibles : *Il s'est aguerri au froid pendant ses longs séjours dans les pays nordiques* (syn. : S'ENDURCIR). *S'aguerrir à la douleur.*

aguets (aux) [ozagɛ] loc. adv. *Etre, rester aux aguets,* être, rester attentif, afin de surprendre ou de n'être pas surpris : *Le chasseur resta aux aguets derrière la haie. Elle était aux aguets, attentive au moindre bruit* (syn. : AUX ÉCOUTES).

aguicher [agiʃe] v. tr. (sujet nom désignant une femme). *Fam.* Exciter par des coquetteries, des taquineries : *Elle cherche à aguicher ses collègues de bureau par des toilettes provocantes.* ◆ **aguichant, e** adj. : *Un sourire aguichant* (syn. : ↑ PROVOCANT). ◆ **aguicheuse** n. f.

ah ! [a] interj. 1° Marque le début d'une phrase exclamative, dont les intonations variées peuvent exprimer la joie, la douleur, la colère, la pitié, l'admiration, l'impatience, etc. (interj. usuelle en français, conjointement avec *eh!* et *oh!,* qui ont une valeur plus marquée) : *Ah! quel plaisir de vous rencontrer! Ah! ce tableau est superbe! Ah! je vous plains sincèrement! Ah! que vous êtes stupide!;* et substantiv. : *Il poussa un ah! de désespoir.* — 2° Indique parfois le renforcement d'une négation, d'une affirmation : — *Ah! non, il ne faut pas croire que la situation politique est redevenue très calme.* — 3° Redoublé, marque une interruption due à la surprise ou une interpellation ironique : *Ah ah! on allait partir sans se faire remarquer...* — **4°** Entre dans la composition de locutions qui expriment l'étonnement (*ah bah!*), le désappointement (*ah bien oui!*), la protestation (*ah mais!*), l'impatience (*ah çà!*).

ahurir [ayrir] v. tr. *Ahurir quelqu'un,* le frapper d'un grand étonnement (superlatif de *étonner*) : *Son impertinence à l'égard de ses supérieurs m'ahurissait* (syn. : ↑ EFFARER). *Une pareille réponse avait de quoi vous ahurir* (syn. : MÉDUSER, ↓ TROUBLER). ◆ **ahuri, e** adj. et n. (souvent terme d'injure) : *Rester ahuri devant un spectacle insolite* (syn. : ↑ INTERDIT). *Un grand garçon gauche avec un air d'ahuri. Range-toi donc, ahuri!* ◆ **ahurissant, e** adj. : *Nous avons appris la nouvelle ahurissante de son départ subit* (syn. : STUPÉFIANT). ◆ **ahurissement** n. m. : *Son visage exprimait un ahurissement tel que nous avons éclaté de rire* (syn. : STUPÉFACTION, ↑ EFFAREMENT, ↓ TROUBLE).

aider [ɛde] v. tr. *Aider quelqu'un à* (et l'infin.), *dans* (et un nom), joindre ses efforts aux siens afin d'agir dans une circonstance donnée : *Aider un ami à surmonter des difficultés financières. Je l'ai aidée à porter ses bagages à la gare. Il a besoin d'être aidé dans ce travail* (syn. : SECONDER, SECOURIR, ÉPAULER). *Les entreprises ont dû être aidées par l'Etat* (syn. : SUBVENTIONNER, SOUTENIR). *Le temps aidant, sa douleur finira par s'atténuer* (= avec le temps). *Il se fait aider dans son courrier par une secrétaire.* ◆ v. tr. ind. *Aider à une chose,* la faciliter : *La présence de ces personnalités dans le comité de patronage aidera à la réussite de notre projet* (syn. : CONTRIBUER À, FAVORISER). *Ces notes aident à la compréhension du texte.* ◆ ***s'aider*** v. pr. *S'aider d'une chose,* s'en servir, en tirer parti : *Il s'aide uniquement de ses mains pour grimper à la corde. S'aider d'un dictionnaire pour traduire un texte.* ◆ **aide** [ɛd] n. f. Appui que l'on apporte à quelqu'un pour faire quelque chose : *Je lui offre mon aide pour le sortir d'affaire* (syn. : CONCOURS). *Prêtez-lui votre aide* (syn. : ASSISTANCE, MAIN-FORTE). *Il y est parvenu sans aucune aide* (syn. : SECOURS). *Remercier un ami de son aide* (syn. : SOUTIEN). *Venir en aide à une famille dans la détresse* (= la secourir financièrement). *Le malheureux, entraîné par le courant, appelait à l'aide. A l'aide!* (= au secours!). • LOC. PRÉP. *A l'aide de,* au moyen de : *Soulever un couvercle à l'aide d'un tournevis. Pénétrer dans le grenier à l'aide d'une échelle.* ◆ **aide** [ɛd] n. m. ou f. Celui, celle qui joint ses efforts à ceux d'un autre pour le seconder, l'assister dans un travail (souvent, *aide* est précisé par un terme qui lui est joint par un trait d'union) : *Entouré de ses aides, il surveillait l'expérience qui se déroulait dans le laboratoire. Des aides-comptables. Un aide-électricien.* ◆ **aide-mémoire** n. m. invar. Abrégé destiné à donner en quelques pages les faits importants, les données essentielles ou les formules principales d'une science, en vue de la préparation d'un examen.

aïe! [aj] Interjection qui traduit une douleur ou un désagrément léger et subit (souvent répété) : *Aïe! fais donc attention, tu m'as marché sur le pied. Aïe! aïe! c'est ennuyeux, il va falloir recommencer ce travail mal fait.*

aïeul, e [ajœl] n. m. Grand-père ou grand-mère paternels ou maternels (souvent l'arrière-grand-père ou l'arrière-grand-mère; littér.) : *Ses aïeuls* [ajœl] *habitaient un petit village du Centre. L'aïeule entourée de ses petits-enfants.* ◆ **aïeux** [ajø] n. m. pl. Ancêtres lointains, ceux qui ont précédé les générations actuelles dans l'histoire : *Nos aïeux ont fait la révolution de 1789* (syn. : ANCÊTRES).

1. aigle [ɛgl] n. (des deux genres). **1°** Grand oiseau de proie qui existe encore dans certaines régions de France : *L'aigle tournoie autour de sa proie. L'aigle inquiète restait auprès de son aire.* — **2°** Fam. *Ce n'est pas un aigle,* c'est un homme d'intelligence médiocre, qui ne peut prétendre briller : *Il suit bien en classe, mais ce n'est pas un aigle.* ◆ **aiglon** n. m. Petit de l'aigle.

2. aigles [ɛgl] n. f. pl. Enseigne constituée par la figure d'un aigle, et qui servit d'emblème national à Rome (*les aigles romaines*) et, en France, à Napoléon Ier (*les aigles napoléoniennes*).

aigre [ɛgr] adj. (après ou plus rarement avant le nom). **1°** Qui produit au goût une sensation piquante, désagréable; se dit du goût lui-même : *Les fruits sont encore verts et un peu aigres* (syn. : ÂCRE; contr. : DOUX, SUCRÉ). *Un petit vin aigre* (syn. : ACIDE). *J'aime le goût aigre du petit-lait* (syn. : SUR). — **2°** Qui produit une sensation désagréable par sa vivacité (en parlant du vent) ou par son caractère aigu (en parlant d'un bruit) : *Un petit vent aigre soufflait dans les rues* (syn. : FROID, CUISANT). *On entendait la voix aigre de la concierge qui appelait un locataire dans l'escalier* (syn. : CRIARD). *Le grincement aigre d'une porte sur ses gonds* (syn. : ↑ PERÇANT). — **3°** Qui blesse par sa vivacité, son mordant, son amertume : *Les aigres remontrances de sa femme l'exaspéraient* (syn. : AMER). *Il est toujours aigre dans ses critiques* (syn. : ÂPRE, MALVEILLANT, AGRESSIF). ◆ n. m. Fam. *Tourner à l'aigre,* devenir aigre : *Leur discussion amicale tourna à l'aigre quand il fut question d'argent.* ◆ **aigrement** adv. : *Répliquer aigrement à un contradicteur.* ◆ **aigre-doux, ce** adj. Où se mêlent les sensations de doux et d'amer : *De petites cerises aigres-douces. On entendit à travers la cloison un échange de paroles aigres-douces.* ◆ **aigrelet, ette** adj. Légèrement aigre : *Un vin aigrelet. La voix aigrelette d'une petite fille.* ◆ **aigreur** n. f. Etat de ce qui est aigre; sensation causée par ce qui est aigre : *L'aigreur d'une pomme verte* (syn. : ACIDITÉ). *Il a des aigreurs d'estomac. L'aigreur de ses critiques me blessa profondément* (syn. : ANIMOSITÉ, ÂCRETÉ). *Répondre avec aigreur à des reproches mérités* (syn. : ACRIMONIE, AMERTUME, COLÈRE). ◆ **aigrir** v. tr. Rendre aigre (souvent au passif) : *Ce vin est aigri. Ses déceptions sentimentales ont aigri son caractère* (= rendre amer). ◆ v. intr. ou ***s'aigrir*** v. pr. Devenir aigre : *Par ce temps d'orage, le lait aigrit facilement* (syn. : TOURNER). *Il s'aigrit en vieillissant.* ◆ **aigri, e** adj. et n. : *Un aigri qui se plaît à critiquer ce qu'intellectuellement il est incapable de faire.*

aigrefin [ɛgrəfɛ̃] n. m. Individu qui vit d'escroqueries : *Un vieillard victime d'un aigrefin qui lui a volé ses économies* (syn. : ESCROC).

aigrelet, ette adj., **aigrement** adv. V. AIGRE.

aigrette [ɛgrɛt] n. f. Faisceau de plumes qui surmonte la tête de quelques oiseaux (comme le héron) ou dont on orne certaines coiffures : *Turban orné d'une aigrette.*

aigreur n. f., **aigri, e** adj. et n., **aigrir** v. tr. et intr. V. AIGRE.

1. aigu, ë [egy] adj. *Objet aigu,* terminé en pointe ou par un tranchant (emploi limité; remplacé en ce sens par *pointu* ou *tranchant*) : *Une flèche aiguë. Avoir des dents aiguës. La lame aiguë d'un couteau* (contr. : ÉMOUSSÉ). *Le bec aigu d'un oiseau. Les ongles aigus d'un vautour* (syn. : ACÉRÉ). [V. ACUITÉ.]

2. aigu, ë [egy] adj. 1° Se dit de ce qui fait souffrir, de ce qui est à son paroxysme : *Avoir des douleurs aiguës. Souffrir de coliques aiguës* (syn. usuel : VIOLENT; VIF, placé avant le nom, est moins fort). *Maladie aiguë* (= à évolution rapide; contr. : CHRONIQUE). — 2° Dont la violence, poussée à l'extrême, offre un danger : *Etat de tension aiguë. Une crise aiguë dans les relations internationales. Le conflit aigu entre les puissances s'est apaisé.* (V. ACUITÉ.)

3. aigu, ë [egy] adj. D'une grande lucidité (avec un nom syn. de *esprit*) : *Avoir une intelligence aiguë* (syn. moins forts, mais plus usuels : PÉNÉTRANT, SUBTIL, INCISIF). *Avoir un sens aigu des responsabilités* (= en avoir pleinement conscience). [V. ACUITÉ.]

4. aigu, ë [egy] adj. *Son aigu,* dont la hauteur peut avoir quelque chose de désagréable : *Pousser des cris aigus* (syn. : ↑ SURAIGU, STRIDENT). *Parler d'une voix aiguë* (syn. péjor. : AIGRE). *Des notes aiguës* (contr. : GRAVE). [V. ACUITÉ.] ◆ **aigu** n. m. Son élevé dans l'échelle musicale : *Ce haut-parleur rend bien les aigus. Passer du grave à l'aigu.* ◆ **suraigu, ë** adj. Très aigu : *Des sons suraigus. Une voix suraiguë.*

5. aigu [egy] adj. m. *Accent aigu,* v. ACCENT.

aiguillage n. m. V. AIGUILLER.

aiguille [egɥij] n. f. 1° Petite tige d'acier pointue, dont la tête est percée d'un trou (chas) dans lequel on passe du fil, de la soie, etc., pour coudre, broder : *Enfiler une aiguille. Tirer l'aiguille après l'avoir poussée avec un dé.* — 2° Tige quelconque dont les usages sont très divers : *L'aiguille à tricoter est employée pour faire des ouvrages de tricot. Les aiguilles d'une horloge indiquent l'heure.* — 3° Relief, construction qui se termine d'une manière effilée : *L'aiguille du Midi* (syn. : PIC). *L'aiguille d'un clocher.* — 4° *De fil en aiguille,* en passant d'un sujet à un autre : *De fil en aiguille, il en est venu à parler de sa situation, qui est fort précaire.*

aiguiller [egɥije] v. tr. *Aiguiller quelqu'un, quelque chose,* le diriger vers un lieu, un but : *Il aiguilla la conversation sur son prochain voyage. Les enquêteurs furent aiguillés dans leurs recherches par un important témoignage* (syn. : ORIENTER). *Les élèves seront aiguillés, selon leurs capacités, vers un enseignement court ou un enseignement long.* ◆ **aiguillage** n. m. Appareil destiné à relier deux voies de chemin de fer à une seule, située dans leur prolongement, et dont la manœuvre permet d'acheminer un train sur l'une ou l'autre des voies. ◆ **aiguilleur** n. m. Employé chargé de la manœuvre de l'aiguillage.

1. aiguillon [egɥijɔ̃] n. m. Dard des abeilles, des guêpes.

2. aiguillon [egɥijɔ̃] n. m. Ce qui incite à l'action : *L'argent est le seul aiguillon de son activité.* ◆ **aiguillonner** v. tr. (souvent au passif) : *Il est aiguillonné par la proximité de l'examen* (syn. plus usuel : STIMULER).

aiguiser [egize ou egɥize] v. tr. 1° *Aiguiser un instrument, un outil,* etc., les rendre tranchants : *Aiguiser une hache avant de s'en servir. Les ciseaux ont besoin d'être aiguisés, il faut les donner au repasseur. L'oiseau aiguisait son bec contre les barreaux de la cage.* — 2° *Aiguiser un sentiment, un désir, une qualité,* etc., les rendre plus vifs : *Ces petits gâteaux salés aiguisent l'appétit* (syn. : STIMULER, EXCITER). *Le contact avec ce milieu cultivé et spirituel a aiguisé son jugement* (syn. : AFFINER). ◆ **aiguisage** n. m. : *L'aiguisage d'un outil.*

ail [aj] n. m. Plante dont le bulbe est utilisé comme condiment : *Acheter une botte d'ail.*

aile [ɛl] n. f. 1° Membre des oiseaux, des insectes, etc., dont ils se servent pour voler : *L'aigle déploya ses ailes pour s'élancer vers sa proie. L'oiseau bat des ailes devant son nid détruit. Le pigeon blessé traînait l'aile. Manger une aile de poulet* (= la partie charnue de ce membre). — 2° Ce qui est contigu ou adhérent au corps principal d'une chose : *Les deux ailes du château sont d'une époque plus moderne. L'aile droite de la voiture est enfoncée. Les ailes du moulin à vent font tourner l'arbre qui actionne les meules. Le général envoya deux divisions en renfort sur l'aile gauche de son armée.* — 3° *Les ailes de l'imagination, de la foi, de la gloire,* etc., les élans de l'imagination, de la foi, de la gloire qui entraînent (langue littér.). — 4° *A tire-d'aile,* le plus vite possible en volant : *La perdrix s'éloigna à tire-d'aile.* ‖ Fam. *Battre de l'aile,* être en difficulté, avoir perdu de sa force : *L'entreprise commerciale bat de l'aile* (= est en mauvaise situation financière). ‖ *Avoir du plomb dans l'aile,* être sérieusement touché. ‖ *D'un coup d'aile,* sans s'arrêter, sans se poser : *L'avion relie d'un coup d'aile Paris à Montréal.* ‖ *Donner des ailes à quelqu'un,* le faire courir rapidement : *La peur lui donna des ailes et il s'enfuit sans demander son reste.* ‖ Fam. *Rogner les ailes à quelqu'un,* lui retrancher de son pouvoir, de son assurance. ‖ *Voler de ses propres ailes,* se passer de l'aide, de la protection d'autrui : *Ce n'est plus un apprenti, il peut voler maintenant de ses propres ailes.* ◆ **ailé, e** adj. Qui a des ailes : *Insecte ailé.* ◆ **aileron** [ɛlrɔ̃] n. m. 1° Extrémité de l'aile : *Les ailerons d'un poulet.* — 2° Objet dont la forme rappelle celle d'une petite aile : *Les ailerons d'un avion* (= volets placés à l'arrière des ailes, permettant l'inclinaison ou le redressement de l'appareil). — 3° *Les ailerons d'un requin,* ses nageoires. ◆ **ailette** n. f. Désigne divers objets qui ont la forme d'une petite aile : *Bombe à ailettes. Radiateurs à ailettes* (= à lames saillantes favorisant le refroidissement). ◆ **ailier** n. m. Joueur d'une équipe de football, de handball, etc., qui joue à une extrémité de la ligne des avants.

ailleurs [ajœr] adv. En un autre lieu que celui où l'on est ou dont il est question (avec des verbes indiquant où l'on est, où l'on va ou d'où l'on vient [en ce dernier cas, la forme est *d'ailleurs*]) : *Le libraire du quartier n'a pas ce livre; allons ailleurs. Ces conserves de crabe ne sont pas fabriquées en France; elles viennent d'ailleurs* (= de l'étranger). *Vous trouverez cet article ailleurs que dans ce magasin* (= en un autre endroit). *Votre échec ne vient pas de vous-même, mais d'ailleurs* (= d'une autre cause). ● LOC. ADV. *D'ailleurs,* en considérant les choses d'un autre point de vue, sous d'autres rapports (réserve incidente) : *Je ne connais pas l'auteur de cette musique, fort belle d'ailleurs* (syn. : DU RESTE; AU DEMEURANT, littér.). *C'était d'ailleurs une forte tête* (syn. : PAR AILLEURS); indique que la proposition dans laquelle cette locution se trouve a une valeur d'opposition, de concession (syn. : DE PLUS) : *Il ne pleut pas, et d'ailleurs, si le temps se gâte, nous irons au cinéma* (syn. : AU RESTE). *Je ne suis pas coupable, et quand d'ailleurs cela serait, je n'ai pas de comptes à vous rendre.* ‖ *Par ailleurs,* en d'autres circonstances, en considérant les choses d'un autre point de vue, pour un autre motif : *Cette méthode scientifique, qui par ailleurs a donné de si remarquables résultats, se montre ici inefficace. Il ne s'inquiétait pas de la situation, étant par ailleurs d'un naturel optimiste. Je l'ai trouvé très abattu, et par ailleurs irrité de cette pitié qui l'entourait* (syn. : EN OUTRE, AU SURPLUS).

1. aimable [ɛmabl] adj. Se dit d'une personne (ou de son attitude) qui cherche à plaire : *Il est aimable avec tout le monde* (syn. : POLI, AFFABLE; contr. : IMPOLI, DÉSAGRÉABLE). *Adresser à un invité quelques paroles aimables* (syn. : COURTOIS). *Soyez assez aimable pour me passer le sel* (syn. : OBLIGEANT, GENTIL). ◆ **aimablement** adv. : *Recevoir aimablement un visiteur* (syn. : POLIMENT, COURTOISEMENT). *Refuser aimablement une invitation.* ◆ **amabilité** n. f. 1° Qualité d'une personne aimable, de son attitude : *Etre plein d'amabilité* (syn. : POLITESSE, CIVILITÉ). *L'amabilité de son accueil* (syn. : COURTOISIE, GENTILLESSE; contr. : GROSSIÈRETÉ). *Faire assaut d'amabilité* (syn. : PRÉVENANCE). — 2° Marque de politesse, de prévenance (souvent au plur.) : *Faire des amabilités à quelqu'un.*

2. aimable [ɛmabl] adj. (après ou avant le nom). 1° Se dit d'une chose attrayante, ou qui procure du plaisir : *Une maison située dans une aimable vallée* (syn. : AGRÉABLE). *C'est un roman aimable, mais sans grande originalité* (syn. : GENTIL). — 2° *C'est une aimable plaisanterie,* ce n'est pas sérieux, c'est ridicule; c'est de mauvais goût.

aimant [ɛmɑ̃] n. m. Barreau ou aiguille d'acier qui attire le fer et quelques autres métaux. ◆ **aimanter** v. tr. : *Aimanter la lame de son couteau en la frottant sur un aimant* (= la rendre magnétique). *L'aiguille aimantée d'une boussole permet de prendre l'orientation N.-S.* ◆ **aimantation** n. f.

aimer [eme] v. tr. 1° (sujet nom de personne) *Aimer quelqu'un,* éprouver pour lui un sentiment d'affection, de l'amour : *Aimer sa mère, son pays, ses amis. Il a aimé dans sa jeunesse une très jolie Martiniquaise. Il est passionnément aimé de sa femme* (syn. : CHÉRIR; contr. : DÉTESTER, HAÏR); sans complément : *Il a aimé sans être payé de retour. Il est un temps pour aimer.* — 2° *Aimer un animal,* avoir pour lui de l'attachement : *Il aime son chat, qui se tient toujours sur son bureau.* ‖ *Aimer une chose,* la trouver agréable, à son goût : *Il aime une tasse de café dans l'après-midi* (syn. : ↑ RAFFOLER DE). *Il n'aime pas les carottes. Aimer la peinture moderne* (syn. : GOÛTER, S'INTÉRESSER À; contr. : ABHORRER, EXÉCRER). *J'aime sa manière de juger* (syn. : APPRÉCIER). *Aimer une région* (= s'y plaire). *Aimer le risque.* — 3° *Plante qui aime le soleil, l'eau,* etc., qui se développe bien au soleil, qui a besoin d'eau, etc. — 4° *Aimer* (suivi d'un infin.) ou *aimer à* (suivi d'un infin.; moins fréquent), *aimer que* (suivi du subj.), avoir du plaisir à, à ce que : *Aimer aller au théâtre chaque semaine. J'aime à penser que vous n'êtes pas dupe de ses histoires* (= j'espère). *Il aime que l'on soit heureux autour de lui.* — 5° *Aimer mieux,* préférer : *Il aime mieux rester chez lui le dimanche que de respirer l'essence sur les routes.* ◆ **aimant, e** [emɑ̃, -ɑ̃t] adj. Porté à aimer : *Elle a une nature aimante* (syn. : AFFECTUEUX, TENDRE). ◆ **aimé, e** adj. Qui est objet d'affection, d'amour : *La femme aimée.* ‖ *Mon aimé (e),* terme d'affection. (V. AMANT, E.)

aine [ɛn] n. f. Partie du corps entre le haut de la cuisse et le bas-ventre : *Le pli de l'aine sépare la cuisse de l'abdomen.*

aîné, e [ene] adj. et n. Né le premier (parmi les enfants d'une famille) ou le plus âgé (parmi les membres d'un groupe) : *Son fils aîné vient de passer son baccalauréat. Ma fille aînée s'est mariée. Il est mon aîné de trois ans* (= plus âgé que moi de trois ans). *Ecoutez vos aînés : ils ont plus d'expérience* (syn. : DEVANCIER, ANCIEN). ◆ **aînesse** n. f. *Droit d'aînesse,* droit qui résulte de la priorité d'âge. (V. CADET, PUÎNÉ.)

ainsi [ɛ̃si] adv. 1° Reprend ou annonce un énoncé, celui-ci devenant, sous la forme adverbiale, une modalité du verbe (= de cette sorte, de cette manière) : *Il commença à parler ainsi : « Messieurs, [...] ». Ainsi fit-il* (lorsque *ainsi* est placé en tête de phrase, il entraîne l'inversion du sujet). *Ainsi finit cette belle histoire. C'est ainsi que la chose s'est passée* (syn. : DE CETTE FAÇON; fam. : COMME ÇA, non placé en tête de phrase; contr. : AUTREMENT). *Pierre est ainsi; il faut le prendre comme il est* (= il a ce caractère; *fam. :* Pierre est comme ça). *Puisqu'il en est ainsi, je retire ce que j'ai dit* (= la situation étant ce qu'elle est; *fam. : puisque c'est comme ça*). *S'il en est ainsi, je ne comprends pas votre attitude* (= cela étant); fam. : *Ne t'agite donc pas ainsi* (syn. : DE LA SORTE; fam. : COMME ÇA); en particulier, il introduit le second terme d'une comparaison en résumant la première proposition, qui commence par *comme* ou *de même que* (littér.) : *Comme le pilote conduit le navire, ainsi le chef de l'Etat mène le pays* (syn. : DE MÊME), introduit en langue soutenue une formule solennelle de souhait : *Ainsi puissent nos vœux se réaliser pleinement cette année,* ou la formule qui finit les prières chrétiennes : *Ainsi soit-il* (syn. : AMEN). — 2° Conj. de coordination avec la valeur d'une conclusion (en ce sens, *ainsi* placé en tête de phrase n'entraîne pas l'inversion du sujet dans la langue courante; il est souvent renforcé par *donc*) : *Ce que vous gagnez d'un côté, vous le perdez de l'autre : ainsi l'affaire est sans intérêt* (syn. : EN CONSÉQUENCE). *Ainsi vous regarderez l'avenir avec confiance* (syn. : PAR CONSÉQUENT). *Ainsi donc vous ne pouvez pas venir?* (syn. fam. : ALORS, COMME ÇA). — 3° *Pour ainsi dire,* sert à atténuer le sens d'un terme : *Après ce but malheureux, notre équipe s'est pour ainsi dire effondrée* (= on pourrait presque le dire; syn. : AUTANT DIRE). *Avec ce brouillard, on n'y voit pour ainsi dire pas à dix mètres. Il est pour ainsi dire l'âme de ce mouvement* (syn. fam. : COMME QUI DIRAIT). ● LOC. CONJ. *Ainsi que,* introduit une proposition comparative (le plus souvent le verbe n'est pas exprimé) : *La calomnie se glissait insidieusement, ainsi qu'un poison subtil* (syn. : COMME, DE MÊME QUE); une proposition consécutive (dans ce cas, *ainsi* et *que* peuvent être disjoints) : *Son caractère est ainsi fait que le moindre reproche le blesse profondément* (syn. : DE TELLE MANIÈRE QUE); conj. de coordination équivalant à *et* (le verbe qui suit prenant ou non la marque du plur.) : *Sa mère, ainsi que son père d'ailleurs, a connu cette mésaventure. Sa patience ainsi que sa modestie étaient connues de tous.*

1. air [ɛr] n. m. Suite de notes accompagnant des paroles destinées à être chantées; cette musique et les paroles; mélodie instrumentale : *Elle chanta au milieu de l'admiration générale le grand air de « la Tosca ». Il siffle un air populaire. Un air à la mode* (syn. : CHANSON). *Les violons jouèrent un air de danse du XVII*^e^ *s. Pouvez-vous retrouver l'air de cette chanson? Je me souviens des premiers mots.*

2. air [ɛr] n. m. 1° Aspect extérieur d'une personne, son allure, les traits de son visage : *Répondre d'un air décidé* (syn. : MANIÈRE, FAÇON). *Il prend de grands airs avec nous* (= des manières hautaines). *Il a grand air* (= il en impose; syn. : ALLURE). *Il a un air de noblesse, de distinction. Je lui trouve un drôle d'air* (= une mine, une allure inquiétante). *Sous son air timide, il cache un grand orgueil* (syn. : DEHORS, ASPECT, APPARENCE). *Ils ont tous un air de famille* (= ils se ressemblent). *Cette personne a un faux air de quelqu'un que je connais* (= elle lui ressemble vaguement). — 2° *Avoir l'air* (et une loc. adj. ou un adj.), paraître : *Ils ont l'air stupides. C'est un monsieur qui a l'air très comme il faut. Ces fruits ont l'air bons.* (L'accord se fait toujours avec un nom de chose, et le plus souvent — mais non obligatoirement — avec un nom de personne : *Elle a l'air intelligent;* mais on dit en général : *Elle a l'air intelligente* ou *elle a un air intelligent.*) — 3° *Avoir l'air de* (suivi d'un infin.), donner l'impression de : *Ce problème n'a pas l'air d'être bien difficile* (syn. : SEMBLER). *Il a eu l'air de ne pas s'en apercevoir* (syn. : FAIRE SEMBLANT, PARAÎTRE). *Ça m'a tout l'air d'être une plaisanterie* (= je crois bien que c'est). — 4° *Avoir l'air de* (suivi d'un nom), ressembler à : *Il a l'air d'un paysan endimanché. Sa maison a l'air d'un château. Vous croyez ce qu'il nous a dit? Ça m'a bien l'air d'un mensonge* (= ça me fait l'effet de). — 5° *N'avoir l'air de rien,* n'avoir pas bel aspect : *Ces poires n'ont l'air de rien, mais elles sont excellentes* (= elles ne paient pas de mine); ne pas se faire remarquer : *Il n'a l'air de rien, mais il pense à tout* (= il ne fait semblant de rien); paraître facile, simple : *Ce travail n'a l'air de rien, mais il n'est pas à la portée du premier venu.* ‖ *Sans en avoir l'air,* en dépit de l'apparence, bien qu'il n'y paraisse pas : *Sans en avoir l'air, il fait beaucoup de travail.*

3. air [ɛr] n. m. 1° Gaz qui forme l'atmosphère, qui emplit l'espace situé autour et au-dessus de nous : *L'homme a réussi à vaincre la pesanteur en s'élevant dans l'air. Des pneus gonflés à l'air. Mettre à l'air les draps d'un lit* (= aérer). *Regarder en l'air* (= lever la tête pour voir ce qui est au-dessus de soi). *L'air retentissait de ses cris.* — 2° Vent, en général léger; mouvement de l'air qui circule : *Il y a un peu d'air ce matin. Parfois, un souffle d'air vient tempérer la chaleur étouffante. Un brusque courant d'air fit voler les feuilles. Donnez un peu d'air dans la pièce* (= aérez). *Un déplacement d'air. Ferme la fenêtre, il y a un courant d'air.* — 3° Milieu constitué par un groupe social : *Il ne supporte pas l'air de la province. Aller respirer l'air du pays natal.* — 4° (sujet nom de chose) *Etre dans l'air,* se répandre, se communiquer facilement : *La grippe est dans l'air; les malades sont nombreux. Ces idées étaient dans l'air et je n'ai aucun mérite à les avoir exprimées.* ‖ *Etre libre comme l'air,* ne dépendre de personne. ‖ *Vivre de l'air du temps,* n'avoir aucune ressource matérielle. ‖ *Prendre l'air,* aller se promener, sortir de chez soi ou d'une ville pour ne pas rester dans une atmosphère viciée : *J'ai mal à la tête, je vais prendre l'air quelques instants. Dimanche, nous irons prendre l'air dans la forêt de Fontainebleau.* ‖ *Parler, agir en l'air,* n'importe comment, sans réfléchir (syn. : À LA LÉGÈRE). ‖ *Etre en l'air,* se dit de choses en désordre : *Tous les papiers sur son bureau sont en l'air, comme si l'on avait fouillé.* ‖ Fam. *Ficher* (*fiche,* ou, pop., *foutre*) *en l'air,* jeter, se débarrasser de : *J'ai fichu en l'air l'emballage.* ‖ *Une tête en l'air,* une personne étourdie, légère, sans profondeur. ‖ *Paroles, promesses en l'air,* qui sont sans réalité ni fondement.

airain [ɛrɛ̃] n. m. Anc. nom d'un alliage à base de cuivre, proche du bronze. ‖ *Cœur d'airain,* insensible à tout sentiment de pitié, d'humanité (langue littér.).

1. aire [ɛr] n. f. Surface plane, de terre battue ou cimentée, qui sert à battre au fléau ou à rouler les récoltes de céréales.

2. aire [ɛr] n. f. Nid des grands oiseaux de proie, comme l'aigle ou le vautour.

3. aire [ɛr] n. f. Domaine où s'étend l'action de quelqu'un : *Etendre son aire d'influence* (syn. : SPHÈRE, ZONE). *Aire d'activité.*

aise [ɛz] n. f. 1° *Frémir, rougir d'aise,* de contentement (langue littér.). ‖ *Se pâmer d'aise,* être ravi, savourer son bonheur (langue littér.). — 2° *A l'aise, à mon (ton, son, notre, votre, leur) aise,* sans éprouver de gêne ni de contrainte (suivant un verbe) : *Je me trouve à mon aise dans ce grand fauteuil de cuir. Il n'est embarrassé par rien et se trouve à son aise dans tous les milieux;* avec assez d'argent pour vivre sans difficulté (suivant un nom ou le verbe *être*) : *Un commerçant très à l'aise lui a avancé la somme dont il avait besoin. Il a eu une jeunesse difficile, mais il est maintenant à son aise.* — 3° *Etre mal à son aise, mal à l'aise,* avoir un sentiment de gêne en face d'une situation déterminée; avoir une indisposition. (V. MALAISE.) ‖ *Mettre quelqu'un à l'aise* ou *à son aise,* faire en sorte qu'il perde son embarras ou sa timidité : *Il chercha à le mettre à l'aise en lui offrant une cigarette.* ‖ *Se mettre à son aise* ou *à l'aise,* se mettre dans une tenue plus simple que le costume de ville : *Il fait chaud ici, ne vous gênez pas, mettez-vous à votre aise; enlevez votre veston.* ‖ *A votre aise!,* libre à vous d'agir comme vous voulez. ‖ *En parler à son aise,* s'exprimer avec indifférence sur ce qui cause des soucis aux autres. ‖ *En prendre à son aise,* ne pas se donner beaucoup de peine pour faire quelque chose; agir comme il vous plaît : *Il en prend vraiment à son aise avec les engagements qu'il a souscrits.* ◆ **aises** n. f. pl. *Aimer ses aises,* aimer le confort, ce qui rend la vie commode et facile : *En voyage, il descend dans les meilleurs hôtels, car il aime ses aises.* ‖ *Prendre, avoir ses aises,* s'installer confortablement, jouir du confort. ◆ **aise** adj. *Etre bien aise de* (et l'infin.) ou *que* (et le subj.), être très heureux de ou que : *Je suis bien aise de vous voir à nouveau en bonne santé* (syn. : ÊTRE CONTENT). *Je suis bien aise que vous soyez venu.* ◆ **aisé, e** [ɛze] adj. 1° Que l'on fait sans peine : *C'est un jeu très simple et qu'il est aisé aux enfants de comprendre* (syn. : FACILE; contr. : PÉNIBLE, DIFFICILE). *Un livre aisé à consulter. La manœuvre de ces petits bateaux à moteur est très aisée* (contr. : MALAISÉ). — 2° Se dit de quelqu'un (de sa conduite, de son œuvre) qui n'a sion de gêné, qui ne marque aucun embarras, aucune contrainte : *Il parle d'un ton aisé, sans affectation* (syn. : NATUREL). *Ce roman est très agréable à lire, le style en est aisé* (syn. : COULANT, SIMPLE). — 3° Qui a suffisamment d'argent pour vivre largement : *Un industriel aisé. Il appartient à une bourgeoisie très aisée.* ◆ **aisément** adv. : *Il comprend aisément tout le travail qu'on lui donne à faire* (syn. : FACILEMENT). *Cet héritage lui permet de vivre aisément* (syn. : CONFORTABLEMENT). ◆ **aisance** [ɛzɑ̃s] n. f. 1° Facilité dans la manière de se conduire, de parler, etc. : *Il a porté avec aisance mes lourdes valises à la gare. Il s'exprime avec une rare aisance. Il y a chez lui beaucoup d'aisance, presque de la désinvolture* (syn. : ASSURANCE). — 2° Situation de fortune qui permet de vivre dans le confort : *Son aisance ne date que de la dernière guerre* (syn. : PROSPÉRITÉ ; ↑ RICHESSE ; contr. : GÊNE). ◆ **malaisé, e** adj. Qui n'est pas facile à faire ; qui présente des difficultés : *C'est une tâche malaisée que de finir ce travail en si peu de temps* (syn. : ARDU). *Il est malaisé de le faire revenir sur sa décision* (syn. : DIFFICILE). *Un chemin rocailleux, malaisé* (syn. : PÉNIBLE). ◆ **malaisément** adv. : *Accepter malaisément de renoncer à un avantage* (contr. : FACILEMENT).

aisselle [ɛsɛl] n. f. Creux au-dessous de l'épaule, entre l'extrémité supérieure du bras et le thorax.

ajonc [aʒɔ̃] n. m. Arbrisseau épineux à fleurs jaunes, qui pousse en particulier en Bretagne.

ajouré, e [aʒure] adj. Où l'on a ménagé des ouvertures, des vides, dans une intention esthétique : *La flèche ajourée de la cathédrale. Une dentelle ajourée. Un drap ajouré* (= qui a des jours).

ajourner [aʒurne] v. tr. 1° *Ajourner quelque chose,* le renvoyer à un autre jour, à un autre moment, à un temps indéterminé : *On a ajourné la décision touchant l'augmentation des salaires* (syn. : DIFFÉRER, RETARDER). *La session de l'Assemblée nationale a été ajournée d'une semaine* (syn. : RECULER). *La réalisation de ces grands travaux a été ajournée à l'automne prochain* (syn. : RENVOYER). *Ajourner un rendez-vous au vendredi suivant* (syn. : REMETTRE, REPORTER). *Ajourner des négociations.* — 2° *Ajourner un candidat, un conscrit,* le renvoyer à une autre session d'examen, au prochain conseil de révision : *Liste des candidats ajournés* (syn. fam. : RECALER, COLLER ; usuel : REFUSER). ◆ **ajournement** n. m. : *L'ajournement de notre voyage en Italie nous a beaucoup ennuyés* (syn. : REMISE). *Ces ajournements successifs ont pu faire croire que vous ne vouliez prendre aucune décision* (syn. : ATERMOIEMENT). *L'ajournement de la session ordinaire des tribunaux. L'ajournement du procès est inattendu* (syn. : RENVOI).

ajouter [aʒute] v. tr. 1° *Ajouter quelque chose,* le mettre avec d'autres, le mettre en plus de ce qui est : *Ajoutez du sel ; il en manque un peu. Ajouter un paragraphe à la rédaction* (syn. : ADJOINDRE). *Ajouter un nombre à un autre.* (V. ADDITION 2.) — 2° *Ajouter (un mot), ajouter que* (suivi de l'indic.), dire en plus de ce qui a été dit précédemment : *Il ajoute quelques mots pour remercier l'assistance. Nous avons passé de très bonnes vacances ; ajoutez que le temps a été exceptionnel.* — 3° *Ajouter foi à quelque chose,* le croire : *Peut-on ajouter foi aux nouvelles rassurantes qui nous viennent de cette partie du monde ?* ◆ v. tr. ind. *Ajouter à une chose,* en augmenter la valeur, la quantité, etc. : *Le mauvais temps ajoute encore aux difficultés de la circulation.* ◆ ***s'ajouter*** v. pr. Être ajouté : *Cet ennui s'ajoute à tous ceux que nous avons eus ces derniers temps.* ◆ **ajout** n. m. Ce qu'on ajoute, notamment à un texte (syn. : ADDITION). ◆ **rajouter** v. tr. Ajouter de nouveau (souvent simple syn. de *ajouter*) : *Il faut rajouter une certaine somme au prix d'achat pour les frais et les taxes. Il rajouta quelques mots de conclusion. Il ne se contente pas de raconter ce qui s'est passé, il faut qu'il en rajoute* (syn. fam. : EN REMETTRE). ◆ **surajouter** v. tr. Ajouter en plus de ce qui est déjà (sens 1) : *Quelques mots presque illisibles ont été surajoutés au texte lui-même ;* et pronominalem. : *Ce travail s'est surajouté à la tâche quotidienne.* (V. SURCROÎT.)

1. ajuster [aʒyste] v. tr. 1° *Ajuster une chose à une autre,* l'adapter avec soin et exactement : *Il ajusta soigneusement le couvercle pour éviter que le liquide ne se renverse. Le caoutchouc est mal ajusté au robinet. Le tailleur ajuste un veston à la carrure de son client. Il ajusta un air à ces paroles un peu désuètes.* — 2° *Ajuster une chose,* l'arranger de manière qu'elle soit disposée avec soin : *Elle ajusta un peu sa coiffure avant d'entrer dans le salon* (syn. : ORDONNER). — 3° *Ajuster des choses,* les mettre en accord, en harmonie, en conformité : *Ajuster des manuscrits de façon à obtenir un texte. Ils s'efforcent d'ajuster des principes différents* (syn. : CONCILIER, ACCORDER). ◆ ***s'ajuster*** v. pr. : *Ces deux pièces de bois s'ajustent très exactement* (syn. : ALLER BIEN, S'EMBOÎTER). ◆ **ajustage** n. m. Travail de celui qui façonne des pièces mécaniques (sens 1 du verbe). ◆ **ajustement** n. m. : *Le projet de loi a subi quelques derniers ajustements* (syn. : ARRANGEMENT, AGENCEMENT). ◆ **ajusteur** n. m. Ouvrier qui réalise des pièces mécaniques. ◆ **rajuster** ou **réajuster** v. tr. 1° *Rajuster quelque chose,* le remettre en bonne place, en ordre : *Rajuster sa cravate. Rajuster sa coiffure* (syn. : REFAIRE). — 2° *Rajuster les salaires* ou *les prix,* relever les salaires afin qu'ils soient conformes au prix de la vie, ou modifier les prix de vente en fonction des prix de revient. ◆ ***se rajuster*** v. pr. Remettre de l'ordre dans ses vêtements : *Il se releva de terre et se rajusta.* ◆ **rajustement** ou **réajustement** n. m. (sens 2 du v.) : *Réclamer le rajustement des salaires.*

2. ajuster [aʒyste] v. tr. *Ajuster une personne, un animal, une chose,* les prendre pour cibles, avec une arme à feu : *Le chasseur ajusta le lièvre avant de tirer* (syn. : VISER). *Il a bien ajusté son coup et l'a frappé en pleine poitrine.*

alambic [alɑ̃bik] n. m. Appareil pour distiller.

alambiqué, e [alɑ̃bike] adj. Se dit de quelqu'un (de son esprit ou de son style) qui pousse la subtilité et le raffinement de l'expression jusqu'à devenir obscur : *Il ne peut pas écrire simplement ; ses phrases sont alambiquées* (syn. : CONTOURNÉ ; contr. : SIMPLE, NATUREL).

alanguir [alɑ̃gir] v. tr. 1° *Alanguir quelqu'un,* abattre son énergie, le rendre mou (souvent au passif) : *Cette chaleur lourde et humide m'alanguit* (syn. : AFFAIBLIR, AMOLLIR). *Etre alangui par la fièvre.* — 2° *Alanguir un récit,* le rendre trop lent, lui ôter de sa vigueur : *Des descriptions qui alanguissent le récit.* ◆ ***s'alanguir*** v. pr. Perdre de sa force, de sa fermeté : *Elle s'alanguit peu à peu et devient très pâle.* ◆ **alanguissement** n. m. : *Elle sentait une sorte d'alanguissement qui la rendait* *incapable de toute décision* (syn. : LANGUEUR, AMOLLISSEMENT).

alarme [alarm] n. f. 1° Signal qui prévient d'un danger très proche : *Un incendie vient d'éclater : la sirène donne l'alarme. Tirer la poignée du signal d'alarme, dans un compartiment, pour faire arrêter le train.* — 2° Inquiétude causée par l'approche d'un danger : *L'épidémie de typhoïde jeta l'alarme dans la petite cité* (syn. : EFFROI, INQUIÉTUDE). *Ce n'était qu'une fausse alarme, il n'y a rien de grave* (syn. : ALERTE). *L'absence de nouvelles m'a tenu en alarme jusqu'au soir* (= m'a causé du souci, de l'émoi). ◆ **alarmer** v. tr. *Alarmer quelqu'un,* lui causer de l'inquiétude, de la peur : *La rupture des négociations alarma l'opinion publique* (syn. : ÉMOUVOIR, INQUIÉTER). *Le bruit de pas dans le jardin nous alarmait* (syn. : ↓ INTRIGUER). ◆ ***s'alarmer*** v. pr. S'inquiéter : *Je me suis alarmé en vain de son retard* (syn. : S'EFFRAYER). ◆ **alarmant, e** adj. : *Les nouvelles venues de la région sinistrée sont alarmantes. L'état du blessé reste alarmant* (syn. : INQUIÉTANT; contr. : RASSURANT). ◆ **alarmiste** adj. et n. Qui tend à inquiéter, à faire peur : *Une campagne de presse alarmiste.*

albâtre [albɑtr] n. m. Pierre blanche et translucide, dont on fait des objets d'art (vases, vasques, etc.). [Le mot est utilisé en langue littér. dans quelques expressions : *peau, cou d'albâtre,* d'une blancheur très pure.]

album [albɔm] n. m. Registre, cahier, recueil destiné à recevoir des collections de timbres, de cartes postales, des photographies, des dessins, etc., ou livre comprenant un grand nombre d'illustrations : *Sa collection de timbres est soigneusement rangée dans quatre grands albums.*

alchimie [alʃimi] n. f. Chimie du Moyen Age, qui se donnait pour but la découverte de la pierre philosophale, capable de transmuer les métaux. ◆ **alchimiste** n. m. : *Balzac a fait le roman d'un alchimiste dans « la Recherche de l'absolu ».*

alcool [alkɔl] n. m. 1° Liquide obtenu par la distillation du vin, de la betterave, de la pomme de terre, etc. : *L'alcool a des usages pharmaceutiques et alimentaires.* — 2° Nom donné, dans la langue commune, à toute boisson à base de ce liquide : *Vous prendrez bien un petit alcool avec le café?* ◆ **alcoolique** adj. et n. Qui boit habituellement et avec excès des boissons contenant une part importante d'alcool : *Il y a des services spéciaux, dans quelques hôpitaux, pour la désintoxication des alcooliques.* ◆ adj. Qui contient de l'alcool : *Boisson alcoolique.* ◆ **alcoolisé, e** adj. Auquel on a ajouté de l'alcool : *Une bière fortement alcoolisée.* ◆ **alcooliser (s')** v. pr. *Fam.* Boire beaucoup, jusqu'à être intoxiqué. ◆ **alcoolisme** n. m. Abus de la consommation d'alcool : *Il a sombré rapidement dans l'alcoolisme* (syn. : IVROGNERIE). *L'alcoolisme, après la guerre, a accru considérablement les cas de démence.*

alcôve [alkov] n. f. 1° Enfoncement dans le mur d'une chambre, où sont installés un ou plusieurs lits : *On trouve encore quelques alcôves dans les maisons en Bretagne.* — 2° Intimité des liaisons amoureuses : *Elle recherchait avidement dans les magazines des secrets d'alcôve.*

aléa [alea] n. m. Evénement qui dépend du hasard; éventualité presque toujours défavorable (le plus souvent au plur. et accompagné d'un compl. qui le détermine) : *Cet inconvénient compte parmi les aléas du métier* (syn. : RISQUE). *Pendant quinze jours, la négociation entre les diplomates subit bien des aléas* (= des hauts et des bas). *L'aléa d'un long voyage dans des conditions difficiles.*

aléatoire [aleatwar] adj. Qui dépend d'un événement incertain : *Les gains à la Bourse sont fort aléatoires* (syn. : HASARDEUX; contr. : SÛR). *J'espère que la route sera excellente jusqu'à Nancy; mais, en janvier, c'est aléatoire* (syn. : INCERTAIN; contr. : ASSURÉ, CERTAIN).

alentour [alɑ̃tur] adv. (placé après un verbe ou un nom). Dans les environs, dans un espace situé tout autour : *L'appareil s'est abattu dans un champ; les débris sont dispersés sur cent mètres alentour. J'admirais le château et je voyais alentour les écuries de même style* (syn. : AUTOUR, À PROXIMITÉ). *La maison était isolée : la plaine déserte s'étendait tout alentour.* ◆ **alentours** n. m. pl. 1° Ce qui environne un lieu ou un sujet (surtout dans *aux alentours*) : *Les alentours de la ville sont très pittoresques* (syn. plus usuels : LES ENVIRONS, LES ABORDS). *Avant d'aborder la question, je voudrais en explorer les alentours* (syn. : À-CÔTÉ). — 2° *Aux alentours de,* indique une approximation dans l'espace ou dans le temps : *Sauf incident, nous serons ce soir aux alentours d'Avignon* (syn. : DU CÔTÉ DE, DANS LE VOISINAGE DE). *Je passerai vous prendre aux alentours de huit heures* (syn. : VERS; fam. : SUR LES).

alerte [alɛrt] adj. Dont la vivacité ou l'agilité manifeste la souplesse ou la promptitude des réflexes : *D'un bond alerte, il esquiva le coup* (syn. : AGILE, VIF, RAPIDE; contr. : LENT). *Mes jambes restent alertes; je n'ai aucun rhumatisme* (contr. : ANKYLOSÉ, ENGOURDI, PESANT). *Le vieillard était encore alerte* (syn. : ↑ FRINGANT, LESTE; contr. : LOURD). *Son esprit restait alerte malgré son âge* (syn. : ÉVEILLÉ; contr. : ENDORMI, INERTE). *Il écrit d'un style alerte* (syn. : VIF). ◆ **alertement** adv. : *Il grimpa alertement les marches du grand escalier.*

alerte [alɛrt] n. f. 1° Menace d'un danger qui survient soudainement : *Ce n'était qu'une angine, mais l'alerte a été chaude. Il s'inquiète à la moindre alerte* (syn. : DANGER). *Nous avons cru qu'il y avait le feu; c'était une fausse alerte. La foudre est tombée très près; l'alerte a été vive* (syn. : FRAYEUR, CRAINTE). *A la première alerte, nous appellerons le docteur* (syn. : MENACE). — 2° Signal qui avertit d'un danger imminent, en particulier en temps de guerre, qui prévient d'un bombardement, d'une attaque; durée pendant laquelle ce danger persiste : *Le trouble qu'il montra nous donna l'alerte* (= éveilla notre attention). *Les sirènes donnèrent l'alerte. Le veilleur de nuit entendit la sonnerie d'alerte* (syn. plus usuel : ALARME). *Ce jour-là, il y avait eu trois alertes aériennes. Durant les nuits d'alerte, on attendait souvent, angoissé, dans l'obscurité.* ◆ **alerte!** interj. Avertit d'un danger imminent et donne l'ordre de se tenir sur ses gardes : *Alerte! le surveillant est au bout du couloir et va arriver dans une minute. Alerte! ce projet attente à nos libertés.* ◆ **alerter** v. tr. *Alerter quelqu'un,* l'avertir afin qu'il se tienne prêt à agir (l'idée de danger est parfois absente aujourd'hui) : *Son travail est vraiment mauvais; il faut alerter le père sur les conséquences de cette insuffisance* (syn. : PRÉVENIR, INFORMER). *Il y a une fuite d'eau, alerte les voisins;* en football, indiquer à un de ses coéquipiers qu'on lui destine une passe : *L'avant-centre alerte son ailier.*

alevin [alvɛ̃] n. m. Jeune poisson, qui sert à repeupler les rivières.

alexandrin [alɛksɑ̃drɛ̃] n. m. Vers français de douze syllabes. Ex. :

Ô	ra/	ge	ô	dé/	ses/	poir	ô	vieil/	les/	se	en/	ne/	mie
1	2		3	4	5	6	7	8	9	10		11	12

alfa [alfa] n. m. Herbe cultivée en Afrique du Nord, et dont on se sert dans la fabrication du papier, des cordages, des espadrilles, etc.

algarade [algarad] n. f. Discussion vive et inattendue, et en général de peu de durée, surtout dans *avoir une algarade : Avoir une algarade avec sa concierge parce que le courrier n'est pas monté* (syn. : SCÈNE, QUERELLE).

algèbre [alʒɛbr] n. f. **1°** Science du calcul des grandeurs et des lois des nombres. — **2°** *C'est de l'algèbre,* c'est une chose difficile à comprendre, à expliquer, à assimiler : *Toute notre conversation sur l'électronique, c'est de l'algèbre pour lui* (syn. : C'EST DU CHINOIS). ◆ **algébrique** adj. : *Faire des calculs algébriques. Résoudre une équation algébrique. Apprendre des formules algébriques.*

algue [alg] n. f. Végétal qui vit dans l'eau de mer ou dans l'eau douce : *Les algues rejetées par la mer sont utilisées comme engrais.*

alias [aljas] adv. Syn. de *autrement dit,* précédant toujours le pseudonyme ou le surnom, très connu, d'une personne dont on vient de donner le nom : *Jean-Baptiste Poquelin, alias Molière. Gérard Labrunie, alias Gérard de Nerval.*

aliénation n. f. V. ALIÉNÉ et ALIÉNER.

aliéné, e [aljene] n. Malade mental dont l'état nécessite l'internement : *Asile d'aliénés. Procéder à l'internement d'un aliéné* (syn. usuel : FOU). ◆ **aliéniste** n. Terme qui a servi à désigner, jusqu'au début du XX° s., le spécialiste des maladies mentales. (Auj. PSYCHIATRE.) ◆ **aliénation** n. f. *Aliénation mentale,* syn. de FOLIE.

aliéner [aljene] v. tr. **1°** *Aliéner un bien* (terme jurid.), le céder, par un acte officiel, à une autre personne : *Ils ont aliéné leur petite maison de campagne contre une rente viagère.* — **2°** *Aliéner quelque chose* (terme abstrait), l'abandonner volontairement : *Renoncer à créer des industries de base, c'est aliéner l'indépendance nationale. Le peuple a parfois aliéné ses libertés entre les mains d'un dictateur.* — **3°** *Aliéner une chose* ou *une personne,* les détourner, les écarter de quelqu'un : *Les augmentations d'impôts lui ont aliéné les esprits les plus favorables.* ◆ ***s'aliéner*** v. pr. Perdre en écartant de soi : *Par sa négligence, il s'est aliéné toutes les sympathies déjà acquises* (syn. : PERDRE). ◆ **aliénation** n. f. Sens 2 du verbe : *Souffrir de l'aliénation de sa liberté et de son travail.* ◆ **inaliénable** adj. Que l'on ne peut céder (sens 1 du verbe) : *Cette propriété est inaliénable tant que le dernier des enfants n'a pas atteint sa majorité.*

aligner [aliɲe] v. tr. **1°** *Aligner des choses, des personnes,* les mettre sur une ligne droite (souvent au passif) : *Il aligne les formules mathématiques au tableau noir. Les élèves étaient alignés les uns derrière les autres* (= en file). *De jeunes marronniers sont alignés le long des allées.* — **2°** *Aligner des choses,* les présenter en ordre, en liste : *Il alignait les noms les plus divers pour essayer de retrouver celui qu'il cherchait. Il aligne des chiffres, fait des comptes, cherche à nous prouver que tout va bien. Il aligne des phrases bien faites, mais vides de pensée.* — **3°** *Aligner une chose sur une autre,* l'adapter à celle-ci : *Le ministre des Finances décide d'aligner la monnaie sur le cours réel actuel.* — **4°** Pop. *Les aligner,* verser de l'argent : *Affaire conclue, tu peux les aligner.* ◆ ***s'aligner*** v. pr. **1°** Etre rangé ou se ranger sur la même ligne : *Les livres s'alignent sur les rayons de la bibliothèque.* — **2°** (sujet nom de personne) S'adapter, se conformer à : *S'aligner sur la position officielle d'un parti.* — **3°** Pop. *Il peut toujours s'aligner!,* formule de défi (= il est incapable de soutenir la comparaison). ◆ **alignement** n. m. **1°** Disposition sur une ligne droite : *Sortir de l'alignement* (syn. : FILE). *L'alignement parfait des allées.* — **2°** *Etre, se mettre à l'alignement,* être, se mettre sur la même ligne, dans le prolongement de la même ligne : *Les maisons de la rue ne sont pas à l'alignement. Mettez-vous à l'alignement* (= dans le prolongement de la file).

aliment [alimɑ̃] n. m. **1°** Tout ce qui peut être digéré et servir de nourriture aux hommes ou aux animaux : *La digestion des aliments. Conserver des aliments dans un réfrigérateur. Préparer des aliments. Les aliments du bétail. Faire cuire les aliments. Eviter de manger des aliments trop gras. Il a pu prendre quelques aliments liquides.* — **2°** *Fournir, donner un aliment à,* servir à entretenir, donner matière à : *Voilà qui donnera encore un aliment à sa mauvaise humeur.* ◆ **alimentaire** adj. **1°** Qui sert à l'alimentation, à la nourriture, à l'entretien : *Les rations alimentaires des détenus ont été augmentées. Une pension alimentaire a été versée à la femme et aux enfants. Son régime alimentaire est très sévère. Magasin spécialisé dans la vente des produits alimentaires. Pâtes alimentaires* (= nouilles, macaroni, vermicelle, etc.). — **2°** Péjor. *Littérature alimentaire,* écrits faits dans un dessein purement lucratif. ◆ **alimenter** v. tr. **1°** *Alimenter une personne, un animal,* lui fournir des aliments : *Alimenter un malade avec des bouillons* (syn. : NOURRIR, SUSTENTER). — **2°** *Alimenter quelque chose,* le pourvoir en approvisionnements, lui fournir ce qui est nécessaire à son fonctionnement : *Alimenter les marchés en viande congelée* (syn. : RAVITAILLER). *Le barrage alimente en eau les villes voisines* (syn. : FOURNIR). *La région est alimentée en électricité par une centrale thermique. Il faut continuellement alimenter la chaudière pour qu'elle ne s'éteigne pas. Alimenter le feu.* — **3°** Donner matière à quelque chose; servir à entretenir : *Ce scandale financier alimentait la conversation. Les démêlés conjugaux des vedettes alimentent les colonnes de certains journaux.* ◆ ***s'alimenter*** v. pr. [**de**] Se nourrir : *Il commence à s'alimenter de nouveau* (= prendre des aliments). *Il ne s'alimente que de fruits.* ◆ **alimentation** n. f. Ce qui sert à alimenter; action d'alimenter (sens 1 et 2 du v. tr.) : *L'alimentation du bétail. Les bases de l'alimentation humaine ont été profondément modifiées. Supprimer toute alimentation carnée* (syn. : NOURRITURE). *L'alimentation en charbon des grandes villes est menacée par l'hiver rigoureux* (syn. : FOURNITURE). *Ici, les magasins d'alimentation sont ouverts le lundi. Le commerce d'alimentation s'est développé* (= la vente des produits alimentaires). *L'alimentation des machines se fait régulièrement.* ◆ **sous-alimenter** v. tr.

Alimenter insuffisamment (surtout au passif) : *Les populations de certaines régions du Brésil sont sous-alimentées* (syn. : ↑ AFFAMER). ◆ **sous-alimentation** n. f. : *La sous-alimentation permanente de quelques peuples de l'Afrique centrale.* ◆ **suralimenter** v. tr. *Suralimenter quelqu'un,* lui donner une alimentation supérieure à la normale (souvent au passif) : *Il fallut suralimenter le convalescent.* ◆ **suralimentation** n. f. : *La suralimentation de certains habitants des villes provoque chez eux des troubles de la circulation du sang.*

alinéa [alinea] n. m. Ligne d'un texte écrite ou imprimée en retrait par rapport aux autres lignes et annonçant le commencement d'un paragraphe; le passage lui-même compris entre deux retraits : *Allez à la ligne et commencez un nouvel alinéa* (syn. : PARAGRAPHE).

aliter [alite] v. tr. *Aliter quelqu'un,* le forcer à garder le lit, par suite de maladie ou d'infirmité (seulement aux temps composés, et souvent au passif) : *Une mauvaise grippe l'avait alité pendant quinze jours. A la suite de cet accident, il était resté alité trois mois.* ◆ ***s'aliter*** v. pr. *Malade qui s'alite,* qui se met au lit et reste couché : *Il s'était alité en novembre pour ne plus se relever.*

allaiter [alɛte] v. tr. Nourrir de lait un enfant ou un animal nouveau-né : *Allaiter un enfant au biberon.* ◆ **allaitement** n. m. : *L'allaitement au sein.*

allant, e [alɑ̃, -ɑ̃t] adj. Se dit de quelqu'un qui a de la vivacité, de l'entrain : *Il est encore très allant pour son âge* (syn. : ALERTE). ◆ **allant** n. m. Ardeur mise à faire quelque chose : *Il a perdu l'allant de sa jeunesse* (syn. : ENTRAIN). *Il a de l'allant et il est capable d'entraîner les autres* (syn. : DYNAMISME, ACTIVITÉ; contr. : APATHIE, MOLLESSE).

allécher [aleʃe] v. tr. *Allécher quelqu'un,* l'attirer en flattant son goût, son odorat, ou en lui laissant espérer quelque avantage (souvent au passif) : *Il l'a alléché en lui faisant miroiter un gain plus élevé.* ◆ **alléchant, e** adj. : *Elle nous sert un entremets alléchant* (syn. : APPÉTISSANT). *Cette perspective n'a rien d'alléchant* (syn. : ATTIRANT). *Une proposition alléchante* (syn. : ATTRAYANT).

1. allée [ale] n. f. Chemin bordé d'arbres, de haies ou de plates-bandes, et qui sert de lieu de promenade ou d'accès dans un parc, un jardin, un bois, etc. : *Les allées du Luxembourg sont pleines d'enfants le jeudi après-midi. Une grande allée de tilleuls mène jusqu'à la villa. La porte de l'allée est fermée.*

2. allées [ale] n. f. pl. *Allées et venues,* ensemble de démarches, de trajets effectués en tous sens par une ou plusieurs personnes : *Le malade était exigeant, ce qui obligeait l'infirmière à de multiples allées et venues. J'ai perdu toute la matinée en allées et venues pour obtenir mon passeport* (syn. : DÉMARCHES).

allégation n. f. V. ALLÉGUER.

alléger [aleʒe] v. tr. *Alléger quelque chose,* le rendre plus léger, moins lourd : *Ce paquet est trop lourd pour être mis à la poste; il faut l'alléger un peu. Le toit de la voiture est trop chargé; allégez-le d'une valise* (syn. : DÉLESTER). *Les taxes seront allégées cette année. Alléger les petits contribuables* (syn. : DÉGREVER). *Ces mots de consolation ne sauraient alléger sa peine, qui est immense* (syn. : CALMER, SOULAGER, APAISER). ◆ **allégement** n. m. : *L'allégement des charges de l'Etat* (syn. : DIMINUTION; contr. : ACCROISSEMENT).

allégorie [alegɔri] n. f. Expression d'une idée par une image, un tableau, un être vivant qui en est le symbole : *L'allégorie de la justice est représentée par une femme tenant en ses mains une balance.* ◆ **allégorique** adj. : *Les fables sont des récits allégoriques.*

allègre [alɛgr ou allɛgr] adj. 1° Se dit d'une personne qui est d'une humeur joyeuse (langue soignée) : *On vous entend chanter; vous êtes bien allègre aujourd'hui* (syn. : GAI). — 2° Qui dénote un entrain joyeux (seulement dans quelques express.) : *Marcher d'un pas allègre* (syn. : ALERTE). ◆ **allégrement** adv. (souvent ironiq.) : *Avec une parfaite inconscience, il marche allégrement vers une ruine totale* (syn. : JOYEUSEMENT, GAIEMENT). ◆ **allégresse** [alegrɛs ou allegrɛs] n. f. Joie très vive, accompagnée de manifestations extérieures (sens 1 de l'adj.) : *L'annonce de la paix fut suivie d'une allégresse générale* (syn. : ↓ JOIE; LIESSE [littér.]). *Les deux communautés furent accueillies avec des transports d'allégresse* (syn. : ENTHOUSIASME). *La place retentissait de chants d'allégresse.*

allégro, allégretto n. m. V. MOUVEMENT, *Mouvements musicaux.*

alléguer [alege] v. tr. *Alléguer un texte, un fait, une autorité,* les mettre en avant pour les prendre comme justification ou comme appui : *Il allègue les témoignages de ses devanciers pour donner du poids à son propre ouvrage* (syn. : INVOQUER, SE PRÉVALOIR DE). *Il n'allègue que des prétextes* (syn. : PRODUIRE, FOURNIR). *Quelle excuse pourra-t-il alléguer?* ◆ **allégation** n. f. : *Les allégations du prévenu seront vérifiées* (syn. : DIRE, DÉCLARATION). *Ses allégations se sont révélées fausses* (syn. : AFFIRMATION, ASSERTION).

aller [ale] v. intr. (conj. **12**). **1°** (sujet nom d'être animé) *Aller* (suivi d'un compl. de lieu, de moyen, de manière, d'un adv., ou précédé de *y*), se mouvoir d'un lieu vers un autre (en considérant surtout le terme du mouvement, le but, le motif de l'action, les modalités du mouvement) : *Aller chez quelqu'un. Aller aux urnes* (= voter). *Il va à son travail. Ils allaient à la guerre. Aller à la pêche, à la chasse, à la baignade. Aller droit au but* (= agir ou parler sans détours). *Aller aux renseignements* (= se renseigner). *Il va à Paris. Quand y est-il allé? Comment ira-t-il à son bureau avec ce verglas sur la route? Nous allons en voiture à Fontainebleau. Aller en train, à pied, à* (ou *en*) *bicyclette, à* (ou *en*) *vélo. Il alla rapidement jusqu'à la grille du jardin* (syn. : ↑ COURIR). *Mon fils va à Orléans. Il ira loin* (= il a un avenir brillant). *Il va trop loin* (= il pousse trop loin son avantage) [se distingue de *venir,* où l'on considère surtout l'origine du mouvement : *Je vais là-bas* s'oppose à *je viens ici*]; suivi d'une prép. ou d'un adv. : *Aller contre* (= s'opposer à), *aller en avant* (= progresser), *aller en bas* (= descendre), *aller autour* (= entourer), *aller dedans* (= pénétrer), *aller vers* (= se diriger).

2° (sujet nom de chose) *Aller,* avec les mêmes constructions, indique la direction, le point d'aboutissement : *La route va jusqu'à Valenciennes* (syn. : CONDUIRE). *Le sentier va à la rivière* (syn. : MENER). *Une réflexion comme celle-là va loin* (= a de grandes conséquences). *Cette affaire est allée à l'échec. Ses espoirs sont allés en fumée.*

3° (sujet nom de personne) *Aller*, avec les adv. *bien, mal, mieux*, etc., est syn. de SE PORTER : *Comment allez-vous?* (ou plus usuellement : *Ça va?*).

4° (sujet nom de chose) *Aller* (et la même construction), être dans un certain état de fonctionnement : *Cette horloge va mal* (syn. : MARCHER). *Le poste de radio va mal en ce moment* (syn. : FONCTIONNER). *Le commerce allait mieux depuis la fin de la guerre.*

5° (sujet nom de chose) *Aller à* (*quelqu'un*) [en général avec un adv.], être en accord, en harmonie : *Cette robe lui va admirablement* (syn. littér. : LUI SIED). *Ce chapeau vous va* (syn. : CONVENIR). *Ceci me va* (syn. : PLAIRE).

6° (sujet nom de chose) *Aller à* (*quelque chose*) [et un adv.], être adapté à, convenir à la fonction de : *La clef va à la serrure* (syn. : S'ADAPTER À). *Ces deux couleurs vont bien ensemble* (syn. : S'ACCORDER).

7° *Aller* (et l'infin.), verbe auxiliaire s'employant au présent ou à l'imparfait, exprime un futur proche : *Je vais prendre le train ce soir. Il allait se fâcher quand je suis intervenu.* ‖ Renforce un impér. négatif, un subj. optatif négatif : *N'allez pas croire cela. Pourvu qu'il n'aille pas acheter une nouvelle voiture! N'allez pas vous imaginer que je ne le sache pas!*

8° (sujet nom de personne) *Laisser aller* (et un nom de chose), ne pas se soucier de, ne pas retenir : *Elle laisse aller son ménage, ses affaires. Il laissait tout aller* (syn. : NÉGLIGER ; contr. : S'ATTACHER À).

9° *Se laisser aller à*, laisser libre cours à, ne pas se retenir de : *Il se laisse aller à la joie* (syn. : S'ABANDONNER). *Il se laisse aller à lui adresser quelques critiques;* et, sans compl., être découragé, sans volonté : *Depuis la mort de sa femme, il se laisse aller.*

10° *Aller*, suivi d'un part. en *-ant*, avec ou sans la prép. *en*, exprime la progression : *Son travail ira en s'améliorant* (= il s'améliorera rapidement). [Le participe seul — *le bruit va croissant* — est de la langue écrite ou soutenue.]

11° *Aller sur* (suivi d'un numéral), être sur le point d'atteindre : *Il va sur ses quarante ans* (= il est près de).

12° *Ne pas aller sans*, être inséparable de : *Une nombreuse famille ne va pas sans ennuis de toute sorte.*

13° *Il y va de* (*quelqu'un* ou *de quelque chose*), quelqu'un ou quelque chose sont en cause, sont totalement engagés : *Dans cette affaire, il y va de votre honneur* (syn. : IL S'AGIT DE). ‖ (sujet nom de personne) *Y aller de*, mettre en cause, mettre à exécution, entreprendre spontanément (fam.) : *Il y va de ses économies pour payer les dépenses excessives de son fils. Il y allait de sa bourse. Il y va de sa petite chanson à la fin du repas.* ‖ (sujet nom de personne) *Y aller* (suivi d'un adv.), parler, agir d'une certaine manière : *Allez-y doucement avec lui, il est très sensible. Allez-y de bon cœur. Il n'y va pas par quatre chemins. Il y va mal* (*fam.* = il exagère). ‖ *Comme vous y allez!*, vous êtes trop impatient, vous ne considérez pas assez les difficultés : *Vous me demandez si mon travail est fini? Comme vous y allez!*

14° *Il en va de* (suivi d'une comparaison), la situation est à ce point de vue comparable : *Il en va de cette affaire comme de l'autre* (= tout se passe comme précédemment). *Il n'en va pas de même pour cette autre question* (= c'est tout différent). *Il en irait bien mieux si vous acceptiez.*

15° *Allons!, allez!, allons donc!, allez donc!*, interj. qui marquent la stimulation, l'incrédulité ou l'impatience : *Allons donc! vous vous rétablirez. Allons! ce n'est pas vrai. Allons, cesse de t'agiter.* ‖ *Ça* (ou *cela*) *va tout seul, de soi, sans dire*, cela est incontestable, évident, nécessaire. ‖ *Ça va comme ça!, ça va très bien!, ça va!*, expressions fam. pour intimer à quelqu'un l'ordre de se taire ou de changer de comportement. ‖ *Va pour*, admettons (nuance concessive) : *Va pour la Corse cette année! Puisque tu le désires, passons-y les vacances.* ‖ *Va donc!*, interj. pop. précédant généralement une injure : *Va donc, eh feignant!*

16° *S'en aller* (suivi d'un compl. de lieu, de manière, de moyen), quitter un lieu, s'en éloigner : *Il s'en va à Pâques sur la Côte d'Azur. Il s'en est allé furieux* (syn. : PARTIR); et dans la langue fam. : *Je me suis en allé dès que j'ai vu que je le gênais.*

17° *S'en aller* (suivi d'un adv. sans compl.), mourir (sujet nom de personne), disparaître (sujet nom de chose) : *Le malade s'en va doucement. Les années s'en vont et ne reviennent pas. La tache s'en ira avec ce détachant. L'eau s'en va : le radiateur est percé* (syn. : FUIR). *Le projet s'en est allé en fumée* (syn. : SE DISSIPER).

18° *S'en aller* (suivi d'un infin.), au présent ou à l'imparfait, indique l'intention d'accomplir prochainement l'action (surtout à la 1re pers.) : *Je m'en vais vous jouer un tour de ma façon.* ◆ **aller** [ale] n. m. **1°** Titre de transport permettant seulement de faire un trajet dans un sens : *Prendre un aller pour Tours.* — **2°** Voyage d'un endroit à un autre (par oppos. au retour) : *J'ai fait l'aller à pied, mais je suis revenu par l'autobus.* — **3°** *Aller et retour*, billet double, permettant de faire en sens inverse le voyage d'aller : *Prendre un aller et retour pour Versailles;* action d'aller et de revenir : *Je ne fais qu'un aller et retour de la maison au boulanger.*

allergie [alɛrʒi] n. f. Réaction excessive de l'organisme d'un individu sensibilisé à une substance. ◆ **allergique** adj. **1°** *Etre allergique à certaines poussières.* — **2°** Se dit aussi d'une personne qui manifeste une totale incompatibilité avec un fait social précis : *Il est allergique au téléphone* (= il n'aime pas le téléphone), *à la vie moderne* (= il ne peut s'y faire).

alliage n. m. V. ALLIER 1.

1. alliance n. m. V. ALLIER 2.

2. alliance [aljɑ̃s] n. f. Bague symbolisant le mariage et que les époux passent à leur doigt.

1. allier [alje] v. tr. Combiner des métaux : *Allier le fer et le cuivre. Allier l'or avec l'argent.* ◆ **alliage** n. m. Produit métallique résultant de la combinaison de plusieurs métaux ou de l'incorporation d'un élément à un métal : *Les alliages légers entrent dans la fabrication des avions.*

2. allier [alje] v. tr. **1°** Unir par un engagement mutuel (mariage, traité, etc.) : *Etre allié à une famille noble. La nécessité a allié les deux pays que leur culture et leur histoire ont tant de fois séparés* (syn. : ASSOCIER). — **2°** *Allier une chose à* (*avec*) *une autre*, les réunir en un tout, les associer étroitement : *Elle allie la beauté à de grandes qualités de* *cœur* (syn. : JOINDRE). *Il sait allier la fermeté avec une bienveillance souriante* (syn. : MÊLER, UNIR, MARIER). ◆ ***s'allier*** v. pr. 1° S'unir (à une famille) par le mariage : *Il s'est allié à une des plus riches familles de la ville* (syn. : S'APPARENTER). — 2° Etre en accord : *Ces deux couleurs s'allient très mal ensemble* (syn. : S'ACCORDER, S'ASSORTIR, S'HARMONISER). ◆ **allié, e** adj. et n. 1° Qui a conclu un traité d'union : *La victoire des puissances alliées sur l'Allemagne en 1945. Pays qui réunit ses forces à celles de ses alliés* (syn. : AMI). *Une conférence avec des alliés sur la défense commune* (syn. : PARTENAIRE). *Les alliés du Marché commun* (syn. : ASSOCIÉ). — 2° Qui aide, secourt : *Se faire l'allié d'un ami dans une discussion. J'ai trouvé en lui un allié sûr pour faire aboutir mes projets* (syn. : AUXILIAIRE, APPUI). ◆ **alliance** [aljɑ̃s] n. f. 1° Union contractée entre plusieurs Etats : *Conclure un traité, un pacte d'alliance. Cette entrevue des deux chefs d'Etat scella l'alliance des deux nations* (syn. : ENTENTE, ACCORD). *Renoncer à une alliance. Changement d'alliances.* — 2° Accord entre des personnes ou des choses : *Il a fait alliance avec mes pires ennemis* (=il s'est allié). *L'alliance de la science et du progrès social* (syn. : UNION). — 3° Union par le mariage; parenté qui en résulte : *L'alliance des deux familles assura la fortune des conjoints. Cousin par alliance.* ◆ **mésalliance** n. f. Mariage avec une personne appartenant à une classe jugée inférieure, avec une personne n'ayant pas de fortune. ◆ **mésallier (se)** v. pr. : *Sa famille a considéré qu'il se mésalliait en épousant sa secrétaire.*

alligator [aligatɔr] n. m. Crocodile d'Amérique.

allô ! [alo], interj. servant d'appel, précédant la conversation téléphonique : *Allô! Littré 25-24? Allô! qui est à l'appareil?*

allocataire n., **allocation** n. f. V. ALLOUER.

allocution [alɔkysjɔ̃ ou allɔkysjɔ̃] n. f. Discours de peu d'étendue et de style familier : *Prononcer une brève allocution à la fin de la cérémonie. On annonce une allocution télévisée du Premier ministre* (syn. : ENTRETIEN).

allonger [alɔ̃ʒe] v. tr. 1° *Allonger quelque chose,* le rendre ou le faire paraître plus long : *Allonger une robe pour se conformer à la nouvelle mode. Ce détour allonge notre itinéraire* (contr. : RACCOURCIR). *Il ne faut pas allonger votre texte* (syn. : AUGMENTER; contr. : DIMINUER). *Il allongeait inutilement l'entrevue* (syn. : PROLONGER; contr. : ÉCOURTER). — 2° (sujet nom d'être animé). *Allonger le bras, la jambe, le cou,* etc., les tendre, en augmenter la longueur en les étendant : *Il allonge le cou pour essayer de voir le défilé* (syn. : TENDRE). *Allonger les jambes sur la chaise* (syn. : ÉTENDRE). *Il allongea le bras pour saisir la canne* (contr. : RETIRER). — 3° Fam. *Allonger une somme,* la donner : *Allonger un pourboire au coiffeur.* ‖ Pop. *Allonger un coup,* donner un coup qui suppose une extension des membres : *Allonger un coup de pied à quelqu'un. Il lui a allongé un coup de poing sur la figure* (syn. : ENVOYER, ↑ ASSENER). ‖ *Allonger le pas,* se hâter : *Quand il l'aperçut, il allongea le pas pour l'éviter* (syn. : ACCÉLÉRER). ‖ *Allonger le visage, le nez, la figure,* marquer son désappointement ou sa surprise par sa physionomie (souvent au part. passé). ◆ v. intr. *Les jours allongent,* ils deviennent plus longs : *Avec le printemps, les jours allongent vite* (contr. : RACCOURCIR). ◆ ***s'allonger*** v. pr. 1° Devenir ou paraître plus long; être étendu en longueur : *La route s'allonge toute droite devant nous. Notre conversation s'allongeait dans l'ennui* (syn. : TRAÎNER EN LONGUEUR). *A cette nouvelle, son visage s'allongea* (= montra de la déception). — 2° (sujet nom de personne) S'étendre ou tomber de tout son long : *Il s'est allongé sur le lit, écrasé de fatigue. Ils s'allongent derrière la haie pour guetter son arrivée.* ◆ **allonge** n. f. Fam. *Avoir une bonne allonge,* avoir une grande détente du bras. ◆ **allongement** n. m. : *L'allongement d'une jupe* (contr. : RACCOURCISSEMENT). *La déviation de la route aboutit à un allongement important de la distance entre les deux villes* (syn. : ACCROISSEMENT). *L'allongement des jours est très sensible en mai. L'allongement de la durée des vacances.* ◆ **rallonger** v. tr. et intr. Augmenter la longueur de; s'accroître en longueur (auj. souvent au sens 1 de *allonger*) : *Rallonger un manteau. Rallonger les pistes d'un aérodrome pour permettre les atterrissages des avions à réaction. Les jours rallongent.* ◆ **rallonge** [ralɔ̃ʒ] n. f. 1° Pièce mobile qui sert à augmenter la longueur d'un appareil (compas), la grandeur d'une surface (table) : *Nous avons quatre invités; nous avons mis deux rallonges à la table.* — 2° *Fam.* Ce qui s'ajoute à quelque chose pour l'augmenter; augmentation du salaire ou du traitement régulier, de la somme prévue : *Obtenir une rallonge de deux jours à ses vacances* (syn. : AUGMENTATION). *Pour une rallonge modique, le peintre me propose de repeindre la petite pièce qui nous sert de débarras* (syn. : SUPPLÉMENT). — 3° Fam. *Nom à rallonge,* nom comportant plusieurs mots, dont souvent la particule *de,* qui laisse supposer que le titulaire est noble. ◆ **rallongement** n. m. Employé souvent au sens de *allongement : Le rallongement des jours, des vacances.*

allouer [alwe] v. tr. (sujet nom de personne). *Allouer quelque chose à quelqu'un,* lui attribuer une somme d'argent, une gratification en nature (terme admin.) : *Allouer une indemnité pour frais de déplacement* (syn. : ACCORDER, ATTRIBUER, OCTROYER). *Des crédits importants ont été alloués pour la mise en valeur des régions déshéritées.* ◆ **allocation** [alɔkasjɔ̃] n. f. : *Toucher les allocations familiales* (= versées pour charges de famille). *Verser une allocation aux gens âgés.* ◆ **allocataire** n. : *La Caisse des allocations familiales verse des indemnités aux allocataires.*

1. allumer [alyme] v. tr. 1° Rendre lumineux, faire fonctionner pour donner de la lumière : *Allumer la lampe du salon. Allumer l'électricité. Allumer les phares d'une voiture;* et intransitiv. : *Allumez dans l'entrée pour que nous puissions poser nos valises.* — 2° *Allumer une pièce, un lieu,* y répandre la lumière : *Le bureau est allumé, il est rentré chez lui. Allume l'escalier pour nos invités* (syn. : ÉCLAIRER); et intransitiv. : *La lampe n'allume plus, il faudra la remplacer.* ◆ ***s'allumer*** v. pr. Devenir lumineux : *La lampe s'allume quand on ouvre le réfrigérateur.* ◆ **allumage** n. m. : *Le système d'allumage est défectueux.* ◆ **rallumer** v. tr. : *Rallumer la lampe du bureau.*

2. allumer [alyme] v. tr. 1° *Allumer quelque chose,* y mettre le feu : *Il allume une cigarette. Mettre des papiers et du petit bois dans la cheminée pour allumer des bûches* (syn. : ENFLAMMER). *Des campeurs imprudents ont allumé un incendie dans la forêt.* — 2° *Allumer la guerre,* la provoquer, la susciter (littér.). ◆ ***s'allumer*** v. pr. : *Du bois humide* *qui s'allume mal. La guerre s'est allumée en Afrique.* ◆ **rallumer** v. tr. : *Rallumer sa cigarette éteinte. La guerre se rallume dans le Sud-Est asiatique.* ◆ **allumage** n. m. 1° *L'allumage d'une pipe, d'un feu.* — 2° Dispositif assurant l'inflammation du mélange gazeux dans un moteur à explosion : *Avoir une panne d'allumage.* ◆ **allumette** n. f. Petite tige de bois imprégnée de matière inflammable par frottement : *Acheter une boîte d'allumettes. Craquer une allumette contre le frottoir.* ◆ **allumeur** n. m. Dispositif pour provoquer la déflagration d'une charge explosive. ◆ **allumeuse** n. f. *Fam.* Femme aguichante.

3. allumer (s') [salyme] v. pr. *Son regard s'allume,* ses yeux brillent (d'envie, de convoitise, etc.) [littér.].

allure [alyr] n. f. 1° *L'allure de quelqu'un, d'un animal, d'un véhicule,* la façon plus ou moins rapide qu'il a de se mouvoir, de marcher, d'agir : *L'allure rapide d'un cheval. Le peloton des coureurs maintint son allure jusqu'au terme de l'étape. L'allure des véhicules a été limitée à 30 km à l'heure dans l'agglomération. Le train traversa la gare à une allure réduite* (syn. : VITESSE). *Il a lu cette liste à toute allure* (= très vite, à toute vitesse). *A cette allure, vous n'aurez pas fini avant ce soir ce que je vous ai demandé.* — 2° (avec un qualificatif) Manière de marcher, de se conduire, de se présenter : *L'allure digne d'un professeur* (syn. : ATTITUDE). *Cet individu a une allure louche, une drôle d'allure* (syn. : AIR). *Prendre une allure désinvolte pour écouter une conversation. La plaie a une vilaine allure* (syn. : ASPECT). — 3° (sujet nom de personne) *Avoir de l'allure,* avoir de l'élégance et de la distinction : *Il a de l'allure sous l'uniforme;* (sujet nom de chose) sortir du commun, du banal : *Cette manière de refuser les faveurs avait de l'allure en comparaison des compromissions des autres.*

allusion [alyzjɔ̃] n. f. Mot, phrase, parole par lesquels on évoque l'idée de quelqu'un, de quelque chose sans en parler de manière précise : *Il ne saisit pas l'allusion voilée à ses opinions de jadis* (syn. : SOUS-ENTENDU). *A quoi faites-vous allusion? Il crut découvrir dans ces paroles vagues une allusion personnelle à sa situation difficile.* ◆ **allusif, ive** adj. Se dit de ce qui contient une allusion, de ce qui est présenté sous forme d'allusion : *Ses reproches étaient volontairement allusifs, car il était trop timide pour les faire d'une manière explicite.*

alluvions [alyvjɔ̃] n. f. pl. Dépôt fait des graviers, du sable, de la boue, etc., que laisse un cours d'eau lorsque sa vitesse ne lui permet plus de les emporter.

almanach [almana] n. m. Calendrier donnant les divisions de l'année, les fêtes, le cours de la Lune, et éventuellement d'autres notions diverses sur les sciences, les arts ou les lettres, ainsi que des conseils, généralement sous la forme de dictons, de récits, de recettes de cuisine, etc. : *Les almanachs sont beaucoup moins nombreux qu'ils ne l'étaient au XIXe siècle.*

aloi [alwa] n. m. *De bon, de mauvais aloi,* qui a une bonne ou une mauvaise réputation, une bonne ou une mauvaise qualité : *Dans ces réunions, il règne une gaieté de bon aloi. Faire une plaisanterie de mauvais aloi* (syn. : DE MAUVAIS GOÛT).

alors adv., **alors que** loc. conj. V. LORS, LORSQUE.

alouette [alwɛt] n. f. Petit oiseau à plumage brunâtre, très commun en France.

alourdir [alurdir] v. tr. *Alourdir quelque chose,* le rendre lourd, pesant : *Le manteau est alourdi par la pluie* (syn. : APPESANTIR). *La chaleur est étouffante; ma tête est alourdie. Le pas hésitant, alourdi d'un vieillard* (= pesant). *Ces nouvelles dépenses improductives alourdissent la charge de l'Etat. Les nombreuses parenthèses ont alourdi ses phrases.* ◆ ***s'alourdir*** v. pr. Devenir lourd : *Il grossissait, sa démarche s'alourdissait. Sa taille s'est alourdie* (syn. : S'ÉPAISSIR). *Il sentait que ses paupières s'alourdissaient et que le sommeil le gagnait.* ◆ **alourdissement** n. m. : *L'alourdissement des impôts* (syn. : AGGRAVATION, ↑ SURCHARGE).

alpaga [alpaga] n. m. Etoffe formée de laine fine.

alpage [alpaʒ] n. m. Prairie naturelle dans les hautes montagnes, au-dessus de la zone des forêts : *En été, les alpages servent de pâturages aux troupeaux.*

alpestre adj. V. ALPIN.

alphabet [alfabɛ] n. m. 1° Ensemble des signes graphiques servant à transcrire une langue, énumérés le plus souvent dans un ordre conventionnel : *L'alphabet latin est le plus communément utilisé, à côté de l'alphabet cyrillique* (*russe, bulgare*), *de l'alphabet grec,* etc. *Réciter son alphabet* (= prononcer la série conventionnelle des noms des lettres d'un alphabet). — 2° Nom donné parfois au premier livre de lecture où les enfants apprennent les lettres (syn. vieilli : ABÉCÉDAIRE). ◆ **alphabétique** adj. : *Index, répertoire, dictionnaire, table, catalogue alphabétique* (= selon l'ordre conventionnel des lettres). *Une liste établie par ordre alphabétique. Le français, le russe, le grec ont une écriture alphabétique* (= qui note chaque son par un signe graphique) *par opposition à l'écriture syllabique* (= où un signe transcrit une syllabe). ◆ **alphabétiser** v. tr. Apprendre à lire à un groupe socialement déterminé : *Alphabétiser les classes les plus pauvres de l'Algérie, de l'Inde.* ◆ **alphabétisation** n. f. : *L'alphabétisation est un des problèmes essentiels des pays sous-développés.* ◆ **analphabète** adj. et n. Qui ne sait ni lire ni écrire : *La diminution progressive du nombre des analphabètes.* ◆ **analphabétisme** n. m. : *Mener une campagne active contre l'analphabétisme.*

alpin, e [alpɛ̃, -in] adj. Relatif aux Alpes, aux montagnes. ◆ **alpinisme** [alpinism] n. m. Sport consistant à faire des ascensions en montagne. ◆ **alpiniste** n. : *Une cordée d'alpinistes.* ◆ **alpestre** [alpɛstr] adj. Relatif aux Alpes (terme géographique, touristique) : *Admirer les sites alpestres.*

altercation [altɛrkasjɔ̃] n. f. Querelle violente, soudaine, mais en général de peu de durée : *Une altercation s'éleva entre deux consommateurs, et l'on dut faire appel à la police* (syn. : ↓ DISPUTE, ↑ RIXE). *On entendait les bruits d'une altercation dans le bureau voisin* (syn. : QUERELLE, ↓ DISCUSSION).

alter ego [altɛrego] n. m. Personne en qui on a mis toute sa confiance et qu'on charge d'agir à sa place en toute circonstance : *Son secrétaire est en quelque sorte son alter ego; il connaît tous les détails de ses affaires.*

1. altérer [altere] v. tr. 1° *Altérer quelqu'un, un animal,* lui donner soif (souvent au passif) : *Cette* *longue marche sous le soleil nous a altérés* (syn. : ASSOIFFER). *Le promeneur altéré s'est assis à la terrasse d'un café.* — 2° *Tigre altéré de sang,* personne d'une cruauté sanguinaire (littér.). ◆ **désaltérer** v. tr. ou intr. *Désaltérer quelqu'un,* faire cesser sa soif : *Ce verre d'eau suffit à me désaltérer* (= à étancher ma soif). *Le café froid désaltère.* ◆ ***se désaltérer*** v. pr. Faire cesser sa soif en buvant : *Il descendit de sa bicyclette pour se désaltérer à la fontaine.*

2. altérer [altere] v. tr. *Altérer quelque chose,* en modifier l'état normal, provoquer un changement dans son aspect, dans sa valeur (en général pour aboutir à un état plus mauvais) : *L'humidité altère les plâtres du mur* (syn. : ABÎMER). *Ce témoignage altère gravement la vérité* (syn. : DÉGUISER, DÉFIGURER, DÉNATURER). *Le soleil altère les couleurs. Rien n'a pu altérer les sentiments que je lui porte* (syn. : AFFECTER). ◆ ***s'altérer*** v. pr. Devenir différent, changer en mal : *Sa santé s'est gravement altérée ces derniers mois* (= est compromise). *Sa physionomie s'altéra quand je lui fis part de cette nouvelle* (syn. : SE TROUBLER, ↑ SE DÉCOMPOSER). ◆ **altération** n. f. : *Le texte primitif a subi de graves altérations* (syn. : DÉFORMATION, DÉNATURATION). *L'altération des traits du visage* (syn. : ↑ BOULEVERSEMENT, DÉCOMPOSITION). ◆ **inaltérable** adj. Qui ne peut être altéré : *Un métal inaltérable* (syn. : INOXYDABLE). *Une peinture inaltérable. Notre amitié est restée inaltérable* (syn. : ↑ ÉTERNEL). *Il est d'une douceur inaltérable.*

alterner [altɛrne] v. tr. *Alterner des choses,* faire succéder régulièrement des choses opposées, de manière à varier : *Alterner les cultures pour éviter l'épuisement des sols. Il alternait les réflexions les plus profondes avec de simples boutades.* ◆ v. intr. Se succéder régulièrement : *Les périodes d'activité intense alternent avec de longs moments d'inaction. Ils alternent au volant de la voiture* (syn. : SE RELAYER, SE REMPLACER). ◆ **alterné, e** adj. : *Le mouvement alterné des rames.* ◆ **alternance** [altɛrnɑ̃s] n. f. Succession régulière : *L'alternance des pluies orageuses et des éclaircies continuera pendant toute la journée.* ◆ **alternatif, ive** adj. Qui se répète à des moments plus ou moins espacés; qui se reproduit avec plus ou moins de régularité : *Le mouvement alternatif du pendule. Courant alternatif* (= courant électrique qui change périodiquement de sens) [contr. : CONTINU]. ◆ **alternative** n. f. 1° Succession d'états qui reviennent plus ou moins régulièrement : *On passe par des alternatives de froid et de chaud. Des alternatives de violentes colères et de périodes d'abattement. On passait par des alternatives d'espoir insensé et de désespoir injustifié.* — 2° Choix entre deux partis possibles : *L'alternative offerte était également embarrassante. Je me trouve dans la fâcheuse alternative de refuser et de le blesser, ou d'accepter, ce qui est pour moi un surcroît d'ennuis* (syn. : DILEMME). *Le gouvernement est placé devant une alternative dangereuse. Il n'y a pas d'alternative : il faut continuer.* ◆ **alternativement** adv. : *La vice-présidence revient alternativement aux divers groupes de l'Assemblée* (syn. : À TOUR DE RÔLE).

altesse [altɛs] n. f. Titre d'honneur donné à un prince ou à une princesse : *Son Altesse la princesse X est venue passer huit jours à Paris.*

altier, ère [altje, -ɛr] adj. Qui montre un orgueil chatouilleux ou méprisant (littér.) : *Il est d'un caractère altier et il supporte mal la contradiction* (syn. : FIER, HAUTAIN; contr. : MODESTE).

altitude [altityd] n. f. Élévation, hauteur au-dessus du niveau de la mer (scientif. ou littér.) : *L'avion prend de l'altitude* (= monte), *perd de l'altitude* (= descend); *il est à l'altitude de 5 000 m. Le mont Blanc est à près de 5 000 m d'altitude. Le village n'est qu'à l'altitude de 300 m.*

alto [alto] n. m. Instrument à cordes, intermédiaire entre le violon et le violoncelle : *Les altos d'un orchestre.*

altruisme [altrɥism] n. m. Souci désintéressé du bien d'autrui (littér.) : *Faire preuve d'altruisme* (syn. : GÉNÉROSITÉ; contr. : ÉGOÏSME). ◆ **altruiste** adj. et n. : *Manifester des sentiments altruistes* (syn. : GÉNÉREUX; contr. : ÉGOÏSTE).

alunir [alynir] v. intr. Arriver sur la Lune : *La fusée passa à côté de la Lune, au lieu d'alunir.* ◆ **alunissage** n. m. : *L'alunissage de la fusée fut contrôlé depuis la Terre.*

alvéole [alveɔl] n. f. (plus rarement masc.). 1° Cellule d'une abeille : *Les alvéoles d'une ruche.* — 2° Toute cavité qui rappelle la forme de cette cellule : *L'alvéole d'une dent. Dans l'alvéole d'un rocher, il découvrit un superbe coquillage.*

amabilité n. f. V. AIMABLE 1.

amadouer [amadwe] v. tr. *Amadouer quelqu'un,* le rendre favorable par des flatteries ou une attitude adroite : *Il cherchait à amadouer la concierge par des amabilités de toutes sortes* (syn. : GAGNER). *J'ai été amadoué par son air modeste et réservé* (syn. : ↑ ENJÔLER).

amaigrir [amegrir] v. tr. Rendre maigre (surtout au passif) : *Il sortit de l'hôpital très amaigri. Ce long séjour dans les pays chauds l'avait considérablement amaigri.* ◆ ***s'amaigrir*** v. pr. Devenir maigre : *Il vieillit; ses joues s'amaigrissent, des rides apparaissent* (syn. : MAIGRIR). ◆ **amaigrissant, e** adj. : *Le régime amaigrissant qu'elle suit peut avoir des conséquences désastreuses pour sa santé.* ◆ **amaigrissement** n. m. : *En se pesant, il constata un amaigrissement inquiétant.*

amalgame [amalgam] n. m. Mélange d'éléments divers et souvent opposés dont on fait un tout : *Un extraordinaire amalgame de gens venus de tous les horizons* (syn. : RÉUNION, ASSEMBLAGE). ◆ **amalgamer** v. tr. : *Amalgamer sans critique des documents de nature diverse* (syn. : FONDRE, COMBINER).

amande [amɑ̃d] n. f. Graine comestible formant le fruit de l'arbre dit *amandier* : *Les amandes douces servent à la confection de gâteaux.* ◆ **amandier** n. m. : *Les amandiers fleurissent de bonne heure.*

amant [amɑ̃] n. m. Celui qui a des relations sexuelles avec une femme à qui il n'est pas marié (fém. : MAÎTRESSE) : *Elle a eu quelques amants de passage.*

amarre [amar] n. f. Câble servant à maintenir un bateau à un point fixe; corde servant à retenir des colis, des bagages, etc., à un endroit, à un objet : *Lancer une amarre sur le quai. Sous la tempête, le navire a rompu ses amarres et a heurté le quai avec violence. Le paquebot largue ses amarres* (= lâche les cordages pour quitter le quai). ◆ **amarrer** v. tr. Maintenir au moyen d'amarres : *Amarrer* *un navire à quai. Amarrer solidement une malle sur la galerie de la voiture* (syn. : ↓ ATTACHER, ARRIMER, FIXER).

amas [amɑ] n. m. Ensemble considérable et confus de choses accumulées, d'objets apportés successivement et mis en tas : *Il ne reste de la ville qu'un amas de ruines* (syn. : MONCEAU). *Il y a sur son bureau un amas de paperasses* (syn. : ENTASSEMENT, ACCUMULATION). *La voiture n'est plus qu'un amas de ferraille* (syn. : TAS). *Son livre est un amas de citations hétéroclites* (syn. : FATRAS). *Débiter un amas de sottises* (syn. : MASSE, QUANTITÉ). ◆ **amasser** [amase] v. tr. *Amasser des choses,* les réunir en un tout formant une masse importante : *Amasser des provisions* (syn. : METTRE EN RÉSERVE). *Amasser des livres* (syn. : ENTASSER, EMPILER). *Amasser sou à sou de l'argent pour acheter une maison* (syn. : ÉCONOMISER ; contr. : DILAPIDER, GASPILLER). *Il amasse des documents pour son nouveau film* (syn. : RAMASSER, RECUEILLIR). *Il a amassé dans sa tête une quantité d'anecdotes* (syn. : EMMAGASINER). ◆ ***s'amasser*** v. pr. S'entasser : *Les preuves s'amassent contre lui* (syn. : S'AMONCELER). *La foule s'amasse autour de l'agent de police* (syn. : SE GROUPER).

1. amateur [amatœr] adj. et n. m. 1° Se dit de quelqu'un qui s'intéresse à un art ou à une science pour son plaisir : *Quelques musiciens amateurs formaient l'orchestre. Il a dans le dessin un joli talent d'amateur.* — 2° Qui pratique un sport sans en faire une profession : *Un combat de boxe entre amateurs* (contr. : PROFESSIONNEL). *Le rugby est un sport d'amateurs. Une équipe amateur.* — 3° Se dit de quelqu'un qui manque de zèle ou de compétence dans ce qu'il fait (péjor.) : *Il n'a aucun sérieux; c'est un amateur sans talent. Travailler en amateur* (syn. : DILETTANTE, FANTAISISTE). ◆ **amateurisme** n. m. : *L'amateurisme est de règle dans l'athlétisme* (contr. : PROFESSIONNALISME). *On critique son amateurisme et sa paresse* (syn. : DILETTANTISME).

2. amateur [amatœr] adj. et n. m. *Amateur de quelque chose,* qui manifeste un certain désir de faire quelque chose, une certaine inclination pour quelque chose : *Y a-t-il pour ce soir des amateurs de concert? j'ai quelques billets gratuits. Grand amateur de cinéma, il est toutes les semaines au ciné-club. Elle n'est pas amateur de café.*

amazone [amazon] n. f. 1° Femme qui monte à cheval : *Au bois de Boulogne, on voit le matin des amazones bottées qui se rendent au manège.* — 2° *Monter en amazone,* monter un cheval en mettant les deux jambes du même côté.

ambages (sans) [sɑ̃zɑ̃baʒ] loc. adv. D'une manière franche et précise, directe : *Vous pouvez avoir confiance; exprimez-vous sans ambages* (syn. : SANS DÉTOURS, FRANCHEMENT).

ambassade [ɑ̃basad] n. f. 1° Représentation diplomatique d'un Etat auprès d'un autre; lieu où sont établis les bureaux de cette représentation : *Se rendre à une réception donnée à l'ambassade. Un secrétaire d'ambassade le reçut. Le quartier des ambassades, à Paris, est sur la rive gauche de la Seine.* — 2° *Aller, se rendre en ambassade auprès de quelqu'un,* venir auprès de lui chargé d'une mission. ◆ **ambassadeur, drice** n. 1° Représentant d'un Etat auprès d'une puissance étrangère (au fém., parfois femme d'un ambassadeur) : *Un échange d'ambassadeurs eut lieu entre l'Egypte et la France.* — 2° Personne chargée d'une mission, d'un message, qui représente d'une manière quelconque le pays d'où elle vient : *Dans leur tournée en Amérique du Sud, les comédiens ont été les ambassadeurs du théâtre français. Conférencier qui se fait l'ambassadeur de la pensée française.*

ambiant, e [ɑ̃bjɑ̃, -ɑ̃t] adj. Qui entoure de tous côtés le milieu dans lequel on vit : *L'air ambiant est surchauffé. La température ambiante est très douce. Il est difficile de résister à l'influence ambiante.* ◆ **ambiance** n. f. 1° Atmosphère qui existe autour d'une personne; réaction d'ensemble d'une assemblée : *Dès le début de son exposé, il sentit que l'ambiance était mauvaise, que les auditeurs étaient mal disposés* (syn. : ATMOSPHÈRE, CLIMAT). — 2° Humeur gaie, entrain joyeux : *Cette soirée manquait d'ambiance. Il y a une ambiance folle!*

ambidextre [ɑ̃bidɛkstr] adj. et n. Se dit de quelqu'un qui se sert également bien des deux mains (par oppos. au *droitier,* qui ordinairement se sert surtout de la main droite, et au *gaucher,* qui se sert surtout de la main gauche).

ambigu, ë [ɑ̃bigy] adj. Dont le sens n'est pas précis; qui laisse dans le doute, dans l'incertitude, volontairement ou non : *Je lui ai demandé s'il connaissait cette personne; il me répondit en termes ambigus* (syn. : ↑ SIBYLLIN). *Dans toute cette affaire, sa conduite est restée ambiguë* (syn. : INCERTAIN; contr. : NET). *Il y a dans son regard quelque chose d'ambigu, de trouble* (syn. : LOUCHE). ◆ **ambiguïté** [ɑ̃bigɥite] n. f. Défaut de ce qui n'est pas précis, net, franc; paroles, phrase, etc., dont l'interprétation est incertaine : *L'ambiguïté de sa réponse nous a laissés perplexes. Parlez sans ambiguïté* (syn. : OBSCURITÉ; contr. : CLARTÉ).

ambition [ɑ̃bisjɔ̃] n. f. 1° (sans compl.) Désir ardent de gloire, d'honneurs, de faveurs, de tout ce qui élève socialement, intellectuellement, etc. : *Un homme dévoré d'ambition. Son ambition est insatiable. Il avait pour ses enfants des ambitions élevées* (syn. : PRÉTENTION, VISÉE). — 2° *L'ambition de quelque chose,* le désir ardent de le posséder, d'y parvenir : *Sa seule ambition est d'avoir une retraite confortable à soixante ans* (syn. : DÉSIR, BUT). *Il met son ambition à réaliser parfaitement ce dont il est chargé.* ◆ **ambitionner** v. tr. *Ambitionner une chose,* la rechercher avec ardeur, parce qu'on la juge supérieure, avantageuse : *Il ambitionne une nomination au Conseil d'Etat* (syn. : VISER À). *J'ambitionne l'honneur de travailler avec vous* (syn. : ASPIRER À). ◆ **ambitieux, euse** adj. et n. Qui témoigne du désir d'obtenir ce qui est jugé supérieur; qui vise à dépasser ce qui est habituel : *Cet ambitieux a tout sacrifié pour de vains honneurs* (syn. : ARRIVISTE; contr. : MODESTE). ◆ adj. Qui cherche à éblouir; qui témoigne d'une prétention excessive : *Parler de génie est bien ambitieux dans son cas* (syn. : PRÉTENTIEUX). ◆ **ambitieusement** adv.

ambre [ɑ̃br] n. m. Substance parfumée fournie par le cachalot (*ambre gris*), ou résine fossile (*ambre jaune*). ◆ **ambré, e** adj. 1° *Eau de toilette, savon,* etc., *ambré,* qui a le parfum de l'ambre gris. — 2° *Visage, teint ambré,* syn. littér. et rare de BRONZÉ (couleur de l'ambre jaune).

ambulance [ɑ̃bylɑ̃s] n. f. Voiture destinée au transport des malades ou des blessés dans les hôpitaux ou les cliniques. ◆ **ambulancier, ère** n. Conducteur, conductrice d'une ambulance : *Un blessé porté sur une civière par l'ambulancier et l'infirmier.*

ambulant, e [ɑ̃bylɑ̃, -ɑ̃t] adj. *Comédiens ambulants,* troupe qui donne des représentations de ville en ville, aux diverses étapes de sa tournée. ‖ *Marchand ambulant,* qui transporte avec lui une marchandise qu'il vend en allant d'un lieu à un autre, à l'intérieur d'une commune (syn. : COLPORTEUR). ‖ *C'est un cadavre ambulant,* désigne une personne maigre, dont l'état maladif peut laisser prévoir une fin prochaine (style de la conversation). ‖ *Vente ambulante,* vente (dans le train) de boissons, fruits, sandwiches. ◆ **ambulant** n. m. Employé des P. T. T. qui effectue le tri dans un wagon-poste (dit *bureau ambulant*).

âme [ɑm] n. f. 1° Sur le plan religieux, principe d'existence, de pensée, de vie (souvent opposé au corps) : *Croire en l'immortalité de l'âme. Que Dieu ait son âme! La séparation de l'âme et du corps au moment de la mort.* — 2° Personne vivante (langue soutenue et ordinairement au plur.) : *Un village de trois cents âmes* (syn. : HABITANT). *Avoir charge d'âmes* (= être responsable de la vie ou du salut d'un certain nombre de personnes). — 3° Individu considéré sur le plan des qualités intellectuelles ou morales, des sentiments ou des passions : *Une âme faible, basse, vile. Avoir une âme généreuse* (syn. : ESPRIT, CŒUR). *Une âme sœur* (= une personne qui a les mêmes goûts, les mêmes sentiments). *Aimer de toute son âme. Etre l'âme damnée de quelqu'un* (= lui inspirer de mauvaises actions; syn. : MAUVAIS ANGE). *Les bonnes âmes ont été scandalisées de son cynisme* (= personnes compatissantes, vertueuses). *Il est comme une âme en peine* (= il ne sait comment s'occuper ou tromper son inquiétude). — 4° Personne qui anime : *Etre l'âme d'un parti* (syn. : ANIMATEUR, CHEVILLE OUVRIÈRE). *L'âme d'un peuple, d'une nation. Il a une âme de pionnier.* — 5° *Dans l'âme,* d'une manière essentielle : *Il est joueur dans l'âme.* ‖ *En son âme et conscience,* en toute honnêteté, pureté de sentiments; en se laissant guider par la seule justice. ‖ *Jusqu'au fond de l'âme,* profondément : *Etre ému jusqu'au fond de l'âme.* ‖ *Rendre l'âme,* mourir (littér.). ‖ *Sur mon âme!,* formule de serment (littér.). ‖ *Etat d'âme,* impression ressentie, sentiment éprouvé (littér.) : *Quel a pu être son état d'âme en écoutant une pareille déclaration!* ‖ *La mort dans l'âme,* malgré soi, le cœur navré : *Obéir la mort dans l'âme.* ‖ *Corps et âme,* entièrement : *Il se livra à cette tâche corps et âme.* ‖ *Corps sans âme,* personne désemparée. ‖ Fam. *Avoir du vague à l'âme,* être mélancolique.

améliorer [ameljɔre] v. tr. *Améliorer quelqu'un, quelque chose,* le rendre meilleur : *Améliorer le rendement d'une terre par des engrais. L'augmentation des salaires a amélioré le sort des mineurs* (contr. : AGGRAVER). *Améliorer les circuits de distribution* (syn. : PERFECTIONNER). ◆ ***s'améliorer*** v. pr. Devenir meilleur : *Le climat international s'est amélioré ces dernières semaines* (contr. : SE DÉTÉRIORER). *Son caractère ne s'améliore guère. Ma santé ne s'est pas améliorée* (syn. : ALLER MIEUX). ◆ **amélioration** n. f. : *L'amélioration des rapports entre les deux Etats a amené une détente générale. Les améliorations apportées à l'immeuble en ont augmenté la valeur* (syn. : EMBELLISSEMENT; contr. : DÉGRADATION).

amen [amɛn] n. m. invar. Fam. *Dire amen,* marquer par son attitude ou ses paroles que l'on approuve entièrement ce qui est dit ou fait : *Il ne sait que dire amen à tout ce qui est proposé.* (*Amen* est le mot par lequel les chrétiens terminent une prière.)

aménager [amenaʒe] v. tr. *Aménager quelque chose,* le disposer pour son usage personnel, de manière qu'il puisse être bien utilisé : *Il a fini d'aménager son appartement* (syn. : ARRANGER). *Aménager une chambre de bonne* (= y mettre le confort nécessaire, la rendre habitable). ◆ **aménagement** n. m. : *L'aménagement du territoire. Il demanda quelques aménagements fiscaux* (syn. : ALLÉGEMENT). *J'ai été voir les nouveaux aménagements du musée du Louvre* (syn. : ARRANGEMENT).

amende [amɑ̃d] n. f. 1° Peine pécuniaire édictée par la loi en matière civile, pénale ou fiscale : *Etre condamné à un an de prison et à 500 francs d'amende. Payer une amende.* — 2° *Etre mis à l'amende, être à l'amende,* se voir infliger une petite punition pour une légère infraction aux règles d'une société dont on fait librement partie : *Il était convenu que nous ne parlerions pas de notre travail ce soir; tu seras à l'amende pour l'avoir fait.* ‖ *Faire amende honorable,* reconnaître publiquement ses torts devant un supérieur, une autorité, etc., et s'en excuser.

1. amender [amɑ̃de] v. tr. *Amender un texte législatif,* le modifier lorsqu'il est soumis à l'approbation d'une assemblée disposant de pouvoirs législatifs : *Essayer d'amender une loi par une série d'additifs. L'Assemblée amenda la loi en votant certaines des modifications proposées par l'opposition.* ◆ **amendement** n. m. : *Les amendements déposés sur le bureau de l'Assemblée furent combattus par le gouvernement et rejetés. La discussion des amendements se poursuivit au cours d'une séance de nuit.*

2. amender [amɑ̃de] v. tr. *Amender quelqu'un, quelque chose,* le faire devenir meilleur : *La prison ne l'a guère amendé; il vit toujours de vols et d'escroqueries. Amender une terre par des engrais.* ◆ ***s'amender*** v. pr. (sujet nom de personne). Devenir meilleur (langue soutenue) : *Cet élève dissipé et paresseux s'est sérieusement amendé au cours du dernier trimestre* (syn. : SE CORRIGER, S'AMÉLIORER).

amène [amɛn] adj. (*Paroles*) *amènes,* courtoises et aimables (souvent ironiq. pour désigner des propos en désaccord avec les sentiments) : *Chaque fois qu'ils se rencontraient, ils échangeaient quelques propos amènes.* ◆ **aménité** [amenite] n. f. *Sans aménité,* sans courtoisie ni amabilité (langue soignée) : *Il traitait ses subordonnés sans aménité* (syn. : AVEC DURETÉ, RUDESSE). ‖ (*Se dire des*) *aménités,* échanger des paroles blessantes (par ironie) : *Elles ne pouvaient se voir sans se dire des aménités.*

amener [amne] v. tr. (conj. **9**). 1° (sujet nom de personne) *Amener quelqu'un,* le faire venir avec soi : *Il nous amènera ce soir au théâtre* (syn. : EMMENER). *Le proviseur fit amener devant lui l'élève pour le féliciter* (= faire venir). *Délivrer un mandat d'amener* (= ordre d'arrestation). — 2° *Amener quelque chose, quelqu'un,* le porter jusqu'à un endroit : *Le train amène le charbon à Paris* (syn. : ACHEMINER). *Le pétrole est amené par des conduits jusqu'à la raffinerie. Le taxi vous amènera directement à la gare* (syn. : CONDUIRE). *Amène le journal que j'ai laissé dans le bureau* (fam.; syn. : APPORTER, langue soignée). — 3° Préparer : *Cette comparaison a été bien amenée* (syn. : PRÉSENTER). — 4° Tirer à soi : *Amener une truite de plusieurs livres.* — 5° Faire descendre : *Amener les couleurs* (= le drapeau). *Amener une embarcation à la mer.* — 6° (sujet nom de chose) Avoir pour conséquence : *La vitesse des voitures et la maladresse des conducteurs amènent de nombreux accidents* (syn. : CAUSER, PROVOQUER). — 7° *Amener quelqu'un à (faire),* le pousser à (faire) : *Les circonstances nouvelles ont amené le gouvernement à reprendre les négociations* (syn. : ENGAGER). *Il a été amené peu à peu à modifier sa manière de penser* (contr. : DÉTOURNER DE). — 8° *Amener une personne, une chose à un but,* les diriger vers ce but, les y conduire : *J'ai été amené à cette opinion par divers témoignages* (syn. : ENTRAÎNER). *La technique a été amenée à un haut degré de perfectionnement* (syn. : PORTER, POUSSER). — 9° *Amener la conversation sur un sujet,* la faire venir sur ce sujet. ◆ ***s'amener*** v. pr. *Pop.* Venir : *Il s'est amené très tard à la réunion. Amène-toi : le déjeuner est servi.*

amenuiser [amənɥize] v. tr. 1° *Amenuiser quelque chose,* le rendre ou le faire paraître plus petit, moins important (emploi restreint) : *Chaque jour qui s'écoule amenuise les chances de réussite* (syn. : DIMINUER, RÉDUIRE). — 2° *Amenuiser une planche* (technol.), l'amincir. ◆ ***s'amenuiser*** v. pr. Devenir plus petit : *Les recettes s'amenuisent. L'espoir de le retrouver vivant s'amenuise peu à peu* (syn. : DIMINUER ; contr. : S'ACCROÎTRE). ◆ **amenuisement** n. m. : *L'amenuisement progressif du rendement d'une taxe* (syn. : DIMINUTION).

amer, ère [amɛr] adj. 1° (après le nom) Désagréable et rude au goût : *Des prunelles amères* (syn. : ÂPRE). *Cette orange n'est pas sucrée; j'en ai la bouche amère.* — 2° (parfois avant le nom) Se dit de quelque chose dont la brutalité, la dureté apporte de la douleur, de la peine : *Il a subi une amère déconvenue* (syn. : CRUEL, DOULOUREUX). *En voyant son nouvel échec, il eut un rictus amer* (syn. : SARCASTIQUE). *Il m'adressa d'amers reproches* (syn. : DUR). *La réalité est amère* (syn. : PÉNIBLE ; contr. : DOUX). ◆ **amèrement** adv. (sens 2 de l'adj.) : *Je regrette amèrement de lui avoir fait confiance* (syn. : BEAUCOUP, VIVEMENT). *Pleurer amèrement sur sa jeunesse perdue* (syn. : ÂPREMENT). ◆ **amertume** [amɛrtym] n. f. : *Mettez davantage de sucre pour atténuer l'amertume du café. Cette séparation lui causa une grande amertume* (syn. : TRISTESSE, DÉCEPTION). *Il constatait avec amertume l'ingratitude de son protégé.*

américain, e [amerikɛ̃, -ɛn] adj. et n. 1° D'Amérique, et, le plus souvent, des Etats-Unis d'Amérique : *Les touristes américains sont venus en foule cette année en Italie. Conversations diplomatiques entre Américains et Anglais. Un Américain du Sud* (ou *Sud-Américain*), *du Nord* (ou *Nord-Américain*). — 2° Fam. *Avoir l'œil américain,* être vigilant, observateur. ‖ *Enchères à l'américaine,* celles qui permettent l'acquisition de l'objet par le dernier enchérisseur et non par le plus fort enchérisseur : *Les enchères à l'américaine sont sorties des règles du jeu de poker.* ◆ n. m. Parler anglais des Etats-Unis : *L'américain se distingue de l'anglais par son système phonétique et par certaines particularités morphologiques et lexicales.* ◆ **américaniser** v. tr. Marquer du caractère américain, des mœurs américaines : *L'influence économique des Etats-Unis a américanisé le comportement des hommes d'affaires de l'Europe occidentale.* ◆ **américanisation** n. f. : *L'américanisation progressive des grandes villes européennes.* ◆ **américanisme** n. m. 1° Particularité linguistique de l'anglais d'Amérique. — 2° Penchant à imiter la conduite et les manières des Américains du Nord.

amerrir [amerir] v. intr. (sujet nom désignant un avion, un hydravion, etc.). Se poser à la surface de l'eau : *Les hydravions pouvaient amerrir sur l'étang de Berre.* ◆ **amerrissage** n. m. : *L'avion fut contraint à un amerrissage forcé près de la côte.*

ameublement [amœbləmɑ̃] n. m. Ensemble des meubles qui garnissent une maison, un appartement, une pièce : *Le commerce d'ameublement* (syn. : LES MEUBLES). *Acheter un tissu d'ameublement pour recouvrir ses fauteuils* (= destiné aux meubles, à la décoration). *J'admirais l'ameublement Louis XV du château* (syn. : LE MOBILIER). *L'ameublement de la chambre se réduisait à un lit et à une chaise.*

ameuter [amøte] v. tr. *Ameuter des gens,* les rassembler en foule, dans l'intention de provoquer des désordres ou de les exciter contre quelqu'un, attirer leur attention en provoquant un émoi : *Les cris ameutèrent les passants. Il ameutait tout le voisinage par ses querelles continuelles. On ameutait le peuple contre les accapareurs* (syn. : SOULEVER). ◆ ***s'ameuter*** v. pr. Se rassembler en masse : *La foule s'est ameutée pour empêcher cette arrestation* (syn. : ATTROUPER, ↑ DÉCHAÎNER). ◆ **rameuter** v. tr. : *Rameuter une foule de manifestants qui commençaient à se disperser. Rameuter des partisans en vue de faire face à une nouvelle attaque* (syn. : REGROUPER).

ami, e [ami] n. 1° Personne avec qui on est lié par un sentiment d'affection, de cordialité (distinct de l'amour), par une affinité de sentiments : *On compte ses amis dans les jours d'épreuve. Je vous parle en ami. Il vient en ami, non en adversaire. Ce sont de grands amis, des amis intimes. Vous êtes l'ami de la maison, de la famille. Retrouver un ami d'enfance, de collège ou de régiment* (syn. : CAMARADE ; fam. : COPAIN). ‖ *Mon ami,* interpellation familière (ironiq. dans *mon petit ami*). — 2° Celui, celle qui aime d'amour une autre personne (l'amant ou la maîtresse) : *Elle vit avec un ami qui est contremaître dans une usine. Il a une petite amie.* — 3° Personne portée vers quelque chose par un goût assez vif, une passion : *C'est un ami sincère de la justice. Il a fondé une société des amis de la musique.* ◆ adj. 1° Lié par l'affection, la tendresse, les goûts, les intérêts, etc. : *Je suis très ami avec son père. Il est ami de la précision. Les peuples amis* (syn. : ALLIÉ). — 2° Se dit d'une attitude, d'un geste, d'un comportement, etc., qui témoigne ou annonce de l'affection, qui est accueillant : *Il a été aidé par une main amie et secourable. Il est agréable de se trouver au milieu de visages amis. Etre reçu dans une maison amie.* ◆ **amical, e, aux** adj. (avant ou après le nom). 1° Se dit d'une attitude, d'une conduite inspirée par un sentiment d'amitié : *Il nous adresse ses amicales pensées* (syn. : CORDIAL). *Je lui fis quelques reproches amicaux* (contr. : MALVEILLANT). — 2° Se dit de quelqu'un qui montre de l'affection : *Il se montra fort amical au cours de l'entrevue* (contr. : HOSTILE). ◆ **amicale** n. f. Association de personnes d'un même établissement, d'une même profession, d'une même activité. ◆ **amicalement** adv. : *J'ai répondu amicalement à ses demandes*

(= avec amitié). ◆ **inamical, e, aux** adj. Contr. de *amical* : *Cela constitue de votre part un geste inamical* (syn. : HOSTILE). ◆ **amitié** [amitje] n. f. Sentiment d'affection entre deux êtres : *Ils ont lié entre eux une solide amitié* (contr. : INIMITIÉ, HOSTILITÉ). *Le directeur de l'école l'a pris en amitié et s'efforce de l'encourager. Fais-nous l'amitié de venir dîner à la maison. Il nous a fait mille amitiés* (= nous a donné des marques d'affection).

amiable [amjabl] adj. Se dit de quelque chose qui concilie des intérêts opposés sans intervention de la justice : *Un accord amiable fut conclu, qui mit fin à leurs différends.* ● LOC. ADV. *A l'amiable*, par consentement mutuel : *Le partage de la succession se fit à l'amiable.*

amidon [amidɔ̃] n. m. Substance de réserve dans les plantes, ou substance synthétique qui a les mêmes propriétés, et dont on se sert pour l'alimentation, la pharmacie, etc. : *L'amidon est utilisé pour empeser le linge.* ◆ **amidonner** [amidɔne] v. tr. : *La blanchisseuse amidonne les cols de chemise* (syn. : EMPESER). ◆ **amidonnage** n. m. : *L'amidonnage des chemises.*

amincir [amɛ̃sir] v. tr. 1° Diminuer l'épaisseur de quelque chose, la grosseur de quelqu'un : *Amincir une planche en la rabotant. Amincir la lame d'un couteau. Elle a suivi un régime sévère pour amincir sa taille. Sa figure est tout amincie par la maladie.* — 2° Faire paraître moins épais : *Cette robe l'amincit.* ◆ ***s'amincir*** v. pr. Devenir moins épais, moins gros : *Le tissu s'est aminci à l'endroit du frottement.* ◆ **amincissement** n. m. : *L'amincissement d'une planche au rabot. L'amincissement de la taille* (contr. : ÉPAISSISSEMENT).

amiral [amiral] n. m. Officier général de la marine militaire : *Le grade d'amiral correspond à celui de général d'armée.* (V. GRADE.) ◆ **contre-amiral** n. m. : *Le grade de contre-amiral correspond à celui de général de brigade.* ◆ **vice-amiral** n. m. : *Le grade de vice-amiral correspond à celui de général de division ou de corps d'armée.*

amnésie [amnezi] n. f. Perte totale ou partielle de la mémoire. ◆ **amnésique** adj. et n. : *Il est devenu amnésique à la suite d'un accident.*

amnistie [amnisti] n. f. Acte du pouvoir décidant de supprimer un fait punissable et, en conséquence, d'effacer les condamnations antérieures ou d'empêcher les poursuites : *Les lois d'amnistie, votées en France par le pouvoir législatif, se distinguent de la grâce, qui dépend de la présidence de la République.* ◆ **amnistier** v. tr. Faire bénéficier de l'amnistie : *Les participants à la Commune furent amnistiés neuf ans après les événements. Amnistier les faits de collaboration avec l'ennemi.*

amocher [amɔʃe] v. tr. Syn. pop. de ABÎMER : *J'ai amoché l'aile de la voiture contre la porte du garage* (syn. fam. : ESQUINTER). *Un coup de poing lui avait amoché la figure* (= défiguré). *Il s'est fait bien amocher dans cet accident* (syn. : BLESSER).

amoindrir [amwɛ̃drir] v. tr. *Amoindrir quelqu'un, quelque chose,* diminuer sa force ou sa valeur : *Cette maladie a amoindri sa résistance physique* (contr. : ACCROÎTRE). *Le goût du jeu avait sérieusement amoindri son petit capital* (syn. : ENTAMER, RÉDUIRE). *Ses échecs avaient amoindri son autorité* (syn. : DIMINUER ; contr. : RENFORCER). ◆ ***s'amoindrir*** v. pr. Perdre de sa force ou de sa valeur : *Ses forces s'amoindrissent peu à peu; il ne se lève plus qu'une heure par jour* (syn. : DÉCROÎTRE). ◆ **amoindrissement** n. m. : *L'amoindrissement de ses facultés était sensible pour tout son entourage* (syn. : AFFAIBLISSEMENT).

amollir [amɔlir] v. tr. *Amollir quelqu'un, quelque chose,* le rendre mou : *La chaleur amollit le bitume de la route. L'inactivité avait amolli son énergie* (syn. : AFFAIBLIR ; contr. : FORTIFIER). ◆ ***s'amollir*** v. pr. Devenir mou : *Sous le coup de la fatigue et de l'émotion, il sentit ses jambes s'amollir. Sa volonté s'était amollie avec l'âge* (syn. : S'ÉMOUSSER). ◆ **amollissant, e** adj. : *Un climat amollissant, chaud et humide* (contr. : TONIQUE). ◆ **amollissement** n. m. : *Il y avait chez lui un amollissement général de toutes les facultés* (syn. : AFFAIBLISSEMENT). ◆ **ramollir** v. tr., ***se ramollir*** v. pr. Syn. usuels de AMOLLIR, S'AMOLLIR : *Le sol est ramolli par les pluies. Son courage s'est ramolli avec les années. Il est ramolli* (fam.) [= il a baissé intellectuellement]. ◆ **ramollissement** n. m. *Ramollissement cérébral, du cerveau,* altération des tissus du cerveau, provoquant une diminution progressive des qualités intellectuelles (syn. : GÂTISME).

amonceler [amɔ̃sle] v. tr. (conj. 6). *Amonceler des objets, des choses,* les mettre en tas, les réunir en grand nombre : *On amoncelait les bottes de paille dans la grange. Il amoncelle les documents* (syn. : AMASSER ; contr. : DISPERSER, ÉPARPILLER). ◆ ***s'amonceler*** v. pr. (sujet nom de chose). Former un tas, un ensemble important : *Les livres s'amoncellent sur sa table* (syn. : S'ENTASSER). *Les preuves s'amoncellent; aucun doute n'est plus possible sur sa culpabilité* (syn. : S'ACCUMULER). ◆ **amoncellement** [amɔ̃sɛlmɑ̃] n. m. : *Des amoncellements de rochers descendent vers la mer* (syn. : ENTASSEMENT).

amont [amɔ̃] n. m. Partie d'un cours d'eau comprise entre un point déterminé et sa source; partie d'une voie de chemin de fer entre un lieu et un autre d'où les trains viennent (contr. : AVAL). — Utilisé surtout dans la loc. adv. *en amont* et dans la loc. prép. *en amont de* (plus près de la source par rapport à un point fixé) : *Allez pêcher plus en amont, vous trouverez des truites. Paris est en amont des Andelys sur la Seine.*

amoral, e, aux adj. V. MORAL.

1. amorce [amɔrs] n. f. Ce qui est utilisé pour attirer les poissons (mouche, ver de terre, etc.) : *Le pêcheur mit un ver comme amorce.* ◆ **amorcer** v. tr. et intr. Attirer avec une amorce; mettre une amorce : *Il prend une mouche et amorce son hameçon. Le pêcheur amorce la veille dans le trou de la rivière, près d'un saule* (syn. : APPÂTER).

2. amorce [amɔrs] n. f. Ce qui est tout au début, au commencement; phase initiale : *Cette visite de l'ambassadeur au ministère des Affaires étrangères est une amorce de négociation entre les deux États.* ◆ **amorcer** v. tr. *Amorcer quelque chose,* commencer à l'effectuer, à le réaliser, à le faire : *Il amorça de très loin le virage afin de perdre le moins possible de vitesse. Les entretiens diplomatiques amorcent la réconciliation entre les deux pays. J'amorçais un geste de refus* (syn. : ÉBAUCHER, ESQUISSER). ◆ ***s'amorcer*** v. pr. Commencer : *Une très dure montée s'amorce à la sortie du village* (syn. : DÉBUTER).

3. amorce [amɔrs] n. f. 1° Ce qui sert à produire l'explosion d'une charge de poudre : *Le percuteur* *frappe l'amorce de la cartouche.* — 2° Petite quantité de poudre enfermée dans du papier et qui donne une légère explosion quand on la frappe : *Des enfants qui jouent avec des pistolets à amorces.* ◆ **amorcer** v. tr. Munir d'une amorce : *L'obus est encore amorcé, il y a danger d'explosion.* ◆ **amorçage** n. m. ◆ **désamorcer** v. tr. Oter l'amorce : *Les soldats désamorcèrent la mine.* ◆ **désamorçage** n. m. ◆ **réamorcer** v. tr.

amorphe [amɔrf] adj. Se dit de quelqu'un (ou de son esprit) qui a un caractère mou, qui n'a pas de personnalité accusée ni de réactions promptes ou énergiques : *C'est un garçon bien gentil, mais qui reste amorphe en classe* (syn. : INDOLENT, ATONE ; contr. : VIF). *Un être amorphe, sans volonté, qui accepte toutes les rebuffades* (syn. : APATHIQUE, MOU ; contr. : ÉNERGIQUE).

1. amortir [amɔrtir] v. tr. *Amortir quelque chose,* en affaiblir l'effet, la force, la violence : *Son épaisse chevelure a amorti le coup. Le tapis amortit le bruit des pas* (contr. : AUGMENTER, AMPLIFIER). *Le freinage brusque amortit la violence du choc* (syn. : ATTÉNUER). *La sympathie de ses amis amortit un peu la douleur que lui causa cette mauvaise nouvelle* (syn. : APAISER, CALMER). ◆ ***s'amortir*** v. pr. Devenir plus faible : *Avec le temps, son ressentiment s'est amorti* (syn. : S'ÉMOUSSER).

2. amortir [amɔrtir] v. tr. **1°** *Amortir une dette,* la rembourser. — **2°** *Amortir quelque chose,* reconstituer progressivement le capital en se remboursant des sommes avancées pour l'achat d'un outillage, d'une voiture, etc., par l'usage qui en est fait : *Vous amortirez rapidement l'achat d'une machine à laver en diminuant vos frais de blanchissage. Un représentant de commerce amortit rapidement sa voiture.* ◆ **amortissement** n. m. : *L'amortissement de la dette nationale. L'amortissement de son appartement lui demandera de nombreuses années.*

amour [amur] n. m. **1°** Elan physique ou sentimental qui porte un sexe vers l'autre, un être humain vers un autre : *Elle lui inspire un amour violent* (syn. : PASSION). *Il lui fit sa déclaration d'amour. Les plaisirs de l'amour. Faire l'amour* (= accomplir l'acte sexuel, langue pop.). *Filer le parfait amour* (= avoir une liaison sans nuages, aimer sans que s'élève une querelle). *L'amour platonique s'interdit la possession de l'être aimé. L'amour libre n'est sanctionné par aucune cérémonie religieuse ou civile.* — **2°** Dévotion d'un être humain envers une personne, une divinité, etc. : *L'amour de Dieu.* — **3°** Goût vif pour quelque chose : *L'amour de la paix, de la musique, de la liberté, de la patrie.* — **4°** Liaison existant entre deux êtres : *Se souvenir avec mélancolie de ses amours de jeunesse.* — **5°** Personne aimée (dans les interpellations) : *Mon amour, notre séparation m'est cruelle.* — **6°** Représentation du dieu mythologique symbolisant l'amour : *De petits Amours joufflus ornaient le plafond de la salle.* — **7°** Fam. *Un amour de* (et un substantif) équivaut à un superlatif de JOLI, BEAU, ADORABLE, etc. : *C'est un amour d'enfant. Elle porte un amour de petit chapeau.* ‖ *Pour l'amour de* (suivi d'un nom de personne ou de chose), par considération pour : *Ne faites pas cela, pour l'amour de vos enfants!* (syn. : PAR ÉGARD POUR, À CAUSE DE). ‖ *Pour l'amour de Dieu!,* interj. suppliante appelant la pitié. (REM. *Amour* n'est fém., au plur., que dans la langue littéraire soutenue.) ◆ **amour-propre** n. m. Opinion avantageuse que l'on a de soi-même et que l'on souhaite donner aux autres : *Une blessure d'amour-propre* (= une vexation, une humiliation). *Il faut piquer son amour-propre pour obtenir de lui quelque résultat* (syn. : FIERTÉ). *Il n'a aucun amour-propre et se moque de l'opinion d'autrui* (syn. : DIGNITÉ). ◆ **amouracher (s')** [samuraʃe] v. pr. *S'amouracher de quelqu'un,* avoir pour lui une passion soudaine et passagère : *Il s'est amouraché de sa secrétaire* (syn. : S'ÉPRENDRE). *Elle s'est amourachée de ce grand dadais* (syn. fam. : SE TOQUER). ◆ **amourette** [amurɛt] n. f. Amour sans conséquence : *Perdre son temps en amourettes fugitives* (syn. : FLIRT). ◆ **amoureux, euse** [amurø, øz] adj. et n. Qui éprouve de l'amour pour quelqu'un ; qui est passionné pour quelque chose : *Il est follement amoureux d'une jeune fille rencontrée au bal* (syn. : ÉPRIS). *Il est tombé amoureux. Il est amoureux de sa collection de timbres. Je suis amoureux de belle peinture* (syn. : ↓ AMATEUR). *C'est son amoureux du moment* (= celui qui lui fait la cour). *Un amoureux transi* (= qui fait sa cour avec timidité et réserve). ◆ **amoureusement** adv. : *Il regarde amoureusement sa fiancée* (= avec amour). ◆ **énamouré, e** [enamure] ou **enamouré, e** [ɑ̃] adj. Amoureux (littér.). [V. AIMER.]

amovible [amɔvibl] adj. **1°** Se dit d'une chose qui peut être enlevée de la place où elle se trouve, qui peut être séparée d'une autre : *La doublure amovible d'un imperméable. La jante amovible d'une roue.* — **2°** Se dit d'un fonctionnaire qui peut être muté ou destitué : *Les titulaires de leur emploi ne sont pas amovibles.* ◆ **inamovible** adj. : *Certains magistrats sont inamovibles* (= ne peuvent être destitués ou déplacés).

amphibie [ɑ̃fibi] adj. **1°** *Animal amphibie,* qui peut vivre soit à l'air, soit dans l'eau : *Les crabes et les grenouilles sont amphibies.* — **2°** *Véhicule amphibie,* qui peut être utilisé sur terre ou sur l'eau, selon les besoins : *Le bataillon passa la rivière avec ses chars amphibies. Une voiture amphibie est capable d'aller sur tous terrains.*

amphithéâtre [ɑ̃fiteɑtr] n. m. **1°** Dans une faculté ou une école, grande salle garnie de gradins où les professeurs donnent leurs cours, et, en particulier, où les professeurs de sciences font leurs démonstrations : *Les salles de sciences des lycées sont souvent des amphithéâtres. Les amphithéâtres Turgot, Richelieu, Descartes, à la Sorbonne.* — **2°** *En amphithéâtre,* qui présente la forme d'un vaste plan circulaire, avec un étagement de gradins : *Collines qui s'élèvent en amphithéâtre autour de la ville.* (L'*amphithéâtre* était, à Rome, un édifice circulaire à gradins où avaient lieu les jeux.)

ample [ɑ̃pl] adj. (après ou plus souvent avant le nom). **1°** D'une largeur, d'une quantité, d'une surface, d'une importance qui dépasse de beaucoup la moyenne : *Un manteau avec d'amples manches flottantes* (syn. : GRAND). *Elle portait une jupe ample* (contr. : ÉTROIT). *Les mouvements amples d'une valse lente. Sa voix ample et grave dominait l'auditoire* (syn. : SONORE). *Faire une ample provision de souvenirs pendant un voyage* (syn. : LARGE ; contr. : MINCE, MAIGRE). *Il a des vues amples et souvent profondes* (syn. : VASTE ; contr. : ÉTRIQUÉ). — **2°** *Jusqu'à plus ample informé,* jusqu'à ce qu'on ait recueilli plus d'informations. ◆ **amplement** adv. : *Il gagne amplement sa vie* (syn. : ↓ BIEN). *C'est amplement suffisant* (syn. : GRANDEMENT). *Il a amplement satisfait à toutes les épreuves* (syn. : LARGEMENT). *Je vous écrirai plus amplement la semaine prochaine* (syn. : LONGUEMENT). ◆ **ampleur** n. f. : *Le veston manque d'ampleur aux épaules* (syn. : LARGEUR). *L'ampleur des moyens mis en œuvre permet d'espérer un prompt succès* (syn. : MASSE). *Manifestation d'une ampleur exceptionnelle* (syn. : IMPORTANCE). *L'ampleur des dégâts causés par l'incendie. L'ampleur de ses informations nous a surpris* (syn. : ÉTENDUE). *On ne peut mesurer encore l'ampleur de la crise* (syn. : DÉVELOPPEMENT). ◆ **amplifier** v. tr. Augmenter la quantité, le volume, l'étendue, l'importance de quelque chose : *Il faut amplifier les échanges commerciaux entre nos deux pays* (syn. : ACCROÎTRE ; contr. : DIMINUER, RESTREINDRE). *Les journaux amplifièrent le scandale* (syn. : GROSSIR ; contr. : ÉTOUFFER). ◆ ***s'amplifier*** v. pr. Devenir plus important : *Les mouvements de l'embarcation s'amplifièrent au point qu'elle se retourna* (syn. : AUGMENTER). *Le recul de ces valeurs à la Bourse s'amplifie* (syn. : S'ACCENTUER). ◆ **amplification** n. f. 1° Action d'amplifier, de s'amplifier : *On a noté cette année-là une amplification des mouvements revendicatifs* (syn. : EXTENSION, DÉVELOPPEMENT). — 2° *Péjor.* Développement verbeux de l'expression par énumération de tous les détails. ◆ **amplitude** n. f. Distance entre des points extrêmes : *L'amplitude des températures peut être considérable dans le désert. Mesurer l'amplitude des mouvements d'un pendule, des vibrations d'un son.*

1. ampoule [ɑ̃pul] n. f. 1° Petit tube de verre contenant un médicament liquide; ce contenu lui-même : *Verser le contenu d'une ampoule dans un verre.* — 2° Partie en verre d'une lampe électrique, et souvent la lampe elle-même : *Changer une ampoule qui n'allume plus.*

2. ampoule [ɑ̃pul] n. f. Petite boursouflure bénigne de l'épiderme, consécutive à un frottement prolongé : *Se faire des ampoules aux mains en bêchant son jardin.*

ampoulé, e [ɑ̃pule] adj. Se dit de propos (ou d'un style) prétentieux et sans profondeur : *Tenir un discours ampoulé* (syn. : BOURSOUFLÉ, ENFLÉ, EMPHATIQUE ; contr. : SOBRE, SIMPLE).

amputer [ɑ̃pyte] v. tr. 1° *Amputer un membre*, l'enlever par une opération chirurgicale : *Il fallut lui amputer la jambe jusqu'au-dessus du genou* (syn. : COUPER). — 2° *Amputer quelqu'un*, lui enlever un membre (souvent au passif) : *Il a dû être amputé de la main droite.* — 3° *Amputer un texte*, lui enlever un passage : *Afin de faciliter la mise en pages de votre ouvrage, il faudra amputer de quelques lignes la fin du troisième chapitre. Amputer le budget des dépenses non productives.* ◆ **amputé, e** n. Personne amputée : *Un amputé des deux bras.* ◆ **amputation** n. f. *Subir l'amputation d'un bras. Procéder à l'amputation d'un texte trop long.*

amulette [amylɛt] n. f. Petit objet que l'on porte sur soi, et auquel on attribue le pouvoir d'écarter tous les événements malheureux (maladies, accidents) : *Elle portait au cou un pendentif avec une émeraude verte, qui était devenu pour elle une amulette* (syn. : PORTE-BONHEUR ; fam. : GRI-GRI).

amuser [amyse] v. tr. (sujet nom de personne ou de chose). 1° *Amuser quelqu'un*, lui procurer de la gaieté, de la joie, du plaisir : *Le cirque amuse les enfants* (syn. : ↓ DISTRAIRE, DIVERTIR). *Cette visite ne m'amuse guère* (syn. : RÉJOUIR). — 2° *Amuser quelqu'un*, lui faire perdre son temps (littér.) : *Amuser un adversaire par des manœuvres de diversion* (syn. : DUPER). *N'essayez pas de nous amuser : il nous faut une réponse nette* (syn. : ENDORMIR, LANTERNER). *Il amuse l'auditoire pour gagner du temps* (= il fait un discours inutile sans aller à l'essentiel). ◆ ***s'amuser*** v. pr. (sujet nom de personne). 1° Etre gai, prendre du plaisir : *Nous nous sommes beaucoup amusés à ce spectacle. Il s'est amusé à mes dépens. Le chat s'amuse avec la souris. Les enfants s'amusent à lancer la balle contre le mur* (syn. : JOUER). *Il s'amuse au lieu de travailler. Il est très joueur : il s'amuse d'un rien. Elle s'est amusée de toi* (syn. : SE MOQUER). — 2° Perdre son temps en futilités : *Ne vous amusez pas en chemin; revenez au plus vite* (syn. fam. : LAMBINER, TRAÎNER, MUSARDER). *Il ne s'agit pas de s'amuser maintenant* (syn. : BATIFOLER). ◆ **amusant, e** adj. : *Je vais vous montrer un jeu amusant* (syn. : DISTRAYANT ; contr. : ENNUYEUX). *Ce qu'il y a d'amusant dans cette histoire, c'est que personne ne s'aperçut de la méprise* (syn. : DRÔLE, COMIQUE). *C'est un convive amusant, qui a toujours des anecdotes à raconter* (syn. : GAI, SPIRITUEL; contr. : ASSOMMANT, RASEUR ; fam. : CASSE-PIEDS). ◆ **amusement** n. m. (sens 1 du v. tr.) : *Les cartes sont pour lui un amusement* (syn. : DISTRACTION, DIVERTISSEMENT). *Leur dispute sur de pareilles futilités provoqua un certain amusement chez ceux qui les regardaient* (syn. : JOIE, ↑ HILARITÉ). ◆ **amusette** n. f. Fam. *Ce n'est qu'une amusette*, c'est une distraction sans portée, une bagatelle. ◆ **amuseur, euse** n. Celui, celle qui amuse (souvent péjor.) : *On ne peut dire qu'il est auteur de comédies, c'est tout au plus un amuseur* (syn. : CLOWN, BOUFFON).

amygdale [amidal ou amigdal] n. f. Organe en forme d'amande, situé de chaque côté de la gorge : *Faire enlever les amygdales à son fils. Etre opéré des amygdales.*

an [ɑ̃] n. m., **année** [ane] n. f. Temps d'une révolution complète de la Terre autour du Soleil. (Les emplois de ces deux mots s'excluent en général [v. tableau page ci-contre].)

anachronisme [anakrɔnism] n. m. 1° Evénement qui, par erreur, n'est pas remis à sa date, qui est placé à une époque différente de celle où il a eu lieu : *L'anachronisme le plus commun consiste, en histoire, à attribuer aux siècles passés la psychologie de notre temps. Par un anachronisme volontaire, Scarron fit porter des hallebardes aux Troyens de l'Antiquité.* — 2° *Péjor.* Ce qui appartient à une autre époque que celle où l'on vit; ce qui manifeste un retard par rapport aux mœurs actuelles : *Le port du haut-de-forme est un anachronisme. Exclure le cinéma du domaine de l'art est un anachronisme.* ◆ **anachronique** adj. Sens 2 du substantif : *Il n'a plus de contact avec le monde présent, et ses opinions sont anachroniques* (syn. : PÉRIMÉ; contr. : D'ACTUALITÉ). *Il sort le dimanche dans une voiture d'avant guerre d'une ligne anachronique* (syn. : DÉMODÉ ; contr. : DERNIER CRI). *Il y a quelque chose d'anachronique dans le fait de s'insurger contre les progrès scientifiques* (syn. : DÉSUET ; contr. : MODERNE).

anagramme [anagram] n. f. Mot formé au moyen de lettres d'un autre mot que l'on a disposées dans un ordre différent : *Les écrivains ont usé parfois*

an	année
1° Accompagné d'un adj. numéral cardinal : *a*) le numéral cardinal étant placé avant et sans article, *an* indique un espace de douze mois complets, sans précision absolue sur le début de cette période (n'est jamais suivi d'un qualificatif) : *Après deux ans de stage, il s'est installé. En deux ans, tout fut fini. Il a vingt ans de maison. Depuis dix ans, je l'ai rencontré une ou deux fois. Le travail dura un an. Il est resté trois ans à la faculté. Voilà cinq ans qu'il est parti à l'étranger. Un an après, il tomba malade.*	1° Accompagné d'un adj. numéral ordinal ou cardinal : *a*) le numéral cardinal étant placé avant, ou avec un adverbe de quantité, *année* indique un espace de douze mois complets, ayant comme point de départ le 1er janvier (souvent suivi d'un qualificatif) : *Il s'est passé deux années sans hiver rigoureux. Il est resté dans cet emploi deux années complètes. Je n'ai pas encore eu une année, une seule année sans difficultés financières. La qualité du vin est variable d'une année à l'autre. Les difficultés s'accroissent d'année en année. Il y a bien des années que nous nous sommes vus. Les revenus d'une année.*
b) le numéral cardinal étant placé avant et sans article, *an* indique l'âge : *Un enfant de neuf ans. Il est âgé de trente ans. Il a soixante ans.*	*b*) le numéral ordinal étant placé avant et surtout avec un possessif, *année* indique l'espace de temps écoulé depuis la naissance : *Il est dans sa vingtième année. Elle est entrée dans sa soixantième année.*
c) le numéral cardinal étant placé après et avec l'article défini, *an* indique une date dans un calendrier donné (n'est jamais accompagné d'un adjectif) : *L'an 250 de Rome. L'an I de la République. L'an mille. L'an 329 de notre ère. En l'an de grâce 1964. Je m'en soucie comme de l'an quarante* (fam.) [= cela m'est complètement indifférent].	*c*) le numéral cardinal étant placé après et avec article défini, *année* indique une date. Cet emploi (rare) est littéraire : *En l'année 1930 de notre ère.* *d*) le numéral ordinal étant placé avant et avec l'article défini, *année* indique une date relativement au moment où l'on situe l'action : *C'est la troisième année qu'il est en Guinée.*
2° Sans numéral et avec l'article défini. *An* n'entre que dans quelques expressions usuelles pour désigner l'espace précis de douze mois, depuis le 1er janvier jusqu'au 31 décembre : *Le jour de l'an est le premier jour de l'année* (on dit aussi LE PREMIER DE L'AN, LE NOUVEL AN). *Tous les ans, il passe ses vacances dans les Alpes. L'an dernier, l'an prochain, l'an passé.*	2° Sans numéral, avec un article, un possessif, un démonstratif, etc., comme complément du nom, comme sujet, etc., avec ou sans qualificatif, *année* indique un espace de douze mois, entre le 1er janvier et le 31 décembre [v. 1°, *a*)]. *Année* indique souvent la durée (période en cours) : *Au commencement de l'année. L'année scolaire va de la mi-septembre au début de juillet; l'année universitaire, de la mi-octobre à la fin de juin. L'année théâtrale correspond à la période qui s'étend de l'ouverture des théâtres* (en automne) *à la clôture* (au début de l'été). *L'année cinématographique. Chaque année, il se rend en Corse. L'année a été dure. L'année dernière, l'année prochaine, l'année passée. L'année débute bien. Ses années de service militaire.*
3° Sans article, dans quelques expressions : *Par an* indique que l'action se répète chaque espace de douze mois : *Verser tant par an pour son loyer.* *Bon an mal an,* d'une manière habituelle, que l'année soit bonne ou mauvaise; en moyenne : *Bon an mal an, le bénéfice est satisfaisant.*	3° *Souhaiter la bonne année,* adresser à quelqu'un ses vœux à l'occasion du 1er janvier (*vœux de nouvel an*).

de l'anagramme pour signer leurs œuvres : ainsi, François Rabelais changea son nom en celui d'« Alcofribas Nasier ».

analogie [analɔʒi] n. f. Rapport de ressemblance établi entre deux ou plusieurs choses, objets, mots, etc., entre des personnes (souvent avec un compl. indiquant la nature de la ressemblance) : *Il y a entre eux une analogie de caractère. Les deux organisations présentent une analogie de structure* (syn. : SIMILITUDE). *Il n'y a pas la moindre analogie entre ces différentes situations. En raisonnant par analogie, on peut découvrir les causes de ce phénomène* (= en considérant les rapports existant entre les choses). ◆ **analogique** adj. Fondé sur l'analogie : *Un dictionnaire analogique classe les mots selon les rapports de sens qu'ils ont entre eux.* ◆ **analogiquement** adv. ◆ **analogue** [analɔg] adj. *Analogue* (*à quelque chose*), se dit de ce qui offre de la ressemblance avec quelque chose d'autre : *C'est une aventure analogue à celle-ci qui m'est arrivée* (syn. : SEMBLABLE, PAREIL, COMPARABLE). *Remplacer un mot par un autre de sens analogue* (syn. : VOISIN). *J'ai à son égard des sentiments analogues aux vôtres* (syn. : PROCHE DE ; contr. : OPPOSÉ, CONTRAIRE).

analphabète adj. et n., **analphabétisme** n. m. V. ALPHABET.

analyse [analiz] n. f. 1° Examen fait en vue d'isoler, de séparer les éléments qui constituent un corps, de discerner les diverses parties d'un tout : *Faire une analyse du sang. Procéder à l'analyse d'un composé chimique* (contr. : SYNTHÈSE). *Faire une analyse minutieuse des intentions de l'auteur. Que vous a appris l'analyse des documents qui vous ont été soumis?* (syn. : ÉTUDE). *Faire l'analyse d'un ouvrage scientifique* (= le résumer). *L'analyse grammaticale est un exercice scolaire qui consiste à décomposer la proposition en ses éléments grammaticaux et à en déterminer la fonction; l'analyse logique procède à la décomposition d'une phrase en des propositions dont on détermine les rapports.* — 2° *En dernière analyse,* si l'on va à l'essentiel, à ce qui est fondamental : *En dernière analyse, son attitude reste la même, malgré des modifications de* *détail.* ◆ **analyser** v. tr. Soumettre à une analyse : *Analyser les urines. Analyser un roman* (syn. : RÉSUMER). *Il ne cherche pas à analyser ses sentiments. Le gouvernement analyse les causes de l'effondrement des cours de la pomme de terre* (syn. : ÉTUDIER, EXAMINER). *Analyser une phrase* (syn. : DÉCOMPOSER). *Synthétisez les différentes données que vous ont livrées les analyses successives.* ◆ **analysable** adj. : *Un ouvrage aussi dense n'est guère analysable.* ◆ **inanalysable** adj. Dont on ne peut discerner les éléments composants : *Des sentiments inanalysables.* ◆ **analytique** adj. 1° Qui contient ou qui constitue une analyse : *Compte rendu analytique des séances d'un comité, d'une assemblée.* — 2° Qui procède par analyse : *Un esprit analytique s'oppose à un esprit de synthèse.*

ananas [ananas ou anana] n. m. Fruit d'une plante cultivée en Amérique et en Afrique et appelée du même nom : *Les ananas décortiqués et coupés en tranches sont mis en conserve pour être livrés ensuite à la consommation.*

anarchie [anarʃi] n. f. 1° Situation d'un pays caractérisée par l'absence d'un gouvernement disposant de l'autorité nécessaire et par un conflit désordonné entre des forces politiques, économiques ou sociales antagonistes : *Après la fin des hostilités, le pays connut une période d'anarchie (fut en proie à l'anarchie). Du fait de la faiblesse du pouvoir central, les régions les plus éloignées sombrèrent dans l'anarchie;* et avec un qualificatif : *Mettre fin à l'anarchie économique provoquée par l'absence de plan d'ensemble.* — 2° Etat de fait caractérisé par le désordre, la confusion et l'absence de direction, de règles : *Il mit de l'ordre dans une administration où il n'y avait plus qu'anarchie* (syn. : PAGAILLE). *L'anarchie des esprits* (= la confusion intellectuelle). ◆ **anarchique** adj. : *L'état anarchique d'un pays, d'une économie. Vivre d'une manière anarchique* (syn. : DÉSORDONNÉ). ◆ **anarchisme** n. m. Doctrine politique préconisant la suppression de l'Etat et de ses organismes en dehors de toute condition historique. ◆ **anarchiste** adj. et n. 1° *La fédération syndicale anarchiste.* (Abrév. pop. : *anarcho* n. m.) — 2° Qui se caractérise par l'absence d'ordre, d'organisation ou de conformisme : *Il vivait en bohème et en anarchiste.*

anathème [anatɛm] n. m. Condamnation publique qui manifeste une totale réprobation d'un acte, d'une opinion sur le plan moral (surtout au sing.) : *Jeter l'anathème contre les doctrines nouvelles. Il brandit sans cesse l'anathème contre ses adversaires politiques. Il a lancé contre toi l'anathème.* (Le sens d'« excommunication solennelle » [*prononcer un anathème, frapper d'un anathème*] est du domaine religieux.)

anatomie [anatɔmi] n. f. 1° Science qui décrit la structure des organes des êtres organisés; cette structure elle-même : *L'anatomie animale et l'anatomie végétale. L'anatomie comparée. Etudier l'anatomie du ver.* — 2° Forme extérieure du corps, considéré sous son aspect athlétique ou esthétique : *Avoir une belle anatomie.* ◆ **anatomique** adj. Sens 1 du nom : *Etude anatomique de l'oursin. Description anatomique du corps humain.*

ancêtre [ɑ̃sɛtr] n. (surtout masc.). 1° Ascendant plus éloigné que le père (terme vague; souvent au plur. pour désigner l'ensemble de ceux de qui l'on descend, ou, plus vaguement, de ceux qui ont vécu avant nous) : *Nos deux familles sont apparentées : nous avons un ancêtre commun* (syn. : AÏEUL). *Mes ancêtres sont originaires de l'Auvergne* (syn. : ASCENDANTS). *Les histoires de France ont longtemps commencé par la formule : Nos ancêtres, les Gaulois* (syn. : AÏEUX). — 2° Celui qui a été l'initiateur lointain d'une doctrine, d'un mouvement littéraire : *Cyrano de Bergerac apparaît comme un des ancêtres des romanciers de science-fiction.* — 3° *L'ancêtre d'une chose,* ce qui a été la première forme d'une machine, d'un objet qui a subi ensuite de profondes transformations : *Les fusées et les satellites d'aujourd'hui seront les ancêtres des vaisseaux qui entraîneront les hommes dans l'espace.* ◆ **ancestral, e, aux** [ɑ̃sɛstral, -tro] adj. : *Dans ce pays, les familles ont gardé les mœurs ancestrales* (syn. : ↓ ANCIEN).

anchois [ɑ̃ʃwa] n. m. Petit poisson très commun en Méditerranée. (Conservé dans la saumure, il est servi en hors-d'œuvre.)

ancien, enne [ɑ̃sjɛ̃, -ɛn] adj. 1° (après ou plus rarement avant le nom) Qui existe depuis longtemps : *Un monument ancien. Bibliothèque qui contient des livres anciens. Le village possède une église fort ancienne* (syn. : VIEUX). *Une amitié ancienne. Les logements anciens ont des loyers moins élevés. Un mot nouveau pour une chose ancienne. Selon l'ancien usage. Les plus anciennes familles de la région. Une ancienne coutume.* — 2° (après le nom) Qui appartient à une époque éloignée dans le temps : *Les langues anciennes* (= celles qui ont été parlées dans l'Antiquité). *Les temps anciens* (= autrefois); plus rarement avant le nom : *Dans l'ancien temps.* — 3° (avant le nom) Qui a cessé d'exercer une fonction, qui n'a plus l'état ou la qualité indiquée par le substantif : *Le discours de l'ancien ministre a été fort remarqué* (= ex-ministre). *Un ancien ami de mon frère* (= il a cessé de l'être). *Cet écrivain n'a jamais repris son ancien métier de professeur. Association des anciens élèves d'un lycée.* ◆ **ancien** n. m. 1° Celui qui en a précédé d'autres dans une fonction, un travail, un service, une école, dans la vie : *Prendre conseil auprès d'un ancien. Le respect pour les anciens.* — 2° (avec une majusc.) Personnage ou écrivain de l'Antiquité grecque ou romaine. ◆ **anciennement** adv. Dans une époque reculée : *Cette maison a été anciennement celle de P.-L. Courier* (syn. : AUTREFOIS). *J'ai habité anciennement Toulouse* (syn. : JADIS). ◆ **ancienneté** [ɑ̃sjɛnte] n. f. 1° Etat de ce qui est ancien (sens 1 et 2) : *L'ancienneté de ces sculptures est attestée par de nombreux documents* (syn. : ANTIQUITÉ). — 2° Temps passé dans une fonction, un grade, à partir du jour où on y a été nommé : *Avoir vingt ans d'ancienneté dans un emploi. Fonctionnaire qui est passé à l'échelon supérieur à l'ancienneté.*

ancre [ɑ̃kr] n. f. Lourde pièce d'acier à plusieurs becs, qui, jetée au fond de l'eau, sert à retenir un navire : *Le navire a jeté l'ancre en face de l'île* (= a mouillé). *Les chalutiers ont levé l'ancre de très bonne heure* (= ont pris la mer). ◆ **ancrer** v. tr. 1° *Le bateau est ancré près de la jetée. Le capitaine a ordonné d'ancrer le navire dans la rade.* — 2° *Ancrer une idée dans l'esprit, dans la tête de quelqu'un,* la lui inculquer : *Il a réussi à lui ancrer dans la tête qu'il était grand' temps d'agir* (= lui enfoncer dans la tête); souvent au passif : *Quand il a une idée ancrée dans l'esprit, on ne peut rien faire pour l'en dissuader* (= il a une idée dans la tête).

andante, andantino adv. et n. m. V. MOUVEMENT *Mouvements musicaux.*

andouille [ɑ̃duj] n. f. 1° Boyau de porc rempli de tripes très épicées de l'animal. — 2° *Pop.* Très maladroit : *Espèce d'andouille! fais donc attention* (syn. fam. : IMBÉCILE). ◆ **andouillette** n. f. : *Les andouillettes sont plus petites que les andouilles et leur contenu est haché.*

âne [ɑn] n. m. 1° Animal domestique voisin du cheval, mais plus petit et pourvu de longues oreilles (en ce sens, fém. ÂNESSE) : *L'âne est un animal que l'on trouve communément dans tous les pays méditerranéens. Transporter le ravitaillement du camp à dos d'âne.* — 2° Homme dont l'ignorance s'accompagne d'un entêtement stupide : *C'est un âne; il ne connaît rien. Un âne bâté* (superlatif de STUPIDE, IMBÉCILE). *Vous êtes un âne de ne pas savoir faire une règle de trois. On mettait autrefois sur la tête d'un écolier ignorant un bonnet de papier garni de longues oreilles, que l'on appelait un « bonnet d'âne ».* — 3° *En dos d'âne,* v. DOS. ‖ *Pont aux ânes,* v. PONT. ◆ **ânerie** [ɑnri] n. f. Parole ou conduite qui montre une grande ignorance ou une complète stupidité : *Dire une ânerie* (syn. : BÊTISE, BOURDE). *Il a fait une ânerie en remettant à plus tard sa décision* (syn. : SOTTISE). ◆ **ânon** n. m. Jeune âne.

anéantir [aneɑ̃tir] v. tr. 1° *Anéantir quelque chose,* le détruire complètement : *La grêle a anéanti la récolte de raisin. Le petit détachement fut anéanti par l'ennemi* (syn. : EXTERMINER). *La décision de faire cesser toute recherche anéantit pratiquement l'espoir de retrouver le petit bateau et ses passagers* (syn. : RUINER). — 2° *Anéantir quelqu'un,* le mettre dans un état d'abattement, de fatigue, de désespoir, etc. (surtout au passif) : *Cette longue marche au soleil m'a anéanti* (syn. : BRISER). *Je suis anéanti : la nouvelle est tellement inattendue* (syn. : ABATTRE). *Il restait anéanti par l'annonce de cette catastrophe* (syn. : PROSTRER, ACCABLER). ◆ ***s'anéantir*** v. pr. Disparaître : *Les espérances que nous avions mises en lui se sont anéanties* (syn. : S'EFFONDRER, S'ÉCROULER). ◆ **anéantissement** n. m. : *Les armes atomiques peuvent aboutir à l'anéantissement du monde* (syn. : FIN, DESTRUCTION). *L'anéantissement des espoirs* (syn. : RUINE, ÉCROULEMENT). *Ce régime vise à l'anéantissement de la dignité humaine* (syn. : ÉTOUFFEMENT, ANNIHILATION).

anecdote [anɛkdɔt] n. f. Bref récit d'un fait curieux, historique ou non, destiné à illustrer un détail et qui ne touche pas à l'essentiel : *Il avait à sa disposition, pour les repas entre amis, une collection d'anecdotes plaisantes* (syn. : HISTORIETTE). *Raconter une anecdote.* ◆ **anecdotique** adj. 1° Qui a le caractère de l'anecdote, qui ne touche pas à l'essentiel : *Ce détail a un intérêt anecdotique : il plaira, mais il n'explique rien.* — 2° *Histoire anecdotique,* présentée sous la forme d'une suite d'anecdotes : *Il écrivit une histoire anecdotique de Louis XIV qui eut un grand succès de librairie.*

anémie [anemi] n. f. Etat maladif, révélé par un affaiblissement progressif et causé par une diminution des globules rouges dans le sang. ◆ **anémier** v. tr. (surtout au passif et au part. adj. *anémié*) : *Il est resté très anémié après sa maladie. Le climat chaud et humide les a beaucoup anémiés.* ◆ **anémique** adj. Se dit d'une personne qui est habituellement dans un état d'anémie : *Envoyer à la montagne un enfant anémique et souffreteux.*

anesthésie [anɛstezi] n. f. Insensibilité à la douleur, provoquée artificiellement par l'emploi de substances comme le chloroforme et l'éther. (Employé parfois comme image pour indiquer la suppression de toute émotion, de tout sentiment.) ◆ **anesthésier** v. tr. Provoquer l'anesthésie : *Anesthésier un malade avant l'opération. On chercha à anesthésier l'opinion publique en détournant son attention par quelque fait divers* (syn. : ENDORMIR; contr. : RÉVEILLER). ◆ **anesthésique** adj. et n. m. : *Substances anesthésiques. Un anesthésique.*

anfractuosité [ɑ̃fraktyozite] n. f. *Anfractuosité de rocher, de la côte, de la glace,* etc., cavité nettement accusée dans la roche ou en montagne : *Grimper en s'aidant des anfractuosités de la paroi* (syn. : RENFONCEMENT). *Chercher une anguille dans l'anfractuosité d'un rocher. Le long de la côte des Maures, il y a de nombreuses anfractuosités. Tomber dans une anfractuosité du glacier* (syn. : CREVASSE).

ange [ɑ̃ʒ] n. m. 1° Dans certaines religions, être spirituel intermédiaire entre Dieu et l'homme : *La peinture représente un ange avec des ailes blanches sur un fond d'azur. L'ange gardien est, pour les catholiques, celui qui est chargé de veiller sur chaque homme.* — 2° Personne douée au plus haut degré d'une qualité (parfois terme d'affection) : *C'est un ange de patience et de bonté. Il chante comme un ange* (= très bien). *Elle a une douceur d'ange. Il a une patience d'ange* (= extraordinaire). *C'est un petit ange* (= un enfant charmant). — 3° *Etre le bon ange, le mauvais ange de quelqu'un,* être celui qui le protège et le guide dans la bonne voie, ou celui qui lui donne de mauvais conseils, qui l'entraîne dans de mauvais chemins. ‖ *Etre aux anges,* être dans une joie extraordinaire : *Il est aux anges dès qu'on parle de lui.* ‖ *Rire aux anges,* sourire ou rire sans cause apparente et d'un rire naïf. ‖ *Un ange passe,* se dit quand la conversation est interrompue par un silence embarrassé. ◆ **angélique** [ɑ̃ʒelik] adj. : *Une patience angélique* (= digne d'un ange). *Une voix angélique* (syn. : PUR).

1. angélique [ɑ̃ʒelik] n. f. Plante aromatique utilisée en confiserie.

2. angélique adj. V. ANGE.

angélus [ɑ̃ʒelys] n. m. Son de la cloche des églises ou des couvents qui se fait entendre le matin, à midi et le soir, pour indiquer aux chrétiens l'heure d'une prière en l'honneur de l'Incarnation du Christ : *On entendit sonner l'angélus.*

anglais, e [ɑ̃glɛ, -ɛz] adj. et n. De l'Angleterre, des îles Britanniques : *La prépondérance anglaise au XVIIIe siècle en Europe. Les Anglais ont été les initiateurs du tourisme au XIXe siècle.* ◆ **anglais** n. m. Langue anglaise : *L'anglais est la langue de civilisation de la Grande-Bretagne et des Etats-Unis; il est une des langues officielles du Canada et de l'Afrique du Sud; il est une langue de culture et la langue véhiculaire d'une partie de l'Afrique.* ◆ **anglicisme** [ɑ̃glisism] n. m. Emprunt à la langue anglaise : *Le français possède de nombreux anglicismes intégrés à la langue, souvent depuis le XVIIIe siècle : dans le domaine politique (budget, socialisme, amendement), dans celui des sports (football, rugby, handicap), dans celui des techniques (rail, tunnel, radar), dans celui de la mode (pullover), de la criminologie (gangster), du cinéma (star), etc.* ◆ **angliciser** v. tr. *Angliciser un mot, son mode de vie,* etc., leur donner un aspect anglais. ◆

angliciste n. Spécialiste de langue et de civilisation anglaises. (V. ANGLO-.)

angle [ɑ̃gl] n. m. **1°** Saillie formée par deux droites ou deux surfaces qui se coupent : *Le mur fait un angle à peu de distance de la rivière* (syn. : COUDE). *Se cogner contre l'angle de la table. L'angle de la maison* (syn. : ENCOIGNURE). *Un agent en faction à l'angle de la rue* (= là où la rue fait un angle avec une autre; syn. : COIN). *C'est dans un angle mort, on ne peut pas l'atteindre* (= dans une zone où il ne peut être vu). — **2°** Figure géométrique formée par deux demi-droites issues d'un même point : *L'angle aigu est plus petit que l'angle droit, dont les côtés sont perpendiculaires l'un à l'autre. L'angle obtus est plus grand que l'angle droit.* — **3°** *Arrondir, adoucir les angles,* faciliter les rapports entre diverses personnes de caractère difficile ou en conflit. ‖ *Sous l'angle de,* dans une certaine perspective, en se plaçant à un certain point de vue : *Considéré sous un certain angle, il n'apparaît pas si désintéressé que vous voulez bien le dire.* ◆ **angulaire** adj. **1°** Qui a un ou plusieurs angles. — **2°** *Pierre angulaire,* pierre d'angle qui assure la solidité d'un édifice; élément essentiel, fondamental : *Il est la pierre angulaire de notre groupe de travail. La présidence de la République est la pierre angulaire du régime.* ◆ **anguleux, euse** adj. Qui présente un ou plusieurs angles aigus : *Vous le reconnaîtrez facilement : un visage très mince, un menton anguleux. Un visage anguleux* (= dont les traits sont fortement marqués).

angliciser v. tr., **anglicisme** n. m., **angliciste** n. V. ANGLAIS.

anglo-, élément signif. « anglais » : *anglo-saxon* (relatif aux peuples appartenant à la communauté culturelle et linguistique anglaise); *anglophile* (qui aime ou admire les Anglais); *anglophobe* (qui ressent de l'aversion pour les Anglais); *anglomanie* (imitation servile des manières de parler, de penser des Anglais), etc.

angoisse [ɑ̃gwas] n. f. Sentiment de grande inquiétude qui s'accompagne d'un malaise physique (oppression, palpitation, etc.) : *Je suis étreint par l'angoisse* (syn. : ↓ PEUR, ↑ ÉPOUVANTE). *L'angoisse le saisit à la gorge. Nous avons passé une nuit d'angoisse à attendre les nouvelles* (syn. : ↓ ANXIÉTÉ; contr. : TRANQUILLITÉ). ◆ **angoisser** v. tr. : *L'avenir me paraît sous un jour très noir, et cela m'angoisse* (syn. : ↑ ÉPOUVANTER). ◆ **angoissant, e** adj. : *La situation des sinistrés est devenue angoissante.* ◆ **angoissé, e** adj. Qui trahit l'angoisse : *Pousser un cri angoissé* (= d'effroi).

anguille [ɑ̃gij] n. f. **1°** Poisson allongé, qui vit dans les cours d'eau (sert de comparaison à cause de sa rapidité et de sa peau glissante) : *Les anguilles sont très appréciées pour leur chair délicate. Les congres sont aussi appelés « anguilles de mer ». Je n'ai pu le retenir, il m'a filé dans les doigts comme une anguille.* — **2°** *Il y a anguille sous roche,* il y a quelque chose de secret dont on soupçonne l'existence.

angulaire, anguleux adj. V. ANGLE.

anicroche [anikrɔʃ] n. f. *Fam.* Petit obstacle qui empêche la réalisation d'une affaire et crée un ennui passager (souvent dans des phrases négatives) : *Nous avons fait le voyage d'une traite sans la moindre anicroche* (syn. : INCIDENT). *Il y a une anicroche à nos projets de vacances; je serai forcé de partir plus tard.*

animal, aux [animal, -mo] n. m. **1°** Etre vivant, doué de sensibilité et de mouvement : *L'homme est un animal.* — **2°** Etre vivant en général, privé de raisonnement et de langage : *Les chiens, les chats sont des animaux. La Société protectrice des animaux.* — **3°** Personne grossière et brutale (souvent utilisé dans des expressions ou des phrases plus ou moins injurieuses) : *Cet animal-là est incapable d'être à l'heure.* ◆ **animal, e, aux** adj. Propre à l'animal : *La chaleur animale* (= celle qui est fournie par les animaux eux-mêmes). *Le règne animal* (= l'ensemble des animaux). ◆ **animalcule** n. m. Animal très petit, qu'on ne peut voir qu'au microscope. ◆ **animalier** n. et adj. m. Peintre ou sculpteur représentant des animaux. ◆ **animalité** n. f. Ensemble des caractères propres à l'animal (par oppos. aux facultés humaines) : *L'alcoolisme le fait tomber par degrés jusqu'à l'animalité la plus farouche*

animer [anime] v. tr. **1°** *Animer quelque chose,* lui donner de la vie, du mouvement, de la vivacité : *La perspective d'atteindre le sommet anima de nouveau son courage défaillant* (syn. : ÉVEILLER, STIMULER). *Animer la conversation par des paradoxes. La roue était animée d'un mouvement très rapide. Le vin anime un peu ses joues* (syn. : ILLUMINER). *Le désir anime son regard* (syn. : FAIRE BRILLER). — **2°** *Animer quelqu'un,* le pousser à agir, inspirer les mobiles de son action (souvent au passif) : *Il animait le coureur de la voix et du geste* (syn. : ENCOURAGER). *Il cherche à animer la foule contre l'agent* (syn. : EXCITER). *Il était animé d'une haine atroce, d'une colère terrible. La foi qui l'anime est respectable* (syn. : INSPIRER, CONDUIRE). *Je suis animé du désir de bien faire* (= je brûle du désir). ◆ ***s'animer*** v. pr. Prendre vie; mettre de l'ardeur à faire quelque chose : *Les rues commencent à s'animer vers dix heures. Ses yeux s'animent dès qu'il la voit. Rien ne sert de t'animer ainsi, tu n'y peux rien* (= te mettre en colère). ◆ **animé, e** adj. **1°** Plein d'activité, de mouvement : *Les rues de cette ville sont très animées le soir. Une lutte animée* (syn. : ↑ ACHARNÉ). *La conversation fut animée* (syn. : VIF, ARDENT). — **2°** Se dit, en grammaire, des termes qui désignent des êtres vivants (*père, chien,* etc.). — **3°** *Dessin animé,* film composé d'une suite de dessins qui donnent l'illusion du mouvement. ‖ *Etres animés,* êtres vivants. ◆ **animateur, trice** n. Personne qui donne de l'entrain, du mouvement, à une réunion, à un spectacle, etc. : *L'animateur d'un club sportif* (syn. : L'ÂME). *L'animateur d'un spectacle de variétés* (syn. : PRÉSENTATEUR). *Sa fougue et son esprit en font un animateur incomparable* (syn. fam. : BOUTE-EN-TRAIN). ◆ **animation** n. f. **1°** Mouvement, activité : *L'animation des rues le samedi soir. La nouvelle provoqua une brusque animation dans les salles de rédaction des journaux. Son arrivée mit de l'animation dans la petite ville.* — **2°** Mouvement vif, ardent : *Discuter avec animation* (syn. : VIVACITÉ, CHALEUR). *L'animation du visage de celui qui parle* (syn. : ↑ EXALTATION). ◆ **inanimé, e** [inanime] adj. Qui a perdu la vie ou semble, par son immobilité, l'avoir perdue : *Tomber inanimé dans la rue, frappé d'une congestion. Rester inanimé sur le sol* (syn. : INERTE). *On a trouvé près de la voiture le corps inanimé du conducteur.* ◆ **ranimer** v. tr. Redonner la vie, la force, la vigueur : *L'air de la montagne ranima ses forces défaillantes. Son exemple ranima le courage de ceux qui le suivaient* (syn. : RÉCONFORTER, EXCITER). *Cette allusion mala-*

braise ranimée sous la cendre (syn. : RÉVEILLER). *Ranimer le feu en écartant les cendres* (syn. : ATTISER). ◆ ***se ranimer*** v. pr. : *Il se ranime après un long évanouissement* (= il reprend conscience). *La fièvre s'est ranimée* (= remonte). ◆ **réanimer** v. tr. Ramener à la vie : *Le chirurgien réanima le cœur par quelques massages. Le blessé fut réanimé par plusieurs transfusions de sang.* ◆ **réanimation** n. f. : *La réanimation d'une personne qui a subi un début d'asphyxie.*

animosité [animozite] n. f. Désir de nuire, qui se manifeste souvent par l'emportement : *Je n'ai aucune animosité à votre égard* (syn. : MALVEILLANCE ; contr. : SYMPATHIE). *Il a agi sans animosité* (syn. : ↑ HAINE). *L'animosité de l'Assemblée envers le ministère était manifeste* (syn. : ANTIPATHIE, RESSENTIMENT ; contr. : BIENVEILLANCE). *Il répliqua avec animosité qu'il n'était pas responsable de cet accident* (syn. : ↑ COLÈRE, VIOLENCE).

anis [ani] n. m. Plante aromatique dont on se sert pour préparer certaines boissons alcoolisées (*anisette*) ou non (*tisanes à l'anis*).

ankylose [ɑ̃kiloz] n. f. Diminution plus ou moins complète de la liberté de mouvement d'une articulation : *Le rhumatisme a provoqué une ankylose du genou droit.* ◆ **ankyloser** v. tr. Diminuer le mouvement d'une articulation, provoquer un engourdissement (souvent au passif) : *J'étais mal assis sur le rebord de ma chaise et ma jambe est maintenant tout ankylosée* (= engourdi). *Avoir la main ankylosée.* ◆ ***s'ankyloser*** v. pr. Etre gagné par l'engourdissement : *Vous allez vous ankyloser à rester toujours assis.*

annales [anal] n. f. pl. Histoire d'un pays rédigée année par année : *Dans les annales du second Empire, on trouve plus d'un scandale financier* (syn. : CHRONIQUES).

anneau [ano] n. m. **1°** Cercle en métal, en bois, qui sert à retenir un objet : *Une chaîne est faite d'anneaux. Les anneaux du rideau sont passés sur une tringle.* — **2°** Petit cercle en métal que l'on porte au doigt : *L'anneau de mariage est plus souvent appelé « alliance ».* ◆ **annulaire** [anylɛr] n. m. Quatrième doigt, auquel on met d'ordinaire l'anneau.

année n. f. V. AN.

annexe [anɛks] n. f. et adj. Ce qui se rattache à quelque chose de plus important (bâtiment, document, etc.) : *Etre logé à l'annexe de l'hôtel. L'annexe du lycée est installée dans des bâtiments provisoires. Les pièces annexes du rapport sont jointes au dossier que je vous ai remis.*

annexer [anɛkse] v. tr. Faire entrer quelque chose dans une unité déjà existante, dans un ensemble : *Il a annexé une ferme voisine à sa propriété* (syn. : RÉUNIR). *Il faut annexer un acte de naissance à votre demande d'inscription à l'examen* (syn. : JOINDRE). *Nice a été annexée à la France au XIX*^e^ *s.* (syn. : INCORPORER, RATTACHER). ◆ ***s'annexer*** v. pr. *S'annexer quelqu'un,* se l'attacher d'une manière exclusive. ◆ **annexion** n. f. : *L'annexion de l'Autriche par l'Allemagne en 1938* (syn. : RATTACHEMENT). ◆ **annexionnisme** n. m. Politique visant à l'annexion de nouveaux territoires ou pays.

annihiler [aniile] v. tr. **1°** *Annihiler quelque chose,* le détruire complètement : *Cette crise économique annihila les résultats acquis sur le plan industriel. La résistance de nos adversaires a été pratiquement annihilée* (syn. : ANÉANTIR, PARALYSER). — **2°** *Annihiler quelqu'un,* réduire à rien sa volonté, sa personnalité ; anéantir une personne. ◆ **annihilation** n. f. : *L'annihilation de ses efforts* (syn. : ANÉANTISSEMENT).

anniversaire [anivɛrsɛr] adj. Qui rappelle le souvenir d'un événement arrivé à pareil jour une ou plusieurs années auparavant : *La cérémonie anniversaire de l'armistice de 1918 s'est déroulée, comme les autres années, à l'Arc de triomphe. Le jour anniversaire de leur mariage, il lui offrit une bague.* ◆ n. m. Retour annuel d'un jour marqué par quelque événement, et en particulier du jour de la naissance : *C'est l'anniversaire de mon fils. Manger le gâteau d'anniversaire* (= celui qui est fait pour célébrer cette date de naissance). *Le 8 mai est l'anniversaire de l'armistice de 1945. Messe d'anniversaire* (= office religieux célébré annuellement pour une personne décédée).

annoncer [anɔ̃se] v. tr. **1°** (sujet nom de personne ou de chose) *Annoncer quelque chose,* le faire savoir : *Je vais vous annoncer une bonne nouvelle* (syn. : APPRENDRE). *On annonce la sortie d'une nouvelle voiture* (syn. : COMMUNIQUER). *Il lui annonça par lettre l'impossibilité où il se trouvait de partir pour Paris* (syn. : AVISER, AVERTIR). *Il a annoncé sa décision irrévocable de démissionner* (syn. : PUBLIER, PROCLAMER). *La radio vient d'annoncer l'arrivée à Paris du Premier ministre de Grande-Bretagne. Le journal annonce des incendies de forêt dans les Landes* (syn. : SIGNALER). — **2°** *Annoncer quelqu'un,* faire savoir qu'il est arrivé et demande à être reçu. — **3°** (sujet nom de chose) *Annoncer quelque chose,* en être le signe certain : *Ce léger tremblement de mains annonçait chez lui une violente colère* (syn. : MARQUER). *Ces nuages noirs annoncent la pluie* (syn. : PRÉSAGER). *La sonnerie annonce la fin de la journée de travail* (syn. : PRÉVENIR DE). *Cette belle journée annonce l'été* (syn. littér. : PRÉLUDER À). ◆ ***s'annoncer*** v. pr. (sujet nom de chose). Se présenter d'une certaine façon : *Le printemps s'annonce bien, la végétation est en avance.* ◆ **annonce** [anɔ̃s] n. f. **1°** Sens 1 et 2 du v. tr. : *L'annonce de son départ m'a surpris* (syn. : AVIS, NOUVELLE). *Cette douce matinée est déjà l'annonce des vacances* (syn. : PRÉLUDE). *Ce regard dur est l'annonce d'un homme autoritaire* (syn. : INDICE, MARQUE). *Il vit dans cet incident l'annonce d'événements graves* (syn. : PRÉSAGE, SIGNE). — **2°** Avis donné au public par voie d'affiche, par la radio, par l'insertion dans un journal : *Faire insérer une annonce dans un journal du soir. Les annonces publicitaires. Les petites annonces des journaux contiennent de nombreuses demandes d'emploi.* ◆ **annonceur** n. m. Personne ou entreprise qui paie une émission publicitaire à la radio ou l'insertion d'un avis dans un journal. ◆ **annonciateur, trice** adj. : *Les canards sauvages annonciateurs de l'hiver.*

annoter [anɔte] v. tr. *Annoter un texte,* faire sur lui des remarques critiques ou explicatives : *Il a annoté en marge le rapport qui lui a été adressé. Le libraire me vendit une édition de Proust annotée de la main d'un critique célèbre en son temps* (syn. : COMMENTER). *Il annotait les devoirs de ses élèves, joignant quelques explications lorsque cela était nécessaire.* ◆ **annotation** [anɔtasjɔ̃] n. f. Remarque ou commentaire sur un texte : *Les annotations portées en marge étaient illisibles.*

annuaire [anɥɛr] n. m. Recueil paraissant chaque année et contenant des renseignements de nature diverse (commerciaux, administratifs, scientifiques, etc.) sur les événements de l'année précédente, des indications sur l'état du personnel, sur les abonnés d'un service public, sur les membres d'une société savante, etc. (avec une majuscule quand il est spécifié) : *Chercher dans l'Annuaire téléphonique le numéro d'appel d'un correspondant. L'Annuaire de l'Education nationale.*

annuel, elle [anɥɛl] adj. Qui revient chaque année : *Les pensions annuelles des invalides de guerre vont être relevées. Demain aura lieu la fête annuelle du lycée. Le budget annuel de la commune* (= pour un an). ◆ **annuellement** adv. : *Annuellement, des milliers de tonnes de primeurs viennent de l'Algérie et du Maroc* (syn. : PAR AN). ◆ **annuité** [anɥite] n. f. Paiement annuel d'une pension, d'une dette, etc. ◆ **bisannuel, elle** adj. Qui revient tous les deux ans : *Un congé bisannuel* (syn. : BIENNAL). [V. BIENNALE.] ◆ **trisannuel, elle** adj. Qui revient tous les trois ans : *Fêtes trisannuelles.*

annulaire n. m. V. ANNEAU.

annuler [anyle] v. tr. *Annuler quelque chose,* le rendre ou le déclarer sans effet, le supprimer : *Cet incident imprévu m'oblige à annuler tous mes engagements. Annuler une commande* (syn. : RÉSILIER). *Nous sommes dans l'obligation d'annuler notre invitation* (syn. : DÉCOMMANDER). ◆ **annulation** n. f. : *La non-observation d'une des clauses du contrat entraîne son annulation. L'annulation d'une élection* (syn. : INVALIDATION).

anoblir [anɔblir] v. tr. *Anoblir quelqu'un,* lui conférer un titre de noblesse : *Le roi anoblissait souvent ses ministres.* ◆ ***s'anoblir*** v. pr. S'attribuer le titre de noble : *Il s'était anobli en ajoutant une particule à son nom.* ◆ **anoblissement** n. m. : *L'anoblissement des magistrats, sous l'Ancien Régime, pouvait résulter de l'achat de leurs charges.*

anodin, e [anɔdɛ̃, -in] adj. 1° Se dit d'une chose qui ne présente aucun danger ou qui n'a aucune importance : *Sa blessure à la main est anodine; elle guérira très vite* (syn. : BÉNIN, LÉGER ; contr. : GRAVE). *Tenir des propos anodins sur le compte d'un collègue* (= sans méchanceté). *Il n'a fait sur ce roman qu'une critique anodine* (syn. : INSIGNIFIANT). — 2° Se dit de quelqu'un qui n'a ni personnalité ni originalité : *Ses collègues de bureau lui apparaissaient comme des personnages anodins* (syn. : FALOT).

anomalie [anɔmali] n. f. Ce qui s'écarte de la norme, de l'habitude, du bon sens, de ce qui est admis en général : *Le juge releva les anomalies que présentait la déposition de l'accusé* (syn. : CONTRADICTION). *Cette anomalie de son écriture révèle une grande émotivité* (syn. : ÉTRANGETÉ, BIZARRERIE, IRRÉGULARITÉ; contr. : RÉGULARITÉ). *Son visage présente de curieuses anomalies* (syn. : PARTICULARITÉ).

ânon n. m. V. ÂNE.

ânonner [anɔne] v. intr. et tr. Réciter ou lire avec peine, en détachant chaque syllabe et sans intonation expressive : *L'élève ânonnait sa leçon.* ◆ **ânonnement** n. m.

anonyme [anɔnim] adj. et n. 1° Se dit d'une personne dont on ignore le nom, ou d'écrits dont l'auteur est ou reste volontairement inconnu : *Ecrivain anonyme. Correspondant anonyme. Il aimait se promener sur les boulevards au milieu de la foule anonyme* (= des passants inconnus). *Je n'attache aucune importance à ces lettres anonymes.* — 2° Se dit d'un objet sans originalité, sans personnalité : *Son appartement est plein de ces meubles anonymes que l'on retrouve partout.* ◆ **anonymat** n. m. : *Il a pensé que l'anonymat de ses romans le mettrait à l'abri des critiques. Le dénonciateur a préféré garder l'anonymat* (= ne pas se déclarer l'auteur de cet acte).

anormal, e, aux adj. et n. V. NORMAL.

anse [ɑ̃s] n. f. 1° Partie, généralement recourbée, par laquelle on prend une tasse, un panier : *Elle avait cassé l'anse d'une tasse à café. Accrocher l'anse du panier à la poignée de la porte.* — 2° Ce qui a la forme d'un arc (techn.) : *Anse intestinale.* — 3° En géographie, petite baie : *Se baigner dans une anse à l'abri de la foule des baigneurs.* — 4° *Faire sauter* ou *danser l'anse du panier,* en parlant d'un domestique, majorer le prix des achats effectués pour les besoins d'une maison, afin d'en tirer pour soi-même un bénéfice.

antagonisme [ɑ̃tagɔnism] n. m. Lutte vive et permanente entre des personnes, entre des groupes sociaux, etc. : *L'antagonisme de classe* (syn. : LUTTE ; contr. : COOPÉRATION). *Un violent antagonisme dressait les anciens amis l'un contre l'autre* (syn. : RIVALITÉ, OPPOSITION). ◆ **antagoniste** ou **antagonique** adj. : *Les forces antagonistes* (syn. : RIVAL, HOSTILE, OPPOSÉ). ◆ **antagoniste** n. m. Personne qui lutte avec une autre : *Sur le ring, les antagonistes paraissaient épuisés* (syn. : ADVERSAIRES). *La police sépara les antagonistes* (syn. : COMBATTANT).

antan (d') [dɑ̃tɑ̃] loc. adj. Placée après un nom, signifie « du temps passé » (littér.) : *Les amours d'antan hantent nos souvenirs* (syn. : D'AUTREFOIS). *Oublions les querelles d'antan* (syn. : DE JADIS; contr. : ACTUEL). *Nous allons nous promener un peu dans ces vieilles rues du Paris d'antan* (syn. : ANCIEN ; contr. : MODERNE).

antarctique adj. V. ARCTIQUE.

1. antécédent [ɑ̃tesedɑ̃] n. m. Nom ou pronom auquel le pronom relatif se substitue dans la formation d'une proposition relative : *Dans la phrase : « J'ai lu le livre que tu m'as prêté », le pronom relatif « que » a pour antécédent « livre ».*

2. antécédents [ɑ̃tesedɑ̃] n. m. pl. 1° *Les antécédents de quelqu'un,* les actes antérieurs d'une personne, qui permettent de comprendre ou de juger sa conduite présente (terme admin.) : *Les antécédents de l'accusé étaient mauvais. On avait pris des renseignements : ses antécédents étaient excellents.* — 2° *Les antécédents de quelque chose,* ce qui l'a précédé, ce qui en est la cause, l'origine : *Il est nécessaire de remonter plus haut et de connaître les antécédents de cette affaire.*

antédiluvien, enne [ɑ̃tedilyvjɛ̃, -ɛn] adj. *Fam.* et *péjor.* Se dit de ce qui n'appartient plus à son temps, de ce qui est passé de mode : *Il avait gardé une voiture antédiluvienne* (syn. : ↓ ANACHRONIQUE). *Mais ce sont là des idées antédiluviennes : il faut être de son temps* (syn. : ↓ DÉMODÉ). [*Antédiluvien* se disait de la période qui a précédé le Déluge.]

antenne [ɑ̃tɛn] n. f. 1° Conducteur métallique qui permet d'émettre ou de recevoir les ondes électromagnétiques (émission de radio, de télévision, etc.); ces émissions elles-mêmes : *L'antenne de la télévision est installée au sommet de la tour Eiffel. Nous avons pris l'antenne de Radio-Milan*

(= écouté les émissions de). *Etre à l'antenne* (= être prêt à émettre ou à recevoir l'émission). *Un reporter qui rend l'antenne au studio* (= qui cesse son reportage et laisse le studio poursuivre l'émission). — 2° *Avoir des antennes dans un lieu,* y avoir des sources de renseignements.

antéposé, e [ɑ̃tepoze] adj. Se dit, en grammaire, d'un mot, d'un morphème placé avant un autre et dont il dépend : *Les adjectifs antéposés sont moins nombreux en français que les adjectifs postposés. Lorsque « grand » est antéposé, il a un sens moral : un grand homme; lorsqu'il est postposé, il a un sens physique : un homme grand.*

antérieur, e [ɑ̃terjœr] adj. 1° Placé devant quelque chose : *La partie antérieure du pont du navire* (syn. : AVANT; contr. : ARRIÈRE). *Les pattes antérieures du chien* (contr. : POSTÉRIEUR). — 2° Qui précède dans le temps (souvent suivi d'un compl. avec la prép. *à*) : *C'est un événement déjà lointain, antérieur à notre mariage* (contr. : POSTÉRIEUR). *La loi à laquelle vous faites allusion est antérieure au régime actuel. Il n'est pas possible de rétablir l'état de choses antérieur* (syn. : PREMIER). — 3° Se dit, en grammaire, des temps passés des verbes indiquant une action qui en précède une autre : *Futur antérieur, passé antérieur.* (V. TEMPS.) ◆ **antérieurement** adv. : *Les ailes du château sont du XVIIIe s.; mais le corps principal a été construit antérieurement* (syn. : AVANT; contr. : ULTÉRIEUREMENT). ◆ **antériorité** n. f. : *L'antériorité de ses travaux relativement aux vôtres est incontestable.*

anthologie [ɑ̃tɔlɔʒi] n. f. Recueil de morceaux choisis d'œuvres littéraires ou musicales : *Anthologie des poètes français.*

anthropologie [ɑ̃trɔpɔlɔʒi] n. f. Etude scientifique de l'homme considéré dans la série animale. (Le mot est de plus en plus, à l'heure actuelle, pris au sens de « science de l'homme ».) ◆ **anthropologique** adj. ◆ **anthropologue** n.

anthropomorphisme [ɑ̃trɔpɔmɔrfism] n. m. 1° Représentation de Dieu sous les traits d'un être humain. — 2° Tendance à attribuer aux animaux des sentiments humains, des pensées humaines.

anthropophage [ɑ̃trɔpɔfaʒ] adj. et n. Qui se nourrit de chair humaine (terme scientif.) : *Il existait encore à la fin du XIXe s. des tribus anthropophages en Afrique centrale* (syn. : CANNIBALE). ◆ **anthropophagie** n. f. Syn. de CANNIBALISME.

> **anti-**, préfixe indiquant l'hostilité, l'opposition ou la défense (contre), et entrant dans la composition de substantifs (*antigel, antirouille, antivol,* etc.) ou d'adjectifs (*anticlérical, antirationnel, antiparlementaire,* etc.). [Les composés sont traités avec le mot simple; lorsque le mot simple n'existe pas, ils restent à leur ordre alphabétique. Le préfixe *anti-* connaît en français contemporain une particulière extension.]

antibiotique [ɑ̃tibjɔtik] n. m. Nom donné à un corps qui empêche la multiplication de certains microbes.

antichambre [ɑ̃tiʃɑ̃br] n. f. 1° Vestibule d'un appartement; pièce qui sert de salle d'attente dans un bureau, un cabinet ministériel, etc. : *Un huissier, dans l'antichambre, me tendit une carte pour que j'y inscrive le motif de ma visite.* — 2° *Courir les antichambres,* aller chez l'un et l'autre pour solliciter quelque faveur, quelque place : *Il fut obligé de courir les antichambres pendant deux mois pour obtenir la gérance d'un bureau de tabac.* ‖ *Faire antichambre,* attendre que la personne que l'on vient voir veuille bien vous recevoir : *Il traversa la salle d'attente, où deux clients faisaient antichambre, et pénétra dans le cabinet du dentiste.*

anticiper [ɑ̃tisipe] v. tr. ind. *Anticiper sur quelque chose,* commencer de le faire avant le moment prévu ou fixé; considérer des événements comme ayant eu lieu avant qu'ils se produisent : *Il anticipe sur l'avenir* (syn. : DEVANCER); et absol. : *N'anticipe pas; cela arrivera bien assez tôt.* ◆ v. tr. *Anticiper un paiement,* le faire avant la date prévue. ◆ **anticipé, e** adj. : *Des paiements anticipés* (= faits avant la date fixée). *Je suis surpris par votre retour anticipé* (= en avance). ◆ **anticipation** n. f. : *La France a réglé ses dettes extérieures par anticipation* (= avant terme; syn. : PAR AVANCE).

antidater [ɑ̃tidate] v. tr. *Antidater une lettre, un acte,* lui mettre une date antérieure à celle de sa rédaction (contr. : POSTDATER).

antidote [ɑ̃tidɔt] n. m. 1° Médicament destiné à combattre les effets d'un poison. — 2° Remède contre une douleur morale, un ennui : *Le cinéma est pour lui un antidote à la fatigue* (syn. : DÉRIVATIF).

antienne [ɑ̃tjɛn] n. f. Discours répété sans cesse, d'une manière lassante : *Je connais ton antienne : tu vas me dire encore que je ne prends pas assez d'exercice* (syn. : REFRAIN). [L'*antienne* est un refrain chanté avant et après un psaume.]

antilope [ɑ̃tilɔp] n. f. Ruminant sauvage d'assez grande taille, vivant en Afrique et en Asie.

antipathie [ɑ̃tipati] n. f. Hostilité instinctive à l'égard de quelqu'un ou de sa conduite : *J'éprouve une profonde antipathie pour ce sot prétentieux* (contr. : SYMPATHIE). *Témoigner de l'antipathie à son voisin* (syn. : AVERSION, ↑ HAINE; contr. : AFFECTION). *Il y a entre les deux peuples une vieille antipathie* (syn. : INIMITIÉ; contr. : AMITIÉ). ◆ **antipathique** adj. : *J'avoue qu'il ne m'est nullement antipathique* (contr. : SYMPATHIQUE). *Un visage dur, froid, antipathique* (syn. : DÉSAGRÉABLE; contr. : AIMABLE).

antipode [ɑ̃tipɔd] n. m. 1° (au plur.) Lieu très éloigné par rapport à celui où l'on est (surtout dans *aux antipodes*) : *Faire un voyage aux antipodes.* — 2° *Etre à l'antipode de, aux antipodes de,* être à l'opposé de, être très loin de : *Vous êtes à l'antipode de ma pensée. Les négociations sont encore très difficiles, car les deux parties sont aux antipodes l'une de l'autre* (syn. : À L'OPPOSÉ).

antique [ɑ̃tik] adj. 1° (après le nom) Qui date de la période gréco-romaine ou qui en a les caractères : *Des vases et des statuettes antiques furent retrouvés au cours des fouilles. Civilisation antique. L'Italie antique. Il a conservé des mœurs antiques.* — 2° (avant ou après le nom) Très vieux, passé de mode (ironiq. et littér.) : *Un vieillard antique et solennel. Conduire une voiture antique* (syn. : DÉMODÉ, VÉTUSTE). *Quelques beautés antiques trônaient sur les fauteuils* (syn. : FLÉTRI). *Une antique et vénérable coutume veut que...* ◆ **antiquaille** [ɑ̃tikaj] n. f. *Péjor.* Objet ancien de peu de valeur : *Ce salon est un bric-à-brac encombré d'antiquailles de toutes* *sortes* (syn. : VIEILLERIE). ◆ **antiquaire** n. Personne qui vend des objets anciens (meubles, vases, médailles, etc.) : *Les antiquaires sont nombreux à Paris sur la rive gauche de la Seine.* ◆ **antiquité** n. f. **1°** (avec une majusc.) Les civilisations gréco-romaines ou qui remontent avant la naissance du Christ : *L'Antiquité égyptienne. L'Antiquité est au programme d'histoire des lycées et collèges.* — **2°** Caractère de ce qui est très ancien : *L'antiquité de cette statue ne saurait être mise en doute* (syn. : ANCIENNETÉ). *De toute antiquité* (= depuis toujours). — **3°** Objet d'art remontant à l'époque gréco-romaine ou à une époque ancienne (souvent au plur.) : *Le musée des antiquités de la ville. Les marchands d'antiquités sont nombreux autour de la cathédrale.*

antisémitisme [ɑ̃tisemitism] n. m. Attitude d'hostilité systématique à l'égard des juifs. ◆ **antisémite** adj. et n. : *Les mesures antisémites de Hitler.*

antiseptique [ɑ̃tisɛptik] adj. Qui prévient ou arrête l'infection : *Un pansement antiseptique.* ◆ **antiseptie** [ɑ̃tisɛpsi] n. f. Ensemble des procédés employés pour combattre les infections causées par les microbes.

antithèse [ɑ̃titɛz] n. f. **1°** Opposition faite, dans la même phrase, entre deux expressions ou deux mots exprimant des idées absolument contraires : *Ainsi dans ce vers de Nerval : « Respecte dans la bête un esprit agissant », « bête » et « esprit » forment une antithèse. L'antithèse est un procédé de style* (syn. : OPPOSITION). — **2°** Personne ou chose qui est l'opposé, l'inverse d'une autre (langue soutenue ou littér.) : *Il est vraiment l'antithèse de son frère.* ◆ **antithétique** adj. : *« Puisque » et « quoique » sont deux conjonctions antithétiques.*

antre [ɑ̃tr] n. m. **1°** *L'antre d'une bête,* la cavité naturelle profonde qui peut lui servir d'abri ou de repaire (littér.) : *L'antre du lion.* — **2°** *L'antre de quelqu'un,* le lieu mystérieux ou redoutable qui lui sert de retraite : *Je n'ai jamais été invité à entrer dans son cabinet de travail, son antre qu'il interdit à tous.*

anxieux, euse [ɑ̃ksjø, -øz] adj. et n. **1°** Se dit de quelqu'un (ou de sa conduite) qui éprouve (ou qui manifeste) un sentiment de grande inquiétude, dû à l'attente ou à l'incertitude : *Je suis anxieux de l'avenir* (syn. : ↓ SOUCIEUX). *Son attente se faisait de plus en plus anxieuse* (contr. : SEREIN, TRANQUILLE). *Un homme nerveux, qui appréhende toujours l'avenir, un anxieux prompt à s'inquiéter* (syn. : TOURMENTÉ). — **2°** *Etre anxieux de* (et l'infin.), être extrêmement désireux de : *Il est anxieux de le revoir après tant d'années de séparation.* ◆ **anxieusement** adv. : *Rester anxieusement à l'écoute des dernières nouvelles de la catastrophe.* ◆ **anxiété** n. f. : *Notre anxiété redoubla : on ne le voyait pas rentrer* (syn. : CRAINTE, INQUIÉTUDE, ↑ ANGOISSE). *Il épie avec anxiété chez le malade le moindre signe de rétablissement.*

aorte [aɔrt] n. f. Artère qui est le tronc commun de toutes les artères portant le sang oxygéné dans les diverses parties du corps.

août [u ou ut] n. m. **1°** Huitième mois de l'année. — **2°** *Le Quinze-Août,* fête légale en l'honneur de l'assomption de la Vierge.

apache [apaʃ] n. m. Dans une grande ville, individu aux allures suspectes, toujours prêt à faire un mauvais coup (vieilli) : *Dans une rue sombre de la banlieue, il fut attaqué et dévalisé par deux apaches armés* (syn. : VOYOU, BANDIT). *Les gangsters armés de mitraillettes ont remplacé les apaches spécialistes du couteau ;* et adjectiv. : *Un air apache.*

apaiser [apɛze] v. tr. **1°** *Apaiser quelqu'un,* le ramener à des sentiments de calme, de paix : *Il chercha à m'apaiser en trouvant des excuses à sa conduite* (syn. : RADOUCIR, AMADOUER). *On apaisa le peuple par de vagues promesses* (syn. : CALMER ; contr. : EXASPÉRER, EXCITER). — **2°** *Apaiser quelque chose,* mettre fin à un mouvement, satisfaire un sentiment, un désir : *Cette somme d'argent apaisa ses scrupules de conscience* (syn. : FLÉCHIR). *J'ai apaisé ma soif à l'eau de cette source* (syn. : ÉTANCHER). *Tâchez d'apaiser votre faim avec quelques fruits* (syn. : CALMER). ◆ ***s'apaiser*** v. pr. Devenir calme : *La tempête s'apaise* (syn. : DÉCROÎTRE, TOMBER). *Sa colère s'est apaisée* (syn. : SE CALMER). ◆ **apaisant, e** adj. : *Il s'entremit entre les adversaires et leur adressa quelques paroles apaisantes.* ◆ **apaisement** n. m. : *Le gouvernement a donné des apaisements en ce qui concerne les augmentations d'impôt* (= a rassuré l'opinion).

apanage [apanaʒ] n. m. *Etre l'apanage de quelqu'un, d'un groupe,* lui appartenir en propre : *La culture ne devrait pas être l'apanage d'une élite. Les rhumatismes sont l'apanage de la vieillesse.* ‖ *Avoir l'apanage de quelque chose,* être seul à en jouir : *Ne croyez pas avoir l'apanage de la sagesse* (syn. : AVOIR L'EXCLUSIVITÉ, LE MONOPOLE DE). [L'*apanage* était la portion de domaine donnée par les souverains à leurs fils cadets ou à leurs frères, et revenant à la Couronne après extinction des descendants mâles.]

aparté [aparte] n. m. Entretien assez bref que deux personnes tiennent en particulier pour ne pas être entendues des autres : *Ils ne cessèrent de faire des apartés pendant toute la conférence* (syn. fam. : MESSE BASSE). ● LOC. ADV. *En aparté,* en confidence : *Il me raconta en aparté sa dernière aventure* (syn. : EN CATIMINI, EN TÊTE À TÊTE).

apathie [apati] n. f. Manque permanent de réaction, dû à une absence de volonté, d'énergie ou de sensibilité : *Secouez un peu votre apathie* (syn. : MOLLESSE). *On s'étonna de l'apathie du gouvernement devant ces menées subversives* (syn. : FAIBLESSE ; contr. : ÉNERGIE). ◆ **apathique** adj. et n. : *Un élève apathique qui ne pose jamais de questions* (syn. : INDOLENT, MOU, NONCHALANT). *Il a un caractère apathique* (contr. : ACTIF, ÉNERGIQUE, DYNAMIQUE).

apatride n. et adj. V. PATRIE.

apercevoir [apɛrsəvwar] v. tr. (conj. **34**). *Apercevoir quelqu'un, quelque chose,* voir, après quelque recherche, une personne ou une chose que l'éloignement, la petitesse ou d'autres raisons empêchent de découvrir d'emblée (sens souvent très proche de *voir*) : *Apercevoir une lumière, la nuit, sur la montagne. Il me semble l'avoir aperçu ce matin dans le métro. Son intelligence lui fait apercevoir ce qui échappe aux autres* (syn. : SAISIR, DÉCOUVRIR, DEVINER). ◆ ***s'apercevoir*** v. pr. *S'apercevoir de quelque chose,* ou *que* (suivi de l'indic. ; ou, parfois, littér., du subj. quand la principale est négative ou interrogative), en prendre conscience, remarquer que : *Je ne me suis pas aperçu que l'heure était déjà avancée* (syn. : REMARQUER). *Il s'est aperçu de mon trouble et s'en inquiète* (syn. : VOIR). *Ne s'aperçoit-il* *jamais que ses auditeurs sont lassés de son discours?* ◆ **aperçu** [apɛrsy] n. m. Vue générale, le plus souvent schématique : *Ce résumé vous donnera un aperçu du livre* (syn. : IDÉE). *Un aperçu sommaire sur l'histoire d'un pays* (syn. : VUE). *Il a souvent des aperçus originaux, mais il ne domine pas encore la question* (syn. : INTUITION). ◆ **entr'apercevoir** v. tr. : *Je n'ai fait que l'entr'apercevoir au moment où il entrait dans son bureau* (= apercevoir un court instant).

apéritif [aperitif] n. m. Boisson alcoolisée que l'on prend avant le repas, sous prétexte de stimuler l'appétit : *Prendre, boire un apéritif. Se faire servir un apéritif. Payer l'apéritif à un ami* (souvent remplacé par le nom de la marque : *Commander un Pernod, un Martini,* etc.) [contr. : DIGESTIF]. ◆ **apéro** n. m. Abrév. pop. ◆ **apéritif, ive** adj. : *Boisson, liqueur apéritive.* (V. DIGESTIF.)

à-peu-près n. m. invar. V. AUPRÈS.

apeuré, e adj. V. PEUR.

aphasie [afazi] n. f. Trouble du langage, dû à une lésion du cerveau. ◆ **aphasique** adj. et n. : *La rééducation des malades aphasiques.*

aphone [afɔn] adj. Se dit de quelqu'un qui n'a plus de voix ou dont la voix est chuchotée : *Il est devenu aphone à la suite d'une opération du pharynx* (syn. : ↑ MUET). *L'angine l'a rendu presque aphone. Il était aphone à force d'avoir hurlé* (= sans voix).

aphorisme [afɔrism] n. m. Maxime concise à valeur très générale : *« Prudence est mère de sûreté » est un aphorisme* (syn. : PROVERBE).

aphte [aft] n. f. Petite lésion qui siège sur les gencives ou à l'intérieur des joues. ◆ **aphteuse** [aftøz] adj. f. *Fièvre aphteuse,* maladie, due à un virus, atteignant les bestiaux (bœuf, vache, porc, mouton).

apitoyer [apitwaje] v. tr. (conj. **3**). *Apitoyer quelqu'un sur quelqu'un* ou *sur quelque chose,* appeler sur eux sa pitié, sa sympathie attendrie : *J'ai essayé de l'apitoyer sur le sort de ces malheureux* (syn. : ATTENDRIR). *Ces marques de désespoir auraient apitoyé le cœur le plus insensible* (syn. : ÉMOUVOIR, TOUCHER). ◆ ***s'apitoyer*** v. pr. *S'apitoyer sur quelqu'un, sur quelque chose,* être pris d'un sentiment de pitié pour eux : *Il s'apitoya sur ces enfants que l'accident stupide avait rendus orphelins.* ◆ **apitoiement** [apitwamɑ̃] n. m. : *Les pleurs de la petite fille perdue dans la foule provoquèrent l'apitoiement de quelques passants* (syn. : PITIÉ, COMPASSION).

aplanir [aplanir] v. tr. **1°** *Aplanir une surface,* la rendre unie alors qu'elle était inégale : *Aplanir un terrain pour y installer un court de tennis* (syn. : NIVELER). — **2°** *Aplanir une chose,* en diminuer la rudesse, supprimer ce qui fait obstacle : *Les difficultés sont aplanies; l'affaire est faite* (syn. : SUPPRIMER). *Le chemin est aplani; vous pouvez sans crainte émettre vos propositions.* ◆ ***s'aplanir*** v. pr. Devenir uni, facile : *Tout s'est aplani après une longue et franche discussion.* ◆ **aplanissement** n. m. : *L'aplanissement des difficultés* (syn. : SUPPRESSION).

aplatir [aplatir] v. tr. **1°** *Aplatir quelque chose,* le rendre plat ou le briser par un choc : *Aplatir une tige de fer à coups de marteau. Le nez aplati d'un boxeur. Aplatir sa voiture contre un platane* (syn. : ÉCRASER). — **2°** Fam. *Aplatir quelqu'un,* le vaincre, le réduire à néant par la force : *L'ennemi a été aplati* (syn. : ↓ BATTRE). *Il a aplati par sa réponse tous ses contradicteurs* (syn. : RÉDUIRE AU SILENCE, CONFONDRE). *Je me sens aplati par la chaleur* (syn. : ÉCRASER, ACCABLER ; ↑ ANÉANTIR). ◆ ***s'aplatir*** v. pr. **1°** (sujet nom d'être animé) Allonger son corps sur le sol : *Il s'aplatit derrière la haie pour guetter les habitants de la ferme* (syn. : SE PLAQUER). — **2°** (sujet nom de chose) Heurter avec violence, s'écraser : *L'auto dérapa et vint s'aplatir contre le mur.* — **3°** Fam. *S'aplatir devant quelqu'un,* s'humilier devant lui : *Il n'a aucun sens de la dignité et s'aplatit devant ses supérieurs.* ◆ **aplatissement** n. m. : *L'aplatissement de la Terre aux deux pôles;* et fam. : *L'aplatissement des armées ennemies* (syn. : DÉROUTE, ÉCRASEMENT).

1. aplomb [aplɔ̃] n. m. Etat d'équilibre, de stabilité : *Alors qu'il s'aventurait sur les rochers, le vertige lui a fait perdre son aplomb et il est tombé;* surtout dans la loc. adv. *d'aplomb : Il a trop bu et ne tient pas d'aplomb sur ses jambes* (= en équilibre). *Il fait très chaud sous cette véranda, le soleil tombe d'aplomb* (= perpendiculairement). *L'armoire n'est pas posée d'aplomb et risque de tomber. Je ne suis pas d'aplomb, je dois avoir de la fièvre* (syn. : BIEN PORTANT).

2. aplomb [aplɔ̃] n. m. Confiance absolue en soi-même, allant parfois jusqu'à l'effronterie : *Il garde un aplomb admirable au milieu de cette agitation* (syn. : SANG-FROID). *Il est venu avec aplomb me demander de nouveau de lui prêter de l'argent* (syn. : ↓ ASSURANCE, AUDACE ; fam. : TOUPET ; pop. : CULOT ; contr. : TIMIDITÉ, RÉSERVE).

apocalypse [apɔkalips] n. f. Evénement épouvantable, catastrophe dont l'étendue et la gravité sont comparables à la fin du monde : *Les premières secousses ébranlèrent la ville vers deux heures du matin; ce fut une nuit d'apocalypse. Les dévastations sont extraordinaires : un paysage d'apocalypse.* (L'*Apocalypse* est le livre du Nouveau Testament où saint Jean fait état de révélations qui embrassent la totalité des temps.) ◆ **apocalyptique** adj. : *La vision de cette ville détruite était apocalyptique* (syn. : ÉPOUVANTABLE).

apocryphe [apɔkrif] adj. *Texte apocryphe,* texte faussement attribué à un auteur : *Certains dialogues de Platon sont apocryphes* (contr. : AUTHENTIQUE).

apogée [apɔʒe] n. m. Le plus haut degré que l'on puisse atteindre (suivi d'un compl. ou accompagné d'un adj. poss.) : *Il est maintenant à l'apogée des honneurs* (syn. : SOMMET, FAÎTE). *L'Empire romain, à son apogée, dominait tout le Bassin méditerranéen.* (Le mot, dans son sens technique, appartient au vocabulaire de l'astronomie.)

apolitique adj. V. POLITIQUE.

apollon [apɔlɔ̃] n. m. Homme dont la qualité essentielle est d'approcher de la beauté idéale, fixée par les règles de la sculpture antique (avec une nuance plaisante) : *L'été, sur la plage, quelques apollons s'efforcent d'attirer l'attention sur eux.*

apologie [apɔlɔʒi] n. f. *L'apologie de quelqu'un, de ses actes, de sa conduite,* l'éloge ou la justification qu'on fait d'eux par un écrit ou par des paroles (surtout avec *faire*) : *Il fit l'apologie du ministre en comparant ses réalisations à l'inaction de ses prédécesseurs* (syn. : GLORIFICATION). *Le journal fut condamné pour avoir fait l'apologie du crime* (syn. : PANÉGYRIQUE). ◆ **apologiste** n. : *Se faire l'apologiste* *acharné de la réforme agraire* (syn. : DÉFENSEUR, AVOCAT).

apologue [apɔlɔg] n. m. Récit en prose ou en vers qui a une intention moralisatrice : *Les apologues d'Esope, de Phèdre* (syn. : FABLE).

apostasie [apɔstazi] n. f. *Péjor.* Renonciation publique à une religion, à une doctrine ou à un parti (religieux ou littér.) : *Tout abandon des idées de sa jeunesse lui paraissait une apostasie, un reniement auquel il se refusait.* ◆ **apostasier** v. intr. et tr. ◆ **aspostat, e** adj. et n. Qui a apostasié.

aposter v. tr. Terme vieilli remplacé par POSTER.

a posteriori [apɔsterjɔri] loc. adv. et adj. En se fondant sur l'expérience, sur les faits constatés ; en considérant les résultats : *A posteriori, les résultats condamnent l'expérience de réorganisation qui a été tentée. On ne s'aperçoit trop souvent qu'a posteriori de ses erreurs* (contr. : A PRIORI).

apostolat n. m., **apostolique** adj. V. APÔTRE.

1. apostrophe [apɔstrɔf] n. f. Manière de s'adresser brusquement, parfois brutalement, à quelqu'un ou à une chose personnifiée : *Il lança une apostrophe vengeresse au chauffeur de la voiture qui venait de l'éclabousser* (syn. : INTERPELLATION). *Il fut interrompu dans son discours par une apostrophe ironique.* ◆ **apostropher** v. tr. *Apostropher quelqu'un,* s'adresser à lui brusquement, parfois d'une manière brutale, impolie : *Un agent l'apostropha : il avait garé sa voiture le long d'un trottoir où le stationnement était interdit.*

2. apostrophe [apɔstrɔf] n. f. Signe graphique de l'élision ('). [L'apostrophe est employée avec les mots *le, la, je, me, te, se, ne, de, que, ce* devant un mot commençant par une voyelle ou un *h* muet ; avec *si* devant *il ;* avec *lorsque, puisque, quoique* devant *il, elle, en, on, un, une ;* avec *quelque* devant *un, une ;* etc.]

3. apostrophe n. f. *Mot mis en apostrophe,* V. FONCTION.

apothéose [apɔteoz] n. f. Honneur extraordinaire rendu à quelqu'un et couronnant une suite de succès : *La réception à l'Académie fut pour lui une apothéose* (syn. : CONSÉCRATION). *L'auteur fut invité partout et, ce qu'il considéra comme l'apothéose, son livre fut pris comme sujet d'un film* (syn. : TRIOMPHE). [L'*apothéose* était, à Rome, la divinisation de l'empereur.]

apothicaire [apɔtikɛr] n. m. *Compte d'apothicaire,* état de sommes dues, facture dont le détail, exagérément complexe et minutieux, est difficile à vérifier et laisse présumer un montant fortement majoré : *Il a évalué la fourniture des vis et des clous, et a ajouté les frais de déplacement : ce sont là des comptes d'apothicaire.* (*Apothicaire* est l'appellation ancienne du pharmacien.)

apôtre [apotr] n. m. **1°** Nom donné aux douze disciples de Jésus et à ceux qui ont porté les premiers l'Evangile dans un pays (avec une majusc.) : *Saint Boniface fut un des apôtres de la Germanie* — **2°** *Se faire l'apôtre d'une doctrine, d'une opinion,* en être le propagandiste ardent. — **3°** *Faire le bon apôtre,* se dit péjor. de quelqu'un qui, sous des dehors de bonhomie, tente de duper, de tromper. ◆ **apostolat** [apɔstɔla] n. m. Mission d'un apôtre ou d'un propagandiste : *L'enseignement est pour lui un véritable apostolat. Il cherche à convaincre, et il y a chez lui un goût de l'apostolat* (syn. : PROSÉLYTISME). ◆ **apostolique** adj. : *Une vertu apostolique* (= conforme à l'exemple des apôtres). *Le rôle apostolique d'un missionnaire.*

1. apparaître [aparɛtr] v. intr. (conj. **64** ; auxil. *être* ou rarement *avoir*). **1°** *Apparaître à quelqu'un* (suivi d'un attribut), se présenter à lui sous tel ou tel aspect : *Ces chansons du début du siècle nous apparaissent aujourd'hui bien démodées* (syn. : SEMBLER, PARAÎTRE). *Il lui est apparu sous le jour le plus favorable.* — **2°** *Il apparaît que* (suivi de l'indic. quand la principale est positive, et du subj. lorsqu'elle est négative ou interrogative), on constate, on reconnaît que : *Il apparaît, d'après l'enquête, que le crime a été commis par un des familiers de la maison* (syn. : RÉSULTER, RESSORTIR). *Il n'apparaît pas que tous aient compris* (= il ne semble pas).

2. apparaître [aparɛtr] v. intr. (conj. **64** ; auxil. *être*). Se montrer brusquement, d'une manière inattendue : *Les montagnes sortirent de la brume et apparurent sous le soleil dans leur masse imposante* (syn. : SE DÉCOUVRIR, SE DÉTACHER). *Le jour n'apparaît pas encore* (syn. : SE LEVER, LUIRE ; contr. : DISPARAÎTRE). *Une voiture apparut brusquement sur la gauche* (syn. : SURVENIR). *Il n'a fait qu'apparaître un moment au salon* (syn. : VENIR). *La vérité apparaîtra un jour ou l'autre* (syn. : SURGIR, SE FAIRE JOUR). ◆ **réapparaître** v. intr. (auxil. *avoir* ou *être*). Apparaître de nouveau après une absence : *Les fruits et les légumes ont réapparu sur les marchés après le gel.* ◆ **apparition** [aparisjɔ̃] n. f. **1°** Action, pour une personne, de paraître en un lieu ; fait, pour une chose, d'être visible, de se manifester : *Il n'a fait qu'une brève apparition à l'heure du repas. L'apparition de la fièvre fut suivie d'une éruption de boutons* (syn. : COMMENCEMENT, DÉBUT ; contr. : DISPARITION). *L'apparition de nouvelles tendances en peinture* (syn. : NAISSANCE). *Une nouvelle étoile a fait son apparition dans le ciel.* — **2°** Manifestation d'un être surnaturel, d'un fantôme : *On croyait que le château, chaque samedi, était le lieu d'apparitions mystérieuses.* ◆ **réapparition** n. f. : *On signale la réapparition de l'épidémie dans certains quartiers.*

apparat [apara] n. m. *Avec apparat, en grand apparat,* avec un grand déploiement de faste : *La rentrée des universités se fait en grand apparat* (= en grande pompe ; syn. : AVEC SOLENNITÉ, AVEC ÉCLAT ; contr. : EN TOUTE SIMPLICITÉ). ‖ *D'apparat,* qui se fait avec solennité, qui s'accompagne de luxe, d'ostentation : *Discours d'apparat* (= solennel). *Dîner d'apparat. Habit, tenue d'apparat* (= revêtus pour les cérémonies solennelles).

appareil [aparɛj] n. m. (souvent suivi d'un adj. ou d'un compl. qui limite l'extension du terme). **1°** Groupe de pièces disposées pour fonctionner ensemble ; dispositif : *Un aspirateur est un appareil électrique. Le magnétophone est un appareil enregistreur.* — **2°** Ensemble d'organes qui assurent une fonction du corps : *L'appareil digestif.* — **3°** (sans adj.) Téléphone : *Qui est à l'appareil? ;* avion : *Un appareil de transport s'est écrasé à l'atterrissage.* — **4°** Ensemble des organismes constituant un syndicat, un parti, etc. : *Tout l'appareil syndical fut alerté quand furent connues les décisions gouvernementales. L'appareil du parti a été renouvelé.* — **5°** *Dans le plus simple appareil,* nu (euphémisme). ◆ **appareillage** n. m. *Appareillage électrique,* ensemble des appareils employés dans les installations électriques.

1. appareiller [aparɛje] v. intr. *Navire qui appareille,* qui quitte le port et prend sa route : *Le paquebot appareille pour Athènes.* ◆ **appareillage** n. m. Ensemble des manœuvres à exécuter pour qu'un navire quitte le port.

2. appareiller [aparɛje] v. tr. Grouper des objets pareils, pour former un ensemble : *Appareiller des couverts* (contr. : DÉPAREILLER).

apparence [aparɑ̃s] n. f. **1°** Aspect extérieur qui répond plus ou moins à la réalité : *La pièce, une fois repeinte, aura belle apparence. La maison a une apparence misérable. Il ne faut pas se fier aux apparences. Sous une apparence de bonhomie souriante, il cache une réelle dureté* (syn. : EXTÉRIEUR, DEHORS; contr. : RÉALITÉ, FOND). *Malgré les apparences, la situation économique est excellente. Il a sauvé les apparences* (= il n'a rien montré qui puisse entacher sa réputation). — **2°** *En apparence,* à en juger par l'extérieur : *En apparence, il n'est pas ému, mais la blessure est en réalité profonde.* ‖ *Selon toute apparence,* d'une manière vraisemblable, d'après ce que l'on sait effectivement. ◆ **apparent, e** adj. **1°** Se dit de quelque chose qui apparaît clairement, qui est visible à tous : *Il porte ses décorations de manière apparente* (syn. : OSTENSIBLE; contr. : DISCRET). *Sans raison apparente, il nous a quittés* (syn. : VISIBLE). — **2°** Se dit de quelque chose dont l'aspect ne correspond pas à la réalité : *Les contradictions apparentes de son raisonnement* (syn. : SUPERFICIEL). *Le danger est plus apparent que réel. Une politesse apparente qui cache une hostilité réelle* (syn. : TROMPEUR). ◆ **apparemment** adv. A en juger par l'extérieur; selon ce qui apparaît : *Apparemment, rien n'était changé entre eux; mais leur amour avait disparu. Vous ne saviez rien, apparemment, de cette affaire* (syn. : SELON TOUTE APPARENCE).

apparenté (être) [aparɑ̃te] v. passif [**à**]. **1°** Etre parent ou allié d'une famille : *Il est apparenté à une famille de petits nobles bretons.* — **2°** Présenter des traits communs avec quelque chose : *Avoir une manière de penser apparentée à celle de son père.* — **3°** (sujet nom de personne) Avoir une attitude politique proche de celle d'un groupement politique déterminé : *Un député qui est apparenté au M.R.P.* ◆ ***s'apparenter*** v. pr. [**à**]. **1°** (sujet nom de personne) S'allier par le mariage à une famille : *Il s'est apparenté à la grande bourgeoisie provinciale.* — **2°** (sujet nom de chose) Avoir des traits communs avec quelque chose : *Cette critique littéraire s'apparente à la dissection du chirurgien.* ◆ **apparentement** n. m. **1°** Etat de celui qui est apparenté politiquement (sens 3 du verbe). — **2°** Alliance électorale permise entre plusieurs listes par certains systèmes électoraux.

apparier [aparje] v. tr. *Apparier des objets,* les assortir par paires (langue techn.) : *Apparier des gants. Ces bas ne sont pas appariés* (contr. : DÉPAREILLER).

appariteur [aparitœr] n. m. Huissier attaché à une faculté.

apparition n. f. V. APPARAÎTRE 2.

appartement [apartəmɑ̃] n. m. Local d'habitation, composé de plusieurs pièces contiguës, dans un immeuble qui comporte plusieurs de ces locaux : *Payer le loyer d'un appartement. Les locataires des appartements se plaignent du mauvais entretien de l'immeuble. Repeindre les murs de son appartement.*

appartenir [apartənir] v. tr. ind. [**à**] (conj. 22). **1°** (sujet nom de chose) Etre la propriété de quelqu'un, être à sa disposition : *Ce château a appartenu à un gros industriel. Ce stylo vous appartient-il?* (= est-il à vous ?). — **2°** (sujet nom de personne ou de chose) Faire partie de : *Il appartient au corps des fonctionnaires de l'Etat. Appartenir à une vieille famille bretonne. Cela n'appartient pas à mon sujet* (syn. : CONCERNER). *Ce livre appartient au genre des essais philosophiques* (syn. : RELEVER DE). — **3°** (sujet nom désignant une femme) Se donner par amour : *Elle a appartenu successivement à plusieurs amants.* — **4°** *Il appartient à quelqu'un de (faire),* il est de son devoir, de son droit de (faire) : *Il ne vous appartient pas de lui reprocher ce que vous-même avez fait dans votre jeunesse.* ◆ ***s'appartenir*** v. pr. *Ne pas s'appartenir,* ne pas être libre d'agir comme on l'entend : *Il est occupé toute la journée et pratiquement il ne s'appartient plus.* ◆ **appartenance** n. f. Fait, pour une personne, d'appartenir à un groupe politique, social, etc. : *L'appartenance à la classe ouvrière, à la race noire, à la religion juive,* etc.

appas [apɑ̃] n. m. pl. Beautés de la femme qui séduisent, attirent ou excitent les sens (langue recherchée) : *Elle a des appas qui ne laissent pas insensible* (syn. : ATTRAITS, CHARMES, SEX-APPEAL).

appât [apɑ̃] n. m. **1°** Ce dont on se sert pour attirer le poisson, le gibier, et qui est fixé sur le piège lui-même : *Jeter de l'appât dans la rivière avant de poser sa ligne. Mordre à l'appât.* — **2°** *L'appât de quelque chose,* ce qui excite quelqu'un à faire quelque chose : *L'appât du gain faisait briller ses yeux de convoitise* (syn. : DÉSIR). *L'appât d'une récompense peut amener un complice à dénoncer l'assassin* (syn. : ATTRAIT). ◆ **appâter** v. tr. **1°** *Appâter un gibier, un poisson,* les attirer par un appât : *Appâter des goujons* (syn. : AMORCER). — **2°** *Appâter des volailles,* les faire manger de force une pâtée destinée à les engraisser : *Appâter des oies et des dindes pour les vendre au moment de Noël* (syn. : GAVER). — **3°** *Appâter quelqu'un,* l'attirer par quelque chose d'alléchant : *Il cherche à l'appâter par des promesses extraordinaires qu'il ne tiendra pas* (syn. : SÉDUIRE).

appauvrir [apovrir] v. tr. **1°** *Appauvrir quelqu'un,* le rendre pauvre, diminuer ses ressources, le priver de l'argent nécessaire pour subvenir à ses besoins (souvent aux temps composés ou au passif) : *Les dépenses superflues l'ont appauvri, il est maintenant dans la gêne* (contr. : ENRICHIR). — **2°** *Appauvrir quelque chose,* en diminuer la production, l'énergie, la vigueur (souvent aux temps composés ou au passif) : *Ce mode de culture intensive a finalement appauvri la terre* (syn. : ↑ RENDRE INFERTILE, STÉRILISER). *Le pays est sorti appauvri de la guerre* (syn. : ↑ RUINER, ÉPUISER, ÉCRASER). *Cette vie paresseuse avait singulièrement appauvri sa pensée* (contr. : ENRICHIR). ◆ ***s'appauvrir*** v. pr. Devenir pauvre : *La région, privée d'industries importantes, s'appauvrissait lentement. Si l'on refuse tout renouvellement, la langue s'appauvrit peu à peu* (syn. : S'ÉPUISER). ◆ **appauvrissement** n. m. : *L'appauvrissement d'une classe sociale. L'appauvrissement de l'intelligence* (syn. : ↑ RUINE, ÉPUISEMENT). *L'appauvrissement de la langue.*

1. appeler [aple] v. tr. (conj. **6**). **1°** *Appeler une personne, un animal,* les faire venir, attirer leur attention, les engager à agir, par un cri, un geste, etc., ou par un message, un ordre : *Appeler de loin un ami que l'on reconnaît dans la rue* (syn. : HÉLER). *Appeler son chien. Le médecin a été appelé par téléphone. Appeler les voisins au secours, à l'aide. On a appelé la police. Il a été appelé à comparaître devant le tribunal* (syn. : CITER). *Il est appelé à témoigner au procès. Etre appelé sous les drapeaux* (= être incorporé dans l'armée). *Appeler le peuple aux armes* (= le soulever). — **2°** *Appeler quelqu'un à une fonction,* l'y désigner : *Le général est appelé à un nouveau commandement* (syn. : NOMMER). *Etre appelé à de hautes fonctions. Ses grandes qualités l'appellent à prendre la direction de l'entreprise.* — **3°** (sujet nom de chose) *Appeler (quelque chose),* rendre nécessaire, entraîner comme conséquence : *La situation financière appelle une solution urgente* (syn. : RÉCLAMER). *Sa mauvaise conduite appelle une sanction. Cette injure appelle une réponse* (syn. : EXIGER). *Cet exploit est appelé à passer à la postérité* (syn. : DESTINER). — **4°** (sujet nom de personne) *En appeler à,* s'en remettre à : *J'en appelle à votre discrétion pour oublier ce qui a été dit. J'en appelle à votre témoignage* (syn. : INVOQUER). ‖ (sujet nom de chose) *En appeler,* avoir pour conséquence : *Un coup en appelle un autre* (syn. : ENTRAÎNER). — **5°** *En appeler de,* refuser d'admettre comme définitif : *J'en appelle de la condamnation qu'on a prononcée. Il en appelle de votre décision.* ‖ *Appeler l'attention de quelqu'un sur quelque chose,* l'engager à réfléchir, à prendre en considération quelque chose (syn. : ATTIRER). ◆ **appel** [apɛl] n. m. **1°** *Recevoir un appel pressant* (syn. : INVITATION). *Un appel à l'aide, au secours. L'appel aux armes. A cet appel, les dons affluèrent* (syn. : DEMANDE). *Il ne sait pas résister à l'appel du plaisir* (syn. : ATTRAIT, ATTIRANCE). *L'appel de la conscience* (syn. : CRI). *L'appel à l'autorité internationale* (syn. : RECOURS). *Cette décision est sans appel* (= définitive). *Un appel à la révolte* (syn. : EXCITATION). — **2°** *Un appel téléphonique,* un coup de téléphone. ‖ Fam. *Un appel du pied,* une invite. ‖ *Des appels de fonds,* des demandes de versements d'argent. ‖ *Faire appel à quelqu'un* ou *à quelque chose,* invoquer leur intervention : *Je fais appel à votre bonté, à votre sagesse* (syn. : SOLLICITER). ◆ **appelé** n. m. Soldat convoqué pour faire son service militaire.

2. appeler [aple] v. tr. (conj. **6**). [sujet nom de personne]. **1°** *Appeler quelqu'un, quelque chose,* lui donner un nom, une qualification : *On l'appela Jean* (syn. : PRÉNOMMER). *Comment l'appelle-t-on?* (syn. : NOMMER). *Appeler son fils du nom de son grand-père. J'appelle cela une stupidité* (syn. : QUALIFIER). *Il faut appeler les choses par leur nom* (= ne pas chercher à atténuer la réalité). — **2°** *Appeler quelqu'un,* vérifier sa présence en prononçant son nom : *Appeler les élèves d'une classe* (syn. : FAIRE L'APPEL DE). *On a appelé son nom, mais il n'était pas là.* ◆ ***s'appeler*** v. pr. **1°** Avoir comme nom : *Il s'appelle André* (syn. : SE NOMMER). — **2°** *Voilà qui s'appelle parler,* voilà une manière franche et vigoureuse de s'exprimer. ◆ **appel** n. m. *Faire l'appel,* vérifier la présence de personnes dans un groupe (classe, section, etc.) en prononçant leurs noms. ◆ **appellation** n. f. Nom donné à une chose, ou qualificatif appliqué à une personne : *Ce vin est d'appellation contrôlée* (= d'un lieu de récolte vérifié). *L'appellation choisie pour le produit lui paraît sans originalité* (syn. : NOM, DÉNOMINATION). *Une appellation injurieuse* (syn. : MOT). [V. RAPPELER.]

1. appendice [apɛ̃dis] n. m. Ensemble de remarques, de notes ou de textes qui, n'ayant pu trouver place dans le corps d'un livre, ont été mis à la fin comme compléments : *Grouper dans l'appendice le détail des statistiques qui ont servi de base aux conclusions présentées dans un ouvrage. Mettre, ajouter un appendice* (= adjoindre une note, une remarque à ce qui vient d'être écrit).

2. appendice [apɛ̃dis] n. m. Prolongement d'une partie principale : *On distinguait une sorte d'appendice à la ferme, un petit hangar* (syn. : DÉPENDANCE).

3. appendice [apɛ̃dis] n. m. Organe présentant une forme allongée et étroite; en particulier, chez l'homme, partie du gros intestin (cæcum), en doigt de gant : *Appendice nasal* (syn. ironiq. de NEZ). *Le chirurgien lui a enlevé l'appendice.* ◆ **appendicite** n. f. Inflammation de l'appendice intestinal.

appentis [apɑ̃ti] n. m. Petit bâtiment adossé à une maison, à un garage, à un mur, etc., et qui sert à abriter des outils, un véhicule, etc.

appesantir [apəzɑ̃tir] v. tr. **1°** *Appesantir quelqu'un, quelque chose,* le rendre moins rapide, moins vif : *L'âge appesantit sa démarche* (syn. : ENGOURDIR). — **2°** (sujet nom de personne) *Appesantir son bras, son autorité sur quelqu'un,* rendre sa domination plus dure, faire peser lourdement son autorité (syn. : OPPRIMER). ◆ ***s'appesantir*** v. pr. Devenir plus lourd, plus pesant, plus dur : *Il sentait sa tête s'appesantir sous l'effet du vin* (syn. : S'ALOURDIR). *La domination coloniale s'est appesantie pendant des siècles sur l'Amérique du Sud. Il ne faut pas s'appesantir sur le sujet* (syn. : INSISTER, APPUYER). *Ne vous appesantissez pas sur les détails* (= ne vous y arrêtez pas). ◆ **appesantissement** n. m. : *L'appesantissement de l'esprit après un bon repas.*

appétit [apeti] n. m. **1°** Désir par lequel se manifeste le besoin de manger : *J'ai perdu l'appétit. Ce récit m'a coupé l'appétit. Elle a un appétit d'oiseau* (= très petit). *Cette promenade m'a mis en appétit, m'a donné de l'appétit, a aiguisé mon appétit. Nous avons mangé de bon appétit. Bon appétit!* (= souhait adressé à quelqu'un avant le repas). — **2°** *Rester sur son appétit,* ne pas satisfaire entièrement son besoin de manger; n'être pas satisfait de ce qu'on vient de voir, d'entendre, de lire, etc. : *La publicité qui entourait le film était alléchante, mais nous sommes restés sur notre appétit* (syn. : RESTER SUR SA FAIM). ◆ **appétissant, e** adj. **1°** Qui excite le désir de manger : *Les plats que l'on sert à la cantine sont copieux et appétissants* (syn. : ENGAGEANT). — **2°** *Une femme appétissante,* dont la fraîcheur et dont les formes provoquent une attirance sexuelle (syn. : AFFRIOLANT).

applaudir [aplodir] v. tr. et intr. **1°** *Applaudir quelqu'un* ou *quelque chose,* les louer ou les approuver en battant des mains, en frappant des pieds, etc., lors d'une représentation, d'un discours, etc. : *Les spectateurs applaudirent les acteurs à la fin de la représentation* (contr. : SIFFLER). *L'assemblée, debout, applaudit l'orateur* (syn. : ACCLAMER; contr. : HUER). *Ils ont applaudi à tout rompre. La chanson fut applaudie.* — **2°** *Applaudir à une chose,* l'approuver entièrement : *Les journaux ont applaudi à cette initiative* (syn. : SE RÉJOUIR DE). *On a applaudi à ce premier succès. J'applaudis à votre projet d'agrandissement de l'usine* (syn. : SE FÉLICITER DE). ◆ **applaudissement** n. m. : *Le* théâtre croula sous les applaudissements. Un tonnerre d'applaudissements (syn. : ACCLAMATIONS). Les applaudissements ont couvert la fin de son intervention. Arracher des applaudissements à un public difficile (contr. : HUÉES, SIFFLETS).

1. appliquer [aplike] v. tr. *Appliquer une chose* (objet, matière) *sur, contre, à,* mettre cette chose sur une autre de manière qu'elle y adhère, la poser, la plaquer contre ou sur quelque chose : *Appliquer une couche de peinture sur une porte* (syn. : PASSER, ÉTENDRE). *Appliquer une échelle contre un mur. On lui a appliqué des ventouses sur le dos. Je vais vous appliquer ma main sur la figure* (syn. fam. : FLANQUER). ◆ ***s'appliquer*** v. pr. Etre posé, mis : *Cet enduit s'applique bien sur le plafond.* ◆ **application** n. f. : *L'application de papier peint sur le mur* (syn. : POSE). ◆ **applique** n. f. Objet fixé au mur d'une manière permanente, en particulier pour servir à l'éclairage de la pièce.

2. appliquer [aplike] v. tr. *Appliquer quelque chose* (sans compl., ou avec *à* suivi d'un subst. ou d'un infin.), mettre en pratique un procédé, une théorie; faire porter une action sur quelque chose ou sur quelqu'un : *Appliquez les théorèmes que vous connaissez au problème que je viens de donner. Il a appliqué dans son travail une méthode rigoureuse* (syn. : UTILISER). *Il faut appliquer la loi dans toute sa rigueur. Appliquer tous ses soins à exécuter fidèlement les ordres reçus. Appliquer une peine rigoureuse à un accusé* (syn. : INFLIGER). *Le surveillant se vit appliquer un surnom ridicule* (syn. : DONNER). ◆ ***s'appliquer*** v. pr. : *Ce jugement s'applique parfaitement à son cas* (syn. : CONVENIR, CORRESPONDRE). ◆ **applicable** adj. : *La loi est applicable aux mineurs dans ce cas.* ◆ **inapplicable** adj. : *Les mesures décidées se sont révélées en fait inapplicables.* ◆ **application** n. f. : *L'application des décisions prises par le congrès* (syn. : MISE EN PRATIQUE). *Les applications pratiques de cette découverte sont innombrables* (syn. : UTILISATION). ◆ **inapplication** n. f. : *L'inapplication d'un règlement.*

3. appliquer (s') [saplike] v. pr. (sujet nom de personne). *S'appliquer à quelque chose, à faire quelque chose,* y porter beaucoup de soin, d'attention : *S'appliquer à son travail* (syn. : S'ADONNER, SE CONSACRER). *Il s'applique à garder tout son calme* (syn. : S'ATTACHER). ◆ **appliqué, e** adj. Attentif à son travail : *Un élève appliqué* (syn. : STUDIEUX, TRAVAILLEUR). *Il n'est pas appliqué en classe* (syn. : ASSIDU). ◆ **application** n. f. : *L'application des enfants quand ils font leurs devoirs* (syn. : ASSIDUITÉ). *Travailler avec application* (syn. : ZÈLE). ◆ **inappliqué, e** adj. : *Cet enfant est inappliqué.* ◆ **inapplication** n. f. : *Un élève blâmé pour son inapplication.*

appoint [apwɛ̃] n. m. 1° *Donner, faire l'appoint,* compléter une somme donnée en billets avec de la menue monnaie : *Le receveur de l'autobus demande à chacun de faire l'appoint.* — 2° (suivi d'un compl. du nom ou accompagné d'un adj.) Aide qui vient s'ajouter : *Apporter l'appoint de ses connaissances à une entreprise* (syn. : CONTRIBUTION). *Ils nous ont fourni l'appoint de leurs bras vigoureux pour sortir la voiture du fossé* (syn. : CONCOURS). *L'entrée des Etats-Unis dans la guerre constitua pour les Alliés un appoint décisif* (syn. : AIDE, APPUI).

appointé, e [apwɛ̃te] adj. et n. Se dit de quelqu'un qui reçoit un salaire attaché à une fonction ou à un emploi : *Il est appointé au mois.* ◆ **appointements** n. m. pl. : *Ses appointements sont insuffisants* (syn. : TRAITEMENT [d'un fonctionnaire], SALAIRE [d'un ouvrier]).

1. apporter [apɔrte] v. tr. 1° (sujet nom de personne, de véhicule, etc.) *Apporter quelque chose,* le porter à un endroit, le porter avec soi : *Apporte-moi un verre. Le plombier a apporté ses outils pour réparer la fuite d'eau* (syn. fam. : AMENER). *L'avion a apporté ces fleurs dans la journée* (syn. : TRANSPORTER). — 2° (sujet nom de personne) Syn. de METTRE, DONNER, avec une valeur un peu plus précise : *Apporter de l'argent dans une affaire. Cet enfant vous apporte beaucoup de satisfaction* (syn. : PROCURER). *Il nous apporte des nouvelles de votre fils* (syn. : DONNER). *Apporter du soin à exécuter un travail commandé* (syn. : METTRE). *Il apporte des obstacles à notre projet. Il n'apporte aucune preuve à ce qu'il avance* (syn. : FOURNIR, ALLÉGUER). ◆ **apport** [apɔr] n. m. Action d'apporter quelque chose (mots abstraits comme compl., ou sens financier); ce qui est apporté : *La société a demandé à ses actionnaires de nouveaux apports d'argent liquide. Nous avons besoin de l'apport de votre expérience* (syn. : CONCOURS, CONTRIBUTION). *L'apport de la France à la civilisation* (syn. : PART).

2. apporter [apɔrte] v. tr. (sujet nom de chose). *Apporter quelque chose,* produire un résultat : *Ces cachets m'apportent un soulagement* (syn. : PROCURER). *Le repos qu'apportent les vacances. Cette découverte apportera un changement profond dans nos habitudes* (syn. : ENTRAÎNER, CAUSER).

apposé, e [apoze] adj. Se dit d'un terme mis en apposition. (V. FONCTION.)

apposer [apoze] v. tr. *Apposer une chose,* la mettre sur une autre pour qu'elle y reste fixée (terme admin.) : *Dans la nuit, on a apposé des affiches appelant à une manifestation* (syn. : COLLER). *Apposez votre signature au bas de ce document* (syn. : METTRE, INSCRIRE). *Apposer les scellés sur la porte de l'appartement après le décès du locataire* (syn. plus usuel : POSER). ◆ **apposition** n. f. : *L'apposition du cachet de la poste sur le timbre d'une lettre.*

1. apposition n. f. V. APPOSER.

2. apposition n. f. *Mot mis en apposition,* V. FONCTION.

apprécier [apresje] v. tr. 1° *Apprécier quelque chose,* en estimer la valeur, l'importance, selon son jugement personnel : *Les marins ont l'habitude d'apprécier les distances. Comment apprécier l'importance de l'événement dont nous ignorons les premières conséquences* (syn. : SAISIR, DISCERNER). — 2° *Apprécier quelqu'un* ou *quelque chose,* en reconnaître l'importance, les estimer à leur juste valeur : *On l'apprécie pour sa discrétion. Les services qu'il rend sont appréciés. Apprécier la qualité d'un vin* (syn. : GOÛTER, PRISER [littér.]). *Il apprécie les bons repas* (syn. : AIMER). — 3° *Ne pas apprécier quelque chose,* le juger défavorablement, ne pas l'aimer : *Je n'apprécie pas ce genre de plaisanterie.* ◆ **appréciable** adj. : *Y a-t-il des changements appréciables depuis mon départ? Obtenir des résultats appréciables dans son travail* (syn. : ↑ IMPORTANT). ◆ **inappréciable** adj. Sens 2 du verbe : *Il m'a procuré une aide inappréciable dans ce moment pénible* (syn. : INESTIMABLE). *Fournir une collaboration inappréciable* (syn. : PRÉCIEUX). ◆ **appréciation** n. f.

1° Action de déterminer la valeur de quelque chose (sens 1 du verbe) : *L'appréciation de la distance de freinage dépend de la vitesse du véhicule* (syn. : ESTIMATION). — 2° Jugement intellectuel ou moral qui suit un examen critique : *Son appréciation de la situation s'est révélée fausse* (syn. : JUGEMENT SUR). *Porter sur un élève des appréciations favorables* (syn. : OBSERVATION, AVIS).

1. appréhender [apreɑ̃de] v. tr. *Appréhender quelqu'un,* procéder à son arrestation (terme admin.) : *Les inspecteurs l'ont appréhendé au moment où il s'enfuyait* (syn. fam. : PINCER). *L'escroc a été appréhendé au sortir de son domicile* (syn. usuel : ARRÊTER ; contr. : RELÂCHER).

2. appréhender [apreɑ̃de] v. tr. *Appréhender quelque chose, appréhender de* (et l'infin.) ou *que* (suivi d'un subj. et de la négation *ne*), s'inquiéter d'avance d'un danger possible, d'un malheur éventuel : *J'appréhende un départ fait dans de telles conditions* (syn. : ↑ REDOUTER). *Il appréhendait de laisser les enfants seuls à la maison* (syn. : CRAINDRE). *J'appréhende que vos conseils ne soient insuffisants pour le faire revenir sur sa décision* (syn. usuel : AVOIR PEUR). ◆ **appréhension** n. f. : *Il éprouve une certaine appréhension avant les examens* (syn. : INQUIÉTUDE, ↑ ANXIÉTÉ). *Ne pas cacher ses appréhensions devant les difficultés économiques* (syn. : CRAINTE). *J'envisage l'avenir avec appréhension* (syn. : ↑ ANGOISSE).

apprendre [aprɑ̃dr] v. tr. et tr. ind. (conj. **54**). 1° *Apprendre quelque chose, apprendre que* (et l'indic.), acquérir une connaissance, recevoir une information que l'on ignorait : *Il apprend l'anglais* (syn. : ÉTUDIER). *Il a appris sa leçon. Apprendre un métier* (v. APPRENTISSAGE). *J'ai appris la nouvelle de sa mort. Il a appris beaucoup au cours de ses voyages. Il n'a rien appris ni rien oublié. Avez-vous appris que son voyage a été retardé?* — 2° *Apprendre à* (et l'infin.) *à quelqu'un,* lui faire acquérir la connaissance de quelque chose : *Apprendre à compter à un petit enfant* (syn. : MONTRER). *Je vous apprendrai à me répondre ainsi!* (= je vous punirai de votre insolence). *Cela vous apprendra à vivre!* (= cela vous servira de leçon). ◆ ***s'apprendre*** v. pr. (sujet nom de chose). Etre appris, se fixer dans la mémoire : *Ces vers s'apprennent facilement* (syn. : SE RETENIR). ◆ **désapprendre** v. tr. Oublier ce qu'on a appris : *Il a désappris le peu d'anglais qu'il savait.* ◆ **rapprendre** ou **réapprendre** v. tr. : *Il faut rapprendre votre leçon, vous ne la savez pas. Il a dû réapprendre à marcher après son terrible accident.*

apprenti, e [aprɑ̃ti] n. 1° Jeune homme, jeune fille qui apprend un métier sous la direction d'un moniteur, d'un instructeur, d'un contremaître, d'un artisan, etc. : *Un apprenti menuisier. Les jeunes apprenties d'un atelier de couture.* — 2° Personne qui manque d'habileté dans ce qu'elle fait : *Ce roman est le travail d'un apprenti, d'un débutant* (syn. : NOVICE). — 3° *Un apprenti sorcier,* celui qui, par imprudence, est la cause d'événements dangereux dont il n'est plus le maître. ◆ **apprentissage** n. m. 1° Formation professionnelle ; temps pendant lequel on est apprenti : *Des écoles d'apprentissage existent dans la plupart des grandes usines. Mettre son fils en apprentissage chez un charcutier. L'apprentissage peut durer plusieurs années.* — 2° *Faire l'apprentissage de,* acquérir la connaissance de : *Faire l'apprentissage de son métier de comédien dans une petite troupe de province* (syn. : APPRENDRE). *Il a fait l'apprentissage de la vie dans des conditions très pénibles.*

apprêt n. m. V. APPRÊTER 2.

1. apprêter [aprɛte] v. tr. *Apprêter une chose,* la mettre en état d'être utilisée : *Apprêter les bagages. Elle est en train d'apprêter le dîner, le repas* (syn. : PRÉPARER). ◆ ***s'apprêter*** v. pr. 1° *S'apprêter à* (et l'infin.), se disposer à faire, se mettre en état d'accomplir, avoir l'intention de faire (futur immédiat) : *Il s'apprête à partir pour l'Afrique, à aller au théâtre* (syn. : SE PRÉPARER, SE DISPOSER). — 2° (sans compl.) Faire sa toilette : *Elle s'apprête pour le bal* (syn. : S'HABILLER, SE PARER). ◆ **apprêté, e** adj. Se dit d'une manière de se conduire ou d'écrire trop étudiée, trop travaillée : *Style apprêté* (syn. : AFFECTÉ ; contr. : SOBRE, SIMPLE). ◆ **apprêts** [aprɛ] n. m. pl. Préparatifs en vue d'une utilisation ou d'une action prochaine (langue soutenue) : *Les apprêts du départ. Il ne faut pas tant d'apprêts pour le recevoir* (syn. : ARRANGEMENTS).

2. apprêter [aprɛte] v. tr. *Apprêter un cuir, une peau, du papier, une étoffe,* etc., lui donner de l'éclat, de la consistance au moyen d'un produit particulier nommé *apprêt.* ◆ **apprêt** [aprɛ] n. m. Substance avec laquelle on prépare les étoffes, les cuirs, etc.

apprêts n. m. pl. V. APPRÊTER 1.

apprivoiser [aprivwaze] v. tr. 1° *Apprivoiser un animal,* le rendre moins farouche, moins sauvage, en faire un animal domestique : *Apprivoiser un faucon pour la chasse* (syn. plus précis : DRESSER). *Apprivoiser un hérisson.* — 2° *Apprivoiser une personne,* la rendre plus docile, plus douce, plus aimable ou plus sociable : *Cet enfant est très timide, un étranger a du mal à l'apprivoiser. Il a réussi à apprivoiser cet homme brutal et morose* (syn. : HUMANISER, AMADOUER). ◆ ***s'apprivoiser*** v. pr. Devenir moins sauvage : *Ce jeune poulain s'est rapidement apprivoisé. Ce rustre a fini par s'apprivoiser et par m'adresser la parole* (syn. : S'ADOUCIR). ◆ **apprivoisement** n. m.

approbateur, trice n. et adj., **approbatif, ive** adj., **approbation** n. f. V. APPROUVER.

approcher [aprɔʃe] v. tr. 1° *Approcher une chose,* la mettre près de quelqu'un ou de quelque chose ; réduire sa distance à quelqu'un ou à quelque chose (en ce sens, souvent remplacé par *rapprocher*) : *Approche l'escabeau pour que je puisse enlever la lampe* (syn. : AVANCER). *Approcher la tasse de ses lèvres* (contr. : REPOUSSER). *Approchons la table de la fenêtre* (contr. : ÉLOIGNER). — 2° *Approcher quelqu'un,* s'avancer près de lui, avoir constamment accès auprès de lui ; être en relations suivies avec lui : *Il a pu approcher le président et lui serrer la main. Dans cette assemblée, il approchait les savants les plus réputés* (syn. : CÔTOYER, FRÉQUENTER). ◆ v. tr. ind. *Approcher de quelque chose,* n'en être pas loin, être près de l'atteindre : *Il approche du but qu'il s'est fixé* (syn. : TOUCHER À). *Ses ennuis approchent de leur terme. Tu approches de la vérité.* ◆ v. intr. ou *s'**approcher*** v. pr. [**de**]. 1° Etre près d'arriver : *La nuit approche* (ou *s'approche*), *il ne faut pas tarder à partir.* — 2° Venir près de quelqu'un ou de quelque chose : *Approche* (ou *approche-toi*), *j'ai deux mots à te dire* (syn. : AVANCER). *Nous approchons de la gare. Le* navire s'approche de la côte (syn. : ARRIVER À). *Il s'est approché de lui sans crainte* (syn. : ALLER). ◆ **approchable** adj. (uniquement avec une négation). Qu'on peut aborder, en parlant d'une personne : *Aujourd'hui, il est de mauvaise humeur et il n'est pas approchable.* ◆ **inapprochable** adj. : *Un chef d'Etat pratiquement inapprochable* (syn. : INABORDABLE). ◆ **approchant** adj. m. *Quelque chose, rien d'approchant,* quelque chose, rien qui ressemble, qui ait du rapport avec ce dont on vient de parler : *Je n'ai plus le tissu dont vous me parlez; mais voici quelque chose d'approchant* (syn. : ANALOGUE, ÉQUIVALENT). *Il n'a pas cela, mais quelque chose d'approchant.* ◆ **approche** [aprɔʃ] n. f. 1° Mouvement par lequel une personne, un groupe de personnes ou un véhicule s'avance vers quelqu'un ou vers quelque chose; proximité d'une période, d'un événement (en particulier dans la loc. prép. *à l'approche de*) : *L'approche du surveillant a dispersé les élèves* (syn. : ARRIVÉE, VENUE). *A l'approche de la voiture, il marcha sur le bas-côté de la route. A mon approche, les pigeons s'envolèrent. L'approche de l'hiver se fait déjà sentir. A l'approche du danger, tout le monde s'enfuit.* — 2° Manière d'aborder un sujet, un problème : *L'approche mathématique de travaux linguistiques* (syn. : DÉMARCHE). *Cet ouvrage est simplement une approche de la question.* — 3° Fam. *Travaux d'approche,* ensemble de démarches, d'intrigues dans un dessein intéressé : *Il multiplie les travaux d'approche pour obtenir huit jours de congé supplémentaire.* ◆ **approches** n. f. pl. Voies et lieux qui permettent d'accéder à une ville, qui sont à proximité d'un endroit quelconque : *Les approches de la côte sont rendues difficiles par les récifs* (syn. : ABORDS). *Aux approches de la frontière, on rencontra quelques barrages de police* (= dans les parages de). *Aux approches de la mer, l'air devient plus vif;* ce qui annonce une saison, un moment décisif : *On remarque les vols d'oiseaux migrateurs aux approches du printemps* (syn. : ARRIVÉE). *Sentir les approches de la mort* (syn. : PROXIMITÉ). ◆ **approché, e** adj. Proche de ce qui est exact : *Se faire une idée approchée de la question* (= se faire une petite idée [fam.]). *C'est un calcul très approché* (syn. : APPROXIMATIF).

approfondir [aprofɔ̃dir] v. tr. 1° *Approfondir un trou, une cavité,* etc., les creuser afin de les rendre plus profonds : *Approfondir l'entrée du chenal. Approfondir un puits afin d'atteindre une autre source* (syn. : CREUSER). — 2° *Approfondir quelqu'un, une science,* etc., les examiner plus avant afin d'en avoir une plus grande connaissance : *Il ne se contente pas de vues superficielles, mais il approfondit ce qui l'intéresse* (= il examine à fond). *Il faut approfondir la question* (syn. : ↓ ÉTUDIER). *J'ai essayé d'approfondir son caractère, mais il me reste inexplicable* (syn. : PÉNÉTRER). *Approfondissons ce mystère* (= examinons-le afin de l'éclaircir); et, sans compl. : *Il a regardé très vite, sans approfondir* (= superficiellement). — 3° *Approfondir un désaccord, une haine, une amitié,* les rendre plus intenses, les accroître : *Cet événement a approfondi leur hostilité réciproque.* ◆ ***s'approfondir*** v. pr. Devenir plus profond : *Le lit de la rivière s'est approfondi avec l'orage. Le mystère s'approfondit* (syn. : S'ÉPAISSIR). ◆ **approfondi, e** adj. : *Il a des connaissances approfondies en matière scientifique* (syn. : POUSSÉ; contr. : SUPERFICIEL). *Procéder à une étude approfondie de la question* (syn. : MINUTIEUX). ◆ **approfondissement** n. m. : *L'approfondissement du canal demandera plusieurs années. L'approfondissement d'un problème* (syn. : ↓ ÉTUDE, EXAMEN). *L'approfondissement de ses propres connaissances* (syn. : DÉVELOPPEMENT). *L'approfondissement de leurs désaccords.*

1. approprier [aprɔprije] v. tr. *Approprier une chose,* la rendre propre à une destination précise (surtout au passif) : *Approprier les médicaments à l'état général du malade* (syn. plus usuel : ADAPTER). *Son discours est approprié aux circonstances* (syn. : CONFORMER, ACCORDER). ◆ **appropriation** n. f. : *L'appropriation du style au sujet traité* (syn. : CONVENANCE, ADAPTATION).

2. approprier (s') [saprɔprije] v. pr. *S'approprier une chose,* en faire sa propriété, le plus souvent sans droit : *Qui s'est approprié le livre que j'avais sur mon bureau?* (syn. : S'ADJUGER, S'EMPARER). *Les pouvoirs que le gouvernement s'est injustement appropriés* (syn. : S'OCTROYER, S'ARROGER). *Il s'est approprié la découverte d'un autre* (syn. : DÉROBER). ◆ **appropriation** n. f. : *L'appropriation du sol par le premier occupant. L'appropriation des instruments de production.*

approuver [apruve] v. tr. 1° *Approuver quelqu'un de* (et l'infin.), lui donner raison, être de son avis : *Je vous approuve d'avoir refusé de céder aux menaces* (syn. : LOUER, FÉLICITER). *Il se sentait approuvé par tous ses amis* (syn. : SOUTENIR). — 2° *Approuver une chose,* la considérer comme bonne, louable, conforme à la vérité : *Il a approuvé les propos que j'ai tenus* (syn. : ↑ APPLAUDIR À). *Approuver la prudence d'un conducteur* (syn. : APPRÉCIER). — 3° *Approuver une chose,* l'autoriser par une décision administrative, juridique, etc. : *Le Sénat a approuvé le projet de budget* (syn. : VOTER). *L'ouvrage a été approuvé par les autorités universitaires. Le nouveau médicament a été approuvé par une commission.* ◆ **approbateur, trice** n. et adj. : *Elle trouvait toujours en lui un approbateur complaisant* (syn. : FLATTEUR). *Des sourires approbateurs suivirent ses paroles* (syn. : FAVORABLE; contr. : RÉPROBATEUR). ◆ **approbatif, ive** adj. Qui exprime l'approbation : *Il eut à mon intention un petit signe approbatif de la tête.* ◆ **approbation** n. f. : *Manifester son approbation* (syn. : ASSENTIMENT). *Exprimer une approbation enthousiaste* (syn. : ADHÉSION, ACQUIESCEMENT; contr. : DÉSACCORD). *L'approbation du préfet est nécessaire pour la tenue d'une réunion publique* (syn. : AUTORISATION, AGRÉMENT). *Approbation de la loi par les députés* (syn. : VOTE). ◆ **désapprouver** v. tr. Contr. de *approuver* : *Désapprouver la conduite de son fils* (syn. : ↑ BLÂMER). *Désapprouver un projet trop audacieux* (syn. : ↑ RÉPROUVER). *Je vous désapprouve quand vous refusez de prendre un peu de repos* (syn. : CRITIQUER). ◆ **désapprobateur, trice** n. et adj. : *Le discours fut suivi d'un silence désapprobateur* (syn. : RÉPROBATEUR). ◆ **désapprobation** n. f. : *Des murmures de désapprobation* (syn. : ↑ BLÂME). *La désapprobation de sa mère ne l'arrête pas* (syn. : ↑ RÉPROBATION, OPPOSITION).

approvisionner [aprovizjɔne] v. tr. *Approvisionner quelqu'un, quelque chose,* le munir du nécessaire, en particulier de denrées alimentaires : *Les épiciers du quartier sont bien approvisionnés. Le chasseur approvisionna son fusil afin d'être prêt à tirer. Approvisionner son compte en banque afin de faire face à ses engagements* (= y mettre de l'argent).

◆ ***s'approvisionner*** v. pr. Faire ses provisions : *La ménagère vient s'approvisionner au marché.* ◆ **approvisionnement** n. m. : *L'approvisionnement de Paris en charbon est devenu difficile cet hiver avec les grands froids* (syn. : FOURNITURE). *Les approvisionnements en légumes sont abondants ce matin aux Halles.* ◆ **désapprovisionner** v. tr. (surtout techn.) : *Après la chasse, il désapprovisionna son arme afin d'éviter tout accident.* ◆ **réapprovisionner** v. tr. : *Les producteurs de lait, après une grève de vingt-quatre heures, ont commencé à réapprovisionner les marchés.* ◆ **réapprovisionnement** n. m. : *Le réapprovisionnement du pays en matières premières.*

approximation [aprɔksimasjɔ̃] n. f. Ce qui s'approche de la vérité, de la réalité, sans présenter une exactitude rigoureuse : *La dépense prévue pour la réfection de la toiture ne peut être qu'une approximation. Chercher la solution d'un problème par approximations successives* (syn. : ESSAI, TÂTONNEMENT). ◆ **approximatif, ive** adj. Fait par approximation : *Ces calculs sont très approximatifs* (syn. : VAGUE, IMPRÉCIS ; contr. : EXACT, RIGOUREUX). *Une évaluation approximative des dégâts causés par l'orage* (syn. : APPROCHÉ). ◆ **approximativement** adv. : *On peut estimer approximativement à dix millions les sommes nécessaires à la construction de ce groupe d'immeubles* (syn. : À PEU PRÈS).

1. appuyer [apɥije] v. tr. (conj. 3). 1° *Appuyer une chose,* la soutenir au moyen d'un objet qui en assure la stabilité, la placer contre une autre qui lui sert de support : *Appuyer un mur branlant avec des contreforts* (syn. : SOUTENIR). *Appuyer une échelle contre un arbre* (syn. : POSER). — 2° *Appuyer une chose sur, contre,* etc., la faire peser avec plus ou moins de force sur quelque chose : *Appuie ton épaule contre la mienne. N'appuie pas tes coudes sur la table. Appuyer le stylo sur une feuille de papier. Appuyer le pied sur l'accélérateur. Appuyer un revolver sur la poitrine* (syn. : POSER, PLACER). *Appuyer son genou sur un adversaire à terre* (syn. : METTRE). *Il appuya ses lèvres sur les siennes* (syn. : PRESSER). *Appuyer la main sur la table. Appuyer son regard sur quelqu'un* (= le regarder avec insistance). *Appuyer les mots pour se faire comprendre* (syn. : ACCENTUER). ◆ v. tr. ind. 1° *Appuyer sur, contre une chose,* peser sur elle, s'en servir comme d'un support : *L'armoire n'appuie pas contre le mur. Un des pieds de la chaise n'appuie pas sur le sol. Il appuie sur le frein. Il appuya sur le mot « nécessaire »* (syn. : INSISTER). *Appuyer sur un argument. Il appuie lourdement sur les erreurs commises* (syn. : SOULIGNER). — 2° (sujet nom de personne, de véhicule) Se porter dans une direction donnée : *Appuyez sur votre droite pour laisser passer la voiture. Il appuya à gauche pour tourner.* ◆ ***s'appuyer*** v. pr. 1° *S'appuyer sur quelque chose,* s'en servir comme d'un support, comme d'un soutien : *S'appuyer sur la rampe du balcon* (syn. : S'ACCOUDER). *Il s'appuie sur une documentation solide* (syn. : SE BASER). *Je m'appuie sur son autorité pour affirmer avec force que les droits de la défense ne sont pas respectés. Il s'appuie entièrement sur vous, sur votre amitié* (syn. : SE REPOSER, COMPTER). — 2° Pop. *S'appuyer des aliments, des boissons,* manger ou boire : *Il s'est appuyé plusieurs verres de cognac.* — 3° Pop. *S'appuyer quelque chose, de faire quelque chose,* le faire contre son gré : *Il s'est appuyé tout le travail des absents. Je me suis appuyé de venir jusqu'ici.* ◆ **appui** [apɥi] n. m. Ce qui sert à soutenir, ou à maintenir la solidité, la stabilité : *L'appui d'une fenêtre. L'alpiniste perdit son appui et tomba dans le vide. Il trouve appui (prend appui) sur un rocher. Il fallut construire un mur d'appui pour empêcher l'éboulement* (syn. : SOUTÈNEMENT). *Le point d'appui d'un levier* (= point sur lequel le levier repose pour soulever). *L'ennemi a enlevé plusieurs points d'appui* (= positions fortifiées). *Mettez l'oreiller comme appui pour soutenir sa tête.*

2. appuyer [apɥije] v. tr. (conj. 3). *Appuyer quelqu'un* (ou *sa conduite*), le soutenir de son crédit, de son autorité, etc. : *Il appuya sa déclaration de preuves évidentes. Les divers groupes de l'Assemblée appuient cette proposition de loi. Il appuie le candidat de toute son influence* (syn. : PATRONNER, PROTÉGER ; fam. : PISTONNER). ◆ **appui** n. m. Aide donnée à quelqu'un : *Il lui a fourni des appuis solides* (syn. : PROTECTION). *Je compte sur votre appui* (syn. : SOUTIEN). *Se ménager des appuis* (syn. : CONCOURS). *Gagner l'appui d'un supérieur.* ● LOC. ADV. *A l'appui,* pour servir de confirmation, etc. : *Il formula une protestation et fournit des témoignages à l'appui.* ● LOC. PRÉP. *A l'appui de,* pour soutenir : *A l'appui de ses dires, il présenta des documents* (= pour prouver).

1. âpre [ɑpr] adj. (après le nom). Qui produit une sensation désagréable par son goût, sa sonorité, sa rudesse : *Des poires encore vertes, âpres et même amères* (syn. : ÂCRE). *La voix âpre d'un homme en colère* (syn. : RUDE). *Il souffle un vent âpre.* ◆ **âpreté** n. f. : *L'âpreté de l'hiver* (syn. : RIGUEUR).

2. âpre [ɑpr] adj. 1° (avant ou après le nom) Qui présente un caractère de violence et de dureté : *Les partis se livrent une âpre lutte pour la possession du pouvoir* (syn. : SÉVÈRE, VIOLENT). *Une âpre discussion s'éleva entre eux* (syn. : RUDE ; contr. : COURTOIS). — 2° *Apre au gain,* se dit de quelqu'un avide de faire des bénéfices, des profits ; très attaché à l'argent (syn. : CUPIDE). ◆ **âprement** adv. : *Se défendre âprement* (syn. : FAROUCHEMENT). *Il blâma âprement sa désinvolture* (syn. : DUREMENT). ◆ **âpreté** n. f. : *Combattre avec âpreté* (syn. : SAUVAGERIE). *Soutenir des revendications avec âpreté* (syn. : ACHARNEMENT ; contr. : MODÉRATION).

1. après [aprɛ], **avant** [avɑ̃] prép. et adv. Indiquent la postériorité ou l'antériorité dans le temps ou dans l'espace, la subordination ou la priorité, etc. (V. tableaux pp. 71 et 72.)

2. après, avant, éléments préfixés à des substantifs pour former des mots composés, avec le sens de postériorité ou d'antériorité. (V. ces mots au terme simple *après*-DEMAIN, *après*-GUERRE, etc., sauf le suivant.)

après-midi [aprɛmidi] n. m. ou f. invar. Partie de la journée comprise entre midi et la tombée de la nuit : *Passer ses après-midi du dimanche au cinéma. Une belle après-midi d'automne.*

âpreté n. f. V. ÂPRE 1 et 2.

a priori [aprijɔri] loc. adv. ou adj. En partant de données, d'hypothèses, de principes antérieurs à l'expérience, aux faits examinés ou constatés, c'est-à-dire sans tenir compte des réalités et d'après une théorie, un système préalablement posés comme intangibles : *Je n'accepte pas a priori que dans un travail scientifique on passe sous silence les faits qui ne sont pas en parfaite concordance avec*

après

1° Postériorité dans le temps.

Un an après sa mort, on l'avait complètement oublié. Il est arrivé bien après moi. Ne vous décidez qu'après mûre réflexion. N'allez pas trop vite; il sera trop tard après pour regretter (syn. : ENSUITE). *Après bien des difficultés, il réussit. Après le repas, nous irons au cinéma. Et que ferez-vous après? Vingt ans après, la guerre recommença.*

2° Postériorité de situation dans l'espace, dans le cours d'un mouvement réel ou figuré.

La maison est juste après l'église (en partant d'ici; *derrière l'église* pourrait signifier « du côté opposé à l'entrée »). *Allez jusqu'à l'angle de la rue, après vous verrez la rivière* (syn. : ET PUIS, ENSUITE). *Il traîne après lui deux enfants* (= derrière lui). *Voici la poste, l'épicerie est après.*

3° Infériorité de rang.

Dans la hiérarchie des grades, le lieutenant vient après (derrière) *le capitaine. L'amusement passe après le travail. Qui mettez-vous après?*

4° L'hostilité ou l'attachement, le contact immédiat avec (comme prép. ou comme adv. avec un nombre limité de verbes) [généralement fam. en ces cas].

Les chiens aboient après le facteur. Il crie après les enfants. Pourquoi toujours crier après? Elle est furieuse après son mari. Ils se mettent tous après lui. Il est toujours après son frère. La clef est après la porte. Il grimpe après l'arbre. Pourquoi es-tu monté après? Il est après son travail (il s'en occupe sans cesse). *Il est toujours après. Il attend après lui* (il désire sa venue). *Il court après elle. Il demande après lui.*

d'après loc. prép. (conformément à, selon le modèle de)

Il peint d'après nature. D'après ses dires, il n'était pas chez lui à cette heure. D'après vous, quel est le coupable? (syn. : SELON, POUR). *On peut juger de l'ensemble d'après ce spécimen* (syn. : PAR, SUR).

LOC. ADV.

Après cela, ensuite
Après coup, une fois la chose faite, trop tard : *Après coup, il a regretté d'être venu.*
Après tout, tout bien considéré : *Après tout, il a sans doute raison.*
Et puis après!, cela ne change rien, il n'y a pas lieu d'en déduire des conclusions : *Tu as déchiré ma lettre, et puis après!* (fam.; syn. : ET ALORS!).

PRÉPOSITION OU LOC. CONJ.

après, après que
postériorité dans le temps

après + infin. passé (le sujet de l'infin. est le même que celui de la principale)	*après que* + ind. ou subj. (le sujet de la subordonnée est différent de celui de la principale)

Après avoir souri, il lui pardonna.
Bien des années après qu'il fut parti, on reconstruisit la maison.

avant

1° Antériorité dans le temps.

Il est arrivé avant moi. Il doutait de lui avant ce succès. Ne vous décidez pas tout de suite; réfléchissez avant (syn. : AUPARAVANT, PRÉALABLEMENT [langue soignée]). *On a construit une nouvelle route; avant, il fallait faire un long détour* (syn. : AUPARAVANT, AUTREFOIS, JADIS). *N'attendez pas son retour, partez avant* (*partez devant* signifierait « sur le chemin qu'il prendra »). *Je l'ai vu avant dîner.*

2° Antériorité de situation dans l'espace, dans le cours d'un mouvement réel ou figuré.

Le bureau de poste est juste avant le pont (en partant d'ici; *devant le pont* signifierait « en face du pont »). *N'allez pas jusqu'à la place; arrêtez-vous avant.*

3° Priorité de rang.

Il place son intérêt avant celui des autres. Il n'avait pas de rendez-vous; le fait-on cependant entrer avant?

4° L'éloignement du point de départ (employé seulement comme adv. et dans la langue soignée, avec les mots *bien, plus, si, assez, fort, trop*).

Creusez plus avant. Je me suis engagé trop avant. Fort avant dans la nuit (la nuit étant fort avancée).

en avant loc. adv.
en avant de loc. prép.
(en un lieu ou vers un lieu situé devant)

Nous étions dans la même salle de spectacle, moi sur le côté, lui en avant (syn. : DEVANT). *Il marche en avant de la foule. Nos troupes ont fait un bond en avant. Regarde en avant* (devant toi). *Partez en avant, je vous rejoindrai* (syn. : DEVANT; contr. : EN ARRIÈRE, EN ARRIÈRE DE). *En avant! marche!* (ordre d'avancer donné à une troupe).
Mettre quelque chose en avant (produire comme autorité, alléguer) : *Il met en avant pour se défendre la situation dans laquelle il se trouvait alors.*
Se mettre en avant (se faire valoir en paroles ou en actes d'une manière que l'on juge défavorable) : *Il profite de toutes les circonstances pour se mettre en avant.*

LOC. ADV.

Avant cela, auparavant.

Avant tout, principalement : *Il faut avant tout finir ce qui a été entrepris.*

LOC. PRÉP. OU LOC. CONJ.

avant de, avant que
antériorité dans le temps

avant de + infin. (le sujet de l'infin. est le même que celui de la principale)	*avant que* + subj., avec ou sans *ne* (le sujet de la subordonnée est différent de celui de la principale)

Consulte-moi avant d'agir. Il hésitait avant de commencer.
Rentre avant qu'il (ne) pleuve.

après ne peut être un substantif que dans des cas très rares : *Il y a un avant et un après.*	n. m. **l'avant,** la partie antérieure (contr. : L'ARRIÈRE).
	L'avant d'une voiture. L'avant d'un navire (la proue).
	Aller de l'avant, agir hardiment, sans se préoccuper des obstacles : *N'hésitez pas, allez de l'avant.*
	Chacun des joueurs de rugby et de jeu à XIII dont la mission principale est de gagner le ballon dans les mêlées et dans les touches et de préparer l'action des lignes arrière. ‖ Chacun des joueurs placés en position avancée sur le terrain, et chargés de conduire l'attaque au football, au basket-ball, au handball, etc. : *La ligne d'avants. Un avant-centre.*
d'après loc. adj.	**avant** adj. inv. Qui est à l'avant d'un véhicule (contr. : ARRIÈRE) ; **d'avant** loc. adj.
La minute d'après, il sortit (syn. : SUIVANT). *Vous le trouverez à la maison d'après. La semaine d'après, il fut malade.*	*Les roues avant. Traction avant. Marche avant* (qui permet d'aller en avant). *A la minute d'avant. La semaine d'avant* (= avant celle-là).

l'exposé; et péjor. : *Il est dangereux de condamner a priori cette expérience économique* (contr. : A POSTERIORI) ; sans connaissance préalable de la personne ou des faits : *Vous pouvez me faire part de vos projets de modernisation : a priori, je ne suis pas hostile.* ◆ **a priori** n. m. : *Cette théorie repose sur un simple a priori.* ◆ **apriorisme** n. m. : *Il se méfiait d'un apriorisme étroit.*

à-propos [apropo] n. m. Ce qui vient juste au moment et dans les circonstances qui conviennent : *Répondre avec à-propos* (syn. : PERTINENCE). *Faire preuve d'à-propos* (syn. : PRÉSENCE D'ESPRIT). *Il a l'esprit d'à-propos et il sait faire face à n'importe quelle situation* (= esprit de repartie).

apte [apt] adj. *Apte à quelque chose, à faire quelque chose,* se dit d'une personne qui est naturellement capable : *Cet élève a été jugé parfaitement apte à suivre la classe* (syn. : CAPABLE DE). *Il est trop individualiste et n'est pas apte à un travail en équipe.* ◆ **aptitude** n. f. : *Il a une grande aptitude à s'adapter à n'importe quel milieu* (syn. : CAPACITÉ). *Manifester des aptitudes pour les sciences* (syn. : PRÉDISPOSITION). ◆ **inapte** adj. : *Il s'est montré inapte à diriger cette entreprise* (syn. : INCAPABLE). *Etre déclaré inapte au service armé par le conseil de révision.* ◆ **inaptitude** n. f. : *Son inaptitude à tout travail intellectuel est bien connue* (syn. : INCAPACITÉ).

aquarelle [akwarɛl] n. f. Peinture faite avec des couleurs délayées dans l'eau; tableau ainsi fait : *Peindre à l'aquarelle. Peindre une aquarelle. Les aquarelles de Delacroix.* ◆ **aquarelliste** n. : *Le peintre Seurat fut un remarquable aquarelliste.*

aquarium [akwarjɔm] n. m. 1° Réservoir d'eau douce ou d'eau de mer dans lequel on entretient des plantes aquatiques, des poissons, etc. : *Il avait, dans deux petits aquariums, de jolis poissons exotiques. On maintient l'aquarium à une température constante.* — 2° Local où l'on a réuni, pour les besoins scientifiques, de nombreux aquariums et où le public est admis : *Les aquariums du Trocadéro à Paris et ceux de Monaco.*

aquatique [akwatik] adj. 1° *Plante, animal aquatique,* qui pousse, qui vit dans l'eau douce ou sur le bord des marais et des rivières : *Le flamant rose est un oiseau aquatique. Les algues sont des plantes aquatiques.* — 2° *Paysage aquatique,* où il y a surtout des plans d'eau (syn. : MARÉCAGEUX) : *La Camargue présente souvent un paysage aquatique.*

aqueduc [akdyk] n. m. Canal qui capte l'eau potable et la conduit d'un lieu à un autre : *Dans la région parisienne, l'aqueduc d'Arcueil traverse la vallée de la Bièvre. Les aqueducs peuvent être souterrains ou aériens. L'aqueduc de Nîmes traverse le Gard (pont du Gard).*

aquilin [akilɛ̃] adj. m. *Nez aquilin,* nez recourbé en bec d'aigle (syn. : NEZ BOURBONIEN).

arabe [arab] adj. et n. Qui parle une langue sémitique répandue sous différentes formes dans le Proche-Orient et en Afrique du Nord; originaire ou habitant de l'Arabie Saoudite, de la République arabe unie. ◆ n. m. et adj. Langue sémitique dont les dialectes parlés diffèrent sensiblement, mais dont la forme littéraire est commune. ◆ **arabiser** v. tr. : *Arabiser une population, c'est lui faire adopter la langue arabe et la religion musulmane. Arabiser l'enseignement, c'est substituer l'arabe à la langue en usage. Arabiser l'Administration, c'est y nommer des fonctionnaires arabes pour remplacer les autres.* ◆ **arabisant** n. m. Celui qui étudie la langue ou la civilisation arabe. ◆ **panarabe** adj., **panarabisme** n. m., v. ces mots.

arabesque [arabɛsk] n. f. Ensemble de lignes sinueuses et entrelacées, tracées avec un certain souci de décoration (surtout littér. comme image) : *Multiplier les arabesques dans sa signature. La rivière dessinait dans la plaine de curieuses arabesques. La fumée décrivait dans le ciel d'élégantes arabesques* (syn. : VOLUTE). *La fantaisie est à l'origine de ces arabesques de style* (syn. : BRODERIE). [*L'arabesque* est un ornement architectural.]

arabisant n. m., **arabiser** v. tr. V. ARABE.

arable [arabl] adj. *Terre arable,* partie du sol qui peut être retournée par le soc de la charrue et propre à la culture : *On ne trouvait de terres arables qu'au fond de la vallée* (syn. : CULTIVABLE, LABOURABLE).

araignée [arɛɲe] n. f. 1° Petit animal articulé, à quatre paires de pattes, dont les espèces communes en France construisent des *toiles,* pièges pour des insectes. — 2° Fam. *Avoir une araignée dans le plafond,* avoir l'esprit dérangé, être un peu fou.

aratoire [aratwar] adj. *Instrument aratoire,* outil qui sert à la culture des terres (terme techn.) : *La charrue est un instrument aratoire. Les instruments aratoires ont été remplacés, dans les zones de grande culture, par les machines agricoles.*

arbalète [arbalɛt] n. f. Arme du Moyen Age, faite d'un arc d'acier monté sur un fût et bandé avec un ressort. (On s'en sert encore dans un jeu de caractère sportif.) ◆ **arbalétrier** n. m. Celui qui était armé d'une arbalète.

1. arbitre [arbitr] n. m. *Libre arbitre,* faculté qu'a la volonté de se déterminer librement : *Il n'a plus son libre arbitre et agit sous la contrainte.* ◆ **arbitraire** adj. 1° Qui dépend de la seule volonté humaine : *Les mots sont des signes arbitraires.* — 2° Se dit d'une décision humaine prise aux dépens de la justice, de la vérité ou de la raison : *Les arrestations arbitraires se multiplient* (syn. : INJUSTIFIÉ). *La détention arbitraire d'un suspect* (syn. : IRRÉGULIER). *Imposer un pouvoir arbitraire* (syn. : DESPOTIQUE). *Un choix arbitraire* (syn. : GRATUIT). ◆ n. m. : *La presse subit le règne de l'arbitraire* (= autorité despotique qui n'est soumise à aucune règle; syn. : DESPOTISME, BON PLAISIR). ◆ **arbitrairement** adv. : *Imposer arbitrairement sa volonté. Décider arbitrairement.*

2. arbitre [arbitr] n. m. 1° Celui qui est choisi pour régler un différend, pour veiller à la régularité d'épreuves sportives : *L'arbitre a dû expulser un joueur du terrain. L'arbitre siffle une faute.* — 2° Celui qui dispose du sort des autres et règle à son gré leur activité : *Il est l'arbitre de la paix ou de la guerre. Ce groupe politique est devenu l'arbitre de la situation* (syn. : MAÎTRE). ◆ **arbitrer** v. tr. Sens 1 du subst. : *La Cour internationale de La Haye a été appelée à arbitrer le conflit sur la limite des eaux territoriales.* ◆ **arbitrage** n. m. : *L'arbitrage du match a été impartial. L'arbitrage de la Cour suprême aux Etats-Unis.* ◆ **arbitral, e, aux** adj. : *Se conformer au jugement arbitral qui a été rendu.*

arborer [arbɔre] v. tr. 1° *Arborer un drapeau,* le monter en haut d'un mât, le mettre sur la façade d'une maison, etc. — 2° *Arborer un insigne, un chapeau,* etc., le porter d'une manière apparente, avec fierté. — 3° (sujet nom désignant un journal) *Arborer un titre, une manchette,* etc., avoir un titre, une manchette en gros caractères pour appeler l'attention sur un événement important. — 4° *Arborer un sourire,* faire en sorte que ce sourire soit vu de tous; laisser voir sa joie, sa satisfaction. ‖ *Arborer l'étendard de la révolte,* se révolter (littér.)

1. arbre [arbr] n. m. 1° Plante dont la tige, ou tronc, chargée de branches, peut atteindre de grandes dimensions : *Abattre un arbre. L'ombre des arbres. Le vent arrache les feuilles des arbres. L'arbre de Noël est un sapin que l'on garnit de jouets à l'occasion de Noël.* — 2° *Arbre généalogique,* V. GÉNÉALOGIQUE. ◆ **arboriculture** n. f. Culture des arbres. ◆ **arboriculteur** n. m. ◆ **arbuste** [arbyst] n. m. Petit arbre, ramifié dès la base et de faible hauteur : *Planter quelques arbustes pour donner de l'ombre au jardin dans quelques années.* ◆ **arbrisseau** [arbriso] n. m. Syn. littér. de ARBUSTE.

2. arbre [arbr] n. m. Axe destiné à transmettre le mouvement d'une machine (mot techn., souvent accompagné d'un adj. ou d'un compl. qui en précise le sens : *arbre moteur*).

1. arc [ark] n. m. 1° Arme formée d'une baguette de bois ou de métal que l'on courbe au moyen d'une corde tendue avec effort, et avec laquelle on lance des flèches : *Le sport de l'arc est pratiqué dans le nord de la France. Un tireur à l'arc.* — 2° *Avoir plus d'une corde à son arc,* avoir plusieurs moyens de parvenir au but que l'on s'est fixé. ◆ **archer** [arʃe] n. m. Tireur à l'arc.

2. arc [ark] n. m. *Arc de cercle,* portion de cercle comprise entre deux points : *La déviation de la route décrit un arc de cercle autour de la ville* (syn. : COURBE).

3. arc [ark] n. m. 1° En architecture, voûte (l'adj. ou le compl. indique la forme) : *Arc en ogive. Arc surbaissé.* — 2° *Arc de triomphe,* monument en forme d'arc, élevé en l'honneur de quelqu'un ou pour commémorer un événement.

arcades [arkad] n. f. pl. Galerie couverte, soutenue par des piliers et des colonnes : *Les arcades de la rue de Rivoli à Paris.*

arcanes [arkan] n. m. pl. *Les arcanes d'une science, d'une technique,* les secrets, les mystères qu'elles présentent pour le profane (littér.) : *Il se retrouvait facilement dans les arcanes de la classification zoologique.* (Au singulier, en alchimie, opération connue des seuls initiés.)

arc-bouter (s') [sarkbute] v. pr. (sujet nom de personne). *S'arc-bouter sur, à, contre quelque chose,* y prendre appui pour exercer une pesée plus forte ou offrir une résistance plus grande à la poussée : *Il s'arc-boute au sol pour essayer de soulever légèrement la roue de la voiture. Il s'arc-boutait contre le mur pour retenir l'armoire qui penchait dangereusement.* ◆ **arc-bouté, e** part. passé : *Les pieds arc-boutés au mur, il retenait la porte* (syn. : APPUYÉ, ADOSSÉ). ◆ **arc-boutant** n. m. Demi-arc qui, à l'extérieur d'un édifice gothique, sert à neutraliser la poussée des voûtes sur la croisée d'ogives, en la reportant sur des contreforts.

arceau [arso] n. m. Arc en forme de demi-cercle; objet qui a cette forme : *Les arceaux d'une voûte. Les arceaux d'un jeu de croquet.*

arc-en-ciel [arkɑ̃sjɛl] n. m. Phénomène météorologique en forme d'arc lumineux, présentant les sept couleurs du spectre (violet, indigo, bleu, vert, jaune, orangé, rouge) : *Les arcs-en-ciel* [arkɑ̃sjɛl] *sont visibles souvent après une averse, et semblent ainsi annoncer le beau temps. L'arc-en-ciel est le symbole d'une paix ou d'une prospérité retrouvée après la guerre ou une épreuve.*

archaïsme [arkaism] n. m. 1° Caractère d'une forme de langue (mot, construction, etc.) ou d'un procédé qui appartiennent à une époque antérieure à celle où ils sont employés; ce mot ou cette construction : *Cet écrivain considère l'archaïsme comme une marque de distinction* (contr. : NÉOLOGISME). *Une construction comme « je ne le peux prévoir » est un archaïsme de syntaxe.* — 2° Caractère de ce qui date d'une autre époque et apparaît comme désuet ou périmé : *L'archaïsme de ses procédés de fabrication a provoqué la ruine de cette industrie.* ◆ **archaïque** [arkaik] adj. : *Les formes* *les plus archaïques de la civilisation. Les structures archaïques de l'agriculture de certaines régions* (syn. : ANCIEN, PÉRIMÉ; contr. : MODERNE, RÉNOVÉ). ◆ **archaïsant, e** adj. : *Le style archaïsant des « Mémoires » de Saint-Simon.*

archange [arkɑ̃ʒ] n. m. Ange d'un rang supérieur.

1. arche [arʃ] n. f. *L'arche de Noé,* selon la Bible, grand bateau que Noé construisit par ordre de Dieu pour se sauver du Déluge, ainsi que sa famille et toutes sortes d'animaux; se dit ironiquement d'une maison où vivent tous ensemble des gens et des bêtes.

2. arche [arʃ] n. f. Voûte en forme d'arc, que supportent les piles d'un pont : *Le pont enjambait d'une seule arche la petite vallée. Regarder les péniches passer sous les arches du pont.*

archéologie [arkeɔlɔʒi] n. f. Etude des civilisations passées grâce aux monuments et objets qui en subsistent. ◆ **archéologique** adj. : *Les travaux archéologiques de l'Ecole française d'Athènes.* ◆ **archéologue** n.

archer n. m. V. ARC 1.

archet [arʃɛ] n. m. Baguette sur laquelle est tendue une mèche de crins, et qui sert à faire vibrer les cordes des violons, violoncelles, etc.

archevêque [arʃəvɛk] n. m. Evêque d'une province ecclésiastique qui comprend plusieurs diocèses et dont le siège porte le titre d'*archevêché* (n. m.).

archi-, préfixe entrant dans la composition d'adjectifs (souvent substantivés) pour exprimer l'idée de superlatif : *archifou, archimillionnaire.* Les composés avec *archi-* sont du style familier et le plus souvent péjoratifs.

— *Archi-* est entré aussi en composition avec quelques mots indiquant une fonction ecclésiastique (*archidiacre*) ou un titre nobiliaire (*archiduc*) pour exprimer une idée de supériorité hiérarchique. En ce sens, il n'est plus productif.

archipel [arʃipɛl] n. m. Ensemble d'îles disposées en groupe à l'intérieur d'une surface maritime définie : *Les îles de la mer Egée forment un archipel.*

architecte [arʃitɛkt] n. Personne qui réalise les plans d'édifices de tous ordres et en dirige l'exécution : *Immeuble construit sur les plans de l'architecte Un tel.* ◆ **architecture** n. f. 1° Art et manière de construire les édifices : *L'architecture de la Renaissance. La cathédrale de Chartres, merveille de l'architecture gothique.* — 2° Disposition de l'édifice : *L'architecture majestueuse des temples de la Grèce.* — 3° Structure ou construction complexe : *L'architecture savante d'un roman de Proust.* ◆ **architectural, e, aux** adj. : *La remarquable disposition architecturale du palais de l'Unesco.*

archives [arʃiv] n. f. pl. Ensemble de documents (pièces manuscrites, imprimés, etc.) qui proviennent d'une collectivité, d'une famille ou d'un individu : *Les archives de la Ville de Paris ont disparu dans l'incendie de l'Hôtel de Ville, en 1871. Le service des archives d'une entreprise industrielle. Ce dossier renfermait ses archives personnelles, ses copies de diplômes, les attestations de ses employeurs successifs. Un document d'archives.* ◆ **archiviste** n. : *Les archivistes ont la garde des archives.* ◆ **archiver** v. tr. Mettre dans des archives. ◆ **archivage** n. m.

arçon [arsɔ̃] n. m. Partie de la selle (surtout au plur., dans quelques expressions) : *Vider les arçons* (= tomber de cheval). *Rester ferme sur ses arçons* (= se tenir bien en selle). ◆ **désarçonner** v. tr. 1° Jeter à bas de son cheval : *En sautant la haie, le jockey fut désarçonné* (syn. : FAIRE VIDER LES ÉTRIERS). — 2° *Désarçonner quelqu'un,* le mettre dans l'impossibilité de répondre, en lui posant une question embarrassante, en le plaçant devant un événement imprévu, etc. : *La simplicité même de l'objection, à laquelle il n'avait pas pensé, le désarçonna* (syn. : DÉMONTER, TROUBLER, DÉCONCERTER, ↑ CONFONDRE).

arctique [arktik] adj. Relatif au pôle Nord : *Expédition arctique* (= vers les régions proches du pôle). *Faune arctique* (= celle du Grand Nord). ◆ **antarctique** adj. Relatif au pôle Sud : *Le continent antarctique.*

1. ardent, e [ardɑ̃, -ɑ̃t] adj. 1° Qui chauffe : *Le soleil est ardent à midi* (syn. : CHAUD, BRÛLANT). — 2° Qui cause une sensation de chaleur : *Etre en proie à une fièvre ardente* (syn. : VIF). *Une soif ardente.* ◆ **ardeur** [ardœr] n. f. Chaleur extrême : *L'ardeur du soleil est telle qu'on ne peut sortir avant le soir.*

2. ardent, e [ardɑ̃, -ɑ̃t] adj. 1° Se dit d'une chose qui a un caractère de violence, de force, de passion : *Mener une lutte ardente contre les abus* (syn. : ACHARNÉ). *Il a d'ardentes convictions* (syn. : PASSIONNÉ). *Adresser une ardente prière à un protecteur.* — 2° Se dit d'une personne pleine de fougue : *Etre ardent dans la discussion* (syn. : FOUGUEUX; contr. : ENDORMI). — 3° *Ardent à quelque chose,* qui s'y porte, s'y adonne avec ardeur : *Il est ardent au travail. Etre ardent au combat* (syn. : PRÊT À, EMPRESSÉ À). ◆ **ardemment** [ardamɑ̃] adv. : *Il souhaite ardemment votre retour.* ◆ **ardeur** n. f. Force qui porte à faire quelque chose : *Il a conservé encore toute l'ardeur de sa jeunesse* (syn. : DYNAMISME, FOUGUE). *Il ne montre aucune ardeur au travail* (syn. : EMPRESSEMENT). *L'ardeur des combattants a faibli* (syn. : IMPÉTUOSITÉ). *Il essaya de réveiller l'ardeur des manifestants* (syn. : ENTHOUSIASME).

ardoise [ardwɑz] n. f. 1° Schiste noirâtre qui peut se diviser en feuilles minces, utilisées pour la couverture des maisons, la fabrication de crayons, de tablettes pour écrire, etc. : *Les maisons à toits d'ardoise sont plus nombreuses dans l'ouest de la France. Les écoliers n'écrivent plus guère aujourd'hui sur des ardoises comme jadis. Les épiciers portent encore parfois sur des ardoises les comptes de leurs clients.* — 2° Pop. *Avoir une ardoise chez un commerçant,* acheter chez lui à crédit; lui devoir de l'argent (vieilli). ◆ **ardoisière** n. f. Carrière d'ardoise.

ardu, e [ardy] adj. 1° Se dit d'un travail qu'il est difficile de mener à bien, d'un problème qu'il n'est pas aisé de résoudre : *Une tâche ardue* (syn. : PÉNIBLE). *La question est ardue et exige de la réflexion* (syn. : DUR; contr. : FACILE, AISÉ). — 2° Se dit de ce qui est raide et escarpé, de ce qu'il est difficile d'escalader, de franchir (peu usuel auj.) : *Le petit chemin montant est ardu* (syn. : RUDE). *La pente ardue du versant.*

are [ar] n. m. V. MESURE, *Unités de mesure.*

arène [arɛn] n. f. *Descendre dans l'arène,* participer activement à une discussion, à une lutte politique, littéraire, etc. : *Il s'est jusqu'ici tenu à l'écart de ces polémiques, mais il est décidé à descendre dans l'arène et à intervenir personnellement.* ‖ *L'arène politique, littéraire,* le terrain où se livrent les luttes politiques, littéraires : *L'arène politique est assez vaste pour que tout le monde puisse y descendre.* (L'*arène* était l'espace sablé situé au centre des amphithéâtres romains et où les gladiateurs livraient leurs combats.) ◆ **arènes** n. f. pl. Endroit aménagé pour les courses de taureaux.

aréopage [areopaʒ] n. m. Assemblée, groupe de personnes éminentes, écrivains, savants, juristes, etc. (littér.) : *Un aréopage de critiques et d'hommes de lettres se réunit pour attribuer un prix littéraire. Un aréopage secret conseille le président.*

1. arête [arɛt] n. f. Os mince et pointu qui se trouve chez presque tous les poissons : *Les poissons de rivière ont en général beaucoup d'arêtes. Une arête lui est restée dans la gorge.*

2. arête [arɛt] n. f. Angle saillant, en particulier d'un rocher; ligne d'intersection de deux versants montagneux : *Grimper avec une corde le long de l'arête rocheuse. Recevoir un coup sur l'arête du nez. L'arête d'un toit* (syn. : FAÎTE).

1. argent [arʒɑ̃] n. m. 1° Métal précieux, brillant et inoxydable, qui, mêlé à du cuivre pour être plus résistant, sert en particulier à faire des pièces de monnaie : *De petites statuettes d'argent. Des pièces d'argent existaient, en France, avant la Première Guerre mondiale.* — 2° *D'argent,* se dit de ce qui a l'éclat, la blancheur du métal (littér.) : *Les reflets d'argent de l'étang sous la lune* (syn. : ARGENTÉ). ◆ **argenté, e** adj. Qui a la couleur ou l'éclat de l'argent (littér.) : *Les flots argentés. Il est très fier de sa barbe d'un gris argenté* (gris mêlé de blanc). ◆ **argenter** v. tr. Recouvrir d'argent : *Des cuillers de métal argenté.* ◆ **argenterie** [arʒɑ̃tri] n. f. Vaisselle en argent : *La maîtresse de maison sortit l'argenterie pour le mariage de sa fille.* ◆ **désargenter** v. tr. Enlever la couche d'argent : *Peu à peu l'usage a désargenté le couteau.*

2. argent [arʒɑ̃] n. m. Toute monnaie, de quelque métal qu'elle soit, de quelque nature qu'elle soit (billet, pièces, etc.), qui sert de numéraire : *Je n'ai pas d'argent sur moi, pouvez-vous me prêter cent francs? Elle est dépensière et jette l'argent par les fenêtres. C'est un homme d'argent* (= intéressé). *Il a de l'argent* (= il est riche). *Nous en voulons pour notre argent* (= il faut que l'achat réponde à ce que nous en attendons). *Il en a pour son argent* (= en proportion de ce qu'il a déboursé ou de sa peine). *Il fait argent de tout* (= il tourne toutes les circonstances à son profit immédiat). *L'argent n'a pas d'odeur* (= peu importe d'où il vient). *Il a mangé beaucoup d'argent dans cette affaire. Il dépense sans compter et il est maintenant à court d'argent. Payer en argent frais* (= en billets et non pas en actions ou en obligations). *Payer en argent comptant* (= immédiatement, en espèces; contr. : À CRÉDIT). *Les puissances d'argent dominent la vie politique* (= les groupements financiers, les banques). *Vous ne verrez pas la couleur de son argent* (= vous ne serez pas payé). *Prendre les paroles de quelqu'un pour argent comptant* (fam.) [= y ajouter foi, les prendre à la lettre]. ◆ **argenté, e** adj. Fam. *N'être pas argenté,* avoir peu d'argent. ◆ **argentier** n. m. *Le grand argentier,* le ministre des Finances. ◆ **désargenté, e** adj. Fam. *Etre désargenté,* être démuni d'argent.

argentin, e [arʒɑ̃tɛ̃, -in] adj. *Son argentin,* son clair, comme celui d'une pièce d'argent que l'on fait sonner (littér.) : *La sonnette de la grille fit entendre un tintement argentin. Le murmure argentin de l'eau.*

argile [arʒil] n. f. 1° Terre glaise, molle et grasse, qui, imbibée d'eau, constitue une pâte dont se servent en particulier les sculpteurs. — 2° *Colosse aux pieds d'argile,* personne ou pays dont la puissance apparente repose sur des bases fragiles. ◆ **argileux, euse** adj. : *Terrain argileux.*

argot [argo] n. m. Ensemble de termes, de locutions ou de formes grammaticales dont usent les gens d'un même groupe social ou professionnel, et par lesquels ils se distinguent consciemment des autres groupes : *Argot scolaire* (= des écoliers). *Argot militaire. Argot des typographes.* ◆ **argotique** adj. : *Certains termes argotiques ont pu passer dans la langue populaire.*

arguer [argɥe] v. tr. (l' *e* muet et l'*i* qui suivent le radical peuvent prendre un tréma : *Il arguë, nous arguïons*). *Arguer de quelque chose, arguer que* (et l'indic.), en déduire une conséquence, prétexter que (langue soutenue) : *Arguer de son ancienneté pour obtenir un avancement* (syn. : SE PRÉVALOIR DE, FAIRE ÉTAT DE). *Il argue qu'il a de lourdes charges familiales pour demander une augmentation.*

argument [argymɑ̃] n. m. 1° Preuve, raisonnement apportés à l'appui d'une affirmation : *Développer des arguments convaincants* (syn. : RAISON). *Appuyer son affirmation d'arguments très clairs* (syn. : DÉMONSTRATION). *Il tirait argument de sa mauvaise santé pour abandonner toute activité* (= il prétextait). *Invoquer un argument d'ordre moral. C'est un argument sans réplique.* — 2° Abrégé d'une pièce de théâtre, d'un ouvrage littéraire, etc. : *Le programme donnait l'argument de la comédie.* ◆ **argumenter** v. intr. Présenter une série d'arguments : *Il argumente sans cesse avec des contradicteurs pour essayer de soutenir des hypothèses invraisemblables* (syn. : DISCUTER). ◆ **argumentation** n. f. Ensemble des raisonnements étayant une affirmation, une thèse : *Présenter une solide argumentation. Etre sensible à la force d'une argumentation.*

argutie [argysi] n. f. Raisonnement d'une subtilité excessive, dont on use en général pour dissimuler le vide de la pensée ou l'absence de preuve : *Les avocats multiplièrent les arguties juridiques pour retarder l'ouverture du procès* (syn. : CHICANE ; non péjor. : ARGUMENT). *Une distinction qui apparaît comme une argutie aux yeux des spécialistes* (syn. : FINESSE).

aria [arja] n. m. *Fam.* Obstacle imprévu qui procure du désagrément ou de l'embarras : *Ce voyage ne nous aura procuré que des arias* (syn. : ENNUI). *Voilà l'affaire réglée; c'est un aria de moins* (syn. : SOUCI).

1. aride [arid] adj. Se dit d'un sol qui manque d'humidité et ne peut rien produire : *La terre aride est craquelée de place en place* (syn. : SEC). *Des étendues arides, couvertes de sel, s'étendent à peu de distance de Djibouti* (syn. : DÉSERTIQUE, INCULTE). ◆ **aridité** n. f. : *L'aridité du sol empêche toute culture* (syn. : SÉCHERESSE).

2. aride [arid] adj. 1° Se dit de quelqu'un qui manque de sensibilité, de tendresse : *Les épreuves et les déceptions avaient rendu son cœur aride.* — 2° Se dit de quelque chose qui est dépourvu de charme, d'agrément : *Il a traité ce sujet aride avec une rare conscience* (syn. : INGRAT). ◆ **aridité** n. f. : *L'aridité de la matière traitée par le livre ne le rebute pas.*

aristocrate [aristokrat] n. 1° *Péjor.* Membre de la classe des nobles, des privilégiés (littér.; abrév. pop. et vieillie : *aristo*) : *Les aristocrates détenaient encore, au XIXe s., une grande partie de la propriété foncière* (syn. : NOBLE; péjor. : HOBEREAU). — 2° Personne qui a de la distinction, qui a des manières, des qualités mondaines : *A son élégance et à son langage recherché, on sent chez lui l'aristocrate* (syn. : HOMME DU MONDE). ◆ **aristocratie** [-krasi] n. f. 1° Classe des nobles (terme hist.) : *L'aristocratie, déchue de sa puissance ancienne, tenta, à la mort de Louis XIV, de reconquérir une partie de son pouvoir* (syn. : NOBLESSE; contr. : LES ROTURIERS, BOURGEOISIE). — 2° Ensemble de ceux qui sont l'élite dans un domaine scientifique ou artistique (littér.) : *Il croyait appartenir à une nouvelle aristocratie, celle de la science.* ◆ **aristocratique** adj. (n'est pas péjor.) : *Il a des manières aristocratiques* (syn. : DISTINGUÉ, RAFFINÉ; contr. : VULGAIRE).

arithmétique [aritmetik] n. f. Partie des mathématiques qui étudie les propriétés des nombres; art de calculer, de compter : *L'addition, la soustraction, la multiplication et la division sont les quatre opérations élémentaires de l'arithmétique.* ◆ **arithmétique** adj. : *Faire des opérations arithmétiques.*

arlequin, e [arləkɛ̃, -in] n. Personne qui s'est déguisée d'un costume mi-vert, mi-jaune, reproduisant celui d'Arlequin, personnage de comédie.

armateur n. m. V. ARMER 2.

armature n. f. V. ARMER 3.

arme [arm] n. f. 1° Tout ce qui sert à attaquer ou à se défendre (instrument, moyen technique, argument, etc.) : *Se servir d'une arme. L'arme au bras. Manier une arme. Une arme à feu* (= fusil, revolver, etc.). *Une arme blanche* (= couteau, baïonnette, etc.). *Une arme à double tranchant* (= un moyen qui peut se retourner contre celui qui l'emploie). *L'arme psychologique vise à créer la démoralisation de l'adversaire. L'ennemi mit bas les armes, déposa les armes* (= se rendit). *Une troupe de soldats en armes. Il a usé bassement contre moi de l'arme de la calomnie. C'est une arme terrible entre les mains de l'opposition.* — 2° Pop. *Passer l'arme à gauche,* mourir. ◆ **armes** n. f. pl. 1° Profession militaire; la guerre (dans quelques express.) : *La carrière des armes. Il est sous les armes* (= il est à l'armée). *Des frères d'armes* (= de combat). — 2° Symboles formant le blason d'une famille, d'une ville, etc. : *Les armes de la Ville de Paris.* — 3° *Donner, fournir des armes contre soi,* donner soi-même des raisons, des arguments, des moyens à ses adversaires. ‖ (*Etre*) *en armes,* avoir sur soi une arme à feu (en parlant d'un groupe). ‖ *Faire ses premières armes,* débuter dans une carrière : *Il a fait ses premières armes dans un petit journal de province.* ‖ *Faire tomber les armes des mains de quelqu'un,* réussir à l'apaiser, à le fléchir. ‖ *Fait d'armes,* exploit militaire. ‖ *Maître d'armes,* celui qui enseigne l'escrime. ‖ *Passe d'armes,* discussion vive et brillante entre des interlocuteurs. ‖ *Par les armes,* par la violence, au moyen de la force militaire : *Prendre le pouvoir par les armes.* ‖ *Porter les armes contre,* faire la guerre à : *Porter les armes contre son propre pays.* ‖ *Prendre les armes,* se soulever, partir pour combattre : *Prendre les armes pour défendre la liberté.* ‖ *Présenter les armes,* se dit d'un soldat qui salue selon des modalités précises. ‖ *Prise d'armes,* cérémonie militaire où les troupes sont rassemblées, pour une remise de décorations par exemple. ‖ *Tourner les armes contre quelqu'un,* le combattre après avoir été son allié ou son ami. ◆ **armer** v. tr. 1° *Armer une personne, un pays,* les fournir d'armes, de moyens d'attaque, de défense : *Armer des milices ouvrières. Attention, il est armé* (= il a une arme). *Etre armé jusqu'aux dents* (= être fortement armé). — 2° *Armer quelque chose,* le garnir d'armes, d'une arme : *Armer une place, une forteresse. Une canne armée d'une pointe de fer.* — 3° *Armer quelqu'un de quelque chose,* lui donner quelque chose comme moyen de défense, de protection (souvent au passif) : *Il faut armer le gouvernement de pouvoirs exceptionnels* (syn. : DOTER, MUNIR). *Il est armé de sa seule bonne volonté. Je suis bien armé contre toutes les objections qu'on peut me présenter.* — 4° *A main armée,* par la violence, avec les armes : *Attaque à main armée d'une banque.* ‖ *Forces armées,* ensemble des moyens militaires d'un pays, des armées. ◆ ***s'armer*** v. pr. 1° *S'armer de* (suivi d'un nom désignant une arme), se munir d'une arme, prendre des armes pour combattre : *Il s'arma d'un bâton pour faire face à son adversaire.* — 2° *S'armer de quelque chose,* se munir de ce qui peut être utile pour faire face à un obstacle, à un événement imprévu et désagréable, etc. (compl. nom abstrait) : *Armez-vous de patience, de courage* (syn. : SE FORTIFIER). ◆ **armement** n. m. 1° Action de munir d'armes (sens 1 du verbe) : *L'armement des volontaires.* — 2° Ensemble des armes, des moyens d'attaque et de défense d'une troupe, d'un pays, d'un soldat; préparatifs de guerre : *Dépenser des sommes importantes pour des armements vite périmés. Freiner la course aux armements. L'armement individuel du fantassin.* ◆ **armurier** [armyrje] n. m. Personne qui vend ou répare des armes à feu. ◆ **armurerie** n. f. Magasin, atelier, activité de l'armurier. ◆ **désarmer** v. tr. 1° *Désarmer quelqu'un, un pays,* leur enlever leurs armes (souvent au passif) : *Désarmer un bandit. L'assassin fut désarmé par les témoins du drame. L'Allemagne a été désarmée en 1945. Attaquer des manifestants désarmés.* — 2° *Désarmer quelqu'un,* le calmer, faire cesser sa colère, sa haine, etc. : *Les pleurs de l'enfant le désarmèrent* (syn. : FLÉCHIR, TOUCHER). *Le rire a désarmé son ressentiment.* ‖ *Etre désarmé,* être sans défense : *Il est désarmé devant les difficultés de l'existence.* ◆ v. intr. 1° Cesser toute fabrication d'armes; supprimer ou réduire ses forces militaires : *Les grandes puissances ont décidé de désarmer.* — 2° Abandonner sa violence, sa colère, son obstination : *Sa haine ne désarme pas* (syn. : CÉDER). — 3° Cesser toute activité : *Malgré l'âge et la maladie, il ne désarme pas* (syn. : RENONCER). ◆ **désarmant, e** adj. Qui laisse sans réaction, sans défense : *Il est d'une naïveté désarmante.* ◆ **désarmement** n. m. 1° Action d'enlever les armes : *Procéder au désarmement de soldats révoltés.* — 2° Réduction des effectifs militaires et des fabrications d'armes : *Une conférence sur le désarmement s'est tenue à Genève.* ◆ **réarmer** v. tr. et intr. : *Devant les menaces extérieures, on décida de réarmer.* ◆ **réarmement** n. m. : *Poursuivre une politique de réarmement à outrance.*

armée [arme] n. f. 1° Forces militaires d'un pays ou d'un groupe de pays : *L'armée d'occupation s'est* *livrée à des crimes sans nombre. Les partisans n'appartenaient pas à l'armée régulière. Être aux armées* (= en opérations militaires). *La zone des armées* (= zone de combat). *L'armée de l'air* (= l'aviation). *L'armée de mer* (= la marine). — **2°** Grande unité militaire : *Une armée comporte plusieurs corps d'armée, qui comprennent chacun plusieurs régiments.* — **3°** *Une armée de* (suivi d'un nom plur.), une grande foule de : *Une armée de paysans, en 1789, donna l'assaut aux châteaux* (syn. : TROUPE, ↑ MASSE). *Une armée de moustiques les assaillit pendant la traversée des marais* (syn. : QUANTITÉ, MULTITUDE).

1. armer v. tr. V. ARME.

2. armer [arme] v. tr. *Armer un navire,* l'équiper de ce qui est utile pour naviguer et lui fournir un équipage. ◆ **armateur** n. m. Celui qui prend à son compte l'équipement d'un navire. ◆ **armement** n. m. : *L'armement d'un navire* (= le matériel et l'équipage). ◆ **désarmer** v. tr. *Désarmer un navire,* en retirer l'équipage et le matériel. ◆ **désarmement** n. m. ◆ **réarmer** v. tr.

3. armer v. tr. Pourvoir d'une enveloppe métallique, d'un renforcement de métal : *Armer des pontons de bois. Armer les murs d'une galerie. Le béton armé.* ◆ **armature** [armatyr] n. f. **1°** Assemblage, dispositif qui maintient ensemble ou renforce les différentes parties d'un tout. — **2°** Ce qui sert de base, de soutien à une organisation quelconque : *L'armature d'un parti politique.*

armistice [armistis] n. m. Interruption momentanée des hostilités après accord entre les belligérants.

armoire [armwar] n. f. **1°** Grand meuble en bois ou en métal fermé de portes et servant à ranger les objets domestiques, en particulier le linge. — **2°** Pop. *Une armoire à glace,* un homme de forte carrure (syn. pop. : UN BALÈZE).

armoiries [armwari] n. f. pl. Emblème en couleurs, propre à une famille : *La fleur de lis entre dans les armoiries de la maison de France.* ◆ **armorié, e** adj. : *Vaisselle armoriée* (= décorée d'armoiries). [V. ARMES, BLASON.]

armure [armyr] n. f. Ensemble de pièces métalliques (casque, cuirasse, etc.) qui protégeait l'homme de guerre de la fin du Moyen Age au XVIIe s.

armurerie n. f., **armurier** n. m. V. ARME.

arôme [arom] n. m. Odeur agréable qui se dégage d'une fleur, d'un vin, etc. : *Le salon est plein de l'arôme des œillets qui remplissent les vases* (syn. : PARFUM). *Ce bordeaux a un arôme incomparable* (syn. : BOUQUET). *L'arôme d'une tasse de café. L'arôme d'un civet de lièvre* (syn. : FUMET). ◆ **aromate** [arɔmat] n. m. Toute substance qui répand une odeur agréable : *Une pommade faite d'aromates.* ◆ **aromatique** adj. : *La lavande est une plante aromatique* (syn. : ODORIFÉRANT). ◆ **aromatiser** v. tr. Parfumer avec une substance aromatique (surtout au part. passé) : *Un chocolat aromatisé.*

arpent [arpɑ̃] n. m. Ancienne mesure agraire, qui n'est plus utilisée que dans quelques expressions, avec le sens de « surface peu étendue » : *Un champ de quelques arpents.*

arpenter [arpɑ̃te] v. tr. *Fam.* Parcourir à grands pas : *Il arpenta longtemps les allées du jardin. Arpenter le trottoir en attendant quelqu'un.*

arquer [arke] v. tr. Courber en arc (surtout au part. passé) : *Le dos arqué* (syn. : VOÛTÉ). *Mettez les mains aux hanches et arquez les reins. Les jambes arquées d'un cavalier.*

1. arracher [araʃe] v. tr. **1°** *Arracher quelque chose,* enlever avec effort ce qui tient à quelque chose, ce qui est enfoncé en terre, ce qui est accroché, enfoui, etc. : *Arracher les pommes de terre. Arracher les mauvaises herbes. Arracher une dent* (syn. : EXTRAIRE, EXTIRPER). *Arracher une affiche collée au mur* (syn. : LACÉRER, DÉCHIRER). *Arracher un clou avec une tenaille.* — **2°** *Arracher la joue, le visage,* etc., *de quelqu'un,* lui déchirer profondément la joue, le visage, etc. ‖ *Arracher le cœur, des larmes,* etc., causer une peine extrême. ‖ *Arracher les yeux à quelqu'un,* formule de menace pour faire entendre qu'on se livrerait volontiers à des voies de fait contre quelqu'un. ◆ ***s'arracher*** v. pr. *S'arracher les cheveux,* être désespéré de ne rien pouvoir faire ; être plein de rage, de dépit. ◆ **arrachage** n. m. : *L'arrachage des betteraves.* ◆ **arracheur** n. m. *Mentir comme un arracheur de dents,* mentir avec impudence, effrontément.

2. arracher [araʃe] v. tr. **1°** *Arracher quelque chose,* l'obtenir avec peine : *Arracher une augmentation de salaire. Je lui arrachai la promesse de m'écrire plus souvent* (syn. : SOUTIRER). *Arracher la victoire à l'ennemi* (syn. : ENLEVER). *Cette réplique arracha les applaudissements.* — **2°** *Arracher quelqu'un d'un endroit, d'un état déterminé,* l'en faire sortir de force, l'en retirer avec effort : *La sonnerie du réveil m'arracha du lit, du sommeil.* — **3°** *Arracher quelqu'un à quelque chose,* l'en détacher avec peine, l'enlever à : *Qui pourra l'arracher à ses habitudes?* (syn. : DÉTACHER, DÉTOURNER DE). *Cette réflexion l'arracha à sa torpeur* (syn. : TIRER, SOUSTRAIRE). *La mort l'a arraché à l'affection des siens* (syn. : ↓ ENLEVER). ◆ ***s'arracher*** v. pr. **1°** *S'arracher de, à quelque chose,* se tirer avec effort hors d'un lieu, d'un état : *S'arracher de son lit, de sa torpeur. S'arracher au sommeil. S'arracher au charme d'une conversation.* — **2°** *S'arracher quelqu'un, quelque chose,* se disputer la présence de quelqu'un, la possession de quelque chose. ◆ **arraché *(à l')*** loc. adv. Avec un effort violent : *Le concurrent a remporté la victoire à l'arraché.* ◆ **arrachement** n. m. Sens 3 du v. tr. : *Leur séparation fut un véritable arrachement* (syn. : DÉCHIREMENT). ◆ **arrache-pied *(d')*** loc. adv. Avec acharnement, au prix d'un effort persévérant : *Travailler d'arrache-pied.*

arraisonner [arɛzɔne] v. tr. *Arraisonner un navire, un avion,* en contrôler la nationalité, la cargaison, la destination, etc. ◆ **arraisonnement** n. m. : *L'arraisonnement est une mesure de la police maritime ou aérienne.*

1. arranger [arɑ̃ʒe] v. tr. (sujet nom de personne). *Arranger quelque chose,* le disposer d'une manière convenable, le mettre ou le remettre en état : *Arranger sa coiffure. Arranger son appartement* (syn. : INSTALLER). *L'agence nous a arrangé un voyage en Italie. Arranger sa vie pour n'avoir aucun souci* (syn. : ORGANISER, RÉGLER). *Arranger un pique-nique* (syn. : PRÉPARER). *Faire arranger sa montre* (syn. : RÉPARER). *Arranger une pièce de théâtre pour les besoins de la mise en scène* (syn. : ADAPTER). *Arranger une traduction maladroite* (syn. : RÉCRIRE). ◆ **arrangement** n. m. Action de disposer convenablement les choses : *L'arrangement des mots dans une phrase* (syn. : DISPOSITION, ORDRE).

Modifier l'arrangement d'une pièce (syn. : INSTALLATION), *d'une coiffure* (syn. : ORDONNANCEMENT). *Arrangement d'une partition pour le piano* (syn. : ADAPTATION).

2. arranger [arɑ̃ʒe] v. tr. 1° (sujet nom de personne) *Arranger quelque chose,* le régler de manière à supprimer un différend, une difficulté : *Je vais vous arranger votre affaire. Arranger une entrevue entre deux personnes* (syn. : RÉGLER, MÉNAGER). — 2° (sujet nom de personne) Fam. *Arranger quelqu'un,* lui faire subir un mauvais sort, lui donner des coups. — 3° (sujet nom de chose) *Arranger quelqu'un,* être adapté, convenir à quelqu'un : *Cela m'arrange qu'il y ait un train de bonne heure le matin* (syn. : CONVENIR À). *Il est difficile d'arranger tout le monde* (syn. : SATISFAIRE). ◆ ***s'arranger*** v. pr. 1° Se mettre d'accord : *Les deux familles se sont finalement arrangées à l'amiable.* — 2° (sujet nom de chose) Finir bien : *Vos affaires se sont arrangées comme vous le vouliez. Cela s'arrangera* (= cela ira mieux). — 3° *S'arranger pour* (et l'infin.), prendre ses dispositions pour : *Arrangez-vous pour avoir fini avant cinq heures.* ‖ *S'arranger de quelque chose,* s'en satisfaire : *Ne vous inquiétez pas, je m'en arrangerai.* ◆ **arrangeant, e** adj. Se dit de quelqu'un de caractère facile, prêt à la conciliation : *Il est agréable d'avoir affaire à lui, car il est finalement très arrangeant* (syn. : ACCOMMODANT). ◆ **arrangement** n. m. Accord conclu entre particuliers, entre Etats, etc. : *Un arrangement est intervenu entre la direction et les grévistes* (syn. : COMPROMIS).

arrestation n. f. V. ARRÊTER 2.

arrêt n. m. V. ARRÊTER 1, 2 et 3.

1. arrêter [arete] v. tr. 1° *Arrêter quelqu'un, quelque chose,* les empêcher d'avancer, les maintenir fixes, immobiles (souvent au passif) : *Il avait arrêté sa voiture dans la rue voisine. Arrêter un passant pour lui demander l'heure* (syn. : ABORDER). *La file des camions est arrêtée sur la route nationale par un barrage* (syn. : STOPPER, IMMOBILISER). *La pendule est arrêtée, il faut la remonter. Arrêter un saignement de nez. Rien ne l'arrête* (syn. : REBUTER). — 2° *Arrêter quelque chose,* interrompre une action, l'empêcher de se dérouler normalement; en suspendre le cours : *Arrêter une fabrication excédentaire. On n'arrête pas le progrès* (syn. : RETENIR). *Arrêter le courrier* (syn. : INTERCEPTER). *Le trafic ferroviaire est complètement arrêté* (syn. : SUSPENDRE). *Arrêter un compte à la date du 31 décembre* (syn. : RÉGLER). — 3° *Arrêter ses regards sur quelqu'un* ou *sur quelque chose,* les tenir fixés sur eux : *Il a arrêté ses regards sur le magnifique paysage qui s'étendait devant lui* (syn. : FIXER). — 4° *Arrêter ses soupçons sur quelqu'un,* le soupçonner : *Sur qui arrêtez-vous vos soupçons?* ◆ v. intr. ou ***s'arrêter*** v. pr. 1° Cesser d'avancer, d'agir, de parler : *Arrête près du carrefour. Dites au chauffeur de s'arrêter* ou *d'arrêter. Arrête-toi un peu et reposetoi.* — 2° *Arrêter de faire,* cesser de faire : *Il arrête* (ou *s'arrête*) *de lire. Il n'arrête pas de parler.* ◆ ***s'arrêter*** v. pr. 1° (sujet nom désignant un mécanisme) Cesser de fonctionner : *La pendule s'arrête continuellement.* — 2° (sujet nom de personne) *S'arrêter quelque part,* y rester plus ou moins longtemps : *Il s'est arrêté au café pour prendre un apéritif* (syn. : S'ATTARDER). — 3° (sujet nom de personne) *S'arrêter à quelque chose,* s'y maintenir après réflexion : *Il s'est arrêté finalement à notre projet initial;* y faire attention : *Il ne faut pas vous arrêter à des détails.* ◆ **arrêt** [arɛ] n. m. 1° Action d'arrêter ou de s'arrêter : *L'arrêt de la maladie. L'arrêt des hostilités, des pourparlers* (syn. : INTERRUPTION). *Un arrêt de travail* (syn. : GRÈVE). *Le taxi est à l'arrêt en bas de l'immeuble* (syn. : STATIONNEMENT). *L'expansion économique a subi un temps d'arrêt* (syn. : PAUSE). *Couteau à cran d'arrêt.* — 2° Station où s'arrête régulièrement un véhicule de transport en commun : *Un arrêt d'autobus* (syn. : STATION). *Ne descendez pas, ce n'est pas l'arrêt.* — 3° *Rester, tomber en arrêt devant,* s'arrêter soudain devant quelque chose qui vous étonne : *Il restait en arrêt devant le spectacle insolite qui s'offrait à ses yeux. Le chien est tombé en arrêt devant la haie.* — 4° *Sans arrêt,* d'une manière continue : *Travailler, parler sans arrêt.*

2. arrêter [arete] v. tr. *Arrêter quelqu'un,* le faire et le retenir prisonnier : *La police a arrêté le voleur* (syn. : APPRÉHENDER). ◆ **arrestation** n. f. : *La police avait procédé à l'arrestation d'un criminel* (contr. : MISE EN LIBERTÉ, ÉLARGISSEMENT). *Etre mis en état d'arrestation.* ◆ **arrêt** n. m. *Mandat d'arrêt,* ordre d'arrestation. ◆ **arrêts** n. m. pl. Punition infligée à un officier, à un sous-officier ou à un élève : *Etre aux arrêts. Mettre aux arrêts.*

3. arrêter [arete] v. tr. *Arrêter une chose,* la déterminer d'une manière définitive : *Arrêter le jour d'une réunion* (syn. : FIXER). *Avoir une idée bien arrêtée sur le sujet. Arrêter son choix sur un lieu de vacances.* ◆ **arrêt** [arɛ] n. m. Décision de justice prise après délibération : *Le tribunal a rendu son arrêt* (syn. : JUGEMENT). ◆ **arrêté** n. m. Décision administrative : *Le maire a publié un arrêté interdisant le stationnement des voitures sur la place.*

arrhes [ar] n. f. pl. Somme d'argent que l'acheteur remet au vendeur comme avance sur le prix d'achat : *Verser des arrhes. Exiger, demander des arrhes pour la vente d'un terrain.*

1. arrière [arjɛr] adv. Du côté opposé à celui vers lequel on va, vers lequel on est tourné (contr. de AVANT adv. et restreint à quelques emplois) : *Avoir vent arrière. Faire machine arrière* (= revenir sur ses dires). ◆ interj. : *Arrière! n'embarrassez pas le passage.* • LOC. ADV. *En arrière : Faire un pas en arrière* (= vers le côté opposé à la marche). *Tirer en arrière. Un mouvement en arrière. Se renverser en arrière.* • LOC. PRÉP. *En arrière de : Rester en arrière de la colonne* (= à la queue). ◆ adj. invar. Situé à la partie postérieure : *Les roues arrière d'une voiture* (contr. : AVANT). *Ses feux arrière ne fonctionnent plus. Le siège arrière d'une motocyclette.* ◆ **arrière** n. m. 1° Partie opposée à l'avant : *L'arrière d'un bateau. Avoir mal au cœur à l'arrière du car.* — 2° Région située à l'intérieur du pays, relativement à la zone des combats : *Le ravitaillement venait difficilement de l'arrière.* — 3° Joueur qui, dans une équipe de football, de rugby, etc., a surtout un rôle de défense. ◆ **arrières** n. m. pl. Zone opposée à celle qui fait face à l'ennemi, à l'adversaire, et où on a la possibilité de se retirer : *Protéger ses arrières contre une incursion ennemie.*

2. arrière, élément préfixé formant, avec des substantifs, des mots composés qui marquent une relation de postériorité dans l'espace ou dans le temps avec des termes simples : *arrière*-BAN, *arrière*-GARDE, *arrière*-GOÛT, *arrière*-PAYS, *arrière*-PENSÉE, *arrière*-PLAN, etc. (V. aux mots simples.)

1. arriéré, e [arjere] adj. et n. Se dit d'une personne, d'un pays dont le développement intellectuel et matériel, le degré d'instruction sont anormalement bas : *Une école réservée aux enfants arriérés, aux arriérés* (syn. : DÉBILES MENTAUX). *Les régions arriérées et dépeuplées.* ◆ adj. Qui appartient à une époque périmée, démodée : *Il a des idées arriérées.*

2. arriéré [arjere] n. m. Ce qui reste dû d'une somme qu'on s'est engagé à payer à une date précise : *Rembourser l'arriéré.*

arrière-saison [arjɛrsezɔ̃] n. f. Fin de l'automne ou commencement de l'hiver : *Ce sont déjà les fruits et les légumes de l'arrière-saison. On nous promet une magnifique arrière-saison.*

arrière-train [arjɛrtrɛ̃] n. m. 1° Partie postérieure du corps des quadrupèdes, comprenant les membres postérieurs et la région voisine du tronc : *Le chien posa son arrière-train près de la chaise de son maître.* — 2° *Pop.* Partie postérieure de l'homme et surtout de la femme : *Donner un coup de pied dans l'arrière-train* (syn. : FESSES).

arrimer [arime] v. tr. *Arrimer quelque chose,* fixer solidement la charge d'un navire, des colis dans un wagon, dans un camion, etc. : *Arrimer avec des cordes une malle sur le toit de la voiture. Le chargement est mal arrimé et risque de tomber du camion.* ◆ **arrimage** n. m. : *L'arrimage des caisses sur le pont est défectueux.*

1. arriver [arive] v. intr. (conj. avec l'auxil. *être*). 1° (sujet nom de chose) Se produire, avoir lieu : *Il lui est arrivé une aventure extraordinaire* (syn. : ADVENIR). *Un malheur n'arrive jamais seul* (syn. : SURVENIR). *Il croit que c'est arrivé* (fam.) [= il montre trop de confiance]. — 2° *Il arrive que* (et le subj.), il advient que : *Il arrive que le mois d'août soit pluvieux.*

2. arriver [arive] v. intr. (conj. avec l'auxil. *être*). 1° (sujet nom de personne ou de chose) Parvenir au lieu de destination, au terme de sa route, etc. : *Arriver à Paris. Le train arrive en gare. Arriver le premier. Il est arrivé mal à propos. Arriver en auto. Le courrier est arrivé. Des cris arrivaient jusqu'à lui. Arriver au terme de son existence;* parvenir à un certain état : *Il est arrivé à un âge où il faut se reposer.* — 2° (sujet nom de personne et sans compl.) Parvenir à un état social jugé supérieur : *Il voulait arriver et travaillait en conséquence* (syn. : RÉUSSIR). — 3° (sujet nom d'être animé) *Arriver à quelque chose, à faire quelque chose,* réussir à l'obtenir, y parvenir : *Il est arrivé à ses fins* (= il a réussi dans son entreprise). *Arriver à la conclusion de son exposé. Je suis arrivée à le convaincre.* — 4° *En arriver à* (et l'infin.), aller jusqu'à, être dans un état d'esprit tel que : *J'en arrive à me demander s'il pense ce qu'il dit* (syn. : EN VENIR À). ◆ **arrivant, e** n. Personne qui arrive en un endroit déterminé : *Les premiers arrivants ont pris les meilleures places.* ◆ **arrivé, e** n. Personne qui est parvenue en un endroit : *Les derniers arrivés n'ont pu entrer au stade.* ◆ adj. *Un homme arrivé,* qui a obtenu une situation sociale aisée, conforme à ses désirs. ◆ **arrivage** n. m. Action de parvenir à destination, en parlant des marchandises, du matériel, etc.; quantité de marchandises qui arrivent : *Les arrivages de légumes aux Halles sont insuffisants.* ◆ **arrivée** n. f. Action d'arriver; moment ou endroit où arrive une personne, une chose : *Attendre l'arrivée du courrier. On signale l'arrivée du train* (syn. : APPROCHE). *L'arrivée des coureurs au sommet du col. L'arrivée d'essence. Le juge à l'arrivée a déclassé le vainqueur.* ◆ **arrivisme** n. m. Désir de réussir à tout prix (sens 2 du verbe). ◆ **arriviste** n. et adj. : *Le pouvoir est entre les mains de quelques politiciens arrivistes.*

arrogant, e [arɔgɑ̃, -ɑ̃t] adj. Qui manifeste un orgueil blessant à l'égard des autres : *Sa réserve le fait passer pour arrogant et méprisant* (syn. : FIER). *Je me suis froissé de ses paroles arrogantes* (syn. : IMPERTINENT; contr. : DÉFÉRENT). *Il prit un ton arrogant pour s'adresser à ses subordonnés* (syn. : SUPÉRIEUR, HAUTAIN; contr. : FAMILIER). ◆ **arrogance** n. f. : *Faire preuve d'arrogance dans son comportement* (syn. : ORGUEIL, MORGUE). *Son arrogance n'a pas de limite* (syn. : IMPUDENCE). *Il croit, avec de l'arrogance, cacher ses propres faiblesses* (syn. : SUFFISANCE, HAUTEUR; contr. : MODESTIE).

arroger (s') [sarɔʒe] v. pr. *S'arroger quelque chose,* s'attribuer une qualité ou un pouvoir sans y avoir droit (langue soutenue) : *S'arroger un titre de noblesse* (syn. : USURPER). *Il s'est arrogé le droit de critiquer les faits et gestes de chacun. S'arroger tous les pouvoirs de l'État* (syn. : S'APPROPRIER).

arrondir [arɔ̃dir] v. tr. 1° *Arrondir quelque chose,* lui donner une forme ronde ou courbe, en supprimant les angles : *Des galets arrondis par la mer. Arrondir les gestes.* — 2° Agrandir de façon à former un tout complet : *Arrondir son capital par une spéculation heureuse. Arrondir sa propriété. Arrondir une somme, un résultat* (= ajouter des unités ou des décimales pour obtenir un chiffre rond, approximatif, mais plus simple). — 3° *Arrondir les angles,* diminuer les causes de conflit, de dissentiment entre plusieurs personnes. ‖ *Arrondir ses phrases,* les rendre plus harmonieuses. ◆ ***s'arrondir*** v. pr. 1° Devenir rond, prendre une forme courbe : *Le relief s'arrondissait lorsqu'on descendait vers la vallée.* — 2° Augmenter de volume, de grandeur : *Son domaine s'est arrondi aux dépens des voisins* (syn. : S'AGRANDIR). *Sa taille s'arrondit* (= elle prend de l'embonpoint).

arrondissement [arɔ̃dismɑ̃] n. m. Subdivision administrative des départements, des grandes villes : *L'arrondissement de Cholet, en Maine-et-Loire. Paris est divisé en vingt arrondissements, Lyon en sept.*

1. arroser [aroze] v. tr. 1° Répandre de l'eau sur une chose, ou sur quelqu'un : *Le jardinier arrose les massifs de fleurs. Les plates-bandes ont été arrosées. Nous nous sommes fait arroser* (fam.) [= nous avons reçu une averse]; se dit aussi d'autres liquides : *Arroser d'essence un tas de chiffons pour y mettre le feu. Arrosez le rôti pendant que je mets la table* (= versez dessus son jus pour éviter qu'il ne se dessèche). — 2° Lancer de haut des projectiles sur quelqu'un ou sur une chose : *Arroser les assaillants de pierres et de flèches.* — 3° *Fam.* Offrir à boire à l'occasion d'un événement heureux : *Nous allons arroser ce succès* (syn. : FÊTER). ‖ *Arroser un repas,* boire des bouteilles de tel ou tel cru au cours d'un repas. ◆ **arrosage** n. m. Surtout sens 1 du verbe : *L'arrosage du jardin. Le tuyau d'arrosage. Une lance d'arrosage. La pomme d'arrosage dont peuvent être munis les arrosoirs.* ◆ **arroseur** n. m. Jardinier préposé à l'arrosage. ◆ **arroseuse** n. f. Véhicule servant à arroser les rues d'une ville. ◆ **arrosoir** n. m.

Récipient muni d'une anse et d'un tuyau terminé par une « pomme » percée de trous, avec lequel on arrose.

2. arroser [aroze] v. tr. Fam. *Arroser quelqu'un,* lui donner de l'argent pour obtenir une faveur ou un service : *Il a dû arroser le gardien pour obtenir le droit de prendre quelques photos à l'intérieur du château* (syn. : DONNER LA PIÈCE ; fam. : GRAISSER LA PATTE).

arsenal, aux [arsənal, -no] n. m. 1° Etablissement industriel pour l'équipement, le ravitaillement et l'armement des navires : *L'arsenal de Toulon, de Brest.* — 2° *Un arsenal de* (et un nom plur. désignant des armes ou des moyens d'action), une grande quantité de : *La police a trouvé dans la chambre d'hôtel qu'il habitait tout un arsenal de revolvers, de mitraillettes,* etc. ‖ *L'arsenal des lois,* l'ensemble des droits contenus dans les lois : *Les avocats usèrent de tout l'arsenal des lois pour obtenir une révision du procès.*

arsenic [arsənik] n. m. Nom donné communément à des substances toxiques à base d'un corps simple chimique, ordinairement de couleur grise : *Elle fut accusée d'avoir empoisonné son mari avec de l'arsenic.*

art [ar] n. m. 1° Expression d'un idéal de beauté correspondant à un type de civilisation déterminé : *L'art chinois. L'art espagnol. Un peintre qui ne vit que pour l'art* (= pour un idéal de beauté considéré comme un absolu). *Une œuvre d'art* (= une statue, un tableau, etc.). *Un amateur d'art* (= celui qui collectionne les œuvres d'art). *Art populaire* (= formes de l'art issues du peuple). — 2° Ensemble des règles intéressant un métier, une profession ou une activité humaine (souvent suivi d'un adj. qui précise le domaine de l'art) : *Art oratoire* (= éloquence). *Art militaire* (= métier des armes). *Art culinaire* (= manière de préparer les aliments). *Art dentaire* (= métier de dentiste). *Art vétérinaire* (= connaissance et pratique des soins aux animaux). *Arts ménagers* (= techniques qui ont pour objet de faciliter la tâche de la ménagère). *Arts plastiques* (= peinture et sculpture). *Art dramatique* (= qui intéresse les œuvres destinées à la scène). *Un homme de l'art* (= qui s'entend parfaitement dans son métier). — 3° Au plur., syn. de BEAUX-ARTS (peinture, sculpture, architecture, etc.) : *Etre le protecteur des arts.* — 4° *L'art de* (et l'infin.), la manière habile de faire quelque chose : *Il a l'art de disparaître au moment où l'on a besoin de lui* (syn. : ADRESSE). *Avoir l'art de plaire* (syn. : TALENT). *Il est passé maître dans l'art de tromper.* ◆ **artiste** [artist] n. 1° Personne qui a le sens du beau, dont la profession et les talents sont consacrés aux beaux-arts (sens 1 et 3 de *art*) : *Le peintre, le sculpteur sont des artistes. Avoir la sensibilité d'un artiste.* — 2° Celui qui interprète une œuvre musicale, théâtrale, etc. : *Un comédien est un artiste dramatique. Les artistes de la Comédie-Française* (syn. : ACTEUR). — 3° Celui qui, en se consacrant à un art, se libère des contraintes bourgeoises : *Mener une vie d'artiste* (syn. : BOHÈME). — 4° Nom donné à ceux qui pratiquent des métiers manuels où existe un certain souci esthétique (sens 2 de *art*) : *Artiste capillaire* (= coiffeur). *Artiste culinaire* (= grand cuisinier). ◆ adj. Qui a le goût, le sentiment de ce qui est beau; qui manifeste ce goût : *Un peuple artiste. L'écriture artiste.* ◆ **artistement** adv. : *Un salon artistement décoré.* ◆ **artistique** adj. 1° Relatif aux arts (peinture, architecture, sculpture, etc.) : *Les richesses artistiques d'un pays. Avoir le sens artistique* (= le sens du beau). — 2° Fait avec le souci du beau : *Une décoration artistique.* ◆ **artistiquement** adv. : *Des fleurs disposées artistiquement dans des vases.*

1. artère [artɛr] n. f. Vaisseau destiné à porter le sang du cœur aux diverses parties du corps : *Artère pulmonaire. Le coup lui sectionna l'artère fémorale* (= celle de la cuisse). ◆ **artériel, elle** adj. : *Avoir une forte tension artérielle. Le sang artériel.*

2. artère [artɛr] n. f. Grande voie de communication urbaine : *Les deux principales artères de la ville* (syn. : VOIE À GRANDE CIRCULATION).

artichaut [artiʃo] n. m. 1° Plante herbacée dont le réceptacle concave (tête) est comestible : *Les artichauts vendus dans la région parisienne viennent pour la plupart de Bretagne.* — 2° *Avoir un cœur d'artichaut,* être inconstant en amour (syn. : ÊTRE VOLAGE).

1. article [artikl] n. m. Objet destiné à être commercialisé, à être vendu dans les boutiques et les magasins : *Les articles d'alimentation, de lainage, de voyage. Les articles de toilette, d'hygiène. Les machines-outils sont pour le pays des articles d'exportation* (= destinés à être exportés). *Un article de Paris est un bijou, un objet de mode. La révolution n'est pas un article d'exportation* (= ne s'exporte pas). *Vendeur qui fait l'article* (= qui vante, fait valoir la marchandise).

2. article [artikl] n. m. Ecrit formant un tout, inséré dans une publication, un journal : *Publier un article politique dans une revue. L'article de fond d'un quotidien* (syn. : ÉDITORIAL). *Donner un article à un journal* (syn. : CHRONIQUE). *Un article de presse.*

3. article [artikl] n. m. 1° Division ou subdivision (souvent marquée d'un chiffre) dans un traité, un catalogue, un contrat, etc., reliée à ce qui précède et à ce qui suit : *Les articles du Code civil. Les articles du budget. Reprendre article par article les divers points de l'exposé* (= point par point). *Il est intransigeant sur l'article de l'honnêteté* (= sur le chapitre, en matière de, au sujet de). *C'est un article à part* (= une chose que l'on ne peut confondre avec les autres). — 2° *A l'article de la mort,* au moment de mourir. ◆ **articulet** n. m. Petit article : *Des articulets groupés dans une rubrique de faits divers* (syn. : ENTREFILET).

4. article [artikl] n. m. Terme grammatical désignant les déterminants du substantif. (V. CATÉGORIE.)

1. articuler [artikyle] v. tr. et intr. 1° Emettre distinctement des sons à l'aide des organes de la parole : *Il n'a pu articuler un seul mot* (syn. : EXPRIMER). *Articuler avec netteté* (syn. : PRONONCER). — 2° Prononcer en détachant les mots, les syllabes : *Articuler une phrase avec force. Il articula difficilement son nom* (syn. : ÉNONCER). ◆ **articulation** n. f. : *Il a une très mauvaise articulation* (syn. : PRONONCIATION). ◆ **articulatoire** adj. : *Avoir des difficultés articulatoires.* ◆ **inarticulé, e** adj. Emis sans netteté : *Des sons inarticulés sortaient de sa gorge.*

2. articuler [artikyle] v. tr. Assembler par des jointures permettant un certain jeu (surtout au passif) : *Le piston est articulé sur la bielle. Des jouets articulés* (= dont les divers éléments peuvent se mouvoir). ◆ **s'articuler** v. pr. Etre lié l'un à l'autre ; être en rapport ou dépendre de : *Les trois parties de son exposé s'articulent parfaitement les unes aux autres. Les décisions prises par vous devront s'articuler avec celles que nous serons amenés à prendre de notre côté.* ◆ **articulation** n. f. Disposition ordonnée et dépendante des diverses parties d'un raisonnement, d'un discours, etc., ou d'un organisme, d'un service, etc. : *On sent mal les articulations du raisonnement* (syn. : ENCHAÎNEMENT). ◆ **désarticuler** v. tr. *Désarticuler quelque chose,* lui faire perdre sa cohésion, détruire l'assemblage de ses parties : *Le choc avait complètement désarticulé le mécanisme.* ◆ **se désarticuler** v. pr. Perdre sa cohésion : *Un assemblage qui s'est désarticulé.*

3. articuler (s') [sartikyle] v. pr. (sujet nom désignant un os). Se joindre l'un à l'autre en gardant la mobilité : *Le tibia s'articule sur le fémur.* ◆ **articulation** n. f. Jointure entre deux os : *L'articulation du genou. Avoir des articulations qui craquent.* ◆ **articulaire** adj. : *Un douleur articulaire.* ◆ **désarticuler** v. tr. Faire sortir de l'articulation : *Désarticuler la patte d'un animal* (syn. : DÉBOÎTER, DISLOQUER). ◆ ***se désarticuler*** v. pr. Mouvoir ses articulations à l'excès : *Le clown se désarticule pour faire rire.* ◆ **désarticulation** n. f. : *La désarticulation de la cuisse.*

1. artifice [artifis] n. m. Ruse servant à tromper quelqu'un sur la nature réelle d'une chose ; moyen habile et ingénieux souvent destiné à corriger la réalité : *Tenter par des artifices de cacher la vérité* (syn. : MENSONGE). *Ecrivain qui use d'artifice pour masquer son peu de talent. Les artifices du style. Un artifice de calcul* (= une combinaison ingénieuse). ◆ **artificieux, euse** adj. : *Des paroles artificieuses* (syn. : HYPOCRITE, CAPTIEUX).

2. artifice [artifis] n. m. 1° *Feu d'artifice,* série, suite de tirs faits à l'aide de produits destinés à exploser avec des effets lumineux et sonores : *On donna un superbe feu d'artifice sur le lac.* — 2° *C'est un vrai feu d'artifice,* se dit de la conversation de quelqu'un, d'un ouvrage qui éblouit par son esprit, son éclat. ◆ **artificier** n. m. Celui qui tire les feux d'artifice.

1. artificiel, elle [artifisjɛl] adj. Produit par le travail de l'homme (contr. : NATUREL) : *Des prairies artificielles. Un lac artificiel créé par un barrage. La lumière artificielle. Des fleurs artificielles.*

2. artificiel, elle [artifisjɛl] adj. Se dit de ce qui trompe en cachant ou en corrigeant la réalité, de ce qui ne paraît pas naturel : *Son raisonnement est très artificiel* (syn. : FORCÉ). *L'enthousiasme était artificiel et comme commandé* (syn. : CONTRAINT, FACTICE). ◆ **artificiellement** adv. : *Le tirage du journal avait été artificiellement accru pour faire croire à son succès.*

artillerie [artijri] n. f. 1° Partie de l'armée spécialisée dans le service des canons. — 2° *Pièce d'artillerie,* canon. ◆ **artilleur** n. m. Militaire appartenant à l'artillerie.

1. artisan [artizɑ̃] n. m. Celui qui exerce une activité manuelle pour son propre compte : *Le cordonnier, l'ébéniste, le tapissier, le relieur sont des artisans.* ◆ **artisanal, e, aux** adj. : *Un produit obtenu par une méthode artisanale* (contr. : INDUSTRIEL). *Travail artisanal* (= où l'on reconnaît la main de l'artisan). ◆ **artisanat** n. m. Condition sociale de l'artisan : *Quel peut être l'avenir de l'artisanat ?*

2. artisan [artizɑ̃] n. m. *Etre l'artisan de quelque chose,* en être le responsable, en être la cause : *Il est l'artisan de son malheur, de sa fortune, de votre ruine. L'artisan de la victoire.*

artiste n. et adj., **artistement** adv., **artistique** adj., **artistiquement** adv. V. ART.

as [ɑs] n. m. 1° Carte marquée d'un seul symbole, face d'un dé ou moitié de domino marquée d'un seul point : *Au bridge, l'as est la carte la plus forte.* — 2° *Fam.* Celui qui est le premier dans son genre : *Un as du volant* (= un conducteur exceptionnel). *C'est l'as de la classe* (= le meilleur élève ; syn. : CACIQUE [arg. scol.]). — 3° Pop. *Plein aux as,* très riche. ‖ Pop. *Fichu comme l'as de pique,* très mal habillé. ‖ *Passer à l'as,* être escamoté : *Il n'a rien vu, c'est passé à l'as.*

1. ascendant [asɑ̃dɑ̃] n. m. Attrait intellectuel, psychologique exercé par quelqu'un de supérieur : *Professeur qui a de l'ascendant sur ses étudiants* (syn. : INFLUENCE). *Subir l'ascendant d'un ami plus âgé. Il a pris de l'ascendant sur ses collègues* (syn. : AUTORITÉ, POUVOIR). *Il use de son ascendant pour obtenir des avantages personnels* (syn. : SUPÉRIORITÉ).

2. ascendant [asɑ̃dɑ̃] n. m. Chacun des parents dont on descend (surtout au plur.) : *Ses ascendants du côté de sa mère sont originaires du Massif central.* ◆ **ascendance** n. f. : *Etre d'ascendance ouvrière. Par son ascendance maternelle, il est Bourguignon.*

3. ascendant, e [asɑ̃dɑ̃, -ɑ̃t] adj. Qui va en montant : *Le ballon poursuivit son mouvement ascendant* (syn. : ASCENSIONNEL).

ascenseur [asɑ̃sœr] n. m. Appareil installé dans un immeuble et permettant de transporter des personnes dans une cabine qui se déplace verticalement : *Monter par l'ascenseur. L'ascenseur s'est arrêté au cinquième. L'ascenseur est en dérangement, en panne. L'ascenseur ne peut contenir que trois personnes. Renvoyer l'ascenseur* (= le faire redescendre après usage afin qu'un autre puisse l'utiliser).

ascension [asɑ̃sjɔ̃] n. f. Action de s'élever au sommet d'une montagne, de monter dans l'air, etc. : *L'ascension de l'aiguille Verte dans le massif du Mont-Blanc* (syn. : ESCALADE). *L'ascension d'un ballon dans les airs. Des alpinistes ont fait la première ascension de ce pic.* ◆ **ascensionnel, elle** adj. : *Le mouvement ascensionnel de l'air chaud.*

ascète [asɛt] n. Personne qui, se consacrant à la vie spirituelle, mortifie son corps par de dures privations, ou qui s'impose une vie rude et austère en se privant des plaisirs matériels : *Les ascètes du Mont-Athos. Mener une vie d'ascète. Avoir une existence d'ascète* (contr. : JOUISSEUR). ◆ **ascèse** n. f. (ordinairement dans le sens religieux) : *L'ascèse des premiers moines.* ◆ **ascétique** adj. : *Une vie ascétique. Un visage ascétique* (= dont la maigreur témoigne d'une vie austère). ◆ **ascétisme** n. m. : *L'ascétisme des ermites chrétiens. L'ascétisme d'un érudit* (syn. : AUSTÉRITÉ).

asepsie [asɛpsi] n. f. Ensemble de précautions visant à assurer l'absence de tout microbe infectieux. ◆ **aseptique** adj. : *Pansement aseptique.* ◆ **aseptiser** v. tr. : *Aseptiser une pièce, des instruments chirurgicaux.* (V. ANTISEPTIQUE.)

asile [azil] n. m. 1° Maison de retraite pour les vieillards, les nécessiteux. — 2° Lieu où une personne est à l'abri de ceux qui la poursuivent, où elle trouve protection contre les dangers, le besoin ou la fatigue : *Poursuivi par la police, il a trouvé asile chez un ami* (syn. : REFUGE). *Je lui ai offert ma maison comme asile* (syn. : ABRI). *Le droit d'asile des ambassades. La France donne asile aux réfugiés politiques.* — 3° *Asile de nuit,* établissement où l'on recueille, la nuit, les indigents sans domicile. ‖ *Asile d'aliénés,* ou simplement *asile,* lieu où sont hospitalisés les malades mentaux (syn. : HÔPITAL PSYCHIATRIQUE).

1. aspect [aspɛ] n. m. 1° Manière dont une chose ou une personne se présente à la vue : *La pluie donne un aspect triste et désolé à cette ville habituellement si colorée. Il a l'aspect d'un jeune premier* (syn. : ALLURE, AIR). *Vos projets prennent un aspect plus réaliste* (syn. : TOURNURE). *La vallée offre un aspect pittoresque* (syn. : VUE). *Le rocher a l'aspect d'une tête de femme* (= ressemble à). *La région présente un aspect désolé* (syn. : SPECTACLE). *La situation se présente sous un aspect engageant* (syn. : JOUR, DEHORS). — 2° *A l'aspect de,* à la vue de : *A l'aspect d'un si grand danger, beaucoup avaient reculé* (syn. : DEVANT). *A l'aspect de son ami, il s'interrompit et pâlit* (= en le voyant).

2. aspect [aspɛ] n. m. Notion grammaticale qui, en particulier dans le verbe, oppose ce qui est en train de se faire à ce qui est accompli : *L'opposition entre « il rentre en ce moment » et « il est rentré à la maison » représente l'aspect en français.* ◆ **aspectuel, elle** adj.

asperge [aspɛrʒ] n. f. 1° Plante potagère dont les pousses sont comestibles quand elles sont encore tendres : *Les pointes d'asperges sont les extrémités de petites asperges.* — 2° Fam. *Asperge montée en graine* ou *grande asperge,* jeune fille (ou plus rarement jeune homme) très grande et très maigre.

asperger [aspɛrʒe] v. tr. *Asperger quelqu'un, quelque chose,* les mouiller légèrement en projetant de l'eau sur eux : *Asperger d'eau le trottoir brûlant, devant le café, pour rafraîchir un peu. La voiture m'a aspergé en passant dans une flaque d'eau.* ◆ ***s'asperger*** v. pr. : *Les enfants, pour jouer, s'aspergeaient d'eau.* ◆ **aspersion** n. f. : *Une aspersion d'eau froide.*

aspérité [asperite] n. f. Saillie ou inégalité d'une surface (surtout au plur.) : *Enlever les aspérités d'une planche avec un rabot* (syn. : RUGOSITÉ). *Se couper la paume de la main aux aspérités d'un rocher.*

asphalte [asfalt] n. m. 1° Préparation à base de bitume, destinée au revêtement des chaussées, des trottoirs : *Les ouvriers étendent de l'asphalte sur le trottoir.* — 2° Fam. *L'asphalte,* le trottoir, la rue d'une ville (vieilli). ◆ **asphalter** v. tr. : *Asphalter un trottoir. Une rue asphaltée.* ◆ **asphaltage** n. m. : *L'asphaltage de la route.*

asphyxie [asfiksi] n. f. 1° Arrêt ou ralentissement de la fonction respiratoire : *Succomber à une asphyxie due à une strangulation, à une noyade* (syn. : ÉTOUFFEMENT). *Une asphyxie due à l'oxyde de carbone* (syn. : INTOXICATION). — 2° Arrêt dans le développement d'une activité essentielle d'un pays : *Le blocus a provoqué une asphyxie progressive du pays* (syn. : PARALYSIE). ◆ **asphyxier** v. tr. 1° *Il a été asphyxié pendant son sommeil par les émanations du poêle* (syn. : INTOXIQUER). *Certains secteurs industriels ont été asphyxiés par le manque de crédits;* et, pronominalem. : *Il s'est asphyxié avec le gaz.* — 2° Fam. *Il en a été asphyxié,* il a été stupéfait, médusé. ◆ **asphyxiant, e** adj. : *Les gaz asphyxiants ont été employés pendant la Première Guerre mondiale.*

aspic [aspik ou aspi] n. m. 1° Serpent venimeux. — 2° *Avoir une langue d'aspic,* dans la langue littér., faire preuve de sentiments perfides, de méchanceté (syn. plus usuels : AVOIR UNE LANGUE DE VIPÈRE, ÊTRE MAUVAISE LANGUE).

1. aspirer [aspire] v. tr. 1° (sujet nom d'être animé) *Aspirer un gaz,* le faire pénétrer dans les poumons : *Il ouvrit la fenêtre pour aspirer un peu d'air frais* (syn. : RESPIRER, HUMER); et, absol. : *Aspirez, puis expirez complètement.* — 2° *Aspirer un liquide,* le faire pénétrer dans l'appareil digestif : *Aspirer une boisson avec une paille.* — 3° (sujet nom de chose) Attirer en créant un vide partiel : *Les pompes aspirent et refoulent dehors l'eau qui avait envahi les cales du navire* (syn. : POMPER). ◆ **aspirant, e** adj. *Pompe aspirante,* qui élève l'eau sans la refouler, par oppos. à la pompe *foulante* ou *aspirante et foulante.* ◆ **aspiré, e** adj. *Consonne aspirée,* prononcée avec accompagnement d'un souffle. ◆ **aspiration** n. f. Emission d'un son accompagné d'un souffle que l'on perçoit distinctement : *L'aspiration n'existe pratiquement pas en français.* ◆ **aspirateur** n. m. Appareil qui a pour rôle d'absorber les poussières ou les gaz et vapeurs diverses.

2. aspirer [aspire] v. tr. ind. *Aspirer à une chose,* y être porté par un sentiment, un instinct, un désir profond : *J'aspire aux vacances cette année, car je suis très fatigué* (syn. : SOUPIRER APRÈS). *Il aspire à quitter la province pour venir à Paris* (syn. : DÉSIRER). ◆ **aspirant** n. m. Candidat à un emploi, à un titre. (V. aussi GRADE.) ◆ **aspiration** n. f. : *L'aspiration d'un peuple à la liberté. Permettre à des aspirations de se réaliser* (syn. : DÉSIR, SOUHAIT).

assagir [asaʒir] v. tr. *Assagir une personne, un sentiment,* les rendre sages, les apaiser : *Les épreuves l'ont beaucoup assagi* (syn. : CALMER, MODÉRER). *Les années assagissent les passions et le goût de la révolte* (syn. : DIMINUER, CONTENIR, TEMPÉRER; contr. : DÉCHAÎNER, EXASPÉRER). ◆ ***s'assagir*** v. pr. Devenir sage, modéré (plus fréquent que le v. tr.) : *Cet enfant s'est assagi au cours du dernier trimestre* (contr. : SE DISSIPER). *Peu à peu, avec l'âge, il s'assagit* (= [fam.] il met de l'eau dans son vin). *Après ces folles années, il s'est assagi et mène une vie des plus rangées* (syn. : SE RANGER; contr. : SE DÉVERGONDER). ◆ **assagissement** n. m. : *L'assagissement des esprits suivit rapidement ces émeutes* (syn. : APAISEMENT; contr. : EXCITATION, DÉCHAÎNEMENT). *Cet assagissement fut sans lendemain* (syn. : MODÉRATION).

assaillir [asajir] v. tr. (conj. 23). 1° *Assaillir quelqu'un,* l'attaquer vivement, se précipiter sur lui (souvent au passif) : *Il fut assailli dans une rue déserte. Etre assailli par une grêle de projectiles divers. Dans sa colère, il m'assaillit à coups de poing* (syn. : SE PRÉCIPITER SUR, SAUTER SUR). — 2° *Assaillir quelqu'un de quelque chose,* le harceler de demandes importunes, lui susciter des difficultés, des ennuis : *Etre assailli par toutes sortes de soucis* (syn. : ACCABLER). *Les enfants assaillirent leur père de* *questions* (syn. : HARCELER). ◆ **assaillant, e** adj. et n. : *Les assaillants furent repoussés après un dur combat.* ◆ **assaut** [aso] n. m. 1° Attaque vive, violente, à plusieurs (plus usuel que le verbe) : *Donner, livrer l'assaut à une forteresse* (= l'attaquer). *Partir, s'élancer à l'assaut des tranchées ennemies. Les vagues d'assaut se brisèrent contre la résistance de nos troupes. La police dut prendre d'assaut la maison où les bandits s'étaient retranchés. La foule prit d'assaut les guichets de la banque.* — 2° *Faire assaut de,* lutter d'émulation en matière de : *Ils ont fait assaut de générosité* (syn. : RIVALISER). *Faire assaut de politesse.*

assainir [asɛnir] v. tr. *Assainir quelque chose,* le rendre sain : *Assainir un quartier de Paris en détruisant des îlots insalubres. Assainir une pièce où un malade a séjourné* (syn. plus usuels : DÉSINFECTER, NETTOYER; contr. : INFECTER). *Assainir l'eau par un procédé chimique* (syn. : PURIFIER). *Assainir la situation budgétaire en supprimant les dépenses superflues* (syn. : ÉPURER). *Ces concessions de part et d'autre ont assaini l'atmosphère internationale* (contr. : EMPOISONNER). ◆ **assainissement** n. m. : *L'assainissement du marché financier par des mesures fiscales appropriées.*

assaisonner [asɛzɔne] v. tr. 1° (sujet nom de personne) *Assaisonner un aliment,* y ajouter des condiments propres à en relever le goût (poivre, moutarde, vinaigre, sel, etc.) : *Assaisonner les poireaux à l'huile et au vinaigre* (syn. : ACCOMMODER). *Cette soupe au poisson est trop assaisonnée* (syn. : ÉPICER, PIMENTER). — 2° (sujet nom de chose) *Assaisonner un aliment,* en relever le goût : *Le poivre assaisonne le ragoût.* — 3° *Assaisonner quelque chose,* le rendre plus agréable en tempérant son aspect sévère, désagréable (littér.) : *Il assaisonnait la conversation de quelques mots plaisants* (syn. : RELEVER, ↑ PIMENTER). ◆ **assaisonnement** n. m. : *Cette salade manque un peu d'assaisonnement.*

assassin [asasɛ̃] n. m. 1° Celui qui tue avec préméditation un être humain; celui qui est responsable de la mort d'un autre : *La police recherche, arrête l'assassin* (syn. : MEURTRIER, CRIMINEL). *Les assassins du dimanche* (= les automobilistes novices ou imprudents qui causent des accidents mortels). — 2° *A l'assassin!,* appel au secours de quelqu'un qui est attaqué ou qui poursuit un meurtrier. ◆ **assassinat** n. m. : *Cet assassinat a été commis dans des conditions horribles* (syn. : MEURTRE, CRIME). *L'assassinat des libertés* (syn. : ATTENTAT [*contre*]). ◆ **assassiner** v. tr. : *Le commerçant a été assassiné dans sa boutique* (syn. : TUER, ABATTRE). *Il a assassiné des innocents* (syn. : MASSACRER).

assaut n. m. V. ASSAILLIR.

assécher [aseʃe] v. tr. *Assécher un terrain, un lac,* etc., les mettre à sec, en ôter l'eau : *Assécher les terres marécageuses de la Sologne* (syn. : DRAINER). *On a entrepris d'assécher le bassin afin de le curer* (syn. : VIDER). ◆ ***s'assécher*** v. pr. Devenir sec : *Depuis la construction du barrage, la rivière s'assèche l'été* (syn. : SE TARIR). ◆ **assèchement** [asɛʃmɑ̃] n. m. : *L'assèchement des marais a rendu la fertilité à cette région.*

assemblée [asɑ̃ble] n. f. 1° Réunion en un lieu d'un certain nombre de personnes : *Tenir une assemblée plénière de tous les adhérents. L'assemblée était bruyante et excitée* (syn. : PUBLIC, ASSISTANCE). *L'assemblée est principalement composée de femmes et d'enfants* (syn. : AUDITOIRE). *La présence d'une nombreuse assemblée témoigne du succès de la conférence.* — 2° Réunion de délégués, de députés, d'élus, etc., qui délibèrent ensemble sur des questions politiques : *L'Assemblée nationale. La société a tenu son assemblée annuelle. Les assemblées internationales* (syn. : ORGANISATION).

assembler [asɑ̃ble] v. tr. 1° *Assembler des choses,* les mettre ensemble quand elles sont isolées ou éparses, afin de former un tout en les adaptant ou en les combinant : *Assembler les carreaux d'une mosaïque. Assembler les matériaux d'un roman* (syn. : RECUEILLIR, RÉUNIR). *Assembler des idées* (syn. : RASSEMBLER). *Il ne parvient plus à assembler les mots. L'enfant assemble des cubes de bois. Assembler les pièces d'un puzzle* (syn. : DISPERSER). — 2° *Assembler des personnes,* auj. remplacé par RASSEMBLER. ◆ ***s'assembler*** v. pr. : *Les délégués se sont assemblés pour préparer le traité* (syn. : SE RÉUNIR). ◆ **assemblage** n. m. : *C'est un assemblage de phrases sonores, mais vides* (syn. : COMBINAISON). *Des assemblages métalliques forment la charpente.*

assener ou **asséner** [asene] v. tr. *Assener un coup à quelqu'un,* lui porter avec vigueur un coup bien dirigé : *Il lui assena sur le nez un coup de poing qui le fit saigner* (syn. : ↓ APPLIQUER).

assentiment [asɑ̃timɑ̃] n. m. Affirmation que l'on est en parfait accord avec quelqu'un : *Donner son assentiment à un projet de traité* (syn. : APPROBATION). *Le projet a obtenu son assentiment le plus complet* (syn. : ADHÉSION). *Fort de son assentiment, je me suis mis à l'œuvre* (syn. : ACCORD, CONSENTEMENT; contr. : DÉSACCORD).

1. asseoir [aswar] v. tr. (conj. 44). 1° *Asseoir une chose,* la placer en équilibre sur sa base : *Asseoir une maison sur de solides fondations;* l'établir d'une manière stable : *Il a assis sa réputation sur une découverte importante. Asseoir la paix sur un traité de non-agression. Asseoir une théorie sur des preuves irréfutables* (syn. : FONDER). *Asseoir son jugement sur des témoignages contestables* (syn. : APPUYER). — 2° *Asseoir l'impôt,* en établir les bases d'imposition.

2. asseoir [aswar] v. tr. (conj. 44). 1° *Asseoir quelqu'un,* le mettre sur son séant, l'installer sur un siège : *Asseoir un bébé sur sa chaise. On a assis le malade dans son fauteuil, sur son lit. Asseoir un prince sur le trône* (= le faire roi). — 2° Fam. : *Asseoir quelqu'un,* le jeter dans la stupéfaction, le troubler par une nouvelle inattendue (surtout au passif) : *J'en suis assis, ce célibataire endurci s'est marié!* (syn. : STUPÉFIER). *Il m'assoit, son impertinence est extraordinaire.* — 3° *Faire asseoir quelqu'un,* l'inviter à prendre un siège : *Faire asseoir les invités dans le salon.* — 4° *Etre assis,* être sur son séant, être sur un siège : *Etre assis sur une chaise. Je suis mal assis. Il reste assis.* ◆ ***s'asseoir*** v. pr. Se mettre sur son séant, sur un siège : *Veuillez vous asseoir quelques instants en l'attendant. Il s'est assis à côté du chauffeur. Ne reste pas debout, assieds-toi quelques minutes. S'asseoir à table* (= s'attabler [plus rare]). ◆ **rasseoir** v. tr. 1° Asseoir de nouveau. — 2° *Faire rasseoir quelqu'un,* l'inviter à s'asseoir de nouveau. ◆ ***se rasseoir*** v. pr. S'asseoir de nouveau.

assermenté, e [asɛrmɑ̃te] adj. et n. Qui a prêté serment pour l'exercice de fonctions publiques (gardes champêtres, certains membres de la police, etc.) ou devant un tribunal avant de témoigner : *Le témoignage d'un fonctionnaire assermenté a plus de valeur juridique que celui d'une personne quelconque. Un expert assermenté.*

assertion [asɛrsjɔ̃] n. f. Proposition avancée qui est donnée comme vraie : *Cette assertion est sans fondement* (syn. : AFFIRMATION). *Les faits n'ont pas justifié ses assertions. Il cherchait à étayer ses assertions par une démonstration* (syn. : DIRES).

asservir [asɛrvir] v. tr. *Asservir quelqu'un, un pays,* etc., les réduire à un état de grande dépendance (souvent au passif) : *Empire qui asservit les nations voisines pour satisfaire ses propres intérêts* (syn. : SOUMETTRE, ASSUJETTIR ; contr. : LIBÉRER, ÉMANCIPER). *La presse asservie ne peut protester contre les excès du pouvoir* (syn. : ENCHAÎNER ; contr. : AFFRANCHIR). *Les peuples asservis réclament leur libération. L'homme s'efforce par la science d'asservir les forces naturelles* (syn. : MAÎTRISER, DOMINER). ◆ ***s'asservir*** v. pr. Etre soumis à ; entrer sous la dépendance totale de : *Par de multiples concessions, il s'asservit peu à peu aux gens qui l'entourent.* ◆ **asservissement** n. m. : *L'asservissement aux caprices d'une femme* (syn. : SOUMISSION, ↑ ESCLAVAGE). *La contrainte et la violence ont abouti à cet asservissement des esprits qui frappe tout observateur impartial* (contr. : ÉMANCIPATION).

assesseur [asɛsœr] n. m. Adjoint d'un magistrat dans l'exercice de ses fonctions : *Un tribunal correctionnel est composé d'un juge et de plusieurs assesseurs.*

assez [ase], **trop** [tro] adv. Indiquent la quantité suffisante ou excessive. (V. tableau p. 85.)

assidu, e adj. 1° Se dit de quelqu'un qui est constamment présent auprès d'une autre personne ou à l'endroit où l'appellent son devoir ou ses obligations : *Il est très assidu auprès de la fille de la maison* (syn. : EMPRESSÉ). *Se montrer en classe un élève assidu* (syn. : APPLIQUÉ, ZÉLÉ). — 2° Se dit d'une conduite, d'une attitude, etc., qui manifeste de la constance, de l'obstination : *On exige la présence assidue aux cours* (syn. : CONSTANT ; contr. : IRRÉGULIER). *Fournir un travail assidu* (syn. : SOUTENU, RÉGULIER). ◆ **assidûment** adv. : *Il fréquente assidûment la même plage* (syn. : CONTINUELLEMENT). *Pratiquer assidûment le tennis* (syn. : RÉGULIÈREMENT). ◆ **assiduité** n. f. : *L'assiduité d'un employé à son bureau* (syn. : PONCTUALITÉ, RÉGULARITÉ). *Se féliciter de l'assiduité de son fils en classe* (syn. : APPLICATION). ◆ **assiduités** n. f. pl. Empressement auprès d'une femme : *Il poursuivait de ses assiduités sa voisine de table.*

assiéger [asjeʒe] v. tr. 1° (sujet nom de personne, d'un groupe de personnes, de ville, etc.) *Assiéger un lieu,* l'entourer en s'efforçant d'y pénétrer : *César assiégea la place forte d'Alésia* (syn. : METTRE LE SIÈGE DEVANT). *Les voyageurs assiègent les guichets de la gare. La foule assiège la porte de l'hôpital pour avoir des nouvelles* (= se presse à l'entrée). — 2° *Assiéger quelqu'un dans un lieu,* l'y tenir enfermé sous l'effet d'une menace, d'un danger : *Les eaux de la rivière en crue assiègent les habitants dans leurs maisons* (syn. : CERNER, EMPRISONNER). — 3° *Assiéger quelqu'un,* le harceler de demandes importunes, lui causer des ennuis, des désagréments (souvent au passif) : *Il est assiégé de coups de téléphone* (syn. : ASSAILLIR). *Les fournisseurs ne cessent de m'assiéger pour obtenir des commandes* (syn. : IMPORTUNER). ◆ **assiégeant, e** n. et adj. : *Les assiégeants ont pris la ville d'assaut.* ◆ **assiégé, e** adj. et n. : *En 1871, la population de Paris assiégé eut à souffrir de la faim. Les assiégés ont tenté une sortie en masse.*

1. assiette [asjɛt] n. f. 1° Pièce de vaisselle, presque plate ou légèrement creuse, dans laquelle chacun reçoit ses aliments à table : *Les assiettes creuses servent à la soupe. Les assiettes plates. Les assiettes à dessert. Une assiette de faïence, de porcelaine. N'en mettez que le fond de l'assiette.* — 2° Contenu de l'assiette : *Servir, manger une assiette de potage. Une assiette anglaise* (= un assortiment de viandes froides variées). — 3° *Assiette au beurre,* source de profits et de faveurs, surtout le pouvoir politique et les avantages qui l'accompagnent (vieilli ; syn. fam. : FROMAGE). ◆ **assiettée** n. f. Sens 2 de *assiette : Une assiettée de pommes de terre.*

2. assiette [asjɛt] n. f. 1° Manière dont un cavalier est assis sur sa selle, dont quelqu'un se tient sur ses pieds, dont quelque chose repose sur sa base : *Le cavalier perdit son assiette et tomba lourdement à terre. L'assiette de la colonne est mal assurée* (syn. : ASSISE, STABILITÉ). *L'assiette de l'impôt* (= ce qui doit être imposé). — 2° Fam. *N'être pas dans son assiette,* être mal à l'aise, se sentir malade : *J'ai mal au cœur et je suis un peu fiévreux ; je ne suis pas dans mon assiette aujourd'hui.*

assigner [asiɲe] v. tr. 1° *Assigner une chose à quelqu'un, à un groupe de personnes, à un organisme,* etc., la lui donner en partage, la désigner comme devant lui être attribuée : *Dans la distribution des logements, on lui a assigné l'appartement du troisième étage* (syn. : ATTRIBUER). *Les objectifs assignés par le plan ont été réalisés* (syn. : DÉTERMINER). *Quelles causes assignez-vous à la recrudescence de la criminalité ?* (syn. : DONNER). *Assigner de nouveaux crédits à l'enseignement* (syn. : AFFECTER). *Une date fut assignée pour la réunion* (syn. : FIXER). *Les journaux assignent une grande valeur à cette conférence entre les chefs d'Etat. Il faut assigner des limites rigoureuses au pouvoir exécutif. Le travail qui lui a été assigné ne lui convient pas* (syn. : DESTINER). — 2° *Assigner quelqu'un à un poste, à un emploi,* etc., l'établir à ce poste : *On l'a assigné à une fonction de grande responsabilité* (syn. : AFFECTER). — 3° *Etre assigné à résidence,* être contraint à résider en un endroit déterminé. ◆ **assignation** n. f. (moins usuel que le verbe) : *L'assignation à résidence. L'assignation des parts de l'héritage entraîna d'âpres discussions* (syn. : ATTRIBUTION). [Le mot a aussi un sens jurid. : « citation à comparaître devant une autorité judiciaire ».]

1. assimiler [asimile] v. tr. *Assimiler quelqu'un* ou *quelque chose à une autre personne* ou *à une autre chose,* les rapprocher en les considérant comme semblables, identiques, ou en les rendant tels : *Dans son éloge, il a assimilé ce savant aux plus grands hommes de l'Histoire* (syn. : COMPARER, RAPPROCHER). *Un décret a assimilé les attachés de recherche à des assistants.* ◆ ***s'assimiler*** v. pr. 1° *S'assimiler à (un groupe),* devenir semblable à tous les autres membres de ce groupe : *Les nouveaux immigrants se sont assimilés à l'ensemble de la population* (syn. : S'INTÉGRER). — 2° *S'assimiler à quelqu'un,* se comparer à lui : *Il n'est pas dans mes intentions de m'assimiler à cet homme éminent* (syn. : ÉGALER). ◆ **assimilé, e** adj. et n. Personne dont la situation a un statut identique à celui qui

assez	**trop**
1° Quantité suffisante :	1° Quantité excessive :
a) avec un verbe : *Tu as assez parlé aujourd'hui, tu dois être fatigué. Il mange assez.*	*a*) avec un verbe : *Il a trop mangé; il s'assoupit après le repas. Nous ne sommes pas trop de cinq pour déplacer la voiture.*
b) avec un adjectif ou un adverbe : *Il est assez fin. La boîte n'est pas assez grande. Je reprendrai du café s'il est encore assez chaud* (syn. : SUFFISAMMENT). *Je le reconnais bien : je l'ai vu assez souvent.*	*b*) avec un adjectif ou un adverbe : *Il est trop bête. Je l'ai trop peu vu. Tu viens trop rarement. Il était trop paresseux;* et avec « rien » : *Ça ne me dit trop rien* (= cela ne m'attire pas [fam.]).
c) avec un nom (et la prép. *de*) : *Avoir assez d'argent. Avoir assez de loisir. Il a maintenant assez de livres.*	*c*) avec un nom (et la prép. *de*) : *Tu as mis trop de sel. Je n'ai pas trop de place dans l'appartement. Il y a trop de papiers sur le bureau, trop de travail en retard.*
d) suivi de la préposition *pour* (et l'infin.) ou de la conj. *pour que* (et le subj.) : *Il est assez connu dans la région pour pouvoir se présenter à cette élection. Il parle assez haut pour qu'on l'entende.*	*d*) suivi de *pour* (et l'infin.) ou de *pour que* (et le subj.) : *Il est trop myope pour t'avoir vu. Je suis trop soucieux d'exactitude pour que l'on puisse me reprocher cette erreur.*
2° Valeur intensive (passablement, très), en général avec une intonation particulière.	2° Valeur superlative (très), en général avec une intonation particulière ou dans une phrase négative.
Il est assez vieux pour son âge. Il était déjà assez malade l'année dernière. Je vous ai assez vu (= trop). [Cette nuance est impossible dans les phrases interrogatives ou négatives.]	*Tu sais, elle est vraiment trop jolie! Il n'est pas trop content. Il est trop bête, il croit tout ce que dit la radio. Il n'a pas trop plu cette année.*
LOC. DIV.	LOC. DIV.
C'en est assez (langue soignée), **c'est assez, en voilà assez** (langue commune), marque l'impatience de celui qui parle (syn. : CELA SUFFIT) devant une attitude ou un événement qui va au-delà de ce qu'il est possible de supporter. **Assez !, assez de...!,** interj. manifestant le désir de voir s'arrêter le discours d'une personne ou de voir cesser quelque chose qui excède ou ennuie : *Assez! taisez-vous. Assez de paroles, passez aux actes.*	**C'en est trop, c'est trop,** marque l'impatience de celui qui parle, avec le même sens que *c'est assez : C'en est trop, je ne veux plus vous voir.*
En avoir assez, avoir assez (de) [fam.], considérer que la mesure est comble, que l'attitude ou l'événement dépasse ce qui est supportable : *J'en ai assez de vos hésitations. Il a assez de votre paresse* (syn. : ÊTRE FATIGUÉ). *Vous m'importunez sans cesse; j'en ai assez* (syn. : ÊTRE EXCÉDÉ).	**De trop,** en excès (sujet ou qualifié nom de chose) : *Les deux francs sont de trop. Nous mangeons de trop* (fam.) ou *trop. Il y a deux cents grammes de trop;* en surnombre, qui n'est pas désiré (nom de personne comme sujet ou comme qualifié) : *Si je suis de trop, je puis me retirer. Vous n'êtes pas de trop* (= votre présence n'est pas indésirable).
	LOC. ADV.
	Par trop, renforce *trop* (littér.) : *Il est par trop exigeant.* **En trop,** en une quantité qui excède ce qui est normal ou attendu : *Il y a deux personnes en trop dans cette voiture. J'ai pris trois kilos en trop.*

définit une autre catégorie, mais qui n'en a pas le titre : *Les fonctionnaires et assimilés ont reçu une augmentation.* ◆ **assimilable** adj. : *Son emploi est assimilable à celui d'un ouvrier spécialisé* (syn. : COMPARABLE). ◆ **inassimilable** adj. : *Certains individus se révélèrent inassimilables par les populations au milieu desquelles ils vivaient.* ◆ **assimilation** n. f. 1° *Poursuivre une politique d'assimilation à l'égard des réfugiés* (syn. : INTÉGRATION). — 2° Modification d'un phonème par un phonème contigu, et consistant pour le premier à prendre certaines caractéristiques du second (contr. : DISSIMILATION).

2. assimiler [asimile] v. tr. et intr. 1° (sujet nom désignant un être vivant, un organisme) *Assimiler un aliment,* le transformer en sa propre substance. — 2° (sujet nom de personne) *Assimiler des connaissances,* les comprendre, les retenir : *Il a assimilé rapidement les éléments essentiels des mathématiques* (syn. : ACQUÉRIR). *Il n'approfondit rien et ses lectures sont mal assimilées* (syn. : DIGÉRER). *Cet enfant assimile bien* (= il comprend facilement). ◆ **s'assimiler** v. pr. Etre digéré : *Certains aliments s'assimilent plus facilement que d'autres.* ◆ **assimilable** adj. ◆ **assimilation** n. f. : *L'assimilation de tant de connaissances est difficile pour de jeunes élèves.*

1. assise [asiz] n. f. Dans une construction, rangée de pierres posées horizontalement : *La violence du remous a fini par saper les assises d'un pont.*

2. assise [asiz] n. f. Base qui donne la solidité à un ensemble, à un système : *Le régime actuel repose-t-il sur des assises solides?* (syn. : FONDEMENT).

3. assises [asiz] n. f. pl. 1° Tribunal qui juge les crimes (*cour d'assises*) : *Le président des assises passe à l'interrogatoire de l'accusé. Passer devant les assises. Le jury des assises l'a reconnu coupable.*

— 2° Réunion plénière des membres de sociétés scientifiques, littéraires, de partis politiques : *Le parti radical a tenu ses assises annuelles à Vichy* (syn. : CONGRÈS).

1. assister [asiste] v. tr. ind. *Assister à quelque chose,* être présent comme spectateur, témoin de quelque chose : *J'ai assisté samedi soir à un match de boxe* (syn. : VOIR). *Assister à la messe le dimanche. On a assisté à des incidents regrettables à la sortie de la réunion. Assister à une conférence.* ◆ **assistant, e** n. et adj. Personne présente comme spectateur ou comme témoin en un lieu (surtout au plur.) : *Une minorité d'assistants protesta* (syn. : SPECTATEUR, AUDITEUR). ◆ **assistance** n. f. 1° Action d'assister : *Son assistance au cours est très irrégulière* (syn. : PRÉSENCE, FRÉQUENTATION). — 2° Ensemble des personnes présentes à une réunion, à une cérémonie : *L'assistance semblait captivée par le conférencier* (syn. : AUDITOIRE). *Les murmures, les cris de l'assistance* (syn. : PUBLIC). *Une assistance nombreuse, clairsemée, enthousiaste, hostile* (syn. : ASSEMBLÉE).

2. assister [asiste] v. tr. *Assister quelqu'un,* lui donner aide, secours ou protection : *Il se fit assister par une secrétaire* (syn. : AIDER). *Deux avocats célèbres assistent l'accusé. Je l'ai assisté dans cette épreuve douloureuse* (syn. : ACCOMPAGNER). *Son fils l'assista dans ses derniers moments* (syn. : RÉCONFORTER). ◆ **assistant, e** adj. et n. Auxiliaire, aide de quelqu'un : *Médecin assistant. L'assistant d'un metteur en scène. L'assistante sociale est chargée de diverses missions touchant l'aide sociale et l'hygiène publique.* ◆ **assistance** n. f. 1° Secours donné à celui qui est dans le besoin : *Il parvint à monter les marches avec l'assistance de l'infirmière* (syn. : AIDE). *Implorer l'assistance des passants. Il m'a promis son assistance* (syn. : APPUI, PROTECTION). *Se prêter mutuellement assistance dans l'épreuve* (= se porter secours). — 2° Ensemble des organismes, établissements publics, etc., qui viennent en aide aux personnes socialement dans le besoin : *Les services de l'Assistance publique. Un enfant de l'Assistance* (= dont l'Assistance publique a assumé la tutelle, par suite de la mort ou de la défaillance des parents). ◆ **non-assistance** n. f. : *Etre poursuivi devant les tribunaux pour non-assistance à personne en danger.*

associer [asɔsje] v. tr. 1° *Associer quelqu'un à une chose,* le faire participer à celle-ci : *Il a associé son frère à ses propres affaires* (syn. : FAIRE COLLABORER). *Associer ses collaborateurs aux bénéfices de l'entreprise* (syn. : PARTAGER AVEC). *Associer le plus grand nombre possible de gens à une campagne pour le désarmement.* — 2° *Associer une chose à une autre, associer des choses,* les mettre ensemble, les rendre solidaires, conjointes : *Il associe la persévérance et la volonté à une grande intelligence* (syn. : ALLIER). — 3° *Associer des personnes, des choses,* les réunir dans une même unité : *Associer tous les opposants au régime* (syn. : GROUPER, UNIR). *Le malheur les a associés* (syn. : RAPPROCHER). *Ils ont associé leurs destinées* (= ils se sont mariés). ◆ ***s'associer*** v. pr. 1° Participer à quelque chose avec quelqu'un : *Il s'est associé à un homme d'affaires véreux, dont il est la dupe* (syn. : COLLABORER, S'ENTENDRE AVEC). *Il fut condamné pour s'être associé à cette entreprise criminelle* (= se faire le complice de). *La Grèce s'est associée au Marché commun européen* (syn. : SE JOINDRE). *Ne pas s'associer aux vues de quelqu'un sur la situation* (syn. : S'ACCORDER). *Je m'associe aux félicitations qui vous sont adressées. S'associer au chagrin d'un ami* (syn. : PARTICIPER). — 2° Etre en accord : *Ce rouge s'associe bien avec le jaune dans ce tableau* (syn. : S'HARMONISER). ◆ **association** n. f. 1° Action d'associer ou de s'associer : *L'association libre de quelques amis. L'accusation d'association de malfaiteurs fut retenue contre eux. Des associations d'idées qui peuvent paraître incohérentes. Il y a dans ce poème d'originales associations de mots* (syn. : COMBINAISON, AGENCEMENT). — 2° Groupe de personnes réunies pour atteindre un but commun ou pour défendre leurs intérêts : *L'association sportive d'un collège* (syn. : CLUB). *Dissoudre une association subversive* (syn. : PARTI). *Une association internationale s'est constituée contre le racisme* (syn. : LIGUE). *Les statuts de l'association* (syn. : SOCIÉTÉ). ◆ **associé, e** adj. et n. : *Nos associés ont approuvé notre projet* (syn. : COLLÈGUE). *Il est pour moi un associé fidèle* (syn. : COLLABORATEUR). *Les membres associés d'une académie* (= ceux qui en font partie sans être membres titulaires). *Elle est l'associée de son mari dans tous ses travaux.*

assoiffer [aswafe] v. tr. 1° *Assoiffer quelqu'un,* provoquer sa soif (surtout au passif) : *Cette longue marche sous le soleil m'a assoiffé. Les touristes assoiffés et fatigués s'étaient affalés à la terrasse de l'hôtel* (syn. : ALTÉRÉ). — 2° *Etre assoiffé de quelque chose,* en être avide, le désirer vivement : *Assoiffé de vengeance* (= désireux de se venger). *Politicien assoiffé de pouvoir.*

assombrir [asɔ̃brir] v. tr. 1° *Assombrir un lieu,* le rendre obscur : *Il faudra abattre le châtaignier qui est devant la maison, il assombrit la pièce* (syn. : OBSCURCIR). *Ce papier peint gris assombrit le salon* (contr. : ÉCLAIRER, ÉGAYER). — 2° *Assombrir quelqu'un,* le rendre triste, sombre : *La mort de son fils a assombri ses dernières années* (syn. : ATTRISTER). ◆ ***s'assombrir*** v. pr. Devenir sombre : *Le ciel s'est brusquement assombri; on a été forcé d'allumer* (= est devenu noir). *La situation internationale s'assombrit* (= devient grave, critique, dangereuse). *En apprenant la nouvelle, son visage s'assombrit* (syn. : SE RENFROGNER). ◆ **assombrissement** n. m. : *L'assombrissement du ciel* (syn. plus usuel : OBSCURCISSEMENT).

assommer [asɔme] v. tr. 1° *Assommer quelqu'un, un animal,* le frapper d'un coup qui tue, renverse, ou simplement étourdit : *Assommer un bœuf. Le coup fut si violent qu'il en fut assommé. Se faire assommer par la police au cours d'une manifestation* (syn. : MATRAQUER). *Etre assommé par la chaleur* (syn. : ACCABLER). — 2° *Assommer quelqu'un,* l'accabler sous le poids de quelque chose : *Il a été assommé par les arguments que je lui ai fournis.* — 3° *Fam.* Provoquer l'ennui ou la contrariété : *Ce roman interminable m'assomme* (syn. : ENNUYER; pop. : BARBER). *Vous m'assommez avec vos plaintes éternelles!* (syn. : IMPORTUNER, ↑EXCÉDER). ◆ **assommant, e** adj. *Fam.* Sens 3 du verbe : *Un conférencier assommant* (syn. : ENNUYEUX). *Un travail assommant. Il est assommant avec ses hésitations perpétuelles* (syn. : FATIGANT). ◆ **assommoir** n. m. *Coup d'assommoir,* événement qui provoque la stupeur.

1. assortir [asɔrtir] v. tr. (surtout à l'infin., au part. passé et au prés. de l'indic.). Mettre ensemble des choses ou des personnes qui se conviennent parfaitement : *Assortir deux nuances de laine à tricoter pour faire un chandail* (syn. : ACCORDER). *Ce contrat est assorti de clauses très dures* (syn. : ACCOMPAGNER). *Une cravate assortie à son costume. Des époux bien assortis. Des hors-d'œuvre assortis* (= composés de mets très divers). ◆ ***s'assortir*** v. pr. **1°** *S'assortir à quelque chose,* lui convenir : *Son manteau s'assortit à la robe.* — **2°** *S'assortir de quelque chose,* en être accompagné : *Le traité s'assortit d'un préambule qui en limite la portée.* ◆ **assortiment** n. m. Ensemble de choses, de personnes formant un tout et qui ont entre elles un certain rapport de convenance : *Ils formaient tous deux le plus bel assortiment que j'aie vu* (syn. : UNION). *Un assortiment de romans policiers. Un curieux assortiment de couleurs* (syn. : ALLIANCE, MÉLANGE). ◆ **désassortir** v. tr. Séparer des choses assorties (surtout au part. passé) : *Service de table désassorti.*

2. assortir [asɔrtir] v. tr. *Assortir un commerçant,* le pourvoir des articles, des marchandises nécessaires à la vente au détail : *Le grossiste assortit le détaillant* (syn. : APPROVISIONNER); souvent au part. passé : *Un épicier bien assorti* (syn. : ACHALANDÉ). ◆ **assortiment** n. m. Ensemble de marchandises, d'articles d'un même genre dont est fourni un commerçant : *Choisir un coupon dans un assortiment de soieries.* ◆ **désassortir** v. tr. Dégarnir un magasin de marchandises (surtout au part. passé) : *Boutique désassortie.* ◆ **désassortiment** n. m. ◆ **réassortir** v. tr. Fournir de nouveau un magasin, un commerçant des marchandises nécessaires à la vente. ◆ **réassortiment** n. m.

assoupir [asupir] v. tr. **1°** *Assoupir quelqu'un,* le plonger dans un demi-sommeil, l'endormir doucement : *La douce chaleur ambiante l'assoupit légèrement* (syn. : ENDORMIR). *Le malade est assoupi et repose maintenant.* — **2°** *Assoupir un sentiment, une passion,* etc., les rendre moins forts, les calmer (littér.) : *Les consolations n'ont pas réussi à assoupir sa douleur* (syn. : ÉTOUFFER, APAISER). ◆ ***s'assoupir*** v. pr. : *Après le repas, il s'assoupit toujours dans son fauteuil* (syn. : S'ENDORMIR). *Laissons avec le temps les haines s'assoupir* (syn. : S'APAISER). ◆ **assoupissement** n. m. : *Il cède à l'assoupissement* (syn. : SOMNOLENCE). *Un assoupissement prolongé* (syn. : TORPEUR). *Le peuple sortit de son assoupissement pour se révolter contre la dictature* (syn. : SOMMEIL).

assouplir [asuplir] v. tr. **1°** Rendre plus souple, moins rigide : *Faire de la gymnastique pour assouplir ses articulations. Tremper le cuir des semelles dans l'eau pour l'assouplir.* — **2°** Rendre moins dur, moins sévère : *Assouplir les mesures rigoureuses prises à l'encontre des commerçants qui avaient augmenté leurs prix* (syn. : ATTÉNUER, CORRIGER; contr. : DURCIR). ◆ ***s'assouplir*** v. pr. Devenir souple : *Son caractère ne s'est pas assoupli avec l'âge* (syn. : S'ADOUCIR). ◆ **assouplissement** n. m. : *Les exercices d'assouplissement détendent les muscles. Les réclamations continues entraînèrent un assouplissement du règlement* (syn. : ADOUCISSEMENT; contr. : DURCISSEMENT).

assourdir [asurdir] v. tr. **1°** *Assourdir quelqu'un,* le faire devenir comme sourd en le fatiguant par l'excès de bruit : *Taisez-vous un peu et allez jouer plus loin, vous nous assourdissez* (syn. : ↑ ABASOURDIR). *Le matin, les camions des livreurs nous assourdissent* (syn. fam. : CASSER LES OREILLES). *Bavard incorrigible, il assourdit les autres de paroles* (syn. : EXCÉDER). — **2°** *Assourdir quelque chose,* le rendre moins sonore : *Dans chaque pièce, un tapis assourdissait les pas des visiteurs* (syn. : AMORTIR). *Le bruit de la dispute nous parvenait assourdi* (contr. : AMPLIFIER). ◆ ***s'assourdir*** v. pr. Devenir indistinct : *Le bruit des pas s'assourdissait* (syn. : S'AMORTIR). ◆ **assourdissant, e** adj. : *Le bruit assourdissant de la rue.* ◆ **assourdissement** n. m. : *Mon assourdissement dura plusieurs heures après le voyage en avion.*

assouvir [asuvir] v. tr. (sujet nom d'être animé). **1°** *Assouvir sa faim, son appétit,* les calmer complètement en mangeant (littér.) : *Il a un appétit vorace qu'on ne parvient pas à assouvir* (syn. : RASSASIER, CONTENTER). — **2°** *Assouvir un sentiment violent (vengeance, haine, colère,* etc.), le satisfaire pleinement par un acte de vengeance, de colère : *Il assouvit sa fureur sur cet être faible et sans défense* (syn. : PASSER). *Il assouvit une vengeance longuement méditée* (syn. : SATISFAIRE). *Elle fouillait dans les papiers et les lettres pour assouvir une curiosité malsaine. Assouvir une passion dévorante.* ◆ ***s'assouvir*** v. pr. Etre rassasié : *Son ambition ne s'assouvit jamais.* ◆ **assouvissement** n. m. : *L'assouvissement de tous ses désirs en a fait un être blasé* (syn. : SATISFACTION). ◆ **inassouvi, e** adj. : *Depuis des années, il ruminait une vengeance inassouvie. Trop de désirs inassouvis le dévoraient* (syn. : INSATISFAIT).

1. assujettir [asyʒɛtir] v. tr. **1°** *Assujettir un peuple, une nation,* etc., les placer sous une domination absolue, les priver du droit de se gouverner eux-mêmes (souvent au part. passé) : *Libérer les peuples assujettis* (contr. : AFFRANCHI). — **2°** *Assujettir une personne,* la maintenir dans une stricte obéissance ou dépendance : *Il tentait de l'assujettir en lui imposant chaque jour des obligations nouvelles* (syn. : SOUMETTRE, CONTRAINDRE, ENCHAÎNER). — **3°** *Assujettir quelqu'un à quelque chose,* le plier à une obligation stricte (souvent au passif) : *Etre assujetti à un horaire impitoyable* (syn. : SOUMETTRE). *Etre assujetti à l'impôt.* ◆ ***s'assujettir*** v. pr. *S'assujettir à quelque chose,* s'y soumettre : *Elle s'assujettit aux exigences de la mode* (syn. : SE PLIER). ◆ **assujetti, e** n. (terme admin.) : *Un règlement qui concerne tous les assujettis à la Sécurité sociale.* ◆ **assujettissant, e** adj. : *Un travail assujettissant* (syn. : ASTREIGNANT). ◆ **assujettissement** n. m. : *L'assujettissement à l'impôt de tous les revenus.*

2. assujettir [asyʒɛtir] v. tr. *Assujettir quelque chose,* le fixer de manière à le maintenir immobile ou stable : *Assujettir les planches d'une caisse* (syn. : AGENCER, CLOUER).

assumer [asyme] v. tr. (sujet nom de personne). **1°** *Assumer la responsabilité de quelque chose,* s'en considérer comme responsable. ‖ *Assumer le risque de quelque chose,* accepter d'en subir les conséquences. — **2°** *Assumer une fonction, un rôle,* etc., s'en charger volontairement : *Il a assumé un rôle capital dans la libération du territoire* (syn. : ↓ AVOIR). *Assumer de hautes fonctions dans le gouvernement.*

assurance n. f., **assuré, e** adj. ou n. V. ASSURER 1, 2, 3.

assurément [asyremɑ̃] adv. **1°** D'une manière qui ne comporte aucun doute ni aucune contestation : *Il fait froid dans cet appartement; le chauffage est assurément défectueux* (syn. : SANS AUCUN

DOUTE). *Assurément, l'avion est le moyen de transport le plus rapide, malgré la distance qui sépare la ville de l'aéroport* (syn. : CERTAINEMENT, INDISCUTABLEMENT, INCONTESTABLEMENT). *Ceci est assurément inutile* (syn. : SÛREMENT). — 2° Renforce *oui* dans une réponse affirmative : « *Viendrez-vous mardi, malgré cette difficulté inattendue? — Oui, assurément* ou *assurément oui* » (syn. : CERTES, CERTAINEMENT). — 3° Sert de réponse affirmative : « *La menace de conflit est-elle écartée? — Assurément* » (syn. : CERTAINEMENT, ABSOLUMENT, ↓ OUI).

1. assurer [asyre] v. tr. 1° *Assurer à quelqu'un que* (et l'indic.), lui donner comme sûr, certain, vrai que : *Je lui ai assuré que tu n'habitais plus Paris* (syn. : CERTIFIER, GARANTIR). *Il m'a assuré qu'il avait dit la vérité* (syn. : SOUTENIR, JURER). *Il a assuré au juge qu'il ne savait rien.* — 2° *Assurer quelqu'un d'une chose,* lui demander de ne pas en douter : *Il m'a assuré de son amitié. Tenez-vous pour assuré qu'il ne viendra pas;* la lui rendre certaine : *Ces premiers applaudissements du public nous assurent du succès durable de la pièce.* ◆ ***s'assurer*** v. pr. *S'assurer d'une chose, s'assurer que,* rechercher la preuve de cette chose, contrôler ou confirmer ce fait : *Assurez-vous que la porte est fermée* (syn. : VÉRIFIER). *S'assurer de l'expédition d'un colis* (syn. : VEILLER À). ◆ **assuré, e** adj. : *Départ assuré à huit heures. Un succès assuré* (syn. : SÛR). ◆ **assurance** n. f. : *J'ai l'assurance de son acceptation* (syn. : CERTITUDE). *Donner des assurances complètes* (syn. : PREUVE, GARANTIE). *Veuillez recevoir l'assurance de mes sentiments distingués* (formule de politesse).

2. assurer [asyre] v. tr. *Assurer une chose,* faire en sorte qu'elle ne manque pas, qu'elle ne s'arrête pas : *Les mairies assurent une permanence le dimanche* (syn. : TENIR). *Les employés assurent normalement leur service ce matin. Assurer la garde d'un immeuble. Assurer une rente à ses parents* (syn. : GARANTIR). ◆ ***s'assurer*** v. pr. Se garantir le service de quelqu'un, l'usage d'une chose; se pourvoir de quelque chose pour n'en pas manquer : *S'assurer le concours de collaborateurs compétents. S'assurer des rentrées fiscales régulières* (syn. : SE PROCURER). ◆ **assuré, e** adj. : *Avoir sa retraite assurée.*

3. assurer [asyre] v. tr. 1° Faire garantir des biens ou des personnes contre certains risques, moyennant le paiement d'une somme convenue : *Assurer ses récoltes contre la grêle.* — 2° Garantir les biens d'autrui (souvent au passif) : *Les bâtiments de la ferme n'étaient pas assurés. Je suis assuré contre l'incendie. La voiture est assurée tous risques* (= pour tous les accidents éventuels). ◆ ***s'assurer*** v. pr. Prendre une garantie pour ses biens ou sa personne : *S'assurer contre l'incendie.* ◆ **assuré, e** n. : *Augmenter les polices des assurés. Les assurés sociaux* (= qui sont inscrits à la Sécurité sociale). ◆ **assurance** n. f. : *Contracter, résilier une assurance. Les compagnies d'assurances. Une police d'assurance. Une assurance automobile. Assurance incendie. Toucher une indemnité d'assurance. Les assurances sociales* (constituées en vue de garantir les travailleurs contre la maladie, les accidents du travail, de servir une rente aux vieillards; on dit auj. SÉCURITÉ SOCIALE). ◆ **assureur** n. m. Celui qui s'engage à couvrir un risque, moyennant le paiement d'une somme déterminée (prime) et selon des modalités précisées dans un contrat.

4. assurer [asyre] v. tr. *Assurer quelque chose,* la rendre plus stable, plus sûre, plus ferme : *Assurer la main d'un enfant auquel on apprend à écrire. Assurer le bonheur de ses enfants. Assurer ses arrières* (syn. : PRÉSERVER, PROTÉGER). *Un désarmement qui assurerait définitivement la paix* (syn. : GARANTIR). ◆ ***s'assurer*** v. pr. 1° Prendre une position stable : *Cavalier qui s'assure bien sur sa selle.* — 2° *S'assurer contre quelque chose,* se mettre en sûreté : *S'assurer contre les attaques possibles d'un ennemi* (syn. : SE PROTÉGER, SE PRÉMUNIR, SE DÉFENDRE). ◆ **assuré, e** adj. : *Avoir la démarche, la voix assurée* (syn. : FERME, DÉCIDÉ). ◆ **assurance** n. f. : *Parler avec assurance* (syn. : AISANCE, ↑ APLOMB).

astérisque [asterisk] n. m. Signe typographique en forme d'étoile [*], qui indique un renvoi, une forme hypothétique, qui s'emploie aussi après l'initiale d'un nom propre que l'on ne veut pas écrire, etc.

asticot [astiko] n. m. Larve des mouches à viande, dont on se sert en particulier comme appât pour la pêche.

asticoter [astikɔte] v. tr. Fam. *Asticoter quelqu'un,* l'irriter ou l'agacer par des remarques ou des reproches minimes, mais constants : *Froissée de son indifférence, elle cherchait à attirer son attention en l'asticotant sans cesse* (syn. : AGACER). *As-tu fini d'asticoter ta sœur? Reste un peu tranquille* (syn. : TAQUINER, ↑ TARABUSTER).

astiquer [astike] v. tr. *Fam.* Faire briller en frottant : *Prenez la brosse et astiquez mes chaussures* (syn. : FAIRE RELUIRE; fam. : BRIQUER). *La femme de chambre a astiqué le plancher de la salle à manger* (= a passé le parquet à la brosse). *La bassinoire en cuivre brille maintenant, elle a été vigoureusement astiquée.* ◆ **astiquage** n. m.

astre [astr] n. m. 1° Corps céleste (Soleil, étoile, planète, comète) : *Observer le cours des astres.* (Les astres sont spécialement considérés en astrologie pour leur prétendue influence sur la vie des hommes.) — 2° *Beau comme un astre,* très beau. ◆ **astral, e, aux** adj. : *Le thème astral, établi par un astrologue, définit la position des astres dans le ciel au moment de la naissance.*

astreindre [astrɛ̃dr] v. tr. (conj. **55**). *Astreindre quelqu'un (à quelque chose),* le soumettre à une tâche difficile, pénible (souvent au passif) : *Etre astreint à travailler tous les matins de très bonne heure* (syn. : OBLIGER, CONTRAINDRE). *Le médecin m'a astreint à un régime sans sel* (syn. : SOUMETTRE; contr. : DISPENSER). *Etre astreint à de dures privations* (syn. : FORCER; contr. : AFFRANCHIR). ◆ ***s'astreindre*** v. pr. [**à**] : *Il s'est astreint à examiner tout le dossier minutieusement.* ◆ **astreignant, e** adj. : *Un travail astreignant, qui ne laisse aucun moment de repos.* ◆ **astreinte** [astrɛ̃t] n. f. Obligation rigoureuse : *La régularité et la ponctualité exigées dans son métier sont pour lui des astreintes pénibles* (syn. : CONTRAINTE).

astringent, e [astrɛ̃ʒɑ̃, -ɑ̃t] adj. Qui diminue la sécrétion intestinale et la transpiration (terme médical) : *Tisane astringente. Remède astringent.*

astrologie [astrɔlɔʒi] n. f. Art relevant de la divination, et consistant à déterminer l'influence des astres sur le cours de la vie des hommes afin de faire des prédictions : *Certains journaux à grand* *tines ont une chronique d'astrologie qui indique les réussites ou les insuccès possibles des gens d'après la position des astres au moment de leur naissance.* ◆ **astrologue** n. : *L'astrologue Nostradamus.* ◆ **astrologique** adj. : *Faire des prédictions astrologiques.*

astronautique [astrɔnotik] n. f. Science de la navigation interplanétaire. ◆ **astronaute** [astrɔnot] n. Navigateur interplanétaire : *Les astronautes des vaisseaux spatiaux.*

astronomie [astrɔnɔmi] n. f. Etude scientifique de l'univers, de sa constitution, de ses lois et de son évolution. ◆ **astronome** n. : *Les astronomes suivent le mouvement des étoiles avec des télescopes.* ◆ **astronomique** adj. **1°** *Faire des calculs astronomiques.* — **2°** *Fam.* D'une grandeur, d'une quantité énorme (surtout en parlant d'argent) : *Prix astronomiques* (syn. : EXAGÉRÉ).

astuce [astys] n. f. *Fam.* Manière ingénieuse et habile d'agir, de parler, permettant de se procurer un avantage, de déjouer une difficulté ou simplement d'amuser, souvent aux dépens des autres; la plaisanterie elle-même : *Son astuce ne lui a pas toujours été profitable* (syn. littér. : ROUERIE; fam. : ROUBLARDISE). *Il y a beaucoup d'astuce dans ce qu'il dit* (syn. : INTELLIGENCE, FINESSE). *Ce garçon est plein d'astuce* (syn. : INGÉNIOSITÉ). *Il connaît toutes les astuces du métier* (syn. fam. : FICELLE). *Il lança une astuce pour détendre l'atmosphère* (syn. : PLAISANTERIE). ◆ **astucieux, euse** adj. et n. Se dit d'une personne qui a de l'habileté, de l'ingéniosité : *Un élève astucieux, toujours prêt à répondre aux questions difficiles* (syn. : INTELLIGENT). *C'est un astucieux qui a su se débrouiller dans la vie* (syn. : MALIN; fam. : ROUBLARD). ◆ adj. Se dit de quelque chose qui manifeste de l'adresse, de l'habileté : *Un projet astucieux* (syn. : INGÉNIEUX, ADROIT). ◆ **astucieusement** adv. : *Répondre astucieusement.*

asymétrie n. f. V. SYMÉTRIE.

atavisme [atavism] n. m. Instinct héréditaire, habitude héritée des aïeux : *Le vieil atavisme breton réapparut dès que l'on voulut toucher aux intérêts locaux.*

atelier [atəlje] n. m. **1°** Local où un artisan travaille; partie d'une usine où des ouvriers travaillent au même ouvrage : *L'atelier du menuisier est au fond de la cour. L'atelier de montage dans une usine d'automobiles. Les règlements de l'atelier sont rigoureux : personne ne doit fumer.* — **2°** Lieu où travaille un artiste peintre : *Des ateliers sont aménagés dans les immeubles construits le long des quais de la rive gauche de la Seine.*

atermoyer [atɛrmwaje] v. intr. (sujet nom de personne). Remettre ce que l'on doit faire à plus tard, afin de gagner du temps (souvent à l'infin.) : *Il ne trouve plus de prétexte à atermoyer; il doit s'exécuter* (syn. : RETARDER, DIFFÉRER, TRAÎNER EN LONGUEUR). ◆ **atermoiement** n. m. (surtout au plur.) : *Je suis exaspéré par ses atermoiements; qu'il prenne une décision* (syn. : FAUX-FUYANT, TERGIVERSATION).

athée [ate] n. et adj. Qui nie l'existence de Dieu : *Il avait perdu la foi très jeune et il était athée convaincu* (syn. : INCROYANT). *Une société athée.* ◆ **athéisme** n. m. : *L'athéisme de ceux qui rejettent l'origine divine du monde.*

athlète [atlɛt] n. m. **1°** Personne qui pratique un sport, en général individuel (coureur, sauteur, lanceur) : *Un athlète complet* (syn. : ↓ SPORTIF). *Les athlètes se mettent en ligne pour courir le 400 mètres.* — **2°** Homme d'une constitution, d'une musculature puissante : *Le chauffeur du camion était un véritable athlète de 1,80 m et de 90 kilos.* ◆ **athlétique** adj. : *Exercices athlétiques* (= qui améliorent la valeur physique). *Une carrure athlétique* (syn. : VIGOUREUX, PUISSANT). ◆ **athlétisme** n. m. Ensemble de sports individuels, comprenant les courses, les lancers et les sauts.

atlantique [atlɑ̃tik] adj. **1°** *Océan Atlantique* ou *l'Atlantique* (n. m.), océan qui sépare l'Europe de l'Amérique. ‖ *Pacte atlantique,* pacte qui unit certains Etats de l'Europe occidentale et de l'Amérique du Nord. — **2°** Relatif à l'océan Atlantique : *Le littoral atlantique.*

atlas [atlas] n. m. Recueil de cartes géographiques ou de tableaux sur un sujet ou un ensemble de sujets : *Atlas géographique* (portant sur la géographie physique, économique et politique), *économique* (portant sur l'économie), *historique* (portant sur l'histoire d'un pays), *linguistique* (qui indique les zones où sont employés certains mots ou sons), etc.

atmosphère [atmɔsfɛr] n. f. **1°** Couche gazeuse qui enveloppe la Terre : *La haute atmosphère.* — **2°** Air que l'on peut respirer en un lieu : *L'atmosphère de cette pièce fermée est irrespirable. L'atmosphère surchauffée du bureau.* — **3°** Milieu dans lequel on est : *Vivre dans une atmosphère d'hostilité* (syn. : AMBIANCE). ◆ **atmosphérique** adj. Relatif à l'atmosphère (sens 1) : *Les variations atmosphériques.*

atome [atom] n. m. **1°** Parcelle d'un corps simple, la plus petite partie d'un élément qui puisse entrer en combinaison. — **2°** *Ne pas avoir un atome de bon sens,* être complètement stupide. ◆ **atomique** adj. **1°** Relatif aux atomes : *Poids atomique.* — **2°** Qui utilise l'énergie provenant de la désintégration des noyaux d'atomes (uranium, plutonium); qui s'y rapporte : *La pile atomique de Saclay. Les bombes atomiques ont une puissance destructrice considérable. L'usine atomique de Pierrelatte.* ◆ **atomiser** v. tr. Détruire au moyen de bombes atomiques : *Des régions entières peuvent être atomisées par une seule bombe.* ◆ **atomiste** adj. et n. : *Un savant atomiste* (= spécialisé dans les recherches atomiques). ◆ **désatomisé, e** adj. Se dit d'une région où il n'y a aucune installation militaire dotée d'engins atomiques : *Demander que l'Afrique soit désatomisée.* ◆ **antiatomique** adj. Qui protège des radiations nocives dégagées par l'explosion de projectiles atomiques : *Abri antiatomique.*

1. atomiser v. tr. V. ATOME.

2. atomiser v. tr. Pulvériser en fines gouttelettes ou en particules extrêmement ténues (syn. : VAPORISER). ◆ **atomiseur** n. m. Pulvérisateur contenant de l'air sous pression : *Vaporiser de la laque sur ses cheveux avec un atomiseur.*

1. atone [atɔn] adj. Se dit de quelqu'un (ou de son comportement) qui manque d'énergie, de force, de vivacité : *Un être atone, sans réaction devant l'adversité* (syn. : AMORPHE, MOU). *Un regard atone, qui semble perdu dans une rêverie sans fin* (syn. : MORNE, ÉTEINT). ◆ **atonie** n. f. : *Il est dans un état d'atonie voisin de la prostration* (syn. : INERTIE,

TORPEUR ; contr. : VITALITÉ). *Secouer son atonie intellectuelle* (syn. : ENGOURDISSEMENT ; contr. : VIVACITÉ, ÉNERGIE).

2. atone [atɔn] adj. *Mot, syllabe, voyelle atone,* qui ne porte pas l'accent (syn. : INACCENTUÉ ; contr. : TONIQUE).

atours [atur] n. m. pl. (sujet nom désignant une femme). *Etre paré de ses plus beaux atours,* ironiq., avoir mis ses parures les plus belles.

atout [atu] n. m. 1° Dans les jeux de cartes, couleur choisie ou déterminée selon une convention et qui l'emporte sur les autres couleurs ; carte de cette couleur : *L'atout est le carreau. Jouer le sans-atout* (= partie où il n'y a pas d'atout). *Il a joué tous ses atouts.* — 2° Chance de réussir : *Son atout principal, c'est son énergie. Il a encore en main de sérieux atouts. Il a tous les atouts dans son jeu.*

âtre [ɑtr] n. m. Partie de la cheminée où l'on fait le feu (littér.) : *Assis devant l'âtre* (syn. : CHEMINÉE). *Mettre des bûches dans l'âtre.*

atroce [atrɔs] adj. (ordinairement après le nom). Qui provoque la répulsion, la douleur, l'indignation par sa laideur, par son caractère ignoble, par sa cruauté : *Le meurtre de cet enfant est un crime atroce* (= qui dénote une grande cruauté ; syn. : MONSTRUEUX). *Etre témoin d'une scène atroce* (syn. : EFFROYABLE). *Les souffrances atroces du blessé. Il est mort dans d'atroces souffrances* (syn. : HORRIBLE, TERRIBLE, ÉPOUVANTABLE). *Ce qu'il écrit sur toi est atroce* (syn. : AFFREUX, ABOMINABLE). *Nous avons eu un été atroce* (= très mauvais). *Elle est d'une laideur atroce.* ◆ **atrocement** adv. : *On a repêché dans la Seine le cadavre atrocement mutilé d'une femme* (syn. : HORRIBLEMENT). *Souffrir atrocement* (syn. : CRUELLEMENT). *Il est atrocement bavard* (syn. fam. : AFFREUSEMENT, TERRIBLEMENT). ◆ **atrocité** n. f. : *L'atrocité du crime exclut les circonstances atténuantes* (syn. : BARBARIE, CRUAUTÉ). *Les atrocités de la guerre* (syn. : CRIME, MONSTRUOSITÉ). *Elle répand des atrocités sur le compte de ses voisins* (syn. : HORREUR, CALOMNIE).

atrophie [atrɔfi] n. f. Diminution de volume ou de poids d'un organe ou d'un membre ; perte ou affaiblissement d'une faculté chez un individu ; réduction d'une activité dans un pays : *L'atrophie de la jambe droite après un accident. L'inactivité a entraîné une atrophie de son intelligence* (syn. : DIMINUTION). *L'atrophie d'un secteur économique par suite de l'insuffisance de crédits* (syn. : DÉPÉRISSEMENT ; contr. : HYPERTROPHIE). ◆ **atrophié, e** adj. : *Membres atrophiés. Volonté atrophiée.* ◆ **atrophier (s')** v. pr. 1° (sujet nom désignant un muscle, un organe) Diminuer de volume : *Les muscles d'un paralysé s'atrophient* (contr. : S'HYPERTROPHIER). — 2° (sujet nom abstrait) Perdre de sa force : *Son sens moral s'est atrophié* (syn. : ↓ S'AFFAIBLIR, SE DÉGRADER).

attabler (s') [satable] v. pr. S'asseoir à table, en général pour prendre un repas, une consommation : *S'attabler à la terrasse d'un café. Il s'attable dès qu'il rentre à midi* (= se mettre à table). ◆ **être attablé, e** v. passif : *Attablés à l'intérieur du restaurant.*

1. attacher [ataʃe] v. tr. 1° *Attacher quelque chose, quelqu'un,* leur mettre un lien, de façon à les immobiliser ou à limiter leur liberté de mouvement : *Attacher un arbuste à un tuteur, un condamné au poteau* (syn. : LIER). *Les cambrioleurs ont attaché leur victime sur une chaise* (syn. : LIER, LIGOTER). *Il avait attaché son cheval à la barrière par les rênes. Attacher un seau au bout d'une corde.* — 2° Réunir, entourer par un lien des choses distinctes ou plusieurs parties d'une chose : *Attacher des livres avec une sangle. Attacher un paquet* (syn. : FICELER). *Attacher un fagot* (syn. : LIER). *Attacher deux pieux d'une clôture avec un fil de fer* (syn. : ASSEMBLER, ASSUJETTIR, LIGATURER). *Attacher une robe, un pardessus* (syn. : BOUTONNER). — 3° Réunir deux bouts de lien, les fixer l'un à l'autre par un nœud : *Attacher sa ceinture* (syn. : AGRAFER, BOUCLER). *Attacher ses lacets de chaussures* (syn. : NOUER). *Attacher ses chaussures* (fam.) [= en nouer les lacets ; syn. : LACER]. — 4° *Fam.* Fixer, retenir par un clou, une cheville, etc. : *Le vent rabat les volets : il faut les attacher. Il a attaché la feuille au mur avec quatre punaises. La quittance est attachée après la lettre par une agrafe* (syn. : AGRAFER, ÉPINGLER ; contr. : DÉTACHER). ◆ **attache** n. f. 1° Petit objet qui sert à attacher (épingle, agrafe, etc.) : *Des attaches maintiennent les paquets sur le porte-bagages. Feuillets réunis au moyen d'une attache* (terme techn.). — 2° *Chien à l'attache,* tenu en laisse ou enchaîné (contr. : EN LIBERTÉ). — 3° (au plur.) Poignets, chevilles : *Elle a des attaches fines.* ◆ ***s'attacher*** v. pr. [*à*], ou **attacher** v. intr. 1° (sujet nom de chose) Coller à un corps : *Du goudron qui s'attache à la carrosserie. Le gâteau a attaché au moule* (syn. : ADHÉRER). *Des teignes s'étaient attachées à ses chaussettes* (syn. : S'ACCROCHER). — 2° (sujet nom de chose) *S'attacher à quelque chose,* être associé à cette chose, en être inséparable : *Une gloire impérissable s'attache à cet exploit.*

2. attacher [ataʃe] v. tr. (sujet nom de chose). *Attacher quelqu'un,* établir un lien moral, une relation de sympathie avec lui : *Une douceur de caractère qui lui attache ceux qui le fréquentent. De nombreux souvenirs m'attachent à cette région.* ◆ **s'attacher** v. pr. 1° (sujet nom d'être animé) *S'attacher à quelqu'un, à quelque chose,* établir un lien d'amour, d'amitié, de sympathie avec lui ; être attiré par quelque chose, avoir du goût pour : *Il s'est attaché à elle pour la vie* (syn. : SE LIER ; contr. : SE DÉTACHER). *Un maître qui s'attache à ses élèves. Le chien s'était attaché à son jeune maître. C'est en quittant cette ville que j'ai compris combien je m'y étais attaché. Il s'attache trop à l'argent.* — 2° (sujet nom de personne) Se donner comme tâche de (et l'infin. ou un nom d'action) : *L'avocat s'attache à prouver l'innocence de son client. S'attacher à la recherche des causes* (syn. : SE CONSACRER, S'APPLIQUER, S'EMPLOYER). ◆ **attachant, e** adj. Qui suscite l'intérêt, la sympathie : *Un livre attachant* (syn. : ↓ INTÉRESSANT, ATTRAYANT, ↑ CAPTIVANT, PASSIONNANT). *Cet enfant est très attachant.* ◆ **attache** n. f. Lien d'amour, d'amitié, de sympathie : *Rien ne me retient ici : je n'y ai aucune attache.* ◆ **attaches** n. f. pl. [***avec***] 1° Liens de parenté : *Il a de lointaines attaches avec le ministre.* — 2° Relations mal définies avec d'autres personnes : *Méfiez-vous de lui, il a des attaches avec le chef de cabinet.* ◆ **attachement** n. m. Lien de fidélité, d'affection, de sympathie pour quelqu'un, ou goût pour quelque chose : *Elle lui garde un attachement durable malgré l'éloignement. Montrer un profond attachement aux institutions républicaines. Il montre un attachement excessif aux biens maté-*

ciel), un grand attachement à sa réputation (contr. : DÉTACHEMENT).

3. attacher [ataʃe] v. tr. 1° *Attacher du prix, de l'importance, de l'intérêt à quelque chose,* le considérer comme précieux, important, intéressant (syn. : ATTRIBUER, ACCORDER). ‖ *Attacher un sens, une signification à des paroles, à un geste,* etc., les interpréter, y voir une intention : *Fallait-il attacher une signification particulière à son sourire?* — 2° *Attacher ses regards, ses yeux, sa pensée, sa réflexion,* etc., *sur quelqu'un* ou *sur quelque chose,* faire de cette personne ou de cette chose l'objet d'un regard ou d'une pensée soutenus (littér.) : *Il restait silencieux, attachant sa vue sur cet inoubliable paysage.* ◆ ***s'attacher*** v. pr. *S'attacher à quelque chose,* lui accorder de l'importance, le considérer attentivement : *Il faut voir l'ensemble sans trop s'attacher aux détails* (syn. : S'ARRÊTER).

1. attaquer [atake] v. tr. 1° (sujet nom d'être animé) *Attaquer une personne, une chose,* entreprendre une action violente contre cette personne pour la vaincre, ou contre cette chose pour la faire disparaître, la repousser : *Il a attaqué un de ses camarades à coups de poing* (syn. : FRAPPER). *La petite troupe fut attaquée par surprise* (syn. : ASSAILLIR). *Attaquer les institutions par de violents articles de presse* (syn. : S'EN PRENDRE À, CRITIQUER; contr. : DÉFENDRE, LOUER). *Les critiques ont durement attaqué cette comédie* (syn. : CRITIQUER). *Attaquer de front les difficultés.* — 2° (sujet nom de chose) *Attaquer une chose,* lui causer quelque dommage (souvent au passif) : *La rouille a attaqué le balcon de fer. Les peintures de la grotte sont attaquées par de petites algues vertes* (syn. : DÉTÉRIORER, RONGER). *Le poumon est attaqué* (syn. : ATTEINDRE). ◆ **attaquant** n. m. Troupe, soldat, joueur, etc., qui exécute une action offensive : *Repousser les attaquants.* ◆ **attaque** n. f. 1° Action offensive menée contre quelqu'un; critique violente adressée à quelqu'un : *Repousser l'attaque de l'ennemi* (syn. : ASSAUT, CHARGE). *Déclencher une attaque* (syn. : OFFENSIVE). *Etre victime d'une attaque à main armée. Une attaque aérienne. Etre en butte aux attaques de l'opposition* (syn. : CRITIQUE). *Rester impassible devant les attaques de la partie adverse* (syn. : ACCUSATION). — 2° Accès violent mais passager d'une maladie, d'un état morbide : *Avoir une attaque de goutte. Une attaque de nerfs* (= spasmes nerveux accompagnés de larmes et de cris). *Avoir une attaque d'apoplexie* ou, simplem., *une attaque* (syn. : CONGESTION CÉRÉBRALE). ◆ **contre-attaque** n. f. Passage de la défense à l'offensive : *Passer à la contre-attaque. Des contre-attaques victorieuses.* ◆ **contre-attaquer** v. intr. et tr. : *Contre-attaquer pour reprendre à l'ennemi les positions perdues. Contre-attaquer un adversaire dans sa propre spécialité.* ◆ **inattaquable** adj. Qu'on ne peut pas attaquer : *Des arguments inattaquables. Sa conduite est inattaquable* (syn. : IRRÉPROCHABLE; contr. : INDÉFENDABLE).

2. attaquer [atake] v. tr. 1° *Attaquer quelque chose,* l'entreprendre : *Attaquer la rédaction de sa composition avec ardeur; fam.,* commencer à manger : *Attaquer le fromage avant le dessert* (syn. : ENTAMER). — 2° *Attaquer une note,* en commencer l'émission. ◆ ***s'attaquer*** v. pr. *S'attaquer à quelqu'un, à quelque chose,* entreprendre de les combattre, de les affronter : *S'attaquer au gouvernement. S'attaquer avec résolution à des préjugés* (syn. : S'EN PRENDRE À). ◆ **attaque** n. f. *Fam. Etre d'attaque,* être dispos : *Il est particulièrement d'attaque ce soir, il ne cesse de plaisanter. Es-tu d'attaque pour entreprendre cette longue excursion à pied?* (syn. fam. : EN FORME).

attarder [atarde] v. tr. *Attarder quelqu'un,* le mettre en retard (emploi rare à l'actif; le plus souvent au passif) : *Les embouteillages nous ont attardés* (syn. plus usuel : RETARDER). *Il a été attardé par l'orage.* ◆ ***s'attarder*** v. pr. 1° *S'attarder à faire quelque chose, s'attarder à une chose,* rester longuement à la faire : *Il s'est attardé au café à discuter avec des camarades. Il s'attarde à des détails insignifiants.* — 2° (sans compl. introduit par *à*) Se mettre en retard; demeurer quelque part au-delà du temps habituel : *Il s'est attardé chez des amis* (syn. : RESTER). *Ne vous attardez pas trop en chemin* (syn. : FLÂNER; fam. : LAMBINER). *Il n'y avait plus à cette heure que quelques passants qui s'étaient attardés.* ◆ **attardé, e** adj. et n. 1° Dont l'intelligence n'est pas au niveau où elle devrait être : *Cet enfant est un peu attardé pour son âge. Une classe spéciale a été ouverte pour les attardés* (syn. : ↑ ARRIÉRÉS). — 2° En retard sur son siècle, sur son époque : *Seuls quelques attardés s'opposent à une réforme de l'enseignement* (syn. : RETARDATAIRE). *Rester fidèle à des conceptions attardées* (syn. : PÉRIMÉ, DÉSUET).

1. atteindre [atɛ̃dr] v. tr. (conj. 55). *Atteindre quelqu'un,* réussir à le blesser, à le toucher gravement, à le troubler moralement : *Le coup de feu l'atteignit au bras* (syn. : BLESSER). *Il est atteint dans ses convictions* (syn. : ÉBRANLER). *Ce reproche ne m'atteint pas* (syn. : OFFENSER, TOUCHER, HEURTER). ◆ **atteinte** [atɛ̃t] n. f. 1° Action de causer un préjudice matériel ou moral : *Une atteinte à l'honneur* (syn. : BLESSURE). *Atteinte à l'autorité de l'Etat* (syn. : ATTAQUE, ATTENTAT). *Porter atteinte à la dignité de la personne humaine. Les fruits ont subi les atteintes de la gelée.* — 2° (au plur.) Manifestation d'un état morbide : *Les premières atteintes du mal qui devait l'emporter.*

2. atteindre [atɛ̃dr] v. tr. (conj. 55). 1° *Atteindre une personne, une chose,* réussir à les toucher alors qu'elles sont éloignées ou élevées : *Atteindre une cible, un but. Monter sur une chaise pour atteindre le haut de l'armoire. Atteindre Rome en deux heures par avion* (syn. : GAGNER). *Atteindre le terme d'une étape* (syn. : ARRIVER, PARVENIR À). *Le fleuve a atteint un certain niveau* (syn. : MONTER). *Les pins ont atteint une taille élevée. La crise atteint son paroxysme.* — 2° *Atteindre quelqu'un,* entrer en rapport avec lui : *Je réussis à l'atteindre par téléphone avant son départ.* ◆ v. tr. ind. *Atteindre à un but,* y parvenir : *Il n'est pas possible en ce domaine d'atteindre à la perfection* (ou *d'atteindre la perfection*). ◆ **atteinte** [atɛ̃t] n. f. *Hors d'atteinte, hors de l'atteinte de,* qui ne peut être touché (par) : *Le bocal en haut de l'armoire est hors de l'atteinte des enfants* (syn. : HORS DE PORTÉE). *Cet examen lui paraît hors d'atteinte. Il est hors d'atteinte des balles. Sa réputation est hors d'atteinte.*

1. atteler [atle] v. tr. (conj. 6). *Atteler des animaux de trait (chevaux, bœufs,* etc.), *un wagon,* etc., *à quelque chose,* les relier à un véhicule ou à un instrument agricole, à d'autres voitures, etc. : *Atteler des bœufs à une charrette. La locomotive fut attelée au train. On attelle une remorque au tracteur.* ◆ **attelage** n. m. Action d'atteler; ce qui sert à atteler : *Vérifier l'attelage d'un wagon. L'attelage marche avec lenteur.* ◆ **dételer** v. tr. 1° Détacher des animaux attelés : *Paysan qui dételle ses bœufs.* — 2° Détacher un véhicule de l'animal ou des animaux chargés de le tirer : *Dételer une charrette.*

2. atteler [atle] (conj. **6**). *Atteler quelqu'un à un travail,* lui donner une tâche : *Il suffit d'atteler les équipes nécessaires à cette construction pour qu'elle soit achevée en temps voulu.* ◆ ***s'atteler*** v. pr. *S'atteler à un travail,* entreprendre un travail long et difficile : *Je me suis attelé à l'article que je vous ai promis* (syn. : S'ATTAQUER, SE METTRE À). ◆ **dételer** v. intr. *Fam.* Renoncer à son activité, s'interrompre : *A soixante-dix ans, il n'a pas encore dételé. Il a travaillé huit jours sans dételer.*

attenant, e [atnɑ̃] adj. Qui tient à quelque chose (terme admin.) : *La maison attenante doit être reconstruite* (syn. : CONTIGU).

attendre [atɑ̃dr] v. tr. (conj. **50**). 1° (sujet nom d'être animé) *Attendre quelqu'un, quelque chose, attendre de* (et l'infin.), *que* (et le subj.), rester en un lieu en comptant sur leur arrivée, sur un événement : *Je vous attendrai jusqu'à sept heures. Attendre l'autobus sous la pluie. En attendant d'être reçu, feuilletez ces revues. En attendant qu'il arrive, ils jouent aux cartes. Il se fait attendre* (= il est en retard). — 2° (sujet nom de personne) *Attendre une chose* (*de quelqu'un*), compter sur elle, sur son éventualité : *J'attends pour demain votre coup de téléphone. Il attend d'importantes rentrées d'argent* (syn. : ESPÉRER, ESCOMPTER). *Qu'attendez-vous de lui?* (syn. : VOULOIR, EXIGER). — 3° (sujet nom de personne) Fam. *Attendre quelqu'un à,* guetter le moment où il s'engagera dans une difficulté, où il arrivera à un moment dangereux : *Je vous attends au tournant.* — 4° (sujet nom désignant une femme) *Attendre un enfant,* être enceinte. — 5° (sujet nom de chose) *Attendre quelqu'un,* lui être destiné : *Le succès l'attend à l'issue de cette année scolaire.* ◆ v. tr. ind. *Attendre après quelqu'un, après quelque chose,* compter avec impatience sur son arrivée, sur sa réalisation : *Je n'attends pas après cet argent. Il attend après un taxi* (fam.). ◆ v. intr. 1° (sujet nom d'être animé) Rester dans un lieu jusqu'à ce qu'un événement se produise : *J'attendis jusqu'à son arrivée. Il ne tardera pas : j'écouterai la radio en attendant.* — 2° (sujet nom de chose) Rester intact : *Les pêches n'attendront pas à demain, mangez-les ce soir.* ◆ ***s'attendre*** v. pr. *S'attendre à quelque chose, à* (suivi d'un infin.), *à ce que* ou *que* (littér.) [et le subj.], regarder comme probable : *Nous nous attendons à de la pluie pour demain* (syn. : PRÉVOIR). *Je m'attendais à un meilleur résultat* (syn. : COMPTER SUR). *On pouvait s'attendre à pire. Il s'attend à perdre sa place* (syn. : CRAINDRE). *Je m'attends* (*à ce*) *qu'il me fasse une remarque. Je m'attends à tout de sa part.* ◆ **attendant *(en)*** loc. adv. Indique une opposition (quoi qu'il en soit) : *Ses idées sont peut-être justes, en attendant il aurait mieux fait de se tenir tranquille* (syn. : TOUJOURS EST-IL QUE, EN TOUT CAS). ◆ **attendu** n. m. *Les attendus d'un jugement,* les motifs de la décision prise. ◆ **attendu** prép., **attendu que** loc. conj. Indique la cause (langue surtout admin.) : *Attendu la situation internationale, le cabinet se réunira d'urgence* (syn. : VU, ÉTANT DONNÉ). *On ne peut pas se fier à ces résultats, attendu que les calculs sont approximatifs* (syn. : VU QUE, ÉTANT DONNÉ QUE). ◆ **attente** [atɑ̃t] n. f. 1° Action de rester jusqu'à l'arrivée de quelqu'un ou de quelque chose; temps pendant lequel on demeure ainsi : *Tous étaient inquiets dans l'attente des dernières nouvelles. L'attente fut vaine. Une attente insupportable. Il trompait l'attente en bavardant. Passer de longues heures dans l'attente de son retour. La salle d'attente d'une gare* (= où les voyageurs peuvent rester en attendant le train). — 2° Action de compter sur quelqu'un ou sur quelque chose : *Il n'a pas répondu à l'attente de ses professeurs* (syn. : ESPÉRANCE, SOUHAIT). *Contre toute attente, il n'est pas venu* (syn. : ESPOIR). ◆ **attentisme** n. m. Politique ou attitude consistant à ne pas prendre parti et à différer les décisions importantes en attendant les événements. ◆ **attentiste** adj. et n. ◆ **inattendu, e** adj. : *Un bruit inattendu le surprit* (syn. : BRUSQUE). *Une arrivée inattendue* (syn. : IMPRÉVU, INOPINÉ). *C'est inattendu de sa part* (syn. : EXCEPTIONNEL; contr. : NORMAL).

1. attendrir [atɑ̃drir] v. tr. *Attendrir quelqu'un,* exciter en lui un sentiment de pitié, de compassion, provoquer son émotion : *Les larmes de la candidate n'ont pas attendri l'examinateur* (syn. : FLÉCHIR, ↓ TOUCHER). ◆ ***s'attendrir*** v. pr. Etre touché : *Il s'attendrit devant tant de misère* (syn. : S'APITOYER). *Ne vous attendrissez pas sur mon sort; il n'est pas si mauvais!* ◆ **attendrissant, e** adj. : *Le spectacle attendrissant d'une mère qui retrouve ses fils après des années de séparation* (syn. : ÉMOUVANT, ↑ BOULEVERSANT). ◆ **attendrissement** n. m. : *Son attendrissement devant la souffrance témoigne de sa sensibilité* (syn. : COMPASSION; contr. : DURETÉ).

2. attendrir [atɑ̃drir] v. tr. *Attendrir une viande,* la rendre moins dure : *Le boucher attendrit le bifteck avec son couteau.* ◆ **attendrisseur** n. m. Appareil employé pour attendrir les viandes.

attendu n. m., **attendu** prép., **attendu que** loc. conj. V. ATTENDRE.

attentat [atɑ̃ta] n. m. Attaque criminelle ou illégale commise à l'égard de personnes, de biens, de droits, de sentiments collectifs reconnus par la loi : *Déjouer un attentat* (syn. : COMPLOT). *Tomber victime d'un attentat* (syn. : AGRESSION). *Un attentat a été perpétré contre la personne du président de la République. Etre condamné pour attentat à la pudeur, aux mœurs.* ◆ **attenter** v. tr. *Attenter à une chose,* commettre contre elle une tentative criminelle pour la détruire : *Attenter à la liberté d'un peuple. Il prétend qu'on a cherché à attenter à sa vie. L'accusé a essayé d'attenter à ses jours dans sa cellule* (= se suicider). ◆ **attentatoire** adj. [**à**], (terme admin.) : *Mesures attentatoires à la liberté de la presse* (= qui portent atteinte à). *Une décision attentatoire à la justice* (syn. : CONTRAIRE, OPPOSÉ).

attente n. f. V. ATTENDRE.

1. attention [atɑ̃sjɔ̃] n. f. Action de concentrer son esprit sur un sujet déterminé : *Faire un effort d'attention pour suivre un exposé. Fixer son attention sur un spectacle. Les élèves écoutent avec attention. Donner peu d'attention à ce que l'on dit. Faites attention avant de traverser* (= prenez garde). *J'ai fait attention à* (ou *de*) *ne pas le réveiller en rentrant* (syn. : VEILLER À). *Une faute d'attention* (= étourderie). *Lasser l'attention de ses auditeurs.* ◆ **inattention** n. f. Contr. de *attention : Etre puni pour son inattention* (syn. : DISTRACTION). *Une faute d'inattention* (syn. : ÉTOURDERIE). ◆ **attentif, ive** adj. Se dit d'une personne (ou de sa conduite) qui prête attention à quelqu'un ou à quelque chose : *Etre attentif à ne blesser personne* (syn. : SOUCIEUX DE). *Observer d'un œil attentif le manège d'un inconnu. Prêter une oreille attentive à une conversation* (contr. : DISTRAIT). *Prodiguer des soins attentifs à un malade* (contr. : INDIFFÉRENT). ◆ **attentivement** adv. : *L'enfant regardait attentivement les acrobates. Lire attentivement les instructions reçues.* ◆ **inattentif, ive** adj. Qui manifeste de l'inattention : *Elève inattentif en classe* (syn. : DISTRAIT, ÉTOURDI).

2. attention [atɑ̃sjɔ̃] n. f. Action de témoigner à quelqu'un des égards, de se soucier de sa santé, de son bonheur, etc.; témoignage adressé à cette occasion : *Il est plein d'attention pour sa mère. Il multipliait les attentions à son égard* (syn. : PRÉVENANCE). *Ce cadeau est une attention charmante* (syn. : DÉLICATESSE). ◆ **attentionné, e** adj. Qui manifeste de la gentillesse à l'égard de quelqu'un : *Etre très attentionné pour ses parents, auprès de sa fiancée* (syn. : EMPRESSÉ).

attentisme n. m., **attentiste** adj. et n. V. ATTENDRE.

atténuer [atenɥe] v. tr. (sujet nom de personne ou de chose). *Atténuer une chose,* la rendre moins forte, moins violente, moins grave : *Prendre un cachet pour atténuer un mal de tête* (syn. : CALMER). *Atténuer la violence de ses propos* (syn. : ADOUCIR, MODÉRER). *Ce geste de bienveillance atténua un peu son amertume* (syn. : TEMPÉRER; contr. : AGGRAVER). ◆ ***s'atténuer*** v. pr. Devenir moins fort, moins grave : *La tempête de neige s'atténue un peu* (contr. : AUGMENTER). *Sa douleur s'est atténuée* (syn. : DIMINUER). ◆ **atténuant, e** adj. *Circonstances atténuantes,* faits particuliers dont les juges et les jurés tiennent compte pour appliquer la loi pénale de manière indulgente. ◆ **atténuation** n. f. : *L'atténuation d'une peine d'emprisonnement à vie. L'atténuation des souffrances au moyen d'un calmant.*

atterrer [atɛre] v. tr. *Atterrer quelqu'un,* provoquer chez lui la stupéfaction, l'accablement, une peine profonde (souvent au passif) : *Je suis atterré par l'annonce de son suicide* (syn. : ABATTRE, ACCABLER). *Cette intervention absurde atterra l'assistance* (syn. : CONSTERNER).

atterrir [atɛrir] v. intr. (sujet nom désignant un avion, une fusée, un engin, un pilote). Se poser à terre : *L'avion atterrit sur la piste à l'heure exacte. La fusée atterrit quelque part dans le désert du Nevada.* ◆ **atterrissage** n. m. : *Faire un atterrissage forcé dans un champ. Les atterrissages ont été gênés à Orly par le brouillard. Piste, terrain d'atterrissage.*

attester [atɛste] v. tr. 1° (sujet nom de personne) Certifier l'exactitude d'une chose : *Il atteste qu'il a dit la vérité.* — 2° (sujet nom de chose) *Attester quelque chose, de quelque chose,* en être la preuve irréfutable : *Le document présenté atteste la vérité de son témoignage* (syn. : DÉMONTRER). *Les ruines attestent de la violence de l'incendie* (syn. : TÉMOIGNER DE, CONFIRMER). *Le fait est attesté par les témoins* (syn. : GARANTIR). *Cette remarque atteste son intelligence* (syn. : PROUVER). *Ces paroles attestent qu'il n'a rien compris* (syn. : INDIQUER, MARQUER). — 3° *J'atteste les dieux que, de,* je prends les dieux à témoin que, de (littér.). ◆ **attestation** n. f. : *L'employeur fournit une attestation à un employé qui quitte l'entreprise* (syn. : CERTIFICAT). *Délivrer une attestation de bonne conduite* (syn. : TÉMOIGNAGE).

attifer [atife] v. tr. *Fam. Attifer quelqu'un,* l'habiller ou le parer avec mauvais goût, d'une manière bizarre (souvent passif ou pronom.) : *Etre attifé d'une manière ridicule* (syn. : ACCOUTRER, AFFUBLER). *Elle passe des heures à s'attifer* (syn. : SE POMPONNER). ◆ **attifement** n. m. Fam. : *Porter un curieux attifement* (syn. : ACCOUTREMENT).

attiger [atiʒe] v. intr. *Pop.* Dépasser la mesure, dans ses actes ou dans ses paroles : *Tu attiges! il ne croira jamais ton histoire* (syn. : EXAGÉRER; pop. : CHARRIER).

attirail [atiraj] n. m. *Fam.* Ensemble d'objets divers et encombrants, mais souvent nécessaires à un usage précisé par le complément : *Un attirail de bricoleur. On a trouvé dans la voiture tout un attirail de cambrioleur. Un attirail de campeur.*

attirer [atire] v. tr. 1° *Attirer quelque chose,* le tirer vers soi, vers le lieu où l'on se trouve : *Le clocher de l'église attira la foudre. L'aimant attire le fer.* — 2° *Attirer quelqu'un, un être animé,* l'inviter à venir en lui laissant attendre un bien, un avantage, ou par quelque appât : *Ce spectacle attirait les foules. Le pot de confitures attirait les mouches. Les poissons étaient attirés par l'appât. Etre attiré dans un guet-apens* (syn. : ENTRAÎNER). — 3° *Attirer quelque chose à, sur quelqu'un,* appeler vers lui un événement heureux ou fâcheux (souvent comme pronom. réfléchi) : *Sa bienveillance lui attirait toutes les sympathies* (syn. : GAGNER). *Il va s'attirer les pires ennuis. Il attire sur lui la colère de ses parents* (syn. : ÉVEILLER). *Il s'attire des compliments mérités. Cette réussite lui attira beaucoup d'amis* (syn. : PROCURER). ◆ **attirant, e** adj. Se dit de manières, d'un visage, d'un lieu qui plaît et retient par quelque trait inhabituel : *Il y a dans son regard quelque chose d'attirant. Une figure attirante* (syn. : ↑ SÉDUISANT, ATTRAYANT; contr. : REPOUSSANT); souvent dans des phrases négatives : *Proposition qui n'a rien d'attirant* (syn. : ALLÉCHANT). ◆ **attirance** n. f. Action d'attirer ou d'être attiré; charme particulier qui pousse vers quelqu'un ou vers quelque chose; séduction exercée par quelqu'un ou par quelque chose : *Il avait pour ce genre de film une certaine attirance* (syn. : ATTRAIT); surtout dans l'express. : *L'attirance du gouffre* (= vertige qui entraîne). ◆ **attraction** n. f. V. ATTRACTION 1.

attiser [atize] v. tr. 1° *Attiser le feu,* le ranimer en faisant mieux flamber les bûches, en remuant les tisons. — 2° *Attiser une passion* (*la haine, les désirs,* etc.), *une querelle,* l'exciter (littér.) : *Ces reproches attisèrent sa colère* (syn. : ENFLAMMER).

attitré, e [atitre] adj. Se dit d'une personne titulaire d'un emploi, investie d'un rôle, d'une fonction : *Les fournisseurs attitrés de la présidence de la République. Le représentant attitré d'une agence de presse* (syn. : EN TITRE).

attitude [atityd] n. f. 1° Manière de se tenir (en parlant d'une personne) : *Son attitude gauche témoigne de sa timidité* (syn. : MAINTIEN). *Garder une attitude nonchalante* (syn. : ALLURE). — 2° Manière d'être à l'égard de quelqu'un; disposition extérieure manifestant certains sentiments; disposition intérieure : *Avoir une attitude ferme. Prendre une attitude noble. Affecter une attitude décidée* (syn. : ALLURE). *Prendre une attitude d'hostilité.*

Garder une attitude réservée (syn. : EXTÉRIEUR). *Il faudra modifier votre attitude* (syn. : COMPORTEMENT). *Maintenir une attitude intransigeante* (syn. : POSITION). *Son attitude en face de cette situation est incompréhensible* (syn. : CONDUITE).

attouchement [atuʃmɑ̃] n. m. Action de toucher doucement avec la main : *Ces légers attouchements provoquent une sensation de chatouillement* (syn. : CARESSE).

1. attraction [atraksjɔ̃] n. f. Action d'attirer; force qui attire : *L'attraction de la Terre s'exerce sur le satellite qui entre dans le champ de gravitation terrestre. La foire constituait un centre d'attraction pour toute la jeunesse de la ville. Sa personnalité exerce une grande attraction sur les foules* (syn. : ATTIRANCE, ATTRAIT). ◆ **attractif, ive** adj. : *La force attractive d'une révolution.*

2. attraction [atraksjɔ̃] n. f. 1° Jeu mis à la disposition du public : *Les stands de tir, les loteries, les manèges sont autant d'attractions pour les enfants.* — 2° Partie du spectacle d'un music-hall, d'un cirque : *Le cirque a mis à son programme de très belles attractions.*

attrait [atrɛ] n. m. 1° Ce par quoi une chose ou une personne attire, procure du plaisir, de l'agrément : *L'attrait des vacances prochaines* (syn. : AGRÉMENT, ↑ SÉDUCTION, FASCINATION). *L'attrait du risque et de l'aventure. Le repos dans la solitude a pour lui beaucoup d'attraits* (syn. : CHARME, ↑ ENCHANTEMENT). — 2° *Avoir, éprouver de l'attrait pour une chose, pour une personne,* être séduit par elle : *Il éprouvait un vif attrait pour les paysages méditerranéens* (syn. : GOÛT, PENCHANT). — 3° *Les attraits d'une femme,* sa beauté, ses charmes. ◆ **attrayant, e** [atrɛjɑ̃, -ɑ̃t] adj. Se dit de quelque chose qui attire par le plaisir promis, par son agrément : *Pendant les vacances, les romans policiers sont une lecture particulièrement attrayante* (syn. : AGRÉABLE). *L'instituteur avait su rendre le travail attrayant dans sa classe* (syn. : AMUSANT).

1. attraper [atrape] v. tr. 1° *Attraper quelqu'un, quelque chose,* les prendre au piège par ruse; arriver à les prendre, à les saisir : *Attraper des papillons avec un filet. Attraper un ballon au vol* (syn. : PRENDRE, SAISIR). *Il s'est fait attraper par la police* (syn. : ARRÊTER; fam. : PINCER; pop. : PIQUER). — 2° *Attraper une chose,* l'atteindre dans sa course, la saisir au vol, rapidement : *Il a réussi à attraper l'autobus* (syn. : MONTER DANS). *Je n'ai pu attraper que quelques mots de leur conversation* (syn. : SAISIR). — 3° *Attraper la manière d'écrire, de peindre,* etc., réussir à imiter par la plume, par le pinceau, à reproduire : *Il a bien attrapé le style de La Bruyère* (syn. : PASTICHER). *Attraper l'accent anglais* (syn. fam. : CHIPER). (V. aussi RATTRAPER.)

2. attraper [atrape] v. tr. *Attraper quelqu'un,* le tromper, lui faire éprouver une déception, une surprise désagréable (souvent au passif) : *Il s'est laissé attraper par des flatteries* (syn. : ABUSER, DUPER). *Vous seriez bien attrapé si je vous disais la fin de l'histoire* (syn. : SURPRENDRE). ◆ **attrape** n. f. Petite farce : *Acheter des farces et attrapes pour le 1er avril.* ◆ **attrape-nigaud** n. m. Ruse grossière qui ne trompe que les sots : *Ces belles paroles ne sont que des attrape-nigauds pour duper l'acheteur.*

3. attraper [atrape] v. tr. Fam. *Attraper quelqu'un,* lui faire des reproches : *Attraper un enfant. Se faire attraper pour être arrivé en retard* (syn. : RÉPRIMANDER [langue soignée]; pop. : ENGUEULER). ◆ **attrapade** n. f. Syn. fam. de RÉPRIMANDE (langue soignée), SAVON (fam.).

4. attraper [atrape] v. tr. Fam. *Attraper une maladie, une punition,* etc. (accident fâcheux), en être atteint, la subir : *J'ai attrapé la grippe l'hiver dernier* (syn. : PRENDRE). *Il a attrapé des courbatures en jouant au tennis. Attraper un coup de soleil. Attraper une contravention, six mois de prison* (syn. fam. : RÉCOLTER). ◆ ***s'attraper*** v. pr. Etre contagieux : *Avec ce temps-là, un rhume s'attrape facilement.* (V. aussi RATTRAPER.)

attrayant, e adj. V. ATTRAIT.

attribuer [atribɥe] v. tr. 1° *Attribuer quelque chose à quelqu'un,* le lui donner comme avantage, comme part, etc. : *La propriété que sa mère possédait dans le Midi lui fut attribuée par le testament* (syn. : ASSIGNER). *Il lui attribue toutes les qualités* (syn. : ACCORDER). *J'attribue une importance minime à cette déclaration* (syn. : PRÊTER, CONFÉRER). — 2° *Attribuer une chose à quelqu'un,* le considérer comme l'auteur ou la cause de cette chose : *Il attribue la responsabilité de l'incendie de la forêt à des campeurs imprudents* (syn. : IMPUTER). *A qui attribuez-vous le mérite de cette invention?* (syn. : RECONNAÎTRE). ◆ ***s'attribuer*** v. pr. Se donner à soi-même comme avantage, comme propriété : *Il s'est attribué tous les prix de sa classe. Il s'attribue ce qui ne lui appartient pas* (syn. : S'APPROPRIER). *Il s'attribue le succès de l'entreprise* (syn. : REVENDIQUER, S'ARROGER). ◆ **attribution** n. f. 1° Action d'attribuer : *L'attribution d'un rôle à un acteur. Les attributions des appartements, dans certains immeubles locatifs, sont réglementées.* — 2° (au plur.) Etendue de la compétence d'une administration, d'une fonction, d'un cadre, etc. : *Les attributions exactes du ministère des Travaux publics ont été précisées par un décret du gouvernement.* — 3° *Complément d'attribution,* v. FONCTION. ◆ **attribut** [atriby] n. m. Ce qui appartient en propre à quelqu'un, à une fonction ou à un métier; ce qui en est le symbole représentatif : *Le droit de grâce est un attribut du chef de l'Etat* (syn. : PRIVILÈGE, PRÉROGATIVE). *Le sceptre est l'attribut de la royauté* (syn. : SYMBOLE).

1. attribut n. m. V. ATTRIBUER.

2. attribut [atriby] n. m. Fonction grammaticale d'un adjectif ou d'un substantif relié à un substantif par un verbe : *Dans la phrase « Pierre est fatigué », « fatigué » est attribut de Pierre.* (V. FONCTION).

attrister [atriste] v. tr. *Attrister quelqu'un,* le rendre triste, lui causer de la peine : *La nouvelle de ce décès m'a profondément attristé* (syn. : PEINER, DÉSOLER, ↓ CHAGRINER). ◆ ***s'attrister*** v. pr. Devenir triste : *Il s'attriste devant la perspective de nouveaux échecs. Je m'attriste de le voir désemparé et accablé* (contr. : SE RÉJOUIR). ◆ **attristant, e** adj. : *Le spectacle attristant des foules prêtes aux enthousiasmes les plus absurdes* (syn. : AFFLIGEANT).

attrouper (s') [satrupe] v. pr. Se réunir en foule, en général pour agir : *Les manifestants s'attroupèrent devant l'immeuble* (syn. : SE RASSEMBLER, S'AMEUTER). ◆ **attroupement** n. m. : *La police reçut l'ordre de disperser les attroupements* (syn. : RASSEMBLEMENT).

au, aux art. défini. V. À et LE.

aubade [obad] n. f. Concert qui était donné sous les fenêtres de quelqu'un. (V. SÉRÉNADE.)

aubaine [obɛn] n. f. Avantage ou profit inattendu, chance inespérée (souvent avec les adj. *bonne, quelle*) : *Quelle bonne aubaine! j'ai gagné à la loterie. C'est une aubaine, j'ai retrouvé mon portefeuille. Il fait beau aujourd'hui, profitons de l'aubaine* (syn. : ↓ OCCASION).

aube [ob] n. f. 1° Clarté blanchâtre qui apparaît dans le ciel au moment où le jour naît (littér., sauf dans quelques express. usuelles) : *Il a passé la nuit dehors et s'est couché à l'aube. L'aube se levait sur la campagne glacée. Se lever à l'aube* (= de très bonne heure). — 2° *Etre à l'aube de*, être au commencement de : *Il n'en est encore qu'à l'aube de la vie. Nous sommes à l'aube d'un monde nouveau.*

aubépine [obepin] n. f. Arbrisseau épineux dont les fleurs, blanches ou roses, apparaissent au printemps.

auberge [obɛrʒ] n. f. 1° Petit hôtel et restaurant de campagne : *S'arrêter pour déjeuner dans quelque auberge au bord de la route.* — 2° Restaurant d'allure rustique, mais dont l'intérieur est élégant (syn. : HOSTELLERIE). — 3° *Auberge de la jeunesse*, centre d'accueil et de vacances pour les jeunes. ◆ **aubergiste** n. Personne qui tient une auberge (sens 1) : *L'aubergiste nous fit un excellent accueil.*

aucun, e [okœ̃, -yn], **pas un, pas une** [pazœ̃, -yn] adj. et pron. indéf. Exprime la négation portant sur un substantif exprimé ou représenté. ◆ **aucunement** adv. Exprime une négation absolue portant sur un verbe, un adjectif ou un adverbe. (V. tableau ci-dessous.)

audace [odas] n. f. Hardiesse qui conduit à mépriser les obstacles (en bonne part ou péjor.) : *Il a manqué d'audace en cette occasion* (syn. : COURAGE; contr. : TIMIDITÉ). *Il a tout risqué sur un coup d'audace* (= une action hardie). *S'en prendre avec audace aux abus du pouvoir* (syn. : ↑ TÉMÉRITÉ; contr. : LÂCHETÉ). *J'ai condamné l'audace de ses propos* (syn. : ↑ INSOLENCE, IMPERTINENCE). *Quelle audace d'interrompre ainsi le conférencier!* (syn. : INSOLENCE). *Payer d'audace* (= chercher à sortir d'une situation difficile par une action résolue, presque désespérée, en ignorant l'obstacle). ◆ **audacieux, euse** adj. et n. Qui agit avec résolution ou avec impertinence : *L'avenir appartient aux audacieux.* ◆ adj. Qui témoigne de cette attitude : *Se décider à une solution audacieuse pour surmonter le danger* (syn. : HARDI, TÉMÉRAIRE; contr. : TIMORÉ). *Un geste audacieux.* ◆ **audacieusement** adv. : *S'aventurer audacieusement sur la glace encore mince du lac.*

au-dedans, au-dehors, au-delà, au-dessous, au-dessus, au-devant loc. adv. V. DEDANS, DEHORS, DELÀ, DESSOUS, DESSUS, DEVANT.

audible [odibl] adj. Se dit des sons que l'oreille humaine peut percevoir ou tolérer, ou d'une musique qui peut être écoutée sans déplaisir : *Les sons qui ont moins de 15 périodes/seconde ne sont pas audibles* (infra-sons), *comme ceux qui ont plus de 30 000 périodes/seconde* (ultra-sons). *Ces bandes magnétiques sont parfaitement audibles en dépit des difficultés de l'enregistrement. Vous trouvez audibles ces essais de musique concrète?* ◆ **inaudible** adj. : *Dans cette région, les émissions d'une des chaînes de radio sont inaudibles. Ce musicien compose une musique qui, pour moi, est inaudible.*

1. audience [odjɑ̃s] n. f. 1° Fait d'être écouté ou lu favorablement, avec intérêt ou attention : *J'espère que ce livre trouvera l'audience de nombreux lecteurs. Ce projet a rencontré l'audience, mérite l'audience du ministre* (syn. : ATTENTION). — 2° Entretien accordé par un supérieur, une personne en place, etc., à celui ou à ceux qui l'ont demandé : *Il ne peut pas vous recevoir, car il donne audience à un visiteur de marque. Recevoir en audience un ambassadeur. Le chef du cabinet a accordé une audience à la délégation syndicale. Je sollicite une audience du directeur* (syn. : ENTRETIEN).

2. audience [odjɑ̃s] n. f. Séance d'un tribunal : *La cour a tenu audience tout l'après-midi. L'audience a eu lieu à huis clos. L'audience s'est poursuivie par l'audition des témoins.*

audio-visuel, elle adj. V. AUDITION.

auditeur, trice [oditœr, -tris] n. Personne qui écoute un cours, une émission de radio, etc. : *Le speaker s'excuse auprès des auditeurs de l'incident technique qui les a privés de la retransmission du concert.* ◆ **auditoire** n. m. Ensemble des personnes qui assistent à un cours, à une conférence, qui entendent un discours : *Poursuivre son exposé devant un auditoire attentif* (syn. : ASSISTANCE). *Il a conquis son auditoire* (syn. : PUBLIC).

EMPLOIS	**aucun** **aucunement**	**pas un**
1° Accompagné de *ne*, dans la langue écrite et dans la langue parlée soignée (sans *ne* dans la langue parlée fam.).	*a)* adjectif indéfini : *Je n'ai aucune information à ce sujet;* rarement au pluriel (sauf avec un nom sans sing.) : *On ne lui fit aucunes funérailles;* *b)* pronom indéfini (souvent avec un compl.) : *Aucun d'entre vous ne permettra cette infamie;* *c)* adverbe : *Il n'est aucunement responsable.*	*a)* adjectif indéfini : *Pas une voiture sur la route pendant presque une heure! Il n'y a pas un roman dans sa bibliothèque;* *b)* pronom indéfini : *Il n'en est pas un qui ne sache la réponse.*
2° Sans *ne*, dans les réponses, avec une valeur négative.	« *Avez-vous trouvé des acquéreurs pour votre maison? — Aucun.* » « *S'est-il excusé? — Aucunement.* »	« *Combien de réponses? — Pas une.* » Fam. : *Il est menteur comme pas un* (= extrêmement menteur).

REM. *D'aucuns*, quelques personnes (littér.) : *D'aucuns pensent que son dernier discours est très mauvais.*
Aucun, quelqu'un (littér.; dans les phrases interrogatives ou dubitatives) : *Pensez-vous qu'aucun soit dupe de ce que vous avez dit?*

1. audition [odisjɔ̃] n. f. Action d'écouter ou d'entendre : *Avoir des troubles de l'audition* (syn. : OUÏE). *L'audition radiophonique est difficile dans cette région de montagne* (syn. : ÉCOUTE). ◆ **auditif, ive** adj. Relatif à l'oreille, à l'ouïe : *Porter un appareil de correction auditive. Une mémoire auditive.*

audio-visuel, elle [odjovisɥɛl] adj. *Enseignement audio-visuel, méthode audio-visuelle,* qui utilisent l'enregistrement sur bandes magnétiques, les films, les images, les disques, etc., c'est-à-dire un ensemble de moyens visant à agir simultanément ou séparément sur la perception auditive et visuelle des enfants ou des adultes : *Les méthodes audio-visuelles sont couramment employées dans l'apprentissage des langues étrangères.*

2. audition [odisjɔ̃] n. f. Présentation par un artiste d'une partie de son répertoire, d'une œuvre musicale, d'un tour de chant, etc. : *Passer une audition dans un studio* (syn. : ÉPREUVE). ◆ **auditionner** v. tr. Entendre un artiste présenter son répertoire : *Au cours des éliminatoires, le jury avait auditionné un grand nombre de candidats.* ◆ v. intr. Présenter son numéro devant quelqu'un : *Elle a auditionné pour obtenir un petit rôle dans la nouvelle revue.* ◆ **auditorium** [oditɔrjɔm] n. m. Salle aménagée, du point de vue acoustique, pour l'audition d'œuvres musicales ou théâtrales, pour l'enregistrement d'émissions de radio et de télévision.

auge [oʒ] n. f. Grand récipient servant à donner à boire ou à manger au bétail, surtout aux porcs (syn. plus usuels : MANGEOIRE, ABREUVOIR [pour les chevaux et les bœufs]).

augmenter [ɔgmɑ̃te] v. tr. 1° *Augmenter une chose,* la rendre plus grande, plus importante, en accroître la quantité, le prix : *Ce nouveau moteur augmente la vitesse de la voiture* (syn. : ACCROÎTRE). *Augmenter la durée* (syn. : ALLONGER). *Augmenter le revenu national en accroissant la production industrielle. Nouvelle édition d'un ouvrage, revue et augmentée. Le salaire des mineurs a été augmenté* (contr. : DIMINUER). *Augmente le son du poste de radio, on n'entend rien. Décider d'augmenter les impôts.* — 2° *Augmenter quelqu'un,* lui donner un salaire, un traitement plus élevé : *Il a été augmenté cette année à cause de son ancienneté dans la maison qui l'emploie.* ◆ v. intr. Devenir plus grand ; croître en quantité, en prix, en intensité : *La vie augmente beaucoup* (= les prix montent). *La population parisienne a augmenté fortement depuis un siècle* (syn. : CROÎTRE). *La salade a augmenté cette semaine* (syn. : RENCHÉRIR ; contr. : BAISSER). *Son mal a augmenté ces temps derniers* (syn. : S'AGGRAVER). ◆ **augmentation** n. f. : *L'augmentation progressive des taxes* (syn. : AGGRAVATION ; contr. : BAISSE). *L'augmentation de la vitesse multiplie les accidents* (syn. : ACCROISSEMENT). *Demander une augmentation à son patron* (= une hausse de salaire).

augure [ogyr] n. m. 1° Personne qui se croit en mesure de prédire l'avenir, de faire des prévisions dans un domaine donné (souvent ironiq.) : *Il est difficile de prévoir toutes les incidences économiques de cette crise ; il faudra consulter les augures.* — 2° *De bon, de mauvais augure,* qui annonce quelque chose d'heureux, de malheureux : *Il a buté contre le premier obstacle, cela n'est pas de bon augure pour la suite* (syn. : PRÉSAGE). ‖ *Oiseau de mauvais augure,* personne dont l'arrivée ou les paroles annoncent d'ordinaire quelque chose de fâcheux. ‖ *En accepter l'augure,* espérer voir se réaliser l'événement prédit : *Vous m'affirmez que l'été sera très beau ; j'en accepte l'augure.* ◆ **augurer** v. tr. et intr. *Augurer de quelque chose,* tirer d'un événement un pressentiment, une vue sur l'avenir : *Il a auguré de mon silence que je l'approuvais ; mais il n'en est rien* (syn. : CONJECTURER, PRÉSUMER). *Ce travail laisse bien augurer de la suite* (syn. : PRÉSAGER).

auguste [ogyst] adj. (avant ou après le nom). Qui a quelque chose d'imposant par sa grandeur ou sa solennité (littér., parfois ironiq.) : *Le geste auguste du semeur. Jeter un auguste regard sur l'assemblée.*

aujourd'hui [oʒurdɥi] adv. 1° Le jour où l'on est (ne peut pas s'employer avec un passé simple ; V. TEMPS [*expression du*]) : *Je ne peux vous recevoir aujourd'hui, je suis trop occupé. Nous irons au théâtre aujourd'hui. Aujourd'hui, à midi, j'ai déjeuné dans un excellent restaurant. Il y a aujourd'hui trois semaines qu'il est parti en voyage. D'aujourd'hui en quinze, nous nous reverrons* (= dans quinze jours). *Ce sera tout pour aujourd'hui. La cérémonie commémorative est achevée : c'était aujourd'hui le dixième anniversaire de l'armistice. Il n'en savait rien jusqu'à aujourd'hui* (syn. : MAINTENANT) ; peut s'employer comme substantif : *Aujourd'hui se passe mieux que je ne le pensais.* — 2° Le temps présent, l'époque actuelle : *Aujourd'hui il pense ainsi, demain il aura changé d'avis. Les hommes d'aujourd'hui vivent sur un rythme plus rapide que ceux d'hier* (syn. : [DE] MAINTENANT). *Cela ne date pas d'aujourd'hui. Aujourd'hui, il y a plus de huit millions de personnes dans la région parisienne ; demain, il y en aura le double* (syn. : ACTUELLEMENT, PRÉSENTEMENT). — 3° *Au jour d'aujourd'hui,* renforcement fam. de *aujourd'hui,* « maintenant, à notre époque » : *Au jour d'aujourd'hui, on ne pardonne plus à ceux qui ne marchent pas avec leur temps.*

aumône [omon] n. f. Don ou faveur qu'on accorde par charité à celui qui est dans la misère ou le malheur : *Faire l'aumône à un mendiant* (= donner de l'argent). *Refuser par dignité l'aumône qui vous est faite. Accordez-lui au moins l'aumône d'un regard.*

aumônier [omonje] n. m. Prêtre attaché à un établissement, à un corps de troupes, etc., pour y faire le service divin et y donner l'instruction religieuse : *L'aumônier d'une prison, d'un régiment.* ◆ **aumônerie** n. f. Charge d'aumônier : *Prêtre qui assure un service d'aumônerie dans un lycée.*

auparavant [oparavɑ̃] adv. Indique qu'un fait se situe dans le temps avant un autre : *La réunion aura lieu sans doute en décembre, mais je te préviendrai auparavant* (syn. usuel. : AVANT). *Rendez-vous chez Gilbert, mais auparavant passe à la maison chercher tes disques* (syn. : D'ABORD).

auprès [oprɛ] adv., **auprès de** loc. prép., **près** [prɛ] adv., **près de** loc. prép. Indiquent la proximité. (V. tableau p. ci-contre.)

auquel [okɛl], **auxquels** [okɛl], **auxquelles** [okɛl] pron. rel. et interr. V. LEQUEL.

auréole [oreɔl] n. f. 1° Cercle lumineux qui, dans les œuvres des peintres ou des sculpteurs, entoure souvent la tête de Dieu, de la Vierge ou des saints chez les catholiques, des personnages divins dans d'autres religions. — 2° *L'auréole du martyre, de la victoire,* etc., la gloire éclatante qui vient des souffrances endurées, du succès, etc. ‖ *Parer,*

auprès adv. (proximité et contiguïté)	**près** adv. (proximité et distance courte)
Employé surtout dans la conversation : *Son frère était malade, il est resté auprès. Continuez tout droit, vous voyez la porte, l'épicerie est auprès.*	Employé surtout avec *tout, très, si, trop* : *Il vient de loin et j'habite près. Comme il demeure tout près, il vient à pied au bureau. Le coup passa très près, tout près, si près. C'est trop près, remettez à huitaine. J'ai placé le rendez-vous le plus près que j'ai pu dans la semaine. Noël est tout près.* *Près* n'est prép. que dans quelques formules administratives : *Il est ambassadeur près le Saint-Siège.*
	LOC. ADV.
	À peu près, à peu de chose près, marquent l'approximation : *Il y a à peu près huit jours que je ne l'ai pas vu* (syn. : ENVIRON). *Il gagne deux mille francs, à peu de chose près.* ‖ *Un à-peu-près,* ce qui approche d'une exactitude, d'une justesse, d'une perfection accessibles (souvent péjor.) : *Il se contente toujours d'à-peu-près ;* ou un calembour médiocre. **À beaucoup près,** marque la distance, l'écart entre l'estimation et la réalité : *Il ne vaut pas son père, à beaucoup près* (syn. : LOIN DE LÀ, TANT S'EN FAUT). *Il est plus jeune qu'elle, à beaucoup près.* **À (cela) près,** marque l'exception : *Il manque l'acte de naissance ; à cela près, le dossier est complet* (= si l'on excepte cela). *A la douceur près, il a toutes les qualités ;* indique un écart précis : *A un franc près, la somme y est ;* indique que l'écart est sans conséquence : *Nous ne sommes pas à cinq minutes près. Tu n'en es pas à ça près* (= tu n'es pas si scrupuleux). **De près,** d'une manière très proche : *La voiture suivante le serrait de près, de trop près. Il est rasé de près ;* d'une manière vigilante, attentive : *Surveillez vos affaires de près, de très près. Regardez de plus près avant de vous engager. Ne connaître quelqu'un ni de près ni de loin* (= ne pas le connaître du tout). *Toucher de près quelqu'un* (= avoir avec lui un lien de parenté). *Ne pas y regarder de trop près* (= se contenter d'une approximation).
auprès de loc. prép.	**près de** loc. prép.
1° Suivi d'un nom d'être animé ou de chose, indique : *a*) la proximité (lieu) : *Elle est restée toute la nuit auprès de son fils malade* (syn. : AU CHEVET DE). *Il est venu s'asseoir auprès de moi* (syn. : À CÔTÉ DE). *Il y avait une boulangerie auprès de l'église ;* *b*) la comparaison : *Ce roman est médiocre auprès du précédent* (syn. : EN COMPARAISON DE).	1° Suivi d'un nom d'être animé ou de chose, indique la proximité (lieu ou temps) : *Il est demeuré près de sa mère mourante. Il demeure tout près d'ici* (= à proximité). *Cette île est située près de l'équateur. Il a échoué près du port. On est maintenant près des vacances. Etre près de son argent* (= être avare, intéressé). *Il est près de la quarantaine. Il est passé tout près de la fortune. Il est près de onze heures.*
2° Suivi d'un nom d'être animé, indique : *a*) le recours (= en s'adressant à) : *Il a fait des démarches pressantes auprès des autorités, auprès du ministre ;* *b*) l'estimation (= dans l'opinion de) : *Il ne jouit auprès de moi d'aucune estime particulière* (= dans mon esprit).	2° Suivi d'un infinitif, indique la proximité de l'action, l'imminence de la réalisation : *Il est près de partir* (= il est sur le point de partir, sur le départ). *Tu es près d'achever ce travail. Tu étais près de manquer le train* (= j'ai vu le moment où tu allais le manquer).
	3° Suivi d'un nom de chose, indique l'approximation, la limite supérieure : *Il a touché près de mille francs* (syn. : PRESQUE).

entourer quelqu'un d'une auréole, le glorifier d'une manière éclatante : *Il le pare d'une auréole de vertu tout à fait injustifiée.* ◆ **auréoler** v. tr. Entourer d'une auréole (surtout au passif) : *Il est auréolé d'un prestige immense.*

auriculaire [orikylɛr] n. m. Petit doigt de la main.

aurore [orɔr] n. f. 1° Lueur qui apparaît dans le ciel juste avant le lever du soleil (littér., sauf dans *dès l'aurore* [= de très bonne heure le matin], et dans les express. scientif. *aurore boréale, australe*) : *On aperçoit les lueurs de l'aurore à l'horizon* (syn. : AUBE). *L'aurore boréale est un phénomène atmosphérique lumineux particulier aux régions proches du pôle Nord.* — 2° *Etre à l'aurore de* (*la vie*), être au commencement de (son existence) [syn. plus usuel : ÊTRE À L'AUBE DE].

ausculter [oskylte] v. tr. (sujet nom désignant un médecin). Ecouter les bruits produits par un organisme, avec ou sans l'intermédiaire d'un appareil, afin d'établir un diagnostic : *Ausculter un malade. Ausculter le cœur.* ◆ **auscultation** n. f. : *Diagnostiquer à l'auscultation une bronchite.*

auspices [ospis] n. m. pl. *Sous les auspices de quelqu'un,* grâce à sa protection et à son appui (langue soignée ; syn. : SOUS LE PATRONAGE DE) : *Il a commencé sa carrière diplomatique sous les auspices d'un des plus grands ambassadeurs.* ‖ *Sous* *les meilleurs auspices, sous d'heureux* (ou *de malheureux*) *auspices,* avec les meilleures (ou les plus mauvaises) chances initiales de réussite (ou d'échec) : *Son entreprise a commencé sous les meilleurs auspices* (= dans les meilleures conditions). [Le sing. *auspice,* présage tiré du vol des oiseaux, chez les Anciens, a une valeur historique.]

aussi [osi], **si** [si] adv. Indiquent l'égalité ou l'intensité. (V. tableau ci-dessous.)

aussitôt [osito] adv. et prép., **aussitôt que** loc. conj., **sitôt** [sito] adv. et prép., **sitôt que** loc. conj. Indiquent la postériorité immédiate. (*Aussitôt* appartient à la langue usuelle, *de sitôt* à la langue écrite, mais *sitôt que* est aussi courant que *aussitôt que.*) [V. tableau p. ci-contre.]

austère [ostɛr] adj. 1° Se dit d'une personne (ou de son attitude) qui a de la sévérité dans ses principes moraux, de la gravité dans son caractère : *Un homme austère, qui ne rit presque jamais* (syn. : ↑ GLACIAL). *Avoir un air austère et rébarbatif* (syn. : ↓ RAIDE, SEC). *Mener une vie austère* (syn. : ASCÉTIQUE; contr. : DISSOLU). — 2° Se dit d'une chose d'où est exclu tout ornement, toute douceur, tout agrément : *Le style austère de ses discours glaçait l'assemblée. Ecrire un ouvrage austère sur l'administration impériale* (contr. : PLAISANT, ENJOUÉ, FACÉTIEUX). ◆ **austérité** n. f. : *Il se recommandait par une grande austérité* (syn. : RIGORISME). *L'austérité d'une vie tout entière adonnée au travail* (syn. : GRAVITÉ). *L'austérité de ses mœurs* (syn. : PURITANISME, SÉVÉRITÉ).

austral, e, als [ostral] adj. Se dit de tout ce qui concerne la partie sud de la Terre (contr. : BORÉAL) : *L'hémisphère austral. Expédition dans les terres australes.*

autant [otɑ̃], **tant** [tɑ̃] adv. Indiquent la quantité ou l'intensité. (V. tableau p. ci-contre.)

autel [otɛl] n. m. 1° Dans les églises, table sur laquelle le prêtre célèbre le sacrifice de la messe : *L'autel, consacré par l'évêque, est dressé sur les reliques d'un martyr.* — 2° *Le Trône et l'Autel,* la monarchie et l'Eglise. ‖ *Sacrifier quelque chose sur l'autel de* (*l'honneur, la science,* etc.), y renoncer au profit de (l'honneur, la science, etc.).

auteur [otœr] n. m. 1° *L'auteur de quelque chose,* celui qui en est la cause : *Quel est l'auteur du crime?* (= le criminel, l'assassin). *L'auteur de l'invention* (= l'inventeur). *Il est l'auteur de la plaisanterie.* — 2° (sans compl.) Ecrivain : *Publier les œuvres des grands auteurs, des auteurs classiques, des auteurs modernes. Une femme auteur. Citez vos auteurs* (= vos sources). ◆ **coauteur** [kootœr] n. m. Auteur associé à un autre pour un même travail littéraire.

aussi	**si**
Proposition affirmative.	
1° Avec un adjectif ou un adverbe, et généralement suivi d'une proposition de comparaison introduite par *que* (et éventuellement l'indic.), indique l'égalité.	1° Avec un adjectif ou un adverbe, et généralement suivi d'une proposition de conséquence introduite par *que* (et l'indic.), indique l'intensité.
Il est aussi sympathique que vous. Elle se trompe aussi souvent que toi. Il vient aussi fréquemment qu'on peut l'espérer.	*Il est si timide qu'il n'ose faire cette démarche.*
Dans une proposition négative ou interrogative, *aussi* et *si* ont le même sens de quantité égale.	
Il n'était pas aussi généreux qu'on le croyait. Est-il aussi faible que vous le dites?	*Il n'était pas si généreux qu'on le croyait. Est-il si faible que vous le dites? Ne courez pas si vite. Ne frappez pas si fort.*
2° Après un nom ou un pronom, indique une égalité (sans compl.).	2° Après une phrase négative, un nom ou un pronom, indique une affirmation renforcée.
Pierre est venu et vous aussi. Sa femme aussi aime la musique. Il le connaît aussi.	*Il n'accepte pas, moi si.* (Après une phrase positive, la négation est *pas : Il a accepté, moi pas.*)
Lorsque la phrase est négative, on emploie ordinairement NON PLUS : *Vous ne le voulez pas, et moi non plus;* mais parfois AUSSI (fam.) : *Moi aussi, je ne suis pas de votre avis.*	Après une question négative, indique une affirmation (correspond à « oui » après une phrase affirmative).
	« N'es-tu pas libre? — Si ».
3° Sert de coordination consécutive entre deux phrases, introduit une explication.	On emploie (*je dis*) *que si* pour contredire une proposition négative.
Il est rustre et brutal; aussi tout le monde le fuit (syn. : C'EST POURQUOI, EN CONSÉQUENCE). *Je me suis trompé de jour; aussi c'est ma faute : je n'ai pas noté le rendez-vous* (syn. : APRÈS TOUT).	*Cette équipe ne remportera pas le championnat : je prétends* (*je dis*) *que si.*
Aussi peut être renforcé par *bien : Aussi bien est-ce ta faute* (langue soignée).	Renforcement de *si : que si, si fait* (littér.) : *« N'as-tu pas fait ce que je t'avais dit? — Si fait. » « Tu ne t'es pas rappelé notre conversation? — Que si! »*
LOC. CONJ. DE COORDINATION **aussi bien que** (comparaison)	LOC. CONJ. DE SUBORDINATION **si bien que** (conséquence)
Lui aussi bien que sa femme préfèrent la mer à la montagne (syn. : AINSI QUE).	*Il restait indécis, si bien qu'un autre prit sa place.*

aussitôt

1° Adverbe :

a) avec un verbe : *Je l'ai appelé et il est arrivé aussitôt* (syn. : IMMÉDIATEMENT). *Je suis à vous aussitôt* (syn. : TOUT DE SUITE, À L'INSTANT) ;

b) avec un participe : *Aussitôt dit, aussitôt fait* (= la décision est suivie immédiatement de l'action). *Aussitôt descendu du train, il chercha du regard sa femme qui devait l'attendre ;*

c) devant une préposition ou un adverbe (*après, avant*) : *Aussitôt après le départ du train, il se rappela qu'il avait oublié de fermer l'eau.*

2° Préposition : *Aussitôt mon arrivée, on défit les malles.*

LOC. CONJ.

aussitôt que, aussitôt après que

Aussitôt qu'il apprit la nouvelle de sa réussite, il lui envoya une lettre de félicitations (syn. : DÈS L'INSTANT OÙ).

sitôt

1° Adverbe :

a) avec un verbe dans la loc. adv. *de sitôt* (prochainement) : *Il ne reviendra pas de sitôt* (syn. : D'ICI LONGTEMPS). *Je ne recommencerai pas de sitôt ;*

b) avec un participe : *Sitôt attablé à la terrasse du café, il se mit à raconter son aventure ;*

c) devant une prép. (*après, avant*) : *Sitôt après la gare de Lausanne, le train s'arrêta.*

2° Préposition : *Sitôt le petit déjeuner du matin, elle était prête au départ.*

LOC. CONJ.

sitôt que, sitôt après que

Il commença l'examen du manuscrit sitôt qu'il lui fut remis (syn. : DÈS QUE). *Sitôt après qu'on l'eut averti de l'accident, il se rendit à l'hôpital.*

autant

1° L'égalité entre deux quantités : *autant de*, suivi d'un nom au pluriel ou au singulier, ou *autant*, suivi d'un verbe d'état et éventuellement de *que* (et l'indic.), expriment une comparaison.

Il a commis autant d'erreurs que vous. J'ai fourni autant de preuves qu'il était possible. Il a autant de finesse que toi. Ils sont autant que nous (= aussi nombreux). *J'en prendrai deux fois autant* (= la même quantité).

2° L'égalité d'intensité entre deux actions verbales : *autant* dépendant d'un verbe, suivi éventuellement de *que* (et l'indic.), exprime une comparaison.

Il lit autant que moi. Je dois autant à vous qu'à lui. Il travaille toujours autant. S'il a fait cela, je peux en faire autant. Je suis autant que vous (= je vaux autant que vous).

3° L'égalité entre deux qualités : *autant* après un adjectif est littéraire et vieilli ; il reste usuel lorsque l'adjectif est remplacé par *le* (*l'*), pronom personnel neutre, suivi de *que* (et l'indic.) exprimant une comparaison.

Il est modeste autant qu'habile (auj. seul usuel : *Il est aussi modeste qu'habile*). *Généreux, il l'est autant que vous, assurément.*

4° Dans une comparaison, indique que l'objet restant le même est examiné à des points de vue différents : *autant de* suivi d'un nom pluriel.

Les livres qu'il possède sont autant d'éditions originales. Ces objets sont autant de merveilles.

ADV. CORRÉLATIFS ET LOC. ADV.

Autant ... autant, insiste sur la relation d'égalité : *Autant la géographie l'intéresse, autant l'histoire l'ennuie. Autant d'hommes, autant d'avis.*
Autant vaut, indique une restriction dans l'affirmation (= comme si la chose était ainsi [langue littér.] ; syn. plus usuels : OU PRESQUE, PEU S'EN FAUT, POUR AINSI DIRE) : *C'est un homme mort ou autant vaut.*

tant

1° L'importance d'une quantité, telle qu'elle peut entraîner une conséquence : *tant de*, suivi d'un nom au pluriel ou au singulier et éventuellement de *que* (et l'indic.) [syn. : TELLEMENT].

C'est une affreuse petite maison de banlieue comme il y en a tant. Tant d'attentions laissent prévoir quelque demande d'argent. Tant de travail reste encore à faire ! Il a tant de livres qu'il ne sait où les mettre.

2° L'intensité d'une action verbale : *tant* dépendant d'un verbe, suivi éventuellement de *que* (et l'indic.), exprime la conséquence (syn. : TELLEMENT).

Comme il est gros, mais il mange tant ! Il a tant travaillé qu'il est tombé malade. Il parle tant qu'il ne voit pas que les autres n'écoutent plus.

Rien ne l'empêche tant de venir que sa timidité (on peut en ce cas employer *autant*).

3° L'intensité d'une qualité : on emploie *tant* devant un participe ; *tant* est usuel devant un adjectif lorsque la conséquence est exprimée dans une proposition placée avant (dans les autres cas, on emploie toujours auj. *si* ou *tellement*).

Cette vertu tant vantée ne se manifeste guère (syn. : SI, TELLEMENT). *Il n'a jamais pu cacher cette erreur, tant il est sincère* (syn. : TELLEMENT). *Il m'exaspère, tant il est bavard.*

4° La quantité imprécise dans une répartition ou une distribution à l'intérieur d'un groupe.

Il prête de l'argent à tant pour cent. Cet héritage laisse tant à vous et tant à vos enfants. Les auteurs tant anciens que modernes. Le personnel, tant ouvriers qu'ingénieurs.
Tous tant que nous sommes indique un ensemble que l'on prend ou que l'on considère sans examen détaillé : *Tous tant que nous sommes, nous nous étions trompés* (= tous sans exception).

LOC. ADV.

Tant bien que mal, exprime l'approximation : *Il parvient à ses fins tant bien que mal. Il apprend ses leçons tant bien que mal. Il a réussi tant bien que mal à réparer la radio.*
Tant soit peu, indique la quantité minimale possible (= si peu que ce soit) : *Restez tant soit peu près de lui, cela lui fera plaisir ;* et, substantiv. : *Un tant soit peu. Il est un tant soit peu fat et toujours content de lui.*

ADV. CORRÉLATIFS ET LOC. ADV. (*suite*)	LOC. ADV. (*suite*)
Autant (et l'infin.), il est aussi avantageux de : *Autant faire cela que de rester inactif.* **Autant dire que,** c'est comme si : *Autant dire qu'il est perdu.* **C'est autant de, c'est toujours autant de,** indique une restriction sur la totalité (style de la conversation) : *C'est toujours autant de sauvé de la destruction* (syn. : C'EST TOUJOURS CELA DE). **Pour autant,** sert d'opposition et de coordination causale avec la phrase précédente (= pour cela cependant) : *Il a beaucoup travaillé, il n'a pas réussi pour autant.*	**Tant et si bien,** insiste sur l'intensité : *Il fit tant et si bien qu'on le renvoya* (= il agit de telle manière que). **Tant pis,** indique la résignation devant un événement contraire : *J'ai perdu, tant pis!* **Tant mieux,** indique la satisfaction devant un événement heureux : *Il a réussi, tant mieux!* **Tant qu'à moi (toi, lui, eux),** syn. pop. de QUANT À MOI (point de vue restrictif) : *Tant qu'à moi, je ne suis pas de cet avis.* **Tant qu'à faire** (style de la conversation), indique ce qui est préférable en de telles circonstances : *Tant qu'à faire, partons tout de suite, car il ne pleut pas encore* (syn. : DANS L'ÉTAT ACTUEL DES CHOSES); avec un autre verbe à l'infinitif : *Tant qu'à vendre à perte, fermons la boutique.* **Tant s'en faut,** loin de là, bien au contraire.
LOC. CONJ.	LOC. CONJ.
D'autant que (et l'indic.), exprime une relation causale en insistant sur cette relation : *Je ne comprends pas votre façon d'agir, d'autant que rien ne vous obligeait à vous conduire ainsi.* **D'autant plus, moins, mieux que** (et l'indic.), exprime une relation causale, en insistant sur l'importance de la cause : *Il est d'autant plus responsable de ses actes qu'il a cherché à les dissimuler. Il mérite d'autant moins votre reproche qu'il a agi sur votre ordre.*	**Tant que** (et l'indic.), exprime la coïncidence totale dans la durée (il est distinct de *tant que* indiquant la conséquence [v. 1°, 2°, 3°] ou la comparaison [4°]) : *Tant qu'il vivra, la propriété restera intacte* (syn. : AUSSI LONGTEMPS QUE). *Il vaut mieux voyager tant qu'on est jeune* (syn. : PENDANT QUE).
Pour autant que (et le subj.), exprime la proportion et la restriction (dans la seule mesure où) : *Pour autant que je sache, le dossier a été transmis. Il ne sait rien de l'affaire, pour autant que son étonnement soit sincère.*	**Tant s'en faut que** (et le subj.), exprime une opposition (bien loin que) : *Tant s'en faut qu'il se soumette, qu'il accentue sa révolte.*
Autant que (et le subj.), exprime l'opposition proportionnelle (= dans la mesure où) : *Il ne pleuvra pas aujourd'hui, autant qu'on puisse le prévoir. Il n'est pas chez lui aujourd'hui, autant que je le sache.*	**En tant que** (et l'indic.), exprime l'équivalence (= selon que, en qualité de) : *Il s'est présenté à moi en tant que votre ami, en tant que recommandé par vous. Engager quelqu'un en tant qu'ingénieur.* **Si tant est que,** indique une supposition restrictive (= à supposer que) : *L'incident a dû se produire comme il le rapporte, si tant est qu'il dise la vérité.*

authentique [otɑ̃tik] adj. 1° Dont la réalité, la vérité ou l'origine indiquée ne peut être contestée : *Le tableau authentique est au Louvre; celui-ci n'est qu'une copie* (syn. : ORIGINAL). *Le testament authentique a été passé devant notaire* (syn. : INATTAQUABLE). *Nous ne possédons pas le discours authentique qu'il prononça en cette occasion* (syn. : EXACT; contr. : APOCRYPHE). — 2° Qui correspond à la vérité profonde, au caractère essentiel : *On sent dans ce roman une émotion authentique devant la misère de l'homme* (syn. : SINCÈRE, VRAI; contr. : CONVENTIONNEL). *Il y avait dans les éloges qu'il lui adressait quelque chose qui rendait un son authentique* (syn. : NATUREL). ◆ **authentiquement** adv. : *Des paroles rapportées authentiquement.* ◆ **authenticité** n. f. : *L'authenticité d'un tableau, d'un testament.* ◆ **authentifier** v. tr. Donner le caractère authentique, véridique à un document.

1. auto [oto] n. f. Abrév. fam. de AUTOMOBILE. ◆ **autobus** [otobys] n. m. Grand véhicule automobile destiné au transport collectif à l'intérieur des zones urbaines : *Prendre, attendre l'autobus. Consulter le plan pour voir quelle ligne d'autobus* (indiquée par un numéro) *on prendra.* ◆ **autocar** n. m. Grand véhicule automobile destiné au transport collectif hors des villes et au tourisme : *Une excursion, un voyage en autocar.* ◆ **autodrome** n. m. Piste destinée aux courses automobiles : *L'autodrome de Montlhéry, près de Paris, comporte un anneau de vitesse.* ◆ **auto-école** n. f. Etablissement privé où l'on apprend à conduire une voiture automobile. ◆ **automobile** n. f. Véhicule muni d'un moteur et destiné au transport individuel ou familial (abrév. dans la langue parlée : AUTO; VOITURE est plus usuel) : *Avoir un accident d'automobile. Le Salon de l'auto* (= destiné à exposer les nouveaux modèles). *Une file d'automobiles sur la route. Ranger son automobile le long du trottoir.* ◆ **automobile** adj. : *Les transports automobiles* (= qui se font par automobiles, autocars, autobus). *Les accessoires automobiles.* ◆ **automobiliste** n. : *L'imprudence d'un automobiliste a causé la mort d'un piéton. Un automobiliste de passage a pu voir l'incident.* ◆ **autorail** n. m. Train de voyageurs dont la traction est réalisée par un véhicule mû par un moteur à combustion interne. ◆ **autoroute** n. f. Route, voie très large, à deux chaussées séparées, sans croisements à niveau, aménagée pour recevoir une circulation automobile intense et continue : *L'autoroute de l'Ouest permet de sortir de Paris en direction de Chartres, Dreux et Mantes.* ◆ **auto-stop** n. m. Procédé consistant, pour un piéton, à arrêter un automobiliste sur la route, afin de solliciter un transport gratuit : *Faire de l'auto-stop. Pratiquer l'auto-stop.* ◆ **auto-stoppeur, euse** n.

2. auto-, élément qui, en français, entre dans la composition de mots comme pronom réfléchi complément du nom (« de soi-même ») : *faire son autocritique,* c'est porter un jugement sur ses propres actes; l'*autodestruction,* c'est l'anéantissement de sa propre personne. (V. ces mots à l'ordre alphabétique du composant principal.)

autochtone [otɔktɔn] adj. et n. Originaire du pays qu'il habite ou descendant de populations qui habitent depuis longtemps ce pays : *Les immigrants ont refoulé les populations indiennes autochtones de l'Amérique du Nord* (syn. : ABORIGÈNE, INDIGÈNE).

autocratie [otokrasi] n. f. Système politique où le chef de l'Etat dispose d'un pouvoir absolu dont il use à sa guise (syn. : DESPOTISME). ◆ **autocratique** adj. : *Pouvoir autocratique.* ◆ **autocrate** n. m. Syn. de DESPOTE.

autodétermination [otodetɛrminasjɔ̃] n. f. Action, pour un peuple, un pays, de se donner ses propres lois et de régler son propre régime politique et économique.

autodidacte [otodidakt] n. et adj. Personne qui s'est instruite elle-même, par les livres ou par l'expérience, sans avoir reçu un enseignement professoral.

autodrome n. m., **auto-école** n. f. V. AUTO 1.

autographe [otograf] adj. Ecrit de la main même de l'auteur : *Une lettre autographe de V. Hugo.* ◆ n. m. Signature, accompagnée souvent d'une courte formule, que l'on sollicite d'une personne célèbre : *Une foule de jeunes entourait le champion pour obtenir de lui un autographe.*

autodafé [otodafe] n. m. Action ayant pour objet de détruire par le feu des objets condamnés, des livres jugés nuisibles. (L'*autodafé* était le supplice du feu qu'ordonnait l'Inquisition.)

automate [otomat] n. m. 1° Machine qui, par certains dispositifs mécaniques ou électriques, est capable d'actions imitant celles des êtres animés : *Les vitrines des grands magasins sont, au moment de Noël, remplies d'automates dont les mouvements amusent les enfants.* — 2° *(Agir) comme un automate,* (agir) sous l'impulsion d'autres forces que celles d'une volonté délibérée, d'une manière inconsciente : *Dans ses crises de somnambulisme, il se comporte comme un automate* (syn. : MACHINE). ‖ *Gestes d'automate,* gestes réguliers qui échappent à la volonté, à la réflexion et dépendent de l'habitude : *Avec des gestes d'automates, des ouvriers ajustaient des boulons toujours aux mêmes places.*

automation n. f. V. AUTOMATIQUE 1.

1. automatique [otomatik] adj. Se dit de quelque chose qui est mû par des moyens mécaniques, à l'exclusion d'une intervention humaine directe : *La fermeture automatique des portes. Le téléphone automatique ne nécessite pas l'action d'opérateurs. La mitraillette est une arme automatique.* ◆ **automation** [otomasjɔ̃] n. f. Technique faisant appel à des machines automatiques, et qui permet à un secteur d'une entreprise ou à l'entreprise elle-même de fonctionner pratiquement sans recours à la main-d'œuvre : *L'automation pose des problèmes importants en ce qui concerne la reconversion de la main-d'œuvre.* ◆ **automatiser** v. tr. Rendre le fonctionnement automatique : *Automatiser une chaîne de fabrication.* ◆ **automatisation** n. f. : *L'automatisation des opérations comptables.*

2. automatique [otomatik] adj. 1° Se dit de mouvements humains qui se produisent sans l'intervention de la volonté de la personne : *Le travail n'est plus chez lui qu'une succession de gestes automatiques* (syn. : MACHINAL ; contr. : VOLONTAIRE, CONSCIENT). — 2° Se dit de ce qui intervient d'une manière régulière, comme mû par un mécanisme : *L'avancement automatique des fonctionnaires à l'ancienneté.* ◆ **automatiquement** adv. : *Il est inutile de s'adresser à lui; il répond automatiquement par la négative.* ◆ **automatisme** n. m. : *L'automatisme des gestes instinctifs. Obéir avec un automatisme aveugle. L'entraîneur s'efforce d'obtenir chez un champion un automatisme parfait des mouvements.*

automne [otɔn] n. m. 1° Saison de l'année qui suit l'été et précède l'hiver (23 sept. - 22 déc.) : *Les feuilles tombent des arbres en automne. L'automne est généralement très pluvieux.* — 2° *Etre à l'automne de sa vie,* être sur le déclin (littér.). ◆ **automnal, e, aux** [otɔnal, -o] adj. (littér.) : *Un soleil automnal.*

automobile n. f. et adj., **automobiliste** n. V. AUTO 1.

autonome [otonɔm] adj. 1° Se dit d'un territoire, d'une communauté qui s'administre librement, se gouverne par ses propres lois, à l'intérieur d'une organisation plus vaste dirigée par un pouvoir central ou selon des règlements particuliers : *Territoire autonome. Région autonome de la République italienne. Port autonome.* — 2° Se dit des syndicats ouvriers qui ne sont pas affiliés à une centrale syndicale. ◆ **autonomie** n. f. Sens 1 de l'adj. : *Certains Etats d'Afrique ont d'abord eu leur autonomie avant d'acquérir leur indépendance* (contr. : TUTELLE). *Les industries nationales ont leur autonomie financière* (contr. : DÉPENDANCE). ◆ **autonomiste** adj. et n. Qui revendique l'autonomie d'une province : *Les autonomistes avaient constitué un parti dans l'Alsace d'avant guerre.*

autopsie [otɔpsi] n. f. Dissection d'un cadavre en vue de connaître les causes exactes de la mort. ◆ **autopsier** v. tr. : *Autopsier un cadavre.*

autorail n. m. V. AUTO 1.

autoriser [otorize] v. tr. 1° *Autoriser quelqu'un à* (et l'infin.), lui donner la permission ou le droit de (faire) : *Autoriser un élève à sortir* (syn. : PERMETTRE ; contr. : INTERDIRE). *Autoriser son secrétaire à signer les lettres en son absence* (syn. : HABILITER). *Sa situation ne l'autorise pas à prendre une telle attitude* (syn. : JUSTIFIER). — 2° *Autoriser quelque chose,* le permettre, le rendre possible : *Autoriser la hausse des salaires. La réunion publique a été autorisée par le préfet.* ◆ ***s'autoriser*** v. pr. (sujet nom de personne). *S'autoriser d'une chose pour* (et l'infin.), s'appuyer sur elle pour (faire) : *Je m'autorise de notre amitié ancienne pour vous demander ce service* (syn. : SE RECOMMANDER DE, SE PRÉVALOIR DE, S'APPUYER SUR). ◆ **autorisé, e** adj. Qui s'impose par ses mérites, sa valeur, sa situation sociale : *Prendre des avis autorisés* (syn. : QUALIFIÉ). ◆ **autorisation** n. f. : *Donner l'autorisation de sortir, de s'absenter* (syn. : PERMISSION). *Demander l'autorisation de construire* (syn. : PERMIS).

autorité [otorite] n. f. 1° Droit ou pouvoir de commander, de se faire obéir : *Imposer son autorité. Exercer une autorité absolue* (syn. : COMMANDEMENT, POUVOIR). *Abuser de son autorité* (syn. : PUISSANCE). *Parler sur un ton d'autorité* (syn. : COMMANDEMENT). *L'autorité a fait place à l'anarchie. Faire acte d'autorité. Régime d'autorité.* — 2° Influence qui s'impose aux autres en vertu d'un privilège, d'une situation sociale, d'un mérite, etc. (indiqués par le compl. du nom) : *Il comptait pour peu l'autorité de l'âge* (syn. : PRESTIGE). *Perdre de son autorité* (syn. : ASCENDANT). *Jouir d'une grande autorité* (syn. : CRÉDIT, RÉPUTATION). *Son livre fait autorité* (= s'impose). — **3°** Personne ou ouvrage dont les jugements sont admis comme vrais : *C'est une autorité en matière de linguistique. S'appuyer sur une autorité incontestée pour présenter sa thèse.* — **4°** (au plur.). Représentants du pouvoir politique, administratif, policier; hauts fonctionnaires : *Les autorités ont été débordées par l'ampleur de la manifestation. Les autorités civiles, militaires et religieuses étaient présentes à la cérémonie* (syn. : OFFICIELS). — **5°** *D'autorité, de sa propre autorité,* sans consulter personne, sans permission : *D'autorité, il prit un livre sur les rayons de la bibliothèque publique. Je ne peux rien décider en cette matière de ma propre autorité.* ◆ **autoritaire** adj. **1°** Qui impose son commandement, son pouvoir d'une manière absolue : *Un régime autoritaire* (syn. : DICTATORIAL, TOTALITAIRE). — **2°** Qui ne tolère pas l'opposition ni la contradiction : *Il est très autoritaire dans sa famille* (syn. : SÉVÈRE, ABSOLU). ◆ **autoritarisme** n. m. : *Son autoritarisme le faisait craindre de tous.*

autoroute n. f., **auto-stop** n. m., **auto-stoppeur, euse** n. V. AUTO 1.

autour adv., **autour de** loc. prép. Indiquent un rapport d'environnement ou de proximité. (V. tableau ci-dessous.)

1. autre [otr] adj. indéf. **1°** (avec un nom et un art. indéf., un adj. poss., dém., indéf., un numéral, ou comme attribut, souvent avec l'adv. *tout*) Indique une différence, une distinction entre la chose ou la personne considérée et des choses ou des gens appartenant à la même catégorie : *Donnez-moi un autre verre. Quelques autres personnes se mirent à protester comme moi. Prends ton autre manteau. Ils ont encore trois autres enfants. Mon opinion est tout autre* (contr. : SEMBLABLE, IDENTIQUE). *Venez un autre jour* (qu'aujourd'hui), *un autre soir. Une autre année, vous aurez plus de chance. Il faut vous y prendre d'une autre manière* (syn. : DIFFÉRENT). *Une autre fois, on ne nous y reprendra plus* (= dans une seconde occasion). *Venez donc une autre fois* (= plus tard). *Demain, nous ferons un autre essai* (syn. : NOUVEAU); avec les pron. « personne » et « quelqu'un » : *Je n'ai rencontré personne d'autre que les Dupont. Quelqu'un d'autre a-t-il téléphoné?*
2° (avec un nom sans art., au sing. ou au plur., après la négation *pas*) Indique l'exclusion : *Je n'ai pas d'autre désir que de vous satisfaire. Il n'y a pas d'autre moyen pour vous sortir d'embarras;* avec le mot *chose : J'étais décidé à rester chez moi, mais, si vous m'accompagnez, c'est autre chose : nous irons au théâtre* (= tout est changé). ‖ *Autre chose* (répété), indique une opposition : *Autre chose* (ou *une chose*) *est de faire des projets et autre chose de les exécuter.*
3° (après une énumération, devant un nom générique au pluriel et précédé de *et*) Indique un ensemble indifférencié : *Les comédies de Sacha Guitry, de Marcel Achard, d'André Roussin, et autres pièces de Boulevard.* ‖ *Autre part* indique un lieu différent de celui où l'on situe l'action ou distant de celui où l'on se trouve : *Si vous ne trouvez pas ce livre ici, cherchez autre part, chez un libraire d'un autre quartier. Ne faites pas de bruit dans cette pièce, allez autre part* (syn. : AILLEURS). ‖ *D'autre part* introduit la seconde partie d'une alternative, un point de vue différent du premier ou une réflexion incidente : *Le voyage sera fatigant, d'autre part nous arriverons très tôt le matin. Nous avons vu un très beau film : d'une part les acteurs jouaient merveilleusement, d'autre part la mise en scène était remarquable* (syn. : EN OUTRE, DE PLUS).
4° (avec un nom précédé de l'art. déf.) Indique une opposition entre deux objets, deux groupes, deux personnes, deux idées, etc. : *La première possibilité qui s'offrait à nous était de passer nos vacances en Provence; l'autre solution était de faire un petit voyage en Italie. « Quand te paiera-t-il? — Dans l'autre vie »* (= après sa mort). *L'autre jour, j'ai mené les enfants au Jardin des Plantes* (= un de ces derniers jours, par oppos. à *aujourd'hui*).
5° *L'un et l'autre* (et un nom), les deux : *Ils seront punis pour l'un et l'autre méfait. L'une et l'autre marque d'aspirateur se valent* (= les deux marques).
6° (avec les pronoms *nous* et *vous*) Indique que le groupe ainsi formé est considéré à l'exclusion de tous ceux qui n'en font pas partie : *Nous autres, nous préférons les joies du camping. Vous autres,*

VALEURS	**autour de** (avec un nom ou un pronom)	**autour**
1° Indique l'espace environnant.	*Autour de la ville, les nouveaux quartiers s'étendaient sans cesse. La circulation autour de Paris est difficile. La Terre tourne autour du Soleil. Il tourne autour de la question, mais n'ose pas l'aborder. Tourner autour du pot* (fam.) [= ne pas en venir directement au sujet].	*Servir du lapin avec des oignons autour. La fusée est dans l'orbite de la Lune et tourne maintenant autour.*
2° Indique le voisinage immédiat.	*Les gens qui vivent autour de moi ne se doutent pas de mes difficultés financières. Sors et promène-toi un peu autour de la maison* (syn. : PRÈS DE). *Ses enfants restent autour d'elle* (= auprès d'elle).	*On l'arrêta près de la maison du crime; il rôdait autour depuis plusieurs jours* (syn. : AUX ALENTOURS).
3° Suivi d'un nom de nombre ou d'un mot désignant une quantité, indique l'approximation.	*Il gagne autour de dix mille francs par mois* (syn. : ENVIRON, À PEU PRÈS). *Cela se passait autour des années 30* (syn. : AUX ALENTOURS DE).	
4° Il peut être renforcé par l'adverbe *tout*.	*Les badauds faisaient cercle tout autour de lui.*	*L'aigle avait aperçu sa proie; il tournait tout autour dans le ciel.*

vous êtes toujours contre ce que je propose. Venez donc avec moi, vous autres!

◆ **autrement** [otrəmɑ̃] adv. **1°** (suivi de la conj. *que* et d'un terme de comparaison, ou par rapport à ce qui précède) Indique que l'action est faite d'une façon différente : *Il pense sur ce sujet tout autrement qu'il ne le dit. Il ne se conduit pas autrement qu'on ne le voulait. Il se représente la situation autrement qu'elle n'est. Voici ce qui doit être fait; n'agissez pas autrement* (syn. : DIFFÉREMMENT, D'UNE AUTRE MANIÈRE). — **2°** Sert à exprimer l'hypothèse contraire (joue le rôle d'une proposition conditionnelle négative reprenant une proposition énoncée précédemment) : *Obéis, autrement tu seras puni* (syn. : SINON, SANS QUOI). *Tout s'est bien passé, autrement nous aurions eu des nouvelles* (= si cela n'avait pas été ainsi). *L'orage menace, autrement nous irions faire une promenade aux environs* (syn. : DANS LE CAS CONTRAIRE). — **3°** Sert de renforcement à un comparatif (devant l'adv. *plus*) ou exprime lui-même un comparatif de supériorité (fam.) : *Il a autrement plus de talent que moi* (syn. : BIEN, BEAUCOUP). *Je suis bien autrement surpris que vous* (syn. : PLUS). *Il est autrement intelligent!* (syn. : BEAUCOUP PLUS). *Ce climat de montagne est autrement tonifiant que celui de la plaine;* comme synonyme de « beaucoup » (souvent avec une négation au sens de « très peu ») : *Cela ne m'a pas autrement étonné* (= cela ne m'a pas beaucoup étonné; syn. : TELLEMENT). *Je ne suis pas autrement satisfait de vous* (= je ne suis guère; syn. : SPÉCIALEMENT).

2. autre [otr] pron. indéf. **1°** (avec l'art. indéf., un adj. dém., poss. ou indéf.) Renvoie à un nom ou à un pronom énoncé dans la phrase précédente : *Tu as mangé une pomme, en veux-tu une autre? Tu me détestes, tu en aimes un autre. Cette cravate ne me plaît pas : prends plutôt cette autre. Tu as eu du courage : un autre ne l'aurait pas fait. D'une façon ou d'une autre, il se tirera d'affaire;* au pluriel, sans article (*d'autres*) : *Ne rejette pas sur d'autres ce que tu as fait* (= d'autres personnes). *Ce roman est excellent; en connais-tu d'autres du même auteur? Ce n'est pas le seul client; il en est venu bien d'autres, beaucoup d'autres. J'en ai vu bien d'autres* (= il m'est arrivé bien des aventures de cette sorte, bien des malheurs qui ne m'ont pas abattu). *Il en sait bien d'autres* (= il a une grande expérience en cette question). *Il n'en fait jamais d'autres* (= il lui arrive souvent de commettre une sottise ou une étourderie comme celle qu'il vient de faire). ‖ Fam. *A d'autres!*, exprime le doute (= allez raconter cela à d'autres personnes, moi je ne vous crois pas). ‖ *Et autres,* s'emploie à la fin d'une énumération : *Il y a à Paris tous les spectacles que vous pouvez désirer : cinéma, théâtre, cabaret, music-hall et autres* (syn. : ET CÆTERA). ‖ *Entre autres,* v. ENTRE. ‖ *De temps à autre,* parfois, à intervalles réguliers. ‖ *De part et d'autre,* des deux côtés, chez les uns comme chez les autres.

2° (avec un art. déf. et en opposition avec *l'un* [ou *un*]) Indique la seconde personne ou le second groupe : *Ce qui satisfait l'un ne satisfait pas l'autre. Les deux boxeurs montent sur le ring : l'un est un gitan, l'autre un Africain. Les fruits étaient tous gâtés : les uns étaient pourris, les autres avaient été piqués par les oiseaux. C'est l'un ou l'autre* (= décide-toi, il n'y a que deux solutions). *C'est tout l'un ou tout l'autre* (= il va d'un excès à l'excès opposé, il n'a pas de milieu). *L'un vaut l'autre* (= ces deux personnes ne valent pas mieux l'une que l'autre). *Un jour ou l'autre, vous gagnerez à la loterie* (= à une époque indéterminée dans l'avenir). ‖ *Les autres,* indique l'ensemble ou le groupe de personnes que l'on oppose à soi-même ou à un individu : *Ce que les autres pensent de moi m'est complètement indifférent* (syn. : LES GENS). *Il se moque souvent des autres* (syn. : LE PROCHAIN). *Les deux autres n'en ont rien su. Il se méfie des autres* (syn. : AUTRUI). ‖ Fam. *Comme dit l'autre,* désigne d'une manière vague l'auteur supposé du proverbe ou de la sentence que l'on énonce : *Comme dit l'autre, on n'est jamais si bien servi que par soi-même.* ‖ *L'un dans l'autre,* une chose compensant l'autre, en moyenne : *L'un dans l'autre, nous arrivons à vivre honorablement.*

3° *L'un l'autre, les uns les autres,* expressions qui renforcent l'idée de réciprocité, en particulier dans les verbes pronominaux dits « réciproques » : *Ils se sont battus les uns les autres* (syn. : MUTUELLEMENT).

autrefois [otrəfwa] adv. Indique un passé lointain, en général considéré comme révolu (avec un temps passé) : *Autrefois, j'étais un sportif éprouvé, mais maintenant je dois me contenter de regarder les autres* (syn. : JADIS; contr. : AUJOURD'HUI). *Les gens d'autrefois connaissaient un rythme de vie beaucoup moins rapide que le nôtre* (= ceux des époques passées).

autruche [otryʃ] n. f. **1°** Grand oiseau des steppes africaines, aux ailes réduites, capable de courir à une grande vitesse. — **2°** *Avoir un estomac d'autruche,* être capable d'ingérer en grande quantité les mets les plus divers. ‖ *La politique de l'autruche,* manière de se conduire consistant à croire un danger inexistant parce qu'on feint de l'ignorer : *Gouvernement qui pratique la politique de l'autruche devant la crise sociale menaçante.*

autrui [otrɥi] pron. indéf. Ensemble des personnes autres que soi-même (littér., dans les phrases sentencieuses et moralisantes; limité à la fonction de compl.) : *Il faut traiter autrui comme on voudrait être traité soi-même. Le bonheur d'autrui ne fait qu'accroître ma propre douleur. Soyez aussi exigeant pour vous que vous l'êtes pour autrui. Il convoite le bien d'autrui* (syn. usuel : LES AUTRES).

auvent [ovɑ̃] n. m. Petit toit en saillie au-dessus d'une porte, d'une fenêtre, pour les garantir de la pluie : *Pendant l'orage, nous nous sommes mis à l'abri sous un auvent.*

auxiliaire [oksiljɛr] adj. et n. Qui prête ou fournit son aide temporairement ou dans un emploi subalterne : *En aidant à l'arrestation des voleurs, il se fait l'auxiliaire de la justice. Il est dans les services auxiliaires de l'armée* (par oppos. aux unités armées). *Un contrôle automatique auxiliaire qui pallie les défaillances humaines* (syn. : ACCESSOIRE). *Le personnel auxiliaire de l'enseignement* (syn. : ADJOINT). *Il est pour moi un auxiliaire précieux* (syn. : AIDE, SECOND).

avachir [avaʃir] v. tr. **1°** *Avachir une chose,* la rendre molle et flasque : *Tu vas avachir tes poches à force de les remplir de tous ces objets* (syn. : DÉFORMER); surtout au part. passé : *Porter un pantalon avachi, des chaussures avachies.* — **2°** *Avachir quelqu'un,* lui faire perdre son énergie, sa volonté : *La paresse et le manque d'intérêt dans la vie l'avaient avachi, lui enlevant toute réaction* (syn. : ↓ AMOLLIR).
◆ ***s'avachir*** v. pr. **1°** (sujet nom de chose) Devenir mou : *Ce costume commence à s'avachir* (syn. : SE

DÉFORMER). *Elle a changé, son corps s'avachit* (= elle est déformée par l'embonpoint). — 2° (sujet nom de personne) Perdre son énergie : *Il est allé s'avachir comme d'habitude dans un fauteuil* (= s'y laisser tomber par mollesse; syn. : S'AFFALER). *Ne vous avachissez pas, réagissez un peu* (syn. : SE LAISSER ALLER). ◆ **avachissement** n. m. : *Après tant d'années d'inaction, il y a chez lui une sorte d'avachissement intellectuel* (syn. : AFFAIBLISSEMENT, RELÂCHEMENT).

1. aval [aval] n. m. Partie d'un cours d'eau comprise entre un point déterminé et l'embouchure ou le confluent (contr. : AMONT); surtout dans la loc. adv. *en aval* et la loc. prép. *en aval de,* plus près de l'embouchure ou du confluent par rapport à un point donné : *Rouen est en aval de Paris, sur la Seine. Il ne faut pas se baigner en aval de la ville, car l'eau est sale.*

2. aval [aval] n. m. *Donner son aval,* donner sa garantie, son approbation anticipée à quelque projet : *Le Parlement a donné son aval au renversement des alliances.* (L'*aval* est un terme de banque désignant la garantie donnée par un tiers au porteur d'une lettre de change.) ◆ **avaliser** v. tr. *Avaliser quelque chose,* l'appuyer, l'approuver en accordant sa caution : *Peut-on avaliser un projet dont on ne connaît pas les incidences budgétaires?* (syn. : GARANTIR, CAUTIONNER).

avalanche [avalɑ̃ʃ] n. f. 1° Masse de neige qui se détache et dévale sur le versant d'une montagne : *Des skieurs pris dans une avalanche. Le bruit sourd des avalanches qui descendent dans la vallée.* — 2° *Une avalanche de,* une grande masse tombant d'un lieu élevé : *Après l'explosion de la charge de dynamite, une avalanche de pierres tomba sur la route. Il voulut prendre un dossier sur l'étagère et il reçut une véritable avalanche de papiers.* — 3° *Une avalanche de coups, d'injures, de mots,* etc., une quantité accablante : *La séance se poursuivit par une avalanche de discours* (syn. : UNE PLUIE). *Cette annonce parue dans la presse lui a valu une avalanche de lettres* (syn. : MASSE).

avaler [avale] v. tr. 1° *Avaler une chose* (mot concret), la faire descendre dans le gosier, manger rapidement (peut s'employer sans compl.) : *Avaler d'un trait un verre de vin* (syn. : BOIRE). *Avaler rapidement son plat de pommes de terre* (syn. : MANGER). *Il fut pris d'une quinte de toux pour avoir avalé de travers. Je n'ai rien avalé depuis vingt-quatre heures* (syn. : MANGER). *Il a une forte angine, et il avale avec peine. Alors, tu as avalé ta langue? Réponds* (= tu gardes le silence). *Il est jeune et présomptueux et veut tout avaler* (fam.) [= il croit qu'aucun obstacle ne l'arrêtera]. *Il ne voulait pas être directement sous mes ordres, mais finalement il a avalé la pilule* (fam.) [= il s'est résigné à ce qui lui répugnait]. — 2° *Avaler un livre, un spectacle,* le lire, le regarder avec avidité ou rapidement : *Pendant les deux heures du voyage, il avala plutôt qu'il ne lut un roman policier.* — 3° Fam. *Avaler quelque chose* (mot abstrait), le croire avec naïveté, sans réflexion : *Il a avalé l'histoire invraisemblable qu'elle avait imaginée pour prendre huit jours de vacances supplémentaires.* — 4° Fam. *Avaler quelqu'un,* le dévorer des yeux (sentiment d'hostilité). ◆ **ravaler** v. tr. 1° *Ravaler sa salive,* l'avaler. — 2° Garder en soi-même, faire en sorte de ne pas montrer extérieurement : *Il dut ravaler sa colère, son envie de rire, ses reproches.*

avaliser v. tr. V. AVAL 2.

1. avancer [avɑ̃se] v. tr. 1° Porter, pousser en avant : *Avancer la main vers un objet* (syn. : ALLONGER). *Avancer une chaise à quelqu'un. Avancer les lèvres pour boire* (syn. : APPROCHER). *Avancer le cou pour mieux voir* (syn. : TENDRE; contr. : RECULER, RETIRER). *Avancez la voiture de Monsieur* (= faites-la venir près de lui). — 2° *Avancer un pion sur le jeu, sur l'échiquier,* le mettre sur une autre case; prendre l'offensive sur un point. ◆ ***avancer*** v. intr. ou ***s'avancer*** v. pr. 1° Aller ou se porter en avant : *Avancer lentement* (syn. : MARCHER). *Il s'avance rapidement* (syn. : APPROCHER). *Il avance pas à pas* (syn. : VENIR). *Le bateau avance* ou *s'avance sur l'eau* (syn. : GLISSER). — 2° Sortir de l'alignement, faire saillie : *Le balcon avance* ou *s'avance sur la rue* (contr. : ÊTRE EN RETRAIT). *Le cap avance* ou *s'avance dans la mer. Les rochers avancent* ou *s'avancent sur le précipice* (syn. : SURPLOMBER). ◆ **avance** [avɑ̃s] n. f. Action de marcher en avant (sens 1 de *s'avancer*) : *L'avance de l'armée se poursuit* (syn. : PROGRESSION; contr. : RECUL, RETRAITE). ◆ **avancée** n. f. Partie qui fait saillie (sens 2 du v. intr.) : *L'avancée du balcon sur la rue. L'avancée du rocher au-dessus de la mer* (syn. : SURPLOMB).

2. avancer [avɑ̃se] v. tr. 1° *Avancer une chose,* l'effectuer, la fixer avant le moment prévu : *Avancer son départ* (syn. : HÂTER; contr. : DIFFÉRER, REMETTRE, REPORTER). *Avancer l'heure du repas* (contr. : RETARDER). *Avancer la date de son retour* (syn. : ↑ PRÉCIPITER). — 2° *Avancer quelque chose, quelqu'un,* le faire progresser, le rapprocher du but : *Avancer son travail. Avancer ses affaires. Je vais vous classer les fiches : cela vous avancera* (= cela vous fera gagner du temps). *Cela ne t'avancera pas* (= cela ne te donnera aucun avantage). *A quoi cela t'avance-t-il?* (= qu'y gagnes-tu?). *Tu es bien avancé!* (fam.) [= tu t'es donné bien du mal pour rien]. — 3° *Avancer l'argent du mois à un employé,* le lui verser par avance. ‖ *Avancer de l'argent, des fonds, une somme à une entreprise,* lui fournir une somme à rembourser ensuite, à valoir (syn. : PRÊTER). — 4° *Avancer une montre, une pendule,* la mettre en avance sur l'heure réelle, ou la remettre à l'heure si elle a pris du retard (contr. : RETARDER). ◆ v. intr. ou **s'avancer** v. pr. 1° Progresser, approcher de son terme : *L'ouvrage avance très vite. Faire avancer un travail. La nuit avance* ou *s'avance* (= l'aube est proche, ou on entre au plus profond de la nuit). *Il avance* ou (plus rarement) *il s'avance en âge* (= il vieillit). *Il n'avance pas* (= il ne réussit pas). *Il a avancé rapidement en grade.* — 2° *Montre, pendule qui avance,* qui indique une heure en avance sur l'heure réelle (contr. : RETARDER). ◆ **avancé, e** adj. 1° Se dit de ce qui est loin de son début : *La journée est déjà bien avancée. Le travail est fort avancé. A une heure avancée de la nuit* (= fort avant dans la nuit). *Etre d'un âge avancé* (= être vieux). — 2° Se dit de celui (ou de ses idées) qui devance son époque, qui est en avance sur ses contemporains : *Professer des opinions avancées* (syn. : NON CONFORMISTE; contr. : RETARDATAIRE). *C'est un esprit avancé* (syn. : PROGRESSISTE). — 3° Qui est à un niveau supérieur relativement à un point déterminé : *Il est avancé pour son âge* (syn. : PRÉCOCE). *Les pays d'Europe jouissent d'une civilisation très avancée* (syn. : ÉVOLUÉ, POUSSÉ). — 4° Se dit de fruits, de légumes, de denrées, etc., qui commencent à s'abîmer : *La viande est avancée* (contr. : FRAIS). ◆ **avance** [avɑ̃s] n. f. **1°** Espace parcouru avant quelqu'un, ou temps qui anticipe sur le moment prévu (souvent dans des loc.) : *Les coureurs échappés ont une avance de deux cents mètres seulement sur le peloton. Prendre une certaine avance dans son travail. Le train a cinq minutes d'avance* (contr. : RETARD). *Je le préviendrai à l'avance* (= avant le moment prévu). *Payer par avance un trimestre de loyer* (= par anticipation). *Je connais par avance (d'avance) les difficultés de l'entreprise. Ses idées sont en avance sur son temps. Payez d'avance* (= avant de disposer de l'achat). — **2°** Paiement anticipé d'une partie du salaire, du prix ; prêt fourni à charge de remboursement ultérieur : *Obtenir une avance de ses employeurs* (syn. : ACOMPTE). *Verser une avance* (syn. : PROVISION). *La banque fit l'avance de fonds nécessaire.* — **3°** *La belle avance!,* expression ironiq. signifiant « à quoi cela sert-il ! » (= vous êtes bien avancé !). ◆ **avancement** n. m. **1°** Action de progresser (sens 2 du v. tr.) : *Où en est l'avancement de son travail?* (syn. : PROGRESSION). *Travailler à l'avancement des sciences* (syn. : DÉVELOPPEMENT). — **2°** Action de monter en grade, de progresser dans une carrière : *Avancement au choix, à l'ancienneté* (syn. : PROMOTION). *Obtenir de l'avancement* (contr. : RÉTROGRADATION).

3. avancer [avɑ̃se] v. tr. (sujet nom de personne). *Avancer quelque chose,* le mettre en avant, le donner pour vrai : *Avancer une idée intéressante* (syn. : PRÉSENTER). *Avancer une hypothèse* (syn. : SUGGÉRER, PROPOSER, FORMULER). *Avancer une proposition* (syn. : ÉNONCER). *Prouvez ce que vous avancez* (syn. : AFFIRMER, DIRE). *Je n'avance rien qui ne soit sûr* (syn. : ALLÉGUER). ◆ ***s'avancer*** v. pr. *Ne vous avancez pas,* ne sortez pas d'une juste réserve (syn. : SE HASARDER). ‖ *Il s'est trop avancé,* il est sorti des limites permises ; il a pris une position risquée. ◆ **avances** n. f. pl. Demandes faites en vue de nouer ou de renouer des relations : *Repousser les avances de quelqu'un. Faire des avances pressantes* (syn. : OUVERTURES).

avanie [avani] n. f. Affront public qui humilie ou déshonore (dans quelques express.) : *Le pauvre homme avait subi bien des avanies et restait sans réaction devant les reproches qu'on lui adressait en public* (syn. : HUMILIATION, OUTRAGE). *Infliger une avanie à quelqu'un* (= l'outrager).

avant prép. et adv. V. APRÈS. — Les mots composés avec l'élément *avant* se trouvent à l'ordre alphabétique du second terme : *avant-coureur* (à COURIR), *avant-dernier* (à DERNIER), *avant-garde* (à GARDE), etc.

1. avantage [avɑ̃taʒ] n. m. Ce qui donne une supériorité à une personne sur d'autres : *Il profite de son avantage pour écraser les autres* (syn. : SUPÉRIORITÉ). *Perdre tous ses avantages* (syn. : ATOUT). *Faire valoir ses avantages* (syn. : TALENT). *Se montrer à son avantage* (= se faire valoir). *Prendre, obtenir en fin de compte l'avantage sur ses adversaires* (syn. : LE DESSUS). ◆ **avantageux, euse** adj. et n. Se dit de quelqu'un (ou de son comportement) qui est fier d'avantages, souvent supposés : *Il fait l'avantageux devant l'assistance* (syn. : FAT). *Prendre un ton avantageux* (syn. : SUFFISANT). ◆ **avantageusement** adv. : *Se rengorger avantageusement. Etre avantageusement connu* (= avoir bonne réputation ; syn. : FAVORABLEMENT, HONORABLEMENT). ◆ **avantager** v. tr. : *Cette robe l'avantage beaucoup* (= la fait paraître plus belle). ◆ **désavantage** n. m. Ce qui donne l'infériorité, cause un désagrément : *La situation présente de sérieux désavantages* (syn. : INCONVÉNIENT). *Son étourderie lui attire bien des désavantages. Il s'est montré à son désavantage. La dispute tourna à son désavantage* (syn. : DÉTRIMENT, PRÉJUDICE ; contr. : FAVEUR). ◆ **désavantager** v. tr. : *Ce cheval est désavantagé dans une course en terrain lourd* (syn. : HANDICAPER). ◆ **désavantageux, euse** adj. : *Se montrer sous un jour désavantageux* (syn. : DÉFAVORABLE).

2. avantage [avɑ̃taʒ] n. m. Ce qui apporte un profit matériel ou moral, donne du plaisir : *Cette nouvelle situation m'offre de gros avantages* (syn. : GAIN). *Retirer un avantage illusoire d'une affaire* (syn. : BÉNÉFICE). *J'ai eu l'avantage de faire votre connaissance pendant les vacances dernières* (formule de politesse : j'ai eu le plaisir). *L'avantage du métier d'enseignant est la longueur des vacances* (syn. : AGRÉMENT). *Tirer avantage des circonstances.* ◆ **avantageux, euse** adj. Se dit de quelque chose qui offre un avantage, qui procure un gain, donne un profit : *Profiter d'une occasion avantageuse* (syn. : INTÉRESSANT). *L'affaire est avantageuse* (syn. : RENTABLE). *Des articles à un prix avantageux* (= bon marché). ◆ **avantageusement** adv. *Il a avantageusement tiré parti de la situation* (= au mieux, à son profit). ◆ **désavantageux, euse** adj. : *Conclure un marché très désavantageux* (syn. : DÉFAVORABLE). *Voir quelqu'un sous un jour désavantageux.* ◆ **avantager** v. tr. *Avantager quelqu'un,* lui donner un avantage : *Il a avantagé sa fille, dans sa succession, au détriment de son fils* (syn. : FAVORISER). ◆ **désavantage** n. m. : *Le partage a été fait à son désavantage.* ◆ **désavantager** v. tr. : *Il a désavantagé ses héritiers directs au profit d'un lointain cousin.*

avare [avar] adj. et n. **1°** Se dit de quelqu'un qui aime à accumuler l'argent sans en faire usage : *A père avare fils prodigue. C'est un avare qui vit égoïstement.* — **2°** *Etre avare d'une chose,* la distribuer chichement, ne pas la donner avec générosité, largesse ; ne pas la prodiguer : *Etre avare de son temps* (syn. : ÉCONOME). *Général avare de la vie de ses hommes* (syn. : MÉNAGER ; contr. : PRODIGUE). *Etre avare de paroles* (= n'être pas bavard). ◆ **avarice** n. f. : *Une avarice sordide* (syn. : LADRERIE ; contr. : LARGESSE).

avarie [avari] n. f. Dommage éprouvé par un navire, un véhicule ou par son chargement : *Le paquebot a eu une avarie de machines à la fin de la traversée. La collision fit subir aux deux bateaux des avaries importantes. La cargaison a subi des avaries.* ◆ **avarier** v. tr. *Avarier une chose,* lui faire quelque dommage (surtout au passif) : *Le bâtiment a été avarié sérieusement au cours de l'abordage accidentel* (syn. : ENDOMMAGER). *Jeter des cageots de fruits avariés* (syn. : GÂTER, POURRIR).

avatar [avatar] n. m. **1°** Transformation complète d'une chose (généralement au plur.) : *Le projet de constitution est passé par bien des avatars avant de venir en discussion* (syn. : MÉTAMORPHOSE). — **2°** *Péjor.* Changement malheureux, aventure pénible, accident (accompagné des verbes *subir, connaître, éprouver;* emploi déconseillé par certains lexicographes) : *Il a subi bien des avatars au cours de son existence.*

avec [avɛk], **sans** [sɑ̃] prép. et plus rarement adv. Indiquent l'accompagnement ou l'absence, la manière, le moyen, etc. (V. tableau ci-dessous.)

1. avenant, e [avnɑ̃, -ɑ̃t] adj. Se dit de quelqu'un (ou de son visage, de son attitude) qui plaît par sa gentillesse, sa grâce : *Des hôtesses avenantes présentèrent aux passagers des boissons rafraîchissantes* (syn. : AFFABLE).

2. avenant (à l') loc. adv. ou loc. adj. En accord avec ce qui précède : *Le début de l'ouvrage est confus, les phrases embarrassées et le reste à l'avenant.*

avènement [avɛnmɑ̃] n. m. *Avènement d'un régime, d'un roi*, etc., son établissement, son installation, son accession au pouvoir : *A l'avènement de la Ve République. L'avènement de Louis XV. Espérer en l'avènement d'un monde meilleur. L'avènement du Messie* (= le temps de sa manifestation sur la terre).

avenir [avnir] n. m. **1°** Le temps futur : *Dans un avenir prochain, indéterminé. Il faudra songer à l'avenir. Prédire l'avenir. Espérer dans un avenir meilleur. S'inquiéter de l'avenir. Il a l'avenir devant lui.* — **2°** Situation future d'une personne : *Nous*

avec	**sans**
PRÉP.	PRÉP.
1° Accompagnement, accord, réunion.	1° Privation, absence, séparation.
Il est sorti avec ses amis. Il se promène avec ses enfants (syn. : EN COMPAGNIE DE). *Son amabilité avec tout le monde* (syn. : ENVERS). *Ses fiançailles avec Elisabeth. Etre docile avec ses parents. Il est avec nous* (en notre compagnie ou de notre parti [= pour nous]).	*Il est parti sans sa serviette. Il est allé au théâtre sans sa femme. Un livre sans illustrations.*
2° Manière.	2° Manière.
Il avance avec prudence. Une chambre avec vue sur le jardin.	*Il agit sans passion. Une maison sans confort.*
3° Moyen, instrument utilisés, cause.	3° Moyen, instrument non utilisés.
Il a ouvert la boîte de conserve avec un couteau. Le lustrage se fait avec un chiffon de laine. Avec le temps, il oubliera (= grâce au temps).	*Grimper à l'arbre sans échelle. Sans disponibilités, il ne peut s'engager dans l'entreprise* (syn. : FAUTE DE). *Une région sans route praticable.*
4° Simultanéité.	
Il se lève avec le jour. Avec le mois de juillet, les grandes chaleurs sont proches.	
5° Opposition, contraste de la condition.	4° Condition négative.
Avec tant de qualités, il a cependant échoué (= bien qu'il ait eu). *Avec un peu de travail, il aurait réussi. Il rivalise avec les meilleurs. Un combat avec un ennemi supérieur en nombre.*	*Sans ce défaut, il serait un excellent homme* (= s'il n'avait pas ce défaut). *Sans cet accident, il aurait pu venir* (= s'il n'avait pas eu).
ADV.	ADV. (emploi limité).
Il a pris sa canne et s'en est allé avec.	*As-tu des tickets de métro? Je suis parti sans* (fam.).
LOC. PRÉP.	LOC. PRÉP.
D'avec, indique un rapport de différence, de séparation : *Distinguer l'ami d'avec le flatteur. Il a divorcé d'avec sa femme, qui le trompait.*	**Non sans**, indique la concession («et toutefois») : *Il accepta non sans avoir reçu de nombreux apaisements, non sans de nombreuses hésitations* (= et pourtant il hésita longtemps).
LOC. CONJ.	LOC. CONJ.
Avec cela que, avec ça que (fam.), marque la surprise indignée, l'incrédulité, dans une proposition exclamative : *Avec cela que vous ne le saviez pas! Avec ça qu'il ne s'est jamais trompé!*	**Sans que, non sans que** (avec le subj. et sans négation, le sujet étant différent de celui de la principale) : *Je suis sorti sans qu'il s'en aperçoive.* Lorsque la principale et la subordonnée ont le même sujet, on emploie *sans* et l'infinitif : *Travailler sans perdre une minute. Il écoute sans comprendre.*
LOC. ADV.	LOC. ADV.
Et avec ça (cela)?, interrogation fam. d'un vendeur, d'un garçon de café, etc., demandant au client la suite de sa commande : *Et avec ça, Madame?*; «et en outre», «et qui plus est» : *Il est sorti sans manteau, et avec ça il était enrhumé!*	**Sans doute, sans quoi**, v. DOUTE, QUOI. **Sans cela (ça)**, sinon : *Tu m'écoutes, sans ça je m'en vais* (fam.).

devons songer à assurer l'avenir de notre fils (syn. : SORT). *Il a devant lui un brillant avenir. Se préparer un bel avenir. Briser son avenir* (syn. : CARRIÈRE). — **3°** *A l'avenir,* à partir de ce jour : *A l'avenir, avertissez-moi* (syn. : DORÉNAVANT). *A l'avenir, vous noterez tous mes rendez-vous sur mon agenda* (syn. : DÉSORMAIS). ‖ *Avoir de l'avenir,* être destiné à un succès brillant : *Ces nouveaux procédés techniques ont de l'avenir.* ‖ *D'avenir,* dont le sort sera brillant, exceptionnel; qui doit connaître des succès : *Un garçon d'avenir. L'électronique est une carrière d'avenir.*

aventure [avɑ̃tyr] n. f. **1°** Ce qui arrive à quelqu'un d'imprévu, d'extraordinaire, de nouveau : *Il m'est arrivé une fâcheuse aventure* (= une mésaventure). *C'est une drôle d'aventure* (syn. : HISTOIRE, AFFAIRE). *Un roman, un film d'aventures* (= où l'action mouvementée est faite d'événements extraordinaires). *Avoir une aventure sentimentale* ou, simplement, *une aventure* (= une liaison passagère). *Dire la bonne aventure* (= prédire l'avenir). — **2°** Entreprise hasardeuse qui attire ceux qui ont le goût du risque : *L'expédition dans la grotte devint une véritable aventure. Tenter l'aventure* (= entreprendre quelque chose de très incertain). *Avoir l'esprit d'aventure.* — **3°** *A l'aventure,* sans but fixé à l'avance : *Marcher à l'aventure dans la campagne* (syn. : AU HASARD). *Partir à l'aventure* (= partir sans plan). ‖ *D'aventure,* par hasard : *Si d'aventure vous le voyez, vous lui ferez toutes mes amitiés.* ◆ **aventurer** v. tr. (sujet nom de personne). *Aventurer quelque chose,* l'exposer à des risques : *Il a aventuré sa vie dans cette périlleuse ascension* (syn. : RISQUER). *Aventurer sa réputation dans une affaire douteuse* (syn. : HASARDER, JOUER). ◆ ***s'aventurer*** v. pr. (sujet nom de personne). Courir un risque, un danger : *S'aventurer sur un pont branlant* (syn. : SE RISQUER, S'ENGAGER). *S'aventurer la nuit dans les bois* (syn. : PÉNÉTRER). *S'aventurer sur un chemin glissant* (= commettre une imprudence). ◆ **aventuré, e** adj. : *Une entreprise aventurée* (syn. : HASARDEUX, RISQUÉ). ◆ **aventureux, euse** adj. **1°** Se dit d'une personne (ou de son comportement) qui se lance dans l'aventure, qui aime l'aventure : *Il a une imagination aventureuse* (syn. : AUDACIEUX). — **2°** Se dit d'une chose pleine de risques, d'aventures : *Un projet aventureux* (syn. : TÉMÉRAIRE). *Mener une vie aventureuse* (= abandonnée au hasard). ◆ **aventurier, ère** n. Personne sans scrupule, qui se procure l'argent, le pouvoir par des intrigues ou par des moyens violents et illégaux : *Etre la victime d'une aventurière. Quelques aventuriers constituaient sa garde personnelle.* ◆ **mésaventure** n. f. Aventure désagréable, qui a des conséquences fâcheuses : *L'enfant conta ses mésaventures* (syn. : DÉBOIRES). *Cette mésaventure l'avait rendu prudent pour l'avenir* (syn. : ACCIDENT).

avenu, e [avəny] adj. *Nul et non avenu,* se dit de ce qui n'a pas plus de valeur que si cela n'avait jamais existé : *Je considère donc votre lettre de démission comme nulle et non avenue.*

avenue [avny] n. f. **1°** Large voie, en général plantée d'arbres : *Une avenue bordée de peupliers conduit au château* (syn. : ALLÉE). *Les avenues qui aboutissent à la place de l'Etoile, à Paris.* — **2°** *Les avenues du pouvoir,* les fonctions très proches du pouvoir, ou les voies qui permettent d'y accéder.

avérer (s') [savere] v. pr. (sujet nom de personne ou de chose). Se manifester, apparaître (langue soignée, avec un adjectif ou un subst. attributs indiquant une qualité) : *Il s'est avéré incapable de faire face à la situation* (syn. : SE RÉVÉLER, ↓ SE MONTRER). *Il s'est avéré un financier expérimenté. Votre pressentiment s'est avéré justifié. L'entreprise s'avère difficile;* avec les adj. indiquant un défaut (cet emploi est déconseillé par quelques lexicographes) : *Ce traitement s'avère inopérant dans les cas graves. Ce raisonnement s'avère faux;* comme impers. : *Il s'avère que le plan est inapplicable* (= il est manifeste, clair; langue admin.). ◆ **avéré, e** adj. *C'est un fait avéré,* c'est un fait certain, reconnu (syn. : INCONTESTABLE). ‖ *Il est avéré que,* il est établi (acquis) comme vrai que (surtout admin.).

averse [avɛrs] n. f. **1°** Pluie subite et violente, mais de peu de durée : *Ils ont été surpris par une averse sur le chemin du retour* (syn. : ONDÉE; pop. : SAUCÉE). *Recevoir une averse au cours d'une promenade* (syn. : GRAIN). — **2°** *Une averse de,* une grande quantité de : *Il sentit s'abattre sur lui une averse d'invectives et de reproches véhéments* (syn. plus usuel : PLUIE, ↑ AVALANCHE).

aversion [avɛrsjɔ̃] n. f. Répulsion violente pour quelque chose, dégoût haineux ressenti à l'égard de quelqu'un (compl. introduit par *pour*) : *Avoir de l'aversion pour le travail* (syn. : RÉPULSION). *Sa laideur m'inspirait de l'aversion* (syn. : RÉPUGNANCE). *Il m'a pris en aversion* (syn. : ↑ HAINE). *J'essaie de surmonter, de vaincre mon aversion pour cet homme* (syn. : ↓ ANTIPATHIE).

avertir [avɛrtir] v. tr. **1°** *Avertir quelqu'un d'une chose, que* (et l'indic.), attirer son attention sur cette chose : *Avertissez-moi de son arrivée* (syn. : PRÉVENIR). *Je vous avertis que je serai à Lyon le 25 février* (syn. : INFORMER, ANNONCER). *Avertir un ami qu'il commet une erreur de jugement* (syn. : AVISER). *Avertir un élève* (syn. : BLÂMER). *Tenez-vous pour averti* (= soyez sur vos gardes). *Le gardien fut averti par le signal d'alarme. Un pressentiment m'avait averti. Un homme averti en vaut deux.* — **2°** *Avertir quelqu'un de* (et l'infin.), lui faire savoir quelque chose afin de l'inviter à (faire) : *Avertissez-le d'éviter la route de la forêt* (syn. : PRÉVENIR DE). ◆ **averti, e** adj. Se dit de quelqu'un qui a une connaissance, une expérience approfondie de quelque chose : *Il est très averti des derniers travaux en la matière* (syn. : AU COURANT DE). *C'est un critique averti de la peinture moderne* (syn. : COMPÉTENT). ◆ **avertissement** n. m. **1°** Action d'avertir (sens 1 et 2 du verbe) : *Négliger les avertissements d'un ami* (syn. : AVIS, CONSEIL). *Cet évanouissement est un avertissement, il faut vous faire soigner* (syn. : SIGNE, PRÉSAGE). — **2°** Blâme avec menace de sanction : *Donner un avertissement à un élève à la fin d'un trimestre.* — **3°** Petite préface d'un livre. ◆ **avertisseur** n. m. **1°** Dispositif destiné à produire un signal, pour attirer l'attention de quelqu'un ou motiver son intervention immédiate : *On parle surtout d'avertisseurs pour les automobiles* (syn. : KLAXON). *L'usage des avertisseurs est interdit à Paris et dans les grandes villes.* — **2°** *Avertisseurs d'incendie,* postes téléphoniques disséminés dans une ville et reliés aux casernes de pompiers.

aveu n. m. V. AVOUER.

aveugle [avœgl] adj. (surtout après le nom) et n. **1°** Privé de la vue : *Etre aveugle de naissance* (ou *aveugle-né*). *La canne blanche des aveugles. Un aveugle de guerre.* — **2°** *Passion (colère, amour,* *haine) aveugle,* dont la violence extrême fait perdre le jugement : *Etre emporté par une haine aveugle.* ‖ *Rendre aveugle quelqu'un,* lui faire perdre la faculté de juger sainement : *La colère te rend aveugle à son égard.* ‖ *Confiance (attachement, courage, dévouement, foi, sacrifice) aveugle,* sans limite ni réserve : *Elle a fait preuve envers toi d'un dévouement aveugle* (syn. : TOTAL). *Avoir une confiance aveugle dans sa parole* (syn. : ABSOLU). ‖ (sujet nom de personne) *Etre aveugle envers quelqu'un,* ne pas voir ses défauts (syn. : S'AVEUGLER SUR). ‖ *Parler, juger en aveugle,* sans réflexion. ◆ **aveuglément** adv. Sans réflexion ni jugement, sans faire d'objection (surtout avec des verbes signif. « obéir ») : *Obéir, se soumettre aveuglément aux ordres d'un supérieur. Exécuter aveuglément les consignes.* ◆ **aveugler** v. tr. 1° *Aveugler quelqu'un,* le priver de la vue : *Il a été aveuglé par l'explosion d'une bombe;* ou priver de la lucidité : *Il est aveuglé par la passion.* — 2° *Le soleil (une lueur vive, une lampe) aveugle quelqu'un,* l'empêche de voir par son trop vif éclat (souvent au passif) : *Il a eu cet accident parce qu'il a été aveuglé par des phares d'auto* (syn. : ÉBLOUIR). ‖ *Aveugler une voie d'eau* (dans un bateau), la boucher avec les moyens du bord. ◆ ***s'aveugler*** [***sur***] v. pr. (sujet nom de personne). Manquer de jugement à propos de quelqu'un, ne pas vouloir voir ses défauts : *Ne vous aveuglez pas sur lui, il n'a pas toutes les qualités que vous lui reconnaissez* (syn. : SE TROMPER). ◆ **aveuglant, e** adj. *Lumière aveuglante* (= éblouissante). *Vérité aveuglante* (= claire, évidente). ◆ **aveuglement** n. m. Passion extrême, allant jusqu'à la perte du jugement; obstination dans un point de vue : *Dans son aveuglement, de quoi ne sera-t-il pas capable? Persévérer dans une erreur par aveuglement.* ◆ **aveuglette (*à l'*)** loc. adv. 1° *Fam.* Sans rien y voir, comme un aveugle : *Marcher, avancer à l'aveuglette dans une pièce obscure.* — 2° Fam. *(Agir) à l'aveuglette, se décider à l'aveuglette, répondre à l'aveuglette,* sans savoir où l'on va, sans voir les conséquences; au hasard : *J'avance dans ce travail un peu à l'aveuglette* (syn. : À TÂTONS; a remplacé *en aveugle* [littér.]).

aveulir [avølir] v. tr. *Aveulir quelqu'un,* le rendre veule, lâche, faible (littér.) : *Une vie monotone, qui s'écoulait sans incident, sans obstacle, l'avait peu à peu aveuli.* ◆ ***s'aveulir*** v. pr. Devenir veule, perdre son énergie : *Cédant au seul désir du confort, répugnant à l'effort, ils s'aveulissent d'année en année.* ◆ **aveulissement** n. m.

aviateur, trice n., **aviation** n. f. V. AVION.

avide [avid] adj. 1° *Avide d'une chose,* qui la désire avec voracité, avec passion : *Un requin avide d'une nouvelle proie. Avide de nouveauté* (syn. : ↓ ÉPRIS). *Il est avide d'honneurs et de faveurs. Etre avide d'argent* (contr. : INDIFFÉRENT À, DÉTACHÉ DE). — 2° *Avide de* (et l'infin.), qui désire passionnément (faire) : *Il est avide de connaître le monde* (syn. : ↓ CURIEUX). *Je suis avide d'apprendre la nouvelle* (syn. : ANXIEUX, IMPATIENT). — 3° (sans compl.) Qui a ou qui manifeste un désir passionné de voir, d'entendre, etc. : *Poser un regard avide sur une liasse de billets de banque. Tendre une oreille avide.* ◆ **avidement** adv. : *Manger avidement son plat de viande. Lire avidement une lettre.* ◆ **avidité** n. f. Désir de dévorer, de posséder : *Il est d'une telle avidité qu'on croirait qu'il n'a pas mangé depuis deux jours* (syn. : VORACITÉ, GLOUTONNERIE). *Etre d'une avidité insatiable* (syn. : CUPIDITÉ, RAPACITÉ).

avilir [avilir] v. tr. *Avilir quelque chose, quelqu'un,* lui faire perdre sa valeur matérielle ou morale : *L'inflation avilit le franc* (syn. : DÉVALUER). *Une telle conduite l'avilit* (syn. : DÉSHONORER, DISCRÉDITER, DÉGRADER; contr. : ENNOBLIR, HONORER). *La servitude avilit* (syn. : ABAISSER). ◆ ***s'avilir*** v. pr. Devenir vil, sans valeur : *Le pouvoir d'achat s'avilissait* (syn. : DIMINUER, SE DÉPRÉCIER, SE DÉVALUER). *Il s'avilit dans la débauche et l'alcoolisme.* ◆ **avilissant, e** adj. : *On l'a astreint à un travail de copie qu'il juge avilissant.* ◆ **avilissement** n. m. : *L'avilissement de la monnaie* (syn. : DÉPRÉCIATION, DÉVALUATION). *En quelques années, il est tombé au plus bas degré de l'avilissement* (syn. : ABJECTION, ABAISSEMENT, DÉGRADATION).

aviné, e [avine] adj. Qui a trop bu ou qui manifeste l'ivresse : *Exposé aux coups d'une brute avinée* (= en état d'ivresse; syn. : ↑ IVRE).

avion [avjɔ̃] n. m. Appareil de navigation aérienne plus lourd que l'air, capable de se déplacer au moyen d'un moteur à hélice ou d'un moteur à réaction. ◆ **porte-avions** n. m. invar. Navire de guerre spécialement construit pour servir de base de départ à des avions. ◆ **aviation** [avjasjɔ̃] n. f. Navigation aérienne au moyen d'avions; ensemble des avions, dont on précise souvent l'affectation par un adjectif ou un complément : *Aviation marchande. Aviation militaire. L'aviation permet le transport rapide des marchandises légères. Aviation de chasse, de bombardement. L'aviation ennemie a attaqué nos bases.* (L'adj. correspondant est *aéronautique.*) ◆ **aviateur, trice** [avjatœr, -tris] n. Personne qui fait partie de l'équipage d'un avion, et en particulier qui le pilote.

aviron [avirɔ̃] n. m. Rame utilisée pour manœuvrer une embarcation : *Tirer sur les avirons.*

avis [avi] n. m. 1° Manière de voir : *Quel est votre avis sur la question?* (syn. : OPINION). *Il m'a donné son avis sur le problème. A son avis* (= à son point de vue, selon lui). *Je me range à son avis* (syn. : SENTIMENT). *Les avis sont partagés* (syn. : OPINION). *Prendre l'avis de son père* (syn. : CONSEIL). — 2° Information donnée ou reçue, notamment par écrit et par voie d'affiche : *Un avis des autorités affiché sur le mur de la mairie* (syn. : NOTIFICATION). *Suivant l'avis donné* (syn. : RENSEIGNEMENT). *L'avis de réception d'une lettre recommandée. Jusqu'à nouvel avis, rien n'est changé* (syn. : JUSQU'À PLUS AMPLE INFORMÉ). *Sauf avis contraire, la réunion est fixée à ce soir* (= sauf contrordre; syn. : INDICATION). *Une préface réduite à quelques lignes devient un avis aux lecteurs ou un avertissement.* — 3° *Etre d'avis que* (suivi du subj.), *être d'avis de* (suivi d'un infin.), penser que le mieux serait que, de : *Je suis d'avis de passer par la route de la montagne* (syn. : PROPOSER). *Etre d'avis de partir immédiatement.* ◆ **aviser** v. tr. *Aviser quelqu'un de quelque chose,* l'en informer, le lui faire savoir (souvent au passif) : *Aviser les automobilistes des encombrements sur les routes au moment de la rentrée* (syn. : INFORMER). *Etre avisé tardivement de la date d'une cérémonie* (syn. : AVERTIR, PRÉVENIR).

avisé, e [avize] adj. Qui a un jugement réfléchi et qui agit en conséquence : *Il a été bien mal avisé de ne pas m'attendre* (= imprudent, irréfléchi; on peut écrire MALAVISÉ). *Un homme avisé, qui sait trouver les meilleures solutions* (syn. : HABILE, AVERTI, SENSÉ).

1. aviser v. tr. V. AVIS.

2. aviser [avize] v. tr. *Aviser quelqu'un* ou *quelque chose,* l'apercevoir soudain, alors qu'on ne l'avait pas remarqué : *Il avisa dans la foule un de ses amis* (syn. : DISTINGUER). *Il avisa une pièce de un franc sur le trottoir. Il manquait de cigarettes, mais il avisa un bureau de tabac* (syn. : REMARQUER). ◆ ***s'aviser*** v. pr. *S'aviser de quelque chose, que* (et l'indic.), en prendre conscience, le remarquer soudain : *Il s'est avisé qu'il avait oublié les papiers de la voiture* (syn. : S'APERCEVOIR, DÉCOUVRIR). *Je ne me suis avisé de sa présence que quand il s'est mis à rire* (syn. : REMARQUER).

3. aviser [avize] v. intr. Prendre une décision, généralement en fonction d'une nouvelle situation : *Il faudrait aviser, au cas où il ne viendrait pas.* ◆ v. tr. ind. *Aviser à quelque chose,* y pourvoir : *Avisons au plus pressé* (syn. : PARER). ◆ ***s'aviser*** v. pr. *S'aviser de* (suivi d'un infin.), se mettre en tête l'idée bizarre, extraordinaire de : *Il s'avisa de faire une remarque parfaitement déplacée* (syn. : OSER, SE PERMETTRE). *Avisez-vous de recommencer!* (syn. : ESSAYER).

aviso [avizo] n. m. Petit bâtiment de guerre servant à l'escorte des convois navals.

aviver [avive] v. tr. Remplacé dans la langue usuelle par RAVIVER.

avocat, e [avɔka, -at] n. 1° Personne dont la profession est de défendre des accusés devant la justice, de donner des consultations juridiques, etc. : *Un avocat plaide, prononce une plaidoirie, défend son client. L'avocat revêt sa robe.* — 2° Personne qui prend la défense de quelqu'un, de quelque chose : *Vous vous êtes, en cette occasion, montré un excellent avocat : vous avez persuadé les adversaires de votre projet.* — 3° *Se faire l'avocat de quelqu'un* ou *de quelque opinion,* en prendre la défense auprès de ceux qui l'attaquent : *Personne ne ménageait le malheureux; je me fis son avocat en avançant plusieurs excuses à sa conduite.* — 4° *Avocat général,* magistrat qui supplée le procureur général. ‖ *L'avocat du diable,* celui qui, tout en adhérant à une thèse, à une opinion, présente des arguments qui pourraient y être opposés; celui qui défend malgré tout une mauvaise cause : *Votre raisonnement paraît solide, mais je vais me faire l'avocat du diable et vous opposer quelques objections.*

avoine [avwan] n. f. Plante herbacée, dont le grain est utilisé surtout pour la nourriture des chevaux; ce grain lui-même : *Un champ d'avoine. Porter un seau d'avoine à un cheval. Donnez de l'avoine aux chevaux.*

avoir v. tr. et n. m. V. ÊTRE.

avoisiner [avwazine] v. tr. Etre voisin, proche de (matériellement ou moralement) : *Notre propriété avoisine la rivière. Les dégâts causés par l'incendie avoisinent le million* (syn. : APPROCHER DE). *Son mutisme avoisine l'insolence.* ◆ **avoisinant, e** adj. : *Les manifestants, repoussés de la place, envahissent les rues avoisinantes* (syn. : VOISIN, PROCHE, ATTENANT).

avorter [avɔrte] v. intr. 1° (sujet nom de femme) Expulser un fœtus non viable. — 2° (sujet nom de chose) Rester sans effet, sans résultat appréciable, ne pas venir à son terme : *Sa négligence a fait avorter l'entreprise* (syn. : ÉCHOUER; contr. : RÉUSSIR). *On retrouva dans ses papiers l'ébauche d'un roman avorté* (syn. : INACHEVÉ). ◆ **avortement** n. m. : *Femme condamnée pour avortement. L'avortement de ses projets le plongea dans un terrible désespoir.* ◆ **avorton** n. m. Homme chétif, mal fait (souvent terme d'injure).

avoué [avwe] n. m. Officier ministériel qui représente les plaideurs devant certains tribunaux.

avouer [avwe] v. tr. 1° *Avouer un crime, un méfait,* admettre qu'on est l'auteur d'une action blâmable : *L'accusé a avoué son crime;* et, intransitiv. : *Il a fini par avouer devant le juge d'instruction.* — 2° *Avouer une chose, avouer que* (et l'indic.), l'admettre comme vrai; déclarer réel que : *Il lui a avoué son amour* (syn. : DÉCLARER). *Il faut avouer qu'il a raison* (syn. : CONVENIR, RECONNAÎTRE). *Il a avoué son ignorance* (syn. : CONFESSER). *Ne pas avoir d'ennemis avoués* (= déclarés). ◆ **aveu** [avø] n. m. 1° *Passer aux aveux* (= avouer son crime). *Il a fait l'aveu de sa faute. Votre aveu est-il sincère?* (syn. : CONFESSION). *L'aveu de son amour lui a été pénible.* — 2° *Homme sans aveu,* individu sans moralité. ‖ *Ne rien faire sans l'aveu de quelqu'un,* sans son autorisation. ‖ *De l'aveu de,* au témoignage de : *De l'aveu de tous les témoins, le conducteur est responsable de l'accident.* ◆ **inavouable** adj. Qu'on ne peut avouer : *Sa conduite est inspirée par des motifs inavouables.*

avril [avril] n. m. 1° Quatrième mois de l'année. (V. MOIS.) — 2° *Poisson d'avril,* attrape traditionnelle faite le 1er avril : soit poisson en carton qu'on accroche dans le dos de quelqu'un, soit toute autre plaisanterie ou mystification.

1. axe [aks] n. m. 1° Ligne qui passe par le centre d'un corps, dans la partie médiane d'un lieu considéré dans sa longueur : *On avait disposé des canons dans l'axe de la rue.* — 2° Pièce sur laquelle s'articulent d'autres pièces animées d'un mouvement circulaire : *L'axe de la roue est faussé.* ◆ **désaxer** v. tr. *Désaxer une chose,* la mettre hors de son axe : *Désaxer une roue.* ◆ **axial, e, aux** adj.

2. axe [aks] n. m. Direction générale selon laquelle on règle son comportement : *L'axe de la politique américaine* (syn. : LIGNE). *Il est dans l'axe du parti* (= il adopte la position générale du parti). ◆ **axer** v. tr. Organiser autour d'une idée essentielle : *Il faut axer votre démonstration sur cet argument qui me semble le plus solide* (syn. : CENTRER). ◆ **désaxer** v. tr. *Désaxer quelqu'un,* rompre son équilibre intellectuel et moral : *La mort de cet être cher l'a profondément désaxé* (syn. : DÉSÉQUILIBRER). *Mener une vie désaxée* (contr. : STABLE). ◆ **désaxé, e** adj. et n. : *Le nombre des désaxés s'est accru dans ces cités surpeuplées* (syn. : ↑ MALADE MENTAL).

axiome [aksjom] n. m. Proposition évidente, qui n'est pas susceptible de discussion et qui est admise comme hypothèse de base : *C'était un axiome de la politique allemande d'avant guerre que de ne pas avoir d'adversaires sur deux fronts* (syn. : PRINCIPE).

azote [azɔt] n. m. Gaz simple qui entre dans la composition de l'air. ◆ **azoté, e** adj. : *Des aliments azotés.*

azur [azyr] n. m. 1° Couleur bleu clair du ciel, des flots (littér.) : *L'azur du ciel.* — 2° Le ciel (littér.) : *L'avion disparut dans l'azur.* ◆ **azuré, e** adj. : *La Méditerranée azurée.*

b

b n. m. V. PHONÉTIQUE.

1. baba [baba] adj. *Fam.* Se dit de quelqu'un qui est frappé d'une stupéfaction qui laisse sans parole ni réplique (comme attribut et surtout dans *en être, en rester baba*) : *C'est alors que, sans allusion aux efforts communs, il s'est attribué tout le mérite de l'expédition : j'en suis resté baba* (syn. : INTERLOQUÉ, STUPÉFAIT). *Il a réussi à s'en sortir; tu en es baba, hein?* (syn. fam. : SOUFFLÉ, FIGÉ).

2. baba [baba] n. m. Gâteau fait d'une pâte au beurre et aux œufs, garni de raisins de Corinthe et arrosé de rhum.

babiller [babije] v. intr. (sujet nom désignant un enfant ou une femme). Parler ou bavarder très vite, sans ordre, pour dire des choses puériles, mais d'une voix parfois charmante : *Les petits jouaient dans leur coin en babillant entre eux* (syn. : GAZOUILLER). *Assises autour d'une tasse de thé, ces dames babillent des heures entières* (syn. péjor. : JACASSER, CAQUETER). ◆ **babillage** n. m. : *Elle m'étourdissait de son babillage incessant* (syn. : BAVARDAGE ; péjor. : JACASSEMENT). ◆ **babil** [babil] n. m. Bavardage de très jeunes enfants (littér.) : *Le babil des enfants qui commencent à parler* (syn. : GAZOUILLIS). ◆ **babillarde** n. f. Syn. arg. de LETTRE : *Envoie-lui une babillarde pour l'avertir de notre arrivée* (syn. pop. : BAFOUILLE).

babines [babin] n. f. pl. 1° Lèvres pendantes du singe, du chameau, etc. — 2° *Fam.* Lèvres d'un jouisseur, d'un gourmand (limité à quelques express.) : *Au récit du banquet final, il s'en léchait les babines* (= il se délectait). *Il tendit les lèvres vers le verre de vin, le but doucement, puis s'essuya lentement les babines.*

babiole [babjɔl] n. f. *Fam.* Tout objet sans valeur ou toute chose sans importance : *Je passe au magasin acheter quelque babiole pour l'anniversaire du petit. « Nous vous remercions de ce cadeau. — Mais non, je vous en prie, c'est une babiole! »* (syn. : BAGATELLE). *Il avait dans une vitrine des babioles auxquelles il attachait un prix qu'elles n'avaient pas. Laissez-le tranquille avec vos affaires personnelles, il n'a pas le temps de s'occuper de ces babioles* (syn. : BÊTISES).

bâbord [babɔr] n. m. Côté gauche d'un navire dans le sens de la marche (surtout dans les express. sans article *à bâbord, par bâbord*). ◆ **tribord** [tribɔr] n. m. Côté droit d'un navire, dans le sens de la marche (surtout dans les express. sans article *à tribord, par tribord*).

babouche [babuʃ] n. f. Pantoufle en cuir, laissant le talon libre.

1. bac n. m. V. BACCALAURÉAT.

2. bac [bak] n. m. Bateau large et plat, qui sert à passer les gens et les véhicules d'une rive à l'autre d'un fleuve, d'un bord à l'autre d'un bras de mer : *Les voitures sont amarrées solidement sur le bac pour la traversée.*

3. bac [bak] n. m. Cuve ou large récipient servant à divers usages : *Préparer une solution dans un bac pour développer des photographies. Laver son linge dans un bac en ciment.*

baccalauréat [bakalɔrea] n. m. Diplôme et grade attribués aux étudiants qui ont passé un examen à l'issue de leurs études secondaires (vers dix-huit ou dix-neuf ans); ce diplôme donne droit au titre de *bachelier ès lettres* ou *bachelier ès sciences.* ◆ **bac** [bak] n. m. Abrév. fam. de BACCALAURÉAT : *Passer son bac avec succès. Préparer son bac avec acharnement. Il a enfin son bac.* ◆ **bachelier, ère** [baʃəlje, -ɛr] n. Celui, celle qui a passé avec succès le baccalauréat : *Les bacheliers sont admis dans les facultés.* ◆ **bachot** [baʃo] n. m. Abrév. fam., usuelle dans tous les milieux, de BACCALAURÉAT : *Passer son bachot. Réussir, échouer à son bachot. Il a son bachot.* ◆ **bachoter** v. tr. et intr. *Fam.* Préparer avec intensité et hâtivement un examen, et en particulier le baccalauréat ou une matière de celui-ci, en faisant appel surtout à la mémoire et en visant exclusivement la réussite et non la formation que peuvent donner les études : *Bachoter son programme d'histoire. Il n'est pas très intelligent, mais il a sérieusement bachoté.* ◆ **bachotage** n. m. : *Il a consacré ses derniers dimanches de l'année scolaire à un bachotage intensif.*

baccara [bakara] n. m. Jeu de cartes particulièrement en usage dans les salles de jeu.

bâche [bɑʃ] n. f. Tissu épais et imperméabilisé, dont on se sert pour recouvrir les objets et les marchandises exposés aux intempéries : *Mettre une bâche sur une voiture. Recouvrir d'une bâche des caisses amarrées sur le pont d'un navire.* ◆ **bâcher** v. tr. : *Il faudra bâcher les valises que l'on a mises sur la galerie de la voiture. Une remorque bâchée.* ◆ **débâcher** v. tr. : *Débâcher un camion.*

bachelier, ère n., **bachot** n. m., **bachotage** n. m., **bachoter** v. tr. et intr. V. BACCALAURÉAT.

bacille [basil] n. m. Microbe en forme de bâtonnet, le plus souvent considéré sur le plan de sa nocivité : *Le bacille de Koch est le microbe de la tuberculose.* ◆ **bacillaire** adj. et n. Qui renferme, qui porte des bacilles.

bâcler [bɑkle] v. tr. Fam. *Bâcler un travail,* s'en acquitter avec une hâte excessive et un total manque de soin : *Quand il rentre le soir, mon fils n'a qu'une idée : bâcler ses devoirs pour lire quelques illustrés. Il bâcle tout ce qu'il fait* (syn. fam. : ↑ SABOTER). *L'adjoint au maire bâcla en quelques minutes le mariage. C'est du travail bâclé, tout est à refaire.* ◆ **bâclage** n. m. : *Le bâclage de cette émission télévisée est scandaleux.*

bactérie [bakteri] n. f. Nom donné aux microbes dans la langue scientifique. (Le mot a servi de base à de nombreux dérivés : *bactérien, bactéricide, bactériologie,* etc.).

badaud [bado] n. m. Passant, promeneur qui s'attarde à regarder avec curiosité le moindre spectacle inhabituel qui se présente à ses yeux dans la rue, qui est retenu par ce qui lui semble extraordinaire (fém. inusité) : *Les badauds font cercle autour de l'étalage du camelot. Déjà, auprès des deux voitures accidentées, les badauds se rassemblaient. Il s'efforça de se frayer un chemin à travers la foule des badauds.* ◆ adj. m. D'une curiosité superficielle : *Ce qu'il peut être badaud! il se promène des heures sur les boulevards à Paris.* ◆ **badauderie** n. f.

baderne [badɛrn] n. f. Fam. *Vieille baderne,* vieillard borné, en particulier vieux général, individu dont les idées ou les habitudes appartiennent à un autre âge (terme d'injure).

badigeon [badiʒɔ̃] n. m. **1°** Enduit de chaux dont on revêt les murs extérieurs des maisons : *Donner un coup de badigeon sur un mur. Le badigeon a été mal mis, il n'a pas tenu.* — **2°** Préparation pharmaceutique qu'on applique sur le malade et qui est destinée à désinfecter une plaie, à calmer la douleur, etc. ◆ **badigeonner** v. tr. **1°** *Badigeonner une surface,* la revêtir, l'enduire d'un badigeon : *Badigeonner le mur, la façade d'une maison. Badigeonner le fond de la gorge avec un désinfectant.* — **2°** *Badigeonner quelqu'un* (*ou une partie du corps*), l'enduire d'un produit quelconque, que l'on étale largement (souvent à la forme pron. et ironiq.) : *Le clown se badigeonne les joues d'un fard rouge* (syn. : SE FARDER). *L'enfant avait la figure badigeonnée de chocolat.* ◆ **badigeonnage** n. m. : *Le badigeonnage du mur a été fait en quelques heures.*

badin, e [badɛ̃, -in] adj. **1°** Se dit d'une personne (ou de son esprit) qui aime la plaisanterie légère (littér.) : *Il est incapable de parler sérieusement et se montre toujours espiègle et badin* (contr. : GRAVE). — **2°** Se dit d'une attitude qui manifeste une humeur légère et gaie : *Tenir des propos badins à sa voisine de table* (syn. : LÉGER). *Répondre d'un air badin à une question indiscrète* (contr. : SÉRIEUX). ◆ **badiner** [badine] v. intr. **1°** Parler en plaisantant, sans prendre les choses au sérieux : *Ne faites pas attention à lui; il badine toujours* (syn. : S'AMUSER, PLAISANTER). — **2°** *Il ne faut pas badiner avec cela,* c'est trop important pour qu'on puisse le traiter à la légère : *Il ne faut pas badiner avec ce genre de maladie, les complications peuvent être graves; soignez-vous tout de suite.* ‖ *Ne pas badiner sur une chose,* ne pas la considérer à la légère, être très strict sur ce point : *Le chef de service ne badine pas sur la ponctualité.* ◆ **badinage** n. m. Propos légers et plaisants : *Cessez ce badinage et venons-en aux affaires sérieuses* (syn. : PLAISANTERIE). *Elle se plaisait à écouter les badinages de cet esprit sans profondeur. Ce n'était qu'un badinage, n'y attachez aucune importance.*

badine [bɑdin] n. f. Canne ou baguette flexible et légère, utilisée souvent comme cravache : *Une badine sous le bras, il paradait dans une allée du bois de Boulogne.*

bafouer [bafwe] v. tr. *Bafouer quelqu'un,* le traiter de manière à l'outrager et le ridiculiser : *L'accusé se montra arrogant, bafouant publiquement le tribunal par ses répliques hautaines* (syn. : OUTRAGER). *En ignorant l'ordre de réquisition, ils ont bafoué l'autorité du gouvernement* (syn. : RIDICULISER). *Tout le monde connut sa mésaventure, et il se vit bafoué et raillé.*

bafouiller [bafuje] v. intr. et tr. *Fam.* et *péjor.* S'exprimer d'une manière embarrassée et confuse; dire indistinctement quelque chose : *Ému par cette interruption, l'orateur commença à bafouiller. L'élève interrogé ne sait que bafouiller une réponse inintelligible* (syn. : BALBUTIER). *Bafouiller quelques excuses* (syn. : BREDOUILLER, MARMONNER). ◆ **bafouillage** n. m. : *Il cherchait ses phrases, et son exposé ne fut qu'un interminable bafouillage.* ◆ **bafouille** n. f. *Pop.* Lettre. ◆ **bafouilleur, euse** n. : *C'est un bafouilleur, incapable de dire clairement ce qu'il pense.*

bâfrer [bɑfre] v. intr. et tr. *Pop.* Manger avec avidité et sans le moindre souci des convenances : *Le nez dans son assiette, sans dire un mot, il bâfre son ragoût de mouton.*

bagage [bagaʒ] n. m. **1°** (au plur.) Ensemble des malles, des valises ou des sacs que l'on emporte avec soi en voyage ou que l'on fait expédier, et qui contiennent des objets, vêtements, etc. : *Mettre les bagages dans le filet du porte-bagages. Les bagages sont sur le quai, aidez-moi à les passer par la portière. Faire porter ses bagages jusqu'à la station de taxis. Faire enregistrer ses bagages à la gare* (= les confier à la S.N.C.F. pour leur transport dans le fourgon). *Conserver son bulletin de bagages.* — **2°** (au sing.) Valise, sac, etc., qui contient ces objets ou ces vêtements : *Je n'ai qu'un petit bagage à main* (= celui que l'on conserve avec soi dans le compartiment de chemin de fer, dans l'avion). *Chacun de ces bagages pèse très lourd. Ma femme ne peut voyager sans trois ou quatre bagages à main.* — **3°** Ensemble des connaissances que l'on a pu acquérir : *Son bagage intellectuel est très mince. Acquérir un important bagage scientifique.* — **4°** *Partir avec armes et bagages,* partir sans rien laisser. ‖ *Plier bagage,* partir rapidement : *La pluie menace, il va falloir plier bagage. Il a plié bagage sans demander son reste* (= il s'est enfui). ◆ **porte-bagages** n. m. invar. Dispositif adapté à un véhicule (bicyclette, voiture, etc.) pour transporter des bagages.

bagarre [bagar] n. f. **1°** Querelle violente entre plusieurs personnes, accompagnée de coups et aboutissant à une mêlée : *Un ivrogne a provoqué une bagarre entre les consommateurs d'un café* (syn. : ALTERCATION, RIXE). *La discussion dégénéra en une bagarre générale. Des bagarres ont eu lieu entre des manifestants et la police* (syn. : ÉCHAUFFOURÉE). — **2°** *Fam.* Match ardent entre deux équipes ou entre des concurrents dans une compétition : *Le peloton des coureurs était groupé dans la traversée d'Alençon, quand deux coureurs tentèrent de s'échapper et déclenchèrent la bagarre générale.* ‖ Fam. *La bagarre,* la guerre : *Un aventurier, une tête brûlée qui aime la bagarre pour ce qu'elle représente de risque.* ◆ **bagarrer** v. intr. ou ***se bagarrer*** v. pr. **1°** *Fam.* Se quereller, se battre : *Mon fils est revenu les vêtements déchirés; il s'était encore bagarré avec ses camarades. Ils sortirent du café pour aller se bagarrer sur le trottoir.* — **2°** *Fam.* Discuter avec ardeur, pour convaincre : *Il aime bagarrer pour ses idées* (syn. : LUTTER). *Les membres de la conférence ont bagarré longtemps avant de* *parvenir à un accord* (syn. : BATAILLER). ◆ **bagarreur, euse** adj. et n. Se dit de quelqu'un qui aime les disputes, la discussion ou le combat; qui est toujours prêt à se battre au cours d'une compétition : *Dans sa jeunesse, il était emporté, bagarreur, indiscipliné* (syn. : BATAILLEUR, AGRESSIF). *Le boxeur avait un tempérament de bagarreur, et n'attendait jamais l'attaque de son adversaire.*

bagatelle [bagatɛl] n. f. 1° Chose, objet de peu de valeur, de peu d'utilité ou de peu d'importance : *J'ai rapporté d'Italie de petites statuettes, quelques bagatelles qui me rappelleront mon séjour* (syn. : BIBELOT). *Dépenser son argent en bagatelles* (syn. : BABIOLE, COLIFICHET). — 2° Petite somme; faible prix : *J'ai acheté cette voiture d'occasion pour une bagatelle.* ‖ Ironiq. *La bagatelle de,* la somme considérable de : *Il a perdu au casino la bagatelle de dix mille francs.* — 3° Affaire sans importance, chose dépourvue d'intérêt, de sérieux : *Ils se sont disputés pour une bagatelle* (syn. : VÉTILLE). *Vous perdez votre temps à des bagatelles* (syn. : BALIVERNE, FUTILITÉ). — 4° Fam. *La bagatelle,* l'amour, la galanterie (nuance triviale) : *Il n'y a guère que la bagatelle qui l'intéresse. Etre porté sur la bagatelle.*

bagne [baɲ] n. f. 1° Etablissement pénitentiaire où étaient détenus ceux qui avaient eu une condamnation aux travaux forcés : *Depuis le second Empire et jusqu'en 1946, des bagnes furent installés dans des pays d'outre-mer; le plus célèbre était celui de Guyane* (syn. : PÉNITENCIER). — 2° *Mériter le bagne,* se dit de quelqu'un dont la conduite est très mauvaise (syn. : MÉRITER LA CORDE). ‖ *C'est un bagne,* c'est un emploi ou un séjour odieux, qui se présente comme une véritable servitude. ◆ **bagnard** n. m. : *Les bagnards, libérés en 1946, sont parfois restés en Guyane* (syn. : FORÇAT).

bagnole [baɲɔl] n. f. *Pop.* Automobile, voiture (usuel dans le français parlé) : *Le dimanche, avec la bagnole, nous allons dans la forêt de Fontainebleau. C'est une bonne bagnole, rapide et économique.*

bagou [bagu] n. m. *Fam.* Elocution facile, qui se traduit souvent par un flot de paroles banales ou prétentieuses, destinées à tromper ceux auxquels elles s'adressent : *Le camelot essaie, par son bagou, d'amener les badauds à acheter cet objet aussi inutile qu'encombrant. Il a du bagou et il sait tenir son auditoire en haleine. Il était étourdi par le bagou de la concierge qui le poursuivait jusque dans l'escalier* (syn. : BAVARDAGE). *Avoir du bagou* (= avoir la langue bien pendue).

bague [bag] n. f. 1° Anneau que l'on porte au doigt, souvent muni d'une pierre précieuse, d'une perle, etc., et auquel on donne une signification rituelle ou une valeur esthétique : *Bague de fiançailles* (syn. : ANNEAU). *Porter une bague avec une émeraude.* — 2° Objet, pièce qui a la forme d'un anneau, destinés à des usages divers : *Une bague de serrage. Mettre une bague à la patte d'un oiseau pour étudier les migrations. La bague d'un cigare est un anneau de papier décoré.* ◆ **baguer** [bage] v. tr. Garnir d'une bague (le plus souvent au passif) : *Des doigts bagués de diamant. Un cigare bagué d'or. Baguer un oiseau* (= lui passer un anneau à la patte pour le reconnaître). ◆ **baguage** n. m.

baguenauder (se) [sə bagnode] v. pr., ou **baguenauder** v. intr. *Fam.* Se promener, en général sans but précis, en perdant son temps : *Il est allé se baguenauder le long des quais de la Seine, car il faisait trop beau, disait-il, pour travailler* (syn. usuel : FLÂNER).

baguette [bagɛt] n. f. 1° Petit bâton mince, généralement flexible, dont on se sert pour frapper : *Des baguettes de tambour* (= les petits bâtons avec lesquels on bat la caisse). *Il tenait une baguette à la main et en frappait durement le flanc du cheval* (syn. : BADINE). *Il s'est taillé une baguette et s'amuse, tout en bavardant, à faire sauter les têtes de quelques fleurs le long du chemin* (syn. : JONC). *Le sourcier s'efforce, par les mouvements d'une baguette de coudrier qu'il tient des deux mains, de reconnaître l'endroit où l'on creusera le puits.* — 2° *D'un coup de baguette* (*magique*), d'une manière si rapide et si extraordinaire que l'on pourrait croire à une intervention surnaturelle : *Il entra dans la salle de classe et, comme d'un coup de baguette magique, tout rentra dans le calme.* ‖ *Mener à la baguette,* d'une manière dure et autoritaire. ‖ *Marcher à la baguette,* fonctionner avec régularité, sous une dure autorité : *Tout marchait à la baguette dans son service; il n'admettait aucun relâchement.* ‖ *Baguette de pain,* pain long et mince d'environ 300 grammes.

bah ! [bɑ] interj. Marque le début d'une phrase exclamative dont les intonations expriment en général le désappointement, l'indifférence ou l'étonnement mêlé de doute : *Bah! ce n'est pas la peine de chercher plus longtemps. Bah! il s'en sera sorti tout seul. Bah! ce n'est pas vrai!*

1. bahut [bay] n. m. Coffre de bois, muni d'un couvercle bombé ou non, ou petit buffet de forme basse, dont on se sert aujourd'hui pour mettre du linge, de la vaisselle, des objets d'entretien, etc. : *Il y a, dans la salle à manger, un bahut breton dont les décorations sont dues à un très habile artisan.*

2. bahut [bay] n. m. *Arg. scol.* Lycée, collège : *Aller au bahut. Sortir du bahut.*

1. baie [bɛ] n. f. Fruit charnu qui n'a pas de noyau, mais des graines : *Les groseilles, les raisins, les figues sont des baies.*

2. baie [bɛ] n. f. Large ouverture pratiquée dans un mur, et servant de fenêtre ou de porte : *Les deux grandes baies du salon donnent directement sur le parc. Les baies vitrées de l'hôtel permettaient une large vue sur la mer.*

3. baie [bɛ] n. f. Echancrure de la côte (moins grande qu'un *golfe*) : *La baie du Mont-Saint-Michel. Le navire mouille dans la baie, en attendant de pouvoir entrer dans le port.*

baigner [bɛɲe] v. tr. 1° *Baigner quelque chose, quelqu'un,* le tremper complètement dans un liquide, surtout dans l'eau : *Va baigner le chien dans la rivière. Baigne ton doigt malade dans de l'eau très chaude afin de faire aboutir l'abcès. C'est l'heure de baigner le petit.* — 2° *Fleuve qui baigne une ville, une région,* qui les traverse : *La Seine baigne Paris* (syn. : ARROSE). ‖ *Mer qui baigne telle ou telle côte,* qui la touche : *La Manche baigne les rivages de la Normandie.* ‖ *Lumière qui baigne quelque chose,* qui se répand largement sur quelque chose : *Un rayon de soleil vint baigner son visage endormi.* — 3° *Baigner de larmes, de sang,* etc., couvrir de larmes, de sang, etc., quelqu'un ou son visage (surtout au passif) : *Les larmes baignaient ses joues* (syn. : ↓ MOUILLER). *Il avait couru très vite sous le soleil, et son visage était baigné de sueur* (syn. : ↑ INONDER). ◆ v. intr. 1° *Baigner dans un* *liquide,* y rester plongé : *Des cerises baignant dans l'alcool* (syn. : TREMPER). *Quelques morceaux de viande baignent dans la sauce.* — 2° Etre comme enveloppé par quelque chose : *Tout le paysage baignait dans la brume. L'énigme que pose ce crime paraît insoluble : nous baignons dans le mystère le plus complet. Depuis son succès, il baigne dans la joie la plus extraordinaire* (syn. : NAGER). — 3° (sujet nom de personne) *Baigner dans son sang,* être étendu, blessé ou mort, dans son propre sang : *Le cadavre, criblé de balles, baignait dans son sang.* ◆ ***se baigner*** v. pr. 1° (sujet nom de personne) Tremper entièrement son corps ou une partie du corps dans l'eau (syn. : PRENDRE UN BAIN) : *Pendant les vacances, il se baigne chaque jour dans la mer par tous les temps. Viens-tu te baigner cet après-midi dans la rivière? Il est interdit de se baigner sur cette plage. Je me suis baigné seulement les pieds, il faisait trop froid.* — 2° *Se baigner dans le sang,* faire un massacre, un carnage (littér.). ◆ **baignade** [bɛɲad] n. f. 1° Endroit d'une rivière où l'on peut se baigner : *La municipalité a fait aménager une baignade en amont du village.* — 2° Action de se baigner : *Vers quatre heures, tout le monde entre dans l'eau : c'est le moment de la baignade* (syn. : BAIN). ◆ **baigneur, euse** n. Personne qui se baigne, en particulier au bord de la mer : *La plage était couverte de baigneurs. L'imprudence d'un baigneur qui s'était hasardé trop loin du rivage faillit être la cause d'une noyade.* ◆ n. m. Poupée nue, en matière plastique, qui sert de jouet aux tout-petits. ◆ **baignoire** n. f. Récipient dans lequel on prend des bains : *Les baignoires peuvent être encastrées dans le mur. Une baignoire émaillée.* (V. BAIN.)

1. baignoire n. f. V. BAIGNER.

2. baignoire [beɲwar] n. f. Loge du rez-de-chaussée d'un théâtre.

bail [baj] n. m. 1° Contrat par lequel le possesseur légal d'un immeuble ou d'une terre en cède l'usage ou la jouissance à certaines conditions et pour un temps déterminé : *Le fermier avait un bail de neuf ans renouvelable. Commerçant qui passe un bail avec le propriétaire de l'immeuble.* — 2° Somme due annuellement ou trimestriellement, en vertu de ce contrat, par le locataire, le fermier, etc., au propriétaire : *Payer son bail.* — 3° *C'est un bail!,* exclamation de la langue familière devant une liaison qui a duré longtemps, un engagement de longue durée avec une entreprise, un travail de plusieurs années, etc. ‖ *Il y a un bail!,* il y a longtemps. ◆ **bailleur, eresse** n. Personne qui donne en bail.

bâiller [bɑje] v. intr. 1° (sujet nom d'être animé) Ouvrir largement la bouche, avec une contraction instinctive des muscles de la face, par ennui, fatigue, ou parce que l'on a faim : *Le conférencier parlait depuis une heure, et les assistants bâillaient le plus discrètement possible. Mets ta main devant ta bouche quand tu bâilles. Il est midi, et déjà je ne peux m'empêcher de bâiller de faim. Il tombe de sommeil et ne cesse de bâiller.* — 2° (sujet nom de chose) Etre légèrement entrouvert; être mal fermé, mal ajusté : *La porte bâille et claque au moindre courant d'air, ferme-la une bonne fois. Sa chemise n'était pas boutonnée et bâillait sur sa poitrine. Le col trop large bâille sur son cou maigre.* ◆ **bâillement** [bɑjmɑ̃] n. m. : *Il étouffe un bâillement derrière sa main. Il ne put retenir un bâillement sonore. Le bâillement de la chemise, du faux col.*

1. bailleur, eresse. V. BAIL.

2. bailleur [bajœr] n. m. *Bailleur de fonds,* celui qui fournit des capitaux.

bâillon [bɑjɔ̃] n. m. Bandeau que l'on applique sur la bouche de quelqu'un, ou tampon qu'on enfonce dans la bouche de quelqu'un, pour l'empêcher de parler ou de crier : *Le veilleur de nuit, ligoté, réussit à écarter le bâillon et à appeler au secours.* ◆ **bâillonner** [bɑjɔne] v. tr. 1° *Bâillonner quelqu'un,* lui mettre un bâillon : *Les bandits bâillonnèrent le caissier avant de fracturer le coffre-fort.* — 2° *Bâillonner la presse, l'opinion publique,* etc., les mettre dans l'impossibilité de s'exprimer librement : *L'opposition, bâillonnée, était réduite à l'impuissance* (syn. : MUSELER). ◆ **bâillonnement** n. m.

bain [bɛ̃] n. m. 1° Action de plonger un corps (surtout le corps humain) dans un liquide, complètement ou partiellement : *Prendre un bain froid* (= se baigner dans l'eau froide). *Sortir du bain. Mettre un caleçon de bain. Prendre un bain de pieds dans une bassine. Sur la plage sont alignées des cabines de bain. On lui a recommandé, pour soigner ses rhumatismes, de prendre des bains de boue.* — 2° Le liquide dans lequel on plonge un corps : *Préparer un bain pour développer des photographies. Vider le bain.* — 3° *Petit bain, grand bain,* parties de la piscine désignées selon la profondeur. ‖ Fam. *Envoyer au bain,* envoyer promener. ‖ Pop. *Etre, mettre dans le bain,* être engagé, engager dans une affaire compromettante, difficile, dangereuse : *Un accusé qui a mis dans le bain plusieurs de ses complices. Nous sommes tous dans le bain, il vaut donc mieux nous entendre* (syn. : DÉNONCER, COMPROMETTRE). — 4° *Bain de soleil,* exposition du corps au soleil afin de le faire brunir. ‖ *Bain de vapeur,* station dans une atmosphère saturée de vapeur d'eau, pour provoquer la sudation. ◆ **bains** n. m. pl. Etablissement où l'on prend des bains pour des raisons d'hygiène ou médicales : *Les bains municipaux.* ‖ *Bains de mer,* plages au bord de la mer où l'on peut prendre des bains (vieilli). ‖ *Salle de bains,* petite pièce réservée aux soins de toilette et contenant divers appareils sanitaires (baignoire, douche, etc.).

baïonnette [bajɔnɛt] n. f. Petite épée qui s'adapte au bout du fusil : *Troupe qui charge baïonnette au canon.*

baiser [beze] v. tr. Poser ses lèvres sur quelqu'un, sur sa bouche, son visage, etc., ou sur une chose considérée avec vénération (en ce sens, le plus souvent remplacé par EMBRASSER) : *Baiser un enfant sur la joue. Il baisa la main de la maîtresse de maison. Le prêtre fit baiser le crucifix au mourant.* ◆ v. tr. et intr. 1° *Pop.* Avoir des relations sexuelles. — 2° Pop. *Se faire baiser,* se faire prendre en faute : *Il était en train de copier son devoir et il s'est fait baiser.* ◆ **baiser** n. m. (plus usuel que le verbe) : *Donner un baiser sur le front. Appliquer un baiser sur les lèvres. Il lui déroba un baiser* (= il l'embrassa sans son consentement). *Dévorer de baisers. Donner le baiser de paix à quelqu'un* (= se réconcilier avec lui). ◆ **baisemain** n. m. : *Le baisemain est une marque de politesse qui était à la mode dans les milieux de l'aristocratie et de la grande bourgeoisie.*

baisser [bɛse] v. tr. 1° *Baisser une chose,* la faire descendre, la ramener à un niveau plus bas : *Baisse le store, le soleil est trop chaud* (syn. : DESCENDRE). *Baisser la vitre du compartiment pour donner un peu* *d'air* (syn. : ABAISSER ; contr. : REMONTER, RELEVER). *Baisser le col de sa chemise après avoir mis sa cravate* (syn. : RABATTRE). — 2° *Baisser la main, le nez, la tête, les yeux,* etc., les porter, les incliner vers le bas : *Il baissa la main pour prendre le sac tombé à terre. Baisser la tête au-dessus du précipice* (syn. : INCLINER) ; dans des express. : *Il se jeta tête baissée contre l'obstacle* (= sans réfléchir, sans regarder). *Il baissait le nez* (ou *la tête*) *devant les reproches mérités* (= il avait une attitude confuse). *Tu baisses les yeux, tu es honteux de ce que tu as fait* (= tu baisses les paupières pour éviter de regarder en face). *Elle baissa les paupières en rougissant.* — 3° *Baisser la voix, baisser une flamme, baisser les prix,* etc., en diminuer la force, l'intensité, le montant : *Baisse un peu le poste de radio, il est dix heures passées. Baisser la voix de manière à n'être pas entendu. Les commerçants se sont engagés à baisser les prix* (syn. : DIMINUER ; contr. : AUGMENTER). *Un entrepreneur qui consent à baisser son devis* (syn. : RÉDUIRE). ◆ v. intr. Diminuer de hauteur, de valeur, de force, etc. : *La mer a baissé* (syn. : DESCENDRE). *Le soleil baisse, il faut rentrer* (syn. : DÉCLINER). *Le baromètre baisse, il va pleuvoir* (contr. : REMONTER). *Le jour baisse. Les cours de la Bourse ont baissé* (contr. : MONTER). *Les prix baissent* (syn. : ↑ S'EFFONDRER). *Sa santé a bien baissé. Son intelligence a beaucoup baissé* (syn. : DÉCROÎTRE, FAIBLIR). *Il avait bien baissé pendant les dernières années de sa vie* (= ses facultés avaient diminué). *Le crédit du gouvernement a baissé* (contr. : S'ACCROÎTRE). ◆ ***se baisser*** v. pr. : *Se baisser pour lacer ses chaussures* (syn. : SE PENCHER). *Se baisser derrière une haie pour guetter le gibier. Il n'y a qu'à se baisser pour en prendre* (= c'est une chose facile, abondante). ◆ **baisse** [bɛs] n. f. Sens du v. intr. : *La baisse régulière des eaux après la crue. La baisse de la température entraînera quelques gelées matinales* (contr. : ÉLÉVATION). *La baisse de la pression du gaz a été sensible dans plusieurs quartiers de Paris. La baisse des prix* (syn. : DIMINUTION ; contr. : AUGMENTATION, HAUSSE). *Il joue à la baisse en Bourse. La baisse du cours des actions* (syn. : CHUTE, ↑ EFFONDREMENT). *Sa baisse d'influence est durement ressentie* (syn. : DÉCLIN) [V. aussi ABAISSER, RABAISSER].

bajoues [baʒu] n. f. pl. *Péjor.* Joues pendantes d'un homme gros ou âgé : *Il commence à grossir et il a déjà des bajoues.*

bal [bal] n. m. Réunion où l'on danse en musique ; local où l'on danse : *Une salle de bal a été aménagée dans le restaurant. Mettre une robe de bal. Elle fut élue la reine du bal. Ouvrir le bal* (= être le premier à danser). *Aller au bal* (syn. : DANCING). *Un bal populaire dans une guinguette des bords de la Marne. Donner un bal masqué* (= où les invités sont déguisés et portent des masques). *Un bal champêtre.*

balade [balad] n. f. Syn. fam. de PROMENADE : *Faire une balade dans la forêt de Fontainebleau. Aller en balade sur les bords de la Seine.* ◆ **balader** v. tr. Fam. : *Je vais balader les enfants aux Tuileries.* ◆ **se balader** v. pr. *Fam.* Se promener : *Il a pris quelques jours de vacances et il est allé se balader sur la Côte d'Azur.*

baladeuse [baladøz] n. f. Lampe électrique protégée et munie d'un fil libre, qui peut être déplacée.

baladin [baladɛ̃] n. m. Comédien ambulant, clown, acrobate qui amuse le public par des spectacles donnés sur des tréteaux : *Une troupe de baladins était venue représenter une comédie dans cette petite ville espagnole* (syn. : BATELEUR, SALTIMBANQUE).

balafre [balafr] n. f. Grande entaille faite par un instrument tranchant, en général au visage ; cicatrice qu'elle laisse : *En se rasant, il se fit une profonde balafre à la joue gauche* (syn. usuel : ENTAILLE). *Avoir une balafre au front.* ◆ **balafrer** v. tr. Blesser en faisant une longue entaille au visage ou au corps (surtout au part. passé) : *Au cours d'une rixe, il avait eu la joue balafrée d'un coup de couteau.*

balai [balɛ] n. m. 1° Brosse munie d'un long manche, et dont on se sert pour le nettoyage des parquets, des tapis, etc. : *Donner un coup de balai dans la salle à manger* (= enlever rapidement la poussière). *Passer le balai sous les meubles. Frotter les carreaux de la cuisine avec un balai. Le manche à balai est le bâton au bout duquel s'emmanche la brosse. Le balai mécanique que l'on passait sur les tapis a été remplacé par l'aspirateur.* — 2° Fam. *Coup de balai,* renvoi de personnel indésirable, dont la paresse ou l'incapacité est une charge pour l'entreprise : *Son accession à la direction du service fut suivie d'un sérieux coup de balai* (syn. : NETTOYAGE, PURGE). ‖ *Manche à balai,* levier qui permet d'agir sur le gouvernail de profondeur et sur les ailerons d'un avion ; désigne aussi une personne maigre et décharnée. ◆ **balayer** [balɛje] v. tr. (conj. 4). 1° *Balayer une pièce,* en enlever la poussière avec un balai : *Il faudra balayer le bureau et brosser les fauteuils.* — 2° *Balayer les ordures, la poussière,* etc., les enlever, les pousser en un autre lieu, avec un balai : *Les concierges doivent balayer la neige qui est devant la porte d'entrée des immeubles et la rejeter sur la chaussée. Le jardinier balaie les feuilles qui jonchent les allées. Avec sa robe longue, elle balaie la poussière. Le vent a balayé les derniers nuages et il fait maintenant très beau temps* (syn. : CHASSER). — 3° *Balayer un lieu,* se répandre sur la totalité de la surface considérée, la recouvrir, l'envelopper : *Les projecteurs balaient le ciel pour repérer l'avion* (syn. : FOUILLER). *Avec sa mitraillette, il balaya la rue. Le vent balaie la plaine. La mer démontée balaie la digue. La vague balaie le pont du navire.* — 4° (sujet surtout nom de personne) Faire disparaître d'un lieu, chasser : *L'offensive d'hiver balaya les armées ennemies qui restaient encore sur le territoire national. En s'accrochant ainsi au pouvoir, ils finirent par être balayés avec lui. Balayer le personnel incapable* (syn. : RENVOYER ; fam. : BALANCER). *En quelques phrases, il balaya les arguments de ses adversaires* (syn. : REJETER, ÉCARTER, SE DÉBARRASSER DE). *Ces huit jours de vacances ont balayé tous mes soucis* (syn. : SUPPRIMER). *Il faut balayer les dernières résistances et imposer vos propres vues* (syn. : RUINER, ÉCRASER). ◆ **balayage** n. m. : *Le balayage des trottoirs et des caniveaux est rendu difficile par le stationnement des voitures. Procéder au balayage de la cour. Les habitants des villes paient une taxe spéciale de balayage.* ◆ **balayeur** n. m. Celui qui est préposé au balayage des rues : *Les balayeurs municipaux sont des employés de la ville.* ◆ **balayeuse** n. f. Véhicule qui, muni de brosses rotatives et d'un réservoir d'eau, est utilisé pour le nettoyage des rues. ◆ **balayette** n. f. Petit balai : *Ramasser les miettes de pain avec une balayette et une petite pelle.*

1. balance [balɑ̃s] n. f. 1° Appareil qui sert à peser, à évaluer des masses : *La balance ordinaire possède deux plateaux, portant l'un le corps à peser, l'autre des poids marqués, et un fléau mobile. Dans une balance automatique, le fléau commande une aiguille qui indique le poids sur un cadran.* — 2° *Tenir, maintenir la balance égale,* avoir une attitude impartiale, objective entre deux personnes ou deux partis : *Il maintient la balance égale entre les deux groupes qui s'affrontent au Parlement.* ‖ *Faire pencher la balance en faveur de quelqu'un, de quelque chose,* décider en sa faveur, prendre parti pour lui. ‖ *Peser dans la balance,* être d'une grande importance, d'un grand poids : *Cet argument n'a pas pesé lourd dans la balance.* ‖ *Jeter quelque chose dans la balance,* dire, faire quelque chose qui entraîne un résultat : *Il a jeté toute son autorité dans la balance et il a emporté la décision.*

2. balance n. f. V. BALANCER 3.

1. balancer [balɑ̃se] v. tr. (sujet nom de personne ou de chose). *Balancer quelque chose, quelqu'un,* les faire osciller de manière qu'ils aillent d'un côté, puis de l'autre d'un point fixe : *L'enfant, sur sa chaise, balance ses jambes. Le vent balance les jeunes arbres.* ◆ v. intr. ou ***se balancer*** v. pr. (sujet nom d'objet). Aller d'un côté et de l'autre d'un point fixe : *Le lustre balançait* ou *se balançait dangereusement* (syn. : OSCILLER). ◆ v. pr. (sujet nom de personne). 1° Jouer sur une balançoire : *Les enfants se balançaient dans le jardin.* — 2° Faire mouvoir constamment son corps : *Tu auras bientôt fini de te balancer ainsi sur tes jambes?* (syn. : SE DANDINER). ◆ **balancement** n. m. : *Le balancement des branches d'un arbre. Le balancement du corps dans le lancement du javelot* (syn. : OSCILLATION). *Le balancement des hanches* (syn. : DANDINEMENT). ◆ **balancier** n. m. Pièce animée d'un mouvement de va-et-vient (oscillation) qui règle la marche d'une machine, et en particulier des horloges, des montres, etc. ◆ **balançoire** n. f. Siège suspendu à deux cordes, sur lequel on se balance : *Les enfants jouent à la balançoire.* (V. aussi BALANÇOIRE 2.)

2. balancer [balɑ̃se] v. tr. (sujet nom de personne). 1° Très fam. *Balancer quelque chose,* le lancer violemment; dire des paroles brutales ou désobligeantes : *Il lui a balancé un livre à la tête* (syn. : ENVOYER). *Qu'est-ce qu'il m'a balancé!* (= il m'a fait des reproches véhéments). *Il a balancé sa voiture dans le fossé* (syn. : JETER). — 2° Fam. *Balancer quelqu'un, quelque chose,* s'en débarrasser : *Il a été balancé de l'usine la semaine dernière* (syn. : CONGÉDIER). *Il s'est fait balancer du lycée pour sa mauvaise conduite* (syn. : RENVOYER). *J'ai balancé tous mes vieux meubles* (syn. : VENDRE, BAZARDER). *Il y a des moments où j'ai envie de tout balancer* (syn. : ENVOYER PROMENER). — 3° Pop. *S'en balancer,* n'y attacher aucune importance (syn. : S'EN MOQUER).

3. balancer [balɑ̃se] v. tr. (sujet nom de personne). 1° *Balancer un compte,* en équilibrer le débit et le crédit. — 2° *Balancer le pour et le contre,* hésiter entre deux décisions possibles (syn. : PESER). ◆ v. intr. (sujet nom de personne). Rester hésitant (littér.) : *Il balance depuis longtemps à prendre cette décision, mais il y sera obligé. Mon cœur balance.* ◆ ***se balancer*** v. pr. Arriver à un point d'équilibre : *Les forces en présence se balancent* (syn. : S'ÉQUILIBRER, SE NEUTRALISER). ◆ **balancé, e** adj. 1° *Phrase bien balancée,* dont les diverses parties s'équilibrent (syn. : HARMONIEUX). — 2° Pop. *Personne bien balancée,* bien faite, avec quelque chose de fort, de solide, d'harmonieux : *Paul est vraiment bien balancé* (syn. : BIEN PROPORTIONNÉ; fam. : BIEN BÂTI). ◆ **balance** n. f. 1° Equilibre général : *La balance des forces dans le monde. La balance générale des comptes de la nation* (syn. : ÉQUILIBRE). — 2° *Mettre en balance,* évaluer en mettant en comparaison : *Il a mis en balance les avantages et les inconvénients de l'opération* (syn. : COMPARER). ◆ **balancement** n. m. : *Le balancement harmonieux de ses phrases* (syn. : RYTHME).

1. balançoire n. f. V. BALANCER 1.

2. balançoire [balɑ̃swar] n. f. *Fam.* Histoire inventée de toutes pièces : *Raconter des balançoires.*

balayage n. m., **balayer** v. tr., **balayette** n. f., **balayeur** n. m., **balayeuse** n. f. V. BALAI.

balbutier [balbysje] v. intr. et tr. 1° *Personne, enfant qui balbutie,* qui s'exprime en articulant mal, d'une manière confuse ou hésitante : *Sous l'émotion, il se mit à balbutier, puis à pleurer* (syn. péjor. et fam. : BAFOUILLER). *Pris sur le fait, l'élève coupable balbutia quelques excuses* (syn. : BREDOUILLER, MARMONNER). *Le bébé balbutie déjà quelques mots.* — 2° *Science, technique, personne* (considérée sur le plan de son activité intellectuelle) *qui balbutie,* qui en est à ses débuts : *Il n'a pas encore la maîtrise de son art; il ne fait que balbutier.* ◆ **balbutiement** [balbysimɑ̃] n. m. : *Les balbutiements de l'enfant qui joue avec le son de sa voix. La linguistique scientifique en est à ses premiers balbutiements.*

balcon [balkɔ̃] n. m. 1° Petite plate-forme entourée d'une balustrade, qui fait saillie sur la façade d'une maison, d'un immeuble, tout en communiquant avec l'intérieur; appui d'une fenêtre : *Prendre l'air sur le balcon, le soir, en regardant les passants aller et venir dans la rue. Se pencher sur le balcon, du haut du balcon. Etre accoudé au balcon.* — 2° Dans les salles de spectacle (théâtre, cinéma, etc.), galerie au-dessus de l'orchestre : *Les places de balcon sont parmi celles où l'on voit le mieux sur la scène.*

baldaquin [baldakɛ̃] n. m. Sorte de dais ou de ciel de lit.

1. baleine [balɛn] n. f. 1° Mammifère marin de très grande taille, le plus gros des animaux vivants, dont la bouche est garnie de lames cornées : *La pêche à la baleine est sévèrement réglementée. Les petits de la baleine sont des baleineaux.* — 2° Pop. *Rire comme une baleine,* rire à gorge déployée. ◆ **baleinier** n. m. : *Les baleiniers sont des navires spécialement équipés pour la pêche à la baleine et pour sa transformation en produits demi-finis.* ◆ **baleinière** n. f. Petite embarcation longue et fine, utilisée autrefois pour la pêche de la baleine au harpon et qui sert de canot de bord sur tous les navires (syn. : CANOT).

2. baleine [balɛn] n. f. Tige ou lame flexible, dont on se sert en particulier pour la monture des parapluies et que l'on utilisait aussi pour les corsets.

balèze [balɛz] adj. et n. *Pop.* Qui a une carrure puissante : *Un balèze qui pouvait lancer le poids à quinze mètres* (syn. : ↓ GRAND, FORT).

balise [baliz] n. f. Marque, objet (bouée, poteau, dispositif lumineux, etc.) signalant en mer un chenal, des écueils, et indiquant sur terre le tracé d'une piste d'aviation, celui d'une route, d'un canal, etc. : *Disposer des balises le long d'une piste provisoire pour* *permettre l'atterrissage des avions.* ◆ **baliser** v. tr. Munir de balises : *Il y a des bancs de sable; la partie navigable du fleuve a été balisée.* ◆ **balisage** n. m. : *Le balisage des routes permet de signaler les virages, les carrefours, les dénivellations éventuelles,* etc.

baliverne [balivɛrn] n. f. Propos futile, occupation sans intérêt; ce qui n'a pas de valeur réelle : *Ne vous laissez pas prendre à de telles balivernes* (syn. : SORNETTE). *Il s'amuse à des balivernes au lieu de travailler sérieusement* (syn. : BAGATELLE, PUÉRILITÉ, FUTILITÉ).

ballade [balad] n. f. Petit poème de forme fixe au Moyen Age, adapté à la fin du XVIIIe s., et surtout au XIXe et au début du XXe s., pour raconter une légende populaire : *La « Ballade des pendus », de Villon.*

ballant, e [balɑ̃, -ɑ̃t] adj. *Les bras ballants, les jambes ballantes,* qui se balancent, qui pendent nonchalamment : *Il est assis sur la rambarde du pont, les jambes ballantes, à regarder les pêcheurs. Aide-moi donc à ranger ces livres au lieu de me regarder, les bras ballants.*

1. ballast [balast] n. m. Pierres concassées, maintenant les traverses d'une voie ferrée; remblai ainsi formé.

2. ballast [balast] n. m. Compartiment de remplissage d'un sous-marin : *Remplir les ballasts.*

1. balle [bal] n. f. Projectile des armes à feu (fusil, pistolet, etc.) : *Le malfaiteur, frappé d'une balle dans le dos, s'écroula. Un passant a été blessé par une balle perdue* (= qui a manqué son objectif). *La balle lui avait fracturé la jambe gauche.*

2. balle [bal] n. f. 1° Pelote sphérique qui peut rebondir et qui est utilisée dans de nombreux sports : *Balle de Ping-Pong, de tennis, de golf. Le joueur donna un coup de pied dans la balle* (syn. : BALLON). *Lancer la balle à un de ses coéquipiers. Des enfants jouent à la balle dans la cour. Il reprit la balle de volée* (= avant qu'elle ait rebondi). *Couper une balle* (= la frapper de manière à lui imprimer un mouvement de rotation sur elle-même). *La balle de match* (= le point qui décide de l'issue du match). — 2° *Saisir la balle au bond,* profiter immédiatement de l'occasion favorable : *Je lui ai proposé de m'accompagner pendant les vacances : il a saisi la balle au bond.* ‖ *Se renvoyer la balle,* se rejeter mutuellement la responsabilité d'une affaire. ◆ **ballon** [balɔ̃] n. m. 1° Grosse balle faite d'une vessie gonflée d'air et entourée d'une enveloppe de cuir, que l'on utilise dans divers sports; jouet d'enfant fait d'une sphère de caoutchouc gonflée de gaz : *Ballon de rugby, de basket-ball, de football. L'enfant acheta un ballon au jardin du Luxembourg. Les ballons sphériques, ou aérostats, étaient propulsés par les courants aériens. La météorologie emploie des ballons-sondes ou des ballons d'essai pour connaître les phénomènes atmosphériques à haute altitude.* — 2° *Ballon d'essai,* nouvelle lancée pour étudier les réactions de l'opinion publique, afin d'évaluer les chances de réussite d'un projet. — 3° Montagne à sommet arrondi (surtout dans les Vosges). ◆ **ballonnet** n. m. Petit ballon. ◆ **ballonné, e** [balɔne] adj. Se dit des parties du tube digestif gonflées par des gaz : *Il a trop bu, il a l'estomac ballonné* (= distendu). ◆ **ballonnement** n. m. : *Le ballonnement du ventre* (syn. : DISTENSION).

3. balle [bal] n. f. Pop. *Avoir une bonne balle,* avoir une bonne tête, un visage sympathique (syn. pop. : BILLE, BOULE, BOUILLE).

4. balle [bal] n. f. *Pop.* Franc (monnaie) : *J'ai payé ma bicoque cinquante mille balles.*

5. balle [bal] n. f. Enveloppe du grain des céréales : *Matelas rempli de balle d'avoine.*

6. balle [bal] n. f. Gros paquet de marchandises : *Des balles de coton sont entassées sur les quais.* ◆ **ballot** [balo] n. m. Paquet de marchandises : *Le relieur met dans sa voiture les ballots de livres.*

7. balle [bal] n. f. *Enfant de la balle,* celui qui est élevé dans le métier d'artiste de son père (comédien, acrobate, etc.).

ballerine [balrin] n. f. Danseuse d'une certaine classe, appartenant à un corps de ballet : *Les ballerines de l'Opéra.*

ballet [balɛ] n. m. Danse figurée, exécutée sur un thème musical par plusieurs danseurs ou danseuses; musique destinée à illustrer cet argument; troupe de danseurs : *Le chorégraphe règle le ballet. Le corps de ballet est composé de tous les danseurs d'un théâtre. L'Opéra donne un spectacle de ballets. Les ballets russes.*

ballon n. m., **ballonné, e** adj., **ballonnement** n. m., **ballonnet** n. m. V. BALLE 2.

1. ballot n. m. V. BALLE 6.

2. ballot [balo] n. m. *Fam.* Imbécile (terme d'injure) : *Ce ballot l'a laissé partir sans lui demander son adresse.*

ballottage [balɔtaʒ] n. m. Résultat négatif d'une élection, lorsque aucun des candidats n'a pu réunir au premier tour la majorité absolue des votants plus une voix, ou plus de 25 p. 100 des électeurs inscrits : *Les ballottages ont été nombreux au premier tour des élections législatives. Plusieurs personnalités se trouvent en ballottage dans leur circonscription* (= dans la situation du candidat qui n'a pas obtenu un nombre de suffrages suffisant). *Le ballottage entraîne les retraits et les désistements de certains candidats mal placés.*

ballotter [balɔte] v. tr. 1° *Ballotter quelqu'un, quelque chose,* les secouer violemment dans divers sens (surtout au passif) : *La voiture, mal suspendue, nous ballotte durement. La petite barque, ballottée en tous sens, finit par se retourner* (syn. : AGITER, BALANCER). — 2° *Ballotter quelqu'un,* le faire passer continuellement d'un sentiment à un autre (surtout au passif) : *Je suis ballotté entre l'appréhension et la joie quand je pense à notre rencontre* (syn. : TIRAILLER). ◆ v. intr. Etre animé d'un mouvement rapide qui porte d'un côté et d'autre : *La valise n'est pas pleine et l'on entend une bouteille qui ballotte* (syn. : REMUER). ◆ **ballottement** n. m.

balluche [balyʃ] n. f. ou **balluchon** [balyʃɔ̃] n. m. *Fam.* Sot, imbécile (syn. de BALLOT 2).

balluchon [balyʃɔ̃] n. m. *Fam.* Petit paquet entouré d'une étoffe et contenant en général du linge ou des effets personnels (vieilli) : *Elle était un jour partie de chez elle avec un simple balluchon et on ne l'avait plus revue.*

balnéaire [balneɛr] adj. *Station balnéaire,* ville ou village situé au bord de la mer, servant de séjour de vacances pour les citadins, qui y prennent des bains de mer : *Les stations balnéaires sont fréquen-*

tées l'été, comme les stations thermales; l'hiver, on prend des vacances dans les stations de montagne.

balourd, e [balur, -urd] adj. et n. Se dit d'une personne (ou de sa conduite) que son esprit épais amène à commettre des maladresses : *Ce garçon est un gros balourd, il a manqué en cette affaire du tact nécessaire* (syn. : LOURDAUD, ↓ MALADROIT; contr. : FIN, DÉLICAT). *Vous êtes un balourd, vous auriez dû lui parler* (syn. : GAUCHE, SOT, STUPIDE). ◆ **balourdise** n. f. : *Il a commis la balourdise énorme de le blesser dans son orgueil* (syn. : MALADRESSE; fam. : GAFFE).

balustrade [balystrad] n. f. Clôture à jour qui est établie, à hauteur d'appui, le long d'une terrasse, d'un balcon, d'une galerie donnant sur une cour, d'un pont : *Accoudé à la balustrade du pont, il voyait le Louvre au-delà de la Concorde* (syn. : PARAPET). *Penché sur la balustrade, il tenta de l'apercevoir une dernière fois de sa fenêtre. Il tient fortement la rampe de la balustrade, car la passerelle lui semble bien instable* (syn. : GARDE-FOU).

bambin [bɑ̃bɛ̃] n. m. *Fam.* Petit garçon (souvent avec une nuance de tendresse) : *Il regardait les bambins jouer dans le jardin. Elle prit sur ses genoux le bambin qui hurlait.*

bambou [bɑ̃bu] n. m. 1° Nom donné à différentes variétés de plantes analogues à des roseaux, qui poussent dans les pays chauds et dont la tige atteint jusqu'à 25 m : *Des palissades de bambous dont on avait effilé les pointes protégeaient le village contre les fauves.* — 2° *Rideau de bambous,* nom donné à la frontière qui existe entre la Chine communiste et les nations non communistes. ‖ Fam. *Coup de bambou,* défaillance physique, congestion brutale; plus souvent, accès de folie : *Quand il a ses crises de paludisme, il devient violent; il a son coup de bambou, comme il le dit lui-même.*

1. ban [bɑ̃] n. m. *Etre en rupture de ban avec,* avoir brisé avec les contraintes imposées par son milieu social, son entourage, etc. : *Par ce mariage, il est en rupture de ban avec sa famille.* ‖ *Mettre quelqu'un au ban d'* (*un groupe social*), l'en déclarer indigne, le dénoncer comme méprisable aux yeux de ce groupe (syn. : METTRE À L'INDEX) : *Ce scandale l'a mis au ban de l'opinion publique. Il s'est mis de lui-même au ban de la société.* ‖ *Le ban et l'arrière-ban,* la totalité de ceux qui, d'une manière ou d'une autre, constituent un ensemble : *Convoquer, appeler le ban et l'arrière-ban de ses amis, des sympathisants* (= en rassembler le plus grand nombre possible). [Le *ban* se composait des vassaux directs d'un suzerain; l'*arrière-ban,* de ceux qui n'étaient pas de la première levée (qui n'étaient pas convoqués en premier lieu).]

2. ban [bɑ̃] n. m. (sujet nom désignant le clairon ou le tambour). *Ouvrir, fermer le ban,* précéder ou clore certaines cérémonies militaires comme la remise de décorations, l'hommage aux morts. ‖ *Un ban pour...,* invitation faite à des assistants d'applaudir d'une manière rythmée en l'honneur de quelqu'un : *Un ban pour notre président! Un triple ban pour l'orateur!*

3. bans n. m. pl. Annonce de mariage publiée à l'église et à la mairie, afin que ceux qui connaissent des empêchements éventuels les fassent savoir : *Les bans sont publiés; le mariage sera célébré dans quelques jours.*

banal, e, als [banal] adj. Employé par tous ou connu de tout le monde, et qui ne présente aucune originalité particulière (souvent péjor.) : *Je viens de lire un roman bien banal sur les drames conjugaux d'après guerre* (syn. : INSIGNIFIANT). *Il n'a rencontré que de banales difficultés dans cette ascension* (syn. : COMMUN, ORDINAIRE, COURANT; contr. : EXTRAORDINAIRE). *Il a développé quelques idées banales sur la concurrence entre le cinéma et la télévision* (syn. : INSIPIDE, ↑ REBATTU). *Il avait mené une existence banale jusqu'au jour où il fit la rencontre de celle qui allait devenir sa femme* (syn. : PLAT; contr. : ORIGINAL). ◆ **banalité** n. f. : *La banalité de la conversation finit par m'écœurer* (syn. : PLATITUDE, PAUVRETÉ). *Il débita quelques banalités sur la jeunesse actuelle.*

banane [banan] n. f. Fruit comestible du bananier : *Les bananes sont de longs fruits, cueillis verts, dont la chair est sucrée et nourrissante.* ◆ **bananeraie** n. f. : *La bananeraie est une plantation de bananiers.* ◆ **bananier** n. m. 1° Grande plante des régions équatoriales : *Le bananier est une plante dont les fruits sont disposés en une grappe volumineuse appelée « régime ».* — 2° Navire construit pour le transport des régimes de bananes.

1. banc [bɑ̃] n. m. Siège étroit et long pour plusieurs personnes, muni ou non d'un dossier, et qui, éventuellement, dans les assemblées ou les tribunaux, peut être réservé à telle ou telle catégorie de personnes : *Il lisait son journal, assis sur un banc dans une allée du Luxembourg. J'ai dû laisser mon livre sur le banc au fond du jardin. Les bancs d'une classe sont les sièges des élèves devant leurs pupitres ou leurs tables. Debout à son banc, il récite sa leçon. Nous avons été ensemble sur les mêmes bancs* (= nous avons fait nos études ensemble au collège ou à l'université). *A l'Assemblée nationale, il y a un banc réservé aux ministres. Les accusés sont assis sur un banc au tribunal. Au banc des accusés.*

2. banc [bɑ̃] n. m. 1° Amas de sable ou couche de roche, de pierre, etc., de forme allongée : *Un banc de sable est une accumulation de sable dans la mer ou dans une rivière. Rencontrer en creusant un banc d'argile.* — 2° *Banc de poissons,* troupe nombreuse de poissons de même espèce : *Les chalutiers avaient trouvé le banc de harengs qu'ils recherchaient depuis plusieurs jours. Les bancs de morues à Terre-Neuve.* — 3° *Banc de brume,* masse de brume de forme allongée : *Des bancs de brume gênent la visibilité et rendent difficile la circulation automobile.* — 4° *Banc d'essai,* installation sur laquelle on monte les machines dont on veut éprouver le fonctionnement : *Mettre un moteur au banc d'essai* (= en faire l'épreuve). *La locomotive est passée sur le banc d'essai.*

bancaire adj. V. BANQUE 1.

bancal, e, als [bɑ̃kal] adj. 1° *Personne bancale,* qui boite fortement ou dont les jambes ne sont pas droites; se dit aussi de ces jambes : *L'âge et les travaux pénibles dans les champs l'avaient rendu bancal.* — 2° *Meuble bancal,* dont l'un des pieds est plus court que les autres : *Il n'y a dans sa chambre qu'un lit misérable, une chaise et une table bancales. Ne monte pas sur cet escabeau bancal, tu pourrais tomber* (syn. : BOITEUX). — 3° *Idée, projet bancal,* qui ne repose pas sur des bases solides, incontestables et qui révèle un défaut : *Ceci ne tient pas; votre raisonnement est bancal, reprenez depuis le début.*

1. bande [bɑ̃d] n. f. Morceau étroit et long d'un tissu mince et souple, de caoutchouc, de papier, etc., tendu autour de quelque chose que l'on veut consolider ou sur quelque chose que l'on veut couvrir : *Il réunit les deux feuilles par une bande de papier collant. Ecrire l'adresse du destinataire sur la bande qui entoure un journal. Mettre une bande autour d'une plaie* (syn. : PANSEMENT). ◆ **bandeau** n. m. 1° Pièce de tissu, de caoutchouc, etc., que l'on met autour de la tête ou du front, ou sur les yeux de quelqu'un (pour l'empêcher de voir) : *Les infirmières portent un bandeau. Retenir ses cheveux avec un bandeau. Le condamné à mort refusa le bandeau qu'on proposait de lui mettre sur les yeux.* — 2° Pour une femme, cheveux divisés sur le milieu du front et lissés de chaque côté de la tête. — 3° *Avoir un bandeau sur les yeux,* ne rien voir de ce qui vous entoure, de la situation, etc., ou n'y rien comprendre (syn. : AVOIR DES ŒILLÈRES). ◆ **bandelette** n. f. : *L'archéologue défit avec précaution les bandelettes de la momie.* ◆ **bander** v. tr. Couvrir, entourer d'une bande ou d'un bandeau : *A colin-maillard, celui auquel on a bandé les yeux cherche à saisir un des autres joueurs. On lui banda rapidement la jambe afin d'éviter l'infection de la plaie.* ◆ **bandage** n. m. : *Le bandage a été mal fait, il ne tiendra pas. Défaire le bandage afin de sonder la blessure* (= les bandes). ◆ **débander** v. tr. Oter une bande, un bandeau : *Débander avec précaution la tête d'un blessé. Débandez-lui les yeux : le jeu est fini.*

2. bande [bɑ̃d] n. f. 1° Ce qui est étroit, long et mince : *Une bande de terre permettait de circuler entre les deux marais. La bande d'un film* (syn. : PELLICULE). *Passer une bande comique* (syn. : FILM). *Au billard, jouer la bande pour atteindre la bille rouge* (= rebord élastique qui entoure le tapis). — 2° Fam. *Par la bande,* par des moyens indirects : *Il cherche à avoir par la bande ce qu'il n'a pu obtenir directement.* — 3° *Donner de la bande,* se dit d'un bateau qui subit une forte inclinaison sous l'effet du vent ou d'une avarie.

3. bande [bɑ̃d] n. f. 1° Réunion d'hommes ou d'animaux qui vont en groupe ou s'associent dans un dessein quelconque (le complément du nom marque la composition de la *bande*) : *Une bande d'enfants s'amusent à jeter des pierres dans la rivière* (syn. : TROUPE). *La bergerie fut attaquée par une bande de chiens errants* (syn. : HORDE). *Une bande de canards vint s'abattre sur l'étang. Une bande de voleurs sévit actuellement sur la Côte d'Azur* (syn. : UN GANG). *On a arrêté le chef de bande. Ils partent en bande joyeuse.* — 2° *Faire bande à part,* se mettre à l'écart des autres. ‖ Pop. *Bande d'imbéciles, d'idiots,* etc. !, injure adressée à un groupe de personnes. ◆ **débander (se)** [debɑ̃de] v. pr. (sujet nom désignant une troupe, un groupe). Fuir en désordre de tous côtés : *Dès la première attaque, l'armée commença à reculer, puis les bataillons se débandèrent* (syn. : ↑ S'ENFUIR ; contr. : SE RALLIER). *La colonne des manifestants a reflué, puis s'est débandée* (syn. : ↓ SE DISPERSER ; contr. : SE RASSEMBLER). ◆ **débandade** [debɑ̃dad] n. f. : *Quand on entendit les coups de feu, ce fut une débandade générale* (syn. : FUITE, SAUVE-QUI-PEUT). *On ne pouvait plus parler de la retraite des troupes, mais d'une débandade* (syn. : DÉROUTE, ↑ DÉBÂCLE). *L'apparition du surveillant donne le signal de la débandade générale des élèves* (syn. : ↓ DISPERSION ; contr. : RASSEMBLEMENT). ● LOC. ADV. *A la débandade,* en désordre : *Il laisse tout aller à la débandade* (syn. : À VAU-L'EAU, AU HASARD).

1. bander v. tr. V. BANDE 1.

2. bander [bɑ̃de] v. tr. *Bander quelque chose,* le tendre avec effort : *Il bande son arc afin d'envoyer la flèche dans la cible* (syn. : TENDRE). ◆ **débander** v. tr. : *Débander un ressort* (syn. : DÉTENDRE).

banderille [bɑ̃drij] n. f. Bâtonnet muni d'une pointe crochue et de rubans que les toreros plantent sur le garrot des taureaux pour les affaiblir.

banderole [bɑ̃drɔl] n. f. Longue bande d'étoffe, attachée au haut d'une hampe ou à des montants, qui sert d'ornement ou porte une inscription : *Au-dessus de la tête des manifestants se déployait une longue banderole.*

bandit [bɑ̃di] n. m. 1° Individu qui se livre, seul ou avec d'autres, à des attaques à main armée, à des vols, et parfois commet des crimes : *Deux bandits armés et masqués s'emparèrent de la sacoche de l'encaisseur* (syn. : GANGSTER). *Après avoir fracturé la porte, les bandits tuèrent le malheureux alors qu'il dormait* (syn. : ASSASSIN, CRIMINEL). *Les bandits de grand chemin attaquaient jadis les voyageurs sur la route* (syn. : BRIGAND). *On a appelé « bandit d'honneur » celui qui, pour des raisons d'honneur personnel ou familial, se mettait en marge des lois.* — 2° Individu malhonnête et sans conscience (terme d'injure) : *Ce bandit-là m'a encore chapardé de l'argent* (syn. : CHENAPAN). *Ce commerçant est un bandit : il vend beaucoup plus cher que les autres* (syn. : FRIPOUILLE, VOLEUR, FORBAN) ; en parlant d'enfants insupportables : *Le petit bandit aura encore voulu jouer avec l'aspirateur : il a fait sauter les plombs* (syn. : SACRIPANT, VAURIEN, GREDIN). ◆ **banditisme** n. m. Ensemble d'actions criminelles (vols, assassinats) commises en une région déterminée et considérées sur le plan des répercussions sociales : *On assiste depuis quelque temps à une recrudescence générale du banditisme. Régression du banditisme après que des mesures de sécurité ont été prises* (syn. : CRIMINALITÉ).

bandoulière [bɑ̃duljɛr] n. f. *En bandoulière,* porté en diagonale sur la poitrine ou dans le dos, de l'épaule à la hanche opposée : *Fusil en bandoulière* (= suspendu dans le dos par une bretelle qui passe devant le corps). *Mettre, porter son appareil photographique en bandoulière.*

bang ! [bɑ̃g] interj. Indique le bruit d'une explosion : *« Bang! » Sans doute un avion à réaction venait-il de franchir le mur du son.*

banjo [bɑ̃ʒo] n. m. Guitare ronde dont la caisse est faite, dans sa partie supérieure, d'une peau tendue.

banlieue [bɑ̃ljø] n. f. Ensemble des agglomérations situées tout autour d'un centre urbain, et qui ont une activité en relation étroite avec lui : *La banlieue parisienne s'étend très loin autour de la capitale. Saint-Denis est dans la banlieue Nord. De la gare Saint-Lazare partent les trains de banlieue pour Asnières et Bois-Colombes. La grande banlieue comprend les agglomérations distantes de vingt à trente kilomètres du centre de Paris. Les villes de banlieue sont reliées entre elles par des autobus.* ◆ **banlieusard, e** [bɑ̃ljøzar, -ard] n. Personne qui habite la banlieue d'une ville : *Chaque matin, des banlieusards viennent travailler à Paris.*

bannière [banjɛr] n. f. 1° Drapeau de forme rectangulaire, suspendu au bout d'une hampe par une traverse horizontale, et qui porte les insignes d'une confrérie, d'une paroisse, d'une société sportive ou musicale, dont il est le signe de ralliement dans les cortèges ou les défilés : *La fanfare suivait derrière la bannière portée fièrement par le fils du pharmacien.* — 2° *Combattre, se ranger,* etc., *sous la bannière de quelqu'un,* marcher à ses côtés dans la lutte qu'il a entreprise, être de son parti (syn. : SOUS LE DRAPEAU DE). ‖ *Arborer, déployer,* etc., *la bannière de la liberté, de l'émancipation, de la révolte,* etc., donner le signal du combat pour la liberté, l'émancipation, de la révolte (littér.; syn. : DRAPEAU, ÉTENDARD). ‖ Fam. *C'est la croix et la bannière,* c'est une entreprise d'une incroyable difficulté : *Pour le faire sortir le soir, c'est la croix et la bannière.*

1. bannir [banir] v. tr. *Bannir quelqu'un,* le condamner à quitter une communauté nationale, un parti, une association, etc. (littér.) : *Le gouvernement a banni du territoire national les personnes jugées dangereuses* (syn. : PROSCRIRE, ↓ REFOULER). *C'est un hypocrite malfaisant que j'ai banni de la maison* (syn. : CHASSER). ◆ **banni, e** adj. et n. : *Le retour des bannis en 1870.* ◆ **bannissement** n. m. : *La peine du bannissement peut être prononcée contre des criminels récidivistes* (syn. : EXIL).

2. bannir [banir] v. tr. (sujet nom de personne). *Bannir quelque chose,* l'écarter parce qu'on le juge nuisible : *J'ai banni entièrement l'usage du tabac* (syn. : ÉVITER, SUPPRIMER). *Bannissons ce sujet de conversation qui ne fait que nous diviser* (syn. : FUIR, REJETER). *C'est un mot qu'il faut bannir de notre vocabulaire* (syn. : ÔTER, RAYER).

1. banque [bɑ̃k] n. f. 1° Entreprise commerciale dont les opérations consistent à recevoir des dépôts, à prêter des capitaux, à escompter des lettres de change et des effets de commerce, à servir d'intermédiaire dans l'achat et la vente des valeurs mobilières, le paiement des intérêts et dividendes, à placer dans le public les emprunts émis par l'Etat, les collectivités locales et les particuliers, et qui, par le système du crédit, vise au contrôle et à la direction de grandes entreprises industrielles; siège de cette entreprise commerciale : *Se faire ouvrir un compte en banque. Avoir un coffre à la banque. Déposer des titres à la banque. Il y a des succursales de la banque dans chaque ville de province. Remettre un chèque à l'employé de banque. La grande banque et la banque d'affaires investissent les capitaux qui leur sont confiés pour en tirer un bénéfice.* — 2° *Billet de banque,* v. BILLET. ‖ *Banque des yeux, du sang, des os,* service des hôpitaux chargé de la conservation des yeux, du sang, des os, en vue de leur utilisation chirurgicale. ◆ **banquier** n. m. Celui qui possède ou dirige une banque : *Un gros banquier. Un banquier véreux. Je suis en quelque sorte son banquier : il m'emprunte toujours de l'argent à la fin du mois.* ◆ **bancaire** adj. : *Opérations bancaires. Un établissement bancaire* (= une banque). *Un chèque bancaire.*

2. banque [bɑ̃k] n. f. Fonds d'argent qu'à certains jeux a devant lui celui qui tient le jeu. ◆ **banquier** n. m. Celui qui tient la banque.

banqueroute [bɑ̃krut] n. f. Incapacité pour un commerçant, une banque, une entreprise, et parfois pour un Etat, de faire face à ses engagements financiers : *La banqueroute de ce petit établissement bancaire a entraîné la ruine de nombreux clients* (syn. : FAILLITE, KRACH). *L'inflation monétaire mène le pays à la banqueroute financière* (syn. fam. : DÉCONFITURE).

banquet [bɑ̃kɛ] n. m. Repas fastueux ou solennel, qui réunit un certain nombre de personnes (convives) à l'occasion d'un événement extraordinaire, d'une fête, d'un mariage, d'un anniversaire, etc. : *Un banquet de cent couverts a été donné hier soir à l'Elysée en l'honneur du corps diplomatique. Le centenaire de la maison de commerce a été fêté par un banquet qui réunissait tout le personnel. Etre convié, invité à un banquet* (syn. : ↑ FESTIN). ◆ **banqueter** [bɑ̃kte] v. intr. (conj. **7**) : *Ils ont banqueté toute la nuit* (syn. : FAIRE LA FÊTE).

banquette [bɑ̃kɛt] n. f. Siège rembourré, d'un seul tenant, qui occupe toute la largeur d'une automobile, la longueur d'un compartiment de chemin de fer; banc en bois ou canné, sans dossier : *Assois-toi sur la banquette arrière de la voiture. Mets le journal sur la banquette du compartiment pour réserver la place. Une banquette de piano. Les comédiens donnèrent une représentation devant des banquettes presque vides.*

banquise [bɑ̃kiz] n. f. Couche de glace, parfois épaisse, formée en surface par la congélation de l'eau de mer : *La banquise recouvre une grande partie de l'océan Arctique. En janvier 1963, il s'est formé pendant quelques semaines une banquise devant Dunkerque, par suite du grand froid.*

baobab [baɔbab] n. m. Arbre des régions tropicales de l'Afrique et de l'Australie, dont le tronc est énorme.

baptême [batɛm] n. m. 1° Dans la religion chrétienne, administration d'un sacrement destiné à effacer le péché originel et à rendre chrétien (le baptême est généralement conféré au cours d'une cérémonie qui se déroule dans une partie de l'église [baptistère]) : *Chez les catholiques, l'enfant reçoit le baptême dès les premiers mois de sa vie. Le nom de baptême est le prénom donné à celui qui est baptisé. Le baptême d'une cloche ou d'un navire consiste en une bénédiction solennelle.* — 2° *Recevoir le baptême du feu, le baptême de l'air,* aller au combat ou monter en avion pour la première fois. ◆ **baptiser** [batize] v. tr. 1° *Baptiser quelqu'un,* lui conférer le baptême : *Le prêtre baptise le nouveau-né.* — 2° *Baptiser quelqu'un, quelque chose,* donner à une personne un prénom (nom de baptême) ou un surnom, donner à une chose un nom : *On le baptisa Joseph, du nom de son grand-père. On baptisa le surveillant « le Bancal », à cause d'un léger défaut dans sa démarche. Le conseil municipal décida de baptiser la place de la gare du nom de ce grand homme.* — 3° Fam. *Baptiser du lait, du vin,* y ajouter de l'eau afin d'en augmenter la quantité ou d'en diminuer le degré (pour le vin). ◆ **baptismal, e, aux** adj. Qui sert au baptême : *Eau baptismale. Les fonts baptismaux sont une sorte de bassin où l'on baptise les enfants. Le parrain et la marraine tiennent l'enfant sur les fonts baptismaux.* ◆ **débaptiser** v. tr. Enlever à quelqu'un, et surtout à quelque chose, son nom, sa dénomination, pour lui en donner un autre : *Les conseillers municipaux décidèrent de débaptiser l'avenue de la Gare pour lui donner le nom de leur hôte illustre.*

baquet [bakɛ] n. m. Petite cuve de bois dont on se sert pour laver le linge, pour transporter le raisin pendant les vendanges, pour donner à boire aux chevaux, etc. : *Transporter un baquet d'eau pour faire la lessive. Vider un baquet.*

bar [bar] n. m. 1° Débit de boissons où les consommateurs se tiennent debout ou sont assis sur de hauts tabourets devant le comptoir (le mot « bar », jugé plus noble, a remplacé *cabaret* et se substitue parfois à *café*) : *Les bars élégants des Champs-Elysées.* — 2° Le comptoir lui-même où l'on sert à boire : *Prendre une consommation au bar. Installer un petit bar dans un coin de son salon.* ◆ **barman** [barman] n. m. Serveur au comptoir d'un bar.

baragouin [baragwɛ̃] n. m. Langage incompréhensible, par suite d'une prononciation défectueuse ou de l'emploi de mots ou de constructions insolites, et surtout langue étrangère qu'on ne comprend pas : *J'ai demandé mon chemin à un vieux paysan, qui m'a répondu dans un baragouin étrange auquel je n'ai rien compris. Quel baragouin! Exprimez-vous en un français correct* (syn. plus usuels : CHARABIA, JARGON). ◆ **baragouiner** v. intr. et tr. (sujet nom de personne). 1° S'exprimer assez mal dans une langue : *Il baragouine un peu l'anglais; il arrivera à se faire comprendre à l'hôtel. Baragouiner quelques mots de russe.* — 2° Parler une langue inintelligible : *Dans le compartiment, il était importuné par deux étrangers qui baragouinaient entre eux à voix forte : la langue lui paraissait rude et gutturale; il n'en comprenait pas un mot.*

baraque [barak] n. f. 1° Construction légère, généralement en bois, servant de logement pour des troupes ou des prisonniers, d'abri pour des ouvriers ou du matériel sur un chantier, de boutique provisoire, etc. : *Une baraque en planches sert de remise pour les outils. Les baraques du camp s'alignaient parallèlement. Les enfants s'empressaient autour des baraques foraines à la fête* (= dressées par des forains). — 2° *Fam.* et *péjor.* Maison, habitation en général en mauvais état ou peu confortable : *Quelle baraque! il y a encore une fuite d'eau! Il habite une baraque quelque part en banlieue.* ◆ **baraquement** n. m. Construction provisoire, en bois, en métal, etc., et plus grande que la baraque, destinée à abriter des soldats, des prisonniers, des réfugiés, des ouvriers, etc. : *Construire des baraquements dans les villes sinistrées pour reloger les habitants. Autour des barrages en construction, on voit des baraquements pour le logement des ouvriers.*

baraqué, e [barake] adj. *Pop.* Se dit d'un homme fort et de large carrure, ou d'une femme bien faite : *Ne t'en prends pas à lui, regarde ces épaules : il est bien baraqué* (syn. pop. : BALÈZE).

baraquement n. m. V. BARAQUE.

baratin [baratɛ̃] n. m. *Pop.* Bavardage intarissable, souvent intéressé (usuel en arg. scol.) : *Il a la langue bien pendue, quel baratin! Faire du baratin à quelqu'un* (= lui raconter des boniments). ◆ **baratiner** v. intr. et tr. Pop. : *Tu baratines toujours, mais tu ne fais rien. Baratiner le professeur pour éviter d'être puni.* ◆ **baratineur, euse** n. et adj. Pop. : *Un baratineur qui noie les problèmes sous des flots de paroles* (syn. : BAVARD).

barbant, e adj. V. BARBER.

1. barbare [barbar] adj. et n. Se dit de quelqu'un qui agit avec cruauté, avec inhumanité, ou de ce qui révèle de tels sentiments : *Ces dirigeants barbares et inhumains firent exécuter des milliers d'innocents* (syn. : CRUEL, FÉROCE, ↓ IMPITOYABLE; contr. : HUMAIN). ◆ **barbarie** n. f. : *Ce crime est un acte de barbarie* (syn. : CRUAUTÉ, SAUVAGERIE). *On a réussi à faire sortir ces peuplades de leur barbarie primitive* (contr. : CIVILISATION).

2. barbare [barbar] adj. (avec un nom de personne ou de chose) et n. Qui s'oppose aux règles ou aux goûts dominants d'une époque, d'une civilisation; qui n'est pas conforme à l'usage admis dans un certain groupe social : *Il se conduisit comme un barbare. Il proteste contre la radio, qui, à son avis, ne cesse de déverser des flots de musique barbare* (syn. : GROSSIER, INCULTE). *Aux yeux du profane ou de l'ignorant, une langue technique apparaît toujours hérissée de mots barbares* (syn. : INCORRECT). ◆ **barbarisme** n. m. Mot qui n'existe pas sous cet aspect dans une langue, à une époque déterminée, et dont l'emploi est jugé fautif : *Le barbarisme consiste le plus souvent dans l'emploi d'une forme erronée de la conjugaison ou de la déclinaison : le passé simple « cousut » au lieu de « cousit » est un barbarisme. Le solécisme, qui est une faute contre la syntaxe, se distingue du barbarisme, qui est une faute contre la morphologie.*

barbe [barb] n. f. 1° Poils qui poussent sur les joues, la lèvre inférieure et le bas du visage de l'homme : *Il porte une barbe soigneusement taillée qui, pense-t-il, donne du caractère à son visage banal. Une barbe grisonnante. Il a déjà de la barbe au menton* (= il a atteint l'âge viril). — 2° Poils qui poussent sous la mâchoire de certains animaux : *Barbe de singe, de bouc.* — 3° Pop. *La barbe!*, exclamation qui signifie que l'on est importuné ou excédé par quelqu'un ou par quelque chose (syn. fam. : *Ça suffit!*). ‖ *A la barbe de quelqu'un*, en sa présence, mais sans qu'il le sache et en dépit de son opposition : *Ils réussirent à passer quelques paquets de cigarettes à la barbe des douaniers.* ‖ Fam. *Une vieille barbe*, personne dont les idées, les propos ou les attitudes appartiennent à une époque dépassée. ‖ *Rire dans sa barbe*, en cachette, sans le faire ouvertement. ◆ **barbiche** n. f. Barbe peu fournie, généralement en petite touffe sur le menton. ◆ **barbichette** n. f. Petite barbiche. ◆ **barbier** n. m. Nom donné anciennement à celui qui rasait le visage ou soignait la barbe (auj. seulement ironiq.). ◆ **barbu, e** adj. et n. Qui a de la barbe : *L'enfant n'aimait pas embrasser les joues barbues de son grand-père.* ◆ **imberbe** adj. Qui n'a pas de barbe : *Le visage imberbe d'un adolescent.*

barbecue [barbəkju] n. m. Appareil de cuisson à l'air libre, fonctionnant au charbon de bois, pour griller ou rôtir de la viande ou du poisson.

barbelé, e [barbəle] adj. *Fil de fer barbelé* (ou *barbelé* n. m.), fil de fer muni de pointes, utilisé comme clôture ou comme moyen de défense : *Un camp de prisonniers entouré de barbelés. Il est resté cinq ans en captivité derrière les barbelés.*

barber [barbe] v. tr. *Fam.* Ennuyer : *Tu nous barbes avec tes conseils. Ça me barbe de sortir ce soir!* ◆ **barbant, e** adj. Fam. : *Ce qu'il peut être barbant avec ses histoires!* (syn. pop. : RASOIR; fam. : RASANT). *Nous avons passé une soirée barbante au cinéma : le film était mauvais* (syn. : ENNUYEUX).

barbet [barbɛ] n. m. 1° Chien d'arrêt qui convient surtout à la chasse au canard. — 2° *Crotté comme un barbet*, se dit de quelqu'un qui est couvert de boue.

barbiche n. f., **barbichette** n. f., **barbichon** n. m. V. BARBE.

barbiturique [barbityrik] n. m. Produit chimique utilisé comme sédatif.

barbon [barbɔ̃] n. m. *Péjor.* Homme déjà mûr.

1. barboter [barbɔte] v. intr. (sujet nom d'être animé). S'agiter dans l'eau, dans la boue, etc. : *Des canards barbotent dans l'eau de l'étang. Le chemin est à moitié inondé, on barbote comme on peut pour aller jusqu'à la ferme.*

2. barboter [barbɔte] v. tr. (sujet nom de personne). *Pop.* Voler : *Il s'est fait barboter son portefeuille dans le métro. Elle a été prise en train de barboter des articles dans un grand magasin. C'est toi qui m'as barboté mon crayon?* (syn. fam. : CHIPER; pop. : FAUCHER, PIQUER). ◆ **barbotage** n. m. Pop. : *Etre victime d'un barbotage de livres* (syn. : VOL).

barboteuse [barbɔtøz] n. f. Petite combinaison d'enfant, qui forme culotte et laisse libres les bras et les jambes.

barbouiller [barbuje] v. tr. 1° (sujet nom de personne ou de chose) Couvrir rapidement et grossièrement d'une couche de couleur ou d'une substance salissante : *On barbouille rapidement de noir les inscriptions sur les murs pour les rendre illisibles. Son visage est tout barbouillé de chocolat. Sur le pont des Arts, à Paris, un peintre barbouillait une toile.* — 2° *Avoir le cœur barbouillé,* avoir la nausée, avoir mal au cœur. ◆ **barbouillage** n. m. : *Il appelle « peintures » ces affreux barbouillages.* ◆ **barbouilleur** n. m. : *Un barbouilleur qui vend très cher ses mauvaises toiles* (= un mauvais peintre). ◆ **débarbouiller** v. tr. *Débarbouiller quelqu'un,* le nettoyer. ◆ **se débarbouiller** v. pr. : *Ne le dérange pas, il est en train de se débarbouiller* (syn. : LAVER). ◆ **débarbouillage** n. m. (V. aussi EMBARBOUILLER.)

barbu, e adj. V. BARBE.

barda [barda] n. m. *Fam.* Matériel d'équipement que l'on emporte avec soi, ou simplement bagages lourds et encombrants : *Il part le samedi avec son barda pour camper sur les bords de l'Yonne* (syn. : ÉQUIPEMENT). *Il va falloir charger tout ce barda sur le toit de la voiture* (syn. : CHARGEMENT, BAGAGES).

barde [bard] n. f. Tranche de lard dont on enveloppe les pièces de viande que l'on veut rôtir. ◆ **barder** v. tr. : *Barder une volaille.*

1. barder [barde] v. tr. 1° Recouvrir avec des pièces d'un métal dur (fer, acier), pour protéger ou consolider (souvent au passif) : *La porte était bardée de vieilles ferrures rouillées.* — 2° *Avoir la poitrine bardée de décorations,* être couvert de décorations (syn. : CONSTELLÉ). ‖ (sujet nom de personne). *Etre bardé contre quelque chose,* être capable d'y résister : *Je suis bardé contre de tels coups du sort.*

2. barder [barde] v. intr. Pop. *Ça barde, ça va barder, ça a bardé,* etc., c'est dangereux, cela va prendre (ou a pris) une tournure dangereuse, etc. (se dit en général lorsque quelqu'un passe sa colère sur un autre, lorsque la situation est explosive, etc.) : *On entend des éclats de voix à travers la porte; ça barde entre eux deux* (syn. : ÇA CHAUFFE).

3. barder v. tr. V. BARDE.

barème [barɛm] n. m. Répertoire, recueil, table où certaines valeurs chiffrées sont présentées de manière à pouvoir être consultées rapidement; ensemble de tarifs, de prix, etc., concernant un domaine précis; échelle de salaires : *Consultez le barème qui est accroché au-dessus de la caisse et vous verrez combien coûte la coupe de cheveux. Le barème des tarifs des chemins de fer.*

barguigner [bargiɲe] v. intr. Fam. *Sans barguigner,* sans hésiter (souvent dans des contextes où il s'agit de payer; vieilli) : *Il a tout acheté sans barguigner et presque sans regarder.*

baril [bari ou baril] n. m. 1° Petit tonneau; son contenu : *Un baril de vin. Un baril de cognac. Remplir un baril de goudron.* — 2° *Baril de poudre,* se dit d'une situation dangereuse, d'un lieu où se trouvent réunies les conditions d'un conflit : *Les Balkans étaient, avant la guerre de 1914, un véritable baril de poudre.*

barioler [barjɔle] v. tr. Peindre, marquer de couleurs vives qui ne s'harmonisent pas ensemble : *Les enfants s'amusent à barioler leurs cahiers de dessins de tons criards* (syn. : PEINTURLURER). ◆ **bariolé, e** adj. : *Les étoffes bariolées des toilettes féminines* (syn. : BIGARRÉ). ◆ **bariolage** n. m. : *Le bariolage des acteurs travestis en sauvages.*

barman n. m. V. BAR.

baromètre [barɔmɛtr] n. m. 1° Instrument qui sert à mesurer la pression atmosphérique et à prévoir le temps qu'il fera (ces indications sont données souvent par une aiguille qui se déplace sur le cadran de l'instrument) : *Le baromètre est au beau fixe, au variable, à la tempête.* — 2° Se dit de tout ce qui est sensible à des variations et peut être assimilé à cet instrument : *La presse est le baromètre de l'opinion publique. La Bourse est le baromètre de l'activité économique. La chaleur des applaudissements est un baromètre de la popularité.* — 3° *Le baromètre est au beau, au beau fixe,* se dit fam. lorsque quelqu'un est de bonne humeur ou que les nouvelles sont bonnes. ◆ **barométrique** adj. : *Pression barométrique* (= indiquée par le baromètre).

baron [barɔ̃] n. m. 1° Titre donné à un seigneur féodal, puis à un noble (intermédiaire entre chevalier et vicomte). — 2° *Les barons de la finance,* les gros banquiers. ◆ **baronne** n. f. Femme d'un baron (sens 1).

baroque [barɔk] adj. Dont l'irrégularité, l'étrangeté a un caractère choquant : *Il a eu l'idée baroque de me téléphoner à une heure du matin* (syn. : BIZARRE, ↑ EXTRAVAGANT). *C'est un esprit baroque qui ne peut rien faire comme tout le monde* (syn. : EXCENTRIQUE; contr. : NORMAL). ◆ n. m. et adj. Style architectural, pictural, littéraire dont les formes précieuses, contournées ou accentuées, s'opposent à celles de la Renaissance, à partir du XVIe siècle.

baroud [barud] n. m. 1° *Pop.* Combat : *Aller au baroud* (syn. : BAGARRE). — 2° *Baroud d'honneur,* combat où l'on se sait vaincu, mais que l'on soutient pour l'honneur : *Il savait que son adversaire aux élections l'emporterait, mais il livra cependant un baroud d'honneur.* ◆ **baroudeur** n. m. Soldat qui aime le combat pour lui-même (syn. : BAGARREUR). ◆ **barouder** v. intr. Se battre.

barouf [baruf] n. m. 1° *Pop.* Tapage, vacarme : *Ils ont fait un de ces baroufs; ils ont dansé jusqu'à une heure.* — 2° *Faire du barouf,* protester en criant, en faisant du bruit (syn. : FAIRE DU SCANDALE).

barque [bark] n. f. Nom générique désignant toutes sortes de petits bateaux : *Sur la plage, les barques des pêcheurs attendent la marée* (syn. : EMBARCATION). *Allons faire une promenade en barque au bois de Boulogne.* ◆ **barquette** n. f. Pâtisserie en forme de barque : *Des barquettes aux cerises.*

barrage n. m. V. BARRER 2.

1. barre [bar] n. f. 1° Pièce de bois ou de métal allongée, droite et souvent étroite : *Des barres de fer. L'or coulé en barres. Accoudé à la barre d'appui de la fenêtre, je regarde dans la rue.* — 2° *Barre fixe,* en sports, appareil formé par une traverse horizontale de fer ou de bois rond, soutenue par deux montants. ‖ *Barres parallèles,* en sports, appareil composé de deux barres de bois fixées parallèlement sur des montants verticaux. ‖ *C'est de l'or en barre,* c'est une valeur absolument sûre. ◆ **barreau** [baro] n. m. Petite barre qui sert comme appui, comme fermeture, etc. : *La fenêtre de la prison est fermée par des barreaux de fer. Des barreaux de chaise. Les barreaux d'une cage.*

2. barre [bar] n. f. Trait de plume, qui a la forme d'une ligne droite et étroite : *Tirer deux barres sur un chèque. Mettre la barre de soustraction pour faire l'opération. La barre de mesure est, en musique, le trait vertical qui sépare les mesures.* ◆ **barrer** v. tr. 1° *Barrer ce qui est écrit* (*page, ligne,* etc.), y tracer une barre afin de l'annuler : *Barrer d'un coup de crayon les passages qui devront être supprimés* (syn. : BIFFER, RATURER, ANNULER). — 2° *Barrer un chèque,* y tracer deux traits parallèles et transversaux, afin que seul l'établissement bancaire puisse en toucher le montant.

3. barre [bar] n. f. Déferlement violent qui se produit près de certaines côtes lorsque la houle se brise sur les hauts-fonds.

4. barre [bar] n. f. 1° Dispositif qui commande le gouvernail d'un bateau : *Mettre la barre à gauche.* — 2° *Donner un coup de barre,* changer brusquement de direction : *L'entreprise sombrait dans le désordre; il donna un violent coup de barre pour redresser la situation compromise.* ‖ *Prendre, avoir barre sur quelqu'un,* avoir sur lui une influence exclusive, un avantage; exercer sur lui une domination : *Par son intelligence, il a barre sur ses amis.* ‖ *Tenir la barre,* diriger, gouverner. ◆ **barrer** v. tr. ou intr. : *L'embarcation est barrée par un petit garçon maigre.* ◆ **barreur** n. m. Celui qui tient le gouvernail (la barre) dans une embarcation.

5. barre [bar] n. f. Barrière qui, dans un tribunal, sépare les magistrats du public : *Se présenter à la barre des témoins. Paraître à la barre* (= se présenter devant les juges). ◆ **barreau** [baro] n. m. Espace réservé aux avocats, dans le prétoire; la profession et l'ordre des avocats : *Etre avocat au barreau de Paris. Entrer au barreau.*

1. barrer v. tr. V. BARRE 2 et 4.

2. barrer [bare] v. tr. 1° (sujet nom de personne ou de chose) *Barrer une rue, une route, une porte,* etc., les fermer de manière que le passage soit interdit : *Les agents ont barré les issues de l'immeuble. La rue est barrée à cause des travaux. L'avalanche a barré la route qui descend la vallée.* — 2° *Barrer la route à quelqu'un, barrer quelqu'un,* mettre un obstacle à ses projets, à ses entreprises. ◆ **barrage** n. m. 1° Action de barrer; obstacle disposé pour barrer un passage : *L'artillerie effectue un tir de barrage pour empêcher l'ennemi d'avancer. La voiture a franchi à toute allure le barrage de police. La rue est interdite par un barrage. Faire barrage à l'expansion économique d'un pays concurrent* (= l'empêcher). *Un match de barrage départage les concurrents ex aequo.* — 2° Ouvrage qui barre un cours d'eau (la retenue étant utilisée comme source d'énergie, pour les besoins de l'irrigation, etc.) : *Construire un barrage sur la Durance.*

3. barrer (se) [səbare] v. pr. *Pop.* S'enfuir : *Il s'est barré à toutes jambes quand il nous a vus venir.*

1. barrette [barɛt] n. f. Bonnet noir, à trois ou à quatre cornes, que portent les ecclésiastiques en certaines circonstances; bonnet rouge des cardinaux.

2. barrette [barɛt] n. f. 1° Pince allongée servant à retenir les cheveux. — 2° Petit cadre rectangulaire portant le ruban d'une décoration; bijou de forme allongée.

barreur n. m. V. BARRE 4.

barricade [barikad] n. f. 1° Obstacle fait de l'entassement de matériaux divers, et mis en travers d'une rue ou d'un passage : *Les manifestants élèvent des barricades avec les pavés de la rue.* — 2° *Etre de l'autre côté de la barricade,* être du parti opposé, d'opinions politiques différentes. ◆ **barricader** v. tr. (sujet nom de personne). 1° Obstruer le passage au moyen de barricades : *Barricader une rue avec quelques voitures et des arbres abattus.* — 2° Fermer solidement : *Il barricada portes et fenêtres.* ◆ ***se barricader*** v. pr. 1° Résister par la force derrière une barricade : *Les insurgés se barricadèrent dans les locaux de la faculté* (syn. : SE RETRANCHER). — 2° *Se barricader* (*dans sa chambre*), s'y enfermer pour ne recevoir personne.

barrière [barjɛr] n. f. 1° Clôture faite d'un assemblage de pièces de bois, de métal : *Sauter par-dessus la barrière de l'enclos. La barrière du passage à niveau est fermée. Ouvrez la barrière pour pénétrer dans le jardin.* — 2° Obstacle naturel qui empêche de circuler d'un lieu à un autre : *Les montagnes forment une barrière infranchissable.* — 3° Obstacle qui sépare deux personnes, deux groupes, qui empêche la réalisation de quelque chose : *J'ai mis une barrière à ses prétentions. La différence de fortune constitue entre eux deux une barrière infranchissable* (syn. : MUR).

barrique [barik] n. f. Tonneau de 200 à 250 litres de capacité, qui sert au transport des liquides : *Mettre du vin en barrique. Transporter dans une cave deux barriques de vin.*

barrir [barir] v. intr. Crier, en parlant de l'éléphant. ◆ **barrissement** n. m. : *L'éléphant poussa un long barrissement.*

baryton [baritɔ̃] n. m. Voix d'homme intermédiaire entre le ténor et la basse; homme doué de cette voix.

1. bas, basse [bɑ, bɑs] adj. 1° (après le nom) Se dit de ce qui a peu de hauteur ou d'intensité, de ce qui est incliné vers le sol : *Il habite une maison basse dans la banlieue de Chartres. Un local bas de plafond. La salle basse du château* (= dont le plafond est peu élevé). *Se heurter à la branche basse d'un arbre. Le fleuve est bas* (= ce sont les basses eaux). *Les nuages sont bas, il va pleuvoir* (contr. : HAUT). *La marée est basse, on ne peut pas se baigner.*

Une côte basse et marécageuse (contr. : ABRUPT). *Il marche la tête basse* (contr. : HAUT). *Il est parti l'oreille basse* (= humilié, penaud). *Parler à voix basse* (contr. : FORT). *Il a la vue basse* (= il ne voit pas bien, il est myope). *Vous vous exprimez sur un ton trop bas* (syn. : FAIBLE). *La température est basse* (contr. : ÉLEVÉ). *La messe basse est une messe non chantée* (contr. : GRAND-MESSE). — 2° (avant le nom) Se dit de ce qui vient après dans le temps, de ce qui est inférieur par sa position, sa situation géographique ou sociale, par sa qualité, sa quantité ou son prix : *La basse Seine* (= la partie de son cours située vers la mer). *Les basses Alpes* (contr. : LES HAUTES ALPES). *Les bas Bretons* (= qui habitent la Bretagne intérieure). *La basse latinité* (celle du Bas-Empire, des IVe et Ve siècles). *Au bas mot, il lui doit dix mille francs* (= en évaluant au plus faible). *Faire de la basse littérature* (syn. : MÉDIOCRE, MAUVAIS). *En ce bas monde* (= sur la terre; contr. : au ciel). *Enfant en bas âge* (= petit enfant). ◆ **bas** adv. 1° Correspond à tous les sens de l'adj. : *Vous êtes assis trop bas* (contr. : HAUT). *L'avion vole bas. Les nuages courent bas dans le ciel. Regardez plus bas. Les cours de la Bourse sont tombés très bas. Il chante trop bas* (= d'une voix trop grave). *Parlez bas* (= à voix basse). — 2° *Etre très bas,* en parlant d'une personne, être proche de la mort. ‖ *Jeter bas,* abattre, détruire : *Jeter bas un îlot de maisons insalubres. La Révolution a jeté bas la monarchie.* ‖ *Mettre bas,* déposer : *Mettre bas les armes* (= cesser de combattre); en parlant des animaux, faire ses petits : *La brebis a mis bas cette nuit.* ‖ *Bas les mains* (ou fam. *les pattes*)!, cessez d'avoir une attitude menaçante (= abaissez les mains levées pour frapper). ‖ *Chapeau bas!,* découvrez-vous en signe de respect devant un tel acte. — 3° *A bas,* vers la terre ou à terre : *Mettre une maison à bas* (= la détruire). *Il est tombé à bas de son cheval;* comme interj., cri d'hostilité : *A bas la dictature!* (syn. : MORT À). ‖ *En bas, en bas de,* à l'étage inférieur, au-dessous de : *Il habite en bas, au rez-de-chaussée* (contr. : EN HAUT). *En bas de la côte, il y a un poste d'essence. Il est tombé la tête en bas* (= la tête la première). *Le bruit vient d'en bas.* ‖ *De haut en bas* [dəotɑ̃bɑ], *du haut en bas de,* dans sa totalité depuis la partie la plus élevée jusqu'à la plus basse : *Repeindre l'escalier de la maison de haut en bas. Du haut en bas de la société, ce fut une réprobation unanime.* ‖ *Traiter les gens de haut en bas,* les considérer avec mépris ou dédain. ‖ *De bas en haut* [dəbɑzɑ̃o], dans le sens ascendant. ◆ **bas** n. m. 1° *Le bas de* (suivi d'un compl. du nom), la partie inférieure de : *Recoudre le bas du pantalon. Copiez le bas de la page. Chez lui, le bas du visage est volontaire.* — 2° *Les hauts et les bas,* les moments de prospérité et les moments de malheur : *Il a connu pendant sa jeunesse des hauts et des bas.*

2. bas, basse [bɑ, bɑs] adj. (avant ou après le nom). Se dit de quelqu'un (ou de sa conduite, ou de son activité) qui est inférieur, sans valeur sur le plan moral, méprisable : *C'est une âme basse et hypocrite, prête à toutes les trahisons* (syn. : ABJECT). *Il a exercé une basse vengeance* (syn. : IGNOBLE). *Un aventurier employé à des besognes de basse police. Etre en proie à une basse jalousie* (syn. : HONTEUX). *Le bas peuple* (péjor.). *Il achète à bas prix* (syn. : VIL). ◆ **bassement** [bɑsmɑ] adv. D'une manière vile : *Il s'est conduit bassement à son égard* (syn. : IGNOBLEMENT). ◆ **bassesse** [bɑsɛs] n. f. Manque de noblesse ou d'élévation morale; action qui manifeste des sentiments vils : *Il pousse la flatterie jusqu'à la bassesse* (syn. : INFAMIE, SERVILITÉ). *Etaler la bassesse de son caractère* (contr. : GRANDEUR, GÉNÉROSITÉ). *Vous avez commis une bassesse en le dénonçant* (syn. : VILENIE, IGNOMINIE).

3. bas [bɑ] n. m. 1° Pièce du vêtement féminin souple, en tissu à mailles (Nylon, coton, laine) et destinée à couvrir la jambe et le pied : *Mettre des bas. Des bas de laine. Des bas de Nylon* ou *des bas Nylon.* (Les *bas* ont été aussi une pièce du vêtement masculin.) — 2° *Bas de laine,* cachette où l'on mettait les économies, l'épargne faite par un ménage; les sommes économisées (vieilli). ◆ **demi-bas** n. m. Bas qui s'arrête au-dessous du genou.

basane [bazan] n. f. Peau de mouton tannée, utilisée en maroquinerie, en sellerie et dans l'industrie de la chaussure.

basané, e [bazane] adj. Se dit de la peau brunie par le soleil et le grand air : *Le teint basané du vieux marin. Il était revenu la figure basanée de trois semaines de croisière en mer* (syn. : BRONZÉ).

bas-bleu [bablø] n. m. *Péjor.* Femme écrivain dont la sensibilité a disparu pour faire place au pédantisme.

bas-côté [bakote] n. m. 1° Voie latérale d'une route, en général réservée aux piétons : *Pour éviter tout accident, il est recommandé de marcher sur les bas-côtés de la route. Il est interdit aux véhicules de stationner sur les bas-côtés de l'autoroute.* — 2° Nef latérale d'une église : *Les vitraux éclairent faiblement les bas-côtés.*

1. bascule [baskyl] n. f. Appareil avec lequel on mesure la masse de gros objets.

2. bascule n. f. V. BASCULER.

basculer [baskyle] v. intr. (sujet nom de personne ou de chose). Faire un mouvement qui déséquilibre et entraîne la chute : *L'ouvrier, en essayant de rattraper une corde de l'échafaudage, a basculé dans le vide* (syn. : TOMBER, CULBUTER). *Le wagon a basculé dans le fossé* (syn. : CHAVIRER). *Prenez garde, la planche bascule.* ◆ v. tr. Faire tomber en déséquilibrant : *Basculer un chariot, une benne* (syn. : RENVERSER, CULBUTER). *Basculer quelqu'un par la fenêtre.* ◆ **basculant, e** adj. : *Une benne basculante.* ◆ **bascule** n. f. *A bascule,* se dit d'une pièce d'appareil faite pour pivoter dans un plan vertical, ou d'un siège qu'on peut basculer d'avant en arrière : *Un fauteuil à bascule. L'enfant avait reçu comme jouet un cheval à bascule.*

1. base [baz] n. f. 1° Socle sur lequel un corps est installé; partie inférieure d'un corps par laquelle il repose sur autre chose : *La statue oscille sur sa base* (syn. : SOCLE, SUPPORT). *Des temples grecs il ne reste souvent que la base des colonnes* (syn. : PIED). *La base de l'église repose sur le rocher* (syn. : FONDATION). *La base de la colline est ravinée par les pluies* (syn. : LE BAS; contr. : SOMMET). *La base d'un triangle est le côté opposé au sommet.* — 2° Lieu de concentration de troupes et de moyens matériels pour conduire des opérations militaires : *Installer des bases navales en Méditerranée. Les bases aériennes sont devenues vulnérables aux fusées. Un avion n'est pas rentré à sa base. L'armée risque d'être coupée de ses bases de ravitaillement* (syn. : CENTRE). — 3° Ensemble des adhérents d'un parti politique ou d'un syndicat (par oppos. aux dirigeants) : *Les délégués syndicaux demandèrent à* *consulter la base avant d'accepter. Le militant de base.* ◆ **baser** v. tr. Concentrer en un lieu (surtout au passif) : *Une unité de chars est basée à Rambouillet, près de Paris.*

2. base [baz] n. f. 1° Ce qui est l'origine, le principe fondamental sur lequel tout repose (souvent au plur.) : *Jeter les bases d'une réorganisation du service* (syn. : PLAN). *Etablir les bases d'un accord* (syn. : CONDITIONS). *Ce raisonnement est fondé sur des bases solides* (syn. : PRINCIPES). *Poser les bases d'un traité de coopération. Il est à la base de toute la combinaison* (syn. : ORIGINE). *Saper les bases d'une organisation* (syn. : ASSISES). *Ce projet pèche par la base* (= repose sur de faux principes). *Sur la base de vos propositions, une discussion est possible* (= en prenant comme point de départ). *Echanger des dollars sur la base des cours du jour* (= au taux actuel). *C'est une base de départ pour une confrontation ultérieure plus approfondie. Consulter un ouvrage de base. Apprendre les formules de base* (= fondamentales). — 2° *A base de,* dont le principal composant est : *Ces détersifs sont toujours à base de soude.* ◆ **baser** [baze] v. tr. *Baser une chose sur une autre,* donner à la première la seconde comme principe ou comme fondement : *Ils ont basé tout leur système sur des calculs faux* (syn. : APPUYER, ÉCHAFAUDER). *Sa démonstration est solidement basée sur des faits* (syn. : FONDER, ÉTABLIR). ◆ ***se baser*** v. pr. (déconseillé par quelques grammairiens) : *Sur quoi vous basez-vous pour dire cela?* (syn. : SE FONDER).

bas-fond [bɑfɔ̃] n. m. 1° Endroit de la mer ou d'une rivière où l'eau est peu profonde; terrain plus bas que ceux qui l'environnent et qui est en général marécageux : *Pêcher la langouste sur les bas-fonds proches de la côte. Les prés sont situés dans les bas-fonds humides de la vallée. Le navire s'est échoué sur un bas-fond près de l'île.* — 2° Péjor. *Les bas-fonds de la société,* la partie de la population qui vit en marge de la collectivité (syn. non péjor. : LE SOUS-PROLÉTARIAT).

basilique [basilik] n. f. Nom donné à quelques églises catholiques de vastes proportions (conçues d'après les premières églises chrétiennes, de forme rectangulaire, terminées par une abside en demi-cercle) : *La basilique du Sacré-Cœur de Montmartre.*

basket-ball [baskɛtbol] ou **basket** n. m. Sport qui, sur un sol en général recouvert d'un parquet de bois, oppose deux équipes de cinq joueurs, et qui consiste à marquer le plus de points possible en faisant entrer le ballon dans un anneau muni d'un filet (panier), fixé sur un panneau à 3,05 m du sol. ◆ **basketteur, euse** n. : *Les basketteurs, par des passes rapides, s'efforcent de parvenir près du panneau pour marquer ou « faire » un panier* (= envoyer le ballon dans le panier).

basque [bask] n. f. *Etre toujours pendu aux basques de quelqu'un,* le suivre partout, ne pas le quitter d'un pas, en l'importunant ou en le gênant : *Ne sois donc pas toujours pendu à mes basques; on croirait que tu n'as rien à faire!* (= être toujours dans les jambes). [Les *basques* sont la partie de l'habit qui descend derrière, au-dessous de la ceinture; syn. : PANS.]

bas-relief [bɑrəljɛf] n. m. Sculpture qui se détache avec une faible saillie sur un fond uni de pierre : *Les bas-reliefs du Parthénon sont dispersés entre Athènes, Londres et Paris.*

basse [bas] n. f. Voix ou instrument qui fait entendre les sons les plus graves.

basse-cour [bɑskur] n. f. 1° Partie de la ferme où l'on élève, d'une manière permanente, de la volaille et d'autres petits animaux (lapins). — 2° *Animaux de basse-cour,* ou simplement *la basse-cour,* ensemble des animaux qui vivent dans cette partie de la ferme : *La basse-cour procure quelque profit à la fermière, qui vend les œufs et les poulets.*

bassement adv., **bassesse** n. f. V. BAS 2.

basset [basɛ] n. m. Chien courant aux membres courts et au corps allongé.

1. bassin [basɛ̃] n. m. 1° Récipient portatif, large et de forme circulaire, destiné à recevoir de l'eau : *Certaines chambres d'hôtels de campagne, où il n'y a pas d'eau courante, ont des tables de toilette avec un bassin.* — 2° Récipient qui reçoit les déjections d'un malade. ◆ **bassine** [basin] n. f. Large récipient de forme circulaire, en métal ou en matière plastique, destiné à divers usages domestiques : *Laver la vaisselle dans une bassine. Une bassine à confitures* (syn. : ↑ BASSIN).

2. bassin [basɛ̃] n. m. Maçonnerie destinée à recevoir de l'eau, et servant de réservoir ou d'ornement : *Les bassins de Versailles* (syn. : PIÈCE D'EAU). *Les jets d'eau du bassin des Tuileries.*

3. bassin [basɛ̃] n. m. Partie d'un port où les navires, à l'abri du vent et de la grosse mer, chargent et déchargent leurs marchandises et peuvent être réparés : *Le paquebot est entré dans le bassin et se prépare à accoster.*

4. bassin [basɛ̃] n. m. Terme de géographie désignant une dépression naturelle arrosée par des cours d'eau, ou un gisement minier formant une unité : *Le Bassin parisien. Le bassin minier du Pas-de-Calais. L'activité a repris dans tout le bassin.*

5. bassin [basɛ̃] n. m. Ceinture osseuse située à la partie inférieure du tronc et articulée avec les membres inférieurs : *Avoir une fracture du bassin à la suite d'un accident de voiture.*

bassiner [basine] v. tr. Pop. *Bassiner quelqu'un,* le fatiguer par des bavardages, des questions stupides ou indiscrètes : *Il nous bassine à nous raconter toujours ses exploits personnels* (syn. usuel : ENNUYER). [*Bassiner* consistait à chauffer un lit avec une *bassinoire* (bassin de métal à couvercle perforé contenant de la braise).]

basson [bɑsɔ̃] n. m. 1° Instrument de musique à vent, en bois, dont la forme est celle d'un long tube. — 2° Musicien qui en joue.

baste! [bast] interj. Indique en général le début d'une phrase exclamative exprimant la résignation ou l'indifférence (souvent avec *mais, ah,* etc.; littér., cette interj. se voit substituer *bah!*) : *Les nouvelles ne sont pas rassurantes, mais baste! il ne faut pas désespérer! Ah baste! pourquoi se lamenter?*

bastille [bastij] n. f. Château fort construit à Paris, qui servit de prison d'Etat et fut pris d'assaut le 14 juillet 1789 par le peuple de Paris (le mot symbolise parfois l'asservissement, le pouvoir arbitraire) : *Les nouvelles bastilles seront détruites comme l'a été la Bastille elle-même.*

bastingage [bastɛ̃gaʒ] n. m. Bord du navire qui dépasse le pont : *Appuyée sur le bastingage, elle agitait un mouchoir à l'adresse de ceux qui restaient sur le quai. Se pencher sur le bastingage.*

bastion [bastjɔ̃] n. m. 1° Fortification faisant partie d'un système de défense. — 2° Ce qui forme le centre de résistance inébranlable d'un parti, d'une organisation, d'une doctrine, etc. : *Les départements du Centre et du Sud-Ouest ont été, entre les deux guerres, les bastions du radicalisme.*

bastonnade [bastɔnad] n. f. Volée de coups de bâton (surtout ironiq. ou plaisant) : *Recevoir une bastonnade.*

bastringue [bastrɛ̃g] n. m. 1° *Pop.* Ensemble d'objets hétéroclites ; matériel encombrant et disparate : *Enlève tout ce bastringue qui encombre le couloir et empêche de passer.* — 2° *Pop.* Désordre bruyant, causé en général par des danseurs ou par un orchestre médiocre : *Toute cette nuit du 14-Juillet, il entendit de sa chambre un bastringue infernal* (syn. : VACARME, TAPAGE). — 3° *Pop.* Bal populaire : *Musique, orchestre de bastringue.*

bas-ventre n. m. V. VENTRE.

bât [bɑ] n. m. 1° Selle rudimentaire placée sur le dos des ânes, des mulets, des chevaux, pour le transport de charges : *Fixer un fardeau sur un bât.* — 2° *Voilà où le bât blesse,* c'est le point faible, celui où l'on peut atteindre quelqu'un, le vexer : *Cet échec l'a beaucoup affecté ; c'est là où le bât le blesse, n'y faites jamais allusion devant lui.*

bataclan [bataklɑ̃] n. m. 1° *Fam.* Attirail ou paquets encombrants et divers : *Range un peu tout ce bataclan qui embarrasse la pièce* (syn. usuel : BAZAR). — 2° *Et tout le bataclan,* et tout le reste.

bataille [bataj] n. f. Combat livré entre deux armées, entre deux ou plusieurs personnes : *Nous avons perdu une bataille, mais non pas la guerre. Ranger l'armée en bataille* (syn. : EN LIGNE). *Remporter, gagner une bataille sur l'ennemi. Les enfants ont commencé une bataille de boules de neige. La bataille électorale a été ardente. Visiter les champs de bataille de Normandie. Le plan de bataille a été modifié* (= les dispositions prises pour attaquer l'adversaire). *Etre maître du champ de bataille* (= en avoir chassé l'ennemi). *La publication de ce roman donna lieu à une bataille d'idées* (= des discussions, des controverses). *Les clients du café se livrèrent une véritable bataille rangée* (syn. : RIXE). ◆ **batailler** v. intr. Se battre ; livrer combat (inusité dans le sens militaire) : *Des enfants bataillaient à la sortie de la classe* (syn. : SE BATTRE). *Il bataille avec ardeur pour ses idées* (syn. : COMBATTRE, LUTTER). ◆ **batailleur, euse** adj. et n. : *Mon fils est un batailleur et il revient souvent avec les vêtements déchirés* (syn. : QUERELLEUR). *Il a l'humeur batailleuse* (syn. : COMBATIF).

bataillon [batajɔ̃] n. m. 1° Unité militaire composée de plusieurs compagnies : *Un bataillon de chars, d'infanterie. Engager deux bataillons dans le combat.* — 2° *Un bataillon de,* une troupe nombreuse de : *Il y avait tout un bataillon d'enfants avec lui. Des bataillons de spectateurs entrent dans le stade.*

bâtard [batar] n. m. Pain de fantaisie entre la baguette et le pain d'un kilogramme.

bâtard, e [batar, -ard] adj. et n. 1° Se dit de quelqu'un né de parents qui ne sont pas mariés légalement : *Le comte de Toulouse était un bâtard de Louis XIV* (syn. : ENFANT NATUREL, ADULTÉRIN). — 2° Se dit d'un animal qui n'est pas de race pure, mais est issu de croisements : *Il possédait un chien affreux, bâtard de caniche et de fox.* — 3° Se dit d'une chose qui a les caractères de deux genres différents ou opposés : *Cet ouvrage n'est ni un essai ni un roman ; c'est une œuvre bâtarde qui tient des deux genres.*

bâté [bɑte] adj. m. *Ane bâté,* personne très ignorante. (V. ÂNE.)

1. bateau [bato] n. m. 1° Terme générique désignant toute sorte de navire ou d'embarcation : *On aperçoit plusieurs bateaux de pêche à l'horizon. Prendre le bateau à Marseille pour aller à Alexandrie* (= s'embarquer). *Les porteurs attendent les voyageurs à la descente du bateau* (syn. : PAQUEBOT). *De petits bateaux à moteur sillonnent la baie. Quelques bateaux de guerre sont ancrés dans la rade* (syn. : NAVIRE). — 2° Fam. *Mener quelqu'un en bateau, lui monter un bateau,* le tromper par une histoire imaginée de toutes pièces. ‖ *Être du dernier bateau,* être au courant de ce qui est à la mode. ◆ **batelier** [batəlje] n. m. Celui qui est chargé de la conduite des bateaux de la navigation fluviale (péniches, remorqueurs). ◆ **batellerie** [batɛlri] n. f. Industrie du transport par voie fluviale.

2. bateau [bato] n. m. *Fam.* Idée devenue banale à force d'être sans cesse exposée : *C'est un de ses bateaux préférés : la corruption de la jeunesse actuelle* (syn. : LIEU COMMUN ; fam. : DADA).

bateleur [batlœr] n. m. Personne qui, sur une estrade en plein vent, amuse le public par ses tours d'adresse (seulement par ironie, en parlant d'un personnage bouffon : *bateleur de foire*).

batelier n. m., **batellerie** n. f. V. BATEAU 1.

bat-flanc [bɑflɑ̃] n. m. 1° Cloison séparant des chevaux dans une écurie. — 2° Plancher surélevé et incliné, servant de lit aux soldats d'un poste de garde ou à des prisonniers : *Dormir sur un bat-flanc, enveloppé dans une couverture.*

bath [bat] adj. invar. (avant ou après le nom). *Pop.* Très joli, excellent : *Tu as un bath costume* (syn. fam. : CHIC). *Elle est vraiment bath* (syn. : BEAU). *C'est bath d'avoir huit jours de congé* (syn. fam. : CHOUETTE).

batifoler [batifɔle] v. intr. (sujet nom de personne). S'amuser à des choses sans importance, à des riens, à des enfantillages, ou tenir des propos galants à une femme (péjor. et fam.) : *C'est un esprit léger qui aime à batifoler* (syn. : FAIRE LE FOU). *Vous avez assez batifolé comme ça : passons à des choses sérieuses* (syn. : FOLÂTRER, PERDRE SON TEMPS). *Il ne sentait pas le ridicule qu'il y avait à batifoler auprès de cette écervelée* (syn. : LUTINER, langue écrite). ◆ **batifolage** n. m. : *Il n'avait aucun sérieux et ne se plaisait qu'à un batifolage sans conséquence* (syn. : JEU FOLÂTRE, AMUSEMENT).

bâtir [bɑtir] v. tr. 1° *Bâtir une maison, un pont,* etc. (objet matériel), élever ou faire élever sur le sol, avec des pierres, du ciment, des matériaux divers, un ensemble destiné à un usage précis : *Bâtir un pont sur l'Yonne* (syn. : CONSTRUIRE ; contr. : DÉTRUIRE). *Une villa bâtie près de la côte. Le gouvernement décida de bâtir de nouvelles écoles* (syn. : ÉLEVER, ÉDIFIER). *Les enfants ont bâti une cabane au fond du jardin* (syn. : MONTER). *Cet architecte a bâti le nouveau Palais des expositions* (= il en a dirigé la construction). *La propriété bâtie* (= les immeubles). *Il s'est bâti une petite maison de campagne. Un nouveau quartier s'est bâti depuis dix ans. Faire bâtir un hôpital. Terrain à bâtir*

(= destiné à la construction). — 2° *Bâtir une chose* (nom abstrait), l'établir sur des bases quelconques, selon une disposition, un projet déterminés : *Il a bâti toute une théorie sur quelques observations isolées* (syn. : ÉTABLIR, FONDER). *Bâtir sa réputation sur de solides travaux. Sa phrase est mal bâtie* (syn. : AGENCER). *C'est bâtir en l'air que de faire de telles suppositions. Bâtir une fortune immense par des moyens malhonnêtes* (syn. : ÉDIFIER). — 3° *Bâtir des châteaux en Espagne,* former des projets irréalisables. ‖ *Bâtir une robe,* en assembler les pièces en les cousant provisoirement à longs points. ◆ **bâti, e** adj. Fam. *Bien, mal bâti,* solide, de forte carrure, ou difforme (syn. : BIEN FAIT ; pop. : BIEN BALANCÉ). ◆ **bâti** n. m. Assemblage de pièces de menuiserie ou de charpente servant ordinairement de cadre, de support : *Une porte avec son bâti. Une machine-outil fixée sur un bâti.* ◆ **bâtiment** n. m. 1° Ce qui a été construit, bâti pour servir à l'habitation : *Les bâtiments de la ferme étaient dispersés autour de la cour. Ravaler la façade des bâtiments publics* (syn. : ÉDIFICE, MONUMENT). *Le plan des nouveaux bâtiments de la faculté* (syn. : CONSTRUCTION). *Les bâtiments s'élèvent rapidement* (syn. : IMMEUBLE, MAISON). — 2° *Industrie du bâtiment,* ou *le bâtiment,* ensemble du personnel et des industries qui concourent à la construction des maisons, des immeubles, des édifices, etc. ◆ **bâtisse** [bɑtis] n. f. Construction sans caractère particulier (en général péjor.) : *Détruire les vieilles bâtisses d'un quartier insalubre.* ◆ **bâtisseur** n. m. 1° Celui qui fait construire ou construit de grands ensembles (suivi d'un compl. du nom) : *Un architecte qui a été un grand bâtisseur de villes nouvelles.* — 2° Celui qui fonde quelque chose : *Les bâtisseurs d'empires* (syn. : FONDATEUR). *Un bâtisseur de théories chimériques qui les abandonne aussitôt construites.* ◆ **rebâtir** v. tr. : *Il a fallu rebâtir la ville après les destructions de la dernière guerre* (syn. : RECONSTRUIRE).

1. bâtiment n. m. V. BÂTIR.

2. bâtiment [bɑtimɑ̃] n. m. Navire de grandes dimensions : *Les bâtiments de la flotte sont ancrés à Brest.*

bâton [bɑtɔ̃] n. m. 1° Branche d'arbre, tige d'arbuste, taillée et ajustée pour servir à la marche, pour être utilisée comme arme ou comme outil, ou pour servir à diriger ou conduire : *Il se tailla un bâton pour la longue promenade qu'il allait faire* (syn. : CANNE). *Poursuivre un voleur à coups de bâton* (syn. : TRIQUE). *Il reçut une volée de coups de bâton. Le bâton du chef d'orchestre* (syn. : BAGUETTE). *Le bâton blanc de l'agent de police ;* peut symboliser une dignité, l'autorité, le commandement : *Recevoir le bâton de maréchal.* — 2° Objet fait de matière consistante et qui a une forme allongée : *Un bâton de rouge à lèvres. Mettre quelques bâtons de craie sur le bureau du professeur.* — 3° *A bâtons rompus,* d'une manière discontinue, sans suite : *Ils parlèrent à bâtons rompus de leur jeunesse, de leurs aventures et de leur situation actuelle.* ‖ *Avoir son bâton de maréchal,* atteindre le but suprême de son ambition. ‖ *Etre le bâton de vieillesse de quelqu'un,* être le soutien d'un vieillard. ‖ *Faire des bâtons,* se dit d'un jeune écolier qui trace des traits parallèles pour s'habituer à écrire. ‖ *Mener une vie de bâton de chaise,* avoir une vie déréglée, agitée, une vie de débauche. ‖ *Mettre des bâtons dans les roues,* susciter des difficultés à quelqu'un, élever des obstacles pour empêcher l'accomplissement de quelque chose : *Il met toujours des bâtons dans les roues quand on tente une nouvelle entreprise* (= il l'entrave). ◆ **bâtonnet** n. m. Ce qui a la forme d'un petit bâton. (V. BASTONNADE.)

bâtonnier [bɑtɔnje] n. m. Titre donné au chef élu de l'ordre des avocats inscrits auprès d'une cour ou d'un tribunal : *Le bâtonnier de l'ordre des avocats de Paris était présent à l'audience, en prévision des incidents possibles.*

battage n. m., **battant** n. m. V. BATTRE 2.

1. battement n. m. V. BATTRE 2.

2. battement [batmɑ̃] n. m. Intervalle de temps dont on peut disposer avant une action, un travail, etc. : *Les employés ont deux heures de battement à midi pour déjeuner. Entre deux heures de classe consécutives, il y a cinq minutes de battement* (syn. : INTERCLASSE).

1. batterie [batri] n. f. Groupement de plusieurs accumulateurs électriques, de piles, etc. : *Faire recharger la batterie de sa voiture.*

2. batterie [batri] n. f. 1° Unité d'artillerie : *Disposer une batterie.* — 2° (au plur.) Moyens habiles pour réussir : *Dresser ses batteries. Démasquer ses batteries* (= jeter le masque). — 3° *Mettre une arme en batterie,* la disposer de telle manière qu'elle soit en état de tirer immédiatement.

3. batterie [batri] n. f. Ensemble des instruments de percussion dans un orchestre. ◆ **batteur** n. m. Celui qui tient les instruments de percussion (caisses, cymbales, etc.) dans un orchestre, de jazz notamment.

4. batterie [batri] n. f. *Batterie de cuisine,* ensemble des ustensiles de métal (casseroles, plats, etc.) utilisés pour la cuisine.

batteur n. m. V. BATTERIE 3 et BATTRE 2.

batteuse n. f. V. BATTRE 2.

1. battre [batr] v. tr. (conj. **56**) [sujet nom de personne]. 1° *Battre quelqu'un, un animal,* lui donner des coups : *Cet enfant est brutal, il bat ses camarades. Battre un chien. Battre quelqu'un comme plâtre* (= à tour de bras) [syn. : FRAPPER, langue plus soignée ; TAPER, COGNER, pop. en cet emploi ; ↑ ROUER DE COUPS ; CORRIGER, avec idée de punition ; ROSSER, fam. ; TABASSER, PASSER À TABAC, très fam.]. — 2° *Battre un ennemi, un adversaire,* etc., remporter la victoire sur lui : *L'équipe de France de football a été battue. Napoléon battit les Autrichiens à Wagram. Battre un ennemi à plate couture* (= lui infliger une défaite totale) [syn. : VAINCRE, DÉFAIRE ; moins fréquent : ↑ ÉCRASER, ANÉANTIR ; TRIOMPHER DE, souligne la difficulté ; L'EMPORTER SUR, langue soignée ; AVOIR, fam. ; ENFONCER, très fam. ; ROULER, très fam., avec idée de ruse ou de tricherie]. — 3° *Avoir l'air d'un chien battu,* avoir une attitude humiliée. ‖ *Yeux battus,* entourés d'un cerne noir à cause de la fatigue, de la douleur ou du chagrin. ◆ ***se battre*** v. pr. 1° Se donner mutuellement des coups, engager le combat l'un contre l'autre : *Les deux jeunes gens se battirent à coups de poing. Ils se sont battus en duel* (syn. : COMBATTRE). — 2° Soutenir un combat : *L'armée s'est vaillamment battue. Se battre contre plusieurs agresseurs. Cet enfant se bat souvent avec les galopins du quartier. Se battre contre les préjugés* (syn. : LUTTER). — 3° Pop. *Je m'en bats l'œil,* cela m'est indifférent. || *Se battre les flancs,* se démener beaucoup pour un mince résultat. ◆ **imbattable** adj. : *Une équipe imbattable* (syn. : INVINCIBLE).

2. battre [batr] v. tr. (conj. **56**). **1°** (sujet nom de personne) *Battre quelque chose,* lui donner des coups en vue d'un résultat précis (traitement, nettoyage, etc.) : *Battre le fer pour forger une pièce. Battre des œufs en neige. Battre un tapis* (pour en enlever la poussière). *Battre les céréales* (pour en extraire le grain) [syn. : DÉPIQUER; V. BATTAGE]. *Battre le tambour* ou, fam., *la caisse* (= faire retentir le tambour). — **2°** (sujet nom de chose) S'élancer contre, se jeter sur : *Les vagues battent la digue* (syn. : ASSAILLIR). *La pluie bat les vitres* (syn. : CINGLER, FOUETTER). — **3°** *Battre le fer pendant qu'il est chaud,* poursuivre activement une entreprise, profiter d'une occasion. || *Battre la semelle,* V. SEMELLE. || *Battre le pavé,* aller et venir sans but. ◆ v. intr. **1°** (sujet nom de chose) Donner des coups contre un obstacle; faire entendre des bruits plus ou moins forts de choc : *Une porte qui bat au courant d'air. La pluie bat contre la vitre. Un métronome, un balancier de pendule qui bat régulièrement.* — **2°** *Battre des mains,* les frapper l'une contre l'autre (syn. : APPLAUDIR). || *Battre du tambour,* le faire retentir. || *Le tambour bat,* il retentit. || *Le cœur bat,* il est animé de pulsations (syn. : PALPITER). || *Son cœur bat pour un jeune homme,* elle l'aime. (V. aussi CARTE, MESURE, MONNAIE, etc.) ◆ **battage** [bataʒ] n. m. **1°** Action de battre les céréales, les légumineuses, etc., pour en extraire les grains : *Le battage du blé. Le battage à la machine a remplacé à peu près partout en France le battage au fléau* (parfois au plur., pour désigner la saison de ces travaux : *Il ne l'avait pas revu depuis les battages*). — **2°** *Fam.* Publicité tapageuse : *On fait un grand battage autour de ce nouveau produit. Annoncer une réunion avec un battage monstre.* ◆ **battant, e** adj. *A une* (*deux, trois,* etc.) *heure*(*s*) *battante*(*s*), à une (deux, trois, etc.) heure(s) précise(s) : *Donner un rendez-vous à deux heures battantes* (syn. fam. : TAPANT). || *Cœur battant,* cœur palpitant sous l'effet d'une émotion. || *Pluie battante,* qui tombe avec violence. || Fam. *Tambour battant,* avec vivacité, avec résolution : *Mener une affaire tambour battant.* || *Tout battant neuf,* qui est dans tout l'éclat du neuf (syn. usuel : FLAMBANT). ◆ **battant** n. m. **1°** Pièce métallique suspendue à l'intérieur d'une cloche, dont elle vient frapper la paroi. — **2°** Partie mobile d'une porte, d'une fenêtre; vantail. — **3°** *Fam.* Somme d'argent dont on peut disposer pour faire face à une dépense imprévue. ◆ **battement** n. m. Choc répété d'un corps contre un autre, provoquant un bruit rythmé, ou simple mouvement alternatif : *Etre salué par de vigoureux battements de mains* (syn. : APPLAUDISSEMENTS). *Les battements du cœur s'affaiblissent. Les battements de cils, de paupières. Un nageur de crawl qui a un bon battement de jambes.* ◆ **batteur** n. m. Appareil ménager destiné à faire des mélanges, à préparer des sauces, de la mayonnaise, etc. ◆ **batteuse** n. f. Machine à égrener les céréales. ◆ **battu, e** [baty] adj. *Sol battu, terre battue,* sol nu, durci par une pression répétée.

3. battre [batr] v. tr. (conj. **56**). *Battre le pays, la région,* etc., les parcourir en les explorant minutieusement : *Les gendarmes ont battu la région, le secteur, pour retrouver les voleurs. Chasseurs qui battent la plaine.* || *Battre la campagne,* V. CAMPAGNE. || *Chemins, sentiers battus,* banalités, lieux communs : *Suivre toujours les sentiers battus.* || *Battre en retraite,* fuir : *L'armée bat en retraite devant un ennemi supérieur en nombre;* se dérober : *Devant l'objection, il battit en retraite.* ◆ **battue** n. f. Chasse qu'on pratique en faisant battre les bois par des rabatteurs. (V. RABATTRE.)

baudet [bodɛ] n. m. Syn. fam. de ÂNE : *Au jardin du Luxembourg, à Paris, des enfants, montés sur des baudets, faisaient le tour du bassin* (syn. fam. : BOURRICOT). *Sur le chemin rocailleux qui va au monastère, des baudets lourdement chargés avançaient lentement.*

baudrier [bodrije] n. m. Bande de cuir ou d'étoffe portée en écharpe et qui soutient le sabre, l'épée ou la hampe d'un drapeau.

baudruche [bodryʃ] n. f. **1°** Pellicule de caoutchouc dont on fait des ballons : *Acheter à son fils un ballon en baudruche.* — **2°** Désigne une personne sotte et prétentieuse, une théorie sans consistance : *C'est une baudruche que quelques flatteries mettent immédiatement en confiance. Crever une baudruche* (= dissiper les illusions). *Dégonfler une baudruche.*

bauge [boʒ] n. f. **1°** Lieu fangeux où le sanglier se vautre pendant le jour. — **2°** Tout endroit sordide.

baume [bom] n. m. **1°** Substance odoriférante que sécrètent certaines plantes et que l'on utilise à divers usages pharmaceutiques ou industriels; préparation employée comme calmant ou pour empêcher la corruption d'un corps. — **2°** *Mettre, verser du baume sur une plaie, une blessure, dans le cœur de quelqu'un,* procurer quelque adoucissement à sa douleur, à sa peine : *Après tant de malheurs, quelques marques de sympathie pourraient lui mettre du baume dans le cœur* (syn. : APAISER, CONSOLER). ◆ **embaumer** [ɑ̃bome] v. tr. *Embaumer un cadavre,* le traiter avec des substances spécialement préparées pour en assurer la conservation (souvent au passif) : *Le corps embaumé de Lénine repose dans le mausolée de la place Rouge. Les Egyptiens embaumaient le cadavre des pharaons.* ◆ **embaumement** n. m. : *L'embaumement d'un cadavre.* ◆ **embaumeur** n. m. Celui qui a pour métier d'embaumer les corps. (V. EMBAUMER 2.)

bavard, e [bavar, -ard] adj. et n. **1°** Se dit de quelqu'un qui parle beaucoup, ou qui est incapable de se retenir de parler; se dit aussi de son comportement verbal : *Un bavard insupportable dont personne ne peut interrompre le discours* (syn. : DISCOUREUR, PHRASEUR). *Il est bavard en classe et n'écoute presque jamais le professeur* (contr. : SILENCIEUX). *Un conférencier bavard et prétentieux* (syn. : PROLIXE). *La concierge est bavarde et me retient souvent à la porte de la loge quand je prends le courrier. Un roman bavard et diffus, qui s'étend sur plus de mille pages* (syn. : VERBEUX). — **2°** Se dit de quelqu'un qui n'est pas capable de retenir un secret, qui commet des indiscrétions : *Il a la langue trop bien pendue : on ne peut pas lui faire confiance; il est trop bavard* (syn. : INDISCRET; contr. : DISCRET). *Une bavarde qui jure qu'elle ne dira rien et qui s'empresse d'aller raconter votre confidence.* ◆ **bavarder** [bavarde] v. intr. **1°** *Péjor.* Parler beaucoup : *Cet élève perd son temps à bavarder. Tu bavardes à tort et à travers et tu racontes n'importe quoi. Elle bavarde avec toutes les commères du quartier* (syn. fam. : JACASSER, PAPOTER). —

2° S'entretenir familièrement et à loisir avec quelqu'un : *Il bavardait sur le pas de sa porte avec le voisin* (syn. : CAUSER). *Vous avez quelques instants de libres; si nous allions bavarder au café?* (syn. littér. : CONVERSER). — 3° Révéler ce qui devait être gardé secret; parler d'une manière défavorable de quelqu'un : *On a arrêté toute la bande : un complice avait bavardé. On bavarde beaucoup sur ton compte* (syn. : JASER). ◆ **bavardage** n. m. : *Il prend son propre bavardage pour une activité sérieuse. Ce bavardage incessant autour de moi m'assomme. Pas de bavardage, allez directement au fait. Notre projet est découvert; il y a eu des bavardages* (syn. : INDISCRÉTION). *N'attachez pas d'importance à ces bavardages calomnieux* (syn. : POTINS, RAGOTS, CANCANS). ◆ **bavasser** [bavase] v. intr. *Péjor.* et *fam.* Bavarder : *As-tu fini de bavasser au téléphone avec ta sœur?*

bave [bav] n. f. Salive ou écume qui coule de la bouche des hommes ou de la gueule des animaux : *Essuyer la bave qui coule de la bouche d'un bébé. Un filet de bave coulait de la gueule du chien.* ◆ **baver** v. intr. 1° (sujet nom d'être animé) Laisser couler la bave : *Baver et postillonner en parlant.* — 2° *Liquide qui bave,* qui se répand largement : *L'encre a bavé et fait une tache.* — 3° *Baver sur quelqu'un,* chercher à le salir par des calomnies, des propos vils. ‖ Pop. *En baver,* se donner beaucoup de peine; supporter des ennuis graves : *Lui qui n'était pas habitué à travailler de ses mains a dû s'y mettre; il en a bavé les premiers temps. Il est très dur avec ses subordonnés et il leur en fait baver toute l'année* (syn. : EN VOIR DE TOUTES LES COULEURS). ‖ Pop. *En baver des ronds de chapeau,* être au plus haut degré de l'étonnement, de l'admiration. ◆ **bavette** n. f., ou **bavoir** n. m. Petite pièce de lingerie que l'on met sous le menton des bébés pour protéger les vêtements contre la bave. ◆ **baveux, euse** adj. 1° *La gueule baveuse d'un chien.* — 2° *Omelette baveuse,* dont l'intérieur n'est pas très cuit. ◆ **bavure** n. f. 1° *L'encre a fait des bavures sur l'épreuve d'imprimerie* (syn. : TACHE). — 2° *Fam.* Imperfection dans ce qui devrait être impeccable : *L'opération n'a pas été menée sans bavure* (= d'une manière irréprochable).

bayer [baje] v. intr. *Bayer aux corneilles,* perdre son temps à regarder stupidement en l'air : *Ecoutez donc, au lieu de bayer aux corneilles; ensuite vous vous plaindrez de ne pas comprendre* (syn. : RÊVASSER). [V. BÂILLER.]

bazar [bazar] n. m. 1° Grand magasin où l'on vend toutes espèces de produits manufacturés, dans des rayons spécialisés, à des prix marqués. (Le mot est de plus en plus remplacé par *grand magasin, supermarché,* ou par des noms propres [raisons sociales] : *Uniprix, Monoprix,* etc.) — 2° *Fam.* Ensemble d'objets divers, en désordre, souvent mal définis : *Il a un bazar invraisemblable dans son sac à dos* (syn. fam. : FOURBI, BARDA). *Quel bazar! Il y avait des livres sur tous les meubles!*

bazarder [bazarde] v. tr. *Fam.* Se débarrasser par les voies les plus rapides; vendre à n'importe quel prix : *Il a bazardé sa vieille voiture pour en acheter une neuve. Ne bazarde pas tes livres sans me le dire; ils m'intéressent.* ◆ **bazardage** n. m.

béant, e adj. V. BÉER.

béat, e [bea, -at] adj. Se dit de quelqu'un (et de son comportement) qui manifeste un contentement de soi et une absence d'inquiétude proches de la sottise (ironiq. et péjor.) : *Il témoigne à mon égard d'une admiration béate qui m'exaspère. Ecouter avec un sourire béat les flatteries que vous adresse un hypocrite.* ◆ **béatement** adv. : *Contempler béatement un spectacle stupide.* ◆ **béatitude** n. f. Satisfaction sans borne, grand bonheur que rien ne vient troubler : *Il y a sur son visage un air de béatitude qui prête à sourire.*

béatifier [beatifje] v. tr. Dans la langue religieuse, mettre au nombre des bienheureux. ◆ **béatification** n. f. : *Le procès de béatification de Jean XXIII.* ◆ **béatitude** n. f. Félicité des bienheureux.

béatitude n. f. V. BÉAT, E, BÉATIFIER.

beau ou **bel, belle** [bo, bɛl] adj. (avant le nom : *beau* devant les noms masc. commençant par une consonne, et *bel* devant les noms masc. commençant par une voyelle ou un *h* muet). 1° Se dit d'un être animé ou d'une chose qui suscite un plaisir admiratif par sa forme ou une idée de noblesse morale, de supériorité intellectuelle, de parfaite adaptation ou de totale conformité à ce qu'on attend ou espère (contr. : LAID) : *Avoir un beau visage régulier* (syn. : ↓ JOLI, BIEN FAIT). *Un bel homme. Il ne se lasse pas de regarder ce beau paysage* (syn. : ↑ ADMIRABLE). *Vous avez remporté un beau succès* (syn. : ↑ REMARQUABLE). *Voilà une belle occasion manquée* (syn. : PROPICE). *Mettre ses beaux habits. Une musique très belle à entendre. Il a une très belle intelligence* (syn. : PROFOND, HAUT). *Prononcer un beau discours* (syn. : ↑ BRILLANT). *Il a eu une belle mort* (= il est mort noblement, ou sans souffrir). *Mourir de sa belle mort* (= dans son lit, et non par accident). *Ces beaux sentiments lui font honneur* (syn. : ÉLEVÉ, GÉNÉREUX). *Lire une belle page de Chateaubriand. La nuit est très belle* (syn. : ↑ MAGNIFIQUE). *Un beau monsieur* (= mis avec recherche). *Avoir une belle santé* (syn. : PROSPÈRE). *La maison est de belle apparence. Il se fait beau* (= il soigne sa tenue). *Par un bel après-midi d'automne. Le bel esprit est un talent superficiel et mondain. Il est de belle humeur* (syn. : ENJOUÉ, GAI). *Pendant la belle saison* (= au printemps ou en été). *C'est le bel âge* (= la jeunesse). *Un beau joueur* (= qui sait perdre sans se fâcher); et, substantivem. : *Un vieux beau* (= un homme âgé qui veut faire le galant). *Il s'est arrêté au plus beau du récit* (= au moment le plus intéressant). *Il l'a fait pour ses beaux yeux* (= sans but intéressé). *Le beau sexe* (= les femmes). — 2° Indique une quantité importante, l'intensité : *Il a une belle fortune* (syn. : GRAND, IMPORTANT). *Il a reçu une belle gifle sur la figure* (syn. : FAMEUX, MAGISTRAL). *Vous en faites un beau tapage! Acheter une belle dinde pour Noël* (syn. : GROS). *S'arrêter au beau milieu de la route* (syn. : PLEIN). *Il y a beau temps que je ne l'ai vu* (= il y a longtemps). — 3° *Ironiq.* Considéré comme mauvais, hypocrite, non conforme à ce qui est convenable (dans des express.) : *Tout ceci, ce sont de belles paroles* (syn. : TROMPEUR, FALLACIEUX). *Nous sommes dans de beaux draps!* (= dans une mauvaise situation). *Il l'a arrangé de belle manière (façon)!* [= il l'a traité avec brutalité, sans ménagement]. *La belle affaire!* (= ce n'est pas si difficile ni si étonnant). *En voilà une belle demande!* (= stupide, ridicule). *Le plus beau de l'histoire, c'est que je ne me suis aperçu de rien* (syn. : EXTRAORDINAIRE). — 4° *Un beau matin, un beau jour,* etc., indique un matin, un jour indéfini où se produit un fait inopiné : *Je le vis arriver un beau matin comme si rien ne s'était passé. Un beau jour, il viendra m'annoncer son mariage.* || *Mon beau monsieur, ma belle dame,* interpellation plaisante ou fam. adressée à un interlocuteur (souvent ironiq.). ◆ **beau** adv. *Avoir beau* (et l'infin.), s'efforcer vainement de (exprime la concession) : *Vous avez beau dire, il n'a aucune des qualités requises pour cet emploi. Il a beau faire, il n'y parviendra pas. Il a beau être tard, je vais me mettre en route* (= bien qu'il soit tard). || *Il fait beau,* le temps est clair (il ne pleut pas) : *Comme il fait beau, nous irons nous baigner.* || *Il ferait beau voir,* il serait dangereux de : *Il ferait beau voir qu'on n'obéisse pas à mes ordres* (= on serait mal inspiré de). || *Voir en beau,* d'une manière favorable : *Il voit tout en beau sans jamais croire à la méchanceté humaine.* || *Tout beau!,* tout doucement (invitation à ne pas aller plus loin, à ralentir). ◆ **belle** adj. f. *De plus belle,* plus fort qu'avant : *Cette concession ne lui suffit pas, et il n'en demanda que de plus belle ce qu'on lui devait.* || *L'avoir belle,* être en position avantageuse, favorable dans une discussion. || *La bailler belle,* se moquer de quelqu'un (langue archaïsante) : *Vous me la baillez belle avec vos vantardises ridicules.* || *L'échapper belle,* échapper à un danger par un hasard extraordinaire : *Je l'ai échappé belle, la voiture est passée à quelques centimètres.* || *En dire de belles sur quelqu'un,* révéler sur lui des choses peu flatteuses. || *En faire de belles,* faire des sottises. ◆ **bel** adv. et adj. *Bel et bien,* réellement, véritablement : *Il a bel et bien disparu.* || *Tout cela est bel et bon, mais...,* quoi qu'il en soit, ... : *Tout cela est bel et bon, mais enfin son travail n'a pas été fait.* ◆ **beau** n. m. **1°** Ce qui est beau, plaisant, séduisant : *Rechercher le beau pour lui-même.* — **2°** *C'est du beau!,* c'est une catastrophe, ou une action dont on n'a pas lieu d'être fier : *C'est du beau! il a renversé l'encrier sur le tapis.* || *Faire le beau,* étaler devant tous des avantages physiques plus ou moins réels : *Il se rengorge et fait le beau quand il reçoit des compliments* (syn. : SE PAVANER); se dit d'un chien qui se dresse sur ses pattes de derrière ou s'assoit sur son arrière-train. || *Le temps est au beau,* il a une tendance à devenir ou à rester beau. ◆ **belle** n. f. **1°** Femme aimée (terme d'amitié, de familiarité souvent ironiq.) : *Faire la cour à une belle. Il écrit à sa belle. Il court les belles. Ma belle* (interpellation fam. entre femmes âgées). — **2°** Partie décisive entre des joueurs ou des équipes qui sont à égalité : *Jouer, gagner la belle.* ◆ **beauté** [bote] n. f. **1°** Caractère de ce qui est beau (dans tous les sens de l'adj.) : *La beauté d'un paysage* (syn. : ↑ SPLENDEUR, MAGNIFICENCE). *La beauté du visage* (syn. : HARMONIE, CHARME; contr. : LAIDEUR). *Un institut de beauté. Une personne qui se refait une beauté* (= qui se pare et se farde pour être belle). *Elle a perdu l'éclat de sa beauté. Avoir la beauté du diable* (= un éclat séducteur qui passe rapidement). *Elle n'est pas en beauté aujourd'hui* (= elle paraît moins belle que d'habitude). *La beauté d'un sentiment* (syn. : NOBLESSE). — **2°** Femme belle : *Voir passer une jeune beauté.* • LOC. ADV. *En beauté,* d'une manière brillante, en parlant d'un achèvement : *Mourir, partir en beauté. Gagner en beauté.* ◆ **bellâtre** n. m. Homme physiquement beau, mais niais et fat : *Un bellâtre de village.* ◆ **belles-lettres** n. f. pl. Études et ouvrages littéraires considérés comme une source des plaisirs de l'esprit. ◆ **embellir** [ɑ̃bɛlir] v. tr. Rendre ou faire paraître plus beau : *Ces parterres de fleurs embellissent le jardin* (syn. : AGRÉMENTER; contr. : ENLAIDIR). *Son imagination embellit beaucoup la réalité* (syn. : IDÉALISER, POÉTISER). *Il croit embellir son ouvrage, en réalité il le déforme. Il embellit la vérité, qui est plutôt sordide* (syn. : ENJOLIVER). ◆ v. intr. **1°** Devenir beau ou plus beau : *Elle a embelli ces derniers temps.* — **2°** *Les difficultés ne font que croître et embellir,* elles gagnent en importance. ◆ **embellissement** n. m. : *Le nettoiement des façades contribue à l'embellissement de la ville* (syn. : ORNEMENT). *Le parc a reçu de nombreux embellissements* (syn. : DÉCORATION).

beaucoup adv. V. PEU.

beau-fils [bofis] n. m., **belle-fille** [bɛlfij] n. f. **1°** Relativement à un des époux, le fils ou la fille que l'autre a eu d'un précédent mariage (on dit plus souvent ENFANT D'UN PREMIER LIT) : *Il avait pour ses beaux-fils la même affection que pour ses enfants.* — **2°** Relativement aux parents, syn. moins fréquent de GENDRE, et plus fréquent de BRU : *Elle s'entend très bien avec ses deux belles-filles.* (V. PARENTÉ.)

beau-frère [bofrɛr] n. m., **belle-sœur** [bɛlsœr] n. f. **1°** Relativement à un des époux, le frère ou la sœur de l'autre : *Ses deux beaux-frères étaient beaucoup plus jeunes que lui.* — **2°** Relativement à des frères ou à des sœurs, mari de la sœur ou femme du frère : *Les deux ménages sortent souvent ensemble; les deux beaux-frères s'entendent fort bien.* (V. PARENTÉ.)

beau-père [bopɛr] n. m., **belle-mère** [bɛlmɛr] n. f. **1°** Relativement à un des époux, le père ou la mère de la personne qu'il a épousée : *Il est proverbial de dire que les belles-mères ne montrent aucune affection pour leurs belles-filles.* (On dit fam. et affectueusement BELLE-MAMAN.) — **2°** Second mari de la mère, ou seconde femme du père, par rapport aux enfants d'un premier lit : *Ses parents étaient divorcés et sa mère remariée, mais il voyait très rarement son beau-père.* (V. PARENTÉ.)

beaux-arts [bozar] n. m. pl. Ensemble des arts visant à une expression esthétique (poésie, musique, sculpture, peinture, etc.).

beaux-parents [boparɑ̃] n. m. pl. Relativement à un des époux, le père et la mère de l'autre : *Pendant les vacances, ils confiaient leurs enfants à leurs beaux-parents.* (V. PARENTÉ.)

bébé [bebe] n. m. **1°** Tout petit enfant (en général au-dessous de trois ans) : *Un bébé rose et joufflu* (syn. : NOURRISSON). *Deux de ses enfants vont en classe, mais elle a encore un bébé à la maison;* dans le langage maternel, devient une sorte de nom propre sans article : *Il faut laver bébé. Bébé pleure.* — **2°** *Fam.* Se dit d'un enfant dont la conduite est par trop puérile ou d'un adulte qui manque totalement de maturité : *C'est un vrai bébé : il se laisse dorloter et flatter sans avoir conscience du ridicule.* — **3°** Poupée en matière plastique ou en Celluloïd, que l'on donne comme jouet aux petits enfants (syn. : BAIGNEUR).

bébête adj. V. BÊTE.

1. bec [bɛk] n. m. **1°** Organe corné qui constitue une partie de la tête des oiseaux, et dont le bord coupant ou pointu joue le rôle de dents : *L'oiseau frappait du bec contre sa cage. Nez en bec d'aigle* (= crochu). — **2°** Objet ayant la forme d'un bec d'oiseau : *Nettoyer le bec de sa plume.* — **3°** *Fam.* Bouche : *Avoir la pipe au bec. Il ouvre le bec pour* *dire une sottise* (= parler). *Ferme ton bec, tu ne sais pas ce que tu dis* (syn. pop. : GUEULE); et dans des loc. : *Il a le bec bien affilé* (= il est très bavard). *Il voulait protester, je lui ai cloué le bec aussitôt* (= je l'ai réduit au silence). *Je me suis bien aperçu du coup de bec qu'il me lançait à mots couverts* (= du trait blessant, qui vexe). *Nous avons bien ri de la prise de bec qu'elle a eue avec sa voisine* (= l'échange de propos vifs). ◆ **becquée** [beke] n. f. Nourriture donnée par petits morceaux : *Donner la becquée à un petit enfant.* ◆ **becqueter** [bɛkəte ou bɛkte] v. tr. (conj. 8). 1° Piquer avec le bec, pour manger, attaquer ou caresser : *Des moineaux becquetant les cerises mûres.* — 2° *Pop.* Manger : *Qu'est-ce qu'il y a à becqueter aujourd'hui?*

2. bec [bek] n. m. 1° *Bec de gaz,* ou *bec,* support soutenant une lanterne avec éclairage au gaz, qui était installé dans les rues des villes (auj. : RÉVERBÈRE). — 2° Fam. *Tomber sur un bec,* être arrêté par une difficulté imprévue.

bécane [bekan] n. f. *Fam.* Bicyclette (surtout dans la langue des enfants) : *Prête-moi ta bécane, je dois aller faire une course* (syn. fam. et plus usuel : VÉLO).

bécasse [bekas] n. f. 1° Oiseau échassier au bec long et mince : *A l'automne, au moment de la migration, les chasseurs tirent les bécasses, qui constituent un gibier de choix.* — 2° *Fam.* Femme d'intelligence bornée et d'une grande crédulité : *Cette bécasse a cru ce qu'on lui disait et a acheté sans hésiter ce que le vendeur lui proposait* (syn. : IDIOTE).

béchamel [beʃamɛl] n. f. Sauce blanche faite avec de la crème : *Poulet à la béchamel.*

bêche [bɛʃ] n. f. Outil formé d'une lame de fer large et tranchante, fixée à un manche, qui sert à retourner la terre : *D'un seul coup de bêche, il détache la motte de terre.* ◆ **bêcher** [beʃe] v. tr. : *Il passe son dimanche à bêcher son jardin.*

1. bêcher v. tr. V. BÊCHE.

2. bêcher [bɛʃe] v. tr. Fam. *Bêcher quelqu'un,* le critiquer avec vivacité, dire sur lui des méchancetés par-derrière : *Sitôt que son voisin se fut éloigné, il se mit à le bêcher auprès de nous* (syn. : MÉDIRE DE QUELQU'UN). ◆ **bêcheur, euse** adj. et n. 1° *Fam.* Qui critique : *C'est un jaloux et un aigri, bêcheur et médisant.* — 2° *Pop.* Orgueilleux et méprisant : *Une bêcheuse qui ne vous regarde même pas!*

bécoter [bekɔte] v. tr. *Fam.* Donner de petits baisers (surtout comme verbe réciproque) : *Deux amoureux qui se bécotent sur le banc d'un jardin public.* ◆ **bécot** [beko] n. m. *Fam.* Petit baiser.

becquée n. f., **becqueter** v. tr. V. BEC 1.

bedeau [bədo] n. m. Laïque préposé au service du matériel dans une église.

bedon [bədɔ̃] n. m. *Fam.* Gros ventre. ◆ **bedonner** v. intr. *Fam.* Prendre du ventre. ◆ **bedonnant, e** adj. Fam. : *Un gros monsieur bedonnant* (syn. : ↑ OBÈSE). ◆ **bedaine** n. f. *Fam.* Bedon.

béer [bee] v. intr. *Béer d'admiration, d'étonnement,* regarder d'un air admiratif ou étonné (rare et presque toujours à l'infin., au prés. et à l'imparf. de l'indic.). ◆ **béant, e** adj. Grand ouvert : *Le cadavre porte une plaie béante à la gorge. Il regarda le gouffre béant qui s'enfonçait à ses pieds. Les yeux béants, terrifié, il n'osait même pas s'enfuir.* ◆ **bée** [be] adj. f. *Rester bouche bée,* être frappé d'un grand étonnement : *Les enfants regardaient bouche bée les acrobates s'élancer de leurs trapèzes.*

beffroi [bɛfrwa] n. m. Tour ou clocher où l'on sonnait l'alarme : *Le beffroi de Lille.*

bégayer [begeje] v. intr. et tr. Parler ou prononcer avec difficulté ou embarras, en articulant mal les mots et en reprenant plusieurs fois la même syllabe : *Dès qu'il parle en public, il se met à bégayer par timidité. La peur le faisait bégayer* (syn. : BREDOUILLER). *Un passant me bouscula et bégaya quelques excuses* (syn. : BALBUTIER). ◆ **bégaiement** n. m. : *Son bégaiement exaspérait ses interlocuteurs* (syn. : BALBUTIEMENT). ◆ **bègue** [bɛg] adj. et n. Qui bégaie : *Le portier était bègue; il me dit : « Pa... pa... par ici, sui... suivez-moi. »*

bégonia [begɔnja] n. m. Plante aux fleurs vivement colorées.

bègue adj. et n. V. BÉGAYER.

bégueule [begœl] adj. et n. f. Se dit d'une femme qui pousse la pudeur jusqu'à l'excès : *Une femme qui n'est pas bégueule* (syn. : PRUDE). *C'est une bégueule qu'un rien effarouche* (syn. : PUDIBOND).

béguin [begɛ̃] n. m. Fam. *Avoir un* (ou *le*) *béguin pour quelqu'un,* en être amoureux (syn : ÊTRE COIFFÉ DE). ‖ *Faire un béguin,* faire une conquête amoureuse (syn. pop. : FAIRE UNE TOUCHE). ‖ *Avoir un béguin,* avoir un amoureux (surtout en parlant d'une femme).

beige [bɛʒ] adj. et n. m. Gris jaunâtre; teinte d'une laine qui a sa couleur naturelle : *Porter un costume beige. Le beige l'habille bien.*

beigne [bɛɲ] n. f. *Pop.* Gifle, coup : *Recevoir une beigne.*

beignet [bɛɲɛ] n. m. Pâte contenant ou non une substance alimentaire (fruit, légume, viande, etc.) et passée dans une friture brûlante.

bel adj. m. V. BEAU.

bêler [bɛle] v. intr. et tr. 1° (sujet nom désignant des moutons, des chèvres) Crier : *Les agneaux bêlaient en courant vers les brebis.* — 2° (sujet nom de personne) Crier ou chanter d'une voix tremblotante : *Le chanteur improvisé bêlait sa chanson au milieu des rires.* ◆ **bêlant, e** adj. : *Rentrer dans la bergerie le troupeau des brebis bêlantes.* ◆ **bêlement** n. m. : *Le bêlement des moutons.*

belette [bəlɛt] n. f. Petit mammifère carnassier au poil brun en été et blanc en hiver, qui vit dans les régions froides.

belge [bɛlʒ] adj. et n. De Belgique. ◆ **belgicisme** n. m. Locution propre au français de Belgique.

bélier [belje] n. m. Mouton mâle reproducteur : *La femelle du bélier est la brebis.*

bellâtre adj. et n. m., **belle** adj. et n. f. V. BEAU.

belle-fille, belle-mère n. f. V. BEAU-FILS, BEAU-PÈRE; **belles-lettres** n. f. pl. V. BEAU; **belle-sœur** n. f. V. BEAU-FRÈRE.

bellicisme [bɛlisism ou bɛllisism] n. m. Attitude ou opinion de ceux qui préconisent l'emploi de la force, y compris la guerre, pour régler les affaires internationales (contr. : PACIFISME). ◆ **belliciste** adj. et n. : *Afficher des opinions bellicistes. Les bellicistes cherchaient à soulever l'opinion* (contr. : PACIFISTE). *Un gouvernement belliciste.*

belligérant, e [bɛliʒerɑ̃ ou bɛlliʒerɑ̃, -ɑ̃t] adj. et n. m. Se dit d'une nation, d'un peuple en état de guerre avec un autre : *Les puissances belligérantes firent appel aux neutres pour servir de médiateurs. Les belligérants repoussèrent les offres de paix.* ◆ **belligérant** n. m. Celui qui appartient aux forces armées régulières d'un pays en état de guerre : *Les droits des belligérants sont reconnus par des conventions internationales.* ◆ **belligérance** n. f. : *La belligérance fut reconnue au gouvernement des rebelles.* ◆ **non-belligérance** n. f. Etat d'un pays qui ne participe pas à un conflit entre deux ou plusieurs nations : *Se considérer en état de non-belligérance.* ◆ **non-belligérant, e** adj. et n. : *Les non-belligérants sont ceux qui ne participent pas à un conflit armé sans pour cela être neutres.*

belliqueux, euse [bɛlikø ou bɛllikø, -øz] adj. et n. 1° Qui aime la guerre; qui excite au combat, à la lutte : *Un chef d'Etat belliqueux. Tenir des discours belliqueux en vantant les vertus du réarmement* (syn. : AGRESSIF, BELLICISTE; contr. : PACIFIQUE). *Défiler aux accents belliqueux d'une marche militaire* (syn. : MARTIAL). — 2° Qui aime les querelles : *Un enfant belliqueux* (syn. : AGRESSIF).

belote [bəlɔt] n. f. Jeu qui se joue avec trente-deux cartes, entre deux, trois ou quatre joueurs : *La belote est un jeu très commun en France, surtout dans les milieux populaires.*

belvédère [bɛlvedɛr] n. m. Pavillon, plate-forme ou terrasse établis sur un lieu élevé et d'où l'on domine tout un panorama : *Admirer les gorges du Tarn du belvédère aménagé sur la route.*

bémol [bemɔl] n. m. et adj. Altération qui, en musique, abaisse d'un demi-ton la note qu'elle précède; se dit de cette note elle-même.

bénédictin [benediktɛ̃] n. m. *Travail de bénédictin, travailler comme un bénédictin,* travail intellectuel minutieux et de longue haleine; travailler avec persévérance, sans relâche : *Cet ouvrage d'érudition a exigé de longues années d'études, un véritable travail de bénédictin.* (Les *bénédictins* sont des religieux dont les travaux ont été à l'origine de la conservation de nombreux textes anciens.)

bénédiction n. f. V. BÉNIR.

bénéfice [benefis] n. m. 1° Profit réalisé dans une entreprise industrielle ou commerciale, par la vente d'un produit, etc. : *Etre intéressé aux bénéfices. Augmentation de l'impôt sur les bénéfices* (syn. : PROFIT). *Les bénéfices commerciaux se sont accrus d'une manière considérable* (contr. : DÉFICIT). — 2° Avantage quelconque tiré d'un état ou d'une action : *Il a été élu au bénéfice de l'âge* (= parce qu'il était le plus âgé; syn. : PRIVILÈGE). *Il a conclu l'affaire à son bénéfice. Il perd le bénéfice de ses efforts* (syn. : RÉCOMPENSE). *Il tire un bénéfice certain de sa persévérance.* — 3° *Sous bénéfice d'inventaire,* sous réserve de vérification ultérieure. ◆ **bénef** [benɛf] n. m. Abrév. pop. de BÉNÉFICE : *Faire du bénef.* ◆ **bénéficiaire** adj. et n. Qui profite d'un avantage : *Il a été le principal bénéficiaire du testament.* ◆ adj. Qui produit un bénéfice : *L'opération financière, une fois réalisée, s'est révélée bénéficiaire* (syn. : PROFITABLE; contr. : DÉFICITAIRE). *Les marges bénéficiaires ont été réduites.* ◆ **bénéficier** v. tr. ind. *Bénéficier d'une chose,* en tirer un profit, un avantage : *Bénéficier d'un traitement élevé. Il bénéficie de l'indulgence du jury* (contr. : SOUFFRIR). *Il bénéficie d'un préjugé favorable* (syn. : JOUIR, PROFITER).

bénéfique [benefik] adj. Qui tourne à l'avantage de quelqu'un ou de quelque chose : *Ces crédits auront un effet bénéfique sur la production industrielle* (syn. : FAVORABLE, BIENFAISANT). *L'échec qu'il a subi aura des conséquences bénéfiques en réveillant son énergie* (syn. : HEUREUX).

benêt [bənɛ] adj. et n. m. D'une simplicité un peu sotte (souvent précédé, comme subst., de l'adj. *grand;* se dit surtout des adolescents) : *Son grand benêt de fils ne l'a pas averti de mon coup de téléphone* (syn. : NIGAUD, DADAIS). *Timide, un peu benêt, mais il se dégourdira vite* (syn. : NIAIS; contr. : FUTÉ, MALIN, ÉVEILLÉ).

bénévole [benevɔl] adj. 1° Se dit d'une personne qui fait quelque chose sans y être obligée, sans en tirer un profit : *Il était un collaborateur bénévole dont les avis étaient précieux. Elle devint, dans ces moments difficiles, une infirmière bénévole* (syn. : VOLONTAIRE). — 2° Se dit de quelque chose qui est fait sans obligation, sans but lucratif : *La voiture était en panne; il nous offrit son aide bénévole* (syn. : GRACIEUX; contr. : INTÉRESSÉ). *Sa collaboration était toute bénévole* (syn. : COMPLAISANT). ◆ **bénévolement** adv. : *Il s'est proposé pour participer bénévolement à ce travail* (syn. : GRATUITEMENT, GRACIEUSEMENT).

bénignité [beniɲite] n. f. Qualité d'une personne douce et bienveillante (littér.) : *Le président du tribunal l'interrogea avec bénignité* (syn. : DOUCEUR; contr. : MALIGNITÉ).

bénin, igne [benɛ̃, -iɲ] adj. Qui ne présente aucun caractère de gravité : *Infliger une punition bénigne à un élève retardataire* (syn. : LÉGER; contr. : GRAVE). *Une tumeur bénigne* (contr. : MALIGNE). *Avoir une affection bénigne, un simple rhume de cerveau* (syn. : INOFFENSIF). [Le sens « bienveillant », « aimable » a vieilli.]

bénir [benir] v. tr. (conj. 15). 1° *Bénir quelqu'un, quelque chose,* appeler sur eux la protection de Dieu : *L'évêque bénit les bateaux qui partent pour la grande pêche. Le prêtre bénit la foule des fidèles.* — 2° *Bénir quelque chose,* montrer une grande joie de voir tel ou tel événement se produire : *Il bénit notre arrivée, qui lui permit de congédier un visiteur importun* (syn. : SE FÉLICITER DE; contr. : MAUDIRE). *Je bénis le concours de circonstances qui nous a réunis.* — 3° *Bénir quelqu'un,* le louer avec de grandes marques de reconnaissance : *Bénissez le bienfaiteur de notre association, qui a permis par ses dons la fondation de cette maison de retraite* (syn. : GLORIFIER, ↓ REMERCIER). — 4° *Dieu vous bénisse,* formule de politesse adressée parfois à quelqu'un qui éternue. ◆ **bénit, e** adj. *Eau bénite, pain bénit,* consacrés par une cérémonie religieuse. ‖ *C'est pain bénit,* c'est tout à fait mérité (= profitons de l'occasion offerte). ◆ **bénédiction** [benediksjɔ̃] n. f. 1° Acte religieux qui appelle la protection de Dieu sur quelqu'un ou sur quelque chose : *Le pape a donné sa bénédiction à la foule rassemblée place Saint-Pierre.* — 2° *C'est une bénédiction, que c'en est une bénédiction,* c'est un événement heureux, inattendu, presque miraculeux. ‖ Fam. *Donner sa bénédiction à quelqu'un,* l'approuver entièrement. ◆ **bénitier** [benitje] n. m. 1° Petit bassin destiné à contenir de l'eau bénite, et qui se trouve près de l'entrée de l'église. — 2° Fam. *C'est un diable dans un bénitier,* se dit d'une personne qui s'agite beaucoup parce qu'elle est mal à l'aise.

benjamin, e [bɛ̃ʒamɛ̃, -in] m. Le plus jeune des enfants d'une famille : *Il a une préférence pour Pierrot, le benjamin de la famille* (contr. : L'AÎNÉ; *cadet* désigne en général le deuxième enfant). *La benjamine était plus vive que les deux aînés.*

benne [bɛn] n. f. 1° Wagonnet employé en particulier pour transporter le charbon dans les mines; cage métallique qui sert à remonter ce charbon à la surface. — 2° Caisse basculante montée sur un camion.

benoît, e [bənwɑ, -ɑt] adj. (avant ou après le nom). Qui a un dehors, un aspect doucereux (surtout péjor. et littér.) : *C'était un benoît personnage, plein d'attentions délicates, mais qui racontait sur vous, dès que vous étiez parti, des histoires abominables* (syn. : HYPOCRITE; contr. : DIRECT, FRANC). *Un sourire benoît.*

benzine [bɛ̃zin] n. f. Mélange de produits de la distillation du pétrole utilisé comme détachant et pour dissoudre les vernis et les graisses : *Nettoyer une tache avec de la benzine.*

béotien, ienne [beɔsjɛ̃, -jɛn] adj. et n. Se dit des gens qui ne montrent aucun intérêt pour les arts, et passent pour des êtres incultes et grossiers, ou, plus simplement, de ceux qui sont profanes en une matière : *Il n'allait jamais au théâtre, se désintéressait de toute production littéraire et passait pour un béotien* (syn. : RUSTRE; comme adj. : INCULTE, LOURD). *Les mathématiques me sont étrangères; je suis un béotien en ce domaine* (contr. : SPÉCIALISTE). [Les gens originaires de *Béotie* étaient considérés en Grèce comme des rustres.]

béquille [bekij] n. f. Bâton muni d'une petite traverse, sur lequel les gens qui ont aux jambes une infirmité ou une blessure s'appuient pour marcher : *Un mois après cette fracture, il commença à se déplacer avec deux béquilles. Il est revenu des sports d'hiver en s'appuyant sur une béquille.*

bercail [bɛrkaj] n. m. (n'a pas de plur.). *Rentrer, revenir au bercail,* rentrer à la maison paternelle ou familiale : *Il s'enfuit un jour de chez lui, et dix ans plus tard, alors que l'on n'avait jamais eu de ses nouvelles, il revint au bercail* (syn. : FOYER). [Le *bercail* était une bergerie.]

bercer [bɛrse] v. tr. 1° Balancer d'un mouvement doux et régulier : *Bercer un enfant dans ses bras. Dans le port, les barques étaient bercées par les vagues.* — 2° Provoquer un sentiment de calme, d'apaisement, de joie, en détournant de la réalité : *Une musique lointaine vint bercer ses oreilles* (syn. : CHARMER). *Son enfance a été bercée par le récit de légendes pittoresques* (syn. : IMPRÉGNER). *C'est un rêveur qui se laisse bercer par son imagination* (syn. : EMPORTER). ◆ ***se bercer*** v. pr. S'illusionner : *Il se berce des promesses qu'on lui a faites* (syn. : SE LEURRER). *Il se berce d'illusions.* ◆ **berceau** [bɛrso] n. m. 1° Petit lit où l'on couche les jeunes enfants et où on peut les balancer légèrement. — 2° Lieu d'où est originaire une famille, un phénomène social : *Ce village est le berceau de ma famille. L'Italie et la Grèce sont le berceau de la civilisation occidentale.* — 3° *Au berceau, dès le berceau,* dès l'enfance, très jeune. ◆ **bercement** n. m. : *Le bercement des flots.* ◆ **berceur, euse** adj. : *Un rythme berceur.* ◆ **berceuse** n. f. Chanson pour endormir les enfants, ou morceau de musique dont le rythme imite celui de cette chanson.

béret [berɛ] n. m. Coiffure plate et ronde que portent les hommes, notamment dans le sud-ouest de la France, les marins, les enfants, etc., et que la mode a transformée pour qu'elle soit portée par les femmes : *Georges, n'oublie pas de prendre ton béret, il pleut. Elle portait un petit béret de drap noir.*

1. berge [bɛrʒ] n. f. Bord, en surplomb, d'une rivière, d'un canal : *Amarrer une barque à la berge. La péniche toucha la berge.*

2. berge [bɛrʒ] n. f. *Pop.* An (dans l'expression de l'âge) : *Il a plus de quarante berges.*

berger, ère [bɛrʒe, -ɛr] n. 1° Celui, celle qui garde les moutons ou les chèvres : *Le berger conduit le troupeau vers les pâturages de la montagne. Le chien du berger ramène le mouton qui s'est écarté. Bergers et bergères ont été les acteurs principaux de la poésie pastorale, et le mot est devenu, au XVIIe siècle, synonyme d'« amant » et d'« amante ».* — 2° *Un bon, un mauvais berger,* celui qui est le bon, le mauvais guide d'un groupe, d'une foule, etc. : *Ces gens vous trompent, ne les suivez pas : ce sont de mauvais bergers* (syn. : GUIDE, CHEF). ◆ **bergerie** n. f. 1° Local de la ferme, bâtiment où l'on abrite les moutons. — 2° *Enfermer le loup dans la bergerie,* introduire sans méfiance quelqu'un dans un groupe, dans un milieu où il peut faire du mal.

bergère [bɛrʒɛr] n. f. Fauteuil large et profond, avec joues et manchettes, dont le siège est muni d'un coussin : *Les pieds près du foyer, elle somnolait au fond de la bergère.*

berline [bɛrlin] n. f. Automobile dont la carrosserie est une conduite intérieure, à quatre portes et à quatre glaces de côté.

berlingot [bɛrlɛ̃go] n. m. 1° Bonbon en forme de losange, à base de sucre cuit et aromatisé : *Acheter une boîte de berlingots.* — 2° Emballage de carton ou de matière plastique, de forme spéciale, destiné à recevoir un contenu liquide pour la vente en magasin : *Le berlingot peut contenir du lait, des jus de fruit,* etc.

berlue [bɛrly] n. f. (sujet nom de personne). Fam. *Avoir la berlue,* voir de travers, juger faussement de quelque chose : *« Je crois l'apercevoir au bout de la rue. — Tu as la berlue, ce n'est pas lui, il ne porte jamais de chapeau »* (syn. : ↑ AVOIR UNE HALLUCINATION). *Si je n'ai pas la berlue, c'est bien notre ami Gérard* (syn. : SE TROMPER, FAIRE ERREUR).

berne [bɛrn] n. f. *Drapeau en berne,* celui qui est roulé autour de la hampe en signe de deuil : *Les drapeaux ont été mis en berne et un deuil national a été décrété.*

berner [bɛrne] v. tr. *Berner quelqu'un,* le tromper en lui faisant croire des choses fausses (littér.; syn. fam. et usuel : FAIRE MARCHER) : *Il soutire de l'argent à ceux qui se laissent berner par le récit de ses malheurs imaginaires* (syn. : JOUER, DUPER). *Il est berné par sa femme comme on ne l'a jamais été* (syn. : TROMPER). *Il abusait de la confiance de cet homme crédule et le bernait en inventant chaque jour de nouvelles raisons pour s'absenter* (syn. fam. : EMMENER EN BATEAU).

besogne [bəzɔɲ] n. f. Tâche imposée à quelqu'un dans le cadre de sa profession ou en raison de circonstances déterminées : *Il est accablé par sa besogne quotidienne* (syn. : TRAVAIL). *Tu fais cette* *besogne à regret. Il va vite en besogne* (= il est trop expéditif dans ce qu'il fait). *J'aime la besogne bien faite. Vous avez fait de la belle besogne!* (formule ironiq. indiquant qu'une sottise a été commise). *Il a réussi une besogne délicate. Il met lui-même la main à la besogne* (syn. fam. : METTRE LA MAIN À LA PÂTE). ◆ **besogneux, euse** adj. Qui est dans la pauvreté, qui vit difficilement de ce qu'il gagne : *Elle fait des ménages en divers endroits, et elle a beau être besogneuse, elle ne se plaint jamais.*

besoin [bəzwɛ̃] n. m. 1° Sentiment d'un manque, état d'insatisfaction portant un individu ou une collectivité à accomplir certains actes indispensables à la vie personnelle ou sociale, à désirer ce qui lui fait défaut : *Il convient d'abord de satisfaire les besoins élémentaires de l'homme, et d'abord celui de manger* (syn. : EXIGENCE). *Il pourvoit aux besoins d'une nombreuse famille. Il ressent le besoin de se distraire de son travail* (syn. : DÉSIR, ENVIE). *Le besoin de connaître s'impose à lui. Il est poussé par le besoin d'argent* (syn. : MANQUE). *De nouveaux besoins se sont créés. Un chien qui fait ses besoins* (= qui fait ses déjections). *Satisfaire un besoin pressant* (= uriner). — 2° Ce qui est nécessaire, indispensable pour satisfaire ce désir personnel, pour répondre à cette nécessité sociale : *Le cinéma est devenu pour lui un besoin; il y va plusieurs fois par semaine* (syn. : ↑ NÉCESSITÉ). *Les besoins en main-d'œuvre sont considérables.* — 3° Etat de pauvreté, de celui qui manque du nécessaire (limité à quelques express.) : *Il est dans le besoin, il faut lui venir en aide* (syn. : INDIGENCE, ↑ MISÈRE). — 4° *Avoir besoin de* (et l'infin.), *que* (suivi du subj.), être poussé (par la nécessité, par le manque, etc.) à faire telle ou telle chose : *Nous n'avons pas besoin de l'attendre, il nous rejoindra* (= nous ne sommes pas obligés de). *As-tu besoin de me voir avant jeudi?* (= dois-tu). *Il a besoin de se reposer* (= il faut qu'il se repose). *J'ai besoin que vous m'aidiez dans cette tâche* (= il faut que). ‖ *Avoir bien besoin de* (mêmes constructions), avoir tort de faire telle ou telle chose (phrase exclamative) : *Vous aviez bien besoin de le lui dire!* (= il ne fallait pas le lui dire). ‖ *Pour les besoins de la cause,* dans le seul dessein de démontrer ce que l'on dit : *Il a improvisé une explication de son retard, faite pour les besoins de la cause, et à laquelle personne n'a cru.* ‖ *S'il en est besoin, si besoin est,* s'il est nécessaire. ‖ *Il n'est pas besoin,* il n'est pas utile, nécessaire : *Il n'est pas besoin de chercher longtemps pour trouver ce que tu demandes.* ‖ *Au besoin,* s'il est nécessaire : *On peut, au besoin, se dispenser de le prévenir* (syn. : LE CAS ÉCHÉANT, SI NÉCESSAIRE, À LA RIGUEUR).

bestial, e, aux adj., **bestialité** n. f. V. BÊTE 2; **bestiaux** n. m. pl. V. BÉTAIL; **bestiole** n. f. V. BÊTE 1.

best-seller [bɛstsɛlœr] n. m. Livre qui a obtenu un grand succès de librairie.

bêta, asse adj. V. BÊTE 3.

bétail [betaj] n. m. 1° Ensemble des animaux de la ferme élevés pour la production agricole, à l'exception de la volaille : *L'importance d'une exploitation agricole se mesure au nombre de têtes de bétail. Le gros bétail est formé des bœufs, des veaux et des vaches, le petit bétail, des moutons et des porcs. Le fourrage sert à l'alimentation du bétail.* — 2° *Bétail humain,* les hommes, quand ils sont traités comme des animaux : *Le mécontentement du bétail humain que l'on déplace au gré des nécessités d'une économie anarchique.* ◆ **bestiaux** [bɛstjo] n. m. pl. Animaux dont l'ensemble forme le bétail : *Les gros bestiaux ont été parqués dans la partie la plus ancienne de la ferme.*

1. bête [bɛt] n. f. 1° Etre vivant autre que l'homme : *Nous avons aperçu dans l'arbre une drôle de bête* (syn. : ANIMAL). *Le lion et le tigre sont des bêtes fauves. La récolte a été détruite par ces sales bêtes!* — 2° *Les bêtes à bon Dieu,* les coccinelles. ‖ *Les bêtes à cornes,* les bœufs. ‖ *Les bêtes de somme,* les chevaux, les ânes, etc. ‖ *Chercher la petite bête,* chercher à découvrir le défaut peu important qui permettra de déprécier quelqu'un ou quelque chose : *Son seul souci est de chercher la petite bête dans le travail des autres.* ‖ *Regarder quelqu'un comme une bête curieuse,* le considérer avec étonnement. ◆ **bestiole** [bɛstjɔl] n. f. Petite bête : *Il y a des bestioles qui se promènent sur le parquet de la chambre.*

2. bête [bɛt] n. f. 1° Personne considérée comme un animal à cause de son comportement : *Une méchante bête qui cherche toujours à nuire aux autres. C'est une bonne, une brave bête* (= une personne sans finesse, mais généreuse). — 2° *La bête noire de quelqu'un,* la personne ou la chose pour laquelle il éprouve une hostilité, une antipathie, une répulsion instinctives, ou celle qu'il redoute le plus : *Pierre est sa bête noire; dès qu'il l'aperçoit, il n'a plus qu'une pensée : l'éviter.* ◆ **bestial, e, aux** [bɛstjal, -tjo] adj. Qui fait ressembler l'homme à la bête : *En proie à une fureur bestiale, il cassa plusieurs chaises* (syn. : SAUVAGE). *La figure bestiale d'un homme aviné* (syn. : GROSSIER). *Etre poussé par un instinct bestial* (syn. : ANIMAL). ◆ **bestialement** adv. ◆ **bestialité** n. f. : *La bestialité de cet acte a soulevé l'indignation générale* (syn. : SAUVAGERIE).

3. bête [bɛt] adj. 1° Sans intelligence, sans réflexion, ou simplement sans attention : *Qu'est-ce qu'il peut être bête!* (syn. : IDIOT, STUPIDE, ↓ SOT, ↑ CRÉTIN). *Il est plus bête que méchant. Il a l'air bête. Comme tu es bête de ne l'avoir pas prévenu. Je suis bête d'avoir oublié cela* (syn. : ÉTOURDI); souvent accompagné d'une comparaison qui sert de superlatif (*fam.*) : *Il est bête comme ses pieds, comme une cruche; il est bête à manger du foin* (= comme un âne). *Il est bête à pleurer.* — 2° Fam. *C'est bête comme chou,* c'est très facile. ◆ **bêtement** adv. : *J'ai agi bêtement en le vexant; je m'en suis fait un ennemi. Il a été tué bêtement dans un accident de voiture. Il a dit tout bêtement que cette idée lui paraissait irréalisable* (= tout simplement). ◆ **bête** n. f. 1° Personne sans intelligence. — 2° *Faire la bête,* simuler la bêtise pour en savoir davantage. ◆ **bébête** adj. *Fam.* Sert à atténuer l'adj. *bête : Sa réponse est un peu bébête* (syn. : ENFANTIN, NIAIS). ◆ **bêta, asse** [beta, -as] adj. et n. *Fam.* D'une sottise épaisse, d'une naïveté ridicule (se dit souvent des enfants ou des adolescents, et il a parfois une valeur affective avec l'adj. *gros*) : *Un grand garçon un peu bêta* (syn. : SOT). *Alors, gros bêta, tu n'es pas capable de dénouer les lacets de tes chaussures?* ◆ **bêtifier** v. intr. *Fam.* Parler d'une manière niaise, à la façon des petits enfants : *Elle bêtifiait de longues heures avec son tout jeune fils.* ◆ **bêtise** [betiz] n. f. 1° Manque d'intelligence : *La bêtise est souvent agressive* (syn. : IMBÉCILLITÉ, STUPIDITÉ, ↓ SOTTISE). *Il a eu la bêtise de le lui dire* (syn. : ↓ MALADRESSE, ↑ IDIOTIE; contr. : ESPRIT, FINESSE).

— 2° Parole ou action peu intelligente : *Il a bu et il dit des bêtises* (syn. : IMBÉCILLITÉ). *Il a fait une grosse bêtise dans sa jeunesse* (= un acte répréhensible). *Essayer de rattraper une bêtise* (syn. : GAFFE). — 3° Chose sans importance : *Ils se disputent pour une bêtise* (syn. : BAGATELLE). *Elle pleure pour une bêtise.* ◆ **bêtisier** n. m. Recueil amusant de sottises relevées dans les copies des élèves, dans les propos d'hommes que leurs fonctions devraient mettre à l'abri de telles erreurs, etc.

béton [betɔ̃] n. m. Matériau de construction, formé de sable, de ciment, de gravier et d'eau, et particulièrement résistant : *Mur de béton. Ces plaques de béton, soulevées par les grues, doivent servir de plafond dans la construction de l'immeuble.* ◆ **bétonner** [betɔne] v. tr. Construire avec du béton : *Bétonner un mur.* ◆ v. intr. Dans la langue du football, pratiquer une défense difficile à franchir, en renforçant les lignes arrière. ◆ **bétonnage** n. m. ◆ **bétonnière** n. f. Machine servant à fabriquer du béton.

betterave [bɛtrav] n. f. Plante cultivée dont la racine épaisse sert, suivant les espèces, à divers usages alimentaires : *Les betteraves sucrières fournissent du sucre. Les betteraves rouges sont mangées en hors-d'œuvre. Les betteraves fourragères sont utilisées pour l'alimentation du bétail.* ◆ **betteravier, ère** adj. : *L'industrie betteravière est concentrée dans le nord de la France.* ◆ **betteravier** n. m. Gros producteur de betteraves.

beugler [bøgle] v. intr. (sujet nom désignant un bovin). Emettre un cri long et intense (syn. plus usuel : MUGIR). ◆ v. intr. et tr. (sujet nom de personne). *Fam.* Pousser de grands cris prolongés, en général sous le coup de la douleur ou de la colère; chanter fort et d'une manière désagréable (se dit aussi des appareils qui transmettent ou reproduisent la voix humaine) : *L'enfant, qui s'était brûlé avec l'allumette, beuglait sans arrêt depuis dix minutes. Il faisait beugler son poste de radio jusque fort avant dans la nuit. Il beugle ses chansons plus qu'il ne chante vraiment* (syn. : HURLER; pop. : GUEULER). ◆ **beuglement** n. m. : *Le beuglement du taureau effraya les enfants, qui se serrèrent contre leur mère. Les beuglements de la fanfare du village.*

beurre [bœr] n. m. 1° Aliment gras extrait du lait de vache : *Acheter du beurre frais. Le beurre a ranci. Mettre du beurre sur une tartine.* — 2° Fam. *Comme dans du beurre,* très facilement : *La viande est tendre; le couteau y entre comme dans du beurre.* ‖ Fam. *Compter pour du beurre,* ne pas entrer en ligne de compte. ‖ Fam. *Faire son beurre,* gagner beaucoup d'argent dans une affaire plus ou moins honnête. ‖ Fam. *Ça met du beurre dans les épinards,* cela améliore beaucoup la situation. ‖ *Petit beurre,* biscuit au beurre. ‖ *Œil au beurre noir,* qui porte les traces d'un coup. ◆ **beurrer** v. tr. : *Beurrer un moule à pâtisserie. Beurrer les tartines pour le petit déjeuner du matin.* ◆ **beurrier** n. m. Récipient où l'on conserve le beurre et dans lequel on le sert sur la table.

beuverie [bøvri] n. f. Partie de plaisir où l'on boit jusqu'à l'ivresse : *Le repas dégénéra en beuverie grossière.*

bévue [bevy] n. f. Méprise grossière, due à l'ignorance ou à la maladresse : *Commettre une bévue dont les conséquences pourraient être graves* (syn. : ↓ ERREUR). *Signaler dans un texte dactylographié quelques bévues dues à une mauvaise lecture* (syn. : FAUTE). *Les bévues des hommes politiques* (syn. : SOTTISE). *Quelle bévue de les avoir invités tous deux en même temps, alors qu'ils sont brouillés!* (syn. : GAFFE, MALADRESSE).

biais [bjɛ] n. m. Moyen indirect, détourné, de résoudre une difficulté, d'atteindre un but : *Il a utilisé un biais pour ne pas me rendre tout de suite le livre que je lui avais prêté* (syn. : DÉTOUR). *Il cherche un biais pour éviter cette démarche. Je ne sais par quel biais aborder cette question.* ● Loc. ADV. *De biais, en biais,* d'une manière oblique par rapport à la direction principale : *Regarder de biais. Il traversa rapidement la rue en biais pour le retrouver* (syn. : OBLIQUEMENT). ● LOC. PRÉP. *Par le biais de,* par le moyen indirect, détourné de : *Accorder une augmentation de salaires par le biais d'une indemnité spéciale.* ◆ **biaiser** [bjeze] v. intr. (sujet nom de personne). User de moyens détournés, hypocrites, ou de ménagements : *Avec moi, il est inutile de biaiser, allez droit au fait. Il ne peut se décider et il biaise plutôt que de se prononcer* (syn. : LOUVOYER). *Il biaise au lieu de heurter de front les oppositions.*

bibelot [biblo] n. m. Petit objet, en général rare ou précieux, qui sert à garnir, à orner des étagères, des vitrines, des cheminées, etc. : *Il a une curieuse collection de bibelots japonais* (syn. : OBJET D'ART). *Ce salon est encombré de bibelots.*

biberon [bibrɔ̃] n. m. Flacon muni d'une tétine qui sert à l'allaitement artificiel des nouveau-nés : *Elever un enfant au biberon. Faire bouillir le biberon. Il faut préparer le biberon. Il pleure : c'est l'heure du biberon.*

1. bibi [bibi] n. m. *Fam.* Petit chapeau de femme.

2. bibi [bibi] pr. pers. *Pop.* Syn. de MOI : *C'est à bibi. C'est bibi qui a fait ça.*

bible [bibl] n. f. 1° Recueil des livres de l'Ecriture, qui comprend, pour les chrétiens, l'Ancien et le Nouveau Testament (prend une majusc. en ce sens); volume qui contient ces livres (avec une minusc. en ce sens) : *Lire un passage de la Bible. Imprimer une bible.* — 2° Ouvrage fondamental qui fait autorité et que l'on consulte souvent : *Ce manuel élémentaire est pour lui une véritable bible. Le dictionnaire de Littré était pour lui la bible et les prophètes : il en observait religieusement les arrêts.* ◆ **biblique** adj. : *On a porté à l'écran un grand nombre de sujets bibliques.*

bibliographie [biblijɔgrafi] n. f. Ensemble des ouvrages et des publications se rapportant à un domaine ou à un sujet précis; science qui a pour objet la recherche, la description et le classement des textes imprimés : *Etablir la bibliographie d'une thèse. La bibliographie peut être établie selon une méthode alphabétique, analytique ou chronologique.* ◆ **bibliographique** adj. : *Répertoire bibliographique. La notice bibliographique précède ou suit le corps de l'ouvrage.*

bibliophilie [biblijɔfili] n. f. Intérêt scientifique ou esthétique porté aux livres rares et précieux. ◆ **bibliophile** n. : *Le bibliophile recherche les premières éditions des grandes œuvres.*

bibliothèque [biblijɔtɛk] n. f. 1° Meuble, salle ou édifice destinés à recevoir une collection de livres : *Sa bibliothèque était faite de casiers super-*

posés et emboîtés les uns dans les autres. Une biblio-thèque vitrée. Aller travailler à la bibliothèque de la Sorbonne, à la bibliothèque de l'Institut. La Bibliothèque nationale, à Paris. — **2°** Collection de livres appartenant à un particulier, à une collectivité, à un organisme public ou à l'Etat, et qui, intéressant soit une matière spécialisée, soit l'ensemble des connaissances, peut être classée suivant un certain ordre : *Il y a chez lui une bibliothèque linguistique* (= concernant les langues). *Se constituer une riche bibliothèque de livres du XVIIe siècle.* — **3°** *Rat de bibliothèque,* se dit, péjor., de l'érudit qui passe son temps dans les bibliothèques pour y trouver des détails curieux et inédits. ◆ **bibliothécaire** n. Personne chargée de la conservation et de la communication des livres dans une bibliothèque.

biceps [bisɛps] n. m. Muscle long dont le rôle est de fléchir l'avant-bras sur le bras (symbole de la force physique dans quelques express.) : *Gonfler les biceps pour montrer sa force. Il a déjà des biceps pour son âge* (= il est musclé, vigoureux).

biche [biʃ] n. f. Femelle du cerf et de divers mammifères sauvages : *Il aperçut de la route, à travers les arbres, un petit troupeau de biches qui passa très vite. La biche et ses faons broutaient dans la clairière.* (Utilisé comme terme d'affection à l'égard d'une femme, le mot a un diminutif en ce sens : *bichette.*)

bicher [biʃe] v. intr. Pop. *Ça biche,* ça va : *Alors, ça biche aujourd'hui?* (= allez-vous bien ? vous portez-vous bien ?).

bichonner [biʃɔne] v. tr. *Bichonner un animal, un enfant,* les entourer de petits soins, faire leur toilette avec soin et coquetterie : *Elle avait un loulou de Poméranie qu'elle bichonnait avec tendresse* (syn. : CHOYER). ◆ ***se bichonner*** v. pr. *Péjor.* Faire sa toilette avec recherche et coquetterie : *Elle passait des heures devant sa coiffeuse à se bichonner* (syn. : SE POMPONNER ; non péjor. : SE PARER).

bicoque [bikɔk] n. f. *Fam.* et *péjor.* Petite maison ou immeuble vieux et délabré : *Il habite une bicoque dans un lotissement de banlieue. Loger dans une bicoque sordide* (syn. : BARAQUE).

bicorne [bikɔrn] n. m. Chapeau à deux pointes, que les officiers ou les gendarmes ont porté au XIXe siècle et que portent encore les académiciens et les polytechniciens.

bicyclette [bisiklɛt] n. f. Véhicule à deux roues de diamètre égal, dont la roue arrière est mise en mouvement par un mécanisme comprenant des pédales, une chaîne et un pignon : *Apprendre à monter sur une bicyclette. Aller à bicyclette au village. Réparer sa bicyclette* (syn. fam. : BÉCANE, VÉLO). [V. CYCLE.]

bide [bid] n. m. *Pop.* Ventre (souvent accompagné de l'adj. *gros* ou d'un mot exclamatif) : *Avoir un gros bide. Quel bide!*

bidet [bidɛ] n. m. Cuvette oblongue, servant aux ablutions intimes.

bidoche [bidɔʃ] n. f. *Pop.* et *péjor.* Viande : *On nous a servi à midi une infâme bidoche.*

1. bidon [bidɔ̃] n. m. Récipient de fer-blanc où l'on met du pétrole, de l'huile, etc.

2. bidon [bidɔ̃] n. m. Pop. *C'est pas du bidon,* c'est l'exacte vérité. ◆ adj. Qui n'a que les apparences de la réalité : *Monter un attentat bidon pour pouvoir sévir contre des associations subversives* (syn. : SIMULÉ).

bidonner (se) [bidɔne] v. pr. *Pop.* Rire sans retenue (généralement avec une nuance superlative). ◆ **bidonnant, e** adj. : *Une histoire bidonnante.*

bidonville [bidɔ̃vil] n. m. Quartier d'une ville où les habitations sont constituées de cabanes faites avec divers matériaux, et où s'entassent des populations misérables, venues de l'extérieur et privées souvent d'un salaire régulier : *Les bidonvilles se situent en général à la périphérie des grandes agglomérations et sont proches des zones industrielles.*

bidule [bidyl] n. m. *Pop.* Objet ou outil quelconque, etc. : *Passe-moi ton bidule, que je répare mon vélo* (syn. : MACHIN, TRUC).

bielle [bjɛl] n. f. Barre métallique reliant deux pièces mobiles par des articulations fixées à chaque extrémité, et qui transmet un mouvement : *Les bielles d'un moteur à explosion sont actionnées par les pistons. Couler une bielle, c'est faire fondre l'alliage spécial dont elle est chemisée.*

1. bien [bjɛ̃] adv. **1°** De manière avantageuse, profitable, parfaitement adaptée à la situation; de façon excellente : *Il a bien vendu sa voiture* (= dans de bonnes conditions). *Tu as bien parlé. Tout s'est bien passé* (syn. : ↑ EXCELLEMMENT). *Elle est bien coiffée* (= avec élégance). *Bien ou mal, l'affaire est faite et on ne peut revenir en arrière* (= d'une façon ou d'une autre). *Il a accueilli ma demande ni bien ni mal* (= sans marquer de sentiments très nets). ‖ *C'est bien fait,* vous avez mérité ce qui vous est arrivé : *Vous avez été victime de votre propre piège : c'est bien fait. Il n'a pas tenu compte de mes conseils et il lui est arrivé malheur : c'est bien fait pour lui.* — **2°** Devant un adjectif, un participe ou un adverbe, prend une valeur de superlatif atténué, et devant un verbe, une valeur intensive : *Je suis bien content de vous voir en bonne santé* (syn. : TRÈS, FORT, ↑ EXTRÊMEMENT ; syn. fam. : ↑ FAMEUSEMENT). *Vous avez bien tort de vous indigner. Il est bien entendu que vous m'avertirez dès qu'il sera nécessaire* (syn. : TOUT À FAIT). *Il a été bien averti de ne pas recommencer* (syn. : DÛMENT). *Je voudrais bien vous voir à ma place* (syn. : CERTES). *C'est bien mieux comme cela. Elle est bien plus heureuse maintenant.* — **3°** *Bien des* (suivi d'un nom plur.), une grande quantité de : *Elle a bien des ennuis en ce moment* (syn. : BEAUCOUP). *Bien d'autres auraient renoncé. Bien des romans n'ont pas la valeur de celui-ci.* ‖ *Bien de* (suivi d'un nom sing.), indique la quantité avec une nuance fam. : *Il m'a fait bien du mal.* — **4°** Accentue une affirmation, en annonçant une restriction introduite par *mais : J'ai bien téléphoné, mais vous n'étiez pas rentré.* ‖ *Mais bien,* renforce l'opposition : *Ce n'est pas une étourderie, mais bien une erreur volontaire.* — **5°** *Aller bien,* être en bonne santé. ‖ *Vouloir bien,* syn. usuel de CONSENTIR, ACQUIESCER : *Je veux bien qu'il aille jouer dans la rue. Il a bien voulu le recevoir* (syn. : ACCEPTER DE). *Voulez-vous bien ne pas faire tant de bruit.* ● LOC. ADV. *Aussi bien,* marque une incidence, une réserve, une parenthèse (langue soutenue) : *Je ne pourrai pas venir demain; aussi bien tu n'as plus besoin de mon aide, puisque tout est fini* (syn. : DU RESTE). ‖ *Bien plus,* marque une addition qui renchérit sur une affirmation : *Il est intelligent; bien plus, il est travailleur, ce qui ne gâte rien.* ● LOC. INTERJ. *Eh bien!*

(prononcé fam. [ebɛ̃]), indique l'étonnement, l'admiration, l'indignation, etc., d'une manière assez vive. || *Ah bien, oui!*, indique une opposition indignée : *Il espère nous faire croire une telle sottise; ah bien, oui! qu'il n'y compte pas!* ● LOC. CONJ. *Si bien que*, introduit une conséquence : *Il ne répondait plus, si bien que j'ai cru à un accident.* || *Aussi bien que*, introduit une comparaison. || *Bien que*, v. ce mot.

2. bien [bjɛ̃] adj. invar. (souvent comme attribut). 1° En bonne santé : *Il est bien ces jours-ci;* bien fait : *Elle a dû être bien dans sa jeunesse* (syn. : BEAU). *Un homme bien de sa personne.* — 2° En qui on peut avoir confiance; d'une parfaite rectitude : *C'est un homme bien, à qui on peut confier ce travail* (syn. : COMPÉTENT, CONSCIENCIEUX, SÉRIEUX). — 3° *Etre bien*, en parlant d'une personne, être dans une position confortable, agréable : *On est bien à l'ombre de ces arbres;* être vu favorablement, être en bons termes : *Il est bien avec sa concierge;* en parlant d'une chose, être sagement fait : *Tout est bien qui finit bien.* || *C'est bien, c'est très (fort) bien*, locution qui marque une approbation ou exprime l'impatience. || *C'est bien à vous de*, c'est très aimable de votre part de.

3. bien [bjɛ̃] n. m. 1° Ce qui procure un avantage, un profit, un plaisir : *Penser au bien général. Vous n'envisagez que votre bien particulier* (syn. : INTÉRÊT). *Il lui veut du bien* (= il est prêt à lui rendre service). *C'est pour son bien que je lui dis cela* (= dans son intérêt). *Je ne veux que son bien. Elle fait le bien autour d'elle* (= elle est charitable, elle porte secours aux malheureux). *Le grand air vous fera du bien* (= vous fortifiera). *Ces cachets me font du bien* (= soulagent ma douleur). *Il faut prendre en bien les remarques qui vous sont faites* (= ne pas vous fâcher). — 2° Ce qui est conforme à un idéal, qui a une valeur morale : *Il ne sait pas discerner le bien du mal. C'est un homme de bien, dont les conseils sont toujours sages* (= vertueux). *Il m'a dit beaucoup de bien de toi* (= m'a parlé avec éloge). — 3° Ce dont on peut disposer en toute propriété, ce qui vous appartient, que l'on possède : *Il a dépensé tout son bien* (syn. : SON CAPITAL). *Il a du bien au soleil* (syn. : PROPRIÉTÉS). *Il considère comme son bien tout ce qu'il trouve. Laisser tous ses biens à ses héritiers* (syn. : FORTUNE). *Il est très attaché aux biens de ce monde* (= aux avantages matériels). *La retraite est le souverain bien auquel il aspire. Les biens vacants ont été nationalisés* (= les propriétés abandonnées). *Le navire a péri corps et biens* (= avec équipage et cargaison). — 4° *En tout bien tout honneur*, dans une intention honnête : *Il l'entoure d'attentions en tout bien tout honneur.* || *Etre du dernier bien avec quelqu'un*, être un de ses amis intimes. || *Mener à bien*, conduire à l'achèvement heureux : *Il a mené à bien des négociations délicates.*

bien-aimé, e [bjɛ̃neme] adj. et n. Qui est l'objet d'une tendresse particulière : *Ma fille bien-aimée. Son bien-aimé l'a quittée* (syn. : AMOUREUX, AMANT).

bien-être [bjɛ̃nɛtr] n. m. 1° Sensation agréable que produit la pleine satisfaction des besoins physiques : *Ressentir un bien-être général* (syn. : QUIÉTUDE). *Goûter le bien-être de la fraîcheur* (syn. : PLAISIR). *Eprouver une sensation de bien-être* (syn. : ↑ JOUISSANCE, EUPHORIE; contr. : MALAISE, SOUFFRANCE). — 2° Situation financière qui permet de satisfaire les besoins essentiels : *Il a durement travaillé pour obtenir le bien-être dont il jouit maintenant* (syn. : CONFORT). *Il recherche avant tout son bien-être* (syn. : AISANCE; contr. : GÊNE).

bienfait [bjɛ̃fɛ] n. m. 1° Acte de bonté à l'égard de quelqu'un : *Il a comblé de bienfaits tous ses amis* (syn. : FAVEUR). *J'ai été mal récompensé de mes bienfaits* (syn. : GÉNÉROSITÉ). *Etre reconnaissant d'un bienfait* (syn. : SERVICE; contr. : INJURE, OFFENSE). — 2° Conséquences heureuses de quelque événement : *Les bienfaits de la paix retrouvée se firent rapidement sentir. Jouir des bienfaits de la science, de la civilisation* (syn. : AVANTAGE). *Les bienfaits d'une vie saine à la campagne.* ◆ **bienfaisant, e** adj. 1° *Chose bienfaisante*, qui a une action ou une influence utile, salutaire : *Le climat de la montagne lui sera bienfaisant* (syn. : BÉNÉFIQUE). *Après ces journées de chaleur, cette pluie est bienfaisante* (contr. : MALFAISANT). — 2° *Personne bienfaisante*, qui fait le bien. ◆ **bienfaisance** [bjɛ̃fəzɑ̃s] n. f. *Œuvre, société de bienfaisance*, association formée pour venir en aide à des déshérités, à des pauvres, dont le but est de faire du bien : *Une quête est faite pour les œuvres de bienfaisance de la paroisse.* ◆ **bienfaiteur, trice** [bjɛ̃fɛtœr, -tris] n. et adj. Personne qui fait du bien à autrui : *Se montrer ingrat à l'égard de son bienfaiteur. Il est considéré comme le bienfaiteur de la ville. Le prix a pu être fondé grâce au don d'un généreux bienfaiteur* (syn. : DONATEUR). *Les membres bienfaiteurs d'une association. Les savants sont les bienfaiteurs de l'humanité* (contr. : ENNEMI).

bien-fondé [bjɛ̃fɔ̃de] n. m. *Le bien-fondé de quelque chose*, son caractère légitime, raisonnable; le fait de reposer sur des bases exactes, sérieuses : *Personne ne conteste le bien-fondé des revendications des mineurs* (syn. : LÉGITIMITÉ). *Nous examinerons le bien-fondé de votre réclamation* (syn. : JUSTESSE). *Le bien-fondé de cette attitude apparaît avec évidence lorsqu'on en examine les conséquences.*

bienheureux, euse [bjɛ̃nørø, -øz] adj. (avant ou, moins souvent, après le nom). Qui rend très heureux, qui favorise des projets, des désirs (superlatif de *heureux* dans la langue soutenue) : *Un bienheureux hasard le mit sur mon chemin alors que j'avais besoin de lui. C'est une bienheureuse rencontre que celle que j'ai faite ce vendredi. Par une bienheureuse inspiration, je lui ai téléphoné* (contr. : MALHEUREUX). ◆ n. 1° Personne dont l'Eglise catholique a reconnu la sainteté sans l'admettre aux honneurs du culte universel. — 2° Fam. *Dormir comme un bienheureux*, dormir profondément et paisiblement.

biennal, e, aux [bjenal ou bjennal, -no] adj. Qui dure deux ans ou qui se produit tous les deux ans : *Un plan biennal a été élaboré pour faire face à des besoins urgents. Exposition biennale* (syn. : BISANNUEL). ◆ **biennale** n. f. : *La biennale de Venise est une manifestation cinématographique qui a lieu tous les deux ans.*

bien-pensant, e[bjɛ̃pɑ̃sɑ̃, -ɑ̃t] n. et adj. *Péjor.* Personne dont les convictions religieuses ou politiques et le comportement social sont conformes à ceux qu'impose une tradition étroitement comprise : *Devant les protestations de tous les bien-pensants du département, le préfet interdit la projection du film. Recruter ses électeurs dans les milieux bien-pensants* (syn. : CONFORMISTE; contr. : LIBRE PENSEUR).

bien que [bjɛ̃kə] loc. conj. (suivie du subj.). Indique la concession, ou l'existence d'un fait qui aurait pu empêcher la réalisation de l'action ou de l'état exprimés dans la principale (appartient plutôt à la langue écrite ; les conj. usuelles en langue parlée sont *quoique, malgré que*) : *Bien que le chauffage central fonctionne normalement, nous avons eu froid ces derniers jours de janvier, car la température était très basse. Bien que sa voiture fût en rodage, il ne la ménageait guère;* peut s'employer avec un part. ou un adj. : *Bien que passé maître dans l'art de se dérober, il se trouvait aujourd'hui mis au pied du mur.*

bienséant, e [bjɛ̃seɑ̃, -ɑ̃t] adj. Se dit de ce qui est conforme aux usages, à la manière habituelle de se conduire, de faire telle ou telle chose (langue soutenue) : *Il a fait preuve d'une discrétion bienséante;* s'emploie presque toujours dans l'expression *il est bienséant de* (suivie d'un infin.) : *Il n'est pas bienséant d'interrompre ainsi celui qui parle* (syn. : CORRECT, POLI, CONVENABLE ; contr. : MALSÉANT, INCONVENANT). ◆ **bienséance** n. f. Ce qu'il convient de dire ou de faire dans des circonstances données : *Il a oublié toute bienséance et n'a cessé de la regarder pendant toute la soirée* (syn. : CONVENANCE, DÉCENCE). *Sa toilette brave les bienséances* (syn. : PUDEUR, HONNÊTETÉ). *Les règles de la bienséance vous obligent à adresser une lettre de remerciement à la maîtresse de maison* (syn. : SAVOIR-VIVRE).

bientôt [bjɛ̃to] adv. 1° Indique qu'une action se produira au bout d'un temps relativement bref, dans un avenir proche : *Nous serons bientôt en vacances* (syn. : DANS PEU DE TEMPS). *J'irai bientôt habiter à Paris* (syn. : DANS QUELQUE TEMPS). *Vous serez bientôt payé. Il sera très bientôt sorti de ses peines* (fam.). — 2° *A bientôt!, à très bientôt!,* formule pour prendre congé familièrement de quelqu'un que l'on espère revoir dans peu de temps. ‖ *Cela est bientôt dit,* cela est vite dit.

bienveillant, e [bjɛ̃vejɑ̃, -ɑ̃t] adj. Qui montre des dispositions favorables, de l'indulgence à l'égard de quelqu'un : *Il se montre bienveillant envers ses subordonnés* (syn. : DÉBONNAIRE, CORDIAL ; contr. : DUR). *Il accueille toujours les visiteurs avec un sourire bienveillant* (syn. : AIMABLE, OBLIGEANT). *Manifester des dispositions bienveillantes* (contr. : MALVEILLANT). *Prononcer quelques paroles bienveillantes* (contr. : DÉSOBLIGEANT, MÉCHANT). ◆ **bienveillance** n. f. : *Témoigner de la bienveillance à l'égard de ses élèves* (syn. : ↑ BONTÉ, INDULGENCE ; contr. : HOSTILITÉ, MALVEILLANCE). *Il cherche à gagner la bienveillance de ses supérieurs* (syn. : FAVEUR). *Il abuse de notre bienveillance* (syn. : MANSUÉTUDE). *Je vous suis reconnaissant de votre bienveillance* (syn. : COMPLAISANCE, COMPRÉHENSION). *Je sollicite de votre haute bienveillance l'inscription de ma candidature à cette fonction* (formule par laquelle on présente une requête à un ministre).

bienvenu, e [bjɛ̃vny] adj. et n. 1° Accueilli ou reçu avec faveur, qui arrive au moment précis où l'on en a besoin (seulement comme attribut) : *Une lettre de vous de temps en temps serait bienvenue* (contr. : MALVENU). *Ce cadeau est vraiment le bienvenu! La neige était la bienvenue dans ces stations de sports d'hiver.* — 2° *Soyez le bienvenu, la bienvenue,* formule de politesse indiquant que votre arrivée ne dérange personne et qu'elle est au contraire accueillie avec plaisir. ◆ **bienvenue** n. f. *Souhaiter la bienvenue à quelqu'un,* lui faire bon accueil, le recevoir avec politesse, le saluer à son arrivée : *Au moment où vous mettez le pied dans notre pays, je vous souhaite la bienvenue.* ‖ *Pour sa bienvenue, pour célébrer sa bienvenue,* pour fêter son arrivée : *Pour ma bienvenue, il avait préparé une petite réception.* ‖ *Discours de bienvenue,* celui que l'on tient pour accueillir un personnage officiel. ‖ *Cadeau de bienvenue,* cadeau offert à quelqu'un que l'on accueille.

1. bière [bjɛr] n. f. 1° Boisson fermentée, préparée surtout à partir de l'orge et du houblon : *Boire de la bière au repas. Garçon! une bière! Vous commanderez une bière pour moi. Bière blonde, brune (commander une blonde, une brune). Servez-nous une bière sans faux col* (= sans mousse, qui diminue la quantité à boire; syn. en cet emploi : UN DEMI). — 2° Fam. *Ce n'est pas de la petite bière,* ce n'est pas une petite affaire, c'est une chose importante, considérable : *Circuler en voiture, vers six heures et demie du soir, entre le boulevard Saint-Michel et l'Hôtel de Ville, ce n'est pas de la petite bière!*

2. bière [bjɛr] n. f. Coffre en bois, de forme allongée, où l'on met un mort : *La mise en bière aura lieu vendredi matin* (= le moment où l'on met le corps dans la bière). *Descendre la bière au fond de la fosse. Porter la bière en terre* (syn. plus usuel : CERCUEIL). *La bière fut déposée devant l'autel.*

biffer [bife] v. tr. Mettre une barre, un trait de plume sur ce qui a été écrit, pour l'annuler : *En relisant le brouillon de sa lettre, il biffa quelques adjectifs* (syn. plus usuels : RAYER, RATURER). *D'un trait de plume rageur, il a biffé toute la page* (syn. : BARRER). *Je vais biffer cette parenthèse inutile* (syn. : SUPPRIMER). ◆ **biffage** n. m. : *Ce manuscrit est illisible, couvert de biffages et de surcharges* (syn. plus usuel : RATURE).

bifteck [biftɛk] n. m. 1° Tranche de bœuf ou de cheval, cuite sur le gril ou à la poêle : *Servir un bifteck aux pommes* (= avec des pommes de terre frites). *Acheter deux biftecks de cheval pour le repas de midi. Voulez-vous que votre bifteck soit saignant* (très peu cuit), *à point* (moyennement cuit) *ou bien cuit? Un bifteck bien tendre, dans le filet.* — 2° Pop. *Gagner son bifteck,* gagner sa vie (syn. : GAGNER SA CROÛTE). ‖ Pop. *Défendre son bifteck,* défendre ses intérêts : *Chacun a défendu son bifteck sans s'occuper des voisins.*

bifurquer [bifyrke] v. intr. 1° *Route, voie de chemin de fer qui bifurque* (sans compl. ou avec un compl. introduit par *à, dans*), qui se divise en deux : *La route bifurque au village; vous prendrez la voie de gauche* (contr. : SE REJOINDRE). *La voie ferrée bifurque à Dijon* (contr. : SE RACCORDER). — 2° *Véhicule, train qui bifurque* (sans compl. ou avec un compl. introduit par *vers, sur*), qui abandonne une direction pour en suivre une autre; *personne qui bifurque,* qui change de métier, de fonction, etc. : *Au croisement, la voiture a bifurqué brusquement vers la gauche. Ne continue pas sur la route nationale, mais bifurque sur ta droite pour aller vers le village que tu aperçois* (syn. : SE DIRIGER). *Le train bifurque sur Besançon* (syn. : ÊTRE AIGUILLÉ). *Il a d'abord fait des sciences, puis, devant ses échecs répétés, il a bifurqué vers les langues* (syn. : S'ORIENTER). *Ses affaires allaient mal, il bifurqua vers la politique.* ◆ **bifurcation** n. f. Division en deux branches, en deux voies; endroit où se fait cette division (emploi plus large que le verbe; se dit aussi d'une artère, d'une tige, etc.) : *La bifurcation de la route nationale est à deux kilomètres du village. La voiture s'arrêta devant la borne qui marquait la bifurcation* (syn. : FOURCHE, CARREFOUR). *A la bifurcation de la route de Versailles et de l'autoroute de l'Ouest* (syn. : EMBRANCHEMENT). *A la gare de bifurcation, on a changé de locomotive. A la bifurcation d'une voie ferrée, il y a un ou plusieurs branchements de voies. La bifurcation dans les études* (syn. : CHANGEMENT D'ORIENTATION).

bigame [bigam] adj. et n. Légalement marié à deux personnes en même temps : *Tout laissait penser que son mari, disparu pendant la guerre, était mort, alors qu'il n'en était rien; elle s'était remariée sans se douter qu'ainsi elle était bigame.* ◆ **bigamie** n. f. Situation d'une personne bigame : *Dans les pays où le divorce n'est pas reconnu, le deuxième mariage est légalement considéré comme un cas de bigamie.*

bigarré, e [bigare] adj. **1°** Formé de couleurs ou de dessins variés, dont l'assemblage donne une impression de disparate : *Il porte une chemise curieusement bigarrée* (syn. : BARIOLÉ). — **2°** Composé d'éléments divers et qui ne forment pas un ensemble harmonieux : *Les habitants de l'île parlent une langue bigarrée, faite de français et d'espagnol auxquels s'ajoutent des mots venus de tous côtés* (syn. : DISPARATE). *Une société bigarrée, où les aventuriers se mêlent aux commerçants et aux planteurs* (syn. : MÊLÉ; contr. : HOMOGÈNE). ◆ **bigarrure** n. f. : *Les tatouages dessinent sur leurs visages d'étranges bigarrures* (syn. : BARIOLAGE); avec une valeur péjor. : *Les bigarrures du style témoignent de sa fantaisie débridée* (syn. non péjor. : VARIÉTÉ).

bigler [bigle] v. intr. et tr. Pop. *Bigler sur quelqu'un, sur quelque chose,* ou *bigler quelqu'un, quelque chose,* jeter sur une personne ou une chose un regard d'envie; y faire attention : *Il est toujours en train de bigler sur les femmes. Bigle un peu la voiture américaine!* (syn. : REGARDER).

bigleux, euse [biglø, -øz] adj. et n. *Pop.* Qui a la vue basse, ou qui regarde de travers : *Il est bigleux, incapable de distinguer un arbre à trente pas* (syn. en langue commune : MYOPE). *Tu n'es pas bigleux? Non? Alors pourquoi n'as-tu pas relevé cette erreur! Méfiez-vous, il n'est pas bigleux* (= il regarde de près).

bigorneau [bigɔrno] n. m. Petit coquillage de mer.

bigorner [bigɔrne] v. tr. (sujet nom de personne ou de véhicule). Pop. *Bigorner quelqu'un,* lui donner des coups; *bigorner quelque chose,* lui causer un dommage par un choc, un coup : *Il a bigorné sa voiture contre une autre au carrefour. L'autocar a bigorné deux voitures en stationnement* (syn. en langue usuelle : HEURTER, ACCROCHER; fam. : ABÎMER, AMOCHER). ◆ **se bigorner** v. pr. *Pop.* Se battre.

bigot, e [bigo, -ɔt] adj. et n. *Péjor.* Se dit de quelqu'un qui pratique la religion d'une manière étroite et inintelligente : *A cette heure-là, l'église est déserte; seules quelques vieilles bigotes sont agenouillées dans la nef. Avec l'âge, il était devenu bigot.* ◆ **bigoterie** n. f. : *Sa bigoterie va jusqu'à la superstition* (syn. non péjor. : DÉVOTION, PIÉTÉ).

bigoudi [bigudi] n. m. Petite tige ou élastique autour desquels les femmes roulent leurs cheveux pour les faire friser : *Il était très tôt lorsqu'il frappa à la loge de la concierge : celle-ci, en peignoir et en bigoudis, lui donna le renseignement en ronchonnant.*

bigre! [bigr] interj. Syn. atténué de BOUGRE : *Bigre! il fait froid ce matin.* ◆ **bigrement** adv. Marque l'intensité : *Il a bigrement changé en quelques années* (syn. : BEAUCOUP).

bijou, pl. **bijoux** [biʒu] n. m. **1°** Petit objet de parure (anneau, collier, pendentif, broche, etc.), précieux par la matière (or, platine, etc.) ou par le travail (orfèvrerie) : *Une femme parée de magnifiques bijoux* (syn. : JOYAU). *Mettre ses bijoux.* — **2°** Tout objet dont l'élégance ou le travail délicat rappellent ceux d'un bijou : *Cette petit voiture est un véritable bijou. Le portail de la cathédrale est un bijou de l'architecture du XIIIe siècle.* — **3°** *Mon bijou,* terme affectueux. ◆ **bijouterie** n. f. Art, commerce ou magasin de celui qui fait ou vend des bijoux. ◆ **bijoutier, ère** n. : *Le bijoutier ajoute le plus souvent à son commerce celui de l'horlogerie.*

bilan [bilɑ̃] n. m. **1°** *Bilan d'une entreprise, d'une société,* etc., inventaire résumé de sa situation financière, comportant, à un moment donné, un état de l'actif et du passif : *Une société commerciale dresse, établit ou arrête son bilan; elle le publie. Le bilan est positif : les comptes se soldent par des bénéfices imposants. Déposer son bilan, c'est, pour un commerçant, se déclarer incapable d'effectuer ses paiements* (= être en faillite). — **2°** *Bilan d'une série d'événements, d'une opération,* leur résultat, positif ou négatif : *Et quel a été pour toi le bilan de toutes ces intrigues? Nous supportons le lourd bilan de deux guerres destructrices* (syn. : CONSÉQUENCE). *Après avoir fait le bilan de l'expérience en cours, nous avons conclu à sa continuation. Les diplomates ont fait le bilan de la situation* (= ont dressé un état, ont fait le point).

bilatéral, e, aux adj. V. LATÉRAL.

bilboquet [bilbɔkɛ] n. m. **1°** Jouet formé d'une boule percée d'un trou et reliée par une cordelette à un petit bâton pointu, sur lequel il faut enfiler cette boule. — **2°** *C'est plus fort que de jouer au bilboquet,* expression fam. indiquant un étonnement admiratif.

bile [bil] n. f. **1°** Liquide jaunâtre et âcre que sécrète le foie et qui opère au cours de la digestion des aliments. — **2°** *Décharger, épancher sa bile,* se répandre en récriminations, en protestations, déverser son amertume ou sa colère contre quelqu'un ou contre quelque chose : *Un aigri qui épanche sa bile sur tous ceux qui ont le malheur de l'approcher.* ‖ *Echauffer la bile de quelqu'un,* le mettre en colère (langue littér.). ‖ Fam. *Se faire de la bile,* se faire du souci, du tourment : *Il se fait de la bile pour l'avenir de ses enfants* (syn. : S'INQUIÉTER, SE TOURMENTER). ◆ **biler (se)** v. pr. *Pop.* Se faire de la bile (presque toujours dans des phrases négatives) : *Ne te bile pas pour lui, il se débrouillera très bien. Il ne se bile pas, et il ne pense jamais au lendemain.* ◆ **bileux, euse** adj. *Fam.* Se dit de quelqu'un qui s'inquiète facilement : *Il n'est pas bileux; il dit que les choses s'arrangent toujours.* ◆ **bilieux, euse** adj. et n. **1°** *Visage, teint bilieux,* qui manifeste une abondance de bile dans l'organisme : *Il a le teint jaune, presque verdâtre des bilieux.* — **2°** *Personne bilieuse,* qui est portée à se mettre en colère, qui est toujours de mauvaise humeur ou pessimiste : *C'est un tempérament* bilieux, enclin au découragement (syn. : morose). ◆ **biliaire** adj. Qui concerne la bile, qui la produit (terme médical).

bilingue [bilɛ̃g] adj. *Ouvrage, texte bilingue,* qui est en deux langues différentes : *C'est grâce à des inscriptions bilingues que l'on a déchiffré des langues jusqu'alors inconnues. Un dictionnaire bilingue offre la traduction des mots d'une langue dans une autre.* ◆ adj. et n. *Individu, population bilingue,* qui use couramment de deux langues différentes dans le milieu où il se trouve : *Ceux qui, en France, usent encore du patois dans la famille et du français dans leurs relations sociales sont des bilingues.* ◆ **bilinguisme** [bilɛ̃gɥism] n. m. Etat d'une population, d'un individu bilingue : *Le bilinguisme est reconnu dans de nombreux Etats de la République indienne, où deux langues ont le statut de langues officielles.*

billard [bijar] n. m. 1° Jeu qui se joue avec trois « boules » (ou *billes*) d'ivoire, qu'on pousse avec une « queue » sur une table de bois rectangulaire, entourée de bandes élastiques et couverte d'un « tapis » vert; la table elle-même ou la salle où l'on joue : *Faire une partie de billard* (ou *faire un billard*). — 2° Fam. *Passer, monter sur le billard,* subir une opération chirurgicale (= monter sur la table d'opération). — 3° Fam. *Cette route est un vrai billard,* elle est bien plane et d'un entretien parfait. ‖ Pop. *C'est du billard,* ça va tout seul, c'est très facile (syn. : ÇA VA COMME SUR DES ROULETTES).

bille [bij] n. f. 1° Petite boule de terre cuite, de marbre, de verre, d'agate qui sert pour des jeux d'enfants, ou boule d'ivoire avec laquelle on joue au billard, à la roulette ou à la boule : *Les enfants jouent aux billes dans la cour de récréation. Le joueur de billard ajusta la bille et l'attaqua en plein, d'un coup sec.* — 2° *Fam.* Tête (dans quelques express.) : *Il a une bonne bille* (syn. pop. : BOUILLE). *Une bille de clown. Une bille de billard* (= un crâne chauve).

2. bille n. f. *Bille de bois, d'acajou,* etc., tronçon découpé dans le tronc ou dans une grosse branche.

billet [bijɛ] n. m. 1° Petite carte comportant un message, une invitation : *Ecrire un billet doux à sa bien-aimée* (= une lettre d'amour). — 2° Petit carré de papier comportant un numéro de loterie, une indication attestant le droit de bénéficier d'un service public, etc. (la destination est indiquée par un compl. du nom; mais le mot peut être employé sans compl. dans tous les sens) : *Prendre un billet de chemin de fer. Payer son billet à la caisse. Avez-vous acheté cette semaine un billet de loterie? Présenter un billet de métro à la poinçonneuse* (syn. usuel : TICKET). — 3° *Billet de banque* ou *billet,* monnaie en papier (gagée sur une contrepartie en or ou en devises) : *Un billet de dix francs. Payez-moi en billets de cent francs. De faux billets ont été mis en circulation.* — 4° Fam. *Je vous en donne, je vous en fiche mon billet,* je vous le garantis.

billevesées [bilvəze] n. f. pl. Paroles vaines, frivoles, sans rapport avec la vérité (emploi littér.) : *N'écoutez pas ces billevesées* (syn. : BALIVERNES, FADAISES). *Il a traité de billevesées tous les projets présentés* (syn. : CHIMÈRE, UTOPIE). *Raconter des billevesées* (syn. : SORNETTES, SOTTISES).

billot [bijo] n. m. 1° Tronc de bois sur lequel on coupe de la viande, du bois, etc.; pièce de bois sur laquelle on tranchait la tête des condamnés. — 2° *J'en mettrais ma tête sur le billot,* je parierais sur ma vie que ce que je dis est exact.

bimensuel, elle adj. V. MENSUEL.

binaire [binɛr] adj. Se dit d'une chose formée de deux unités, présentant deux aspects, deux faces : *Une analyse qui procède par découpage binaire. Un rythme binaire* (= à deux temps).

biner [bine] v. tr. Retourner la partie superficielle de la terre avec une binette. ◆ **binage** n. m. ◆ **binette** n. f. Outil de jardinier.

1. binette [binɛt] n. f. *Pop.* Tête (surtout physionomie ridicule ou visage marquant la surprise, le mécontentement, etc.) : *Eh bien, tu en fais une binette! Qu'est-ce qui t'est arrivé?* (syn. pop. : BOBINE).

2. binette n. f. V. BINER.

bing! [bing] interj. Indique le bruit consécutif à un coup violent : *Bing! on entendit jusqu'au fond du café le bruit de la gifle qu'il avait reçue.*

biniou [biɲu] n. m. Sorte de cornemuse.

binocle [binɔkl] n. m. Lorgnon maintenu sur le nez par une pince à ressort, ou tenu à la main à l'aide d'un manche. (Son usage disparaît au début du XXe s.)

biographie [bjɔgrafi] n. f. Histoire de la vie d'un personnage : *Chateaubriand écrivit avec les « Mémoires d'outre-tombe » sa propre biographie* (ou *autobiographie*). ◆ **biographique** adj. : *Un dictionnaire biographique. Mettre une courte notice biographique en tête d'une édition de Musset.* ◆ **biographe** n. : *Les biographes donnent peu de détails sur cette période de sa vie.* ◆ **autobiographie** n. f. Histoire de la vie de quelqu'un écrite par lui-même : *Certains romans sont des autobiographies.*

biologie [bjɔlɔʒi] n. f. Etude scientifique des phénomènes vitaux chez les animaux et les végétaux. ◆ **biologique** adj. ◆ **biologiste** n.

biparti, e [biparti] ou **bipartite** [bipartit] adj. Constitué de deux parties ou ensembles (langue des naturalistes ou langue politique) : *Un gouvernement biparti s'est constitué en Autriche* (= avec des ministres appartenant à deux partis). ◆ **bipartisme** n. m. Système de gouvernement, de représentation politique, etc., fondé sur l'existence de deux partis politiques principaux.

bipède [bipɛd] adj. et n. Se dit d'un animal qui a deux pieds (langue des naturalistes).

bique [bik] n. f. 1° *Fam.* Chèvre : *Le berger était vêtu d'une peau de bique.* — 2° *Vieille bique, bique fatiguée,* nom injurieux donné à une vieille femme maigre et sèche. ◆ **biquet** [bikɛ] n. m. Syn. fam. de CHEVREAU.

1. bis [bis] adv. et adj. Indique la répétition ou l'annexe d'un numéro d'ordre : *Habiter au 12 bis de la rue de Lyon. On ajoute un complément au projet de loi déposé sur le bureau de l'Assemblée, et celui-ci devient l'article 4 bis.* (On dira, pour les annexes suivantes, *ter, quater.*)

2. bis [bis] interj. et n. m. Cri, applaudissements par lesquels on invite un musicien, un chanteur, un danseur, etc., à recommencer ce qu'il vient de faire. ◆ **bisser** [bise] v. tr. : *Le public enthousiaste se leva pour applaudir et bisser le soliste; celui-ci reprit alors une partie du dernier mouvement.*

3. bis, e [bi, biz] adj. 1° D'une couleur gris foncé tirant sur le brun : *Avoir le teint bis. De la toile bise.* — 2° *Pain bis,* pain de couleur grise, à cause du son qu'il renfermait, et qui était moins cher que le pain blanc.

bisannuel, elle adj. V. AN.

bisbille [bisbij] n. f. *Fam.* Petite querelle, dispute futile et sans conséquence (surtout dans l'expression *être en bisbille avec quelqu'un*) : *Il était toujours en bisbille avec un de ses voisins* (syn. : ÊTRE FÂCHÉ, ÊTRE BROUILLÉ AVEC). *Des bisbilles s'élèvent sans cesse entre eux.*

biscornu, e [biskɔrny] adj. (placé après le nom). 1° *Objet biscornu,* dont la forme est irrégulière : *Des constructions avaient été ajoutées au château primitif, et le bâtiment entier apparaissait biscornu. Il portait un vieux chapeau déformé, tout biscornu.* — 2° Péjor. et fam. *Chose biscornue,* qui n'est pas conforme à ce que l'on attend, aux usages établis, à la raison : *Avoir des idées biscornues* (syn. : BIZARRE, EXTRAVAGANT). ‖ *Esprit biscornu,* celui dont la manière de penser est illogique et compliquée (contr. : RAISONNABLE, SENSÉ, CLAIR).

biscotte [biskɔt] n. f. Tranche de pain de mie ou de pain brioché séchée au four, et pouvant être conservée longtemps : *Les biscottes se vendent toutes préparées. Manger des biscottes à son petit déjeuner.*

1. biscuit [biskɥi] n. m. 1° Pâtisserie faite avec de la farine, des œufs et du sucre. — 2° Pain très dur, sec et peu levé, destiné à être conservé très longtemps, utilisé autrefois dans l'armée et servant actuellement d'aliment aux chiens. ◆ **biscuiterie** n. f. Industrie et commerce des biscuits et des gâteaux secs; usine spécialisée dans cette fabrication.

2. biscuit [biskɥi] n. m. Ouvrage de porcelaine fait d'une pâte de premier choix et ayant l'aspect d'un marbre blanc très fin : *Un bibelot en biscuit de Sèvres.*

1. bise [biz] n. f. Vent glacial, qui souffle en général du nord ou de l'est : *Ce matin souffle une bise cinglante. J'ai les doigts engourdis par la bise glacée. Une petite bise aiguë sifflait dans les branches des arbres* (syn. : ↑ BLIZZARD).

2. bise [biz] n. f. *Fam.* Petit baiser donné sur la joue (employé surtout à l'égard des enfants) : *Fais une bise à papa.*

biseau [bizo] n. m. 1° Bord taillé obliquement, au lieu de former une arête coupée à angle droit. — 2° *En biseau,* dont le bord est coupé en oblique : *Glace taillée en biseau. Un sifflet en biseau.* ◆ **biseauter** v. tr. : *Biseauter un diamant. Les cartes biseautées ont le bord marqué, de manière à être reconnues par celui qui donne; ce dernier peut ainsi tromper son adversaire.* ◆ **biseautage** n. m.

bison [bizɔ̃] n. m. Grand mammifère sauvage, de la même famille que le bœuf.

bisquer [biske] v. intr. Pop. *Faire bisquer quelqu'un,* lui faire éprouver quelque dépit, quelque vexation (surtout dans le langage des enfants) : *Ça va le faire bisquer* (syn. fam. : FAIRE ENRAGER; pop. : FAIRE MARONNER). *Laisse-le tranquille, ne le fais pas bisquer* (syn. : TAQUINER).

bisser v. tr. V. BIS 2.

bissextile [bisɛkstil] adj. f. *Année bissextile,* année qui est composée de 366 jours, au lieu de 365 (et qui revient tous les quatre ans).

bistouri [bisturi] n. m. Petit couteau chirurgical, qui sert à faire des incisions dans les tissus.

bistre [bistr] adj. et n. m. invar. Brun jaunâtre (obtenu en peinture en mêlant de la suie et de la gomme). ◆ **bistré, e** adj. : *Avoir le teint bistré* (syn. : BRONZÉ).

bistrot [bistro] n. m. 1° *Fam.* Débit de boissons ou restaurant modeste : *Aller prendre un verre au bistrot d'en face* (syn. usuel : CAFÉ; CABARET est vieilli en ce sens; BAR est plus relevé). *Il mange à midi dans un petit bistrot des Halles.* — 2° Patron de l'établissement, café ou restaurant (vieilli) : *Le bistrot avait sorti dehors quelques tables.*

bitume [bitym] n. m. Matière minérale naturelle dont on se sert pour le revêtement des chaussées et des trottoirs (syn. usuel : ASPHALTE) : *Des ouvriers défoncent le bitume pour réparer une canalisation.* (Comme syn. pop. de TROTTOIR [*arpenter le bitume*], le mot est vieilli.) ◆ **bitumer** v. tr. : *Le trottoir est fraîchement bitumé. Les ouvriers sont en train de bitumer la chaussée.* ◆ **bitumage** n. m.

biture [bityr] n. f. *Pop.* Ivresse, en particulier dans l'expression *prendre une biture* (s'enivrer) : *Il était incapable de mettre la clef dans la serrure : il avait pris une de ces bitures!* (syn. pop. : CUITE).

bivouac [bivwak] n. m. Campement en plein air, établi provisoirement par des troupes ou par une expédition : *Allumer des feux de bivouac. Les trois alpinistes rejoignirent le bivouac installé près du glacier.* ◆ **bivouaquer** v. intr. Camper ou passer la nuit en plein air : *L'équipe, après une longue escalade, bivouaqua dans la neige.*

bizarre [bizar] adj. Se dit de quelqu'un, de quelque chose qui s'écarte de l'usage commun, de ce qui est considéré comme normal, raisonnable ou conforme aux habitudes, à la coutume : *Sa conduite apparaît bizarre à son entourage* (syn. : ÉTONNANT, EXCENTRIQUE; contr. : ÉQUILIBRÉ, NORMAL). *Elle est coiffée d'un chapeau bizarre, qu'il est difficile de définir* (syn. : ÉTRANGE, ↑ COCASSE). *Il a eu l'idée bizarre d'acheter cette maison de campagne délabrée* (syn. : EXTRAVAGANT, EXTRAORDINAIRE). *Il fait un temps bizarre, des averses suivies de très belles éclaircies* (syn. : CURIEUX). *Un homme bizarre, qui ne livre jamais le fond de sa pensée* (syn. : INQUIÉTANT). ◆ **bizarrement** adv. ◆ **bizarrerie** n. f. : *La bizarrerie de son humeur me rend perplexe* (syn. : INSTABILITÉ, EXTRAVAGANCE). *Les bizarreries de l'orthographe créent une gêne certaine pour les élèves* (syn. : ÉTRANGETÉ, FANTAISIE). *Nous nous amusons de la bizarrerie de ce fait divers* (syn. : SINGULARITÉ).

bizut [bizy] n. m. *Arg. scol.* Elève nouvellement arrivé ou élève de première année dans les classes préparatoires aux grandes écoles : *Les bizuts, intimidés, évitaient les anciens.* ◆ **bizuter** v. tr. *Arg. scol.* Faire subir des brimades aux bizuts lors de leur arrivée. ◆ **bizutage** n. m. Arg. scol. : *Les excès du bizutage entraînèrent des sanctions de la part de la direction de l'école.*

blablabla ou **blabla** n. m. *Pop.* Discours verbeux, destiné à masquer le vide de la pensée : *Tout ça n'est que du blablabla, venons-en aux faits eux-mêmes* (syn. : VERBIAGE).

blackbouler [blakbule] v. tr. Fam. *Blackbouler quelqu'un,* lui infliger un échec en l'évinçant au profit d'un autre, en particulier sur le plan politique, ou le refuser à un examen : *Cet ancien ministre a été blackboulé aux dernières élections législatives* (syn. : BATTRE). *Candidat blackboulé au concours d'entrée à Polytechnique* (syn. : RECALER). ‖ *Se faire blackbouler,* subir un échec, se voir préférer un adversaire. ◆ **blackboulage** n. m. : *Le blackboulage du député sortant.*

black-out [blakaut] n. m. invar. 1° Obscurcissement total d'une ville, ordonné au cours d'opérations militaires et utilisé pour camoufler des objectifs contre les attaques aériennes, ou dû à une cause accidentelle : *Plusieurs villes du Sud-Ouest furent plongées dans un black-out complet par suite d'une panne d'électricité.* — 2° *Faire le black-out sur une information, sur un événement,* faire le silence à son sujet : *Aussi longtemps qu'il le put, le gouvernement fit le black-out sur la situation financière afin d'empêcher des réactions trop vives.*

blafard, e [blafar, -ard] adj. *Lumière blafarde, visage blafard,* dont la pâleur accentuée est désagréable ou triste : *La lueur blafarde de la lune éclairait mal cette rue sinistre* (syn. : PÂLE, TERNE; contr. : CRU). *Il a le teint blafard de quelqu'un qui a une maladie de cœur* (syn. : HÂVE, TERREUX, BLANC). *Son visage blafard reflétait une peur panique* (syn. : LIVIDE, BLÊME; contr. : COLORÉ).

1. blague [blag] n. f. *Blague à tabac,* petit sac de cuir, de matière plastique, etc., où les fumeurs mettent leur tabac : *Il sortit sa blague à tabac et bourra lentement sa pipe.*

2. blague [blag] n. f. 1° *Fam.* Farce faite pour tromper celui qui en est l'objet : *Faire une très mauvaise blague à un ami.* — 2° *Fam.* Propos plaisants tenus pour amuser : *Ne raconte pas de blagues, dis la vérité* (syn. : HISTOIRE). *Il prend tout à la blague* (= il ne considère rien sérieusement). *Sans blague! vous ne le saviez pas? Blague à part, tu ignorais son retour?* (= sérieusement). ◆ **blaguer** v. intr. *Fam.* Plaisanter en parlant : *Il blague encore, ne l'écoute pas* (= il ne parle pas sérieusement). ◆ v. tr. *Fam.* Railler : *Il blague sa femme sur son nouveau chapeau* (syn. : TAQUINER, SE MOQUER). ◆ **blagueur, euse** adj. et n. Fam. : *Toujours un sourire blagueur sur les lèvres!* (syn. : IRONIQUE). *C'est un blagueur dont il faut se méfier* (syn. : PLAISANTIN).

3. blague [blag] n. f. *Fam.* Action inconsidérée, faute commise par légèreté : *Il a fait des blagues dans sa jeunesse et il en subit maintenant les conséquences* (syn. : SOTTISE).

blair [blɛr] n. m. *Pop.* Nez. ◆ **blairer** v. tr. Pop. *Ne pas pouvoir blairer quelqu'un,* ne pas pouvoir le sentir, avoir de l'antipathie, de l'aversion à son égard (syn. pop. : AVOIR DANS LE NEZ).

1. blaireau [blɛro] n. m. Petit animal carnassier au poil raide, vivant en Europe et en Asie.

2. blaireau [blɛro] n. m. Brosse de poils fins dont on se sert pour se savonner la barbe; pinceau utilisé par les peintres.

blâme [blɑm] n. m. 1° Jugement condamnant ou désapprouvant la conduite d'autrui : *Ce silence unanime constitue pour lui un blâme sévère* (syn. : DÉSAPPROBATION, CRITIQUE; contr. : LOUANGE). *Il s'est attiré pour cela un blâme mérité* (syn. : CONDAMNATION, ↓ REPROCHE). *Il tente de faire retomber le blâme sur son voisin.* — 2° Sanction consistant en une réprimande officielle : *Un élève peut encourir un blâme du conseil de discipline de son établissement. Infliger un blâme à un fonctionnaire* (contr. : FÉLICITATION). ◆ **blâmer** v. tr. : *J'ai blâmé sa hâte excessive* (syn. : DÉSAPPROUVER, CRITIQUER; contr. : LOUER). *Blâmer les agissements coupables du caissier* (syn. : CONDAMNER; contr. : EXCUSER). *Il faut le plaindre et non le blâmer; il est irresponsable* (syn. : RÉPRIMANDER, JETER LA PIERRE; contr. : COMPLIMENTER). *Il a été blâmé par le directeur du collège* (contr. : FÉLICITER). ◆ **blâmable** adj. : *Cette conduite blâmable sera sanctionnée* (contr. : RÉPRÉHENSIBLE). *La façon blâmable dont il s'est comporté avec elle* (syn. : CONDAMNABLE).

1. blanc, blanche [blɑ̃, -ɑ̃ʃ] adj. (après le nom). 1° Se dit, par oppos. à *noir,* d'une couleur analogue à celle du lait ou de la neige : *Une cheminée de marbre blanc orne le salon. Prendre une feuille de papier blanc* (distingué du papier quadrillé). *Le drapeau blanc était celui de l'ancienne monarchie. Les aveugles ont une canne blanche. Un vieillard aux cheveux blancs.* — 2° Se dit de ce qui n'est pas sali ou terni : *Mettre des draps blancs* (= propres). — 3° *Arme blanche, carte blanche, drapeau blanc, mariage blanc, pain blanc, patte blanche, pierre blanche,* etc., v. ARME, CARTE, etc. ‖ *Blanc comme neige,* innocent. ‖ *Bulletin blanc,* bulletin de vote mis dans l'urne, et sur lequel n'est porté aucun nom ni exprimé aucun avis : *Les bulletins blancs et nuls sont comptés à part.* ‖ *Examen blanc,* celui qui est destiné à reconnaître les chances d'un candidat avant l'examen définitif. ‖ *Nuit blanche,* nuit passée sans que l'on ait dormi. ‖ *Verre blanc,* complètement incolore. ‖ *Voix blanche,* sans intonation caractéristique, sans personnalité : *Il tremblait de peur et il s'exprimait d'une voix blanche.* ‖ *Dire tantôt blanc, tantôt noir,* avoir l'esprit de contradiction. ◆ **blanchâtre** adj. D'un blanc qui n'est pas net, d'un blanc sali ou douteux : *Une traînée blanchâtre sur la glace. Le ciel est couvert de nuages blanchâtres.* ◆ **blancheur** n. f. Couleur blanche : *La blancheur éclatante de la neige sous le soleil. Il a un teint d'une blancheur maladive.* ◆ **blanchir** v. tr. Rendre blanc : *La lumière du matin blanchit l'horizon. Les murs de la petite ville grecque étaient blanchis à la chaux.* ◆ v. intr. Devenir blanc : *Le ciel blanchit sous la lune. Ses cheveux blanchissent.* ◆ ***se blanchir*** v. pr. Se mettre sur les vêtements quelque chose qui blanchit : *Il s'est blanchi la manche en se frottant au plâtre.* ◆ **blanchiment** n. m. Action de rendre ou de devenir blanc : *Le blanchiment d'une façade.*

2. blanc n. m. 1° Couleur blanche : *Il a les dents d'un blanc éclatant* (= très blanches). — 2° Matière colorante, fard de couleur blanche : *Passer une couche de blanc sur la façade de la maison. Se mettre du blanc sur le visage.* — 3° Vêtement, linge, tissu de couleur blanche : *Etre vêtu de blanc. L'exposition de blanc a lieu dans les grands magasins en janvier* (= linge blanc). — 4° Dans une page, partie qui ne reçoit pas l'impression (espaces entre les lignes, entre les signes, marges) : *Il y a trop de blanc dans cette page* (= les lignes sont trop espacées). — 5° *Blanc d'œuf* (par oppos. au jaune), partie blanchâtre et gluante de l'œuf. ‖ *Blanc de poulet,* chair délicate et blanchâtre recouvrant le bréchet des volailles. ‖ *Blanc de l'œil,* la cornée : *Il avait le blanc de l'œil injecté de sang.* ‖ *Rougir jusqu'au blanc des* *yeux,* montrer une rougeur du visage qui révèle une très grande confusion. || *Chauffer à blanc,* soumettre un métal au feu jusqu'à ce qu'il passe du rouge au blanc; travailler quelqu'un pour le prévenir contre une autre personne ou contre quelque chose : *La foule avait été chauffée à blanc et manifestait avec violence.* || *Ecrire noir sur blanc,* affirmer par écrit, sans qu'aucune contestation puisse s'élever (syn. : AVEC NETTETÉ). || *Saigner à blanc,* tuer en laissant couler tout le sang de la victime; épuiser toutes les ressources de quelqu'un. || *Signer en blanc un papier* (chèque, procuration, etc.), apposer sa signature sur un papier où l'on a laissé la place pour écrire quelque chose. || *Tirer à blanc,* effectuer un tir avec des cartouches sans projectiles (*cartouche à blanc*). || *De but en blanc,* V. BUT.

3. blanc, blanche [blɑ̃, -ɑ̃ʃ] adj. et n. Se dit d'une personne appartenant à une race caractérisée en particulier par la blancheur de la peau (le nom s'écrit avec une majusc.) : *La colonisation blanche en Afrique noire. Les Noirs et les Blancs. L'Afrique blanche.*

blanc-bec [blɑ̃bɛk] n. m. Jeune homme sans expérience, dont la présomption est jugée défavorablement : *Ces jeunes blancs-becs n'ont plus aucun respect pour leurs aînés.*

blanchâtre adj., **blancheur** n. f., **blanchiment** n. m. V. BLANC 1.

1. blanchir v. tr. et intr., **se blanchir** v. pr. V. BLANC 1.

2. blanchir [blɑ̃ʃir] v. tr. Rendre propre : *Donner son linge à blanchir* (syn. : NETTOYER). *Un étudiant pensionnaire chez une logeuse, nourri et blanchi* (= à qui l'on donne la nourriture et dont on nettoie le linge). ◆ **blanchissage** n. m. Action de nettoyer le linge. ◆ **blanchisserie** n. f. Usine où l'on nettoie le linge, les étoffes, etc.; boutique du commerçant qui fait nettoyer le linge et le repasse (syn. : LAVERIE). ◆ **blanchisseur, euse** n. : *La blanchisseuse me donna la paire de draps que j'avais apportée huit jours avant.*

3. blanchir [blɑ̃ʃir] v. tr. *Blanchir quelqu'un,* le faire déclarer innocent : *Il est sorti blanchi du procès* (syn. : DISCULPER). *Ces témoignages le blanchissent à mes yeux* (contr. : NOIRCIR).

blanc-seing [blɑ̃sɛ̃] n. m. 1° Signature apposée au bas d'un papier blanc, que l'on confie à quelqu'un pour qu'il le remplisse comme il l'entend : *Il a abusé des blancs-seings qu'on lui a donnés pour vendre les titres de propriété.* — 2° *Donner un blanc-seing à quelqu'un,* lui donner tout pouvoir d'agir (syn. fam. : DONNER CARTE BLANCHE).

blanquette [blɑ̃kɛt] n. f. *Blanquette de veau,* ragoût de veau cuit au court-bouillon.

blaser [blɑze] v. tr. (sujet nom de chose). *Blaser quelqu'un* (de ou sur une chose), le rendre indifférent ou insensible aux émotions vives, au plaisir, par l'abus qui en a été fait (presque toujours au passif) : *Le spectacle quotidien de la misère avait fini par le blaser. Il a beaucoup voyagé et la diversité de ce qu'il a vu l'a blasé. Il est blasé sur tout* (syn. : DÉSABUSER). *Je suis blasé de ce genre de lecture* (syn. : RASSASIER, FATIGUER). ◆ ***se blaser*** v. pr. *Se blaser de quelque chose,* s'en dégoûter : *Faites attention qu'il ne se blase pas des plats épicés que vous lui servez.* ◆ **blasé, e** adj. et n. : *Un esprit blasé, que plus rien ne passionne. Il jouait à l'homme blasé qui ne s'étonne plus de rien* (syn. : SCEPTIQUE).

blason [blazɔ̃] n. m. 1° Ensemble des armoiries formant l'écu d'un Etat, d'une ville, d'une famille : *Les fleurs de lis du blason de la Maison de France.* — 2° *Redorer son blason,* rétablir sa fortune, sa situation de manière qu'elle redevienne digne du titre que l'on porte. || *Ternir son blason,* déshonorer le nom que l'on porte, la famille à laquelle on appartient.

blasphème [blasfɛm] n. m. Parole outrageante à l'égard de Dieu, d'une divinité ou de tout ce qui est considéré comme sacré et respectable : *La perte de son enfant la porta à proférer des blasphèmes contre Dieu. Ses affirmations sont de véritables blasphèmes contre la tradition* (syn. : INSULTE). ◆ **blasphémer** v. intr. et tr. *Blasphémer contre quelqu'un* ou *contre quelque chose,* ou (littér.) *blasphémer quelqu'un, quelque chose,* tenir des propos injurieux ou insultants contre eux : *Blasphémer contre le ciel* (syn. : MAUDIRE LE CIEL). *Une pareille conduite blasphème la morale* (syn. : OUTRAGER). ◆ **blasphémateur, trice** n. et adj. : *Condamner du haut de la chaire les blasphémateurs et les impies qui se rient des commandements de Dieu.* ◆ **blasphématoire** adj. : *Une attaque blasphématoire contre la religion et ses prêtres* (syn. : IMPIE, SACRILÈGE).

blatte [blat] n. f. Insecte nocturne, appelé communément *cafard.*

blé [ble] n. m. 1° Céréale dont le grain est utilisé en particulier pour la fabrication du pain : *En Beauce, les champs de blé s'étendent sur des milliers d'hectares. Les blés sont mûrs. Le blé en herbe.* — 2° Grain de cette plante, séparé de l'épi : *Le blé est transporté vers le silo. Des sacs de blé sont stockés dans le moulin. Le cours du blé est fixé par le gouvernement.* — 3° *Manger son blé en herbe,* dépenser d'avance son revenu.

bled [blɛd] n. m. 1° En Afrique du Nord, l'intérieur des terres. — 2° *Pop.* Petit village; la campagne (le plus souvent avec une valeur affective) : *Cet été, tu vas dans ton bled?* (= ton village natal, celui où tu as une maison). *Il habite un petit bled perdu près d'Ussel* (syn. pop. : PATELIN). *Quel bled! il n'y a pas de docteur à moins de dix kilomètres* (syn. : PAYS; pop. : TROU).

blême [blɛm] adj. D'un blanc mat et terne qui donne une impression désagréable : *La peur le rendit blême* (syn. : LIVIDE). *Il est blême de rage, de colère* (syn. : BLANC; contr. : ROUGE). *A l'aube, un jour blême éclaire la chambre* (syn. : PÂLE). *Il relève de maladie et il a le teint blême* (syn. : BLAFARD). ◆ **blêmir** v. intr. Devenir blême : *Il a blêmi devant l'outrage* (contr. : ROUGIR). *Il blêmit d'épouvante* (syn. : PÂLIR, VERDIR). ◆ v. tr. Rendre blême (surtout au part. passé) : *Un visage blêmi par la fatigue.*

1. blesser [blese] v. tr. 1° *Blesser quelqu'un* (une partie du corps), le frapper d'un coup, l'atteindre d'une balle, etc., qui produit une plaie ou une lésion : *Il le blessa involontairement avec un revolver. Le taureau l'a blessé d'un coup de corne. La balle a blessé le poumon droit. Il a été blessé d'un coup de couteau au cours de la rixe. Etre blessé dans un accident d'automobile. Etre blessé mortellement, grièvement.* — 2° *Blesser quelque partie du corps de quelqu'un,* lui causer une gêne importante, une douleur vive, une impression désagréable par le frottement, la pression, l'acuité du son, etc. : *Avoir les pieds blessés par ses chaussures. J'ai l'épaule blessée par la courroie du sac. Ces couleurs criardes blessent la vue. Cette musique de sauvage blesse nos oreilles* (syn. : ÉCORCHER, DÉCHIRER). ◆ ***se blesser*** v. pr. : *Il s'est blessé en tombant* (= se faire une blessure). ◆ **blessé, e** n. Personne qui a reçu une ou plusieurs blessures : *Le déraillement a fait une douzaine de blessés. Les blessés de guerre sont protégés par des conventions internationales* (syn. : INVALIDE, MUTILÉ). *Une salle d'hôpital réservée aux blessés à la tête.* ◆ **blessure** n. f. Lésion résultant d'un coup : *Il porte de graves blessures sur tout le corps* (syn. : PLAIE). *Soigner une blessure. Blessure faite par la morsure d'un chien.*

2. blesser [blese] v. tr. 1° *Blesser quelqu'un,* lui causer une douleur morale par une parole, un acte indélicat, offensant : *Il a des paroles qui blessent profondément* (syn. : OFFENSER, HEURTER). *Il a été blessé dans son amour-propre* (syn. : FROISSER). *J'ai été blessé au vif par ses reproches* (syn. : TOUCHER, ↑ ULCÉRER). — 2° *Blesser quelque chose,* lui causer un préjudice, lui porter atteinte : *Blesser les intérêts de quelqu'un* (= nuire à ce dernier). *Ceci blesse les règles les plus élémentaires de la politesse* (syn. : ENFREINDRE). ◆ ***se blesser*** v. pr. : *Il se blesse pour peu de chose* (syn. : SE VEXER, SE FORMALISER). ◆ **blessant, e** adj. : *Il a eu à son égard des paroles blessantes* (syn. : VEXANT, DÉSOBLIGEANT, OFFENSANT). *Son orgueil le rend blessant* (syn. : CASSANT, ARROGANT). ◆ **blessure** n. f. : *Une blessure d'amour-propre* (syn. : FROISSEMENT). *L'ancienne blessure s'est rouverte* (= la douleur passée est redevenue vive).

blet, blette [blɛ, blɛt] adj. Se dit d'un fruit trop mûr : *Ce n'est déjà plus la saison des poires; les dernières que j'ai achetées sont blettes.*

1. bleu [blø] adj. 1° Se dit, par opposition à *rouge, jaune, violet,* etc., d'une couleur analogue à celle du ciel sans nuages (la nuance peut être indiquée par un second adjectif) : *Les gens originaires du nord de la France ont souvent les yeux bleus. Porter une cravate bleu foncé. L'uniforme des soldats français pendant la Première Guerre mondiale était bleu horizon. Ecrire avec de l'encre bleue ou bleu-noir. Il porte un costume bleu marine.* — 2° Se dit de la couleur présentée par la peau meurtrie, contusionnée, ou par la peau d'une personne saisie de froid, de colère, d'étonnement ou de peur : *Ses lèvres sont bleues de froid* (syn. : LIVIDE). *Après cet accident, il a eu une large plaque bleue au-dessous de l'œil pendant quelques jours.* — 3° *Bifteck bleu,* qui a été grillé très vite, cuit seulement en surface. ‖ *Avoir du sang bleu,* être d'origine noble. ‖ *Colère bleue,* violente colère : *Il entre dans une colère bleue lorsqu'il s'aperçoit de l'escroquerie dont il est victime* (syn. : TERRIBLE). ‖ *Peur bleue,* très grande peur : *Elle a une peur bleue des serpents.* ‖ Fam. *En être bleu,* en être stupéfait : *Son impudence dépasse les bornes : j'en suis tout bleu.* ‖ *Ruban bleu,* symbole de la plus grande vitesse que se disputent les grands paquebots pour la traversée de l'Atlantique Nord. ◆ **bleuâtre** adj. D'un bleu qui n'est pas net; qui est proche du bleu : *La fumée bleuâtre des cigarettes se répandait sur toute la salle.* ◆ **bleuir** v. tr. Rendre bleu (sens 1 et 2) : *La lune, dans cette nuit très claire, bleuissait les marais. Il avait les lèvres bleuies par le froid.* ◆ v. intr. Devenir bleu (sens 1 et 2) : *Le paysage bleuissait sous la lune. Son visage bleuit sous l'effet de la colère.* ◆ **bleuté, e** [bløte] adj. Légèrement coloré en bleu : *Son médecin lui a recommandé de porter des verres bleutés pour éviter les maux de tête.*

2. bleu [blø] n. m. 1° Matière colorante bleue : *Passer une couche de bleu sur les murs d'une cuisine. Passer le linge au bleu* (= pour lui donner une teinte légèrement azurée). — 2° Marque laissée par un coup : *Il est tombé sur l'angle du bureau et il s'est fait un large bleu sur le bras.* — 3° *N'y voir que du bleu,* ne pas se rendre compte exactement de ce qui se passe : *On est sorti du lycée en disant qu'il n'y avait plus de cours et le surveillant n'y a vu que du bleu.* ‖ *Passer au bleu,* disparaître frauduleusement (en parlant surtout d'une somme d'argent) : *Le caissier indélicat a fait passer au bleu plusieurs millions.* ‖ *Poisson au bleu,* cuit au court-bouillon.

3. bleu [blø] n. m. Vêtement en toile bleue que les ouvriers portent pendant le travail : *Bleu de travail; bleu de chauffe.*

4. bleu [blø] n. m. *Pop.* Nouveau venu dans une caserne, un lycée ou un établissement quelconque : *Les anciens se chargent d'initier les bleus aux habitudes du lycée.*

5. bleu [blø] n. m. *Bleu d'Auvergne,* fromage de lait de vache caillé, à moisissures internes.

bleuet [bløɛ] n. m. Petite fleur bleue très commune en France dans les champs de blé.

blinder [blɛ̃de] v. tr. 1° *Blinder un engin, une porte, un coffre,* etc., les garnir d'un revêtement d'acier qui les met à l'abri des coups, des projectiles, etc. : *Une porte blindée protège la salle des coffres de la banque. Un train blindé a une locomotive et des wagons recouverts de plaques d'acier. Un engin blindé est un véhicule de combat. Une division blindée est une unité militaire qui comporte des formations de chars d'assaut.* — 2° Fam. *Blinder quelqu'un,* le rendre insensible (surtout au passif) : *Les malheurs l'ont blindé contre l'injustice* (syn. : ENDURCIR). *Il peut me dire n'importe quoi; maintenant, je suis blindé.* ◆ **blindé** n. m. Véhicule de combat : *Les blindés ont percé le front.* ◆ **blindage** n. m. : *Le blindage n'a pas résisté aux obus.*

blizzard [blizar] n. m. Vent violent et glacial, accompagné de tempête de neige, qui, venant du nord, souffle dans les régions du Grand Nord ou en montagne : *Le blizzard souffle depuis mardi, et les alpinistes accrochés au versant bivouaquent dans la nuit glaciale.*

1. bloc [blɔk] n. m. 1° Masse considérable et pesante, d'un seul tenant, en général peu ou pas travaillée : *Le sculpteur choisit un bloc de marbre pour faire une statue. Les blocs de pierre roulèrent le long de la colline pour s'écraser sur la route* (syn. : ROCHE). — 2° Ensemble solide, compact, dont on ne peut rien détacher, dont toutes les parties dépendent les unes des autres : *Ces divers éléments forment un bloc; on ne peut accepter l'un et refuser l'autre* (syn. : UN TOUT). *Le bloc des pays socialistes* (syn. : UNION). *Ce groupe d'alliés se présente comme un bloc sans fissure* (syn. : COALITION). *Les divers partis de gauche cherchent à constituer un bloc.* — 3° *Faire bloc,* s'unir de manière étroite : *Faisons bloc contre nos adversaires.* ● LOC. ADV. *A bloc,* complètement, à fond : *Fermer les robinets à bloc.*

Serrer un écrou à bloc. Travailler à bloc (= beaucoup). *Il est gonflé à bloc* (pop.) [= il est décidé, plein d'allant, de vigueur]. ‖ *En bloc,* tout ensemble, sans entrer dans le détail : *Prise en bloc, cette argumentation me paraît sans défaut* (syn. : EN GROS). *Acheter en bloc tout le stock de marchandises* (= dans sa totalité). *Repousser en bloc toutes les revendications.* ‖ *Tout d'un bloc,* comme si l'on formait une masse : *A cette interpellation, il se retourna tout d'un bloc* (syn. : TOUT D'UNE PIÈCE).

2. bloc [blɔk] n. m. Ensemble de feuilles collées les unes aux autres d'un côté et facilement détachables : *Acheter un bloc de papier à lettres.* ◆ **bloc-notes** [blɔknɔt] ou **bloc** n. m. Ensemble de feuilles de papier qu'on peut détacher, et sur lesquelles on note des renseignements ou des indications dont la conservation n'est pas nécessaire : *Il a deux blocs-notes sur son bureau, l'un pour les coups de téléphone qu'il reçoit, l'autre pour les remarques qui intéressent ses divers services.*

3. bloc [blɔk] n. m. *Pop.* Prison, civile ou militaire : *Passer la nuit au bloc.*

blocus [blɔkys] n. m. Encerclement étroit d'une ville, d'un port, d'une position quelconque occupés par des adversaires, en vue d'empêcher toute communication avec l'extérieur : *Lever le blocus du port. Maintenir le blocus économique d'un pays* (= empêcher toute relation commerciale avec les pays étrangers). *Forcer le blocus naval* (= celui qui est exercé par les navires du pays ennemi). *Faire le blocus d'une maison occupée par des bandits.*

blond, e [blɔ̃, -ɔ̃d] adj. et n. Se dit de quelqu'un dont les cheveux ou la barbe ont une couleur proche d'un jaune doré, châtain très clair : *Une jeune fille blonde. Les hommes du Nord sont souvent des blonds aux yeux bleus. Ce n'est pas une blonde naturelle, elle se fait décolorer les cheveux.* ◆ adj. Se dit de ce qui a cette couleur : *Une chevelure blonde tombait longuement sur ses épaules. La bière blonde est plus légère que la bière brune.* ◆ **blondasse** adj. et n. D'un blond fade. ◆ **blondeur** n. f. : *La blondeur de ses cheveux.* ◆ **blondinet, ette** adj. et n. Qui a les cheveux blonds (langue fam. et affective) : *Son regard est attiré par une petite blondinette qu'il rencontre toujours à la même heure à la sortie du bureau.* ◆ **blondir** v. intr. Devenir blond : *Ses cheveux ont blondi.* ◆ v. tr. Rendre blond (surtout comme réfléchi) : *Elle s'est blondi les cheveux.*

1. bloquer [blɔke] v. tr. *Bloquer plusieurs choses,* les grouper en un ensemble, en une seule masse : *Le président de séance décida de bloquer toutes les interventions dans l'après-midi* (syn. : RÉUNIR). *Bloquer toutes les références en fin de volume.*

2. bloquer [blɔke] v. tr. 1° *Bloquer quelqu'un, quelque chose,* lui interdire tout mouvement en l'arrêtant, en le cernant, en le serrant complètement, etc. : *Nous avons été bloqués une heure sur la route par un accident* (syn. : IMMOBILISER). *La circulation des voitures a été bloquée par une manifestation. Ne bloquez pas le passage* (syn. : BARRER, OBSTRUER). *Bloquer quelqu'un contre le mur. Le port est bloqué par les glaces. Bloquer ses freins pour arrêter un véhicule* (syn. : SERRER). *Bloquer un écrou* (syn. : CALER). — 2° *Bloquer quelque chose,* en suspendre l'usage, la libre disposition : *Les crédits sont bloqués* (syn. : GELER). *Bloquer un compte en banque.* ◆ ***se bloquer*** v. pr. S'immobiliser accidentellement : *La clef s'est bloquée dans la serrure* (syn. : SE COINCER). ◆ **blocage** n. m. : *Le blocage des prix et des salaires* (= leur maintien à un niveau donné). ◆ **débloquer** v. tr. *Débloquer une chose,* la remettre en mouvement, en circulation : *Réussir à débloquer un écrou* (syn. : DÉVISSER). *Débloquer les stocks de viande congelée pour faire baisser les prix* (= mettre sur le marché). *Débloquer les salaires* (= permettre leur augmentation). *Débloquer les crédits, un compte en banque.* ◆ v. intr. (sujet nom de personne). *Pop.* Dire des choses qui n'ont pas de sens : *Tais-toi, tu débloques complètement* (syn. : DIVAGUER). ◆ **déblocage** n. m. : *Le déblocage progressif des crédits.*

blottir (se) [səblɔtir] v. pr. (sujet nom d'être animé). Se replier sur soi-même afin de tenir le moins de place possible : *L'enfant se blottit sur les genoux de sa mère. Je me blottis au fond des couvertures* (syn. : SE RECROQUEVILLER, S'ENFOUIR). *La pauvre bête se blottit dans un coin pour éviter les coups* (syn. : SE TAPIR). ◆ ***être blotti*** v. passif : *Blotti dans son lit, il entendit avec déplaisir le réveil sonner. La maison était blottie au creux d'un vallon* (= cachée au fond).

blouse [bluz] n. f. 1° Vêtement de toile, léger, que l'on met par-dessus le costume de ville pour travailler : *Mettre une blouse pour éviter de se salir. La blouse du chirurgien.* — 2° Partie haute du vêtement féminin, qui recouvre le buste (syn. : CHEMISETTE, CHEMISIER).

blouser [bluze] v. tr. Fam. *Blouser quelqu'un,* le tromper : *Il voulait me blouser en me cachant la réalité* (syn. pop. : FAIRE TOMBER DANS LE PANNEAU).

blouson [bluzɔ̃] n. m. Veste de tissu ou de cuir qui s'arrête à la taille : *Blouson d'un motocycliste. Les blousons sont le plus souvent munis d'une fermeture à glissière.* ◆ **blouson-noir** n. m. Nom donné à de jeunes dévoyés : *Les blousons-noirs ont été ainsi appelés à cause du blouson de cuir ou de matière plastique qu'ils portaient.*

blue-jean [bludʒin] n. m. Pantalon collant en toile : *Les jeunes portent des blue-jeans.*

bluff [blœf] n. m. Attitude de quelqu'un qui, par son assurance ou par l'intimidation, veut tromper son adversaire sur ses forces ou sur ses intentions réelles : *Son bluff n'a pas réussi; mis en demeure de s'exécuter, il a avoué qu'il ne pouvait pas payer* (syn. : VANTARDISE). *Il a gagné la partie de poker par un bluff magistral. Les journaux s'interrogeaient pour savoir si ces menaces étaient un bluff diplomatique ou l'expression d'une volonté réelle.* ◆ **bluffer** [blœfe] v. intr. et tr. : *Il bluffe quand il se dit absolument sûr de réussir à ce concours* (syn. : SE VANTER). *Il a cherché à bluffer ses adversaires au jeu en tenant toutes leurs relances. Ne te laisse pas bluffer par cet individu sans scrupule* (syn. : TROMPER, ÉBLOUIR). ◆ **bluffeur, euse** [blœfœr, -øz] adj. et n. : *Il est un peu bluffeur quand il se dit très fort au tennis* (syn. : VANTARD).

boa [bɔa] n. m. Gros serpent de l'Amérique tropicale, se nourrissant d'animaux à sang chaud, qu'il étouffe dans les replis de son corps.

bobard [bɔbar] n. m. *Fam.* Nouvelle mensongère, que les gens naïfs acceptent sans peine : *Il* *croit tous les bobards de la presse. Tu lui racontes des bobards sur son compte. La nouvelle du complot n'était qu'un bobard parmi tant d'autres.*

bobèche [bɔbɛʃ] n. f. Disque de verre, de matière plastique ou de métal, qui empêche la cire d'une bougie de se répandre.

1. bobine [bɔbin] n. f. Cylindre de bois, de métal, de matière plastique, etc., sur lequel on enroule du fil, de la soie, de la ficelle, des films, etc., ou qui, avec un enroulement de fils métalliques, est utilisé dans les dispositifs électriques : *Acheter une bobine de fil blanc. Mettre une bobine de film dans le chargeur de la caméra. La bobine d'allumage sert à provoquer des étincelles électriques dans un moteur à explosion.* ◆ **bobiner** v. tr. Enrouler en bobine. ◆ **bobinage** n. m. **1°** Action de bobiner. — **2°** Ensemble de fils bobinés. ◆ **débobiner** v. tr. Dérouler (les fils d') une bobine. ◆ **débobinage** n. m. ◆ **rebobiner** v. tr.

2. bobine [bɔbin] n. f. *Pop.* Tête : *Tu en fais une bobine aujourd'hui!* (= tu as l'air de mauvaise humeur, déçu). *Il a une sale bobine* (syn. pop. : BOUILLE).

bobo [bobo] n. m. Petite douleur, petite blessure (surtout dans quelques expressions du langage enfantin ou comme diminutif) : *Avoir bobo* (= avoir mal). *Faire bobo* (= faire mal). *Soigner un bobo sans gravité.*

bocage [bɔkaʒ] n. m. Type de paysage de l'ouest de la France, où les champs et les prairies sont limités par des haies ou des rangées d'arbres, et où les fermes sont dispersées : *Le Bocage vendéen.*

bocal, aux [bɔkal, -ko] n. m. **1°** Récipient de verre, de matière plastique, etc., dont l'orifice est assez large et dont on se sert pour conserver toutes sortes de produits : *Ranger des bocaux dans le haut de l'armoire. Mettre la graisse dans un bocal de grès. Le confiseur met les bonbons dans de grands bocaux.* — **2°** *Bocal à poissons rouges,* petit récipient qui a la forme d'un globe et où l'on met des poissons rouges (syn. : AQUARIUM).

bock [bɔk] n. m. Verre à bière contenant environ un quart de litre; son contenu : *Garçon, deux bocks! Boire un bock à la terrasse d'un café.* (On parle auj. plutôt d'*un demi,* dont la contenance primitive était d'un demi-litre, mais a été ramenée à un quart.)

1. bœuf [sing. bœf; plur. bø] n. m. **1°** Terme générique désignant les animaux de l'espèce bovine, ou mâle de cette espèce que l'on a châtré dans son jeune âge pour le rendre plus traitable et plus facile à engraisser (adj. : BOVIN) : *Les bœufs de labour. Mettre des bœufs à l'engrais.* — **2°** Personne très vigoureuse, à forte musculature (*fort comme un bœuf*) ou travailleur acharné (*bœuf de labour*) : *Il travaille comme un bœuf.* — **3°** *Avoir un bœuf sur la langue,* se taire après avoir reçu de l'argent. ‖ *Mettre la charrue avant les bœufs,* commencer par où l'on aurait dû finir.

2. bœuf [bœf] adj. invar. *Pop.* Qui sort de l'ordinaire (superlatif de ADMIRABLE) : *Il obtient un succès bœuf avec ses chansons* (syn. : PRODIGIEUX). *Elle lui a fait un effet bœuf* (syn. : ÉNORME).

bohème [bɔɛm] n. f. Milieu d'artistes ou d'écrivains qui vivent au jour le jour, sans règles; genre de vie de ce milieu : *Ce peintre a passé plusieurs années de sa jeunesse dans la bohème de Montparnasse.* ◆ n. m. et adj. Qui mène une vie désordonnée et insouciante : *Il vit en bohème. C'est un bohème qui vit en marge de la société. Elle est très bohème. Caractère bohème.*

bohémien, enne [bɔemjɛ̃, -ɛn] n. et adj. Nomade ou vagabond qui vit de petits métiers artisanaux, qui dit la bonne aventure, etc.

boire [bwar] v. tr. et intr. (conj. **75**). **1°** (sujet nom d'être animé) Avaler un liquide : *Il ne boit que de l'eau. Boire un litre de rouge à chaque repas. Je bois une tasse de café le matin. Il boit comme un trou* (fam. = beaucoup). *Bois tout ton soûl* (= tant que tu le peux). *Buvez seulement pour apaiser votre soif. Depuis que sa femme est morte, il s'est mis à boire* (= il absorbe des boissons alcooliques pour se consoler). *Il boit trop* (= il absorbe trop de vin, trop d'alcool). *Nous allons boire à votre santé, à vos succès* (= en exprimant des vœux pour votre santé, en saluant vos succès). *Une chanson à boire.* — **2°** (sujet nom de chose) Absorber un liquide : *L'éponge boit l'eau. Le buvard boit l'encre. La terre desséchée boit avidement l'eau de l'orage.* — **3°** *Boire les paroles de quelqu'un,* l'écouter avec une attention soutenue, avec une admiration béate. ‖ *Il y a à boire et à manger dans cette affaire,* le bon et le mauvais y sont mêlés. ◆ **boire** n. m. *Le boire et le manger,* le liquide et la nourriture solide que l'on absorbe : *Il en perd le boire et le manger* (= il ne pense plus aux nécessités matérielles, tant il est préoccupé). ◆ **boisson** [bwɑ̃sɔ̃] n. f. Liquide que l'on boit pour se désaltérer (en particulier vin, bière, cidre) : *Prendre une boisson glacée. Cette boisson est trop sucrée. Les débits de boisson sont fermés à minuit* (= les établissements où l'on vend des boissons à consommer sur place). *Etre pris de boisson* (= être ivre). *S'adonner à la boisson* (= à l'alcoolisme). *La vente des boissons alcoolisées est interdite un jour d'élection.* ◆ **buvable** adj. **1°** Que l'on peut boire (souvent dans des phrases négatives) : *Ce vin a un fort goût de bouchon, il n'est pas buvable. Ce remède se prend en ampoules buvables ou en ampoules injectables.* — **2°** *Fam.* Qui peut être supporté, accepté : *Ce n'est pas un roman exceptionnel, mais il est buvable* (syn. : POTABLE). ◆ **imbuvable** adj. : *Cette eau croupie est imbuvable. Ce film est absolument imbuvable* (fam.). ◆ **buveur, euse** n. Celui, celle qui boit ou qui a l'habitude de boire : *Un buveur invétéré* (= un alcoolique). *Un buveur d'eau.*

1. bois [bwɑ] n. m. **1°** Substance compacte de l'intérieur des arbres, constituant le tronc, les branches et les racines : *Mettre du bois dans la cheminée. Il y a un défaut dans ce bois, il ne pourra pas servir à faire une armoire. Une croix de bois.* — **2°** Objet fait en bois : *Un bois de lit* (= les pièces formant la menuiserie d'un lit). *Le bois d'une pioche* (= le manche). *Il est dans ses bois* (fam. = dans ses meubles). — **3°** *Etre du bois dont on fait des flûtes,* être très accommodant. ‖ *N'être pas de bois,* être sensible, facile à émouvoir ou à troubler. ‖ *On va voir de quel bois je me chauffe,* menace à l'adresse de quelqu'un. ‖ *Toucher du bois,* chercher à conjurer le mauvais sort en touchant de la main un objet en bois. ‖ Pop. *Avoir la gueule de bois,* avoir mal à la tête, la langue pâteuse, après des excès de boisson. ‖ *Visage de bois,* visage fermé, hostile.

2. bois [bwɑ] n. m. Lieu couvert d'arbres : *Un bois de châtaigniers* (syn. : FORÊT). *Un bois de* *sapins montant le long de la colline. Le bois de Boulogne à Paris. Un sentier à travers bois. Couper à travers bois pour regagner le village. La faim fait sortir le loup du bois. Un homme des bois* (= un sauvage, un rustre). ◆ **boisé, e** adj. Garni d'arbres : *Le pays est pittoresque, boisé et accidenté.* ◆ **boiser** v. tr. **1°** *Boiser un lieu,* y planter des arbres en grand nombre : *Boiser une colline.* — **2°** *Boiser une galerie de mine,* la consolider avec du bois. ◆ **boisage** n. m. **1°** Action de consolider une galerie de mine. — **2°** Ensemble des bois servant à la consolider. ◆ **déboiser** v. tr. Dégarnir un terrain, une montagne de ses bois et de ses forêts : *Des coupes trop fréquentes avaient déboisé tout le flanc de la colline. C'est une région totalement déboisée.* ◆ **se déboiser** v. pr. Perdre progressivement sa couverture de forêts : *Les montagnes des Basses-Alpes se sont déboisées.* ◆ **déboisement** n. m. : *On lutte contre le déboisement dans les départements du sud-est de la France. Le déboisement rend les crues des torrents particulièrement brutales.* ◆ **reboiser** v. tr. : *On plante de jeunes sujets pour reboiser peu à peu tout le versant de la montagne.* ◆ **reboisement** n. m. : *Le reboisement est devenu une obligation dans certaines régions.*

3. bois [bwɑ] n. m. pl. Cornes caduques du cerf, du daim, du renne, etc.

boiserie [bwazri] n. f. Ouvrage en bois dont on revêt parfois les murs intérieurs d'une maison : *Des boiseries du XVIIIe siècle, avec des panneaux peints par Boucher.*

boisseau [bwaso] n. m. *Mettre, garder, laisser une chose sous le boisseau,* la maintenir secrète parce qu'on ne tient pas à ce qu'elle soit publiquement révélée : *On ne met pas sous le boisseau une découverte médicale* (syn. : GARDER LE SECRET, LE SILENCE SUR). *Il garde sous le boisseau un roman manuscrit qu'il publiera au moment opportun.* (Le *boisseau* était une mesure de capacité pour les grains. La loc. *Mettre la lumière sous le boisseau* [= tenir la vérité cachée] se trouve dans l'Evangile.)

boisson n. f. V. BOIRE.

1. boîte [bwat] n. f. **1°** Coffret en bois, en carton, en métal, etc., avec ou sans couvercle, dans lequel on peut mettre quelque chose (la destination ou le contenu peuvent être indiqués par la prép. *à* ou *de*) : *Prendre les tournevis dans la boîte à outils. Acheter une boîte de couleurs pour que son fils puisse peindre. La ménagère dépose sa boîte à lait à la crémerie. Une boîte de dragées, de chocolats. Les boîtes à lettres* (ou *aux lettres*) *sont destinées, dans les postes et dans les rues, à recevoir les lettres que l'on envoie; dans les immeubles, elles reçoivent les lettres que l'on vous adresse. On dit de quelqu'un qu'il est une « boîte à lettres » dans une association clandestine lorsqu'il sert d'intermédiaire pour la transmission des messages.* ‖ *Boîte de vitesses,* organe renfermant les engrenages de changement de vitesse d'une automobile. — **2°** Fam. *Mettre quelqu'un en boîte,* le taquiner, se moquer de lui : *Elle portait un nouveau chapeau et s'est fait mettre en boîte par tous ses collègues.* ‖ Pop. *Fermer sa boîte,* se taire. ◆ **boîtier** n. m. Boîte qui renferme le mouvement d'une montre. (V. DÉBOÎTER, EMBOÎTER.)

2. boîte [bwat] n. f. **1°** *Pop.* et *péjor.* Lieu de travail, local d'habitation : *C'est une sale boîte, où l'on est très mal payé.* — **2°** *Arg.* Prison. — **3°** *Boîte de nuit,* cabaret ouvert la nuit, qui présente parfois des spectacles de music-hall.

boiter [bwate] v. intr. **1°** Marcher en inclinant le corps d'un côté plus que de l'autre, ou alternativement de l'un et de l'autre côté, par suite d'un défaut d'un membre inférieur : *Depuis son accident, il boite légèrement de la jambe droite. Sa chute fut douloureuse et il revint en boitant chez lui* (syn. : CLAUDIQUER [langue soignée]). *Une malformation de la hanche le fait boiter bas* (= s'incliner très bas). — **2°** Présenter un défaut de symétrie, d'équilibre, de cohérence : *Ce fauteuil ancien boite. C'est votre raisonnement qui boite et non pas le mien* (syn. fam. : CLOCHER). ◆ **boiteux, euse** adj. et n. : *Talleyrand était surnommé « le Diable boiteux »* (syn. : BANCAL). *Un boiteux mendiait devant l'église* (syn. : ÉCLOPÉ). ◆ adj. : *Une chaise boiteuse* (syn. : BRANLANT, BANCAL). *Ce projet boiteux n'indique pas les prévisions de dépenses. Fournir une explication boiteuse* (syn. : CHANCELANT, INSUFFISANT, MALADROIT). *Conclure une paix boiteuse* (= qui ne repose pas sur des bases solides). *Ils forment une union boiteuse, qui ne peut durer* (= un couple mal assorti). *Votre phrase est boiteuse* (= incorrecte, mal équilibrée). ◆ **boitiller** v. intr. Boiter légèrement : *Il s'est fait mal en tombant et il boitille.*

boîtier n. m. V. BOÎTE 1.

1. bol [bɔl] n. m. **1°** Petit récipient affectant la forme d'une demi-sphère, et qui sert à contenir certaines boissons; le contenu du récipient : *Mettre sur la table les bols pour le petit déjeuner. Boire un bol de lait le matin. Verser un bol de café.* — **2°** *Prendre un bol d'air,* aller respirer au grand air, à la campagne (syn. : S'OXYGÉNER, S'AÉRER).

2. bol [bɔl] n. m. *Pop.* Chance : *Il a eu du bol. Manque de bol, il s'est fait remarquer.*

bolchevique [bɔlʃəvik] ou **bolcheviste** [bɔlʃəvist] adj. et n. Se dit de la fraction majoritaire du parti social-démocrate russe, formée après l'adoption des thèses de Lénine (1903); devenu ensuite le syn. de COMMUNISTE (souvent péjor.), jusqu'à la fin de la Seconde Guerre mondiale (*Légion antibolchevique*). [Auj., a surtout une valeur historique.] ◆ **bolchevisme** n. m. Syn. vieilli ou péjor. de COMMUNISME. ◆ **bolcheviser** v. tr. Syn. péjor. de COMMUNISER (remplacé, avec cette valeur, par SOVIÉTISER). ◆ **bolchevisation** n. f. Syn. de SOVIÉTISATION, qui l'a remplacé dans la valeur péjor.

bolide [bɔlid] n. m. **1°** Véhicule qui va à une très grande vitesse : *Les bolides passaient sur le circuit dans un bruit infernal.* — **2°** (sujet nom de personne ou d'objet) *Passer, arriver comme un bolide,* très vite : *Je n'ai pas eu le temps de me garer, il est arrivé sur moi comme un bolide.*

bombance [bɔ̃bɑ̃s] n. f. Fam. *Faire bombance,* faire un repas somptueux, manger beaucoup (vieilli).

1. bombe [bɔ̃b] n. f. **1°** Projectile chargé d'un explosif et muni d'un dispositif qui le fait éclater : *Les avions lancèrent des bombes incendiaires sur le village. Un chapelet de bombes tomba sur le port. L'interdiction de la bombe atomique. La bombe éclata à peu de distance de l'abri. Commettre un attentat à la bombe.* — **2°** *Tomber comme une bombe, faire l'effet d'une bombe,* se dit d'une nouvelle, d'un événement qui arrive brusquement et provoque la stupeur : *Le résultat des élections fit l'effet d'une bombe.* ◆ **bombarder** [bɔ̃barde] v. tr. 1° *Bombarder une position ennemie, une ville, un port,* etc., l'attaquer avec des bombes : *Les avions ont bombardé l'arsenal.* — 2° *Bombarder quelqu'un,* l'accabler de projectiles quelconques ou de ce qui peut être assimilé à des projectiles : *Les passants étaient bombardés de confettis par les masques du carnaval. Les spectateurs bombardent les acteurs de tomates et d'œufs pourris. Sitôt son exposé terminé, il fut bombardé de questions. Elle le bombardait de lettres suppliantes* (syn. : OBSÉDER). — 3° *Bombarder quelqu'un à un poste, à un emploi,* l'y nommer brusquement, alors qu'il n'y semblait pas destiné : *Le gouvernement l'a bombardé ambassadeur dans une grande capitale européenne.* ◆ **bombardement** n. m. : *Les bombardements successifs rasèrent la ville.* ◆ **bombardier** n. m. Avion destiné à opérer des bombardements.

2. bombe [bɔ̃b] n. f. Fam. *Faire la bombe,* se livrer aux plaisirs, à la débauche (syn. : ↓ FAIRE LA FÊTE ; pop. : FAIRE LA BRINGUE, LA FOIRE).

bomber [bɔ̃be] v. tr. Donner une forme renflée, convexe (surtout au part. passé) : *La route est bombée et les voitures peuvent facilement déraper. Bombez la poitrine et respirez profondément* (syn. : GONFLER). *De larges verres bombés dans lesquels on verse du cognac. Il se sent flatté et bombe le torse.* ◆ v. intr. Devenir renflé, convexe : *Sous le poids de la toiture, le mur bombe légèrement.* ◆ **bombement** n. m. Syn. de RENFLEMENT.

1. bon, bonne [bɔ̃, bɔn] adj. (avant le nom). 1° Se dit des choses qui ont les qualités propres à leur nature, qui présentent des avantages ou procurent un plaisir, qui sont appropriées au but poursuivi : *Ecrire un bon roman* (syn. : BEAU, INTÉRESSANT, INSTRUCTIF). *Cette marchande vend de bons fruits* (syn. : ↑ EXCELLENT). *J'aime trouver dans un hôtel un bon lit. Il m'a souhaité bonne chance* (syn. : HEUREUX). *Il a reçu une bonne leçon* (syn. : SALUTAIRE, ↑ FAMEUX). *Raconter de bonnes histoires* (syn. : AMUSANT). *Il a fait un bon mariage* (contr. : MAUVAIS). *Tu ne donnes que de bons conseils* (syn. : AVISÉ, JUDICIEUX). *J'ai pris le bon parti* (syn. : SAGE). *Les nouvelles sont bonnes* (syn. : FAVORABLE). — 2° Avec un nom indiquant la quantité, exprime l'importance de cette quantité : *Il y en a encore un bon nombre qui n'ont pas compris* (syn. : ↑ CONSIDÉRABLE). *La vendeuse m'a fait bon poids pour mes pommes* (= m'a donné largement le poids de pommes que je demandais). *A une bonne distance du village* (syn. : GRAND). *Je suis resté là un bon bout de temps* (= assez longtemps). — 3° *Bon à, pour* (*quelque chose*), approprié à, adapté pour : *C'est bon pour de plus forts que moi. Ces vêtements usagés sont bons à jeter. Eau minérale bonne pour les rhumatismes.* ‖ *Elle est bien bonne!,* exclamation de joie et de surprise devant une histoire, une nouvelle plaisante ou inattendue. — 4° *A quoi bon!,* exclamation de résignation, de dépit, de découragement : *A quoi bon aller le trouver? il ne m'écoutera pas* (= à quoi cela servirait-il ?). ‖ *C'est bon,* expression indiquant une approbation, une conclusion, ou simplement une liaison : *C'est bon, puisque vous refusez, je m'adresserai ailleurs* ◆ **bon** adv. *Il fait bon,* le temps est agréable : *Avec cette chaleur accablante, il fait bon près de la rivière. Le froid est moins vif, il fait même bon ce matin,* il est agréable de (suivi d'un infin.) : *Il fait bon se promener dans le bois* (= c'est un plaisir de). *Il ne fait pas bon le contredire* (= c'est dangereux de). ‖ *Sentir bon,* avoir une odeur agréable : *Ces roses que vous venez de cueillir sentent bon.* ‖ *Tenir bon,* résister : *Il a refusé de céder, et il a tenu bon devant les attaques dont il était l'objet.* ‖ *Pour de bon, pour tout de bon,* d'une manière réelle, qui correspond à la réalité ; sans plaisanter : *Mais tu es en colère pour de bon!* (syn. : VÉRITABLEMENT). *Cette fois-ci, je vous parle pour de bon* (syn. : SÉRIEUSEMENT). ◆ **bon** n. m. Ce qui se distingue par ses qualités (morales, intellectuelles) ou le profit qu'il procure (en général précédé de *du*) : *Il y a du bon dans la vie* (= du plaisir, des choses agréables). *Il y a du bon et du mauvais chez lui.* ‖ Pop. *Y a bon,* la situation est excellente (syn. : TOUT VA BIEN). ◆ **bonne** n. f. Fam. *Prendre quelque chose à la bonne,* le considérer sans appréhension, voir la situation d'une manière avantageuse (syn. : PRENDRE DU BON CÔTÉ). ‖ Fam. *Avoir quelqu'un à la bonne,* le considérer avec sympathie. ‖ Fam. *En voilà une bonne!,* exclamation marquant la surprise devant une nouvelle imprévue. ‖ Fam. *En raconter une bien bonne,* raconter une histoire originale, amusante. ◆ **bonifier** v. tr. Rendre meilleur (emploi restreint) : *Par les engrais, il bonifie ses terres.* ◆ **se bonifier** v. pr. Devenir meilleur : *Son caractère ne se bonifie pas en vieillissant* (syn. usuel : S'AMÉLIORER). ◆ **bonification** n. f. : *La bonification des vins.*

2. bon, bonne [bɔ̃, bɔn] adj. (avant le nom). 1° Se dit de personnes (parfois d'animaux) qui se distinguent par des aptitudes, par des qualités de cœur, d'esprit, ou par des qualités morales; se dit de la conduite qui manifeste de telles dispositions : *Il est bon chauffeur et il sait éviter les embouteillages. Un bon élève* (syn. : DOUÉ). *Etre un bon acteur. Il monte un bon cheval. J'ai bonne conscience : je n'ai rien à regretter* (= je suis satisfait moralement). *C'est un bon fils, qui vit en bonne intelligence avec ses parents. Distribuer de bonnes paroles* (syn. : RÉCONFORTANT). *Un bon vivant* (= quelqu'un qui prend la vie du bon côté) ‖ *Bon pour* (suivi d'un nom d'être animé), bienveillant, compatissant : *Etre bon pour les animaux.* — 2° Se dit de quelqu'un qui est naïf et candide en raison de sa bienveillance (péjor., ironique ou affectueux) : *C'est une bonne fille, mais elle ne fera pas de longues études. Un bon garçon, auquel il ne faut pas demander plus qu'il ne peut* (syn. : BRAVE). *Tu es bien bon de te laisser faire ainsi* (syn. : SIMPLE). ◆ n. (sens 1 de l'adj.) : *Les bons et les méchants.* ‖ *Mon bon, ma bonne,* interpellation familière et ironique. ◆ **bonasse** [bɔnas] adj. D'une naïveté allant jusqu'à la bêtise : *Il est trop bonasse pour avoir une quelconque autorité sur les autres.* ◆ **bonnement** adv. 1° D'une manière simple et directe : *Je vous dis bonnement la vérité, mais vous ne semblez pas me croire.* — 2° *Tout bonnement,* si l'on veut dire la vérité sans détours : *Allez tout bonnement le trouver et racontez-lui vos difficultés* (syn. : DIRECTEMENT, SANS FAÇON). *Il est tout bonnement insupportable* (syn. : RÉELLEMENT, VRAIMENT). ◆ **bonté** [bɔ̃te] n. f. 1° Sert de subst. à *bon : Il l'a traité avec bonté* (syn. : BIENVEILLANCE, GÉNÉROSITÉ). *Ayez la bonté de me porter ce paquet* (syn. : OBLIGEANCE, GENTILLESSE). — 2° *Bonté divine!, Bonté du ciel!,* exclamations marquant une surprise très vive. ◆ **bontés** n. f. pl. 1° Marques de bienveillance : *Vos bontés à mon égard me touchent profondément.* — 2° *Elle a eu pour lui des bontés,* elle lui a accordé ses faveurs.

3. bon! [bɔ̃] interj. Sert à manifester son approbation ou sa surprise (souvent avec *ah!*), à marquer un changement dans le discours, à indiquer une conclusion : *Ah bon! ce n'est pas aussi grave que je le pensais. Allons bon! qu'est-ce qui t'arrive encore? Bon. Est-ce que nous sommes d'accord? Tu ne peux pas venir vendredi? Bon. Alors, à samedi.*

4. bon [bɔ̃] n. m. Billet qui autorise à toucher une somme d'argent ou des objets en nature auprès d'une personne ou d'un organisme désignés sur le billet : *Pendant la période de rationnement, on touchait des bons d'essence. Recevoir un bon de caisse* (= dont le montant est payable à la caisse de l'entreprise).

bonbon [bɔ̃bɔ̃] n. m. Confiserie destinée à être sucée ou croquée : *Acheter des bonbons à des enfants. Sucer des bonbons. Des bonbons au miel, au chocolat.* ◆ **bonbonnière** n. f. 1° Petite boîte artistement décorée pour mettre les bonbons. — 2° *Fam.* Petit appartement ravissant.

bonbonne [bɔ̃bɔn] n. f. Grande bouteille à large ventre, en verre ou en grès, souvent protégée par de l'osier, ou récipient en métal destiné à contenir des liquides et en particulier de l'alcool, de l'huile, etc.

bonbonnière n. f. V. BONBON.

bond [bɔ̃] n. m. 1° Pour un être animé, action de s'élever brusquement de terre par une détente des membres inférieurs ou postérieurs : *Franchir un fossé d'un bond. Les bonds des acrobates* (syn. : CABRIOLE). *Le bond d'un cheval au-dessus de l'obstacle* (syn. : SAUT). *Le lion s'élança d'un bond sur sa proie. Les soldats progressaient par bonds le long de la colline* (= par sauts successifs). *Il ne fit qu'un bond jusqu'à son bureau* (= il se précipita). — 2° Pour une chose en mouvement, action de rejaillir ou de changer brusquement de direction après avoir heurté un obstacle : *Le ballon fit plusieurs bonds avant de tomber dans le ruisseau. La voiture fit un bond dans le fossé. La balle fait un faux bond* (= va dans une direction inattendue). — 3° Brusque mouvement qui marque un progrès, une hausse, etc. : *D'un bond, il est arrivé aux plus hautes fonctions. Le bond en avant de l'expansion industrielle. La Bourse a fait un bond à l'annonce de ces mesures* (syn. : BOOM). — 4° *Faire faux bond à quelqu'un,* manquer le rendez-vous que l'on a avec lui; ne pas tenir ses engagements à son égard. ‖ *Saisir la balle au bond,* saisir l'occasion qui se présente : *On lui offrit une situation à l'étranger; il saisit la balle au bond.* ◆ **bondir** [bɔ̃dir] v. intr. 1° Faire un bond (sens 1 et 2) : *Le tigre bondit sur sa proie* (syn. : S'ÉLANCER). *Il bondit jusqu'à la porte* (= il y alla en hâte). — 2° Avoir une émotion violente (indiquée par le compl. introduit par *de*) : *Je bondis de joie en apprenant son arrivée. Bondir de surprise* (syn. : TRESSAILLIR). *Son cœur bondit d'inquiétude. Une telle injustice me fait bondir* (= me met en colère). ◆ **bondissement** n. m. Action de bondir : *Les bondissements du chamois dans les rochers.* ◆ **rebondir** v. tr. 1° Faire un nouveau bond, être repoussé par l'obstacle heurté : *La balle rebondit sur le sol. La balle rebondit sur le mur* (syn. : RICOCHER). — 2° Avoir des conséquences nouvelles, un développement imprévu : *La crise politique rebondit. Ces nouveaux témoignages ont fait rebondir l'intérêt suscité par cette affaire. Par sa question, il fit rebondir la discussion.* ◆ **rebond** [rəbɔ̃] n. m. Sens 1 du verbe : *Le rebond de la balle trompa le joueur.* ◆ **rebondissement** n. m. Sens 2 du verbe : *Les rebondissements imprévus d'une enquête policière. La comédie est faite des rebondissements successifs de l'intrigue.* ◆ **rebondi, e** adj. Se dit d'une partie du corps de forme pleine et ronde : *Un enfant aux joues rebondies* (= joufflu). *Avoir des formes rebondies* (= être dodu, potelé).

bonde [bɔ̃d] n. f. Trou rond d'un tonneau, par lequel on verse le liquide.

bondé, e [bɔ̃de] adj. Rempli jusqu'à déborder (superlatif de PLEIN) : *Le métro est bondé à la fin de l'après-midi* (syn. : COMBLE). *La valise est bondée, on ne peut plus rien y mettre* (syn. : BOURRÉ).

bondieuserie [bɔ̃djøzri] n. f. 1° *Péjor.* et *fam.* Dévotion restreinte aux pratiques extérieures : *Une femme vieillie qui est tombée dans la bondieuserie* (syn. : BIGOTERIE). — 2° (au plur.) *Péjor.* et *fam.* Objets de piété : *Un quartier où les magasins de bondieuseries sont nombreux.*

bondir v. intr., **bondissement** n. m. V. BOND.

bonheur [bɔnœr] n. m. 1° Circonstance favorable qui amène le succès, la réussite d'une action, d'une entreprise, etc. : *Il m'est arrivé le rare bonheur de découvrir un nouveau manuscrit* (contr. : MALHEUR). *Nous avons eu le bonheur de trouver le soleil dès notre arrivée à Marseille* (syn. : CHANCE; contr. : MALCHANCE). *Il a eu le bonheur d'obtenir cette place* (syn. fam. : VEINE). *Il écrit avec bonheur* (= avec justesse). — 2° Etat de pleine et entière satisfaction : *Il a trouvé son bonheur dans une vie tranquille en province* (contr. : MALHEUR). *Quel bonheur de vous retrouver en excellente santé!* (syn. : JOIE). *Cet incident a troublé leur bonheur jusque-là sans tache* (syn. : FÉLICITÉ). *Nous avons eu le bonheur de le voir assister à notre réunion* (syn. : PLAISIR, AVANTAGE, AGRÉMENT). — 3° *Au petit bonheur,* au hasard, n'importe comment : *Il répond à vos questions au petit bonheur, au petit bonheur la chance.* ‖ *Jouer de bonheur,* réussir par extraordinaire là où tout semblait présager l'échec : *J'ai joué de bonheur en trouvant une place pour ma voiture près de la gare.* ‖ *Porter bonheur à quelqu'un,* favoriser son action, le pousser dans un sens qui lui est favorable : *Ton conseil m'a porté bonheur, et j'ai obtenu ce que je désirais* (syn. : CHANCE). ● LOC. ADV. *Par bonheur,* par un heureux concours de circonstances : *Par bonheur, il ne nous a pas vus* (syn. : PAR CHANCE). *Par bonheur, il n'a pas plu pendant notre promenade* (syn. : HEUREUSEMENT). ◆ **porte-bonheur** n. m. invar. Bijou ou objet quelconque, considéré comme apportant la chance (syn. : FÉTICHE, AMULETTE; fam. : GRIGRI).

bonhomme [bɔnɔm], **bonshommes** [bɔ̃zɔm] n. m., **bonne femme** [bɔnfam] n. f. 1° Terme fam. qui désigne une personne quelconque (souvent accompagné d'un adj. qui fixe son âge, péjor. ou avec une nuance de pitié, d'affection) : *Un vieux bonhomme, restant de longues heures assis sur un banc* (= un vieillard). *Mon petit bonhomme, il va falloir maintenant s'arrêter de jouer* (en s'adressant à un enfant). *Ce sont des remèdes de bonne femme*

(= des remèdes empiriques, d'une efficacité douteuse). *Le pauvre bonhomme est maintenant accablé. Ce bonhomme ne m'inspire aucune confiance. Faire un bonhomme de neige. Dessiner des bonshommes sur ses cahiers. La petite bonne femme semblait heureuse.* — 2° *Aller son petit bonhomme de chemin,* poursuivre son action sans hâte excessive, avec une résolution tranquille. ‖ *Entrer dans la peau du bonhomme,* pour un acteur, s'identifier avec le personnage qu'il joue. ‖ *Nom d'un petit bonhomme!,* juron familier. ◆ **bonhomme** adj. Qui manifeste de la simplicité jointe à une grande bonté, de la cordialité : *Il nous accueillit d'un air bonhomme.* ◆ **bonhomie** [bɔnɔmi] n. f. Bonté du cœur, jointe à une certaine simplicité ou naïveté : *Sa charmante bonhomie a conquis tous ses invités* (syn. : FAMILIARITÉ).

boni [bɔni] n. m. Bénéfice fait en économisant sur la dépense (terme commercial).

bonification n. f., **bonifier** v. tr. V. BON 1.

boniment [bɔnimɑ̃] n. m. *Fam.* et *péjor.* Propos habiles destinés à convaincre de la qualité d'une marchandise, d'un spectacle, ou plus simplement à séduire ceux à qui ils sont destinés, sous des apparences plus ou moins trompeuses : *Les badauds se laissaient prendre au boniment du camelot et achetaient le stylo. Tu nous racontes des boniments; tu n'as jamais été en Afrique!* (syn. : DES HISTOIRES). *Allons, pas de boniments, viens au fait lui-même* (syn. pop. : BARATIN).

bonjour [bɔ̃ʒur], **bonsoir** [bɔ̃swar] n. m. Termes de salutation. (V. tableau ci-dessous.)

1. bonne [bɔn] n. f. 1° Domestique assurant l'ensemble des travaux du ménage dans une famille, un hôtel, etc. : *Faire venir une jeune bonne de la campagne. Une bonne à tout faire. Sonner la bonne pour qu'elle monte le petit déjeuner.* — 2° *Bonne d'enfant,* celle qui doit prendre soin des enfants et les promener (syn. : NURSE). ◆ **bonniche** n. f. Syn. pop. et péjor. de BONNE.

2. bonne adj. V. BON 1 et 2.

bonnement adv. V. BON 2.

bonnet [bɔnɛ] n. m. 1° Coiffure, en général souple et sans rebord (pour les hommes ou pour les femmes) : *Cet hiver, la mode a été de porter des bonnets de fourrure. Un bonnet de pâtissier. On mettait jadis un bonnet de nuit pour se couvrir la tête pendant le sommeil.* — 2° Fam. *Avoir la tête près du bonnet,* être vif et emporté (syn. fam. : ÊTRE SOUPE AU LAIT). ‖ *Bonnet d'âne,* v. ÂNE. ‖ *Gros bonnet,* personnage important ou influent : *C'est un des gros bonnets de la chambre d'agriculture* (syn. fam. : UNE GROSSE LÉGUME). ‖ *Jeter son bonnet par-dessus les moulins,* se dit d'une femme qui mène une vie légère. ‖ *Prendre quelque chose sous son bonnet,* en prendre seul la responsabilité : *Il a fait tout cela sans mon consentement, et il a pris sous son bonnet de modifier le projet primitif* (syn. : AGIR DE SON PROPRE CHEF, DE SA PROPRE INITIATIVE).

bonneterie [bɔnɛtri ou bɔntri] n. f. Industrie, commerce d'articles d'habillement en tissu à mailles; ces articles eux-mêmes : *Troyes est un des centres de la bonneterie française. Les chandails, les tricots, les chaussettes, etc., sont des articles de bonneterie.* ◆ **bonnetier, ière** [bɔntje, -ɛr] n. Industriel, commerçant, ouvrier dont l'activité professionnelle est la bonneterie.

bonsoir n. m. V. BONJOUR; **bonté** n. f. V. BON 2.

bonze [bɔ̃z] n. m. *Fam.* Homme qui fait autorité dans son milieu social (parfois péjor. au sens de personnage prétentieux, imbu de son autorité, ou de pédant qui pontifie) : *A la tribune, tous les bonzes du parti, satisfaits d'eux-mêmes, écoutaient les orateurs qui se succédaient.* (Les *bonzes* sont des prêtres ou des moines bouddhistes.)

1. boom [bum] n. m. Hausse importante des valeurs en Bourse; accroissement rapide de l'expansion d'un Etat, d'une entreprise, ou de la vente d'un article : *Le boom économique des Etats-Unis après la guerre* (syn. : EXPANSION). *Le boom de la construction* (contr. : KRACH, EFFONDREMENT).

2. boom [bum] n. m. *Arg. scol.* Fête, surprise-partie (*surboum*).

boomerang [bumrɑ̃g] n. m. 1° Arme de jet australienne, de forme courbe, qui revient à son point de départ après sa trajectoire et qui est utilisée comme jeu (elle est faite d'une lame de bois dur). — 2° *Revenir comme un boomerang,* se dit d'un acte d'hostilité qui se retourne contre son auteur (syn. : UNE ARME À DEUX TRANCHANTS).

borborygme [bɔrbɔrigm] n. m. Bruit du déplacement des gaz ou des liquides dans le tube digestif.

1. bord [bɔr] n. m. 1° Partie qui forme le tour, l'extrémité d'une surface, d'un objet, etc. : *Il a posé l'assiette trop près du bord de la table* (syn. : REBORD). *Passer ses vacances au bord de la mer* (= la région côtière). *Se promener au bord de la rivière* (syn. : BERGE). *Il a pu regagner le bord à la nage* (syn. : RIVE). *Nettoyer les bords d'une plaie* (syn. : LÈVRE). *Le bord de la manche est effrangé. Rester sur le bord de la route* (syn. : CÔTÉ). *Ne remplis pas le verre jusqu'au bord. Il a le bord des yeux rougi par les larmes* (= l'extrémité des paupières). *S'avancer au bord de la falaise* (syn. : LIMITE). *Camper au bord de la route* (= à proximité immédiate). *La haie sur le bord du chemin creux nous masquait le village.* — 2° *A pleins bords,* à flots, en abondance. ◆ **border** v. tr. 1° (sujet nom d'être

bonjour	bonsoir
Utilisé lorsqu'on rencontre quelqu'un dans la journée ou, plus rarement, lorsqu'on le quitte.	Utilisé lorsqu'on rencontre quelqu'un dans la fin de l'après-midi ou, plus souvent, lorsqu'on le quitte.
Bonjour, comment allez-vous ce matin? Georges, dis bonjour à ta tante et remercie-la pour les bonbons (= salue ta tante). *Donnez bien le bonjour à Jacqueline de ma part* (fam.) [= transmettez-lui mon salut]. *Il vous souhaite bien le bonjour* (= il m'a chargé de vous transmettre son salut). *Faire une mayonnaise avec cet appareil, c'est simple comme bonjour* (fam.) [= très facile].	*Bonsoir, c'est l'heure de mon train, il faut que je me presse* (syn. : AU REVOIR). *Allons, les enfants, dites bonsoir et allez vous coucher. Vous ne voulez pas venir au cinéma, eh bien, bonsoir! Il acceptera mon projet ou alors, bonsoir!* (fam.) [= je passerai outre et j'irai ailleurs].

animé) *Border quelque chose,* disposer tout le long de cette chose, garnir pour protéger, décorer, etc. : *Il faudra border les allées de rosiers. Border le col d'un manteau avec de la fourrure.* — 2° (sujet nom de chose) *Border quelque chose,* en occuper le bord : *La route est bordée de maisons. Des arbres bordent l'allée du château. Un sentier borde la rivière* (syn. : LONGER). *La maison borde la route.* — 3° *Border un lit, border une personne,* arranger le drap supérieur et les couvertures en les repliant sous le matelas : *L'enfant demandait à sa mère de venir le border chaque soir.* ◆ **bordure** n. f. 1° Ce qui garnit le bord ou s'étend sur le bord de quelque chose : *Une bordure de plantes grimpantes. La bordure du miroir est ancienne* (syn. : CADRE). — 2° *En bordure de,* à proximité immédiate de : *Le garde habite une maison en bordure de la forêt* (= sur la lisière de). *Des villas en bordure de mer* (= le long de la mer). ◆ **déborder** v. tr. 1° Oter la bordure de : *Déborder un rideau.* — 2° *Déborder un lit* ou *se déborder,* dégager les bords des draps et des couvertures qui étaient glissés sous le matelas. (V. aussi DÉBORDER.)

2. bord [bɔr] n. m. *Etre au bord de, être sur le bord de,* indique la proximité immédiate de l'action : *Il est au bord des larmes* (= prêt à pleurer). *Elle est sur le bord de la crise de nerfs* (syn. : ÊTRE SUR LE POINT D'AVOIR).

3. bord [bɔr] n. m. *Monter à bord (d'un navire),* embarquer. ‖ *A bord,* sur le navire. ‖ *Carnet, journal de bord,* journal relatant les événements qui se produisent pendant une traversée.

bordée [bɔrde] n. f. 1° Salve d'artillerie tirée par les canons d'un côté du vaisseau. — 2° *Une bordée d'injures,* une grande quantité d'injures : *Il lâcha une bordée d'injures à l'égard du maladroit qui l'avait bousculé.* ‖ *Tirer une bordée,* en parlant des matelots, des soldats, courir les cafés, les lieux de plaisir.

border v. tr. V. BORD 1.

bordereau [bɔrdəro] n. m. Etat récapitulatif d'un compte, d'un document, etc. : *Les bordereaux de salaire établis par le caissier.*

bordure n. f. V. BORD 1.

boréal, e [boreal] adj. 1° *Hémisphère boréal,* celui qui est au nord de l'équateur (contr. : HÉMISPHÈRE AUSTRAL). — 2° *Terres boréales, océan boréal, climat boréal,* etc., qui se situent à l'extrême Nord, qui appartient aux régions proches du pôle Nord (syn. : ARCTIQUE). [V. AURORE.]

1. borgne [bɔrɲ] adj. et n. Qui ne voit que d'un œil : *L'œil de verre qu'il porte est si bien fait qu'on ne soupçonne pas qu'il est borgne.* ◆ **éborgner** [ebɔrɲe] v. tr. Rendre borgne : *Attention, tu risques d'éborgner quelqu'un avec tes fléchettes.*

2. borgne [bɔrɲ] adj. *Hôtel borgne,* hôtel de mauvaise apparence, fréquenté par des individus suspects : *Le crime avait été commis dans un hôtel borgne, derrière la gare.*

1. borne [bɔrn] n. f. 1° Pierre ou marque destinée à indiquer un repère, à réserver un emplacement, à barrer un passage, etc. : *Les bornes kilométriques indiquent, le long des routes, les distances entre les localités. Déplacer les bornes d'un champ* (= celles qui délimitent la propriété). *Quatre bornes soutiennent les chaînes qui entourent le monument aux morts. Enrouler le cordage à la borne du quai. Rester planté comme une borne* (= immobile). — 2° *Pop.* Kilomètre : *Il reste encore vingt bornes à parcourir avant Montpellier.* ◆ **borner** v. tr. Marquer la limite de : *Borner une propriété, un champ* (= en fixer les limites). *Le chemin vicinal borne le terrain vers l'ouest et la rivière vers le sud* (syn. : LIMITER). *L'horizon est borné par les montagnes.* ◆ **borne-fontaine** n. f. Fontaine en forme de borne : *Les bornes-fontaines des villages français.* ◆ **bornage** n. m. Action de borner.

2. borne [bɔrn] n. f. Ce qui forme la limite d'une action, d'un pouvoir, d'une époque, etc. (le plus souvent au pluriel) : *Y a-t-il des bornes à la connaissance humaine? Il a franchi les bornes de la décence. Son ignorance dépasse les bornes* (= va au-delà de ce que l'on peut imaginer). *Il sort des bornes de sa compétence. Les applications de cette découverte scientifique apparaissent sans bornes. Il est d'une patience sans bornes* (= illimitée). ◆ **borner** v. tr. Enfermer dans des limites déterminées : *Il faut borner votre ambition, cette année, à réunir les documents qui vous serviront ensuite à rédiger votre livre* (syn. : LIMITER, RÉDUIRE). *La police a borné son enquête aux familiers de la victime* (syn. : CIRCONSCRIRE; contr. : ÉLARGIR). *Il borne son enseignement à quelques notions de base* (syn. : RESTREINDRE; contr. : ÉTENDRE). *Bornez là votre exposé* (syn. : ARRÊTER). *Bornons nos bagages au strict nécessaire.* ◆ **se borner** v. pr. : *Il faut se borner aujourd'hui à fixer les grandes lignes du projet* (syn. : SE CONTENTER). *Il s'est borné à adresser quelques mots de remerciement à la municipalité. Il faut savoir se borner dans un discours* (syn. : SE LIMITER). *Bornons-nous à ce qui est indispensable* (syn. : S'EN TENIR, SE CONTENTER). ◆ **borné, e** adj. Se dit d'une personne dont les capacités intellectuelles sont peu développées : *Un esprit borné, incapable de comprendre l'évolution du monde* (syn. : ÉTROIT, SCLÉROSÉ; contr. : LARGE, OUVERT). *Il a une intelligence bornée et un entêtement incroyable* (syn. : OBTUS; contr. : SUBTIL, PÉNÉTRANT).

bosquet [bɔskɛ] n. m. Petit groupe d'arbres ou d'arbustes, souvent plantés pour fournir de l'ombrage ou dans une intention décorative : *Les bosquets du parc de Versailles.*

1. bosse [bɔs] n. f. 1° Grosseur anormale qui se forme dans le dos ou sur la poitrine, par suite de la déviation de l'épine dorsale ou de l'os auquel sont reliées les côtes (sternum); enflure qui se produit à la tête ou sur un membre à la suite d'un coup : *Il était horrible, difforme, avec deux grosses bosses par-devant et par-derrière. Je me suis cogné au tiroir en me baissant, et je me suis fait une bosse au front.* — 2° Protubérance naturelle de certains animaux : *Les bosses du chameau. La bosse du dromadaire.* — 3° *Ne rêver, ne chercher que plaies et bosses,* se plaire aux querelles, être d'un caractère batailleur. ‖ Fam. *Rouler sa bosse,* changer continuellement de lieu de résidence sans avoir de situation stable : *Il a roulé sa bosse dans tous les ports de la Méditerranée, cherchant quelque emploi sur les navires en partance.* ‖ Fam. *S'en payer (se flanquer) une bosse* (de rire), s'amuser beaucoup, rire bruyamment : *Il s'en est payé une bosse en me voyant culbuter.* ‖ Fam. *Avoir la bosse des mathématiques, de la musique,* etc., être particulièrement doué pour ce genre d'études, d'activité : *Il a vendu avec facilité tous ces articles démodés : il a vraiment la bosse du commerce* (syn. : LE GÉNIE

BL). ◆ **bossu, e** adj. et n. 1° Se dit d'une personne qui a une déformation de la colonne vertébrale provoquant une bosse : *Le bossu a été souvent le héros de mélodrames romantiques.* — 2° Fam. *Rire comme un bossu,* rire fort, beaucoup (syn. : S'ESCLAFFER; fam. : RIRE COMME UNE BALEINE).

2. bosse [bɔs] n. f. Elévation sur une surface : *La voiture a fait une embardée sur une bosse de la route.* ◆ **bosseler** [bɔsle] v. tr. (conj. 6). Déformer par des bosses (surtout au part. adj.) : *Un gobelet d'argent tout bosselé.* ◆ ***se bosseler*** v. pr. Se déformer : *En tombant, ce plat d'étain ancien s'est bosselé.* ◆ **bosselure** n. f. : *Les bosselures d'une marmite en cuivre.* ◆ **débosseler** v. tr.

bosser [bɔse] v. intr. et tr. *Pop.* Travailler : *Où est-ce que tu bosses maintenant?* (= où as-tu ton travail?). *Pierre est un garçon sérieux; il bosse son examen au lieu d'aller s'amuser.* ◆ **bosseur, euse** n. : *C'est un bosseur, qui est arrivé par son seul travail* (syn. : TRAVAILLEUR).

bossu, e adj. et n. V. BOSSE 1.

bot [bo] adj. m. *Avoir un pied bot,* avoir un pied contrefait, dont la conformation ne permet pas la marche normale ni l'utilisation de chaussures usuelles.

botanique [bɔtanik] n. f. Etude scientifique des végétaux. ◆ **botanique** adj. : *Le jardin botanique du Muséum national d'histoire naturelle, à Paris.* ◆ **botaniste** n. : *Bauhin et Tournefort ont été de grands botanistes; l'un à la fin du XVI*e *siècle, l'autre au XVII*e *siècle.*

1. botte [bɔt] n. f. 1° Coup de pointe donné avec une épée ou un fleuret : *Allonger une botte. Parer, esquiver une botte. Une botte secrète est un coup d'épée dont la parade est inconnue de celui qui le reçoit.* — 2° *Porter une botte à un contradicteur, à un adversaire,* l'attaquer avec vivacité : *Il ne ratait pas une occasion de lui porter quelque botte quand il le voyait se vanter d'exploits imaginaires.*

2. botte [bɔt] n. f. Assemblage de produits végétaux de même espèce, serrés et liés ensemble (en général suivi d'un compl. du nom, sans art., indiquant la nature de ces végétaux) : *Des bottes d'œillets sont expédiées de Nice. Entasser des bottes de foin dans la charrette. Des bottes de paille ont été déposées le long du circuit automobile pour la protection des spectateurs. Acheter une botte de radis, une botte d'asperges.*

3. botte [bɔt] n. f. 1° Chaussure de cuir, de caoutchouc, qui enferme le pied et la jambe et monte quelquefois jusqu'à la cuisse : *Mettre des bottes pour aller à la chasse. Des bottes de cavalier. Les égoutiers mettent de grandes bottes pour aller dans les égouts de Paris.* — 2° Fam. *Coup de botte,* syn. de COUP DE PIED : *Donner un coup de botte dans un ballon.* ‖ Fam. *Haut comme une botte,* de toute petite taille (surtout en parlant d'un enfant). ◆ **botter** v. tr. 1° Chausser des bottes (surtout au passif) : *Perrault a raconté le conte du « Chat botté ».* — 2° *Fam.* Donner un coup de pied : *L'ailier droit botta le ballon vers le but* (syn. plus usuel : SHOOTER). *Ce garnement est insupportable; il mériterait qu'on lui botte les fesses.* — 3° Pop. *Ça me botte,* cela me convient : *Tu es d'accord pour le cinéma? Ça me botte* (syn. pop. : D'AC, abrév. de *d'accord*). ◆ **bottier** n. m. Artisan qui confectionne à la main des chaussures ou des bottes sur mesure. ◆ **bottillon** n. m. Chaussure montant au-dessus de la cheville et généralement doublée de fourrure. ◆ **bottine** n. f. Chaussure montante couvrant les chevilles et fermée par des boutons, des lacets ou un élastique. (V. DÉBOTTÉ.)

1. bouc [buk] n. m. 1° Mâle de la chèvre. — 2° *Bouc émissaire,* celui qui est donné comme responsable de toutes les fautes.

2. bouc [buk] n. m. Barbe qu'un homme porte au menton, le reste du visage étant rasé.

boucan [bukɑ̃] n. m. *Fam.* Ensemble indistinct de bruits ou de cris assourdissants (surtout dans *faire du boucan,* faire du bruit) : *Quel boucan vous faites en jouant!* (syn. : TAPAGE). *On a entendu tout à coup un de ces boucans! C'était toute la pile d'assiettes qui tombait* (syn. : VACARME [langue soutenue]). *Il a été faire du boucan à la mairie parce qu'on ne lui avait pas envoyé le papier qu'il réclamait* (= protester avec vigueur, crier; syn. pop. : FOIN, RAMDAM, BAROUF).

bouchage n. m. V. BOUCHER.

bouche [buʃ] n. f. 1° Orifice d'entrée du tube digestif, chez l'homme et chez certains animaux; lèvres (considérées comme limite extérieure ou comme moyen d'expression) : *Elle a quelques rides au coin de la bouche. Ne parle pas la bouche pleine. J'ai la bouche empâtée. Embrasser sur la bouche. Il a toujours l'injure à la bouche. Il ouvrit la bouche pour dire une sottise* (= il prit la parole). *Il lui a fermé la bouche par ses arguments* (= il l'a fait taire). *Il a toujours les mêmes histoires à la bouche. Ce mot d' « honnêteté » dans sa bouche est étonnant* (= sur ses lèvres, prononcé par lui). *Les sentiments de l'assemblée s'expriment par ma bouche* (= par mes paroles). — 2° Personne considérée sur le plan de la subsistance (dans quelques express.) : *Il a chez lui cinq bouches à nourrir. Les Carthaginois firent sortir de la ville assiégée les bouches inutiles.* — 3° Orifice de certaines cavités : *La foule s'engouffre dans la bouche du métro. Le boulanger ouvrit la bouche du four pour y mettre les pains à cuire. Des bouches de chaleur. L'eau s'engouffrait dans les bouches d'égout.* — 4° *S'embrasser à bouche que veux-tu,* se donner de nombreux baisers. ‖ *Aller, passer de bouche en bouche,* se répandre dans l'opinion, être largement divulgué. ‖ *Avoir la bouche pleine d'une chose, en avoir plein la bouche,* en parler continuellement et avec enthousiasme. ‖ *Faire venir l'eau à la bouche,* donner envie de manger un mets ou de posséder quelque chose. ‖ *Garder pour la bonne bouche,* réserver pour la fin, de façon à rester sur ce qu'on croit être le plus agréable. ‖ *Bouche cousue!* ou, pop., *Ta bouche, bébé!,* injonction à faire silence, à se taire (syn. : SILENCE!). ‖ *Etre dans toutes les bouches,* être le sujet de toutes les conversations (syn. : ÊTRE SUR TOUTES LES LÈVRES). ‖ *Faire la fine bouche,* se montrer dégoûté et difficile en face d'un mets, d'une œuvre d'art que tout le monde apprécie. ‖ *De bouche à oreille,* directement et à l'insu des autres (syn. : CONFIDENTIELLEMENT). ‖ *Enlever le pain de la bouche de quelqu'un, lui ôter les morceaux de la bouche,* le priver des ressources nécessaires. ‖ *La bouche en cœur,* avec une préciosité ridicule. ‖ Fam. *La bouche en cul de poule,* l'air pincé. ◆ **bouchée** n. f. 1° Quantité d'un aliment qui entre dans la bouche en une seule fois : *Force-toi et avale quelques bouchées de viande.* — 2° Bonbon au chocolat, fourré de façon variée : *L'enfant acheta deux grosses bouchées chez le confiseur.* — 3° *Acheter quelque chose pour une bouchée de pain,* pour un prix dérisoire, insignifiant. ‖ *Ne faire qu'une bouchée de quelque chose,* l'avaler rapidement ; *de quelqu'un* ou *de quelque chose,* en venir facilement à bout : *Je ne ferais qu'une bouchée de ce petit gringalet qui ose me tenir tête.* (V. EMBOUCHER.)

boucher [buʃe] v. tr. 1° *Boucher une ouverture, un passage,* les fermer au moyen de quelque chose que l'on enfonce, que l'on place en travers, etc. (aussi comme pron.) : *La bouteille est bien bouchée. Le tuyau d'écoulement du lavabo est bouché* (syn. : OBSTRUER). *On bouchera les fentes du mur avec du plâtre et du mastic* (syn. : OBTURER). *Ne bouchez pas le passage, retirez-vous* (syn. : BARRER). *Le camion bouche la rue en stationnant en double file. Boucher une voie d'eau* (syn. : AVEUGLER, COLMATER). *L'évier s'est bouché* (syn. : ENGORGER). *Il vaut mieux se boucher les oreilles plutôt que d'entendre de pareilles sottises. Se boucher le nez pour ne pas sentir une mauvaise odeur* (= se pincer les narines). *Il se bouche les yeux pour ne pas voir la réalité* (syn. : FERMER). *Le virage nous bouche la vue* (= cache la perspective). — 2° *Boucher quelque chose,* en fermer les accès, les perspectives : *Toutes les carrières sont bouchées* (syn. : ENCOMBRÉ). *L'avenir est bouché* (syn. : FERMÉ). — 3° *Boire du cidre bouché,* du cidre pétillant gardé dans une bouteille bouchée de façon spéciale. ‖ *Le ciel est bouché,* couvert de nuages. ‖ Fam. *Etre bouché, bouché à l'émeri,* se dit de quelqu'un qui ne comprend rien, qui est stupide. ‖ Pop. *Il m'en a bouché un coin,* il m'a épaté, surpris. ◆ **bouchage** n. m. Action de boucher : *Procéder au bouchage des bouteilles.* ◆ **déboucher** v. tr. 1° Oter le bouchon de : *Débouche la bouteille de bordeaux.* — 2° Débarrasser de ce qui bouche : *Déboucher un tuyau.* ◆ ***se déboucher*** v. pr. Cesser d'être bouché : *Le lavabo se débouche peu à peu* (syn. : SE DÉSOBSTRUER). ◆ **reboucher** v. tr. : *Il faut reboucher le trou que l'on a fait pour planter l'arbre.* ◆ **bouchon** n. m. 1° Ce qui sert à boucher, et en particulier pièce enfoncée dans le goulot d'une bouteille : *Un bouchon de liège, de caoutchouc. Faire sauter le bouchon d'une bouteille de champagne. Le bouchon de la carafe d'eau.* — 2° *Bouchon de brume,* nappe dense de brouillard : *On ne voit pas à deux mètres, il y a un bouchon de brume dans le vallon.* ‖ *Bouchon de circulation,* embouteillage momentané. ‖ Fam. *C'est plus fort que de jouer au bouchon,* c'est extraordinaire. ‖ *Avoir un goût de bouchon,* se dit d'un vin qui a pris le goût du bouchon trop vieux. ◆ **tire-bouchon** n. m. 1° Vis en métal munie d'un manche, d'un anneau, etc., que l'on enfonce dans le bouchon d'une bouteille pour le retirer du goulot : *Les tire-bouchons sont souvent ouvragés.* — 2° *En tire-bouchon,* qui a la forme plus ou moins exacte d'une vis. ◆ **tire-bouchonner** v. tr. Rouler en forme de vis : *Ne tire-bouchonne pas sans cesse ta mèche de cheveux.*

boucher, ère [buʃe, -ɛr] n. Commerçant qui vend au détail la chair des bœufs, des veaux, des moutons, ou celle des chevaux : *Le boucher coupa un bifteck, l'aplatit avec la lame du couteau. Demander à la bouchère d'ajouter quelques os pour un ragoût.* ◆ adj. *Garçon boucher,* aide salarié du boucher. ◆ **boucher** n. m. 1° Personne qui tue les animaux dans les abattoirs. — 2° Homme cruel et sanguinaire : *Le commandant du camp de concentration fut un boucher dont les crimes ne se comptent plus.* ◆ **boucherie** [buʃri] n. f. 1° Boutique où l'on débite la chair des bêtes destinées à la consommation ; le commerce lui-même ; corporation des bouchers : *Les viandes de boucherie sont celles qui sont vendues par les bouchers : bœuf, veau, mouton. Les boucheries hippophagiques vendent de la viande de cheval. Le syndicat de la boucherie se déclare prêt à baisser le prix de la viande.* — 2° *Péjor.* Carnage, tuerie (massacre d'êtres humains) : *La répression de cette manifestation pacifique aboutit à une véritable boucherie : plusieurs dizaines de personnes furent massacrées.*

bouche-trou [buʃtru] n. m. Personne ou chose servant à combler une place qu'un accident quelconque a rendue vide, ou destinée à faire nombre au milieu d'autres : *L'acteur était grippé ; il fallait trouver un bouche-trou qui pût apprendre son rôle en quelques heures. Dans la revue, ces deux articles font figure de bouche-trous.*

bouchon n. m. V. BOUCHER v. tr.

boucle [bukl] n. f. 1° Petit anneau ou rectangle de métal, muni d'une pointe de métal ou d'une agrafe, et qui sert à assujettir le bout d'une courroie, d'une ceinture, etc. : *Attacher la boucle d'un ceinturon. Fermer la ceinture par une boucle.* — 2° Tout ce qui a la forme d'un anneau : *Des boucles d'oreilles* (= bijoux que les femmes s'attachent aux oreilles). *Une boucle de cheveux* (= mèche de cheveux roulés en spirale). *Les boucles de la Seine en aval de Paris* (syn. : COURBE, MÉANDRE). *Les boucles d'un lacet de soulier* (= nœuds en forme de boucles). ◆ **boucler** v. tr. 1° Fermer au moyen d'une boucle ou d'une autre manière : *Boucler sa ceinture. Boucler sa valise. Les commerçants ont bouclé leurs magasins* (fam. ; contr. : OUVRIR). — 2° Donner la forme d'une boucle (surtout au part. passé) : *Avec ses doigts, elle bouclait ses mèches de cheveux. La tête bouclée d'un enfant* (= couverte de boucles). — 3° *Fam.* Enfermer en un lieu d'une manière étroite : *Il a été bouclé jeudi au collège* (= retenu par une punition). *J'ai été bouclé dans ma chambre par la grippe* (syn. : RETENIR). *La police a bouclé le quartier* (= l'a encerclé). *Etre bouclé à la Santé* (= être enfermé à la prison de la Santé, à Paris). — 4° Pop. *La boucler,* se taire (syn. fam. : LA FERMER). ◆ v. intr. Etre frisé : *Ses cheveux bouclaient naturellement.* ◆ **bouclage** n. m. : *Le bouclage d'une maison par les agents de police* (syn. : ENCERCLEMENT). ◆ **bouclette** n. f. Petite boucle de cheveux. ◆ **déboucler** v. tr. 1° Détacher, ouvrir en ôtant la boucle qui retient : *Déboucler sa ceinture, son ceinturon* (syn. : DÉGRAFER ; contr. : AGRAFER, BOUCLER). — 2° Défaire les boucles de cheveux (employé surtout au part. passé) : *Elle vient de se laver les cheveux, elle est toute débouclée.*

1. boucler v. tr. V. BOUCLE.

2. boucler [bukle] v. tr. *Fam.* Achever : *Bouclons l'affaire* (syn. : TERMINER, FINIR). *Boucler la boucle* (= terminer une série d'opérations qui ramènent au point de départ). *Boucler son budget* (= le maintenir en équilibre). *Boucler ses comptes* (= les établir d'une manière définitive).

bouclette n. f. V. BOUCLE.

bouclier [buklije] n. m. 1° Arme défensive, faite d'une plaque de bois, de cuir ou de métal, que les guerriers portaient au bras pour se protéger le corps : *Le bouclier rond des Gaulois.* — 2° Nom donné à divers appareils servant à protéger les servants d'un canon, les roues d'un char de combat, etc. — 3° Ce qui est un moyen de défense, de protection (langue soutenue) : *Ce pacte militaire représentait pour les pays associés un véritable bouclier contre l'agression. Ces nouveaux instruments de détection sont un bouclier contre l'arme atomique.* — 4° *Faire un bouclier de son corps à quelqu'un,* se mettre devant lui afin de le préserver des coups d'un adversaire : *En voyant son jeune frère en danger, il lui fit un bouclier de son corps.* ‖ *Levée de boucliers,* protestation unanime manifestant une opposition déterminée : *Le projet de loi fut accueilli par une véritable levée de boucliers.*

bouder [bude] v. intr. 1° Manifester de la mauvaise humeur par son attitude, son silence : *On lui a refusé des bonbons, et il est allé bouder dans sa chambre. Le nez dans son assiette, il boudait* (syn. : FAIRE LA TÊTE). — 2° *Ne pas bouder à table,* avoir un excellent appétit; *ne pas bouder à la besogne, à l'ouvrage,* travailler activement. ◆ v. tr. *Bouder quelqu'un, quelque chose,* montrer de la mauvaise humeur contre lui : *L'élite intellectuelle boudait le régime. On ne le voit plus, nous bouderait-il?* ◆ **bouderie** n. f. : *La bouderie d'un enfant gâté. Une bouderie passagère qu'on ne doit pas prendre au sérieux* (= un accès de mauvaise humeur). ◆ **boudeur, euse** adj. et n. : *Un enfant boudeur. Sa mine boudeuse prêtait à sourire* (syn. : GROGNON). *Il montre à tous un visage boudeur* (syn. : RENFROGNÉ, MAUSSADE).

boudin [budɛ̃] n. m. 1° Charcuterie préparée avec du sang et de la graisse de porc mis dans un boyau. — 2° *Ressort à boudin,* v. RESSORT. — 3° Fam. *Tourner, s'en aller, finir en eau de boudin,* se terminer d'une manière lamentable, par un échec total, un fiasco complet : *Alors, vos grands projets ont fini en eau de boudin?* ◆ **boudiné, e** adj. *Fam.* Serré dans des vêtements étriqués : *Il a beaucoup grossi, et il est maintenant boudiné dans son veston devenu trop étroit.*

boudoir [budwar] n. m. Petit salon coquettement orné, où la maîtresse de maison recevait ses intimes : *Le boudoir sert de cadre à l'action de nombreuses comédies légères de la fin du XIXe siècle.*

boue [bu] n. f. 1° Mélange de terre ou de poussière et d'eau, formant une couche grasse et épaisse sur le sol : *Avec cette pluie, on patauge dans la boue* (syn. fam. : GADOUE; pop. : GADOUILLE). *Avoir de la boue sur son pantalon. Ramener de la boue avec ses chaussures. Une petite cabane faite de boue séchée, mêlée à de la paille.* — 2° Etat de grande déchéance morale, de bassesse; ce qui est infâme, ce qui provoque le dégoût : *Il se vautre dans la boue* (syn. : ABJECTION; littér. : FANGE). *Dans sa colère, il traînait dans la boue (couvrait de boue) son contradicteur* (syn. : CALOMNIE). ◆ **boueux, euse** adj. Plein de boue : *Un chemin boueux et creusé d'ornières mène à la ferme* (syn. littér. : FANGEUX). ◆ **boueux** n. m. Celui qui enlève les ordures ménagères. ◆ **éboueur** n. m. Syn. admin. de BOUEUX.

bouée [bwe] n. f. 1° Corps flottant qui est destiné à signaler un écueil, un banc de sable, etc., ou à indiquer un passage (*balise*); appareil flottant que l'on jette à une personne tombée à l'eau pour lui permettre de se maintenir à la surface (*bouée de sauvetage*) : *Le lit de la Loire est par endroits balisé au moyen de bouées. Il y a des bouées de sauvetage sur les divers ponts de Paris.* — 2° *Bouée de sauvetage,* ce qui peut tirer quelqu'un d'une situation désespérée : *La situation qu'on lui offrait lui apparut une bouée de sauvetage dont il fallait se saisir sans hésiter.*

1. bouffer [bufe] v. tr. et intr. *Pop.* Manger (en général avec avidité) : *Bouffer à la cantine.* ◆ ***se bouffer*** v. pr. Pop. *Se bouffer (le nez),* se quereller avec violence : *Elles étaient prêtes à se bouffer le nez quand un voisin intervint.*

2. bouffer [bufe] v. intr. Augmenter de volume en se distendant : *Faire bouffer ses cheveux. Se plaire à porter des jupes qui bouffent légèrement* (syn. : GONFLER). ◆ **bouffant, e** adj. : *La mode des coiffures bouffantes.* ◆ **bouffée** n. f. 1° Souffle, exhalaison qui vient subitement : *On sent une bouffée d'air frais; ferme la porte. Il lui montait des bouffées de vin. Bouffée de fumée. Il lui arrivait par bouffées des odeurs de cuisine* (syn. : PAR À-COUPS). — 2° Accès brusque et passager (suivi d'un compl. du nom sans art.) : *A l'annonce de son succès, il eut une bouffée d'orgueil. Vers le soir, il a souvent une bouffée de fièvre qui m'inquiète* (syn. : POUSSÉE). ◆ **bouffir** v. tr. 1° *Bouffir quelqu'un, une partie de son corps, son corps,* le faire augmenter de volume (en général péjor.) : *Avoir les yeux bouffis au réveil* (syn. : GONFLER). *La graisse a bouffi son visage jadis si gracieux* (syn. : ENFLER). — 2° *Etre bouffi d'orgueil,* être d'une grande vanité. ◆ v. intr. Enfler : *Ses yeux avaient bouffi à force de pleurer.* ◆ **bouffissure** n. f. : *Les bouffissures malsaines de son visage* (syn. : ENFLURE, BOURSOUFLURE). ◆ **bouffarde** n. f. *Pop.* Pipe.

bouffon, onne [bufɔ̃, -ɔn] adj. et n. 1° Se dit d'une personne qui prête à rire par des plaisanteries, par des gestes exagérément comiques ou par une conduite extravagante : *Sa vanité et sa prétention le faisaient passer pour un bouffon ridicule auprès de tous ceux qui le connaissaient* (syn. : PANTIN, POLICHINELLE). — 2° Se dit d'une chose qui fait rire par son aspect grotesque, extravagant : *Leur querelle fut l'occasion d'une scène bouffonne, et tout le monde se moqua d'eux* (syn. : BURLESQUE). ◆ **bouffonnerie** n. f. Ce qui fait rire par son caractère grotesque : *Il pensait nous faire rire par des bouffonneries et des farces qui n'étaient que des enfantillages.*

bouge [buʒ] n. m. Local malpropre et d'apparence sordide; café ou bar misérable et mal fréquenté : *Il habite dans un hôtel de banlieue, un vrai bouge. Sa chambre en désordre, sale, est devenue un véritable bouge. Le soir, il se traînait d'un bouge à l'autre et rentrait ivre chez lui.*

bougeoir n. m. V. BOUGIE.

bouger [buʒe] v. intr. 1° Faire un mouvement, se déplacer légèrement : *Il bouge continuellement sur sa chaise* (syn. : REMUER, ↑ S'AGITER, GIGOTER). *Les feuilles des arbres bougent à peine. Surtout, ne bouge pas quand on te photographie. Je n'ai pas bougé de chez moi cet après-midi* (syn. : SORTIR).

— 2° Agir, passer à l'action, en manifestant un sentiment quelconque, en particulier d'hostilité, de réprobation, de révolte, etc. : *Il est craint et personne n'ose bouger devant lui. Si les syndicats bougent, le gouvernement risque d'être en difficulté.* ◆ v. tr. *Fam.* Transporter à une autre place : *Ne bouge pas les bagages avant que je ne revienne* (syn. : DÉPLACER). *Bouge la tête vers la droite pour que je te photographie de profil.* ◆ ***se bouger*** v. pr. Fam. : *Bouge-toi de là, tu embarrasses le chemin* (syn. : SE DÉRANGER). *On n'obtient rien sans se bouger* (= faire des démarches; syn. : SE DÉMENER). ◆ **bougeotte** [buʒɔt] n. f. Fam. *Avoir la bougeotte,* désirer fréquemment changer de place, de lieu : *Cet enfant a la bougeotte, il ne peut pas rester tranquille une minute. Ils ont tous deux la bougeotte, et pendant leurs vacances ils voyagent à l'étranger.*

1. bougie [buʒi] n. f. Bâtonnet de forme cylindrique, en cire, en paraffine, etc., entourant une mèche et fournissant une flamme qui éclaire : *Allumer une bougie pour descendre à la cave. La bougie n'est plus qu'un éclairage de secours.* ◆ **bougeoir** n. m. Petit support de bougie.

2. bougie [buʒi] n. f. Appareil produisant l'étincelle électrique qui enflamme le mélange gazeux dans chaque cylindre des moteurs à explosion : *Changer une bougie usée. L'allumage se fait mal; les bougies doivent être encrassées.*

bougnat [buɲa] n. m. *Pop.* Marchand de charbon : *Se faire livrer deux sacs de cinquante kilos par le bougnat du quartier.*

bougon, onne [bugɔ̃, -ɔn] adj. et n. Se dit de quelqu'un (ou de son comportement) qui manifeste habituellement de la mauvaise humeur, qui proteste continuellement : *Le concierge, bougon, presque hostile, lui ferma la porte au nez* (syn. : REVÊCHE). *Répondre d'un air bougon à une question indiscrète* (syn. : GROGNON, RONCHON). ◆ **bougonner** v. intr. Prononcer entre ses dents des paroles de protestation : *Il bougonnait contre les gens qui ne respectaient pas le sommeil des autres* (syn. : MURMURER; fam. : RÂLER). ◆ **bougonnement** n. m. : *On ne pouvait tirer de lui que des bougonnements inintelligibles.*

bougre, esse [bugr, -ɛs] n. *Fam.* Personne, individu (avec une valeur affective représentée par un adj.; le fém. est toujours péjor.) : *Il a de violentes colères, mais, dans le fond, c'est un bon bougre* (syn. : UN BRAVE HOMME). *Un pauvre bougre, tendant la main au coin de la rue. Quel bougre d'enfant, il ne peut pas rester tranquille! Cette bougresse de concierge m'a interdit d'utiliser l'ascenseur et m'a obligé à monter les colis par l'escalier. Bougre d'idiot, écoute donc au lieu de parler* (syn. : ESPÈCE DE). ◆ **bougre!** interj. pop. marquant un sentiment vif (la surprise, l'admiration, la colère) : *Bougre, c'est haut! tu aurais dû me prévenir* (syn. : BIGRE, FICHTRE).

boui-boui [bwibwi] n. m. *Pop.* et *péjor.* Petit music-hall médiocre ou cabaret mal famé; plus fréquemment, restaurant où les repas sont de médiocre qualité : *Cette chanteuse s'est d'abord produite dans de misérables bouis-bouis de banlieue avant de monter sur les grandes scènes de Paris. Nous avons été déjeuner dans un boui-boui où l'on nous a fait payer très cher un repas immangeable* (syn. : GARGOTE).

bouillabaisse [bujabɛs] n. f. Soupe de poissons provençale, préparée d'une façon particulière.

bouillant, e adj. V. BOUILLIR 1 et 2.

bouille [buj] n. f. *Pop.* Tête, figure : *Tu as une sale bouille ce matin, tu as attrapé la grippe? Il a une drôle de bouille avec ses cheveux coupés en brosse.*

bouilleur n. m. V. BOUILLIR 1.

bouillie [buji] n. f. 1° Farine que l'on a fait bouillir dans du lait ou de l'eau jusqu'à ce qu'elle ait la consistance d'une pâte plus ou moins épaisse : *Préparer une bouillie pour un enfant.* — 2° *En bouillie,* écrasé de telle manière que la forme primitive ne peut plus être reconnue : *Mettre en bouillie. La voiture, après la collision, était en bouillie.* ‖ *C'est de la bouillie pour les chats,* c'est du travail qui ne vaut pas grand-chose (syn. fam. : GNOGNOTE).

1. bouillir [bujir] v. intr. (conj. 31). 1° (sujet nom désignant un liquide ou le contenu d'un récipient) Etre animé de mouvements sous l'effet de la chaleur, en dégageant des bulles de vapeur qui viennent crever à la surface : *L'eau bout à 100 °C. Faire bouillir le lait. La casserole bout.* — 2° Cuire dans un liquide qui bout : *Faire bouillir des légumes.* ◆ v. tr. Faire chauffer un liquide jusqu'à la température où il bout; faire cuire dans l'eau : *Il faut bouillir l'eau contaminée. Laver une plaie à l'eau bouillie* (= qui a bouilli). *Servir de la viande bouillie.* ◆ **bouillant, e** adj. 1° *Laver à l'eau bouillante. Se brûler avec de l'huile bouillante.* — 2° Très chaud : *Prendre un grog bouillant pour soigner un rhume. Ce café est bouillant; je ne peux pas le boire.* ◆ **bouilleur** n. m. *Bouilleur de cru,* celui qui fait distiller des vins, des cidres, des fruits, etc., provenant exclusivement de sa récolte. ◆ **bouilloire** n. f. Récipient de métal, à large panse, dans lequel on fait bouillir l'eau. ◆ **bouillotte** n. f. Récipient de métal, de grès ou de caoutchouc, qui peut contenir de l'eau chaude et dont on se sert pour chauffer un lit ou pour réchauffer un malade : *Vous lui mettrez une bouillotte sous les pieds.* ◆ **ébouillanter** v. tr. 1° Tremper dans l'eau bouillante : *Ebouillanter des haricots verts.* — 2° Brûler avec de l'eau bouillante : *Elle s'est ébouillanté les mains en faisant la vaisselle.*

2. bouillir [bujir] v. intr. (conj. 31). *Bouillir de colère, d'impatience,* etc., être animé d'une violente colère, ne pouvoir se contenir qu'à grand-peine. ‖ *Faire bouillir quelqu'un,* provoquer son irritation, son impatience : *Tes hésitations continuelles me font bouillir* (= m'exaspèrent). ‖ *Avoir le sang qui bout dans les veines,* avoir la vivacité, la fougue de la jeunesse. ‖ *Mon sang bout quand...,* je m'emporte quand... : *Mon sang bout quand je le vois toujours victime de son indulgence.* ◆ **bouillant, e** adj. 1° Qui a de l'ardeur, de la vivacité; qui est prompt à la colère : *C'est un homme bouillant, qui ne peut tenir en place.* — 2° *Etre bouillant de colère, de désir,* etc., être emporté, excité par le désir, etc.

1. bouillon [bujɔ̃] n. m. 1° Aliment liquide obtenu en faisant bouillir dans de l'eau de la viande, des légumes : *Bouillon de poulet. Le malade ne pourra prendre que des bouillons de légumes. Servir un bouillon gras pour le repas du soir.* — 2° Fam. *Boire un bouillon,* avaler de l'eau quand, en nageant, on coule un instant : *Il a perdu pied et, en se raccrochant à moi, il m'a fait boire un de ces* *bouillons!*; perdre une somme d'argent considérable dans une entreprise : *Commerçant qui a fait de mauvaises affaires et a bu un bouillon.* ‖ *Bouillon de culture,* liquide préparé comme milieu de culture bactériologique. ‖ *Bouillon d'onze heures,* boisson, aliment empoisonnés.

2. bouillon [bujɔ̃] n. m. 1° Bulle gazeuse qui se forme dans un liquide qui bout; agitation de ce liquide : *L'eau bout à gros bouillons.* — 2° Flot d'un liquide qui s'échappe ou coule avec force : *Un ruisseau sortant à gros bouillons de la source. Vomir le sang à gros bouillons.* ◆ **bouillonner** [bujɔne] v. intr. 1° Se dit d'un liquide qui produit des bouillons, soit parce qu'il bout, soit parce qu'il est en mouvement : *On voyait l'eau bouillonner entre les rochers.* — 2° *Bouillonner de colère, d'impatience, avoir le sang qui bouillonne,* se dit de quelqu'un qui est pris d'une violente colère, qui est en proie à une grande impatience, etc. ◆ **bouillonnement** n. m. : *Les bouillonnements d'un liquide qui fermente. Le bouillonnement des idées à la Renaissance* (syn. : TUMULTE). *Le bouillonnement révolutionnaire qui saisit l'Europe en 1848* (syn. : EFFERVESCENCE).

3. bouillons [bujɔ̃] n. m. pl. Ensemble des exemplaires invendus d'un journal ou d'une revue : *Venir reprendre chez les dépositaires de journaux les bouillons du jour précédent.* ◆ **bouillonner** v. intr. : *Les journaux bouillonnent parfois à plus de vingt pour cent de leur tirage.*

boulanger, ère [bulɑ̃ʒe, -ɛr] n. et adj. Personne qui fabrique le pain, qui en fait le commerce : *Les boulangers-pâtissiers ajoutent à la fabrication du pain celle de la pâtisserie. Ouvrier boulanger* (= celui qui est employé par le patron boulanger pour faire le pain). ◆ **boulangerie** n. f. 1° Fabrication ou commerce du pain : *Il travaille dans la boulangerie.* — 2° Lieu où se fait la vente du pain : *Les boulangeries sont fermées par roulement un jour de la semaine à Paris. Aller à la boulangerie chercher un pain de fantaisie, une baguette.*

boule [bul] n. f. 1° Sphère de métal, de bois, etc. (le compl. du nom, sans art., indique la matière) : *Le jeu de boules consiste à envoyer des boules le plus près possible d'un but constitué par une boule plus petite, ou cochonnet. Au billard, on joue avec des boules d'ivoire* (syn. : BILLE). *Les enfants jouent à se lancer des boules de neige. Les boules de gomme sont des bonbons pour la gorge. Le chat est roulé en boule dans son panier* (= pelotonné). — 2° *Faire boule de neige,* grossir continuellement : *Ses capitaux ont fait boule de neige, et il se trouve à la tête d'une grosse fortune.* ‖ Fam. *Se mettre en boule,* se mettre en colère. — 3° *Fam.* Tête : *Il a perdu la boule* (= il s'est affolé). *Il a une bonne boule* (= il est sympathique). ◆ **bouler** v. intr. *Fam. Envoyer quelqu'un bouler,* le renvoyer, le repousser : *Il envoie bouler tous ceux qui viennent le déranger* (syn. : ÉCONDUIRE; fam. : ENVOYER PROMENER, ENVOYER PAÎTRE). ◆ **boulette** n. f. 1° Petite boule : *Les élèves lançaient des boulettes de papier mâché contre le mur. On nous a servi des boulettes de viande hachée.* — 2° *Fam.* Grossière erreur, faute stupide : *Il a commis une boulette en oubliant de lui envoyer ses vœux de nouvel an* (syn. fam. : GAFFE). ◆ **boulier** n. m. Appareil formé de tringles sur lesquelles sont fixées des boules et qui sert à compter. ◆ **bouliste** n. Personne qui joue aux boules.

bouleau [bulo] n. m. Arbre des régions froides et tempérées, dont le bois blanc est utilisé en menuiserie et pour la fabrication du papier.

bouledogue [buldɔg] n. m. Chien d'agrément à mâchoires proéminentes.

boulet [bulɛ] n. m. 1° Projectile sphérique dont on chargeait les canons jusqu'au XIXe siècle : *Turenne fut tué par un boulet de canon.* — 2° Boule de métal que l'on attachait au pied des forçats (encore dans certaines expressions) : *Ses dettes sont un boulet qu'il traîne avec lui depuis des années.* — 3° *Tirer sur un adversaire à boulets rouges,* l'attaquer, en paroles ou par écrit, avec violence et brutalité. ‖ *Il ne changerait pas d'avis pour un boulet de canon,* pour rien au monde.

boulevard [bulvar] n. m. 1° Large voie de circulation urbaine : *Les Grands Boulevards, à Paris, vont de la Madeleine à la République. Les boulevards extérieurs sont construits sur l'emplacement des anciennes fortifications.* — 2° *Théâtre du Boulevard,* comédies légères et frivoles, représentées dans des théâtres installés sur les Grands Boulevards à Paris. ◆ **boulevardier, ière** adj. Qui a le caractère amusant et frivole des cafés et théâtres des Boulevards, à Paris : *Il s'était fait une spécialité de comédies boulevardières.* ◆ **boulevardier** n. m. Celui qui était un habitué des cafés des Boulevards, à Paris.

bouleverser [bulvɛrse] v. tr. 1° *Bouleverser quelque chose,* le mettre dans le plus complet désordre; y introduire la confusion par une action violente, en faire disparaître toute organisation : *En voulant nettoyer le bureau, elle a bouleversé tous mes papiers* (syn. : DÉRANGER). *Il a bouleversé tout son jardin pour installer de nouveaux massifs de fleurs* (syn. : ↓ MODIFIER). *Il a bouleversé l'horaire de la classe en faisant changer l'heure de ses cours* (syn. : PERTURBER, TROUBLER). *Les violentes luttes politiques ont bouleversé l'Etat* (syn. : TROUBLER). *Cet événement a bouleversé sa vie.* — 2° *Bouleverser quelqu'un,* lui causer une violente émotion (souvent au passif) : *La nouvelle de sa mort m'a profondément bouleversé* (syn. : SECOUER, ↓ ÉMOUVOIR). *Je suis bouleversé par la nouvelle de la catastrophe. Son visage est tout bouleversé* (= a les marques de l'émotion). ◆ **bouleversant, e** adj. : *Le spectacle bouleversant de ces populations affamées.* ◆ **bouleversement** n. m. : *Le bouleversement des rues défoncées par le tremblement de terre. La crise économique a entraîné un profond bouleversement politique* (syn. : RÉVOLUTION, ↓ TROUBLE). *L'arrivée d'une nouvelle génération s'accompagne d'un bouleversement des valeurs* (syn. : CHANGEMENT, MODIFICATION). *On remarqua le bouleversement de son visage à l'annonce de cet accident.*

boulimie [bulimi] n. f. Grande envie de manger.

boulon [bulɔ̃] n. m. Tige métallique dont une extrémité porte une tête et l'autre un filetage, pour recevoir un écrou. ◆ **boulonner** v. tr. : *Boulonner une poutre* (= la fixer par des boulons). ◆ **déboulonner** v. tr. 1° *Déboulonner une statue,* la démonter, la renverser. — 2° *Déboulonner quelqu'un,* détruire son prestige; lui faire perdre sa situation, sa position : *Il s'est fait déboulonner de son poste de ministre.* ◆ **déboulonnage** n. m. Fam. : *Le déboulonnage de ce faux grand homme.*

1. boulonner v. tr. V. BOULON.

2. boulonner [bulɔne] v. intr. *Pop.* Travailler : *Il boulonne jusqu'à six heures.*

1. boulot, otte [bulo, -ɔt] adj. et n. *Fam.* Gros et court : *Une petite femme boulotte.*

2. boulot [bulo] n. m. *Pop.* Travail (dans tous les sens du mot) : *Avoir un bon boulot* (syn. : MÉTIER). *Il y a un sale boulot à faire* (syn. : BESOGNE).

boulotter [bulɔte] v. tr. *Pop.* Manger : *Qu'est-ce qu'il y a à boulotter aujourd'hui?*

1. boum [bum] n. m. *Pop.* Autre graphie de BOOM.

2. boum! [bum] interj. Indique un bruit sourd (chute, explosion, déflagration, etc.) : *Boum! le bruit de l'explosion fut entendu dans tout le quartier.*

1. bouquet [bukɛ] n. m. Tout ce qui se présente en une touffe serrée (arbustes, tiges, fleurs, etc.) : *Je lui offrirai un bouquet de roses pour sa fête. Des enfants qui jouent dans un bouquet d'arbres au coin du parc.* ◆ **bouquetière** n. f. Celle qui vend des fleurs dans les rues, dans les cabarets, etc.

2. bouquet [bukɛ] n. m. 1° Final d'un feu d'artifice. — 2° *C'est le bouquet!,* exclamation ironique signif. « C'est ce qui est le plus mauvais, le plus fort » (syn. : C'EST LE COMBLE, LE COUP DE GRÂCE).

3. bouquet [bukɛ] n. m. Parfum agréable exhalé par le vin : *Ce vin de Bordeaux a du bouquet.*

bouquin [bukɛ̃] n. m. *Fam.* Livre : *Il tenait à la main son bouquin d'anglais. J'ai acheté un bouquin sur la traduction automatique. Son bureau était couvert de bouquins. C'est son nouveau bouquin : un roman d'aventures.* ◆ **bouquiner** v. intr. et tr. *Fam.* Lire un livre (mais non un journal) : *Il passe son dimanche à bouquiner. Le soir, j'aime bien bouquiner une heure ou deux. Qu'est-ce que tu bouquines en ce moment, un roman policier? Il va à la Bibliothèque nationale bouquiner de vieux livres sur la céramique.* ◆ **bouquiniste** n. Libraire qui vend surtout du livre d'occasion : *Les bouquinistes installés sur les quais, à Paris.*

bourbier [burbje] n. m. 1° Endroit creux rempli d'une boue épaisse : *La pluie avait transformé la route de terre en un véritable bourbier. On a eu du mal à sortir la charrette du bourbier.* — 2° Affaire difficile, mauvaise; entreprise dangereuse de laquelle on aura du mal à se tirer : *Il s'est imprudemment engagé dans un bourbier* (syn. : MAUVAIS PAS). *Pourrez-vous vous tirer de ce bourbier?* (syn. : ↓ EMBARRAS). ◆ **bourbeux, euse** adj. Rempli d'une boue épaisse : *Le chasseur s'avança dans l'eau bourbeuse pour tirer les canards* (syn. : MARÉCAGEUX). *Un petit sentier bourbeux à travers bois* (syn. : FANGEUX). *Tomber dans un fossé bourbeux.* ◆ **embourber** v. tr. Mettre dans un bourbier, engager dans un endroit boueux : *Il a voulu prendre ce mauvais chemin et il a réussi à embourber sa voiture près de la rivière* (syn. : ENLISER). ◆ ***s'embourber*** v. pr. Se mettre dans une situation compliquée, dont on se tire avec peine : *Il s'est embourbé dans des explications confuses* (syn. : S'EMPÊTRER).

bourde [burd] n. f. *Fam.* Méprise ou erreur due généralement à la sottise, à la naïveté ou à l'étourderie : *Mon fils a fait de grosses bourdes dans sa dictée* (syn. : FAUTE). *J'ai commis une bourde en invitant Paul en même temps qu'Henri : j'ignorais qu'ils étaient en mauvais termes* (syn. fam. : GAFFE). *Il s'est aperçu trop tard qu'il avait fait une bourde monumentale en refusant la situation qu'on lui offrait* (syn. : ERREUR).

bourdon [burdɔ̃] n. f. 1° Grosse abeille velue. — 2° Grosse cloche : *Le bourdon de Notre-Dame de Paris.* — 3° Pop. *Avoir le bourdon,* avoir le cafard.

bourdonner [burdɔne] v. intr. Faire entendre un bruit sourd et continu (en parlant des insectes qui battent des ailes, en parlant d'un moteur, etc.) : *Les abeilles tourbillonnent en bourdonnant autour de la ruche. Dans la salle surchauffée et silencieuse bourdonnaient les ventilateurs* (syn. : RONFLER, VROMBIR). *A la descente d'avion, j'ai les oreilles qui bourdonnent* (syn. : TINTER). ◆ **bourdonnement** n. m. : *Le bourdonnement de la ruche. De la terrasse, les conversations ne lui venaient plus que comme un lointain bourdonnement* (syn. : MURMURE). *Le bourdonnement des oreilles* (syn. : TINTEMENT).

bourg [bur] n. m. Gros village ou petite ville qui est le centre commercial de la région environnante. ◆ **bourgade** [burgad] n. f. Petit bourg (syn. : VILLAGE).

bourgeoisie [burʒwazi] n. f. Classe sociale comprenant ceux qui n'exercent pas de métier manuel et ont des revenus ou des traitements relativement élevés : *La bourgeoisie est distincte de la classe ouvrière et de la classe paysanne. La haute bourgeoisie détient les moyens de production et comprend les industriels, les financiers et les grands propriétaires fonciers. La moyenne bourgeoisie est formée des cadres supérieurs de l'industrie et du commerce et de ceux qui exercent des professions libérales (médecins, notaires, etc.). La petite bourgeoisie comprend tous ceux qui, par leur salaire, ont un mode de vie et de pensée qui les rapproche de la moyenne bourgeoisie.* ◆ **bourgeois, e** adj. 1° Relatif à la bourgeoisie, à sa manière de vivre, à ses goûts, etc. (souvent péjor., il insiste alors sur la banalité, le manque d'élévation et d'idéal, la platitude, le goût excessif de la sécurité) : *La classe bourgeoise. Il habite un appartement bourgeois, cossu mais sans originalité. Il a toujours eu des goûts bourgeois, le désir d'un confort sans risque.* — 2° *Cuisine bourgeoise,* sans recherche, mais de bonne qualité. ‖ *Maison bourgeoise,* cossue et où l'on mène un certain train de vie. ‖ *Pension bourgeoise,* hôtel-restaurant où l'on reçoit un petit nombre de clients à qui l'on sert une cuisine bourgeoise. ◆ **bourgeois, e** n. 1° Personne qui appartient à la bourgeoisie, qui en a les goûts communs, la manière de vivre banale, etc. (souvent péjor.) : *Un bourgeois rangé et casanier.* — 2° Fam. *Epater le bourgeois,* afficher un non-conformisme outré, propre à scandaliser les esprits conservateurs. ◆ **bourgeoise** n. f. *Pop.* La maîtresse de maison, l'épouse. ◆ **bourgeoisement** adv. : *Il s'est marié bourgeoisement, dans une famille aisée et bien-pensante.* ◆ **embourgeoiser** v. tr. Gagner à la condition bourgeoise; donner à quelqu'un l'esprit bourgeois : *Le confort a embourgeoisé de larges couches sociales.* ◆ ***s'embourgeoiser*** v. pr. Prendre des habitudes bourgeoises : *Il a perdu l'enthousiasme de sa jeunesse et s'est embourgeoisé avec l'âge.* ◆ **embourgeoisement** n. m. : *L'embourgeoisement* *fut la conséquence de son mariage.* ◆ **petit-bourgeois, petite-bourgeoise** n. Personne qui appartient aux éléments les moins aisés de la bourgeoisie, dont elle possède les défauts traditionnels (étroitesse d'esprit, peur du changement, etc.). ◆ adj. : *Avoir l'esprit petit-bourgeois.* ◆ **désembourgeoiser** v. tr.

bourgeon [burʒɔ̃] n. m. Petite boule qui se développera en feuilles ou en fleur sur une tige : *C'est le printemps, les premiers bourgeons sont sortis.* ◆ **bourgeonner** v. intr. 1° (sujet nom désignant un arbre, une branche) Former des bourgeons : *Les cerisiers ont été les premiers à bourgeonner cette année.* — 2° (sujet nom désignant le visage ou une partie du visage) Se couvrir de boutons : *Son nez d'ivrogne bourgeonne.* — 3° *Plaie qui bourgeonne,* qui forme des petits bourrelets. ◆ **bourgeonnement** n. m. : *Tailler les arbres au début du bourgeonnement.*

bourlinguer [burlɛ̃ge] v. intr. (sujet nom de personne). *Fam.* Mener une vie aventureuse, dans des pays différents : *Il a bourlingué avant guerre dans tout l'Extrême-Orient* (syn. fam. : ROULER SA BOSSE). [Comme terme de marine, il se dit d'un navire qui lutte contre le gros temps.]

bourrade [burad] n. f. Coup brusque donné à quelqu'un pour le pousser, ou comme marque familière d'amitié : *Il s'efforce, par quelques bourrades, de se frayer un chemin au premier rang des spectateurs de l'accident* (syn. : COUP DE COUDE). *Il sentit une bourrade dans le dos et, en se retournant, reconnut un ami* (syn. : TAPE, POUSSÉE).

bourrasque [burask] n. f. 1° Coup de vent violent; ouragan de courte durée : *Le petit bateau essuya une bourrasque au large de l'île et se retourna. Le toit a été emporté par la bourrasque* (syn. : TOURMENTE, ↑ TORNADE). — 2° Mouvement de colère violent : *Il a des bourrasques terribles qu'il regrette aussitôt* (syn. : ACCÈS DE COLÈRE). *L'opposition se déchaîna, mais le Premier ministre tint tête à la bourrasque.*

bourre [bur] n. f. Amas de poils, déchets de tissus, qui servent à garnir, à boucher des trous, etc.

bourreau [buro] n. m. 1° Celui qui est chargé d'infliger la peine de mort prononcée par un tribunal (syn. littér. : EXÉCUTEUR DES HAUTES ŒUVRES). — 2° Celui qui maltraite d'autres personnes avec cruauté, qui torture : *On a aggravé les peines qui frappent les bourreaux d'enfants. Le bourreau d'Auschwitz.* — 3° *Bourreau d'argent,* dépensier, prodigue. ‖ *Bourreau des cœurs,* celui qui a du succès auprès des femmes (syn. : DON JUAN, SÉDUCTEUR). ‖ *Bourreau de travail,* celui qui travaille sans arrêt.

bourreler [burle] v. tr. *Etre bourrelé de remords,* être tourmenté cruellement par des remords de conscience.

bourrelet [burlɛ] n. m. 1° Bande de feutre, de papier, de caoutchouc, etc., qui sert en particulier à obturer un joint ou à amortir un choc : *Mettre des bourrelets aux fenêtres pour éviter que le vent ne pénètre.* — 2° *Bourrelet de chair,* renflement de chair : *Il a sous le menton des bourrelets de chair qui donnent à son obésité une certaine majesté.*

bourrer [bure] v. tr. 1° *Bourrer une chose,* la remplir jusqu'au bord en tassant : *Il bourre le poêle de bûches, de papier, de carton, pour se réchauffer. Il bourra sa pipe et se mit à lire son journal. Ta valise est trop bourrée, la serrure va casser.* — 2° *Bourrer quelqu'un,* le faire manger trop abondamment (souvent pron.) : *Elle le bourre de pommes de terre* (syn. : GAVER). *Ne te bourre pas de pain, ce soir tu n'auras plus faim;* lui faire apprendre trop de choses : *Les élèves sont bourrés de mathématiques, de latin, d'histoire, mais ils ont mal assimilé ces connaissances.* — 3° *Bourrer quelqu'un de coups,* le frapper avec violence : *Les deux voleurs bourrèrent de coups le chauffeur de taxi avant de lui prendre son portefeuille.* ‖ *Bourrer le crâne à quelqu'un, au public,* le tromper en lui présentant les choses sous un jour favorable, alors que la situation est mauvaise. ◆ **bourrage** n. m. : *Le bourrage de crâne de la presse officielle* (syn. : MENSONGE). ◆ **bourratif, ive** adj. Fam. (*Aliment*) *bourratif,* celui qui alourdit l'estomac, qui se digère mal. ◆ **bourreur** n. m. : *C'est un bourreur de crâne, ne l'écoute pas.* ◆ **débourrer** v. tr. Enlever ce qui bourre : *Débourrer une pipe qui s'est éteinte.*

bourriche [buriʃ] n. f. Panier grossier, sans anse, destiné au transport de la volaille, des huîtres, etc.

bourrichon [buriʃɔ̃] n. m. Pop. *Se monter le bourrichon,* se faire des illusions, s'exalter jusqu'à perdre la tête.

bourrique [burik] n. f. 1° *Fam.* Ane ou ânesse. — 2° *Fam.* Personne dont l'entêtement manifeste un esprit borné ou de la sottise : *Quelle bourrique! impossible de le convaincre de son erreur!* — 3° *Faire tourner en bourrique,* exaspérer ou abrutir à force de taquiner, de contredire, etc. : *Cet enfant me fera tourner en bourrique : il est difficile et ne veut rien manger.* ◆ **bourricot** n. m. Petit âne.

bourru, e [bury] adj. Se dit d'une personne dont les manières sont habituellement brusques et dont l'humeur est chagrine : *Un homme bourru qui vit en solitaire, renfermé sur lui-même* (syn. : MISANTHROPE). *Sous des dehors bourrus, c'est un excellent homme* (syn. : RUDE; contr. : AFFABLE, DOUX). *Il se donne des airs bourrus pour cacher sa sensibilité* (contr. : DÉBONNAIRE).

1. bourse [burs] n. f. 1° Petit sac en peau, en tissu à mailles, etc., où l'on met les pièces de monnaie (mot devenu rare, en dehors des expressions; syn. usuel : PORTE-MONNAIE). — 2° *La bourse ou la vie!,* expression prêtée aux bandits qui menacent leurs victimes de les tuer si elles ne donnent pas leur argent. ‖ *Tenir les cordons de la bourse,* disposer de l'argent du ménage : *Elle tient avec avarice les cordons de la bourse, et son mari ne dispose que d'argent de poche.* ‖ *Sans bourse délier,* sans rien dépenser (syn. : GRATUITEMENT, GRATIS; pop. : À L'ŒIL). ‖ *Avoir la bourse bien garnie,* avoir beaucoup d'argent. ‖ *Ouvrir sa bourse à quelqu'un,* lui prêter de l'argent, l'aider financièrement. ‖ *Faire appel à la bourse de quelqu'un,* lui demander de l'argent.

2. bourse [burs] n. f. Pension accordée par l'Etat ou par une collectivité à un élève, à un étudiant : *Demander le relèvement des bourses. Le taux des bourses varie selon les ressources des parents.* ◆ **boursier, ère** n. et adj. : *Les boursiers de l'Etat. Un étudiant boursier.*

3. Bourse [burs] n. f. (s'écrit avec une majusc.). 1° Lieu où se font les opérations financières sur les valeurs mobilières, sur les marchandises, etc.; ces opérations elles-mêmes : *Titre coté en Bourse. La Bourse de Paris, de Marseille, de Nancy. Les Bourses de commerce. La baisse ou la hausse de la Bourse. Les cours de la Bourse sont établis chaque jour.* — 2° *Bourse du travail,* lieu de réunion des syndicats ouvriers. ◆ **boursier, ère** adj. : *Les transactions boursières sont animées aujourd'hui. Le marché boursier.* ◆ **boursicoter** v. intr. *Fam.* Se livrer à de petites opérations sur les valeurs négociées à la Bourse (syn. : ↑ SPÉCULER). ◆ **boursicotage** n. m. ◆ **boursicoteur, euse** n.

boursoufler [bursufle] v. tr. Gonfler en distendant les bords, les parois, etc. : *Les boutons et les pustules boursouflaient la peau* (syn. : ENFLER). *Avoir le visage boursouflé.* ◆ ***se boursoufler*** v. pr. Présenter par places des enflures, des cloques : *La peinture s'est boursouflée, puis s'est craquelée sur le plâtre encore humide.* ◆ **boursouflé, e** adj. D'une grandiloquence, d'une emphase ridicule : *Prononcer un discours boursouflé.* ◆ **boursouflage** n. m. ou **boursouflement** n. m. : *Le boursouflement de la peau était un symptôme inquiétant* (syn. : ENFLURE, GONFLEMENT). ◆ **boursouflure** n. f. : *Les boursouflures de son visage lui donnaient un faux air de bonne santé* (syn. : BOUFFISSURE). *Les boursouflures du style* (syn. : EMPHASE).

bousculer [buskyle] v. tr. 1° *Bousculer quelque chose, quelqu'un,* le pousser vivement en créant le désordre, en écartant, en renversant : *L'armée fut bousculée à Sedan et reflua en désordre* (syn. : CULBUTER). *L'enfant, en courant, le bouscula et lui fit perdre son équilibre* (syn. : HEURTER). *Il voulut revenir sur ses pas, mais il fut bousculé par la foule. Il a bousculé le vase en passant et l'a fait tomber. Elle bousculait tout le monde pour arriver au premier rang des badauds.* — 2° *Bousculer quelqu'un,* le presser, l'inciter par des reproches à aller plus vite : *Il est un peu paresseux et il faut le bousculer pour le faire travailler. Laissez-moi le temps, je n'aime pas être bousculé.* — 3° (sujet nom de personne) *Etre bousculé,* être sollicité par un grand nombre d'affaires diverses : *Je n'ai pas pu faire ce que vous m'avez demandé, car j'ai été très bousculé cette semaine* (syn. : OCCUPÉ, DÉBORDÉ). ◆ ***se bousculer*** v. pr. 1° Se pousser mutuellement : *Les enfants courent et se bousculent pour gagner plus vite la sortie du lycée.* — 2° *Fam.* Aller plus vite : *Bouscule-toi un peu, nous avons juste le temps d'aller à la gare.* ◆ **bousculade** n. f. 1° Poussée plus ou moins brutale, remous qui se produit dans un groupe de personnes : *Il fut pris dans la bousculade des gens qui se pressaient pour entrer les premiers dans le stade.* — 2° Hâte qui amène du désordre et de l'agitation : *Dans la bousculade du départ, nous avons oublié les raquettes de tennis* (syn. : PRÉCIPITATION). *La bousculade des derniers préparatifs* (syn. : REMUE-MÉNAGE).

bouse [buz] n. f. Fiente de bœuf, de vache (*bouse de vache*). ◆ **bouseux** n. m. *Péjor.* et *pop.* Paysan.

bousiller [buzije] v. tr. 1° Fam. *Bousiller quelque chose,* l'endommager gravement, le mettre hors d'usage, et même le détruire complètement : *Il a bousillé le moteur de la voiture. La gelée a bousillé tous les fruits cette année.* — 2° *Bousiller un travail,* l'exécuter très mal : *Il a bousillé sa composition de géographie* (syn. : ↓ BÂCLER). — 3° Fam. *Bousiller quelqu'un,* le tuer : *Il s'est fait bousiller sur la route par un camion.* ◆ **bousillage** n. m. : *Il est responsable du bousillage de sa voiture.* ◆ **bousilleur** n. m.

1. boussole [busɔl] n. f. Appareil constitué essentiellement d'une aiguille aimantée reposant sur un pivot, dont l'orientation permet de reconnaître la direction du nord.

2. boussole [busɔl] n. f. Fam. *Perdre la boussole,* s'affoler (syn. : PERDRE LA TÊTE). ◆ **déboussolé, e** adj. *Fam.* Se dit de quelqu'un qui ne sait plus très bien ce qu'il doit faire, qui est troublé au point de perdre la notion de la réalité (syn. : DÉCONCERTÉ, DÉCONTENANCÉ).

boustifaille [bustifaj] n. f. *Pop.* Nourriture : *Préparer la boustifaille.*

bout [bu] n. m. 1° Partie située à l'extrémité d'un corps ou d'un espace, considérés dans le sens de la longueur : *Repousser une pierre du bout du pied. Nous étions placés chacun à un bout de la table. Nouer le bout d'une ficelle. Couper le bout d'une planche* (syn. : EXTRÉMITÉ). *Un élève qui sait sa leçon sur le bout du doigt* (= parfaitement). *J'ai le mot sur le bout de la langue, sur le bout des lèvres* (= je le connais, mais j'en ai perdu la mémoire). *Le mot est resté au bout de sa plume* (= il a oublié d'écrire ce mot). *Il a de l'esprit jusqu'au bout des ongles* (= il est très spirituel). *Il a montré le bout de l'oreille par cette réflexion* (= il a dévoilé ses intentions). *On ne sait pas par quel bout le prendre* (= il est d'humeur difficile). *Il voit les choses par le petit bout de la lorgnette* (= par leur petit côté). *Tenir le bon bout* (= être en bonne situation). — 2° Limite visible d'un espace; fin d'une durée, d'une action : *Arriver au bout du chemin. Courez jusqu'au bout du champ. Nous voyons venir avec plaisir le bout de la semaine* (syn. : FIN). *Il voit le bout de ses peines. Il est arrivé au bout de sa vie. Ce n'est pas le bout du monde que d'apprendre cette leçon* (= cela n'est pas si difficile à faire). *Commençons par un bout et nous verrons bien comment continuer* (= entreprenons l'affaire et nous verrons la suite). *C'est trop difficile, nous n'en verrons jamais le bout* (= nous n'achèverons jamais). *Tu n'es pas arrivé au bout de tes peines* (= tu n'as pas fini avec les difficultés). *Allez jusqu'au bout, quelles que soient les difficultés.* — 3° Partie d'une chose, d'une étendue, d'une durée, d'une action (s'il n'y a pas de qualificatif, cette partie est petite) : *Manger un bout de pain. Passez-moi un bout de fil* (syn. : MORCEAU). *Dès que tu seras arrivé, écris-moi un bout de lettre* (= une petite lettre). *Allons faire un bout de promenade ensemble. Il est resté un bon bout de temps chez nous* (= longtemps). *Elle a du mal à joindre les deux bouts [de l'année] avec le seul salaire de son mari* (= assurer les dépenses). *C'est un petit bout d'homme très vif pour son âge* (= petit garçon). *Vous pouvez avoir confiance en lui, il en connaît un bout* (fam.) [= il est très compétent]. *J'ai mangé un bout en vous attendant* (pop.) [= un peu]. — 4° *Etre à bout,* être à la limite de ses forces, de sa résistance : *Ma patience est à bout, je vais me mettre en colère. Ce chemin est difficile, reposons-nous, je suis à bout;* suivi d'un compl. : *Tu es à bout de forces* (= très fatigué). ‖ *Pousser quelqu'un à bout,* le mettre en colère, lui faire perdre patience. ‖ *Venir à bout de quelque chose,* en voir la fin, l'achèvement, la complète réalisation : *Il est venu à bout de ses* *ressources personnelles* (= il a tout dépensé). *Je ne viendrai jamais à bout de tout ce que vous avez mis dans mon assiette* (= je ne le mangerai jamais). *Tu es venu à bout de ton projet.* ‖ *Venir à bout de quelqu'un,* vaincre sa résistance. • LOC. ADV. *Bout à bout,* les deux extrémités étant jointes l'une à l'autre : *Clouer deux planches bout à bout. Ajoutez bout à bout ces trois morceaux de corde.* ‖ *De bout en bout, d'un bout à l'autre,* du commencement à la fin : *D'un bout à l'autre du voyage, il n'a cessé de plaisanter. Le texte est plein de fautes de bout en bout.* ◆ **jusqu'au-boutisme** [ʒyskobutism] n. m. Attitude des partisans des solutions extrêmes, en particulier de la guerre, pour régler les différends. ◆ **jusqu'au-boutiste** n. m.

boutade [butad] n. f. Mot d'esprit, vif et original, qui va à l'encontre de l'opinion commune et qui est parfois très proche de la contre-vérité : *Il se tira de cette situation difficile par une boutade qui désarma quelque peu son adversaire* (syn. : PLAISANTERIE). *Ne prenez pas au sérieux ce qu'il dit, ce n'est qu'une boutade.*

boute-en-train [butɑ̃trɛ̃] n. m. invar. Personne dont la bonne humeur et le talent de conteur mettent en gaieté ceux avec lesquels elle se trouve : *On l'invite souvent, car c'est un boute-en-train extraordinaire qui anime les convives les plus moroses.*

boutefeu [butfø] n. m. Celui qui se plaît à provoquer des querelles ou à soutenir les solutions de violence, sans participer à la lutte : *Des stratèges de café, boutefeux éternels, prêts à sacrifier facilement la vie des autres* (syn. : ↓ AMUSEUR).

bouteille [butɛj] n. m. 1° Récipient en verre, allongé et à goulot étroit, destiné à contenir des liquides; le contenu de ce récipient : *Les bouteilles de vin sont fermées par un bouchon ou une capsule. Déboucher une bouteille. Boire une bonne bouteille. Commander une bouteille de bière. Il a trop aimé la bouteille* (= le vin). — 2° Récipient métallique de forme plus ou moin allongée : *Des bouteilles d'oxygène. Une bouteille de gaz butane.* — 3° *Avoir de la bouteille,* se dit d'un vin auquel le vieillissement a donné des qualités, se dit fam. d'une personne âgée qui a acquis de l'expérience : *Il n'est pas aussi jeune que tu le penses; il a déjà de la bouteille.* ‖ *C'est la bouteille à l'encre,* c'est une situation, une question si confuse, si embrouillée qu'elle est incompréhensible. ◆ **porte-bouteilles** n. m. invar. Châssis servant à soutenir des bouteilles couchées, ou sorte de hérisson métallique pour égoutter les bouteilles. ◆ **rince-bouteilles** n. m. invar. Tige métallique garnie de poils, pour rincer les bouteilles.

boutique [butik] n. f. 1° Local aménagé pour le commerce de détail : *La boutique du boulanger. Le commerçant ouvre, ferme sa boutique. Il tient boutique de parfumerie* (= fait le commerce de). *Il a ouvert une boutique sur les Boulevards, à Paris* (= il a installé un commerce). *Vendre son fonds de boutique* (= ensemble des articles, du mobilier, etc., qui forment l'essentiel du commerce). — 2° *Fam.* et *péjor.* Maison ou établissement quelconque : *En voilà une boutique : on vous reçoit comme un intrus!* ◆ **boutiquier, ère** n. Personne qui tient un petit commerce de détail (Le mot ne s'emploie plus que péjor.)

boutoir [butwar] n. m. *Coup de boutoir,* coup violent qui ébranle l'adversaire : *Les coups de boutoir des divisions soviétiques ébranlèrent en 1944 le front allemand de l'Est.* (Le *boutoir* est le groin du sanglier.)

1. bouton [butɔ̃] n. m. Pousse qui, sur une plante, donne naissance à une tige, à une fleur ou à une feuille : *Cueillir des boutons de fleurs qui s'épanouissent dans un vase.* ◆ **boutonner** v. intr. Produire des boutons : *Le rosier boutonne.*

2. bouton [butɔ̃] n. m. Petite pustule sur la peau : *Un visage couvert de boutons. La rougeole se signale par une éruption de petits boutons.* ◆ **boutonneux, euse** adj. Qui a des boutons sur la peau : *Le visage boutonneux d'un adolescent.* ◆ **boutonner** v. intr. Se couvrir de boutons : *Son visage commence à boutonner.*

3. bouton [butɔ̃] n. m. 1° Pièce généralement circulaire, plate ou bombée, de matière dure, que l'on fixe sur les vêtements pour en assurer la fermeture ou pour servir d'ornement : *Recoudre un bouton qui a été arraché. Des boutons ornent les manches des vestes. Des boutons de nacre ferment le chemisier. Les boutons de manchettes rapprochent les deux bords des poignets de chemise.* — 2° Pièce de forme sphérique ou cylindrique qui sert à ouvrir ou à fermer : *Tourner le bouton de la porte* (syn. : POIGNÉE). *Fermer le bouton du poste de radio.* ◆ **boutonner** v. tr. *Boutonner un vêtement,* le fermer par des boutons : *Boutonner sa veste. Il est boutonné jusqu'au menton dans sa tunique. Corsage qui se boutonne par-derrière.* ◆ **boutonnage** n. m. : *Apprendre à un enfant le boutonnage de ses vêtements.* ◆ **boutonnière** n. f. Petite fente faite à un vêtement pour y passer un bouton : *Refaire des boutonnières qui s'effrangent. Porter une fleur à sa boutonnière* (= à celle qui se trouve au revers du veston ou du tailleur). ◆ **déboutonner** v. tr. Ouvrir en défaisant les boutons (sens 1) : *Déboutonner son veston.* ◆ ***se déboutonner*** v. pr. 1° Défaire les boutons qui attachent ses habits. — 2° *Fam.* Dire tout ce que l'on pense : *Le vin l'a rendu expansif et il s'est déboutonné, nous confiant son amertume.* ◆ **reboutonner** v. tr.

bouture [butyr] n. f. Fragment détaché d'une plante et que l'on place dans un milieu où il peut prendre racine et se développer.

bovin, e [bɔvɛ̃, -in] adj. 1° Relatif au bœuf : *Espèce bovine* (= ensemble des bœufs, vaches, taureaux). *Elevage bovin.* — 2° *Un regard, un air bovins,* qui marquent la stupidité, la bêtise. (V. BŒUF.)

box [bɔks] n. m. 1° Au palais de justice, partie de la salle, séparée du reste, où se trouvent placés les accusés d'un procès : *Etre dans le box des accusés. Le président fit entrer le prévenu dans le box.* — 2° Dans un hôpital, partie d'une salle limitée par des cloisons et destinée à assurer l'isolement d'un malade : *Les box ont été installés dans les anciennes salles communes.* — 3° Dans une écurie, stalle où un cheval est logé sans être attaché : *Sortir un cheval de son box en le tenant par la bride.* — 4° Garage pour une automobile particulière, aménagé dans le sous-sol d'un immeuble ou sur un emplacement particulier : *Louer un box pour sa voiture.* (Au plur., on emploie assez souvent la forme anglaise *des* BOXES.)

boxe [bɔks] n. f. Sport où deux adversaires se battent aux poings, avec des gants, selon des règles déterminées : *Un combat de boxe poids moyen pour* *le titre de champion d'Europe, en quinze rounds.* ◆ **boxer** v. intr. et tr. 1° Pratiquer le sport de combat appelé « boxe »; affronter un adversaire selon les règles de ce sport : *Il boxe depuis trois ans comme professionnel. Il boxait durement du gauche son adversaire déjà très marqué.* — 2° Fam. *Boxer quelqu'un,* le frapper à coups de poings : *Il se précipita sur l'insolent et le boxa au visage. Ote-toi de là, ou je te boxe* (syn. pop. : TABASSER). ◆ **boxeur** n. m. : *Le manager attacha les gants du boxeur. Au coup de gong, les deux boxeurs se levèrent de leur tabouret.*

1. boyau [bwajo] n. m. (s'emploie le plus souvent au plur.). 1° Ensemble de l'intestin par où passent les aliments au sortir de l'estomac et avant d'être rejetés sous forme d'excréments (en parlant des personnes, il est de la langue familière; la langue soutenue emploie plutôt « intestin ») : *Les boyaux de porc sont utilisés dans l'alimentation. Il se plaignait de douleurs dans les boyaux.* — 2° Pop. *Se tordre les boyaux,* être pris d'un gros rire.

2. boyau [bwajo] n. m. Corde faite avec les intestins de quelques animaux (mouton, chat) et servant à monter des raquettes ou à garnir certains instruments de musique (violons).

3. boyau [bwajo] n. m. 1° Conduit de cuir, de toile, de caoutchouc, etc., et en particulier ensemble formé de la chambre à air et de l'enveloppe du pneu dans laquelle elle est placée : *Un coureur cycliste change de boyau après une crevaison; il perce ses boyaux sur les silex de la route.* — 2° Passage long et étroit, semblable à un conduit : *Un boyau de mine permettait au piqueur d'accéder à la zone d'abattage.*

boycotter [bɔjkɔte] v. tr. 1° (sujet nom désignant un groupe de personnes, une collectivité) *Boycotter quelqu'un, un pays,* éviter toute relation avec celui-ci en refusant en particulier de commercer avec lui, de faire pour lui certains travaux, etc. : *Les habitants du quartier boycottèrent le commerçant qui vendait trop cher.* — 2° *Boycotter une chose,* se refuser à l'acheter, ne pas en user : *Boycotter les produits étrangers.* ◆ **boycottage** n. m. : *Le boycottage des fabrications japonaises, dans l'entre-deux-guerres, entraîna une crise industrielle.*

boy-scout [bɔjskut] n. m. Syn. vieilli de SCOUT (souvent employé d'une manière ironiq., pour qualifier une personne dont les bons sentiments s'accompagnent d'une naïveté un peu sotte).

bracelet [braslɛ] n. m. Anneau servant d'ornement et encerclant le poignet ou le bras. ◆ **bracelet-montre** n. m. : *Les bracelets-montres permettent de porter la montre au poignet.*

braconner [brakɔne] v. tr. Chasser ou pêcher en contravention avec la loi (sans permis, avec des engins prohibés, dans des endroits réservés ou à un moment défendu) : *Braconner sur une réserve de gibier. Braconner la nuit avec des phares d'auto.* ◆ **braconnage** n. m. : *Le braconnage a dépeuplé la rivière.* ◆ **braconnier** n. m. : *Le garde-chasse a surpris un braconnier en train de déposer ses pièges.*

brader [brade] v. tr. Fam. *Brader une chose,* s'en débarrasser, la vendre à très bas prix : *Brader son ancien mobilier pour acheter des meubles modernes* (syn. : LIQUIDER). ◆ **braderie** n. f. Liquidation de marchandises à bas prix, par les commerçants d'une ville.

braguette [bragɛt] n. f. Ouverture sur le devant et en haut d'un pantalon ou d'une culotte d'homme.

brailler [brɑje] v. intr. et tr. (sujet nom de personne). Crier, pleurer d'une façon assourdissante; parler, chanter avec des éclats de voix : *Un enfant braillait dans l'appartement voisin. Un ivrogne qui braille une chanson* (syn. : HURLER). ◆ **braillard, e** adj. et n. : *Un marmot braillard. C'est un braillard que l'on n'entend plus quand il faut agir* (syn. pop. : GRANDE GUEULE).

braire [brɛr] v. intr. (conj. **79,** seulement à l'indic. prés. et à l'infin.). *Ane qui brait,* qui pousse des cris (se dit aussi *fam.* de cris humains ou de chants d'une intensité désagréable) : *Au bout du champ, un âne brait d'une façon pitoyable.* ◆ **braiment** n. m. : *Les braiments d'un âne.*

braise [brɛz] n. f. 1° Charbons ardents; charbons de bois éteints avant combustion complète et servant à allumer le feu : *Mettre de la braise dans un four. Faire griller de la viande sur la braise.* — 2° *Etre sur la braise,* attendre dans l'anxiété. ◆ **braisé, e** adj. Cuit doucement sans évaporation : *Viande braisée.*

bramer [brame] v. intr. (sujet nom désignant le daim ou le cerf). Pousser des cris.

1. brancard [brɑ̃kar] n. m. Chacune des tiges de bois ou de métal fixées à l'avant et à l'arrière des appareils destinés au transport des blessés ou des malades; la civière elle-même : *Deux infirmiers mirent le brancard dans l'ambulance. Une des victimes de l'accident était étendue sur un brancard.* ◆ **brancardier** n. m. Infirmier préposé au service des brancards pour les blessés (particulièrement en temps de guerre).

2. brancard [brɑ̃kar] n. m. Chacune des deux prolonges entre lesquelles on attelle un cheval.

branche [brɑ̃ʃ] n. f. 1° Ramification d'un arbre ou d'un arbuste : *Ramasser des branches mortes. Couper les branches d'un arbre. La racine étend ses branches profondément sous terre. Le singe sautait de branche en branche.* — 2° Chacune des divisions, des ramifications des vaisseaux du corps, des nerfs, d'un cours d'eau, d'un appareil, etc. : *Les branches d'une artère. Les diverses branches de l'égout se rejoignent dans le collecteur principal. Le chandelier à sept branches. Il a cassé les branches de ses lunettes* (= les tiges qui reposent sur les oreilles). *Les branches du compas, des ciseaux.* — 3° Partie d'un tout qui se diversifie et se ramifie : *Les diverses branches d'une famille issues d'une souche commune. La branche aînée des Bourbons. Les nombreuses branches de la science* (syn. : SPÉCIALITÉ). *Il y a plusieurs branches dans l'enseignement secondaire* (syn. : SECTION). — 4° Fam. *Etre comme l'oiseau sur la branche,* être dans une situation incertaine, instable. ‖ Pop. *Vieille branche,* terme d'affection s'adressant à un ami. ◆ **branchage** n. m. Ensemble des branches d'un arbre : *Le branchage touffu du tilleul. Ramasser des branchages* (= des branches coupées). ◆ **branchu, e** adj. Garni de branches : *Un arbre branchu.* ◆ **ébrancher** v. tr. *Ebrancher un arbre,* le dépouiller de ses branches.

brancher [brɑ̃ʃe] v. tr. 1° Mettre en communication les deux branches d'une conduite, d'une canalisation, d'un circuit, etc. : *Brancher le réseau électrique de la France sur celui de l'Italie pour la fourniture du courant.* — **2°** Mettre en relation avec une installation afin d'assurer le fonctionnement : *Brancher son appareil radio sur le courant électrique. Le poste est branché. Brancher un abonné du téléphone sur le réseau.* — **3°** *Fam.* (sujet nom de personne) *Etre branché,* comprendre : *Il n'est pas branché, répète ce que tu as dit.* ◆ **branchement** n. m. : *Le branchement du téléphone a été fait* (syn. : INSTALLATION). *Le branchement d'une voie principale est un circuit secondaire qui y aboutit.* ◆ **débrancher** v. tr. Supprimer une relation, une communication établie entre deux conduits, deux circuits, etc. : *Débrancher le poste de télévision. Débrancher le téléphone* (syn. : COUPER). ◆ **débranchement** n. m. (V. EMBRANCHER.)

branchies [brɑ̃ʃi] n. f. pl. Organes respiratoires de nombreux animaux aquatiques.

brandade [brɑ̃dad] n. f. Préparation de la morue avec de l'huile et de l'ail.

brandir [brɑ̃dir] v. tr. (sujet nom de personne). **1°** *Brandir un objet,* le lever au-dessus de soi en manifestant une intention agressive ou l'agiter en l'air afin d'attirer l'attention : *Il brandit son parapluie et se précipita sur moi dans l'intention évidente de m'en frapper. Les enfants brandissaient de petits drapeaux à son passage* (syn. : AGITER). *Il brandit la hache* (syn. : LEVER). — **2°** *Brandir une chose,* en faire une menace imminente, la présenter comme une arme contre quelqu'un : *Devant les objections, il brandit sa démission* (= il menaça de démissionner). *Il brandit devant moi la perspective du renvoi.*

brandon [brɑ̃dɔ̃] n. m. **1°** Débris enflammé d'une matière quelconque : *Jeter un brandon sur des chiffons imbibés d'essence.* — **2°** *Brandon de discorde,* personne ou chose qui trouble la tranquillité, qui est une cause de querelles, voire de combats.

branle-bas [brɑlbɑ] n. m. invar. **1°** Agitation désordonnée et confuse, qui se produit en général au milieu d'un grand bruit : *Dans le lycée, à cette heure, c'était le branle-bas du départ en vacances. Il met toute la maison en branle-bas parce qu'il a perdu ses boutons de manchettes.* — **2°** *Branle-bas de combat,* ensemble des préparatifs qui précèdent une attaque, un combat.

branler [brɑle] v. intr. **1°** Manquer d'équilibre, être animé d'un mouvement d'oscillation : *La chaise branle un peu, faites attention en vous asseyant* (syn. : OSCILLER). *L'enfant a une dent de lait qui branle, il va falloir l'arracher.* — **2°** *Branler dans le manche,* n'être pas solide : *L'affaire commence à branler dans le manche* (syn. : AVOIR DU PLOMB DANS L'AILE). ◆ v. tr. *Branler la tête,* la faire aller de haut en bas (syn. : HOCHER) : *Il branla la tête d'un air de doute; les arguments ne l'avaient pas convaincu.* ‖ Pop. *S'en branler,* s'en moquer. ◆ **branlant, e** adj. : *Les murs branlants d'une maison en ruine. L'escalier branlant qui monte au grenier. Un fauteuil branlant* (syn. : BANCAL). *Un ministère branlant* (contr. : SOLIDE). *Les institutions branlantes d'un régime politique* (syn. : INSTABLE). ◆ **branle** [brɑ̃l] n. m. **1°** Mouvement d'oscillation d'un corps (se dit presque uniquement d'une cloche). — **2°** *Mettre en branle, donner le branle à,* donner une impulsion à une masse, mettre quelqu'un en mouvement : *Il mit en branle tous les services pour que l'on procède à une enquête approfondie sur ces faits regrettables. Mettre en branle des forces dont on n'est plus maître ensuite. Cet assassinat donna le branle à une série de révolutions sanglantes.*

braque [brak] adj. *Fam.* Se dit d'une personne légèrement déséquilibrée, un peu folle ou extravagante : *Ne fais pas attention à ce qu'il dit, il est un peu braque* (syn. : DÉTRAQUÉ).

1. braquer [brake] v. tr. **1°** *Braquer un objet, quelque chose,* les diriger en visant un objectif : *Le policier braqua son pistolet en direction du bandit. Il braque ses jumelles sur le point de la côte qu'on lui désigne. Les canons furent braqués vers la colline.* — **2°** *Braquer les roues d'une voiture,* les faire obliquer afin de changer de direction. ‖ *Braquer les yeux sur quelqu'un,* fixer son regard sur lui : *Tous les regards étaient braqués sur lui* (= tout le monde le regardait). ◆ v. intr. Faire obliquer une voiture en modifiant la direction des roues; obliquer, en parlant de la voiture : *Braquez vers la droite, afin de vous ranger le long du trottoir. Cette voiture braque bien et elle est très maniable en ville.* ◆ **braquage** n. m. : *Le mauvais braquage des roues est un défaut de cette voiture.*

2. braquer [brake] v. tr. *Braquer quelqu'un,* provoquer chez lui une opposition résolue contre quelqu'un ou contre quelque chose (souvent au passif ou comme pron.) : *Vous l'avez braqué en insistant trop pour qu'il accepte tout de suite. Il est maintenant braqué contre moi et il me refusera tout ce que je demanderai* (= il est hostile, opposé). *Il s'est braqué contre le projet* (syn. : S'OPPOSER).

braquet [brakɛ] n. m. Rapport entre le pédalier et le pignon arrière d'une bicyclette : *Mettre un petit braquet pour monter une côte. Le coureur prend un grand braquet pour le sprint.*

bras [bra] n. m. **1°** Membre supérieur ou partie de celui-ci située entre le coude et l'épaule : *Il m'a retenu par le bras pour m'empêcher de tomber. Je m'appuyais sur son bras. Il lui prend le bras pour l'accompagner* (= il passe son bras sous le sien). *Ils marchèrent en se donnant le bras* (= en passant le bras de l'un sous le bras de l'autre). *Il lui offrit galamment le bras* (= lui présenta son bras pour qu'elle s'y appuie). *Aller bras dessus, bras dessous* (= en se donnant le bras, amicalement). *Les élèves restent les bras croisés* (= les bras repliés sur la poitrine, l'un au-dessus de l'autre). *Ne restez pas les bras croisés à ne rien faire* (= ne restez pas inactif). *Il se jeta dans ses bras pour l'embrasser. Il vit de ses bras* (= d'un travail manuel). — **2°** *Etre en bras de chemise,* n'avoir sur le buste que sa chemise (syn. : EN MANCHES DE CHEMISE). — **3°** Personne qui travaille ou qui lutte : *L'industrie du bâtiment manque de bras* (syn. : TRAVAILLEUR, OUVRIER). *Il est la tête et je suis le bras. C'est le bras droit du directeur* (= son aide principal, son agent d'exécution). — **4°** Objet, chose dont la forme rappelle celle d'un bras : *Le bras d'un levier. Un bras de mer. Une île enserrée entre les deux bras du fleuve.* — **5°** Ce qui sert de support latéral dans un siège : *Les bras d'un fauteuil* (syn. : ACCOUDOIR, ACCOTOIR). — **6°** Dans un certain nombre de loc., désigne l'aide, la force ou la production, la responsabilité : *Refuser son bras à une entreprise* (syn. : CONCOURS). *Il a le bras long, méfiez-vous* (= il a de l'influence, du crédit). *Cette course m'a coupé bras et jambes* (= m'a ôté toute force). *Voilà une nouvelle qui me coupe bras et jambes* (= qui me stupéfie). *J'en ai les bras rompus* (= je suis harassé de travail). *Baisser les bras* (= abandonner, renoncer). *Il est tombé dans les bras d'un escroc* (syn. : MAIN). *Il a sur les bras une très sale affaire* (= il lui est arrivé une affaire difficile). *Il avait une nombreuse famille sur les bras* (syn. : À CHARGE). *J'ai sur les bras cette visiteuse depuis deux heures* (= je ne peux pas me débarrasser d'elle). *Les bras m'en tombent* (= j'en suis stupéfait). *Il m'a ouvert ses bras et m'a redonné espoir* (= il m'a offert son aide, ou m'a pardonné). • LOC. ADV. ET ADJ. *A bras,* mû avec l'aide des bras (à l'exclusion de tout moyen mécanique) : *Une voiture à bras. Une presse à bras. La malle fut transportée à bras en bas de l'escalier.* ‖ *A force de bras,* sans autre aide que les bras. ‖ *A tour de bras,* avec force, avec abondance : *Travailler à tour de bras. Envoyer des lettres de réclamation à tour de bras.* ‖ *A bras raccourcis,* avec une grande violence. ‖ *A bras tendu,* en tenant avec la main, le bras étant étendu et écarté du corps : *Lever à bras tendu une barre de fonte.* ‖ *A bras ouverts,* avec une amitié expansive, cordialement : *Ils nous ont accueillis à bras ouverts dans leur propriété.* ‖ *A pleins bras,* en serrant dans ses bras : *Ramener des fleurs à pleins bras* (= des brassées de fleurs). ‖ *Travailler à pleins bras,* travailler beaucoup. ‖ *A bras-le-corps,* par le milieu du corps. ◆ **avant-bras** [avɑ̃bra] n. m. Partie du membre supérieur compris entre le poignet et le coude.

brasier [brazje] n. m. 1° Foyer où le combustible est totalement en feu : *L'incendie avait transformé l'usine en immense brasier. L'entrepôt fut transformé en brasier.* — 2° *Son corps est un brasier,* il est brûlant de fièvre. ◆ **brasero** n. m. Récipient métallique destiné au chauffage en plein air.

brassard [brasar] n. m. Ruban porté autour du bras comme signe distinctif : *Les services de santé militaires portent des brassards ayant une croix rouge sur fond blanc* (brassards de la Croix-Rouge). *Porter un brassard noir en signe de deuil.*

brasse [bras] n. f. Nage sur le ventre, pratiquée par des mouvements simultanés des bras et des jambes, que l'on écarte en faisant des demi-cercles (*brasse classique*) ou en jetant les bras en avant (*brasse papillon*) : *Nager la brasse. Le cent mètres brasse est une épreuve olympique.* ◆ **brasseur, euse** n.

brasser [brase] v. tr. 1° *Brasser quelque chose,* le mêler en remuant vigoureusement : *Le boulanger brasse la pâte dans le pétrin.* — 2° *Brasser de l'argent,* en posséder beaucoup et le faire servir à de nombreuses entreprises financières. ‖ *Brasser des affaires,* en traiter beaucoup en même temps. ◆ ***se brasser*** v. pr. Se mêler, se fondre en un tout : *Des peuples très différents se sont brassés sur les rives de la Méditerranée* (syn. : S'AMALGAMER). ◆ **brassage** n. m. : *Le brassage des populations en Amérique du Nord* (syn. : FUSION, AMALGAME). ◆ **brasseur** n. m. *Brasseur d'affaires,* désigne souvent péjor. celui qui dirige un nombre important d'affaires financières ou commerciales (syn. non péjor. : HOMME D'AFFAIRES).

brasserie [brasri] n. f. 1° Etablissement industriel où l'on fabrique de la bière : *Livrer de la brasserie la bière en tonneaux.* — 2° Commerce de boissons où l'on peut consommer des repas froids ou chauds, rapidement préparés : *Le même établissement réunit parfois un restaurant et une brasserie.* ◆ **brasseur** n. m. Industriel qui fabrique de la bière.

brasseur n. m. V. BRASSE, BRASSER, BRASSERIE.

1. brave [brav] adj. et n. m. 1° Placé avant le nom, comme adj. surtout épithète, se dit d'un être animé qui a des qualités de droiture, de loyauté, d'honnêteté (a le plus souvent une valeur affective) : *Une brave fille qui n'a pas eu de chance* (syn. : HONNÊTE). *Elle a épousé un brave garçon. Ce sont de braves gens, qui sont dévoués et sensibles. Il est bien brave, mais il ne faut pas lui demander d'avoir du génie.* — 2° Se dit parfois aussi d'une chose : *Notre brave vieille voiture nous rend encore bien des services.* — 3° *Mon brave homme, ma brave femme, mon brave,* interpellation familière et parfois condescendante à l'adresse d'inférieurs, de gens modestes.

2. brave [brav] adj. (placé après le nom) et n. m. Se dit d'un être animé (ou de son comportement) qui ne craint pas le danger, qui affronte le risque : *Un combattant brave et même intrépide* (syn. : VALEUREUX [langue soutenue], HARDI, HÉROÏQUE ; contr. : LÂCHE). *L'enfant prit un air brave et résolu pour aborder l'étranger* (syn. : CRÂNE ; contr. : POLTRON). *Elle s'est montrée très brave dans ce malheur* (syn. : COURAGEUX, VAILLANT ; contr. : PUSILLANIME). *Un brave que rien n'arrête* (syn. : AUDACIEUX ; contr. : PEUREUX). ◆ **bravement** adv. : *Il fait bravement son devoir* (syn. : VAILLAMMENT). *Il défend bravement son pays* (syn. : COURAGEUSEMENT, HARDIMENT). ◆ **bravache** adj. et n. m. Faux brave : *C'est un bravache, qu'un homme résolu fait fuir immédiatement* (syn. : FANFARON). ◆ **bravade** n. f. Acte ou parole par lesquels on montre un courage simulé ou insolent : *Par bravade, il tint un pari stupide* (syn. : DÉFI, FANFARONNADE). *Cette réponse insolente est de sa part une pure bravade* (syn. : DÉFI, PROVOCATION). ◆ **braver** v. tr. *Braver quelque chose, quelqu'un,* les affronter sans peur, souvent par défi : *Il n'hésita pas à braver son père. Braver le danger. Le journal brava la censure en publiant la nouvelle* (syn. : DÉFIER, PROVOQUER). *Au cours de cette expédition, ils ont bravé vingt fois la mort* (syn. : S'EXPOSER À). *Voilà une expression qui brave les convenances* (syn. : OFFENSER). *Il ne vieillit pas et brave les années* (= il n'en subit pas l'atteinte). ◆ **bravoure** n. f. 1° Qualité de celui qui est brave, courageux : *Sa bravoure a trouvé sa récompense dans la remise de cette décoration* (syn. : COURAGE). *Faire preuve de bravoure au cours d'un incendie* (contr. : LÂCHETÉ, COUARDISE). — 2° *Air, morceau, scène de bravoure,* passage d'une œuvre littéraire ou musicale particulièrement brillant et écrit pour attirer l'attention ou susciter l'enthousiasme.

bravo [bravo] n. m. Applaudissements, cris qui manifestent l'approbation : *Des bravos enthousiastes accueillirent l'acteur à la fin du spectacle. De la foule partirent quelques timides bravos.* ◆ **bravo!**, interj. utilisée pour manifester son approbation entière ou son enthousiasme : *Bravo! je t'approuve entièrement : tu as très bien exprimé l'avis général.*

brebis [brəbi] n. f. 1° Femelle du bélier : *Les brebis et les béliers appartiennent à l'espèce ovine* (les moutons). — 2° *Brebis galeuse,* personne qui pervertit ceux au milieu desquels elle se trouve : *C'est quelque brebis galeuse qui aura amené ces garçons à commettre le mauvais coup.*

brèche [brɛʃ] n. f. 1° Ouverture faite dans un mur, une clôture, etc., et par où l'on peut passer : *Les assaillants ouvrirent une brèche dans la muraille afin de pénétrer dans la ville. Colmater la brèche faite par l'armée ennemie. Les voleurs firent une brèche dans le plafond pour descendre dans la salle des coffres de la banque* (syn. : PASSAGE). — 2° *Battre en brèche quelqu'un ou quelque chose,* l'attaquer violemment et systématiquement (syn. : PORTER ATTEINTE). ‖ *Etre toujours sur la brèche,* avoir toujours une activité soutenue. ‖ *Mourir sur la brèche,* mourir en pleine activité. ◆ **ébrécher** [ebreʃe] v. tr. 1° *Ebrécher un objet,* l'endommager par une brèche, une ébréchure : *Il s'est coupé avec une lame de rasoir ébréchée. Un vieux couteau ébréché.* — 2° *Ebrécher sa fortune, sa réputation,* etc., la diminuer, l'amoindrir par ses actions : *Il a sérieusement ébréché l'héritage de son oncle* (syn. : ÉCORNER, ENTAMER). ◆ **ébréchure** n. f. Cassure faite au bord d'un objet : *Une assiette fêlée et pleine d'ébréchures.*

bréchet [breʃɛ] n. m. Crête osseuse médiane, portée par le sternum de certains oiseaux.

bredouille [brəduj] adj. Se dit d'un chasseur, d'un pêcheur qui n'a rien pris, de quelqu'un qui n'a pas réussi à obtenir ce qu'il cherchait : *Il est furieux, il n'a pas rencontré la plus petite perdrix et il revient bredouille.*

bredouiller [brəduje] v. intr. et tr. S'exprimer d'une manière précipitée et confuse ; ne pas articuler distinctement : *Le conférencier avait mêlé ses notes, il ne retrouvait plus la page et se mit à bredouiller d'une manière inintelligible. Il le bouscula dans l'escalier, bredouilla une excuse et descendit très rapidement* (syn. péjor. et fam. : BAFOUILLER). *Bredouiller quelques mots en guise de réponse* (syn. : BALBUTIER, MARMONNER). ◆ **bredouillement** n. m. : *Ses réponses n'étaient qu'un bredouillement.*

bref, brève [brɛf, brɛv] adj. 1° De courte durée (temps) ou, plus rarement, de peu de longueur (espace) : *Le délai qui s'est écoulé entre l'accident et l'arrivée des secours a été très bref* (syn. : COURT). *Une brève entrevue* (syn. : RAPIDE). *J'ai reçu de lui une lettre très brève m'annonçant son arrivée* (syn. : LACONIQUE ; contr. : LONG). *Son exposé a été bref mais précis* (syn. : CONCIS ; contr. : PROLIXE). *Soyez bref et précis* (contr. : BAVARD, VERBEUX). *Pour être bref* (= pour abréger). — 2° *D'un ton bref,* d'une voix tranchante, brutale. ‖ *Voyelle brève,* de peu de durée. ◆ **bref, en bref** adv. En un mot, en peu de mots : *Enfin, bref, il refuse* (syn. : EN RÉSUMÉ). *Bref, je ne suis pas disposé à vous suivre dans cette voie.* ◆ **brève** n. f. Voyelle qui a une durée très courte. ◆ **brièvement** [brijɛvmɑ̃] adv. En peu de mots, en peu de temps : *Racontez brièvement ce qui vous amène ici* (syn. : SUCCINCTEMENT ; contr. : LONGUEMENT). ◆ **brièveté** n. f. Courte durée, courte longueur : *La brièveté de son intervention à l'Assemblée nationale a surpris les députés* (syn. : LACONISME ; contr. : LONGUEUR). *La brièveté de notre séjour ne nous permet pas d'aller visiter le musée. La brièveté de la vie. La brièveté d'une lettre.*

breloque [brəlɔk] n. f. 1° Petit bijou que l'on attache à un bracelet ou à une chaîne de montre. — 2° *Battre la breloque,* se dit fam. de quelqu'un qui divague, ou d'une montre qui marche irrégulièrement (vieilli).

1. bretelle [brətɛl] n. f. Bande de cuir, d'étoffe, etc., que l'on passe sur l'épaule et qui, attachée à des objets, sert à les porter sans les tenir à la main : *Mettre l'arme à la bretelle* (= la suspendre à l'épaule au moyen de cette dernière). ◆ **bretelles** n. f. pl. Bandes de tissu élastique ou non portées par les hommes pour tenir leur pantalon ; bandes de tissu qui, chez les femmes, retiennent aux épaules les combinaisons, les soutiens-gorge.

2. bretelle [brətɛl] n. f. Bifurcation permettant de passer d'une route à une autre.

breuvage [brœvaʒ] n. m. Tout ce qui est préparé pour être bu (souvent avec un adj. péjor.) : *Le malade absorba avec des grimaces le breuvage amer que lui tendait l'infirmière* (syn. : POTION). *Ce café n'est pas assez fort, c'est un breuvage insipide* (syn. : BOISSON) ; non péjor., littér. : *Servir un breuvage mystérieux.*

brève n. f. V. BREF.

brevet [brəvɛ] n. m. 1° Diplôme, titre ou certificat délivré sous le contrôle de l'Etat et attestant certaines connaissances ou conférant certains droits : *Un élève de troisième (de 14 à 16 ans) d'un lycée ou d'un collège peut obtenir après examen le brevet d'études du premier cycle. Déposer un brevet d'invention pour s'assurer l'exploitation exclusive de cette dernière. Le brevet d'apprentissage est délivré par l'employeur à ses apprentis, à l'issue de leur stage.* — 2° *Délivrer à quelqu'un un brevet d'honnêteté, de droiture,* etc., témoigner de son honnêteté, de sa droiture, etc. ; en donner l'assurance. ◆ **breveté, e** adj. et n. m. Qui possède un brevet témoignant de certaines capacités : *Un technicien breveté* (syn. : QUALIFIÉ, DIPLÔMÉ). *Un officier breveté.* ◆ **breveter** v. tr. (conj. 8). *Breveter une invention,* la protéger au moyen d'un brevet.

bréviaire [brevjɛr] n. m. 1° Livre contenant les prières qui doivent être lues chaque jour par les ecclésiastiques : *Un prêtre assis dans le train en face de moi lisait son bréviaire.* — 2° Livre, auteur qui inspire la conduite et les réflexions de celui qui en fait sa lecture habituelle : *Il cite toujours Bergson dont, depuis sa jeunesse, il a fait son bréviaire* (syn. : LIVRE DE CHEVET).

bribe [brib] n. f. 1° Petit morceau, petite quantité : *Laisser dans son assiette quelques bribes de légumes.* — 2° (surtout au plur.) Eléments épars : *Il saisissait à travers la porte des bribes de la discussion* (syn. : FRAGMENT). *Il parvint à tirer de lui quelques bribes de phrases. Tu as appris par bribes et non d'une manière continue* (syn. : MORCEAU).

bric-à-brac [brikabrak] n. m. invar. Ensemble d'objets, de choses disparates, vieux et parfois en mauvais état : *Le bric-à-brac des marchés en plein air qui se tiennent à la limite de Paris. Sa collection de statuettes est en réalité un véritable bric-à-brac, où les pièces de valeur sont mêlées à des objets sans intérêt.*

bric et de broc (de) [dəbrikedbrɔk] loc. adv. Avec des morceaux pris de tous côtés, au hasard : *Il avait commencé sa collection de médailles en achetant un peu de bric et de broc, sans méthode. Construire une remise de bric et de broc avec des* *planches ramassées dans les chantiers de démolition. Des connaissances acquises de bric et de broc.*

bricoler [brikɔle] v. intr. *Fam.* S'occuper à des petits travaux sans importance ou de peu de durée; en particulier, s'occuper chez soi à de petites réparations ou à des travaux d'entretien d'ordre domestique : *Il n'a pas de travail fixe; il bricole pour l'un ou pour l'autre. Il passe ses dimanches à bricoler dans son appartement : il refait les peintures. Si tu sais bricoler, la pose de ces carreaux sera pour toi un jeu d'enfant.* ◆ v. tr. *Bricoler quelque chose,* l'arranger, le réparer, l'aménager d'une manière provisoire ou personnelle, sans avoir recours à un professionnel : *Il a bricolé son appareil de radio. Bricoler son moteur pour en augmenter la puissance.* ◆ **bricolage** n. m. : *Ce n'est pas du travail sérieux, c'est du bricolage.* ◆ **bricoleur, euse** n. et adj. : *Son mari est un bricoleur adroit; il a monté lui-même le garage de leur maison de campagne. Je suis un peu bricoleur et je vais essayer de vous arranger ce poste de radio.* ◆ **bricole** [brikɔl] n. f. *Fam.* Chose sans importance ou sans valeur; menu travail : *Ce sera pour lui une bricole que de vous réparer ce robinet* (syn. : BAGATELLE, BABIOLE).

bride [brid] n. f. 1° Pièce du harnais du cheval qui sert à le conduire : *La bride comprend, entre autres parties, le mors et les rênes.* — 2° *A bride abattue,* à une grande vitesse. ‖ *La bride sur le cou,* librement, sans contrainte : *Des enfants élevés la bride sur le cou.* ‖ *Lâcher la bride à ses passions, à son imagination,* etc., leur donner toute liberté. ‖ *Tenir en bride,* contenir, retenir : *Tenir en bride ses instincts les plus violents.* ‖ *Tourner bride,* rebrousser chemin rapidement.

brider [bride] v. tr. 1° (sujet nom désignant un vêtement) Serrer trop le corps ou les membres et gêner les mouvements : *Ce veston le bride dans le dos. Il est bridé dans son costume.* — 2° *Brider quelqu'un, sa conduite,* empêcher ou gêner son action en multipliant les contraintes : *Il est singulièrement bridé dans son ardeur par sa famille* (syn. : FREINER). *Brider l'enthousiasme d'un jeune homme* (syn. : REFRÉNER, CONTENIR). *Brider l'imagination de quelqu'un* (syn. : RÉPRIMER). — 3° *Yeux bridés,* yeux dont les paupières sont étirées en longueur : *Les Mongols ont les yeux bridés.* ◆ **débrider** v. tr. 1° Laisser entièrement libre de son action, affranchir de toute contrainte (surtout au part. passé) : *Il se laisse emporter par son imagination débridée* (syn. : EFFRÉNÉ). *Les instincts de violence une fois débridés, personne ne put contenir la foule* (syn. : DÉCHAÎNÉ). — 2° *Débrider une plaie, un abcès,* l'inciser afin de faciliter l'écoulement du pus.

1. bridge [bridʒ] n. m. Jeu de cartes qui se joue à quatre, deux contre deux, avec un jeu de 52 cartes : *Le bridge n'est généralement pas joué dans les mêmes milieux que la belote; celle-ci est très répandue dans les classes populaires.* ◆ **bridger** v. intr. : *Ils invitent des amis le mercredi soir et bridgent jusqu'à minuit.* ◆ **bridgeur, euse** n. : *C'est une bridgeuse acharnée, qui supporte très difficilement les fautes de son partenaire.*

2. bridge [bridʒ] n. m. Appareil dentaire fixe prenant appui sur deux dents saines.

brièvement adv., **brièveté** n. f. V. BREF.

brigade [brigad] n. f. 1° Unité militaire correspondant soit à un petit détachement (*brigade de gendarmerie, de police*), soit à plusieurs régiments (*brigade d'infanterie, de cavalerie*). — 2° Equipe d'ouvriers travaillant sous la surveillance d'un chef de travaux, ou groupe de personnes : *Brigade de cantonniers, de balayeurs. Toute une brigade de supporters avaient accompagné l'équipe de football.* ◆ **brigadier** n. m. V. GRADE. ◆ **embrigader** v. tr. *Embrigader quelqu'un,* le faire entrer par contrainte, par persuasion dans un parti, une association, ou simplement dans un groupe de personnes réunies en vue d'une action commune : *Il a été embrigadé pour coller des affiches électorales* (syn. : RECRUTER). ◆ ***s'embrigader*** v. pr. S'engager dans une organisation : *Il s'est embrigadé dans un nouveau parti.*

brigand [brigɑ̃] n. m. 1° Celui qui commet des vols à main armée (le mot, en ce sens, est remplacé par BANDIT OU GANGSTER, sauf dans les récits historiques) : *Des brigands attaquaient souvent les diligences. Une bande de brigands infestait la région. La caverne où les brigands entassaient leur butin.* — 2° Terme injurieux dont la valeur péjor. est souvent très atténuée : *Mon brigand de fils aura encore oublié son carnet de notes.* — 3° Fam. *Des histoires de brigands,* des récits où l'imagination tient plus de place que la réalité (syn. : DES HISTOIRES INVRAISEMBLABLES, EXTRAORDINAIRES). ◆ **brigandage** n. m. : *Des actes de brigandage se sont produits dans certaines régions isolées* (syn. : VOL). *Certaines conquêtes étaient de véritables brigandages* (syn. : EXACTION, PILLAGE).

briguer [brige] v. tr. 1° *Briguer un honneur, une faveur,* etc., les rechercher avec ardeur, avec empressement (langue soutenue) : *Il brigue l'honneur de vous connaître* (syn. : SOLLICITER). *Il brigue la faveur d'être reçu dans ce salon littéraire* (syn. : AMBITIONNER). — 2° *Briguer une place, un emploi,* chercher à l'obtenir en faisant acte de candidature : *Il brigue un poste de secrétaire au ministère des Travaux publics.* ◆ **brigue** [brig] n. f. Série de manœuvres secrètes, d'intrigues par lesquelles on cherche à triompher d'un concurrent (littér.) : *Obtenir par la brigue une décoration.*

briller [brije] v. intr. 1° (sujet nom de chose) Emettre de la lumière, un rayonnement lumineux, soit directement, soit par réflexion : *Le soleil brille de son plus vif éclat* (syn. : ↑ RESPLENDIR). *Une lumière brille dans l'obscurité* (syn. : LUIRE). *Les chaussures brillent* (syn. : RELUIRE). *Faire briller le parquet. Le lac brillait sous le soleil* (syn. : ÉTINCELER). — 2° *Yeux, visage,* etc., *qui brillent,* qui manifestent des sentiments vifs : *Ses yeux brillent de joie* (syn. : RAYONNER, S'ILLUMINER). *Ses yeux brillent de convoitise.* — 3° (sujet nom de personne ou d'action) Se manifester d'une manière éclatante par une qualité, par un trait caractéristique : *Il brille dans le monde par son talent de conteur* (syn. : ↑ ÉBLOUIR). *Le désir de briller* (syn. : PARAÎTRE). *Il a brillé à l'examen. Tu as brillé par ton absence à la réunion* (= ton absence n'est pas passée inaperçue). *Il fait briller ses avantages* (= il les étale). — 4° *Faire briller une chose à quelqu'un, aux yeux de quelqu'un,* la mettre en évidence pour susciter son intérêt, le séduire, etc. : *Il lui fit briller une vie facile si elle l'épousait* (syn. : FAIRE MIROITER, PROMETTRE). ◆ **brillant, e** adj. : *La surface brillante du lac* (syn. : RESPLENDISSANT). *Une brillante cérémonie* (syn. : SPLENDIDE). *Il a fait un brillant mariage* (syn. : RICHE). *Il a une situation* *brillants* (syn. : [illegible]). *Un brillant candidat* (= qui réussit très bien). *Un brillant causeur* (syn. : ↓ INTÉRESSANT). *Il a prononcé un discours brillant* (syn. : REMARQUABLE). *Vos résultats en classe ne sont pas brillants* (= ils sont médiocres). *Il n'a pas tenu ses brillantes promesses.* ◆ **brillant** n. m. 1° Diamant taillé à facettes : *Porter au doigt un magnifique brillant.* — 2° *Avoir, donner du brillant,* avoir, donner de l'éclat, du lustre : *Il a du brillant, mais rien de solide.* ◆ **brillamment** adv. : *Le salon est brillamment éclairé. Passer brillamment un concours* (= avec éclat). ◆ **brillantine** n. f. Huile parfumée destinée à rendre les cheveux souples et brillants.

brimbaler v. tr. et intr. V. BRINGUEBALER.

brimborion [brɛ̃bɔrjɔ̃] n. m. Chose de peu de valeur ou de peu d'importance (vieilli) : *Il faisait collection de toutes sortes d'objets, de cartes postales, de boîtes d'allumettes et de brimborions dont personne ne voulait* (syn. : BAGATELLE, BABIOLE).

brimer [brime] v. tr. *Brimer quelqu'un,* lui faire subir une série de vexations ou de contrariétés, lui susciter de continuelles et inutiles difficultés : *L'Administration semble se plaire à brimer le public en l'obligeant à fournir des bulletins de naissance inutiles. Ma part de gâteau est plus petite que la sienne : je suis brimé.* ◆ **brimade** n. f. : *Faire subir des brimades aux nouveaux élèves* (syn. : BAHUTAGE). *L'interdiction faite à certains employés d'entrer par la porte principale est une simple brimade* (syn. : VEXATION).

brin [brɛ̃] n. m. 1° Petite partie d'une chose fine et allongée (tige, paille, etc.) : *Acheter un brin de muguet le 1er mai. Une ficelle est formée de plusieurs brins. Mâchonner un brin d'herbe en se promenant à la campagne. Le chien s'est roulé par terre dans la grange et il a quelques brins de paille dans ses poils.* — 2° Fam. *Un brin de,* une quantité minime : *Prendre un brin de repos après un effort* (syn. : UN PEU). *Un brin de chaleur en plus ne serait pas de trop. Il n'y a pas un brin de vent. Il lui a fait un petit brin de cour* (syn. : UN DOIGT). *Un brin de folie.* ‖ *Un beau brin de fille,* une fille grande et bien faite.

brindille [brɛ̃dij] n. f. Petite branche assez mince et légère : *Allumer un feu en entassant des brindilles de bois.*

1. bringue [brɛ̃g] n. f. Pop. *Une grande bringue,* une femme de haute taille, peu jolie.

2. bringue [brɛ̃g] n. f. Pop. *Faire la bringue,* faire la noce, se livrer à la débauche.

bringuebaler, brinquebaler [brɛ̃gbale] ou **brimbaler** [brɛ̃bale] v. tr. Transporter en balançant, en secouant : *L'enfant bringuebalait jusqu'à la fontaine le seau trop grand pour lui.* ◆ v. intr. Etre animé d'un mouvement de va-et-vient : *On voit les têtes des voyageurs brimbaler à tous les cahots de la voiture.*

brio [brijo] n. m. Vivacité brillante qui se manifeste par l'entrain ou par l'esprit : *L'équipe a joué avec brio et l'a emporté avec facilité* (syn. : ↑ ÉCLAT, PANACHE). *Le candidat répondit avec brio à toutes les questions* (syn. : BRILLANT, ↓ AISANCE).

1. brioche [brijɔʃ] n. f. 1° Petit pain à pâte légère faite avec de la farine, du beurre et des œufs, et qui a la forme d'une boule surmontée elle-même d'une autre petite boule. — 2° Pop. Gros ventre : *Il commence à avoir de la brioche.* ◆ **brioché, e** adj. *Pain brioché,* qui a le goût de la brioche.

2. brioche [brijɔʃ] n. f. Fam. *Faire une brioche,* commettre une maladresse, faire une faute (syn. fam. : GAFFE, BÉVUE ; pop. : BOULETTE).

brique [brik] n. f. 1° Matériau de forme rectangulaire, fabriqué avec de l'argile cuite ou non, pour suppléer la pierre naturelle dans la construction : *Brique creuse, brique pleine. Une maison de brique. Les cheminées en brique des usines.* — 2° *Pop.* Un million (d'anciens francs) : *Il a payé son appartement cinq briques.* — 3° Pop. *Bouffer des briques,* n'avoir rien à manger. ◆ n. m. et adj. invar. Couleur de brique, rougeâtre : *Il a un teint de brique. Une tenture brique.*

briquer [brike] v. tr. Nettoyer en frottant vigoureusement : *Les marins briquent le pont chaque matin. La femme de ménage brique le parquet avec un soin particulier* (syn. fam. : ASTIQUER ; ↓ FROTTER, plus usuel).

briquet [brikɛ] n. m. Petit appareil qui donne du feu et sert à allumer un réchaud, une cigarette, etc. : *Le briquet a, en général, un petit réservoir d'essence ou de gaz.*

bris n. m., **brisant** n. m. V. BRISER 1.

brise [briz] n. f. Vent léger et frais (considéré comme agréable) : *Il souffle une petite brise matinale. La brise du large pousse doucement le bateau vers la côte.*

brisées [brize] n. f. pl. *Aller, marcher sur les brisées de quelqu'un,* tenter de le supplanter dans un domaine qui est le sien, entrer en concurrence avec lui dans un domaine où il a un droit de priorité.

1. briser [brize] v. tr. 1° *Briser un objet,* le mettre en pièces brusquement, par choc, pression ou traction (langue soignée) : *Briser une vitre d'un coup de coude* (syn. usuel : CASSER). *Briser une chaîne.* — 2° *Briser quelque chose* (terme abstrait), lui causer un dommage majeur : *Briser la carrière d'un adversaire politique* (syn. : DÉTRUIRE). *Détail qui brise l'unité d'un tableau.* — 3° *Briser des chaussures,* les assouplir quand elles sont neuves. ‖ *Ligne brisée,* ligne composée de segments de droites qui se coupent. ◆ ***se briser*** v. pr. 1° (sujet nom de chose) Etre mis en pièces : *La vitrine se brisa sous le choc. La chaîne s'est brisée.* — 2° (sujet nom d'objet) Se diviser : *Les grosses vagues se brisent contre les rochers.* ◆ v. intr. : *Les vagues brisent* (= elles déferlent en rencontrant un obstacle). ◆ **bris** [bri] n. m. Rupture faite avec violence (terme jurid.) : *Bris de clôture, de glace, de scellés.* ◆ **brisant** n. m. Rocher sur lequel la mer déferle. ◆ **brise-glace** n. m. invar. Navire construit pour briser la glace qui obstrue un chenal, un port, etc. ◆ **brisure** n. f. Syn. de CASSURE.

2. briser [brize] v. tr. 1° *Briser quelqu'un, quelque chose,* les faire céder, en venir à bout : *Briser la résistance de l'ennemi* (syn. : VAINCRE, SURMONTER, TRIOMPHER DE). *Briser des menées factieuses. Briser la volonté d'un enfant rebelle* ou, simplement, *briser un rebelle. Cette nouvelle brisa tout son courage. Tant d'émotions l'ont brisé. Etre brisé de fatigue* (syn. : ÉPUISER, ↑ ANÉANTIR). — 2° *Briser quelque chose,* le faire cesser subitement, y mettre un terme : *Une querelle qui brise une vieille amitié* (syn. : RUINER). *Briser un entretien* (syn. : ROMPRE). — 3° *Briser le cœur,* causer une profonde affliction, jeter dans l'abattement. ‖ *Briser une grève,* la faire échouer en refusant de s'y associer ou en contraignant par acte d'autorité les grévistes à reprendre le travail. ◆ v. intr. *Briser avec quelqu'un,* cesser d'entretenir des relations avec lui. ‖ *Brisons là,* mettons fin à notre discussion. ◆ **se briser** v. pr. : *Tous les efforts se sont brisés sur cette difficulté* (syn. : ÉCHOUER). ◆ **brisement** n. m. *Brisement de cœur,* douleur vive (littér.). ◆ **briseur** n. m. *Briseur de grève,* celui qui travaille dans une entreprise alors que les autres ouvriers sont en grève (syn. fam. : JAUNE); celui qui brise une grève par un acte d'autorité.

britannique [britanik] adj. et n. De Grande-Bretagne : *Les intérêts britanniques dans le monde. L'Empire britannique. Un Britannique a remporté le 800 mètres au championnat d'Europe* (syn. : ANGLAIS).

1. broc [bro] n. m. Récipient en métal ou en matière plastique, muni d'une anse et d'un bec évasé, et utilisé pour transporter de l'eau ou d'autres liquides : *Dans les hôtels qui n'ont pas l'eau courante, on met dans la chambre plusieurs brocs d'eau pour la toilette.*

2. broc (de bric et de) loc. adv. V. BRIC ET DE BROC (*de*).

brocanteur, euse [brokɑ̃tœr, -øz] n. Personne qui fait commerce des objets d'occasion : *Le brocanteur achète souvent de vieux meubles à la campagne, et les revend ensuite aux citadins. Acheter chez le brocanteur une armoire normande.* ◆ **brocante** n. f. *Fam.* 1° Commerce du brocanteur. — 2° Objets hétéroclites vendus par le brocanteur.

brocard [brɔkar] n. m. Raillerie répétée à l'adresse de quelqu'un (littér.) : *Son étourderie l'expose aux brocards de tous ses amis* (syn. : MOQUERIE). ◆ **brocarder** v. tr. : *Il se fait brocarder par ses collègues* (syn. : RAILLER, MOQUER).

broche [brɔʃ] n. f. 1° Ustensile de cuisine, formé d'une tige de fer que l'on passe à travers une volaille ou un quartier de viande pour les rôtir, en les faisant tourner au-dessus du feu ou devant le feu : *Mettre un poulet à la broche. Faire cuire un mouton à la broche.* — 2° Bijou muni d'une grosse épingle pour attacher un col, fixer un châle, ou servir de garniture : *Mettre sur sa robe une broche de diamant.* ◆ **brochette** n. f. 1° Petite broche (aux sens 1 et 2) : *On met sur des brochettes de petits poissons pour les faire cuire. Une brochette de décorations sur la poitrine.* — 2° Ce qui est sur la brochette : *Servir une brochette de rognons.* — 3° *Une brochette de,* un groupe de : *Il y avait une belle brochette de notabilités ventrues et épanouies au premier rang de l'assistance.*

1. brocher [brɔʃe] v. tr. *Brocher un livre,* plier, assembler, coudre et couvrir les feuilles imprimées qui forment un volume. ◆ **brochage** n. m. : *Le brochage d'un livre.* ◆ **brocheur, euse** n. ◆ **brochure** n. f. 1° Petit ouvrage broché et non relié, formé de feuilles imprimées : *Distribuer des brochures de propagande* (syn. : TRACT). *Editer des brochures sur les diverses carrières qui s'ouvrent aux bacheliers* (syn. : OPUSCULE). — 2° Syn. de BROCHAGE.

2. brocher [brɔʃe] v. tr. *Brochant sur le tout,* se dit, par ironie, de ce qui vient en surcroît, comme couronnement : *Il a eu les pires ennuis : une panne de voiture, la pluie, un enfant qui se fait une entorse et, brochant sur le tout, son portefeuille volé.*

brochet [brɔʃɛ] n. m. Poisson d'eau douce allongé, dont la bouche est très dentée et qui est connu pour sa voracité.

brochette n. f. V. BROCHE.

brochure n. f. V. BROCHER 1.

brodequin [brɔdkɛ̃] n. m. Grosse chaussure très solide, qui monte au-dessus de la cheville et qui est lacée sur le cou-de-pied : *La distribution des brodequins militaires aux jeunes recrues. Chausser des brodequins pour aller à la chasse.*

1. broder [brɔde] v. tr. Orner une étoffe de motifs en relief, exécutés à l'aiguille ou à la machine : *Broder un napperon. Nappe brodée. Broder des initiales sur un mouchoir.* ◆ **brodeur, euse** n. ◆ **broderie** n. f. : *Faire de la broderie. Les délicates broderies d'une dentelle.*

2. broder [brɔde] v. tr. *Fam.* Donner plus d'ampleur à un récit en y ajoutant des épisodes fantaisistes (souvent intr.) : *Il a brodé une histoire invraisemblable pour expliquer sa méprise* (syn. : ↑ INVENTER). *Cela ne s'est pas passé exactement comme tu le dis, tu brodes un peu* (syn. : EXAGÉRER, EMBELLIR).

broiement n. m. V. BROYER.

bronche [brɔ̃ʃ] n. f. Chacun des conduits par lesquels l'air va de la trachée aux poumons : *Il a les bronches fragiles et prend froid facilement.* ◆ **bronchite** n. f. Inflammation des bronches : *Attraper une bronchite au début de l'hiver. Elle a une bronchite chronique qui lui rend difficile son métier de professeur.* ◆ **broncho-pneumonie** [brɔ̃ko-] n. f. Inflammation grave des bronches et des poumons.

broncher [brɔ̃ʃe] v. intr. (sujet nom de personne). 1° (surtout avec des expressions négatives) Manifester ses sentiments par des paroles ou par des gestes : *Personne n'ose broncher dans la classe quand il fait son cours* (syn. : BOUGER). *Il obéit sans broncher* (syn. : MURMURER). *Le premier qui bronche sera exclu de la salle.* — 2° Hésiter, se tromper : *Réciter sa leçon sans broncher une fois* (syn. : SE REPRENDRE). [Le sens de « faire un faux pas en marchant » (syn. : TRÉBUCHER) a vieilli.]

bronzage n. m. V. BRONZER.

bronze [brɔ̃z] n. m. 1° Métal fait d'un alliage de cuivre et d'étain, et qui, connu dès l'Antiquité, a servi à faire des statues, des canons, etc. : *Une pendulette en bronze ornait la cheminée. Aux Invalides, à Paris, on peut voir des canons en bronze de l'époque napoléonienne.* — 2° Statue faite de ce métal : *Dans la vaste antichambre ministérielle, deux bronzes étaient disposés devant la fenêtre.*

bronzer [brɔ̃ze] v. tr. Donner une couleur brune, comparable à celle du bronze (se dit en général du teint et souvent au passif) : *Le soleil de la Côte d'Azur a bronzé son visage* (syn. : BRUNIR). *Le teint bronzé par le vent du large* (syn. : HÂLER). ◆ v. intr. Devenir brun : *Il a bronzé pendant son séjour à la montagne.* ◆ **bronzé, e** adj. : *Avoir la peau bronzée après un mois de vacances à la mer.* ◆ **bronzage** n. m. : *Le bronzage de la peau.*

brosse [brɔs] n. f. **1°** Ustensile formé de filaments de matières diverses, ajustés ensemble et fixés sur une monture, et qui est destiné à nettoyer (l'usage est précisé par le compl. du nom) : *Une brosse à dents. Une brosse à habits, à cheveux. Donne un coup de brosse à ton veston.* — **2°** *Cheveux en brosse* (ou simplem. *brosse*), coupés courts, droits et raides. ‖ *Passer la brosse à reluire,* faire de quelqu'un un éloge excessif et intéressé. ◆ **brosser** v. tr. Nettoyer avec une brosse : *Brosser les chaussures. Se brosser les dents.* ◆ **brossage** n. m. : *Le brossage du parquet.*

1. brosser v. tr. V. BROSSE.

2. brosser [brɔse] v. tr. *Brosser un tableau,* faire une description à larges traits : *Le ministre brossa un tableau catastrophique de la situation financière* (syn. : DÉPEINDRE).

3. brosser (se) [səbrɔse] v. pr. *Fam.* Etre privé de quelque chose sur lequel on comptait : *Tu peux te brosser, tu n'auras plus un sou de moi.*

brouette [bruɛt] n. f. **1°** Petite caisse munie d'une roue et de deux brancards, et servant au transport de matériaux : *Transporter du sable dans une brouette. Une brouette de jardinier.* — **2°** Fam. *Marcher comme une brouette,* avec une grande lenteur. ◆ **brouettée** n. f. Contenu d'une brouette : *On déposera quelques brouettées de terre pour faire un massif de fleurs.* ◆ **brouetter** v. tr. Transporter avec une brouette : *Brouetter du gravier pour le répandre dans les allées du jardin.*

brouhaha [bruaa] n. m. Bruit prolongé et confus, provoqué par des personnes ou par des choses : *Le discours du député suscita quelques réactions défavorables, et un certain brouhaha s'ensuivit. Lorsqu'il se leva, le brouhaha des conversations cessa* (syn. : ↓ MURMURE).

brouillard [brujar] n. m. **1°** Amas de gouttelettes d'eau en suspension dans l'air et formant une sorte de nuage près du sol : *On signale ce matin un épais brouillard sur les routes* (syn. : ↓ BRUME). *Le départ des avions n'a pas eu lieu à cause du brouillard.* — **2°** Fam. *Etre dans le brouillard,* ne pas voir clairement ce dont il s'agit; être un peu ivre. ◆ **brouillasser** v. impers. *Il brouillasse,* il tombe une pluie fine, semblable à du brouillard : *Il brouillasse un peu aujourd'hui; les trottoirs sont humides.*

1. brouiller [bruje] v. tr. *Brouiller quelque chose,* le mettre en désordre, en troubler l'ordre, le fonctionnement, la clarté, la pureté : *Vous avez brouillé tous mes dossiers* (syn. : BOULEVERSER). *Les émissions de la radio sont brouillées par les parasites* (= rendues inaudibles). *Il s'est efforcé de brouiller les pistes pour qu'on ne le retrouve pas* (syn. : MÊLER). *La serrure est brouillée, on ne peut plus ouvrir le placard* (syn. : DÉTRAQUER). *Il s'est efforcé de brouiller les cartes* (= rendre la situation compliquée en mettant la confusion). *Toutes vos explications ne font que brouiller nos idées* (syn. : EMBROUILLER). *Il a le teint un peu brouillé* (syn. : ALTÉRER). *Des œufs brouillés* (= mêlés après avoir été agités). ◆ ***se brouiller*** v. pr. **1°** Etre mêlé, en désordre; devenir trouble, confus : *Les ficelles se sont brouillées* (syn. : S'EMMÊLER). *Ma vue se brouille* (= je ne vois plus clair). *Les souvenirs se brouillent dans ma tête.* — **2°** *Le temps se brouille,* il se gâte, le ciel se couvre de nuages : *Hier, il a fait chaud et orageux, et aujourd'hui le temps s'est brouillé* (syn. : SE DÉTRAQUER, SE COUVRIR, SE GÂTER). ◆ **brouillage** n. m. : *Le brouillage d'une émission radiophonique* (= action de la rendre inaudible par des bruits). ◆ **brouillon, onne** [brujɔ̃, -ɔn] adj. et n. Qui crée le désordre : *Il est de caractère brouillon et il ne sait pas organiser son emploi du temps* (syn. : DÉSORDONNÉ). *Un brouillon qui s'agite et parle sans cesse, mais qui ne fait rien. Il a l'esprit trop brouillon pour pouvoir diriger un service* (syn. : CONFUS; contr. : MÉTHODIQUE, CLAIR).

2. brouiller [bruje] v. tr. **1°** *Brouiller des personnes,* les mettre en désaccord, créer entre elles la désunion : *Cet incident a brouillé les deux amis* (syn. : SÉPARER, DÉSUNIR; contr. : RÉCONCILIER). — **2°** Fam. *Etre brouillé avec quelqu'un,* se trouver en désaccord avec lui : *Il est brouillé avec ses cousins pour une affaire d'argent. Je suis brouillé avec les chiffres* (= je calcule très mal). — **3°** *Etre brouillé avec une chose,* ne pas avoir d'aptitude pour elle : *Tu es brouillé avec l'orthographe* (= tu fais de nombreuses fautes d'orthographe). ◆ ***se brouiller*** v. pr. Se trouver en désaccord : *Ils se sont brouillés pour une babiole* (syn. : SE FÂCHER). *Il s'est brouillé avec la justice* (= il a commis un délit). ◆ **brouille** [bruj] n. f. Désaccord dont les causes sont peu importantes : *La brouille entre les deux familles devint de l'hostilité, puis de la haine* (syn. : DÉSUNION). *Mettre la brouille entre deux frères* (syn. : MÉSENTENTE, ZIZANIE). *Etre en brouille avec ses parents* (syn. : FROID, DÉSACCORD; contr. : ACCORD, UNION). ◆ **brouillerie** n. f. Petit désaccord : *Leur brouillerie ne fut que passagère* (syn. fam. : BISBILLE).

1. brouillon [brujɔ̃] n. m. Premier état d'un écrit, que l'on corrige en le raturant, en le surchargeant, etc., et qui est destiné à être recopié : *Il a fait plusieurs brouillons de la lettre qu'il lui a envoyée. Mettre au net le brouillon d'un exposé. Le cahier de brouillon d'un élève. Il rédige toujours sans faire de brouillon.*

2. brouillon, onne adj. V. BROUILLER 1.

broussaille [brusɑj] n. f. **1°** Touffe, fourré de plantes épineuses ou de ronces, dans les bois (surtout au plur.) : *Se frayer un chemin à travers les broussailles. Se piquer à des broussailles. Le gibier se cache dans la broussaille.* — **2°** *Cheveux, barbe en broussaille,* en désordre, mal peignés. ◆ **broussailleux, euse** adj. **1°** *Un jardin abandonné, broussailleux,* envahi par l'herbe. — **2°** *Sourcils, barbe, cheveux broussailleux,* épais et en désordre. ◆ **débroussailler** v. tr. **1°** *Débroussailler un chemin dans un bois.* — **2°** *Débroussailler un texte,* en donner une première explication pour le débarrasser des plus grosses difficultés. (V. EMBROUSSAILLER.)

brousse [brus] n. f. **1°** Etendue couverte de buissons épars et de petits arbres, qui est la végétation habituelle des régions tropicales sèches. — **2°** *Fam.* Toute campagne isolée, toute région à l'écart d'un centre important : *En juillet, il est allé se perdre dans sa brousse, quelque part dans le centre de la France.*

1. brouter [brute] v. tr. et intr. (sujet nom désignant certains animaux herbivores). Manger de l'herbe, de jeunes pousses ou des feuilles en les arrachant sur la plante : *Les chèvres broutent dans les rochers. Les vaches broutaient l'herbe de la prairie en contrebas de la route.*

2. brouter [brute] v. intr. (sujet nom désignant un mécanisme). Fonctionner par à-coups : *Par suite de l'usure, l'embrayage d'une voiture peut brouter.*

broutille [brutij] n. f. Chose de peu d'importance, de peu de valeur; chose insignifiante : *J'ai relevé dans le livre quelques fautes d'impression, mais ce sont des broutilles. Il est incapable d'un travail approfondi; il ne se plaît qu'à des broutilles. Acheter quelques broutilles chez un marchand d'occasions* (syn. : BABIOLE).

broyer [brwaje] v. tr. 1° *Broyer une chose,* la réduire en petits morceaux ou l'écraser par choc ou par pression : *Le blé est broyé entre les meules. Broyer du sucre dans un mélangeur. Broyer des couleurs* (syn. : PULVÉRISER). *L'avalanche de pierres broya les premières maisons du village. Se faire broyer la main dans un engrenage.* — 2° *Broyer un groupe de personnes, une personne,* les détruire complètement, leur enlever toute possibilité de résister : *Les chars ont enfoncé la première ligne et broyé les réserves qui arrivaient en renfort. Je suis broyé de fatigue* (syn. : HARASSÉ, BRISÉ). — 3° Fam. *Broyer du noir,* avoir des idées sombres, être pessimiste. ◆ **broyage** ou **broiement** [brwamɑ̃] n. m. : *Le broyage des pierres dans un concasseur.* ◆ **broyeur** n. m. Machine qui broie.

brrr! interj. Exprime une sensation de froid ou un sentiment de peur : *Brrr! le thermomètre est tombé à —10 degrés ce matin. Brrr! la voiture nous a frôlés, j'ai eu vraiment peur.*

bru [bry] n. f. Par rapport au père et à la mère, femme du fils (syn. plus usuel : BELLE-FILLE). [V. PARENTÉ.]

bruine [brɥin] n. f. Petite pluie fine et serrée, qui tombe par gouttes imperceptibles : *Ce matin, une bruine légère tombait sur la ville. En octobre, sur la campagne bretonne, la bruine forme un brouillard épais.* ◆ **bruiner** v. impers. : *Il bruine légèrement.* ◆ **bruineux, euse** adj. : *On prend facilement un rhume par un temps bruineux.*

bruissement [brɥismɑ̃] n. m. Bruit confus, fait de multiples bruits légers (littér.) : *Le bruissement du vent dans les feuilles des arbres* (syn. : MURMURE). *Le bruissement de l'eau entre les rochers. Le bruissement d'une robe du soir* (syn. : FROUFROU). *Le bruissement des abeilles dans une ruche* (syn. : BOURDONNEMENT). ◆ **bruire** [brɥir] v. intr. (ne s'emploie guère qu'à l'infin. et à l'imparf.; sujet nom de chose). Faire entendre un bruissement (littér.) : *Le vent bruissait dans les feuilles.*

1. bruit [brɥi] n. m. Ensemble de sons sans harmonie, produits par des vibrations plus ou moins irrégulières : *On entend au loin le bruit de l'orage, du tonnerre* (syn. : GRONDEMENT). *Ecouter les bruits du cœur* (syn. : BATTEMENT). *Le bruit sourd des explosions. Un bruit de voix. Le bruit de leur discussion arrivait jusqu'à moi. Les enfants font un bruit infernal dans la pièce voisine* (syn. : VACARME). *Il fait trop de bruit* (syn. : TAPAGE). *Le train passa dans un bruit d'enfer* (= dans un grand bruit). *Le bruit strident d'un sifflet.* ◆ **bruiter** v. intr. Produire des bruits artificiels à la radio, à la télévision, au théâtre, au cours du tournage d'un film, pour accompagner l'action. ◆ **bruitage** n. m. : *Des disques spéciaux pour le bruitage.* ◆ **bruiteur** n. m. Spécialiste du bruitage.

2. bruit [brɥi] n. m. Nouvelle répandue dans le public; retentissement qu'elle peut avoir : *Le bruit de votre succès est arrivé jusqu'à moi* (syn. : RENOMMÉE). *On a fait grand bruit, fait du bruit, beaucoup de bruit, autour de cette découverte* (= cette découverte a connu une grande publicité). *On a répandu de faux bruits sur sa réputation. Il n'est bruit dans la région que de l'installation prochaine d'une grande usine d'automobiles* (= on ne parle que de cela). *Il a disparu sans bruit de la scène politique. Il travaille sans bruit* (= discrètement). *Les bruits de couloir à l'Assemblée nationale* (= les nouvelles que l'on donne lors des séances). *Démentir les bruits de la maladie du président.* ◆ **ébruiter** [ebrɥite] v. tr. *Ebruiter une nouvelle,* la répandre dans le public : *Le scandale a été ébruité* (syn. : DIVULGUER). *On a ébruité l'affaire. Il a ébruité l'histoire de leur liaison.* ◆ **s'ébruiter** v. pr. (sujet nom de chose). Devenir connu : *Les décisions prises au conseil se sont ébruitées* (syn. : SE RÉPANDRE, TRANSPIRER, SE SAVOIR).

brûlant, e adj., **brûlé** n. m. V. BRÛLER.

brûle-pourpoint (à) [abrylpurpwɛ̃] loc. adv. *Poser une question à brûle-pourpoint, demander, dire, interroger à brûle-pourpoint,* de façon brusque, sans préparation ni ménagement.

brûler [bryle] v. tr. 1° *Brûler quelque chose, quelqu'un,* les détruire, les anéantir, les endommager par le feu : *J'ai brûlé des papiers dans la cheminée* (syn. : CONSUMER). *Le feu a brûlé entièrement la meule de blé. La maison a été brûlée* (syn. : INCENDIER). *Deux personnes ont été brûlées vives dans l'incendie de l'hôtel* (syn. : CARBONISER). — 2° *Brûler une chose,* l'altérer par l'action du feu, de la chaleur, du froid, d'un acide, etc. : *Elle a brûlé le rôti* (syn. : ↑ CALCINER). *En repassant, elle a brûlé le col de la chemise. Il a la peau brûlée par le soleil. On brûle le café vert* (syn. : TORRÉFIER). *Les bourgeons ont été brûlés par le gel de cette nuit.* — 3° *Brûler quelqu'un,* lui causer une sensation de forte chaleur, de dessèchement, de douleur cuisante : *La réverbération du soleil me brûle les yeux. L'estomac le brûle.* — 4° *Brûler un combustible,* l'utiliser comme source d'énergie pour le chauffage, l'éclairage, etc. : *Nous avons brûlé deux tonnes de charbon cet hiver. On a brûlé beaucoup d'électricité à cause des grands froids* (syn. : CONSOMMER). — 5° *Brûler quelqu'un,* provoquer chez lui une excitation, une douleur vive, des sentiments violents : *Il est brûlé du désir de la revoir* (syn. : ENFLAMMER). *La soif de l'aventure le brûlait* (syn. : DÉVORER). — 6° *Brûler un obstacle, une limite fixée,* etc., les franchir rapidement : *Il a brûlé les étapes* (= il a eu une carrière rapide). *La voiture a brûlé le feu rouge* (= ne s'est pas arrêtée au feu rouge). *Le train a brûlé le signal* (syn. fam. : GRILLER). — 7° Fam. *Etre brûlé,* se dit de celui qui, appartenant à une bande ou à une association clandestine, a été démasqué par la police et est devenu, de ce fait, dangereux pour les autres membres. ‖ *Tête brûlée,* aventurier qui aime le seul risque. ◆ v. intr. Etre détruit, anéanti, altéré, etc. (auxiliaire *avoir*) : *La forêt a brûlé entièrement* (syn. : SE CONSUMER). *Un grand feu de bois brûle dans la cheminée* (syn. : FLAMBER). *Les lentilles ont brûlé. La gorge me brûle* (syn. : CUIRE). *La lampe brûle encore dans son bureau* (= est allumée). *Il brûle d'impatience de la revoir. Tu brûles de parler* (syn. :

DÉSIRER). *Les pieds lui brûlent* (= il veut partir). *Il brûle pour elle* (littér. = il est très amoureux). *Le torchon brûle entre eux* (= ils sont en désaccord). *Tu y es presque, tu brûles!* (= tu es près de découvrir ce que tu cherches). ◆ ***se brûler*** v. pr. 1° Subir les effets du feu, d'une chaleur violente; s'altérer : *Elle s'est brûlé les doigts avec de l'eau bouillante. Il se brûle les yeux à force de lire* (syn. : SE FATIGUER).— 2° *Se brûler la cervelle,* se tuer d'une balle dans la tête. ◆ **brûlant, e** adj. : *Boire du café brûlant* (= très chaud). *Il a le front brûlant, les mains brûlantes, il doit avoir la fièvre. Il jetait sur elle des regards brûlants* (syn. : ARDENT, PASSIONNÉ). *Il a écrit des pages brûlantes sur son amour* (syn. : ENFLAMMÉ). *C'est un terrain brûlant, un sujet brûlant* (= où la discussion est dangereuse, risquée). ◆ **brûlé** n. m. 1° Ce qui a subi l'action du feu : *On sent une odeur de brûlé dans l'appartement.* — 2° Fam. *Ça sent le brûlé,* l'affaire prend une tournure dangereuse. ◆ **brûleur** n. m. Appareil où se produit la combustion du gaz, de l'alcool, du mazout. ◆ **brûlot** n. m. Journal qui se livre à de violentes critiques. ◆ **brûlure** n. f. Effet, marque du feu, d'une grande chaleur, sur la peau, sur une partie du corps, sur un corps quelconque; sensation ainsi provoquée : *Se faire une brûlure à la main. Son pantalon porte la trace de brûlures. Il a des brûlures d'estomac tous les matins.*

brume [brym] n. f. 1° Amas de gouttelettes en suspension dans l'air, qui forme un écran plus ou moins opaque au voisinage du sol ou de la surface des eaux : *Une brume légère flotte sur la rivière* (syn. : ↑ BROUILLARD). *Des barres de brume rendaient la navigation dangereuse.* — 2° (au plur.) Choses vagues et obscures (littér.) : *Il rêve à des constructions utopiques; il est perdu dans les brumes.* ◆ **brumeux, euse** adj. 1° Couvert de brume, chargé de brumes : *Le temps est brumeux ce matin; on ne distingue pas les arbres au fond du jardin. Le ciel est légèrement brumeux.* — 2° *Esprit brumeux,* qui manque de clarté et de cohérence dans les idées. ◆ **brumaire** n. m. V. CALENDRIER, *Calendrier républicain.*

brun, e [brœ̃, bryn] adj. D'une couleur foncée, intermédiaire entre le jaune et le noir : *La bière brune est plus alcoolisée que la bière blonde. Avoir le teint brun.* ◆ adj. et n. Qui a les cheveux de couleur foncée : *Une femme brune* (distinct du *châtain,* du *blond,* du *roux,* etc.). *C'est une petite brune aux yeux noirs.* ◆ **brun** n. m. Cette couleur elle-même (peut être suivi d'un adj. qui précise la teinte dominante) : *Un brun foncé, un brun rouge.* ◆ **brunâtre** adj. Qui tire sur le brun : *La terre de l'Ombrie est brunâtre.* ◆ **brunette** n. f. Jeune femme brune. ◆ **brunir** [brynir] v. tr. Rendre brun (souvent au passif) : *Le soleil de la Méditerranée l'avait fortement bruni. Il est revenu bien bruni de ses vacances* (syn. : BRONZÉ). ◆ v. intr. et ***se brunir*** v. pr. Devenir brun : *Elle cherche à brunir en restant de longues heures sur la plage* (syn. : BRONZER). ◆ **brunissement** n. m. : *Le brunissement de la peau.*

1. brusque [brysk] adj. (presque toujours après le nom). Se dit d'une personne (ou de sa conduite) qui va droit au fait, en agissant avec soudaineté et souvent avec violence : *C'est un homme humain, mais brusque dans ses manières* (syn. : BOURRU, CASSANT, RAIDE). *Il répondit d'un ton brusque que tout ceci l'ennuyait* (syn. : SEC; contr. : DOUX). *Il a des gestes trop brusques, il ne faut pas lui confier cette réparation délicate* (syn. : BRUTAL, NERVEUX). ◆ **brusquer** v. tr. *Brusquer quelqu'un,* le traiter sans ménagement, en s'efforçant de le faire aller plus vite : *Ne le brusque pas, il commence seulement à apprendre.* ◆ **brusquerie** n. f. Caractère de celui qui est brusque; action brusque : *Il traite tout le monde avec brusquerie* (syn. : RUDESSE). *C'est la brusquerie de son geste qui est la cause de sa maladresse.*

2. brusque [brysk] adj. Se dit d'une chose qui arrive d'une manière soudaine, imprévue : *Son départ a été très brusque; il n'a prévenu personne* (syn. : SUBIT, INOPINÉ). *Le changement brusque de la situation* (syn. : INATTENDU, IMPRÉVU, ↑ BRUTAL). *L'arrêt brusque du cœur. J'ai eu une brusque envie de dormir.* ◆ **brusquement** adv. : *La voiture s'arrêta trop brusquement au feu rouge* (syn. :↑ BRUTALEMENT; contr. : DOUCEMENT). ◆ **brusquer** v. tr. *Brusquer une chose,* en accélérer le cours, en hâter la fin : *Cette démission brusqua le dénouement de la crise* (syn. : PRÉCIPITER; contr. : RETARDER). *Notre voyage a été brusqué* (syn. : HÂTÉ). *Une attaque brusquée* (= soudaine). *Il a brusqué sa décision pour nous empêcher d'intervenir.*

1. brut, e [bryt] adj. 1° Se dit d'une chose qui n'a pas été traitée, façonnée, qui n'a pas subi de préparation spéciale : *Le pétrole brut est amené dans les raffineries. Les diamants bruts sont taillés avant de servir en bijouterie. Le sucre brut n'est pas raffiné. Servir du champagne brut* (= très sec, non sucré). *La laine brute a la couleur beige.* — 2° *Péjor.* Se dit de ce qui est resté à l'état naturel sans avoir subi les effets de la civilisation (limité à quelques express.) : *User sans pitié de la force brute* (syn. : BRUTAL). *C'est une bête brute, qui se livre aux pires instincts de destruction.*

2. brut, e [bryt] adj. Dont on n'a pas déduit certains frais, certaines taxes; dont on n'a pas retranché le poids de l'emballage : *Le traitement brut, amputé des diverses cotisations, donne le traitement net effectivement perçu. Le bénéfice brut se compte sans déduction des frais.* ◆ adv. : *Ces deux colis pèsent brut quinze kilos* (contr. : NET).

1. brutal, e, aux [brytal, -to] adj. et n. Se dit d'une personne (ou de son attitude) qui se comporte d'une manière grossière et violente : *Un homme brutal, qui n'est accessible à aucun sentiment de pitié* (syn. : DUR, MÉCHANT; contr. : DOUX, HUMAIN). *Faire preuve d'une franchise brutale. La force brutale* (syn. : MATÉRIEL). *Une discussion brutale qui dégénère en rixe* (syn. : ↓ VIF). ◆ **brutalement** adv. : *Je vous parle brutalement, mais c'est pour votre bien* (syn. : DUREMENT). ◆ **brutaliser** v. tr. *Brutaliser quelqu'un,* le traiter d'une manière violente, sauvage : *Le prisonnier se plaint d'avoir été brutalisé par ses gardiens* (syn. : MALTRAITER, FRAPPER). ◆ **brutalité** n. f. : *S'exprimer avec brutalité* (syn. : ↑ FÉROCITÉ; ↓ RUDESSE, FRANCHISE). *Condamner les brutalités de la police* (syn. : VIOLENCE).

2. brutal, e, aux [brytal, -to] adj. Se dit d'une chose, d'un événement soudains, inattendus : *La mort brutale d'un ami. La réalité brutale d'une séparation définitive. La perte de ses biens fut pour lui un coup brutal* (syn. : RUDE). ◆ **brutalement** adv. : *Une pluie d'orage tomba brutalement sur la foule* (syn. : ↓ BRUSQUEMENT, VIOLEMMENT;

contr. : DOUCEMENT). ◆ **brutalité** n. f. : *La brutalité de l'événement a surpris tout le monde* (syn. : BRUSQUERIE).

brute [bryt] n. f. Homme qui se laisse aller à ses instincts cruels et grossiers, sans être retenu ni par la raison ni par le sentiment : *Il frappe comme une brute. Une grande brute martyrisait cet enfant. C'est une brute épaisse, incapable de rien comprendre.*

bruyant, e [brɥijɑ̃, -ɑ̃t] adj. 1° Se dit d'une personne (ou de sa conduite) ou de choses qui font beaucoup de bruit : *Il y a des enfants très bruyants qui ne cessent de courir dans l'appartement* (syn. : TURBULENT). *Il manifeste une joie bruyante devant le succès de son équipe favorite* (syn. : ↑ EXUBÉRANT). — 2° Se dit d'un lieu où il y a beaucoup de bruit : *Ils habitent au premier étage sur une rue bruyante* (syn. : TUMULTUEUX). ◆ **bruyamment** adv. : *Se moucher bruyamment* (syn. : AVEC BRUIT).

bruyère [bryjɛr] n. f. Plante à petites fleurs violettes ou roses, qui pousse sur les sols siliceux (comme sur la lande bretonne).

buanderie [byɑ̃dri] n. f. Lieu où se fait la lessive dans une ferme, un établissement collectif, un lycée, etc.

buccal, e, aux [bykal, -ko] adj. De la bouche (sert d'adj. à *bouche* dans la langue techn. ou scientif.) : *Prendre un médicament par voie buccale* (= par la bouche).

1. bûche [byʃ] n. f. 1° Gros morceau de bois coupé pour être mis au feu : *Mettre des bûches dans la cheminée.* — 2° *Bûche de Noël,* pâtisserie en forme de bûche, que l'on vend à l'occasion de Noël. ◆ **bûcheron** n. m. Celui qui est employé à l'abattage du bois en forêt.

2. bûche [byʃ] n. f. *Fam.* Chute lourde : *J'ai glissé sur la marche de l'escalier : quelle bûche! Il a ramassé, il a pris une bûche* (= il est tombé).

bûcher [byʃe] n. m. Amas de bois, de matières combustibles sur lequel on brûlait les personnes condamnées au feu : *Hérétique condamné au bûcher;* où l'on brûle des objets inutiles ou jugés dangereux : *Les manifestants firent un bûcher de toutes les brochures de propagande du régime déchu.*

bûcher [byʃe] v. tr. et intr. *Fam.* (sujet nom de personne). Travailler, étudier avec ardeur et sans relâche : *Son examen est proche, il bûche sérieusement son programme de physique* (syn. : ↓ TRAVAILLER, APPRENDRE). *Il a bûché toutes les grandes vacances pour rattraper son retard.* ◆ **bûcheur, euse** n. et adj. : *C'est une bûcheuse, toujours première de sa classe* (syn. fam. : PIOCHEUR).

budget [bydʒɛ] n. m. Ensemble, prévu annuellement, des dépenses et des recettes de l'Etat, d'une collectivité, d'un service public ou d'une entreprise; ensemble mensuel ou annuel constitué par les revenus et les dépenses d'une famille ou d'un particulier : *L'Assemblée nationale a voté le budget. Le budget est en équilibre quand les dépenses sont égales aux recettes. Le budget du département de la Seine. Il a établi son budget. Le budget familial. Boucler son budget* (= établir un équilibre entre ses dépenses et ses revenus). ◆ **budgétaire** adj. : *Les prévisions budgétaires comptent sur un important accroissement des recettes. Les dépenses budgétaires du ministère de l'Education nationale sont en augmentation.* ◆ **budgétiser** v. tr. Introduire dans le budget. ◆ **budgétisation** n. f. ◆ **budgétivore** n. m. *Fam.* et *péjor.* Celui qui émarge au budget de l'Etat; fonctionnaire.

buée [bye] n. f. Dépôt de fines gouttelettes qui se forme sur une surface par condensation : *Essuie la buée du pare-brise avec un chiffon. La buée coulait le long des murs de la salle de bains* (syn. : CONDENSATION). *On voyait le jour se lever à travers les vitres couvertes d'une buée légère.*

1. buffet [byfɛ] n. m. 1° Meuble de la salle à manger ou de la cuisine, destiné à contenir la vaisselle, le linge et le service de table : *Ranger les couteaux et les fourchettes dans le tiroir du buffet. Un buffet de bois blanc.* — 2° Pop. *Danser devant le buffet,* ne rien avoir à manger. ‖ Pop. *Ne rien avoir dans le buffet,* être à jeun, avoir le ventre vide.

2. buffet [byfɛ] n. m. 1° Table où sont disposés les mets, les pâtisseries, les boissons destinés aux personnes invitées à une réception : *Les invités se pressaient devant le buffet. Passer au buffet après les discours officiels. Le buffet était particulièrement bien garni.* — 2° *Buffet de la gare,* ou simplement *buffet,* restaurant installé dans les gares à l'usage des voyageurs : *Manger au buffet.*

buffle [byfl] n. m. Grand ruminant de la même famille que le bœuf, et qui vit en Asie, en Afrique et dans l'Europe méridionale.

buis [bɥi] n. m. Arbrisseau dont le bois jaune, très dur, est utilisé pour faire des ouvrages d'ébénisterie, des cannes, des pièces de jeux d'échecs, etc.

buisson [bɥisɔ̃] n. m. Bouquet d'arbustes bas, rameux et parfois épineux : *De place en place, le long des allées, il y avait des buissons de roses et d'acacias.* ◆ **buissonneux, euse** adj. Couvert de buissons : *Terrain buissonneux, qu'il est difficile de traverser.*

buissonnière [bɥisɔnjɛr] adj. f. *Faire l'école buissonnière,* en parlant de jeunes écoliers, de lycéens, aller jouer au lieu de se rendre à l'école (se dit parfois ironiq. d'un adulte qui abandonne son travail pour flâner) : *Au mois de juin, certains écoliers faisaient l'école buissonnière et passaient l'après-midi près de la rivière.*

bulbe [bylb] n. m. 1° Organe végétal formé par un bourgeon souterrain : *Bulbe de l'oignon, de la jacinthe.* — 2° *Bulbe rachidien* ou simplem. *bulbe,* partie inférieure de l'encéphale des vertébrés, située au-dessus de la moelle épinière. ◆ **bulbaire** adj.

bulldozer [byldozɛr ou buldozœr] n. m. Engin à chenilles très puissant, qui nivelle et déblaie les terrains au moyen d'une large lame placée à l'avant.

1. bulle [byl] n. f. Petite poche remplie d'air, de vapeur ou de gaz, qui se forme dans un liquide que l'on agite, qui provient de l'effervescence de matières en décomposition, ou globule formé d'une pellicule de liquide remplie d'air, qui reste en suspension dans l'atmosphère : *Une petite pompe laissait échapper dans l'aquarium quelques bulles d'air. L'enfant soufflait dans une paille et s'amusait à faire de grosses bulles de savon.*

2. bulle [byl] n. f. Décret du pape, scellé de plomb, que l'on désigne en général par les premiers mots du texte : *La bulle « Unigenitus ». Lancer une bulle d'excommunication.*

bulletin [byltɛ̃] n. m. Nom donné à tout écrit ou imprimé de caractère officiel et destiné, sous une forme généralement succincte, à constater une situation sociale, à faire part d'une décision administrative ou judiciaire, à faire connaître publiquement l'avis d'autorités quelconques, à exprimer un vote, etc. (suivi d'un compl. du nom sans art. ou d'un adj.) : *Les médecins ont publié un bulletin de santé rassurant sur l'état de leur illustre malade. Mettre son bulletin de vote dans l'urne* (= papier sur lequel est inscrit le nom du candidat pour qui l'on vote). *Demander à la mairie un bulletin de naissance* (= qui atteste la date, le lieu de naissance, le nom des parents). *Le bulletin de bagages atteste l'enregistrement des bagages. Le bulletin trimestriel de l'élève comporte un relevé de ses notes. Le bulletin météorologique contient les prévision du temps pour le lendemain;* sans compl., désigne souvent le bulletin de vote : *On a trouvé dix bulletins blancs ou nuls dans l'urne.* (Quelques revues scientifiques ou journaux politiques portent dans leur titre le nom de *bulletin.*)

bungalow [bœ̃galo] n. m. Petite maison en rez-de-chaussée, très simple et généralement en bois, qui est installée à la campagne ou au bord de la mer pour un séjour provisoire : *De petits bungalows avaient été construits sur la colline qui descendait vers la mer. On loue des bungalows pour les vacances.*

buraliste [byralist] n. Employé préposé à un bureau de poste pour effectuer des paiements, distribuer des timbres, etc.; commerçant qui tient un bureau de tabac (vente de timbres, de tabac et d'allumettes) : *Demander à la buraliste dix timbres à trente centimes.*

bure [byr] n. f. *Etoffe, manteau de bure,* étoffe, manteau faits de grosse laine de coloration brune.

1. bureau [byro] n. m. 1° Table, munie ou non de tiroirs, dont on se sert pour écrire : *Un élégant bureau en acajou. Le dossier est sur votre bureau. Il s'installe à son bureau pour lire le manuscrit. Ranger ses papiers dans son bureau.* — 2° Pièce où est installée cette table, et qui est spécialement destinée au travail intellectuel ou à la réception des visiteurs : *Votre père est dans son bureau, ne le dérangez pas en faisant du bruit. L'avocat reçoit ses clients dans son bureau. Des rangées de livres ornent les murs de son bureau.* — 3° Mobilier de cette pièce (table, bibliothèque, etc.) : *Il a acheté un bureau Empire* (= de style Empire).

2. bureau [byro] n. m. 1° Etablissement public où sont installés des services administratifs, commerciaux ou industriels (souvent au plur.) : *Etre convoqué au bureau de la Préfecture. Les bureaux de la société sont installés sur les Grands Boulevards. La fermeture des bureaux s'effectue à 18 heures. Se rendre au bureau de poste* (= à la poste). *Le bureau de tabac vient d'être approvisionné* (= lieu où l'on vend du tabac). *Bureau de vote* (= lieu indiqué pour déposer son vote). — 2° Caisse d'un théâtre : *Les spectateurs font la queue devant le bureau du théâtre* (syn. : GUICHET). *La représentation aura lieu à bureaux fermés* (= réservée aux invités et à ceux qui ont loué leur place). — 3° Ensemble des employés ou des fonctionnaires qui travaillent dans une administration, dans les services commerciaux, etc. : *La lenteur des bureaux est un obstacle souvent décisif. Son dossier passe de bureau en bureau.* — 4° Membres d'une assemblée, d'une association, élus pour diriger les travaux : *Le bureau de l'Assemblée nationale comporte un président, des vice-présidents, des secrétaires, etc. La réunion du bureau aura lieu à 5 heures ce soir.* ◆ **bureaucratie** [byrokrasi] n. f. Ensemble des administrations publiques, considérées comme ayant une influence néfaste sur la conduite des affaires; ensemble des fonctionnaires qui appartiennent à une administration (le plus souvent péjor.) : *La bureaucratie développée exagérément multiplie les intermédiaires, supprime le sens de la responsabilité; elle paralyse toutes les initiatives. Se heurter dans ses demandes à une bureaucratie tatillonne.* ◆ **bureaucrate** n. m. Fonctionnaire d'une administration animé d'un esprit de routine ou qui se prévaut d'une autorité excessive. ◆ **bureaucratique** adj. : *Un régime bureaucratique.* (V. aussi BURALISTE.)

burette [byrɛt] n. f. Petit flacon à goulot rétréci, où l'on met l'huile ou le vinaigre nécessaires pour le repas, ou l'eau et le vin utilisés pour la messe : *L'huilier comporte deux burettes.*

burin [byrɛ̃] n. m. Ciseau d'acier trempé, pour couper ou graver les métaux.

buriné, e [byrine] adj. *Visage buriné,* marqué par les épreuves, par l'âge.

burlesque [byrlɛsk] adj. D'une extravagance comique : *Il s'est prêté à une farce burlesque* (syn. : BOUFFON). *Il n'a que des idées burlesques, irréalisables, inattendues* (syn. : RIDICULE; fam. : FARFELU). *Quel est cet accoutrement burlesque?* (syn. : GROTESQUE).

burnous [byrnu ou byrnus] n. m. 1° Grand manteau de laine, à capuchon et sans manches, que l'on porte dans les pays musulmans et que la mode a adopté parfois en France, en particulier comme vêtement de nourrisson, pourvu d'une petite capuche : *L'enfant était couché dans sa voiture, enveloppé tout entier dans un burnous blanc et rose.* — 2° Pop. *Faire suer le burnous,* exploiter sans ménagement des gens d'une condition sociale inférieure, afin d'en tirer le maximum de profit.

bus [bys] n. m. V. AUTOBUS.

1. buse [byz] n. f. 1° Rapace diurne, commun en France. — 2° Homme ou femme stupide : *Une buse qui rit sottement, toujours à contretemps* (syn. : ÂNE, CRUCHE).

2. buse [byz] n. f. Nom de diverses sortes de conduits ou de tuyaux.

business [biznɛs] n. m. *Pop.* Travail, occupation, métier (le mot vieillit).

busqué, e [byske] adj. *Nez busqué,* qui présente une courbure convexe accentuée (syn. : NEZ AQUILIN).

buste [byst] n. m. 1° Partie supérieure du corps humain, de la tête à la ceinture : *Il redressa le buste pour passer devant les huissiers du ministère* (syn. : TORSE). *Il rejeta le buste en arrière devant cette remarque imprévue* (= il eut un haut-le-corps). *La robe décolletée dégageait son buste magnifique* (syn. : GORGE). — 2° Reproduction sculptée de la tête, des épaules et de la poitrine de quelqu'un : *Un buste en plâtre de Napoléon trônait sur la cheminée.*

1. but [by ou byt] n. m. 1° Terme, limite que l'on s'efforce d'atteindre : *Un petit bois à deux kilomètres de la maison était le but de notre promenade. En arrivant au sommet de la montagne, l'expédition avait atteint son but. Courir au but.* — 2° Point où l'on vise : *Viser un but éloigné avec un fusil* (syn. : CIBLE). *La balle passa à côté du but* (syn. : OBJECTIF). — 3° Ce à quoi l'on veut parvenir : *Ne cherchons pas à atteindre deux buts à la fois. Son but était seulement d'attirer l'attention sur lui* (syn. : INTENTION, DESSEIN). *Nous sommes encore loin du but. Le but de notre entreprise ne peut être atteint sans d'importants moyens financiers* (syn. : OBJECTIF). *Il a atteint maintenant le but qu'il s'était fixé* (= il a réussi). *Il n'a aucun but dans la vie. N'hésitez pas, allez droit au but* (= attaquez directement, sans détour). *Le but qu'il poursuivait était hors de sa portée. Poursuivez votre but jusqu'à complète réussite* (= cherchez à réaliser votre dessein). *Dépasser son but, aller au-delà de son but* (= dépasser le résultat qu'on se proposait). *Manquer son but* (= ce que l'on projetait). *Frapper au but* (= toucher juste à l'endroit convenable). *Toucher au but* (= être près de réussir, de finir). ● LOC. ADV. *De but en blanc,* sans aucun ménagement, sans précaution : *Je lui ai demandé de but en blanc quelles étaient les raisons de son hostilité à mon égard* (syn. : BRUSQUEMENT, DIRECTEMENT, EX ABRUPTO, À BRÛLE-POURPOINT). ● LOC. PRÉP. *Dans le but de,* avec l'intention, le dessein de (loc. déconseillée par certains grammairiens) : *Il est parti dans le but de se trouver quelque temps au calme.*

2. but [by ou byt] n. m. 1° Dans les sports d'équipes, endroit où l'on doit envoyer le ballon pour marquer un avantage (aussi au plur.) : *Le gardien de but est le joueur qui, au football, est placé devant les buts et qui peut toucher le ballon avec les mains. Le ballon est retombé au-delà de la ligne de but.* — 2° Point marqué par une équipe : *Marquer un but. Rentrer un but* (= envoyer le ballon à l'intérieur des limites fixées comme étant celles du but). *A la mi-temps, le score était de deux buts à un pour notre équipe.* ◆ **en-but** n. m. invar. Espace formant la zone du but au rugby. ◆ **buter** v. intr. Envoyer le ballon au but avec le pied. ◆ **buteur** [bytœr] n. m. En sport, celui des avants dont le rôle est de marquer des buts.

butée [byte] n. f. Pièce servant à limiter la course d'un mécanisme en mouvement : *La butée d'embrayage est usée.*

1. buter v. tr. *Buter quelqu'un,* le pousser à une attitude d'entêtement, d'obstination, de refus : *De telles maladresses ont réussi à le buter, et il est maintenant impossible de l'amener à une attitude conciliante* (syn. : BRAQUER). ◆ ***se buter*** v. pr. : *Il se bute facilement quand on s'avise de le contredire* (syn. : S'ENTÊTER). ◆ **buté, e** [byte] adj. Se dit de quelqu'un (ou de son attitude) qui manifeste une obstination, un entêtement irréductible : *On ne peut pas le persuader; il reste là, buté dans son idée* (syn. : ENTÊTÉ, OBSTINÉ). *C'est un enfant buté, peu souple, incapable de comprendre les autres* (syn. : FERMÉ; contr. : OUVERT). *Il a l'air renfrogné, buté, presque agressif* (syn. : TÊTU).

2. buter [byte] v. intr. 1° (sujet nom de personne ou d'objet) *Buter contre quelque chose,* heurter, frapper un corps qui fait saillie ou qui est un obstacle au mouvement, à la poussée : *La roue de la voiture a buté contre le trottoir. Il a buté contre la marche de l'escalier et il est tombé* (syn. : TRÉBUCHER). *Dans le choc, sa tête buta contre le pare-brise de la voiture* (syn. : HEURTER). — 2° (sujet nom de personne) Se trouver arrêté par une difficulté, être amené à hésiter par la présence d'un obstacle : *C'est un problème complexe, contre lequel nous butons depuis longtemps* (syn. : ACHOPPER). [V. BUTÉE, BUTOIR.]

3. buter ou **butter** [byte] v. tr. *Arg.* Tuer.

4. buter v. intr. V. BUT 2.

buteur n. m. V. BUT 2.

butin [bytɛ̃] n. m. 1° Ce qu'on enlève à l'ennemi : *Le matériel laissé par l'ennemi est considéré comme butin de guerre.* — 2° Ce que l'on amasse, ce que l'on prend pour son profit : *On a retrouvé le butin des voleurs chez un complice* (= le produit du vol).

butiner [bytine] v. intr. (sujet nom désignant les abeilles). Aller de fleur en fleur en amassant du pollen.

butoir [bytwar] n. m. Pièce ou obstacle contre lequel vient buter un mécanisme ou une machine en mouvement.

butor [bytɔr] n. m. Homme mal élevé, grossier, brutal et stupide : *Au moment où elle montait dans le métro, un butor la repoussa pour avoir une place assise. Un butor fier de sa force physique. Un butor d'employé lui demande d'un ton rogue ce qu'elle veut.* (Le *butor* est un héron aux formes lourdes.)

1. butte [byt] n. f. Légère élévation de terrain (tertre, colline, suivant les cas; sert dans les appellations désignant les anciennes collines de Paris) : *Monte sur cette butte pour voir si la rivière est encore loin. De petites buttes de sable* (syn. : MONTICULE). *La butte Montmartre* ou *la Butte. Les peintres de la Butte. Les Buttes-Chaumont à Paris.*

2. butte [byt] n. f. (sujet nom de personne). *Etre en butte à,* se voir exposé aux coups, aux attaques de : *Elle est sans cesse en butte aux taquineries de son frère. Il est en butte à la calomnie, aux attaques perfides des journaux* (syn. : SERVIR DE POINT DE MIRE, DE CIBLE).

butter v. tr. V. BUTER 3; **buvable** adj. V. BOIRE.

buvard [byvar] n. m. 1° Papier poreux, non collé, dont on se sert pour sécher l'encre fraîche : *Passer le buvard sur ce que l'on vient d'écrire. On distribue à la porte des écoles des buvards portant des indications publicitaires* (parfois aussi PAPIER BUVARD). — 2° Sous-main garni de feuilles de papier buvard : *Sur son bureau, il y avait un grand buvard vert couvert de taches.*

buvette [byvɛt] n. m. Petit restaurant ou comptoir installé dans les gares, les théâtres, les grands établissements, etc., où l'on sert des boissons et des aliments légers : *A la buvette de la gare, il se fit servir un sandwich et un demi.*

buveur, euse n. V. BOIRE.

byzantin, e [bizɑ̃tɛ̃, -in] adj. *Querelles, discussions byzantines,* etc., dont on finit par ne plus savoir la cause, la matière, par suite de leurs complications inutiles, oiseuses et inopportunes. ◆ **byzantinisme** n. m.

C

c n. m. V. Introduction.

ça pron. dém. V. CE.

1. çà! [sa] interj. Marque, en combinaison avec *ah!*, le début d'une phrase exclamative ou interrogative exprimant l'impatience, l'indignation ou l'incitation à l'action : *Ah çà! vous allez bientôt avoir fini de crier? Ah çà! le courage vous manquerait-il? Ah çà! pour qui me prenez-vous?*

2. çà [sa] adv. *Çà et là,* d'un côté et d'autre, d'une manière dispersée : *Çà et là, des boîtes de conserve jonchaient la clairière.*

cabale [kabal] n. f. Ensemble de manœuvres concertées, plus ou moins occultes, visant à nuire à la réputation, à provoquer l'échec de quelqu'un ou de quelque chose; ceux qui se livrent à une cabale : *Une cabale montée par des adversaires politiques a amené le ministre à démissionner. Une pièce de théâtre qui soulève une cabale. La cabale des confrères jaloux* (syn. : COTERIE, CLAN).

cabalistique [kabalistik] adj. *Signe cabalistique,* signe mystérieux, dont le sens n'apparaît qu'à des initiés, des spécialistes : *Les signes cabalistiques d'une page sténographiée.*

cabane [kaban] n. f. 1° Remise de peu de valeur, le plus souvent en bois, et pouvant, à la rigueur, servir d'habitation : *Une cabane à outils. Il loge dans une cabane en planches qu'il a montée sur son terrain* — 2° Petit logement où l'on élève des animaux : *Des cabanes à lapins* (syn. : CLAPIER). *La cabane aux cochons* (syn. : PORCHERIE, ÉTABLE). — 3° *Fam.* et *péjor.* Maison modeste : *Il a acheté une vieille cabane qu'il a fait aménager* (syn. : BICOQUE, BARAQUE, CAHUTE). — 4° *Pop.* Prison : *Il a fait trois ans de cabane pour un cambriolage* (syn. pop. : TÔLE). ◆ **cabanon** n. m. 1° Petite cabane, réduit : *La brouette est dans le cabanon.* — 2° En Provence, surtout dans la région de Marseille, petite maison de campagne : *Un cabanon avec vue sur la mer.* — 3° Fam. *Il est bon pour le cabanon,* il est fou (le *cabanon* désignait une cellule matelassée pour fous furieux).

cabaret [kabarɛ] n. m. 1° Etablissement de spectacle où l'on présente surtout des chansons satiriques et des revues, et où l'on sert des consommations : *Les chansonniers des cabarets montmartrois.* — 2° Etablissement modeste où l'on vend des boissons à consommer ou à emporter, et où l'on peut aussi servir à manger (vieilli; remplacé le plus souvent par BAR et CAFÉ) : *Les deux voyageurs entrèrent se désaltérer dans un cabaret au bord de la route* (syn. fam. : CABOULOT; péjor. : BOUI-BOUI, GARGOTE, TAVERNE; fam. : BISTROT. ◆ **cabaretier, ère** n. Personne qui tient un cabaret (langue écrite) : *Le cabaretier trinquait avec ses clients.*

cabas [kaba] n. m. Panier à provisions, souple, en paille, en jonc, en matière plastique ou en tissu, à ouverture évasée : *Des femmes qui reviennent du marché avec des cabas débordant de légumes* (syn. : SAC À PROVISIONS).

cabèche [kabɛʃ] n. f. *Fam.* Tête (surtout par plaisanterie, dans *couper la cabèche*).

cabillaud [kabijo] n. m. Morue fraîche.

1. cabine [kabin] n. f. Chambre à bord d'un bateau : *Le passager s'est enfermé dans sa cabine.*

2. cabine [kabin] n. f. *Cabine de bain,* ou simplem. *cabine,* petite pièce, petite baraque où l'on peut s'isoler pour se déshabiller ou se rhabiller : *Sur cette plage, des cabines en ciment ont été construites à la place des cabines en bois.*

3. cabine [kabin] n. f. Local réservé, dans un avion, au pilote, dans un train, au mécanicien.

4. cabine [kabin] n. f. *Cabine téléphonique* ou simplem. *cabine,* petit local affecté à l'usage du téléphone, dans un lieu public : *Quelle bavarde! Elle occupe la cabine depuis une demi-heure.*

1. cabinet [kabinɛ] n. m. Petite pièce d'une habitation dépendant d'une pièce plus grande : *Ce cabinet est dépourvu d'éclairage électrique. Cabinet de toilette. Un cabinet de débarras.* ◆ **cabinets** n. m. pl. Pièce réservée aux besoins naturels : *Aller aux cabinets* (syn. : WATER, WATER-CLOSET, W.-C. [dublәvese ou vese], TOILETTES; fam. : PETIT COIN; pop. : CHIOTTES).

2. cabinet [kabinɛ] n. m. 1° Dans certaines professions, pièce où les clients sont reçus en particulier : *Après une heure d'attente dans le salon, il put entrer dans le cabinet du médecin. Le cabinet d'un avocat, d'un dentiste.* — 2° Ensemble des pièces et du matériel servant à l'exercice de ces professions : *Le cabinet du cardiologue occupe tout l'étage.* — 3° Clientèle d'un praticien, d'un notaire, d'un architecte, etc., volume du travail, des affaires, ensemble du matériel, du local : *C'est le plus gros cabinet de la ville.*

3. cabinet [kabinɛ] n. m. 1° Ensemble des ministres d'un Etat : *Le Parlement a renversé le cabinet* (= a émis un vote de défiance à l'égard de la politique gouvernementale). *Le président de la République l'a chargé de former le nouveau cabinet* (= de constituer la nouvelle équipe ministérielle) [syn. : MINISTÈRE, GOUVERNEMENT]. *Un conseil de cabinet* (= réunion des ministres sous la présidence du Premier ministre). *Présentation du cabinet devant l'Assemblée nationale.* — 2° Ensemble des proches collaborateurs d'un ministre, d'un préfet : *Etre introduit auprès du chef de cabinet du ministre.*

câble [kɑbl] n. m. 1° Cordage, ordinairement en fils métalliques, destiné à subir un important effort de traction : *Le câble du frein à main s'est détendu. L'avion a heurté un câble de téléphérique.* — 2° Faisceau de fils métalliques, le plus souvent revêtu de plusieurs couches isolantes, servant au transport d'énergie électrique, au téléphone, au télégraphie, etc. : *Les liaisons téléphoniques intercontinentales sont assurées par câble sous-marin.* — 3° *Fam.* Message transmis par câble téléphonique : *Un câble de dernière minute* (syn. : TÉLÉGRAMME,

DÉPÊCHE, FLASH). ◆ **câbler** v. tr. Envoyer un message par câble : *Le journaliste s'est hâté de câbler la nouvelle à son agence de presse* (syn. : TÉLÉGRAPHIER). ◆ **câblage** n. m. : *Le câblage d'une nouvelle.*

caboche [kabɔʃ] n. f. *Fam.* et *péjor.* Tête (dure, résistante), considérée souvent comme le siège d'une intelligence et d'une mémoire rebelles, d'une volonté obstinée, d'un entêtement buté : *Le coup pouvait l'assommer, mais il a la caboche solide. A force de lui répéter sa leçon, on a fini par la lui fourrer dans la caboche. Depuis qu'il s'est mis cette idée dans la caboche, rien n'a pu l'en faire démordre.* ◆ **cabochard, e** adj. et n. *Fam.* Qui s'entête à ne faire que ce qui lui plaît, qui n'en fait qu'à sa tête : *Un écolier cabochard. Il n'est pas bête, mais il est si cabochard qu'on ne peut pas compter sur lui* (syn. : TÊTU, ENTÊTÉ, qui insistent moins sur ce que peut avoir d'imprévisible l'objet de l'entêtement).

cabosser [kabɔse] v. tr. Déformer quelque chose par des bosses ou des creux : *Un choc qui a cabossé les carrosseries des deux voitures* (syn. plus rare : BOSSELER).

1. cabot [kabo] n. m. *Fam.* et *péjor.* Chien : *Qu'est-ce qu'il a encore à aboyer, ce sale cabot?*

2. cabot n. m. V. CABOTIN.

cabotage [kabɔtaʒ] n. m. Navigation marchande le long des côtes (contr. : NAVIGATION AU LONG COURS). ◆ **caboteur** n. m. Bateau ou marin qui pratique le cabotage.

cabotin, e [kabɔtɛ̃, -in] n. et adj. 1° Acteur médiocre, qui a néanmoins une haute opinion de sa valeur et se donne des airs importants (fam., CABOT) : *Un petit cabotin de province qui se croit à la Comédie-Française.* — 2° Personne qui manque de naturel, qui a une voix et des allures théâtrales : *Il est trop visiblement cabotin pour inspirer confiance. Avoir une attitude de cabotin* (syn. : COMÉDIEN, M'AS-TU-VU, HISTRION, HÂBLEUR). ◆ **cabotinage** n. m. Attitude pleine de suffisance, goût de l'ostentation : *Même avec des amis, il ne renonce pas à son agaçant cabotinage.* ◆ **cabotiner** v. intr. : *Un maître de maison qui cabotine devant ses invités et s'écoute parler.*

caboulot [kabulo] n. m. *Fam.* Café, cabaret, restaurant petit et de médiocre apparence : *S'attabler devant un plat de frites et un litre de vin rouge dans un caboulot du port.*

cabrer [kabre] v. tr. 1° *Cabrer un animal, un cheval,* le faire dresser sur ses membres postérieurs : *Cavalier qui cabre soudain sa monture.* — 2° *Cabrer un avion,* lui faire prendre brusquement une ligne de vol verticale. — 3° *Cabrer quelqu'un,* l'amener à une opposition vigoureuse, à un mouvement de révolte : *Il paraissait déjà plus conciliant, mais votre intervention l'a cabré* (syn. : BUTER, BRAQUER, RAIDIR, RÉVOLTER). ◆ ***se cabrer*** v. pr. : *Le cheval s'est cabré devant l'obstacle. Il risque de se cabrer devant vos exigences continuelles.*

cabri [kabri] n. m. 1° Syn. méridional de CHEVREAU : *Leste, léger comme un cabri,* très leste, très léger. — 2° *Sauter comme un cabri,* sauter gaiement et légèrement.

cabriole [kabriɔl] n. f. Saut léger, bond folâtre : *Des enfants qui font des cabrioles dans les prés* (syn. : GAMBADE; fam. : GALIPETTE). ◆ **cabrioler** v. intr. : *Pierrot repartit tout joyeux, chantant et cabriolant* (syn. : GAMBADER, FOLÂTRER).

cabriolet [kabriɔlɛ] n. m. Voiture légère décapotable.

caca [kaka] n. m. 1° Dans le langage des enfants, excrément de l'homme ou des animaux : *Attention : tu vas marcher dans le caca* (syn. fam. : CROTTE; MERDE, proscrit par la bienséance; MATIÈRES FÉCALES, SELLES, langue médicale; EXCRÉMENTS, DÉJECTIONS, langue de la biologie). — 2° *Faire caca,* faire ses besoins naturels, évacuer les excréments solides (syn. : CHIER, proscrit par la bienséance; ALLER À LA SELLE, langue médicale).

cacahouète ou **cacahuète** [kakawɛt] n. f. Fruit d'une plante tropicale appelée *arachide : Les cacahouètes sont des graines, groupées généralement par trois ou quatre dans des gousses. Il acheta à un marchand ambulant un sachet de cacahouètes et se mit à les grignoter.*

cacao [kakao] n. m. 1° Poudre extraite des graines du *cacaoyer,* utilisée en pâtisserie; chocolaterie, confiserie. — 2° Boisson obtenue en cuisant cette poudre dans de l'eau ou du lait : *Pour le petit déjeuner, on nous servit un grand bol de cacao et des tartines* (syn. : CHOCOLAT, le chocolat étant un mélange de cacao et de sucre). ◆ **cacaoté, e** [kakaɔte] adj. Qui contient du cacao : *Une farine cacaotée pour les nourrissons.*

cachalot [kaʃalo] n. m. 1° Mammifère marin, d'une taille comparable à celle de la baleine, pourvu d'une énorme tête, d'où l'on extrait l'huile appelée *blanc de baleine.* — 2° Fam. *Souffler comme un cachalot,* souffler très fort, respirer bruyamment.

cachemire [kaʃmir] n. m. Tissu très fin, fait avec le poil de chèvres du Cachemire ou du Tibet : *Un châle de cachemire.*

cacher [kaʃe] v. tr. 1° (sujet nom d'être animé) Soustraire une chose ou un être vivant à la vue, en les plaçant dans un lieu secret ou en les recouvrant : *Les voleurs avaient caché les bijoux dans les sièges de leur voiture. Cacher chez soi un prisonnier évadé. Des femmes musulmanes cachant leur visage sous un voile* (syn. : MASQUER, VOILER). — 2° (sujet nom de personne ou de chose) Etre un obstacle qui empêche de voir : *Cette maison nous cache la plage. Un rideau cache les vêtements de la penderie. Ote-toi de la fenêtre, tu me caches le jour* (syn. : DISSIMULER, MASQUER). — 3° (sujet nom de personne) Tenir secret, garder pour soi, soustraire à la connaissance de quelqu'un : *Il cache soigneusement ses sentiments profonds. Vous n'avez pas le droit de me cacher la vérité. On ne peut pas lui cacher plus longtemps la terrible nouvelle.* — 4° (sujet nom de chose) Etre un indice qui laisse supposer ou présager : *Une amabilité si soudaine cache encore quelque manœuvre. Un silence qui ne cache rien de bon.* — 5° *Cacher son jeu, ses cartes,* ne pas laisser apparaître ses intentions : *C'est en vain qu'il cachait son jeu; on a compris où il voulait en venir.* ‖ *Je ne vous cache pas que...,* je vous avoue franchement que : *J'étais sorti quand il a cherché à me voir, et je ne vous cache pas que c'était intentionnel* (syn. : DISSIMULER). ‖ *L'arbre cache la forêt,* la considération d'un détail fait perdre de vue l'ensemble : *Vous condamnez toute son action à cause de ce petit échec : c'est l'arbre qui cache la forêt.* ◆ ***se cacher*** v. pr. 1° Se soustraire aux regards, aux recherches, ne pas se laisser facilement découvrir : *Il est recherché par la police, il se cache. Le malfaiteur se cachait dans une encoignure.* — 2° Etre soustrait aux regards de quelqu'un : *Où peut bien se cacher ce document? Une grande bonté se cache sous son air bourru.* — 3° *Se cacher de quelqu'un,* agir à son insu : *L'enfant avait fumé en se cachant de ses parents.* ‖ *Se cacher de quelque chose,* le tenir secret : *Je n'ai pas à me cacher de la sympathie que j'ai pour lui.* ◆ **cache-cache** [kaʃkaʃ] n. m. 1° Jeu d'enfants dans lequel un des joueurs cherche les autres qui se sont cachés, et s'efforce, quand il les a découverts, de les toucher avant qu'ils n'aient atteint le « but » (s'emploie surtout dans les expressions *jouer à cache-cache, jeu, partie de cache-cache*). — 2° *Jouer à cache-cache,* se dit aussi fam. de deux personnes qui se cherchent mutuellement sans parvenir à se trouver. ◆ **cache-col** n. m. invar. Petite écharpe légère. ◆ **cache-nez** n. m. invar. Echarpe en laine, généralement longue. ◆ **cache-pot** [kaʃpo] n. m. invar. Vase de métal, de céramique, de vannerie, de matière plastique, ayant un caractère plus ou moins ornemental et destiné à dissimuler un pot de fleurs. ◆ **cache-sexe** [kaʃsɛx] n. m. invar. Petite pièce de lingerie recouvrant le bas-ventre (syn. : SLIP). ◆ **cachette** n. f. Endroit où l'on peut cacher ou se cacher : *Les contrebandiers avaient pris pour cachette un creux de rocher. La souris s'est réfugiée dans sa cachette.* • *En cachette* loc. adv., *en cachette de* loc. prép., en se cachant (de) : *Un écolier qui lit un illustré en cachette* (syn. : EN CATIMINI; contr. : OUVERTEMENT). *Je ne veux pas avoir l'air d'agir en cachette de mes amis* (syn. : À L'INSU DE). ◆ **cachotterie** n. f. Action de cacher, avec des airs mystérieux, des choses de peu d'importance (le plus souvent au plur.) : *Faire des cachotteries. Cessez vos cachotteries : je suis au courant de tout. On ne peut jamais tout savoir avec ces cachotteries!* ◆ **cachottier, ère** adj. et n. : *Elle ne vous avait pas averti de ce détail? Je ne la croyais pas si cachottière!*

1. cachet [kaʃɛ] n. m. 1° Objet dont une face, de métal ou de caoutchouc, porte en relief une marque, une inscription à imprimer à l'encre; marque imprimée sur le papier, sur un tissu, etc., par cet objet : *On a volé le cachet du directeur. Une enveloppe sur laquelle le cachet de la poste est peu lisible. Une facture portant le cachet du fournisseur* (syn. : TAMPON, TIMBRE). — 2° Objet métallique servant à imprimer dans la cire les armes, les initiales, la marque de la personne ou de la société qui l'utilisent; empreinte laissée par cet objet : *Les cachets sont parfois constitués par le chaton d'une chevalière. La ficelle du paquet recommandé porte le cachet intact du bijoutier qui a fait l'expédition.* — 3° Aspect particulier, caractère original qui retient l'attention : *Une petite église de campagne qui a beaucoup de cachet. Il a donné un cachet très personnel à son style.* ◆ **cacheter** [kaʃte] v. tr. (conj. 8). 1° *Cacheter une bouteille, un colis,* les fermer avec de la cire, portant ou non un cachet : *Remonter de la cave une vieille bouteille cachetée. Un colis cacheté.* — 2° *Cacheter une enveloppe, une lettre,* la fermer en la collant. ◆ **décacheter** v. tr. : *Décacheter une enveloppe, un pli, une lettre* (= l'ouvrir). *Décacheter une bouteille, un colis* (= l'ouvrir en détruisant le cachet). ◆ **recacheter** v. tr. : *Recacheter une lettre ouverte par mégarde.*

2. cachet [kaʃɛ] n. m. 1° Rétribution d'un artiste, d'un musicien, pour une représentation ou un concert : *Les cachets des solistes grèvent lourdement le budget de cette société de musique.* — 2° *Courir le cachet,* être obligé de donner des leçons à domicile.

3. cachet [kaʃɛ] n. m. Médicament consistant en une poudre contenue dans une enveloppe de pain azyme ou agglomérée en pastille (dans ce deuxième cas, le syn. est COMPRIMÉ) : *Prendre un cachet matin et soir. Un cachet d'aspirine.*

cachette n. f. V. CACHER.

cachot [kaʃo] n. m. Cellule obscure où l'on enferme un prisonnier traité avec rigueur : *Son insolence au cours de l'interrogatoire lui a valu d'être mis huit jours au cachot. Envoyer au cachot.*

cachotterie n. f., **cachottier, ère** n. V. CACHER.

cachou [kaʃu] n. m. Substance extraite d'un arbre de l'Inde et vendue en pastilles aromatiques.

cacique [kasik] n. m. Dans l'argot des étudiants, le premier reçu à l'Ecole normale supérieure ou, plus généralement, à un concours quelconque (syn. : MAJOR).

cacophonie [kakɔfɔni] n. f. Mélange de sons discordants : *La cacophonie des avertisseurs de voitures dans un embouteillage* (syn. : ↑ CHARIVARI, TINTAMARRE, VACARME); et, en particulier dans une phrase, rencontre de syllabes désagréable à l'oreille (ex. : *Ta tante était tentée de t'attendre*). ◆ **cacophonique** adj. : *Des clameurs cacophoniques.*

cactus [kaktys] n. m. Plante des pays chauds, de la catégorie des « plantes grasses », munie de nombreux piquants et dont diverses espèces donnent des fleurs aux couleurs éclatantes.

cadastre [kadastr] n. m. Document administratif établi à la suite de relevés topographiques et déterminant avec précision les limites des propriétés. ◆ **cadastral, e, aux** adj. : *Le plan cadastral est la représentation graphique du territoire de la commune, avec des indications détaillées concernant les diverses propriétés.*

cadavre [kadavr] n. m. 1° Corps d'un être humain ou d'un animal mort : *Des passants ont découvert le cadavre quelques heures après le crime* (syn., en parlant d'un humain : MORT, CORPS; DÉPOUILLE MORTELLE, RESTES, en style noble; pop. : MACCHABÉE, CHAROGNE [péjor.]). — 2° *Cadavre ambulant,* V. AMBULANT. ◆ **cadavérique** adj. : *Rigidité cadavérique. Un malade d'une pâleur cadavérique.* (On dit aussi, en ce dernier emploi, CADAVÉREUX, EUSE.)

cadeau [kado] n. m. 1° Chose que l'on offre à quelqu'un en vue de lui faire plaisir : *Un cadeau de fête, de nouvel an. Ils avaient reçu un service de porcelaine en cadeau de mariage. Ce vase est un cadeau de mes enfants* (= offert par mes enfants). *Les petits cadeaux entretiennent, dit-on, l'amitié* (syn. : ↑ PRÉSENT). *Faire un cadeau à sa femme.* — 2° *Faire cadeau de quelque chose à quelqu'un,* le lui offrir, le lui laisser : *Vous pouvez garder ce couteau, je vous en fais cadeau. Je lui ai fait cadeau de la monnaie* (syn. : ABANDONNER.)

cadenas [kadna] n. m. Petite serrure mobile : *Les cadenas comportent en général un arceau* *métallique que l'on peut passer dans des pitons fermés, des maillons de chaîne, etc.* ◆ **cadenasser** v. tr. *Cadenasser une porte,* la fermer avec un cadenas : *Il avait pris la précaution de cadenasser la porte de la cave.*

cadence [kadɑ̃s] n. f. Succession de sons, de mouvements ou d'actions selon une certaine fréquence : *Les danseurs suivent la cadence de l'orchestre* (syn. : RYTHME, MOUVEMENT). *Une déclamation qui marque exagérément la cadence des vers* (= qui fait trop sentir les accents d'intensité et les rimes). *Les commandes arrivent chez les fabricants à une cadence accélérée. Un médecin qui reçoit ses clients à la cadence moyenne de trois par heure.* ● Loc. ADV. *En cadence,* selon un rythme régulier : *Des matelots qui rament en cadence* (syn. : RÉGULIÈREMENT). ◆ **cadencé, e** adj. 1° *Les phrases bien cadencées d'un discours officiel* (syn. : RYTHMÉ). — 2° *Marcher au pas cadencé,* se dit d'une troupe qui défile en marquant nettement le rythme du pas.

cadet, ette [kadɛ, -ɛt] adj. et n. 1° Dernier-né des enfants d'une famille : *Ses frères et sœurs le traitaient toujours un peu en enfant, car il était le cadet* (syn. : BENJAMIN; contr. : AÎNÉ). — 2° Qui est plus jeune qu'un ou plusieurs enfants de la famille, ou que telle autre personne : *Elle est partie en vacances avec une de ses sœurs cadettes* (syn. jurid. : PUÎNÉ). *Nous sommes de la même année, mais je suis son cadet de deux mois* (contr. : AÎNÉ). — 3° Fam. *C'est le cadet de mes soucis,* je ne m'en soucie pas du tout, cela me laisse tout à fait indifférent.

cadran [kadrɑ] n. m. 1° *Cadran d'une pendule, d'une montre, d'un baromètre, du téléphone,* etc., surface divisée en graduations ou portant des repères et devant laquelle se déplacent soit des aiguilles indiquant l'heure, la pression atmosphérique, etc., soit un système mobile de repérage. — 2° Fam. *Faire le tour du cadran,* dormir douze heures consécutives.

1. cadre [kadr] n. m. 1° Bordure rigide destinée à être placée autour d'un tableau, d'une photographie, d'un miroir : *On fait des cadres en bois, en bronze, en plâtre, en cuir, etc. Le cadre met en valeur cette aquarelle.* — 2° Assemblage de pièces rigides constituant l'armature de certains objets : *Un écran de toile monté sur un cadre de bois* (syn. : CHÂSSIS, BÂTI, CARCASSE). *Un cadre de bicyclette.* ◆ **cadrer** v. tr. Situer convenablement un sujet à photographier dans le champ de l'appareil indiqué par les limites du viseur : *Ta photo était mal cadrée : la pointe du clocher est coupée.* ◆ **cadrage** n. m. : *Le cadrage d'une photographie.* ◆ **encadrer** v. tr. 1° *Encadrer quelque chose,* le mettre dans un cadre (sens 1 de *cadre*) : *Il faudra faire encadrer ce tableau.* — 2° Pop. *Je ne peux pas l'encadrer,* il m'exaspère, je ne peux pas le supporter (syn. fam. : SENTIR, ENCAISSER; pop. : BLAIRER, PIFFER). ◆ **encadrement** n. m. 1° Action d'encadrer : *L'encadrement du tableau ne pourra être fait avant la semaine prochaine.* — 2° Syn. de *cadre* au sens 1 : *Vous avez choisi un encadrement qui convient bien au sujet du tableau;* et, en un sens plus étendu : *On le vit soudain apparaître dans l'encadrement de la porte* (= dans le bâti qui entoure la porte). ◆ **encadreur** n. m. : *Porter une toile, une photographie chez l'encadreur.* ◆ **désencadrer** v. tr. Enlever le cadre (d'un tableau).

2. cadre [kadr] n. m. 1° Ce qui entoure un objet, un lieu, une personne : *Une maisonnette dans son cadre de verdure. Voilà un appartement admirablement meublé : j'aimerais vivre dans ce cadre* (syn. : DÉCOR). *Il a passé sa jeunesse dans un cadre bien austère* (syn. : MILIEU, ENTOURAGE). — 2° Ce qui borne l'action de quelqu'un, l'étendue d'un ouvrage : *Respecter le cadre de la légalité. Sans sortir du cadre de mon exposé...* (syn. : DOMAINE). — 3° *Dans le cadre de,* dans les limites de, dans les dispositions générales de : *Un accord commercial conclu dans le cadre d'un plan d'expansion économique.* ◆ **cadrer** v. intr. (sujet nom de chose). *Cadrer avec quelque chose,* être en rapport, s'accorder avec : *Hélas! ces résultats ne cadrent pas avec nos projets* (syn. : CONCORDER, CONVENIR). ◆ **encadrer** v. tr. Sens 1 du nom : *Nous contemplons les bois qui encadrent la maison* (syn. : ENTOURER). *Le malfaiteur entra dans la ville, menottes aux mains, encadré de deux gendarmes* (syn. : FLANQUER). *Le juge est encadré de ses assesseurs.*

3. cadre [kadr] n. m. Membre du personnel exerçant des fonctions de direction ou de contrôle dans une entreprise ou une administration : *Il a droit à la retraite des cadres.* ◆ **encadrer** v. tr. *Encadrer quelqu'un,* le mettre sous une tutelle, sous une autorité afin de constituer un ensemble hiérarchique : *On encadre les soldats du contingent par des sous-officiers de carrière. Des troupes de manifestants solidement encadrées par des militants. Les anciens encadrent les nouveaux.* ◆ **encadrement** n. m. : *On a prévu l'encadrement de cette unité par des officiers d'une fidélité éprouvée. Un régiment doté d'un bon encadrement* (= ensemble des cadres).

caduc, caduque [kadyk] adj. Se dit d'un texte de loi, d'un système, etc., qui n'est plus en usage, qui n'a plus cours : *Cette théorie scientifique est aujourd'hui caduque* (syn. : DÉSUET, PÉRIMÉ, ABANDONNÉ, DÉMODÉ).

1. cafard [kafar] n. m. Nom courant de l'insecte appelé BLATTE par les entomologistes : *En pénétrant dans la chambre de cette vieille auberge, je vis courir sur le parquet quelques cafards* (syn. : CANCRELAT).

2. cafard, e [kafar] n. *Fam.* Elève qui dénonce un camarade comme coupable d'une faute : *C'était à cause de ce cafard qu'il avait été puni* (syn. : MOUCHARD, RAPPORTEUR; pop. : CAFTEUR). ◆ **cafarder** v. tr. Fam. *Cafarder quelqu'un,* le dénoncer hypocritement (surtout scol.) : *Méfie-toi de lui, il m'a déjà cafardé* (syn. : MOUCHARDER [quelqu'un], RAPPORTER [quelque chose à quelqu'un]; pop. : CAFTER). ◆ **cafardeur, euse** n. Fam. : *Ne le lui dis pas, c'est une cafardeuse.* ◆ **cafardage** n. m. Fam. : *On a appris par cafardage le nom du coupable.*

3. cafard [kafar] n. m. *Fam.* Idées noires, tristesse vague : *Le malade a des accès de cafard en constatant la lenteur de sa guérison. Ce temps gris vous fiche le cafard* (syn. fam. : BOURDON; en langue usuelle : MÉLANCOLIE; en langue littér. : SPLEEN, VAGUE À L'ÂME). ◆ **cafarder** v. intr. Avoir des idées noires : *Il commence à cafarder dans sa solitude.* ◆ **cafardeux, euse** adj. 1° *Fam.* Se dit d'une personne qui a le cafard : *Ce soir, je suis un peu cafardeux.* — 2° *Fam.* Se dit d'une chose qui donne le cafard : *Un paysage cafardeux.*

1. café [kafe] n. m. 1° Graines du *caféier*, que l'on grille et que l'on moud pour en faire des infusions; boisson obtenue avec ces grains : *Un paquet de café. Boire une tasse de café noir* (= sans addition de lait ou de crème, par oppos. à *café au lait, café crème;* syn. pop. : JUS). — 2° Fam. *C'est un peu fort de café,* c'est inadmissible, incroyable : *Il est reparti sans un mot d'adieu : j'ai trouvé ça un peu fort de café* (syn. : C'EST UN PEU RAIDE). ◆ **cafetière** n. f. 1° Récipient servant à préparer l'infusion de café : *Va brancher la cafetière électrique.* — 2° *Pop.* Tête, surtout dans l'expression : *Un coup sur la cafetière.* ◆ **caféine** n. f. Produit présent dans le café et utilisé comme tonique. ◆ **décaféiner** v. tr. Débarrasser le café d'une substance pouvant avoir des effets nocifs, la caféine (surtout au part. passé) : *Il ne boit que du café décaféiné* (ou, substantiv. : *du décaféiné*).

2. café [kafe] n. m. Etablissement où l'on peut consommer des boissons, alcoolisées ou non : *Nous irons nous rafraîchir à la terrasse d'un café. Ils faisaient leur partie de cartes au café, devant leur apéritif* (syn. : BAR, CABARET; fam. : BISTROT; péjor. : CABOULOT). ◆ **cafetier** n. m. Celui qui tient un café : *Le cafetier est derrière son comptoir.* (On dit plutôt le PATRON.) ◆ **café-concert** n. m., ou *fam.* **caf' conc'** [kafkɔ̃s] n. m. Music-hall où le public peut consommer en écoutant des chansons, en regardant une revue, etc.

cafouiller [kafuje] v. intr. 1° (sujet nom de personne) *Fam.* Agir avec confusion : *Comment arrive-t-il à ce résultat? Il a dû cafouiller dans ses calculs* (syn. : S'EMBROUILLER, S'EMMÊLER, SE TROMPER). — 2° (sujet nom de chose) *Fam.* Fonctionner irrégulièrement, être désordonné : *Dans les côtes, le moteur cafouille. La discussion n'a pas tardé à cafouiller après son départ.* ◆ **cafouillage** ou **cafouillis** n. m. Fam. : *Il y a eu un peu de cafouillage dans l'exécution du plan* (syn. : DÉSORDRE; fam. : PAGAÏE). ◆ **cafouilleur, euse** adj. et n. : *Une discussion cafouilleuse.*

cage [kaʒ] n. f. 1° Loge faite de barreaux ou de grillage, pour enfermer des oiseaux ou d'autres animaux : *Certains oiseaux ne peuvent pas vivre en cage. La cage d'un écureuil. Le dompteur est entré dans la cage aux lions.* — 2° *Fam.* Au football ou au hockey, espace délimité par les buts : *Envoyer le ballon dans la cage.* — 3° *Cage d'escalier, d'ascenseur,* emplacement réservé dans une construction pour les recevoir. ‖ *Cage thoracique,* loge formée par les vertèbres et les côtes et qui contient le cœur et les poumons.

cageot [kaʒo] n. m. Emballage léger, fait de lattes de bois, et destiné au transport de fruits, de légumes, de volailles : *Un restaurateur qui achète plusieurs cageots de pêches.*

cagibi [kaʒibi] n. m. *Fam.* Petite construction, souvent en planches, servant de remise ou d'abri : *Ranger une bêche dans le cagibi* (syn. : RÉDUIT, DÉBARRAS).

cagne ou **khâgne** [kaɲ] n. f. *Arg. scol.* Classe préparatoire à l'Ecole normale supérieure (lettres). ◆ **cagneux, euse** ou **khâgneux, euse** n. Elève d'une cagne.

cagneux, euse [kaɲœ, -œz] adj. et n. Se dit d'une personne ou d'un animal qui a les jambes déformées (genoux rapprochés, pieds écartés) : *Un gamin cagneux. Un cheval cagneux.*

cagnotte [kaɲɔt] n. f. 1° Boîte contenant une somme d'argent accumulée par des joueurs, les membres d'une association; cette somme elle-même : *A la fin de chaque partie, les perdants versent leur dette dans la cagnotte. Quand la cagnotte aura grossi, nous la dépenserons ensemble dans un voyage.* — 2° *Fam.* Somme économisée petit à petit sur les dépenses courantes : *La petite cagnotte personnelle de la ménagère* (syn. : TIRELIRE).

cagoule [kagul] n. f. Capuchon qui enveloppe toute la tête et qui est percé à l'endroit des yeux : *La cagoule était portée au Moyen Age par des confréries de pénitents; elle est encore mise par les membres de certaines sociétés secrètes aux Etats-Unis.*

cahier [kaje] n. m. 1° Assemblage de feuilles de papier agrafées ou cousues ensemble : *Les élèves prennent des notes de cours sur leurs cahiers. Un cahier de dictées, d'exercices, de brouillon. Il manque un cahier à ce volume.* — 2° *Cahier des charges,* ensemble des obligations imposées à un acheteur, à un entrepreneur au moment de l'adjudication.

cahin-caha [kaɛ̃kaa] adv. Fam. *Aller, marcher cahin-caha,* aller tant bien que mal, avec des hauts et des bas, d'un train irrégulier : *Une voiture qui va cahin-caha. Avec le nouveau directeur, l'affaire marche cahin-caha.*

cahot [kao] n. m. 1° Secousse causée à un véhicule par l'inégalité du sol : *Les passagers somnolaient, ballottés par les cahots de l'autobus.* — 2° Difficulté qui donne un cours irrégulier à quelque chose : *A travers les cahots de son existence aventureuse, de sa carrière politique...* (syn. : PÉRIPÉTIE). ◆ **cahoter** [kaɔte] v. tr. et intr. : *Le tramway cahote les voyageurs* (syn. : BALLOTTER, SECOUER); le plus souvent au passif : *Une vie cahotée par les remous de la politique* (syn. : AGITER). ◆ **cahotant, e** ou **cahoteux, euse** adj. : *Guimbarde cahotante. Ruelle cahotante. Un chemin cahoteux.*

cahute [kayt] n. f. Habitation très médiocre : *Des sinistrés se sont réfugiés dans une misérable cahute faite de planches et de vieilles tôles* (syn. : CABANE, BARAQUE, BICOQUE). *Quelle cahute! il pleut dans la cuisine quand il y a un gros orage.*

caïd [kaid] n. m. *Fam.* Celui à qui son ascendant assure une grande autorité sur son entourage; chef de bande : *Avec ses larges épaules et son air flegmatique, il s'était imposé comme le caïd de la classe. Tu veux faire le caïd, mais tu n'es pas de taille.* (Ce mot désignait, en Afrique du Nord, un notable à la fois juge, commandant et percepteur.)

1. caille [kaj] n. f. 1° Oiseau voisin de la perdrix. — 2° *Chaud comme une caille,* se dit de quelqu'un, généralement d'un enfant, bien au chaud dans ses vêtements ou ses couvertures.

2. caille [kaj] n. f. Pop. *L'avoir à la caille,* être vivement désappointé : *Quand il est arrivé, on fermait la boutique : il l'a eu à la caille* (syn. pop. : L'AVOIR SEC).

1. cailler [kaje] v. intr. ou **cailler (se)** v. pr. (sujet nom désignant le lait ou le sang). Se transformer en une masse consistante : *On laisse cailler le lait pour faire le fromage. En préparant un civet, on mettra une cuillerée de vinaigre dans le sang du lapin pour éviter qu'il ne caille ou ne se* *caille* (syn. : SE COAGULER). ◆ **caillé** n. m. Masse de lait caillé : *La fermière fait égoutter du caillé dans un linge.* ◆ **caillot** n. m. Petite masse de sang coagulé : *Un caillot obstruant une artère peut causer la mort par embolie.*

2. cailler [kaje] v. intr. 1° *Pop.* Avoir froid : *On caille sur cette plage.* — 2° Pop. *Ça caille aujourd'hui,* il fait froid.

1. caillou [kaju] n. m. 1° Morceau de pierre de moyenne ou de petite dimension : *Caler les roues d'une voiture avec des cailloux. Il avait un caillou dans sa poche. Trébucher sur les cailloux du chemin. Nous lancions des cailloux dans la rivière* (syn. : PIERRE). *Un caillou, entré dans sa chaussure, le gênait pour marcher* (syn. : GRAVIER). — 2° *Avoir le cœur dur comme un caillou, avoir un caillou à la place du cœur,* être insensible. ◆ **caillouté, e** adj. Garni de cailloux : *Une route cailloutée* (syn. : EMPIERRÉ). *Une allée de jardin cailloutée* (= une allée de gravier). ◆ **caillouteux, euse** adj. Plein de cailloux : *Un petit sentier caillouteux.* ◆ **cailloutis** [-ti] n. m. Cailloux concassés; surface de sol empierrée avec ces cailloux.

2. caillou [kaju] n. m. *Pop.* Crâne (chauve) : *Il n'a plus un cheveu sur le caillou.*

caïman [kaimɑ̃] n. m. Crocodile à museau large, de l'Amérique centrale et méridionale.

1. caisse [kɛs] n. f. 1° Coffre, boîte faits de planches assemblées : *Une caisse de douze bouteilles de champagne. Un commerçant qui reçoit une caisse de savon. Un casier à livres fait dans une vieille caisse. Une caisse à outils* (syn. : COFFRE). — 2° Carrosserie d'automobile. — 3° *Pop.* Poitrine : *Il s'en va de la caisse* (= il est tuberculeux). — 4° *Grosse caisse,* gros tambour en usage dans une clique. ◆ **caissette** n. f. Petite caisse : *Une caissette de dattes.* ◆ **caisson** n. m. 1° Petite caisse : *Un caisson de bouteilles.* — 2° *Pop.* Tête : *Se faire sauter le caisson,* se tirer une balle dans la tête : *Dans ses crises de désespoir, il parlait de se faire sauter le caisson.* ◆ **décaisser** v. tr. Enlever d'une caisse. ◆ **encaisser** v. tr. Mettre dans une caisse : *Encaisser des orangers.*

2. caisse [kɛs] n. f. 1° Boîte métallique où l'on recueille de l'argent; meuble où un commerçant range sa recette : *Vous mettrez le produit de la collecte dans cette caisse, dont voici la clef. Puiser dans la caisse.* — 2° *Avoir une somme en caisse,* disposer comme capitaux de cette somme : *Quand la faillite a été déclarée, la société n'avait plus un sou en caisse.* — 3° Bureau, guichet d'une administration où se font les paiements : *Se présenter à la caisse pour toucher un chèque.* — 4° Organisme qui gère des ressources selon certains statuts : *Caisse d'épargne. Caisse de solidarité. La caisse de la Sécurité sociale. Une caisse départementale d'allocations familiales.* — 5° *Vous passerez à la caisse,* se dit parfois à un employé que l'on congédie (= vous irez immédiatement vous faire payer votre dû). ◆ **caissier, ère** n. Personne qui tient la caisse d'un établissement : *Régler une facture au caissier. Les policiers ont interrogé la caissière de l'hôtel.* ◆ **décaisser** v. tr. *Décaisser une somme,* la tirer de la caisse, l'affecter à un versement ou à un paiement. ◆ **encaisser** v. tr. V. à son ordre alphab.

cajoler [kaʒɔle] v. tr. *Cajoler quelqu'un,* l'entourer de caresses, d'attentions délicates, de paroles tendres, pour lui témoigner son affection ou pour le séduire : *Une maman qui cajole son bébé* (syn. : CÂLINER, POUPONNER). *L'enfant cajole son grand-père pour qu'il l'emmène au cinéma* (syn. : CÂLINER, AMADOUER, ENJÔLER). ◆ **cajolerie** n. f. : *Elle se laissait griser par ces cajoleries si douces à entendre. Il essayait par ses cajoleries d'obtenir le jouet désiré.* ◆ **cajoleur, euse** adj. et n. : *Ne vous fiez pas à ce cajoleur* (syn. : ↑ ENJÔLEUR).

cake [kek] n. m. Pâtisserie sans crème, contenant des raisins de Corinthe et des fruits confits, et souvent servie avec le thé.

cal [kal] n. m. Durillon qui se fait sur la peau à l'endroit d'un frottement. ◆ **calleux, euse** [kalø, -øz] adj. Qui a des cals ou des callosités : *Un cultivateur aux mains calleuses.* ◆ **callosité** n. f. Durcissement de la peau plus étendu qu'un cal.

calage n. m. V. CALE 1.

calamistré, e [kalamistre] adj. *Cheveux calamistrés,* ondulés et recouverts de brillantine.

calamité [kalamite] n. f. Grand malheur, coup du destin qui frappe cruellement une foule de gens (se dit plus rarement quand la victime est une seule personne) : *Cette génération a connu les calamités de la guerre* (syn. : CATASTROPHE, DÉSASTRE ; ↓ MAL, ÉPREUVE). *La famine, le choléra et les autres calamités* (syn. : FLÉAU); et, ironiq. : *Il va me falloir encore endurer son bavardage pendant des heures : quelle calamité!* (syn. fam. : POISON). ◆ **calamiteux, euse** adj. Qui s'accompagne de malheurs : *Une époque calamiteuse.*

calandre [kalɑ̃dr] n. f. Partie de la carrosserie d'une automobile, généralement placée à l'avant, qui cache le radiateur tout en permettant une aération suffisante.

calcaire [kalkɛr] adj. Qui contient de la chaux : *Cette eau est très calcaire : le savon mousse difficilement. Terrain calcaire.* ◆ n. m. Roche plus ou moins blanche, contenant surtout du carbonate de calcium : *Beaucoup de calcaires sont des pierres tendres.*

calciner [kalsine] v. tr. 1° Brûler en ne laissant subsister que des résidus calcaires : *Du bétail de l'étable incendiée, il ne restait que des os calcinés.* — 2° Syn. fam. de CARBONISER : *Si les invités n'arrivent pas bientôt, le rôti va être calciné.*

calcium [kalsjɔm] n. m. Métal dont certains composés (chaux, calcaire, plâtre) sont des matériaux de première utilité. ◆ **décalcifier** v. tr. Faire perdre à un organisme le calcium qui lui est nécessaire. ◆ ***se décalcifier*** v. pr. Perdre son calcium. ◆ **décalcification** n. f.

1. calcul [kalkyl] n. m. 1° Opération ou ensemble d'opérations d'arithmétique : *Un calcul simple montre qu'une pendule qui retarde de cinq secondes par heure prend quatorze minutes de retard par semaine. Il a déjà rempli une page de calculs et son problème n'est pas résolu. Un écolier bon en orthographe, mais faible en calcul.* — 2° *Calcul mental,* opérations effectuées de tête, sans recours à l'écriture. ◆ **calculer** v. tr. et intr. *Calculer quelque chose,* ou *que* (et l'indic.), déterminer par un calcul mathématique : *Calculer la surface d'un terrain, la consommation d'essence d'une voiture, le prix de revient d'une maison. Il calcule vite. Une machine à calculer.* ◆ v. intr.

Faire des calculs d'argent de façon à ne pas dépasser un budget; limiter les dépenses : *Ce n'est pas la gêne, mais il faut sans cesse calculer* (syn. : COMPTER). ◆ **calculable** adj. Qui peut se calculer avec précision : *La durée de la révolution d'un satellite est calculable à la seconde près.* ◆ **calculateur, trice** adj. et n. Qui effectue des calculs mathématiques : *C'est un bon calculateur.* ◆ **calculateur** n. m. Machine à calculer utilisant des cartes perforées : *Calculateur électromagnétique. Calculateur électronique.* ◆ **calculatrice** n. f. 1° Machine à clavier ou à curseurs, effectuant les quatre opérations arithmétiques. — 2° Syn. de CALCULATEUR n. m. ◆ **recalculer** v. tr. Refaire un calcul, le contrôler : *Recalculer un budget.*

2. calcul [kalkyl] n. m. Ensemble de réflexions, d'estimations; mesures prises en vue de faire réussir une entreprise, de s'assurer un avantage : *Mon calcul était juste : il est venu me prier de l'aider* (syn. : PRÉVISION). *Il avait compté sur la lassitude de son adversaire, mais c'était un mauvais calcul* (syn. : SUPPUTATION, plus rare). *Un calcul intéressé* (syn. : PROJET). ◆ **calculer** v. tr. 1° *Calculer quelque chose, que* (et l'indic.), évaluer d'une manière précise : *On ne s'engage pas dans une telle affaire sans en calculer les avantages et les inconvénients* (syn. : PESER, MESURER, SUPPUTER). *J'ai calculé qu'il ne viendrait pas avant une huitaine de jours* (syn. : ESTIMER). *En agissant ainsi, nous avons pris un risque calculé* (= limité, étudié). — 2° *Calculer une chose,* la combiner, la choisir et l'arranger habilement en vue d'un résultat avantageux : *Il avait soigneusement calculé tous les termes de sa déclaration. Elle descendait l'escalier avec une lenteur calculée* (= voulue, étudiée). ◆ **calculé, e** part. adj. Se dit d'une personne qui agit avec une prudence circonspecte, en prévoyant soigneusement les conséquences de ses actes : *Avec quelqu'un de si calculé, la conversation manque toujours de spontanéité* (contr. : NATUREL, SIMPLE, SPONTANÉ). ◆ **calculateur, trice** adj. et n. Qui prévoit habilement, qui combine adroitement : *Il est trop calculateur pour se laisser prendre au dépourvu.* ◆ **incalculable** adj. Qui peut difficilement être évalué, prévu : *Les conséquences de cette décision sont incalculables* (syn. : IMPRÉVISIBLE). *Vous vous heurterez à des difficultés incalculables* (syn. : INNOMBRABLE). *Les pertes subies sont incalculables* (syn. : ÉNORME).

3. calcul [kalkyl] n. m. Concrétion pierreuse qui se forme parfois dans les reins, la vessie, la vésicule biliaire, etc.

1. cale [kal] n. f. Objet placé sous le pied ou sous le coin d'un meuble pour assurer son aplomb et sa stabilité, ou placé sous ou contre un autre objet pour le rehausser ou l'assujettir, ou encore contre les roues d'un véhicule pour l'immobiliser, etc. : *L'horloge est arrêtée depuis qu'on a déplacé la cale en balayant. J'ai glissé une pièce de cinq centimes comme cale sous le buffet. Ote les cales, je vais démarrer.* ◆ **caler** v. tr. *Caler quelque chose,* l'immobiliser avec une ou plusieurs cales : *Caler une table bancale.* ◆ ***se caler*** v. pr. (sujet nom de personne). 1° S'installer confortablement : *Il s'est calé dans un fauteuil pour regarder la télévision* (syn. : SE CARRER). — 2° Pop. *Se caler les joues,* faire un bon repas. ◆ **calage** n. m. : *Le calage d'un meuble.* ◆ **cale-pied** n. m. Dispositif fixé sur la pédale, pour maintenir le pied du cycliste : *Les bicyclettes de course sont munies de cale-pieds.*

2. cale [kal] n. f. 1° Partie la plus basse dans l'intérieur d'un navire : *Descendre les caisses dans la cale.* — 2° Chantier ou bassin (*cale sèche*) où l'on construit ou répare un navire. — 3° Fam. *Etre à fond de cale,* être dénué de toute ressource financière.

calé, e [kale] adj. 1° *Fam.* Se dit d'une personne qui sait beaucoup de choses : *Un des garçons les plus calés de la classe* (syn. : SAVANT, INSTRUIT, langue soignée; FORT; FORTICHE, très fam.). *Il est très calé en géographie* (syn. : FORT, FERRÉ). — 2° Se dit d'une chose difficile à comprendre ou à réaliser : *Un problème calé. C'est un travail calé* (syn. : DIFFICILE, ARDU, COMPLIQUÉ, DUR, MALAISÉ, DÉLICAT; fam. : COTON).

calebasse [kalbas] n. f. Courge qui, vidée et séchée, peut servir de récipient : *Dans la case du chef, une boisson aromatisée fut présentée dans une calebasse aux invités.*

caleçon [kalsɔ̃] n. m. 1° Sous-vêtement masculin qui se porte sous le pantalon ou la culotte. — 2° *Caleçon de bain,* vêtement léger pour le bain (syn. : MAILLOT DE BAIN).

calembour [kalɑ̃bur] n. m. Jeu de mots fondé sur les interprétations différentes d'un son ou d'un groupe de sons (ex. : *une personne alitée — une personnalité* [ynpɛrsɔnalite]).

calembredaine [kalɑ̃brədɛn] n. f. (surtout au plur.). Histoire absurde, propos plus ou moins extravagants, qui ne méritent pas d'être écoutés : *Un camelot qui débite des calembredaines devant un public goguenard* (syn. : SORNETTES, BALIVERNES, FADAISES).

calendes [kalɑ̃d] n. f. pl. *Renvoyer aux calendes, aux calendes grecques,* remettre à une date indéterminée, qui risque de ne jamais arriver : *Un rendez-vous renvoyé aux calendes* (syn. fam. : À LA SAINT-GLINGLIN).

calendrier [kalɑ̃drije] n. m. 1° Tableau des jours d'une année, disposés en semaines et en mois (v. MOIS), comportant généralement l'indication des fêtes religieuses et civiles, et des renseignements astronomiques (phases de la Lune, lever et coucher du Soleil, éclipses, etc.) : *On consulte le calendrier pour savoir si le 15 mars était bien un dimanche. Le facteur est passé nous offrir le calendrier.* — 2° Programme des différentes activités prévues : *Le comité n'a pas pu respecter le calendrier qu'il s'était fixé. Le calendrier des examens.*

Calendrier républicain
(établi par la Convention nationale le 24 novembre 1793)

NOM DES MOIS	DATE DU DÉBUT DU MOIS	ORIGINE
vendémiaire	22 septembre	mois des vendanges
brumaire	22 octobre	mois des brumes
frimaire	21 novembre	mois des frimas
nivôse	21 décembre	mois des neiges
pluviôse	20 janvier	mois des pluies
ventôse	19 février	mois des vents
germinal	21 mars	mois de la germination
floréal	20 avril	mois des fleurs
prairial	20 mai	mois des prairies
messidor	19 juin	mois des moissons
thermidor	19 juillet	mois de la chaleur
fructidor	18 août	mois des fruits

calepin [kalpɛ̃] n. m. Petit carnet servant à prendre des notes, à indiquer des rendez-vous, etc. : *J'ai relevé sur mon calepin l'adresse de mon correspondant* (syn. : AGENDA).

1. caler [kale] v. tr. *Caler un moteur,* provoquer son arrêt en lui demandant soudain un trop grand effort : *Le candidat a été refusé au permis de conduire pour avoir calé son moteur.* ◆ v. intr. 1° *Le moteur cale,* il s'arrête brusquement. — 2° (sujet nom de personne) *Fam.* Cesser de s'obstiner, de lutter; renoncer à ses prétentions : *Devant nos menaces, il a fini par caler.* ◆ **calage** n. m. : *Le calage d'un moteur.*

2. caler v. tr. V. CALE 1.

calfeutrer [kalfœtre] v. tr. Boucher soigneusement les fentes, les ouvertures qui causent une déperdition de chaleur dans une pièce d'habitation : *On calfeutre les portes, les fenêtres avec du bourrelet.* ◆ **calfeutrage** ou **calfeutrement** n. m. : *Le calfeutrage du pavillon a été opéré par un spécialiste.*

calibre [kalibr] n. m. 1° Diamètre intérieur du canon d'une arme à feu; diamètre d'un projectile, et, plus généralement, grosseur d'un objet : *Un revolver de gros calibre. L'enquête a montré que la victime avait reçu des balles de calibres différents. Jouer avec des boules d'un calibre bien déterminé.* — 2° Fam. *De ce calibre,* se dit d'une chose d'une grande importance : *On ne voit pas souvent une bêtise de ce calibre* (syn. : TAILLE). ◆ **calibrer** v. tr. *Calibrer des fruits, du charbon* (= les classer selon la grosseur). ◆ **calibrage** n. m. : *Le calibrage des œufs.*

calice [kalis] n. m. 1° Vase sacré, utilisé pour la célébration de la messe. — 2° *Boire le calice jusqu'à la lie,* supporter courageusement jusqu'au bout l'adversité; endurer les pires vexations (loc. littér.).

calicot [kaliko] n. m. Toile de coton, et particulièrement banderole de tissu portant une inscription : *Un calicot, tendu en travers de la rue, annonçait la kermesse.*

califourchon (à) [akalifurʃɔ̃] loc. adv. Jambe d'un côté, jambe de l'autre (avec une intention fam. ou pittoresque) : *Monter à califourchon sur un âne. A califourchon sur une branche* (syn. : À CHEVAL). *S'asseoir à califourchon sur une chaise, les coudes sur le dossier placé devant soi.*

câlin, e [kalɛ̃, -in] adj. Qui a le goût des caresses; qui exprime une douce tendresse : *Un enfant, un chat câlin. Voix câline. Il posait sur elle un regard câlin* (syn. : CARESSANT). ◆ **câlinement** adv. : *Bercer câlinement un bébé dans ses bras.* ◆ **câliner** v. tr. : *Une maman câlinait son enfant qui était tombé* (= le consolait, le caressait doucement, le cajolait). ◆ **câlinerie** n. f. : *On était sensible à la câlinerie des mots qu'il prononçait. Echanger des câlineries.*

calleux, euse adj. V. CAL.

calligraphie [kaligrafi] n. f. Ecriture très appliquée, élégante et ornée : *Avec quel soin il copie ce texte! C'est de la calligraphie!* ◆ **calligraphier** v. tr. : *Calligraphier un titre. Le grand-père conservait encore ses cahiers d'écolier, aux pages calligraphiées.*

callosité n. f. V. CAL.

calme [kalm] adj. 1° Se dit de ce qui est sans agitation, sans animation : *La mer est calme, sans une vague. Une journée politique très calme. La Bourse est calme* (= il y a peu de transactions). *La situation internationale est très calme en ce moment* (= sans tension). *Une ville de province calme et presque assoupie* (= sans bruit ou sans grande activité). *Le dimanche a été très calme* (= sans événement important). — 2° Se dit de quelqu'un (ou de son comportement) qui ne s'emporte pas, qui reste maître de soi : *Cet homme, si calme d'ordinaire, ne put retenir une exclamation indignée* (syn. : PLACIDE; contr. : EMPORTÉ, VIOLENT). *C'est un plaisir de surveiller des enfants aussi calmes* (contr. : AGITÉ, PÉTULANT, TURBULENT, DÉCHAÎNÉ). *Il restait très calme en attendant la décision du jury. Un visage calme* (syn. : DÉTENDU, DÉCONTRACTÉ, RELAXÉ, SEREIN; contr. : AGITÉ, EXCITÉ, NERVEUX, ANXIEUX). *Mener une petite vie bien calme* (syn. : PAISIBLE, TRANQUILLE; pop. : PÉPÈRE). ◆ **calmement** adv. : *Considérer calmement la situation* (syn. : AVEC CALME). *La journée s'est passée calmement. Il sourit calmement devant tant d'insolence.* ◆ **calme** n. m. (seulement au sing.). 1° Absence d'agitation, de bruit en un lieu : *Il s'est retiré dans son bureau pour travailler dans le calme* (ou *au calme*). *Le calme impressionnant de la montagne. Par ce calme plat, les voiliers restent immobiles* (= cette absence totale de vent). — 2° Absence de nervosité, d'émotion chez une personne : *Il écoutait avec le plus grand calme les invectives de son adversaire. Garder un calme imperturbable dans l'épreuve* (syn. : SÉRÉNITÉ). ◆ **calmer** v. tr. 1° *Calmer quelqu'un* ou (plus rarement) *quelque chose,* les rendre plus calmes : *Un orateur s'efforçait de calmer les manifestants* (syn. : APAISER; contr. : EXCITER). *Son intervention a calmé la discussion.* — 2° *Calmer une sensation, un sentiment,* les rendre moins intenses : *Un remède qui calme la douleur* (syn. : ATTÉNUER, ÔTER; contr. : AVIVER). *Des paroles qui calment l'inquiétude des parents* (syn. : APAISER). *Calmer l'ardeur, la joie, les soupçons de quelqu'un.* ◆ ***se calmer*** v. pr. (sujet nom de personne ou de chose). Devenir plus calme : *Il était très irrité, mais il s'est calmé en voyant notre air contrit. La tempête se calme. Ma rage de dents commence à se calmer.* ◆ **calmant, e** adj. et n. m. : *Un traitement calmant* (= qui calme la douleur). *La morphine est un calmant. Prendre un calmant avant de se coucher.*

calomnie [kalɔmni] n. f. Accusation grave et consciemment mensongère : *Comme ses adversaires ne trouvaient rien de répréhensible dans sa vie, ils ont recouru à de basses calomnies. C'est une calomnie : je vous défie d'apporter des preuves de ce que vous dites* (syn. : DIFFAMATION, DÉNIGREMENT; fam. et péjor. : RAGOT). ◆ **calomnier** v. tr. : *Calomnier un rival pendant la campagne électorale* (syn. : DÉNIGRER, MÉDIRE DE; fam. : DÉBINER). ◆ **calomniateur, trice** n. : *Il méprise les calomniateurs* (syn. : DÉTRACTEUR, DIFFAMATEUR). ◆ **calomnieux, euse** adj. Se dit des choses qui contiennent ou constituent une calomnie : *Des paroles calomnieuses* (syn. : DIFFAMATOIRE). ◆ **calomnieusement** adv.

calorie [kalɔri] n. f. Unité de quantité de chaleur : *La calorie* (ou *petite calorie*) *est la quantité de chaleur nécessaire pour élever d'un degré la température d'un gramme d'eau. L'hygiène alimen-*

faire tient compte du nombre de calories fournies par les différents plats d'un repas.

calorifère [kalɔrifɛr] n. m. Appareil destiné au chauffage des maisons par l'air chaud.

1. calot [kalo] n. m. Coiffure militaire ou bonnet du même genre porté par des civils : *Certaines receveuses d'autobus portent un calot* (syn. : BONNET DE POLICE).

2. calot [kalo] n. m. Grosse bille à jouer : *L'enfant vise l'agate avec son calot.*

1. calotte [kalɔt] n. f. 1° Petit bonnet rond s'appliquant sur le sommet de la tête : *Les ecclésiastiques ont parfois une calotte.* — 2° Pop. et péjor. *La calotte,* les prêtres, le clergé (vieilli) : *Reprocher à un homme politique ses relations avec la calotte* (syn. usuel : LES CURÉS). ◆ **calotin, e** n. et adj. *Péjor.* Partisan du clergé; dévot.

2. calotte [kalɔt] n. f. *Fam.* Tape donnée à un enfant sur la joue, la tête : *Il a encore le souvenir des calottes qu'il a reçues pour ses tours pendables* (syn. : GIFLE, SOUFFLET [littér.]; fam. : TALOCHE; pop. : BEIGNE, TARTE, BAFFE, MORNIFLE). ◆ **calotter** v. tr. *Fam.* Donner des tapes sur la figure : *Calotter un insolent* (syn. : GIFLER, SOUFFLETER [littér.]).

calque [kalk] n. m. 1° Dessin obtenu en appliquant un papier transparent sur le dessin à reproduire (syn. : DÉCALQUE). — 2° Imitation étroite, reproduction sans originalité : *Les tragédies classiques ne sont pas de simples calques des tragédies antiques dont elles sont souvent tirées* (syn. : COPIE, DÉMARQUAGE). *Elle est le calque de sa mère* (= elle lui ressemble de façon frappante). ◆ **calquer** v. tr. 1° *Calquer un schéma* (syn. : DÉCALQUER). — 2° *Il calque sa conduite sur celle de son ami.*

calter [kalte] v. intr. ou **se calter** v. pr. *Pop.* S'en aller vivement : *Quand il a vu l'agent, il s'est calté* (syn. usuels : S'ENFUIR, SE SAUVER, DÉCAMPER; fam. : DÉTALER, FILER).

calvados [kalvados] n. m., ou *fam.* **calva** n. m. Eau-de-vie de cidre : *Vous accepterez bien un petit verre de calvados? Après son café, il aimait bien prendre un petit calva.*

calvaire [kalvɛr] n. m. 1° Croix érigée sur un socle ou sur une plate-forme, dans un lieu public, et commémorant la passion du Christ : *Les calvaires bretons représentent des groupes de personnages entourant la croix.* — 2° Longue suite de souffrances physiques ou morales : *Dès le jour où il est devenu impotent, sa vie n'a été qu'un calvaire.*

calvinisme [kalvinism] n. m. Doctrine religieuse de Calvin; ensemble des Eglises réformées qui professent cette doctrine : *Le calvinisme se répandit d'abord en France, au milieu du XVIe siècle.* ◆ **calviniste** adj. et n. : *La réforme calviniste. Les querelles entre luthériens et calvinistes.*

calvitie n. f. V. CHAUVE.

camarade [kamarad] n. 1° Personne à qui on est lié par une familiarité née d'activités communes (études, travail, loisirs, etc.) : *J'ai rencontré un vieux camarade d'école. Camarade d'atelier. Camarade de captivité. J'ai retrouvé un camarade qui a été prisonnier de guerre en même temps que moi. Il voyait en elle une bonne camarade, sans plus* (syn. fam. : COPAIN, COPINE). — 2° Appellation dont les membres des partis d'extrême gauche ou des syndicats se servent à la place de « Monsieur » : *Intervention du camarade Un tel au cours d'une discussion.* — 3° *Camarade!,* interj. par laquelle on exprime à un adversaire menaçant, au cours d'un combat, qu'on n'a pas l'intention de se battre, qu'on se rend. ◆ **camaraderie** n. f. : *Par camaraderie, il s'est laissé punir plutôt que de dénoncer le coupable.*

camarilla [kamarija] n. f. Groupe de personnes exerçant une influence déterminante sur les actes d'un gouvernement par des moyens illégaux : *Un pouvoir dominé par une camarilla de militaires.*

cambouis [kɑ̃bwi] n. m. Pâte noirâtre que constituent les huiles ou les graisses ayant servi à la lubrification, au graissage d'organes mécaniques : *Le garagiste arriva les mains pleines de cambouis.*

cambrer [kɑ̃bre] v. tr. *Cambrer le corps, une partie du tronc,* les redresser exagérément jusqu'à les courber en arrière : *Cambrer les reins* (syn. : CREUSER). *Il cambrait le buste d'un air arrogant.* ◆ ***se cambrer*** v. pr. : *Elle se cambra devant la glace pour juger de sa nouvelle robe.* ◆ **cambré, e** adj. : *Se tenir droit, les reins cambrés.* ◆ **cambrure** n. f. : *Un corset qui accuse la cambrure de la taille.*

cambrioler [kɑ̃briɔle] v. tr. 1° *Cambrioler une maison, un appartement,* etc., les dévaliser, voler des objets qui s'y trouvent : *Ce pavillon a été cambriolé le mois dernier.* — 2° *Cambrioler quelqu'un,* faire un cambriolage chez lui : *A son retour de vacances, il s'est aperçu qu'il avait été cambriolé.* ◆ **cambriolage** n. m. Vol, avec ou sans effraction, effectué dans un local : *Il a fait installer une sonnerie d'alarme chez lui, par crainte des cambriolages.* ◆ **cambrioleur, euse** n. : *Les cambrioleurs ont vidé tous les tiroirs, espérant sans doute trouver des bijoux.*

cambrousse [kɑ̃brus] ou **cambrouse** [kɑ̃bruz] n. f. *Arg.* et *péjor.* Campagne : *Un péquenot* (= un paysan) *qui n'a jamais quitté sa cambrousse.*

cambuse [kɑ̃byz] n. f. 1° *Pop.* Habitation très médiocre : *Un pauvre bougre qui loge dans une vieille cambuse.* — 2° *Pop.* Chambre : *Ouvre la fenêtre pour aérer la cambuse!* (syn. pop. : PIAULE, CARRÉE, TAULE, TURNE).

camée [kame] n. m. 1° Pierre précieuse sculptée en relief, portée comme bijou. — 2° *Un profil de camée,* un visage au profil très régulier.

caméléon [kameleɔ̃] n. m. 1° Reptile qui a la propriété de changer de couleur. — 2° Personne qui change facilement d'opinions ou de conduite selon les circonstances du moment : *On ne peut pas compter sur lui, c'est un vrai caméléon.*

camélia ou **camellia** [kamelja] n. m. Arbuste souvent cultivé en serre et donnant de très belles fleurs.

camelot [kamlo] n. m. Marchand ambulant qui vend, sur la voie publique, des articles de peu de valeur : *Il a acheté un lot de crayons à un camelot sur le Boulevard. Les badauds écoutaient le boniment du camelot.* ◆ **camelote** n. f. Marchandise, produit de mauvaise qualité : *Ces chaussettes sont déjà percées : c'est de la camelote. Ce commerçant ne vend que de la camelote.*

camembert [kamɑ̃bɛr] n. m. Fromage à pâte fermentée, fabriqué principalement en Normandie : *Donnez-moi un camembert bien fait* (= dont la pâte est devenue molle). *Un camembert qui coule n'est pas un bon camembert.*

caméra [kamera] n. f. Appareil destiné à la prise de vues photographiques animées sur film, ou à la transmission télévisée des images : *En dissimulant sa caméra, il a pu filmer la scène sans attirer l'attention.*

camion [kamjɔ̃] n. m. Véhicule automobile destiné à transporter de grosses charges : *Il a fallu trois camions de déménagement. L'entrepreneur a acheté un camion de six tonnes* (= pouvant transporter six tonnes de matériaux). ◆ **camion-citerne** n. m. Camion spécialement conçu pour le transport des liquides. ◆ **camionnette** n. f. Petit camion : *La camionnette du boulanger qui livre le pain dans les campagnes. Charger une camionnette de caisses de fruits.* ◆ **camionnage** n. m. : *Le camionnage sera assuré par un service de messageries. Le camionnage augmente considérablement le prix de revient.* ◆ **camionneur** n. m. : *Il a fallu s'adresser à un camionneur pour faire emporter le buffet* (syn. : TRANSPORTEUR ROUTIER). *Le camionneur conduisit son véhicule près de la grue.*

camisole [kamizɔl] n. f. *Camisole de force,* blouse emprisonnant les bras le long du corps, que l'on passe à des fous furieux ou à des malfaiteurs pour les maîtriser.

camomille [kamɔmij] n. f. 1° Plante qui a des vertus digestives. — 2° Infusion préparée avec les fleurs de cette plante : *Comme elle avait l'estomac chargé, elle demanda une camomille.*

camoufler [kamufle] v. tr. 1° *Camoufler un objet,* le rendre difficilement visible en le masquant, en le bariolant, etc. (surtout mil.) : *Camoufler une automitrailleuse avec des branchages.* — 2° *Camoufler un fait, un sentiment,* etc., éviter de les laisser apparaître : *Camoufler une défaite. Il camoufle son embarras sous un air entendu* (syn. : MASQUER, DÉGUISER, CACHER). ◆ **camouflé, e** adj. : *La tenue camouflée des parachutistes.* ◆ **camouflage** n. m. : *Le camouflage des cuirassés derrière un écran de fumée.*

camouflet [kamuflɛ] n. m. Parole, action, situation qui humilie quelqu'un en rabattant brutalement sa fierté, ses prétentions : *Il a essuyé un camouflet en public. Le résultat des élections a été pour lui un cruel camouflet* (syn. : AFFRONT, VEXATION, HUMILIATION, AVANIE, MORTIFICATION).

1. camp [kɑ̃] n. m. 1° Terrain où stationne une troupe qui loge sous la tente ou dans des baraquements; ensemble des abris et du matériel utilisés par cette troupe : *Un camp militaire destiné à l'instruction des recrues. Un camp de réfugiés. Il est mort dans un camp de concentration. L'expédition antarctique a établi* (ou *dressé*) *un nouveau camp sur la banquise. Une tempête a ravagé le camp.* — 2° Fam. *Ficher* (ou *fiche*) *le camp,* s'en aller vivement, partir, céder : *Allez, ouste, fichez-moi le camp!* (syn. : DÉCAMPER, langue plus soignée; pop. : FOUTRE LE CAMP). *Cette pièce branle parce qu'un rivet a fichu le camp.* ◆ **campement** [kɑ̃pmɑ̃] n. m. 1° Camp sommairement aménagé : *Il y a aux environs immédiats de la ville un campement de nomades.* — 2° Ensemble du matériel d'une troupe qui campe : *Ils durent partir précipitamment en abandonnant une partie du campement.*

2. camp [kɑ̃] n. m. 1° Action de se livrer au camping (sens 1) : *Le camp développe le sens de la camaraderie. Ce camp durera une semaine* (syn. : CAMPING). — 2° *Camp volant,* voyage à chaque étape duquel on dresse la tente : *Nous avons fait un camp volant de six jours dans les gorges du Tarn* (contr. : CAMP FIXE). ‖ *Etre en camp volant,* être installé d'une façon provisoire : *En attendant l'achèvement de leur maison, ils ont vécu plusieurs mois en camp volant chez des amis.* ◆ **camper** v. intr. Installer les tentes; pratiquer le camping : *Une troupe de scouts qui campe au bord d'un lac de montagne. Il a campé pendant la moitié de ses vacances.* ◆ **campeur, euse** n. Personne qui pratique le camping : *La municipalité a réservé un terrain aux campeurs.* ◆ **camping** [kɑ̃piɲ ou kɑ̃ping] n. m. 1° Activité sportive ou touristique consistant à vivre sous la tente ou dans une remorque spécialement aménagée : *Il s'est mis au camping à quarante ans. Un terrain de camping. Nombreux sont les gens qui font du camping pendant leurs vacances.* — 2° Lieu où les campeurs peuvent installer leur tente, leur roulotte.

3. camp [kɑ̃] n. m. Un des partis qui s'opposent : *Le camp des « oui » et le camp des « non » à un référendum. Dans quel camp êtes-vous?*

1. campagne [kɑ̃paɲ] n. f. 1° Etendue de pays découvert et plat ou modérément accidenté : *a*) par oppos. à *bois, montagne,* etc. : *Une campagne riante, monotone. Ce village est-il situé à la campagne, en montagne ou au bord de la mer?*; *b*) par oppos. à *ville* : *Sitôt traversé le boulevard, on se trouve dans la campagne. La vie est moins trépidante à la campagne qu'à la ville. Les travaux de la campagne* (= les travaux des champs). — 2° *Battre la campagne,* parcourir une région en tous sens à la recherche de quelqu'un ou de quelque chose : *Les gendarmes ont battu la campagne plusieurs jours sans retrouver la trace du disparu*; et, *fam.,* avoir des idées un peu extravagantes, chimériques : *Quand on le met sur ce chapitre, il ne tarde pas à battre la campagne* (syn. : DIVAGUER, DÉRAISONNER). ‖ *De campagne,* qui réside, qui est situé, qui a lieu à la campagne : *Un épicier de campagne. Une maison de campagne* (= une propriété servant de résidence d'agrément). *Partie de campagne* (= excursion, promenade à la campagne, faite par plusieurs personnes et généralement limitée à une journée). ‖ Fam. *Emmener quelqu'un à la campagne,* lui faire croire à plaisir des choses fausses (syn. : MYSTIFIER; fam. : EMMENER EN BATEAU). ‖ *Rase campagne,* étendue qui n'offre pas d'abri, de protection : *La voiture tomba en panne en rase campagne. Livrer bataille en rase campagne.* ◆ **campagnard, e** adj. et n. Qui vit à la campagne; qui mène une existence simple : *Ecrivain campagnard. Une robuste campagnarde.* ◆ adj. Qui a la simplicité ou la gaucherie de la campagne : *Les mœurs campagnardes. Des élégances campagnardes* (syn. : RUSTIQUE).

2. campagne [kɑ̃paɲ] n. f. 1° Expédition militaire, ensemble d'opérations militaires : *Les campagnes de Napoléon. La campagne de Libye.* — 2° Entreprise politique, économique, culturelle, humanitaire, etc., de durée déterminée, et mettant en œuvre d'importants moyens de propagande : *La* campagne électorale battait son plein. *La campagne du timbre antituberculeux. Une campagne de presse. Certains producteurs parlaient de lancer une campagne contre la vie chère.* — 3° *En campagne,* en activité pour obtenir quelque chose : *Tous ses amis s'étaient mis en campagne pour lui procurer les fonds nécessaires.*

campanile [kɑ̃panil] n. m. 1° Tour, généralement ajourée et isolée, d'une église, dont elle reçoit les cloches. — 2° Petit clocher à jour, au-dessus d'un édifice.

1. camper [kɑ̃pe] v. tr. 1° *Camper quelque chose* (objet), le poser hardiment : *Le chapeau campé sur l'oreille, il regardait tranquillement la foule.* — 2° *Camper un portrait, un dessin,* etc., le tracer vivement et avec sûreté : *Camper un personnage sur le papier en trois coups de crayon. Un romancier qui excelle à camper des portraits, des caractères* (syn. : ESQUISSER, CROQUER). ◆ ***se camper*** v. pr. Prendre une attitude fière et décidée (suivi d'un compl. de lieu) : *Il se campa devant la glace et parut satisfait de lui* (syn. : SE PLANTER).

2. camper v. intr., **campeur, euse** n. V. CAMP 2.

camphre [kɑ̃fr] n. m. Substance aromatique cristallisée, extraite du *camphrier,* laurier cultivé au Japon, en Chine, en Océanie. ◆ **camphré, e** adj. : *Huile camphrée,* qui contient du camphre.

camping n. m. V. CAMP 2.

camus, e [kamy, -yz] adj. Se dit d'un nez aplati et court, ou plus rarement d'une personne, d'un visage qui a un tel nez.

canadienne [kanadjɛn] n. f. Veste de tissu doublée de peau de mouton.

canaille [kanaj] n. f. 1° Individu méprisable, sans moralité : *Méfiez-vous de lui : c'est une canaille. Cette canaille a été arrêtée par la police après avoir escroqué de grosses sommes* (syn. : VAURIEN, GREDIN, ESCROC, SCÉLÉRAT [langue soignée]). — 2° Parfois, par badinerie, enfant espiègle : *Cette petite canaille a tout deviné!* (syn. : COQUIN, FRIPON, POLISSON). — 3° Ramassis de gens de basse condition, considérés comme méprisables : *Il s'est mis à boire et à fréquenter la canaille* (syn. : POPULACE, PÈGRE, RACAILLE). ◆ adj. 1° Cyniquement populacier, vulgaire : *Il nous regardait en riant d'un air canaille, les mains dans les poches.* — 2° Méprisable et sans moralité : *Il est très intelligent, mais un peu canaille.* ◆ **canaillerie** n. f. : *Il n'en est plus à une canaillerie près* (syn. littér. : SCÉLÉRATESSE). *La canaillerie du ton a choqué tout le monde* (= la vulgarité provocante). ◆ **s'encanailler** v. pr. (sujet nom de personne). Prendre des mœurs, un air vulgaire, en fréquentant ou en imitant la canaille : *J'ai peine à reconnaître mon ancien camarade : il s'est encanaillé dans les milieux louches. Le style de cet écrivain s'encanaille dans ses derniers romans* (langue un peu affectée).

canal [kanal] n. m. Voie navigable ou conduit d'écoulement établis par l'homme : *Le canal de Suez a 168 km de Port-Saïd à Suez. Le canal de Briare réunit la Loire à la Seine par le Loing. Une région sillonnée par des canaux d'irrigation.* ● LOC. PRÉP. *Par le canal de,* par l'intermédiaire de (terme admin.) : *Une note transmise aux intéressés par le canal du chef de service.* ◆ **canaliser** v. tr. 1° *Canaliser un cours d'eau,* le régulariser ou le rendre propre à la navigation par des travaux de maçonnerie, etc. : *La municipalité a décidé de canaliser la rivière par mesure d'hygiène.* — 2° *Canaliser des choses, des personnes,* les rassembler et les acheminer dans une direction déterminée : *Un secrétaire chargé de canaliser les réclamations. Un service d'ordre parfaitement organisé canalise la foule des visiteurs.* ◆ **canalisation** n. f. 1° Action de canaliser : *Des crédits ont été prévus pour la canalisation d'un tronçon de la rivière.* — 2° Tuyau ou système de tuyaux installés dans un bâtiment ou dans le sol pour la circulation de liquides ou de gaz : *Avant de quitter le pavillon, il a fallu vidanger les canalisations d'eau en prévision des gelées. On a creusé une tranchée dans la rue pour faire un branchement sur la canalisation de gaz* (syn. : CONDUITE).

1. canapé [kanape] n. m. Long siège à dossier et accoudoirs, où plusieurs personnes peuvent s'asseoir, et où l'on peut aussi s'étendre.

2. canapé [kanape] n. m. Tranche de pain frite au beurre sur laquelle on dépose diverses garnitures.

1. canard [kanar] n. m. Volatile palmipède, élevé en basse-cour ou vivant à l'état sauvage : *Des canards barbotent dans une mare. Chasser le canard dans les marais. On a servi à table un canard aux petits pois.* ◆ **cane** n. f. Femelle du canard : *Les œufs de cane sont plus gros que les œufs de poule.* ◆ **caneton** n. m. Jeune canard : *Les canetons accourent en se dandinant, dans la cour de la ferme.*

2. canard [kanar] n. m. 1° *Fam.* et *péjor.* Fausse nouvelle : *Vous n'allez pas croire tous les canards qu'on vous raconte* (syn. auj. plus usuel : BOBARD). — 2° *Fam.* Journal : *Les potins du canard de la région. J'ai lu ça dans mon canard. Acheter son canard au kiosque du métro* (syn. moins usuel : FEUILLE DE CHOU).

3. canard [kanar] n. m. Fausse note d'un chanteur ou d'un instrument à vent : *Un orchestre d'amateurs qui n'en est pas à un canard près* (syn. : COUAC).

canarder [kanarde] v. tr. Fam. *Canarder quelqu'un,* tirer, lancer de nombreux projectiles sur lui, en restant soi-même hors d'atteinte : *Les batteries côtières canardaient les assaillants. Grimpé dans l'arbre, il canarde les passants avec des pommes.*

canari [kanari] n. m. Oiseau chanteur de couleur jaune verdâtre, du genre des serins : *Deux canaris s'égosillaient dans leur cage.*

canasson [kanasɔ̃] n. m. *Pop.* et *péjor.* Cheval.

cancan [kɑ̃kɑ̃] n. m. Bavardage malveillant (presque uniquement au plur.) : *Soyez plus discrète, ne provoquez pas inutilement les cancans du quartier. Faire courir des cancans sur le compte de quelqu'un* (syn. : COMMÉRAGE, RACONTAR ; fam. : RAGOT). ◆ **cancaner** v. intr. : *Ce petit scandale a fourni aux voisins l'occasion de cancaner abondamment. Elle va encore cancaner avec la concierge.* ◆ **cancanier, ère** adj. et n. : *C'est une femme spirituelle, mais un peu cancanière. Un salon cancanier* (= où l'on cancane).

cancer [kɑ̃sɛr] n. m. Tumeur maligne, formée par la multiplication désordonnée des cellules d'un tissu organique : *Un cancer du poumon, du foie.* ◆

cancéreux, euse adj. : *L'analyse a montré que cette tumeur n'était pas cancéreuse.* ◆ n. Personne atteinte d'un cancer : *Un teint de cancéreux.* ◆ **cancérigène** adj. Se dit de certaines substances capables de provoquer un cancer.

cancre [kɑ̃kr] n. m. *Péjor.* Elève très paresseux, dont on ne peut rien tirer : *Les trois cancres de la classe ont encore été classés derniers ex aequo* (contr. fam. : FORT EN THÈME, CRACK).

cancrelat [kɑ̃krəla] n. m. Syn. de CAFARD 1.

candélabre [kɑ̃delabr] n. m. Grand chandelier à plusieurs branches : *La salle à manger du château était éclairée par des candélabres d'argent.*

candeur [kɑ̃dœr] n. f. Innocence naïve (souvent ironiq.) : *Une candeur d'enfant. Avec sa candeur habituelle, il a recommencé son explication sans se rendre compte que l'autre se moquait de lui* (syn. : INGÉNUITÉ, NAÏVETÉ ; PURETÉ, sans nuance ironiq. ; contr. : HYPOCRISIE, CYNISME). ◆ **candide** adj. Se dit de quelqu'un plein de candeur, ou d'une conduite qui exprime la candeur (parfois ironiq.) : *Une fillette candide. Un sourire, un regard candide. La question candide du vieux savant fit sourire* (syn. : INGÉNU, NAÏF ; INNOCENT, PUR, sans nuance ironiq. ; contr. : SOURNOIS, CYNIQUE). ◆ **candidement** adv. : *Il se réjouissait candidement de la promesse qu'on lui avait faite* (syn. : NAÏVEMENT ; contr. : HYPOCRITEMENT).

candi [kɑ̃di] adj. invar. *Sucre candi,* sucre cristallisé et purifié.

candidat, e [kɑ̃dida, -at] n. Personne qui se présente à un examen ou à un concours, qui sollicite sa nomination à une fonction, son élévation à un titre : *Un candidat brillamment reçu au baccalauréat. Les candidats à un certificat de licence devront être inscrits avant cette date. Le député sortant n'est pas candidat aux nouvelles élections.* ◆ **candidature** n. f. Action de se présenter comme candidat ; situation de candidat : *Il a posé sa candidature au fauteuil vacant à l'Académie. Pour être élu, il faut au moins faire acte de candidature. De nombreuses candidatures ont été reçues pour cet emploi, mais la plupart ont été éliminées d'emblée. Toutes les candidatures seront examinées. Déposer sa candidature à la préfecture.*

candide adj. V. CANDEUR.

cane n. f., **caneton** n. m. V. CANARD 1.

caner [kane] v. intr. Pop. *Caner devant un danger, une difficulté,* reculer, céder devant eux, par peur.

canette [kanɛt] n. f. Bouteille munie d'un bouchon spécial et destinée à contenir de la bière, de la limonade, des jus de fruits : *Garçon, apportez-nous une autre canette. Il avait mis ses canettes de bière à rafraîchir à la cave.*

1. canevas [kanva] n. m. Grosse toile claire pour faire des ouvrages de tapisserie ; travail de tapisserie effectué sur cette toile : *Jeune fille qui fait du canevas.*

2. canevas [kanva] n. m. Ensemble des principaux points d'une œuvre littéraire ou d'un exposé ; disposition des parties : *Il m'a fait part confidentiellement du canevas de son prochain roman. Ces quelques idées émises dans la conversation ont servi de canevas à une brillante improvisation de notre ami* (syn. : PLAN, ÉBAUCHE, ESQUISSE, DONNÉE). *Il préparait le canevas de sa dissertation.*

caniche [kaniʃ] n. m. Chien à poils frisés.

canicule [kanikyl] n. f. Période très chaude de l'été ; chaleur accablante de l'atmosphère : *Pendant la canicule, la plage est surpeuplée. La canicule est bénie des marchands de glaces* (syn. : LES GROSSES CHALEURS). ◆ **caniculaire** adj. : *Une chaleur caniculaire. Nous avons eu une dizaine de jours caniculaires.*

canif [kanif] n. m. 1° Petit couteau de poche : *Pourriez-vous me prêter votre canif pour tailler mon crayon ?* — 2° Fam. *Donner des coups de canif à un contrat, à un engagement,* lui faire subir de petites violations : *Un détaillant qui donne des coups de canif à un accord commercial. Il a respecté la convention, à quelques coups de canif près.* ‖ Fam. *Donner un coup de canif dans le contrat,* commettre une infidélité, en parlant d'un des époux.

canin, e [kanɛ̃, -in] adj. (surtout au fém.). Qui se rapporte aux chiens : *Visiter une exposition canine. Ce berger allemand est un des plus beaux spécimens de l'espèce canine.*

canine [kanin] n. f. Dent, généralement plus pointue que les autres, située sur chaque demi-mâchoire entre les incisives et les prémolaires : *Il a dû se faire couronner cette canine cariée.*

caniveau [kanivo] n. m. Rigole destinée à l'écoulement des eaux le long d'une chaussée, généralement au bord des trottoirs : *Une voiture m'a éclaboussé en roulant dans le caniveau. Les cantonniers doivent veiller à l'entretien des caniveaux.*

cannage n. m. V. CANNER.

canne [kan] n. f. 1° Bâton terminé par une poignée, une crosse ou un pommeau, et dont on se sert pour marcher : *Depuis son accident, il marche avec une canne. Un vieillard courbé sur sa canne. Un élégant d'autrefois arborait sa canne à pommeau d'ivoire. Les aveugles portent une canne blanche qui leur permet de se guider et les signale à l'attention des piétons et des conducteurs de véhicules.* — 2° *Les cannes blanches,* les aveugles : *Une quête organisée au profit des cannes blanches.*

cannelé, e [kanle] adj. Orné de cannelures : *Les colonnes des anciens temples grecs sont ordinairement cannelées.* ◆ **cannelure** [kanlyr] n. f. Rainure tracée parallèlement à d'autres le long d'une colonne ou d'un pilastre.

1. cannelle [kanɛl] n. f. Robinet de bois qu'on adapte à un tonneau : *La cannelle, trop négligemment fermée, laissait goutter le vin.*

2. cannelle [kanɛl] n. f. Ecorce aromatique qui, réduite en poudre, est utilisée en pâtisserie : *Un gâteau à la cannelle. Mettre de la cannelle dans un pudding.*

cannelure n. f. V. CANNELÉ.

canner [kane] v. tr. *Canner un siège,* en garnir le fond ou le dossier d'un treillis de rotin : *Elle gagnait petitement sa vie en cannant des chaises. Une chaise cannée.* ◆ **cannage** n. m. : *Ce fauteuil a bien besoin d'un nouveau cannage.* ◆ **canneur, euse** n. : *Les jours de marché, un canneur de chaises s'installait sur la place.*

cannibale [kanibal] n. et adj. Syn. de ANTHROPOPHAGE (insiste sur l'idée de cruauté) : *On devait* *apprendre plus tard que l'explorateur avait été la victime d'une tribu de cannibales.* ◆ **cannibalisme** n. m. : *Il existait au XIXe s. des régions d'Afrique où le cannibalisme était courant* (syn. scientif. : ANTHROPOPHAGIE).

canoë [kanoe] n. m. Embarcation légère de sport, mue à la pagaie : *Il passe ses vacances à descendre le cours des rivières en canoë.* ◆ **canoéiste** n. Personne qui conduit un canoë.

1. canon [kanɔ̃] n. m. Principe servant de règle stricte; objet pris comme modèle achevé, principalement en matière d'art (langue recherchée) : *Dans cette famille, on respectait les canons de la bienséance* (syn. : LE CODE, LES RÈGLES). *L'« Apollon du Belvédère » peut être considéré comme le canon de la beauté masculine chez les anciens Grecs* (syn. : LE MODÈLE, LE TYPE, L'IDÉAL). ◆ **canonique** [kanɔnik] adj. Fam. *Age canonique,* en parlant d'une femme, âge déjà mûr, peu propre à inspirer l'amour : *Madame avait exigé que son mari prît une secrétaire d'un âge très canonique.* (Sans nuance fam., l'*âge canonique* est l'âge minimal de quarante ans imposé aux servantes des ecclésiastiques.)

2. canon [kanɔ̃] n. m. 1° Arme à feu non portative : *Un canon antiaérien, antichar. Certains canons ont une portée de plus de trente kilomètres.* — 2° Tube d'une arme à feu, portative ou non : *Le désespéré appuya sur sa tempe le canon de son revolver.* — 3° Fam. *Chair à canon,* les humains, et surtout les soldats, considérés comme promis à la mort en cas de guerre : *Elle répétait qu'elle ne voulait pas élever des enfants pour en faire de la chair à canon.* ◆ **canonner** v. tr. Battre à coups de canon : *Une escadre a canonné pendant une heure les défenses côtières* (syn. : BOMBARDER). ◆ **canonnade** n. f. Suite de coups de canon : *La canonnade a été entendue pendant une partie de la nuit.*

3. canon [kanɔ̃] n. m. *Pop.* Verre de vin que l'on boit au comptoir d'un marchand de vin : *Viens donc au bistrot prendre un canon. Je te paye un canon. Il a eu vite sifflé son canon.*

canoniser [kanɔnize] v. tr. *Canoniser quelqu'un,* l'inscrire au nombre des saints : *Jeanne d'Arc a été canonisée en 1920.* ◆ **canonisation** n. f. : *La canonisation est solennellement proclamée par le pape.*

canonner v. tr. V. CANON 2.

canot [kano] n. m. Embarcation légère, mue par un moteur, à la rame ou parfois à la pagaie : *Un bateau qui pêchait dans le voisinage a mis un canot à la mer pour recueillir les naufragés. Ce petit port de pêche possède un excellent canot de sauvetage. En arrivant sur la plage, on gonfla le canot pneumatique.* ◆ **canoter** v. intr. : *L'après-midi, nous allions canoter sur l'étang du château.* ◆ **canotage** n. m. : *Baignade et canotage sont nos plaisirs favoris.*

canotier [kanɔtje] n. m. Chapeau rigide de paille tressée, à fond plat.

cantal [kɑ̃tal] n. m. Fromage fabriqué en Auvergne avec du lait de vache (syn. : FOURME).

cantate [kɑ̃tat] n. f. Morceau de musique religieuse ou profane, à une ou plusieurs voix avec accompagnement.

cantatrice [kɑ̃tatris] n. f. Chanteuse de profession ayant du talent : *Cette cantatrice a fait salle comble à chacun de ses récitals.*

1. cantine [kɑ̃tin] n. f. Service chargé de préparer le repas de midi pour le personnel d'une entreprise ou les élèves d'un établissement; salle où l'on prend ce repas; parfois, les mets qui y sont servis : *La cantine de cette usine est bien organisée. A midi et demi, on descend à la cantine* (syn. : RÉFECTOIRE; MESS, POPOTE, langue militaire). *La cantine n'est pas mauvaise aujourd'hui.*

2. cantine [kɑ̃tin] n. f. Coffre de voyage, spécialement à l'usage des militaires : *Le capitaine a expédié sa cantine par bateau.*

cantique [kɑ̃tik] n. m. Chant religieux en langue profane : *De nombreux fidèles suivaient la procession en chantant des cantiques.*

canton [kɑ̃tɔ̃] n. m. Division administrative territoriale : *En France, le canton est une subdivision de l'arrondissement.* ◆ **cantonal, e, aux** [kɑ̃tɔnal, -no] adj. : *Les conseillers généraux sont désignés par les élections cantonales.*

cantonade (à la) [alakɑ̃tɔnad] loc. adv. *Parler, dire, raconter quelque chose à la cantonade,* le dire assez haut pour être entendu de nombreuses personnes; le dire à tout venant (contr. : EN APARTÉ, EN CATIMINI). [Au théâtre, la *cantonade* est l'intérieur des coulisses, et l'expression *à la cantonade* signifie « en s'adressant à quelqu'un que l'on suppose être dans les coulisses ».]

1. cantonner [kɑ̃tɔne] v. tr. *Cantonner une troupe,* l'installer dans un cantonnement (presque uniquement au passif) : *La compagnie fut cantonnée dans les locaux d'une école.* ◆ v. intr. Séjourner dans un cantonnement : *La troupe a cantonné dans un village.* ◆ **cantonnement** n. m. 1° Installation temporaire d'une troupe dans des locaux qui ne sont pas normalement destinés à la recevoir : *Le cantonnement de la compagnie se fera dans une école.* — 2° Local affecté à cet usage : *Les soldats restèrent ce jour-là dans leurs cantonnements.*

2. cantonner [kɑ̃tɔne] v. tr. *Cantonner quelqu'un,* le tenir isolé dans certaines limites : *On l'a cantonné dans ses premières attributions, sans lui donner d'autres responsabilités.* ◆ **se cantonner** v. pr. (sujet nom de personne). Se tenir à l'écart ou dans certaines limites : *Je m'étais cantonné dans mon bureau* (syn. : S'ISOLER). *Cet historien se cantonne dans la Révolution française. Il a jugé préférable de se cantonner dans un prudent silence. Nous nous cantonnerons dans l'explication de ce fait* (syn. : SE BORNER, SE LIMITER).

cantonnier [kɑ̃tɔnje] n. m. Ouvrier chargé de l'entretien des routes et des chemins : *Le cantonnier a fauché l'herbe des talus et nettoyé les fossés.*

canulant, e adj. V. CANULER.

canular [kanylar] n. m. *Fam.* Action ou propos visant à abuser de la crédulité de quelqu'un (dans le langage étudiant et dans un public de plus en plus étendu) : *Un de ses canulars avait été de se faire passer auprès du professeur pour un élève étranger* (syn. : MYSTIFICATION, FARCE, BLAGUE). ◆ **canularesque** adj. *Fam.* Se dit de ce qui a les caractères ou l'apparence d'un canular : *Il nous raconta avec le plus grand sérieux une histoire canularesque.*

canule [kanyl] n. f. Petit tuyau destiné aux injections.

canuler [kanyle] v. tr. Fam. *Canuler quelqu'un,* le fatiguer, l'agacer par des taquineries, des demandes répétées : *Il commence à me canuler avec son histoire* (syn. : IMPORTUNER [langue soignée]; AGACER, ÉNERVER, OBSÉDER; fam. : CASSER LES PIEDS [à quelqu'un], BASSINER, CRAMPONNER, FAIRE SUER; ↑ ASSOMMER, EMPOISONNER). ◆ **canulant, e** adj. Fam. : *On ne peut rien faire de sérieux avec un voisin aussi canulant. Un règlement canulant.*

caoutchouc [kautʃu] n. m. 1° Substance élastique, que l'on tire du latex de certains arbres ou que l'on obtient par synthèse à partir de certains dérivés du pétrole : *Les applications du caoutchouc sont très nombreuses. Les enfants jouent avec un ballon de caoutchouc. Le caillou a coupé le caoutchouc du pneu, mais non la toile.* — 2° Fil, bande ou feuille de cette matière : *Le paquet de fiches est maintenu par un caoutchouc* (syn. : ÉLASTIQUE). *Entre la nappe et la table, on avait par précaution mis un caoutchouc.* ◆ **caoutchouter** v. tr. *Caoutchouter un tissu,* l'enduire de caoutchouc (surtout au part. passé) : *On avait étendu sur le sol une toile caoutchoutée pour se préserver de l'humidité.* ◆ **caoutchoutage** n. m. : *Le caoutchoutage d'un tissu.* ◆ **caoutchouteux, euse** adj. Qui a la consistance du caoutchouc : *Viande caoutchouteuse.*

1. cap [kap] n. m. 1° Pointe de terre qui s'avance dans la mer : *Le cap d'Antibes, le cap Fréhel.* — 2° *Doubler, passer le cap,* franchir une étape difficile, décisive : *Le gouvernement a failli être renversé, mais le ralliement de quelques hésitants lui a permis de doubler le cap. Une fois doublé le cap de l'examen, il voulut prendre un peu de repos. Le médecin ne pouvait pas répondre de son malade, mais il semble que celui-ci ait passé le cap.* ‖ *Mettre le cap sur un objectif,* aller dans sa direction : *Nous avons fait une première étape à Clermont-Ferrand, de là nous avons mis le cap sur Aurillac.*

2. cap [kap] n. m. *De pied en cap* [dəpjetɑ̃kap], loc. adv. Surtout dans des expressions telles que *habiller, équiper de pied en cap,* entièrement (syn. : DES PIEDS À LA TÊTE).

1. capable [kapabl] adj. (après le nom). 1° Se dit de quelqu'un qui a l'aptitude, le pouvoir de (suivi de la prép. *de* et d'un nom ou d'un infin. prés.) : *C'est un garçon capable de tous les dévouements. Il est capable de comprendre cette explication* (syn. : À MÊME DE, APTE À). *Certains chiens sont capables de sauver des gens en péril dans la montagne.* — 2° Se dit de quelque chose qui peut avoir tel ou tel effet (mêmes constructions que 1) : *Un programme capable de plaire aux auditeurs les plus difficiles* (syn. : PROPRE À). — 3° Indique, pour quelque chose ou pour quelqu'un, une éventualité que l'on craint, ou que l'on envisage maintenant, alors qu'elle paraissait autrefois improbable (suivi de la prép. *de* et d'un infin. prés. ou passé) : *Voilà un détail capable de passer inaperçu si on n'y veille pas* (= qui risque de passer inaperçu). *C'est capable d'arriver* (= c'est possible, cela peut arriver). *Il n'est pas encore là? Il est bien capable d'avoir oublié le rendez-vous* (= je ne serais pas surpris s'il avait oublié). *Il est encore bien malade, mais il semble aller un peu mieux : il est capable de s'en tirer encore cette fois-ci* (syn. fam. : FICHU DE; pop. : FOUTU DE). — 4° Se dit de quelqu'un qui peut aller jusqu'à tel ou tel acte blâmable : *Il est capable des pires bassesses pour obtenir ce qu'il désire. Certaines gens sont capables de tout pour réussir* (= ne reculent devant rien, ne sont retenus par aucun scrupule). *Tu serais capable de trahir tes parents?* ◆ **incapable** adj. Contr. de *capable* (aux sens 1 et 3) : *Un élève incapable d'un effort soutenu. Je suis incapable de lire cette écriture. C'est un livre incapable de vous intéresser. Je vous crois incapable d'une telle lâcheté.*

2. capable [kapabl] adj. Se dit de quelqu'un qui a les qualités requises par ses fonctions (sans compl.) : *L'affaire marche mal, faute d'un directeur capable* (syn. : COMPÉTENT, QUALIFIÉ; fam. : À LA HAUTEUR; contr. : INCAPABLE). *Il est sorti d'une grande école, c'est un garçon capable.* ◆ **incapable** adj. et n. : *Plusieurs chefs incapables ont été affectés à d'autres postes. On ne doit pas être surpris qu'une affaire menée par des incapables ait si mal tourné.* ◆ **capacité** n. f. Aptitude d'une personne dans tel ou tel domaine : *Au bout de trois heures de vaine attente, je commençai à douter de la capacité du mécanicien* (syn. : COMPÉTENCE; contr. : INCAPACITÉ); souvent au plur. : *On lui a confié une tâche au-dessus de ses capacités* (syn. : APTITUDE, TALENT, COMPÉTENCE, MOYENS). *Quelles sont ses capacités en la matière?* (syn. : POSSIBILITÉS). ◆ **incapacité** n. f. : *Au terme du stage, certains ingénieurs peuvent être éliminés pour incapacité* (syn. : INCOMPÉTENCE, INAPTITUDE). *Faute de témoignages, nous sommes dans l'incapacité de juger* (syn. : IMPOSSIBILITÉ).

1. capacité n. f. V. CAPABLE 2.

2. capacité [kapasite] n. f. Quantité que peut contenir un récipient (terme scientif.) : *Nanti de ces mesures, il se mit à calculer la capacité de la cuve* (syn. plus usuel : CONTENANCE).

cape [kap] n. f. 1° Manteau ample et sans manches : *Elle s'enveloppa frileusement dans sa cape. Certaines tenues d'apparat comportent une cape.* ‖ *De cape et d'épée,* se dit d'un roman ou d'un film d'aventures dont les personnages sont batailleurs et chevaleresques : *Alexandre Dumas père a écrit de nombreux romans de cape et d'épée. L'action des romans de cape et d'épée se déroule souvent sous le règne de Louis XIII. Certains acteurs se sont spécialisés dans les films de cape et d'épée.* — 2° *Rire sous cape,* rire en cachette, ou réprimer son envie de rire : *Nous attendions, en riant sous cape, qu'il s'aperçût de sa méprise.*

capeline [kaplin] n. f. Chapeau de femme à très large bord.

capharnaüm [kafarnaɔm] n. m. Lieu où des objets de toute sorte se trouvent dans le plus grand désordre : *Range donc ton bureau : comment peux-tu travailler dans un pareil capharnaüm? Le grenier est devenu un vrai capharnaüm depuis vingt ans qu'on y relègue les objets mis au rebut* (syn. : BRIC-À-BRAC).

1. capillaire [kapilɛr] adj. Qui concerne la chevelure (terme commercial) : *Un artiste capillaire. Une lotion capillaire.*

2. capillaire [kapilɛr] adj. Qui est fin comme un cheveu (terme scientif., surtout en biologie) : *Un tube capillaire. Les vaisseaux capillaires font passer le sang du système artériel dans le système veineux.* ◆ **capillarité** n. f. Phénomène physique constitué par la tendance d'un liquide à s'élever vers le haut d'un tube capillaire ou dans les interstices d'un corps : *L'huile d'une lampe monte le long de la mèche par capillarité.*

capilotade [kapilɔtad] n. f. Fam. *Mettre en capilotade,* réduire en menus morceaux, en bouillie : *Dans le choc, la cristallerie a été mise en capilotade. Les gâteaux étaient en capilotade au fond du panier.* ‖ Fam. *Avoir les pieds, la tête, etc., en capilotade,* éprouver une grande fatigue des pieds, de la tête, etc. : *J'avais les reins en capilotade d'avoir bêché le jardin tout l'après-midi.* (La *capilotade* est un ragoût fait de morceaux de viande coupés menu.)

capitaine [kapitɛn] n. m. 1° V. GRADE. — 2° Chef d'une équipe sportive : *Cette équipe de football a été menée à la victoire par son dynamique capitaine.* — 3° Chef militaire prestigieux (ordinairement avec un adj. [surtout *grand*], et seulement dans la langue soutenue) : *Alexandre fut un grand capitaine. Turenne est un des plus illustres capitaines de son temps.* — 4° *Capitaine d'industrie,* directeur d'entreprises industrielles ou commerciales (nuance généralement péjor.) : *Quelques hardis capitaines d'industrie avaient profité de la conjoncture économique pour faire des fortunes colossales.*

1. capital, e, aux [kapital, -to] adj. 1° Se dit d'une chose qui est de toute première importance : *Il a commis une faute capitale en refusant cette situation* (syn. : MAJEUR; contr. : MINIME). *Une question aussi capitale ne peut pas être traitée à la légère* (syn. : ESSENTIEL, PRIMORDIAL; contr. : SECONDAIRE). *Cet homme a joué un rôle capital dans le déroulement de la négociation* (syn. : DÉCISIF, DE PREMIER PLAN; contr. : ACCESSOIRE). *Il est capital que le secret soit parfaitement gardé* (syn. : ESSENTIEL, INDISPENSABLE). *On considère ce roman comme son œuvre capitale* (syn. : ŒUVRE MAÎTRESSE). — 2° *Exécution capitale,* action de mettre à mort un condamné (on dit plus couramment EXÉCUTION). ‖ *Peine capitale,* syn. de PEINE DE MORT, dans la langue soutenue : *Les instigateurs de l'attentat n'ignoraient pas qu'ils encouraient la peine capitale.* ‖ *Péchés capitaux,* v. PÉCHÉ.

2. capital, e, aux [kapital, -to] adj. *Lettre capitale,* ou *capitale* n. f., syn. de MAJUSCULE : *On doit inscrire son nom dans cette case en capitales d'imprimerie.*

3. capital, aux [kapital, -to] n. m. 1° Ensemble des biens possédés en argent ou en nature, par oppos. aux revenus qu'ils peuvent produire : *Un capital rapportant cinq mille francs d'intérêts chaque année. Il a dû écorner son capital pour rembourser sa dette. A son âge et sans héritier, il pourrait tranquillement manger son capital* (= dépenser son argent, vendre ses biens). — 2° (au sing.) Ensemble des moyens de production et de ceux qui les possèdent : *Chercher à réaliser une association du capital et du travail. La domination du capital.* — 3° (au sing.) Ensemble des biens intellectuels, spirituels, moraux : *Les chercheurs qui ont accumulé ce capital de connaissances. L'instruction est un précieux capital* (syn. : TRÉSOR). *Ce pays possède un riche capital artistique* (syn. : PATRIMOINE, TRÉSOR, FONDS). — 4° (au plur.) Ressources financières dont on dispose, argent liquide qu'on peut investir dans une entreprise : *On manque de capitaux pour lancer cette affaire. L'associé qui a fourni le plus gros apport de capitaux. Des capitaux considérables ont déjà été engloutis dans l'achat du matériel* (syn. : FONDS). *Fournir des capitaux à une entreprise.* ◆ **capitaliser** v. tr. et intr. Amasser un capital; joindre quelque chose à un capital : *Toute une vie de privations lui avait permis de capitaliser une somme considérable. Dans vos années d'études, vous capitalisez des connaissances dont vous recueillerez plus tard les fruits* (syn. : ACCUMULER). *Au lieu de dépenser les intérêts qu'il perçoit, il les capitalise. Il est trop bohème pour avoir le souci de capitaliser.* ◆ **capitalisation** n. f. : *Le coût élevé de la vie ne favorise guère la capitalisation.* ◆ **capitalisme** n. m. Système économique dans lequel les moyens de production appartiennent à des propriétaires particuliers : *Le capitalisme s'oppose au collectivisme. Le capitalisme d'Etat est l'appropriation par l'Etat des moyens de production.* ◆ **capitaliste** adj. : *Un Etat passé du régime capitaliste à un régime socialiste. Une société capitaliste. Un traité économique entre pays capitalistes. Les monopoles capitalistes.* ◆ n. m. 1° Celui qui possède les moyens de production : *L'influence des capitalistes sur les gouvernements.* — 2° Celui qui habite un pays capitaliste ou qui est partisan du régime capitaliste (péjor. dans la langue politique de l'extrême gauche) : *C'est un capitaliste; il écrit les éditoriaux d'un hebdomadaire de droite.* — 3° *Péjor.* Celui qui est riche ou possède des capitaux : *Il s'est retiré une fois fortune faite, lorsqu'il est devenu capitaliste.*

capitale [kapital] n. f. 1° Ville où se trouve le siège des pouvoirs publics d'un Etat : *Madrid est la capitale de l'Espagne;* et, absolum. (souvent avec une nuance d'emphase, par oppos. à la campagne, à la province) : *Pendant le dernier week-end, plus de cinq cent mille Parisiens ont quitté la capitale* (= Paris). *Après avoir vécu plus de cinquante ans dans la capitale, il a pris sa retraite et s'est retiré dans un village d'Auvergne.* — 2° Ville qui est le principal centre d'une activité : *Limoges est la capitale de la porcelaine en France.*

capitaliser v. tr., **capitalisme** n. m., **capitaliste** adj. et n. V. CAPITAL 3.

capitan [kapitɑ̃] n. m. Homme qui se vante de ses exploits en prenant des airs de bravoure (littér.) : *Il racontait une fois de plus, avec son air superbe de capitan, comment il avait fait, à lui seul, dix prisonniers* (syn. : BRAVACHE, MATAMORE, FANFARON, FIER-À-BRAS, TRANCHE-MONTAGNE).

capiteux, euse [kapitø, -øz] adj. (le plus souvent après le nom). 1° *Vin capiteux,* qui monte rapidement à la tête, qui produit une certaine ivresse ou un étourdissement : *Comme il ne s'était pas assez méfié de ce vin capiteux, il n'avait plus les idées très claires.* — 2° *Parfum capiteux, odeur capiteuse,* qui produit une sorte de trouble agréable, qui excite : *Une femme passa, laissant flotter dans l'air un parfum capiteux. Nous respirions avec délices l'odeur capiteuse du chèvrefeuille* (syn. : ENIVRANT, GRISANT). — 3° *Femme capiteuse, aux charmes capiteux,* etc., qui trouble la sensualité (littér.) : *Une star de cinéma à la beauté capiteuse.*

capitonner [kapitɔne] v. tr. 1° Rembourrer en faisant des piqûres qui traversent l'étoffe de place en place (surtout au part. passé) : *Le déménagement du mobilier a été fait en camion capitonné. La banquette bien capitonnée de la voiture. Il s'assit confortablement dans un fauteuil capitonné. On a fait capitonner la porte pour assourdir les bruits.*

— 2° Garnir douillettement d'un rembourrage moelleux (littér.) : *On s'assit sur un vieux tronc capitonné de mousse. Ces oiseaux capitonnent leur nid de plumes.* ◆ **capitonnage** n. m. 1° Action de capitonner : *L'ouvrier a passé deux heures au capitonnage du siège.* — 2° Bourre appliquée pour capitonner : *Les livreurs ont déchiré le capitonnage de la porte avec un coin de la caisse.* (On dit aussi techniquement, en ce sens, CAPITON.)

capituler [kapityle] v. intr. Cesser toute résistance, se reconnaître vaincu, soit militairement, soit dans une discussion ou dans une situation où des volontés se sont affrontées : *La garnison, à bout de vivres et de munitions, dut se résoudre à capituler au bout de dix jours de siège. Pendant la Seconde Guerre mondiale, les Alliés avaient exigé que l'Allemagne capitulât sans conditions. Bazaine capitula dans Metz en 1870* (syn. : SE RENDRE). *Les syndicats proclamaient leur volonté d'amener la direction à capituler. Je ne capitulerai pas devant un adversaire aussi malhonnête* (syn. : CÉDER). ◆ **capitulation** n. f. 1° Action de capituler : *La capitulation de Napoléon III à Sedan, en 1870, entraîna la chute du second Empire. Son silence équivaut à une capitulation.* — 2° Convention qui règle les conditions d'une reddition : *Des officiers d'état-major discutèrent les articles de la capitulation.* ◆ **capitulard** n. m. *Péjor.* Auteur ou partisan d'une capitulation : *N'écoutez pas la voix des défaitistes, des capitulards* (contr. : JUSQU'AU-BOUTISTE).

capon, onne [kapɔ̃, -ɔn] adj. et n. *Fam.* Se dit de quelqu'un qui manque de courage (mot vieilli) : *S'il était moins capon, il aurait osé se montrer. A-t-on jamais vu un capon pareil, qui tremble à la moindre alerte?* (syn. plus usuels : LÂCHE, PEUREUX, POLTRON, PLEUTRE; fam. : COUARD, FROUSSARD; littér. : PUSILLANIME).

caporal [kapɔral] n. m. V. GRADE. ◆ **caporalisme** n. m. 1° Tendance à exercer l'autorité d'une manière formelle et rigoureuse, en s'attachant plus à la lettre qu'à l'esprit des ordres à exécuter : *Un chef de bureau qui s'est rendu insupportable par son caporalisme.* — 2° Régime politique caractérisé par l'autoritarisme tatillon de l'Administration : *Le caporalisme des dictatures nationalistes de l'entre-deux-guerres.*

1. capot [kapo] n. m. Partie relevable de la carrosserie d'une voiture qui recouvre le moteur : *J'ai soulevé le capot pour vérifier le niveau d'huile. Avant de repartir, ils déployèrent leur carte routière sur le capot de la voiture.*

2. capot [kapo] adj. invar. Se dit, aux jeux de cartes, d'un joueur ou d'une joueuse qui n'a fait aucune levée : *Si au moins j'avais pu couper cette carte, je n'aurais pas été capot. Elles ont été mises capot dès la première partie.*

1. capote [kapɔt] n. f. Couverture amovible, de toile ou de cuir, dont sont munies les voitures dites « décapotables » : *Un jour qu'il avait garé sa voiture sur un chantier, il la retrouva avec un accroc à la capote.* ◆ **décapoter** v. tr. Rabattre, replier la capote : *Par ce beau soleil, nous avions décapoté la voiture.* ◆ **décapotable** adj. Se dit d'un véhicule muni d'une capote qu'on peut tendre ou replier à volonté : *Une 2 CV décapotable. Au dernier Salon, on a présenté plusieurs nouveaux modèles de voitures décapotables.*

2. capote [kapɔt] n. f. Manteau militaire : *Les soldats battaient la semelle dans le froid, les mains enfoncées dans les poches de leur capote.*

capoter [kapɔte] v. intr. (sujet nom de véhicule). Se retourner : *L'auto a capoté dans un virage ou dans un fossé* (syn. : FAIRE UN TONNEAU, CULBUTER). *Un avion qui capote à l'atterrissage.*

câpre [kɑpr] n. m. ou f. Condiment constitué par le bouton à fleur de l'arbuste appelé *câprier,* qu'on a fait macérer dans du vinaigre.

caprice [kapris] n. m. 1° Volonté soudaine, peu motivée logiquement et sujette à de brusques changements : *Il ne faut pas qu'il s'imagine qu'il nous fera marcher au gré de son caprice* (syn. : FANTAISIE). *Un enfant à qui l'on passe tous ses caprices ne tarde pas à devenir insupportable. Par quel caprice a-t-il brusquement changé d'avis?* (syn. : LUBIE). *Tu ne vas pas encore faire un caprice!* — 2° Amour léger et de peu de durée : *Il promène sa nouvelle conquête : combien de temps va durer ce caprice?* (syn. fam. : TOQUADE, BÉGUIN, AMOURETTE). — 3° (surtout au plur.) Variations soudaines dans le cours des choses, leur forme, leur mouvement : *Elle est attentive à suivre tous les caprices de la mode. Tout dépend des caprices du hasard. Les caprices du paysage charment le regard. Il rêvait en suivant des yeux les caprices des nuages.* ◆ **capricieux, euse** [kaprisjø, -øz] adj. et n. Se dit de quelqu'un qui agit par caprice : *Ne prenez pas garde aux coups de tête d'une fillette capricieuse. Ce petit capricieux n'a pas voulu finir son déjeuner.* ◆ adj. Se dit de ce qui est sujet à des changements soudains d'allure ou d'aspect : *Tout son entourage est excédé de son humeur capricieuse. La destinée capricieuse nous a réservé bien des surprises* (syn. : CHANGEANT, INCONSTANT). *On se rend à la côte par un sentier capricieux.* ◆ **capricieusement** adv. : *Une plume qui voltige capricieusement au vent.*

capsule [kapsyl] n. f. Coiffe métallique qui recouvre le goulot et sert à boucher une bouteille : *Les bouteilles d'eau minérale sont souvent bouchées par une capsule de métal ou de plastique.* ◆ **capsuler** v. tr. : *Cette machine capsule chaque jour des quantités impressionnantes de bouteilles.* ◆ **capsulage** n. m. : *Le capsulage des bouteilles.* ◆ **décapsuler** v. tr. : *Le garçon de café décapsule la bouteille de bière qu'il sert au consommateur.*

capter [kapte] v. tr. 1° *Capter quelqu'un, l'esprit de quelqu'un,* l'attirer à soi, se le ménager, par adresse, par ruse : *Il est très difficile de capter l'attention de certains élèves pendant plus de quelques minutes. Il était arrivé à capter la confiance d'un domestique pour obtenir des renseignements secrets. Les candidats font de belles promesses pour capter la faveur des électeurs* (syn. : GAGNER, SE CONCILIER). — 2° *Capter une émission radiophonique* ou *télévisée,* parvenir à la recevoir par chance, grâce à des recherches : *Des appels de détresse d'un bateau en perdition ont été captés de la côte. Les services secrets ont capté un message du haut commandement ennemi.* — 3° *Capter une source, capter une rivière,* etc., en recueillir les eaux pour les utiliser : *Le réservoir est alimenté par deux sources que nous avons captées.* ◆ **captage** n. m. : *Le captage des eaux d'une rivière.*

captieux, euse [kapsjø, -øz] adj. Se dit de quelque chose (mot abstrait) propre à tromper, par une apparence de vérité ou de raison (langue soignée) : *Ne vous laissez pas prendre à ces arguments captieux* (syn. : TROMPEUR, FALLACIEUX, SPÉCIEUX, ARTIFICIEUX).

captif, ive [kaptif, -iv] adj. et n. Prisonnier de guerre (littér., et surtout dans les textes relatifs à l'Antiquité) : *Plusieurs rois captifs suivaient le char du triomphateur romain. Les captifs étaient souvent emmenés comme esclaves.* ◆ adj. 1° Privé de liberté, qui est enfermé (littér., sauf avec *animal*) : *L'enfant s'apitoyait sur le sort des animaux captifs du jardin zoologique* (contr. : EN LIBERTÉ). — 2° *Ballon captif,* aérostat retenu par un câble fixé au sol : *Les ballons captifs ont été utilisés à des fins militaires pour l'observation ou la protection.* ◆ **captivité** n. f. Etat de prisonnier; privation de liberté (usuel, contrairement à l'adj.) : *Entre 1940 et 1945, de nombreux Français ont vécu en captivité en Allemagne. Il est resté en relation avec plusieurs camarades de captivité.*

captiver [kaptive] v. tr. *Captiver quelqu'un,* attirer son attention par la beauté, l'originalité ou le mystère; le tenir sous un charme : *Le conférencier a su captiver son auditoire. Les enfants étaient captivés par le feuilleton télévisé* (syn. : CONQUÉRIR, PASSIONNER, CHARMER, ↓ INTÉRESSER). ◆ **captivant, e** adj. (plus usuel que le verbe) : *L'explorateur a fait un récit captivant de son expédition. Ce roman est si captivant que je l'ai lu en une nuit* (syn. : PASSIONNANT, PALPITANT, PRENANT; ↓ INTÉRESSANT, ATTACHANT). *Des yeux captivants. Une beauté captivante* (syn. : SÉDUISANT).

captivité n. f. V. CAPTIF.

capturer [kaptyre] v. tr. 1° *Capturer un être vivant,* s'en emparer, s'en rendre maître : *Les policiers ont capturé un dangereux malfaiteur* (syn. : ARRÊTER). *L'entomologiste espérait capturer dans cette région quelques spécimens rares de mouches. Il avait capturé un renardeau à la sortie de son terrier* (syn. : ATTRAPER, PRENDRE). — 2° *Capturer un navire, une cargaison,* les saisir en temps de guerre ou par un acte de piraterie : *Jean Bart captura de nombreux vaisseaux anglais et hollandais.* ◆ **capture** n. f. 1° Action de capturer : *La capture des papillons se fait généralement avec un filet. La capture du sous-marin avait demandé trois jours.* — 2° Etre vivant (homme ou animal), chose dont on s'empare : *Parmi les prisonniers se trouvait un général : la capture était d'importance. Il est très fier du saumon qu'il a pêché et s'est fait photographier auprès de sa capture* (syn. : PRISE).

capuche [kapyʃ] n. f. Coiffure comprenant généralement une très courte pèlerine, qui couvre la base du cou : *Pour protéger leurs cheveux de la pluie, les femmes mettent parfois une capuche en matière plastique.*

capuchon [kapyʃɔ̃] n. m. 1° Partie d'un manteau ou d'une pèlerine qu'on peut mettre sur sa tête ou rejeter en arrière (en ce sens, et pour les femmes, on dit parfois aussi CAPUCHE) : *Prends ton imperméable et, s'il pleut, mets le capuchon.* — 2° Manteau ou pèlerine munis d'une bande de tissu en forme de bonnet pour protéger la tête : *Il s'enveloppa tout entier dans son grand capuchon.* — 3° Partie mobile d'un stylo, dont on coiffe l'extrémité qui porte la plume ou la bille : *Je ne peux plus mettre mon stylo dans ma poche depuis que j'ai perdu le capuchon.* ◆ **encapuchonné, e** adj. Se dit de quelqu'un revêtu d'un capuchon, ou de quelque vêtement qui couvre tout le corps à la manière d'un capuchon : *Le facteur arrivait dans la bourrasque, tout encapuchonné. Les campeurs, encapuchonnés dans leur couverture, regardaient danser les dernières flammes du feu de camp.*

capucin [kapysɛ̃] n. m. Religieux de l'ordre des Franciscains : *Les capucins portent généralement la barbe.*

capucine [kapysin] n. f. Plante ornementale à feuille ronde et à fleur ordinairement orangée : *Une touffe de capucines égaie le vieux mur.* ◆ adj. invar. De la couleur de la fleur de capucine : *Elle portait une robe capucine.*

caquet [kakɛ] n. m. 1° *Fam.* Bavardage intempestif; tendance à parler à tort et à travers, souvent avec suffisance ou avec malveillance : *Je ne pouvais pas supporter davantage le caquet de la visiteuse. Dans l'assemblée, un jeune homme se faisait remarquer par son caquet. Malgré tout son caquet, il n'a pas réussi à se justifier. Ne parlez pas trop devant elle; méfiez-vous de son caquet.* — 2° Suite de gloussements ou de petits cris que pousse une poule. — 3° *Rabattre, rabaisser le caquet à quelqu'un* (plus rarement *de quelqu'un*), l'amener à se taire ou à parler avec plus de modestie, en lui infligeant un démenti ou une mortification : *A l'entendre, il avait prévu depuis longtemps ce qui arrive, mais quelqu'un s'est chargé de lui rabattre son caquet en lui rappelant ses paroles passées. Son échec à l'examen lui a rabaissé son caquet* (syn. : HUMILIER, ↑ CONFONDRE; pop. : MOUCHER). ◆ **caqueter** v. intr. (conj. 8). 1° (sujet nom de personne) Bavarder, tenir des propos futiles : *Passer l'après-midi à caqueter avec une voisine.* — 2° (sujet nom désignant des oiseaux de basse-cour) Glousser : *La volaille se met à caqueter à l'approche de la fermière.* ◆ **caquetage** n. m. : *Il a été réveillé par le caquetage de la basse-cour.*

1. car [kar] conj. Toujours en tête de la proposition, sert à introduire une explication, une justification ou une preuve à l'appui de l'énoncé précédent : *Nous avons eu des vacances délicieuses, car le temps a toujours été très beau* (syn. : EN EFFET, mis parfois après le nom). *Ferme la fenêtre, car il y a un courant d'air. Il faut nous séparer, car il se fait tard* (syn. : PARCE QUE, ATTENDU QUE, qui introduisent une proposition subordonnée de cause). [La langue parlée renforce souvent *car* de son équivalent *en effet : car en effet.*]

2. car [kar] n. m. Grande voiture automobile destinée aux transports en commun hors des villes ou aux déplacements touristiques : *Un car d'excursions.*

carabin [karabɛ̃] n. m. *Fam.* Etudiant en médecine : *L'amphithéâtre retentissait des chansons de carabins.*

carabine [karabin] n. f. Fusil léger : *Dans son jardin, il tirait des moineaux à la carabine.*

carabiné, e [karabine] adj. *Fam.* Se dit de quelque chose qui a une force, une intensité particulière : *Vous vous exposez à une amende carabinée* (syn. : SALÉ). *Pour me réchauffer, je me suis fait un grog carabiné* (syn. : FORT, CORSÉ).

Carabosse [karabɔs] n. pr. Fam. *Fée Carabosse,* vieille femme laide et méchante : *Je frappai* *à la porte, et une espèce de fée Carabosse vint m'ouvrir en grognant.*

caracoler [karakɔle] v. intr. 1° (sujet nom désignant un cheval) Sauter avec légèreté de divers côtés : *Le cheval du colonel se mit à caracoler devant la troupe.* — 2° (sujet nom de personne) Faire caracoler son cheval : *Il caracole un moment dans la clairière avant de lancer son cheval au galop.* — 3° (sujet nom désignant d'autres animaux, des véhicules) Evoluer de divers côtés avec grâce et vivacité : *Des oiseaux caracolent dans le ciel.*

1. caractère [karaktɛr] n. m. 1° Ensemble des traits psychologiques et moraux d'une personne, des tendances qui conditionnent le comportement particulier d'un animal : *Il a un caractère trop soupçonneux pour se laisser prendre à ces paroles. Cet enfant a un caractère affectueux. Un caractère ouvert, fermé, difficile, compliqué, ombrageux, autoritaire, souple, entier, accommodant, gai, inquiet,* etc. (syn. : NATURE, NATUREL, TEMPÉRAMENT). *Un heureux caractère* (= un caractère optimiste). *Un chien d'un caractère hargneux. Les chats de cette race ont un caractère sournois.* — 2° Aptitude à affirmer vigoureusement sa personnalité, à agir avec décision : *Il est très clairvoyant, mais il n'a pas assez de caractère pour être un bon chef* (syn. : ÉNERGIE, VOLONTÉ, FERMETÉ). *La situation exige des hommes de caractère* (= des hommes énergiques). — 3° Personne capable de montrer de la fermeté, de la résolution : *Des caractères comme celui-là peuvent sauver des situations qui paraissaient désespérées.* ◆ **caractériel, elle** adj. Qui affecte le caractère : *Depuis sa petite enfance, il souffre de troubles caractériels.* ◆ n. Enfant à l'intelligence normale, mais socialement inadapté et présentant des troubles du caractère, tels qu'une tendance à la révolte, à la perversité, etc. : *Les centres psychopédagogiques s'efforcent de guérir les caractériels.* ◆ **caractérologie** n. f. Science de la connaissance des caractères.

2. caractère [karaktɛr] n. m. Signe gravé, tracé ou imprimé, chargé d'un sens : *Une inscription en caractères grecs se lit sur le socle de la statue. Personne n'avait encore déchiffré ces mystérieux caractères.*

3. caractère [karaktɛr] n. m. 1° Signe distinctif, marque particulière qui signale à l'attention une chose ou une personne, qui en exprime un aspect remarquable : *Les cellules organiques ont tous les caractères des êtres évolués* (syn. : CARACTÉRISTIQUE). *Cette lettre présente un caractère indiscutable d'authenticité* (syn. : AIR, ASPECT). — 2° Accompagné d'un adjectif, exprime simplement l'état ou la qualité (équivaut alors souvent à un nom abstrait à suffixe *-té, -tion, -ment,* etc.) : *Le caractère difficile de cette entreprise n'échappe à personne* (= la difficulté). *Chacun a apprécié le caractère discret de son allusion* (= la discrétion). *Les imperfections tiennent au caractère tout provisoire de l'installation. Cette information n'a encore aucun caractère officiel.* — 3° (sans compl., ni adj. qualificatif) Trait ou ensemble de traits donnant à quelque chose son originalité : *Ces vieilles rues ont beaucoup de caractère. Un intérieur aménagé sans aucun caractère* (syn. : CACHET, STYLE, PERSONNALITÉ). ◆ **caractériser** v. tr. 1° (sujet nom de personne) Marquer le caractère dominant de quelque chose ou de quelqu'un, décrire dans ses traits essentiels : *Je caractériserai en quelques mots ce genre de spectacle. Disons pour caractériser le paysage qu'il est désertique.* — 2° (sujet nom de chose) Constituer un trait essentiel, un signe distinctif d'une chose ou d'une personne : *Des jambes violacées caractérisent une mauvaise circulation du sang* (syn. : DÉNOTER). *Avec la franchise qui le caractérise, il est allé droit au but. Une bonne description choisit les détails qui caractérisent.* ◆ ***se caractériser*** v. pr. [*par*]. Avoir pour signe distinctif, se laisser identifier par : *Le latin se caractérise notamment par l'absence d'articles.* ◆ **caractérisé, e** adj. Nettement défini; qui est sans ambiguïté : *Cette réponse constitue une insolence caractérisée. C'est là une erreur caractérisée.* ◆ **caractérisation** n. f. : *La caractérisation d'un délit* (syn. : DÉFINITION). ◆ **caractéristique** adj. Qui exprime un caractère, qui permet de distinguer : *Une toux convulsive, imitant parfois le chant du coq, est caractéristique de la coqueluche. Les paysannes bretonnes portaient des coiffes caractéristiques des diverses régions. On reconnaît le Mont-Saint-Michel à sa silhouette caractéristique* (syn. : PARTICULIER, TYPIQUE). ◆ n. f. Marque distinctive, trait particulier : *Les journaux spécialisés ont publié les caractéristiques du nouveau moteur : cylindrée, nombre de tours-minute, consommation, etc. La verve est une des caractéristiques du tempérament méridional.*

carafe [karaf] n. f. 1° Bouteille de verre ou de cristal, destinée à servir une boisson ou à la conserver pendant peu de temps : *Il demande à son voisin de table de lui passer la carafe d'eau. La carafe est fêlée.* — 2° Contenu de ce récipient : *Les convives ont déjà bu trois carafes de vin.* — 3° Fam. *Rester en carafe,* se trouver soudain incapable de poursuivre un discours, de dire un rôle, etc. : *L'orateur, qui avait égaré une partie de ses notes, est resté un moment en carafe. Sans le souffleur, les acteurs seraient restés plusieurs fois en carafe* (syn. : RESTER COURT; contr. : ENCHAÎNER). ◆ **carafon** n. m. Petite carafe, destinée plus spécialement au vin; son contenu : *Les clients ont demandé à la bonne un autre carafon de beaujolais.*

caramboler [karɑ̃bɔle] v. tr. *Fam.* Heurter plusieurs objets par des chocs désordonnés (se dit surtout de véhicules) : *La voiture a dérapé et en a carambolé trois autres.* ◆ ***se caramboler*** v. pr. Se heurter : *Plusieurs coureurs se sont carambolés sur le parcours.* (Au billard, *caramboler,* c'est toucher les deux autres billes avec sa propre bille.) ◆ **carambolage** n. m. Fam. : *Le verglas a causé de nombreux carambolages sur les routes.*

carambouillage [karɑ̃bujaʒ] n. m. Escroquerie consistant à revendre une marchandise sans l'avoir achetée. ◆ **carambouilleur** n. m.

caramel [karamɛl] n. m. 1° Sucre fondu et coloré en brun par chauffage : *Un gâteau nappé de caramel.* — 2° Bonbon fait avec ce sucre roussi : *Certains préfèrent les caramels mous, d'autres les caramels durs.* ◆ adj. invar. Qui a la couleur du caramel (entre le beige et le roux) : *Une robe avec des boutons caramel.* ◆ **caraméliser** v. tr. Transformer en caramel : *Le pâtissier caramélise son sucre.* — 2° Recouvrir de caramel : *Caraméliser des choux à la crème.* ◆ v. intr. et ***se caraméliser*** v. pr. : *Le sucre commence à caraméliser.* ◆ **caramélisation** n. f. : *Arrêter la cuisson du sucre avant la caramélisation.*

carapace [karapas] n. f. 1° Revêtement dur sur la partie charnue de certains animaux : *On peut marcher sur la carapace de ces tortues sans craindre de la briser. Une carapace de crabe.* — 2° Revêtement dur à la surface d'un objet : *Une carapace de glace s'est formée sur l'étang* (syn. plus courant : CROÛTE). — 3° *Carapace d'indifférence,* indifférence qui met à l'abri du chagrin, du souci, etc. : *Il sort victorieux de toutes ces traverses grâce à sa carapace d'indifférence.*

carapater (se) [səkarapate] v. pr. (sujet nom de personne). *Pop.* Partir vivement, s'enfuir : *Dès qu'ils ont entendu la sonnette d'alarme, les voleurs se sont carapatés* (syn. fam. : FILER ; pop. : SE CAVALER, [se] CALTER, S'ESBIGNER, SE BARRER, SE TRISSER, METTRE LES VOILES, METTRE LES BOUTS).

carat [kara] n. m. Unité de poids (2 décigrammes) utilisée dans le commerce des pierres précieuses : *Un diamant de 12 carats.*

caravane [karavan] n. f. 1° Troupe de personnes voyageant ensemble : *Au XIXe siècle, tous les grands déplacements à travers les régions désertiques de l'Afrique ou de l'Asie se faisaient par caravanes. La caravane, comprenant plus de deux mille personnes et des centaines de chameaux, transportait des marchandises de toute espèce. Les touristes, descendus du car, s'acheminèrent en caravane vers le belvédère. Une caravane d'alpinistes doit partir à l'assaut d'un nouveau sommet de l'Himalaya.* — 2° Roulotte de tourisme, plus ou moins confortablement aménagée, destinée à être remorquée par une auto : *Le terrain de camping se couvre de tentes et de caravanes.* — 3° *Les chiens aboient, la caravane passe,* quand on est sûr de la voie qu'on a choisie, on ne s'en laisse pas détourner par les critiques, si vives soient-elles. ◆ **caravanier** n. m. 1° Conducteur de bêtes de somme dans une caravane (sens 1) : *Le caravanier avait décidé de repartir avant le lever du soleil.* — 2° Celui qui utilise une caravane de camping (sens 2) : *A l'approche des vacances, les caravaniers révisent leur matériel.* ◆ **caravaning** ou **caravanning** [karavaniŋ] n. m. Forme de camping pratiquée par ceux qui utilisent une caravane (sens 2) : *Le caravaning s'est considérablement développé.* ◆ **caravansérail** [karavɑ̃seraj] n. m. En Orient, abri pour les voyageurs et leurs montures.

caravelle [karavɛl] n. f. Navire rapide, utilisé aux XVe et XVIe siècles, surtout pour des voyages de découverte : *Christophe Colomb prit la mer avec trois caravelles.* (Nom donné aujourd'hui à un certain type d'avion commercial.)

1. carbone [karbɔn] n. m. Corps simple, très répandu dans la nature, surtout en composition avec d'autres corps : *Le diamant est du carbone pur.* ◆ **carbonique** adj. *Gaz carbonique,* gaz formé de deux volumes d'oxygène pour un volume de carbone, produit par la combustion, la fermentation, la respiration : *Il a été asphyxié par le gaz carbonique d'un poêle qui fonctionnait mal.*

2. carbone [karbɔn] adj. *Papier carbone,* papier enduit sur une face d'une matière colorante qui se dépose par pression, et utilisé pour exécuter des doubles, notamment à la machine à écrire.

carboniser [karbɔnize] v. tr. Brûler au point de transformer en charbon : *Après l'incendie, il ne reste de la forêt que des troncs carbonisés. Elle avait oublié son rôti au four : elle l'a retrouvé carbonisé.* ◆ **carbonisation** n. f. : *La chaleur intense de la cheminée a causé un commencement de carbonisation d'une solive.*

carburer [karbyre] v. tr. Effectuer la carburation. ◆ v. intr. *Pop.* Avoir un bon fonctionnement (syn. fam. : MARCHER). ◆ **carburant** n. m. Produit servant à alimenter un moteur à explosion : *L'essence est un carburant.* ◆ **carburateur** n. m. Organe d'un moteur à explosion préparant le mélange d'essence et d'air. ◆ **carburation** n. f. Action de mélanger l'air aux vapeurs d'un liquide combustible (ordinairement de l'essence), pour former un mélange détonant, dans un moteur à explosion.

1. carcan [karkɑ̃] n. m. Ce qui limite étroitement la liberté : *Au cours de sa première année d'internat, il a difficilement supporté le carcan du règlement. Les romantiques ont vu dans les règles du classicisme un carcan dont ils ont voulu s'affranchir* (syn. : CONTRAINTE, SUJÉTION). [En ce sens, le mot fait image : le *carcan* était un collier de fer pour attacher un criminel au poteau d'exposition.]

2. carcan [karkɑ̃] n. m. *Fam.* et *péjor.* Mauvais cheval : *Un vieux carcan tirait cette misérable charrette* (syn. : ROSSE, HARIDELLE ; pop. : CARNE).

carcasse [karkas] n. f. 1° Ensemble des os encore assemblés d'un animal mort : *Les vautours se disputaient la carcasse d'un cheval. La carcasse du poulet est restée à la cuisine* (par oppos. aux cuisses, ou pilons, aux ailes et aux abats) [syn. : SQUELETTE, quand on parle d'un humain]. — 2° *Fam.* et généralement *péjor.* Corps d'une personne : *Il a résisté à ce régime épuisant : c'est une carcasse à toute épreuve. Nous étions bien décidés à défendre de notre mieux notre misérable carcasse* (= notre vie). *Espèce de grande carcasse, tu n'as pas honte de t'en prendre à de plus faibles que toi?* — 3° Assemblage de pièces rigides qui assurent la cohésion d'un objet : *On voyait encore sur la plage la carcasse à demi ensablée d'une barque échouée depuis plusieurs années. Ces piliers et ces poutrelles constituent la carcasse de l'immeuble* (syn. : CHARPENTE). *Un abat-jour de soie monté sur une carcasse métallique* (syn. : ARMATURE). [V. DÉCARCASSER.]

carder [karde] v. tr. *Carder la laine,* la peigner et en éliminer les impuretés au moyen d'une machine spéciale. ◆ **cardage** n. m.

cardiaque [kardjak] adj. Qui concerne le cœur, en tant qu'organe principal de la circulation (et généralement quand il s'agit de maladies) : *Il avait eu plusieurs crises cardiaques avant celle qui l'a emporté. Une lésion cardiaque, un malaise cardiaque* (mais on dit *une maladie de cœur, une opération du cœur*). ◆ adj. et n. Se dit de quelqu'un qui est atteint d'une maladie de cœur : *Il n'est pas question d'affecter à certains métiers des personnes cardiaques. Les cardiaques doivent se ménager.* ◆ **cardiogramme** n. m. Tracé des mouvements du cœur au moyen d'un appareil, le *cardiographe.* ◆ **cardiologie** n. f. Partie de la médecine traitant des maladies de cœur. ◆ **cardiologue** n.

1. cardinal, e, aux [kardinal, -no] adj. *Noms de nombre cardinaux, adjectifs numéraux cardinaux,* ceux qui indiquent un nombre, une quantité ou une date, comme *deux, dix, cent, mille.* (V. NUMÉRATION.)

2. cardinal, aux [kardinal, -no] n. m. Prélat ayant une mission de conseiller auprès du pape et participant plus spécialement au gouvernement de l'Eglise : *Le nombre des cardinaux a été porté à quatre-vingt-six par le pape Jean XXIII en 1960.* ◆ **cardinalat** n. m. Dignité de cardinal.

cardinaux (points) [kardino] loc. Les quatre points de repère permettant de s'orienter : *Les points cardinaux sont le nord, le sud* (ou *midi*), *l'est* (ou *levant, orient*) *et l'ouest* (ou *couchant*). [Pour indiquer les directions intermédiaires, on dit : *nord-est, sud-est, nord-ouest, sud-ouest.*]

carême [karɛm] n. m. 1° Chez les catholiques, période de pénitence de quarante-six jours, qui s'étend du mercredi des Cendres jusqu'au jour de Pâques (avec une majusc.) : *Le Carême est un temps de prière et de pénitence. Une prédication de Carême. La messe du troisième dimanche de Carême.* — 2° Privation de plaisirs, et particulièrement de nourriture, pendant cette période ou, par analogie, en toute autre circonstance : *Il accepta par politesse de rompre le carême sévère qu'il s'imposait. Comme il faisait carême, il s'abstint de dessert. Pendant la guerre, beaucoup de Français ont connu un long carême* (syn. : RESTRICTIONS). — 3° Péjor. *Face de carême,* visage blême et austère; personne qui a ce visage : *Cette face de carême nous gâche tout le plaisir d'une réunion d'amis* (syn. très fam. plus courant : AIR CONSTIPÉ). ‖ *Tomber, arriver comme mars en carême,* arriver avec une régularité absolue, ou arriver à propos (tour fam., un peu archaïque) : *Voilà la feuille d'impôts : elle tombe toujours comme mars en carême. Vous arrivez comme mars en carême : nous avons besoin de vos lumières.*

carence [karɑ̃s] n. f. 1° Le fait qu'une personne, un organisme manque aux devoirs de sa charge; en particulier, manque d'autorité : *Le marasme économique est dû en grande partie à la carence des autorités responsables* (syn. : ↑ DÉMISSION; contr. : ACTIVITÉ). *Montrer sa carence devant les dures réalités du moment* (syn. : ↓ INSUFFISANCE; contr. : CAPACITÉ). — 2° Le fait que quelque chose manque, qu'on en soit privé en totalité ou en partie (langue soignée) : *Un régime alimentaire caractérisé par sa carence en vitamines* (syn. : MANQUE, PAUVRETÉ, INSUFFISANCE; contr. : RICHESSE, ABONDANCE). *Les médecins appellent « aboulie » une carence maladive de la volonté* (syn. : ABSENCE, DÉFICIENCE).

carène [karɛn] Partie immergée de la coque d'un navire. ◆ **caréner** v. tr. 1° Nettoyer la carène. — 2° Donner à la carrosserie d'une voiture une forme propre à faciliter sa progression.

caresse [karɛs] n. f. 1° Attouchement marquant la tendresse, l'affection : *Des caresses amicales, délicates, brûlantes. Les caresses maternelles calment le chagrin d'un enfant. Orphelin de bonne heure, il avait reçu plus de coups que de caresses. Je passai la main sur la tête du chien : à cette caresse il répondit par un regard affectueux.* — 2° Frôlement doux et agréable produit par quelque chose : *La caresse de la brise vous apaise l'âme.* ◆ **caresser** v. tr. 1° *Caresser une personne, un animal,* lui faire des caresses : *Elle se blottit contre lui et il la caressa doucement. En passant, elle caressa la joue du bambin. Les chats n'aiment pas être caressés à rebrousse-poil.* — 2° *Caresser une chose,* l'effleurer de la main : *Le chasseur caressait pensivement la crosse de son fusil. Elle jouait les dernières mesures, caressant les touches du piano.* — 3° *Caresser un projet, un espoir, une espérance,* l'entretenir avec complaisance (langue soignée) : *Depuis longtemps, nous caressions le projet de faire une croisière en Méditerranée* (syn. : NOURRIR UN PROJET, etc.). ‖ *Caresser quelqu'un* ou *quelque chose du regard,* y attacher longuement ses yeux, avec admiration ou convoitise (langue soignée). ‖ Fam. et ironiq. *Caresser les côtes à quelqu'un,* le frapper, le rosser. ◆ **caressant, e** adj. 1° Se dit d'une personne ou d'un animal qui aime les caresses : *Cet enfant a toujours été plus caressant que son frère. Un petit chat très caressant.* — 2° Se dit de la voix, du regard, etc., qui cause une impression douce comme une caresse, qui exprime la tendresse : *Elle prit sa voix la plus caressante pour se faire plus persuasive. Une voix aux inflexions caressantes* (syn. : CÂLIN, TENDRE, SUAVE).

cargaison [kargɛzɔ̃] n. f. Ensemble des marchandises transportées par un navire, un camion, un avion : *Les dockers ont commencé à décharger la cargaison de bananes* (syn. : CHARGEMENT). *Le transport d'une cargaison de primeurs.*

cargo [kargo] n. m. Bateau destiné au transport des marchandises.

caricature [karikatyr] n. f. 1° Portrait simplifié d'une personne, et, plus rarement, représentation d'un animal ou d'une chose, exagérant certains traits du visage, certaines proportions de l'ensemble, dans une intention satirique ou au moins plaisante : *Tout le monde a reconnu sans peine l'homme représenté par cette caricature. L'un des personnages de la caricature a un nez en bec de rapace, l'autre des oreilles d'âne. Une caricature réussie, spirituelle, cruelle* (syn. : CHARGE, PORTRAIT-CHARGE). — 2° *Péjor.* Reproduction déformée, imitation sommaire qui dénature ou enlaidit : *La façon dont on vous a présenté les faits est une caricature de la vérité. La condamnation étant décidée à l'avance, on n'a eu qu'une caricature de procès* (syn. : SIMULACRE, PARODIE). *Ce film n'est qu'une grossière caricature du roman du même titre.* ◆ **caricatural, e, aux** adj. : *Le dessin caricatural de la dernière page est accompagné d'une légende. Il nous a fait un récit caricatural de ses mésaventures* (syn. : OUTRÉ). *Faire un portrait caricatural de son adversaire politique.* ◆ **caricaturer** v. tr. Sens 1 et 2 de *caricature : En quelques coups de crayon, il eut caricaturé les membres du jury. Il est de tradition de caricaturer les hommes politiques dans les journaux. Cette théorie est assez compliquée : nous allons essayer de la résumer sans la caricaturer* (syn. : ↓ DÉFIGURER, ALTÉRER). ◆ **caricaturiste** n. : *Daumier fut un caricaturiste célèbre.*

carie [kari] n. f. Maladie des dents et des os, qui se dégradent. ◆ **carier** v. tr. Gâter par la carie (surtout au part. passé et à la forme pronominale) : *Une molaire cariée. La dent se carie.*

carillon [karijɔ̃] n. m. 1° Sonnerie de cloches, vive et gaie (en principe, quatre cloches formant une harmonie, mais se dit aussi d'un nombre différent de cloches et même d'une seule) : *Les joyeux carillons de Pâques retentissent dans la campagne* (contr. : GLAS, tintement de deuil; TOCSIN, sonnerie d'alarme). — 2° Horloge sonnant les quarts et les demies, et faisant entendre un air pour marquer les heures; air sonné toutes les heures par cette horloge : *On leur avait offert un carillon en cadeau de mariage. N'oublie pas de remonter le carillon. Le carillon le tira soudain de sa somnolence.* ◆ **carillonner** v. tr. 1° *Carillonner une heure, une fête,* l'annoncer par un carillon, ou plus généralement par une sonnerie : *Depuis quarante ans, le vieux sacristain avait carillonné tous les baptêmes et tous les mariages de la paroisse. La vieille horloge carillonne fidèlement les heures.* — 2° Fam. *Carillonner une nouvelle,* l'annoncer, la répandre à grand bruit : *Je vais te confier ce que j'ai appris là-dessus, mais surtout ne va pas le carillonner. S'il n'avait pas carillonné partout ses intentions, il aurait l'air moins ridicule maintenant.* ◆ v. intr. 1° *Les cloches carillonnent,* elles sonnent en carillon. — 2° (sujet nom de personne) *Fam.* Agiter vivement la sonnette d'appel à la porte de quelqu'un : *J'ai eu beau carillonner cinq minutes, personne n'est venu m'ouvrir.* ◆ **carillonné, e** adj. Fam. *Aux fêtes carillonnées, les jours de fêtes carillonnées,* dans les grandes occasions : *Elle avait sorti le service de table des jours de fêtes carillonnées.* ◆ **carillonneur** n. m. Personne chargée de carillonner : *Dans certaines campagnes, le carillonneur s'installe encore auprès des cloches pour sonner.*

carlingue [karlɛ̃g] n. f. Partie habitable d'un avion.

carme [karm] n. m., **carmélite** [karmelit] n. f. Religieux, religieuse de l'ordre du Mont-Carmel.

carmin [karmɛ̃] n. m. et adj. invar. Couleur rouge éclatant : *Le carmin se tirait autrefois de la cochenille. Elle avait orné sa robe de deux rubans carmin.* ◆ **carminé, e** adj. Qui est d'un rouge tirant sur le carmin : *Cette rose est plus carminée que l'autre. Elle a adopté un vernis à ongles carminé.*

carnage [karnaʒ] n. m. Meurtre violent et sanglant d'un certain nombre d'êtres : *Des soudards ivres de carnage égorgeaient les femmes et les enfants dans les rues de la ville. Quand on en vint au corps à corps, ce fut un horrible carnage* (syn. : MASSACRE, TUERIE). *Des dizaines de prisonniers ont été sauvagement torturés et assassinés, et le responsable de ce carnage est toujours en liberté* (syn. : BOUCHERIE). *Les chasseurs firent un véritable carnage de ces animaux sans défense.*

carnassier, ère [karnasje, -ɛr] adj. et n. m. 1° Se dit d'un animal qui chasse d'autres animaux pour se repaître de leur chair ou sucer leur sang : *Le lion, le tigre, le renard sont des animaux carnassiers. La belette est carnassière. Le loup est un carnassier* (syn. usuel : CARNIVORE). — 2° *Fam.* Se dit d'une personne qui aime spécialement la viande : *Je reprends avec plaisir de ce gigot : je suis carnassier* (syn. usuel : CARNIVORE).

carnation [karnasjɔ̃] n. f. Teint des chairs d'une personne.

carnaval, als [karnaval] n. m. 1° Réjouissances populaires, mascarades, défilés de chars, etc., se situant d'ordinaire dans les jours qui précèdent le mardi gras : *Le carnaval de Nice se déroule en février. Le comité des fêtes a organisé le prochain carnaval.* — 2° Mannequin grotesque, personnifiant le carnaval, qu'on brûle ou qu'on enterre solennellement le mercredi des Cendres (avec une majusc.) : *Des milliers de personnes sont rassemblées pour voir brûler Carnaval.* — 3° Personne ridicule, en particulier par son accoutrement : *Une espèce de carnaval se présente soudain, un chapeau melon, chemise à carreaux et grosses chaussures.* ◆ **carnavalesque** adj. Relatif au carnaval, ou qui a le caractère grotesque, la fantaisie outrée du carnaval : *On est tout étourdi de ces réjouissances carnavalesques. Une opérette qui tourne au spectacle carnavalesque.*

carne [karn] n. f. 1° *Pop.* Mauvais cheval. — 2° *Pop.* Viande dure.

carnet [karnɛ] n. m. 1° Petit registre, petit cahier sur lequel on inscrit des notes : *Le nom de cette personne ne figure pas sur mon carnet d'adresses. Le représentant tire de sa poche son carnet de commandes et note les articles désirés par son client. Le professeur marque un zéro sur le carnet de notes. Les notes et les places des élèves sont portées sur leur carnet de correspondance, qui doit être signé régulièrement par la famille. Je n'oublie pas ce rendez-vous, il est inscrit sur mon carnet* (syn. : CALEPIN, AGENDA). — 2° Assemblage de billets, de tickets, de timbres, etc., qui peuvent être détachés au moment de l'emploi : *Au moment de payer, il sortit son carnet de chèques* (syn. : CHÉQUIER). *Chaque carnet contient vingt billets de tombola. Au passage du receveur, j'ai acheté un carnet de tickets d'autobus* (ou, simplem., *un carnet d'autobus*).

carnier [karnje] n. m. Sac destiné à recevoir le gibier.

carnivore [karnivɔr] adj. et n. Qui se nourrit de chair.

carotte [karɔt] n. f. 1° Plante cultivée pour sa racine comestible : *Les carottes potagères sont le plus souvent rouges. Après le hors-d'œuvre, on nous a servi du bœuf aux carottes* (= du bœuf mode). — 2° Enseigne rouge d'un débit de tabac, formée de deux cônes accolés par la base : *Dès que j'apercevrai une carotte, j'irai m'acheter un paquet de cigarettes.* — 3° Fam. *Les carottes sont cuites,* l'affaire est réglée, il n'y a plus rien à faire : *Les carottes sont cuites : dans les cinq minutes qui restent, cette équipe ne peut pas gagner la partie.* ◆ **poil-de-carotte** adj. invar. *Fam.* Qui a les cheveux roux : *Le dernier de ses enfants est poil-de-carotte* (syn. : ROUQUIN).

carotter [karɔte] v. tr. 1° Fam. *Carotter quelqu'un,* abuser de sa confiance ou tromper sa vigilance; commettre un larcin à ses dépens : *Il a profité de mon inexpérience pour me carotter sur la marchandise. On n'aime pas se laisser carotter* (syn. : DUPER, langue soignée). — 2° Fam. *Carotter quelque chose,* le soutirer adroitement, en faire son profit frauduleusement (se dit de vols de peu d'importance) : *Les prisonniers avaient réussi à carotter quelques boîtes de conserves à leurs gardiens* (syn. fam. : CHAPARDER). *Carotter de petits bénéfices sur la gestion d'une affaire* (syn. : GRATTER). *L'élève a carotté quelques devoirs à son professeur* (= il ne les a pas remis). ◆ v. intr. Fam. *Carotter sur quelque chose,* prélever indûment pour soi une partie des sommes affectées à cette chose : *On s'est aperçu que l'économe carottait depuis longtemps sur le budget de la nourriture.* ◆ **carotteur, euse** adj. et n. : *Méfie-toi de lui : c'est un carotteur.*

carpe [karp] n. f. 1° Grand poisson d'eau douce : *Certaines carpes peuvent peser jusqu'à vingt kilos. Les carpes qui vivent en étang ont souvent un goût* *de vase.* — 2° Fam. *Bâiller comme une carpe,* bâiller en ouvrant démesurément la bouche. ‖ *Muet comme une carpe,* totalement muet, incapable de trouver un mot à dire : *Un candidat qui reste muet comme une carpe devant l'examinateur.*

carpette [karpɛt] n. f. Tapis d'étoffe, de linoléum, etc., ne couvrant pas tout le sol d'une pièce : *L'enveloppe de la lettre avait glissé sous la carpette.*

carquois [karkwa] n. m. Etui destiné à contenir les flèches d'un archer : *Cupidon est généralement représenté avec un arc et un carquois.*

1. carré, e [kare] adj. 1° Se dit d'une surface qui a quatre angles droits et quatre côtés rectilignes et égaux, ou d'un volume qui a quatre plans rectangulaires et de même écartement deux à deux : *Une pendulette de voyage à cadran carré* (= dont la largeur est égale à la hauteur). *Il a acheté un aquarium carré* (syn. : PARALLÉLÉPIPÉDIQUE, langue scientif.). *Cette petite lampe était emballée dans une boîte carrée* (syn. : CUBIQUE OU PARALLÉLÉPIPÉDIQUE, langue scientif.). *Les pieds de la table de fer forgé sont faits d'une tige carrée* (= à section carrée). *Un pilier carré. Une petite pièce carrée est plus facile à meubler qu'une pièce en longueur ou dissymétrique.* — 2° Qui a des angles plus ou moins nettement marqués : *Un grand gaillard aux épaules carrées* (contr. : ÉPAULES TOMBANTES). *Son visage carré exprime une énergie indomptable* (contr. : VISAGE ALLONGÉ, OVALE). *Des chaussures à bout carré* (contr. : À BOUT ARRONDI, POINTU). — 3° *Mètre carré, décimètre carré,* etc., mesures de surface équivalant à un carré qui aurait un mètre, un décimètre, etc., de côté : *Une pièce de trois mètres sur quatre a douze mètres carrés.* (V. MESURE, *Unités de mesure.*) ◆ **carré** [kare] n. m. 1° Figure géométrique plane, fermée, composée de quatre segments égaux de lignes droites se rejoignant à angle droit; chose ayant cette forme : *Découper un carré de papier. Elle a acheté au magasin un carré de soie verte* (syn. : FICHU, FOULARD). *Autrefois, les armées se formaient souvent en carré pour combattre. Le poulain avait piétiné les carrés de poireaux, de salades, de choux* (syn. : PLANCHE). — 2° *Carré d'un nombre,* résultat de la multiplication de ce nombre par lui-même : *Le carré de neuf est quatre-vingt-un. Elever un nombre au carré, c'est le multiplier par lui-même.*

2. carré, e [kare] adj. Se dit d'une personne (ou de ses actes) qui a une grande franchise, qui fait preuve de décision : *C'est un homme carré en affaires : avec lui, on sait tout de suite à quoi s'en tenir* (syn. : FRANC, SANS DÉTOUR). *J'aime les réponses carrées comme celle-là* (syn. : NET, DÉCIDÉ). ◆ **carrément** [karemɑ̃] adv. 1° Avec franchise, fermeté, sans détours : *Au lieu de tergiverser, vous feriez mieux d'aborder carrément la question. Jette-toi carrément à l'eau, tu n'auras pas le temps de la trouver froide* (syn. : FRANCHEMENT). *Comme personne ne pouvait me fournir le renseignement, j'ai carrément écrit au directeur* (syn. : HARDIMENT, BRAVEMENT). — 2° *Fam.* Indique la certitude absolue (surtout pour comparer des quantités, des grandeurs) : *En prenant cette route, vous gagnez carrément une heure sur l'autre itinéraire* (syn. : SANS AUCUN DOUTE). *Cette pièce n'est pas à la dimension voulue : il lui manque carrément dix centimètres* (syn. : SÛREMENT). *Il est arrivé carrément une heure en retard* (syn. : AU MOINS).

1. carreau [karo] n. m. 1° Plaque de verre d'une fenêtre ou d'une porte vitrée : *Les cambrioleurs ont ouvert la fenêtre en cassant un carreau. Le laveur de carreaux doit venir demain. L'enfant, le nez collé au carreau, regarde dans la rue* (syn. : VITRE). — 2° Plaque de ciment, de terre cuite, de faïence, etc., utilisée pour le pavage des pièces ou le revêtement des murs : *Avez-vous calculé le nombre de carreaux nécessaires pour le sol de la cuisine? Des carreaux hexagonaux, octogonaux, carrés* (syn. : DALLE, GRAND CARREAU). *Les murs des salles de bains sont souvent recouverts de carreaux de faïence.* — 3° Sol constitué par ces plaques assemblées : *On a lavé à grande eau le carreau de la salle de séjour* (syn. : CARRELAGE). — 4° Carré servant de motif décoratif : *Du tissu à carreaux. Il portait une chemise à larges carreaux.* — 5° Carré ou rectangle formé sur le papier quadrillé par le croisement des lignes horizontales et des lignes verticales : *Les écoliers écrivent habituellement sur du papier à carreaux. Vous laisserez une marge supplémentaire de deux carreaux.* — 6° *Carreau des Halles,* à Paris, emplacement situé à l'extérieur des pavillons, où se font des ventes non officielles : *Pendant la nuit, les marchandises s'accumulent sur le carreau des Halles.* — 7° Fam. *Laisser quelqu'un sur le carreau,* le laisser gisant au sol, après l'avoir tué ou brutalement malmené. ‖ Fam. *Rester sur le carreau,* rester gisant, ou, plus souvent, subir un échec, être éliminé : *On n'a retenu que les noms de trois candidats pour cet emploi, les autres sont restés sur le carreau.* ‖ Fam. *Se tenir à carreau,* être très vigilant, éviter de commettre la moindre faute : *Depuis cet avertissement, il se tient à carreau* (syn. : ÊTRE, SE TENIR SUR SES GARDES). ◆ **carreler** [karle] v. tr. (conj. 6). *Carreler une pièce,* la paver de carreaux : *Faire carreler tout le rez-de-chaussée en carreaux six pans.* ◆ **carrelage** n. m. 1° Action de carreler : *Le carrelage de la salle de séjour a demandé trois jours.* — 2° Revêtement de carreaux sur le sol : *Ne marche pas pieds nus sur le carrelage!* ◆ **carreleur** n. m. : *Les carreleurs ont interdit de marcher dans la pièce avant que le ciment ne soit bien dur.*

2. carreau [karo] n. m. 1° Une des quatre couleurs de la plupart des jeux de cartes, représentée par un carré rouge : *Il m'a coupé un as de trèfle avec un huit de carreau. Nous avons fait trois levées à carreau* (= avec cette couleur comme atout). — 2° Carte de cette couleur : *Il me reste un carreau en main.*

carrée [kare] n. f. *Arg.* Chambre, salle, pièce d'habitation : *Je vais inviter quelques copains dans ma carrée* (syn. pop. : PIAULE, TURNE).

carrefour [karfur] n. m. 1° Lieu où se croisent plusieurs rues ou plusieurs routes : *La nuit, les automobilistes font des appels de phares aux carrefours. Au deuxième carrefour, vous tournerez à droite* (syn. : CROISEMENT). — 2° Lieu de rencontre et de confrontation d'idées opposées : *Dans l'esprit de ses promoteurs, cette session doit être un carrefour où chacun exposera très librement ses vues. Une émission télévisée, une revue qui se présente comme un carrefour d'opinions.*

carrelage n. m., **carreler** v. tr. V. CARREAU 1.

1. carrelet [karlɛ] n. m. Filet de pêche monté sur une armature et tenu au bout d'une perche pour pêcher le menu poisson.

2. carrelet [karlɛ] n. m. Poisson plat (syn. : PLIE).

3. carrelet [karlɛ] n. m. Grosse aiguille utilisée par les bourreliers.

carreleur n. m. V. CARREAU 1.

carrément adv. V. CARRÉ 2.

carrer (se) [səkare] v. pr. *Se carrer dans un fauteuil,* s'y installer bien à l'aise : *Après s'être carré dans un large fauteuil, il regarda son interlocuteur bien en face* (syn. : SE CALER, S'ENFONCER).

1. carrière [karjɛr] n. f. 1° Profession à laquelle on consacre sa vie; ensemble des étapes à parcourir dans cette profession (emploi limité à quelques métiers ou fonctions : enseignement, armée, politique, journalisme, etc.) : *Une conférence d'information sur les carrières de l'enseignement* (syn. : FONCTIONS). *Il a fait carrière dans la marine marchande, dans la magistrature* (= il a consacré sa vie professionnelle à). *Certaines carrières sont beaucoup plus encombrées que d'autres* (= il y a un nombre déjà très important de personnes qui les exercent, ce qui en rend l'accès plus difficile). *La carrière des lettres* (= la littérature, le métier d'écrivain). *Il s'est senti très jeune attiré vers la carrière des armes* (= l'armée, le métier militaire). *Il est militaire de carrière, officier de carrière* (par oppos. aux appelés du contingent, aux officiers de réserve). *Il est entré directement dans la Carrière* (avec une majusc., désigne la diplomatie). *C'est un officier qui a fait une carrière très rapide* (= il a rapidement franchi les différents grades). *Les syndicats de fonctionnaires cherchent à obtenir une amélioration de carrière* (= l'accession plus rapide à de meilleures conditions de traitement). *A trente ans, il a déjà fait une brillante carrière politique. Ce scandale pourrait bien briser sa carrière.* — 2° *Donner carrière à quelque chose,* le laisser se manifester, se développer librement (littér.) : *Evitons de donner carrière à la médisance. Il a donné carrière à son ambition* (syn. : LAISSER LE CHAMP LIBRE, DONNER LIBRE COURS).

2. carrière [karjɛr] n. f. Terrain d'où l'on extrait de la pierre ou du sable : *Des enfants qui jouent dans une carrière abandonnée. Une carrière de granite rose, de marbre. Une carrière de sable* (= une sablière). ◆ **carrier** n. m. Ouvrier qui travaille à l'extraction de la pierre dans une carrière : *On entend les coups de masse des carriers.*

carriole [karjɔl] n. f. *Fam.* et *péjor.* Voiture légère et médiocre, non automobile : *Une vieille paysanne qui va vendre ses légumes au marché, dans une carriole tirée par un âne* (syn. non péjor. : CHARRETTE).

carrossable [karɔsabl] adj. *Route, chemin carrossable,* où les voitures automobiles peuvent circuler : *Ne vous engagez pas dans ce chemin : à cinq cents mètres d'ici, il cesse d'être carrossable et vous risqueriez de vous embourber* (syn. : PRATICABLE).

carrosse [karɔs] n. m. 1° Voiture de luxe, à chevaux, en usage autrefois : *La cour d'Angleterre utilise encore des carrosses pour certaines cérémonies solennelles.* — 2° Fam. *La cinquième roue du carrosse,* celui ou celle qui ne sert à rien, de qui on se soucie peu : *Dans cette famille, la mère et les filles s'occupent de tout, et le mari est la cinquième roue du carrosse.*

carrosserie [karɔsri] n. f. 1° Revêtement, le plus souvent de tôle, qui habille le châssis d'un véhicule; coque d'une automobile : *L'accrochage a été léger : seule la carrosserie a été un peu endommagée.* — 2° Ensemble des activités qui concourent à la fabrication des carrosseries d'automobiles : *Il fait son apprentissage dans la carrosserie.* ◆ **carrosser** v. tr. Munir d'une carrosserie (souvent au part. passé) : *Une voiture carrossée à l'italienne.* ◆ **carrossage** n. m. ◆ **carrossier** n. m. Ouvrier, dessinateur, industriel spécialisé dans la carrosserie : *Le carrossier a remis en état l'aile défoncée de ma voiture.*

carrousel [karuzɛl ou karusɛl] n. m. Représentation donnée par des groupes de cavaliers faisant évoluer leurs chevaux, et, par image, circulation intense de véhicules en divers sens : *Du balcon, nous observions le carrousel des voitures sur la place de l'Opéra.*

carrure [karyr] n. f. 1° Largeur du buste d'une épaule à l'autre : *C'est un garçon robuste, avec une carrure d'athlète.* — 2° Forme large et carrée (de la poitrine, du corps) : *Une poitrine d'une belle carrure.*

cartable [kartabl] n. m. Sac dans lequel les écoliers mettent leurs cahiers, leurs livres, etc. : *La classe finie, les élèves rangent leurs affaires dans leur cartable* (syn. : SERVIETTE).

1. carte [kart] n. f. 1° Document fait d'une feuille de carton ou de papier fort, constatant l'identité d'une personne, son appartenance à un groupement, son inscription sur une liste, et lui conférant les droits correspondants, etc. : *La carte d'identité est délivrée par la préfecture. La carte d'étudiant était exigée à l'entrée de l'amphithéâtre. Le contrôleur de chemin de fer a demandé à voir ma carte de famille nombreuse* (donnant droit à un tarif réduit). *Pour consulter des documents, il s'est fait établir une carte de lecteur à la Bibliothèque nationale. On se présentera au bureau de vote avec sa carte d'électeur. La carte grise est le récépissé de la déclaration de mise en service d'une automobile. La carte syndicale n'est remise aux adhérents qu'après paiement de leur cotisation.* — 2° Petit rectangle de papier fort sur lequel on a fait imprimer son nom, ses titres et son adresse, et qu'on peut remettre pour se faire connaître, ou utiliser pour une correspondance brève (on dit fréquemment CARTE DE VISITE) : *Je donnai ma carte à un planton, et quelques instants après j'étais introduit chez le directeur. Un monsieur est venu en votre absence, il a laissé sa carte. On envoie souvent ses vœux de nouvel an sur une carte de visite*; petit carton qui porte le nom d'un commerçant, d'un artisan, d'une entreprise, etc., et qui peut être utilisé pour la publicité (on dit aussi CARTE COMMERCIALE) : *Il a rapporté de la foire-exposition les cartes de plusieurs décorateurs.* — 3° *Donner, laisser carte blanche à quelqu'un,* lui laisser toute liberté d'agir à son gré : *Allez-y de ma part et faites pour le mieux : je vous laisse carte blanche.* ◆ **porte-cartes** n. m. invar. Portefeuille muni de poches transparentes, où l'on range les papiers d'identité, le permis de conduire, etc.

2. carte [kart] n. f. Liste des mets ou des boissons qu'on peut choisir dans un restaurant, avec l'indication des prix correspondants (par oppos. à *menu,* liste unique des mets composant le repas à prix fixe) : *Il présenta la carte à ses invités, puis fixa son choix sur une truite meunière. Garçon, voulez-vous me passer la carte des vins? Il dîne chaque jour à la carte* (= en choisissant ses plats). *Nous hésitions entre le repas à la carte et le repas à prix fixe.*

3. carte [kart] n. f. *Carte postale,* ou simplem. *carte,* carte utilisée pour la correspondance et généralement illustrée sur une face (à la différence des cartes dites « de correspondance », dont on peut remplir les deux faces) : *Au cours de notre randonnée de vacances, nous avons écrit des cartes postales à tous nos amis. J'ai reçu une carte de la Côte d'Azur, où il passe de bonnes vacances.*

4. carte [kart] n. f. Représentation conventionnelle d'une région ou d'un pays, donnant diverses indications géographiques : *Vous prendrez votre atlas et vous reproduirez la carte de l'Espagne. Consultez la carte de l'Empire romain. On partit en vacances, muni des cartes routières de l'Auvergne.* ◆ **cartographie** n. f. Etablissement des cartes géographiques : *Le service de cartographie dans une maison d'édition.* ◆ **cartographe** n. : *Les cartographes de l'Institut géographique national.* ◆ **cartographique** adj.

5. carte [kart] n. f. **1°** Chacun des cartons légers portant sur une face diverses figures en couleur et dont l'ensemble constitue un *jeu de cartes : Les jeux de cartes ont soit cinquante-deux, soit trente-deux cartes. Aimez-vous jouer aux cartes? On a fait quelques parties de cartes. Il me restait trois cartes en main : l'as de trèfle, le roi de cœur et le dix de carreau. Il se rendit compte trop tard qu'il s'était défait d'une carte maîtresse* (= carte qui fait la levée) *et avait conservé une fausse carte* (= une carte sans utilité en l'état actuel de la partie). *Avant chaque nouvelle distribution, on bat les cartes* (= on les mélange). *Couper les cartes* (= avant de les distribuer, les séparer en deux tas). *Couper une carte* (= la prendre avec une autre carte de la couleur d'atout). *Retourner une carte* (= en montrer la figure). — **2°** *Tirer les cartes, faire les cartes à quelqu'un,* lui prédire sa destinée en utilisant un jeu de cartes selon certaines règles : *Il s'est fait tirer les cartes, par amusement, dans une baraque de foire.* ‖ *Tours de cartes,* exercices d'adresse ou d'illusion exécutés avec des cartes à jouer. ‖ *Château de cartes,* construction fragile que les enfants élèvent avec des cartes, ou maisonnette de peu de solidité. ‖ *Carte maîtresse,* ressource capitale, principal moyen de succès : *L'avocat gardait pour la fin sa carte maîtresse : un témoignage accablant pour la partie adverse* (syn. : PIÈCE MAÎTRESSE). ‖ *Connaître, découvrir le dessous des cartes,* connaître les combinaisons secrètes d'une affaire. ‖ *Jouer cartes sur table,* agir franchement, sans rien dissimuler. ‖ *Jouer sa dernière carte,* faire la dernière tentative possible après l'échec de toutes les précédentes (syn. : TENTER SA DERNIÈRE CHANCE). ‖ *Brouiller les cartes,* créer volontairement la confusion, le désordre : *Il s'est amusé à brouiller les cartes au cours de la discussion.* ‖ *Jouer la carte de quelque chose,* s'engager à fond dans une option, un choix : *Le ministre des Finances a joué la carte de l'expansion* (syn. : PARIER). ‖ *Avoir toutes les cartes* (ou *tous les atouts*) *dans son jeu,* avoir toutes les chances de son côté. ‖ *C'est la carte forcée,* on est obligé de passer par ses exigences : *Alors, c'est la carte forcée : vous nous imposez vos conditions sans que nous puissions refuser.* ◆ **cartomancienne** n. f. Personne qui prétend dire l'avenir à l'aide de cartes tirées d'un jeu : *Dans son désarroi, elle est allée consulter une cartomancienne, qui lui a prédit un brillant succès.*

1. cartel [kartɛl] n. m. Entente entre des groupements financiers, professionnels, syndicaux ou politiques, en vue d'une action concertée : *Des contacts furent pris entre quelques hommes politiques qui tâchaient de constituer un cartel républicain* (syn. : FRONT). *Le cartel d'action laïque.*

2. cartel [kartɛl] n. m. Pendule qui s'accroche au mur (vieilli) : *Le cartel est arrêté, il faut le remonter* (syn. : CARILLON).

cartésien, enne [kartezjɛ̃, -ɛn] adj. *Esprit, raisonnement cartésien,* caractérisé par sa rigueur, son habitude des démarches méthodiques, des déductions logiques (par allusion à la *philosophie cartésienne,* ou système philosophique de Descartes) : *C'est un esprit trop cartésien pour s'accommoder d'une démonstration reposant sur une simple analogie.* (Ce mot s'emploie parfois péjor. pour opposer la sécheresse de l'intelligence à la sensibilité artistique, à la ferveur mystique, etc.) ◆ **cartésianisme** n. m. : *Son cartésianisme étroit le rend inaccessible à certaines intuitions* (syn. : RATIONALISME).

cartilage [kartilaʒ] n. m. Tissu organique, résistant et élastique : *Le cartilage du nez, de l'oreille.* ◆ **cartilagineux, euse** adj. : *Tissu cartilagineux.*

cartographe n., **cartographie** n. f., **cartographique** adj. V. CARTE 4.

carton [kartɔ̃] n. m. **1°** Feuille rigide, faite de pâte à papier, mais plus épaisse qu'une simple feuille de papier : *La photographie est maintenue dans le cadre par un carton appliqué au dos. Le carreau cassé a été provisoirement remplacé par un morceau de carton. La couverture de beaucoup de livres est en carton fort.* — **2°** Boîte faite en cette matière, et servant soit à emballer des marchandises, soit à ranger divers objets : *La poupée est exposée dans son carton au rayon des jouets* (syn. : BOÎTE). *Un carton à chapeau. Classer un dossier dans un carton.* — **3°** *Carton à dessin,* grand portefeuille permettant de ranger des dessins, des gravures : *Aujourd'hui, les écoliers arrivent en classe avec leur carton à dessin sous le bras.* ‖ Fam. *Faire un carton,* tirer un certain nombre de balles sur une cible, dite *carton : Ils sont allés faire quelques cartons à la fête foraine;* tirer sur un ennemi : *Abrité derrière un rocher, il était prêt à faire un carton sur le premier ennemi qui passerait.* ‖ Péjor. *Décor de carton-pâte,* édifice, construction peu solide ou de clinquant. ◆ **cartonner** v. tr. Garnir, munir de carton : *Ce livre se vend broché ou cartonné* (= relié avec une couverture de carton). ◆ **cartonnage** n. m. **1°** Opération consistant à cartonner : *Le cartonnage est un des derniers stades de la fabrication d'un livre.* — **2°** Objet, armature de carton : *Un appareil ménager expédié dans un cartonnage robuste.*

cartouche [kartuʃ] n. f. **1°** Projectile de fusil avec sa charge et son amorce. — **2°** Fam. *Les dernières cartouches,* les dernières réserves que l'on épuise : *Il remonta de sa cave quelques bouteilles de vin : les dernières cartouches, disait-il.* ◆ **cartouchière** n. f. Etui ou ceinture où le chasseur met ses cartouches.

1. cas [kɑ] n. m. 1° Ce qui arrive; situation d'une personne ou d'une chose : *Une des fusées n'a pas fonctionné : heureusement, le cas était prévu* (syn. : INCIDENT). *Il neigeait encore au mois de mai : c'est un cas assez rare* (syn. : ÉVÉNEMENT, FAIT). *Il faut, selon les cas, aller plus ou moins vite* (syn. : CIRCONSTANCES). *En pareil cas, il est bon de savoir rester maître de soi. Si, comme c'est souvent le cas, le gibier est hors de portée du chasseur... Vous êtes peut-être fatigué : si tel est le cas, je peux attendre. On étudie en classe les cas d'égalité des triangles. La maladie est un cas de force majeure qui excuse une absence. Avez-vous envisagé le cas d'un retard à la livraison?* (syn. : HYPOTHÈSE, ÉVENTUALITÉ). *Votre intervention m'a mis dans un cas embarrassant. L'avocat a cherché à prouver que son client était dans le cas de légitime défense. Il ne veut pas être mis dans le cas d'avoir à donner son avis. Un contribuable qui expose son cas à l'inspecteur des contributions* (syn. : SITUATION). — 2° Personne qui se trouve dans une situation remarquable : *On vient d'amener un malade à l'hôpital : c'est un cas urgent. Cet homme est un cas complexe* (= son comportement ou son état de santé se laissent difficilement analyser). *Le cas Shakespeare reste énigmatique. Sa conduite est extraordinaire, c'est vraiment un cas.* — 3° *Cas de conscience,* problème moral dont la solution n'est pas donnée immédiatement par les règles courantes de la morale, qui appelle une prise de position engageant la conscience individuelle : *Dois-je accepter ou refuser ce poste? C'est un cas de conscience.* ‖ *Faire cas de quelqu'un, d'une chose,* l'estimer : *Son secrétaire, dont il faisait si grand cas, a trahi sa confiance.* ‖ *Faire cas, faire tel ou tel cas, grand cas, peu de cas, plus de cas,* etc. (ou *ne faire aucun cas*), *de quelque chose,* accorder à cette chose telle ou telle importance : *Quel cas peut-on faire d'une promesse obtenue dans ces conditions? On a fait moins de cas de cet exploit que du précédent.* ‖ *C'est le cas de le dire,* le mot, l'expression convient bien à la circonstance présente (s'emploie fréquemment pour souligner un jeu de mots). ● LOC. ADV. *En aucun cas,* quoi qu'il arrive (s'emploie dans une proposition négative) : *En aucun cas, vous ne devez vous dessaisir de cette pièce officielle.* ‖ *En ce cas,* alors, s'il en est ainsi : *Il paraît que l'affaire est réglée; en ce cas, je n'ai plus rien à faire ici* (syn. : DANS CES CIRCONSTANCES). ‖ *En tout cas, en tous les cas, dans tous les cas,* de toute façon, quoi qu'il en soit (pour présenter une affirmation en opposition à une hypothèse, à une éventualité quelconque) : *Je ne sais pas qui a dit cela, en tout cas ce n'est pas moi. C'est peut-être un bien, peut-être un mal : en tous les cas, c'est un fait.* ● LOC. PRÉP. *En cas de,* dans l'hypothèse de (mot suivant sans article) : *En cas d'accident, prévenir M. X. En cas de pluie, la fête sera remise à une date ultérieure. Vous pourrez, en cas de besoin, faire appel à cette personne.* ● LOC. CONJ. *Au cas où, dans le cas où,* s'il arrivait que (le verbe de la proposition introduite étant au conditionnel) : *Au cas où j'aurais un empêchement, je passerais un coup de téléphone. Au cas où vous auriez préféré autre chose, rien ne vous empêchait de changer.*

2. cas [ka] n. m. Chacune des formes d'un substantif, d'un adjectif, d'un participe ou d'un pronom qui correspondent à des fonctions déterminées dans la phrase : *On parle surtout de cas dans les langues qui connaissent des déclinaisons.*

NOM DES CAS	FONCTION
	Désigne ou exprime :
nominatif	le sujet du verbe, de la phrase
vocatif	l'interpellation (mot isolé)
accusatif	l'objet du verbe, le point d'arrivée
génitif	la dépendance ou la possession
datif	l'attribution ou la destination
ablatif	le point de départ, l'éloignement
instrumental	l'instrument de l'action
locatif	le lieu où se passe l'action
cas sujet	un des deux cas de la déclinaison de l'ancien français, représentant le sujet du verbe : *li murs* (sing.)
cas régime	un des deux cas de la déclinaison de l'ancien français, représentant toutes les fonctions autres que le sujet : *le mur* (sing.)

casanier, ère [kazanje, -ɛr] adj. et n. Qui aime à rester chez soi, qui a des habitudes de vie très régulières : *Cet homme, d'ordinaire si casanier, ne tenait plus en place depuis quelques jours. On imagine mal un pareil casanier à la tête d'une expédition* (syn. : SÉDENTAIRE; fam. : PANTOUFLARD; contr. : BOHÈME). ◆ adj. Se dit de l'humeur, de la vie, etc., qui manifeste ce goût : *Il a repris ses chères petites habitudes casanières.*

casaque [kazak] n. f. 1° Tunique de jockey. (Le mot, qui désignait un vêtement d'homme de forme ample, peut encore s'employer pour désigner, par plaisanterie, l'individu : *Quelle averse, mes amis! Et nous avons reçu tout ça sur la casaque.*) — 2° Fam. et péjor. *Tourner casaque,* changer complètement d'opinion, de parti, ordinairement par opportunisme : *Ses ennemis politiques l'accusent d'avoir plusieurs fois tourné casaque au bon moment* (syn. fam. : RETOURNER SA VESTE). ◆ **casaquin** [kazakɛ̃] n. m. Fam. *Lui tomber sur le casaquin,* le battre, lui tomber dessus à bras raccourcis. ‖ Pop. *Ne rien avoir dans le casaquin,* avoir l'estomac vide. ‖ Pop. *Qu'est-ce qu'il s'est mis dans le casaquin!,* il a beaucoup mangé ou bu.

cascade [kaskad] n. f. 1° Chute d'eau d'une certaine hauteur, formée par un cours d'eau, un lac, un bassin : *Une cascade d'une trentaine de mètres tombe du rocher* (syn. : ↑ CATARACTE). *Un jardin public agrémenté d'un jet d'eau et d'une cascade.* — 2° *Une cascade de,* une grande et soudaine affluence de choses : *Il nous a abasourdis par une cascade de paroles. Cette cascade de chiffres du compte rendu financier était très monotone.* ‖ *En cascade,* en s'enchaînant sans interruption (se dit ordinairement d'événements défavorables) : *Depuis cette époque, il a eu des malheurs en cascade* (syn. : EN SÉRIE). ◆ **cascader** v. intr. Tomber en cascade : *Un torrent qui cascade de rocher en rocher.*

cascadeur [kaskadœr] n. m. Acteur spécialisé dans les exercices acrobatiques plus ou moins périlleux, et qu'on charge souvent de doubler une vedette de cinéma.

1. case [kɑz] n. f. Habitation rudimentaire, surtout chez certains peuples d'outre-mer : *Les explorateurs furent reçus dans la case du chef de la tribu* (syn. : CABANE, HUTTE, GOURBI, PAILLOTE).

2. case [kɑz] n. f. 1° Compartiment ménagé dans un meuble, un tiroir ou une boîte : *Chaque pensionnaire a sa case individuelle, où il range sa* *serviette* (syn. : CASIER). *L'écolier met ses livres et ses cahiers dans la case de son pupitre. Les cases d'une boîte à outils.* — 2° Carré ou rectangle tracé sur une surface, sur une feuille de papier, et destiné à recevoir un objet ou une inscription : *Un échiquier est divisé en soixante-quatre cases. Les cases d'une grille de mots croisés. Il faut remplir toutes les cases du formulaire. On doit inscrire son nom dans la première case, sa date de naissance dans la deuxième. Indiquez votre réponse par une croix dans la case correspondante.* — 3° Fam. *Avoir une case de vide, une case en moins,* être faible d'esprit : *Il ne faut pas trop faire attention à ce qu'il dit : il a une case de vide.* ◆ **casier** n. m. 1° Meuble ou partie d'un meuble contenant une série de cases : *La partition a été rangée dans le casier à musique.* — 2° Syn. de CASE au sens 1 : *Chaque locataire prend son courrier à la loge, dans son casier. Tout professeur dispose d'un casier personnel.* — 3° *Casier judiciaire,* relevé des condamnations encourues par une personne : *Avoir un casier judiciaire vierge* (= sans condamnation).

casemate [kazmat] n. f. Petit ouvrage fortifié, en général souterrain.

caser [kɑze] v. tr. 1° *Caser quelque chose,* le placer judicieusement, ou au prix d'un certain effort (nuance plus ou moins fam.) : *La valise est déjà pleine : où allons-nous pouvoir caser ces livres? Jamais je ne pourrai caser tout cela dans ma mémoire* (syn. : LOGER; fam. : FOURRER). *Il parle avec une telle abondance qu'on ne peut même pas caser un mot. Il ne manque pas une occasion de caser un bon mot* (syn. : PLACER). — 2° Fam. *Caser quelqu'un,* le pourvoir d'une situation; en parlant d'un jeune homme, d'une jeune fille, leur ménager un mariage avantageux : *User de ses relations pour caser un de ses neveux. Tous ses enfants sont bien casés. Il a casé sa fille dans une famille riche.* ◆ ***se caser*** v. pr. *Fam.* Se trouver une place, se loger, se situer : *J'ai réussi à me caser dans le car déjà bondé. Case-toi sur ce tabouret en attendant. A quel moment de la pièce se case ce dialogue?*

caserne [kazɛrn] n. f. 1° Bâtiment affecté au logement des militaires : *Une caserne d'infanterie, de cavalerie. Une sentinelle garde l'entrée de la caserne.* — 2° Bâtiment vaste et d'apparence austère : *Et cette grande caserne, c'est l'internat?* ◆ **caserner** ou **encaserner** v. tr. Installer dans une caserne (surtout au part. passé) : *Des troupes casernées dans les villes voisines.* ◆ **casernement** n. m. 1° *Le casernement des troupes.* — 2° Ensemble des constructions d'une caserne : *Les soldats rentrent au casernement.*

cash [kaʃ] adv. Fam. *Payer cash,* payer comptant, avec une régularité absolue : *Il a acheté un appartement qu'il a payé cash. Il a toujours payé cash les factures de ses entrepreneurs* (syn. fam. : PAYER RECTA).

casier n. m. V. CASE 2.

casino [kazino] n. m. Etablissement de jeu, dans certaines stations balnéaires ou thermales, où l'on donne aussi des spectacles : *Il a subi une grosse perte au casino en jouant à la roulette.*

casque [kask] n. m. Coiffure rigide destinée à protéger la tête : *Un casque de soldat, de pompier. Le casque est obligatoire pour les motocyclistes;* appareil métallique pour sécher les cheveux : *Elle devait rester sous le casque près d'une heure;* ensemble constitué par deux écouteurs téléphoniques : *Les employées des postes munies de leur casque.* ◆ **casqué, e** adj. : *Des gendarmes casqués assurent le service d'ordre.*

casquer [kaske] v. intr. et tr. *Pop.* Payer, débourser, subir une perte d'argent : *Encore une feuille d'impôts? On n'a jamais fini de casquer. Il y a mille francs à casquer.*

casquette [kaskɛt] n. f. Coiffure, ordinairement en étoffe, plate et munie d'une visière : *L'uniforme des officiers de marine et de l'armée de l'air comporte une casquette.*

cassable adj., **cassage** n. m., **cassant, e** adj. V. CASSER 1.

cassation [kasasjɔ̃] n. f. Annulation d'une décision administrative ou d'un jugement, prononcée par la juridiction compétente : *Un juge à la Cour de cassation. Se pourvoir en cassation.*

casse n. f. V. CASSER 1.

casse-cou [kɑsku] adj. et n. m. invar. *Fam.* Qui a un goût excessif du risque, qui se lance inconsidérément dans des entreprises hasardeuses : *C'est un garçon trop casse-cou pour que je m'aventure à monter dans sa voiture quand il est au volant* (syn. : ↓ IMPRUDENT; pop. : CASSE-GUEULE). *S'il avait été moins casse-cou, il pouvait faire fortune dans cette affaire, au lieu d'arriver au bord de la faillite* (syn. : TÉMÉRAIRE; contr. : PRUDENT, CIRCONSPECT, PRÉCAUTIONNEUX). *C'est à des casse-cou pareils que vous faites confiance?* (syn. : RISQUE-TOUT, TÊTE BRÛLÉE). ◆ n. m. 1° Passage difficile, chemin escarpé où l'on court le risque de tomber : *Après deux heures de marche, nous arrivons, par toutes sortes de casse-cou, au sommet du rocher* (syn. pop. : CASSE-GUEULE). — 2° *Crier casse-cou à quelqu'un,* l'avertir d'un danger auquel il s'expose : *J'ai eu beau lui crier casse-cou, il a fallu qu'il s'embarque dans cette mauvaise affaire, au risque de perdre sa place.*

casse-croûte [kɑskrut] n. m. invar. *Fam.* Repas sommaire : *J'avais emporté un casse-croûte pour le voyage : du pain, deux œufs durs, un morceau de fromage et une pomme. On a pris un petit casse-croûte à l'auberge.*

casse-gueule [kɑsgœl] n. m. invar. *Pop.* Passage ou exercice dangereux, où l'on risque de tomber; entreprise comportant le risque de graves échecs : *Cette route verglacée, c'est un fameux casse-gueule! Il y a un casse-gueule : attention à la marche! Il y a plusieurs casse-gueule dans ce problème. Tu n'aurais pas dû te laisser embarquer dans cette spéculation : c'est un casse-gueule.* ◆ adj. invar. 1° Se dit d'une chose qui présente de gros risques : *Un sentier casse-gueule. Une affaire casse-gueule* (syn. : HASARDEUX, RISQUÉ). — 2° (plus rare) Se dit d'une personne téméraire : *Il est toujours aussi casse-gueule en voiture.* (Syn. fam. dans tous ces emplois : CASSE-COU.)

cassement n. m. V. CASSER 1.

casse-noisettes ou **casse-noisette** [kasnwazɛt] n. m. invar., **casse-noix** [kasnwa] n. m. invar. Instrument pour casser la coquille des noisettes, des noix.

casse-pieds [kɑspje] n. et adj. invar. *Très fam.* Personne ou chose insupportable : *Celui-là, ce qu'il est casse-pieds avec ses histoires!* (syn. : EXCÉDANT,

FATIGANT; langue soignée : IMPORTUN; fam. : ASSOMMANT). *C'est un vrai casse-pieds de s'encombrer de tout ce matériel.*

casse-pipes ou **casse-pipe** [kɑspip] n. m. invar. *Fam.* Guerre, considérée sous le rapport des risques que le soldat y court; zone des combats ou, même, combat : *Ceux qui reviendront du casse-pipes auront des souvenirs à raconter à leurs enfants. On bavardait en attendant l'heure de monter au casse-pipes* (syn. : LE FRONT).

1. casser [kɑse] v. tr. 1° Mettre en morceaux, par choc, par pression ou par traction : *La bouteille s'est renversée, cassant une assiette. Les pompiers ont dû casser la porte pour entrer* (syn. : ENFONCER). *Le verre est cassé. Casser une allumette entre ses doigts* (syn. littér. : BRISER). *Un cheval qui a cassé son licol* (syn. littér. : ROMPRE). — 2° Causer une fracture à un os d'un membre : *La chute d'une branche a cassé une jambe au bûcheron;* surtout comme pron. et passif : *Il s'est cassé un poignet en tombant* (syn. : FRACTURER). *Il a la cheville cassée.* — 3° Mettre en morceaux une pièce d'un ensemble; mettre hors d'usage : *Ta montre est arrêtée : tu as dû la casser* (syn. : DÉTÉRIORER). *Il a cassé le réchaud électrique* (syn. : ABÎMER). *Il va réussir à casser le réfrigérateur* (syn. fam. : DÉTRAQUER). — 4° Fam. *Casser la croûte* (ou, pop., *la graine*), prendre un repas léger, ou simplement manger. ‖ Fam. *Casser la figure* (ou, pop., *la gueule*) *à quelqu'un,* lui donner des coups, le rosser. ‖ Fam. *Se casser le nez,* trouver porte close; échouer : *Il a tenté d'en faire autant, mais il s'est cassé le nez.* ‖ Pop. *Casser sa pipe,* mourir. ‖ Fam. *Casser du sucre sur le dos de quelqu'un, sur quelqu'un,* dire du mal de lui hors de sa présence. ‖ Fam. *Se casser la tête,* se tourmenter pour trouver une solution. ‖ Fam. *Casser la tête* (ou, plus fam., *les pieds*) *à quelqu'un,* l'importuner, le fatiguer. ‖ *Casser les vitres,* faire du scandale. ‖ Fam. *A tout casser,* sans retenue : *Une colère, une fête à tout casser;* tout au plus, au maximum : *Ça demandera trois jours, à tout casser.* ‖ Fam. *Ça ne casse rien,* cela n'a rien d'extraordinaire, d'intéressant. ‖ Pop. *Il ne se casse rien, il ne se casse pas,* il ne se fatigue pas. ‖ Pop. *Tu nous la casses, tu nous les casses!,* tu nous ennuies. ‖ Pop. *Qu'est-ce que je lui ai cassé!, je lui ai cassé quelque chose!,* je lui ai dit de dures vérités. ‖ *Son ressort est cassé,* il n'a plus de volonté. ◆ v. intr. ou ***se casser*** v. pr. (sujet nom de chose). 1° Etre mis en morceaux, céder : *Plusieurs œufs se sont cassés dans le transport. Si la corde casse* (ou *se casse*), *c'est la chute.* — 2° Etre fragile, être sujet à la casse : *Attention au service de porcelaine : ça se casse* (= c'est cassable). ◆ **cassable** adj. : *C'est très beau, mais c'est cassable* (syn. : ↑ FRAGILE). ◆ **incassable** adj. : *Verre, lunettes incassables* (= qui ne peuvent pas se casser). ◆ **cassage** n. m. 1° Action de mettre volontairement en morceaux (sens 1, 2, 3 du v. tr.) : *Les cantonniers occupés au cassage des cailloux.* — 2° Pop. *Cassage de gueules,* bagarre. ◆ **casse** [kɑs] n. f. 1° *Fam.* Action de mettre en morceaux par mégarde; son résultat : *Tiens, porte ce paquet, et attention à la casse! Il y a eu de la casse dans le déménagement des bibelots. On reste stupéfait en voyant toute cette casse* (= tous ces objets cassés). — 2° Vente d'un objet usagé au poids brut : *Une vieille voiture bonne pour la casse.* ◆ **cassement** n. m. *Cassement de tête,* grande fatigue causée par un bruit assourdissant, un travail pénible; tracas (plus rare que l'expression *casser la tête*). ◆ **cassant, e** adj. (après le nom). 1° Se dit de quelque chose qui est sujet à se casser, qui manque de souplesse : *Un bois trop cassant pour être utilisé en construction.* — 2° Se dit d'une personne (ou de son comportement) qui n'a aucune souplesse de caractère, qui a une raideur intraitable : *Il est trop cassant pour accomplir cette mission diplomatique. Un ton cassant, des paroles cassantes* (syn. : TRANCHANT, PÉREMPTOIRE, INTRANSIGEANT). — 3° Pop. *Ça n'a rien de cassant, ce n'est pas cassant,* cela n'a rien de remarquable, c'est assez ordinaire : *Je suis allé voir ce film dont on parle tant, et je n'y ai rien trouvé de bien cassant;* cela n'a rien de fatigant : *Son métier consiste à donner de temps en temps un renseignement : ce n'est guère cassant.* ◆ **casseur, euse** n. : *C'est un maladroit, un casseur de matériel.* ◆ n. m. 1° *Fam.* Celui qui affiche un air de provocation, d'insolence : *Une démarche de casseur.* — 2° *Casseur de vitres,* celui qui fait des éclats, qui provoque des scandales : *J'aurais dû me douter qu'avec un pareil casseur de vitres la négociation tournerait court.* ◆ **cassure** n. f. 1° Endroit où un objet est cassé : *Boucher avec du mastic les cassures du plâtre.* — 2° *La cassure d'un pantalon,* l'endroit où le pli de repassage se brise, quand le bas du pantalon repose sur la chaussure. ‖ *Provoquer une cassure dans une amitié, une alliance,* y mettre fin brusquement (syn. : AMENER UNE RUPTURE).

2. casser [kɑse] v. tr. 1° *Casser un gradé, un fonctionnaire,* les destituer de leur grade, de leurs fonctions. — 2° *Casser un jugement, un arrêt, une sentence, un mariage,* les déclarer nuls, en parlant d'une juridiction établie à cet effet : *L'avocat espère faire casser ce jugement pour vice de forme.*

casserole [kasrɔl] n. f. 1° Récipient utilisé pour la cuisine, de forme ordinairement cylindrique : *En cuisant, le riz a attaché au fond de la casserole. Elle a renversé une casserole d'eau par terre.* — 2° Pop. *Passer quelqu'un à la casserole,* le tuer alors qu'il est prisonnier. ◆ **casserolée** n. f. Contenu d'une casserole : *Vous croyez qu'ils vont manger cette casserolée de nouilles?*

casse-tête [kastɛt] n. m. invar. 1° Massue en usage chez certaines peuplades ou dans les combats d'autrefois. — 2° Travail ou jeu qui fatigue beaucoup l'esprit, qui présente des difficultés presque insolubles (ou souvent CASSE-TÊTE CHINOIS) : *La déclaration de ses revenus était pour lui un vrai casse-tête. C'est un casse-tête chinois de trouver un jour et une heure qui conviennent à tous.* — 3° Vacarme fatigant : *Il faut subir chaque année le casse-tête de la fête foraine.*

cassette [kasɛt] n. f. Petit coffre servant à mettre l'argent, les bijoux, etc.

casseur, euse n. V. CASSER 1.

1. cassis [kasis] n. m. Fruit de l'arbuste de même nom, baie noire ressemblant un peu à la groseille; liqueur obtenue en faisant macérer ce fruit dans l'alcool : *On nous a offert un petit verre de cassis.*

2. cassis [kasis] n. m. *Pop.* Tête (considérée comme recevant des coups) : *Fais attention : tu pourrais bien recevoir une ardoise sur le cassis. Le soleil nous tape sur le cassis.*

3. cassis [kasi] n. m. Dépression brusque du sol, sur une route, qui imprime une secousse aux véhicules : *On a supprimé la rigole transversale qui faisait un cassis, à l'entrée du bourg* (contr. : DOS-D'ÂNE).

cassoulet [kasulɛ] n. m. Ragoût de haricots blancs avec de l'oie, du mouton, du porc, etc.

cassure n. f. V. CASSER 1.

castagnettes [kastaɲɛt] n. f. pl. Petit instrument à percussion, composé de deux plaquettes de bois reliées par une cordelette et qu'on entrechoque pour accompagner notamment certaines danses espagnoles.

caste [kast] n. f. *Péjor.* Classe de citoyens qui tient à se distinguer des autres par ses mœurs, ses privilèges : *Une petite ville de province où des officiers à la retraite forment une véritable caste* (syn. : CLAN). *Dans cette calamité, l'esprit de caste avait tout de même fait place à un mouvement de solidarité.*

castor [kastɔr] n. m. Rongeur à queue largement aplatie, vivant en colonies au bord de l'eau, et capable d'y construire des huttes et des digues, commun au Canada et en U.R.S.S.

castrer [kastre] v. tr. Priver un animal mâle de ses glandes génitales (syn. : CHÂTRER). ◆ **castration** n. f. : *La castration d'un chat.*

casuistique [kazɥistik] n. f. Subtilité excessive qu'on met à argumenter en ergotant : *Nous n'allons pas faire de la casuistique pour savoir si ses paroles ont dépassé sa pensée.* (La *casuistique* est la partie de la théologie qui traite des cas de conscience.) ◆ **casuiste** n. m. Celui qui argumente trop subtilement, notamment pour justifier ses fautes ou celles d'autrui : *Certains casuistes expliqueront sans doute que ce meurtre est un bienfait.*

cataclysme [kataklism] n. m. Vaste bouleversement destructeur, causé par un tremblement de terre, un cyclone, une guerre, etc. : *La rupture de ce barrage entraînerait un terrible cataclysme dans la vallée* (syn. : CATASTROPHE). *L'humanité vivra-t-elle dans la crainte d'un cataclysme thermonucléaire? L'Ancien Régime fut emporté dans le cataclysme de la Révolution française* (syn. : OURAGAN).

catacombes [katakɔ̃b] n. f. pl. Cimetières souterrains où les premiers chrétiens tenaient leurs réunions; lieux souterrains où l'on a transporté les ossements des cimetières désaffectés.

catafalque [katafalk] n. m. Estrade destinée à recevoir un cercueil pour une cérémonie funèbre : *La foule défile devant le catafalque exposé sur la place. Dresser un catafalque.*

catalepsie [katalɛpsi] n. f. Etat d'une personne qui perd momentanément toute sensibilité et toute faculté de mouvement. ◆ **cataleptique** adj. : *Un sommeil cataleptique.*

catalogue [katalɔg] n. m. **1°** Liste des articles qu'un fabricant, un commerçant, un exposant propose à la clientèle : *Un catalogue illustré de grand magasin. Chercher le prix d'un livre dans le catalogue de l'éditeur. Le catalogue d'une exposition de peinture. Au courrier de ce matin, il y avait le catalogue d'un horticulteur et celui d'un tailleur.* — **2°** Liste énumérative : *Dresser un catalogue des formes du verbe. Le catalogue des dieux de l'Olympe.* ◆ **cataloguer** v. tr. **1°** *Cataloguer une chose,* l'inscrire à un catalogue : *C'est un produit tout nouveau, que nous n'avons pas encore catalogué.* — **2°** Fam. et péjor. *Cataloguer quelqu'un,* le classer dans une catégorie peu estimable : *Dès que je l'ai aperçu, je l'ai catalogué comme un vaniteux. Après une telle action, il a été catalogué.*

cataplasme [kataplasm] n. m. Bouillie médicinale, généralement à base de farine de lin, parfois saupoudrée de farine de moutarde, qu'on applique sur la peau pour combattre une inflammation.

catapulter [katapylte] v. tr. *Fam.* Lancer brusquement, envoyer soudain à une certaine distance et avec force : *Sous le choc, le cycliste a été catapulté à plusieurs mètres* (syn. : PROJETER). [Une *catapulte* était autref. une machine de guerre qui lançait divers projectiles.]

1. cataracte [katarakt] n. f. Importante chute d'eau sur le cours d'un fleuve : *Les cataractes du Niagara sont célèbres dans le monde entier* (syn. : ↓ CHUTE).

2. cataracte [katarakt] n. f. Opacité du cristallin produisant une cécité partielle ou complète.

catastrophe [katastrɔf] n. f. Evénement subit qui cause un bouleversement, des destructions, des victimes : *Un avion s'est écrasé au sol avec tous ses occupants; c'est la troisième catastrophe de ce genre en un mois* (syn. : ↓ ACCIDENT). *Le grisou a causé de nombreuses et terribles catastrophes minières. L'incendie, qui ravage des milliers d'hectares de forêt, prend les proportions d'une catastrophe* (syn. : DÉSASTRE, CALAMITÉ). *Son échec à cet examen est pour lui une vraie catastrophe* (syn. : MALHEUR). ◆ **catastrophique** adj. **1°** Qui a le caractère d'une catastrophe : *Une sécheresse catastrophique. Une épidémie catastrophique.* — **2°** *Fam.* Qui a un caractère désastreux : *Une hausse catastrophique du coût de la vie* (syn. : ↓ IMPORTANT). *Il a eu une note catastrophique à cette épreuve* (syn. : TRÈS MAUVAIS). ◆ **catastropher** v. tr. Fam. *Catastropher quelqu'un,* le jeter dans un grand abattement (s'emploie surtout au part. passé) : *La défaite de son ancienne équipe de football l'a catastrophé. Cette nouvelle, qui aurait pu catastropher un homme moins résolu, a laissé notre ami impassible. Il contemplait le désastre d'un air catastrophé* (syn. : ABATTRE, ATTERRER, CONSTERNER).

catch [katʃ] n. m. Lutte libre spectaculaire, où toutes les prises sont permises : *Un combat de catch qui attire un nombreux public.* ◆ **catcheur, euse** n. : *Les deux catcheurs se sont empoignés au milieu du ring.*

catéchisme [kateʃism] n. m. Instruction religieuse élémentaire, donnée principalement à des enfants; livre qui contient, sous forme de questions et réponses, un exposé succinct de doctrine religieuse : *Cet enfant suivra-t-il le catéchisme l'année prochaine? Les enfants sont partis au catéchisme. Savoir par cœur son catéchisme.* ◆ **catéchiser** v. tr. **1°** Enseigner le catéchisme : *L'abbé qui catéchise les garçons.* — **2°** Inspirer des opinions, inciter à agir d'une certaine manière : *Le prisonnier, soigneusement catéchisé avant le combat, donnait visiblement des renseignements faux* (syn. : ENDOCTRINER, FAIRE LA LEÇON À). ◆ **catéchiste** n. et adj. Auxiliaire du prêtre qui enseigne le catéchisme : *Des enfants groupés autour de la dame catéchiste écoutent avec attention.*

catéchumène [katekymɛn] n. Nouvel adepte du christianisme, n'ayant pas encore reçu le baptême.

catégorie [kategɔri] n. f. **1°** Ensemble de personnes ou de choses présentant des caractères distinctifs communs : *Rien ne l'émeut : il est de la catégorie des éternels optimistes* (syn. : ESPÈCE, RACE). *Un boxeur de la catégorie des poids légers. On a consenti quelques avantages en faveur des petites catégories de fonctionnaires* (= des fonctionnaires dont le traitement est bas). *Les appartements sont classés par la loi en plusieurs catégories selon leur surface, leur degré de confort, etc. Le hautbois fait partie de la catégorie des instruments à anche* (syn. : CLASSE). — **2°** *Catégorie grammaticale,* V. CLASSE. ◆ **catégoriel, elle** adj.

catégorique [kategɔrik] adj. (après le nom). **1°** Se dit d'un comportement, d'un jugement qui est sans équivoque, qui ne laisse place à aucune incertitude : *Un démenti catégorique. Notre demande s'est heurtée à un refus catégorique du directeur* (syn. : ABSOLU, FORMEL, ÉNERGIQUE). *Le ton catégorique de ses paroles montre bien la fermeté de sa décision* (syn. : TRANCHANT, ↓ RÉSOLU ; contr. : INDÉCIS). *Vous connaissez mon opposition catégorique à ce projet* (syn. : TOTAL, ABSOLU). *Je suis las de vos hésitations, il me faut une réponse catégorique* (syn. : ↓ NET, DÉCISIF ; contr. : ÉVASIF). — **2°** Se dit d'une personne qui juge d'une manière définitive : *Il prétend toujours n'avoir jamais été informé des résultats; pourtant, il est moins catégorique qu'au début* (syn. : ↓ AFFIRMATIF). ◆ **catégoriquement** adv. : *Les autres accusés ont nié catégoriquement toute participation au crime* (syn. : FAROUCHEMENT, ↓ FORMELLEMENT, ÉNERGIQUEMENT).

cathédrale [katedral] n. f. Eglise épiscopale d'un diocèse : *Les cathédrales françaises datent presque toutes du Moyen Age. Vous n'allez tout de même pas passer par Chartres sans visiter la cathédrale!*

catherinette [katrinɛt] n. f. Jeune fille qui fête à la Sainte-Catherine (25 novembre) l'année de ses vingt-cinq ans.

catholique [katɔlik] adj. (après le nom). **1°** Epithète par laquelle on désigne ordinairement l'Eglise romaine, sa doctrine et ses fidèles : *Le pape est le chef de l'Eglise catholique. L'Eglise, en se déclarant catholique, affirme son universalité. La religion catholique est la plus répandue en France. Le culte catholique. Un prêtre catholique.* — **2°** (dans des expressions négatives) *Fam.* Conforme à la morale, aux habitudes courantes : *Il n'a pas l'air bien catholique avec son regard en dessous* (syn. : HONNÊTE). *Il y a longtemps qu'il devrait être rentré : il doit se passer quelque chose de pas très catholique* (syn. : NORMAL). ◆ n. Fidèle de l'Eglise catholique : *Un catholique convaincu. Une fervente catholique. Les catholiques reconnaissent l'infaillibilité du pape.* ◆ **catholicisme** n. m. Doctrine de l'Eglise catholique; manière dont on interprète, dont on pratique cette doctrine : *Il s'est converti au catholicisme. Un catholicisme bourgeois. Il pratique un catholicisme militant.* ◆ **catholicité** n. f. **1°** Caractère catholique, universel : *Un concile œcuménique est une manifestation de la catholicité de l'Eglise* (syn. : UNIVERSALITÉ). — **2°** Ensemble de ceux qui pratiquent la religion catholique : *Le discours du pape s'adresse à la catholicité.*

catimini (en) [ɑ̃katimini] loc. adv. En se dissimulant, le plus souvent dans une intention malveillante : *Approcher en catimini. Venir parler à quelqu'un en catimini* (syn. : EN CACHETTE).

catin [katɛ̃] n. f. *Fam.* Femme de mauvaises mœurs.

cauchemar [koʃmar] n. m. **1°** Rêve pénible, dans lequel on éprouve des sensations d'angoisse : *La fièvre provoque parfois des cauchemars.* — **2°** *Fam.* Chose ou personne qui importune beaucoup, qui tourmente : *Quel cauchemar, tous ces calculs à refaire!* (syn. fam. : POISON). *Ce courrier quotidien, c'est mon cauchemar!* (syn. : OBSESSION, langue usuelle; TOURMENT, langue soignée). ◆ **cauchemardesque** adj. (littér.) : *Une aventure cauchemardesque.*

caudal, e, aux adj. V. QUEUE.

causal, e adj., **causalité** n. f. V. CAUSE 1.

causant, e adj. V. CAUSER 2.

1. cause [koz] n. f. **1°** Ce qui fait qu'une chose est, ce qui la produit : *Les enquêteurs recherchent les causes de l'accident aérien* (syn. : ORIGINE). *Les causes économiques d'une guerre* (contr. : EFFET, CONSÉQUENCE). *Sa joie soudaine avait pour cause une bonne nouvelle qu'il venait d'apprendre. Je m'explique mal la cause de son retard* (syn. : RAISON). *La nécessité de recourir à un traducteur est une cause supplémentaire de complications* (syn. : SOURCE). *Les causes qui l'ont déterminé à agir ainsi sont très respectables* (syn. : MOBILE, MOTIF). — **2°** *Etre cause de* (suivi d'un nom), avoir pour conséquence, entraîner : *La ressemblance de ces deux noms est cause de bien des méprises.* ‖ (sujet le plus souvent nom de personne) *Etre cause que* (et l'indic.), être responsable du fait que : *Par votre négligence, vous êtes cause qu'il faut tout recommencer* (langue soignée). [Plus fam. : *Je ne suis pas cause si tu n'as pas fait ce qu'il fallait* (= ce n'est pas ma faute si...).] ● LOC. PRÉP. *A cause de,* fournit l'explication, le motif d'un fait : *La réunion est reportée à cause des fêtes de nouvel an* (syn. : EN RAISON DE) ; indique souvent la personne ou la chose responsable d'un événement fâcheux : *C'est à cause de toi que j'ai été puni. Il n'a pas obtenu son permis de conduire à cause d'une fausse manœuvre* (pour un événement heureux, on dit GRÂCE À); indique la personne ou la chose en considération de laquelle on agit : *C'est uniquement à cause de vous que je suis venu ici* (= pour vous être agréable ou pour avoir le plaisir de vous voir). *On le respecte à cause de son âge* (syn. : PAR ÉGARD POUR). [La loc. conj. *à cause que* appartient à la langue littér., archaïque ou pop.] ‖ *Pour cause de,* s'emploie dans les formules administratives ou les annonces : *Il a été renvoyé de cette place pour cause d'incapacité. Demander un congé pour cause de maladie. Magasin fermé pour cause d'agrandissement, pour cause de décès.* ● LOC. INTERJ. *Et pour cause!,* pour de bonnes raisons, qu'on n'indique que par allusion, ou qui sont évidentes : *Il n'a pas demandé son reste, et pour cause!* ◆ **causal, e** adj. En grammaire, qui exprime la cause : *« Parce que », « puisque » sont des conjonctions causales. Certaines propositions relatives ont un sens causal.* ◆ **causalité** n. f. Rapport qui unit la cause à son effet : *Le principe de causalité.* ◆ **causer** v. tr. (sujet nom d'être animé ou nom de chose). *Causer quelque chose,* en être la cause, le produire : *Il a causé une certaine surprise à tout le monde en annonçant ses intentions* (contr. : RÉSULTER DE). *Les pluies des derniers jours ont causé de graves inondations* (syn. : PROVOQUER). *Je ne voudrais pas vous causer de nouvelles dépenses* (syn. : OCCASIONNER). *Voilà une lettre qui va lui causer bien des ennuis* (syn. : ATTIRER, SUSCITER). *La musique me cause de grandes joies* (syn. : PROCURER). *Un vote hostile de l'Assemblée avait causé la démission du cabinet* (syn. : ENTRAÎNER). *C'est ce mot injurieux qui a causé la bagarre* (syn. : DÉCLENCHER).

2. cause [koz] n. f. 1° Ensemble des circonstances qui déterminent la situation, au regard de la loi, d'une personne qui comparaît en justice : *L'avocat a longuement étudié la cause de son client* (syn. : CAS, DOSSIER). *C'est une cause facile à plaider* (syn. : AFFAIRE). *Un avocat sans causes* (= sans clients). — 2° Ensemble des intérêts à soutenir en faveur d'une personne, d'un groupement, d'une idée, d'une doctrine : *C'est un garçon très sérieux, qui cherche du travail : il mérite qu'on s'intéresse à sa cause* (syn. : CAS). *Un journal qui défend la cause des cultivateurs. Un homme politique qui a consacré sa vie à la cause de la paix.* — 3° *Avoir, obtenir gain de cause,* avoir satisfaction, obtenir une décision favorable : *Les deux solutions ont été proposées au directeur : reste à savoir laquelle aura gain de cause.* (On dit de même DONNER GAIN DE CAUSE *à quelqu'un, à une idée,* etc.) ‖ *La bonne cause,* celle que l'on défend, que l'on considère comme juste (souvent avec une nuance ironiq.) : *Il se consacre à cette revue littéraire, avec la satisfaction de travailler pour la bonne cause. C'est un roman écrit pour la bonne cause.* ‖ *La cause est entendue,* il y a maintenant assez d'éléments pour se décider, notre opinion est faite (syn. : L'AFFAIRE EST JUGÉE). ‖ *Etre en cause,* être concerné par les événements; être l'objet d'un débat; être incriminé, compromis : *De gros intérêts sont en cause dans cette affaire* (syn. : EN JEU). *Son honnêteté n'est pas en cause* (syn. : EN QUESTION). *Pourquoi protestez-vous, vous n'êtes pas en cause!* (= on ne vous accuse pas). [On dit de même METTRE EN CAUSE : *L'enquête risque de mettre en cause des personnalités importantes.*] ‖ *Etre hors de cause,* ne pas être concerné, échapper à tout soupçon. ‖ *Prendre fait et cause pour quelqu'un,* prendre son parti, défendre ses intérêts : *Je n'ai aucune raison de ménager ceux qui ont pris fait et cause pour mon adversaire.* ‖ *Faire cause commune avec quelqu'un,* s'unir à lui pour défendre les mêmes intérêts : *Les partis politiques firent cause commune pour la défense de la république.* ‖ *En tout état de cause,* quoi qu'il arrive, quoi qu'il en soit : *Peut-être changera-t-il d'avis. En tout état de cause, je saurai à qui m'adresser* (syn. : EN TOUT CAS).

1. causer v. tr. V. CAUSE 1.

2. causer [koze] v. tr. ind. **[de]** ou intr. 1° *Causer de quelque chose (avec quelqu'un),* échanger familièrement des paroles (avec lui) : *On convint de ne pas causer de politique* (ou *causer politique*) [syn. : PARLER, DISCUTER]. *Le président de la République a reçu le ministre des Affaires étrangères, avec lequel il a causé pendant une heure de la situation internationale* (syn. : CONFÉRER AVEC). *J'ai l'intention de causer un moment avec lui pour connaître son avis sur la question* (syn. : S'ENTRETENIR). *Nous causions paisiblement tous les deux, en marchant dans la campagne* (syn. : PARLER, BAVARDER, DEVISER [langue soignée]; fam. : DISCUTER). *Quelques invités qui avaient lu les derniers romans causaient dans le salon* (syn. : CONVERSER, langue soignée). — 2° Fam. *Causer à quelqu'un,* lui parler (surtout avec un pron. pers.) : *Je ne lui ai jamais causé. Il paraît qu'il a causé de moi à ses amis.* — 3° *Causer sur quelqu'un,* ou absol. *causer,* parler de lui avec malveillance, faire des commérages : *Il s'est fait remarquer dans le quartier par sa liberté d'allure : on cause beaucoup sur son compte. Elle est très volage : les voisins causent* (syn. : JASER). — 4° *Cause toujours* (fam.), *cause toujours, je t'écoute* (pop.), parle autant que tu voudras, je ne tiendrai pas compte de tes paroles. ‖ Fam. *Trouver à qui causer,* avoir affaire à une personne résolue, qui a la riposte vive, en paroles ou en actes : *S'il se mêle de mes affaires, il trouvera à qui causer.* ◆ **causant, e** adj. (après le nom). *Fam.* Qui cause volontiers : *On ne s'ennuie pas avec lui, il est très causant. Une personne peu causante* (syn. : AFFABLE; contr. : TACITURNE, RENFERMÉ). ◆ **causerie** n. f. Exposé fait à un auditoire sur le ton de la familiarité : *L'explorateur a donné ses impressions de voyage dans une causerie destinée à un public de jeunes. Une causerie radiophonique sur les romans de l'année* (syn. : CONFÉRENCE, qui se dit d'un discours plus soigné, fait sur un ton plus soutenu). ◆ **causette** n. f. Fam. *Faire la causette, faire un brin (un bout) de causette,* bavarder familièrement pendant un temps assez court : *Ils sont entrés dans un café faire la causette devant un demi de bière.* ◆ **causeur, euse** n. Personne qui cause agréablement : *Il s'est rendu célèbre, dans les réunions mondaines, par ses qualités de causeur. Le capitaine, brillant causeur, racontait une de ses traversées.*

caustique [kostik] adj. 1° Se dit d'un corps qui attaque les tissus organiques : *Pour déboucher un tuyau d'évier engorgé, on peut utiliser de la soude caustique.* — 2° Se dit de quelqu'un (ou de son comportement) qui est dur et volontiers cinglant dans la plaisanterie ou la satire : *On redoutait sa verve caustique* (syn. : MORDANT, INCISIF). ◆ **causticité** n. f. : *La causticité d'un acide. La causticité d'un article de critique cinématographique.*

cauteleux, euse [kotlø, -øz] adj. *Péjor.* Se dit de quelqu'un dont l'action manifeste à la fois la crainte et la ruse; se dit aussi de cette action : *Un domestique cauteleux nous pria d'attendre un instant. Des flatteries cauteleuses. Un maintien cauteleux.*

cautère [kotɛr] n. m. Fam. *C'est un cautère sur une jambe de bois,* c'est un remède inefficace, un expédient sans valeur : *Ces pilules ne m'ont apporté aucun soulagement : c'est un cautère sur une jambe de bois.* (Le *cautère* est l'agent chimique ou mécanique employé pour brûler un tissu organique.)

cautériser [koterize] v. tr. *Cautériser une plaie,* en brûler superficiellement les tissus afin d'éviter son infection. ◆ **cautérisation** n. f. : *La cautérisation d'une blessure.*

caution [kosjɔ̃] n. f. 1° Garantie morale constituée par la prise de position favorable de quelqu'un qui jouit d'un grand crédit : *Un candidat qui se présente devant les électeurs avec la caution d'un chef de parti* (syn. : APPUI, SOUTIEN, LABEL, PATRONAGE). — 2° Engagement de payer une somme donnée pour garantir l'exécution d'une obligation; cette somme elle-même : *Exiger une caution. Verser, déposer une caution.* — 3° *Sujet à caution,* se dit d'une chose dont la vérité n'est pas établie, qui inspire des doutes : *On ne peut pas se contenter d'affirmations aussi sujettes à caution* (syn. : CONTESTABLE, DISCUTABLE, DOUTEUX, SUSPECT). ◆ **cautionner** [kosjɔne] v. tr. *Cautionner quelqu'un, quelque chose,* lui accorder son appui : *Le ministre a démissionné pour éviter de paraître cautionner cette politique* (syn. : SOUTENIR, APPROUVER). ◆ **cautionnement** n. m. : *Verser un cautionnement pour obtenir sa mise en liberté provisoire. Le cautionnement de la politique par le Parlement est un fait accompli.*

cavalcade [kavalkad] n. f. Course tumultueuse d'une troupe de cavaliers ou d'une troupe quelconque : *A la sortie de l'école, les enfants se répandent dans les rues en joyeuses cavalcades. Une cavalcade de rats au grenier.* ◆ **cavalcader** v. intr. : *Le vacher poursuivait ses bêtes qui cavalcadaient sur la route.*

cavaler [kavale] v. intr. Syn. très fam. de COURIR : *Il a eu beau cavaler, il a raté son train. J'ai cavalé dans tout Paris pour tâcher de trouver ce bouquin.* ◆ **se cavaler** v. pr. *Très fam.* S'enfuir, se sauver : *Tu avais laissé la porte ouverte, alors tous les lapins se sont cavalés* (syn. fam. : SE TROTTER; pop. : [SE] CALTER, SE DÉBINER, SE VIRER). ◆ **cavaleur, euse** adj. et n. *Fam.* Qui recherche les aventures galantes, qui mène une vie dévergondée : *Depuis son mariage, il s'est assagi, mais avant il était très cavaleur. Cette fille-là, c'est une cavaleuse.*

1. cavalier, ère [kavalje, -jɛr] n. 1° Personne à cheval, ou sachant monter à cheval : *C'est un cheval fougueux, qui a désarçonné de nombreux cavaliers. Un excellent cavalier. Une troupe de cavaliers et de cavalières est passée dans l'allée.* — 2° Fam. *Faire cavalier seul,* mener une action indépendante de celle des autres personnes de son parti, agir par ses propres moyens : *Quand on est intégré à une équipe de travail, on ne s'avise pas de faire cavalier seul.* ◆ **cavalerie** [kavalri] n. f. 1° Ensemble des soldats combattant à cheval ou de ceux qui, dans les armées modernes, forment les équipages des engins blindés : *La cavalerie et l'infanterie ont joué l'une et l'autre un rôle décisif dans cette bataille.* — 2° Fam. *La grosse cavalerie,* ce qui est robuste, mais peu élégant (par oppos. à des choses plus délicates) : *Dans le rayon voisin de la cristallerie, on trouve la grosse cavalerie de la vaisselle de faïence.*

2. cavalier, ère [kavalje, -jɛr] n. Celui, celle avec qui on forme un couple dans une société (cortège, bal, etc.) : *Son cavalier l'a emmenée au buffet. Chaque cavalier donne le bras à sa cavalière.*

3. cavalier, ère [kavalje, -jɛr] adj. Se dit d'une personne (et surtout de son comportement) qui fait preuve d'une liberté excessive dans les relations, qui est sans gêne : *Il est reparti sans un mot d'adieu : le procédé m'a paru très cavalier. Je le trouve un peu cavalier d'avoir répondu à ma place* (syn. : DÉSINVOLTE; ↑ IMPERTINENT, INSOLENT; fam. : CULOTTÉ). ◆ **cavalièrement** adv. : *Il nous a quittés très cavalièrement, sans un mot de remerciement.*

1. cave [kav] n. f. 1° Pièce souterraine, où l'on conserve le vin, le charbon, etc. : *Il a pris une lampe pour descendre à la cave chercher des pommes de terre.* — 2° Vins en réserve, vieillissant en bouteilles : *Tous ses amis connaissent l'excellence de sa cave. J'ai mis de longues années à me constituer une bonne cave.* — 3° Cabaret installé dans le sous-sol d'un immeuble, et où se produit un orchestre de jazz : *Les caves de Saint-Germain-des-Prés.* ◆ **caviste** n. m. Celui qui, dans les hôtels et les restaurants, est spécialement chargé du soin de la cave, parfois du service des vins : *Le caviste présenta la carte des vins* (syn. : SOMMELIER).

2. cave [kav] adj. *Joues caves, yeux caves,* joues creuses, yeux enfoncés dans des orbites creuses : *Ces yeux caves, dans un visage aux traits tirés, annonçaient une grave maladie.*

3. cave [kav] n. m. *Arg.* Individu non affranchi.

caveau [kavo] n. m. Fosse ménagée dans le sol d'un cimetière ou d'une église, pour servir de sépulture : *On a transporté le défunt dans son pays natal, pour l'enterrer dans le caveau de famille.*

caverne [kavɛrn] n. f. Cavité naturelle, profonde, dans le roc : *Les contrebandiers avaient dissimulé leurs marchandises dans un recoin d'une caverne. Les hommes des cavernes étaient de remarquables artistes* (= les hommes préhistoriques qui ont peint des scènes animales sur les parois de certaines cavernes) [syn. : GROTTE, de moindres dimensions; ANTRE, littér., évoquant toujours un lieu sinistre].

caverneux, euse [kavɛrnø, -øz] adj. *Voix caverneuse,* voix grave et sonore, aux accents plus ou moins sinistres : *Je frappai à la porte : « Qui est là? » demanda une voix caverneuse qui me fit tressaillir* (syn. : ↑ SÉPULCRAL).

caviar [kavjar] n. m. Œufs d'esturgeon salés, constituant un mets apprécié, particulièrement en U. R. S. S. : *Au lunch, on servit des sandwiches au caviar.*

caviarder [kavjarde] v. tr. Enduire de noir un passage d'un journal, sur ordre de la censure, de façon à le rendre illisible : *Le journal ne put paraître que quand les dernières lignes de cet article eurent été caviardées.* (Le terme est auj. abandonné pour CENSURER.)

cavité [kavite] n. f. Partie creuse ou évidée dans un corps solide : *Une cavité a été ménagée dans le mur pour recevoir le compteur électrique. La mer a accumulé des coquillages dans une cavité du rocher* (syn. : CREUX). *L'eau a creusé une cavité dans la roche* (syn. : TROU).

ce [sə], **ça** [sa], **c', ceci** [səsi], **cela** [səla ou sla], **celui** [səlɥi], **celle(s)** [sɛl], **ceux** [sø], **celui-ci, celle(s)-ci, ceux-ci, celui-là, celle(s)-là, ceux-là** pron. dém., et **ce** [sə], **c', cet** [sɛt], **cette** [sɛt], **ces** [sɛ], **ce ...-ci, ce ...-là, cet ...-ci, cet ...-là, cette ...-ci, cette ...-là, ces ...-ci, ces ...-là** adj. dém. (V. tableaux p. 204 et 205.)

cécité [sesite] n. f. 1° Etat d'une personne aveugle : *Elle est menacée de cécité complète, si elle ne se fait pas opérer de la cataracte.* — 2° Etat d'une personne qui ne remarque pas ou ne comprend pas certaines choses (littér.) : *Il n'a pas l'air de se rendre compte que la situation a totalement changé : on reste confondu devant une telle cécité* (syn. : AVEUGLEMENT).

ce (c' devant voyelle ; ç' devant *a*)	ceci cela ça

Ce a des emplois limités à certaines locutions ou constructions.

1° Utilisé dans nombre de locutions ou d'expressions :

C'est (v. ÊTRE), loc. qui sert soit à mettre en évidence un nom, un pronom ou un adverbe, soit à désigner ou à montrer : *C'est Georges qui a téléphoné tout à l'heure. Ce sont eux les coupables. Ce sera demain le grand départ. Ce sont là des bêtises. Ç'a été la cause de sa ruine;* avec une proposition : *C'est à vous de tirer une carte* (= il vous appartient). *C'est à mourir de rire* (= c'est très drôle). *C'était pour vous cette lettre? C'était contre lui qu'était dirigée cette attaque.*

Ce peut être, ce doit être, loc. qui indiquent la possibilité, la probabilité (langue soutenue) : *Ce devait être lui qui avait déposé le paquet* (= c'était lui sans doute qui...). *Ce peut être le vent qui souffle dans la cheminée. Ce ne peut être lui : il n'était pas là.*

Ce que (suivi d'un adj., d'un adv. ou d'un verbe), indique la quantité dans une phrase exclamative directe ou indirecte (syn. : COMBIEN, devant un verbe; COMME, devant un adj.) : *Ce que tu peux être bête!* (syn. : COMME). *Ce qu'on a ri, ce soir-là!* (syn. : COMBIEN). *Tu ne sais pas ce que j'ai pu être malade* (langue fam.; syn. : COMBIEN).

Ce que c'est que de [skəsɛkdə], sert à faire constater la réalité, souvent désagréable, dans une phrase exclamative : *Ce que c'est que de se croire tout permis! On oublie que les autres existent. Ce que c'est que de conduire si vite, l'accident n'est pas loin!*

Et ce (littér.), indique une opposition très forte (*et il a fait ceci, alors que...*) : *Il nous a quittés sans un mot; et ce, après tout ce que nous avons fait pour lui.*

Et pour ce, pour ce faire (langue soutenue), et dans cette intention, dans ce dessein : *Nous avons l'intention de passer nos vacances en Italie, et pour ce faire nous préparons longuement notre itinéraire.*

Sur ce, une fois ces événements passés (syn. : SUR CES ENTREFAITES, ALORS, APRÈS CELA) : *Nous étions en panne sur une petite route départementale; pas de ferme en vue; sur ce, il se mit à pleuvoir très fort. On lui fit remarquer cette erreur; sur ce, il se mit en colère. Sur ce, je vous quitte.*

2° Utilisé comme antécédent du relatif *qui, que, dont, quoi* : *Je vous renvoie à ce que j'ai déjà écrit sur le sujet. Il n'a jamais su exactement ce dont on l'accusait. Ce qui est fait est fait.*

Comme antécédent de *qui, que, quoi* dans les propositions interrogatives indirectes : *Je me demande ce qu'il peut faire à cette heure. Je ne comprends pas ce qui a pu dérégler le chauffage. Il ne voyait pas ce à quoi vous faisiez allusion.*

3° Utilisé dans les locutions conjonctives :

C'est que, introduit une explication dans une proposition qui suit une subordonnée hypothétique : *S'il se tait, c'est qu'il est timide* (= c'est parce qu'il est timide).

De ce que, à ce que, introduit une proposition complétive, complément d'un verbe normalement construit avec *de* ou *à* : *Je me réjouis de ce que vous êtes remis de votre maladie. Il ne s'attend pas à ce que vous soyez des nôtres.*

Ceci renvoie à ce qu'on va dire; *cela* renvoie plus généralement à ce qu'on a dit ou à ce qu'on va dire : il est le plus usuel des deux; il peut prendre une valeur péjorative ou un sens de tendresse. *Ça*, forme familière, est la seule forme usuelle dans la langue parlée.
Cela doit être agréable de vivre dans un site aussi charmant. Si ça ne vous plaît pas, vous n'avez qu'à partir. Ça va être gai. Vous m'avez conseillé de persévérer et cela m'avait, à cette époque, beaucoup encouragé. Votre travail est parfait, à ceci près qu'il s'est glissé une erreur numérique. Retenez bien ceci : je ne paierai pas plus. Ceci me console de cela.

À part ça (cela), si l'on excepte ce point (souvent ironiq.) : *A part ça, c'est le meilleur garçon du monde.*

Après ça (cela), une fois cela réalisé (souvent ironiq.) : *Après ça, il n'y a plus qu'à renoncer à lui faire comprendre quelque chose.*

Avec ça (cela), avec ça (cela) que, v. AVEC.

Ça alors!, marque l'indignation, la surprise, l'admiration : *Il a obtenu une augmentation! ça alors!*

Ça marche?, question sur la santé de quelqu'un, sur la bonne marche de ses affaires. ‖ **Ça va (bien)?,** la santé est-elle bonne?

C'est ça, indique une approbation : *C'est ça, ce cadeau leur fera plaisir;* ou une désapprobation très vive : *C'est ça, ne vous gênez pas, continuez de fouiller dans mes papiers.*

C'est toujours ça (de gagné, de pris), indique une satisfaction résignée : *Il y a trois jours de congé au 1er novembre, c'est toujours ça.*

Comme ça (cela), de cette manière : *Ne me regarde pas comme ça* (syn. : AINSI). *Ne fais pas une tête comme ça. Tu écris ton nom comme ça? Où vas-tu comme ça?* (Simple renforcement de la question.)

Comme ci, comme ça, d'une manière médiocre, moyenne (marque l'hésitation) : « *Vous allez bien? — Comme ci, comme ça.* »

Pas de ça, indique un refus absolu : *Ah! non, pas de ça! Il n'est pas question de vous prêter ce livre, vous ne rendez rien.*

Pour ça (cela), dans cette intention, ce dessein : *Nous allons camper ce week-end, mais, pour ça, il faut faire réparer la voiture;* dans une phrase négative, exprime une opposition : *J'ai lu le mode d'emploi, mais je ne suis pas plus avancé pour ça* (syn. : POUR AUTANT).

Pourquoi ça, qui ça, quand ça, comment ça, où ça, interrogations renforcées par *ça* : « *On a téléphoné pour vous. — Qui ça?* » *Comment ça, il n'est pas venu au rendez-vous?*

Quoique ça, en dépit de tout, malgré tout (langue fam.) : *Il ne sourit guère; quoique ça, il ne manque pas d'humour.*

Rien que ça, indique une surprise, un doute ironique devant une petite ou une grande quantité : « *L'équipe adverse a été battue par huit buts d'écart. — Rien que ça?* »

Sans ça, syn. fam. de SINON : *Qu'il vienne, sans ça il aura affaire à moi.*

1. céder [sede] v. tr. ind. [à] et intr. **1°** (sujet nom d'être animé) Cesser d'opposer une résistance morale ou physique, se laisser aller : *Il finit par céder aux prières de ses enfants et les emmena au cinéma. Nos troupes ont cédé sous les assauts d'un ennemi très supérieur en nombre* (syn. : PLIER, SUCCOMBER). *Comme ils sont aussi têtus l'un que l'autre, ils ont longtemps discuté, mais aucun d'entre eux n'a voulu céder* (syn. : ↑ CAPITULER). *Il faut céder à la coutume* (syn. : SE PLIER, SE SOUMETTRE). *Il avait bien de la peine à s'empêcher de céder à la colère. J'ai failli céder à la tentation de tout révéler* (syn. : SUCCOMBER). *Un auteur de comédies qui cède à sa facilité.* — **2°** (sujet nom de chose) Ne pas résister à un effort, à l'action de; être vaincu par : *La digue a cédé sous la poussée des eaux* (syn. : SE ROMPRE). *Si la branche venait à céder, il ferait une belle chute* (syn. : CRAQUER, CASSER). *Le sac s'était ouvert parce qu'une attache avait cédé* (syn. : LÂCHER, SAUTER). *La fièvre a fini par céder à ce*

ADVERBES	GENRE ET NOMBRE	pronoms démonstratifs FORMES	EMPLOIS	adjectifs démonstratifs FORMES	EMPLOIS
			S'emploient sans adverbe dans un certain nombre de cas limités : avec *de* suivi d'un substantif, d'un infinitif, d'un adverbe ; avec un relatif ; avec un participe adjectif (fam.).		S'emploient pour désigner, ou pour marquer une référence à un mot déjà cité ; ils peuvent être employés avec une valeur péjorative ou emphatique. *Ce, cet, ces* sont les formes usuelles.
zéro	masc. sing.	**celui**	*Nous prendrons le train de cinq heures; celui de huit heures arrive trop tard. J'ai été retenu par celui dont je t'avais parlé.*	**ce** (+ consonne)	*Ce soir, nous irons au concert. Ce courage! vous avez vu!* (Emphatique.)
				cet (+ voyelle)	*Ah! cet enfant! il nous fera mourir!* (Emphatique.)
	masc. plur.	**ceux**	*Les pneus arrière sont usés, mais ceux de devant sont encore en bon état. Ses sentiments ne sont pas ceux d'un ingrat.*	**ces**	*Que me veulent ces individus?* (Péjor.) *Ah! ces levers de soleil!* (Admiratif.)
	fém. sing.	**celle**	*Sa passion pour la chasse égale celle qu'il a pour le jeu. Cette inondation est-elle aussi grave que celle provoquée par le Rhône?*	**cette**	*Cette histoire est très drôle. Avec cette tête, vous devez être malade.* (Péjor.) *Cette réponse ne satisfait personne.*
	fém. plur.	**celles**	*Vous joindrez à ces notes celles envoyées par nos correspondants.*	**ces**	*Ces mésaventures m'ont ému. Ces messieurs ont bien dîné?*
			S'emploient usuellement pour référer à ce qui est proche ou à ce qui va être dit.		S'emploient pour désigner ce qui est actuel, proche ou ce qui va être dit.
-ci	masc. sing.	**celui-ci**	*Je voudrais changer d'appartement, celui-ci est trop petit.*	**ce ... -ci**	*J'ai été malade ce mois-ci.*
				cet ... -ci	*Cet enfant-ci n'est pas bien portant.*
	masc. plur.	**ceux-ci**	*Il faudra remplacer les meubles, ceux-ci sont vraiment démodés.*	**ces ... -ci**	*Ces arbres-ci sont presque centenaires. Ces costumes-ci sont plus chers.*
	fém. sing.	**celle-ci**	*Choisissez une cravate; celle-ci est fort jolie; celle-là est plus simple.*	**cette ... -ci**	*Cette idée-ci est très raisonnable, à côté du projet précédent. Je préfère cette voiture-ci à cette automobile-là.*
	fém. plur.	**celles-ci**	*Vous avez entendu ces histoires-là; alors écoutez celles-ci.*	**ces ... -ci**	*J'ai été fort occupé toutes ces semaines-ci.*
			S'emploient usuellement par référence à ce qui est loin ou à ce qui a été dit. En fait, c'est la forme la plus courante.		S'emploient pour désigner ce qui est loin ou ce qui a été dit.
-là	masc. sing.	**celui-là**	*C'est un bon roman, mais je préfère celui-là.*	**ce ... -là**	*Ce roman-là est bien meilleur que celui-ci.*
				cet ... -là	*Regardez cet immeuble-là, tout neuf, un peu plus loin que cette maison-ci.*
	masc. plur.	**ceux-là**	*Ah! ceux-là, quand ils auront fini de bavarder!*	**ces ... -là**	*Ces murs-là ont besoin d'être repeints.*
	fém. sing.	**celle-là**	*Je ne vois pas ma brosse à dents; celle-là n'est pas la mienne. Ah! celle-là est bien bonne!* (Fam. = cette histoire-là.)	**cette ... -là**	*Cette histoire-là me paraît incroyable. Il avait, cette semaine-là, acheté un costume neuf.*
	fém. plur.	**celles-là**	*Parmi les voitures exposées, il fit remarquer que celles-là, qu'il n'avait jamais vues, étaient plus confortables.*	**ces ... -là**	*Ces huîtres-là ne sont pas fraîches.*

traitement énergique (syn. : BAISSER, TOMBER DEVANT).

2. céder [sede] v. tr. (sujet nom d'être animé). 1° *Céder une chose à quelqu'un*, lui faire abandon de cette chose, dont on jouit légitimement : *L'enfant se lève pour céder sa place à une personne âgée. Le speaker dit encore quelques mots, puis céda l'antenne aux acteurs* (syn. : LAISSER). *Ils se déclarèrent prêts à céder leur part d'héritage à leur frère* (syn. : ABANDONNER ; contr. : GARDER). *Le président, après le discours d'ouverture, céda la place au premier orateur* (syn. : PASSER). — 2° *Céder une chose*, se défaire, en la vendant, d'une chose à laquelle on était attaché, l'abandonner contre dédommagement : *Ils comptent se retirer des affaires s'ils trouvent quelqu'un à qui céder leur commerce dans de bonnes conditions* (syn. : VENDRE). *Va demander à la voisine si elle pourrait me céder une demi-douzaine d'œufs* (syn. : REVENDRE). —

3° *Céder du terrain,* reculer devant une force supérieure, être en régression : *Cette division d'infanterie avait dû céder un peu de terrain. La mode des saignées cédait du terrain devant les progrès de la médecine* (syn. : PERDRE DU TERRAIN ; contr. : GAGNER DU TERRAIN). ‖ *Céder le pas à quelqu'un,* le laisser passer devant soi, par déférence. ‖ *Céder le pas à quelque chose,* prendre une importance moindre : *Les intérêts particuliers doivent céder le pas à l'intérêt général.* ‖ *Le céder en quelque chose à quelqu'un* ou *à quelque chose,* lui être inférieur sous ce rapport (langue soignée) : *Il ne le cède à personne en perspicacité. Pour ce qui est de la finesse de l'analyse psychologique, son dernier roman ne le cède en rien aux précédents.* ◆ **cession** [sesjɔ̃] n. f. Sens 1 et 2 du verbe (uniquement dans des emplois jurid., avec un compl. du nom indiquant la chose cédée) : *La cession d'un appartement est faite par un acte passé devant notaire* (syn. : VENTE). *Faire cession de ses droits sur une propriété* (= les transférer, les abandonner).

cédille [sedij] n. f. Signe graphique qui, placé sous le *c*, devant *a, o, u,* indique le son [s] (ex. : *il lança, leçon, déçu*). [Un *c* affecté de ce signe (*ç*) est appelé *c cédille.*]

cèdre [sɛdr] n. m. Grand arbre de la classe des conifères, dont les branches s'étalent horizontalement sur plusieurs plans.

cégétiste [seʒetist] n. et adj. Membre de la C.G.T. (Confédération générale du travail); relatif à la C.G.T.

ceindre [sɛ̃dr] v. tr. (conj. 55) [exclusivement littér., plus fréquent au part. passé *ceint*]. 1° *Ceindre la tête, le cou,* etc. (partie du corps), mettre autour une chose qui sert d'ornement, de protection, de marque de souveraineté : *Il ceignit ses épaules d'une courte cape* (syn. : REVÊTIR). *La reine fit son entrée, la tête ceinte d'un diadème* (syn. : ORNER). — 2° *Ceindre une chose,* la mettre autour de la tête, autour du corps, comme ornement, comme protection ou comme marque de souveraineté : *Louis XIV voulut gouverner en monarque absolu dès qu'il eut ceint la couronne* (= dès qu'il fut monté sur le trône). *Le farouche guerrier ceignit son armure et partit au combat* (syn. : REVÊTIR). *Le chevalier se leva et sortit après avoir ceint son épée* (= après avoir attaché sur lui le baudrier soutenant l'épée).

ceinture [sɛ̃tyr] n. f. 1° Bande de tissu, de cuir, de matière plastique, etc., passée autour du corps, au-dessus des hanches : *Son pantalon est maintenu par une ceinture en peau de porc. Sa robe était égayée par une ceinture de taffetas rouge. Le terrassier portait une ceinture de flanelle, pour se protéger les reins des coups de froid, disait-il.* — 2° Ce qui entoure, circonscrit une chose ou un lieu en les protégeant : *La ville s'abritait derrière une ceinture de remparts.* — 3° *A la ceinture, jusqu'à la ceinture,* jusqu'à la partie du corps où l'on porte la ceinture : *L'eau nous arrivait déjà à la ceinture* (syn. : À LA TAILLE). *Ces ouvriers travaillent nus jusqu'à la ceinture* (= torse nu) [syn. : JUSQU'À LA TAILLE]. ‖ Pop. *Se mettre la ceinture,* se priver ou être privé de quelque chose : *A notre arrivée, tous les magasins d'alimentation étaient fermés : alors on s'est mis la ceinture pour ce soir-là* (= on s'est passé de dîner). ◆ **ceinturon** n. m. Ceinture, généralement en cuir fort, portée sur l'uniforme militaire. ◆ **ceinturer** v. tr. 1° *Ceinturer quelqu'un,* le saisir par le milieu du corps en vue de le maîtriser : *Le malfaiteur voulait s'enfuir, mais deux agents l'ont eu vite ceinturé.* — 2° *Ceinturer une chose,* l'entourer (surtout au passif) : *La ville est ceinturée d'un boulevard extérieur.*

cela pron. dém. V. CE.

célébrant n. m., **célébration** n. f. V. CÉLÉBRER 1.

célèbre [selɛbr] adj. (se place parfois avant, plus souvent après le nom). Qui jouit d'une grande notoriété; qui est très connu, le plus souvent en bien : *Un film célèbre. Le Mont-Saint-Michel est un site célèbre. Un célèbre écrivain a vécu dans cette maison* (syn. : ILLUSTRE ; contr. : INCONNU, OBSCUR). *L'histoire de son voyage en Amérique est célèbre dans toute la famille* (syn. : FAMEUX). *La Bourgogne produit des vins célèbres* (syn. : RENOMMÉ, RÉPUTÉ). ◆ **célébrité** n. f. 1° Qualité de ce qui est célèbre : *Pasteur doit sa célébrité à ses travaux sur les fermentations* (syn. : RENOM). *Les auteurs classiques ont contribué à la célébrité du règne de Louis XIV* (syn. : GLOIRE, ÉCLAT). *« La Joconde », de Léonard de Vinci, jouit depuis des siècles d'une grande célébrité* (syn. : RENOMMÉE). — 2° Personnage célèbre : *Toutes les célébrités de la physique étaient réunies à ce congrès. Une célébrité locale présidait la distribution des prix* (syn. : GLOIRE).

1. célébrer [selebre] v. tr. 1° *Célébrer une cérémonie, une fête,* l'accomplir avec une plus ou moins grande solennité, la marquer par des manifestations publiques : *On s'apprêtait à célébrer le centenaire de la naissance de ce musicien. La victoire fut célébrée dans l'enthousiasme* (syn. : FÊTER). *Célébrer la mémoire de quelqu'un* (= rappeler son souvenir). *Un mariage célébré dans la plus stricte intimité.* — 2° (sujet nom désignant un prêtre) *Célébrer la messe,* officier (syn. : DIRE, CHANTER). ◆ **célébrant** n. m. Prêtre qui accomplit le sacrifice de la messe : *Aux messes solennelles, le célébrant peut être assisté d'un diacre et d'un sous-diacre.* ◆ **célébration** n. f. : *La célébration de la fête nationale a revêtu un faste exceptionnel. Pendant la célébration de la messe, les touristes sont priés d'éviter les allées et venues dans la cathédrale.*

2. célébrer [selebre] v. tr. (sujet nom de personne ou de chose). *Célébrer quelqu'un, quelque chose,* les louer solennellement, les glorifier (littér.) : *On célèbre cet artiste dans le monde entier. Les chansons de geste célèbrent les exploits des chevaliers* (syn. : EXALTER, CHANTER).

célébrité n. f. V. CÉLÈBRE.

céleri [selri] n. m. Plante potagère dont on mange les tiges (*céleri en branche*) ou la racine (*céleri-rave*).

célérité [selerite] n. f. Grande vitesse, sans précipitation, dans l'exécution des tâches (langue soignée) : *Les travaux ont été conduits avec une telle célérité que, six mois après le premier coup de pioche, la maison était habitable* (syn. plus usuel : RAPIDITÉ). *La célérité des policiers a permis l'arrestation de toute la bande. La femme de chambre accomplissait son service avec une discrète célérité* (syn. : EMPRESSEMENT, DILIGENCE).

céleste adj. V. CIEL.

célibataire [selibatɛr] n. et adj. Se dit de quelqu'un qui n'est pas marié : *L'appartement voisin est* *occupé par un célibataire. Du temps où il était célibataire, il avait beaucoup voyagé* (syn. fam. : GARÇON, JEUNE HOMME). *Il a atteint la quarantaine et n'est toujours pas marié : il restera probablement célibataire* (syn. fam. et péjor. : VIEUX GARÇON). *Elle a su éviter de prendre des petites manies de célibataire* (syn. fam. : VIEILLE DEMOISELLE ; péjor. : VIEILLE FILLE). ◆ **célibat** [seliba] n. m. Etat d'une personne qui n'est pas mariée (terme admin.) : *Le célibat des prêtres.*

celle, celle-ci, celle-là pron. dém. V. CE.

cellier [selje] n. m. Pièce située généralement au rez-de-chaussée et ayant un sol en terre battue, dans laquelle on conserve des provisions, du vin, du cidre, etc. : *Il descendit au cellier remplir la cruche.*

Cellophane [selofan] n. f. (nom déposé). Pellicule cellulosique transparente, souvent utilisée pour emballer ou protéger les denrées.

cellule [selyl] n. f. 1° Dans un monastère, petite chambre réservée à un religieux ou à une religieuse ; dans une prison, petite pièce où l'on enferme isolément les détenus : *Les moines passent plusieurs heures par jour en prière dans leur cellule. Les prisonniers réussissaient à communiquer de cellule à cellule, au moyen d'un code convenu, en frappant sur les canalisations.* — 2° Petite case, cavité : *Les cellules d'une éponge, d'un gâteau de miel* (syn. : ALVÉOLE). — 3° Elément constitutif, généralement très petit, de tout être vivant : *Les végétaux et les animaux sont formés de milliards de cellules.* — 4° Groupement de militants communistes, formé en général dans l'entreprise, le quartier ou le village : *Cellule d'entreprise, cellule locale.* ◆ **cellulaire** adj. : *Le fourgon cellulaire transporta le détenu au palais de justice. La biologie cellulaire* (= qui étudie les cellules vivantes). ◆ **cellulite** n. f. Inflammation du tissu cellulaire sous-cutané.

Celluloïd [selylɔid] n. m. (nom déposé). Matière plastique très inflammable, à base de nitrocellulose.

cellulose [selyloz] n. f. Substance contenue dans la membrane des cellules végétales : *Le coton hydrophile est de la cellulose presque pure.* ◆ **cellulosique** adj. Qui contient de la cellulose.

celui, celui-ci, celui-là pron. dém. V. CE.

cénacle [senakl] n. m. Groupe restreint, cercle de gens de lettres, d'artistes ayant des tendances communes (souvent péjor.) : *Le jeune poète, reçu pour la première fois à cette réunion littéraire, était tout fier de se sentir admis dans le cénacle de la poésie d'avant-garde.*

1. cendre [sɑ̃dr] n. f. 1° Résidu que laissent la plupart des corps qui ont été consumés : *On avait fait du feu dans la cheminée : il restait encore de la cendre et quelques charbons. La cendre de bois était utilisée autrefois pour la lessive.* — 2° *Couver sous la cendre,* se développer sourdement avant d'éclater ouvertement : *La révolte, qui couvait depuis quelque temps sous la cendre, a abouti à une émeute sanglante.* ‖ *Réduire en cendres, mettre en cendres,* détruire par le feu : *Carthage fut réduite en cendres par les Romains en 146 avant J.-C.* ◆ **cendré, e** adj. Dont la couleur est grise, comme mêlée de cendre : *La lumière cendrée du crépuscule. Des cheveux blond cendré* (= d'un blond proche du châtain). ◆ **cendrée** n. f. Piste dont le sol est fait de mâchefer et de sable, et qui est utilisée dans les stades pour les courses d'athlétisme. ◆ **cendrier** n. m. Petit récipient destiné à recevoir les cendres de tabac, les restes de cigarettes, de cigares : *On voit que c'est une maison de fumeurs : il y a des cendriers sur tous les coins de meubles. Un cendrier de cristal, de porcelaine.*

2. cendres [sɑ̃dr] n. f. pl. 1° Cadavre, restes mortels auxquels on réserve des honneurs (langue soutenue) : *Les cendres de Napoléon furent solennellement ramenées en France en 1840* (syn. : DÉPOUILLE MORTELLE). — 2° *Paix à ses cendres!,* renonçons, maintenant qu'il est mort, à critiquer sa vie.

cénotaphe [senotaf] n. m. Monument en forme de tombeau, élevé à la mémoire d'un mort, mais ne renfermant pas son corps.

cens [sɑ̃s] n. m. Montant de l'impôt que doit payer un individu pour être électeur, dans certains régimes politiques. ◆ **censitaire** adj. Fondé sur le cens : *Suffrage censitaire.*

censé, e [sɑ̃se] adj. (ordinairement suivi d'un infin.). Supposé, réputé : *Je vous dis cela en confidence, mais vous serez censé ne pas m'avoir vu. Nul n'est censé ignorer la loi* (syn. : CONSIDÉRÉ COMME, suivi d'un part. prés.).

censément [sɑ̃semɑ̃] adv. *Fam.* Marque une approximation, une identité presque parfaite : *Il n'y a censément pas de différence de qualité entre ces deux articles* (syn. : POUR AINSI DIRE). *C'est lui qui a mis au point cette méthode, mais, comme vous en aviez eu l'idée le premier, vous en êtes censément l'auteur.*

1. censeur [sɑ̃sœr] n. m. Dans un lycée, fonctionnaire chargé d'assurer la discipline de l'établissement : *Le censeur a fait appeler à son bureau deux élèves qui se sont battus dans la cour de récréation.* ◆ **censorat** n. m. Fonction de censeur.

2. censeur [sɑ̃sœr] n. m. 1° Membre d'une commission de censure : *Le producteur se plaint que les censeurs aient fait preuve de sévérité en refusant le visa à ce film.* — 2° Personne qui critique avec malveillance les actions ou les ouvrages des autres (langue soignée) : *Il s'est trouvé de nombreux censeurs pour condamner la légèreté d'une telle conduite. Cet écrivain semble prendre plaisir à scandaliser ses censeurs* (syn. : CRITIQUE, DÉTRACTEUR). ◆ **censure** n. f. 1° Examen qu'un gouvernement fait faire soit des œuvres littéraires, des films, des émissions télévisées, avant d'en autoriser la diffusion, soit, en temps de guerre, des articles de presse ou de la correspondance privée susceptibles de divulguer des secrets de défense nationale ; organisme chargé de cet examen : *La censure des œuvres dramatiques a été abolie en France en 1906. Si la censure avait ouvert la lettre, celle-ci ne serait sûrement pas arrivée à son destinataire.* — 2° *Motion de censure,* blâme infligé par une assemblée parlementaire à l'un de ses membres ou au gouvernement. ◆ **censurer** v. tr. 1° *Censurer un article, une émission,* etc., en interdire la publication, la diffusion : *L'émission, censurée au dernier moment, a été remplacée par un dessin animé. Trois lignes de l'article ont été censurées.* — 2° *Censurer le gouvernement,* adopter contre lui une motion de censure : *La majorité du Parlement étant hostile à cet arrêté, jugé illégal, le gouvernement s'expose à être censuré.* — 3° *Censurer des actes, des ouvrages* ou *leur auteur,* les blâmer (littér.) : *C'est un esprit chagrin, prêt à censurer toute innovation* (syn. : CRITIQUER, CONDAMNER, DÉSAPPROUVER).

censitaire adj. V. CENS.

cent [sɑ̃] adj. num. et n. m. 1° V. NUMÉRATION. — 2° Indique aussi un grand nombre indéterminé : *Il a cent fois raison. Il l'a répété cent et cent fois. C'est à cent heures d'ici. Il a eu cent occasions de le voir, mais il a refusé.* — 3° Fam. *Avoir des mille et des cents,* avoir une grande fortune. ‖ Fam. *Cent pour cent,* entièrement (adv. intensif) : *Il aime profondément sa province, il est cent pour cent bourguignon.* ‖ Fam. *Etre aux cent coups,* ne savoir où donner de la tête, être affolé, indigné ou en colère : *Il est aux cent coups : il y a chez lui une fuite d'eau.* ‖ *Faire les cent, les quatre cents coups,* avoir une vie désordonnée, aventureuse, ou, en parlant d'un enfant, être indiscipliné : *Il a fait les quatre cents coups pendant sa jeunesse.* ‖ *Faire les cent pas,* aller et venir : *Il fait les cent pas devant la bouche du métro.* ‖ *Il y a cent sept ans,* il y a très longtemps (superlatif fam. de *longtemps*). ‖ Fam. *Je vous le donne en cent,* je vous défie de deviner : *Devinez qui j'ai rencontré, je vous le donne en cent.* ‖ *Pour cent,* pour une somme de cent francs : *Prêter à cinq pour cent* (à un intérêt de 5 F pour 100 F). ‖ *Le trois pour cent,* la rente de l'Etat qui rapporte trois francs pour cent francs. ‖ *En un mot comme en cent,* bref, pour nous résumer (affirmation catégorique) : *En un mot comme en cent, il refuse.* ◆ **centaine** n. f. 1° V. NUMÉRATION. — 2° Groupe de cent unités : *a*) comptées exactement : *Un article qui vaut plusieurs centaines de francs. Il a quatre-vingt-seize ans et il espère bien arriver à la centaine; b*) évaluées approximativement : *Il y a tout au plus une centaine de personnes dans la salle. Les commandes arrivent chaque jour par centaines.* ◆ **centenaire** adj. et n. Se dit d'une personne qui a atteint ou dépassé l'âge de cent ans : *Un grand-père centenaire siégeait à la place d'honneur. La petite ville s'enorgueillit de compter trois centenaires encore alertes.* (V. ÂGE.) ◆ n. m. Anniversaire d'un événement célébré tous les cent ans : *On se préparait à fêter le troisième centenaire de la naissance de Corneille* (= le tricentenaire). ◆ **centième** adj. num. et n. V. NUMÉRATION. ◆ **centuple** adj. Qui vaut exactement ou approximativement cent fois autant : *Ce prix s'exprimait en anciens francs par un nombre centuple.* ◆ n. m. 1° *Il s'obstine à jouer aux courses, dans l'espoir, toujours déçu, de gagner le centuple de sa mise.* — 2° *Au centuple,* cent fois plus, beaucoup plus : *Si vous faites ce petit sacrifice, vous en serez récompensé au centuple.* ◆ **centupler** v. tr. Augmenter dans des proportions énormes : *Il faudrait centupler les efforts pour obtenir un résultat.* ◆ v. intr. : *Les automobiles ont centuplé en quelques dizaines d'années.* ◆ **centésimal, e, aux** adj. Divisé en cent parties.

centigramme n. m., **centilitre** n. m. V. MESURE, *Unités de mesure.*

centime [sɑ̃tim] n. m. 1° Monnaie, pièce, unité de compte valant la centième partie du franc : *Deux livres à huit francs cinquante centimes chacun coûtent dix-sept francs.* (On dit plus couramment *huit francs cinquante, trois francs vingt-cinq,* etc.) — 2° Somme très petite (dans des phrases négatives) : *Vous pourrez jouir de tous ces avantages sans avoir à dépenser un centime.*

centimètre [sɑ̃timɛtr] n. m. 1° Centième partie du mètre : *Les barreaux de la cage sont espacés d'un centimètre environ. Cet enfant a grandi de quatre centimètres en un an.* — 2° Ruban de 1 m, 1,50 m ou 2 m, divisé en centimètres : *La couturière avait son centimètre autour du cou.* (V. MESURE, *Unités de mesure.*)

1. centre [sɑ̃tr] n. m. 1° Point situé à égale distance de tous les points de la ligne ou de la surface extérieures, ou situé à l'intersection des axes de symétrie : *Le centre du cercle est marqué par le trou qu'a laissé la pointe du compas. On a longtemps cru que la Terre était le centre de l'univers. Au centre du salon se trouve un guéridon* (syn. : MILIEU). *La ville de Bourges est au centre de la France. Il a longtemps habité dans le Centre, du côté de Moulins* (= dans les régions du centre de la France). — 2° Point essentiel : *La question financière a été au centre du débat* (syn. : CŒUR). — 3° *Centre d'intérêt,* point sur lequel l'attention se porte à un moment donné : *La situation politique ayant évolué, le centre d'intérêt s'était déplacé du domaine militaire au domaine social. Dans certaines méthodes pédagogiques, les leçons sont groupées autour de divers centres d'intérêt* (syn. : THÈME). ◆ **central, e, aux** adj. : *Le tableau a été habilement restauré dans sa partie centrale. Il habite un quartier central* (= situé au centre de la ville; contr. : PÉRIPHÉRIQUE). *Nous nous réunissons chez lui, sa maison étant la plus centrale* (= étant située à peu près à égale distance de chacune des autres). *Le puy de Sancy est le plus haut sommet du Massif central. Le Mexique est le principal pays de l'Amérique centrale* (= de la partie située au centre du continent américain). *La question financière est centrale* (syn. : ESSENTIEL). ◆ **centrer** v. tr. 1° Déterminer le centre d'une pièce, ou fixer une pièce par son centre : *Si la roue est mal centrée, le mouvement ne sera pas régulier.* — 2° *Centrer une activité, une œuvre,* lui donner une direction précise, une orientation déterminée : *Dès le début, la discussion a été centrée sur les moyens à employer* (syn. : ORIENTER). *Un roman centré sur la vie des mineurs.* ◆ **centrifuge** adj. *Force centrifuge,* force qui tend à éloigner d'un point ou d'un axe tout corps soumis à un mouvement de rotation autour de ce point ou de cet axe. ◆ **centripète** adj. *Force, mouvement centripète,* qui attire, qui mène vers le centre. ◆ **décentrer** v. tr. Déplacer l'objectif d'un appareil photographique, pour que son axe ne soit pas au centre de la photo.

2. centre [sɑ̃tr] n. m. 1° Ville, localité caractérisée par l'importance de sa population ou de l'activité qui s'y déploie : *Lyon est un grand centre industriel, commercial, universitaire* (syn. : VILLE, CITÉ). *Le candidat a fait sa campagne électorale dans les centres ruraux* (syn. : AGGLOMÉRATION). *Un centre ferroviaire, industriel, commercial. Le quartier de la Bourse, à Paris, est un des grands centres des affaires.* — 2° Organisme consacré à un ensemble d'activités; lieu où se trouvent les organismes essentiels d'une entreprise : *Le Centre national de la recherche scientifique. Le Centre d'études sociologiques. Les centres de dépistage de la tuberculose ont beaucoup contribué à la régression de cette maladie.* — 3° *Centres nerveux,* ensemble des organes qui transmettent l'influx nerveux; (au sing.) siège de l'activité directrice d'un pays, d'une entreprise. ◆ **central, e, aux** adj. 1° *Le préfet est un* *représentant de l'administration centrale. Le commentateur a insisté sur l'idée centrale du livre.* — — 2° *Chauffage central,* v. CHAUFFAGE. ◆ **central** n. m. Bureau principal d'un réseau téléphonique ou télégraphique : *La communication est établie par une employée du central.* ◆ **centrale** n. f. 1° Usine productrice d'énergie électrique : *On distingue des centrales hydrauliques, thermiques, nucléaires, etc.* — 2° Confédération de syndicats : *L'ordre de grève a été lancé simultanément par les différentes centrales ouvrières.* ◆ **centraliser** v. tr. et intr. Grouper, ramener vers un organisme central : *Quel est le service qui sera chargé de centraliser les renseignements?* (syn. : RASSEMBLER, RÉUNIR). *Dans un pays dont l'administration est peu centralisée, les collectivités locales jouissent d'une plus grande autonomie* (contr. : DÉCENTRALISER). ◆ **centralisation** n. f. : *La centralisation économique entraîne le développement de grandes agglomérations et retarde la mise en valeur de certaines régions* (contr. : DÉCENTRALISATION). *Louis XIV s'attacha à compléter la centralisation politique. La centralisation des renseignements se fait dans les services du ministère de l'Intérieur.* ◆ **centralisateur, trice** adj. et n. : *Tous les secours destinés aux sinistrés seront acheminés vers un organisme centralisateur.* ◆ **décentraliser** v. tr. et intr. Disséminer à travers un pays des industries, des services administratifs qui étaient groupés en un même lieu ; transférer aux organismes locaux certaines compétences du pouvoir central : *En décentralisant l'industrie automobile, on fournit du travail à une main-d'œuvre rendue disponible par la mécanisation de l'agriculture.* ◆ **décentralisation** n. f. : *La décentralisation universitaire est une nécessité dans la France actuelle.*

3. centre [sɑ̃tr] n. m. Ensemble des groupes politiques qui se situent entre la droite et la gauche, dans une assemblée délibérante : *On distingue souvent, selon les affinités, un centre droit et un centre gauche. C'est un homme du centre qui a été chargé de former le nouveau gouvernement.* ◆ **centriste** adj. : *Plusieurs députés centristes se sont abstenus.* ◆ **centrisme** n. m. Tendances politiques du centre.

4. centre [sɑ̃tr] n. m. 1° Passe du ballon, à la main (handball) ou au pied (football), de l'aile vers l'axe du terrain : *Faire un centre juste devant les buts adverses.* — 2° *Avant centre,* ou simplem. *centre,* au football, joueur placé au centre de la ligne d'attaque. ◆ **centrer** v. tr. et intr. Au football, lancer le ballon de l'aile vers l'axe du terrain : *Il courut le long de la ligne de touche, puis centra.* ◆ **centrage** n. m. : *L'ailier opéra un mauvais centrage du ballon.* ◆ **recentrer** v. tr. et intr.

centuple adj. et n., **centupler** v. tr. et intr. V. CENT.

cep [sɛp] n. m. Pied de vigne : *Le vigneron parcourt les rangées de ceps.* ◆ **cépage** n. m. Plant de vigne, considéré sous le rapport de ses caractéristiques; variété de vigne : *Il est rare qu'un vin soit obtenu à partir d'un seul cépage, sauf pour les vins de Bourgogne.*

cèpe [sɛp] n. m. Champignon comestible, très apprécié.

cependant [səpɑ̃dɑ̃] adv. Marque une forte opposition à ce qui vient d'être dit et joue le rôle d'une conj. de coordination, dont la place est variable dans la phrase (parfois en appui de *et, mais*) : *Elle s'habillait simplement, et cependant avec un goût très sûr* (syn. : NÉANMOINS). *Cette histoire semble invraisemblable; elle est cependant vraie* (syn. : POURTANT, ↓ MAIS). *Le froid est intense, nous essaierons cependant de partir en voiture pour Lille* (syn. : TOUTEFOIS; pop. : N'EMPÊCHE QUE). [La loc. conj. *cependant que* (= pendant que) appartient à la langue littér. archaïque.]

céramique [seramik] n. f. 1° Art de fabriquer des poteries : *Le professeur de dessin avait initié ses élèves à la céramique.* — 2° Objet fabriqué en terre cuite, en faïence, en porcelaine, etc. : *Certaines céramiques grecques antiques sont d'une remarquable pureté de forme et de décoration. Les murs de la salle de bains sont revêtus de carreaux de céramique.* ◆ **céramiste** n. Industriel qui fabrique des poteries; ouvrier qui pose les carreaux de céramique ; personne qui décore ces objets : *Pour décorer ce cratère, le céramiste a utilisé plusieurs récits mythologiques.*

cerbère [sɛrbɛr] n. m. Gardien intraitable, concierge revêche (nuance plaisante) : *Le prisonnier ne pouvait guère espérer tromper la vigilance de son cerbère* (syn. : GEÔLIER). *Comme je m'avançais dans la cour de l'immeuble, un cerbère à chignon me demanda, balai en main, ce que je cherchais.* (Dans la mythologie grecque, *Cerbère* était un chien à trois têtes qui gardait les Enfers.)

cerceau [sɛrso] n. m. Cercle de bois léger ou de métal que les enfants font rouler, par jeu, en le poussant avec un bâtonnet : *Un garçonnet jouait au cerceau dans les allées du parc.*

1. cercle [sɛrkl] n. m. 1° Ligne courbe dont tous les points sont à la même distance d'un point fixe, qui est le centre; objet constitué par une bande fermée ayant cette forme : *Le fond de la tasse à café avait imprimé un cercle sur la nappe* (syn. : ROND). *Les gamins jouent avec de vieux cercles de tonneau. De grands cercles de roue sont appuyés au mur du maréchal-ferrant* (syn. : BANDAGE). — 2° Ce dont on peut embrasser l'étendue par le regard ou par l'esprit : *De cette éminence, on découvre un cercle de collines. J'ai beau chercher dans le cercle de mes relations, je ne vois personne qui réponde à ce signalement. Ces ouvrages de vulgarisation nous permettent d'agrandir le cercle de nos connaissances.* — 3° *Cercle vicieux,* raisonnement défectueux, au terme duquel la pensée revient à son point de départ, ou enchaînement fatal de faits qui ramènent sans cesse à la même situation fâcheuse : *Il ne peut se libérer des dettes les plus criardes qu'en empruntant ailleurs : c'est un cercle vicieux* (syn. : SITUATION SANS ISSUE). ◆ **cercler** v. tr. *Cercler quelque chose,* l'entourer d'un cercle de métal, de bois, etc. : *Le forgeron cerclait les roues d'une charrette.* ◆ **cerclage** n. m. : *Le cerclage d'un tonneau est l'opération qui consiste à le munir de cercles.* ◆ **encercler** v. tr. 1° *Encercler un groupe de personnes, un lieu,* les entourer étroitement de toutes parts, de façon à ne laisser échapper personne : *Une division d'infanterie s'était laissé encercler dans la ville* (syn. : CERNER). *La police a encerclé le quartier* (syn. : BOUCLER). — 2° *Encercler une chose,* l'entourer d'une ligne courbe, fermée : *Sur l'article de journal, un nom était encerclé au crayon rouge.* ◆ **encerclement** n. m. Sens 1 du verbe : *La garnison a tenté plusieurs sorties pour échapper à l'encerclement.* ◆ **circulaire** adj. 1° Qui a la forme exacte ou approximative d'un cercle; qui décrit un cercle : *Un bassin circulaire. Les prisonniers faisaient leur* *promenade circulaire dans la cour.* — 2° *Voyage circulaire,* qui ramène au point de départ : *Les agences de tourisme organisent de nombreux voyages circulaires.* (V. aussi CIRCULAIRE 2.) ◆ **circulairement** adv. En décrivant un cercle : *Les aiguilles d'une montre se meuvent circulairement* (syn. fam. : EN ROND).

2. cercle [sɛrkl] n. m. 1° Groupement de personnes assemblées en rond : *Un cercle de curieux s'est formé autour du camelot.* — 2° Groupement de personnes dont le lien est constitué par une activité commune, généralement d'ordre intellectuel, artistique, politique, etc., ou par des distractions communes; local où se réunissent ces personnes : *Un cercle d'études bibliques s'est constitué parmi les jeunes de la paroisse. Un cercle littéraire largement ouvert aux écrivains d'avant-garde. Les deux officiers s'étaient rencontrés au Cercle militaire. L'après-midi, il va au cercle lire les journaux et faire sa partie de bridge* (syn. : CLUB). — 3° *Cercle de famille,* la proche famille réunie (parents, enfants, grands-parents). ‖ *Faire cercle autour de quelqu'un, de quelque chose,* s'assembler tout autour : *Les élèves faisaient cercle, dans la cour, autour des deux combattants.*

cercueil [sɛrkœj] n. m. Caisse allongée où l'on enferme un mort : *Le cercueil, chargé de fleurs, est resté une journée dans une chapelle ardente. C'est le menuisier du village qui a fait le cercueil* (syn. moins usuel : BIÈRE).

céréale [sereal] n. f. Plante telle que le blé, le seigle, le riz, le maïs, l'avoine, etc., que l'on cultive pour le grain comestible qu'elle fournit : *En France, la moitié environ des terres labourables sont consacrées à la culture des céréales.* ◆ **céréalier, ère** adj. : *Un pays qui cherche à accroître sa production céréalière.* ◆ **céréalier** n. m. : *Les céréaliers sont les gros producteurs de céréales, et en particulier de blé.*

cérébral, e, aux adj. V. CERVEAU.

cérémonie [seremɔni] n. f. 1° Acte plus ou moins solennel, par lequel on célèbre un culte religieux ou une fête profane : *La cérémonie de renouvellement des promesses du baptême se fait souvent le jour de la communion solennelle. En France, la cérémonie religieuse du mariage doit être précédée de la cérémonie civile à la mairie. La cérémonie solennelle d'inauguration de la nouvelle faculté était présidée par le ministre de l'Education nationale.* — 2° (sans compl.) Marque de solennité, témoignage de déférence, de politesse excessive : *Il est venu me prier avec beaucoup de cérémonie de vouloir bien lui faire l'honneur d'être le parrain de son fils. Son frère n'a pas fait tant de cérémonies pour réclamer sa part* (syn. : MANIÈRES, FAÇONS; fam. : CHICHIS; pop. : HISTOIRES). — 3° *Sans cérémonie,* en toute simplicité : *Venez donc un soir dîner à la maison sans cérémonie* (syn. : SANS PROTOCOLE; fam. : À LA BONNE FRANQUETTE). ◆ **cérémonial** n. m. Ensemble des règles qui fixent le déroulement d'une cérémonie, ou des règles de politesse observées entre particuliers : *Le cérémonial veut que le clergé paroissial aille accueillir l'évêque à l'entrée de l'église. Fatigué de tout ce cérémonial, le roi aurait préféré voyager incognito* (syn. : PROTOCOLE, ÉTIQUETTE). *Tous les ans, nous allions souhaiter la bonne année à notre tante selon un cérémonial invariable* (syn. : RITE). ◆ **cérémonieux, euse** adj. *Péjor.* Se dit de quelqu'un (ou de son comportement) qui affecte une civilité excessive : *Les deux invités échangèrent des saluts cérémonieux, puis passèrent au salon. Un maître d'hôtel cérémonieux nous introduisit* (syn. : ↑ COMPASSÉ, GUINDÉ). ◆ **cérémonieusement** adv. : *M. le Maire présenta cérémonieusement l'orateur.*

cerf [sɛrf ou sɛr] n. m. Animal caractérisé par les ramifications osseuses, appelées « bois », qui ornent sa tête : *Le cerf adulte pèse environ cent cinquante kilos. Le cerf est le gibier par excellence de la chasse à courre. La femelle du cerf est la biche.*

cerfeuil [sɛrfœj] n. m. Plante aromatique cultivée comme condiment.

cerf-volant [sɛrvɔlɑ̃] n. m. Jouet constitué par une armature garnie de toile ou de papier, qu'on présente au vent de telle sorte qu'il s'élève tout en restant relié à l'opérateur par une ficelle : *Sur la plage, des enfants jouent avec des cerfs-volants.*

cerise [səriz] n. f. 1° Petit fruit à noyau, ordinairement rouge : *En France, les cerises mûrissent généralement en juin et en juillet.* — 2° *Rouge comme une cerise,* se dit d'une personne dont le visage devient très rouge, généralement sous le coup de la honte, de l'émotion : *En s'apercevant de sa méprise, elle devint rouge comme une cerise.* ◆ **cerisaie** n. f. Lieu planté de cerisiers. ◆ **cerisier** n. m. 1° Arbre qui produit les cerises : *Le bois du cerisier est utilisé en ébénisterie.* — 2° Bois de cet arbre : *Une armoire en cerisier.*

cerner [sɛrne] v. tr. 1° (sujet nom de chose) *Cerner quelque chose,* être disposé en cercle autour : *Des montagnes cernent la ville* (syn. : ENTOURER). *La lune était cernée d'un halo.* — 2° (sujet nom de personne) *Cerner une personne, un groupe de personnes,* les entourer de tous côtés pour les empêcher de fuir : *Nos troupes ont cerné un détachement ennemi* (syn. : ENCERCLER, BLOQUER). — 3° *Cerner un lieu,* l'entourer afin d'empêcher que quelqu'un ne s'en échappe : *Les policiers cernent le quartier* (syn. : INVESTIR, BOUCLER). — 4° *Cerner une question, une difficulté,* etc., en distinguer l'étendue, en marquer les limites : *La discussion préliminaire a permis de cerner le problème essentiel* (syn. : CIRCONSCRIRE). — 5° *Yeux cernés,* yeux entourés d'une zone gris bleuâtre, ordinairement sous l'effet de la fatigue ou d'un mauvais état de santé. ◆ **cerne** n. m. 1° Zone d'un gris bleuâtre qui entoure parfois les yeux : *Les cernes de son visage rappellent les nuits sans sommeil qu'il vient de passer.* — 2° Trace qu'un produit détachant laisse parfois autour de la partie nettoyée d'un tissu : *Il aurait mieux valu porter cette veste chez le teinturier, car, si tu as fait disparaître les taches, il reste de grands cernes* (syn. : AURÉOLE).

1. certain, e [sɛrtɛ̃, -ɛn] adj. (après le nom). 1° (sans compl.) Se dit des choses sur lesquelles il ne subsiste aucun doute, qui entraînent la conviction : *La victoire de cette équipe était considérée comme certaine* (syn. : ASSURÉ). *La bonne foi de notre interlocuteur était certaine* (syn. : ÉVIDENT, MANIFESTE; contr. : DOUTEUX). *Nous avons l'assurance certaine de son acceptation* (syn. : FORMEL). *Si vous vous conformez à toutes les prescriptions, le succès est certain* (syn. : ASSURÉ, GARANTI, ↓ SÛR; contr. : ALÉATOIRE). *En quelques dizaines d'années* *la médecine a fait des progrès certains* (syn. : INDISCUTABLE, INCONTESTABLE, INDÉNIABLE); et, impers. : *Il est aujourd'hui certain que la Lune n'a pas d'atmosphère* (= il est établi, prouvé). *Il est certain, après enquête, que le témoin avait menti* (= il est hors de doute). — **2°** *Certain de* (suivi d'un nom ou d'un infin.), *certain que* (et l'indic.), se dit de quelqu'un qui est convaincu de la vérité, de l'exactitude, de l'existence, de la nature de : *L'erreur ne peut pas venir de moi : je suis certain de mes calculs* (syn. : SÛR). *N'ayez aucune crainte, je suis certain de son acceptation. Es-tu bien certain de n'avoir rien oublié? Personne ne se risquera à le contredire, vous pouvez en être certain* (syn. : CONVAINCU, PERSUADÉ). *On n'est jamais certain du lendemain. Chacun est certain qu'un accord est possible.* — **3°** *Sûr et certain,* sert de renforcement aux sens 1 et 2 : *Jusqu'ici les recherches sont restées vaines, voilà qui est sûr et certain. Soyez sûr et certain que je ferai tout mon possible pour vous aider.* ◆ **incertain, e** adj. (après le nom). Se dit de quelque chose ou de quelqu'un qui n'est pas certain (aux sens 1 et 2) : *Il est parti pour un voyage d'une durée incertaine* (syn. : INDÉTERMINÉ). *C'est beaucoup de travail pour un résultat incertain* (syn. : DOUTEUX, ALÉATOIRE). *L'avenir reste incertain. Le temps est incertain* (= il risque de pleuvoir). *Les experts eux-mêmes sont incertains sur l'issue des délibérations* (syn. : INDÉCIS, PERPLEXE). *Il fit quelques pas vers nous d'une démarche incertaine* (syn. : HÉSITANT, MAL ASSURÉ). *Une petite fenêtre donnait à la pièce un jour incertain* (syn. : INDÉCIS, VAGUE). ◆ **certainement** adv. **1°** Exprime la certitude de celui qui parle : *Vous savez certainement son adresse* (= je suis certain que vous savez son adresse). *Ils ne sont certainement au courant de rien.* — **2°** S'emploie parfois, avec une nuance plus ou moins dubitative, pour exprimer une simple conviction, qui n'exclut pas la possibilité d'une erreur : *Tu ne trouves pas la solution? Il y a pourtant bien certainement un moyen ou un autre d'en sortir* (syn. : SANS AUCUN DOUTE, SANS DOUTE). ◆ **certitude** n. f. **1°** Sentiment qu'on a de la vérité, de l'existence de quelque chose : *La certitude d'un échec l'a fait renoncer à son projet. Cette réponse me donnait la certitude que ma lettre était bien arrivée à destination* (syn. : ASSURANCE). *J'ai la certitude d'avoir entendu marcher dans le couloir. Il faudrait avoir la certitude du lendemain.* — **2°** Chose au sujet de laquelle on n'a aucun doute : *La relation de cause à effet entre ces deux phénomènes n'est plus une simple hypothèse, c'est une certitude.* ◆ **incertitude** n. f. Etat d'une chose ou d'une personne incertaine; point sur lequel il y a des doutes : *L'incertitude de sa réponse laissait tout le monde dans une attente pénible. On ne peut pas vivre ainsi dans une incertitude perpétuelle. L'incertitude du candidat se lisait sur son visage* (syn. : EMBARRAS). ◆ **certifier** v. tr. **1°** *Certifier une chose,* la déclarer avec force comme certaine : *Il m'a certifié que rien ne serait fait en mon absence* (syn. : ↓ ASSURER, AFFIRMER). *Pouvez-vous me certifier l'exactitude de cette information?* (syn. : GARANTIR). — **2°** *Certifié conforme à l'original,* formule apposée sur une copie par une autorité administrative pour attester officiellement la fidélité de cette copie. ‖ *Professeur certifié,* V. CERTIFICAT.

2. certain, e [sɛrtɛ̃, -ɛn; devant un mot commençant par une voyelle, on fait toujours la liaison avec dénasalisation : *Un certain effet,* œ sɛrtɛnetɛ] adj. indét. (avant le nom). **1°** *Un certain* (suivi d'un nom commun) invite à considérer spécialement une chose ou une personne parmi d'autres avec lesquelles elle tend à se confondre : *Vous souvenez-vous d'une certaine promenade que nous avions faite en forêt? Il est venu nous voir avec un certain cousin à lui. D'un certain point de vue, il a raison;* au sing., sans art. indéf., appartient à une langue un peu affectée : *Certain jour qu'il pleuvait, j'étais sorti sans imperméable. J'ai lu cette phrase dans certain auteur du XVIIIe siècle.* — **2°** *Un certain* (suivi d'un nom pr. de personne), exprime une nuance marquée de mépris, au moins l'absence de considération : *Connaissez-vous un certain M. Lambert, qui prétend être de vos amis? J'avais pour camarade de classe un certain Renaud.* — **3°** *Un certain* (suivi d'un nom abstrait de chose), exprime une intensité ou une qualité non négligeables : *Il faut un certain courage pour entreprendre la lecture d'un tel ouvrage. Dans une certaine mesure, cet échec lui sera salutaire. On peut admettre jusqu'à un certain point qu'il ne pouvait pas faire autrement. Au bout d'un certain temps, l'inaction a commencé à me peser. Son oncle est un homme déjà d'un certain âge* (= assez âgé). — **4°** (au plur. et toujours sans art.) Exprime surtout la pluralité, souvent avec une nuance partitive (distinction dans un ensemble de plusieurs personnes ou de plusieurs choses) : *Dans certains cas, il vaut mieux ne pas se faire remarquer. On ne peut pas comprendre cette théorie si on n'a pas certaines connaissances mathématiques. Certains élèves ont beaucoup plus de peine que d'autres à fixer leur attention. Certaines phrases de ce texte sont équivoques* (syn. : QUELQUES).

3. certains, es [sɛrtɛ̃, -ɛn] pron. indéf. pl. Plusieurs personnes ou plusieurs choses : *Certains sont incapables de garder un secret* (= il y a des gens qui sont...). *Je ne peux pas approuver l'attitude de certains. Chez certains, la méfiance est maladive* (= il y a des gens, il y en a chez qui...). *Certains d'entre vous paraissent m'avoir mal compris* (syn. : QUELQUES-UNS, PLUSIEURS). *Il a de grandes ambitions, dont certaines sont sans doute au-dessus de ses moyens.*

certes [sɛrt] adv. **1°** Exprime ou renforce une affirmation (langue soignée) : « *Avez-vous lu ce roman? — Certes, et je l'aime beaucoup.* » « *Un accord vous paraît-il possible? — Oui, certes, à condition que chacun y mette un peu du sien.* » — **2°** Souligne souvent une concession, une opposition : *Je ne veux certes pas vous décourager, mais l'entreprise me semble bien difficile. On peut certes y aller en voiture, pourtant il serait dommage de ne pas profiter de ce beau temps pour marcher un peu* (syn. : ÉVIDEMMENT, ASSURÉMENT, BIEN SÛR, SANS DOUTE).

certificat [sɛrtifika] n. m. **1°** Ecrit officiel ou signé par une personne compétente, qui atteste un fait concernant quelqu'un : *Les certificats de scolarité sont délivrés par le chef d'établissement* (syn. : ATTESTATION). *Pour toute absence de plus de deux jours, il devra être présenté un certificat médical. Un certificat de vaccination.* — **2°** Diplôme constatant officiellement les connaissances, les aptitudes de quelqu'un : *Les centres d'apprentissage délivrent un certificat d'aptitude professionnelle au bout de trois années d'apprentissage. Un certificat d'aptitude pédagogique est nécessaire, à défaut de* *l'agrégation, pour être professeur titulaire dans l'enseignement public. Les dates des épreuves du certificat d'études primaires élémentaires* (ou, absol., *du certificat*) *ont été publiées dans la presse. Toute licence comprend plusieurs certificats.* — 3° *Certificat de complaisance,* attestation peu conforme à la vérité et fournie par obligeance. ◆ **certifié, e** adj. et n. Se dit d'un professeur qui est titulaire du certificat d'aptitude pédagogique et enseigne dans les lycées et collèges.

certifier v. tr., **certitude** n. f. V. CERTAIN 1.

cerveau [sɛrvo] n. m. 1° Masse nerveuse contenue dans le crâne, et qui est l'organe essentiel de la pensée, de la sensation, du mouvement : *L'homme est le vertébré chez qui le cerveau est le plus développé proportionnellement à la masse du corps.* — 2° Ensemble des facultés mentales (intelligence, mémoire, imagination, etc.) : *Il faut un cerveau bien organisé pour diriger une affaire de cette importance* (syn. : ESPRIT). *Inutile de te fatiguer le cerveau : j'ai trouvé un autre moyen.* — 3° Organisme qui coordonne les activités d'un service; centre intellectuel : *Le cerveau de cette entreprise, c'est le bureau d'études.* — 4° *C'est un cerveau,* c'est quelqu'un de remarquablement intelligent. ‖ *Rhume de cerveau,* inflammation de la muqueuse des fosses nasales (nom scientif. : CORYZA). ‖ Fam. *Se pressurer le cerveau,* faire un grand effort intellectuel pour trouver une solution. ‖ *Transport au cerveau,* congestion cérébrale. ◆ **cérébral, e, aux** adj. 1° Relatif au cerveau ou à l'activité mentale : *Les deux moitiés du cerveau s'appellent les « hémisphères cérébraux ». Son travail est plus cérébral que manuel* (syn. : INTELLECTUEL). — 2° Se dit de quelqu'un qui est préoccupé exclusivement de pensée abstraite : *Un poète à qui l'on a reproché d'être trop cérébral et pas assez sensible.*

cervelas [sɛrvəla] n. m. Saucisse cuite, grosse et courte, faite de chair hachée et épicée.

cervelle [sɛrvɛl] n. f. 1° Syn. fam. de CERVEAU (désigne la substance plutôt que l'organe dans ses fonctions nobles, et notamment le cerveau d'un animal consommé comme aliment) : *Le malheureux avait eu le crâne broyé et les débris de sa cervelle avaient éclaboussé l'avant de la voiture. Acheter une cervelle de mouton chez le boucher. Que de choses il faut se mettre dans la cervelle pour se présenter à ce concours!* (= emmagasiner dans sa mémoire). *J'ai beau me creuser la cervelle, je ne trouve aucune explication satisfaisante au phénomène observé* (= faire des efforts intellectuels). — 2° Fam. *Brûler la cervelle à quelqu'un,* le tuer d'une balle dans la tête. (Dans le cas d'un suicide, on dit souvent, pronominalement, *se brûler la cervelle* ou *se faire sauter la cervelle.*) ‖ *Tête sans cervelle,* personne très étourdie ou manquant de jugement. ◆ **écervelé, e** adj. et n. Se dit de quelqu'un qui agit sans réflexion, qui manque de suite dans les idées : *Il faut être un écervelé comme lui pour s'engager dans une affaire aussi importante sans avoir pris aucun renseignement* (syn. : ↓ ÉTOURDI, TÊTE EN L'AIR, LÉGER).

cervical, e, aux [sɛrvikal, ko] adj. Qui concerne le cou : *Vertèbre cervicale. Douleur cervicale.*

ces adj. dém. V. CE.

césarienne [sezarjɛn] n. f. Opération chirurgicale consistant à extraire le fœtus par incision de la paroi abdominale.

césarisme [sezarism] n. m. Système de gouvernement dans lequel un seul homme s'est fait conférer par le peuple la totalité des pouvoirs (syn. : DICTATURE).

cesser [sɛse] v. tr. 1° (sujet nom d'être animé) *Cesser une chose,* y mettre fin : *Les employés ont cessé le travail à cinq heures* (syn. : ARRÊTER; fam. : STOPPER). *Nous avons cessé la fabrication de ce modèle. Cessez vos protestations.* — 2° (sujet animé ou inanimé) *Cesser de* (et l'infin.), ne pas continuer à, s'interrompre de : *Ce genre de spectacle a depuis longtemps cessé de m'intéresser. Pendant toute la séance, il n'a pas cessé de bavarder avec son voisin* (syn. : ARRÊTER). ◆ v. intr. (sujet inanimé). Prendre fin : *Les combats ont cessé dans ce secteur. Si la pluie cesse, j'irai le rejoindre* (syn. : S'ARRÊTER). ◆ **cessant, e** adj. *Toutes affaires cessantes,* avant toute autre chose, par priorité (langue admin.) : *Vous devrez vous occuper de ce problème toutes affaires cessantes.* ◆ **incessant, e** adj. (avant ou, plus souvent, après le nom). Se dit d'une chose qui ne cesse pas, qui dure ou qui se répète continuellement : *Malgré son âge, il continue à faire preuve d'une activité incessante. Je suis dérangé par des coups de téléphone incessants. Au prix d'incessants efforts, nous avons réussi à nous tirer d'affaire* (syn. : CONTINUEL, ININTERROMPU). ◆ **cessation** n. f. : *L'accord du droit d'asile implique la cessation de toute activité politique* (syn. : ABANDON). *Si la crise continue, il faudra envisager la cessation de certaines exportations* (syn. : ARRÊT). ◆ **cesse** n. f. *N'avoir pas de cesse que, n'avoir ni repos ni cesse que* ou *jusqu'à ce que* (suivi du subj.), ou *tant que* (suivi de l'indic.), ou *avant de* (suivi de l'infin.), ne pas prendre de repos avant que, insister jusqu'à ce que : *Il n'a pas eu de cesse avant d'avoir obtenu le renseignement qu'il cherchait.* ● LOC. ADV. *Sans cesse,* de façon ininterrompue, continuellement, n'importe quand : *La pluie tombe sans cesse depuis ce matin. La production s'accroît sans cesse depuis plusieurs années* (syn. : CONSTAMMENT). *Le médecin peut être sans cesse appelé auprès d'un malade* (syn. : À TOUT MOMENT). *Cet élève n'a pas pu bien profiter de la classe : il est sans cesse absent* (syn. : TOUJOURS, TOUT LE TEMPS). ◆ **cessez-le-feu** [sɛselfø] n. m. invar. Ordre d'arrêter les combats : *Au bout d'une longue période de négociations entre les adversaires, le cessez-le-feu a enfin été proclamé. Le cessez-le-feu a été observé.*

cession n. f. V. CÉDER 1.

c'est-à-dire [sɛtadir] loc. adv. (abrév. **c.-à-d.**). Introduit une définition : *Un hygromètre, c'est-à-dire un appareil pour mesurer le degré d'humidité de l'air* (syn. : AUTREMENT DIT, SOIT); une précision : *C'est une erreur intentionnelle, c'est-à-dire faite dans le dessein de vous nuire;* une explication ou un éclaircissement : *Il se levait à 7 heures, c'est-à-dire pour lui de trop bonne heure;* une rectification : *Je l'ai rencontré hier, c'est-à-dire plutôt avant-hier. « Est-ce que votre travail est terminé, oui ou non? — Eh bien! oui, c'est-à-dire presque complètement. »* ● LOC. CONJ. *C'est-à-dire que,* introduit une explication, une conclusion, un refus poli dont on donne l'explication, ou une rectification : « *Vous venez avec nous dimanche? — C'est-à-dire que j'ai promis d'aller voir un ami.* » « *Je me sens malade. — C'est-à-dire que tu as trop mangé.* » *J'ai perdu mon briquet, c'est-à-dire que j'ai dû le laisser dans la voiture.*

cet, cette adj. dém. V. CE.

cétacé [setase] n. m. Mammifère marin tel que la baleine, le cachalot, le dauphin.

cf. [cɔ̃fɛr], abrév. du lat. *confer*, invitant à une comparaison ou indiquant un renvoi à un ouvrage, à un passage d'un texte.

chacal, als [ʃakal] n. m. Animal carnivore d'Asie et d'Afrique, ressemblant à un renard, qui se nourrit principalement de cadavres ou de reliefs laissés par les fauves, et qu'on prend parfois comme symbole de la méchanceté lâche.

chacun, e [ʃakœ̃, -yn] pron. indéf., **chaque** [ʃak] adj. et pron. indéf. Indiquent la répartition, la distribution. (V. tableau ci-dessous.)

chafouin, e [ʃafwɛ̃, -win] adj. et n. *Péjor.* Se dit de quelqu'un (ou de son visage) d'aspect chétif, qui a un air rusé, sournois : *On se méfiait instinctivement de ce petit homme à la figure chafouine, qui vous regardait d'un air malicieux* (syn. : CAUTELEUX).

1. chagrin [ʃagrɛ̃] n. m. 1° Souffrance morale : *L'enfant a eu un gros chagrin à la mort de son canari. Je ne voudrais pas vous faire du chagrin, mais je me demande parfois s'il pense vraiment à vous* (syn. : PEINE). *Cette mauvaise nouvelle l'a plongé dans un profond chagrin* (syn. : DOULEUR, TRISTESSE). — 2° Fam. *Noyer son chagrin*, s'adonner à la boisson, sous prétexte d'oublier ce qui vous attriste. ◆ **chagrin, e** adj. 1° Se dit d'une personne (ou de son comportement) qui éprouve ou qui laisse apparaître de la tristesse, de la contrariété (langue soignée) : *Il paraissait tout chagrin à l'idée de cette promenade manquée* (syn. plus usuels : TRISTE, CONTRARIÉ). *On devinait à son air chagrin qu'il n'avait pu obtenir satisfaction.* — 2° Qui est porté à la mauvaise humeur, qui est d'un caractère sombre (vieilli) : *Les gens chagrins trouvent à redire sur tout* (syn. plus usuels : MAUSSADE, BOUGON, REVÊCHE). ◆ **chagriner** v. tr. 1° (sujet nom de personne ou de chose) *Chagriner quelqu'un*, lui causer du chagrin, de la peine : *Sous prétexte de ne pas chagriner ses enfants, il leur passe tous leurs caprices. Ce refus m'a vivement chagriné* (syn. : PEINER, ATTRISTER). — 2° (sujet nom de chose) *Chagriner quelqu'un*, lui causer du souci, de la contrariété ; lui déplaire : *Dans son explication, il y a un détail qui me chagrine, c'est qu'il néglige un point essentiel. Cela me chagrine de savoir que tu vas rouler en voiture toute la nuit par ce mauvais temps* (syn. : CONTRARIER, SOUCIER, ENNUYER ; fam. : CHIFFONNER, DÉFRISER). ◆ **chagrinant, e** adj. : *Cette nouvelle chagrinante le fit fondre en larmes. C'est chagrinant de penser à tous ces fruits qui se perdent* (syn. : ↑ DÉSOLANT).

2. chagrin [ʃagrɛ̃] n. m. *Diminuer comme une peau de chagrin*, progressivement et jusqu'à disparition complète.

chahut [ʃay] n. m. 1° Vacarme, généralement accompagné de désordre, fait par des élèves ou des étudiants qui manifestent contre un professeur, un surveillant, une autorité quelconque : *Le malheureux professeur essayait vainement de se faire entendre dans un chahut indescriptible. Cette punition injuste déclencha un chahut monstre.* — 2° Grand bruit collectif : *Les jours de marché, il y a un tel chahut sur la place qu'on a peine à s'entendre* (syn. : VACARME, TAPAGE ; fam. : BOUCAN). ◆ **chahuter** v. intr. Faire du chahut : *Le surveillant général a consigné une dizaine d'élèves qui chahutaient dans le couloir. Quelques fortes têtes ont bien essayé de chahuter le premier jour, mais le nouveau professeur a tranquillement établi son autorité.* ◆ v. tr. 1° *Chahuter un professeur, un conférencier*, etc., faire un désordre bruyant pendant son exposé : *Au cours de la réunion, un des orateurs s'est fait chahuter par une partie de l'assistance. Professeur chahuté* (= celui aux cours de qui les élèves ont l'habitude de chahuter). — 2° Fam. *Chahuter quelque chose*, le bousculer, le traiter sans ménagements : *Ne chahutez pas trop cette valise,*

---

chacun
pron. indéf.

1° Répartition : personne ou chose faisant partie d'un tout et considérée en elle-même, séparément des autres (au sing., souvent avec un compl.) :
Chacun d'entre vous a fait son devoir. Retirez-vous chacun de votre côté. Remettez ces livres chacun à sa place ou à leur place.
Chacun est une 3e personne du singulier ; le verbe est au singulier ; le possessif est à la 3e personne du singulier (*son, sa, ses*) lorsque *chacun* est le sujet ; lorsque le sujet est au pluriel, la présence de *chacun* entraîne facultativement le singulier.

2° Distribution : personne ou chose en général (avec ou sans compl.) :
Ce n'est peut-être pas vrai, mais chacun le dit. Après chacun de ses sanglots, il tentait de dire quelques mots. Il accordait à ses visiteurs dix minutes chacun.

3° **Tout un chacun** : renforcement de *chacun* (style soutenu) :
Tout un chacun doit connaître les règlements de la circulation (syn. : TOUTE PERSONNE). *Comme tout un chacun, il avait longtemps cherché un logement.*

chaque
adj. indéf.

1° Répartition : se dit de toute personne ou de toute chose faisant partie d'un tout et considérée en elle-même, séparément des autres (seulement avec un sing.) :
Chaque membre de la famille donna son avis. Il donna ses instructions à chaque subordonné.

2° Distribution : se dit d'une personne ou d'une chose en général :
Le téléphone sonne à chaque instant (= à tout instant). *Chaque année, aux vacances, il se rendait dans les Alpes. Chaque fois qu'il venait, nous sortions le grand service à café. Après chaque phrase, il laissait un long silence.*

PRON. INDÉF.

Emploi limité, dans la langue de la conversation, à des constructions comme : *Acheter des cravates pour dix francs chaque.*

elle contient des objets fragiles. ◆ **chahuteur, euse** adj. et n. : *Cet élève ne travaille pas mal, mais il est trop chahuteur pour être inscrit au tableau d'honneur.*

chai [ʃɛ] n. m. Lieu où sont emmagasinés des vins ou des eaux-de-vie en fûts.

1. chaîne [ʃɛn] n. f. 1° Lien constitué par des anneaux métalliques engagés les uns dans les autres : *A force de bondir, le chien a fini par casser sa chaîne. Les ancres de marine sont fixées à de grosses chaînes. Il portait au cou une médaille retenue par une fine chaîne en or.* — 2° (surtout au plur.) Etat de dépendance, de servitude (littér.) : *Ce peuple opprimé s'était révolté, résolu à briser ses chaînes* (syn. : LIENS). ◆ **chaînette** n. f. Petite chaîne : *Un porte-clefs, comprenant un écusson au bout d'une chaînette.* ◆ **chaînon** n. m. Chacun des anneaux d'une chaîne : *Comme il a perdu la clef du cadenas, il n'a pu ouvrir qu'en coupant un chaînon* (syn. : MAILLON). ◆ **déchaîner** v. tr. Détacher de sa chaîne : *Déchaîner un chien, une barque.* ◆ **enchaîner** v. tr. 1° *Enchaîner un être animé*, l'attacher avec une chaîne : *Enchaîner les bœufs à leur mangeoire.* — 2° *Enchaîner quelqu'un, quelque chose*, le soumettre à une contrainte sévère (littér.) : *Un peuple enchaîné par la puissance occupante* (syn. : ASSERVIR). *Un gouvernement qui avait enchaîné les libertés* (syn. : ÉTOUFFER). [V. aussi DÉCHAÎNER 2.]

2. chaîne [ʃɛn] n. f. A le sens de « suite ininterrompue » dans quelques expressions. *Chaîne de fabrication, de montage*, série des opérations, spécialement coordonnées en vue d'une fabrication industrielle d'objets manufacturés : *Certaines usines d'automobiles ont des chaînes très perfectionnées.* ‖ *Travail à la chaîne*, organisation du travail dans laquelle chaque ouvrier exécute une seule et même opération sur chacune des pièces qui circulent devant lui; et, *fam.*, travail astreignant, sans un moment de répit. ‖ (sujet nom de personne). *Faire la chaîne*, se placer à la suite les uns des autres pour se transmettre des objets : *Pour lutter contre l'incendie, les sauveteurs faisaient la chaîne, se passant des seaux d'eau. On a fait la chaîne, et le camion de briques a été vite déchargé.* ‖ *Réaction en chaîne*, succession d'événements dont chacun est la conséquence du précédent : *Le mouvement revendicatif, parti d'une catégorie de fonctionnaires, a déclenché une réaction en chaîne dans l'ensemble de la fonction publique.* ◆ **chaînon** n. m. Chacun des éléments (personnes ou choses) d'une suite : *Une patiente enquête policière a retrouvé tous les chaînons par lesquels ont été écoulés les objets volés. Votre argumentation paraît forte; pourtant, un chaînon du raisonnement m'échappe* (syn. : MAILLON). ◆ **enchaîner** v. tr. *Enchaîner des mots, des idées*, etc., les disposer selon un ordre logique, les faire se succéder. ◆ ***s'enchaîner*** v. pr. (sujet nom de chose). Etre lié par un rapport de dépendance logique : *Les épisodes de ce roman s'enchaînent très naturellement.* ◆ **enchaînement** n. m. : *Un curieux enchaînement de circonstances a produit cet effet inattendu* (syn. : SUITE).

3. chaîne [ʃɛn] n. f. *Chaîne radiophonique, chaîne de télévision*, ou *chaîne*, ensemble de postes constituant un système de relais et diffusant simultanément le même programme de radio, de télévision : *Les premiers téléviseurs n'étaient pas fabriqués pour capter plusieurs chaînes. Les téléspectateurs de la deuxième chaîne.*

4. chaîne [ʃɛn] n. f. *Chaîne de montagnes*, ou *chaîne*, suite de montagnes formant une ligne continue : *La chaîne des Pyrénées sépare la France de l'Espagne.*

chaînette n. f. V. CHAÎNE 1; **chaînon** n. m. V. CHAÎNE 1 et 2.

1. chair [ʃɛr] n. f. 1° Substance qui constitue les muscles de l'homme et des animaux : *Cet enfant est anémique, il a la chair molle. Une écharde lui est entrée profondément dans la chair. La chair de la pintade, d'un goût délicat, rappelle celle du faisan. Le charcutier vend de la chair à saucisses;* parfois au plur. : *La balle a labouré les chairs, mais n'a causé aucune fracture.* — 2° Substance de certains fruits, autre que la peau et le noyau ou les pépins : *Une pêche à la chair bien juteuse. Si vous ouvrez ces cerises, vous verrez souvent un ver entre la chair et le noyau* (syn. : PULPE). — 3° *Chair à canon*, désigne, avec une nuance d'apitoiement, les êtres, surtout les soldats, que l'on considère comme promis à la mort du fait des guerres : *A quoi bon, disait-elle, élever des enfants pour en faire de la chair à canon?* ‖ *Chair de poule*, peau devenue comme granuleuse, sous l'effet du froid ou de la peur : *Mets donc ton chandail, tu as la chair de poule.* ‖ Fam. *En chair et en os*, se dit d'une personne bien vivante, par oppos. à son portrait, à l'idée qu'on se fait de cette personne, à une vision surnaturelle, etc. : *Nous n'en revenions pas : lui, qu'on avait dit mort et enterré, était là, devant nous, en chair et en os* (syn. non fam. : EN PERSONNE). ‖ *Etre bien en chair*, avoir la chair bien rebondie, un léger embonpoint (syn. fam. : ÊTRE GRASSOUILLET). ‖ Fam. *N'être ni chair ni poisson*, ne pas être d'une nature nettement définie; avoir des opinions sans fermeté : *On ne sait jamais à quoi s'en tenir avec un garçon comme lui, qui n'est ni chair ni poisson.* ◆ **charnu, e** adj. Constitué de chair, par oppos. à l'ossature; bien fourni en chair : *Les parties charnues du corps.*

2. chair [ʃɛr] n. f. Le corps, par oppos. à l'âme, à l'esprit (religieux ou littér.) : *Les ascètes mortifient leur chair. Il préfère les plaisirs de l'esprit, sans mépriser toutefois ceux de la chair.* ◆ **charnel, elle** [ʃarnɛl] adj. Qui a trait aux plaisirs des sens : *Il discipline son corps en maîtrisant ses désirs charnels. L'amour charnel, ou physique, était méprisé par les partisans de l'amour platonique* (syn. : SENSUEL). ◆ **charnellement** adv.

chaire [ʃɛr] n. f. 1° Siège élevé sur une estrade ou tribune d'où un professeur ou un prédicateur s'adresse à son auditoire : *L'élève interrogé s'approche de la chaire pour montrer son cahier au professeur. Le prêtre monte en chaire aussitôt après la lecture de l'Evangile.* — 2° Poste d'enseignement, spécialement dans une faculté : *Il y a plusieurs candidats à la chaire de géographie générale. Il est question de la création d'une chaire de linguistique française à la faculté des lettres.*

chaise [ʃɛz] n. f. 1° Siège à dossier, sans bras : *Le mobilier de la pièce se composait d'une table, d'un buffet et de six chaises. Asseyez-vous donc dans ce fauteuil, il est plus confortable que cette chaise.* — 2° *Chaise longue*, chaise pliante en toile sur laquelle on peut s'allonger. ‖ Fam. *Etre assis entre* deux chaises, être dans une position fausse, mal assurée : *Il a raté les deux affaires et reste assis entre deux chaises, sans situation.* ‖ Fam. *Mener une vie de bâton de chaise,* une vie dissolue, désordonnée (syn. : FAIRE LA NOCE, LA BRINGUE, LA BOMBE). ◆ **chaisière** n. f. Personne qui perçoit le prix d'occupation des sièges dans les jardins publics : *La chaisière délivre un ticket à chaque client.*

chaland [ʃalɑ̃] n. m. Bateau à fond plat, destiné au transport fluvial des marchandises.

châle [ʃɑl] n. m. Pièce de tissu que les femmes portent sur les épaules ou sur la tête : *Elle s'enveloppa d'un grand châle de soie et sortit sur le perron.*

chalet [ʃɑlɛ] n. m. 1° Habitation montagnarde généralement en bois : *Ils s'abritèrent de l'orage dans un chalet abandonné.* — 2° Villa de type rustique, bâtie au bord de la mer : *Nous avons loué pour les vacances un ravissant chalet.*

chaleur n. f. V. CHAUD 1 et 2; **chaleureusement** adv., **chaleureux, euse** adj. V. CHAUD 2.

challenge [ʃalɑ̃ʒ] n. m. Epreuve sportive où est mis en jeu un titre de champion. ◆ **challenger** [ʃalɑ̃ʒœr] n. m. Sportif qui dispute un challenge en concourant pour le titre avec le champion (se dit surtout en boxe).

chaloupe [ʃalup] n. f. Grand canot assurant le service d'un navire, à bord duquel il est embarqué : *L'équipage du bateau naufragé a pu gagner la côte dans des chaloupes.*

chalumeau [ʃalymo] n. m. 1° Appareil produisant un jet de flamme, à une température très élevée, utilisé à des usages industriels (découpage, soudure) : *Les tôles du wagon accidenté ont dû être découpées au chalumeau par les sauveteurs.* — 2° Flûte rustique : *Le berger joue un vieil air sur un chalumeau de sa fabrication* (syn. : PIPEAU).

chalut [ʃaly] n. m. Filet de pêche en forme de poche, qu'on traîne sur les fonds marins. ◆ **chalutier** n. m. Bateau spécialement équipé pour la pêche au chalut.

chamailler (se) [səʃɑmaje] v. pr. Se prendre de querelle bruyamment, mais sans conséquences graves : *Des écoliers se chamaillent dans la cour de récréation, s'accusant mutuellement de tricher* (syn. : ↑ SE QUERELLER). ◆ **chamaillerie** n. f. ou **chamaille** n. f. : *Vous me cassez la tête avec vos chamailleries.* ◆ **chamailleur, euse** adj. et n. : *Des gamins chamailleurs.*

chamarrer [ʃamare] v. tr. *Péjor.* Surcharger d'ornements voyants (surtout au passif) : *Un vieil officier en tenue d'apparat, chamarré de décorations.* ◆ **chamarrure** n. f. (surtout au plur.). Ornements de mauvais goût : *Un habit couvert de chamarrures.*

chambard [ʃɑ̃bar] n. m. *Fam.* Grand désordre, souvent accompagné de vacarme; protestation bruyante : *La manifestation commence à mal tourner : il risque d'y avoir du chambard. Un client mécontent est venu faire du chambard dans la boutique* (syn. fam. : BAROUF, FOIN). ◆ **chambarder** v. tr. *Chambarder quelque chose,* le mettre en désordre, sens dessus dessous : *Il a commencé à tout chambarder dans la pièce, pour tâcher de retrouver ce papier* (syn. : ↑ SACCAGER, BOULEVERSER). *Je m'étais fait un programme de travail, mais le retard de mon associé a chambardé mes projets* (syn. : CHAMBOULER [fam.], ↓ DÉMOLIR). ◆ **chambardement** n. m. : *Le chambardement général* (= la révolution, la guerre).

chambouler [ʃɑ̃bule] v. tr. Fam. *Chambouler quelque chose,* le mettre sens dessus dessous, en désordre, en changer totalement la disposition : *Ne va pas tout chambouler dans la maison, on vient de faire le ménage.* ◆ **chamboulement** n. m. Fam. : *Dans le chamboulement général, on ne retrouvait rien.*

chambre [ʃɑ̃br] n. f. 1° Pièce d'une maison où l'on couche : *Il monta dans sa chambre et se jeta tout habillé sur son lit. La chambre était meublée d'un lit, d'une table, d'une chaise et d'une armoire. Le pavillon comprend salon, salle à manger, cuisine, salle de bains et trois chambres.* — 2° *Garder la chambre,* être retenu chez soi par une maladie : *Le médecin m'a ordonné de garder la chambre huit jours.* ‖ Péjor. *Stratège en chambre,* homme qui, sans avoir de compétence, porte des jugements pleins d'assurance sur des questions militaires ou politiques. ‖ *Femme de chambre, valet de chambre,* domestiques attachés au service particulier d'une personne ou au service des clients d'un hôtel. ‖ *Robe de chambre,* ample vêtement d'intérieur, porté aussi bien par des hommes que par des femmes. ‖ *Chambre à air,* tube formé de caoutchouc, destiné à être placé sur la jante d'une roue de véhicule, recouvert du pneu et gonflé d'air. ‖ *Chambre des députés,* ou simplem. *Chambre,* lieu de réunion des députés; assemblée des députés : *La Chambre est en vacances.* ‖ *Chambre froide,* pièce où règne une température voisine de 0 °C et qui sert à conserver par le froid des matières périssables. ◆ **chambrée** n. f. Ensemble de personnes, et principalement de soldats, logeant dans un même local; ce local même : *Il égayait la chambrée par ses plaisanteries. Soudain, la porte de la chambrée s'ouvrit.* ◆ **chambrer** v. tr. *Chambrer une bouteille de vin,* la faire séjourner dans la pièce où elle sera consommée, pour l'amener à la température ambiante. ‖ Fam. *Chambrer quelqu'un,* le tenir à l'écart des autres pour le chapitrer, pour l'amener à céder; l'empêcher de sortir. ◆ **chambrette** n. f. Petite chambre.

1. chameau [ʃamo] n. m. Animal ruminant originaire d'Asie, portant sur le dos deux bosses caractéristiques : *Le chameau est utilisé comme monture dans les régions désertiques. La sobriété du chameau est légendaire.* ◆ **chamelle** n. f. Femelle du chameau. ◆ **chamelier** n. m. Conducteur de chameaux.

2. chameau [ʃamo] n. et adj. *Fam.* Personne méchante ou d'humeur difficile (se dit d'un homme ou d'une femme) : *Elle a fait recommencer tout le travail à sa couturière parce qu'elle ne trouvait plus la robe à son goût : quel vieux chameau que cette femme-là! Il devient de plus en plus chameau.*

chamois [ʃamwa] n. m. Ruminant à cornes recourbées vivant dans les hautes montagnes d'Europe.

1. champ [ʃɑ̃] n. m. 1° Terrain cultivable d'une certaine étendue : *Un champ de blé, de pommes de terre. La propriété comprend plus de deux cents hectares en champs, prés, bois et bâtiments.* — 2° *Les champs,* l'ensemble des terres cultivées, par oppos. à la ville ou aux bâtiments de la ferme : *L'enfant, qui avait toujours vécu aux champs, avait peine à s'habituer à la vie agitée de la ville* (syn. plus usuel : CAMPAGNE). *Au printemps, on mène de nouveau les bêtes aux champs* (syn. : PÂTURAGE). — 3° *A travers champs,* sans emprunter de route ni de chemin, en traversant des terrains cultivés : *En coupant à travers champs, on évite un long détour.* ‖ *A tout bout de champ,* à tout instant, à la moindre occasion : *Ne me dérangez donc pas à tout bout de champ : ne venez que dans les cas sérieux.* ‖ *Champ de bataille,* terrain où se déroulent des combats : *Le champ de bataille était jonché de morts et de blessés;* lieu où règne un grand désordre : *Vous allez me ranger cette pièce; c'est un vrai champ de bataille.* ‖ *Champ clos,* lieu où se produit un affrontement, une lutte entre deux ou plusieurs adversaires : *Un débat en champ clos a eu lieu au sein du comité, entre le président et le secrétaire.* ‖ *Mourir, tomber au champ d'honneur,* mourir glorieusement en combattant pour son pays (style noble) : *Exalter la mémoire des soldats morts au champ d'honneur.* ◆ **champêtre** adj. Relatif à la campagne, considérée comme un lieu où l'on mène une vie simple et libre : *Il rêvait parfois de quitter la ville et de consacrer le reste de sa vie aux travaux champêtres. Jean-Jacques Rousseau fait l'éloge éloquent des plaisirs champêtres* (syn. : RUSTIQUE, qui a moins tendance à idéaliser).

2. champ [ʃɑ̃] n. m. 1° Domaine dans lequel s'exerce une activité, zone embrassée du regard, zone d'activité (souvent suivi d'un compl. du nom sans art.) : *Cette question est étrangère au champ de mes recherches. Il a des pouvoirs qui lui offrent un vaste champ d'action. Le photographe ne pouvait pas mettre à la fois les deux monuments dans le champ de son objectif. Les gens qui ont un champ de conscience étroit sont souvent capables d'une grande concentration d'esprit. Maintenant qu'il est bien au courant de la marche de l'entreprise, on peut lui laisser un peu plus de champ* (syn. : LATITUDE). *J'ai différé ma réponse de quelques jours pour me laisser du champ* (syn. : RÉPIT, MARGE). — 2° *Champ libre,* complète liberté d'action : *Ces résultats laissent le champ libre à toutes les hypothèses.*

champagne [ʃɑ̃paɲ] n. m. Vin blanc mousseux très estimé, que l'on prépare en Champagne : *Verser une coupe de champagne. Faire sauter le bouchon d'une bouteille de champagne.* ◆ **champagniser** v. tr. Préparer à la manière du champagne. ◆ **champagnisation** n. f.

champêtre adj. V. CHAMP 1.

1. champignon [ʃɑ̃piɲɔ̃] n. m. 1° Plante charnue, composée le plus souvent d'un pied, surmonté d'un chapeau : *Certains champignons sont comestibles, d'autres sont toxiques. En automne, après la pluie, nous allons dans les bois à la recherche des champignons.* — 2° *Pousser comme un champignon,* se développer très vite, proliférer : *L'air de la campagne réussit à cet enfant : il pousse comme un champignon. Il y a dix ans, ce lieu était désert; depuis qu'on exploite le sous-sol, une ville y a poussé comme un champignon.* ‖ *Ville-champignon,* qui s'est édifiée en très peu de temps. ◆ **champignonnière** n. f. Endroit où l'on cultive des champignons.

2. champignon [ʃɑ̃piɲɔ̃] n. m. *Fam.* Accélérateur d'automobile : *Pour tâcher de rattraper le temps perdu, il appuyait à fond sur le champignon.*

champion, onne [ʃɑ̃pjɔ̃, -ɔn] n. 1° Personne ou équipe qui obtient les meilleurs résultats dans une compétition sportive, un concours : *Un champion de course à pied, d'échecs.* — 2° (suivi d'un compl.) Personne qui défend une cause avec ardeur : *Un homme politique qui s'est fait le champion de l'indépendance de son pays. Les champions du libéralisme ont marqué leur opposition aux projets gouvernementaux* (syn. : DÉFENSEUR, ↓ PARTISAN). ◆ adj. m. *Fam.* Excellent, imbattable, de premier ordre : *Pour faire une multiplication de tête, il est champion. Un gâteau comme ça, c'est champion!* ◆ **championnat** n. m. Epreuve sportive, concours dont le vainqueur est proclamé champion : *Un championnat international de basket-ball. Les championnats de France de natation.*

chance [ʃɑ̃s] n. f. 1° Ensemble de circonstances heureuses; sort favorable : *La chance a voulu que nous nous rencontrions au bon moment. C'est une chance qu'un choc aussi rude n'ait pas cassé le vase. C'est un coup de chance qu'il ait retrouvé ce portefeuille. Avec un peu de chance, le prisonnier pouvait espérer réussir son évasion. J'ai immédiatement téléphoné chez le docteur; par chance, il n'était pas encore parti. Tu as de la chance d'être en vacances. Il a passé la soirée au casino, où la chance lui a souri sans cesse : il a gagné gros à la roulette* (syn. fam. : VEINE; pop. : POT; contr. : MALCHANCE). — 2° (surtout au plur.) Probabilités : *On ne s'engage pas dans une telle entreprise sans avoir évalué ses chances. Il y a de fortes chances pour que votre demande soit acceptée. Même si nous n'avions qu'une chance sur cent de réussir, il faudrait tenter l'entreprise.* — 3° *Bonne chance!,* souhait de succès adressé à quelqu'un. ‖ Fam. *C'est bien ma chance!,* se dit, par ironie, pour indiquer qu'on n'a pas de chance : *Encore une panne de voiture, c'est bien ma chance!* ‖ *Cela ne lui portera pas chance,* cette mauvaise action ne lui profitera pas. ◆ **chanceux, euse** adj. et n. Se dit d'une personne qui a de la chance : *Il est plus chanceux que moi, puisqu'il a gagné trois fois à la loterie nationale* (syn. fam. : VEINARD; contr. : MALCHANCEUX). ◆ **malchance** n. f. 1° Circonstance malheureuse, ayant abouti à un échec : *Une série de malchances* (syn. fam. : TUILE). *Par malchance, il a tout entendu* (contr. fam. : VEINE). — 2° Mauvaise chance persistante : *Jouer de malchance* (syn. : MALHEUR). *Avoir de la malchance* (syn. fam. : DÉVEINE; pop. : GUIGNE, POISSE). *Etre poursuivi par la malchance. Etre victime de la malchance* (syn. : ADVERSITÉ). ◆ **malchanceux, euse** adj. et n. : *Un malchanceux qui a raté son existence.*

chanceler [ʃɑ̃sle] v. intr. (conj. **6**). 1° (sujet nom de personne ou de chose) Perdre l'équilibre, pencher d'un côté et de l'autre en risquant de tomber : *Le boxeur, atteint d'un crochet du gauche, chancela un instant, puis alla au tapis* (syn. : VACILLER, TITUBER). *Un geste maladroit fit chanceler la bouteille.* — 2° (sujet nom de personne ou désignant un comportement) Manquer de fermeté, montrer de l'hésitation, de l'incertitude : *Si sa résolution commençait à chanceler, rappelez-lui qu'il peut compter sur notre appui* (syn. : FAIBLIR). ◆ **chancelant, e** adj. : *Une démarche chancelante. Sa santé reste chancelante* (syn. : FRAGILE).

chancelier [ʃɑ̃səlje] n. m. 1° Celui qui, dans un ordre, est chargé de la garde des sceaux. — 2° *Chancelier fédéral,* titre du chef du gouvernement, dans la République fédérale allemande. — 3° *Chancelier de l'Echiquier,* ministre des Finances, en Grande-Bretagne. ◆ **chancellerie** n. f. : *La grande chancellerie de la Légion d'honneur.*

chanceux, euse adj. V. CHANCE.

chancre [ʃɑ̃kr] n. m. **1°** Ulcération qui tend à se développer en rongeant les parties environnantes : *Un horrible chancre lui dévorait le visage.* — **2°** Mal qui se répand en causant des ravages progressifs : *Le chancre du défaitisme.*

chandail [ʃɑ̃daj] n. m. Tricot, généralement de grosse laine, qui couvre tout le buste et que l'on passe par-dessus la tête : *Un matelot en chandail bleu manœuvrait sa barque* (syn. : PULL-OVER).

chandelle [ʃɑ̃dɛl] n. f. **1°** Syn. fam. de BOUGIE. — **2°** Fam. *Brûler la chandelle par les deux bouts,* gaspiller ses ressources ou sa santé : *A cinquante ans, c'est un homme usé, parce qu'il a brûlé la chandelle par les deux bouts.* ‖ *Devoir une belle, une fière chandelle à quelqu'un,* lui devoir beaucoup de reconnaissance pour un service important qu'il vous a rendu : *Si sa démarche en votre faveur réussit, vous lui devrez une fière chandelle.* ‖ Péjor. *Economies de bouts de chandelle,* économies faites sur de menues dépenses, apportant plus de tracas que d'avantages réels. ‖ *Le jeu n'en vaut pas la chandelle,* le résultat ne vaut pas la peine qu'on se donne pour l'obtenir : *On peut, évidemment, remettre la voiture accidentée en état de marche, mais le jeu n'en vaut pas la chandelle.* ‖ *Voir trente-six chandelles,* éprouver un grand éblouissement, particulièrement à la suite d'un coup à la tête. ‖ *Monter en chandelle,* s'élever verticalement. ◆ **chandelier** n. m. Support pour une ou plusieurs chandelles ou bougies : *La cheminée était ornée de deux chandeliers d'argent.*

changer [ʃɑ̃ʒe] v. tr. **1°** *Changer quelque chose, quelqu'un, contre* (ou *pour*), les remplacer par quelque chose ou quelqu'un d'autre : *Changer sa voiture pour une nouvelle. Je changerais bien ma place contre la vôtre. Après les hors-d'œuvre, on changera les assiettes. La pile de la lampe de poche est usée, il faudra la changer. Le chef de rayon a été changé. Changer de l'argent, un billet* (= obtenir l'équivalent en une autre monnaie, ou en pièces, en billets de valeur différente). — **2°** *Changer quelque chose,* le rendre différent, le modifier : *La suppression de ce mot change un peu le sens de la phrase. L'échec de cette première tentative ne change en rien ma résolution. On comptait beaucoup sur lui, mais il vient de tomber malade : voilà qui change tout.* — **3°** *Changer en quelque chose,* faire passer à un autre état : *Les alchimistes cherchaient à changer en or des métaux vils. Les dernières pluies ont changé le chemin en bourbier* (syn. : TRANSFORMER EN). — **4°** *Cela me* (*te, le,* etc.) *change,* c'est différent de mes (tes, ses, etc.) habitudes, cela donne un autre aspect : *Cela l'a changé de prendre tous les jours le métro.* ‖ *Changer un enfant,* lui mettre des draps ou du linge propres. ‖ *Changer son fusil d'épaule,* prendre de nouvelles dispositions, adopter une tactique différente : *Quand j'ai vu que je n'arrivais à rien de cette façon, j'ai décidé de changer mon fusil d'épaule.* ◆ v. tr. ind. **1°** *Changer de quelque chose, de quelqu'un* (sans autre compl. introduit par *pour* ou *contre*), le remplacer par un autre : *On n'a pas changé d'assiettes. J'ai changé de voiture. Elle a changé de coiffure. Si tu changes d'avis, préviens-moi. La maison a changé de directeur. Il a plusieurs fois changé d'adresse en cours d'année. Les crustacés changent de couleur en cuisant.* — **2°** *Changer de quelque chose avec quelqu'un,* faire un échange de cette chose avec lui : *Tu ne voudrais pas changer de place avec moi?* — **3°** *Changer d'air,* s'éloigner, partir sous un autre climat. ◆ v. intr. (peut prendre l'auxiliaire *être* si l'on veut insister sur l'état résultant du changement). **1°** Devenir différent, être transformé ou modifié : *Le baromètre baisse, le temps va changer. Le prix du pain n'a pas changé depuis deux ans. Je ne l'avais pas vu depuis une dizaine d'années; il m'a paru bien changé* (syn. : VIEILLI). — **2°** *Les temps sont bien changés!,* les circonstances sont bien différentes. ◆ ***se changer*** v. pr. (sujet nom de personne). Mettre d'autres vêtements : *Tu ne vas pas faire du jardinage avec ton complet neuf : va te changer.* ◆ **change** n. m. **1°** Conversion d'une monnaie en une autre; taux auquel se fait cette opération : *Mon passeport est en règle, il me reste à m'occuper du change. A l'aéroport, il y a un bureau de change. Les vacances dans ce pays sont économiques, car le change est avantageux.* — **2°** *Fam.* Objet servant à en remplacer un autre de même nature : *Ils ont tout juste un change de draps.* — **3°** *Donner le change à quelqu'un,* le tromper sur les véritables intentions, sur les sentiments que l'on a : *C'est en vain qu'il a essayé de nous donner le change avec son air très détaché : nous savons que l'affaire l'intéresse au plus haut point.* ‖ *Gagner, perdre au change,* être avantagé, désavantagé par un changement ou un échange : *Nous avons une nouvelle concierge; je crains bien que nous n'ayons beaucoup perdu au change.* ◆ **changeant, e** adj. Se dit d'une chose sujette à changer; se dit de quelqu'un qui manque de constance : *En mars, le temps est souvent changeant* (syn. : INCERTAIN, INSTABLE). *Les couleurs changeantes du prisme. On ne peut se fier à un homme d'une humeur si changeante* (syn. : INCONSTANT). ◆ **changement** n. m. : *Le changement de roue nous a retardés. La radio annonce un changement de temps. Une plante qui supporte mal les changements de température* (syn. : VARIATIONS). *Un incident de dernière minute a entraîné un changement de programme* (syn. : MODIFICATION). *Je n'étais pas venu dans le village depuis de longues années, aussi j'y ai trouvé des changements importants* (syn. : TRANSFORMATION). *Il est trop conservateur pour proposer le moindre changement* (syn. : INNOVATION). ◆ **changeur** n. m. Commerçant qui fait des opérations de change (sens 1). ◆ **inchangé, e** adj. Qui n'a subi aucun changement : *C'est toujours pareil : la situation est inchangée.* ◆ **interchangeable** adj. Se dit de choses qu'on peut intervertir, ou de personnes qu'on peut remplacer les unes par les autres : *On peut utiliser l'une ou l'autre de ces pièces : elles sont interchangeables.* ◆ **rechange** ***(de)*** [dərəʃɑ̃ʒ] loc. adj. **1°** Qui peut remplacer un objet, une pièce, momentanément ou définitivement hors d'usage : *Roue de rechange. Pièces de rechange. Lunettes de rechange.* — **2°** *Politique, plan de rechange,* que l'on peut adopter au cas où il faudrait renoncer à sa ligne de conduite première.

chanoine [ʃanwan] n. m. **1°** Dignitaire ecclésiastique faisant partie du conseil d'un évêque. — **2°** Fam. *Gras comme un chanoine,* qui a de l'embonpoint, qui vit dans le bien-être.

chanson [ʃɑ̃sɔ̃] n. f. **1°** Poème chanté, divisé en couplets, souvent séparés par un refrain : *Une chanson de marche. Une chanson à boire* (= une chanson bachique). — **2°** Chant quelconque : *Un* *merle siffle sa chanson;* et, littér. : *Nous allions sur la falaise écouter la grave chanson de la mer.* — 3° *Fam.* et *péjor.* Propos qu'on répète sans cesse : *Il nous a encore dit qu'il n'avait pas eu le temps; c'est sa chanson habituelle* (syn. : RENGAINE). — 4° Propos auquel on ne veut pas attacher d'importance : « *Tu feras attention la prochaine fois?* — *Oui, on connaît la chanson!* » (syn. : REFRAIN). ◆ **chansonner** v. tr. *Chansonner quelqu'un,* faire des chansons satiriques sur lui. ◆ **chansonnette** n. f. Petite chanson légère et gracieuse : *La jeune fille cousait en chantant sa chansonnette.* ◆ **chansonnier** n. m. Artiste qui chante ou qui dit des couplets humoristiques ou satiriques, souvent de sa composition : *Certains cabarets sont célèbres par les revues de leurs chansonniers. Ces deux chansonniers interprètent un sketch rempli d'allusions politiques.*

1. chant [ʃɑ̃] n. m. 1° Suite de sons modulés par la voix humaine : *Des chants joyeux annonçaient l'arrivée des jeunes garçons. Le chant monotone d'un berger s'élève dans le calme du soir.* — 2° Action de chanter : *La cérémonie s'est terminée par le chant d'un psaume. Avez-vous déjà pratiqué le chant choral?* — 3° Art de chanter : *Elle suit des cours de chant. Il apprend le chant au Conservatoire.* — 4° Sons plus ou moins variés émis par certains animaux, notamment des oiseaux ou des insectes : *Le chant du rossignol, du merle, du coq, des cigales, d'un crapaud.* — 5° Partie d'un poème épique ou didactique : « *L'Iliade* » *comprend vingt-quatre chants.* ◆ **chanter** v. intr. et tr. (sujet nom d'être animé). Faire entendre un chant : *Des maçons qui travaillent en chantant. Il chante tous les refrains à la mode. Le coq chante. Les grillons chantent. Le rossignol chante ses trilles.* ◆ v. intr. (sujet nom de chose). Produire un bruit plus ou moins modulé : *L'eau commence à chanter dans la bouilloire.* ◆ v. tr. 1° *Chanter quelqu'un, quelque chose,* les célébrer, les louer, notamment en vers : *Virgile chante le héros qui fonda Lavinium. Les poètes chantent l'amour, la nature. Chanter les exploits des héros.* — 2° *Fam.* et *péjor.* Dire, raconter : *Qu'est-ce que tu nous chantes là? Il m'a déjà chanté ces balivernes.* — 3° *Chanter les louanges de quelqu'un,* parler de lui en termes très élogieux. ‖ *Chanter victoire,* proclamer bruyamment son succès : *Ne chantez pas victoire trop tôt, votre adversaire n'a pas encore dit son dernier mot.* ‖ Fam. *Si ça lui chante,* si cela lui convient, s'il en a envie, s'il lui en prend fantaisie : *Tu peux aller te promener sous la pluie si ça te chante, moi je reste ici* (= si le cœur t'en dit). ‖ Fam. *C'est comme si on chantait,* cela n'avance à rien, n'a aucun effet : *On a beau le mettre en garde, c'est comme si on chantait.* ◆ **chantable** adj. : *C'est un air plein de difficultés, à peine chantable.* ◆ **chantant, e** adj. 1° Se dit d'un air qui se chante aisément, dont la mélodie se retient facilement : *L'allégro est suivi d'un air très chantant* (syn. : MÉLODIEUX). — 2° Se dit d'une langue, d'une prononciation dont les sonorités sont agréables à l'oreille : *Les Français du Midi ont un accent chantant.* — 3° *Ton chantant,* ton défectueux d'une déclamation ou d'une récitation, monotone et peu approprié au sens. ◆ **chanteur, euse** n. Personne qui chante, professionnellement ou non : *Une voix jeune lançait un joyeux refrain dans la campagne; soudain, le chanteur apparut. Un chanteur de charme, s'accompagnant de sa guitare, chantait des airs langoureux. Pour la saison de Vichy, on engage au casino d'excellents chanteurs. Plusieurs chanteuses de cette chorale sont prix de conservatoire.* (V. CANTATRICE.) ◆ adj. Qui chante : *Oiseaux chanteurs.* ◆ **chantonner** v. intr. et tr. Chanter à mi-voix, par bribes : *Un enfant qui joue tout seul en chantonnant. Il chantonnait une romance* (syn. : FREDONNER). ◆ **chantonnement** n. m. : *Un vague chantonnement témoignait de sa satisfaction.* ◆ **chantre** n. m. Celui qui chante professionnellement, en soliste, des chants religieux pendant un office : *Le chantre entonna le Magnificat.*

2. chant [ʃɑ̃] n. m. *De chant, sur chant,* dans un plan vertical, sur la face étroite et longue : *La cloison est faite de briques posées sur chant.*

1. chanter v. intr. et tr. V. CHANT 1.

2. chanter [ʃɑ̃te] v. intr. *Faire chanter quelqu'un,* exercer sur lui une pression morale, notamment par la menace de révélations compromettantes ou par l'exploitation abusive d'un avantage, en vue de lui soutirer de l'argent ou de l'amener à une acceptation qui lui répugne. ◆ **chantage** n. m. : *La police a arrêté deux escrocs, qui se livraient à un chantage sur un homme politique dont le nom avait été prononcé lors d'une affaire de trafic de drogue. Il se porte aussi bien que toi et moi, mais quand il veut laisser faire le travail par les autres, il fait le chantage à la maladie. Il m'a déjà menacé plusieurs fois de quitter la maison et d'aller travailler ailleurs, mais ce chantage ne m'impressionne pas.* ◆ **chanteur** n. m. Fam. *Maître chanteur,* celui qui exerce un chantage.

chanterelle [ʃɑ̃trɛl] n. f. *Appuyer sur la chanterelle,* insister sur le point délicat. (La *chanterelle* est la corde d'un violon dont le son est le plus aigu.)

chanteur, euse n. et adj. V. CHANT 1 et CHANTER 2.

chantier [ʃɑ̃tje] n. m. 1° Lieu où sont accumulés des matériaux de construction, des combustibles, etc. : *Sur le chantier d'une entreprise de bâtiment, on voit des tas de briques, des tuyaux de ciment, des tuiles, des poteaux d'échafaudages, etc. Des montagnes de charbon s'entassent sur le chantier à l'entrée de l'hiver* (syn. : ENTREPÔT). — 2° Edifice en cours de construction : *On a ouvert un nouveau chantier dans le terrain vague : l'immeuble doit être terminé dans un an. Le chantier est interdit au public par une palissade.* — 3° *Fam.* Lieu en désordre : *Range un peu ta chambre : c'est un vrai chantier.* — 4° *Chantier de construction navale,* lieu où l'on construit des navires. ‖ *En chantier,* en cours de réalisation : *Un écrivain qui a plusieurs livres en chantier. Il a mis en chantier une enquête sur les loisirs.*

chantonnement n. m., **chantonner** v. intr. et tr., **chantre** n. m. V. CHANT 1.

chanvre [ʃɑ̃vr] n. m. Plante fournissant une fibre textile très résistante; cette fibre elle-même : *Une corde de chanvre.*

chaos [kao] n. m. Grand désordre, confusion générale : *Dans l'énorme chaos des immeubles écroulés, les sauveteurs s'efforcent de porter secours aux survivants du tremblement de terre. Les idées s'agitaient en chaos dans sa tête* (syn. : ↓ FOUILLIS; fam. : PAGAILLE). ◆ **chaotique** [kaɔtik] adj. : *Le* *spectacle chaotique d'une ville bombardée. La discussion était parfois chaotique* (syn. : CONFUS, TUMULTUEUX).

chaparder [ʃaparde] v. tr. Fam. *Chaparder un objet,* voler quelque chose de peu de valeur : *On accusait les romanichels d'avoir chapardé quelques poules en traversant le village* (syn. : MARAUDER; fam. : CHIPER, FAUCHER). ◆ **chapardage** n. m. : *Vivre de menus chapardages* (syn. : LARCIN). ◆ **chapardeur, euse** adj. et n. : *Un gamin chapardeur.*

chape [ʃap] n. f. Ornement sacerdotal en forme de cape, que le célébrant revêt pour certains offices de l'Eglise catholique.

chapeau [ʃapo] n. m. 1° Coiffure de formes et de matières très variées, portée à l'extérieur par les hommes et les femmes : *La mode des chapeaux change très souvent, surtout dans la toilette féminine. Il a mis un chapeau de paille à larges bords pour jardiner au soleil* (syn. pop. : GALURE, GALURIN). — 2° *Fam.* Court paragraphe présentant un article de journal, de revue, etc. : *Le reportage était précédé d'un chapeau du rédacteur en chef.* — 3° *Coup de chapeau,* salut donné à quelqu'un en soulevant son chapeau : *En croisant le sous-préfet, il donna un grand coup de chapeau;* hommage rendu à quelqu'un : *Le conférencier commença sa causerie par un coup de chapeau à ceux qui l'avaient précédé dans ses recherches* (langue fam.). ‖ *Parler, saluer chapeau bas,* avec une grande déférence (langue soignée). ‖ Fam. *Tirer son chapeau à quelqu'un,* lui reconnaître un mérite qui lui assure une supériorité : *On peut tirer son chapeau à l'inventeur de ce médicament.* ‖ Fam. *Chapeau!,* interj. qui exprime la considération. ◆ **chapeauté, e** adj. *Fam.* Coiffé d'un chapeau : *Il ne sort que ganté et chapeauté.* ◆ **chapeauter** v. tr. *Fam.* Avoir une supériorité hiérarchique sur des personnes ou des services administratifs : *Un responsable général chapeaute ces différents organismes* (syn. : COIFFER). ◆ **chapelier** n. m. Fabricant ou marchand de chapeaux d'hommes. (Pour les chapeaux de femmes, on dit MODISTE). ◆ **chapellerie** n. f. Industrie, commerce du chapeau.

chapelain n. m. V. CHAPELLE 1.

chapelet [ʃaplɛ] n. m. 1° Objet de piété catholique, formé de grains enfilés sur une chaînette ou une cordelette et qu'on fait glisser entre ses doigts en répétant une prière à la Sainte Vierge; récitation en commun de cette prière : *Elle avait acheté ce chapelet de buis lors d'un pèlerinage à Lourdes. Le chapelet a lieu à six heures du soir pendant le mois de mai, à l'église paroissiale.* — 2° *Un chapelet de,* une série, une suite ininterrompue de choses : *L'avion prit la rue en enfilade et lâcha un chapelet de bombes. Il débita tout un chapelet d'injures* (syn. : UNE LITANIE DE).

chapelier n. m. V. CHAPEAU.

1. chapelle [ʃapɛl] n. f. 1° Edifice religieux, généralement plus petit qu'une église : *On aperçoit une minuscule chapelle au sommet d'un rocher.* — 2° Salle d'un édifice destinée au culte, ou partie d'une église contenant un autel autre que le maître-autel, et souvent dédiée à un saint : *La chapelle du collège est au bout de ce couloir. Les enfants sont rassemblés dans la chapelle des catéchismes. La messe sera dite dans la chapelle de la Sainte-Vierge.* — 3° *Chapelle ardente,* salle garnie de tentures noires et éclairée de cierges, où l'on dépose un mort avant les obsèques. ‖ *Maître de chapelle,* musicien qui dirige la maîtrise attachée à une église. ◆ **chapelain** n. m. Prêtre desservant une chapelle privée.

2. chapelle [ʃapɛl] n. f. *Fam.* Petit groupe artistique ou littéraire très fermé et ayant une haute idée de sa valeur : *Ils méprisent tous ceux qui ne sont pas de leur chapelle* (syn. fam. : COTERIE). *Evitons la mesquinerie, l'esprit de chapelle.*

chapelure [ʃaplyr] n. f. Petites miettes de pain ou pain râpé qu'on répand sur certains mets.

chaperon [ʃaprɔ̃] n. m. Femme sérieuse qui accompagne et surveille une jeune fille dans une sortie mondaine : *Elle est partie au bal avec sa tante comme chaperon.* ◆ **chaperonner** v. tr. *Chaperonner une jeune fille,* lui servir de chaperon : *Sa marraine la chaperonnait ce soir-là.*

1. chapiteau [ʃapito] n. m. Tête d'une colonne : *Les chapiteaux sculptés des églises romanes.*

2. chapiteau [ʃapito] n. m. Tente de cirque : *Le cirque avait dressé son chapiteau sur la place de la petite ville.*

1. chapitre [ʃapitr] n. m. 1° Partie d'un livre, d'un règlement, d'un rapport, etc., dont elle constitue une division régulière : *Ce roman comprend quinze chapitres. Le comité a proposé une modification à l'article quatre du chapitre deux des statuts de la société.* — 2° *Au chapitre de, sur le chapitre de,* en ce qui concerne, sur le point particulier de : *Au chapitre des faits divers, signalons un incendie de forêt* (syn. : À LA RUBRIQUE DE). *Il est très exigeant sur le chapitre de la nourriture. Vous êtes imbattable sur ce chapitre.* ◆ **chapitrer** v. tr. Diviser, répartir en chapitres : *La commission parlementaire a chapitré le budget.*

2. chapitre [ʃapitr] n. m. 1° Corps des chanoines d'une église, ou assemblée des religieux d'une communauté : *Un nouveau membre a été nommé au chapitre de Notre-Dame de Paris. La visite de l'abbaye s'achève par la salle du chapitre.* — 2° *Avoir voix au chapitre,* avoir le droit de faire entendre son avis : *J'estime avoir suffisamment contribué au succès de l'entreprise pour avoir voix au chapitre.*

1. chapitrer v. tr. V. CHAPITRE 1.

2. chapitrer [ʃapitre] v. tr. Instruire de la conduite à tenir; rappeler à l'ordre : *L'enfant est allé rendre visite à sa tante, chapitré par sa mère. On a beau le chapitrer, il ne s'assagit pas* (syn. : SERMONNER, RÉPRIMANDER; fam. : ATTRAPER).

chapon [ʃapɔ̃] n. m. Coq châtré.

chaque adj. indéf. V. CHACUN.

1. char [ʃar] n. m. 1° Voiture tirée par des bœufs, des chevaux, etc., utilisée à la campagne pour le transport des grosses charges : *Le paysan se hâte de rentrer le dernier char de foin avant l'orage. Les roues des chars à bœufs ont creusé des ornières dans le chemin.* — 2° Voiture à traction animale, ou motorisée, décorée en vue d'une fête, d'une cérémonie : *Les chars de fleurs du carnaval défilent dans la ville. Des enfants costumés paradent sur le char des marins. Le char funèbre allait solennellement porter le cercueil au Panthéon.* — 3° Dans l'Antiquité, voiture à deux roues, tirée par des chevaux, utilisée dans les combats, les jeux, les cérémonies publiques : *Pline n'aimait pas les courses de chars. Les généraux triomphateurs montaient au Capitole sur leur char.*

2. char [ʃar] n. m. Engin de guerre blindé, muni de chenilles, motorisé et doté d'un armement : *La première division de chars passait à l'attaque.* (On dit aussi CHAR D'ASSAUT, CHAR DE COMBAT, TANK.) ◆ **antichar** adj. : *Obstacle antichar. Canons antichars.*

charabia [ʃarabja] n. m. *Fam.* Langage à peu près ou totalement incompréhensible; style embrouillé : *Il était en France depuis deux ans et parlait un charabia moitié italien, moitié français. J'entendais tous ces étrangers discuter entre eux dans leur charabia* (syn. fam. : BARAGOUIN). *Qu'est-ce que c'est que ce charabia administratif?* (syn. : JARGON).

charade [ʃarad] n. f. Jeu qui consiste à faire deviner un mot en donnant successivement les définitions ou les caractéristiques de mots correspondant phonétiquement à chacune des syllabes du mot à trouver, puis à ce mot lui-même. (Ex. : *Mon premier est un animal domestique* [CHAT]; *mon second abrite des bateaux* [RADE]; *mon tout vous est présentement proposé* [CHARADE].)

charançon [ʃarɑ̃sɔ̃] n. m. Nom donné à de nombreux insectes nuisibles, qui s'attaquent aux grains.

charbon [ʃarbɔ̃] n. m. **1°** Corps combustible noir, qu'on extrait du sol (*charbon de terre, houille*), ou qui provient du bois calciné ou incomplètement brûlé (*charbon de bois*) : *En France, c'est le bassin minier du Nord qui produit le plus de charbon. Dans de nombreux immeubles, le chauffage au charbon a été remplacé par le chauffage au mazout. L'artisan faisait chauffer sa colle sur un réchaud à charbon de bois.* — **2°** Fam. *Etre sur des charbons ardents* ou *sur des charbons,* être très impatient ou très inquiet (syn. : ÊTRE SUR LE GRIL). ◆ **charbonnage** n. m. Exploitation d'une mine de charbon : *Les charbonnages du Nord. La direction des Charbonnages de France a reçu une délégation des syndicats de mineurs.* ◆ **charbonner** v. intr. Former un résidu de charbon, ou produire une fumée, une suie épaisse : *Le poêle à mazout charbonne quand le tirage est insuffisant.* ◆ **charbonnier, ère** adj. Relatif à la fabrication ou à la vente du charbon : *La production charbonnière a baissé. Les problèmes de l'industrie charbonnière. Navire charbonnier.* ◆ **charbonnier** n. m. **1°** Celui qui fait le commerce ou la livraison du charbon; ouvrier qui fabrique du charbon de bois. — **2°** *La foi du charbonnier,* une foi naïve, aveugle.

charcuter [ʃarkyte] v. tr. Fam. *Charcuter quelqu'un,* l'opérer maladroitement; lui entailler les chairs : *On n'aime pas se faire charcuter, même quand on sait que cela doit vous guérir. Tu vas encore me charcuter longtemps pour me retirer cette écharde?*

charcutier, ère [ʃarkytje, -ɛr] n. Personne qui vend de la viande de porc, qui exécute des préparations culinaires faites avec la viande ou le sang de porc : *Dans la boutique d'un charcutier, on trouve du jambon, de la saucisse, du boudin, des rillettes, des pâtés variés, etc.* ◆ **charcuterie** n. f. **1°** Boutique de charcutier; commerce pratiqué par les charcutiers : *Des côtes de porc achetées à la charcuterie voisine. Il travaille dans la charcuterie.* — **2°** Préparation culinaire à base de viande de porc, faite par les charcutiers : *Le médecin lui déconseille la charcuterie.*

chardon [ʃardɔ̃] n. m. Plante épineuse, à fleur bleu-mauve : *Les ânes ont la réputation de manger des chardons.*

chardonneret [ʃardɔnrɛ] n. m. Petit oiseau à plumage noir, jaune, rouge et blanc, commun en Europe.

1. charger [ʃarʒe] v. tr. **1°** *Charger quelqu'un, quelque chose,* mettre sur eux un fardeau : *Je vais charger la voiture, puis nous pourrons partir* (= y mettre les bagages). *Ne charge pas trop ce pauvre mulet, il va être épuisé. Un arbre chargé de fruits. Des doigts chargés de bijoux. Ce plat charge l'estomac* (= il est difficile à digérer). — **2°** *Charger un fardeau,* le placer sur ce ou sur celui qui doit le transporter : *Aide-moi à charger tous ces bagages dans le coffre de la voiture. Il a chargé sur son dos un sac de pommes. Le chauffeur de taxi se rappelle avoir chargé un client répondant à ce signalement* (syn. : PRENDRE EN CHARGE). ◆ **charge** n. f. Ce que porte ou que peut supporter une personne, un animal, une chose : *Le menuisier prit un madrier sur son épaule et traversa le chantier avec sa charge* (syn. : FARDEAU). *Avec le temps, la solive a fléchi sous la charge* (syn. : POIDS). *La charge maximale de cette camionnette est de mille kilos.* ◆ **chargement** n. m. **1°** Action de charger : *Le chargement du bateau a été rapide. On procède au chargement des colis* (contr. : DÉCHARGEMENT). — **2°** Ensemble des objets constituant une charge : *Les cambrioleurs, surpris en route, ont abandonné leur chargement.* ◆ **décharger** v. tr. Contr. de *charger : Les dockers déchargent le bateau. Dépêchons-nous de décharger les valises de la voiture.* ◆ v. intr. *Tissu qui décharge au lavage,* qui perd une partie de son colorant, qui pâlit (syn. : DÉTEINDRE). ◆ **décharge** n. f. Lieu où l'on jette les ordures, les décombres : *L'entrepreneur a évacué le tas de gravats à la décharge.* ◆ **déchargement** n. m. : *Le déchargement du camion. Le déchargement des briques.* ◆ **recharger** [rəʃarʒe] v. tr. Charger de nouveau : *Recharger un camion.* ◆ **rechargement** n. m. Action de recharger : *Le rechargement d'un bateau.* ◆ **surcharge** n. f. **1°** Charge, poids supplémentaire ou excessif : *Le conducteur du car refusa de prendre d'autres passagers, déclarant que toute surcharge lui était interdite. Cette commande urgente impose à tous une surcharge de travail* (syn. : SURCROÎT). — **2°** Inscription faite par-dessus une autre, qui reste visible : *Un brouillon plein de ratures et de surcharges.* ◆ **surcharger** v. tr. **1°** *Surcharger quelqu'un, quelque chose,* leur imposer un poids supplémentaire : *Le camion, surchargé, avait peine à monter la côte. Je ne voudrais pas vous surcharger en vous proposant une nouvelle tâche* (syn. : ACCABLER, SURMENER). — **2°** *Surcharger un texte, un timbre,* y inscrire une surcharge : *Certains timbres surchargés sont recherchés par les collectionneurs* (= portant une inscription ajoutée après leur fabrication).

2. charger [ʃarʒe] v. tr. *Charger un appareil,* le munir de ce qui est nécessaire à son fonctionnement; assurer son ravitaillement : *Il me faut acheter une pellicule pour charger mon appareil photo-*

graphique. Ne manipule pas ainsi ce revolver : il est chargé (= il a une ou plusieurs balles prêtes à être tirées). *La batterie de la voiture a besoin d'être chargée* (= d'être soumise à l'action d'un courant, pour emmagasiner de l'énergie électrique). ◆ **charge** n. f. **1°** Quantité de matières explosives : *L'immeuble a été endommagé par l'explosion d'une forte charge de plastic.* — **2°** Quantité d'électricité emmagasinée dans un accumulateur : *Si la batterie ne tient pas la charge, il faut la changer.* ◆ **chargeur** n. m. Dispositif qui permet d'introduire une réserve de munitions dans une arme à feu. ◆ **décharger** v. tr. Contr. de *charger : De retour au cantonnement, les soldats avaient déchargé leurs armes* (= avaient retiré les munitions qui étaient engagées, prêtes à être tirées). *Le bandit déchargea son revolver sur ses poursuivants* (= tira sur eux toutes les balles de son revolver). ◆ **décharge** n. f. **1°** Coup ou ensemble de coups tirés par une ou plusieurs armes à feu : *Une première décharge abattit quelques assaillants* (syn. : SALVE). — **2°** *Décharge électrique,* passage, le plus souvent brusque, de courant électrique dans un corps conducteur, ou entre deux pôles à distance : *Il toucha un fil par mégarde et ressentit la secousse de la décharge.* ◆ **recharger** v. tr. *Recharger un appareil,* l'approvisionner de nouveau pour le remettre en état de fonctionner : *Recharger un fusil, un poêle, un appareil photographique, une batterie d'accumulateurs.* ◆ **recharge** n. f. **1°** Action de recharger un appareil : *La recharge d'une arme.* — **2°** Ce qui permet d'approvisionner de nouveau : *Une recharge de stylo, de briquet.*

3. charger [ʃarʒe] v. tr. et intr. (sujet nom d'être animé). S'élancer impétueusement sur : *La cavalerie romaine chargea l'arrière-garde gauloise. Le sanglier charge les chiens.* ◆ **charge** n. f. : *Une charge de cavalerie* (syn. : ATTAQUE).

4. charger [ʃarʒe] v. tr. **1°** (sujet nom de personne) *Charger quelqu'un de* (suivi d'un nom ou d'un infin.), lui donner la responsabilité, la mission de : *On a chargé de l'enquête un nouveau commissaire de police. M. X. a été nommé secrétaire d'Etat chargé de l'Information. Je l'ai chargé de me tenir au courant. Nous étions chargés de présenter un rapport sur la question.* — **2°** (sujet nom de personne ou nom désignant un comportement) Attribuer la responsabilité d'un méfait, d'un acte : *L'accusé a chargé son complice* (syn. : ACCABLER). *Le remords charge sa conscience* (syn. : PESER SUR). ◆ ***se charger*** v. pr. **[de]** (sujet nom de personne). Prendre sur soi la responsabilité de quelque chose ou de quelqu'un : *Promenez-vous tranquillement : moi, je me charge de la cuisine* (syn. : S'OCCUPER). *Qui veut se charger de faire cette démarche? Je me chargerai des enfants pendant ton absence.* ◆ **charge** n. f. **1°** Ce qui constitue une obligation onéreuse : *Il a de grosses charges familiales* (= il doit subvenir aux dépenses importantes de sa famille). *Les charges sociales alourdissent le budget de l'entreprise* (= ensemble des charges constituées par la sécurité sociale, les allocations familiales, etc.). *La quittance de loyer détaille les charges locatives : enlèvement des ordures, location du compteur à eau, etc.* — **2°** (suivi d'un compl.) Rôle, mission, choses ou personnes dont on a la responsabilité : *On lui a confié la charge d'organiser la publicité. Le pilote a amené à bon port les passagers dont il avait la charge.* — **3°** Point d'une accusation, élément défavorable à un accusé : *L'avocat s'est attaché à démontrer qu'en l'absence de preuves le tribunal ne pouvait pas retenir cette charge contre son client* (syn. : GRIEF, CHEF D'ACCUSATION). — **4°** *A la charge de quelqu'un, à charge,* se dit d'une personne qui dépend d'une autre pour sa subsistance, qui vit à ses frais : *Devenu impotent, il était à la charge de son neveu. Avoir ses vieux parents à charge;* se dit de ce qui incombe à quelqu'un, qui doit être payé par lui : *L'entretien intérieur des locaux est à la charge du locataire.* || *Etre à charge à quelqu'un* (sujet nom de personne), lui causer des frais, être entretenu par lui : *Il tenait à travailler pour ne pas être à charge à ses hôtes;* (sujet nom de chose) être pénible, difficile à supporter : *Il est si affaibli que le moindre travail lui est à charge.* || *A charge pour lui de* (suivi d'un infin.), à condition qu'il ait soin de : *Vous pouvez utiliser ma voiture, à charge pour vous de la maintenir en bon état.* || *A charge de revanche,* étant bien entendu qu'on agira éventuellement de la même façon à votre égard : *Pourriez-vous me prêter un peu d'argent, à charge de revanche?* || *Prendre en charge,* assurer l'entretien, la subsistance de : *Ils ont pris en charge un orphelin.* || *Témoin à charge,* celui dont le témoignage est défavorable à un accusé (contr. : TÉMOIN À DÉCHARGE). ◆ **décharger** v. tr. **1°** *Décharger quelqu'un,* atténuer ou annuler sa responsabilité : *Ce témoignage tendait à décharger l'inculpé.* — **2°** *Décharger quelqu'un de* (suivi d'un nom, mais non d'un infin.), le soulager de la responsabilité de, le libérer d'une fonction : *Il a demandé, pour raison de santé, à être déchargé de ce travail écrasant.* — **3°** *Décharger son cœur,* dire, pour se soulager, ce qui vous pesait sur le cœur (syn. : S'ÉPANCHER, VIDER SON CŒUR). || *Décharger sa bile,* donner libre cours à sa mauvaise humeur, à sa rage. ◆ ***se décharger*** v. pr. *Se décharger sur quelqu'un du soin de quelque chose,* lui faire confiance, s'en remettre à lui pour la surveillance, l'exécution de quelque chose. ◆ **décharge** n. f. **1°** Ecrit par lequel on tient une personne quitte d'une obligation, d'une responsabilité : *Je vous laisse ce colis, mais vous voudrez bien me signer une décharge* (syn. : REÇU, RÉCÉPISSÉ). — **2°** *A sa décharge,* pour diminuer sa responsabilité, sa faute : *Il a oublié la commission qu'il devait faire; il faut dire, à sa décharge, qu'il avait de plus graves soucis en tête.* || *Témoin à décharge,* témoin dont la déposition tend à innocenter un accusé (contr. : TÉMOIN À CHARGE).

5. charger [ʃarʒe] v. tr. *Charger un portrait,* en exagérer certains détails, outrer la caricature. ◆ **charge** n. f. Portrait, récit, spectacle contenant des exagérations satiriques qui visent à faire rire : *Le dessinateur s'est égayé dans des charges contre les principaux hommes politiques* (syn. : CARICATURE). *Il ne faut pas se scandaliser des charges des chansonniers. Ce film est une charge de la vie américaine* (syn. : SATIRE).

charibotée [ʃaribɔte] n. f. *Fam.* Grande quantité d'objets, de choses en désordre : *Il a descendu du grenier toute une charibotée de livres qu'il a portés chez le brocanteur.*

chariot [ʃarjo] n. m. Petite voiture ou plateau monté sur roues, qu'on utilise pour le transport des fardeaux : *Dans les gares, les aéroports, on porte les bagages sur les chariots.*

charité [ʃarite] n. f. **1°** Vertu qui porte à faire ou à souhaiter du bien aux autres : *Sa charité a fait* *de lui l'ami de tous les humbles. Il a eu la charité de passer sous silence un épisode peu glorieux pour moi* (syn. : BIENVEILLANCE). *Vous excusez sa négligence avec beaucoup de charité* (syn. : MANSUÉTUDE, BONTÉ). — 2° Acte fait par amour pour autrui, par sympathie humaine : *Ce serait une charité à lui faire que de le prévenir de ce qui l'attend. C'est un pauvre vieux qui vit des charités de ses voisins* (syn. : AUMÔNE, DON). — 3° En langage chrétien, amour surnaturel envers Dieu ou envers le prochain en tant que créature de Dieu rachetée par la mort de Jésus-Christ. — 4° *Etre à la charité,* être dans le plus complet dénuement. ‖ *Fête, vente de charité,* fête ou vente dont le profit financier est destiné à une œuvre charitable (syn. : KERMESSE). ◆ **charitable** adj. 1° Se dit d'une personne qui pratique la charité : *C'est une femme très charitable, qui se dépense en œuvres de bienfaisance. Voulez-vous être assez charitable pour m'emmener jusqu'à la prochaine ville?* — 2° Se dit de l'attitude, de l'action de quelqu'un qui est inspirée par la charité, qui vise à faire la charité : *Un sourire charitable. Des paroles charitables. Un geste charitable* (= une aumône). *Il donne de l'argent à de nombreuses œuvres charitables* (= de bonnes œuvres). ◆ **charitablement** adv. (souvent ironiq.) : *On lui a charitablement offert de l'aider.*

charivari [ʃarivari] n. m. Ensemble de bruits très forts et très discordants : *On se promène dans la fête foraine parmi le charivari des manèges, des tirs, des haut-parleurs, des cris d'enfants* (syn. : VACARME, TUMULTE, ↓ TAPAGE).

charlatan [ʃarlatɑ̃] n. m. Celui qui exploite la crédulité du public en prétendant avoir un talent particulier ou des remèdes souverains pour guérir les maladies; mauvais médecin : *Il a été victime de plusieurs charlatans qui n'ont fait qu'aggraver son mal. Dans ses accès de mauvaise humeur, il traitait tous les médecins de charlatans parce qu'aucun n'avait pu lui supprimer ses malaises.* ◆ adj. m. : *Ce spécialiste m'a l'air un peu charlatan.* ◆ **charlatanisme** n. m. ou **charlatanerie** n. f. Agissements de charlatan : *Ne soyez pas dupe de tout ce charlatanisme : allez voir un médecin sérieux.* ◆ **charlatanesque** adj. : *Un remède charlatanesque.*

1. charme [ʃarm] n. m. 1° Douceur gracieuse qui séduit chez une personne; qualité d'une chose qui plaît, qui procure du bien-être : *Cette jeune fille a un charme qui fait oublier qu'elle n'est pas belle. Qui ne serait sensible au charme d'un tel paysage?* (syn. : ATTRAIT). *L'automne ne manque pas de charme* (syn. : AGRÉMENT). *La vie de bureaucrate doit avoir pour lui des charmes spéciaux.* — 2° *Les charmes d'une femme,* ce qui la rend physiquement attirante. — 3° (sujet nom de personne) *Fam. Faire du charme,* chercher à séduire : *Elle lui faisait du charme, mais il ne la regardait même pas.* ‖ *Se porter comme un charme,* être en très bonne santé. ◆ **charmant, e** adj. (avant ou après le nom). 1° Se dit d'une personne (ou de son comportement) qui est très aimable, d'une société agréable : *Ne craignez pas de vous adresser à lui : c'est un homme charmant* (syn. : ↓ AFFABLE). *Une charmante demoiselle nous a donné tous les renseignements. Cette bonne nouvelle l'avait mis de charmante humeur* (syn. : EXCELLENT). — 2° Se dit d'un paysage, d'une œuvre littéraire, d'un moment de la journée, etc., qui offre de l'agrément, qui plaît beaucoup : *Nous avons passé nos vacances dans un petit village charmant* (syn. : RAVISSANT, ↑ ENCHANTEUR). *Un écrivain qui a composé des contes charmants. J'ai fait un charmant séjour dans les Alpes.* ◆ **charmer** v. tr. 1° *Charmer quelqu'un,* lui causer un grand plaisir : *La voix pure de la cantatrice charmait l'auditoire. Ce qui charme, chez ce garçon, c'est une parfaite simplicité, sans trace de laisser-aller* (syn. : ↓ PLAIRE).— 2° (avec un sens atténué) *Etre charmé de,* avoir plaisir à : *J'ai été charmé de faire votre connaissance* (syn. : ENCHANTER). *Je serais charmé de pouvoir vous être utile.* — 3° *Charmer des serpents,* les fasciner, les faire évoluer en jouant de la musique. ◆ **charmeur, euse** n. : *Le charmeur de serpents. Ce garçon est un charmeur.* ◆ adj. : *Une voix aux inflexions charmeuses.*

2. charme [ʃarm] n. m. Arbre à bois blanc, commun en France. ◆ **charmille** n. f. Allée bordée de charmes ou d'autres arbres taillés régulièrement, et pouvant former une voûte.

charnel, elle adj., **charnellement** adv. V. CHAIR 2.

charnier [ʃarnje] n. m. Fosse où l'on entasse des cadavres d'animaux en cas d'épidémie, ou les corps de personnes exécutées en grand nombre : *Les charniers découverts après la guerre attestent la barbarie des chefs de camps de concentration.*

charnière [ʃarnjɛr] n. f. 1° Articulation métallique d'un couvercle de coffre, de valise, etc. (syn. : GOND). — 2° *A la charnière de,* au point de jonction, de transition : *Le dictionnaire de Bayle se situe à la charnière du XVIIe et du XVIIIe siècle.*

charnu, e adj. V. CHAIR 1.

charogne [ʃarɔɲ] n. f. 1° Cadavre plus ou moins putréfié d'un animal : *Les oiseaux de proie s'abattent sur cette charogne.* — 2° Terme d'injure grossière : *J'aurais dû me douter que cette charogne-là me jouerait encore un sale tour* (syn. pop. : SALAUD, SALOPARD). ◆ **charognard, e** adj. et n. *Pop.* Se dit de quelqu'un qui a mauvais caractère, qui agit avec méchanceté : *Il est trop charognard pour arranger l'affaire à l'amiable* (syn. fam. : MAUVAIS COUCHEUR).

1. charpente [ʃarpɑ̃t] n. f. Assemblage de pièces de bois ou de métal destiné à soutenir une construction : *La charpente du toit est posée : il ne reste plus qu'à mettre les lattes et les tuiles.* ◆ **charpentier** n. m. Ouvrier qui exécute des travaux de charpente.

2. charpente [ʃarpɑ̃t] n. f. 1° Ensemble des os d'une personne, considéré sous le rapport de la robustesse : *Un grand gaillard à la charpente puissante* (syn. : OSSATURE; fam. : CARCASSE). — 2° Ensemble cohérent des points essentiels d'une œuvre littéraire, d'un raisonnement : *La charpente de ce roman est très nette* (syn. : STRUCTURE, PLAN). ◆ **charpenté, e** adj. *Bien, solidement, puissamment charpenté,* se dit d'une personne qui est d'une constitution physique robuste, ou d'une chose qui est d'une structure rigoureuse : *Un garçon bien charpenté* (syn. : BIEN TAILLÉ, BIEN BÂTI; fam. : BIEN BALANCÉ). *Une pièce de théâtre solidement charpentée* (syn. : STRUCTURÉ).

charpie [ʃarpi] n. f. 1° Débris déchiquetés d'un linge : *Autrefois, on utilisait la charpie pour faire des pansements. Ces rideaux sont si vieux que, si on les lave une fois de plus, ils vont tomber en charpie.* — 2° Débris d'un corps mou : *On nous* *servit une poule en charpie, qui avait bouilli au moins quatre heures.* — 3° *Se faire mettre en charpie,* se faire tailler en pièces : *Ne t'approche pas de lui, il est furieux, tu vas te faire mettre en charpie* (syn. fam. : ÉCHARPER).

charrette [ʃarɛt] n. f. Voiture assez légère, à deux roues : *Autrefois, les paysans se rendaient généralement à la foire en charrette* (syn. péjor. : CARRIOLE). *Il a déménagé tout son pauvre mobilier dans une charrette à bras* (= tirée par un homme). ◆ **charretée** [ʃarte] n. f. 1° Charge d'une charrette : *Une charretée de paille.* — 2° *Fam.* Grande quantité de choses en vrac : *Il a reçu une charretée de lettres à la suite de son article.* ◆ **charretier** [ʃartje] n. m. 1° Celui qui conduit une charrette, et plus généralement les chevaux de trait. — 2° *Péjor.* Homme rustre, grossier : *Un langage, des manières de charretier. En voyant les dégâts, il s'est mis à jurer comme un charretier* (= très grossièrement).

1. charrier [ʃarje] v. tr. 1° Transporter des fardeaux : *Nous avons charrié du bois toute la matinée, de la forêt au hangar. J'ai besoin de la brouette pour charrier ces sacs de ciment. Tu ne peux tout de même pas charrier tout ce matériel sur ton dos!* — 2° (sujet nom désignant un cours d'eau) Entraîner dans son courant : *L'hiver dernier, la Seine a charrié des glaçons. Le Rhône charrie du limon. Certaines rivières charrient des paillettes d'or dans leur sable.* ◆ **charriage** n. m. : *Le charriage des pommes de terre a été long.* ◆ **charroyer** [ʃarwaje] v. tr. Syn. de CHARRIER au sens 1, insistant sur l'effort nécessité par la masse à transporter : *Il a charroyé son tas de pierres tout au fond du jardin.* ◆ **charroi** n. m. : *Tout ce charroi de matériaux a défoncé le sol.*

2. charrier [ʃarje] v. tr. (sujet nom de personne). Pop. *Charrier quelqu'un,* se moquer de lui en cherchant à le tromper : *Quand il a vu qu'on le charriait, il s'est fâché* (syn. fam. : METTRE EN BOÎTE). ◆ v. intr. (sujet nom de personne). *Pop.* Exagérer, dépasser les bornes : *Il aurait pu me prévenir avant de partir : il charrie, tout de même!* ◆ **charriage** n. m. Pop. : *Vous pourriez faire attention, il y a un peu de charriage!* (syn. : ABUS). ◆ **charrieur, euse** adj. et n. *Pop.* Qui exagère : *Quel charrieur : il a tout laissé faire aux autres!*

charrue [ʃary] n. f. Instrument agricole servant à labourer, tiré par un attelage animal ou par un tracteur.

charte [ʃart] n. f. Convention, règlement de base auxquels on se réfère : *La Constitution que le pays a approuvée par référendum est la charte de ses institutions politiques.*

chartreux [ʃartrø] n. m. Religieux de l'ordre de Saint-Bruno. ◆ **chartreuse** n. f. Liqueur aromatique fabriquée par les moines de la Grande-Chartreuse.

chas [ʃa] n. m. Trou d'une aiguille, dans lequel on passe le fil.

chasse n. f. V. CHASSER 1 et 2.

châsse [ʃɑs] n. f. 1° Grand coffret ou coffre, souvent richement orné, qui contient le corps ou les reliques d'un saint : *Les fidèles vénèrent la châsse de sainte Geneviève à l'église Saint-Etienne-du-Mont, à Paris.* — 2° Fam. *Paré comme une châsse,* chargé d'ornements.

chassé-croisé [ʃasekrwaze] n. m. Action de deux personnes qui se cherchent mutuellement sans se rencontrer : *Il était parti à ma rencontre par un autre chemin : ce chassé-croisé nous a fait perdre un temps précieux.*

chasselas [ʃaslɑ] n. m. Raisin blanc de table.

1. chasser [ʃase] v. tr. 1° *Chasser un animal, un ennemi,* chercher à le tuer ou à le capturer (souvent intr. en ce sens) : *On ne chasse pas le lièvre et le sanglier avec les mêmes munitions. En Gascogne, on chasse la palombe au filet. On peut chasser le lapin au furet* (= en introduisant un furet dans le terrier). *Il chasse sans chien. Le tigre chasse souvent la nuit.* — 2° Fam. *Chasser de race,* agir selon son hérédité ou son éducation : *Cet enfant paraît aussi doué que son père pour les mathématiques; il chasse de race.* ◆ **chasse** n. f. 1° Action de chasser : *Tous les dimanches, il part à la chasse avec des amis. En France, la chasse se pratique habituellement en automne. La chasse est ouverte* (= on est dans la période où la chasse est autorisée par la loi). *La chasse au canard sauvage se fait en général au bord de l'eau. Il est parti avec son filet à la chasse aux papillons. Un chien de chasse* (= spécialement apte à chasser). *Un fusil de chasse* (= qu'on emploie pour chasser). *Un permis de chasse* (= une autorisation légale de chasser). *L'aviation de chasse* (= chargée de poursuivre les avions ennemis et de les abattre). *Un pilote de chasse. La chasse sous-marine.* — 2° Gibier tué ou capturé : *Le soir venu, on partage la chasse. La chasse est abondante.* — 3° Etendue de terrain réservée à la chasse : *Il a invité quelques amis sur sa chasse.* — 4° *Chasse à l'homme,* poursuite d'un homme en vue de l'arrêter ou de l'abattre. ‖ *Donner la chasse à,* poursuivre, pourchasser. ‖ *Prendre quelqu'un, une voiture en chasse,* se lancer à sa poursuite. ‖ *Se mettre en chasse,* entreprendre activement des recherches : *Tous ses amis se sont mis en chasse pour tâcher de lui trouver un appartement.* ◆ **chasseur, euse** n. 1° Personne qui chasse : *Les chasseurs battent la plaine.* — 2° Avion appartenant à l'aviation de chasse. — 3° *Chasseur d'images,* reporter-photographe.

2. chasser [ʃase] v. tr. *Chasser une personne, une chose,* faire partir cette personne par la force ou par un acte d'autorité, repousser cette chose hors de sa place : *Nos troupes ont chassé de ses positions une garnison ennemie* (syn. : DÉLOGER). *Le patron a chassé un employé indélicat* (syn. : CONGÉDIER). *Il faut chasser la goupille pour libérer cette pièce* (syn. : EXPULSER). *Le vent chasse les nuages* (syn. : POUSSER). *Cette bonne nouvelle a chassé d'un coup tous ses soucis* (syn. : DISSIPER). ◆ **chasse** n. f. Ecoulement rapide d'une certaine quantité d'eau assurant le nettoyage d'un appareil sanitaire. (On dit plus souvent CHASSE D'EAU). ◆ **chasse-neige** n. m. invar. Appareil servant à déblayer la neige sur les routes ou les voies ferrées, de façon à les rendre praticables.

3. chasser [ʃase] v. intr. (sujet nom désignant un véhicule ou ses roues). Glisser de côté par suite d'une adhérence insuffisante au sol : *Dans le virage, les roues arrière ont chassé.*

1. chasseur, euse n. V. CHASSER 1.

2. chasseur n. m. Domestique en livrée, qui fait les courses dans certains hôtels ou restaurants (syn. : GROOM).

chassie [ʃasi] n. f. Liquide pathologique coulant des yeux. ◆ **chassieux, euse** adj. et n. Atteint de chassie.

châssis [ʃɑsi] n. m. Encadrement en bois, en métal soutenant un ensemble : *Le châssis de la fenêtre, gonflé par l'humidité, refuse de s'ouvrir. La carrosserie de la voiture a été endommagée par la collision, mais le châssis n'est pas faussé* (= bâti supportant la caisse d'une voiture).

chaste [ʃast] adj. (avant ou après le nom). Qui évite toute impureté d'âme et de corps, qui respecte la pudeur : *De chastes jeunes filles chantaient des cantiques. De chastes pensées. Un cœur chaste* (syn. : PUR, PUDIQUE). *De chastes oreilles* (syn. : INNOCENT). *Pénélope attendait en chaste épouse le retour d'Ulysse* (syn. : VERTUEUX, FIDÈLE). *Elle portait toujours des vêtements très chastes* (syn. : DÉCENT, MODESTE). ◆ **chastement** adv. : *Elle baissait chastement les yeux devant les jeunes gens.* ◆ **chasteté** n. f. Vertu d'une personne qui s'abstient des plaisirs charnels illicites pour son état : *Une épouse d'une chasteté irréprochable* (syn. usuels : VERTU, FIDÉLITÉ). *Les prêtres et les religieux catholiques font vœu de chasteté* (= s'engagent à une continence totale).

chasuble [ʃazybl] n. f. 1° Vêtement sacerdotal que les prêtres revêtent pour célébrer la messe. — 2° Tout survêtement qui a cette forme.

chat, chatte [ʃa, ʃat] n. 1° Petit animal domestique, dont il existe aussi plusieurs espèces sauvages : *Le chat ronronne de plaisir quand on le caresse. Le chat miaule. Les chats sont portés par instinct à chasser les souris, les oiseaux, etc.* — 2° Terme d'affection, adressé surtout à un enfant, à une femme : *Ne t'inquiète pas, mon petit chat! Bonjour, ma chatte!* — 3° Fam. *Avoir un chat dans la gorge,* être soudain enroué, avoir tout à coup dans le gosier une gêne qui empêche d'avoir la voix timbrée. ‖ *Donner sa langue au chat,* renoncer finalement à deviner ce que quelqu'un vous cache malicieusement. ‖ *Ecriture de chat,* écriture peu lisible. ‖ *Etre une chatte,* ou adjectiv. *être chatte,* se dit d'une femme caressante. ‖ *Etre comme chien et chat,* se chamailler à tout instant. ‖ *Gourmand comme un chat, comme une chatte,* d'une gourmandise raffinée. ‖ *Il n'y a pas un chat,* il n'y a personne. ‖ *Il n'y a pas de quoi fouetter un chat,* c'est sans importance. ‖ *Jouer à chat,* pratiquer un jeu d'enfants qui consiste à poursuivre et à atteindre un camarade, selon des conventions variées (*chat perché, chat coupé, chat blessé,* etc.). ‖ *Toilette de chat,* toilette très sommaire. ◆ **chaton** n. m. 1° Petit chat. — 2° Bourgeon duveteux de certains arbres ou arbustes : *Des chatons de saule, de noisetier.* ◆ **chatterie** n. f. *Fam.* Attention délicate; friandise : *Il est incapable de résister à une chatterie.*

1. châtaigne [ʃɑtɛɲ] n. f. Fruit du châtaignier, comestible après cuisson : *La châtaigne a constitué pendant longtemps une part importante de l'alimentation des paysans du Massif central* (syn. : MARRON). ◆ **châtaignier** n. m. Arbre des régions tempérées, exploité pour ses fruits et pour son bois.

2. châtaigne [ʃɑtɛɲ] n. f. *Pop.* Coup de poing au visage (syn. pop. : MARRON, PÊCHE).

châtain [ʃɑtɛ̃] adj. Se dit de la chevelure ou de la barbe (ou de la personne qui les porte) qui est d'une couleur approchant de celle de la châtaigne (brun clair) : *Il a des cheveux châtains. Elle est plutôt châtain que blonde.* (On emploie parfois le fém. *châtaine.*) ◆ n. m. Cette couleur.

château [ʃɑto] n. m. 1° Vaste construction, élevée jadis pour servir de résidence à un souverain, un seigneur, un personnage important; grande et belle maison, généralement entourée d'un parc, à la campagne : *Au Moyen Age les châteaux fortifiés* (ou *châteaux forts*) *pouvaient soutenir de rudes assauts. Le château de Versailles fut construit par Louis XIV, à partir de 1661* (syn. : PALAIS). *De nombreux touristes visitent les châteaux de la Loire.* — 2° *Bâtir, faire des châteaux en Espagne,* former de beaux projets chimériques. ‖ *Vie de château,* existence luxueuse, pleine de confort : *Pendant la semaine où nous étions invités, nous avons mené la vie de château : domestiques, banquets, réjouissances, etc.* ◆ **châtelain, e** [ʃɑtlɛ̃, -ɛn] n. Personne qui possède ou qui habite un château : *Les châtelains autorisent parfois la visite de leur domaine.*

chateaubriand [ʃatobrijɑ̃] n. m. Filet de bœuf grillé, généralement servi avec des pommes de terre soufflées.

chat-huant [ʃaɥɑ̃] n. m. Syn. usuel de HIBOU ou de HULOTTE : *Les chats-huants ululent.*

châtier [ʃɑtje] v. tr. 1° *Châtier quelqu'un, quelque chose,* frapper, sanctionner d'une peine sévère un coupable ou une faute (littér.) : *Les auteurs du complot furent châtiés de longues années d'emprisonnement. Le roi châtia impitoyablement la révolte des paysans* (syn. plus usuel : PUNIR). — 2° *Châtier son style, ses écrits,* y apporter des corrections en vue d'une plus parfaite pureté d'expression (langue soignée) : *Il prononça un discours d'un style particulièrement châtié.* ◆ **châtiment** n. m. Sens 1 du verbe (langue soignée) : *Les accusés ont été condamnés à la réclusion perpétuelle : c'est le juste châtiment de leurs crimes* (syn. plus usuel : PUNITION).

chatière [ʃatjɛr] n. f. Trou d'aération dans les combles.

chatoiement n. m. V. CHATOYER.

1. chaton n. m. V. CHAT.

2. chaton [ʃatɔ̃] n. m. Partie d'une bague dans laquelle une pierre précieuse est enchâssée.

chatouiller [ʃatuje] v. tr. 1° *Chatouiller quelqu'un, une partie du corps,* l'exciter par des attouchements légers, qui provoquent une réaction d'agacement ou un rire convulsif : *Il chassa d'un geste une mouche qui le chatouillait, posée sur sa joue. Si vous le chatouillez quand il porte le plat, il va le lâcher.* — 2° *Chatouiller le palais, l'oreille, le nez* (ou *l'odorat*), produire une sensation gustative, auditive, olfactive agréable (langue soignée). ◆ **chatouille** n. f. *Fam.* Toucher qui chatouille intentionnellement : *Il a l'agaçante manie de faire des chatouilles aux enfants.* ◆ **chatouillement** n. m. Action de chatouiller; sensation ainsi produite : *Nous sentions le chatouillement des hautes herbes sur nos jambes nues.* ◆ **chatouilleux, euse** adj. 1° Se dit de quelqu'un sensible au chatouillement : *Il est spécialement chatouilleux de la plante des pieds.* — 2° Se dit de quelqu'un dont l'amour-propre est sensible à la moindre atteinte : *Etre très chatouilleux sur le chapitre de son autorité* (syn. : SUSCEPTIBLE).

chatoyer [ʃatwaje] v. intr. 1° Briller de reflets changeants, selon l'éclairage, et agréables à l'œil : *Sous les lustres, on voit chatoyer les bijoux des élégantes* (syn. : ÉTINCELER, SCINTILLER). *Un tissu moiré chatoie au soleil.* — 2° Produire une sensation vive sur l'esprit, par des effets originaux : *Certains écrivains aiment faire chatoyer les images.* ◆ **chatoiement** n. m. : *Le chatoiement des toilettes féminines.* ◆ **chatoyant, e** adj. : *L'éclat chatoyant d'un diamant.*

châtrer [ʃɑtre] v. tr. 1° *Châtrer un animal,* le rendre inapte à la reproduction, par suppression ou altération des organes sexuels : *Le bœuf est châtré, le taureau ne l'est pas.* — 2° Fam. *Châtrer un ouvrage,* retrancher d'une œuvre littéraire ou artistique les passages les plus vigoureux, les éléments les plus originaux : *L'auteur a refusé de laisser châtrer son roman* (syn. : MUTILER, ÉMASCULER).

chatte n. f., **chatterie** n. f. V. CHAT.

chatterton [ʃatɛrtɔn] n. m. Ruban de toile enduit d'une substance collante et isolante : *Un raccord de fil électrique isolé au chatterton.*

1. chaud, e [ʃo, ʃod] adj. (après ou parfois avant le nom). 1° Qui est d'une température élevée : *La voiture n'est pas arrêtée depuis longtemps, puisque le moteur est encore chaud. Viens boire ton café pendant qu'il est chaud* (syn. : ↑ BRÛLANT, ↓ TIÈDE ; contr. : FROID). — 2° Qui cause sur la peau une sensation de température élevée : *Un chaud soleil d'été nous faisait transpirer* (syn. : ↑ TORRIDE, ↓ DOUX). — 3° Qui conserve la chaleur, qui préserve bien du froid : *Un vêtement de laine est plus chaud qu'un vêtement de toile.* — 4° *Pleurer à chaudes larmes,* pleurer abondamment. ◆ adv. (seulem. dans des express.). *Avoir chaud,* éprouver une sensation de chaleur : *Si vous avez trop chaud, ouvrez la fenêtre. Nous avions chaud à marcher ainsi au soleil.* ‖ Fam. *J'ai eu chaud,* j'ai eu peur, il a failli m'arriver malheur (syn. : JE L'AI ÉCHAPPÉ BELLE, langue plus soutenue). ‖ *Il fait chaud,* loc. impersonnelle correspondant à la loc. personnelle *j'ai* (*tu as,* etc.) *chaud : Il faisait chaud, très chaud sur la plage en plein midi.* ‖ Fam. *Il fera chaud le jour où...,* cela n'est pas près d'arriver. ‖ *Tenir chaud à quelqu'un,* lui fournir ou lui conserver de la chaleur, l'empêcher d'avoir froid : *Ces chaussettes de laine lui tiendront chaud aux pieds.* ‖ Fam. *Cela ne me fait ni chaud ni froid,* cela me laisse indifférent : *On a beau le menacer des plus graves sanctions, il semble bien que cela ne lui fasse ni chaud ni froid.* ‖ *Manger, boire chaud,* absorber des aliments ou un liquide chauds : *Les pauvres gens, depuis plusieurs jours sur les routes, étaient bien contents de pouvoir enfin manger chaud. Si vous avez mal à la gorge, il vaut mieux boire chaud.* ‖ Fam. *Coûter chaud,* coûter cher : *Méfie-toi, si tu te fais prendre en défaut, ça risque de te coûter chaud.* ◆ **chaud** n. m. 1° Ce qui est chaud (aliment, boisson ou objet que l'on touche) : *Je ne sais pas comment tu arrives à avaler ce thé brûlant : moi, je ne supporte pas le chaud.* — 2° Syn. de CHALEUR, dans *Au chaud, le chaud et le froid : Reste bien au chaud dans ton lit. C'est une plante délicate, qui souffre autant du chaud que du froid.* — 3° Fam. *Un chaud et froid,* le passage brusque, pour un être vivant, de la chaleur au froid, causant un rhume, une bronchite, etc. (syn. : REFROIDISSEMENT). ‖ *Opérer à chaud,* pratiquer une intervention chirurgicale alors que le malade est dans un état de crise très aiguë : *Si cette appendicite n'avait pas été opérée à chaud, on risquait une péritonite.* ◆ **chaude** n. f. Feu vif pour réchauffer une pièce d'habitation : *Il jeta une brassée de bois sec dans la cheminée pour faire une chaude* (syn. : FLAMBÉE). ◆ **chaudement** adv. De façon à assurer de la chaleur : *Il faut se couvrir chaudement quand on va dans cette région.* ◆ **chauffer** v. tr. *Chauffer quelque chose,* le rendre chaud : *Le forgeron chauffe le fer pour le travailler plus facilement. Vous chaufferez l'eau pour le thé. Il chauffe son appartement avec un poêle. Le poêle chauffe l'appartement. Le soleil chauffe les tuiles.* ◆ v. intr. Devenir chaud : *La bassine d'eau chauffe sur le feu.* ◆ ***se chauffer*** v. pr. 1° (sujet nom d'être animé) S'exposer à une source de chaleur : *Viens te chauffer près de la cheminée. Les lézards se chauffent au soleil.* — 2° Fam. *Je vais lui montrer de quel bois je me chauffe,* je vais le traiter sans ménagement (syn. fam. : JE VAIS LUI APPRENDRE À VIVRE, IL VA AVOIR DE MES NOUVELLES). ◆ **chauffant, e** adj. Qui est pourvu d'un dispositif de chauffage : *Une couverture chauffante comporte une résistance électrique. Un dessous-de-plat chauffant.* ◆ **chauffage** n. m. 1° Action ou manière de chauffer, de se chauffer : *Le chauffage d'un métal le rend plus malléable. Chaque journée de chauffage représente pour l'immeuble une dépense considérable. On a le choix entre le chauffage au charbon, le chauffage au mazout, le chauffage au gaz, le chauffage électrique, etc.* — 2° Moyen de se chauffer, appareil servant à procurer de la chaleur : *Le climat est si doux dans cette région qu'aucun chauffage n'est prévu. Le chauffage est en panne.* — 3° *Chauffage central,* système de distribution de chaleur dans un appartement, un immeuble, etc., à partir d'une source unique : *Il n'avait pas pris la précaution de vidanger le chauffage central en quittant sa maison, si bien que le gel a fait éclater les canalisations et les radiateurs.* ◆ **chauffeur** n. m. Ouvrier chargé d'entretenir un four, une chaudière : *Un chauffeur qui s'occupe du chauffage de plusieurs immeubles.* ◆ **chaufferie** n. f. Chambre de chauffe d'un navire, d'une usine, etc. ◆ **chaleur** [ʃalœr] n. f. Qualité de ce qui est chaud physiquement ; température élevée d'un corps, de l'atmosphère : *Les aliments conservent mieux leur chaleur dans un plat de terre que dans un plat d'aluminium. La chaleur du poêle se répand dans toute la maison. Les métaux sont bons conducteurs de la chaleur. Un été d'une chaleur accablante. Les plantes ont besoin de chaleur pour se développer.*

2. chaud, e [ʃo, ʃod] adj. 1° (avant le nom) Se dit d'êtres animés (ou de leurs actes) qui montrent de l'empressement, du zèle, de l'ardeur : *On peut voter pour un candidat sans être un chaud partisan de tout son programme* (syn. : ZÉLÉ). *On lui a prodigué de chaudes protestations d'amitié. Il a reçu de chaudes félicitations pour sa belle conduite* (syn. : EMPRESSÉ, ARDENT, CHALEUREUX). *La bataille a été chaude* (syn. : VIF). *On nous a présenté un nouveau ballet : j'avoue que je ne suis pas très chaud pour ce genre de spectacle* (fam.) [syn. : ↑ ENTHOUSIASTE ; fam. : EMBALLÉ]. — 2° (après le nom) Se dit de ce qui produit sur les sens une impression prenante, qui est doux et attirant : *Les Orientaux aiment les parfums chauds* (syn. : CAPITEUX, LOURD ; contr. : FRAIS, LÉGER). *L'auditoire était conquis par la parole chaude de l'orateur* (syn. : ÉMOUVANT).

Les tentures et le papier peint de la salle à manger présentent une harmonie de tons chauds : rouge, jaune-orangé, pêche, beige rosé. — 3° *Avoir la tête chaude,* s'emporter facilement : *Ces jeunes gens ont la tête un peu chaude, il faut excuser l'ardeur de leurs vingt ans.* ◆ **chaudement** adv. Avec vivacité, empressement : *Une compétition sportive chaudement disputée. Il nous est chaudement recommandé.* ◆ **chauffer** v. tr. 1° *Chauffer un candidat,* le préparer activement à un examen. — 2° Fam. *Il commence à me chauffer les oreilles,* il commence à m'irriter, je vais perdre patience. ◆ v. intr. Fam. *Ça chauffe,* on se querelle, quelqu'un fait un éclat : *Le directeur l'a fait appeler dans son bureau : ça va chauffer* (syn. pop. : ÇA BARDE). ◆ **chaleur** [ʃalœr] n. f. Ardeur des sentiments : *L'avocat a plaidé la cause de son client avec beaucoup de chaleur. La chaleur de sa parole a conquis l'auditoire. L'accueil qui nous a été réservé manquait de chaleur* (syn. : EMPRESSEMENT). *Dans la chaleur de la discussion, on oubliait l'heure* (syn. : FEU, ANIMATION). ◆ **chaleureux, euse** adj. (avant ou après le nom). Qui manifeste de la chaleur, de l'empressement : *Votre approbation chaleureuse nous a beaucoup encouragés. Vous lui ferez part de mes chaleureuses félicitations.* ◆ **chaleureusement** adv. : *Avant de prendre congé, il remercia chaleureusement ses hôtes.*

chaudière [ʃodjɛr] n. f. Appareil destiné à chauffer de l'eau en vue de produire de l'énergie ou de répandre de la chaleur : *La chaudière d'une locomotive. La chaudière du chauffage central est à la cave.*

chaudron [ʃodrɔ̃] n. m. Grand récipient muni d'une anse, destiné à aller sur le feu : *La fermière fait cuire dans un chaudron la nourriture des cochons.* ◆ **chaudronnerie** n. f. Industrie de la fabrication de pièces de tôle embouties ou rivées. ◆ **chaudronnier** n. m. Celui qui travaille dans la chaudronnerie.

chauffage n. m., **chauffant, e** adj. V. CHAUD 1; **chauffard** n. m. V. CHAUFFEUR 2.

1. chauffer v. tr. et intr. V. CHAUD 1 et 2.

2. chauffer [ʃofe] v. tr. 1° Fam. *Chauffer quelqu'un,* le surprendre, le prendre sur le fait : *On l'a chauffé en train de tricher. S'il se fait chauffer, il risque d'être renvoyé.* — 2° Pop. *Chauffer quelque chose,* le voler, le subtiliser : *On m'a chauffé mon stylo.*

1. chauffeur n. m. V. CHAUD 1.

2. chauffeur [ʃofœr] n. m. Conducteur d'automobile ou de camion : *Il ne faut pas gêner les mouvements du chauffeur. C'est un très bon chauffeur, très maître de ses réflexes.* ◆ **chauffard** n. m. Conducteur d'automobile maladroit ou imprudent : *J'ai failli me faire écraser sur le passage clouté par un chauffard.*

chaume [ʃom] n. m. 1° Partie des tiges des céréales restant au sol quand la moisson est faite : *Si vous n'êtes pas bien chaussé, le chaume vous écorchera les pieds;* s'emploie aussi au plur. : *Les chasseurs s'avançaient en ligne dans les chaumes.* — 2° Paille utilisée jadis pour couvrir des maisons : *On peut encore voir des toits de chaume, en particulier en Normandie.* ◆ **chaumière** n. f. Maison couverte de chaume; nom donné à certains restaurants : *L'auberge où nous avons déjeuné est une chaumière qui allie avec beaucoup de goût le rustique au confortable. Dans la littérature, la chaumière a longtemps symbolisé la pauvreté.*

chaussée [ʃose] n. f. Surface d'une rue ou d'une route où circulent les véhicules (par oppos. aux trottoirs, aux accotements) : *Le piéton a failli se faire renverser par une auto en traversant la chaussée. Ralentir : chaussée glissante.*

chausser [ʃose] v. tr. 1° *Chausser des souliers, des pantoufles, des sabots,* etc., les mettre à ses pieds : *Il chausse ses bottes pour aller dans les champs* (syn. : ENFILER). — 2° *Chausser du 38, du 40,* porter des chaussures de ces pointures. — 3° *Chausser des pieds, des personnes,* leur mettre, leur fournir des chaussures : *Chausser un bébé pour la promenade.* — 4° Fam. *Voiture bien chaussée,* qui a de bons pneus. ◆ v. tr. ou intr. (nom de chaussures comme sujet). Aller, s'adapter au pied, de telle ou telle façon : *Ces escarpins la chaussent élégamment. Voilà des sandales qui chaussent large.* ◆ **se chausser** v. pr. Mettre ses chaussures : *Je me chausse et je vous rejoins.* ◆ **déchausser** v. tr. *Déchausser quelqu'un,* lui enlever ses chaussures : *Déchausser un enfant.* ◆ **se déchausser** v. pr. 1° Enlever ses chaussures : *Il avait les pieds trempés et il s'est déchaussé aussitôt.* — 2° (sujet nom désignant les dents) Se déboîter de la gencive : *Les dents se déchaussent chez les arthritiques.* ◆ **rechausser (se)** v. pr. : *Dans la cabine de bain, il s'habilla et se rechaussa.* ◆ **chaussette** n. f. Pièce d'habillement tricotée, qui s'enfile sur le pied et remonte jusqu'à mi-jambe : *Les chaussettes sont plus courtes que les bas et plus hautes que les socquettes.* ◆ **chausseur** n. m. Fabricant ou marchand de chaussures, en général élégantes, mais de série. ◆ **chausson** n. m. Chaussure souple, de tissu ou de cuir, ne couvrant pas la cheville : *Des chaussons fourrés. Il reste en chaussons dans sa chambre* (syn. : PANTOUFLE, ↓ SAVATE). ◆ **chaussure** n. f. 1° Tout ce qui couvre et protège le pied : soulier, sandale, espadrille, etc. — 2° *Chaussures montantes* ou *à tige,* souliers qui couvrent la cheville, par oppos. à *chaussures basses,* souliers qui ne couvrent que le pied. ‖ Fam. *Trouver chaussure à son pied,* trouver ce qui vous convient exactement, trouver quelqu'un qui correspond à vos désirs : *Il se marierait bien, s'il trouvait chaussure à son pied.* ◆ **chausse-pied** n. m. Lame incurvée, en corne, en matière plastique ou en métal, facilitant l'entrée du pied dans la chaussure : *La vendeuse propose des chausse-pieds.*

chausse-trape [ʃostrap] n. f. 1° Piège pour animaux sauvages. — 2° *Fam.* Ruse destinée à attraper quelqu'un : *Il discutait pied à pied en évitant habilement les chausse-trapes de son adversaire.*

chaussette n. f., **chausseur** n. m. V. CHAUSSER.

1. chausson n. m. V. CHAUSSER.

2. chausson [ʃosɔ̃] n. m. *Chausson aux pommes,* pâtisserie fourrée de marmelade de pommes.

chaussure n. f. V. CHAUSSER.

chauve [ʃov] adj. et n. Se dit de quelqu'un dont le crâne est dégarni de cheveux (ou de sa tête elle-même) : *Son crâne chauve brillait au soleil. Une lotion pour les chauves.* ◆ **calvitie** [kalvisi] n. f. Etat d'une personne ou d'un crâne chauve : *Il* *allonge sur son crâne les quelques cheveux qui lui restent, pour dissimuler sa calvitie.*

chauve-souris [ʃovsuri] n. f. Petit mammifère nocturne, à ailes membraneuses : *Au crépuscule, les chauves-souris volettent autour de la maison.*

chauvin, e [ʃovɛ̃, -in] adj. *Péjor.* Qui a ou manifeste un patriotisme étroit; qui admire trop exclusivement son pays : *Ne soyez pas chauvin, reconnaissez qu'on peut trouver à l'étranger d'aussi beaux paysages, des personnes aussi intelligentes que chez vous. Mener une politique chauvine* (syn. : ↓ NATIONALISTE). ◆ **chauvinisme** n. m. : *Son chauvinisme retire beaucoup de valeur à ses jugements.*

chaux [ʃo] n. f. 1° Substance blanche, d'origine minérale, qui, mélangée à du sable et de l'eau, forme du mortier, et qui, délayée dans de l'eau, est utilisée comme enduit : *Dans certaines régions, la plupart des maisons sont blanchies à la chaux.* — 2° Fam. *Bâti à chaux et à sable,* très robuste (se dit surtout d'une personne).

chavirer [ʃavire] v. tr. 1° *Chavirer quelque chose,* le retourner sens dessus dessous, le coucher sur le flanc, le faire tomber à la renverse : *Une grosse vague a chaviré la barque. Le vent a chaviré la palissade* (syn. : ABATTRE). *Le chien avait chaviré une table de nuit* (syn. : RENVERSER). — 2° *Chavirer quelqu'un,* l'émouvoir, le troubler profondément : *Ce spectacle lamentable nous avait chavirés. J'en ai le cœur tout chaviré* (syn. fam. : RETOURNER). ◆ v. intr. : *L'embarcation a chaviré dans la tempête. A chaque instant, la carriole menaçait de chavirer* (syn. : VERSER). *La pile de livres a chaviré sur le sol. Ses yeux chavirèrent et il perdit connaissance.* ◆ **chavirement** n. m. : *Le chavirement du radeau. Un profond chavirement se lisait sur son visage.*

1. chef [ʃɛf] n. m. 1° Personne qui commande, qui dirige, qui est investie d'une autorité : *L'armée obéit à ses chefs. Adressez-vous au chef de chantier. Un chef de bureau, de rayon, de fabrication. Un chef de gare* (= qui est chargé de la gestion de la gare). *Le chef de l'Etat* (= qui en a la direction suprême). *Un chef d'orchestre* (= qui dirige un orchestre) [quand il s'agit d'une femme, on peut conserver le masculin, ou dire familièrement *la chef*]. *En l'absence du père, la mère est le chef de famille. Les chefs syndicalistes s'adressent à leurs organisations* (syn. : LEADER). *Les chefs de la révolte sont arrêtés* (syn. : MENEUR). — 2° *Chef cuisinier, chef de cuisine,* ou simplem. *chef,* celui qui dirige la cuisine d'un restaurant : *Le chef s'est surpassé aujourd'hui : les clients seront satisfaits.* ‖ *Chef de file,* personne derrière laquelle se rangent celles qui soutiennent une opinion, qui s'engagent dans une action : *Un député qui est le chef de file de l'opposition.* ‖ *En chef,* en qualité de chef suprême : *Général en chef. Ingénieur en chef. Le général Eisenhower commandait en chef les troupes alliées lors du débarquement en France, en 1944.*

2. chef [ʃɛf] n. m. *Chef d'accusation,* point important sur lequel se fonde une accusation; argument : *L'avocat s'est attaché à ruiner le principal chef d'accusation retenu contre son client : la complicité de vol.* ● LOC. ADV. *Au premier chef,* au plus haut degré, plus que tous les autres ou tout le reste : *Ce que vous dites là m'intéresse au premier chef* (syn. : PAR EXCELLENCE). ‖ *De ce chef,* pour cette raison, de ce fait (langue un peu affectée). ‖ *De son propre chef,* de sa propre initiative, de lui-même : *Ils ont décidé de leur propre chef de renoncer à cet avantage.* ● LOC. PRÉP. *Du chef de (quelqu'un),* en vertu des droits de (quelqu'un) [jurid.] : *Il est héritier du chef de sa femme.*

chef-d'œuvre [ʃɛdœvr] n. m. Ouvrage exécuté avec un art qui touche à la perfection; œuvre la plus admirable dans un genre donné : *Le musée du Louvre renferme un grand nombre de chefs-d'œuvre. Cette cathédrale est un vrai chef-d'œuvre. « Le Misanthrope » est généralement considéré comme le chef-d'œuvre de Molière. Son projet est un chef-d'œuvre d'ingéniosité;* et péjor. : *L'appartement était un chef-d'œuvre de mauvais goût.*

chef-lieu [ʃɛfljø] n. m. Ville principale d'un département ou d'un canton : *Les chefs-lieux des départements.*

cheftaine [ʃɛftɛn] n. f. Jeune fille qui dirige un groupe de scouts (guides ou louveteaux).

1. chemin [ʃəmɛ̃] n. m. 1° (avec un adj., ou comme compl. d'un verbe ou d'un substantif) Voie de communication aménagée pour aller d'un point à un autre, sur le plan local et en général à la campagne (*route* est le terme usuel pour désigner les voies de communication entre les villes; la *rue* est une voie urbaine) : *Les chemins sont sinueux, poussiéreux, difficiles. Un chemin grimpant jusqu'à la ferme. Le chemin qui mène à la rivière. Un chemin creux* (= entre deux talus). *Le chemin vicinal dépend du budget de la commune. Un voleur de grand chemin* (= qui attaquait les voyageurs sur la route). *Un chemin forestier. Un chemin de montagne rude et escarpé. Suivre le long de la rivière le chemin de halage* (= où l'on hale les péniches). *Entretenir, élargir un chemin. Ne vous écartez pas du chemin. A la croisée des deux chemins, on distinguait une borne. Si loin que l'on pouvait voir, le chemin était désert. Le chemin de la mare, du village* (= qui mène à la mare, au village). — 2° Espace à parcourir, direction d'un lieu à un autre, sans référence à un type particulier de voies de communication (le plus souvent dans des express.) : *Le plus court chemin passe par le petit bois* (syn. : TRAJET). *Nous nous étions perdus, nous avons dû demander notre chemin* (syn. : ITINÉRAIRE). *J'ai retrouvé mon chemin après bien des difficultés* (syn. : ROUTE, DIRECTION). *Indiquer, montrer le chemin à un étranger. Nous avons fait tout le chemin à pied* (syn. : PARCOURS). *Prendre le chemin de la ville* (= se diriger vers). *Il a repris le chemin de Paris* (= il est revenu, retourné à). *Il y a bien deux heures de chemin* (en général à pied; autrement, *deux heures de route*). *Il s'est frayé, ouvert un chemin à travers les ronces* (syn. : ROUTE). *Allez votre chemin* (= partez). *Passez votre chemin* (= ne vous arrêtez pas). *S'écarter de son chemin, changer de chemin* (= modifier son itinéraire). *Chemin faisant, il me racontait sa mésaventure* (= tout en marchant) ● LOC. ADV. *En chemin,* pendant le trajet, pendant le temps que l'on met à parcourir un espace indéterminé : *Nous l'avons rencontré en chemin.* ◆ **cheminer** v. intr. 1° (sujet nom de personne) Suivre son chemin régulièrement : *Après avoir longtemps cheminé sur une route monotone, j'arrivai enfin à une auberge, où j'entrai pour me reposer* (syn. : MARCHER). — 2° (sujet nom désignant une route, une voie) S'étendre selon tel ou tel itinéraire (langue soignée) : *Un sentier qui chemine à flanc de coteau.*

2. chemin [ʃəmɛ̃] n. m. Moyen pour arriver à ses fins, manière de se comporter; la vie considérée sous la notion d'espace parcouru (le plus souvent dans des express.) : *Il m'a trouvé sur son chemin* (= comme adversaire). *Il s'est mis sur mon chemin, en travers de mon chemin* (= il a contrecarré mes projets). *Il a trouvé bien des dangers sur son chemin* (ou *sa route*). *Il est sur le chemin de la gloire. Le chemin de la vie. Rester dans le droit chemin* (= rester honnête). *Aller son chemin sans faire attention aux autres* (= continuer sans défaillance ce que l'on a entrepris). *Pour nous réconcilier, j'ai fait la moitié du chemin. Il s'est arrêté en chemin* (= il n'a pas continué). *Etre en bon chemin* (= être en voie de réussir). *Il a fait du chemin depuis que nous l'avons connu* (= il a vite progressé, il s'est élevé dans la hiérarchie sociale). *Il a fait son chemin* (= il a réussi à atteindre une position sociale élevée). *Tu nous as fait voir du chemin* (= tu nous as fait courir bien des mésaventures; syn. : MALMENER; fam. : EN FAIRE VOIR DES VERTES ET DES PAS MÛRES). *Les chemins battus* (= les lieux communs, la routine). *Le chemin des écoliers* (= le chemin le plus long, celui qui permet de s'amuser). *Les chemins tout tracés* (= la voie toute tracée). *Prendre le grand chemin* (= ne pas s'embarrasser de petitesses). *Il a montré le chemin* (= il a été l'initiateur; syn. : DONNER L'EXEMPLE). *Ne pas en prendre le chemin* (= être loin de se réaliser [sujet nom de chose]; être loin de réaliser quelque chose [sujet nom de personne]). *Vous n'en êtes encore qu'à mi-chemin, à moitié chemin. Aller son petit bonhomme de chemin* (= poursuivre son entreprise sans bruit, doucement, sans éclat, mais sûrement). *Ne pas s'arrêter en si beau chemin* (= faire suivre le succès d'un autre plus éclatant). *Ne pas y aller par quatre chemins* (= aller droit au but, agir sans détours). ◆ **cheminer** v. tr. (sujet nom désignant une idée). Progresser régulièrement : *Cette idée a cheminé dans les esprits.* ◆ **cheminement** n. m. : *D'un livre à l'autre, on peut suivre le cheminement de la pensée de l'auteur* (syn. : PROGRESSION, ÉVOLUTION).

chemin de fer [ʃəmɛ̃dfɛr] n. m. 1° Voie de communication formée par deux lignes parallèles de rails d'acier sur lesquels circulent des trains. — 2° Moyen de transport utilisant la voie ferrée : *Prendre le chemin de fer.* — 3° Administration et exploitation de ce mode de transport. ◆ **cheminot** [ʃəmino] n. m. Employé ou ouvrier des chemins de fer : *Le trafic ferroviaire est paralysé par la grève des cheminots.* (V. FERROVIAIRE.)

cheminée [ʃəmine] n. f. 1° Conduit destiné à assurer l'évacuation de la fumée d'un foyer et à permettre le tirage : *Les cheminées de l'immeuble sont toutes ménagées dans l'épaisseur de ce mur. Des cheminées d'usine.* — 2° Partie du conduit qui fait saillie au-dehors : *On voit fumer la cheminée au-dessus du toit. La tempête a abattu plusieurs cheminées.* — 3° Maçonnerie faite dans une habitation pour recevoir du feu, et comprenant en général une table ou manteau de marbre, de pierre, de brique, etc., soutenue par deux montants ou jambages : *Pose ce vase sur la cheminée.*

cheminot n. m. V. CHEMIN DE FER.

1. chemise [ʃəmiz] n. f. 1° Partie de l'habillement, généralement en linge, qui couvre le buste et se porte d'ordinaire sur la peau : *Comme le soir tombait, il passa un chandail par-dessus sa chemise.* — 2° Feuille repliée de papier fort ou de carton, dans laquelle on range des papiers : *Tout ce qui concerne cette affaire se trouve dans une chemise bleue.* — 3° Fam. *Changer de quelque chose comme de chemise,* en changer souvent, ne pas s'y attacher : *Il change d'opinion comme de chemise.* ‖ *Donner jusqu'à sa chemise,* être d'une générosité sans limite, donner tout ce qu'on possède. ‖ *En bras, en manches de chemise,* sans vêtement sur sa chemise : *Il a ôté sa veste et travaille en bras de chemise.* ‖ *Vendre sa chemise,* vendre tout son bien pour payer ses dettes. ‖ *Se soucier de quelque chose comme de sa première chemise,* n'en faire aucun cas. ‖ Pop. *Ils sont comme cul et chemise,* ils sont inséparables. ◆ **chemiserie** n. f. Fabrication des chemises; magasin où l'on vend des chemises. ◆ **chemisette** n. f. Petite chemise d'homme ou corsage de femme à manches courtes. ◆ **chemisier** n. m. 1° Fabricant ou marchand de chemises. — 2° Corsage léger, ouvragé sur le devant, porté par les femmes.

2. chemise [ʃəmiz] n. f. Enveloppe intérieure ou extérieure d'une pièce mécanique. ◆ **chemiser** v. tr. Garnir d'une chemise. ◆ **chemisage** n. m.

chenal [ʃənal] n. m. Passage étroit où l'on peut naviguer : *Les bateaux entrent dans la rade par un chenal soigneusement balisé.*

chenapan [ʃnapɑ̃] n. m. *Fam.* Individu sans moralité : *Il s'est acoquiné avec quelques chenapans de son espèce pour faire ses mauvais coups* (syn. : VAURIEN, ↑ VOYOU).

chêne [ʃɛn] n. m. Arbre forestier dont le bois, très résistant, est utilisé pour la construction, le mobilier, le chauffage : *Le chêne atteint vingt à quarante mètres de hauteur. On avait barricadé la lourde porte de chêne.* ◆ **chênaie** n. f. Bois de chênes. ◆ **chêne-liège** n. m. Variété de chêne qui fournit le liège : *Les chênes-lièges de la Côte d'Azur.*

chenet [ʃənɛ] n. m. Barre métallique pour supporter le bois dans le foyer.

chenil n. m. V. CHIEN.

1. chenille [ʃənij] n. f. Larve de papillon, se nourrissant de végétaux. ◆ **écheniller** v. tr. 1° *Echeniller un arbre, une plante,* en détruire les chenilles. — 2° Fam. *Echeniller un texte,* le corriger, en faire disparaître toutes les imperfections. ◆ **échenillage** n. m.

2. chenille [ʃənij] n. f. Bande métallique articulée, qui équipe les véhicules destinés à circuler en tous terrains. ◆ **chenillé, e** adj. Se dit d'un véhicule muni de chenilles. ◆ **chenillette** n. f. Véhicule militaire chenillé et blindé.

chenu, e [ʃəny] adj. *Vieillard chenu,* blanchi par la vieillesse (littér.).

cheptel [ʃɛptɛl ou ʃtɛl] n. m. Ensemble des animaux d'une exploitation agricole ou d'un pays. (On dit plus précisément CHEPTEL VIF.)

chèque [ʃɛk] n. m. Ecrit par lequel le titulaire d'un compte en banque ou d'un compte courant postal donne des ordres de paiement à son profit ou à celui d'un tiers sur les fonds portés à son crédit : *Préférez-vous être payé par chèque ou en espèces? Un chèque sans provision* (= qui ne peut être payé faute d'un dépôt suffisant). *Un chèque au porteur* (= qui ne porte pas le nom du bénéficiaire et qui est transmissible de la main à la main). *Un chèque barré* ([illegible] qui porte deux barres parallèles et qui ne peut être touché que par l'entremise d'un banquier). ◆ **chéquier** n. m. Carnet de chèques.

1. cher, chère [ʃɛr] adj. 1° Se dit d'un être vivant ou d'une chose qui est l'objet d'une vive tendresse, d'un grand attachement (avant le nom, sauf dans quelques express.) : *Mes chers enfants, je pense sans cesse à vous. Elles pleurent les êtres chers qu'elles ont perdus dans cette catastrophe. Un disciple cher à son maître. C'est pour moi un ami très cher. Des êtres chers. Nous tremblons pour ceux qui nous sont chers. Le thé cher aux Anglais* (contr. : DÉTESTÉ DE). *Il était tout heureux, après cette longue absence, de retrouver sa chère ville natale, ses chères habitudes* (contr. : HONNI). *La liberté nous est plus chère que la vie* (syn. : PRÉCIEUX) ; ironiq. : *Ce cher Gustave! voilà bien longtemps qu'on n'entendait plus parler de lui! Le pauvre cher homme n'y comprenait plus rien.* — 2° (en s'adressant à une personne, dans des formules de politesse) Marque une sympathie souvent assez vague : *Monsieur et cher client. Mon cher collègue;* et absol. : *Mon cher, vous m'étonnez.* (V. CHÉRIR.)

2. cher, chère [ʃɛr] adj. (après le nom). 1° D'un prix élevé : *Un tissu cher. Ce livre est trop cher pour ma bourse. Un chauffage plus cher que le charbon* (syn. : COÛTEUX, ONÉREUX, DISPENDIEUX ; ↑ RUINEUX, HORS DE PRIX ; contr. : BON MARCHÉ, ÉCONOMIQUE, AVANTAGEUX). — 2° Qui vend, qui fournit à des prix élevés : *Un crémier cher. Un restaurant pas cher. Le tailleur le plus cher du quartier.* ◆ **cher** adv. 1° A un prix élevé, moyennant une somme importante : *Une maison qu'il n'a pas payée cher. Des médicaments qui coûtent cher. Cette couturière prend cher.* — 2° *Payer cher,* acquérir, gagner par de lourds sacrifices : *Un peuple qui a payé cher son indépendance;* expier, racheter par une punition que l'on subit : *Je lui ferai payer cher sa désinvolture.* ‖ Fam. *Personne qui ne vaut pas cher,* qui est d'une moralité douteuse, qui n'est pas recommandable : *Il rôde par ici tous les soirs, avec des garnements qui ne valent pas plus cher que lui.* ◆ **chèrement** adv. 1° Au prix de lourds sacrifices : *Une voiture chèrement acquise.* — 2° *Vendre chèrement sa vie,* se défendre avec vaillance avant de succomber : *Les occupants du poste attaqué paraissaient résolus à vendre chèrement leur vie.* ◆ **cherté** n. f. : *La cherté des fruits. Se plaindre de la cherté de la vie.* ◆ **enchérir** ou, plus usuel, **renchérir** v. intr. Devenir plus cher : *Le blé a renchéri en raison de la mauvaise récolte.* ◆ **enchérissement** ou **renchérissement** n. m. Hausse des prix : *L'enchérissement des denrées agricoles* (contr. : BAISSE). [V. ENCHÈRE, RENCHÉRIR 2.]

chercher [ʃɛrʃe] v. tr. 1° (sujet nom d'être animé) *Chercher quelqu'un, quelque chose,* s'efforcer de les trouver, de les découvrir : *Il cherche son frère dans toute la maison. Un chien qui cherche le gibier, qui cherche la piste. Chercher quelqu'un du regard, des yeux dans la foule. Nous cherchions la sortie à tâtons. J'ai longtemps cherché la solution de ce problème. On cherche en vain la raison de cette décision. Chercher le mot juste. Chercher un emploi, chercher une maison à acheter* (syn. : S'ENQUÉRIR DE). — 2° (sujet nom de personne) *Chercher quelque chose,* s'efforcer de s'en souvenir : *Je cherche le nom de ce remède qui m'avait si bien réussi. Je cherche le mot qu'il a prononcé en m'abordant.* — 3° *Chercher quelque chose,* essayer de l'atteindre, l'avoir en vue : *Il ne cherche que son avantage dans cette affaire* (syn. : VISER À). — 4° (sujet nom de personne) *Chercher une chose,* aller au-devant d'elle, s'y exposer : *Tu cherches un accident en conduisant si vite.* — 5° (sujet nom de personne) Fam. *Chercher quelqu'un,* lui adresser fréquemment des propos propres à déchaîner sa colère : *Je ne lui ai pas mâché mes mots : il me cherchait depuis trop longtemps* (syn. : HARCELER, PROVOQUER ; fam. : RELANCER). — 6° *Aller chercher, venir chercher une personne* ou *une chose,* aller, venir dans un lieu où se trouve cette personne ou cette chose pour la ramener ou la remporter : *Le vendeur alla chercher le chef de rayon pour convaincre la cliente. Voudrais-tu aller me chercher mon chapeau dans le placard? J'irai chercher de l'argent à la banque.* ‖ Fam. *Ça va chercher dans les...,* cela atteindra approximativement la somme, le total de : *Une réparation qui va chercher dans les cinq cents francs. Homicide par imprudence, conduite en état d'ivresse, délit de fuite, ça peut aller chercher dans les deux ans de prison.* — 7° (sujet nom d'être animé) *Chercher à* (et l'infin.), s'efforcer de : *Un représentant qui cherche à disposer favorablement son client.* (syn. : TENTER, ESSAYER, TÂCHER DE). — 8° Fam. *Chercher des histoires à quelqu'un,* lui susciter des difficultés, le prendre à partie : *Je ne vais pas lui chercher des histoires pour une erreur de quelques francs* (syn. : CHERCHER CHICANE, QUERELLE [langue plus soignée], DES CROSSES, DES POUX DANS LA TÊTE [pop.]). ‖ Fam. *Chercher la petite bête,* être pointilleux à l'excès : *Ne cherchons pas la petite bête sur le détail de son devis.* ‖ Fam. *Chercher midi à quatorze heures,* imaginer des complications, des difficultés là où il n'y en a pas : *Il faut toujours qu'il aille chercher midi à quatorze heures au lieu d'aller droit au but.* ◆ **chercheur, euse** n. 1° (sans compl.) Personne qui se consacre à la recherche scientifique, qui fait partie du Centre national de la recherche scientifique : *Les chercheurs attachés au Centre de Saclay.* — 2° (avec un compl.) *Chercheur d'or,* celui qui essaie de trouver de l'or (souvent employé dans un sens historique : celui qui, au début du siècle, cherchait à découvrir des filons dans l'est des Etats-Unis).

chère [ʃɛr] n. f. *Bonne chère,* nourriture abondante et de qualité : *C'est un bon vivant, amateur de bonne chère. Chez eux, on a l'habitude de faire bonne chère.*

chèrement adv. V. CHER 2.

chérir [ʃerir] v. tr. *Chérir quelqu'un, quelque chose,* leur être très attaché : *Une mère chérit ses enfants* (syn. : ↓ AIMER, ↑ ADORER). *Ils chérissaient la liberté plus que la vie* (contr. : DÉTESTER). ◆ **chéri, e** adj. et n. : *Un frère chéri. Ne t'inquiète pas, ma chérie.*

cherté n. f. V. CHER 2.

chérubin [ʃerybɛ̃] n. m. Enfant gracieux, délicat : *Ce pauvre chérubin a besoin d'être consolé. Un adorable chérubin dormait dans son berceau.* (Les chérubins sont une catégorie d'anges de l'Ancien Testament.)

chétif, ive [ʃetif, -iv] adj. 1° Se dit d'une personne de faible constitution, qui ne respire pas la bonne santé : *Des enfants chétifs mendiaient dans les rues* (syn. : MAIGRE, FLUET, ↑ RACHITIQUE). *La* *grand-mère, chétive créature, s'appuyait sur sa canne* (contr. : VIGOUREUX, ROBUSTE, SOLIDE). — 2° Se dit d'une chose qui manque d'ampleur, d'importance : *Les deux pauvres vieux mènent une existence chétive* (syn. : PAUVRE, MODESTE, EFFACÉ). *Son entreprise est encore bien chétive* (syn. : PETIT).

cheval, aux [ʃəval, -vo] n. m. 1° Animal domestique, pouvant servir de monture ou tirer un attelage : *Le cheval est de plus en plus remplacé par des engins motorisés. La femelle du cheval est la jument; son petit est le poulain.* — 2° *Fam.* Femme grande et forte, sans grâce : *Il nous présenta sa femme, un grand cheval à la voix rude* (syn. : DRAGON). — 3° *Fam.* Personne dure à l'ouvrage : *Elle n'est jamais en repos, c'est un vrai cheval à l'ouvrage.* — 4° *A cheval,* monté sur un cheval ou une jument : *Il parcourait ses domaines à cheval. J'ai vu passer deux hommes à cheval* (= deux cavaliers). ‖ *A cheval sur,* à califourchon sur : *Il s'assoit à cheval sur un tronc d'arbre;* qui est situé sur deux endroits différents : *Cette propriété est à cheval sur deux communes.* ‖ *Cheval de bataille,* argument qu'on fait valoir sans cesse, idée à laquelle on revient toujours. ‖ *Etre à cheval sur* (et un nom abstrait), être très strict en ce qui concerne... : *Il a reçu une éducation sévère, il est très à cheval sur les principes* (= il tient beaucoup à ce qu'on respecte les usages de la bonne société). *Le directeur est à cheval sur le règlement.* ‖ Fam. *Fièvre de cheval, remède de cheval,* fièvre violente, remède très énergique. ‖ Fam. *C'est le bon cheval, le mauvais cheval,* c'est la personne qui a des chances ou qui n'a aucune chance de gagner (par allusion aux courses de chevaux). ‖ Fam. *Cela ne se trouve pas dans le pas d'un cheval,* cela ne se trouve pas aisément (généralement en parlant d'une somme d'argent importante). ‖ Fam. *Changer son cheval borgne pour un aveugle,* passer d'une situation médiocre à une autre pire : *Il croyait être plus heureux dans sa nouvelle place, mais j'ai bien peur qu'il n'ait changé son cheval borgne pour un aveugle.* ‖ Fam. *Monter sur ses grands chevaux,* se fâcher, le prendre de haut : *Dès qu'on a abordé ce sujet délicat, il est monté sur ses grands chevaux.* ‖ *Un vieux cheval de retour,* un accusé déjà plusieurs fois condamné pour des délits de même nature. ◆ **chevalin, e** adj. 1° Qui concerne le cheval : *L'éleveur nous montre quelques magnifiques spécimens de l'espèce chevaline.* — 2° Se dit d'une personne, de son visage qui a quelque ressemblance avec un cheval : *On reconnaît le visage chevalin bien caractéristique de cet acteur.* — 3° *Boucherie chevaline,* boucherie qui vend de la viande de cheval (syn. : BOUCHERIE HIPPOPHAGIQUE). ◆ **chevaucher** [ʃəvoʃe] v. intr. et tr. (sujet nom de personne). Aller à cheval, à cheval sur (littér. et affecté) : *Des amazones chevauchaient dans les allées du parc. Sancho Pança chevauchait un âne* (syn. : MONTER). ◆ **chevauchée** n. f. Course, randonnée à cheval (style noble) : *Au bout d'une longue chevauchée, les deux voyageurs s'arrêtèrent pour laisser reposer leurs montures.*

chevaleresque [ʃevalrɛsk] adj. Se dit de quelqu'un (ou de sa conduite) qui manifeste des sentiments nobles, généreux, des manières élégantes : *Quand il a su que vous étiez candidat, il s'est retiré de la compétition d'une façon très chevaleresque* (syn. : COURTOIS).

chevalerie n. f. V. CHEVALIER.

chevalet [ʃəvalɛ] n. m. Support en bois destiné à recevoir le tableau qu'un peintre exécute, ou un tableau noir dans une classe, etc.

chevalier [ʃəvalje] n. m. 1° Membre d'un ordre fondé pour honorer ceux qui se sont distingués dans quelque activité, ou de certaines confréries; grade dans cet ordre : *Le grade de chevalier est le premier décerné dans l'ordre de la Légion d'honneur. Chevalier du Tastevin. Il a été nommé chevalier des palmes académiques.* — 2° Au Moyen Age, noble admis solennellement dans l'ordre de la chevalerie : *Le chevalier jurait de mener une vie vertueuse et de défendre les opprimés.* — 3° Fam. et ironiq. *Chevalier servant,* homme empressé à satisfaire les moindres désirs d'une femme. ◆ **chevalerie** n. f. Institution militaire féodale, qui imposait à ses membres des obligations religieuses et patriotiques et exaltait la bravoure.

chevalière [ʃəvaljɛr] n. f. Large bague portée par un homme ou par une femme, et sur le chaton de laquelle sont généralement gravées des initiales ou des armoiries : *Ses parents lui ont offert une chevalière en or pour ses vingt ans.*

chevalin, e adj., **chevauchée** n. f. V. CHEVAL.

cheval-vapeur [ʃəvalvapœr] n. m. Unité de puissance utilisée pour la voiture et désignant, au pluriel, un type de voiture : *Une quatre-chevaux (une 4 CV). Cette voiture a une puissance de quatre-vingts chevaux-vapeur.*

1. chevaucher v. intr. et tr. V. CHEVAL.

2. chevaucher [ʃəvoʃe] v. tr. ou intr. ou **se chevaucher** v. pr. (sujet nom de chose). Etre superposé : *On pose ces bandes de papier peint en faisant légèrement chevaucher les bords. Chaque ardoise chevauche la suivante. Il faut harmoniser ces deux emplois du temps qui se chevauchent.* ◆ **chevauchement** n. m. : *Le chevauchement d'une tuile sur une autre.*

chevelu, e adj., **chevelure** n. f. V. CHEVEU.

chevet [ʃəvɛ] n. m. 1° L'extrémité du lit où l'on pose la tête : *Nous avons installé le lit le chevet contre le mur du fond de la pièce* (syn. : TÊTE). *Dès qu'il fut couché il éteignit sa lampe de chevet. Le réveil est sur la table de chevet.* — 2° *Etre au chevet d'un malade,* rester auprès de son lit, le soigner avec assiduité. ‖ *Livre de chevet,* livre de prédilection, auquel on revient constamment.

cheveu [ʃəvø] n. m. 1° Poil de la tête, chez les humains : *Une mèche de cheveux lui pend sur le visage. Cheveux longs, frisés, blonds. Il est désagréable de trouver un cheveu dans le potage* (syn. pop. : TIF). — 2° *En cheveux,* se dit d'une femme qui ne porte aucune coiffure : *Elle ne pouvait pas décemment faire une visite en cheveux.* ‖ Fam. *S'arracher les cheveux,* manifester un grand désespoir, un dépit impuissant : *Il s'arrachait les cheveux à la recherche d'une solution impossible.* ‖ Fam. *Faire dresser les cheveux sur la tête,* causer de la frayeur : *Le récit de ces atrocités vous fait dresser les cheveux sur la tête* (syn. : ÉPOUVANTER). ‖ Fam. *Cela ne tient qu'à un cheveu, il s'en faut d'un cheveu,* il s'en faut de très peu, cela dépend d'un rien : *Il s'en est fallu d'un cheveu que la voiture ne bascule dans le ravin* (syn. : CELA NE TIENT QU'À UN FIL). ‖ *Il y a un cheveu,* il y a une difficulté. ‖ *Toucher un cheveu de la tête de quelqu'un,* lui causer le plus petit dommage (expression un peu emphatique) : *Si vous touchez un cheveu de sa tête, vous aurez affaire à moi.* ‖ Fam. *Se prendre aux cheveux,* se quereller vivement, en venir aux mains. ‖ Fam. *Il va y trouver un cheveu,* il va sentir une différence importante à son désavantage. ‖ Fam. *Couper les cheveux en quatre,* être trop pointilleux, faire des distinctions trop subtiles : *A force de couper les cheveux en quatre, il finit par perdre tout bon sens.* ‖ Fam. *C'est tiré par les cheveux,* se dit d'une explication qui manque de solidité, d'une comparaison qui manque de naturel : *Son raisonnement est bien tiré par les cheveux.* ‖ Fam. *Ça vient comme des cheveux sur la soupe,* c'est une remarque, un détail hors de propos, qui n'a rien à voir ici. ‖ Fam. *Avoir mal aux cheveux,* avoir mal à la tête à la suite d'un excès de boisson. ◆ **chevelu, e** adj. 1° Pourvu de cheveux longs et fournis, ou, en parlant de végétaux, de racines, de fils ressemblant à des cheveux, d'une frondaison : *Une tête chevelue apparaît à la fenêtre. L'épi chevelu du maïs.* — 2° *Cuir chevelu,* la peau du crâne. ◆ **chevelure** n. f. Ensemble des cheveux d'une personne (ne se dit guère que de cheveux longs, abondants) : *Sa chevelure blonde était retenue par plusieurs peignes* (syn. péjor. et fam. : TIGNASSE, CRINIÈRE). ◆ **échevelé, e** [eʃəvle] adj. 1° Se dit d'une personne qui a les cheveux en désordre (syn. : ÉBOURIFFÉ). — 2° Se dit de ce qui manifeste un enthousiasme désordonné, de la frénésie : *Danse échevelée. Verve échevelée.*

1. cheville [ʃəvij] n. f. 1° Petite tige de bois qu'on engage dans un trou pour fixer un assemblage de charpente, de menuiserie, d'ébénisterie, ou dans un mur de maçonnerie pour y enfoncer une vis. — 2° Dans un texte littéraire, mot inutile pour le sens et qui ne sert qu'à faire nombre pour la rime ou la mesure du vers ou pour le rythme de la phrase : *Un bon écrivain n'admet pas les chevilles* (syn. : BOUCHE-TROU, REDONDANCE). — 3° *Cheville ouvrière,* personne qui joue un rôle essentiel dans une organisation, qui en est le principal soutien : *Pendant vingt ans, il a été la cheville ouvrière de ce club sportif* (syn. : ANIMATEUR). ‖ Fam. *Etre en cheville avec quelqu'un,* lui être associé dans une entreprise; être en relation d'affaires ou d'intérêts avec lui. ◆ **chevillé, e** adj. 1° Assemblé par des chevilles : *Un buffet rustique chevillé.* — 2° Fam. *Avoir l'âme chevillée au corps,* survivre à une grave maladie, à un grave accident, etc. (syn. : AVOIR LA VIE DURE). ‖ *Avoir l'espoir chevillé à l'âme,* ne se laisser décourager par rien, espérer envers et contre tout.

2. cheville [ʃəvij] n. f. 1° Partie inférieure de la jambe, au-dessus du cou-de-pied, présentant de part et d'autre un renflement osseux : *Nous avions les pieds dans l'eau jusqu'à la cheville.* — 2° Fam. *Ne pas arriver à la cheville de quelqu'un,* lui être très inférieur : *Il a triomphé sans peine de tous ses contradicteurs : aucun ne lui arrive à la cheville.*

cheviotte [ʃəvjɔt] n. f. Laine d'agneau d'Ecosse; étoffe faite avec cette laine.

chèvre [ʃɛvr] n. f. 1° Animal domestique ruminant, ayant des cornes arquées en arrière et un menton barbu : *La chèvre est très agile. Avec le lait de chèvre, on fait des fromages variés. Le mâle de la chèvre est le bouc. La chèvre bêle.* — 2° Fam. *Ménager la chèvre et le chou,* ménager les deux partis auxquels on a affaire, ne pas trop se compromettre. ◆ **chevreau** n. m. 1° Petit de la chèvre. — 2° Peau de chèvre ou de chevreau, utilisée en particulier pour la fabrication de gants ou de chaussures élégantes : *Des gants en chevreau.* ◆ **chevrier, ère** n. Personne qui garde des chèvres.

chèvrefeuille [ʃɛvrəfœj] n. m. Liane à fleurs odorantes, commune dans les forêts des régions tempérées.

chevreuil [ʃəvrœj] n. m. Animal ruminant qui vit dans les forêts et qui est un gibier de qualité : *Un chevreuil peut peser jusqu'à quarante-cinq kilos.*

chevrier, ère n. V. CHÈVRE.

1. chevron [ʃəvrɔ̃] n. m. Pièce de bois équarrie supportant les lattes sur lesquelles sont fixées les tuiles ou les ardoises d'un toit.

2. chevron [ʃəvrɔ̃] n. m. Galon en forme de V renversé, porté jadis sur la manche par certains soldats; motif ornemental ayant cette forme.

chevronné, e [ʃəvrɔne] adj. *Fam.* Se dit de quelqu'un qui a une longue pratique, qui a fait ses preuves depuis longtemps dans un métier, une activité : *Les parlementaires chevronnés prévoyaient que la crise serait longue.*

chevroter [ʃəvrɔte] v. intr. et tr. Parler ou chanter d'une voix tremblotante : *Un vieillard qui chevrote. Chevroter une prière, une chanson.* ◆ **chevrotant, e** adj. : *Un malheureux, transi de froid, demandait l'aumône d'une voix chevrotante.* ◆ **chevrotement** n. m. : *La peur donnait un léger chevrotement à sa voix.*

chevrotine [ʃəvrɔtin] n. f. Plomb de chasse de gros calibre.

chewing-gum [ʃwiŋgɔm] n. m. Gomme parfumée que l'on mâche.

chez [ʃe, la liaison se faisant normalement avec le mot suivant si celui-ci commence par une voyelle ou un *h* muet : *chez un voisin* (ʃezœ̃); la liaison est souvent évitée devant un nom propre : *chez André* (ʃezɑ̃ ou ʃeɑ̃)] prép. 1° Indique une localisation dans la demeure, le pays ou la civilisation, l'œuvre littéraire ou artistique de quelqu'un; indique la présence de quelque chose dans le physique, dans le comportement de quelqu'un ou, éventuellement, d'un animal : *J'entends des cris chez mon voisin* (= dans sa maison, son appartement). *Va acheter une tarte chez le pâtissier* (= dans sa boutique). *Chez les Esquimaux, la pêche est une activité vitale. Chez les Perses, on rendait un culte au feu. Chez les abeilles, on distingue les reines, les faux bourdons et les ouvrières. Le mot de « gloire » revient souvent chez Corneille* (= dans ses tragédies). *La paresse l'emporte encore chez lui sur la gourmandise* (syn. : EN). *Chez le singe, le pouce du pied est opposable aux autres doigts.* — 2° *Chez* peut être précédé de *de, par, vers* ou d'une loc. prép. contenant *de : Je reviens de chez lui. Nous passerons par chez nos parents. Ils habitent vers chez vous. Il y a un nouveau locataire au-dessus de chez moi.*

chez-soi, chez-moi [ʃeswa, -mwa] n. m. *Un chez-soi, mon chez-moi,* etc., un domicile, ma demeure, etc.

chialer [ʃjale] v. intr. *Pop.* Pleurer : *On entend un môme qui chiale.* ◆ **chialeur, euse** adj. et n.

chiasse n. f. V. CHIER.

chic [ʃik] n. m. **1°** *Fam.* Allure élégante, distinguée d'une personne, aspect gracieux d'une chose : *Elle n'est pas jolie, mais elle a beaucoup de chic dans cette toilette* (syn. : ÉLÉGANCE). *Il a tracé en quelques coups de crayon un croquis qui ne manque pas de chic* (syn. fam. : ALLURE). *Tout le chic de ce bouquet est dans l'harmonie des couleurs.* — **2°** *Avoir le chic de, pour* (et un infin. ou un nom), être très habile à : *Il a le chic de dire à chacun le mot juste, sans jamais blesser personne. Elle a le chic des réparations invisibles* (syn. : ART); et ironiq. : *Vous avez le chic pour être absent quand on a besoin de vous* (= une sorte de fatalité veut que vous soyez toujours absent). — **3°** *Peindre, travailler de chic,* d'inspiration, sans s'astreindre à des calculs, des mesures, des vérifications, sans se référer à une méthode rigoureuse : *Sa traduction, faite de chic, manque parfois de précision.* ◆ adj. (invar. en genre; avant ou après le nom). **1°** *Fam.* Se dit des personnes ou des choses qui ont de l'élégance, de la distinction, qui suscitent une certaine admiration : *Elle est très chic avec cette robe* (syn. : ÉLÉGANT). *Deux messieurs chics conversaient au salon* (syn. : DISTINGUÉ). *Regarde un peu cette chic voiture!* (syn. : BEAU; fam. : CHOUETTE; pop. : BATH). — **2°** *Fam.* Se dit des personnes (ou de leur comportement) bienveillantes, complaisantes, serviables : *Il a été très chic à mon égard en me prêtant sa maison* (syn. : GENTIL). *C'est un chic garçon* (syn. : SYMPATHIQUE). *Voilà une parole chic* (syn. : AIMABLE, GÉNÉREUX). ◆ **chic!** interj. Quelle chance! quel bonheur! : *Chic! on va avoir un jour supplémentaire de vacances* (syn. fam. : VEINE!, CHOUETTE!; pop. : BATH!). ◆ **chiquement** adv. Fam. : *Tu n'es pas habillé trop chiquement pour aller en visite* (syn. : ÉLÉGAMMENT). *Il m'a proposé très chiquement de me reconduire chez moi* (syn. : AIMABLEMENT).

1. chicane [ʃikan] n. f. **1°** Querelle de mauvaise foi, portant sur des détails : *Je n'aime pas qu'on vienne me chercher chicane quand j'ai fait honnêtement ce que je devais* (= chercher des crosses [pop.]). — **2°** (au sing. seulement) Procédure subtile, goût des procès : *Il se complaît dans la chicane : il cite tous ses voisins en justice.* — **3°** Fam. *Cela me chicane,* cela me préoccupe. ◆ **chicaner** v. intr. et tr. : *Ne chicanons pas sur ces chiffres. Si vous le chicanez à tout propos, il finira par ne plus s'occuper de vous* (syn. : ↓ TAQUINER). *On ne lui chicane pas ses frais de déplacement* (syn. : DISCUTER). ◆ **chicanerie** n. f. Syn. de CHICANE (sens 1). ◆ **chicaneur, euse** ou **chicanier, ère** adj. et n. Qui aime à chicaner : *Il n'a pas été trop chicaneur, il m'a cru sur parole. Les chicaniers trouveront toujours à redire.*

2. chicane [ʃikan] n. f. Série d'obstacles disposés sur une route de façon à imposer un parcours en zigzag : *On avait établi des chicanes sur les routes pour contrôler plus facilement l'identité des passants. Des camions placés en chicane sur un boulevard.*

1. chiche [ʃiʃ] adj. **1°** Se dit d'une personne qui répugne à dépenser, à donner, qui lésine : *Il a de beaux fruits dans son jardin, mais il en est chiche avec ses invités. Comme il n'est pas chiche d'éloges, il a couvert de fleurs cet auteur* (syn. : AVARE). — **2°** Se dit d'une chose qui témoigne d'un esprit de lésine : *Une réception très chiche.* ◆ **chichement** adv. Avec parcimonie, en évitant même les menues dépenses : *Ils vivent très chichement* (syn. : PETITEMENT, MODESTEMENT).

2. chiche [ʃiʃ] adj. Fam. *Chiche de* (et l'infin.), capable de, assez hardi pour : *Tu n'es pas chiche d'interrompre l'orateur pour le démentir! Je suis chiche de faire ce travail en deux heures.* ‖ *Chiche que...!, chiche!,* expriment un défi lancé ou accepté : *Chiche que j'arrive avant lui! « Combien veux-tu parier que tu ne manges pas tout ce plat? — Chiche! »*

chichi [ʃiʃi] n. m. Fam. *Faire du chichi, des chichis,* agir avec affectation, manquer de simplicité : *Ne faites donc pas tant de chichis et dites-nous tout de suite où vous voulez en venir. On n'est pas à l'aise chez ces gens-là, ils font trop de chichis* (syn. : FAIRE DES MANIÈRES, DES FAÇONS, DES EMBARRAS; fam. : DU CHIQUÉ). ◆ **chichiteux, euse** adj. et n. *Fam.* Qui fait des chichis : *Ce qu'il est chichiteux, il ne peut pas se dispenser de ses compliments alambiqués.*

chicorée [ʃikɔre] n. f. **1°** Nom de plusieurs salades, notamment la *chicorée frisée.* — **2°** Grains obtenus en torréfiant et en broyant la racine d'une variété de chicorée, et qu'on ajoute parfois au café.

chicot [ʃiko] n. m. *Fam.* Partie d'une dent cassée ou cariée qui reste dans la gencive : *Le vieux paysan se mit à rire en découvrant ses chicots noircis.*

chien [ʃjɛ̃] n. m. Animal domestique dont il existe de nombreuses races ayant diverses aptitudes : chasse, garde des troupeaux ou des maisons, traction de traîneaux, etc. (la femelle du chien est la CHIENNE) : *Le chien aboie* (syn. fam. : CABOT; pop. : CLEBS). • LOC. FAM. **1°** (compl. d'un nom avec *de*) *Vie de chien, métier de chien, temps de chien* (ou *chienne de vie, chien de métier, chien de temps*), existence, métier, temps très pénibles, très désagréables : *Il faudra mener cette vie de chien jusqu'à ce que tout le travail soit achevé! Pluie, vent, tempête, ce temps de chien dure depuis deux jours* (syn. : TEMPS À NE PAS METTRE UN CHIEN DEHORS, TEMPS DE COCHON, ↓ SALE TEMPS). ‖ *Coup de chien,* brusque tempête en mer; émeute soudaine, agitation : *Le gouvernement, craignant un coup de chien, avait consigné les troupes dans les casernes.* ‖ *Mal de chien,* grand mal, difficulté extrême : *Cette entorse me fait un mal de chien. On a un mal de chien à déchiffrer son écriture.* — **2°** (avec *comme*) *Malade comme un chien,* très éprouvé par la maladie, par un malaise : *Cette traversée par une mer agitée l'a rendu malade comme un chien.* ‖ Péjor. *Vivre, mourir, être enterré comme un chien,* sans aucune préoccupation spirituelle, sans cérémonie religieuse. ‖ *Traiter quelqu'un comme un chien,* sans le moindre égard, avec mépris et rudesse : *Il traite ses subalternes comme des chiens, aussi ne restent-ils pas longtemps à son service.* ‖ *Recevoir quelqu'un comme un chien dans un jeu de quilles,* le recevoir très mal, le rabrouer. ‖ *Vivre, être comme chien et chat,* se chamailler continuellement : *Ces deux gamins sont comme chien et chat, et pourtant ils ne peuvent pas se passer l'un de l'autre.* — **3°** *Etre coiffé à la chien,* avec des mèches folles, les cheveux ébouriffés. ‖ *En chien de fusil,* en repliant les jambes et en ramenant les genoux vers la poitrine : *Il dort couché en chien de fusil.* ‖ *Se regarder en chiens de faïence,* se dévisager fixement avec une froideur hostile. ‖ *Entre chien et loup,* à la tombée de la nuit, au crépuscule : *Entre chien et loup, j'avais peine à reconnaître mon chemin.* ‖ *Le chien du commissaire* [de police], son secrétaire, son remplaçant. ‖ *Avoir du chien,* en parlant d'une femme, avoir un charme piquant : *Elle n'est pas jolie à proprement parler, mais elle a du chien* (syn. : AVOIR DU SEX-APPEAL). ‖ *Ce n'est pas fait pour les chiens,* il ne faut pas manquer d'y recourir, d'en user à l'occasion. ‖ *Je lui garde un chien de ma chienne,* je saurai bien me venger quelque jour (syn. : IL NE PERD RIEN POUR ATTENDRE). ‖ *N'être pas bon à jeter aux chiens,* être digne de mépris : *Elle faisait autrefois grand cas de cette personne; aujourd'hui, elle ne la trouve plus bonne à jeter aux chiens* (syn. : ÊTRE AU-DESSOUS DE TOUT, ÊTRE MOINS QUE RIEN). ‖ *Ne pas donner sa part aux chiens,* ne pas renoncer à ses droits, tenir beaucoup à sa part, à jouer son rôle. ‖ *Ne pas valoir les quatre fers d'un chien,* être sans moralité, être peu recommandable. ‖ *Un chien regarde bien un évêque,* se dit à une personne qui s'offense d'être regardée. • Loc. INTERJ. *Nom d'un chien!,* juron familier : *Mais, nom d'un chien, dépêche-toi donc!* ◆ **chien, chienne** adj. *Fam.* Avare, regardant : *Il n'est pas chien avec son personnel; il accorde volontiers des avantages* (syn. fam. : RAT). ◆ **chenil** [ʃni ou ʃənil] n. m. Lieu où l'on élève, où l'on dresse, où l'on loge des chiens : *Le patron du chenil m'a vendu ce chien comme un animal de pure race.* ◆ **chien-chien** n. m. *Fam.* et *ironiq.* Petit chien entouré de soins exagérément délicats : *Le pauvre petit chien-chien à sa mémère va s'enrhumer s'il sort sans son manteau!* ◆ **chien-loup** n. m. Chien d'une race qui ressemble à celle des loups. ◆ **chienne** n. f. 1° Femelle du chien. (Le mot ne se substitue que rarement à *chien* dans les loc.; ex. : *Quelle chienne de vie!,* mais *Elle est d'une humeur de chien* [= d'une humeur exécrable]. *Elle a été reçue comme un chien dans un jeu de quilles,* etc.) — 2° *Fam.* et *péjor.* Femme qui fait preuve d'un attachement servile à un homme. ◆ **chiot** n. m. Chien encore tout jeune.

chiendent [ʃjɛ̃dɑ̃] n. m. 1° Herbe aux racines très développées et très tenaces, et qui nuit aux cultures. — 2° *Fam.* Difficulté, ennui : *Le chiendent, c'est d'arriver à se faire comprendre quand on ne parle pas un mot de leur langue.*

chienlit [ʃjɑ̃li] n. f. *Fam.* Mascarade.

chien-loup n. m., **chienne** n. f. V. CHIEN.

chier [ʃje] v. intr. et tr. 1° *Pop.* Evacuer les gros excréments (mot proscrit par le bon usage, ainsi que les loc. dans lesquelles il entre). — 2° Pop. *Ça va chier,* cela va faire du bruit, du remue-ménage (syn. fam. : ÇA VA BARDER). ‖ Pop. *C'est chié,* c'est bien réussi, c'est fameux. ‖ Pop. *Faire chier quelqu'un,* lui causer des ennuis, le contrarier. ◆ **chiasse** n. f. 1° *Pop.* Colique. — 2° *Pop.* Ennui, difficulté : *Quelle chiasse!* — 3° *Pop.* Peur. ◆ **chiottes** n. f. pl. *Pop.* Cabinets d'aisances (syn. : WATER-CLOSETS, LAVABOS, PETIT ENDROIT, TOILETTES). ◆ **chiure** n. f. Excrément de mouche.

chiffe [ʃif] n. f. 1° Syn. assez rare de CHIFFON au sens 1. — 2° *Etre mou comme une chiffe, être une chiffe molle,* se dit d'une personne qui est d'une grande mollesse, qui n'a aucune énergie : *S'il n'était pas une chiffe molle, il aurait depuis longtemps réagi.*

chiffon [ʃifɔ̃] n. m. 1° Lambeau de vieux linge, de tissu : *On fait briller les chaussures avec un chiffon de laine. Certains papiers de luxe sont faits avec du chiffon.* — 2° Morceau de papier sale et froissé : *Le professeur a refusé plusieurs devoirs en déclarant qu'il n'acceptait pas de pareils chiffons.* (On dit aussi CHIFFON DE PAPIER.) — 3° Péjor. *Chiffon de papier,* contrat, pacte, traité considéré comme sans valeur. ‖ Fam. *Parler chiffons, s'occuper de chiffons,* parler, s'occuper de toilettes féminines. ◆ **chiffonnier, ère** n. 1° Personne qui ramasse, pour les revendre, des chiffons ou des vieux objets mis au rebut : *A l'aube, le chiffonnier parcourt les rues en fouillant dans les boîtes à ordures.* — 2° Fam. *Se battre comme des chiffonniers,* se battre avec acharnement.

chiffonner [ʃifɔne] v. tr. 1° *Chiffonner quelque chose,* le froisser, le marquer de faux plis : *Il a chiffonné son brouillon et l'a jeté à la corbeille. Ta veste était mal pliée dans la valise : elle est toute chiffonnée.* — 2° Fam. *Chiffonner quelqu'un,* le préoccuper, le contrarier : *Ce qui me chiffonne, c'est que certains détails ne correspondent pas exactement aux prévisions* (syn. : ENNUYER, TRACASSER; fam. : DÉFRISER). ◆ **chiffonnage** ou **chiffonnement** n. m. : *Le chiffonnement d'un vêtement.* ◆ **déchiffonner** v. tr. Syn. de DÉFROISSER.

1. chiffre [ʃifr] n. m. 1° Signe servant à représenter un nombre : *Le nombre six cent trente-cinq (635) s'écrit avec les chiffres six, trois, cinq.* — 2° Lettres initiales, disposées esthétiquement, des noms d'une ou de deux personnes : *On lui a offert une chevalière gravée à son chiffre.*

2. chiffre [ʃifr] n. m. 1° Montant d'une somme (dépense ou recette) : *Le total des frais engagés dans cette affaire atteint maintenant un chiffre imposant. Pendant la même période, plusieurs commerçants ont fait un chiffre double de celui de l'année précédente.* (On dit aussi, en ce sens, CHIFFRE D'AFFAIRES). ◆ **chiffrer** v. tr. (sujet nom de personne). Evaluer, traduire en chiffres une dépense ou une recette : *Pouvez-vous chiffrer, au moins approximativement, le montant des réparations?* ◆ v. intr. (sujet nom de chose). Atteindre un coût élevé : *Tous ces déplacements finissent par chiffrer.*

3. chiffre [ʃifr] n. m. Code secret utilisé pour mettre un message sous une forme inintelligible aux non-initiés; service d'un ministère spécialement affecté à la correspondance en langage chiffré. ◆ **chiffrer** v. tr. *Chiffrer un texte, un message,* le transcrire selon un code dont la connaissance est nécessaire à la compréhension de ce texte, de ce message. ◆ **chiffreur** n. m. (V. DÉCHIFFRER.)

1. chignole [ʃiɲɔl] n. f. Instrument permettant de percer des trous dans le métal ou le bois, au moyen de forets (syn. : PERCEUSE).

2. chignole [ʃiɲɔl] n. f. *Fam.* et *péjor.* Voiture médiocre : *Sa chignole est encore en panne!*

chignon [ʃiɲɔ̃] n. m. Torsade ou tresse de cheveux qu'une femme enroule au-dessus de sa nuque : *La mode des chignons varie souvent.*

chimère [ʃimɛr] n. f. Projet séduisant, mais irréalisable; idée vaine, qui n'est que le produit de l'imagination : *En l'absence de capitaux, son plan d'agrandissement de la maison est une chimère* (syn. : UTOPIE). *Cessez donc de poursuivre des chimères et regardez la réalité en face.* ◆ **chimérique** adj. 1° Se dit de quelqu'un qui se complaît dans les chimères : *C'est un esprit chimérique.* —

2° Se dit de ce qui a le caractère irréel d'une chimère : *Des projets chimériques.*

chimie [ʃimi] n. f. Science qui étudie la nature et les propriétés des corps et les transformations qui peuvent s'y produire : *Il consulta dans sa bibliothèque un gros traité de chimie.* ◆ **chimique** adj. Relatif à la chimie, obtenu par la chimie : *Une réaction chimique. Le laboratoire a procédé à l'analyse chimique de l'échantillon. Une usine de produits chimiques.* ◆ **chimiste** n. Spécialiste de chimie.

chimpanzé [ʃɛ̃pɑ̃ze] n. m. Singe d'Afrique de grande taille et s'apprivoisant facilement.

chiné, e [ʃine] adj. Se dit d'un tissu ou d'un fil de laine de différentes couleurs, ou de ce qui présente un aspect comparable à ce tissu : *Un pull-over chiné. Une laine chinée.*

chiner [ʃine] v. tr. Fam. *Chiner quelqu'un,* le harceler de plaisanteries, de taquineries sans méchanceté : *Ses camarades de bureau l'ont chiné toute la journée au sujet de son beau costume neuf* (syn. : TAQUINER ; fam. : BLAGUER, METTRE EN BOÎTE ; pop. : CHARRIER).

1. chinois, e [ʃinwɑ, -nwɑz] adj. Relatif à la Chine ou à ses habitants : *La civilisation chinoise.* ◆ n. Habitant ou originaire de la Chine : *C'est un Chinois installé en France depuis de longues années.* ◆ n. m. 1° Langue parlée en Chine : *Il apprend le chinois à l'Ecole des langues orientales.* — 2° Fam. *C'est du chinois,* c'est incompréhensible. ◆ **chinoiserie** n. f. Petit objet d'art chinois : *Elle a quelques chinoiseries dans sa vitrine.*

2. chinois, e [ʃinwa, -nwaz] adj. et n. *Fam.* Pointilleux à l'excès, ergoteur, qui a le goût de la complication : *Ce qu'ils sont chinois dans cette administration : il a fallu leur fournir un tas de pièces justificatives* (syn. : EXIGEANT). *Quel chinois, ce contrôleur : il fourre son nez partout!* ◆ **chinoiser** v. intr. *Fam.* Ergoter, chercher des subtilités, des complications : *Nous n'allons pas chinoiser pour si peu* (syn. : CHICANER). ◆ **chinoiserie** n. f. *Fam.* Complication tracassière : *Vous nous faites perdre notre temps, avec vos chinoiseries.*

chiot n. m. V. CHIEN; **chiottes** n. f. pl. V. CHIER.

chiper [ʃipe] v. tr. 1° *Fam.* Dérober, prendre : *Qui est-ce qui m'a chipé mon stylo?* (syn. fam. : BARBOTER, CHOPER ; pop. : FAUCHER, PIQUER. — 2° Fam. *Chiper une maladie,* l'attraper : *J'ai chipé un bon rhume en sortant sans pardessus.*

chipette [ʃipɛt] n. f. Fam. *Ça* (ou *il*) *ne vaut pas chipette,* cela ne vaut rien, il n'est guère recommandable : *Ne te dérange pas pour voir ce film, ça ne vaut pas chipette. Méfiez-vous de ce garçon, il ne vaut pas chipette* (syn. pop. : ÇA [OU IL] NE VAUT PAS TRIPETTE).

chipie [ʃipi] n. f. et adj. *Fam.* Femme ou jeune fille désagréable, grincheuse ou dédaigneuse : *Ma voisine est brouillée avec tous les locataires; cette vieille chipie se plaint qu'on empêche son chat de dormir. Ses camarades la trouvent un peu chipie.*

chipolata [ʃipɔlata] n. f. Petite saucisse courte.

1. chipoter [ʃipɔte] v. intr. *Fam.* Faire le difficile pour manger : *Cet enfant n'a pas d'appétit, il chipote sur tous les plats* (syn. : MANGER DU BOUT DES DENTS ; fam. : PIGNOCHER). ◆ **chipotage** n. m.

2. chipoter [ʃipɔte] v. intr. Discuter sur des vétilles, chercher des difficultés : *Vous n'allez pas chipoter pour une si faible somme!* (syn. : LÉSINER, ERGOTER). ◆ v. tr. *Fam.* Discuter mesquinement sur quelque chose, contester sur de menues dépenses : *Si on me chipote les crédits, comment voulez-vous que je garantisse les délais d'exécution?* (syn. : CHICANER, PLEURER). ◆ ***se chipoter*** v. pr. *Fam.* Se susciter mutuellement des tracasseries : *Les deux sœurs se chipotaient sans cesse* (syn. fam. : SE CHAMAILLER ; usuel : SE DISPUTER). ◆ **chipoteur, euse** adj. et n. : *Ce qu'il est chipoteur, il ne peut jamais être d'accord avec vous.* ◆ **chipotage** n. m.

chips [ʃips] adj. et n. f. ou m. pl. *Pommes chips,* ou *chips,* minces rondelles de pomme de terre frites.

chique [ʃik] n. f. 1° Tabac ayant subi une préparation spéciale, et que l'on mâche : *Sa chique lui gonflait la joue quand il parlait.* — 2° Fam. *Mou comme une chique,* se dit d'une personne sans énergie, sans vigueur. ‖ Fam. *Couper la chique à quelqu'un,* l'interrompre brusquement en le laissant tout interdit : *Il était pourtant bien parti, mais quand on lui a rappelé ses promesses, ça lui a coupé la chique.* ◆ **chiquer** v. intr. et tr. Mâcher du tabac. ◆ **chiqueur** n. m. : *Ce vieux matelot est un chiqueur invétéré.*

chiqué [ʃike] n. m. 1° *Fam.* Simulation de sentiments; apparence trompeuse : *Il a pris un air indifférent, mais c'est du chiqué : je sais bien qu'il guigne ce terrain* (syn. : BLUFF). — 2° Fam. *Faire du chiqué,* prendre des airs importants, affecter des manières distinguées : *On est en famille : on ne va pas faire du chiqué* (syn. usuel : FAIRE DES MANIÈRES, DES EMBARRAS).

chiquement adv. V. CHIC.

chiquenaude [ʃiknod] n. f. 1° Coup donné avec un doigt replié contre le pouce et brusquement détendu : *Il donna quelques chiquenaudes sur la manche de sa veste pour chasser les traces de poussière.* — 2° Légère impulsion, petit choc qui ébranle : *Il suffit parfois d'une chiquenaude pour déclencher le mécanisme de la hausse des prix.*

chiromancie [kiromɑ̃si] n. f. Divination fondée sur l'examen des lignes de la main. ◆ **chiromancienne** n. f.

chirurgie [ʃiryrʒi] n. f. Partie de l'art médical qui comporte l'intervention du praticien sur une partie du corps, un organe, etc., généralement au moyen d'instruments. ◆ **chirurgical, e, aux** adj. : *Le service chirurgical de l'hôpital. Un congrès chirurgical. Une intervention chirurgicale* (syn. : OPÉRATION). ◆ **chirurgien** n. m. : *Le chirurgien qui m'a opéré de l'appendicite est un ami de la famille.* ◆ **chirurgien-dentiste** n. m. Syn. admin. de DENTISTE.

chistera [ʃistera] n. m. Panier recourbé et allongé que l'on attache au poignet pour jouer à la pelote basque.

chiure n. f. V. CHIER.

chlore [klɔr] n. m. Corps chimique verdâtre, d'odeur suffocante.

chloroforme [klɔrɔfɔrm] n. m. Liquide qui a des propriétés puissamment anesthésiques : *Le chloroforme est de moins en moins employé aujourd'hui en anesthésie chirurgicale.* ◆ **chloroformer** v. tr.

1° *Chloroformer quelqu'un,* l'endormir au chloroforme. — 2° Fam. *Chloroformer l'opinion publique, les esprits,* etc., leur faire perdre tout sens critique par une propagande adéquate.

chlorophylle [klɔrɔfil] n. f. Pigment vert des végétaux.

1. choc [ʃɔk] n. m. 1° Contact brusque, plus ou moins violent, entre deux ou plusieurs objets (ou êtres animés) : *La voiture a heurté un arbre; sous le choc, le conducteur a eu les jambes fracturées. Je me suis cogné la tête contre un poteau : le choc a été rude* (syn. : COUP). *Il faut porter ce vase avec précaution, le moindre choc pourrait le briser* (syn. : HEURT). — 2° Affrontement violent de deux troupes adverses : *Au premier choc, les divisions ennemies durent céder du terrain* (syn. : RENCONTRE). *Un choc s'est produit entre les manifestants et le service d'ordre* (syn. : BAGARRE). — 3° *De choc,* se dit de troupes, de militants spécialement entraînés au combat offensif, à l'action directe, ou d'une doctrine présentée avec dynamisme : *Des bataillons de choc. Des syndicalistes de choc. Christianisme de choc.* ‖ *Prix choc,* prix défiant toute concurrence, pratiqué par un commerçant pour attirer la clientèle. ‖ *Choc en retour,* conséquence d'un acte, effet d'une force qui atteint, de façon inattendue, l'auteur de cet acte : *Ses anciens amis l'ont abandonné : c'est le choc en retour de son ingratitude* (syn. : CONTRECOUP). ◆ **choquer** v. tr. *Choquer un objet,* lui donner un choc : *Le plat est fêlé : il a dû être choqué* (syn. : COGNER, HEURTER). *Ils choquèrent leurs verres* (syn. : TRINQUER). ◆ **entrechoquer** v. tr. Choquer l'un contre l'autre : *Les cahots du camion entrechoquaient les bidons de lait.* ◆ **s'entrechoquer** v. pr. : *Des mots s'entrechoquent dans son esprit.* ◆ **entrechoquement** n. m. : *Les deux combattants s'affrontaient dans un entrechoquement d'épées et de boucliers.*

2. choc [ʃɔk] n. m. Emotion violente et brusque : *Je le croyais absent, aussi, quand je l'ai vu dans le bureau, cela m'a fait un choc. Il n'est pas encore bien remis du choc que lui a causé la mort de son meilleur ami* (syn. : COUP). ◆ **choquer** v. tr. *Choquer quelqu'un* (ou ses goûts, ses sentiments), lui causer une contrariété, agir à l'encontre de ses sentiments ou de ses principes : *Il a été très choqué de ne pas recevoir d'invitation* (syn. : FROISSER; ↑ BLESSER, OFFENSER). *Ce film risque de choquer les consciences délicates* (syn. : SCANDALISER). *Une musique qui choque le goût de l'auditoire* (syn. : HEURTER). *Ne vous choquez pas de ma question, même si elle vous paraît indiscrète* (syn. : OFFUSQUER, FORMALISER); lui occasionner un choc émotionnel : *Ce terrible accident l'a durement choqué* (syn. : COMMOTIONNER). ◆ **choquant, e** adj. : *Une injustice choquante* (syn. : CRIANT). *Un mot choquant* (syn. : MALSONNANT, ↓ DÉPLACÉ). *Un contraste choquant entre la misère des uns et l'opulence des autres* (syn. : SCANDALEUX).

chochotte [ʃɔʃɔt] n. f. *Pop.* Femme qui affecte une délicatesse et une pruderie excessives (souvent de façon exclamative, sur un ton ironiq.) : *Madame ne fréquente pas ce monde-là! Chochotte, voyez-vous ça!*

1. chocolat [ʃɔkɔla] n. m. 1° Produit comestible, composé essentiellement de cacao et de sucre : *Chocolat fondant, à croquer, en poudre, au lait, aux noisettes. L'enfant a pris pour son goûter un morceau de pain et une tablette de chocolat.* — 2° Boisson préparée avec ce produit cuit dans du lait ou de l'eau : *Un bol de chocolat fumant vous réchauffera.* ◆ adj. invar. De la couleur brune du chocolat : *Un tissu chocolat.* ◆ **chocolaté, e** adj. Qui contient du chocolat : *Préparer une bouillie à un bébé avec une farine chocolatée.* ◆ **chocolaterie** n. f. Fabrique de chocolat. ◆ **chocolatier, ère** n. Fabricant de chocolat. ◆ **chocolatière** n. f. Récipient spécialement destiné à la préparation du chocolat liquide.

2. chocolat [ʃɔkɔla] adj. invar. *Fam.* Se dit d'une personne qui est déçue, attrapée : *J'espérais gagner au moins une fois, mais je suis resté chocolat.*

chocottes [ʃɔkɔt] n. f. pl. Pop. *Avoir les chocottes,* avoir peur.

1. chœur [kœr] n. m. 1° Groupe de chanteurs et chanteuses exécutant une œuvre musicale à l'unisson ou à plusieurs voix : *Un oratorio pour soli, chœur et orchestre. Les chœurs étaient disposés sur la scène, l'orchestre dans la fosse.* — 2° Morceau de musique destiné à être chanté par un groupe : *Beethoven n'a écrit qu'une symphonie avec chœur, la neuvième.* — 3° Groupe de personnes parlant ou agissant avec ensemble; paroles, cris, etc., que ces personnes font entendre collectivement : *Attendez-vous à des manifestations du chœur des éternels mécontents. Un chœur de lamentations, de protestations, de louanges* (syn. : CONCERT). — 4° Dans l'Antiquité, groupe de personnes exécutant, lors de certaines fêtes ou représentations théâtrales, des danses, des mouvements rythmés, et chantant ou déclamant ensemble : *Dans la tragédie grecque, le chœur exprimait généralement de façon lyrique les sentiments des spectateurs.* • LOC. ADV. *En chœur,* ensemble, avec unanimité : *Chanter en chœur.* « *Bravo!* » *s'écrièrent-ils en chœur.* ◆ **choral, e, aux** ou **als** [kɔral, -ro] adj. Qui concerne les chœurs (sens 1 et 2) : *Chant choral. Musique chorale.* ◆ **choral, als** n. m. Chant religieux écrit pour des chœurs : *Bach a composé de nombreux chorals.* ◆ **chorale** n. f. Société de personnes qui chantent, de façon plus ou moins habituelle, des œuvres musicales à l'unisson ou à plusieurs voix. ◆ **choriste** n. Personne qui fait partie d'un chœur, d'une chorale : *Ce chœur est un peu faible, il faudrait recruter quelques choristes de plus.*

2. chœur [kœr] n. m. 1° Partie de l'église réservée au clergé pendant les cérémonies : *Le maître-autel est situé dans le chœur.* — 2° *Enfant de chœur,* celui qui assiste le prêtre dans les offices religieux; *fam.,* homme naïf, facile à duper : *Tu me prends pour un enfant de chœur? Il s'est laissé avoir comme un enfant de chœur.*

choir [ʃwar] v. intr. (conj. **49**). Syn. vieilli de TOMBER (seulement à l'infin., avec une intention plus ou moins plaisante, surtout dans *laisser choir*) : *Il se laissa choir noblement dans son fauteuil. La façon dont tu as laissé choir tes amis manque d'élégance* (syn. : ABANDONNER; fam. : LAISSER TOMBER, PLAQUER).

choisir [ʃwazir] v. tr. 1° *Choisir quelqu'un, quelque chose,* les prendre, les adopter de préférence aux autres choses ou aux autres personnes : *Elle resta longtemps indécise devant la vitrine avant de choisir un modèle de chaussures* (syn. : S'ARRÊTER À, SE FIXER SUR). *La page féminine du journal a choisi pour ses lectrices quelques articles intéressants parmi* *les nouveautés de l'exposition* (syn. : SÉLECTIONNER, RETENIR). *Les électeurs ont choisi leurs représentants* (syn. : ÉLIRE, DÉSIGNER). *De ces deux solutions, je choisis la plus simple* (syn. : OPTER POUR, ADOPTER). *Il a choisi deux amis très sûrs pour l'accompagner dans cette expédition.* — 2° *Choisir de* (et l'infin.), prendre la décision, le parti de : *Après mûre réflexion, j'ai choisi de décliner l'offre qui m'était faite.* — 3° *Choisir si, où, quand,* etc. (et l'indic.), juger, décider si, où, quand, etc. : *C'est à vous de choisir si vous viendrez ou non! Choisis où tu veux aller en vacances.* ◆ **choisi, e** adj. 1° Se dit de ce qui est recherché avec soin, d'une qualité toute particulière : *Il s'exprime dans un vocabulaire choisi.* — 2° *Morceaux choisis,* recueil de textes en prose ou en vers tirés des œuvres d'un ou de plusieurs écrivains. ◆ **choix** [ʃwa] n. m. 1° Action de choisir : *Le choix d'un métier est souvent une affaire délicate. La cliente a fini par arrêter* (ou *fixer*) *son choix sur une robe de soie. Son choix est guidé par un goût très sûr.* — 2° Ce qui est choisi : *Il a préféré la discussion à la violence : c'est un choix raisonnable.* — 3° Possibilité, liberté de choisir (*avoir, donner, laisser,* etc., *le choix*) : *Voulez-vous que nous nous rencontrions demain? Je vous laisse le choix de l'heure. Pour aller là-bas, on a le choix entre deux itinéraires. Dans les duels, c'était ordinairement à l'offensé que revenait le choix des armes.* — 4° Ensemble varié de choses choisies en raison de leur qualité ou de leur convenance à une fin déterminée : *Cette maison d'édition a publié un choix de poèmes sur la mer* (syn. : ANTHOLOGIE). *On nous a fait entendre un choix de disques de musique ancienne* (syn. : SÉLECTION). — 5° Catégorie à laquelle appartient un article commercial en fonction de sa qualité : *Choix courant, choix spécial. On vend au rabais les articles de second choix.* — 6° *Au choix,* avec toute liberté de choisir : *Vous avez droit à un dessert au choix* (syn. : AD LIBITUM, langue plus recherchée). *Cette voiture peut être livrée en diverses teintes, au choix du client* (syn. : AU GRÉ DE). ‖ *Avancement, promotion au choix,* pour un fonctionnaire, avancement dépendant d'une décision des supérieurs hiérarchiques (contr. : AVANCEMENT, PROMOTION À L'ANCIENNETÉ). ‖ *De choix,* de très bonne qualité, exquis : *Le programme offre un spectacle de choix.* ‖ *De mon* (*ton, son,* etc.) *choix,* choisi par moi (toi, lui, etc.) : *Le malade peut s'adresser au médecin de son choix.* ‖ *Sans choix,* sans discernement : *Il lit sans choix tous les livres qui lui tombent sous la main* (syn. : INDISTINCTEMENT). ‖ *Faire choix de quelque chose,* choisir : *Nous avons fait choix du même type de téléviseur.* ‖ *N'avoir que l'embarras du choix,* avoir en abondance ce qu'on cherche et n'avoir qu'à choisir. ‖ *Ne pas avoir le choix,* ne pas avoir d'autre ressource, devoir en passer par là, bon gré, mal gré.

choléra [kɔlera] n. m. 1° Maladie épidémique pouvant causer de nombreux décès. — 2° *Pop.* Personne méchante, désagréable; chose insupportable : *Un vrai choléra, ce gamin!* (syn. usuel : PESTE).

chômer [ʃome] v. intr. 1° (sujet nom de personne) Ne pas travailler par manque d'ouvrage : *Depuis deux mois qu'il chômait, il avait épuisé ses maigres économies.* — 2° (sujet nom de chose) Cesser d'être productif, d'être actif : *Est-ce que vous allez laisser chômer ce capital?* (syn. : DORMIR). *Pendant le repas, la conversation ne chômait pas* (syn. : SE RALENTIR, TARIR). ◆ v. tr. *Chômer une fête, un jour,* les célébrer en s'abstenant de travailler. ‖ *Jour chômé,* celui où l'on ne travaille pas. ◆ **chômage** n. m. Situation d'une personne, d'une entreprise, d'un secteur de l'économie qui manque de travail : *Les gelées de l'hiver dernier ont entraîné un chômage prolongé dans le bâtiment. Si cette usine fermait ses portes, plus de mille ouvriers seraient réduits au chômage. La crise économique a entraîné un chômage partiel dans certaines branches de l'industrie* (contr. : PLEIN EMPLOI). *Etre en chômage. C'est la misère : la mère est à l'hôpital et le père est au chômage* (= touche l'allocation de chômage). ◆ **chômeur, euse** n. Personne qui est involontairement en chômage : *Le nombre des chômeurs a diminué de moitié dans la région depuis la mise en exploitation de ses ressources minières.*

chope [ʃɔp] n. f. Grand verre ou gobelet muni d'une anse et parfois d'un couvercle, et dans lequel on sert la bière.

choper [ʃɔpe] v. tr. Très fam. *Choper quelque chose,* le prendre vivement, l'attraper, le dérober : *Quelqu'un a dû me choper mon briquet : je ne le retrouve plus. Tu devrais te couvrir, tu vas choper un rhume.*

chopine [ʃɔpin] n. f. *Fam.* Bouteille de vin : *Pour marquer leur accord, ils sont allés au bistrot boire une chopine.* (La *chopine* était autrefois une mesure de capacité équivalant approximativement à un demi-litre.)

choquant, e adj. V. CHOC 2; **choquer** v. tr. V. CHOC 1 et 2.

choral, e adj. et n. m., **chorale** n. f. V. CHŒUR 1.

chorégraphie [kɔregrafi] n. f. Art d'écrire, de diriger, d'ordonner des ballets, des danses selon la musique; ensemble des pas et des évolutions dont est constitué un ballet : *Une chorégraphie minutieusement réglée.* ◆ **chorégraphique** adj. : *La partie chorégraphique du spectacle a exigé de très nombreuses répétitions.* ◆ **chorégraphe** n.

choriste n. V. CHŒUR 1.

chorus [kɔrys] n. m. Fam. *Faire chorus,* manifester bruyamment et collectivement son approbation, répéter avec ensemble les paroles de quelqu'un: *Un député de l'opposition a demandé des éclaircissements au ministre et tous ceux de son groupe ont fait chorus. Ses frères ont fait chorus avec lui.*

1. chose [ʃoz] n. f. 1° Toute sorte d'objet matériel ou d'abstraction (ce mot peut s'employer de façon indéterminée, à la place d'un nom quelconque d'être inanimé) : *Le nom est un mot qui désigne une personne, un animal ou une chose. Cette chose que tu as trouvée sur la route, c'est un bouchon de radiateur d'automobile* (syn. fam. : TRUC, MACHIN; pop. : BIDULE). *Il a accompli des choses sensationnelles* (= des exploits). *On m'a raconté une chose amusante* (= une histoire, un fait). *J'ai vu une chose extraordinaire* (= un spectacle). — 2° (au plur.) *Les choses,* la situation, les événements : *Il faut avoir le courage de regarder les choses en face. Les choses se gâtent.* — 3° (accompagné d'un possessif) Désigne un être animé qui est sous la dépendance de quelqu'un : *Sa femme n'a plus aucune personnalité, tellement il en a fait sa chose.* — 4° Etre humain incapable d'exercer sa volonté, d'agir : *Depuis sa grave maladie, il n'est plus qu'une pauvre chose.* — 5° (express. avec *chose* au sing.) *C'est une chose... c'est une autre chose* (ou *c'en est une autre*)..., il y a une grande différence ; *Il répliqua que les bons sentiments sont une chose et que les affaires en sont une autre. C'est une chose de connaître le fonctionnement de l'appareil, c'en est une autre de savoir s'en servir.* ‖ *La chose publique,* les affaires de l'Etat, la nation (langue soignée). ‖ *Quelque chose,* v. ce mot. ‖ *C'est peu de chose,* c'est peu important. ‖ *Grand-chose,* beaucoup (surtout avec une négation) : *Je n'y ai pas compris grand-chose.* — **6°** (express. avec *chose* au plur.) : *Les choses humaines,* l'ensemble des activités des hommes, la condition humaine. ‖ *C'est dans l'ordre des choses,* c'est conforme aux lois naturelles. ‖ *Vous lui direz bien des choses* (ou *bien des choses aimables*) *de ma part,* formule fam. de politesse adressée à quelqu'un par l'intermédiaire d'une autre personne. ‖ *Faire bien* (ou *bien faire*) *les choses, ne pas faire les choses à moitié,* dépenser sans lésiner, de façon à assurer la réussite complète de ce qu'on entreprend : *On avait bien fait les choses : le menu était raffiné et les vins excellents.* ‖ *Parler de choses et d'autres,* converser sur des sujets divers : *Après avoir parlé de choses et d'autres, on en vint enfin à la question essentielle.* ‖ *Leçon de choses,* exercice scolaire visant à développer le vocabulaire de tout jeunes enfants et à leur donner des notions scientifiques en partant de l'observation des objets ou des êtres qui les entourent.

2. chose [ʃoz] adj. Fam. *Un peu chose, tout chose,* plus ou moins décontenancé, mal à l'aise, avec une impression mal définie de gêne : *Cette lettre lui annonçait sans doute quelque nouvelle inattendue, car il resta longtemps immobile d'un air tout chose* (syn. : PENSIF, PERPLEXE). *Il était temps que la traversée s'achève, car je commençais à me sentir un peu chose avec le balancement du bateau.*

1. chou, choux [ʃu] n. m. **1°** Plante dont les feuilles sont utilisées pour l'alimentation de l'homme et des animaux : *J'ai gardé de mon enfance campagnarde un goût particulier pour la soupe aux choux. Les choux de Bruxelles, les choux-fleurs sont des variétés très différentes de choux.* — **2°** Petite pâtisserie soufflée : *La pièce montée était faite de choux à la crème collés au caramel.* — **3°** *Chou de ruban,* ruban formant un gros nœud à nombreuses coques. — **4°** Fam. *Bête comme chou,* se dit d'un problème, d'une difficulté faciles à comprendre, à résoudre (syn. : SIMPLE COMME BONJOUR). ‖ Fam. *Feuille de chou,* journal peu estimable. ‖ Fam. *Aller planter ses choux,* se retirer à la campagne, ou s'occuper de besognes simples auxquelles on est plus apte qu'au travail qu'on faisait : *Il parle déjà de prendre sa retraite et d'aller planter ses choux. Allez donc planter vos choux et laissez-nous faire!* ‖ Pop. *Etre dans les choux,* être dans les derniers d'un classement ou être refusé à un examen; être évanoui (syn. fam. usuel, en ce dernier sens : ÊTRE DANS LES POMMES). ‖ Fam. *Faire chou blanc,* échouer dans une démarche, une entreprise. ‖ Fam. *Faire ses choux gras de quelque chose,* en faire son profit avec plaisir, alors que d'autres le dédaignaient. ‖ Pop. *Rentrer dans le chou à quelqu'un,* l'attaquer vigoureusement, le malmener : *Comme l'autre l'avait insulté, il lui est rentré dans le chou.*

2. chou, choux [ʃu] n. m. **1°** *Fam.* Terme d'affection, avec parfois une nuance d'apitoiement : *Mon petit chou, mon gros chou. Ce pauvre chou a été bien malheureux.* — **2°** Fam. *Bout de chou,* petit enfant (avec une nuance de sympathie amusée). ◆ **chou** adj. (invar. en genre). *Fam.* Joli, mignon, gentil (langue affectée) : *Oh! ma chère, que c'est chou, ce petit studio! Elle est trop chou dans sa petite robe.* ◆ **chouchou, oute** n. *Fam.* Enfant, élève préféré, favori : *Un bon professeur n'a pas de chouchou. Ses camarades se moquaient d'elle en lui reprochant d'être la chouchoute de la maîtresse.* ◆ **chouchouter** v. tr. *Fam.* Choyer, gâter tout spécialement : *Il serait peut-être moins capricieux s'il n'avait pas été si chouchouté par sa mère.* ◆ **chouchoutage** n. m. *Fam.* Favoritisme : *Chacun a eu la note qu'il méritait, sans chouchoutage.*

chouan [ʃwɑ̃] n. m. Désigne parfois encore, dans l'ouest de la France, un tenant de la politique conservatrice. (Pendant la Révolution de 1789, les *chouans* étaient des royalistes insurgés contre le régime républicain.) ◆ **chouannerie** n. f. Mouvement insurrectionnel des chouans.

choucroute [ʃukrut] n. f. Chou découpé en fines lanières, salé et fermenté, que l'on mange cuit, ordinairement avec une garniture de charcuterie et de pommes de terre.

1. chouette [ʃwɛt] n. f. **1°** Oiseau rapace nocturne : *Le cri de la chouette est sinistre dans cette nuit noire.* — **2°** Fam. et péjor. *Vieille chouette,* femme méchante, désagréable, d'une curiosité malveillante.

2. chouette [ʃwɛt] adj. (avant ou après le nom). *Pop.* Beau, fameux, agréable : *Il fait un chouette temps! Il est chouette, ton complet!* (syn. fam. : CHIC). *C'est chouette : on a un jour de congé supplémentaire. Il a acheté une chouette de bagnole.* ◆ **chouette!** interj. : *Chouette! j'ai fini mon travail!* ◆ **chouettement** adv. Pop. : *Il est chouettement meublé!*

choupette [ʃupɛt] n. f. **1°** *Fam.* Houppe de cheveux d'un bébé ou d'un petit enfant. — **2°** *Fam.* Nœud de ruban mis dans les cheveux d'un enfant.

choyer [ʃwaje] v. tr. *Choyer quelqu'un,* l'entourer d'attentions tendres, de soins affectueux : *Il garde un souvenir heureux de cette époque bénie où il vivait choyé de tout son entourage* (syn. fam. : DORLOTER, ÊTRE AUX PETITS SOINS POUR).

chrétien, enne [kretjɛ̃, -ɛn] adj. et n. Qui est baptisé et professe la religion de Jésus-Christ : *Clovis, roi des Francs, devint chrétien en 496. Les chrétiens adorent un Dieu unique en trois personnes.* ◆ adj. Relatif ou conforme à la doctrine de Jésus-Christ : *Religion chrétienne. Morale chrétienne. Civilisation chrétienne. Pardonner à quelqu'un par charité chrétienne. Le langage qu'il a tenu n'est guère chrétien.* ◆ **chrétiennement** adv. : *Il s'efforce de vivre chrétiennement. Supporter chrétiennement une épreuve* (= avec soumission à la volonté de Dieu). ◆ **chrétienté** [kretjɛ̃te] n. f. **1°** Ensemble des pays, des peuples chrétiens : *Toute la chrétienté a prié pour la paix.* — **2°** Communauté particulière de chrétiens : *La chrétienté d'Orient était représentée au concile par des observateurs.* ◆ **christianisme** [kristjanism] n. m. Religion chrétienne : *Le christianisme est actuellement la religion qui a le plus d'adeptes.* ◆ **christianiser** v. tr. Convertir au christianisme; pénétrer des idées chrétiennes : *Au IVe siècle, les populations urbaines de la Gaule sont pour la plupart christianisées* (syn. : ÉVANGÉLISER). ◆ **déchristianiser** v. tr. : *Certaines régions* *sont très déchristianisées.* ◆ **déchristianisation** n. f. ◆ **rechristianiser** v. tr.

christ [krist] n. m. Représentation de Jésus-Christ crucifié : *Un christ d'ivoire acheté chez un antiquaire* (syn. : CRUCIFIX). *Dans cette église, on peut voir un christ en bois du XVIe siècle, grandeur naturelle.*

christianiser v. tr., **christianisme** n. m. V. CHRÉTIEN.

chrome [krom] n. m. 1° Métal inoxydable à l'air et pouvant recevoir un beau poli. — 2° Partie métallique revêtue d'une couche de ce métal, notamment dans une carrosserie d'automobile : *Les chromes de la voiture étincelaient au soleil.* ◆ **chromer** v. tr. Revêtir d'une couche de chrome : *Une fois le pare-choc redressé, il a fallu le faire chromer à nouveau. Une vis chromée.* ◆ **chromage** n. m.

chromo [kromo] n. m. *Fam.* et *péjor.* Reproduction en couleurs d'une photographie; tableau fortement et mal coloré.

1. chronique [krɔnik] adj. 1° *Maladie chronique,* maladie qui dure longtemps et évolue lentement : *Rhumatisme chronique* (contr. : AIGU). — 2° Se dit d'une situation fâcheuse qui dure ou se répète : *Il avait des difficultés financières chroniques* (syn. : CONSTANT, CONTINUEL, QUOTIDIEN). ◆ **chronicité** n. f. : *La chronicité de la sous-alimentation dans certaines régions de la Terre.* ◆ **chroniquement** adv. : *Souffrir chroniquement d'une blessure ancienne.*

2. chronique [krɔnik] n. f. 1° Suite de faits consignés dans l'ordre de leur déroulement : *La chronique se distingue de l'histoire par l'absence de souci de synthèse. Les « Chroniques » de Froissart sont une source précieuse d'informations pour les historiens modernes de la guerre de Cent Ans.* — 2° Article de journal ou de revue, émission radiodiffusée ou télévisée consacrés quotidiennement ou périodiquement à des informations, des commentaires d'un certain ordre : *Chronique sportive, hippique, théâtrale. Dans ce journal, la chronique des livres est tenue depuis une vingtaine d'années par le même critique. Sa dernière chronique grammaticale lui a valu plusieurs lettres de lecteurs.* — 3° Ensemble de nouvelles, de bruits qui se répandent : *La chronique locale prétend qu'elle n'a pas toujours été une épouse parfaitement vertueuse* (syn. : RUMEUR PUBLIQUE). *Ce petit scandale a défrayé la chronique* (= alimenté les potins, les commérages). ◆ **chroniqueur** n. m. Auteur, rédacteur d'une chronique (aux sens 1 et 2) : *Villehardouin, Joinville, Jean Le Bel, Froissart sont des chroniqueurs plutôt que des historiens. Tous les chroniqueurs littéraires ont souligné l'originalité de cet ouvrage.*

chronologie [krɔnɔlɔʒi] n. f. Ordre de succession des événements : *Je vous cite quelques faits en vrac, sans souci de leur chronologie. Cette œuvre littéraire n'a pas pu être inspirée par l'autre : la chronologie s'y oppose.* ◆ **chronologique** adj. : *Le récit respecte fidèlement l'ordre chronologique. L'ouvrage est complété par deux tables des noms d'auteurs, l'une alphabétique, l'autre chronologique.* ◆ **chronologiquement** adv. : *Il est chronologiquement impossible que ces deux personnages de l'Antiquité se soient rencontrés.*

chronomètre [krɔnɔmɛtr], ou fam. **chrono** n. m. Montre de grande précision, permettant de mesurer les durées à une fraction de seconde près : *Les juges de la course guettent l'arrivée des concurrents, chronomètre en main.* ◆ **chronométrer** v. tr. Mesurer exactement une durée à l'aide d'un chronomètre ou, plus généralement, d'une montre : *Chronométrer une course, les réflexes d'un candidat, la chute d'une pierre. Il a été chronométré 1 minute 50 aux 800 mètres.* ◆ **chronométrage** n. m. : *Le chronométrage d'une épreuve sportive.* ◆ **chronométreur** n. m. Celui qui chronomètre une course.

chrysalide [krizalid] n. f. Stade de formation de certains insectes, entre la chenille et le papillon.

chrysanthème [krizɑ̃tɛm] n. m. Fleur ornementale à grosses boules de couleurs variées.

chuchoter [ʃyʃɔte] v. intr. et tr. Parler, dire à voix basse, sans vibration des cordes vocales : *Le professeur a puni deux élèves qui chuchotaient pendant la composition. Il me chuchote à l'oreille le nom des nouveaux arrivants* (syn. : MURMURER). ◆ **chuchotement** n. m. Bruit de voix qui chuchotent : *Un simple chuchotement a suffi à effaroucher la biche.*

chuinter [ʃɥɛ̃te] v. intr. Faire entendre un chuintement. ◆ **chuintant, e** adj. : [ʃ] *et* [ʒ] *sont des phonèmes chuintants* (ou *des chuintantes* n. f.). ◆ **chuintement** n. m. 1° Sifflement non strident, provoqué par un liquide ou par un gaz qui circule dans une canalisation ou s'échappe d'un orifice étroit : *Un chuintement ininterrompu rappelait la fuite du robinet d'évier.* — 2° Son produit par un phonème consonantique, l'air resserré par le canal buccal s'écoulant avec un sifflement.

chut ! [ʃyt] interj. S'emploie pour demander le silence : *Chut! laissez-le parler* (syn. : SILENCE !). *Il mit un doigt sur la bouche et fit « chut! »* ◆ **chuter** v. tr. *Chuter quelqu'un,* faire « chut » sur son passage.

chute [ʃyt] n. f. 1° Sert de substantif au verbe *tomber* (action de tomber) : *J'ai fait une chute sur le verglas. Le parachutiste a parcouru les cinq cents premiers mètres en chute libre. La météo annonce de nouvelles chutes de neige. Un produit qui ralentit la chute des cheveux. A la chute des feuilles, ses pensées devenaient plus mélancoliques* (= en automne). *Les partis de l'opposition ont cherché à provoquer la chute du ministère* (syn. : RENVERSEMENT). *Je vous ai attendu jusqu'à la chute du jour* (= la tombée de la nuit, la tombée du jour, le crépuscule). *Les derniers troubles politiques ont entraîné une chute soudaine des cours de la Bourse* (syn. : BAISSE BRUTALE, ↑ EFFONDREMENT). — 2° Action de commettre une faute, de tomber dans la déchéance : *Selon la Bible, Adam et Eve, après la chute, furent chassés du paradis terrestre* (syn. : PÉCHÉ). *Cette malheureuse fille a supporté toute sa vie les conséquences de sa chute* (syn. : FAUTE). — 3° Masse d'eau qui se déverse d'une certaine hauteur : *Les chutes du Niagara, du Nil, du Zambèze* (syn. : CATARACTE, CASCADE). — 4° Morceau qui reste d'une matière dans laquelle on a taillé des objets : *La fillette habille sa poupée avec les chutes du tissu de la robe taillée par sa maman* (syn. : DÉCHET). — 5° A certains jeux de cartes, levées qu'on avait demandées et qu'on n'a pas faites : *Ils avaient demandé quatre piques, ils font deux de chute.* — 6° *Chute des reins,* le bas du dos. ◆ **chuter** v. intr. *Fam.* 1° Tomber, échouer : *La motion de censure* *risque de faire chuter le ministère.* — 2° A certains jeux de cartes, ne pas réaliser le nombre de levées où s'était arrêtée l'enchère : *Ils ont chuté de trois levées.*

chuter v. tr. V. CHUT; v. intr. V. CHUTE.

ci adv. V. LÀ.

cible [sibl] n. f. 1° But sur lequel on tire des projectiles : *C'est un tireur d'élite : il a placé toutes les balles au centre de la cible. Ils se mettent à six pas de la cible pour lancer les fléchettes. Il rampait pour éviter de servir de cible aux guetteurs ennemis. Les colonnes de soldats en fuite étaient une cible facile pour les avions de chasse.* — 2° *(Etre) la cible de,* être visé par des propos malveillants, railleurs; être l'objet sur lequel se portent les regards : *Cette parole maladroite a fait de lui la cible des plaisanteries de l'assistance. Avec sa haute taille, il est la cible de tous les regards* (syn. : POINT DE MIRE).

ciboire [sibwar] n. m. Vase sacré où l'on conserve les hosties consacrées.

ciboule [sibul] n. f., **ciboulette** [sibulɛt] n. f. Sorte d'ail dont les feuilles, fines et longues, sont utilisées comme condiment.

ciboulot [sibulo] n. m. *Pop.* Tête considérée comme siège de la pensée : *C'est une idée qui me trotte depuis longtemps dans le ciboulot. Ce n'est pas la peine de te fatiguer le ciboulot, tu ne peux pas comprendre.*

cicatrice [sikatris] n. f. 1° Marque laissée sur la peau, après la guérison, par une blessure, une incision : *Cette cicatrice me rappelle une chute de bicyclette que j'ai faite à dix ans. L'opération n'a laissé qu'une cicatrice discrète.* — 2° Dommage matériel laissé par une action violente; trace affective qui reste d'une blessure morale : *Une ville qui présente encore des cicatrices de la guerre. Il garde au cœur de profondes cicatrices de la crise sentimentale qu'il a traversée.* ◆ **cicatriser** v. tr. 1° *Cicatriser une plaie,* favoriser la formation d'une cicatrice, hâter la fermeture d'une plaie : *L'exposition à l'air et au soleil cicatrise la blessure.* — 2° *Cicatriser une douleur,* l'apaiser, la calmer : *Le temps et l'amitié finiront par cicatriser ce chagrin.* ◆ v. intr. et ***se cicatriser*** v. pr. : *La plaie s'est cicatrisée* ou *a cicatrisé.* ◆ **cicatrisation** n. f. : *La cicatrisation se fait lentement.*

ci-devant n. invar. V. DEVANT.

cidre [sidr] n. m. Boisson constituée par du jus de pomme fermenté : *On consomme beaucoup de cidre en Normandie et en Bretagne.* ◆ **cidrerie** n. f. Usine où l'on fabrique du cidre.

1. ciel [sjɛl] n. m. 1° Espace infini qui s'étend au-dessus de nos têtes : *Les étoiles brillent au ciel* (syn. littér. : FIRMAMENT). *L'enfant fait voler son cerf-volant dans le ciel. Un épervier plane haut dans le ciel.* — 2° Aspect de l'atmosphère, selon le temps qu'il fait : *Un ciel clair, serein, dégagé* (= sans nuages), *gris, sombre, couvert, tourmenté.* — 3° *A ciel ouvert,* se dit d'une carrière exploitée en plein air, par oppos. aux mines souterraines. ‖ *Entre ciel et terre,* dans l'air, en suspens au-dessus du sol : *L'alpiniste resta un long moment suspendu au bout de sa corde, entre ciel et terre.* ‖ *Ciel de lit,* dais placé au-dessus d'un lit et auquel sont suspendus des rideaux. ◆ **cieux** n. m. pl. S'emploie parfois au lieu du singulier (littér.) : *Contempler la voûte des cieux. Il voulait aller vivre sous d'autres cieux* (= dans un autre pays). *Les cieux racontent la gloire de Dieu.* • REM. Le pluriel est *ciels* dans *ciels de lit* ou quand le mot désigne un aspect pittoresque ou une représentation de l'espace aérien : *Les ciels de l'Ile-de-France sont célèbres.* ◆ **ciel** adj. invar. *Bleu ciel,* d'un bleu clair : *Des doubles rideaux bleu ciel.* ◆ **céleste** [selɛst] adj. (souvent en langue soutenue). 1° (après le nom) Relatif au ciel, au firmament : *Dans le calme de la nuit, il contemplait la voûte céleste. Depuis le milieu du XXe siècle, l'homme est parti à la conquête des espaces célestes. On appelle « sphère céleste » la voûte du ciel au centre de laquelle l'observateur a l'impression de se trouver et sur laquelle semblent situés les astres.* — 2° *Corps célestes,* les astres.

2. ciel [sjɛl] n. m. 1° Séjour de Dieu et des bienheureux, par oppos. à l'enfer ou au purgatoire : *Son entourage, qui l'avait vu mener une vie si vertueuse, ne doutait pas qu'il fût monté tout droit au ciel après sa mort. Elle aspirait aux joies éternelles du ciel* (syn. : PARADIS). — 2° Puissance divine, Providence : *Nous adressons au ciel de ferventes prières. Le ciel a favorisé ce projet.* — 3° *Etre au septième ciel,* être dans une grande félicité, dans le ravissement. ‖ *Tomber du ciel,* survenir fort à propos : *Il a gagné une grosse somme à la loterie, et cet argent qui lui tombait du ciel lui a permis d'acheter une maison.* • LOC. INTERJ. *Ciel!, Juste ciel!,* exclamations plus ou moins littéraires exprimant une vive surprise mêlée de crainte, d'admiration, etc. ‖ *Au nom du ciel!,* formule de supplication (littér.) : *Au nom du ciel, ne vous exposez pas inutilement!* ◆ **cieux** n. m. pl. A la même valeur que les sens 1 et 2 : *Notre Père, qui êtes aux cieux.* ◆ **céleste** adj. (peut être placé avant le nom). 1° Qui appartient au ciel, séjour des bienheureux, à la Divinité : *Ces martyrs mouraient joyeusement dans l'attente des récompenses célestes. Il trouvait parfois dans la prière comme un avant-goût des célestes douceurs. La puissance céleste se manifeste dans la création. Les hommes craignaient le courroux céleste* (syn. : DIVIN). — 2° Se dit de ce qui cause un profond ravissement, qui charme par sa douceur, sa pureté (littér.) : *Les yeux fermés, il s'abandonnait à la musique céleste de cet adagio. Nous restons sous le charme de la céleste beauté de ce paysage.*

cierge [sjɛrʒ] n. m. Longue chandelle de cire qu'on brûle dans les églises : *La nuit de Pâques, les fidèles parcourent l'église en procession avec un cierge allumé à la main. Elle avait mis à brûler un cierge à l'autel de la Sainte-Vierge, en remerciement des grâces obtenues.*

cieux n. m. pl. V. CIEL 1 et 2.

cigale [sigal] n. f. Insecte des régions chaudes, qui fait entendre un crissement strident : *En été, la campagne provençale est remplie du chant des cigales.*

cigare [sigar] n. m. Petit rouleau de feuilles de tabac spécialement traitées, destiné à être fumé : *A la fin d'un bon repas, il a plaisir à fumer un cigare.* ◆ **cigarette** [sigarɛt] n. f. Petit cylindre de tabac coupé en menus brins et contenu dans du papier très fin : *Il aime mieux rouler ses cigarettes que de les acheter toutes faites. Pendant l'entracte, nous étions sortis pour fumer une cigarette* (syn. pop. : CIBICHE, SÈCHE).

ci-gît [siʒi] loc. verbale. Formule ordinaire des épitaphes précédant le nom du mort (= ici repose).

cigogne [sigɔɲ] n. f. Grand oiseau migrateur, à long bec et à longues pattes : *L'arrivée des cigognes, en Alsace, annonce la fin des froids de l'hiver.*

ciguë [sigy] n. m. Plante vénéneuse dont on extrayait, dans la Grèce antique, un poison destiné à l'exécution des condamnés : *Platon raconte en détail, dans le « Phédon », comment Socrate but la ciguë.*

ci-inclus, e [siɛ̃kly, -yz] loc. adj. ou adv. Qui est contenu dans cet envoi (terme admin.) : *Veuillez nous retourner les quittances ci-incluses. Vous trouverez ci-inclus copie de la réponse que je lui ai adressée.* ◆ **ci-joint, e** [siʒwɛ̃, -wɛ̃t] loc. adj. ou adv. Joint à cet envoi (terme admin.) : *Veuillez prendre connaissance des notes ci-jointes. Ci-joint quittance.* ● REM. L'usage ordinaire est de laisser invariable le mot *inclus* ou *joint* quand la loc. *ci-inclus* ou *ci-joint* est en tête de phrase, ou dans le corps de la phrase, quand il est devant un nom qui n'est précédé ni d'un article ni d'un déterminatif (possessif, numéral, etc.).

cil [sil] n. m. Poil qui pousse au bord des paupières : *De longs cils ajoutaient au charme de son regard. Il regardait fixement, sans un battement de cils.* ◆ **ciller** [sije] v. intr. 1° Fermer et rouvrir rapidement les paupières : *On ne peut pas soutenir sans ciller l'éclat de ce phare* (syn. plus usuel : CLIGNER DES YEUX). — 2° *Ne pas oser ciller,* être rempli de crainte, ne pas broncher.

cime [sim] n. f. 1° Partie la plus élevée d'un arbre ou d'une montagne : *Le vent agite la cime des peupliers. Les alpinistes ont atteint la dernière cime* (syn. : SOMMET). — 2° *La cime de la gloire,* le plus haut sommet de la gloire (littér.).

ciment [simɑ̃] n. m. 1° Poudre de calcaire et d'argile qui, additionnée de sable et d'eau, forme un mortier durcissant au séchage et liant les matériaux de construction. — 2° Lien moral très fort (langue soignée) : *Les épreuves subies en commun sont le ciment de notre amitié.* ◆ **cimenter** v. tr. 1° Assembler, fixer au mortier de ciment : *Faire cimenter un anneau dans le mur.* — 2° Revêtir d'une couche de ciment : *Il a fait cimenter le sol de sa cave.* — 3° *Cimenter quelque chose* (nom abstrait), l'affirmer, l'établir solidement : *L'amour de la liberté cimentait l'union des citoyens.* ◆ **cimenterie** n. f. Fabrique de ciment. ◆ **cimentier** n. m. Ouvrier qui emploie du ciment.

cimetière [simtjɛr] n. m. 1° Terrain où l'on enterre les morts : *Le convoi funèbre se dirige vers le cimetière.* — 2° Terrain où sont rassemblés des voitures, des engins hors d'usage : *Les ferrailleurs rassemblent les automobiles bonnes pour la ferraille dans des cimetières de voitures.*

cinéma [sinema] n. m. 1° Art qui consiste à réaliser des films, dont les images mobiles sont projetées sur un écran : *La technique du cinéma fut mise au point par les frères Lumière en 1895. Un acteur de cinéma. Beaucoup de romans sont adaptés pour le cinéma.* — 2° Salle destinée à la projection de films : *Il y a deux cinémas dans cette petite ville. Un cinéma a été détruit par un incendie. Quand il pleut, les jours de congé, il va au cinéma.* — 3° Fam. *C'est du cinéma,* ce n'est pas sincère; c'est de la comédie, du bluff. ◆ **ciné** n. m. *Fam.* Syn. de CINÉMA. ◆ **cinéaste** n. m. Technicien participant à la réalisation d'un film. ◆ **ciné-club** [sineklœb] n. m. Association organisant des séances de présentation, de projection et parfois de discussion de films ayant un intérêt particulier dans l'histoire du cinéma : *Beaucoup de bons films des dix dernières années ne peuvent plus être vus que dans les ciné-clubs.* ◆ **cinémathèque** n. f. Lieu où l'on conserve les films cinématographiques. ◆ **cinématographier** v. tr. Photographier sur film en vue de la reproduction sur un écran (syn. usuel : FILMER). ◆ **cinématographique** adj. Relatif au cinéma : *L'industrie cinématographique.* ◆ **cinéphile** adj. et n. Amateur de cinéma.

cinglant, e adj. V. CINGLER 1.

cinglé, e [sɛ̃gle] adj. et n. *Pop.* Fou, qui a l'esprit dérangé : *Il est cinglé de se promener comme ça sous la pluie!* (syn. fam. : PIQUÉ; pop. : CINTRÉ, DINGUE, DINGO, SINOQUE).

1. cingler [sɛ̃gle] v. tr. 1° *Cingler quelqu'un, quelque chose,* le frapper d'un coup vif, avec un objet mince et flexible (lanière, baguette, etc.) : *Le charretier cingla son cheval d'un coup de fouet. Les enfants se poursuivaient dans le taillis, dont les jeunes branches leur cinglaient le visage et les jambes.* — 2° (sujet nom désignant le vent, la pluie ou les vagues) Frapper, s'abattre vivement et continûment sur : *La pluie cingle les vitres. Un vent glacial vous cinglait à chaque carrefour* (syn. : FOUETTER). — 3° (sujet nom de personne ou désignant une attitude) Atteindre par des mots blessants : *Il cingla son adversaire d'une réplique impitoyable.* ◆ **cinglant, e** adj. Se dit de paroles vexantes, blessantes, adressées à quelqu'un, et du ton sur lequel on les exprime : *Il s'est attiré une remarque cinglante de son interlocuteur.*

2. cingler [sɛ̃gle] v. intr. Faire voile, se diriger vers un but déterminé : *La flotte grecque cinglait vers Troie. Le yacht cingle vers le port.*

cinq [sɛ̃k, mais sɛ̃ devant un mot commençant par une consonne] adj. num. cardin. 1° V. NUMÉRATION. — 2° *Cinq minutes,* un court instant, un moment (évaluation très vague) : *Attendez-moi cinq minutes, j'ai une course à faire. On va rire cinq minutes quand il s'apercevra de sa méprise!* ‖ Fam. *En cinq sec,* très rapidement, de façon expéditive : *On voit qu'il a l'habitude : en cinq sec, il a dépanné la machine* (syn. : EN UN TOUR DE MAIN OU EN UN TOURNEMAIN; fam. : EN MOINS DE DEUX). ‖ Pop. *C'était moins cinq,* il s'en est fallu de peu qu'un malheur n'arrivât. ◆ **cinq-à-sept** [sɛ̃kasɛt] n. m. invar. Réception mondaine entre cinq et sept heures de l'après-midi. ◆ **cinquième** adj. num. ordin. ◆ **cinquièmement** adv.

cinquante [sɛ̃kɑ̃t] adj. num. cardin. V. NUMÉRATION. ◆ **cinquantaine** n. f. ◆ **cinquantième** adj. num. ordin. ◆ **cinquantenaire** n. m. V. ÂGE.

cintre [sɛ̃tr] n. m. 1° Courbure concave de la surface intérieure d'une voûte ou d'un arc, en architecture : *Sur la façade de cette maison, toutes les baies forment un cintre discret. L'art roman se caractérise notamment par l'arc en plein cintre* (= en demi-cercle). — 2° Support incurvé, destiné à recevoir une robe, une veste, un manteau, etc. : *Si tu étais plus soigneux, tu aurais mis ta veste sur un cintre au lieu de l'accrocher à une patère.* ◆

cintrer v. tr. Donner une courbure à : *Le menuisier cintre un morceau de bois à la vapeur* (syn. : COURBER, INCURVER). ◆ **cintrage** n. m.

cintré, e [sɛ̃tre] adj. et n. *Pop.* Qui est fou.

cirage n. m. V. CIRE.

circoncire [sirkɔ̃sir] v. tr. (conj. **72,** sauf part. passé *circoncis, e*). Pratiquer la circoncision sur quelqu'un. ◆ **circoncis, e** adj. et n. ◆ **circoncision** n. f. Opération rituelle ou chirurgicale consistant à sectionner le prépuce : *La circoncision est un rite des religions juive et islamique. L'Eglise catholique fête la circoncision de Jésus-Christ le 1*er *janvier.*

circonférence [sirkɔ̃ferɑ̃s] n. f. **1°** Ligne plane et fermée dont tous les points sont à la même distance du point appelé « centre » (langue de la géométrie) : *Tracer une circonférence au compas* (syn. : CERCLE, langue courante; ROND, langue fam.). — **2°** Ligne fermée ou zone qui marque la limite d'une chose : *Des réseaux de barbelés s'étendaient sur toute la circonférence du camp de prisonniers* (syn. : POURTOUR).

circonflexe [sirkɔ̃flɛks] adj. *Accent circonflexe,* signe (^) qui se place, en français, sur certaines voyelles longues, fermées (*tôt*) et ouvertes (*prêt*) ou qui distingue des homographes.

circonlocution [sirkɔ̃lɔkysjɔ̃] n. f. Expression détournée utilisée par prudence, par discrétion, pour éviter un mot blessant ou jugé trop rude : *Il se risqua enfin à lui présenter sa requête avec beaucoup de circonlocutions* (syn. : PÉRIPHRASE, DÉTOUR).

circonscrire [sirkɔ̃skrir] v. tr. (conj. **71**). **1°** Entourer d'une ligne qui marque la limite : *Circonscrire une propriété par des murs* (syn. : CONTENIR, ENFERMER). — **2°** Restreindre à la partie située à l'intérieur d'un certain périmètre; définir les limites de : *Les recherches sont circonscrites à la partie sud de la forêt. Les sauveteurs creusent des tranchées pour circonscrire l'incendie. Le conférencier a commencé par circonscrire son sujet* (syn. : DÉLIMITER). ◆ **circonscription** n. f. Division administrative d'un territoire : *Ils votent dans deux bureaux différents, car ils n'appartiennent pas à la même circonscription électorale.*

circonspect, e [sirkɔ̃spɛ, -ɛkt] adj. Se dit d'une personne (ou de son comportement) qui fait preuve de prudence réfléchie : *Il est trop circonspect pour s'engager à la légère dans cette entreprise* (syn. : PRÉCAUTIONNEUX, ↓ AVISÉ; contr. : ÉCERVELÉ, TÉMÉRAIRE). *Nous gardions un silence circonspect* (syn. : ↓ PRUDENT). ◆ **circonspection** n. f. : *Les éclaireurs progressaient avec circonspection sur ce terrain miné* (syn. : ↓ PRUDENCE). *La plus grande circonspection s'impose avant de prendre une telle décision* (syn. : PRÉCAUTION).

circonstance [sirkɔ̃stɑ̃s] n. f. **1°** Ensemble des faits qui accompagnent un événement (surtout au plur.) : *Le rapport mentionne minutieusement les circonstances de l'accident : lieu, heure, état de la route, vitesse des véhicules, etc. Une circonstance m'échappe dans son récit* (syn. : DÉTAIL). *L'expérience a eu lieu dans des circonstances défavorables* (syn. : CONDITION). *Les circonstances économiques incitent à la prudence* (syn. : CONJONCTURE, SITUATION). *En pareille circonstance, le plus sage est d'attendre* (syn. : CAS). *On a annoncé sa mort en des circonstances encore mal éclaircies. En raison des circonstances, les réjouissances prévues n'auront pas lieu* (= des graves événements). *La bonne foi évidente du prévenu est une circonstance atténuante* (= un élément qui atténue sa responsabilité). *La préméditation est une circonstance aggravante du crime.* — **2°** *De circonstance,* conforme à la situation, à l'époque : *En cette période de départ en vacances, les conseils de prudence sont de circonstance* (syn. : DE SAISON, D'ACTUALITÉ; contr. : HORS DE SAISON, DÉPLACÉ). ‖ *Œuvre de circonstance,* œuvre littéraire ou artistique inspirée ou commandée à l'auteur à l'occasion d'un événement particulier. ◆ **circonstancié, e** adj. Se dit d'un exposé, d'un rapport, etc., qui détaille les circonstances : *Il nous faut un compte rendu circonstancié de la réunion* (syn. : DÉTAILLÉ). ◆ **circonstanciel, elle** adj. *Complément circonstanciel,* complément qui indique dans quelles circonstances a lieu l'action : temps, lieu, cause, but, moyen, etc. (par oppos. aux compléments d'objet, d'attribution, d'agent).

circonvenir [sirkɔ̃vnir] v. tr. (conj. **22**). *Circonvenir quelqu'un,* le séduire, se le concilier par des manœuvres habiles : *Il s'efforça vainement de circonvenir le témoin.*

circonvolution [sirkɔ̃vɔlysjɔ̃] n. f. *Circonvolutions cérébrales,* parties sinueuses du cerveau. ‖ *Décrire des circonvolutions,* faire des cercles autour d'un point.

circuit [sirkɥi] n. m. **1°** Trajet à parcourir pour faire le tour d'un lieu : *L'exposition a plus de trois kilomètres de circuit.* — **2°** Parcours touristique ou d'une épreuve sportive avec retour au point de départ : *De nombreux circuits d'autocars offrent des excursions variées dans le Massif central. Quel est le coureur vainqueur du Circuit de l'Ouest?* — **3°** *Circuit* (*électrique*), système de conducteurs parcourus par un courant électrique : *Une manette permet de couper ou de rétablir le circuit.*

1. circulaire adj. V. CERCLE 1.

2. circulaire [sirkylɛr] n. f. Lettre établie en plusieurs exemplaires, et adressée à des destinataires différents pour leur transmettre des ordres ou des informations : *Une circulaire ministérielle donne à tous les chefs d'établissement des instructions pour l'application du décret.*

circuler [sirkyle] v. intr. (sujet nom de personne ou de chose). Se déplacer selon un trajet défini, soit en un sens unique, soit en différents sens : *L'eau circule dans des canalisations métalliques. Les autos circulent à une cadence accélérée sur l'autoroute* (syn. fam. : DÉFILER). *La police, arrivée sur les lieux, a dispersé les manifestants et fait circuler les badauds* (contr. : STATIONNER). *Les nouveaux billets de banque commencent à circuler. Des rumeurs alarmantes circulent déjà* (syn. : SE RÉPANDRE, SE PROPAGER). ◆ **circulation** n. f. **1°** Mouvement de ce qui circule : *Des ventilateurs créent une circulation d'air dans cette galerie. La circulation des devises, des fausses nouvelles. Mettre en circulation, retirer de la circulation des pièces de monnaie.* — **2°** (sans compl. qui en précise le sens) Circulation des véhicules, ou circulation du sang chez les êtres vivants : *Au moment des départs en week-end, la circulation est intense sur les routes nationales* (syn. : TRAFIC, PASSAGE). *Il y a eu de nombreux accidents de la circulation pendant les fêtes de la Pentecôte. Des panneaux réglementent la circulation. Le médecin m'a ordonné un nouveau* *médicament contre les troubles de la circulation.* ◆ **circulatoire** adj. Relatif à la circulation du sang dans l'organisme : *L'appareil circulatoire est l'ensemble des artères et des veines.*

cire [sir] n. f. Matière jaune, se ramollissant à la chaleur, sécrétée par les abeilles et dont elles font les alvéoles de leurs gâteaux de miel : *On utilise la cire pour la fabrication du cirage, pour l'entretien des meubles et des parquets, etc.* ◆ **ciré** n. m. Vêtement de toile huilée, imperméable. ◆ **cirage** n. m. 1° Produit à base de cire, destiné à l'entretien et au lustrage du cuir. — 2° (sujet nom de personne) Pop. *Etre dans le cirage,* n'avoir pas les idées très claires, par suite d'un évanouissement, d'un choc affectif, ou être dans une situation plus ou moins désespérée : *Il est resté un quart d'heure dans le cirage après avoir reçu le coup de matraque.* ◆ **cirer** v. tr. 1° *Cirer quelque chose,* l'enduire, le frotter de cire ou de cirage : *Cirer un parquet. Cirer des chaussures.* — 2° *Toile cirée,* toile enduite d'un produit qui la rend imperméable : *Le couvert était mis sur une toile cirée.* ◆ **cireur** n. m. Celui qui fait métier de cirer les parquets ou les chaussures. ◆ **cireuse** n. f. Appareil électrique ménager destiné à cirer et lustrer les parquets. ◆ **cireux, euse** adj. *Teint, visage cireux,* dont la couleur rappelle celle de la cire : *Un malade au teint cireux* (syn. : BLÊME, ↑ BLAFARD).

1. cirque [sirk] n. m. 1° Enceinte, ordinairement circulaire, où se donnent des spectacles variés : numéros d'acrobatie, scènes de bouffonnerie, dressage d'animaux, etc.; ensemble des artistes qui donnent ces spectacles, de leurs animaux et de leur matériel : *Les parents ont emmené leurs enfants au cirque pour les récompenser. Le cirque était installé sur la place de la Mairie; il est reparti dans ses quatre roulottes.* — 2° *Fam.* Scène de désordre, de cocasserie : *Quel cirque, dans la famille, les veilles de départ en vacances!*

2. cirque [sirk] n. m. Ensemble montagneux disposé plus ou moins circulairement autour d'une plaine : *Le cirque de Gavarnie, dans les Pyrénées.*

cirrhose [siroz] n. f. Affection chronique du foie.

cisaille n. f. V. CISEAU 2.

1. ciseau [sizo] n. m. Lame d'acier affûtée à une extrémité, généralement munie d'un manche, et servant à travailler soit le bois, soit la pierre ou le métal : *Un ciseau de menuisier, de sculpteur.* ◆ **ciseler** v. tr. (conj. 5). 1° *Ciseler un métal, un objet précieux,* le sculpter avec art : *Un orfèvre qui cisèle délicatement un bijou.* — 2° Travailler finement : *Un sonnet habilement ciselé.* ◆ **ciseleur** n. m. 1° Artiste qui cisèle des motifs décoratifs sur les métaux. — 2° *Ciseleur de vers,* écrivain qui compose ses vers avec un art raffiné. ◆ **ciselure** n. f. Travail du ciseleur : *Une broche ancienne ornée de fines ciselures.*

2. ciseaux [sizo] n. m. pl. Instrument tranchant formé de deux lames mises à plat l'une sur l'autre et pivotant autour d'un axe : *Il prend une paire de ciseaux pour découper la feuille de papier. Des ciseaux de couturière. Des ciseaux à broder.* ◆ **cisaille** n. f. ou **cisailles** n. f. pl. Gros ciseaux destinés à couper le métal ou à tailler des arbustes. ◆ **cisailler** v. tr. 1° *Cisailler quelque chose,* le couper avec des cisailles. — 2° Fam. *Cisailler quelqu'un,* le taillader maladroitement au visage.

ciseler v. tr., **ciselure** n. f. V. CISEAU 1.

citadelle [sitadɛl] n. f. 1° Partie fortifiée de certaines villes. — 2° Lieu, organisme où l'on défend certaines valeurs morales, centre de résistance : *Un parti politique qui est la citadelle du libéralisme* (syn. : BASTION).

citadin, e n. V. CITÉ.

citation n. f. V. CITER 1 et 2.

cité [site] n. f. 1° Syn. de VILLE (langue soutenue); sert aussi à désigner une ville ancienne : *Le maire et les conseillers municipaux sont les représentants de la cité. Chaque matin, la cité reprend son animation. Rome est une des plus célèbres cités du monde.* — 2° Groupe d'immeubles formant une agglomération plus ou moins importante, souvent dans la banlieue d'une ville, et destiné au logement des ouvriers (*cité ouvrière*) ou des étudiants (*cité universitaire*). — 3° Dans certaines villes, partie la plus ancienne, généralement entourée de remparts ou de défenses naturelles (avec une majusc.) : *La Cité de Carcassonne. Notre-Dame de Paris est dans l'île de la Cité.* — 4° Dans l'Antiquité, unité territoriale et politique constituée en général par une ville et la campagne environnante : *La Confédération athénienne groupait des cités grecques sous la direction d'Athènes.* — 5° *Droit de cité,* autrefois, qualité de citoyen d'un Etat ou d'une ville, avec les prérogatives qui s'y attachent; droit d'être utilisé, intégration à un domaine : *Cet usage, venu d'Amérique, a fini par acquérir le droit de cité en France* (= se faire admettre, s'imposer). *Ce mot n'a pas droit de cité en bon français.* ◆ **citadin, e** n. Personne qui habite la ville : *Au début de juillet, on assiste à un exode des citadins vers la campagne* (contr. : RURAL). ◆ adj. Relatif à la ville : *La vie citadine est plus agitée que la vie rurale* (syn. plus usuel : URBAIN). ◆ **cité-jardin** n. f. Groupe d'immeubles d'habitation édifiés parmi des jardins : *Les cités-jardins de la banlieue parisienne.*

1. citer [site] v. tr. 1° *Citer quelque chose,* le désigner avec précision : *Citez-moi les principales comédies de Molière. Le candidat n'a pas été capable de citer cinq villes françaises de plus de deux cent mille habitants* (syn. : NOMMER). *L'auteur a cité ses sources en notes* (syn. : INDIQUER, MENTIONNER). *Je pourrais vous citer une foule d'exemples de son manque de jugement* (syn. : RAPPORTER, DONNER). — 2° *Citer quelqu'un* (ou ses paroles, ses écrits), reproduire exactement ce qu'il a dit ou écrit : *Citer un vers de Virgile. Il est nourri de littérature classique et cite à tout instant Pascal, Racine, La Fontaine, etc.* ◆ **citation** n. f. 1° Propos, écrit que l'on rapporte exactement : *Une citation textuelle se met entre guillemets. Une thèse bourrée de citations.* — 2° Récompense honorifique accordée à un militaire, consistant dans la proclamation de ses actions d'éclat : *Un officier qui a rapporté d'une campagne les plus brillantes citations. Une citation à l'ordre du régiment, de la division, de l'armée.*

2. citer [site] v. tr. *Citer quelqu'un,* le sommer de se présenter devant un tribunal comme témoin, comme prévenu, etc. : *S'estimant diffamé, il a cité l'auteur de l'article à comparaître en justice. La défense a fait citer de nombreux témoins à décharge.* ◆ **citation** n. f. Action de citer en justice; écrit par lequel on signifie cette sommation : *Un huissier lui a remis une citation par-devant le juge de paix.*

citerne [sitɛrn] n. f. Réservoir où l'on recueille des eaux de pluie : *Avec cette longue sécheresse, la citerne est presque vide.*

citoyen, enne [sitwajɛ̃, -jɛn] n. 1° Personne officiellement enregistrée parmi les membres de la communauté politique que forment les habitants d'un pays, soit parce qu'elle est née dans ce pays, soit en vertu d'un acte de naturalisation : *Un bon citoyen s'intéresse à la vie politique de son pays. Il vit en France depuis dix ans, mais il est resté citoyen américain* (syn. admin. : RESSORTISSANT). — 2° *Fam.* et *péjor.* Personne, individu : *Je me méfie de lui, c'est un drôle de citoyen* (syn. : TYPE). ◆ **citoyenneté** n. f. Qualité de citoyen : *Il va faire des démarches pour obtenir la citoyenneté française* (syn. : NATIONALITÉ). ◆ **concitoyen, enne** n. Personne du même pays, de la même région, de la même ville : *Le maire défend les intérêts de ses concitoyens. Un écrivain peu connu de ses concitoyens* (contr. : ÉTRANGER). [V. CIVIQUE.]

citron [sitrɔ̃] n. m. 1° Fruit oblong du *citronnier,* de saveur acide et de couleur jaune : *Le jus de citron s'emploie en cuisine et en pâtisserie.* — 2° *Pop.* Tête : *Recevoir un coup sur le citron.* — 3° Fam. *Presser quelqu'un comme un citron,* tirer de lui le plus de profit possible (syn. : ↑ EXPLOITER). ‖ Pop. *Se presser le citron,* se mettre l'esprit à la torture pour inventer, trouver quelque chose. ◆ adj. invar. De la couleur jaune, légèrement verdâtre, du citron. ◆ **citronnier** n. m. Arbre qui produit les citrons. ◆ **citronnade** n. f. Boisson faite de jus de citron et d'eau sucrée : *On servit aux enfants une citronnade avec des glaçons.*

citrouille [sitruj] n. f. 1° Plante potagère dont le fruit, qui peut être très gros, est plus ou moins sphérique ou oblong. — 2° *Pop.* Grosse tête d'une personne.

civet [sivɛ] n. m. Ragoût, généralement de lièvre ou de lapin, préparé avec du vin.

1. civette [sivɛt] n. f. Petit animal carnivore dont la peau est utilisée comme fourrure.

2. civette [sivɛt] n. f. Syn. de CIBOULETTE.

civière [sivjɛr] n. f. Appareil à brancards, servant au transport des blessés ou des malades : *Les sauveteurs ont emporté les deux accidentés sur des civières.*

1. civil, e [sivil] adj. 1° Relatif à l'Etat, aux relations entre les citoyens : *Les institutions civiles de l'époque n'admettaient pas le divorce. Le mariage civil se fait à la mairie, puis on passe à l'église pour le mariage religieux. Il a gardé dans la vie civile certaines habitudes prises au régiment* (contr. : MILITAIRE). — 2° *Droit civil,* partie du droit privé qui concerne les rapports entre particuliers, en dehors de la répression des délits et des questions commerciales. ‖ *Guerre civile,* guerre entre deux partis de citoyens d'un même pays. ◆ **civil** n. m. 1° Celui qui n'est ni militaire ni religieux (dans ce second cas, on dit plutôt LAÏC) : *Il y a parfois de l'incompréhension entre les civils et l'armée.* — 2° *En civil,* sans uniforme : *Soldat qui se met en civil dès son arrivée en permission.* (On dit aussi EN COSTUME CIVIL.) ‖ Fam. *Dans le civil,* en dehors de la vie militaire : *Le capitaine était architecte dans le civil.* ◆ **civilement** adv. 1° Sans cérémonie religieuse : *Il a été enterré civilement.* — 2° Au regard de la loi civile : *Vous êtes civilement responsable de vos enfants.* ◆ **civiliste** n. Spécialiste de droit civil.

2. civil, e [sivil] adj. Qui observe les convenances, les bonnes manières dans les relations sociales (langue soutenue) : *Voilà un procédé qui n'est pas trop civil* (syn. usuels : POLI, COURTOIS). ◆ **incivil, e** adj. : *Son attitude est quelque peu incivile* (syn. : GROSSIER). ◆ **civilité** n. f. Respect des bienséances : *Je n'ai pas de comptes à lui rendre, mais je le tiens au courant par simple civilité* (syn. : POLITESSE, COURTOISIE). ◆ **civilités** n. f. pl. Paroles de politesse, témoignages de considération plus ou moins déférente : *Au cours de la réception, il a été présenté au directeur général, auquel il a fait ses civilités* (syn. : COMPLIMENTS, SALUTATIONS). ◆ **incivilité** n. f. Manque de civilité; faute contre les bons usages : *C'est une incivilité de ne pas répondre à cette lettre* (syn. : IMPOLITESSE, INCORRECTION, GROSSIÈRETÉ; ↑ MUFLERIE, GOUJATERIE).

civiliser [sivilize] v. tr. 1° *Civiliser des personnes* ou *un pays,* les amener à des mœurs mieux policées, à un plus grand développement intellectuel, industriel : *La conquête romaine a civilisé la Gaule.* — 2° *Civiliser quelqu'un,* le rendre plus raffiné dans ses manières, plus courtois : *La fréquentation de la bonne société l'a un peu civilisé* (syn. fam. : DÉGROSSIR). — 3° *Etre civilisé,* avoir perdu les mœurs primitives, avoir atteint un certain degré d'évolution intellectuelle ou industrielle : *Dans les pays civilisés, les actes de violence sont réprimés par les lois. Certaines régions du globe sont plus civilisées que d'autres.* ◆ **se civiliser** v. pr. Devenir civilisé : *Les Romains s'étaient civilisés notamment au contact des Grecs. Il commence à se civiliser : il dit bonjour à tout le monde en arrivant.* ◆ **civilisateur, trice** adj. : *Le rôle civilisateur de l'école.* ◆ **civilisation** n. f. 1° Action de civiliser ou de se civiliser : *La présence française en Afrique a contribué à la civilisation de vastes régions. Des peuplades qui découvrent les bienfaits de la civilisation. Les guerres sont des crimes contre la civilisation.* — 2° Forme particulière de la vie d'une société, dans les domaines moral et religieux, politique, artistique, intellectuel, économique : *La civilisation hellénique classique est marquée par l'empreinte de la civilisation crétoise. Une chaire d'histoire des civilisations américaines a été créée dans cette faculté.*

civilité n. f., **civilités** n. f. pl. V. CIVIL 2; **civiliste** n. V. CIVIL 1.

civique [sivik] adj. Relatif au citoyen et à son rôle dans la vie politique : *Le failli perd une partie de ses droits civiques. Les programmes officiels d'enseignement font une place à l'instruction civique.* ◆ **civisme** n. m. Vertu du bon citoyen, qualité de celui qui se dévoue au bien de l'Etat : *Son civisme n'est pas allé jusqu'à lui faire retarder son départ pour participer au vote.*

clabauder [klabode] v. intr. Tenir des propos médisants. ◆ **clabaudage** n. m. ou **clabauderie** n. f. ◆ **clabaudeur, euse** n. et adj.

clac! [klak] interj. Exprime (parfois en corrélation avec *clic*) un bruit sec, un claquement : *Clac! la porte se referma brusquement. Clic! clac! deux coups de fouet sonnèrent sur le chemin.*

clafoutis [klafuti] n. m. Pâtisserie rustique, composée de pâte à crêpe contenant des cerises, généralement non dénoyautées.

claie [klɛ] n. f. 1° Treillis d'osier ou de fil métallique : *On fait sécher les fromages sur des claies.* — 2° Clôture de lattes jointives ou à claire-voie.

clair, e [klɛr] adj. 1° Qui répand ou qui reçoit beaucoup de lumière : *Ce bois bien sec donne une belle flamme claire* (syn. : VIF). *Grâce à ses deux grandes baies, la salle est très claire* (syn. : ÉCLAIRÉ; contr. : SOMBRE). — 2° D'une couleur peu marquée; qui a plus d'analogie avec le blanc qu'avec le noir : *Les Français du Nord ont en général le teint plus clair que les Méditerranéens* (contr. : FONCÉ). *Des tissus bleu clair* (contr. : FONCÉ, SOMBRE). *Dans le paysage, les champs de blé forment de grandes taches claires qui contrastent avec la masse des forêts. Une robe claire.* — 3° Qui laisse passer les rayons lumineux, qui permet de voir distinctement : *Les vitres bien lavées sont claires. Du verre clair* (syn. : TRANSPARENT; contr. : DÉPOLI, TRANSLUCIDE, OPAQUE). *Un tricot clair* (= aux mailles lâches). *L'eau claire d'un ruisselet* (syn. : LIMPIDE; contr. : TROUBLE). *Le soleil brille dans un ciel clair* (syn. : LUMINEUX, SEREIN). *Par temps clair, on peut apercevoir d'ici le mont Blanc* (= quand il n'y a ni nuages ni brume). — 4° Peu épais, peu consistant : *Une sauce claire* (= très liquide; contr. : ÉPAIS). — 5° *Son clair,* son qui est distinct, bien timbré : *On le comprend parfaitement, car il a la parole* (ou *la voix*) *très claire* (contr. : SOURD, VOILÉ, COUVERT); qui a une certaine hauteur dans la gamme : *Le tintement clair d'une clochette* (contr. : GRAVE). — 6° Se dit d'une chose ou du comportement d'une personne qui a une signification, un sens nettement intelligible : *Ces empreintes sur le sol sont un signe clair du passage du gibier* (syn. : ÉVIDENT, MANIFESTE). *Il a présenté un exposé très clair de la situation* (syn. : LUMINEUX; contr. : OBSCUR). *Il n'a pas eu une attitude bien claire dans cette affaire* (syn. : NET; contr. : ÉQUIVOQUE). — 7° Se dit d'une personne qui comprend rapidement et qui se fait nettement comprendre : *Un esprit clair* (= qui sait démêler les traits essentiels d'un ensemble confus). *Si je n'ai pas été très clair pour tout le monde, je suis prêt à m'expliquer de nouveau.* — 8° *C'est de l'eau claire,* ce sont des banalités. ‖ *Clair comme le jour,* très facile à comprendre. ‖ *Son affaire est claire,* il n'échappera pas à la punition (syn. fam. : SON COMPTE EST BON). ◆ **clair** n. m. *Clair de lune,* clarté répandue par la lune : *Les toits d'ardoise luisaient doucement au clair de lune. Un beau clair de lune qui invite à la rêverie.* ‖ *Mettre des notes au clair,* les présenter sous une forme compréhensible, les rédiger. ‖ *Tirer au clair une question, une affaire,* élucider ce qui en elle était obscur. ‖ *Le plus clair de,* l'essentiel de, ce que l'on peut retenir en résumé : *Le plus clair de tout ce discours, c'est que la situation ne s'est pas améliorée.* ‖ *Le plus clair de son temps, de son travail,* la partie la plus importante, la quasi-totalité : *Elle passe le plus clair de son temps à bavarder sur le pas de sa porte.* ‖ *En clair,* sans recourir à un procédé cryptographique : *Le radio a passé un message en clair* (contr. : EN CODE, EN CHIFFRE); pour parler clairement : *Il m'a répondu évasivement; en clair, cela ne l'intéresse pas.* ◆ **clair** adv. *Voir clair,* percevoir distinctement les objets : *Avec la pleine lune, on y voit presque aussi clair qu'en plein jour;* comprendre nettement : *Il a beau ruser, je vois clair dans son jeu.* ‖ *Parler clair,* s'exprimer avec netteté, sans ambiguïté. ‖ *Il fait clair,* il fait grand jour, on y voit nettement : *C'était au lever du jour, à l'heure où il ne fait pas encore bien clair.* ◆ **clairement** adv. De façon distincte, nette, compréhensible : *Parlez donc plus clairement! La notice est très clairement rédigée. J'ai clairement compris son geste.* ◆ **clairet, ette** adj. Clair et léger, sous le rapport de la couleur, du son : *Du vin clairet* (on dit parfois, en ce sens, *du clairet* n. m.). *Une petite fille à la voix clairette.* ◆ **clair-obscur** [klɛrɔpskyr] n. m. Effet d'opposition des parties claires et des parties sombres dans une peinture, une gravure, ou dans un paysage naturel : *Les clairs-obscurs de Rembrandt.* ◆ **clarté** n. f. 1° Qualité d'une lumière claire; éclairage permettant de distinguer nettement les objets : *A cette heure et sous ce climat, le ciel est d'une clarté incomparable* (syn. : LUMINOSITÉ). *La lampe répandait une douce clarté dans la pièce* (syn. : LUMIÈRE). — 2° Qualité de ce qui est clair pour l'esprit, nettement intelligible : *La clarté d'un exposé, d'un conférencier.* ◆ **clartés** n. f. pl. Connaissances générales; renseignements permettant d'éclaircir les points obscurs : *Si vous avez des clartés sur la question, vous pourrez nous les communiquer* (syn. : APERÇUS, ÉCLAIRCISSEMENTS). ◆ **clarifier** v. tr. *Clarifier quelque chose,* le rendre clair : *On peut clarifier un liquide en le filtrant* (syn. : PURIFIER). *Ceci clarifie la situation* (contr. : OBSCURCIR). *La discussion s'est enfin clarifiée.* ◆ **clarification** n. f. : *La clarification d'un sirop. L'entretien a permis la clarification des problèmes essentiels* (syn. : ÉCLAIRCISSEMENT).

claire-voie (à) [aklɛrvwa] loc. adv. ou adj. Dont les éléments sont espacés, laissent passer la lumière : *Une clôture disposée à claire-voie. Une porte à claire-voie.*

clairière [klɛrjɛr] n. f. Endroit dégarni d'arbres dans une forêt : *Les chasseurs se rassemblent dans une clairière.*

clairon [klɛrɔ̃] n. m. 1° Instrument à vent en cuivre, au son éclatant, utilisé surtout dans l'infanterie : *Les sonneries de clairon retentissent dans la cour de la caserne.* — 2° Soldat qui joue du clairon.

claironner [klɛrɔne] v. intr. et tr. 1° (sujet nom de personne) Parler d'une voix éclatante. — 2° Proclamer à tous les échos : *Ne lui confiez jamais un secret, il irait le claironner partout* (syn. fam. : CORNER). ◆ **claironnant, e** adj. : *Il m'a interpellé d'une voix claironnante.*

clairsemé, e [klɛrsəme] adj. Répandu de-ci, de-là, dispersé : *Un gazon clairsemé. L'orateur a parlé devant un auditoire très clairsemé* (contr. : DENSE). *Quelques remarques clairsemées dans un livre* (syn. : ÉPARS). *Des applaudissements clairsemés* (syn. : RARE; contr. : NOURRI).

clairvoyant, e [klɛrvwajɑ̃, -ɑ̃t] adj. 1° Se dit de quelqu'un (ou de son comportement) qui discerne avec sagacité les raisons ou les manœuvres des autres, ou qui sait démêler les rapports cachés des événements et prévoir leurs conséquences : *Comment un homme ordinairement aussi clairvoyant a-t-il pu se laisser ainsi duper?* (syn. : AVISÉ). *Vous n'aviez pas deviné ce dénouement? Vous n'êtes pas très clairvoyant* (syn. : PERSPICACE). — 2° Se dit aussi, par oppos. aux aveugles, des gens qui ont une vue normale. ◆ **clairvoyance** n. f. : *Sa clairvoyance lui a permis d'éviter bien des désagréments* (syn. : PERSPICACITÉ, LUCIDITÉ).

clamecer [klamse] v. intr. *Pop.* Mourir.

clamer [klame] v. tr. *Clamer quelque chose,* le dire à haute voix avec véhémence : *Il n'a cessé de clamer son innocence* (syn. : CRIER). ◆ **clameur** n. f. Cri collectif, plus ou moins confus, exprimant un sentiment vif : *L'orateur tenait tête aux clameurs hostiles de la foule.*

clan [klɑ̃] n. m. Groupe de personnes constituant une catégorie à part, rassemblées par une communauté d'intérêts ou d'opinions (plus ou moins péjor.) : *Plusieurs députés sont passés dans le clan de l'opposition* (syn. : PARTI, RANGS).

clandestin, e [klɑ̃dɛstɛ̃, -in] adj. 1° Se dit de ce qui échappe à l'observation, qui se fait en cachette : *Un compère, mêlé à la foule, lui fait des signes clandestins* (syn. : FURTIF). *Il a obtenu cette faveur par des manœuvres clandestines* (syn. : SECRET, OCCULTE). — 2° Se dit d'une personne ou d'une chose qui est en contravention avec un règlement et se dérobe à la surveillance : *La police est montée à bord pour rechercher un passager clandestin. Le réfugié avait dû pendant plusieurs années mener une vie clandestine.* ◆ **clandestinement** adv. : *Le prisonnier correspondait clandestinement avec des complices* (syn. : SECRÈTEMENT). ◆ **clandestinité** n. f. 1° Caractère clandestin : *La parfaite clandestinité des préparatifs du complot avait pris au dépourvu les services secrets* (syn. : SECRET). — 2° Etat d'une personne qui mène une existence clandestine : *Ils s'étaient connus dans la clandestinité, sous l'Occupation.*

clapet [klapɛ] n. m. 1° Soupape, généralement constituée par une lamelle mobile, qui ne laisse passer un fluide que dans un sens. — 2° *Fam.* Bouche, langue; bavardage intarissable : *Ferme ton clapet!* (= tais-toi). *Quel clapet! On n'entend que lui!*

clapier [klapje] n. m. Cabane où l'on élève les lapins domestiques.

clapir [klapir] v. intr. (sujet nom désignant le lapin). Pousser un cri.

clapoter [klapɔte] v. intr. (sujet nom désignant les vagues). Produire un bruit léger. ◆ **clapotis** ou **clapotement** [klapɔti] n. m. Bruit léger produit par des vaguelettes : *Le clapotement du lac berce notre rêverie.*

clapper [klape] v. intr. Faire entendre un clappement. ◆ **clappement** n. m. Bruit sec que produit la langue quand on la détache brusquement du palais.

claque n. f. V. CLAQUER 1.

claquemurer (se) [səklakmyre] v. pr. ou **être claquemuré** v. passif. *Fam.* S'enfermer étroitement : *Il s'est claquemuré deux jours dans son appartement pour rédiger son rapport* (syn. littér. : CLOÎTRER, CLAUSTRER).

1. claquer [klake] v. intr. (sujet nom de personne ou de chose). Produire un bruit sec : *Le charretier fait claquer son fouet. Le drapeau claque au vent. Les volets de bois claquent contre le mur. On a entendu claquer un coup de revolver. Nous grelottions en claquant des dents.* ◆ v. tr. 1° *Claquer quelque chose,* l'appliquer brusquement, le fermer avec un bruit sec : *Le vent a claqué la porte. Claquer un pupitre. Des élèves qui claquent leurs livres sur les tables.* — 2° (sujet nom de personne) *Claquer quelqu'un,* le frapper d'une ou de plusieurs claques : *Les enfants qui ne sont pas sages risquent de se faire claquer* (syn. : GIFLER). — 3° *Claquer la porte au nez de quelqu'un,* le mettre ou le laisser dehors sans ménagements, l'exclure vivement de chez soi. ◆ **claque** n. f. 1° Coup appliqué avec le plat de la main : *Il riait aux éclats en se donnant de grandes claques sur les cuisses. Le gamin, qui avait reçu une claque, partit en se tenant la joue* (syn. : GIFLE; fam. : TALOCHE). — 2° *La claque,* le groupe des spectateurs, souvent à gages, chargés d'applaudir bruyamment une pièce, un artiste, un orateur, pour entraîner les applaudissements du public. — 3° Fam. *Tête à claques,* personne désagréable, au visage déplaisant. ◆ **claquement** n. m. Bruit sec de ce qui claque : *Un claquement de portière, suivi d'un grondement de moteur, nous apprit que la voiture repartait.* ◆ **claquettes** n. f. pl. Claquements de pieds sur le sol particuliers à certaines danses. ◆ **claquoir** n. m. Appareil formé de deux plaques de bois reliées par une charnière et qu'on fait claquer pour donner un signal.

2. claquer [klake] v. intr. 1° *Pop.* Mourir : *J'ai été très malade, j'ai failli en claquer* (syn. pop. : CREVER). — 2° (sujet nom de chose) *Fam.* Céder, se casser, devenir inutilisable : *Une résistance électrique qui a claqué. Ne serre pas trop, la ficelle va claquer.* — 3° Fam. *Claquer de froid,* avoir très froid. ‖ Pop. *Claquer du bec,* être affamé. ‖ Fam. *Claquer dans la main,* échouer soudainement (sujet nom de chose) : *Il est bien déçu, car il comptait beaucoup sur cette affaire qui lui a claqué dans la main.* ◆ v. tr. 1° Fam. *Claquer quelque chose,* le dépenser, le gaspiller : *En un mois de vacances, il a claqué ses économies d'une année* (syn. fam. : CRAQUER). — 2° Fam. *Claquer quelqu'un,* le fatiguer jusqu'à l'épuisement : *Cet effort physique m'a claqué. Il est rentré claqué de sa randonnée* (syn. : ÉREINTER). ◆ **se claquer** v. pr. Se fatiguer jusqu'à l'épuisement. ◆ **claquant, e** adj. Fam. : *Un travail claquant* (syn. : ÉPUISANT). ◆ **claque** n. f. Fam. *En avoir sa claque,* être excédé, épuisé par un travail ou par une occupation. ◆ **claquage** n. m. *Claquage d'un muscle,* distension, décollement de ce muscle ou de son ligament.

clarification n. f., **clarifier** v. tr. V. CLAIR.

clarine [klarin] n. f. Clochette que l'on pend au cou des animaux au pâturage en montagne.

clarinette [klarinɛt] n. f. Instrument de musique à vent, qui fait partie des orchestres classiques. ◆ **clarinette** ou **clarinettiste** n. m. Musicien qui joue de la clarinette.

clarté n. f. V. CLAIR.

1. classe [klas] n. f. Catégorie de personnes ayant mêmes intérêts, même condition sociale, même rang hiérarchique : *La classe ouvrière. La classe bourgeoise. Les classes laborieuses. Les classes moyennes vont tenir leur congrès annuel. Dans certaines administrations, la carrière est divisée en classes par lesquelles on passe successivement. Un soldat de deuxième classe* (= celui qui n'a ni grade ni distinction). ◆ **déclassé, e** adj. et n.

classes grammaticales

CATÉGORIE	DÉFINITION FONCTIONNELLE	DÉFINITION SÉMANTIQUE	EXEMPLES
substantif (ou **nom**)	Forme de la langue susceptible de porter les marques du genre et du nombre et constituant un des deux éléments de base de la phrase (*groupe nominal*), l'autre étant le verbe.	Mot qui indique une substance (par oppos. au verbe, qui indique un procès, et à l'adjectif, qui indique une qualité).	*La* TABLE *est mise. Les* ENFANTS *sont sortis. La* VENDEUSE *nous a servis aimablement.*
verbe	Forme de la langue susceptible de porter les marques de personne, de nombre et de temps et constituant un des deux éléments de base de la phrase (*groupe verbal*), l'autre étant le substantif.	Indique un procès (par oppos. au substantif, qui indique une substance, etc.).	*Le téléphone* SONNAIT. *Les passants* COURENT *dans la rue.*
adjectif qualificatif	Forme de la langue susceptible de porter les marques (genre et nombre) du substantif avec lequel elle constitue un élément éventuel du groupe nominal, sans pouvoir le constituer à elle seule (sinon en devenant substantif), ou avec lequel elle est en relation par le verbe *être* (ou un de ses substituts).	Indique une qualité de l'être ou de l'objet désigné par le nom ou le pronom (un accident qui s'ajoute à la substance pour la caractériser).	*Une aventure* EXTRAORDINAIRE *lui était arrivée. Le temps est* GRIS. *Un tissu* ROUGE *et* OR.
adverbe	1° Forme de la langue portant ou non des marques morphologiques propres à la catégorie (adverbes en *-ment*) et susceptible d'entrer soit dans le groupe verbal (rôle parallèle à celui de l'adjectif), soit dans le groupe nominal comme sous-élément constituant une unité secondaire avec l'adjectif.	Modifie le sens du verbe, de l'adjectif (ou du substantif pris comme adjectif) ou d'un autre adverbe. On distingue donc les adverbes de manière, de lieu, de temps, de quantité, etc.	*Il avance* LENTEMENT. *J'ai* BEAUCOUP *travaillé. Ce* TRÈS *beau cadeau m'a fait plaisir. Il court* VITE. *Boire* TROP *d'eau. Il mange* TRÈS *peu.*
	2° Forme de la langue faisant partie d'une classe limitée et utilisée comme élément du groupe verbal ou nominal, surtout pour servir de négation, d'affirmation, de quantité, ou pour traduire l'intonation interrogative.	Les adverbes d'affirmation, de négation et d'interrogation servent à affirmer, à nier ou à interroger.	*Il* NE *m'a* PAS *vu. « Est-il venu? —* OUI. » EST-CE QU'*il est venu? Des leçons* PAS *sues.*
préposition	Forme de la langue servant aux compléments d'un substantif, d'un verbe, d'un adjectif, d'un adverbe, d'un pronom.	Mot invariable qui joint un nom, un pronom, un adjectif ou un gérondif à un autre terme (verbe, nom, etc.), en établissant un rapport entre les deux.	*Le livre* DE *mon fils. Il manque* DE *bonté.*
conjonction	Forme de la langue indiquant les relations entre les groupes ou les phrases, à l'intérieur ou non d'un énoncé.	Mot invariable qui sert à lier deux mots, deux propositions (*conj. de coordination*), une proposition à une autre dont elle dépend (*conj. de subordination*).	*Il n'avait pas pu venir* CAR *son train avait eu du retard. Il n'avait pu venir* PARCE QUE *son train avait eu du retard.*
interjection	Forme intégrée ou non à la langue et qui se situe souvent hors de l'énoncé.	Mot invariable qui sert à exprimer une émotion, un ordre ou un bruit.	OH! *le magnifique tableau.* HÉ! *vous, là-bas! approchez.*

Passé dans une classe différente de celle où il se trouvait, dans une société où les classes sont distinctes.

2. classe [klas] n. f. 1° Ensemble des jeunes gens atteignant la même année l'âge du service militaire : *La classe 1966 venait d'être appelée sous les drapeaux. Lui et moi, nous sommes de la même classe* (= du même âge). — 2° Catégorie de la place d'un voyageur, dans un transport en commun, distinguée par le confort et le prix du billet : *On voyage en métro en première classe ou en deuxième classe. Si le contrôleur passe, tu auras une amende pour être dans un compartiment de première classe avec un billet de seconde.* — 3° Catégorie d'une cérémonie, d'une fête, d'un établissement selon la solennité, le luxe, la première classe étant la plus importante : *Dans la plupart des paroisses, les différentes classes de mariage et de funérailles ont été remplacées par une classe unique. Il ne descend que dans des hôtels de première classe.* — 4° Se dit d'une personne ou d'une chose qui se distingue par son mérite, sa qualité (seulement dans *avoir de la classe, de classe, de grande classe, d'une classe*) : *Un acteur qui a de la classe. C'est un musicien de grande classe* (syn. : TALENT). *Un athlète de classe internationale. Un vin d'une classe tout à fait exceptionnelle.* — 5° *Faire ses classes*, recevoir les premiers éléments de l'instruction militaire.

3. classe [klas] n. f. 1° Groupe d'enfants ou de jeunes gens qui suivent le même enseignement, dans une même salle : *Entrer en classe de première, de*

classes grammaticales

CATÉGORIE	DÉFINITION FONCTIONNELLE	DÉFINITION SÉMANTIQUE	EXEMPLES
déterminant (article, adjectif possessif, démonstratif, relatif, interrogatif, exclamatif, indéfini, numéral)	Forme de la langue indiquant le genre et le nombre du substantif et comportant éventuellement l'indication d'un autre rapport : celui de la détermination ou de l'indétermination (*article*), celui qui existe entre la personne exprimée ou le locuteur et un substantif de la phrase (*adj. possessif*), celui de la situation (*adj. démonstratif*), celui de pluralité, d'identité, d'indétermination, etc. (*adj. indéfini*) ; l'*adjectif interrogatif* (ou *exclamatif*) fait porter l'interrogation (ou l'exclamation) sur l'élément nominal de la phrase ; l'*adjectif relatif* (rare) réunit une proposition à une autre par la répétition d'un substantif, précédé du relatif (v. PRONOM). Les adjectifs numéraux se substituent aux articles en ajoutant la référence au nombre.	*article :* mot variable donnant une détermination plus ou moins précise au nom ; *adjectif possessif :* indique qu'un être ou un objet appartient à quelqu'un ou à quelque chose ; *adjectif démonstratif :* sert à montrer un être ou un objet ; *adjectif relatif* (rare) : réunit par la répétition du substantif (et avec *lequel*) deux propositions ; *adjectif interrogatif :* invite à indiquer la qualité d'un être ou d'une chose sur lesquels porte la question ; *adjectif exclamatif :* exprime l'admiration, la surprise, l'indignation portant sur un substantif ; *adjectif indéfini :* accompagne un nom pour indiquer une idée vague de quantité, de qualité, etc. ; *adjectif numéral :* désigne le nombre et le rang des êtres ou des choses qu'il détermine.	LA *porte de la maison fait face à* LA *route.* *Il a vendu* SA *maison.* CETTE *pendule retarde.* *Les témoins sont arrivés,* LESQUELS *témoins étaient apeurés.* *De* QUEL *pays êtes-vous originaire ?* QUEL *beau livre !* *En* CERTAINES *circonstances, il faut être prudent.* *Attends* DEUX *minutes.*
pronom (ou **substitut**)	Forme de la langue qui se substitue au substantif dans les phrases et qui comporte éventuellement l'indication d'un autre rapport. Les substituts personnels (*pronoms personnels*) n'ont pas d'autre indication. Les *pronoms possessifs*, les *pronoms démonstratifs* et les *pronoms indéfinis* jouent le rôle de substituts et indiquent le rapport des adjectifs correspondants. Les *pronoms relatifs* réunissent deux propositions par l'intermédiaire d'un groupe nominal évoqué par le pronom. Les *pronoms interrogatifs* (ou *exclamatifs*) présentent une interrogation (ou une exclamation) portant sur un substantif précédemment indiqué	*pronoms personnels :* désignent les personnes qui parlent, à qui l'on parle ou celles dont on parle ; *pronoms possessifs :* représentent un substantif et ajoutent une idée de possession ; *pronoms démonstratifs :* désignent un être ou une personne en les montrant ; *pronoms relatifs :* remplacent un substantif ou un pronom personnel exprimé dans la proposition qui précède en établissant une relation entre les deux propositions ; *pronoms interrogatifs :* invitent à désigner la personne ou la chose sur laquelle porte l'interrogation ; *pronoms indéfinis :* désignent une personne, une chose ou une idée d'une manière vague et indéterminée.	IL *écoute le concert à la radio.* *C'est mon livre, ce n'est pas* LE TIEN. *Il regarda* CELUI *qui s'avançait.* *Les abricots* QUE *tu as cueillis ne sont pas mûrs.* *De* QUOI *parlez-vous ?* PERSONNE *n'est venu.*

La fonction peut être remplie par un mot simple et, en ce cas, il est dit « substantif », « adjectif », « adverbe », etc., ou par un groupe de mots, c'est-à-dire une locution (correspondant sémantiquement à une seule notion, qualité, etc.) :

— locution substantive (ou mot composé)	*une pomme de terre, un compte rendu*
— locution verbale	*faire grâce, avoir faim, prendre peur*
— locution adjective (ou adjectif composé)	*bleu clair, avant-dernier*
— locution adverbiale	*de bon cœur, tout d'abord*
— locution prépositive	*à l'aide de, à cause de, à l'égard de*
— locution conjonctive	*de même que, aussitôt que, dès que*
— locution interjective	*au secours !, à la bonne heure !*

seconde. A cette réponse, toute la classe a éclaté de rire. — 2° Enseignement distribué, séance de travail scolaire : *Le professeur de mathématiques faisait une classe très méthodique. La classe se termine à midi. Des livres de classe.* — 3° Salle où est donné l'enseignement : *Notre classe donnait sur la rue. La classe a été balayée.* — 4° *En classe,* dans la salle d'enseignement, pendant les heures de cours : *Un élève peu attentif en classe* (= à l'école). *Les enfants partent en classe pour huit heures.* ◆ **interclasse** n. f. ou m. Intervalle qui sépare deux heures de classe : *Cinq à dix minutes de détente constituent les interclasses.* ◆ **classique** adj. A l'usage des classes (vieilli en ce sens) : *Fournitures classiques. Un éditeur classique* (syn. usuel : SCOLAIRE).

4. classe [klas] n. f. *Classes grammaticales, espèces de mots, parties du discours,* noms divers par lesquels on désigne les classes de mots (ou unités significatives) selon la fonction que ces mots remplissent ou selon les différences fondamentales de sens qu'ils présentent : *On distingue souvent les espèces de mots en mots variables (verbes, noms, adjectifs, pronoms, articles) et mots invariables (adverbes, conjonctions, prépositions, interjections).* [V. tableaux ci-dessus.]

classer [klase] v. tr. 1° *Classer des personnes* ou *des choses,* les ranger par catégories, ou dans un ordre déterminé : *Le collectionneur classe les timbres dans son album. Les copies de composition sont classées par mérite. « La Joconde » est classée au nombre des grands chefs-d'œuvre de la* *peinture.* — 2° *Classer une affaire, un dossier,* cesser de s'en occuper, les considérer comme réglés; abandonner les investigations. ◆ ***se classer*** v. pr. (sujet nom de personne ou de chose). Obtenir un rang : *Il s'est classé premier en français. Cette symphonie se classe parmi les meilleures du compositeur.* ◆ **classement** n. m. 1° Action de classer : *Le classement de toutes ces fiches demandera plusieurs jours de travail. Le procès n'aura pas lieu : il a réussi à obtenir le classement de l'affaire.* — 2° Manière de classer, ordre dans lequel sont classées les personnes ou les choses : *Un classement alphabétique, numérique. Je sais que ce candidat est reçu, mais je ne connais pas son classement* (syn. : RANG). *Il a un bon classement* (= il est dans les meilleurs). ◆ **classeur** n. m. 1° Meuble de bureau permettant de classer des papiers. — 2° Chemise de carton ou de papier où l'on range des feuilles. ◆ **classifier** v. tr. *Classifier quelque chose,* répartir en classes, selon un ordre logique, un ensemble confus : *Il est difficile de classifier la production littéraire de cette période.* ◆ **classification** n. f. : *Une classification scientifique des animaux se fonde sur leurs principaux caractères naturels.* ◆ **classificateur, trice** adj. : *Un esprit classificateur.* ◆ **déclasser** v. tr. 1° *Déclasser quelque chose,* déranger d'un certain classement : *Des livres déclassés dans une bibliothèque.* — 2° *Déclasser quelque chose, quelqu'un,* le classer à un rang inférieur, le faire passer à une condition plus médiocre : *Un compartiment de première déclassé* (= accessible aux voyageurs munis d'un billet de 2e classe). *Ils se plaignent d'être déclassés.* ◆ **déclassé, e** n. et adj. : *Un ouvrier spécialisé déclassé comme manœuvre.* ◆ **déclassement** n. m. : *Des mesures visant à réduire le déclassement des fonctionnaires par rapport au secteur privé.* ◆ **reclasser** v. tr. 1° *Reclasser quelque chose,* le classer de nouveau : *Reclasser des timbres, des fiches.* — 2° *Reclasser quelqu'un,* redonner un emploi, une fonction dans la société à des personnes dans l'incapacité d'exercer leur précédente profession : *Reclasser des victimes d'accidents du travail, des rapatriés.* — 3° *Reclasser des fonctionnaires,* rétablir leur traitement par référence à ceux d'autres catégories : *Reclasser le personnel enseignant.* ◆ **reclassement** n. m. : *Le reclassement des objets d'une collection. Le reclassement de la fonction publique. Le reclassement des réfugiés.*

classicisme n. m. V. CLASSIQUE 2.

1. classique adj. V. CLASSE 3.

2. classique [klasik] adj. 1° En langue et en littérature, qui appartient au courant dominant en France au XVIIe siècle, notamment après 1660 : *Racine, Molière, La Fontaine sont de grands écrivains classiques.* — 2° Dans les beaux-arts, qui appartient à la période s'étendant, en France, du XVIe au XVIIIe siècle et qui s'inspire plus ou moins de l'Antiquité gréco-latine : *Le palais de Versailles est un bel exemple d'architecture classique. La peinture classique est illustrée par les noms de Clouet, Poussin, La Tour, Watteau, David, etc. Un courant de musique classique.* — 3° Qui appartient à l'Antiquité grecque (notamment au siècle de Périclès) ou romaine (notamment au siècle d'Auguste) : *Cicéron, Horace, Virgile sont des écrivains classiques. La langue de Plaute n'est pas classique. Les études classiques* (= celles qui comportent l'étude du latin, et accessoirement du grec, ainsi que des civilisations anciennes). *Licence de lettres classiques. Cet enfant est en section classique* (contr. : MODERNE, TECHNIQUE). — 4° Qui est conforme à une tradition, qui évite les innovations hardies : *Il m'a exposé les arguments classiques* (syn. : HABITUEL, TRADITIONNEL). *Il porte un complet de coupe classique. Les questions de l'examen étaient très classiques.* — 5° Qui a lieu habituellement en pareil cas : *L'évanouissement est classique quand il y a fracture du crâne. Dans son émotion, il a été incapable de se rappeler la formule : c'est un coup classique.* — 6° Qui fait autorité, qui est un modèle du genre : *Cette théorie scientifique est maintenant classique.* ◆ **classique** n. m. 1° Auteur, œuvre qui appartient à la tradition ou qui fait autorité dans sa spécialité : *Il connaît ses classiques. Ce disque est un classique du jazz. Les classiques du cinéma* (= les films dont la célébrité est consacrée). — 2° Auteur de l'Antiquité grecque ou romaine, ou du classicisme français : *La bataille d'« Hernani » opposa les partisans des classiques à ceux des romantiques.* ◆ **classiquement** adv. : *Il est habillé classiquement. Les électeurs de cette région ont voté classiquement pour les candidats conservateurs.* ◆ **classicisme** n. m. 1° Caractère de ce qui est classique : *Le classicisme de ses goûts ne réserve aucune surprise* (syn. : CONFORMISME; contr. : FANTAISIE). *Le classicisme d'une technique opératoire.* — 2° Ensemble de tendances et de théories qui se manifestent en France sous le règne de Louis XIV (culte de l'Antiquité grecque et romaine, recherche de la perfection dans la forme, respect de la mesure, goût de l'analyse psychologique, etc.) et qui s'expriment dans de nombreuses œuvres littéraires ou artistiques restées célèbres; ensemble de la production littéraire ou artistique et des auteurs appartenant à cette école; tendances analogues apparues jadis en Attique et à Rome : *Le romantisme s'est affirmé en opposition au classicisme. L'œuvre de Cicéron est un modèle de classicisme.*

claudication [klodikasjɔ̃] n. f. Action de boiter : *Il est bien remis de son accident, mais il lui en est resté une légère claudication.*

clause [kloz] n. f. 1° Article stipulé dans un contrat, un traité : *Une des clauses de l'accord prévoit la répartition équitable des charges.* — 2° *Clause de style,* formule reproduite traditionnellement telle quelle dans certains types de contrats; disposition de principe dont on n'envisage pas l'application.

claustrer [klostre] v. tr. *Claustrer quelqu'un,* l'enfermer étroitement, l'isoler (surtout à la forme pron. et au part. passé) : *Il a vécu un mois claustré pour achever d'écrire son roman* (syn. littér. : CLOÎTRER; fam. : CLAQUEMURER). ◆ **claustration** n. f. : *Un convalescent heureux de faire ses premiers pas dehors après une longue claustration.* ◆ **claustrophobie** n. f. Angoisse morbide consistant à ne pouvoir rester dans un lieu clos.

clavecin [klavsɛ̃] n. m. Instrument de musique à clavier et à cordes pincées, dont l'apparence est celle d'un piano. ◆ **claveciniste** n.

clavette [klavɛt] n. f. Cheville, ordinairement métallique, servant à assembler deux pièces.

clavicule [klavikyl] n. f. Os long qui s'étend du cou à l'épaule : *Il s'est cassé la clavicule en tombant.*

clavier [klavje] n. m. Ensemble des touches d'un instrument de musique (piano, orgue, accornéon, etc.), d'une machine à écrire ou d'une machine analogue : *Les doigts de la dactylo courent sur le clavier.*

clé n. f. V. CLEF.

clebs [klɛps] n. m. *Arg.* Chien.

1. clef ou **clé** [kle] n. f. 1° Pièce métallique qu'on introduit dans une serrure pour l'actionner : *La clef d'une porte, d'un tiroir, d'une valise. Comme j'avais perdu ma clef, je n'ai pu rentrer chez moi qu'en m'adressant à un serrurier. La porte n'est pas fermée à clef, il suffit de tourner la poignée. Il faut garder ce document sous clef* (= dans un endroit fermé à clef). *Les voleurs sont sous clef* (= en prison, sous les verrous). — 2° Outil servant à serrer ou à desserrer des écrous : *Les mécaniciens ont de nombreux jeux de clefs.* — 3° *Mettre la clef sous la porte,* fermer sa maison et disparaître furtivement. ◆ **porte-clefs** n. m. invar. Anneau ou étui pour porter plusieurs clefs.

2. clef ou **clé** [kle] n. f. 1° Position stratégique qui commande l'accès; moyen de parvenir à un résultat : *Les Thermopyles étaient la clef de l'Attique pour les troupes de Xerxès. La clef de la réussite, c'est la ténacité.* — 2° Renseignement qu'il faut connaître pour comprendre le sens d'une allusion, pour résoudre une difficulté : *Un roman à clefs est celui dont les personnages correspondent, avec une transposition plus ou moins marquée, à des personnes réelles. Je crois avoir trouvé la clef du mystère* (= le moyen de l'expliquer). — 3° *La clef des champs,* la liberté d'aller où l'on veut. ‖ *Clef de voûte,* pierre centrale d'une voûte ou d'un arceau et qui, placée la dernière, maintient toutes les autres; point essentiel sur lequel repose un système, une théorie, etc. : *Cet alibi est la clef de voûte de la défense.* ◆ adj. Dont dépend tout le reste, qui explique ou conditionne tout : *La gloire est une des notions clefs du théâtre cornélien* (syn. : DE BASE, FONDAMENTAL). *Il a été nommé à un poste clef* (syn. : ESSENTIEL, CAPITAL).

3. clef ou **clé** [kle] n. f. Signe mis au début d'une portée musicale pour indiquer la tonalité : *Un morceau écrit en clef de sol, en clef de fa, en clef d'ut. Il y a deux bémols à la clef* (= inscrits à côté de la clef et valables pour tout le morceau).

clématite [klematit] n. f. Plante grimpante dont il existe des espèces sauvages et des espèces ornementales.

clément, e [klemɑ̃, -ɑ̃t] adj. 1° Se dit de quelqu'un (ou de son comportement) qui ne punit pas avec rigueur ceux qui ont commis un méfait : *Le souverain s'est montré clément en graciant le chef du complot. Le juge a été clément en ne le condamnant qu'à huit jours de prison avec sursis* (syn. : INDULGENT; contr. : RIGOUREUX). *Un geste clément.* — 2° Se dit du temps météorologique, du climat qui est doux, dont la température est agréable : *Je vous souhaite un ciel clément pour vos vacances. Sur cette côte, la température est généralement clémente* (contr. : RIGOUREUX). ◆ **clémence** n. f. : *Des paroles de clémence qui laissent présager une large amnistie. La clémence du temps permet encore d'agréables promenades* (syn. : DOUCEUR). ◆ **inclémence** n. f. Contr. de *clémence* (sens 2 de l'adj.) : *L'inclémence du temps.*

clémentine [klemɑ̃tin] n. f. Variété de mandarine.

cleptomane [klɛptɔman] adj. et n. Qui a la manie de voler. ◆ **cleptomanie** n. f.

1. clerc [klɛr] n. m. Employé d'une étude de notaire, d'avoué, etc.

2. clerc [klɛr] n. m. Fam. *N'être pas clerc en la matière,* se déclarer incompétent. ‖ *Pas de clerc,* maladresse, conduite irréfléchie : *Il s'est rendu compte qu'il avait fait un pas de clerc en posant trop tôt cette question* (syn. fam. : GAFFE).

3. clerc n. m. V. CLERGÉ.

clergé [klɛrʒe] n. m. Ensemble des ecclésiastiques : *L'évêque a visité tout le clergé de son diocèse. Les conditions d'existence du clergé sont plus difficiles dans ce pays que dans d'autres. Le clergé demande le concours du laïcat.* ◆ **clerc** [klɛr] n. m. Celui qui est entré dans l'état ecclésiastique : *La coopération des clercs et des laïcs dans l'effort apostolique.* ◆ **clergyman** [klɛrdʒiman] n. m. 1° Ministre du culte protestant. — 2° *Habit de clergyman,* tenue ecclésiastique se rapprochant de la tenue civile et adoptée aussi par des prêtres catholiques. ◆ **clérical, e, aux** adj. et n. *Péjor.* Dévoué aux intérêts du clergé : *La presse cléricale. Les cléricaux ont voté contre ce projet de loi.* ◆ **cléricalisme** n. m. *Péjor.* Tendance parfois reprochée au clergé à exercer abusivement son influence dans le domaine temporel; attitude de ceux qui soutiennent cette tendance : *Le maire risquait de se faire taxer de cléricalisme s'il proposait de participer à la réparation de l'église.* ◆ **anticlérical, e, aux** adj. et n. Opposé à l'influence du clergé dans les affaires publiques, dans l'enseignement, etc. : *La politique anticléricale des ministères radicaux de la fin du XIXe siècle.* ◆ **anticléricalisme** n. m. : *L'anticléricalisme s'était développé en France au XIXe siècle avec l'aide que l'Eglise avait alors apportée aux pouvoirs absolus.*

clic ! [klik] interj. 1° Onomatopée exprimant un bruit sec, généralement peu intense : *Clic! la photo est prise.* — 2° S'emploie souvent avec *clac : Clic! clac! les sabots des enfants résonnent sur les marches de pierre.*

1. cliché [kliʃe] n. m. Plaque métallique ou pellicule permettant d'obtenir des épreuves typographiques ou photographiques : *Un cliché pâle donne une photo sombre* (syn. : NÉGATIF).

2. cliché [kliʃe] n. m. Expression toute faite, idée banale exprimée souvent et dans les mêmes termes : *Le discours d'inauguration était fait d'une série de clichés* (syn. : LIEU COMMUN).

client, e [klijɑ̃, -ɑ̃t] n. 1° Personne qui reçoit de quelqu'un, contre paiement, des fournitures commerciales ou des services : *Ce magasin a doublé le nombre de ses clients* (syn. : ACHETEUR). *Un restaurant qui cherche à satisfaire pleinement ses clients. Le salon d'attente du médecin est plein de clients* (syn. : MALADE). *Le chauffeur de taxi a déposé son client à la gare* (syn. : PASSAGER). *Je ne suis pas client dans cette blanchisserie, chez ce boulanger.* — 2° *Fam.* et *péjor.* Individu, personne : *Il a une tête qui ne me revient pas, ce client-là. Mon voisin, c'est un drôle de client!* ◆ **clientèle** n. f. 1° Ensemble des clients d'une personne ou d'un établissement : *La publicité attire la clientèle. Le personnel reçoit aimablement la clientèle. Une clientèle ouvrière. Une clientèle fidèle au même fournisseur.* — 2° Ensemble des partisans, des adeptes : *Un candidat qui a conservé sa clientèle électorale. La clientèle d'un parti politique.* — **3°** *Avoir la clientèle de quelqu'un,* l'avoir comme client. ‖ *Accorder, retirer sa clientèle à quelqu'un,* devenir, cesser d'être son client.

cligner [kliɲe] v. intr. et tr. (sujet nom de personne). *Cligner des yeux* ou *cligner les yeux,* les fermer à demi, plisser les paupières sous l'effet d'une lumière vive, du vent, de la fumée, etc., ou pour mieux distinguer, pour accuser les contrastes : *Le passage de cette pièce sombre au grand soleil lui a fait cligner les yeux. Il regarda longuement le tableau, en clignant des yeux;* avoir un brusque battement de paupières : *Le geste brusque de mon voisin me fit cligner des yeux. Des yeux qui clignent sans cesse.* ‖ *Cligner de l'œil,* faire un signe de l'œil à quelqu'un. ◆ **clignement** n. m. : *Les moustiques lui faisaient faire des clignements d'yeux continuels. Un clignement d'œil discret l'avertit que j'avais compris.* ◆ **clignoter** v. intr. **1°** (sujet nom désignant les yeux, les paupières) Se fermer et se rouvrir vivement, par réflexe : *Ses yeux clignotaient dans le faisceau des phares.* — **2°** (sujet nom désignant une lumière) S'allumer et s'éteindre alternativement, ou avoir un éclat irrégulier : *Il doit y avoir un faux contact, car l'ampoule électrique clignote.* ◆ **clignotant, e** adj. : *Des yeux clignotants. Une lumière clignotante.* ◆ **clignotant** n. m. Dispositif automatique qui allume et éteint alternativement une ampoule électrique, notamment pour la signalisation des véhicules : *Le conducteur ne doit pas oublier d'annoncer son changement de direction avec son clignotant. La vitrine de certaines boutiques est munie d'un clignotant.* ◆ **clignotement** n. m. : *Il a un tic, un perpétuel clignotement de paupières. Le clignotement d'une lampe.* ◆ **clin** n. m. *Clin d'œil,* signe de l'œil adressé discrètement à quelqu'un : *Dès qu'il l'aperçut dans la foule, il lui fit un clin d'œil.* ‖ *En un clin d'œil,* en un temps très court : *En un clin d'œil, ils furent levés et habillés* (syn. fam. : EN MOINS DE DEUX, EN CINQ SEC).

1. climat [klima] n. m. Ensemble des conditions météorologiques habituelles à une région, à un pays : *La France a un climat tempéré. Le climat des montagnes est ordinairement plus rude que celui des régions côtières. Un climat doux, sec, humide, sain.* ◆ **climatique** adj. **1°** : *Son état de santé dépend des conditions climatiques. Un pays soumis à d'importantes variations climatiques.* — **2°** *Station climatique,* lieu de séjour dont le climat est reconnu particulièrement bienfaisant. ◆ **climatiser** v. tr. *Climatiser une salle,* la maintenir à une température agréable. ◆ **climatisation** n. f. : *La climatisation de ce cinéma laisse à désirer.* ◆ **climatologie** n. f. Etude scientifique des climats.

2. climat [klima] n. m. Ensemble de circonstances dans lesquelles on vit; situation morale : *Un climat de bonne camaraderie règne dans la classe* (syn. : AMBIANCE). *Dans ce climat inquiet, la panique pouvait éclater à tout instant* (syn. : ATMOSPHÈRE).

clin n. m. V. CLIGNER.

1. clinique [klinik] n. f. Etablissement hospitalier privé, le plus souvent réservé à la chirurgie ou aux accouchements.

2. clinique [klinik] adj. *Signe clinique,* signe que le médecin peut observer par la vue, le toucher, etc.

clinquant, e [klɛ̃kɑ̃, -ɑ̃t] adj. Qui a plus d'éclat extérieur que de valeur, de mérite : *Ces phrases clinquantes cachent mal le vide de la pensée* (syn. : RONFLANT). ◆ **clinquant** n. m. **1°** Fine lamelle de métal brillant, employée comme ornement sur un tissu. — **2°** Ornement brillant, mais de médiocre valeur : *Il y a beaucoup de clinquant dans cet opéra.*

clip [klip] n. m. Agrafe ou broche munie d'un ressort.

1. clique [klik] n. f. *Péjor.* Groupe de personnes qui s'unissent pour intriguer ou nuire : *L'orateur s'en prenait à cette clique de politiciens* (syn. : BANDE).

2. clique [klik] n. f. Ensemble des tambours et des clairons d'un régiment.

3. cliques [klik] n. f. pl. Fam. *Prendre ses cliques et ses claques,* s'en aller promptement (syn. : DÉCAMPER, DÉGUERPIR).

cliquet [klikɛ] n. m. Petit levier destiné à permettre le mouvement d'une roue dentée dans le même sens.

cliqueter [klikte] v. intr. (conj. 8) [sujet nom de chose]. Produire un bruit d'entrechoquement : *Les convives étaient à table : on entendait cliqueter les couverts.* ◆ **cliquetis** [klikti] n. m. Ensemble des bruits secs produits par de menus chocs : *Dans l'étable, on entend le cliquetis des chaînes des bestiaux. Le cliquetis d'une machine à écrire. Un cliquetis de verres entrechoqués.*

clivage [klivaʒ] n. m. Distinction, répartition entre deux groupes suivant un plan déterminé, selon un certain critère : *Un certain clivage s'opère entre les ouvriers spécialisés et les manœuvres* (syn. : DÉLIMITATION, DIFFÉRENCIATION). [Le sens actuel vient de l'expression de géologie *plan de clivage,* selon lequel les roches se séparent en se fendant.

cloaque [klɔak] n. m. **1°** Amas d'eau croupie; flaque, mare boueuse : *La cour de ferme, envahie de purin, était un vrai cloaque* (syn. : BOURBIER). — **2°** Avec une valeur d'image, domaine immonde (littér.) : *Son cœur est un cloaque de turpitudes.*

clochard, e [klɔʃar, -ard] n. *Fam.* Personne sans domicile, menant une vie oisive et misérable : *Ce clochard couche tantôt sur un banc public, tantôt sous un pont de la Seine, tantôt au commissariat de police* (syn. : SANS-LOGIS, VAGABOND). *Il se néglige de plus en plus et prend des allures de clochard.* ◆ **cloche** n. f. *Pop.* Existence des clochards; ensemble des clochards : *La solidarité de la cloche.*

1. cloche [klɔʃ] n. f. **1°** Instrument de métal (généralement du bronze) dont la forme rappelle celle d'une coupe renversée et qu'on fait sonner en le frappant avec un marteau ou un battant : *Les offices religieux sont souvent annoncés par les cloches de l'église. La cloche de la pendule égrène ses douze coups.* — **2°** Couvercle de verre ou de toile métallique destiné à protéger des aliments, des fruits : *Le fromage est mis sous cloche. Une cloche à melon.* — **3°** Fam. *Son de cloche,* façon de présenter un récit; aspect d'une question : *En laissant parler les uns et les autres, j'ai recueilli des sons de cloche très différents.* ‖ Fam. *Déménager à la cloche de bois,* déménager clandestinement. ‖ Pop. *Sonner les cloches à quelqu'un,* le réprimander sévèrement. ‖ Pop. *Se taper la cloche,* faire un repas copieux, se régaler. ◆ **clocher** n. m. **1°** Tour qui contient les cloches d'une église : *Un clocher pointe à l'horizon.* — 2° Fam. *Revenir, retourner dans son clocher,* revenir avec plaisir dans son pays natal, dans la ville ou le village où l'on a longtemps vécu. — 3° Fam. *Esprit de clocher,* attachement particulariste au cercle étroit des choses et des gens qui vous entourent habituellement. ‖ *Querelles, rivalités de clocher,* qui n'ont qu'un intérêt local. ◆ **clocheton** n. m. Petit clocher ou simple ornement architectural en forme de pyramide ou de cône. ◆ **clochette** n. f. 1° Petite cloche : *Certaines bêtes du troupeau ont une clochette pendue au cou* (syn. : CLARINE). — 2° Corolle de certaines fleurs rappelant la forme d'une cloche : *Les clochettes du muguet.*

2. cloche [klɔʃ] n. f. *Pop.* Personne peu qualifiée, qui travaille médiocrement : *Quelle cloche!* (syn. : BON À RIEN). ◆ adj. Se dit de quelqu'un qui est maladroit, gauche, stupide : *Je ne l'aurais pas cru si cloche!* (syn. fam. : BALLOT).

3. cloche n. f. V. CLOCHARD.

clocher n. m., **clocheton** n. m., **clochette** n. f. V. CLOCHE 1.

clocher [klɔʃe] v. intr. *Fam.* (sujet nom de chose). Aller de travers, ne pas fonctionner ou ne pas se dérouler normalement : *Vous n'êtes pas bien portant? Qu'est-ce qui cloche donc? La maîtresse de maison avait peur que quelque chose cloche dans sa réception.* (Le sens de *boiter* est rare.) ◆ **cloche-pied (à)** loc. adv. *Marcher, courir,* etc., *à cloche-pied,* en sautant sur un pied : *Les enfants s'amusaient à traverser la cour à cloche-pied.*

cloison [klwazɔ̃] n. f. 1° Mur léger ou paroi mince séparant les pièces d'une maison, les cases d'une boîte, etc. : *Une cloison de brique, de carreaux de plâtre, de bois. Il frappa légèrement à la cloison pour attirer l'attention de son voisin de palier. Les abeilles disposent en hexagones réguliers les cloisons de leurs alvéoles* (syn. : SÉPARATION). — 2° Obstacle moral aux relations, absence totale de contacts entre des catégories de personnes, les branches d'une administration, etc. : *La camaraderie de la captivité leur avait fait oublier les cloisons qui séparent d'habitude ceux qui pratiquent des métiers très différents. Il y a des cloisons étanches entre les services de ce ministère* (syn. : ↑ MURAILLE). ◆ **cloisonner** v. tr. Séparer par des cloisons matérielles ou morales : *On a cloisonné la grande salle pour y faire trois pièces. Des équipes de chercheurs trop étroitement cloisonnées.* ◆ **cloisonnement** n. m. : *Le cloisonnement d'un casier à livres. Le cloisonnement des services d'espionnage assure une plus grande sécurité.*

cloître [klwatr] n. m. 1° Galerie couverte encadrant la cour d'un monastère. — 2° Syn. de COUVENT, insistant sur l'isolement de la vie monastique : *Charles Quint acheva sa vie dans un cloître.* ◆ **cloîtrer** v. tr. *Cloîtrer quelqu'un,* l'enfermer dans un cloître : *Au XVIIe siècle, certaines filles nobles étaient cloîtrées par leurs parents dès l'enfance.* ◆ ***se cloîtrer*** v. pr. ou ***être cloîtré*** v. passif (sujet nom de personne). Se tenir ou être tenu étroitement enfermé dans un appartement, une pièce : *Il vit cloîtré chez lui, refusant toutes les visites. Elle s'est cloîtrée toute la semaine dans sa chambre pour préparer son examen* (syn. fam. : CLAQUEMURER).

clopiner [klɔpine] v. intr. *Fam.* Boiter quelque peu, marcher avec difficulté : *Il est venu en clopinant me demander de lui retirer une épine du pied* (syn. plus rares : CLOCHER, BOITILLER). ◆ **clopin-clopant** loc. adv. 1° (sujet nom de personne) *Aller, marcher clopin-clopant,* aller en clopinant : *Il s'approcha clopin-clopant.* — 2° (sujet nom de chose) *Aller clopin-clopant,* aller tant bien que mal, médiocrement : *Les affaires vont clopin-clopant* (syn. : COUCI-COUÇA).

cloporte [klɔpɔrt] n. m. Petit animal grisâtre, au corps ovale et convexe, long de 1 à 2 cm, vivant dans les lieux humides, sous les pierres.

cloque [klɔk] n. f. Enflure locale de la peau, ou simplement de l'épiderme, causée en général par une brûlure, par un contact irritant, etc. : *Elle a reçu sur le bras une projection d'huile bouillante qui lui a laissé une grosse cloque. Un enfant qui a des cloques causées par des orties.* ◆ **cloquer** v. intr. Former des cloques, des boursouflures.

clore [klɔr] v. tr. (conj. 81). 1° Syn. de FERMER (littér. et dans quelques locutions) : *Avant de clore sa lettre, il la relut soigneusement* (syn. : CACHETER). *Les volets clos annonçaient l'absence du propriétaire. Nous avons trouvé porte close* (= il n'y avait personne pour nous ouvrir). *Il réfléchit un moment, les yeux clos. Tu as trouvé le bon argument pour lui clore le bec* (= le faire taire). *J'étais resté derrière pour clore la marche* (= marcher le dernier de tous). — 2° *Clore un terrain,* l'entourer d'une clôture : *Je n'avais pas encore clos mon pré. La haie qui clôt le jardin. Un parc clos de murs.* — 3° *Clore quelque chose,* y mettre un terme, en marquer la fin : *Il est temps de clore le débat (la discussion, la séance, l'enquête, etc.). La liste des candidatures sera close dans deux jours. Une mise au point remarquable clôt ce chapitre* (contr. : OUVRIR). — 4° *En vase clos,* sans contact avec l'extérieur : *Une expérience chimique réalisée en vase clos. Un enfant élevé en vase clos risque d'être désorienté quand il se trouve lancé dans la vie.* ‖ *Maison close,* lieu de prostitution (syn. littér. : LUPANAR). ‖ *L'incident est clos,* mettons fin à cette algarade, cette querelle; qu'il n'en soit plus question. ◆ **clos** [klo] n. m. Terrain cultivé ou pré entouré d'une clôture. ‖ *Le clos et le couvert,* la clôture et la couverture de l'habitation (formule usitée surtout dans la langue admin.)

clôture [klotyr] n. f. 1° Toute enceinte qui ferme l'accès d'un terrain (mur, haie, grillage, palissade, etc.) : *Le nouveau propriétaire a fait réparer la clôture qui avait plusieurs brèches. Franchir la grille de clôture.* — 2° Action de fermer, de clore, de clôturer : *Hâtons-nous de faire nos achats avant la clôture du magasin* (syn. : FERMETURE). *La séance de clôture du congrès a été mouvementée. Le président a annoncé la clôture de la session parlementaire.* — 3° Partie d'un monastère où ne peuvent pénétrer les personnes étrangères à ce monastère. ◆ **clôturer** v. tr. Syn. le plus usuel de CLORE, aux sens 2 et 3 de ce mot : *Clôturer un terrain. Clôturer un débat par un vote.*

1. clou [klu] n. m. 1° Tige de métal ayant une pointe et une tête, et destinée à être plantée, en général pour fixer ou accrocher quelque chose : *Un écriteau a été fixé sur la porte au moyen de deux clous. On mettait parfois des clous sous les semelles pour les protéger. Il a pendu sa veste à un clou.* 2° (au plur.) Fam. *Les clous,* le passage clouté : *Il faut traverser aux clous.* — 3° Fam. *Ça ne vaut pas un clou,* cela ne vaut rien. ‖ Fam. *River son* *clou à quelqu'un,* le réduire au silence par une réplique péremptoire, lui rabaisser son caquet. ‖ Fam. *Maigre comme un clou,* très maigre. ‖ Pop. *Des clous!* (interj. ironiq.), vous pouvez toujours attendre, ou il n'y a rien à faire. ◆ **clouer** v. tr. 1° *Clouer une chose,* la fixer avec un ou plusieurs clous : *Clouer le couvercle d'une caisse. Le tapissier cloue le tissu sur le fauteuil.* — 2° *Clouer quelqu'un,* le réduire à l'immobilité ou au mutisme : *Une crise de rhumatisme l'a cloué à la chambre. Il en est resté cloué de stupeur, d'admiration.* ‖ Fam. *Clouer le bec à quelqu'un,* lui imposer silence, le mettre dans l'impossibilité de répondre : *Un bon pourboire lui a cloué le bec. J'ai une riposte toute prête pour lui clouer le bec.* ◆ **déclouer** v. tr. Contr. de *clouer* au sens 1 : *Déclouer une caisse.* ◆ **reclouer** v. tr. : *Reclouer une semelle, une planche de la palissade.* ◆ **clouter** v. tr. 1° Garnir de clous (surtout au part. passé) : *Faire clouter des chaussures. Une porte cloutée.* — 2° *Passage clouté,* double rangée de clous à large tête plantés en travers d'une chaussée pour y marquer un passage destiné aux piétons.

2. clou [klu] n. m. Syn. courant de FURONCLE : *J'ai eu un clou qui m'a bien fait souffrir.*

3. clou [klu] n. m. Fam. *Vieux clou,* vieille bicyclette, vieille voiture et, plus généralement, appareil usagé : *Il suait à grosses gouttes en grimpant la côte sur son vieux clou.* ‖ Fam. *Mettre au clou,* mettre au mont-de-piété (vieilli).

4. clou [klu] n. m. Fam. *Le clou d'une fête, d'un spectacle, d'un festin,* la partie la mieux réussie, la plus brillante.

clouer v. tr., **clouter** v. tr. V. CLOU 1.

clown [klun] n. m. 1° Comédien qui joue des bouffonneries, souvent acrobatiques, surtout dans les cirques : *Les clowns ont des vêtements grotesques et se barbouillent le visage.* — 2° Celui qui divertit les autres par sa drôlerie : *Cet élève est un vrai clown. Vous n'avez pas fini de faire le clown?* (syn. fam. : PITRE, SINGE, GUIGNOL). ◆ **clownerie** [klunri] n. f. Farce, drôlerie de clown : *Un gamin qui passe son temps à faire des clowneries* (syn. : PITRERIE, SINGERIE [fam.]; FACÉTIE [langue soignée]). ◆ **clownesque** adj.

club [klœb] n. m. 1° Association sportive, culturelle, politique, etc. (entre dans la composition d'un certain nombre de désignations d'associations, de groupements, etc.) : *Le Club alpin. Club automobile. Le Touring Club de France. Le Pen Club. Le club Jean-Moulin.* — 2° Société littéraire, ou cercle plus ou moins aristocratique, où l'on se réunit pour causer, lire, jouer.

> **co-,** préfixe indiquant la participation, l'association. (Il entre dans un grand nombre de composés, qui sont indiqués à l'ordre alphabétique du composant principal : *coauteur, cohabiter,* etc.)

coaguler [kɔagyle] v. tr. *Coaguler un liquide,* le faire figer, lui donner une consistance solide : *La présure coagule le lait* (syn. usuel : FAIRE CAILLER). *Coaguler le sang.* ◆ v. intr. ou ***se coaguler*** v. pr. : *Le sang coagule à l'air* (syn. : FIGER ou SE FIGER). ◆ **coagulant, e** adj. et n. m. : *On administre des coagulants* (du sang) *à certains malades.* ◆ **coagulation** n. f. : *La coagulation du lait est plus rapide par temps orageux.*

coalition [kɔalisjɔ̃] n. f. Réunion de forces, d'intérêts divers, d'Etats, de partis, réalisée occasionnellement pour agir puissamment contre un Etat, un homme, une politique, etc. : *Guillaume d'Orange fut l'organisateur des trois coalitions dirigées contre Louis XIV. Le ministère a été renversé par une coalition des partis de la gauche et du centre. Etre victime d'une coalition d'intérêts opposés* (syn. : ALLIANCE). ◆ **coaliser** v. tr. : *Un réflexe de défense a coalisé les commerçants de l'endroit contre ce centre d'achats* (syn. : ↓ GROUPER, RASSEMBLER). ◆ ***se coaliser*** v. pr. : *Trois des candidats se sont coalisés contre le quatrième* (syn. : S'UNIR). ◆ **coalisé, e** adj. et n. : *Les armées coalisées* (syn. : ALLIÉ). *Napoléon battit à plusieurs reprises les coalisés.*

coasser [kɔase] v. intr. (sujet nom désignant une grenouille). Faire entendre des cris. ◆ **coassement** n. m. : *Les coassements des grenouilles s'élevaient de l'étang.*

cobalt [kɔbalt] n. m. Métal employé dans de nombreux alliages et dans la composition de divers colorants, en général bleus.

cobaye [kɔbaj] n. m. 1° Petit animal rongeur, souvent utilisé pour des expériences biologiques (syn. : COCHON D'INDE). — 2° *Fam.* Personne sur qui on tente une expérience : *Des élèves qui ont servi de cobayes à une nouvelle méthode pédagogique.*

cobra [kɔbra] n. m. Grand serpent venimeux, qui gonfle son cou quand il est irrité (syn. : SERPENT À LUNETTES).

cocagne [kɔkaɲ] n. f. *Mât de cocagne,* mât rendu glissant, qu'on plante en terre lors de certaines réjouissances et au sommet duquel il faut grimper pour décrocher les objets qui y sont suspendus. ‖ *Pays de cocagne,* pays imaginaire où l'on vit heureux, ayant de tout en abondance et sans peine : *Cette région est extrêmement fertile : c'est un vrai pays de cocagne.* ‖ *Vie de cocagne,* vie d'abondance et d'insouciance.

cocaïne [kɔkain] n. f. Substance utilisée en thérapeutique et avec laquelle certains s'intoxiquent volontairement pour se procurer des sensations passagèrement agréables (syn. fam. : COCO, DROGUE). ◆ **cocaïnomane** n. Personne qui abuse de la cocaïne.

cocarde [kɔkard] n. f. Emblème ou insigne circulaire aux couleurs nationales, souvent en tissu plissé, parfois simplement peint : *Des conscrits qui déambulaient, une cocarde à la boutonnière. Les avions militaires portent des cocardes indiquant leur nationalité.* ◆ **cocardier, ère** adj. *Péjor.* Se dit de quelqu'un (ou d'écrits, de paroles) qui exprime un amour excessif des décorations, de la gloire militaire : *Un vétéran cocardier. Patriotisme cocardier. Chansons cocardières* (syn. : CHAUVIN).

cocasse [kɔkas] adj. Se dit de quelqu'un, de quelque chose qui est d'une bizarrerie comique : *C'est un garçon cocasse, plein d'imprévu* (syn. : ↓ DRÔLE). *Il m'est arrivé une histoire cocasse* (syn. : ↑ EXTRAORDINAIRE). ◆ **cocasserie** n. f. : *La cocasserie du quiproquo nous fit éclater de rire* (syn. : ↓ DRÔLERIE). *Il raconte sans cesse des cocasseries.*

coccinelle [kɔksinɛl] n. f. Petit insecte coléoptère, aux élytres orangés ou rouges tachetés de noir (syn. fam. : BÊTE À BON DIEU).

coche [kɔʃ] n. m. *La mouche du coche,* une personne qui déploie un vain empressement dont elle tire gloire. ‖ Fam. *Rater, louper le coche,* laisser passer une occasion favorable, arriver trop tard : *Tu as raté le coche en ne te présentant pas : tu ne retrouveras pas de sitôt une place aussi intéressante.* (Le *coche* était une grande diligence.)

cochenille [kɔʃnij] n. f. Puceron parasite de certaines plantes cultivées.

cocher [kɔʃe] v. tr. *Cocher quelque chose* (dans un écrit), le marquer d'un trait court : *Le professeur fait l'appel en cochant les noms des absents.*

cocher [kɔʃe] n. m. 1° Conducteur d'une voiture tirée par un ou plusieurs chevaux et destinée au transport des personnes : *Sur cette vieille photographie, on voit des fiacres avec des cochers en chapeau melon.* — 2° Fam. *Fouette cocher!,* allons-y hardiment!

cochère [kɔʃɛr] adj. f. *Porte cochère,* dans un immeuble, grande porte à deux battants donnant sur la rue et permettant le passage des voitures.

1. cochon [kɔʃɔ̃] n. m. 1° Syn. usuel de PORC : *La fermière apporte la pâtée aux cochons. Les cochons grognent dans la porcherie.* — 2° *Cochon de lait,* petit cochon qui tète encore. ‖ *Cochon d'Inde,* syn. usuel de COBAYE. ‖ Fam. *C'est donner des confitures à un cochon,* c'est faire un cadeau à une personne qui ne sait pas en apprécier la valeur. ‖ Fam. *Je n'ai pas gardé les cochons avec vous,* rien n'autorise vos familiarités à mon égard. ‖ Fam. *Un cochon n'y retrouverait pas ses petits,* c'est un désordre extrême. ◆ **cochonnaille** n. f. *Fam.* Viande de porc de diverses sortes : *Pendant les huit jours que j'ai passés à la ferme, j'ai fait sans cesse des repas de cochonnaille.* ◆ **cochonnet** n. m. 1° Petit cochon. — 2° Petite boule servant de but au jeu de boules.

2. cochon, onne [kɔʃɔ̃, -ɔn] adj. et n. 1° *Fam.* Sale, dégoûtant, physiquement ou moralement : *Va te laver, cochon! Un des convives, un peu éméché, commençait à raconter des histoires cochonnes* (syn. : GRIVOIS, ÉGRILLARD, SALÉ [fam.]; LICENCIEUX, OBSCÈNE [langue soutenue]; ↓ LESTE). 2° Se dit de quelqu'un qui joue de mauvais tours, ou de quelque chose de malfaisant, désagréable (terme grossier d'injure) : *Ce cochon-là aurait tout de même pu nous prévenir avant de partir. Quel cochon de temps! On ne peut pas sortir.* — 3° Pop. *Amis comme cochons,* amis intimes. ‖ Pop. *Mon cochon!,* exclamation qui souligne l'expression d'un sentiment fort et marque une grande familiarité avec l'interlocuteur : *Eh bien! mon cochon, tu peux dire que j'ai été inquiet!* ‖ Pop. *Ce n'est pas cochon,* cela mérite considération, ce n'est pas mal. ‖ Pop. *Tour de cochon,* mauvaise action, méchanceté : *Il m'a joué un tour de cochon en me laissant ce travail à faire.* ‖ Fam. *Cochon qui s'en dédit,* formule imprécatoire plaisante, renforçant la solennité d'une promesse, d'un serment. ◆ **cochonner** v. tr. Fam. *Cochonner quelque chose,* l'exécuter salement, sans soin; le mettre en mauvais état : *Le plombier a cochonné l'installation. Attention, tu vas cochonner tes vêtements!* (syn. : SALIR). *C'est un devoir cochonné.* ◆ **cochonnerie** n. f. 1° *Fam.* Saleté; objet ou parole sale : *Il dit qu'il ne veut pas vivre dans la cochonnerie. Ce qui plaît chez ce chansonnier, c'est qu'il fait rire sans dire de cochonneries* (syn. : GAULOISERIE, GRIVOISERIE, GROSSIÈRETÉ). — 2° Fam. Objet de mauvaise qualité : *Cette feuille, c'est de la cochonnerie : elle casse tout le temps.* — 3° *Fam.* Action méchante, déloyale : *Il m'a fait une cochonnerie dont je me souviendrai* (syn. fam. : CRASSE).

cocker [kɔkɛr] n. m. Chien de chasse à poil long et à oreilles tombantes.

cocktail [kɔktɛl] n. m. 1° Boisson obtenue en mélangeant des alcools, des sirops, parfois des aromates. — 2° Réception en fin de journée : *De nombreux journalistes assistaient au cocktail donné pour le dixième anniversaire de la revue. Elle s'est fait faire une robe de cocktail.* — 3° Œuvre faite d'un mélange d'éléments très divers : *Un spectacle de variétés qui présente un cocktail de bons mots, d'acrobaties, de chansons.*

1. coco [koko] n. m. Boisson rafraîchissante à base de réglisse et de citron : *On a donné à chacun des enfants un verre de coco.*

2. coco [koko] n. m. *Noix de coco,* fruit comestible du cocotier, utilisé notamment en pâtisserie : *Des gâteaux secs à la noix de coco.* ‖ Fam. *A la noix de coco* (ou simplem. *à la noix*), se dit d'une chose bizarre, médiocre : *Une espèce d'appareil à la noix de coco. Il nous a raconté une histoire à la noix.* ◆ **cocotier** n. m. Variété de palmier fournissant la noix de coco.

3. coco [koko] n. m. *Fam.* Œuf (dans le langage que les adultes emploient parfois avec les enfants).

4. coco [koko] n. m. 1° Nom d'amitié donné parfois à un enfant : *Viens, mon coco. Ce pauvre coco est bien fatigué.* — 2° *Péjor.* Individu louche ou peu estimable : *Avec ce coco-là, il faut se méfier. Quel drôle de coco!*

5. coco [koko] n. m. Pop. *N'avoir rien dans le coco,* avoir l'estomac vide, être à jeun.

6. coco [koko] n. m. *Pop.* et *péjor.* Communiste.

7. coco [koko] n. f. *Fam.* Cocaïne.

cocon [kɔkɔ̃] n. m. Enveloppe soyeuse dans laquelle vivent les chrysalides, en particulier celles des vers à soie.

cocorico [kɔkɔriko] interj. et n. m. Onomatopée traduisant le cri du coq : *Des cocoricos se répondent dans la ferme.*

cocotier n. m. V. COCO 2.

1. cocotte [kɔkɔt] n. f. 1° Poule (langage enfantin). — 2° *Cocotte en papier,* morceau de papier plié de telle façon qu'il présente quelque ressemblance avec une poule. — 3° *Fam.* Femme de mœurs légères : *C'est une ancienne cocotte, qui joue maintenant les dames respectables* (syn. pop. : POULE). — 4° Mot d'amitié à l'adresse d'une femme : *Ne t'inquiète pas, ma cocotte!*

2. cocotte [kɔkɔt] n. f. Petite marmite à anses latérales et sans pieds : *Un civet bien mijoté à la cocotte.*

cocu, e [kɔky] n. et adj. 1° *Pop.* Mari dont la femme est infidèle (se dit plus rarement d'une femme dont le mari est infidèle) : *Les mauvaises langues prétendent qu'un homme de son âge qui épouse une femme aussi jeune risque fort d'être cocu.* — 2° Pop. *Veine de cocu,* chance peu ordinaire (syn. fam. : VEINE DE PENDU). ◆ **cocufier** v. tr. *Pop.* Faire cocu : *Elle a cocufié son mari sans vergogne* (syn. fam. : TROMPER). ◆ **cocuage** n. m. *Pop.* Etat de cocu.

1. code [kɔd] n. m. 1° Recueil de lois ou de règlements : *Ces actes sont réprimés par plusieurs articles du Code pénal. Le Code de la route est l'ensemble de la législation concernant la circulation routière.* — 2° *Phares code, éclairage code,* ou simplem. *code,* éclairage des phares d'une voiture automobile réglementairement limité en portée et en intensité : *Quand on croise une voiture, on doit se mettre en code.* — 3° Ensemble des conventions en usage dans un domaine déterminé : *Le code de la politesse varie d'un pays à l'autre. Le code de l'honneur exige une réparation par les armes.* ◆ **codifier** v. tr. *Codifier quelque chose,* lui donner la forme d'un système organisé de principes : *Boileau a codifié, dans « l'Art poétique », les traits essentiels de la doctrine classique.* ◆ **codification** n. f.

2. code [kɔd] n. m. Système linguistique convenu, par lequel on transcrit ou on traduit un message : *Les services de contre-espionnage ont réussi à découvrir le code secret de l'adversaire. Le code écrit d'une langue.* ◆ **coder** v. tr. Transcrire par un code en un autre langage : *Coder un message.* ◆ **codage** n. m. : *Le codage de cet ordre de mission est indispensable.* ◆ **décoder** v. tr. Mettre en langage clair un message codé. ◆ **décodage** n. m. : *Le décodage de l'information a demandé un certain temps.*

coefficient [kɔefisjɑ̃] n. m. Chiffre par lequel on multiplie les notes des candidats à un examen ou à un concours selon l'importance attribuée à l'épreuve : *6 sur 10, avec le coefficient 3, cela fait 18 sur 30.*

coercition [kɔɛrsisjɔ̃] n. f. Action de contraindre quelqu'un à faire quelque chose (langue soignée) : *On ne peut obtenir sa participation que par coercition* (syn. : CONTRAINTE). *Le pouvoir exécutif a usé de son droit de coercition.* ◆ **coercitif, ive** adj. Se dit de quelque chose qui contraint : *Des lois coercitives.* ◆ **coercible** adj. Qu'on peut retenir (surtout dans des express. négatives ou restrictives) : *Des impulsions difficilement coercibles.* ◆ **incoercible** adj. : *Il avait un besoin incoercible de parler. Une toux incoercible.*

1. cœur [kœr] n. m. 1° Chez les êtres animés, organe doué de pulsations, qui est le moteur principal de la circulation du sang : *Le cœur bat dans la poitrine. Il a une maladie de cœur.* — 2° Objet ou dessin en forme de cœur stylisé : *Des volets de bois plein, percés d'un cœur.* — 3° *Avoir mal au cœur, avoir le cœur sur les lèvres, avoir le cœur barbouillé,* avoir la nausée. ‖ *Cela lève* (ou *soulève*) *le cœur,* c'est répugnant, cela vous dégoûte. ‖ *Presser, serrer sur son cœur,* sur sa poitrine. ‖ *Beau, joli comme un cœur,* très joli.

2. cœur [kœr] n. m. 1° Partie centrale des choses : *L'écorce et l'aubier sont piqués des vers, mais le cœur de l'arbre est intact. Un cœur de salade bien tendre. Le rendez-vous est fixé dans une clairière, au cœur de la forêt. Au cœur de l'été, de l'hiver* (= au moment où la chaleur, le froid sont le plus intenses). *Nous voilà au cœur du problème* (= au point essentiel). — 2° Une des couleurs du jeu de cartes : *Le valet de cœur. Le huit de cœur. Il s'est défaussé à cœur. Atout cœur.*

3. cœur [kœr] n. m. 1° Disposition à être ému, à compatir; bienveillance, bonté : *Cet enfant a le cœur sensible* (ou *tendre*) *: il ne peut pas voir souffrir un animal. Il a le cœur sur la main* (= il est très bon, très généreux). *Vous avez su toucher son cœur* (= l'émouvoir). *Ces paroles ont trouvé le chemin de son cœur* (= l'ont touché). *Cette attention délicate me va droit au cœur* (= m'émeut profondément). *Quand on a bon cœur, on pense aux autres. C'est un cœur d'or* (= une personne très généreuse, très bonne). *Je ne lui croyais pas le cœur si dur. C'est un cœur intraitable, un cœur de pierre, un homme sans cœur, un sans-cœur. C'est un cœur de tigre* (= un caractère cruel). *Cela vous arrache, vous déchire, vous brise, vous fend, vous serre le cœur* (= cela vous peine profondément, vous inspire une grande pitié). — 2° Siège de la tendresse, de l'affection, de l'amour (littér. ou langue affectée) : *Le cœur d'une mère est indulgent. Il a le cœur épris d'une jeune beauté. Il lui a donné son cœur* (= il lui a voué un amour exclusif). *Cœur fidèle, volage. Cœur d'artichaut* (= personne volage). *Elle lisait le courrier du cœur dans un hebdomadaire* (= la chronique des questions sentimentales). — 3° Siège de la joie ou de la tristesse : *Avoir le cœur gai, joyeux, léger, triste, lourd, gros. Je n'ai pas le cœur à rire. Ce n'est pas de gaieté de cœur que j'ai accepté cela* (= ce n'est pas volontiers, ce n'est pas sans hésiter). — 4° Ardeur, désir qui porte vers quelque chose, courage mis à le faire : *Il met du cœur à l'ouvrage* (syn. : ÉNERGIE). *A les voir travailler, on se rend compte que le cœur n'y est pas* (= qu'ils le font sans zèle, sans conviction). *C'est un cœur indomptable, un cœur de fer* (= quelqu'un qui ne se laisse pas abattre par l'adversité). *Je n'ai pas eu le cœur de le réveiller* (= le cruel courage). *Cette nouvelle va lui donner* (ou *lui mettre*) *du cœur au ventre* (fam.) [= le réconforter, l'encourager]. *Voici un projet qui me tient au cœur* (ou *que j'ai à cœur*) [= auquel je suis très attaché]. *J'ai à cœur de vous prévenir* (= je m'en fais un devoir). *Si le cœur vous en dit, vous pouvez essayer* (= si cela vous tente). *Il a enfin trouvé un secrétaire selon son cœur* (= exactement tel qu'il le souhaitait). — 5° Conscience, dispositions morales, pensées intimes : *Elle avait posé cette question d'un cœur innocent. Un cœur pur, candide, simple. Cet acte révèle la noirceur de son cœur* (syn. : ÂME). *Si on pouvait connaître le fond de son cœur! J'ai besoin de dévoiler mon cœur à un ami. Je lui ai vidé mon cœur, dit ce que j'avais sur le cœur* (= je lui ai dit ce que je gardais secret et qui me pesait). *J'aimerais pouvoir parler à cœur ouvert, cœur à cœur* (= en toute sincérité, sans rien dissimuler). *Ne vous excusez pas : c'était le cri du cœur* (= une exclamation traduisant spontanément les pensées ou les sentiments intimes). — 6° *De bon cœur, de grand cœur, de tout cœur,* très volontiers : *Je vous l'offre de bon cœur.* ‖ *Etre de tout cœur avec quelqu'un,* s'associer à sa peine, à sa joie, à son espoir. ‖ *Ne pas porter quelqu'un dans son cœur,* avoir de l'antipathie pour lui. ‖ *Mon cœur, mon cher cœur,* expressions de tendresse ou de badinage. ‖ *En avoir le cœur net,* s'informer avec précision, de façon à savoir à quoi s'en tenir. ‖ *Réciter, savoir, apprendre par cœur,* de mémoire, d'une façon mécanique. ‖ Fam. *Dîner par cœur,* se passer de prendre un repas.

coexistence n. f., **coexister** v. intr. V. EXISTER.

coffre [kɔfr] n. m. 1° Meuble de bois très simple, dont la face supérieure est un couvercle mobile. — 2° Partie d'une carrosserie de voiture destinée au logement des bagages : *Ce qui ne tient pas dans le* *coffre sera placé sur la galerie* (syn. : MALLE). — 3° Syn. de COFFRE-FORT. — 4° *Fam.* Poitrine, poumons, voix : *Il est à moitié impotent, mais le coffre est encore bon* (syn. fam. : CAISSE). *Avec un coffre pareil, on l'entend crier à cinq cents mètres. Il a du coffre.* ◆ **coffrage** n. m. Planches destinées à contenir du ciment frais jusqu'à son durcissement. **coffrer** v. tr. 1° Munir d'un coffrage. — 2° Fam. *Coffrer quelqu'un,* l'arrêter, l'emprisonner : *Les cambrioleurs ont fini par se faire coffrer.* ◆ **coffre-fort** n. m. Coffre d'acier à serrure de sûreté, pour enfermer des valeurs, de l'argent : *Les coffres-forts d'une banque.* ◆ **coffret** n. m. Petite boîte, le plus souvent parallélépipédique, ayant un caractère décoratif : *Un coffret à bijoux, à gants. Coffret d'ébène, d'ivoire.*

cogiter [kɔʒite] v. intr. ou tr. *Fam.* Syn. affecté de RÉFLÉCHIR, PENSER : *Tu n'as pas besoin de cogiter une heure pour savoir ce que tu dois faire. Qu'est-ce que vous cogitez?* ◆ **cogitation** n. f. Fam. : *Quel est le fruit de tes cogitations?*

cognac [kɔɲak] n. m. Eau-de-vie de vin, produite en Charente et en Charente-Maritime.

cogne [kɔɲ] n. m. *Pop.* Agent de police, gendarme.

cognée [kɔɲe] n. f. 1° Hache de bûcheron. — 2° Fam. *Jeter le manche après la cognée,* abandonner soudain par découragement ce qu'on avait entrepris.

cogner [kɔɲe] v. intr. et tr. ind. 1° *Cogner sur, contre, dans quelque chose,* lui donner un coup, des coups : *On entend des ouvriers qui cognent dans les couloirs. Il cogne de toutes ses forces sur le piquet pour l'enfoncer. Redresser une barre en cognant dessus à coups de marteau. Cogner du poing sur la table d'un air furieux. Le caillou est venu cogner contre la carrosserie* (syn. : ↓ TAPER; FRAPPER [langue soignée]). — 2° *Cogner à la porte, à la fenêtre,* etc., *cogner au mur, au plafond,* y donner des coups pour avertir de sa présence ou pour manifester son mécontentement : *En passant devant chez moi, tu cogneras au volet* (syn. : FRAPPER). *Il était convenu que le visiteur cognerait trois coups à la porte. Le tapage des voisins du dessus n'a cessé que quand j'ai cogné au plafond* (syn. : TAPER, HEURTER). ◆ v. tr. Fam. *Cogner un objet,* lui faire subir un choc, un heurt : *Apporte-moi la carafe et fais attention à ne pas la cogner* (syn. moins usuels : CHOQUER, HEURTER). ‖ Fam. *Cogner quelqu'un,* le heurter : *Il m'a cogné du coude; pop.,* lui donner des coups. ◆ ***se cogner*** v. pr. 1° Se donner un coup : *Cet enfant pleure parce qu'il s'est cogné contre le buffet.* — 2° *Se cogner la tête contre les murs,* chercher désespérément à sortir d'une situation sans issue. ◆ **cognement** n. m. Bruit sourd provoqué par un coup.

cohabiter v. intr. V. HABITER.

cohérent, e [kɔerɑ̃, -ɑ̃t] adj. Se dit de quelque chose dont tous les éléments se tiennent et s'harmonisent ou s'organisent logiquement : *Ces joueurs amateurs ont fini par constituer une équipe de football très cohérente* (syn. : HOMOGÈNE). *Les découvertes des archéologues forment un ensemble cohérent qui permet de se faire une idée de cette civilisation. L'argumentation de l'accusé est très cohérente.* ◆ **cohérence** n. f. Enchaînement logique des parties composantes : *La cohérence d'un raisonnement.* ◆ **incohérent, e** adj. : *Il rêvait tout haut en prononçant des paroles incohérentes.* ◆ **incohérence** n. f. : *Un ivrogne qui tient un discours plein d'incohérence.* ◆ **cohésion** n. f. Etat d'un corps, d'un groupe formant un tout aux parties bien liées : *Ces divergences de vues sur les questions de détail ne portent pas atteinte à la cohésion générale du groupe* (syn. : SOLIDARITÉ).

cohorte [kɔɔrt] n. f. Troupe de personnes menant ensemble une action plus ou moins concertée (souvent ironiq.) : *La cohorte des admirateurs.*

cohue [kɔy] n. f. Foule confuse : *L'enfant avait perdu ses parents dans la cohue de la foire-exposition* (syn. : BOUSCULADE, TUMULTE).

coi, coite [kwa, kwat] adj. *Se tenir coi, rester coi,* rester complètement silencieux et immobile, par crainte, prudence, perplexité (littér.) : *L'élève qui avait reçu cet avertissement se tint coi pendant toute la fin du cours* (syn. : TRANQUILLE).

1. coiffer [kwafe] v. tr. 1° *Coiffer quelqu'un,* lui couvrir la tête d'un chapeau, d'un morceau de tissu : *La maman coiffe son bébé d'un bonnet.* — 2° (sujet nom de personne) *Etre coiffé de,* avoir la tête couverte de : *Etre coiffé d'un béret, d'une casquette.* — 3° Fam. *Le premier chien coiffé,* n'importe qui, le premier venu : *Elle s'est amourachée du premier chien coiffé qui lui a fait la cour.* ‖ Fam. *Etre coiffé de quelqu'un, de quelque chose,* être pris d'un enthousiasme excessif et durable pour cette personne ou cette chose (syn. : ÊTRE ENTICHÉ, ENGOUÉ DE). ◆ **coiffe** n. f. Tissu ou dentelle que les femmes portent sur la tête comme ornement dans certaines provinces. ◆ **coiffure** n. f. Tout ce qui sert à couvrir la tête : *On voyait dans la foule des coiffures très diverses : feutres, chapeaux de paille, nœuds de rubans, etc.* ◆ **décoiffer** v. tr. *Décoiffer quelqu'un,* lui enlever sa coiffure, son chapeau : *Le vent l'a décoiffé et son chapeau a roulé dans le ruisseau.* ◆ ***se décoiffer*** v. pr. Enlever son chapeau par respect. ◆ **recoiffer (se)** v. pr. Remettre son chapeau.

2. coiffer [kwafe] v. tr. 1° Disposer les cheveux sur la tête : *La fillette, munie d'une brosse et d'un peigne, coiffe sa poupée.* — 2° Raccourcir les cheveux : *Va te faire coiffer, tu as les cheveux trop longs.* ◆ ***se coiffer*** v. pr. Disposer ses cheveux : *Elle a passé une demi-heure devant sa glace pour se coiffer.* ◆ **coiffeur, euse** n. Personne dont la profession est de couper les cheveux, de les disposer selon la mode : *Une boutique de coiffeur. Elle a pris un rendez-vous chez son coiffeur.* ◆ **coiffeuse** n. f. Petite table munie d'une glace et des objets que les femmes utilisent pour les soins de beauté : *Une coiffeuse romantique.* ◆ **coiffure** n. f. Manière ou art de disposer les cheveux : *La mode était aux coiffures bouffantes. Une coiffure qui dégage les oreilles. Elle a plusieurs peignes dans sa coiffure. Salon de coiffure. Elle a appris la coiffure.* ◆ **décoiffer** v. tr. *Décoiffer quelqu'un,* déranger l'ordonnancement de ses cheveux, sa coiffure : *Le vent l'a décoiffée* (syn. : DÉPEIGNÉE). ◆ **recoiffer (se)** v. pr. : *Se recoiffer avant d'entrer au salon* (syn. : SE REPEIGNER).

3. coiffer [kwafe] v. tr. Fam. *Coiffer un organisme, un service administratif,* exercer son autorité sur cet organisme, ce service, être placé hiérarchiquement au-dessus : *Le bureau central coiffe les différents comités locaux* (syn. : SUPERVISER).

coiffeur, euse n. V. COIFFER 2.

coiffure n. f. V. COIFFER 1 et 2.

1. coin [kwɛ̃] n. m. 1° Angle formé par deux lignes ou deux plans : *Il s'est cogné au coin de la table. Le lampadaire est dans un coin de la pièce* (syn. : ANGLE). *L'enfant s'était caché dans un coin du jardin. Les déménageurs ont fait un accroc à la tenture avec le coin d'une caisse. C'est un spectacle qu'on peut voir à tous les coins de rues* (= à tous les carrefours, très communément). — 2° *Un petit coin,* une petite localité : *Nous avons passé nos vacances dans un petit coin charmant.* ‖ Fam. *Les petits coins, le petit coin,* les cabinets d'aisances. ‖ *Le coin du feu,* les côtés de la cheminée ; le foyer. ‖ *Causerie au coin du feu,* interview présentée à la radio, à la télévision sous la forme d'une causerie familière. ‖ *Regarder du coin de l'œil,* sans en avoir l'air. ‖ *Sourire en coin,* sourire dissimulé. ‖ *Je ne voudrais pas le rencontrer au coin d'un bois,* il a une mine peu rassurante. ‖ Fam. *En boucher un coin à quelqu'un,* le laisser muet de surprise de ce qu'on lui apprend. ‖ Fam. *Les quatre coins de,* tous les endroits, jusqu'aux plus reculés : *Aux quatre coins du monde.*

2. coin [kwɛ̃] n. m. Pièce de fer taillée en biseau à une de ses extrémités et servant à fendre le bois.

1. coincer [kwɛ̃se] v. tr. *Coincer quelque chose, quelqu'un,* l'immobiliser en le serrant contre un objet : *La valise est coincée entre une malle et le poteau. Un des tiroirs de la commode est coincé : il faut forcer pour l'ouvrir* (syn. : BLOQUER). *On a coincé le mât en terre avec des pierres* (syn. : CALER). *J'ai été coincé par la foule contre la balustrade* (syn. : SERRER). ◆ **coincement** n. m. : *Le coincement d'un axe arrête tout le mécanisme.* ◆ **décoincer** v. tr. : *Décoincer un tiroir bloqué* (syn. : DÉBLOQUER).

2. coincer [kwɛ̃se] v. tr. Fam. *Coincer quelqu'un,* le mettre dans l'impossibilité de répondre, de s'échapper ; le mettre dans l'embarras : *Le candidat s'est fait coincer sur un détail du Code de la route* (syn. fam. : COLLER). *On ne peut jamais le coincer : il trouve toujours quelque échappatoire* (syn. : EMBARRASSER).

coïncider [kɔɛ̃side] v. intr. ou tr. ind. [**avec**] (sujet nom de chose). S'adapter, correspondre exactement ; occuper le même espace ou tomber au même moment : *Faire coïncider l'extrémité de deux tuyaux* (= ajuster). *Comme les deux cérémonies coïncident, je n'assisterai qu'à l'une d'elles* (= ont lieu en même temps). *Votre désir coïncide avec le mien* (syn. : CONCORDER). *Tous les détails du portrait coïncident exactement : il ne peut s'agir que de lui.* ◆ **coïncidence** n. f. Rencontre de circonstances : *Par une heureuse coïncidence, il est arrivé au moment où j'avais besoin de lui* (syn. : HASARD). *Une fâcheuse, une curieuse, une simple coïncidence* (syn. : CONCOURS DE CIRCONSTANCES). *C'est une coïncidence fortuite, voulue.*

coin-coin [kwɛ̃kwɛ̃] n. m. Onomatopée traduisant le cri du canard.

coing [kwɛ̃] n. m. 1° Fruit du *cognassier,* dont on fait des confitures. — 2° *Personne jaune comme un coing,* qui a le teint très jaune, qui a mauvaise mine.

coït [kɔi ou kɔit] n. m. Accouplement du mâle et de la femelle.

coke [kɔk] n. m. Combustible qui est un résidu de la distillation de la houille : *Il se chauffe au coke.* ◆ **cokerie** n. f. Usine de fabrication de coke.

1. col [kɔl] n. m. 1° Partie d'un vêtement qui entoure le cou : *Un col de chemise, de veste, de chandail, de pardessus. Col droit, rabattu, ouvert. Un chemisier avec col de dentelle.* — 2° *Faux col,* col amovible qui s'adapte à une chemise.

2. col [kɔl] n. m. Partie amincie et plus ou moins cylindrique d'un objet : *Un vase au col gracieux.*

3. col [kɔl] n. m. Partie plus basse d'une chaîne de montagnes : *Le col de l'Iseran fait communiquer les vallées de l'Arc et de l'Isère.*

cola [kɔla] n. m. Arbre de l'Afrique occidentale, dont la noix sert à faire des stimulants.

coléoptère [kɔleɔptɛr] n. m. Insecte dont les ailes membraneuses sont protégées au repos par des ailes cornées appelées « élytres » : *Les coléoptères comprennent de très nombreuses espèces.*

colère [kɔlɛr] n. f. 1° Violent accès d'humeur, mouvement d'hostilité envers quelqu'un ou quelque chose : *Il est entré dans une colère terrible en voyant que le travail promis n'était toujours pas fait* (syn. : FUREUR, RAGE ; fam. : ROGNE). *Sa colère se lisait dans son regard et dans tous ses gestes* (syn. : IRRITATION). *Il ne faut pas attacher une importance excessive à des paroles prononcées sous le coup de la colère* (syn. : EMPORTEMENT). *Cet enfant est trop capricieux : il fait des colères pour la moindre contrariété.* — 2° *En colère,* violemment irrité : *Il est en colère parce que sa voiture est en panne* (syn. : ↑ FURIEUX ; fam. : EN ROGNE). ◆ **coléreux, euse** ou **colérique** adj. Enclin à la colère : *Cet enfant est trop coléreux, il faut le dresser.* ◆ **décolérer** v. intr. (uniquement dans des phrases négatives) : *Il ne décolère pas depuis ce matin* (= il ne cesse pas d'être en colère).

colibacille [kɔlibasil] n. m. Bactérie de l'intestin de l'homme et des animaux.

colibri [kɔlibri] n. m. Très petit oiseau d'Amérique, au plumage vivement coloré.

colifichet [kɔlifiʃɛ] n. m. Petit ornement de fantaisie : *Elle a toujours aimé les boucles d'oreilles, les broches, les peignes et autres colifichets.*

colimaçon [kɔlimasɔ̃] n. m. 1° Syn. rare de ESCARGOT. — 2° *Escalier en colimaçon,* en spirale.

colin [kɔlɛ̃] n. m. Poisson marin estimé pour sa chair.

colin-maillard [kɔlɛ̃majar] n. m. Jeu dans lequel un des joueurs, les yeux bandés, cherche à attraper et à reconnaître les autres joueurs à tâtons.

colique [kɔlik] n. f. 1° Vive douleur intestinale, souvent accompagnée de diarrhée. — 2° *Fam.* Chose ennuyeuse, contrariante : *Quelle colique, ce travail !* (syn. fam. : BARBE, POISON).

colis [kɔli] n. m. Paquet de taille moyenne ou de grande taille, destiné à être expédié : *Il a reçu un colis de livres. Envoyer un colis postal.*

collaborer [kɔlabɔre] v. tr. ind. ou intr. *Collaborer avec quelqu'un à quelque chose,* travailler de concert avec lui à une œuvre commune : *Plusieurs centaines de personnes ont collaboré à ce film. De nombreux spécialistes ont collaboré à la rédaction du dictionnaire* (syn. : PARTICIPER). *Au lieu de nous* concurrencer), nous pourrions collaborer (syn. : COOPÉRER). *Il collabore avec sa femme à un nouveau roman.* ◆ **collaboration** n. f. : *La revue s'est assuré la collaboration de plusieurs écrivains de talent. Cet ouvrage est le fruit de la collaboration entre différents services.* ◆ **collaborateur, trice** n. : *Le directeur a remercié ses collaborateurs de leur aide.* (Ces mots avaient pris un sens péjor. pendant la Seconde Guerre mondiale, s'appliquant à ceux qui aidaient l'armée d'occupation en France ou qui sympathisaient avec les occupants.)

collatéral, e, aux [kɔllateral ou kɔlateral, -ro] adj. et n. Parent en dehors de la ligne directe : *Les frères, les oncles, les cousins sont des collatéraux.*

collation [kɔlasjɔ̃] n. f. Repas léger : *Prendre, servir une collation.*

collationner [kɔlasjɔne] v. tr. *Collationner des textes, des documents,* etc., les comparer entre eux. ◆ **collationnement** n. m. : *Procéder au collationnement des manuscrits pour établir un texte latin.*

1. colle [kɔl] n. f. 1° Substance gluante, liquide ou en pâte, utilisée pour faire adhérer des objets entre eux. ◆ **coller** v. tr. 1° *Coller quelque chose,* le faire adhérer avec de la colle : *Coller une affiche au mur, un timbre sur une lettre. L'enfant colle les pièces de son avion modèle réduit.* — 2° *Coller une chose à, contre une autre,* l'y appliquer très près, la placer contre elle : *Il avait collé son oreille à la porte pour tâcher de surprendre quelques mots. Ce fauteuil est trop collé contre le mur.* — 3° *Fam.* Mettre, placer vigoureusement : *Colle ton paquet dans le coin et viens avec nous. Tais-toi ou je te colle mon poing dans la figure* (syn. fam. : FLANQUER, FICHER). — 4° Pop. *Coller quelqu'un au mur,* le fusiller. ◆ v. intr. ou tr. ind. 1° *Coller à quelque chose,* y être adhérent (en parlant d'une matière gluante, poisseuse) : *La glaise colle aux semelles* (syn. : ADHÉRER). — 2° *Fam.* S'appliquer contre : *Un maillot qui colle au corps.* — 3° Convenir d'une manière étroite : *Cette description colle à la réalité.* — 4° *Pop.* Bien aller : *S'il y a quelque chose qui ne colle pas, préviens-moi. Tout le monde est prêt? Ça colle, on y va* (syn. pop. : GAZER ; fam. : MARCHER). ◆ ***se coller*** v. pr. *Pop.* Se mettre en ménage sans être marié. ◆ **collage** n. m. 1° Action de coller : *Le collage du papier doit se faire sur un mur sans aspérités.* — 2° Syn. fam. de CONCUBINAGE. ◆ **collant, e** adj. Qui colle, qui adhère; qui s'applique exactement : *On a réparé la page déchirée avec une bande de papier collant. Elle portait une robe collante.* ◆ **collant** n. m. Maillot de danseuse ou pantalon qui enserre le corps. ◆ **colleur** n. m. : *Le colleur d'affiches a dressé son échelle.* ◆ **décoller** v. tr. *Décoller quelque chose,* le séparer, le détacher de ce à quoi il était collé : *On a décollé l'enveloppe à la vapeur. Les meubles se sont décollés à l'humidité.* ◆ v. intr. (sujet nom de personne). *Fam.* Avoir très mauvaise mine, être très amaigri : *Il a décollé depuis sa dernière grippe.* ◆ **décollement** n. m. : *Le décollement d'une pièce a causé une fuite de la chambre à air.* ◆ **encoller** v. tr. *Encoller quelque chose,* l'enduire de colle ou d'apprêt : *Encoller une bande de papier peint. On encolle certains tissus.* ◆ **encollage** n. m. ◆ **recoller** v. tr. *Recoller quelque chose,* le réparer au moyen de colle : *J'ai recollé l'anse de la tasse.* ◆ v. tr. ind. *Recoller à quelque chose,* s'y replacer très près : *Le cycliste attardé recolle au peloton.* ◆ v. intr. et **se recoller** v. pr. *Fam. Se recoller à quelque chose,* s'y mettre de nouveau : *J'ai dû me recoller à ce travail.* ◆ **recollage** ou **recollement** n. m. : *Le recollage des morceaux du vase a demandé beaucoup de patience.*

2. colle [kɔl] n. f. 1° *Fam.* Question embarrassante, petit problème dont la solution demande beaucoup d'ingéniosité : *Je vais vous poser une petite colle : quelle est la vitesse de propagation du son dans l'eau?* — 2° *Arg. scol.* Interrogation périodique de contrôle : *Passer une colle de mathématiques, d'histoire.* ◆ **coller** v. tr. Fam. *Coller quelqu'un,* le mettre dans le cas de ne pas pouvoir répondre convenablement à une question : *Il a une érudition prodigieuse : il n'est pas facile de le coller en histoire;* le refuser à un examen : *Il a encore été collé à son bachot.* ◆ **collante** n. f. *Arg. scol.* Convocation à un examen ou à un concours. ◆ **colleur, euse** n. *Arg. scol.* Interrogateur spécialisé. ◆ **incollable** adj. *Fam.* Se dit de quelqu'un qu'on ne peut pas coller : *Ce candidat est vraiment fort, mais il n'est pas incollable.*

3. colle [kɔl] n. f. *Arg. scol.* Punition consistant à faire un travail supplémentaire, en général en venant à l'école en dehors des heures normales de classe (syn. : CONSIGNE). ◆ **coller** v. tr. Fam. *Coller un élève,* le retenir, le faire revenir à l'école comme punition : *Si tu es collé jeudi, tu ne pourras pas nous accompagner* (syn. : CONSIGNER).

4. colle [kɔl] n. f. *Pop.* Chose ennuyeuse, contrariante : *Il faut encore remplir un questionnaire : quelle colle!* ◆ **coller** v. tr. Pop. *Coller quelqu'un,* l'importuner par sa présence continuelle. ◆ **collant, e** adj. *Fam.* Se dit de quelqu'un qui importune, dont on ne peut pas se débarrasser : *Ce représentant, qu'il est collant!* (syn. : AGAÇANT, ASSOMMANT, ENNUYEUX).

collecte [kɔlɛkt] n. f. Action de recueillir de l'argent ou des objets, souvent dans une intention de bienfaisance : *On a organisé des collectes en faveur des sinistrés* (syn. : QUÊTE). *Des volontaires ont fait la collecte de vêtements usagés pour les malheureux. Le secrétaire de section a fait la collecte des cotisations syndicales.* ◆ **collecter** v. tr. Faire une collecte de : *Collecter des fonds pour la construction d'une église* (syn. : RECUEILLIR, RASSEMBLER). *Collecter des signatures pour une pétition* (syn. : RÉUNIR). ◆ **collecteur** n. m. : *Un collecteur de fonds.* ◆ adj. et n. m. *Egout collecteur,* ou simplem. *collecteur,* égout qui reçoit les eaux de plusieurs canalisations de moindre importance.

collectif, ive [kɔlɛktif, -iv] adj. 1° Qui concerne un ensemble de personnes, qui est le fait d'un groupe : *Les enfants partent en colonie de vacances avec un billet collectif de chemin de fer. Un visite collective de musée* (= en groupe). *On se demandait si les assistants n'étaient pas victimes d'une hallucination collective* (contr. : INDIVIDUEL). — 2° *Nom collectif* ou *collectif* n. m., nom qui exprime une idée de groupe, comme *foule, troupe, rangée,* etc. ◆ **collectif** n. m. Projet de loi par lequel le gouvernement sollicite des assemblées parlementaires une modification du volume des crédits. ◆ **collectivement** adv. : *La note de service s'adresse collectivement à tout le personnel de l'entreprise* (contr. : INDIVIDUELLEMENT, PERSONNELLEMENT). ◆ **collectivité** n. f. Groupe d'individus habitant un même pays, une même agglomération, ou simplement ayant des intérêts communs : *Dans une société bien organisée, l'effort de chacun profite plus ou moins directement à la collectivité. Les collectivités locales avaient délégué leurs représentants* (= les communes et les départements). ◆ **collectivisme** n. m. Système économique visant à la mise en commun des moyens de production. ◆ **collectiviste** adj. et n. : *Les doctrines collectivistes. Un régime collectiviste. Les proclamations des collectivistes.* ◆ **collectiviser** v. tr. Mettre les moyens de production au service de la collectivité, par expropriation ou par nationalisation. ◆ **collectivisation** n. f. : *La collectivisation des terres.*

collection [kɔlɛksjɔ̃] n. f. 1° Ensemble d'objets réunis et classés par curiosité, par goût esthétique ou dans une intention documentaire : *Sa collection de timbres est très riche. Plusieurs des tableaux exposés ici appartiennent à des collections particulières. J'ai la collection complète de cette revue depuis le premier numéro.* — 2° Ensemble des modèles nouveaux présentés par un grand couturier : *Les journaux de mode donnent quelques spécimens des collections de printemps.* — 3° Fam. *Une collection de,* une série, un ensemble de personnes bizarres, caractéristiques : *J'arrive d'un cocktail où j'ai vu toute une collection de pimbêches.* ◆ **collectionner** v. tr. 1° *Collectionner des objets,* les réunir en collection : *Certains collectionnent les cartes postales, d'autres les poupées mécaniques, etc.* — 2° Fam. *Collectionner des choses,* les accumuler, les recevoir en grand nombre : *Collectionner les gaffes. Il collectionne tous les premiers prix.* ◆ **collectionneur, euse** n. : *Un collectionneur d'estampes. De nombreux collectionneurs assistaient à cette vente aux enchères.*

collectivement adv., **collectivisation** n. f., **collectiviser** v. tr., **collectivisme** n. m., **collectiviste** adj. et n., **collectivité** n. f. V. COLLECTIF.

1. collège [kɔlɛʒ] n. m. Etablissement d'enseignement du second degré, destiné à des enfants de plus de onze ans : *Il existe des collèges privés et des collèges publics* (ou *d'Etat*). *Les collèges d'enseignement général* (ou *C.E.G.*) *donnent un enseignement secondaire court. Ils s'étaient perdus de vue depuis le collège* (= depuis le temps où ils fréquentaient le collège). ◆ **collégien, enne** n. 1° Elève d'un collège : *Certains collégiens portent un uniforme.* — 2° *Péjor.* Personne naïve, sans expérience : *C'est un collégien : on n'a pas idée d'être aussi confiant!* (V. LYCÉE.)

2. collège [kɔlɛʒ] n. m. Corps de personnes ayant même dignité, mêmes fonctions : *Le collège des cardinaux se réunit en conclave. Chaque collège électoral est appelé à désigner ses représentants aux commissions paritaires* (= chaque catégorie d'électeurs). ◆ **collégial, e, aux** adj. *Direction collégiale,* comité directeur composé de plusieurs membres ayant des pouvoirs égaux. ◆ **collégialité** n. f. : *Un parti politique attaché au principe de la collégialité de direction.*

collègue [kɔlɛg ou kɔllɛg] n. Personne exerçant le même genre de fonctions administratives qu'une autre : *L'amicale du lycée a souhaité la bienvenue aux nouveaux collègues. L'employée de mairie a passé le dossier à sa collègue. Mon cher collègue* (= formule de politesse). (V. CONFRÈRE.)

coller v. tr. V. COLLE 1, 2, 3, 4.

collerette [kɔlrɛt] n. f. Garniture plissée ou froncée appliquée sur un col de vêtement féminin.

1. collet [kɔlɛ] n. m. 1° Pièce, garniture de fourrure ou d'étoffe formant une courte pèlerine, que portent parfois les femmes. — 2° *Collet monté* (loc. adj. invar.), guindé, affecté : *On ne se sent pas à l'aise en compagnie de gens aussi collet monté.*

2. collet [kɔlɛ] n. m. 1° Lacet à nœud coulant que l'on pose sur le passage des lapins ou des lièvres pour les prendre : *Le braconnier est allé poser des collets dans le bois.* — 2° *Saisir, prendre quelqu'un au collet, mettre la main au collet de quelqu'un,* s'emparer de lui, le mettre en état d'arrestation.

colleter (se) [səkɔlte] v. pr. *Fam.* Lutter ensemble, se jeter l'un sur l'autre à la suite d'une querelle : *Si on ne les avait pas séparés, ils se seraient colletés* (syn. fam. : S'EMPOIGNER). *Il s'est colleté avec son voisin.*

colleur, euse n. V. COLLE 1 et 2.

collier [kɔlje] n. m. 1° Ornement porté autour du cou, ordinairement par les femmes : *Elle a mis son collier de perles. Collier de nacre, d'or.* — 2° Partie du harnais servant à atteler un cheval. — 3° Cercle métallique destiné au serrage d'un tuyau, d'un poteau, etc. — 4° (sujet nom de personne) Fam. *Prendre, reprendre le collier,* se mettre, se remettre à une tâche pénible. ‖ *Donner un coup de collier,* fournir un effort intense. ‖ *Collier de barbe,* ou simplem. *collier,* bande étroite de barbe taillée court.

colline [kɔlin] n. f. Elévation de terrain de moyenne importance : *Les collines du Perche, de l'Artois. Les maisons s'étagent sur les pentes de la colline. En montant sur une colline, on a une vue étendue* (syn. : HAUTEUR).

collision [kɔlizjɔ̃ ou kɔllizjɔ̃] n. f. 1° Rencontre plus ou moins rude entre des corps en mouvement, ou choc d'un corps en mouvement sur un obstacle : *Une collision de voitures a bloqué la circulation. La camionnette est entrée en collision avec un platane. Un légère collision entre les deux bateaux a causé des avaries superficielles* (syn. : CHOC, HEURT). — 2° Heurt violent entre des groupes hostiles : *On craignait une collision entre les forces de police et les manifestants* (syn. : BAGARRE, ÉCHAUFFOURÉE).

colloque [kɔlɔk ou kɔllɔk] n. m. Entretien, débat portant généralement sur des questions scientifiques, politiques, diplomatiques, etc. : *Des météorologistes du monde entier ont tenu un important colloque* (syn. : SYMPOSIUM, CONFÉRENCE).

collusion [kɔlyzjɔ̃ ou kɔllyzjɔ̃] n. f. Entente secrète, alliance entre plusieurs personnes ou groupements d'intérêts au préjudice de quelqu'un : *Le gouvernement avait été renversé par la collusion des deux partis extrêmes.*

colmater [kɔlmate] v. tr. *Colmater une brèche, une fente, une fuite,* la boucher plus ou moins complètement : *Pour colmater provisoirement la fuite, nous avions entouré d'un chiffon la canalisation* (syn. : AVEUGLER). *Le haut commandement avait déplacé d'urgence deux divisions pour tâcher de colmater la brèche faite dans le front allié par l'attaque ennemie* (= de rétablir le front percé). ◆ **colmatage** n. m. : *Le colmatage d'une voie d'eau.*

colombe [kɔlɔ̃b] n. f. Oiseau voisin du pigeon parfois pris comme symbole de la douceur et de la pureté. ◆ **colombophile** adj. et n. Qui élève et emploie des pigeons voyageurs. ◆ **colombophilie** n. f.

1. colon [kɔlɔ̃] n. m. V. COLONIE 1 et 3.

2. colon [kɔlɔ̃] n. m. *Arg. mil.* Colonel.

3. colon [kɔlɔ̃] n. m. Fam. *Ben mon colon!,* exclamation traduisant l'étonnement, l'admiration, la sympathie, etc.

côlon [kɔlɔ̃] n. m. Partie terminale du gros intestin.

colonel [kɔlɔnɛl] n. m. V. GRADE. ◆ **colonelle** n. f. *Fam.* Femme d'un colonel.

1. colonie [kɔlɔni] n. f. Territoire distinct de celui d'une nation, occupé et administré par les citoyens de cette nation et gardant avec elle des liens de dépendance économique, politique, culturelle, etc. : *Marseille est une ancienne colonie phocéenne. Les anciennes colonies françaises devenues indépendantes ont généralement gardé d'importantes relations avec la France. De nombreuses lignes aériennes assuraient la liaison entre la métropole et les colonies. Il a vécu dix ans aux colonies.* ◆ **colon** n. m. Celui qui est venu ou dont les parents sont venus s'établir dans une colonie : *Les premiers colons ont défriché de nombreuses régions incultes.* ◆ **colonial, e, aux** adj. Relatif aux colonies : *Un secrétariat d'Etat chargé des questions coloniales. Il supporte mal le climat colonial. Le commerce des bois coloniaux.* ◆ **colonial** n. m. Celui qui vit ou qui a vécu aux colonies : *La maison a été achetée par un vieux colonial retiré en France.* ◆ **colonialisme** n. m. Doctrine qui ne considère dans la colonisation que l'intérêt des colonisateurs : *Le colonialisme européen au XIXe siècle.* ◆ **colonialiste** adj. et n. : *Les visées colonialistes d'un Etat. Politique colonialiste. Les colonialistes ont opposé une vive résistance à l'émancipation des autochtones.* ◆ **anticolonialisme** n. m. : *L'anticolonialisme est une attitude qui s'oppose à l'exploitation coloniale.* ◆ **anticolonialiste** adj. et n. : *La politique anticolonialiste de certains Etats.* ◆ **néo-colonialisme** n. m. Péjor. : *Le néo-colonialisme vise à substituer la domination économique d'un pays à l'administration directe.* ◆ **néo-colonialiste** adj. et n. ◆ **coloniser** v. tr. 1° *Coloniser un pays, ses habitants,* les transformer en colonie, les mettre sous la tutelle d'un autre Etat : *Le Canada fut en partie colonisé par des Français au XVIIe siècle.* — 2° *Coloniser une région,* la peupler de colons. ◆ **colonisateur, trice** adj. et n. : *Les relations entre le peuple colonisateur et le peuple colonisé. Lyautey fut un grand colonisateur.* ◆ **colonisation** n. f. : *La colonisation de l'Algérie par la France s'est faite à partir de 1830.* ◆ **décoloniser** v. tr. Faire cesser le régime colonial, donner l'indépendance à une colonie. ◆ **décolonisation** n. f. Passage du régime colonial à l'indépendance : *La décolonisation est un phénomène général au XXe siècle.* ◆ **décolonisateur, trice** adj. et n.

2. colonie [kɔlɔni] n. f. 1° Groupe de personnes établies dans un pays étranger ou une ville étrangère : *La colonie française de Londres se pressait à la représentation donnée par la troupe de la Comédie-Française.* — 2° Troupe d'animaux ayant une vie collective plus ou moins organisée : *Une colonie de pingouins, de termites.*

3. colonie [kɔlɔni] n. f. *Colonie de vacances* ou simplem. *colonie,* ou fam. *colo,* groupe d'enfants passant leurs vacances sous la conduite de moniteurs. ◆ **colon** n. m. *Fam.* Enfant d'une colonie de vacances : *Les colons s'ébattent joyeusement sur la plage.*

1. colonne [kɔlɔn] n. f. 1° Support vertical de forme cylindrique, ayant généralement, outre le rôle de soutien, un rôle ornemental : *Les temples grecs comportaient des colonnes.* — 2° Monument commémoratif de même forme : *La colonne Vendôme, la colonne de la Bastille.* — 3° *Colonne de fumée,* masse de fumée, vaguement cylindrique, qui s'élève dans l'air. ‖ *Colonne montante,* principale canalisation ascendante d'eau, de gaz, d'électricité, dans un immeuble de plusieurs étages. ‖ *Colonne vertébrale,* ensemble articulé des vertèbres : *Il risquait de se briser la colonne vertébrale dans sa chute.* ◆ **colonnade** n. f. Rangée de colonnes le long d'un bâtiment ou incluse dans un édifice : *Les colonnades du Panthéon.* ◆ **colonnette** n. f. Colonne mince : *Des colonnettes sont souvent adossées aux piliers des églises. Une pendule de cheminée ornée de colonnettes.*

2. colonne [kɔlɔn] n. f. Alignement vertical de chiffres; section verticale d'une page, contenant un texte ou laissée en blanc : *Le comptable est penché à longueur de journée sur des colonnes de chiffres. La dernière colonne à droite est celle des unités. La suite de l'article est à la troisième page du journal, quatrième colonne. J'ai relevé cette information dans les colonnes d'un quotidien de province. Une colonne du questionnaire est réservée aux notes administratives.*

3. colonne [kɔlɔn] n. f. 1° Alignement de personnes les unes derrière les autres, et particulièrement d'une troupe en marche : *Une longue colonne de réfugiés s'étire sur la route* (syn. : FILE). *Une colonne de secours est partie au-devant des alpinistes en détresse* (syn. : ÉQUIPE). — 2° *Cinquième colonne,* nom donné à des éléments ennemis qui se sont introduits au sein même d'un pays en guerre, d'un parti, d'une formation, etc., et qui y conduisent des manœuvres hostiles.

coloquinte [kɔlɔkɛ̃t] n. f. 1° Fruit décoratif, non comestible. — 2° *Pop.* Tête : *On risque de recevoir un pot de fleurs sur la coloquinte.*

colorant n. m., **coloration** n. f., **colorer** v. tr., **coloriage** n. m., **colorier** v. tr., **coloris** n. m. V. COULEUR.

colosse [kɔlɔs] n. m. Homme, ou, plus rarement, animal ou objet remarquable par sa grande taille, sa force extraordinaire : *C'est un colosse de 1,95 m, qui arrache cinquante kilos comme une plume.* ◆ **colossal, e, aux** adj. Se dit d'êtres animés ou de choses qui sont d'une taille, d'une importance énorme : *Un policier colossal est parvenu à arrêter le malfaiteur. Ce pays a fait un effort colossal de redressement après la guerre* (syn. : GIGANTESQUE). *Il a amassé une fortune colossale* (syn. : IMMENSE, FANTASTIQUE, PRODIGIEUX). ◆ **colossalement** adv. : *Un homme colossalement riche* (syn. : EXTRÊMEMENT; fam. : FORMIDABLEMENT).

colporter [kɔlpɔrte] v. tr. 1° *Colporter des marchandises,* les porter de lieu en lieu pour les vendre : *Un voyageur de commerce qui colporte ses échantillons.* — 2° *Colporter des propos, des bruits,* etc., les répandre parmi diverses personnes : *C'est un homme sans discernement, qui colporte les rumeurs les plus invraisemblables.* ◆ **colportage** n. m. ◆ **colporteur, euse** n. : *Un colporteur de fausses nouvelles* (syn. : PROPAGATEUR).

coltiner (se) [səkɔltine] v. pr. *Fam.* Se charger d'une tâche pénible ou désagréable : *Il va falloir encore se coltiner le déménagement de la pièce. Je me suis coltiné toute la correspondance* (syn. fam. : S'APPUYER, S'ENVOYER).

colza [kɔlza] n. m. Plante oléagineuse et fourragère à fleurs jaunes : *Un champ de colza. De l'huile de colza.*

coma [kɔma] n. m. Etat pathologique d'insensibilité, avec perte de conscience : *Le malade est dans le coma, et le médecin ne laisse plus d'espoir à la famille.* ◆ **comateux, euse** adj. : *L'accidenté est dans un état comateux. Un malade comateux.*

combattre [kɔ̃batr] v. tr. et intr. (conj. **56**). 1° *Combattre quelqu'un,* se battre contre lui, s'opposer à lui par la violence ou dans un débat : *Nos troupes ont vaillamment combattu un ennemi* (ou *contre un ennemi*) *supérieur en nombre. Napoléon combattit victorieusement les Autrichiens et les Russes à Austerlitz. Certains gladiateurs combattaient les bêtes féroces. Le gouvernement est combattu par les partis de l'opposition.* — 2° *Combattre quelque chose,* s'opposer à son action, chercher à le faire échouer : *Les pompiers combattent l'incendie. Combattre une épidémie* (syn. : LUTTER CONTRE). *Combattre une politique, une théorie littéraire, un projet de loi.* ◆ **combattant, e** adj. et n. : *Dans l'armée, on distingue les unités combattantes et les services. Les clients du café s'élancèrent pour séparer les deux combattants. Une délégation d'anciens combattants a défilé le 14-Juillet* (= d'anciens soldats des deux dernières guerres). ◆ **combat** n. m. Action des adversaires qui combattent violemment ou d'une personne qui lutte pour soutenir une cause : *La ville a fini par capituler après huit jours de combats de rues. Les unités de l'arrière-garde livraient des combats de retardement. Un combat est une opération militaire moins importante qu'une bataille. Les combats de coqs étaient un spectacle apprécié dans certaines régions. Deux mille spectateurs assistaient à ce combat de boxe. Le ministre a affirmé qu'il allait engager le combat contre la vie chère* (syn. : LUTTE). ◆ **combatif, ive** adj. Se dit de quelqu'un (ou de son attitude) porté à combattre, qui recherche la lutte : *Son humeur combative lui a attiré de nombreux ennuis* (syn. : BELLIQUEUX). *Les troupes nouvellement arrivées sont plus combatives que les autres* (syn. : AGRESSIF). ◆ **combativité** n. f. : *L'annonce de ce premier succès a accru la combativité de nos hommes* (syn. : AGRESSIVITÉ, MORDANT). ◆ **non-combattant, e** n. et adj. : *Les infirmiers et les médecins sont considérés comme des non-combattants.*

combien [kɔ̃bjɛ̃] adv. interr. ou exclam. de quantité. 1° Modifie un verbe, un adverbe ou un adjectif : *Combien coûte ce livre?* (syn. : QUEL PRIX ?). *Combien mesure, combien pèse cet enfant?* (syn. : QUELLE TAILLE ?, QUEL POIDS ?). *Combien je suis heureux de le revoir!* (syn. : COMME !, QUE !). *Combien facilement il se console! Combien rares sont ceux qui s'y intéressent!* — 2° *O combien!,* exprime l'intensité (langue plus ou moins affectée) : *Il eût été, ô combien! préférable de ne rien dire* (syn. : TRÈS, BIEN). *Je vous admire, ô combien!* (syn. : BEAUCOUP, FORT, EXTRÊMEMENT). — 3° *Combien de* (suivi d'un nom sing. ou plur.), quelle quantité, quel nombre de : *Combien de temps faut-il pour faire ce trajet? Je me demande combien de personnes répondront à cette invitation.* — 4° *Combien,* seul, peut signifier « quel nombre de personnes ? » ; il s'emploie ainsi comme sujet, ou repris par *en* comme complément : *Combien sont venus? Combien en voit-on qui se découragent!;* et adjectiv. : *Combien êtes-vous?* (= quel est votre nombre ?). ◆ n. m. invar. Fam. *Le combien sommes-nous?,* quel jour du mois sommes-nous ? ‖ *Le combien es-tu?,* quel est ton rang de classement ? ‖ *Tous les combien?,* à quelle fréquence ? • REM. *Combien de,* suivi d'un nom pluriel, et *combien* employé seul, au sens 4, sont traités comme des mots pluriels : *Combien de clients sont venus? Combien s'en souviennent encore? Combien de photos as-tu prises?* ◆ **combientième** adj. et n. m. *Fam.* Dans les phrases interrogatives, appelle l'indication d'un chiffre, jour du mois (en langue administrative, le quantième), rang, place, etc. : « *Nous sommes le combientième? — Le 10 avril* ». *Il est le combientième à la composition de français?* (V. NUMÉRATION.)

1. combinaison n. f. V. COMBINER.

2. combinaison [kɔ̃binɛzɔ̃] n. f. 1° Sous-vêtement féminin. — 2° Vêtement de travail d'une seule pièce, faisant office de veste et de pantalon : *Une combinaison de mécanicien, de pilote.*

combiner [kɔ̃bine] v. tr. *Combiner quelque chose,* le disposer d'une certaine manière : *La musique est l'art de combiner les sons en vue d'un plaisir esthétique. Je me suis efforcé de combiner l'horaire de façon à satisfaire tout le monde* (syn. : ÉTABLIR, ORGANISER). *C'est un plan adroitement combiné* (syn. : CALCULER). *Il a tout combiné au mieux de ses intérêts* (syn. : ARRANGER ; fam. : MANIGANCER ; pop. : GOUPILLER). ◆ **combinaison** n. f. 1° Manière de combiner des choses : *On peut réaliser des carrelages avec des dessins variés selon les diverses combinaisons des carreaux. Trois chiffres différents offrent six combinaisons possibles.* — 2° Manœuvre habile en vue de tel ou tel résultat : *Il avait l'espoir de faire fortune avec ses combinaisons financières. Je ne veux pas entrer dans ces combinaisons louches* (syn. fam. : MANIGANCE ; pop. : COMBINE, CUISINE). ◆ **combine** n. f. *Pop.* Moyen ingénieux, parfois peu scrupuleux, de réussir : *Il a trouvé une combine pour payer moins d'impôts. Pour ouvrir la porte, il faut peser sur la poignée et pousser du genou; il suffit de connaître la combine* (syn. fam. : TRUC). ◆ **combinard, e** adj. et n. *Pop.* et *péjor.* Qui recourt à des combines plus ou moins louches : *C'est un paresseux, mais qui a su se débrouiller, car il est combinard.* ◆ **combinatoire** adj. Qui résulte d'une combinaison, qui entre dans une combinaison (terme de linguist.). ◆ **combiné** n. m. Appareil téléphonique comprenant à la fois l'écouteur et le microphone. ◆ **recombiner** v. tr.

1. comble [kɔ̃bl] n. m. 1° Point culminant, degré extrême d'un sentiment, d'un défaut ou d'une qualité, d'un état : *Non seulement il n'a pas remercié, mais il est parti en ricanant : c'est le comble de la grossièreté. Nous sommes au comble de la joie, du désespoir, de la surprise. Sa colère était à son* *comble. Cette nouvelle a mis un comble à son abattement. Vous réclamez une indemnité, alors que vous êtes responsable de l'accident? C'est un comble!* (= c'est trop fort!). *Le comble, c'est qu'il était prévenu.* — **2°** *Pour comble, pour comble de malheur, de misère, d'infortune,* ce qui est pire, comme surcroît de malheur, etc.

2. comble [kɔ̃bl] n. m. (au plur.). La partie d'un bâtiment directement située sous le toit : *Faire une chambre dans les combles. Il loge dans une mansarde, sous les combles.* • Loc. adv. *De fond en comble* [dəfɔ̃tɑ̃kɔ̃bl], dans la totalité, dans les moindres parties d'une habitation : *Les enquêteurs ont perquisitionné de fond en comble dans tout le pavillon.*

3. comble [kɔ̃bl] adj. **1°** Très plein (limité à quelques express.) : *La salle était comble* (= pleine de personnes). *Un spectacle qui fait salle comble* (= qui attire de très nombreux spectateurs). — **2°** *La mesure est comble,* les limites de la patience sont atteintes, je ne peux pas en supporter davantage : *J'ai tout accepté jusqu'à présent, mais, cette fois, la mesure est comble.*

combler [kɔ̃ble] v. tr. **1°** *Combler un trou, un endroit creux, un vide,* etc., le remplir entièrement : *Il faut quelques brouettées de terre pour combler les creux du sol* (syn. : BOUCHER). *Les vides du mur ont été comblés avec de la pierraille. Il reste un important déficit à combler. Ce livre vient combler une lacune. Les nouveaux impôts combleront le déficit du budget.* — **2°** *Combler un désir, un vœu, un espoir,* le satisfaire pleinement, le réaliser. — **3°** *Combler quelqu'un,* contenter entièrement ses désirs : *Tous ses enfants sont heureux : c'est une mère comblée. C'est pour moi, ce beau cadeau? Vous me comblez!* — **4°** *Combler quelqu'un de quelque chose* (dons, bienfaits, éloges, etc.), lui en donner une grande quantité, le lui prodiguer. ◆ **comblement** n. m. Sens 1 du verbe.

combustion [kɔ̃bystjɔ̃] n. f. Action de brûler, de consumer ou de se consumer : *Un poêle à combustion lente.* ◆ **combustible** adj. Qui a la propriété de se consumer, d'alimenter le feu : *Le bois sec est combustible.* ◆ n. m. Matière capable de se consumer, notamment pour fournir du chauffage : *Le charbon, la tourbe, le mazout sont des combustibles.* ◆ **incombustible** adj. : *L'amiante est incombustible.*

1. comédie [kɔmedi] n. f. Pièce de théâtre destinée généralement à faire rire, par la présentation de situations drôles ou la peinture des mœurs et des caractères; genre littéraire constitué par les pièces de cette sorte : *Molière, Marivaux, Courteline sont de célèbres auteurs de comédies. La comédie veut un dénouement heureux.* ◆ **comédien, enne** n. Acteur, actrice qui joue des pièces de théâtre, interprète des rôles (comiques ou dramatiques) à la radio, à la télévision, au cinéma.

2. comédie [kɔmedi] n. f. **1°** Simulation d'un sentiment, apparence trompeuse : *Ses protestations d'amitié, c'est de la comédie* (syn. : FRIME). *Je ne me laisse pas prendre à ses mines : il joue la comédie.* — **2°** *Fam.* Manœuvre compliquée, agaçante : *Quand on veut avoir un renseignement, dans ce bureau, c'est toujours la même comédie! Quelle comédie, tous ces formulaires à remplir!* — **3°** *Fam.* Agissements insupportables : *Il a fait toute une comédie parce que sa viande n'était pas cuite à point* (syn. fam. : CINÉ, SCÈNE, HISTOIRE). ◆ **comédien, enne** adj. et n. Qui déguise ses pensées, ses sentiments : *Il est très comédien, mais il s'est trahi* (syn. : SIMULATEUR, HYPOCRITE).

comestible [kɔmɛstibl] adj. Qui peut servir de nourriture à l'homme : *Le marron d'Inde n'est pas comestible.* ◆ **comestibles** n. m. pl. Produits alimentaires : *Une boutique de comestibles s'est ouverte au coin de la rue.*

comète [kɔmɛt] n. f. **1°** Astre accompagné d'une traînée lumineuse appelée « queue » ou « chevelure ». — **2°** Fam. *Tirer des plans sur la comète,* s'ingénier à réussir avec des moyens très réduits.

comice [kɔmis] n. m. *Comice agricole,* réunion formée par les propriétaires et les fermiers d'un arrondissement pour améliorer la production agricole.

comics [kɔmiks] n. m. pl. Bandes dessinées.

1. comique [kɔmik] adj. Qui appartient au genre de la comédie (pièce destinée à faire rire) : *Le théâtre comique du Moyen Age. Plaute est un auteur comique latin.* ◆ n. m. Auteur de comédies.

2. comique [kɔmik] adj. Se dit d'une chose qui fait rire ou d'une personne dont le comportement excite le rire : *Il faisait des grimaces comiques. Elle est très comique avec son nouveau chapeau. Il m'est arrivé une aventure comique* (syn. : DRÔLE, AMUSANT, PLAISANT). *Ce film est très comique* (syn. : ↑ DÉSOPILANT). ◆ n. m. **1°** Ce qui provoque le rire; caractère amusant : *Le comique d'une scène peut tenir au caractère des personnages, à leurs gestes, à leurs paroles, à leur situation. Le comique de l'affaire, c'est qu'il ne se doutait de rien.* — **2°** Artiste, fantaisiste spécialisé dans les rôles comiques. ◆ **comiquement** adv. : *Il était comiquement affublé des vêtements de son grand-père.*

comité [kɔmite] n. m. **1°** Réunion de personnes déléguées par une assemblée, une autorité, ou se groupant de leur propre initiative, pour traiter certaines affaires : *L'assemblée générale des actionnaires a élu un comité de gestion. Un comité de mal-logés s'est constitué pour agir auprès des pouvoirs publics.* — **2°** *En petit comité,* en un cercle restreint de personnes qualifiées, entre intimes : *Il vaut mieux discuter de cette affaire en petit comité que de la débattre en public.*

1. commander [kɔmɑ̃de] v. tr. ou tr. ind. [à]. **1°** (sujet nom de personne) *Commander une armée, un détachement, des soldats, une équipe,* etc., ou *commander à une armée,* en être le chef hiérarchique : *Un général en chef fut nommé pour commander à toutes les troupes alliées. Commander un navire, une expédition* (= en avoir la direction, la responsabilité). — **2°** *Commander à quelqu'un de* (et l'infin.), *commander quelque chose à quelqu'un,* lui en donner l'ordre : *Le professeur a commandé aux élèves de prendre leurs livres* (syn. : ORDONNER, ↓ DIRE). *On vous a déjà commandé de vous taire, commandé le silence.* — **3°** *Commander à ses sentiments, à ses membres,* exercer sur eux l'empire de la volonté, les gouverner : *J'ai réussi à commander à ma colère* (syn. : MAÎTRISER). *Depuis son attaque de paralysie, il ne commande plus à son bras gauche.* — **4°** (sans compl. d'objet) Exercer l'autorité : *C'est moi qui commande ici.* ‖ *Le travail commande,* les exigences du travail à faire passent avant le reste. ◆ **commandant** n. m. **1°** Celui qui commande, qui dirige : *Le commandant du poste était sous-lieutenant.* — 2° V. GRADE. ◆ **commande** n. f. *De commande,* imposé par quelqu'un ou par les circonstances, qui n'est pas sincère : *Le ministre faisait preuve d'un optimisme de commande.* ‖ *Sur commande,* quand l'ordre en est donné : *Un chien qui aboie sur commande.* ◆ **commandement** n. m. 1° Action de commander, rôle de celui qui commande : *Un commandement préparatoire précède souvent le commandement d'exécution. Qui va assumer le commandement de cette unité?* — 2° *Commandements de Dieu,* les principaux préceptes transmis par Moïse aux Hébreux et valables pour les chrétiens (syn. : DÉCALOGUE). — 3° Ensemble de la hiérarchie militaire supérieure : *Le commandement allié avait prévu l'attaque ennemie.*

2. commander [kɔmɑ̃de] v. tr. *Commander un travail à quelqu'un, un repas dans un restaurant, une tonne de charbon,* etc., en demander la fourniture, la livraison. ◆ **commande** n. f. 1° Demande de marchandise adressée à un fournisseur; travail demandé à un fabricant, un entrepreneur, etc. : *Avant de passer la commande de peinture, il faut mesurer la surface à peindre. Il faut adresser les commandes directement à l'usine.* — 2° Marchandise commandée : *Le commis boucher livre les commandes.* ◆ **décommander** v. tr. Annuler une commande ou une invitation, un rendez-vous : *En raison d'un empêchement de dernière minute, la conférence a dû être décommandée.*

3. commander [kɔmɑ̃de] v. tr. (sujet nom de chose). 1° *Commander quelque chose,* agir sur lui, assurer un contrôle sur lui : *Cette manette commande la sonnerie d'alarme. La forteresse de Gibraltar commande l'accès à la Méditerranée* (syn. : CONTRÔLER). — 2° *Commander une chose, commander que* (suivi du subj.), être le mobile, entraîner la nécessité de cette chose : *La simple prudence commande le silence absolu sur cette affaire* (syn. : APPELER, REQUÉRIR). *L'intérêt général commande que l'on fasse taire les rivalités* (syn. : EXIGER, IMPOSER). ◆ ***se commander*** v. pr. *Pièces d'une maison qui se commandent,* disposées de telle sorte qu'on doit passer par l'une pour aller dans une autre. ◆ **commande** n. f. 1° Elément d'un mécanisme qui assure le fonctionnement de l'ensemble : *Le pilote se met aux commandes (prend les commandes) de son avion, prêt à décoller.* — 2° *Prendre les commandes, passer les commandes à quelqu'un,* prendre la direction d'une entreprise, la confier à quelqu'un.

commandeur [kɔmɑ̃dœr] n. m. Grade dans l'ordre de la Légion d'honneur, au-dessus d'officier.

commandite [kɔmɑ̃dit] n. f. *Société en commandite,* société commerciale dans laquelle des associés ayant fourni des fonds ne participent pas à la gestion. ◆ **commanditaire** n. m. et adj. Bailleur de fonds. ◆ **commanditer** v. tr. Fournir des fonds à une entreprise commerciale.

commando [kɔmɑ̃do] n. m. Groupe de soldats spécialement entraînés à des opérations limitées et dangereuses.

comme [kɔm] conj. ou adv. 1° Exprime un rapport de temps, en introduisant une subordonnée à l'imparfait de l'indicatif qui indique une action ou un état en cours : *Comme le soir tombait, nous arrivâmes enfin en vue d'un village* (syn. : ALORS QUE, TANDIS QUE). *Le téléphone a sonné juste comme j'entrais dans mon appartement* (syn. : AU MOMENT OÙ). — 2° Exprime un rapport de cause, en introduisant une subordonnée à l'indicatif qui précède toujours la proposition principale : *Comme je vous sais discret, je peux vous faire cette confidence. Comme la voiture est en panne, il faut aller à pied* (syn. : PUISQUE, VU QUE, ÉTANT DONNÉ QUE). — 3° Exprime un rapport de comparaison, de conformité, en introduisant une subordonnée à l'indicatif ou au conditionnel, ou sans verbe : *Il me regardait un peu comme on regarde un fauve en cage. Elle a dit cela comme elle aurait dit autre chose. Tout s'est passé comme je l'avais prédit* (syn. : AINSI QUE). *Comme le chat qui joue avec la souris, il s'amusait à tourmenter son prisonnier* (syn. : DE MÊME QUE). *Si, comme je l'espère, vous réussissez, vous pourrez être fier* (syn. : AINSI QUE). *Cette maison est grande comme un palais. On ne rencontre pas souvent un homme comme lui* (syn. : TEL QUE). — 4° S'emploie dans les comparaisons stéréotypées à valeur intensive : *Rapide comme l'éclair, raide comme la justice, blanc comme neige,* etc. — 5° Devant un nom ou un adjectif au superlatif, indique en quelle qualité, à quel titre on considère quelqu'un ou quelque chose : *Comme doyen d'âge, c'est à vous de faire le discours* (syn. : EN QUALITÉ DE, EN TANT QUE). *Je me suis adressé à lui comme au plus qualifié pour me renseigner.* — 6° Sert à introduire un exemple : *Les animaux domestiques, comme le chien, le chat, le cheval* (syn. : TEL QUE; TEL, AINSI [littér.]). *Un homme courageux comme lui.* — 7° Sert à atténuer une énonciation (le plus souvent devant un adj. ou un part. passé) : *Il était comme envoûté par cet homme* (syn. : POUR AINSI DIRE; fam. : QUASIMENT). — 8° *Comme cela, comme ça,* de cette façon, dans ces conditions : *Ne tiens pas le plat comme ça, il va te glisser des mains. La voiture est prête et les bagages sont chargés, comme ça nous pourrons partir de bonne heure. Par un temps comme ça, on a envie de se promener* (syn. : PAREIL, SEMBLABLE). ‖ Fam. *Comme ça,* ou *comme ci, comme ça,* ni bien ni mal, moyennement : « *Comment vont les affaires? — Comme ça...* » ‖ Fam. *Comme ça,* s'emploie explétivement, pour résumer la situation : *Alors, comme ça, il paraît que vous nous quittez?* (syn. : AINSI DONC [langue soignée]). ‖ Fam. *Comme ça,* accompagnant un geste ou une expression du visage, traduit exclamativement l'admiration : *J'ai passé mes vacances dans un hôtel comme ça!* ‖ *Comme il faut,* de la bonne façon, bien : *Tiens-toi comme il faut à table* (syn. : CONVENABLEMENT, CORRECTEMENT); et, *adjectiv.,* de bonne éducation, distingué : *Une personne très comme il faut.* ‖ Fam. *Comme qui dirait,* marque la valeur approximative d'un terme, d'une comparaison : *J'ai aperçu comme qui dirait un éclair.* ‖ *Comme si,* indique une comparaison avec un cas hypothétique : *Ça se casse comme si c'était du verre.* ‖ *Tout comme,* exactement de la même façon que : *Je l'ai vu tout comme je vous vois.* ‖ Fam. *C'est tout comme,* il n'y a guère de différence, cela revient au même : *Je n'ai pas tout à fait terminé, mais c'est tout comme.* ‖ Fam. *Comme tout,* renforce un adjectif : *C'est gentil comme tout, ce petit appartement* (syn. : TRÈS). ◆ adv. exclam. 1° Exprime l'intensité, parfois la manière : *Comme il a changé! Comme il fait chaud! Comme je suis heureux!* (syn. : QUE). — 2° Fam. *Comme vous y allez!,* vous ne manquez pas de hardiesse, vous exagérez (fam. = vous y allez fort).

‖ *Dieu sait comme,* par des moyens sur lesquels il vaut mieux ne pas insister. ‖ *Il faut voir comme,* d'une belle manière, remarquablement. ‖ *Comme quoi,* annonce la conclusion tirée d'une observation : *Il est heureux maintenant, comme quoi tout finit par s'arranger.*

commémorer [kɔmemɔre] v. tr. *Commémorer quelque chose,* en rappeler le souvenir, avec plus ou moins de solennité : *On a élevé un monument pour commémorer cette bataille.* ◆ **commémoratif, ive** adj. Destiné à commémorer : *La municipalité a fait apposer une plaque commémorative sur la maison natale de l'écrivain.* ◆ **commémoration** n. f. : *Le 2 novembre est un jour consacré à la commémoration des défunts.*

commencer [kɔmɑ̃se] v. tr. **1°** (sujet nom d'être animé) *Commencer quelque chose,* en faire la première partie : *Le maçon doit commencer les travaux la semaine prochaine* (syn. : ENTREPRENDRE, ATTAQUER). *Nous commencerons la visite de la ville par le château. J'ai commencé la lecture de ce roman* (syn. : SE METTRE À). — **2°** (sujet nom d'être animé) *Commencer quelque chose,* en prendre, en employer une première partie : *On avait commencé les hors-d'œuvre quand il est arrivé* (syn. : ENTAMER, ATTAQUER). *Il commence sa journée par une séance de culture physique.* — **3°** (sujet nom de chose) Etre dans la première partie de : *Le mercredi des Cendres commence le Carême.* ◆ v. intr. et tr. ind. **1°** (sujet nom de chose) Etre au début de son déroulement, avoir comme point de départ : *Dépêchez-vous donc, le spectacle commence. L'été commence le 21 juin. La symphonie commence par un allégro* (syn. : DÉBUTER). *La liberté de chacun s'arrête là où commence celle des autres.* — **2°** (sujet nom d'être animé ou nom de chose) *Commencer à,* plus rarement *commencer de* (et l'infin.), marque le début d'une action ou d'un état : *L'orchestre commence à jouer* (ou *de jouer*). *Le lait commence à bouillir* (ou *de bouillir*). *Il commence à pleuvoir. Cela commence à suffire.* — **3°** *Commencer par,* indique ce qui est fait avant autre chose : *Commence par apprendre ta leçon, tu feras ton devoir après.* ◆ **commencement** n. m. **1°** Ce qui forme la première partie d'un ensemble, ce qui doit être suivi d'autre chose : *Le commencement du récit est pathétique. Il s'est produit un commencement d'incendie, qui a été vite maîtrisé* (syn. : DÉBUT). — **2°** *Commençons par le commencement,* prenons le récit dans l'ordre chronologique, ou faisons les choses dans l'ordre normal de leur enchaînement. ◆ **recommencer** v. tr., intr. ou tr. ind. [*à*]. Commencer de nouveau, reprendre à partir du commencement : *La séance, interrompue à l'heure du déjeuner, a recommencé à 14 heures. Le vent recommence à souffler. Comme plusieurs d'entre vous sont arrivés en retard, je recommence mes explications.* ◆ **recommencement** n. m. : *On prétend parfois que l'histoire est un perpétuel recommencement.*

commensal, e, aux [kɔmɑ̃sal, -so] n. Personne qui mange habituellement à la même table (langue soignée) : *A chaque repas, il égayait ses commensaux par ses histoires.*

comment [kɔmɑ̃] adv. Sert à interroger sur la manière ou le moyen : *Comment écrit-on votre nom? Je me demande comment il a pu s'échapper. Comment partiras-tu, en voiture ou par le train? Comment avez-vous fait pour ne rien casser?* ◆ adv. ou interj. **1°** Exprime l'étonnement, la réprobation, l'indignation : *Comment n'avez-vous pas compris que je plaisantais? Comment pouvez-vous croire qu'on vous oublie! Comment? vous n'étiez pas au courant? Comment! on te propose une place aussi enviée, et tu refuses?* — **2°** Pop. *Comment que,* exprime l'interrogation ou l'exclamation : *Comment qu'elle est cette maison?* ‖ Pop. *Et comment!,* insiste sur une affirmation, ou exprime avec force une réponse affirmative : « *Tu t'es régalé? — Et comment!* » (syn. : AH OUI!, CERTAINEMENT!, BIEN SÛR!). ◆ n. m. invar. Fam. *Le comment,* la manière, le moyen : *Il ne s'intéresse pas au comment, il ne voit que le résultat.* ‖ Fam. *Les pourquoi et les comment,* les questions (jugées plus ou moins superflues) qu'on se pose sur la cause ou la manière : *Cet enfant est d'une curiosité insatiable : toujours des pourquoi et des comment.*

commenter [kɔmmɑ̃te ou kɔmɑ̃te] v. tr. *Commenter un texte, un événement,* etc., l'accompagner de remarques qui l'expliquent, l'interprètent ou le jugent : *Tous les journaux du matin commentent la dernière conférence de presse du président. Les candidats étaient invités à commenter un jugement d'un critique célèbre.* ◆ **commentaire** n. m. **1°** Notes écrites ou remarques orales visant à faciliter la compréhension d'un texte : *Une édition de Lucrèce avec introduction et commentaire. Le ministre a fait aux journalistes un commentaire des décisions gouvernementales.* — **2°** Interprétation volontiers malveillante des paroles ou des actes de quelqu'un : *Vous pensez bien que les commentaires des voisins n'ont pas manqué à l'occasion de la réception qui a été donnée.* — **3°** Fam. *Cela se passe de commentaire,* c'est assez clair (se dit de ce qui traduit une intention, un sentiment) : *Il n'a même pas répondu à ma dernière lettre : cela se passe de commentaire.* ‖ *Sans commentaire!,* vous pouvez juger de vous-même. ◆ **commentateur, trice** n. : *La plupart des commentateurs rapprochent ce passage d'un autre du même auteur. Les commentateurs politiques se livrent à l'analyse du scrutin.*

commérage n. m. V. COMMÈRE.

1. commerce [kɔmɛrs] n. m. **1°** Achat et vente de marchandises, de produits divers : *Il s'est enrichi dans le commerce. Il fait commerce de tissus. Une législation qui favorise le commerce extérieur* (= le commerce avec les pays étrangers). *Ses parents sont dans le commerce* (= ils pratiquent le commerce). *Ce produit est tout nouveau, il n'est pas encore dans le commerce* (= il n'est pas en vente dans les magasins, les boutiques). — **2°** Magasin ou boutique, marchandise et clientèle constituant un fonds : *Il a acheté un commerce de quincaillerie. Elle tient un commerce près du pont.* ◆ **commerçant, e** n. Personne qui fait du commerce : *Les commerçants allaient fermer leurs boutiques. Une commerçante en alimentation.* ◆ adj. **1°** Où il y a du commerce : *Nous habitons un quartier commerçant.* — **2°** Favorable au commerce, qui attire la clientèle : *Il m'a fait une petite remise : c'est commerçant.* ◆ **commercer** v. intr. *Commercer avec un pays,* faire du commerce avec lui : *Une firme qui commerce avec toute l'Europe.* ◆ **commercial, e, aux** adj. : *C'est un objet utile, peut-être, mais qui n'a aucune valeur commerciale* (syn. : MARCHAND). *La politique commerciale d'un gouvernement. Traité commercial. La publicité commerciale.*

◆ **commercialement** adv. : *Une affaire commercialement avantageuse.* ◆ **commercialiser** v. tr. *Commercialiser un produit,* le répandre dans le commerce, le mettre en vente : *On peut espérer que le prix de cet article baissera quand il sera largement commercialisé.* ◆ **commercialisation** n. f. : *Il n'y a encore qu'un prototype; il faut attendre la commercialisation.*

2. commerce [kɔmɛrs] n. m. Ensemble des relations sociales entre les personnes (suivi d'un compl.; littér.) : *J'ai longtemps entretenu un commerce d'amitié avec sa famille* (syn. : DES RAPPORTS). *Il est devenu irritable au point que le commerce de tous ses semblables lui est insupportable* (syn. : FRÉQUENTATION, SOCIÉTÉ). *Ces gens-là sont d'un commerce difficile* (= leur comportement rend les relations avec eux difficiles).

commère [kɔmɛr] n. f. Femme curieuse, bavarde : *Toutes les commères du voisinage se répétaient l'histoire.* ◆ **commérer** v. intr. *Fam.* Parler de manière indiscrète : *Au lieu de commérer comme ça, elle ferait mieux de s'occuper de son ménage.* ◆ **commérage** n. m. *Fam.* Bavardage indiscret : *Ce sont des commérages auxquels il ne faut pas ajouter foi* (syn. : POTIN).

1. commettre [kɔmɛtr] v. tr. (conj. 57). *Commettre une action blâmable, regrettable,* s'en rendre coupable : *Ceux qui commettent de tels crimes ont perdu tout sens moral* (syn. : PERPÉTRER). *L'élève a commis une erreur dans son problème* (syn. usuel : FAIRE). ◆ ***se commettre*** v. pr. Avoir lieu : *Il se commet bien des atrocités pendant les guerres.*

2. commettre (se) [səkɔmɛtr] v. pr. (conj. 57). Entrer en rapport avec des gens louches (littér.) : *Se commettre avec des voyous.*

comminatoire [kɔminatwar] adj. Destiné à intimider par son caractère catégorique, absolu : *Un ton comminatoire* (syn. : ↑ MENAÇANT).

commis [kɔmi] n. m. 1° Personne qui, dans une petite maison de commerce, est chargée de la vente, de la tenue de la boutique, etc. (emploi restreint; syn. plus usuel : VENDEUR). — 2° *Commis voyageur,* syn. de REPRÉSENTANT *de commerce* ou de VOYAGEUR *de commerce* (plus usuels).

commisération [kɔmizerasjɔ̃] n. f. Syn. rare et littér. de PITIÉ.

commissaire [kɔmisɛr] n. m. 1° Celui qui est chargé d'organiser, d'administrer, en général pour une durée limitée : *Adressez-vous aux commissaires de la fête.* — 2° *Commissaire de police,* ou simplem. *commissaire,* celui qui dirige des services de police, veille au maintien de l'ordre et à la sécurité des citoyens : *Un commissaire, accompagné d'agents, est venu faire exécuter l'ordre d'expulsion.* ◆ **commissaire-priseur** n. m. Officier ministériel chargé des ventes publiques : *Les commissaires-priseurs de l'Hôtel des ventes à Paris.* ◆ **commissariat** n. m. Bureau du commissaire de police : *Plusieurs manifestants ont été amenés au commissariat.*

1. commission [kɔmisjɔ̃] n. f. Charge donnée à quelqu'un; mission qu'on lui confie (message ou objet à transmettre) : *Voudriez-vous faire une commission à votre frère? Vous lui direz que je l'attends ce soir. J'ai une commission pour vous de la part de vos parents.*

2. commission [kɔmisjɔ̃] n. f. Groupe de personnes chargées d'étudier une question, de régler une affaire : *Le ministre a désigné une commission d'enquête. La commission d'armistice a été saisie de l'incident.*

3. commission [kɔmisjɔ̃] n. f. Pourcentage réservé à la personne par l'intermédiaire de qui une affaire a été traitée : *Il faut déduire du prix de vente la commission de l'agence immobilière.*

4. commissions [kɔmisjɔ̃] n. f. pl. Achats journaliers; approvisionnement en produits de consommation courante : *Va faire les commissions, qu'on puisse préparer le déjeuner. Où avez-vous mis les commissions que j'ai rapportées du marché?* (syn. : PROVISIONS). ◆ **commissionnaire** n. Personne qui fait des commissions : *Faut-il laisser un pourboire au commissionnaire?*

commissure [kɔmisyr] n. f. *Commissure des lèvres,* point de jonction des lèvres.

1. commode [kɔmɔd] adj. Se dit d'une chose bien appropriée à l'usage qu'on en attend; qui offre de la facilité : *Cet outil est très commode pour les travaux délicats* (syn. : PRATIQUE). *Je connais un moyen commode pour réussir. Un texte qui n'est pas commode à traduire* (syn. : AISÉ, FACILE). ◆ **commodément** adv. : *Le visiteur attendait au salon, commodément assis dans un fauteuil* (syn. : CONFORTABLEMENT). *Vous voyagerez plus commodément en avion qu'en bateau.* ◆ **commodité** n. f. : *Pour plus de commodité, on a rassemblé ici toute la documentation nécessaire* (syn. : FACILITÉ). *Cet appartement est pourvu de toutes les commodités désirables* (syn. : ÉLÉMENTS DE CONFORT). *Il aime avoir ses commodités* (syn. : AISES). ◆ **incommode** adj. Se dit d'une chose qui n'est pas d'un usage facile, ou qui cause de la gêne : *Il est pénible de travailler avec un outil aussi incommode. J'étais fatigué de ma position incommode* (syn. : INCONFORTABLE). ◆ **incommodité** n. f. : *On a dû choisir un autre lieu de réunion, à cause de l'incommodité de la salle.* ◆ **malcommode** adj. Se dit de ce qui n'est pas commode : *Cette armoire trop haute est très malcommode. Un horaire de trains malcommode* (= mal adapté). ◆ **incommoder** v. tr. *Incommoder quelqu'un,* lui causer une gêne, un malaise physique : *La chaleur commençait à nous incommoder.* ◆ **incommodant, e** adj. : *Une odeur incommodante.*

2. commode [kɔmɔd] adj. *Personne qui n'est pas, qui est peu commode,* d'un caractère difficile, peu aimable : *Elle a un mari pas commode. Tâchez de convaincre le directeur, mais vous aurez du mal, car il n'est pas commode.*

3. commode [kɔmɔd] n. f. Meuble à tiroirs, servant surtout à ranger le linge.

commotion [komosjɔ̃] n. f. Violent ébranlement nerveux ou psychique. ◆ **commotionner** v. tr. (surtout au passif) : *L'accident l'avait sérieusement commotionné* (syn. : ↑ TRAUMATISER). ◆ **commotionné, e** adj.

commuer [kɔmye ou kɔmmye] v. tr. *Commuer une peine, une sentence,* la changer en une autre moins forte : *La sentence de mort peut être commuée, par le droit de grâce, en travaux forcés.* ◆ **commutation** n. f. : *Bénéficier d'une commutation de peine* (syn. : RÉDUCTION). [V. aussi COMMUTATION.]

1. commun, e [kɔmœ̃, -yn] adj. 1° Qui appartient à tous, qui concerne tout le monde ou qui est partage avec d'autres : *La paix est nécessaire à l'intérêt commun* (syn. : GÉNÉRAL, PUBLIC; contr. : PARTICULIER, INDIVIDUEL). *Ce travail est le résultat de l'effort commun* (= mené ensemble; syn. : COLLECTIF). *Les différentes sections syndicales ont tenu une réunion commune. Ces deux plantes ont plusieurs caractères communs. Ce réflexe est commun à tous les débutants* (= se trouve habituellement chez eux). *Il porte le même nom que moi, mais je n'ai rien de commun avec lui.* — 2° *Nom commun,* en grammaire, nom qui désigne un être ou une chose considérés comme appartenant à une catégorie générale (ex. : *chien, maison, sagesse*). [Contr. : NOM PROPRE.] — 3° *D'un commun accord,* après s'être concerté (syn. : UNANIMEMENT, À L'UNANIMITÉ). ‖ *En commun,* à la disposition de tous, sans distinction : *Les ressources et les dépenses des deux amis étaient mises en commun.* ‖ *Faire cause commune avec quelqu'un,* défendre les mêmes idées que lui, se solidariser avec lui. ‖ *Sens commun,* V. SENS.

2. commun, e [kɔmœ̃, -yn] adj. 1° Se dit de quelque chose qui abonde, qu'on trouve couramment : *Le fer est un métal commun. La méthode la plus commune consiste à...* (syn. : COURANT, HABITUEL, USUEL, RÉPANDU). — 2° *Péjor.* Se dit de quelqu'un ou de quelque chose qui manque de distinction, d'élégance : *Elle a une voix commune* (syn. : VULGAIRE). — 3° *Lieu commun,* idée couramment admise, banale à force d'être répétée (syn. : IDÉE REÇUE). ◆ **commun** n. m. *Le commun des mortels,* les humains en général, les gens. ◆ **communément** adv. : *C'est une idée communément admise* (syn. : COURAMMENT, GÉNÉRALEMENT).

3. commun [kɔmœ̃] n. m. *Les communs,* les bâtiments consacrés aux domestiques, au service, dans une grande maison.

communauté [kɔmynote] n. f. 1° Caractère de ce qui est commun à plusieurs personnes, de ce qu'elles ont en commun : *Leur communauté de vues leur inspire les mêmes réponses. La notion de patrie repose notamment sur une communauté de territoire, de langue, de culture.* — 2° Personnes qui vivent ensemble ou qui ont un idéal, des intérêts communs, et, particulièrement, religieux d'un même monastère : *Chacun participe au bien de la communauté. Une communauté de bénédictins a restauré l'abbaye.* — 3° *Communauté linguistique, culturelle,* etc., ensemble de personnes parlant la même langue, ayant la même culture, etc. ◆ **communautaire** adj. : *Des campeurs qui font une expérience de vie communautaire. Il n'a pas l'esprit communautaire* (= il est plus préoccupé de ses propres intérêts que de ceux de la communauté).

commune [kɔmyn] n. f. Circonscription territoriale française, administrée par un maire et un conseil municipal; ensemble des habitants de cette circonscription : *Il y a environ quarante mille communes en France. Les écoles publiques sont entretenues par la commune.* ◆ **communal, e, aux** adj. : *Les bâtiments communaux* (= qui appartiennent à la commune).

communément adv. V. COMMUN 2; **communicatif, ive** adj., **communication** n. f. V. COMMUNIQUER.

1. communier [kɔmynje] v. intr. Être en complète union d'idées, de sentiments (littér.) : *Deux amis qui communient dans la même admiration pour Bach.* ◆ **communion** n. f. Communion d'idées, de sentiments, accord complet.

2. communier [kɔmynje] v. intr. Recevoir la communion, ou sacrement de l'eucharistie. ◆ **communiant, e** n. 1° Personne qui communie. — 2° *Premier communiant, première communiante,* celui, celle qui fait sa première communion. ◆ **communion** n. f. Chez les chrétiens, réception du sacrement de l'eucharistie : *La première communion d'un enfant est ordinairement marquée par une cérémonie.*

communiquer [kɔmynike] v. tr. 1° *Communiquer quelque chose à quelqu'un,* le lui remettre, en principe pour un temps limité : *Voudriez-vous me communiquer ce dossier? Nous avons communiqué votre demande au service intéressé* (syn. : ADRESSER). — 2° (sujet nom de chose) Transmettre quelque chose : *Le Soleil communique sa chaleur à la Terre. Les bielles communiquent à l'arbre l'impulsion des pistons* (syn. : IMPRIMER). ◆ v. intr. 1° (sujet nom de personne) Entretenir une correspondance, des relations : *Nous pourrons communiquer par téléphone.* — 2° *Pièces d'une maison qui communiquent entre elles,* ou *avec d'autres pièces,* disposées de telle sorte qu'on puisse passer directement de l'une dans l'autre. ◆ *se communiquer* v. pr. (sujet nom de chose). Se répandre, se propager : *Le feu s'est communiqué aux bâtiments voisins.* ◆ **communicable** adj. (surtout dans les loc. négatives ou restrictives) : *Une impression difficilement communicable.* ◆ **incommunicable** adj. *Pensée, sentiment incommunicable,* qu'on ne peut faire partager à autrui. ◆ **communicatif, ive** adj. 1° Se dit d'une attitude, d'un sentiment qui tend à gagner d'autres personnes : *Un rire communicatif. Une admiration communicative.* — 2° Se dit d'une personne qui a tendance à faire part aux autres de ses idées ou de ses sentiments : *Un garçon taciturne, peu communicatif* (syn. : OUVERT; fam. : CAUSANT). ◆ **communication** n. f. 1° Action de communiquer, de transmettre : *Demander la communication d'un livre dans une bibliothèque. Je n'ai pas eu communication du dossier.* — 2° Exposé fait sur une question à une société savante. — 3° Moyen de liaison, de jonction : *Les insurgés ont coupé toutes les communications entre la capitale et la province. Cette ville est située sur une grande voie de communication.* — 4° *Communication (téléphonique),* mise en relation de deux correspondants par téléphone : *Il a fallu attendre un quart d'heure pour obtenir la communication.* ◆ **communiqué** n. m. Information diffusée par la presse, la radio, la télévision : *Un communiqué officiel a été lu aux journalistes à l'issue du conseil des ministres.*

communisme [kɔmynism] n. m. Système politique, économique, social, tendant à la suppression de la lutte des classes par la collectivisation des moyens de production. ◆ **communiste** adj. : *Les journaux communistes. Le parti communiste. Les communistes sont dans l'opposition.* ◆ **communisant, e** adj. et n. Qui a des sympathies pour le communisme sans adhérer au parti communiste. ◆ **anticommunisme** n. m. : *L'anticommunisme était la base théorique de l'alliance entre le IIIe Reich, l'Italie et le Japon en 1936.* ◆ **anticommuniste** adj. et n. : *Mener une politique anticommuniste.*

commutateur [kɔmytatœr] n. m. Dispositif permettant d'établir ou de couper un circuit électrique. (Syn. fam. : BOUTON.)

commutation [kɔmytasjɔ̃] n. f. En linguistique, substitution d'un terme à un autre. (V. aussi COMMUER.)

compact, e [kɔ̃pakt] adj. Dont toutes les parties sont resserrées, formant une masse épaisse : *L'argile forme une pâte compacte. On ne pouvait pas circuler à travers la foule compacte* (syn. : DENSE, SERRÉ). ◆ **compacité** n. f. (seulem. techn.).

compagne n. f. V. COMPAGNON 1.

1. compagnie [kɔ̃paɲi] n. f. **1°** Présence d'une personne, d'un être animé auprès de quelqu'un : *La compagnie d'un grincheux m'a rendu ce voyage insupportable. Le berger n'a pour toute compagnie que son chien et ses moutons. Il tient à faire ses expériences à l'écart de toute compagnie. Je vous laisse en bonne compagnie* (= avec une ou plusieurs personnes agréables). — **2°** Réunion de personnes : *A la fin du repas, un des convives égaya toute la compagnie par ses histoires* (syn. : ASSISTANCE, ASSEMBLÉE). — **3°** *En galante compagnie,* se dit d'un homme qui est avec une femme. ‖ *En compagnie de,* en ayant auprès de soi : *Il dîne en compagnie d'un ministre* (syn. : AVEC). ‖ Fam. *Et compagnie,* et les autres du même genre; tous autant qu'ils sont : *Ces gens-là, c'est tricheurs et compagnie.* ‖ *Fausser compagnie à quelqu'un,* le quitter brusquement, d'une manière furtive. ‖ *Tenir compagnie à quelqu'un,* rester auprès de lui pour lui éviter la solitude.

2. compagnie [kɔ̃paɲi] n. f. Société commerciale ou industrielle : *Une compagnie de navigation, d'assurances.* ‖ *Et compagnie* (abrév. : *et Cie*), loc. que l'on ajoute à une raison sociale, après l'énumération des associés en nom.

3. compagnie [kɔ̃paɲi] n. f. Unité militaire placée en principe sous les ordres d'un capitaine.

1. compagnon [kɔ̃paɲɔ̃] n. m. Celui qui accompagne quelqu'un ou qui vit en sa compagnie : *Pendant tout le trajet, il racontait des histoires à ses compagnons de voyage* (ou *de route*). *Les deux naufragés, compagnons d'infortune, guettaient le passage d'un bateau.* ◆ **compagne** n. f. Fém. de *compagnon* : *La fillette jouait avec ses compagnes de classe* (syn. : CAMARADE). *Il ne se consolait pas de la mort de sa fidèle compagne* (syn. : FEMME, ÉPOUSE). [V. COMPAGNIE.]

2. compagnon [kɔ̃paɲɔ̃] n. m. Ouvrier du bâtiment travaillant pour le compte d'un entrepreneur. ◆ **compagnonnage** n. m. Qualité de compagnon. (Le sens d' « association d'ouvriers de la même profession » n'a qu'une valeur historique.)

comparable adj., **comparaison** n. f. Voir COMPARER.

comparaître [kɔ̃parɛtr] v. intr. (conj. **64**) [sujet nom de personne]. Se présenter sur ordre d'une autorité supérieure, de la justice, comme accusé ou comme témoin : *Deux élèves de la classe ont comparu devant le conseil de discipline.* ◆ **comparution** n. f. : *La comparution du principal accusé n'a pas pu avoir lieu en raison de son état de santé.*

comparer [kɔ̃pare] v. tr. **1°** *Comparer des personnes* ou *des choses,* les examiner simultanément ou successivement en vue de juger des similitudes et des différences qu'elles présentent, de leurs mérites respectifs : *En comparant ces deux textes, on remarquera la plus grande valeur du premier. On peut comparer ces deux écrivains d'abord entre eux, puis à ceux de la génération précédente. Il est difficile de comparer un sportif avec un musicien.* — **2°** *Comparer quelqu'un* ou *quelque chose à,* souligner sa ressemblance avec lui, de façon à mettre en relief un aspect caractéristique : *On peut comparer le rôle du cœur à celui d'une pompe.* ◆ **se comparer** v. pr. (surtout précédé de *pouvoir*) : *Telle fable de La Fontaine peut se comparer à une comédie* (= être rapprochée de). ◆ **comparable** adj. : *On ne doit comparer que des choses comparables* (= qui ont certains caractères communs). *Par des méthodes différentes, ils sont arrivés à des résultats comparables* (syn. : VOISIN, ANALOGUE, ↑ SEMBLABLE). *Cette nouvelle a produit sur lui un effet comparable à celui d'un coup de matraque.* ◆ **incomparable** adj. D'une supériorité, d'une qualité qui défie toute comparaison : *Des fleurs d'une beauté incomparable* (syn. : HORS DE PAIR [littér.]). *Une joie incomparable. Un spectacle incomparable* (syn. : UNIQUE). ◆ **incomparablement** adv. (renforce un comparatif) : *Ceci est incomparablement plus utile que cela.* ◆ **comparaison** n. f. **1°** Action de comparer : *La comparaison des avantages et des inconvénients* (ou *entre les avantages et les inconvénients*). *En regardant les vitrines, j'ai fait des comparaisons avec les prix pratiqués chez nous. Certains écrivains abusent des comparaisons littéraires. Pour me faire mieux comprendre, je vais recourir à une comparaison.* — **2°** *En comparaison, par comparaison, en comparaison de, par comparaison avec,* relativement, proportionnellement, si l'on s'en rapporte à : *La plupart des maisons de la région sont très pauvres; celle-ci, en comparaison, paraît luxueuse. Les fruits sont bon marché, en comparaison du mois dernier.* ‖ *Sans comparaison (avec),* indique une grande supériorité : *Au point de vue touristique, cette région montagneuse est sans comparaison avec les plaines du Centre.* ◆ **comparatif, ive** adj. Qui utilise ou qui permet les comparaisons : *Une étude comparative des prix de revient. Tableau comparatif.* ◆ **comparatif** n. m. Degré de signification de l'adjectif ou de l'adverbe qui exprime la comparaison : *Plus beau, aussi beau, moins beau sont les comparatifs de supériorité, d'égalité, d'infériorité de « beau ».* ◆ **comparativement** adv. En comparaison : *Son dernier roman est comparativement plus intéressant que les précédents* (syn. : RELATIVEMENT, TOUTES PROPORTIONS GARDÉES). *Il fait beau, comparativement à la semaine dernière.* ◆ **comparatiste** n. Spécialiste de littérature et de grammaire comparées.

comparse [kɔ̃pars] n. *Péjor.* Personne qui est présente, mais ne joue qu'un rôle secondaire : *L'enquête a établi que les deux autres accusés n'étaient que de simples comparses.*

1. compartiment [kɔ̃partimɑ̃] n. m. Chacune des divisions d'une chose cloisonnée : *Un tiroir à compartiments* (syn. : CASE). ◆ **compartimenter** v. tr. : *Compartimenter une caisse. C'est un homme très méthodique, qui a une existence compartimentée* (syn. : CLOISONNER). ◆ **compartimentage** n. m.

2. compartiment [kɔ̃partimɑ̃] n. m. Division d'une voiture de chemin de fer, comprenant généralement deux banquettes, soit six ou huit places : *Le contrôleur a ouvert la portière du compartiment.*

comparution n. f. V. COMPARAÎTRE.

compas [kɔ̃pɑ] n. m. **1°** Instrument composé de deux branches, et servant à tracer des cercles ou à rapporter des mesures. — 2° Fam. *Avoir le compas dans l'œil,* évaluer empiriquement les dimensions avec rapidité et justesse.

compassé, e [kɔ̃pɑse] adj. Se dit de quelqu'un (ou de ses manières) d'une exactitude, d'une régularité étudiées, et qui ne laisse pas de place à la spontanéité : *Il aurait cru se déshonorer en quittant son attitude compassée* (syn. : AFFECTÉ).

compassion n. f. V. COMPATIR.

compatible [kɔ̃patibl] adj. Se dit des choses qui peuvent s'accorder entre elles, exister simultanément : *Ces deux interprétations sont parfaitement compatibles. Son travail est difficilement compatible avec la vie de famille.* ◆ **compatibilité** n. f. : *On peut s'interroger sur la compatibilité de leurs caractères.* ◆ **incompatible** adj. : *Ces solutions sont incompatibles* (syn. : INCONCILIABLE). *Cela entraînerait des dépenses incompatibles avec l'état des finances.* ◆ **incompatibilité** n. f. : *Il y a incompatibilité entre son programme politique et les exigences budgétaires. Un divorce prononcé pour incompatibilité d'humeur.*

compatir [kɔ̃patir] v. tr. ind. *Compatir à la douleur de quelqu'un,* s'y associer par un sentiment de pitié : *Je compatis de tout mon cœur à votre grande déception.* ◆ **compatissant, e** adj. : *Une personne compatissante. Des paroles compatissantes.* ◆ **compassion** n. f. : *Elle tourna vers le blessé un regard plein de compassion* (syn. : APITOIEMENT, ↑ PITIÉ).

compatriote [kɔ̃patriɔt] n. Se dit d'une personne qui est du même pays qu'une autre : *On a souvent plaisir à rencontrer à l'étranger un de ses compatriotes* (syn. : CONCITOYEN; fam. : PAYS).

compenser [kɔ̃pɑ̃se] v. tr. *Compenser quelque chose,* équilibrer un effet par un autre, dédommager d'un inconvénient par un avantage : *La beauté du paysage compense le manque de confort de l'hôtel. Il a un mauvais caractère, mais un cœur d'or : ceci compense cela.* ◆ **compensateur, trice** adj. Qui donne une compensation : *Comme sa maladie se prolonge, il ne touche plus que le demi-traitement; heureusement, sa mutuelle lui verse une indemnité compensatrice.* ◆ **compensation** n. f. : *Le bonheur de ses enfants est pour elle une compensation suffisante de la peine qu'elle s'est donnée* (syn. : DÉDOMMAGEMENT).

compère [kɔ̃pɛr] n. m. Celui qui, mêlé à la foule, est d'intelligence avec un illusionniste; celui qui favorise en secret les intérêts de quelqu'un dans une négociation : *Le premier spectateur interpellé était sûrement un compère.*

compère-loriot [kɔ̃pɛrlɔrjo] n. m. Inflammation de la paupière : *Il a souffert de plusieurs compères-loriots successifs* (syn. : ORGELET).

compétent, e [kɔ̃petɑ̃, -ɑ̃t] adj. Se dit de quelqu'un qui est apte à juger, à décider, à faire quelque chose : *Je ne suis pas assez compétent en archéologie pour apprécier l'importance de cette découverte* (syn. : EXPERT, CONNAISSEUR). *C'est un mécanicien très compétent* (syn. : CAPABLE). *Adressez-vous aux autorités compétentes* (syn. : QUALIFIÉ). ◆ **compétence** n. f. 1° *Les avocats de la défense ont contesté la compétence du tribunal* (= son droit à juger les faits en question). *En dix années de métier, il a acquis une parfaite compétence* (syn. : APTITUDE, QUALIFICATION). *Cette affaire n'est pas de ma compétence* (= de mon ressort). — 2° *Fam.* Personne qualifiée : *Les plus hautes compétences médicales ont examiné le malade* (syn. : SOMMITÉ). ◆ **incompétent, e** adj. : *Comme je n'ai aucune notion de cette science, je me déclare totalement incompétent.* ◆ **incompétence** n. f. : *Un employé renvoyé pour incompétence* (syn. : INCAPACITÉ).

compétition [kɔ̃petisjɔ̃] n. f. 1° Epreuve sportive mettant aux prises plusieurs concurrents : *Il a abandonné dès le début de la compétition* (syn. : MATCH). *Se retirer de la compétition.* — 2° *Etre, entrer en compétition avec,* se poser en rival, en concurrent de : *Plusieurs entreprises sont en compétition pour obtenir des marchés de l'Etat* (syn. : CONCURRENCE). ◆ **compétitif, ive** adj. Se dit d'un prix, d'un article commercial qui peut supporter la concurrence : *Rechercher une meilleure organisation de la production, de façon à avoir des prix de vente compétitifs* (syn. : CONCURRENTIEL).

compiler [kɔ̃pile] v. tr. *Péjor.* Réunir en un ouvrage sans originalité des emprunts faits à divers auteurs, à des documents variés : *Pendant des années, il a compilé des monceaux de notes.* ◆ **compilateur, trice** n. Péjor. : *Certains historiens sont en fait de simples compilateurs.* ◆ **compilation** n. f. Péjor. : *Sa thèse n'est qu'une lourde compilation qui n'apporte rien à la science.*

complainte [kɔ̃plɛ̃t] n. f. Chant dont le thème est en général triste ou langoureux.

complaire (se) [kɔ̃plɛr] v. pr. (conj. **77**) [sujet nom de personne]. Trouver du plaisir, de l'agrément dans tel ou tel état : *Il se complaît dans son ignorance.*

complaisant, e [kɔ̃plɛzɑ̃, -ɑ̃t] adj. **1°** Se dit d'une personne (ou de son comportement) qui cherche à se rendre utile, à satisfaire les désirs de quelqu'un : *Le voisin m'a aidé à déménager l'armoire : il est très complaisant* (syn. : SERVIABLE, PRÉVENANT). *C'est un homme grossier, qui n'a jamais un geste complaisant* (syn. : AIMABLE). — **2°** Se dit de quelqu'un qui fait preuve d'une indulgence coupable : *Un père trop complaisant aux caprices de son fils. Elle est de mœurs un peu légères, mais lui est un mari complaisant* (= il ferme les yeux sur les infidélités de sa femme). ◆ **complaisamment** adv. **1°** Avec une complaisance qui manque de retenue : *Devant cet homme cloué au lit par la maladie, il s'étendait complaisamment sur les joies des sports d'hiver.* — **2°** Pour être agréable : *Il m'a très complaisamment prêté sa voiture* (syn. : OBLIGEAMMENT). ◆ **complaisance** n. f. **1°** Désir d'être agréable, de rendre service : *Il a poussé la complaisance jusqu'à faire toutes les démarches à notre place* (syn. : AMABILITÉ, OBLIGEANCE, SERVIABILITÉ). *Je n'avais rien à faire là-bas, mais je l'ai accompagné par complaisance.* — **2°** Indulgence envers soi-même où la satisfaction d'amour-propre se mêle plus ou moins de vanité : *Elle s'examinait dans un miroir avec complaisance. Il insistait avec complaisance sur les avantages de sa situation* (syn. : MANQUE DE RETENUE). — **3°** Péjor. *Certificat, attestation de complaisance,* accordés en vue d'être agréable à l'intéressé, mais peu conformes à la vérité.

1. complément [kɔ̃plemɑ̃] n. m. Ce qu'il faut ajouter à une chose incomplète pour la compléter : *L'enquête présente une lacune : un complément* *d'information est nécessaire* (syn. : SUPPLÉMENT). *Vous pouvez payer la moitié comptant, et le complément en douze mensualités* (syn. : RESTE). ◆ **complémentaire** adj. Qui sert de complément : *Verser dans le vase la quantité complémentaire de liquide. Une indemnité complémentaire.* ◆ **complémentarité** n. f.

2. complément [kɔ̃plemɑ̃] n. m. En grammaire, mot ou groupe de mots qui s'ajoute à un autre pour en compléter le sens : *On appelle « complément direct » celui qui n'est pas relié au verbe par une préposition, et « complément indirect » celui qui est relié au verbe par une préposition. On distingue des compléments d'objet, de circonstance, d'attribution, d'agent, etc.* (V. FONCTION.)

1. complet, ète [kɔ̃plɛ, -ɛt] adj. 1° Se dit d'une chose à laquelle il ne manque rien; entièrement réalisé : *J'ai la série complète des timbres émis pendant le second Empire* (syn. : ENTIER). *Le développement du film ne peut se faire que dans une obscurité complète. La conférence s'est soldée par un échec complet* (syn. : TOTAL). *Le malheureux était dans un état de complet dénuement.* — 2° Se dit d'un moyen de transport, d'un récipient, d'une salle de spectacle, etc., qui ne peut rien contenir de plus : *Le train, l'autobus est complet* (syn. : PLEIN). *Le cinéma affiche complet.* — 3° Se dit d'une personne dont toutes les facultés sont pleinement développées : *C'est un homme complet, à la fois compétent dans sa spécialité, cultivé, sportif. Un artiste complet* (syn. : ACHEVÉ, ACCOMPLI). — 4° Fam. *C'est complet!*, voilà encore un nouvel ennui! (syn. fam. : IL NE MANQUAIT PLUS QUE ÇA!). ‖ *Au complet, au grand complet,* sans que personne ou rien ne manque : *La famille au grand complet est partie en vacances.* ◆ **incomplet, ète** adj. Contr. de *complet* (sens 1) : *Nos renseignements sont incomplets* (syn. : PARTIEL, FRAGMENTAIRE). *Ce romancier a laissé à sa mort plusieurs manuscrits incomplets* (syn. : INACHEVÉ). ◆ **complètement** adv. : *Le malade ne sera complètement rétabli que dans plusieurs semaines* (syn. : TOTALEMENT, ENTIÈREMENT). *Etes-vous complètement satisfait de votre voiture?* (syn. : PLEINEMENT). ◆ **incomplètement** adv. : *Des bûches incomplètement consumées.* ◆ **compléter** v. tr. *Compléter quelque chose,* le rendre complet en ajoutant ce qui manque : *Un versement qui complète le remboursement. Pour compléter sa formation, il a fait des stages dans plusieurs entreprises* (syn. : ACHEVER). *Ce nouveau détail complète le tableau peu reluisant du personnage.* ◆ **se compléter** v. pr. Devenir complet : *Sa collection se complète peu à peu.*

2. complet [kɔ̃plɛ] n. m. Vêtement comprenant la veste, le pantalon ou la culotte, et parfois le gilet, ces diverses pièces étant de la même étoffe.

complétive [kɔ̃pletiv] adj. et n. f. *Proposition complétive,* proposition subordonnée complément d'objet, sujet ou attribut. (Ex. : *Je vois* QUE TOUT VA BIEN.)

1. complexe [kɔ̃plɛks] adj. Se dit d'un ensemble, d'un tout dont les éléments sont combinés d'une manière offrant une certaine difficulté à l'analyse : *Les données de ce problème sont très complexes* (syn. : COMPLIQUÉ; contr. : SIMPLE). *Nous nous trouvons devant une situation complexe* (contr. : CLAIR, NET). *Cet homme est complexe, a un caractère complexe.* ◆ **complexité** n. f. : *La complexité d'un calcul. Des phénomènes biologiques d'une grande complexité.*

2. complexe [kɔ̃plɛks] n. m. Ensemble de sentiments et de souvenirs inconscients qui conditionnent plus ou moins le comportement conscient d'un individu : *Avoir un complexe d'infériorité. Il est très gauche en société : on sent qu'il est bourré de complexes.* ◆ **complexé, e** adj. Fam. : *Il est trop complexé pour parler ou agir avec naturel.* ◆ **décomplexé, e** adj. *Fam.* Qui a perdu tout complexe, toute retenue.

3. complexe [kɔ̃plɛks] n. m. Ensemble d'établissements industriels concourant à une même activité économique : *Un complexe sidérurgique.*

complexion [kɔ̃plɛksjɔ̃] n. f. Constitution physique d'une personne, état de son organisme, surtout sous le rapport de la résistance : *Un enfant d'une complexion délicate* (syn. : NATURE).

complexité n. f. V. COMPLEXE 1; **complication** n. f. V. COMPLIQUER.

complice [kɔ̃plis] adj. et n. 1° Qui participe secrètement à l'action répréhensible d'un autre, ou qui est au courant de cette action : *Je ne veux pas me rendre complice d'une trahison. L'enquête cherche à savoir si le cambrioleur avait des complices.* — 2° Qui manifeste un accord secret : *Ils échangèrent un regard complice.* ◆ **complicité** n. f. : *Le prisonnier a pu s'échapper grâce à la complicité d'un gardien* (syn. [rare] : CONNIVENCE). *Il jouit de nombreuses complicités dans le milieu de la pègre* (syn. fam. : ACCOINTANCE).

compliment [kɔ̃plimɑ̃] n. m. Parole agréable, flatteuse, adressée à quelqu'un : *Le lauréat a reçu les compliments de son entourage* (syn. : FÉLICITATIONS). *Il m'a retourné mon compliment* (souvent ironiq. = il m'a fait des reproches de même nature immédiatement). *Je vous fais mes compliments pour la manière dont vous avez réglé l'affaire. Vous ferez mes compliments à vos parents* (formule de politesse = vous leur ferez part de mon bon souvenir). *Mes compliments!* (ironiq. = vous n'avez pas lieu d'être fier). ◆ **complimenter** v. tr. : *Le directeur a complimenté les meilleurs élèves* (syn. : FÉLICITER). ◆ **complimenteur, euse** n. Flatteur, souvent excessif.

compliquer [kɔ̃plike] v. tr. Rendre moins simple, plus difficile à comprendre ou à réaliser, par la multiplicité et l'enchevêtrement des éléments composants : *Toute une série d'incidents viennent compliquer l'action de ce roman* (syn. : EMBROUILLER, CHARGER). *La présence de nombreux badauds complique la tâche des sauveteurs.* ◆ **se compliquer** v. pr. 1° Devenir plus difficile, plus grave : *L'affaire se complique du fait que le principal témoin a soudain disparu.* — 2° *Ne pas se compliquer l'existence,* user toujours des moyens les plus faciles. ◆ **compliqué, e** adj. 1° Se dit d'une chose difficile à comprendre, à retenir, à exécuter, en raison du grand nombre, de l'enchevêtrement de ses parties : *Un étranger qui a un nom compliqué;* ou de ce qui présente des parties enchevêtrées difficiles à démêler : *Un plan, un cérémonial compliqué* (contr. : SIMPLE). — 2° Se dit d'une personne qui n'agit pas simplement, qui recherche les difficultés : *On ne peut pas prévoir ses réactions : il est si compliqué!* (syn. : COMPLEXE). ◆ **complication** n. f. 1° État de ce qui est compliqué; ensemble compliqué : *La complication des démarches à effec-*

tuer rebute bien des gens. Mon guide me conduisit à travers toute une complication de ruelles. 2° Elément nouveau qui entrave le déroulement normal d'une chose; en particulier, évolution nouvelle d'une maladie, aggravation : *Des complications ont empêché la mise en œuvre du projet initial. Une pneumonie est parfois la complication d'une grippe.* — 3° (au plur.) Obstacles qui s'opposent à l'accomplissement de quelque chose : *Ne faites pas tant de complications pour reconnaître les faits* (syn. : EMBARRAS, DIFFICULTÉS).

complot [kɔ̃plo] n. m. 1° Menées secrètes et concertées de plusieurs personnes contre quelqu'un ou contre une institution : *Découvrir un complot contre une haute personnalité. Un complot visait à renverser le régime* (syn. : ↑ CONSPIRATION, CONJURATION). — 2° Fam. *Mettre quelqu'un dans le complot,* le mettre au courant d'un projet secret n'ayant rien de subversif. ◆ **comploter** [kɔ̃plɔte] v. intr. Former des complots : *Il a passé une partie de sa vie à comploter* (syn. : ↑ CONSPIRER). ◆ v. tr. 1° Faire le complot de : *Ils complotaient un coup d'Etat* (syn. : TRAMER). *Les accusés avaient comploté de renverser le pouvoir.* — 2° Faire à plusieurs des projets, des préparatifs secrets : *Qu'est-ce que vous complotez encore dans votre coin?* ◆ **comploteur, euse** adj. et n. : *On a arrêté le chef des comploteurs* (syn. : ↑ CONSPIRATEUR).

componction [kɔ̃pɔ̃ksjɔ̃] n. f. Air de gravité affecté (ironiq.) : *Il donnait avec componction de sages conseils.*

1. comporter [kɔ̃pɔrte] v. tr. Avoir comme parties essentielles, avoir comme qualité naturelle : *Toute automobile doit comporter un dispositif d'éclairage* (syn. : AVOIR, ÊTRE MUNI DE). *Son discours comportait trois parties* (syn. : SE COMPOSER DE). *Cette règle ne comporte aucune exception* (syn. : ADMETTRE, SOUFFRIR).

2. comporter (se) [səkɔ̃pɔrte] v. pr. Agir de telle ou telle façon : *Il s'est mal comporté à mon égard en rejetant brutalement ma proposition* (syn. : SE CONDUIRE). *Comment s'est comporté le colis pendant le transport?* (= en quel état est-il?). ◆ **comportement** n. m. Manière de se comporter : *Son comportement avec moi est étrange* (syn. : ATTITUDE). *Pourquoi s'est-il enfui? Ce n'est pas un comportement d'honnête homme* (syn. : CONDUITE).

1. composer [kɔ̃poze] v. tr. 1° (sujet nom de personne) Former un tout en assemblant divers éléments : *Le fleuriste compose un bouquet de roses et d'œillets. Composer un numéro téléphonique sur le cadran. L'artiste a composé harmonieusement les couleurs du vitrail* (syn. : DISPOSER, ASSEMBLER). *Comment cet écrivain a-t-il composé son roman?* — 2° (sujet nom d'être animé ou nom de chose) Entrer comme élément constituant d'un tout, être la matière de : *Les hommes qui composent l'équipe de tête. Les maisons qui composent le village. Les pommes de terre composent l'essentiel du menu* (syn. : CONSTITUER). ◆ ***se composer*** v. pr. ou ***être composé*** v. passif [**de**]. Etre formé de, consister en : *La propriété est composée d'une maison, d'un jardin et d'une cour. L'eau se compose d'hydrogène et d'oxygène.* ◆ **composant, e** adj. Qui entre dans la composition d'un corps, d'un ensemble : *L'analyse chimique permet de déterminer les éléments composants.* ◆ **composant** n. m. : *L'huile de lin est un composant du mastic.* ◆ **composante** n. f. Elément constitutif, donnée (mot abstrait) : *La hausse des prix et le chômage partiel étaient des composantes principales du malaise social.* ◆ **composé, e** adj. Constitué de plusieurs éléments : *Le sel de cuisine est un corps composé. « Essuie-glace » est un nom composé. Le plus-que-parfait est un temps composé* (contr. : SIMPLE). ◆ **composé** n. m. Ensemble formé de plusieurs éléments : *Cet homme est un curieux composé de grossièreté et de ruse* (syn. : ASSEMBLAGE, AMALGAME). ◆ **composition** n. f. Action ou manière de composer une chose : *L'herboriste occupait ses soirées à la composition d'une liqueur* (syn. : FABRICATION). *Voici un plat de ma composition* (syn. : ↓ FAÇON). *La composition du programme fait la part bien large aux musiciens contemporains. La composition de cette tragédie est très claire* (syn. : STRUCTURE). *La composition de l'Assemblée nationale a été sensiblement modifiée par les dernières élections.*

2. composer [kɔ̃poze] v. tr. Ecrire de la musique : *Beethoven a composé neuf symphonies. Un pianiste qui s'essaie à composer.* ◆ **compositeur, trice** n. Personne qui compose de la musique : *Bach est un compositeur très célèbre.* ◆ **composition** n. f. Œuvre musicale : *Une courte composition pour piano.*

3. composer [kɔ̃poze] v. intr. Faire un exercice scolaire sur un sujet donné, dans un temps déterminé, en vue d'un classement : *Des élèves qui composent en mathématiques.* ◆ **composition** n. f. 1° Exercice scolaire : *Il a raté sa composition d'histoire. Elle est troisième en composition de sciences naturelles.* — 2° *Composition française,* exercice scolaire consistant à rédiger un développement sur un sujet de littérature (syn. : DISSERTATION).

4. composer [kɔ̃poze] v. intr. (sujet nom de personne). Trouver un accommodement : *Comme il ne pouvait pas imposer son point de vue, il a dû composer* (syn. : TRANSIGER). *Il faut parfois composer avec ses adversaires.* ◆ **composition** n. f. (sujet nom d'être animé ou de chose). *Amener quelqu'un à composition,* l'amener à céder une partie de ses exigences en vue d'un compromis. ‖ *Etre de bonne composition,* se laisser faire, être accommodant.

5. composer [kɔ̃poze] v. tr. 1° (sujet nom de personne) *Composer son visage, son maintien,* prendre une expression, une attitude ne correspondant pas aux sentiments éprouvés (littér.). — 2° *Visage, air composé,* qui cherche à exprimer des sentiments non ressentis (syn. : AFFECTÉ).

composite [kɔ̃pozit] adj. Fait d'éléments très divers : *Une foule composite* (syn. : DISPARATE, ↑ HÉTÉROCLITE).

compositeur, trice n. V. COMPOSER 2; **composition** n. f. V. COMPOSER 1, 2, 3, 4.

compote [kɔ̃pɔt] n. f. 1° Fruits cuits, entiers ou en morceaux, avec du sucre : *Une compote de pommes.* — 2° Fam. *En compote,* meurtri, malmené : *Figure en compote. On a les pieds en compote avec cette marche* (syn. : EN MARMELADE). ◆ **compotier** n. m. Coupe à pied pour servir des fruits crus ou en compote.

compréhensible adj., **compréhensif, ive** adj., **compréhension** n. f. V. COMPRENDRE 2.

1. comprendre [kɔ̃prɑ̃dr] v. tr. (conj. 54). 1° (sujet nom de chose) Avoir en soi, être formé de : *La maison comprend en outre une cave et un garage* (syn. : COMPORTER, SE COMPOSER DE). *Cette symphonie comprend quatre mouvements.* — 2° (sujet nom de personne) *Comprendre quelque chose,* le faire entrer dans un tout : *Je ne comprends pas dans la durée de la confection de ce plat le temps de préparation. Nous avons compris dans ce total les diverses taxes* (syn. : INCLURE). — 3° (sujet nom de personne) *Etre compris dans quelque chose,* y être intégré, compté : *Dans ce tableau de la population, les étrangers ne sont pas compris.* ◆ **compris, e** adj. ‖ *Y compris, non compris,* en y comprenant (incluant), sans y comprendre (inclure) : *Un terrain de 800 mètres carrés, maison non comprise.* (Quand ces expressions précèdent le nom, *compris* reste invariable : *On a tout fouillé, y compris la cave.*)

2. comprendre [kɔ̃prɑ̃dr] v. tr. (conj. 54) [sujet nom de personne]. 1° *Comprendre quelque chose,* en saisir par l'esprit le sens, s'en faire une idée claire : *J'ai très bien compris vos explications* (syn. : SAISIR; pop. : PIGER). *Nous comprenons les difficultés de l'entreprise* (syn. : SE RENDRE COMPTE DE, SE REPRÉSENTER, RÉALISER). *Je lui ai fait comprendre qu'il me gênait. Parle plus distinctement, je te comprends mal* (= je perçois mal tes paroles). *Il comprend à peu près l'anglais, mais il le parle très mal.* — 2° *Comprendre quelque chose,* s'en faire une représentation idéale : *Voilà comme je comprends des vacances. Comment comprenez-vous le rôle d'un conseiller?* (syn. : VOIR). — 3° *Comprendre quelqu'un, l'attitude, l'action de quelqu'un,* entrer dans ses raisons, admettre ses mobiles : *Sans doute, il a tort et je ne l'approuve pas, mais je le comprends. Je comprends qu'on perde patience en entendant de telles paroles.* — 4° *Comprendre les choses,* avoir l'esprit large, être tolérant. ‖ *Comprendre la plaisanterie,* ne pas se fâcher d'une raillerie, d'une farce qui vous est faite. ◆ **compréhensible** adj. Qu'on peut comprendre (sens 1 et 3 du verbe) : *Des paroles difficilement compréhensibles* (syn. : INTELLIGIBLE). *Un désir bien compréhensible* (syn. : NATUREL, NORMAL, EXCUSABLE). ◆ **incompréhensible** adj. : *Des propos incompréhensibles* (syn. : OBSCUR, HERMÉTIQUE). *Un accident incompréhensible* (syn. : INEXPLICABLE, MYSTÉRIEUX). *Il a agi avec une précipitation incompréhensible* (syn. : INEXCUSABLE). ◆ **compréhensibilité** n. f. : *Pour une plus grande compréhensibilité, on a évité tous les termes techniques dans l'explication.* ◆ **incompréhensibilité** n. f. : *La traduction est parfois d'une incompréhensibilité totale.* ◆ **compréhensif, ive** adj. Qui comprend volontiers les gens (sens 3 du verbe), qui admet facilement le point de vue des autres : *J'ai eu affaire à un employé compréhensif, qui a fait de longues recherches pour pouvoir me renseigner* (syn. : BIENVEILLANT, DÉVOUÉ). *Je sais que vous ne m'en voudrez pas : vous êtes trop compréhensif* (syn. : INDULGENT; contr. : FERMÉ). ◆ **incompréhensif, ive** adj. : *On ne peut pas discuter avec lui : il est absolument incompréhensif* (syn. : BUTÉ, INTRANSIGEANT). ◆ **compréhension** n. f. 1° Aptitude à comprendre (en parlant d'une personne) : *Un enfant d'une grande rapidité de compréhension.* — 2° Facilité à être compris (en parlant d'une chose) : *Un texte d'une compréhension difficile.* — 3° Désir d'entrer dans les vues des autres : *J'ai été charmé de sa compréhension à mon égard.* ◆ **incompréhension** n. f. Manque de compréhension (sens 2) : *Leur brouille repose sur une incompréhension mutuelle.* ◆ **comprenette** n. f. *Fam.* Faculté de comprendre : *Vous avez la comprenette difficile.* ◆ **compris, e** adj. *C'est compris?* ou, ellipt. et fam., *compris?,* sert à souligner énergiquement un ordre ou une défense : *Vous allez me faire ce travail immédiatement, compris?* ◆ **incompris, e** adj. Se dit d'une chose qui échappe à la compréhension : *Un énoncé incompris.* ◆ adj. et n. Se dit d'une personne (ou de son comportement) qui n'est pas appréciée à sa valeur : *Beaucoup d'écrivains ont été incompris de leur vivant. Il prétend être un incompris.*

compresse [kɔ̃prɛs] n. f. Linge qu'on applique sur une partie du corps, malade ou blessée.

comprimer [kɔ̃prime] v. tr. 1° *Comprimer quelque chose,* en resserrer par la force les parties, réduire par la pression son volume : *De la paille comprimée en ballots cubiques. Les vapeurs d'essence mélangées d'air sont comprimées par le piston.* — 2° *Comprimer quelqu'un,* le serrer : *Les voyageurs sont comprimés dans l'autobus* (syn. : TASSER). — 3° *Comprimer des dépenses,* les réduire : *Le Conseil des ministres essaie de comprimer les dépenses publiques.* — 4° *Comprimer ses larmes, son envie de rire, sa colère,* faire effort sur soi pour les retenir (syn. : RÉPRIMER). ◆ **compressible** adj. Qu'il est possible de comprimer. ◆ **incompressible** adj. : *Des dépenses incompressibles* (= dont on ne peut pas réduire le montant). ◆ **compression** n. f. : *La compression du gaz risque de faire éclater le récipient. Une compression de crédits, de personnel.* ◆ **décompression** n. f. : *Le recul du piston produit une brusque décompression du gaz.* ◆ **comprimé** n. m. Pastille, le plus souvent pharmaceutique, qu'on avale ou qu'on fait dissoudre : *Un comprimé d'aspirine. De l'engrais en comprimés pour les plantes d'appartement.*

compromettre [kɔ̃prɔmɛtr] v. tr. (conj. 57). 1° *Compromettre quelqu'un,* lui porter préjudice, entacher sa réputation en l'engageant dans une entreprise contraire aux lois, à la morale : *Vous pouvez signer cette feuille sans crainte, elle ne vous compromet pas. Un homme politique compromis dans un scandale. Il évite de sortir avec cette jeune fille, de peur de la compromettre.* — 2° *Compromettre une chose,* l'exposer à un dommage : *Compromettre sa santé, sa réputation, la réputation de quelqu'un. Cette initiative compromet nos chances de succès. Il me semble qu'il va pleuvoir : voilà la promenade bien compromise.* ◆ ***se compromettre*** v. pr. Risquer sa situation, son honneur : *Ils s'étaient trop compromis dans des entreprises financières malhonnêtes.* ◆ **compromettant, e** adj. : *Dans la crainte d'une perquisition, on avait brûlé tous les documents compromettants.* ◆ **compromission** n. f. : *Sa compromission avec les rebelles l'a amené à s'enfuir* (syn. : COLLUSION).

compromis [kɔ̃promi] n. m. 1° Accord obtenu par des concessions réciproques : *Après deux jours de débats, les deux délégations sont enfin parvenues à un compromis.* — 2° Etat intermédiaire : *Son attitude est un compromis entre l'indifférence et le mépris* (syn. : MOYEN TERME).

1. compte n. m. V. COMPTER.

2. compte [kɔ̃t] n. m. Etat de ce qui est dû ou reçu : *Ouvrir un compte en banque* (= état alimenté par les versements de quelqu'un à un établissement bancaire). ◆ **compte chèques** n. m. Abrév. usuelle de COMPTE COURANT DES CHÈQUES POSTAUX (compte ouvert aux chèques postaux). ◆ **compte courant** n. m. Compte ouvert dans un établissement bancaire et où sont indiquées les sommes versées et dues.

1. compter [kɔ̃te] v. tr. (sujet nom de personne). 1° *Compter des choses, des personnes,* en calculer le nombre ou la quantité : *Le professeur compte les élèves de la classe. La fermière comptait ses poules* (syn. : DÉNOMBRER). *Une horloge sonnait au loin : le prisonnier compta onze coups. Compter de l'argent.* — 2° *Compter quelque chose,* le faire entrer dans un calcul d'ensemble, le mettre au nombre de : *Je vous ai fait un prix d'ami : je n'ai compté que les fournitures; je vous fais cadeau du travail. En comptant l'ourlet, il faut trois mètres de tissu. Cela pèse bien vingt kilos, sans compter l'emballage* (syn. : TENIR COMPTE DE). *On compte ce livre parmi les meilleurs de l'auteur* (syn. : RANGER). — 3° Estimer à tel ou tel prix : *Le mécanicien nous a compté deux cents francs de réparation* (syn. : FACTURER). *Vous comptez donc pour rien le mal que je me suis donné?* (= vous n'en faites aucun cas). — 4° Verser de l'argent : *Passez à la caisse, on vous comptera cinq cents francs* (syn. : PAYER). — 5° Donner avec parcimonie, à regret (sens moins usuel) : *Une poignée de cerises seulement? Tu nous les comptes!* (syn. fam. : PLEURER). — 6° (sujet nom d'être animé ou de chose) Avoir à son actif, posséder, être formé de : *Un soldat qui compte dix années de campagnes, de nombreuses citations. Il compte de nombreux amis parmi les peintres.* — 7° *Ses jours sont comptés,* il n'a plus longtemps à vivre. ‖ *On peut compter* (et un compl. d'objet), indique la rareté d'un fait : *On peut compter les visites qu'il m'a faites depuis un an.* ‖ *On ne compte plus* (et un compl. d'objet), indique le grand nombre : *On ne compte plus les gaffes qu'il a commises.* ‖ *A pas comptés,* lentement, précautionneusement. ◆ v. intr. (sujet nom de personne). 1° Enoncer la suite des nombres : *Un enfant qui sait compter jusqu'à cinquante.* — 2° Ne dépenser qu'avec réflexion, avec réserve : *Avec un budget restreint, il faut compter sans cesse.* 3° *Donner, dépenser sans compter,* très libéralement. ● LOC. PRÉP. *A compter de,* en prenant comme point de départ dans le temps : *A compter d'aujourd'hui, le service d'été est rétabli* (syn. : À DATER DE, À PARTIR DE). ◆ **comptable** [kɔ̃tabl] adj. 1° Se dit d'une chose qui concerne la comptabilité : *Pièce comptable. Rapport comptable.* — 2° Se dit d'une personne qui a la charge de, qui doit répondre de : *Il se sentait comptable des biens de ses administrés* (syn. : RESPONSABLE). ◆ n. Personne chargée de la comptabilité. ◆ **comptabilité** n. f. Ensemble des comptes d'une entreprise, d'un commerce, d'une collectivité; service administratif chargé de ces comptes. ◆ **comptage** n. m. Action de compter des objets pour les dénombrer : *Le comptage des articles stockés* (syn. : DÉNOMBREMENT). ◆ **comptant** [kɔ̃tɑ̃] adj. m. *Argent comptant,* argent versé immédiatement au moment de l'achat. ‖ Fam. *Prendre pour argent comptant les paroles de quelqu'un,* les croire sans défiance. ◆ adv. *Payer, acheter comptant,* payer sans délai : *Dans certaines opérations, on bénéficie d'une remise quand on paie comptant. Je lui ai versé dix mille francs comptant, je lui paierai le solde d'ici un an* (contr. : À CRÉDIT, À TERME, À TEMPÉRAMENT). ◆ **compte** [kɔ̃t] n. m. 1° Action de compter; résultat de cette action : *La salle était presque vide : le compte de la recette ne sera pas long. La maîtresse de maison fait le compte des personnes à inviter* (syn. : DÉNOMBREMENT). *J'ai recommencé trois fois, et je n'arrive jamais au même compte* (syn. : TOTAL). — 2° Somme ou quantité qui revient à quelqu'un : *Il n'a pas touché tout son compte* (syn. : DÛ). — 3° *A bon compte,* dans des conditions avantageuses, avec le minimum de dommage : *Acheter un objet à bon compte. Un mois de prison avec sursis : il s'en tire à bon compte.* ‖ *A ce compte,* en considérant les choses ainsi, dans ces conditions. ‖ *En fin de compte,* pour conclure, finalement : *En fin de compte, que décidez-vous?* ‖ *Pour le compte de quelqu'un, d'une société,* etc., au profit de cette personne, de cette société, etc.; en son nom : *Il travaille pour le compte d'une firme étrangère.* ‖ *Sur le compte de quelqu'un,* à son sujet : *J'ai appris du nouveau sur son compte.* ‖ *Mettre sur le compte de quelque chose,* rendre cette chose responsable : *Cette erreur doit être mise sur le compte de la fatigue* (syn. : IMPUTER À). ‖ Fam. *Avoir son compte,* avoir été malmené, tué, ou être ivre : *Il ne recommencera pas de sitôt à m'insulter : il a son compte.* ‖ *Demander compte de quelque chose à quelqu'un,* lui demander des explications à ce sujet, l'inviter à se justifier. ‖ *Rendre compte de quelque chose à quelqu'un,* lui en faire une relation, un exposé. ‖ *Rendre compte de sa conduite, rendre des comptes,* se justifier : *Je n'ai pas à vous rendre compte de mes décisions. Je n'ai pas de comptes à vous rendre.* ‖ *Donner son compte à un employé, à un ouvrier,* le congédier. ‖ *Etre en compte avec quelqu'un,* être dans la situation mutuelle de créancier et de débiteur. ‖ *Laisser pour compte une marchandise,* la refuser quoiqu'on l'ait commandée. ‖ *Laisser pour compte une personne, une chose,* la négliger, la laisser de côté. ‖ *Prendre à son compte quelque chose,* s'en charger, assumer les dépenses correspondant à cela : *J'ai pris à mon compte tous les frais de réparation.* ‖ *S'établir, s'installer, travailler à son compte,* prendre la direction d'une entreprise artisanale, commerciale, industrielle; ne plus dépendre d'un employeur : *Il a quitté son patron pour s'installer à son compte.* ‖ Fam. *Régler son compte à quelqu'un,* lui faire un mauvais parti, le tuer. ‖ *Son compte est bon,* il n'a rien de bon à espérer, il est perdu. ‖ *Se rendre compte de quelque chose,* s'en apercevoir, en avoir une notion nette. ‖ *Tu te rends compte!,* exclamation qui souligne l'intérêt, l'importance d'un fait. ‖ *Tenir compte de,* prendre en considération : *On ne pourra tenir compte que des lettres portant une signature lisible.* ‖ *Trouver son compte à quelque chose,* y trouver son avantage. ‖ *Faire le compte de quelqu'un,* être à son avantage : *Une erreur qui fait le compte de nos adversaires.* ‖ *Entrer en ligne de compte,* être pris en considération : *Vos préférences personnelles n'ont pas à entrer en ligne de compte.* ● LOC. ADV. *Au bout du compte, en fin de compte, tout compte fait,* une fois l'ensemble examiné, tout bien considéré (pour exprimer une conclusion logique) : *Il hésita beaucoup, en fin de compte* (*tout compte fait*) *il se résolut à rester. Il était très autoritaire et orgueilleux, mais, en fin de compte* (*au bout du compte, tout compte fait*), *il n'était pas mauvais homme* (syn. : AU TOTAL, APRÈS TOUT, SOMME TOUTE, FINALEMENT; AU DEMEURANT [langue soignée]). ◆ **compteur** [kɔ̃tœr] n. m. Appareil qui mesure ou qui enregistre des distances, des vitesses, des consommations : *Compteur kilométrique. Compteur à gaz, à électricité.* ◆ **compte-gouttes** n. m. invar. 1° Petite pipette en verre servant à compter des gouttes, le plus souvent d'un médicament. — 2° Fam. *Au compte-gouttes,* avec parcimonie : *Les cartes d'invitation sont distribuées au compte-gouttes.* ◆ **décompter** [dekɔ̃te] v. tr. Retrancher d'un compte de façon à établir un solde net : *Décompter les frais de voyage* (syn. : DÉDUIRE, DÉFALQUER). ◆ **décompte** n. m. 1° Somme déduite d'un compte. — 2° Décomposition d'une somme totale en ses éléments constitutifs. ◆ **recompter** v. tr. Compter de nouveau (sens 1).

2. compter [kɔ̃te] v. intr. et tr. ind. (sujet nom d'être animé ou de chose). 1° Avoir de l'importance, être pris en considération : *C'est le résultat qui compte. Les places sont à dix francs, mais les enfants ne comptent pas. Voilà un succès qui compte!* (= un succès remarquable). — 2° *Compter avec quelque chose, quelqu'un,* en tenir compte, les prendre en considération : *Il faut compter avec la fatigue. Aujourd'hui, il est adulte, et on doit compter avec lui.* — 3° *Compter sans quelqu'un* ou *quelque chose,* en négliger l'importance, l'influence : *Vous aviez compté sans les obstacles.* — 4° *Compter parmi,* figurer au nombre de : *Il compte parmi les plus violents adversaires de cette politique.* — 5° *Compter pour,* avoir la valeur de : *Un fruit comme celui-là compte pour deux. Tous ces efforts ne comptent pour rien.* — 6° *Compter sur quelqu'un,* lui faire confiance, être convaincu de son acceptation : *Je compte sur vous pour régler cette affaire. Venez dîner ce soir, nous comptons sur vous.* — 7° *Compter sur quelque chose, y compter, compter que* (et l'indic., ou le subj. quand *compter* est à la forme négative ou interrogative), espérer fermement en son action, sa présence, etc. : *Je compte sur votre discrétion. Vous pouvez le souhaiter, mais n'y comptez pas trop; ne comptez pas là-dessus. Il compte que tout se passera bien. Je ne compte pas qu'il vienne à présent.* — 8° *Compter* suivi de l'infinitif, « se proposer de » : *Nous comptons partir à l'aube.* • Loc. CONJ. *Sans compter que,* introduit une considération accessoire : *Cette robe ne me plaisait pas, sans compter qu'elle était très chère.*

compte rendu [kɔ̃trɑ̃dy] n. m. Rapport fait sur un événement, une situation, un ouvrage, la séance d'une assemblée.

comptine [kɔ̃tin] n. f. Chanson que chantent les enfants pour déterminer celui qui devra sortir du jeu ou courir après les autres, et qui est faite de vers assonancés, à allitérations, etc.

comptoir [kɔ̃twar] n. m. 1° Table étroite et élevée sur laquelle sont servies les consommations dans un débit de boissons : *Voulez-vous vous asseoir à la terrasse ou rester au comptoir?* (syn. pop. : ZINC). — 2° Table sur laquelle un commerçant dispose ses marchandises ou reçoit ses paiements. — 3° Nom donné parfois à certains établissements commerciaux ou financiers.

compulser [kɔ̃pylse] v. tr. *Compulser un livre, un texte,* s'y référer pour une vérification, un renseignement (syn. : CONSULTER). ◆ **compulsation** n. f. : *La compulsation d'un registre.*

comte [kɔ̃t] n. m., **comtesse** [kɔ̃tɛs] n. f. Titre de noblesse intermédiaire entre ceux de marquis (marquise) et de vicomte (vicomtesse). ◆ **comté** n. m. Domaine d'un comte.

con, conne [kɔ̃, kɔn] n. et adj. *Trivialem.* Sans intelligence, stupide (mot grossier, s'employant comme injure, proscrit par le bon usage, comme les dérivés et composés : *connard, connerie, déconner*).

concasser [kɔ̃kase] v. tr. Broyer une matière en fragments grossiers : *Du sucre concassé.* ◆ **concasseur** n. m.

concave [kɔ̃kav] adj. Dont la surface est en creux : *Il regardait ses traits grossis dans un miroir concave* (contr. : CONVEXE). ◆ **concavité** n. f. : *La concavité du sol a créé un marécage.*

concéder [kɔ̃sede] v. tr. (conj. **10**). *Concéder quelque chose à quelqu'un,* le lui accorder comme avantage; renoncer en sa faveur à certaines exigences; admettre son point de vue qui est différent : *Le propriétaire lui a concédé l'exploitation de ce terrain. Concéder un point important dans une discussion* (syn. : ADMETTRE, RECONNAÎTRE). *Je vous concède qu'il était difficile d'agir autrement* (syn. : ACCORDER). ◆ **concessive** adj. f. *Proposition subordonnée concessive,* celle qui indique le fait malgré lequel un autre a lieu : *Les propositions concessives* (ou *de concession*) *sont introduites par « bien que », « quoique », « encore que », « quelque... que », etc.* ◆ **concession** n. f. : *On peut arriver à s'entendre moyennant quelques concessions mutuelles.*

1. concentrer [kɔ̃sɑ̃tre] v. tr. 1° *Concentrer des choses, des personnes,* les rassembler, les réunir en un point : *Les bagages ont été concentrés dans une seule pièce. La foule attendait, concentrée sur la place. Concentrons nos efforts sur ce point* (contr. : DISPERSER, ÉPARPILLER). *Un dictateur qui concentre tous les pouvoirs dans sa personne* (contr. : PARTAGER). — 2° *Concentrer une solution, un mélange,* en augmenter la richesse, la teneur en produit dissous. ◆ ***se concentrer*** v. pr. Se rassembler : *La foule se concentre. L'intérêt de l'œuvre se concentre dans ce chapitre.* ◆ **concentration** n. f. 1° *La concentration de la population dans les grandes villes.* — 2° *Camp de concentration,* lieu où sont rassemblés des détenus politiques, des suspects, des civils de populations ennemies. ◆ **concentrationnaire** adj. Qui se rapporte aux camps de concentration. ◆ **concentré, e** adj. *Solution concentrée,* qui contient une quantité importante du produit dissous (contr. : ÉTENDU). ‖ *Lait concentré,* lait dont on a réduit la partie aqueuse. ‖ *Odeur concentrée,* odeur forte. ◆ **concentré** n. m. Substance extraite d'une autre, en général par élimination d'eau : *Du concentré de tomate* (syn. : EXTRAIT). ◆ **déconcentration** n. f. : *Créer des usines en province pour favoriser la déconcentration industrielle.*

2. concentrer [kɔ̃sɑ̃tre] v. tr. *Concentrer son esprit, son attention, son regard,* etc., *sur quelqu'un* ou *sur quelque chose,* fixer son attention, son regard sur cette personne, réfléchir profondément à cette chose. ◆ ***se concentrer*** v. pr. (sujet nom de personne). Fixer avec intensité son attention, réfléchir profondément : *Se concentrer pour suivre une démonstration.* ◆ **concentration** n. f. : *Il faut une grande concentration d'esprit pour lire ce livre* (contr. : DISPERSION, ÉPARPILLEMENT). ◆ **concentré, e** adj. Se dit de quelqu'un très absorbé dans ses réflexions : *Il était trop concentré pour me voir.*

concentrique [kɔ̃sɑ̃trik] adj. Se dit de figures géométriques ayant le même centre : *Des cercles concentriques.* ◆ **concentriquement** adv.

concept [kɔ̃sɛpt] n. m. Idée, abstraction (terme philosophique) : *Le concept de durée. On parle du concept d'un mot ou de son « signifié ».* ◆ **conceptuel, elle** adj. : *Des catégories conceptuelles.*

conception n. f. V. CONCEVOIR 1 et 2.

concerner [kɔ̃sɛrne] v. tr. 1° *Concerner quelqu'un* ou *quelque chose,* s'y rapporter : *Une critique qui concerne le jeu des acteurs plus que l'œuvre* (syn. : VISER). — 2° *Concerner quelqu'un,* s'adresser à lui : *Voici un avis qui concerne tous les automobilistes* (syn. : INTÉRESSER). *Cette affaire vous concerne* (= c'est à vous de vous en occuper). — 3° *En ce qui concerne,* pour ce qui est de, quant à : *En ce qui me concerne, je n'y vois aucun inconvénient* (syn. : POUR MA PART).

1. concert [kɔ̃sɛr] n. m. 1° Exécution d'une œuvre musicale : *Un concert de musique ancienne. Le concert a été télévisé.* — 2° *Concert d'éloges, de lamentations,* etc., unanimité dans l'éloge, les lamentations, etc. ◆ **concerto** [kɔ̃sɛrto] n. m. Œuvre musicale caractérisée par l'alternance ou la combinaison d'un ou de deux solistes et de l'orchestre : *Des concertos pour violon et orchestre.*

2. concert (de) [dəkɔ̃sɛr] loc. adv. Avec ensemble, en s'étant mis d'accord : *Nous avons fait une démarche de concert auprès de la direction. Agir de concert avec ses amis.* ◆ **concerter** v. tr. *Concerter quelque chose,* le préparer, l'organiser d'un commun accord : *Ils concertaient une randonnée de la journée. Un plan habilement concerté.* ◆ ***se concerter*** v. pr. (sujet nom de personne). Se consulter pour mettre au point un projet commun : *Sans nous être concertés, nous avons eu la même réaction.*

concerto n. m. V. CONCERT 1.

1. concession n. f. V. CONCÉDER.

2. concession [kɔ̃sesjɔ̃] n. f. 1° Droit, propriété exclusive de vente ou d'exploitation. — 2° *Concession à perpétuité,* terrain vendu ou loué pour servir de sépulture. ◆ **concessionnaire** n. Personne ou entreprise commerciale qui a obtenu d'un producteur un droit exclusif de vente dans une région : *Le concessionnaire lui a promis pour bientôt la livraison de sa nouvelle voiture.*

concessive adj. f. V. CONCÉDER.

concevable adj. V. CONCEVOIR 2.

1. concevoir [kɔ̃səvwar] v. tr. (conj. **34**) [sujet nom désignant une femme]. *Concevoir un enfant,* devenir enceinte (littér. ou admin.). ◆ **conception** n. f. ◆ **anticonceptionnel, elle** adj. *Produit anticonceptionnel,* produit dont l'usage empêche la fécondation.

2. concevoir [kɔ̃səvwar] v. tr. (conj. **34**) [sujet nom de personne]. 1° Se représenter par la pensée : *On pourrait concevoir d'autres solutions. Je conçois facilement sa déception* (syn. : IMAGINER). *On concevrait mal qu'il ne réponde pas à l'invitation* (syn. : COMPRENDRE, ADMETTRE). — 2° *Concevoir un sentiment,* l'éprouver (littér.) : *En pensant à son voisin, il concevait tantôt de la jalousie, tantôt du dépit* (syn. : NOURRIR). — 3° *Lettre conçue en ces termes,* rédigée ainsi. ◆ **conception** n. f. Représentation qu'on se fait d'une chose, idée qu'on en a : *Nous n'avons pas la même conception de la politique à suivre* (syn. : POINT DE VUE, OPINION SUR). *Il a une conception très utilitaire de l'art. Il a exposé ses conceptions stratégiques dans un livre célèbre* (syn. : THÉORIE, DOCTRINE). ◆ **concevable** adj. Qu'on peut concevoir (sens 1), qu'on peut admettre : *Une autre explication serait concevable* (syn. : ADMISSIBLE, IMAGINABLE). ◆ **inconcevable** adj. : *Vous avez agi avec une légèreté inconcevable* (syn. : INCROYABLE, INADMISSIBLE, INIMAGINABLE, ↑ STUPÉFIANT). *Il est inconcevable que vous ayez agi de cette façon* (syn. : IMPENSABLE).

concierge [kɔ̃sjɛrʒ] n. Personne chargée de la garde d'un immeuble : *J'ai déposé les clefs chez le concierge. La concierge a monté le courrier.*

concile [kɔ̃sil] n. m. Assemblée d'évêques et de théologiens, présidée par le pape, et décidant de questions doctrinales. ◆ **conciliaire** adj. : *Père conciliaire. Décision conciliaire.*

conciliabule [kɔ̃siljabyl] n. m. Entretien privé, ou même secret, généralement long : *Ils ont eu un interminable conciliabule avant de me rapporter leur réponse.*

concilier [kɔ̃silje] v. tr. 1° *Concilier des choses,* trouver un accommodement, un rapprochement, un accord entre des choses diverses : *Comment concilier ces deux exigences contraires? Essayons de concilier les dépenses à faire avec l'exiguïté du budget* (syn. : ACCORDER). — 2° *Concilier à quelqu'un une personne, une chose,* la disposer favorablement envers lui, la lui rallier : *Son programme électoral lui a concilié la faveur des personnes âgées* (syn. : ATTIRER, GAGNER). ◆ ***se concilier*** v. pr. *Se concilier quelqu'un,* le disposer en sa faveur. ◆ **conciliable** adj. : *Deux souhaits parfaitement conciliables.* ◆ **inconciliable** adj. : *La magnanimité et la vengeance sont inconciliables.* ◆ **conciliant, e** adj. 1° Se dit d'une personne (ou de son comportement) disposée à s'entendre avec les autres : *Il est très conciliant : il ne vous refusera pas cela* (syn. : ACCOMMODANT, TOLÉRANT). — 2° De nature à favoriser un accord : *Des paroles conciliantes.* ◆ **conciliation** n. f. Arrangement, accord entre des personnes ou des choses : *J'ai vainement tenté une démarche de conciliation entre les deux adversaires. Par esprit de conciliation, je renonce à faire valoir mes droits.* ◆ **conciliateur, trice** adj. et n. : *Les tendances conciliatrices ont fini par l'emporter. Jouer le rôle d'un conciliateur.* (V. RÉCONCILIER.)

concis, e [kɔ̃si, -iz] adj. Se dit de quelqu'un (de ses paroles, de ses écrits) qui exprime beaucoup d'idées en peu de mots : *Un écrivain, un orateur concis. Je dois présenter un rapport très concis, d'une page au maximum* (contr. : VERBEUX). *Il a expliqué la chose en termes concis* (syn. : BREF, SUCCINCT; contr. : DIFFUS, PROLIXE). ◆ **concision** n. f. : *La concision est généralement une condition de la clarté. Une concision poussée à l'excès devient sécheresse* (syn. : BRIÈVETÉ, LACONISME; contr. : PROLIXITÉ, VERBIAGE).

concitoyen, enne n. V. CITOYEN.

conclave [kɔ̃klav] n. m. Assemblée de cardinaux pour élire un pape.

conclure [kɔ̃klyr] v. tr. (conj. **68**). 1° *Conclure quelque chose,* le mener à son terme, le réaliser complètement : *Après de longues discussions, nous avons fini par conclure le marché. Un pacte conclu entre deux nations* (syn. : SIGNER). — 2° *Conclure quelque chose par,* lui donner comme conclusion : *Il a conclu son allocution par un appel à l'unité.*

— 3° *Conclure une chose d'une autre,* l'inférer, la déduire comme conséquence : *De ce premier examen, on peut conclure deux choses. Il n'a pas répondu à ma lettre, j'en conclus qu'il est absent.* ◆ v. tr. ind. *Conclure à une chose,* se prononcer pour elle : *Les experts ont conclu à la responsabilité totale de l'accusé.* ◆ **concluant, e** adj. Qui apporte une confirmation, une preuve : *Une expérience, une démonstration concluante. Le résultat est concluant* (syn. : PROBANT, CONVAINCANT). ◆ **conclusion** n. f. 1° Action de conclure (sens 1) : *La conclusion de l'accord a été difficile* (syn. : RÉALISATION). — 2° Partie terminale d'une œuvre qui exprime les idées essentielles auxquelles aboutit le développement : *Une dissertation dont la conclusion manque de netteté* (contr. : INTRODUCTION). — 3° Conséquence déduite d'un raisonnement, d'un ou de plusieurs faits : *Voilà ce qui s'est passé : je vous laisse le soin d'en tirer la conclusion. On en arrive à la conclusion qu'il a menti effrontément.* • LOC. ADV. *En conclusion,* de tout cela il ressort que... : *Toutes ses initiatives sont malheureuses : en conclusion, il ferait mieux de rester tranquille* (syn. : BREF, EN UN MOT, EN FIN DE COMPTE).

concombre [kɔ̃kɔ̃br] n. m. Plante potagère fournissant un fruit allongé et vert, qu'on prépare en salade.

concomitant, e [kɔ̃kɔmitɑ̃, -ɑ̃t] adj. Se dit d'un phénomène qui en accompagne un autre dans ses diverses phases. ◆ **concomitance** n. f. : *La concomitance des variations atteste la relation de cause à effet* (syn. : SIMULTANÉITÉ).

concordat [kɔ̃kɔrda] n. m. Traité entre le Saint-Siège et un gouvernement sur les affaires religieuses : *Le concordat de 1801 fut conclu entre Pie VII et Napoléon Ier.* ◆ **concordataire** adj. : *Un régime concordataire.*

concorde [kɔ̃kɔrd] n. f. Bonne entente entre les personnes : *Un climat de concorde règne dans la famille* (syn. : HARMONIE, UNION, PAIX). ◆ **discorde** n. f. Contr. de *concorde : Aucun effort commun n'est possible dans la discorde* (syn. : DÉSUNION). *Tout le monde s'entendait bien ici jusqu'au jour où il est venu semer la discorde* (syn. : DIVISION, ZIZANIE).

concorder [kɔ̃kɔrde] v. intr. (sujet nom de chose). Etre en conformité avec autre chose : *Le fait ne paraît pas douteux, car tous les témoignages des historiens concordent sur ce point. La date qu'il m'indique ne concorde pas avec celle qui était convenue* (syn. : CORRESPONDRE, COÏNCIDER). ◆ **concordant, e** adj. Se dit de choses qui sont en accord entre elles : *Des preuves concordantes* (syn. : CONVERGENT). *Un récit peu concordant avec la réalité* (syn. : CONFORME À). ◆ **concordance** n. f. : *Les critiques s'en prennent avec une remarquable concordance au manque d'unité de l'œuvre* (syn. : UNITÉ, ACCORD). *J'ai été frappé par la concordance des dates* (syn. : COÏNCIDENCE). ◆ **discordant, e** adj. 1° Contr. de *concordant : Les différents médecins consultés ont formulé des diagnostics discordants.* — 2° *Sons discordants,* qui manquent d'harmonie (syn. : CACOPHONIQUE). ◆ **discordance** n. f. : *On note une discordance dans les deux récits* (syn. plus usuel : DIVERGENCE).

1. concourir [kɔ̃kurir] v. tr. ind. [à] (conj. 29). [sujet nom de personne ou de chose]. Tendre ensemble vers un même but : *Tous les détails de composition concourent à l'harmonie générale du tableau. Les danses folkloriques ont concouru à donner à la fête tout son éclat.* ◆ **concourant, e** adj. *Lignes, forces concourantes,* qui se rencontrent au même point. ‖ *Efforts concourants,* qui tendent au même résultat. ◆ **concours** [kɔ̃kur] n. m. 1° Aide, participation à une activité : *Un concert symphonique avec le concours d'un célèbre violoniste. Plusieurs organisations ont prêté leur concours à cette manifestation.* — 2° *Concours de circonstances, d'événements,* rencontre, coïncidence de faits. — 3° *Concours de peuple,* rassemblement de foule en un point (littér.).

2. concourir [kɔ̃kurir] v. intr. (conj. 29) [sujet nom de personne]. Participer à un concours, être en concurrence avec d'autres en vue d'obtenir une place, un titre, un prix : *De nombreux candidats ont concouru pour ce poste de secrétaire.* ◆ **concours** n. m. 1° Examen permettant de classer les candidats à une place, à un prix, à l'admission à une grande école, etc. : *L'agrégation est un concours ouvert aux licenciés. Une administration qui recrute des agents par voie de concours.* — 2° *Hors concours,* qui a été précédemment récompensé et n'est plus admis à concourir; et, *fam.,* qui surpasse de loin tous les autres, qui est hors de pair : *Un tireur hors concours* (syn. : D'ÉLITE). *Un fromage hors concours* (syn. : INCOMPARABLE).

concret, ète [kɔ̃krɛ, -ɛt] adj. 1° Qui se rapporte à la réalité, par opposition à ce qui est une vue de l'esprit, un produit de l'imagination, une abstraction : *Une théorie susceptible d'applications concrètes* (syn. : PRATIQUE, MATÉRIEL). *On enseigne l'arithmétique aux enfants à partir d'exemples concrets* (contr. : ABSTRAIT). — 2° *Nom concret,* nom qui désigne un être ou un objet que les sens peuvent percevoir (contr. : NOM ABSTRAIT). ‖ *Musique concrète,* faite à partir de sons émanant de toutes les sources sonores et assemblés selon divers procédés. ◆ **concrètement** adv. : *Je me représente très concrètement la situation* (contr. : ABSTRAITEMENT). ◆ **concrétiser** v. tr. Réaliser de façon concrète, faire passer du stade de projet à celui de la réalisation : *On peut concrétiser la démonstration par une figure* (syn. : MATÉRIALISER). ◆ ***se concrétiser*** v. pr. : *Le programme commence à se concrétiser* (syn. : RÉALISER).

concrétion [kɔ̃kresjɔ̃] n. f. Agglomération de particules en un corps solide : *Les stalactites et les stalagmites sont des concrétions calcaires.*

concubin, e [kɔ̃kybɛ̃, -in] n. Qui vit maritalement avec une personne de l'autre sexe sans être marié avec elle (syn. plus usuels : AMI, AMIE). ◆ **concubinage** n. m. : *Ils vivent en concubinage.*

concupiscence [kɔ̃kypisɑ̃s] n. f. Attrait pour les plaisirs sensuels (surtout langue relig.). ◆ **concupiscent, e** adj. : *Des regards concupiscents.*

concurremment [kɔ̃kyramɑ̃] adv. 1° En même temps : *Il s'occupe concurremment de ces deux questions* (syn. : SIMULTANÉMENT, À LA FOIS). — 2° *Concurremment avec,* en ajoutant son action à celle de quelqu'un ou de quelque chose, ou en rivalisant avec : *La beauté du paysage attire les touristes, concurremment avec la qualité de la cuisine.*

1. concurrent, e [kɔ̃kyrɑ̃, -ɑ̃t] n. et adj. Qui participe à un concours, à une épreuve sportive : *Beaucoup de concurrents ont abandonné avant la fin de l'épreuve.*

2. concurrent, e [kɔ̃kyrɑ̃, -ɑ̃t] n. et adj. Qui est en rivalité d'intérêts avec d'autres : *Si je suis mécontent de mon fournisseur, je m'adresserai à son concurrent.* ◆ **concurrence** n. f. 1° Rivalité d'intérêts provoquant une compétition, spécialement dans le secteur industriel ou commercial : *Le jeu normal de la concurrence tend à la baisse des prix. Un article vendu à un prix défiant toute concurrence* (= à bas prix). — 2° *Entrer en concurrence avec quelqu'un,* entrer en rivalité avec lui; (sujet nom de chose) entrer en compétition avec quelque chose. ‖ *Jusqu'à concurrence de,* jusqu'à la limite de : *Je vous ouvre un crédit jusqu'à concurrence de mille francs.* ◆ **concurrencer** v. tr. Faire concurrence à : *Un nouveau produit détersif qui va concurrencer sérieusement les précédents.* ◆ **concurrentiel, elle** adj. Qui soutient la concurrence : *L'industrie textile doit devenir concurrentielle* (syn. : COMPÉTITIF).

concussion [kɔ̃kysjɔ̃] n. f. Perception de sommes indues par un fonctionnaire qui a la gestion de fonds publics (souvent pris dans le sens de « détournement ») : *Un haut fonctionnaire accusé de concussion.* ◆ **concussionnaire** adj. et n. Coupable de concussion.

condamner [kɔ̃dane] v. tr. 1° (sujet nom de personne) *Condamner quelqu'un,* frapper d'une peine quelqu'un déclaré coupable : *Le jury a condamné l'accusé à trois ans de prison* (contr. : ACQUITTER). *Il a été condamné à mort. Pour avoir manqué de parole, tu seras condamné à offrir l'apéritif à toute la compagnie.* — 2° (sujet nom de personne) *Condamner une personne, un acte,* les déclarer coupables : *Je ne peux pas le condamner d'avoir agi ainsi* (syn. : CRITIQUER). *Condamner la violence, le mensonge* (syn. : BLÂMER, DÉSAPPROUVER). *Les signataires se sont mis d'accord pour condamner certaines armes atomiques. Une locution condamnée par les puristes* (syn. : PROSCRIRE, BANNIR). — 3° *Condamner un malade,* déclarer qu'il ne peut pas guérir, qu'il est perdu : *Il n'y a plus d'espoir raisonnable : tous les médecins l'ont condamné.* — 4° *Condamner une porte, une ouverture,* en rendre l'usage impossible, l'obstruer. — 5° (sujet nom de chose) Faire apparaître la culpabilité de : *Son silence le condamne* (syn. : ACCABLER). — 6° *Condamner quelqu'un à quelque chose,* le mettre dans la pénible obligation, la nécessité de faire cette chose : *Son accident le condamne à de longs mois d'immobilité. Le métier que j'ai choisi me condamne à vivre souvent éloigné de ma famille.* ◆ **condamnable** [kɔ̃danabl] adj. Qui mérite d'être condamné (sens 2) : *Son geste n'a rien de condamnable. Vous n'êtes pas condamnable d'avoir aussi songé à vos intérêts* (syn. : BLÂMABLE, RÉPRÉHENSIBLE). ◆ **condamnation** [kɔ̃danasjɔ̃] n. f. 1° Jugement qui condamne; action de condamner (aux différents sens) : *Certains jurés étaient partisans de la condamnation, d'autres de l'acquittement. Porter une sévère condamnation à l'encontre de tels agissements* (syn. : ↓ CRITIQUE). — 2° Fait qui constitue un témoignage accablant contre : *Cet échec est la condamnation de cette théorie.*

condensateur [kɔ̃dɑ̃satœr] n. m. Appareil servant à emmagasiner une charge électrique.

1. condenser [kɔ̃dɑ̃se] v. tr. 1° *Condenser un corps,* le faire passer de l'état gazeux à l'état liquide : *Le froid de la vitre condense la vapeur d'eau.* — 2° *Lait condensé,* syn. de *lait* CONCENTRÉ.

2. condenser [kɔ̃dɑ̃se] v. tr. Résumer un récit en peu de mots : *Le récit de l'événement a été condensé en une page.* ◆ **condensé** n. m. Résumé succinct : *Cet article de revue est un excellent condensé de l'ouvrage.*

condescendre [kɔ̃dɛsɑ̃dr] v. tr. ind. (conj. **50**) [sujet nom de personne]. Péjor. *Condescendre à quelque chose,* y consentir en donnant l'impression de faire une faveur : *Quand il condescend à répondre, c'est d'un air très supérieur* (syn. : S'ABAISSER). ◆ **condescendant, e** adj. Péjor. : *Il s'est adressé à moi d'un ton condescendant* (syn. : ↑ DÉDAIGNEUX). ◆ **condescendance** n. f. Péjor. : *Il le traitait avec une condescendance blessante* (syn. : HAUTEUR).

condiment [kɔ̃dimɑ̃] n. m. Produit comestible ajouté à un aliment pour en relever le goût : *Les cornichons, les câpres, le poivre, la moutarde sont des condiments.*

condisciple [kɔ̃disipl] n. Compagnon, compagne d'études.

1. condition [kɔ̃disjɔ̃] n. f. 1° Circonstance extérieure dont dépendent les personnes et les choses (souvent au plur.) : *Les conditions atmosphériques sont favorables au lancement de la fusée. La patience est une condition de la réussite. Le travail est achevé; dans ces conditions, je n'ai plus rien à faire ici* (= dans ce cas). — 2° Base d'un accord, convention entre des personnes : *La reconstitution d'une armée était contraire aux conditions du traité de paix* (syn. : CLAUSE). *Le vainqueur exigeait une capitulation sans condition* (= que le vaincu s'en remette à sa merci). *La seule condition d'admission dans cette association est le paiement d'une cotisation. J'ai écrit dans plusieurs hôtels pour demander les conditions* (syn. : TARIF). *Un fournisseur qui fait des conditions avantageuses aux collectivités* (syn. : PRIX). — 3° *Mettre des personnes en condition,* les soumettre à une propagande intensive, de manière à les préparer à accepter certaines mesures. ‖ *Sous condition,* sous certaines réserves. ‖ *Prendre un article à condition,* en parlant d'un commerçant, accepter un article qu'il pourra rendre à son fournisseur s'il ne l'a pas vendu après un délai convenu. ● *A condition de,* loc. prép. (suivi d'un infin.), *à condition que,* loc. conj. (suivi du subj.), expriment une nécessité ou une obligation préalable : *Vous arriverez dans trois heures environ, à condition de n'avoir aucun incident de route. Je puis vous accompagner, à condition que cela ne vous dérange pas* (syn. : POURVU QUE, SI). ◆ **conditionnel, elle** adj. 1° Qui dépend d'une condition : *Mon accord est conditionnel.* — 2° *Mode conditionnel* ou *conditionnel* n. m., mode du verbe qui présente l'action comme une éventualité, une hypothèse. ‖ *Proposition subordonnée conditionnelle,* celle qui exprime une condition dont dépend la proposition principale, et qui est introduite par des conjonctions telles que *si, pourvu que, à moins que.* ◆ **inconditionnel, elle** adj. : *Il m'a promis son appui inconditionnel* (syn. : SANS RÉSERVE, TOTAL). ◆ **inconditionnellement** adv. : *Se soumettre inconditionnellement.* ◆ **conditionner** v. tr. 1° *Conditionner quelque chose,* en être une condition de : *Votre acceptation conditionne le commencement des travaux* (syn. : DÉTERMINER, COMMANDER, DÉCIDER DE). — 2° *Conditionner une marchandise, un produit,* les emballer en vue de leur présentation dans le commerce. — 3° *Conditionner quelqu'un,* le déterminer à agir d'une certaine façon, créer chez lui certains réflexes (surtout au part. passé) : *Il est conditionné par l'éducation très austère qu'il a reçue.* — 4° *Bien, mal conditionné,* se dit d'une chose qui répond bien ou mal à l'usage pour lequel elle a été conçue : *Une cuisine bien conditionnée.* — 5° *Air conditionné,* air maintenu automatiquement, dans une salle, une habitation, à certaines conditions de température, d'humidité, etc. ◆ **conditionnement** n. m. Présentation, dans son emballage, d'un article commercial.

2. condition [kɔ̃disjɔ̃] n. f. 1° Situation sociale, rang occupé par une personne : *On croise dans la rue des gens de toutes les conditions. Un homme de sa condition ne devrait pas s'abaisser à de telles mesquineries* (syn. : CLASSE). — 2° Etat physiologique : *Sa condition physique laisse à désirer. Les athlètes sont en bonne condition* (syn. fam. : EN FORME).

condoléances [kɔ̃dɔleɑ̃s] n. f. pl. Témoignage donné à quelqu'un de la part qu'on prend à sa douleur : *Je lui ai adressé une lettre de condoléances à la suite du deuil qui l'a frappé.*

condor [kɔ̃dɔr] n. m. Grand vautour des Andes.

1. conduire [kɔ̃dɥir] v. tr. (conj. 70). 1° (sujet nom de personne) *Conduire un être animé,* le mener d'un lieu à un autre : *Les agents ont conduit le vagabond au poste* (syn. : EMMENER). *Un enfant qui conduit un aveugle dans la rue* (syn. : GUIDER). *La délégation syndicale était conduite par les secrétaires de sections* (syn. : DIRIGER). — 2° *Conduire un véhicule, un avion,* etc., le diriger, en assurer la manœuvre (souvent intr.) : *Il conduit sa voiture avec beaucoup de maîtrise. Il conduit très prudemment.* — 3° *Conduire une affaire, un pays,* en avoir la direction, le gouvernement : *Les fouilles sont conduites par un archéologue célèbre. Une usine conduite par son créateur.* — 4° *Cette route, ce chemin conduit à tel endroit,* en les suivant on arrive à cet endroit. — 5° *Conduire quelqu'un à quelque chose, à faire quelque chose,* orienter son action vers cela : *J'ai remarqué un détail qui me conduit à une nouvelle conclusion* (syn. : AMENER). *Cela me conduit à penser que...* (syn. : PORTER). — 6° Avoir pour conséquence : *Une politique qui conduit à l'inflation* (syn. : ABOUTIR). ◆ **conducteur, trice** n. 1° Personne qui conduit un véhicule : *Le conducteur de la voiture a été blessé dans l'accident* (syn. : CHAUFFEUR). — 2° Personne qui assure la bonne marche : *Le conducteur des travaux est un homme d'expérience.* ◆ adj. 1° Se dit d'un corps qui transmet intégralement l'énergie : *Bon, mauvais conducteur de l'électricité, de la chaleur.* — 2° *Fil conducteur,* principe qui guide quelqu'un dans une recherche. ◆ **conduite** n. f. 1° Rôle de la personne qui conduit; manière de diriger : *On lui a confié la conduite de cette exploitation* (syn. : DIRECTION). *Automobiliste qui a une conduite saccadée.* — 2° *Conduite à droite, à gauche,* circulation des véhicules sur le côté droit, le côté gauche de la chaussée; place du conducteur à droite, à gauche, dans la voiture. ‖ Fam. *Faire un bout de conduite à quelqu'un,* l'accompagner sur un trajet assez court. ‖ *Conduite intérieure,* type d'automobile fermée.

2. conduire (se) [səkɔ̃dɥir] v. pr. (conj. 70). Agir de telle ou telle façon : *Il s'est conduit comme un malappris. On récompense les élèves qui se conduisent bien* (syn. : SE TENIR). *Il sait se conduire en société* (= respecter les bienséances). ◆ **conduite** n. f. 1° Manière de se conduire : *Votre conduite mérite tous les éloges. Un élève qui se fait remarquer par sa mauvaise conduite* (syn. : TENUE). *Dans cette affaire, sa conduite a été louche* (syn. : COMPORTEMENT, ATTITUDE). — 2° Fam. *Acheter une conduite,* mener une vie plus rangée. ◆ **inconduite** n. f. Dérèglement des mœurs, manière de vivre peu conforme à la morale : *Son inconduite a fait scandale dans la petite ville.*

conduit [kɔ̃dɥi] n. m. Tuyau, canal, et notamment canal naturel de l'organisme : *Conduit auditif. Conduit lacrymal.* ◆ **conduite** n. f. Canalisation : *Une conduite d'eau a éclaté.*

conduite n. f. V. CONDUIRE 1 et 2, et CONDUIT.

cône [kon] n. m. Objet de base circulaire et qui se rétrécit régulièrement en pointe : *L'extrémité d'un crayon qu'on a taillé au taille-crayon forme un cône. Un entonnoir en cône.* ◆ **conique** adj. Qui a la forme d'un cône : *Un pivot à pointe conique.*

1. confection [kɔ̃fɛksjɔ̃] n. f. (suivi d'un compl.). Action de faire, de réaliser quelque chose en plusieurs opérations : *La confection de ce gâteau demande environ deux heures* (syn. : EXÉCUTION). ◆ **confectionner** v. tr. *Confectionner un objet, une chose,* exécuter une chose dont la complexité requiert plusieurs opérations : *Il a confectionné lui-même des appareils pour ses travaux photographiques* (syn. : FABRIQUER, FAIRE). *Confectionner une sauce* (syn. : PRÉPARER, APPRÊTER, COMPOSER).

2. confection [kɔ̃fɛksjɔ̃] n. f. Fabrication de vêtements en série selon des mesures types : *Une couturière qui travaille dans la confection. Vêtement de confection* (syn. : PRÊT À PORTER; contr. : SUR MESURE). ◆ **confectionneur, euse** n.

confédération [kɔ̃federasjɔ̃] n. f. 1° Groupement d'Etats conservant une certaine autonomie : *La Confédération helvétique.* — 2° Groupement de syndicats au sein d'un organisme national; groupement professionnel : *La Confédération générale du travail. Confédération des petites et moyennes entreprises.* ◆ **confédéral, e, aux** adj. : *Un meeting confédéral.* ◆ **confédéré, e** adj. et n. : *Les Etats confédérés.*

conférence n. f. V. CONFÉRER 2.

1. conférer [kɔ̃fere] v. tr. 1° (sujet nom de personne) *Conférer quelque chose à quelqu'un,* lui accorder, attribuer comme honneur : *Le Conseil des ministres a conféré le grade de général en chef au général X. Conférer la médaille militaire* (syn. : DÉCERNER). — 2° (sujet nom de chose) Donner une valeur, une qualité particulière à : *Le changement d'intonation peut conférer des sens bien différents aux mêmes paroles* (syn. : ↓ ATTACHER).

2. conférer [kɔ̃fere] v. intr. (sujet nom de personne). Etre en conversation : *Les ministres avaient longuement conféré sur l'opportunité de l'opération* (syn. : DISCUTER). *Le directeur conférait avec ses collaborateurs* (syn. : S'ENTRETENIR). ◆ **conférence** n. f. 1° Echange de vues entre deux ou plusieurs personnes sur telle ou telle question : *Les membres du bureau ont tenu une conférence pour faire le point de la situation. Les ingénieurs sont en conférence.* — 2° Réunion de diplomates, de délégués de plusieurs pays en vue de règlements de problèmes internationaux : *La Conférence du désarmement.* — 3° Exposé oral fait sur une question littéraire, artistique ou scientifique : *Un explorateur qui fait* *une conférence avec projections photographiques* (syn. : ↓ CAUSERIE). — 4° *Conférence de presse,* réunion au cours de laquelle une personne fait un exposé devant des journalistes et répond à leurs questions. ◆ **conférencier, ère** n. Personne qui fait une conférence (sens 3).

confesser [kɔ̃fɛse] v. tr. 1° *Confesser quelque chose, que* (et l'indic.), le reconnaître, le dire avec regret (langue soutenue ou relig.) : *Je confesse que j'avais tort* (syn. : AVOUER). *Confesser ses péchés à un prêtre.* — 2° *Confesser quelqu'un,* entendre sa confession ; et, *fam.,* l'amener habilement à des aveux. ◆ ***se confesser*** v. pr. Dans la religion catholique, faire l'aveu de ses fautes à un prêtre pour recevoir l'absolution. ◆ **confesse** n. f. *Aller à confesse,* aller se confesser. ◆ **confession** n. f. Aveu de ce qui vous charge la conscience : *La confession est un sacrement de la religion catholique. Le prisonnier a fait une confession complète à son avocat.* ◆ **confessionnal, aux** n. m. Isoloir où les pénitents confessent leurs fautes à un prêtre catholique. ◆ **confesseur** n. m. Prêtre qui confesse.

1. confession n. f. V. CONFESSER.

2. confession [kɔ̃fɛsjɔ̃] n. f. Appartenance à telle ou telle religion : *Des chrétiens de confession catholique, luthérienne* (syn. : CULTE). ◆ **confessionnel, elle** adj. *Etablissement confessionnel,* école privée qui donne un enseignement religieux d'un culte déterminé.

confetti [kɔ̃feti] n. m. Petite rondelle de papier de couleur : *A certaines fêtes, on se lance parfois des poignées de confettis.*

confiance [kɔ̃fjɑ̃s] n. f. 1° Sentiment de sécurité d'une personne à l'égard de quelqu'un ou de quelque chose (sans article dans les loc. avec *avoir, perdre, donner, inspirer,* etc.) : *J'ai une confiance totale en cet ami* (contr. : DÉFIANCE, MÉFIANCE). *Voilà une voiture qui ne m'inspire pas confiance. Ne perdez pas confiance : le médecin répond de la guérison du malade. Vous pouvez acheter cet appareil en toute confiance* (= sans crainte pour son bon fonctionnement). *Avoir confiance en soi* (= être assuré de ses possibilités physiques ou intellectuelles). — 2° *Personne de confiance,* qui mérite qu'on lui confie un rôle important. ‖ *Question de confiance,* question posée à une assemblée législative par un chef de gouvernement en vue d'obtenir l'approbation de sa politique. ‖ *Voter la confiance,* en parlant de l'Assemblée nationale, émettre un vote favorable au gouvernement sur une question jugée par lui essentielle. ◆ **confiant, e** adj. Qui fait preuve de confiance : *Je suis confiant en sa parole. Il est trop confiant : il a été victime d'un escroc* (contr. : DÉFIANT, MÉFIANT).

confidence n. f. V. CONFIER 2.

1. confier [kɔ̃fje] v. tr. *Confier une chose, une personne à quelqu'un, à un organisme,* les remettre à sa garde, les laisser à ses soins : *Je vous confie les clefs de mon appartement. Il a confié toutes ses économies à une banque. Confier des enfants à une colonie de vacances.*

2. confier [kɔ̃fje] v. tr. *Confier quelque chose à quelqu'un,* le lui dire en secret : *Il m'avait confié son projet. Je peux vous confier que cette maladie n'est qu'un prétexte.* ◆ ***se confier*** v. pr. *Se confier à quelqu'un,* faire part à un confident de ses idées ou de ses sentiments intimes : *Il ne se confie à personne.* ◆ **confidence** [kɔ̃fidɑ̃s] n. f. Déclaration faite en secret à quelqu'un : *Je vais vous faire une confidence : c'est moi qui avais préparé cette petite surprise. Il m'a dit en confidence qu'il cherchait une autre situation* (syn. : EN SECRET). ◆ **confident, e** n. Personne qui reçoit des confidences : *J'ai trouvé en lui un confident très sûr dans mon désarroi.* ◆ **confidentiel, elle** adj. : *J'aimerais avoir un entretien confidentiel avec vous, venez un instant à l'écart* (= seul à seul). ◆ **confidentiellement** adv. : *J'ai appris confidentiellement que ce constructeur préparait un nouveau modèle.*

configuration [kɔ̃figyrasjɔ̃] n. f. Forme générale, aspect d'ensemble (se dit surtout d'un relief géographique) : *La configuration du pays est propice à la guérilla.*

1. confiner [kɔ̃fine] v. tr. ind. (sujet nom de chose, ordinairement abstrait). *Confiner à quelque chose,* en être très proche : *Un air de satisfaction qui confine à l'insolence* (syn. : FRISER).

2. confiner [kɔ̃fine] v. tr. Enfermer dans des limites étroites : *Je ne veux pas le confiner dans ce bureau.* ◆ ***se confiner*** v. pr. 1° S'enfermer dans un lieu d'où on ne sort presque jamais : *Se confiner dans sa chambre.* — 2° Se limiter à une occupation, à une activité unique. ◆ **confiné, e** adj. *Air confiné,* non renouvelé.

confins [kɔ̃fɛ̃] n. m. pl. Limites extrêmes d'un pays, d'un territoire : *Il habite aux confins de la Normandie et de la Bretagne. Vous pourriez chercher jusqu'aux confins de la Terre.*

confire [kɔ̃fir] v. tr. (conj. **72**). *Confire des fruits,* les imprégner d'un sirop de sucre. ‖ *Confire des cornichons, des olives,* etc., les faire macérer dans du vinaigre. ◆ **confiserie** n. f. 1° Travail du confiseur. — 2° Magasin de confiseur : *Contempler la devanture d'une confiserie.* — 3° Produit préparé ou vendu par un confiseur : *Un enfant qui se gave de confiseries.* ◆ **confiseur, euse** n. Personne qui prépare ou qui vend des fruits confits, des sucreries, etc. ◆ **confit, e** adj. 1° Conservé dans du sucre, du vinaigre, etc. — 2° Fam. *Confit de, en dévotion,* d'une dévotion excessive. ◆ **confiture** n. f. Préparation constituée par des fruits ou du jus de fruits cuits avec du sucre : *De la confiture de groseilles, de prunes, de fraises, etc. L'enfant mangeait une tartine de confiture.*

1. confirmer [kɔ̃firme] v. tr. 1° *Confirmer quelqu'un,* l'affermir dans une croyance, une intention : *J'hésitais à continuer, mais il m'a confirmé dans mon entreprise. J'ai été heureux qu'on me confirme dans la bonne opinion que j'avais de cette personne.* — 2° *Confirmer un fait, une nouvelle,* etc., en attester la vérité, renforcer la conviction que quelqu'un a de son authenticité : *Il m'a confirmé l'existence d'un souterrain qui part du château. L'expérience a confirmé l'hypothèse. Je vous confirme que votre nomination est officielle.* ◆ **confirmation** n. f. : *Je n'entreprendrai rien avant d'avoir confirmation de cette nouvelle. Voilà un détail qui apporte une confirmation à ma thèse. Il m'a donné confirmation de son accord.*

2. confirmer [kɔ̃firme] v. tr. Donner à quelqu'un le sacrement de confirmation. ◆ **confirmation** n. f. Sacrement de l'Eglise catholique. ◆ **confirmand, e** n. Personne qui va recevoir la confirmation. ◆ **confirmé, e** n.

confisquer [kɔ̃fiske] v. tr. *Confisquer quelque chose à quelqu'un,* l'en déposséder par un acte d'autorité : *Le professeur a confisqué à l'élève son illustré. Les biens des condamnés avaient été confisqués par décision de ce tribunal.* ◆ **confiscation** n. f. : *En cherchant à passer cette marchandise en fraude à la douane, vous vous exposez à sa confiscation.*

confit, e adj., **confiture** n. f. V. CONFIRE.

conflagration [kɔ̃flagrasjɔ̃] n. f. Déchaînement général de violence, bouleversement universel par la guerre (langue soutenue).

conflit [kɔ̃fli] n. m. Violente opposition matérielle ou morale : *Le monde a connu deux grands conflits dans la première moitié du XXe siècle* (syn. : GUERRE). *Un conflit d'intérêts, d'opinions. Entrer en conflit avec les autorités* (syn. : LUTTE). ◆ **conflictuel, elle** adj.

confluer [kɔ̃flye] v. intr. *Cours d'eau qui confluent,* qui se réunissent, mêlent leurs eaux. ◆ **confluent** n. m. Lieu où deux cours d'eau se rencontrent : *Le confluent de la Seine et de l'Oise est à Conflans-Sainte-Honorine.*

1. confondre [kɔ̃fɔ̃dr] v. tr. (conj. **51**). 1° *Confondre des choses,* les mêler jusqu'à ne plus les distinguer : *Sa mémoire le trahit, il confond toutes les dates.* — 2° *Confondre une chose, un être animé avec un autre,* les prendre l'un pour l'autre : *Ne confondez pas un âne et un mulet. J'ai confondu mon manteau avec le sien. Ma prudence n'est pas de la crainte, il ne faudrait pas confondre.* ◆ ***se confondre*** v. pr. (sujet nom de chose). Ne pas être distinct : *Ces deux couleurs se confondent de loin. Il se confond avec la foule qui l'entoure.* (V. CONFUS 1.)

2. confondre [kɔ̃fɔ̃dr] v. tr. (conj. **51**). 1° *Confondre quelqu'un,* le mettre hors d'état de se justifier : *Il a confondu ses calomniateurs.* — 2° *Etre confondu,* être profondément pénétré d'un sentiment : *J'étais confondu de gratitude devant tant de générosité. On reste confondu devant une telle naïveté* (syn. : STUPÉFAIT). ◆ ***se confondre*** v. pr. : *Se confondre en remerciements, en excuses, en politesses,* etc., les prodiguer avec empressement. (V. CONFUS 2.)

conformation n. f. V. CONFORMÉ.

conforme [kɔ̃fɔrm] adj. Se dit de quelque chose dont la forme correspond à un modèle, à un point de référence : *Une copie conforme au manuscrit original. Il a trouvé une maison conforme à ses besoins. Une décision conforme au règlement.* ◆ **conformer** v. tr. Rendre conforme quelque chose (nom abstrait) : *Le réalisme commande de conformer son plan aux possibilités* (syn. : ADAPTER). ◆ ***se conformer*** v. pr. (sujet nom de personne). *Se conformer à quelque chose,* agir en adaptant son comportement au modèle proposé; se régler sur quelque chose : *Il faut se conformer au programme* (syn. : RESPECTER). ◆ **conformément** adv. [**à**] : *Conformément à la Constitution, le président de la République pouvait prononcer la dissolution de l'Assemblée nationale* (syn. : SELON, AUX TERMES DE; contr. : CONTRAIREMENT). ◆ **conformité** n. f. Etat de ce qui présente un accord complet, une adaptation totale : *Je me réjouis de la parfaite conformité de nos vues* (syn. : CONCORDANCE, UNITÉ). *Ses actes ne sont pas en conformité avec ses principes* (syn. : ACCORD). ◆ **non-conformité** n. f. : *La non-conformité de cette installation de chauffage aux règles de la sécurité.* ◆ **conformisme** n. m. *Péjor.* Respect absolu de certaines traditions, de la morale sociale en usage : *L'académisme est une forme de conformisme dans l'art.* ◆ **conformiste** adj. et n. Qui se conforme sans originalité aux usages, aux principes généralement admis. ◆ **non-conformisme** ou **anticonformisme** n. m. : *Le non-conformisme est le refus des usages établis ou des opinions reçues qui entravent le progrès ou font obstacle à l'originalité d'expression* (syn. : INDÉPENDANCE; péjor. : ANARCHISME). *L'anticonformisme est un refus de s'intégrer aux structures d'une société.* ◆ **non-conformiste** ou **anticonformiste** n. et adj. : *Il avait gardé de sa jeunesse une attitude non conformiste* (syn. : INDIVIDUALISTE, INDÉPENDANT). *Dans sa manière de vivre comme dans sa pensée, il restait un anticonformiste* (syn. : ↑ ANARCHISTE).

conformé, e [kɔ̃fɔrme] adj. *Nouveau-né bien conformé,* qui est né sans tare, sans défaut physique. ◆ **conformation** n. f. Forme particulière d'un organe ou d'un être vivant : *Il a une prononciation défectueuse en raison d'un vice de conformation du palais.*

confort [kɔ̃fɔr] n. m. Bien-être matériel résultant des commodités qu'on a à sa disposition, de l'agrément d'une installation : *Les sièges de cette voiture offrent un confort très poussé. Il aime son confort* (syn. : AISES). *Un appartement qui a le confort* (= un ensemble de dispositions qui le rendent agréable à habiter : chauffage central, salle de bains, ascenseur, etc.). *Un appartement de grand confort* (syn. : STANDING). ◆ **confortable** adj. 1° Qui procure le confort : *Un hôtel, un avion confortable.* — 2° Qui permet d'être sans souci : *Il a des revenus confortables. Ce coureur avait pris une avance confortable* (syn. : IMPORTANT). ◆ **confortablement** adv. : *Il s'installa confortablement dans un fauteuil.* ◆ **inconfortable** adj. : *Un siège inconfortable. Une situation inconfortable* (syn. : INCOMMODE). ◆ **inconfortablement** adv. : *Etre couché inconfortablement.*

confrère [kɔ̃frɛr] n. m. Chacun de ceux qui exercent une même profession libérale, qui appartiennent à un même corps, par rapport aux autres membres de la même profession, du même corps : *Un médecin, un avocat, un prêtre, un académicien qui s'entretient avec un confrère.* (Fém. rare : CONSŒUR). ◆ **confraternel, elle** adj. : *Relations confraternelles.* ◆ **confraternité** n. f. : *Des liens de confraternité.* ◆ **confrérie** n. f. Association fondée sur des principes religieux.

confronter [kɔ̃frɔ̃te] v. tr. 1° *Confronter des textes, des idées, des explications,* etc., les rapprocher pour les comparer ou les opposer. — 2° *Confronter des témoins, des accusés,* les mettre en présence les uns des autres en vue de contrôler l'exactitude de leurs déclarations. ◆ **confrontation** n. f. : *Au cours du congrès, on a assisté à une confrontation de points de vue très divers. Le juge a ordonné la confrontation des deux principaux accusés.*

1. confus, e [kɔ̃fy, -yz] adj. 1° Se dit de ce qui manque d'ordre : *Un amas confus de vêtements* (syn. : INDISTINCT, DÉSORDONNÉ). *Donner une explication confuse* (syn. : VAGUE, OBSCUR, EMBROUILLÉ). — 2° Se dit d'une personne qui manque de clarté dans les idées : *Esprit confus* (syn. : BROUILLON). [V. CONFONDRE 1.] ◆ **confusément** adv. : *On devinait confusément dans la brume des maisons, des* *arbres* (contr. : NETTEMENT, DISTINCTEMENT). ◆ **confusion** n. f. Erreur d'une personne qui confond, qui prend une chose pour une autre : *Une confusion de noms a provoqué le malentendu.* ◆ **confusionnisme** n. m. Attitude d'esprit visant à entretenir la confusion des idées et à empêcher l'analyse des faits.

2. confus, e [kɔ̃fy, -yz] adj. Se dit d'une personne troublée par le sentiment de sa faute, de sa maladresse ou par l'excès de bonté qu'on lui témoigne : *Il était tout confus pour annoncer son échec. Je suis confus de la peine que vous vous êtes donnée pour moi.* (V. CONFONDRE 2.) ◆ **confusion** n. f. Embarras d'une personne qui a vivement conscience de sa faute, de son indignité, ou gêne qui est causée par une timidité excessive : *Il était rempli de confusion à la pensée de ce rendez-vous oublié.*

congé [kɔ̃ʒe] n. m. 1° Autorisation spéciale donnée à quelqu'un de cesser son travail ; période de cette cessation de travail : *Il a demandé un congé de maladie. Pendant son congé, il a été remplacé par un auxiliaire. Le secrétaire est en congé.* — 2° Courtes vacances : *Les écoliers ont eu trois jours de congé en février.* — 3° *Congés payés,* période de vacances payées que la loi accorde à tous les salariés. ‖ *Prendre un congé,* se faire accorder une autorisation de cesser le travail. ‖ *Prendre son congé,* démissionner de ses fonctions militaires ou administratives. ‖ *Prendre congé de quelqu'un,* quitter cette personne, lui dire au revoir. ‖ *Recevoir son congé,* être avisé par le propriétaire qu'il entend mettre fin à la location qui vous était consentie. ‖ *Donner congé à un locataire,* lui signifier qu'il devra quitter les lieux. ◆ **congédier** v. tr. *Congédier quelqu'un,* l'inviter à partir, le mettre dehors : *Congédier un employé qui ne donne pas satisfaction. Congédier un élève pour son indiscipline* (syn. : RENVOYER).

congeler [kɔ̃ʒle] v. tr. (conj. 5). *Congeler une substance,* la soumettre à l'action du froid, généralement en vue de la conservation : *De la viande congelée.* ◆ **congélation** n. f. : *La congélation industrielle.*

congénère [kɔ̃ʒenɛr] n. Etre animé ou plante qui est de la même espèce qu'un autre ou une autre : *Le jeune tigre apprivoisé laissait apparaître en grandissant la cruauté de ses congénères.*

congénital, e, aux [kɔ̃ʒenital, -to] adj. Se dit d'un défaut physique ou moral acquis dès la naissance : *Cécité congénitale.*

congère [kɔ̃ʒɛr] n. f. Amas de neige entassée par le vent.

congestion [kɔ̃ʒɛstjɔ̃] n. f. Afflux anormal de sang dans une partie du corps : *Le médecin a diagnostiqué une congestion pulmonaire. Il est mort d'une congestion cérébrale.* ◆ **congestionner** v. tr. : *Le soleil nous congestionnait la face.* ◆ **décongestionner** v. tr. 1° Faire cesser la congestion : *Les compresses ont décongestionné la partie malade.* — 2° Faire cesser l'encombrement, faciliter la circulation : *Certains bureaux ont été transportés en banlieue pour décongestionner le centre de la ville* (syn. : DÉSENCOMBRER).

conglomérat [kɔ̃glɔmera] n. m. Masse de matériaux agglomérés.

congratuler [kɔ̃gratyle] v. tr. *Congratuler quelqu'un,* le féliciter abondamment (légèrement ironiq.) : *Chacun s'empressait de congratuler l'heureux gagnant.* ◆ **congratulations** n. f. pl. : *Les deux élus échangeaient d'interminables congratulations* (syn. : FÉLICITATIONS).

congre [kɔ̃gr] n. m. Poisson de mer comestible, très allongé, restant souvent dans les rochers.

congrégation [kɔ̃gregasjɔ̃] n. f. Association de personnes, ecclésiastiques ou laïques, unies par un lien religieux et ayant en commun certaines règles de vie. ◆ **congréganiste** adj. et n.

congrès [kɔ̃grɛ] n. m. Réunion importante de personnes, qui délibèrent sur des questions politiques, scientifiques, économiques, etc. : *Plusieurs partis politiques tiendront leur congrès annuel le mois prochain.* ◆ **congressiste** n. Personne qui participe à un congrès.

congru, e [kɔ̃gry] adj. Fam. *Portion congrue,* quantité d'aliments à peine suffisante attribuée à quelqu'un ; ressources insuffisantes : *Les vivres commençaient à s'épuiser, et chacun était réduit à la portion congrue.*

conifère [konifɛr] n. m. Classe d'arbres dont les fruits sont en forme de cône et qui ont un feuillage persistant (sapin, pin, if, etc.).

conique adj. V. CÔNE.

conjecture [kɔ̃ʒɛktyr] n. f. Simple supposition, qui n'a encore reçu aucune confirmation : *En l'absence de tout indice, on en est réduit à des conjectures pour expliquer le mobile du crime* (syn. : HYPOTHÈSE). ◆ **conjectural, e, aux** adj. Fondé sur des conjectures : *Une théorie biologique toute conjecturale.* ◆ **conjecturer** v. tr. Se représenter par conjecture : *On peut difficilement conjecturer l'évolution politique future de ce pays* (syn. : PRÉSUMER, PRÉVOIR).

1. conjoint, e [kɔ̃ʒwɛ̃, -wɛ̃t] adj. *Note, remarque conjointe,* note, remarque qui accompagne un texte. ◆ **conjointement** adv. En même temps qu'une autre chose ou une autre personne : *Votre commande sera livrée dans la semaine ; vous recevrez conjointement la facture. Vous devrez signer cette feuille conjointement avec votre associé.*

2. conjoint, e [kɔ̃ʒwɛ̃, -wɛ̃t] n. Chacun des deux époux considéré par rapport à l'autre (terme admin.) : *Le maire a félicité les conjoints. La garantie s'étend au conjoint de l'assuré.*

1. conjonction [kɔ̃ʒɔ̃ksjɔ̃] n. f. Union, rencontre (langue soignée) : *Cette œuvre est née de la conjonction de la science et de l'art.*

2. conjonction [kɔ̃ʒɔ̃ksjɔ̃] n. f. Mot qui sert à relier deux mots, deux groupes de mots ou deux propositions : *On distingue habituellement les conjonctions de coordination et les conjonctions de subordination.* (V. CLASSE.) ◆ **conjonctif, ive** adj. Qui a la nature d'une conjonction : *« De telle sorte que », « tandis que », « pourvu que » sont des locutions conjonctives.*

conjoncture [kɔ̃ʒɔ̃ktyr] n. f. Situation résultant d'un ensemble de circonstances : *Ce vaste programme d'investissements a été conçu dans une conjoncture économique favorable* (syn. : CIRCONSTANCES).

conjugaison n. f. V. CONJUGUER 1 et 2.

conjugal, e, aux [kɔ̃ʒygal, -go] adj. Se dit, surtout dans la langue administrative, de ce qui concerne les relations entre époux : *L'abandon du* *domicile conjugal est un motif de divorce.* ◆ **conjugalement** adv. En tant que mari et femme : *Ils se sont séparés après avoir vécu dix ans conjugalement* (syn. : MARITALEMENT).

1. conjuguer [kɔ̃ʒyge] v. tr. *Conjuguer un verbe,* en énumérer toutes les formes dans un ordre déterminé. ◆ **conjugaison** n. f. Ensemble des formes du verbe, qui se distribuent selon les personnes, les modes, les temps et les types de radicaux : *La conjugaison constitue la flexion du verbe. Il y a plusieurs ensembles de formes en français, qui, sur le plan historique, sont réparties en trois conjugaisons : 1re conjugaison, en « -er » ; 2e conjugaison, en « -ir/-iss » ; 3e conjugaison, en « -ir », « -oir », « -re ». On répartit aussi les conjugaisons, selon leur morphologie, en verbes à un radical* (*chanter*), *deux radicaux* (*dormir/dort*), *trois radicaux* (*aller/irai/va*). [V. Introduction (conjugaison des verbes).]

2. conjuguer [kɔ̃ʒyge] v. tr. *Conjuguer ses efforts,* les unir en vue d'un résultat : *En conjuguant nos efforts, nous parviendrons peut-être à une solution* (syn. : JOINDRE). ◆ **conjugaison** n. f. : *La conjugaison des bonnes volontés doit faire aboutir ce projet* (syn. : RÉUNION, UNION).

1. conjurer [kɔ̃ʒyre] v. tr. *Conjurer quelqu'un de faire quelque chose,* l'en prier très instamment, comme d'une chose capitale, sacrée : *Il m'a conjuré de ne pas m'exposer inutilement à ce danger* (syn. : ADJURER, SUPPLIER).

2. conjurer [kɔ̃ʒyre] v. tr. *Conjurer un accident, le mauvais sort, une crise,* etc., réussir à l'éviter : *On a tout tenté pour conjurer l'échec des négociations.*

3. conjurer [kɔ̃ʒyre] v. tr. *Conjurer la perte, la mort de quelqu'un,* former ensemble le projet de la provoquer. ◆ **conjuration** n. f. Groupement clandestin de personnes qui préparent un acte de violence, un coup d'Etat : *La conjuration de Catilina est restée célèbre dans l'histoire de Rome* (syn. : CONSPIRATION, COMPLOT). ◆ **conjuré** n. m. Personne qui participe à une conjuration : *La police a arrêté les principaux conjurés* (syn. : CONSPIRATEUR, COMPLOTEUR).

connaître [kɔnɛtr] v. tr. (conj. **64**). **1°** *Connaître quelqu'un, quelque chose,* pouvoir les identifier : *Je connais le garçon qui sort d'ici, c'est le fils de la concierge. Connaître quelqu'un de vue* (= l'avoir remarqué, mais ne pas être en relation avec lui), *de nom, de réputation* (= avoir lu ou entendu prononcer son nom, avoir entendu parler de sa réputation). *Il connaît beaucoup d'oiseaux. On ne doit pas manger des champignons sans les connaître.* — **2°** *Connaître quelqu'un,* l'avoir dans ses relations : *Du fait qu'il connaît le ministre, il pense qu'il obtiendra rapidement satisfaction.* — **3°** *Connaître quelqu'un, quelque chose,* être renseigné sur sa nature, son aspect, ses qualités et ses défauts : *Je le connais trop pour pouvoir penser qu'il a reculé devant l'effort. Connaissez-vous la ville de Lyon? Un conducteur qui connaît bien sa voiture. Je connais un restaurant où l'on mange bien.* — **4°** *Connaître quelque chose,* en avoir la pratique, l'expérience, être au courant de : *C'est un ouvrier qui connaît bien son métier. Il connaît deux langues étrangères. Connaître la musique* (syn. : SAVOIR ; contr. : IGNORER). *J'ai connu des temps meilleurs.* — **5°** Syn. emphatique de AVOIR : *Une comédie qui a connu un grand succès* (syn. : RENCONTRER). *Cette personne a connu un sort misérable* (syn. : SUBIR). — **6°** *Ne connaître que,* ne considérer que, ne s'occuper que de : *Un militaire qui ne connaît que la consigne.* || Fam. *Je ne connais que ça,* c'est ce qu'il y a de mieux : *Une bonne pipe après le repas, je ne connais que ça.* || *Je ne connais que lui, que cela,* je le connais, je connais cela très bien. || *Faire connaître quelque chose à quelqu'un,* l'en informer. || *Se faire connaître,* dire son identité ; montrer sa valeur. || *Il ne se connaît plus,* il ne se maîtrise plus. || Fam. *Ni vu ni connu,* se dit d'un acte qu'on a habilement accompli sans se faire remarquer. || *S'y connaître, se connaître en,* avoir de la compétence dans tel domaine : *Laissez-moi dépanner ce moteur, je m'y connais* (syn. : S'Y ENTENDRE). ◆ **connaissance** n. f. **1°** Activité intellectuelle de celui qui vise à avoir la compétence de quelque chose, qui étudie afin d'acquérir la pratique ; cette compétence elle-même : *Le problème de la connaissance. Sa connaissance de l'anglais lui a été très utile. Un romancier qui a une profonde connaissance du cœur humain* (syn. : ↑ SCIENCE). — **2°** (au plur.) Choses connues, science : *Il a des connaissances superficielles en biologie. Faire sottement étalage de ses connaissances* (syn. : SAVOIR). — **3°** *Pop.* Jeune fille courtisée : *Il est allé au bal avec sa connaissance.* — **4°** *Perdre, reprendre connaissance,* ne plus avoir, retrouver le sentiment de sa propre existence (syn. : S'ÉVANOUIR ; SE RANIMER). || *Etre sans connaissance,* être évanoui. || *Etre en pays de connaissance,* être en présence de gens ou dans des circonstances que l'on connaît bien. || *Donner connaissance de quelque chose à quelqu'un,* l'en informer ; lui communiquer un document. || *Prendre connaissance d'un texte,* le lire. || Fam. *C'est une vieille connaissance,* il y a longtemps que je le connais. || *A ma connaissance,* dans la mesure où je suis informé (syn. : AUTANT QUE JE SACHE). || *En connaissance de cause,* en sachant bien de quoi il s'agit, avec une claire conscience de ce qu'on fait. ◆ **connaisseur, euse** adj. et n. Capable d'apprécier, qui s'y connaît : *Il dégustait en connaisseur un vieux vin de Bourgogne. L'antiquaire jeta un regard connaisseur sur le bibelot.* ◆ **inconnu, e** adj. et n. Qui n'est pas connu : *Son visage m'est inconnu. Un inconnu m'a adressé la parole. J'ai éprouvé une sensation encore inconnue. Hier cet auteur était un inconnu, aujourd'hui le voilà célèbre.* ◆ **inconnue** n. f. Elément d'un problème qu'on ignore, donnée qu'on ne possède pas : *La grande inconnue, c'est le temps qu'il faudra pour parcourir ce dur trajet.*

connexe [kɔnɛks] adj. Se dit d'une chose qui est étroitement liée à une autre : *On ne peut pas traiter ce point sans examiner une question connexe.* ◆ **connecter** v. tr. Etablir une connexion. ◆ **connexion** n. f. : *La connexion des deux crimes a entraîné la fusion des procès* (syn. : LIEN).

connivence [kɔnivɑ̃s] n. f. Entente secrète entre des personnes en vue d'une action : *Le prisonnier s'est échappé grâce à la connivence d'un gardien* (syn. : COMPLICITÉ). *Un clin d'œil échangé entre eux m'a fait comprendre qu'ils étaient de connivence* (syn. fam. : DE MÈCHE).

connotation [kɔnɔtasjɔ̃] n. f. Ensemble des valeurs affectives prises par un mot en dehors de sa signification (ou *dénotation*).

conquérir [kɔ̃kerir] v. tr. (conj. **21**). **1°** *Conquérir un pays,* le soumettre par les armes : *César* *conquit la Gaule entre 59 et 51 av. J.-C.* — 2° Se rendre maître de quelque chose, en être victorieux : *Le mont Everest a été conquis en 1953 par une expédition britannique.* — 3° Attirer à soi par ses qualités : *Tous les invités ont été conquis par la gentillesse de leurs hôtes* (syn. : ↓ GAGNER). *Je suis conquis à cette doctrine* (= séduit par). — 4° Obtenir au prix d'efforts ou de sacrifices : *Il a conquis ses galons sur le champ de bataille.* ◆ **conquérant, e** adj. et n. : *Un peuple conquérant. Il déploie une ardeur conquérante. Alexandre le Grand fut un conquérant célèbre. Il se pavanait dans le salon avec un air conquérant* (= avec l'allure de quelqu'un qui cherche à séduire les cœurs). ◆ **conquête** n. f. 1° Action de conquérir : *La conquête de l'Algérie par la France a commencé en 1830. La conquête de ce diplôme lui a demandé des années de travail* (syn. : OBTENTION). — 2° Pays conquis; personne dont on a conquis le cœur : *Napoléon perdit toutes ses conquêtes. Il se promène avec sa nouvelle conquête.*

1. consacrer [kɔ̃sakre] v. tr. 1° Revêtir d'un caractère sacré, vouer à Dieu : *La nouvelle église a été consacrée.* — 2° *Consacrer le pain, le vin, une hostie,* dans la religion chrétienne, prononcer les paroles sacramentelles opérant la transsubstantiation. — 3° *Consacrer une pratique, une expression,* etc., en faire une règle habituelle : *Une longue habitude avait fini par consacrer cet abus.* ◆ **consacré, e** adj. 1° Se dit de ce qui a reçu une consécration religieuse : *Une hostie consacrée.* — 2° Qui a reçu la sanction de l'usage, qui est de règle en telle circonstance : *Il faut voir le musée de cette ville : c'est une visite consacrée. Il ne s'est pas bien fait comprendre parce qu'il n'a pas employé l'expression consacrée* (syn. : RITUEL). ◆ **consécration** n. f. 1° Action de consacrer religieusement. — 2° Sanction solennelle donnée à quelqu'un, à ses œuvres, arrivés à la célébrité : *L'enthousiasme déchaîné par ce virtuose marque la consécration de son talent.*

2. consacrer [kɔ̃sakre] v. tr. *Consacrer quelque chose à,* l'employer, le vouer à : *J'ai consacré tout l'après-midi à la préparation de mon exposé. Il consacre sa fortune à des œuvres charitables.* ◆ **se consacrer** v. pr. Se donner exclusivement à une œuvre (en général d'ordre intellectuel) : *Il se consacre entièrement à ce projet* (syn. : SE DÉVOUER, S'ADONNER).

consanguin, e [kɔ̃sɑ̃gɛ̃, -gin] adj. et n. Se dit des êtres ayant un ascendant commun.

1. conscience [kɔ̃sjɑ̃s] n. f. Sentiment qu'on a de son existence et de celle du monde extérieur; représentation qu'on se fait de quelque chose : *Le choc à la tête lui fit perdre conscience un instant* (syn. : CONNAISSANCE). *La conscience de ses responsabilités lui donnait un air de gravité. J'ai conscience d'avoir prononcé une parole imprudente* (= je me rends compte que). *Il n'a pas conscience de sa faiblesse. J'ai pris conscience de la nécessité d'un changement.* ◆ **conscient, e** adj. Se dit d'une personne qui a conscience de ce qu'elle fait; se dit aussi de son action : *Il est conscient de l'importance de son rôle. Il est sorti de son évanouissement, mais il n'est encore qu'à demi conscient* (syn. : LUCIDE). *Une méchanceté consciente.* ◆ **inconscient, e** adj. : *Des enfants inconscients de la portée de leurs paroles. Il faut qu'il soit un peu inconscient pour proposer une chose pareille* (= qu'il ne se rende pas compte de ce qu'elle a de déplacé). *Il faisait des gestes inconscients en dormant.* ◆ **inconscient** n. m. Ensemble des faits psychiques qui échappent totalement à la conscience. ◆ **consciemment** adv. : *Il faut me pardonner : je ne vous ai pas offensé consciemment.* ◆ **inconsciemment** adv. : *L'habitude lui a fait faire inconsciemment un geste malencontreux* (syn. : MACHINALEMENT). ◆ **subconscient** n. m. Zone de faits psychiques dont le sujet n'a que faiblement conscience, mais qui influent sur l'ensemble de son comportement : *De vagues réminiscences restaient dans son subconscient.*

2. conscience [kɔ̃sjɑ̃s] n. f. 1° Sentiment qui fait qu'on porte un jugement moral sur ses actes, sens du bien et du mal; respect du devoir : *Ma conscience ne me reproche rien. Avoir la conscience tranquille, chargée. Avoir une faute sur la conscience. Il fait son travail avec beaucoup de conscience. Il a la conscience large, élastique* (= il n'est guère scrupuleux). — 2° *Conscience professionnelle,* soin avec lequel on exerce son métier. ‖ *Cas de conscience,* situation délicate dans laquelle il faut agir selon sa conscience, sans référence précise à une règle. ‖ *Objection de conscience,* attitude de ceux qui, invoquant des motifs moraux, refusent de porter les armes et de revêtir l'uniforme militaire. ‖ *Liberté de conscience,* droit de pratiquer librement la religion de son choix. ‖ *En conscience,* honnêtement, même s'il n'y a pas d'obligation extérieure formelle : *En conscience, je me sens un peu responsable de ces enfants qui ne me sont rien.* ‖ *En mon âme et conscience, la main sur la conscience,* en toute sincérité. ‖ *Dire tout ce qu'on a sur la conscience,* ne rien cacher. ‖ *Avoir bonne, mauvaise conscience,* avoir le sentiment qu'on n'a rien à se reprocher, ou, au contraire, qu'on est en faute. ‖ *Opprimer, étouffer les consciences,* empêcher la libre manifestation des opinions, des croyances. ◆ **consciencieux, euse** adj. Se dit d'une personne qui fait preuve de probité, d'honnêteté, ou de l'action de cette personne : *Un ouvrier très consciencieux. Un travail consciencieux* (syn. : HONNÊTE, SÉRIEUX). ◆ **consciencieusement** adv. : *Un élève qui apprend consciencieusement ses leçons. Travailler consciencieusement* (syn. : HONNÊTEMENT, SÉRIEUSEMENT).

conscrit [kɔ̃skri] n. m. 1° Soldat nouvellement arrivé à l'armée et n'ayant pas encore achevé son instruction. — 2° *Fam.* Celui qui est de la même classe de recrutement qu'un autre, qui est né la même année : *Lui et moi, on est conscrits.* — 3° Fam. *Se faire avoir comme un conscrit,* se laisser duper facilement. ◆ **conscription** n. f. Système de recrutement fondé sur l'appel annuel de jeunes gens du même âge.

consécration n. f. V. CONSACRER 1.

consécutif, ive [kɔ̃sekytif, -iv] adj. 1° Se dit de choses qui se succèdent dans le temps sans interruption : *Prendre un médicament pendant trois jours consécutifs* (syn. : DE SUITE, À LA FILE). — 2° *Consécutif à,* se dit de ce qui apparaît comme le résultat, la conséquence de quelque chose : *Le propriétaire réclame une indemnisation pour les dégâts consécutifs à l'incendie* (syn. : CAUSÉ, ENTRAÎNÉ PAR). — 3° *Proposition subordonnée consécutive,* syn. de *subordonnée de conséquence.* ◆ **consécutivement** adv. : *Il a plu huit jours consécutivement* (syn. : SANS INTERRUPTION). *Consécutivement à la grève des employés de l'électricité, le métro ne fonctionne pas* (syn. : PAR SUITE DE).

1. conseil [kɔ̃sɛj] n. m. 1° Avis donné à quelqu'un pour orienter son action : *Je lui ai donné le conseil de patienter. Je suivrai votre conseil. Méfiez-vous de ce beau parleur : c'est un conseil d'ami. Je ne prends conseil que de moi-même* (= je ne demande l'avis de personne). *Cet homme est de bon conseil* (= il sait conseiller convenablement). — 2° *Avocat-conseil, ingénieur-conseil,* etc., personne qui donne des avis, spécialement en matière technique. ◆ **conseiller** v. tr. *Conseiller quelqu'un, quelque chose à quelqu'un,* lui donner des avis en vue de modifier sa conduite : *Le médecin lui a conseillé le bord de la mer* (syn. : RECOMMANDER). *Je conseille aux gens pressés de prendre cet itinéraire. Conseiller un enfant dans ses études. Vous avez été mal conseillé.* ◆ **conseiller, ère** n. Personne ayant pour fonction de donner des conseils : *Un mauvais conseiller.* ◆ **conseillable** adj. : *Un film qui n'est pas conseillable.* ◆ **conseilleur, euse** n. *Péjor.* Personne qui prodigue des conseils : *Les conseilleurs ne sont pas les payeurs* (= il est plus facile de conseiller que d'agir). ◆ **déconseiller** v. tr. *Déconseiller quelque chose à quelqu'un, déconseiller à quelqu'un de faire quelque chose,* l'en détourner, l'en dissuader : *Je lui ai déconseillé cet achat, d'acheter cette maison.*

2. conseil [kɔ̃sɛj] n. m. 1° Groupe de personnes chargées de délibérer, d'administrer, ou d'exercer une juridiction : *Le conseil municipal est présidé par le maire. Les élèves coupables de fautes graves comparaissent devant le conseil de discipline. Le Conseil d'Etat donne son avis sur la légalité de certains actes administratifs.* — 2° Séance, délibération du conseil : *Les jurés tenaient conseil dans le cabinet du juge* (= délibéraient). — 3° *Conseil de révision,* commission chargée d'examiner l'aptitude des appelés au service militaire. ◆ **conseiller, ère** n. Personne qui fait partie d'un conseil : *Un conseiller municipal.*

consentir [kɔ̃sɑ̃tir] v. tr. ind. (conj. **19**). *Consentir à quelque chose,* accepter qu'une chose ait lieu, se fasse : *Je consens à votre départ, à ce que vous partiez* (ou simplement *que vous partiez*), *à vous suivre* (contr. : S'OPPOSER). ◆ v. tr. *Consentir une remise à un acheteur, un délai de paiement,* etc., accorder cette remise, ce délai. ◆ **consentant, e** adj. : *Si vous êtes tous consentants, nous pouvons procéder au partage.* ◆ **consentement** n. m. : *Un enfant mineur ne peut se marier qu'avec le consentement de ses parents* (syn. : APPROBATION, ACCEPTATION). *Il a agi sans mon consentement* (syn. : ACCORD, ACQUIESCEMENT, AGRÉMENT ; contr. : REFUS, OPPOSITION).

conséquence [kɔ̃sekɑ̃s] n. f. 1° Ce qui est produit par quelque chose, ce qui en découle : *La diminution des épidémies est une conséquence des progrès de l'hygiène* (syn. : EFFET, RÉSULTAT ; contr. : CAUSE). *Ce surmenage prolongé risque d'avoir des conséquences graves pour sa santé* (syn. : RÉPERCUSSION). *Nous ne pouvons pas prévoir toutes les conséquences de nos actes* (syn. : SUITE). *Mûrissez bien votre décision : elle sera lourde de conséquences.* — 2° *Proposition subordonnée de conséquence,* celle qui présente un fait comme la suite entraînée par l'action qu'exprime le verbe de la proposition principale (conjonctions : *de sorte que, à tel point que, si bien que,* etc.). ‖ *Une affaire de conséquence, sans conséquence,* qui a, qui n'a pas grande importance. ‖ *Une affaire qui tire, qui ne tire pas à conséquence,* qui est susceptible d'avoir, de ne pas avoir de suites importantes. ‖ *En conséquence,* comme suite logique : *Nous devons partir avant le jour; en conséquence, le lever sera à quatre heures;* conformément à cela, dans une mesure appropriée : *Vous devez faire de gros achats : on vous fournira de l'argent en conséquence.* ◆ **conséquent, e** [kɔ̃sekɑ̃, -ɑ̃t] adj. 1° Se dit d'une personne qui agit avec logique, ou des actes de cette personne : *Il est le premier à mettre en pratique son système : c'est un esprit conséquent.* — 2° Se dit de quelque chose qui a une certaine importance, une grande valeur, etc. (sens déconseillé par quelques grammairiens) : *Un magasin conséquent* (syn. : IMPORTANT). ◆ **conséquent (*par*)** loc. adv. Annonce une conséquence : *J'ai appris qu'il était malade : par conséquent, il ne faut pas compter sur lui* (syn. : DONC, EN CONSÉQUENCE). *Il pleut, par conséquent le projet de promenade est abandonné* (syn. : PAR SUITE). ◆ **inconséquent, e** adj. : *Vous êtes inconséquent : vous prétendez mépriser l'opinion d'autrui, et vous vous indignez de cette critique* (syn. : ILLOGIQUE). ◆ **inconséquence** n. f. : *On relève plusieurs inconséquences dans sa théorie* (syn. : ILLOGISME).

1. conservateur [kɔ̃sɛrvatœr] n. m. Fonctionnaire chargé de la garde et de l'administration d'un bien public : *Un conservateur de musée.*

2. conservateur, trice [kɔ̃sɛrvatœr, -tris] adj. et n. Se dit des personnes (ou de leurs opinions) qui cherchent à conserver l'ordre établi, notamment dans le domaine politique et social : *Parti conservateur. Les conservateurs se sont opposés au projet de loi. Un écrivain qui s'est affranchi des influences conservatrices de son entourage.* ◆ **conservatisme** n. m. Attitude de ceux qui sont hostiles aux innovations.

conservatoire [kɔ̃sɛrvatwar] n. m. Etablissement d'enseignement artistique, technique, etc. : *Il a eu un premier prix de conservatoire en piano. Le Conservatoire national des arts et métiers.*

1. conserver [kɔ̃sɛrve] v. tr. *Conserver un produit périssable,* le garder en bon état, le préserver de l'altération : *Le froid conserve les aliments. On peut conserver des légumes en les desséchant.* ◆ **conservation** n. f. : *La conservation des fruits demande un local frais et aéré, sans humidité.* ◆ **conserve** n. f. Aliment conservé, et en particulier aliment conservé en boîtes métalliques stérilisées : *Pendant toute l'expédition, les explorateurs s'étaient nourris de conserves. Des conserves de poisson, de viande, de légumes. Il puisait de l'eau avec une vieille boîte à conserve. Nous avons mis des haricots en conserve.* ◆ **conserverie** n. f. Usine de conserves.

2. conserver [kɔ̃serve] v. tr. 1° *Conserver quelqu'un, quelque chose,* les maintenir durablement en sa possession : *Il a conservé ses amis de jeunesse* (contr. : PERDRE). *J'ai conservé l'habitude de me lever tôt. Conserver l'espoir, sa vigueur, sa fortune* (syn. : GARDER). *Je conserve le double de cette lettre* (contr. : SE DESSAISIR). — 2° *Bien conservé,* se dit d'une personne que l'âge n'a pas flétrie. ◆ **conservation** n. f. : *La conservation des souvenirs.*

considérable [kɔ̃siderabl] adj. Se dit de quelqu'un, de quelque chose dont l'importance n'est pas négligeable, qui mérite qu'on en tienne compte : *Cette pièce a obtenu un succès considérable* (syn. : ↓ NOTABLE). *Des pertes considérables en hommes et en matériel* (syn. : ↑ MASSIF). *C'est un personnage considérable dans sa discipline* (syn. : ↓ IMPORTANT). ◆ **considérablement** adv. : *Les dépenses ont considérablement dépassé les prévisions* (syn. : ↓ NOTABLEMENT, LARGEMENT). *Il est considérablement plus âgé que moi* (syn. : ↓ PASSABLEMENT).

1. considérer [kɔ̃sidere] v. tr. *Considérer quelqu'un, quelque chose,* le regarder longuement, avec une attention soutenue : *Tous les assistants considéraient le nouvel arrivé* (syn. : EXAMINER). *Considérez bien ma position avant de prendre une décision. Tout bien considéré, je reste ici* (syn. : ÉTUDIER, PESER). *Si je ne considérais que mon intérêt, je ne me mêlerais pas de cette affaire* (syn. : TENIR COMPTE DE). ◆ **considération** n. f. (sujet nom de personne). *Prendre en considération quelqu'un* ou *quelque chose,* en faire cas, ne pas le négliger. ‖ (sujet nom de chose). *Mériter considération,* retenir l'attention par son importance, son intérêt. ‖ *En considération de, sans considération de,* en tenant compte de, sans tenir compte de : *Ce n'est là qu'un faible témoignage de reconnaissance, en considération des services que vous nous avez rendus* (syn. : PAR RAPPORT À, EN COMPARAISON DE). *On lui manifestait beaucoup de déférence en considération de son grand âge* (syn. : EN RAISON DE, EU ÉGARD À). *Le projet est établi sans considération de prix ni de durée.* ◆ **reconsidérer** v. tr. Examiner de nouveau en vue de modifier, de trouver une meilleure solution : *Reconsidérer une question, un problème, un projet, une affaire* (syn. : RÉEXAMINER, RÉÉTUDIER, ↓ REVOIR).

2. considérer [kɔ̃sidere] v. tr. *Considérer que* (et l'indic. ou le subj. si la proposition principale est négative ou interrogative), être d'avis que : *Je considère qu'il ne faut rien faire avant de l'avoir vu* (syn. : ESTIMER, CROIRE, TROUVER). *Ceux qui considéraient qu'il était trop tard ont eu tort* (syn. : JUGER). *Je ne considère pas qu'il soit trop tard.*

3. considérer [kɔ̃sidere] v. tr. 1° *Considérer quelqu'un* ou *quelque chose comme* (adjectif, participe ou substantif), lui attribuer telle qualité, le tenir pour : *On peut considérer le travail comme terminé. Je considère cette réponse comme un refus. On considère ce boxeur comme le futur champion de France.* — 2° *Considérer quelqu'un,* l'avoir en estime, le respecter (souvent comme part. adj.) : *C'est un spécialiste très considéré dans les milieux scientifiques.* ◆ **considération** n. f. 1° Raison servant de mobile : *Cette considération m'avait échappé quand j'ai envisagé nos vacances. Il ne s'est pas laissé arrêter par des considérations aussi mesquines.* — 2° (surtout au plur.) Idées développées, raisonnement : *Il s'est perdu en considérations philosophiques, au lieu de répondre nettement à ma question.* — 3° Bonne opinion qu'on a de quelqu'un : *Il jouit de la considération de tous ses voisins* (syn. : ESTIME, RESPECT). *Recevez l'assurance de ma considération distinguée, de ma parfaite considération* (formules de politesse terminant une lettre). — 4° *Par considération pour quelqu'un,* en raison de l'estime que l'on a pour lui. ◆ **déconsidérer** v. tr. (sujet nom de chose). Faire perdre à une personne, à une doctrine, etc., la considération dont elle jouissait : *La partialité de ce critique l'a déconsidéré auprès du public* (syn. : DISCRÉDITER). ◆ **se déconsidérer** v. pr. Agir de manière à perdre la considération dont on est l'objet : *Il se déconsidère par son étroitesse d'esprit* (= il perd son crédit). ◆ **déconsidération** n. f. : *Une théorie tombée en déconsidération* (syn. : DISCRÉDIT).

consigne n. f. V. CONSIGNER 1, 2, 3.

1. consigner [kɔ̃siɲe] v. tr. *Consigner quelque chose,* fixer par écrit ce qu'on veut retenir ou transmettre à quelqu'un : *Il a consigné dans son rapport toutes les circonstances de l'incident* (syn. : NOTER, ENREGISTRER). ◆ **consigne** n. f. 1° Ordre permanent donné à quelqu'un et s'appliquant à une situation définie : *J'ai reçu la consigne formelle de ne rien divulguer des débats du conseil. Observer, respecter, appliquer la consigne* (syn. : INSTRUCTIONS, MOT D'ORDRE). — 2° Fam. *Manger la consigne,* oublier une recommandation.

2. consigner [kɔ̃siɲe] v. tr. *Consigner un emballage, une bouteille,* les facturer avec garantie de remboursement à la personne qui les rapportera. ◆ **consigne** [kɔ̃siɲ] n. f. 1° Somme correspondant à un objet consigné par un commerçant ; cet objet lui-même : *Va rapporter les bouteilles et fais-toi rembourser les consignes.* — 2° Bureau d'une gare où l'on dépose provisoirement des bagages. ◆ **consignation** n. f. 1° Dépôt d'argent fait en garantie de quelque chose. — 2° Action de consigner : *La consignation d'un emballage.*

3. consigner [kɔ̃siɲe] v. tr. *Consigner des troupes, des élèves,* les priver de sortie : *Par crainte d'épidémie, on a consigné le régiment à la caserne.* ◆ **consigne** n. f. 1° Punition infligée à un élève et consistant en une tâche à faire à l'école (syn. en arg. scol. : COLLE). — 2° Punition militaire consistant en une privation de sortie.

consistant, e [kɔ̃sistɑ̃, -ɑ̃t] adj. 1° Se dit d'un corps dont la fluidité est réduite, qui est à l'état pâteux ou même solide : *Votre peinture est un peu trop consistante* (syn. : ÉPAIS ; contr. : LIQUIDE). *Un plat consistant rassasie vite.* — 2° *Rumeur consistante, bruit consistant,* rumeur qui semble fondée, qui mérite l'attention. ◆ **consistance** n. f. : *Il faut surveiller la consistance de la sauce* (syn. : ÉPAISSISSEMENT). *Une nouvelle qui prend de la consistance d'heure en heure* (= qui devient plus sûre). ◆ **inconsistant, e** adj. Qui manque de substance, de fermeté, de netteté (se dit souvent de l'esprit ou d'une production de l'esprit) : *Comment rallier des électeurs avec un programme aussi inconsistant?* (syn. : FAIBLE, ↑ INEXISTANT). ◆ **inconsistance** n. f. : *Un roman qui pèche par l'inconsistance de l'action.*

consister [kɔ̃siste] v. tr. ind. 1° *Consister en* (et un nom sans art. déf.), *consister dans* (et un nom, généralement avec un art., un adj. poss., etc.), être composé de, constitué par : *Une propriété qui consiste en herbages, cultures et forêts. Leur conversation consistait en une série de quiproquos* (= était faite de). *Le salut consistait dans la fuite immédiate* (syn. : RÉSIDER). — 2° *Consister à* (et l'infin.), avoir pour nature de, se réduire à : *Votre erreur consiste à croire que tout le monde vous approuve.*

consœur n. f. V. CONFRÈRE.

console [kɔ̃sɔl] n. f. Support fixé à ou appuyé contre un mur : *Une console de style. Mettre un vase de fleurs sur une console.*

consoler [kɔ̃sɔle] v. tr. 1° *Consoler quelqu'un,* soulager sa peine, sa tristesse : *La maman consolait son enfant qui pleurait. Cette nouvelle me console de bien des échecs. Si cela peut vous consoler, sachez que je n'ai pas eu plus de chance que vous.* — 2° *Consoler un chagrin, une douleur,* l'apaiser. ◆ ***se consoler*** v. pr. *Se consoler de quelque chose,* cesser d'en souffrir, d'en être affecté : *Il ne se console pas de la mort de sa femme.* ◆ **consolable** adj. (surtout dans des expressions négatives ou restrictives) : *Certaines douleurs sont difficilement consolables.* ◆ **inconsolable** adj. : *Une veuve, une peine inconsolables.* ◆ **consolant, e** adj. : *Parmi tous ces déboires, il y a quelques détails consolants. Une pensée consolante* (syn. : ↓ APAISANT). ◆ **consolateur, trice** adj. et n. Se dit d'une personne qui console, ou de ses actes : *Le malheureux aurait bien besoin d'un consolateur. Je lui ai adressé quelques paroles consolatrices.* ◆ **consolation** n. f. 1° Soulagement, apaisement d'un chagrin, d'une douleur : *Le bonheur de ses enfants est la consolation de cette femme si éprouvée. Il a adressé quelques mots de consolation au candidat malheureux.* — 2° *Lot de consolation,* lot moins important, qu'on attribue parfois à ceux qui n'ont pas gagné.

consolider [kɔ̃sɔlide] v. tr. *Consolider quelque chose,* le rendre plus solide, plus résistant : *Il me faut de la colle et des clous pour consolider la chaise. Aux dernières élections, ce parti a consolidé sa position* (syn. : RENFORCER ; contr. : AFFAIBLIR). ◆ **consolidation** n. f. : *On a entrepris des travaux pour la consolidation du pont. La politique gouvernementale visait à la consolidation du franc* (syn. : AFFERMISSEMENT).

1. consommé, e [kɔ̃sɔme] adj. Se dit d'un être animé ou d'une activité qui atteint à une certaine perfection dans une qualité : *Il a mené l'affaire en diplomate consommé* (syn. : PARFAIT, placé avant le nom). *Un tableau exécuté avec un art consommé* (syn. : ACHEVÉ).

2. consommé [kɔ̃sɔme] n. m. Bouillon au suc de viande.

consommer [kɔ̃sɔme] v. tr. 1° (sujet nom de personne) *Consommer une chose,* l'employer comme aliment : *Les Français consomment plus de pain qu'aucun autre peuple. Une région où l'on consomme plus de poisson que de viande* (syn. : MANGER). — 2° (sujet nom de chose) *Consommer une chose,* l'utiliser comme source d'énergie ou comme matière première, si bien qu'elle cesse d'être utilisable : *Cette chaudière consommait beaucoup de charbon. Une industrie qui consomme de l'aluminium.* ◆ v. intr. (sujet nom de personne). Prendre une boisson dans un café : *Il restait de longues heures à la terrasse, mais consommait peu.* ◆ **consommateur, trice** n. 1° Personne qui achète un produit pour son usage : *Le prix de cet article a triplé en passant du producteur au consommateur* (syn. : ACHETEUR). — 2° Personne qui boit ou mange dans un café, un restaurant : *Les jours de grande chaleur, les consommateurs sont nombreux.* ◆ **consommation** n. f. 1° Action de consommer des produits naturels ou industriels : *Consommation de viande, d'eau, de gaz, d'électricité, d'essence.* — 2° Boisson ou nourriture prise dans un café : *Un client qui a pris quatre consommations.* — 3° *Jusqu'à la consommation des siècles,* jusqu'à la fin des temps (expression biblique, désigne parfois par plaisanterie une très longue durée).

consomption [kɔ̃sɔ̃psjɔ̃] n. f. Amaigrissement et dépérissement progressif (littér.).

consonance [kɔ̃sɔnɑ̃s] n. f. Qualité du son des syllabes d'un mot, d'une phrase : *Une langue aux consonances harmonieuses. Il a un nom d'une consonance germanique.* ◆ **consonant, e** adj. Se dit de sons qui forment un accord harmonieux.

consonne [kɔ̃sɔn] n. f. Bruit, ou combinaison de bruits et de sons, que les organes de la parole produisent par l'ouverture brusque du canal buccal, consécutive à sa fermeture, et que l'on transcrit par une lettre ou un groupe de lettres; nom donné aux lettres qui transcrivent ces bruits : *Le français comporte vingt consonnes ou semi-consonnes, que l'on appelle en général par le point d'articulation, c'est-à-dire le lieu où se situe l'obstacle* (*labiales, dentales, gutturales*), *ou par le mode de franchissement de l'obstacle* (*occlusives, sifflantes, chuintantes*). ◆ **consonantique** [kɔ̃sɔnɑ̃tik] adj. Relatif aux consonnes; qui appartient à une consonne : *Le système consonantique d'une langue.* ◆ **semi-consonne** ou **semi-voyelle** n. f. Son intermédiaire entre la voyelle et la consonne : *Le français connaît trois semi-consonnes.* ◆ **consonantisme** n. m. Ensemble des consonnes d'une langue. (V. Introduction.)

consort [kɔ̃sɔr] adj. m. *Prince consort,* mari non couronné d'une reine, dans certains pays.

consortium [kɔ̃sɔrsjɔm] n. m. Groupement d'entreprises industrielles, financières, commerciales, constitué pour effectuer des opérations communes.

consorts [kɔ̃sɔr] n. m. pl. Péjor. *Et consorts,* ceux et celles qui appartiennent à la même catégorie : *C'est encore Dupont et consorts qui ont fait le coup.*

conspirer [kɔ̃spire] v. intr. (sujet nom de personne). Préparer clandestinement un acte de violence contre un homme politique, ou visant à renverser un régime : *Les journaux ont annoncé l'arrestation de ceux qui conspiraient contre le régime* (syn. : COMPLOTER). ◆ v. tr. ind. [à] (sujet nom de chose). Concourir à (littér.) : *Tout conspire à la réussite de ce projet.* ◆ **conspirateur, trice** n. et adj. : *Les conspirateurs préparaient un attentat* (syn. : COMPLOTEUR). ◆ **conspiration** n. f. Complot politique ayant souvent une assez grande ampleur, ou cabale dirigée contre quelqu'un : *La conspiration avait de nombreuses ramifications dans l'Administration. Un écrivain victime de la conspiration du silence* (= de l'entente entre les critiques pour éviter de parler de lui).

conspuer [kɔ̃spɥe] v. tr. *Conspuer quelqu'un,* lui manifester bruyamment son hostilité, son mépris : *Les assistants conspuaient l'orateur.*

constant, e [kɔ̃stɑ̃, tɑ̃t] adj. (après ou avant le nom). Se dit de ce qui dure ou qui se répète sans modification : *Son fils lui cause un souci constant* (syn. : CONTINUEL, PERMANENT, QUOTIDIEN). *Il a de constantes difficultés d'argent* (syn. : ↑ PERPÉTUEL ; contr. : MOMENTANÉ). ◆ **constance** n. f. 1° Qualité de ce qui dure ou se reproduit sans cesse, de ce qui est stable : *Devant la constance de ses échecs, il a fini par se décourager. De nombreuses expériences ont vérifié la constance de cette loi physique* (syn. : PERMANENCE). — 2° Qualité d'une personne qui persévère dans une action ou un état : *Vous avez fait preuve d'une remarquable constance* dans l'effort pendant ces deux années de recherches (syn. : PERSÉVÉRANCE). *La constance de votre amitié m'a soutenu dans ma longue épreuve* (contr. : INSTABILITÉ). — 3° Fam. *Vous avez de la constance!*, se dit ironiq. à quelqu'un qui s'obstine sans espoir, ou à quelqu'un qui a des prétentions excessives : *Et vous croyez que je vais faire tout ça pour vous? Eh bien, vous avez de la constance!* (syn. : TOUPET). ◆ **inconstant, e** adj. Se dit surtout d'une personne, plus rarement d'une chose qui manque de constance, de stabilité : *Un homme inconstant en amour* (syn. : INFIDÈLE, VOLAGE). *Le temps est inconstant* (syn. : CHANGEANT, VARIABLE). ◆ **inconstance** n. f. : *Elle se plaignait de l'inconstance de son mari* (syn. : INFIDÉLITÉ). *L'inconstance de son humeur ne permet pas de prévoir ses réactions* (syn. : VERSATILITÉ, ↓ MOBILITÉ). ◆ **constamment** adv. Sans interruption ni modification dans le temps : *Une piscine dont l'eau est constamment renouvelée* (syn. : SANS CESSE). *Il est constamment en défaut* (syn. : À TOUT INSTANT).

constater [kɔ̃state] v. tr. *Constater une chose, constater que* (et l'indic.), remarquer objectivement : *Chacun peut constater la justesse de mes prévisions. On constate une légère amélioration dans son état de santé* (syn. : ENREGISTRER). *Je constate qu'il manque une page à ce livre. Le médecin légiste a constaté le décès* (= l'a certifié par un acte authentique). ◆ **constatation** n. f. : *La constatation de sa mauvaise volonté m'a chagriné. Vous me ferez part de vos constatations* (syn. : OBSERVATION, REMARQUE). ◆ **constat** [kɔ̃sta] n. m. Acte officiel, établi par un huissier et attestant un fait : *L'accidenté a fait établir un constat pour sa compagnie d'assurances. L'huissier a dressé un constat.*

constellation [kɔ̃stelasjɔ̃] n. f. Groupe d'étoiles présentant une figure conventionnelle et auquel on a attribué un nom : *La Grande Ourse, la Petite Ourse, Orion, Cassiopée sont parmi les constellations les plus connues.*

consteller [kɔ̃stele] v. tr. Couvrir de points, de taches nombreuses (surtout au part. passé) : *Un tablier tout constellé de taches d'encre.*

consterner [kɔ̃stɛrne] v. tr. *Consterner quelqu'un*, le jeter dans un grand abattement, l'accabler de tristesse : *Des parents consternés par les résultats scolaires de leur enfant* (syn. : EFFONDRER). *Ce qui me consterne, c'est de ne rien pouvoir faire pour l'aider* (syn. : DÉSOLER, NAVRER, AFFLIGER). *Il regardait d'un air consterné sa voiture accidentée* (syn. : ATTERRÉ, CATASTROPHÉ). ◆ **consternant, e** adj. : *Des nouvelles consternantes* (syn. : NAVRANT, AFFLIGEANT, LAMENTABLE). *Il est d'une bêtise consternante* (syn. : EFFARANT). ◆ **consternation** n. f. : *Quand on apprit la nouvelle, ce fut la consternation générale* (syn. : DÉSOLATION).

constiper [kɔ̃stipe] v. tr. 1° (sujet nom désignant un aliment) *Constiper quelqu'un*, lui rendre plus difficile l'évacuation des matières fécales. — 2° Fam. *Avoir l'air constipé, être constipé*, avoir une mine affectée, austère : *S'il avait l'air moins constipé, on l'inviterait plus souvent* (contr. : JOVIAL, FAMILIER). ◆ **constipation** n. f. Difficulté d'aller à la selle : *Il prend un laxatif pour lutter contre sa constipation* (contr. : DIARRHÉE).

constituer [kɔ̃stitɥe] v. tr. 1° (sujet nom de personne) *Constituer quelque chose*, former un tout en rassemblant divers éléments : *Il a constitué sa collection de pierres en flânant dans la campagne. J'ai commencé à me constituer une bibliothèque* (syn. : CRÉER). — 2° (sujet nom désignant des personnes ou des choses) *Constituer quelque chose*, être les éléments qui forment un tout : *Les trois premières sections constituent l'avant-garde* (syn. : FORMER). — 3° Etre l'élément essentiel, la base d'une chose : *La préméditation constitue une circonstance aggravante. Le passage d'un bateau dans les parages constituait la seule chance de salut des naufragés.* — 4° *Personne bien, mal constituée*, qui a une bonne, une mauvaise conformation physique. ◆ ***se constituer*** v. pr. *Se constituer prisonnier*, se livrer à la justice. ◆ **constituant, e** ou **constitutif, ive** adj. Se dit de ce qui entre dans la constitution d'un tout, de ce qui est propre à la nature d'une chose : *L'analyse chimique d'un corps en fait apparaître les éléments constituants* (syn. : INTÉGRANT). *L'étendue est une propriété constitutive de la matière.* ◆ **constitution** n. f. 1° Action de constituer : *L'avocat s'occupe de la constitution du dossier* (syn. : ÉTABLISSEMENT). — 2° Manière dont est constitué une chose, un être vivant, un groupe de personnes, etc. : *Il n'est réchappé de cette maladie que grâce à sa solide constitution* (syn. : COMPLEXION). *La constitution de l'équipe qui représentera la France dans ce match international a soulevé de nombreuses protestations.* ◆ **constitutionnel, elle** adj. Relatif à la constitution physique de quelqu'un : *Une faiblesse constitutionnelle.* (V. aussi CONSTITUTION 2.) [V. RECONSTITUER.]

1. constitution n. f. V. CONSTITUER.

2. constitution [kɔ̃stitysjɔ̃] n. f. Ensemble des principes fondamentaux adoptés dans un pays, correspondant à son régime politique et servant de charte de référence à l'ensemble de sa législation (s'écrit souvent avec une majusc.) : *Le droit de grève est inscrit dans la Constitution.* ◆ **constitutionnel, elle** adj. 1° Se dit d'une chose conforme à la constitution d'un pays : *La procédure constitutionnelle.* — 2° Se dit de ce qui se rapporte à la Constitution : *Le Conseil constitutionnel est un organisme chargé de veiller au respect de la Constitution.* — 3° *Monarchie constitutionnelle*, système politique dans lequel le pouvoir royal est soumis à une constitution (contr. : MONARCHIE ABSOLUE). [V. aussi CONSTITUTION 1.] ◆ **constitutionnellement** adv. : *Il n'est pas possible, constitutionnellement, de procéder au vote sur la question de confiance avant l'expiration du délai de réflexion.* ◆ **anticonstitutionnel, elle** ou **inconstitutionnel, elle** adj. Contraire à la Constitution. ◆ **anticonstitutionnellement** ou **inconstitutionnellement** adv. : *Un décret pris anticonstitutionnellement.* ◆ **constitutionnalité** n. f. : *On peut contester la constitutionnalité de cette réglementation.* ◆ **inconstitutionnalité** n. f.

construire [kɔ̃strɥir] v. tr. (conj. **70**). *Construire quelque chose*, assembler selon un plan les éléments d'un édifice, d'un appareil, d'un ouvrage de l'esprit, d'une phrase : *Il a fait construire sa maison sur la colline* (syn. : BÂTIR, ÉDIFIER, ÉLEVER ; contr. : DÉTRUIRE, DÉMOLIR). *Un enfant qui construit des modèles réduits d'avions. Une pièce de théâtre habilement construite* (syn. : COMPOSER). *Un philosophe qui a construit son système sur un postulat* (syn. : CRÉER, ÉDIFIER, ÉCHAFAUDER). *Construire correctement ses phrases.* ◆ **constructeur, trice** n. et adj. : *Un célèbre constructeur d'automobiles.*

Il est doué d'une imagination constructrice (contr. : DESTRUCTEUR). ◆ **constructif, ive** adj. Se dit de ce qui contribue à l'élaboration d'une solution, d'un système : *Plusieurs des critiques adressées à ce projet sont constructives* (syn. : POSITIF ; contr. : DESTRUCTIF). ◆ **construction** n. f. 1° Action ou manière de construire : *La construction de cet immeuble a duré deux ans* (contr. : DESTRUCTION, DÉMOLITION). *L'auteur ne s'est guère préoccupé de la construction de son roman. La construction complexe d'une longue phrase.* — 2° Edifice construit : *Les nouvelles constructions nous cachent la vue de la mer* (syn. : BÂTIMENT). ◆ **reconstruire** v. tr. Construire de nouveau après destruction ou démolition : *Reconstruire une maison, un quartier* (syn. : REBÂTIR). ◆ **reconstruction** n. f. : *La reconstruction d'une région dévastée par la guerre.*

consul [kɔ̃syl] n. m. Agent qui a pour mission de protéger ses compatriotes à l'étranger et de donner à son gouvernement des informations politiques et commerciales. ◆ **consulat** [kɔ̃syla] n. m. Résidence d'un consul, bureaux qu'il dirige : *S'adresser au consulat pour faire viser ses papiers d'identité et son passeport.*

consulter [kɔ̃sylte] v. tr. 1° *Consulter quelqu'un,* s'enquérir de son avis, rechercher auprès de lui une information : *Vous paraissez fatigué : vous devriez consulter un médecin. J'ai consulté un avocat pour connaître mes droits en cette affaire. Consulter un expert en bijoux.* — 2° *Consulter un livre, un plan, le règlement,* etc., y chercher un renseignement : *Un historien qui consulte les archives départementales. Consulter sa montre, un baromètre* (= regarder quelle heure il est, quelle est l'évolution probable du temps). — 3° *Ne consulter que son intérêt, que son caprice,* les prendre pour seule règle de conduite. ◆ v. intr. *Médecin qui consulte l'après-midi,* qui reçoit les malades à son cabinet l'après-midi. ◆ ***se consulter*** v. pr. S'entretenir pour s'enquérir des avis réciproques : *Nous nous sommes consultés avant d'agir.* ◆ **consultatif, ive** adj. Qui a pour fonction de donner son avis sur certaines questions : *Le conseil supérieur de l'Education nationale est un organisme consultatif. Un comité qui a un rôle purement consultatif, qui a voix consultative. Je m'adresse à vous à titre consultatif* (= pour avoir votre avis). ◆ **consultation** n. f. 1° Action de demander un avis ; visite d'un client à un médecin ou à un spécialiste quelconque : *Après consultation de son calepin, il répondit qu'il était libre.* — 2° Action de donner un avis (avocat, médecin) ; examen d'un malade par un médecin à son cabinet : *Le docteur a eu plus de vingt consultations aujourd'hui. La consultation était à quinze francs.* — 3° Action de chercher un renseignement : *Un dictionnaire dont la consultation est facile.*

consumer [kɔ̃syme] v. tr. 1° (sujet nom de chose) *Consumer quelque chose,* le détruire progressivement, notamment par le feu (s'emploie surtout au part. passé) : *Il ne restait dans la cheminée que quelques tisons presque entièrement consumés* (syn. : BRÛLER). — 2° (sujet nom exprimant un sentiment) *Consumer quelqu'un,* s'emparer de tout son être, le tourmenter (littér.) : *La soif d'argent le consume. Il était consumé de chagrin* (syn. : DÉVORER, RONGER, MINER). ◆ ***se consumer*** v. pr. 1° Etre détruit progressivement, surtout par le feu : *La cigarette achevait de se consumer dans le cendrier* (syn. : BRÛLER). — 2° Perdre progressivement ses forces, son énergie : *Le pauvre homme se consume de désespoir* (syn. : SE RONGER, SE MINER).

contact [kɔ̃takt] n. m. 1° Etat ou action de deux corps qui se touchent ; sensation produite par un objet qui touche la peau : *Un meuble patiné par le contact des mains. Au contact de l'air la peinture a séché. Le contact du velours est doux.* — 2° En parlant de personnes, et souvent au pluriel, rapport de connaissance qui permet des entretiens : *Un homme politique qui a de nombreux contacts avec le monde des affaires* (= qui a des rapports suivis avec ce milieu). *Il s'est civilisé au contact de cette personne* (= depuis qu'il la fréquente). — 3° Maintien d'une relation, d'une communication : *Je dois m'absenter, mais je resterai en contact avec vous par lettres* (syn. : RELATION, RAPPORT). *L'aviateur a gardé, perdu, retrouvé le contact radio avec la tour de contrôle.* — 4° *Contact* (*électrique*), liaison établie entre deux points d'un circuit : *L'automobiliste met le contact et actionne le démarreur. Si tu perds la clé de contact, tu resteras en panne.* ‖ *Verres, lentilles de contact,* verres correcteurs de la vue qui s'appliquent directement sur l'œil. ◆ **contacter** v. tr. *Contacter une personne, un organisme,* etc., entrer en contact, en relation avec cette personne, cet organisme, etc. (syn. : TOUCHER, ATTEINDRE).

contagion [kɔ̃taʒjɔ̃] n. f. Transmission par contact d'une maladie, d'un état affectif : *Le malade devra rester rigoureusement isolé pour éviter tout risque de contagion. Il s'est laissé gagner par la contagion du rire, de la panique, de la nouvelle mode.* ◆ **contagionner** v. tr. *Contagionner quelqu'un,* lui transmettre une maladie par contagion. ◆ **contagieux, euse** adj. Se dit d'une maladie, d'un comportement susceptibles d'être transmis à d'autres : *La coqueluche est contagieuse. Une soif contagieuse de liberté. L'exemple de la paresse est contagieux.*

container [kɔ̃tɛnɛr] n. m. Caisse métallique pour le transport ou le parachutage de marchandises.

contaminer [kɔ̃tamine] v. tr. Infecter de germes microbiens, de virus, d'un mal quelconque : *Il avait suffi d'un seul cas de variole pour contaminer une large partie de la population. L'eau du puits a été contaminée par des infiltrations de purin* (syn. : POLLUER, SOUILLER). *Ne vous laissez pas contaminer par les vices de votre entourage* (syn. : CORROMPRE). ◆ **contamination** n. f. : *L'eau est un des agents de contamination dans les épidémies de typhoïde. Il faut soigneusement retirer les fruits qui se gâtent, pour éviter la contamination des autres. La contamination d'une classe par quelques mauvais esprits.*

conte n. m. V. CONTER.

contempler [kɔ̃tɑ̃ple] v. tr. *Contempler quelqu'un, quelque chose,* en regarder longuement, dans tel ou tel état affectif, l'aspect général : *Le convalescent contemplait avec reconnaissance le médecin qui l'avait sauvé. Elle contemplait de son balcon le ciel serein. Les rescapés contemplaient avec horreur le désastre.* ◆ **contemplatif, ive** adj. Se dit d'une personne (ou de son comportement) qui s'abandonne à la contemplation : *Un enfant contemplatif. Un air, un regard contemplatifs. Les Carmélites sont un ordre religieux contemplatif* (contr. : ACTIF). ◆ **contemplation** n. f. 1° Etat d'une personne qui contemple un spectacle : *Le promeneur paraissait perdu dans la contemplation de la mer* (syn. :

↓ SPECTACLE). *Il est resté cinq minutes en contemplation devant la vitrine.* — 2° État d'une âme qui s'absorbe dans la méditation religieuse. ◆ **contemplateur, trice** n.

contemporain, e [kɔ̃tɑ̃pɔrɛ̃, -ɛn] adj. et n. 1° Se dit des personnes ou des choses qui sont de la même époque : *Pascal et Molière étaient contemporains. Ce château fort est contemporain de la guerre de Cent Ans. Beaucoup d'artistes célèbres ont été peu appréciés de leurs contemporains.* — 2° Se dit de personnes ou de choses qui appartiennent au moment présent : *La langue française contemporaine est plus éloignée qu'on ne croit parfois de la langue du XIXe siècle* (syn. : ACTUEL, MODERNE).

contempteur, trice [kɔ̃tɑ̃ptœr, -tris] n. Personne qui dénigre (littér.).

1. contenance [kɔ̃tnɑ̃s] n. f. En parlant d'une personne, manière de se tenir en telle ou telle circonstance : *Sa contenance était celle d'un homme mortifié. Tâchez de faire bonne contenance malgré cette contrariété* (= de ne pas manquer de sérénité). *Devant une preuve aussi accablante, il a fini par perdre contenance* (= par se troubler). *Pour se donner une contenance, il feignait de lire un journal* (= pour dissimuler son trouble, son ennui). ◆ **décontenancer** [dekɔ̃tnɑ̃se] v. tr. (sujet nom de personne ou de chose). *Décontenancer quelqu'un,* le jeter dans un grand embarras : *Il ne s'est pas laissé décontenancer par l'objection* (syn. : TROUBLER, DÉMONTER, ↑ DÉCONCERTER).

2. contenance n. f. V. CONTENIR 1.

1. contenir [kɔ̃tnir] v. tr. (conj. 22). 1° (sujet nom de chose) *Contenir quelque chose,* le renfermer, l'avoir à soi : *Ma valise ne contient que des vêtements de voyage. L'air contient environ quatre cinquièmes d'azote. La dernière phrase de sa lettre contient une allusion à ses projets.* — 2° (sujet nom désignant un récipient, une salle, etc.) *Contenir quelque chose,* pouvoir le recevoir ; avoir comme capacité : *Une bouteille qui contient soixante-quinze centilitres* (syn. : TENIR). *Cet autocar peut contenir trente-cinq personnes.* ◆ **contenance** n. f. 1° Quantité que peut contenir une chose : *La contenance du réservoir d'essence permet un long parcours sans ravitaillement* (syn. : CAPACITÉ). — 2° Étendue d'un terrain : *Un bois d'une contenance de deux cents hectares* (syn. : SUPERFICIE). ◆ **contenant** n. m. Ce qui contient (généralement par oppos. à *contenu*) : *Le contenant est moins précieux que le contenu.* ◆ **contenu** n. m. 1° Ce qui est à l'intérieur d'un récipient : *Tout le contenu de l'encrier s'est répandu sur la table.* — 2° Idées, notions qui sont exprimées dans un texte, un mot, etc. : *Chacun ignorait jusqu'à ce jour le contenu du testament* (syn. : TENEUR, DISPOSITIONS). *La traduction ne peut pas rendre exactement le contenu de certains termes* (syn. : SENS).

2. contenir [kɔ̃tnir] v. tr. (conj. 22). *Contenir quelqu'un, quelque chose,* les empêcher de progresser, de se répandre, de se manifester : *Nos troupes avaient réussi à contenir la poussée ennemie* (syn. : ENDIGUER). *Nous avions peine à contenir notre envie de rire* (syn. : RETENIR, REFRÉNER, RÉPRIMER). ◆ ***se contenir*** v. pr. Retenir l'expression de sentiments violents, en particulier la colère : *Incapable de se contenir plus longtemps, il a fini par laisser éclater sa colère.*

content, e [kɔ̃tɑ̃, -ɑ̃t] adj. 1° Se dit d'un être animé dont les désirs, les goûts sont satisfaits, qui a ce qui lui plaît (contr. : MÉCONTENT) : *Quand la saison est belle les hôteliers sont contents* (syn. : JOYEUX). *Je suis très content de ma situation, de ma voiture, de cet employé* (syn. : SATISFAIT). *Je serais content que vous veniez me voir* (syn. : HEUREUX ; ↑ ENCHANTÉ, RAVI). — 2° *Content de soi, de sa personne,* qui s'approuve, s'admire : *Je suis content de moi : j'ai fini mon travail à la date prévue. Il est un peu trop content de lui en toute occasion* (syn. : VANITEUX). ◆ **content** n. m. *Avoir (tout) son content de quelque chose,* en avoir autant qu'on en désirait, voire davantage : *Lui qui voulait des émotions fortes, il en a eu son content dans ces deux jours de tempête.* ◆ **contenter** v. tr. 1° *Contenter quelqu'un,* combler ses désirs, répondre à ses vœux : *Un bon commerçant s'efforce de contenter sa clientèle* (contr. : MÉCONTENTER). *J'espère que cette explication vous contentera* (syn. : SATISFAIRE). — 2° *Contenter une envie, un caprice, un besoin,* etc., les faire cesser en les satisfaisant. ◆ ***se contenter*** v. pr. *Se contenter d'une chose,* se trouver suffisamment satisfait par elle, limiter ses désirs à elle : *Il se contente d'un bénéfice modeste.* ◆ **contentement** n. m. 1° Action de contenter ; sentiment de celui dont les désirs sont satisfaits : *Le contentement de ses désirs* (syn. : SATISFACTION). *Il a éprouvé un profond contentement en voyant triompher sa thèse* (syn. : SATISFACTION). *Son contentement se lit sur son visage* (syn. : PLAISIR, BONHEUR, JOIE). — 2° *Contentement de soi,* satisfaction, plus ou moins mêlée de vanité, qu'on éprouve en jugeant son action, sa propre personne. ◆ **mécontent, e** adj. et n. Se dit de quelqu'un qui n'est pas content, qui éprouve du dépit, du ressentiment : *Je suis très mécontent de votre travail. Il semblait mécontent de n'avoir pas été invité* (syn. : ↑ IRRITÉ, FÂCHÉ). *L'opposition faisait des adeptes parmi les nombreux mécontents.* ◆ **mécontenter** v. tr. : *Une augmentation des impôts mécontenterait tout le monde* (syn. : IRRITER, DÉPLAIRE À, ↑ HÉRISSER). ◆ **mécontentement** n. m. : *Il a exprimé son mécontentement en termes énergiques* (syn. : ↑ IRRITATION).

contentieux [kɔ̃tɑ̃sjø] n. m. 1° Ensemble des questions faisant l'objet de procès, de contestations : *Les diplomates de ces deux pays ont commencé à examiner le contentieux.* — 2° Service administratif chargé de régler les litiges.

contention [kɔ̃tɑ̃sjɔ̃] n. f. Intense concentration d'esprit.

conter [kɔ̃te] v. tr. 1° (sujet nom de personne) *Conter quelque chose,* faire le récit d'une histoire vraie ou imaginaire, exposer en détail (littér.) : *Il nous a conté ses peines. Contez-nous votre entrevue avec cette personne* (syn. usuel : RACONTER). — 2° *En conter à quelqu'un,* chercher à le tromper, lui en faire accroire. ‖ *S'en laisser conter,* se laisser tromper, duper. ‖ *Conter fleurette à une femme,* lui faire la cour. ◆ **conte** n. m. Récit, assez court, d'aventures imaginaires : « *Le Petit Poucet* », « *la Belle au bois dormant* » *sont des contes célèbres de Perrault. Les contes de Maupassant mettent souvent en scène des paysans normands.* ◆ **conteur, euse** n. : *Un cercle d'auditeurs attentifs s'était formé autour du conteur* (syn. : NARRATEUR).

contester [kɔ̃tɛste] v. tr. et intr. *Contester quelque chose,* ne pas le reconnaître fondé, exact, valable : *On peut contester la légalité de cette décision* (syn. : DISCUTER). *Je ne lui conteste pas le droit d'exposer ses idées* (syn. : REFUSER). *Le récit de cet historien est très contesté* (= controversé). *Nous ne contestons pas que votre rôle ait été* (ou *n'ait été*) *important.* ◆ **contestable** adj. : *Une hypothèse reste contestable tant qu'elle n'a pas été démontrée ou vérifiée* (syn. : DISCUTABLE). ◆ **incontestable** adj. : *Sa bonne foi est incontestable* (syn. : ASSURÉ, CERTAIN, HORS DE DOUTE, INDISCUTABLE). *Un droit incontestable* (syn. : SÛR). ◆ **incontestablement** adv. : *Ce trajet est plus court que l'autre, mais il est incontestablement moins pittoresque* (syn. : ASSURÉMENT, INDISCUTABLEMENT, SANS AUCUN DOUTE, À COUP SÛR). ◆ **contestation** n. f. Discussion, désaccord sur le bien-fondé d'une prétention, la légitimité d'un acte, l'exactitude d'un fait : *Un texte de loi ambigu donnerait lieu à de multiples contestations. Une contestation était née entre les deux voisins sur les limites d'un lopin de terre* (syn. : DIFFÉREND, LITIGE). ◆ **conteste *(sans)*** loc. adv. Sans que l'on puisse présenter une objection, une opposition, une réserve (presque toujours avec un superlatif, langue soignée) : *Etre sans conteste le plus fort* (syn. : ASSURÉMENT, INDISCUTABLEMENT, SANS CONTREDIT). *C'est très bien énoncé, sans conteste.*

conteur, euse n. V. CONTER.

contexte [kɔ̃tɛkst] n. m. 1° Ensemble du texte auquel appartient un mot, une expression, une phrase : *Un mot ne prend tout son sens que dans son contexte. Certaines phrases isolées de leur contexte sont incompréhensibles.* — 2° Ensemble des circonstances dans lesquelles se situe un fait, et qui lui confèrent sa valeur, sa signification : *On ne peut avoir une idée de l'importance de cette découverte qu'en la replaçant dans son contexte historique. Le contexte social, politique, économique* (syn. : ↓ SITUATION). ◆ **contextuel, elle** adj.

contexture [kɔ̃tɛkstyr] n. f. Manière dont sont liées entre elles les diverses parties d'un corps, d'un ouvrage complexe : *Un roman dont la contexture est très savante* (syn. : COMPOSITION, STRUCTURE).

contigu, ë [kɔ̃tigy] adj. Se dit d'un terrain, d'un local qui touche à un autre, qui lui fait immédiatement suite, ou d'une chose abstraite qui est étroitement liée à une autre : *La salle à manger est contiguë au salon* (syn. : ATTENANT). *La psychologie et la morale sont deux domaines contigus* (syn. : VOISIN). ◆ **contiguïté** [kɔ̃tigɥite] n. f. : *La contiguïté de leurs propriétés leur permettait de se rencontrer fréquemment.*

continence [kɔ̃tinɑ̃s] n. f. 1° Abstention des plaisirs de l'amour (langue relig.). — 2° Sobriété en paroles. ◆ **continent, e** adj. 1° Se dit d'une personne qui s'abstient des plaisirs de l'amour (syn. : CHASTE). — 2° Se dit d'une personne sobre en paroles : *Un orateur peu continent* (= verbeux, prolixe). ◆ **incontinence** n. f. 1° Manque de retenue en face des plaisirs de l'amour. — 2° *Incontinence de langage, de paroles,* absence de sobriété, de retenue dans sa façon de parler. — 3° *Incontinence d'urine,* émission involontaire d'urine. ◆ **incontinent, e** adj.

1. continent, e adj. V. CONTINENCE.

2. continent [kɔ̃tinɑ̃] n. m. Vaste étendue de terre qu'on peut parcourir sans traverser la mer (par oppos. à la mer ou à une île) : *Le Mont-Saint-Michel est relié au continent par une étroite bande de terre. Le détroit de Gibraltar sépare l'Espagne du continent africain.* ◆ **continental, e, aux** adj. 1° Qui appartient à l'intérieur d'un continent, qui concerne un continent : *Les mœurs insulaires diffèrent en bien des points des mœurs continentales.* — 2° *Climat continental,* climat caractérisé par de grands écarts de température entre l'été et l'hiver.

1. contingent, e [kɔ̃tɛ̃ʒɑ̃, -ɑ̃t] adj. Se dit de ce qui peut arriver ou ne pas arriver, être ou ne pas être (terme surtout philosophique) : *Des événements contingents peuvent entraver l'exécution du projet* (syn. : FORTUIT, ACCIDENTEL, OCCASIONNEL; contr. : NÉCESSAIRE). ◆ **contingences** n. f. pl. Circonstances fortuites, ensemble des facteurs imprévisibles qui peuvent conditionner un événement principal : *Il faut tenir compte des contingences locales pour apprécier l'opportunité de cette décision.*

2. contingent [kɔ̃tɛ̃ʒɑ̃] n. m. Ensemble des recrues appelées en même temps à faire leur service militaire : *Les soldats du contingent ont parfois une mentalité différente de celle des soldats de métier.*

3. contingent [kɔ̃tɛ̃ʒɑ̃] n. m. Quantité attribuée à quelqu'un ou fournie par quelqu'un : *Un commerçant qui n'a pas reçu son contingent habituel de marchandises risque de ne pas pouvoir satisfaire toute sa clientèle* (syn. : LOT, ATTRIBUTION). ◆ **contingenter** v. tr. *Contingenter un produit commercial,* en organiser officiellement la répartition, pour en limiter la distribution (syn. : RATIONNER). ◆ **contingentement** n. m.

continuer [kɔ̃tinɥe] v. tr. *Continuer quelque chose,* ne pas interrompre ce qu'on a commencé; reprendre ce qui avait été interrompu : *Continuez votre exposé* (syn. : POURSUIVRE). *En continuant à* (ou *de*) *marcher tout droit, on arrive à une cabane* (contr. : CESSER DE). *Je continue à croire que tout ira bien* (syn. : PERSISTER). *Viens avec moi, tu continueras plus tard la lecture de ton roman.* ◆ v. intr. (sujet nom d'être animé ou nom de chose). Ne pas interrompre son cours, reprendre son action : *La tempête a continué toute la nuit* (syn. : SE PROLONGER, SE POURSUIVRE, DURER). *Restez là si vous voulez, moi je continue* (= je poursuis ma route). *« J'en viens à ma conclusion », continua le conférencier.* ◆ ***se continuer*** v. pr. ou ***continuer*** v. intr. (sujet nom de chose). 1° Ne pas être interrompu : *La même politique financière continua avec le nouveau gouvernement* (syn. : SE POURSUIVRE). — 2° Etre prolongé : *La propriété se continue par une vaste forêt.* ◆ **continu, e** adj. Se dit de ce qui ne présente pas d'interruption dans le temps ou dans l'espace : *Il a fourni un effort continu* (syn. : ASSIDU). *Relier des points d'une figure par un trait continu* (syn. : ININTERROMPU). ◆ **continuité** n. f. Qualité d'une chose qui est sans interruption dans sa durée, dans son étendue : *La continuité de la douleur, d'une plaine.* ◆ **continûment** adv. : *Il pleut continûment depuis trois jours.* ◆ **continuateur, trice** n. Personne qui continue une œuvre commencée par une autre : *Les continuateurs de la réforme s'inspiraient des mêmes principes que ses promoteurs.* ◆ **continuation** n. f. 1° Action de continuer; ce qui continue : *Les syndicats ont décidé la continuation de la grève* (syn. : POURSUITE, PROLONGATION; contr. : CESSATION, ARRÊT). *L'action* *de ce ministre a été la continuation de celle de son prédécesseur* (syn. : SUITE, PROLONGEMENT). — 2° *Bonne continuation,* souhait assez vague, adressé à quelqu'un qui est adonné à une occupation. ◆ **continuel, elle** adj. Se dit de ce qui se répète sans cesse : *Ses absences continuelles désorganisent le fonctionnement du service* (syn. : CONSTANT, FRÉQUENT ; contr. : RARE, ÉPISODIQUE). ◆ **continuellement** adv. : *Cette vieille voiture tombe continuellement en panne* (syn. : CONSTAMMENT, SANS CESSE, SANS ARRÊT, TOUT LE TEMPS).

contondant, e [kɔ̃tɔ̃dɑ̃, -ɑ̃t] adj. Se dit d'un objet dont les coups causent des meurtrissures ou des fractures, mais qui ne coupe ni ne déchire les chairs : *La victime a été frappée avec une arme contondante.* (V. CONTUSION.)

contorsion [kɔ̃tɔrsjɔ̃] n. f. Mouvement violent qui donne au corps ou à une partie du corps une posture étrange, grotesque, et qui s'accompagne souvent de grimaces : *Un pitre qui se livre à toutes sortes de contorsions pour amuser les enfants.* ◆ **contorsionner** v. tr. : *Il contorsionnait hideusement tout son corps.* ◆ ***se contorsionner*** v. pr. Faire des contorsions : *Un serpent blessé se contorsionne en tous sens.* ◆ **contorsionniste** n. Acrobate spécialisé dans les contorsions.

contour [kɔ̃tur] n. m. 1° Ligne ou surface qui marquent la limite d'un corps : *L'enfant traçait des cercles en suivant avec un crayon le contour d'une soucoupe. Une statue grecque aux contours harmonieux.* — 2° Ligne sinueuse : *Les contours d'une rivière* (syn. : MÉANDRE). ◆ **contourner** v. tr. 1° *Contourner un objet, un édifice, un lieu,* suivre un trajet qui, au lieu de les rencontrer, en fait le tour : *Les colonnes de l'armée ennemie contournèrent prudemment la place forte. La rivière contourne la colline.* — 2° *Contourner une difficulté,* trouver un biais permettant de l'éviter habilement (syn. : ÉLUDER). — 3° *Style contourné,* manière d'écrire affectée, manquant de naturel et de simplicité. ◆ **contournement** n. m. : *Le contournement de la crevasse nous a fait perdre une heure.*

contraception [kɔ̃trasɛpsjɔ̃] n. f. Infécondité provoquée volontairement par des moyens anticonceptionnels. ◆ **contraceptif, ive** adj. Qui cause ou favorise la contraception.

1. contracter [kɔ̃trakte] v. tr. 1° *Contracter un corps,* le réduire à un volume moindre : *Le froid contracte le liquide du récipient* (contr. : DILATER). — 2° *Contracter quelqu'un,* le mettre dans un état de tension morale, affective (surtout au passif) : *La perspective de parler en public le contracte.* — 3° *Contracter un muscle,* lui faire faire un effort de traction. ‖ *Contracter le visage, les traits,* en faire jouer les muscles de sorte que l'expression devienne plus dure : *Il avait le visage contracté par la souffrance* (= tendu). *Il était très contracté au début de la discussion.* ◆ ***se contracter*** v. pr. 1° Se réduire, diminuer de volume : *La colonne d'alcool du thermomètre se contracte au froid.* — 2° Faire un effort de traction : *Ses muscles se contractèrent dans l'effort.* — 3° Devenir dur, tendu : *Ses traits se contractèrent quand il m'aperçut.* ◆ **contracté, e** adj. *Articles contractés,* formes de l'article défini combiné avec les prépositions *à* ou *de* : *Les articles contractés sont « au », « aux », « du », « des ».* ◆ **contraction** n. f. : *La contraction d'un gaz par refroidissement* (contr. : DILATATION). *Contraction d'un muscle. Contraction du visage* (syn. : DURCISSEMENT). ◆ **décontracter (se)** [sədekɔ̃trakte] v. pr. Cesser d'être contracté (sens 2 et 3 de *contracter*) : *Muscle, visage qui se décontracte* (syn. : SE DÉTENDRE). ◆ **décontracté, e** adj. *Fam.* Se dit d'une personne (ou de ses gestes, de ses attitudes) qui n'a pas d'appréhension, qui ne manifeste pas de contrariété : *Il était très décontracté en affrontant ses contradicteurs. Un sourire décontracté* (syn. : DÉTENDU). ◆ **décontraction** n. f. Etat d'un muscle décontracté, d'une personne qui se détend.

2. contracter [kɔ̃trakte] v. tr. 1° *Contracter un engagement, une obligation, une dette,* se lier juridiquement ou moralement par un engagement. — 2° *Contracter une dette de reconnaissance,* avoir une obligation morale à l'égard de quelqu'un qui vous a rendu service : *Le jour où il m'a sauvé, j'ai contracté envers lui une éternelle dette de reconnaissance.* ‖ *Contracter mariage avec quelqu'un,* l'épouser (terme admin.). ◆ **contractant, e** adj. et n. Qui prend un engagement par contrat. ◆ **contractuel, elle** adj. 1° Se dit de ce qui est fixé par contrat : *Les garanties contractuelles.* — 2° *Agent contractuel,* ou *contractuel* n. m., agent d'un service public qui, sans être fonctionnaire, est engagé par contrat. ◆ **contrat** n. m. 1° Acte officiel qui constate une convention entre plusieurs personnes : *Le contrat est signé par l'éditeur, d'une part, les auteurs, de l'autre.* — 2° Entente, accord amiable : *Le gouvernement a proposé un contrat aux partis de la majorité* (syn. : PACTE).

3. contracter [kɔ̃trakte] v. tr. *Contracter une maladie, une habitude,* en être atteint, se laisser gagner par elle (langue soignée) : *Il avait contracté la fièvre jaune en Orient* (syn. : ATTRAPER). *Il a contracté tout jeune l'habitude de fumer* (syn. : PRENDRE).

contradicteur, trice n., **contradiction** n. f., **contradictoire** adj. V. CONTREDIRE.

contraindre [kɔ̃trɛ̃dr] v. tr. (conj. 55) [sujet nom de personne ou de chose]. *Contraindre quelqu'un à,* lui imposer une action, une attitude, un état : *La maladie le contraint au repos* (syn. : OBLIGER). *Personne ne t'a contraint à cette démarche. La panne de voiture a contraint les voyageurs à coucher à l'hôtel* (syn. : OBLIGER, FORCER). *Je n'ai signé ce papier que contraint et forcé.* ◆ **se contraindre** v. pr. (sujet nom de personne). *Se contraindre à,* s'imposer l'obligation de : *Il se contraint à se lever très tôt tous les matins.* ◆ **contraignant, e** adj. : *Un horaire contraignant. Une occupation contraignante* (syn. : IMPÉRIEUX). ◆ **contraint, e** adj. Se dit d'une attitude qui manque de naturel : *Une politesse toute contrainte* (syn. : AFFECTÉ). *Il accepta d'un air contraint. Un style contraint.* ◆ **contrainte** n. f. 1° Nécessité à laquelle on soumet quelqu'un ou quelque chose : *On obtient souvent plus par la persuasion que par la contrainte* (syn. : FORCE). *Il n'a cédé que sous la contrainte.* — 2° Etat de gêne d'une personne à qui on impose ou qui s'impose une attitude contraire à son naturel : *L'air de contrainte qu'on lisait sur son visage démentait son enjouement apparent* (syn. : AFFECTATION).

contraire [kɔ̃trɛr] adj. 1° Se dit de choses qui sont en opposition totale : *Un état d'équilibre qui résulte de la neutralisation de deux forces contraires. Le froid et la chaleur produisent des effets contraires sur le volume d'un gaz* (syn. : OPPOSÉ). *Je marchais* *vers le sud et il venait en sens contraire* (= vers le nord). *La vitesse de l'avion a été réduite par le vent contraire* (= qui soufflait de face). — 2° *Contraire à* (et un substantif), se dit d'une chose incompatible avec une autre; qui va à l'encontre de : *Une décision contraire au règlement est inapplicable. Ce procédé est contraire à tous les usages établis* (contr. : CONFORME). *Un aliment contraire à la santé* (syn. : NUISIBLE). *Les plats sucrés sont contraires aux diabétiques* (syn. : CONTRE-INDIQUÉ). ◆ n. m. Personne ou chose qui est tout l'opposé d'une autre : *Il est tout le contraire de son frère : autant l'un est bavard, autant l'autre est taciturne. Vous prétendez avoir raison : je ne vous dis pas le contraire. La pauvreté est le contraire de la richesse.* ● *Au contraire, bien au contraire, tout au contraire,* loc. adv., *au contraire de,* loc. prép., d'une manière tout opposée, à l'inverse (de) : *Il ne paraissait pas triste : au contraire, il riait aux éclats. Il semblait très intéressé par la conférence, au contraire de son voisin, qui bâillait sans cesse.* ◆ **contrairement à** loc. prép. D'une manière contraire à : *Il pleut, contrairement aux prévisions de la météorologie, qui annonçait du beau temps* (contr. : CONFORMÉMENT À).

contralto [kɔ̃tralto] n. m. La plus grave des voix de femme.

contrarier [kɔ̃trarje] v. tr. 1° *Contrarier l'action de quelqu'un, de quelque chose,* y faire obstacle : *N'allez pas contrarier, par une imprudence, les effets bienfaisants de la cure* (syn. : CONTRECARRER, ↑ DÉTRUIRE). — 2° *Contrarier des lignes, des couleurs,* etc., les placer, les mettre en opposition. — 3° *Contrarier quelqu'un,* lui causer du déplaisir, le mécontenter en s'opposant à ses goûts, à ses projets : *J'avais l'intention de m'absenter, mais si cela vous contrarie, je reste avec vous* (syn. : ↑ ENNUYER). *Il regardait d'un air contrarié ses fleurs abîmées par l'orage.* ◆ **contrariant, e** adj. : *Il ne peut jamais être de l'avis de tout le monde : ce qu'il est contrariant! Un incident contrariant est venu interrompre cette séance* (syn. : ENNUYEUX, FÂCHEUX, REGRETTABLE). ◆ **contrariété** n. f. 1° Sentiment d'une personne qui rencontre un obstacle à ses projets : *Il tâchait de dissimuler sa contrariété sous un air détaché* (syn. : DÉPLAISIR). — 2° Ce qui contrarie quelqu'un : *Toutes ces contrariétés avaient fini par lui aigrir le caractère* (syn. : ENNUI).

contraste [kɔ̃trast] n. m. Opposition marquée entre deux choses : *La sombre silhouette des sapins faisait un contraste avec la surface lumineuse du lac. En contraste avec l'agitation de la ville, la campagne nous offre un calme bienfaisant.* ◆ **contraster** v. intr. (sujet nom de chose). *Contraster avec une chose,* être en opposition avec elle : *L'accueil aimable que nous réserva le directeur contrastait avec la mauvaise humeur de son secrétaire. Deux couleurs qui contrastent violemment* (syn. : S'OPPOSER). ◆ **contrasté, e** adj. Dont les oppositions sont très accusées : *Votre photographie est trop contrastée* (= l'opposition entre les noirs et les blancs est excessive).

contrat n. m. V. CONTRACTER 2; **contravention** n. f. V. CONTREVENIR.

contre [kɔ̃tr] prép. Exprime : 1° le contact, la juxtaposition : *Se blottir contre un mur. Serrer son fils contre sa poitrine* (syn. : SUR). *Sa maison est juste contre la mairie* (syn. : À CÔTÉ DE, AUPRÈS DE). *Il s'assit tout contre moi* (syn. : PRÈS DE); — 2° l'opposition, l'hostilité : *Se battre contre un ennemi redoutable, contre les préjugés* (syn. : AVEC). *Je suis contre de tels procédés* (contr. : POUR). *Un remède contre la grippe* (syn. : POUR). *Il a agi ainsi contre l'avis de ses conseillers* (syn. : CONTRAIREMENT À; contr. : SELON). ‖ *Envers et contre tout* (ou *tous*), en dépit de tous les obstacles. ‖ *Contre vents et marées,* en résistant à toutes les forces contraires; — 3° l'échange : *Il a troqué sa vieille voiture contre une moto* (syn. : POUR). *Un envoi contre remboursement. Il m'a offert une somme importante contre l'abandon de mes droits* (syn. : MOYENNANT); — 4° la proportion : *On trouve vingt films médiocres contre un bon* (syn. : POUR). ‖ *Parier à cent contre un,* exprime la conviction absolue qu'on a de dire la vérité. ● LOC. ADV. *Par contre,* indique une considération opposée (loc. déconseillée par quelques lexicographes) : *C'est un garçon charmant; par contre, son frère a un caractère détestable* (syn. : EN REVANCHE, EN COMPENSATION). ‖ *Là contre,* en opposition à cela : *C'est votre droit, je n'ai rien à dire là contre.* ◆ n. m. *Le pour et le contre,* les raisons favorables et les raisons défavorables : *J'hésite encore à accepter cette proposition : il y a du pour et du contre.*

contre-, préfixe indiquant une hostilité, une opposition ou une défense, et entrant dans la composition de substantifs (*contre-indication, contre-manifestation,* etc.) ou de verbes (*contre-miner, contre-peser,* etc.). Les composés sont traités à l'ordre alphabétique du mot simple quand ils comportent un trait d'union; ils restent à leur ordre quand ils entrent dans la composition d'un mot autonome. Le préfixe *contre-* est concurrencé en français contemporain par le préfixe *anti-*.

contrebalancer [kɔ̃trəbalɑ̃se] v. tr. (sujet nom de chose). *Contrebalancer une chose,* exercer une action opposée à une autre et tendant à l'annuler (surtout avec un mot abstrait) : *L'éducation contrebalance en lui les impulsions de la nature* (syn. : ÉQUILIBRER). *Un corps est dans l'état d'apesanteur quand la force centrifuge contrebalance l'effet de la pesanteur* (syn. : COMPENSER, NEUTRALISER).

contrebande [kɔ̃trəbɑ̃d] n. f. 1° Trafic par lequel on introduit clandestinement dans un pays des marchandises prohibées ou sur lesquelles on n'acquitte pas les droits de douane : *La contrebande des stupéfiants est sévèrement punie par la loi. Il a acheté un appareil photographique de contrebande. Passer du tabac en contrebande.* — 2° Marchandises ainsi introduites : *Ces montres bon marché, c'est de la contrebande.* ◆ **contrebandier** n. m. : *Une équipe de contrebandiers a été arrêtée à la frontière.*

contrebas [kɔ̃trəbɑ] n. m. Endroit situé à un niveau inférieur. ● *En contrebas,* loc. adv. ou loc. adj., *en contrebas de,* loc. prép. : *On aperçoit la route en contrebas. La rivière coule en contrebas de la maison* (contr. : EN CONTRE-HAUT DE).

contrebasse [kɔ̃trəbɑs] n. f. Le plus grand des instruments à cordes de la famille des violons.

contrecarrer [kɔ̃trəkare] v. tr. *Contrecarrer une action, un projet,* s'y opposer en suscitant des obstacles : *Si rien ne vient contrecarrer ce plan, tout ira bien* (syn. : CONTRARIER).

contrecœur (à) [akɔ̃trəkœr] loc. adv. Avec répugnance : *Accepter une proposition à contrecœur* (syn. : MALGRÉ SOI). *A contrecœur, il repartit chez lui* (= contre son gré; contr. : VOLONTIERS).

contrecoup [kɔ̃trəku] n. m. Coup moral ou physique qui est la conséquence d'un autre : *Les dures années d'occupation ont été le contrecoup de la défaite militaire. En se mettant à boire, il a fait son malheur, et par contrecoup celui de sa famille* (syn. : RÉPERCUSSION).

contre-courant (à) [akɔ̃trəkurɑ̃] loc. adv., **à contre-courant de** loc. prép. Dans le sens contraire (de) : *Il est pénible de nager à contre-courant. Il a eu le courage de poursuivre ses recherches à contre-courant de l'opinion commune.*

contredanse [kɔ̃trədɑ̃s] n. f. *Pop.* Contravention.

contredire [kɔ̃trədir] v. tr. (conj. **72**). **1°** (sujet nom de personne) *Contredire quelqu'un,* dire le contraire de ce qu'il avance : *Il ne suffit pas qu'on me contredise; j'attends des preuves* (syn. : DÉMENTIR, RÉFUTER). — **2°** (sujet nom de chose) *Contredire une chose,* être en opposition avec elle, être incompatible avec elle : *Cette hypothèse est contredite par les faits* (syn. : INFIRMER). ◆ ***se contredire*** v. pr. Emettre des affirmations incompatibles : *Il se contredit sans cesse dans ses explications.* ◆ **contradicteur, trice** n. : *L'orateur a brillamment répondu aux objections de ses contradicteurs.* ◆ **contradiction** n. f. : *Nous étions allés porter la contradiction dans une réunion électorale* (= critiquer les thèses de l'orateur). *Je relève plusieurs contradictions dans les déclarations des témoins* (syn. : DISCORDANCE, INCOMPATIBILITÉ). *L'expression « entendre le silence » contient une contradiction dans les termes. Il y a contradiction entre ses principes et ses actes; ses actes sont en contradiction avec ses principes* (syn. : OPPOSITION). *C'est par esprit de contradiction qu'il n'est pas d'accord avec moi* (= par besoin de contredire à tout prix). ◆ **contradictoire** adj. **1°** Se dit de choses entre lesquelles il y a contradiction, incompatibilité : *Il n'est pas possible de concilier deux théories aussi contradictoires* (syn. : IRRÉDUCTIBLE, INCOMPATIBLE). — **2°** *Conférence, débat, réunion contradictoire,* où les opposants sont admis à critiquer les idées émises et à exposer leurs propres idées. ◆ **contradictoirement** adv. Avec un débat contradictoire, des arguments pour et contre. ◆ **contredit *(sans)*** loc. adv. Sans contestation possible (langue soignée) : *Ce roman est sans contredit le meilleur de la saison* (syn. : ASSURÉMENT, INDISCUTABLEMENT, INCONTESTABLEMENT, À COUP SÛR, SANS CONTESTE).

contrée [kɔ̃tre] n. f. Etendue de pays (ordinairement suivi d'un compl., d'un adj. qui caractérise son aspect particulier, ses productions) : *L'explorateur a rapporté de nombreux films des contrées lointaines qu'il a visitées* (syn. : PAYS). *Une contrée riche en primeurs* (syn. : RÉGION).

contrefaire [kɔ̃trəfɛr] v. tr. (conj. **76**). **1°** *Contrefaire quelqu'un, ses gestes,* etc., les imiter en les déformant, les reproduire de façon ridicule, grotesque : *L'élève a été puni pour avoir contrefait la démarche de son professeur* (syn. : PARODIER; fam. : SINGER). — **2°** *Contrefaire sa voix, son visage,* etc., les déformer pour tromper : *Pour lui faire une farce, je lui ai téléphoné en contrefaisant ma voix.* — **3°** (sujet nom de personne) *Etre contrefait,* avoir une conformation physique défectueuse (syn. : ÊTRE DIFFORME). ◆ **contrefaçon** n. f. Imitation frauduleuse : *La contrefaçon des billets de banque est passible de la réclusion. Exigez la marque d'origine et méfiez-vous des contrefaçons.* ◆ **contrefacteur** n.

contreficher (se) v. pr. V. FICHER (SE).

1. contrefort [kɔ̃trəfɔr] n. m. **1°** Pilier édifié contre un mur pour le soutenir. — **2°** Pièce de cuir renforçant l'arrière d'une chaussure.

2. contreforts [kɔ̃trəfɔr] n. m. pl. Montagnes moins élevées qui font suite au massif principal.

contre-haut (en) [ɑ̃kɔ̃trəo] loc. adv. ou loc. adj., **en contre-haut de** loc. prép. En un point plus élevé : *Un jardin avec une terrasse en contre-haut. Le château est en contre-haut de la route* (contr. : EN CONTRE-BAS DE).

contre-jour n. m. V. JOUR 2.

contremaître [kɔ̃trəmɛtr] n. m. Personne qui surveille et dirige le travail d'une équipe d'ouvriers ou d'ouvrières.

contremarque [kɔ̃trəmark] n. f. **1°** Ticket remis à un spectateur qui quitte la salle un instant, pour lui permettre de rentrer. — **2°** Seconde marque apposée sur des marchandises, sur des objets.

contrepartie [kɔ̃trəparti] n. f. **1°** Ce que l'on donne en échange d'autre chose : *Obtenir la contrepartie financière de la perte de temps subie.* — **2°** Ce qui constitue une sorte d'équivalent d'effet opposé : *C'est un métier pénible, mais il a une contrepartie : la longueur des vacances* (syn. : COMPENSATION, DÉDOMMAGEMENT). — **3°** Opinion contraire : *La contrepartie de cette thèse a été présentée par l'orateur suivant* (syn. : CONTRE-PIED). • LOC. ADV. *En contrepartie,* en compensation, en échange : *On vous laisse toute initiative, mais, en contrepartie, vous êtes responsable du résultat* (syn. : EN REVANCHE; fam. : PAR CONTRE).

contrepèterie ou **contrepetterie** [kɔ̃trəpɛtri] n. f. Interversion des syllabes ou des lettres d'un mot ou d'une expression qui produit un effet plaisant. (Ex. : *Les épaules de saint Pitre,* au lieu de *Les épîtres de saint Paul.*)

contre-pied [kɔ̃trəpje] n. m. **1°** Ce qui va exactement à l'encontre d'une opinion, de la volonté de quelqu'un : *Sa théorie est le contre-pied de la vôtre* (syn. : OPPOSÉ, INVERSE). — **2°** *Prendre le contre-pied,* faire exactement l'inverse pour s'opposer : *Par esprit de contradiction, il a pris le contre-pied de ce qu'on lui avait demandé de faire.* ‖ *Prendre un adversaire à contre-pied,* le déséquilibrer en envoyant la balle à un endroit opposé à celui où il l'attend (tennis, football, etc.).

contre-plaqué [kɔ̃trəplake] n. m. Bois en plaques formées de feuilles collées ensemble, avec les fibres croisées : *Une tablette en contre-plaqué.*

contrepoids [kɔ̃trəpwɑ] n. m. **1°** Poids qui équilibre totalement ou en partie un autre poids ou une force : *La barrière du passage à niveau, le levier d'aiguillage comportent des contrepoids. Il portait une valise de chaque main pour faire contrepoids.* — **2°** Ce qui compense un effet : *La prudence de ce conseiller sert de contrepoids à la fougue de son maître* (syn. : FREIN).

contrepoint [kɔ̃trəpwɛ̃] n. m. Art de composer de la musique à deux ou plusieurs parties.

contrer [kɔ̃tre] v. tr. et intr. Au jeu de bridge, parier que l'équipe adverse ne fera pas le nombre de levées annoncé. ◆ v. tr. Fam. *Contrer quelqu'un,* s'opposer à son action en la neutralisant.

contresens [kɔ̃trəsɑ̃s] n. m. **1°** Interprétation erronée d'un mot, d'une phrase : *Le traducteur semble avoir commis un contresens dans ce passage. On risque de faire de nombreux contresens en lisant sans précaution un texte français du XVIIe siècle.* — **2°** Ce qui est anormal, ce qui va à l'encontre du bon sens, du naturel : *C'est un contresens de faire le devoir avant d'avoir appris la leçon correspondante* (syn. : NON-SENS, ABSURDITÉ). *Un vin sucré avec du poisson, c'est un contresens* (syn. : ABERRATION). ● *A contresens,* loc. adv., *à contresens de,* loc. prép., dans un sens contraire au sens naturel : *Si vous rabotez cette planche à contresens, vous ferez du mauvais travail* (syn. : À L'ENVERS). *Une barque passait sur la rivière à contresens du courant.*

contresigner v. tr. V. SIGNER.

contretemps [kɔ̃trətɑ̃] n. m. Evénement fâcheux, qui vient soudain contrarier un projet ou le cours normal des choses : *Nous avons été retardés par une panne : sans ce contretemps, nous serions arrivés deux heures plus tôt.* ● LOC. ADV. *A contretemps,* sans respecter la mesure, le rythme : *Un musicien qui joue un passage à contretemps;* mal à propos : *C'est un maladroit qui fait tout à contretemps.* ‖ *A temps et à contretemps,* sans se soucier de savoir si les circonstances sont favorables ou défavorables.

contrevenir [kɔ̃trəvnir] v. tr. ind. (conj. **22**). *Contrevenir à un règlement, à un ordre,* agir contrairement à ses prescriptions : *L'automobiliste était passible d'une amende pour avoir contrevenu au Code de la route* (syn. : ENFREINDRE, VIOLER, TRANSGRESSER). ◆ **contravention** n. f. **1°** Procès-verbal dressé par un représentant de l'autorité et constatant une infraction à un règlement, notamment en matière de circulation : *Un agent lui a donné* (ou *dressé*) *une contravention pour excès de vitesse* (syn. fam. : CONTREDANSE). — **2°** Amende correspondant à cette infraction : *Payer une contravention.* — **3°** Infraction à un règlement : *En stationnant ici, vous vous mettez en état de contravention.* ◆ **contrevenant, e** n. Personne qui enfreint un règlement : *Il est interdit de pêcher ici; les contrevenants s'exposent à des poursuites.*

contrevent [kɔ̃trəvɑ̃] n. m. Volet placé à l'extérieur d'une fenêtre.

contribuer [kɔ̃tribɥe] v. tr. ind. (sujet nom de personne ou de chose). *Contribuer à quelque chose, à faire quelque chose,* participer à un résultat par sa présence, par une action, par un apport d'argent : *Le voisinage de la rivière contribue à rendre ce séjour agréable. Les intempéries ont contribué à la hausse du coût des produits agricoles* (= en ont été un facteur important). *Tous les habitants du village peuvent contribuer à son embellissement.* ◆ **contribution** n. f. **1°** Part apportée par quelqu'un à une œuvre commune : *La contribution de Diderot à l'« Encyclopédie » fut capitale* (syn. : PARTICIPATION). *Si chacun apporte sa contribution, nous aurons bientôt la somme nécessaire* (syn. : OBOLE). — **2°** *Mettre quelqu'un à contribution,* recourir à ses services, lui demander d'accomplir une tâche.

1. contribution n. f. V. CONTRIBUER.

2. contributions [kɔ̃tribysjɔ̃] n. f. pl. **1°** Syn. de IMPÔTS : *Aller à la perception pour payer ses contributions. Contributions directes* (= versées directement aux services des Finances). *Contributions indirectes* (= taxes prélevées sur certains produits). — **2°** Administration chargée de l'établissement et de la perception des impôts (avec une majusc.) : *Il est employé aux Contributions.* ◆ **contribuable** n. Personne soumise à l'impôt : *Le ministre a déclaré que le nouvel impôt ne frapperait pas les petits contribuables.*

contrister [kɔ̃triste] v. tr. *Contrister quelqu'un,* le jeter dans une grande tristesse (littér., surtout au passif) : *Il paraissait tout contristé du peu de cas qu'on faisait de son œuvre* (syn. : CHAGRINER, PEINER, ATTRISTER, ↑ CONSTERNER).

contrit, e [kɔ̃tri, -it] adj. **1°** Se dit de quelqu'un qui se repent d'un acte et qui se le reproche (littér.) : *Il est contrit de sa maladresse* (syn. : CONFUS). — **2°** Qui marque le repentir : *Il a avoué sa faute d'un air contrit* (syn. : REPENTANT). ◆ **contrition** n. f. Regret d'une faute qu'on a commise (terme relig.) : *Le pardon suppose une contrition sincère* (syn. : REPENTIR).

contrôle [kɔ̃trol] n. m. **1°** Vérification attentive et minutieuse de la régularité d'un état ou d'un acte, de la validité d'une pièce : *Un inspecteur chargé du contrôle des prix* (syn. : ↓ SURVEILLANCE). *Le contrôle des opérations électorales est placé sous la responsabilité des préfets. Les policiers ont procédé au contrôle des cartes d'identité. Exercer un contrôle discret sur la gestion de l'affaire.* — **2°** Bureau chargé de ce genre de vérification : *Les spectateurs munis de billets à prix réduit doivent se présenter au contrôle.* — **3°** Maîtrise de sa propre conduite, faculté de diriger convenablement des véhicules, des appareils, etc. : *La colère lui a fait perdre le contrôle de lui-même. Malgré le verglas, l'automobiliste a réussi à garder le contrôle de sa voiture.* — **4°** Liste détaillée de personnes dont la présence, les activités, etc., doivent être vérifiées : *Cette personne ne figure plus sur les contrôles de la société.* ◆ **contrôler** v. tr. **1°** *Contrôler quelqu'un, quelque chose,* exercer sur eux un contrôle : *Contrôler les présents, la qualité de la marchandise, la fidélité d'une traduction* (syn. : VÉRIFIER). *Dans cet état de dépression, elle avait peine à contrôler ses nerfs* (syn. : MAÎTRISER). — **2°** En termes militaires, avoir la maîtrise de la situation dans un secteur : *Nos troupes contrôlent cette zone.* ◆ ***se contrôler*** v. pr. Avoir la maîtrise de soi, de sa conduite, de ses sentiments, de ses réactions : *Il ne se contrôle plus quand il est en colère.* ◆ **contrôleur, euse** n. Personne (employé, fonctionnaire, etc.) chargée de vérifier l'état d'un appareil, de contrôler les billets, etc. : *Le contrôleur passe dans les compartiments du train pour vérifier les billets. Le contrôleur du métro.* ◆ **incontrôlé, e** adj. : *Des éléments incontrôlés de l'armée ont commis des pillages* (= échappant au contrôle des autorités). ◆ **contrôlable** adj. : *Cette affirmation est aisément contrôlable : il suffit de consulter le compte rendu de la séance.* ◆ **incontrôlable** adj. : *Il ne faut pas se fier à des rumeurs incontrôlables.*

contrordre [kɔ̃trɔrdr] n. m. Ordre, décision qui annule un ordre ou une décision antérieurs : *Le contrordre est arrivé trop tard pour éviter l'accident. Nous arriverons vers midi, sauf contrordre.*

controuvé, e [kɔ̃truve] adj. Se dit d'une histoire, d'un détail inventés pour tromper, pour masquer la vérité : *Une biographie qui comporte une foule d'anecdotes controuvées* (syn. : MENSONGER, INVENTÉ).

controverse [kɔ̃trɔvɛrs] n. f. Discussion, motivée le plus souvent par des interprétations différentes d'un mot, d'un texte, d'une doctrine : *Le sens de cette phrase a suscité de nombreuses controverses entre les commentateurs* (syn. : CONTESTATION, DÉBAT). *Une célèbre controverse opposa, au XVIIe siècle, les jansénistes et les jésuites sur le dogme de la grâce.* ◆ **controversable** adj. : *Ce n'est là qu'une opinion controversable* (syn. : CONTESTABLE). ◆ **controverser** v. tr. (surtout au part. passé) : *L'exactitude de ce récit a été longtemps controversée* (syn. : CONTESTER). *Un savant a fourni une explication ingénieuse, mais très controversée* (syn. : DISCUTER).

contumace [kɔ̃tymas] n. f. 1° Refus d'un accusé de déférer à une citation à comparaître devant un tribunal : *Les complices en fuite ont été condamnés par contumace à dix ans de prison.* — 2° *Purger sa contumace,* se présenter volontairement devant un tribunal quand on a été condamné par contumace. ◆ **contumax** adj. et n. Se dit d'une personne en état de contumace.

contusion [kɔ̃tyzjɔ̃] n. f. Meurtrissure causée par un coup qui ne produit pas de blessure ouverte, par une forte pression : *La voiture a capoté, mais tous les occupants s'en sont tirés avec de simples contusions.* (V. CONTONDANT.) ◆ **contusionner** v. tr. : *Il s'est relevé sérieusement contusionné de sa chute.*

convaincre [kɔ̃vɛ̃kr] v. tr. (conj. 85) [sujet nom de personne ou de chose]. 1° *Convaincre quelqu'un (de quelque chose),* lui représenter quelque chose avec une force qui le contraigne à en admettre la vérité ou la nécessité; emporter son adhésion : *Votre raisonnement est ingénieux, mais il ne m'a pas convaincu* (syn. : ↓ PERSUADER). *Il cherchait à nous convaincre des avantages de sa méthode. Nous l'avons enfin convaincu de renoncer à son projet.* — 2° Apporter des preuves de la culpabilité d'une personne : *L'accusé a été convaincu de participation au meurtre.* ◆ **convaincant, e** adj. : *L'avocat s'est montré très convaincant* (syn. : ↓ PERSUASIF). *Une expérience convaincante* (syn. : PROBANT). ◆ **convaincu, e** adj. Qui adhère fermement à une opinion, à une croyance : *C'est un partisan convaincu de l'unité européenne* (syn. : RÉSOLU, DÉTERMINÉ). *Il parle d'un ton convaincu* (syn. : ↓ ASSURÉ). ◆ **conviction** n. f. 1° Etat d'une personne qui croit fermement en ce qu'elle dit ou pense : *Ma conviction se fonde sur des témoignages irrécusables* (syn. : CERTITUDE). *J'ai la conviction qu'il est encore temps d'agir.* — 2° Conscience qu'une personne a de l'importance, du sérieux de ses actes : *Il exécute les ordres, mais sans conviction. Se donner à sa tâche avec conviction.* — 3° *Pièces à conviction,* ensemble des preuves matérielles de la culpabilité d'un accusé. ◆ **convictions** n. f. pl. Croyances religieuses, philosophiques, etc. : *Je ne partage pas ses convictions.*

convalescent, e [kɔvalɛsɑ, -ɑt] adj. et n. Se dit d'une personne qui revient à la santé après une maladie : *Il faut le ménager, il est encore convalescent. Les convalescents se promènent dans le jardin de l'hôpital.* ◆ **convalescence** n. f. Retour progressif à la santé : *Cette grave maladie a été suivie d'une longue convalescence. Il n'est pas rétabli, mais il est entré en convalescence.*

1. convenir [kɔ̃vnir] v. tr. (conj. 22). 1° (sujet nom de personne) *Convenir de* (et l'infin. ou un nom), *convenir que* (et l'indic.), se mettre d'accord sur ce qui doit être fait, adopter d'un commun accord (l'auxiliaire est *avoir* dans l'usage courant, *être* dans la langue soignée) : *Les délégués ont convenu de tenir une nouvelle séance la semaine prochaine* (syn. : DÉCIDER). *Ils étaient convenus de s'en tenir aux questions essentielles. Nous avons convenu d'un lieu de rendez-vous. Il a convenu avec moi que nous commencerions demain. Il est convenu avec la direction que des places vous seront réservées* (= il est entendu). [Dans ce sens, *convenir* peut s'employer au passif avec une construction personnelle : *Une date a été convenue pour cette fête.*] — 2° *Convenir de* (et un nom), *convenir que* (et l'indic.), *convenir* (et l'infin. sans prép.), reconnaître comme vrai : *Il a bien été obligé de convenir de son erreur. Convenez que la ressemblance est frappante* (syn. : ↑ AVOUER). *Je conviens avoir dit cela dans un moment de précipitation* (syn. : ADMETTRE). ◆ **disconvenir** v. tr. ind. *Ne pas disconvenir de quelque chose,* ne pas le contester (langue soignée) : *Vous avez raison, je n'en disconviens pas* (syn. : NIER). ◆ **convention** n. f. 1° Règle, accord permanent, convenus à l'intérieur d'un groupe, entre des personnes : *Une langue est un système de conventions permettant l'échange des idées et des sentiments. Les conventions du code de la politesse. L'action de la pièce est située dans un Orient de convention* (= de fantaisie, factice). *Sur cette carte, les forêts sont, de convention, représentées en vert.* — 2° Accord officiel passé entre des Etats, des sociétés, des individus, en vue de produire un effet juridique, social, politique : *Une convention a été signée entre les représentants du patronat et ceux des syndicats* (syn. : ↓ ACCORD, ARRANGEMENT). ◆ **conventionné, e** adj. Lié par une convention à un organisme de sécurité sociale (*clinique conventionnée, médecin conventionné*), à l'Etat (*établissement scolaire conventionné*). ◆ **conventionnel, elle** adj. : *Les corrections typographiques à faire sont indiquées par des signes conventionnels* (syn. : ↑ ARBITRAIRE). *La numérotation de ces dossiers est purement conventionnelle. La lettre se termine par une formule conventionnelle de politesse* (syn. : CONVENU, BANAL). *Les armements conventionnels* (syn. : CLASSIQUE ; contr. : ATOMIQUE).

2. convenir [kɔ̃vnir] v. tr. ind. (conj. 22). 1° (sujet nom d'être animé ou de chose) *Convenir à quelqu'un, à quelque chose,* être conforme aux possibilités, aux goûts de quelqu'un; être approprié à une chose, à une situation : *Un moyen de transport qui convient aux gens pressés. Si la date ne vous convient pas, vous pouvez en proposer une autre* (syn. : PLAIRE, AGRÉER [langue soignée]). *Ce magasin vend des articles qui conviennent à toutes les bourses.* — 2° *Il convient de* (et l'infin.) ou *que* (et le subj.), exprime ce qui est requis par la situation, les bienséances, ce qui est souhaitable : *Il convient d'être très prudent pour éviter de graves inconvénients* (syn. : IL Y A LIEU). *Il convient que chacun fasse un effort* (syn. : ↑ IL FAUT). ◆ **convenu, e** adj. Se dit de ce qui n'est pas naturel, de ce qui ne correspond pas à un sentiment profond : *Une* *politesse convenue. Un tableau d'une élégance très convenue* (syn. : AFFECTÉ, ARTIFICIEL, FACTICE). ◆ **convenable** adj. 1° *Convenable à, pour,* se dit d'une chose ou d'un être animé que ses qualités rendent approprié à un usage, à une action déterminée (parfois sans compl.) : *Un livre convenable à des enfants. Un coin de rivière convenable pour la pêche* (syn. : PROPICE). *Arrivé à la distance convenable, il lança un appel.* — **2°** (sans compl.) Se dit de quelqu'un, de quelque chose qui respecte les bienséances, la morale, qui est conforme à l'usage, au bon sens : *Lui qui est parfois si grossier, il a été très convenable en société* (syn. fam. : COMME IL FAUT). *Ne la regardez pas aussi fixement, ce n'est pas convenable* (syn. : DÉCENT, BIENSÉANT). *Les changements apportés restent dans des limites convenables* (syn. : RAISONNABLE, NORMAL). — **3°** (sans compl.) Se dit de quelque chose qui est d'une qualité suffisante, sans plus : *Un devoir convenable* (syn. fam. : HONNÊTE, ACCEPTABLE, ↓ PASSABLE, ↑ BON). *Un logement convenable.* ◆ **convenablement** adv. Sens 2 et 3 de *convenable : Tu tâcheras de te tenir convenablement. Un appartement convenablement chauffé. Il s'exprime déjà très convenablement en anglais* (syn. fam. : HONNÊTEMENT, CORRECTEMENT, ↓ PASSABLEMENT, ↑ BIEN). *Si le miroir est convenablement placé, il réfléchira la lumière* (syn. : CORRECTEMENT, COMME IL FAUT). ◆ **convenance** n. f. 1° Qualité de ce qui convient à quelqu'un ou à quelque chose : *Un style remarquable par la convenance des termes* (syn. : PROPRIÉTÉ). *Il y a entre nous une grande convenance de goûts* (syn. : AFFINITÉ). — **2°** (au plur.) Bons usages, manière d'agir des gens bien élevés : *Les convenances voudraient que vous laissiez passer cette dame avant vous* (syn. : BIENSÉANCE, BONNE ÉDUCATION). — **3°** *A ma (ta, sa,* etc.) *convenance,* selon ce qui me (te, lui, etc.) convient : *Vous choisirez une heure à votre convenance* (syn. : COMMODITÉ, GRÉ, CHOIX). — **4°** *Mariage de convenance,* mariage conclu selon des considérations d'intérêt, de position sociale, etc. (contr. : MARIAGE D'AMOUR, D'INCLINATION). ‖ *Convenances personnelles,* raisons qu'on n'indique pas (express. admin.) : *Solliciter un congé pour* (ou *de*) *convenances personnelles.* ◆ **inconvenance** n. f. Manquement aux bons usages : *Ce serait une inconvenance de tarder à répondre à cette invitation* (syn. : INCORRECTION, ↑ GROSSIÈRETÉ). ◆ **inconvenant, e** adj. : *Il montrait une joie inconvenante devant cette famille en deuil* (syn. : DÉPLACÉ, INDÉCENT, MALSÉANT). *Tenir des propos inconvenants* (syn. : GROSSIER, OBSCÈNE).

conventuel, elle [kɔ̃vɑ̃tɥɛl] adj. Qui concerne un couvent : *Règle conventuelle. Vie conventuelle.*

converger [kɔ̃vɛrʒe] v. intr. (sujet nom de chose). Aboutir à un même point : *Une ville où convergent six grandes routes. Nos pensées convergent vers la même conclusion* (contr. : DIVERGER). ◆ **convergent, e** adj. Se dit de choses qui convergent : *Ce point est signalé sur le dessin par des flèches convergentes. Les enquêteurs ont remarqué plusieurs détails convergents* (= qui orientent l'enquête dans la même direction). *Des efforts convergents* (= qui tendent au même but). *Une lentille convergente est celle qui fait converger des rayons lumineux en un même point* (contr. : DIVERGENT). ◆ **convergence** n. f. : *Les points de convergence des lignes d'une perspective. Etre lié par la convergence des intérêts* (contr. : DIVERGENCE).

converser [kɔ̃vɛrse] v. intr. *Converser avec quelqu'un,* échanger avec lui des propos sur un ton familier (langue soignée) : *Nous avons agréablement conversé au salon* (syn. : BAVARDER, CAUSER, S'ENTRETENIR, PARLER; fam. : DISCUTER; DEVISER, langue soignée). ◆ **conversation** n. f. Communication orale d'idées (langue usuelle) : *Ils ont eu une conversation animée, fructueuse, à bâtons rompus* (syn. : BAVARDAGE, ENTRETIEN, ÉCHANGE DE VUES). *La conversation commençait à languir. Il n'a guère de conversation* (= il n'est pas habile à parler de choses diverses en société). *Sa conversation est toujours pittoresque.*

1. convertir [kɔ̃vɛrtir] v. tr. *Convertir quelqu'un à,* le faire changer d'opinion, de croyance, l'amener à ses vues : *Les missionnaires ont converti au christianisme de nombreux habitants de ces régions. On a vainement essayé de le convertir à la musique moderne.* ◆ *se convertir* v. pr. [à]. Changer de croyance, abandonner les idées qu'on professait pour adhérer à d'autres : *Il s'est converti au socialisme. Depuis qu'il s'est converti, il fréquente de nombreux prêtres.* ◆ **converti, e** adj. et n. 1° Se dit d'une personne qui a été amenée à une croyance : *Baptiser un converti.* — **2°** *Prêcher un converti, parler, s'adresser à un converti,* vouloir convaincre quelqu'un qui est déjà convaincu : *Tout ce que tu me dis, je le sais déjà : tu prêches un converti.* ◆ **conversion** n. f. Action de convertir ou de se convertir : *Depuis sa conversion au catholicisme, il mène une vie plus rangée. Sa conversion aux nouvelles théories scientifiques a été très remarquée.*

2. convertir [kɔ̃vɛrtir] v. tr. **1°** *Convertir quelque chose* (*en*), le transformer entièrement, en faire quelque chose d'autre, l'adapter à de nouvelles fonctions : *Les abeilles convertissent le pollen en miel. Les champs cultivés ont été convertis en prairies.* — **2°** *Convertir des nombres, des unités,* etc., exprimer les mêmes valeurs avec des systèmes différents de nombres, d'unités : *Convertir une fraction en nombre décimal, des degrés en grades, des francs en dollars.* — **3°** *Convertir des biens,* en réaliser la valeur en argent afin de les transformer en une autre catégorie de biens : *Il a converti ses titres de rente en terrains à bâtir.* ◆ **convertible** adj. Qui peut être converti : *Un chèque convertible en espèces.* ◆ **inconvertible** adj. : *Monnaie inconvertible.* ◆ **convertibilité** n. f. : *La convertibilité des monnaies.* ◆ **conversion** n. f. : *Les élèves doivent opérer des conversions de nombres complexes en nombres décimaux.* ◆ **reconvertir** v. tr. : *Reconvertir une usine d'aviation en une usine de voitures automobiles.* ◆ **reconversion** n. f. Adaptation d'une industrie, d'une main-d'œuvre à de nouveaux besoins, et, en particulier, adaptation de l'industrie de guerre à la production du temps de paix : *La reconversion des chantiers navals.*

convexe [kɔ̃vɛks] adj. Se dit d'une surface courbe extérieurement ou d'un corps qui présente une telle surface : *Un bouton convexe* (syn. : BOMBÉ). *Un miroir convexe donne une image réduite* (contr. : CONCAVE). *Une lentille convexe concentre au foyer les rayons lumineux parallèles.* ◆ **convexité** n. f. : *Une trop forte convexité de la route déporte les véhicules vers les bas-côtés.*

conviction n. f. V. CONVAINCRE.

1. convier [kɔ̃vje] v. tr. *Convier quelqu'un à* (et l'infin.), le pousser avec insistance à accomplir telle ou telle action : *On les a conviés à donner leur avis.*

2. convier [kɔ̃vje] v. tr. *Convier quelqu'un,* l'inviter avec une prévenance toute particulière (langue soignée) : *Vous êtes tous conviés à cette réunion amicale.*

convive [kɔ̃viv] n. Personne qui prend part à un repas : *La maîtresse de maison prie les convives de passer à table. Une assemblée de joyeux convives.*

convocation n. f. V. CONVOQUER.

convoi [kɔ̃vwɑ] n. m. **1°** Suite de véhicules transportant des personnes ou des choses vers une certaine destination : *L'aviation de reconnaissance a repéré plusieurs convois de troupes ennemies. Un convoi de matériel est passé sur cette route. Un convoi aérien, maritime.* — **2°** Suite de voitures de chemin de fer entraînées par une seule machine (terme admin.; syn. usuel : TRAIN). — **3°** Cortège accompagnant le corps d'un défunt à une cérémonie de funérailles : *Le convoi se rend au cimetière. Le convoi funèbre cheminait en silence.* ◆ **convoyer** v. tr. Accompagner en groupe pour protéger : *Une vingtaine de navires convoyaient les pétroliers* (syn. : ESCORTER). ◆ **convoyeur, euse** adj. et n. : *Les bateaux convoyeurs* (syn. : ESCORTEUR). *Des bandits ont attaqué les convoyeurs de la voiture postale.*

convoiter [kɔ̃vwate] v. tr. *Convoiter un bien,* le désirer vivement : *Il a été malade de dépit de voir cet héritage, qu'il convoitait tant, lui échapper* (syn. fam. : GUIGNER). *Il a enfin obtenu ce poste si convoité* (syn. : BRIGUER, RECHERCHER). ◆ **convoitise** n. f. : *L'enfant regardait les jouets de la vitrine avec des yeux brillants de convoitise* (syn. : ↓ DÉSIR). *Sa convoitise l'a fait agir malhonnêtement* (syn. : AVIDITÉ, CUPIDITÉ). *Regarder une femme avec convoitise* (syn. : CONCUPISCENCE).

convoler [kɔ̃vɔle] v. tr. Se marier (toujours ironiq.) : *Ils ont attendu la cinquantaine pour convoler. Il a convolé en justes noces avec sa belle.*

convoquer [kɔ̃vɔke] v. tr. **1°** *Convoquer une assemblée, les membres d'une commission,* etc., les inviter à tenir une réunion : *Le président a convoqué le Parlement.* — **2°** *Convoquer quelqu'un,* lui donner l'ordre de se présenter, le prier fermement de venir : *Le directeur a convoqué dans son bureau cet employé indélicat. Les parents de l'élève ont été convoqués par le proviseur.* ◆ **convocation** n. f. **1°** Action de convoquer : *Le bureau a décidé la convocation de tous les adhérents en assemblée plénière. Il s'interrogeait sur l'objet de cette convocation au commissariat de police.* — **2°** Avis écrit invitant à se présenter : *Les candidats recevront une convocation une dizaine de jours avant l'examen. J'ai perdu ma convocation.*

convoyer v. tr. V. CONVOI.

convulser [kɔ̃vylse] v. tr. Contracter violemment les traits du visage, provoquer une crispation tordant les membres : *La crise d'épilepsie lui convulsait tout le corps.* ◆ **convulsif, ive** adj. Qui a le caractère violent et involontaire des convulsions : *Un rire convulsif. Un mouvement convulsif.* ◆ **convulsivement** adv. : *Le malade s'agitait convulsivement dans son lit.* ◆ **convulsion** n. f. **1°** Contraction musculaire violente et involontaire (surtout au plur.) : *Un bébé pris de convulsions.* — **2°** Soubresaut : *Les convulsions d'une révolution.*

coopérative [kɔɔperativ] n. f. Groupement d'acheteurs, de commerçants ou de producteurs visant à réduire les prix de revient; locaux où sont établis les bureaux de cette organisation : *Grâce à la coopérative, j'ai réalisé vingt pour cent d'économie. Une coopérative agricole.* ◆ **coopérateur** n. m. Membre d'une coopérative.

coopérer [kɔɔpere] v. tr. ind. (sujet nom d'être animé ou, plus rarement, de chose). *Coopérer à quelque chose,* participer à une œuvre commune : *De nombreux spécialistes ont coopéré à la rédaction du dictionnaire* (syn. : COLLABORER). *Toutes ces couleurs coopèrent à l'harmonie de l'ensemble* (syn. : CONCOURIR, CONTRIBUER). ◆ **coopération** n. f. : *Ce projet est le fruit de la coopération de plusieurs bureaux d'études* (syn. : COLLABORATION). ◆ **coopératif, ive** adj. Qui participe volontiers à une action commune : *Un enfant très coopératif.*

coordonner [kɔɔrdɔne] v. tr. **1°** *Coordonner des choses* (souvent nom abstrait), disposer des éléments divers en vue d'obtenir un ensemble cohérent, un résultat déterminé : *Un comité d'entraide a été créé pour coordonner les initiatives privées. Tu n'arrives pas à nager parce que tu coordonnes mal tes mouvements* (syn. : COMBINER, HARMONISER). — **2°** Relier des termes grammaticaux par une conjonction de coordination : *La conjonction « et » peut coordonner des noms, des pronoms, des adjectifs, des adverbes, des propositions.* ◆ **coordination** n. f. Action de coordonner; état de ce qui est coordonné : *La coordination des recherches, des programmes scolaires* (syn. : HARMONISATION). *La coordination de ces propositions est réalisée par la conjonction « mais ».* (V. aussi CONJONCTION.) ◆ **coordonnant** n. m. Terme qui exprime la coordination grammaticale. ◆ **coordonnées** n. f. pl. Éléments servant à déterminer la position d'un point dans l'espace selon un système de référence.

copain [kɔpɛ̃] n. m., **copine** [kɔpin] n. f. *Fam.* Camarade de classe, de travail, de loisirs, qui est souvent de la même génération : *Il fait rire tous les copains de la classe avec ses pitreries. Une employée qui bavarde avec ses copines. Je pars en vacances avec un copain. Alors, on n'est plus copains, tous les deux?* (syn. : AMI). *Il réserve les bonnes places aux petits copains* (= à ses intimes, ses complices). ◆ adj. Fam. *Etre copain avec,* être en bons termes : *Etre très copain avec le concierge.* ◆ **copiner** v. intr. *Fam.* Etre copain (souvent avec une nuance péjor.) : *Je n'aime pas beaucoup le voir copiner avec ce garçon-là.*

copeau [kɔpo] n. m. Lamelle très fine de bois produite par un instrument tranchant, en particulier un rabot.

copier [kɔpje] v. tr. **1°** *Copier un écrit, une œuvre d'art* (dessin, tableau, statue, etc.), les reproduire avec exactitude, trait pour trait : *Il a passé de longues heures dans les bibliothèques à copier des documents pour sa thèse* (syn. : RECOPIER, TRANSCRIRE). *Les élèves qui n'ont pas su leur leçon devront la copier trois fois. Ce prétendu tableau de maître n'est qu'une reproduction copiée par un habile faussaire.* — **2°** Transcrire frauduleusement un texte au lieu de rédiger personnellement un devoir, une composition (souvent sans compl. d'objet) : *Un candidat qui copie sur son voisin. Il a copié son devoir sur un manuel.* — **3°** *Copier quelqu'un, quelque chose,* l'imiter servilement, sans originalité : *Il* *s'efforce de copier les aristocrates qu'il fréquente. Un artiste qui copie fidèlement son modèle.* — 4° Fam. *Vous me la copierez!*, voilà une chose peu banale, qui mérite qu'on s'en souvienne! ◆ **copiage** n. m. Action d'un élève, d'un candidat qui copie (sens 2) : *Le copiage est sévèrement sanctionné.* ◆ **copieur, euse** adj. et n. Qui copie (sens 2) : *On peut avoir confiance en lui : il n'est pas copieur. Punir un copieur.* ◆ **copie** n. f. 1° Reproduction d'un texte écrit ou d'une œuvre d'art : *La copie de son diplôme a été certifiée conforme à l'original par le commissaire de police. J'ai gardé une copie de la lettre que je lui ai adressée* (syn. : DOUBLE, DUPLICATA). *Ce tableau n'est pas l'œuvre authentique de Rembrandt, c'est une copie très habile* (syn. : IMITATION, FAUX). — 2° Feuille de papier servant à un écolier, à un étudiant pour rédiger un travail : *Acheter chez le papetier un paquet de copies doubles, de copies perforées.* — 3° Devoir d'élève : *Le professeur passe de longues heures à corriger des copies. Plusieurs candidats ont remis une copie blanche* (= n'ont rien su écrire sur le sujet proposé). ◆ **copiste** n. Personne qui établit une copie d'un texte; en particulier, celui qui, avant la découverte de l'imprimerie, reproduisait des manuscrits : *Beaucoup de variantes sont dues à des distractions de copistes.* ◆ **recopier** v. tr. Syn. courant de COPIER (sens 1), en particulier pour les textes qu'on a soi-même écrits une première fois : *Quand il a eu fini son brouillon, il l'a recopié au propre* (syn. : METTRE AU NET). *J'ai cherché son numéro de téléphone dans l'annuaire et je l'ai recopié sur mon calepin* (syn. : TRANSCRIRE, REPORTER).

copieux, euse [kɔpjø, -øz] adj. (avant ou plus souvent après le nom). Qui est en grande quantité, qui offre une riche matière : *Servir un repas copieux* (syn. : ABONDANT, ↑ PLANTUREUX). *De copieuses rasades* (syn. : LARGE). *Un texte accompagné de notes copieuses* (syn. : NOMBREUX). ◆ **copieusement** adv. : *Nous avons dîné copieusement* (syn. : ABONDAMMENT). *Il s'est fait copieusement réprimander.*

copule [kɔpyl] n. f. Nom donné en grammaire au verbe *être*.

copyright [kɔpirait] n. m. Droit de reproduction et de vente des œuvres littéraires et artistiques.

coq [kɔk] n. m. 1° Oiseau de basse-cour, mâle de la poule domestique : *Les coqs lancent leur cri au lever du jour. Le cri du coq est désigné par l'onomatopée « cocorico ».* — 2° Nom du mâle de plusieurs autres espèces : *Un coq faisan.* — 3° Fam. *Etre comme un coq en pâte*, être choyé, confortablement installé. ‖ *Jambes, mollets de coq*, jambes maigres.

coq-à-l'âne [kɔkalan] n. m. invar. Passage brusque, dans la conversation, d'une idée à une autre qui est sans rapport avec la première : *Ce coq-à-l'âne était d'un comique irrésistible.*

coquart ou **coquard** [kɔkar] n. m. *Pop.* Tuméfaction de l'œil produite par un coup : *Il est rentré de la manifestation avec un fameux coquart* (syn. fam. : ŒIL AU BEURRE NOIR, ŒIL POCHÉ).

1. coque [kɔk] n. f. Revêtement plus ou moins arrondi d'un navire, d'une voiture : *La coque du paquebot a été endommagée par un écueil.*

2. coque [kɔk] n. f. 1° Syn. rare de COQUILLE, usité surtout dans l'expression *œuf à la coque*, œuf cuit dans sa coquille. — 2° Mollusque comestible. ◆ **coquetier** n. m. 1° Petit godet destiné à recevoir et à maintenir droit un œuf qu'on mange à la coque. — 2° Marchand d'œufs et de volailles. — 3° Fam. *Gagner le coquetier*, réussir un coup heureux ou, *ironiq.*, commettre une maladresse : *Il a gagné le coquetier : c'est lui qui a été choisi parmi tous les concurrents* (syn. fam. : DÉCROCHER LA TIMBALE). *Tu as gagné le coquetier : à force de tripoter ta montre, tu l'as cassée.*

coquelicot [kɔkliko] n. m. 1° Plante à fleur d'un rouge vif, de l'espèce du pavot, qu'on voit fréquemment dans les champs de céréales. — 2° *Rouge comme un coquelicot*, se dit d'une personne dont le visage rougit sous l'effet d'une émotion, de la honte, etc.

coqueluche [kɔklyʃ] n. f. 1° Maladie contagieuse atteignant surtout les enfants, et caractérisée notamment par des quintes de toux. — 2° *Fam.* Personne qui est l'objet d'un engouement passager du public : *Un acteur qui est la coqueluche des jeunes spectatrices.* ◆ **coquelucheux, euse** adj. et n. : *Une toux coquelucheuse.*

coquet, ette [kɔkɛ, -ɛt] adj. 1° (après le nom) Se dit d'un homme ou d'une femme qui cherche à plaire par sa toilette, par le soin de sa personne, qui a le goût de l'élégance : *Il est très coquet : ses complets sont toujours d'une coupe irréprochable.* — 2° (avant ou après le nom) Se dit d'une chose, et surtout d'une habitation ou de ce qui s'y rapporte, qui plaît par son élégance, sa grâce : *Un mobilier coquet. Une coquette villa* (syn. : ÉLÉGANT, GRACIEUX). — 3° Fam. *Une somme coquette*, une somme importante (syn. fam. : UNE SOMME RONDELETTE, UNE JOLIE SOMME). ◆ **coquette** adj. et n. f. Se dit d'une femme qui cherche à plaire aux hommes, à se faire un cercle d'adorateurs sans s'attacher profondément à tel ou tel d'entre eux : *Les femmes coquettes sont capricieuses* (syn. : FLIRTEUSE, FLIRT, ↑ PROVOCANTE). *La Célimène du « Misanthrope » de Molière est un type de coquette.* ◆ **coquettement** adv. : *Elle est coquettement vêtue. Un intérieur coquettement aménagé.* ◆ **coquetterie** n. f. 1° Qualité d'une personne coquette, de ce qui est coquettement mis, aménagé, etc. : *La coquetterie de la toilette, d'un salon. Elle reçoit une foule de jeunes gens, par simple coquetterie.* — 2° Désir de plaire par un caractère original : *Il met une note de coquetterie à laisser deviner sa pensée par le lecteur.*

1. coquille [kɔkij] n. f. 1° Enveloppe dure d'un œuf, d'un mollusque, d'une noix, etc. : *L'œuf n'est pas écrasé, mais la coquille est fêlée. Une coquille d'huître.* — 2° *Coquille de beurre*, petite quantité de beurre roulée et servie avec un mets. ‖ *Coquille Saint-Jacques*, variété comestible de coquillage. ‖ *Rentrer dans sa coquille*, fuir la société. ‖ *Sortir de sa coquille*, sortir de son isolement. ◆ **coquillage** n. m. 1° Coquille d'un mollusque considérée le plus souvent sous son aspect de curiosité, d'ornement : *Un enfant qui ramasse des coquillages sur la plage.* — 2° Mollusque qui vit dans cette coquille : *Manger des coquillages.*

2. coquille [kɔkij] n. f. Faute matérielle dans une composition typographique : *Une épreuve pleine de coquilles.*

coquin, e [kɔkɛ̃, -in] adj. et n. 1° Se dit ordinairement, avec une nuance de sympathie, d'un enfant espiègle, malicieux : *Comme il est coquin d'avoir fait cette surprise à ses parents! Petite coquine, tu étais cachée derrière la porte!* — 2° Se dit d'une personne d'une moralité douteuse : *Ton voisin a l'air d'un drôle de coquin! Il était en compagnie d'une espèce de grande coquine.* — **3°** Se dit familièrement d'une chose plus ou moins licencieuse : *Une histoire coquine. Une allusion coquine* (syn. : LESTE, ÉGRILLARD). *Elle le regardait d'un air coquin.* ◆ **coquinerie** n. f. **1°** *La coquinerie de cet enfant se lit sur son visage* (syn. : MALICE, ESPIÈGLERIE). *Tu m'as encore fait une coquinerie!* (= joué un tour). — **2°** *Etre victime de la coquinerie d'un individu sans scrupule* (syn. : ↑ ESCROQUERIE).

1. cor [kɔr] n. m. **1°** Instrument de musique à vent, en cuivre, fait principalement d'un tube enroulé sur lui-même : *Les cors d'un orchestre symphonique. Le cor de chasse ne comporte pas de clefs.* — **2°** *Réclamer à cor et à cri,* avec une grande insistance. ◆ **corniste** n. Personne qui joue du cor dans un orchestre.

2. cor [kɔr] n. m. Chaque pousse des bois d'un cerf : *Cerf dix cors.*

3. cor [kɔr] n. m. Durillon qui se forme sur un orteil.

corail, aux [kɔraj, -ro] n. m. Substance dure, rose ou rouge, utilisée en bijouterie et provenant de minuscules animaux vivant dans les mers chaudes : *Les coraux forment des récifs.*

coranique [kɔranik] adj. Relatif au Coran, livre sacré des musulmans : *Les prescriptions coraniques.*

corbeau [kɔrbo] n. m. Grand oiseau noir, qui vit souvent en bandes : *Le corbeau croasse.*

1. corbeille [kɔrbɛj] n. f. Panier en général sans anse, comportant des éléments décoratifs : *A la fin du repas, on passa une corbeille de fruits. Elle s'installa dans le salon auprès de sa corbeille à ouvrage, où elle reprit sa broderie interrompue* (= où se trouvent le fil, les aiguilles, etc.). *Il chiffonna son brouillon et le jeta dans la corbeille à papier* (ou simplem. *dans la corbeille*).

2. corbeille [kɔrbɛj] n. f. Dans certaines salles de spectacle, places situées au balcon ou à l'avant des fauteuils d'orchestre.

corbillard [kɔrbijar] n. m. Char ou voiture automobile servant à transporter les morts.

corde [kɔrd] n. f. **1°** Lien assez gros, fait de fils tordus ensemble ou tressés : *Un ballot de marchandises attaché par une corde. L'alpiniste se laissait lentement glisser le long de sa corde. Grimper à la corde. Une fillette qui saute à la corde* (= qui en tient les extrémités et la fait tourner par-dessus sa tête, puis saute à pieds joints par-dessus quand elle rase le sol). — **2°** Fil de boyau, d'acier, de Nylon, etc., qu'on fait vibrer dans certains instruments de musique, ou qui tend un arc, garnit une raquette : *Le violon a quatre cordes. Il a cassé trois cordes de sa raquette.* — **3°** Fam. *Il ne vaut pas la corde pour le pendre,* c'est un individu méprisable. ‖ Fam. *Avoir, se mettre la corde au cou,* être, se mettre dans une situation désespérée ou dans un état de dépendance totale. ‖ Fam. *Marcher, danser, être sur la corde raide,* être dans une situation critique, faire des prodiges d'adresse pour se maintenir. ‖ *Tenir la corde, prendre un virage à la corde,* suivre le plus court trajet dans un virage, en se tenant le plus près possible du bord de la route. ‖ *Usé jusqu'à la corde,* se dit d'un tissu si usé qu'il laisse voir les fils de la trame; se dit de ce qui perd tout intérêt, toute efficacité à force d'être ressassé : *Une plaisanterie usée jusqu'à la corde* (syn. : REBATTU, ÉCULÉ). ‖ *Toucher la corde sensible de quelqu'un,* lui parler de ce qui lui tient le plus à cœur. ‖ (sujet nom de personne). *Avoir plus d'une corde à son arc, plusieurs cordes à son arc,* avoir plusieurs moyens de se tirer d'affaire, avoir des ressources variées. ◆ **cordage** n. m. Corde ou câble faisant partie du gréement d'un bateau : *Du temps de la marine à voile, les matelots devaient souvent grimper dans les cordages.* ◆ **cordeau** n. m. **1°** Petite corde ou ficelle qu'on tend pour tracer un alignement : *Le jardinier utilise un cordeau pour dessiner ses plates-bandes.* — **2°** *Fait, tiré, tracé au cordeau,* se dit de ce qui est d'une régularité parfaite, voire excessive. ◆ **cordée** n. f. Groupe d'alpinistes reliés entre eux au moyen d'une corde, par mesure de sécurité : *La cordée a franchi une crevasse.* ◆ **cordelière** n. f. Torsade ou tresse servant de ceinture, de garniture. ◆ **cordelette** n. f. Corde fine. ◆ **corder** v. tr. *Corder une raquette,* la garnir de cordes. ◆ **encorder (s')** v. pr. S'attacher à la corde qui assure les alpinistes d'une cordée, un groupe de spéléologues. ◆ **cordier** n. m. Fabricant de cordes. ◆ **cordon** n. m. **1°** Morceau de corde ou de tresse d'un textile moins grossier que le chanvre : *Autrefois, la concierge ouvrait la porte de l'immeuble en tirant sur un cordon. Nouer les cordons d'un tablier. Acheter du cordon de tirage pour les rideaux.* — **2°** Ligne formée par une suite de personnes ou de choses : *Un cordon de troupe protégeait l'hôtel de ville.* — **3°** *Cordon bleu,* fine cuisinière. ‖ Fam. *Tenir les cordons de la bourse,* administrer l'argent du ménage, contrôler les dépenses. ◆ **cordonnet** n. m. Mince cordon employé en broderie.

1. cordial, e, aux [kɔrdjal, -djo] adj. (avant ou après le nom). Se dit de paroles, de gestes, d'attitudes qui expriment avec simplicité une sympathie sincère, ou des dispositions morales correspondantes : *Une cordiale poignée de main. Un accueil cordial. Vous lui ferez part de mon plus cordial souvenir* (syn. : SYMPATHIQUE, ↑ AMICAL). ◆ **cordialement** adv. : *Je vous invite cordialement à m'accompagner* (syn. : ↑ AMICALEMENT). ◆ **cordialité** n. f. : *Ses propos témoignaient d'une grande cordialité à notre égard* (syn. : SYMPATHIE).

2. cordial [kɔrdjal] n. m. Liqueur tonique, reconstituante.

cordon n. m. V. CORDE.

cordonnier, ère [kɔrdɔnje, -ɛr] n. Personne qui répare et qui vend des chaussures. ◆ **cordonnerie** n. f. Métier, boutique du cordonnier.

coriace [kɔrias] adj. **1°** *Aliment coriace,* ferme comme du cuir : *De la viande coriace* (syn. : DUR). — **2°** Fam. *Personne coriace,* celle dont on peut difficilement vaincre la résistance, l'obstination : *Un adversaire coriace* (syn. : ↓ TENACE).

cornac [kɔrnak] n. m. Conducteur d'un éléphant.

1. corne [kɔrn] n. f. **1°** Excroissance dure et pointue qui pousse sur la tête de divers animaux : *Le bœuf, le chamois, la gazelle portent des cornes.* — **2°** Excroissance charnue sur la tête des escargots, des limaces, de certains insectes : *L'escargot rentre ses cornes.* — **3°** Extrémité pointue d'une chose : *Je l'attendrai à la corne du bois* (syn. plus usuel : COIN). — **4°** *Faire les cornes à quelqu'un,* en parlant d'un enfant, pointer vers lui l'index de chaque main, ou l'index et le médius écartés, en un geste de moquerie. ‖ *Faire une corne à une feuille de papier, à une carte de visite,* en replier un coin. ◆ **cornard** adj. et n. m. *Pop.* Se dit d'un mari trompé par sa femme, à cause des cornes que l'on attribue par plaisanterie aux maris trompés. ◆ **corner** v. tr. *Corner les pages d'un livre, une lettre,* en replier un ou plusieurs coins. ◆ **cornu, e** adj. Qui a des cornes : *Un mouton cornu. Une enluminure qui représente des diables cornus.*

2. corne [kɔrn] n. f. (au sing. seulement). 1° Substance dure qui forme le sabot de certains quadrupèdes : *Le maréchal-ferrant taille la corne pour ferrer le cheval.* — 2° Callosité de la peau : *A force de marcher pieds nus, il a de la corne sous la plante des pieds.* ◆ **corné, e** adj. : *Avoir la peau cornée* (syn. : CALLEUX).

3. corne [kɔrn] n. f. 1° Instrument d'appel fait d'une corne d'animal munie d'une anche : *On entendait les appels de corne des chasseurs.* — 2° Syn. vieilli d'AVERTISSEUR *de voiture.* ◆ **corner** v. tr. et intr. 1° *Corner quelqu'un,* donner un coup d'avertisseur pour attirer son attention, l'inviter à se garer (vieilli) : *L'automobiliste corne les piétons qui encombrent la chaussée. Corner à l'approche d'un croisement* (syn. : KLAXONNER). — 2° *Corner une nouvelle, ses intentions,* etc., les répandre à grand bruit, les annoncer de tous côtés : *Je te dis cela entre nous, tu n'as pas besoin d'aller le corner partout.*

corned-beef [kɔrnbif ou kɔrnɛdbif] n. m. Viande de bœuf en conserve.

cornée [kɔrne] n. f. Partie antérieure du globe oculaire, en forme de calotte.

corneille [kɔrnɛj] n. f. 1° Oiseau noir très proche du corbeau. — 2° *Bayer aux corneilles,* V. BAYER.

cornélien, enne [kɔrneljɛ̃, -ljɛn] adj. 1° Se dit de l'œuvre de Pierre Corneille, de ce qui est typiquement représentatif de cette œuvre : *Le théâtre cornélien. Un vers cornélien.* — 2° Se dit d'une situation, d'un débat qui appelle une décision héroïque : *Il doit choisir entre sa carrière et sa vie familiale : c'est cornélien.*

cornemuse [kɔrnəmyz] n. f. Instrument de musique à vent formé d'une outre et de tuyaux : *Un air de danse écossais joué à la cornemuse.*

corner [kɔrnɛr] n. m. 1° Au football, faute d'un joueur qui envoie le ballon derrière la ligne des buts de son équipe. — 2° Remise en jeu du ballon par l'équipe adverse, à la suite de cette faute : *Botter un corner.*

1. cornet [kɔrnɛ] n. m. 1° Cône de papier contenant des bonbons, des dragées, des frites, etc. — 2° Cône de pâtisserie dans lequel on présente une crème glacée.

2. cornet [kɔrnɛ] n. m. *Cornet à pistons,* instrument de musique à vent, en cuivre.

cornette [kɔrnɛt] n. f. Coiffure de tissu portée par certaines religieuses.

corniaud ou **corniot** [kɔrnjo] n. m. 1° Chien bâtard. — 2° *Fam.* Individu sot, stupide : *Il aurait pu faire attention, ce corniaud-là! Et la priorité, hé, corniaud!* (syn. : IMBÉCILE).

corniche [kɔrniʃ] n. f. 1° Moulure en surplomb en haut d'un édifice, d'une armoire, etc. — 2° Route taillée au flanc d'une paroi abrupte, ou dominant de haut un vaste paysage et particulièrement la mer.

1. cornichon [kɔrniʃɔ̃] n. m. Petit concombre que l'on fait macérer dans du vinaigre pour servir de condiment.

2. cornichon [kɔrniʃɔ̃] n. et adj. m. *Fam.* Niais, imbécile : *Avec des cornichons comme lui, on n'arriverait jamais à rien. Travaille donc, au lieu de me regarder d'un air cornichon* (syn. fam. : BALLOT).

corniot n. m. V. CORNIAUD; **corniste** n. V. COR 1; **cornu, e** adj. V. CORNE 1.

cornue [kɔrny] n. f. Vase à col étroit pour la distillation.

corollaire [kɔrɔlɛr] n. m. Ce qui est entraîné comme conséquence nécessaire, ce qui va de pair avec quelque chose : *Son remplacement à ce poste n'est que le corollaire de sa nomination à d'autres fonctions.* ◆ adj. Se dit de ce qui résulte naturellement de quelque chose, de ce qui s'y rattache : *Transmettre un ordre et les consignes corollaires.* ◆ **corollairement** adv. : *Vous me présenterez vos critiques et, corollairement, vos suggestions.*

corolle [kɔrɔl] n. f. Ensemble des pétales d'une fleur : *Les anémones du bouquet ont ouvert leur corolle.*

coron [kɔrɔ̃] n. m. Groupe d'habitations ouvrières en pays minier.

corporation [kɔrpɔrasjɔ̃] n. f. Ensemble, organisé ou non, des personnes exerçant les diverses activités d'une même profession : *La corporation des bouchers. Dans certaines corporations, le risque de chômage subsiste.* ◆ **corporatif, ive** adj. 1° Propre à une corporation : *Revendications corporatives. Organisation corporative.* — 2° *Esprit corporatif,* esprit de solidarité entre les membres d'une même corporation. ◆ **corporativement** adv. : *Des artisans qui se groupent corporativement.* ◆ **corporatisme** n. m. Doctrine favorable au groupement des travailleurs en corporations organisées.

1. corps [kɔr] n. m. 1° Partie matérielle d'un être animé, souvent opposée, chez l'homme, à l'âme ou à l'esprit : *La belette a un corps allongé. Les victimes avaient le corps couvert de brûlures. Après la catastrophe, des corps gisaient çà et là* (syn. : CADAVRE). *La gymnastique développe le corps. Le corps a ses exigences.* — 2° Tronc de l'homme, par opposition à la tête et aux membres : *Il portait des tatouages sur les bras et sur le corps.* — 3° Partie d'un vêtement qui couvre le buste : *Le corps du chandail est terminé, il ne reste plus à faire que les manches.* — 4° *A mi-corps,* jusqu'au milieu du corps : *Les sauveteurs avaient de l'eau à mi-corps.* ‖ *Corps et âme* [kɔrzeɑm ou kɔreɑm], de tout son être, sans réserve : *Il se donne corps et âme à cette œuvre de bienfaisance.* ‖ *Perdu corps et biens* [kɔrzebjɛ̃ ou kɔrebjɛ̃], se dit d'un bateau qui a sombré avec son équipage. ‖ *Prendre, saisir à bras le corps,* saisir quelqu'un de force par le milieu du corps; attaquer résolument les difficultés : *Il a pris la difficulté à bras le corps.* ‖ *Lutter, combattre corps à corps* [kɔrakɔr], de près, en saisissant directement l'adversaire : *Les deux bandes rivales, ayant épuisé leurs munitions, se battaient corps à corps.* ‖ *Un corps à corps* (n. m.), un combat où l'on frappe directement l'adversaire, une mêlée. ‖ *Se jeter,* *s'élancer à corps perdu,* de toutes ses forces, sans retenue : *Il s'est lancé à corps perdu dans la bataille électorale.* || *Passer sur le corps à quelqu'un,* triompher totalement de lui, n'avoir aucun scrupule à le ruiner, à l'abattre pour se procurer un avantage (syn. : FOULER AUX PIEDS, PIÉTINER). || *Savoir, connaître ce qu'il a dans le corps,* connaître ses intentions, ses possibilités (syn. fam. : CE QU'IL A DANS LE VENTRE). ◆ **corporel, elle** adj. Qui concerne le corps humain : *Les douleurs corporelles sont parfois moins cruelles que les souffrances morales* (syn. : PHYSIQUE). *Les châtiments corporels sont interdits en France dans l'enseignement public.*

2. corps [kɔr] n. m. 1° Objet, substance considérés dans leur nature matérielle : *Vérifier la loi de la chute des corps. Le carbone est un corps simple, l'eau un corps composé. Un corps étranger dans l'œil cause de l'irritation.* — 2° Partie essentielle d'une chose; ensemble d'une chose : *Le piston se déplace dans le corps de pompe. Les remarques sont dispersées dans tout le corps de l'ouvrage.* — 3° *Corps de bâtiment,* ensemble de constructions formant une partie d'une propriété : *Les écuries forment un corps de bâtiment à part, derrière le château.* || *Donner corps à quelque chose,* faire en sorte que ce ne soit pas une simple fiction, une idée sans rapport avec la réalité : *Plusieurs détails ont donné corps à cette rumeur* (syn. : CONFIRMER, FONDER, ACCRÉDITER). || *Faire corps avec,* adhérer à, être solidaire de : *Impossible d'ébranler ce rocher, il fait corps avec la falaise* (syn. : FAIRE BLOC AVEC). || *Prendre corps* (sujet généralement nom abstrait), commencer à s'organiser, à se préciser; devenir cohérent, consistant : *Un projet qui prend corps* (syn. : PRENDRE FORME, SE MATÉRIALISER, SE CONCRÉTISER). *L'accusation prend corps peu à peu.* ◆ **corpuscule** n. m. Très petite particule de matière. (V. INCORPORER.)

3. corps [kɔr] n. m. 1° Ensemble de personnes appartenant à une même catégorie professionnelle, jouant le même rôle politique, etc. : *La majorité du corps enseignant restait attachée à la tradition. Le corps électoral a montré peu d'empressement pour se rendre aux urnes* (syn. : LES ÉLECTEURS). *On appelle « grands corps de l'Etat » l'ensemble des fonctionnaires supérieurs appartenant à diverses administrations. Dans certains corps de métier, le travail est irrégulier* (syn. : CORPORATION). — 2° Recueil de textes, ensemble formé d'éléments variés : *C'est un penseur aux intuitions pénétrantes, mais il n'a jamais rassemblé ses idées en un corps de doctrine.* — 3° *Esprit de corps,* solidarité entre les membres d'une même profession, d'une même corporation. (V. CORPORATION.)

corpulence [kɔrpylɑ̃s] n. f. 1° Ampleur du volume du corps humain : *Une personne de forte corpulence.* — 2° Tendance à l'obésité : *Avoir de la corpulence.* ◆ **corpulent, e** adj. Ample de corps : *Cette voiture peut contenir six personnes moyennement corpulentes* (syn. : GROS, OBÈSE ; contr. : MINCE).

correct, e [kɔrɛkt] adj. 1° Se dit d'une chose qui ne contient pas de fautes, qui est conforme aux règles, à la normale : *Une phrase correcte* (contr. : FAUTIF). *Son raisonnement est correct. Le calcul est faux, mais la figure est correcte* (syn. : EXACT, JUSTE). *Tout a été prévu pour assurer le déroulement correct des opérations électorales* (syn. : BON [placé avant le nom], RÉGULIER). — 2° Se dit d'une chose qui est d'une qualité moyenne : *Votre devoir est correct; il lui manque un peu d'originalité pour être un bon devoir* (syn. : CONVENABLE, ACCEPTABLE, HONNÊTE). — 3° Se dit d'une personne (ou de son comportement) qui respecte les bienséances, qui observe les principes admis de la vie sociale : *Les soldats d'occupation ont reçu l'ordre d'être toujours corrects avec la population civile. Il a eu une attitude très correcte à l'égard de ses anciens adversaires* (syn. : ↑ COURTOIS). *Etre correct en affaires.* ◆ **incorrect, e** [ɛ̃kɔrɛkt] adj. Contr. de CORRECT aux sens 1 et 3 : *Le mauvais fonctionnement de l'appareil était dû à un montage incorrect* (syn. : MAUVAIS [placé avant le nom], DÉFECTUEUX). *L'erreur résulte d'une lecture incorrecte. Il s'est montré très incorrect en ne répondant pas à cette invitation* (syn. : MAL ÉLEVÉ). *Des propos incorrects* (syn. : MALSÉANT, INCONVENANT). ◆ **correctement** adv. : *Un nom correctement orthographié. Il gagne correctement sa vie. Il se conduit correctement avec tout son entourage* (syn. : CONVENABLEMENT). ◆ **incorrectement** adv. : *Un dessin incorrectement reproduit. Rien ne peut vous autoriser à vous conduire incorrectement.* ◆ **correction** n. f. Qualité d'une chose ou d'une personne correcte : *Un style d'une grande correction. Il a manqué à la plus élémentaire correction en omettant de me prévenir* (syn. : POLITESSE, BIENSÉANCE). ◆ **incorrection** n. f. 1° Faute contre la grammaire : *Un texte plein d'incorrections.* — 2° Faute contre les bienséances; état d'une personne qui commet de telles fautes : *Ce retard est une grave incorrection. Son incorrection a détourné de lui bien des gens.*

correction n. f. V. CORRECT et CORRIGER 1 et 2.

correctionnel, elle [kɔrɛksjɔnɛl] adj. *Tribunal correctionnel,* ou *correctionnelle* n. f., tribunal qui juge les délits.

corrélation [kɔrelasjɔ̃] n. f. Relation, réciproque ou non, lien causal qui existe entre deux événements qui se correspondent : *Il n'y a aucune corrélation entre son arrivée et mon départ : c'est une pure coïncidence. Le niveau de vie moyen des citoyens est en corrélation avec la prospérité économique de leur pays.* ◆ **corrélatif, ive** adj. Se dit de choses qui sont en corrélation : *Le développement des mesures d'hygiène et la régression corrélative des épidémies.* ◆ **corrélativement** adv.

correspondance n. f., **correspondant, e** adj. et n. V. CORRESPONDRE 1 et 2.

1. correspondre [kɔrɛspɔ̃dr] v. tr. ind. (conj. 51). 1° (sujet nom de chose ou d'être animé) *Correspondre à quelque chose, à quelqu'un,* être approprié à ses qualités, être conforme à un état de fait : *Je vous ai adressé la somme correspondant à votre facture. Il a trouvé un emploi qui correspond à ses capacités. Cette personne correspond bien au portrait qu'on m'en a fait. Cette nouvelle rubrique correspond au désir exprimé par de nombreux lecteurs* (syn. : RÉPONDRE). *Cela lui correspond bien* (= répond bien à ce que nous connaissons de lui). *Je cherche en vain un mot de notre langue correspondant à ce terme anglais* (syn. : ÉQUIVALOIR). — 2° (sujet nom de chose) *Correspondre à quelque chose,* être dans un rapport de symétrie avec lui, en être l'homologue : *Sur la façade de la maison, la fenêtre du salon correspond à celle de la salle à manger* (syn. : FAIRE PENDANT). *Le grade de lieutenant de vaisseau dans l'armée de mer correspond à celui de capitaine dans l'armée de terre.* — 3° (sujet nom de chose) *Correspondre à quelque chose,* lui être relié, être en relation avec lui : *Les muscles qui correspondent à l'index. La pédale qui correspond au frein* (syn. : COMMANDER). ◆ v. intr. ou ***se correspondre*** v. pr. 1° (sujet nom de chose) Etre en communication, permettre l'accès de l'un à l'autre : *Un appartement dont toutes les pièces correspondent* (syn. : COMMUNIQUER). — 2° Etre en concordance d'horaire : *Deux trains qui correspondent.* ◆ **correspondance** n. f. 1° Rapport de conformité, de symétrie : *La correspondance de leurs goûts les rapproche* (syn. : AFFINITÉ). *La correspondance entre les deux ailes du château est presque parfaite. Le poète est sensible à certaines correspondances subtiles entre les couleurs et les sons* (syn. : HARMONIE). — 2° Communication établie entre plusieurs lieux : *Il n'y a pas de correspondance ferroviaire entre ces deux villes.* — 3° Concordance d'horaire entre deux moyens de transport : *La correspondance entre l'autobus et le train n'est pas assurée sur ce trajet.* — 4° Moyen de transport qui assure la liaison avec un autre : *La correspondance passe à huit heures.* ◆ **correspondant, e** adj. : *Se procurer une arme à feu et les munitions correspondantes.*

2. correspondre [kɔrɛspɔ̃dr] v. tr. ind. ou intr. (conj. **51**) [sujet nom de personne]. *Correspondre avec quelqu'un,* entretenir avec lui des relations épistolaires ou téléphoniques : *Nous avons correspondu régulièrement pendant son séjour à l'étranger. Il continue à correspondre avec tous ses amis.* ◆ **correspondance** n. f. 1° Action de s'entretenir par l'intermédiaire des lettres, du téléphone, etc.; échange de lettres : *J'ai eu une correspondance suivie avec lui sur ce sujet. Etre en correspondance téléphonique avec un client* (syn. : ENTRETIEN). — 2° Ensemble des lettres reçues ou adressées : *Expédier la correspondance. Une correspondance volumineuse* (syn. : COURRIER). — 3° Chronique adressée par le correspondant d'un journal : *Les correspondances étrangères.* — 4° *Carnet de correspondance,* carnet sur lequel figurent les notes d'un élève, les observations des professeurs, et qui doit être signé de ses parents. ◆ **correspondant, e** n. 1° Personne avec qui on est en relations épistolaires, téléphoniques, etc. : *Mon correspondant a oublié de m'indiquer sa nouvelle adresse.* — 2° Personne chargée de veiller sur un élève interne : *Le dimanche, il se rendait chez son correspondant.* — 3° Collaborateur local d'un journal, chargé de fournir les informations qu'il recueille au lieu où il se trouve.

corrida [kɔrida] n. f. 1° Course de taureaux dans laquelle l'homme s'efforce de triompher par son adresse de la force brutale d'un taureau sélectionné : *Les corridas sont très appréciées des Espagnols.* — 2° *Fam.* Poursuite tumultueuse : *Chaque fois qu'il fallait rassembler les enfants, c'était une vraie corrida dans toute la maison.*

corridor [kɔridɔr] n. m. Passage plus ou moins étroit sur lequel donnent les portes de plusieurs pièces d'un même appartement ou de plusieurs logements situés au même étage : *Une petite chambre tout au bout du corridor* (syn. : COULOIR).

1. corriger [kɔriʒe] v. tr. 1° (sujet nom de personne) *Corriger quelque chose,* en faire disparaître les défauts, les erreurs : *Corriger le tracé d'une plate-bande. Corriger le tir d'une batterie* (syn. : RECTIFIER). *Corriger son jugement* (syn. : REVOIR, RÉVISER). *Corriger une erreur d'appréciation. L'auteur corrige une épreuve d'imprimerie. Corriger un devoir* (= en relever les fautes et l'apprécier, le noter). — 2° (sujet nom de chose) *Corriger quelqu'un,* atténuer ou éliminer un de ses défauts : *Si cette mésaventure pouvait le corriger de son inexactitude!* ◆ ***se corriger*** v. pr. 1° (sujet nom désignant un défaut) Disparaître par l'effort volontaire de la personne elle-même : *Sa paresse commence à se corriger.* — 2° (sujet nom de personne) Faire disparaître un défaut par une action persévérante : *Il a mis longtemps à se corriger de cette mauvaise habitude. Il était très coléreux, mais il s'est corrigé* (syn. : S'AMÉLIORER, S'AMENDER [littér.]). ◆ **corrigé** n. m. 1° Solution type, modèle de devoir rédigé : *Le professeur a dicté un corrigé du problème.* — 2° Ouvrage donnant les solutions des exercices contenus dans le livre destiné à l'élève : *Il n'existe pas de corrigé imprimé de ces exercices.* ◆ **corrigible** adj. Se dit d'un défaut qu'il est possible de corriger (surtout dans des express. négatives ou restrictives) : *La timidité n'est pas aisément corrigible.* ◆ **incorrigible** adj. (avant ou après le nom). Se dit d'une personne ou d'un défaut qu'on ne peut pas corriger : *Un incorrigible taquin. Une paresse incorrigible.* ◆ **incorrigiblement** adv. : *Il est incorrigiblement bavard.* ◆ **correcteur, trice** n. Personne qui corrige des devoirs, des épreuves d'imprimerie : *Le correcteur a noté les copies avec indulgence. Les correcteurs d'une maison d'édition ont l'œil exercé à relever les fautes de typographie.* ◆ **correctif, ive** adj. Qui vise à corriger : *Exercices correctifs de prononciation. Gymnastique corrective.* ◆ **correctif** n. m. Parole, acte qui constitue une mise au point, qui corrige un excès, une maladresse : *Il faut apporter quelques correctifs à un jugement aussi absolu* (syn. : NUANCE, RECTIFICATIF). ◆ **correction** n. f. 1° Action de corriger une chose ou une personne : *La correction d'une erreur* (syn. : RECTIFICATION). *La correction des copies est une lourde tâche.* — 2° Amélioration apportée à un écrit : *Un manuscrit surchargé de corrections. Les corrections ont notablement grossi l'ouvrage.*

2. corriger [kɔriʒe] v. tr. (sujet nom de personne) *Corriger quelqu'un,* le punir corporellement : *Attends un peu, galopin, je vais te corriger, moi!* (syn. : CHÂTIER). ◆ **correction** n. f. : *Le garnement a reçu une bonne correction* (syn. fam. : RACLÉE, ROSSÉE, VOLÉE).

corroborer [kɔrɔbɔre] v. tr. *Corroborer une hypothèse, une opinion, un fait,* etc., leur donner plus de crédit, en confirmer le bien-fondé, la véracité : *Une explication corroborée par des expériences répétées* (syn. : VÉRIFIER). *Le récit du témoin corrobore les déclarations de la victime* (contr. : INFIRMER). *Plusieurs détails viennent corroborer cette interprétation* (syn. : CONFIRMER). ◆ **corroboration** n. f. : *Votre remarque constitue une corroboration de ma thèse* (syn. : CONFIRMATION).

corroder [kɔrɔde] v. tr. *Corroder une matière,* la détruire progressivement par une action chimique : *Un crampon de fer tout corrodé par l'eau de mer* (syn. plus usuel : RONGER, ATTAQUER). ◆ **corrosif, ive** adj. 1° Se dit d'une substance qui a la propriété de ronger, de détruire, spécialement les tissus organiques, ou de causer une vive irritation de la peau : *Un acide corrosif.* — 2° Se dit de quelqu'un dont les remarques, les critiques sont mordantes (littér.) : *Un pamphlétaire corrosif.* ◆ **corro-**

sion n. f. Sens 1 de l'adj. : *La corrosion causée par le vitriol.*

corrompre [kɔrɔ̃pr] v. tr. (conj. **53**). **1°** *Corrompre quelque chose* (nom concret), en causer l'altération, le rendre impropre à l'utilisation (langue soignée) : *La chaleur risquait de corrompre les aliments* (syn. : ABÎMER, GÂTER, POURRIR, DÉCOMPOSER). *Le voisinage du tas de fumier avait corrompu l'eau* (syn. : POLLUER, SOUILLER). — **2°** *Corrompre quelque chose* (nom abstrait), en altérer la pureté, le rendre mauvais : *Des spectacles qui corrompent les mœurs. Corrompre les cœurs* (syn. : PERVERTIR, DÉPRAVER). *Corrompre le jugement* (syn. : VICIER). — **3°** *Corrompre quelqu'un,* le détourner de son devoir, le porter à l'immoralité : *Socrate fut accusé de corrompre les jeunes gens;* obtenir par de l'argent, des cadeaux, etc., qu'il agisse malhonnêtement : *Le prisonnier a pu s'échapper en corrompant son gardien* (syn. : ACHETER, SOUDOYER). — **4°** *Corrompre un texte,* le dénaturer en y introduisant des fautes : *Les copistes ont plus ou moins corrompu la plupart des manuscrits anciens* (syn. : ALTÉRER). ◆ ***se corrompre*** v. pr. Devenir mauvais, altéré : *Du bois qui se corrompt à l'humidité* (syn. : POURRIR). *Son cœur s'est corrompu.* ◆ **corrupteur, trice** adj. et n. Sens 2 et 3 de *corrompre : Un livre corrupteur. Il est sourd aux corrupteurs.* ◆ **corruptible** adj. Sujet à se laisser corrompre : *Des matériaux corruptibles* (syn. usuel : PUTRESCIBLE). *Pour les croyants, l'âme immortelle survit au corps corruptible* (syn. : MORTEL, PÉRISSABLE). *Un employé corruptible* (syn. : VÉNAL). ◆ **corruption** n. f. : *Préserver des fruits de la corruption* (syn. : POURRISSEMENT). *Une charogne dans un état de corruption avancée* (syn. : PUTRÉFACTION, DÉCOMPOSITION). *La corruption du goût, du jugement, des mœurs. Il a été condamné pour tentative de corruption de fonctionnaire. Il a eu le mérite de résister à la corruption.* ◆ **incorruptible** adj. : *Une matière incorruptible à l'humidité* (syn. usuel : IMPUTRESCIBLE). *Un cœur incorruptible* (= d'une honnêteté à toute épreuve). *Un fonctionnaire incorruptible* (syn. : ↓ INTÈGRE). ◆ **incorruptibilité** n. f. : *L'incorruptibilité d'un matériau. Un domestique d'une incorruptibilité exemplaire* (syn. : INTÉGRITÉ). ◆ **incorruptiblement** adv. : *Il est incorruptiblement fidèle.*

corsage [kɔrsaʒ] n. m. Vêtement ou partie du vêtement féminin couvrant le buste.

corsaire [kɔrsɛr] n. m. Autrefois, capitaine, marin d'un navire qui, avec l'autorisation de son gouvernement, chassait et tentait de capturer des navires d'autres nationalités; le navire lui-même : *Des enfants qui jouent aux corsaires.* ◆ adj. *Pantalon corsaire,* pantalon descendant à mi-jambe et serré au-dessous du genou.

corser [kɔrse] v. tr. **1°** *Corser quelque chose* (difficulté, histoire, etc.), lui donner de la force, de l'intérêt, une vigueur parfois excessive : *Pour corser le problème, on a utilisé des nombres avec des décimales. Le narrateur a corsé son récit de quelques détails inventés. Il nous a raconté quelques histoires corsées* (syn. : SCABREUX; fam. : SALÉ). — **2°** *Corser un repas,* le rendre plus copieux. ‖ *Vin, assaisonnement corsé,* qui a une saveur prononcée (syn. : DE HAUT GOÛT). ◆ ***se corser*** v. pr. (sujet nom de chose). Se compliquer, prendre un tour nouveau, piquant : *L'affaire se corse : voici que la police s'en mêle* (syn. : S'AGGRAVER).

corset [kɔrsɛ] n. m. Sous-vêtement féminin qui enserre et maintient le buste. ◆ **corseter** v. tr. Habiller d'un corset ou d'une gaine : *Corseter une fillette.* ◆ **corsetier, ère** n. Personne qui fabrique des corsets.

cortège [kɔrtɛʒ] n. m. **1°** Suite de personnes qui en accompagnent une autre ou qui défilent sur la voie publique : *Le cortège des garçons et des demoiselles d'honneur sort de la mairie derrière les mariés. Le cortège funèbre se rend au cimetière. Le cortège des manifestants s'engagea sur le boulevard* (syn. : DÉFILÉ). — **2°** Ensemble de choses qui vont de pair avec une autre : *La guerre amène avec elle tout un cortège de misères* (syn. : ACCOMPAGNEMENT).

cortisone [kɔrtizɔn] n. f. Hormone utilisée surtout pour combattre les rhumatismes.

corvée [kɔrve] n. f. **1°** Travaux d'entretien, de cuisine exécutés par des soldats, les membres d'une communauté : *Corvée de ravitaillement. Le chef de troupe a désigné une équipe pour la corvée de vaisselle.* — **2°** Tâche ennuyeuse, pénible ou rebutante imposée à quelqu'un : *Quelle corvée de faire toutes ces visites!* ◆ **corvéable** adj. *Taillable et corvéable à merci,* se dit, par allusion à la situation des serfs au Moyen Age, d'une personne qu'un supérieur peut soumettre à toutes sortes d'obligations.

corvette [kɔrvɛt] n. f. *Capitaine de corvette,* V. GRADE. (La *corvette* était autrefois un navire de guerre.)

coryza [kɔriza] n. m. Syn. de RHUME DE CERVEAU (terme médic.).

cosaque [kɔzak] n. m. Soldat de certaines unités de cavalerie, dans l'armée russe.

cosmétique [kɔsmetik] n. m. et adj. Pommade utilisée pour fixer les cheveux.

cosmopolite [kɔsmɔpɔlit] adj. **1°** Se dit d'un groupe, d'un lieu où se trouvent des personnes de nationalités très diverses : *Une foule cosmopolite. Un quartier cosmopolite.* — **2°** Se dit parfois de quelqu'un qui a vécu dans de nombreux pays, ou de celui qui, par goût, aime à vivre dans des pays différents : *Un diplomate qui a eu une carrière très cosmopolite.* ◆ **cosmopolitisme** n. m. : *Le cosmopolitisme d'un grand port méditerranéen. Le cosmopolitisme d'un artiste.*

1. cosmos [kɔsmos] n. m. Univers, considéré comme un ensemble organisé obéissant à des lois : *Beaucoup de philosophes se sont interrogés sur la place de l'homme dans le cosmos.* ◆ **cosmique** adj. **1°** Relatif à l'ensemble des astres constituant l'univers : *Les lois cosmiques.* — **2°** Qui a des proportions fantastiques : *Un cataclysme, un bouleversement cosmique* ◆ **cosmogonie** n. f. Théorie visant à expliquer la formation de l'univers : *La première cosmogonie scientifique est sans doute celle de Descartes.* ◆ **cosmogonique** adj. : *Le système cosmogonique de Laplace.* ◆ **cosmographie** n. f. Partie de l'astronomie consacrée à la description de l'univers. ◆ **cosmographique** adj. : *Des études cosmographiques.*

2. cosmos [kɔsmos] n. m. Immensité de l'univers hors de l'atmosphère terrestre : *Une fusée qui se perd dans le cosmos* (syn. : ESPACE). ◆ **cosmique** adj. Relatif à l'espace que la science cherche à découvrir, hors de l'atmosphère terrestre : *Engin cosmique. Vaisseau cosmique. Navigation cosmique* (syn. : SPATIAL). ◆ **cosmodrome** n. m. Terrain de lancement ou d'atterrissage des engins spatiaux. ◆ **cosmonaute** n. Pilote ou passager d'un engin spatial.

1. cosse [kɔs] n. f. Enveloppe renfermant les graines de certaines plantes, surtout des légumineuses : *Des petits pois dans leur cosse.* ◆ **écosser** v. tr. Dépouiller de sa cosse : *Ecosser des haricots.*

2. cosse [kɔs] n. f. Languette métallique destinée à la fixation d'un conducteur électrique.

3. cosse [kos] n. f. *Pop.* Paresse, manque d'ardeur au travail : *Si je n'avais pas eu la cosse, je me serais levé à six heures* (syn. pop. : FLEMME). ◆ ◆ **cossard, e** adj. *Pop.* Paresseux : *Quel cossard! il n'a rien fait de la journée* (syn. pop. : FLEMMARD).

cossu, e [kɔsy] adj. Se dit d'une personne qui vit dans une large aisance, ou de ce qui dénote cette aisance : *Un commerçant cossu. Un intérieur cossu* (syn. : ↓ AISÉ).

costaud [kɔsto] (fém. **costaud** ou **costaude**) adj. et n. *Fam.* Se dit d'une personne ou d'une chose forte : *Il faudrait deux types costauds pour déménager l'armoire. Il sort de maladie, il n'est pas encore bien costaud* (syn. : SOLIDE). *Tu manipuleras doucement le fauteuil : il n'est pas costaud. Un alcool costaud.*

costume [kɔstym] n. m. 1° Ensemble des pièces qui composent le vêtement masculin : *Un costume de chasse* (syn. : TENUE). *Un costume trois pièces* (= veste, pantalon, gilet). — 2° Manière de s'habiller : *Etudier l'histoire du costume* (syn. : HABILLEMENT). — 3° Fam. *En costume d'Adam, d'Eve,* tout nu, toute nue. ◆ **costumer** [kɔstyme] v. tr. 1° *Costumer quelqu'un,* le vêtir d'un déguisement : *Costumer un enfant en page.* — 2° *Bal costumé,* bal où les invités viennent en travesti. ◆ **costumier, ère** n. Personne qui vend, loue ou garde des costumes de bal, de théâtre.

cosy [kɔzi] n. m. Divan comportant une étagère et destiné à être placé dans l'angle d'une pièce.

cote [kɔt] n. f. 1° Indication chiffrée de la valeur marchande de titres mobiliers, des chances d'un cheval de course, etc. : *La cote d'un timbre rare, des actions d'une société.* — 2° Publication donnant le cours des valeurs, la valeur marchande : *Consulter la cote des véhicules d'occasion.* — 3° Indication de l'altitude d'un lieu, du niveau d'un cours d'eau, des dimensions réelles d'une chose représentée en plan : *Le sommet de la colline est à la cote 520. Le fleuve a atteint la cote d'alerte* (= si la crue continue, il y aura inondation). *Plusieurs cotes de ce croquis sont inexactes.* — 4° Indication de la valeur morale ou intellectuelle d'une personne ou d'une chose : *Un ingénieur qui a une grosse cote auprès de la direction. Un écrivain dont la cote commence à baisser* (syn. : POPULARITÉ, RENOMMÉE). *Un acteur qui a la cote* (= qui est très apprécié). *Certains organismes attribuent une cote morale aux films.* — 5° Fam. *Cote d'amour,* bonne note attribuée par favoritisme à un candidat ou à une candidate. ◆ **coter** v. tr. 1° *Coter quelque chose, quelqu'un,* l'affecter d'une cote, en apprécier la valeur, le niveau : *Une valeur boursière non cotée. Coter un plan. Un devoir bien coté* (syn. : NOTER). — 2° *Etre coté,* être estimé, apprécié : *Un champagne très coté. Un conférencier coté.* ◆ **cotation** n. f. : *La cotation des actions en Bourse. La cotation des copies semble avoir été sévère dans ce jury* (syn. : NOTATION).

1. côte [kot] n. f. 1° Chacun des os allongés et courbes qui forment la cage thoracique : *Il a eu plusieurs côtes cassées dans l'accident de voiture.* — 2° Partie allongée, en relief à la surface d'un objet : *Du velours à côtes.* ‖ Saillie à la surface de certains fruits. — 3° Partie supérieure de la côte d'un bœuf, d'un veau, d'un mouton, etc., avec les muscles qui y adhèrent. — 4° Fam. *Avoir les côtes en long,* être paresseux. ‖ Fam. *Caresser les côtes à quelqu'un,* le battre, le rosser. ‖ Fam. *Se tenir les côtes,* rire très fort. • LOC. ADV. *Côte à côte,* l'un à côté de l'autre : *Deux amis qui marchent côte à côte. Des livres placés côte à côte dans une bibliothèque.* ◆ **côtelé, e** adj. Se dit d'un tissu à côtes : *Du velours côtelé.* ◆ **côtelette** n. f. Morceau de viande adhérant à la côte de l'animal et découpé avec celle-ci : *Une côtelette de veau, de porc, de mouton.*

2. côte [kot] n. f. Partie en pente d'un chemin, d'une route : *Le cycliste peinait pour grimper la côte. Ils s'arrêtèrent en haut de la côte* (syn. : MONTÉE). *Si le frein casse dans la côte, tu peux te tuer. Dévaler une côte à toute allure* (syn. : DESCENTE). ◆ **coteau** [kɔto] n. m. Colline, et, en particulier, versant d'une colline couvert de cultures, surtout de vigne : *La ligne des coteaux se découpe à l'horizon. Quelques maisons s'étagent à flanc de coteau. Les coteaux de Bourgogne sont justement célèbres pour leurs vignobles.*

3. côte [kot] n. f. Zone continentale qui est au contact ou au voisinage de la mer : *Une côte rocheuse, sablonneuse, rectiligne, découpée, basse* (syn. : LITTORAL). *Les vagues déferlent sur la côte. Un bateau jeté à la côte par la tempête. Dès le mois de juin, les estivants affluent sur la côte.* ◆ **côtier, ère** adj. : *La navigation côtière* (= près des côtes). *Des défenses côtières avaient été installées par crainte d'un débarquement ennemi* (= le long de la côte). *Un fleuve côtier est un cours d'eau qui prend sa source non loin de la côte et qui se jette dans la mer.*

1. côté [kote] n. m. 1° Chez l'homme et chez les animaux, partie droite ou partie gauche de la poitrine, du tronc : *Il a été blessé au côté droit. Les soldats avançaient, mitraillette au côté* (syn. : FLANC). — 2° *Point de côté,* douleur à la poitrine ou au ventre qui gêne la respiration.

2. côté [kote] n. m. 1° Partie ou face latérale d'une chose, par opposition à celles qui sont devant, derrière, dessus, dessous : *Le bouton de réglage était sur le côté du téléviseur. On entre dans la maison par le côté gauche. Il y a un fauteuil de chaque côté de la commode. Tout un côté de l'orchestre m'était caché par un pilier.* — 2° Partie quelconque d'une chose, désignée par opposition à telle ou telle autre; zone marquée par une limite : *Il marchait sur le côté droit de la route* (= la partie droite par rapport au sens de la marche). *Je vois un parc de l'autre côté de la grille* (= celui où je ne suis pas). *Le côté ensoleillé du jardin.* — 3° Segment de ligne qui limite un polygone sur une de ses faces : *Le triangle est une figure à trois côtés.* — 4° Un des quatre segments égaux de droite qui forment un carré; mesure de ce segment : *Soit un carré de dix centimètres de côté.* — 5° Aspect sous lequel apparaît la personnalité de quelqu'un, la nature de quelque chose : *Malgré tous ses défauts, il a un côté sympathique. Il faut envisager le côté pratique de l'opération* (= l'opération du point de vue pratique). *Par certains côtés, cette proposition est intéressante* (= sous certains rapports). *Nous avions craint des difficultés financières : de ce côté, tout est réglé.* — **6°** *Etre aux côtés de quelqu'un,* être auprès de lui, lui apporter son aide, son soutien : *Le vice-président siégeait aux côtés du président. Il a toujours des gardes du corps à ses côtés. Il se range aux côtés des libéraux* (= il rallie leur parti). ‖ Fam. *A côté de ça,* indique une nouvelle considération, plus ou moins opposée à ce qui précède : *C'est un garçon très dépensier; à côté de ça, il lésine sur les pourboires* (syn. : PAR AILLEURS, AU RESTE, AU DEMEURANT [littér.]). ‖ *Mettre, être de côté,* en réserve et à l'abri des circonstances présentes : *Il a mis de côté la somme nécessaire à cet achat. Les livres à garder sont de côté.* ‖ *Laisser de côté quelqu'un* ou *quelque chose,* le négliger, ne pas s'en occuper. • Loc. ADV. *De côté,* en présentant une partie latérale, obliquement : *Le crabe marche de côté. Tournez-vous un peu de côté. Regarder de côté* (syn. : DE BIAIS); hors d'une trajectoire, de la partie centrale : *Le promeneur fit un bond de côté au passage de la voiture. Au lieu de s'exposer à tous les regards, il se tenait discrètement de côté.* ‖ *De tous côtés,* dans toutes les directions, partout : *Chercher de tous côtés un animal égaré.* ‖ *De côté et d'autre,* en ou de divers endroits. • Loc. ADV. ou PRÉP. *A côté (de),* à un endroit voisin (de) : *Au bout de la rue, vous verrez un hôtel : la poste est à côté. Nous pourrions passer dans la pièce à côté* (ou *d'à côté*). *Vos lunettes sont à côté de la pendule. Il s'assit à côté de moi* (syn. : AUPRÈS DE); en dehors (de), en manquant le but : *Le bateau a été attaqué par des avions, mais toutes les bombes sont tombées à côté. Il a mis toutes ses balles à côté de la cible. Vous répondez à côté de la question. Le conférencier est passé à côté de l'essentiel;* en comparaison (de) : *Cette plaidoirie a fait un gros effet; celle de l'avocat adverse a paru bien faible à côté. A côté de ses qualités, de si petits défauts ne comptent pas* (syn. : AUPRÈS DE); en plus (de) : *Il est comptable dans une usine, mais il a un travail à côté* (syn. : PARALLÈLE). *Il a de nombreuses occupations à côté de ses fonctions officielles.* • Loc. PRÉP. *Du côté de,* à proximité de, dans (ou de) la direction de, vers : *Il habite du côté de la mairie. La pluie arrive du côté de la mer. Nous nous dirigeons du côté de la gare;* dans le parti de : *Il s'est mis du côté du plus faible. Cette plaisanterie a mis les rieurs de son côté;* en ce qui concerne, sous le rapport de : *Du côté du confort, il n'a plus grand-chose à souhaiter.* ‖ *Du côté paternel, maternel* (ou *du père, de la mère*), selon la parenté relative au père, à la mère : *Un oncle du côté paternel* (= un frère ou un beau-frère du père). ◆ **côtoyer** v. tr. **1°** *Côtoyer quelqu'un,* marcher ou vivre à côté de lui : *Côtoyer des inconnus dans la foule* (syn. : COUDOYER). *Dans sa profession, il est amené à côtoyer quotidiennement des gens de toutes conditions* (syn. : FRÉQUENTER). — **2°** *Côtoyer quelque chose* (nom concret), se déplacer le long de lui, ou, en parlant d'un chemin, d'une voie ferrée, etc., s'étendre le long de lui : *La voiture côtoie un ravin. La route côtoie la rivière* (syn. : LONGER). — **3°** (sujet nom d'être animé ou de chose) *Côtoyer une chose* (nom abstrait), en être proche : *Il ne ment pas vraiment, mais il côtoie sans cesse le mensonge* (syn. : FRÔLER, FRISER). *Un roman qui côtoie de grands problèmes philosophiques* (syn. : TOUCHER À). ◆ **côtoiement** n. m. : *Un côtoiement dangereux* (syn. : FRÉQUENTATION). *Le côtoiement du tragique et du comique dans une œuvre littéraire.*

coteau n. m. V. CÔTE 2.

coterie [kɔtri] n. f. Groupe restreint de personnes qui se soutiennent mutuellement pour faire prévaloir leurs intérêts sur ceux de la collectivité : *Les coteries des petites villes de province* (syn. : CLAN, CHAPELLE, CERCLE).

cotillon [kɔtijɔ̃] n. m. *Courir le cotillon,* ou plus couramment *courir* (sans compl.), se montrer empressé auprès des femmes (langue un peu recherchée). [Le cotillon était un jupon (on dit aussi *courir le jupon*).]

cotiser [kɔtize] v. intr. Verser une somme d'argent à un organisme, à une association, pour contribuer aux dépenses communes : *Seuls reçoivent leur carte de club les adhérents qui ont effectivement cotisé. Cotiser à une mutuelle.* ◆ **se cotiser** v. pr. Collecter de l'argent entre soi en vue d'une dépense commune : *Ses amis se sont cotisés pour lui offrir un cadeau de mariage.* ◆ **cotisant, e** adj. et n. : *Les membres cotisants. Le nombre des cotisants s'est accru.* ◆ **cotisation** n. f. Somme versée par chacun des membres d'un groupe pour contribuer aux dépenses de ce groupe : *Payer sa cotisation syndicale.*

coton [kɔtɔ̃] n. m. **1°** Duvet végétal soyeux et textile produit par le cotonnier; fil ou tissu fait de cette matière : *Laver une plaie avec un tampon de coton imbibé d'alcool. Une couverture de coton.* — **2°** Fam. *Avoir du coton dans les oreilles,* entendre de façon indistincte, notamment à la suite d'un brusque changement d'altitude. ‖ *Avoir les jambes en coton,* éprouver une faiblesse des jambes, se sentir fatigué. ‖ *Elever un enfant dans du coton,* l'entourer de trop de soin, lui donner une éducation trop douillette. ‖ Fam. *Filer un mauvais coton,* dépérir, avoir une santé ébranlée. ◆ adj. Fam. *C'est coton,* c'est difficile. ◆ **cotonnade** n. f. Tissu de coton ou contenant des fibres de coton : *Une petite robe de cotonnade.* ◆ **cotonneux, euse** adj. **1°** Qui rappelle le coton par sa consistance ou son aspect : *Un brouillard cotonneux.* — **2°** Se dit d'un fruit ou d'un végétal recouvert de duvet : *Des feuilles cotonneuses.* — **3°** Se dit d'un fruit qui est fade et qui manque de suc : *Une pomme cotonneuse.* ◆ **cotonnier** n. m. : *Le cotonnier est cultivé dans les pays chauds.* ◆ **cotonnier, ère** adj. : *L'industrie cotonnière.*

cottage [kɔtaʒ] n. m. Petite maison de campagne rustique et élégante.

cotte [kɔt] n. f. *Cotte de travail,* ou simplem. *cotte,* pantalon de toile bleue porté par les ouvriers pendant leur travail. ‖ *Cotte de mailles,* tunique faite de petits anneaux de fer, qui protégeait le chevalier, l'homme d'armes.

cou [ku] n. m. **1°** Partie du corps qui joint la tête aux épaules : *Il portait une redingote boutonnée jusqu'au cou. Un enfant qui passe ses bras autour du cou de sa mère. Un cheval qui allonge le cou par-dessus le portillon de son box.* — **2°** Partie étroite et allongée d'un récipient : *Le cou d'une bouteille* (syn. plus usuels : COL, GOULOT). — **3°** *Cou de cygne,* en parlant d'une personne, cou élancé, souple. ‖ *Cou de taureau,* cou épais et puissant. ‖ *Etre dans les soucis, dans ses études,* etc., *jusqu'au cou,* y être plongé, n'avoir rien d'autre en tête. ‖ Fam. *Prendre ses jambes à son cou,* se mettre à courir à toute vitesse. ‖ *Laisser la bride sur le cou à quelqu'un,* lui laisser une entière liberté. ‖ *Sauter au cou de quelqu'un,* l'embrasser chaleureusement. ‖ *Se casser le cou,* se tuer ou se blesser gravement en tombant; échouer totalement dans une entreprise. ‖ *Tordre le cou à un pigeon,* l'étouffer. ‖ *Tordre le cou à l'opposition, aux libertés publiques,* etc., les anéantir.

couac [kwak] n. m. Note fausse ou désagréable produite par un instrument à vent ou par un chanteur.

couard, e [kwar, kward] adj. et n. Qui a peur au moindre danger : *Il est trop couard pour oser relever le défi* (syn. : POLTRON, LÂCHE). ◆ **couardise** n. f. : *Sa dérobade est une preuve de couardise* (syn. : POLTRONNERIE, LÂCHETÉ).

1. couche [kuʃ] n. f. 1° Etendue uniforme d'une matière appliquée sur une surface : *Une couche de peinture, de graisse, de sable. Une épaisse couche de neige recouvre le sol. Le contre-plaqué est formé de plusieurs couches de bois collées ensemble* (syn. : ÉPAISSEUR). — 2° Fam. *Il en a une couche!,* il est d'une bêtise épaisse.

2. couche [kuʃ] n. f. Lit, lieu où l'on s'étend pour se reposer (littér.) : *Déshonorer la couche conjugale* (= commettre l'adultère). *Il s'allongea sur une couche de feuillage.*

3. couche [kuʃ] n. f. Linge absorbant avec lequel on enveloppe les reins et les jambes des nourrissons : *Un bébé qui a sali sa couche.*

4. couches [kuʃ] n. f. pl. 1° Etat d'une femme qui accouche ou qui vient d'accoucher : *Sa mère était morte en couches. Elle a eu de nombreuses visites pendant ses couches.* — 2° (au sing.) Fam. *Fausse couche,* expulsion d'un fœtus non viable (syn. : AVORTEMENT).

1. coucher [kuʃe] v. tr. 1° *Coucher quelque chose,* l'étendre sur le sol ou sur un support plus ou moins horizontal : *On couche les bouteilles pour mieux conserver le vin* (contr. : DRESSER). *Les blés sont couchés par l'orage. Coucher un blessé au bord d'un talus* (syn. : ALLONGER). — 2° *Coucher une chose par écrit,* la consigner, l'inscrire dans un rapport, un acte officiel, etc. : *Vous voudrez bien me coucher par écrit toutes ces remarques* (syn. : ENREGISTRER). — 3° *Coucher une personne dans un testament, sur une liste,* etc., l'y inscrire comme un des héritiers, un des participants à une action, etc. : *On vous a couché sur la liste des volontaires.* — 4° *Coucher quelqu'un en joue,* diriger vers lui le canon d'un fusil (syn. : VISER).

2. coucher [kuʃe] v. tr. *Coucher quelqu'un,* le mettre au lit : *Il va falloir coucher les enfants* (contr. : LEVER). ◆ v. intr. (sujet nom d'être animé). 1° Prendre le repos de la nuit; s'étendre pour dormir : *Les invités couchent dans les chambres du premier. Coucher sur un divan.* — 2° Fam. *Coucher avec quelqu'un,* avoir des relations sexuelles avec cette personne. ◆ ***se coucher*** v. pr. 1° (sujet nom d'être animé) S'étendre horizontalement, s'allonger : *Ne te couche pas sur l'herbe humide. Le chien est venu se coucher sur le tapis;* se mettre au lit : *Il est tard, je vais me coucher* (contr. : SE LEVER). — 2° *Le Soleil, la Lune se couche,* ils disparaissent à l'horizon (contr. : SE LEVER). ◆ **couchage** n. m. 1° Possibilité de se coucher : *C'est un long trajet : il faut prévoir le couchage en route.* — 2° *Sac de couchage,* sac généralement garni de duvet, dans lequel les campeurs se mettent pour dormir. ◆ **couchant** adj. m. *Soleil couchant,* soleil prêt à disparaître à l'horizon; moment correspondant de la journée : *Il est arrivé au soleil couchant.* ‖ *Chien couchant,* chien dressé à se tenir en arrêt quand il sent le gibier (par oppos. à *chien courant*). ◆ **couchant** n. m. 1° Aspect du ciel au moment où le soleil se couche : *Ce soir, le couchant est rose.* — 2° Côté de l'horizon où le soleil se couche (littér.; syn. usuels : OCCIDENT, OUEST; contr. : LEVANT). ◆ **coucher** n. m. Action ou moment de se coucher (en parlant d'un être animé ou d'un astre) : *Avant le coucher, on fait la toilette. Dans cet internat, le coucher est à neuf heures. Admirer un coucher de soleil sur la mer.* ◆ **coucherie** n. f. *Pop.* et *péjor.* Relations sexuelles. ◆ **couchette** n. f. Lit ou banquette de repos sur un bateau ou dans un train : *Il a pris une couchette pour Marseille.* ◆ **coucheur, euse** n. Fam. *Mauvais coucheur,* homme peu sociable, qui cherche chicane à tout le monde : *C'est un mauvais coucheur, il a des procès avec tous ses voisins.* ◆ **découcher** v. intr. Ne pas rentrer coucher chez soi (se dit en particulier de quelqu'un qui a une aventure galante). ◆ **recoucher (se)** v. pr. Se remettre au lit après s'être levé.

couci-couça [kusikusa] adv. *Fam.* Ni bien ni mal, médiocrement : *Les affaires vont couci-couça* (syn. : COMME CI, COMME ÇA; TOUT DOUCEMENT).

coucou [kuku] n. m. 1° Oiseau migrateur qu'on entend chanter en France au printemps : *Le coucou chante sur deux notes.* — 2° *Fam.* et *péjor.* Avion. — 3° *Coucou!* ou *Coucou le voilà!,* interj. qui annonce gaiement l'arrivée ou l'apparition inopinée de quelqu'un.

coude [kud] n. m. 1° Articulation du bras et de l'avant-bras; partie correspondante d'une manche de vêtement : *Il était assis, les coudes sur ses genoux. Plonger le bras dans l'eau jusqu'au coude. Je lui ai donné un coup de coude pour attirer son attention. Sa veste est usée aux coudes.* — 2° Courbure brusque d'une chose : *La rivière fait un coude en contournant la colline. Le coude d'une barre d'appui.* — 3° *Coude à coude,* se dit de personnes très rapprochées l'une de l'autre, ou qui se sentent solidaires dans une tâche : *Des élèves alignés coude à coude. Techniciens et chercheurs ont travaillé coude à coude;* et comme n. m. : *Un coude à coude réconfortant.* ‖ Fam. *Jouer des coudes,* se frayer un passage dans une foule serrée; se démener habilement pour s'assurer une situation avantageuse. ‖ Fam. *Lever le coude,* boire copieusement, être porté sur la boisson. ‖ *Se serrer, se tenir les coudes,* s'entraider, entretenir le sentiment de solidarité. ◆ **couder** v. tr. *Couder un objet,* le plier en forme de coude : *Le plombier coude les tuyaux à l'angle de la pièce.* ◆ **coudoyer** v. tr. *Coudoyer des personnes,* les rencontrer fréquemment, les fréquenter : *Les gens que nous coudoyons quotidiennement dans le métro. Au ministère, il coudoie toutes sortes d'hommes politiques.* ◆ **coudoiement** n. m. : *Le coudoiement sympathique d'un amphithéâtre de faculté.*

coudée [kude] n. f. *Etre à cent coudées au-dessus de quelqu'un,* lui être très supérieur. (La *coudée* était jadis une mesure de longueur.) ‖ *Avoir les coudées franches,* avoir une grande liberté d'action.

cou-de-pied [kudpje] n. m. Partie supérieure du pied vers la jambe : *Ses chaussures neuves le gênent au cou-de-pied.*

coudre [kudr] v. tr. et intr. (conj. **59**). *Coudre (un objet),* l'attacher par une suite de points faits avec du fil et une aiguille : *Coudre une pièce à un vêtement déchiré. Coudre un bouton, une étiquette. Elle a appris à coudre très jeune. On fait des machines à coudre très perfectionnées.* ◆ **cousette** n. f. 1° Jeune couturière. — 2° Petit étui contenant un nécessaire à couture : aiguilles, fil, dé, etc. ◆ **cousu, e** adj. Fam. *Bouche cousue!,* ne dites rien sur la question, gardez un secret absolu. ‖ Fam. *Cousu de fil blanc,* se dit d'une ruse, d'une malice qui saute aux yeux. ‖ *Cousu main,* se dit d'un travail de couture exécuté à la main, et, *fam.,* d'un ouvrage quelconque fait avec beaucoup de soin, d'excellente qualité. ‖ *Cousu d'or,* se dit de quelqu'un qui est très riche. ◆ **couture** n. f. 1° Action ou art de coudre : *La couture de cette robe demande plusieurs heures. Elle apprend la couture.* — 2° Ouvrage exécuté par une personne qui coud : *Elle posa sa couture sur la table et alla ouvrir la porte.* — 3° Suite de points cousant des tissus : *Une robe qui a une couture au milieu du dos. Il a fait craquer une couture de sa veste en chahutant. Le chirurgien rapproche les lèvres de la plaie par une couture.* — 4° *La haute couture,* les grands couturiers. ‖ Fam. *Regarder, examiner quelque chose sous toutes les coutures,* l'examiner très attentivement et en tous sens. ◆ **couturier** n. m. Directeur d'une maison de couture, spécialisé dans la création de modèles et l'exécution de toilettes féminines : *Sa robe de bal sortait de chez un grand couturier.* (Celui qui confectionne des vêtements masculins est le *tailleur.*) ◆ **couturière** n. f. Femme employée dans une maison de couture ou établie à son compte et exécutant des vêtements féminins : *Elle est allée chez la couturière donner ses mesures pour un manteau.* ◆ **découdre** v. tr. Défaire une couture : *Découdre un ourlet pour allonger une robe.* ◆ **décousu, e** adj. *Récit, œuvre littéraire décousus,* dont les parties sont mal liées : *On a peine à comprendre des explications aussi décousues.* ◆ **recoudre** v. tr. : *Recoudre un vêtement déchiré. Il a fallu recoudre la blessure.*

couenne [kwan] n. f. 1° Peau épaisse du porc, employée notamment en charcuterie : *Un jambon entouré de sa couenne.* — 2° *Pop.* Peau de l'homme : *Se gratter la couenne* (= de se raser).

couic ! [kwik] interj. *Fam.* Evoque la mort soudaine d'une personne ou d'un animal, ou la destruction, la disparition d'une chose : *On leur passait la corde au cou, et couic! c'était fini pour eux. Il comptait sur cet héritage, mais couic! il n'a rien reçu.* ◆ adv. Pop. *N'y comprendre, n'y connaître, n'y voir que couic* (ou *pouic*), ne rien y comprendre, y connaître, y voir.

couiner [kwine] v. intr. 1° *Fam.* (sujet nom désignant un animal) Faire entendre un cri : *Le chien a couiné quand je lui ai marché sur la patte* (syn. : GÉMIR). — 2° (sujet nom de chose) Faire entendre un grincement léger : *Une porte qui couine.* — 3° *Pop.* Se dit d'un jeune enfant qui pleure, qui crie : *Il n'a pas bientôt fini de couiner, ce môme?* ◆ **couinement** n. m. Fam. : *Le couinement d'un tiroir, d'un gosse.*

1. coulant, e adj. et n. m. V. COULER 1 et 4.

2. coulant, e [kulɑ̃, -ɑ̃t] adj. *Fam.* Se dit d'une personne peu exigeante, portée à l'indulgence : *Un examinateur coulant* (syn. : INDULGENT, LARGE). *Un directeur coulant* (syn. : ACCOMMODANT).

coule [kul] n. f. Pop. *A la coule,* se dit de quelqu'un qui sait se débrouiller adroitement, qui est bien au courant des astuces d'un métier : *Depuis dix ans qu'il est dans la maison, il est à la coule. Un vendeur à la coule.*

1. couler [kule] v. tr. Verser dans un creux ou sur une surface une matière en fusion, une substance liquide ou pâteuse : *Couler de la cire dans une fente. Couler un lit de ciment sur le sol. Couler une cloche* (= jeter le métal en fusion dans le moule). ◆ v. intr. 1° (sujet nom désignant un liquide ou une pâte) Se répandre, être entraîné par gravité : *Le sang coulait de la blessure. Un camembert qui coule. Un torrent coule sur un lit de cailloux* (syn. : RUISSELER). *Un banquet où le vin coulait à flots* (= où l'on buvait beaucoup). — 2° *Récipient, robinet qui coule,* qui laisse échapper un liquide (syn. : FUIR). — 3° *Paroles, roman, style,* etc., *qui coulent tout seuls,* qui se suivent, se déroulent avec naturel, qui ont un mouvement aisé. ‖ *Récit, explication qui coule de source,* qui se développe selon un enchaînement abondant et naturel. ‖ *Faire couler de l'encre, de la salive,* se dit d'une chose ou d'une personne au sujet de laquelle on écrit ou on parle beaucoup. ‖ *Faire couler le sang,* être la cause ou le responsable de massacres, de blessures. ◆ **coulage** n. m. : *Le coulage du métal dans le moule. Le coulage d'une statue. Le coulage d'une dalle de béton.* ◆ **coulant, e** adj. 1° Se dit d'un liquide, d'une substance qui coule facilement : *Une pâte coulante* (syn. : FLUIDE, LIQUIDE). — 2° Se dit d'un style aisé : *Des vers coulants.* ◆ **coulée** n. f. 1° Quantité de matière en fusion ou plus ou moins liquide qui se répand : *Une coulée de lave au flanc du cratère* (syn. : ↑ TORRENT). *Une longue coulée de peinture s'était échappée de la boîte renversée* (syn. : TRAÎNÉE). — 2° Masse de métal en fusion que l'on verse dans un moule; action de verser ce métal pour former des lingots ou des objets moulés : *La coulée va avoir lieu dans un quart d'heure.* ◆ **coulure** n. f. Trace laissée par une substance liquide ou visqueuse qui a coulé le long d'un objet : *Des coulures de peinture* (syn. fam. : DÉGOULINADE).

2. couler [kule] v. intr. (sujet nom désignant le temps). Passer de façon continue : *Une petite ville où la vie coule doucement* (syn. : S'ÉCOULER). ◆ v. tr. (sujet nom de personne). *Couler des jours heureux, une existence paisible,* mener une vie heureuse, sans incident. ‖ Fam. *Se la couler douce,* avoir une vie exempte de soucis, se laisser vivre.

3. couler [kule] v. tr. 1° *Couler un bateau,* l'envoyer au fond de l'eau. — 2° *Couler quelqu'un,* le discréditer. ‖ *Couler un commerce,* le ruiner. ◆ v. intr. *Bateau, nageur,* etc., *qui coule,* qui s'enfonce dans l'eau et va au fond (syn. : SOMBRER, S'ENGLOUTIR, S'ABÎMER [littér.]). ◆ **coulage** n. m. Perte en marchandise ou en matériel subie par un magasin ou une entreprise commerciale et due à la négligence, au manque de surveillance : *Depuis que des inspecteurs se promènent dans les rayons de vente, le coulage a diminué.*

4. couler [kule] v. tr. 1° Introduire en faisant glisser habilement : *Couler une pièce dans la main* *d'un employé.* — 2° *Couler un regard,* regarder à la dérobée. ◆ ***se couler*** v. pr. S'introduire, s'engager furtivement : *Il se coula discrètement dans l'entrebâillement de la porte* (syn. : SE GLISSER). ◆ **coulant, e** adj. *Nœud coulant,* boucle d'un lien qui se serre ou se desserre : *Plus le lapin tirait, plus le nœud coulant l'étranglait.* ◆ **coulant** n. m. Anneau, boucle, souvent mobile, où l'on glisse l'extrémité d'un lien : *Une ceinture, un bracelet-montre comportent ordinairement un ou plusieurs coulants.* ◆ **coulis** [kuli] adj. m. *Vent coulis,* filet d'air qui pénètre dans une pièce par une fente ou un entrebâillement : *On sent un petit vent coulis près de la fenêtre.*

couleur [kulœr] n. f. 1° Qualité d'un corps éclairé qui produit sur l'œil une certaine impression lumineuse, variable selon la nature du corps (indépendamment de sa forme) ou selon la lumière qui l'atteint : *Un gazon d'une belle couleur verte. Une robe de couleur claire* (syn. : TEINTE). *Une écharpe de soie aux couleurs délicates* (syn. : COLORIS, NUANCE). *Un tableau où dominent les couleurs chaudes de l'automne* (syn. : TON). *Un visage d'une couleur vermeille* (syn. : TEINT, COLORATION). *Il a rapporté de belles photos en couleurs de ses vacances* (par oppos. aux photos *en noir* ou *en noir et blanc*). — 2° Matière colorante : *Un reste de couleur au fond du pot* (syn. : PEINTURE). — 3° Caractère d'un style, d'un spectacle, etc., qui attire l'attention par son originalité, sa vigueur : *Un récit qui ne manque pas de couleur. Un vocabulaire plein de couleur* (syn. : RELIEF). — 4° Opinions de quelqu'un, particulièrement en politique : *Il a plusieurs fois changé de couleur au cours de sa carrière* (syn. : ÉTIQUETTE). — 5° Chacune des quatre images du jeu de cartes (cœur, carreau, trèfle, pique) : *Jouer la couleur et non le sans-atout.* — 6° *Couleur locale,* ensemble de traits particuliers qui différencient un paysage, les mœurs d'une époque, etc., et dont la reproduction vise à donner une impression de pittoresque (peut être employée adjectiv.) : *La couleur locale d'une petite île grecque. Une fête couleur locale.* ‖ *Homme, femme de couleur,* personne de la race noire. ‖ *Haut en couleur,* se dit de quelqu'un qui est très rouge de teint, ou d'un récit, d'un style plein de verve, d'expressions pittoresques. ‖ (sujet nom de personne). *Changer de couleur,* pâlir subitement. ‖ Fam. *Ne pas voir la couleur d'une chose,* ne pas recevoir cette chose alors qu'elle vous est due ou promise : *Il doit depuis longtemps me donner cette somme, mais je n'en ai encore jamais vu la couleur.* ‖ *Annoncer la couleur,* indiquer la couleur d'atout, aux jeux de cartes; *fam.,* faire connaître ses intentions. ◆ **couleurs** n. f. pl. 1° *Les couleurs,* le drapeau national : *Hisser, baisser les couleurs* (= hisser, descendre le drapeau le long du mât). — 2° Teint du visage : *La maladie lui a fait perdre ses couleurs* (= il est devenu pâle). — 3° Fam. *En dire de toutes les couleurs à quelqu'un,* lui dire de dures vérités. ‖ *En voir de toutes les couleurs,* avoir toutes sortes d'ennuis, subir diverses avanies. ◆ **couleur de** ou **couleur** adj. invar. Qui a la couleur de : *Des yeux couleur d'azur. Une étoffe couleur fraise.* • LOC. PRÉP. *Sous couleur de* (et l'infin. ou un nom), sous prétexte de (littér.) : *Sous couleur de prudence, il reste passif.* ◆ **colorer** [kɔlɔre] v. tr. *Colorer quelque chose,* lui donner une couleur, généralement vive : *Le soleil colore les fruits. En pâtisserie, on colore artificiellement certaines crèmes.* ◆ **se colorer** v. pr. Devenir coloré : *Le ciel se colore de rose à l'horizon.* ◆ **colorant, e** adj. : *Un produit colorant.* ◆ **colorant** n. m. Substance qu'on fait dissoudre dans un liquide ou une pâte pour leur donner une couleur. ◆ **coloré, e** adj. 1° Qui a une couleur, en général vive, rouge : *Un vitrail est fait d'un assemblage de verres colorés* (contr. : INCOLORE, CLAIR). *C'est un homme vigoureux, au teint coloré* (contr. : PÂLE). — 2° Se dit d'une façon de s'exprimer qui attire l'attention par un caractère pittoresque : *Il nous a fait un récit très coloré de l'incident* (syn. : ORIGINAL). *Un langage coloré* (contr. : PLAT, BANAL). ◆ **coloration** n. f. Aspect d'un corps coloré, nuance de la couleur donnée à quelque chose : *On peut contrôler la cuisson d'un plat au four en observant sa coloration. Le peintre a fidèlement rendu la coloration des yeux* (syn. : COULEUR). ◆ **coloris** [kɔlɔri] n. m. Nuance délicate et agréable de la couleur : *Des étoffes aux riches coloris chatoient dans le magasin. Ces deux roses n'ont pas exactement le même coloris.* ◆ **coloriste** n. Peintre qui s'exprime par la couleur plutôt que par le dessin. ◆ **décolorer** v. tr. Faire disparaître ou altérer la couleur de : *L'eau de Javel décolore de nombreux tissus.* ◆ **se décolorer** v. pr. Perdre sa couleur : *Sa robe s'est décolorée au soleil. Elle veut se faire décolorer* (= elle veut faire décolorer ses cheveux). ◆ **décolorant, e** adj. : *Une substance décolorante.* ◆ **décolorant** n. m. : *Acheter un flacon de décolorant.* ◆ **décoloration** n. f. : *Elle a pris un rendez-vous avec son coiffeur pour un shampooing et une décoloration.* ◆ **colorier** [kɔlɔrje] v. tr. *Colorier un objet, un dessin,* lui appliquer des couleurs : *Les élèves doivent colorier leur carte de géographie.* ◆ **coloriage** n. m. : *A l'école maternelle, les enfants font beaucoup de coloriages. Un album de coloriages.* ◆ **incolore** adj. 1° Qui n'a pas de couleur ou qui n'est pas coloré : *L'eau purifiée est incolore* (syn. : LIMPIDE, CLAIRE). *Des verres de lunettes incolores* (contr. : TEINTÉ). *Poser une couche de vernis incolore.* — 2° Qui manque d'éclat, de vivacité : *Un style incolore* (syn. : TERNE, FADE, PLAT).

couleuvre [kulœvr] n. f. 1° Serpent dont la morsure n'est pas venimeuse. — 2° *Avaler des couleuvres,* être obligé de subir des vexations, des affronts sans riposter. ‖ Fam. *Paresseux comme une couleuvre,* très paresseux.

1. coulisse [kulis] n. f. 1° Partie d'un théâtre cachée par les décors ou le rideau, et située de part et d'autre ou en arrière de la scène (s'emploie plus souvent au plur.) : *Les acteurs attendent dans les coulisses le moment de revenir sur la scène.* — 2° (au plur.) Côté secret de quelque domaine d'activité, personnes ou événements peu connus de la foule et mêlés à un fait public : *Il connaît bien les coulisses de la politique.* — 3° *Regard, œil en coulisse,* regard d'intelligence ou de curiosité lancé à la dérobée. ‖ *Se tenir, rester dans la coulisse,* agir en secret, rester caché tout en participant à une action.

2. coulisse [kulis] n. f. Rainure dans laquelle une pièce mobile peut glisser; la pièce elle-même : *Une porte à coulisse* (syn. : GLISSIÈRE). ◆ **coulisser** v. intr. (sujet nom désignant un objet). Glisser sur des coulisses ou le long d'un axe : *Des anneaux de rideau qui coulissent sur la tringle.* ◆ **coulissant, e** adj. : *Des persiennes coulissantes.* ◆ **coulissement** n. m. : *Le coulissement d'un curseur sur une règle.*

couloir [kulwar] n. m. 1° Passage étroit et allongé, permettant de passer d'une pièce à une autre ou qui donne accès à plusieurs pièces, à plusieurs bureaux : *La salle à manger, le bureau et la chambre à coucher donnent sur le couloir.* — 2° Passage desservant les compartiments d'une voiture de chemin de fer. — 3° Passage naturel étroit, permettant d'aller d'un lieu dans un autre : *Les alpinistes suivaient un couloir rocheux.* ◆ **couloirs** n. m. pl. Lieux où se transmettent les nouvelles officieuses, où les personnes averties ont des entretiens privés : *Selon certains bruits de couloirs, le gouvernement prépare de nouveaux décrets. Un journaliste qui glane des informations dans les couloirs du Palais de justice.*

coup [ku] n. m. [A. Généralement précisé par un complément introduit par *de*.] 1° Choc donné à un objet ou à un être animé par un corps en mouvement : *Enfoncer un clou à coups de marteau. Il a été blessé d'un coup de couteau. Il a donné un coup de poing à son voisin. La querelle s'est envenimée et ils en sont venus aux coups.* — 2° Action de manier, de faire fonctionner vivement un instrument, un appareil : *Donner un coup de brosse à, sur un vêtement poussiéreux. En quelques coups de crayon, il a esquissé le portrait. Un coup de rabot pour égaliser une planche. Il a donné un coup de ciseaux maladroit dans le tissu. Il m'annonce sa visite par un coup de téléphone.* — 3° Bruit soudain produit par un choc, une déflagration, ou par l'usage d'un instrument : *J'ai entendu frapper deux coups à la porte. Les coups de tonnerre la faisaient trembler. Un coup de canon ne le réveillerait pas. Un coup de sonnette, de sifflet.* — 4° Manifestation violente d'une force naturelle : *Un coup de vent lui a emporté son chapeau. La barque a été retournée par un coup de roulis.*

[B. Généralement sans complément.] 1° Emotion violente, acte ou événement qui atteint vivement quelqu'un : *Cette mauvaise nouvelle lui a donné un coup* (= l'a fortement ému). *Les dernières arrestations avaient porté un coup sévère aux rebelles.* — 2° Action importante, acte décisif, surtout mauvaise action (souvent péjor.) : *Le malfaiteur, surpris par la police, a manqué son coup. Il médite encore un mauvais coup* (= un méfait, une traîtrise). *Il a réussi un beau coup en obtenant la majorité des voix.* — 3° Au jeu, chacune des phases d'une partie, chacune des combinaisons d'un joueur : *Un problème d'échecs qui consiste à mettre l'adversaire échec et mat en trois coups.* — 4° Syn. de FOIS, souvent *fam.* (notamment dans des loc.) : *Ce coup-ci, il faut faire attention. On ne réussit pas à tous les coups* (ou *à tout coup*). *Un autre coup, tu me préviendras avant de commencer. Il a répondu juste du premier coup* (ou *au premier coup*). *Un coup qu'on a compris la manœuvre, c'est facile* (pop.).

[C. Locutions diverses.] — **a)** *Coup* avec un adjectif. *Coup bas,* à la boxe, coup porté au-dessous de la ceinture; action déloyale. ‖ *Coup double,* à la chasse, coup qui abat deux pièces de gibier. ‖ Fam. *Coup fourré,* v. FOURRÉ. ‖ Fam. *Sale coup,* événement qui cause un grave dommage : *Sa maladie est un sale coup pour l'usine;* action malhonnête : *Des malfaiteurs qui préparent un sale coup.* — **b)** *Coup* suivi d'un complément. *Coup de chance, de veine,* circonstance favorable attribuée au hasard. ‖ *Coup de chapeau,* salutation qu'on adresse à quelqu'un en ôtant son chapeau; hommage adressé à quelqu'un dans le cours d'un discours, d'un ouvrage. ‖ *Coup de chien,* incident fâcheux qui frappe soudain et brutalement; violente bourrasque sur mer, tempête de peu de durée. ‖ *Coup de crayon,* habileté à dessiner vivement : *Avoir un bon coup de crayon.* ‖ *Coup d'éclat,* action hardie, décisive, qui a un grand retentissement. ‖ *Coup d'épée dans l'eau,* action sans efficacité, geste vain. ‖ *Coup de feu,* coup tiré avec une arme à feu; brûlure superficielle causée à un plat par une cuisson trop vive; moment passager d'activité intense. ‖ Fam. *Coup de fil,* communication téléphonique. ‖ *Coup de force,* acte violent et illégal d'un gouvernement, d'un parti ou d'un homme pour exercer le pouvoir. ‖ Fam. *Coup de main,* aide apportée à quelqu'un; action rapide et hardie, accomplie par une petite troupe. ‖ *Coup de maître,* action remarquablement réussie. ‖ *Coup d'œil,* regard ou examen rapide : *Il a tout compris au premier coup d'œil;* aptitude à juger, à apprécier rapidement : *Il se fie à son coup d'œil;* spectacle que l'on découvre d'un seul regard : *Un promontoire d'où l'on a un beau coup d'œil.* ‖ Fam. *Coup de patte,* propos mordant, remarque désobligeante pour quelqu'un. ‖ Fam. *Coup du père François,* manœuvre traîtresse. ‖ *Coup de pied de l'âne,* lâche insulte faite à quelqu'un qui ne peut se défendre. ‖ Fam. *Coup de pied au derrière* ou, pop., *au cul,* vexation, affront. ‖ *Faire le coup de poing,* s'engager activement dans une bagarre. ‖ Fam. *Coup de pompe,* état d'une personne soudainement épuisée. ‖ *Coup de pouce,* aide légère, favorisant plus ou moins honnêtement la réussite d'une entreprise. ‖ *Coup pour rien,* action qui n'aboutit à aucun résultat, qui n'est pas prise en compte. ‖ *Coup de sang,* attaque d'apoplexie. ‖ *Coup de tête,* décision soudaine, peu réfléchie. ‖ Fam. *Coup de torchon,* bagarre, empoignade. ‖ *Cheveux en coup de vent,* mal peignés. ‖ *Fam.* (sujet nom de personne). *Passer en coup de vent,* passer sans s'arrêter ou s'arrêter très peu de temps. ‖ Fam. *Prendre un coup de vieux,* accuser un vieillissement subit. — **c)** Avec une préposition suivie de *coup* (loc. prép. ou adv.). *A coups de,* en recourant largement à : *Il soigne son mal de tête à coups de cachets.* ‖ *Après coup,* une fois la chose faite. ‖ *Etre dans le coup,* participer à une entreprise, être au courant d'un secret. ‖ *Du coup,* en conséquence, du fait même, dès lors : *On lui a demandé des preuves : du coup, il a été bien embarrassé.* ‖ *Du même coup,* par la même occasion, la même conséquence : *Je compte m'y rendre en voiture; du même coup, je pourrai vous emmener.* ‖ *D'un coup, d'un seul coup,* en une seule fois. ‖ Pop. *D'un seul coup* (en tête de proposition), soudain (syn. : TOUT À COUP). ‖ Fam. *Pour le coup, pour un coup,* cette fois, pour une fois : *Pour un coup, il est à l'heure.* ‖ *Sous le coup* (de) [en parlant d'une personne], sous la menace (de) : *Etre sous le coup d'un arrêté d'expulsion;* sous l'effet (de) : *Il est encore sous le coup de cette émotion.* ‖ *Mourir sur le coup,* instantanément, dès que le coup a été reçu. ‖ *Sur le coup de dix heures, de midi,* etc., vers dix heures, midi, etc. ‖ *Coup sur coup,* successivement : *Il a appris coup sur coup ces deux mauvaises nouvelles.* ‖ *Tout à coup, tout d'un coup,* subitement, soudain. — **d)** Avec un verbe suivi de *coup. Avoir, prendre, attraper le coup,* le tour de main, le savoir-faire. ‖ Pop. *Avoir un coup dans le nez,* être plus ou moins ivre (syn. : ÊTRE ÉMÉCHÉ). ‖ *Boire un coup,* absorber une boisson, en particulier du vin. ‖ Fam. *Compter les* *coups,* observer les phases d'une lutte en restant soigneusement à l'écart. ‖ Fam. *En mettre un coup,* redoubler d'ardeur, faire un gros effort. ‖ *Faire d'une pierre deux coups,* atteindre un double résultat par une seule action. ‖ Fam. *Faire les quatre cents coups,* se livrer à toutes sortes d'excès (syn. fam. : MENER UNE VIE DE PATACHON, DE BÂTON DE CHAISE). ‖ *Marquer le coup,* montrer, par des paroles ou par des actes, que l'on ne veut pas laisser quelque chose inaperçu : *Les délégués, irrités de ce refus, ont marqué le coup en quittant la salle.* ‖ Fam. *En prendre un coup,* subir un dommage, une atteinte, une douleur : *La carrosserie de la voiture en a pris un coup. J'en ai pris un coup quand j'ai appris la nouvelle.* ‖ Fam. *Risquer, tenter le coup,* essayer (syn. : TENTER SA CHANCE). ‖ Fam. *Tenir le coup,* résister : *Il est très fatigué, mais il tient tout de même le coup.* ‖ (sujet nom de chose). *Valoir le coup,* avoir une importance qui mérite qu'on s'en soucie, qu'on y donne ses soins (syn. : VALOIR LA PEINE).

coupable [kupabl] adj. et n. 1° Se dit d'un être animé qui est l'auteur ou le responsable d'une faute : *S'il n'était pas coupable, pourquoi se serait-il enfui?* (contr. : INNOCENT). *Un employé coupable d'une négligence grave. Ses conseillers sont plus coupables que lui* (syn. : FAUTIF, BLÂMABLE). *La police a enfin découvert le coupable. Le gigot a disparu : le coupable pourrait bien être le chien.* — 2° (sujet nom désignant un accusé ou son avocat) *Plaider coupable,* ne pas contester les faits incriminés (contr. : PLAIDER NON-COUPABLE). ◆ adj. Se dit d'un acte qui mérite réprobation ou condamnation : *Un oubli coupable. Une parole coupable* (syn. : BLÂMABLE, CONDAMNABLE, RÉPRÉHENSIBLE). ◆ **culpabilité** n. f. Etat d'une personne ou caractère d'un acte coupables : *L'enquête a établi la culpabilité de l'accusé* (contr. : INNOCENCE).

1. coupe [kup] n. f. 1° Vase ou verre destiné à recevoir une boisson, un dessert, etc.; contenance de ce verre : *Des coupes à champagne en cristal. Une coupe à fruits. Il a bu deux coupes de champagne.* — 2° Vase ou objet d'art, généralement en métal précieux, attribué comme récompense au vainqueur ou à l'équipe victorieuse d'une compétition sportive : *Présider la remise des coupes aux gagnants.*

2. coupe [kup] n. f. Compétition sportive où, le plus souvent, les rencontres entre les équipes aboutissent à l'élimination directe du vaincu (par oppos. au *championnat*).

3. coupe n. f. V. COUPER.

1. couper [kupe] v. tr. 1° *Couper une chose* (nom concret), la diviser au moyen d'un instrument tranchant, d'un projectile : *Couper une branche d'un coup de hache* (syn. : DÉTACHER, SÉPARER). *Couper la tête à un condamné* (syn. : TRANCHER). *Couper un ruban avec une paire de ciseaux. Le chirurgien hésitait à couper le bras de l'accidenté* (syn. : AMPUTER). *Au dessert, le père de famille coupe le gâteau* (syn. : DÉCOUPER, PARTAGER). *La couturière coupe une robe* (= elle en taille les morceaux dans la pièce de tissu). *La balle a coupé une artère* (syn. : SECTIONNER). — 2° *Couper un objet, une partie du corps,* etc., lui faire une entaille, une blessure : *Un éclat de verre l'a coupé au doigt* (syn. : ENTAMER). *D'un geste maladroit, il a coupé le bord de la feuille* (syn. : ENTAILLER). — 3° *Couper quelque chose,* retrancher une partie d'un ensemble : *La fin de l'émission a été coupée pour respecter l'horaire.* — 4° *Couper quelqu'un de quelque chose, de quelqu'un,* l'isoler en le séparant : *Il vit dans la solitude, coupé du reste du monde.* — 5° Faire cesser la continuité d'une chose; interrompre le cours d'un événement : *La communication téléphonique a été coupée. Couper le courant avant de réparer un circuit électrique. On a coupé l'eau par crainte du gel. Son père l'avait menacé de lui couper les vivres* (= de cesser d'assurer son entretien). *Le médecin lui a donné des comprimés pour couper la fièvre* (syn. : ARRÊTER). *Le chagrin lui coupe l'appétit. Il s'abrite derrière un talus qui lui coupe le vent.* — 6° *Couper une balle,* au tennis, au Ping-Pong, renvoyer la balle en lui donnant un effet de rotation sur elle-même. ‖ *Couper les bras, couper bras et jambes à quelqu'un,* le mettre hors d'état d'agir. ‖ *Couper une carte,* à un jeu de cartes, jouer un atout sur une carte d'une autre couleur jouée par un adversaire. ‖ *Couper les cartes,* ou, intransitiv., *couper,* partager un jeu de cartes en deux paquets. ‖ Fam. *Couper les cheveux en quatre,* être exagérément pointilleux, chicaneur. ‖ *Couper ses effets à quelqu'un,* lui causer une gêne qui l'empêche d'obtenir l'effet de surprise ou d'admiration qu'il escomptait. ‖ Fam. *Couper l'herbe sous le pied à quelqu'un,* le devancer dans une entreprise de façon à lui en ôter la possibilité ou le mérite. ‖ *Couper un livre,* en couper les feuilles à la pliure, afin de pouvoir tourner les pages. ‖ *Couper la parole à quelqu'un,* l'interrompre en parlant en même temps que lui (sujet nom de personne); ne pas lui permettre de parler (sujet nom de chose indiquant une cause physique, morale) : *L'émotion lui coupait la parole.* ‖ *Couper les ponts,* cesser toutes relations avec quelqu'un. ‖ Fam. *Couper le sifflet à quelqu'un,* l'interrompre péremptoirement. ‖ *Couper le souffle à quelqu'un,* lui causer un grand saisissement : *Je ne m'attendais pas à cette nouvelle, j'en ai eu le souffle coupé.* ‖ *Couper une boisson,* la mêler d'eau. ‖ Fam. *A couper au couteau,* d'une épaisseur peu ordinaire : *Brouillard, bêtise à couper au couteau.* ◆ v. intr. 1° (sujet nom de chose) Etre tranchant, affilé : *Votre couteau ne coupe pas, il faut l'aiguiser.* — 2° (sujet nom d'être animé) Aller par un itinéraire direct, prendre un raccourci : *En coupant à travers champs, on gagne une demi-heure. Couper par un sentier.* ◆ v. tr. ind. Fam. *Couper à une corvée, à un inconvénient,* s'y soustraire, y échapper. ‖ Fam. *Y couper de* (une punition, une corvée, etc.), l'éviter : *Tu n'y couperas pas d'une amende.* ◆ **se couper** v. pr. *Se couper en quatre,* dépenser une intense activité, se partager entre des tâches multiples : *Je n'ai pas eu le temps de finir : je ne peux pas me couper en quatre!* ◆ **coupage** n. m. Mélange de vin ou d'alcool avec de l'eau ou avec un vin ou un alcool différent. ◆ **coupant, e** adj. 1° *Une lame bien coupante* (syn. : AFFILÉ, TRANCHANT). — 2° *Parole coupante, ton coupant,* manière de parler péremptoire. ◆ **coupe** n. f. 1° Action ou manière de couper : *La deuxième coupe n'a pas donné de foin cette année.* — 2° Action, art de tailler un tissu pour en faire un vêtement; manière dont est fait ce vêtement : *Elle a appris la coupe chez un grand couturier. Un complet d'une coupe élégante.* — 3° Métrage prélevé sur une pièce de tissu : *Il n'y a pas de quoi faire un pardessus dans cette coupe.* — 4° Action de tailler les cheveux afin de coiffer; manière dont les cheveux sont taillés : *Une coupe de cheveux moderne.* —

5° Action de séparer en deux paquets le jeu de cartes, en plaçant au-dessus le paquet qui se trouvait en dessous : *Après la coupe, on distribue les cartes.* — **6°** Etendue d'un bois destinée à être coupée : *Il a vendu cette coupe à un gros industriel.* — **7°** Légère pause marquée dans le débit d'un vers : *Dans les vers classiques, la coupe principale est le plus souvent à l'hémistiche* (syn. : CÉSURE). — **8°** Représentation d'une chose telle qu'elle pourrait apparaître si elle était coupée par un plan : *Plusieurs coupes du moteur permettent au public d'en comprendre le fonctionnement.* — **9°** *Coupe sombre,* action de retrancher une partie importante d'un ensemble : *Les services financiers ont fait des coupes sombres dans le budget.* ‖ *Mettre un bien en coupe réglée,* en tirer son profit systématiquement et sans scrupule, au détriment du propriétaire. ‖ *Tomber sous la coupe de quelqu'un,* passer sous sa totale dépendance. ◆ **coupe-choux** n. m. invar. **1°** Sabre court. — **2°** *Fam.* Rasoir à lame. ◆ **coupe-coupe** n. m. invar. Sabre d'abattis, utilisé en particulier dans la forêt vierge, dans les plantations exotiques. ◆ **coupe-feu** n. m. invar. Dispositif destiné à arrêter la propagation des incendies (mur dans un bâtiment, large allée dans une forêt). ◆ **coupe-file** n. m. invar. Carte officielle permettant à son titulaire de franchir des barrages de police, de passer par priorité dans une foule, etc. ◆ **coupe-gorge** n. m. invar. Lieu, établissement dangereux où l'on risque de se faire attaquer par des malfaiteurs. ◆ **coupe-papier** n. m. invar. Instrument de bureau constitué par une lame de métal, d'os, etc., et destiné à couper des feuilles de papier. ◆ **couperet** n. m. **1°** Couteau ou hachoir de cuisine ou de boucherie. — **2°** Lame de la guillotine. ◆ **coupeur, euse** n. **1°** Ouvrier tailleur qui coupe les vêtements. — **2°** *Coupeur de cheveux en quatre,* personne qui recherche des subtilités excessives. ◆ **coupon** n. m. **1°** Reste d'une pièce de tissu : *Acheter des coupons en solde.* — **2°** Titre détachable joint à une action ou à une obligation, et qu'on remet pour percevoir l'intérêt : *Il a touché ses coupons de rente.* ◆ **coupure** n. f. **1°** Séparation produite dans la continuité d'un corps par un instrument tranchant : *Il s'est fait une coupure au doigt avec son couteau* (syn. : ENTAILLE). — **2°** Rupture entre des époques successives; divergence d'opinions, etc. : *La guerre a produit une coupure dans le développement de cette industrie. Une coupure s'est établie sur cette question à l'intérieur de la majorité.* — **3°** Suppression d'un passage dans un ouvrage destiné à l'impression, dans une pièce de théâtre ou un film. — **4°** Billet de banque de moins de dix francs. — **5°** *Coupures de journaux, de presse,* fragments découpés dans les journaux à propos d'un événement politique, littéraire, etc. ◆ **recouper** [rəkupe] v. tr. **1°** Couper de nouveau : *Recouper du pain.* — **2°** *Recouper un vêtement,* lui donner une coupe différente (syn. : RETOUCHER). [V. DÉCOUPER.]

2. couper (se) [səkupe] v. pr. *Fam.* Laisser échapper ou laisser deviner par mégarde ce qu'on voulait cacher : *Il s'est coupé en prétendant n'avoir jamais reçu cette lettre, dont il avait fait état auparavant* (syn. : SE TRAHIR). ◆ **recouper** v. tr. Apporter une confirmation : *Témoignage qui en recoupe un autre.* ◆ **se recouper** v. pr. Correspondre en se confirmant : *Leurs déclarations se recoupent.* ◆ **recoupement** n. m. Vérification d'un fait au moyen de renseignements provenant de sources différentes : *On sait par un recoupement que l'alibi invoqué par le prévenu n'était pas valable.*

couperosé, e [kuproze] adj. *Visage, nez couperosé,* dont la coloration vive est due à la dilatation des vaisseaux capillaires (syn. : ROUGEAUD) : *Les ivrognes ont le visage couperosé.* (La coloration elle-même est appelée la *couperose.*)

1. couple [kupl] n. m. **1°** Homme et femme mariés, ou unis par les liens de l'amour, ou réunis momentanément pour une danse, dans un cortège, etc. : *Des couples valsaient, d'autres marchaient lentement dans les allées du parc.* — **2°** Animaux réunis deux à deux, mâle et femelle : *Prendre un couple de renards au terrier.* (V. ACCOUPLER.)

2. couple [kupl] n. f. Réunion de deux choses de même espèce (surtout dans certaines provinces) : *Une couple d'œufs.* (Pour les choses qui vont ordinairement par deux, on dit *paire.*) ◆ **coupler** v. tr. *Coupler des mécanismes,* les réunir par deux, coordonner automatiquement leur fonctionnement : *Coupler des moteurs. Un appareil photographique avec télémètre couplé* (= dont le réglage commande automatiquement la mise au point de l'objectif). ◆ **couplage** n. m. : *Le couplage de deux résistances électriques.* (V. ACCOUPLER.)

couplet [kuplɛ] n. m. **1°** Strophe d'une chanson : *Les couplets sont souvent séparés par un refrain.* — **2°** *Fam.* Propos que quelqu'un répète à tout instant : *Il nous a encore casé son couplet sur les jeunes d'aujourd'hui* (syn. : REFRAIN, RENGAINE).

coupole [kupɔl] n. f. **1°** Voûte en demi-sphère (désigne surtout la voûte vue de l'intérieur de l'édifice; l'aspect extérieur s'appelle généralement *dôme*) : *La coupole des Invalides, à Paris. Une église romane dont la coupole repose sur quatre forts piliers.* — **2°** *Entrer sous la Coupole,* être élu à l'Académie française.

coupon n. m., **coupure** n. f. V. COUPER 1.

1. cour [kur] n. f. **1°** Espace découvert, clos de murs ou de bâtiments et dépendant d'une habitation ou d'un bâtiment public : *Les tracteurs entrent dans la cour de la ferme. Un appartement dont certaines fenêtres donnent sur la rue et les autres sur une cour. Les enfants jouent dans la cour de l'école. La cour de la caserne.* — **2°** Fam. *C'est une véritable cour des Miracles,* c'est un rassemblement de mendiants et d'éclopés qui évoque le quartier où ceux-ci se réunissaient à Paris. ◆ **courette** n. f. Petite cour.

2. cour [kur] n. f. **1°** Ensemble des personnages qui entourent un souverain : *La reine avait invité toute la cour aux fiançailles de la princesse.* — **2°** Le souverain et ses ministres constituant le gouvernement d'un pays : *Un diplomate qui avait été envoyé en mission auprès de nombreuses cours en Europe.* — **3°** Entourage de personnes empressées à plaire à quelqu'un, à rechercher ses faveurs : *Un romancier entouré de toute une cour d'admirateurs. Une coquette qui ne se plaît qu'au milieu d'une cour d'adorateurs.* — **4°** *Etre bien, être mal en cour,* se dit d'une personne qui jouit, qui ne jouit pas de la faveur de quelqu'un. ‖ *Faire sa cour,* chercher à se ménager la faveur de quelqu'un. ‖ *Faire la cour à une femme,* chercher à lui plaire, à gagner son cœur par toutes sortes d'attentions (syn. : COURTISER). ◆ **courtisan** n. m. **1°** Homme qui fait partie de la cour d'un souverain. — 2° Celui qui flatte par intérêt un personnage important : *Un ministre qui s'est laissé convaincre par les instances de ses courtisans.* ◆ **courtiser** v. tr. *Courtiser une femme,* lui faire la cour. ‖ Péjor. *Courtiser un personnage influent,* chercher à gagner sa faveur.

3. cour [kur] n. f. Tribunal, juridiction d'une certaine importance : *Cour d'assises. Cour de cassation. Cour des comptes. A l'entrée de la cour, toute la salle se lève.*

courage [kuraʒ] n. m. 1° Energie morale, force d'âme qui permet de résister aux épreuves, d'affronter le danger ou la souffrance, qui pousse à agir avec fermeté : *Elle a montré beaucoup de courage à la mort de son mari* (syn. fam. : CRAN). *Un soldat qui s'est battu avec courage* (syn. : BRAVOURE, VAILLANCE, HARDIESSE). *Ne perdez pas courage. S'armer de courage pour entreprendre une lourde tâche. Rassemblant tout son courage, il releva le défi.* — 2° Ardeur mise à entreprendre une tâche : *Cet élève pourrait bien réussir s'il travaillait avec plus de courage* (syn. : ZÈLE). — 3° *Avoir le courage de ses opinions,* ne pas hésiter à manifester ses opinions et à y conformer sa conduite. ‖ Fam. *Prendre son courage à deux mains,* déployer toute sa volonté pour surmonter ses appréhensions, pour oser faire quelque chose. ◆ **courage!** interj. : *Courage! une équipe de sauveteurs sera bientôt auprès de vous.* ◆ **courageux, euse** adj. (avant ou après le nom). Se dit d'un être animé qui manifeste du courage, ou d'une attitude, d'une action inspirée par le courage : *Il a été très courageux pendant toute sa maladie. Un pilote, un sauveteur courageux* (syn. : BRAVE [placé après le nom], VAILLANT, HARDI, VALEUREUX). *Redresser la tête d'un air courageux* (syn. : CRÂNE, DÉCIDÉ, ÉNERGIQUE). *Un discours courageux. Une courageuse intervention.* ◆ **courageusement** adv. : *Lutter courageusement* (syn. : BRAVEMENT, VAILLAMMENT, HARDIMENT, VALEUREUSEMENT). *Il s'est courageusement mis à la tâche.* ◆ **décourager** v. tr. 1° *Décourager quelqu'un,* lui ôter son courage : *Ne me découragez pas en revenant sans cesse sur les difficultés de l'entreprise* (syn. : DÉMORALISER). *La mauvaise volonté de ses collaborateurs a fini par le décourager.* — 2° *Décourager le crime, les bonnes volontés,* etc., détourner de leurs projets ceux qui seraient tentés de commettre un crime, de faire preuve de bonne volonté, etc. : *Une réglementation draconienne visait à décourager toute tentative de fraude. Ces démarches compliquées avaient découragé sa bonne volonté.* ◆ **se décourager** v. pr. (sujet nom de personne). Perdre courage : *Ne te décourage pas si vite!* ◆ **décourageant, e** adj. : *Une série d'échecs décourageants* (syn. : DÉMORALISANT, ↑ DÉSESPÉRANT). ◆ **découragement** n. m. Etat d'une personne découragée : *Il ne faut pas vous laisser aller au découragement* (syn. : ABATTEMENT, ↑ DÉSESPOIR). ◆ **encourager** v. tr. 1° (sujet nom de personne ou de chose) *Encourager quelqu'un,* lui donner du courage, le porter à agir : *Votre présence m'encourage* (syn. : ENHARDIR). *Nous l'avons encouragé à continuer* (syn. : POUSSER, INCITER, EXHORTER). — 2° *Encourager un projet, une œuvre,* etc., en favoriser la réalisation, le développement. ◆ **encourageant, e** adj. : *Ce premier résultat est très encourageant.* ◆ **encouragement** n. m. : *Des cris d'encouragement jaillissent à l'adresse des coureurs.*

1. courant, e adj. V. COURIR.

2. courant, e [kurɑ̃, -rɑ̃t] adj. 1° Se dit de ce qui ne sort pas de l'ordinaire, qu'on trouve sans difficulté : *Au début du XXe siècle, le téléphone n'était pas, comme aujourd'hui, d'un usage courant* (syn. : NORMAL, QUOTIDIEN, RÉPANDU; contr. : RARE, EXCEPTIONNEL). *Une arme d'un modèle courant* (syn. : USUEL; contr. : SPÉCIAL). *Les résultats obtenus par les procédés courants* (syn. : HABITUEL, ORDINAIRE, CLASSIQUE). *Le mal est sans gravité : c'est un incident courant* (syn. : BANAL, FRÉQUENT). *En quelques mois, les enfants doivent parvenir à la lecture courante* (= à lire normalement, sans trébucher sur les mots). — 2° *Affaires courantes,* les actes administratifs habituels : *Le cabinet démissionnaire expédie les affaires courantes jusqu'à la création du nouveau gouvernement.* ‖ *Monnaie courante,* pratique habituelle : *Ce genre de mensonge ne me surprend pas : c'est monnaie courante dans ce milieu.* ◆ **couramment** adv. : *Il parle couramment l'allemand* (= sans difficulté, avec naturel). *Une question qu'on me pose couramment* (syn. : FRÉQUEMMENT, À TOUT MOMENT).

3. courant [kurɑ̃] n. m. 1° (sans compl. ou avec un compl. désignant un liquide ou un fluide) Mouvement d'un liquide ou d'un fluide dans tel ou tel sens; rapidité de ce mouvement : *La barque, mal attachée à un arbre de la berge, a été emportée par le courant. La baignade est dangereuse ici, il y a trop de courant. Les courants marins sont des masses d'eau qui se déplacent dans les océans. Un courant d'air a fait envoler tous les papiers de la pièce. Un planeur qui utilise les courants ascendants.* — 2° (avec un compl. nom de personne ou de chose) Mouvement orienté d'un ensemble de personnes ou de choses; tendance générale des idées ou des sentiments : *Le développement industriel a provoqué de vastes courants de population vers quelques grands centres* (syn. : MOUVEMENT). *Les courants commerciaux sont perturbés en période de conflit. Un courant de scepticisme s'est manifesté en France à diverses époques. Le courant romantique. Certains organismes s'efforcent d'analyser les courants politiques. Ce candidat a bénéficié d'un courant de sympathie.* — 3° *Courant électrique,* circulation d'électricité dans un conducteur : *Les machines se sont arrêtées par suite d'une coupure de courant. En réparant l'installation, il a reçu le courant dans les doigts.* — 4° (avec un nom de personne) *Au courant,* qui est informé de quelque chose, qui a la pratique de la marche d'une affaire : *Etes-vous au courant des derniers projets?* (syn. : CONNAÎTRE). *Tenez-moi au courant s'il se produit du nouveau. Il fallut une quinzaine de jours pour mettre le nouvel employé au courant des habitudes de la maison* (syn. : RENSEIGNER). ‖ *Dans le courant de la semaine, du mois, de l'année,* à un moment d'une de ces périodes. ‖ *Remonter le courant,* réagir contre une tendance, redresser la situation. ‖ *Suivre le courant,* se laisser aller dans la voie de la facilité, faire comme les autres.

courbature [kurbatyr] n. f. Douleur musculaire, fatigue résultant d'un effort, d'une position du corps inconfortable, d'une maladie : *Le lendemain de cette pénible journée de marche, nous étions pleins de courbatures. La grippe donne généralement des courbatures.* ◆ **courbaturé, e** adj. : *Avoir le dos courbaturé* (syn. littér. : COURBATU). *Il est revenu tout courbaturé de cette promenade en montagne.*

courbe [kurb] adj. Se dit d'une ligne ou d'une surface qui a plus ou moins la forme ou la coupe d'un arc : *Un projectile qui suit une trajectoire courbe. Un arbre aux branches courbes* (syn. : ARQUÉ). *La tôle de la carrosserie est légèrement courbe en cet endroit* (syn. : INCURVÉ). ◆ **courbe** n. f. **1°** Ligne courbe : *La route fait une courbe pour contourner la ville.* — **2°** Graphique représentant les variations d'un phénomène ; évolution de ce phénomène : *La production de l'usine a suivi une courbe constamment ascendante depuis dix ans.* ◆ **courber** v. tr. **1°** *Courber un objet,* le rendre courbe en exerçant une force sur lui : *Le vent courbe les peupliers* (syn. : PLIER, PLOYER). *Courber une baguette* (syn. : INCURVER). — **2°** *Courber la tête, le dos, l'échine,* tenir la tête penchée en avant, arrondir le dos, généralement en signe d'humilité, de soumission : *Il courbait la tête devant les reproches;* s'abaisser devant quelqu'un, n'avoir aucune fierté (littér.). ◆ ***se courber*** v. pr. (sujet nom de personne). Incliner le corps en avant. ◆ **courbement** n. m. ◆ **courbette** n. f. **1°** *Fam.* Salut obséquieux. — **2°** *Faire des courbettes devant* (ou *à*) *quelqu'un,* lui prodiguer des marques exagérées de déférence. ◆ **courbure** n. f. **1°** État, aspect de ce qui est courbe : *La courbure de la voie ferrée ne permet pas de voir venir le train de loin.* — **2°** Partie courbe d'une chose.

courge [kurʒ] n. f. Plante potagère dont on consomme les grosses baies. ◆ **courgette** n. f. Fruit de certaines courges consommé à l'état jeune.

courir [kurir] v. intr. (conj. **29**). **1°** (sujet nom d'être animé) Se déplacer rapidement en faisant agir vivement ses jambes ou ses pattes : *Voyant qu'il était en retard, il se mit à courir* (syn. fam. : ↑ GALOPER ; pop. : CAVALER). *Les enfants courent en tous sens sur la plage. Le chien court après un lièvre. Le cheval court plus vite que l'homme. Courir à toutes jambes, à fond de train, à perdre haleine, comme le vent, comme un lièvre, comme un dératé, ventre à terre,* etc. (= courir très vite). — **2°** (sujet nom de personne ou de certains animaux) Participer à une course : *Un cheval trop vieux pour courir.* — **3°** (sujet nom de personne) Aller de divers côtés pour chercher quelque chose, dans une intention précise : *J'ai couru partout pour trouver une pièce de rechange* (syn. : SE DÉMENER). *Vous m'avez fait courir, avec cette enquête!* — **4°** (sujet nom de chose) Être mû par un mouvement rapide : *L'eau court dans cette canalisation. Une benne qui court le long d'un câble* (syn. : ↓ SE DÉPLACER). — **5°** (sujet nom de chose) Se dérouler dans le temps : *Le délai court jusqu'à la fin de l'année. Les intérêts de cette somme courent depuis dix ans. Par le temps qui court, c'est une aubaine de trouver un appartement à louer* (= dans les circonstances actuelles). — **6°** (sujet nom de chose) S'étendre en longueur : *Un sentier qui court sur la falaise.* — **7°** (sujet nom désignant une nouvelle, un bruit, etc.) Se répandre rapidement : *Ne vous fiez pas aux rumeurs qui courent* (syn. : SE PROPAGER). *On a fait courir le bruit de sa mort. Il court sur son compte quelques bonnes histoires. Des brochures séditieuses couraient de main en main* (syn. : CIRCULER). — **8°** *En courant,* à la hâte : *Répondre en courant à une lettre.* ‖ *Courir à sa perte, à sa ruine, à un échec,* agir d'une manière qui provoquera infailliblement le désastre, la ruine, l'échec. ‖ *Courir au plus pressé,* se hâter de faire ce qui est le plus pressé. ‖ *Courir après la fortune, après le succès,* les rechercher avec empressement. ‖ *Courir après le temps,* s'efforcer vainement de trouver le temps de réaliser ce qu'on doit faire. ‖ *Courir après une femme,* la poursuivre de ses assiduités. ‖ *Courir sur ses soixante ans,* être près d'atteindre cet âge. ‖ Pop. *Courir sur le système, sur le haricot à quelqu'un,* l'importuner. ‖ Pop. *Tu nous cours,* tu nous ennuies. ◆ v. tr. **1°** *Courir les bals, les agences, les magasins,* etc., les fréquenter assidûment, aller sans cesse de l'un à l'autre. — **2°** *Courir les filles* (ou simplem. *courir*), les courtiser, les rechercher, flirter. — **3°** *Courir un cent mètres, le Grand Prix,* etc., disputer cette compétition sportive. — **4°** *Courir un risque, un danger,* y être exposé : *Vous courez le risque de ne trouver personne aujourd'hui. Peut-être arriverai-je à temps : c'est un risque à courir* (= une chance à tenter). *On l'avait averti des dangers qu'il courait en restant près de la machine.* — **5°** *Courir un cerf, un sanglier,* les poursuivre dans une chasse à courre. — **6°** (sujet nom de chose) Être abondamment répandu dans : *Une plaisanterie qui courait les salons. Une opinion qui court les milieux industriels.* — **7°** (sujet nom de personne ou de chose) Fam. *Courir les rues,* être très commun, banal : *Un livre qui court les rues. Des gens compétents en cette matière, ça ne court pas les rues.* ◆ **courant, e** adj. *Chien courant,* chien de chasse dressé à poursuivre le gibier (par oppos. à *chien couchant*). ‖ *Eau courante,* eau qui s'écoule (contr. : EAU STAGNANTE) ; installation de distribution d'eau dans une habitation : *Un appartement qui n'a pas l'eau courante.* ‖ *Le mois courant, le 15 courant,* le mois où l'on est, le 15 du présent mois. (V. aussi COURANT, E à son ordre alphabétique.) ◆ **courante** n. f. *Pop.* Diarrhée. ◆ **couru, e** adj. Fam. *C'est couru,* le résultat ne fait pas de doute : *Il sera sûrement reçu à son examen, c'est couru* (syn. : C'EST ÉCRIT ; fam. : C'EST RÉGLÉ ; pop. : C'EST DU TOUT CUIT). ◆ **coureur, euse** n. **1°** Personne qui participe à une compétition sportive consistant en une course : *Coureur de vitesse, de fond. Trois coureurs se sont détachés du peloton.* — **2°** Personne qui fréquente assidûment un lieu, des femmes, etc. : *Un coureur de cafés, de cinémas. Un coureur de filles.* ◆ n. et adj. *Il est très coureur,* il recherche les aventures galantes. ‖ *C'est une coureuse,* une femme de mœurs légères. ◆ **avant-coureur** [avɑ̃kurœr] adj. m. Qui précède et annonce un événement prochain (surtout avec le mot *signe*) : *Les signes avant-coureurs du printemps* (syn. : ANNONCIATEUR). *Un malaise avant-coureur de la grippe. Le vent qui se lève est un signe avant-coureur de l'orage* (= un prodrome). ◆ **course** n. f. **1°** Action d'un être animé qui court : *Dans sa course, l'enfant buta sur une pierre et tomba de tout son long. Les policiers ont rattrapé le malfaiteur à la course. Photographier un cheval en pleine course.* — **2°** Mouvement ou déplacement rapide d'un objet dans l'espace : *Le torrent roule des pierres dans sa course. Le navire ralentit sa course.* — **3°** Compétition sportive où plusieurs concurrents luttent de vitesse : *Une course à pied. Une course de chevaux. Une course cycliste, automobile.* — **4°** Mouvement rapide vers un but, en général dans une lutte entre plusieurs rivaux : *La course aux armements accroît les risques de conflit. La course au pouvoir a été très animée entre les deux rivaux.* — **5°** Trajet parcouru par un corps mobile ; le mouvement lui-même : *La* *course du piston dans le cylindre. La course du balancier est gênée par un frottement.* — **6°** Trajet parcouru en montagne par un alpiniste et correspondant à une ascension déterminée : *Il faut déjà être un alpiniste expérimenté pour faire cette course.* — **7°** Trajet fait à la demande d'un client par un taxi : *Le chauffeur avait fait quatre courses dans la soirée.* — **8°** *A bout de course,* ne plus avoir de forces. ‖ *En fin de course,* se dit de ce qui arrive à la limite de son action, de ce qui est sur son déclin. ‖ (sujet nom de personne) Fam. *Etre dans la course,* être au courant de l'actualité, avoir suivi le cours des événements (souvent dans une phrase négative) : *Il ne travaille pas depuis des années; il n'est plus dans la course* (syn. fam. : ÊTRE À LA PAGE). ◆ **courses** n. f. pl. **1°** Allées et venues pour se procurer quelque chose; achats faits chez un commerçant : *J'ai quelques courses à faire à la banque, à la mairie, chez l'épicier. Elle a déposé ses courses dans le couloir* (syn. : COMMISSIONS, ACHATS, EMPLETTES). — **2°** *Courses de chevaux,* ou simplem. *courses,* sport où des chevaux sont engagés dans une course. ◆ **coursier** n. m. Celui qui a pour emploi de faire des courses en ville (transmission de messages, de paquets, etc.), pour le compte d'un patron, d'une entreprise, etc. : *Je vous ferai porter ce document par le coursier.*

couronne [kurɔn] n. f. **1°** Ornement circulaire, qu'on porte sur la tête en certaines circonstances : *Une couronne royale en or enrichie de pierreries. La mariée avait une couronne de fleurs blanches en tissu.* — **2°** Ornement porté sur la tête et qui est un signe de distinction, une récompense : *Un héros représenté la tête ceinte d'une couronne de laurier.* — **3°** Autorité royale, dynastie souveraine (ordinairement avec une majusc.) : *Les Etats liés par des traités à la Couronne d'Angleterre. Les joyaux de la Couronne.* — **4°** Objet de forme circulaire : *Acheter une couronne chez le boulanger* (= un pain en forme de couronne). — **5°** Partie visible de la dent; revêtement métallique posé par un dentiste sur une dent. — **6°** *Couronne mortuaire,* fleurs disposées sur un support circulaire, offertes à la mémoire d'un défunt lors des funérailles. ◆ **couronner** v. tr. **1°** (sujet nom de personne) *Couronner quelqu'un,* lui mettre une couronne sur la tête en signe de distinction, de récompense : *En 1778, on couronna solennellement sur la scène le buste de Voltaire.* — **2°** *Couronner un roi, un prince,* lui poser solennellement une couronne sur la tête en lui conférant officiellement le pouvoir royal ou impérial : *Sitôt couronné, le nouveau souverain prit des décisions importantes.* — **3°** *Couronner un ouvrage, un auteur,* honorer son mérite par un prix, une distinction : *Un livre couronné par l'Académie française.* — **4°** (sujet nom de chose) *Couronner quelque chose,* être disposé tout autour de lui : *Les remparts du château fort couronnaient la colline.* — **5°** (sujet nom de chose) *Couronner l'œuvre de quelqu'un, sa carrière,* constituer une distinction éminente pour une personne, porter au plus haut point : *Cette nomination au Collège de France couronne sa carrière. Des efforts couronnés de succès* (= qui aboutissent à un heureux résultat). ◆ **couronnement** n. m. : *Le couronnement d'un roi. Une réussite qui est le couronnement d'une année de recherches.* ◆ **découronné, e** adj. *Arbre découronné,* dépouillé de ses branches supérieures. ‖ *Souverain découronné,* déchu de son trône.

1. couronner v. tr. V. COURONNE.

2. couronner (se) [səkurɔne] v. pr. (sujet nom désignant un cheval ou une personne). Se blesser aux genoux. ◆ **couronnement** n. m.

courre [kur] v. tr. *Chasse à courre,* chasse où l'on poursuit le gibier à cheval et avec des chiens. (Le mot est un ancien infinitif de *courir.*)

1. courrier [kurje] n. m. **1°** Ensemble de la correspondance (lettres, imprimés, paquets) : *Le facteur n'avait pas encore distribué le courrier. Le courrier s'était amoncelé sur le bureau du directeur. Avez-vous expédié le courrier?* — **2°** Moyen de transport (voiture, bateau, avion) servant à acheminer la correspondance ou assurant un service commercial régulier : *Le courrier de Londres.* ◆ **long-courrier** n. m. Avion, bateau assurant les transports sur de longues distances : *Les long-courriers entre Paris et Tokyo.* ◆ **moyen-courrier** n. m. Avion destiné à effectuer des transports sur des distances inférieures à 2 000 km.

2. courrier [kurje] n. m. Chronique d'un journal consacrée à certaines informations, à la publication de certaines correspondances (avec un compl., un adj.) : *Le courrier des lecteurs publie des lettres de correspondants. Le courrier du cœur permet à des gens d'exposer anonymement leurs problèmes sentimentaux.* ◆ **courriériste** n. Journaliste chargé du courrier d'un journal.

courroie [kurwa] n. f. **1°** Bande de cuir, de tissu, etc., servant à tenir ou à fixer un objet : *Passer à son épaule la courroie d'un appareil photographique.* — **2°** *Courroie de transmission,* ou simplem. *courroie,* bande de cuir servant à transmettre le mouvement d'une poulie à une autre.

courroux [kuru] n. m. Vive colère (littér.). ◆ **courroucer** v. tr. Mettre en colère (littér.). ◆ ***se courroucer*** v. pr. Entrer en colère (littér.).

1. cours [kur] **1°** Suite de faits dont l'enchaînement s'étend sur une certaine durée : *Pendant tout le cours de sa maladie il a dû suivre un régime sévère* (syn. : DURÉE). *La nouvelle stratégie a modifié le cours de la guerre* (syn. : DÉROULEMENT). *L'enquête suit son cours* (= elle se poursuit). — **2°** Ecoulement des eaux d'un fleuve, d'une rivière : *La Seine a un cours régulier.* — **3°** Trajet parcouru par un fleuve ou une rivière : *Le Rhône n'est navigable que sur une partie de son cours.* — **4°** *Cours d'eau,* terme générique désignant un fleuve, une rivière, un ruisseau, un canal : *Sur cette carte, tous les cours d'eau sont représentés par un trait bleu.* — **5°** *Cours d'un astre,* mouvement, réel ou apparent, de cet astre. — **6°** *Donner cours, donner* (ou *laisser*) *libre cours à,* laisser se manifester sans retenue : *Il laissa soudain libre cours à sa joie, à son imagination.* ‖ *Etre en cours,* se dit d'un événement, d'une action qui a commencé et qui s'achemine plus ou moins directement vers son achèvement : *Des essais sont en cours.* ‖ *Navigation au long cours,* celle où l'on fait de longues traversées (contr. : NAVIGATION CÔTIÈRE). ● LOC. PRÉP. *Au cours de, dans le cours de, en cours de* (et un compl. sans art.), pendant toute la durée de : *Je l'ai vu plusieurs fois au cours de l'année* (syn. : DURANT). *Dans le cours de la conversation, il m'a fait part de quelques projets* (syn. : PENDANT). *En cours de route, j'ai remarqué plusieurs coins pittoresques. L'appartement est en cours d'aménagement* (= on est en train de l'aménager).

2. cours [kur] n. m. Lieu public étendu en longueur et propre à la promenade (emploi limité; le plus souvent accompagné d'un nom propre) : *Les maisons qui bordent le cours* (syn. : ALLÉE, PROMENADE). *Le Cours-la-Reine à Paris.*

3. cours [kur] n. m. 1° Prix de vente actuel d'un produit industriel ou commercial, ou d'une valeur mobilière : *On s'attend à une hausse sur le cours des voitures d'occasion* (syn. : PRIX). *Racheter des actions au-dessus du cours officiel* (syn. : VALEUR). — 2° *Avoir cours,* être utilisable comme moyen de paiement (sujet nom désignant la monnaie) : *Les anciennes pièces de cinquante centimes n'ont plus cours;* être admis, être pris en considération (sujet nom désignant une pratique, une expression, etc.) : *Ses mensonges n'ont plus cours ici.*

4. cours [kur] n. m. 1° Série de leçons qu'un professeur donne sur une matière : *Un cours de linguistique générale. Il a consacré son cours à l'histoire des Croisades.* — 2° Leçon faite dans une école ou une faculté : *Un élève qui s'amuse pendant le cours. Nous avions trois heures de cours de licence ce matin-là* (syn. : CONFÉRENCE). — 3° Ouvrage qui expose l'enseignement suivi d'un professeur dans une matière : *Acheter un cours d'électricité. Elle a perdu son cours de sténographie.* — 4° Etablissement spécialisé dans une branche d'enseignement ou s'adressant à une catégorie particulière d'élèves : *Fréquenter un cours de secrétariat. Un cours privé* (syn. : ÉTABLISSEMENT SCOLAIRE). — 5° *Cours préparatoire, cours élémentaire, cours moyen, cours supérieur, cours de fin d'études,* classes successives de l'enseignement du premier degré.

course n. f. V. COURIR.

1. coursier n. m. V. COURIR.

2. coursier [kursje] n. m. Syn. poétique de CHEVAL.

1. court, e [kur; la liaison ne se fait pas au sing., kurt] adj. (après ou parfois avant le nom). 1° Qui a peu d'étendue en longueur : *L'herbe est plus courte en avril qu'en juin. Une chemise à manches courtes* (contr. : LONG). *Une robe courte* (= qui ne descend pas jusqu'à la cheville, la longueur étant alors relative à la mode). *Je l'ai suivi sur une courte distance* (contr. : LONG). *Une courte introduction.* — 2° Dont la durée est relativement brève : *Il est resté un court instant immobile. La vie est courte* (syn. : BREF, ↑ ÉPHÉMÈRE). *Je trouve le temps court* (= que le temps passe trop vite). — 3° Se dit de ce qui est trop peu abondant : *S'il n'avait que son traitement pour faire vivre sa famille, ce serait court* (syn. : JUSTE, ↓ INSUFFISANT). — 4° *Avoir la mémoire courte,* oublier rapidement. ◆ **court** [kur] adv. 1° *Une mode qui habille court. Des cheveux coupés court.* — 2° *S'arrêter court, demeurer, rester, se trouver court,* se trouver soudain incapable de continuer, de sortir d'une situation embarrassante. ‖ *Couper court à,* faire cesser brusquement : *Un communiqué officiel a coupé court à tous les commentaires;* éliminer en bloc : *Il a coupé court à toutes les formalités.* ● LOC. ADV. *Aller au plus court,* procéder de la façon la plus simple et la plus rapide. ‖ *Prendre quelqu'un de court,* le prendre au dépourvu, sans lui laisser le temps de réfléchir ou d'agir. ‖ (sujet nom de chose). *Tourner court,* cesser brusquement, n'aboutir à aucun résultat : *Des pourparlers qui ont tourné court.* ‖ *Tout court,* sans rien de plus : *On l'appelle Pierre tout court* (= sans ajouter son nom de famille). ● LOC. PRÉP. *A court de,* se dit de celui qui a épuisé toutes ses ressources en : *Il s'arrêta, à court d'arguments.* ◆ **courtaud, e** adj. et n. Se dit d'une personne de petite taille et assez grosse (syn. : BOULOT, TRAPU). ◆ **écourter** [ekurte] v. tr. *Ecourter quelque chose,* en diminuer la durée ou la longueur : *Je suis obligé d'écourter mon séjour* (syn. : ABRÉGER). *Un texte écourté* (syn. : TRONQUER). [V. RACCOURCIR.]

2. court [kur] n. m. Terrain spécialement préparé pour le jeu de tennis.

court-bouillon [kurbujɔ̃] n. m. Bouillon épicé, mêlé de vin ou de vinaigre, dans lequel on fait cuire du poisson.

court-circuit [kursirkɥi] n. m. 1° Contact entre deux conducteurs électriques, provoquant le passage direct du courant d'un point à l'autre au lieu du circuit normal : *L'incendie a été causé par un court-circuit. Si vos fils sont mal isolés, vous risquez un court-circuit.* — 2° *Fam.* Contact direct entre deux personnes qui abrège le processus normal : *La vente directe du producteur au consommateur est un court-circuit dans le système commercial.* ◆ **court-circuiter** v. tr. 1° *L'éclairage de la pièce a été court-circuité* (= son fonctionnement a été détruit par un court-circuit). — 2° Fam. : *Une démarche qui court-circuite la voie hiérarchique* (= qui ne passe pas par les divers échelons successifs). *Un grossiste qui court-circuite les détaillants* (= qui vend directement aux particuliers).

courtepointe [kurtəpwɛ̃t] n. f. Couverture de lit piquée.

courtier, ère [kurtje, -tjɛr] n. Personne qui joue un rôle d'intermédiaire dans une opération commerciale.

courtisan n. m., **courtiser** v. tr. V. COUR 2.

courtisane [kurtizan] n. f. Femme qui vend ses faveurs (littér., ne se dit généralement que de celles qui recherchent le luxe) : *Un gros industriel accompagné de quelque courtisane* (syn. pop. : POULE DE LUXE).

courtois, e [kurtwa, -waz] adj. Se dit généralement d'un homme (ou de son attitude) qui se conduit avec une politesse distinguée, une parfaite correction : *En homme courtois, il a cédé le pas à son aîné* (contr. : GROSSIER). *Un geste courtois. Des paroles courtoises* (syn. : AIMABLE, POLI). *Son procédé n'est guère courtois* (syn. : ÉLÉGANT). ◆ **courtoisement** adv. : *Deux joueurs qui se saluent courtoisement avant de commencer la partie de tennis.* ◆ **courtoisie** n. f. : *Sa lettre est d'une parfaite courtoisie* (syn. : AMABILITÉ). *Des propos qui manquent de courtoisie* (syn. : POLITESSE, ÉLÉGANCE). ◆ **discourtois, e** adj. Qui offense par manque de courtoisie : *Il a été très discourtois en refusant de me croire sur parole* (syn. : INÉLÉGANT; ↑ GROSSIER, MUFLE). *Un reproche discourtois* (syn. : IMPOLI). ◆ **discourtoisie** n. f. : *J'ai été choqué par la discourtoisie de sa démarche* (syn. : INÉLÉGANCE; ↑ GROSSIÈRETÉ, MUFLERIE).

court-vêtu, e [kurvety] adj. Se dit d'une personne qui porte un vêtement court (littér.) : *Des jeunes filles court-vêtues.*

couscous [kuskus] n. m. Mets arabe préparé avec du mouton, du bœuf ou de la volaille, de la semoule et diverses épices.

cousin, e [kuzɛ̃, -zin] n. 1° *Cousin* (*germain*), V. PARENTÉ. — 2° Fam. *Le roi n'est pas son cousin,* il est rempli de fierté. ◆ n. et adj. *Fam.* Personne ou chose qui présente de l'analogie avec une autre : *Ma voiture est cousine de la vôtre.* ◆ **cousinage** n. m. *Fam.* Lien de parenté entre des cousins éloignés : *Il s'est autorisé d'un vague cousinage pour m'adresser cette requête.* ◆ **cousiner** v. intr. Fam. *Cousiner avec quelqu'un,* le traiter comme un cousin, le fréquenter familièrement.

coussin [kusɛ̃] n. m. Sac de tissu, de cuir, etc., rempli de crin, de laine, de plume, entièrement clos, et destiné au confort d'une personne qui s'assoit, s'accoude, s'agenouille, s'adosse, etc. ◆ **coussinet** n. m. Petit coussin.

coût n. m. V. COÛTER.

couteau [kuto] n. m. 1° Instrument tranchant, composé d'une lame et d'un manche : *Couteau de cuisine. Couteau de table* (= destiné à couper les aliments pendant un repas). *Couteau de poche* (= dont la lame se replie sur le manche). — 2° Fam. *Visage en lame de couteau,* visage mince, allongé, à profil saillant. ‖ *Brouillard à couper au couteau,* brouillard très épais. ‖ *Etre à couteau tiré avec quelqu'un,* être en très mauvais termes avec lui, en lutte ouverte. ‖ *Avoir le couteau sur* ou *sous la gorge,* être contraint par la nécessité ou la menace à agir contre son gré. ‖ *Mettre le couteau sur* ou *sous la gorge à quelqu'un,* le contraindre à agir, à effectuer immédiatement un paiement. ‖ *Retourner, remuer, enfoncer le couteau dans la plaie,* aviver la peine ou le dépit de quelqu'un, le mortifier. ◆ **coutelas** n. m. Grand couteau de cuisine, de boucher, etc. (considéré comme un instrument dangereux). ◆ **coutelier, ère** adj. : *L'industrie coutelière.* ◆ **coutelier** n. m. Fabricant ou marchand de couteaux. ◆ **coutellerie** n. f. 1° Industrie ou commerce des couteaux. — 2° Magasin où l'on vend des couteaux.

coûter [kute] v. intr. 1° (sujet nom de chose) Avoir tel ou tel prix à l'achat ou à la vente : *Une propriété qui avait coûté cinquante mille francs. Ce livre ne coûte pas cher.* — 2° (sujet nom de personne ou de chose) Etre cause de dépenses : *Mon voyage m'a coûté plus cher que je n'avais prévu* (syn. : REVENIR). *Une voiture, c'est agréable, mais cela coûte cher. Six enfants à élever coûtent beaucoup.* — 3° (sujet nom de chose; sans compl. ou avec un infin. indiquant l'action ou l'état) Etre pénible : *Cet aveu lui a beaucoup coûté. Le médecin lui a prescrit de garder la chambre : cela lui coûte;* et impers. : *Il m'en coûte de ne pas pouvoir vous aider.* ◆ v. tr. 1° *Coûter quelque chose à quelqu'un,* lui causer un effort, un ennui : *Cet ouvrage m'a coûté de longues veilles* (syn. : VALOIR). *Il a oublié les larmes que lui ont coûtées les mathématiques dans son enfance;* lui causer un dommage, lui faire perdre quelque chose : *Cette imprudence a failli lui coûter la vie.* — 2° Fam. *Coûter les yeux de la tête,* être très coûteux. ‖ Fam. *Coûte que coûte,* quelle que soit l'importance de l'effort nécessaire (syn. : À TOUT PRIX). [Le part. passé *coûté* ne s'accorde que dans les emplois transitifs.] ◆ **coût** [ku] n. m. Somme que coûte une chose, prix de revient : *Evaluer le coût des réparations. Le coût de la main-d'œuvre a augmenté. Constater une hausse du coût de la vie* (= de la moyenne des prix de tout ce qui s'achète). ◆ **coûtant** adj. m. *Au prix coûtant,* sans bénéfice pour le vendeur. ◆ **coûteux, euse** adj. 1° Qui coûte cher ou qui occasionne des dépenses importantes : *Un outillage coûteux* (syn. : ONÉREUX). *Des vacances coûteuses* (syn. : DISPENDIEUX; ↑ RUINEUX, HORS DE PRIX). — 2° Qui impose des efforts, qui a des suites fâcheuses : *Une acceptation coûteuse. Cette démarche lui a été très coûteuse.* ◆ **coûteusement** adv. : *Une maison coûteusement aménagée.*

coutil [kuti] n. m. Toile robuste de fil ou de coton : *Un pantalon de coutil.*

coutume [kutym] n. f. 1° Manière habituelle d'agir répandue dans une société; pratique consacrée par un long usage : *Selon la coutume, l'enfant devait souffler d'un seul coup les dix bougies de son anniversaire* (syn. : USAGE). *Cette procession annuelle est une vieille coutume locale. Une province qui tient à garder ses coutumes* (syn. : TRADITION). — 2° *Avoir coutume de* (suivi d'un infin.), indique ce qu'on fait de manière habituelle (syn. : AVOIR L'HABITUDE DE). ‖ *Selon sa coutume,* comme il fait habituellement. ‖ *Plus, moins, autant que de coutume,* exprime une comparaison avec le cas habituel : *Il avait mangé plus que de coutume* (syn. : PLUS, MOINS, AUTANT QUE D'HABITUDE). ◆ **coutumier, ère** adj. 1° Syn. de HABITUEL (langue soignée) : *Faire le travail coutumier.* — 2° *Etre coutumier du fait,* se dit, généralement avec une intention péjor., de quelqu'un qui a l'habitude de commettre quelque acte répréhensible. (V. ACCOUTUMER [s'].)

1. couture n. f. V. COUDRE.

2. couture [kutyr] n. f. Fam. *Battre quelqu'un à plate couture,* lui infliger une défaite totale : *Je l'ai battu à plate couture au tennis.*

couturé, e [kutyre] adj. Marqué de cicatrices : *Un visage tout couturé* (syn. : BALAFRÉ).

couturier, ère n. V. COUDRE.

couvent [kuvɑ̃] n. m. 1° Maison de religieux ou de religieuses vivant en communauté (syn. : MONASTÈRE). — 2° Pensionnat de jeunes filles tenu par des religieuses. (V. CONVENTUEL.)

1. couver [kuve] v. tr. et intr. 1° (sujet nom désignant un oiseau) Se tenir sur ses œufs pour les faire éclore : *C'est généralement la femelle qui couve les œufs. Une poule qui couve depuis une semaine.* — 2° (sujet nom de personne) *Couver quelqu'un,* l'entourer de soins, l'élever avec une tendresse exagérée : *Un enfant couvé par sa mère* (syn. : CHOYER, DORLOTER). — 3° *Couver des yeux* (ou *du regard*) *quelqu'un* ou *quelque chose,* le regarder longuement avec tendresse ou convoitise : *L'enfant couvait des yeux la poupée de l'étalage.* ◆ **couvée** n. f. 1° Ensemble des œufs couvés en même temps ou des oiseaux éclos en même temps. — 2° *Fam.* Jeunes enfants entourés de soins par leur mère (syn. : NICHÉE). ◆ **couveuse** n. f. 1° Oiseau de basse-cour qui couve. — 2° Appareil qui réalise l'incubation des œufs. — 3° Appareil où l'on maintient les bébés nés prématurément.

2. couver [kuve] v. tr. *Couver une maladie,* en éprouver les signes annonciateurs. ◆ v. intr. (sujet nom désignant une maladie, un mal, un complot). Etre latent, sur le point d'éclater : *La révolte couvait depuis longtemps chez les opprimés* (syn. : ↓ SE PRÉPARER). *L'incendie a couvé une partie de la nuit dans un tas de chiffons avant d'éclater.*

couvercle n. m. V. COUVRIR 1.

1. couvert, e adj. et n. m. V. COUVRIR 1 et 2.

2. couvert [kuvɛr] n. m. 1° Ensemble des accessoires de table mis à la disposition de chaque convive : assiettes, verres, cuillers, fourchettes, couteaux, etc. : *Un repas de quinze couverts. Mettre un couvert supplémentaire pour un nouvel arrivant.* — 2° Cuiller, fourchette et couteau : *Des couverts d'argenterie.* — 3° *Mettre le couvert,* disposer sur la table ce qui est nécessaire au repas, y compris la nappe, les dessous-de-plat, etc.

couverture n. f. V. COUVRIR 1 et 2.

couvre-chef [kuvrəʃɛf] n. m. Syn. plaisant de CHAPEAU : *Vous alliez oublier vos couvre-chefs.*

couvre-feu [kuvrəfø] n. m. 1° Signal ordonnant à une troupe d'éteindre les lumières; heure à partir de laquelle il est défendu d'avoir de la lumière. — 2° Interdiction faite aux habitants d'une ville de sortir de leurs maisons : *On a décrété le couvre-feu à six heures du soir.*

couvre-lit [kuvrəli] n. m. Couverture de lit, généralement piquée et garnie de volants : *Des couvre-lits en velours.*

couvre-pied ou **couvre-pieds** [kuvrəpje] n. m. Couverture de lit, faite de deux pièces de tissu assemblées l'une sur l'autre, garnies intérieurement de laine ou de duvet, et ornée de piqûres.

1. couvrir [kuvrir] v. tr. (conj. **16**). 1° *Couvrir quelque chose* ou *quelqu'un,* mettre sur eux un objet ou une matière destinés à les protéger : *Elle a fait des housses pour couvrir ses fauteuils. Couvrir d'une bâche un chargement. Couvrir une maison en ardoise, en tuile. Un écolier qui couvre ses livres de classe. Couvrir chaudement un enfant* (syn. : VÊTIR). — 2° *Couvrir quelque chose,* le cacher en mettant dessus un objet, une matière : *Couvrir le visage de ses mains.* — 3° *Couvrir un récipient,* placer dessus un objet (*couvercle*) qui le ferme : *La cuisinière couvre la casserole.* — 4° (le plus souvent sujet nom de chose) *Couvrir quelque chose* ou *quelqu'un,* être disposé ou répandu sur eux : *Le tapis qui couvre la table. Un manteau qui couvre les genoux. Les brûlures lui couvraient le corps. Des constructions neuves couvrent ce quartier. Un manuscrit couvert de ratures. Les hommes qui couvrent la surface de la Terre.* — 5° *Couvrir une chose* ou *une personne de choses,* en poser sur eux un grand nombre, un amoncellement : *Couvrir une table de livres, un tableau d'inscriptions* (syn. : CHARGER). *Il a couvert de taches son complet neuf* (syn. : CRIBLER, CONSTELLER). *On l'a couvert d'éloges* (syn. : COMBLER). *Couvrir quelqu'un de ridicule, de honte, d'injures,* etc. (= l'accabler de ridicule, de honte, etc.). *Couvrir un enfant de cadeaux* (= le combler). — 6° *Couvrir un bruit,* le masquer, empêcher qu'on l'entende en produisant un bruit plus fort : *Le grondement du train couvrit ses paroles.* ◆ ***se couvrir*** v. pr. 1° (sujet nom de chose) *Se couvrir de quelque chose,* être progressivement gagné par quelque chose qui se répand à la surface : *Un arbre qui se couvre de mousse. Les prés qui se couvrent de fleurs.* — 2° (sujet nom de personne) Mettre un vêtement, mettre son chapeau : *Nous nous étions bien couverts pour sortir par ce froid* (syn. : SE VÊTIR). *Couvrez-vous, je vous prie.* — 3° *Le temps se couvre,* les nuages s'accumulent. ◆ **couvercle** [kuvɛrkl] n. m. Partie mobile qui sert à couvrir un récipient : *Prière de refermer soigneusement le couvercle de la boîte. Visser le couvercle d'un bocal.* ◆ **couvert, e** adj. *Allée couverte,* allée au-dessus de laquelle les arbres font une voûte de verdure. ‖ *A mots couverts,* par allusions, sans s'exprimer clairement (syn. : EN TERMES VOILÉS). ‖ *Voix couverte,* voix dont le timbre n'est pas clair (syn. : ENROUÉ, VOILÉ). ◆ **couvert** n. m. 1° Voûte de feuillage, de branchages (littér.) : *Dormir sous le couvert d'un hêtre.* — 2° *Le vivre et le couvert,* la nourriture et le logement : *Il m'a répété que je trouverais toujours chez lui, en cas de besoin, le vivre et le couvert.* (V. aussi COUVRIR 2). ◆ **couverture** n. f. 1° Pièce de tissu destinée à être étendue sur un lit pour protéger du froid : *Une couverture de laine, de coton.* — 2° Toit d'une maison : *L'immeuble est vieux, mais la couverture est en bon état* (syn. : TOITURE). — 3° Enveloppe de protection : *Une couverture de cahier.* — 4° *Tirer la couverture à soi,* s'approprier tous les avantages d'une opération, au détriment des autres participants. ◆ **couvrante** n. f. *Pop.* Couverture de lit. ◆ **couvreur** n. m. Ouvrier qui pose ou répare les toitures. ◆ **découvrir** v. tr. 1° *Découvrir quelque chose, quelqu'un,* leur enlever ce qui les couvrait, ce qui les protégeait : *La cuisinière découvre la casserole* (= enlève le couvercle). *La tornade a découvert plusieurs hangars* (= a enlevé la toiture). *Une robe qui découvre largement les épaules* (= laisse apparaître). *Un général qui découvre une partie du front* (syn. : DÉGARNIR). — 2° *Découvrir quelque chose,* le faire connaître, montrer ce qui était obscur, inconnu, caché : *Il a découvert ses intentions, ses motifs* (syn. : DÉVOILER, RÉVÉLER). *Découvrir un vaccin* (syn. : INVENTER). *Découvrir un trésor* (syn. : TROUVER). — 3° Apercevoir au loin : *Du haut de la montagne, on découvrait un magnifique panorama* (syn. : VOIR). ◆ ***se découvrir*** v. pr. 1° (sujet nom de personne) Oter sa coiffure : *Il se découvrit pour saluer son directeur.* — 2° (sujet nom de personne) S'exposer aux coups, aux attaques : *Un boxeur qui se découvre.* — 3° *Le temps se découvre,* il s'éclaircit. ◆ **découvert, e** adj. *Lieu, terrain découvert,* qui n'offre pas de protection à une troupe, qui n'est ni boisé ni bâti. • LOC. ADV. *A découvert,* sans rien dissimuler, en toute sincérité. ‖ *Combattre à visage découvert,* affronter franchement son adversaire. ◆ **recouvrir** v. tr. 1° (sujet nom de chose ou de personne) Couvrir de nouveau (sens 1, 2, 3 de ce verbe) : *Le tissu de ces sièges est usé : il faudra les recouvrir. Faire recouvrir une maison endommagée par la tornade. Elle servit le potage, puis recouvrit la soupière.* — 2° (sujet nom de chose ou de personne) Couvrir complètement (sens 1, 2, 3 de ce verbe) : *Recouvrir le parquet du couloir avec un tapis de plastique* (syn. : REVÊTIR). *Il a fait recouvrir la cloison de papier* (syn. : TAPISSER). *La nappe recouvre la table. Une pèlerine recouvre les épaules. Recouvrir un mur de peinture* (syn. : PEINDRE). *La neige recouvrait la campagne.* — 3° (sujet nom de personne, ou de comportement) *Recouvrir quelque chose,* le masquer sous de fausses apparences : *Son attitude désinvolte recouvre une grande timidité* (syn. : CACHER). — 4° (sujet nom de chose) *Recouvrir une chose,* s'étendre à elle, correspondre à toute son étendue : *Une étude du vocabulaire qui recouvre une partie de la fin du XIXe siècle* (syn. : EMBRASSER). ◆ ***se recouvrir*** v. pr. 1° Se couvrir réciproquement (syn. : SUPERPOSER, S'IMBRIQUER, SE CHEVAUCHER). — 2° Devenir entièrement couvert : *Les champs se recouvrent d'herbe.* ◆

recouvrement n. m. : *Le recouvrement d'une région par les eaux d'un fleuve.*

2. couvrir [kuvrir] v. tr. (conj. **16**). 1° *Couvrir quelqu'un,* assumer la responsabilité de ses actes, le mettre à l'abri des poursuites judiciaires : *Un directeur qui couvre ses collaborateurs.* — 2° *Couvrir le risque de quelqu'un,* assurer une garantie contre ce risque, une protection à cette personne : *Une police d'assurance qui couvre des risques étendus.* — 3° *Couvrir les frais, les dépenses,* les compenser par d'autres recettes. ‖ *Couvrir la retraite d'une troupe,* protéger cette troupe dans sa retraite. ◆ ***se couvrir*** v. pr. (sujet nom de personne). Se ménager une protection, une assurance : *Il a aussitôt fait un rapport à son chef pour se couvrir.* ◆ **couvert** n. m. LOC. ADV. ou PRÉP. *A couvert (de),* à l'abri (de), en sécurité : *Avec ses témoignages, vous êtes à couvert. On n'est jamais sûr d'être à couvert de tels soupçons. Se mettre à couvert contre des réclamations éventuelles* (= dégager sa responsabilité). ‖ *Sous le couvert de,* sous la responsabilité de quelqu'un, ou sous l'apparence de quelque chose (littér.) : *Sous le couvert de la plaisanterie, il lui a dit quelques dures vérités.* ‖ *Sous couvert de...,* formule portée avec mention d'une personne intermédiaire, sur une correspondance que cette personne doit transmettre à son destinataire. ◆ **couverture** n. f. 1° Personne, action, situation qui sert à protéger, à masquer : *Il aurait voulu se servir de moi comme couverture* (syn. : PARAVENT). *Cet emploi n'est qu'une couverture pour lui.* — 2° Garantie d'une dette, d'un emprunt.

3. couvrir [kuvrir] v. tr. (conj. **16**). *Couvrir une distance,* la parcourir : *Un voyageur, une voiture qui couvre 800 kilomètres dans sa journée.*

cow-boy [kɔbɔj ou kaɔbɔj] n. m. Gardien de troupeau dans un ranch américain : *Des enfants qui jouent aux cow-boys.*

coxalgie [kɔksalʒi] n. f. Affection tuberculeuse de l'articulation des hanches.

c.q.f.d. [sekyɛfde], abrév. de *ce qu'il fallait démontrer,* formule par laquelle on conclut une démonstration mathématique ou, *fam.*, une démonstration quelconque.

crabe [krab] n. m. 1° Crustacé au corps arrondi, muni de pinces : *Il est allé pêcher des crabes dans les rochers à marée basse.* — 2° Fam. *Marcher en crabe,* marcher de côté. ‖ *Panier de crabes,* groupe de personnes qui cherchent à se nuire mutuellement.

crac ! [krak] interj. Onomatopée qui exprime un craquement soudain ou un incident subit : *Crac! son pantalon s'est déchiré. Il était sur le point de réussir, et puis, crac! tout est à recommencer.*

cracher [kraʃe] v. tr. 1° (sujet nom d'être animé) Rejeter de sa bouche : *Il cracha avec une grimace cette bouchée de poire âpre.* — 2° (sujet nom d'être animé) *Cracher des injures, des sottises,* les lancer vivement à l'adresse de quelqu'un. — 3° (sujet nom de personne [tuberculeux]) Fam. *Cracher ses poumons,* tousser beaucoup. — 4° (sujet nom de chose) *Cracher des projectiles, de la fumée,* etc., lancer ces projectiles, émettre avec force cette fumée. — 5° Pop. *Cracher de l'argent,* le verser, le débourser : *Il a dû cracher deux mille balles (francs) immédiatement.* ◆ v. intr. 1° Rejeter des crachats : *Le dentiste invite son client à cracher. Il est malsain et inconvenant de cracher par terre.* — 2° *Plume qui crache,* qui accroche le papier et projette des gouttelettes d'encre. ‖ *L'appareil radio, de télévision crache,* il fait entendre des bruits parasites. ‖ Fam. *Il ne crache pas sur la nourriture,* il l'apprécie beaucoup. ‖ Fam. *Il crache en l'air et ça lui retombe sur le nez,* il subit les conséquences fâcheuses de ses actes. ◆ **crachat** n. m. 1° Salive ou mucosité qu'on crache. — 2° *Fam.* Large décoration d'un ordre de chevalerie. — 3° Fam. *Se noyer dans un crachat,* être embarrassé par la moindre difficulté, ne pas savoir se débrouiller. ◆ **craché, e** adj. Fam. *C'est son portrait tout craché, c'est lui tout craché,* c'est son portrait très ressemblant. ◆ **crachement** n. m. 1° *Crachement de sang,* vomissement de sang, notamment dû à la tuberculose. — 2° Bruit d'un récepteur radiophonique, téléphonique, etc., qui crache : *L'orage produit des crachements dans le poste* (syn. : CRÉPITEMENT). ◆ **crachin** n. m. Pluie très fine : *En Bretagne, la côte est souvent noyée dans le crachin.* ◆ **crachoir** n. m. 1° Récipient mis à la disposition de quelqu'un pour cracher. — 2° Fam. *Tenir le crachoir à quelqu'un,* rester auprès de lui pour entretenir la conversation. ◆ **crachoter** v. intr. Cracher souvent et à petits coups. ◆ **crachotement** n. m. ◆ **crachouiller** v. intr. *Fam.* Cracher sans cesse, en faisant entendre un gargouillement. ◆ **recracher** v. tr. Syn. de CRACHER (sens 1 du v. tr.) : *Il recracha aussitôt la bouchée.*

crack [krak] n. m. 1° Excellent cheval de course. — 2° *Fam.* Celui qui excelle dans une matière : *Cet élève est un crack en mathématiques.*

cra-cra [krakra] adj. invar. *Pop.* Crasseux : *Une chemise cra-cra.*

craie [krɛ] n. f. 1° Roche calcaire tendre et blanche : *La craie abonde en Normandie.* — 2° Bâtonnet de cette substance, parfois colorée, servant à écrire au tableau noir, sur un mur, etc.; poussière laissée par cette matière : *L'élève fait grincer sa craie sur le tableau.* ◆ **crayeux, euse** [krɛjø, -øz] adj. 1° Qui contient de la craie, qui est fait de craie : *Un terrain crayeux.* — 2° Qui a l'aspect de la craie : *Une substance crayeuse.*

craindre [krɛ̃dr] v. tr. (conj. **55**). 1° *Craindre quelqu'un, quelque chose,* éprouver de l'inquiétude, de la peur, causée par eux : *C'est un homme violent, tous ses voisins le craignent* (syn. : AVOIR PEUR DE, ↑ REDOUTER). *Craignant les serpents, il a mis ses bottes. Craindre la maladie, la mort, le ridicule. Je ne crains pas les reproches. Je crains les difficultés de ce voyage* (syn. : APPRÉHENDER). *On a craint un moment pour sa vie.* — 2° *Craindre Dieu,* respecter sa loi, le servir avec vénération. — 3° (sujet nom d'être animé ou de chose) *Craindre quelque chose,* y être sensible, risquer de subir un dommage à cause de lui : *Ces petits oiseaux sont fragiles, ils craignent le froid. Un tissu qui craint la lessive.* — 4° Fam. *Ne craindre ni Dieu ni diable,* n'avoir peur de rien, être sans scrupule. • REM. On dit *craindre de,* et l'infinitif, quand l'infinitif a le même agent que *craindre; craindre que* et le subjonctif, dans le cas contraire; la proposition subordonnée contient alors le plus souvent un *ne* explétif : *Nous craignons d'apprendre une mauvaise nouvelle. On n'a pas craint de mêler ces deux couleurs* (syn. : HÉSITER À). *Je crains que vous n'ayez oublié* (ou *que vous ayez oublié*) *quelque chose.* Si la subordonnée est négative, on emploie *ne pas : Il craint qu'on ne le comprenne pas.* Si *craindre* est à la forme négative, on n'emploie pas *ne* explétif dans la subordonnée : *Ne craignez pas qu'on vous blâme.* ◆ **crainte** n. f. Sentiment d'un être qui craint : *Il a la crainte du gendarme, des punitions. La crainte de vous déplaire m'a arrêté. La crainte qu'on ne le surprenne poursuit le malfaiteur* (syn. : PEUR ; ↑ FRAYEUR, TERREUR). *Un enfant élevé dans la crainte de Dieu.* • *De crainte de,* loc. prép., *de crainte que,* loc. conj., expriment la cause : *De crainte d'une erreur, il est prudent de refaire le calcul. Il marche lentement, de crainte de tomber. Hâtez-vous, de crainte qu'il ne soit trop tard.* ◆ **craintif, ive** adj. (avant ou plus souvent après le nom). Se dit d'un être (ou de son comportement) qui est porté à la crainte : *S'efforcer de mettre en confiance un enfant craintif. Un oiseau trop craintif pour se laisser approcher. Il levait sur le gendarme des yeux craintifs. Un geste craintif* (syn. : PEUREUX). ◆ **craintivement** adv. : *L'enfant serrait craintivement la main de son père.*

cramer [krame] v. intr. et tr. *Pop.* Brûler, flamber : *Tout son mobilier a cramé dans l'incendie.*

cramoisi, e [kramwazi] adj. **1°** Se dit d'une chose qui est d'un rouge intense, légèrement violacé : *Le rideau cramoisi d'une scène de théâtre.* — **2°** Se dit d'une personne dont le visage devient très rouge sous l'effet de la honte, de la colère, etc.

crampe [krɑ̃p] n. f. **1°** Contraction prolongée, douloureuse et involontaire, d'un muscle : *Le nageur, atteint d'une crampe dans la jambe, appelait à l'aide.* — **2°** *Fam.* Personne ou chose qui contrarie, agace : *Quelle crampe, ce vieux bavard!* (syn. fam. : RASEUR, CRAMPON). *Toutes ces formalités, c'est une vraie crampe* (syn. fam. : BARBE).

crampon [krɑ̃pɔ̃] n. m. **1°** Morceau de métal recourbé, qu'on engage dans deux pièces pour les rendre fermement solidaires : *Deux moellons assemblés par un crampon.* — **2°** Crochet métallique ou petit cylindre de cuir, de métal, etc., fixé à la semelle de certaines chaussures pour empêcher de glisser : *Une ascension qui nécessite des crampons.* — **3°** *Fam.* Personne importune dont on n'arrive pas à se débarrasser (syn. fam. : RASEUR). ◆ **cramponner** v. tr. Fam. *Cramponner quelqu'un,* s'attacher à lui, insister auprès de lui avec une obstination qui l'importune : *Ce gamin n'arrête pas de me cramponner avec ses questions* (syn. fam. : TANNER, RASER, BARBER). ◆ **se cramponner** v. pr., **être cramponné** v. passif. **1°** *Se cramponner, être cramponné à quelque chose, à quelqu'un,* s'accrocher des mains, des pieds, à cette chose ou à cette personne : *On eut peine à emmener l'enfant qui se cramponnait à sa chaise. Un automobiliste cramponné à son volant. Un alpiniste cramponné à un rocher* (syn. : S'AGRIPPER). — **2°** *Se cramponner, être cramponné à un espoir, à une décision, à un règlement,* etc., s'y tenir fermement malgré les obstacles, ne pas s'en laisser détourner. ◆ **cramponnant, e** adj. Fam. : *Ce qu'il est cramponnant avec son histoire.* (V. DÉCRAMPONNER.)

1. cran [krɑ̃] n. m. **1°** Entaille faite dans un objet pour retenir une pièce qui vient s'y engager : *Couteau à cran d'arrêt.* — **2°** Trou fait dans une courroie pour la fixer : *Il a serré sa ceinture d'un cran.* — **3°** Degré, rang d'importance : *Avancer, reculer, monter, descendre d'un cran.* — **4°** Ondulation d'une chevelure. ◆ **cranter** v. tr. Munir de crans : *Une tige crantée.*

2. cran [krɑ̃] n. m. *Fam.* Energie, fermeté, endurance dans l'épreuve : *Il a montré du cran pendant cette longue et douloureuse maladie.*

3. cran [krɑ̃] n. m. Fam. *Etre à cran,* être dans un état de grande irritabilité : *On ne peut rien lui dire : il est à cran* (syn. : ÊTRE EXCÉDÉ, AVOIR LES NERFS À FLEUR DE PEAU).

1. crâne [krɑn] n. m. **1°** Partie osseuse de la tête, qui renferme le cerveau : *Il s'est fracturé le crâne en tombant.* — **2°** *Fam.* Intelligence, mémoire : *Vous avez le crâne dur* (= vous comprenez difficilement). *Il faut se mettre tous ces chiffres dans le crâne* (syn. : CERVELLE). — **3°** Fam. *Bourrer le crâne à quelqu'un,* lui faire croire des choses fausses. ◆ **crânien, enne** adj. Sens 1 de CRÂNE : *Boîte crânienne.*

2. crâne [krɑn] adj. (avant ou après le nom). **1°** Se dit de quelqu'un (ou de son comportement) qui montre une belle bravoure : *A mesure que le danger approchait, il paraissait moins crâne. Un air crâne, une réponse crâne. Une crâne assurance.* — **2°** *Fam.* Se dit de quelqu'un qui est bien portant, robuste : *Depuis qu'il peut s'alimenter normalement, il se sent plus crâne* (syn. : GAILLARD). ◆ **crânement** adv. : *Ils chantaient crânement sous la pluie glaciale.* ◆ **crâner** v. intr. *Péjor.* Prendre un air de supériorité, faire l'important. ◆ **crânerie** n. f. *Fam.* Bravoure, fierté un peu ostentatoire : *Il refusa toute aide, non sans crânerie.* ◆ **crâneur, euse** adj. et n. *Péjor.* Se dit d'une personne qui se montre prétentieuse ou fanfaronne : *Quel crâneur, il ne reconnaît même plus ses anciens camarades!* (syn. pop. : BÊCHEUR). *Elle fait sa crâneuse.*

crapaud [krapo] n. m. **1°** Petit animal ressemblant à la grenouille, à la peau pustuleuse et à la démarche lourde : *Les crapauds se nourrissent d'insectes, de limaces, etc., qu'ils chassent souvent à la tombée de la nuit.* — **2°** *Fauteuil crapaud,* fauteuil bas et rembourré.

crapule [krapyl] n. f. Individu sans moralité, capable de commettre n'importe quelle bassesse : *Ne vous fiez pas à cet homme, c'est une vraie crapule.* ◆ adj. : *Il a un air crapule.* ◆ **crapulerie** n. f. Caractère ou acte d'une crapule : *Commettre une crapulerie* (syn. : CANAILLERIE). ◆ **crapuleux, euse** adj. **1°** Plein de bassesse, de débauche : *Une vie crapuleuse.* — **2°** *Crime crapuleux, action crapuleuse,* méfait accompli pour des motifs sordides. ◆ **crapuleusement** adv.

craque [krak] n. f. *Pop.* Vantardise, mensonge : *Tu nous avais raconté des craques.*

craqueler [krakle] v. tr. (conj. **6**). Fendiller la surface de (surtout au part. passé) : *La cuisson à feu vif a craquelé le gâteau. De la porcelaine craquelée.* ◆ **se craqueler** v. pr. Se couvrir de fentes : *L'émail commence à se craqueler.* ◆ **craquelure** n. f. : *Les craquelures de la porcelaine* (syn. : FENDILLEMENT).

craquer [krake] v. intr. **1°** Céder, se briser, se déchirer avec un bruit sec : *Un gâteau qui craque sous la dent* (syn. : CROQUER). *La glace craque sous le poids du promeneur. Le vent a fait craquer des branches. Son pantalon a craqué aux genoux.* — **2°** Produire un bruit dû à un frottement : *Le parquet craque.* — **3°** (sujet nom abstrait) Echouer, s'effondrer : *Une entreprise commerciale qui craque.* — **4°** (sujet nom de personne ou de chose) Fam.

Craquer dans la main, faire brusquement défaut à celui qui comptait dessus. ◆ v. tr. 1° Briser, déchirer : *Attention, tu vas craquer le panier. Il a craqué sa veste.* — 2° Fam. *Craquer une somme,* la dépenser, la gaspiller. — 3° *Craquer une allumette,* l'allumer en la frottant sur une surface rugueuse (frottoir). ◆ **craquement** n. m. Bruit d'un objet qui craque : *L'arbre s'abat avec un grand craquement.* ◆ **craqueter** v. intr. (conj. 8). Faire entendre de petits craquements : *On entend le parquet craqueter.*

1. crasse [kras] n. f. Couche de saleté qui adhère à la surface d'un corps : *Des pieds couverts de crasse. Lessiver un plafond pour en ôter la crasse.* ◆ **crasseux, euse** adj. Se dit d'une chose ou d'une personne couverte de crasse : *Un livre crasseux. Un col de veston crasseux* (syn. : ↓ SALE). ◆ **décrasser** v. tr. Débarrasser de sa crasse : *Décrasser du linge, une casserole. Il se décrasse la figure* (syn. : ↓ NETTOYER). ◆ **décrassage** ou **décrassement** n. m. : *Le décrassage d'un poêle. Après son travail, le mineur passe au décrassage* (syn. : ↓ NETTOYAGE). ◆ **encrasser** v. tr. Salir de crasse : *Une encre qui encrasse le stylo.* ◆ ***s'encrasser*** v. pr. Devenir sale : *Le moteur s'est encrassé.* ◆ **encrassement** n. m. : *L'encrassement du filtre ralentit l'arrivée du carburant.*

2. crasse [kras] n. f. *Fam.* Acte hostile, mauvais procédé à l'égard de quelqu'un : *Il m'a fait une crasse en m'avertissant trop tard* (syn. : MÉCHANCETÉ; fam. : SALETÉ; pop. : VACHERIE).

3. crasse [kras] adj. f. *Ignorance, paresse, bêtise crasse,* grossière et inadmissible.

cratère [kratɛr] n. m. Ouverture évasée d'un volcan, par où sortent la lave et les projections.

cravache [kravaʃ] n. f. 1° Baguette flexible avec laquelle un cavalier stimule son cheval. — 2° *Mener, conduire quelqu'un à la cravache,* le diriger avec brutalité. ◆ **cravacher** v. tr. Frapper à coups de cravache : *Un jockey qui cravache son cheval.* ◆ v. intr. *Fam.* Aller à toute allure; travailler à la hâte : *Il a fallu cravacher pour avoir tout fini en temps voulu.*

cravate [kravat] n. f. 1° Etroite bande d'étoffe qui entoure le cou en passant sous le col de la chemise et qu'on noue par-devant : *Une cravate de soie. Un nœud de cravate.* — 2° Insigne des grades élevés de certains ordres : *On lui a remis la cravate de commandeur de la Légion d'honneur.* — 3° Pop. *S'en jeter un derrière la cravate,* boire un verre. ◆ **cravater** v. tr. 1° *Cravater quelqu'un,* lui mettre une cravate (surtout au part. passé et à la forme pron.); *pop.,* le duper : *Il s'est laissé cravater sans méfiance* (syn. pop. : POSSÉDER, AVOIR). — 2° *Cravater une gerbe de fleurs,* l'entourer d'un ruban décoratif.

crawl [krol] n. m. Nage rapide, comportant en particulier un battement continu des jambes. ◆ **crawlé, e** adj.

crayon [krejɔ̃] n. m. 1° Bâtonnet de bois renfermant une mine de graphite et servant à écrire. — 2° *Crayon à bille,* sorte de porte-mine, dont la pointe est constituée par une petite bille en contact avec un réservoir contenant une encre spéciale. ‖ *Coup de crayon,* v. COUP. ◆ **crayonner** v. tr. Ecrire ou dessiner à la hâte avec un crayon : *Crayonner une remarque en marge d'un manuscrit. Crayonner les silhouettes des membres du jury.* ◆ **crayonnage** n. m. Action de crayonner; dessin tracé au crayon.

1. créance [kreɑ̃s] n. f. Droit qu'une personne a d'exiger de quelqu'un une chose, généralement une somme d'argent (contr. : DETTE). ◆ **créancier, ère** n. Personne envers qui on a une dette (contr. : DÉBITEUR).

2. créance [kreɑ̃s] n. f. Action de croire à la véracité de quelque chose (langue soignée, et dans quelques express., comme *donner créance, mériter créance, trouver créance*).

crécelle [kresɛl] n. f. 1° Jouet comportant une lame flexible qui frappe bruyamment, à coups répétés, les pales ou les crans d'un moulinet quand on le fait tourner autour de son axe. — 2° *Fam.* Personne qui importune par son bavardage. — 3° *Voix de crécelle,* voix sèche et désagréable.

1. crèche [krɛʃ] n. f. Représentation plus ou moins conventionnelle de la nativité de Jésus-Christ, au moyen de statuettes disposées dans un décor figurant une étable, un rocher, etc. : *A Noël, on voit des crèches dans les églises et dans les maisons.* (La *crèche* était une mangeoire pour bestiaux.)

2. crèche [krɛʃ] n. f. 1° Etablissement organisé pour la garde des tout jeunes enfants dont la mère travaille hors de son domicile. — 2° *Pop.* Maison, domicile. ◆ **crécher** v. intr. *Pop.* Habiter.

crédibilité [kredibilite] n. f. Caractère de ce qui est croyable, digne de foi (langue soignée) : *Son récit manque de crédibilité* (syn. : VRAISEMBLANCE).

1. crédit [kredi] n. m. 1° Considération, estime dont jouissent une personne ou son œuvre, ses actes, du fait qu'ils paraissent dignes de confiance : *Cette thèse a longtemps connu un grand crédit* (contr. : DISCRÉDIT). *La déclaration du témoin donne du crédit à l'alibi invoqué par l'accusé* (syn. : POIDS). *Tâchez d'user de votre crédit auprès de lui pour le décider* (syn. : INFLUENCE). — 2° *Faire crédit à quelqu'un,* lui faire confiance en attendant qu'il ait les moyens de réussir. ◆ **discrédit** n. m. 1° Perte de considération subie par une chose ou une personne : *Un certain discrédit reste attaché à cette marque de voitures en raison des imperfections des premiers modèles* (syn. : DÉFAVEUR). — 2° *Jeter le discrédit sur quelqu'un* ou *sur quelque chose,* lui nuire dans l'opinion des gens. ◆ **discréditer** v. tr. *Discréditer quelqu'un* ou *quelque chose,* le faire baisser dans l'estime des gens : *Cette thèse est aujourd'hui bien discréditée* (syn. : DÉCRIER).

2. crédit [kredi] n. m. 1° Délai accordé pour un paiement : *La maison peut vous consentir un long crédit. Si vous n'avez pas la somme sur vous, nous pouvons vous faire crédit. Acheter à crédit* (syn. : À TEMPÉRAMENT). — 2° Somme dont on dispose pour une dépense : *Le crédit est épuisé, il faut attendre l'année prochaine. La réalisation du plan exige d'importants crédits. Un supplément de crédits a été voté par le Parlement.* — 3° Organisme de prêt : *Crédit foncier. Crédit municipal.* — 4° *Porter une somme au crédit de quelqu'un,* la faire figurer au chapitre de ce qui lui revient ou de ce qui lui appartient. ‖ *Porter un acte au crédit de quelqu'un,* reconnaître qu'il en a le mérite. ◆ **créditer** v. tr. *Créditer quelqu'un* (ou *un compte*) *d'une somme,* la porter à son actif. ‖ *Etre crédité de,* se voir attribuer (langue du sport) : *Le coureur a été crédité d'un temps de 10 secondes 5 dixièmes aux cent mètres.* ◆ **créditeur, trice** n. et adj. Qui a une somme d'argent à son actif, sur des livres de [illegible] ou à son compte en banque (contr. : DÉBITEUR).

credo [kredo] n. m. 1° Texte qui renferme les principaux points de la foi des chrétiens (prend une majusc. en ce sens) [syn. : SYMBOLE DES APÔTRES]. — 2° Ensemble des opinions essentielles de quelqu'un en matière de politique, de philosophie, de science.

crédule [kredyl] adj. Se dit d'une personne (ou de son comportement) portée à croire trop facilement ce qu'on lui dit : *Il est trop crédule : il s'est encore laissé berner* (syn. : NAÏF, INGÉNU, CONFIANT). *Un regard crédule.* ◆ **incrédule** adj. : *Rester incrédule à l'annonce d'un événement. Secouer la tête d'un air incrédule* (syn. : SCEPTIQUE). ◆ **crédulité** n. f. : *Une crédulité qui touche à la bêtise.* ◆ **incrédulité** n. f. : *Quelle autre preuve faut-il pour venir à bout de votre incrédulité?* (syn. : SCEPTICISME).

créer [kree] v. tr. 1° (sujet nom désignant Dieu) Faire exister ce qui n'existait pas, tirer du néant : *Dieu a créé l'univers.* — 2° (sujet nom de personne) *Créer quelque chose,* lui donner une existence, une forme, le réaliser, le faire exister à partir d'éléments existants : *Créer un nouveau modèle de robe* (syn. : CONCEVOIR). *Un romancier qui crée ses personnages* (syn. : IMAGINER). *Créer une symphonie* (syn. : COMPOSER). *Créer une usine* (syn. : MONTER, FONDER). *Créer un mot pour traduire une nouvelle technique* (syn. : FABRIQUER, INVENTER). — 3° (sujet nom de chose) *Créer quelque chose* (nom abstrait), le produire, en être la cause : *Ce refus nous crée une difficulté supplémentaire* (syn. : SUSCITER, OCCASIONNER, CAUSER). — 4° *Créer un rôle, une pièce,* être le premier à jouer ce rôle au théâtre, à monter cette pièce. ◆ **créateur, trice** n. et adj. : *Adorer le créateur du monde* (et, absol., *le Créateur,* Dieu). *Croire en un Dieu créateur. Le créateur d'une nouvelle méthode, d'un grand magasin. L'imagination, la puissance créatrice. Un metteur en scène qui est le créateur de nombreuses pièces.* ◆ **création** n. f. 1° Action de créer : *La création du monde en six jours, selon la Bible. La création d'une armée moderne dans un jeune pays.* — 2° Ensemble du monde créé, êtres vivants et choses : *L'homme apparaît sur la terre comme le chef-d'œuvre de la création.* — 3° Œuvre créée, réalisée par une ou plusieurs personnes : *Les créations d'un grand couturier. Ce palais est une des plus belles créations de cet architecte* (syn. : RÉALISATION). ◆ **créature** n. f. 1° Etre créé, et spécialement l'homme par rapport à Dieu : *L'hommage des créatures à leur Créateur.* — 2° Personne humaine (le plus souvent désigne une femme, avec une nuance apitoyée ou péjor.) : *La malheureuse créature ne savait plus à quel saint se vouer. Il fréquente des créatures peu recommandables.* — 3° *Péjor.* Personne toute dévouée aux intérêts d'une autre, à qui elle doit entièrement sa situation : *La révolution a balayé toutes les créatures du souverain déchu* (syn. : PROTÉGÉ). ◆ **recréer** v. tr. : *Le metteur en scène a recréé l'atmosphère antique* (syn. : FAIRE REVIVRE, RENDRE). ◆ **recréation** n. f.

crémaillère [kremajɛr] n. f. 1° Instrument de métal comportant des crans et des anneaux, permettant de suspendre des récipients au-dessus du foyer d'une cheminée. — 2° Fam. *Pendre la crémaillère,* fêter par un repas ou par une réception son installation dans un nouveau logement.

crémation [kremasjõ] n. f. Action de brûler les cadavres (syn. : INCINÉRATION). ◆ **crématoire** adj. *Four crématoire,* four spécial destiné à l'incinération des cadavres.

crème [krɛm] n. f. 1° Matière grasse du lait, avec laquelle on fait le beurre. — 2° Entremets ou dessert fait ordinairement de lait, d'œufs et de sucre : *Crème fouettée, crème renversée, crème glacée. Chou à la crème.* — 3° Pâte onctueuse pour la toilette ou les soins de beauté : *Crème à raser. Crème de beauté.* — 4° Fam. *La crème de ...,* ce qu'il y a de meilleur parmi... (surtout en parlant de personnes) : *Cet homme-là, c'est la crème des maris.* ◆ adj. invar. Blanc légèrement jaune : *Des gants crème.* ◆ **crémer** v. intr. *Le lait crème,* il se couvre d'une couche de crème à sa surface. ◆ **crémerie** n. f. 1° Commerce du lait, du beurre, des œufs, de la crème, des fromages, etc. — 2° Boutique où l'on vend ces produits. ◆ **crémeux, euse** adj. Qui contient beaucoup de crème ou qui a la consistance onctueuse de la crème : *Du lait crémeux. Un enduit crémeux.* ◆ **crémier, ère** n. Personne qui tient une crémerie. ◆ **écrémer** v. tr. 1° *Ecrémer du lait,* en retirer la crème, la matière grasse. — 2° Fam. *Ecrémer une équipe, une classe,* etc., en choisir, en retirer les meilleurs éléments. ◆ **écrémage** n. m. 1° *L'écrémage du lait.* — 2° Fam. : *Les antiquaires ont fait un écrémage chez ce brocanteur.* ◆ **écrémeuse** n. f. Machine à écrémer le lait.

créneau [kreno] n. m. 1° Echancrure carrée ménagée à la partie supérieure d'un mur de fortification, d'un parapet, et par laquelle on peut tirer sur un assaillant : *Les créneaux d'un château fort.* — 2° *Faire un créneau,* ranger une voiture au bord d'un trottoir, entre deux autres voitures en stationnement. ◆ **crénelé, e** adj. Qui a des créneaux ou des dentelures en forme de créneaux : *Une vieille tour crénelée. Une bordure crénelée.*

crénom! [krenɔ̃] interj. Juron familier, suivi en général d'un complément (*crénom de nom!*), indiquant la surprise, l'indignation, la colère, etc.

créole [kreɔl] n. et adj. 1° Personne de race blanche née dans une des anciennes colonies. — 2° Langue parlée dans de nombreuses îles des Antilles : *Le créole est caractérisé par le fait que les « r » sont à peine prononcés. L'accent créole.*

1. crêpe [krɛp] n. m. 1° Tissu léger de soie ou de laine, ayant un aspect ondulé : *Le crêpe de Chine.* — 2° Tissu noir qu'en signe de deuil une personne porte sur elle (au revers ou à la manche du veston) ou que l'on noue à un drapeau.

2. crêpe [krɛp] n. f. 1° Galette très légère, à la farine de blé ou de sarrasin, cuite à la poêle. — 2° Fam. *Retourner quelqu'un comme une crêpe,* le faire changer complètement d'opinion. ◆ **crêperie** n. f. Lieu où l'on fait, où l'on consomme des crêpes.

crêper [krepe] v. tr. *Crêper les cheveux,* les apprêter avec le peigne de façon à les faire bouffer. ◆ ***se crêper*** v. pr. (sujet nom désignant des femmes). Fam. *Se crêper le chignon,* en venir aux mains, s'empoigner par les cheveux. ◆ **crêpage** n. m. Fam. : *La dispute tourna au crêpage de chignon.*

crépir [krepir] v. tr. Recouvrir d'un crépi : *Crépir un mur, une maison.* ◆ **crépi** n. m. Enduit à base de chaux, de plâtre ou de ciment, qu'on applique sur un mur sans le lisser. ◆ **crépissage**

n. m. Action de crépir. ◆ **décrépir** v. tr. *Décrépir un mur, une maison,* lui enlever son crépi. ◆ ***se décrépir*** v. pr. Perdre son crépi : *La façade s'est décrépie.* ◆ **recrépir** v. tr. : *Faire recrépir une façade.* (V. aussi DÉCRÉPIR 2.)

crépiter [krepite] v. intr. Produire une série de bruits secs : *Un feu de sarments qui crépite dans la cheminée* (syn. : PÉTILLER). *Une mitrailleuse crépita soudain.* ◆ **crépitement** n. m. Bruit de ce qui crépite : *Le crépitement d'une fusillade.*

crépu, e [krepy] adj. Se dit de cheveux frisés en petites vagues serrées, ou d'une personne qui a de tels cheveux.

crépuscule [krepyskyl] n. m. 1° Reste de lumière qui demeure après le coucher du soleil et s'atténue progressivement jusqu'à la nuit complète; moment correspondant de la journée : *Dans le crépuscule, on ne distinguait que des silhouettes. Au crépuscule, le vent s'était apaisé* (syn. : TOMBÉE DE LA NUIT). — 2° Période de déclin (littér.) : *La vieillesse est le crépuscule de la vie.* ◆ **crépusculaire** adj. : *L'éclairage crépusculaire d'une éclipse de soleil* (= qui rappelle le crépuscule).

crescendo [kreʃẽdo] adv. 1° Indication de l'augmentation progressive de l'intensité du son en musique. — 2° *Aller crescendo,* aller en augmentant : *Les dépenses vont crescendo.* ◆ n. m. 1° Passage musical qui doit être exécuté en augmentant progressivement le son. — 2° Accroissement progressif : *Un crescendo d'émotion.* ◆ **decrescendo** adv. Contr. de *crescendo* (diminution progressive).

cresson [krɛsɔ̃ ou krəsɔ̃] n. m. Plante qui croît dans l'eau et qu'on mange en salade ou en garniture. ◆ **cressonnière** n. f. Lieu où l'on cultive le cresson.

crésus [krezys] n. m. *Fam.* Homme très riche.

1. crête [krɛt] n. f. Excroissance charnue, rouge, que les coqs et quelques autres oiseaux de basse-cour portent au sommet de la tête.

2. crête [krɛt] n. f. *Crête d'un mur, d'une montagne, d'une vague,* la ligne du sommet. ◆ **écrêter** v. tr. Supprimer la partie la plus élevée de : *Une fiscalité qui écrête les rémunérations.*

crétin, e [kretɛ̃, -tin] adj. et n. 1° *Fam.* Idiot, imbécile : *Ce crétin-là a tout compris de travers. Je ne l'aurais pas cru aussi crétin.* — 2° Atteint de crétinisme. ◆ **crétinerie** n. f. *Fam.* Etat ou action de crétin (au sens 1) : *Cette réponse montre bien sa crétinerie.* ◆ **crétinisme** n. m. 1° Etat de certains individus disgraciés, dont le développement physique, intellectuel et affectif est très incomplet. — 2° Syn. de CRÉTINERIE.

cretonne [krətɔn] n. f. Tissu d'ameublement en coton imprimé.

creuser [krøze] v. tr. et intr. 1° *Creuser quelque chose,* y faire un trou en ôtant de la matière, lui donner une forme concave : *Le terrassier creuse le sol avec une pioche. Le sabotier creuse les sabots* (syn. : ÉVIDER). *Un danseur qui creuse les reins* (syn. : CAMBRER). *La fatigue creuse les joues.* — 2° *Creuser un trou, un fossé,* etc., faire une cavité dans le sol : *Un renard qui creuse son terrier. Il a fallu creuser profondément pour atteindre la nappe d'eau.* — 3° *Creuser un problème, une idée, une question,* etc., y réfléchir attentivement, l'approfondir. — 4° *Creuser l'estomac,* ou simplem. *creuser,* causer un grand appétit : *Le grand air creuse.* ◆ ***se creuser*** v. pr. 1° Devenir creux : *Le sol s'est creusé sous l'effet de l'érosion.* — 2° *Fam.* Faire un effort de réflexion : *Je me suis longtemps creusé pour trouver une solution. Il ne s'est guère creusé!* (On dit aussi SE CREUSER LA CERVELLE, L'ESPRIT, LA TÊTE.) ◆ **creusement** ou **creusage** n. m. : *Le creusement d'un puits, d'une tranchée.* ◆ **recreuser** v. tr. Creuser de nouveau ou plus profondément.

creuset [krøzɛ] n. m. 1° Récipient utilisé pour fondre certains corps par la chaleur. — 2° Lieu où diverses influences, différentes choses se mêlent (littér.) : *Le Bassin méditerranéen a été le creuset de brillantes civilisations.* — 3° *Le creuset de la souffrance, du malheur,* etc., la souffrance, le malheur considérés comme purificateurs (littér.).

creux, euse [krø, -øz] adj. 1° Se dit d'une chose dont l'intérieur est vide : *Une statue creuse. La tige creuse du roseau* (contr. : PLEIN). — 2° Qui présente une concavité : *Une assiette creuse* (contr. : PLAT). *Sa santé s'améliore, mais il a encore les joues creuses* (contr. : REBONDI). — 3° *Discours creux, devoir creux, phrase creuse, idée creuse,* etc., qui manque de substance (syn. : PAUVRE, ↑ VIDE; contr. : RICHE, SUBSTANTIEL). — 4° *Chemin creux,* encaissé entre des talus de terre, des haies. ‖ *Classes creuses,* classes de faible effectif, correspondant aux années où, du fait d'une guerre, les naissances ont été moins nombreuses; se dit aussi des périodes où la population active est moins nombreuse. ‖ *Heures creuses, jours creux,* heures, jours pendant lesquels l'activité est réduite. ‖ *Son creux,* son que rend un objet vide quand il reçoit un choc. ‖ *Voix creuse,* voix grave et sonore. ‖ *Yeux creux,* enfoncés au fond des orbites (syn. : CAVE). ‖ Fam. *Avoir le nez creux,* faire des prévisions perspicaces (syn. : AVOIR DU FLAIR). ‖ Fam. *Avoir le ventre creux,* être affamé. ‖ Fam. *Il y en a pour une dent creuse,* c'est un repas très insuffisant. ◆ **creux** n. m. 1° Partie vide ou concave : *Un animal caché dans le creux d'un arbre. Puiser de l'eau dans le creux de sa main.* — 2° Moment de moindre activité : *Il y a un creux dans la vente de cet article.* — 3° *Le creux de l'estomac,* la légère dépression du thorax au niveau de l'estomac. ◆ **creux** adv. *Objet qui sonne creux,* qui rend un son indiquant qu'il est vide.

crevasse [krəvas] n. f. 1° Déchirure béante à la surface d'un corps ou du sol : *Le tremblement de terre a fait des crevasses dans les murs des immeubles* (syn. : FISSURE, LÉZARDE). *La terre desséchée est pleine de crevasses.* — 2° Fente dans un glacier : *Un alpiniste tombé dans une crevasse.* — 3° Fente peu profonde de la peau : *L'hiver, il avait des crevasses aux mains* (syn. : GERÇURE). ◆ **crevasser** v. tr. Marquer de crevasses : *L'explosion a crevassé la façade* (syn. : FISSURER, LÉZARDER). ◆ ***se crevasser*** v. pr. Etre marqué de crevasses : *Le sol se crevasse.*

crever [krəve] v. tr. 1° *Crever quelque chose,* le faire éclater, le déchirer, le faire céder, le percer, y faire un trou, une brèche : *Les silex de la route risquaient de crever les pneus. Crever la peau d'un tambour. La poussée des eaux a crevé le barrage* (syn. : ROMPRE). *Un éclat de métal lui a crevé un œil.* — 2° Fam. *Crever quelqu'un, un cheval,* etc., l'épuiser de fatigue : *Cette longue marche nous a tous crevés* (syn. fam. : ÉREINTER, CLAQUER; pop. : VANNER). — 3° *Crever le cœur à quelqu'un,* lui inspirer une douloureuse compassion. ‖ *Crever les* yeux, être d'une évidence éclatante, être très visible. ◆ v. intr. 1° Eclater sous l'effet d'une pression, d'une modification : *Une bulle de savon qui crève. La digue a crevé* (syn. : SE ROMPRE). *Les nuages crèvent* (= se résolvent soudain en pluie). *Le pneu avant a crevé* (= s'est dégonflé après avoir été percé). — 2° *Cycliste, automobiliste qui crève,* dont la bicyclette ou la voiture a un pneu crevé. — 3° (sujet nom d'animal ou de plante, ou, *pop.*, de personne) Mourir : *Une partie du bétail a crevé pendant l'épidémie. La sécheresse a fait crever les fleurs. Il criait qu'il ne voulait pas crever dans la misère.* — 4° (sujet nom de personne) Fam. *Crever de,* être comme plein à éclater, excédé de : *Crever de santé, d'envie, de dépit, de chaleur, d'ennui.* || *Crever de faim,* être très affamé. || *Crever de rire,* rire à l'excès. ◆ **increvable** adj. 1° *Pneus increvables,* conçus de manière à éviter les crevaisons. — 2° *Pop.* Se dit d'une personne qui n'est jamais fatiguée par le travail, par l'effort, etc. : *Il est vraiment increvable : debout à six heures, couché à minuit, et il a soixante-dix ans* (syn. usuels : INFATIGABLE, RÉSISTANT, ROBUSTE). ◆ **crevaison** n. f. Eclatement ou déchirure d'un objet gonflé (se dit surtout d'un pneu) : *Nous avons été retardés sur la route par une crevaison.* ◆ **crevant, e** adj. *Pop.* 1° Qui fatigue extrêmement : *Un métier crevant* (syn. : ÉPUISANT). — 2° Qui est très drôle : *Une farce crevante* (syn. : DÉSOPILANT). ◆ **crevard, e** n. et adj. *Pop.* Personne toujours prête à manger. ◆ **crève** n. f. Pop. *Avoir, attraper, risquer la crève,* avoir, s'exposer à une maladie pénible. ◆ **crevé** n. m. *Fam.* et *péjor.* Individu malingre : *Ce travail n'est pas pour les petits crevés de son espèce.* ◆ **crève-cœur** n. m. invar. Peine profonde, souvent mêlée de compassion : *C'est un crève-cœur de le voir si malheureux et de ne rien pouvoir faire pour lui.* ◆ **crève-la-faim** n. m. invar. Individu famélique, vivant misérablement.

crevette [krəvɛt] n. f. Petit crustacé marin à la chair appréciée.

cri [kri] n. m. 1° Violente émission de voix provoquée par une émotion ou destinée à attirer l'attention, consistant en un son inarticulé ou en une parole prononcée : *Il poussa soudain un cri de douleur* (syn. : ↑ HURLEMENT, RUGISSEMENT). *La foule applaudit avec des cris de joie* (syn. : CLAMEUR). *Un cri de surprise* (syn. : EXCLAMATION). *Le cortège s'avançait aux cris de : Liberté!* — 2° Son ou ensemble de sons émis par un animal et caractéristique de son espèce : *Le cri de la chouette.* — 3° *A grands cris,* en poussant de grands cris, ou en insistant vivement : *Ce changement d'horaire était réclamé à grands cris depuis des mois.* || *Jeter, pousser les hauts cris,* protester énergiquement, se montrer scandalisé. || *Le dernier cri,* le degré extrême du perfectionnement, le modèle le plus récent : *Cet appareil est le dernier cri de la technique;* et adjectiv. : *Un appareil photographique dernier cri. La mode dernier cri.* ◆ **crier** v. intr. 1° (sujet nom d'être animé) Pousser un cri ou des cris : *Un enfant qui crie de peur. Un patient qui crie quand le dentiste touche à sa dent malade. Le naufragé criait de toutes ses forces* (syn. : ↑ HURLER). *Des écoliers qui crient en récréation* (syn. : PIAILLER). *On entend crier les cochons.* — 2° (sujet nom de personne) Elever la voix pour manifester bruyamment sa colère, son mécontentement : *Une mère qui crie après ses enfants* (syn. : ↑ VOCIFÉRER). *Inutile de crier, c'est à prendre ou à laisser* (syn. fam. : BRAILLER; pop. : GUEULER). — 3° *Crier au scandale, à la trahison,* etc., dénoncer vigoureusement le scandale, la trahison, etc. || *Crier au miracle,* proclamer qu'une chose semble miraculeuse. || *Crier à tue-tête, comme un sourd* (fam.), *un perdu, un brûlé, un damné, un veau* (pop.), *un putois* (fam.), etc., pousser de grands cris. — 4° (sujet nom de chose) Produire un bruit aigu : *Un tiroir qui crie* (syn. : GRINCER). ◆ v. tr. (sujet nom de personne). 1° Dire d'une voix forte, manifester énergiquement : *Le commandant criait ses ordres à l'équipage. Crier son mépris, son indignation à quelqu'un.* — 2° Annoncer à très haute voix ce qu'on vend : *Crier des journaux, des légumes au marché.* — 3° *Crier quelque chose sur les toits, à son de trompe,* le faire savoir partout. || *Crier gare, crier casse-cou,* avertir quelqu'un d'un danger. || *Crier famine, crier la faim, crier misère,* se plaindre de la faim, de la misère. || *Crier grâce,* reconnaître sa défaite en demandant à l'adversaire de cesser la lutte. || *Crier vengeance,* se dit d'un acte dont l'horreur exige une vengeance. ◆ **criant, e** adj. Qui frappe vivement l'attention : *Erreur, injustice criante* (syn. : MANIFESTE, FLAGRANT). *Contraste criant, vérité criante* (syn. : SAISISSANT, FRAPPANT). *Portrait criant de vérité.* ◆ **criailler** v. intr. Crier désagréablement, de façon répétée; émettre continuellement des cris de protestation : *Des gamins qui criaillent sans cesse. Une réunion où l'on criaille sans parvenir à se mettre d'accord.* ◆ **criaillement** n. m., **criaillerie** n. f. Cris discordants, querelle, suite de récriminations (souvent au plur.) : *Il est temps de mettre fin aux criailleries et d'établir un programme d'action commune.* ◆ **criailleur, euse** adj. et n. : *Des mégères criailleuses. Débarrassez-nous de ces criailleurs.* ◆ **criard, e** adj. et n. *Péjor.* 1° Qui crie désagréablement à tout propos : *Des gosses criards.* — 2° Qui a un timbre déplaisant, aigre : *Voix criarde.* — 3° *Couleurs criardes,* couleurs crues et contrastant désagréablement entre elles. || *Dette criarde,* dette qu'il est urgent de rembourser, qui est réclamée avec une insistance extrême. ◆ **criée** n. f. *Vente à la criée,* vente aux enchères publiques. ◆ **crieur, euse** n. 1° Personne qui crie souvent. — 2° *Crieur de journaux,* celui qui les vend en criant leurs titres sur la voie publique. (V. DÉCRIER, RÉCRIER [se].)

crible [kribl] n. m. 1° Récipient à fond plat perforé, destiné à trier des graines, du gravier, etc. — 2° *Passer au crible,* examiner très attentivement en critiquant, trier : *Toutes les déclarations du témoin ont été passées au crible.* ◆ **cribler** v. tr. 1° *Cribler une matière, des graines,* etc., les trier, les épurer en les passant au crible : *Cribler du sable.* — 2° (sujet nom de chose) *Etre criblé de trous, de taches,* etc., en être parsemé sur toute la surface. — 3° (sujet nom de personne) *Etre criblé de dettes,* être accablé de dettes nombreuses. ◆ **criblage** n. m.

1. cric ! [krik] interj. Onomatopée, le plus souvent accompagnée de *crac,* évoquant le bruit du déchirement d'un tissu ou un bruit analogue : *Cric, crac! il mit en pièces sa chemise.*

2. cric [kri] n. m. Appareil à démultiplication permettant de soulever des fardeaux : *On utilise un cric pour changer la roue d'une voiture.*

cricket [krikɛt] n. m. Jeu de balle, pratiqué surtout par les Anglais, qui se joue au moyen de battes de bois.

cricri [krikri] n. m. Syn. de GRILLON (surtout dans la langue des enfants).

crime [krim] n. m. 1° Homicide volontaire (insistant particulièrement sur la gravité de cet acte au regard de la loi morale et civile) : *Le cadavre gisait dans le salon; le vol semble avoir été le mobile du crime* (syn. : MEURTRE). *L'arme du crime est un poignard. L'accusé, reconnu coupable de plusieurs crimes, risquait la peine de mort* (syn. : ASSASSINAT). — 2° Infraction grave à la loi, par opposition à *contravention* ou à *délit* (terme jurid.); action très blâmable (littér. ou langue parlée emphatique) : *Crime contre la sûreté de l'Etat. C'est un crime d'avoir abattu ces beaux arbres. Il a eu dix minutes de retard : ce n'est pas un crime* (= c'est excusable). *Tout son crime, c'est d'avoir dit tout haut ce que chacun pensait* (= il n'y a pas grand mal à cela). *On nous fait un crime de notre refus de compromission* (= on nous le reproche vivement). ◆ **criminel, elle** adj. et n. 1° Se dit d'une personne coupable d'un crime ou d'un acte qui constitue un crime : *Il est voleur, mais non criminel* (syn. : MEURTRIER). *On a arrêté un des criminels qui ont tué le banquier* (syn. : ASSASSIN). *Ce complot criminel a été découvert à temps. Un incendie criminel. Une criminelle entreprise. Il serait criminel de laisser ce château tomber en ruine.* — 2° *Droit criminel, législation criminelle, juge, procès criminel,* qui concernent les crimes, qui sont chargés de les juger. ◆ **criminellement** adv. : *Exposer criminellement la vie de quelqu'un. Juger criminellement une affaire* (= devant une juridiction criminelle). ◆ **criminalité** n. f. Ensemble des infractions criminelles commises dans une société définie, pendant une période définie : *On a enregistré un accroissement de la criminalité dans ce pays.* ◆ **criminologie** n. f. Etude des causes des crimes et des remèdes possibles. ◆ **criminologiste** n. m.

crin [krɛ̃] n. m. 1° Poil long et raide poussant sur le cou et à la queue du cheval et de quelques autres animaux (s'emploie parfois collectivement) : *Rembourrer un fauteuil avec du crin.* — 2° *Crin végétal,* fibre de certains végétaux employée à divers usages industriels. — 3° Fam. *A tous crins,* ou *à tout crin,* sans mesure, à outrance : *Un pacifiste à tous crins.* ‖ Fam. *Etre comme un crin,* être irritable, maussade. ◆ **crinière** n. f. 1° Ensemble des crins du cou d'un cheval ou de quelque autre animal. — 2° Touffe de crins ornant certains casques. — 3° *Fam.* et *péjor.* Chevelure abondante.

crincrin [krɛ̃krɛ̃] n. m. *Fam.* et *péjor.* Mauvais violon; son désagréable qu'il rend.

crique [krik] n. f. Petite baie offrant un abri naturel aux bateaux.

criquet [krikɛ] n. m. Insecte qu'on trouve surtout dans les pays chauds et qui vit souvent en grandes troupes.

1. crise [kriz] n. f. 1° Manifestation aiguë d'un trouble physique ou moral chez une personne : *Crise de rhumatismes, de foie, d'asthme, d'entérite. Elle a piqué sa crise de nerfs. Il est très violent : pour un rien, il pique une crise* (= il se met en colère). *A la suite de cette mauvaise nouvelle, il a eu une crise de mélancolie* (syn. : ACCÈS). — 2° *Fam.* Enthousiasme soudain, mouvement d'ardeur : *Il est pris d'une crise de rangement. Il travaille par crises* (syn. fam. : TOCADE, LUBIE).

2. crise [kriz] n. f. 1° Période difficile dans la vie d'une personne ou d'une société, situation tendue, de l'issue de laquelle dépend le retour à un état normal : *Il se débat dans une pénible crise de conscience. Une crise religieuse. Le gouvernement s'efforce de conjurer la crise économique. La crise politique s'est enfin dénouée par la formation d'un ministère d'union nationale.* — 2° Manque de quelque chose sur une vaste échelle : *L'Education nationale connaissait déjà une grave crise de locaux et de professeurs* (syn. : PÉNURIE ; contr. : PLÉTHORE).

crisper [krispe] v. tr. 1° *Crisper une partie du corps,* en contracter vivement les muscles : *L'inquiétude crispait tous les visages. Le chauffeur, les mains crispées sur le volant, évita de justesse l'accident. Il crispait les poings de rage.* — 2° Fam. *Crisper quelqu'un,* le mettre dans un état d'irritation, d'agacement : *Sa lenteur me crispe.* ◆ **crispant, e** adj. Fam. : *Une attente crispante* (syn. : AGAÇANT, IRRITANT, HORRIPILANT, EXASPÉRANT). ◆ **crispation** n. f. 1° Contraction musculaire extrême, état de tension : *La crispation de ses traits dénotait son appréhension.* — 2° Vif agacement.

crisser [krise] v. intr. Produire un crissement : *La neige, le gravier crissent sous les pas. Les freins crissent.* ◆ **crissement** n. m. Bruit produit par l'écrasement de certaines matières; bruit aigu d'un corps qui grince : *La voiture vira brusquement avec un crissement de pneus.*

1. cristal, aux [kristal, -to] n. m. Verre blanc très limpide, d'une sonorité claire quand il est mince (souvent littér. comme symbole de la limpidité) : *Un service à liqueur en cristal. Une voix pure comme du cristal.* ◆ **cristaux** n. m. pl. Objets en cristal, et en particulier verres à boire. ◆ **cristallerie** n. f. 1° Fabrique d'objets en cristal. — 2° Art de fabriquer des objets en cristal. — 3° Ensemble des objets en cristal, service de table ou objets contribuant au luxe d'une maison. ◆ **cristallin, e** adj. Qui a la limpidité ou la sonorité claire du cristal : *Une source cristalline. Une clochette, une voix cristalline.*

2. cristal, aux [kristal, -to] n. m. 1° Morceau d'une substance ordinairement minérale ayant des faces planes et des formes géométriques : *Le gros sel se présente sous forme de cristaux. Dans les régions volcaniques, on trouve du cristal de roche.* — 2° *Cristaux de neige,* flocons diversement étoilés.

1. cristallin, e adj. V. CRISTAL 1.

2. cristallin, e [kristalɛ̃, -in] adj. Se dit d'une roche provenant de la solidification d'une matière minérale en fusion : *Le granite est une roche cristalline.* ◆ **cristalliser** v. tr. 1° *Cristalliser une substance,* la faire passer à l'état de cristaux : *Acheter du sucre cristallisé pour faire des confitures.* — 2° *Cristalliser les énergies, les ambitions,* etc., leur donner de la cohérence, de la force : *Les excès des troupes d'occupation avaient cristallisé la résistance.* ◆ ***se cristalliser*** v. pr. Devenir cohérent en prenant corps : *Sa pensée s'est cristallisée en quelques formules concises* (syn. : SE CONDENSER). ◆ v. intr. Se condenser en cristaux : *Une substance qui cristallise en se refroidissant.* ◆ **cristallisation** n. f. 1° *Le quartz est produit par la cristallisation de la silice.* — 2° *Ce projet, c'était la cristallisation de tous ses espoirs.*

3. cristallin [kristalɛ̃] n. m. Organe de l'œil, jouant le rôle de lentille, situé à la partie antérieure du globe oculaire.

cristi! [kristi] interj. *Fam.* Exprime la surprise, le saisissement (abrév. de *sacristi*) : *Cristi! comme il a changé!*

critère [kritɛr] n. m. Principe auquel on se réfère pour émettre une appréciation, pour conduire une analyse : *La conformité de la signature n'est pas un critère suffisant pour prouver l'authenticité d'un document* (syn. : PREUVE). *Sa réaction constituera un critère de sa bonne foi* (syn. littér. : PIERRE DE TOUCHE).

critérium [kriterjɔm] n. m. Epreuve sportive permettant à des concurrents de se qualifier.

1. critique [kritik] n. f. 1° Art de juger les œuvres littéraires ou artistiques; jugement ou ensemble des jugements portés sur une telle œuvre : *La critique est un genre littéraire. Critique théâtrale, musicale. Une critique objective, partiale.* — 2° Ensemble des personnes qui donnent des jugements dans la presse sur les œuvres littéraires ou artistiques : *Ce film connaît un grand succès : la critique est unanime dans l'éloge.* — 3° Examen détaillé d'exactitude, d'authenticité : *Le bon historien fait la critique des sources d'information. L'avocat a fait une critique serrée des déclarations de l'adversaire.* — 4° Jugement hostile, parole ou écrit dirigé contre quelqu'un ou contre quelque chose : *Il était très affecté de toutes ces critiques* (syn. : ↑ DÉNIGREMENT). *Réfuter une critique. Ce que je vous dis là n'est pas une critique, c'est une simple constatation. Un projet qui suscite de nombreuses critiques.* ◆ **critique** n. m. Personne qui pratique la critique (au sens 1) : *Critique d'art, critique dramatique. Sainte-Beuve fut un célèbre critique littéraire. Tous les critiques ont insisté sur l'originalité de l'œuvre.* ◆ **critique** adj. 1° Se dit d'un examen, d'une attitude qui cherche à discerner les qualités et les défauts d'une œuvre, l'exactitude ou l'authenticité d'une déclaration, d'un fait : *Un compte rendu critique. Une réflexion critique. Méthode critique.* (V. aussi CRITIQUE 2, adj.) — 2° *Esprit critique,* attitude de celui qui n'accepte un fait ou une opinion qu'après en avoir examiné la valeur; personne qui adopte cette attitude : *Le bon historien doit faire preuve d'esprit critique. Un esprit critique ne saurait se contenter de cette explication par l'analogie;* attitude de celui qui tend à ne remarquer que les défauts; personne qui adopte cet état d'esprit : *On ne peut jamais le contenter : c'est un esprit critique.* ◆ **critiquer** v. tr. 1° *Critiquer quelqu'un, les actes de quelqu'un,* les juger défavorablement, leur trouver des défauts : *L'orateur critiquait violemment la politique du gouvernement* (syn. : BLÂMER). *Sa conduite a été très critiquée* (syn. : DÉSAPPROUVER, DISCUTER). *Si vous prenez parti pour lui, vous vous ferez critiquer par ses adversaires* (syn. : ATTAQUER, CONDAMNER). — 2° *Critiquer quelque chose,* en discuter la valeur, en examiner les qualités et les défauts : *Critiquer un livre avec impartialité.* ◆ **critiquable** adj. Qui mérite d'être critiqué (sens 1 du verbe) : *Une décision critiquable* (syn. : DISCUTABLE). *En agissant ainsi, il n'est pas critiquable* (syn. : BLÂMABLE, CONDAMNABLE). ◆ **critiqueur, euse** adj. et n. Porté à critiquer.

2. critique [kritik] adj. 1° Se dit d'une situation, d'un état, etc., où l'on peut craindre un malheur soudain : *Nos troupes, menacées d'encerclement, étaient dans une situation critique* (syn. : ↓ ALARMANT, ↑ TRAGIQUE). *La pénurie de main-d'œuvre devenait critique. La sécheresse était inquiétante, mais non encore critique.* — 2° *Moment, période critique,* moment proche d'une décision grave : *En cet instant critique, il avait besoin de tout son sang-froid.*

croasser [krɔase] v. intr. (sujet nom désignant un corbeau, une corneille). Crier. ◆ **croassement** n. m.

croc [kro] n. m. 1° Canine pointue de certains animaux : *Les crocs menaçants d'un tigre. Le chien grondait en montrant les crocs.* — 2° *Fam.* Dent d'une personne : *Il a mal aux crocs.* — 3° Tige recourbée où l'on peut suspendre quelque chose : *Un croc de boucher.* — 4° Crochet monté sur une perche ou sur un manche. — 5° *Montrer les crocs,* se faire menaçant : *Il suffit qu'on montre les crocs pour qu'il devienne plus humble.*

croc-en-jambe [krɔkɑ̃ʒɑ̃b] n. m. 1° Action de placer son pied devant les jambes de quelqu'un qui marche, de façon à le faire tomber : *Un gamin insupportable qui fait des crocs-en-jambe à ses camarades.* — 2° Manœuvre déloyale pour nuire à la carrière de quelqu'un, pour causer sa chute : *Le président devait se méfier des crocs-en-jambe de plusieurs membres du bureau.*

croche [krɔʃ] n. f. En musique, note d'une durée égale à la huitième partie de la ronde. ◆ **double croche** n. f. ◆ **triple croche** n. f.

croche-pied [krɔʃpje] n. m. Syn. usuel de CROC-EN-JAMBE (au sens 1). [On dit aussi fam. CROCHE-PATTE.]

1. crochet [krɔʃɛ] n. m. 1° Morceau de métal recourbé servant à suspendre ou à fixer quelque chose : *Le tableau est suspendu par des crochets. Le crochet d'une grue.* — 2° Grosse aiguille ayant une encoche à une extrémité et destinée à certains travaux de broderie, de dentelle, etc.; ouvrage exécuté avec cette aiguille. (V. ACCROCHER.)

2. crochet [krɔʃɛ] n. m. Signe graphique proche de la parenthèse par la forme et l'emploi : [ ].

3. crochet [krɔʃɛ] n. m. Détour sur un trajet : *Je ferai un crochet pour passer vous voir en revenant de vacances.*

4. crochet [krɔʃɛ] n. m. A la boxe, coup de poing porté horizontalement, en décrivant une courbe avec le bras replié : *Crochet du droit, du gauche.*

5. crochet [krɔʃɛ] n. m. Fer recourbé avec lequel, à défaut de clef, on ouvre une serrure. ◆ **crocheter** v. tr. (conj. 7). *Crocheter une serrure,* l'ouvrir avec un crochet. ◆ **crochetage** n. m. : *Le crochetage d'une serrure.* ◆ **crocheteur** n. m. 1° *Un crocheteur de serrures.* — 2° Autrefois, portefaix. (Mot rendu célèbre par Malherbe, qui prétendait se référer, en matière de langue, aux « crocheteurs du Port-au-Foin ».)

6. crochets [krɔʃɛ] n. m. pl. Fam. *Etre, vivre aux crochets de quelqu'un,* vivre à ses dépens, à sa charge.

crochu, e [krɔʃy] adj. 1° Recourbé et terminé en pointe : *Un oiseau au bec crochu. Un nez crochu.* — 2° Fam. *Avoir les doigts crochus,* être avare ou cupide. (On dit aussi, fam., AVOIR LES PATTES CROCHES.) ‖ Fam. *Atomes crochus,* sympathie spontanée entre deux personnes : *Ce sont deux excellents garçons, mais il n'y a pas d'atomes crochus entre eux.*

crocodile [krɔkɔdil] n. m. 1° Grand reptile de certains pays chauds, vivant tantôt dans les fleuves, tantôt à terre. — 2° Fam. *Larmes de crocodile,* larmes ou apitoiement hypocrites.

croire [krwar] v. tr. (conj. **74**). **1°** *Croire une chose, croire* (et l'infin.), *croire que* (et l'indic.), considérer comme vrai, être convaincu de quelque chose : *Personne ne voulait croire une nouvelle aussi surprenante. Je crois ce qu'on m'a raconté* (syn. : SE FIER À, AJOUTER FOI À). *Nous croyons fermement que tout se passera bien* (syn. : AVOIR CONFIANCE). *Il croyait être le seul héritier.* — **2°** *Croire* (et l'infin.), *croire que* (et l'indic.), estimer probable ou possible : *Je crois avoir trouvé la solution* (syn. : PENSER). *Je crois qu'il me reste assez d'argent pour cet achat.* — **3°** *Croire* (et un attribut, un compl. d'objet ou une proposition objet introduite par *que* ou par une expression circonstancielle), considérer comme : *Je vous crois capable de réussir* (syn. : JUGER). *Beaucoup croient impossible que quelqu'un fasse mieux* (syn. : ESTIMER). *On le croyait ailleurs* (syn. : SUPPOSER). *On se croyait à la veille d'un accord.* — **4°** *Croire* (et une proposition interrogative ou exclamative objet), imaginer, se représenter : *Vous ne sauriez croire à quel point j'ai été touché de ce geste.* — **5°** *Croire quelqu'un,* ajouter foi à ses paroles, avoir confiance en lui : *Inutile d'insister, je vous crois. Ce témoin mérite d'être cru.* — **6°** *En croire quelqu'un, quelque chose,* se fier à cette personne ou à cette chose sur un point particulier : *A l'en croire, tous les autres sont des incapables* (= selon lui). *Tout ira bien, croyez-en mon expérience.* — **7°** Fam. *Je vous crois!, Je te crois!, Je crois bien!,* formules qui soulignent une évidence ou renforcent une affirmation : *Il a eu une contravention pour excès de vitesse : je te crois, il roulait à 140 à l'heure!* ‖ *Ne pas en croire ses yeux, ses oreilles,* être extrêmement surpris de ce qu'on voit ou de ce qu'on entend. ● REM. *Croire que* est suivi d'une subordonnée à l'indicatif si la principale est affirmative, au subjonctif ou parfois à l'indicatif si la principale est négative ou interrogative : *Je crois que c'est utile. Je ne crois pas que ce soit utile. Croyez-vous que ce soit utile? Je ne croyais pas que c'était si dangereux. Vous ne croyez pas qu'il est bien tard pour agir?* ◆ v. tr. ind. **1°** *Croire à une chose,* la juger vraie, réelle : *Je ne crois pas à sa sincérité. Croire à la vie future. Croire à la médecine, à la pédagogie,* etc. (= être convaincu de leur efficacité). — **2°** *Croire en quelqu'un,* avoir confiance en lui : *Sa brillante carrière ne me surprend pas, j'ai toujours cru en lui. Ceux qui croient trop en eux-mêmes sont parfois cruellement déçus. Croire en Dieu, au diable, aux fantômes* (= avoir foi en leur existence). ◆ v. intr. Avoir la foi religieuse : *Il avait cessé de croire depuis plusieurs années.* ◆ ***s'en croire, se croire*** v. pr. Avoir une trop haute opinion de soi, être vaniteux. ◆ **croyable** adj. Se dit d'une chose qui peut être crue (surtout dans des express. négatives, interrogatives ou restrictives) : *Il a déjà fini? Ce n'est pas croyable! Est-il croyable que vous n'ayez rien remarqué? Une histoire difficilement croyable.* ◆ **croyant, e** adj. et n. Qui a la foi religieuse : *Un écrivain croyant. Les croyants ont vu là une manifestation de la Providence divine.* ◆ **incroyable** adj. : *Une violence, une chance incroyable* (syn. : EXTRAORDINAIRE). *Il a surmonté d'incroyables difficultés* (syn. : INIMAGINABLE, PRODIGIEUX). *Incroyable, mais vrai : une magnifique prime est offerte à tout acheteur.* ◆ **incroyablement** adv. : *Il est incroyablement distrait.* ◆ **croyance** n. f. **1°** Action de croire à l'existence ou à la vérité d'un être ou d'une chose : *La croyance en Dieu. La croyance au progrès continuel de l'humanité* (syn. : FOI). — **2°** Opinion religieuse, philosophique, politique : *L'enseignement public accueille des élèves de toute croyance* (syn. : CONFESSION). *Un homme politique qui a renié ses anciennes croyances* (syn. : CONVICTIONS). — **3°** *Au-delà de toute croyance,* plus qu'on ne saurait croire. ◆ **incroyant, e** adj. et n. Qui n'a pas la foi religieuse : *Les messages du pape furent écoutés avec attention par les incroyants aussi bien que par les croyants.* ◆ **incroyance** n. f. (V. ACCROIRE.)

croisade [krwazad] n. f. **1°** Action d'ensemble, entreprise pour créer un mouvement d'opinion en vue d'un résultat d'intérêt commun : *Une association qui tente de lancer une croisade contre la vie chère. Une croisade pour la paix.* — **2°** Expédition lancée au Moyen Age par des chrétiens pour chasser les musulmans de la Terre sainte. ◆ **croisé** n. m. Celui qui, au Moyen Age, participait à une croisade.

1. croisée [krwaze] n. f. Ouvrage de menuiserie servant à clore une fenêtre (se dit souvent de la fenêtre quand on la voit de l'intérieur) : *Regarder dans la rue par la croisée.*

2. croisée [krwaze] n. f. **1°** *La croisée des chemins,* le moment de faire un choix important qui engage l'avenir. — **2°** *Croisée d'ogives,* dans les églises de style ogival, disposition des ogives qui se croisent par leur sommet.

1. croiser [krwaze] v. tr. **1°** Disposer deux choses l'une sur l'autre en croix ou en X : *Croiser sa fourchette et son couteau sur son assiette à la fin du repas. S'asseoir en croisant les jambes.* — **2°** *Route, rue qui en croise une autre,* qui la traverse, qui forme avec elle une croix (syn. : COUPER). — **3°** *Croiser quelqu'un, un véhicule,* le rencontrer et passer auprès de lui dans le sens opposé : *Je l'ai croisé près de la poste.* — **4°** *Croiser deux races,* accoupler deux animaux de même genre, mais de races différentes, de façon à obtenir un produit hybride. ◆ v. intr. *Une veste qui croise bien,* dont les deux parties de devant se recouvrent convenablement. ◆ ***se croiser*** v. pr. **1°** Se rencontrer : *Nous nous sommes croisés dans la rue.* — **2°** *Regards, yeux qui se croisent,* regards échangés soudain entre deux personnes. ‖ *Lettres qui se croisent,* lettres échangées entre deux personnes, mais acheminées en même temps, de sorte qu'aucun des deux correspondants n'a reçu celle de l'autre au moment où il envoie la sienne. ‖ *Se croiser les bras,* rester inactif, cesser le travail. ◆ **croisement** n. m. **1°** Etat de deux choses croisées. — **2°** Action de deux personnes ou de deux véhicules qui se croisent. — **3°** Point où se coupent plusieurs routes, plusieurs lignes : *Un automobiliste prudent, qui ralentit aux croisements* (syn. : CARREFOUR). — **4°** Action de croiser des animaux (sens 4 du verbe). ◆ **décroiser** v. tr. Séparer ce qui était croisé : *Décroiser les jambes.* ◆ **entrecroiser** v. tr. Croiser en divers sens : *Le vannier tresse les paniers en entrecroisant* des brins d'osier. ◆ **s'entrecroiser** v. pr. : *Un réseau de routes qui s'entrecroisent.* ◆ **entrecroisement** n. m.

2. croiser [krwaze] v. intr. *Bateau qui croise dans tel ou tel secteur,* qui navigue en divers sens : *Une escadre française croisait dans le bassin occidental de la Méditerranée.* ◆ **croiseur** n. m. Navire de guerre destiné aux missions d'escorte, de reconnaissance, etc. ◆ **croisière** n. f. 1° Voyage touristique ou mission militaire accomplis par un navire : *Pendant ses vacances, il a fait une croisière dans les fjords de Norvège.* — 2° *Vitesse de croisière d'un bateau, d'un avion,* sa meilleure allure, dans des conditions normales, sur un long parcours.

croisillon n. m. V. CROIX 3.

1. croissant [krwasɑ̃] n. m. 1° *Croissant de lune,* forme apparente de la lune, lorsqu'elle est éclairée sur moins de la moitié de sa surface. — 2° Figure rappelant la forme d'un croissant de lune : *Un parterre de fleurs en croissant.*

2. croissant [krwasɑ̃] n. m. Pâtisserie feuilletée, courbe et amincie aux extrémités : *Prendre des croissants à son petit déjeuner.*

3. croissant, e adj. V. CROÎTRE.

croître [krwatr] v. intr. (conj. **66**). 1° (sujet animé ou inanimé) Se développer en grandeur (langue soignée) : *Un enfant qui croît régulièrement* (syn. : GRANDIR). *Les villes de la grande banlieue parisienne croissent régulièrement.* — 2° (sujet nom de chose) Se développer en importance : *Son ambition croissait de jour en jour. Le son croît en intensité* (syn. : AUGMENTER, S'ACCROÎTRE). *Sa vanité n'a fait que croître et embellir* (langue fam. = n'a cessé de se développer). — 3° (sujet nom de végétal) Pousser naturellement : *Les ronces qui croissent dans les fossés. Les cultures qui croissent sous ce climat* (syn. : POUSSER, VENIR). ◆ **croissant, e** adj. : *Un désir croissant. Un nombre croissant de partisans. Une chaleur croissante* (syn. : GRANDISSANT). ◆ **croissance** n. f. : *La croissance d'un enfant. Un engrais qui favorise la croissance des plantes* (syn. : POUSSE). ◆ **décroître** v. intr. (sujet nom de chose). Diminuer progressivement : *Ses revenus décroissent peu à peu. En automne, les jours décroissent.* ◆ **décroissant, e** adj. : *Une vitesse décroissante.* ◆ **décroissance** n. f. : *La décroissance d'une popularité* (syn. : DIMINUTION, AMOINDRISSEMENT).

1. croix [krwa] n. f. 1° Ancien instrument de supplice, formé de deux pièces de bois assemblées transversalement et sur lequel on attachait les condamnés à mort : *Chez les Romains, on pouvait mettre en croix des esclaves. Jésus-Christ fut mis à mort sur la croix.* — 2° Représentation de la croix commémorant la mort de Jésus-Christ : *Un autel surmonté d'une croix en bronze. Il y a une vieille croix de pierre au carrefour. La croix pectorale d'un évêque.* — 3° Souffrances physiques ou morales, épreuve difficile à supporter (langage pieux) : *Cette maladie est pour lui une croix qu'il accepte avec beaucoup de résignation.* — 4° *Chemin de croix,* série de tableaux ou d'autres représentations rappelant les étapes de la passion de Jésus-Christ; dévotion des chrétiens consistant à s'arrêter pour prier devant chacune de ces représentations. ‖ *Signe de croix,* geste de piété des chrétiens, consistant à tracer sur soi une croix en portant la main droite au front, puis à la poitrine, puis à chaque épaule.

2. croix [krwa] n. f. Décoration qui se porte pendue à un ruban : *La croix de la Légion d'honneur. L'élève classé premier recevait la croix.*

3. croix [krwa] n. f. 1° Disposition de deux objets superposés qui se coupent à angle droit ou en X : *Deux épées accrochées en croix au mur.* — 2° Signe formé par deux traits qui se coupent : *Des noms marqués d'une croix sur une liste.* — 3° *Croix rouge,* dessin d'une croix rouge sur fond blanc, insigne international des ambulances, des services de santé. (Cet insigne vient d'une société fondée pour venir en aide aux victimes de la guerre.) — 4° *Avoir les bras en croix,* les tenir étendus dans le prolongement l'un de l'autre et perpendiculairement à la ligne du corps. ‖ *Vous pouvez faire une croix dessus,* il vaut mieux y renoncer une fois pour toutes (syn. : VOUS POUVEZ EN FAIRE VOTRE DEUIL). ‖ *On peut faire une croix à la cheminée,* c'est un fait extraordinaire (se dit surtout d'un événement heureux). ◆ **croisillon** n. m. Barre qui divise un battant de fenêtre en plusieurs parties. [V. CROISER.]

croquant, e [krɔkɑ̃, -ɑ̃t] n. 1° *Péjor.* Paysan, paysanne (vieilli) : *On reconnaissait les croquants endimanchés venus à la ville pour la foire.* — 2° Personne peu raffinée : *Il s'est conduit comme un croquant* (syn. : LOURDAUD, RUSTRE).

croque-mitaine ou **croquemitaine** [krɔkmitɛn] n. m. 1° Personnage fantastique évoqué parfois pour effrayer les enfants. — 2° *Fam.* Personne d'apparence terrible, mais peu redoutable.

croque-monsieur [krɔkmøsjø] n. m. invar. Sandwich chaud au fromage et au jambon.

croque-mort [krɔkmɔr] n. m. 1° *Fam.* Employé des pompes funèbres. — 2° *Air, visage de croque-mort,* air lugubre d'une personne.

croquenot ou **croqueneau** [krɔkno] n. m. *Pop.* Soulier (syn. fam. : GODASSE).

1. croquer [krɔke] v. tr. 1° Broyer entre ses dents avec un bruit sec : *Un enfant qui croque des bonbons, des biscuits.* — 2° Manger en broyant avec les dents, ou avec avidité : *Croquer une pomme, des noisettes. Le chat croque la souris.* — 3° Fam. *Croquer de l'argent,* le dépenser très largement : *Il a déjà croqué plus d'un million dans cette affaire* (syn. : ENGLOUTIR). *Croquer un héritage* (syn. : DILAPIDER). — 4° Fam. *Croquer le marmot,* se morfondre à attendre. ◆ v. intr. (sujet nom d'un aliment). Produire un bruit sec quand les dents le broient : *Des frites qui croquent.* ◆ **croquant, e** adj. : *Une croûte bien croquante.* ◆ **croquant** n. m. Partie d'un aliment qui croque : *Il y avait un morceau de croquant dans ma viande* (= de cartilage). ◆ **croque-au-sel (à la)** [alakrɔkosɛl] loc. adv. Avec du sel comme seul assaisonnement. ◆ **croquette** n. f. 1° Boulette frite de pâte ou de viande hachée : *Croquettes de pommes de terre.* — 2° *Croquette de chocolat,* petit disque de chocolat.

2. croquer [krɔke] v. tr. 1° *Croquer quelqu'un, un paysage,* etc., le dessiner en quelques coups de crayon, en tracer rapidement l'esquisse : *Il trompait l'ennui de la séance en croquant les silhouettes des membres du jury.* — 2° Fam. *A croquer,* très joli : *Cet enfant est à croquer.* ◆ **croquis** [krɔki] n. m. 1° Dessin rapide, qui note les traits essentiels, caractéristiques : *Un croquis des lieux de l'accident était joint au dossier.* — 2° Compte rendu succinct : *Les croquis d'audience* *d'un journaliste. Faire un rapide croquis de la situation.*

croquet [krɔkɛ] n. m. Jeu consistant à faire passer, sous des arceaux disposés selon un trajet déterminé, des boules que l'on pousse avec un maillet.

croquignolet, ette [krɔkiɲɔlɛ, -ɛt] adj. *Fam.* (généralement ironiq.). Joli, charmant : *Elle portait un chapeau croquignolet.*

croquis n. m. V. CROQUER 2.

cross-country [krɔskuntri] ou **cross** n. m. Epreuve de course à pied en terrain varié avec obstacles.

1. crosse [krɔs] n. f. 1° Bâton à l'extrémité supérieure recourbée, et qui est un insigne de la mission pastorale des évêques. — 2° Extrémité recourbée de certaines plantes : *Des crosses de fougère.*

2. crosse [krɔs] n. f. 1° *Crosse d'un fusil, d'un pistolet,* la partie postérieure, qu'on épaule ou qu'on tient en main : *Les gardiens rudoyaient les prisonniers à coups de crosse.* — 2° Fam. *Mettre la crosse en l'air,* refuser d'obéir aux ordres de combat, en parlant de militaires. ‖ Pop. *Autant pour les crosses,* c'est à recommencer.

3. crosse [krɔs] n. f. Fam. *Chercher des crosses à quelqu'un,* lui chercher querelle.

crotte [krɔt] n. f. 1° Excrément plus ou moins dur de certains animaux ou de l'homme : *Un chien qui dépose une crotte au bord du trottoir. Des crottes de brebis, de lapin.* — 2° Fam. *Crotte de bique,* chose sans valeur. — 3° *Crotte de chocolat,* sorte de bonbon au chocolat fourré. — 4° Pop. *Crotte!,* interj. marquant l'agacement, l'impatience, la mauvaise humeur (syn. fam. : ZUT, FLÛTE). ◆ **crottin** n. m. Crotte de cheval, de mulet.

crotté, e [krɔte] adj. 1° Sali de boue : *Des bottes crottées.* — 2° *Crotté comme un barbet,* se dit de qui est tout taché de boue. ◆ **décrotter** v. tr. 1° Nettoyer de ses salissures de boue : *Décrotter des chaussures.* — 2° Fam. *Décrotter quelqu'un,* diminuer son ignorance, sa sottise : *Il est dur à décrotter.* ◆ **décrottoir** n. m. Lame métallique fixée au sol près du seuil d'une maison pour gratter la boue des semelles. ◆ **indécrottable** adj. *Fam.* Se dit de quelqu'un qui est d'une ignorance, d'une sottise résistant à tout, qu'on ne peut pas dégrossir : *Cet élève est indécrottable.*

crouler [krule] v. intr. 1° (sujet nom désignant un édifice, une construction, etc.) Tomber sur sa base, s'effondrer : *Le tremblement de terre a fait crouler les immeubles. Un vieux mur qui croule* (syn. : S'ÉCROULER, S'ABATTRE, TOMBER EN RUINE). *La terre croula sous ses pas* (syn. : S'ÉBOULER). — 2° Perdre sa puissance, être ruiné : *Un empire qui commence à crouler.* — 3° (sujet nom de personne ou de chose) *Crouler sous quelque chose,* en être accablé, en être exagérément chargé : *Les porteurs, croulant sous leur charge, avançaient lentement. Il croule sous les cadeaux. Une église dont le chœur croule sous les dorures.* — 4° (sujet nom de personne) *Se laisser crouler,* s'affaisser, tomber de toute sa masse : *A cette terrible nouvelle, il se laissa crouler sur une chaise* (syn. : S'AFFALER). ◆ **croulant, e** adj. 1° Qui tombe en ruine, qui s'effondre : *Une masure croulante. Une autorité croulante.* — 2° Se dit d'une personne épuisée par son grand âge : *Un vieillard croulant.* ◆ **croulant** n. m. *Fam.* Personne d'âge mûr (chez les jeunes, se dit particulièrement des parents) : *Une danse qui n'est pas pour les croulants.* ◆ **croulement** n. m. : *Le croulement d'une maison, d'une civilisation, d'une espérance* (syn. plus usuel : ÉCROULEMENT).

croupe [krup] n. f. 1° Partie postérieure du corps d'un cheval, constituée par les fesses et le haut des cuisses : *La large croupe d'un percheron.* — 2° *Fam.* Fesses plus ou moins proéminentes d'une femme (syn. fam. : POSTÉRIEUR, POPOTIN). — 3° Partie renflée d'une montagne ou d'une colline : *L'ennemi avait établi un poste d'observation sur une croupe dominant la vallée.* — 4° *En croupe,* se dit d'un deuxième cavalier, assis derrière le cavalier principal : *Porter, prendre un enfant en croupe. Le voyageur monta en croupe et ils partirent au galop.* ◆ **croupière** n. f. *Tailler des croupières à quelqu'un,* lui créer des ennuis, le poursuivre de sa malveillance (littér.). [La *croupière* est une partie du harnais.] ‖ ◆ **croupion** n. m. 1° Partie postérieure du corps d'un oiseau ou d'une volaille. — 2° *Pop.* Derrière d'une personne.

croupier [krupje] n. m. Employé d'une maison de jeux qui paie et ramasse l'argent pour le compte du directeur.

croupir [krupir] v. intr. 1° (sujet nom de personne) Rester dans un état méprisable, honteux : *Il croupit dans sa paresse, dans son ignorance, dans la médiocrité.* — 2° *Eau qui croupit,* eau stagnante qui se corrompt. ◆ **croupi, e** adj. Se dit d'un liquide corrompu par la stagnation. ◆ **croupissant, e** adj. : *Une vie croupissante. Une eau croupissante.* ◆ **croupissement** n. m. : *Des années de croupissement dans la misère ont fait de lui un déchet humain.*

croustiller [krustije] v. intr. (sujet nom, désignant un gâteau, une croûte, etc.). Croquer agréablement sous la dent. ◆ **croustillant, e** adj. 1° *Une galette croustillante.* — 2° Fam. *Histoire croustillante,* qui contient des détails licencieux (syn. : LESTE, ↑ GRIVOIS).

1. croûte [krut] n. f. 1° Partie superficielle du pain, du fromage, d'un pâté, etc., plus dure que l'intérieur : *Manger la mie et laisser la croûte du pain.* — 2° Couche extérieure durcie à la surface d'un corps : *Oter la croûte qui s'est formée sur la peinture d'un pot entamé. Une croûte de glace. Une croûte de tartre s'est déposée sur les parois de la bouillotte.* — 3° Fam. *A la croûte!,* allons manger. ‖ Fam. *Casser la croûte,* prendre un repas. ‖ Fam. *Gagner sa croûte,* gagner sa vie. ◆ **croûter** v. tr. et intr. *Pop.* Manger. ◆ **croûton** n. m. 1° Morceau de pain dur ou extrémité d'un pain. — 2° Morceau de pain frit accompagnant certains plats.

2. croûte [krut] n. f. 1° *Fam.* Personne routinière, paresseuse, sans capacités : *Un professeur qui se plaint d'avoir trop de croûtes dans sa classe* (syn. : CANCRE). — 2° Tableau sans art, sans valeur : *Un salon orné de quelques croûtes.* ◆ **encroûter (s')** v. pr. (sujet nom de personne). Prendre des habitudes de paresse, rester borné, dépourvu d'imagination : *Il s'encroûte dans la bureaucratie.* ◆ **encroûté, e** adj. : *Des conservateurs encroûtés* (syn. : SCLÉROSÉ). ◆ **encroûtement** n. m. : *Rien ne peut plus le tirer de son encroûtement.*

croyable adj., **croyance** n. f., **croyant, e** n. et adj. V. CROIRE.

C.R.S. [seɛrɛs], abrév. par laquelle on désigne couramment les *compagnies républicaines de sécurité,* unités mobiles de police dépendant du ministère de l'Intérieur, ou un membre de ces unités : *Un C.R.S. a été blessé au cours de la manifestation.*

1. cru [kry] n. m. 1° Terroir spécialisé dans la production d'un vin; vin provenant de ce terroir : *Visiter un cru célèbre du Bordelais. Une auberge qui sert un excellent vin du cru. Le meursault est un des grands crus de Bourgogne.* — 2° Fam. *Du cru,* du pays, de la région où l'on est, dont il est question : *Je me suis adressé à un paysan du cru.*

2. cru, e [kry] adj. *Aliment cru,* qui n'a pas subi la cuisson : *De la viande crue. Manger des fruits crus* (contr. : CUIT). ◆ **crudité** n. f. : *La crudité des légumes.* ◆ **crudités** n. f. pl. Fruits ou légumes crus : *Des hors-d'œuvre faits surtout de crudités.*

3. cru, e [kry] adj. 1° *Lumière crue, couleur crue,* violente, sans atténuation : *Dans un éclairage trop cru, les détails n'apparaissent pas* (contr. : DOUX, TAMISÉ, VOILÉ). — 2° *Mot cru, réponse crue,* mot, réponse énergiques, réalistes : *Les oreilles délicates risquent d'être choquées par ses propos parfois très crus* (syn. : LIBRE, LESTE, VERT; fam. : SALÉ). — 3° *Monter à cru,* monter à cheval sans selle. ◆ **crudité** n. f. Sens 2 de cru : *La crudité du langage* (syn. : VERDEUR). ◆ **crûment** adv. *Parler crûment,* sans ménagement, en termes énergiques.

1. cruche [kryʃ] n. f. 1° Récipient de grès ou de terre, à anse et à bec. — 2° *Tant va la cruche à l'eau qu'à la fin elle se casse* (proverbe), à force de braver un danger, on finit par en être victime. ◆ **cruchon** n. m. 1° Petite cruche ou petite carafe. — 2° Bouteille de grès servant de bouillotte pour chauffer un lit.

2. cruche [kryʃ] n. et adj. *Fam.* Personne peu intelligente, qui agit sottement : *Cette cruche-là n'a pas compris les signes qu'on lui faisait! Tu as vu s'il a l'air cruche?* (syn. fam. : GOURDE).

crucial, e, aux [krysjal, -sjo] adj. Se dit de ce qui est très important : *Problème crucial* (syn. : ESSENTIEL). *Le point crucial est d'obtenir son accord. C'est le moment crucial du choix* (syn. : DÉCISIF).

crucifier [krysifje] v. tr. *Crucifier quelqu'un,* lui infliger le supplice de la croix : *De nombreux martyrs chrétiens furent crucifiés.* ◆ **crucifié** n. m. *Le Crucifié,* Jésus-Christ. ◆ **crucifié, e** adj. Se dit parfois d'une attitude exprimant une grande douleur morale : *Elle le regardait avec une expression crucifiée.* ◆ **crucifiement** [krysifimɑ̃] n. m. ou **crucifixion** n. f. 1° Action de crucifier. — 2° Tableau représentant la mise en croix de Jésus-Christ. ◆ **crucifix** [krysifi] n. m. Objet de dévotion représentant Jésus-Christ en croix : *Se mettre en prière devant le crucifix. Un crucifix de bois.*

cruciverbiste [krysivɛrbist] n. Amateur de mots croisés.

crudité n. f. V. CRU 2 et 3.

crue [kry] n. f. Gonflement d'un cours d'eau : *La fonte des neiges provoque des crues subites. La rivière est en crue.* ◆ **décrue** [dekry] n. f. Baisse du niveau des eaux, après une crue.

cruel, elle [kryɛl] adj. (après ou plus rarement avant le nom). 1° Se dit d'une personne, d'un animal (ou de son comportement) qui se plaît ou qui n'hésite pas à faire souffrir : *Un policier cruel qui torturait des prisonniers* (syn. : BRUTAL, INHUMAIN, BARBARE; ↑ SANGUINAIRE, SADIQUE). *Le jeu cruel du chat avec la souris. Le tigre est cruel* (syn. : FÉROCE). — 2° Se dit de quelque chose qui cause une souffrance physique, qui atteint vivement, qui blesse moralement : *Un froid cruel* (syn. : RIGOUREUX). *Nous sommes dans la cruelle nécessité de nous séparer de lui* (syn. : ↓ DUR). *Votre question me plonge dans un cruel embarras* (syn. : PÉNIBLE). *Le discours contenait quelques allusions cruelles aux négligences de ses prédécesseurs.* ◆ **cruauté** n. f. 1° Caractère d'une personne ou d'une chose cruelle : *La cruauté d'un enfant envers les animaux* (syn. : BARBARIE, ↑ SADISME). *La cruauté des temps le réduisait presque à la misère* (syn. : DURETÉ, RIGUEUR). *La cruauté d'une raillerie.* — 2° Acte cruel : *Il avait enduré sans avouer les pires cruautés de ses gardiens* (syn. : ATROCITÉ). *Ce serait une cruauté de le laisser repartir à jeun* (syn. : ↓ MÉCHANCETÉ). ◆ **cruellement** adv. : *Le nouveau soulèvement fut réprimé plus cruellement encore que le précédent* (syn. : ↓ SÉVÈREMENT). *Il a été cruellement puni de sa désobéissance* (syn. : ↓ DUREMENT). *Une dent qui fait cruellement souffrir. La main-d'œuvre faisait cruellement défaut* (syn. : TERRIBLEMENT).

crustacé [krystase] n. m. Animal aquatique à carapace, tel que les crabes, les homards, les crevettes, etc.

crypte [kript] n. f. Partie souterraine d'une église.

cryptographie [kriptografi] n. f. Ensemble des techniques utilisées pour transcrire en écriture secrète un texte qui est en clair, et inversement. ◆ **cryptographique** adj.

cube [kyb] n. m. 1° Volume limité par six carrés égaux : *Un dé à jouer est un petit cube marqué de points sur ses faces.* — 2° *Cube d'air d'une pièce,* son volume d'air. ◆ adj. *Mètre cube, décimètre cube,* etc., volume équivalant à celui d'un cube ayant un mètre, un décimètre, etc., de côté. ◆ **cuber** v. tr. Evaluer un volume en mètres cubes, décimètres cubes, etc. ◆ v. intr. 1° Avoir un volume, une capacité de : *Citerne qui cube 2 000 litres.* — 2° *Fam.* (sujet nom désignant des dépenses, des frais). S'élever rapidement à un total important : *Avec cette nouvelle installation, les dépenses vont cuber! En y ajoutant les faux frais, cela finit par cuber* (syn. : CHIFFRER). ◆ **cubage** n. m. 1° Action de cuber. — 2° Volume, capacité. ◆ **cubique** adj. Qui a la forme d'un cube : *Une boîte cubique.* ◆ **cubisme** n. m. Ecole moderne d'art se proposant de représenter les objets sous des formes géométriques. ◆ **cubiste** adj. et n. : *La peinture cubiste.*

cubitus [kybitys] n. m. Le plus gros des deux os de l'avant-bras, dont l'extrémité forme la saillie du coude.

cueillir [kœjir] v. tr. (conj. 24). 1° *Cueillir un fruit, une fleur,* les détacher de leur branche, de leur tige : *On cueille ces poires en septembre. Cueillir des fraises* (syn. : RÉCOLTER). *Cueillir des œillets.* — 2° Fam. *Cueillir un baiser,* embrasser furtivement quelqu'un. — 3° Fam. *Cueillir quelqu'un,* aller le chercher ou l'attendre pour l'emmener avec soi : *J'irai vous cueillir en voiture à la sortie de votre bureau. Les policiers ont cueilli le malfaiteur à sa descente du train* (syn. : ARRÊTER; fam. : PINCER); frapper de manière inattendue : *Etre cueilli à froid.* ◆ **cueillette** [kœjɛt] n. f.

Action de cueillir des fruits : *La cueillette des pommes* (syn. : RÉCOLTE). ◆ **cueilleur, euse** n. (V. ACCUEILLIR, RECUEILLIR.)

1. cuiller ou **cuillère** [kɥijɛr] n. f. 1° Ustensile, généralement en métal, comprenant un manche et une partie creuse, et servant à porter des aliments à la bouche ou à les remuer dans un récipient : *On mange le potage avec une cuiller. Cuiller à dessert, à café.* — 2° Ustensile de cuisine plus grand et souvent en bois : *Cuiller à ragoût. Tourner une sauce avec une cuiller.* — 3° Fam. *En deux coups de cuiller à pot,* de façon expéditive (syn. : RONDEMENT; fam. : EN MOINS DE DEUX). ‖ Fam. *Etre à ramasser à la petite cuiller,* être en piteux état, blessé ou brisé de fatigue. ‖ Fam. *Ne pas y aller avec le dos de la cuiller,* servir abondamment d'un mets; manquer de modération dans ses paroles ou dans ses actes. ‖ Pop. *Serrer la cuiller à quelqu'un,* lui serrer la main. ◆ **cuillerée** [kɥijre] n. f. Contenu d'une cuiller : *Ajouter trois cuillerées de sucre.*

2. cuiller [kɥijɛr] n. f. Engin de pêche en forme de *cuiller* (sens 1) et muni d'hameçons.

1. cuir [kɥir] n. m. 1° Peau d'animal, tannée et spécialement préparée pour des usages industriels : *Une serviette en cuir. Une ceinture en cuir.* — 2° Peau épaisse de certains animaux : *La balle avait ricoché sur le cuir du rhinocéros.* — 3° *Cuir chevelu,* la peau de la tête recouverte de cheveux. — 4° Fam. *Tanner le cuir à quelqu'un,* le battre, le harceler.

2. cuir [kɥir] n. m. Faute de liaison dans la prononciation. (Ex. : *Vous devez faire* [z]*-erreur.*)

cuirasse [kɥiras] n. f. 1° Partie de l'armure qui protégeait le buste. — 2° Attitude morale qui protège des blessures d'amour-propre, des souffrances, etc. : *Il s'isolait dans une cuirasse d'indifférence.* — 3° *Défaut de la cuirasse,* point faible de quelqu'un ou de quelque chose. ◆ **cuirasser** v. tr. Rendre insensible : *Une longue expérience m'a cuirassé contre de telles critiques* (syn. : ENDURCIR; fam. : BLINDER). ◆ ***se cuirasser*** v. pr. Devenir insensible : *Se cuirasser contre l'attendrissement.* ◆ **cuirassé** n. m. Navire de guerre fortement blindé. ◆ **cuirassier** n. m. Soldat de cavalerie.

cuire [kɥir] v. tr. (conj. **69**). 1° *Cuire un aliment,* le rendre propre à la consommation par l'action de la chaleur : *Cuire un rôti au four, à la casserole. Un gâteau cuit à feu doux. On cuit les nouilles en les jetant dans l'eau bouillante. Il est temps de cuire le dîner.* — 2° *Cuire des briques, de la porcelaine, des poteries,* etc., en soumettre la pâte à la chaleur d'un four, pour la durcir. — 3° Fam. *Dur à cuire,* se dit de quelqu'un qui ne se laisse pas faire, qui résiste : *Il est plus dur à cuire que je ne pensais : je n'ai pas pu le décider. C'est un vieux dur à cuire, il a réchappé de bien des accidents.* ‖ Fam. *Tu es cuit,* ou *les carottes sont cuites,* tu es perdu, la partie est jouée. ◆ v. intr. 1° (sujet nom d'aliment) Subir une modification dans sa substance sous l'action de la chaleur, en vue de la consommation : *Un civet qui cuit à feu doux. Faire cuire un œuf sur le plat.* — 2° (sujet nom de personne) *Fam.* Etre accablé de chaleur : *On cuit dans cette pièce.* — 3° *Les yeux lui cuisent, la langue, la peau lui cuit,* il éprouve une irritation, une sensation de brûlure. — 4° (sujet nom de personne) Fam. *Cuire dans son jus,* avoir très chaud; rester isolé, abandonné. ◆ v. impers. *Il leur en cuira,* ils auront à s'en repentir, ils éprouveront de vifs désagréments. ◆ **cuisant, e** adj. (avant ou plus souvent après le nom). 1° Qui cause une vive douleur physique comparable à une brûlure : *Il avait encore la joue cuisante de la gifle reçue. Une blessure cuisante.* — 2° Se dit d'un événement qui affecte très douloureusement : *Une défaite cuisante. Un cuisant échec.* ◆ **cuisson** n. f. Action de cuire; état de ce qui est cuit : *Un pot-au-feu demande plusieurs heures de cuisson. La cuisson de ce poulet est insuffisante.* ◆ **recuire** v. tr.

cuisine [kɥizin] n. f. 1° Pièce destinée à la préparation des aliments : *Une cuisine claire, moderne. Le réfrigérateur est à* (ou *dans*) *la cuisine.* — 2° Art ou manière d'apprêter les aliments : *La cuisine française est réputée. La cuisine, ce n'est pas mon fort. Il va être temps de se mettre à faire la cuisine* (= à préparer le repas). — 3° Aliments considérés sous le rapport de la manière dont ils sont apprêtés : *La cuisine de restaurant lui avait, à la longue, fatigué l'estomac.* — 4° *Fam.* et *péjor.* Manœuvres plus ou moins louches, arrangement qui manque de dignité : *Il a manigancé toute sa petite cuisine pour faire attribuer quelques bonnes places à ses amis* (syn. : TRAFIC, TRIPOTAGE). — 5° *Batterie de cuisine,* ensemble des ustensiles d'une cuisine. ◆ **cuisiner** v. tr. *Cuisiner un plat, un aliment,* le préparer, l'accommoder. ◆ v. intr. Faire la cuisine : *Elle cuisine remarquablement.* ◆ **cuisinier, ère** n. 1° Personne chargée de préparer les aliments : *Félicitations à la cuisinière : c'est excellent.* — 2° *Il est bon, mauvais cuisinier,* il fait bien, mal la cuisine. ◆ **cuisinière** n. f. Appareil destiné à la cuisson des aliments et muni d'un four. ◆ **cuistance** n. f. *Pop.* Cuisine (aux sens 2 et 3). ◆ **cuistot** n. m. *Fam.* Cuisinier. ◆ **culinaire** [kylinɛr] adj. Relatif à la cuisine : *Une recette culinaire.*

1. cuisiner v. tr. et intr. V. CUISINE.

2. cuisiner [kɥizine] v. tr. Fam. *Cuisiner quelqu'un,* l'interroger longuement en cherchant à obtenir de lui un aveu, un renseignement : *Cuisiner un suspect au cours d'une enquête.* ◆ **cuisinage** n. m. *Fam.*

cuisse [kɥis] n. f. 1° Partie de la jambe qui va de la hanche au genou. — 2° Fam. *Se croire sorti de la cuisse de Jupiter,* se juger supérieur aux autres par sa naissance, ses qualités. ◆ **cuissot** n. m. Cuisse de gros gibier.

cuistre [kɥistr] n. m. Personne qui fait un étalage intempestif d'un savoir souvent mal assimilé, qui tranche avec une assurance excessive : *Un cuistre qui se plaisait à corriger les prétendues fautes de langage.* ◆ **cuistrerie** n. f. Manière d'être d'un cuistre.

cuite [kɥit] n. f. *Pop.* Accès d'ivresse : *Prendre une cuite* (syn. pop. : BITURE). ◆ **cuiter (se)** v. pr. *Pop.* S'enivrer.

cuivre [kɥivr] n. m. 1° Métal rougeâtre : *Le cuivre est très employé comme conducteur électrique.* — 2° Objet de ce métal (surtout au plur.) : *Une pâte à faire les cuivres* (= à faire briller les poignées, boutons, etc., en cuivre). ◆ **cuivres** n. m. pl. Instruments de musique en cuivre : *On entend trop les cuivres dans cet orchestre.* ◆ **cuivré, e** adj. 1° Dont la couleur rappelle celle du cuivre : *Il a un teint cuivré* (syn. : BRONZÉ, BASANÉ). — 2° Se dit d'un son bien timbré, rappelant celui des instruments en cuivre. ◆ **cuivreux, euse** adj. *Métaux cuivreux,* ceux qui contiennent du cuivre en alliage.

cul [ky] n. m. 1° *Pop.* Partie de l'homme et de certains animaux qui comprend les fesses et le fondement (mot jugé grossier) : *Un mioche qui court le cul tout nu. Il est tombé le cul dans l'eau* (syn. : DERRIÈRE, langue normale; POSTÉRIEUR, nuance plaisante). — 2° Partie postérieure ou inférieure de certaines choses : *Le cul d'une bouteille, d'une lampe* (langue normale). *Accrocher une lanterne au cul de la charrette. Pousser la voiture au cul* (fam.). — 3° Fam. *Bouche en cul de poule,* bouche qui fait une sorte de moue en contractant les lèvres en rond. ‖ Pop. *Faire cul sec,* vider son verre en buvant d'un trait. ‖ Fam. *Cul par-dessus tête,* en culbutant. ‖ Pop. *Bas du cul, bout de cul,* petit homme. ‖ Pop. *Trou du cul,* anus, ou *trou-du-cul,* imbécile. ‖ Pop. *Coup de pied au cul,* camouflet. ‖ Pop. *Lécher le cul à quelqu'un,* le flatter bassement. ‖ Pop. *C'est à se taper le cul par terre,* c'est à mourir de rire. ‖ Pop. *Avoir le feu au cul,* paraître très pressé. ‖ Pop. *Tirer au cul,* se dérober devant le travail (syn. fam. : TIRER AU FLANC, AU RENARD). ‖ Pop. *L'avoir dans le cul,* subir un échec, un revers. ‖ Pop. *En avoir plein le cul,* être excédé. ‖ Pop. *Tomber, en rester sur le cul,* être stupéfait. ◆ n. m. et adj. *Pop.* Stupide, idiot. (V. ACCULER.)

culasse [kylas] n. f. 1° Bloc métallique fermant le canon d'une arme à feu. — 2° Partie supérieure des cylindres d'un moteur à explosion.

culbute [kylbyt] n. f. 1° Tour qu'une personne fait sur elle-même en mettant la tête et les mains par terre et en roulant sur le dos, les pieds passant au-dessus de la tête : *Les enfants jouent parfois à faire des culbutes* (syn. fam. : GALIPETTE). — 2° Chute brusque, à la renverse ou avec un retournement, d'une personne ou d'une chose : *La voiture défonça le parapet et fit une culbute dans la rivière.* — 3° *Fam.* Revers de fortune, perte d'une situation : *Pour éviter la culbute, le directeur a dû faire appel à des capitaux privés* (syn. : FAILLITE, RUINE). — 4° Fam. *Faire la culbute,* revendre un article au double du prix d'achat. ◆ **culbuter** v. tr. 1° *Culbuter quelque chose* ou *quelqu'un,* le faire tomber brusquement, en le renversant : *Les manifestants avaient culbuté les tables et les chaises d'un restaurant. Deux joueurs ont été culbutés par l'élan des nôtres.* — 2° *Culbuter une armée, des troupes,* les mettre en déroute. ◆ v. intr. Tomber en se renversant : *Le pêcheur a culbuté dans l'étang.*

cul-de-jatte [kydʒat] n. et adj. m. Personne amputée des jambes ou privée de l'usage de ses jambes, et ne pouvant se déplacer qu'au moyen d'un chariot ou d'une voiturette : *Des culs-de-jatte mendiant à la porte des églises.*

cul-de-sac [kydsak] n. m. 1° Extrémité d'une rue ou d'un passage sans issue (syn. : IMPASSE). — 2° Entreprise qui ne mène à rien : *S'engager dans des culs-de-sac.*

culinaire adj. V. CUISINE.

culminer [kylmine] v. intr. Atteindre son point ou son degré le plus élevé : *Le massif des Alpes culmine à 4 807 mètres, au mont Blanc. Un fonctionnaire qui culmine à l'indice 750. Sa fureur culmina quand il découvrit le désastre* (syn. : ÊTRE À SON COMBLE). ◆ **culminant, e** adj. *Point culminant,* point le plus élevé, degré extrême : *Le point culminant des Alpes* (syn. : SOMMET). *Le point culminant de la crise.*

1. culot [kylo] n. m. Partie constituant le fond de certains objets : *Le culot d'une ampoule électrique* (= partie métallique engagée dans la douille).

2. culot [kylo] n. m. *Pop.* Hardiesse excessive, grand aplomb : *Il a eu le culot de partir sans avoir fait son travail* (syn. fam. : TOUPET). *Tu prétends me faire croire ça? Tu ne manques pas de culot!* (syn. : AUDACE, EFFRONTERIE). ◆ **culotté, e** adj. Pop. : *Il faut être culotté pour prendre un pareil risque* (syn. : HARDI, AUDACIEUX; pop. : GONFLÉ).

3. culot [kylo] n. m. Dépôt accumulé dans le fourneau d'une pipe, au fond d'un récipient. ◆ **culotter** v. tr. 1° *Culotter une pipe,* la fumer suffisamment pour qu'il s'y forme un culot, pour qu'elle s'imprègne de l'odeur du tabac. — 2° *Portefeuille, livre,* etc., *culotté,* devenu foncé, noirci, patiné par un usage répété. (V. aussi CULOTTE.) ◆ **culottage** n. m. : *Le culottage d'une pipe.*

1. culotte [kylɔt] n. f. 1° Vêtement masculin qui couvre le corps de la ceinture aux genoux, en entourant séparément chaque cuisse. — 2° Sous-vêtement féminin. — 3° Fam. *Culotte de peau,* militaire borné. ‖ Fam. *Femme qui porte la culotte,* qui exerce l'autorité dans un ménage, qui gouverne son mari. ‖ Pop. *Trembler, faire dans sa culotte,* être effrayé. ◆ **culotter** v. tr. *Culotter un enfant,* le vêtir d'une culotte. ◆ ***se culotter*** v. pr. Mettre sa culotte, son pantalon. ◆ **déculotter** v. tr. *Déculotter un enfant,* lui ôter sa culotte. ◆ ***se déculotter*** v. pr. ◆ **déculottée** n. f. *Pop.* Défaite complète : *Quelle déculottée il a reçue à la belote!* ◆ **reculotter** v. tr. : *Reculotter un enfant.* ◆ ***se reculotter*** v. pr.

2. culotte [kylɔt] n. f. *Pop.* Perte importante au jeu.

culpabilité n. f. V. COUPABLE.

culte [kylt] n. m. 1° Hommage rendu à Dieu ou à un saint, ou à une divinité quelconque ; vénération de caractère religieux portée à un être ou à une chose : *Le culte d'Isis se répandit largement dans le Bassin méditerranéen. Le culte des morts est très développé dans certaines régions. Le respect porté à un ministre du culte* (= un prêtre, un pasteur, etc.). — 2° Forme de pratique religieuse : *Culte catholique. Culte protestant. Culte israélite* (syn. : RELIGION). — 3° Chez les protestants, office religieux, composé de prières récitées, de chants, de commentaires de la Bible, etc. — 4° Vénération profonde, amour fervent pour quelqu'un ou pour quelque chose : *Il a le culte des bibelots de Saxe. Il vouait un véritable culte à la mémoire de son père.* — 5° *Objets du culte,* objets servant à la célébration des cérémonies religieuses, aux sacrements. ◆ **cultuel, elle** adj. : *Les édifices cultuels* (= lieux du culte).

cul-terreux [kytɛrø] n. m. *Fam.* et *péjor.* Paysan : *Une grosse plaisanterie de culs-terreux.*

1. cultiver [kyltive] v. tr. 1° *Cultiver la terre, un terrain,* etc., y faire les travaux nécessaires pour l'amener à produire : *Un retraité qui cultive son jardin.* — 2° *Cultiver des plantes, des céréales, de la vigne,* etc., les faire pousser, en assurer l'exploitation. ◆ **cultivé, e** adj. : *Terre cultivée.* ◆ **cultivable** adj. Se dit d'une terre qu'on peut cultiver. ◆ **cultivateur, trice** n. Personne dont la profession consiste à cultiver la terre (syn. : AGRICULTEUR [terme de géographie et d'administration]). ◆ **culture** n. f. 1° Action ou manière de cultiver le sol, les plantes : *Culture artisanale, industrielle. La culture du blé.* — 2° Terrain cultivé : *La route traverse de riches cultures.* ◆ **inculte** adj. Se dit d'un terrain qui n'est pas cultivé : *Région inculte.*

2. cultiver [kyltive] v. tr. 1° *Cultiver son esprit, sa mémoire, un goût,* etc., les développer, les enrichir par des lectures, des exercices, etc. — 2° *Cultiver un art* (d'agrément), s'y adonner (langue soignée) : *Il cultive la poésie. Il aime cultiver le paradoxe.* — 3° *Cultiver des relations, cultiver quelqu'un,* entretenir soigneusement ces relations, s'efforcer de plaire à cette personne, dans un esprit plus ou moins intéressé (syn. : SOIGNER). ◆ ***se cultiver*** v. pr. Enrichir son esprit, son goût par la lecture, la conversation, les spectacles, les voyages, etc. ◆ **cultivé, e** adj. : *Une femme cultivée.* ◆ **culture** n. f. 1° Enrichissement de l'esprit; état d'un esprit enrichi par des connaissances variées et étendues : *Tout spécialiste qu'il est, il veille à entretenir sa culture générale. Sa culture musicale est très sûre.* — 2° Ensemble de la production littéraire, artistique, spirituelle d'une communauté humaine : *La culture occidentale. La culture gréco-latine* (syn. : CIVILISATION). — 3° *Culture physique,* ensemble d'exercices propres à fortifier et à entretenir le corps (syn. : GYMNASTIQUE). ◆ **culturel, elle** adj. : *Le bénéfice culturel des voyages. Des pays qui ont conclu une convention culturelle. Un attaché culturel est un fonctionnaire chargé d'assurer des liaisons et des échanges intellectuels entre son pays et celui où il est en fonctions.* ◆ **inculte** adj. : *Un esprit inculte* (= qui n'est pas cultivé). ◆ **inculture** n. f. Manque total de connaissances, ignorance.

cumin [kymɛ̃] n. m. Plante aromatique, utilisée en cuisine ou pour préparer certaines liqueurs.

cumuler [kymyle] v. tr. *Cumuler des fonctions, des titres, des traitements,* etc., exercer simultanément ces fonctions, avoir droit à ces différents titres, percevoir en même temps ces traitements. ◆ **cumulable** adj. Qui peut être cumulé : *Revenus qui sont cumulables avec un salaire.* ◆ **cumul** n. m. : *Le cumul de plusieurs fonctions.* ◆ **cumulard** n. m. *Fam.* Personne qui cumule plusieurs traitements. (V. ACCUMULER.)

cunéiforme [kyneifɔrm] adj. *Ecriture cunéiforme, caractères cunéiformes,* système d'écriture ancienne des Assyriens, des Mèdes et des Perses.

cupide [kypid] adj. Se dit d'une personne qui recherche avidement la richesse, ou du comportement de cette personne : *Un avocat, un administrateur cupide* (syn. : RAPACE, ÂPRE AU GAIN, ↓ INTÉRESSÉ). *Un regard cupide.* ◆ **cupidement** adv. ◆ **cupidité** n. f. Recherche immodérée des richesses.

cupidon [kypidɔ̃] n. m. *Fam.* Jeune homme très beau (avec une nuance ironiq.) : *Il n'a rien d'un cupidon, mais c'est un si gentil garçon!*

curable [kyrabl] adj. Se dit d'un malade ou d'une maladie susceptible de guérir. ◆ **incurable** adj. et n. : *Il était atteint d'un mal incurable. Dans cette salle de l'hôpital, il n'y a que des incurables.*

curare [kyrar] n. m. Poison végétal, d'action paralysante.

curatif, ive [kyratif, -iv] adj. *Traitement curatif,* traitement médical qui vise à la guérison d'une maladie déclarée (par oppos. à *préventif*).

1. cure [kyr] n. f. Traitement médical qu'on suit pendant un temps plus ou moins long, et qui consiste à absorber certains aliments ou certaines boissons, à adopter un certain genre de vie ou à passer un certain temps dans une station spécialisée : *Il fait une cure de fruits. Elle a fait une cure thermale pour soigner son foie* (= elle a bu des eaux minérales, suivi un régime, etc., dans une station appropriée). *Cette cure de silence lui a rendu son équilibre nerveux.* ◆ **curiste** n. Personne qui fait une cure dans une station thermale.

2. cure n. f. V. CURÉ.

3. cure n. f. *N'avoir cure de quelque chose,* ne pas s'en soucier (littér.).

curé [kyre] n. m. 1° Prêtre catholique chargé de la direction d'une paroisse. — 2° *Fam.* et plus ou moins *péjor.* Prêtre en général : *Un collège tenu par des curés.* — 3° Pop. *Manger, bouffer du curé,* manifester son hostilité aux prêtres, à la religion; faire de l'anticléricalisme. ◆ **curaillon** ou **cureton** n. m. *Pop.* et *péjor.* Jeune prêtre. ◆ **cure** n. f. 1° Poste d'un curé qui dirige une paroisse : *On l'a nommé à une cure importante.* — 2° Habitation du curé : *Un enfant qui va sonner à la cure* (syn. : PRESBYTÈRE).

curée [kyre] n. f. 1° Ruée vers des biens, des places qu'on se dispute après la chute d'un homme, d'un régime politique, etc. : *A la révolution succéda la curée des vainqueurs.* — 2° A la chasse à courre, distribution, abandon aux chiens des entrailles de la bête abattue.

curer [kyre] v. tr. *Curer un endroit, un objet creux,* le nettoyer, le débarrasser des dépôts accumulés : *Curer un fossé, un étang. Curer une pipe.* ◆ **curage** n. m. : *On procède chaque année au curage de la citerne.* ◆ **cure-dent** n. m. Petite pointe taillée dans une plume ou faite de diverses matières, et destinée à débarrasser les dents des restes de nourriture : *Une boîte de cure-dents.* ◆ **cure-ongles** n. m. invar., **cure-oreille** n. m. Petits instruments destinés au nettoyage des ongles, au curage des oreilles. ◆ **curette** n. f. Instrument allongé, généralement terminé par une palette, et servant à curer un outil, une machine, etc. (syn. : RACLETTE). ◆ **cureter** v. tr. Nettoyer avec la curette. ◆ **curetage** n. m. (V. RÉCURER.)

curieux, euse [kyrjø, -øz] adj. 1° (placé après le nom) *Curieux de quelque chose, curieux de* (et l'infin.), ou sans complément, se dit d'un être animé qui a le désir de voir, d'entendre, de connaître, de comprendre (ou du comportement de cet être) : *Elle qui est si curieuse, elle doit être bien malheureuse de n'avoir pas pu lire cette lettre. Il n'est pas curieux : rien ne semble l'intéresser. Il est surtout curieux d'astronomie. Je suis curieux de connaître le résultat de l'entrevue. Le savant doit avoir l'esprit curieux. Glisser un regard curieux par une fente de la porte* (syn. : INDISCRET); et, substantiv., avec une nuance péjor. : *C'est une curieuse* (= une personne qui cherche à savoir ce qui ne la regarde pas). *Les curieux ont été déçus.* — 2° (placé avant ou après le nom, et sans compl.) Se dit d'un être animé ou d'une chose qui éveille l'intérêt par quelque particularité qui surprend : *C'est un garçon curieux : il passe brusquement de l'enthousiasme à l'abattement* (syn. : BIZARRE). *Le caméléon est un curieux animal* (syn. : ÉTRANGE, ÉTONNANT, DRÔLE DE). *Il a la curieuse habitude de poser deux fois ses questions. Il y a beaucoup d'objets curieux dans ce* *musée.* — 3° Fam. *Regarder quelqu'un comme une bête curieuse,* le regarder avec insistance, d'une manière indiscrète. ◆ n. m. Personne avide de voir, de savoir : *Des curieux s'arrêtaient devant la vitrine.* ◆ **curieusement** adv. Sens 2 de l'adj. : *Un bibelot curieusement ouvragé. Il marche curieusement, comme un somnambule* (syn. : BIZARREMENT, ÉTRANGEMENT, DRÔLEMENT). ◆ **curiosité** n. f. 1° Qualité d'une personne ou d'une chose curieuse (sens 1 et 2 de l'adj.) : *Poussé par la curiosité, il épiait les allées et venues de ses voisins. Une louable curiosité développe la culture. Un outil qui a retenu l'attention des archéologues par la curiosité de sa forme* (syn. : BIZARRERIE, ÉTRANGETÉ). — 2° Chose qui éveille l'intérêt ou la surprise : *Ce tableau fait de timbres-poste assemblés est une curiosité plutôt qu'une œuvre d'art.* ◆ **curiosités** n. f. pl. Objets rares, recherchés par les collectionneurs : *Un magasin de curiosités.* ◆ **incuriosité** n. f. Absence complète de curiosité intellectuelle.

curriculum vitae [kyrikylɔmvite] n. m. Ensemble des indications concernant l'état civil, les diplômes et les distinctions, les activités passées d'une personne qui pose sa candidature à un concours, à un emploi, etc.

curseur [kyrsœr] n. m. Pièce qui peut se déplacer le long d'une tige ou d'une règle, généralement graduée.

cursif, ive [kyrsif, -iv] adj. 1° Se dit d'une lecture, de remarques, etc., faites superficiellement, rapidement. — 2° *Ecriture cursive,* écriture tracée au courant de la plume.

cutané, e [kytane] adj. Relatif à la peau : *Une affection cutanée.*

cuti-réaction [kytireaksjɔ̃], ou *fam.* **cuti** [kyti] n. f. 1° Test de contrôle des réactions d'un organisme au moyen de substances déposées sur la peau légèrement scarifiée. — 2° *Virer sa cuti,* être dans la période où, pour la première fois, la cuti-réaction à la tuberculine devient positive, atteste l'action du bacille de la tuberculose.

cuve [kyv] n. f. Grand récipient installé durablement en un lieu : *Faire remplir la cuve à mazout pour assurer le chauffage de l'immeuble.* ◆ **cuvée** n. f. 1° Quantité de liquide contenu dans une cuve. — 2° Récolte de vin de toute une vigne.

cuver [kyve] v. tr. (sujet nom de personne). Fam. *Cuver son vin,* laisser se dissiper l'ivresse.

1. cuvette [kyvɛt] n. f. Récipient portatif large et peu profond, servant en particulier à la toilette.

2. cuvette [kyvɛt] n. f. Dépression du sol : *La ville est située au fond d'une cuvette.*

cybernétique [sibɛrnetik] n. f. Science qui étudie les mécanismes de communication et de contrôle chez les êtres vivants et dans les machines. ◆ **cybernéticien, enne** n.

1. cycle [sikl] n. m. Ensemble des véhicules du type de la *bicyclette,* du *tandem,* du *vélomoteur,* etc. (terme industriel et commercial; souvent au plur.) : *L'industrie du cycle. Un marchand de cycles.* ◆ **cyclable** adj. *Piste cyclable,* chemin parallèle à la route et qui est réservé aux seuls cyclistes : *Les règlements obligent les cyclistes à emprunter les pistes cyclables.* ◆ **cyclisme** n. m. Sport ou utilisation de la bicyclette : *Le cyclisme est un des sports les plus populaires en France. Le cyclisme professionnel, le cyclisme amateur.* ◆ **cycliste** adj. Qui se rapporte à l'utilisation de la bicyclette : *Une course cycliste. Les champions cyclistes.* ◆ n. Personne qui utilise la bicyclette comme moyen de locomotion ou qui pratique le sport de la bicyclette : *Un cycliste a été accroché et renversé par une automobile.* ◆ **cyclo-cross** n. m. Sport consistant à parcourir à bicyclette et à pied un terrain varié. ◆ **cyclomoteur** n. m. Bicyclette munie d'un moteur auxiliaire. ◆ **cyclotourisme** n. m. Tourisme pratiqué à bicyclette ou à cyclomoteur.

2. cycle [sikl] n. m. 1° Suite de phénomènes se reproduisant périodiquement dans le même ordre : *Le cycle des saisons.* — 2° Série de classes, de causeries, de manifestations, etc., ayant un caractère commun, un thème central : *Les premières classes de l'enseignement du second degré constituent le cycle d'orientation.* ◆ **cyclique** adj. Se dit d'un phénomène qui se reproduit périodiquement : *Une crise cyclique.* (V. RECYCLER.)

cyclone [siklon] n. m. Violente tempête, caractérisée par des vents tourbillonnants et de fortes pluies : *Un cyclone a ravagé la côte.*

cyclope [siklɔp] n. m. *Travail de cyclope,* œuvre exigeant une force extraordinaire. (Les *Cyclopes* étaient, dans la mythologie grecque, des géants n'ayant qu'un œil au milieu du front.) ◆ **cyclopéen, enne** adj. Dont l'importance, la masse évoque la puissance des Cyclopes : *Un effort cyclopéen. Chaos cyclopéen* (syn. : GIGANTESQUE, COLOSSAL).

cygne [siɲ] n. m. 1° Grand oiseau aquatique, entièrement blanc ou blanc et noir, au long cou flexible. — 2° *Chant du cygne,* œuvre artistique composée par un écrivain ou par un musicien juste avant sa mort (littér.).

cylindre [silɛ̃dr] n. m. 1° Volume tel que son intersection avec des plans quelconques parallèles entre eux et coupant son axe donne des courbes fermées identiques : *Le corps d'une bouteille est généralement un cylindre. La plupart des crayons sont des cylindres.* — 2° Pièce dans laquelle se meut le piston d'un moteur. ◆ **cylindrique** adj. Qui a la forme exacte ou approximative d'un cylindre (sens 1) : *Une colonne cylindrique.* ◆ **cylindrée** n. f. Capacité des cylindres d'un moteur à explosion.

cymbale [sɛ̃bal] n. f. Instrument de musique à percussion, constitué par un disque métallique. ◆ **cymbalier** n. m. Joueur de cymbales.

cynégétique [sineʒetik] adj. Qui concerne la chasse.

cynique [sinik] adj. Se dit de quelqu'un qui brave impudemment les principes moraux, les convenances (ou de son comportement); qui choque consciemment : *Il est cynique au point de se vanter d'avoir dupé ses clients. Une mauvaise foi cynique* (syn. : IMPUDENT, EFFRONTÉ, ÉHONTÉ). ◆ **cynisme** n. m. : *Vous ne manquez pas de cynisme!* ◆ **cyniquement** adv. : *Il racontait cyniquement son crime.*

cyprès [siprɛ] n. m. Arbre en forme de fuseau et à fruit conique, abondant surtout dans les régions méditerranéennes et associé à l'idée de la mort (on plantait des cyprès auprès des tombeaux).

cyrillique [sirilik] adj. *Alphabet cyrillique,* alphabet slave.

d

d n. m. 1° V. INTRODUCTION. — 2° Fam. *Système D*, habileté à se tirer d'affaire, à sortir d'embarras.

dactylographie [daktilɔgrafi] n. f. Art d'écrire à la machine : *Elle suit des cours de dactylographie.* ◆ **dactylo** n. f. 1° Abrév. courante de DACTYLOGRAPHIE. — 2° Femme ou jeune fille sachant dactylographier des textes. ◆ **dactylographier** v. tr. Ecrire à la machine : *Dactylographier une lettre* (syn. : TAPER). *Son discours représente quinze feuillets dactylographiés* (= tapés à la machine). ◆ **dactylographique** adj. : *Des travaux dactylographiques.*

1. dada [dada] n. m. Cheval (langage enfantin ou plaisant). [Le mot a servi à désigner une école littéraire du début du XXe siècle.]

2. dada [dada] n. m. *Fam.* Idée chère à quelqu'un, qui la répète fréquemment; thème de prédilection : *Il a encore débité sa théorie sur l'organisation des loisirs : c'est son dada* (syn. : MAROTTE).

dadais [dadɛ] n. m. *Grand dadais,* grand jeune homme gauche et sot (syn. : NIAIS, NIGAUD).

dague [dag] n. f. Poignard en usage autrefois.

dahlia [dalja] n. m. Fleur ornementale dont la racine est faite de tubercules.

daigner [dɛɲe] v. tr. (suivi d'un infin. sans prép.). Avoir la bonté de (d'un supérieur à un inférieur, un subordonné, un obligé; à l'impér. dans une intention de déférence extrême, ou à toute autre forme avec une nuance plus ou moins ironique) : *Daignez nous excuser. Il n'a même pas daigné répondre* (syn. : CONDESCENDRE À). *Peut-être daignera-t-il se souvenir de moi?* (V. DÉDAIGNER.)

daim [dɛ̃] n. m. 1° Mammifère ruminant qui ressemble au cerf, mais porte des bois aplatis à leurs extrémités. — 2° Peau de cet animal utilisée pour l'habillement ou en maroquinerie et présentant un aspect velouté; cuir de veau imitant le daim : *Des chaussures, un sac de daim.* ◆ **daine** [dɛn] n. f. Femelle du daim.

dais [dɛ] n. m. Tenture dressée au-dessus d'un autel, d'un trône, ou qu'on porte dans les processions au-dessus du saint sacrement, d'une châsse.

1. dalle [dal] n. f. 1° Plaque de pierre, de ciment, de verre, etc., utilisée pour paver le sol ou faire des revêtements. — 2° Pop. *Se rincer la dalle,* boire une rasade. ◆ **daller** v. tr. Paver au moyen de dalles. ◆ **dallage** n. m. 1° Action de daller. — 2° Ensemble de dalles formant le revêtement d'un sol : *Le vase s'est cassé en tombant sur le dallage.*

2. dalle [dal] n. f. Pop. *N'y comprendre que dalle,* ne rien y comprendre.

daltonien, enne [daltɔnjɛ̃, -ɛn] adj. et n. Qui est affecté d'une anomalie de la vision des couleurs, portant sur le rouge et le vert. ◆ **daltonisme** n. m.

damasquiné, e [damaskine] adj. Se dit d'un objet de métal incrusté de filets d'or ou d'argent. ◆ **damasquinage** n. m.

damassé, e [damase] adj. et n. m. Se dit d'une étoffe dont le tissage forme des dessins ornementaux.

1. dame [dam] n. f. 1° Femme mariée, par opposition à *demoiselle.* — 2° Femme en général (avec une nuance de politesse) : *Les dames s'entendent généralement mieux en couture que les messieurs. Une liqueur pour dames* (= sucrée et douce).

2. dame [dam] n. f. Figure du jeu de cartes : *La dame de trèfle.*

3. dame [dam] n. f. 1° Pièce du jeu d'échecs : *Echec à la dame* (syn. : REINE). — 2° Pion doublé au jeu de dames. — 3° *Jeu de dames,* jeu qui se joue à deux avec des pions sur un damier. ◆ **damer** v. tr. Fam. *Damer le pion à quelqu'un,* prendre un avantage décisif sur lui, triompher de lui en le gagnant de vitesse. ◆ **damier** n. m. 1° Tableau carré divisé en cent cases, alternativement noires et blanches, pour jouer aux dames. — 2° Surface quelconque divisée en carrés de couleurs différentes.

4. dame! [dam] interj. A une valeur de conclusion; insiste sur une affirmation, sur une négation, sur la liaison logique, sur le lien de cause à conséquence : « *Il n'est pas content? — Dame! après tout ce que vous lui avez dit!* » (syn. : BIEN SÛR, PARBLEU).

damner [dane] v. tr. 1° (sujet nom désignant Dieu) *Damner quelqu'un,* le condamner aux peines de l'enfer (langue relig.). — 2° Fam. *Dieu me damne!,* se dit parfois exclamativement pour marquer l'étonnement. ◆ v. intr. *Faire damner quelqu'un,* provoquer chez lui de l'exaspération : *Ces enfants me font damner!* (syn. : FAIRE ENRAGER). ◆ ***se damner*** v. pr. Mériter par sa conduite la damnation éternelle (langue relig.). ◆ **damnation** [danasjɔ̃] n. f. Condamnation d'une âme aux peines de l'enfer. ◆ **damné, e** [dane] adj. (normalement avant le nom). 1° *Fam.* Se dit d'un être animé ou d'une chose qu'on maudit, dont on est mécontent : *Ces damnés gamins! Cette damnée fièvre m'a tenu au lit* (syn. : MAUDIT, SACRÉ, SATANÉ). — 2° *C'est son âme damnée,* c'est cette personne qui lui inspire toutes ses mauvaises actions, c'est son mauvais conseiller. ◆ n. et adj. 1° Qui est condamné à l'enfer. — 2° *Souffrir comme un damné,* souffrir très cruellement.

dancing n. m. V. DANSE.

dandiner (se) [sɑ̃dɑ̃dine] v. pr. (sujet nom d'être animé). Donner à son corps un mouvement nonchalant de balancement plus ou moins ridicule : *Un élève qui récite sa leçon en se dandinant.* ◆ **dandinement** n. m. : *Le dandinement des canards.*

dandy [dɑ̃di] n. m. Homme qui affecte une suprême élégance dans sa toilette et dans ses goûts. ◆ **dandysme** n. m.

danger [dɑ̃ʒe] n. m. 1° Circonstances où l'on est exposé à un mal, à un inconvénient, ce qui légitime une inquiétude : *Pendant la tempête, les marins étaient en danger. Il a couru de grands dangers* (syn. : PÉRIL [littér.]). *L'expédition était pleine de dangers. Un remède sans danger. Il ne faut pas minimiser le danger de crise économique* (syn. : RISQUE). *Il n'y a aucun danger à agir ainsi* (= on peut le faire en toute tranquillité). — 2° *Il n'y a pas de danger,* ou, fam., *pas de danger!*, exprime une vive dénégation : *Il n'y a pas de danger qu'il en fasse autant* (= il n'en fera certainement pas autant). « *Tu crois qu'il nous aiderait? — Pas de danger!* » (= cela n'a aucune chance de se produire). ◆

dangereux, euse adj. (avant ou après le nom). Se dit de choses ou d'êtres animés qui constituent un danger : *Virage dangereux. Escalade dangereuse* (syn. : RISQUÉ). *Nos troupes étaient dans une situation dangereuse* (syn. : PÉRILLEUX, ↑ CRITIQUE). *La police a arrêté un dangereux malfaiteur.* ◆ **dangereusement** adv. : *La voiture penchait dangereusement. Une phrase dangereusement équivoque.*

danois [danwa] n. m. Chien à poil ras, de grande taille.

dans [dɑ̃], **en** [ɑ̃] prép. Indiquent soit la situation à l'intérieur d'un lieu ou d'une époque, soit la disposition, la manière d'être, etc. (V. tableau ci-dessous.)

danse [dɑ̃s] n. f. 1° Suite de pas et de mouvements rythmés, exécutés le plus souvent sur un air de musique, par une personne seule ou par des partenaires : *La bourrée, la farandole sont des danses régionales. L'orchestre jouait des airs de danse : valses, tangos, charlestons. Elle suit des cours de danse classique.* — 2° *Pop.* Volée de coups : *Un gamin qui a reçu une danse.* — 3° *Entrer dans la danse,* s'associer à un groupe de danseurs; et, *fam.*,

SENS	**dans** (toujours accompagné d'un déterminant)	**en** (généralement non suivi de l'article)
1. Lieu.	*Il y a une boulangerie dans la rue voisine. Il y a beaucoup de désordre dans la chambre. Il est de plus en plus difficile de garer sa voiture dans Paris* (noms de villes). *Il habite dans la Nièvre* (noms de départements). *Il marche dans l'herbe* (différent de *sur l'herbe*). *Il va d'une pièce dans une autre. J'ai trouvé ce vers dans l' « Héraclius » de Corneille. J'ai lu dans le journal la nouvelle de cet accident. Dans le fond de son cœur, il le regrette. L'idée est dans l'air. Il est entré dans une grande colère.*	*Je vais en Angleterre* (noms de pays fém.), *en Uruguay* (noms de pays masc. commençant par une voyelle), *en Limousin* (noms de provinces ou de régions), *en Sicile* (noms d'îles), *en Saône-et-Loire* (noms de départements formés de deux termes coordonnés par *et*). *On l'a conduit en prison. Le Christ est mort en croix. Il vit en province. Mettre du vin en bouteilles. Il va de ville en ville. Il y a en lui* (emploi avec un pronom) *quelque chose de mystérieux. Il a bien des projets en tête. Il a en soi beaucoup de qualités. L'idée est en l'air. Il entre en colère.*
2. Temps : *a*) date	*Il viendra dans trois jours. J'irai le voir dans une semaine. Je pourrai réaliser ce projet dans l'année. Dans combien de temps reviendrez-vous?* (en ce sens, le verbe est surtout au futur) *Il était très gai dans le temps* (= autrefois).	*En mon absence, rien n'a été fait. Le vol a eu lieu en l'absence des locataires. En automne, les fruits sont abondants. En semaine, il n'est guère possible de le voir. Le livre sera publié en mars.*
b) durée	*Il est dans sa trentième année. Dans les siècles passés, l'hiver était plus difficile à supporter. Un mois dans l'autre, je m'en tire* (= en faisant une moyenne).	*En vingt ans, le monde a été transformé. Il a fait cent kilomètres en une heure. Il s'affaiblit de jour en jour, de mois en mois* (indique une progression continue).
3. Manière d'être, état.	*La maison s'écroula dans les flammes. Elle est dans l'attente d'un heureux événement. Il vit dans l'oisiveté. Il baigne dans la joie. Sa chambre est dans le plus grand désordre.*	*Il est en bonne santé, en voyage, en deuil. Il reste en attente. La maison est en flammes. Ranger l'armée en bataille. Venez en vitesse. Il a liquidé cette affaire en cinq sec* (fam.). *Vêtements en lambeaux. Chambre en désordre. Il est en habit de soirée. Elle est en blanc. Il parle en homme du monde. Il agit en soldat.*
4. Objet indirect d'un verbe ou d'un substantif.	*Avoir confiance dans la Nation.*	*Croire en Dieu. Je me fie en sa parole. J'ai confiance en vous.*
5. Matière ou composants.		*J'ai acheté une montre en or. Une table en bois. Pièce en cinq actes.*
6. Evaluation.	*Ce livre coûte dans les vingt francs* (= approximativement).	
7. Transformation.		*Convertir des francs en dollars. Il se déguise en arlequin. Tout s'en alla en fumée.*
8. Avec une forme en *-ant.*		*Il répondit en souriant. En montant sur l'escabeau, il a glissé.*

participer à une action violente ou commencer à la subir : *L'artillerie venait d'entrer dans la danse* (on dit aussi, en ce sens, ENTRER EN DANSE). ‖ Fam. *Mener la danse,* diriger une action violente. ◆ **danser** v. intr. et tr. **1°** (sujet nom d'être animé) Exécuter une danse, mouvoir son corps en cadence : *Il a dansé toute la soirée au bal du quartier. Le corps de ballet a dansé devant un public enthousiaste. L'enfant se mit à danser de joie. Un dresseur qui fait danser des ours. Danser une valse, une java.* — **2°** (sujet nom de chose) Se déplacer en divers sens, être agité : *La barque danse sur les vagues. La flamme danse dans la cheminée.* — **3°** Fam. *Ne pas savoir sur quel pied danser,* ne pas savoir ce qu'il convient de faire, en raison de l'ambiguïté d'une situation ou de l'attitude de quelqu'un. ◆ **dansant, e** adj. **1°** Se dit d'une chose agitée de mouvements divers : *Les flammes dansantes d'un feu de bois.* — **2°** *Musique dansante,* qui est propre à faire danser. — **3°** *Soirée dansante, réunion dansante,* réunion où l'on danse. ◆ **danseur, euse** n. **1°** *La salle était trop petite pour tant de danseurs. C'est un danseur enragé. Une danseuse de l'Opéra.* — **2°** *Danseur de corde,* acrobate qui fait des exercices d'équilibre sur un câble tendu. ◆ **dancing** [dɑ̃siɲ] n. m. Etablissement public où l'on danse.

dantesque [dɑ̃tɛsk] adj. Se dit d'une œuvre, d'un spectacle, d'un événement de dimensions fantastiques, d'un caractère effrayant et grandiose : *Un chaos dantesque* (syn. : COLOSSAL, TOURMENTÉ). *Une vision dantesque* (syn. : APOCALYPTIQUE).

dard [dar] n. m. **1°** Aiguillon au moyen duquel certains animaux injectent leur venin : *Le dard du scorpion. L'abeille a laissé son dard dans la peau de l'enfant.* — **2°** Sorte de javelot en usage autrefois.

darder [darde] v. tr. **1°** *Darder une flèche, des traits,* les lancer vivement sur la cible (littér.). — **2°** *Darder son regard sur quelqu'un* ou *sur quelque chose,* le regarder avec vivacité ou insistance (littér.). ‖ *Le soleil darde ses rayons,* ses rayons sont brûlants (littér.). ‖ *Un cactus qui darde ses épines,* qui les hérisse d'un air menaçant (littér.).

dare-dare [dardar] loc. adv. *Fam.* En toute hâte, à toute allure : *Il est parti dare-dare pour tâcher de les rattraper.*

dartre [dartr] n. f. Croûte ou irritation de la peau, souvent accompagnée de démangeaisons.

date [dat] n. f. **1°** Indication plus ou moins précise du moment où une lettre est écrite, un texte écrit ou publié, où un événement a eu ou doit avoir lieu : *Une lettre qui porte la date du 25 septembre 1935. Une réponse en date du 15 mars. Le livre a été publié à Paris, sans date. Je n'oublierai pas ce chiffre de 1492 : c'est la date de la découverte de l'Amérique par Christophe Colomb* (syn. : ANNÉE). *La date de l'ouverture de la chasse est variable selon les départements.* — **2°** Evénement d'une grande importance historique : *La Révolution est une date capitale de notre histoire.* — **3°** *De fraîche date, de vieille date,* se dit de ce qui s'est produit ou qui dure depuis peu, depuis longtemps : *Une acquisition de fraîche date* (syn. : RÉCENT). *Une amitié de longue date* (syn. : ANCIEN). ‖ *Faire date,* marquer un moment important : *Un film qui a fait date dans l'histoire du cinéma.* ‖ *Le premier, le dernier en date,* le plus ancien, le plus récent. ‖ *Prendre date,* fixer à l'avance le moment d'une action, d'un rendez-vous, etc. ◆ **dater** v. tr. **1°** *Dater une lettre, un document,* etc., y inscrire la date. — **2°** *Dater un événement, une œuvre,* etc., en déterminer la date. ◆ v. intr. **1°** (sujet nom désignant un événement, une œuvre) Marquer une date importante : *L'invention de la télévision datera dans l'histoire* (syn. : FAIRE ÉPOQUE). — **2°** (sujet nom de chose) Apparaître comme vieilli, démodé : *C'est une théorie qui commence à dater.* — **3°** *Dater de,* se dit de ce qui a eu lieu, qui est apparu à telle ou telle époque : *Une voiture qui date de 1950, qui date de quinze ans.* — **4°** *A dater de,* à partir de : *A dater de ce jour, les traitements seront relevés.* ◆ **datable** adj. Dont on peut déterminer la date. ◆ **datation** n. f. Indication ou établissement d'une date. (V. ANTIDATER, POSTDATER.)

datif n. m. V. CAS.

datte [dat] n. f. Fruit du dattier. ◆ **dattier** n. m. Palmier cultivé notamment en Afrique du Nord et en Extrême-Orient.

daube [dob] n. f. Mode de cuisson de certaines viandes : *Bœuf en daube.*

dauber [dobe] v. tr. ou intr. *Dauber quelqu'un* ou *sur quelqu'un,* le railler, en dire du mal par-derrière (littér.) : *Il se mit à dauber sur les voisins.*

1. dauphin [dofɛ̃] n. m. Mammifère marin de l'ordre des cétacés.

2. dauphin [dofɛ̃] n. m. **1°** Successeur désigné de quelqu'un à un poste de gouvernement, de direction (nuance plus ou moins plaisante) : *Le directeur général, à l'approche de la retraite, avait confié des responsabilités croissantes à son dauphin.* — **2°** Autrefois, titre de l'héritier présomptif de la couronne de France (généralement avec une majusc.).

daurade [dorad] n. f. Poisson de mer à la chair appréciée : *On pêche la daurade en Méditerranée et dans le golfe de Gascogne.*

davantage [davɑ̃taʒ] adv. Marque la supériorité en quantité, en degré, en durée : *Il faut travailler davantage. Si vous voulez en apprendre davantage, allez le voir lui-même* (syn. : PLUS). *Je ne m'attarderai pas davantage sur cette question* (syn. : PLUS LONGTEMPS). *Il y a chaque année davantage de voitures dans les rues. Ce paquet pèse davantage que les autres.* ● REM. Les constructions de la langue classique *davantage de* et *davantage que,* de même valeur que *plus de* et *plus que,* déconseillées par quelques grammairiens, sont d'un usage courant et se rencontrent chez les écrivains.

de prép. V. À.

1. dé [de] n. m. **1°** Petit cube dont chaque face est marquée d'un nombre différent de points, de un à six, et servant à des jeux de hasard. — **2°** *Coup de dé* ou *de dés,* entreprise hasardeuse, où l'on s'engage en comptant seulement sur sa chance.

2. dé [de] n. m. **1°** Etui de métal pour protéger l'extrémité du doigt qui pousse l'aiguille. (On dit aussi DÉ À COUDRE.) — **2°** *Un dé à coudre,* une très petite quantité (d'une boisson).

déambuler [deɑ̃byle] v. intr. Aller çà et là, sans but précis, d'un pas de promenade : *Des touristes qui déambulent à travers la ville.*

dé-, dés-, préfixe qui indique l'action ou l'état inverse de celui qui est exprimé par le terme simple (verbe ou nom d'action et d'état en *-age, -ment, -tion, -ance,* etc.); les verbes de ce type sont traités au mot simple : *déboucher* (contr. de *boucher*), ôter ce qui bouche; *désamorcer* (contr. de *amorcer*), ôter l'amorce; *désapprendre* (contr. de *apprendre*), oublier; *désagréger* (contr. de *agréger*), séparer; *désenchantement* (contr. de *enchantement*), perte du plaisir, de l'illusion; *désarmer* (contr. de *armer*), enlever les armes. • Souvent, le verbe (ou le nom) qui a le préfixe *dé-, dés-* forme couple avec un verbe (ou un nom) dont le préfixe est *en-* (*em-*) et, moins souvent, *a*(*c*)- : *décrasser/encrasser; débarrasser/embarrasser; démêler/emmêler; démancher/emmancher; déménager/emménager; dépaqueter/empaqueter; dépêtrer/empêtrer; décaisser/encaisser; déchanter/enchanter; déferrer/enferrer; dégager/engager; accroître/décroître; accélérer/décélérer.* • Beaucoup de verbes formés avec le suffixe *-iser,* exprimant le sens de « faire devenir », ont un contraire formé avec le préfixe *dé-* (*dés-*) *: politiser/dépolitiser; christianiser/déchristianiser; nationaliser/dénationaliser; militariser/démilitariser; solidariser/désolidariser; désodoriser.* • Le sens d' « éloignement » ne se retrouve pas dans la formation de nouveaux mots.

1. débâcle [debɑkl] n. f. Rupture et dislocation de la glace à la surface d'un fleuve.

2. débâcle [debɑkl] n. f. Fuite désordonnée d'une troupe : *La percée ennemie provoqua la débâcle de plusieurs divisions* (syn. : DÉBANDADE, DÉROUTE).

déballer [debale] v. tr. 1° *Déballer un objet,* le tirer d'un emballage, d'une caisse, etc. : *Le camelot ouvrit sa valise et commença à déballer sa marchandise.* — 2° Fam. *Déballer son savoir, ses sentiments,* débiter ce qu'on a accumulé dans sa mémoire : *Un candidat qui déballe pêle-mêle toutes ses connaissances sur le sujet. Il a longtemps déballé ses griefs.* ◆ **déballage** n. m. 1° Action de déballer : *Un employé était spécialement chargé du déballage des verres.* — 2° *Fam.* Ce que l'on débite en paroles ou par écrit : *Dans ce déballage, il y a quelques idées justes.* ◆ **déballeur, euse** n. : *Les déballeurs ont oublié de vider une des caisses.* (V. aussi EMBALLEUR.)

débander v. tr. V. BANDE, BANDER; **débaptiser** v. tr. V. BAPTÊME.

débarbouiller [debarbuje] v. tr. *Débarbouiller quelqu'un,* lui laver le visage : *Une maman qui débarbouille son enfant.* ◆ ***se débarbouiller*** v. pr. *Fam.* Faire sa toilette. ◆ **débarbouillage** n. m.

débardeur [debardœr] n. m. Ouvrier employé au chargement et au déchargement des bateaux.

débarquer [debarke] v. tr. 1° *Débarquer des marchandises, des passagers,* les retirer ou les faire descendre du bateau ou de tout autre moyen de transport; les déposer à terre (contr. : EMBARQUER). — 2° Fam. *Débarquer quelqu'un,* l'évincer du poste qu'il occupait : *Plusieurs membres du comité ont été débarqués lors de la réunion plénière.* ◆ v. intr. 1° Descendre à terre d'un navire ou descendre d'un véhicule quelconque : *Dans quel port avez-vous débarqué?* — 2° (sujet nom de personne) *Fam.* Arriver soudainement, à l'improviste : *Un beau matin, les cousins débarquèrent chez nous.* ◆ **débarquement** n. m. : *Le débarquement du matériel* (contr. : EMBARQUEMENT). *En 1944, les Alliés effectuèrent un puissant débarquement sur les côtes normandes.* ◆ **débarcadère** n. m. Installation, sur une côte ou sur la rive d'un cours d'eau, d'un lac, permettant de débarquer des personnes ou des marchandises. (V. EMBARQUER.)

débarrasser [debarase] v. tr. 1° *Débarrasser quelqu'un, quelque chose,* le dégager de ce qui constitue un encombrement, une gêne : *Débarrasser un visiteur de son pardessus et de son chapeau. On a débarrassé le grenier pour y aménager une salle de jeu.* — 2° *Débarrasser quelqu'un,* l'obliger ou l'aider à se défaire de quelque chose de nuisible, d'un défaut, d'une personne importune : *On a eu de la peine à le débarrasser de cette mauvaise habitude* (syn. : DÉFAIRE). *Débarrassez-moi de ce raseur!* ◆ ***se débarrasser*** v. pr. (sujet nom de personne). Se défaire de quelqu'un ou de quelque chose : *Les fuyards s'étaient débarrassés de leur équipement afin de mieux courir.* (V. EMBARRASSER.) ◆ **débarras** [debara] n. m. 1° Pièce, cabinet où l'on range ce dont on ne veut pas s'encombrer ailleurs. (On dit aussi CABINET DE DÉBARRAS.) — 2° Fam. *Bon débarras,* se dit, souvent de façon exclamative, pour exprimer la satisfaction qu'on éprouve du départ de quelqu'un ou de la disparition de quelque chose.

1. débattre [debatr] v. tr. (conj. 56) [sujet nom de personne]. *Débattre quelque chose,* le soumettre à un examen contradictoire, le mettre en discussion avec une certaine vivacité : *Débattre les conditions d'un accord. La maison me plaît, il reste à en débattre le prix* (syn. : DISCUTER). ◆ **débat** [deba] n. m. Echange de vues pendant lequel les adversaires défendent avec animation des intérêts opposés : *Soulever, ranimer un débat.* ◆ **débats** n. m. pl. Discussion au sein d'une assemblée : *Les débats parlementaires.*

2. débattre (se) [sədebatr] v. pr. (conj. 56) [sujet nom d'être animé]. Lutter vivement pour échapper à quelqu'un ou à quelque chose : *Maîtriser difficilement un malfaiteur qui se débat. Le pêcheur tombé dans la rivière se débattait parmi les herbes.* — 2° Etre aux prises avec des difficultés, chercher à s'en dégager : *Se débattre avec ses soucis quotidiens.*

1. débaucher [deboʃe] v. tr. 1° *Débaucher des ouvriers,* les détourner de leur travail, les entraîner à quitter leur employeur : *Il avait recruté son équipe en débauchant des ouvriers sur les chantiers.* — 2° *Débaucher du personnel,* lui enlever son emploi dans l'entreprise (syn. : LICENCIER, METTRE À PIED; contr. : EMBAUCHER, ENGAGER). ◆ **débauchage** n. m. : *Les difficultés financières et la mévente ont entraîné le débauchage d'une centaine d'ouvriers* (syn. : LICENCIEMENT; contr. : EMBAUCHE, EMBAUCHAGE). ◆ **débauché, e** adj. : *Des ouvriers débauchés* (syn. usuel : LICENCIÉ). [V. EMBAUCHER.]

2. débaucher [deboʃe] v. tr. *Débaucher des filles, débaucher des jeunes gens,* les entraîner à une vie dissolue. ◆ **débauche** n. f. 1° Dérèglement des plaisirs sensuels : *Il était prématurément usé par la débauche. Mener une vie de débauche.* —

2° *Une débauche de,* une grande abondance : *Un catalogue qui présente une débauche de modèles* (syn. : PROFUSION, ↑ ORGIE). ◆ **débauché, e** adj. et n. : *Des jeunes gens débauchés. De jeunes débauchés, perdus de vices* (syn. : DÉVERGONDÉ).

débecqueter [debɛkte] v. tr. Pop. *Débecqueter quelqu'un,* provoquer chez lui du dégoût, de la répulsion : *Un plat qui vous débecquete* [debɛkt]. *Une lâcheté comme ça, ça me débecquete* (syn. : DÉGOÛTER).

débile [debil] adj. Se dit de quelqu'un (ou de son état physique ou intellectuel) qui manque de force, de vigueur : *Un enfant débile* (syn. : DÉLICAT, CHÉTIF, MALINGRE, SOUFFRETEUX). *Une santé débile* (syn. : FRAGILE). *Une intelligence débile.* ◆ n. : *Un débile mental* (= un arriéré, un innocent, un idiot). ◆ **débilité** n. f. : *Ses longs jeûnes l'avaient réduit à un état de débilité extrême* (syn. : FAIBLESSE). *Sa débilité mentale est une circonstance atténuante.* ◆ **débiliter** v. tr. *Débiliter quelqu'un,* l'affaiblir physiquement ou moralement : *La lourdeur du climat débilite les habitants. Le souci exclusif du confort débilite l'esprit.* ◆ **débilitant, e** adj. : *Une oisiveté débilitante.*

débine [debin] n. f. *Pop.* Pauvreté, misère : *Etre dans la débine* (syn. pop. : DÈCHE, MOUISE).

1. débiner [debine] v. tr. Pop. *Débiner quelqu'un, quelque chose,* en dire du mal : *Il débine sans cesse ses voisins* (syn. : DÉNIGRER, MÉDIRE DE ; fam. : ÉREINTER). ◆ **débinage** n. m. Pop. : *Son discours n'a été qu'un débinage de ses adversaires* (syn. : DÉNIGREMENT ; fam. : ÉREINTEMENT). ◆ **débineur, euse** n. *Pop.* Syn. de MÉDISANT.

2. débiner (se) [sədebine] v. pr. *Pop.* S'enfuir, se sauver : *Il s'est débiné avant l'arrivée de la police* (syn. pop. : SE BARRER, SE CAVALER, SE TIRER, etc.).

1. débit [debi] n. m. Compte des sommes dues par une personne (s'emploie surtout dans la langue commerciale) [contr. : CRÉDIT]. ◆ **débiter** v. tr. *Débiter quelqu'un d'une somme,* porter cette somme au débit de son compte (contr. : CRÉDITER). ◆ **débiteur, trice** n. et adj. 1° Qui a une dette d'argent, qui est tenu d'exécuter un paiement : *Un débiteur insolvable* (contr. : CRÉANCIER). *La société débitrice effectue des remboursements échelonnés.* — 2° Qui a une dette morale envers quelqu'un, qui est son obligé : *Ne me remerciez pas : je reste votre débiteur après tout ce que vous avez fait pour moi.* — 3° *Compte débiteur,* qui se trouve en débit (contr. : COMPTE CRÉDITEUR).

2. débit n. m. V. DÉBITER 2 et 3.

1. débiter [debite] v. tr. *Débiter une matière, un objet,* les couper en morceaux propres à être employés : *Débiter un bloc de pierre en pavés. Le boucher débite un veau. Débiter un arbre* (= le réduire en planches). ◆ **débitage** n. m. : *Le débitage de l'arbre en rondins.*

2. débiter [debite] v. tr. *Débiter de la marchandise,* la vendre au détail, l'écouler : *Un buffet de gare qui débite des rafraîchissements* (syn. : VENDRE, SERVIR). ◆ **débit** [debi] n. m. 1° Action de débiter ou quantité débitée : *Une boutique qui a beaucoup de débit* (= qui vend beaucoup de marchandises). — 2° *Débit de boissons, de tabac,* établissement où l'on vend des consommations, du tabac. ◆ **débitant, e** n. Commerçant qui vend au détail des boissons ou du tabac.

3. débiter [debite] v. tr. 1° (sujet nom d'objet, de mécanisme, etc.) Produire, laisser s'écouler telle ou telle quantité d'un liquide, d'un gaz, etc., dans un temps déterminé : *Un tuyau d'alimentation qui peut débiter 100 litres à la minute. Une batterie électrique qui débite beaucoup.* — 2° Péjor. *Débiter des mots, des phrases, des vers,* etc., les exprimer de manière continue, les énoncer avec monotonie : *Il ne suffit pas de débiter des dates pour faire un bon devoir d'histoire. Il débite des banalités sur un ton solennel.* ◆ **débit** n. m. : *Le débit d'un fleuve s'exprime en mètres cubes à la seconde* (= le volume d'eau débité en une unité de temps). *Un conférencier qui a un débit rapide, lent, monotone, ennuyeux* (syn. : ÉLOCUTION).

4. débiter v. tr. V. DÉBIT 1.

déblatérer [deblatere] v. tr. ind. Fam. *Déblatérer contre quelqu'un,* dire du mal de lui, se répandre en médisances sur son compte.

déblayer [debleje] v. tr. 1° *Déblayer un lieu,* le dégager de ce qui l'encombre : *Déblayer une route obstruée par un éboulement. On va déblayer le grenier pour y aménager une pièce.* — 2° Fam. *Déblayer le terrain,* résoudre les difficultés préalables, avant d'aborder l'essentiel. ◆ **déblais** [deblɛ] n. m. pl. Terre ou gravats qu'on retire d'un chantier. ◆ **déblaiement** ou **déblayage** n. m.

débloquer v. tr. et intr. V. BLOQUER 2 ; **débobiner** v. tr. V. BOBINE ; **déboiser** v. tr. V. BOIS 2.

déboires [debwar] n. m. pl. Déceptions, échecs amèrement ressentis : *Il a connu bien des déboires dans la carrière politique* (syn. : DÉSILLUSIONS, DÉCONVENUES, REVERS).

déboîter [debwate] v. tr. 1° *Déboîter un objet,* le faire sortir de son logement, alors qu'il est encastré dans un autre : *Le choc avait déboîté plusieurs pièces de l'appareil.* — 2° *Déboîter un os,* le faire sortir de sa cavité : *Sa chute lui a déboîté l'épaule. Il s'est déboîté le coude* (syn. : DÉMETTRE, LUXER). ◆ v. intr. (sujet nom désignant un véhicule). Quitter la file où il était engagé : *On doit toujours avertir avant de déboîter et s'assurer qu'on peut le faire sans risque.* ◆ **déboîtement** n. m. : *Un déboîtement d'épaule* (syn. : LUXATION). [V. EMBOÎTER.]

débonnaire [debɔnɛr] adj. Se dit d'une personne qui fait preuve d'une bienveillance, d'une bonté sans façon qui peut aller jusqu'à la faiblesse : *Un directeur débonnaire* (syn. fam. : BON ENFANT). ◆ **débonnairement** adv. : *Un grand-père qui se prête débonnairement aux jeux de ses petits-enfants.* (V. BONHOMME.)

1. déborder [debɔrde] v. intr. 1° (sujet nom de liquide) Se répandre par-dessus les bords d'un récipient : *La tasse était si pleine que les deux morceaux de sucre ont fait déborder le café. S'il continue à pleuvoir, la rivière va déborder. Du linge qui déborde d'un tiroir entrouvert.* — 2° (sujet nom de chose, de personne) S'étendre au-delà des limites : *La foule, trop nombreuse pour la salle, débordait sur la place.* — 3° *Faire déborder le vase, la coupe,* venir à bout de la patience de quelqu'un par un dernier acte s'ajoutant à toute une série. ◆ v. tr. 1° *Déborder quelque chose, quelqu'un,* en dépasser le bord, les limites, l'extrémité, les flancs : *Une nappe qui déborde largement la table. Orateur qui* *déborde son sujet. Nos troupes risquaient de se laisser déborder sur la droite.* — 2° (sujet nom de personne) *Etre débordé* (*de travail, d'occupations,* etc.), être accablé, surchargé de travail. ◆ **débordement** n. m. : *Le débordement du fleuve.*

2. déborder [debɔrde] v. tr. ind. (sujet nom d'être animé ou de chose). *Déborder de,* manifester en surabondance : *Déborder de joie, de santé, de vitalité* (syn. : ÉCLATER DE). ◆ **débordant, e** adj. 1° Se dit d'un sentiment, d'une activité qui se manifeste avec force : *Joie débordante. Enthousiasme, lyrisme débordant* (syn. : EXUBÉRANT, ↑ DÉLIRANT). — 2° *Etre débordant d'activité, d'éloges, de prévenances,* etc., en prodiguer. ◆ **débordement** n. m. Grande abondance, exubérance : *Un débordement d'injures, de joie.* ◆ **débordements** n. m. pl. Excès d'une existence dissolue : *Parmi ses pires débordements, il gardait une touchante tendresse filiale* (syn. : DÉBAUCHES).

3. déborder v. tr. V. BORD.

débotté [debɔte] n. m. *Prendre quelqu'un au débotté,* s'adresser à lui dès son arrivée.

1. déboucher v. tr. V. BOUCHER.

2. déboucher [debuʃe] v. intr. 1° (sujet nom d'être animé, de véhicule) Apparaître tout à coup : *Un lapin déboucha de son terrier. Une automobile, débouchant d'une route transversale, heurta violemment le camion* (syn. : SURGIR). — 2° (sujet nom désignant une voie, une canalisation) *Déboucher sur, dans,* donner accès à un lieu, y aboutir : *Cette rue débouche sur la plage, dans une avenue. Les égouts qui débouchent dans le collecteur.* — 3° (sujet nom désignant une théorie, une recherche) *Déboucher sur,* aboutir à une conclusion, à une attitude morale ou intellectuelle : *Une philosophie qui débouche sur une résignation stoïque.* ◆ **débouché** n. m. 1° Endroit où une voie, un chemin, etc., débouche dans un autre, dans un lieu : *Un commerçant installé sur la place, au débouché d'une rue.* — 2° Point de vente d'un produit, champ d'exportation : *Une industrie qui végète, faute de débouchés.* — 3° Carrière accessible à quelqu'un en fonction de ses études : *Un diplôme d'ingénieur qui offre des débouchés variés.*

débouler [debule] v. intr. et tr. (sujet nom de personne ou de chose). Descendre rapidement, généralement en roulant, le long d'une pente : *Il a lâché son paquet, qui a déboulé jusqu'au bas du talus* (syn. : ROULER). *Une poussée brutale lui a fait débouler l'escalier* (syn. : DÉGRINGOLER, DÉVALER). ◆ **déboulé** n. m. : *Le déboulé fantastique d'un champion de ski dans une épreuve de descente.*

débourser [deburse] v. tr. (sujet nom de personne). *Débourser une somme,* diminuer son avoir de cette somme, qu'on emploie à un paiement, à un versement : *Il a déboursé plus de cinq cents francs en faux frais. Il s'est glissé dans les coulisses pour apercevoir le spectacle sans rien débourser* (syn. : DÉPENSER, PAYER; pop. : CASQUER). ◆ **débours** [debur] n. m. Argent versé comme avance pour le compte de quelqu'un (le plus souvent au plur.) : *Un entrepreneur qui demande un acompte à son client pour couvrir une partie de ses débours. Vous me réglerez ensuite : cela ne me fera pas un gros débours. J'ai tenu un compte de mes frais de correspondance pour rentrer dans mes débours* (= me faire rembourser). ◆ **déboursement** n. m.

debout [dəbu] adv. ou adj. invar. 1° Dans la position ou la station verticale : *Pour conserver le vin, il faut coucher les bouteilles et non les laisser debout. Ne restez pas debout, asseyez-vous. Notre malade va mieux, il sera bientôt debout* (= il pourra bientôt se lever; syn. : SUR PIED). *Tous les matins, il est debout à six heures* (= il quitte son lit). *Les spectateurs debout empêchaient les autres de voir.* — 2° Se dit de ce qui subsiste, de ce qui a résisté à la destruction : *Après le bombardement, il ne restait que quelques maisons debout. Le pont du Gard, construit par les Romains, est toujours debout. Une théorie scientifique encore debout, malgré les récentes découvertes* (syn. : INTACT). — 3° *Mettre une affaire debout,* l'organiser, assurer sa réalisation (syn. : METTRE SUR PIED, METTRE EN TRAIN). ‖ (sujet nom désignant une opinion, une théorie, une œuvre). Fam. *Tenir debout,* avoir de la vraisemblance, de la cohérence : *Ses arguments ne tiennent pas debout* (= sont absurdes). *Une intrigue qui tient debout.* ◆ **debout!** interj. Lève-toi!, levez-vous!

débouter [debute] v. tr. *Débouter un plaignant,* ne pas faire droit à sa requête.

débraillé, e [debraje] adj. Se dit d'une personne dont la mise est négligée, désordonnée, ou de cette mise elle-même : *Il sortit précipitamment de chez lui, débraillé, chemise ouverte, en savates. Tu ne peux pas te présenter dans une tenue aussi débraillée.* ◆ **débraillé** n. m. Tenue négligée : *On peut se mettre à l'aise sans aller jusqu'au débraillé.*

1. débrayer [debreje] v. intr. Effectuer la manœuvre qui supprime la liaison entre le moteur et l'arbre que celui-ci entraîne (s'emploie surtout en matière de conduite automobile) [contr. : EMBRAYER]. ◆ **débrayage** n. m. : *Dans une automobile, le débrayage se fait en général au moyen d'une pédale* (contr. : EMBRAYAGE).

2. débrayer [debreje] v. intr. (sujet nom désignant un ouvrier ou un employé). *Fam.* Cesser volontairement le travail, se mettre en grève : *Le personnel avait décidé de débrayer pendant une demi-journée pour protester contre le licenciement de deux ouvriers.* ◆ **débrayage** n. m. : *Plusieurs débrayages avaient eu lieu récemment dans les entreprises nationalisées.*

débrider v. tr. V. BRIDER.

débris [debri] n. m. 1° Morceau inutilisable d'une chose brisée : *Les fouilles ont mis au jour de nombreux débris de vases et de tablettes d'argile.* — 2° Ce qui reste après la destruction d'une chose (le plus souvent au plur.) : *Le haut commandement essayait de rassembler les débris de l'armée vaincue. Il a sauvé les débris de sa fortune* (syn. : RESTES).

1. débrouiller [debruje] v. tr. 1° *Débrouiller une chose* (terme concret), distinguer les éléments de ce qui est embrouillé et y rétablir un certain ordre : *Débrouiller un écheveau de laine.* — 2° *Débrouiller quelque chose* (nom abstrait), le rendre clair aux yeux ou à l'esprit : *J'ai eu bien du mal à débrouiller les faits essentiels dans ce récit maladroit* (syn. : DÉMÊLER; contr. : EMBROUILLER). ◆ **débrouillage** ou **débrouillement** n. m. : *Le débrouillage d'une énigme policière.*

2. débrouiller (se) [sədebruje] v. pr. *Fam.* Se tirer d'affaire par ses propres moyens, en faisant preuve d'habileté, d'ingéniosité : *Il n'y avait pas de train avant le soir; il fallait pourtant se débrouiller* *pour arriver dans l'après-midi* (syn. : S'ARRANGER, FAIRE EN SORTE). *Il n'a pas de diplômes, mais il s'est bien débrouillé : il a un métier lucratif* (= il a bien réussi). *Ils l'ont laissé se débrouiller avec ses difficultés. Un enfant qui se débrouille mal dans sa version latine.* ◆ **débrouillard, e** adj. *Fam.* Se dit d'une personne qui sait se débrouiller, qui est fertile en ressources : *Je ne m'inquiète pas pour lui : il est assez débrouillard pour y arriver* (syn. : INGÉNIEUX, ASTUCIEUX; fam. : FICELLE; contr. fam. : EMPOTÉ). ◆ **débrouillardise** n. f. *Fam.* Aptitude à se débrouiller : *Les décors improvisés sont dus à la débrouillardise de cette petite troupe d'amateurs* (syn. : INGÉNIOSITÉ, ASTUCE).

débroussailler v. tr. V. BROUSSAILLE.

débusquer [debyske] v. tr. *Débusquer le gibier, l'ennemi,* etc., le faire sortir de sa retraite, de son refuge. ◆ **débusquement** n. m. (V. EMBUSQUER.)

débuter [debyte] v. intr. **1°** (sujet nom de personne) Commencer à occuper un poste, à jouer un rôle, à agir : *Dans quel film cet acteur a-t-il débuté? Entraîné par de mauvaises fréquentations, il a mal débuté dans la vie. Un métier où l'on débute à mille francs par mois. Le conférencier a débuté sur une anecdote* (syn. : COMMENCER). — **2°** (sujet nom de chose) Avoir son point de départ, entrer dans sa réalisation : *La séance débute à quinze heures. La symphonie débute par un allégro* (syn. : COMMENCER). ◆ v. tr. : *Débuter la séance par un discours. Un élève qui a été très mal débuté en latin* (= à qui les premières notions ont été mal enseignées). [Emploi déconseillé par quelques grammairiens.] ◆ **début** [deby] n. m. **1°** Première phase du déroulement d'une action, d'une série d'événements : *Il est alité depuis le début de sa maladie. Cet incident a marqué le début de nos malheurs. Reprenons le récit à son début* (syn. : COMMENCEMENT). *Il s'est mis à sourire bizarrement : au début, je n'ai pas compris pourquoi* (syn. : D'ABORD). — **2°** (surtout au plur.) Période pendant laquelle quelqu'un entre dans une carrière : *Un chanteur qui a fait ses débuts dans les cabarets. Les débuts sont parfois difficiles dans ce métier.* ◆ **débutant, e** adj. et n. Se dit d'une personne qui commence dans une carrière : *Un pianiste débutant. Ce n'est pas un rôle pour débutants.*

deçà [dəsa] adv. V. DELÀ.

décade [dekad] n. f. Période de dix ans (emploi déconseillé par quelques grammairiens, qui préconisent DÉCENNIE) : *En quelques décades, les dictionnaires ont pu noter une évolution appréciable du vocabulaire.* (Pendant la Révolution, période de dix jours du calendrier républicain.)

décadence [dekadɑ̃s] n. f. **1°** Perte de prestige, de qualité; acheminement vers la ruine : *Les causes politiques de la décadence d'un empire* (syn. : DÉCLIN). *Le XVIIIe siècle a vu la décadence de la monarchie en France. La décadence des mœurs* (syn. : RELÂCHEMENT). *La décadence du goût* (syn. : AVILISSEMENT). — **2°** Période correspondant à un déclin politique : *On appelle « littérature de la décadence » celle des derniers siècles de l'Empire romain.* ◆ **décadent, e** adj. Qui est en décadence ou qui traduit une décadence : *Civilisation décadente. Art décadent. Poète décadent.*

décaféiner v. tr. V. CAFÉ 1; **décagramme** n. m. V. MESURE, *Unités de mesure;* **décalcifier** v. tr. V. CALCIUM.

1. décaler [dekale] v. tr. **1°** *Décaler une chose,* lui faire perdre une certaine position d'équilibre en retirant ce qui la calait, en la déplaçant : *L'horloge est arrêtée : on a dû la décaler en déplaçant les meubles.* — **2°** *Décaler une maison, un mur,* etc., les mettre hors d'un alignement : *Quelques maisons sont décalées par rapport aux autres immeubles de la rue* (= en retrait ou en saillie). (V. CALER.)

2. décaler [dekale] v. tr. Changer d'heure, de moment : *Le repas du soir a été décalé d'une demi-heure* (syn. : RETARDER OU AVANCER). ◆ **décalage** n. m. **1°** Action de changer d'horaire : *Plusieurs trains ont subi un décalage d'horaire.* — **2°** Manque de concordance : *Il y a un décalage considérable entre les principes et la réalité.*

décalitre n. m. V. MESURE, *Unités de mesure.*

décalquer [dekalke] v. tr. *Décalquer un dessin,* le reproduire en en suivant les traits, soit à travers une feuille transparente appliquée dessus, soit au moyen de papier carbone : *Un élève qui décalque une carte de géographie.* ◆ **décalque** ou **décalquage** n. m. Action de décalquer; dessin obtenu par ce procédé. ◆ **décalcomanie** n. f. Procédé permettant d'appliquer des images coloriées sur la porcelaine, le verre, le papier, etc.

décamètre n. m. V. MESURE, *Unités de mesure.*

décamper [dekɑ̃pe] v. intr. *Fam.* Se retirer en hâte d'un lieu : *Quand l'inspecteur de police se présenta au domicile du malfaiteur, celui-ci avait déjà décampé* (syn. : S'ENFUIR; fam. : DÉGUERPIR, FILER).

décaniller [dekanije] v. intr. *Pop.* Déloger, décamper.

décanter [dekɑ̃te] v. tr. **1°** *Décanter un liquide,* le débarrasser de ses impuretés en les laissant se déposer au fond du récipient. — **2°** *Décanter ses idées, une théorie,* etc., y mettre de l'ordre, en discerner les éléments essentiels (syn. : CLARIFIER). ◆ v. intr. ou ***se décanter*** v. pr. : *Laisser décanter du cidre dans un fût. Ses idées, d'abord confuses, commençaient à se décanter* (syn. : SE CLARIFIER). ◆ **décantation** n. f. ou **décantage** n. m.

décaper [dekape] v. tr. Débarrasser une surface d'une couche de peinture, d'enduit qui y adhère fortement : *Avant de repeindre cette rampe, on l'a décapée au chalumeau.* ◆ **décapage** n. m. : *Le décapage d'une pièce métallique avant une soudure.* ◆ **décapant** n. m. Produit qui décape.

décapiter [dekapite] v. tr. **1°** *Décapiter quelqu'un,* lui séparer la tête du tronc en tranchant le cou : *Décapiter un condamné à mort.* — **2°** *Décapiter quelque chose,* en abattre l'extrémité supérieure : *La tempête a décapité plusieurs arbres.* — **3°** *Décapiter un parti, une bande,* etc., supprimer ou réduire à l'impuissance ses principaux chefs. ◆ **décapitation** n. f. Surtout au sens 1 du verbe : *La décapitation à la hache des condamnés à mort se pratique encore dans certains pays.*

décapotable adj., **décapoter** v. tr. V. CAPOTE.

décarcasser (se) [sədekarkase] v. pr. *Fam.* Se donner beaucoup de peine, travailler avec acharnement : *Si j'avais su que ce projet devait être abandonné, je ne me serais pas décarcassé pour le mettre au point. On se décarcasse pour lui trouver une situation et il ne vous dit même pas un mot de remerciement* (syn. : SE DÉMENER [non péjor.]; fam. : FAIRE DES PIEDS ET DES MAINS).

décasyllabe [dekasillab] adj. et n. m. Se dit d'un vers de dix syllabes. (On dit aussi, adjectiv., DÉCASYLLABIQUE.)

décathlon [dekatlɔ̃] n. m. Epreuve d'athlétisme comportant dix épreuves.

décati, e [dekati] adj. *Fam.* Qui a perdu sa fraîcheur, sa jeunesse : *Une actrice trop décatie pour jouer les ingénues.*

décavé, e [dekave] adj. et n. 1° *Fam.* Se dit d'une personne (ou de son air) épuisée par la maladie, la faim, la fatigue. — 2° *Fam.* Se dit de quelqu'un qui n'a plus d'argent.

décéder [desede] v. intr. (auxil. *être*) [sujet nom de personne]. Mourir de mort naturelle (terme admin.) : *S'il vient à décéder, sa veuve touchera la moitié de sa retraite.* ◆ **décès** [desɛ] n. m. Mort d'une personne (terme admin.) : *Un médecin a officiellement constaté le décès.*

déceler [desle] v. tr. (conj. 5). 1° (sujet nom de personne) *Déceler quelque chose,* parvenir à le distinguer d'après certains indices : *On a décelé des traces d'arsenic dans les cheveux de la victime. On peut déceler dans ce livre l'influence de tel écrivain* (syn. : DÉCOUVRIR). *On décèle une certaine lassitude dans son attitude* (syn. : NOTER, REMARQUER, PERCEVOIR, DEVINER). — 2° (sujet nom de chose) *Déceler quelque chose,* le faire apparaître, en être le signe : *Le ton de sa voix décelait une certaine inquiétude* (syn. : RÉVÉLER, TRAHIR, DÉNOTER). ◆ **décelable** adj. : *Une certaine évolution est déjà décelable dans ses écrits de cette époque.* ◆ **décèlement** n. m. (V. RECELER.)

décélérer v. intr. V. ACCÉLÉRER 1; **décembre** n. m. V. MOIS.

décennal, e, aux [desenal, -no] adj. 1° Qui dure dix ans : *Des fonctions décennales.* — 2° Qui a lieu tous les dix ans : *Des fêtes décennales.* ◆ **décennie** [deseni] n. f. Période de dix ans (langue soignée) [syn. : DÉCADE].

décent, e [desɑ̃, -ɑ̃t] adj. Se dit d'une personne, d'une action, d'un état qui respecte les convenances, d'une situation conforme à ce qu'il est normal d'attendre en de semblables circonstances : *Pour être plus décente en société, elle avait passé une robe par-dessus son maillot de plage. Une tenue décente* (syn. : CORRECTE, PUDIQUE). *Il aurait été plus décent de ne rien répondre* (syn. : DIGNE, BIENSÉANT). *On cherche à maintenir l'examen à un niveau décent* (syn. : CONVENABLE). ◆ **indécent, e** adj. : *Des étudiants qui chantaient des chansons indécentes* (syn. : GAULOIS, PAILLARD, GRIVOIS, OBSCÈNE). *Il a manifesté une joie indécente en apprenant la mort de son rival* (syn. : IMPUDENT, INCONVENANT, DÉPLACÉ). ◆ **décence** n. f. Respect des convenances : *Des paroles que la décence ne permet pas de rapporter en public* (syn. : BIENSÉANCE). *Des images contraires à la décence* (syn. : PUDEUR). ◆ **indécence** n. f. : *Plusieurs personnes ont été scandalisées par l'indécence de ses propos. Nous ne supporterons pas de telles indécences* (= des actions, des paroles aussi indécentes). ◆ **décemment** [desamɑ̃] adv. : *Il est difficile de s'exprimer décemment sur un sujet aussi scabreux* (syn. : CONVENABLEMENT). *On ne peut pas décemment lui reprocher ce qu'il n'avait pas les moyens d'éviter* (syn. : HONNÊTEMENT, RAISONNABLEMENT). ◆ **indécemment** adv. : *Un luxe qui s'étale indécemment aux yeux des malheureux.*

décerner [desɛrne] v. tr. *Décerner un prix, une récompense à quelqu'un,* etc., le lui attribuer solennellement : *Le cultivateur à qui a été décernée la médaille d'or du concours agricole.* ◆ **décernement** n. m. : *Le décernement du premier prix a donné lieu à de longues discussions du jury.*

décès n. m. V. DÉCÉDER.

décevoir [desəvwar] v. tr. (conj. 34) [sujet nom de personne ou nom de chose]. *Décevoir quelqu'un,* ne pas répondre à son attente : *L'avocat a déçu de nombreux assistants par la médiocrité de son plaidoyer. Nous comptions lui faire une surprise, mais nous avons été déçus : il était déjà au courant. Ce livre ne m'a pas déçu, je l'ai lu deux fois.* ◆ **déception** n. f. Sentiment d'une personne déçue : *Son échec lui a causé une cruelle déception* (syn. : ↓ DÉCONVENUE). *La vie politique lui a réservé de nombreuses déceptions* (syn. : ↓ DÉSILLUSION, DÉSAPPOINTEMENT). ◆ **décevant, e** adj. : *C'est un résultat bien décevant, comparé au travail fourni. On attendait beaucoup de ce nouveau chef, mais il a été bien décevant.* ◆ **déçu, e** adj. 1° Se dit d'une personne (ou de son attitude) frustrée dans ses espérances : *Un spectateur déçu, un air déçu.* — 2° *Espoir déçu,* non réalisé (syn. : TROMPÉ).

1. déchaîner v. tr. V. CHAÎNE 1.

2. déchaîner [deʃɛne] v. tr. *Déchaîner un sentiment, un mouvement,* l'amener à se manifester dans toute sa violence : *Cette insulte déchaîna la fureur de son interlocuteur. Un chanteur qui déchaîne l'enthousiasme des foules. Un incident qui risquait de déchaîner un conflit mondial* (syn. : DÉCLENCHER). ◆ ***se déchaîner*** v. pr. 1° *Colère, tempête,* etc., *qui se déchaîne,* qui se manifeste très violemment (syn. : ↓ ÉCLATER). — 2° *Personne qui se déchaîne contre quelqu'un* ou *contre quelque chose,* qui s'emporte, profère toutes sortes de menaces, etc. ◆ **déchaîné, e** adj. : *Un enthousiasme déchaîné. Une ardeur déchaînée* (syn. : EFFRÉNÉ). *La presse d'opposition était déchaînée. Je ne l'ai jamais vu aussi déchaîné contre ses adversaires* (syn. : EMPORTÉ, VIOLENT, FURIEUX, HORS DE SOI). ◆ **déchaînement** n. m. : *Les guerres provoquent des déchaînements de haine. Il laissa passer calmement ce déchaînement d'injures* (syn. : FLOT, TORRENT).

déchanter [deʃɑ̃te] v. intr. (sujet nom de personne). Etre amené, par une déception, à rabattre de ses espérances : *Lui qui croyait se voir confier un poste important, il a bien déchanté quand on l'a traité comme tout le monde.*

décharger v. tr. V. CHARGER 1, 2, 4.

décharné, e [deʃarne] adj. Se dit d'un être animé réduit à une maigreur excessive : *Un mendiant décharné. Un malade au visage décharné.*

déchausser v. tr. V. CHAUSSER.

dèche [dɛʃ] n. f. Pop. *Etre dans la dèche, dans une dèche noire,* être sans argent, dans la misère (syn. pop. : ÊTRE FAUCHÉ).

déchéance n. f. V. DÉCHOIR.

déchet [deʃɛ] n. m. Partie inutilisable d'une matière; morceau qu'on en rejette ou qui s'en détache : *L'établissement du prix de revient tient compte du pourcentage de déchet. Un cageot de fruits où il y a du déchet* (syn. : PERTE). *Le boucher* *a ajouté des déchets pour le chien de la maison* (syn. : ROGNURE). *Des déchets de tissu* (syn. : CHUTE).

déchiffrer [deʃifre] v. tr. 1° (sujet nom de personne) *Déchiffrer un texte, un manuscrit, des hiéroglyphes,* etc., parvenir à en lire l'écriture peu distincte ou à en comprendre le sens difficilement intelligible : *Les savants qui ont déchiffré une inscription crétoise. Il écrit si mal que j'ai eu bien du mal à déchiffrer sa lettre* (syn. : ↓LIRE). *Déchiffrer un message secret.* — 2° *Déchiffrer de la musique,* jouer ou chanter à première lecture une partition musicale. — 3° *Déchiffrer les intentions de quelqu'un, une énigme,* etc., en discerner clairement les éléments, en pénétrer le sens. ◆ **déchiffrable** adj. : *Un texte aisément déchiffrable.* ◆ **indéchiffrable** adj. : *Ecriture indéchiffrable.* ◆ **déchiffrage** n. m. Action de déchiffrer de la musique. ◆ **déchiffrement** n. m. Action de déchiffrer un texte, un mystère, etc. : *Le déchiffrement de l'écriture cunéiforme est dû à Grotefend.* ◆ **déchiffreur, euse** adj. et n. : *Les déchiffreurs d'inscriptions antiques.* (V. CHIFFRE 3.)

déchiqueter [deʃikte] v. tr. (conj. 8). 1° *Déchiqueter quelque chose,* le mettre en pièces en arrachant; en détacher les morceaux : *Un tigre déchiquetant sa proie. Il a eu une main déchiquetée par l'explosion d'une grenade. Le bas de sa veste a été déchiqueté par l'engrenage.* — 2° *Déchiqueter une photographie,* en découper irrégulièrement les bords en vue d'un effet artistique. — 3° *Montagnes déchiquetées,* dont les sommets aigus se découpent de façon très irrégulière. ◆ **déchiquetage** n. m. ◆ **déchiqueture** n. f. Partie déchiquetée d'un objet.

1. déchirer [deʃire] v. tr. 1° *Déchirer quelque chose,* arracher totalement ou en partie un morceau d'une feuille de papier, d'un tissu, y faire un accroc : *Déchirer une lettre en menus fragments. Elle a déchiré sa robe à une clôture de fil de fer barbelé* (syn. : ACCROCHER). — 2° *Toux qui déchire la poitrine,* qui cause une vive douleur. — 3° *Déchirer quelqu'un,* le critiquer méchamment. — 4° *Bruit qui déchire l'air, le silence,* qui le trouble violemment. ‖ *Déchirer le voile,* faire brusquement cesser une illusion, une erreur. ◆ ***se déchirer*** v. pr. 1° Se critiquer méchamment les uns les autres. — 2° S'arracher la peau, une partie du corps : *Il se déchirait les doigts aux aspérités du rocher* (syn. : S'ÉCORCHER). — 3° Crever : *Le sac s'est déchiré.* ◆ **déchirement** n. m. *Déchirement d'un muscle,* lésion causée à ce muscle par un effort trop violent, un coup, etc. ◆ **déchirure** n. f. Rupture dans la continuité d'une feuille de papier, d'un tissu : *Faire stopper une déchirure à son vêtement.* ◆ **entre-déchirer (s')** v. pr. 1° Se déchirer mutuellement la chair ou les vêtements : *Deux chats qui se sont entre-déchirés.* — 2° S'attaquer mutuellement en paroles ou en écrits : *Les adversaires politiques qui s'entre-déchirent pendant la campagne électorale.*

2. déchirer [deʃire] v. tr. 1° *Déchirer un groupe de gens, un pays,* etc., le diviser en partis opposés, en factions : *Les querelles qui ont déchiré la nation. Une famille déchirée.* — 2° *Déchirer quelqu'un, déchirer le cœur de quelqu'un,* lui causer une peine cruelle : *Son ingratitude nous déchirait.* ◆ **déchirant, e** adj. Qui déchire le cœur : *Un cri déchirant. Un spectacle déchirant* (syn. : NAVRANT). ◆ **déchirement** n. m. 1° Division grave dans une communauté : *Un pays en proie aux déchirements politiques.* — 2° Violente souffrance morale : *Le départ de son ami lui causa un vrai déchirement.*

déchoir [deʃwar] v. intr. (conj. 49) [sujet nom de personne]. Passer à une situation inférieure, socialement ou moralement : *Il considérait que ce serait déchoir d'accepter ce poste subalterne après avoir dirigé une entreprise* (syn. : S'ABAISSER). *Vous pouvez reconnaître vos torts sans déchoir de votre dignité. Il refuse de déchoir en se soumettant* (syn. : S'HUMILIER). *Sa réputation commençait à déchoir* (syn. : BAISSER). ◆ **déchéance** n. f. 1° Passage à un état inférieur; perte d'autorité, de prestige : *L'alcool l'a mené à une déchéance totale* (syn. : AVILISSEMENT, DÉGRADATION). *Une déchéance intellectuelle.* — 2° Destitution d'une fonction de commandement, d'une dignité : *Le comité révolutionnaire avait prononcé la déchéance du souverain.* ◆ **déchu, e** adj. Qui a perdu son autorité, sa dignité : *Un roi déchu* (syn. : DÉTRÔNÉ, DÉCOURONNÉ). *Le dogme de la Rédemption enseigne que le Christ a sauvé l'humanité déchue.*

décidément [desidemɑ̃] adv. Souligne une conclusion, une constatation qui s'impose : *Il a fait la même erreur : décidément, il est incorrigible.*

décider [deside] v. tr. 1° *Décider quelque chose, décider de* (et un infin. ayant même sujet logique que *décider*), *décider que* (et l'indic. ou parfois le subj.), se prononcer pour cette chose, déterminer ce qu'on doit faire : *Le gouvernement a décidé l'envoi de troupes dans cette région* (ou *d'envoyer des troupes*). *J'ai décidé de tenter ma chance* (syn. : RÉSOUDRE). *Le président décide que la séance reprendra le lendemain. J'ai décidé que chacun me fasse un rapport sur cette question.* — 2° *Décider quelqu'un (à quelque chose, à faire quelque chose),* l'amener à agir, à prendre tel parti : *Un argument qui décide les clients hésitants. Je l'ai enfin décidé à ce voyage, à venir me rejoindre.* — 3° (sujet nom de chose) Avoir comme conséquence : *L'intervention de ce député a décidé la chute du ministère* (syn. : DÉTERMINER, ENTRAÎNER, PROVOQUER). ◆ v. tr. ind. ou dir. 1° (sujet nom de personne) *Décider de quelque chose,* se prononcer sur cette chose, prendre parti à son sujet : *Vous déciderez vous-même de la suite qu'il convient de donner à cette requête;* et avec une subordonnée interrogative comme complément : *On peut difficilement décider qui a raison.* — 2° (sujet nom de chose) *Décider de quelque chose,* déterminer l'issue, le sort de : *C'est ce but qui décidera de la partie. Les résultats de l'enquête décideront du maintien ou de l'abandon de l'accusation.* — 3° *En décider,* déterminer les événements, apporter une solution à : *Nous comptions en rester là, mais le sort en a décidé autrement.* ◆ ***se décider*** v. pr. 1° (sujet nom de personne) Prendre un parti, mettre fin à son hésitation : *Il est temps de te décider : de quel côté veux-tu aller?* (syn. : OPTER, CHOISIR, SE DÉTERMINER). — 2° (sujet nom de chose) Etre déterminé : *Son sort se décide aujourd'hui.* — 3° (sujet nom de personne) *Se décider à* ou *pour quelque chose, à faire quelque chose,* fixer son choix sur cette chose, s'y déterminer : *Elle s'est décidée pour une robe de taffetas* (syn. : SE PRONONCER). *Vous déciderez-vous enfin à donner vos raisons? Il paraît décidé à la poursuite des travaux* (syn. : SE RÉSOUDRE). ◆ **décidé, e** adj. Se dit d'une personne fermement arrêtée dans son choix, pleine d'assurance (ou de son comportement) : *Avec quelques garçons déci-*

des, on pourrait venir à bout de ces difficultés (syn. : HARDI, AUDACIEUX). *Parler d'un ton décidé.* ◆ **décisif, ive** adj. Se dit de quelque chose qui mène à un résultat définitif, à une solution : *Une preuve décisive de son innocence* (syn. : FORMEL, INCONTESTABLE, INDISCUTABLE, PÉREMPTOIRE). *Ce combat sera décisif.* ◆ **décision** n. f. 1° Action de décider, de se décider; chose décidée : *La décision appartient au chef. Je peux vous conseiller, mais je n'ai pas pouvoir de décision. Je vous ferai connaître mes décisions. Sa décision est maintenant prise* (syn. : RÉSOLUTION). — 2° Qualité d'une personne qui prend nettement parti, qui n'hésite pas : *Il a montré beaucoup de décision dans cette affaire* (syn. : DÉTERMINATION, HARDIESSE, FERMETÉ). *Un chef qui a l'esprit de décision* (= qui se décide rapidement).

décigramme n. m., **décilitre** n. m. V. MESURE, *Unités de mesure.*

décimal, e, aux [desimal, -mo] adj. 1° Fondé sur le groupement des unités par dizaines : *La numération décimale.* — 2° *Nombre décimal,* qui comporte des sous-multiples de l'unité après la virgule. ◆ **décimale** n. f. Un des chiffres placés à droite de la virgule dans un nombre décimal : *Pousser une division jusqu'à la cinquième décimale.*

décimer [desime] v. tr. *Décimer des êtres animés,* les faire périr en grand nombre : *La guerre avait décimé la jeunesse.*

décimètre [desimɛtr] n. m. 1° V. MESURE, *Unités de mesure.* — 2° Règle graduée, d'une longueur de 10 ou 20 centimètres. (On dit parfois, dans ce dernier cas, DOUBLE DÉCIMÈTRE.)

déclamer [deklame] v. tr. (sujet nom de personne). *Déclamer un texte,* le réciter, le prononcer avec solennité, avec emphase : *Un acteur était venu sur la scène déclamer des poèmes patriotiques.* ◆ **déclamateur, trice** n. et adj. : *Le rôle était tenu par un froid déclamateur. Un conférencier trop déclamateur.* ◆ **déclamation** n. f. 1° Action ou art de déclamer : *Un poème qui se prête peu à la déclamation.* — 2° Discours pompeux : *L'inauguration de la nouvelle mairie a été marquée par plusieurs déclamations.* ◆ **déclamatoire** adj. Péjor. : *Un ton déclamatoire* (syn. : POMPEUX, EMPHATIQUE).

déclarer [deklare] v. tr. 1° *Déclarer quelque chose,* le faire connaître nettement, le faire savoir officiellement : *Il n'osait pas lui déclarer son amour. Il est temps de déclarer vos intentions* (syn. : RÉVÉLER, ANNONCER). *Le président a déclaré la séance ouverte. Je vous déclare que l'impossible sera fait pour retrouver les coupables.* — 2° Fournir sous forme de déclarations certains renseignements à l'Administration : *Déclarer des marchandises à la douane. Déclarer ses revenus* (= en indiquer le montant à l'administration des Contributions directes). — 3° *Déclarer la guerre à une nation,* signifier officiellement son intention d'ouvrir les hostilités contre celle-ci. ‖ *Déclarer la guerre à la misère,* etc., entreprendre une action énergique pour la combattre. ◆ ***se déclarer*** v. pr. 1° (sujet nom de personne) Faire connaître ses sentiments, ses idées : *Un amoureux qui a mis longtemps à se déclarer* (= à déclarer son désir de se marier). *Il s'est déclaré pour une méthode différente* (syn. : SE PRONONCER). — 2° (sujet nom de chose) Se manifester nettement : *Un incendie s'est déclaré dans la forêt* (syn. : ÉCLATER). ◆ **déclarable** adj. Qui peut ou doit être déclaré : *Revenu déclarable.* ◆ **déclaration** n. f. Paroles ou écrits par lesquels on déclare quelque chose : *Le ministre de l'Information a fait une déclaration à la presse. Elle a compris qu'il voulait lui faire une déclaration* (= lui dire qu'il l'aimait). *Envoyer au contrôleur sa déclaration de revenus.*

déclasser v. tr. V. CLASSE 1 et CLASSER.

déclencher [deklɑ̃ʃe] v. tr. 1° *Déclencher un mécanisme,* le libérer en manœuvrant une pièce qui avait pour rôle d'en empêcher le fonctionnement : *Déclencher un ressort* (contr. : ENCLENCHER). *Le passage du train déclenche la fermeture du portillon d'accès au quai.* — 2° Mettre brusquement en action : *Les syndicats s'apprêtaient à déclencher une grève.* ◆ **déclenchement** n. m. : *Le déclenchement automatique d'un signal d'alarme. Le déclenchement d'une attaque, d'une crise économique.* ◆ **déclencheur** n. m. Pièce d'un mécanisme qui en déclenche le fonctionnement : *Appuyer sur le déclencheur d'un appareil photographique.*

déclic [deklik] n. m. 1° Pièce destinée à déclencher un mécanisme : *Appuyer sur le déclic.* — 2° Bruit sec que fait un mécanisme qui se déclenche : *On entend le déclic d'un appareil photographique.*

1. décliner [dekline] v. tr. 1° *Décliner une offre, un honneur,* etc., ne pas les accepter : *Décliner une invitation. Il a décliné l'honneur de présider la séance* (syn. : REPOUSSER, REFUSER). *La société décline toute responsabilité au sujet des accidents* (syn. : SE DÉCHARGER DE). — 2° *Décliner son nom, ses titres,* les indiquer avec précision.

2. décliner [dekline] v. tr. *Décliner un nom, un pronom, un adjectif,* dans certaines langues, en faire varier la terminaison selon leur fonction grammaticale dans la proposition : *En latin, on décline généralement les adjectifs sur les mêmes modèles que les noms. Certains noms ne se déclinent pas* (= ne sont pas susceptibles de ce genre de variations). ◆ **déclinable** adj. : *L'adverbe n'est pas déclinable.* ◆ **indéclinable** adj. : *Des adjectifs numéraux indéclinables.* ◆ **déclinaison** n. f. Système des formes que peut prendre un mot déclinable (v. CAS).

3. décliner [dekline] v. intr. (sujet nom de personne ou de chose). Perdre de sa vigueur, de son importance : *Malade qui décline. Sa vue décline. Le jour décline* (syn. : BAISSER). *Le prestige de ce pays a beaucoup décliné depuis quelques siècles.* ◆ **déclin** n. m. Etat de ce qui décline; période où une personne, une chose a perdu son éclat : *C'est à ce moment que commença le déclin de sa popularité* (syn. : BAISSE). *Un écrivain sur son déclin. Au IIIe siècle de notre ère, la civilisation grecque est en déclin.* ◆ **déclinant, e** adj. : *Une gloire déclinante.*

déclivité [deklivite] n. f. Etat d'un terrain, d'une surface qui s'écarte de l'horizontale : *Les freins étant mal serrés, la voiture a été entraînée par la déclivité* (syn. : PENTE, INCLINAISON).

décocher [dekɔʃe] v. tr. 1° *Décocher une flèche,* la lancer avec un arc ou un autre instrument : *Les archers décochaient leurs flèches sur l'ennemi.* — 2° *Décocher une parole,* parler de façon mordante : *Décocher des traits satiriques.* — 3° *Décocher un regard,* jeter un regard vif, hostile, etc. ◆ **décochement** n. m.

décoction [dekɔksjɔ̃] n. f. Liquide dans lequel on a fait bouillir des plantes ou une drogue.

décoder v. tr. V. CODE 2; **décoiffer** v. tr. V. COIFFER 1 et 2.

décoller [dekɔle] v. intr. *L'avion décolle,* il quitte le sol pour s'élever dans les airs. ◆ **décollage** n. m. : *L'avion a eu un accident au décollage* (contr. : ATTERRISSAGE). *Un avion à décollage vertical.* (V. aussi COLLE.)

décolleter [dekɔlte] v. tr. (conj. 8). 1° *Décolleter quelqu'un,* lui découvrir le cou, la gorge, les épaules : *Une couturière, une robe qui suit la mode, en décolletant largement la cliente.* — 2° *Décolleter une robe,* en agrandir le décolleté. ◆ **décolleté** n. m. 1° Partie du corsage échancrée pour le passage de la tête. — 2° Partie de la gorge et des épaules laissée à nu par le corsage.

décoloniser v. tr. V. COLONIE 1; **décolorer** v. tr. V. COULEUR.

décombres [dekɔ̃br] n. m. pl. Débris d'un édifice écroulé : *Plusieurs occupants de l'immeuble bombardé ont été ensevelis sous les décombres.*

décommander v. tr. V. COMMANDER 2.

1. décomposer [dekɔ̃poze] v. tr. *Décomposer quelque chose,* le diviser en ses éléments constituants : *Le prisme décompose la lumière. Décomposer une phrase en propositions. Décomposer un nombre en facteurs premiers.* ◆ **décomposable** adj. : *Une dissertation décomposable en trois parties principales.* ◆ **indécomposable** adj. ◆ **décomposition** n. f. : *La décomposition de l'eau en hydrogène et en oxygène.*

2. décomposer [dekɔ̃poze] v. tr. *Décomposer le visage, les traits de quelqu'un,* les altérer profondément : *La frayeur lui décomposait le visage.* ◆ ***se décomposer*** v. pr. 1° (sujet nom désignant la substance des corps organiques) S'altérer : *De la viande qui se décompose à l'air* (syn. : POURRIR, S'ABÎMER). — 2° (sujet nom désignant le visage) Se modifier profondément sous le coup de l'horreur, de la douleur : *Ses traits se décomposèrent quand il découvrit cet horrible spectacle.* ◆ **décomposition** n. f. : *Un cadavre dans un état de décomposition avancée* (syn. : PUTRÉFACTION).

décompter v. tr. V. COMPTER 1; **déconcentrer** v. tr. V. CONCENTRER 1.

déconcerter [dekɔ̃sɛrte] v. tr. (sujet nom de personne ou de chose). *Déconcerter quelqu'un,* le jeter dans la perplexité, le troubler soudain profondément : *Le résultat imprévu des élections a déconcerté tous les observateurs politiques* (syn. : SURPRENDRE, DÉROUTER, DÉSORIENTER). *Cette réponse spirituelle l'a déconcerté* (syn. : DÉCONTENANCER, DÉMONTER). ◆ **déconcertant, e** adj. : *Une accumulation déconcertante d'obstacles* (syn. : DÉMORALISANT). *Un garçon déconcertant* (syn. : BIZARRE, CURIEUX, INCOMPRÉHENSIBLE).

déconfit, e [dekɔ̃fi, -fit] adj. Grandement déçu, confus à la suite d'un échec, d'un espoir qui ne s'est pas réalisé : *Il paraissait tout déconfit de ne trouver personne à son arrivée. Il avait une mine déconfite en apprenant ce piteux résultat* (syn. : PENAUD).

déconfiture [dekɔ̃fityr] n. f. Etat désastreux des finances, de l'autorité, etc. : *Les dépenses inconsidérées qu'il a faites l'ont mis dans une complète déconfiture* (syn. : RUINE). *C'est à ce moment que commença la déconfiture de ce parti.*

décongestionner v. tr. V. CONGESTION; **déconseiller** v. tr. V. CONSEIL 1; **déconsidérer** v. tr. V. CONSIDÉRER 3; **décontenancer** v. tr. V. CONTENANCE 1; **décontracter (se)** v. pr. V. CONTRACTER 1.

déconvenue [dekɔ̃vny] n. f. Sentiment de quelqu'un dont l'attente a été déçue : *L'échec de sa tentative lui a causé une sérieuse déconvenue* (syn. : DÉCEPTION, DÉSAPPOINTEMENT, DÉSILLUSION).

décor [dekɔr] n. m. 1° Ensemble de ce qui décore un lieu : *Elle vécut dans le ravissant décor d'un château Renaissance* (syn. : CADRE). — 2° Ensemble naturel qui offre un caractère décoratif : *La cascade et les rochers environnants formaient un décor sauvage.* — 3° Ensemble des accessoires utilisés au théâtre ou au cinéma pour figurer le lieu de l'action : *Un décor en carton-pâte.* — 4° Simple apparence extérieure : *Tout cela n'est que du décor.* — 5° (sujet nom désignant un véhicule, un conducteur) Fam. *Aller, entrer dans les décors,* quitter accidentellement la route et heurter un obstacle. ◆ **décorateur, trice** n. Personne qui conçoit et dessine les décors d'un spectacle.

1. décorer [dekɔre] v. tr. *Décorer un lieu,* le doter de choses destinées à embellir, ou être un élément d'embellissement : *La salle des fêtes était décorée de guirlandes et de drapeaux* (syn. : PARER). *Un plat décoré d'arabesques. Décorer un salon avec des tentures, des tableaux. Les fresques qui décorent les murs* (syn. : ORNER, ENRICHIR). ◆ **décoration** n. f. 1° Action ou art de décorer : *La décoration de ce palais a coûté des sommes fabuleuses.* — 2° Ensemble de ce qui décore : *Changer la décoration d'une maison.* ◆ **décorateur, trice** n. Spécialiste de la décoration : *Un décorateur a été chargé de l'installation de cet appartement.* ◆ **décoratif, ive** adj. 1° Se dit de ce qui décore, de ce qui produit un effet esthétique : *Les curieux motifs décoratifs d'un vase ancien* (syn. : ORNEMENTAL). — 2° *Fam.* Se dit d'une personne qui attire l'attention par sa belle prestance, ses qualités : *Avec sa tenue d'apparat, il était un invité très décoratif.*

2. décorer [dekɔre] v. tr. *Décorer quelqu'un,* lui conférer une décoration. ◆ **décoration** n. f. Emblème d'une distinction honorifique : *Une remise de décorations aux Invalides à Paris.* ◆ **décoré, e** adj. et n. Qui a reçu une décoration honorifique.

décortiquer [dekɔrtike] v. tr. 1° *Décortiquer un arbre, un fruit, des graines,* etc., en retirer l'écorce, l'enveloppe. — 2° Fam. *Décortiquer un texte, une phrase,* etc., l'analyser minutieusement. ◆ **décorticage** n. m.

décorum [dekɔrɔm] n. m. Ensemble des bons usages, des manifestations plus ou moins solennelles qui donnent un certain éclat à des relations sociales, à une cérémonie : *Une tenue vestimentaire qui ne convient pas au décorum de cette fête* (syn. : CÉRÉMONIAL, SOLENNITÉ, PROTOCOLE).

découcher v. tr. V. COUCHER 2.

découdre [dekudr] v. intr. (conj. **59**). Fam. *En découdre,* se battre avec acharnement (surtout à l'infin.) : *Les deux adversaires étaient prêts à en découdre.* (V. aussi COUDRE.)

découler [dekule] v. intr. Etre une conséquence de : *Les diverses applications qui découlent d'une même découverte. Une série d'erreurs qui découlent d'une faute de traduction* (syn. : VENIR, PROVENIR, RÉSULTER).

découper [dekupe] v. tr. **1°** Couper en morceaux, en parts : *Découper un gigot, une tarte.* — **2°** Couper en suivant les contours : *Découper des images dans un catalogue.* ◆ ***se découper*** v. pr. Se détacher en silhouette sur un fond : *Des montagnes qui se découpent sur le ciel clair.* ◆ **découpé, e** adj. Dont les contours sont irréguliers, marqués de dents ou d'échancrures : *Une côte découpée. La feuille du chêne est découpée.* ◆ **découpage** n. m. **1°** Action ou manière de découper : *Le découpage des tôles au chalumeau a pris un long moment. Le découpage électoral consiste à établir des circonscriptions électorales.* — **2°** Dessin destiné à être découpé par des enfants.

découplé, e [dekuple] adj. *Bien découplé,* se dit de quelqu'un dont le corps est vigoureux et harmonieusement proportionné (syn. fam. : BIEN BÂTI, BIEN TAILLÉ).

décourager v. tr. V. COURAGE; **découvrir** v. tr. V. COUVRIR 1 et 2; **décrasser** v. tr. V. CRASSE 1; **decrescendo** adv. V. CRESCENDO.

décrépit, e [dekrepi, -pit] adj. Se dit d'une personne qui est dans une extrême déchéance physique en raison de son grand âge : *Un aïeul décrépit.* ◆ **décrépitude** n. f.

décret [dekrɛ] n. m. Décision émanant du pouvoir exécutif : *Le Conseil des ministres a adopté plusieurs décrets en vue d'améliorer la situation économique.* ◆ **décret-loi** n. m. Décret gouvernemental possédant le caractère d'une loi. ◆ **décréter** v. tr. **1°** Décider par autorité légale : *L'état de siège a été décrété par le gouvernement.* — **2°** Décider de sa propre autorité : *Il a décrété que rien ne l'arrêterait dans son effort.*

décrier [dekrije] v. tr. *Décrier quelqu'un, quelque chose,* en dire du mal : *Un livre jadis admiré, aujourd'hui exagérément décrié* (syn. : DISCRÉDITER, DÉNIGRER, DÉPRÉCIER).

1. décrire [dekrir] v. tr. (conj. **71**). Représenter par un développement détaillé oral ou écrit : *Un romancier qui décrit la vie d'un marin. La victime a pu décrire son agresseur à la police. Décrire ses sentiments* (syn. : DÉPEINDRE). ◆ **descriptif, ive** adj. Se dit de ce qui décrit : *Littérature descriptive.* ◆ **description** n. f. Action de décrire; développement qui décrit : *L'auteur s'est longuement attardé à la description de la maison. Les jeunes écoliers ont souvent des descriptions à faire en devoirs.* ◆ **indescriptible** adj. Qu'on ne peut décrire : *Un chahut indescriptible.*

2. décrire [dekrir] v. tr. (conj. **71**). Suivre dans son mouvement un certain tracé : *La pointe du compas décrit un cercle* (syn. : TRACER).

décrocher [dekrɔʃe] v. tr. **1°** *Décrocher un objet,* le détacher, libérer ce qui était accroché : *Le pêcheur décroche le poisson. Décrocher un tableau. Décrocher le téléphone* (= prendre le combiné afin de recevoir la communication). — **2°** Fam. *Décrocher un prix, une récompense,* etc., l'obtenir : *Il a décroché la mention bien à son examen.* ◆ v. intr. Rompre le contact avec un ennemi qui vous poursuit : *Une habile manœuvre a permis à ce général de décrocher à temps.* ◆ **décrochage** n. m. **1°** Action de décrocher (v. tr.) : *Le décrochage des rideaux.* (En ce sens, on dit aussi DÉCROCHEMENT.) — **2°** Action de décrocher (v. intr.) : *Une opération de décrochage qui permet d'éviter un combat.* ◆ **décrochement** n. m. Partie en retrait d'une ligne, d'une surface, d'un mur, d'une maison, etc. ◆ **décrochez-moi-ça** n. m. invar. *Fam.* Boutique de fripier. ◆ **indécrochable** adj. Qu'on ne peut décrocher. (V. ACCROCHER.)

décroître v. intr. V. CROÎTRE; **décrottoir** n. m. V. CROTTÉ, E; **décrue** n. f. V. CRUE.

décrypter [dekripte] v. tr. *Décrypter un texte,* déchiffrer un texte rédigé en une écriture secrète dont on ne possède pas la clef. ◆ **décryptage** n. m. : *Le décryptage d'un message.* (V. CHIFFRER.)

déculotter v. tr. V. CULOTTE.

décuple [dekypl] adj. Qui est dix fois aussi grand : *Certaines productions ont eu un rendement décuple de celui qui était prévu.* ◆ n. m. Quantité dix fois aussi grande : *Il a gagné le décuple de ce qu'il avait dépensé. Vous serez remboursé au décuple.* ◆ **décupler** v. tr. **1°** Multiplier par dix. — **2°** Augmenter de façon très notable : *La fureur décuplait ses forces.* ◆ v. intr. Devenir dix fois aussi grand : *Nos dépenses ont décuplé en quelques années.* ◆ **décuplement** n. m. : *Le décuplement de la population.*

dédain [dedɛ̃] n. m. **1°** Mépris hautain qu'on manifeste à quelqu'un en se montrant distant à son égard : *Il le toisa avec dédain.* — **2°** Sentiment qu'on a envers des choses qu'on juge tout à fait indignes de soi; attitude de celui qui se place au-dessus de l'adversité : *Il n'avait que du dédain pour ce genre de tractations. Il allait au combat avec le plus complet dédain de la mort* (syn. : MÉPRIS). ◆ **dédaigner** v. tr. *Dédaigner quelqu'un, quelque chose,* éprouver ou manifester du dédain à leur égard : *A ses débuts, il avait été dédaigné de la plupart des auteurs en renom* (syn. : ↑ MÉPRISER). *Voilà un petit avantage qui n'est pas à dédaigner. Il ne dédaigne pas d'assister à ces fêtes populaires.* ◆ **dédaigneux, euse** adj. Se dit d'une personne qui manifeste son dédain, ou de l'air de cette personne : *Un moue dédaigneuse.*

dédale [dedal] n. m. **1°** Ensemble compliqué de rues, de chemins, etc., où l'on risque de s'égarer : *Flâner dans le dédale des ruelles du vieux quartier.* — **2°** Dans l'ordre des choses abstraites, ensemble embrouillé que l'esprit discerne malaisément : *Le dédale des lois* (syn. : LABYRINTHE). *On le suit difficilement dans le dédale de ses explications.*

dedans [dədɑ̃], **dehors** [dəɔr] adv. et n. m. Indiquent une situation à l'intérieur ou à l'extérieur d'une chose ou d'une personne. (V. tableau p. suiv.)

dédicace [dedikas] n. f. Formule inscrite par un auteur en tête d'un livre, en hommage à la personne à qui il dédie ou offre ce livre. ◆ **dédicacer** v. tr. *Dédicacer un livre à quelqu'un,* y inscrire une dédicace en hommage à cette personne.

dédier [dedje] v. tr. *Dédier un livre, une œuvre à quelqu'un,* faire figurer en tête de l'ouvrage le nom de cette personne pour lui rendre un hommage en l'associant au mérite de l'auteur : *Un écrivain qui dédie son premier roman à sa mère. Une symphonie dédiée au protecteur du compositeur.* — **2°** Consacrer au culte : *Dédier un autel à la Vierge.* ◆ **dédicatoire** adj. Se dit d'une inscription, d'une pièce de vers qui indique à qui une œuvre est dédiée : *L'épître dédicatoire qui figure en tête du livre de fables.*

dedans adv.	**dehors** adv.
Situation à l'intérieur de quelque chose ou de quelqu'un. *Le bureau était ouvert : je suis entré dedans. Il fait froid ce matin, mais dedans nous sommes bien chauffés. J'ai ouvert la boîte et je n'ai rien trouvé dedans.* Avec un pronom personnel comme complément : *Entrer* (ou *rentrer*) *dedans* (prép. *dans* + nom de chose ou de personne) : *Une voiture venant de la droite m'est entrée, rentrée dedans* (langue fam. ; syn. [langue soignée] : HEURTER). *Il ne voyait pas le mur, il est entré dedans* (langue fam.). *S'il continue ainsi, je vais lui rentrer dedans* (langue pop. = me jeter sur lui afin de lui administrer une correction). Avec un nom de personne comme complément : *Il va vous fiche* (pop. : *foutre*) *dedans* (= il va vous tromper). *Je me suis fichu* (pop. : *foutu*) *dedans* (= je me suis trompé).	Situation à l'extérieur de quelque chose ou de quelqu'un : *Attends-moi dehors, je n'en ai que pour quelques instants. Il voyait dehors les passants frileusement emmitouflés dans leurs manteaux. Tu n'as pas rangé tes affaires dans l'armoire : tu les as laissées dehors. Il est resté dehors toute la nuit.* Avec un nom de personne comme complément : *Le directeur m'a fichu* (*flanqué, foutu*) *dehors* (langue pop. ; syn. : METTRE À LA PORTE, RENVOYER [langue commune] ; CONGÉDIER [langue soignée]). *Il a été jeté* (*mis*) *dehors pour son incapacité.*
LOC. ADV. ET PRÉP.	LOC. ADV. ET PRÉP.
Au-dedans, au-dedans de, à l'intérieur : *Il y a cinq places au-dedans* (= dans [l'autocar]). *Au-dedans de lui-même, il regrette ses paroles* (= dans son for intérieur). **En dedans, en dedans de,** à l'intérieur : *Avoir les yeux en dedans* (= enfoncés). *Le coffre de la voiture est grand, la roue de secours est en dedans. Plier le doigt en dedans de la main. En dedans de lui-même, il réprouve cet acte.*	**Au-dehors, au-dehors de,** à l'extérieur : *Au-dehors il est aimable, mais au fond c'est un homme dur. Il a placé tout son argent au-dehors de son pays* (= à l'étranger). **En dehors, en dehors de,** à l'extérieur : *Ne vous penchez pas en dehors* (= au-dehors); *ne mettez-pas la tête en dehors de la portière;* à l'exception de : *En dehors de ce que vous avez lu, il y a encore plusieurs articles sur la question. Vous avez tout dit, il n'y a rien en dehors* (= en plus). *Cela s'est passé en dehors de moi* (= sans ma participation). *C'est en dehors de mes compétences.*
De dedans, de l'intérieur : *De dedans, on ne peut rien voir.*	**De dehors,** de l'extérieur : *J'entends sa voix, il appelle de dehors* (ou *du dehors*).
N. M. l'intérieur	N. M. l'extérieur
Le dedans de la voiture a été entièrement refait. Ses partisans, ses ennemis du dedans et du dehors (= de son pays et de l'étranger).	*Le dehors de cette boîte est très joliment orné. Il a des dehors aimables, gracieux, rugueux* (langue littér. ; syn. : UN ABORD, UN EXTÉRIEUR). *Sous des dehors trompeurs, on distingue la malignité de son esprit* (syn. : APPARENCES).

dédire (se) [sədedir] v. pr. (conj. **72**) [sujet nom de personne]. Revenir sur sa promesse : *Il s'est engagé un peu légèrement et il n'ose plus se dédire* (syn. : SE RÉTRACTER). ◆ **dédit** [dedi] n. m. Somme déterminée qui devra être versée éventuellement par celui des contractants qui se rétractera ou qui ne respectera pas son engagement.

dédommager v. tr. V. DOMMAGE; **dédouaner** v. tr. V. DOUANE; **dédoubler** v. tr. V. DOUBLE.

1. déduire [dedɥir] v. tr. (conj. **70**). Soustraire d'une somme : *Quand on déduit les frais, on voit que le bénéfice est mince* (syn. : RETIRER, RETRANCHER). ◆ **déductible** adj. Qu'on a le droit de déduire : *Ces dépenses d'entretien ne sont pas déductibles de vos revenus fonciers.* ◆ **déduction** n. f. : *La déduction des frais professionnels.*

2. déduire [dedɥir] v. tr. (conj. **70**). Tirer comme conséquence logique : *Connaissant sa destination, j'en ai déduit la route qu'il prendrait vraisemblablement. On peut déduire de ses paroles qu'il se ralliera à notre avis* (syn. : CONCLURE). ◆ **déductif, ive** adj. Qui raisonne, progresse par déduction : *Un esprit déductif.* ◆ **déduction** n. f. Opération de l'esprit consistant à passer logiquement d'une observation ou d'une étape d'un raisonnement à l'étape suivante : *C'est par un enchaînement de déductions qu'ils en sont venus à ces conclusions.*

déesse n. f. V. DIEU.

de facto [defakto] adv. De fait (se dit, dans la langue juridique, de ce dont on reconnaît l'existence sans le légitimer) : *Gouvernement reconnu de facto* (contr. : DE JURE).

défaillir [defajir] v. intr. (conj. **30**). **1°** (sujet nom de personne) Perdre soudain ses forces physiques ou morales, tomber en faiblesse : *Il était sur le point de défaillir quand il arriva au terme de sa longue marche. Défaillir de joie* (syn. : S'ÉVANOUIR). *Supporter sans défaillir de dures épreuves* (syn. : FAIBLIR). — **2°** *Ses forces, sa mémoire commencent à défaillir,* à lui manquer. ◆ **défaillance** n. f. Perte soudaine des forces physiques ou morales : *Sa défaillance s'explique par son jeûne prolongé* (syn. : ÉVANOUISSEMENT). *Après une brève défaillance, il s'est vite ressaisi* (syn. : FAIBLESSE). *Une défaillance de mémoire, d'attention.* ◆ **défaillant, e** adj. Qui a une défaillance : *Un malade défaillant. Voix défaillante d'émotion.* ◆ adj. et n. Se dit d'une personne qui ne se rend pas à une convocation : *Les candidats défaillants et non excusés ne pourront pas se présenter à une autre session.*

1. défaire [defɛr] v. tr. (conj. **76**). **1°** *Défaire quelque chose,* remettre dans l'état primitif ce qui a été fait, en réalisant à l'inverse les opérations précédentes, en détruisant, en démolissant : *Un nœud difficile à défaire. Défaire un paquet. Il a fallu défaire toute l'installation* (syn. : DÉMONTER). — **2°** Faire cesser l'ordre d'une chose arrangée : *Défaire un lit. Défaire sa coiffure* (syn. : DÉRANGER). — **3°** *Défaire quelqu'un d'une personne ou d'une chose,* l'en débarrasser : *Défaites-moi de ce gêneur! On a eu du mal à le défaire de cette habitude.* ◆ **se**

défaire v. pr. 1° Etre détruit, démoli, dérangé : *Un nœud, un paquet qui se défait.* — 2° *Se défaire de quelqu'un, de quelque chose,* s'en séparer : *Il a dû se défaire de cet employé peu consciencieux* (syn. : CONGÉDIER, LICENCIER). *Je me suis défait de ma vieille voiture* (syn. : VENDRE, CÉDER). *Il ne s'est jamais défait de cette manie* (syn. : PERDRE).

2. défaire [defɛr] v. tr. (conj. **76**). *Défaire une armée,* la battre complètement. ◆ **défait, e** adj. *Visage défait, mine défaite,* visage aux traits tirés par la fatigue, bouleversés par l'émotion (syn. : ↑ DÉCOMPOSÉ, RAVAGÉ). ◆ **défaite** n. f. Grave revers, bataille perdue : *La défaite française de Waterloo* (syn. : ↑ DÉROUTE). *Une sévère défaite électorale* (contr. : VICTOIRE). ◆ **défaitisme** n. m. Etat d'esprit de ceux qui s'attendent à être vaincus, qui n'espèrent pas la victoire : *Ces nouvelles ont provoqué une vague de défaitisme.* ◆ **défaitiste** adj. et n. : *La propagande défaitiste. On traitait de défaitistes ceux qui exprimaient leurs inquiétudes.*

défalquer [defalke] v. tr. *Défalquer quelque chose,* le retrancher d'une somme ou d'une quantité : *Défalquer les acomptes du montant d'une facture* (syn. : DÉDUIRE). ◆ **défalcation** n. f. : *Après défalcation des frais, il reste peu de chose.*

défausser [defose] v. tr. *Défausser une carte,* ou *se défausser,* v. pr., se débarrasser, en la jouant, d'une carte qu'on juge inutile dans son jeu.

1. défaut [defo] n. m. 1° Manque ou insuffisance de ce qui est nécessaire : *Le défaut d'organisation a entraîné d'importants gaspillages* (syn. : ABSENCE). *Une maladie causée par un défaut de vitamines* (syn. : CARENCE; contr. : EXCÈS). *Economie qui souffre du défaut de main-d'œuvre* (syn. : PÉNURIE). — 2° *Faire défaut,* manquer : *Le temps me fait défaut pour raconter la chose en détail.* — 3° *Juger, condamner quelqu'un par défaut,* alors qu'il n'a pas répondu à la convocation par-devant le tribunal. • LOC. PRÉP. *A défaut de,* en l'absence de, faute de : *A défaut de madère, on pourra mettre dans la sauce un bon vin blanc;* et adverbialem. : *Je cherche un appartement ou, à défaut, un studio* (syn. : À LA RIGUEUR, DU MOINS).

2. défaut [defo] n. m. 1° Imperfection matérielle : *Une pièce d'étoffe qui a un défaut de tissage. Un léger défaut de prononciation* (syn. : VICE). *Les défauts du verre.* — 2° Imperfection morale : *Son plus grand défaut est la vanité* (syn. : VICE; contr. : QUALITÉ). — 3° Manquement aux règles de l'art, aux exigences du goût : *Un film dont les mérites ne peuvent faire oublier les défauts.* — 4° *Etre, se mettre en défaut,* ne pas respecter les prescriptions réglementaires (contr. : EN RÈGLE).

défaveur n. f., **défavorable** adj. V. FAVEUR.

défectif, ive [defɛktif, -iv] adj. Se dit d'un verbe, d'une conjugaison dont un certain nombre de modes, de temps ou de personnes sont inusités, comme *absoudre, frire.*

défection [defɛksjɔ̃] n. f. 1° Action d'abandonner des alliés, une cause, un parti, etc. : *La perte de la bataille est due à la défection de l'aile droite. Le nombre des nouvelles adhésions à ce syndicat ne compense pas celui des défections* (syn. fam. : LÂCHAGE). — 2° Fait de ne pas se trouver où l'on était attendu : *Les défections ont été si nombreuses que la réunion n'a pu avoir lieu* (syn. : ↓ ABSENCE).

défectueux, euse [defɛktɥø, -øz] adj. Se dit des choses qui présentent des imperfections, des défauts : *On ne peut pas se fier à cette édition faite d'après un texte défectueux* (syn. : FAUTIF). *Tout article défectueux sera remplacé par le fabricant.* ◆ **défectuosité** n. f. : *Les mauvaises conditions de fabrication ont entraîné de légères défectuosités de couleur* (syn. : DÉFAUT, IMPERFECTION, MALFAÇON).

1. défendre [defɑ̃dr] v. tr. (conj. **50**). *Défendre quelqu'un, quelque chose,* lui apporter son soutien, sa protection : *L'avocat défend son client. Défendre une cause juste, la patrie attaquée* (contr. : ATTAQUER). *Défendre ses amis contre les calomnies* (syn. : SOUTENIR). *Des batteries qui défendent la côte. Vêtements qui défendent du froid* (syn. : PROTÉGER). ◆ ***se défendre*** v. pr. 1° Résister à une agression, à une attaque : *Il s'est défendu à coups de fourche. Se défendre par des articles de presse.* — 2° *Fam.* Résister à l'adversité, aux effets de l'âge : *Il se défend bien pour son âge.* — 3° Se tirer d'affaire : *Il ne se défend pas mal en peinture pour un amateur* (syn. : RÉUSSIR). — 4° Fam. *Ça se défend,* c'est une théorie qui tient debout, ou ce n'est pas mauvais. ‖ *Ne pas pouvoir se défendre de,* ne pas pouvoir se retenir de : *Je n'ai pas pu me défendre d'un sentiment de pitié. Il ne pouvait pas se défendre de rire* (syn. : S'EMPÊCHER). ‖ *A son corps défendant,* à contrecœur, poussé par la nécessité de se défendre (syn. : MALGRÉ LUI). ◆ **défendable** adj. : *Il ne plaide que des causes défendables.* ◆ **indéfendable** adj. : *Un accusé indéfendable. Recourir à des méthodes indéfendables* (syn. : INJUSTIFIABLE). ◆ **défense** n. f. 1° Action de défendre ou de se défendre : *Les armées qui assurent la défense du territoire* (syn. : PROTECTION). *La Défense nationale assure la sécurité du pays. Malgré une défense héroïque, nos troupes ont cédé sous le nombre* (syn. : RÉSISTANCE). *La défense passive* (= ensemble des moyens mis en action pour protéger la population civile contre les attaques aériennes). *Etre en position de défense. Etre en état de légitime défense* (= être obligé de commettre un acte illégal pour se protéger). *L'accusé a allégué pour sa défense les menaces qu'il avait reçues.* — 2° Possibilité de se défendre : *La seule défense du hérisson consiste à se mettre en boule. Un pauvre homme sans défense.* — 3° Dans un procès, l'accusé et ses avocats : *La parole est à la défense.* ◆ **défenses** n. f. pl. Ensemble du dispositif militaire destiné à protéger un lieu : *L'ennemi s'était infiltré dans les défenses extérieures de la ville.* (V. aussi DÉFENDRE 2). ◆ **défenseur** n. m. Celui qui assure la défense, la protection de : *Les défenseurs ont repoussé les assaillants. Se faire le défenseur d'une théorie, des pauvres. Il a pris un célèbre avocat comme défenseur.* ◆ **défensif, ive** adj. Qui vise à défendre : *Moyens défensifs. Guerre défensive* (contr. : OFFENSIF). ◆ **défensivement** adv. : *S'organiser défensivement.* ◆ **défensive** n. f. *Etre sur la défensive,* être prêt à se défendre contre toute attaque. ◆ **autodéfense** n. f. Défense assurée par ses seuls moyens ou par ceux dont on peut disposer dans le lieu même où l'on se trouve : *Constituer des groupes d'autodéfense.*

2. défendre [defɑ̃dr] v. tr. (conj. **50**). *Défendre à quelqu'un quelque chose* ou *de* (et l'infin.), ne pas lui permettre de le faire : *Le médecin lui défend l'alcool. Son chef lui a défendu de s'absenter* (contr. : AUTORISER). *Il est défendu de fumer* (syn. : INTERDIRE). *Il portait une arme défendue* (syn. : PROHIBER). *Un boxeur qui donne des coups défendus* (= qui ne sont pas permis par les règlements de la boxe). ◆ **défense** n. f. : *Défense d'entrer* (syn. : INTERDICTION). *Il a négligé la défense qui lui a été faite d'utiliser cet appareil* (contr. : PERMISSION).

1. défense n. f. V. DÉFENDRE 1 et 2.

2. défense [defɑ̃s] n. f. Longue dent saillante de certains animaux : *Les défenses du sanglier.*

déférent, e [deferɑ̃, -ɑ̃t] adj. Se dit d'une personne ou d'une attitude qui manifeste une considération respectueuse : *Jeune homme très déférent envers un vieillard* (syn. : COURTOIS). *Un salut déférent* (syn. : RESPECTUEUX, ↓ POLI). ◆ **déférence** n. f. : *S'effacer devant quelqu'un par déférence* (syn. : RESPECT, ↓ POLITESSE).

1. déférer [defere] v. tr. *Déférer quelqu'un à un tribunal,* le faire comparaître en justice (syn. : TRADUIRE).

2. déférer [defere] v. tr. ind. *Déférer à l'avis, au désir de quelqu'un,* s'y ranger, y céder par égard pour cette personne (langue soignée).

déferler [defɛrle] v. intr. 1° *Les vagues déferlent,* elles se brisent avec violence. — 2° *La foule déferle,* elle se précipite en masse. ‖ *La haine déferle,* elle se répand brutalement. ◆ **déferlement** n. m. : *Le déferlement des vagues, de la violence, des passions.*

défi [defi] n. m. 1° Proclamation par laquelle on provoque quelqu'un ou on le déclare incapable de faire quelque chose : *Un lutteur forain qui lance des défis à tous les assistants. Qui aura le courage de relever le défi?* (= d'accepter la lutte, l'épreuve). — 2° *Mettre quelqu'un au défi de* (et l'infin.), parier avec lui qu'il n'est pas capable de : *Je le mets au défi de faire ce travail en deux jours.* ◆ **défier** v. tr. 1° *Défier quelqu'un,* lui lancer un défi : *Défier quelqu'un à la course* (syn. : ↑ PROVOQUER). *Je vous défie de distinguer la copie de l'original.* — 2° *Défier la mort, l'adversité,* etc., y faire face bravement, ne pas la craindre (syn. : AFFRONTER, BRAVER).

défiance n. f. V. DÉFIER (*se*) 2; **déficeler** v. tr. V. FICELLE.

déficience [defisjɑ̃s] n. f. Insuffisance physique ou intellectuelle : *Déficience musculaire* (syn. : FAIBLESSE). *Essayer de corriger les déficiences de l'attention chez un enfant. Etre victime d'une soudaine déficience de mémoire* (syn. : DÉFAILLANCE). ◆ **déficient, e** adj. Se dit d'une personne ou d'un organe, d'une faculté, d'une organisation qui présente une déficience : *Rééduquer des enfants déficients* (syn. : ↑ DÉBILE). *Une intelligence déficiente* (syn. : ↓ FAIBLE).

déficit [defisit] n. m. Ce qui manque aux recettes pour équilibrer les dépenses, les frais : *La séance se solde par un important déficit* (contr. : BÉNÉFICE, EXCÉDENT). *Combler le déficit en prélevant sur les réserves* (syn. : PERTE). ◆ **déficitaire** adj. En déficit, qui se solde par un déficit : *Entreprise, récolte déficitaire* (contr. : EXCÉDENTAIRE).

1. défier v. tr. V. DÉFI.

2. défier (se) [sədefje] v. pr. *Se défier de quelqu'un, de quelque chose,* ne pas avoir confiance en cette personne, en cette chose, par peur d'être trompé : *Il se défiait de ces donneurs de conseils intéressés. Se défier des rumeurs non confirmées* (syn. : SE MÉFIER). ◆ **défiance** n. f. : *Un regard plein de défiance* (syn. : SOUPÇON). *Comme il était en tenue d'officier, la sentinelle le laissa passer sans défiance* (syn. : MÉFIANCE). ◆ **défiant, e** adj. : *Il a un caractère défiant. Un vieillard défiant* (syn. : MÉFIANT).

défigurer v. tr. V. FIGURE.

1. défilé [defile] n. m. Passage étroit entre des hauteurs, des parois : *Le défilé des Thermopyles.*

2. défilé n. m. V. DÉFILER 1.

1. défiler [defile] v. intr. 1° (sujet nom de personne) Marcher en colonne, par files : *Les soldats qui défilent à la revue du 14-Juillet.* — 2° (sujet nom de personne ou de chose) Se succéder régulièrement, d'une manière continue : *Les clients ont défilé toute la journée dans cette boutique. Les jours défilent avec monotonie. Des images qui défilent devant nos yeux.* ◆ **défilé** n. m. Action de personnes ou de choses qui défilent : *Le défilé des troupes victorieuses. Un défilé de visiteurs, de témoins. Un voyage qui laisse un défilé d'impressions.*

2. défiler (se) [sədefile] v. pr. *Fam.* Partir discrètement, se dérober à une requête, à un devoir : *Il s'est défilé avant la fin de la cérémonie* (syn. : S'ESQUIVER ; fam. : FILER).

3. défiler [defile] v. tr. 1° Défaire ce qui est enfilé : *Défiler un collier* (contr. : ENFILER). — 2° *Défiler son chapelet,* le faire glisser entre ses doigts en récitant sa prière; et, *fam.,* débiter tout ce qu'on a à dire.

définir [definir] v. tr. 1° *Définir quelque chose,* l'établir, l'indiquer avec précision : *On ne peut pas facilement définir les causes de ce phénomène, les mobiles qui ont poussé cet homme* (syn. : FIXER). *Définir le point d'intersection de deux trajectoires* (syn. : DÉTERMINER). *Définir une politique.* — 2° *Définir un mot,* en donner une définition, en préciser la signification. — 3° *Définir quelqu'un,* analyser exactement son caractère. ◆ **défini, e** adj. 1° Précis, déterminé : *Un événement qui s'est produit à une époque bien définie.* — 2° *Article défini,* nom donné aux articles *le, la, les, du, au, aux, des.* — 3° *Passé défini,* nom donné parfois au passé simple. ◆ **indéfini, e** adj. 1° Qu'on ne peut pas définir, délimiter exactement : *Un gaz qui se répand dans un espace indéfini* (syn. : INDÉTERMINÉ). 2° Fam. *Un temps indéfini,* un temps qui paraît très long. — 3° *Article indéfini,* nom donné aux articles *un, une, des.* ‖ *Adjectifs, pronoms indéfinis,* nom sous lequel on range une série d'adjectifs qui se placent avant le nom (ex. : *quelque, chaque, tous,* etc.) et de pronoms (ex. : *rien, chacun, nul,* etc.). ‖ *Passé indéfini,* nom donné parfois au passé composé. ◆ **indéfiniment** adv. Pendant un temps ou sur un espace qui semble illimité : *Répéter indéfiniment la même chose.* ◆ **définissable** adj. : *Un mot difficilement définissable.* ◆ **indéfinissable** adj. : *Il éprouvait un malaise indéfinissable* (syn. : VAGUE, CONFUS). ◆ **définition** n. f. Explication du sens d'un mot par l'énonciation de la nature et des qualités essentielles de l'être ou de la chose que ce mot désigne : *Les synonymes et les contraires permettent de compléter les définitions. Un carré a par définition quatre côtés égaux.*

définitif, ive [definitif, -iv] adj. Se dit de ce qui marque un terme, de ce qui fixe dans un état qu'il n'y a plus lieu de modifier : *Après quelques* *hésitations, il a répondu par un refus définitif* (syn. : IRRÉVOCABLE). *On est enfin parvenu à la solution définitive du problème* (syn. : FINAL). *Une victoire définitive* (syn. : DÉCISIF). ◆ **définitive *(en)*** loc. adv. Marque une conclusion, le terme de considérations contradictoires : *En définitive, où voulez-vous en venir?* (syn. : EN FIN DE COMPTE). *Nous avons entendu bien des arguments pour et contre; en définitive, aucun n'est vraiment convaincant* (syn. : TOUT COMPTE FAIT, TOUT BIEN CONSIDÉRÉ, FINALEMENT). ◆ **définitivement** adv. : *Il avait déjà été frappé d'une exclusion temporaire; cette fois, on l'a définitivement exclu* (syn. : IRRÉVOCABLEMENT, POUR TOUJOURS, UNE FOIS POUR TOUTES). *La moitié des candidats admissibles ont été reçus définitivement.*

déflagration [deflagrasjɔ̃] n. f. Violente explosion : *La déflagration a brisé toutes les vitres.*

déflation [deflasjɔ̃] n. f. Réduction systématique du volume des moyens de paiement (contr. : INFLATION). ◆ **déflationniste** adj.

déflecteur [deflɛktœr] n. m. Volet qui change la direction d'un courant gazeux; et, en particulier, dans une automobile, petite vitre latérale orientable, permettant de régler l'aération.

défleurir v. tr. V. FLEUR.

déflorer [deflɔre] v. tr. 1° *Déflorer un sujet,* le traiter superficiellement, et prévenir ainsi l'originalité d'une étude plus approfondie. — 2° *Déflorer une jeune fille,* lui faire perdre sa virginité.

défoncer [defɔ̃se] v. tr. 1° *Défoncer un tonneau, une caisse,* etc., en faire sauter le fond. — 2° *Défoncer quelque chose,* le briser en enfonçant : *Le camion s'est jeté contre un mur et l'a défoncé.* — 3° *Défoncer le sol, un terrain,* le labourer profondément. ◆ **défonçage** ou **défoncement** n. m. : *Le défoncement d'un parapet.* (V. ENFONCER.)

déformer [defɔrme] v. tr. 1° *Déformer quelque chose* (terme courant), en altérer la forme : *Le choc a déformé le châssis de la voiture. Visage déformé par une grimace.* — 2° *Déformer quelque chose* (mot abstrait), ne pas le reproduire fidèlement : *Un récit qui déforme les faits. Vous déformez ma pensée* (syn. : DÉNATURER, ALTÉRER, TRAVESTIR). ◆ **déformable** adj. : *Un cadre déformable.* ◆ **indéformable** adj. : *Une armature indéformable.* ◆ **déformation** n. f. *La déformation des membres d'un rhumatisant. Ces spectacles provoquent une déformation du goût* (syn. : CORRUPTION, ALTÉRATION). *Un homme d'affaires qui évalue, par déformation professionnelle, le coût de chaque heure de loisir* (= en vertu de l'habitude acquise dans sa profession).

défouler (se) [sədefule] v. pr. Se libérer de tendances habituellement refoulées et inconscientes, en les rendant conscientes et en leur permettant de s'exprimer : *Il se défoule en parlant enfin à cœur ouvert.* ◆ **défoulement** n. m. : *Le défoulement se traduisit en une explosion de colère* (contr. : REFOULEMENT).

défraîchir v. tr. V. FRAIS.

1. défrayer [defreje] v. tr. *Défrayer quelqu'un,* prendre en charge ses dépenses : *Si vous acceptez cette mission, vous serez défrayé en totalité.*

2. défrayer [defreje] v. tr. (sujet nom de personne, de comportement). *Défrayer la conversation, la chronique,* faire beaucoup parler de soi : *Les petits scandales qui défraient la chronique régionale.*

défricher v. tr. V. FRICHE; **défriser** v. tr. V. FRISER; **défroisser** v. tr. V. FROISSER.

défroque [defrɔk] n. f. *Péjor.* Vêtement usagé, abandonné par quelqu'un : *S'habiller avec les défroques d'un vieil oncle.*

défroquer (se) v. pr. V. FROC.

défunt, e [defœ̃, -œ̃t] adj. et n. Qui est mort (nuance de respect, de piété ou terme admin.) : *Les ancêtres défunts. Prières pour les défunts. Mon défunt père* (dialect.). *Un espoir défunt* (littér.).

dégager [degaʒe] v. tr. 1° *Dégager quelqu'un, quelque chose,* le libérer de ce qui l'entrave, de ce qui l'emprisonne : *Les sauveteurs ont dégagé deux blessés des décombres* (syn. : ↓ RETIRER). *Lancer une attaque pour dégager une unité encerclée* (syn. : DÉBLOQUER). *Dégager sa parole.* — 2° *Dégager un lieu,* le débarrasser de ce qui l'encombre : *Disperser la foule pour dégager la place. Dégager un couloir. Dégager les buts par un shot puissant.* — 3° *Dégager une somme d'argent,* la rendre disponible pour un usage : *Des économies qui ont permis de dégager des crédits pour cette opération.* — 4° (sujet nom désignant un vêtement) *Dégager la taille, le cou,* donner de l'aisance aux mouvements. — 5° (sujet nom de chose) *Dégager une odeur, de la fumée,* etc., la produire, la laisser émaner : *Des fleurs qui dégagent un parfum capiteux* (syn. : EXHALER). — 6° *Dégager sa parole,* se libérer d'une promesse, d'un engagement conclu solennellement. ‖ *Dégager une idée,* l'extraire d'un ensemble, d'un ouvrage pour la mettre en valeur : *Dégager l'idée maîtresse d'une théorie.* ‖ *Dégager la balle,* l'envoyer aussi loin que possible, au football, au rugby, etc. ◆ **se dégager** v. pr. : *Se dégager d'un piège, d'une obligation. La rue se dégage. Le ciel se dégage* (= les nuages se dissipent). *Une odeur sulfureuse se dégage de cette eau. La morale qui se dégage de cette histoire.* ◆ **dégagé, e** adj. *Allure dégagée, ton dégagé,* qui a de l'aisance, du naturel. ◆ **dégagement** n. m. 1° Action de dégager ou de se dégager : *Le dégagement d'une pièce coincée. Le dégagement d'une rue. Un dégagement de fumée, de chaleur. Un long dégagement de l'arrière droit.* — 2° Espace libre : *Abattre des arbres pour ménager un dégagement dans la cour.* — 3° Passage qui facilite les communications entre les pièces d'une maison : *Un appartement qui a de larges dégagements.*

dégaine [degɛn] n. f. *Fam.* et *péjor.* Manière de marcher, de se tenir : *Il a une drôle de dégaine* (syn. : ALLURE).

dégainer [degene] v. tr. *Dégainer une épée, un poignard,* etc., les tirer du fourreau ou de la gaine.

déganter v. tr. V. GANT; **dégarnir** v. tr. V. GARNIR.

dégât [degɑ] n. m. Dommage dû à une cause violente : *L'incendie a causé des dégâts importants* (syn. : ↑ DESTRUCTION). *La collision n'a fait que des dégâts de carrosseries. Evaluer les dégâts locatifs causés par un incendie.*

dégel n. m., **dégeler** v. intr. V. GELER.

dégénérer [deʒenere] v. intr. 1° (sujet nom d'animal, de plante) Perdre les qualités de sa race, de son espèce (syn. : S'ABÂTARDIR). — 2° (sujet nom de personne) Perdre certaines vertus ancestrales ou certains mérites de jadis : *Des vieillards accusant des jeunes d'avoir dégénéré. Le goût musical* *paraissait dégénéré.* — 3° *Dégénérer en,* se transformer en (une chose plus mauvaise) : *Un banquet qui dégénère en orgie.* ◆ **dégénéré, e** n. Personne qui manifeste des signes de dégénérescence : *Un visage inexpressif de dégénéré* (syn. : TARÉ). ◆ **dégénérescence** n. f. Affaiblissement grave des qualités physiques ou mentales.

dégingandé, e [deʒɛ̃gɑ̃de] adj. et n. Se dit d'une personne dont les mouvements sont plus ou moins désordonnés, qui est comme disloquée.

dégivrer v. tr. V. GIVRE.

déglinguer [deglɛ̃ge] v. tr. *Fam.* Disloquer, désarticuler : *Les cahots ont fini de déglinguer la carriole.*

déglutir [deglytir] v. tr. (sujet nom d'être animé). Avaler un aliment. ◆ **déglutition** n. f. : *La salive aide à la déglutition.*

dégobiller [degɔbije] v. tr. et intr. *Pop.* Vomir.

dégoiser [degwaze] v. tr. et intr. *Pop.* Dire, parler avec abondance : *Qu'est-ce que tu dégoises? Il n'a pas arrêté de dégoiser sur ton compte.*

dégommer [degɔme] v. tr. Fam. *Dégommer quelqu'un,* lui retirer son emploi, le destituer : *Dégommer un administrateur* (syn. : LIMOGER). ◆ **dégommage** n. m. Fam. : *Le dégommage d'un commandant en chef* (syn. : LIMOGEAGE).

1. dégonfler v. tr. V. GONFLER.

2. dégonfler (se) [sədegɔ̃fle] v. pr. *Pop.* Manquer de courage au moment de faire quelque chose : *Au moment de l'aborder, il s'est dégonflé et a fait demi-tour* (syn. fam. : FLANCHER). ◆ **dégonflage** n. m. Pop. : *Son dégonflage a fait échouer l'entreprise.* ◆ **dégonflé, e** ou **dégonfleur, euse** adj. et n. *Pop.* Se dit d'une personne qui se dégonfle, qui n'ose pas faire quelque chose.

dégorger [degɔrʒe] v. intr. 1° (sujet nom désignant un conduit) Se répandre, se déverser : *Un égout qui dégorge dans la mer.* — 2° (sujet nom de tissu, d'étoffe) Abandonner au lavage certaines impuretés ou une partie de sa teinture. — 3° *Faire dégorger un poisson,* le débarrasser de son goût de vase, de marée. (V. ENGORGER.)

dégoter ou **dégotter** [degɔte] v. tr. *Pop.* Trouver : *Où est-ce que tu as dégoté ce chapeau?* (syn. fam. : DÉNICHER).

dégouliner [deguline] v. intr. (sujet nom désignant un liquide). *Fam.* Couler lentement, en traînée visqueuse ou le long d'un objet : *L'huile qui dégouline d'un bidon mal bouché. La confiture lui dégoulinait sur les doigts.* ◆ **dégoulinade** n. f. Fam. : *Une dégoulinade de crème.*

dégourdir [degurdir] v. tr. 1° Tirer de l'engourdissement; redonner la facilité de mouvoir les membres : *La chaleur du feu nous a dégourdi les doigts.* — 2° *Dégourdir un liquide,* le faire tiédir. — 3° *Dégourdir quelqu'un,* lui faire acquérir de l'aisance, de l'aplomb, de la vivacité d'esprit : *Le service militaire l'a dégourdi* (syn. : DÉNIAISER). ◆ ***se dégourdir*** v. pr. Retrouver la facilité de mouvoir : *Au bout de cinq heures de séance, il avait envie de se dégourdir les jambes* (syn. fam. : SE DÉROUILLER). ◆ **dégourdi, e** adj. et n. *Fam.* Qui sait habilement se tirer d'affaire, qui a un esprit ingénieux et vif : *Les plus dégourdis s'étaient faufilés au premier rang* (syn. : MALIN, AVISÉ, ASTUCIEUX). (V. ENGOURDIR.)

dégoût [degu] n. m. 1° Vive répulsion inspirée par un aliment : *Son dégoût pour les huîtres est insurmontable* (syn. : RÉPUGNANCE, AVERSION). *Une sauce qui cause du dégoût à certains.* — 2° Sentiment qui vous détourne vivement d'une personne ou d'une chose : *On ne ressent que du dégoût pour un être aussi vil. Une moue de dégoût. Un roman où l'auteur exprime son dégoût de l'existence.* ◆ **dégoûter** v. tr. 1° *Dégoûter quelqu'un,* lui inspirer du dégoût, de l'aversion : *Cet entassement de victuailles finissait par nous dégoûter. Son hypocrisie me dégoûte. Un livre qui vous dégoûte de certains milieux d'affaires.* — 2° *Dégoûter quelqu'un de quelque chose,* le décourager, le détourner de le faire : *Il n'a même pas eu l'air de remarquer la qualité des vins : c'est à vous dégoûter d'essayer de lui faire plaisir.* — 3° Fam. *Il n'est pas dégoûté!,* il n'est pas raffiné, exigeant. ◆ ***se dégoûter*** v. pr. [**de**]. Éprouver du dégoût pour, se détourner de : *Il prétendait qu'il ne se dégoûterait jamais de ces gâteaux.* ◆ **dégoûtant, e** adj. et n. : *Un plat dégoûtant* (syn. : ↑ INFECT; contr. : APPÉTISSANT). *Du travail dégoûtant* (syn. : RÉPUGNANT). *C'est dégoûtant de se voir préférer un arriviste* (syn. : DÉMORALISANT, ↑ RÉVOLTANT). *Il nous a abandonnés comme un dégoûtant* (syn. : ↓ MALAPPRIS). ◆ **dégoûtamment** adv. Fam. : *Il mange dégoûtamment.* ◆ **dégoûtation** n. f. *Pop.* Chose qui dégoûte : *C'est une vraie dégoûtation que cette pièce!*

dégoutter [degute] v. intr. (sujet nom désignant un liquide). Couler, tomber goutte à goutte : *La sueur lui dégouttait du front* (syn. : RUISSELER; fam. : DÉGOULINER). ◆ **dégouttant, e** adj. : *Un imperméable dégouttant de pluie.* (V. GOUTTER.)

dégradé, e [degrade] adj. Se dit d'une couleur, d'une lumière qui s'atténue progressivement : *Le bleu dégradé du ciel à l'horizon.* ◆ **dégradé** n. m. Effet d'affaiblissement progressif d'une couleur ou d'une lumière.

1. dégrader [degrade] v. tr. (sujet nom de personne). *Dégrader quelqu'un,* le destituer de son grade : *Un officier dégradé* (syn. : CASSER). ◆ **dégradation** n. f. : *La dégradation d'un officier.*

2. dégrader [degrade] v. tr. (nom de chose). *Dégrader quelqu'un,* l'avilir, l'amener à un état de déchéance : *La débauche dégrade l'homme.* ◆ ***se dégrader*** v. pr. : *Vous vous dégraderiez en agissant ainsi.* ◆ **dégradant, e** adj. : *On lui a fait jouer un rôle dégradant* (syn. : AVILISSANT). ◆ **dégradation** n. f. : *Tomber dans la plus abjecte dégradation.*

3. dégrader [degrade] v. tr. (sujet nom de personne ou de chose). *Dégrader quelque chose,* y causer un dégât, une détérioration : *Des vandales ont dégradé ces sculptures anciennes. La pluie a dégradé le mur* (syn. : ↓ ABÎMER, DÉTÉRIORER). ◆ **dégradation** n. f. : *Les dégradations que l'humidité a fait subir aux fresques.*

dégrafer [degrafe] v. tr. *Dégrafer un vêtement, une tenture,* etc., en détacher l'agrafe, les agrafes (contr. : AGRAFER).

dégraisser v. tr. V. GRAISSE.

1. degré [dəgre] n. m. 1° Situation atteinte, point où une personne ou une chose est parvenue progressivement, où elle est classée dans une échelle de valeurs : *Je ne l'aurais pas cru capable d'en venir à un tel degré de cynisme. Il était arrivé à un haut degré de science. Ces deux exercices sont à peu près* *du même degré de facilité* (syn. : NIVEAU). *Il était tuberculeux au dernier degré. Le degré de la brûlure correspond à la profondeur de la lésion.* — 2° Dans un appareil de mesure, chacune des divisions correspondant aux unités du système de mesure adopté : *La fièvre du malade a baissé d'un degré. De l'alcool à 90 degrés* (on écrit ordinairement *90°*). — 3° *Degré de parenté,* proximité plus ou moins grande dans la parenté : *Père et fils sont parents au premier degré; deux frères sont parents au deuxième degré, oncle et neveu au troisième degré,* etc. — 4° *Degrés de signification,* nom donné, en grammaire, au système formé par le positif, le comparatif et le superlatif. ● LOC. ADV. *Par degrés,* peu à peu (syn. : GRADUELLEMENT, PROGRESSIVEMENT).

2. degré [dəgre] n. m. *Degrés d'un escalier,* ses marches (se dit surtout d'un escalier monumental).

dégressif, ive [degresif, -iv] adj. Qui va en diminuant, qui diminue au-delà d'une certaine quantité : *Le tarif dégressif de la consommation d'électricité. Une taxe dégressive.*

dégrever v. tr. V. GREVER.

dégringoler [degrɛ̃gɔle] v. intr. (ordinairement auxiliaire *être*). 1° (sujet nom de personne ou de chose) *Fam.* Tomber ou rouler de façon désordonnée, le long d'une pente : *Il est dégringolé d'une échelle. Les pierres qui dégringolent jusqu'au pied de la montagne.* — 2° (sujet nom de personne ou de chose) *Fam.* Déchoir rapidement, aller à la faillite : *Une maison commerciale qui dégringole.* ◆ v. tr. (auxiliaire *avoir*). Descendre précipitamment : *Il a dégringolé l'escalier quatre à quatre pour le rattraper.* ◆ **dégringolade** n. f. Fam. : *Il s'est relevé de cette dégringolade avec une foulure. La dégringolade des actions à la Bourse* (syn. : CHUTE, ↓ BAISSE).

dégriser v. tr. V. GRIS 2.

dégrossir [degrosir] v. tr. 1° *Dégrossir une matière, une pièce brute,* la tailler sommairement, de façon à l'amener à une ébauche de la forme définitive : *Un sculpteur qui dégrossit un bloc de marbre.* — 2° *Dégrossir un travail, un problème,* etc., commencer à le débrouiller : *Au cours de cette première phase, on dégrossit le travail de recherche.* — 3° *Dégrossir quelqu'un,* lui faire acquérir des manières plus raffinées : *La vie urbaine l'a un peu dégrossi. C'est un paysan mal dégrossi.* ◆ **dégrossissage** ou **dégrossissement** n. m.

dégrouiller (se) [sədegruje] v. pr. *Pop.* Se dépêcher, se hâter. (On dit aussi SE GROUILLER.)

déguenillé, e adj. V. GUENILLE.

déguerpir [degɛrpir] v. intr. Partir précipitamment, par crainte : *Quand la police est arrivée, les malfaiteurs avaient déjà déguerpi* (syn. fam. : FILER, SE SAUVER).

dégueulasse [degœlas] adj. *Pop.* Dégoûtant, répugnant : *Une nourriture dégueulasse. Il s'est conduit d'une façon dégueulasse.*

dégueuler [degœle] v. tr. et intr. *Pop.* Vomir.

déguiser [degize] v. tr. 1° *Déguiser quelqu'un,* l'habiller d'une façon qui change complètement son aspect, qui le fasse ressembler à quelqu'un d'autre : *Les invités étaient déguisés en personnages de l'Histoire* (syn. : TRAVESTIR). — 2° *Déguiser ses actes, ses intentions,* etc., leur donner une apparence trompeuse : *Il répondit en déguisant sa voix* (syn. : CONTREFAIRE). *Déguiser son ambition sous de beaux prétextes* (syn. : MASQUER, CAMOUFLER). *Il cherchait vainement à déguiser la vérité* (syn. : FARDER, FALSIFIER). ◆ ***se déguiser*** v. pr. Revêtir un habit qui travestit : *Il s'était déguisé en clochard.* ◆ **déguisement** n. m. 1° Vêtements, apparence d'une personne déguisée : *Qui t'aurait reconnu sous ce déguisement? Il cherchait un déguisement original pour ce bal* (syn. : TRAVESTI). — 2° Manière dont une action, une intention est déguisée : *On devinait son hostilité sous ce déguisement de politesse* (syn. : MASQUE). *Parler sans déguisement* (= avec une rude franchise).

déguster [degyste] v. tr. 1° *Déguster un mets,* manger ou boire en appréciant bien la saveur : *Un gourmet qui déguste un gâteau. On leur a fait visiter les caves et déguster les vins.* — 2° *Pop. Déguster des coups,* subir des mauvais traitements : *Qu'est-ce qu'il a dégusté!* ◆ **dégustateur, trice** n. Personne chargée d'apprécier la qualité des boissons. ◆ **dégustation** n. f. : *Une foire où plusieurs commerçants ont organisé une dégustation gratuite.*

déhancher (se) v. pr. V. HANCHE; **dehors** adv. V. DEDANS.

déifier [deifje] v. tr. Elever à la hauteur d'un dieu, à l'égal d'un dieu. ◆ **déification** n. f. : *Dictateur qui a favorisé de son vivant sa déification.*

déisme [deism] n. m. Croyance à l'existence d'un Dieu, mais sans référence à une révélation. ◆ **déiste** adj. et n. Qui professe le déisme.

déjà [deʒa] adv. 1° Dès maintenant; dès ce moment-là (indique ce qui est révolu, accompli) : *Il est déjà trop tard pour greffer vos arbres. Il était déjà parti quand je suis arrivé.* — 2° Rappelle un ou plusieurs faits précédents : *Il a déjà échoué deux fois à cet examen.* — 3° Indique un certain degré non négligeable : *C'est déjà beau de s'en tirer avec la vie sauve. Dix mille francs, c'est déjà une somme.* (*Déjà* ne peut pas s'employer avec le passé simple.)

déjections [deʒɛksjɔ̃] n. f. pl. Excréments.

déjeté, e [deʒte] adj. Déformé, dévié de sa position normale : *Un mur déjeté. Un pauvre bougre tout déjeté* (syn. : BANCAL, ↑ DIFFORME).

déjeuner [deʒœne] v. intr. Prendre le repas du matin ou de midi : *A sept heures, il se lève et va déjeuner. J'ai déjeuné d'un bol de café au lait et de deux croissants. Inviter un ami à déjeuner.* ◆ **déjeuner** n. m. 1° Repas du matin. (On précise parfois PETIT DÉJEUNER.) — 2° Repas de midi.

déjouer [deʒwe] v. tr. *Déjouer quelque chose,* l'empêcher de se réaliser, y faire échec : *Il a su déjouer les manœuvres de ses adversaires.*

déjuger (se) [sədeʒyʒe] v. pr. (sujet nom de personne). Revenir sur son jugement, sur son opinion; changer sa décision : *Après une affirmation aussi solennelle, il peut difficilement se déjuger.*

de jure [deʒyre] loc. adv. Par référence au droit : *Gouvernement reconnu de jure* (contr. : DE FACTO).

delà [dəla] adv., **deçà** [dəsa] adv. Indiquent l'éloignement en avant ou en arrière relativement à une situation déterminée; ils ne s'emploient qu'avec une préposition, pour former des locutions adverbiales ou prépositives, parfois un nom. (V. tableau p. suiv.)

delà

Au-delà loc. adv. Indique l'éloignement par rapport à une situation ou à un endroit : *Vous voyez la poste, la boulangerie est un peu au-delà* (syn. : PLUS LOIN). *Je descends à Montargis : j'ai une maison de campagne un peu au-delà. Je lui ai donné tout ce qu'il désirait et même au-delà* (syn. : PLUS, DAVANTAGE). *C'est un médecin spécialiste du cœur, mais sa compétence s'étend au-delà. Vous avez droit à un paquet de cigarettes par jour, n'allez pas au-delà.*

Au-delà de loc. prép. Indique un lieu, une action éloignés d'une limite précisée par le complément : *Allez au-delà du pont* (= passez le pont). *Il est allé au-delà des mots. Le succès a été au-delà de mes espérances* (= a dépassé). *Il nous est arrivé une histoire extraordinaire, au-delà de tout ce qu'on peut imaginer;* et avec une autre prép. : *Revenir d'au-delà des mers.*

L'au-delà n. m. Dans les conceptions religieuses, la vie future, le monde dont l'existence se place après la mort : *Poser le problème de l'au-delà.*

Par-delà loc. prép. Indique une situation ou un lieu éloignés d'un point donné dont ils sont séparés par un obstacle : *Par-delà l'Atlantique, on comprend souvent mal la manière de vivre d'ici. Par-delà les apparences, on découvre un esprit très original.*

De-ci de-là loc. adv. V. LÀ.

deçà

En deçà loc. adv. En arrière par rapport à un lieu ou à une situation donnés : *Ne franchissez pas la rivière, restez en deçà.*

En deçà de loc. prép. En restant en arrière par rapport à une situation ou à un lieu fixés par le complément : *L'armée resta en deçà du Rhin. Son travail est très en deçà de ses possibilités. Soyez plus hardi, ne restez pas en deçà de ce que vous pensez.*

---

délabrer [delabre] v. tr. 1° *Délabrer un édifice,* le faire tomber en ruine : *Il habitait une masure délabrée.* — 2° *Délabrer quelque chose,* l'endommager gravement : *Vous allez vous délabrer la santé* (syn. : RUINER, ↑ RAVAGER). *Sa fortune est délabrée.* ◆ **délabrement** n. m. : *Le délabrement d'une maison* (syn. : RUINE). *Le délabrement de la santé* (syn. : DÉPÉRISSEMENT).

délai [delɛ] n. m. 1° Temps accordé pour faire quelque chose : *Votre réponse devra nous parvenir dans le délai de dix jours. La marchandise a été livrée dans les délais. Les contribuables bénéficieront d'un délai supplémentaire de quinze jours pour payer leurs impôts.* — 2° Temps supplémentaire accordé pour faire quelque chose : *Demander un délai* (syn. : SURSIS). *Il faut partir sans délai* (= tout de suite).

délaisser [delese] v. tr. *Délaisser quelqu'un, quelque chose,* le laisser de côté, l'abandonner : *Il a quelque peu délaissé son travail pour lire ce livre* (syn. : NÉGLIGER). *Ses anciens amis l'ont délaissé dans le malheur* (syn. fam. : LAISSER TOMBER). ◆ **délaissement** n. m. : *Il se détournait d'elle, et elle souffrait de ce délaissement* (syn. : ↑ ABANDON).

délasser v. tr. V. LAS.

délation [delasjɔ̃] n. f. Dénonciation intéressée et méprisable : *Ce régime politique encourageait la délation.* ◆ **délateur, trice** n. : *La police utilisait des délateurs* (syn. fam. : MOUCHARD).

délaver [delave] v. tr. Décolorer par l'action de l'eau : *Les pluies avaient délavé l'écriteau. Un tissu tout délavé* (= que les lavages ont décoloré).

délayer [deleje] v. tr. 1° Mêler à un liquide un corps solide ou pulvérulent : *Délayer du chocolat en poudre dans du lait. Délayer une couleur avec de l'huile de lin.* — 2° *Délayer une idée,* l'exprimer d'une manière trop diffuse, la noyer dans un flot de mots. ◆ **délayage** n. m. : *Le délayage de la peinture. Tout son exposé n'est qu'un long délayage de quelques lieux communs* (syn. : DÉVELOPPEMENT).

délecter (se) [sədelɛkte] v. pr. (sujet nom d'être animé). *Se délecter de* ou *à quelque chose, à* (et l'infin.), y prendre un plaisir très grand : *Se délecter en écoutant de la musique. Se délecter à la contemplation d'un coucher de soleil. Il se délecte à raconter ses souvenirs.* ◆ **délecter** v. tr. *Délecter quelqu'un,* le remplir d'un plaisir délicat (langue soignée) : *Il délectait l'assistance de ses histoires humoristiques.* ◆ **délectable** adj. (langue soignée) : *Un vin délectable* (syn. : DÉLICIEUX). *Histoire délectable.* ◆ **délectation** n. f. Plaisir raffiné (langue soignée) : *Jouir avec délectation d'un spectacle.*

déléguer [delege] v. tr. 1° *Déléguer quelqu'un,* l'envoyer comme représentant d'une collectivité, dans une circonstance déterminée : *Les savants délégués par les différents pays à un congrès scientifique international.* — 2° *Déléguer ses pouvoirs, son autorité à quelqu'un,* les lui transmettre. ◆ **délégation** n. f. 1° Groupe de personnes chargé de représenter une collectivité : *Une délégation du personnel s'est rendue auprès du directeur. Des anciens combattants venus au défilé en délégation.* — 2° *Délégation (de pouvoirs, d'autorité),* transmission à quelqu'un de pouvoirs d'une autorité dont on est investi : *En l'absence du patron, c'est un secrétaire qui signe le courrier par délégation.* ◆ **délégué, e** n. et adj. : *Les délégués ouvriers aux commissions paritaires* (syn. : REPRÉSENTANT).

délester [delɛste] v. tr. 1° *Délester un véhicule, un bateau, un ballon,* etc., l'alléger de son lest, de ce qui alourdit : *Délester une embarcation.* — 2° Fam. *Délester quelqu'un de quelque chose,* lui enlever ce qui lui appartient et qui représente une certaine valeur : *Des malfaiteurs l'ont délesté de son portefeuille* (syn. : DÉVALISER). ◆ **se délester** v. pr. Se décharger : *Il s'est délesté de ses paquets en arrivant.* ◆ **délestage** n. m. 1° Action de délester (sens 1). — 2° Suppression momentanée de la fourniture de courant électrique à un secteur du réseau.

délétère [deletɛr] adj. 1° Se dit le plus souvent d'un gaz nuisible à la santé : *Des émanations délétères.* — 2° Se dit parfois d'idées dangereuses moralement : *Une propagande délétère.*

délibéré, e [delibere] adj. 1° Se dit de ce qui est nettement résolu, qui ne comporte aucune indécision : *Il avait l'intention délibérée de passer outre à l'interdiction* (syn. : FERME, ARRÊTÉ). *Un refus déli-*

bère de suivre les sentiers battus. — 2° *De propos délibéré,* intentionnellement : *Il a abandonné ce travail de propos délibéré.* ◆ **délibérément** adv. : *Il a délibérément choisi la solution la plus difficile* (syn. : RÉSOLUMENT). *Je lui ai délibérément tourné le dos* (syn. : FROIDEMENT).

délibérer [delibere] v. intr. 1° Examiner à plusieurs les différents aspects d'une question : *Le jury délibère depuis une heure sur la culpabilité de l'accusé* (syn. : DISCUTER). — 2° Considérer en soi-même les divers aspects d'une question : *Je ne délibérai pas longtemps sur la décision à prendre* (syn. : HÉSITER, S'INTERROGER). ◆ **délibérant, e** adj. : *Une assemblée délibérante.* ◆ **délibératif, ive** adj. 1° Se dit d'une forme verbale ou d'une construction exprimant l'indécision du sujet qui s'interroge. (Ex. : *Comment faire?*) — 2° *Avoir voix délibérative,* avoir le droit de participer à un débat (par oppos. *à voix consultative*). ◆ **délibération** n. f. : *Candidat ajourné après délibération du jury. La délibération a été très animée* (syn. : DISCUSSION, DÉBAT). *Il ne s'est décidé qu'après mûre délibération* (syn. : RÉFLEXION).

délicat, e [delika, -at] adj. (après ou parfois avant le nom). 1° Se dit d'une chose qui est d'une grande finesse, qui ne se laisse percevoir, en causant une impression agréable, que par quelqu'un dont les sens sont exercés à distinguer des nuances : *Un fil délicat* (syn. : TÉNU). *Une membrane délicate. Ciselure délicate* (syn. : LÉGER). *Un délicat parfum de rose* (syn. : SUBTIL). *Un mets délicat* (syn. : SAVOUREUX, RAFFINÉ, FIN). *Un duvet délicat* (syn. : DOUX, MOELLEUX). — 2° Se dit d'une chose que sa finesse rend fragile, qui demande des ménagements : *Une couleur délicate. Une fleur délicate. Un tissu délicat. Il est d'une santé délicate* (syn. : FRÊLE). — 3° Se dit d'une chose qui présente des difficultés, qui embarrasse : *Des négociations délicates. Hésiter à aborder un point délicat* (syn. : ÉPINEUX). *Ma situation était très délicate.* — 4° Se dit d'une personne qui a des sentiments nobles et des manières distinguées, discrètes, qui cherche à être agréable; se dit aussi des sentiments ou des actes d'une telle personne : *S'il avait été un peu plus délicat, il aurait évité de prononcer ces paroles* (contr. : GROSSIER). *Il est venu lui-même m'accueillir : j'ai apprécié ce geste délicat* (syn. : COURTOIS, PRÉVENANT). *J'ai été très sensible à votre délicate attention. Un poème d'une inspiration délicate* (syn. : ÉLEVÉ). *Une conscience délicate* (syn. : ↑ SCRUPULEUX). *Ces propos pourraient choquer des oreilles délicates* (syn. : PRUDE). ◆ **délicat** n. m. : *Ce n'était pas le moment de faire le délicat, on mangeait ce qu'on trouvait* (syn. : DIFFICILE). ◆ **délicatement** adv. : *Un manuscrit délicatement enluminé. Manipuler délicatement un service de cristallerie.* ◆ **délicatesse** n. f. : *La délicatesse d'une dentelle, d'un coloris. Parler avec délicatesse* (syn. : TACT). *La délicatesse d'un procédé* (contr. : GROSSIÈRETÉ).

délice [delis] n. m. 1° Plaisir vivement ressenti et d'une grande qualité : *Respirer avec délice le parfum d'une fleur. Cette musique le remplissait de délice* (syn. : RAVISSEMENT). — 2° Ce qui produit ce plaisir : *Cette poire est un vrai délice.* ◆ **délices** n. f. pl. Vifs plaisirs : *S'abandonner aux délices d'une vie de luxe. Nous avons quitté avec peine ce lieu de délices. Jouir de toutes les délices de la rêverie* (syn. : CHARME, ENCHANTEMENT). ◆ **délicieux, euse** adj. 1° Se dit de ce qui cause un plaisir intense, qui excite agréablement les sens ou l'esprit : *Un gâteau délicieux* (syn. : SAVOUREUX, EXQUIS). *Un sous-bois qui offre une fraîcheur délicieuse. Un parfum délicieux* (syn. : SUAVE, DÉLECTABLE). *Il m'a raconté une histoire délicieuse* (syn. : CHARMANT, RAVISSANT). — 2° Se dit d'une personne dont la compagnie est très agréable en raison de ses qualités de cœur, de son enjouement aimable : *Cette femme délicieuse mettait un climat de bonne humeur dans la maison.* — 3° *Ironiq.* Se dit parfois d'une chose ou d'une personne dont l'invraisemblance, la bizarrerie, la naïveté portent à sourire : *Il ne s'est aperçu de rien; c'est vraiment délicieux! Il est délicieux avec ses projets.* ◆ **délicieusement** adv. : *Un fruit délicieusement parfumé. Jouir délicieusement de la paix du soir.*

1. délié [delje] n. m. Partie plus fine du tracé d'une lettre, par opposition au *plein* : *Une page calligraphiée avec des pleins et des déliés.*

2. délié, e [delje] adj. 1° *Esprit délié,* intelligence vive et pénétrante. — 2° *Avoir la langue bien déliée,* parler avec abondance et facilité.

délier v. tr. V. LIER; **délimiter** v. tr. V. LIMITE.

délinquant, e [delɛ̃kɑ̃, -ɑ̃t] adj. et n. Qui a commis un ou plusieurs délits : *Les délinquants s'exposent à des poursuites pénales. Un juge chargé des jeunes délinquants.* ◆ **délinquance** n. f. Ensemble des crimes et des délits considérés sur le plan social : *On a constaté, dans cette période, une augmentation de la délinquance juvénile.*

déliquescent, e [delikɛsɑ̃, -ɑ̃t] adj. 1° Se dit d'un organisme, d'une pensée qui perd sa consistance, qui se décompose : *Projets déliquescents. Société déliquescente* (syn. : DÉCADENT). — 2° Se dit d'une personne dont l'énergie, les qualités intellectuelles sont très affaiblies : *Un vieillard déliquescent* (syn. : GÂTEUX). ◆ **déliquescence** n. f. : *Une industrie en déliquescence* (syn. : DÉPÉRISSEMENT). *Ces divagations sont le signe de la déliquescence de son esprit* (syn. : ↓ AFFAIBLISSEMENT).

délire [delir] n. m. 1° Egarement maladif d'un esprit qui se représente des choses extravagantes, sans rapport avec la réalité : *Une forte fièvre qui s'accompagne de délire. Dans son délire, le soldat prenait le médecin pour un soldat ennemi.* — 2° Exaltation, enthousiasme extrême : *Les prisonniers, dans un vrai délire, portaient en triomphe leurs libérateurs.* ◆ **délirant, e** adj. Se dit d'une joie, d'un enthousiasme, etc., qui se manifestent avec une grande force ou d'une manière désordonnée (syn. : FRÉNÉTIQUE). ◆ **délirer** v. intr. 1° Avoir le délire : *Malade qui délire.* — 2° *Fam.* Parler ou agir de façon déraisonnable : *Vous croyez qu'il va accepter? Vous délirez, mon pauvre ami.* — 3° *Délirer de joie, d'enthousiasme,* être dans un état d'exaltation (syn. : DÉBORDER, EXULTER). ◆ **delirium tremens** [delirjɔm tremɛ̃s] n. m. Délire accompagné de mouvements désordonnés, particulier aux alcooliques.

délit [deli] n. m. 1° Violation de la loi passible de peines correctionnelles : *On lui a retiré son permis de conduire pour délit d'ivresse.* — 2° *Prendre quelqu'un en flagrant délit,* le surprendre au moment même où il commet une faute : *Un voleur pris en flagrant délit* (syn. : SUR LE FAIT; fam. : LA MAIN DANS LE SAC). *Je vous prends en flagrant délit de mensonge.* ◆ **délictueux, euse** adj. Se dit d'une action qui constitue un délit.

1. délivrer [delivre] v. tr. 1° *Délivrer quelqu'un,* le mettre en liberté : *Dès leur arrivée dans la ville conquise, nos troupes ont délivré de nombreux prisonniers* (syn. : LIBÉRER). — 2° *Délivrer quelqu'un de quelque chose,* le débarrasser d'une contrainte, d'une inquiétude, etc. : *Me voilà délivré d'un gros souci* (syn. : SOULAGER). ◆ **délivrance** n. f. : *Les prisonniers attendaient leur délivrance* (syn. : LIBÉRATION). *Enfin, ce travail est achevé : quelle délivrance!* (syn. : SOULAGEMENT).

2. délivrer [delivre] v. tr. (sujet nom de personne). *Délivrer à quelqu'un des papiers, un certificat,* etc., les lui remettre : *Le médecin lui a délivré une ordonnance.* ◆ **délivrance** n. f. : *Les services chargés de la délivrance des passeports.*

déloger [delɔʒe] v. tr. *Déloger un être animé,* le chasser d'un lieu, d'une position : *Il s'était installé au fauteuil présidentiel : on l'en a délogé. Nos troupes ont délogé la garnison ennemie de cette place forte.* ◆ v. intr. (sujet nom d'être animé). *Fam.* Quitter vivement un lieu : *Le propriétaire veut occuper à nouveau son appartement : il va nous falloir déloger* (syn. fam. : DÉCAMPER).

déloyal, e, aux adj. V. LOYAL.

delta [dɛlta] n. m. 1° Espace compris entre les bras d'un fleuve qui se divise près de son embouchure : *Le delta du Nil, du Rhône.* — 2° Quatrième lettre de l'alphabet grec : *Le delta majuscule a la forme d'un triangle isocèle.* — 3° *En delta,* dont la forme est analogue à celle du delta majuscule.

déluge [delyʒ] n. m. 1° Pluie torrentielle : *L'orage a éclaté soudain, et nous avons dû rentrer sous un vrai déluge.* — 2° Débordement universel des eaux raconté par la Bible. (Prend une majusc. en ce sens.) — 3° *Fam.* Grande abondance de choses qui accablent : *Un déluge de protestations. On est tout étourdi de ce déluge de paroles* (syn. : ↓ FLOT). — 4° Fam. *Remonter au Déluge,* faire un récit en reprenant de très loin le fil des événements.

déluré, e [delyre] adj. Se dit d'une personne qui a l'esprit vif et des manières très dégagées, voire très libres : *Le plus déluré de la bande lança une plaisanterie* (syn. : ESPIÈGLE, DÉGOURDI, MALIN, ↑ EFFRONTÉ). *Un clin d'œil déluré.*

démagogie [demagɔʒi] n. f. Attitude d'une personne ou d'un groupe qui cherche à gagner la faveur de l'opinion publique en la flattant, en excitant les passions populaires : *Promettre une baisse générale des impôts serait de la démagogie. Les candidats aux élections font souvent de la démagogie.* ◆ **démagogique** adj. : *Programme électoral démagogique.* ◆ **démagogue** n. m. : *Ne vous laissez pas prendre par les belles paroles des démagogues.*

demain [dəmɛ̃] adv. 1° Le jour qui suit immédiatement celui où l'on est : *Je me couche de bonne heure, car demain je dois me lever tôt.* (Pour désigner un jour qui suit un autre jour que celui où l'on est, on dit LE LENDEMAIN.) [V. TEMPS (*expression du*).] — 2° *A demain,* formule par laquelle on prend congé jusqu'au lendemain. ‖ Fam. *Ce n'est pas pour demain, ce n'est pas demain la veille,* cela n'est pas près de se produire. ◆ **après-demain** adv. Le second jour après aujourd'hui : *Nous sommes dimanche : je reviendrai après-demain mardi.* (On dit LE SURLENDEMAIN pour désigner le deuxième jour après un autre jour que celui où l'on est et fam. APRÈS APRÈS-DEMAIN.)

demander [dəmɑ̃de] v. tr. 1° (sujet nom de personne ou plus rarement nom d'animal) *Demander une chose à quelqu'un,* lui faire connaître ce qu'on souhaite obtenir, exprimer le désir ou la volonté de : *Demander à quelqu'un un livre. Demander un conseil, une aide, une autorisation* (syn. : SOLLICITER). *Il demandait à être introduit auprès du président. Je lui demande d'être exact au rendez-vous* (syn. : PRIER). *Je demande que chacun participe à ce travail* (syn. : DÉSIRER, VOULOIR, ↑ EXIGER). *Il demande un prix excessif de sa maison* (syn. : RÉCLAMER). *Un chat qui miaule pour demander sa nourriture.* — 2° (sujet nom de personne) *Demander quelque chose à quelqu'un,* solliciter une réponse à la question qu'on lui pose : *Je lui ai demandé la raison de son absence* (syn. : INTERROGER, QUESTIONNER). *Demandez-leur la date de la prochaine réunion. Je lui demanderai s'il veut nous aider. Il ne faut pas demander pourquoi il n'a pas protesté* (= la raison est claire). — 3° (sujet nom de chose ou nom d'être animé) Avoir besoin de : *Ce travail demande du temps* (syn. : NÉCESSITER). *Sa conduite demande une explication* (syn. : APPELER). *Une recherche qui demande toute votre attention* (syn. : REQUÉRIR). *Les grands malades demandent un silence complet. Ces animaux demandent à vivre au grand air. Une plante qui demande beaucoup d'eau* (syn. : EXIGER). — 4° *Ne demander qu'à* (et l'infin.), être tout disposé à : *Je ne demande qu'à vous être utile.* ‖ *Ne pas demander mieux* (*que de,* et l'infin.), consentir volontiers (à) : « *Vous voulez partir? — Je ne demande pas mieux.* » *Il ne demandait pas mieux que de faire le nécessaire.* ‖ Fam. *Je vous demande un peu!,* exprime la surprise, la réprobation. ◆ v. tr. ind. Très fam. *Demander après quelqu'un,* désirer lui parler; prendre de ses nouvelles : *Personne n'a demandé après moi pendant mon absence?* ◆ **se demander** v. pr. (sujet nom de personne). Etre dans l'incertitude à propos de quelque chose : *Je me demande pourquoi il m'a dit cela. Il se demandait le but de ces manifestations. Je me demande si j'ai eu raison d'accepter.* ◆ **demande** n. f. 1° Action de demander; écrit qui l'exprime : *Sa demande d'explication est restée sans réponse. J'ai reçu plusieurs demandes d'emploi* (contr. : OFFRE). — 2° Chose qu'on désire obtenir : *Vos demandes sont très légitimes. On lui a accordé sa demande.* — 3° Fam. *Belle demande!,* c'est une question bien inutile, cela va de soi. ◆ **demandeur, euse** n. 1° Personne qui demande : *Quand la communication téléphonique est coupée, c'est normalement le demandeur qui doit rappeler.* — 2° Personne qui engage une action en justice.

démanger [demɑ̃ʒe] v. tr. et tr. ind. 1° *Démanger quelqu'un* (plus rarement *à quelqu'un*), lui causer une démangeaison : *Sa cicatrice le démange. Ça me démange dans le dos. La peau lui démange.* — 2° Fam. *La main me démange,* j'ai bien envie de le frapper. ‖ *La langue me démange,* j'ai envie de parler. ◆ **démangeaison** n. f. 1° Picotement de la peau qui donne envie de se gratter : *L'eczéma cause des démangeaisons.* — 2° *Fam.* Grande envie de faire quelque chose : *J'ai des démangeaisons de décrocher le téléphone pour lui dire la vérité.*

démanteler [demɑ̃tle] v. tr. (conj. 5). 1° *Démanteler une place forte, des remparts,* etc., les démolir. — 2° *Démanteler une organisation, un plan,* etc., les désorganiser : *La police a démantelé un gang redoutable.* ◆ **démantèlement** n. m.

démantibuler [demɑ̃tibyle] v. tr. *Fam.* Démolir un assemblage, un objet formé de plusieurs pièces : *Plusieurs déménagements avaient démantibulé ces vieux meubles* (syn. : DISLOQUER, DÉBOÎTER ; fam. : DÉGLINGUER). ◆ ***se démantibuler*** v. pr. Fonctionner mal : *Un appareil qui commence à se démantibuler* (syn. : SE DÉTÉRIORER).

démarcation [demarkasjɔ̃] n. f. 1° Limite qui sépare deux régions, deux zones (on dit souvent LIGNE DE DÉMARCATION) : *En 1940, la ligne de démarcation entre la zone française occupée par les Allemands et la zone non occupée passait par Moulins.* — 2° Ce qui sépare, ce qui distingue des choses abstraites : *Il est malaisé de tracer la ligne de démarcation entre l'inspiration personnelle de cet auteur et les imitations qu'il a faites de ses devanciers.*

1. démarche [demarʃ] n. f. 1° Manière dont une personne marche : *Une démarche légère, gauche* (syn. : MARCHE, ALLURE). — 2° Manière de procéder, de progresser vers un but : *Par des démarches différentes, ils arrivent à des conclusions analogues.*

2. démarche [demarʃ] n. f. Action d'agir auprès de quelqu'un, de recourir à un service administratif en vue d'un but déterminé : *Faire une démarche auprès d'un ministre en faveur d'un ami* (syn. : INTERVENTION, SOLLICITATION). *Il m'a fallu faire de nombreuses démarches pour obtenir le permis de construire.* ◆ **démarchage** n. m. Mode de vente consistant à solliciter les clients à domicile (syn. fam. : PORTE-À-PORTE). ◆ **démarcheur, euse** n. Personne dont la profession consiste à faire des démarches au nom d'une entreprise, d'une administration, ou de faire du démarchage.

1. démarquer v. tr. V. MARQUER.

2. démarquer [demarke] v. tr. *Démarquer une œuvre littéraire,* la copier en en modifiant les détails, de façon à masquer l'emprunt : *Il n'y a là rien d'original : tout est démarqué d'un célèbre romancier* (syn. : PLAGIER, PILLER). ◆ **démarquage** n. m. : *La comparaison des deux textes fait apparaître avec évidence le démarquage. Une pièce qui n'est qu'un démarquage* (syn. : PLAGIAT).

démarrer [demare] v. intr. 1° (sujet nom désignant un véhicule) Commencer à partir, à s'engager dans une voie : *Le train démarrait quand je suis arrivé à la gare. Le moteur démarre.* — 2° (sujet nom désignant un organisme) Commencer à fonctionner : *Une affaire commerciale qui démarre bien.* ◆ v. tr. *Démarrer une voiture, un moteur,* les mettre en route, en marche. ◆ **démarrage** n. m. : *Les voyageurs étaient secoués à tous les démarrages. Le démarrage de cette opération a été délicat* (syn. : MISE EN ROUTE). ◆ **démarreur** n. m. Dispositif servant à mettre en marche un moteur à explosion.

démasquer v. tr. V. MASQUER ; **démâter** v. tr. V. MÂT.

1. démêler [demele] v. tr. 1° *Démêler quelque chose* (mot courant), séparer et mettre en ordre ce qui est emmêlé : *Un pêcheur qui démêle sa ligne. Démêler un écheveau de laine* (syn. : DÉBROUILLER). — 2° *Démêler quelque chose* (mot abstrait), distinguer les éléments d'une chose compliquée : *Il faut essayer de démêler la part de vérité dans ce qu'il raconte* (syn. : DISCERNER). *Je commence à démêler ses intentions. Il n'est pas toujours facile de démêler ce qui est superflu et ce qui est nécessaire.* ◆ **démêlage** ou **démêlement** n. m. : *Le démêlage des cheveux. Le démêlement d'une énigme policière.* ◆ **démêloir** n. m. Peigne à dents écartées.

2. démêler [demele] v. tr. *Démêler une affaire,* la discuter, en débattre afin de la résoudre. ◆ **démêlé** n. m. Difficulté née d'une opposition d'idées, d'intérêts : *Ils ont eu des démêlés au sujet d'une clôture* (syn. : DISCUSSION, CONTESTATION, QUERELLE). *Il a eu des démêlés avec la justice* (syn. : ENNUI).

démembrer [demɑ̃bre] v. tr. Partager en détachant les parties constitutives : *Démembrer une phrase en propositions* (syn. : DIVISER). *Un pays démembré par les vainqueurs. Démembrer un domaine* (contr. : REMEMBRER). ◆ **démembrement** n. m. : *Le démembrement d'un empire. Le démembrement d'une propriété* (contr. : REMEMBREMENT).

déménager [demenaʒe] v. tr. 1° *Déménager des meubles, des caisses,* etc., les retirer d'une pièce, d'une maison. — 2° *Déménager une pièce, une maison,* la vider du mobilier ou des objets qu'elle contient. ◆ v. intr. 1° Transporter ses meubles dans une autre habitation, changer de résidence : *Il a déménagé depuis deux mois et je ne connais pas sa nouvelle adresse* (contr. : EMMÉNAGER). — 2° *Fam.* Perdre la cohérence de son raisonnement : *Un vieillard qui commence à déménager* (syn. : DÉRAISONNER). ◆ **déménagement** n. m. : *Les multiples postes qu'il a occupés l'ont obligé à de nombreux déménagements. Une entreprise de déménagement.* ◆ **déménageur** n. m. Celui dont la profession est d'effectuer des déménagements pour autrui.

démener (se) [sədemne] v. pr. 1° (sujet nom d'être animé) S'agiter vivement : *Un écureuil qui se démène dans sa cage.* — 2° (sujet nom de personne) Se donner beaucoup de peine, se dépenser sans trêve : *Il s'est démené pour faire adopter son projet.*

dément, e [demɑ̃, -ɑ̃t] adj. et n. Se dit d'une personne dont les fonctions intellectuelles sont détériorées (langue soignée ou langue médicale) : *Les déments séniles.* ◆ **démence** n. f. Etat d'une personne qui souffre de maladie mentale : *Une crise de démence* (syn. : FOLIE). *C'est de la démence de vouloir arriver à ce résultat en si peu de temps.* ◆ **démentiel, elle** adj. Marqué du caractère de la démence : *Ambition démentielle.*

démentir [demɑ̃tir] v. tr. 1° *Démentir quelqu'un,* le contredire en affirmant qu'il a dit des choses fausses. — 2° *Démentir une nouvelle, une rumeur,* etc., déclarer nettement qu'elle est inexacte. — 3° (sujet nom de chose) *Démentir quelque chose,* ne pas y être conforme : *Les résultats ont démenti tous les pronostics.* ◆ ***se démentir*** v. pr. (sujet nom de chose). Cesser de se manifester, ne pas être durable (dans des constructions négatives) : *Son amitié pour moi ne s'est jamais démentie.* ◆ **démenti** n. m. 1° Déclaration qui affirme l'inexactitude d'une nouvelle : *Le bruit avait couru que le prix de l'essence allait augmenter : le gouvernement a fait publier un démenti.* — 2° Ce qui fait apparaître l'inexactitude, le mensonge : *Sa présence est un démenti de la nouvelle de sa maladie. Cette preuve inflige un démenti aux déclarations du témoin.*

démerder (se) [sədemerde] v. pr. 1° *Pop.* Se tirer d'affaire (syn. fam. : SE DÉBROUILLER). — 2° *Pop.* Se dépêcher.

démériter v. intr. V. MÉRITE ; **démesure** n. f., **démesuré, e** adj. V. MESURE.

1. démettre [demɛtr] v. tr. (conj. 57). *Démettre un membre, un os,* le déplacer de sa position naturelle par une action violente, le faire sortir de la cavité où il s'emboîte : *Sa chute lui a démis une épaule* (syn. : DÉBOÎTER). ◆ ***se démettre*** v. pr. : *Il s'est démis le poignet.* (V. REMETTRE.)

2. démettre (se) [sədemɛtr] v. pr. (conj. 57) [sujet nom de personne]. *Se démettre d'une charge, d'un emploi,* abandonner les fonctions qu'on remplissait : *Il songeait à se démettre de ses fonctions de président* (syn. : RÉSIGNER). ◆ **démission** [demisjɔ̃] n. f. 1° Action de se démettre de ses fonctions; acte par lequel on déclare sa décision de cesser de les exercer : *Un scandale a entraîné la démission du directeur. Une lettre de démission. Le président de la République a accepté la démission du Premier ministre.* — 2° Attitude de quelqu'un qui ne remplit pas sa mission : *Cette indulgence coupable est une démission de l'autorité paternelle.* ◆ **démissionnaire** adj. Se dit d'une personne ou d'un groupe de personnes qui viennent de donner leur démission : *Le cabinet démissionnaire expédie les affaires courantes.* ◆ **démissionner** v. intr. Donner sa démission : *Le secrétaire du syndicat a démissionné pour raison de santé. Un officier qui démissionne de l'armée.* ◆ v. tr. *Démissionner quelqu'un,* l'obliger à donner sa démission.

demeurant (au) [odəmœrɑ̃] loc. adv. Une fois examiné le pour et le contre (langue soignée) : *Au demeurant, il n'est pas sot* (syn. : AU RESTE, TOUT BIEN CONSIDÉRÉ OU PESÉ, EN SOMME, SOMME TOUTE, EN FIN DE COMPTE). [En général suivie de l'énonciation de la qualité d'une personne après l'énumération de ses défauts, ou d'une considération qui annule un inconvénient énoncé d'abord : *Je ne pense pas que la séance soit longue; au demeurant, rien ne vous empêche de partir.*]

1. demeure n. f. V. DEMEURER.

2. demeure [dəmœr] n. f. *Mettre quelqu'un en demeure de faire quelque chose,* le lui ordonner avec force, le lui enjoindre : *Je l'ai mis en demeure de me fournir une explication de sa conduite.* ‖ *Mise en demeure,* sommation faite à quelqu'un.

3. demeure [dəmœr] n. f. *Il n'y a pas péril en la demeure,* on peut attendre sans danger.

demeurer [dəmœre] v. intr. 1° (sujet nom de personne ou de chose) Etre de façon continue dans un lieu ou dans un état : *La voiture est demeurée toute la semaine au garage* (syn. : RESTER). *Je demeure à votre entière disposition. Il est demeuré un moment perplexe. Un point qui demeure obscur. Il demeure peu de chose de toutes ces accusations* (syn. : SUBSISTER). — 2° (sujet nom de personne) Avoir son domicile : *Où demeurez-vous?* (syn. : HABITER, LOGER). — 3° *En demeurer là,* ne pas continuer (sujet nom de personne); ne pas avoir de conséquence (sujet nom de chose). ◆ **demeure** n. f. 1° Lieu où l'on habite : *Les familles qui logent dans ces modestes demeures* (syn. : HABITATION). *Que la paix soit dans cette demeure* (syn. : MAISON). — 2° *Conduire un mort à sa dernière demeure,* suivre son convoi funèbre (littér.). ‖ *Etre quelque part à demeure,* y être installé de façon durable.

1. demi [dəmi] n. m. Grand verre de bière : *Boire un demi au comptoir.*

2. demi (à) [admi] loc. adv. Devant un adjectif ou un participe passé, ou après un verbe, indique un degré moyen, un état plus ou moins incomplet : *La bouteille est encore à demi pleine* (syn. : À MOITIÉ). *Une bûche à demi consumée. Je ne suis qu'à demi convaincu. Il dormait à demi en entendant cette histoire* (syn. : PRESQUE). *Je n'aime pas faire les choses à demi* (syn. : IMPARFAITEMENT).

3. demi (et) [edmi] loc. adj. (s'accorde en genre avec le nom qui précède, mais ne prend pas la marque du plur.). Indique qu'il faut ajouter la moitié d'une unité : *Un an et demi* (= 18 mois). *Deux heures et demie* (= 150 minutes). *Ce trajet est trois fois et demie plus long que l'autre.*

demi-, préfixe qui indique *la moitié. Demi-* est en concurrence avec *semi-* (qui signifie proprement *à moitié*) et avec *hémi-* (qui entre en composition avec des éléments savants d'origine grecque). Les composés avec *demi-* sont à l'ordre alphabétique du mot principal quand il n'y a pas de divergence sémantique : *demi-botte, demi-dieu, demi-journée, demi-place, demi-saison,* etc.; lorsque leur sens s'est séparé complètement de celui du terme de base (*demi-sel*), ils sont à leur ordre.

demie [dəmi] n. f. Moitié d'une heure : *Horloge qui sonne les heures et les demies.*

démilitariser v. tr. V. MILITAIRE.

demi-sel [dəmisɛl] adj. invar. Se dit d'un aliment qu'on vend légèrement salé : *Du beurre demi-sel.* ◆ n. m. invar. Fromage frais légèrement salé.

démission n. f. V. DÉMETTRE (*se*) 2; **démobiliser** v. tr. V. MOBILISER.

démocratie [demɔkrasi] n. f. Forme de gouvernement dans laquelle l'autorité émane du peuple : *La démocratie peut présenter des aspects variés d'un pays à l'autre. Dans une démocratie, il est entendu que tous les citoyens naissent libres et égaux en droits.* ◆ **démocrate** n. et adj. Se dit d'une personne attachée à la démocratie. ◆ **démocratique** adj. Se dit de ce qui est conforme à la démocratie : *Gouvernement qui prend des mesures démocratiques. Un programme politique peu démocratique.* ◆ **démocratiquement** adv. : *Une élection qui se fait démocratiquement au suffrage universel.* ◆ **démocratiser** v. tr. Rendre plus démocratique : *Démocratiser le recrutement. Démocratiser la culture* (= la rendre accessible à de plus grandes couches populaires). ◆ **démocratisation** n. f. : *La gratuité des études contribue à la démocratisation de l'enseignement.* ◆ **antidémocratique** adj. : *Prendre des mesures antidémocratiques à l'égard de la presse.*

démodé, e adj. V. MODE.

démographie [demɔgrafi] n. f. Science qui étudie les populations humaines d'un point de vue quantitatif : *La démographie fait fréquemment appel à la statistique.* ◆ **démographique** adj. : *Une étude démographique sur les étudiants.*

1. demoiselle [dəmwazɛl] n. f. 1° Personne du sexe féminin et qui n'est pas mariée (se dit surtout, par oppos. à *dame,* pour désigner une célibataire d'un certain âge; sinon, on emploie plutôt les mots *fillette* ou *jeune fille*) : *Une mercerie tenue par deux vieilles demoiselles* (syn. fam. : VIEILLE FILLE). [*Votre demoiselle,* pour *votre fille, votre* *jeune fille,* est une politesse jugée peu distinguée.] — 2° *Demoiselle d'honneur,* jeune fille qui accompagne une mariée.

2. demoiselle [dəmwazɛl] n. f. Syn. de LIBELLULE.

démolir [demɔlir] v. tr. 1° *Démolir une chose* (objet concret), mettre en pièces ce qui est assemblé, composé : *On a démoli d'anciennes maisons pour élever à la place des immeubles* (syn. : ABATTRE, RASER ; contr. : BÂTIR, CONSTRUIRE). *Si tu manipules l'appareil brutalement, tu vas le démolir* (syn. fam. : DÉTRAQUER, DÉGLINGUER). — 2° *Démolir quelque chose* (mot abstrait), détruire ce qui a été formé : *Voilà un contretemps qui démolit mes projets* (syn. : RUINER, ANÉANTIR). — 3° Fam. *Démolir quelqu'un,* ruiner sa réputation, ou le jeter dans l'abattement, le démoraliser : *Réconforter une personne démolie par une crise morale.* — 4° Fam. *Démolir le portrait à quelqu'un,* ou simplem. *démolir quelqu'un,* l'accabler de coups. ◆ **démolisseur** n. m. : *Les pioches des démolisseurs s'attaquent au dernier pan de mur.* ◆ **démolition** n. f. Action de démolir une construction : *La démolition de l'immeuble a demandé une semaine. Entreprise de démolition.* ◆ **démolitions** n. f. pl. Matériaux provenant de bâtiments démolis.

démon [demɔ̃] n. m. 1° Dans la religion chrétienne, puissance du mal : *Un acte inspiré par le démon* (syn. : DIABLE). — 2° Personne malfaisante ou insupportable : *Cet enfant est un petit démon* (syn. : DIABLE). — 3° *Le démon de la raillerie, de la gourmandise,* etc., la force irrésistible qui vous porte à ces défauts. ‖ *Le démon de la poésie,* l'inspiration dont on se sent possédé. ◆ **démoniaque** adj. Se dit d'un acte pervers, inspiré par une force malsaine : *Machination démoniaque. Rire démoniaque* (syn. : DIABOLIQUE, SATANIQUE). ◆ n. Personne qui agit avec une méchanceté perverse.

démonstratif, ive [demɔ̃stratif, -iv] adj. Se dit d'une personne qui manifeste ses sentiments : *Quoiqu'il ne fût guère démonstratif, il ne pouvait cacher sa joie* (syn. : EXPANSIF, OUVERT, ↑ EXUBÉRANT ; contr. : FERMÉ). ◆ **démonstration** n. f. 1° Manifestation visant à impressionner quelqu'un : *Le gouvernement envoya une flotte croiser dans les parages : cette démonstration de force fit réfléchir l'adversaire.* — 2° Manifestation d'un sentiment : *Il a paru très touché des démonstrations d'amitié de ses voisins.* (V. aussi DÉMONTRER et CLASSE.)

démonter [demɔ̃te] v. tr. 1° *Démonter un objet, un appareil,* le défaire pièce à pièce, sans l'endommager : *Démonter une tente, une armoire* (contr. : MONTER, REMONTER). — 2° *Démonter une chose,* la retirer de l'endroit où elle est fixée : *Démonter une porte, des rideaux, un pneu* (contr. : MONTER, REMONTER). — 3° *Démonter quelqu'un,* le jeter dans l'embarras, lui causer de la confusion : *Cette objection démonta complètement l'orateur* (syn. : DÉCONCERTER, TROUBLER). ◆ ***se démonter*** v. pr. Se troubler : *L'acteur a eu une défaillance de mémoire, mais il a improvisé la réplique sans se démonter.* ◆ **démontable** adj. : *Un meuble démontable.* ◆ **démontage** n. m. Sens 1 et 2 du v. tr. : *Le démontage d'un moteur.*

démontrer [demɔ̃tre] v. tr. (sujet nom de personne ou de chose). *Démontrer quelque chose,* établir une affirmation par un raisonnement, un fait par des preuves : *Démontrer l'égalité de deux triangles. La culpabilité de l'accusé n'a pas été démontrée. Cet incident démontre la nécessité de rester prudent. Je lui ai démontré qu'il avait tort* (syn. : PROUVER). ◆ **démontrable** adj. : *Un théorème facilement démontrable.* ◆ **indémontrable** adj. : *Un axiome est une proposition indémontrable.* ◆ **démonstratif, ive** adj. Se dit de ce qui démontre : *Un argument démonstratif* (syn. : PROBANT). ◆ **démonstrativement** adv. : *Une conclusion présentée démonstrativement.* ◆ **démonstration** n. f. 1° Raisonnement par lequel on établit la vérité d'une proposition : *Une démonstration qui manque de rigueur. Entreprendre la démonstration d'une hypothèse.* — 2° Action de montrer à la clientèle le fonctionnement d'un appareil. ◆ **démonstrateur, trice** n. Personne qui présente un article à la clientèle, en en expliquant le mode d'emploi.

démordre [demɔrdr] v. intr. (conj. 52) [sujet nom de personne]. *Ne pas démordre d'une opinion, d'un jugement,* etc., ne pas vouloir y renoncer, prendre une attitude intransigeante.

dénaturer [denatyre] v. tr. 1° (sujet nom de personne) *Dénaturer un produit,* y incorporer une substance qui le rende impropre à la consommation humaine : *Dénaturer de l'alcool.* — 2° (sujet nom de chose) *Dénaturer une saveur, une odeur,* etc., les altérer considérablement : *Un médicament qui dénature le goût du vin.* — 3° (sujet nom de personne) *Dénaturer une doctrine, les faits, les paroles de quelqu'un,* les rapporter avec des modifications qui en faussent complètement le sens. ◆ **dénaturé, e** adj. 1° Contraire aux lois naturelles : *Il faut avoir des goûts dénaturés pour aimer cette odeur fétide.* — 2° Péjor. *Père, fils dénaturé,* etc., qui n'a pas l'affection naturelle d'un père, d'un fils, etc. (syn. : INDIGNE). (V. NATURE.)

dénégation [denegasjɔ̃] n. f. Action de nier : *Il faisait des gestes de dénégation. Malgré ses dénégations, chacun était convaincu de sa culpabilité.*

déni [deni] n. m. *Déni de justice,* refus de rendre justice à quelqu'un. (V. DÉNIER.)

déniaiser v. tr. V. NIAIS.

dénicher [deniʃe] v. tr. 1° *Dénicher des oiseaux,* les prendre au nid. — 2° Fam. *Dénicher quelque chose, quelqu'un,* réussir à le trouver dans sa cachette : *Dénicher un manuscrit dans une bibliothèque* (syn. : DÉCOUVRIR). *Il avait déniché un vieux réveil au grenier* (syn. pop. : DÉGOTER). *Elle a eu bien du mal à dénicher une femme de ménage.*

denier [dəɲe] n. m. *Denier du culte* (ou *du clergé*), offrande des catholiques pour l'entretien du clergé. ‖ *Les deniers publics,* les revenus de l'Etat. ‖ *Payer, acheter quelque chose de ses deniers,* avec son argent personnel. (Le *denier* était une monnaie romaine valant dix as, puis une monnaie française valant le douzième du sou.)

dénier [deɲe] v. tr. 1° Refuser de reconnaître : *Il dénie avoir joué le moindre rôle dans cette affaire.* — 2° *Dénier quelque chose à quelqu'un,* lui refuser d'une manière absolue un droit, un pouvoir, etc. : *Je vous dénie le droit de me juger* (syn. : REFUSER). ◆ **indéniable** adj. Qu'on ne peut dénier : *Sa réussite est indéniable* (syn. : INCONTESTABLE). *Il est indéniable que la tension internationale est moins aiguë* (syn. : ÉVIDENT, CERTAIN). (V. DÉNI.)

dénigrer [denigre] v. tr. *Dénigrer quelqu'un, ses actes, son œuvre,* attaquer sa réputation, en parler avec malveillance : *Dénigrer sans cesse un concurrent* (syn. : CRITIQUER, DÉCRIER). *Il dénigre toutes les intentions de son adversaire* (syn. : DISCRÉDITER, NOIRCIR). ◆ **dénigrant, e** adj. : *Des paroles dénigrantes.* ◆ **dénigrement** n. m. : *Un compte rendu marqué d'un esprit de dénigrement systématique.* ◆ **dénigreur** n. m.

dénivellation n. f. V. NIVEAU.

dénombrer [denɔ̃bre] v. tr. 1° Faire le compte exact : *Une foule qu'il est impossible de dénombrer. Dénombrer les bêtes d'un troupeau* (syn. : COMPTER). — 2° Faire la liste exhaustive : *Il m'a complaisamment dénombré ses succès* (syn. : ÉNUMÉRER). ◆ **dénombrement** n. m. : *Procédons au dénombrement des voitures disponibles* (syn. : COMPTE, RECENSEMENT). (V. NOMBRE.)

dénominateur [denɔminatœr] n. m. *Dénominateur commun,* trait caractéristique commun à plusieurs choses ou à plusieurs personnes : *Ces deux hommes, par ailleurs si différents, ont la ténacité comme dénominateur commun.* (Le terme est emprunté aux mathématiques.)

dénominatif, ive [denɔminatif, -iv] adj. et n. m. Se dit de toute forme dérivée d'un nom : *Les verbes « auditionner », de « audition », « visionner », de « vision », « mouvementer », de « mouvement », « tourmenter », de « tourment », sont des verbes dénominatifs ou des dénominatifs* (contr. : DÉVERBAL).

dénommer [denɔme] v. tr. *Dénommer quelqu'un* ou *quelque chose,* les affecter d'un nom : *Savez-vous comment on dénomme cette plante?* (syn. : NOMMER, APPELER). ◆ **dénommé, e** n. Celui qui est appelé (et un nom propre) : *J'ai eu affaire à un dénommé Antoine* (syn. : UN CERTAIN, nuance de familiarité ou péjor.). *Envoyez-moi le dénommé Martin* (syn. : LE SIEUR). ◆ **dénomination** n. f. Désignation d'une personne ou d'une chose par un nom qui en indique l'état, les propriétés : *On aurait pu choisir une meilleure dénomination pour ce produit industriel* (syn. : APPELLATION).

dénoncer [denɔ̃se] v. tr. 1° *Dénoncer quelqu'un,* le désigner comme coupable à une autorité, à l'opinion publique : *Le malfaiteur a dénoncé ses complices à la police* (syn. fam. : VENDRE, DONNER). *Un élève qui refuse de dénoncer un camarade* (syn. fam. : MOUCHARDER, CAFARDER). *Ses paroles imprudentes l'ont dénoncé* (syn. : TRAHIR). — 2° *Dénoncer un abus, un scandale,* etc., le dévoiler publiquement en ameutant l'opinion (syn. : STIGMATISER). — 3° *Dénoncer un traité, un accord,* annoncer qu'on cesse de s'y conformer. ◆ **dénonciateur, trice** n. et adj. : *Il a été arrêté sur le rapport d'un dénonciateur.* ◆ **dénonciation** n. f. : *Les dénonciations anonymes ne sont pas prises en considération. Il s'est consacré à la dénonciation des scandales. La dénonciation d'une convention commerciale.*

dénoter [denɔte] v. tr. (sujet nom de chose). *Dénoter un sentiment, une intention,* en être l'indice : *Un geste qui dénote une grande générosité* (syn. : INDIQUER, MARQUER, TÉMOIGNER DE).

denrée [dɑ̃re] n. f. Marchandise comestible : *De nombreuses denrées étaient en hausse sur les marchés. Une denrée périssable* (= sujette à se gâter rapidement).

dense [dɑ̃s] adj. 1° Se dit d'une matière faite d'éléments serrés : *Un brouillard dense* (syn. : ÉPAIS). — 2° Se dit d'un groupe de personnes ou d'une masse d'objets serrés sur un espace limité : *Une foule dense* (syn. : COMPACT). — 3° Lourd par rapport au volume : *Certains bois sont si denses qu'ils ne flottent pas sur l'eau.* — 4° *Style dense, pensée dense,* d'une grande concision. ◆ **densité** n. f. 1° Qualité de ce qui est dense : *La densité de la fumée, de la population.* — 2° Rapport du poids d'un corps au poids du même volume d'eau (ou d'air pour les gaz) : *La densité de l'or est de 19,3.*

dent [dɑ̃] n. f. 1° Organe dur implanté dans la mâchoire, formé essentiellement d'ivoire recouvert d'émail, et permettant de mastiquer les aliments : *L'homme adulte a normalement trente-deux dents. Il s'est cassé une dent en croquant des dragées. On appelle « dents de lait » celles de la première dentition et « dents de sagesse » les quatre molaires qui poussent les dernières.* — 2° Partie saillante, plus ou moins pointue, d'une lame de scie, d'un engrenage, etc. — 3° Fam. *Armé jusqu'aux dents,* très bien armé. ‖ *Manger, croquer à belles dents,* de bon appétit, de bon cœur. ‖ *Déchirer quelqu'un à belles dents,* le critiquer, le dénigrer violemment. ‖ *Manger du bout des dents,* manger sans appétit, d'un air dégoûté. ‖ *Rire du bout des dents,* rire d'un rire forcé. ‖ Pop. *Avoir la dent,* avoir faim. ‖ Fam. *Avoir la dent dure,* être cinglant, méchant dans ses critiques ou ses reparties. ‖ Fam. *Avoir les dents longues,* être très ambitieux, très avide. ‖ Fam. *Avoir une dent contre quelqu'un,* lui en vouloir. ‖ Fam. *Se casser les dents sur une difficulté,* ne pas pouvoir en venir à bout. ‖ Fam. *Ne pas desserrer les dents,* ne pas dire un mot. ‖ Fam. *Donner un coup de dent à quelqu'un,* lancer une critique, un mot acerbe contre lui. ‖ *Etre sur les dents,* être dans un état d'attente irritable, fébrile. ‖ *Faire ses dents,* se dit d'un enfant quand ses premières dents poussent. ‖ *Grincer des dents,* être plein d'une rage impuissante. ‖ Fam. *Montrer les dents,* se montrer menaçant. ‖ *Parler entre ses dents,* parler de façon peu distincte, sans presque ouvrir la bouche. ‖ Fam. *Prendre le mors aux dents,* se dit d'un cheval qui s'emporte ou d'une personne qui se jette dans l'action avec une ardeur soudaine et vive. ‖ Fam. *Quand les poules auront des dents,* jamais (syn. fam. : À LA SAINT-GLINGLIN). ◆ **dentaire** adj. Qui se rapporte aux dents, à la manière de les soigner : *Soins dentaires. Etudes dentaires. Suivre les cours d'une école dentaire.* ◆ **dental, e** adj. et n. f. Se dit d'une consonne qu'on articule en appliquant la langue contre les dents du haut : *Les dentales du français sont « d », « t » et « n ».* ◆ **denté, e** adj. *Roue dentée,* roue d'engrenage, munie d'entailles en forme de dents. ◆ **dentier** n. m. Assemblage de dents artificielles : *Oter son dentier avant de se coucher.* ◆ **dentifrice** adj. et n. m. Se dit d'un produit destiné au nettoyage et à l'entretien des dents : *Pâte dentifrice. Eau dentifrice. Un tube de dentifrice.* ◆ **dentiste** n. m. Spécialiste des soins dentaires : *S'installer dans le fauteuil du dentiste.* ◆ **dentisterie** n. f. Partie de la chirurgie dentaire qui concerne les soins. ◆ **dentition** n. f. 1° Apparition des dents chez un être jeune : *La première dentition de l'enfant dure jusqu'à huit ans environ, époque où elle est remplacée par la seconde dentition.* — 2° Ensemble des dents considérées sous le rapport de leur disposition dans la bouche : *Une belle dentition.* ◆ **denture** n. f. Syn. techn. de DENTITION (sens 2). ◆ **édenté, e** adj. Qui a perdu ses dents : *Vieillard édenté.*

dentelé, e [dɑ̃tle] adj. Garni d'échancrures, découpé en forme de dents : *Le châtaignier a des feuilles dentelées. Une côte dentelée* (syn. : DÉCOUPÉ). ◆ **dentelure** n. f. Découpure en forme de dents faite au bord d'une chose.

dentelle [dɑ̃tɛl] n. f. Tissu à jours formant des motifs décoratifs : *Un corsage de dentelle. Des rideaux en dentelle.* ◆ **dentelière** n. f. Femme qui fait de la dentelle.

dentier n. m., **dentifrice** n. m., **dentiste** n., **dentition** n. f. V. DENT ; **dénuder** v. tr. V. NU.

dénué, e [denɥe] adj. Qui manque de : *Un roman dénué d'intérêt* (syn. : DÉPOURVU). *Des rumeurs dénuées de tout fondement. Un homme dénué de jugement.* ◆ **dénuement** [denymɑ̃] n. m. Situation de quelqu'un qui manque du nécessaire : *Un mendiant qui vit dans un complet dénuement* (syn. : INDIGENCE, MISÈRE, ↓ GÊNE).

dénutrition [denytrisjɔ̃] n. f. Etat d'un organisme vivant dont l'alimentation ou l'assimilation est déficitaire.

dépanner v. tr. V. PANNE ; **dépaqueter** v. tr. V. PAQUET.

dépareiller [deparɛje] v. tr. *Dépareiller un ensemble, une collection,* etc., les rendre incomplets par la disparition d'un des objets qui les composaient : *Une maladresse a dépareillé le service de table.* ◆ **dépareillé, e** adj. Se dit parfois des objets qui forment une série incomplète ou disparate : *Des serviettes dépareillées.* (V. APPAREILLER.)

1. départ [depar] n. m. Action de partir; moment où l'on part : *Le départ de la course va avoir lieu* (contr. : ARRIVÉE). *Dès le départ du train, ils avaient engagé la conversation. Je les ai trouvés sur le départ* (= prêts à partir). *L'affaire a pris un mauvais départ* (= elle a mal commencé). *Au départ, il n'était pas question de cela* (= au début, au commencement).

2. départ [depar] n. m. *Faire le départ,* établir une distinction : *Il est parfois malaisé de faire le départ entre le nécessaire et le superflu.*

départager [departaʒe] v. tr. *Départager deux personnes, deux groupes,* faire cesser l'égalité entre eux quand ils ont des avis opposés ou des mérites égaux : *La voix du président a départagé les jurés. Poser une nouvelle question pour départager deux concurrents ex æquo.*

1. département [departəmɑ̃] n. m. Circonscription administrative locale de la France, dirigée par un préfet et par un conseil général : *La préfecture est au chef-lieu du département. Le département du Cantal, de la Manche.* ◆ **départemental, e, aux** adj. Qui concerne le département : *La gestion des finances départementales. L'entretien des routes départementales est à la charge des départements qu'elles desservent.* ◆ **interdépartemental, e, aux** adj. : *Une compétition sportive interdépartementale.*

2. département [departəmɑ̃] n. m. Secteur administratif confié à un ministre; branche spécialisée d'une administration ou d'une entreprise : *Le département de l'Education nationale. L'ingénieur chargé du département de la fabrication.*

1. départir [departir] v. tr. (conj. 26). Donner en partage (langue soignée) : *Les fonctions qui lui ont été départies* (syn. : ATTRIBUER). [V. DÉPART 2.]

2. départir (se) [sədepartir] v. pr. (conj. 26). *Se départir de son calme, de son projet,* etc., le quitter, y renoncer.

dépasser [depase] v. tr. 1° *Dépasser quelque chose, quelqu'un,* aller plus loin que lui, le laisser derrière soi : *A cette allure, nous aurons dépassé Poitiers avant la nuit. Il est interdit de dépasser un véhicule en haut d'une côte* (syn. : DOUBLER). — 2° *Dépasser une chose,* avoir des dimensions, une surface, une durée, une importance supérieures à elle : *Un immeuble qui dépasse en hauteur les pavillons voisins. Un toit qui dépasse largement la maison* (syn. : DÉBORDER). *Un congé qui ne peut pas dépasser deux jours* (syn. : EXCÉDER). *Cela entraînerait des dépenses qui dépasseraient mes possibilités. Le résultat a dépassé toutes les prévisions.* — 3° *Dépasser un pouvoir, un droit,* etc., en franchir les limites normales : *Vous dépassez vos droits* (syn. : OUTREPASSER). — 4° *Dépasser quelqu'un,* le laisser perplexe, le déconcerter : *Une telle insouciance me dépasse.* — 5° *Dépasser les bornes,* franchir les limites de la bienséance (syn. : EXAGÉRER, ABUSER ; pop. CHARRIER). ‖ *Etre dépassé par les événements,* ne pas être en mesure de réagir comme il convient (syn. : NE PAS ÊTRE À LA HAUTEUR). ◆ v. intr. Faire saillie, s'étendre au-delà d'un alignement : *Le jupon dépasse sous la robe. Une tige dépasse du toit de la voiture.* ◆ **dépassement** n. m. : *Une contravention pour dépassement irrégulier. Un dépassement de crédits. Un idéal qui nous porte à un continuel dépassement de nous-mêmes* (= à des progrès continuels).

dépayser [depeize] v. tr. *Dépayser quelqu'un,* le mettre dans une situation réelle ou imaginaire qui lui donne un sentiment d'étrangeté : *Son nouvel emploi l'a quelque peu dépaysé. Un roman qui dépayse le lecteur.* ◆ **dépaysé, e** adj. Se dit d'une personne ou d'un animal qui se trouve dans un milieu inconnu qui lui paraît étrange : *Il s'est senti moins dépaysé en retrouvant dans l'assistance un de ses anciens camarades* (syn. : PERDU, ÉGARÉ). ◆ **dépaysement** n. m. : *Le dépaysement d'un élève qui change d'école.* (V. PAYS.)

dépecer [depəse] v. tr. 1° *Dépecer un animal,* le couper en morceaux, le mettre en pièces : *Dépecer une volaille.* — 2° *Dépecer quelque chose,* le diviser en parcelles nombreuses : *Un domaine dépecé* (syn. : MORCELER, DÉMEMBRER). ◆ **dépeçage** n. m. : *Le dépeçage d'un sanglier.*

dépêche [depɛʃ] n. f. Communication rapide, transmise le plus souvent par le télégraphe : *Il a reçu une dépêche lui annonçant la mort de son père* (syn. : TÉLÉGRAMME).

1. dépêcher [depeʃe] v. tr. *Dépêcher quelqu'un auprès d'une personne,* l'y envoyer vivement.

2. dépêcher (se) [sədepeʃe] v. pr. Agir avec hâte : *Dépêchez-vous, le train va partir. Il s'est dépêché de manger* (syn. : SE HÂTER ; pop. : SE GROUILLER). [A l'impératif, on emploie fam. le verbe sous une forme intransitive : *Dépêche, tu vas être en retard.*]

dépeindre [depɛ̃dr] v. tr. (conj. 55). Représenter en détail par la parole ou par l'écriture : *La situation telle que vous nous la dépeignez n'est guère encourageante. Un romancier qui a bien dépeint ses personnages* (syn. : DÉCRIRE).

dépenaillé, e [depənaje] adj. Se dit d'une personne vêtue de vêtements sordides et en lambeaux, ou de ces vêtements eux-mêmes : *Un mendiant dépenaillé* (syn. : LOQUETEUX, DÉGUENILLÉ). *Une tenue dépenaillée* (syn. : ↓ NÉGLIGÉ).

dépendre [depɑ̃dr] v. tr. ind. (conj. **50**). **1°** (sujet nom de personne) *Dépendre de quelqu'un,* être sous son autorité, à sa merci : *Un chef de bureau qui dépend étroitement de son directeur. Il s'est établi à son compte pour ne dépendre que de lui-même* (syn. : RELEVER DE). — **2°** (sujet nom de chose) *Dépendre de quelque chose, de quelqu'un,* être de son ressort, de sa juridiction : *Un organisme qui dépend du ministère de l'Education nationale. Une île qui dépend administrativement de la France.* — **3°** (sujet nom de chose) *Dépendre de quelqu'un, de quelque chose,* être conditionné par lui, subordonné à sa décision : *Le succès dépend de votre ténacité. Ma décision dépendra de mes possibilités financières. Il n'a pas dépendu de moi que l'affaire réussisse ou échoue.* — **4°** *Cela (ça) dépend,* c'est variable selon les circonstances : « *Aimez-vous le cinéma? — Ça dépend, j'aime les films comiques.* » ◆ **dépendance** n. f. **1°** Situation d'une personne qui dépend d'autrui : *Un emploi où l'on est sous la dépendance complète d'un patron. Cette dépendance commençait à lui peser* (syn. : SUBORDINATION; ↑ SUJÉTION, SERVITUDE, ASSUJETTISSEMENT; contr. : INDÉPENDANCE). — **2°** Relation d'une chose à ce qui la conditionne : *Il y a une dépendance évidente entre la végétation et le climat.* ◆ **dépendances** n. f. pl. Bâtiment, terrain, territoire qui se rattache à un bâtiment ou à un domaine plus important : *Une propriété qui comprend de nombreuses dépendances : garage, serre, pavillon de chasse, etc.* ◆ **dépendant, e** adj. Se dit surtout d'une personne ou d'une collectivité qui est sous une autorité, qui n'a pas son autonomie. ◆ **interdépendance** n. f. : *L'interdépendance des problèmes politiques et économiques* (= dépendance mutuelle). *L'interdépendance des Etats faisant partie d'une même communauté d'intérêts.* ◆ **interdépendant, e** adj. : *Niveau de vie de la population et expansion économique sont interdépendants.* (V. aussi PENDRE.)

1. dépens [depɑ̃] n. m. pl. Frais de justice (terme de droit) : *Etre condamné aux dépens.*

2. dépens de (aux) [odepɑ̃də] loc. prép. En causant des frais, du tort, du dommage à : *Un parasite qui vit aux dépens de ses hôtes* (syn. : AUX FRAIS DE; fam. : AUX CROCHETS DE). *Il a accepté ce travail supplémentaire aux dépens de ses loisirs* (syn. : AU DÉTRIMENT DE). *Ils ont ri à mes dépens* (= sur mon compte, sur mon dos).

dépense [depɑ̃s] n. f. **1°** Emploi qu'on fait de son argent pour payer; montant de la somme à payer : *Je ne peux pas m'engager dans des dépenses supérieures à mes recettes* (syn. : FRAIS). *Un père qui règle les dépenses de son fils.* — **2°** Usage qu'on fait d'une chose : *Un projet qui a demandé une grande dépense d'imagination. Calculer la dépense de chaleur correspondant à une réaction chimique* (syn. : CONSOMMATION). ◆ **dépenser** v. tr. **1°** *Dépenser (de l'argent),* l'employer pour un achat : *Il a dépensé toutes ses économies pour se procurer une voiture. A force de dépenser sans compter, il a fini par se ruiner.* — **2°** *Dépenser quelque chose,* l'employer dans une intention précise, en vue d'une fin quelconque : *Dépenser ses forces, son courage pour mener à bien une entreprise* (syn. : CONSACRER, PRODIGUER). ◆ ***se dépenser*** v. pr. (sujet nom de personne). Montrer beaucoup d'activité, ne pas ménager ses efforts : *Vous avez beau vous dépenser, vous n'arriverez à rien* (syn. : SE DÉMENER). ◆ **dépensier, ère** adj. et n. Se dit d'une personne qui aime la dépense, qui dépense plus qu'il n'est nécessaire : *S'il était moins dépensier, il pourrait être à la tête d'une jolie fortune* (syn. : PRODIGUE; fam. : GASPILLEUR; contr. : ÉCONOME).

déperdition [depɛrdisjɔ̃] n. f. Diminution, perte sans profit : *La mauvaise isolation entraîne une grande déperdition de chaleur.*

dépérir [deperir] v. intr. **1°** (sujet nom d'être vivant) Perdre progressivement de sa vitalité : *Un malade, une plante qui dépérit.* — **2°** (sujet nom de chose) Perdre de sa force, de son importance : *Cette entreprise commence à dépérir.* ◆ **dépérissement** n. m. : *Le dépérissement dû à de longues privations. Ces chiffres attestent un dépérissement de notre commerce avec l'étranger* (syn. : DÉCLIN, BAISSE).

dépersonnaliser v. tr. V. PERSONNE.

dépêtrer [depetre] v. tr. Fam. *Dépêtrer un être animé,* le dégager de ce qui empêchait ses mouvements : *On a eu bien du mal à dépêtrer la pauvre bête de ce filet* (syn. : DÉBARRASSER; contr. : EMPÊTRER). ◆ ***se dépêtrer*** v. pr. (sujet nom d'être animé). Se tirer d'embarras : *Il est pris dans des difficultés dont il ne parvient pas à se dépêtrer.*

dépeupler v. tr. V. PEUPLER.

déphasé, e [defaze] adj. *Fam.* Se dit d'une personne qui a perdu le contact avec la réalité actuelle, qui agit à contretemps : *Laissez-moi le temps de me réhabituer : je suis déphasé après une si longue absence* (syn. : DÉSORIENTÉ). ◆ **déphasage** n. m.

dépiauter [depjote] v. tr. Fam. *Dépiauter un animal,* le dépouiller de sa peau, de son enveloppe : *Dépiauter une anguille, un lapin* (syn. : ÉCORCHER). ◆ **dépiautage** n. m.

dépister [depiste] v. tr. **1°** *Dépister quelqu'un, quelque chose,* le découvrir au terme d'une recherche délicate, d'une enquête : *La police a dépisté le coupable* (= trouvé la trace). *Dépister l'origine d'une fausse nouvelle. Dépister une influence littéraire chez un écrivain.* — **2°** *Dépister quelqu'un, un animal,* déjouer sa poursuite, lui échapper : *Dépister les journalistes* (syn. fam. : SEMER). *Un lièvre qui a dépisté les chiens.* ◆ **dépistage** n. m. *Dépistage d'une maladie,* recherche systématique, dans la population, des cas latents de cette maladie.

1. dépit [depi] n. m. Contrariété, blessure d'amour-propre causée par une déception : *Il a éprouvé un certain dépit de voir qu'on lui préférait un candidat plus jeune.* ◆ **dépiter** v. tr. *Dépiter quelqu'un,* lui causer du dépit (surtout au passif) : *Il est revenu très dépité de n'avoir rien obtenu* (syn. : DÉCEVOIR, CONTRARIER, VEXER, MORTIFIER).

2. dépit de (en) [ɑ̃depidə] loc. prép. **1°** Indique ce qui pourrait s'opposer à un fait (langue soignée) : *En dépit de sa jeunesse, il a déjà un jugement très sûr* (syn. usuel : MALGRÉ). — **2°** *En dépit du bon sens,* sans aucun soin, très mal.

déplacer [deplase] v. tr. **1°** *Déplacer une chose, une personne,* la mettre à une autre place : *On a déplacé la table pour nettoyer le parquet* (syn. : POUSSER). *Déplacer une virgule. Déplacer un élève bavard.* — **2°** *Déplacer un fonctionnaire,* l'affecter d'office à un autre poste. — 3° *Déplacer le problème, la difficulté,* les faire porter sur un autre point au lieu de les résoudre. ‖ *Déplacer la question,* engager la discussion ou l'exposé hors du sujet. ◆ ***se déplacer*** v. pr. (sujet nom de personne ou de chose). Aller en un autre lieu : *Il ne se déplace guère qu'en voiture* (syn. : VOYAGER, CIRCULER). *Un rhumatisant qui se déplace difficilement.* ◆ **déplacé, e** adj. 1° Se dit de ce qui ne convient pas aux circonstances : *Cette conversation est déplacée en présence de personnes affligées* (syn. : INCONVENANT, MALSÉANT). — 2° *Personne déplacée,* personne qui est contrainte de vivre en exil pour des motifs politiques. ◆ **déplacement** n. m. : *Le déplacement d'un tableau. Les stations météorologiques suivent le déplacement de l'ouragan. Il emmène son chien dans tous ses déplacements* (syn. : VOYAGE). *Le déplacement d'office d'un fonctionnaire est une sanction administrative.*

déplaire v. tr. ind. V. PLAIRE.

déplaisir [deplɛzir] n. m. Sentiment causé par ce qui déplaît : *Je n'envisage pas sans quelque déplaisir de devoir renoncer à ces activités* (syn. : CONTRARIÉTÉ).

déplier v. tr. V. PLIER.

déplorer [deplɔre] v. tr. (sujet nom de personne). *Déplorer une chose,* manifester sa douleur, exprimer de vifs regrets à son propos : *Un incendie s'est déclaré; on déplore plusieurs victimes. Nous avons déploré votre absence. Je déplore que cette lettre se soit égarée* (syn. : REGRETTER). ◆ **déplorable** adj. 1° Se dit de ce qui attriste, de ce qui cause des regrets : *Il y a eu des scènes déplorables entre père et fils* (syn. : NAVRANT, PÉNIBLE, AFFLIGEANT). — 2° Se dit de ce qui provoque du désagrément, de la répulsion : *Un temps déplorable* (syn. : ↓ DÉSAGRÉABLE). *Une décoration déplorable* (syn. : LAID, ↑ LAMENTABLE). ◆ **déplorablement** adv. : *Il chante déplorablement* (syn. : ↑ LAMENTABLEMENT).

déployer [deplwaje] v. tr. 1° *Déployer une chose,* l'étendre largement : *Il déploie tout grand son journal sur la table* (syn. : DÉPLIER, ÉTALER, OUVRIR). *La mouette déploie ses ailes.* — 2° (sujet nom de personne) *Déployer de l'activité, du zèle,* etc., en manifester beaucoup. — 3° *Déployer sa force,* en faire étalage, ou l'employer largement. ‖ *Rire à gorge déployée,* sans retenue, de bon cœur. ◆ **déploiement** n. m. : *Le déploiement d'une tenture. La situation exige un grand déploiement de diplomatie. Ce déploiement de forces visait à intimider l'adversaire* (syn. : ÉTALAGE).

déplumer v. tr. V. PLUME; **dépoétiser** v. tr. V. POÈTE; **dépolir** v. tr. V. POLIR; **dépolitiser** v. tr. V. POLITIQUE.

déponent, e [depɔnɑ̃, -ɑ̃t] adj. Se dit d'un verbe, d'une conjugaison du latin dont la forme correspond à celle du passif et dont le sens est actif.

dépopulation n. f. V. PEUPLER.

1. déporter [depɔrte] v. tr. *Déporter quelqu'un,* l'emmener de force hors de sa résidence pour des raisons politiques (souvent au passif) : *Des millions de personnes ont été déportées par les régimes totalitaires dans des camps de concentration.* ◆ **déportation** n. f. Séjour dans un camp de concentration : *Le souvenir de ceux qui sont morts en déportation.* ◆ **déporté, e** n. Personne qui a été internée dans un camp de concentration.

2. déporter [depɔrte] v. tr. (sujet nom de chose). *Déporter quelque chose, quelqu'un,* le déplacer, le faire dévier de sa trajectoire : *Un avion déporté par un fort vent latéral. Le choc a déporté la voiture dans le virage.* ◆ **déportement** n. m. 1° *Le déportement d'un véhicule.* — 2° Ecarts de conduite (au plur. et littér.).

déposer [depoze] v. tr. 1° *Déposer quelque chose,* mettre sur le sol, sur un support, ce qu'on tenait, ce qu'on portait : *Déposez ces valises sur le palier* (syn. : POSER). *Déposer sa veste pour être plus à l'aise.* — 2° *Déposer une chose, une personne,* la laisser quelque part : *Quelqu'un a déposé un paquet pour vous chez le concierge* (syn. : REMETTRE; V. DÉPÔT). *Montez dans ma voiture, je vous déposerai à la gare.* — 3° *Déposer une chose,* ôter ce qui était installé : *Déposer des tentures, un tapis. Il a fallu déposer le chauffe-eau pour réparer la fuite* (syn. : DÉMONTER; V. DÉPOSE). — 4° *Déposer de l'argent, des valeurs,* etc., les laisser en dépôt, les confier à quelqu'un qui les fera fructifier. (V. DÉPÔT.) ‖ *Déposer les armes,* renoncer à continuer le combat. ‖ *Déposer un souverain, un chef,* le priver de ses pouvoirs (syn. : DESTITUER). [V. DÉPOSITION.] ◆ v. intr. 1° (sujet nom de personne) Faire une déclaration comme témoin devant un juge ou un enquêteur : *Plusieurs témoins ont déposé en faveur de l'accusé.* (V. DÉPOSITION.) — 2° (sujet nom désignant un liquide) Laisser sur les parois du récipient des particules formant un dépôt. ◆ **déposant, e** n. Personne qui fait un dépôt d'argent dans une banque, une caisse d'épargne, etc. ◆ **dépose** n. f. Action de déposer ce qui était installé, monté : *Le carrossier n'a pas facturé la dépose de l'aile.* ◆ **déposé, e** adj. Se dit d'un modèle, d'un objet fabriqué soumis à la formalité du dépôt pour le protéger des contrefaçons : *Ce briquet est un modèle déposé. Une signature déposée.* ◆ **dépositaire** n. 1° Personne à qui on a confié une chose, étant entendu qu'elle la remettra à qui de droit dès la première demande. — 2° Intermédiaire commercial chargé de vendre des marchandises au nom et pour le compte d'un propriétaire. — 3° Personne qui a reçu une confidence, qui a été investie d'une mission : *Un ami qui était le dépositaire de tous ses secrets. Le président de la République est le dépositaire de l'autorité de l'Etat.* ◆ **déposition** n. f. 1° Action de déposer un souverain : *Le comité révolutionnaire a décidé la déposition du souverain.* — 2° Action de déposer en justice (sens 1 du v. intr.) : *Le témoin maintient sa déposition.* ◆ **dépôt** n. m. 1° Action de déposer un objet, de l'argent, une signature, etc. : *Le maximum des dépôts à la caisse d'épargne a été augmenté.* — 2° Chose déposée, confiée : *Restituer un dépôt. Il considérait les dernières volontés de son ami comme un dépôt sacré.* — 3° Particules qui étaient en suspens dans un liquide et qui se sont agglomérées au repos : *L'eau a formé un dépôt de tartre sur les parois de la bouillotte.* — 4° Lieu où certaines choses sont déposées, garées : *Un dépôt d'ordures. Un autobus qui vient de quitter le dépôt.*

déposséder v. tr. V. POSSÉDER.

dépotoir [depɔtwar] n. m. Endroit où l'on jette, où l'on rassemble ce qu'on met au rebut.

dépouiller [depuje] v. tr. 1° *Dépouiller un animal, un arbre,* lui ôter la peau ou l'écorce : *Dépouiller un lièvre, une branche d'arbre.* — 2° *Dépouiller quelqu'un, quelque chose,* lui ôter ses vêtements, ses biens, ses ornements : *Dépouiller un* *enfant de son manteau* (syn. : ENLEVER À). *Des escrocs l'ont dépouillé de ses économies* (syn. : DÉVALISER). *Pendant l'office du jeudi saint, on dépouille les autels. Un texte rédigé en un style très dépouillé* (= très simple). — 3° (sujet nom de personne) *Dépouiller quelque chose* (terme abstrait), s'en défaire, y renoncer : *Dépouiller tout amour-propre.* — 4° *Dépouiller un livre, un document,* etc., les examiner minutieusement, en extraire tous les renseignements qui paraissent intéressants. — 5° *Dépouiller un scrutin,* décompter les votes. ◆ **dépouille** n. f. 1° Peau retirée d'un animal. — 2° *Dépouille mortelle,* ou simplem. *dépouille,* corps d'une personne morte (langue soutenue) : *Saluer la dépouille mortelle d'un grand homme.* ◆ **dépouilles** n. f. pl. Ce qu'on prend à un ennemi vaincu, ou dont on s'enrichit aux dépens de quelqu'un (syn. : BUTIN). ◆ **dépouillement** n. m. 1° Action de dépouiller : *Le dépouillement des documents est achevé, il va pouvoir commencer à rédiger sa thèse. Le dépouillement du scrutin.* — 2° Absence d'ornements, extrême sobriété : *Le dépouillement du style.*

1. dépourvu, e [depurvy] adj. *Dépourvu de quelque chose,* se dit d'une personne ou d'une chose qui n'en est pas pourvue, qui ne le possède pas, ne le contient pas : *Un homme dépourvu de ressources* (syn. : DÉMUNI). *Livre dépourvu d'intérêt* (syn. : DÉNUÉ). *Un appartement dépourvu du chauffage central* (contr. : POURVU).

2. dépourvu (au) [odepurvy] loc. adv. *Prendre quelqu'un au dépourvu,* le mettre dans l'embarras à un moment où il n'est pas pourvu du nécessaire, où il n'est pas préparé à répondre : *Un commerçant qui a renouvelé son stock pour ne pas être pris au dépourvu. Votre question me prend au dépourvu* (syn. : DE COURT, À L'IMPROVISTE).

dépraver [deprave] v. tr. 1° *Dépraver quelqu'un,* le porter à la corruption morale (surtout au passif) : *Un enfant dépravé par de mauvaises fréquentations* (syn. : PERVERTIR, CORROMPRE). — 2° *Dépraver le goût, le jugement,* etc., l'altérer gravement, le corrompre. ◆ **dépravateur, trice** adj. et n. : *Un spectacle dépravateur* (syn. : CORRUPTEUR; contr. : ÉDIFIANT). *Un écrivain considéré comme un dépravateur de la jeunesse.* ◆ **dépravation** n. f. : *La dépravation des mœurs* (syn. : AVILISSEMENT, CORRUPTION).

déprécier [depresje] v. tr. 1° (sujet nom de personne) *Déprécier quelqu'un, quelque chose,* rabaisser leur mérite, leur valeur : *Je ne voudrais pas déprécier les services qu'il m'a rendus* (syn. : MINIMISER, SOUS-ESTIMER). — 2° (sujet nom de chose) *Déprécier une chose,* lui ôter de la valeur : *La perte de ce volume déprécie la collection. Un terrain déprécié par le voisinage d'une usine* (syn. : DÉVALORISER; contr. : VALORISER). ◆ ***se déprécier*** v. pr. (sujet nom de chose). Perdre de sa valeur : *Une maison qui se déprécie faute d'entretien.* ◆ **dépréciation** n. f. : *La dépréciation de la monnaie.*

déprédation [depredasjɔ̃] n. f. 1° Vol considérable avec dégâts : *Les déprédations commises par les soldats des troupes d'occupation* (syn. : RAPINE). — 2° Gaspillage, détournement des biens de l'Etat (syn. : MALVERSATION). ◆ **déprédateur, trice** adj. et n. : *Engager des poursuites contre les déprédateurs.*

déprendre (se) [sədeprɑ̃dr] (conj. 54) [sujet nom de personne]. *Se déprendre de quelqu'un, d'une habitude,* cesser d'être attaché à cette personne, à cette habitude : *Elle s'est rapidement déprise de lui* (contr. : S'ÉPRENDRE).

1. dépression n. f. V. DÉPRIMER.

2. dépression [depresjɔ̃] n. f. 1° *Dépression atmosphérique,* baisse de la pression atmosphérique. — 2° Période de ralentissement économique.

3. dépression [depresjɔ̃] n. f. Partie en creux par rapport à une surface : *Une dépression de terrain* (syn. : CREUX, ENFONCEMENT).

déprimer [deprime] v. tr. *Déprimer quelqu'un,* causer en lui une fatigue, un abattement physique ou moral (surtout au passif) : *Il est très déprimé par cette longue maladie. Son échec l'a gravement déprimé* (syn. : DÉMORALISER). ◆ **déprimant, e** adj. : *Un pays tropical au climat déprimant. Une incertitude déprimante.* ◆ **dépression** [depresjɔ̃] n. f. Perte d'énergie physique ou morale d'une personne : *Il passe par des périodes de dépression qui alternent avec des périodes d'exaltation* (syn. : ABATTEMENT, DÉCOURAGEMENT). *Une dépression nerveuse.* ◆ **dépressif, ive** adj. Qui manifeste de la dépression : *Un état dépressif.*

depuis [dəpɥi] prép. ou adv., **dès** [dɛ] prép. Indiquent le point de départ, le moment ou le lieu à partir duquel une action, un mouvement se fait. (V. tableau p. suiv.)

dépuratif, ive [depyratif, -iv] adj. et n. m. Se dit d'un produit médicinal propre à débarrasser l'organisme d'éléments impurs : *Prendre un dépuratif* (syn. : PURGE).

députer [depyte] v. tr. *Députer quelqu'un,* l'envoyer comme représentant : *On décida de députer trois parlementaires auprès du commandement ennemi pour entamer des négociations de paix* (syn. : DÉLÉGUER). ◆ **députation** n. f. 1° Envoi de personnes chargées d'une mission de représentation. — 2° Groupe de personnes ainsi envoyées : *Recevoir une députation de plénipotentiaires* (syn. : DÉLÉGATION). — 3° Fonction de député : *Etre candidat à la députation.* ◆ **député** n. m. Personne élue pour siéger dans une assemblée délibérante : *Les députés de la majorité, de l'opposition. Un député qui dépose un projet de loi.*

déraciner v. tr. V. RACINE.

1. dérailler [deraje] v. intr. (sujet nom désignant un train). Quitter les rails : *La locomotive et les deux premiers wagons ont déraillé. Des saboteurs avaient fait dérailler le convoi.* ◆ **déraillement** n. m. Accident survenant sur une voie ferrée quand un train quitte les rails : *Un déraillement qui a fait dix morts et une cinquantaine de blessés.*

2. dérailler [deraje] v. intr. 1° (sujet nom de personne) *Fam.* Parler ou agir de façon déraisonnable ou anormale : *Il a un peu trop bu, il commence à dérailler* (syn. : DÉRAISONNER, DIVAGUER). — 2° (sujet nom désignant une machine) *Fam.* Fonctionner mal : *La pendule déraille.*

dérailleur [derajœr] n. m. Dispositif monté sur une bicyclette pour permettre un changement de vitesse en faisant passer la chaîne sur un pignon différent.

déraison n. f. V. RAISON 1; **déraisonnable** adj., **déraisonner** v. intr. V. RAISON 2.

SENS	**depuis** (verbe au présent, à l'imparfait, au passé composé, au plus-que-parfait)	**dès** (verbe au présent, au passé, au futur)
1. Date, moment. *Depuis* indique le point de départ à partir duquel une chose dure et insiste sur cette durée; il peut être adverbe en ce sens. *Dès* indique et souligne le point de départ à partir duquel une chose a commencé.	*Il pleut depuis le 15 mars.* *Depuis le début il est hostile à nos projets.* *Je l'attends depuis midi : il est parti à huit heures et n'est pas rentré depuis* (adv.) *Depuis le XIX*e *siècle, la vie urbaine a été profondément modifiée.* *Depuis le jour où nous nous sommes rencontrés, il est survenu bien des événements. Depuis cet accident, il reste infirme. Il a été blessé et depuis il ne se sert plus de sa main.*	*Il s'est mis à pleuvoir dès le 15 mars.* *Dès le début il s'est montré hostile au projet.* *Il est venu me trouver dès son retour.* *Dès la fin du XIX*e *siècle, l'électricité avait transformé les conditions de vie.* *Dès le jour où il a appris ce malheur, il a changé d'attitude à mon égard.* *Dès son enfance, il manifestait une grande intelligence.*
2. Durée.	*Il est absent depuis un mois. Je le connais depuis vingt ans. Depuis combien de temps est-il absent?*	
3. Lieu. *Depuis* indique le lieu à partir duquel un événement se produit et dure; *dès* indique l'endroit à partir duquel un événement a commencé, s'est produit.	*Nous avons eu du soleil depuis* (= de) *Lyon jusqu'à Valence.* *Depuis Orléans, nous avons eu des arrêts continuels.* *Il me fit signe depuis la grille* (= de la grille). *Depuis* (= de) *ma chambre, je puis tout entendre.* *On nous transmet depuis* (= de) *Londres la nouvelle d'une catastrophe aérienne.*	*Dès Valence, le temps est devenu très beau.* *Dès la sortie de Paris, la route a été encombrée.* *Je l'ai reconnu dès l'entrée.* *Je l'aperçus dès le perron.*
4. Rang, ordre, quantité. *Depuis* indique le point de départ en envisageant le plus souvent le point d'arrivée (*jusqu'à*). *Dès* est rare dans cet emploi.	*Depuis le premier* (= du premier) *jusqu'au dernier, tous étaient d'accord.* *On vend ici des articles depuis cent francs* (syn. : À PARTIR DE). *On peut utiliser cette balance depuis cinq grammes jusqu'à dix kilogrammes* (syn. : DE, À PARTIR DE).	*Dès le deuxième échelon, le salaire est suffisant* (syn. : À PARTIR DE).
5. Suivi de *lors :*		
a) valeur temporelle	*Il est parti le 3 juin; depuis lors, je n'ai plus eu de ses nouvelles.*	*Il avait été vexé; dès lors, il se tint sur la réserve* (= à partir de cette époque).
b) valeur logique		*On ne peut retenir ce grief contre lui, dès lors toute l'accusation tombe* (syn. : PAR CONSÉQUENT, DE CE FAIT).
6. Suivi de *que :*		
a) valeur temporelle	*Depuis que je le connais, je n'ai cessé de l'estimer.* *Depuis le temps que je vous connais, je devine votre réaction. Depuis le temps que nous étions à la Faculté!* (indique qu'il s'est passé un très long temps entre l'action de la principale et celle de la subordonnée ou que la durée de l'état de fait existant est très longue).	*Dès qu'il sera arrivé, vous m'avertirez.*
b) valeur logique		*Dès lors qu'il avoue sa faute, elle lui sera pardonnée* (= en conséquence du fait que).

Loc. : *Depuis peu* (= il y a peu de temps), *il est nommé à la tête de ce service. Depuis quand* (= à partir de quand, suivi d'un passé) *êtes-vous revenu de vacances? Nous nous connaissons depuis toujours* (= depuis une époque lointaine et indéterminée).

déranger [derɑ̃ʒe] v. tr. 1° *Déranger quelque chose,* déplacer ce qui était rangé : *Qui est-ce qui a dérangé mes fiches?* (= a mis en désordre). *Déranger les livres d'une bibliothèque.* — 2° *Déranger quelque chose,* en troubler le fonctionnement, le déroulement normal : *Déranger un appareil distributeur* (syn. fam. : DÉTRAQUER, DÉGLINGUER). *Le transport a dérangé la bascule* (syn. : DÉRÉGLER). *Le temps est dérangé* (= il s'est gâté). *Cet incident dérange tous nos projets* (syn. : PERTURBER, CONTRECARRER). — 3° *Déranger une personne, un animal,* interrompre son repos ou son occupation : *Ne le dérangez pas, il sommeille. Les cambrioleurs ont été dérangés pendant qu'ils tentaient de fracturer le coffre-fort. L'arrivée du chasseur avait dérangé le fauve dans son repas.* — 4° Fam. *Etre dérangé,* avoir la diarrhée. ◆ ***se déranger*** v. pr. Quitter sa place, ses occupations : *Il lui suffit d'étendre le bras pour passer un coup de téléphone, sans se déranger* (syn. : SE DÉPLACER). ◆ **dérangement** n. m. : *Un courant d'air qui cause du dérangement dans les papiers* (syn. : DÉSORDRE; fam. : PAGAILLE). *Une ligne téléphonique en dérangement* (= qui fonctionne mal). *Ces démarches nous ont occasionné de nombreux dérangements* (syn. : DÉPLACEMENT). *Il a un dérangement intestinal* (= la colique).

déraper [derape] v. intr. (sujet nom désignant un véhicule ou un être animé). En raison d'une adhérence insuffisante de ses roues, de ses pieds, de ses pattes, glisser en s'écartant de sa voie normale : *Une voiture qui dérape dans un virage. Ses semelles ont dérapé sur le bitume* (syn. : GLISSER). ◆ **dérapage** n. m. : *L'accident est dû à un dérapage sur la chaussée mouillée.* ◆ **antidérapant, e** adj. : *Munir sa voiture de pneus antidérapants.*

dératisation n. f., **dératiser** v. tr. V. RAT.

derby [dɛrbi] n. m. Nom donné à certaines courses de chevaux, à des courses cyclistes, etc.

dérégler v. tr. V. RÉGLER.

déréliction [dereliksjɔ̃] n. f. Etat d'une personne qui a le sentiment d'être abandonnée à sa solitude morale (littér.).

1. dérider v. tr. V. RIDE.

2. dérider [deride] v. tr. *Dérider quelqu'un,* provoquer son sourire, le rendre moins grave : *Cette anecdote réussit à le dérider* (syn. : ÉGAYER).

dérision [derizjɔ̃] n. f. **1°** Moquerie railleuse : *Il l'appelait par dérision « mon cher maître ». Il est malséant de tourner en dérision des choses respectables.* — **2°** *C'est une dérision,* c'est ridicule, c'est se moquer du monde : *C'est une dérision de prétendre qu'il a fait son travail.* ◆ **dérisoire** adj. **1°** Se dit de ce qui porte à rire par son caractère peu raisonnable : *Il n'a pu opposer que des arguments dérisoires* (syn. : RIDICULE, PITOYABLE, MINABLE). — **2°** Se dit de ce qui est insignifiant, très faible : *Des articles vendus à des prix dérisoires. Il n'a obtenu que des résultats dérisoires* (syn. : INSIGNIFIANT). ◆ **dérisoirement** adv. : *Des crédits dérisoirement insuffisants* (syn. : RIDICULEMENT).

dérivatif [derivatif] n. m. Occupation qui détourne l'esprit vers d'autres pensées : *Le travail est un dérivatif à son chagrin.*

1. dériver [derive] v. tr. ind. **1°** *Dériver de quelque chose,* en provenir : *Le théâtre profane du Moyen Age, en France, dérive du théâtre religieux* (syn. : ÊTRE ISSU, VENIR DE). — **2°** (sujet nom désignant un mot) Etre issu d'un autre mot par dérivation : *« Marchandise » dérive de « marchand ».* ◆ **dérivation** n. f. Formation d'un mot par adjonction d'un suffixe à un autre mot ou à un radical : *« Abricotier » a été formé sur « abricot » par dérivation.* ◆ **dérivé, e** adj. et n. m. Se dit d'un mot, d'une expression qui dérive d'un autre mot ou d'une autre expression : *Le mot « simple » a comme dérivés « simplet », « simplement », « simplicité », « simplifier », « simplification ».*

2. dériver [derive] v. intr. **1°** (sujet nom désignant un bateau, un corps flottant, un avion) Etre déporté par le courant ou par le vent : *Une barque qui dérive au fil de l'eau.* — **2°** (sujet nom de personne) S'écarter du sujet qu'on commente : *Vous dérivez sans cesse : revenez donc à la question centrale.* ◆ **dérive** n. f. **1°** Déviation d'un bateau ou d'un avion sous l'effet du vent. — **2°** *A la dérive,* se dit d'un bateau ou d'un objet flottant chassé par le courant ou le vent, ou d'une personne, d'une chose qui est le jouet des événements, qui se laisse aller : *Plusieurs caisses sont parties à la dérive. Depuis son échec, il est à la dérive. Tous ses projets vont à la dérive* (syn. : À VAU-L'EAU).

3. dériver [derive] v. tr. *Dériver un cours d'eau,* détourner son cours. ◆ **dérivation** n. f. Action de dériver un cours d'eau; voie par où passe un courant dérivé : *Creuser un canal de dérivation pour approfondir le lit d'un fleuve.*

dermatologie [dɛrmatɔlɔʒi] n. f. Partie de la médecine qui s'occupe des maladies de la peau. ◆ **dermatologue** n.

dernier, ère [dɛrnje, -ɛr] adj. et n. **1°** (adj. avant le nom) Qui vient après tous les autres selon l'ordre chronologique, le rang, le mérite; après quoi il n'y a plus rien : *Le 31 décembre est le dernier jour de l'année. La table des matières est à la dernière page du livre. Un élève classé dernier à la composition. Il est le dernier de sa classe. Il habite au dernier étage* (= à l'étage le plus élevé). *J'ai une dernière recommandation à lui faire avant son départ* (syn. : ULTIME). — **2°** *Ce dernier,* celui-ci (désignant la personne ou la chose la plus récemment nommée) : *Il est venu avec son frère et son cousin; ce dernier paraissait fatigué.* — **3°** *En dernier, en dernier lieu,* après tout le reste, tous les autres; pour terminer : *Il vaut mieux faire ce travail en dernier. On l'a inscrit en dernier sur la liste. En dernier lieu, je vous demande d'être très exact au rendez-vous.* — **4°** *Le dernier des...,* le plus méprisable, le plus stupide des... : *On les traite comme les derniers des criminels. Le dernier des imbéciles comprendrait cela.* ‖ Fam. *Le dernier des derniers,* la personne la plus abjecte. ‖ *Le dernier à pouvoir..., le dernier qui* (suivi du subj.)..., celui qui est moins qualifié que tout autre, qui mérite le moins... : *Il est bien le dernier à pouvoir se plaindre. C'est le dernier sur qui on puisse compter.* ◆ adj. **1°** (avant le nom) Qui est le plus récent : *Avez-vous lu le dernier roman de cet auteur? Il est habillé à la dernière mode. Une information de dernière minute.* • REM. Il se place après le nom dans les expressions *l'an dernier, l'année dernière, la semaine dernière, le mois dernier;* on dit *les temps derniers* ou *ces derniers temps* (= récemment), *les jours derniers* ou *ces derniers jours,* etc. — **2°** Extrême (précédé des prép. *de* ou *à* et de l'art. défini) : *Une question de la dernière importance. Un chapeau du dernier ridicule. Je suis du dernier bien avec lui* (= au mieux). *Une réponse de la dernière grossièreté. Il est tuberculeux au dernier degré.* ‖ *En dernière analyse,* tout bien examiné. ‖ *Le dernier soupir,* l'instant de la mort (littér.). ‖ *Le dernier mot, le dernier cri,* ce qu'il y a de plus récent, de plus perfectionné dans le genre. ‖ *Avoir le dernier mot,* conserver l'avantage final dans une discussion. ‖ *Rendre les derniers devoirs à quelqu'un,* lui rendre les honneurs funèbres (langue littér.). ‖ *Mettre la dernière main à un travail,* le mener à son achèvement, y faire les retouches finales. ◆ **avant-dernier, ère** adj. et n. Qui vient juste avant le dernier : *Novembre est l'avant-dernier mois de l'année. De nombreux mots latins étaient accentués sur l'avant-dernière syllabe* (syn. : PÉNULTIÈME). *Il a été l'avant-dernier à la composition.* — On dit aussi, fam., *avant-avant-dernier* pour désigner celui après lequel il n'y en a plus que deux. ◆ **der** [dɛr] n. invar. Pop. *La der des der,* la toute dernière partie d'un jeu, la dernière fois de toutes, la dernière guerre. ◆ **dernièrement** adv. Il y a peu de temps : *Je l'ai rencontré dernièrement* (syn. : RÉCEMMENT). ◆ **dernier-né, dernière-née** n. Le dernier enfant d'une famille; la chose la plus récente : *Les dernières-nées des voitures de course.*

1. dérober [derɔbe] v. tr. (sujet nom de personne). *Dérober quelque chose,* s'emparer furtivement de ce qui appartient ou de ce qui revient à autrui (langue soignée) : *Un pickpocket lui avait adroitement dérobé son portefeuille* (syn. : VOLER, SUBTILISER). *Un enfant qui dérobe des bonbons* (syn. fam. : CHIPER). *Dérober à quelqu'un le fruit de ses efforts* (= l'en frustrer). *Il aurait bien voulu me dérober mon secret.*

2. dérober [derɔbe] v. tr. *Dérober quelqu'un, quelque chose à quelqu'un,* le mettre à couvert de quelqu'un, le tenir à l'écart de quelqu'un : *Dérober un coupable aux poursuites judiciaires* (syn. : SOUSTRAIRE). *Un rideau qui dérobe aux regards le fond de la pièce.* ◆ **se dérober** v. pr. (sujet nom de personne). Faire défection : *Il ne se dérobe pas quand on a besoin de lui. Se dérober à son devoir* (syn. : SE SOUSTRAIRE). *Ne cherchez pas à vous dérober : répondez à ma question* (syn. : S'ESQUIVER). ◆ **dérobade** n. f. Action de se dérober, attitude de quelqu'un qui se soustrait à ses obligations : *Ce silence est une dérobade.* ◆ **dérobé, e** adj. Se dit de ce qui est caché, secret : *Un escalier dérobé. Une porte dérobée.* ◆ **dérobée (à la)** loc. adv. En cachette et rapidement, pour que personne ne s'en aperçoive : *Regarder quelqu'un à la dérobée. Prendre quelque chose à la dérobée* (syn. : FURTIVEMENT, SUBREPTICEMENT, EN TAPINOIS [langue soignée]; pop. : EN DOUCE; contr. : OUVERTEMENT).

dérocher v. intr. V. ROC.

1. déroger [derɔʒe] v. tr. ind. (sujet nom de personne ou d'action). *Déroger à quelque chose,* ne pas se conformer à une prescription, à un principe directeur : *Pour une fois, il a dérogé à ses habitudes en se couchant à minuit.* ◆ **dérogation** n. f. : *Un règlement qui admet quelques dérogations* (syn. : EXCEPTION, ENTORSE). *Il a été autorisé, par dérogation spéciale, à feuilleter le précieux manuscrit.*

2. déroger [derɔʒe] v. intr. S'abaisser au-dessous de sa condition : *Un ministre qui ne craignait pas de déroger en se mêlant à la foule dans le métro* (syn. : DÉCHOIR).

1. dérouiller v. tr. V. ROUILLE.

2. dérouiller [deruje] v. tr. 1° Pop. *Dérouiller quelqu'un,* le battre, le rouer de coups. — 2° Fam. *Se dérouiller les jambes,* les dégourdir en prenant de l'exercice. ◆ v. intr. *Pop.* Recevoir une rossée.

dérouler [derule] v. tr. 1° Etendre ce qui était enroulé : *Dérouler un ruban.* — 2° Passer en revue, développer successivement : *Dérouler les événements de la journée.* ◆ **se dérouler** v. pr. (sujet nom désignant une suite d'éléments, de choses). Se présenter successivement aux yeux ou à l'esprit, ou s'enchaîner sans interruption : *Les souvenirs se déroulent dans sa tête. Le drame qui s'est déroulé dans cette maison.* ◆ **déroulement** n. m. : *Le déroulement d'un tuyau d'arrosage. L'enquête a reconstitué le déroulement des faits* (syn. : ENCHAÎNEMENT, SUITE). *Le déroulement d'une maladie* (syn. : COURS).

déroute [derut] n. f. 1° Fuite désordonnée d'une troupe vaincue : *Une retraite qui tourne en déroute* (syn. : DÉBÂCLE). *Une contre-attaque qui met en déroute les assaillants.* — 2° Grave échec, situation catastrophique : *Le résultat des élections fait apparaître la déroute d'un grand parti* (syn. : DÉSASTRE).

1. dérouter [derute] v. tr. *Dérouter quelqu'un,* le jeter dans une extrême perplexité, ne pas lui permettre de comprendre (surtout au passif) : *Il est complètement dérouté par les nouvelles méthodes. Cette réponse m'a un peu dérouté* (syn. : DÉCONCERTER, DÉCONTENANCER, DÉSORIENTER). ◆ **déroutant, e** adj. : *Des contradictions déroutantes.*

2. dérouter [derute] v. tr. *Dérouter un navire, un avion, un train,* lui assigner en cours de route un itinéraire différent de celui qui était prévu. ◆ **déroutage** ou **déroutement** n. m.

derrick [derik] n. m. Charpente métallique en forme de pylône, supportant l'appareil de forage d'un puits de pétrole.

derrière adv. et prép. V. DEVANT.

derviche [derviʃ] n. m. Religieux musulman.

des art. V. LE; **dés-** préf. V. DÉ-; **dès** prép. V. DEPUIS.

désabonner v. tr. V. ABONNEMENT; **désabuser** v. tr. V. ABUSER 2; **désaccord** n. m. V. ACCORD 1; **désaccorder** v. tr. V. ACCORD 2; **désaccoutumer** v. tr. V. ACCOUTUMER; **désaffection** n. f. V. AFFECTION 1; **désagréable** adj. V. AGRÉABLE; **désagréger** v. tr. V. AGRÉGER; **désagrément** n. m. V. AGRÉMENT 1; **désaltérer** v. tr. V. ALTÉRER 1; **désamorcer** v. tr. V. AMORCE 3.

désappointer [dezapwɛ̃te] v. tr. *Désappointer quelqu'un,* lui causer une déception visible en trompant son attente (surtout au passif) : *Il paraissait tout désappointé d'apprendre que le dernier train de la journée venait de partir* (syn. : DÉCEVOIR, DÉCONCERTER). ◆ **désappointement** n. m. : *Son désappointement se lisait sur son visage* (syn. : DÉCEPTION). *Il a marqué un léger désappointement en voyant sa place occupée* (syn. : DÉPIT).

désapprendre v. tr. V. APPRENDRE; **désapprobation** n. f., **désapprouver** v. tr. V. APPROUVER; **désapprovisionner** v. tr. V. APPROVISIONNER; **désarçonner** v. tr. V. ARÇON; **désargenté, e** adj. V. ARGENT 2; **désarmer** v. tr. V. ARMER 2.

désarroi [dezarwa] n. m. Etat d'une personne ou d'un groupe de personnes profondément troublées, ne sachant pas quel parti prendre, quelles actions accomplir : *La défection de son ami l'a plongé dans un profond désarroi. Les ordres contradictoires témoignaient du désarroi du haut commandement devant l'avance ennemie.*

désarticuler v. tr. V. ARTICULER 2 et 3; **désassortir** v. tr. V. ASSORTIR 1 et 2.

désastre [dezastr] n. m. 1° Grand malheur, événement qui cause des dommages graves et étendus; ruine qui en résulte : *Les désastres entraînés par l'inondation* (syn. : CALAMITÉ). *Un cyclone a ravagé la région : de nombreux habitants ont péri dans ce désastre* (syn. : CATASTROPHE). *Le désastre de Sedan* (syn. : ↓ DÉFAITE, DÉROUTE). *Un désastre financier.* — 2° Fam. *C'est un désastre,* c'est d'un effet déplorable : *Il a voulu improviser une allocution : ça a été un désastre.* ◆ **désastreux, euse** adj. : *Un temps désastreux* (syn. : ÉPOUVANTABLE). *Une récolte désastreuse* (contr. : EXCELLENT). *Un bilan désastreux* (syn. : ↑ CATASTROPHIQUE). *Un film désastreux* (= très mauvais).

désatomisé, e adj. V. ATOME; **désavantage** n. m. V. AVANTAGE 1 et 2.

désavouer [dezavwe] v. tr. 1° *Désavouer quelque chose,* refuser de le reconnaître comme sien : *Voltaire désavoua de nombreux écrits qu'on lui attribuait* (syn. : RENIER). — 2° *Désavouer quelqu'un, les propos* ou *les actes de quelqu'un,* déclarer qu'on est en désaccord avec lui, qu'on se désolidarise de lui : *Un homme politique désavoué par son parti.* ◆ **désaveu** n. m. Acte par lequel on désavoue quelque chose ou quelqu'un : *Sa déclaration constitue un désaveu de son action passée* (syn. : RENIEMENT). *Ses aveux ont été suivis de désaveux* (syn. : RÉTRACTATION, DÉMENTI, ↓ RÉTICENCE). (V. AVOUER.)

désaxer v. tr. V. AXE 1 et 2; **desceller** v. tr. V. SCELLER.

1. descendre [desɑ̃dr] v. intr. (conj. 50; auxiliaire *être*). 1° (sujet nom d'être animé ou de chose) Aller de haut en bas, se porter à un niveau inférieur : *Les troupeaux qui descendent de la montagne. Les flocons de neige descendent en voltigeant* (syn. : TOMBER). *Torrent qui descend du glacier. Les voyageurs descendent du train. Est-ce que vous descendez à la prochaine station? Descendre à la cave chercher du charbon* (contr. : MONTER). — 2° (sujet nom de personne) S'abaisser au-dessous de son rang : *Dans ses accès de colère, il descend jusqu'à la pire grossièreté* (contr. : S'ÉLEVER). — 3° *Descendre à l'hôtel, dans une auberge, chez des amis,* s'y arrêter au cours d'un voyage, y prendre pension. — 4° (sujet nom de chose) S'étendre vers le bas, être en pente : *Un puits qui descend à quarante mètres. La route descend vers la plaine* (contr. : MONTER). — 5° *Le thermomètre, le baromètre descend,* il indique une température, une pression atmosphérique moins élevée (syn. : BAISSER; contr. : MONTER, S'ÉLEVER). ◆ v. tr. (auxiliaire *avoir*). 1° *Descendre une chose,* la porter plus bas, la mettre à un niveau inférieur : *Descendre une valise du grenier au rez-de-chaussée. Descends un peu le tableau* (syn. : BAISSER; contr. : LEVER, HAUSSER). — 2° (sujet nom de personne ou de chose) Suivre de haut en bas, vers l'aval, vers le bas : *Il a descendu précipitamment les trois étages. Une chanteuse qui descend la gamme* (contr. : MONTER). *Barque qui descend la rivière* (contr. : REMONTER). — 3° Fam. *Descendre quelqu'un,* le tuer avec une arme à feu : *Les policiers risquaient de se faire descendre par les gangsters.* — 4° *Descendre un avion,* l'abattre : *La chasse a descendu trois des avions agresseurs.* ◆ **descendant, e** adj. Se dit surtout des choses qui descendent, qui vont vers le bas : *La route descendante* (contr. : MONTANT). *Une gamme descendante* (contr. : ASCENDANT, MONTANT). ◆ **descente** n. f. 1° Action de descendre, spécialement au sens 1 du v. intr. et aux sens 1 et 2 du v. tr. : *La descente de l'ascenseur. On l'a acclamé à sa descente de bateau. La descente des bagages a demandé une demi-heure* (contr. : MONTÉE). *Faire la descente d'une rivière en canoë* (contr. : REMONTÉE). — 2° Irruption en vue d'un contrôle, d'une rafle, etc. : *Il y a eu une descente de police dans tous les hôtels du quartier. Des pillards avaient fait une descente dans ses provisions.* — 3° Partie descendante : *La voiture avait atteint le sommet de la côte et s'engageait déjà dans la descente. Je l'ai rencontré dans la descente d'escalier.* — 4° *Descente de lit,* petit tapis placé sur le sol, le long d'un lit. ◆ **redescendre** v. intr. et tr. Descendre de nouveau; retourner au point d'où l'on était monté, où on avait monté quelque chose : *Il est redescendu de son échelle. Vous redescendrez les valises à la cave* (contr. : REMONTER).

2. descendre [desɑ̃dr] v. intr. (conj. 50). *Descendre d'un ancêtre célèbre, d'une famille de petite noblesse,* etc., en être issu, en tirer son origine (syn. : REMONTER À). ◆ **descendant, e** n. Personne qui descend d'une autre : *Il a légué une immense fortune à ses descendants* (contr. : ASCENDANT). *Louis XIV était un descendant de Saint Louis.* ◆ **descendance** n. f. 1° Le fait, pour une personne, d'être issue de telle ou telle autre, de telle ou telle condition : *Etre de descendance noble, norvégienne* (syn. : ORIGINE). — 2° Ensemble des descendants : *La descendance d'un patriarche* (syn. : POSTÉRITÉ).

description n. f. V. DÉCRIRE.

désemparé, e [dezɑ̃pare] adj. 1° Se dit d'une personne qui a perdu tous ses moyens, qui ne sait plus comment s'y prendre pour se tirer d'affaire : *Après le départ de son ami, il se sentit tout désemparé* (syn. : PERDU, DÉCONCERTÉ, DÉCONTENANCÉ). — 2° Se dit d'un bateau ou d'un avion qui n'est plus en état de se diriger, à la suite d'une avarie.

désemparer (sans) [sɑ̃dezɑ̃pare] loc. adv. Sans interruption, avec persévérance : *Nous avons poursuivi les recherches toute la journée sans désemparer. Travailler sans désemparer* (syn. : SANS S'ARRÊTER; fam. : SANS DÉBRIDER, SANS DÉTELER).

désemplir v. intr. V. EMPLIR; **désenchanter** v. tr. V. ENCHANTER; **désensibiliser** v. tr. V. SENS 1; **déséquilibrer** v. tr. V. ÉQUILIBRE.

désert, e [dezɛr, -ɛrt] adj. Se dit d'un lieu inhabité ou peu fréquenté : *L'avion survolait une région déserte. A cette heure, la plage est déserte. Il parcourait les longs couloirs déserts.* ◆ **désert** n. m. 1° Vaste région inhabitée en raison de son aridité : *Le Sahara est un désert de sable et de pierre.* — 2° *Parler, prêcher dans le désert,* parler sans rencontrer de compréhension, faire de vaines recommandations. ◆ **désertique** adj. : *Une zone désertique.*

déserter [dezɛrte] v. tr. 1° *Déserter un lieu,* l'abandonner définitivement : *Les jeunes désertent ces villages.* — 2° *Déserter une organisation,* s'en séparer, la quitter : *Il a déserté le parti dont il était membre depuis longtemps* (syn. fam. : LÂCHER). ◆ v. intr. Se dit d'un soldat qui abandonne irrégulièrement son unité. ◆ **déserteur** n. m. et adj. Celui qui a déserté : *De nombreux déserteurs passaient la frontière pour se réfugier en pays neutre. Un soldat porté déserteur.* ◆ **désertion** n. f. : *La désertion devant l'ennemi est passible de mort. Un parti politique qui a enregistré quelques désertions* (syn. : DÉFECTION). *La désertion des campagnes.*

désespérer [dezɛspere] v. tr. *Désespérer quelqu'un,* le jeter dans l'abattement en venant à bout de son courage, de sa persévérance : *Une période de mauvais temps qui désespère les touristes* (syn. : DÉCOURAGER). *Sa paresse désespère ses parents* (syn. : NAVRER). *Il me désespère par sa lenteur.* ◆ v. intr. (sujet nom de personne). 1° Perdre courage, cesser d'espérer : *Il n'avait jamais désespéré dans les situations les plus critiques.* — 2° *Désespérer de quelque chose, de faire quelque chose, de quelqu'un,* ne plus en espérer la réalisation, la fin, etc., n'avoir plus confiance en lui : *Je commençais à désespérer de le revoir. Il ne faut pas désespérer de la guérison. J'avoue avoir un moment désespéré de lui.* ◆ **se désespérer** v. pr. (sujet nom de personne). Perdre l'espoir, être rongé d'inquiétude, de souci : *Ne vous désespérez pas : tout peut encore s'arranger. Il se* *désespérait à la pensée de toutes ces occasions qu'il laissait échapper.* ◆ **désespérance** n. f. Etat d'une personne qui a perdu l'espérance (littér.). ◆ **désespérant, e** adj. 1° Se dit d'une personne ou d'une chose qui cause du désespoir, de l'abattement : *Nos efforts étaient d'une inutilité désespérante. La route est d'une longueur désespérante* (syn. : ↓ DÉCOURAGEANT). *Cet enfant est désespérant* (= on ne peut rien tirer de lui). — 2° Qui décourage toute tentative d'imitation : *Une œuvre d'une perfection désespérante.* ◆ **désespéré, e** adj. 1° Dont on désespère : *Les médecins jugent son cas désespéré. Quand il a vu que la lutte était désespérée, il a fini par se résigner.* — 2° Se dit de ce qui est fait avec un acharnement extrême : *Déployer une énergie désespérée pour aboutir à un résultat* (syn. : ACHARNÉ). *Malgré sa course désespérée, il n'a pas pu arriver avant le départ du train* (syn. : FOU). ◆ adj. et n. Se dit de quelqu'un qui s'abandonne au désespoir : *Il semblait désespéré d'être contraint de renoncer à ses travaux. On a repêché dans la Seine le corps d'un désespéré.* ◆ **désespérément** adv. 1° D'une façon qui porte au désespoir : *Il se sentait désespérément seul.* — 2° Avec acharnement, de toutes ses forces : *Le naufragé s'efforçait désespérément de gagner la côte à la nage.* ◆ **désespoir** n. m. 1° Abattement total de quelqu'un qui a cessé d'espérer : *Dans un moment de désespoir, il avait eu la tentation de se suicider.* — 2° (sujet nom de personne ou de chose) *Faire, être le désespoir de quelqu'un,* le jeter dans le découragement, l'affliger profondément : *Cet enfant fait mon désespoir.* ‖ (sujet nom de personne) *Etre au désespoir de* (et l'infin.), avoir le grand regret de : *Je suis au désespoir de ne pas pouvoir vous satisfaire.* ‖ *En désespoir de cause,* après avoir épuisé tous les autres moyens : *En désespoir de cause, il en est venu à consulter les rebouteux.*

déshabiller v. tr. V. HABILLER ; **désherber** v. tr. V. HERBE ; **déshériter** v. tr. V. HÉRITER ; **déshonnête** adj. V. HONNÊTE ; **déshonorer** v. tr. V. HONNEUR.

déshydrater [dezidrate] v. tr. 1° Priver d'eau en faisant évaporer : *Déshydrater des légumes pour les conserver.* — 2° Fam. *Etre déshydraté,* être assoiffé. ◆ **déshydratation** n. f.

desiderata [deziderata] n. m. pl. Ce qu'on désire, souhaite (terme admin.) : *Ecrire à un député pour lui faire part de ses desiderata* (syn. : DÉSIRS, VŒUX, SOUHAITS).

désigner [deziɲe] v. tr. 1° *Désigner quelque chose, quelqu'un,* le montrer, attirer l'attention sur lui : *Il me désigna une chaise en m'invitant à m'asseoir. Le conférencier désigna une ville sur la carte murale. L'examinateur désigna au candidat le passage qu'il devait traduire* (syn. : INDIQUER). *Son dernier roman l'a désigné à l'attention du jury* (syn. : SIGNALER). — 2° *Désigner quelqu'un,* le choisir pour exercer des fonctions, l'investir d'un rôle : *Le personnel est invité à désigner ses représentants* (syn. : ÉLIRE). *On l'a désigné pour diriger cette mission* (syn. : APPELER). *Le tribunal a désigné deux experts* (syn. : NOMMER, COMMETTRE). *Soumettre à l'assemblée générale la nomination des membres désignés du bureau. Vous êtes tout désigné pour faire ce travail* (= cela vous convient tout particulièrement ; syn. : INDIQUER, QUALIFIER). — 3° (sujet nom de chose) *Désigner quelque chose,* permettre de l'identifier, de le signifier : *Dans « le Roman de la Rose », la rose désigne la femme aimée* (syn. : SYMBOLISER). *Les notions voisines désignées par des mots synonymes* (syn. : INDIQUER). ◆ **désignation** n. f. : *La lettre s'achève sur la désignation d'une heure de rendez-vous* (syn. : INDICATION). *Une case du questionnaire est réservée à la désignation des postes précédemment occupés* (syn. : MENTION). *Qu'est-ce qu'on entend sous cette désignation ?* (syn. : APPELLATION). *Depuis sa désignation comme directeur adjoint, il est pénétré de son importance* (syn. : NOMINATION).

désillusion n. f., **désillusionné, e** adj. V. ILLUSION ; **désincarner (se)** v. pr. V. INCARNER.

désinence [dezinɑ̃s] n. f. Partie variable de la fin d'un mot qui constitue un élément de sa conjugaison (verbe), de sa déclinaison ou de sa flexion (substantif), et qui s'oppose au radical : *Les désinences de l'imparfait de l'indicatif sont, en français parlé,* [-ɛ], [-jɔ̃], [-je]. *La marque « s » est la désinence du pluriel en français écrit.* ◆ **désinentiel, elle** adj. (V. FLEXION.)

désinfecter v. tr. V. INFECTER.

désintégrer [dezɛ̃tegre] v. tr. Décomposer un tout en éléments, en particules élémentaires : *Les rivalités personnelles risquaient de désintégrer l'équipe* (syn. : DÉSAGRÉGER). *Les savants ont réussi à désintégrer l'atome.* ◆ **se désintégrer** v. pr. Perdre sa cohésion, son unité, etc. : *Le groupe d'amis s'est peu à peu désintégré* (syn. : SE DISPERSER, SE DISLOQUER). ◆ **désintégration** n. f. : *La désintégration de la matière par une explosion nucléaire. Un parti politique voué à une lente désintégration.*

désintéressement n. m., **désintéresser** v. tr. V. INTÉRÊT ; **désintoxiquer** v. tr. V. INTOXIQUER.

désinvolte [dezɛ̃vɔlt] adj. Se dit d'une personne qui a des manières trop libres, ou du comportement de cette personne : *Il est un peu timide ; son frère, au contraire, est très désinvolte* (syn. : DÉCONTRACTÉ, ↑ SANS-GÊNE, MAL ÉLEVÉ, EFFRONTÉ ; contr. : RÉSERVÉ, DÉFÉRENT). *Tourner le dos à quelqu'un d'un air désinvolte. Une réplique désinvolte* (syn. : INSOLENT). *Il a une façon désinvolte de jeter son chapeau sur la table en arrivant* (syn. : DÉGAGÉ). ◆ **désinvolture** n. f. : *Il abandonna son visiteur avec la plus grande désinvolture* (syn. : ↑ SANS-GÊNE, INSOLENCE, EFFRONTERIE).

désirer [dezire] v. tr. 1° *Désirer quelque chose, désirer faire* (infin. sans prép.), souhaiter la possession, la jouissance ou la réalisation de quelque chose : *Je désire une voiture confortable et rapide. Désirez-vous encore un peu de salade ?* (syn. : VOULOIR). *Je désire m'expliquer sur ce point* (= je voudrais). *Nous désirons qu'on nous permette de prendre un peu de repos. Elle avait longtemps désiré ce fils* (= souhaité sa naissance). — 2° (sujet nom de personne) Fam. *Se faire désirer,* faire attendre impatiemment sa présence, son arrivée. — 3° *Laisser à désirer,* se dit de ce qui est défectueux, médiocre : *La conduite de cet élève laisse à désirer. Une explication qui laisse à désirer.* ◆ **désir** n. m. 1° Action de désirer ; sentiment de celui qui désire : *Des paroles inspirées par le désir d'être agréable. Il éprouvait un grand désir de silence. L'amour n'est pas seulement le désir* (= l'appétit sensuel). — 2° Chose désirée : *Tous ses désirs se réalisent. Mon principal désir a été de vous satisfaire.* ◆ **désirable** adj. : *Il présente toutes les qualités désirables pour* *faire un bon secrétaire* (syn. : REQUIS, VOULU). *Je n'ai pas pu examiner l'affaire avec toute l'attention désirable. Il serait désirable que chacun donne son avis* (syn. : SOUHAITABLE). ◆ **désireux, euse** adj. [**de**]. Se dit d'une personne qui désire quelque chose : *Il paraissait désireux d'engager la conversation.* (V. DESIDERATA.)

désister (se) [sədeziste] v. pr. (sujet nom de personne). Retirer sa candidature avant des élections : *Un candidat qui se désiste en faveur d'un autre pour faire échec à leur adversaire commun.* ◆ **désistement** n. m. : *Les résultats du scrutin dépendront des désistements de dernière minute.*

désobéir v. tr. V. OBÉIR; **désobligeant, e** adj. V. OBLIGER; **désodorisant** n. m. V. ODEUR.

désœuvré, e [dezœvre] adj. et n. Se dit d'une personne qui n'a rien à faire, qui ne sait pas s'occuper : *Il restait des heures entières, désœuvré, à regarder passer les gens* (syn. : OISIF). *Une foule de désœuvrés.* ◆ **désœuvrement** n. m. : *Le désœuvrement lui pèse* (syn. : INACTION, OISIVETÉ).

désoler [dezɔle] v. tr. 1° *Désoler quelqu'un,* lui causer du chagrin (souvent au passif) : *La paresse de cet enfant me désole. Le monde est désolé de la mort de ce grand homme* (syn. : AFFLIGER, NAVRER, ↑ CONSTERNER). — 2° *Etre désolé de quelque chose, de faire quelque chose,* le regretter vivement (souvent comme formule de politesse) : *Je suis désolé de vous contredire* (syn. : ÊTRE NAVRÉ). — 3° *Région désolée,* région aride, désertique. ◆ ***se désoler*** v. pr. Eprouver du chagrin, s'affliger : *Ne vous désolez pas, rien n'est perdu.* ◆ **désolant, e** adj. : *Une nouvelle désolante* (syn. : AFFLIGEANT). *Depuis le début des vacances, il fait un temps désolant* (syn. fam. : LAMENTABLE). ◆ **désolation** n. f. : *Quand on apprit qu'il était refusé à son examen, ce fut une désolation dans la famille* (syn. : AFFLICTION, ↑ CONSTERNATION). *La désolation du paysage* (syn. : ARIDITÉ, SAUVAGERIE).

désolidariser v. tr. V. SOLIDAIRE.

désopiler (se) [sədezɔpile] v. pr. (sujet nom de personne). *Fam.* Rire beaucoup. ◆ **désopilant, e** adj. Se dit d'une personne ou d'une chose qui fait beaucoup rire : *Un chansonnier désopilant. Un film désopilant* (syn. : ↓ COMIQUE).

désordonné, e adj., **désordre** n. m. V. ORDRE 1; **désorganiser** v. tr. V. ORGANISER.

désorienter [dezɔrjɑ̃te] v. tr. 1° *Désorienter une personne, un animal,* lui faire perdre sa direction (surtout au passif) : *Un pigeon voyageur désorienté par la tempête.* — 2° *Désorienter quelqu'un,* le mettre dans une situation telle qu'il ne sait plus quel parti prendre (surtout au passif) : *Un vieillard désorienté par les nouvelles méthodes* (syn. : ÊTRE DÉCONCERTÉ, ÊTRE TROUBLÉ; fam. : ÊTRE DÉPHASÉ). ◆ **désorientation** n. f. (V. ORIENTER.)

désormais [dezɔrmɛ] adv. A partir de maintenant : *L'horaire des trains a changé : on pourra désormais voyager de nuit* (syn. : DORÉNAVANT).

désosser v. tr. V. OS.

despote [dɛspɔt] n. m. 1° Souverain absolu, qui exerce l'autorité avec rigueur : *Les tsars gouvernaient en despotes. Un cruel despote* (syn. : TYRAN). — 2° Personne qui entend imposer à son entourage une autorité absolue : *L'aïeul qui régnait en despote sur la famille.* ◆ **despotique** adj. : *Gouvernement despotique* (syn. : TOTALITAIRE). *Domination despotique* (syn. : TYRANNIQUE). *Un regard, un geste despotique* (syn. : ↓ AUTORITAIRE). ◆ **despotiquement** adv. : *Diriger despotiquement un Etat.* ◆ **despotisme** n. m. 1° Pouvoir absolu et arbitraire; régime despotique : *Un peuple qui se révolte contre le despotisme* (syn. : TYRANNIE). *Le despotisme du maître de maison.* — 2° *Despotisme éclairé,* régime politique autoritaire d'un Etat dont le souverain cherche à améliorer la condition de ses sujets.

dessaisir v. tr. V. SAISIR; **dessaler** v. tr. V. SEL; **dessécher** v. tr. V. SEC.

dessein [dɛsɛ̃ ou desɛ̃] n. m. 1° Ce qu'on se propose de réaliser (langue soignée) : *Chercher à deviner les desseins de l'adversaire* (syn. : PLAN, PROJET). *Mon dessein n'est pas de vous faire un cours détaillé* (syn. : INTENTION). — 2° *Avoir des desseins sur,* chercher à obtenir (syn. : AVOIR DES VUES, DES VISÉES SUR). • LOC. ADV. *A dessein,* dans une intention précise : *C'est à dessein que ce travail a été laissé inachevé* (syn. : EXPRÈS).

desserrer v. tr. V. SERRER.

dessert [dɛsɛr ou desɛr] n. m. Fruits, pâtisserie, etc., qu'on mange à la fin d'un repas; moment où on sert ce mets : *On nous apporta des glaces à la vanille comme dessert. Au dessert, il se mit à raconter des histoires.*

desserte [dɛsɛrt ou desɛrt] n. f. Petite table sur laquelle on dépose les plats qu'on ôte de la table. (V. aussi DESSERVIR.)

desservir [desɛrvir] v. tr. (conj. 20). 1° *Desservir un lieu déterminé* (ville, région, quartier, etc.), assurer un service régulier de transport pour telle ou telle destination : *L'île est desservie par deux bateaux chaque jour. Un quartier bien desservi.* — 2° *Desservir une église,* y assurer le service régulier du culte : *Un prêtre qui dessert trois paroisses.* ◆ **desserte** n. f. 1° *La desserte des villages voisins se fait par autocar.* — 2° *Le curé chargé de la desserte de cette chapelle.* ◆ **desservant** n. m. Prêtre ou pasteur qui dessert un lieu de culte. (V. aussi SERVIR.)

dessiller [dɛsije ou desije] v. tr. *Dessiller les yeux à quelqu'un,* l'amener à se rendre compte de ce dont il n'avait pas conscience.

dessin [dɛsɛ̃ ou desɛ̃] n. m. 1° Ensemble des traits représentant ou non des êtres ou des choses : *Un enfant qui fait des dessins sur ses cahiers. Il m'a montré des dessins de bateaux. Un dessin au fusain, à la craie, à la plume. Les dessins d'un tissu. Les veines du bois forment des dessins bizarres.* — 2° Art de dessiner : *Ecole de dessin. Il apprend le dessin.* — 3° Contour, ensemble des lignes : *Un visage d'un dessin très régulier.* — 4° *Dessin animé,* film composé d'une suite de dessins donnant, à la projection, l'illusion du mouvement. ◆ **dessiner** v. tr. 1° (sujet nom de personne) *Dessiner quelque chose, quelqu'un,* le représenter par le dessin : *Dessiner une maison, un paysage, la tête du professeur.* — 2° (sujet nom de chose) *Dessiner une chose,* figurer, apparaître de cette façon : *La route dessine une courbe* (syn. : TRACER). — 3° *Dessiner quelque chose,* en faire ressortir les contours : *Un vêtement qui dessine bien la taille* (syn. : SOULIGNER). ◆ ***se dessiner*** v. pr. (sujet nom de chose). 1° Laisser apparaître son tracé : *Les collines se dessinent à l'horizon* (syn. : SE DÉTACHER). — 2° Prendre bonne tournure, commencer à se manifester : *Une tendance à la réconciliation se dessinait dans leur attitude* (syn. : S'ESQUISSER). ◆ **dessinateur, trice** n. Personne qui dessine, qui est spécialiste du dessin : *Un dessinateur industriel.*

dessouder v. tr. V. SOUDER ; **dessouler** v. intr. V. SOÛL.

dessous [dəsu], **dessus** [dəsy] adv. et n. m. Indiquent une situation inférieure ou supérieure relative à une autre. (V. tableau ci-dessous.)

dessous adv.	**dessus** adv.
En un point ou en un rang inférieur.	En un point ou en un rang supérieur.
La clôture était trop haute, j'ai réussi à passer dessous (prép. *sous*). *Regardez cette pierre, il y a sans doute une vipère dessous.*	*Il a marché dessus sans le voir* (prép. *sur*). *Le banc est sale, ne laisse pas tes affaires traîner dessus. Tu peux mettre la lettre à la poste, le timbre est dessus. Il lui est tombé dessus* (= tomber sur quelqu'un, l'attaquer). *Ne tape pas dessus. Il a sauté dessus à pieds joints.* *Mettre le nez dessus,* le mettre tout près, ou trouver par hasard. *Avoir le nez dessus,* être tout près : *Ne cherchez pas votre crayon, vous avez le nez dessus.* *Mettre la main dessus,* saisir, prendre, attraper : *La police a mis la main dessus.* *Bras dessus bras dessous,* le bras de l'un sur le bras de l'autre : *Ils sont arrivés bras dessus bras dessous.*
LOC. ADV. ET PRÉP.	LOC. ADV. ET PRÉP.
Au-dessous, au-dessous de : *Allons jusqu'à l'arbre et mettons-nous à l'abri au-dessous. Le village est au-dessous de la montagne. Température tombée au-dessous de zéro* (syn. : INFÉRIEURE À). *Interdit aux enfants au-dessous de seize ans* (syn. : DE MOINS DE). *Il est au-dessous de tout* (= incapable, nul). **Ci-dessous :** *Vous trouverez ci-dessous le bilan provisoire de cette vente* (= plus bas dans cette lettre). **De dessous :** *L'appartement de dessous est libre. J'ai sorti beaucoup de poussière de dessous l'armoire.* **En dessous :** *L'apercevez-vous en dessous? Regarder en dessous* (syn. : SOURNOISEMENT ; contr. : DROIT DANS LES YEUX). *Agir en dessous* (syn. : HYPOCRITEMENT). *Rire en dessous* (contr. : FRANCHEMENT). **Là-dessous :** *Je suis sûr qu'il s'est caché là-dessous. Il y a là-dessous quelque chose de suspect.* **Par-dessous :** *Il le prit par-dessous les bras et le souleva de terre.*	**Au-dessus, au-dessus de :** *Ma valise est solide, mettez la vôtre au-dessus. Poser une lampe au-dessus du bureau. Température qui monte au-dessus de 30°. Les enfants au-dessus de sept ans payent place entière. Il est au-dessus de toute critique* (= il les méprise). **Ci-dessus :** *Vous avez lu ci-dessus les raisons de mon refus* (= plus haut dans cette lettre). **De dessus :** *Enlève tes papiers de dessus la table* (syn. fam. : DE SUR). *Ne pas lever les yeux de dessus son livre* (syn. fam. : DE SUR). *Les voisins de dessus.* **En dessus :** *Dans cette bibliothèque, les auteurs latins sont en dessous, les auteurs grecs en dessus* (plus usuel : *au-dessus*). **Là-dessus :** *Prenez cette feuille et écrivez là-dessus le motif de votre visite. Là-dessus, il se tut* (syn. : SUR CES ENTREFAITES). *Je n'ai rien à dire là-dessus* (syn. : À CE SUJET). *Vous ne pouvez compter là-dessus* (= sur cela). **Par-dessus :** *Lire le journal par-dessus les épaules de quelqu'un. Il fait froid, mettez un chandail par-dessus votre chemise. Cette erreur est légère, vous pouvez passer par-dessus* (= ne pas vous y attarder). *Et par-dessus tout, ne lui parlez pas de cela* (syn. : SURTOUT).
N. M.	N. M.
● *Le dessous du pied, du nez, de la main. Les gens, les voisins du dessous* (= de l'appartement qui se trouve à l'étage inférieur). Des *dessous-de-bras,* morceaux de tissu qui protègent un vêtement contre la transpiration. Un *dessous-de-plat,* support sur lequel on dépose les plats pour protéger la nappe. Un *dessous-de-table,* somme d'argent versée en fraude du fisc, de la main à la main. ● *Avoir le dessous,* être vaincu, perdu. ● Plur. : *Les dessous,* vêtements féminins portés sous la robe (combinaison, soutien-gorge, etc.) ; *Les dessous* (de la politique), les intrigues secrètes.	● *Le dessus du pied, de la main, de la tête. Les gens, les voisins du dessus* (= de l'appartement qui se trouve à l'étage supérieur). Un *dessus-de-table,* un *dessus-de-lit,* pièce de tissu qui recouvre la table, le lit, pour les préserver. Le *dessus du panier,* ce qu'il y a de mieux. ● *Avoir le dessus,* vaincre, gagner. *Prendre le dessus,* réussir à avoir l'avantage (syn. : PRENDRE LE MEILLEUR). *Reprendre le dessus,* en parlant d'un malade, reprendre des forces, se rétablir ; en parlant de quelqu'un atteint par le malheur, se remettre de son deuil, de son émotion, etc.

destin [dɛstɛ̃] n. m., **destinée** [dɛstine] n. f. V. tableau p. suiv.

destiner [dɛstine] v. tr. 1° *Destiner quelqu'un à un emploi,* l'orienter par avance vers cet emploi : *Il destine son fils au commerce.* — 2° *Destiner quelque chose à quelqu'un* ou *à quelque chose,* en prévoir l'attribution à cette personne, l'affectation à cette chose : *Je lui destine ma maison le jour où je prendrai ma retraite* (syn. : RÉSERVER). *Il destine ce terrain à la culture du blé.* ◆ **se destiner** v. pr. (sujet nom de personne). *Se destiner à un emploi, se destiner à faire,* prévoir qu'on le remplira, se

destin

Ensemble des événements, le plus souvent malheureux ou tragiques, qui composent la vie humaine et qui semblent réglés en vue d'une issue fatale ou commandés par une puissance supérieure (mot littéraire, qui peut être employé pour l'homme ou pour les grandes œuvres humaines).

Il eut un destin tragique (syn. usuel : SORT). *Le destin des grands hommes. Il faut qu'il sauve son destin. C'est le destin qui les a séparés* (syn. : FATALITÉ). *Le destin du monde. Le destin d'un empire. Le destin d'un roman dépend pour beaucoup de la mode. Contrarier le destin. Changer le destin. Les arrêts du destin sont inexorables. Il accuse le destin plutôt que de s'en prendre à lui-même. Il croit en son destin* (syn. : FORTUNE). *Une bohémienne lui a prédit son destin* (syn. : AVENIR).

destinée

La vie humaine considérée sur le plan individuel comme un ensemble de circonstances heureuses ou malheureuses et envisagée dans une issue indépendante de la volonté humaine (syn. moins littéraire de DESTIN).

Quelle heureuse destinée a été la sienne! La destinée humaine. Il tient dans ses mains ma destinée. Il n'a pas échappé à sa destinée. Cet ouvrage a eu une bizarre destinée (syn. : SORT). *La destinée des grands hommes. Cet événement a changé sa destinée* (syn. : EXISTENCE). *Unir sa destinée à celle d'une autre* (= l'épouser). *Leurs destinées se sont rencontrées* (syn. : VIE).

préparer à faire : *Il se destine à l'enseignement. Se destiner à poursuivre l'œuvre de son père.* ◆ **destinataire** n. Personne à qui est adressé un envoi : *Le nom du destinataire est difficilement lisible sur ce paquet* (contr. : EXPÉDITEUR). ◆ **destination** n. f. 1° Emploi prévu pour une chose : *Le lycée, transformé en hôpital pendant la guerre, a été rendu ensuite à sa destination première* (syn. : AFFECTATION). — 2° Point vers lequel on s'achemine ou on achemine un objet : *On emmena les prisonniers vers une destination inconnue. Prendre un billet d'avion à destination de New York. Vous voilà arrivé à destination. Porter un paquet à destination.*

destituer [dɛstitɥe] v. tr. *Destituer quelqu'un,* lui retirer ses fonctions, le priver de ses attributions : *Le chef de l'Etat destitua le commandant en chef de l'armée* (syn. : RÉVOQUER, CASSER). *Le souverain fut destitué* (syn. : DÉCHOIR, DÉPOSER). ◆ **destitution** n. f. : *La destitution d'un haut fonctionnaire* (syn. : RÉVOCATION).

destruction n. f. V. DÉTRUIRE.

désuet, ète [desɥɛ, -ɛt] adj. Se dit de ce qui n'est plus ou presque plus en usage : *Le baisemain est une coutume désuète* (syn. : ABANDONNÉ, DÉMODÉ, PÉRIMÉ, SURANNÉ). ◆ **désuétude** [desɥetyd] n. f. : *Un mot tombé en désuétude* (= sorti de l'usage).

désunir v. tr. V. UNIR.

détacher [detaʃe] v. tr. 1° *Détacher un objet, un être animé,* leur ôter le lien, l'attache qui les retenait : *Le pêcheur détacha la barque et se mit à ramer sur l'étang. Détacher un chien. Détacher la remorque du tracteur* (syn. : DÉCROCHER; contr. : ATTACHER). — 2° *Détacher quelque chose,* séparer en éléments distincts ou en parties ce qui était réuni en un tout par un lien (contr. : ATTACHER) : *Vous détacherez le bouquet avant de le mettre dans un vase* (syn. : DÉLIER). *Il détacha son manteau* (syn. : DÉBOUTONNER, DÉGRAFER). — 3° *Détacher une chose,* dégager l'un de l'autre deux morceaux de lien ou deux liens (contr. : ATTACHER) : *Détacher sa ceinture. Détacher ses lacets de chaussures* (syn. : DÉLIER, DÉNOUER). — 4° *Détacher une chose (d'une autre),* séparer un objet de ce à quoi il adhérait : *Le carrier détache un bloc de pierre. Détacher les feuillets d'un carnet à souche.* — 5° *Détacher une œuvre,* la mettre à part, en faire ressortir un passage, un fragment : *L'auteur a détaché en exergue deux vers de Virgile* (syn. : EXTRAIRE, ISOLER). — 6° *Détacher quelque chose,* le rendre distinct, le mettre en relief, en valeur : *Un éclairage qui détache nettement les silhouettes. Parler en détachant ses mots.* — 7° *Détacher quelqu'un,* l'envoyer en mission : *Une société qui détache un représentant auprès d'un organisme* (syn. : DÉLÉGUER). *Un fonctionnaire détaché.* — 8° *Détacher quelqu'un de quelqu'un, de quelque chose,* relâcher les liens moraux qui l'unissaient à cette personne ou à cette chose : *Son égoïsme détache peu à peu de lui tous ses amis* (syn. : ÉLOIGNER, DÉSAFFECTIONNER [rare]; contr. : ATTACHER). — 9° *Détacher les yeux, le regard, la vue,* cesser de regarder un spectacle qui attire : *Il avait peine à détacher ses yeux de ce tableau* (contr. : ATTACHER). ◆ ***se détacher*** v. pr. : *La barque se détache. Le paquet s'est détaché* (syn. : SE DÉFAIRE). *Le nœud se détache. Un éclat d'émail s'est détaché du plat. Un toit rouge se détache dans la verdure* (syn. : ↓ APPARAÎTRE). *Un petit groupe se détacha de la colonne en marche* (syn. : SE SÉPARER). *Se détacher de voisins peu délicats. Se détacher des biens matériels. Le regard se détache à regret de ce paysage.* ◆ **détachable** adj. Conçu de façon à pouvoir être détaché (surtout au sens 4 du v. tr.) : *Un imperméable à capuche détachable* (syn. : AMOVIBLE). *Cahier à feuilles détachables* (syn. : MOBILE). ◆ **détaché, e** adj. Qui montre du détachement : *Il feuillette l'album d'un air détaché. Ton détaché. Regard détaché* (syn. : INDIFFÉRENT, FROID). ◆ **détachement** n. m. 1° Etat d'une personne détachée d'un être vivant ou d'une chose (sens 8 du v. tr.) : *Il prenait conscience de son détachement croissant à l'égard de cette personne. Il n'était parvenu à ce détachement d'avec elle qu'au prix de durs efforts. Son détachement des biens matériels lui permet de vivre heureux.* — 2° Air d'indifférence : *Loin de s'émouvoir, il répondit avec détachement qu'il n'y pouvait rien.* — 3° Position d'un fonctionnaire détaché (sens 7 du v. tr.) : *Rentrer en France après deux ans de détachement à l'étranger.* — 4° Elément d'une troupe envoyée pour une mission déterminée : *Un détachement partira en reconnaissance.*

1. détailler [detaje] v. tr. *Détailler un ensemble d'objets, un objet,* le vendre par éléments : *Détailler une pièce de tissu. Le marchand ne détaille pas les verres de ce service.* ◆ **détail** [detaj] n. m. Action de détailler : *Un commerce de détail* (contr. : GROS, DEMI-GROS). *Faire de la vente au détail.* ◆ **détaillant, e** adj. et n. Qui vend au détail : *Un épicier détaillant. Un représentant qui passe chez les détaillants* (contr. : GROSSISTE).

2. détailler [detaje] v. tr. *Détailler quelque chose,* passer en revue les éléments d'un ensemble, les énumérer, les faire ressortir : *Il nous a détaillé son plan. Raconter son voyage en détaillant tous* *les monuments visités. Le peintre a détaillé tous les plis du vêtement. Des explications détaillées* (syn. : CIRCONSTANCIÉ). ◆ **détail** n. m. 1° Enumération complète et minutieuse : *Voulez-vous le compte global ou le détail des dépenses? Expliquez-moi cela en détail* (syn. : PAR LE MENU). — 2° Elément d'un ensemble, particularité, circonstance d'un événement : *Observer les détails d'un tableau. Les détails ne doivent pas faire perdre de vue l'essentiel. Un petit détail peut avoir de grandes conséquences.*

détaler [detale] v. intr. (sujet nom d'être animé). *Fam.* Se sauver à toute allure, partir très vite : *Le lapin détala dans les fourrés. Les cambrioleurs ont détalé dès qu'ils ont entendu du bruit dans la maison* (syn. fam. : DÉCAMPER, FILER).

détaxer v. tr. V. TAXER.

détecter [detɛkte] v. tr. Découvrir un phénomène, un objet caché : *Un appareil à détecter les mines.* ◆ **détecteur, trice** adj. Qui permet de détecter. ◆ **détecteur** n. m. Appareil qui détecte : *Un détecteur de mines.* ◆ **détection** n. f. : *La détection d'un poste émetteur clandestin.*

détective [detɛktiv] n. m. Spécialiste chargé d'une enquête policière : *C'est un détective privé qui a découvert le meurtrier.*

déteindre v. tr. V. TEINDRE ; **dételer** v. tr. V. ATTELER 1 et 2.

détendre [detɑ̃dr] v. tr. (conj. 50). 1° *Détendre quelque chose,* relâcher ce qui est tendu : *Détendre un arc, un ressort, une corde.* — 2° *Détendre quelque chose, quelqu'un,* faire disparaître la tension, l'anxiété, la fatigue : *Une plaisanterie qui détend l'atmosphère* (syn. : ↑ ÉGAYER). *Ces quelques jours à la campagne l'ont détendu* (syn. : REPOSER). ◆ ***se détendre*** v. pr. Cesser d'être tendu : *Une raquette qui s'est détendue. Les rapports se sont détendus entre les deux adversaires* (= ils sont en meilleurs termes). ◆ **détendu, e** adj. : *Un sourire, un visage détendu* (syn. : CALME, APAISÉ ; contr. : ↑ ANXIEUX). ◆ **détente** n. f. 1° Mouvement d'un objet ou d'un être qui se détend : *La détente du ressort lance le projectile. D'une brusque détente, le gardien de but attrapa le ballon.* — 2° Diminution de la tension d'esprit, de la fatigue : *Les relations diplomatiques s'améliorent : on entre dans une période de détente internationale. Il a pris quelques jours de détente. Une permission de détente* (syn. : REPOS, DÉLASSEMENT). — 3° Pièce du mécanisme d'une arme à feu qui commande le départ du coup : *Avoir le doigt sur la détente.* — 4° Fam. *Etre dur à la détente,* ne donner son argent, n'accorder quelque chose qu'après s'être fait longuement prier.

1. détenir [detnir] v. tr. (conj. 22) [sujet nom de personne]. *Détenir quelque chose,* le garder en sa possession : *Il n'a pas voulu se dessaisir des lettres qu'il détient. C'est lui qui détient la clef de l'énigme* (syn. : ↓ AVOIR). *Il détient le record du 100 m.* ◆ **détenteur, trice** n. et adj. : *Le détenteur d'un record* (syn. : TITULAIRE). *Le détenteur d'un secret* (syn. : POSSESSEUR). ◆ **détention** n. f. : *Etre poursuivi pour détention d'armes prohibées.*

2. détenir [detnir] v. tr. (conj. 22). *Détenir quelqu'un,* le garder prisonnier (souvent au passif) : *Il était détenu dans une forteresse.* ◆ **détention** n. f. : *Le prisonnier protestait vigoureusement contre cette détention illégale.* ◆ **détenu, e** n. et adj. : *Un détenu s'est évadé* (syn. : PRISONNIER).

détergent, e [detɛrʒɑ̃, -ɑ̃t] adj. et n. m. Se dit d'une substance qui a la propriété de nettoyer, de séparer les impuretés : *Mettre de l'huile détergente dans son moteur. Mêler à l'eau un détergent* (syn. : DÉTERSIF).

détériorer [deterjɔre] v. tr. 1° *Détériorer un objet,* le mettre en mauvais état, lui causer des dégradations : *Du matériel détériorié pendant le transport* (syn. : ABÎMER, ENDOMMAGER ; fam. : ESQUINTER). *L'humidité détériore les murs* (syn. : DÉGRADER). — 2° *Détériorer quelque chose* (mot abstrait), en détruire l'équilibre, le caractère heureux, bénéfique : *Cette jalousie a détérioré leurs relations.* ◆ ***se détériorer*** v. pr. Subir un dommage : *La situation militaire s'est détériorée* (syn. : SE GÂTER ; contr. : S'AMÉLIORER). ◆ **détérioration** n. f. : *La détérioration du climat social, de la situation internationale.*

1. déterminer [detɛrmine] v. tr. 1° *Déterminer quelque chose,* le définir exactement, indiquer avec précision : *Déterminer par de savants calculs le point de chute d'une fusée. Les experts n'ont pas encore déterminé les causes de l'accident* (syn. : ÉTABLIR). *On s'était réuni pour déterminer la conduite à tenir* (syn. : ARRÊTER, RÉGLER, FIXER). — 2° En linguistique, en parlant d'un élément de la phrase, s'associer à un autre pour le caractériser ou pour en préciser la valeur ou le sens : *Les articles déterminent le nom. Un verbe déterminé par un complément.* ◆ **déterminable** adj. : *Une durée aisément déterminable.* ◆ **indéterminable** adj. : *Une teinte indéterminable.* ◆ **déterminant** n. m. Elément de la langue qui, placé devant le substantif, lui sert de marque de genre, de nombre, tout en apportant une précision supplémentaire (articles, adjectifs possessifs, démonstratifs, numéraux, indéfinis, interrogatifs et exclamatifs) : *L'adjectif possessif, dans « mon livre », est un déterminant qui indique le genre et le nombre et exprime une référence personnelle.* ◆ **déterminatif, ive** adj. 1° Se dit, en linguistique, d'un élément qui détermine : *On distingue parfois les adjectifs déterminatifs (démonstratifs, possessifs, interrogatifs, indéfinis) et les adjectifs qualificatifs.* — 2° *Complément déterminatif,* complément du nom ou, selon une autre nomenclature, tout terme qui assure une fonction secondaire autre que celle d'épithète ou de complément d'objet. ‖ *Proposition relative déterminative,* celle qui précise et restreint le sens de l'antécédent. (Ex. : *On m'a répété les propos qu'il a tenus.*) ◆ **détermination** n. f. : *Utiliser une cellule photoélectrique pour la détermination du temps de pose photographique* (syn. : DÉFINITION). *Un nom employé sans aucune détermination* (= sans mot déterminant). ◆ **indétermination** n. f. : *Une évaluation de la distance qui laisse subsister une certaine indétermination* (syn. : IMPRÉCISION). ◆ **déterminé, e** adj. Se dit de ce qui est nettement fixé, distinct : *Se promener sans but bien déterminé* (syn. : PRÉCIS). ◆ **indéterminé, e** adj. : *Une somme d'un montant indéterminé.*

2. déterminer [detɛrmine] v. tr. 1° *Déterminer quelqu'un à quelque chose, à faire quelque chose,* l'y porter, l'amener à cette action : *Nous l'avons enfin déterminé à ce voyage* (syn. : DÉCIDER). *Cette considération l'a déterminé à intervenir* (syn. : POUSSER). — 2° (sujet nom de chose) Avoir comme conséquence, être la cause de : *Un incident qui détermine un retard important* (syn. : CAUSER,

PROVOQUER). *Mélange qui détermine une réaction violente* (syn. : PRODUIRE). ◆ ***se déterminer*** v. pr. [*à*] (sujet nom de personne). Prendre parti, se décider : *Il est temps de se déterminer. A quoi vous déterminez-vous?* ◆ **déterminant, e** adj. : *Voilà la raison déterminante de sa conduite. Un argument déterminant* (syn. : DÉCISIF, PÉREMPTOIRE). ◆ **déterminé, e** adj. Se dit d'une personne ferme dans sa résolution : *Avec quelques garçons bien déterminés, l'affaire serait vite réglée* (syn. : DÉCIDÉ, RÉSOLU). ◆ **détermination** n. f. : *Il finit par prendre une détermination héroïque* (syn. : DÉCISION). *Il poursuivit son effort avec une détermination farouche* (syn. : RÉSOLUTION). ◆ **indétermination** n. f. : *Son indétermination naturelle l'amène à tout laisser aller au lieu de réagir nettement* (syn. : INDÉCISION). ◆ **autodétermination** n. f. Libre disposition de soi-même, et, en particulier, droit d'un peuple à décider librement du régime politique, social et économique qui correspond à ses intérêts légitimes. ◆ **déterminisme** n. m. Système philosophique qui explique tous les phénomènes par une relation de cause à effet, les mêmes causes produisant toujours les mêmes effets dans les mêmes circonstances. ◆ **déterministe** adj. et n.

déterrer v. tr. V. TERRE.

détersif, ive [detɛrsif, -iv] adj. et n. m. Qui nettoie, décrasse : *Produits détersifs. Un puissant détersif* (syn. : DÉTERGENT).

détester [detɛste] v. tr. (sujet nom de personne). Avoir une aversion très vive pour : *Je déteste ce plat, cette région, ces gens, cette musique* (syn. : ↑ EXÉCRER, AVOIR EN HORREUR). ◆ **détestable** adj. Très mauvais, très désagréable (moins fort que le verbe) : *Une potion détestable* (syn. : HORRIBLE). *Un caractère détestable* (syn. : ODIEUX). *Un temps détestable* (syn. : AFFREUX). ◆ **détestablement** adv. : *Elle chante détestablement.*

détoner [detɔne] v. intr. Exploser avec un bruit violent. ◆ **détonant, e** adj. : *Deux gaz qui forment un mélange détonant.* ◆ **détonateur** n. m. Dispositif qui provoque l'explosion d'un engin. ◆ **détonation** n. f. Bruit violent d'une explosion ou comparable à celui d'une explosion : *Les détonations sèches des coups de feu. Les détonations des vagues sur les rochers un jour de tempête.*

détonner [detɔne] v. intr. 1° (sujet nom désignant un musicien, un chanteur) Quitter le ton, faire des fausses notes. — 2° (sujet nom de chose) Contraster désagréablement avec un ensemble : *Une critique qui détonne dans ce concert de louanges* (syn. : JURER).

détour [detur] n. m. 1° Trajet sinueux, tout parcours autre que la voie directe : *La route fait un détour par ce village. Après bien des détours, nous sommes enfin arrivés à destination.* — 2° Moyen détourné, voie indirecte : *Prendre beaucoup de détours pour présenter sa requête* (syn. : CIRCONLOCUTION). *S'expliquer sans détour* (= en toute franchise). — 3° *Au détour du chemin,* après un tournant; au hasard de la promenade.

détourner [deturne] v. tr. 1° *Détourner quelque chose* (d'une personne, d'une chose), le faire changer de direction, l'écarter de sa trajectoire : *Pendant la durée des travaux, on a détourné la route. Détourner un ruisseau* (syn. : DÉVIER; V. DÉTOUR). *Détourner de soi le poing de son adversaire. Apprendre à détourner les coups* (syn. : PARER). — 2° *Détourner la tête, les yeux, le regard,* regarder dans une autre direction (par mépris, par discrétion, par curiosité, etc.) : *Quand il m'a aperçu dans la rue, il a détourné la tête.* — 3° *Détourner quelqu'un de quelque chose* ou *de quelqu'un,* lui inspirer moins d'attachement pour cette chose ou pour cette personne : *On l'a enfin détourné de ce projet. Cela ne me détourne pas de poursuivre mes recherches* (syn. : DISSUADER). *Il a essayé de détourner de moi mes amis* (syn. : DÉTACHER). — 4° *Détourner de l'argent, des marchandises,* etc., se les approprier frauduleusement. (V. DÉTOURNEMENT.) ◆ **détourné, e** adj. Qui ne va pas directement au but : *Craignant d'être vu, il rentra chez lui par des chemins détournés. Plutôt que de le heurter de front, il faut essayer de l'amener par des voies détournées à accepter cette proposition* (= par le biais). ◆ **détournement** n. m. 1° Appropriation frauduleuse du bien dont on est seulement dépositaire : *Un gérant poursuivi pour détournement de fonds.* — 2° *Détournement de mineur,* infraction consistant à entraîner un mineur à se soustraire à ceux qui en ont la tutelle légale (syn. : ENLÈVEMENT).

détracteur, trice [detraktœr, -tris] adj. et n. Qui dénigre quelqu'un, qui cherche à rabaisser le mérite d'une personne, la valeur d'une chose : *Il a triomphé de tous ses détracteurs* (syn. : ↓ CRITIQUE). *Les partisans et les détracteurs d'un projet de loi.*

détraquer [detrake] v. tr. 1° *Détraquer quelque chose,* en déranger le fonctionnement, le cours, le mécanisme : *Un bricoleur maladroit qui a détraqué la pendule* (syn. très fam. : DÉGLINGUER). *Le temps est détraqué* (= le beau temps a fait place à un temps incertain). — 2° Fam. *Détraquer quelqu'un,* troubler sa digestion, nuire à son état général : *Le mélange des vins m'a détraqué* (syn. : INDISPOSER). ◆ **détraqué, e** adj. et n. *Fam.* Se dit d'une personne dont les facultés mentales sont altérées (syn. : DÉSÉQUILIBRÉ; fam. : PIQUÉ). ◆ **détraquement** n. m.

détremper [detrɑ̃pe] v. tr. *Détremper une chose,* l'amollir en l'imprégnant d'un liquide : *Du carton tout détrempé par l'humidité. Sol détrempé par la pluie.*

détresse [detrɛs] n. f. 1° Etat d'âme d'une personne qui se sent abandonnée dans le malheur : *La détresse de l'accusé se lisait sur son visage* (syn. : ↓ DÉSARROI). — 2° Situation critique : *Secourir une famille dans la détresse* (syn. : ↓ MALHEUR). *Navire, entreprise en détresse* (= qui risque de sombrer, de faire faillite; syn. : ↑ EN PERDITION).

détriment de (au) [odetrimɑ̃də] loc. prép. En faisant tort à : *On ne peut pas abaisser les prix au détriment de la qualité* (syn. : AU PRÉJUDICE DE). *L'erreur est-elle à votre avantage ou à votre détriment?* (syn. : DÉSAVANTAGE).

détritus [detritys] n. m. Résidu bon à jeter (épluchure, reste de repas, déchet de fabrication, etc.) : *Les campeurs ont creusé un trou à détritus au fond du terrain* (syn. : ORDURE).

détroit [detrwa] n. m. Bras de mer resserré entre les terres : *Le détroit de Gibraltar.*

détrôner v. tr. V. TRÔNE.

détrousser [detruse] v. tr. *Détrousser un voyageur, un promeneur,* etc., lui voler son argent, ses bagages en l'attaquant (syn. usuel : DÉVALISER, VOLER). ◆ **détrousseur** n. m.

détruire [detʀɥiʀ] v. tr. (conj. 60). **1°** *Détruire un être animé,* le faire périr : *Un produit qui détruit les limaces. Une armée détruite* (syn. : ↑ ANÉANTIR). — **2°** *Détruire un objet,* le jeter bas, le mettre en ruine : *Une ville détruite par les bombardements* (syn. : RAVAGER). *Détruire un pont* (syn. : DÉMOLIR). — **3°** *Détruire quelque chose* (mot abstrait), le faire cesser, y mettre fin : *Un incident qui détruit tous nos projets* (syn. : RUINER). *Détruire une erreur.* ◆ **destructeur, trice** adj. et n. : *Travail destructeur. Folie destructrice. Les représailles exercées sur les destructeurs.* ◆ **destructible** adj. Qui peut être détruit (surtout dans une phrase négative ou restrictive) : *Une œuvre difficilement destructible.* ◆ **indestructible** adj. : *Une forteresse qui reste longtemps indestructible.* ◆ **destruction** n. f. : *La destruction d'un immeuble par l'incendie. La destruction des animaux nuisibles.* ◆ **autodestruction** n. f. Destruction de sa propre personne; ruine d'un organisme par lui-même : *Par désespoir, il laissait tout aller et procédait à une véritable autodestruction.*

dette [dɛt] n. f. **1°** Somme d'argent qu'on doit à quelqu'un, à un organisme, etc. : *Il a dû contracter des dettes* (ou *faire des dettes*) *pour payer sa maison. Un joueur accablé de dettes. Etre perdu de dettes. Payer une dette criarde.* — **2°** Sentiment, conduite où l'on est engagé par un devoir : *Je vous garde une éternelle dette de reconnaissance.* ◆ **endetter** v. tr. Charger de dettes : *Cette acquisition l'a lourdement endetté.* ◆ ***s'endetter*** v. pr. Etre chargé de dettes : *S'endetter pour monter un commerce.* ◆ **endettement** n. m. : *Il hésitait devant un tel endettement.*

deuil [dœj] n. m. **1°** Etat d'une personne dont un proche parent est mort récemment : *Adresser des condoléances à quelqu'un à l'occasion de son deuil. Respectez son deuil. J'ai appris qu'il avait eu un deuil* (= qu'il avait perdu un parent). — **2°** Vêtements, généralement noirs, qu'on porte dans ces circonstances : *Se mettre en deuil. Porter le deuil. Tailleur qui fait le deuil en vingt-quatre heures.* — **3°** Période pendant laquelle on porte ces vêtements et on marque son affliction par certains autres signes extérieurs (abstention de spectacles, etc.). — **4°** *Deuil national,* affliction générale causée par une catastrophe. ‖ *Faire son deuil de quelque chose,* se résigner à en être privé : *Avec ce mauvais temps, nous pouvons faire notre deuil de la promenade.* ◆ **demi-deuil** n. m. Vêtements sombres ou noir et blanc, qu'on porte lors d'un deuil déjà un peu ancien. ◆ **endeuiller** v. tr. Marquer d'affliction par la mort d'une ou plusieurs personnes (surtout au passif) : *La course automobile a été endeuillée par un grave accident.*

deux ([dø]; on fait la liaison avec le nom ou l'adjectif suivants, si ces mots commencent par une voyelle ou un *h* muet : *deux ans* [døzɑ̃]; *deux hommes* [døzɔm]; *deux autres jours* [døzotʀəʒuʀ]; devant *ou,* la liaison est facultative) adj. num. et n. m. **1°** V. NUMÉRATION. — **2°** Sert aussi à indiquer un petit nombre (avec *minute, seconde, pas*) : *Je reviens dans deux minutes. Il habite à deux pas d'ici, on peut aller très vite chez lui.* (V. UN, QUATRE.) — **3°** Fam. *En moins de deux,* très rapidement : *Il a trouvé la solution en moins de deux.* ◆ **deuxième** adj. num. et n. ◆ **deuxièmement** adv. V. NUMÉRATION.

dévaler [devale] v. tr. et intr. (sujet nom de personne ou de chose). Descendre rapidement : *Dès qu'il entendit sonner, il dévala l'escalier* (syn. fam. : DÉGRINGOLER). *Des blocs de pierre qui dévalent jusqu'au pied de la montagne.*

dévaliser [devalize] v. tr. (sujet nom de personne). **1°** *Dévaliser quelqu'un,* le dépouiller des biens qu'il a sur lui ou avec lui : *Des malfaiteurs l'avaient dévalisé; il est arrivé sans argent et sans matériel* (syn. plus rare : DÉTROUSSER). — **2°** *Dévaliser une maison, une boutique,* etc., emporter la totalité ou une grande partie de ce qui s'y trouve, par vol : *Bien des maisons avaient été dévalisées par les soldats de l'armée d'occupation* (syn. : PILLER). *Des gangsters qui ont dévalisé les bureaux* (syn. : CAMBRIOLER). — **3°** *Dévaliser un magasin,* y faire des achats importants et de toute nature : *Un gros client étranger qui dévalise la boutique.*

dévaloriser [devalɔrize] v. tr. *Dévaloriser quelque chose,* lui faire perdre de sa valeur : *La perte de cette pièce dévalorise la collection* (syn. : DÉPRÉCIER). ◆ ***se dévaloriser*** v. pr. (sujet nom de chose). Perdre de sa valeur : *L'argent se dévalorise en période d'inflation* (syn. : SE DÉVALUER). ◆ **dévalorisation** n. f. : *La dévalorisation d'une voiture d'occasion* (syn. : DÉPRÉCIATION).

dévaluer [devalɥe] v. tr. **1°** *Dévaluer une monnaie,* la déprécier en modifiant légalement le taux de change : *Le gouvernement avait décidé de dévaluer le franc.* — **2°** Syn. de DÉVALORISER. ◆ **dévaluation** n. f. **1°** Opération financière par laquelle on dévalue une monnaie. — **2°** Syn. de DÉVALORISATION.

devancer [dəvɑ̃se] v. tr. *Devancer quelqu'un, quelque chose,* agir avant lui, passer devant lui (dans l'ordre du temps ou du mérite), précéder l'accomplissement de quelque chose : *Votre mise au point a devancé ma question* (syn. : PRÉVENIR). *Un coureur qui devance le peloton* (syn. : PRÉCÉDER). *Cette équipe devance l'autre de dix points* (syn. : SURCLASSER). *Militaire qui a devancé l'appel* (= qui s'est engagé avant la date d'appel de sa classe). ◆ **devancement** n. m. : *Bénéficier des avantages du devancement d'appel.* ◆ **devancier, ère** n. Personne qui en a précédé une autre dans une fonction, un domaine particulier, etc. : *Il a poussé cette étude plus loin que ses devanciers* (syn. : PRÉDÉCESSEUR). (V. AVANCER.)

devant [dəvɑ̃], **derrière** [dɛrjɛr] adv., prép. et n. m. Indiquent une situation en face de quelqu'un ou de quelque chose. (V. tableau p. suiv.)

devanture [dəvɑ̃tyr] n. f. Partie d'un magasin ou d'une boutique où les articles sont exposés à la vue des passants, soit derrière une vitre, soit à l'extérieur : *Il est entré acheter ce livre qu'il avait vu à la devanture* (syn. : VITRINE, ÉTALAGE). *Le camion a défoncé la devanture d'une pharmacie.*

dévaster [devaste] v. tr. (sujet nom d'être animé ou de chose). *Dévaster quelque chose, un groupe d'animaux,* leur causer de très grands dégâts : *Un cyclone a dévasté l'île* (syn. : RAVAGER). *Le renard avait dévasté le poulailler. Une épidémie qui dévaste les troupeaux* (syn. : DÉCIMER). ◆ **dévastateur, trice** adj. et n. : *Une inondation dévastatrice.* ◆ **dévastation** n. f. : *Les dévastations de l'incendie, du typhus, des sauterelles* (syn. : RAVAGE).

déveine n. f. V. VEINE.

1. développer [devlɔpe] v. tr. **1°** *Développer quelque chose* (terme concret), ôter ce qui enveloppe : *Développer un paquet* (syn. : DÉBALLER). — **2°** *Développer un objet,* étendre ce qui était plié ou roulé : *Il développa avec précaution le parchemin* (syn. : DÉPLIER, DÉPLOYER). ‖ *Développer un film, une pellicule, une photographie,* les soumettre à un traitement propre à faire apparaître les images. ◆ **développement** n. m. : *Le développement d'un colis* (syn. : DÉBALLAGE). *Le développement d'une banderole* (syn. : DÉPLOIEMENT). *Le film a été voilé au développement.* (V. ENVELOPPER.)

2. développer [devlɔpe] v. tr. 1° *Développer quelque chose* (mot abstrait), le rendre plus important, plus fort : *Des exercices qui développent l'attention. Des émissions qui développent le goût de l'aventure. Développer ses échanges économiques avec les pays voisins* (syn. : AUGMENTER, ACCROÎTRE). — 2° *Développer un récit, un projet,* etc., l'exposer en détail : *Il nous a développé son projet* (syn. : DÉTAILLER). ◆ ***se développer*** v. pr. (sujet nom de chose). Devenir plus important : *Une mode qui s'est vite développée* (syn. : S'ÉTENDRE, SE PROPAGER). ◆ **développement** n. m. : *Le développement de la production* (syn. : AUGMENTATION, ACCROISSEMENT). *Une industrie en plein développement* (syn. : ESSOR, EXPANSION). *Le conférencier a consacré tout un développement à cette question* (syn. : CHAPITRE). ◆ **sous-développé, e** adj. Dont le développement industriel, agricole, etc., est inférieur ou insuffisant. ◆ **sous-développement** n. m.

devenir [dəvnir ou dvənir] v. intr. (conj. 22). Passer dans tel ou tel état, acquérir telle ou telle qualité (introduit un attribut du sujet et constitue la forme progressive du verbe français [en train d'être]) : *Cette petite tige deviendra un arbre puissant. Les têtards sont devenus grenouilles. Il est devenu le directeur de la société. Il devient vieux* (syn. : SE FAIRE). *Etes-vous devenu malade?* (syn. : TOMBER). *Que devient-il?* (= quelle est sa situation actuelle?).

dévergonder (se) [sədevɛrgɔ̃de] v. pr. (sujet nom de personne). Adopter une conduite relâchée, licencieuse : *Un adolescent livré à lui-même risque de se dévergonder.* ◆ **dévergondé, e** adj. et n. : *Mener une vie dévergondée* (syn. : LICENCIEUX). *Il*

---

devant
prép. et adv.

Indique une situation, un lieu en face d'une personne ou d'une chose, ou le rang qui précède.

● ***Je marche devant lui*** (= avant lui). ***Il marche devant*** (syn. : EN TÊTE). ***Il est placé devant toi*** (= il est un rang avant toi). ***Il a loué deux places devant*** (= situé en avant du théâtre). ***Il court devant pour le prévenir. Il y a une pâtisserie devant l'église. Vous êtes passés devant. Regarde devant toi*** (= en face de toi, en avant). ***Allez devant, je vous rejoindrai. Il attendait devant la station de métro. Gilet qui se boutonne devant.***

● ***L'avenir est devant nous. Il va droit devant lui*** (= sans craindre les obstacles). ***S'en aller les pieds devant*** (= mourir). ***Faites tout devant lui*** (= en sa présence). ***Passer devant un tribunal*** (= être jugé). ***Nous sommes tous égaux devant la loi*** (syn. : AUX YEUX DE, AU JUGEMENT DE). ***Que suis-je devant lui?*** (syn. : EN COMPARAISON DE).

LOC. ADV. ET PRÉP.

Au-devant, au-devant de, vers la face de, en direction de : ***Restez ici, je vais aller au-devant. Il l'aperçut sur le quai et alla au-devant de lui. Il va au-devant des obstacles*** (= il les affronte). ***Tu vas au-devant du danger*** (= tu t'y exposes). ***Aller au-devant des désirs, des souhaits, des volontés de quelqu'un*** (= les prévenir, les remplir avant qu'il ne les exprime).

De devant : ***Retirez-vous de devant la porte.***

Par-devant (adv. et prép.) : ***Si tu passes par-devant, tu raccourcis ton chemin. Faire un testament par-devant notaire*** (= en sa présence). ***Il est par-devant*** (= en avant de la colonne).

Ci-devant, qui, dans cet article, dans cet ouvrage, dans cette situation présente, se trouve placé avant; a désigné pendant la Révolution, comme substantif, un ancien noble.

N. M.

● ***La roue de devant*** (= la roue avant). ***Le devant de la tête*** (= le front) ***est bien dégagé. Le devant de la maison a été refait*** (= la façade). ***La porte de devant*** (= celle qui donne sur la rue). ***Les pattes de devant. Le devant de la cheminée. Le devant d'une chemise*** (= le plastron). ***Il loge sur le devant*** (= sur le côté de la maison qui donne sur la rue). ***Les poches de devant d'un costume.***

● ***Prendre le devant, les devants,*** prévenir l'action de quelqu'un afin de l'empêcher d'agir : ***Il se doutait qu'on allait lui faire des reproches : il prit les devants*** (syn. : DEVANCER).

---

derrière
prép. et adv.

Indique une situation, un lieu qui se trouve dans le dos d'une personne ou d'une chose, ou le rang qui suit.

● ***Je marche derrière lui*** (= après lui). ***Il marche derrière*** (syn. : EN QUEUE). ***Il est placé derrière toi*** (= il est un rang après toi). ***Il a loué deux places derrière*** (= au fond). ***Il court derrière pour la rattraper. Il y a un garage derrière les maisons. Vous êtes passés derrière. Regarde par le rétroviseur ce qui arrive derrière toi*** (syn. : EN ARRIÈRE DE). ***Faites passer la consigne derrière. Il attendait derrière le porche. Il est derrière*** (= il suit). ***Corsage qui s'agrafe derrière.***

● ***Fuir sans regarder derrière soi*** (= à toutes jambes). ***Avoir tout le monde derrière soi*** (= avec soi, c'est-à-dire avoir l'accord de tous). ***Avoir une idée derrière la tête*** (= une arrière-pensée). ***Regarder derrière les apparences*** (= au-delà des apparences). ***Ne faites rien derrière lui*** (= sans qu'il le sache).

LOC. ADV. ET PRÉP.

De derrière : ***Retirez de derrière le buffet le journal qui y est tombé.***

Par-derrière : ***Il l'a attaqué par-derrière. Passer par-derrière la maison pour ne pas être vu*** (syn. usuel : DERRIÈRE).

N. M.

● ***La roue de derrière*** (= la roue arrière). ***Les cheveux tombent derrière la tête*** (= sur la nuque). ***Le derrière de la maison est bien délabré*** (= le côté qui regarde la cour). ***La porte de derrière donne sur le jardin. Les pattes de derrière d'un animal. La poche de derrière*** (= la poche revolver).

● ***Le derrière,*** partie du corps humain ou de certains animaux qui comprend les fesses (souvent dans des express. fam.) : ***S'asseoir sur le derrière. Tomber sur le derrière. Botter le derrière. A coups de pied dans le derrière, il le mit à la porte. Donner un coup de pied au derrière.***

fréquentait de jeunes dévergondés (syn. : DÉBAUCHE). ◆ **dévergondage** n. m. : *Elle vivait dans un dévergondage éhonté* (syn. : DÉBAUCHE, LICENCE).

devers (par-) [pardəvɛr] loc. prép. *Par-devers soi,* en sa possession, en son particulier : *J'ai gardé par-devers moi les copies de toutes mes lettres. Garder ses réflexions par-devers soi* (= ne pas les exprimer).

déverser [devɛrse] v. tr. (sujet nom de chose ou de personne). Verser, répandre en abondance : *Un lac qui déverse ses eaux dans la vallée.* ◆ ***se déverser*** v. pr. : *Le bassin se déverse par cette canalisation.* ◆ **déversement** n. m. : *Une ouverture prévue pour le déversement du trop-plein.* ◆ **déversoir** n. m. Vanne par où s'écoule l'excédent d'eau d'un réservoir, d'un étang, etc.

dévêtir v. tr. V. VÊTIR.

dévider [devide] v. tr. Défaire ce qui était enroulé : *Dévider une pelote de laine* (syn. : DÉROULER). *Dévider le fil d'une bobine* (syn. : DÉBOBINER). ◆ **dévidoir** n. m. Appareil permettant de dérouler rapidement du fil, un tuyau, etc.

dévier [devje] v. tr. *Dévier quelque chose,* en modifier le trajet, la direction : *On a dévié la route pour effectuer des travaux* (syn. : DÉTOURNER). *Le prisme dévie les rayons lumineux. L'axe a été légèrement dévié par le choc.* ◆ v. intr. 1° (sujet nom de chose) S'écarter de sa direction : *Le ballon, chassé par le vent, a dévié vers la droite. L'aiguille de la boussole dévie au voisinage d'une masse métallique.* — 2° (sujet nom de personne) S'écarter de son projet, de son orientation : *Il poursuit son but sans dévier d'une ligne.* ◆ **déviation** n. f. 1° Action de dévier; état qui en résulte : *La déviation de la boule est due à l'inégalité du sol. Il souffre d'une déviation de la colonne vertébrale. Etre accusé de déviation doctrinale.* — 2° Itinéraire établi pour détourner la circulation : *Pendant la réfection de ce tronçon de route, les véhicules ont dû emprunter une déviation.* ◆ **déviationnisme** n. m. Attitude d'une personne ou d'un groupe qui s'écarte de la doctrine de son parti politique (syn. : HÉRÉSIE, langue relig.) ◆ **déviationniste** adj. et n.

deviner [dəvine] v. tr. (sujet nom de personne). *Deviner quelque chose,* le trouver par conjecture, par intuition : *Elle prétendait deviner l'avenir en consultant le marc de café* (syn. : PRÉVOIR, PRÉDIRE). *Sans comprendre sa langue, je devinais à ses gestes le sens de ses propos. Vous ne devinez pas ce qui m'amène?* (syn. : SAVOIR). *Devinez pourquoi cette voiture est en panne. Je supposais bien qu'il avait quelque chose à me dire : j'avais deviné juste. Je devine qu'il va se passer quelque chose* (syn. : PRESSENTIR). *On devine sans peine la raison de son silence* (syn. : DÉCOUVRIR). ◆ **devin, devineresse** n. 1° Personne qui prétend découvrir l'avenir (syn. : VOYANT). — 2° *Je ne suis pas devin,* je ne sais pas avec certitude ce qui va se passer. ◆ **devinette** n. f. Question, le plus souvent plaisante, dont on demande à quelqu'un, par jeu, de deviner la réponse. (Ex. : « Qu'est-ce qu'on lance en l'air blanc et qui retombe jaune? — Un œuf. ») ◆ **divinateur, trice** adj. Qui a la faculté de deviner : *Un esprit doué d'un remarquable pouvoir divinateur.* ◆ **divination** n. f. Art ou action de deviner, surtout l'avenir : *La Pythie de Delphes pratiquait la divination* (= prédisait l'avenir). *La divination géniale d'un savant* (syn. : INTUITION, PRESCIENCE). ◆ **divinatoire** adj. Se dit de l'art des devins, ou de ce qui s'y rapporte : *Art, talent divinatoire.*

devis [dəvi] n. m. Evaluation détaillée, faite par un entrepreneur, du coût des travaux à exécuter : *Nous passerons la commande au menuisier dont le devis sera le plus avantageux. Veuillez m'établir un devis concernant la réparation de la toiture.*

dévisager [devizaʒe] v. tr. *Dévisager quelqu'un,* le regarder de façon très insistante, avec une insistance, une curiosité non dissimulée ou avec hauteur : *Quelques vieilles femmes, sur le pas de leur porte, dévisageaient l'étranger. Il dévisagea le visiteur avant de l'inviter à s'asseoir* (syn. : TOISER).

1. devise [dəviz] n. f. Paroles concises qu'on se donne comme règle de conduite ou qui suggèrent un idéal : *Un emblème entouré d'une devise. La devise du drapeau français est « Honneur et Patrie ». Simplicité, c'est ma devise.*

2. devise [dəviz] n. f. Monnaie étrangère : *Le tourisme provoque un afflux de devises dans ce pays.*

deviser [dəvize] v. intr. ou tr. ind. *Deviser* (*de quelque chose*), s'entretenir familièrement d'une question (langue soignée) : *Ils devisent paisiblement dans le salon* (syn. : CONVERSER, BAVARDER).

dévisser v. tr. V. VIS.

1. dévoiler [devwale] v. tr. *Dévoiler un secret, un projet, ses intentions,* etc., cesser de les tenir cachés, en faire part à quelqu'un, faire la lumière dessus : *Les enquêteurs se sont refusés à dévoiler le nom des deux suspects appréhendés. Les dessous de l'affaire ont été dévoilés par un secrétaire trop bavard* (syn. : RÉVÉLER). *Personne n'avait encore dévoilé ce mystère* (syn. : PERCER). *Chacun des deux interlocuteurs attendait que l'autre dévoile ses batteries* (= laisse comprendre son plan d'action). ◆ ***se dévoiler*** v. pr. Apparaître au grand jour, devenir compréhensible : *Sa fourberie a fini par se dévoiler. Les mystères se sont dévoilés au cours du procès.*

2. dévoiler v. tr. V. VOILE 1 et 2.

1. devoir [dəvwar] v. tr. (conj. 35). 1° (sujet nom de personne) *Devoir quelque chose,* être tenu, légalement ou moralement, de le payer, de le restituer, de le fournir, de le manifester : *Je lui dois le montant des réparations qu'il a effectuées chez moi. Je lui ai prêté mille francs l'année dernière, et il me les doit encore. Un métayer qui doit deux porcs chaque année à son propriétaire. Il vous doit le respect. Nous devons assistance aux malheureux.* — 2° Etre redevable de, avoir reçu : *C'est à Pasteur qu'on doit le vaccin contre la rage. Le savant à qui on doit cette traduction. Je lui dois la vie sauve.* (V. DETTE.)

2. devoir [dəvwar] v. tr. (conj. 35). *Devoir* et l'infin. sans prép. indique : 1° la nécessité : *La voiture doit prendre cette route pour aller d'une ville à l'autre;* 2° la possibilité, la supposition : *Il doit être environ trois heures. Il est bien en retard : il a dû avoir une panne. Vous devez être heureux d'avoir terminé;* 3° l'intention : *Je lui ai téléphoné : il doit passer vous voir demain;* 4° le futur (notamment à l'infin., après *sembler, paraître*) : *Le temps semble devoir s'améliorer bientôt.*

1. devoir [dəvwar] n. m. 1° Ce à quoi on est obligé légalement ou moralement : *Cette démarche fait partie des devoirs de sa charge. On a le devoir de porter assistance à une personne en danger.*

Accomplir fidèlement son devoir (syn. : ↓ TÂCHE). *Rentrer dans le devoir. Il s'acquitte de ses devoirs religieux* (syn. : OBLIGATIONS). *Je me fais un devoir de l'aider.* — 2° *Derniers devoirs,* v. DERNIER. ‖ *Rendre ses devoirs à quelqu'un,* lui adresser des marques de civilité, le saluer avec déférence.

2. devoir [dəvwar] n. m. Tâche, ordinairement écrite, prescrite par un maître à des élèves : *Un devoir de mathématiques. Le devoir d'anglais est une application de la leçon.*

1. dévolu, e (être) [devɔly] v. passif (sujet nom de chose). Etre échu à quelqu'un, lui revenir : *C'est une lourde charge qui lui est dévolue* (syn. : ÊTRE ATTRIBUÉ). *Les droits qui nous sont dévolus.*

2. dévolu [devɔly] n. m. *Jeter son dévolu sur quelque chose, sur quelqu'un,* projeter de s'emparer de cette chose, fixer son choix sur cette personne.

dévorer [devɔre] v. tr. 1° (sujet nom désignant des bêtes féroces) Manger en déchirant la proie : *Un ours a dévoré un mouton du troupeau.* — 2° (sujet nom de personne) *Dévorer quelque chose,* le manger avidement (employé aussi intransitiv.) : *Après cette longue marche, ils dévorèrent le repas qu'on leur servit* (syn. : ENGLOUTIR). *C'est un plaisir de voir comme ces enfants dévorent.* — 3° *Dévorer un livre, un journal,* le lire avidement : *Dévorer un roman.* — 4° (sujet nom de chose ou de personne) *Dévorer quelque chose,* le consumer, l'absorber par grandes quantités : *Le feu a dévoré des hectares de forêt* (syn. : RAVAGER, ↓ DÉTRUIRE). *Il a dévoré toute sa fortune au jeu. Une entreprise qui dévore de gros capitaux* (syn. : ENGLOUTIR). *Dévorer l'espace* (= le parcourir rapidement). — 5° (sujet nom de chose) Tourmenter vivement (souvent littér.) : *Les soucis le dévorent* (syn. : RONGER). *Il est dévoré par le chagrin* (syn. : CONSUMER). — 6° *Dévorer un affront, une injure,* les cacher aux yeux de tous. ◆ **dévorant, e** adj. : *Un feu dévorant. Une curiosité dévorante. J'ai une faim dévorante* (= je suis très affamé). ◆ **dévoreur, euse** n. : *Cette chaudière est une grosse dévoreuse de charbon. Un dévoreur de livres* (= un lecteur insatiable).

dévot, e [devo, ɔt] adj. et n. Se dit, souvent avec une nuance péjor., d'une personne très attachée aux pratiques religieuses : *Il était devenu dévot en vieillissant* (syn. : PIEUX, non péjor.). *Des chansons qui scandalisent les dévotes* (syn. péjor. : ↑ BIGOT). ◆ adj. Se dit d'actes ou de pensées inspirés par la dévotion : *Des génuflexions dévotes. Une pratique dévote.* ◆ **dévotement** adv. (sans nuance péjor.) : *Servir Dieu dévotement.* ◆ **dévotion** n. f. (sans nuance péjor.). 1° Zèle dans la pratique religieuse : *Sa dévotion contraste avec le libertinage de son frère* (syn. : PIÉTÉ). — 2° Pratique religieuse : *Ce pèlerinage est une très ancienne dévotion. La dévotion à ce saint est très grande dans ce pays* (syn. : CULTE). *Aller à l'église faire ses dévotions* (= faire des prières, suivre un office, etc.). — 3° *Etre à la dévotion de quelqu'un,* lui être totalement dévoué.

dévouer (se) [sədevwe] v. pr. (sujet nom de personne). 1° (sans compl.) Faire abnégation de soi-même : *Il a trouvé la mort en se dévouant pour sauver ses camarades* (syn. : SE SACRIFIER). *Puisque personne ne s'est proposé pour cette tâche rebutante, je me dévouerai.* — 2° *Se dévouer à quelqu'un, à quelque chose,* leur donner largement son activité, ses soins : *Il se dévoue au service des malheureux. Se dévouer à la science* (syn. : SE CONSACRER). *Il est toujours prêt à se dévouer.* ◆ **dévoué, e** adj. Se dit de quelqu'un qui manifeste un grand attachement : *Un secrétaire tout dévoué à son patron, à une maison. Un ami dévoué* (syn. : FIDÈLE). *Croyez-moi votre tout dévoué* (formule de politesse précédant la signature d'une lettre). ◆ **dévouement** [devumɑ̃] n. m. Attitude d'une personne qui se dévoue, qui est dévouée : *Un dévouement héroïque* (syn. : ABNÉGATION). *Les soldats dont le dévouement a sauvé la patrie* (syn. : SACRIFICE). *Grâce au dévouement des employés, le service a pu être assuré normalement* (syn. : ZÈLE). *Il porte à son père un indéfectible dévouement* (syn. : ATTACHEMENT). *Le dévouement à une noble cause* (syn. : LOYALISME). *Recevez l'assurance de mon respectueux dévouement* (formule de politesse à la fin d'une lettre).

dévoyé, e [devwaje] adj. et n. Se dit d'une personne sans moralité qui s'abandonne au vice : *Le vol a été commis par une bande de jeunes dévoyés* (syn. : VAURIEN, CHENAPAN; fam. : FRIPOUILLE).

dextérité [dɛksterite] n. f. 1° Aisance à exécuter quelque chose, en particulier avec les mains : *Le chirurgien opère avec une grande dextérité* (syn. : HABILETÉ). *Il saisit la balle au vol avec dextérité* (syn. : ↓ ADRESSE). — 2° Habileté dans la manière de mener quelque chose : *Les négociations furent conduites avec dextérité* (contr. : MALADRESSE).

diabète [djabɛt] n. m. Maladie dont une des formes, le *diabète sucré,* se manifeste notamment par la présence de sucre dans les urines. ◆ **diabétique** adj. et n. Se dit d'une personne atteinte de diabète : *Les diabétiques doivent suivre un régime alimentaire.*

1. diable [djabl] n. m. 1° Esprit du mal, selon le dogme chrétien : *Le diable est souvent représenté avec des cornes, une queue et des pieds fourchus. Une mauvaise action inspirée par le diable* (syn. : DÉMON). — 2° Enfant très turbulent, tapageur ou simplement espiègle (aussi adj. en ce sens) : *Toute la maison est en désordre avec de pareils diables. Il est très diable. C'est un bon petit diable* (= un enfant éveillé qui a bon cœur). — 3° Fam. *Bon diable,* garçon simple et sympathique. ‖ Fam. *Grand diable,* homme de grande taille (syn. : GRAND GAILLARD). ‖ Fam. *Pauvre diable,* homme qui inspire de la commisération (syn. : PAUVRE BOUGRE). ‖ Fam. *Ce diable de,* se dit d'une personne ou d'une chose contre laquelle on maugrée, ou qui cause quelque surprise : *On ne peut rien faire avec ce diable de temps. Ce diable d'homme était infatigable.* ‖ Fam. *Du diable, de tous les diables,* renforce l'idée du nom précédent : *Moteur qui fait un bruit du diable. J'ai une faim de tous les diables.* ‖ Fam. *En diable,* renforce l'idée de l'adjectif précédent : *Il est paresseux en diable.* ‖ Fam. *C'est le diable et son train,* c'est toute une complication. ‖ Fam. *Se démener, s'agiter comme un beau diable,* avec beaucoup de vivacité. ‖ *Ne craindre ni Dieu ni diable,* ne se laisser arrêter par rien; être sans scrupule. ‖ Fam. *Avoir le diable au corps,* être emporté par ses passions; commettre toutes sortes de méfaits. ‖ *Faire le diable à quatre,* mener une existence agitée, désordonnée. ‖ Fam. *Tirer le diable par la queue,* vivre sans cesse dans la gêne, avoir peine à joindre les deux bouts. ‖ Fam. *Envoyer quelqu'un, quelque chose au diable, à tous les diables,* se débarrasser de cette personne, ne plus se soucier de cette chose (syn. : ENVOÛTER, TROMPER), et ellipt. : *Au diable la prudence!* (= ne songeons plus à la prudence). ‖ *Habiter, être au diable,* habiter très loin. ‖ Fam. *Que le diable m'emporte!,* juron exprimant la mauvaise humeur, la ferme résolution, etc. ‖ *C'est bien le diable si,* ce serait bien extraordinaire si. ‖ *Du diable si je m'en souvenais,* je ne m'en souvenais pas du tout. ◆ **diablerie** n. f. Espièglerie, malice : *La diablerie de cet enfant est lassante.* ◆ **diablesse** n. f. *Fam.* Femme désagréable, emportée, méchante. ◆ **diablotin** n. m. 1° Petit diable : *Une image représentant l'enfer avec le diable entouré de diablotins.* — 2° Enfant espiègle, éveillé : *Un moniteur de colonie de vacances parmi ses diablotins ébouriffés.* ◆ **diabolique** adj. Qui est comme inspiré par le diable, pervers, d'une méchanceté calculée : *Une machination diabolique. Une ruse diabolique.* ◆ **diaboliquement** adv. : *Il ricanait diaboliquement. Un piège diaboliquement tendu.* (V. ENDIABLÉ.)

2. diable ! [djabl], **que diable !** [kədjabl] interj. 1° Marquent la surprise ou soulignent une remarque de bon sens : *Diable! voilà qui change tout! Il aurait pu me prévenir, que diable!* — 2° *Diable* s'emploie après certains mots interrogatifs (*qui, que, quoi, où, quand, pourquoi, comment, combien*) pour marquer une nuance affective de surprise, de perplexité, de mauvaise humeur : *Qui diable a pu vous dire cela? Pourquoi diable n'est-il pas venu?* (syn. archaïsant : DIANTRE). ◆ **diablement** adv. *Fam.* Très, beaucoup : *Ce paquet est diablement lourd* (syn. : FAMEUSEMENT, DIANTREMENT). *Cela m'inquiète diablement.*

diacre [djakr] n. m. Ministre du culte qui, chez les catholiques, a reçu le diaconat, et, chez les protestants, est particulièrement chargé de visiter et d'assister les malades. ◆ **diaconat** [djakɔna] n. m. Le dernier ordre que reçoit un clerc catholique avant son ordination sacerdotale. ◆ **diaconesse** n. f. Chez les protestants, dame de charité.

diacritique [djakritik] adj. *Signes diacritiques,* signes joints aux caractères de l'alphabet pour leur donner une valeur spéciale.

diadème [djadɛm] n. m. Serre-tête généralement orné de pierreries et servant de parure aux femmes dans certaines circonstances solennelles. (Le *diadème* était un bandeau royal.)

diagnostic [djagnɔstik] n. m. Identification d'une maladie d'après ses symptômes : *Médecin qui ausculte longuement son malade avant d'émettre un diagnostic. Les spécialistes réservent leur diagnostic* (= ils ne se prononcent pas sur la gravité de la maladie). ◆ **diagnostiquer** v. tr. *Diagnostiquer une maladie,* l'identifier : *Le médecin a diagnostiqué une pneumonie.*

diagonale [djagɔnal] n. f. 1° Segment de droite qui joint deux sommets non consécutifs d'un polygone, et en particulier deux sommets opposés d'un quadrilatère : *Les diagonales d'un rectangle se coupent en leur milieu.* — 2° *En diagonale,* obliquement. ‖ Fam. *Lire en diagonale,* lire très rapidement, d'une manière superficielle. ◆ **diagonalement** adv. Selon une diagonale.

dialecte [djalɛkt] n. m. Variété de langue parlée sur un territoire restreint : *Le dialecte limousin.* ◆ **dialectologie** n. f. Etude scientifique des dialectes. ◆ **dialectologue** n.

dialectique [djalɛktik] adj. Qui concerne l'art de raisonner, de discuter : *Procédés dialectiques.* ◆ n. f. 1° Art de la discussion. — 2° Mouvement de la pensée qui progresse vers une synthèse en s'efforçant continuellement de résoudre les oppositions entre chaque thèse et son antithèse. ◆ **dialecticien, enne** n. ◆ **dialectiquement** adv. : *Pensée qui chemine dialectiquement.*

dialogue [djalɔg] n. m. 1° Conversation entre deux personnes ou deux groupes sur un sujet défini : *Au bout d'une heure de dialogue, les deux ambassadeurs se séparèrent sans avoir abouti à un résultat* (syn. : ENTRETIEN, DISCUSSION). *J'ai eu un long dialogue avec un témoin de l'accident.* — 2° Discussion visant à trouver un terrain d'accord : *Le dialogue se poursuit entre les deux camps adverses* (= les pourparlers ne sont pas rompus). *Chercher à renouer le dialogue* (= à rétablir des relations et des échanges de vues). — 3° Ensemble de paroles échangées entre les acteurs d'une pièce de théâtre ou d'un film. ◆ **dialoguer** v. intr. (sujet nom de personne). Soutenir un dialogue avec quelqu'un : *Les deux personnages qui dialoguent dans toute cette scène. Dialoguer avec un voisin de table.* ◆ **dialoguiste** n. Auteur des dialogues d'un film.

diamant [djamɑ] n. m. Pierre précieuse très limpide, constituée par du carbone pur cristallisé : *Une broche sertie de diamants* (syn. : BRILLANT). *La dureté extrême du diamant le fait utiliser pour la coupe du verre et pour le forage.* ◆ **diamantaire** n. m. Celui qui travaille ou qui vend des diamants. ◆ **diamantifère** adj. Qui produit du diamant : *Régions diamantifères.*

diamètre [djamɛtr] n. m. Segment de droite intérieur à un cercle et passant par le centre : *Le diamètre est le double du rayon. Le diamètre d'un tronc d'arbre. Un tuyau de fort diamètre.* ◆ **diamétralement** adv. *Diamétralement opposé,* qui est en opposition totale : *Il soutient une théorie diamétralement opposée à la mienne* (syn. : TOTALEMENT).

diantre! [djɑ̃tr] interj. 1° Juron exprimant l'étonnement ou servant de renforcement à un mot interrogatif (litter.) : *Diantre! et il s'en est tiré sans une égratignure? Comment diantre pensez-vous réussir?* (syn. plus usuel : DIABLE). — 2° Peut avoir la valeur d'un adjectif, au sens d' « extraordinaire », « bizarre », dans l'expression *un diantre de : C'est un diantre d'homme qu'il faut savoir prendre* (syn. : UN DIABLE DE).

diapason [djapazɔ̃] n. m. 1° Petit instrument d'acier, qu'on fait vibrer pour obtenir le *la.* — 2° Fam. *Être, se mettre au diapason,* avoir, adopter le ton ou les manières qui conviennent à la circonstance.

diaphane [djafan] adj. Se dit de ce qui laisse passer la lumière, mais ne permet pas de distinguer nettement les formes des objets : *Une porcelaine diaphane* (syn. : TRANSLUCIDE). ◆ **diaphanéité** n. f.

diaphragme [djafragm] n. m. 1° Muscle qui sépare la poitrine de l'abdomen, et dont les contractions permettent la respiration : *Le coup qu'il a reçu au niveau du diaphragme lui a coupé le souffle.* — 2° Dispositif permettant de régler l'ouverture d'un objectif d'appareil photographique selon la quantité de lumière qu'on veut admettre. ◆ **diaphragmer** v. tr. et intr. Réduire l'ouverture d'un objectif au moyen du diaphragme.

diapositif, ive [djapozitif, -iv] adj. Se dit d'une vue positive sur plaque de verre ou sur film. ◆ **diapositive** n. f. : *Projeter des diapositives.*

diaprer [djapre] v. tr. Parer de couleurs variées (littér.) : *Les fleurs qui diaprent les prés.* ◆ **diapré, e** adj. : *Les vitraux diaprés d'une cathédrale.* ◆ **diaprure** n. f. : *La diaprure des prés au printemps.*

diarrhée [djare] n. f. Etat des selles plus liquides et plus fréquentes qu'à l'ordinaire (syn. : COLIQUE).

diatribe [djatrib] n. f. Critique violente : *Son discours n'a été qu'une longue diatribe contre ses adversaires* (syn. : ÉREINTEMENT). *Il a rédigé une diatribe contre le régime* (syn. : PAMPHLET).

dictateur [diktatœr] n. m. Celui qui exerce à lui seul tous les pouvoirs politiques, qui commande en maître absolu : *Hitler fut un dictateur tristement célèbre.* ◆ **dictatorial, e, aux** adj. : *Des pouvoirs dictatoriaux. Régime dictatorial.* ◆ **dictature** n. f. Pouvoir sans contrôle, autorité absolue.

1. dicter [dikte] v. tr. (sujet nom de personne ou de chose). Inspirer ou imposer la conduite à tenir : *La situation nous dicte la plus grande prudence* (syn. : COMMANDER). *Un conquérant qui dicte ses volontés, sa loi.*

2. dicter [dikte] v. tr. (sujet nom de personne). Prononcer des mots que quelqu'un écrit au fur et à mesure : *Directeur qui dicte une lettre à sa secrétaire. Dicter à des élèves le sujet d'un devoir.* ◆ **dictée** n. f. 1° Action de dicter : *Après la dictée du courrier, il a dépouillé la presse. Notaire qui écrit un testament sous la dictée du malade.* — 2° Exercice scolaire visant à l'acquisition de l'orthographe et consistant à dicter un texte aux élèves : *Dictée préparée. Dictée de contrôle.* ◆ **Dictaphone** n. m. Nom déposé d'un appareil enregistreur de la voix, servant en particulier à la dictée du courrier.

diction [diksjɔ̃] n. f. Manière de dire des vers, d'articuler les mots en jouant un rôle, etc. : *Sa diction manque de netteté* (syn. : PRONONCIATION). *Un acteur qui a pris des leçons de diction.*

dictionnaire [diksjɔnɛr] n. m. Recueil des mots ou d'une catégorie de mots d'une langue, rangés dans un ordre en général alphabétique, avec leurs sens, des indications sur les conditions de leur emploi, et parfois des développements encyclopédiques : *Le dictionnaire étymologique donne l'origine des mots. Dictionnaire de langue* (= excluant les mots techniques). *Dictionnaire de géographie. Le dictionnaire bilingue donne la traduction des mots d'une langue dans une autre.*

dicton [diktɔ̃] n. m. Sentence de caractère proverbial et traduisant généralement une observation populaire. (Ex. : « Quand il pleut à la Saint-Médard, il pleut quarante jours plus tard. »)

didactique [didaktik] adj. Se dit de ce qui exprime un enseignement : *Les « Géorgiques » de Virgile sont des poèmes didactiques. Un exposé de caractère nettement didactique* (syn. : PÉDAGOGIQUE). ◆ **didactiquement** adv.

dièse [djɛz] n. m. Altération musicale qui hausse d'un demi-ton la note qu'elle précède. ◆ adj. *« Fa » dièse, « do » dièse,* etc., *fa, do,* etc., haussés d'un demi-ton.

diesel [djezɛl] n. m. *Diesel* ou *moteur Diesel,* moteur consommant des huiles lourdes : *Les camions sont souvent équipés de diesels.*

diète [djɛt] n. f. Régime caractérisé par la suppression de la totalité ou d'une partie des aliments dans une intention thérapeutique : *Le médecin a prescrit la diète absolue jusqu'à la diminution de la fièvre. Un malade à la diète.* ◆ **diététique** adj. : *Régime diététique.* ◆ n. f. Science ayant pour objet de déterminer la composition rationnelle des repas en vue d'une bonne hygiène alimentaire.

dieu [djø] n. m. 1° Etre immatériel, supérieur à l'homme et dont les attributions dans l'univers sont variables selon les diverses religions : *Les dieux de l'Olympe étaient nombreux. Zeus était le maître des dieux de la mythologie grecque. Poséidon était le dieu de la Mer. Les Egyptiens adoraient le dieu Horus, représenté par un épervier.* — 2° Etre suprême, éternel, créateur, possédant seul toute perfection, selon les religions monothéistes, et particulièrement le christianisme (s'écrit alors avec une majusc.) : *Dieu est bon. On adore Dieu. Adresser à Dieu une prière de louange.* — 3° Personne ou chose à laquelle on voue une sorte de culte, un attachement passionné, une vénération profonde, etc. : *Un chanteur qui a été le dieu des jeunes* (syn. : IDOLE). *Ce poète est son dieu. Il n'a pas d'autre dieu que l'argent.* — 4° *Dieu!, Grand Dieu!,* exclamations marquant la surprise, le saisissement, l'insistance sur ce qu'on va dire. ‖ *Bon Dieu!,* exclamation (proscrite par les conventions sociales) ponctuant avec force ce qu'on dit; traduit souvent la mauvaise humeur. ‖ *Le bon Dieu,* nom qu'on donne couramment à Dieu : *Un enfant qui prie le bon Dieu.* ‖ *Grâce à Dieu, Dieu merci, Dieu soit loué,* expriment le soulagement, la satisfaction (syn. : HEUREUSEMENT). ‖ *Nom de Dieu!,* juron (proscrit par les conventions sociales) exprimant avec force un sentiment : colère, surprise, etc. ‖ *A la grâce de Dieu,* exprime la résignation, avec l'espoir de réussite (syn. : ADVIENNE QUE POURRA). ‖ *Pour l'amour de Dieu,* donne un tour insistant à une prière : *Pour l'amour de Dieu, n'en parlez à personne.* ‖ *Faire quelque chose pour l'amour de Dieu,* le faire gratuitement. ‖ *Plaise* (*plût*) *à Dieu que,* exprime le souhait ou le regret : *Plaise à Dieu qu'il fasse beau demain! Plût à Dieu qu'il ne fût pas venu!* ‖ *Dieu sait* (suivi d'une proposition conjonctive ou interrogative), renforce une affirmation ou exprime l'incertitude : *Dieu sait que je n'y suis pour rien. Il s'est laissé prendre, et Dieu sait pourtant si je l'avais prévenu* (= je vous assure que). *Il lui a pris fantaisie de vendre sa maison, Dieu sait pourquoi* (syn. : ALLEZ DONC SAVOIR). ‖ Fam. *Jurer ses grands dieux,* faire de grandes protestations : *Il m'a juré ses grands dieux que tout serait prêt à l'heure.* ‖ Fam. *On lui donnerait le bon Dieu* (= la communion) *sans confession,* il a un air très innocent qui contraste avec sa conduite. ◆ **déesse** [deɛs] n. f. Divinité féminine : *Vénus était déesse de l'Amour.* ◆ **demi-dieu** n. m. 1° Homme que ses qualités exceptionnelles semblent placer au-dessus de la condition humaine, qui jouit d'un prestige immense : *Des athlètes que la foule honorait comme des demi-dieux* (syn. : IDOLE). — 2° Dans la mythologie, être né d'un dieu et d'une mortelle, ou d'un mortel et d'une déesse : *Hercule était un demi-dieu.* ◆ **divin, e** [divɛ̃, -in] adj. 1° Qui est de Dieu, qui est relatif à Dieu : *La volonté divine. La divine Providence. Les lois divines et les lois humaines. Les prêtres consacrés au culte divin.* — 2° Se dit, avec plus ou moins d'affectation, d'une personne ou d'une chose douée des plus grandes qualités : *La* *divine créature* (syn. : MERVEILLEUX, ADORABLE). *Cet acteur est divin dans son rôle* (syn. : ADMIRABLE, EXCELLENT). *Beauté divine. Un dessert divin* (syn. : EXQUIS). — 2° *Pouvoir, autorité de droit divin,* que l'on considérait comme attribués par Dieu au souverain. ◆ **divinement** adv. Merveilleusement, admirablement : *Elle chante divinement.* ◆ **diviniser** v. tr. 1° Mettre au rang des dieux, revêtir d'un caractère divin : *Les peuples qui divinisaient les astres.* — 2° Vouer une sorte de culte à : *Une philosophie qui aboutit à diviniser la force* (syn. : EXALTER, MAGNIFIER, DÉIFIER). ◆ **divinisation** n. f. : *La divinisation de Romulus. La divinisation des instincts.* ◆ **divinité** n. f. 1° Nature divine : *Les Evangiles proclament la divinité de Jésus-Christ.* — 2° Etre auquel on attribue une nature divine : *Les divinités de l'Olympe* (syn. : DIEU, DÉESSE).

diffamer [difame] v. tr. *Diffamer quelqu'un,* dire ou écrire des choses qui portent atteinte à sa réputation : *Un candidat qui n'hésite pas à diffamer son adversaire* (syn. : CALOMNIER). *S'estimant diffamé par cet article, il a poursuivi en justice le directeur du journal.* ◆ **diffamant, e** adj. : *Des propos diffamants.* ◆ **diffamateur, trice** adj. et n. ◆ **diffamation** n. f. : *La diffamation est punie par la loi. Je n'ai prêté aucune attention à ces diffamations* (syn. : CALOMNIE, ↓ MÉDISANCE). *Un procès en diffamation.* ◆ **diffamatoire** adj. Se dit des propos ou des écrits de nature à diffamer quelqu'un : *Une allusion diffamatoire.*

différend [diferɑ̃] n. m. Opposition, sur un point précis, des points de vue de deux personnes ou de deux groupes : *Un différend a surgi entre lui et moi sur la route à suivre* (syn. : DÉSACCORD). *Un organisme international chargé de rechercher une solution aux différends entre Etats* (syn. : CONTESTATION). *Régler un différend* (syn. : ↑ QUERELLE).

1. différer [difere] v. tr. et intr. *Différer (quelque chose),* en remettre à plus tard la réalisation : *En raison du mauvais temps, la promenade a été différée* (syn. : REPORTER). *On ne peut plus différer davantage l'examen de cette question* (syn. : RENVOYER, RETARDER, RECULER). *A quoi bon différer? Expliquez-vous* (syn. : TARDER, ATERMOYER). ◆ **différé** n. m. *En différé,* se dit d'une émission radiophonique ou télévisée diffusée un certain temps après son enregistrement (contr. : EN DIRECT).

2. différer [difere] v. intr. 1° (sujet nom de chose ou de personne) Ne pas être semblable : *Deux acteurs qui diffèrent par leurs jeux de physionomie* (contr. : RESSEMBLER). *Mon édition diffère de la vôtre à cet endroit. Deux styles qui diffèrent profondément.* — 2° (sujet nom de personne) Avoir deux opinions opposées : *Lui et moi, nous différons totalement sur cette question* (syn. : DIVERGER). ◆ **différence** n. f. 1° Ce qui distingue, ce qui sépare des êtres ou des choses qui diffèrent : *Il y a une grande différence de prix entre ces deux articles* (syn. : ÉCART). *Une différence d'âge, de poids, de longueur. On observe entre eux de nombreuses différences de caractère* (contr. : ANALOGIE, RESSEMBLANCE, SIMILITUDE). *La différence entre 20 et 17 est 3.* — 2° *Faire la différence, une différence,* en avoir conscience : *On peut lui servir du lapin pour du lièvre, il ne fera pas la différence.* ‖ *Faire des différences,* agir de façon différente, ne pas traiter de la même manière : *Il fait des différences scandaleuses entre ses enfants.* ● LOC. PRÉP. *A la différence de : C'est un garçon travailleur, à la différence de son frère* (= son frère, au contraire, ne l'est pas; syn. : CONTRAIREMENT À). ◆ **différencier** v. tr. *Différencier des choses, des personnes,* les distinguer en faisant ressortir leurs différences : *Les détails qui permettent de différencier deux espèces botaniques voisines. Leur densité respective différencie immédiatement ces deux métaux.* ◆ **indifférencié, e** adj. Qui n'est pas distingué d'un autre de même espèce. ◆ **différenciation** n. f. : *La différenciation entre ces deux timbres est malaisée* (syn. : DISTINCTION). *Une évolution qui aboutit à une différenciation nette entre les dialectes du Nord et ceux du Sud.* ◆ **différent, e** adj. 1° Se dit d'êtres animés ou de choses qui ne sont pas semblables : *La Savoie et la Beauce sont des régions très différentes. Dans des conditions différentes, le résultat serait tout autre* (contr. : SEMBLABLE, IDENTIQUE). *Les mœurs du chat sont différentes de celles du chien* (contr. : LE MÊME QUE). *Dans ce cas, c'est tout différent* (= la situation n'est pas celle que l'on attendait). — 2° Au pluriel, il exprime surtout la diversité (ordinairement avant le nom) : *Une série de photos prises aux différentes heures de la journée. Il apporte le même soin à ses différents travaux* (syn. : DIVERS, VARIÉ [toujours placé après le nom]). — 3° (sans art. ni adj. déterminatif) Indique la diversité dans la pluralité (toujours avant le nom avec cette valeur) : *Il a refusé pour différentes raisons. J'ai voyagé dans différents pays. Différentes occupations me retiennent ici* (syn. : PLUSIEURS, DIVERS). ◆ **différemment** adv. D'une manière différente : *Il aurait fallu procéder différemment* (syn. : AUTREMENT). ◆ **différentiel, elle** adj. 1° Qui crée une différence. — 2° *Tarif différentiel,* qui varie en fonction inverse du poids et de la distance, en matière de transport. ‖ *Indemnité différentielle,* qui compense une diminution de revenus.

difficile [difisil] adj. 1° Se dit de ce qui ne peut être obtenu, compris, résolu qu'avec des efforts, de ce qui cause du souci : *La réussite à cet examen est difficile* (contr. : FACILE). *Un sommet d'accès difficile* (syn. : MALAISÉ, PÉNIBLE). *Le problème est assez difficile* (syn. : COMPLIQUÉ, DUR, ARDU; fam. : CALÉ). *Un auteur difficile* (syn. : OBSCUR). *Il est difficile de justifier cet acte. Un virage difficile à prendre* (syn. : ↑ IMPOSSIBLE). *La situation devient difficile* (syn. : DÉLICAT, ÉPINEUX, PRÉOCCUPANT, INQUIÉTANT; ↑ TRAGIQUE, DÉSESPÉRÉ). *Il a des fins de mois difficiles* (= il a du mal à joindre les deux bouts). — 2° Se dit d'un lieu, d'une route peu accessible, peu praticable : *Un sommet d'accès difficile.* — 3° Se dit d'une personne qu'on a peine à contenter ou qui est peu agréable en société : *Une auberge de campagne où on peut se restaurer à un prix modéré, pourvu qu'on ne soit pas trop difficile* (syn. : EXIGEANT). *Vous ne voulez pas de cette voiture? Vous êtes bien difficile! C'est un homme difficile à vivre* (= insociable). *Un caractère difficile* (syn. : OMBRAGEUX). ◆ **difficilement** adv. : *Un vieillard qui marche difficilement. Il gagne difficilement sa vie* (syn. : PÉNIBLEMENT; contr. : FACILEMENT). *Il s'exprime difficilement en français* (syn. : MALAISÉMENT). ◆ **difficulté** n. f. 1° Caractère de ce qui est difficile : *Ne pas se laisser rebuter par la difficulté de l'entreprise. Il a de la difficulté à s'exprimer. La difficulté d'un sujet. La difficulté d'une ascension* (syn. : DANGER). *Cela ne fait aucune difficulté* (= cela sera facile). — 2° Chose difficile, qui embarrasse : *La première difficulté consiste à trouver* *la bonne route. Il a triomphé de toutes les difficultés* (syn. : OBSTACLE, EMPÊCHEMENT). *Se heurter à de grosses difficultés. Si vous êtes en difficulté, passez-moi un coup de téléphone* (syn. : PEINE; fam. : PANNE). — 3° *Faire des difficultés,* ne pas accepter facilement quelque chose : *Il a fait beaucoup de difficultés pour me confier ce livre.* ◆ **difficultueux, euse** adj. Se dit de ce qui comporte des difficultés (langue un peu affectée) : *Un problème difficultueux.*

diffluence [diflyɑ̃s] n. f. Action de se répandre en tous sens, sans force ni vigueur. (Se dit surtout de la *diffluence* dans la manière de parler.)

difforme [difɔrm] adj. Se dit généralement d'un être animé ou d'un végétal mal conformé, s'écartant notablement du type normal par certains détails ou par les proportions d'ensemble : *Un bossu dont le corps difforme attirait les regards* (syn. : CONTREFAIT). *Un visage difforme* (syn. : ↓ LAID). *De vieux arbres difformes.* ◆ **difformité** n. f. : *Un nain qui tire parti de sa difformité dans un cirque* (syn. : INFIRMITÉ). (V. FORME.)

diffraction [difraksjɔ̃] n. f. Phénomène dû aux déviations de la lumière rasant les bords d'un corps opaque.

diffus, e [dify, -yz] adj. 1° Se dit de ce qui est répandu en tous sens : *Une chaleur diffuse. Une lumière diffuse.* — 2° Se dit de ce qui manque de netteté, de concentration : *Une rêverie diffuse.* — 3° Se dit d'un style sans vigueur, trop abondant en mots (syn. : PROLIXE, VERBEUX). ◆ **diffusément** adv. : *Entrevoir diffusément une solution* (syn. : VAGUEMENT, CONFUSÉMENT).

diffuser [difyze] v. tr. 1° *Diffuser la lumière,* la répandre : *La lampe diffuse une lumière blafarde.* — 2° *Diffuser un bruit, une nouvelle,* etc., les répandre dans diverses directions : *La presse a largement diffusé la nouvelle* (syn. : PROPAGER). *Les haut-parleurs diffusaient sans cesse des appels au calme. Une émission diffusée sur ondes moyennes. Des bruits alarmants s'étaient diffusés dans toute la ville.* ◆ **diffuseur** n. m. 1° Appareil qui diffuse le son d'un poste de radio (syn. : HAUT-PARLEUR). — 2° Appareil qui diffuse une lumière (globe opalescent, etc.). ◆ **diffusion** n. f. : *L'agence de presse qui est responsable de la diffusion de cette information. Le service chargé de la diffusion des brochures* (syn. : PROPAGATION).

digérer [diʒere] v. tr. et intr. 1° (sujet nom d'être vivant ou nom des organes de la digestion) Elaborer les aliments absorbés : *Un estomac qui digère bien. J'ai mal digéré la mayonnaise. Le boa dort en digérant sa proie. On digérait en bavardant.* — 2° (sujet nom de personne) *Fam.* Assimiler par la lecture : *Il m'a fallu digérer ces six gros volumes.* — 3° (sujet nom de personne) *Fam.* Accepter définitivement : *Nous avons dû digérer une fois de plus le récit de ses souvenirs de guerre* (syn. : SUBIR). *Je ne peux pas digérer sa désinvolture* (syn. : SUPPORTER, SOUFFRIR). ◆ **digeste** adj. Syn. usuel de DIGESTIBLE. ◆ **indigeste** adj. : *La crème Chantilly est indigeste. Un roman indigeste* (= d'une lecture pénible). ◆ **digestible** adj. Se dit d'un aliment qui peut être aisément digéré (langue soignée). ◆ **digestif, ive** adj. 1° Se dit de substances qui facilitent la digestion : *Les sucs digestifs sécrétés par l'estomac, le foie, etc.* — 2° *Appareil digestif, tube digestif,* les organes de la digestion. ‖ *Fonctions digestives,* celles qui se rapportent à la digestion. ◆ adj. et n. m. Se dit d'une liqueur, d'un alcool qu'on prend après le repas : *Une liqueur digestive. Vous prendrez bien un digestif : cognac, calvados, chartreuse?* (syn. très fam. : POUSSE-CAFÉ). ◆ **digestion** n. f. Ensemble d'actions mécaniques et de réactions chimiques par lesquelles les organes digèrent les aliments : *Prendre des pilules pour faciliter la digestion. Il est sujet aux somnolences pendant la digestion.* ◆ **indigestion** n. f. 1° Trouble momentané des fonctions digestives, particulièrement de celles de l'estomac : *Il a vomi son repas par suite d'une indigestion. Il s'est donné une indigestion de charcuterie.* — 2° Satiété qui provoque une aversion : *J'ai une indigestion de cinéma.*

digest [dajdʒɛst ou diʒɛst] n. m. 1° Résumé d'un livre, d'un article. — 2° Publication périodique qui contient de tels résumés.

digital, e, aux [diʒital, -to] adj. 1° Relatif aux doigts. — 2° *Empreinte digitale,* trace caractéristique laissée par la face intérieure du doigt : *L'examen des empreintes digitales permet de découvrir des malfaiteurs.*

digne [diɲ] adj. 1° Se dit d'une personne (ou de son comportement) qui a de la retenue, de la gravité, qui inspire le respect : *Il est resté très digne dans son malheur. Son empressement à solliciter cette faveur n'est pas très digne* (syn. : NOBLE). *Il se retira sans un mot, d'un air digne* (syn. : IMPOSANT, ↑ MAJESTUEUX); et ironiq. : *Son digne père était scandalisé. Il avait pris un maintien digne pour la circonstance* (syn. : AFFECTÉ). *Il promenait sur l'assistance un regard digne* (syn. : AUGUSTE). — 2° *Digne de quelque chose, de faire quelque chose,* se dit d'un être animé ou d'une chose qui le mérite par ses qualités ou ses défauts : *Un élève digne du tableau d'honneur. Un criminel digne de l'échafaud. Il a été jugé digne de représenter son pays au congrès. Un détail digne d'intérêt. Un film digne d'éloges.* — 3° *Digne de quelqu'un, de quelque chose,* se dit d'un être animé ou d'une chose qui n'a pas démérité par rapport à lui, qui est d'une qualité en rapport avec lui : *Un fils digne de son père. On servit un vin digne d'un tel repas* (syn. fam. : À LA HAUTEUR DE). ◆ **indigne** adj. 1° Se dit d'une personne ou d'un acte qui inspire le mépris, la révolte, ou simplement l'irritation : *Cette mère indigne a été déchue de ses droits maternels. Ces enfants sont indignes* (syn. fam. : HORRIPILANT). *On lui a infligé un traitement indigne* (syn. : HONTEUX, SCANDALEUX). — 2° *Indigne de quelque chose, de faire,* se dit d'une personne ou d'une chose qui n'en est pas digne, qui ne le mérite pas : *Une faute indigne de pardon. Un roman indigne de figurer dans votre bibliothèque. Il s'est montré indigne de la faveur qu'on lui a faite. Il ne voulait pas être indigne de ses ancêtres.* ◆ **dignement** adv. 1° Avec dignité, d'une façon qui inspire un certain respect : *Il gardait dignement le silence devant des insultes aussi grossières. Il contenait dignement sa douleur;* et avec une nuance d'ironie : *Il quitta dignement le lieu de la bagarre, les cheveux en désordre et les vêtements déchirés* (syn. : NOBLEMENT). — 2° D'une manière conforme au mérite : *Il a été dignement récompensé* (syn. : JUSTEMENT). ◆ **indignement** adv. Sens 1 de *indigne : On l'a indignement traité. Se conduire indignement.* ◆ **dignité** n. f. 1° Attitude d'une personne digne (au sens 1) : *Ce geste de colère manquait de dignité* (syn. : RETENUE,

NOBLESSE). *Il s'imagine que sa dignité ne lui permet pas de se mettre en manches de chemise* (syn. : RESPECTABILITÉ). — 2° Respect qui est dû à une personne ou à une chose : *Une servitude incompatible avec la dignité de la personne humaine. Proclamer la dignité du travail.* — 3° Fonction éminente, distinction honorifique : *Il a été élevé à la dignité de grand-croix de la Légion d'honneur. Il méprise les dignités* (syn. : HONNEUR). ◆ **indignité** n. f. 1° Caractère d'une personne ou d'un acte indigne : *Un prêtre qui refuse le chapeau de cardinal en alléguant son indignité. L'indignité de ses propos scandalisait l'assistance.* — 2° *Indignité nationale,* peine comportant la privation de certains droits civils ou civiques. ◆ **dignitaire** n. m. Personnage revêtu d'une fonction éminente : *Les dignitaires de la Cour.*

digression [digrɛsjɔ̃] n. f. Développement étranger au sujet général d'un discours, d'un compte rendu, d'une conversation : *Le conférencier s'engagea dans une longue digression* (syn. : PARENTHÈSE). *Tomber, se perdre dans des digressions.*

digue [dig] n. f. 1° Construction destinée à faire obstacle aux vagues de la mer ou aux eaux d'un fleuve. — 2° Ce qui protège, ce qui s'oppose : *Une loi qui sert de digue à l'appétit de puissance. Mettre une digue à l'ambition* (syn. : OBSTACLE). ◆ **endiguer** v. tr. 1° *Endiguer un cours d'eau, un torrent,* etc., le contenir par une digue, par un ouvrage en maçonnerie : *Endiguer un fleuve.* — 2° *Endiguer quelque chose,* y faire obstacle, le contenir : *Chercher à endiguer les revendications sociales.*

dilapider [dilapide] v. tr. 1° *Dilapider de l'argent,* le dépenser à tort et à travers : *Dilapider un héritage* (syn. fam. : GASPILLER). — 2° *Dilapider des biens,* les détourner à son profit : *On l'accusait d'avoir dilapidé les fonds de la société.* ◆ **dilapidation** n. f. : *Ses débauches ont accéléré la dilapidation de sa fortune* (syn. : GASPILLAGE). *Il était accusé de dilapidation des deniers publics* (syn. : CONCUSSION).

dilater [dilate] v. tr. 1° *Dilater un métal, un gaz, un liquide,* etc., augmenter son volume par l'élévation de sa température : *Le forgeron dilatait le bandage métallique avant de le placer sur la roue de charrette. La chaleur dilate le mercure dans le thermomètre* (contr. : CONTRACTER). — 2° *Dilater un tuyau, la pupille de l'œil,* etc., en agrandir l'ouverture. — 3° *Dilater le cœur,* remplir quelqu'un de joie : *Cette bonne nouvelle lui dilata le cœur.* ◆ **se dilater** v. pr. 1° Augmenter de volume : *Les rails se dilatent au soleil.* — 2° *Se dilater les poumons,* respirer largement. ‖ Fam. *Se dilater la rate,* rire abondamment. ◆ **dilatable** adj. (terme techn.). ◆ **dilatation** n. f. Sens 1 et 2 du v. tr. : *Faire des expériences sur la dilatation des gaz.*

dilatoire [dilatwar] adj. Se dit de ce qui vise à gagner du temps, à retarder une décision : *Les manœuvres dilatoires de l'opposition ont fait reporter le vote au lendemain* (syn. : RETARDATEUR). *Comme il était hésitant, il s'en est tiré par une réponse dilatoire* (syn. : ÉVASIF).

dilemme [dilɛm] n. m. Obligation de choisir entre deux partis contradictoires possibles et présentant tous deux des inconvénients : *Un cruel dilemme* (syn. : ALTERNATIVE). *Comment sortir de ce dilemme?*

dilettante [dilɛtɑ̃t] n. Personne qui s'adonne à une activité, qui s'intéresse à un art simplement par plaisir, avec une certaine fantaisie : *Il s'était initié au chinois en dilettante. On a besoin ici de travailleurs et non de dilettantes* (syn. : AMATEUR). ◆ **dilettantisme** n. m. : *Faire un peu de peinture par dilettantisme* (syn. : AMATEURISME).

1. diligence n. f. V. DILIGENT.

2. diligence [diliʒɑ̃s] n. f. Voiture tirée par des chevaux, qui servait au transport des voyageurs.

diligent, e [diliʒɑ̃, -ɑ̃t] adj. Se dit d'une personne qui agit avec rapidité et efficacité, qui montre de l'empressement; se dit aussi de l'action de cette personne : *Une ménagère diligente* (syn. : ACTIF). *Grâce à son travail diligent, tout a été prêt à temps* (syn. : ZÉLÉ). *Un malade entouré de soins diligents* (syn. : EMPRESSÉ). ◆ **diligemment** adv. ◆ **diligence** n. f. 1° *Il félicita tout le personnel pour sa diligence* (syn. : ZÈLE, EMPRESSEMENT). — 2° *Faire diligence,* se hâter : *Faites diligence afin que nous puissions transmettre la marchandise dans les délais.*

diluer [dilɥe] v. tr. 1° *Diluer un liquide,* le rendre moins concentré par addition d'eau ou d'un autre liquide : *Cette peinture est trop épaisse, il faut la diluer avec de l'huile de lin. Le sirop se dilue dans l'eau.* — 2° *Diluer un discours,* en diminuer la force en le développant trop : *Il a dilué son exposé sur plusieurs heures et il a ennuyé son auditoire* (syn. : ÉTENDRE, DÉLAYER). ◆ **dilution** n. f. Sens 1 du v. tr. : *Remuer un mélange pour faciliter la dilution.*

diluvien, enne [dilyvjɛ̃, -ɛn] adj. *Pluie diluvienne,* pluie très abondante.

dimanche [dimɑ̃ʃ] n. m. 1° V. SEMAINE. — 2° *Habits, vêtements du dimanche,* vêtements plus propres ou neufs, réservés pour le dimanche (jour de repos). ‖ Fam. *Un chauffeur du dimanche,* qui conduit sans habileté parce qu'il ne se sert de sa voiture que pour la promenade. ‖ *Peintre du dimanche,* peintre amateur. ◆ **endimanché, e** adj. Se dit de quelqu'un qui a des vêtements neufs (ou qu'il a peu portés) et qui se montre emprunté. ◆ **dominical, e, aux** adj. 1° Relatif au dimanche : *Le repos dominical.* — 2° *Oraison dominicale,* la prière *Notre Père* (syn. : PATER).

dîme [dim] n. f. *Prélever une dîme sur quelque chose,* retenir à son profit et indûment une partie de sa valeur. (La *dîme* était au Moyen Age un impôt dû au clergé ou à la noblesse.)

dimension [dimɑ̃sjɔ̃] n. f. 1° Etendue d'un corps dans tel ou tel sens (longueur, largeur, hauteur, circonférence) : *Prendre les dimensions d'un meuble pour savoir où on le placera* (syn. : MESURE). *Deux portes qui ont les mêmes dimensions. Faire faire une bague à la dimension du doigt.* — 2° Importance de quelque chose (terme abstrait) : *Une erreur de cette dimension coûte cher* (syn. : TAILLE).

diminuer [diminɥe] v. tr. 1° *Diminuer quelque chose,* le rendre moins grand, moins important : *Ce rideau traîne par terre, il faut le diminuer* (syn. : RACCOURCIR; contr. : AUGMENTER, ALLONGER). *Pour diminuer les frais, on avait décidé de se contenter d'un casse-croûte* (syn. : RÉDUIRE, COMPRIMER). *Diminuer le tirage d'un poêle. Cela ne diminue pas son mérite* (syn. : AMOINDRIR). *Diminuer une ration* (syn. : RESTREINDRE). *Diminuer la vitesse* (syn. : RALENTIR). — 2° *Diminuer quelqu'un,* l'abaisser, l'humilier. — 3° *Diminuer un salarié,* réduire son salaire, ses appointements. ◆ v. intr. Devenir moins grand, moins important, moins nombreux, moins coûteux : *En automne, les jours diminuent* (syn. : RACCOURCIR). *La pression diminue* (syn. : BAISSER). *Le charbon a diminué* (= les réserves sont moins importantes, ou il est moins cher). *La pluie a diminué* (= son intensité est moindre). *Ses forces diminuent* (syn. : DÉCLINER, FAIBLIR). ◆ **diminué, e** adj. Se dit d'une personne dont les aptitudes, les facultés mentales ont baissé à la suite d'un accident, d'une maladie. ◆ **diminutif** n. m. Mot dérivé d'un autre et comportant une nuance de petitesse, d'atténuation, d'affection. (Ex. : *maisonnette* [maison], *lionceau* [lion], *pâlot* [pâle], *mordiller* [mordre], etc.) ◆ **diminution** n. f. : *Une entreprise qui décide une diminution des heures de travail* (syn. : RÉDUCTION; contr. : AUGMENTATION). *Une signalisation qui entraîne une diminution du nombre des accidents* (syn. : BAISSE). *Obtenir une diminution sur le prix de la main-d'œuvre* (syn. : RABAIS).

dinde [dɛ̃d] n. f. 1° Oiseau de basse-cour, plus gros qu'une poule. — 2° *Fam.* Femme sotte : *Cette dinde-là n'a pas compris l'allusion.* ◆ **dindon** [dɛ̃dɔ̃] n. m. 1° Mâle de la dinde : *Quand le dindon déploie sa queue, on dit qu'il fait la roue.* — 2° *Fam.* Homme sot, qui se laisse facilement berner. — 3° *Etre le dindon de la farce,* être la victime d'une mauvaise plaisanterie, d'une tromperie. ◆ **dindonneau** n. m. Petit dindon.

dîner [dine] v. intr. Prendre le repas du soir : *On se mit à dîner à la nuit tombante. Dîner légèrement. Nous avons dîné d'un potage et d'une salade.* ◆ **dîner** n. m. Repas du soir : *Avant le dîner, ils avaient pris l'apéritif. Le dîner fut copieux. Un dîner plein d'entrain. Il a mal digéré son dîner.* ◆ **dînette** n. f. 1° Petit repas que les enfants font par jeu. — 2° *Fam.* Repas léger. ◆ **dîneur, euse** n. Personne qui prend part à un dîner : *Des dîneurs attablés devant un pot-au-feu.*

dingo [dɛ̃go], **dingue** [dɛ̃g] adj. *Pop.* Fou, détraqué : *Elle est un peu dingo. Il faut être complètement dingue pour oublier son adresse* (syn. fam. : CINGLÉ, SONNÉ, PIQUÉ; pop. : MABOUL).

dinguer [dɛ̃ge] v. intr. 1° *Pop.* Etre projeté brutalement (seulement à l'infin., comme compl. d'un verbe tel que *aller, venir, envoyer, faillir,* etc.) : *La caisse s'est renversée et les fruits sont allés dinguer sur le trottoir* (syn. fam. : VALSER). — 2° *Envoyer dinguer quelque chose, quelqu'un,* s'en débarrasser sans façon (syn. fam. : ENVOYER PROMENER).

diocèse [djɔsɛz] n. m. Circonscription territoriale religieuse administrée par un évêque ou un archevêque. ◆ **diocésain, e** adj. : *Œuvres diocésaines. Catéchisme diocésain.* ◆ **diocésain** n. m. Fidèle d'un diocèse : *Un mandement de l'évêque à ses diocésains.*

diphtérie [difteri] n. f. Maladie contagieuse, pouvant provoquer la mort par étouffement à la suite de la formation de membranes dans la gorge (syn. : CROUP). ◆ **diphtérique** adj. : *Angine diphtérique.* ◆ n. Atteint de diphtérie. ◆ **antidiphtérique** adj. : *Sérum antidiphtérique.*

diphtongue [diftɔ̃g] n. f. Voyelle qui, dans sa prononciation, comporte une variation de timbre sentie comme formant deux sons distincts, successifs : *Le français ancien connaissait des diphtongues disparues en français moderne.* ◆ **diphtonguer** v. tr. *Diphtonguer une voyelle,* dans une syllabe, modifier le timbre d'une voyelle de telle manière qu'il se forme une diphtongue. ◆ **diphtongaison** n. f. : *La diphtongaison de* [ē] *latin en* [e[1]], *puis les modifications de la diphtongue expliquent les mots « moi », « toile », etc.*

diplomatie [diplɔmasi] n. f. 1° Science et art de représenter les intérêts d'un pays auprès d'autres pays, dans le système des relations internationales : *La diplomatie vise à faire prévaloir les solutions pacifiques sur les solutions violentes.* — 2° Carrière de ceux qui s'y consacrent : *Il s'est engagé dans la diplomatie.* — 3° Habileté dans les relations avec autrui : *Il a fallu beaucoup de diplomatie pour l'amener à renoncer à son projet* (syn. : TACT, DOIGTÉ). ◆ **diplomate** n. m. Celui qui est chargé d'une mission diplomatique, qui pratique la diplomatie (ambassadeur, ministre plénipotentiaire, etc.). ◆ adj. Qui agit habilement (sens 2 de *diplomatie*) : *Il s'est montré très diplomate dans cette circonstance délicate.* ◆ **diplomatique** adj. 1° *Pays qui a rompu les relations diplomatiques avec un autre. Démarche diplomatique. Son intervention pendant la réunion n'était guère diplomatique.* — 2° Fam. *Maladie diplomatique,* prétexte allégué pour se soustraire à une obligation professionnelle, pour éviter de paraître en public. ◆ **diplomatiquement** adv. : *Un différend réglé diplomatiquement. Agir diplomatiquement* (syn. : HABILEMENT, AVEC TACT).

diplôme [diplom] n. m. Titre délivré par un jury, une autorité, pour faire foi des aptitudes ou des mérites de quelqu'un : *Un diplôme d'ingénieur, de licencié. Le diplôme d'études supérieures est exigé des candidats à l'agrégation. Diplôme de sauveteur.* ◆ **diplômé, e** adj. et n. Se dit d'une personne titulaire d'un diplôme : *Une infirmière diplômée.*

diptyque [diptik] n. m. Ce qui est composé de deux parties symétriques (en parlant en particulier d'une œuvre littéraire). [Le *diptyque* est un petit tableau pliant sur deux panneaux de bois.]

dire [dir] v. tr. (conj. **72**). 1° *Dire quelque chose, dire que* (et l'indic.), exprimer par la parole ou par l'écriture : *Il n'ouvre la bouche que pour dire des sottises. Un homme est venu pour vous voir; il n'a pas dit son nom. Il ne veut pas dire son secret* (syn. : RÉVÉLER). *Pouvez-vous dire la raison de votre geste?* (syn. : INDIQUER). *Dis-moi franchement ton avis* (syn. : DONNER). *L'auteur dit lui-même ses poèmes* (syn. : RÉCITER). *Dites-moi toute l'affaire* (syn. : RACONTER, EXPLIQUER). *Je n'ai rien à dire à cela* (syn. : RÉPONDRE, RÉPLIQUER, OBJECTER). *On dit que tout allait mieux dans ce temps-là* (syn. : PRÉTENDRE). *Il m'a dit dans sa lettre qu'il était malade* (syn. : ANNONCER, FAIRE SAVOIR). *Les journaux disent que le beau temps ne durera pas* (syn. : ANNONCER). — 2° *Dire que* (et le subj.), *dire de* (et l'infin.), expriment un ordre, une invitation, un conseil : *Dites-lui qu'il vienne me voir. On nous a dit de rester ici.* — 3° (sujet nom de chose) Indiquer par des marques apparentes : *Une pendule qui dit l'heure exacte. Les traits de son visage disaient sa lassitude* (syn. : EXPRIMER, TRAHIR). *Son attitude dit bien ce qu'elle veut dire.* — 4° *A vrai dire, à dire vrai,* pour dire la vérité. ‖ *A l'heure dite,* à l'heure fixée. ‖ *Pour tout dire,* en résumé. ‖ *Dis* (*dites*), *dis donc* (*dites donc*), s'emploient pour attirer l'attention ou pour traduire le mécontentement, l'incrédulité, la prière, etc. : *Dis donc, regarde cette maison! Dites donc, vous! vous pourriez faire attention! Tu me le prêteras, dis, ton appareil?* ‖ *Dit-on,* s'emploie en proposition incise pour rapporter une rumeur, une opinion générale : *Ce château est, dit-on, un des plus anciens de la région* (syn. : PARAÎT-IL). ‖ *Disons-le,* accompagne parfois un aveu ou une déclaration qui lève toute équivoque : *Disons-le, ce résultat est bien médiocre.* ‖ Fam. *Que tu dis!, qu'il dit!,* exprime l'incrédulité : « *Je n'ai rien oublié. — Oui, que tu dis!* » ‖ *On dirait* (*que*), *on aurait dit* (*que*), exprime une apparence, une ressemblance, un fait dont on n'est pas certain : *Regarde cette bête, on dirait une belette. On dirait qu'il va pleuvoir.* ‖ *Dire que...!,* introduit une remarque nuancée d'étonnement, de lassitude, de dépit, etc. : *Voilà déjà trois jours que nous y travaillons, et dire qu'il n'y en a pas le quart de fait! C'est un accident terrible, dire qu'on aurait pu si facilement l'éviter!* ‖ *Que dis-je?,* introduit un correctif renforçant ce qui vient d'être dit : *Il n'est pas resté une journée : que dis-je? pas même une heure.* ‖ *C'est tout dire, c'est dire si...,* voilà qui dispense de tout commentaire, on voit à quel point... ‖ Fam. *Ce n'est pas pour dire,* excuse qui précède une critique ou une phrase qui pourrait faire mauvaise impression : *Ce n'est pas pour dire, mais vous vous y êtes bien mal pris. Ce n'est pas pour dire, mais je suis assez content de moi.* ‖ *Pour ainsi dire, autant dire,* expriment une approximation : *Il n'y a pour ainsi dire* (ou *autant dire*) *plus rien à faire* (syn. : PRESQUE). *C'est devenu pour ainsi dire introuvable* (syn. : QUASI). ‖ Fam. *Comme qui dirait,* exprime une ressemblance : *Je sens comme qui dirait une brûlure* (syn. : COMME, UNE SORTE DE). ‖ *Tu l'as dit,* tu as bien raison, c'est bien vrai. ‖ *Il n'y a pas à dire,* c'est indiscutable, il faut se rendre à l'évidence. ‖ Fam. *A qui le dis-tu!,* je le sais par expérience, je suis placé pour le savoir! ‖ Fam. *Je ne te dis que ça!,* indique qu'on a été fortement impressionné : *Il y avait une de ces pagailles, je ne te dis que ça!* ‖ *Qu'est-ce à dire?, est-ce à dire que...?,* interrogations exprimant une nuance de surprise ou de mécontentement. ‖ *Cela en dit long!,* on peut juger par là du reste. ‖ Fam. *Cela ne me dit rien,* je n'en ai pas envie, cela ne me rappelle rien. ‖ *Ce n'est rien de le dire,* il faut l'avoir vu pour se rendre compte. ‖ *Avoir son mot à dire,* tenir à exprimer son opinion, avoir une remarque importante à faire. ‖ *Vouloir dire,* signifier : *Que veut dire ce mot anglais? Son geste voulait dire qu'il refusait.* ‖ *Ne pas savoir ce qu'on dit,* dire des choses déraisonnables. ‖ *Ne pas se le faire dire deux fois,* accepter sans hésitation. ‖ *Je ne vous le fais pas dire,* vous le constatez de vous-même. ‖ *Cela va sans dire,* c'est tout naturel. ‖ *Si le cœur vous en dit,* si vous en avez envie. ‖ *Un tel, dit « l'Homme au masque de fer »,* l'homme surnommé... ◆ **dire** n. m. 1° Ce que quelqu'un déclare (uniquement au plur.) : *On ne peut pas se fier aux dires de cet inconnu* (syn. : PROPOS, PAROLE, ALLÉGATION). *D'après vos dires, nous ne devrions plus être loin du but.* — 2° *Au dire de,* d'après les propos de, selon l'opinion de : *Au dire des experts, la situation est encourageante.* ◆ **diseur, euse** n. : *Un diseur de bons mots. Une diseuse de bonne aventure.* ◆ **qu'en-dira-t-on** n. m. invar. Propos tenus sur le compte d'autrui : *Il ne se soucie pas des qu'en-dira-t-on.* (V. CONTREDIRE, REDIRE.)

direct, e [dirɛkt] adj. 1° Se dit de ce qui est sans détour, de ce qui va droit au but : *Cette route nationale est la voie la plus directe entre les deux villes. La question est directe* (syn. : FRANC, SANS AMBAGES). — 2° Se dit de ce qui est sans intermédiaire : *Un vendeur qui se met en relations directes avec l'acheteur, sans passer par une agence. Une ligne téléphonique directe a été établie entre les deux chefs d'Etat. Vous avez un train direct pour cette destination* (= qui ne s'arrête à aucune station intermédiaire; contr. : OMNIBUS). — 3° *Complément direct,* en grammaire, complément qui n'est pas introduit par une préposition. — 4° *Discours, style direct,* v. DISCOURS 2. ◆ **direct** n. m. 1° En boxe, coup porté à l'adversaire en allongeant brusquement le bras (contr. : CROCHET). — 2° *Emission, retransmission en direct,* transmise par la radio, la télévision, au moment même où elle est enregistrée (contr. : EN DIFFÉRÉ). ◆ **directement** adv. : *Un chemin qui va directement à la gare* (= sans détour). *Adressez-vous directement au chef de service* (= sans intermédiaire). *Il entre directement dans le sujet* (= sans préparation). *Complément construit directement* (= sans préposition). ◆ **indirect, e** adj. : *Arriver au même but par un chemin indirect. Etre en rapport indirect avec quelqu'un. Complément indirect.* ◆ **indirectement** adv. : *J'ai appris cela indirectement, par son secrétaire.*

directeur, trice [dirɛktœr, -tris] n. 1° Personne qui dirige (au sens 3 de ce verbe) : *Un directeur d'école, d'usine.* — 2° *Directeur de conscience,* ecclésiastique qui donne à quelqu'un des conseils habituels de conduite morale; personne qui conseille (syn. : CONSEILLER). ◆ **direction** n. f. 1° Action de diriger (aux différents sens de ce verbe) : *L'homme qui assurait la direction de l'embarcation* (syn. : PILOTAGE). *On l'a chargé de la direction de l'usine. Orchestre sous la direction d'un chef célèbre.* — 2° Bureau du directeur; ensemble des services administratifs dirigeant la marche d'une entreprise : *Vous êtes prié de vous présenter à la direction. La direction occupe le dernier étage.* — 3° Côté vers lequel se produit un mouvement, vers lequel est orientée une chose : *Suivez toujours la même direction* (syn. : SENS). *Un train qui part en direction de Marseille. Le nord est indiqué par la direction de l'aiguille aimantée* (syn. : ORIENTATION). *L'enquête se poursuit dans une nouvelle direction.* — 4° Mécanisme permettant de diriger un véhicule : *Sous le choc, la direction du camion a été faussée. Accident dû à une rupture de la direction.* ◆ **directive** n. f. Recommandation ou ordre faisant partie d'un ensemble qui règle la marche à suivre (le plus souvent au plur.) : *Il attendait de nouvelles directives pour agir. Se conformer aux directives reçues* (syn. : ORDRE). ◆ **directorial, e, aux** adj. Se dit de ce qui concerne un directeur : *Bureau directorial. Ordre directorial.* ◆ **directoire** n. m. Organisme comprenant un nombre restreint de membres exerçant une autorité, notamment politique.

diriger [diriʒe] v. tr. 1° *Diriger quelque chose, quelqu'un,* en guider la marche, la progression, les faire aller de tel ou tel côté : *Une voiture difficile à diriger sur le verglas* (syn. : CONDUIRE). *Diriger un bateau* (syn. : PILOTER). *Diriger des troupes vers la frontière* (syn. : ACHEMINER, ENVOYER). *Les caisses ont été dirigées sur le port d'embarquement.* — 2° *Diriger quelqu'un, quelque chose,* lui donner telle ou telle orientation : *Diriger la longue-vue vers un* *îlot* (syn. : BRAQUER). *Il dirige ses regards vers moi. Diriger un canon vers l'objectif* (syn. : POINTER). *Les étudiants qui n'auront pas une note suffisante seront dirigés vers d'autres études. Diriger ses yeux, sa pensée vers quelqu'un* (syn. : TOURNER). *La girouette est dirigée vers l'ouest* (syn. : ORIENTER). — 3° *Diriger quelqu'un, quelque chose,* exercer une autorité sur lui, régler le cours de quelque chose : *Diriger un orchestre. Diriger un pays* (syn. : GOUVERNER, COMMANDER). *L'ingénieur qui dirige les travaux* (syn. : CONDUIRE). *Diriger un débat* (syn. : MENER). *Une entreprise dirigée avec sagesse* (syn. : ADMINISTRER, GÉRER). ◆ ***se diriger*** v. pr. 1° (sujet nom d'être animé ou de véhicule) Aller, avancer : *Il se leva et se dirigea vers la porte. L'avion se dirige vers le sud.* — 2° (sujet nom d'être animé) Trouver son chemin : *Avoir peine à se diriger dans l'obscurité.* ◆ **dirigeable** n. m. Ballon muni d'hélices et d'un système de direction. ◆ **dirigeant, e** adj. et n. : *Les classes dirigeantes. Le personnel dirigeant. Les dirigeants d'un syndicat.* ◆ **dirigisme** n. m. Système politique dans lequel le gouvernement exerce un pouvoir d'orientation et de décision dans le domaine économique. ◆ **dirigiste** adj. et n.

dirimant [dirimɑ̃] adj. m. *Empêchement dirimant,* empêchement absolu (terme de droit surtout).

discerner [disɛrne] v. tr. (sujet nom de personne). *Discerner quelque chose, quelqu'un,* le reconnaître plus ou moins distinctement en faisant un effort de la vue ou du jugement : *On a peine à discerner l'écriture sur ce papier jauni* (syn. : DISTINGUER). *Les mobiles de son acte se laissent discerner* (syn. : COMPRENDRE, DEVINER, SOUPÇONNER). *On commence à discerner les collines dans la brume* (syn. : APERCEVOIR). ◆ **discernable** adj. : *Une différence de ton peu discernable.* ◆ **indiscernable** adj. : *Les traces de la réparation sont indiscernables.* ◆ **discernement** n. m. 1° Faculté de juger sainement : *Il faut beaucoup de discernement pour régler sa conduite dans une situation aussi délicate* (syn. : PERSPICACITÉ, CLAIRVOYANCE, JUGEMENT). *Il manque de discernement.* — 2° Opération de l'esprit par laquelle on discerne : *Le discernement difficile entre ce qui est bienséant et ce qui ne l'est pas.*

disciple [disipl] n. Personne qui reçoit un enseignement, qui suit la doctrine d'un maître ou se met sous le patronage de quelqu'un : *Jésus s'adressait à ses disciples. Platon était un disciple de Socrate. Les premiers disciples de Pasteur. Bernardin de Saint-Pierre est un disciple de Rousseau.*

1. discipline [disiplin] n. f. 1° Ensemble des obligations qui règlent la vie dans certains corps, certaines assemblées : *Un collège qui a une discipline sévère. Une punition pour manquement à la discipline* (syn. : RÈGLEMENT). *Se plier à la discipline syndicale.* — 2° Soumission à une règle, acceptation de certaines contraintes : *Il a abandonné son projet par discipline de parti.* ◆ **indiscipline** n. f. Attitude de quelqu'un qui ne se soumet pas à une discipline : *Un élève exclu pour indiscipline.* ◆ **disciplinaire** adj. Fait en vertu de la discipline : *Prendre des sanctions disciplinaires contre les militaires coupables* (= les sanctions normales qu'un supérieur peut prendre contre des subordonnés). *Des locaux disciplinaires* (= où sont mis les militaires punis). ◆ **disciplinairement** adv. : *Une faute sanctionnée disciplinairement.* ◆ **discipliner** v. tr. *Discipliner quelqu'un, quelque chose,* le soumettre à une discipline, le plier à une règle : *Discipliner un congrès. Il est beaucoup trop désordonné : il doit apprendre à discipliner son travail. L'éducation discipline les instincts.* ◆ **disciplinable** adj. : *Un enfant difficilement disciplinable.* ◆ **indisciplinable** adj. ◆ **discipliné, e** adj. Se dit d'une personne ou d'une chose soumise à une discipline, agissant selon des principes bien réglés : *Une classe très disciplinée. Un militant discipliné.* ◆ **indiscipliné, e** adj. : *Une troupe indisciplinée.*

2. discipline [disiplin] n. f. Matière qui est objet d'étude : *Un élève qui réussit mieux dans les disciplines littéraires que dans les disciplines scientifiques* (syn. : ÉTUDES). *Il a pris goût aux mathématiques, et maintenant il excelle dans cette discipline* (syn. : SCIENCE).

discontinu, e [diskɔ̃tiny] adj. Se dit de quelque chose qui présente des interruptions : *Travail discontinu* (syn. : INTERMITTENT). *La bande jaune discontinue tracée au milieu de la route.* ◆ **discontinuité** n. f. : *Guérison retardée par la discontinuité du traitement* (syn. : INTERMITTENCE). ◆ **discontinuer** v. intr. *Sans discontinuer,* sans un moment d'interruption : *L'équipe de sauvetage poursuivait ses travaux depuis trois jours sans discontinuer* (syn. : SANS RELÂCHE). [V. CONTINU.]

disconvenir [diskɔ̃vnir] v. tr. ind. (conj. 22). *Ne pas disconvenir de quelque chose, que* (et le subj.), ne pas nier; convenir d'une chose (langue soignée) : *Je ne disconviens pas de l'utilité de cette mesure. Cet incident est très fâcheux, je n'en disconviens pas* (= je ne le conteste pas). *Je ne disconviens pas qu'il eût été préférable d'attendre* (= je concède que). (V. CONVENIR.)

discophile n. V. DISQUE; **discordant, e** adj. V. CONCORDER; **discorde** n. f. V. CONCORDE; **discothèque** n. f. V. DISQUE; **discourir** v. tr. V. DISCOURS 1.

1. discours [diskur] n. m. 1° Développement oratoire : *Le doyen d'âge a prononcé le discours d'ouverture de la session parlementaire. L'avocat a prononcé un discours habile* (syn. : PLAIDOIRIE). *Les discours enflammés d'un tribun politique* (syn. : HARANGUE). *Le maire adresse un petit discours aux mariés* (syn. : ALLOCUTION). — 2° Paroles échangées, conversation, explications (nuance péjor.) : *Que de discours! Vous feriez mieux d'agir* (syn. : BAVARDAGE). *Perdre son temps en discours* (syn. fam. : PARLOTE). *Tous vos beaux discours n'y changeront rien.* ◆ **discourir** v. tr. (conj. 29). Parler longuement sur un sujet (généralement péjor.) : *Marchons sans tant discourir* (syn. : BAVARDER). *Il discourait devant un cercle d'admirateurs* (syn. : PÉRORER). ◆ **discoureur, euse** n. Péjor. : *Un insupportable discoureur.*

2. discours [diskur] n. m. 1° *Parties du discours,* les catégories grammaticales dans lesquelles on range les mots : noms, verbes, adjectifs, etc. — 2° *Discours direct,* mode d'expression consistant à rapporter textuellement les paroles de quelqu'un, par opposition au *discours indirect,* qui les rapporte en transposant éventuellement la personne des verbes, des pronoms, les modes et les temps des verbes, et en recourant à un système de subordination grammaticale (syn. : STYLE DIRECT, STYLE INDIRECT). [Ex. : *Il m'a dit : « Je vous montrerai ma maison »* (discours direct). *Il m'a dit qu'il me montrerait sa maison* (discours indirect).]

discourtois, e adj. V. COURTOIS.

discrédit [diskredi] n. m. Perte de considération : *L'œuvre de cet écrivain s'est relevée du discrédit où elle était tombée* (syn. : DÉFAVEUR, ↑ OUBLI). ◆ **discréditer** v. tr. *Discréditer quelqu'un, quelque chose,* le jeter dans le discrédit : *Cette malhonnêteté l'a complètement discrédité aux yeux de son entourage* (syn. : DÉCONSIDÉRER). *Une théorie scientifique discréditée* (syn. : ABANDONNER). ◆ ***se discréditer*** v. pr. Perdre de sa valeur, de sa considération : *Il s'est discrédité par ses dénonciations.*

discret, ète [diskrɛ, -ɛt] adj. **1°** Se dit d'une personne qui parle ou agit avec retenue, qui veille à ne pas gêner les autres; se dit aussi de l'action de cette personne : *Un homme discret n'accapare pas la conversation dans une assemblée* (syn. : POLI, RÉSERVÉ). *Il serait plus discret de ne pas lui parler de son échec* (syn. : DÉCENT, DÉLICAT). — **2°** Se dit d'une personne qui sait garder un secret : *Ne vous confiez qu'à un ami très discret.* — **3°** Se dit de ce qui n'attire pas trop l'attention (souvent avant le nom en ce sens) : *Il faut à ce tableau un cadre discret. Un style qui présente de discrètes touches d'archaïsme* (syn. : LÉGER). ◆ **discrètement** adv. : *Il entra discrètement sur la pointe des pieds. Une femme discrètement maquillée.* ◆ **discrétion** n. f. : *Il s'est écarté avec discrétion pour les laisser s'entretenir plus librement. Une allusion qui manque de discrétion* (syn. : RÉSERVE, RETENUE). *La discrétion de l'accompagnement met en valeur la mélodie* (syn. : SOBRIÉTÉ). *S'habiller avec discrétion* (syn. : ↑ DÉCENCE). *Je compte sur votre discrétion, car je n'aimerais pas que cela soit divulgué* (syn. : SILENCE). ◆ **indiscret, ète** adj. **1°** Se dit de quelqu'un qui manque de retenue, qui cherche à savoir avec une curiosité choquante ce qu'on ne tient pas à dévoiler; se dit aussi du comportement de cette personne : *Vous êtes très indiscret dans vos questions. Jeter un regard indiscret par l'entrebâillement de la porte. Il serait indiscret de lui demander son âge.* — **2°** Se dit de quelqu'un ou de quelque chose qui révèle ce qui aurait dû rester secret : *Le complot a été découvert à cause des bavardages indiscrets d'un des membres.* ◆ **indiscrètement** adv. : *Questionner quelqu'un indiscrètement. Il se mêle indiscrètement des affaires des autres.* ◆ **indiscrétion** n. f. : *C'est une indiscrétion de lire le courrier qui ne vous est pas adressé. J'ai appris la nouvelle par une indiscrétion de son secrétaire* (= une révélation fautive). ◆ **discrétionnaire** adj. *Pouvoir discrétionnaire,* faculté laissée à un juge de prendre certaines mesures.

1. discrétion n. f. V. DISCRET.

2. discrétion (à) [adiskresjɔ̃] loc. adv. Autant qu'on le désire : *Le pain est servi à discrétion* (syn. : À VOLONTÉ).

discriminer [diskrimine] v. tr. *Discriminer des choses,* faire une distinction, un choix entre elles : *Apprendre à discriminer les méthodes les plus efficaces* (syn. usuels : DISTINGUER, RECONNAÎTRE). ◆ **discrimination** n. f. **1°** *On ne peut pas les condamner tous sans discrimination* (syn. : DISTINCTION). — **2°** *Discrimination raciale,* séparation organisée des races à l'intérieur d'une même communauté et visant à donner à l'une d'entre elles un statut inférieur (syn. : SÉGRÉGATION, RACISME). ◆ **discriminatoire** adj. : *Des mesures discriminatoires.*

disculper [diskylpe] v. tr. (sujet nom de personne ou de chose). *Disculper une personne,* montrer qu'elle n'est pas coupable : *Ce témoignage le disculpe entièrement.* ◆ ***se disculper*** v. pr. : *Pour se disculper, il alléguait les ordres reçus* (syn. : S'INNOCENTER). ◆ **disculpation** n. f.

discursif, ive [diskyrsif, -iv] adj. **1°** Qui repose sur le raisonnement : *La pensée discursive s'oppose à la pensée intuitive.* — **2°** Qui procède par digression, sans continuité : *Un récit discursif.*

discuter [diskyte] v. tr. et intr. **1°** *Discuter quelque chose, discuter de quelque chose,* échanger des idées, des arguments opposés, sur un sujet défini : *Le conseil municipal a discuté la question de l'adduction d'eau. On discutera de cette affaire en assemblée plénière. Les historiens discutent sur la date de cet événement. On a longuement discuté à propos de cette réforme. Il a fallu discuter avec le portier pour se faire admettre* (syn. : PARLEMENTER). *Discuter un prix* (syn. : DÉBATTRE). — **2°** *Discuter (quelque chose),* ne pas l'accepter, le mettre en question : *C'est un ordre qu'on ne doit pas discuter. Une opinion très discutée* (syn. : CONTESTER). *Je n'admets pas qu'on discute. Cessez de discuter et obéissez* (syn. : PROTESTER, ERGOTER; fam. : PINAILLER). ◆ v. intr. *Fam.* S'entretenir avec d'autres en échangeant des idées : *J'ai rencontré un ami et nous avons discuté un moment devant un verre de bière* (syn. : BAVARDER). ◆ ***se discuter*** v. pr. : *Cela peut se discuter* (= il y a des arguments pour et contre). ◆ **discussion** n. f. **1°** Débat contradictoire, examen critique : *Il a fallu d'interminables discussions pour arriver enfin à un accord. Mettre une affaire en discussion. Une discussion serrée sur les intérêts en jeu* (syn. : NÉGOCIATION). *Faire une discussion rigoureuse des différentes solutions du problème.* — **2°** Echange de propos vifs : *C'est un homme emporté, qui a des discussions avec tous ses voisins* (syn. : ALTERCATION, QUERELLE). — **3°** *Fam.* Conversation, bavardage : *Dans la discussion, il m'a demandé de tes nouvelles.* ◆ **discutable** adj. Se dit de ce qui prête à discussion, de ce qui n'est pas d'une valeur incontestable : *Une théorie discutable tant qu'elle n'est pas étayée par des faits* (syn. : CRITIQUABLE). *Un film d'un intérêt discutable* (syn. : DOUTEUX). ◆ **indiscutable** adj. : *Une preuve indiscutable* (syn. : CERTAIN, ÉVIDENT, INCONTESTABLE, IRRÉFUTABLE). ◆ **indiscutablement** adv. : *Cette affaire est indiscutablement plus avantageuse que l'autre* (syn. : INCONTESTABLEMENT, ASSURÉMENT, CERTAINEMENT). ◆ **indiscuté, e** adj. Qui n'offre pas matière à discussion (syn. : INCONTESTÉ, CERTAIN). ◆ **discutailler** v. tr. et intr. *Fam.* et *péjor.* Discuter longuement sur de petites choses. ◆ **discutailleur, euse** n. Fam. et péjor. : *Un discutailleur assommant.* ◆ **discuteur, euse** n. *Péjor.* Personne qui a le goût de la discussion, qui n'accepte pas sans discuter : *Un discuteur qui veut toujours avoir raison* (syn. : ERGOTEUR; fam. : PINAILLEUR).

disert, e [dizɛr, -ɛrt] adj. Se dit d'une personne qui parle avec facilité et agrément : *Un conteur disert.* ◆ **disertement** adv. : *Parler disertement* (syn. : ÉLOQUEMMENT).

disette [dizɛt] n. f. Manque de choses nécessaires, et particulièrement de vivres : *La sécheresse entraîne une disette de légumes* (syn. : PÉNURIE).

diseur, euse n. V. DIRE.

disgrâce [disgrɑs] n. f. Etat d'une personne qui a perdu la faveur, les bonnes grâces dont elle jouissait : *La disgrâce d'un ministre. Tomber en disgrâce.*

Il a bien mérité sa disgrâce (syn. : ↓ DÉFAVEUR). ◆ **disgracier** v. tr. *Disgracier quelqu'un,* ne plus lui accorder ses bonnes grâces (surtout au passif). ◆ **disgracié, e** adj. Peu favorisé dans l'ordre des qualités physiques : *Un malheureux être disgracié* (syn. : LAID, DIFFORME, CONTREFAIT).

disgracieux, euse [disgrasjø, -øz] adj. Se dit de ce qui manque de grâce, d'agrément : *Démarche disgracieuse. Geste disgracieux. Un meuble aux proportions disgracieuses.* ◆ **disgracieusement** adv.

disjoindre [disʒwɛ̃dr] v. tr. (conj. **55**). *Disjoindre des choses,* les séparer, en général par la force : *Utiliser un levier pour disjoindre deux blocs de pierre* (syn. : DESCELLER). *Les deux accusations ont été disjointes* (= ont fait chacune l'objet d'un procès; contr. : JOINDRE). ◆ ***se disjoindre*** v. pr. : *Les montants de l'armoire se disjoignent.* ◆ **disjoncteur** n. m. Interrupteur automatique de courant électrique, en cas de hausse anormale de la tension. ◆ **disjonction** n. f. : *Le tribunal a décidé la disjonction des deux chefs d'accusation.*

disloquer [dislɔke] v. tr. 1° *Disloquer quelque chose,* en séparer les éléments qui le forment : *Une chaise disloquée* (syn. fam. : DÉMANTIBULER). *Les forces de police ont disloqué le rassemblement* (syn. : DISPERSER). — 2° *Disloquer un membre, un pied de table,* etc., le faire sortir par force de son logement (syn. : DÉBOÎTER). ◆ ***se disloquer*** v. pr. Perdre sa forme, sa cohésion : *La caisse s'est disloquée en tombant* (syn. fam. : DÉGLINGUER). *Un parti politique qui se disloque* (syn. : SE DÉSAGRÉGER). ◆ **dislocation** n. f. : *La dislocation d'une charpente. La dislocation d'un empire* (syn. : DÉMEMBREMENT). *La dislocation d'un cortège* (syn. : DISPERSION).

disparaître [disparɛtr] v. intr. (conj. **64**; auxil. *avoir,* ou plus rarement *être*). 1° (sujet nom de chose) Cesser d'être visible, de se manifester : *Le soleil disparaît derrière un nuage* (contr. : APPARAÎTRE). *Toutes les taches ont disparu au lavage. La douleur a disparu. Toute inquiétude a disparu* (ou *est disparue*). — 2° (sujet nom de chose) Etre pris, volé : *En tâtant sa poche, il s'aperçut que son portefeuille avait disparu.* — 3° (sujet nom de personne) Partir plus ou moins fortuitement : *A mon arrivée, le cambrioleur a disparu par la fenêtre* (syn. : S'ESQUIVER, SE SAUVER; fam. : DÉCAMPER, FILER). *Il a disparu de chez lui.* — 4° (sujet nom de personne). Mourir : *Un grand savant qui disparaît dans la force de l'âge.* — 5° (sujet nom de chose) Cesser d'être : *Le navire a disparu.* ◆ **disparu, e** adj. et n. Se dit d'une personne morte, ou considérée comme telle faute d'indices de son existence : *Honorer la mémoire des disparus* (langue soutenue). *Un soldat porté disparu.* ◆ **disparition** n. f. Action de disparaître : *La disparition de la couleur* (syn. : EFFACEMENT). *La disparition du brouillard* (syn. : DISSIPATION). *La disparition d'un livre. La disparition des prisonniers* (syn. : FUITE). *Se sentir seul depuis la disparition d'un ami* (syn. : MORT).

disparate [disparat] adj. Se dit de ce qui manque d'harmonie, d'unité : *Un assemblage disparate de couleurs. Mobilier disparate* (syn. : HÉTÉROCLITE). *Un recueil de nouvelles disparates.* ◆ n. f. Manque de conformité, d'unité, d'harmonie : *On relève de nombreuses disparates dans cette œuvre.*

disparité n. f. V. PARITÉ.

dispendieux, euse [dispɑ̃djø, -øz] adj. Se dit de ce qui occasionne des dépenses importantes : *Un luxe dispendieux* (syn. : COÛTEUX). *Il a des goûts dispendieux. Mener une existence dispendieuse.* ◆ **dispendieusement** adv. : *Vivre, se meubler dispendieusement* (syn. : COÛTEUSEMENT; contr. : CHICHEMENT, ÉCONOMIQUEMENT).

dispensaire [dispɑ̃sɛr] n. m. Etablissement où l'on donne des soins médicaux et où l'on pratique la petite chirurgie sans hospitaliser les malades.

1. dispenser [dispɑ̃se] v. tr. 1° *Dispenser quelqu'un de quelque chose,* le décharger de l'obligation de s'y soumettre, de l'accomplir : *Un soldat dispensé d'exercice. On l'a dispensé de rédiger son rapport.* — 2° *Je vous dispense de vos réflexions, de faire des commentaires,* je vous prie de vous taire. ◆ ***se dispenser*** v. pr. [*de*]. Ne pas se soumettre à une obligation; éviter, se passer de : *Je me dispenserais bien de cette corvée.* ◆ **dispense** n. f. Autorisation exceptionnelle, accordée à quelqu'un qu'on exempte de la loi générale : *Il est trop jeune d'un an, mais il a obtenu une dispense d'âge pour se présenter à cet examen. Les pensionnaires ne peuvent sortir qu'avec une dispense.* ◆ **indispensable** adj. Se dit de ce dont on ne peut pas se dispenser, se passer : *Il a réclamé les crédits indispensables pour cette entreprise* (syn. : NÉCESSAIRE). *La persévérance est indispensable au succès.* ◆ n. m. Ce qui est de première nécessité : *Nous n'avons emporté que l'indispensable.*

2. dispenser [dispɑ̃se] v. tr. *Dispenser à quelqu'un ses soins, son dévouement, des paroles d'encouragement,* etc., les lui distribuer, les lui accorder largement. ◆ **dispensateur, trice** adj. et n. : *Les livres dispensateurs de science* (littér.).

disperser [dispɛrse] v. tr. 1° *Disperser des choses, des personnes,* les mettre de divers côtés, les envoyer çà et là : *Le courant d'air a dispersé les papiers dans toute la pièce* (syn. : ↓ RÉPANDRE, ÉPARPILLER). *Le commissaire de police avait dispersé ses hommes dans le quartier* (syn. : RÉPARTIR, DISTRIBUER). *Une violente averse dispersa l'attroupement.* — 2° *Disperser ses efforts, son attention,* les appliquer confusément à divers objets (contr. : CONCENTRER). ◆ ***se disperser*** v. pr. : *La foule se disperse* (contr. : SE RASSEMBLER). *Vous vous dispersez trop pour arriver à un résultat* (contr. : SE CONCENTRER). ◆ **dispersion** n. f. : *La dispersion des habitants dans cette région oblige le facteur à de longues tournées* (contr. : CONCENTRATION). *La dispersion du tir d'une arme automatique.*

disponible [dispɔnibl] adj. 1° Se dit d'une chose dont on peut disposer, qu'on peut utiliser : *Il reste deux places disponibles dans l'autocar* (syn. : VACANT, LIBRE, VIDE). *Il n'a pas assez de capitaux disponibles pour cette acquisition. Prenez ma voiture; elle sera disponible pendant mon absence.* — 2° Se dit d'une personne qui, libérée de toute autre occupation, peut s'adonner à une tâche : *Revenez me voir un autre jour : aujourd'hui, je ne suis pas disponible. Si vous êtes disponible demain, nous irons visiter ce site* (syn. : LIBRE). ◆ **disponibilité** n. f. 1° Etat d'une chose ou d'une personne disponible. — 2° Position spéciale d'un fonctionnaire ou d'un militaire qui est momentanément déchargé de ses fonctions. ◆ **disponibilités** n. f. pl. Capitaux disponibles : *Le devis excède mes disponibilités.* ◆ **indisponible** adj. : *Un local indisponible. Un ouvrier indisponible.* ◆ **indisponibilité** n. f. : *En cas d'indisponibilité, j'enverrai quelqu'un à ma place.*

dispos, e [dispo, -oz] adj. Se dit d'une personne en bonne santé et qui éprouve un certain bien-être physique (surtout au masc.) : *Se réveiller tout dispos par un gai matin de printemps* (syn. : GAILLARD). *Il se sentait frais et dispos au retour de ses vacances* (contr. : LAS, FATIGUÉ).

disposer [dispoze] v. tr. 1° *Disposer quelque chose, quelqu'un,* le mettre d'une certaine façon, dans un certain ordre : *Chercher la meilleure manière de disposer les meubles dans un appartement* (syn. : PLACER, INSTALLER ; fam. : CASER). *Disposer avec art les plis d'une draperie* (syn. : ARRANGER). *Chef qui dispose ses troupes sur le terrain* (syn. : ÉTABLIR, RÉPARTIR). — 2° *Disposer quelqu'un à* (et un nom ou un infin.), le préparer, l'engager à : *Ce préambule plaisant disposa les assistants à la bonne humeur. Essayez donc de le disposer à signer ce contrat.* — 3° *Etre bien, mal disposé à l'égard de quelqu'un,* avoir de bons, de mauvais sentiments à son égard. ◆ v. tr. ind. *Disposer de quelqu'un, de quelque chose,* user des services de cette personne ou prendre des décisions à son sujet, avoir l'usage de cette chose : *Disposez de moi comme vous voudrez. Le vainqueur disposait à sa guise des prisonniers. Il dispose d'une grosse somme. Si vous disposez d'une voiture, vous pourrez visiter tous les monuments dans la journée.* ◆ v. intr. *Vous pouvez disposer,* vous êtes libre de partir, on n'a pas besoin pour l'instant de vos services. ◆ ***se disposer*** v. pr. *Se disposer à* (et l'infin.), se préparer à (faire), avoir l'intention de (faire) : *Il se dispose à vendre sa maison.* ◆ **dispositif** n. m. 1° Ensemble de pièces constituant un mécanisme, un appareil : *Faire installer un dispositif d'alarme dans un bâtiment.* — 2° Ensemble de mesures constituant une organisation, un plan : *Dispositif de contrôle de la sécurité routière. Dispositif de combat.* ◆ **disposition** n. f. 1° Action ou manière de disposer : *La disposition des articles à la devanture a demandé du temps. Changer la disposition des livres dans une bibliothèque* (syn. : ORDRE, CLASSEMENT). — 2° Possibilité de disposer de quelque chose ou de quelqu'un : *La loi lui reconnaît la libre disposition de ses biens* (syn. : USAGE). *Vous avez tous les documents de la bibliothèque à votre disposition. Mettre une somme à la disposition de quelqu'un. Je me tiens à votre entière disposition* (= vous pouvez user de mes services). — 3° Point fixé par une loi, un règlement, un accord : *Selon une disposition particulière du contrat, vous étiez tenu de nous adresser un préavis* (syn. : STIPULATION, CLAUSE). — 4° Manière d'être physique ou morale ; façon d'envisager quelque chose ; sentiments envers quelqu'un : *Avec cette migraine, il n'était pas dans de bonnes dispositions pour goûter la musique. Etes-vous toujours dans les mêmes dispositions à l'égard de ce projet ? Il a l'air furieux : tu devrais attendre qu'il soit dans de meilleures dispositions.* — 5° (au plur.) Aptitudes d'une personne : *Il a des dispositions pour la peinture, pour les langues* (syn. : FACILITÉ, PENCHANT, GOÛT). — 6° Tendance de quelque chose : *Un bateau qui a une fâcheuse disposition à chavirer* (syn. : PROPENSION). — 7° *Prendre des dispositions,* se préparer, s'organiser, prévoir ce qui est nécessaire (syn. : PRENDRE DES MESURES).

disproportion n. f. V. PROPORTION.

disputer [dispyte] v. tr. 1° *Disputer quelque chose à quelqu'un,* ne pas vouloir le lui accorder, le réclamer pour soi : *Un élève qui dispute la première place à ses camarades. Je ne vous dispute pas le mérite de votre découverte* (syn. : CONTESTER). — 2° *Disputer un combat, un match, la victoire,* lutter pour être vainqueur. — 3° Fam. *Disputer quelqu'un,* le gronder, le réprimander. ◆ ***se disputer*** v. pr. (sujet nom d'être animé). Avoir une altercation : *Des enfants qui se disputent en jouant* (syn. : SE QUERELLER, ↓ SE CHAMAILLER). *Il s'est disputé avec son frère.* ◆ **dispute** n. f. Discussion vive, violente opposition : *Des cris de dispute. Leur dispute est née d'un malentendu* (syn. : QUERELLE, ALTERCATION).

disqualifier [diskalifje] v. tr. *Disqualifier un concurrent,* l'exclure d'une compétition pour infraction au règlement (souvent au passif) : *Deux coureurs ont été disqualifiés pour gêne volontaire aux autres concurrents.* ◆ ***se disqualifier*** v. pr. Perdre tout crédit par sa conduite : *Il s'est disqualifié par une telle attitude.* ◆ **disqualification** n. f. : *Les arbitres ont prononcé la disqualification du concurrent.* (V. QUALIFIER.)

1. disque [disk] n. m. Objet circulaire et aplati : *Le disque d'un balancier d'horloge. Les athlètes qui lancent le disque.*

2. disque [disk] n. m. Plaque circulaire de matière plastique, pour l'enregistrement et la reproduction phonographiques : *Un disque de jazz. Mettre un disque sur l'électrophone.* ◆ **disquaire** n. Marchand de disques. ◆ **discophile** [diskɔfil] n. Amateur de disques : *Un enregistrement très recherché des discophiles.* ◆ **discothèque** n. f. Collection de disques ; meuble destiné à la contenir.

disséminer [disemine] v. tr. *Disséminer des choses, des personnes,* les répandre çà et là sur un espace étendu : *Des mines avaient été disséminées un peu partout sur les côtes pour parer à un débarquement ennemi. Une association dont les membres sont disséminés aux quatre coins de la France* (syn. : DISPERSER). *Des graines disséminées par le vent* (syn. : RÉPANDRE, ÉPARPILLER). ◆ **dissémination** n. f. : *La dissémination des habitants dans les régions à faible densité de population* (syn. : ÉPARPILLEMENT, DISPERSION).

dissension [disɑ̃sjɔ̃] n. f. Vive opposition d'idées, de sentiments, qui se traduit par des actes hostiles : *Un parti politique agité par de profondes dissensions* (syn. : CONFLIT, QUERELLE, DISCORDE, DIVISION). *Des dissensions familiales* (syn. : DÉSACCORD, DISSENTIMENT).

dissentiment [disɑ̃timɑ̃] n. m. Opposition d'avis, de sentiments : *Il faut surmonter certains dissentiments pour réaliser une œuvre commune* (syn. : CONFLIT, DÉSACCORD).

disséquer [diseke] v. tr. 1° *Disséquer un cadavre, une main, une souris,* etc., les découper en vue de les étudier. — 2° *Disséquer une œuvre, un discours,* etc., en faire une analyse minutieuse. ◆ **dissection** n. f. : *La dissection d'un cadavre.*

disserter [disɛrte] v. intr. (sujet nom de personne). Faire un exposé oral ou écrit, parler longuement sur un sujet : *Les candidats avaient à disserter sur une pensée de Pascal* (syn. : TRAITER DE). *Il se mit à disserter de la situation politique* (syn. : DISCOURIR). ◆ **dissertation** n. f. 1° Exercice scolaire consistant à développer méthodiquement ses idées sur une question, en discutant éventuellement certaines thèses : *Une dissertation littéraire, philoso-*

phique. Dissertation de grammaire. — 2° *Fam.* et *péjor.* Développement pédant et ennuyeux.

dissidence [disidɑ̃s] n. f. 1° Action ou état d'une personne ou d'un groupe qui cesse de se soumettre à une autorité établie, qui se sépare d'une communauté : *Une partie de l'armée est entrée en dissidence* (syn. : RÉBELLION). *La dissidence d'un territoire d'outre-mer* (syn. : SÉCESSION, ↑ RÉVOLTE). *Des dissidences étaient apparues dans le mouvement syndical* (syn. : SCISSION). — 2° Groupe de dissidents : *Engager la lutte contre la dissidence. Grossir les rangs de la dissidence.* ◆ **dissident, e** adj. et n. : *Les tribus dissidentes* (syn. : REBELLE). *Les dissidents ont constitué un gouvernement provisoire.*

dissimilation [disimilasjɔ̃] n. f. Modification, par différenciation, d'un phonème par un phonème voisin : *Le latin « peregrinum » est devenu « pèlerin » par dissimilation des deux « r »* (contr. : ASSIMILATION).

dissimilitude n. f. V. SIMILITUDE.

dissimuler [disimyle] v. tr. *Dissimuler un objet, un être animé, un sentiment,* le cacher adroitement, éviter de le laisser paraître : *Il dissimulait son visage avec ses mains* (syn. : MASQUER). *Dissimuler dans son grenier un prisonnier évadé. Cette question dissimule un piège. Dissimuler une partie des bénéfices. Ce premier succès ne doit pas nous dissimuler les difficultés de l'entreprise* (syn. : CACHER). *Je ne vous dissimule pas que j'ai longtemps hésité. Il avait peine à dissimuler son envie de rire* (syn. : RETENIR, REFOULER). *Il est très habile à dissimuler* (syn. : FEINDRE). ◆ ***se dissimuler*** v. pr. 1° (sujet nom de personne) *Se dissimuler une chose,* ne pas vouloir voir cette chose telle qu'elle est, se faire des illusions à son sujet. — 2° Se cacher : *Il se dissimule derrière une tenture. Son égoïsme se dissimule derrière des affirmations généreuses.* ◆ **dissimulateur, trice** adj. et n. *Péjor.* Se dit de quelqu'un qui a l'habitude de dissimuler ses sentiments ou ses pensées. ◆ **dissimulation** n. f. : *Un recoin propice à la dissimulation des appareils ménagers. Un visage où se lit la dissimulation* (syn. : ↑ HYPOCRISIE, FOURBERIE). ◆ **dissimulé, e** adj. *Péjor.* Se dit d'une personne (ou de son comportement) qui dissimule ses sentiments (syn. : FAUX, SOURNOIS, ↑ HYPOCRITE ; contr. : FRANC).

1. dissiper [disipe] v. tr. 1° *Dissiper le brouillard, la fumée, dissiper les craintes, une illusion,* etc., les faire disparaître en dispersant, en éclaircissant, etc. : *Le vent a dissipé la fumée de l'incendie* (syn. : DISPERSER, CHASSER). *Son arrivée dissipa la tristesse. Cette nouvelle dissipa tous nos espoirs* (syn. : FAIRE ENVOLER). ◆ ***se dissiper*** v. pr. : *Notre inquiétude se dissipa* (syn. : DISPARAÎTRE, S'ÉVANOUIR). — 2° *Dissiper sa fortune, son patrimoine,* etc., les dépenser inconsidérément, les perdre (syn. fam. : GASPILLER). ◆ **dissipateur, trice** adj. et n. Se dit d'une personne qui dissipe son bien (syn. : GASPILLEUR, PRODIGUE). ◆ **dissipation** n. f. : *Attendre la dissipation du brouillard. On lui reprochait la dissipation de l'héritage qu'il avait reçu.*

2. dissiper [disipe] v. tr. *Dissiper quelqu'un,* le porter à l'indiscipline, à l'inattention : *Un élève qui dissipe ses voisins.* ◆ ***se dissiper*** v. pr., ***être dissipé*** v. passif (sujet nom désignant un enfant, généralement un élève). Etre agité, turbulent, inattentif. ◆ **dissipation** n. f. : *Sa dissipation lui vaut de nombreuses punitions* (syn. : INDISCIPLINE).

dissocier [disɔsje] v. tr. *Dissocier un groupe de personnes* ou *de choses,* le séparer en éléments distincts : *Ces deux chapitres du budget ont été dissociés* (syn. : DISJOINDRE, DISTINGUER). *Ces événements ont réussi à dissocier l'équipe* (syn. : DÉSORGANISER). ◆ **dissociation** n. f. : *Faire un effort de dissociation entre la faute et le coupable.* ◆ **dissociable** adj. : *Deux questions aisément dissociables.* ◆ **indissociable** adj. : *Une amitié indissociable.*

dissolu, e [disɔly] adj. Se dit d'une personne dont la conduite est très relâchée, ou de cette conduite elle-même : *Il fréquentait des jeunes gens dissolus* (syn. : DÉBAUCHÉ, DÉPRAVÉ). *Une société aux mœurs dissolues* (syn. : CORROMPU).

dissonance [disɔnɑ̃s] n. f. Rencontre peu harmonieuse de plusieurs sons : *Les dissonances sont fréquentes dans beaucoup d'œuvres musicales modernes* (contr. : CONSONANCE). ◆ **dissonant, e** adj. Qui manque d'harmonie : *Notes dissonantes.*

dissoudre [disudr] v. tr. (conj. **61**). 1° *Dissoudre une chose* (terme concret), incorporer à un liquide un corps solide ou gazeux formant avec lui un mélange homogène : *Dissoudre du sel dans de l'eau. L'eau dissout le sel.* — 2° *Dissoudre un mariage, une société, un parti politique,* etc., déclarer qu'ils ont légalement cessé d'exister : *Le président de la République a le pouvoir de dissoudre l'Assemblée nationale* (= de mettre fin à son mandat). ◆ ***se dissoudre*** v. pr. : *Le sel se dissout dans l'eau* (syn. fam. : FONDRE). *Une association qui a décidé de se dissoudre.* ◆ **dissolution** n. f. 1° Action de dissoudre ou de se dissoudre : *Remuer le mélange jusqu'à dissolution complète du sucre. Prononcer la dissolution d'un parti.* — 2° Solution visqueuse de caoutchouc servant à coller des pièces sur le caoutchouc. ◆ **dissolvant, e** adj. Se dit de ce qui déprime ou corrompt moralement : *Climat dissolvant. Lectures dissolvantes.* ◆ **dissolvant** n. m. Produit qui a la propriété de dissoudre les graisses. ◆ **indissoluble** adj. *Amitié, union indissoluble,* que rien ne peut faire cesser (syn. : INDÉFECTIBLE, INDESTRUCTIBLE). ◆ **indissolublement** adv. : *Deux êtres indissolublement liés.* ◆ **indissolubilité** n. f. : *L'Eglise catholique proclame l'indissolubilité du mariage.*

dissuader [disyade] v. tr. *Dissuader quelqu'un de quelque chose,* l'amener à y renoncer : *J'ai réussi à le dissuader de ce voyage. Dissuadez-le d'entreprendre ce travail* (syn. : DÉTOURNER ; contr. : PERSUADER). ◆ **dissuasion** n. f. 1° *Un argument qui a une grande puissance de dissuasion* (contr. : PERSUASION). — 2° *Force de dissuasion,* potentiel militaire visant à dissuader un adversaire éventuel d'entreprendre une action hostile, par crainte des représailles.

dissyllabe adj. et n. m. V. SYLLABE ; **dissymétrie** n. f. V. SYMÉTRIE.

distance [distɑ̃s] n. f. 1° Intervalle qui sépare deux points dans l'espace, ou (plus rarement) deux moments dans le temps : *La distance de Paris à Lyon est de 470 kilomètres. Les deux amis étaient à quelques pas de distance l'un de l'autre* (syn. : ÉCART). *Un avion qui peut couvrir de longues distances sans escale* (syn. : TRAJET, PARCOURS). *A cette distance, on ne distingue pas les détails. De distance en distance, on apercevait une masure* (= de loin en loin). *A quelques années de distance, l'aspect de la ville avait complètement changé. A distance, tout paraît plus facile* (= de loin dans l'espace ou dans le temps). — 2° Différence de niveau social, de degré de civilisation, d'importance : *L'argent a mis une grande distance entre ces anciens camarades d'école* (syn. : ÉCART). *Il affecte de nous tenir à distance* (= de ne pas nous fréquenter). *Il est parfois prudent de savoir garder ses distances* (= de ne pas devenir trop familier). *Il y a une distance considérable entre ces tribus et nous. Que de distance entre ses premiers romans et celui-ci!* ◆ **distancer** v. tr. *Distancer quelqu'un, un véhicule,* etc., le laisser derrière soi : *Un coureur qui distance largement les autres concurrents* (syn. : DÉPASSER). *Le candidat s'est laissé distancer à l'oral* (syn. : DEVANCER). ◆ **distant, e** adj. 1° Se dit d'un lieu qui est à une certaine distance d'un autre ou d'un événement éloigné d'un autre : *Deux villes distantes de 100 kilomètres. L'église n'est pas très distante de la mairie* (syn. : ÉLOIGNÉ). *Je n'ai qu'un souvenir confus de faits aussi distants* (syn. : ANCIEN, RECULÉ). — 2° Se dit d'une personne (ou de son comportement) qui garde beaucoup de froideur dans ses manières, qui ne se lie pas facilement : *Elle était très distante avec lui. Un air distant* (syn. : FIER, HAUTAIN).

distendre [distɑ̃dr] v. tr. (conj. **50**). *Distendre un corps,* en augmenter les dimensions en tendant : *Le muscle est distendu.* ◆ ***se distendre*** v. pr. Se relâcher : *Les liens familiaux se sont distendus.*

distiller [distile] v. tr. 1° *Distiller un corps,* extraire les produits les plus volatils d'un corps composé (alcool, essence, gaz, etc.) : *Distiller du vin, des betteraves, du pétrole.* — 2° *Distiller un suc, un liquide,* etc., le sécréter goutte à goutte, le produire laborieusement : *L'abeille distille son miel* (littér.). — 3° *Distiller l'ennui, la tristesse,* causer un ennui, une tristesse insurmontables. ◆ **distillateur** n. m. Personne qui distille; fabricant d'eau-de-vie. ◆ **distillation** n. f. : *L'alcool est un produit de distillation.* ◆ **distillerie** n. f. Etablissement où l'on distille.

distinguer [distɛ̃ge] v. tr. 1° (sujet nom d'être animé) *Distinguer quelqu'un, quelque chose,* le percevoir nettement, par les sens ou par l'esprit : *En regardant bien, on peut distinguer une maison à l'horizon* (syn. : APERCEVOIR, RECONNAÎTRE). *Distinguer des traces de pas sur le sol. Distinguer un appel. Distinguer les mobiles de quelqu'un.* — 2° (sujet nom de personne) *Distinguer des êtres animés, des choses,* percevoir la différence qui les sépare : *Deux jumeaux difficiles à distinguer. Distinguer le blé de l'orge* (ou *d'avec l'orge*) [syn. : DISCERNER, DIFFÉRENCIER]. — 3° (sujet nom de personne) *Distinguer quelqu'un,* remarquer spécialement ses mérites, l'honorer d'une marque de faveur particulière. — 4° (sujet nom de chose) Rendre reconnaissable, marquer d'un caractère particulier : *Sa démarche le distingue immédiatement. Un détail qui distingue un faux billet.* ◆ v. intr. : *Il faut distinguer entre ces arguments* (= faire un choix). ◆ ***se distinguer*** v. pr. 1° (sujet nom de personne ou de chose) Apparaître différent, distinct : *La lexicologie et la lexicographie se distinguent par leur objet et leurs méthodes* (syn. : DIFFÉRER). — 2° (sujet nom de personne) Se faire remarquer, se rendre célèbre : *Une cuisinière qui se distingue particulièrement un jour de réception* (syn. : SE SURPASSER). *Un savant qui s'est distingué par ses travaux* (syn. : S'ILLUSTRER). ◆ **distinct, e** [distɛ̃, -tɛ̃kt] adj. 1° Qui se laisse percevoir nettement : *On voit encore sur ce mur des traces distinctes de fresques* (syn. : NET). *Entendre des paroles distinctes* (syn. : CLAIR). — 2° Qui ne se confond pas avec autre chose : *C'est une autre question, distincte de la précédente* (syn. : DIFFÉRENT). *Les feuilles seront rangées par piles distinctes selon leur couleur* (syn. : SÉPARÉ). ◆ **distinctement** adv. : *Articuler les mots distinctement* (syn. : CLAIREMENT). *Apercevoir distinctement un bateau au large* (syn. : NETTEMENT). *Ranger distinctement les divers outils* (syn. : SÉPARÉMENT). ◆ **indistinct, e** adj. Se dit de ce qui manque de netteté : *Souvenir indistinct* (syn. : VAGUE, OBSCUR, CONFUS). *Couleur indistincte* (syn. : INDÉCIS). ◆ **indistinctement** adv. 1° Sans netteté : *Des formes grises apparaissaient indistinctement dans la brume* (syn. : VAGUEMENT, CONFUSÉMENT). — 2° Sans aucun choix, en bloc, aussi bien d'une façon que d'une autre : *Vous ne pouvez pas les condamner indistinctement. Cette cuisinière marche indistinctement au gaz ou à l'électricité* (syn. : INDIFFÉREMMENT). ◆ **distinctif, ive** adj. Se dit de ce qui permet de distinguer : *Signe distinctif. Marque distinctive* (syn. : CARACTÉRISTIQUE, SPÉCIFIQUE). ◆ **distinction** n. f. 1° Action de distinguer, de séparer : *La distinction est aisée entre un loup et un renard. Le classicisme exigeait la distinction des genres littéraires* (syn. : SÉPARATION). *Il a renvoyé tout le monde sans distinction* (= indistinctement). — 2° Marque d'honneur accordée à une personne : *Il vient de recevoir la Légion d'honneur et semble très fier de cette distinction.* — 3° Manières élégantes dans l'attitude ou le langage : *Une femme d'une grande distinction* (syn. : ↓ ÉLÉGANCE). ◆ **distingué, e** adj. 1° Se dit d'une personne qui a de la distinction (au sens 3) ou de ce qui concerne cette personne : *Un jeune homme très distingué* (syn. : ÉLÉGANT, BIEN ÉLEVÉ). *Un air distingué. Un sourire distingué.* — 2° Se dit d'une personne que ses mérites signalent à l'attention : *Un écrivain très distingué* (syn. : ILLUSTRE, CÉLÈBRE, CONNU). — 3° *Sentiments distingués, considération distinguée,* expressions qui entrent dans des formules de politesse, en particulier à la fin des lettres. ◆ **distinguo** [distɛ̃go] n. m. invar. *Fam.* Distinction, nuance subtile : *On a parfois peine à saisir ses distinguo.* ◆ **distinguo!** interj. Ne confondons pas (nuance plaisante).

distique [distik] n. m. Groupe de deux vers formant un sens complet.

distorsion [distɔrsjɔ̃] n. f. Ecart produisant un manque d'harmonie : *Il s'est produit une distorsion entre les économies de ces deux pays.*

1. distraire [distrɛr] v. tr. (conj. **79**). 1° *Distraire quelqu'un,* détourner son esprit de ce qui l'occupe, le rendre inattentif : *Il rédige son article : n'allez pas le distraire. Un enfant qui se laisse trop facilement distraire de son travail.* — 2° *Distraire quelqu'un,* lui procurer une occupation agréable, évitant l'ennui : *Un hôtel qui possède de nombreuses ressources pour distraire les touristes* (syn. : RÉCRÉER, DIVERTIR, DÉSENNUYER). ◆ ***se distraire*** v. pr. (sujet nom de personne). Occuper agréablement ses loisirs : *Se distraire en lisant. Allez faire un tour pour vous distraire.* ◆ **distraction** n. f. 1° Action de distraire ou de se distraire : *Un spectacle qui donne de la distraction* (syn. : AMUSEMENT). *Dessiner par distraction.* — 2° Ce qui distrait : *La lecture, le cinéma, la pêche à la ligne sont ses principales distractions* (syn. : DIVERTISSEMENT, PASSE-TEMPS). — 3° Défaut d'attention : *Se tromper d'enveloppe par distraction. Sa distraction était* *légendaire* (syn. : INATTENTION, ÉTOURDERIE). ◆ **distrait, e** adj. Se dit d'une personne insuffisamment attentive à ce qu'elle fait : *Il est si distrait qu'il oublie sans cesse ses affaires* (syn. : ÉTOURDI). *Un écolier distrait* (syn. : INATTENTIF). *Jeter un regard distrait sur une revue* (syn. : SUPERFICIEL). ◆ **distraitement** adv. : *Répondre distraitement. Il m'a tendu la main distraitement.* ◆ **distrayant, e** adj. Propre à distraire (au sens 2) : *Un livre distrayant* (syn. : DIVERTISSANT, RÉCRÉATIF).

2. distraire [distrɛr] v. tr. (conj. **79**). *Distraire une somme, quelques minutes de son temps,* etc., les retrancher d'un tout pour un emploi particulier.

distribuer [distribɥe] v. tr. **1°** *Distribuer des choses* ou *des parties d'une chose,* les donner à plusieurs personnes : *On a distribué les effets militaires aux nouvelles recrues. Distribuer des copies aux candidats.* — **2°** *Distribuer des choses,* les répartir selon un certain ordre : *Distribuer des vivres à la population. Distribuer la tâche aux ouvriers. Un professeur qui distribue son enseignement* (syn. : DISPENSER). — **3°** Fournir en divers lieux : *Un réseau électrique qui distribue le courant dans tous les hameaux de la région.* ◆ **distribué, e** adj. *Appartement, pavillon bien distribué,* dont les diverses pièces sont heureusement réparties. ◆ **distributeur, trice** n. et adj. : *La police a arrêté des distributeurs de tracts. Un appareil distributeur de tickets.* ◆ **distributeur** n. m. Appareil qui distribue diverses choses, quand on y introduit des pièces de monnaie : *Un distributeur de bonbons, de boissons chaudes. Tirer la poignée du distributeur.* ◆ **distributif, ive** adj. et n. m. Se dit, en linguistique, de formes qui indiquent une idée de répartition : *Le pronom « chacun » a une valeur distributive. Les mots latins « singuli », « bini », etc., sont des distributifs.* ◆ adj. *Justice distributive,* qui rend à chacun selon ses mérites. ◆ **distribution** n. f. : *L'année scolaire se termine par la distribution solennelle des prix* (syn. : REMISE). *Le facteur assure la distribution du courrier. Se charger de la distribution du travail au personnel* (syn. : RÉPARTITION). *La distribution d'un film, d'une pièce de théâtre est la répartition des rôles entre les acteurs.*

district [distrikt] n. m. Division territoriale de peu d'étendue, mais dépassant les limites urbaines.

dithyrambe [ditirɑ̃b] n. m. Louanges excessives : *Le rapport d'activité n'est qu'un ennuyeux dithyrambe des administrateurs.* ◆ **dithyrambique** adj. Péjor. : *Eloges dithyrambiques* (syn. : OUTRÉ).

dito [dito] adv. ou adj. invar. De même, semblable (langue commerciale surtout).

diurne [dijyrn ou djyrn] adj. Se dit de ce qui se fait le jour : *Travaux diurnes* (contr. : NOCTURNE).

divaguer [divage] v. intr. Prononcer des paroles déraisonnables, ne plus contrôler ce qu'on dit : *Un vieillard qui divague par moments* (syn. fam. : DÉRAILLER, RADOTER). *Le malade s'est mis à divaguer* (syn. : DÉLIRER, ↓ DÉRAISONNER). *Son projet ne tient pas debout, il divague complètement* (syn. : RÊVER). ◆ **divagation** n. f. Suite de paroles incohérentes; considérations chimériques (surtout au plur.) : *Les divagations d'un esprit malade. Laissons-le à ses divagations et parlons sérieusement* (syn. : CHIMÈRE).

divan [divɑ̃] n. m. Canapé sans bras ni dossier.

diverger [divɛrʒe] v. intr. (sujet nom désignant des voies, des lignes, des idées, etc.). Se séparer en diverses directions : *Nous irons ensemble jusqu'à cette ville, ensuite nos routes vont diverger* (contr. : CONVERGER). *Deux philosophes dont la pensée diverge sur ce point* (syn. : S'OPPOSER). ◆ **divergent, e** adj. Se dit de ce qui diverge : *Suivre des voies divergentes. Deux interprétations divergentes du même fait* (contr. : CONVERGENT). *Opinions divergentes.* ◆ **divergence** n. f. : *Ils s'entendaient fort bien malgré leurs divergences politiques. Une totale divergence de goût en musique* (syn. : OPPOSITION).

divers, e [divɛr, -vɛrs] adj. **1°** Qui présente des caractères différents (surtout au plur.) : *Des fleurs de couleurs très diverses* (syn. : VARIÉ). *Des régions aussi diverses que la Beauce et les Alpes* (syn. : DIFFÉRENT). *On a émis à ce sujet les hypothèses les plus diverses. Le travail est divers selon la saison. Des questions d'un intérêt divers* (syn. : INÉGAL). — **2°** Au plur., il s'emploie devant le nom, sans article, comme adjectif indéfini : *On signale des orages en divers endroits* (syn. : PLUSIEURS). *Divers ouvrages traitent de la question.* ◆ **diversement** adv. : *Une phrase diversement interprétée* (= de différentes façons). *Un écrivain diversement estimé* (= de façon inégale, variable selon les personnes). ◆ **diversité** n. f. : *Deux articles qui expriment bien la diversité des opinions de leurs auteurs* (syn. : PLURALITÉ). *Un magasin qui offre une grande diversité de prix. Des explications qui ont un point commun dans leur diversité.* ◆ **diversifier** v. tr. Rendre divers, mettre de la variété dans : *Un peintre qui aime diversifier ses sujets* (syn. : VARIER). *Diversifier les méthodes de travail.* ◆ **diversification** n. f.

diversion [divɛrsjɔ̃] n. f. Action qui détourne l'attention : *Faire une attaque de diversion sur le flanc droit de l'ennemi avant de l'attaquer au centre. Cette promenade vous fera une diversion parmi vos occupations* (syn. : DÉRIVATIF).

divertir [divɛrtir] v. tr. *Divertir quelqu'un,* égayer son esprit, le détourner de l'ennui ou des soucis : *Allez voir ce film comique, il vous divertira* (syn. : AMUSER, DÉRIDER, DÉLASSER). ◆ ***se divertir*** v. pr. : *Pour se divertir, il faisait des farces à ses voisins.* ◆ **divertissant, e** adj. : *Un récit divertissant* (syn. : AMUSANT, PLAISANT, DRÔLE; fam. : RIGOLO). ◆ **divertissement** n. m. : *Son divertissement favori est la lecture* (syn. : PASSE-TEMPS, DISTRACTION, PLAISIR). *Une fête qui offre de nombreux divertissements* (syn. : RÉJOUISSANCE, ATTRACTION; JEU).

dividende n. m. V. DIVISER; **divination** n. f. V. DEVINER.

diviser [divize] v. tr. **1°** *Diviser des choses, un groupe,* les séparer en plusieurs parties : *Diviser un gâteau en huit* (syn. : PARTAGER). *La rivière divise la propriété par la moitié* (syn. : COUPER). *Si on divise quatre-vingt-douze par quatre, on obtient vingt-trois. On a divisé le groupe en deux équipes* (syn. : RÉPARTIR, FRACTIONNER, SCINDER). — **2°** *Diviser des personnes,* être une occasion de désaccord entre elles : *Une famille divisée par des intérêts opposés* (syn. : DÉSUNIR). *Ce qui divise ces deux historiens, c'est la valeur qu'ils accordent à ce témoignage. Les spécialistes sont divisés sur les causes de ce phénomène.* ◆ ***se diviser*** v. pr. : *Le groupe s'est divisé en deux équipes. Un roman qui* se divise en quatre parties (syn. : COMPRENDRE, SE COMPOSER DE). ◆ **diviseur** n. m. Nombre par lequel on en divise un autre. ◆ **dividende** n. m. **1°** Nombre à diviser par un autre. — **2°** Part de bénéfice qui revient à chaque actionnaire. ◆ **divisible** adj. Se dit d'un nombre qui peut être divisé exactement par un autre : *Vingt-sept est divisible par neuf.* ◆ **divisibilité** n. f. : *Le fait qu'un nombre se termine par deux zéros est un signe de sa divisibilité par quatre.* ◆ **indivisible** adj. Se dit de ce qui est étroitement uni, qu'on ne peut pas séparer : *Une famille qui forme un bloc indivisible. Alliance indivisible* (syn. : INDISSOLUBLE). ◆ **indivisiblement** adv. : *Ils sont indivisiblement liés* (syn. : INDISSOLUBLEMENT). ◆ **indivisibilité** n. f. : *L'indivisibilité de leur union* (syn. : INDISSOLUBILITÉ). ◆ **division** n. f. **1°** Action de diviser ou de se diviser; état de ce qui est divisé : *On procède à la division de la recette entre les participants* (syn. : PARTAGE). *On s'était entendu sur une division équitable des tâches* (syn. : RÉPARTITION). *Des cellules qui se reproduisent par division* (syn. : SEGMENTATION). *Cette attitude provoqua des divisions au sein de l'équipe* (syn. : DÉSACCORD, DISCORDE, DISSENSION, OPPOSITION, SCISSION). — **2°** Une des quatre opérations arithmétiques de base, consistant à diviser un nombre par un autre : *Sa division est fausse.* — **3°** Marque sur une échelle ou sur un cadran gradué : *Le baromètre a baissé de trois divisions* (syn. : GRADUATION).

1. division n. f. V. DIVISER.

2. division [divizjɔ̃] n. f. **1°** Groupement de plusieurs services dans une administration. — **2°** Unité militaire importante, comprenant plusieurs régiments : *Une division d'infanterie, d'artillerie.* ◆ **divisionnaire** adj. Se dit de quelqu'un qui dirige une division : *Commissaire divisionnaire.*

divorce [divɔrs] n. m. **1°** Jugement prononçant la rupture d'un mariage : *Il a demandé le divorce. Elle est en instance de divorce. Depuis son divorce, il ne fréquente plus ces personnes.* — **2°** Opposition grave, divergence : *Le divorce entre une école littéraire et la réalité.* ◆ **divorcer** v. intr. *Divorcer avec* ou *d'avec quelqu'un* (ou sans compl.), se séparer de son conjoint par le divorce : *Cette actrice de cinéma a divorcé quatre fois. Ses parents ont divorcé.* ◆ **divorcé, e** adj. et n. Se dit de personnes dont le mariage a été rompu par le divorce : *Un enfant de parents divorcés. Il épouse une divorcée.*

divulguer [divylge] v. tr. Rendre public ce qui devait rester secret : *Une information confidentielle divulguée par une indiscrétion* (syn. : PROPAGER, RÉPANDRE, ÉBRUITER). *La presse a divulgué prématurément les noms des suspects* (syn. : PUBLIER, RÉVÉLER). ◆ ***se divulguer*** v. pr. : *La nouvelle s'est rapidement divulguée.* ◆ **divulgation** n. f. : *Etre inculpé pour divulgation de secrets d'Etat.*

dix ([dis]; devant un nom ou un adjectif, on prononce [di] si ce mot commence par une consonne et [diz] s'il commence par une voyelle ou un *h* muet : *dix à la fois* [disalafwa]; *dix jours* [diʒur]; *dix petits livres* [dipətilivr]; *dix ans* [dizɑ̃]; *dix autres jours* [dizotrəʒur]) adj. num. et n. **1°** V. NUMÉRATION. — **2°** Désigne aussi un grand nombre : *Je lui ai répété dix fois la même chose.* ◆ **dix-huit** [dizɥit] adj. num. et n. ◆ **dix-huitième** [dizɥitjɛm] adj. num. et n. ◆ **dix-huitièmement** adv. ◆ **dixième** [dizjɛm] adj. num. et n. ◆ **dixièmement** adv. ◆ **dix-neuf** [diznœf] adj. num. et n. ◆ **dix-neuvième** [diznœvjɛm] adj. num. et n. ◆ **dix-neuvièmement** adv. ◆ **dix-sept** [dissɛt] adj. num. et n. ◆ **dix-septième** [dissɛtjɛm] adj. num. et n. ◆ **dix-septièmement** adv. ◆ **dizaine** [dizɛn] n. f. **1°** Groupe de dix unités : *La première dizaine de kilomètres a été parcourue en sept minutes.* — **2°** *Dizaine de chapelet,* série de dix invocations à la Sainte Vierge, correspondant à une série de dix grains d'un chapelet. — **3°** Nombre de dix environ : *Une réunion à laquelle n'assistaient que quelques dizaines de personnes. Un travail qui demande une dizaine de jours.*

do [do] n. m. Note de musique. (V. GAMME.)

docile [dɔsil] adj. Se dit d'une personne ou d'un animal (ou de leurs attitudes) qui obéit volontiers : *Un élève docile* (syn. : FACILE, OBÉISSANT, SOUMIS). *Un cheval docile* (syn. : MANIABLE). *Un regard docile. Etre docile aux leçons de l'expérience.* ◆ **docilement** adv. : *Il a docilement suivi les instructions* (syn. : FIDÈLEMENT). ◆ **docilité** n. f. : *Un enfant d'une docilité exemplaire* (syn. : OBÉISSANCE). *Il s'acquitte avec docilité de sa mission.* ◆ **indocile** adj. : *Un caractère indocile* (syn. : DIFFICILE, REBELLE, RÉFRACTAIRE). ◆ **indocilité** n. f. : *Les professeurs se plaignent de son indocilité.*

dock [dɔk] n. m. Ensemble des magasins construits sur les quais pour recevoir les marchandises transportées par des navires. ◆ **docker** [dɔkɛr] n. m. Ouvrier employé au chargement et au déchargement des navires (syn. : DÉBARDEUR).

docte [dɔkt] adj. *Péjor.* Se dit d'une personne (ou de son comportement) infatuée de son savoir : *Ce docte personnage pérorait devant son auditoire. Un air, un ton docte* (syn. : PÉDANT). ◆ **doctement** adv. Péjor. : *Il nous expliqua doctement les raisons de ce phénomène.*

1. docteur [dɔktœr] n. m. **1°** Personne qui, pourvue du doctorat, exerce la médecine : *Il tousse beaucoup, il faudrait appeler le docteur* (syn. : MÉDECIN). *Le docteur Dupont est absent.* (Pour une femme, on dit aussi *le docteur X.*) ◆ **doctoresse** n. f. Femme docteur en médecine. (On lui substitue souvent le masculin.)

2. docteur [dɔktœr] n. m. Personne qui est pourvue d'un doctorat ès lettres, en droit, etc. ◆ **doctoral, e, aux** adj. *Ton doctoral, allure doctorale,* qui affecte, avec une certaine solennité, les manières d'un savant (nuance plus ou moins péjor.; syn. : ↑ PÉDANT). ◆ **doctoralement** adv. Péjor. : *Parler doctoralement.* ◆ **doctorat** n. m. Grade le plus élevé conféré par les facultés, après la soutenance d'une ou de deux thèses.

doctrine [dɔktrin] n. f. **1°** Ensemble des croyances ou des opinions professées par une religion, une philosophie, un système politique : *Le catéchisme est un abrégé de la doctrine chrétienne* (syn. : DOGME). *Les doctrines ésotériques des pythagoriciens. Une action contraire à la doctrine d'un parti politique.* — **2°** Jugement qu'on porte sur une question; opinion : *J'ai besoin de réfléchir pour me faire une doctrine là-dessus.* ◆ **doctrinaire** adj. *Péjor.* Se dit d'une personne ou d'une chose qui se réfère trop étroitement à une doctrine : *On lui a reproché sa position doctrinaire* (syn. : SECTAIRE). ◆ n. m. Personne qui participe à l'élaboration et à la propagation d'une doctrine : *Les doctrinaires du parti* (syn. : THÉORICIEN; péjor. : DOGMATIQUE). ◆ **doctrinairement** adv. Péjor. : *Il juge trop doctrinairement de toutes les questions.* ◆ **doctrinal, e,**

aux adj. Se dit de ce qui est relatif à une doctrine : *Débat doctrinal. Affirmation doctrinale.* ◆ **doctrinalement** adv. : *Une thèse doctrinalement inattaquable.* ◆ **endoctriner** v. tr. *Endoctriner quelqu'un,* le gagner ou s'efforcer de le gagner à ses opinions (syn. : CATÉCHISER, PRÊCHER ; fam. : EMBOBINER). ◆ **endoctrinement** n. m. : *Un régime qui poursuit méthodiquement l'endoctrinement de la jeunesse.*

document [dɔkymɑ̃] n. m. Ecrit ou objet servant de témoignage ou de preuve, constituant un élément d'information : *Un historien doit consulter de nombreux documents. Rassembler des documents avant de passer à la rédaction d'une thèse. Classer des documents dans le tiroir de son bureau. Cette lettre est un document précieux.* ◆ **documentaire** adj. Se dit de ce qui a le caractère d'un document : *Un texte documentaire sur ces événements. Un récit de voyage d'un intérêt documentaire. A titre documentaire, je vous signale que cette église a été restaurée au siècle dernier.* ◆ n. m. et adj. Film établi d'après des documents pris dans la réalité : *Avant le grand film, on a passé un documentaire.* ◆ **documentaliste** n. Personne chargée spécialement de rassembler, de classer et de conserver des documents dans une administration ou une entreprise et de les tenir à la disposition des intéressés. ◆ **documentation** n. f. 1° Action d'établir et de rassembler des documents susceptibles d'étayer une thèse, de fournir une information sur une question : *Sa documentation lui a demandé de longues années.* — 2° Ensemble de documents relatifs à une question : *Une documentation volumineuse.* ◆ **documenter** v. tr. 1° *Documenter quelqu'un,* lui fournir des documents : *Le bibliothécaire le documenta sur la question.* — 2° *Documenter un ouvrage,* l'appuyer sur des documents (surtout au part. passé) : *Un récit très documenté.* ◆ **se documenter** v. pr. : *Je me suis longuement documenté avant d'entreprendre cette affaire.* ◆ **documenté, e** adj. Qui a des renseignements, qui est fondé sur des documents sûrs : *Un ouvrage très documenté.* ◆ **porte-documents** n. m. invar. Serviette très plate, en cuir ou en plastique, formée d'une seule poche et qui s'ouvre sur les trois quarts de son pourtour.

dodeliner [dɔdline] v. intr. *Dodeliner de la tête,* balancer la tête doucement : *Un enfant qui s'assoupit en dodelinant de la tête.*

dodo [dodo] n. m. Dans le langage enfantin ou des parents s'adressant aux enfants : 1° Lit : *Tu vas aller dans ton petit dodo ;* — 2° Somme : *Bébé a fait un bon dodo. Il est temps de faire dodo* (= de dormir) ; et interjectiv. : *Dodo!* (= il faut dormir).

dodu, e [dɔdy] adj. Se dit de quelqu'un ou d'un animal (ou de leur physique) qui est assez gras, bien en chair : *Un enfant dodu* (syn. : GRASSOUILLET). *Une poule bien dodue. Des joues dodues* (syn. : REBONDI).

dogme [dɔgm] n. m. 1° Point fondamental d'une doctrine : *Le dogme de l'immortalité de l'âme. Le dogme marxiste du matérialisme dialectique.* — 2° Ensemble de croyances, d'opinions : *Les théologiens qui scrutent le dogme* (syn. : DOCTRINE). ◆ **dogmatique** adj. 1° Se dit d'une personne (ou de son attitude) qui affirme d'une manière tranchante : *On ne peut pas discuter avec quelqu'un d'aussi dogmatique. Un ton dogmatique* (syn. : PÉREMPTOIRE, DOCTORAL). — 2° Se dit de ce qui se rapporte à un dogme : *Des études dogmatiques.* ◆ **dogmatiquement** adv. : *Il a présenté très dogmatiquement son système. Une affirmation dogmatiquement irréprochable.* ◆ **dogmatiser** v. intr. *Péjor.* Emettre des affirmations tranchantes. ◆ **dogmatisme** n. m. Attitude de quelqu'un qui affirme péremptoirement, ou qui admet sans discussion certaines idées considérées comme valables une fois pour toutes.

dogue [dɔg] n. m. Chien à tête courte et à fortes mâchoires.

doigt [dwa] n. m. 1° Chacun des éléments articulés libres qui terminent les mains et les pieds chez l'homme et chez certains animaux : *L'homme a cinq doigts à chaque main. On appelle « petit doigt » l'auriculaire, doigt le plus éloigné du pouce. Les doigts de pied s'appellent aussi « orteils ».* — 2° Mesure approximative de l'épaisseur d'un doigt : *Verser un doigt de vin dans un verre.* — 3° *A deux doigts de,* très près de : *Le projectile est passé à deux doigts de son visage. Il a été à deux doigts de réussir.* ‖ *Mon petit doigt me l'a dit,* je l'ai su d'une façon qui vous reste mystérieuse. ‖ *Ne pas lever le petit doigt,* rester passif : *Il pourrait nous voir accablés de travail qu'il ne lèverait pas le petit doigt pour nous aider.* ‖ *Elle a des doigts de fée,* elle est très adroite. ‖ *Mettre le doigt sur,* deviner juste, mettre en évidence : *Il a tout de suite mis le doigt sur le mobile de son adversaire.* ‖ Fam. *Se mettre le doigt dans l'œil,* se tromper complètement. ‖ *Obéir, marcher, filer au doigt et à l'œil,* obéir au moindre signe, très fidèlement. ‖ *Montrer quelqu'un du doigt,* le désigner à la réprobation générale. ‖ *Toucher du doigt,* faire apparaître avec précision : *Vous touchez du doigt le point essentiel.* ‖ *Avoir de l'esprit jusqu'au bout des doigts,* être plein d'esprit. ‖ *Glisser, filer entre les doigts de quelqu'un,* lui échapper. ‖ *On peut les compter sur les doigts, sur les doigts de la main,* il y en a très peu. ‖ *Taper sur les doigts de quelqu'un,* le réprimander, le punir. ‖ *Etre comme les doigts de la main,* être très liés d'amitié. ◆ **doigté** [dwate] n. m. 1° Manière de placer les doigts pour jouer d'un instrument de musique. — 2° Habileté, délicatesse dans le comportement : *Il faudra beaucoup de doigté pour l'amener à accepter* (syn. : TACT, SAVOIR-FAIRE). ◆ **doigtier** [dwatje] n. m. Fourreau de protection pour un doigt. (V. DIGITAL.)

dolce [dɔlʃe] adv. Avec douceur (langue de la musique ou avec ironie).

doléances [dɔleɑ̃s] n. f. pl. Plaintes, réclamations : *La mauvaise organisation du service avait souvent provoqué les doléances des usagers. Je n'ai pas le temps d'écouter ses doléances* (syn. : LAMENTATIONS ; péjor. : JÉRÉMIADES).

dolent, e [dɔlɑ̃, -ɑ̃t] adj. *Péjor.* Se dit d'une personne (ou de son comportement) qui se plaint de ses maux d'un ton languissant : *Un vieillard dolent* (syn. : ↑ GEIGNARD). *Voix dolente* (syn. : PLAINTIF).

dollar [dɔlar] n. m. Unité monétaire principale des Etats-Unis, du Canada et d'autres pays.

dolmen [dɔlmɛn] n. m. Monument mégalithique fait d'une grande pierre plate posée horizontalement sur d'autres pierres dressées verticalement : *Les dolmens sont nombreux en Bretagne.*

domaine [dɔmɛn] n. m. 1° Propriété foncière d'une certaine étendue : *Il est régisseur d'un domaine d'une centaine d'hectares. Partir visiter ses domaines* (syn. : TERRES). — 2° Champ d'activité d'une personne ; secteur embrassé par un art, une technique, etc. : *Son domaine, c'est l'étude de la résistance des matériaux. L'histoire du Moyen Age, c'est son domaine* (syn. : MATIÈRE, SPÉCIALITÉ ; fam. : RAYON). *Cette question n'est pas de mon domaine* (syn. : COMPÉTENCE, ATTRIBUTIONS). *Le vaste domaine de la publicité.* — **3°** *Tomber dans le domaine public,* se dit d'une œuvre littéraire ou artistique qui, au bout d'un certain temps, peut être librement reproduite et vendue sans droits d'auteur. ◆ **domanial, e, aux** adj. Se dit des biens qui constituent le domaine de l'Etat : *Une forêt domaniale.*

dôme [dom] n. m. **1°** Couverture hémisphérique ou ovoïde de certains monuments : *Le dôme des Invalides à Paris. Le dôme de la basilique Saint-Pierre de Rome. La partie intérieure du dôme est une coupole.* — **2°** *Dôme de verdure, de feuillage,* etc., voûte formée par des branchages.

1. domestique [dɔmɛstik] n. Personne qui est professionnellement au service d'une famille, d'une maison : *Le repas fut servi dans la grande salle à manger, par des domestiques en livrée* (syn. : GARÇON, VALET). *Le nom de « gens de maison » remplace généralement aujourd'hui celui de « domestiques ».* ◆ adj. : *Le personnel domestique.* ◆ **domesticité** n. f. **1°** Etat de dépendance des domestiques : *Vivre dans la domesticité.* — **2°** Ensemble des domestiques d'une maison : *Le châtelain avait une nombreuse domesticité* (syn. : PERSONNEL).

2. domestique [dɔmɛstik] adj. **1°** Se dit de ce qui concerne la vie privée, le train de maison, le ménage : *Il a des soucis domestiques. Les travaux domestiques* (syn. : MÉNAGER). — **2°** *Animal domestique,* animal qui vit auprès de l'homme et qui lui obéit : *Le chien est l'animal domestique par excellence. Un lapin domestique* (contr. : LAPIN DE GARENNE). *Des canards domestiques* (contr. : SAUVAGE). ◆ **domestiquer** v. tr. **1°** *Domestiquer un animal,* faire passer sa race de l'état sauvage à l'état domestique (syn. : APPRIVOISER). — **2°** *Domestiquer le vent, les marées,* etc., les utiliser à son service. ◆ **domestication** n. f. : *La domestication du buffle.*

domicile [dɔmisil] n. m. Lieu où quelqu'un habite ordinairement : *Un vagabond est une personne qui n'a pas de domicile fixe. Il a déménagé et je ne connais pas son nouveau domicile* (syn. : MAISON, RÉSIDENCE, DEMEURE, HABITATION). *Pendant la durée des travaux, nous avions élu domicile dans un hangar. Un fournisseur qui livre à domicile* (= chez le client). ◆ **domicilier** v. tr. *Se faire domicilier à tel endroit,* faire reconnaître cet endroit comme son domicile légal. ‖ *Etre domicilié,* avoir son domicile : *Il est domicilié dans les Côtes-du-Nord.* ◆ **domiciliation** n. f.

dominer [dɔmine] v. tr. **1°** (sujet nom de personne ou de peuple) Etre maître de, être supérieur à : *Napoléon voulait dominer l'Europe* (syn. : SOUMETTRE). *Un candidat qui domine nettement ses concurrents* (syn. : SURCLASSER, SURPASSER). *Il faut beaucoup de sang-froid pour dominer une situation aussi délicate. Sachons dominer nos instincts* (syn. : MAÎTRISER, DISCIPLINER, DOMPTER) ; ou intransitiv. : *L'équipe qui a dominé pendant la première partie du match.* — **2°** (sujet nom de chose) S'imposer avec plus de force, être plus important : *Un gâteau dans lequel le rhum domine le parfum de la vanille;* et intransitiv. : *Un tableau où les verts dominent* (syn. : PRÉDOMINER). — **3°** Etre situé au-dessus de : *Le château domine le village. Falaise qui domine la mer* (syn. : SURPLOMBER). ◆ **dominant, e** adj. Se dit des choses qui ont le plus d'importance sous le rapport du nombre, de l'étendue, de l'influence : *Le maquis est la végétation dominante de cette région. Le vent dominant sur cette côte est celui du sud-ouest. Il a joué un rôle dominant dans cette affaire* (syn. : PRÉPONDÉRANT, DÉTERMINANT, ESSENTIEL). *La raison dominante de cette décision est le besoin d'argent* (syn. : PRINCIPAL). ◆ **dominante** n. f. Elément particulièrement remarquable, trait marquant : *Des photographies en couleurs à dominante bleue.* ◆ **dominateur, trice** adj. Se dit d'une personne qui est portée à dominer, ou du comportement de cette personne : *Dès son enfance, il se montrait dominateur* (syn. : AUTORITAIRE). *Voix dominatrice. Regard, geste dominateur* (syn. : IMPÉRIEUX, IMPÉRATIF). ◆ **domination** n. f. : *Rome exerçait sa domination sur de nombreux peuples méditerranéens* (syn. : EMPIRE, AUTORITÉ). *Subir la domination de ses passions* (syn. : JOUG [langue littér.], TYRANNIE).

dominicain, e [dɔminikɛ̃, -ɛn] n. Religieux, religieuse de l'ordre de Saint-Dominique.

dominical, e, aux adj. V. DIMANCHE.

dominion [dɔminjɔ ou -ɔn] n. m. Etat uni à la Grande-Bretagne par des liens politiques spéciaux.

domino [dɔmino] n. m. **1°** (au plur.) Jeu de société consistant à disposer d'une certaine façon de petits rectangles marqués sur une face d'un certain nombre de points. — **2°** (au sing.) Chacune de ces pièces.

dommage [dɔmaʒ] n. m. **1°** Préjudice porté à quelqu'un, dégât causé à quelque chose : *Des sinistrés qui demandent réparation des dommages subis du fait de la guerre* (syn. : PERTE). *Les intempéries ont causé des dommages aux récoltes* (syn. : TORT, ↑ RAVAGE). *Une assurance qui couvre les dommages matériels et corporels.* — **2°** *C'est dommage,* exprime le regret : *Aujourd'hui, il pleut; c'est dommage, car je voulais me promener* (syn. : FÂCHEUX, REGRETTABLE). *C'est dommage de laisser pourrir ces fruits. C'est dommage que personne n'ait rien vu. Dommage qu'il ne l'ait pas dit* (fam.). — **3°** *Dommages et intérêts,* ou *dommages-intérêts,* indemnité fixée par un tribunal destinée à réparer un préjudice matériel ou moral causé à quelqu'un. ◆ **dommageable** adj. Se dit de ce qui cause un dommage : *S'abstenir de toute initiative dommageable aux intérêts de quelqu'un* (syn. : PRÉJUDICIABLE). ◆ **endommager** v. tr. *Endommager une chose,* lui causer un dommage : *La voiture a été sérieusement endommagée dans la collision* (syn. : ABÎMER; fam. : ESQUINTER). *Le mauvais temps a endommagé les récoltes* (syn. : GÂTER, ↑ RAVAGER). *Un mur endommagé par un affaissement de terrain* (syn. : DÉGRADER). ◆ **dédommager** v. tr. *Dédommager quelqu'un de quelque chose,* compenser ou réparer les dommages qu'il a subis ou la peine qu'il s'est donnée (souvent au passif) : *Nous l'avons largement dédommagé de l'accroc fait à son vêtement* (syn. : INDEMNISER). *Le succès le dédommage de ses efforts* (syn. : RÉCOMPENSER, PAYER). ◆ **dédommagement** n. m. : *Veuillez accepter ce chèque en dédommagement de vos frais* (syn. : REMBOURSEMENT).

dompter [dɔ̃te ou dɔ̃pte] v. tr. **1°** *Dompter un être animé,* le soumettre par la force : *Dompter* *des chevaux. Dompter les fauves dans un cirque* (syn. : DRESSER). — **2°** *Dompter des sentiments,* les contraindre à la mesure : *Dompter ses passions* (syn. : DOMINER, MAÎTRISER, DISCIPLINER). ◆ **domptage** [dɔ̃taʒ ou dɔ̃ptaʒ] n. m. : *Le domptage d'un cheval* (syn. : DRESSAGE). ◆ **dompteur, euse** [dɔ̃tœr ou dɔ̃ptœr, -øz] n. Personne qui dompte des animaux sauvages par la crainte : *Un dompteur de lions.* ◆ **indomptable** [ɛ̃dɔ̃tabl] adj. Qu'on ne peut pas dompter, maîtriser : *Un animal indomptable. Une énergie indomptable* (syn. : FAROUCHE). ◆ **indompté, e** [ɛ̃dɔ̃te] adj. *Courage indompté.*

donner [dɔne] v. tr. **1°** (sujet nom de personne) *Donner une chose, un être animé à quelqu'un,* les lui attribuer, les lui remettre, soit définitivement, en lui en reconnaissant la propriété, soit temporairement : *Au début de l'année, on donne des étrennes au concierge. Donner des bonbons aux enfants* (syn. : DISTRIBUER). *Donner une récompense au vainqueur* (syn. : DÉCERNER, ATTRIBUER). *Le facteur m'a donné le courrier* (syn. : REMETTRE). *Voudriez-vous me donner la moutarde?* (syn. : PASSER). *Je vous donne dix minutes pour faire ce travail* (syn. : LAISSER). *Donner la main à quelqu'un* (syn. : SERRER). *Donner son bras à sa compagne* (syn. : OFFRIR). *Il nous a donné un petit chat. Donner sa fille en mariage* (syn. : ACCORDER). *Le voleur a donné ses complices à la police* (syn. pop. : LIVRER); et intransitiv. : *Son plaisir, c'est de donner. Donner, c'est donner; reprendre, c'est voler* (proverbe fam.). — **2°** (sujet nom de chose ou de personne) *Donner quelque chose,* le produire (avec ou sans compl. d'attribution) : *Une vigne qui donne un excellent raisin. Les haricots n'ont guère donné cette année* (syn. : RAPPORTER). *Cet écrivain vient de donner un nouveau roman* (syn. : PUBLIER). *Un cinéma qui donne un bon film* (syn. : PASSER, JOUER). *Ces recherches n'ont donné aucun résultat. Les deux opérations donnent le même total* (syn. : ABOUTIR À). — **3°** (sujet nom de personne) *Donner quelque chose* (renseignement) *à quelqu'un,* le lui communiquer, l'en informer : *Donner à quelqu'un des nouvelles d'un malade. Pourriez-vous me donner l'heure?* (syn. : DIRE, INDIQUER). *Donnez-moi votre nom et votre adresse. Donner une réponse. Je vous donnerai toutes les explications nécessaires. Il m'a donné le renseignement* (syn. : FOURNIR). *Je lui ai donné l'ordre de partir* (syn. : SIGNIFIER, INTIMER). *Le gardien a donné l'alerte. On va donner le départ de la course. C'est lui qui a donné le signal de la révolte;* (sujet nom de chose) *Une pendule qui donne l'heure. Ce diapason donne le « la ».* — **4°** *Donner quelque chose à quelqu'un, à quelque chose,* exercer sur eux une action en modifiant leur état, leur aspect : *Donner des coups, des caresses à quelqu'un* (= le frapper, le caresser). *Donner tous ses soins à une entreprise. Ce microbe donne une grave maladie. Donner la fièvre, le frisson. Cette hauteur me donne le vertige. Cette pensée me donne du courage* (syn. : INSPIRER). *Vous m'avez donné bien du souci* (syn. : CAUSER). *Donner du plaisir* (syn. : PROCURER). *Cette pièce me donne l'impression d'être fausse* (= me fait l'effet). *Cet éclairage donne du relief aux sculptures. La brume donne une teinte grisâtre au paysage. Cette action lui a donné un prestige incomparable* (syn. : CONFÉRER). *Donner un nom à un objet.* — **5°** Sert à former des locutions à valeur factitive, en opposition avec *avoir,* qui indique l'état : *Donner envie, donner faim, donner confiance, donner conscience, donner raison,* etc. — **6°** *Donner tel ou tel âge à quelqu'un,* estimer, d'après les apparences, qu'il doit avoir cet âge : *On lui donne tout au plus cinquante ans, et il en a soixante-trois.* ‖ *Donner sa parole,* promettre fermement, s'engager. ‖ *Il m'est donné de* (et l'infin.), j'ai la possibilité, le loisir de : *Il n'est pas donné à tout le monde de faire un tel voyage.* ‖ *Donner à, donner lieu de* (et l'infin.), fournir l'occasion de : *Tout nous donne à penser qu'il le savait* (syn. : PORTER À). *Il m'a donné à entendre qu'il n'en ferait rien* (= m'a laissé comprendre). ‖ *Donner lieu à* (et un nom), être une occasion, une source de : *Ce discours a donné lieu à des commentaires très divers* (syn. : PROVOQUER). ‖ *Donner prise à quelque chose,* y être vulnérable, s'y exposer : *Rien, dans ces propos, ne devrait donner prise à la critique.* ‖ *Donner quelque chose* ou *quelqu'un pour* (et un nom ou un adj. attribut), le présenter, le faire considérer comme : *Je ne vous donne pas cette information pour certaine. On nous l'avait donné pour un esprit génial, mais nous l'avons jugé autrement.* ◆ v. intr. **1°** Exercer son action, sa force : *La radio, la publicité donne à plein. Les troupes de réserve n'avaient pas encore donné* (syn. : COMBATTRE). — **2°** *Donner de la tête dans, contre quelque chose,* le heurter : *Il a donné de la tête contre l'armoire.* ‖ Fam. *Donner dans le panneau,* se laisser tromper. ‖ *Donner dans le moderne, dans le snobisme,* etc., avoir du goût pour cela, s'y complaire, le rechercher. ‖ *Chambre, fenêtre qui donne sur,* d'où l'on voit, d'où l'on accède à : *Son bureau donne sur la mer. Cette porte donne directement sur la rue.* ‖ *Ne pas savoir où donner de la tête,* être débordé d'occupations. ◆ ***se donner*** v. pr. **1°** (sujet nom de personne) Consacrer son activité : *Il s'est donné tout entier à cette entreprise* (syn. : SE VOUER, SE LIVRER). — **2°** *Femme qui se donne,* qui accorde ses dernières faveurs à un homme. — **3°** *S'en donner,* se divertir beaucoup. ◆ **don** [dɔ̃] n. m. **1°** Action de donner : *Depuis le don de son terrain à l'hospice, il se contente d'un jardinet. Faire don de tous ses biens à un neveu.* — **2°** Chose donnée : *Recueillir des dons pour les sinistrés* (syn. : OFFRANDE, AUMÔNE). *Un gagnant comblé de dons* (syn. : CADEAU, PRÉSENT). — **3°** Qualité naturelle : *Cultiver ses dons littéraires. Une musique qui a le don d'apaiser le cœur*; et ironiq. : *Il a le don de m'agacer.* — **4°** *Don de soi,* dévouement total, renoncement à ses goûts personnels (syn. : ABNÉGATION). ◆ **donateur, trice** n. Personne qui fait un don, une donation : *L'œuvre dispose d'une maison de repos due à un généreux donateur.* ◆ **donation** n. f. Contrat par lequel une personne lègue un bien à une autre ou à une association. ◆ **donnant, e** adj. Se dit d'une personne qui donne facilement : *Il n'est pas très donnant* (contr. : REGARDANT). ● LOC. ADV. *Donnant, donnant,* indique que rien n'est accordé sans contrepartie. ◆ **donne** n. f. Distribution des cartes au jeu. ◆ **maldonne** n. f. **1°** Mauvaise distribution des cartes. — **2°** Fam. *Il y a maldonne,* ce n'était pas prévu ainsi; il y a un malentendu, il faut revenir au point de départ. ◆ **donné, e** adj. **1°** Nettement précisé, défini : *Effectuer un travail dans un temps donné. Une troupe munie d'armes d'un modèle donné. Des planches d'une longueur donnée* (syn. : DÉTERMINÉ). — **2°** *A un moment donné,* à un certain moment, soudain. ● LOC. PRÉP. *Etant donné,* exprime la cause (*donné* est le plus souvent invar.) : *Etant donné les circonstances. Etant donné la situation financière, les dépenses prévues ont été annulées* (syn. : VU,

ATTENDU, EN RAISON DE). ● LOC. CONJ. *Etant donné que* (et l'indic.), exprime la cause : *Etant donné qu'il désapprouvait cette décision, il a donné sa démission* (syn. : COMME). *Etant donné qu'on n'y peut rien, le mieux est d'attendre* (syn. : PUISQUE, VU QUE, ATTENDU QUE). ◆ **donnée** n. f. Elément fondamental servant de base à un raisonnement, une discussion, un bilan : *Lire attentivement la donnée d'un problème* (syn. : ÉNONCÉ). *Il manque certaines données pour faire des prévisions valables* (syn. : INFORMATION, RENSEIGNEMENT, PRÉCISION). ◆ **donneur, euse** n. : *Un donneur de conseils.* ◆ **redonner** v. tr. Donner de nouveau.

donc ([dɔ̃k], sauf après les mots interrogatifs et les verbes à l'impér., où on prononce parfois [dɔ̃]) conj. 1° Sert à exprimer que la phrase ou la proposition introduite est la conséquence ou la conclusion de ce qui précède, ou à marquer une simple transition (peut se placer en tête de phrase, ou après le verbe ou le pronom) : *C'est un homme désintéressé, donc honnête. Il était ici il y a un instant; il n'est donc pas loin. J'avais fini mon travail, vous ne me dérangez donc point. Je suis responsable de la bonne marche de ce service; c'est donc à moi que vous remettrez ce rapport. Pour en revenir donc à ce qui nous intéresse...* — 2° Sert à renforcer une affirmation, une interrogation, un ordre, ou une intonation marquant la surprise ou le doute : *Que ton fils est donc intelligent! Ne sois pas si timide, demande-lui donc. Mais que fait-il donc dehors par un temps pareil? Qui donc a pu téléphoner?* (souvent prononcé [kidɔ̃]; syn. : QUI DIABLE). *Allons donc!* (= vous exagérez; expression de doute). *Dites donc!* (interpellation pouvant exprimer le reproche ou la menace). *Racontez-moi donc l'histoire. C'est donc là que vous vouliez en venir!*

dondon [dɔ̃dɔ̃] n. f. *Fam.* Femme ou jeune fille grasse, lourde : *La bouchère est une grosse dondon* (syn. : MATRONE).

donjon [dɔ̃ʒɔ̃] n. m. Tour maîtresse d'un château fort, ordinairement à l'intérieur de l'enceinte.

don Juan [dɔ̃ʒɥɑ̃] n. m. Homme qui recherche les succès auprès des femmes (syn. : SÉDUCTEUR).

don Quichotte [dɔkiʃɔt] n. m. *Péjor.* Homme qui affiche avec quelque ridicule sa volonté de combattre pour une noble cause. ◆ **donquichottisme** n. m. Péjor. : *L'heure n'est pas au donquichottisme, mais aux décisions avisées.*

dont [dɔ̃] pron. rel. V. QUI.

donzelle [dɔ̃zɛl] n. f. *Fam.* Jeune fille ou femme de mœurs légères ou d'humeur capricieuse.

doper [dɔpe] v. tr. *Doper une personne, un animal,* lui faire prendre un stimulant avant une épreuve sportive, un examen, etc. ◆ ***se doper*** v. pr. : *Il s'est dopé pour préparer ce concours.* ◆ **dopage** ou **doping** n. m. Action de doper, de se doper.

dorénavant [dɔrenavɑ̃] adv. A partir de ce moment : *Voici votre nouveau chef : dorénavant, c'est de lui que vous recevrez toutes les instructions* (syn. : DÉSORMAIS, MAINTENANT, À L'AVENIR).

dorer [dɔre] v. tr. 1° Recouvrir d'or ou d'un produit ayant l'aspect de l'or : *Faire dorer un cadre.* — 2° Marquer d'une teinte jaune foncé ou brune : *Le soleil lui a doré la peau;* et intransitiv. : *Un poulet qui commence à dorer au four.* — 3° Fam. *Dorer la pilule à quelqu'un,* atténuer, par des paroles aimables, l'effet d'une chose désagréable. ◆ **doré, e** adj. 1° Se dit de ce qui a la couleur de l'or ou une teinte rappelant cette couleur : *Des boutons dorés. Des cheveux dorés. Une lumière dorée.* — 2° *Rêve doré,* projet merveilleux, état imaginaire plein de charme. ◆ **doré** n. m. : *Un cadre qui a perdu son doré* (syn. : DORURE). ◆ **doreur, euse** n. Spécialiste qui pratique la dorure. ◆ **dorure** n. f. 1° Art d'appliquer sur des objets de l'or en feuille ou en poudre. — 2° Revêtement doré : *La dorure des lambris.* ◆ **dédoré, e** adj. Auquel on a enlevé la dorure.

dorloter [dɔrlɔte] v. tr. *Dorloter quelqu'un,* l'entourer de petits soins : *Un enfant trop dorloté par ses parents* (syn. : CHOYER). ◆ ***se dorloter*** v. pr. Rechercher son confort, se faire une vie douillette.

dormir [dɔrmir] v. intr. (conj. **18**). 1° (sujet nom d'être animé) Reposer dans le sommeil : *S'étendre pour dormir. Il a dormi toute la nuit. Le bruit m'empêche de dormir* (contr. : VEILLER). — 2° (sujet nom de chose) Rester immobile ou improductif : *La nature dort sous la neige. Au lieu de laisser dormir ce capital, on pourrait le placer avantageusement.* — 3° *Dormir comme un loir, comme une marmotte, comme une souche,* très profondément. ‖ *Dormir sur ses deux oreilles,* se reposer dans une sécurité totale. ‖ *Ne dormir que d'un œil,* se tenir sur ses gardes. ‖ *Dormir son dernier sommeil,* être mort (langue soutenue). ‖ *Histoire à dormir debout,* qui manque totalement de vraisemblance, de bon sens. ◆ **dormant, e** adj. *Eau dormante,* qui reste immobile (syn. : CALME, TRANQUILLE, STAGNANT; contr. : EAU COURANTE). ◆ **dormeur, euse** n. : *Marcher sans bruit, de peur d'éveiller les dormeurs.* ◆ **dormitif, ive** adj. *Fam.* Qui endort : *Discours dormitif* (syn. : SOPORIFIQUE). ◆ **dortoir** n. m. Salle commune où sont les lits, dans un internat, une communauté, etc.

dorsal, e, aux [dɔrsal, -so] adj. 1° Qui est sur le dos, se place sur le dos, etc. : *Nageoire dorsale. Sac dorsal.* — 2° Se dit d'un phonème dont l'articulation se fait sur le dos de la langue (par oppos. à *apical*).

dortoir n. m. V. DORMIR; **dorure** n. f. V. DORER.

dos [do] n. m. 1° Chez l'homme et chez les animaux, partie du corps opposée à la poitrine et au ventre, et contenant la colonne vertébrale : *Couché sur le dos, il contemplait le ciel. Placer la selle sur le dos d'un cheval.* — 2° Partie d'un vêtement qui couvre le dos : *Veste tachée dans le dos.* — 3° Face opposée à celle qui apparaît comme l'endroit, face bombée : *Ajouter un post-scriptum au dos d'une lettre* (syn. : VERSO). *Le dos de la main* (syn. : REVERS). *Le dos d'une cuiller.* — 4° Fam. *Avoir bon dos,* supporter sans mauvaise humeur les railleries, l'adversité; et, avec un nom de chose comme sujet, être un prétexte commode : *Sa migraine a bon dos.* ‖ *Avoir le dos tourné,* être tourné de façon à présenter le dos; être inattentif parce qu'on regarde ailleurs. ‖ *Courber le dos,* se soumettre avec humilité. ‖ *Tourner le dos à quelqu'un, à quelque chose,* s'en détourner, aller dans le sens opposé. ‖ *Chat qui fait le gros dos,* qui arrondit son échine. ‖ Fam. *Avoir, se mettre quelqu'un à dos,* l'indisposer contre soi, s'en faire un ennemi. ‖ *Renvoyer des adversaires dos à dos,* ne donner gain de cause à aucun. ‖ *Avoir quelqu'un* ou *quelque chose dans le dos,* l'avoir derrière soi. ‖ Pop. *L'avoir dans le dos,* échouer, éprouver une déception. ‖ *Faire froid dans le dos* *à quelqu'un,* lui causer de la frayeur. ‖ Fam. *En avoir plein le dos,* être excédé. ‖ *Etre sur le dos de quelqu'un,* le surveiller sans relâche. ‖ *Mettre une accusation, une responsabilité sur le dos de quelqu'un,* l'en charger. ‖ Fam. *Avoir, porter quelqu'un* ou *quelque chose sur son dos,* en être sans cesse importuné. ‖ *Tomber sur le dos de quelqu'un,* se précipiter sur lui pour le malmener (sujet nom de personne); l'accabler soudain (sujet nom de chose). • LOC. ADV. *De dos,* par-derrière : *De dos, il ressemble à son frère.* • LOC. PRÉP. *A dos de,* sur le dos de : *Des colis portés à dos de chameau, à dos d'homme.* ◆ **dos-d'âne** n. m. invar. Partie d'une route comportant la fin brusque d'une montée et le début d'une descente; bosse du terrain. ◆ **dossard** n. m. Morceau de tissu cousu dans le dos d'un sportif et portant un numéro qui permet de l'identifier. ◆ **dossier** n. m. Partie verticale ou inclinée d'un siège, contre laquelle une personne appuie son dos.

dose [doz] n. f. 1° Quantité prescrite d'un médicament : *Ne pas dépasser la dose de vingt gouttes par jour.* — 2° Quantité normale à employer; proportion d'une substance entrant dans un composé : *Elle n'a pas mis la dose de sucre dans sa pâte. Il a une dose d'urée trop élevée dans le sang* (syn. : TAUX). — 3° Fam. *Il a une fameuse dose de paresse!,* il est extrêmement paresseux. ◆ **doser** v. tr. Déterminer la dose, la proportion de : *Un remède soigneusement dosé. Il dose habilement l'éloge et la remontrance* (syn. : MÊLER). *Doser ses efforts en fonction du but à atteindre.* ◆ **dosage** n. m. : *Le dosage d'une liqueur. Un habile dosage d'humour et d'attendrissement.*

dossard n. m. V. DOS.

1. dossier n. m. V. DOS.

2. dossier [dosje] n. m. Ensemble de documents concernant quelqu'un ou quelque chose : *Un avocat qui examine le dossier de son client. Constituer un dossier sur une affaire.*

dot [dɔt] n. f. Argent ou biens qu'une femme apporte en se mariant : *Le contrat de mariage donne un statut spécial à la dot.* ◆ **dotal, e, aux** adj. : *Les revenus dotaux.* ◆ **doter** v. tr. *Doter une fille, une femme,* lui fournir une dot.

1. doter v. tr. V. DOT.

2. doter [dɔte] v. tr. *Doter quelqu'un* ou *quelque chose de quelque chose,* l'en pourvoir, le lui assurer : *On nous avait dotés d'un important matériel. Un appareil doté des derniers perfectionnements* (syn. : MUNIR). ◆ **dotation** n. f. Ce qui est attribué comme fonds, comme biens d'équipement à une personne ou à une collectivité.

douairière [dwɛrjɛr] n. f. *Péjor.* Femme âgée d'un rang social assez élevé.

douane [dwan] n. f. 1° Administration chargée de percevoir des taxes sur les marchandises importées ou exportées; bureau de cette administration : *Un appareil photographique soustrait à la douane. La voiture a été fouillée à la douane.* — 2° Taxes perçues : *Avec la douane, cet article est presque aussi cher ici que dans le pays d'origine.* ◆ **douanier** n. m. Agent de la douane : *Des contrebandiers ont été arrêtés par les douaniers.* ◆ **douanier, ère** adj. Se dit de ce qui concerne la douane : *Tarifs douaniers. Convention douanière.* ◆ **dédouaner** v. tr. 1° *Dédouaner une marchandise,* la faire sortir des entrepôts de la douane en acquittant les droits. — 2° *Dédouaner quelqu'un,* le relever du discrédit dans lequel il était tombé (syn. : BLANCHIR). ◆ **dédouanement** n. m.

double [dubl] adj. 1° Qui est multiplié par deux, en quantité ou en nombre; qui est répété (peut se placer avant le nom) : *Le prix de cet article est double de ce qu'il était il y a dix ans. Un double mètre* (= un instrument de mesure de 2 mètres). *L'inconvénient de cette méthode est double. Apprendre à conduire sur une voiture à double commande. Une double épaisseur de tapis. Le mot « canne » contient une consonne double.* — 2° Qui a deux aspects opposés : *Phrase à double sens, à double entente* (= qu'on peut interpréter de deux façons). *Un agent double est un agent secret qui sert simultanément deux puissances adverses. Homme à double face* (= qui apparaît tantôt sous un aspect, tantôt sous un autre). *Jouer un double jeu,* c'est agir avec duplicité. — 3° *Faire double emploi,* être rendu inutile par l'existence d'un autre objet semblable. ‖ *Fermer une porte à double tour,* donner deux tours de clef. ‖ Fam. *Mettre les bouchées doubles,* manger très vite; agir beaucoup plus vite. ◆ n. m. 1° Quantité égale à deux fois une autre : *Dix-huit est le double de neuf. Il a mis le double de temps pour faire le même travail. Il a trouvé une situation où il gagne le double.* — 2° Copie d'un document : *Vous nous remettez cet exemplaire du manuscrit, et vous gardez le double.* — 3° Autre échantillon d'une pièce qui figure déjà dans une collection : *Vendre des doubles au marché aux timbres.* — 4° *En double,* en deux exemplaires. ◆ adv. : *La nuit, on paie double. Un travail qui compte double. A la fin du banquet, il commençait à voir double.* ◆ **doublement** adv. De deux façons, pour deux raisons, à un degré double : *Il a été doublement satisfait du résultat financier et de la considération qu'il s'est acquise.* ◆ **doubler** v. tr. 1° *Doubler quelque chose,* le porter au double : *Il a doublé son capital.* — 2° *Doubler un acteur,* jouer le rôle à sa place. — 3° *Doubler un film,* enregistrer des paroles traduisant celles des acteurs dans une autre langue. — 4° *Doubler un vêtement,* le garnir d'une doublure. — 5° *Doubler un véhicule, un cap,* etc., les dépasser : *En France, on circule à droite et on doit doubler un piéton ou un véhicule en passant à sa gauche. Il a réussi à doubler ce cap difficile* (= à triompher de cette difficulté). — 6° *Doubler le pas,* marcher plus vite. — 7° Pop. *Doubler quelqu'un,* le trahir. ◆ v. intr. Devenir double : *Ses impôts ont doublé cette année. Maison qui a doublé de valeur.* ◆ **doublé, e** adj. *Doublé de,* se dit d'une personne ou d'une chose pour en indiquer un autre aspect : *Un habile politicien doublé d'un remarquable orateur. C'est une malhonnêteté doublée d'une sottise* (syn. : AGGRAVÉ). ◆ **doublage** n. m. 1° Action de garnir d'une doublure. — 2° Action de doubler un film : *Un acteur spécialisé dans le doublage des films.* ◆ **doublement** n. m. Action de porter au double : *Le doublement des recettes.* ◆ **doublet** n. m. Mot ayant la même étymologie qu'un autre, mais qui a pénétré dans la langue d'une manière différente : *« Hôtel » est un doublet de « hôpital » : tous deux viennent du latin « hospitalem », le premier par la voie populaire, le second par formation savante.* ◆ **doublon** n. m. Répétition erronée d'un mot, d'une ligne. ◆ **doublure** n. f. 1° Etoffe légère dont on garnit l'intérieur d'un vêtement, le revers d'une tenture, etc. — 2° Acteur qui en remplace un autre. ◆ **dédou-**

bler v. tr. 1° *Dédoubler une classe,* en faire deux en partageant une classe dont l'effectif est trop élevé. — 2° *Dédoubler un train,* en faire partir deux au lieu d'un, en raison de l'affluence des voyageurs. ◆ ***se dédoubler*** v. pr. Perdre l'unité de sa personnalité psychique, en présentant un double comportement normal et pathologique. ◆ **dédoublement** n. m. : *Le dédoublement d'un train. Le dédoublement de la personnalité.* (V. REDOUBLER.)

douceâtre adj., **doucement** adv., **doucereux, euse** adj., **douceur** n. f. V. DOUX.

douche [duʃ] n. f. 1° Jet d'eau dirigé sur le corps par hygiène : *Prendre une douche au réveil. Passer sous la douche.* — 2° *Fam.* Averse qu'on reçoit. — 3° *Fam.* Ce qui met brusquement fin à un état d'exaltation, à l'espoir, etc. : *Quelle douche, quand il a appris son échec!* (syn. : DÉCEPTION). — 4° *Douche écossaise,* alternance de bonnes et de mauvaises nouvelles, d'espoir et de désespoir, etc. (La *douche écossaise* est une douche d'abord chaude, puis froide.) ◆ **doucher** v. tr. *Doucher quelqu'un,* lui donner une douche : *Doucher un enfant nerveux. Il va pleuvoir; si tu ne rentres pas vite, tu vas te faire doucher* (syn. : TREMPER; fam. : RINCER, SAUCER); le décevoir brusquement (fam.) : *Il a été douché par cette mésaventure.*

doudou [dudu] n. f. *Fam.* Femme antillaise.

douer [dwe] v. tr. 1° *Douer quelqu'un,* le pourvoir, le doter, en général d'une qualité (seulement au part. passé et aux formes composées, ordinairement à la 3ᵉ pers.) : *Un enfant doué d'une excellente mémoire. La nature l'a doué d'un grand talent musical.* — 2° *Etre doué (pour quelque chose),* avoir des aptitudes, des dons naturels : *Il est doué pour les mathématiques. Il n'est pas doué* (fam. = il n'est pas très intelligent).

douille [duj] n. f. 1° Etui métallique ou cartonné, contenant la charge de poudre d'une balle de fusil ou d'une cartouche. — 2° Pièce dans laquelle se fixe le culot d'une lampe électrique.

douillet, ette [dujɛ, -ɛt] adj. 1° Se dit d'une personne qui craint exagérément la plus légère douleur. — 2° Se dit de ce qui est doux, moelleux, confortable : *Un oreiller douillet.* ◆ **douillettement** adv. Sens 2 de *douillet* : *Un bébé douillettement couché dans son berceau.*

douleur [dulœr] n. f. 1° Sensation physique pénible à endurer : *La douleur causée par une brûlure. Les douleurs aiguës du rhumatisme. Un malade qui supporte courageusement ses douleurs* (syn. : SOUFFRANCE). *Douleurs de tête* (syn. : MAL). — 2° Sentiment pénible : *Il a eu la douleur de voir mourir son fils* (contr. : JOIE, BONHEUR, PLAISIR). *Consoler une douleur* (syn. : CHAGRIN, PEINE). *Un poème qui exprime la douleur de l'homme abandonné* (syn. : SOUFFRANCE, MISÈRE, DÉSOLATION, DÉTRESSE; AFFLICTION, langue soignée). *Il a dignement supporté sa douleur* (syn. : ÉPREUVE). ◆ **douloureux, euse** adj. 1° Se dit de ce qui cause une douleur physique ou morale : *Une blessure douloureuse* (syn. : CRUEL; contr. : INDOLORE). *Spectacle douloureux* (syn. : PÉNIBLE, AFFLIGEANT, ↑ ATROCE). — 2° Se dit de la partie d'un être qui éprouve une douleur physique ou morale : *Son genou est encore douloureux* (syn. : ENDOLORI, SENSIBLE). *Un cœur douloureux, une âme douloureuse* (syn. littér. : MEURTRI). — 3° Se dit de ce qui exprime la douleur, surtout morale : *Regard douloureux. Geste douloureux.* ◆ **douloureuse** n. f. *Fam.* Note à payer (syn. : ADDITION, FACTURE). ◆ **douloureusement** adv. : *Etre douloureusement blessé. Il a été douloureusement affecté de la mort de son ami. Il gémissait douloureusement.* ◆ **endolori, e** adj. Rendu douloureux (au sens 2) : *Pieds endoloris par des chaussures neuves. Cœur endolori* (syn. littér. : MEURTRI). ◆ **endolorissement** n. m. : *La luxation cause un endolorissement de l'articulation.* ◆ **indolore** adj. Qui ne cause pas de douleur : *Plaie indolore. La piqûre est indolore* (contr. : DOULOUREUX).

1. douter [dute] v. tr. ind. et intr. 1° *Douter de quelque chose, de quelqu'un,* ne pas avoir confiance, ne pas croire fermement en eux : *Douter du succès d'une entreprise. Douter de la parole de quelqu'un. Douteriez-vous de cette personne?* (syn. : SE DÉFIER). *Un prédicateur qui cherche à convaincre ceux qui doutent* (= dont la foi chancelle). — 2° *Douter que* (et le subj.) : *Je doute qu'on puisse réparer cet objet. On peut douter que ce remède soit efficace. Nous ne doutons pas qu'il ait raison* (ou *qu'il n'ait raison*) [= nous en sommes persuadés]. — 3° *A n'en pas douter,* assurément. ‖ *Ne douter de rien,* avoir une confiance en soi excessive, avoir de l'audace. ◆ **doute** n. m. 1° Etat de quelqu'un qui hésite à prendre parti, à porter un jugement, qui ne sait que croire : *Après plusieurs jours de doute, il a opté pour cette solution* (syn. : INDÉCISION, HÉSITATION). *Donnez-moi des nouvelles de sa santé, ne me laissez pas dans le doute* (syn. : INCERTITUDE). *Une foi rongée par le doute.* — 2° Manque de confiance dans la sincérité de quelqu'un, la qualité, la réalisation de quelque chose (surtout au plur. en ce sens) : *J'avais bien quelques doutes à son sujet, mais je ne le croyais pas si pervers* (syn. : SOUPÇON, MÉFIANCE). *Sa méthode m'inspire des doutes.* — 3° *Sans doute* (quand cette expression est en tête de proposition, le pronom sujet peut être inversé), probablement : *Il est sans doute trop tard pour y changer quelque chose. Sans doute êtes-vous déjà au courant;* certes, je vous l'accorde : *Vous êtes sans doute* (ou *sans doute êtes-vous*) *très savant, pourtant vous ignorez ce détail.* ‖ *Sans aucun doute, sans nul doute,* assurément, certainement. ‖ *Hors de doute,* certain, incontestable : *Il est hors de doute que son intention était bonne.* ‖ *Mettre quelque chose en doute,* en contester la vérité (parfois, dans une langue plus recherchée : *révoquer en doute*). ‖ *Cela ne fait aucun doute,* c'est certain. ‖ *Nul doute que* (et le subj. et en général *ne*), il est certain que : *Nul doute que cela ne soit exact.* ◆ **douteux, euse** adj. 1° Se dit de ce sur quoi on peut hésiter, de ce qui n'est pas nettement déterminé : *Le résultat de l'expérience est douteux* (contr. : DÉCISIF, NET). *Interprétation douteuse* (syn. : CONTESTABLE). *Une phrase de sens douteux* (syn. : ÉQUIVOQUE, AMBIGU). — 2° *Péjor.* Qui manque de netteté, de propreté; qui met en défiance : *Une lumière douteuse* (syn. : INDÉCIS). *Du linge douteux* (syn. : ↑ SALE). *Il a des mœurs douteuses* (syn. : LOUCHE). *Une fidélité douteuse* (syn. : SUSPECT). ◆ **dubitatif, ive** adj. Qui marque le doute, l'incertitude : *Un regard dubitatif.* ◆ **dubitativement** adv. *Répondre dubitativement.* ◆ **indubitable** adj. Non douteux.

2. douter (se) [sədute] v. pr. *Se douter de quelque chose, se douter que* (et l'indic.), en avoir le soupçon, le pressentiment, le juger probable : *Je me doute de sa fureur quand il apprendra cela* (syn. : DEVINER). *Il ne se doute pas du piège* (syn. : SOUPÇONNER, S'ATTENDRE À). *Je me doutais bien qu'il ne se passerait rien. Vous ne vous doutiez pas que nous étions au courant* (syn. : PENSER).

douve [duv] n. f. Large fossé rempli d'eau, entourant extérieurement un mur d'enceinte : *Des cygnes nagent dans les douves du château.*

doux, douce [du, dus] adj. (avant ou après le nom). 1° Se dit de ce qui produit une sensation agréable au toucher, au goût, à l'odorat, à la vue, à l'ouïe : *Une douce caresse* (syn. : LÉGER, DÉLICAT; contr. : DUR). *Une peau douce* (contr. : RÊCHE, RUDE). *Une douce chaleur* (contr. : VIF). *Un sirop doux. Une pomme douce* (contr. : ACIDE). *Des amandes douces* (contr. : AMER). *Le doux parfum des violettes* (syn. : ↑ SUAVE). *Une lumière douce* (contr. : CRU, VIOLENT). *Une musique douce.* — 2° Se dit de ce qui est trop peu assaisonné : *La sauce est un peu douce, il faut la saler davantage* (syn. : FADE). — 3° Se dit de ce qui cause un sentiment de bien-être, de contentement : *Une douce tranquillité. Evoquer des souvenirs bien doux.* — 4° Se dit de ce qui est uni, de ce qui ne demande pas d'effort, de ce qui n'est pas brusque, saccadé : *Une route en pente douce* (contr. : RAIDE, ABRUPT). *Le doux balancement de la houle. Un démarrage très doux* (contr. : BRUTAL). — 5° Se dit d'un être animé (et de son comportement) qui a un caractère facile : *Une jeune fille très douce* (contr. : VIOLENT, EMPORTÉ). *Il a des gestes doux* (contr. : BRUSQUE, BRUTAL). *Un animal d'humeur douce* (syn. : PAISIBLE, PACIFIQUE). *Il est doux comme un mouton. Un regard doux.* — 6° *Eau douce,* eau qui n'est pas salée, par opposition à l'eau de mer. ‖ *Il fait doux,* la température est agréable, ni trop chaude ni trop froide. ‖ Fam. *En douce,* sans se faire remarquer, en cachette. ‖ Pop. *Se la couler douce,* se ménager une petite vie bien tranquille. ◆ adv. Fam. *Filer doux,* obéir sans résistance. ‖ *Tout doux!,* il ne faut pas exagérer, s'emporter. ◆ **doucement** adv. 1° Correspond à la plupart des sens de *doux : Caresser doucement un enfant. Un bouquet qui embaume doucement la pièce. Une lampe qui éclaire doucement le bureau. La route descend doucement* (syn. : LÉGÈREMENT). *Il parle doucement. Sourire doucement.* — 2° Avec lenteur, de manière discrète : *Le travail avance tout doucement* (syn. : LENTEMENT). *Marchez doucement pour ne pas le réveiller* (syn. : SILENCIEUSEMENT). — 3° *Fam.* A part soi, en cachette : *Il s'amusait doucement en voyant l'embarras des autres. Se payer doucement la tête de quelqu'un.* — 4° *La santé, les affaires vont tout doucement,* d'une manière médiocrement satisfaisante. ◆ **douceâtre** [dusɑtr] adj. *Péjor.* D'une saveur trop douce, peu agréable : *Un fruit douceâtre. Un vin douceâtre* (syn. : PLAT). ◆ **doucereux, euse** adj. *Péjor.* Se dit d'une personne dont les manières ont une douceur affectée : *C'est un homme doucereux, qui me déplaît franchement. Un sourire, un ton doucereux* (syn. : MIELLEUX, PAPELARD). ◆ **doucereusement** adv. Péjor. : *Il lui glissa doucereusement à l'oreille quelques conseils.* ◆ **doucettement** adv. *Fam.* Sans se presser, sans se fatiguer : *Il s'approchait tout doucettement. Passer doucettement sa vie de retraité.* ◆ **douceur** n. f. Qualité de ce qui est doux : *La douceur de la plume, d'un fruit, d'une odeur, d'un éclairage, d'une mélodie, d'un climat. Goûter la douceur du soir. Un accès de colère qui contraste avec sa douceur habituelle. Apprivoiser un animal par la douceur. Tout s'est passé en douceur* (= sans éclats). ◆ **douceurs** n. f. pl. 1° Choses qui causent du bien-être; friandises : *Goûter les douceurs de l'oisiveté. Apporter des douceurs à un vieillard* (syn. : GÂTERIES). — 2° Propos flatteurs, paroles galantes : *Dire des douceurs à une femme.* — 3° *Fam.* et *ironiq.* Paroles blessantes.

douze [duz] adj. num. et n. V. NUMÉRATION. ◆ **douzième** [duzjɛm] adj. num. et n. ◆ **douzièmement** adv. ◆ **douzaine** [duzɛn] n. f. 1° Ensemble de douze objets, personnes, etc., de même nature : *Acheter une douzaine d'œufs. Une douzaine de serviettes.* — 2° Nombre de douze environ : *Un enfant d'une douzaine d'années.* — 3° Fam. *A la douzaine,* abondamment, communément (se dit de choses de peu de valeur) : *Des films comme ça, on en voit à la douzaine* (syn. fam. : À LA PELLE, EN PAGAILLE).

1. doyen, enne [dwajɛ̃, -ɛn] n. 1° Personne qui est la plus âgée, ou la plus ancienne dans un corps, une compagnie : *Le doyen du village a quatre-vingt-seize ans. Le doyen des inspecteurs généraux.* — 2° Administrateur d'une faculté.

2. doyen [dwajɛ̃] n. m. Curé chargé de l'administration d'un doyenné. ◆ **doyenné** [dwajɛne] n. m. Circonscription ecclésiastique groupant plusieurs paroisses.

draconien, enne [drakɔnjɛ̃, -ɛn] adj. Se dit de ce qui est d'une rigueur exceptionnelle : *Des lois draconiennes. Un règlement draconien.*

dragée [draʒe] n. f. 1° Amande recouverte de sucre durci : *Croquer une dragée. Il est de tradition d'offrir des dragées à l'occasion d'un baptême.* — 2° Fam. *Tenir la dragée haute à quelqu'un,* lui faire payer cher ce qu'il désire.

dragon [dragɔ̃] n. m. 1° Animal légendaire, représenté généralement sous un aspect effrayant, avec des griffes et des ailes : *Un vase chinois décoré de dragons.* — 2° *Fam.* Personne intraitable, femme autoritaire à l'excès.

drague [drag] n. f. 1° Appareil servant à retirer du fond de l'eau du sable ou du gravier. — 2° Dispositif permettant de détruire ou de relever des mines sous-marines. ◆ **draguer** v. tr. 1° *Draguer une rivière, une baie,* etc., en extraire le sable, etc., en retirer les mines immergées. — 2° Pop. *Draguer des filles,* ou simplement *draguer,* aborder des filles dans la rue en cherchant quelque aventure. ◆ **dragage** n. m. : *Procéder au dragage d'un estuaire.* ◆ **dragueur** n. m. 1° Bateau spécialement aménagé pour draguer. — 2° Celui qui drague (au sens 2).

drainer [drene] v. tr. 1° *Drainer quelque chose,* l'attirer à soi, de divers côtés : *Une usine qui draine toute la main-d'œuvre disponible de la région.* — 2° *Drainer un sol,* le débarrasser de son excès d'humidité, au moyen de conduits appelés *drains.* ◆ **drain** n. m. Tube souple qui, placé dans certaines plaies, permet l'écoulement de pus ou d'humeurs. ◆ **drainage** n. m. : *Un vaste emprunt qui vise au drainage des capitaux. Des canaux de drainage.*

drame [dram] n. m. 1° Evénement ou suite d'événements ayant un caractère violent ou simplement grave, et concernant la vie des personnes, leurs conditions d'existence : *Les journaux ont longuement relaté ce drame passionnel* (syn. : CRIME). *La rupture du barrage fut un drame terrible* (syn. : TRAGÉDIE, CATASTROPHE). *Le drame de sa vie a été le départ de son mari.* — 2° Pièce de théâtre représentant une action violente ou douloureuse, et de ton moins élevé que la tragédie. — 3° Fam. *En faire tout un drame,* attribuer à un événement une gravité excessive. ‖ *Tourner au drame,* prendre soudain un caractère grave. ◆ **dramatique** adj. **1°** Se dit de ce qui émeut vivement, de ce qui comporte un grave danger : *La lutte dramatique des naufragés contre la tempête. Un épisode dramatique de la vie d'un explorateur* (syn. : TRAGIQUE). *La situation créée par la sécheresse devient dramatique* (syn. : CRITIQUE, ANGOISSANT). *Faire un choix dramatique. Une erreur dramatique.* — **2°** Qui a rapport au théâtre, qui s'occupe de théâtre : *Faire des études d'art dramatique. Critique dramatique* (syn. : THÉÂTRAL). ◆ **dramatiquement** adv. : *Il se sentit soudain dramatiquement seul. Une pièce dramatiquement bien conçue.* ◆ **dramatiser** v. tr. *Dramatiser un événement,* lui donner les proportions d'un drame, en exagérer la gravité : *Il est prêt à dramatiser le moindre incident.* ◆ **dramaturge** n. m. Auteur de drames (au sens 2). ◆ **dramaturgie** n. f. Art de composer des pièces de théâtre.

drap [dra] n. m. **1°** Etoffe résistante, de laine pure ou mélangée d'un autre textile : *Les pièces de drap dont on fait les capotes militaires.* — **2°** Pièce de toile dont on garnit un lit : *Un drap de dessus, de dessous. Une paire de draps. Un drap brodé.* — **3°** Fam. *Etre dans de beaux draps,* être dans une situation fâcheuse : *Qu'avait-il besoin de se mêler de cela? Le voilà maintenant dans de beaux draps!* ◆ **drapé** n. m. Manière dont les plis d'un tissu sont disposés en vue d'un effet esthétique. ◆ **draper** v. tr. **1°** *Draper un objet,* le couvrir, le décorer d'une draperie : *Draper une statue, un mannequin.* — **2°** *Draper un tissu,* le disposer en plis harmonieux : *Draper une tenture.* ◆ ***se draper*** v. pr. **1°** S'envelopper amplement : *Elle se drapait dans une grande cape.* — **2°** *Se draper dans sa dignité, dans son honnêteté,* etc., s'en prévaloir fièrement. ◆ **draperie** n. f. **1°** Tissu tendu dont les plis sont disposés dans une intention décorative. — **2°** Ensemble des tissus de laine : *Le rayon des draperies dans un magasin.* — **3°** Industrie du drap. ◆ **drapier, ère** n. et adj. Fabricant ou marchand de drap.

drapeau [drapo] n. m. **1°** Pièce d'étoffe adaptée à un manche, un mât, et portant généralement les couleurs et les emblèmes d'une nation, d'une unité militaire, d'une organisation, etc. : *Le drapeau national est le symbole de la patrie. Hisser le drapeau. Le salut au drapeau. Le drapeau blanc symbolise le désir d'une trêve.* — **2°** *Etre sous les drapeaux,* être en activité dans l'armée, faire son service militaire. ◆ **porte-drapeau** n. m. invar. **1°** Celui qui porte le drapeau d'un régiment, d'une association. — **2°** *Etre le porte-drapeau d'une doctrine, d'un mouvement révolutionnaire,* etc., en être le chef reconnu, le personnage le plus représentatif.

1. dresser [drese] v. tr. **1°** *Dresser quelque chose,* le mettre debout, le mettre dans une position verticale ou voisine de la verticale : *Dresser un mât* (syn. : PLANTER). *Dresser une échelle contre le mur. On a dressé une barrière* (syn. : ÉLEVER). *Ils avaient dressé leur tente* (syn. : MONTER). *Dresser un monument, une statue* (syn. : ÉRIGER). *Dresser la tête, le buste* (syn. : LEVER). — **2°** *Dresser quelque chose,* l'établir, le mettre par écrit : *Dresser un bilan, une liste, un plan, un constat, un procès-verbal.* — **3°** *Dresser la table, le couvert,* disposer les couverts pour un repas (syn. : METTRE). — **4°** *Dresser un piège,* le préparer (syn. : TENDRE). — **5°** *Dresser une personne contre une autre,* la mettre en opposition avec elle, l'exciter contre elle. — **6°** *Faire dresser les cheveux sur la tête à quelqu'un,* lui causer de la frayeur, lui inspirer une grande horreur. ‖ *Dresser l'oreille,* devenir soudain attentif à ce qui se dit. ◆ ***se dresser*** v. pr. **1°** (sujet nom de personne ou de chose) Se mettre debout, se tenir droit : *Un ours qui se dresse sur ses pattes de derrière. Le château fort se dresse au sommet d'une colline.* — **2°** (sujet nom d'être animé) Prendre une attitude fière, hostile : *Il se dressait en justicier. Se dresser contre un abus* (syn. : S'INSURGER, S'ÉLEVER). *Il commençait à se dresser sur ses ergots* (= à devenir agressif). ◆ **dressage** n. m. : *Le dressage de la tente.* ◆ **dressement** n. m. Sens 2 du v. tr. : *Le dressement d'une liste.* ◆ **dressoir** n. m. Buffet sur lequel on disposait les plats avant de les présenter sur la table.

2. dresser [drese] v. tr. **1°** *Dresser un animal,* lui faire prendre certaines habitudes : *Dresser un cheval. Dresser un chien pour la chasse. Un éléphant dressé.* — **2°** Fam. *Dresser quelqu'un,* lui imposer un régime sévère, le plier à une discipline stricte : *Si son travail est mal fait, on le lui fera recommencer : ça le dressera.* ◆ **dressage** n. m. : *Le dressage des oies dans un cirque. Des soldats soumis à un dressage rigoureux.* ◆ **dressé, e** adj. **1°** Se dit d'un animal qui n'est plus sauvage, qui est discipliné : *Des bœufs dressés.* — **2°** Fam. *Il est bien dressé,* se dit de quelqu'un qui fait exactement tout ce qu'il doit faire, ou qui obéit très exactement. ◆ **dresseur, euse** n. : *Un dresseur de chiens.*

dribbler [drible] v. intr. Au football, courir avec le ballon entre les pieds, sans en perdre le contrôle. ◆ v. tr. *Dribbler un adversaire,* le dépasser en poussant ainsi le ballon. ◆ **dribbleur** n. m. Joueur dont la qualité essentielle est de savoir dribbler.

drille [drij] n. m. *Joyeux drille, bon drille,* homme joyeux, plein d'entrain (syn. : BON VIVANT, JOYEUX LURON).

drisse [dris] n. f. Cordage qui sert à hisser une voile.

drogue [drɔg] n. f. **1°** *Péjor.* Médicament médiocre ou qui n'inspire pas confiance : *Un malade intoxiqué par toutes les drogues qu'il a prises.* — **2°** *Fam.* Stupéfiant tel que la cocaïne ou l'héroïne : *Un trafiquant de drogue.* ◆ **droguer** [drɔge] v. tr. *Droguer quelqu'un,* lui administrer des drogues. ◆ ***se droguer*** v. pr. Prendre une drogue.

droguerie [drɔgri] n. f. Commerce de produits de toilette, d'hygiène, d'entretien, etc.; boutique où se tient ce commerce. ◆ **droguiste** n. Personne qui tient une droguerie (syn. : MARCHAND DE COULEURS).

1. droit, e [drwa, drwat] adj. **1°** Se dit d'une ligne sans déviation, sans courbure : *La ligne droite est le plus court chemin d'un point à un autre. Une route toute droite à travers la plaine. Tirer des traits avec une règle bien droite* (contr. : COURBE, TORDU, GAUCHI). *Une politique qui mène en droite ligne à la catastrophe financière* (syn. : DIRECTEMENT). — **2°** Qui est vertical, debout : *Des peupliers droits* (contr. : PENCHÉ, INCLINÉ). — **3°** Qui est dans une position de symétrie, qui est bien stable : *Un cadre qui n'est pas droit. Son chapeau bien droit sur sa tête* (contr. : DE TRAVERS, DE BIAIS; fam. : DE GUINGOIS). — **4°** Se dit d'une personne (ou de son comportement) qui agit honnêtement, selon sa conscience : *Un garçon très droit* (syn. : FRANC, HONNÊTE, LOYAL, SINCÈRE). *Un cœur droit* (contr. : FOURBE, DISSIMULÉ, FAUX, RETORS). *Rester dans le droit chemin* (= vivre honnêtement). — 5° Se dit d'un esprit qui juge sainement : *Il a un jugement droit* (syn. : SENSÉ, SAIN, RAISONNABLE). — 6° *Droit comme un I, comme un piquet, comme une statue,* se dit d'une personne qui se tient droite et raide. ◆ adv. 1° Selon une ligne droite : *Avancer droit devant soi. Un ivrogne incapable de marcher droit. Une flèche d'église qui pointe droit dans le ciel.* — 2° Selon l'honnêteté : *Livré à lui-même dès son enfance, il n'a jamais appris à marcher droit.* — 3° Sans intermédiaire, sans interruption : *Une affaire qui va droit à la faillite.* ◆ **droite** n. f. Ligne droite (langue de la géométrie). ◆ **droitement** adv. Sens 4 de l'adj. : *Il a toujours agi droitement avec moi* (syn. : HONNÊTEMENT, FRANCHEMENT, LOYALEMENT). ◆ **droiture** n. f. Sens 4 de l'adj. : *On peut suspecter la droiture de ses intentions. Un garçon d'une droiture irréprochable* (syn. : HONNÊTETÉ, FRANCHISE, LOYAUTÉ).

2. droit, e [drwa, drwat] adj. Se dit de ce qui, par rapport au corps humain, est situé du côté opposé au cœur (contr. : GAUCHE) : *La plupart des gens sont plus habiles de la main droite. Il est sourd de l'oreille droite. Il a le côté droit paralysé. Mettre ses clefs dans sa poche droite. L'aile droite d'une armée* (= la partie qui est à droite quand on regarde vers le front ennemi). *La rive droite d'une rivière* (= celle qu'on a à sa droite si on suit le cours de l'eau). ◆ **droite** n. f. Côté droit (contr. : GAUCHE) : *Etre assis à la droite de quelqu'un. Un automobiliste qui ne tient pas sa droite.* ● LOC. ADV. *A droite,* du côté droit : *Prendre la première rue à droite.* ‖ *A droite et à gauche, de droite et de gauche,* de divers côtés, ici et là : *Recueillir quelques informations à droite et à gauche. Il a beaucoup voyagé de droite et de gauche* (syn. : DE CÔTÉ ET D'AUTRE). ◆ **droitier, ère** adj. et n. Se dit d'une personne qui se sert surtout de sa main droite (contr. : GAUCHER).

3. droit [drwa] n. m. 1° Faculté, légalement ou moralement reconnue, d'agir de telle ou telle façon, de jouir de tel ou tel avantage : *Vous avez le droit de faire appel de ce jugement. On n'a pas le droit d'incommoder les voisins par un tapage nocturne. Les femmes ont maintenant le droit de vote en France. Tu peux avoir une opinion différente, c'est ton droit. Il a droit à un mois de vacances. Un vieillard a droit à des égards. Il a fait valoir ses droits sur cet héritage. Les parents ont des droits sur leurs enfants* (contr. : DEVOIR). *Je suis en droit de vous demander des explications* (= vous devez me les fournir). *On peut à bon droit compter sur une indemnité* (syn. : LÉGITIMEMENT). *Cet avantage vous est acquis de droit, de plein droit* (= sans qu'il y ait lieu de l'obtenir par faveur). *On a fait droit à sa requête* (= il a obtenu satisfaction). *L'enquête cherche à établir lequel des deux automobilistes était dans son droit* (= avait respecté le règlement; contr. : TORT). — 2° Ensemble des lois qui règlent les rapports entre les membres d'une société : *Droit civil. Droit international. Droit canon. Un étudiant qui fait son droit* (= qui étudie le droit). *En droit, vous ne pouvez rien réclamer, mais, en équité, on devrait vous accorder un dédommagement.* — 3° *A qui de droit,* à la personne compétente.

4. droit [drwa] n. m. Somme d'argent de montant défini, qui doit être versée à quelqu'un ou à un organisme : *Acquitter des droits de transport sur l'alcool. Une convention qui règle les droits de douane. Le droit d'entrée est de dix francs. Les droits d'auteur sont la somme que l'éditeur verse à l'auteur d'un livre.*

1. droite n. f. V. DROIT 1 et 2.

2. droite [drwat] n. f. *La droite,* en politique, l'ensemble des conservateurs : *La droite a voté contre ce projet de loi* (contr. : LA GAUCHE). *Soutenir un candidat de droite. Des idées de droite.*

1. drôle [drol] adj. Se dit d'une personne ou d'une chose qui porte à rire : *C'est un homme très drôle, qui égaie toutes les réunions* (syn. : SPIRITUEL). *Raconter des histoires drôles* (syn. : AMUSANT; fam. : RIGOLO; pop. : ↑ MARRANT). *Il est drôle dans cet accoutrement* (syn. : PLAISANT). *Ce n'est pas drôle de se retrouver seul* (= c'est pénible). ◆ **drôlement** adv. : *Un clown qui grimace drôlement.* ◆ **drolatique** adj. Plaisant, amusant : *Des incidents drolatiques.* ◆ **drôlerie** n. f. : *La drôlerie d'une réponse, d'une situation, d'un personnage. Raconter des drôleries* (= des histoires drôles).

2. drôle [drol] adj. Se dit d'une personne ou d'une chose qui intrigue, qui paraît bizarre (quand il est placé avant le nom, il lui est toujours rattaché par *de*) : *Il avait un drôle d'air. C'est une drôle de manière d'aborder les gens* (syn. : SINGULIER, CURIEUX, ÉTRANGE). *Quand j'ai frappé à la porte, personne n'a répondu : cela m'a paru drôle* (syn. : SURPRENANT, ÉTONNANT). ◆ adv. Fam. *Cela me fait drôle,* cela me cause une impression bizarre. ◆ **drôlement** adv. : *Un film qui se termine drôlement* (syn. : BIZARREMENT, CURIEUSEMENT).

3. drôle [drol] adj. Très fam. *Un drôle de,* exprime l'importance, la force de quelque chose, de quelqu'un : *Il a fait des drôles de progrès!* (syn. : FAMEUX, REMARQUABLE). *Il y a une drôle de tempête aujourd'hui!* (syn. : GRAND). *C'est un drôle de costaud!* ◆ **drôlement** adv. *Très fam.* Sert à donner une valeur intensive à des adjectifs, des adverbes, des verbes : *Il est drôlement calé!* (syn. : TRÈS). *Il a drôlement changé!* (syn. : BEAUCOUP).

4. drôle [drol], **drôlesse** [drolɛs] n. *Péjor.* Personne peu scrupuleuse, qui n'inspire pas confiance : *Le drôle s'enfuit aussitôt en ricanant. Vous avez été victime d'un mauvais drôle* (= un mauvais plaisant). *Il s'est acoquiné avec une petite drôlesse.*

dromadaire [drɔmadɛr] n. m. Animal voisin du chameau, mais à une seule bosse.

drop-goal [drɔpgol] ou **drop** n. m. Au rugby, coup de pied en demi-volée, envoyant le ballon par-dessus la barre du but adverse et rapportant trois points à l'équipe : *Réussir deux drop-goals.*

dru, e [dry] adj. Se dit de ce qui est serré, épais : *Une barbe drue. Des cheveux drus.* ◆ adv. : *La pluie, les balles tombent dru. L'herbe pousse dru.*

druide [drɥid] n. m. Prêtre des Gaulois.

du art. défini. V. LE.

1. dû, due [dy] adj. 1° V. DEVOIR v. tr. 1. — 2° *En bonne et due forme,* se dit d'un acte, d'une pièce conforme aux exigences légales : *Un contrat en bonne et due forme.* ◆ **dûment** adv. 1° Selon les formes voulues, régulièrement : *Il a été dûment informé de la décision le concernant.* — 2° *Fam.* Convenablement, bien : *Il est reparti dûment approvisionné. Etre dûment averti.* (V. INDU.)

2. dû [dy] n. m. Ce que quelqu'un peut légitimement réclamer : *Il n'a rien à dire : c'était une tolérance, non un dû. Réclamer son dû.*

dualisme [dɥalism] n. m. Système philosophique qui admet l'existence de deux principes en opposition constante. ◆ **dualiste** adj. et n. ◆ **dualité** n. f. Caractère de ce qui est double en soi, qui a deux natures, deux aspects.

dubitatif, ive adj. V. DOUTER 1.

duc [dyk] n. m. Le plus haut titre de noblesse; homme pourvu de ce titre : *Le duc d'Orléans était le frère cadet du roi.* ◆ **ducal, e, aux** adj. Se dit de ce qui appartenait à un duc : *Palais ducal. Couronne ducale.* ◆ **duché** n. m. Territoire appartenant autrefois à un duc : *Le duché de Lorraine.* ◆ **duchesse** n. f. 1° Femme d'un duc, ou femme qui possédait un duché. — 2° *Fam.* Femme qui se donne de grands airs.

duègne [dɥɛɲ] n. f. *Péjor.* Vieille femme revêche, contrariante.

1. duel [dɥɛl] n. m. 1° Combat par les armes entre deux hommes, dont l'un se juge offensé par l'autre. — 2° Vive compétition entre deux personnes : *Un duel d'éloquence.* — 3° Conflit, bataille entre deux puissances, deux armées : *Duel économique. Duel d'artillerie.* ◆ **duelliste** n. m. Celui qui se bat en duel.

2. duel [dɥɛl] n. m. En linguistique, nombre distinct du singulier et du pluriel, et qui, dans certaines langues, s'applique à deux personnes ou à deux choses : *Le grec classique a un duel.*

duettiste n. V. DUO.

dulcinée [dylsine] n. f. *Fam.* Femme aimée (nuance ironiq.).

dûment adv. V. DÛ 1.

dumping [dœmpiɲ] n. m. Pratique commerciale consistant à vendre un produit moins cher sur le marché extérieur que sur le marché intérieur.

dune [dyn] n. f. Monticule ou colline de sable accumulé par le vent.

duo [dɥo] n. m. 1° Pièce vocale ou instrumentale exécutée par deux chanteurs ou par deux musiciens : *Un duo pour violoncelles.* — 2° *Fam.* Paroles échangées ou prononcées simultanément par deux personnes : *Un duo d'admiration.* ◆ **duettiste** n. Personne qui exécute un duo musical avec une autre.

duodécimal, e, aux [dɥodesimal, -mo] adj. Se dit d'un système de numération par douze.

dupe [dyp] n. f. Personne qui a été sciemment trompée : *Il a été la dupe d'un escroc. Une opération financière qui a fait de nombreuses dupes* (syn. : VICTIME ; fam. : GOGO). ◆ adj. : *Je ne suis pas dupe de ses airs de bon apôtre* (= je ne m'y laisse pas prendre). ◆ **duper** v. tr. *Duper quelqu'un,* le prendre pour dupe, abuser de sa bonne foi (syn. : JOUER, LEURRER, ↑ ESCROQUER ; fam. : ROULER). ◆ **dupé, e** adj. et n. ◆ **duperie** n. f. Action de duper : *Ne vous fiez pas à cette prétendue garantie; c'est une duperie* (syn. : TROMPERIE, ↑ ESCROQUERIE). ◆ **dupeur, euse** n. : *Les dupeurs et les dupés.*

duplex [dyplɛks] n. m. Transmission simultanée, dans les deux sens, d'une émission téléphonique ou télégraphique.

duplicata [dyplikata] n. m. Copie textuelle d'une facture, d'une lettre, d'un certificat, etc. ◆ **duplicateur** n. m. Machine permettant la reproduction des documents.

duplicité [dyplisite] n. f. Caractère d'une personne dont les pensées et les sentiments ne sont pas en accord avec le comportement (syn. : FAUSSETÉ, FOURBERIE, HYPOCRISIE, MAUVAISE FOI).

duquel [dykɛl], **desquels** [dekɛl], **desquelles** [dekɛl] pron. rel. et interr. V. LEQUEL.

dur, e [dyr] adj. (après ou avant le nom [surtout aux sens 2 et 4]). 1° Se dit de ce qui a une consistance ferme, résistante : *De la viande dure* (contr. : TENDRE). *Cire dure* (contr. : MOU). *Un siège dur* (contr. : DOUX, MOELLEUX). — 2° Se dit de ce qui demande un effort physique ou intellectuel : *Une montée très dure* (syn. : RUDE ; contr. : FACILE). *Un dur travail* (syn. : PÉNIBLE). *Un trajet dur à faire dans la journée. Une cible dure à atteindre* (syn. : DIFFICILE). *Ce problème est trop dur pour moi* (syn. : ARDU, FORT). — 3° Se dit de ce qui est pénible, désagréable aux sens : *Une lumière dure* (syn. : CRU ; contr. : DOUX). *Voix dure. Vin dur* (syn. : ÂPRE). *Climat dur* (syn. : RIGOUREUX). — 4° Se dit de ce qui impose une contrainte, de ce qui affecte péniblement : *Une loi dure* (syn. : SÉVÈRE, RIGOUREUX ; contr. : DOUX). *Je suis mis dans la dure obligation de partir* (syn. : PÉNIBLE, ↑ CRUEL). *Il m'est dur d'accepter cela.* — 5° Se dit d'une personne qui supporte fermement la fatigue, la douleur : *Un homme dur à la peine, dur à l'ouvrage* (syn. : ENDURANT, ÉNERGIQUE, RÉSISTANT). — 6° Se dit d'une personne qui ne se laisse pas émouvoir, attendrir, qui est sans bonté : *Un chef dur avec ses hommes. Un cœur dur* (syn. : INSENSIBLE, ↑ IMPITOYABLE). — 7° Fam. *Coup dur,* incident qui cause de graves ennuis, coup de l'adversité : *Il a eu un coup dur : un de ses débiteurs est en faillite;* action violente : *Des soldats qui ont participé à un coup dur.* ‖ Fam. *Etre dur à la détente,* donner difficilement de l'argent, payer à regret. ‖ Fam. *Etre dur à cuire,* être très endurant, très résistant; et substantiv. : *C'est un vieux dur à cuire.* ‖ Fam. *Avoir la tête dure,* avoir l'esprit peu ouvert; être très têtu. ‖ Fam. *Avoir la vie dure,* résister à la maladie, et, en parlant des choses, résister longuement en dépit de forces contraires : *Une erreur qui a la vie dure.* ‖ Fam. *Faire la vie dure à quelqu'un,* le rendre malheureux. ‖ *Avoir l'oreille dure, être dur d'oreille,* entendre mal. ◆ **dur** n. m. 1° *Fam.* Homme résistant à la souffrance, au découragement. — 2° *Pop.* Homme sans scrupule, prêt à la bagarre. — 3° *En dur,* en matériau dur. ◆ **dure** n. f. Fam. *Coucher sur la dure,* sur la terre nue. ‖ Fam. *En dire de dures à quelqu'un,* lui parler durement, le réprimander sévèrement. ‖ Fam. *En faire voir de dures à quelqu'un,* le malmener. • Loc. ADV. *A la dure,* sans douceur, d'une manière sévère et austère, mais sans brutalité : *Etre élevé à la dure. Mener un enfant à la dure* (syn. : À LA SPARTIATE ; contr. : DANS DU COTON). ◆ **dur** adv. Avec une grande force ou une grande intensité (fam. en ce dernier sens) : *Il cogne dur* (syn. : FORT, ↑ VIOLEMMENT). *Il travaille toujours très dur* (syn. : ÉNERGIQUEMENT). *Le vent souffle dur aujourd'hui* (syn. usuel : FORT ; contr. : FAIBLEMENT). *Le poêle chauffe dur. Le soleil tape dur* (fam.). ◆ **durement** adv. : *Heurter durement un meuble du coude* (syn. : RUDEMENT, VIOLEMMENT, BRUTALEMENT). *Ressentir durement les effets de la crise économique, la mort d'un ami* (syn. : PÉNIBLEMENT, DOULOUREUSEMENT). *Répondre durement.*

Travailler durement (syn. : DUR). ◆ **dureté** n. f. Etat de ce qui est dur (aux différents sens, sauf au sens 5) : *La dureté de l'acier, de la route, de la voix, de la loi, d'un chef, du cœur.* ◆ **durcir** v. tr. *Durcir quelque chose,* le rendre dur (aux sens 1, 3, 4) : *La cuisson durcit l'argile. Durcir sa voix pour réprimander un enfant. La fatigue durcit les traits du visage. L'ennemi durcit sa résistance.* ◆ v. intr. ou ***se durcir*** v. pr. Devenir dur (dans tous les sens de l'adj.) : *L'argile durcit à la cuisson. Sa voix se durcit. Son visage se durcit.* ◆ **durcissement** n. m. : *Le durcissement du pain. Le durcissement de l'opposition.* ◆ **endurcir** v. tr. *Endurcir quelqu'un* (sa personne physique ou morale), le rendre dur (aux sens 5 et 6) : *Un long entraînement l'avait endurci à la fatigue. Endurcir ses muscles. La misère lui a endurci le cœur. Etre endurci dans le mal* (= ne plus éprouver de remords). ◆ ***s'endurcir*** v. pr. *S'endurcir à la peine. S'endurcir à la douleur des autres* (= devenir insensible). ◆ **endurcissement** n. m. : *Endurcissement à la douleur* (syn. : INSENSIBILITÉ).

durant [dyrɑ̃], **pendant** [pɑ̃dɑ̃] prép. Indiquent la simultanéité. (V. tableau ci-dessous.)

durer [dyre] v. intr. 1° Persister dans un état, exister sans discontinuité : *Si cette sécheresse dure, les récoltes seront maigres* (syn. : CONTINUER). *Le discours a duré deux heures, pendant deux heures. La fête dure depuis deux jours. Son congé dure jusqu'à demain. Des chaussures qui durent encore* (syn. : RÉSISTER). *Cette mode ne durera pas* (syn. : TENIR). — 2° *Faire durer,* prolonger, tirer en longueur : *On a fait durer l'entracte pour permettre la réparation du décor.* ‖ *Le temps me dure, l'inaction me dure,* etc., je trouve le temps long, je perds patience. ◆ **durable** adj. Se dit de ce qui est de nature à durer longtemps : *Une transformation durable. Un bien-être durable.* ◆ **durablement** adv. : *S'installer durablement dans un local* (= pour une durée assez longue). ◆ **duratif, ive** adj. et n. m. Se dit, en linguistique, d'une forme verbale envisageant une action dans son développement et sa durée (*être en train de* et l'infin. ; l'imparfait). ◆ **durée** n. f. Action de durer ; espace de temps que dure une chose : *Opposer la durée à l'instant. La route est déviée pendant la durée des travaux. S'abonner à un journal pour la durée des vacances.*

duvet [dyvɛ] n. m. 1° Plume légère des oiseaux : *Un oreiller garni de duvet.* — 2° Poils doux et fins sur le visage des jeunes gens, sur certains fruits, etc. : *Sa lèvre supérieure se couvrait déjà de duvet. Le duvet d'une pêche.* ◆ **duveter (se)** v. pr. (conj. 8). Se couvrir de duvet. ◆ **duveteux, euse** adj. Qui a du duvet ; qui a l'apparence du duvet : *Un fruit duveteux. Un tissu duveteux.*

dynamique [dinamik] adj. 1° Se dit de ce qui est relatif à la force, au mouvement, à l'action : *Une conception dynamique de la condition humaine* (contr. : STATIQUE). — 2° Se dit d'une personne qui agit avec entrain, avec énergie : *Pour diriger cette entreprise, il faut un homme jeune et dynamique* (syn. : ACTIF). ◆ **dynamiquement** adv. ◆ **dynamisme** n. m. 1° Caractère dynamique ; force qui pousse à l'action : *Le dynamisme d'une théorie.* — 2° Caractère d'une personne dynamique : *Son dynamisme a triomphé des hésitations de ses partenaires* (syn. : ÉNERGIE, ACTIVITÉ).

dynamite [dinamit] n. f. Substance explosive : *Faire sauter des quartiers de roc à la dynamite.* ◆ **dynamiter** v. tr. Faire sauter à la dynamite : *Les ponts avaient été dynamités lors de l'invasion.*

dynamo [dinamo] n. f. Machine génératrice de courant électrique par rotation d'un bobinage dans un champ magnétique : *La dynamo d'une automobile recharge les accus.*

dynastie [dinasti] n. f. 1° Suite de souverains d'une même race : *La dynastie des Bourbons.* — 2° Suite d'hommes célèbres d'une même famille.

dysenterie [disɑ̃tri] n. f. Maladie infectieuse provoquant de violentes diarrhées.

durant	**pendant**
Indique la simultanéité continue (surtout en langue écrite). *Il y eut, durant trois jours, de grandes festivités* (syn. : AU COURS DE). *Durant tout ce temps, qu'êtes-vous devenu? Il restait à rêver durant des heures. Il n'a pas plu durant la journée, mais, la nuit, il a fait un gros orage. Il a durant longtemps disparu de la scène politique.*	Indique la simultanéité continue ou partielle (langue usuelle). *Nous avons eu congé pendant trois jours. Il a été malade pendant la nuit* (= dans la nuit). *Qu'as-tu donc fait pendant tout ce temps? On ne l'a pas vu pendant plusieurs jours. Pendant l'hiver, il a achevé la rédaction de son roman* (syn. : AU COURS DE). *Pendant longtemps, nous l'avons cru perdu* (= longtemps).
Peut être placé, comme mot invariable, après le nom, pour insister sur la continuité (limité à quelques expressions) : *Toute sa vie durant, il a été un fort honnête homme. Ils avaient discuté des heures durant.*	S'emploie rarement comme adverbe, ordinairement coordonné à *avant* ou *après* : *Avant son passage au ministère et pendant, il a montré des qualités d'organisateur. Je ne l'ai pas vu à la sortie de la séance : il était parti avant ou pendant. Il a su ma maladie, mais il n'est venu me voir ni pendant ni après.*
	pendant que loc. conj.
	a) Avec l'imparfait, le présent ou le futur de l'indicatif : *Pendant que je regardais à la fenêtre, une voiture qui voulait se ranger provoqua un embouteillage* (syn. : CEPENDANT QUE, langue recherchée ; TANDIS QUE, langue soignée) ; *b*) Avec une valeur d'opposition : *Pendant que des pays vivent dans l'abondance, des nations sous-développées meurent de faim* (syn. : ALORS QUE) ; *c*) Avec une valeur cause (= *puisque*) : *Pendant que vous y étiez, vous auriez dû ramener nos affaires. Pendant que j'y pense, n'oubliez pas notre réunion de vendredi. Mais c'est ça, pendant que tu y es, ne te gêne pas, prends tout* (valeur ironique).

e n. m. V. Introduction.

eau [o] n. f. 1° Liquide incolore, inodore, sans saveur à l'état pur, le plus commun dans la nature : *De l'eau de pluie, de source. L'eau d'un lac, d'une rivière, de la mer. Se désaltérer d'un verre d'eau* (syn. pop. : FLOTTE). *Eau minérale, eau gazeuse.* — 2° *Eau de Cologne, eau de rose, eau de verveine, eau de fleur d'oranger,* etc., préparations plus ou moins alcoolisées et parfumées. — 3° Péjor. *De la plus belle eau,* se dit de quelqu'un qui est un remarquable spécimen dans le genre : *C'est une canaille de la plus belle eau.* ‖ *Etre en eau,* être en sueur. ‖ *Etre comme l'eau et le feu,* se dit de deux personnes de caractères opposés, qui s'entendent mal. ‖ *Etre comme un poisson dans l'eau,* être parfaitement à son aise. ‖ *Mettre de l'eau dans son vin,* modérer son emportement, réduire ses exigences. ‖ *Se noyer dans un verre d'eau,* se laisser arrêter par des obstacles insignifiants. ‖ *Rester le bec dans l'eau,* être à court d'arguments, ne pas pouvoir se tirer d'affaire. ‖ *Porter de l'eau à la rivière,* ajouter des choses là où il y en avait déjà surabondamment. ‖ *Se ressembler comme deux gouttes d'eau,* être tout à fait semblables. ‖ *C'est un coup d'épée dans l'eau,* c'est une tentative inutile, une action totalement inefficace. ‖ *Tomber à l'eau,* ne pas aboutir, être abandonné : *Un projet tombé à l'eau.* ‖ *Faire venir l'eau à la bouche,* être très appétissant. ‖ *Amener de l'eau au moulin de quelqu'un,* fournir un argument qui renforce sa thèse. ‖ *Il passera de l'eau sous le pont,* il s'écoulera encore bien du temps. ‖ *C'est une goutte d'eau dans la mer,* c'est un apport insignifiant en comparaison des besoins. ‖ *L'eau va à la rivière,* l'argent va aux riches. ◆ **eaux** n. f. pl. *Les grandes eaux,* les jets d'eau jaillissant en vue d'un effet esthétique : *Les grandes eaux de Versailles.* ‖ *Les eaux territoriales,* ou simplem. *les eaux (d'un pays),* la zone de mer bordant ses côtes et dont la distance est fixée par des lois internationales.

eau-de-vie [odvi] n. f. Alcool produit par la distillation de plantes, de fruits, de grains, etc., et utilisé comme boisson : *Servir des eaux-de-vie à la fin d'un repas.*

eau-forte [ofɔrt] n. f. Estampe obtenue au moyen d'une plaque gravée à l'acide : *Les peintres aquafortistes font des eaux-fortes.*

ébahir [ebair] v. tr. *Ebahir quelqu'un,* le jeter dans une très grande surprise, souvent nuancée d'admiration : *L'annonce de sa nomination à ce poste l'a ébahi.* ◆ **ébahi, e** adj. : *Elle est tout ébahie de ce changement* (syn. : STUPÉFAIT, ÉBERLUÉ, ↑ SIDÉRÉ ; fam. : ÉBAUBI, ESTOMAQUÉ). *Contempler d'un air ébahi une machine extraordinaire.* ◆ **ébahissement** n. m. : *Son ébahissement se lisait sur son visage* (syn. : ↓ SURPRISE, ↑ STUPÉFACTION).

ébattre (s') [sebatr] v. pr. (conj. 56). Se détendre en se donnant du mouvement avec fantaisie : *Les enfants s'ébattent dans le pré.* ◆ **ébats** [eba] n. m. pl. Mouvements folâtres, détente joyeuse : *Prendre ses ébats sur la plage.*

ébaubi, e [ebobi] adj. *Fam.* Se dit de quelqu'un qui est très étonné, qui reste bouche bée de surprise : *Il est resté tout ébaubi en voyant arriver ce cadeau inattendu* (syn. : ÉBAHI, ÉBERLUÉ, ↑ STUPÉFAIT, SIDÉRÉ).

ébauche [eboʃ] n. f. Œuvre dont la réalisation n'est que commencée dans les grandes lignes, la forme générale : *Une ébauche de dessin, de statue. Présenter la première ébauche d'un projet* (syn. : ESQUISSE). *Cette rencontre est l'ébauche de relations culturelles plus développées* (syn. : COMMENCEMENT). ◆ **ébaucher** v. tr. *Ebaucher quelque chose,* en faire l'ébauche : *Ebaucher le plan d'un ensemble immobilier* (syn. : PROJETER). *Ebaucher une théorie philosophique* (syn. : ESQUISSER). *Ebaucher un roman d'amour.* ◆ ***s'ébaucher*** v. pr. Prendre forme : *L'œuvre s'ébauche lentement.*

ébène [ebɛn] n. f. Bois dur, de couleur très foncée.

ébéniste [ebenist] n. m. Menuisier spécialisé dans le mobilier. ◆ **ébénisterie** n. f. 1° Métier, travail de l'ébéniste. — 2° Partie d'un appareil (généralement, la caisse qui le contient) qui est en bois et a un aspect soigné.

éberlué, e [ebɛrlɥe] adj. Se dit d'une personne tellement étonnée d'une chose qu'elle parvient mal à la comprendre, à y croire : *Il a été tout éberlué en voyant son ami qu'il croyait absent pour longtemps. Des assistants éberlués des tours d'un prestidigitateur* (syn. : ÉBAHI ; fam. : ÉBAUBI, SOUFFLÉ, ↑ ÉPOUSTOUFLÉ).

éblouir [ebluir] v. tr. 1° (sujet nom désignant une source lumineuse) Troubler la vue par une clarté trop vive : *Le conducteur a été ébloui par les phares d'une voiture* (syn. : AVEUGLER). — 2° (sujet nom de personne ou de chose) Susciter l'admiration par sa beauté : *Une jeune fille dont la grâce éblouit l'assistance* (syn. : SÉDUIRE, ↑ FASCINER). — 3° (sujet nom de personne) *Péjor.* Chercher à séduire par un certain brillant tout extérieur : *Il se trompe s'il croit m'éblouir par ses promesses* (syn. : ↑ TROMPER ; fam. : ÉPATER). *Il avait ébloui ses voisins par le luxe de ses voitures* (syn. très fam. : EN METTRE PLEIN LA VUE À). *Son propre succès l'a ébloui* (= rendre orgueilleux). ◆ **éblouissant, e** adj. : *Soleil éblouissant* (syn. : AVEUGLANT). *Neige éblouissante* (syn. : ÉCLATANT). *Une jeune fille d'un teint éblouissant* (syn. : MERVEILLEUX). *Il a une verve éblouissante* (syn. : ÉTINCELANT, ↓ BRILLANT). [L'adjectif n'a pas ordinairement de valeur péjor.] ◆ **éblouissement** n. m. 1° Trouble momentané de la vue, causé par une lumière trop vive : *Eblouissement causé par les rayons du soleil couchant.* — 2° Trouble pathologique caractérisé par une sensation d'aveuglement, de vertige : *Avoir des éblouissements. Etre pris d'un éblouissement.* — 3° Vive admiration : *La magnificence du spectacle lui causa un éblouissement.*

ébonite [ebɔnit] n. f. Caoutchouc durci, utilisé comme isolant.

éborgner v. tr. V. BORGNE 1; **éboueur** n. m. V. BOUE; **ébouillanter** v. tr. V. BOUILLIR 1.

ébouler (s') [sebule] v. pr. (sujet nom de chose). Se détacher de la masse et tomber : *La falaise s'est éboulée* (syn. : S'ÉCROULER, CROULER, S'EFFONDRER). *Le sable s'éboulait sous ses pas* (syn. : S'AFFAISSER); et transitiv. (rare) : *Ebouler de la terre* (= provoquer un éboulement). ◆ **éboulement** n. m. Chute de matériaux qui s'éboulent : *On a barré cette partie de la route par crainte d'éboulements.* ◆ **éboulis** [ebuli] n. m. Matériaux éboulés : *Un éboulis rocheux bouche le passage.*

ébouriffer [eburife] v. tr. 1° *Ebouriffer les cheveux,* les mettre en désordre : *Le vent lui a ébouriffé les cheveux* (syn. : HÉRISSER). — 2° Fam. *Ebouriffer quelqu'un,* provoquer chez lui une grande surprise : *Cette nouvelle m'a ébouriffé* (syn. : ÉTONNER, ↑ AHURIR). ◆ **ébouriffé, e** adj. : *Garçon ébouriffé. Tête ébouriffée* (syn. : ↑ HIRSUTE). ◆ **ébouriffant, e** adj. *Fam.* Qui ébouriffe (sens 2) : *Des aventures ébouriffantes* (syn. : ↓ ÉTRANGE, INCROYABLE). *Un livre qui connaît un succès ébouriffant* (syn. : EXTRAORDINAIRE).

ébrancher v. tr. V. BRANCHE.

ébranler [ebrɑ̃le] v. tr. 1° *Ebranler quelque chose* (nom concret), le faire osciller, le faire trembler : *Les lourds camions ébranlent la rue* (syn. : FAIRE VIBRER). *L'explosion ébranla les vitres* (syn. : SECOUER). — 2° *Ebranler une chose,* la rendre moins stable, moins solide : *Le choc a ébranlé le poteau.* — 3° *Ebranler quelque chose* (nom abstrait), le rendre moins assuré, le faire chanceler : *Cet argument a fini par ébranler sa conviction* (syn. : SAPER). *Il risque d'ébranler sa santé, à ce régime* (syn. : COMPROMETTRE). *Cette série de catastrophes avait ébranlé sa raison.* — 4° *Ebranler quelqu'un,* modifier sa conviction, l'amener à douter de ce qu'il considérait comme certain : *Ces témoignages l'ont ébranlé* (syn. : ↑ BOULEVERSER). *Se laisser ébranler par les adjurations de quelqu'un* (syn. : ÉMOUVOIR, TOUCHER, FLÉCHIR). ◆ ***s'ébranler*** v. pr. Se mettre en mouvement : *Le convoi de véhicules s'ébranle lentement* (syn. : DÉMARRER). ◆ **ébranlement** n. m. : *L'ébranlement causé à l'immeuble par l'explosion* (syn. : VIBRATION, SECOUSSE). *L'ébranlement de la confiance, de la santé de quelqu'un* (syn. : ↑ EFFONDREMENT). *L'ébranlement du train* (syn. : DÉPART). ◆ **inébranlable** adj. Qu'on ne peut fléchir.

ébréché v. tr. V. BRÈCHE.

ébriété [ebrijete] n. f. Etat d'une personne ivre : *L'ébriété le rend gai* (syn. usuel : IVRESSE).

ébrouer (s') [sebrue] v. pr. 1° (sujet nom d'animal, de personne) S'agiter vivement, se secouer, en général pour se débarrasser de l'eau dont on est trempé, de la neige, de la poussière, etc. — 2° *Cheval qui s'ébroue,* qui souffle bruyamment.

ébruiter v. tr. V. BRUIT 2.

ébullition [ebylisjɔ̃] n. f. 1° Mouvement, état d'un liquide qui bout : *Retirer l'eau du feu avant l'ébullition.* — 2° Fam. *En ébullition,* en pleine agitation : *Toute la ville est en ébullition* (syn. : EFFERVESCENCE). *Les esprits sont en ébullition* (syn. : EXCITATION, BOUILLONNEMENT). *Le pays est en ébullition* (syn. : ↑ RÉVOLUTION).

écaille [ekaj] n. f. 1° Chacune des plaques cornées recouvrant le corps de certains poissons ou reptiles. — 2° Plaque qui se détache de la surface d'un corps : *Des écailles de peinture sèche.* — 3° Chacune des deux parties solides d'un coquillage : *Des écailles d'huître* (syn. : COQUILLE). — 4° Matière constituant la carapace de certaines tortues et servant à la fabrication de certains objets : *Des lunettes d'écaille. Un peigne en écaille.* ◆ **écailler** v. tr. 1° *Ecailler un poisson,* lui ôter ses écailles. — 2° *Ecailler des huîtres,* ouvrir leur coquille. ◆ ***s'écailler*** v. pr. Se détacher en plaques minces : *Un mur qui s'écaille* (syn. : S'EFFRITER). ◆ **écaillure** n. f. Partie écaillée d'une surface : *Un plafond qui présente des écaillures.*

écarlate [ekarlat] adj. Rouge vif : *Un foulard écarlate* (syn. : CRAMOISI). *En voyant sa faute dévoilée, il devint écarlate* (= rouge de confusion). ◆ n. m. : *Une salle tendue d'écarlate.*

écarquiller [ekarkije] v. tr. *Ecarquiller les yeux,* les ouvrir très largement : *Il avait beau écarquiller les yeux, il n'apercevait rien.* ◆ **écarquillement** n. m.

écarter [ekarte] v. tr. 1° *Ecarter des personnes, des choses, des parties d'un tout,* les mettre à une certaine distance l'une de l'autre : *Ecarter les jambes pour prendre un aplomb plus solide. Ecarter les branches d'un compas. Il faut écarter davantage les deux observateurs. Ecarter la foule pour se frayer un passage* (syn. : FENDRE). — 2° *Ecarter quelqu'un, quelque chose,* le mettre ou le tenir à distance de soi ou d'un point : *Un service d'ordre a été établi pour écarter les curieux* (syn. : REPOUSSER). *Ce trajet vous écarterait de votre destination* (syn. : ÉLOIGNER). *Il faut écarter un peu le buffet du mur.* — 3° *Ecarter quelque chose* (terme abstrait), le rejeter, ne pas en tenir compte : *Nous écartons d'emblée les objections qui ne sont pas étayées par des faits. Ecarter une question de la délibération* (syn. : ÉLIMINER). *Un candidat écarté de la compétition* (syn. : ÉVINCER). ◆ ***s'écarter*** v. pr. 1° Se mettre à une certaine distance : *Les deux bateaux s'écartèrent l'un de l'autre* (syn. : S'ÉLOIGNER). *L'arbre s'écarte de la verticale.* — 2° (sujet nom de personne) Quitter son chemin ou sa place, se retirer, se porter ailleurs : *Le piéton s'écarta du passage d'une voiture. Il s'écarta par discrétion pour les laisser parler seuls* (syn. : SE DÉTOURNER). *Vous vous écartez du sujet de la discussion.* ◆ **écart** [ekar] n. m. 1° Distance qui sépare, dans l'espace, dans le temps, des choses ou des personnes; différence de prix, de quantité, etc. : *Vous mettrez un peu plus d'écart entre les jeunes plants* (syn. : ESPACE). *Prévoir un écart de dix jours entre l'écrit et l'oral* (syn. : INTERVALLE). *Il y a encore un certain écart entre les positions des deux négociateurs* (syn. : MARGE). *On note un léger écart de prix d'une région à l'autre* (syn. : DIFFÉRENCE). — 2° Action de se détourner soudain de son chemin, de sa ligne de conduite : *En apercevant l'obstacle, le cheval fit un écart à droite. Il suit assez bien son régime, à part quelques écarts. Des écarts de conduite* (syn. : INCARTADE). — 3° Petite agglomération éloignée du centre dont elle dépend administrativement. • Loc. ADV. et PRÉP. *A l'écart (de),* à distance du point considéré : *Quand j'ai compris que ma présence pouvait les gêner, je suis resté à l'écart. On l'a longtemps tenu à l'écart. Il s'est toujours tenu à l'écart de la vie politique* (syn. : EN DEHORS DE). ◆ **écarté, e** adj. : *Avoir les bras écartés. Un hameau écarté* (syn. : ÉLOIGNÉ, ISOLÉ). ◆ **écartement** n. m. Action d'écarter ou de s'écarter; distance qui sépare deux choses : *L'écartement des jambes. Il s'est produit un écartement entre les deux montants. L'écartement des rails a été normalisé dans la plupart des pays.*

écarteler [ekartəle] v. tr. (conj. 5). 1° *Ecarteler quelqu'un,* le tirer, le solliciter en des sens opposés : *Etre écartelé entre des désirs contraires* (syn. : ↓ TIRAILLER, PARTAGER). — 2° *Ecarteler un condamné,* lier ses quatre membres à des chevaux qui les déchiraient en tirant chacun de son côté. ◆ **écartèlement** n. m. : *Il souffrait de ce pénible écartèlement entre son devoir et son affection* (syn. : ↓ TIRAILLEMENT).

ecchymose [ekimoz] n. f. Trace bleuâtre ou jaunâtre laissée sur la peau par un coup : *Le corps couvert d'ecchymoses* (syn. fam. : BLEU).

ecclésiastique [eklezjastik] adj. Relatif à l'Eglise ou au clergé : *Le costume ecclésiastique.* ◆ n. m. Prêtre, membre du clergé : *Dans le compartiment, un ecclésiastique lisait son bréviaire.*

écervelé, e adj. V. CERVELLE.

échafaud [eʃafo] n. m. 1° Plate-forme destinée à l'exécution des condamnés à mort : *Un criminel qui monte à, sur l'échafaud.* — 2° Peine de mort (dans quelques express.) : *Un coupable qui risque l'échafaud* (syn. : EXÉCUTION, PEINE CAPITALE).

échafauder [eʃafode] v. tr. 1° *Echafauder des objets,* les dresser l'un sur l'autre pour s'élever : *Les enfants avaient grimpé jusqu'à la fenêtre du premier étage en échafaudant des bancs et des chaises.* — 2° (sujet nom de personne) *Echafauder des plans, des projets,* etc., les combiner, les préparer non sans difficulté. ◆ v. intr. Dresser un échafaudage devant un bâtiment : *Les maçons ont échafaudé pour effectuer le ravalement de l'immeuble.* ◆ **échafaudage** n. m. 1° Construction provisoire en bois ou en métal, permettant de bâtir ou de réparer des maisons, des monuments : *Un ouvrier s'est blessé en tombant d'un échafaudage.* — 2° Assemblage, entassement d'objets concrets ou accumulation de choses abstraites : *Un échafaudage de meubles, de livres* (syn. : AMAS, TAS). *L'échafaudage d'un système philosophique.*

échalas [eʃala] n. m. 1° Perche servant à soutenir un cep de vigne. — 2° *Fam.* Personne grande et maigre.

échalote [eʃalɔt] n. f. Plante potagère voisine de l'oignon.

échancrer [eʃɑ̃kre] v. tr. *Echancrer un objet,* en tailler le bord et l'entamer : *Echancrer une feuille de papier de deux coups de ciseaux en V. Un col de robe bien échancré. Une robe échancrée* (= dont l'encolure est échancrée). ◆ **échancrure** n. f. Partie échancrée, creusée au bord : *Un collier qui ressort bien dans l'échancrure du corsage. Les échancrures d'une côte* (syn. : ↑ BAIE, GOLFE). *Les échancrures d'une feuille* (syn. : DÉCOUPURE).

échanger [eʃɑ̃ʒe] v. tr. *Echanger une chose,* la donner ou l'adresser à quelqu'un de qui on en reçoit une autre en contrepartie : *Collectionneurs qui échangent des timbres. Un enfant qui échange des billes contre un stylo* (syn. : TROQUER). *Echanger son appartement avec un voisin. Ils ont échangé des lettres de menaces. Nous avons échangé nos points de vue* (= exposé l'un à l'autre nos opinions). *Echanger des coups, des sourires, des promesses.* ◆ **échange** n. m. Opération par laquelle on échange : *Un échange d'appartements. Des échanges de lettres. Un échange de politesse. Un échange de coups. Les deux gouvernements ont conclu un accord sur des échanges culturels. Développer le volume des échanges économiques entre deux pays.* ● LOC. ADV. et PRÉP. *En échange (de),* en compensation, en contrepartie (de) : *Ce village est plus pittoresque que l'autre, mais, en échange, la campagne est plus monotone* (syn. : EN REVANCHE). *En échange de son silence sur cette affaire, on lui avait promis une participation aux bénéfices.* ◆ **échangeable** adj. *Un article acheté dans ce magasin n'est pas échangeable* (= on ne peut pas l'échanger contre un autre dans le même magasin). ◆ **libre-échange** n. m. Commerce entre nations sans prohibitions ni droits de douane. (V. CHANGER.)

échantillon [eʃɑ̃tijɔ̃] n. m. Petite quantité, morceau détaché d'un tout qui permet de se faire une idée exacte de ce tout, d'en apprécier la qualité : *Un échantillon de parfum. Le représentant laisse des échantillons de tissus à ses clients. Il nous a donné un petit échantillon de son talent musical* (syn. : APERÇU, SPÉCIMEN). **échantillonner** v. tr. Prélever des échantillons. ◆ **échantillonnage** n. m. 1° Action d'échantillonner. — 2° Collection d'échantillons.

échapper [eʃape] v. tr. ind. et intr. 1° (sujet nom d'être animé) *Echapper à quelqu'un,* se soustraire à lui, quitter par la ruse ou par la force quelqu'un qui voulait vous retenir : *Le prisonnier a échappé à ses gardiens. Le chien échappa à son maître.* — 2° (sujet nom d'être animé ou de chose) *Echapper à une chose,* ne pas en être atteint, ne pas être concerné par elle : *Il a échappé à de graves dangers* (syn. : ÉVITER). *Le produit échappe à la taxe sur les articles de luxe* (syn. : ÊTRE EXEMPT DE). *Voilà un raisonnement qui échappe à toute critique.* — 3° (sujet nom de chose) *Echapper à quelqu'un,* ne pas être perçu, compris par lui : *Ce détail m'a échappé. La faute a échappé au correcteur. La raison de son acte m'échappe complètement;* ne pas revenir à sa mémoire : *Son nom m'échappe.* — 4° *Echapper des mains,* tomber, être mal tenu : *La bouteille lui a échappé des mains.* ‖ *Mot, parole qui échappe à quelqu'un,* qu'il prononce par mégarde : *Il aurait dû garder pour lui cette réflexion qui lui a échappé dans le feu de la discussion.* (On rencontre aussi l'auxiliaire *être,* dans une langue plus soutenue.) ‖ *L'échapper belle,* éviter de peu un danger. ◆ ***s'échapper*** v. pr. 1° (sujet nom d'être animé) S'enfuir, se sauver : *Le prisonnier s'est échappé* (syn. : S'ÉVADER). — 2° (sujet nom de chose) Sortir brusquement, se répandre hors de : *La vapeur s'échappe de la chaudière. Le lait s'échappe de la casserole* (syn. : DÉBORDER). ◆ **échappatoire** n. f. Moyen adroit pour se tirer d'une difficulté : *Il trouvera encore quelque échappatoire pour éviter de répondre à cette question* (syn. : DÉROBADE, FAUX-FUYANT). ◆ **échappé, e** n. Personne qui s'est échappée : *Un échappé de prison.* ◆ **échappée** n. f. 1° Action de distancer des concurrents : *L'échappée du peloton de tête d'une course cycliste.* — 2° Espace laissé libre à la vue ou au passage par un obstacle : *Un endroit d'où l'on a une échappée sur la mer, entre les immeubles* (syn. : VUE). — 3° Court voyage pour lequel on se libère d'une contrainte : *Faire une échappée à la campagne, le dimanche après-midi* (syn. : PROMENADE).

◆ **échappement** n. m. 1° Système d'évacuation des gaz brûlés dans un moteur : *Le tuyau d'échappement d'une voiture. La soupape d'échappement. Echappement libre* (= absence de silencieux dans un moteur). — 2° Mécanisme d'horlogerie qui régularise le mouvement d'une pendule ou d'une montre.

écharde [eʃard] n. f. Petit fragment de bois ou d'un autre corps qui a pénétré dans la chair : *Il a attrapé une écharde au doigt en déménageant les caisses. Retirer, extraire une écharde.*

écharpe [eʃarp] n. f. 1° Large bande d'étoffe tissée ou tricotée, qu'on porte sur les épaules ou autour du cou : *Nouer, enrouler une écharpe. Mettre une écharpe* (syn. : CACHE-NEZ). — 2° Large bande de tissu portée obliquement, d'une épaule à la hanche opposée, ou à la ceinture, en certaines circonstances solennelles : *Le maire ceint de son écharpe.* — 3° *Avoir un bras en écharpe,* avoir un bras blessé, retenu par une pièce de tissu généralement passée au cou. ‖ *Prendre en écharpe,* heurter, accrocher de biais : *Un autocar pris en écharpe par un train.*

écharper [eʃarpe] v. tr. 1° *Echarper quelqu'un,* le blesser grièvement : *La foule voulait écharper l'assassin* (syn. : ↑ LYNCHER). — 2° Fam. *Se faire écharper,* subir les mauvais traitements, les insultes, les critiques de quelqu'un : *Il ne s'agit pas de contredire ces dames : on se ferait écharper.*

échasse [eʃas] n. f. 1° Long bâton muni d'un support pour le pied et permettant de marcher à une certaine hauteur au-dessus du sol. — 2° *Pop.* Jambe longue et maigre.

échassier [eʃasje] n. m. Oiseau à longues pattes, tel que la bécasse, la grue, la cigogne.

échauder [eʃode] v. tr. 1° Laver ou asperger à l'eau bouillante; brûler avec un liquide chaud : *Echauder la théière avant de faire le thé.* — 2° Fam. *Echauder quelqu'un,* lui faire subir une mésaventure qui lui sert de leçon : *J'ai été suffisamment échaudé la première fois, on ne m'y reprendra pas.* — 3° *Chat échaudé craint l'eau froide,* le souvenir d'une mésaventure fait redoubler de prudence.

échauffer [eʃofe] v. tr. 1° *Echauffer un être vivant,* en développer la chaleur naturelle (souvent au passif) : *Etre échauffé par une course rapide.* — 2° *Echauffer quelque chose,* provoquer lentement l'élévation de sa température : *La fermentation échauffe le foin humide. Le soleil échauffe la terre.* — 3° *Echauffer quelqu'un, son esprit, son comportement,* lui causer de l'excitation : *Echauffer l'imagination de quelqu'un* (syn. : EXCITER). *Un incident qui échauffe le débat* (syn. : ↑ ENFLAMMER). *Des esprits échauffés* (syn. : ↓ ANIMER). — 4° *Fam.* Constiper. — 5° Fam. *Echauffer les oreilles à quelqu'un,* lui causer un agacement qui va jusqu'à l'irritation. ◆ ***s'échauffer*** v. pr. Devenir plus chaud, plus animé : *Un sportif qui s'échauffe avant la compétition. La discussion commence à s'échauffer* (= le ton monte). ◆ **échauffant, e** adj. *Fam.* Se dit d'un aliment qui constipe. ◆ **échauffement** n. m. : *L'échauffement de l'air dans une salle. Une luxation qui cause un échauffement du coude.*

échauffourée [eʃofure] n. f. Bagarre assez importante et confuse : *Des échauffourées brèves, mais violentes, avaient mis aux prises la police et les manifestants.*

échéance [eʃeɑ̃s] n. f. 1° Epoque où on peut exiger de quelqu'un qu'il exécute un engagement; date d'expiration d'un délai : *Un débiteur aux abois à l'approche des échéances.* — 2° Ce que l'on aura à payer à cette date : *Faire face à une lourde échéance.* — 3° *Des projets à brève, à longue échéance,* qui se réaliseront dans un temps bref, éloigné.

échéant (le cas) [eʃeɑ̃] loc. adv. Si l'occasion se présente : *Il peut vous conseiller et, le cas échéant, vous aider* (syn. : ÉVENTUELLEMENT).

1. échec [eʃɛk] n. m. 1° Manque de réussite : *Subir, essuyer un échec. L'attaque ennemie s'est soldée par un échec* (syn. : ↑ DÉFAITE). *L'échec des négociations* (syn. : INSUCCÈS, FAILLITE, FIASCO). *Il est aigri par les échecs de sa vie politique* (syn. : REVERS; contr. : SUCCÈS). — 2° *Mettre, tenir quelqu'un en échec,* le mettre hors d'état d'agir. ‖ *Faire échec à quelqu'un,* empêcher son action de réussir.

2. échecs [eʃɛk] n. m. pl. 1° Jeu dans lequel deux joueurs déplacent diverses pièces, sur un plateau carré divisé en soixante-quatre cases alternativement blanches et noires : *Certaines parties d'échecs peuvent durer très longtemps. Il m'a battu aux échecs.* — 2° (au sing.) Situation du roi ou de la reine quand ces pièces se trouvent sur une case battue par une pièce de l'adversaire. (On dit *échec et mat* quand il est impossible de sortir le roi de cette situation en un coup, ce qui constitue la perte de la partie.) ◆ **échiquier** n. m. 1° Plateau divisé en cases, sur lequel on joue aux échecs. — 2° Domaine où il y a une compétition qui demande des manœuvres habiles : *L'échiquier diplomatique.* — 3° *En échiquier,* se dit d'objets disposés en carrés égaux et contigus.

échelle [eʃɛl] n. f. 1° Appareil simple, composé de deux montants parallèles reliés par des barreaux régulièrement espacés, et servant à monter ou à descendre : *Dresser une échelle contre un mur. Grimper à l'échelle.* — 2° Suite de degrés, ensemble de niveaux différents se succédant progressivement : *S'élever dans l'échelle sociale. Etre en haut de l'échelle. Se référer à une échelle de valeurs* (syn. : HIÉRARCHIE). *L'échelle des traitements.* — 3° Rapport entre la représentation d'une longueur sur une carte géographique ou un plan, un croquis, et la longueur réelle : *Sur une carte au 1/80 000, 1 centimètre représente 800 mètres.* — 4° *Echelle mobile,* système d'indexation des salaires, retraites et pensions sur le coût de la vie. ‖ *A l'échelle de,* dans une proportion raisonnable avec : *Il faut des moyens financiers à l'échelle de cette entreprise* (syn. : PROPORTIONNÉ À). ‖ *Sur une grande, une vaste échelle,* dans de grandes proportions, de façon importante : *Une fraude fiscale pratiquée sur une grande échelle.* ‖ *Faire la courte échelle à quelqu'un,* l'aider à monter en lui fournissant comme appui ses mains, ses épaules. ‖ Fam. *Il n'y a plus qu'à tirer l'échelle,* on ne peut pas aller au-delà, faire mieux. ◆ **échelon** n. m. 1° Chaque barreau d'une échelle. — 2° Chacun des degrés d'une série, d'une hiérarchie, d'une carrière administrative : *La corruption régnait à tous les échelons. Un fonctionnaire promu du huitième au neuvième échelon.* ◆ **échelonner** v. tr. *Echelonner des personnes, des choses,* les espacer plus ou moins régulièrement, dans l'espace ou dans le temps : *Echelonner des gendarmes sur tout le parcours du cortège officiel. Echelonner des livraisons. Un système de crédit qui permet d'échelonner les paiements.* ◆ ***s'échelonner*** v. pr. : *Un ouvrage dont la publication s'échelonne sur cinq années.*

écheniller v. tr. V. CHENILLE 1.

écheveau [eʃvo] n. m. **1°** Petit faisceau de fil, de laine, etc. — **2°** *Démêler, débrouiller l'écheveau d'un récit, d'une intrigue,* etc., élucider ce qui est embrouillé, complexe.

échevelé, e adj. V. CHEVEU.

échevin [eʃəvɛ̃] n. m. Magistrat adjoint au bourgmestre, en Belgique et aux Pays-Bas.

échine [eʃin] n. f. **1°** Colonne vertébrale, dos d'une personne ou d'un animal : *Un chat qui frotte son échine contre les pieds d'un fauteuil.* — **2°** *Avoir l'échine souple,* se plier facilement aux volontés d'autrui, être servile.

échiner (s') [seʃine] v. pr. (sujet nom de personne). *Fam.* Se fatiguer beaucoup : *Il s'est échiné à porter tout ce bois* (syn. : S'ÉREINTER, S'ÉPUISER; pop. : ↑ SE CREVER).

échiquier n. m. V. ÉCHECS 2.

1. écho [eko] n. m. **1°** Répétition d'un son répercuté par un obstacle : *L'écho lui renvoya son appel.* — **2°** Réponse à une sollicitation, une suggestion : *Une proposition qui n'a trouvé, éveillé aucun écho.* — **3°** Propos recueillis par quelqu'un : *Avez-vous eu des échos de la réunion qui s'est tenue en votre absence?* (syn. : INFORMATION, NOUVELLE). — **4°** Ce qui reproduit, ce qui traduit : *On trouve dans ce roman l'écho des angoisses de l'époque.* — **5°** *A tous les échos,* très ouvertement, en s'adressant à un large public. ‖ *Se faire l'écho d'une rumeur, d'une nouvelle,* etc., la répandre autour de soi, la propager.

2. écho [eko] n. m. Anecdote, petite nouvelle annoncée par un journal. ◆ **échotier** [ekɔtje] n. m. Rédacteur des échos d'un journal.

échoir [eʃwar] v. tr. ind. (conj. 49) [sujet nom de chose]. *Echoir à quelqu'un,* lui être attribué par le sort, par le hasard, par un événement fortuit : *Le lot qui lui échoit est le meilleur. Il lui est échu une maison en héritage.* ◆ v. intr. (sujet nom de chose). Arriver à une date où est prévu le paiement : *Le terme échoit le 15 janvier. Payer son loyer à terme échu.*

échoppe [eʃɔp] n. f. Petite boutique en planches : *Un cordonnier au travail dans son échoppe.*

1. échouer [eʃwe] v. intr. **1°** (sujet nom de personne) Ne pas atteindre le but qu'on se proposait : *Les candidats qui échoueront pourront se présenter à la prochaine session, dans trois mois. Il a échoué dans son projet.* — **2°** (sujet nom de chose) Ne pas réussir : *Toutes les tentatives pour sauver les naufragés ont échoué. Un plan qui échoue* (syn. fam. : RATER). — **3°** (sujet nom de personne ou de chose) *Echouer à tel ou tel endroit,* aboutir finalement à cet endroit, s'y arrêter par lassitude : *Au bout d'une journée de recherches, il échoua dans une petite auberge. Comment ces papiers ont-ils échoué sur mon bureau?* (syn. : ARRIVER).

2. échouer [eʃwe] v. intr. ou **s'échouer** [seʃwe] v. pr. (sujet nom désignant un bateau). Rester immobilisé parce qu'il a heurté la côte ou touché le fond. ◆ v. tr. *Echouer un bateau,* le pousser à la côte ou sur les bas-fonds, où il restera immobilisé. ◆ **déséchouer** v. tr. Remettre à flot un navire échoué.

éclabousser [eklabuse] v. tr. **1°** *Eclabousser quelqu'un, quelque chose,* faire rejaillir un liquide sur eux : *J'ai été éclaboussé par une voiture qui roulait dans le caniveau.* — **2°** *Eclabousser quelque chose,* rejaillir en le salissant : *La bouteille lui a glissé des mains et le vin a éclaboussé les murs.* — **3°** *Eclabousser quelqu'un,* le compromettre : *Le scandale a éclaboussé tous ses amis.* — **4°** (sujet nom de personne) Faire ostentation de sa richesse devant quelqu'un : *Il veut éclabousser ses voisins.* ◆ **éclaboussement** n. m. Action d'éclabousser. ◆ **éclaboussure** n. f. **1°** Liquide qui rejaillit : *Un peintre qui porte une blouse pour protéger ses vêtements des éclaboussures.* — **2°** *Fam.* Contrecoup d'un événement fâcheux : *Il a été mêlé à ce procès et en a reçu quelques éclaboussures.*

1. éclair [eklɛr] n. m. **1°** Vive lumière provoquée, au cours d'un orage, par une décharge électrique dans l'atmosphère : *Un éclair suivi d'un violent coup de tonnerre.* — **2°** Lumière vive et instantanée : *Les éclairs des photographes* (syn. : FLASH). — **3°** *Un éclair d'intelligence, de bon sens,* etc., un bref instant où l'on comprend clairement. — **4°** *Ses yeux lancent des éclairs,* brillent d'un grand éclat, dû à la colère, à l'indignation. ‖ *Rapide comme l'éclair,* extrêmement rapide. ◆ adj. invar. Très rapide : *Une guerre éclair. Un voyage éclair.*

2. éclair [eklɛr] n. m. Gâteau à la crème, de forme allongée, glacé par-dessus : *Eclair au chocolat, au café.*

1. éclaircir [eklɛrsir] v. tr. **1°** *Eclaircir une chose,* la rendre plus claire, moins sombre : *Mêler du blanc à la peinture pour éclaircir la teinte.* — **2°** *Eclaircir une sauce, un potage,* etc., y ajouter de l'eau, les rendre plus liquides (syn. : ALLONGER). — **3°** *Eclaircir sa voix,* la rendre plus nette, moins enrouée. — **4°** *Eclaircir des plants, un bois,* etc., les rendre moins serrés, moins touffus. ◆ ***s'éclaircir*** v. pr. (sujet nom de chose). Devenir clair : *Le ciel s'éclaircit. Sa voix s'éclaircit.* ◆ **éclaircie** n. f. Partie claire dans un ciel nuageux; durée pendant laquelle le ciel est momentanément clair : *Il n'y a eu qu'une brève éclaircie dans la journée.*

2. éclaircir [eklɛrsir] v. tr. *Eclaircir une question, un mystère, sa pensée,* etc., les rendre plus intelligibles. ◆ ***s'éclaircir*** v. pr. Devenir compréhensible : *Ses idées s'éclaircissent.* ◆ **éclaircissement** n. m. Paroles, écrits par lesquels on explique : *J'aurais besoin d'éclaircissements sur vos projets* (syn. : EXPLICATION). *Son attitude surprenante appelle des éclaircissements* (syn. : ↑ JUSTIFICATION).

1. éclairer [eklere] v. tr. **1°** *Eclairer quelque objet, quelqu'un,* répandre de la lumière dessus : *Le soleil éclaire la façade de la maison. Les phares éclairent la route. Son visage était éclairé par la lampe du bureau;* et intransitiv. : *Une lampe qui éclaire mal.* — **2°** *Eclairer quelqu'un,* lui fournir une lumière qui lui permette d'y voir : *La nuit est noire : je vais vous éclairer jusqu'au bout de l'allée.* ◆ ***s'éclairer*** v. pr. **1°** (sujet nom concret) Devenir lumineux, recevoir de la lumière : *Un phare qui s'éclaire et s'éteint alternativement. La rue s'éclaire dès la tombée de la nuit.* — **2°** Se donner de la lumière pour voir : *S'éclairer à la bougie.* ◆ **éclairage** n. m. **1°** Action ou manière d'éclairer; dispositif qui éclaire : *L'éclairage de la salle est réalisé par des tubes fluorescents. Une panne d'éclairage* (syn. : LUMIÈRE). *Ce tableau n'est pas dans un bon éclairage.* — 2° Quantité de lumière reçue : *L'éclairage de cette pièce est insuffisant.* ◆ **éclairagiste** n. m. Technicien spécialisé dans la réalisation d'éclairages rationnels. ◆ **éclairant, e** adj. : *Une fusée éclairante.* ◆ **éclairement** n. m. Quantité de lumière reçue par un corps et exprimée en unités de mesure.

2. éclairer [eklere] v. tr. 1° *Eclairer quelque chose* (mot abstrait), le rendre compréhensible : *Eclairer un problème, une situation, les mobiles de quelqu'un.* — 2° *Eclairer quelqu'un,* lui fournir des renseignements, le mettre en état de comprendre : *Eclairez-moi sur ce détail. Un article qui éclaire les lecteurs sur la situation économique* (syn. : INFORMER, RENSEIGNER). ◆ ***s'éclairer*** v. pr. 1° (sujet nom abstrait) Devenir compréhensible : *La question s'est éclairée grâce à la mise au point que vous avez faite.* — 2° *Visage, front qui s'éclaire,* qui se déride, se détend : *Son visage s'éclaira d'un sourire* (syn. : ↑ S'ILLUMINER). ◆ **éclairé, e** adj. Se dit d'une personne qui a des connaissances et du discernement : *Un livre qui s'adresse à des lecteurs éclairés* (syn. : INITIÉ, CULTIVÉ). *Porter un jugement éclairé sur la situation politique.* ◆ **éclairant, e** adj. : *Une explication éclairante* (= qui élucide). ◆ **éclairage** n. m. Manière particulière d'envisager quelque chose : *Sous cet éclairage, la tragédie paraît toute nouvelle* (syn. : ANGLE, JOUR).

1. éclaireur [eklerœr] n. m. Soldat ou membre d'une troupe envoyé en avant pour effectuer une reconnaissance et faciliter la progression des autres : *On avait envoyé deux hommes en éclaireurs vers le poste ennemi.*

2. éclaireur, euse [eklerœr, -øz] n. Jeune membre d'une organisation scoute.

1. éclater [eklate] v. intr. 1° (sujet nom de chose) Se briser soudain, sous l'effet d'une pression : *Un obus, une chaudière qui éclate* (syn. : EXPLOSER). *Un pneu a éclaté en pleine vitesse.* — 2° *Groupe, parti,* etc., *qui éclate,* qui se fractionne, se disperse en plusieurs tendances. ◆ **éclat** n. m. Fragment détaché d'un objet qui a éclaté : *Un éclat de bombe, de verre.* ◆ **éclatement** n. m. : *L'éclatement d'un obus. L'éclatement d'un pneu, d'une canalisation d'eau* (syn. : RUPTURE, CREVAISON). *L'éclatement d'un parti en plusieurs tendances.*

2. éclater [eklate] v. intr. 1° (sujet nom de chose) Produire un bruit subit et violent : *Une fanfare de trompes de chasse éclata près de lui.* — 2° (sujet nom de chose) Se manifester avec force, avec intensité, avec évidence : *Le scandale a éclaté par sa faute. Sa bonne foi éclate dans tous ses propos.* — 3° (sujet nom de personne) Ne plus pouvoir contenir ses sentiments, en particulier sa colère : *Il éclata soudain contre son entourage* (syn. : FULMINER). *Eclater en reproches, en invectives* (syn. : SE RÉPANDRE). — 4° *Eclater de rire,* être soudain pris d'un accès de rire bruyant. ◆ **éclat** [ekla] n. m. 1° Bruit soudain et violent : *Un éclat de voix. On entend de grands éclats de rire.* — 2° Intensité d'une lumière : *Avoir peine à supporter l'éclat du soleil.* — 3° Qualité de ce qui s'impose à l'admiration, à l'attention : *L'éclat d'une cérémonie* (syn. : MAGNIFICENCE, FASTE). *Elle était dans tout l'éclat de sa beauté* (syn. : FRAÎCHEUR, PERFECTION). *Une action d'éclat* (syn. : EXPLOIT). — 4° *Faire un éclat,* se signaler à l'attention par un acte qui heurte les habitudes, qui scandalise. ◆ **éclatant, e** adj. : *Une fanfare éclatante. Une voix éclatante. Des cris éclatants* (syn. : PERÇANT). *Une couleur éclatante* (syn. : VIF). *Une santé éclatante* (syn. : ADMIRABLE). *Un succès éclatant* (syn. : TOTAL). *Une vérité éclatante* (syn. : ÉVIDENT, AVEUGLANT).

éclectique [eklɛktik] adj. Se dit d'une personne qui a du goût pour des choses très diverses, qui choisit en tout ce qui lui paraît bon et laisse le reste; se dit aussi de ce qui se conforme à cette disposition d'esprit : *Un discophile très éclectique. Ses lectures sont très éclectiques : Pascal, Molière, Dostoïevski et Kant.* ◆ **éclectisme** n. m. : *Un salon décoré avec un éclectisme discret.*

éclipse [eklips] n. f. 1° *Eclipse de Soleil,* disparition du Soleil dans la journée, en raison de l'interposition de la Lune entre lui et la Terre. — 2° *Eclipse de Lune,* disparition de la Lune dans l'ombre de la Terre : *Les éclipses sont dites « totales » ou « partielles » selon que l'astre est caché totalement ou partiellement.* — 3° *Eclipse d'une personne célèbre, de la gloire,* etc., période pendant laquelle cette personne disparaît de la vie publique, la gloire cesse, etc. ‖ *Subir une éclipse,* voir cesser sa renommée, sa gloire. ◆ **éclipser** v. tr. 1° *La Lune éclipse le Soleil,* en intercepte la lumière. — 2° *Eclipser quelqu'un, quelque chose,* attirer tellement l'attention sur soi que cette personne ou cette chose ne soit plus remarquée : *Il a éclipsé tous ses concurrents* (syn. : SURCLASSER, SURPASSER). *Cette information a éclipsé les autres titres de journaux.* ◆ ***s'éclipser*** v. pr. 1° Subir une éclipse, en parlant du Soleil, de la Lune. — 2° *Fam.* Disparaître, partir furtivement : *Il s'est éclipsé pendant la séance.*

éclopé, e [eklɔpe] adj. et n. *Fam.* Se dit d'une personne ou d'un animal qui a une blessure légère, une entorse, etc., lui ôtant le libre exercice de ses membres : *Quelques éclopés s'éloignaient en boitant du lieu de la bagarre.*

éclore [eklɔr] v. intr. (conj. **81**). 1° (sujet nom désignant l'œuf) Se briser pour laisser sortir le poussin ou l'oiseau nouveau-né. (On dit aussi que *les poussins éclosent,* sortent de l'œuf.) — 2° (sujet nom désignant une fleur, un bourgeon) S'épanouir, s'ouvrir. — 3° (sujet nom abstrait) Commencer à se manifester dans sa plénitude : *Cette époque a vu éclore de grands talents.* ◆ **éclosion** n. f. : *Les poussins se mettent à courir dès leur éclosion* (= leur sortie de l'œuf). *Des fleurs cueillies avant leur éclosion peuvent s'épanouir en vase. L'éclosion d'une idée, d'un projet* (syn. : NAISSANCE).

écluse [eklyz] n. f. Dispositif comprenant un système de portes et de vannes pour faciliter la navigation sur des cours d'eau. ◆ **éclusier, ère** n. Personne préposée à la manœuvre d'une écluse.

écœurer [ekœre] v. tr. *Ecœurer quelqu'un,* lui causer du dégoût, de la nausée : *Cette crème tiède et fade l'écœurait;* lui inspirer de l'aversion, du mépris : *Ses basses flatteries écœurent tout le monde* (syn. : RÉVOLTER); lui inspirer du dépit, du découragement : *Cela vous écœure de voir un paresseux aussi bien traité que les travailleurs.* ◆ **écœurant, e** adj. : *Une odeur écœurante* (syn. : INFECT, NAUSÉABOND). *Sa conduite est écœurante* (syn. : DÉGOÛTANT, RÉPUGNANT). ◆ **écœurement** n. m. : *L'écœurement causé par le spectacle de ces hommes déchus. Il éprouvait un certain écœurement à voir les autres se parer de ses mérites.*

école [ekɔl] n. f. 1° Etablissement où se donne un enseignement collectif : *Une école de musique, de danse, de secrétariat. Les enfants vont à l'école en bavardant joyeusement. L'école est près de la mairie.* — 2° Ensemble des élèves et du personnel de cet établissement : *Toute l'école est réunie dans la cour.* — 3° Travail fait dans cet établissement, enseignement qui y est donné : *L'école recommence dans deux semaines. Elle a fait l'école dans ce village pendant vingt ans* (syn. : CLASSE). [V. SCOLAIRE, SCOLARITÉ.] — 4° Ensemble des partisans d'une même doctrine, des disciples d'un penseur, d'un artiste, etc. : *Les différentes écoles existentialistes. L'école linguistique de Prague.* — 5° *A l'école de,* sous la direction de, en tirant profit de l'expérience en matière de : *Un officier qui apprend l'art de la guerre à l'école d'un chef prestigieux. Il s'est formé à la dure école de la nécessité.* ‖ *Etre à bonne école,* être auprès de quelqu'un qui vous initie très bien. ‖ *Faire école,* rallier des adeptes ou des imitateurs, propager ses idées. ◆ **écolier, ère** n. 1° Enfant qui fréquente l'école : *A midi, les écoliers déferlent dans la rue.* — 2° *Fam.* Personne peu expérimentée en quelque chose, novice. — 3° Fam. *Prendre le chemin des écoliers,* aller par le plus long trajet.

éconduire [ekɔ̃dɥir] v. tr. (conj. 70). *Econduire quelqu'un,* ne pas le recevoir, ne pas faire droit à sa requête : *Econduire un visiteur importun. Se faire poliment éconduire* (syn. : CONGÉDIER).

1. économie [ekɔnɔmi] n. f. 1° Qualité qui consiste à réduire les dépenses, à ne dépenser que judicieusement; attitude d'une personne qui agit ainsi : *Par économie, il a choisi un article moins luxueux. Son esprit d'économie est parfois proche de l'avarice* (syn. : ÉPARGNE; contr. : PRODIGALITÉ). — 2° Ce qui n'est pas dépensé, ce dont on évite les frais : *Ce procédé de fabrication permet une économie de dix francs par ouvrage. Une route qui fait faire une sérieuse économie de temps. Une économie de papier, de tissu* (syn. : GAIN; contr. : PERTE, GASPILLAGE). *En acceptant le compromis, le gouvernement a fait l'économie d'une crise ministérielle. Ce n'est pas avec des économies de bouts de chandelle qu'on rétablira la situation financière* (= en lésinant sur des détails). ◆ **économies** n. f. pl. Argent mis de côté en vue de dépenses à venir : *Cet achat a englouti presque toutes ses économies.* ◆ **économe** adj. Se dit d'une personne qui ne dépense que judicieusement, qui donne avec mesure : *Une maîtresse de maison économe* (contr. : DÉPENSIER, PRODIGUE). *Il est très économe de son temps* (syn. : ↑ AVARE). ◆ **économique** adj. Se dit de ce qui permet des économies : *Un moyen de transport économique* (syn. : AVANTAGEUX, BON MARCHÉ; contr. : COÛTEUX, DISPENDIEUX, ONÉREUX). ◆ **économiquement** adv. : *Se nourrir économiquement* (syn. : À BON MARCHÉ, AVANTAGEUSEMENT; contr. : COÛTEUSEMENT, DISPENDIEUSEMENT). ◆ **économiser** v. tr. Faire l'économie de : *En achetant par grandes quantités, vous économisez des sommes importantes* (contr. : GASPILLER, DILAPIDER). *Economiser une démarche* (syn. : ÉPARGNER). *Economiser ses gestes* (syn. : MÉNAGER; contr. : PRODIGUER).

2. économie [ekɔnɔmi] n. f. 1° Ensemble des activités d'une collectivité humaine visant à la production et à la consommation des richesses : *Ce pays a une économie en pleine expansion. Un plan qui tend à harmoniser les différents secteurs de l'économie nationale. La production pétrolière est un facteur essentiel de l'économie de ces Etats. L'économie politique* (= science des phénomènes économiques intéressant la production, la distribution et la consommation). — 2° Ordre qui préside à la distribution des parties d'un ensemble : *Une scène qui joue un rôle important dans l'économie d'une pièce de théâtre. Je n'approuve pas l'économie générale de ce projet.* ◆ **économe** n. Personne chargée des dépenses d'un établissement hospitalier ou scolaire, d'une communauté. ◆ **économat** n. m. Charge ou bureaux d'un économe. ◆ **économique** adj. Sens 1 de *économie : Un pays qui a de grosses difficultés économiques. Le Conseil des ministres a fait un tour d'horizon politique et économique.* ◆ **économiquement** adv. : *Un bilan politiquement et économiquement satisfaisant. On appelle « économiquement faibles » les personnes qui ne disposent pas de ressources suffisantes pour subsister, sans être pourtant totalement indigentes.* ◆ **économiste** n. Personne qui s'occupe d'économie politique.

1. écoper [ekɔpe] v. tr. *Ecoper l'eau d'une embarcation,* la vider au moyen d'une pelle en bois appelée *écope,* ou de tout autre récipient.

2. écoper [ekɔpe] v. tr. et tr. ind. *Fam. Ecoper quelque chose, de quelque chose,* le recevoir, se voir infliger un dommage : *Il a écopé une punition. Il a écopé de cent francs d'amende.* ◆ v. intr. *Fam.* Etre puni, recevoir une sanction : *C'est son voisin qui a fait la faute et c'est lui qui a écopé* (syn. : PAYER).

écorce [ekɔrs] n. f. Enveloppe plus ou moins épaisse des végétaux, de certains fruits : *L'écorce du bouleau est blanche. Faire un sifflet en écorce de châtaignier. Une écorce lisse, rugueuse. Une écorce d'orange* (syn. : PEAU). ◆ **écorcer** v. tr. Dépouiller de son écorce : *Ecorcer une tige de noisetier. Ecorcer une orange* (syn. : PELER).

écorcher [ekɔrʃe] v. tr. 1° *Ecorcher un être vivant,* le dépouiller de sa peau : *Ecorcher un lapin, une anguille.* — 2° *Ecorcher quelqu'un, une partie de quelqu'un,* déchirer sa peau : *Sa chute lui a écorché le genou* (syn. : ÉRAFLER, ↓ ÉGRATIGNER, ↑ LABOURER). — 3° Fam. *Ecorcher les oreilles,* produire des sons très désagréables. — 4° Fam. *Ecorcher une langue,* la parler avec des fautes. ‖ *Ecorcher un nom,* le prononcer mal, le dénaturer (syn. fam. : ESTROPIER). — 5° Fam. *Ecorcher un client,* le faire payer trop cher. ◆ ***s'écorcher*** v. pr. : *Il s'est écorché les doigts en grimpant au rocher* (syn. : S'ÉGRATIGNER). ◆ **écorcheur** n. m. et adj. *Fam.* Sens 5 du v. tr. : *Cet hôtelier est un écorcheur.* ◆ **écorchure** n. f. Déchirure superficielle de la peau : *Il s'est tiré de cet accident avec quelques écorchures* (syn. : ↓ ÉGRATIGNURE).

écorner [ekɔrne] v. tr. 1° *Ecorner une chose,* la déchirer, en user ou briser les angles : *De vieux livres écornés.* — 2° Fam. *Ecorner une somme,* en dépenser une partie, l'entamer : *Il a écorné son capital.*

écornifler [ekɔrnifle] v. tr. Recueillir, rafler de-ci de-là (mot rare et vieilli) : *Ecornifler quelques repas chez de vagues amis.* ◆ **écornifleur, euse** n. (syn. : PARASITE).

écosser v. tr. V. COSSE 1.

écot [eko] n. m. Part à payer, ordinairement chez un hôtelier (mot vieilli) : *Il était convenu que chacun des convives paierait son écot.*

1. écouler [ekule] v. tr. 1° *Ecouler une marchandise,* s'en défaire en la vendant, en la distribuant : *Le magasin a écoulé tout son stock de jouets au jour de l'an. Les produits ont été facilement écoulés* (syn. : PLACER). — 2° *Ecouler de faux billets,* les mettre en circulation. ◆ **écoulement** n. m. : *L'écoulement facile d'un produit* (syn. : DÉBIT). *L'écoulement de faux billets.*

2. écouler (s') [sekule] v. pr. (sujet nom de chose ou de personne). Se retirer en coulant; disparaître progressivement : *L'eau de pluie s'écoule par cette rigole* (syn. : S'ÉVACUER). *La foule s'écoule lentement* (syn. : SE RETIRER). *Deux jours se sont écoulés depuis cet incident* (syn. : PASSER). ◆ **écoulement** n. m. : *Une vanne prévue pour l'écoulement du trop-plein* (syn. : ÉVACUATION). *Une méditation mélancolique sur l'écoulement du temps. L'élargissement du pont facilite l'écoulement des véhicules* (syn. : CIRCULATION).

écourter v. tr. V. COURT 1.

écouter [ekute] v. tr. 1° (sujet nom de personne) *Ecouter quelqu'un, quelque chose,* prêter l'oreille pour les entendre : *Ecoutons le bulletin d'informations à la radio. Ecouter un chanteur, un conférencier.* — 2° *Ecouter quelqu'un,* tenir compte de ses paroles, de sa volonté ou de ses désirs : *Vous devriez l'écouter, ses conseils sont raisonnables. N'écoutons pas les mauvaises langues. Un enfant qui écoute docilement ses maîtres* (syn. : OBÉIR À). — 3° *N'écouter que son courage, que ses instincts,* etc., ne tenir compte d'aucune autre considération, se laisser emporter par... ‖ *Ecoute, écoutez,* se dit pour attirer l'attention de quelqu'un, pour entraîner son assentiment : *Ecoute, tu vas faire ce que je te dis. Il n'a rien répondu, mais, écoutez, vous avouerez que la question était embarrassante.* ◆ ***s'écouter*** v. pr. 1° *Fam.* Attacher une importance excessive à ses petits malaises, à son inspiration du moment : *Il s'écoute trop : il faudrait le secouer un peu* (= il est trop douillet). *Si je m'écoutais, je n'irais pas à cette réunion.* — 2° *S'écouter parler,* parler avec affectation, se complaire dans ses paroles. ◆ **écoute** n. f. 1° Action d'écouter une communication téléphonique ou une émission radiophonique : *Au bout d'une heure d'écoute, il nota un message le concernant. Rester à l'écoute. Prendre l'écoute.* — 2° *Etre aux écoutes,* rester attentif pour saisir toute information intéressante. ◆ **écouteur** n. m. Elément d'un récepteur téléphonique ou radiophonique qu'on applique à son oreille. (V. AUDITION.)

écrabouiller [ekrabuje] v. tr. *Fam.* Ecraser, mettre en marmelade ou réduire en bouillie : *Un chat a été écrabouillé sur la route par une voiture.* ◆ **écrabouillage** ou **écrabouillement** n. m.

écran [ekrɑ̃] n. m. 1° Dispositif, objet qui arrête les rayons lumineux, la chaleur, le son, qui empêche de voir ou qui protège : *La mer est cachée par un écran de verdure. Utiliser un écran jaune en photographie* (syn. : FILTRE). *Une plaque métallique qui forme un écran contre la chaleur du four. Un écran de fumée* (= qui sert à masquer certaines opérations militaires). — 2° Tableau ou pièce de tissu servant à projeter des vues : *Un écran panoramique. Les images apparaissent sur l'écran.* — 3° *L'écran,* le cinéma : *Porter une pièce de théâtre à l'écran. Les vedettes de l'écran.* — 4° *Le petit écran,* la télévision. — 5° *Faire écran,* empêcher de voir, de comprendre : *La maladresse du style fait écran à sa pensée.*

écraser [ekrɑze] v. tr. 1° *Ecraser quelque chose, un être vivant,* le déformer ou l'aplatir par pression ou par choc : *Ecraser des pommes* (syn. : BROYER). *Ecraser une amande avec ses dents. Le camion a écrasé un chien. Touristes écrasés par une avalanche. Vous m'avez écrasé un pied* (syn. : MEURTRIR). — 2° *Ecraser quelqu'un, quelque chose* (terme abstrait), l'accabler, peser lourdement sur lui, lui faire tort par sa masse : *Les impôts qui écrasaient certaines catégories sociales. Je suis écrasé de travail, de fatigue* (syn. : ↑ ANÉANTIR). *Des détails qui écrasent l'essentiel.* — 3° *Ecraser la résistance ennemie, la rébellion,* etc., les vaincre complètement. — 4° Fam. *Ecraser un adversaire,* le défaire, le surclasser dans une compétition. — 5° Pop. *En écraser,* dormir profondément. ◆ ***s'écraser*** v. pr. 1° Etre aplati, déformé par le choc : *L'œuf s'est écrasé en tombant. Un avion qui s'écrase au sol.* — 2° (sujet nom de personne) *Fam.* Se porter en foule, se presser : *On s'écrase dans cette boutique pour profiter des prix avantageux.* — 3° (sujet nom de personne) *Pop.* Abandonner toute prétention, s'humilier : *Il n'était pas de taille pour discuter, il s'est écrasé* (syn. : SE FAIRE TOUT PETIT; pop. : SE DÉGONFLER). ◆ **écrasant, e** adj. : *Travail écrasant* (syn. : ACCABLANT). *Une écrasante supériorité.* ◆ **écrasement** n. m. : *L'écrasement des grains de blé sous la meule. Poursuivre la guerre jusqu'à l'écrasement de l'ennemi. L'écrasement de la hiérarchie* (= la réduction des écarts entre les rémunérations les plus fortes et les rémunérations les plus faibles). ◆ **écraseur, euse** n. Automobiliste maladroit : *Va donc, écraseur!*

écrémer v. tr. V. CRÈME; **écrêter** v. tr. V. CRÊTE 2.

écrevisse [ekrəvis] n. f. 1° Crustacé d'eau douce, muni de pinces. — 2° *Marcher en écrevisse,* aller à reculons. ‖ *Rouge comme une écrevisse,* se dit d'une personne rouge de confusion (rouge comme une écrevisse cuite).

écrier (s') [sekrije] v. pr. Dire en criant : *Il s'écria : « Victoire! » Certains se sont écriés que c'était un scandale.* (V. RÉCRIER.)

écrin [ekrɛ̃] n. m. Boîte ou coffret destinés à ranger des bijoux ou de l'argenterie.

écrire [ekrir] v. tr. et intr. (conj. 71). 1° Exprimer les sons de la parole ou la pensée au moyen d'un système convenu de signes graphiques : *Veuillez écrire la réponse au dos de cette carte. Ecrire l'adresse à l'encre. Ecrire un roman, ses Mémoires* (syn. : RÉDIGER). *Ce nom est mal écrit* (syn. : ORTHOGRAPHIER); et intransitiv. : *Un enfant qui apprend à écrire à l'école. Ecrire sur une feuille.* — 2° Exposer, déclarer dans un ouvrage imprimé : *On a écrit bien des inepties sur cette question* (syn. : DIRE). — 3° Faire savoir par lettre, adresser une lettre : *Il m'a écrit qu'il était malade. Je ne lui ai pas écrit depuis un an.* — 4° (sans compl. d'objet) Composer un ouvrage, un article littéraire ou scientifique; faire métier d'écrivain : *Il écrit dans de nombreuses revues. Il écrit en vers. Il avait toujours rêvé d'écrire. Ecrire avec aisance.* ◆ **écrit, e** adj. Se dit de ce qui est fixé par le destin, qui est irrévocable : *Ce dénouement était écrit. Il a raté son examen : c'était écrit!* (syn. : INÉVITABLE, FATAL). *Il était écrit que je n'aurais que des ennuis dans cette affaire* (= rien n'a pu empêcher qu'il en fût ainsi). ◆ **écrit** n. m. 1° Papier écrit portant témoignage; convention signée : *On n'a pas pu produire un seul écrit contre l'accusé. Ils se sont mis d'accord, mais* n'ont pas fait d'écrit. — 2° Ouvrage littéraire ou scientifique : *Les écrits de Cicéron sont très abondants.* — 3° Ensemble des épreuves d'un examen ou d'un concours qui ont lieu par écrit (contr. : ORAL). — 4° *Par écrit,* sur le papier : *S'adresser à quelqu'un par écrit* (contr. : PAR ORAL, ORALEMENT, VERBALEMENT). ◆ **écriteau** n. m. Inscription portée sur un panneau, une pancarte, et donnant un avis : *Un écriteau indiquant la direction à suivre. Le public est informé par un écriteau de la date de fermeture du magasin.* ◆ **écritoire** n. f. Petit nécessaire utilisé autrefois et contenant ce qu'il fallait pour écrire. ◆ **écriture** n. f. 1° Art de représenter durablement la parole par un système convenu de signes pouvant être perçus par la vue : *L'invention de l'écriture est une des grandes conquêtes de l'humanité.* — 2° Manière particulière d'écrire, ensemble de signes graphiques exprimant un énoncé : *L'écriture hiéroglyphique. L'écriture cunéiforme. Il a une belle écriture. Une écriture filiforme. Une page couverte d'une écriture serrée.* — 3° Manière dont un écrivain exprime sa pensée : *Un roman d'une écriture recherchée* (syn. : STYLE). *Les frères Goncourt ont pratiqué l'écriture dite « artiste ».* — 4° (avec une majusc., au sing. ou au plur.) Les livres sacrés, la Bible : *Un prédicateur qui cite un passage de l'Écriture. Jésus a déclaré qu'il venait accomplir les Écritures.* ◆ **écritures** n. f. pl. Ensemble des livres ou des registres comptables d'un commerçant, d'un industriel : *La maison a engagé un employé aux écritures.* ◆ **écrivailler** v. intr. ou tr. *Fam.* Écrire des œuvres, des articles de qualité médiocre : *Il écrivaillait dans un petit journal local.* ◆ **écrivailleur, euse** n. *Fam.* Écrivain médiocre. ◆ **écrivain** n. m. Personne qui compose des ouvrages littéraires : *Corneille, Molière, Mme de Sévigné sont de célèbres écrivains* (syn. : HOMME, FEMME DE LETTRES, AUTEUR). ◆ **écrivassier, ère** adj. et n. *Fam.* Qui écrit facilement ou médiocrement : *Il ne nous a pas donné de ses nouvelles depuis des mois, mais ce n'est pas étonnant : il n'est pas très écrivassier.* ◆ **récrire** ou **réécrire** v. tr. Rédiger de nouveau, pour donner une nouvelle version (on utilise souvent dans le même sens les mots anglais *rewriting, rewriter*) . *Il n'était pas satisfait de son article, il l'a récrit. Récrire une pièce* (syn. : RECOMPOSER). ◆ v. tr. ind. Répondre par lettre : *Il est poli de récrire à la personne qui vous a écrit.*

1. écrou [ekru] n. m. Pièce percée d'un trou cylindrique fileté et se vissant sur un boulon.

2. écrou [ekru] n. m. Acte par lequel le directeur d'une prison prend possession d'un prisonnier. ◆ **écrouer** v. tr. *Écrouer quelqu'un,* le mettre en prison.

écrouler (s') [sekrule] v. pr. 1° (sujet nom concret) Tomber lourdement en se brisant, tomber en ruine : *Des maisons qui s'écroulent lors d'un séisme* (syn. : S'EFFONDRER). *Un vieux mur qui s'écroule au cours des années. La falaise s'écroule* (syn. : S'ÉBOULER). — 2° (sujet nom abstrait) Perdre toute valeur; être anéanti : *Ses projets se sont écroulés* (syn. : S'EFFONDRER). *La thèse de l'accusé s'écroule devant cette preuve. Un empire qui s'écroule.* — 3° (sujet nom d'être animé) S'affaisser soudain, se laisser brusquement tomber au sol : *L'homme, grièvement blessé d'une balle, s'écroula.* — 4° Fam. *Être écroulé,* être en proie à une forte crise de rire. ◆ **écroulement** n. m. : *L'écroulement d'un pont, d'une théorie.*

écrue [ekry] adj. f. *Toile écrue,* qui n'a pas été blanchie.

ectoplasme [ɛktɔplasm] n. m. En occultisme, forme visible, mais inconsistante, immatérielle, émise par le médium.

écueil [ekœj] n. m. 1° Rocher ou banc de sable à fleur d'eau : *Un bateau qui risque de se briser sur les écueils qui bordent la côte.* — 2° Obstacle, difficulté qui met en péril : *Le principal écueil de cette méthode, c'est sa lenteur* (syn. : INCONVÉNIENT). *Un romancier qui a su éviter tous les écueils d'un sujet aussi scabreux* (syn. : DANGER). *La politique agricole présente des écueils.*

écuelle [ekɥɛl] n. f. Petit récipient rond et creux servant à contenir de la nourriture; contenu de ce récipient : *Donner une écuelle de lait au chat.*

éculé, e [ekyle] adj. 1° Se dit d'une chaussure dont le talon est déformé, usé. — 2° *Fam.* Se dit d'une histoire banale à force d'être connue (syn. : RESSASSÉ, USÉ).

écume [ekym] n. f. 1° Mousse qui se forme à la surface d'un liquide : *La mer, en se retirant, laisse de l'écume sur la plage. Quand la confiture est faite, on retire l'écume.* — 2° Bave mousseuse : *La fureur lui mettait l'écume à la bouche.* ◆ **écumer** v. tr. 1° *Écumer un liquide,* en ôter l'écume qui se forme à la surface : *Écumer le pot-au-feu.* — 2° *Écumer une région, une ville,* etc., exercer une rafle, un brigandage sur elles : *Des gangsters qui écument le quartier.* ◆ v. intr. 1° Se couvrir d'écume : *La mer écume.* — 2° (sujet nom de personne) Être transporté de rage : *Il écumait d'être ainsi réduit à l'impuissance. Écumant de rage, il bondit sur son adversaire.* ◆ **écumage** n. m. Action d'écumer (au sens 1 du v. tr.). ◆ **écumant, e** adj. Se dit de ce qui écume (aux sens du v. intr.) : *Les vagues écumantes.* ◆ **écumeur, euse** adj. *Bouche écumeuse,* qui se couvre d'écume. ◆ **écumoire** n. f. Large cuiller, généralement ronde, percée de trous, pour écumer le bouillon ou les sauces.

écureuil [ekyrœj] n. m. Petit rongeur à poil roux et à queue touffue : *L'écureuil vit dans les arbres et se nourrit surtout de graines et de fruits.*

écurie [ekyri] n. f. 1° Bâtiment destiné à loger des chevaux, des ânes, des mulets. — 2° Ensemble des chevaux de course appartenant à un même propriétaire : *Une écurie célèbre.* — 3° Ensemble des coureurs qui représentent une même marque dans une course automobile ou cycliste. — 4° *Fam.* Logement mal tenu, sale : *Sa chambre est une véritable écurie.* — 5° *Sentir l'écurie,* aller plus vite en approchant du terme, comme un cheval pressé de regagner son écurie. ‖ *Entrer quelque part comme dans une écurie,* avoir un sans-gêne excessif.

écus [eky] n. m. pl. Argent, richesse (avec une nuance ironiq.) : *Il a eu le temps d'amasser des écus à ce métier.* (L'écu était une pièce de monnaie.)

écusson [ekysɔ̃] n. m. 1° Emblème ou motif décoratif rappelant plus ou moins la forme d'un bouclier allongé, avec la partie supérieure horizontale et la partie inférieure en pointe, et portant des armoiries, une devise, etc. : *Un écusson sculpté dans la pierre d'une cheminée de château. Des touristes portant des écussons de tissu aux armes de leur province d'origine.* — 2° Morceau de drap cousu à un vêtement militaire et indiquant l'arme, le numéro du corps de troupes. — 3° *Greffe en écusson,* manière de greffer les arbres ou les arbustes, consistant à introduire sous l'écorce un morceau d'écorce contenant un bouton. ◆ **écussonner** v. tr. Greffer en écusson : *Ecussonner des rosiers.*

écuyer, ère [ekɥije, -ɛr] n. 1° Personne qui fait des exercices d'équitation dans un cirque. — 2° Instructeur d'équitation.

eczéma [ɛgzema] n. m. Maladie de peau causant des démangeaisons et des rougeurs. ◆ **eczémateux, euse** adj. et n. Se dit d'une personne atteinte d'eczéma. ◆ adj. Relatif à l'eczéma.

edelweiss [edɛlvɛs] n. m. Plante de montagne recouverte d'un duvet blanc, croissant en altitude.

éden [edɛn] n. m. Lieu de délices : *Ce parc est un éden.* (*Eden* est le nom du Paradis terrestre dans l'Ancien Testament.)

édenté, e adj. V. DENT.

édicter [edikte] v. tr. Prescrire d'une manière absolue : *Il fut édicté que cette faute serait punie d'emprisonnement à perpétuité* (syn. : DÉCRÉTER).

édicule [edikyl] n. m. Petit édifice dressé sur la voie publique (vespasienne, kiosque, etc.).

1. édifier [edifje] v. tr. 1° *Edifier un monument, un immeuble,* etc., l'élever, le bâtir, le construire. — 2° *Edifier une théorie, un plan,* etc., les concevoir et les réaliser (syn. : ÉCHAFAUDER). ◆ **édification** n. f. : *L'édification d'une cathédrale, d'un système philosophique.* ◆ **édifice** n. m. 1° Bâtiment important : *Cet hôtel de ville est un superbe édifice.* — 2° Vaste ensemble organisé : *L'édifice des lois. Une révolution qui renverse l'édifice de la société.*

2. édifier [edifje] v. tr. 1° *Edifier quelqu'un,* lui ôter toute illusion, le renseigner exactement sur des faits répréhensibles (surtout au passif) : *Ses paroles cyniques m'ont édifié* (syn. : ↓ ÉCLAIRER). *Eh bien! maintenant, vous êtes édifié, il a jeté le masque.* — 2° *Edifier quelqu'un* (*par sa piété, sa dévotion*), le porter à la vertu, à la piété. ◆ **édifiant, e** adj. : *Une docilité édifiante. Cette arrivée à l'improviste chez lui nous offrit un spectacle édifiant!* ◆ **édification** n. f. : *Sa vie exemplaire était un sujet d'édification pour ses voisins* (syn. : INSTRUCTION). *Ses aveux suffisent à notre édification.*

édile [edil] n. m. Maire ou conseiller municipal (nuance d'emphase plaisante) : *Nos édiles se sont occupés de l'éclairage des rues.*

édit [edi] n. m. Loi ou ordonnance publiée par l'autorité d'un roi ou d'un gouverneur : *L'édit de Nantes reconnaissait aux protestants la liberté de pratiquer leur religion.* (V. ÉDICTER.)

éditer [edite] v. tr. 1° *Editer l'œuvre d'un écrivain, d'un artiste,* la publier et la mettre en vente : *Une maison qui édite des romans, des poésies, des encyclopédies* (syn. : PUBLIER). *Un professeur qui fait éditer son cours* (syn. : PARAÎTRE). *Un disque édité à l'occasion de la mort du compositeur.* — 2° *Editer le texte d'un auteur,* le vérifier et le préparer en vue de sa publication, en l'accompagnant éventuellement de notes et de commentaires : *La Bible dite « de Jérusalem » a été éditée par une commission de spécialistes.* ◆ **éditeur, trice** n. et adj. Personne ou société qui édite : *Un auteur qui propose son œuvre à un éditeur célèbre. L'éditeur a soigneusement indiqué toutes les corrections du manuscrit. Les conditions faites à l'auteur par la maison éditrice.* ◆ **édition** n. f. 1° Publication d'un ouvrage littéraire, scientifique, artistique : *Personne n'a voulu jusqu'ici se charger de l'édition de ce manuscrit.* — 2° Chaque tirage d'une œuvre, d'un journal : *Ce roman en est à sa quatrième édition. La nouvelle a paru dans la dernière édition des journaux du soir.* — 3° Texte d'une œuvre correspondant à tel ou tel tirage : *Ce passage ne figure pas dans l'édition de 1580 des « Essais » de Montaigne.* — 4° Industrie et commerce du livre en général : *Il travaille dans l'édition. Une grande maison d'édition.* — 5° Fam. *C'est la deuxième, la troisième édition,* c'est la deuxième, la troisième fois qu'on dit la même chose, que la même chose se produit. ◆ **coéditeur, trice** n. et adj. Personne ou société qui s'associe avec une autre pour éditer une œuvre. ◆ **coédition** n. f. ◆ **rééditer** v. tr. *Rééditer une œuvre, un auteur,* en donner une nouvelle édition. ◆ **réédition** n. f. 1° Nouvelle édition d'une œuvre. — 2° Répétition d'un fait, d'une situation : *Une émeute qui apparaît comme une réédition des troubles précédents.*

éditorial, aux [editɔrjal, -rjo] n. m. Article de fond d'un journal, reflétant plus spécialement la tendance de ce journal : *La plupart des quotidiens ont consacré leur éditorial à la déclaration présidentielle.* ◆ **éditorialiste** n. Personne qui écrit l'éditorial.

édredon [edrədɔ̃] n. m. Couvre-pieds garni de duvet.

édulcorer [edylkɔre] v. tr. *Edulcorer un texte, une doctrine,* etc., en atténuer les termes, en retrancher les points les plus hardis (syn. : ↑ AFFADIR).

éduquer [edyke] v. tr. 1° *Eduquer quelqu'un,* lui faire acquérir des principes, des habitudes, lui former l'esprit : *Les parents et les professeurs chargés d'éduquer ces enfants* (syn. : FORMER). *Avoir affaire à une personne bien éduquée* (syn. : ÉLEVER). *Des citoyens peu éduqués politiquement* (syn. : INSTRUIRE). — 2° *Eduquer une faculté,* la former systématiquement : *Eduquer la volonté par une vie rude. Des exercices tendant à éduquer les réflexes.* — 3° *Personne bien, mal éduquée,* qui a reçu une bonne, une mauvaise éducation. ◆ **inéducable** adj. : *Un enfant aussi longtemps livré à lui-même est inéducable.* ◆ **éducateur, trice** adj. Qui réalise l'éducation : *L'influence éducatrice de l'école.* ◆ n. Personne qui se consacre à l'éducation des enfants : *Une crise de l'adolescence bien connue de tous les éducateurs* (syn. : PÉDAGOGUE). ◆ **éducatif, ive** adj. Se dit de ce qui est propre à éduquer : *A l'école maternelle, on propose aux enfants des jeux éducatifs. Un spectacle éducatif* (syn. : INSTRUCTIF). ◆ **éducation** n. f. 1° Action ou manière d'éduquer : *Une revue consacrée aux problèmes d'éducation* (syn. : PÉDAGOGIE). *L'éducation musicale, physique, religieuse* (syn. : FORMATION). *L'éducation de l'oreille, du goût, de la volonté.* — 2° Connaissance des bons usages d'une société : *Un homme grossier, sans éducation* (syn. : SAVOIR-VIVRE). — 3° Ensemble des acquisitions morales, intellectuelles, culturelles d'une personne ou d'un groupe : *Un homme d'une éducation soignée. Son éducation en matière commerciale est très sommaire.* — 4° *Education nationale,* ensemble des services de l'enseignement public. ◆ **rééduquer** v. tr. 1° *Rééduquer quelqu'un,* lui donner une éducation différente. — 2° *Rééduquer un malade, un convalescent,* le soumettre à une série d'exercices destinés à lui permettre de reprendre l'usage d'un membre paralysé ou ankylosé, d'une faculté altérée par la maladie. ◆ **rééducation** n. f. : *La rééducation de l'enfance délinquante.*

effacer [efase] v. tr. 1° *Effacer une tache, une inscription,* etc., la faire disparaître, en particulier par frottement, par lavage, par usure : *Un dessinateur qui efface un trait de crayon* (syn. : GOMMER). *Les intempéries ont effacé les lettres du panneau indicateur;* et sans complément : *Cette gomme efface bien.* — 2° *Effacer un souvenir, une mauvaise impression, un affront,* etc., les chasser, les faire disparaître : *Le temps efface tout.* — 3° *Effacer quelqu'un,* l'empêcher de briller : *Elle efface par son esprit toutes les autres femmes* (syn. : ÉCLIPSER). — 4° *Effacer ses épaules, son corps,* etc., les mettre en retrait, les rentrer. ◆ ***s'effacer*** v. pr. 1° (sujet nom de chose) Devenir indistinct : *Une inscription qui s'efface. Les traces des roues se sont effacées. Des notions qui s'effacent dans les mémoires.* — 2° (sujet nom de personne) Se tenir à l'écart; ne pas se mettre en valeur : *S'effacer pour laisser passer quelqu'un. Un romancier qui s'efface derrière ses personnages.* ◆ **effaçable** adj. : *Un dessin à la craie facilement effaçable.* ◆ **ineffaçable** adj. : *Un souvenir ineffaçable* (syn. : VIVACE, ÉTERNEL). *Son éducation l'a marqué de traits ineffaçables* (syn. : INDÉLÉBILE). ◆ **effacé, e** adj. Se dit d'une personne qui vit modestement, qui ne se fait pas remarquer : *Une jeune fille timide et effacée. Mener une vie effacée* (syn. : HUMBLE, OBSCUR). ◆ **effacement** n. m. : *L'effacement d'un souvenir. Un candidat élu grâce à l'effacement d'un rival* (syn. : RETRAIT). *Il a passé sa vie dans l'effacement* (syn. : DISCRÉTION).

effarer [efare] v. tr. *Effarer une personne, un animal,* lui causer une surprise, une frayeur qui lui donne un air hagard : *Une nouvelle qui effare les auditeurs* (syn. : STUPÉFIER). *Un artiste qui effare le public* (syn. : EFFAROUCHER). *Il contemplait le désastre d'un air effaré* (= stupéfait, ahuri, affolé). ◆ **effarant, e** adj. : *Un produit qui a atteint un prix effarant* (syn. : ↓ STUPÉFIANT). *Un cynisme effarant* (syn. : EFFRAYANT). *Un homme d'une bêtise effarante* (syn. : INCROYABLE). ◆ **effarement** n. m. : *Les prisonniers voyaient avec effarement les flammes de l'incendie gagner leur bâtiment. Il s'aperçut, à son grand effarement, que le coffre était vide.*

effaroucher [efaruʃe] v. tr. *Effaroucher une personne, un animal,* les remplir de crainte, de défiance, les porter à fuir : *S'approcher lentement pour ne pas effaroucher les poissons* (syn. : EFFRAYER). *Ne vous laissez pas effaroucher par son air rogue* (syn. : INTIMIDER). ◆ **effarouché, e** adj. : *Elle jetait de tous côtés des regards effarouchés* (syn. : ↓ INQUIET). ◆ **effarouchement** n. m.

1. effectif, ive [efɛktif, -iv] adj. Se dit de ce qui existe réellement, de ce qui se traduit en actes : *Il a beaucoup parlé, mais son travail effectif est insignifiant* (syn. : RÉEL, POSITIF). *L'armistice est devenu effectif depuis ce matin.*

2. effectif [efɛktif] n. m. Nombre de personnes constituant un groupe bien déterminé : *L'effectif du lycée a doublé depuis vingt ans. Procéder à un recensement des effectifs dans une administration.*

effectivement [efɛktivmɑ̃] adv. 1° Selon ce que l'on peut constater dans la réalité, conformément à ce qui existe : *Non, ceci n'est pas un conte, c'est effectivement arrivé* (syn. : RÉELLEMENT, POSITIVEMENT). *Il est plus inquiet qu'il ne paraît effectivement* (syn. : VÉRITABLEMENT). *Il est effectivement sorti dans l'après-midi* (contr. : APPAREMMENT, EN APPARENCE). — 2° Sert de confirmation à un énoncé précédent ou de renforcement à une affirmation : « *Vous étiez absent de chez vous dimanche? — Oui, effectivement* » (syn. : EN EFFET, C'EST EXACT).

effectuer [efɛktɥe] v. tr. *Effectuer quelque chose,* procéder à sa réalisation : *L'armée a effectué un repli stratégique* (syn. : OPÉRER). *Faire effectuer des réparations dans sa maison* (syn. : EXÉCUTER, FAIRE). *Le navire a effectué la traversée en dix heures* (syn. : ACCOMPLIR). ◆ ***s'effectuer*** v. pr. Etre fait : *Les travaux s'effectuent selon le plan prévu. La rentrée s'effectue dans l'ordre* (syn. : SE RÉALISER).

efféminer [efemine] v. tr. Péjor. *Efféminer quelqu'un,* le rendre exagérément délicat (surtout au passif) : *Ces quelques années de vie trop facile l'ont un peu efféminé* (syn. : AMOLLIR). ◆ **efféminé, e** adj. et n. : *C'est un garçon très élégant, mais aux manières trop efféminées* (contr. : VIRIL).

effervescent, e [efɛrvesɑ̃, -ɑ̃t] adj. 1° Se dit d'un liquide qui bouillonne ou qui pétille : *Une réaction chimique qui rend le mélange effervescent. Une boisson effervescente.* — 2° Se dit de personnes qui réagissent vivement, avec passion : *Une foule effervescente* (syn. : AGITÉ, ARDENT, BOUILLANT, ENFLAMMÉ). ◆ **effervescence** n. f. 1° *Chauffer de l'eau jusqu'à effervescence.* — 2° *S'efforcer de calmer une assemblée en pleine effervescence* (syn. : AGITATION). *Une grande effervescence régnait dans la ville* (contr. : CALME).

1. effet [efɛ] n. m. 1° Ce qui est produit, entraîné par l'action d'une chose : *Ce remède a produit un effet salutaire* (syn. : RÉSULTAT). *On peut déjà prévoir les effets de la nouvelle loi de finances* (syn. : CONSÉQUENCE). *Le phénomène des marées est un effet de l'attraction exercée par la Lune et le Soleil* (contr. : CAUSE). — 2° Impression produite sur quelqu'un (surtout avec le verbe *faire*) : *Cette déclaration a fait un effet considérable sur l'assemblée. Un langage très libre, qui ferait mauvais effet dans un salon. Il me fait l'effet d'un garçon sérieux* (= il me semble). *Un assemblage de couleurs du plus heureux effet* (= qui est très agréable à la vue). *Un effet d'optique, de perspective* (syn. : ILLUSION). — 3° Procédé visant à attirer l'attention, à provoquer une surprise : *Des effets littéraires. Tirer des effets comiques d'une situation. La mise en scène de cette pièce comporte des effets faciles. Un cinéaste qui recherche les effets.* — 4° Attitude affectée par ostentation : *Faire des effets de voix, des effets de jambes. Il a manqué son petit effet.* — 5° *A cet effet,* dans cette intention, en vue de ce résultat. ‖ *Faire des effets de,* se faire remarquer par, chercher à mettre en valeur : *Un orateur qui fait des effets de voix.* ‖ *Sous l'effet de,* sous l'influence de : *Il rougit sous l'effet de la honte. Un malade qui est sous l'effet d'un calmant.* ‖ *Donner de l'effet à une balle,* lui imprimer un mouvement de rotation pour lui donner une trajectoire, un rebond anormal. ‖ *En effet,* v. ce mot.

2. effets [efɛ] n. m. pl. Pièces de l'habillement : *Il a mis de vieux effets pour bêcher son jardin* (syn. : VÊTEMENTS).

effeuiller v. tr. V. FEUILLE.

efficace [efikas] adj. 1° Se dit d'une chose qui produit l'effet attendu : *Un traitement efficace du* *rhumatisme* (syn. : BON POUR). *Je connais un moyen efficace pour le faire accepter* (syn. : INFAILLIBLE). — 2° Se dit d'une personne qui exerce une action proportionnée à son rôle : *Un employé peu efficace* (syn. : CAPABLE). *Il serait plus efficace à ce poste* (syn. : EFFICIENT). ◆ **efficacement** adv. : *Employer efficacement une nouvelle méthode* (= avoir un résultat satisfaisant). *Il est intervenu efficacement auprès de la direction* (= avec succès, utilement). ◆ **efficacité** n. f. : *L'efficacité d'un remède* (syn. : ACTION). *L'efficacité d'un ingénieur* (syn. : PRODUCTIVITÉ). ◆ **inefficace** adj. : *Une réponse totalement inefficace. Un secrétaire inefficace.* ◆ **inefficacité** n. f. : *Constater l'inefficacité d'une cure thermale* (syn. : INUTILITÉ). *L'inefficacité de certains services.*

efficient, e [efisjɑ̃, -ɑ̃t] adj. 1° Se dit, dans la langue philosophique ou dans un style un peu recherché, de ce qui produit réellement un effet : *La cause efficiente de ce phénomène.* — 2° Se dit, en style soigné, d'une personne dont l'action aboutit à des résultats (syn. : EFFICACE). ◆ **efficience** n. f. Syn. usuel : EFFICACITÉ.

effigie [efiʒi] n. f. 1° Représentation, notamment sur une médaille ou une pièce de monnaie, du visage d'une personne : *Des monnaies anciennes dont l'effigie est usée. Une pièce à l'effigie d'un souverain.* — 2° *Brûler quelqu'un en effigie,* brûler publiquement son image ou un mannequin le représentant, en signe de la haine qu'on lui porte.

effilé, e [efile] adj. Se dit de ce qui va en s'amenuisant : *Des doigts effilés* (syn. : MINCE, ALLONGÉ; contr. : ÉPAIS). *Le clocher se termine par une flèche effilée* (syn. : AIGU, POINTU). ◆ **effilement** n. m.

effiler [efile] v. tr. 1° *Effiler un tissu,* en défaire les fils un à un, de façon à faire des franges au bord. — 2° *Effiler les cheveux de quelqu'un,* les raccourcir inégalement, en dégradé. ◆ **effilocher** v. tr. Réduire en charpie un tissu, disperser en fils qui s'étirent, en morceaux : *Effilocher le bout d'une corde. Le vent effiloche les nuages.* ◆ ***s'effilocher*** v. pr. : *Le drapeau s'est effiloché en claquant au vent. Une fumée qui s'effiloche.* ◆ **effilochage** n. m. ◆ **effilochure** n. f. Partie effilochée d'une chose.

efflanqué, e [eflɑ̃ke] adj. et n. *Péjor.* Se dit d'un être vivant maigre et long : *Un pauvre diable tout efflanqué* (syn. : DÉCHARNÉ). *Un grand efflanqué.*

effleurer [eflœre] v. tr. 1° *Effleurer une chose,* la toucher légèrement, en raser la surface : *Elle effleura du doigt le vase de cristal* (syn. : CARESSER). *Les hirondelles effleurent l'étang.* — 2° *Effleurer quelqu'un, une partie de son corps,* l'entamer superficiellement, l'égratigner : *Un éclat d'obus lui avait effleuré la jambe* (syn. : ÉGRATIGNER). — 3° (sujet nom abstrait) *Effleurer quelqu'un, son esprit,* se présenter à l'esprit sans y laisser d'impression profonde : *La crainte d'un insuccès ne l'avait même pas effleuré.* — 4° *Effleurer un sujet,* en traiter superficiellement. ◆ **effleurement** n. m. : *Il sentit sur son visage l'effleurement d'un brin d'herbe.*

efflorescence [eflɔrɛsɑ̃s] n. f. 1° Début de la floraison. — 2° Apparition de quelque chose ou son épanouissement (littér.) : *L'efflorescence de l'art gothique au XIIIe siècle.*

effluve [eflyv] n. m. Emanation plus ou moins odorante qui se dégage du corps des êtres animés et des végétaux (langue littér.) : *Les effluves embaumés d'un jardin, un soir d'été.*

effondrer (s') [sefɔ̃dre] v. pr. 1° (sujet nom concret) Crouler, céder sous un poids excessif : *Un plancher, une voûte qui s'effondre. Le pont s'est effondré au passage du camion* (syn. : S'ÉCROULER). — 2° (sujet nom abstrait) S'avérer sans valeur : *Ses arguments se sont effondrés. L'empire s'est effondré* (syn. : SE DISLOQUER). — 3° *Les prix, le marché, les cours s'effondrent,* ils subissent une baisse importante et très brusque. — 4° (sujet nom d'être animé) Tomber à terre, mort ou blessé : *La sentinelle tira une rafale sur le fugitif, qui s'effondra* (syn. : S'ÉCROULER, S'ABATTRE). — 5° (sujet nom de personne) Céder à un abattement moral, cesser de résister : *Un accusé qui s'effondre et passe aux aveux.* ◆ **effondré, e** adj. Se dit d'une personne complètement abattue moralement : *Il paraissait effondré de cette nouvelle* (syn. : ANÉANTI, ↑ PROSTRÉ). ◆ **effondrement** n. m. : *L'effondrement d'un toit* (syn. : ÉCROULEMENT). *L'effondrement d'une preuve* (syn. : RUINE). *L'effondrement des cours de la Bourse. L'effondrement d'une femme délaissée* (syn. : ABATTEMENT, ANÉANTISSEMENT, PROSTRATION).

efforcer (s') [sefɔrse] v. pr. *S'efforcer de* (et l'infin.), employer ses forces à, faire son possible pour : *S'efforcer de déplacer un bloc de pierre. Il s'efforçait de rester calme dans cette agitation générale* (syn. : TÂCHER, ESSAYER).

effort [efɔr] n. m. Application de forces physiques, intellectuelles ou morales à un but : *Les efforts que m'a demandés l'arrachage de cet arbre. Une lecture qui demande un effort de réflexion. Au prix d'un effort de volonté, il n'a rien répondu à ces injures. Un élève qui pourrait réussir s'il faisait des efforts. Le succès nous récompense de notre effort. Il n'a même pas pu faire l'effort de m'écrire* (= il n'a pas eu ce courage). *Un concurrent qui a gagné sans effort* (= facilement).

effraction [efraksjɔ̃] n. f. Action de briser une clôture, de forcer une serrure pour commettre un méfait : *Les cambrioleurs ont pénétré dans la maison par effraction. Le vol avec effraction est juridiquement qualifié de crime.* (V. FRACTURER.)

effrangé, e [efrɑ̃ʒe] adj. Effiloché au bord : *Une veste tout effrangée.*

effrayer [efreje] v. tr. 1° *Effrayer une personne, un animal,* lui causer de la frayeur : *L'explosion a effrayé le chat* (syn. : APEURER, EFFAROUCHER; ↑ ÉPOUVANTER, TERRIFIER). — 2° *Effrayer quelqu'un,* lui causer un grand souci, le rebuter, le décourager (souvent au passif) : *Etre effrayé par la longueur de la tâche à entreprendre* (contr. : ENHARDIR). ◆ ***s'effrayer*** v. pr. Eprouver de la frayeur, de la peur : *Il s'effraie d'un rien.* ◆ **effrayant, e** adj. 1° Qui cause une grande peur : *Un cri effrayant* (syn. : TERRIFIANT). — 2° *Fam.* Qui accable, qui produit un saisissement : *Une chaleur effrayante* (syn. : TERRIBLE). *Un enfant d'une paresse effrayante. Un prix effrayant* (syn. : EFFARANT). [V. EFFROI.]

effréné, e [efrene] adj. Se dit de ce qui s'exerce sans retenue, avec violence : *Une ardeur effrénée* (syn. : ↑ EXAGÉRÉ). *Un orgueil effréné* (syn. : IMMENSE, ↓ IMMODÉRÉ). *Course effrénée* (syn. : FOU).

effriter [efrite] v. tr. *Effriter une chose,* la désagréger, la réduire en fines particules : *Effriter un biscuit entre ses doigts.* ◆ ***s'effriter*** v. pr. 1° *Une roche qui s'effrite facilement.* — 2° Se dissocier : *L'opposition parlementaire s'est effritée.* ◆ **effri-**

tement n. m. 1° *L'effritement d'une ardoise.* — 2° *L'effritement d'un parti, d'une majorité,* etc., son affaiblissement progressif, sa désagrégation.

effroi [efrwa] n. m. Grande frayeur : *L'éruption volcanique remplit d'effroi tous les habitants des environs.* ◆ **effroyable** adj. (peut se placer avant le nom) **1°** Se dit de ce qui cause de l'effroi : *Un effroyable massacre* (syn. : HORRIBLE, AFFREUX, ÉPOUVANTABLE). — **2°** Qui impressionne vivement; qui est très mauvais : *Un livre d'une confusion effroyable. Une nourriture effroyable* (syn. : ATROCE, AFFREUX, HORRIBLE, ÉPOUVANTABLE). ◆ **effroyablement** adv. : *Des victimes effroyablement mutilées* (syn. : HORRIBLEMENT, AFFREUSEMENT). *Elle chante effroyablement* (syn. : ÉPOUVANTABLEMENT).

effronté, e [efrɔ̃te] adj. Se dit d'une personne (ou de son comportement) qui se conduit envers les autres avec une hardiesse excessive, qui ne garde aucune retenue : *Il est bien effronté de nous dire cela* (syn. : IMPUDENT). *Un effronté menteur* (syn. : ÉHONTÉ). *Une réponse effrontée* (syn. : INSOLENT, OUTRECUIDANT). ◆ **effrontément** adv. : *Mentir effrontément. Regarder quelqu'un effrontément* (syn. : IMPUDEMMENT, INSOLEMMENT). ◆ **effronterie** n. f. : *Il a eu l'effronterie de nier l'évidence* (syn. : AUDACE, IMPUDENCE). *Un gamin qui répond avec effronterie* (syn. : INSOLENCE).

effroyable adj. V. EFFROI.

effusion [efyzjɔ̃] n. f. **1°** Manifestation de tendresse, d'affection (le plus souvent au plur.) : *Après les premières effusions, la mère et la fille, enfin réunies, commencèrent à se raconter leurs aventures* (syn. : ÉPANCHEMENT). *Des effusions de tendresse* (syn. : DÉBORDEMENT). — **2°** *Effusion de sang,* action de verser le sang, de blesser ou de tuer : *Une révolution qui se fait sans effusion de sang.*

égailler (s') [segaje] v. pr. (sujet nom de personne). Se disperser en tous sens, en général pour se dissimuler : *Les soldats en déroute s'égaillèrent dans les bois des environs* (syn. : S'ÉPARPILLER).

égal, e, aux [egal, ego] adj. **1°** Se dit de ce qui ne présente aucune différence de quantité, de dimension, de valeur : *Deux récipients de capacité égale* (syn. : IDENTIQUE). *Le double de douze est égal au triple de huit. La base de ce triangle est égale à sa hauteur. Sa probité est égale à son dévouement. Il traitait tous ses voisins avec une égale cordialité* (syn. : MÊME). — **2°** Se dit de ce qui ne présente pas de brusques différences dans son cours : *Marcher d'un pas égal* (syn. : RÉGULIER, UNIFORME). *Un homme d'un caractère égal* (syn. : CALME). — **3°** Se dit de ce qui ne présente pas de bosses ou de creux : *Jouer une partie de football sur un terrain bien égal* (syn. : UNI). — **4°** Se dit de ce qui s'applique à tout le monde dans les mêmes conditions, de ce qui offre les mêmes chances à tous : *Une justice égale* (syn. : IMPARTIAL). *La partie n'est pas égale entre eux.* ◆ adj. et n. **1°** Se dit de personnes qui ont les mêmes droits, la même condition : *Des citoyens égaux devant la loi. Il est familier avec ses égaux.* — **2°** *Sans égal,* supérieur à tout ou à tous : *Une habileté sans égale* (syn. : INCOMPARABLE, UNIQUE). ‖ *A l'égal de,* au même degré que. ‖ *D'égal à égal,* sans marquer aucune différence de rang social, de dignité : *S'entretenir d'égal à égal avec quelqu'un* (syn. : SUR UN PIED D'ÉGALITÉ). ‖ *Toutes choses égales d'ailleurs,* toutes les circonstances restant les mêmes. ‖ Fam. *C'est égal,* insiste sur le caractère inattendu, anormal d'un fait : *Il n'est pas venu au rendez-vous : c'est égal, il aurait pu donner un coup de téléphone!* ‖ *Cela m'est égal, lui est égal,* etc., cela me, le laisse indifférent : *Tout lui est égal, maintenant que ce projet a échoué.* ‖ *N'avoir d'égal que,* ne pouvoir être comparé qu'à : *Un courage qui n'a d'égal* (ou *d'égale*) *que sa prudence.* ‖ *Rester égal à soi-même,* ne pas perdre de ses qualités. ◆ **également** adv. **1°** De façon égale : *Nappe qui pend également aux deux bouts de la table. Craindre également la chaleur et le froid. Deux frères également partagés dans cet héritage.* — **2°** Aussi, de même, en outre : *Il faut lire ce livre et celui-là également. Voilà le trajet le plus court, mais on peut également gagner cette ville par une autre route.* ◆ **égaler** v. tr. *Egaler quelqu'un, quelque chose,* atteindre au même niveau, à la même importance que cette personne ou cette chose : *Aucun des concurrents n'a pu l'égaler en rapidité. Un record jamais égalé. La renommée de cet auteur égale celle de son devancier. Dix divisé par deux égale cinq.* ◆ **égalable** adj. : *Un exploit très difficilement égalable.* ◆ **égaliser** v. tr. Rendre égal : *Egaliser les franges d'une écharpe. Egaliser une allée* (syn. : NIVELER). *Les épreuves sont choisies de façon à égaliser les chances des concurrents* (syn. : ÉQUILIBRER). *Egaliser le sol* (syn. : NIVELER). *Un système fiscal qui tendrait à égaliser les fortunes* (syn. : NIVELER). ◆ v. intr. *Joueur, équipe qui égalise,* qui réussit à obtenir le même nombre de points que l'adversaire dans une compétition sportive. ◆ **égalisateur, trice** adj. ◆ **égalisation** n. f. : *L'égalisation du terrain, des conditions sociales* (syn. : NIVELLEMENT). *Equipe qui obtient l'égalisation.* ◆ **égalité** n. f. Qualité de choses ou de personnes égales : *L'égalité de deux sommes, des côtés d'un carré. L'égalité du sol. Un homme d'une parfaite égalité d'humeur. Egalité politique. L'égalité des conditions sociales. Les deux concurrents sont à égalité* (= ils ont le même nombre de points). *A égalité de titres, on prend le candidat le plus jeune* (= au cas où les titres sont égaux). ◆ **égalitaire** adj. Se dit de ce qui vise à l'égalité politique, civile, sociale : *Une doctrine égalitaire.* ◆ **égalitarisme** n. m. Théorie qui affirme l'égalité des droits entre les hommes. ◆ **inégal, e, aux** adj. S'oppose aux différents sens de *égal,* mais n'est généralement pas suivi d'un complément : *Des arbres inégaux. Un sol inégal. Un pouls inégal. Deux nombres inégaux. Des conditions sociales très inégales. Des romans d'un intérêt inégal* (syn. : VARIABLE). ◆ **inégalable** adj. Qui ne peut pas être égalé : *Un vin d'une qualité inégalable.* ◆ **inégalé, e** adj. Qui n'a pas été égalé : *Record inégalé.* ◆ **inégalement** adv. : *Des plantes qui poussent inégalement. Des ressources minières inégalement réparties. Des films inégalement intéressants* (syn. : DIVERSEMENT). ◆ **inégalité** n. f. : *L'inégalité des deux montants. L'inégalité de la surface. Une inégalité de fortune, d'humeur, de chances.*

1. égard [egar] n. m. (Ne s'emploie que dans des locutions verbales, adverbiales ou prépositives.) *A l'égard de,* relativement à, en ce qui concerne : *Un commerçant aimable à l'égard de ses clients* (syn. : ENVERS, AVEC). *On a fait une exception à son égard* (= en sa faveur). *Prendre des sanctions à l'égard des coupables* (syn. : À L'ENCONTRE DE). ‖ *Avoir égard à quelque chose,* en tenir compte. ‖ *A tous égards, à certains égards, à aucun égard, à cet égard,* à tous les points de vue, à certains points de vue, sous aucun rapport, sous ce rapport. ‖ *Par égard,* *sans égard pour,* en tenant, en ne tenant pas compte de : *Par égard pour sa famille, on a étouffé l'affaire.* || *Sans égard pour,* sans tenir compte de, sans considération pour. || *Eu égard à,* compte tenu de, en considération de.

2. égards [egar] n. m. pl. Marques de considération témoignées à quelqu'un : *Son âge lui donne droit à certains égards* (syn. : DÉFÉRENCE).

égarer [egare] v. tr. 1° *Egarer quelqu'un,* le mettre hors de son chemin, de telle sorte qu'il ne sait plus de quel côté se diriger : *Un faux témoignage qui égare les enquêteurs* (syn. : DÉROUTER). — 2° *Egarer quelqu'un,* le porter à une erreur de jugement, lui faire perdre le contrôle de ses actes : *Une lecture qui risque d'égarer les jeunes gens* (syn. : PERVERTIR). *Egaré par sa douleur, il s'en prenait à tout son entourage.* — 3° *Egarer un objet,* ne plus pouvoir le retrouver momentanément : *Voudriez-vous me prêter votre stylo; j'ai égaré le mien* (syn. : ↑ PERDRE). ◆ ***s'égarer*** v. pr. 1° (sujet nom d'être animé) Ne plus reconnaître le bon chemin, faire fausse route : *Des enfants qui se sont égarés en jouant dans la forêt* (syn. : SE PERDRE). — 2° (sujet nom de personne) S'écarter du bon sens, de la vérité, du centre d'intérêt : *Le début du raisonnement est rigoureux, mais, ensuite, l'auteur s'égare complètement* (syn. : SE TROMPER; fam. : DÉRAILLER). *Il s'égare dans de vaines digressions.* — 3° (sujet nom de chose) Echapper aux recherches : *Plusieurs livres se sont égarés au cours du déménagement* (syn. : ↑ SE PERDRE). — 4° *Votes, voix qui s'égarent* (*sur des candidats obscurs*), qui s'éparpillent, se disséminent. ◆ **égarement** n. m. : *Un employé responsable de l'égarement d'un document* (syn. : ↑ PERTE). *Depuis quelque temps, il présentait des signes d'égarement d'esprit. Dans son égarement, il ne songeait même pas à tirer le signal d'alarme* (syn. : AFFOLEMENT). *Egarement moral* (= dérèglement de la conduite).

égayer [egeje] v. tr. 1° (sujet nom de personne ou de chose) *Egayer quelqu'un,* le porter à la gaieté : *Le conférencier égaya l'auditoire par quelques anecdotes piquantes* (syn. : AMUSER, RÉJOUIR, DIVERTIR). — 2° (sujet nom de chose) *Egayer une maison, un récit,* etc., les agrémenter de détails qui leur donnent un aspect plus gai. ◆ ***s'égayer*** v. pr. (sujet nom de personne). Se donner du plaisir, notamment par la moquerie : *L'auditoire s'égaya longuement de ce lapsus de l'orateur* (syn. : RIRE). *S'égayer aux dépens d'un invité* (syn. : S'AMUSER, SE DIVERTIR).

égérie [eʒeri] n. f. Femme qui conseille secrètement quelqu'un. (S'emploie avec une nuance ironique et généralement péjorative.)

égide [eʒid] n. f. *Sous l'égide de,* sous le patronage de : *Une exposition organisée sous l'égide du gouvernement* (syn. : SOUS LES AUSPICES DE).

églantier [eglɑ̃tje] n. m. Rosier sauvage. ◆ **églantine** n. f. Fleur de l'églantier.

1. église [egliz] n. f. Edifice destiné au rassemblement des fidèles pour l'exercice du culte catholique (pour les autres religions, on emploie généralement le mot *temple*) : *On aperçoit d'ici le clocher de l'église.* (V. ECCLÉSIASTIQUE.)

2. Eglise [egliz] n. f. Ensemble des fidèles d'une religion reconnaissant Jésus-Christ pour son fondateur : *L'Eglise catholique. Les Eglises protestantes, orthodoxes.* (Sans qualification, le mot désigne le plus fréquemment l'Eglise catholique.)

églogue [eglɔg] n. f. Petit poème pastoral : *Les « Eglogues » de Virgile.*

égocentrisme [egosɑ̃trism] n. m. Tendance d'une personne à se considérer comme le centre de l'univers, à tout rapporter à elle-même. ◆ **égocentrique** adj. : *Un réflexe égocentrique.*

égoïne [egɔin] n. f. Scie à main, composée d'une lame munie d'une poignée à une extrémité.

égoïsme [egɔism] n. m. Attachement excessif qu'une personne porte à elle-même, à ses intérêts, aux dépens de ceux des autres : *Un égoïsme sordide* (contr. : ALTRUISME, GÉNÉROSITÉ). ◆ **égoïste** adj. et n. Se dit d'une personne qui ne considère que ses intérêts, ou du comportement de cette personne : *Cet enfant est égoïste, il a gardé pour lui tous les bonbons au lieu d'en offrir. Un calcul égoïste* (contr. : DÉSINTÉRESSÉ). *Il s'est conduit en égoïste.* ◆ **égoïstement** adv. : *Vivre égoïstement.*

égorger [egɔrʒe] v. tr. 1° *Egorger une personne, un animal,* les tuer en leur coupant la gorge. — 2° Fam. *Hôtelier qui égorge ses clients,* qui les fait payer un prix excessif (syn. : ÉCORCHER, RANÇONNER). ◆ **égorgement** n. m. : *Une cérémonie rituelle qui comportait l'égorgement d'un mouton.* ◆ **égorgeur, euse** n. : *Le jury est sans pitié pour ces égorgeurs.*

égosiller (s') [segɔzije] v. pr. (sujet nom de personne). Crier fort et longtemps : *Il s'égosillait vainement depuis un quart d'heure pour se faire entendre dans ce tumulte.*

égout [egu] n. m. Canalisation souterraine destinée à l'évacuation des eaux sales : *Les égouts se déversent parfois dans la mer. Une bouche d'égout est une ouverture pratiquée dans la bordure d'un trottoir pour évacuer dans l'égout les eaux de la rue.* ◆ **égoutier** [egutje] n. m. Ouvrier chargé du nettoyage et de l'entretien des égouts.

égoutter [egute] v. tr. *Egoutter un corps,* le débarrasser d'un liquide qu'on laisse écouler goutte à goutte : *Etendre du linge pour l'égoutter. Egoutter la vaisselle.* ◆ ***s'égoutter*** v. pr. ou ***égoutter*** v. intr. 1° Perdre goutte à goutte un liquide qui imprègne : *Les arbres s'égouttent après la pluie. Le linge s'égoutte* ou *égoutte.* — 2° S'écouler goutte à goutte : *L'eau de pluie qui s'égoutte d'un manteau.* ◆ **égouttage** ou **égouttement** n. m. ◆ **égouttoir** n. m. Ustensile permettant de faire égoutter quelque chose, en particulier la vaisselle.

égratigner [egratiɲe] v. tr. 1° *Egratigner quelqu'un,* lui déchirer superficiellement la peau : *Les ronces lui ont égratigné les jambes.* — 2° *Egratigner une chose,* en rayer la surface : *La carrosserie a été égratignée* (syn. : ÉRAFLER). — 3° Fam. *Egratigner quelqu'un,* diriger contre lui des traits de critique légère, de raillerie. ◆ **égratignure** n. f. Déchirure superficielle : *L'accident n'a fait que des dégâts matériels; les deux automobilistes s'en sont tirés sans une égratignure* (syn. : ÉCORCHURE).

égrener [egrəne] v. tr. 1° *Egrener des épis, des grappes,* etc., ou *du blé, du raisin,* etc., séparer les grains des épis, des grappes. — 2° *Egrener un chapelet,* en faire passer les grains entre ses doigts en récitant les formules de prières. — 3° *Pendule qui égrène les heures, les douze coups de midi,* qui marque successivement ces heures, qui sonne ces douze coups. ◆ *s'égrener* v. pr. 1° (sujet nom désignant des grains, des fruits) Se détacher de l'épi ou de la grappe. — 2° (sujet nom de personne ou de chose) Se séparer ou se disposer à distance l'un de l'autre. ◆ **égrènement** n. m.

égrillard, e [egrijar, -ard] adj. Se dit d'une personne (ou de son comportement) qui aime les propos licencieux : *Raconter des histoires égrillardes* (syn. : LESTE, POLISSON, DESSALÉ, VERT, GAILLARD, ↑ OBSCÈNE). *Un air égrillard.*

égyptien, enne [eʒipsjɛ̃, -ɛn] adj. et n. Qui se rapporte à l'Egypte; habitant ou originaire de ce pays. ◆ **égyptien** n. m. Langue de l'ancienne Egypte. ◆ **égyptologie** n. f. Etude de l'Egypte ancienne. ◆ **égyptologue** n.

eh ! [e ou ɛ] interj. 1° Marque en général le début d'une phrase exclamative, dont les intonations variées peuvent exprimer l'étonnement, la surprise, la joie, la douleur, le reproche, l'encouragement, l'interpellation (interj. usuelle, qui forme une attaque de la phrase plus vive que *ah!* et moins intense que *oh!*) : *Eh! attendez un peu. Eh! faites donc un peu attention. Eh! vous, là-bas! venez donc. Eh! que faites-vous là! —* 2° Renforcé par *bien* (*eh bien!*), marque plus nettement le début d'une phrase exclamative ou interrogative exprimant la surprise, l'admiration, la résolution, ou sollicitant une explication, etc. : *Eh bien! puisqu'il le veut, acceptons. Vous avez visité Londres. Eh bien? Eh bien! qui l'aurait dit! Eh bien! quel désappointement doit être le sien. —* 3° *Eh bien* peut introduire une conclusion, un fait présenté comme une conséquence : *Tout le monde est là? Eh bien, on peut commencer. Je m'attendais à un spectacle étonnant : eh bien, j'ai été déçu. —* 4° Renforcé par *quoi* (*eh quoi!*), marque d'une manière très forte le début d'une phrase exclamative ou interrogative exprimant la surprise ou l'indignation : *Eh quoi! vous n'avez pas peur de l'affronter?*

éhonté, e adj. V. HONTE.

éjecter [eʒɛkte] v. tr. 1° *Ejecter un objet,* le projeter au-dehors : *La mitrailleuse éjecte les douilles vides au cours du tir. —* 2° Fam. *Ejecter quelqu'un,* se débarrasser de lui, le renvoyer : *Un élève qui se fait éjecter de la classe* (syn. : EXPULSER; fam. : VIDER). ◆ **éjection** n. f. ◆ **éjectable** adj. *Siège éjectable,* dans un avion, siège doté d'un dispositif qui, en cas d'accident en vol, projette à l'extérieur le pilote muni de son parachute.

élaborer [elabɔre] v. tr. 1° *Elaborer des aliments,* les assimiler, en parlant de l'organisme. — 2° (sujet nom de personne) *Elaborer un plan, une doctrine, un article de revue,* etc., les préparer, les composer au prix d'un long travail (syn. : COMBINER, MÛRIR). ◆ *s'élaborer* v. pr. : *Un projet qui s'élabore peu à peu* (syn. : SE FORMER). ◆ **élaboration** n. f. : *De nombreux ingénieurs ont participé à l'élaboration de ce nouveau modèle* (syn. : PRÉPARATION).

élaguer [elage] v. tr. 1° *Elaguer un arbre,* en retrancher les branches superflues (syn. : TAILLER; ÉMONDER, plus rare). — 2° *Elaguer une phrase, un récit,* etc., en supprimer ce qui les charge inutilement, les rendre plus concis. ◆ **élagage** n. m. : *L'élagage des marronniers de l'avenue. L'élagage d'un compte rendu.* ◆ **élagueur** n. m. Celui qui élague les arbres.

1. élan n. m. V. ÉLANCER (s').

2. élan [elɑ̃] n. m. Mammifère des pays du Nord, proche du cerf.

1. élancer (s') [selɑ̃se] v. pr. 1° (sujet nom d'être animé) Se lancer, se porter vivement : *Quelques passants s'élancèrent à la poursuite du voleur* (syn. : SE JETER). *Dès qu'il vit les flammes, il s'élança vers la sortie* (syn. : SE PRÉCIPITER). *S'élancer au secours d'un accidenté* (syn. : VOLER). — 2° (sujet nom désignant une chose immobile) Etre dressé verticalement avec sveltesse : *La flèche du clocher s'élance vers le ciel* (syn. : POINTER). *Des peupliers qui s'élancent du sol* (syn. : SE DRESSER, S'ÉLEVER). ◆ **élancé, e** adj. Se dit de la taille d'une personne et de l'architecture allongée et fine : *Une taille élancée* (= mince et élégante). *Un clocher élancé. Une colonne élancée* (= haute et fine; syn. : SVELTE; contr. : ALOURDI, ÉPAIS). ◆ **élan** n. m. 1° Mouvement d'un être animé ou d'une chose qui s'élance; force qui pousse un corps en mouvement : *Prendre son élan pour sauter un fossé. Il a franchi l'obstacle d'un seul élan. La voiture, emportée par son élan, n'a pas pu s'arrêter à temps* (syn. : VITESSE). *Dans son élan, l'assaillant bouscula la résistance ennemie* (syn. : ARDEUR). *L'élan des colonnes vers la voûte. —* 2° Brusque mouvement intérieur : *Il a tout avoué dans un élan de franchise* (syn. : ACCÈS). *Cet élan d'affection de sa part m'a surpris.*

2. élancer [elɑ̃se] v. tr. *Blessure, abcès,* etc., *qui élance,* qui cause de vives douleurs intermittentes. ◆ **élancement** n. m. : *Une crise de rhumatisme qui cause de violents élancements.*

1. élargir [elarʒir] v. tr. *Elargir quelque chose,* le rendre plus large, plus ample : *Elargir une allée de jardin. Elargir un rideau* (contr. : RÉTRÉCIR). *Ses lectures lui ont élargi l'esprit* (syn. : OUVRIR). *Elargir un débat* (= lui donner une portée plus générale). *Le gouvernement cherche à élargir sa majorité* (syn. : AUGMENTER). ◆ *s'élargir* v. pr. ou *élargir* v. intr. (sujet nom de chose). Devenir plus large : *En arrivant à la ville, la route s'élargit* (contr. : SE RÉTRÉCIR). *Un pull-over qui s'est élargi* ou *qui a élargi.* ◆ **élargissement** n. m. : *L'élargissement de la cheminée, d'un vêtement, de la majorité.*

2. élargir [elarʒir] v. tr. *Elargir un prisonnier,* le libérer. ◆ **élargissement** n. m. : *L'élargissement des détenus* (syn. : LIBÉRATION).

élastique [elastik] adj. 1° Se dit d'un corps qui a la propriété de reprendre totalement ou partiellement sa forme ou son volume après avoir été comprimé, distendu, déformé : *Le caoutchouc est élastique. —* 2° Fam. *Conscience élastique,* conscience d'une personne qui ne fait pas preuve d'une grande rigueur morale, qui s'accommode assez facilement de ce qui est jugé répréhensible. ‖ *Règlement élastique,* qui n'est pas très exigeant, qu'on peut interpréter assez librement. ◆ **élastique** n. m. Petit lien en caoutchouc : *Des fiches retenues ensemble par un élastique.* ◆ **élasticité** n. f. : *L'élasticité de la peau. L'élasticité d'une lame d'acier. L'élasticité d'un acrobate* (syn. : SOUPLESSE).

eldorado [ɛldɔrado] n. m. Pays chimérique, où l'on a des richesses à foison.

électeur, trice n., **élection** n. f., **électoral, e, aux** adj. V. ÉLIRE.

électricité [elɛktrisite] n. f. 1° Une des formes de l'énergie, utilisée à des fins mécaniques ou pour l'éclairage, le chauffage, certains soins médicaux, etc. : *Toute la production d'électricité de cette* *région provient des barrages. On transporte l'électricité par des câbles métalliques. Installer l'électricité dans un appartement* (= poser un réseau de fils métalliques destinés à distribuer le courant électrique). *Il suffit de baisser cette manette pour couper l'électricité de toute la maison* (syn. : COURANT). *Une machine qui marche à l'électricité. Les éclairs sont des décharges d'électricité.* — 2° Fam. *Il y a de l'électricité dans l'air,* les esprits sont échauffés, on peut craindre un éclat. ◆ **électricien, enne** n. et adj. Spécialiste des questions d'électricité, des installations électriques : *Faire installer un nouveau système d'éclairage par un électricien. Un ouvrier électricien.* ◆ **électrifier** v. tr. Doter d'une installation électrique; faire fonctionner à l'électricité : *Electrifier un nouveau tronçon du réseau ferroviaire.* ◆ **électrification** n. f. ◆ **électrique** adj. 1° Se dit de ce qui est relatif à l'électricité, de ce qui fonctionne à l'électricité : *Le court-circuit est dû à un fil électrique mal isolé. Le courant électrique lui a causé une commotion. Ampoule électrique. Lumière électrique. Moteur électrique.* — 2° Se dit d'une personne très ardente, qui réagit avec une grande vivacité. ◆ **électriquement** adv. *Fonctionner, marcher électriquement,* au moyen de l'électricité. ◆ **électriser** v. tr. *Electriser quelqu'un,* provoquer en lui une vive exaltation, l'exciter : *Cette promesse magnifique avait électrisé l'assistance.* ◆ **électrochoc** n. m. Traitement électrique de certaines affections mentales. ◆ **électrocuter** [elɛktrɔkyte] v. tr. Tuer par une décharge électrique. ◆ **électrocution** n. f. : *L'enquête a conclu à une mort par électrocution.* ◆ **électrogène** adj. *Groupe électrogène,* ensemble formé d'un moteur à vapeur ou d'un moteur à explosion et d'une dynamo. ◆ **électroménager** adj. m. Se dit d'appareils ménagers fonctionnant à l'électricité. ◆ **électron** n. m. Corpuscule chargé d'électricité négative. ◆ **électronique** adj. : *Tube électronique. Industrie électronique* (= fabriquant les appareils utilisant des tubes électroniques). ◆ **électrophone** n. m. Appareil reproduisant des sons enregistrés sur des disques, en utilisant des dispositifs mécaniques commandés électriquement.

élégant, e [elegɑ̃, -ɑ̃t] adj. et n. Se dit d'une personne qui a de la grâce, de l'aisance dans ses manières, dans son habillement : *Une jeune femme élégante accueille les visiteurs* (syn. : JOLI, DISTINGUÉ). *Un geste élégant. Une pose élégante. Elle portait une robe très élégante* (syn. : SEYANT; fam. : CHIC). *Il y avait beaucoup d'élégantes à cette soirée.* ◆ adj. 1° Se dit d'une manière d'agir qui séduit par sa simplicité ingénieuse, sa netteté, sa courtoisie : *Il a trouvé une solution élégante au problème* (syn. : ASTUCIEUX). *Une démonstration élégante. Un style élégant. C'est une façon élégante de se débarrasser de lui* (syn. : HABILE). *Il est reparti sans prévenir personne : le procédé est peu élégant* (syn. : COURTOIS, CORRECT, BIEN ÉLEVÉ; contr. : INÉLÉGANT). — 2° Se dit d'une chose dont la forme, l'aspect sont gracieux, qui est fine, bien proportionnée : *La voûte est supportée par des colonnettes élégantes. Il habitait dans un élégant pavillon. Un vase élégant. Un mobilier élégant. Une reliure élégante.* ◆ **élégamment** adv. : *S'habiller élégamment* (syn. : ↓ BIEN). *Il n'a pas agi très élégamment avec moi* (syn. : COURTOISEMENT, CORRECTEMENT). ◆ **élégance** n. f. 1° *L'élégance d'une personne* (syn. : DISTINCTION). *L'élégance d'un geste* (syn. : GRÂCE). *L'élégance d'un costume* (syn. fam. : CHIC). *L'élégance d'une démonstration* (syn. : SIMPLICITÉ). *L'élégance du style* (syn. : AISANCE). *Il a eu l'élégance de ne pas paraître remarquer mon erreur* (syn. : POLITESSE, COURTOISIE, BONNE ÉDUCATION, DÉLICATESSE). *Admirer l'élégance d'un jardin.* — 2° Acte, parole, etc., qui manifeste le désir de plaire : *Il y a dans cette traduction des élégances de mauvais goût.* — 3° *Faire des élégances,* chercher à se faire remarquer par des manières distinguées. ◆ **inélégant, e** adj. Se dit surtout d'un procédé qui manque de courtoisie, qui est contraire aux bienséances : *Ce rappel à l'ordre est inélégant* (syn. : DISCOURTOIS; ↑ INCORRECT, GROSSIER). ◆ **inélégance** n. f. : *L'inélégance de cette remarque* (= manque de courtoisie).

élégie [eleʒi] n. f. Petit poème lyrique, généralement mélancolique ou triste. ◆ **élégiaque** adj. : *Œuvre élégiaque* (syn. : PLAINTIF). *Poète élégiaque.*

élément [elemɑ̃] n. m. 1° Une des choses qui entrent dans la composition d'un corps, d'un ensemble : *Chercher à reconnaître tous les éléments d'un mélange* (syn. : COMPOSANT). *Ce détail est un élément important de l'argumentation. L'enquête n'a apporté aucun élément nouveau au dossier* (syn. : DONNÉE). *Nous manquons d'éléments d'appréciation.* — 2° Milieu dans lequel vit un être, dans lequel il exerce son activité : *Les animaux qui vivent dans l'élément liquide* (= eau). *Il ne fréquente guère les salons : il ne s'y sent pas dans son élément. Quand la conversation est tombée sur les questions économiques, il s'est retrouvé dans son élément* (= sur son terrain). — 3° Personne appartenant à un groupe : *Ce nouvel employé est un excellent élément dans le service* (syn. : RECRUE). *Des éléments ennemis s'étaient infiltrés dans nos lignes. Il y avait des éléments douteux dans le complot.* ◆ **éléments** n. m. pl. 1° Notions de base : *Il a quelques éléments de droit international. Il en est resté aux premiers éléments de latin* (syn. : RUDIMENTS). — 2° *Les éléments,* les forces de la nature, spécialement le vent et l'eau (littér.) : *Un navire qui lutte contre les éléments* (syn. : TEMPÊTE). ◆ **élémentaire** adj. 1° Se dit de ce qui est extrêmement simple, facile à comprendre : *Avoir des notions élémentaires de chimie* (= des rudiments). *Ce problème est élémentaire.* — 2° Se dit de ce qui est essentiel, de ce qui sert de base à un ensemble : *L'entraide est un devoir élémentaire dans une famille. La plus élémentaire politesse aurait dû l'empêcher de parler ainsi.* — 3° Se dit de ce qui concerne les éléments constituant un ensemble : *Décomposer un corps en particules élémentaires.*

éléphant [elefɑ̃] n. m. Très grand mammifère, dont le nez est une longue trompe et dont les incisives supérieures sont allongées en défenses : *L'éléphant barrit. Il est d'une obésité effrayante et se déplace avec la grâce d'un éléphant.* ◆ **éléphanteau** n. m. Jeune éléphant.

élève [elɛv] n. 1° Celui, celle qui reçoit les leçons d'un maître, qui fréquente un établissement d'enseignement (du premier ou du second degré) : *Un professeur qui s'adresse à ses élèves. Les élèves de la classe de quatrième d'un lycée.* — 2° Celui, celle qui a été formé par l'exemple, par les conseils de quelqu'un : *Raphaël fut un élève du Pérugin. Platon, l'élève de Socrate* (syn. : DISCIPLE).

1. élever [elve] v. tr. (conj. **9**). 1° *Elever une chose, une personne,* les porter plus haut, les mettre à un niveau, à un rang supérieur : *Une vieille mai-*

son qui a été élevée d'un étage (syn. : EXHAUSSER, RELEVER). *Elever le niveau de vie de la population* (syn. : HAUSSER). *Elever le prix des denrées* (syn. : AUGMENTER ; contr. : DIMINUER). *On l'a élevé à la dignité de commandeur de la Légion d'honneur* (syn. : PROMOUVOIR). *Elever sa pensée jusqu'aux idées générales* (contr. : ABAISSER). *Une musique qui élève l'âme* (syn. : ENNOBLIR). — 2° *Elever une maison, un monument,* etc., les construire, les dresser. — 3° *Elever une critique, une contestation, une protestation,* etc., les formuler, les opposer. ‖ *Elever le ton,* parler sur un ton menaçant. ‖ *Elever la voix,* prendre la parole, parler avec assurance : *Après cette énergique mise au point, personne n'a osé élever la voix dans l'assistance.* ◆ **s'élever** v. pr. 1° (sujet nom de personne ou de chose) Se porter à un niveau plus élevé, prendre ou avoir de la hauteur, de l'importance : *Un oiseau qui s'élève dans le ciel* (syn. : MONTER). *La température s'élève. La facture s'élève à mille francs* (syn. : SE MONTER). *Un mur de quatre mètres s'élève entre le jardin et la rue* (syn. : SE DRESSER). *Il faut savoir s'élever au-dessus des intérêts particuliers pour chercher l'intérêt général* (= juger avec une hauteur de vue suffisante). — 2° (sujet nom désignant la voix, des cris, une plainte, etc.) Etre poussé par quelqu'un. — 3° (sujet nom de personne) *S'élever contre quelque chose, contre quelqu'un,* s'opposer vigoureusement à cette chose, à cette personne : *Cet homme politique s'élève contre la politique gouvernementale* (syn. : SE DRESSER CONTRE, ATTAQUER). *S'élever contre les lenteurs de l'Administration* (syn. : PROTESTER). ◆ **élevé, e** adj. 1° Se dit d'une chose qui atteint une hauteur considérable, une grande importance : *Arbre élevé. Prix élevé. L'armée a subi des pertes élevées.* — 2° Se dit d'une œuvre, de l'attitude d'une personne qui a de la grandeur morale, de la noblesse de sentiments : *Des livres d'une inspiration élevée. Des cœurs élevés.* ◆ **élévateur, trice** adj. : *Un appareil élévateur de grain.* ◆ **élévateur** n. m. Appareil destiné à élever un corps à un niveau supérieur : *Monter des fardeaux avec un élévateur.* ◆ **élévation** n. f. 1° *L'élévation du barrage a demandé deux ans* (syn. : CONSTRUCTION). *Une élévation de la température, du niveau des prix* (syn. : HAUSSE ; contr. : BAISSE). *Un livre d'une belle élévation de pensée* (syn. : NOBLESSE). *Il a tout réglé paisiblement, sans une élévation de voix* (syn. : HAUSSEMENT, ÉCLAT). — 2° A la messe, geste du prêtre qui élève l'hostie au-dessus de sa tête ; moment où le prêtre accomplit ce geste, aussitôt après les paroles de consécration.

2. élever [elve] v. tr. (conj. 9). 1° *Elever des enfants,* assurer leur développement physique, intellectuel, moral : *Des parents qui ont élevé six enfants. Elever la jeunesse dans le respect des traditions* (syn. : ÉDUQUER, FORMER). — 2° (sujet nom de personne) *Etre élevé,* atteindre l'âge adulte : *Tous ses enfants sont élevés à présent.* ◆ **élevé, e** adj. *Bien élevé, mal élevé,* se dit d'une personne (ou de son comportement) qui a une bonne, une mauvaise éducation : *L'invité était trop bien élevé pour paraître s'apercevoir de cet oubli de son hôte* (syn. : POLI, CORRECT). *Il est mal élevé de couper la parole à quelqu'un* (syn. : IMPOLI, INCORRECT, ↑ GROSSIER).

3. élever [elve] v. tr. (conj. 9). *Elever des animaux,* assurer leur développement physique, les faire prospérer : *Une région où on élève beaucoup de moutons. Un chat élevé au biberon* (syn. : NOURRIR). ◆ **élevage** n. m. Production et entretien des animaux domestiques : *Un fermier qui fait l'élevage des poulets. Une région d'élevage.* ◆ **éleveur, euse** n. Personne qui pratique l'élevage.

élider [elide] v. tr. 1° *Elider un mot,* supprimer sa voyelle finale dans la prononciation ou l'écriture, ou dans les deux à la fois, devant la voyelle initiale du mot suivant ou devant un *h* muet : *On élide le « e » de « me » dans la phrase « il m'aperçoit ».* — 2° *Article élidé,* l'article défini *l'* (*le* ou *la*). ◆ **élision** n. f. Phénomène par lequel une voyelle finale s'élide : *L'élision du « i » de « si » dans : « S'il venait ».*

élimé, e [elime] adj. Se dit d'un tissu usé, aminci par le frottement : *Il portait de pauvres vêtements élimés* (syn. : RÂPÉ).

éliminer [elimine] v. tr. *Eliminer quelqu'un, quelque chose,* l'écarter, l'ôter d'un groupe, d'un organisme : *On a éliminé les informations douteuses pour ne retenir que les faits assurés* (syn. : REJETER, LAISSER DE CÔTÉ). *La moitié des candidats ont été éliminés à l'écrit* (syn. : REFUSER ; fam. : RECALER). *Se donner de l'exercice pour éliminer l'acide urique.* ◆ **éliminateur, trice** n. ◆ **élimination** n. f. : *En procédant par éliminations successives, les enquêteurs ont fini par identifier le coupable. Gagner de la place dans une pièce par élimination de tout ce qui est inutile* (syn. : EXPULSION). ◆ **éliminatoire** adj. Se dit de ce qui aboutit à éliminer : *Une épreuve éliminatoire précède l'examen. Toute note inférieure à six sur vingt sera éliminatoire.* ◆ n. f. Epreuve sportive préalable visant à éliminer les candidats les moins bons.

élire [elir] v. tr. (conj. 73). 1° *Elire un président, un député, un conseiller municipal,* etc., le nommer, le désigner par voie de suffrage. — 2° *Elire domicile quelque part,* y choisir sa résidence. ◆ **élu, e** n. 1° Personne désignée par élection. — 2° Dans la langue religieuse, celui, celle que Dieu appelle à la béatitude éternelle (s'emploie surtout au plur.). — 3° *L'élu de son cœur,* celui qu'elle aime (littér. ou ironiq.). ◆ **électeur, trice** n. Personne qui est admise à participer à une élection : *Un candidat qui s'adresse à ses électeurs.* ◆ **électif, ive** adj. 1° Se dit d'une personne nommée à une fonction par voie d'élection. — 2° Se dit d'une fonction attribuée à quelqu'un par élection. ◆ **électivement** adv. : *Un doyen désigné électivement.* ◆ **électivité** n. f. : *L'électivité d'un magistrat.* ◆ **élection** n. f. : *L'élection du responsable s'est faite à main levée* (syn. : NOMINATION, DÉSIGNATION). *Les élections municipales auront lieu le mois prochain.* ◆ **électoral, e, aux** adj. : *Loi électorale. Collège électoral. Réunion électorale. Affiche électorale.* ◆ **électorat** n. m. 1° Droit d'être électeur. — 2° Ensemble des électeurs. ◆ **éligible** adj. Se dit d'une personne qui est dans les conditions légales requises pour être élue. ◆ **inéligible** adj. ◆ **rééligible** adj. : *Selon les statuts, le président sortant n'est pas rééligible.* ◆ **éligibilité** n. f. : *Un candidat qui satisfait à toutes les conditions d'éligibilité.* ◆ **inéligibilité** n. f. ◆ **réélire** v. tr. : *Depuis vingt ans, il est régulièrement réélu maire de sa commune.* ◆ **réélection** n. f. : *La réélection du candidat sortant est assurée.* ◆ **rééligibilité** n. f.

élision n. f. V. ÉLIDER.

élite [elit] n. f. 1° Petit groupe considéré comme ce qu'il y a de meilleur dans un ensemble de personnes : *Une anthologie de l'élite des poètes du XVI*e *siècle. Cette pièce ne peut être appréciée que d'une élite de gens cultivés* (contr. : MASSE). *Elle rassemblait dans son salon l'élite de la société parisienne* (syn. fam. : CRÈME, DESSUS DU PANIER). *Se préoccuper, dans chaque branche professionnelle, de la formation des élites.* — 2° *D'élite,* se dit d'une personne qui se distingue par ses grandes qualités : *Un chef militaire d'élite. Concours qui permet de recruter des sujets d'élite.*

élixir [eliksir] n. m. Médicament ou liqueur d'un degré élevé d'alcool.

elle [ɛl] pron. pers. V. IL.

1. ellipse [elips] n. f. Fait de syntaxe consistant à ne pas exprimer un ou plusieurs éléments de la phrase qui pourraient l'être : *Dans la phrase « Je fais mon travail et lui le sien », il y a une ellipse du verbe « fait ».* ◆ **elliptique** n. f. 1° Se dit d'une expression, d'une phrase qui contient une ellipse : *Une proposition subordonnée elliptique.* — 2° Se dit d'une phrase dont une partie du sens doit être devinée : *Des allusions très elliptiques.* ◆ **elliptiquement** adv. : *Phrase construite elliptiquement. Il s'est expliqué très elliptiquement.*

2. ellipse [elips] n. f. Courbe plane fermée, dont chaque point est tel que la somme de ses distances à deux points fixes, appelés « foyers », est constante : *Un cercle aplati en ellipse.* ◆ **elliptique** adj. : *Un cadre de forme elliptique* (syn. : OVALE). ◆ **ellipsoïdal, e, aux** adj. Se dit d'une courbe ou d'une surface qui s'approche d'une ellipse. (En mathématiques, le terme a un sens plus précis.)

élocution [elɔkysjɔ̃] n. f. Manière de s'exprimer oralement, d'articuler les mots : *Avoir une élocution aisée, soignée, confuse* (syn. : DICTION). *Un conférencier qui a une belle facilité d'élocution.*

éloge [elɔʒ] n. m. Paroles ou écrit qui vantent les mérites, les qualités de quelqu'un ou de quelque chose : *Il m'a fait l'éloge de son nouveau secrétaire* (syn. : LOUANGE, ↑ DITHYRAMBE). *Il ne tarissait pas d'éloges sur cet hôtel. Devant la tombe, le président de l'association prononça l'éloge funèbre du disparu.* ◆ **élogieux, euse** adj. Se dit d'une personne qui décerne des éloges, ou de ses paroles, de ses appréciations : *Il a été très élogieux sur votre compte* (syn. : LOUANGEUR). *Il a reçu un rapport d'inspection très élogieux* (syn. : FLATTEUR ; contr. : DÉFAVORABLE). *Les journaux ont donné des comptes rendus élogieux de cette pièce* (syn. : ↑ DITHYRAMBIQUE). ◆ **élogieusement** adv. : *Il a parlé de toi fort élogieusement.*

éloigner [elwaɲe] v. tr. *Eloigner quelque chose, quelqu'un,* le mettre plus loin dans l'espace ou dans le temps : *Eloignez un peu ce fauteuil qui me bouche le passage* (syn. : ÉCARTER, REPOUSSER ; contr. : RAPPROCHER). *Par sécurité, on avait éloigné du poêle le bidon d'essence. Ce détour nous éloigne de notre but. Depuis qu'il s'est marié, il a éloigné de lui ses compagnons de jeunesse* (= il a cessé de les fréquenter, il les tient à l'écart). *Son peu de goût pour les compromissions l'avait éloigné de la vie politique* (syn. : DÉTOURNER). *Eloigner de quelqu'un les soupçons* (= l'innocenter). *Chaque jour qui passe nous éloigne de cette date mémorable. Eloigner une échéance* (syn. : RETARDER, REPORTER). *Eloigner ses visites* (syn. : ESPACER). ◆ **s'éloigner** v. pr. Accroître la distance, le désaccord entre soi et une chose ou une personne : *Le train démarre, puis s'éloigne de la gare. Eloignez-vous : on va faire sauter le pont. Il s'éloigna pendant quelque temps de sa famille* (= il la quitta). *Un orateur qui s'éloigne de son sujet* (contr. : RESTER DANS). *Une théorie qui s'éloigne trop de l'observation des faits* (syn. : S'ÉCARTER). *Des souvenirs qui s'éloignent* (= qui paraissent de plus en plus anciens). ◆ **éloigné, e** adj. 1° Se dit de ce qui est loin dans l'espace ou dans le temps : *Il arrivait d'une province éloignée* (syn. : RECULÉ). *Cela ne peut arriver que dans un avenir éloigné* (syn. : LOINTAIN ; contr. : PROCHE). — 2° *Parent éloigné,* qui a des liens de parenté lâches ou indirects (contr. : PROCHE PARENT). ‖ *Etre éloigné de,* avoir une position intellectuelle ou morale très différente de, ne pas être porté à : *Je suis très éloigné de cette conception. Il n'était plus très éloigné de croire que l'affaire réussirait.* ◆ **éloignement** n. m. : *L'éloignement faisait paraître la maison minuscule* (syn. : DISTANCE). *Dans cet éloignement de tous, sa solitude lui pesait* (syn. : OUBLI). *Le médecin lui a ordonné un éloignement momentané de ses affaires* (syn. : RENONCEMENT). *Avec l'éloignement, sa douleur s'est atténuée* (syn. : TEMPS). *Quelques années d'éloignement permettent de mieux juger des résultats* (syn. : RECUL).

élongation [elɔ̃gasjɔ̃] n. f. Augmentation accidentelle et douloureuse de la longueur d'un muscle ou d'un nerf.

éloquent, e [elɔkɑ̃, -ɑ̃t] adj. 1° Se dit de quelqu'un (ou de son comportement) qui a l'art de convaincre par la parole : *L'avocat a été éloquent. Un plaidoyer éloquent. Montrez-vous éloquent, vous réussirez peut-être à le décider* (syn. : PERSUASIF). — 2° Se dit de ce qui est expressif, significatif : *Sa mine déconfite était suffisamment éloquente. Regard éloquent. Geste éloquent* (syn. : PERSUASIF). *La comparaison des résultats est éloquente* (syn. : PARLANT). ◆ **éloquence** n. f. 1° Talent d'une personne éloquente : *Son éloquence l'entraînait dans des images hardies. Sans l'éloquence du rapporteur, la loi n'aurait sans doute pas été votée.* — 2° Caractère expressif de quelque chose : *S'en tenir à l'éloquence des chiffres.* ◆ **éloquemment** [elɔkamɑ̃] adv. : *Plaider éloquemment. Regarder éloquemment.*

élucider [elyside] v. tr. *Elucider une question, une difficulté,* etc., en débrouiller la complexité, y voir clair, la tirer au clair. ◆ **élucidation** n. f. : *Une découverte qui a permis l'élucidation du mystère* (syn. : EXPLICATION).

élucubrations [elykybrasjɔ̃] n. f. pl. *Péjor.* Imaginations déraisonnables, souvent formées au prix de longues réflexions : *Personne ne peut prendre au sérieux ses élucubrations* (syn. : DIVAGATIONS, EXTRAVAGANCES).

éluder [elyde] v. tr. *Eluder une difficulté, un problème,* etc., agir adroitement de façon à ne pas avoir à les résoudre : *On ne peut pas éluder indéfiniment cette question : il faudra bien envisager une solution* (contr. : AFFRONTER).

élytre [elitr] n. m. Aile extérieure coriace de certains insectes, protégeant au repos l'aile membraneuse.

émacié, e [emasje] adj. *Visage émacié, personne émaciée,* visage, personne très maigre.

émail [emaj] n. m. Vernis rendu très dur et inaltérable par l'action de la chaleur, et dont on recouvre certaines matières : *Le choc a fait sauter un éclat d'émail au bord du plat. Une baignoire en fonte revêtue d'émail blanc.* ◆ **émaux** n. m. pl. Bibelots, objets d'art recouverts d'émail. ◆ **émailler** v. tr. **1°** Revêtir d'émail : *Emailler de la porcelaine. Un vase en terre cuite émaillée.* — **2°** *Emailler une chose de quelque chose,* la remplir d'ornements (souvent ironiq.) : *Il a émaillé son discours de citations. Un débat à la Chambre émaillé d'incidents. Un texte émaillé de fautes. Une prairie émaillée de fleurs.* ◆ **émaillage** n. m.

émanciper [emɑ̃sipe] v. tr. **1°** *Emanciper un mineur,* le mettre hors de tutelle, le mettre en état d'effectuer certains actes juridiques. — **2°** *Emanciper quelqu'un, un peuple,* l'affranchir d'une autorité, l'amener à l'indépendance. ◆ ***s'émanciper*** v. pr. (sujet nom de personne). S'affranchir des contraintes sociales ou morales, prendre des libertés parfois trop grandes : *La directrice du pensionnat remarquait que ces demoiselles commençaient à s'émanciper.* ◆ **émancipé, e** adj. *Fam.* Qui a trop de liberté dans ses manières, qui manque de retenue : *Un garçon qui a l'air bien émancipé* (syn. : DÉSINVOLTE, LIBRE). ◆ **émancipateur, trice** adj. : *Mouvement émancipateur.* ◆ **émancipation** n. f. : *L'émancipation d'une fille mineure qui se marie. Les Encyclopédistes visaient à l'émancipation de la pensée.*

émaner [emane] v. intr. **1°** (sujet nom désignant l'odeur, la lumière) *Emaner d'un corps,* s'en dégager, s'en exhaler. — **2°** (sujet nom de chose) Provenir, tirer son origine de : *Une note qui émane du ministère* (syn. : VENIR). *En démocratie, le pouvoir émane du peuple* (syn. : PROCÉDER). ◆ **émanation** n. f. : *Sentir des émanations de gaz* (syn. : ODEUR). *Une politique qui apparaît comme l'émanation de la volonté populaire* (syn. : MANIFESTATION).

émarger [emarʒe] v. tr. et intr. **1°** Apposer sa signature ou son parafe en marge d'un écrit pour attester qu'on en a eu connaissance : *Emarger un document. Veuillez émarger ici.* — **2°** *Emarger à un budget,* toucher un revenu correspondant à des fonctions dans une administration, une entreprise : *Il émarge pour plus de cinq mille francs par mois dans cette affaire.* ◆ **émargement** n. m. : *L'émargement d'un mémoire. Signer la feuille d'émargement en touchant sa paie.*

émasculer [emaskyle] v. tr. **1°** *Emasculer un animal, un homme,* le priver des organes du sexe masculin (syn. usuel : CHÂTRER). — **2°** *Emasculer une œuvre, un projet,* etc., en supprimer ce qui lui donnait de la vigueur (syn. : ABÂTARDIR). ◆ **émasculation** n. f. (V. MASCULIN.)

1. emballer [ɑ̃bale] v. tr. *Emballer un objet,* le mettre dans une caisse, un carton, l'entourer de papier, de tissu, etc., pour le vendre, le transporter, le ranger : *Emballer de la vaisselle, des livres, des œufs* (contr. : DÉBALLER). *Emballer des vêtements pour les expédier à quelqu'un* (syn. : EMPAQUETER). ◆ **emballage** n. m. **1°** Action d'emballer : *L'emballage de la marchandise occupe un personnel nombreux* (contr. : DÉBALLAGE). *Un article franco de port et d'emballage.* — **2°** Tout ce qui sert à emballer (papier, carton, caisse, fibre, etc.) : *Brûler les emballages.* ◆ **emballeur, euse** n.

2. emballer [ɑ̃bale] v. tr. **1°** *Emballer un moteur,* le faire tourner trop vite. — **2°** (sujet nom de chose) Fam. *Emballer quelqu'un,* le remplir d'enthousiasme (souvent au passif) : *Ce concert l'a emballé. Je ne suis pas emballé par ce projet* (syn. : ENTHOUSIASMER). ◆ ***s'emballer*** v. pr. **1°** (sujet nom désignant un cheval, un moteur) Partir à une allure excessive. — **2°** (sujet nom de personne) Céder à un emportement soudain ou à un enthousiasme excessif. ◆ **emballement** n. m. : *Un homme sujet à des emballements soudains* (syn. : ENTHOUSIASME).

3. emballer [ɑ̃bale] v. tr. Fam. *Emballer quelqu'un,* le réprimander (syn. : ATTRAPER; pop. : ENGUEULER).

embarbouiller (s') [sɑ̃barbuje] v. pr. Se perdre dans le fil de ses idées : *Il s'embarbouille dans de confuses explications* (syn. : S'EMBARRASSER).

embarcadère n. m. V. EMBARQUER.

embarcation [ɑ̃barkasjɔ̃] n. f. Terme désignant tous les petits bateaux.

embardée [ɑ̃barde] n. f. Ecart brusque fait par un véhicule : *La voiture a fait une embardée pour éviter un cycliste.*

embargo [ɑ̃bargo] n. m. **1°** Défense faite momentanément à un ou plusieurs navires de quitter un port. — **2°** Mesure tendant à empêcher la libre circulation, l'exportation d'un objet, d'une marchandise : *Gouvernement qui met l'embargo sur certains produits agricoles.*

embarquer [ɑ̃barke] v. tr. **1°** *Embarquer quelqu'un, quelque chose,* le faire monter, le prendre à bord d'un bateau ou d'un véhicule quelconque (contr. : DÉBARQUER). — **2°** Fam. *Embarquer du matériel, un objet,* l'emporter avec soi : *Un camelot qui s'esquive en embarquant sa marchandise à la vue d'un agent.* — **3°** Fam. *Embarquer quelqu'un dans une affaire,* l'y engager. — **4°** *Affaire bien, mal embarquée,* qui commence bien, mal. ◆ v. intr. **1°** (sujet nom de personne) Monter à bord d'un bateau. — **2°** (sujet nom de bateau) Recevoir par-dessus le bord de fortes lames. ◆ ***s'embarquer*** v. pr. **1°** (sujet nom de personne) Monter à bord d'un bateau, d'un véhicule. — **2°** Fam. *S'embarquer dans une affaire,* s'y engager, l'entreprendre : *Je ne savais pas où je m'embarquais en acceptant.* ◆ **embarcadère** n. m. Lieu d'embarquement. ◆ **rembarquer** v. tr. Embarquer avec idée de retour au point de départ : *Rembarquer des troupes, du matériel.* ◆ v. intr. ou ***se rembarquer*** v. pr. : *Le corps expéditionnaire fut refoulé jusqu'à la côte et dut finalement rembarquer. Des pêcheurs qui se rembarquent à la tombée de la nuit.* ◆ **embarquement** n. m. : *Les dockers chargés de l'embarquement des caisses. Dès leur embarquement, les passagers sont l'objet des attentions de l'hôtesse de l'air.* ◆ **rembarquement** n. m. : *Le rembarquement des troupes, des marchandises.*

embarrasser [ɑ̃barase] v. tr. **1°** *Embarrasser un lieu,* y mettre des obstacles qui gênent la circulation : *Des colis qui embarrassent le couloir* (syn. : ENCOMBRER, OBSTRUER; contr. : DÉBARRASSER). — **2°** *Embarrasser quelqu'un,* gêner ses mouvements : *Un gros pardessus qui l'embarrasse pour grimper;* le mettre dans un état d'hésitation, d'incertitude, lui créer des difficultés : *Une question qui embarrasse le candidat* (syn. : DÉCONCERTER, TROUBLER). *Un joueur qui embarrasse bien son adversaire en jouant une certaine carte.* ◆ ***s'embarrasser*** v. pr. **1°** *S'embarrasser de paquets,* etc., en prendre et en être encombré. — **2°** *Ne pas s'embarrasser de* *quelque chose,* ne pas s'en soucier, s'en inquiéter : *Il s'est engagé dans cette entreprise sans s'embarrasser un instant des moyens de la mener à bien. Les gens qui ne s'embarrassent pas de scrupules arrivent parfois plus vite à leurs fins.* ◆ **embarras** [ɑ̃bara] n. m. 1° Obstacle constitué par une accumulation de choses : *La circulation est ralentie par des embarras de voitures.* — 2° Situation d'une personne qui a du souci, qui est perplexe : *Une question qui jette, qui plonge dans l'embarras. Son embarras se lisait sur son visage* (syn. : PERPLEXITÉ, GÊNE). *Avoir des embarras d'argent* (syn. : DIFFICULTÉ). — 3° Obstacle qui s'oppose à l'action de quelqu'un : *Ses adversaires lui ont créé toutes sortes d'embarras* (syn. : ENNUI). — 4° Fam. *Faire des embarras,* se donner des airs importants. ‖ *N'avoir que l'embarras du choix,* avoir abondamment de quoi choisir. ◆ **embarrassant, e** adj. : *Des bagages embarrassants* (syn. : ENCOMBRANT). *Avoir à résoudre un problème embarrassant* (syn. : DIFFICILE, ÉPINEUX, DÉLICAT). *Il était embarrassant de m'exprimer en sa présence* (syn. : GÊNANT). ◆ **embarrassé, e** adj. : *Une pièce embarrassée de meubles. Il a répondu d'un air très embarrassé* (syn. : GÊNÉ).

embaucher [ɑ̃boʃe] v. tr. 1° *Embaucher quelqu'un,* l'engager comme salarié, surtout en vue d'un travail matériel : *Une usine qui embauche des manœuvres, des ouvriers spécialisés.* — 2° *Embaucher quelqu'un,* l'entraîner avec soi dans une entreprise : *Il avait embauché des amis pour organiser une séance récréative* (syn. : RECRUTER ; fam. et péjor. : RACOLER). ◆ ***s'embaucher*** v. pr. (sujet nom de personne). S'inscrire, s'enrôler en vue d'un travail dans une entreprise. ◆ **embauchage** n. m. ou **embauche** n. f. Action d'embaucher (sens 1) : *Les travaux saisonniers ne peuvent être réalisés que par l'embauchage de journaliers. Des chômeurs qui se présentent au bureau d'embauche.*

1. embaumer v. tr. V. BAUME.

2. embaumer [ɑ̃bome] v. tr. *Embaumer un lieu, un objet,* le remplir d'une odeur agréable : *Les fleurs de toute espèce embaumaient le jardin. De petits sachets de lavande embaumaient le linge* (syn. : PARFUMER). *L'air embaumé de la campagne au printemps.* ◆ v. intr. et tr. Répandre une odeur agréable : *Ce bouquet de roses embaume* (syn. : SENTIR BON, FORT). *Les draps embaument la lavande* (= sentent la lavande).

embellir v. tr. et intr. V. BEAU.

emberlificoter [ɑ̃bɛrlifikɔte] v. tr. (sujet nom de personne). Fam. *Emberlificoter quelqu'un,* le séduire, le tromper par de belles paroles (syn. fam. : EMBOBINER, ENTORTILLER). ◆ ***s'emberlificoter*** v. pr. (sujet nom de personne). *Fam.* S'embrouiller : *Il s'est emberlificoté dans ses explications* (syn. : S'EMMÊLER). ◆ **emberlificoteur, euse** n.

embêter [ɑ̃bete] v. tr. Fam. *Embêter quelqu'un,* lui causer de l'ennui, de la contrariété, du souci : *Il m'embête avec ses histoires de chasse* (syn. fam. : ASSOMMER ; pop. : CASSER LES PIEDS). *Un élève qui embête ses voisins* (syn. : AGACER, TAQUINER). *Tout allait bien jusqu'ici, mais il y a un détail qui m'embête* (syn. : ENNUYER, CONTRARIER, CHAGRINER). ◆ ***s'embêter*** v. pr. (sujet nom de personne). Eprouver de l'ennui : *Il s'est embêté toute la journée de dimanche* (syn. pop. : SE RASER). ◆ **embêtant, e** adj. : *Un film embêtant* (syn. : ENNUYEUX). *Un incident embêtant pour vous* (syn. : ↓ CONTRARIANT) ; et comme n. m. : *L'embêtant, c'est qu'il faut tout recommencer.* ◆ **embêtement** n. m. *Fam.* Ce qui embête : *Une affaire qui me cause bien des embêtements* (syn. : SOUCI, TRACAS, ENNUI, DÉSAGRÉMENT).

emblaver [ɑ̃blave] v. tr. *Emblaver un champ, une région,* y faire croître du blé. ◆ **emblavure** n. f. Terre emblavée.

emblée (d') [dɑ̃ble] loc. adv. Du premier coup, sans rencontrer de difficulté ou d'obstacle : *Accepter d'emblée une proposition. Adopter d'emblée un projet. D'emblée, l'avant centre de l'équipe marqua un but* (syn. : AUSSITÔT, TOUT DE SUITE ; DÈS L'ABORD, en langue soignée).

emblème [ɑ̃blɛm] n. m. 1° Figure symbolique, souvent accompagnée d'une devise : *La Ville de Paris a pour emblème un bateau surmontant une phrase latine signifiant : « Il flotte, et ne sombre pas ».* — 2° Objet ou être animé symbolisant une notion abstraite : *Le drapeau est l'emblème de la patrie.* ◆ **emblématique** adj. : *Figure emblématique.*

embobiner [ɑ̃bɔbine] v. tr. 1° *Embobiner du fil,* l'enrouler sur une bobine (contr. : DÉBOBINER). — 2° Fam. *Embobiner quelqu'un,* le séduire par de belles paroles (syn. : EMBERLIFICOTER).

emboîter [ɑ̃bwate] v. tr. 1° Assembler, adapter en engageant l'un dans l'autre : *Un enfant qui emboîte les pièces de son jeu de construction* (contr. : DÉBOÎTER). — 2° *Emboîter le pas à quelqu'un,* marcher derrière lui en le suivant de près ; s'engager dans la même action que lui. ◆ ***s'emboîter*** v. pr. : *Des éléments de tuyau qui s'emboîtent. Un os qui s'emboîte dans son logement.* ◆ **emboîtement** n. m. : *Exercer une pression pour assurer l'emboîtement d'une pièce* (contr. : DÉBOÎTEMENT). ◆ **emboîtage** n. m. 1° Action de mettre dans une boîte. — 2° Etui cartonné où on met un livre.

embolie [ɑ̃bɔli] n. f. Obstruction d'un vaisseau sanguin par un caillot de sang : *Il est mort en quelques heures d'une embolie.*

embonpoint [ɑ̃bɔ̃pwɛ̃] n. m. Grosseur du corps humain : *Elle a pris de l'embonpoint* (= elle est devenue grasse, replète). *Il a un certain embonpoint* (syn. : CORPULENCE, ↑ OBÉSITÉ). *L'exercice lui a fait perdre de l'embonpoint* (contr. : MAIGREUR).

embouché, e [ɑ̃buʃe] adj. *Mal embouché,* se dit d'une personne dont le langage traduit des sentiments vulgaires.

emboucher [ɑ̃buʃe] v. tr. *Emboucher un instrument,* le porter à sa bouche pour en jouer. ◆ **embouchure** n. f. Partie d'un instrument à vent qu'on porte à la bouche.

1. embouchure n. f. V. EMBOUCHER.

2. embouchure [ɑ̃buʃyr] n. f. Partie terminale d'un cours d'eau qui se jette dans la mer ou dans un lac : *L'embouchure de la Loire.*

embourber v. tr. V. BOURBIER ; **embourgeoiser** v. tr. V. BOURGEOISIE.

embout [ɑ̃bu] n. m. Extrémité d'une tige, d'un tube, prévue pour s'adapter à un autre élément.

embouteiller [ɑ̃buteje] v. tr. *Embouteiller une rue, un passage,* etc., y gêner la circulation par l'accumulation de véhicules ou de personnes : *Les* abords du carrefour sont embouteillés vers six heures du soir. Les voitures qui embouteillent le boulevard (syn. : BOUCHER, OBSTRUER). N'embouteillez pas ce couloir (syn. : ENCOMBRER). ◆ **embouteillage** n. m. Affluence de véhicules ou de personnes qui encombrent : *J'ai été pris dans un embouteillage* (syn. : ENCOMBREMENT).

emboutir [ɑ̃butir] v. tr. 1° *Emboutir du métal,* lui donner une forme creuse, par pression dans un moule appelé « matrice ». — 2° Fam. *Emboutir une voiture, une devanture,* etc., la déformer ou la défoncer par un choc accidentel. ◆ **emboutissage** n. m. Sens 1 du v. tr. : *L'atelier où se fait l'emboutissage des carrosseries.*

embrancher (s') [sɑ̃brɑ̃ʃe] v. pr. Former un embranchement, se rattacher à un segment d'un réseau. ◆ **embranchement** n. m. 1° Endroit où une voie se divise en plusieurs directions : *Un chemin qui forme un embranchement* (syn. : FOURCHE). *Au prochain embranchement, vous prendrez la route de droite* (syn. : CARREFOUR, CROISEMENT). — 2° Une des grandes divisions du monde vivant : *L'embranchement des vertébrés.*

embraser [ɑ̃braze] v. tr. 1° *Embraser quelqu'un, embraser le cœur,* le saisir d'un sentiment ardent (littér.) : *Ses lettres témoignent de l'amour qui l'embrase* (syn. : TRANSPORTER). — 2° *Le soleil embrase le ciel,* il y répand une lumière qui rappelle celle d'un foyer ardent. ◆ ***s'embraser*** v. pr. Prendre feu, s'exalter : *Un cœur qui s'embrase facilement* (syn. : S'ENFLAMMER). *Le ciel s'embrase au soleil couchant* (littér.). ◆ **embrasement** n. m. 1° Action de s'embraser (littér.). — 2° Grand incendie.

embrasser [ɑ̃brase] v. tr. 1° (sujet nom de personne) Donner des baisers à : *Il embrasse ses enfants avant de partir.* — 2° (sujet nom de personne) *Embrasser une carrière, un métier,* s'y engager, en faire choix. — 3° *Embrasser du regard,* voir dans son ensemble, d'un seul coup d'œil : *Une montagne d'où l'on embrasse du regard un immense panorama.* — 4° (sujet nom de chose) Contenir, renfermer dans son étendue : *Un roman qui embrasse une période d'une cinquantaine d'années* (syn. : ENGLOBER). *Ses recherches embrassent un domaine très large* (syn. : COUVRIR). ◆ ***s'embrasser*** v. pr. Se donner des baisers : *Deux amoureux qui s'embrassent* (syn. : S'ÉTREINDRE). ◆ **embrassade** n. f. Action de s'embrasser de façon voyante, bruyamment : *Après les embrassades, on se mit à bavarder. La querelle s'apaisa et une embrassade générale marqua la réconciliation.* ◆ **embrassement** n. m. Action de s'embrasser longuement, avec tendresse (littér.) : *La ferveur de leur embrassement. D'étroits embrassements.* ◆ **embrasseur, euse** adj. et n. Qui aime à embrasser.

embrasse [ɑ̃bras] n. f. Cordon ou bande qui sert à retenir un rideau.

embrasure [ɑ̃brazyr] n. f. *Embrasure d'une porte, d'une fenêtre,* partie évidée du mur qui reçoit cette porte ou cette fenêtre.

embrayer [ɑ̃breje] v. intr. et tr. 1° Rendre solidaires un moteur et les organes qu'il doit faire mouvoir : *Le conducteur embraya doucement et la voiture démarra. Baisser une manette pour embrayer la machine* (contr. : DÉBRAYER). — 2° Fam. *Embrayer une affaire, un travail,* les mettre en train, les faire démarrer. ◆ **embrayage** n. m. 1° Action d'embrayer (contr. : DÉBRAYAGE). — 2° Mécanisme permettant de rendre le moteur solidaire des roues d'un véhicule, des organes d'une machine : *Une voiture pourvue d'un embrayage automatique. Faire réparer l'embrayage. Pédale d'embrayage.*

embrigader v. tr. V. BRIGADE.

embringuer [ɑ̃brɛ̃ge] v. tr. Fam. *Embringuer quelqu'un,* le faire entrer dans un groupe, le faire participer à une entreprise commune : *Tu t'es laissé embringuer dans cette association?* (syn. : EMBRIGADER, ENRÔLER). *Il l'a embringué dans une affaire louche* (syn. : ENTRAÎNER).

embrocher [ɑ̃brɔʃe] v. tr. 1° Mettre sur une broche : *Embrocher un poulet.* — 2° Fam. *Embrocher quelqu'un,* le transpercer avec un instrument pointu (s'emploie aussi comme pron.) : *Un film de cape et d'épée, où l'on s'embroche à tout instant.* ◆ **embrochement** n. m.

embrouiller [ɑ̃bruje] v. tr. 1° *Embrouiller des choses, quelque chose,* les mettre en désordre : *Comment s'y retrouver? Il a embrouillé toutes les fiches* (syn. : MÊLER, MÉLANGER). *Embrouiller un écheveau de laine* (syn. : EMMÊLER). *Des fils électriques tout embrouillés* (syn. : ENCHEVÊTRER). *N'embrouillez pas davantage la question par des digressions* (syn. : COMPLIQUER; contr. : DÉBROUILLER). — 2° *Embrouiller quelqu'un,* lui faire perdre le fil de ses idées. — 3° Fam. *Ni vu ni connu, je t'embrouille,* se dit quand quelqu'un escamote habilement une difficulté, ou donne le change par quelque manœuvre adroite. ◆ ***s'embrouiller*** v. pr. (sujet nom de personne). Perdre le fil de ses idées, tomber dans la confusion : *S'embrouiller dans un récit, dans les dates* (syn. : S'EMPÊTRER). ◆ **embrouillement** ou (plus rare) **embrouillage** n. m. : *On ne comprend rien à cet embrouillement de mots. L'embrouillement inextricable de la situation* (syn. : CONFUSION). ◆ **embrouillamini** n. m. *Fam.* Grande confusion, désordre.

embroussaillé, e [ɑ̃brusaje] adj. Se dit de ce qui est couvert de broussailles, ou de ce qui forme comme des broussailles : *Un fossé tout embroussaillé. Des cheveux embroussaillés* (syn. : HIRSUTE).

embruns [ɑ̃brœ̃] n. m. pl. Pluie fine que forment les vagues en se brisant : *La mer était forte et le pont était couvert d'embruns.*

embryon [ɑ̃brijɔ̃] n. m. 1° Organisme en voie de développement, entre le moment de la conception et la naissance. — 2° Ce qui est en cours d'élaboration, mais reste encore à l'état rudimentaire : *Une idée qui contient l'embryon d'une nouvelle théorie* (syn. : GERME). ◆ **embryonnaire** adj. : *La vie embryonnaire du poussin dans l'œuf. L'entreprise en est encore au stade embryonnaire.*

embûches [ɑ̃byʃ] n. f. pl. Obstacles capables de faire échouer quelqu'un (littér.) : *Une démarche pleine d'embûches. Il a déjoué les embûches de ses adversaires* (syn. : PIÈGE; fam. : TRAQUENARD).

embuer [ɑ̃bɥe] v. tr. 1° Couvrir de buée : *Son haleine avait embué la vitre.* — 2° *Yeux embués de larmes,* yeux d'une personne prête à pleurer.

embuscade [ɑ̃byskad] n. f. Dispositif établi par des gens qui guettent le passage de quelqu'un pour l'attaquer par surprise : *Un groupe d'éclaireurs qui tombe dans une embuscade ennemie* (syn. : GUET-APENS, PIÈGE; fam. : TRAQUENARD). *Mettre des* *soldats en embuscade au coin d'un bois.* ◆ **embusquer** v. tr. Mettre en embuscade : *Un chef de section qui embusque cinq de ses hommes derrière un talus.* ◆ ***s'embusquer*** v. pr. 1° Se cacher pour guetter quelqu'un, avec des intentions hostiles. — 2° *Fam.* et *péjor.* Se faire affecter pendant la guerre à un poste à l'abri du danger : *On lui reprochait de s'être embusqué en 1914* (syn. pop. : SE PLANQUER). ◆ **embusqué** n. m. : *Les combattants du front étaient écœurés de la joyeuse vie que menaient les embusqués de l'arrière.*

éméché, e [emeʃe] adj. *Fam.* Se dit d'une personne qui est dans un état proche de l'ivresse : *A la fin du repas, plusieurs convives étaient passablement éméchés* (syn. : ↑ IVRE ; fam. : POMPETTE).

émeraude [emrod] n. f. Pierre précieuse de couleur verte. ◆ adj. invar. Qui est d'une couleur rappelant celle de cette pierre : *Du tissu vert émeraude. Des rubans émeraude.*

émerger [emɛrʒe] v. intr. 1° Apparaître, faire saillie au-dessus de la surface d'un liquide : *Des rochers qui émergent au large. On voit émerger peu à peu le navire en cours de renflouement.* — 2° (sujet nom de personne, d'une œuvre, etc.) Dépasser le niveau moyen des autres, retenir l'attention : *Quelques copies de candidats émergent dans le lot* (syn. : SORTIR DE).

émeri [emri] n. m. 1° Poudre abrasive très fine, utilisée notamment pour obtenir des bouchons s'adaptant hermétiquement à des flacons de verre. — 2° Fam. *Bouché à l'émeri,* se dit d'une personne qui a l'esprit très fermé, qui ne comprend rien.

émérite [emerit] adj. Se dit d'une personne qui a une grande compétence, qui se distingue par ses qualités : *Un physicien émérite. Un bridgeur émérite* (syn. : ↓ DISTINGUÉ, ↑ ÉMINENT, REMARQUABLE).

émerveiller [emɛrveje] v. tr. *Emerveiller quelqu'un,* le remplir d'admiration (souvent au passif) : *Des touristes émerveillés par la beauté du paysage* (syn. : ÉBLOUIR). *Cet enfant a répondu avec une vivacité d'esprit qui a émerveillé tout le monde* (syn. : ↓ ENCHANTER). ◆ ***s'émerveiller*** v. pr. Eprouver une vive admiration : *S'émerveiller du talent d'un artiste.* ◆ **émerveillement** n. m. : *Contempler avec émerveillement les tableaux de maîtres dans un musée* (syn. : ADMIRATION).

émettre [emɛtr] v. tr. (conj. 57). 1° Produire, faire sortir de soi, mettre en circulation : *Un instrument de musique qui émet des sons aigus* (syn. : DONNER). *Cette lampe émet une lumière douce* (syn. : RÉPANDRE). *Emettre un avis* (syn. : EXPRIMER). *Emettre une hypothèse* (syn. : FORMULER). *La Banque de France a émis une nouvelle série de billets. Emettre un emprunt* (syn. : LANCER). — 2° *Emettre un message,* le diffuser par radio. — 3° (sans compl.) Faire des émissions (sens 2) : *Un poste qui émet sur ondes courtes.* ◆ **émetteur, trice** adj. *Poste émetteur, station émettrice* (= qui diffuse par radio des messages, des programmes, etc.). ◆ **émetteur** n. m. : *La nouvelle a été annoncée par un émetteur clandestin.* ◆ **émission** n. f. 1° Action d'émettre : *L'émission de fausses nouvelles. L'émission d'un emprunt.* — 2° Programme émis par la radio ou par la télévision : *Nous avons assisté à une émission très intéressante. Une émission de variétés. Le directeur des émissions théâtrales à la télévision.*

émeute [emøt] n. f. Soulèvement populaire : *La manifestation a failli tourner à l'émeute* (syn. : ↑ RÉVOLUTION). ◆ **émeutier, ère** n. Personne qui participe à une émeute ou qui la suscite.

émietter v. tr. V. MIETTE.

émigrer [emigre] v. intr. Quitter son pays pour se fixer dans un autre : *De nombreux citoyens, hostiles au nouveau régime politique, ont émigré à l'étranger* (syn. : S'EXPATRIER). ◆ **émigrant, e** adj. et n. : *Interdire aux émigrants d'exporter leurs capitaux.* ◆ **émigration** n. f. : *La situation économique médiocre de ce pays provoque une émigration importante.* ◆ **émigré, e** adj. et n. : *Les émigrés politiques ont constitué un gouvernement en exil.*

éminent, e [eminɑ̃, -ɑ̃t] adj. (avant ou après le nom). 1° Se dit d'une personne que ses qualités mettent nettement au-dessus du niveau moyen : *Un écrivain éminent* (syn. : ILLUSTRE). *J'exprime toute ma gratitude à mon éminent collaborateur.* — 2° *A un degré éminent,* à un très haut degré : *Il possède à un degré éminent la faculté de s'adapter à une nouvelle situation.* ◆ **éminemment** [eminamɑ̃] adv. A un très haut degré : *Il est éminemment souhaitable qu'il réussisse.*

1. éminence [eminɑ̃s] n. f. Elévation de terrain : *Monter sur une éminence pour observer les environs* (syn. : HAUTEUR, BUTTE, COLLINE).

2. éminence [eminɑ̃s] n. f. 1° Titre qu'on donne à un cardinal : *Son Eminence le cardinal X.* (Abrév. : S. EM.) — 2° *Eminence grise,* conseiller intime qui reste dans l'ombre.

1. émissaire [emisɛr] n. m. Personne chargée d'une mission secrète : *Les rebelles avaient envoyé deux émissaires pour discuter l'armistice.*

2. émissaire adj. *Bouc émissaire,* V. BOUC.

émission n. f. V. ÉMETTRE ; **emmagasiner** v. tr. V. MAGASIN ; **emmailloter** v. tr. V. MAILLOT.

emmancher [ɑ̃mɑ̃ʃe] v. tr. 1° Pourvoir d'un manche : *Emmancher une pelle, un marteau.* — 2° *Fam.* Engager dans une fente, dans un logement : *Emmancher une bougie dans le chandelier.* — 3° Fam. *Emmancher une affaire, une discussion,* la mettre en train, l'engager. ◆ ***s'emmancher*** v. pr. *Fam.* Commencer : *L'affaire s'emmanche mal.* ◆ **emmanchement** n. m.

emmanchure [ɑ̃mɑ̃ʃyr] n. f. Ouverture pratiquée dans un vêtement pour y adapter une manche ou pour passer le bras.

emmêler [ɑ̃mele] v. tr. Mêler ensemble, mettre en désordre : *Il avait emmêlé les cordons des rideaux. Il n'a fait qu'emmêler l'affaire en s'en occupant personnellement* (syn. : EMBROUILLER ; contr. : DÉMÊLER). ◆ **emmêlement** n. m.

emménager [ɑ̃menaʒe] v. intr. S'installer avec ses meubles dans un nouveau logement : *Les nouveaux locataires ont emménagé dans l'appartement du quatrième* (contr. : DÉMÉNAGER). ◆ **emménagement** n. m. : *Depuis son emménagement, je ne l'ai pas revu* (contr. : DÉMÉNAGEMENT).

emmener [ɑ̃mne] v. tr. 1° *Emmener quelqu'un,* le mener avec soi dans un autre endroit : *Si vous êtes libre, je vous emmène au cinéma.* — 2° *Emmener quelque chose,* l'emporter (emploi déconseillé par quelques lexicographes) : *Il a emmené un livre pour se distraire pendant le trajet.*

emmerder [ɑ̃mɛrde] v. tr. *Pop.* Ennuyer, importuner (mot trivial, absolument proscrit par les bienséances, ainsi que ses dérivés) : *Il nous a emmerdés avec ses histoires. Un travail qui nous emmerde.* ◆ ***s'emmerder*** v. pr. *Pop.* S'ennuyer. ◆ **emmerdant, e** adj. Pop. : *Un film emmerdant. Une affaire emmerdante.* ◆ **emmerdement** n. m. *Pop.* Gros ennui, souci : *Ça lui a attiré un tas d'emmerdements.* ◆ **emmerdeur, euse** n. Pop. : *Je n'ai pas envie de rester avec lui, c'est un emmerdeur.*

emmieller [ɑ̃mjele] v. tr. *Pop.* Euphémisme pour EMMERDER. ◆ **emmielleur, euse** adj. et n. Pop. : *Un emmielleur qui m'a retardé.*

emmitoufler [ɑ̃mitufle] v. tr. Envelopper, couvrir de vêtements chauds : *Des passants bien emmitouflés.* ◆ ***s'emmitoufler*** v. pr. : *Par ce froid, il s'est emmitouflé dans un gros manteau de fourrure.*

emmouscailler [ɑ̃muskaje] v. tr. *Pop.* Ennuyer.

emmurer v. tr. V. MUR.

émoi [emwa] n. m. 1° Trouble ressenti par une personne : *La vue de la jeune fille le remplit d'un doux émoi* (syn. : ÉMOTION). *Dans son émoi, l'heureux gagnant a oublié son chapeau* (syn. : SAISISSEMENT). — 2° *En émoi,* se dit d'une personne ou d'un groupe de personnes en proie à une vive agitation : *Un cambriolage a eu lieu ce matin; le quartier est en émoi* (syn. : EFFERVESCENCE).

émollient, e [emɔljɑ̃, -ɑ̃t] adj. et n. m. Se dit d'un médicament qui adoucit, qui relâche les tissus.

émoluments [emɔlymɑ̃] n. m. pl. Argent qu'on gagne dans un emploi : *Ses modestes émoluments ne lui ont pas permis de faire des économies* (syn. : APPOINTEMENT, SALAIRE, GAIN, TRAITEMENT).

émonder [emɔ̃de] v. tr. *Emonder un arbre,* en couper les branches inutiles (syn. : TAILLER, ÉLAGUER). ◆ **émondage** n. m. ◆ **émondeur** n. m.

émotif, ive adj., **émotion** n. f. V. ÉMOUVOIR.

émoulu, e [emuly] adj. *Frais émoulu,* se dit de quelqu'un qui est nouvellement sorti d'une école, qui a récemment acquis un titre, etc. : *Un jeune homme tout frais émoulu de l'Ecole polytechnique.*

émousser [emuse] v. tr. 1° *Emousser une pointe, le tranchant d'une lame,* etc., les rendre moins pénétrants : *La dureté du bois a émoussé le ciseau.* — 2° *Emousser un sentiment, un souvenir,* le rendre moins vif. ◆ ***s'émousser*** v. pr. Devenir moins aigu, moins vif : *Un rasoir s'émousse. Un désir s'émousse avec le temps* (syn. : S'AFFAIBLIR, S'ATTÉNUER).

émoustiller [emustije] v. tr. Fam. *Emoustiller quelqu'un,* le porter à la gaieté, le mettre en belle humeur : *Le champagne commençait à émoustiller les convives.* ◆ **émoustillant, e** adj. : *Des historiettes émoustillantes.*

émouvoir [emuvwar] v. tr. (conj. **36**). *Emouvoir quelqu'un,* agir sur sa sensibilité, causer du trouble dans son âme (souvent au passif) : *Le récit de ses malheurs avait ému ses camarades. Se laisser émouvoir par le spectacle de la misère* (syn. : TOUCHER, IMPRESSIONNER, ↑ BOULEVERSER). *J'ai appris ce qu'il avait enduré pour moi, et j'en suis tout ému* (syn. : REMUER). ◆ ***s'émouvoir*** v. pr. : *Il apprit sans s'émouvoir que le tribunal l'avait condamné à mort* (syn. : SE TROUBLER). ◆ **émouvant, e** adj. : *Le film contient plusieurs scènes émouvantes. Un geste émouvant.* ◆ **ému, e** adj. Se dit d'une personne qui éprouve une émotion, ou d'un comportement qui manifeste de l'émotion : *Répondre d'une voix émue.* ◆ **émotif, ive** adj. 1° Se dit d'une personne sujette par tempérament aux émotions : *Cette jeune fille est très émotive : elle rougit et se trouble pour un rien.* — 2° Se dit de ce qui a rapport à l'émotion : *Un tremblement émotif. Un choc émotif.* ◆ **émotivité** n. f. Sens 1 de *émotif : Son bégaiement passager est un trait d'émotivité.* ◆ **émotion** [emosjɔ̃] n. f. Trouble subit, agitation passagère causés par la surprise, la peur, la joie, etc. : *L'accident a été évité de justesse, mais l'émotion a été grande parmi les passagers du car. L'émotion de retrouver enfin ses parents lui coupait la parole. Evoquer avec émotion des souvenirs d'enfance* (syn. : ATTENDRISSEMENT). ◆ **émotionnel, elle** adj. Se dit de ce qui concerne l'émotion, de ce qui est inspiré par l'émotion : *Une réaction purement émotionnelle* (syn. : AFFECTIF, PASSIONNEL). ◆ **émotionner** v. tr. *Emotionner quelqu'un,* lui causer de l'émotion.

empailler v. tr. V. PAILLE; **empaler** v. tr. V. PAL; **empanacher** v. tr. V. PANACHE; **empaqueter** v. tr. V. PAQUET.

emparer (s') [sɑ̃pare] v. pr. 1° *S'emparer de quelque chose, de quelqu'un,* le prendre par la force ou d'un mouvement vif : *L'ennemi s'était emparé de plusieurs villes* (syn. : CONQUÉRIR). *S'emparer d'un butin considérable* (syn. : METTRE LA MAIN SUR; fam. : RAFLER). *Les révolutionnaires se sont emparés de la personne du chef de l'Etat* (syn. : SE SAISIR DE). *Il s'empara d'un bâton pour se défendre. Le gardien de but s'empara du ballon. Il s'est emparé du premier prétexte venu* (syn. : SAUTER SUR). — 2° (sujet nom de sentiment, d'idée, etc.) *S'emparer de quelqu'un,* en prendre possession : *Un désir immodéré de richesse s'était emparé de lui.*

empâter [ɑ̃pɑte] v. tr. 1° Rendre plus gros, plus confus, alourdir : *L'âge lui a empâté les traits. Un manteau qui lui empâte la taille* (syn. : ÉPAISSIR). — 2° *Aliment, boisson qui empâte la bouche,* qui la rend pâteuse. ◆ ***s'empâter*** v. pr. Devenir gras : *Il ne prend pas assez d'exercice, il commence à s'empâter.* ◆ **empâtement** n. m. : *L'empâtement d'un visage. Il a eu un léger accident cérébral, dont témoigne encore l'empâtement de son écriture.*

empattement [ɑ̃patmɑ̃] n. m. Distance entre les roues arrière et les roues avant d'une voiture, mesurée d'un essieu ou d'un pivot à l'autre.

empaumer [ɑ̃pome] v. tr. Pop. *Se faire, se laisser empaumer,* se faire, se laisser duper (syn. fam. : ROULER, AVOIR, POSSÉDER).

empêcher [ɑ̃peʃe] v. tr. 1° *Empêcher une chose, empêcher que* (et le subj.), y faire obstacle de manière à ce qu'elle n'ait pas lieu : *Il a tout fait pour empêcher ce mariage* (syn. : DÉFENDRE; contr. : PERMETTRE). *Rien ne peut empêcher le progrès de la maladie* (syn. : ARRÊTER). *Il a essayé d'empêcher que la nouvelle se répande* (ou *ne se répande,* langue soignée). *Qu'est-ce qui empêche qu'il soit heureux? Rien n'empêche qu'on s'en aperçoive* (plus rarement, *qu'on ne s'en aperçoive*). — 2° *Empêcher quelqu'un de faire quelque chose,* ne pas lui permettre de faire cette chose : *Cette grippe l'a empêché de venir. Le règlement l'empêche d'être candidat* (syn. : INTERDIRE; contr. : AUTORISER). *On a mis une balustrade pour empêcher les gens de tomber* (syn. : PRÉSERVER). — 3° *N'empêche que, il n'empêche que, cela n'empêche pas que* (et l'indic.), expriment l'opposition, la concession : *Il a dû se soumettre; n'empêche qu'il avait raison* (syn. : POURTANT). *Il prétend qu'il n'a pas le temps; ça n'empêche pas qu'il est allé tous les soirs au cinéma.* ◆ ***s'empêcher*** v. pr. *S'empêcher de* (et l'infin.), se retenir de : *Je me suis empêché de dormir pour l'attendre. Il n'a pas pu s'empêcher de répliquer.* ◆ **empêché, e** adj. Se dit d'une personne qui est retenue par un empêchement : *Le directeur, empêché, n'a pas assisté à la réunion.* ◆ **empêchement** n. m. Ce qui s'oppose à la réalisation de quelque chose, ce qui fait qu'une chose n'est pas possible : *Un empêchement de dernière minute l'a retenu loin de nous. Je ne vois aucun empêchement à ce projet* (syn. : OBSTACLE). ◆ **empêcheur, euse** n. Fam. *Empêcheur de danser en rond,* celui qui trouble la joie, qui suscite des difficultés (syn. : TROUBLE-FÊTE).

empeigne [ɑ̃pɛɲ] n. f. 1° Le dessus de la chaussure, du cou-de-pied à la pointe. — 2° Pop. *Gueule d'empeigne,* personne grincheuse, rébarbative.

1. empennage [ɑ̃pɛnaʒ] n. m. Garniture de plumes placée sur une flèche, pour la maintenir dans sa direction. ◆ **empenné, e** [ɑ̃pɛne] adj. Se dit d'une flèche pourvue de morceaux de plumes.

2. empennage [ɑ̃pɛnaʒ] n. m. Ensemble des gouvernails permettant de diriger un avion.

empereur [ɑ̃prœr] n. m. Chef absolu d'un pays : *Napoléon Ier fut nommé empereur en 1804.*

empeser [ɑ̃pəze] v. tr. *Empeser du linge,* l'imprégner d'eau mêlée d'empois, destiné à le rendre raide : *Le col de la chemise a été empesé.* ◆ **empesage** n. m. : *L'empesage du linge.* ◆ **empesé, e** adj. 1° Se dit du linge raidi par un apprêt. — 2° Fam. *Air empesé, style empesé,* etc., qui manque de naturel, qui est affecté. ◆ **empois** [ɑ̃pwa] n. m. Solution d'amidon dans l'eau, servant à donner au linge une certaine raideur.

empester [ɑ̃pɛste] v. tr. Infecter d'une mauvaise odeur : *Un marécage qui empeste le voisinage* (syn. : EMPUANTIR).

empêtrer (s') [sɑ̃petre] v. pr. Se mettre dans une situation inextricable : *Un parachutiste qui s'empêtre dans les cordes de son parachute* (syn. : S'EMBARRASSER). *Il s'est empêtré dans ses explications* (syn. fam. : EMBERLIFICOTER).

emphase [ɑ̃faz] n. f. Exagération pompeuse dans le ton, le choix des mots, ou les manières : *Il racontait avec emphase ses exploits* (syn. : GRANDILOQUENCE). *Le maire prononça un discours plein d'emphase* (syn. : SOLENNITÉ). *L'emphase d'un geste* (syn. : AFFECTATION). *Il se contenta de déclarer sans emphase qu'il avait fait son devoir* (= avec simplicité). ◆ **emphatique** adj. : *Un ton emphatique* (syn. : SOLENNEL, POMPEUX). *Une exhortation emphatique* (syn. : AMPOULÉ; contr. : SIMPLE). ◆ **emphatiquement** adv.

empiècement [ɑ̃pjɛsmɑ̃] n. m. Pièce rapportée dans le haut d'une chemise, d'un corsage, etc.

empierrer v. tr. V. PIERRE.

empiéter [ɑ̃pjete] v. intr. Usurper une partie de la place ou des droits d'autrui, s'étendre sur le domaine de : *J'ai fait observer au voisin que ses projets d'agrandissement empiétaient légèrement sur mon terrain* (syn. : MORDRE). *Il a empiété sur les attributions de son collègue. La mer empiète chaque année sur la côte* (syn. : GAGNER). ◆ **empiétement** n. m. : *Il proteste contre cet empiétement sur ses prérogatives* (syn. : USURPATION).

empiffrer (s') [sɑ̃pifre] v. pr. *Très fam.* Manger gloutonnement : *Un dîner où il s'est empiffré. Il s'est empiffré de petits fours* (syn. : SE GAVER).

1. empiler [ɑ̃pile] v. tr. Mettre en pile, en tas : *Empiler des assiettes. On avait empilé tous les vêtements dans un coin* (syn. : ENTASSER). ◆ ***s'empiler*** v. pr. S'amonceler : *Les livres s'empilent sur son bureau.* ◆ **empilage** ou **empilement** n. m. Action d'empiler; accumulation de choses empilées : *Son bureau est chargé d'un empilement de livres.*

2. empiler [ɑ̃pile] v. tr. *Pop.* Duper, voler : *Il s'est fait empiler par un vendeur malhonnête* (syn. fam. : ROULER, POSSÉDER, AVOIR).

1. empire [ɑ̃pir] n. m. 1° Etat gouverné par un empereur; ensemble de pays gouvernés par une même autorité : *L'Empire japonais. L'empire de Charlemagne. La France avait conquis un grand empire colonial.* — 2° *Le premier Empire,* le règne de Napoléon Ier. ‖ *Le second Empire,* le règne de Napoléon III. ‖ *Style Empire, mobilier Empire,* se dit du style, du mobilier à la mode sous Napoléon Ier. ‖ *Pour un empire,* même en échange des plus grands avantages : *Je ne céderais pas ma place pour un empire* (syn. : POUR RIEN AU MONDE).

2. empire [ɑ̃pir] n. m. Autorité morale, puissance : *Des réflexes qui échappent à l'empire de la volonté. Sous l'empire de la colère, il se mit à l'injurier* (syn. : IMPULSION, INFLUENCE). *Il a beaucoup d'empire sur lui-même* (syn. : MAÎTRISE).

empirer [ɑ̃pire] v. intr. (sujet nom de chose). Devenir plus grave, plus mauvais : *L'état du malade a empiré* (syn. : S'AGGRAVER). *On peut craindre que la situation militaire n'empire prochainement* (syn. : SE DÉTÉRIORER; contr. : S'AMÉLIORER). ◆ v. tr. Rendre pire (emploi rare) : *Le traitement n'a fait qu'empirer le mal* (syn. : AUGMENTER).

empirique [ɑ̃pirik] adj. Se dit de ce qui procède uniquement de l'expérience, de l'observation des faits et non d'une théorie : *Un remède empirique. Recourir à un procédé empirique pour déterminer le centre de gravité.* ◆ **empiriquement** adv. : *L'emplacement du camp a été choisi empiriquement.* ◆ **empirisme** n. m. : *L'empirisme des vieilles méthodes de culture fait place à des procédés plus scientifiques.* ◆ **empiriste** n.

emplacement [ɑ̃plasmɑ̃] n. m. Place occupée par une chose : *On a construit un immeuble sur l'emplacement de l'ancien théâtre. On a aménagé un emplacement pour le terrain de sport.*

1. emplâtre [ɑ̃plɑtr] n. m. Pommade se ramollissant à la chaleur et destinée à être appliquée sur la peau.

2. emplâtre [ɑ̃plɑtr] n. m. *Fam.* Personne sans énergie, sans esprit d'initiative : *Cet emplâtre-là n'a rien fait pour nous aider* (syn. fam. : EMPOTÉ).

emplette [ɑ̃plɛt] n. f. 1° Achat d'une chose : *Faire l'emplette d'un appareil photographique* (syn. : ACQUISITION). — 2° Chose achetée : *Il a rapporté ses emplettes dans un grand panier* (syn. : ACHAT).

emplir [ɑ̃plir] v. tr. Rendre plein (langue soutenue ou littér.) : *Emplir une bouteille à la fontaine* (syn. plus fréquent : REMPLIR). *Un spectacle qui* *nous a emplis d'admiration. La foule qui emplit la salle.* ◆ **désemplir** [dezɑ̃plir] v. intr. *Ne pas désemplir,* être toujours plein : *Les jours de chaleur, les cafés ne désemplissent pas.*

employer [ɑ̃plwaje] v. tr. **1°** *Employer quelque chose,* en faire usage : *Employer une somme à l'achat d'une voiture* (syn. : CONSACRER). *Il a employé toutes les ressources de son éloquence pour me convaincre* (syn. : USER DE). *Ce mot n'est plus employé* (syn. : UTILISÉ). *Il a employé tout l'après-midi à faire quelques achats* (syn. : CONSACRER). *Il a fallu employer la force pour maintenir l'ordre* (syn. : RECOURIR À). *Employer un levier pour soulever un bloc de pierre* (syn. : UTILISER, SE SERVIR DE). — **2°** *Employer quelqu'un,* le faire travailler pour son compte : *Employer une femme de ménage. Cette usine emploie plus de deux mille ouvriers* (syn. : OCCUPER). *L'entreprise emploie de la main-d'œuvre étrangère.* ◆ ***s'employer*** v. pr. **1°** (sujet nom de chose) Etre en usage : *Un verbe défectif est un verbe qui ne s'emploie pas à certaines formes.* — **2°** (sujet nom de personne) *S'employer à quelque chose* (plus rarement *pour, en faveur de*), y consacrer son activité, ses efforts : *Il s'est employé de son mieux à réparer les dégâts* (syn. : S'APPLIQUER). *S'employer à la recherche d'une solution. Ses amis se sont employés pour lui en intervenant auprès des autorités.* ◆ **emploi** n. m. **1°** Action ou manière d'employer une chose : *Quel emploi peut-on faire de ce tissu?* (syn. : USAGE). *L'emploi d'une règle à calcul fait gagner du temps. Garde cet outil, tu pourras en avoir l'emploi* (= avoir l'occasion de t'en servir). *Respecter soigneusement le mode d'emploi d'un produit. Une peinture d'emploi très facile. Mon emploi du temps ne me laisse guère de loisir* (= la distribution de mes occupations dans la journée, la semaine). *Quand un mot fait double emploi avec un autre dans une phrase, on dit qu'il y a pléonasme* (= fait une répétition inutile). — **2°** Occupation confiée à une personne, tâche à laquelle elle est affectée : *Pour cet emploi, il faut quelqu'un d'expérimenté* (syn. : POSTE, FONCTIONS). *Chercher un emploi* (syn. : PLACE, SITUATION). ◆ **employable** adj. : *Une matière difficilement employable.* ◆ **employé, e** n. Personne qui travaille dans un bureau, un magasin (par oppos. à l'ouvrier qui travaille sur un chantier, dans une usine, un atelier). ◆ **employeur, euse** n. Personne qui occupe du personnel salarié : *Demander un certificat de travail à son employeur.* ◆ **plein-emploi** n. m. Emploi total de la main-d'œuvre disponible dans un pays. ◆ **sous-emploi** n. m. Emploi d'une partie seulement de la main-d'œuvre disponible. ◆ **inemployé, e** adj. : *Main-d'œuvre inemployée.*

empocher [ɑ̃pɔʃe] v. tr. **1°** Mettre dans sa poche, ou simplement percevoir, toucher : *Empocher de l'argent.* — **2°** *Fam.* Recevoir : *Il a empoché quelques horions dans la bousculade.*

empoigner [ɑ̃pwaɲe ou ɑ̃pɔɲe] v. tr. **1°** *Empoigner quelque chose,* le saisir vivement avec la main et le tenir fermement : *Empoigner la rampe de l'escalier. Empoigner une pioche.* — **2°** Fam. (sujet nom de personne) *Empoigner quelqu'un,* le retenir, se saisir de lui : *Empoigner un malfaiteur.* — **3°** (sujet nom de chose) *Empoigner quelqu'un,* l'émouvoir fortement : *Le dénouement empoignait les spectateurs.* ◆ ***s'empoigner*** v. pr. En venir aux mains, se chamailler : *Ils se sont empoignés aux cheveux. Deux adversaires prêts à s'empoigner* (syn. : SE COLLETER). ◆ **empoignade** n. f. *Fam.* Querelle, bagarre : *La discussion du projet de loi a donné lieu à quelques empoignades.* ◆ **empoigne** n. f. Fam. *Foire d'empoigne,* lieu, circonstance où chacun cherche à tirer à soi le plus possible, à rapiner : *Un héritage a parfois un air de foire d'empoigne.*

empois n. m. V. EMPESER; **empoisonner** v. tr. V. POISON.

emporte-pièce [ɑ̃pɔrtəpjɛs] n. m. invar. Instrument permettant de découper d'un seul coup une pièce dans une plaque, une feuille. • LOC. ADV. ou ADJ. *A l'emporte-pièce,* simple et sans nuance : *Avoir un caractère à l'emporte-pièce* (syn. : TOUT D'UNE PIÈCE). ‖ *Mots, phrase, style à l'emporte-pièce,* dont le caractère absolu présente un aspect mordant, incisif.

emporter [ɑ̃pɔrte] v. tr. **1°** *Emporter quelque chose, quelqu'un* (assimilé à une chose), le prendre avec soi et le porter ailleurs : *Emporter des provisions de bouche pour le voyage. Le courant emporte la barque* (syn. : EMMENER, ENTRAÎNER). *La toiture a été emportée par la tempête* (syn. : ARRACHER). *Il a emporté son secret dans la tombe. On emporta le blessé dans l'ambulance* (syn. : EMMENER). — **2°** *Emporter quelqu'un,* le porter à une action excessive, à un haut degré : *La colère l'a emporté au-delà des bornes de la bienséance* (syn. : POUSSER, ENTRAÎNER). *Un orateur qui se laisse emporter par son éloquence.* — **3°** *Emporter quelque chose, quelqu'un,* l'enlever avec effort, violence ou vivacité : *Le fleuve emporte des glaçons* (syn. : CHARRIER). *Etre emporté par une maladie* (= en mourir). *Emporter une position ennemie* (= s'en emparer). *Emporter un prix, un avantage* (= l'obtenir; syn. : REMPORTER). — **4°** *L'emporter,* être victorieux, avoir le dessus : *Il l'a emporté dans la discussion.* ‖ *L'emporter sur quelqu'un, sur quelque chose,* avoir l'avantage, prévaloir sur cette personne ou cette chose : *La déception a fini par l'emporter sur la colère.* ‖ Fam. *Emporter le morceau,* réussir, obtenir ce qu'on recherchait. ‖ *Il ne l'emportera pas en paradis,* je saurai me venger. ◆ ***s'emporter*** v. pr. Se mettre en colère : *Ecoutez-le jusqu'au bout sans vous emporter contre lui* (syn. fam. : S'EMBALLER). ◆ **emporté, e** adj. et n. Se dit d'une personne de tempérament violent, qui se laisse aller à des accès de colère : *Un caractère emporté* (syn. : IRRITABLE, FOUGUEUX, IMPÉTUEUX, VÉHÉMENT). ◆ **emportement** n. m. Mouvement violent excité par la passion, et, en particulier, accès de colère : *Il discute avec emportement* (syn. : PASSION, FOUGUE). *Il l'aime avec emportement* (syn. : ↑ FRÉNÉSIE).

empoté, e [ɑ̃pɔte] adj. et n. *Fam.* Se dit d'une personne qui manque d'adresse, d'initiative : *On ne peut pas confier ce travail à un garçon empoté comme lui* (syn. : ↓ GAUCHE). *Ne reste pas là à regarder, comme un empoté* (contr. : DÉBROUILLARD, DÉGOURDI).

empourprer [ɑ̃purpre] v. tr. Colorer de rouge : *Le soleil couchant empourpre le ciel.* ◆ ***s'empourprer*** v. pr. Devenir rouge : *Son visage s'empourpra de colère* (syn. : ↓ ROUGIR). [V. POURPRE.]

empreindre (s') [sɑ̃prɛ̃dr] v. tr. (conj. 55). Etre marqué : *Son visage commençait à s'empreindre de tristesse.* ◆ **empreint, e** part. adj. : *Un accueil empreint de la plus franche cordialité. Une voix empreinte de douceur.*

empreinte [ɑ̃prɛ̃t] n. f. 1° Trace laissée par une pression, un contact : *Des empreintes de pas sur le sol. Les enquêteurs ont relevé les empreintes digitales des cambrioleurs.* — 2° Marque laissée par une influence morale, par un sentiment : *Une littérature marquée de l'empreinte des nouvelles doctrines philosophiques. L'empreinte d'un écrivain sur son œuvre* (= caractère original). *On peut lire sur son visage l'empreinte de la douleur.*

empresser (s') [sɑ̃prese] v. pr. 1° (sujet nom de personne) Se hâter, agir vivement : *Il s'est empressé de raconter la nouvelle à tout son entourage* (syn. : SE DÉPÊCHER). — 2° *S'empresser auprès, autour de quelqu'un,* se montrer prévenant à son égard, lui témoigner son dévouement, son amour. ◆ **empressé, e** adj. Se dit d'une personne ou d'un acte qui manifestent de l'attention, du dévouement : *Des admirateurs empressés* (syn. : ↑ CHALEUREUX). *Veuillez agréer, Monsieur, mes salutations empressées* (syn. : DÉVOUÉ). *Il est toujours empressé à rendre service* (syn. : IMPATIENT DE). ◆ **empressement** n. m. : *Une proposition accueillie avec empressement par toute l'assemblée* (syn. : SATISFACTION, ↑ ENTHOUSIASME). *Il a toujours montré peu d'empressement pour ce genre de sport* (syn. : ZÈLE). *Il a montré un grand empressement à s'acquitter de sa tâche* (syn. littér. : DILIGENCE).

emprise [ɑ̃priz] n. f. Domination morale, intellectuelle exercée sur quelqu'un : *Un homme qui a beaucoup d'emprise sur son parti* (syn. : INFLUENCE, AUTORITÉ). *La mode exerce son emprise dans de nombreux domaines. Sous l'emprise de la colère, il a commis de lourdes fautes* (syn. : EMPIRE).

emprisonner v. tr. V. PRISON.

emprunté, e [ɑ̃prœte] adj. Se dit d'une personne ou d'un comportement qui manque d'aisance, de naturel : *Il s'est adressé à moi d'un air tout emprunté* (syn. : GAUCHE, EMBARRASSÉ).

emprunter [ɑ̃prœte] v. tr. 1° (sujet nom de personne) *Emprunter quelque chose,* se le faire prêter : *Emprunter cent francs à un ami jusqu'au lendemain. Sa voiture était en panne, il a emprunté celle de son frère.* — 2° (sujet nom de personne ou de chose) Recevoir, prendre de quelqu'un, de quelque chose : *Un livre qui emprunte tout son intérêt à l'actualité des faits racontés* (syn. : TIRER). *Emprunter une citation à Pascal* (syn. : DEVOIR). *Il a emprunté un langage savant pour expliquer un fait très simple.* — 3° *Emprunter une route, une voie,* la suivre. ◆ **emprunt** n. m. 1° Action d'emprunter de l'argent : *Recourir à un emprunt pour faire construire sa maison. Un emprunt lancé par le gouvernement.* — 2° Ce qui est emprunté : *Un emprunt remboursable en dix ans. Cette idée est un emprunt à un philosophe célèbre.* — 3° *D'emprunt,* se dit de ce qui provient d'un emprunt : *Utiliser un matériel d'emprunt.* ‖ *Nom d'emprunt,* nom adopté dans telle ou telle circonstance (syn. : PSEUDONYME). ◆ **emprunteur, euse** n. et adj. : *Les obligations de l'emprunteur envers le prêteur.*

émule [emyl] n. Personne qui cherche à en égaler une autre, qui fait preuve de qualités ou, *ironiq.,* de défauts égaux : *On reconnaît bien en lui le digne émule de son maître;* et péjor. : *La police surveille de près les agissements de ce gangster et de ses émules.* ◆ **émulation** n. f. Sentiment qui pousse à égaler ou à surpasser quelqu'un, surtout dans un but louable : *Il y a entre eux, plutôt qu'une rivalité, une saine émulation* (syn. : CONCURRENCE). *Dans cette classe, il n'y a guère d'émulation* (syn. : COMPÉTITION).

émulsion [emylsjɔ̃] n. f. 1° Particules très fines d'un liquide en suspension dans un autre liquide : *Une émulsion d'huile dans de l'eau.* — 2° *Emulsion photographique,* préparation sensible à la lumière, qui couvre les films et les plaques photographiques. ◆ **émulsionner** v. tr. : *Emulsionner une potion.*

1. en [ɑ̃] prép. V. DANS.

2. en [ɑ̃], **y** [i] adv. de lieu et pron. pers. Reprennent un mot ou une expression qui se trouve en général dans une autre position. (Se placent avant le verbe, sauf si celui-ci est à l'impératif.) [V. tableau ci-contre.]

> **3. en-** [ɑ̃], préfixe entrant dans la composition de nombreux mots, et en particulier de verbes, pour indiquer soit la position dans quelque chose (*encaisser*), soit le factitif (*enlaidir*). Les composés sont souvent traités à l'ordre alphabétique du composant principal. Le préfixe a la forme *em-* devant les radicaux commençant par *b, p, m.*

énamouré, e ou **enamouré, e** adj. V. AMOUR.

encablure [ɑ̃kablyr] n. f. Mesure de longueur utilisée dans la marine pour les petites distances : *La côte est à quelques encablures.*

encadrer v. tr. V. CADRE 1, 2 et 3.

1. encaisser v. tr. V. CAISSE 1.

2. encaisser [ɑ̃kese] v. tr. 1° *Encaisser de l'argent,* le recevoir, le toucher en paiement d'une marchandise, d'un service. — 2° Fam. *Encaisser des coups, des injures,* etc., les subir sans être ébranlé, sans sourciller. — 3° Fam. *Encaisser quelqu'un,* le supporter : *Ce type-là, je ne peux pas l'encaisser* (syn. : SENTIR). ◆ **encaissable** adj. : *Une somme immédiatement encaissable.* ◆ **encaisse** n. f. Argent ou valeurs qu'on a en caisse. ◆ **encaissement** n. m. : *L'encaissement de cette somme a été effectué très régulièrement.* ◆ **encaisseur** n. m. Employé chargé de recouvrer des sommes dues : *Un encaisseur est venu lui présenter une traite* (syn. : GARÇON DE RECETTES). *L'encaisseur du gaz et de l'électricité.*

3. encaisser (s') [sɑ̃kese] v. pr. Se resserrer entre de hautes parois : *La route s'encaisse au fond de la vallée.* ◆ **encaissé, e** [ɑ̃kese] adj. Se dit de ce qui est resserré entre des montagnes ou des parois escarpées, entre de hautes murailles, etc. : *Une rivière, une route encaissée. Une maison encaissée entre des usines.* ◆ **encaissement** n. m. : *L'encaissement d'une vallée.*

encan (à l') [alɑ̃kɑ̃] loc. adv. Aux enchères : *Des meubles vendus à l'encan.*

encanailler (s') v. pr. V. CANAILLE; **encapuchonné, e** adj. V. CAPUCHON.

encart [ɑ̃kar] n. m. Feuille volante, carte insérée dans un cahier ou dans un livre. ◆ **encarter** v. tr. : *Encarter un prospectus dans une revue.* ◆ **encartage** n. m.

en-cas ou **encas** [ɑ̃ka] n. m. 1° Objet préparé pour être utilisé en cas de besoin. — 2° Repas léger, préparé par précaution (syn. : CASSE-CROÛTE).

en	y
1° Adverbe de lieu indiquant l'endroit d'où l'on vient (= de ce lieu). *« Avez-vous été chez lui? — J'en reviens. » Il est resté dans son bureau toute la journée et vient juste d'en sortir.*	1° Adverbe de lieu indiquant l'endroit où l'on va (= en ce lieu). *« Connaissez-vous la Provence? — J'y suis allé cet été. » Il sortait du magasin quand j'y entrais. Prenons rendez-vous devant la station de métro; je vous y attendrai vers midi. Il prit le menu et y dessina quelques caricatures. Mets-toi là et restes-y.*
2° Pronom pers. de la 3e pers. (placé avant le verbe) : remplace un nom de chose complément qui serait précédé de la préposition *de* (= de lui, d'elle[s], d'eux). *Vous avez bien fait de me prévenir, je lui en parlerai dès que je le verrai* (= de cela). *Ces livres ne servent plus à rien; il faut nous en débarrasser. J'ai réussi et j'en suis fier* (compl. de l'adjectif = de cela). *Avez-vous envoyé des lettres? Je n'en ai pas reçu* (objet direct = des lettres). *Il prit une pierre et l'en frappa* (compl. de moyen). *Vous m'avez rendu service et je m'en souviendrai* (objet indirect = de cela). *Il n'a pas fait cela, il en est bien incapable. Mon enfance est loin; j'en ai perdu jusqu'au souvenir précis! Il y a des fruits; prends-en quelques-uns. Vos retards m'importunent, j'en ai assez.*	2° Pronom pers. de la 3e pers. (placé avant le verbe) : remplace un nom de chose complément qui serait précédé de la préposition *à* (= à lui, à elle[s], à eux). *« Tu n'as pas oublié d'acheter les pinces? — J'y pense. » Le rétroviseur peut servir de glace, mais ne vous y regardez pas trop souvent. Réveillez-moi à six heures : surtout, pensez-y.*
3° Pronom pers. de la 3e pers. (placé avant le verbe) : peut remplacer, dans les mêmes conditions, un nom de personne, mais plus rarement. *Cet élève est excellent; j'en suis très content* (plus souvent *je suis content de lui*).	3° Pronom pers. (placé avant le verbe) : peut remplacer, dans les mêmes conditions, un nom de personne, mais plus rarement. *L'avez-vous pris comme collaborateur? Je ne m'y fierais pas* (plus souvent *à lui*).
4° Pronom pers. : peut annoncer un complément dans la même phrase, avec une valeur de renforcement (langue fam.). *On s'en souviendra, de ce voyage! Il en a une, lui, de voiture!*	
5° Particule formant avec le verbe une locution verbale indissociable. *Il m'en a coûté beaucoup. Il en est quitte pour la peur. Il en va de même pour les autres problèmes. Ils en sont venus aux mains. Je ne m'en suis pas remis. Ne pas en croire ses oreilles. Il en est réduit à la dernière extrémité. S'en aller*, etc.	4° Particule formant avec le verbe une locution verbale indissociable. *Il s'y connaît, il s'y entend* (= il est expert en la question). *Il s'y fera* (= il s'adaptera à la situation).

encaserner v. tr. V. CASERNE.

encastrer [ɑ̃kastre] v. tr. Ajuster très exactement dans un creux, un intervalle : *Encastrer un mécanisme dans son boîtier* (syn. : ENCHÂSSER). *Des boutons électriques encastrés dans le mur.* ◆ **s'encastrer** v. pr. : *Une petite voiture qui est venue s'encastrer sous le camion.*

encaustique [ɑ̃kostik] n. f. Dissolution de cire destinée à l'entretien des parquets, des meubles, etc. ◆ **encaustiquer** v. tr. Enduire d'encaustique : *Encaustiquer un buffet.* ◆ **encaustiquage** n. m.

1. enceinte [ɑ̃sɛ̃t] n. f. 1° Ce qui entoure, ce qui forme une protection : *Une ville dotée d'une enceinte fortifiée* (syn. : MURAILLE). *Franchir le mur d'enceinte.* — 2° Espace clos : *L'écho des délibérations ne doit pas franchir cette enceinte. L'enceinte du tribunal* (syn. : SALLE).

2. enceinte [ɑ̃sɛ̃t] adj. f. Se dit d'une femme en état de grossesse : *Etre enceinte de trois mois.*

encens [ɑ̃sɑ̃] n. m. 1° Substance résineuse qui brûle avec un parfum caractéristique et qu'on emploie dans des cérémonies religieuses. — 2° Hommages, marques de déférence (littér.) : *Il se laisse gagner par l'encens de la flatterie.* ◆ **encenser** v. tr. 1° Honorer en brûlant de l'encens : *Le prêtre encense l'autel.* — 2° Flatter, louer à l'excès : *On a encensé ses mérites.* ◆ **encensement** n. m. Action d'encenser. ◆ **encenseur, euse** n. Personne qui flatte exagérément. ◆ **encensoir** n. m. Petit récipient suspendu à des chaînes, dans lequel on brûle de l'encens : *Balancer l'encensoir devant l'autel.*

encéphale [ɑ̃sefal] n. m. Ensemble des organes contenus dans la boîte crânienne (cerveau, cervelet, bulbe rachidien). ◆ **encéphalographie** n. f. Radiographie de l'encéphale.

encercler v. tr. V. CERCLE 1; **enchaîner** v. tr. V. CHAÎNE 1 et 2.

enchanter [ɑ̃ʃɑ̃te] v. tr. *Enchanter quelqu'un*, le remplir d'un vif plaisir (souvent au passif) : *L'annonce de ce jour de congé a enchanté tous les élèves* (syn. : RAVIR). *Une grâce qui enchante les yeux* (syn. : CHARMER). *Nous sommes revenus enchantés de notre séjour* (syn. : RAVI, ↑ ENTHOUSIASMÉ). *Je suis enchanté de ma voiture* (syn. : ↓ CONTENT, SATISFAIT). *Enchanté de vous connaître* (formule de politesse). ◆ **enchantement** n. m. 1° Etat d'âme d'une personne enchantée : *Cette musique lui causait un enchantement inexprimable* (syn. : RAVISSEMENT, ÉMERVEILLEMENT). — 2° Ce qui enchante : *Ce spectacle est un véritable enchantement* (syn. : MERVEILLE). — 3° *Par enchantement, comme par enchantement*, d'une manière merveilleuse, comme surnaturelle : *La douleur a disparu comme par enchantement.* ◆ **enchanteur, eresse** adj. et n. : *Un paysage enchanteur* (syn. : RAVISSANT). *Une musique enchanteresse* (syn. : CHARMEUR). ◆ **désenchanter** v. tr. *Désenchanter quelqu'un,* le faire passer d'une illusion à la constatation d'une réalité peu réjouissante (surtout au passif) : *Cette remarque m'a désenchanté. Il est revenu bien désenchanté de son voyage à l'étranger* (syn. : DÉSILLUSIONNER, DÉCEVOIR). ◆ **désenchantement** n. m. : *Il a connu bien des désenchantements dans sa carrière* (syn. : DÉSILLUSION, DÉCEPTION, DÉBOIRE).

enchâsser [ɑ̃ʃase] v. tr. *Enchâsser un objet dans un autre,* le fixer dans un support, dans un creux : *Enchâsser une pièce dans son logement* (syn. : ENCASTRER). *Enchâsser un diamant* (syn. : SERTIR). ◆ **enchâssement** n. m.

enchère [ɑ̃ʃɛr] n. f. Offre d'achat supérieure à celles qui ont été faites précédemment lors d'une vente publique : *Sur une dernière enchère de cinquante francs, le meuble a été adjugé à sept cents francs. Mettre aux enchères une collection de tableaux. Acheter un livre à une vente aux enchères* (= vente publique au plus offrant, faite par un commissaire-priseur, un notaire, etc.). ◆ **enchérir** v. intr. 1° *Enchérir sur quelqu'un, sur une offre,* faire une offre d'achat supérieure : *Enchérir sur le voisin. Il hésitait à enchérir sur ce prix.* — 2° *Enchérir sur quelque chose,* aller au-delà, le dépasser (littér.) : *Une description qui enchérit sur la réalité* (syn. : RENCHÉRIR). ◆ **enchérisseur, euse** n. Personne qui met une enchère : *Le lot est attribué au dernier enchérisseur.*

enchérir v. intr. V. ENCHÈRE et CHER 2.

enchevêtrer [ɑ̃ʃəvetre] v. tr. *Enchevêtrer des choses,* les emmêler de façon inextricable : *Après le bombardement, le hangar n'était plus qu'un amas de ferrailles enchevêtrées. Un pêcheur qui enchevêtre sa ligne dans celle du voisin* (syn. : EMBROUILLER). *Une intrigue enchevêtrée* (syn. : COMPLIQUER). ◆ ***s'enchevêtrer*** v. pr. S'emmêler : *Des arbres dont les branches s'enchevêtrent. Il s'est enchevêtré dans ses explications* (syn. : S'EMPÊTRER, S'EMBARRASSER). ◆ **enchevêtrement** n. m. : *Un enchevêtrement de fils de fer. On a peine à démêler l'enchevêtrement de sa pensée* (syn. : CONFUSION, DÉSORDRE).

enchifrené, e [ɑ̃ʃifrəne] adj. Se dit d'une personne dont la respiration est embarrassée par un rhume, une sinusite, etc. ◆ **enchifrènement** n. m. : *Il avait la voix déformée par son enchifrènement.*

enclave [ɑ̃klav] n. f. Portion de propriété ou de territoire entièrement entourée par une autre propriété ou par le territoire d'un autre pays. ◆ **enclaver** v. tr. 1° *Enclaver un terrain,* entourer de tous côtés un terrain appartenant à autrui : *Un domaine qui enclave un champ de la ferme voisine.* — 2° *Enclaver une chose,* la placer entre deux ou plusieurs autres : *Enclaver un pronom complément entre le sujet et le verbe* (syn. : INSÉRER). ◆ **enclavement** n. m.

enclencher [ɑ̃klɑ̃ʃe] v. tr. 1° *Enclencher un objet,* le rendre solidaire d'une autre pièce d'un mécanisme, au moyen d'un dispositif spécialement conçu à cet effet : *Enclencher un aiguillage.* — 2° *L'affaire est enclenchée,* l'affaire est engagée. ◆ ***s'enclencher*** v. pr. : *Une roue qui s'enclenche sur un levier par un cliquet.* ◆ **enclenchement** n. m. 1° Action d'enclencher, de s'enclencher. — 2° Dispositif permettant de rendre solidaires des pièces d'un mécanisme. (V. DÉCLENCHER.)

enclin, e [ɑ̃klɛ̃, -in] adj. *Enclin à quelque chose, à faire quelque chose,* se dit d'une personne qui y est naturellement portée : *Un élève trop enclin à s'amuser pendant la classe* (syn. : SUJET À). *Il est enclin à l'exagération.*

enclore [ɑ̃klɔr] v. tr. (conj. 81). *Enclore un terrain,* l'entourer d'une clôture : *Un propriétaire qui fait enclore un pré* (syn. : CLÔTURER). *Le mur qui enclôt le jardin.* ◆ **enclos** [ɑ̃klo] n. m. Terrain fermé par une clôture.

enclume [ɑ̃klym] n. f. 1° Masse de fer sur laquelle on forge les métaux. — 2° *Etre entre l'enclume et le marteau,* être entre deux personnes, entre deux intérêts qui s'opposent, avec le risque de subir des dommages de l'un ou de l'autre.

encoche [ɑ̃kɔʃ] n. f. Petite entaille. (V. COCHER.)

encoignure [ɑ̃kɔɲyr] n. f. Angle intérieur formé par deux murs, par un mur et une porte, etc. : *L'homme poursuivi par les policiers se dissimula dans une encoignure* (syn. : COIN).

encolure [ɑ̃kɔlyr] n. f. 1° Partie du corps du cheval qui va de la tête aux épaules et au poitrail. — 2° Cou d'un homme : *Un homme de forte encolure.* — 3° Mesure du tour de cou, pointure du col : *Ces chemises ont une encolure trop grande pour moi.* — 4° Partie d'un vêtement destiné à recevoir le col; forme d'un décolleté : *Une encolure large, carrée, en pointe.*

encombre (sans) [sɑ̃zɑ̃kɔ̃br] loc. adv. Sans rencontrer d'obstacle : *Le voyage s'est effectué sans encombre* (syn. : SANS INCIDENT).

encombrer [ɑ̃kɔ̃bre] v. tr. 1° (sujet nom de chose ou de personne) *Encombrer un lieu,* y causer un embarras, un obstacle, par accumulation : *Des valises qui encombrent le couloir* (syn. : ↓ EMBARRASSER). *Ne restez pas là, vous encombrez le passage* (syn. : ↑ BOUCHER, OBSTRUER). *Il a encombré la pièce avec son matériel.* — 2° *Encombrer quelqu'un, quelque chose,* les occuper à l'excès : *Toutes ces tâches qui nous encombrent l'existence. Il encombre sa mémoire de détails inutiles* (syn. : SURCHARGER). *La profession est encombrée.* ◆ ***s'encombrer*** v. pr. *S'encombrer de quelqu'un, de quelque chose,* le prendre ou le garder avec soi et en être gêné : *Il n'a pas voulu s'encombrer de ses enfants pour ce voyage. Il ne s'encombre pas de tant de scrupules.* ◆ **encombrant, e** adj. : *Des paquets encombrants* (syn. : EMBARRASSANT). *La présence encombrante d'un voisin* (syn. : GÊNANT). ◆ **encombrement** n. m. 1° *L'encombrement du bureau nous a obligés à passer dans le salon.* — 2° Affluence de voitures en un lieu déterminé, y causant un ralentissement de la circulation : *Etre pris dans un encombrement. Les encombrements m'ont retardé.* — 3° Dimensions d'un objet, place qu'il occupe : *Se renseigner sur l'encombrement d'un appareil de chauffage.* ◆ **désencombrer** v. tr. : *On a brûlé de vieilles caisses pour désencombrer le grenier* (syn. : DÉBARRASSER).

encontre de (à l') [alɑ̃kɔ̃trədə] loc. prép. En opposition avec : *Certains faits vont à l'encontre de cette théorie* (= contredisent cette théorie). *Il a agi à l'encontre de nos conseils* (syn. : CONTRAIREMENT À).

encorbellement [ɑ̃kɔrbɛlmɑ̃] n. m. Construction en porte à faux, de telle sorte qu'une partie d'un étage soit en surplomb par rapport à la base de la construction : *Au Moyen Age, de nombreuses maisons étaient en encorbellement.*

encorder (s') v. pr. V. CORDE.

encore [ɑ̃kɔr] adv. 1° Indique qu'au moment précis où l'on parle, ou à l'époque où se passe l'action, celle-ci dure ou durait encore; à cette heure-ci, jusqu'à cet instant (toujours placé après le verbe simple ou son auxiliaire; on le trouve avant ou plus souvent après la négation *pas,* avec laquelle il forme une liaison) : *Nous sommes encore en hiver. Tu en es encore là* (= tu n'as pas changé tes opinions périmées). *Il se ressent encore de sa maladie. Vous n'avez pas encore vu ce film. Il ne faisait pas encore nuit. Ne te désole pas : il ne part pas encore. Il n'est pas encore prêt. « Lui as-tu écrit? — Pas encore. »* — 2° Indique la répétition de l'action (avec un verbe ou un nom de nombre; s'emploie après le verbe simple ou l'auxiliaire; placé après la négation *pas,* il ne forme pas liaison avec elle) : *J'ai attrapé encore un rhume. Tu n'as pas encore oublié ton portefeuille! Il a encore perdu au jeu* (syn. : DE NOUVEAU). *Tu prendras bien encore quelque chose* (fam. = tu boiras bien encore avec moi). *Encore une fois, il m'est impossible de vous donner mon accord. Il a encore acheté une nouvelle voiture. Vous n'êtes pas content. Qu'est-ce qu'il vous faut encore?* — 3° Indique un renforcement devant un comparatif : *Il est encore plus bête que je ne pensais. Il fait encore plus froid. Réfléchissez encore plus. Tu es encore moins généreux qu'on ne le dit;* ou un renforcement après *mais,* pour demander des explications : *« Que penses-tu de lui? — Il est très sympathique. — Mais encore? »* — 4° Indique une restriction, une opposition à ce qui a été affirmé (il peut se placer en tête de la phrase, introduisant dans la langue soutenue une inversion du sujet) : *Tout ceci est terrible; encore ne sait-on pas tout* (syn. : ET CEPENDANT). *Il nous met tous en retard et, encore, c'est lui qui proteste;* en ce sens, il peut accompagner *si* : *Encore irions-nous le voir si nous savions que nous ne le dérangeons pas* (syn. : DU MOINS). *Si encore j'avais eu le temps* (syn. : SI SEULEMENT). *Il y a eu une petite augmentation de salaire, et encore! cela n'a pas été sans mal* (formule exclamative de restriction). • LOC. CONJ. *Encore que* (et le subj.), indique la concession ou l'opposition (litter.) : *Encore que le froid fût très vif, il sortait de très bonne heure pour une promenade dans la campagne* (syn. : QUOIQUE, BIEN QUE).

encouragement n. m., **encourager** v. tr. V. COURAGE.

encourir [ɑ̃kurir] v. tr. (conj. 29). *Encourir des reproches, une amende,* etc., s'exposer à quelque chose de fâcheux que l'on mérite plus ou moins : *L'accusé encourt la peine de mort* (syn. : TOMBER SOUS LE COUP DE). *Il a encouru le mépris de tous.*

encrasser v. tr. V. CRASSE.

encre [ɑ̃kr] n. f. 1° Liquide coloré, servant à écrire, à imprimer : *Un stylo rempli d'encre bleue. L'encre de Chine est une encre indélébile.* — 2° *Ecrire à quelqu'un de sa plus belle encre,* lui écrire sans ménagements. ‖ *Un écrit de la même encre,* du même style incisif. ‖ *Faire couler beaucoup d'encre,* provoquer beaucoup de commentaires. ◆ **encrer** v. tr. Charger d'encre : *Encrer un tampon.* ◆ **encrage** n. m. : *L'encrage d'un rouleau d'imprimerie.* ◆ **encreur** adj. m. : *Rouleau encreur d'une presse d'imprimerie.* ◆ **encrier** n. m. Récipient à encre : *Un écolier qui trempe sa plume dans l'encrier. Renverser un encrier.*

encroûter (s') [ɑ̃krute] v. pr. ou **être encroûté** v. passif (sujet nom de personne). Se laisser aller à une routine qui appauvrit l'esprit : *Il s'encroûte dans des habitudes d'indifférence et de paresse* (syn. : ↑ CROUPIR, ↑ S'ABÊTIR). *Il est encroûté dans ses préjugés.* ◆ **encroûtement** n. m. : *Son encroûtement est total* (syn. : SCLÉROSE).

encyclique [ɑ̃siklik] n. f. Lettre adressée par le pape aux catholiques du monde entier ou au clergé d'une nation : *Les encycliques sont souvent désignées par les premiers mots de leur texte latin : « Pacem in terris »* (*Jean XXIII*), *« Mater et magistra »* (*Paul VI*), *etc.*

encyclopédie [ɑ̃siklɔpedi] n. f. 1° Ouvrage qui expose les principes et les résultats de toutes les sciences ou d'une branche des connaissances humaines, d'une technique : *Encyclopédie alphabétique, méthodique. Encyclopédie de l'aviation.* — 2° Partie d'un article de dictionnaire qui développe une définition, fournit des renseignements détaillés et des explications. ◆ **encyclopédique** adj. : *Des connaissances encyclopédiques* (= très étendues, dans de nombreux domaines). *Dictionnaire encyclopédique* (= qui contient des développements scientifiques, techniques). ◆ **encyclopédiste** n. m. 1° Auteur d'une encyclopédie. — 2° Nom donné aux auteurs de l'*Encyclopédie* du XVIIIe siècle : *Diderot et d'Alembert sont les encyclopédistes les plus célèbres.*

endémique [ɑ̃demik] adj. Se dit d'une maladie, d'un mal qui sévit en permanence : *Le paludisme existe à l'état endémique dans les pays marécageux. Chômage endémique* (contr. : MOMENTANÉ).

endetter v. tr. V. DETTE; **endeuillé, e** adj. V. DEUIL.

endiablé, e [ɑ̃djable] adj. 1° Se dit d'une personne très remuante, fatigante par ses initiatives plus ou moins diaboliques : *Un enfant endiablé* (syn. : INFERNAL). — 2° Se dit d'un mouvement très vif, impétueux : *Une danse d'un rythme endiablé. Une allure endiablée* (syn. : EFFRÉNÉ, ENRAGÉ).

endiguer v. tr. V. DIGUE; **endimanché, e** adj. V. DIMANCHE.

endive [ɑ̃div] n. f. Espèce cultivée de chicorée, blanchie dans l'obscurité : *De la salade d'endive. Des endives cuites au four.*

endocrine [ɑ̃dɔkrin] adj. *Glande endocrine,* glande qui déverse dans le sang son produit de sécrétion : *Le foie, le pancréas sont des glandes endocrines.* ◆ **endocrinien, enne** adj.

endoctriner v. tr. V. DOCTRINE; **endolori, e** adj. V. DOULEUR; **endommager** v. tr. V. DOMMAGE.

endormir [ɑ̃dɔrmir] v. tr. 1° *Endormir un être animé,* le faire dormir, provoquer son sommeil : *Endormir un enfant en le berçant* (contr. : ÉVEILLER, RÉVEILLER). *La chaleur nous endort* (syn. : ASSOUPIR). — 2° *Endormir quelqu'un,* l'ennuyer par la monotonie, le manque d'intérêt des propos : *Ce film endort le public* (syn. : ↑ ASSOMMER). — 3° Provoquer un sommeil artificiel : *Endormir un blessé pour l'opérer.* — 4° Fam. *Endormir quelqu'un,* le bercer d'illusions : *Essayer d'endormir les mécontents par des promesses* (syn. : ↑ TROMPER). ◆ ***s'endormir*** v. pr. 1° (sujet nom d'être animé) Céder au sommeil : *S'endormir sitôt couché.* — 2° (sujet nom de personne) Ralentir son activité, manquer d'attention : *Ton travail n'avance pas : tu t'endors! Ne vous* *endormez pas sur votre travail.* — 3° *La ville, la nature s'endort,* elle entre dans le calme (littér.). ◆ **endormant, e** adj. : *Un livre, un cours endormant* (syn. : ENNUYEUX). ◆ **endormeur, euse** n. Sens 4 du v. tr. : *Ne vous fiez pas à lui, c'est un endormeur.* ◆ **endormi, e** adj. et n. Sens 2 du v. pr. : *Un esprit endormi* (syn. : LENT, LOURD). *Avec un endormi comme lui, cela risque de durer longtemps* (syn. : ↑ PARESSEUX).

1. endosser [ɑ̃dose] v. tr. 1° *Endosser une veste, un uniforme,* s'en revêtir, les mettre sur soi. — 2° *Endosser quelque chose,* en prendre la responsabilité : *J'endosse les conséquences de son erreur* (syn. : ASSUMER, SE CHARGER DE).

2. endosser [ɑ̃dose] v. tr. *Endosser un chèque, un effet de commerce,* porter au dos de cette pièce une mention enjoignant au détenteur de fonds d'effectuer le paiement à une autre personne. ◆ **endossement** n. m.

1. endroit [ɑ̃drwa] n. m. 1° Place, lieu déterminés : *De l'endroit où j'étais, j'apercevais la mer. C'est un endroit idéal pour dresser la tente* (syn. : EMPLACEMENT). *Habiter dans un endroit calme* (syn. : QUARTIER, LOCALITÉ). *Je ne sais pas en quel endroit du globe il se trouve* (syn. : POINT). *Un endroit très pittoresque* (syn. : PAYS, RÉGION). *Son vêtement est déchiré en plusieurs endroits. A quel endroit avez-vous mal?* — 2° Passage d'un ouvrage, d'une œuvre : *Il y a dans ce livre des endroits obscurs. Le public éclate de rire aux endroits comiques.* — 3° Fam. *Petit endroit,* lieux d'aisances (syn. : WATERS, W.-C., CABINETS, PETIT COIN).

2. endroit [ɑ̃drwa] n. m. Le beau côté d'une étoffe, la face, le sens d'un objet qui se présente normalement à la vue : *Un tissu double face est celui qui n'a ni endroit ni envers. Une feuille écrite seulement sur l'endroit* (syn. : RECTO; contr. : VERSO). • Loc. ADV. *A l'endroit,* du bon côté, du côté normal : *Un livre posé à l'endroit* (= de façon que le titre soit lisible; contr. : À L'ENVERS).

3. endroit de (à l') [alɑ̃drwadə] loc. prép. Envers, à l'égard de (langue soignée) : *Avoir de la méfiance à l'endroit de quelqu'un. Je suis très bien disposé à son endroit.*

enduire [ɑ̃dɥir] v. tr. (conj. 70). *Enduire une surface, un objet,* les recouvrir d'une couche liquide ou pâteuse : *Enduire de graisse l'axe d'un moteur.* ◆ **enduit** n. m. Revêtement appliqué sur une surface : *Un fil protégé par un enduit isolant. Un mur dont l'enduit s'écaille par plaques.*

endurcir v. tr. V. DUR.

endurer [ɑ̃dyre] v. tr. (sujet nom d'être animé). *Endurer quelque chose, quelqu'un,* supporter avec fermeté ce qui est pénible : *Des soldats qui ont enduré la fatigue, la faim, le froid. Je ne peux plus endurer son bavardage. Jusqu'à quand endurerez-vous qu'on vous traite ainsi?* (syn. : SOUFFRIR, TOLÉRER). ◆ **endurable** adj. : *Une douleur difficilement endurable.* ◆ **endurance** n. f. : *L'endurance physique. Supporter avec endurance les critiques perfides.* ◆ **endurant, e** adj. : *Il faut être endurant pour vivre sous un pareil climat* (syn. : RÉSISTANT).

en effet [ɑ̃nefɛ] loc. adv. Joue le rôle d'une conj. de coordination en introduisant une explication ou une preuve à l'appui de l'énoncé précédent, ou pour confirmer ce qui a été dit (il a une place variable, en tête de la phrase ou après le premier nom ou pronom, après le verbe ou son auxiliaire) : *Cet orchestre me plaît beaucoup; en effet, il interprète Mozart d'une manière admirable* (syn. : CAR, en tête de phrase). *Il ne pourra aller dimanche au théâtre; il est, en effet, fortement enrhumé* (syn. : PARCE QUE, introduisant une proposition subordonnée de cause). « *Etiez-vous à votre bureau lundi? — En effet, j'y étais* » (syn. : ASSURÉMENT, EFFECTIVEMENT).

énergie [enɛrʒi] n. f. 1° Force physique ou morale manifestée par un être animé : *Il frappait sur l'enclume avec énergie. Protester avec énergie. L'énergie du style* (syn. : VIGUEUR). *Il a supporté cette épreuve avec beaucoup d'énergie* (syn. : FERMETÉ, COURAGE). — 2° Puissance agissante d'une chose : *Utiliser l'énergie atomique. Les sources d'énergie. Le transport de l'énergie électrique.* ◆ **énergétique** adj. Au sens 2 d'*énergie* : *Les ressources énergétiques d'un pays* (= ses ressources en énergie). ◆ **énergique** adj. Se dit d'une personne (ou de son comportement) qui manifeste de l'énergie : *Un chef énergique. Une résistance énergique* (syn. : VIGOUREUX). *Elever une énergique protestation* (syn. : VIF). *Un remède énergique* (syn. : ACTIF). *Prendre des mesures énergiques contre la vie chère* (syn. : RIGOUREUX). ◆ **énergiquement** adv. : *Lutter énergiquement* (syn. : VIGOUREUSEMENT, VIVEMENT). *Soigner énergiquement une maladie.*

énergumène [enɛrgymɛn] n. m. Individu exalté, excessif ou bizarre dans son comportement : *Une bande d'énergumènes fit soudain irruption dans la pièce* (syn. : FORCENÉ). *Un énergumène haranguait la foule* (syn. : ↑ FANATIQUE).

énerver v. tr. V. NERF.

enfant [ɑfɑ̃] n. 1° Garçon ou fille n'ayant pas encore atteint l'adolescence : *Un enfant d'une douzaine d'années. Les enfants ont besoin de plus de sommeil que les adultes. C'est un enfant obéissant, une enfant affectueuse* (syn. fam. : GOSSE, GAMIN; pop. : MÔME). — 2° *Fam.* Personne naïve : *Vous êtes des enfants si vous croyez tout ce qu'il vous promet* (syn. fam. : ENFANT DE CHŒUR). *Vous me prenez pour un enfant!* — 3° Fils ou fille, même adulte : *Un vieillard entouré de ses enfants et de ses petits-enfants.* — 4° Qui est originaire de; qui appartient à la population de : *Pascal est un des plus célèbres enfants de Clermont-Ferrand. Un pays qui doit sa prospérité au courage de ses enfants* (syn. : CITOYEN). — 5° *Mon enfant, mes enfants, les enfants,* termes exprimant familièrement la sympathie, l'encouragement : *Ne t'inquiète pas, mon enfant. Alors, les enfants, vous êtes prêts?* — 6° *Bon enfant,* d'un caractère facile, accommodant : *Répondre d'un ton bon enfant.* ‖ *Enfant de l'amour,* enfant né hors du mariage (syn. : ENFANT NATUREL). ‖ *Faire l'enfant,* s'amuser à des enfantillages. ◆ **enfance** n. m. 1° Période de la vie humaine qui va de la naissance à l'adolescence : *Il a eu une enfance heureuse.* — 2° Les enfants : *L'enfance est insouciante. L'enfance délinquante.* — 3° Commencement de ce qui se développe : *Une littérature qui était encore dans son enfance.* — 4° *C'est l'enfance de l'art,* c'est extrêmement simple à faire. ‖ *Retomber en enfance,* avoir des facultés mentales affaiblies par l'âge (syn. fam. : DEVENIR GÂTEUX). ◆ **enfanter** v. tr. et intr. 1° (sujet nom de femme) Mettre au monde un enfant (surtout littér.) : *Selon la Bible, Eve enfanta deux fils : Caïn et Abel. Femme sur le point d'enfanter* (syn. : ACCOUCHER). — 2° (sujet nom de personne)

Produire, créer (littér.) : *Un écrivain qui a enfanté une œuvre importante. Un esprit qui n'enfante que des chimères.* ◆ **enfantement** n. m. : *Les douleurs de l'enfantement* (syn. usuel : ACCOUCHEMENT). *Ce congrès a préparé l'enfantement d'une nouvelle doctrine* (littér.; syn. : ÉLABORATION). ◆ **enfantillage** n. m. Acte, parole, pensée propres à des enfants, manquant de sérieux : *Vous perdez votre temps en enfantillages* (syn. : BAGATELLE, NIAISERIE). *Il croit triompher facilement de tous ces obstacles : c'est de l'enfantillage* (syn. : PUÉRILITÉ, ↑ NAÏVETÉ). ◆ **enfantin, e** adj. **1°** Se dit de ce qui se rapporte aux enfants : *Un geste, un rire enfantin. La grâce enfantine. Des amusements enfantins.* — **2°** Se dit de ce qui est très simple à comprendre, à faire, à résoudre : *Un problème enfantin. Tu n'as pas trouvé la réponse? C'est pourtant enfantin.* — **3°** *Classe enfantine,* classe recevant des enfants de quatre à six ans, dans les localités qui n'ont pas d'école maternelle.

enfariné, e adj. V. FARINE.

enfer [ɑ̃fɛr] n. m. **1°** Lieu de supplice des damnés, selon diverses religions : *Les peines, les flammes de l'enfer. La crainte de l'enfer. Les méchants vont en enfer.* — **2°** Lieu, situation où l'on éprouve des tourments continuels, où l'existence est insupportable : *Un atelier qui était un enfer. L'enfer des bombardements. Sa vie est un enfer. Rester parmi ces gens-là est un enfer.* — **3°** *D'enfer,* d'une grande violence, excessif : *Mener un train d'enfer* (= aller à très grande vitesse). *Un feu, un bruit d'enfer.* ◆ **Les Enfers** n. m. pl. Le lieu où les âmes séjournent après la mort, selon diverses croyances anciennes.

enfermer [ɑ̃fɛrme] v. tr. **1°** *Enfermer des êtres vivants,* les mettre dans un local, dans un endroit d'où ils ne peuvent sortir : *Enfermer un prisonnier dans un cachot* (syn. fam. : BOUCLER). *Enfermer un fou dans un asile. Enfermer la volaille dans le poulailler.* — **2°** *Enfermer des choses,* les mettre en lieu sûr, en un endroit fermé : *Enfermer des papiers dans le tiroir du bureau* (syn. : RENFERMER). *La science enfermée dans les livres* (syn. : CONTENIR). — **3°** *Enfermer un concurrent,* dans une course, le serrer contre la corde, de manière à l'empêcher de se dégager. (Le verbe *renfermer* s'est substitué à *enfermer* dans les autres emplois, devenus archaïques.) ◆ ***s'enfermer*** v. pr. **1°** *S'enfermer chez soi,* s'isoler en fermant sa porte aux autres. — **2°** *S'enfermer dans son silence, dans sa résolution,* s'y tenir fermement.

enferrer (s') [sɑ̃fere] v. pr. **1°** (sujet nom de personne) S'embrouiller de plus en plus, au point de ne plus pouvoir se tirer d'une situation fâcheuse : *Il s'est enferré dans ses mensonges, au lieu de reconnaître tout de suite son erreur.* — **2°** Dans un combat à l'épée, recevoir une blessure en se jetant soi-même contre l'arme de son adversaire. ◆ **enferrer** v. tr. (rare) : *Des questions insidieuses qui enferrent le candidat* (= qui achèvent de le perdre, de le décontenancer). *Enferrer son ennemi* (= le percer de son arme au cours d'un duel).

enfiévrer v. tr. V. FIÈVRE.

enfiler [ɑ̃file] v. tr. **1°** *Enfiler une aiguille,* y passer le fil. — **2°** *Enfiler des perles, des anneaux,* etc., les passer autour d'un fil, d'une tringle, etc. — **3°** *Enfiler une tige dans un trou, son bras dans une crevasse,* etc., l'y engager, l'y faire pénétrer. — **4°** *Enfiler un vêtement,* le passer sur ses bras, ses jambes, son corps (syn. : METTRE). — **5°** *Enfiler une rue, une porte, un couloir,* etc., s'y engager (syn. : PRENDRE). — **6°** Fam. *Enfiler un bon repas, un verre de vin,* l'absorber vivement. ◆ ***s'enfiler*** v. pr. **1°** S'engager dans un lieu : *Il est passé rapidement devant la loge et s'est enfilé dans l'escalier.* — **2°** *Fam.* Absorber un aliment : *Il s'est enfilé trois douzaines d'huîtres.* ◆ **enfilade** n. f. Suite de choses disposées en file, mises bout à bout : *Une enfilade de maisons, de chambres. Suivre une enfilade de couloirs.* ◆ **enfilage** n. m. Sens 1, 2 du v. tr. : *L'enfilage des perles, d'un collier.* ◆ **enfileur, euse** n. ◆ **désenfiler** v. tr. *Désenfiler quelque chose,* retirer le fil qui y est introduit : *Désenfiler une aiguille. Son collier de perles s'est désenfilé.*

enfin [ɑ̃fɛ̃] adv. **1°** Indique qu'un événement se produit le dernier d'une série, ou après avoir été longtemps attendu, ou qu'on présente le dernier terme d'une énumération : *Après de longues recherches, il a enfin trouvé. Enfin, tu as compris! Il y avait là Pierre, Jacques, François, et enfin Bernard.* — **2°** Indique une conclusion récapitulative : *Des arbres arrachés, des moissons perdues, des routes inondées : un vrai désastre enfin.* — **3°** Indique un correctif apporté à une affirmation : *C'est un mensonge, enfin une vérité incomplète.* — **4°** Introduit un terme qui correspond à une phrase concessive, formulée ou implicite : *Cela me paraît difficile; enfin, vous pouvez toujours essayer* (syn. : NÉANMOINS, TOUTEFOIS, QUOI QU'IL EN SOIT). — **5°** Marque la résignation : *Enfin, que voulez-vous, c'était inévitable!*

enflammer v. tr. V. FLAMME.

enfler [ɑ̃fle] v. intr. Devenir plus gros (se dit surtout d'une partie du corps, sous l'effet d'un coup, d'une inflammation, etc.) : *Sa cheville foulée a enflé rapidement.* ◆ v. tr. **1°** *Enfler une partie du corps,* lui causer de l'enflure : *Un abcès dentaire qui lui enfle la joue. Il a la main enflée* (syn. : TUMÉFIER). — **2°** *Enfler quelque chose,* le rendre plus volumineux, plus important, plus arrondi : *Les pluies enflent les rivières* (syn. : GROSSIR). *L'orateur enfle la voix. Un écrivain qui enfle son style* (= qui le rend emphatique). *Le vent enfle les voiles* (syn. : GONFLER). — **3°** *Etre enflé de quelque chose,* en être fier, rempli : *Enflé de ses succès. Enflé d'orgueil.* ◆ ***s'enfler*** v. pr. Devenir plus fort, plus important : *Sa voix s'enflait avec le prolongement de la discussion.* ◆ **enflure** n. f. **1°** Etat d'une partie du corps tuméfiée par un mal : *L'enflure de ses jambes commence à diminuer.* — **2°** Amplification, exagération : *L'enflure du style.* ◆ **enflé, e** n. *Pop.* Imbécile. ◆ **désenfler** v. intr. Devenir moins enflé : *Son poignet foulé a un peu désenflé. Il a eu un abcès dentaire : maintenant, sa joue est complètement désenflée.*

enfoncer [ɑ̃fɔ̃se] v. tr. **1°** *Enfoncer quelque chose,* le faire pénétrer en profondeur, le faire aller vers le fond : *Enfoncer un clou à grands coups de marteau* (syn. : PLANTER). *Enfoncer les mains dans ses poches, son chapeau sur la tête* (syn. : METTRE). — **2°** *Enfoncer quelque chose,* le faire céder par une poussée, un choc : *Enfoncer le couvercle d'une caisse* (syn. : DÉFONCER). *Il a enfoncé la porte d'un coup d'épaule* (syn. : FORCER). *Avoir les côtes enfoncées* (syn. : ROMPRE). — **3°** *Enfoncer une armée ennemie,* opérer une percée dans ses lignes, la vaincre. — **4°** Fam. *Enfoncer un adversaire,* le surpasser complètement, remporter un avantage décisif sur lui. ‖ Fam. *Enfoncer une porte ouverte,* se donner beaucoup de peine pour démontrer une chose évidente. ‖ Fam. *Enfoncez-vous bien ça dans la tête,* pénétrez-vous bien de cette idée. ◆ v. intr., ***s'enfoncer*** v. pr. et ***être enfoncé*** v. passif. **1°** Aller vers le fond : *Les pieds enfoncent dans le sol marécageux. Un bateau en détresse qui s'enfonce dans l'eau* (syn. : COULER, S'IMMERGER). — **2°** Céder sous la pression : *Le sol enfonce sous les pas* (syn. : ↑ S'ÉCROULER). *Des coussins qui s'enfoncent sous le poids du corps.* ◆ ***s'enfoncer*** v. pr. **1°** S'engager profondément : *S'enfoncer dans la forêt. S'enfoncer sous les couvertures. Il s'est enfoncé jusqu'au cou dans cette tâche* (syn. : S'ABSORBER, SE PLONGER). — **2°** En venir à une situation pire : *Il s'enfonce sans cesse davantage par de nouvelles dettes.* ◆ **enfoncement** n. m. : *L'enfoncement d'un pieu dans le sol. Se cacher dans l'enfoncement d'un mur.* ◆ **enfonceur, euse** n.

enfouir [ɑ̃fwir] v. tr. *Enfouir quelque chose,* le cacher dans le sol ou dans un lieu secret, ou sous un amas d'objets : *Craignant les perquisitions, il avait enfoui son arme dans le jardin* (syn. : ENTERRER). *Des archéologues qui amènent au jour des statues enfouies depuis des millénaires. De nombreuses victimes restaient enfouies sous les décombres de leurs maisons* (syn. : ENSEVELIR). *Il enfouit prestement sa trouvaille dans sa poche* (syn. : PLONGER). ◆ ***s'enfouir*** v. pr. : *S'enfouir sous les draps* (syn. : SE BLOTTIR). ◆ **enfouissement** n. m.

enfourcher [ɑ̃furʃe] v. tr. **1°** *Enfourcher un cheval, une bicyclette,* etc., monter dessus à califourchon. — **2°** *Enfourcher une idée, une chimère,* s'attacher à cette idée, s'engouer de cette chimère.

enfourner [ɑ̃furne] v. tr. **1°** Mettre au four : *Le boulanger enfourne la pâte.* — **2°** *Fam.* Jeter dans une large ouverture, faire pénétrer en poussant, en forçant : *Enfourner des provisions dans un sac* (syn. : FOURRER). *Il a enfourné à lui seul trois parts de dessert* (syn. : AVALER, ENGLOUTIR). ◆ **enfournage** ou **enfournement** n. m.

enfreindre [ɑ̃frɛ̃dr] v. tr. (conj. **55**). *Enfreindre un règlement, une loi, un traité,* etc., ne pas en respecter les dispositions, les stipulations (syn. : CONTREVENIR À, TRANSGRESSER, VIOLER). [V. INFRACTION.]

enfuir (s') [sɑ̃fɥir] v. pr. (conj. **17**). Fuir au loin, s'en aller en hâte : *Un prisonnier qui s'enfuit* (syn. : S'ÉVADER, SE SAUVER, S'ÉCHAPPER). *Les années de jeunesse se sont enfuies* (syn. : DISPARAÎTRE).

enfumer v. tr. V. FUMÉE.

1. engager [ɑ̃gaʒe] v. tr. **1°** *Engager quelque chose* (objet), le faire pénétrer dans quelque chose qui retient : *Engager un tenon dans une mortaise.* — **2°** Faire pénétrer dans un lieu; mettre dans : *Engager sa voiture dans une ruelle. Il a engagé des capitaux importants dans cette entreprise* (syn. : INVESTIR). — **3°** *Engager quelque chose* (mot abstrait), le commencer, le mettre en train : *On a engagé la discussion sur une question délicate. Engager des négociations* (syn. : AMORCER, ENTAMER). — **4°** *Engager quelqu'un dans une affaire,* l'y mêler, l'y faire participer. ◆ ***s'engager*** v. pr. **1°** (sujet nom de personne) S'avancer, entrer dans un lieu, dans une situation : *Un alpiniste qui s'engage dans une crevasse. S'engager dans des pourparlers.* — **2°** *Ecrivain, artiste qui s'engage,* qui prend nettement position en matière politique, qui traduit ses opinions dans son œuvre. — **3°** (sujet nom de chose) Se loger, pénétrer : *L'extrémité des poutres s'engage dans le mur. Le train s'engage dans le tunnel.* — **4°** Commencer : *Le débat s'engage mal.* ◆ **engagé, e** adj. *Ecrivain engagé, littérature engagée,* qui prend part aux luttes politiques et sociales en exprimant l'idéologie d'un parti, d'une tendance. ◆ **engagement** n. m. **1°** Action d'engager ou de s'engager : *Le premier tour de clef amorce l'engagement du pène dans son logement. Une entreprise qui exige l'engagement de gros capitaux* (syn. : INVESTISSEMENT). *L'engagement du train dans le tunnel. Des contacts préliminaires ont permis l'engagement des négociations proprement dites. Une conférence sur le thème de l'engagement en littérature.* — **2°** Combat localisé et de courte durée : *L'adversaire a perdu une dizaine d'hommes au cours de cet engagement.* ◆ **engageant, e** adj. Qui donne envie d'entrer en relation, qui retient après avoir attiré : *Il eut à son égard quelques paroles engageantes qui le mirent en confiance. Il avait la figure ronde et les yeux rieurs, l'air engageant* (syn. : SYMPATHIQUE). *Avoir un sourire engageant* (contr. : ANTIPATHIQUE). ◆ **non-engagé, e** n. et adj. : *Les peuples non-engagés s'efforcent d'avoir une politique indépendante des deux grands blocs antagonistes.* ◆ **non-engagement** n. m. : *Une politique de non-engagement.* ◆ **désengager** v. tr. Faire cesser l'engagement.

2. engager [ɑ̃gage] v. tr. **1°** *Engager quelqu'un à quelque chose, à faire quelque chose,* l'y pousser, le lui conseiller vivement : *Je vous engage à la plus grande prudence* (syn. : EXHORTER). *On l'a engagé à continuer ses recherches* (syn. : PRESSER DE). — **2°** *Engager du personnel,* le prendre à son service, lui fournir du travail (syn. : EMBAUCHER, RECRUTER). — **3°** *Engager ses bijoux, sa montre,* etc., les mettre en gage pour obtenir un prêt. — **4°** *Engager sa parole,* se lier par une promesse ferme. ◆ ***s'engager*** v. pr. **1°** (sujet nom de personne) Faire une promesse ferme, se lier verbalement ou par contrat : *Il s'est engagé à rembourser la somme en deux ans.* — **2°** (sujet nom de personne) Souscrire un engagement dans une unité militaire : *Il s'est engagé à dix-huit ans dans la marine.* ◆ **engagé** n. m. Soldat qui a souscrit un engagement. ◆ **engagement** n. m. Action d'engager ou de s'engager : *Il a pris l'engagement de se taire. Il a toujours tenu ses engagements* (syn. : PROMESSE). *L'engagement de personnel* (syn. : EMBAUCHE).

engeance [ɑ̃ʒɑ̃s] n. f. Ensemble de personnes jugées méprisables : *Il avait dû recourir à cette engeance d'usuriers* (syn. : RACE). *Une sale engeance.*

engelure [ɑ̃ʒlyr] n. f. Vive irritation de la peau causée par le froid.

engendrer [ɑ̃ʒɑ̃dre] v. tr. **1°** (sujet nom d'être vivant mâle) Procréer, reproduire par génération : *Selon la Bible, Abraham engendra Isaac.* — **2°** (sujet nom de chose) Etre à l'origine de, produire : *La guerre engendre bien des maux* (syn. : ENTRAÎNER). — **3°** *Il n'engendre pas la mélancolie,* il est d'un caractère gai. ◆ **engendrement** n. m.

engin [ɑ̃ʒɛ̃] n. m. **1°** Appareil, instrument, machine destinés à un usage défini : *Grâce à des engins perfectionnés, la reconstruction de ce quartier a été très rapide. Un pêcheur muni de tous ses engins* (syn. : MATÉRIEL). — **2°** Projectile autopropulsé ou téléguidé : *Suivant leurs points de départ* *et à arrivée, on distingue des engins sol-sol, sol-air, mer-air,* etc. — **3°** *Péjor.* Objet plus ou moins bizarre : *Il porte sur son épaule un drôle d'engin.*

englober [ɑ̃glɔbe] v. tr. Réunir en un tout, contenir : *Un récit qui englobe tous les grands événements politiques des vingt dernières années. Vous êtes englobé dans cette invitation générale* (syn. : COMPRENDRE).

engloutir [ɑ̃glutir] v. tr. **1°** (sujet nom de personne) Avaler gloutonnement : *Il a englouti cinq tartines à son petit déjeuner* (syn. : DÉVORER, INGURGITER). — **2°** (sujet nom de chose) Faire disparaître dans un abîme : *La tempête a englouti le navire.* — **3°** *Engloutir une fortune,* la dissiper complètement : *Il a englouti des capitaux énormes dans cette affaire* (syn. : ENGOUFFRER). ◆ ***s'engloutir*** v. pr. Disparaître : *Le bateau s'est englouti dans la mer.* ◆ **engloutissement** n. m.

engluer [ɑ̃glye] v. tr. Enduire d'une matière gluante : *La confiture qui lui engluait les doigts* (syn. : POISSER). ◆ **engluement** n. m. (V. GLU.)

engoncer [ɑ̃gɔ̃se] v. tr. (sujet nom désignant un vêtement). *Engoncer quelqu'un,* l'enserrer, lui tasser le cou dans les épaules : *Ce modèle ne vous va pas bien : il vous engonce trop. Etre engoncé dans un gros pardessus.*

engorger [ɑ̃gɔrʒe] v. tr. *Engorger un conduit, un passage,* l'obstruer par accumulation de matière, de débris : *Le siphon du lavabo est engorgé* (syn. : BOUCHER). ◆ ***s'engorger*** v. pr. Se boucher : *Une canalisation qui s'engorge facilement.* ◆ **engorgement** n. m. ◆ **désengorger** v. tr. : *Désengorger un tuyau obstrué. Une déviation qui désengorge la rue principale* (syn. : DÉSENCOMBRER, DÉGAGER).

engouer (s') [sɑ̃gwe] v. pr. et **être engoué** v. passif. *S'engouer (être engoué) pour quelqu'un, pour quelque chose,* se prendre (ou être pris) soudain d'un goût immodéré pour eux : *Le public s'est engoué de cette nouvelle mode. Les lecteurs engoués de ce roman* (syn. fam. : S'ENTICHER, SE TOQUER). ◆ **engouement** n. m. : *L'engouement pour cet acteur a été de courte durée* (syn. : ENTHOUSIASME).

engouffrer [ɑ̃gufre] v. tr. **1°** Jeter en grande quantité dans un trou : *Les chauffeurs engouffrent des tonnes de charbon dans le foyer.* — **2°** Faire disparaître en dépensant, en consommant : *Une entreprise qui engouffre des sommes énormes. Un invité qui engouffre des piles de sandwiches et de petits fours* (syn. : ENGLOUTIR, DÉVORER). ◆ ***s'engouffrer*** v. pr. **1°** (sujet nom de chose) Se précipiter avec violence : *L'eau s'engouffre dans la brèche. Le vent s'engouffre dans les ruelles.* — **2°** (sujet nom d'être vivant) Entrer rapidement, en hâte : *La foule s'engouffre dans la bouche de métro. Il s'est engouffré dans un taxi.*

engourdir [ɑ̃gurdir] v. tr. *Engourdir quelqu'un, les membres, les facultés de quelqu'un,* les rendre insensibles, en ralentir le mouvement, l'activité : *Le froid lui engourdit les mains* (syn. : PARALYSER). *Il restait dans le fauteuil, engourdi par la tiédeur de la pièce. La routine engourdit l'esprit.* ◆ ***s'engourdir*** v. pr. Devenir insensible, sans mouvement, sans activité : *Ses doigts crispés à la barre commençaient à s'engourdir. Ne vous engourdissez pas dans la rêverie* (syn. : S'ASSOUPIR). ◆ **engourdissement** n. m. : *Des alpinistes qui réagissent contre l'engourdissement. Cette lecture monotone plongeait l'assistance dans un léger engourdissement* (syn. : TORPEUR).

engrais [ɑ̃grɛ] n. m. Débris d'origine animale ou végétale, ou produit chimique, qu'on mêle à la terre pour la fertiliser : *Le fumier des troupeaux est un bon engrais.*

engraisser v. tr. et intr. V. GRAISSE 1; **engranger** v. tr. V. GRANGE.

engrenage [ɑ̃grənaʒ] n. m. **1°** Disposition des roues dentées qui sont mises en liaison. — **2°** Enchaînement de circonstances qui a quelque chose de contraignant, d'irrésistiblement aggravant : *Etre pris dans un redoutable engrenage. L'engrenage de la violence.*

engrosser v. tr. V. GROSSESSE.

engueuler [ɑ̃gœle] v. tr. *Pop.* Réprimander énergiquement : *Les retardataires ont été engueulés* (syn. : ↓ ATTRAPER). ◆ ***s'engueuler*** v. pr. *Pop.* S'accabler réciproquement d'injures : *Deux automobilistes qui s'engueulent* (syn. : S'INVECTIVER). ◆ **engueulade** n. f. Pop. : *Son manque de soin lui a valu plusieurs engueulades de son chef* (syn. : ↓ RÉPRIMANDE). *Recevoir une engueulade par lettre. Avoir une engueulade avec un voisin* (syn. : ↓ DISPUTE; fam. : ↓ ACCROCHAGE).

enguirlander [ɑ̃girlɑ̃de] v. tr. Syn. fam. de ENGUEULER. (V. aussi GUIRLANDE.)

enhardir v. tr. V. HARDI.

énigme [enigm] n. f. **1°** Chose ou personne difficile à comprendre, qui exerce la sagacité : *Les enquêteurs essaient depuis une semaine de résoudre l'énigme posée par la disparition de cette personne* (syn. : PROBLÈME). *La provenance de ses moyens d'existence est une énigme pour tout le monde* (syn. : MYSTÈRE). *Cet homme est une énigme : on ne sait jamais à quels mobiles il obéit. J'ai eu enfin le mot de l'énigme* (= l'explication de cette difficulté). — **2°** Jeu d'esprit consistant à faire deviner quelque chose au moyen d'une définition ou d'une description ambiguë. ◆ **énigmatique** adj. Qui a le caractère d'une énigme, qui est difficile à comprendre : *Une question énigmatique* (syn. : AMBIGU). *Il garde un silence énigmatique. Visage énigmatique. C'est un personnage énigmatique* (syn. : MYSTÉRIEUX, IMPÉNÉTRABLE). ◆ **énigmatiquement** adv.

enivrer v. tr. V. IVRE.

1. enjamber [ɑ̃ʒɑ̃be] v. tr. **1°** *Enjamber un espace, un obstacle,* le franchir en passant une jambe ou les deux jambes par-dessus : *Il enjamba la poutre et s'assit dessus à califourchon. Un ruisselet facile à enjamber.* — **2°** *Pont, viaduc,* etc., *qui enjambe une rivière, une vallée,* qui la franchit. ◆ **enjambée** n. f. Action d'enjamber; espace qu'on peut enjamber : *D'une seule enjambée, il passa par-dessus l'obstacle. Il s'avance à grandes enjambées* (syn. : PAS).

2. enjamber [ɑ̃ʒɑ̃be] v. intr. *Vers qui enjambe sur le suivant,* qui forme avec lui un enjambement. ◆ **enjambement** n. m. Report, au début d'un vers, d'un ou de plusieurs mots étroitement unis par le sens à ceux du vers précédent.

enjeu [ɑ̃ʒø] n. m. **1°** Somme que l'on risque dans un jeu, un pari, et qui doit revenir au gagnant : *Les enjeux sont élevés, le gagnant va remporter une somme coquette.* — **2°** Ce qu'on risque de gagner ou de perdre dans une entreprise : *L'enjeu de cette guerre, c'était notre indépendance.*

enjoindre [ɑ̃jwɛ̃dr] v. tr. (conj. 55). *Enjoindre quelque chose à quelqu'un,* le lui ordonner expressément : *Je lui ai enjoint de se conformer à vos directives* (syn. : COMMANDER, SOMMER). [V. INJONCTION.]

enjôler [ɑ̃ʒole] v. tr. *Enjôler quelqu'un,* le séduire par de belles paroles, des flatteries. ◆ **enjôlement** n. m. : *Il a réussi à le décider, à force d'enjôlement.* ◆ **enjôleur, euse** adj. et n. : *Des mots enjôleurs. Défiez-vous de cette enjôleuse.*

enjoliver [ɑ̃ʒɔlive] v. tr. Rendre plus joli : *Les moulures qui enjolivent le plafond* (syn. : EMBELLIR, DÉCORER). *A chaque nouveau récit, il enjolive l'aventure de quelques nouveaux détails* (= il l'enrichit par des détails plus ou moins exacts). ◆ **enjolivement** n. m. ◆ **enjoliveur, euse** n. Personne qui enjolive. ◆ **enjoliveur** n. m. Garniture servant d'ornement à une automobile : *Les enjoliveurs de roue s'appellent des « chapeaux de roue ».*

enjoué, e [ɑ̃ʒwe] adj. Se dit d'une personne (ou de son comportement) qui montre une humeur gaie, qui badine légèrement : *Une fillette enjouée* (syn. : GAI; contr. : CHAGRIN). *Il souriait d'un air enjoué* (syn. : MALIN, MALICIEUX; contr. : RENFROGNÉ). ◆ **enjouement** [ɑ̃ʒumɑ̃] n. m. : *Un ton plein d'enjouement* (syn. : GAIETÉ; contr. : ↑ TRISTESSE).

enlacer [ɑ̃lase] v. tr. 1° *Enlacer quelqu'un,* le serrer contre soi en l'entourant de ses bras : *Des amoureux enlacés* (= qui s'étreignent). — 2° *Enlacer quelque chose,* l'enserrer avec un lien : *Le cordon qui enlace ces livres* (syn. : LIER). ◆ ***s'enlacer*** v. pr. Se prendre mutuellement dans les bras : *Des lutteurs qui s'enlacent.* ◆ **enlacement** n. m. : *De tendres enlacements* (syn. : EMBRASSEMENT, ÉTREINTE).

enlaidir v. tr. et intr. V. LAID.

enlever [ɑ̃lve] v. tr. 1° *Enlever un objet,* le prendre et le porter à un autre endroit, le changer de place : *Il faut enlever ces valises qui encombrent le couloir. Enlève tes coudes de la table* (syn. : ÔTER, RETIRER). *Faire enlever par camion des marchandises en dépôt* (syn. : EMPORTER). *Il a enlevé son chapeau pour me saluer* (= il s'est découvert). — 2° Faire disparaître une chose de l'endroit où elle était, en séparant, en supprimant ou en déplaçant : *Enlever une tache à la benzine. Son attitude à mon égard m'enlève tout scrupule* (syn. : LIBÉRER DE). *Il m'a enlevé tout courage. Vous m'enlevez un poids de la conscience* (syn. : SOULAGER DE). *Enlever une phrase d'un discours* (syn. : SUPPRIMER). *Faire enlever les amygdales à un enfant. On lui a enlevé son commandement* (syn. : RETIRER). *Enlever un vêtement* (= le retirer de sur soi, s'en défaire). — 3° *Enlever quelqu'un,* le soustraire à sa famille, à ses tuteurs, par rapt ou par mariage : *Enlever un enfant en exigeant une rançon;* le prendre pour l'emmener un moment : *Je vous enlève votre mari pour la soirée.* — 4° *Enlever une position, une tranchée,* etc., les prendre d'assaut, s'en rendre maître par la force (syn. : PRENDRE, CONQUÉRIR, EMPORTER). ‖ *Enlever la victoire, tous les suffrages,* etc., *enlever une affaire,* les obtenir sans contestation, emporter la décision. ‖ *Enlever un morceau de musique,* l'exécuter brillamment. ‖ *Maladie qui enlève quelqu'un,* qui entraîne sa mort (syn. : EMPORTER) : *La mort nous l'a enlevé,* l'a emporté à jamais. ◆ **enlèvement** n. m. Surtout aux sens 1, 3 et 4 du verbe : *La taxe d'enlèvement des ordures. Il est accusé d'enlèvement d'enfant* (syn. : RAPT). *L'enlèvement d'une place par l'ennemi.*

enliser (s') [sɑ̃lize] v. pr. 1° S'enfoncer dans le sable, la vase, etc. : *Voiture qui s'enlise dans le marécage* (syn. : S'EMBOURBER). — 2° Etre de plus en plus embarrassé dans une situation inextricable : *Il s'est enlisé dans des explications confuses* (syn. : PATAUGER). *L'enquête policière s'enlise. S'enliser dans la routine* (syn. : SOMBRER). ◆ **enliser** v. tr. 1° Enfoncer dans la boue, dans le sable : *Il a enlisé sa voiture.* — 2° Embarrasser de telle manière que l'on ne peut plus avancer : *Une longue procédure qui enlise un procès.* ◆ **enlisement** n. m. : *Des sables mouvants où l'on risque l'enlisement. Une crise économique qui provoque l'enlisement de certaines entreprises* (syn. : MARASME).

1. enluminer [ɑ̃lymine] v. tr. *Enluminer un livre, un texte,* les orner de dessins délicats aux couleurs vives : *Les artistes qui ont enluminé ces manuscrits du XIVe siècle.* ◆ **enlumineur** n. m. Artiste qui fait des enluminures. ◆ **enluminure** n. f. Art d'enluminer; dessin en couleur ornant un texte. (Se dit surtout de manuscrits anciens.)

2. enluminer [ɑ̃lymine] v. tr. *Enluminer le visage,* le colorer vivement, le rendre rubicond (souvent au part. passé) : *Le vin enluminait les visages.*

enneiger v. tr. V. NEIGE.

ennemi, e [ɛnmi] n. et adj. 1° Personne qui veut du mal à quelqu'un, qui cherche à lui nuire : *Tout son entourage l'estimait, on ne lui connaissait pas d'ennemi* (contr. : AMI). *Ce bandit est l'ennemi public numéro un* (= l'homme jugé le plus dangereux pour l'ordre social). — 2° (suivi d'un compl. avec *de*) Personne qui éprouve de l'aversion pour telle ou telle chose : *Il est ennemi de la musique moderne. Etre ennemi de la politique gouvernementale* (contr. : ADEPTE, PARTISAN). — 3° Se dit d'une chose qui s'oppose à une autre (surtout littér.) : *Le brouillard, le mauvais état des routes sont des ennemis de la vitesse* (syn. : OBSTACLE). *L'eau est l'ennemie du feu. Le mieux est l'ennemi du bien* (proverbe). — 4° En temps de guerre, celui ou ceux que l'on combat : *Nos troupes ont capturé de nombreux ennemis. L'ennemi a déclenché une offensive* (sens collectif; syn. : ADVERSAIRE). *Un soldat qui passe à l'ennemi est un déserteur.*

ennième ou **n**ième [enjɛm] adj. et n. *Fam.* Indique un rang indéterminé, mais très élevé, dans un ordre ou une série : *Je vous le dis et vous le répète pour la ennième fois. C'est le ennième cas de rougeole à la maternelle : il faudra fermer l'école.*

ennoblir v. tr. V. NOBLE.

ennuyer [ɑ̃nɥije] v. tr. 1° *Ennuyer quelqu'un,* lui causer de la contrariété, du souci : *Il m'ennuie avec ses exigences* (syn. : ↓ IMPORTUNER, AGACER). *Tout irait bien, sans ce détail qui m'ennuie* (syn. : SOUCIER, TRACASSER). *Cela m'ennuierait d'être obligé de recommencer* (syn. : CONTRARIER). *Si cela vous ennuie, ne le faites pas* (syn. : DÉPLAIRE; fam. : BARBER). — 2° *Ennuyer quelqu'un,* lui causer de la lassitude, ne pas susciter chez lui d'intérêt : *Une lecture qui ennuie le public* (syn. : ↑ ENDORMIR; fam. : RASER). *La longueur du voyage l'ennuie* (syn. : LASSER, REBUTER). ◆ ***s'ennuyer*** v. pr. 1° (sans compl.) Eprouver de la lassitude par désœuvrement par manque d'intérêt : *S'ennuyer dans une chambre d'hôtel, un jour de pluie* (syn. fam. : SE BARBER, SE RASER). — 2° *S'ennuyer de quelqu'un, de quelque chose,* éprouver du regret de leur absence : *Un pensionnaire qui s'ennuie de sa famille. Il s'ennuyait de son pays, qu'il n'avait pas revu depuis dix ans.* ◆ **ennui** [ɑ̃nɥi] n. m. **1°** Lassitude morale de celui qui s'ennuie : *Prendre un livre pour tromper son ennui.* — **2°** Ce qui est regrettable, fâcheux : *L'ennui, c'est que ce projet est irréalisable.* — **3°** Chose, événement qui contrarie le cours normal de l'existence, qui cause du désagrément : *Il a eu un gros ennui avec sa voiture* (syn. fam. : PÉPIN, ANICROCHE). *Avoir un ennui de santé* (= une maladie). *Vous n'êtes pas au bout de vos ennuis avec cette affaire* (syn. : SOUCI, TRACAS). *Cette phrase malheureuse pourrait lui attirer des ennuis de la part de ses adversaires* (syn. : ↓ DÉSAGRÉMENT). ◆ **ennuyeux, euse** adj. Se dit d'une personne ou d'une chose qui ennuie (aux divers sens) : *Voisin ennuyeux* (syn. : DÉSAGRÉABLE). *Spectacle ennuyeux* (syn. fam. : ASSOMMANT). *Un roman ennuyeux comme la pluie* (syn. : ↓ FASTIDIEUX). *Un incident ennuyeux* (syn. : ↑ PÉNIBLE). ◆ **ennuyeusement** adv. ◆ **désennuyer** [dezɑ̃nɥije] v. tr. *Désennuyer quelqu'un,* dissiper son ennui : *Cette lecture m'a désennuyé pendant quelques heures.* ◆ ***se désennuyer*** v. pr. : *Ils se désennuyaient en faisant de longues parties de cartes* (syn. : SE DISTRAIRE).

énoncer [enɔ̃se] v. tr. Exprimer en une formule nette : *Une vérité énoncée en termes simples. Enoncer un jugement sans appel* (syn. : PRONONCER). *Enoncer un théorème. Il énonça sa requête* (syn. : FORMULER, EXPOSER). ◆ ***s'énoncer*** v. pr. : *Cette idée pourrait s'énoncer plus clairement* (syn. : S'EXPRIMER). ◆ **énoncé** n. m. **1°** Proposition, phrase dans laquelle une pensée est énoncée : *« L'oiseau chante » est un énoncé élémentaire.* — **2°** Texte exact qui exprime un jugement, qui formule un problème, qui pose une question, etc. : *Se reporter à l'énoncé de la loi* (syn. : TERMES). *Un élève qui a mal interprété le sujet d'un devoir, faute d'avoir lu attentivement l'énoncé.* ◆ **énonciatif, ive** adj. *Proposition énonciative,* phrase positive qui exprime une idée, sans interrogation, négation ni exclamation. ◆ **énonciation** n. f. : *Un texte qui se borne à l'énonciation d'un fait* (syn. : ÉNONCÉ).

enorgueillir v. tr. V. ORGUEIL.

énorme [enɔrm] adj. **1°** Se dit d'une personne ou d'une chose qui impressionne par ses proportions, son importance : *C'est un homme énorme, qui mesure deux mètres et pèse cent vingt kilos* (syn. : COLOSSAL). *Un rocher énorme obstruait la route* (syn. : GIGANTESQUE). *Une armoire énorme* (syn. : MONUMENTAL). *Il a fallu surmonter d'énormes difficultés* (syn. : IMMENSE, FORMIDABLE). *Il a remporté un succès énorme* (syn. : EXTRAORDINAIRE, FANTASTIQUE, PHÉNOMÉNAL, MONSTRE). *Une maison vendue un prix énorme* (syn. : ↓ CONSIDÉRABLE, ↑ EXORBITANT). — **2°** *Fam.* Se dit d'une personne ou d'une chose remarquable par quelque qualité : *C'est un type énorme* (= quelqu'un d'éminent en son genre). *C'est une histoire énorme* (= très amusante, renversante). ◆ **énormément** adv. Sert de superlatif à *beaucoup : Nous avons énormément ri. Il pleut énormément. Il y avait là énormément d'étrangers.* ◆ **énormité** n. f. **1°** Caractère de ce qui est énorme : *L'énormité de la tâche* (syn. : IMMENSITÉ). *L'énormité d'une injure.* — **2°** Parole ou action extravagante, qui heurte le bon sens : *En entendant cette énormité, il éclata de rire.*

enquérir (s') [sɑ̃kerir] v. pr. (conj. **21**). *S'enquérir de quelque chose, de quelqu'un,* se mettre en quête de renseignements sur cette chose, sur cette personne : *Vous êtes-vous enquis des formalités exigées pour ce voyage à l'étranger?* (syn. : S'INFORMER, SE RENSEIGNER). *S'enquérir de la santé de quelqu'un* (syn. : S'INQUIÉTER). *Personne ne s'était enquis des deux alpinistes depuis leur départ.*

enquête [ɑ̃kɛt] n. f. **1°** Etude d'une question par l'accumulation de témoignages, d'expériences : *Un journaliste qui publie son enquête sur les conditions de travail dans une industrie. L'enquête d'un journal sur les opinions de ses lecteurs* (syn. : SONDAGE). — **2°** Recherches ordonnées par une autorité administrative : *Le commissaire de police chargé de l'enquête sur ce vol. Ouvrir, ordonner une enquête. Une commission d'enquête nommée par le gouvernement.* ◆ **enquêter** v. intr. Conduire une enquête : *Plusieurs inspecteurs ont enquêté sur ce crime.* ◆ **enquêteur, euse** n. et adj. : *Un détail qui avait échappé à la perspicacité des enquêteurs.*

enquiquiner [ɑ̃kikine] v. tr. *Fam.* Ennuyer, importuner : *Il nous enquiquine avec ses histoires* (syn. : AGACER; fam. : EMBÊTER, ASSOMMER). *Ce travail m'enquiquine. Je ne vais pas m'enquiquiner à refaire tous les calculs* (syn. fam. : FAIRE SUER). ◆ **enquiquinant, e** adj. Fam. : *Un voisin enquiquinant.* ◆ **enquiquinement** n. m. Fam. : *Il a eu beaucoup d'enquiquinements avec cette voiture.* ◆ **enquiquineur, euse** adj. et n. Fam. : *J'ai eu bien du mal à me débarrasser de cet enquiquineur.*

enraciner v. tr. V. RACINE; **enrager** v. tr. V. RAGE 1 et 2.

enrayer [ɑ̃reje] v. tr. *Enrayer une maladie, la hausse des prix,* etc., en arrêter le cours, le mouvement, la progression (syn. : STOPPER, JUGULER). ◆ ***s'enrayer*** v. pr. (sujet nom d'une arme à feu). Cesser de fonctionner soudain, accidentellement. ◆ **enraiement** ou **enrayement** n. m. : *Le gouvernement a pris des mesures visant à l'enraiement de la crise économique.* ◆ **enrayage** n. m. Action de s'enrayer : *L'enrayage d'une mitrailleuse.*

enrégimenter v. tr. V. RÉGIMENT.

1. enregistrer [ɑ̃rəʒistre] v. tr. **1°** Transcrire ou inscrire sur un registre, pour authentifier, rendre officiel : *Cet acte de vente doit être enregistré. Le bureau chargé d'enregistrer les réclamations des usagers. Ce mot n'est pas enregistré dans tous les dictionnaires* (syn. : RÉPERTORIER). — **2°** Noter par écrit ou dans sa mémoire : *Enregistrer sur son agenda les noms et adresses des correspondants* (syn. : CONSIGNER). *J'ai enregistré dans ses déclarations un détail intéressant. J'enregistre, je saurai vous le rappeler à l'occasion.* — **3°** Constater d'une manière objective : *On a enregistré quelques chutes de neige* (syn. : OBSERVER). *Une tendance à la hausse des cours a été enregistrée sur les marchés.* — **4°** *Enregistrer des bagages,* les faire peser et étiqueter au départ d'un train, d'un avion, etc., et se faire délivrer un récépissé. ◆ **enregistrable** adj. : *Un acte notarié enregistrable. Un fait politique enregistrable* (syn. : NOTABLE). ◆ **enregistrement** n. m. Action d'enregistrer; bureau où l'on enregistre : *Payer les frais d'enregistrement d'un contrat.*

Un employé de l'Enregistrement (= de l'administration chargée de l'inscription d'actes, de transactions, etc., sur les registres officiels). *S'occuper de l'enregistrement des bagages avant le départ.* ◆ **enregistreur, euse** adj. et n. : *Un thermomètre enregistreur inscrit la courbe de température. Une caisse enregistreuse totalise les paiements.*

2. enregistrer [ɑ̃rəʒistre] v. tr. 1° *Enregistrer un discours, une chanson,* etc., prononcer ce discours, chanter cette chanson, etc., devant un micro qui permet de les fixer sur disque ou sur bande magnétique. — 2° *Enregistrer un disque,* prononcer les paroles, exécuter l'air que ce disque permettra de reproduire. ◆ **enregistrement** n. m. Disque ou bande magnétique où sont enregistrés des sons; manière dont ils sont enregistrés : *Un enregistrement de la Ve symphonie de Beethoven.*

enrhumer v. tr. V. RHUME; **enrichir** v. tr. V. RICHE.

enrober [ɑ̃rɔbe] v. tr. 1° *Enrober un objet, une matière,* le revêtir d'une couche qui les protège, qui les cache ou qui en dissimule la saveur : *Les dragées sont des amandes enrobées de sucre. On enrobe certains médicaments amers d'un produit moins désagréable au goût.* — 2° *Enrober un reproche, une demande,* les accompagner de termes de sympathie, de déférence, etc., pour éviter de blesser ou d'indisposer la personne à qui on s'adresse (syn. : VOILER). ◆ **enrobage** ou **enrobement** n. m.

enrôler [ɑ̃role] v. tr. *Enrôler quelqu'un,* le faire entrer dans un groupe, l'inscrire dans un parti : *Les rebelles enrôlaient chaque jour de nouveaux volontaires* (syn. : RECRUTER, LEVER). *On l'a enrôlé dans l'équipe de football* (syn. : ENGAGER). ◆ ***s'enrôler*** v. pr. (sujet nom de personne). Se faire inscrire ou admettre dans un groupe : *Il s'est enrôlé dans le corps expéditionnaire.* ◆ **enrôlé, e** adj. et n. : *Faire l'appel des enrôlés.* ◆ **enrôlement** n. m. : *L'enrôlement des volontaires* (syn. : ENGAGEMENT).

enrouer [ɑ̃rwe] v. tr. *Enrouer quelqu'un,* lui rendre la voix sourde, voilée (surtout au passif) : *Ses cris l'ont enroué. Appeler d'une voix enrouée.* ◆ ***s'enrouer*** v. pr. Etre pris d'enrouement : *Il a pris un rhume et s'est enroué.* ◆ **enrouement** [ɑ̃rumɑ̃] n. m. Altération de la voix, qui devient moins claire.

enrouler [ɑ̃rule] v. tr. *Enrouler une chose,* la rouler sur elle-même ou autour d'une autre : *Enrouler une corde pour la ranger. Enrouler du fil sur une bobine* (contr. : DÉROULER). *Enrouler un journal autour d'une bouteille.* ◆ ***s'enrouler*** v. pr. : *Le film s'enroule sur la bobine. Il s'enroula dans ses couvertures.* ◆ **enroulement** n. m. : *L'enroulement d'un ruban.* ◆ **enrouleur, euse** adj. : *Cylindre enrouleur. Machine enrouleuse.*

enrubanner v. tr. V. RUBAN; **ensabler** v. tr. V. SABLE; **ensacher** v. tr. V. SAC; **ensanglanter** v. tr. V. SANG.

1. enseigne [ɑ̃sɛɲ] n. f. 1° Indication, généralement accompagnée d'une figure, d'un emblème, etc., qu'on place sur la façade d'une maison de commerce pour attirer l'attention du public : *Une grande paire de lunettes qui sert d'enseigne à un opticien. Une enseigne en fer forgé. Une enseigne lumineuse.* — 2° *Etre logé à la même enseigne,* être dans le même cas, avoir les mêmes difficultés. ‖ *A bonne enseigne,* avec de bonnes garanties (langue soignée) : *Il n'achète qu'à bonne enseigne.* ‖ *A telle(s) enseigne(s) que,* si bien que, au point que; la preuve, c'est que (langue soignée) : *Il affecte un langage très châtié, à telle enseigne qu'il abuse de l'imparfait du subjonctif.*

2. enseigne [ɑ̃sɛɲ] n. m. *Enseigne de vaisseau,* officier de marine. (V. GRADE.)

enseigner [ɑ̃seɲe] v. tr. *Enseigner quelque chose à quelqu'un,* lui en faire acquérir la connaissance ou la pratique : *Un professeur qui enseigne les mathématiques à ses jeunes élèves* (syn. : APPRENDRE). *Il enseigne maintenant à la Sorbonne* (= donne des cours). *Je peux vous enseigner un moyen facile pour éviter ce genre de pannes* (syn. : INDIQUER). *Il m'a enseigné à ne négliger aucun détail. Cette petite mésaventure vous enseignera à être plus prudent* (syn. : INCITER, POUSSER, INVITER). *L'exemple de ce malheureux devrait enseigner la sobriété à son entourage* (syn. : INSPIRER). *L'expérience nous enseigne que les gens les plus bruyants ne sont pas toujours les plus efficaces* (syn. : MONTRER, PROUVER). *On a longtemps enseigné que la nature avait horreur du vide* (syn. : PROFESSER). ◆ **enseignable** adj. : *Le tact est difficilement enseignable.* ◆ **enseignant, e** adj. : *Le personnel enseignant et le personnel administratif d'un lycée. Les diverses tendances pédagogiques qui se manifestent dans le corps enseignant* (= l'ensemble des professeurs, des instituteurs, etc.). *On appelle « Eglise enseignante » l'ensemble formé, dans l'Eglise catholique, par le pape et les évêques.* ◆ n. Membre du corps enseignant : *Les revendications des enseignants.* ◆ **enseignement** n. m. 1° Action, art, manière d'enseigner : *Les dispositions prises pour développer l'enseignement des langues vivantes. Un professeur qui a un enseignement très progressif.* — 2° Profession qui consiste à enseigner; ensemble des membres de cette profession : *Il se destine à l'enseignement. On distingue, selon les niveaux et les branches, l'enseignement du premier et du second degré, l'enseignement supérieur, l'enseignement technique, etc. L'enseignement privé comprend les établissements qui ne sont pas directement sous le contrôle de l'Etat, par opposition à l'enseignement public.* — 3° Leçon donnée par les faits, par l'expérience : *On peut tirer des enseignements de cet échec. De ce résultat, nous dégageons un enseignement : c'est que nos prix étaient trop élevés.*

1. ensemble [ɑ̃sɑ̃bl] adv. 1° L'un avec l'autre, les uns avec les autres : *J'ai rencontré un ami, et nous sommes allés boire un bock ensemble. Les élèves de toutes les classes descendaient ensemble dans la cour, à la récréation* (syn. : COLLECTIVEMENT). *Tous les livres d'art sont rangés ensemble sur ce rayon. Nous avons réfléchi tous ensemble à cette question* (syn. : CONJOINTEMENT). — 2° Au même moment, en même temps : *Ces deux arbres ont fleuri ensemble* (syn. : SIMULTANÉMENT). — 3° *Etre bien, mal ensemble,* être en bons, en mauvais termes. ‖ *Aller ensemble,* s'harmoniser : *Des meubles qui vont ensemble dans un salon.*

2. ensemble [ɑ̃sɑ̃bl] n. m. 1° Assemblage, groupe d'éléments formant un tout ou ayant les mêmes caractéristiques : *Ce livre est un ensemble de poèmes* (syn. : RECUEIL). *L'ensemble du personnel est concerné par cette décision* (syn. : TOTALITÉ). *Mobilier qui constitue un bel ensemble. Les nouveaux immeubles forment un grand ensemble d'habitations à loyer modéré.* — 2° Unité, harmonie entre des éléments divers : *Un roman qui manque* d'ensemble. *Une chorale qui chante avec un ensemble parfait.* — 3° *Vue d'ensemble,* vue générale. ‖ *Dans l'ensemble,* d'une manière générale, en négligeant certains détails : *Dans l'ensemble, ce film est fidèle à la réalité* (syn. : EN GROS, GROSSO MODO). ◆ **ensemblier** n. m. Artiste qui compose des ensembles décoratifs.

ensemencer v. tr. V. SEMENCE.

enserrer [ɑ̃sere] v. tr. 1° *Enserrer quelque chose, quelqu'un,* l'entourer en le serrant étroitement : *Une ficelle enserre le paquet de livres. Le corset qui lui enserrait le buste* (syn. : EMPRISONNER). *Il la tenait enserrée dans ses bras.* — 2° Enfermer, contenir, dans des limites étroites : *Une petite cour enserrée entre des immeubles.*

ensevelir [ɑ̃səvlir] v. tr. 1° *Ensevelir un mort,* le mettre dans un linceul, ou le mettre au tombeau : *Après la bataille, on se hâta d'ensevelir les morts* (syn. plus usuel : ENTERRER). — 2° *Ensevelir quelqu'un, une chose,* les recouvrir d'une masse de terre, de matériaux, etc. : *Une dizaine de personnes ont été ensevelies sous les décombres de l'immeuble, lors du tremblement de terre. Une avalanche qui ensevelit un chalet. Un livre enseveli sous une montagne de paperasses* (syn. : ENFOUIR). — 3° *Ensevelir quelque chose* (mot abstrait), le tenir caché, le garder secret : *Un incident enseveli dans un profond oubli.* ◆ ***s'ensevelir*** v. pr. *S'ensevelir dans la retraite, dans la solitude,* s'isoler complètement. ◆ **ensevelissement** n. m. : *L'ensevelissement des cadavres. Un village menacé d'ensevelissement par un glissement de terrain.*

ensoleiller v. tr. V. SOLEIL ; **ensommeiller** v. tr. V. SOMMEIL.

ensorceler [ɑ̃sɔrsəle] v. tr. (conj. **6**). *Ensorceler quelqu'un,* exercer sur lui une influence magique par un sortilège : *Les paysans prétendaient que le bonhomme avait ensorcelé son voisin* (syn. : JETER UN SORT SUR); exercer sur lui un charme irrésistible : *Il était ensorcelé par la beauté de cette femme* (syn. : ↓ SÉDUIRE, CHARMER). ◆ **ensorcelant, e** [ɑ̃sɔrsəlɑ̃, -ɑ̃t] adj. Qui attire et retient par une sorte de charme maléfique (littér.) : *Carmen avait une beauté ensorcelante* (syn. : FASCINANT). ◆ **ensorceleur, euse** adj. et n. : *Un sourire, un regard ensorceleur* (syn. : ↓ SÉDUCTEUR, CHARMEUR). *Cette actrice est une ensorceleuse.* ◆ **ensorcellement** n. m. : *Il ne résistait pas à l'ensorcellement de ce pays étrange* (syn. : ↓ SÉDUCTION, CHARME, ATTRAIT).

ensuite [ɑ̃sɥit] adv. 1° Indique une succession d'actions dans le temps ou dans l'espace : *L'orateur s'arrêta un instant, but un peu d'eau et reprit ensuite son exposé* (syn. : APRÈS). *Faites la vaisselle; ensuite, passez l'aspirateur dans la salle à manger* (contr. : D'ABORD). *Il entreprit des études de médecine, il devint ensuite vétérinaire* (syn. : PUIS, PAR LA SUITE, PLUS TARD). *Les techniques modernes font naître de nouveaux besoins, qu'il faut ensuite satisfaire. Et, ensuite, qu'allez-vous faire? Certes, la querelle est apaisée, mais ensuite?* (syn. : ULTÉRIEUREMENT). *On entrait d'abord dans le salon, ensuite venait la chambre, puis la salle de bains.* — 2° *Ensuite de quoi,* expression qui indique une conséquence immédiate : *Documentez-vous d'abord sur le sujet, ensuite de quoi vous pourrez présenter un plan de travail.*

ensuivre (s') [sɑ̃sɥivr] v. pr. (conj. **62**; usité seulement à l'infin. et à la 3ᵉ pers. du sing. et du plur.; aux formes composées, le préfixe *en* est séparable). 1° Survenir, comme conséquence, résulter logiquement : *La phrase était ambiguë, une longue discussion s'ensuivit. Pour organiser ce voyage, il faut faire des démarches auprès des consulats, des agences, s'occuper des passeports, du change, et tout ce qui s'ensuit* (syn. : ETC.) ; souvent employé impersonnellement : *La saison a été très mauvaise; il s'en est suivi une hausse de prix des produits alimentaires. La première opération est fausse, il s'ensuit que tout le calcul est à refaire* (syn. : DÉCOULER). [Quand le verbe impersonnel est à la forme négative ou interrogative, le verbe de la subordonnée qui suit est au subj. : *Il ne s'ensuit pas nécessairement de cette constatation de détail que l'ensemble soit inutile.*] — 2° Venir ensuite (sans idée de lien logique) : *Les jours qui s'ensuivirent furent des jours d'espoir* (syn. usuel : SUIVRE).

entacher v. tr. V. TACHE.

entaille [ɑ̃taj] n. f. 1° Coupure entamant la masse d'un corps et y enlevant une partie de la matière, ce qui provoque un évidement : *Pratiquer une entaille dans une pièce de bois pour faire un assemblage. Une baguette marquée d'entailles* (syn. : ENCOCHE). — 2° Blessure faite avec un instrument tranchant : *La lame glissa sur la branche et lui fit une large entaille dans la main. La lame a entaillé le cuir* (syn. : ENTAMER). ◆ **entailler** v. tr. : *Entailler un rondin à coups de hache.* ◆ ***s'entailler*** v. pr. Se faire une entaille à : *Il s'est entaillé le doigt* (syn. : S'ENTAMER).

entamer [ɑ̃tame] v. tr. 1° *Entamer quelque chose,* en prélever un premier morceau, ou prélever une partie d'un tout, en retranchant, en coupant : *Entamer un pain, un camembert. Reboucher une bouteille de vin entamée* (syn. : COMMENCER). — 2° Atteindre l'intégrité de quelque chose par une coupure, une blessure : *Un coup de ciseaux maladroit avait entamé la pièce de tissu. Un éclat d'obus qui entame superficiellement la chair* (syn. : ENTAILLER). — 3° Mettre la main à quelque chose, l'entreprendre : *Entamer un travail, la lecture d'un livre, des négociations.* — 4° *Entamer la réputation, l'honneur de quelqu'un,* y porter atteinte. ‖ *Entamer la résolution, la conviction de quelqu'un,* la rendre moins ferme (syn. : ÉBRANLER). ◆ **entame** n. f. Premier morceau coupé de quelque chose qui se mange : *L'entame du pain, du rôti.*

entartrer v. tr. V. TARTRE.

entasser [ɑ̃tase] v. tr. 1° *Entasser des choses,* les mettre en tas : *Il a entassé des livres sur son bureau* (syn. : EMPILER). *Entasser des provisions dans le grenier* (syn. : AMONCELER, ACCUMULER). *Entasser sou à sou* (= économiser). — 2° *Entasser des personnes, des animaux,* les rassembler dans un endroit trop étroit : *On entassait les prisonniers dans des wagons à bestiaux.* ◆ ***s'entasser*** v. pr. : *Le charbon s'entasse sur le carreau de la mine. Des étudiants qui s'entassent dans un amphithéâtre* (syn. : ↑ S'ÉCRASER). ◆ **entassement** n. m. : *Cet entassement de paperasses s'est poursuivi pendant de longs mois. Des entassements de fruits sur les tréteaux du marché* (syn. : TAS, AMONCELLEMENT). *L'entassement d'une famille de six personnes dans deux pièces.*

1. entendre [ɑ̃tɑ̃dr] v. tr. (conj. **50**). 1° *Entendre quelque chose, quelqu'un, un animal,* percevoir par l'ouïe le bruit que fait cette chose, cette personne, cet animal : *Entendez-vous la mer qui gronde? On* *entend le sifflement d'un train. De ma place, j'entendais mal l'orateur. J'ai beau écouter, je n'entends pas le moindre appel. Il entendit soudain le galop d'un cheval. On entendait les oiseaux chanter* (ou *chanter les oiseaux*). *Un coup de feu se fit entendre* (= retentit). *Il entend mal de l'oreille gauche* (= il a une mauvaise audition). — 2° *Entendre quelqu'un,* prêter attention à ses paroles, suivre ses explications, recevoir ses déclarations : *Vous ne pouvez pas le condamner sans l'entendre. Le juge a entendu les témoins;* accéder à sa prière, à sa demande, à sa requête : *Que Dieu vous entende!* (syn. : EXAUCER). ‖ *Entendre la messe,* assister à sa célébration. (V. AUDITION.)

2. entendre [ɑ̃tɑ̃dr] v. tr. (conj. **50**). **1°** *Entendre quelqu'un, les paroles* ou *les écrits de quelqu'un,* les comprendre, en saisir le sens (langue soignée) : *Vous m'opposez un argument d'ordre pratique : je vous entends, mais le principe demeure. Si j'entends bien votre lettre, vous n'acceptez pas ma proposition* (syn. : INTERPRÉTER). — **2°** *Entendre quelque chose, entendre que* (et l'indic.), concevoir cette chose de telle ou telle façon, vouloir dire : *Qu'entendez-vous par les mots : « en toute liberté »? Si l'on entend par là que je suis d'accord avec lui, on fausse ma pensée. Ce mot pourrait donner à entendre* (ou *laisser entendre*) *que tout cela ne sert à rien.* — **3°** *Entendre* (et un infin.), *entendre que* (et le subj.), avoir l'intention bien arrêtée de, vouloir que : *J'entends être obéi. Il entend n'en faire qu'à sa tête. Nous entendons qu'on fasse tout ce qui est possible pour éviter de tels incidents;* et avec un pronom complément d'objet : *Faites comme vous l'entendrez* (= comme vous voudrez, à votre idée). — **4°** *Tu entends?, entendez-vous?,* à la fin d'une phrase, souligne un ordre, une menace. ‖ *Entendre la plaisanterie,* ne pas se fâcher des plaisanteries des autres (= ne pas être susceptible). ‖ *Entendre raison,* suivre un conseil raisonnable, ne pas persévérer dans une action déraisonnable. ‖ Fam. *Ne pas l'entendre de cette oreille-là,* être bien décidé à ne pas agir ainsi, à ne pas suivre ce conseil. ‖ *Ne rien entendre à quelque chose,* être totalement incompétent dans ce domaine, ne rien y connaître. ◆ ***s'entendre*** v. pr. **1°** (avec plusieurs noms de personnes comme sujets, ou un sujet plur. ou de sens collectif, ou avec un compl. introduit par *avec*) Avoir les mêmes idées, les mêmes goûts, se mettre d'accord : *Dès la première rencontre, nous nous sommes bien entendus* (syn. : SYMPATHISER). *Il ne s'entend pas avec ses voisins. Ils s'entendent à demi-mot* (syn. : SE COMPRENDRE). *Ils s'entendent comme larrons en foire* (fam. = ils sont d'accord pour des actes plus ou moins malhonnêtes). *Des groupes politiques qui s'entendent sur un programme commun* (syn. : S'ACCORDER). *Nous nous sommes entendus pour ne rien entreprendre en son absence.* — **2°** *S'entendre à* (et l'infin. ou un nom), être habile à, compétent en : *Il s'entend admirablement à rendre accessibles au grand public les questions les plus complexes. Il paraissait s'entendre passablement à la musique moderne;* et sous la forme *s'y entendre : Il a étudié pendant dix ans ce genre de fossiles, alors il commence à s'y entendre* (syn. : S'Y CONNAÎTRE). *Vous vous y entendez pour ne dire de la vérité que ce qui est à votre avantage.* — **3°** (sujet nom de chose) Se comprendre : *Nos prix s'entendent tous frais compris.* — **4°** *Je m'entends, nous nous entendons* (soulignant une mise au point), qu'on ne se méprenne pas sur le sens de mes paroles : *Quand je dis « jamais », je m'entends : à moins d'un événement imprévu.* ‖ *Entendons-nous,* qu'il n'y ait aucun malentendu sur ce point. ‖ *Cela s'entend,* ou, ellipt., *s'entend,* c'est bien naturel, cela va de soi : *Vous pouvez bénéficier de cet avantage, moyennant un léger supplément de prix s'entend* (syn. : NATURELLEMENT, ÉVIDEMMENT, BIEN ENTENDU, BIEN SÛR). ◆ **entendu, e** adj. **1°** Se dit de ce qui est convenu, décidé : *C'est une affaire entendue* (syn. : RÉGLÉ). *Il est bien entendu que tout cela reste entre nous. C'est entendu : vous pouvez compter sur moi;* et ellipt. : *Entendu! Je vous ferai connaître le résultat.* — **2°** (avec une valeur concessive) *C'est entendu, c'est une affaire entendue,* je vous l'accorde, il est vrai : *Il y a des risques, c'est entendu, mais l'enjeu est tentant.* — **3°** Se dit d'une personne (ou de son comportement) qui a de la compétence, qui s'y connaît : *Il est très entendu en mécanique* (syn. : EXPERT, COMPÉTENT, FERRÉ, FORT; fam. : CALÉ). *Il a écouté cela d'un air très entendu* (syn. : AU COURANT; péjor. : SUFFISANT). — **4°** *Bien entendu,* ou, très fam., *comme de bien entendu,* naturellement, cela va de soi : *Bien entendu, si vous nous aidez, vous aurez votre part de bénéfice. « Tu viens avec nous? — Bien entendu! »* (syn. : BIEN SÛR, ÉVIDEMMENT). ◆ **entendement** n. m. Faculté de comprendre (sens 1 et 2 du v. tr.) : *Une dialectique qui développe l'entendement* (syn. : INTELLIGENCE). *Il a fait preuve d'une obstination qui dépasse l'entendement* (= incompréhensible, extraordinaire). ◆ **entendeur** n. m. *A bon entendeur salut!,* que celui qui comprend en fasse son profit; on aura avantage à tenir compte de cet avertissement. ◆ **entente** n. f. **1°** Etat de personnes qui s'entendent (sens 1), qui s'accordent : *Des discussions troublaient la bonne entente du ménage* (syn. : HARMONIE). *Leur entente a été de courte durée* (syn. : ↑ UNION). — **2°** Convention entre des sociétés, des groupes, des nations : *Des ententes locales se sont réalisées entre les candidats avant les élections. Conclure des ententes commerciales* (syn. : ACCORD). — **3°** *Phrase à double entente,* qu'on peut interpréter de deux façons.

entériner [ɑ̃terine] v. tr. *Entériner une décision, un jugement, un usage,* etc., leur donner un caractère définitif en les approuvant (le plus souvent juridiquement) : *L'assemblée générale a entériné les décisions que le bureau avait dû prendre d'urgence* (syn. : CONFIRMER, RATIFIER).

entérite [ɑ̃terit] n. f. Inflammation intestinale, accompagnée de coliques.

enterrer [ɑ̃tere] v. tr. **1°** *Enterrer un mort,* le mettre en terre : *Après la bataille, on dut se hâter d'enterrer les morts* (syn. : ENSEVELIR, INHUMER). *Il a demandé un jour de congé pour enterrer son grand-père* (= pour assister à la cérémonie funèbre). — **2°** *Enterrer quelqu'un, quelque chose,* les enfouir sous terre : *Des terrassiers qui ont été enterrés par un éboulement* (syn. : ENSEVELIR). *Il avait enterré des armes dans son jardin pour les soustraire aux perquisitions.* — **3°** *Enterrer un projet,* renoncer définitivement à sa réalisation (syn. : CLASSER). ‖ *Enterrer un scandale,* éviter qu'il n'éclate trop publiquement (syn. : ÉTOUFFER). ‖ Fam. *Enterrer sa vie de garçon,* mener joyeuse vie à la veille de se marier. ‖ *Il nous enterrera tous,* il nous survivra. ◆ ***s'enterrer*** v. pr. *Fam.* Se confiner dans un lieu perdu : *Il est allé s'enterrer dans une bourgade de province.* ◆ **enterrement** n. m. **1°** Action de mettre un mort en terre; ensemble des cérémonies correspondantes :

L'enterrement aura lieu dans sa ville natale (syn. : INHUMATION). *L'enterrement de ce grand homme avait attiré une foule immense* (syn. : FUNÉRAILLES). *Un enterrement passait lentement dans la rue* (= convoi funèbre). *On appelle « enterrement civil » celui qui a lieu sans aucune cérémonie religieuse.* — 2° Fam. *Air, tête d'enterrement,* air triste, visage sombre. ‖ Fam. *C'est un enterrement de première classe,* c'est un rejet complet, un abandon total du projet, de l'entreprise.

en-tête [ɑ̃tɛt] n. m. Texte imprimé ou gravé à la partie supérieure de papiers de correspondance, de prospectus, etc. : *L'adresse, le numéro de téléphone, le numéro de compte courant postal figurent aux en-têtes des factures. Ecrire sur du papier à en-tête de la Faculté des lettres.*

1. entêter [ɑ̃tete] v. tr. (sujet nom désignant une odeur, une vapeur). Causer une sorte d'étourdissement, de mal de tête : *Ce parfum est trop capiteux, il m'entête. Un vin qui entête* (= qui monte à la tête). ◆ **entêtant, e** adj. : *Une odeur entêtante.*

2. entêter (s') [sɑ̃tete] v. pr. (sujet nom de personne). S'obstiner avec une grande ténacité : *On a eu beau le presser d'accepter, il s'est entêté dans son refus* (syn. : S'OPINIÂTRER, langue recherchée). *Il s'entêtait à vouloir trouver ce que d'autres avaient renoncé à chercher* (syn. : S'ACHARNER). ◆ **entêté, e** adj. et n. : *Un enfant entêté* (syn. : TÊTU, ↑ BUTÉ; fam. : CABOCHARD). *Une volonté entêtée de réussir* (syn. : OBSTINÉ; OPINIÂTRE, langue soignée). ◆ **entêtement** n. m. : *Il a manqué plusieurs affaires par son entêtement à ne rien céder* (syn. : OBSTINATION; contr. : SOUPLESSE). *L'entêtement du commandant en chef pouvait perdre ou sauver la situation* (syn. : TÉNACITÉ; OPINIÂTRETÉ, langue soignée).

enthousiasme [ɑ̃tuzjasm] n. m. 1° Admiration passionnée, manifestée en général avec ardeur : *Les mots lui manquaient pour exprimer l'enthousiasme que lui inspirait cette musique. Applaudir un orateur avec enthousiasme* (syn. : FEU, ARDEUR). — 2° Excitation joyeuse, exaltation dans l'action : *La nouvelle de la victoire déchaîna l'enthousiasme de la foule* (syn. : ↑ FRÉNÉSIE). *Un poète qui écrit dans l'enthousiasme* (syn. : ↑ PASSION). ◆ **enthousiasmer** v. tr. *Enthousiasmer quelqu'un, un auditoire,* etc., lui inspirer de l'enthousiasme : *Cette pièce de théâtre l'a enthousiasmé* (syn. fam. : EMBALLER). *Votre idée ne m'enthousiasme pas* (= j'y suis plutôt hostile que favorable). ◆ ***s'enthousiasmer*** v. pr. (sujet nom de personne). Se prendre d'enthousiasme : *Ils se sont enthousiasmés pour ce projet* (syn. : SE PASSIONNER; fam. : S'EMBALLER). ◆ **enthousiasmant, e** adj. : *Une proposition peu enthousiasmante.* ◆ **enthousiaste** adj. et n. Se dit d'une personne (ou de son comportement) qui manifeste son enthousiasme : *Les spectateurs enthousiastes acclamaient les joueurs* (syn. : PASSIONNÉ). *Des cris enthousiastes* (syn. : ↑ FANATIQUE).

enticher (s') [sɑ̃tiʃe] v. pr. ou **être entiché** v. passif. *S'enticher de quelqu'un, de quelque chose,* se prendre d'un attachement passager, excessif, pour cette personne ou pour cette chose : *Il s'est entiché de cet acteur* (syn. : S'ENGOUER). *S'enticher de graphologie. Un petit groupe de jeunes gens entichés de littérature espagnole* (syn. : FÉRU; fam. : TOQUÉ, COIFFÉ). ◆ **entichement** n. m. : *Son entichement pour cette philosophie n'a duré que peu de temps* (syn. : ENGOUEMENT; fam. : TOCADE).

1. entier, ère [ɑ̃tje, -ɛr] adj. 1° Se dit de quelque chose dont rien n'a été retranché : *Il reste deux boîtes de peinture entières et une boîte entamée* (syn. : PLEIN). *Un gâteau entier* (syn. : INTACT). — 2° Se dit de quelque chose qui est considéré dans toute son étendue, dans sa totalité : *Il occupe la maison entière. Sa fortune entière n'y suffirait pas. Editer l'œuvre entière d'un poète* (syn. : INTÉGRAL). *Il est resté absent une semaine entière* (syn. : COMPLET); souvent renforcé par l'adv. invar. *tout* : *La maison tout entière. Manger un camembert tout entier.* — 3° Se dit de quelque chose qui est dans sa plénitude, sans altération ou restriction (parfois avant le nom) : *Cette voiture m'a donné une entière satisfaction. Soyez assuré de mon entier dévouement* (syn. : ABSOLU, SANS RÉSERVE). *Ma confiance en lui reste entière* (syn. : TOTAL). *La difficulté reste entière.* ‖ ◆ **entier** n. m. 1° *Un entier,* une unité, en langage mathématique : *Quatre quarts font un entier.* — 2° *Dans son entier,* dans sa totalité, son intégralité. ‖ *En entier,* sans rien laisser, complètement : *Ecouter une symphonie en entier* (syn. : TOTALEMENT, IN EXTENSO). ◆ **entièrement** adv. : *Parcourir entièrement un trajet* (syn. : COMPLÈTEMENT). *Une femme entièrement insensible à un argument logique* (syn. : TOTALEMENT, ABSOLUMENT). *Un devoir entièrement copié sur le voisin* (syn. : INTÉGRALEMENT). *Il est entièrement responsable de cette situation* (syn. : PLEINEMENT).

2. entier, ère [ɑ̃tje, -ɛr] adj. Se dit de quelqu'un qui ne connaît guère les nuances; qui est inébranlable dans sa volonté : *C'est un homme trop entier pour accepter ce compromis. Un caractère entier* (syn. : D'UNE SEULE PIÈCE).

entité [ɑ̃tite] n. f. Chose considérée comme un être ayant son individualité : *La patrie, l'Etat, la société sont des entités.*

entôler [ɑ̃tole] v. tr. Pop. *Se faire entôler,* être volé, trompé, être victime d'une escroquerie (syn. fam. : ROULER). ◆ **entôlage** n. m.

entomologie [ɑ̃tɔmɔlɔʒi] n. f. Partie de la zoologie qui traite des insectes. ◆ **entomologique** adj. ◆ **entomologiste** n.

1. entonner [ɑ̃tɔne] v. tr. 1° *Entonner un chant, un air,* etc., commencer à le chanter : *Le chef de l'Etat entonna « la Marseillaise » et la foule suivit.* — 2° *Entonner l'éloge, les louanges de quelqu'un,* commencer à le louer.

2. entonner [ɑ̃tɔne] v. tr. *Entonner un liquide,* etc., *dans un récipient,* l'y verser en abondance. ◆ **entonnoir** n. m. 1° Ustensile, généralement conique, servant à transvaser les liquides. — 2° Cavité faite dans le sol, le plus souvent par l'éclatement d'un obus ou d'une bombe.

entorse [ɑ̃tɔrs] n. f. 1° Distorsion brutale, avec élongation ou rupture, des ligaments d'une articulation : *En descendant l'escalier, il a manqué une marche et s'est fait une entorse à la cheville* (syn. fam. : FOULURE). — 2° Fam. *Faire une entorse à la vérité, à la loi, à ses habitudes,* etc., ne pas s'y conformer, pour une fois : *Un employé qui fait une entorse au règlement* (syn. : INFRACTION). *Cette réticence était une première entorse à sa promesse de sincérité totale* (syn. : MANQUEMENT).

entortiller [ɑ̃tɔrtije] v. tr. 1° *Entortiller un objet,* l'envelopper dans quelque chose que l'on tortille pour serrer ou pour fermer : *Des bonbons* *entortillés dans du papier. Entortiller une greffe avec du chiffon.* — 2° *Entortiller un lien, un papier,* etc., le tourner plusieurs fois autour d'un objet, en envelopper cet objet : *Il avait entortillé son mouchoir autour de son doigt blessé.* — 3° Fam. *Entortiller quelqu'un,* l'amener à ce qu'on désire par des paroles captieuses : *Elle l'a si bien entortillé qu'il a fini par signer cette renonciation* (syn. fam. : EMBERLIFICOTER). — 4° Fam. *Entortiller sa réponse, ses phrases,* les rendre sinueuses, ambiguës, par des circonlocutions. ◆ ***s'entortiller*** v. pr. 1° S'enrouler plusieurs fois autour de quelque chose, ou enrouler quelque chose autour de soi, s'en envelopper : *Le chèvrefeuille s'entortille sur les branches. La mouche s'entortille dans une toile d'araignée* (syn. : SE PRENDRE DANS, S'EMPÊTRER). — 2° Fam. *Personne qui s'entortille dans ses phrases,* qui s'embrouille. ◆ **entortillement** n. m.

1. entourer [ɑ̃ture] v. tr. 1° (sujet nom de personne) *Entourer quelqu'un* ou *quelque chose,* disposer quelque chose qui en fait le tour : *Il faudrait entourer ce jardin* (syn. : CLORE, CLÔTURER). *Entourer de rouge un mot du texte* (syn. : CERNER). *Entourer un pré de barbelé. Entourer ses épaules d'un châle. Entourer un poste d'un cordon de troupes.* — 2° (sujet nom de chose) *Entourer quelqu'un* ou *quelque chose,* être placé autour d'eux : *La clôture qui entoure le pré* (syn. : ENCLORE). *Le châle qui entoure ses épaules. L'église est entourée de maisons pittoresques* (syn. : BORDER). *Une division entourée de tous côtés par les ennemis* (syn. : ENCERCLER, CERNER). ◆ **entourage** n. m. Ce qui entoure : *Un petit coin de terre protégé par un entourage de planches.*

2. entourer [ɑ̃ture] v. tr. 1° *Entourer quelqu'un,* être auprès de lui, lui apporter du réconfort, lui témoigner de la sympathie, de la considération : *Tous ses amis l'ont entouré dans son malheur. Une jeune femme très entourée* (syn. : ADULÉ). — 2° *Entourer quelqu'un de soins, de prévenances,* etc., lui prodiguer des soins, etc. ◆ ***s'entourer*** v. pr. (sujet nom de personne). *S'entourer de précautions, de mystère,* etc., prendre de nombreuses précautions, agir secrètement. ◆ **entourage** n. m. Ensemble des personnes qui vivent habituellement auprès de quelqu'un : *Il s'entend bien avec tout son entourage. Il est trompé par son entourage.*

entourloupette [ɑ̃turlupɛt] n. f. Fam. *Faire une entourloupette à quelqu'un,* lui jouer un mauvais tour : *Je me méfie de lui, il m'a déjà fait plusieurs entourloupettes* (syn. fam. : CRASSE).

entournure [ɑ̃turnyr] n. f. *Etre gêné aux entournures,* être gêné aux épaules dans un vêtement trop juste; *fam.,* être dans une situation gênante, avoir des ressources trop limitées pour faire certaines dépenses.

entracte [ɑ̃trakt] n. m. 1° Intervalle de temps entre les parties d'un spectacle : *Aller fumer une cigarette dans le hall pendant l'entracte. A l'entracte, les ouvreuses vendent des friandises dans la salle.* — 2° Période de répit : *Cette accalmie n'est qu'un entracte dans le conflit* (syn. : PAUSE).

entraider (s') [sɑ̃trɛde] v. pr. (sujet nom de personne). S'aider mutuellement, se porter assistance : *Entre voisins, il est naturel de s'entraider.* ◆ **entraide** [ɑ̃trɛd] n. f. Secours mutuel : *Un service d'entraide a été constitué dans la ville au profit des sinistrés.*

entrailles [ɑ̃traj] n. f. pl. 1° Ensemble des intestins et des viscères contenus dans l'abdomen et la cage thoracique : *Des fauves qui se disputent les entrailles de leur proie.* — 2° Estomac ou ventre, considéré comme le siège de la faim (littér.) : *Ce croûton de pain apaisa quelque temps ses entrailles affamées.* — 3° Ventre maternel (littér.) : *Elle aimait cet enfant adoptif comme un enfant de ses propres entrailles* (syn. : SEIN). — 4° Siège des émotions, des sentiments : *Un drame qui vous prend aux entrailles* (syn. : VENTRE, CŒUR). — 5° *Les entrailles de la terre,* les profondeurs du sol; la terre considérée dans sa fécondité.

entrain [ɑ̃trɛ̃] n. m. Vivacité joyeuse; bonne humeur entraînante : *Travailler avec entrain* (syn. : ARDEUR). *Un garçon plein d'entrain. Une fête qui manque d'entrain* (syn. : ANIMATION). *Il se remit à l'œuvre sans entrain* (syn. : ENTHOUSIASME).

1. entraîner [ɑ̃trene] v. tr. 1° (sujet nom de chose ou de personne) *Entraîner quelque chose, quelqu'un,* le tirer après soi, l'emporter avec soi : *La locomotive entraîne les wagons. L'alpiniste a failli entraîner dans sa chute ses compagnons de cordée.* — 2° (sujet nom de chose) *Entraîner quelque chose,* transmettre le mouvement à une autre pièce d'un mécanisme : *Une roue dentée qui en entraîne une autre. Une poulie entraînée par une courroie.* ◆ **entraînement** n. m. : *La chaîne qui assure l'entraînement du mécanisme.*

2. entraîner [ɑ̃trene] v. tr. 1° (sujet nom de personne) *Entraîner quelqu'un,* l'emmener à l'écart : *Il m'a entraîné dans un coin du jardin pour me faire quelques confidences* (syn. : AMENER). — 2° *Entraîner quelqu'un,* l'attirer par une influence morale, l'engager dans une action, le pousser vers un état : *Il s'est laissé entraîner dans cette entreprise par des gens peu recommandables. Il essaiera de vous entraîner à signer un bulletin d'adhésion. Ne l'écoutez pas, il vous entraînerait à la ruine. La perspective des avantages ainsi offerts entraîna les derniers hésitants* (syn. : DÉCIDER). — 3° (sujet nom désignant une musique, un air) Exercer un effet stimulant sur le public. — 4° *Entraîner quelque chose,* l'avoir pour conséquence : *La remise en état de cette maison entraîne des dépenses considérables. Ce choix entraîne des renoncements pénibles* (syn. : IMPLIQUER). *Vous prétendez refuser tout appui : cela entraîne que vous soyez en état de tout faire par vous-même.* — 6° *Entraîner quelqu'un à des dépenses,* etc., être pour lui une cause de dépenses : *Cela ne vous entraînera pas à de gros frais.* ◆ **entraînant, e** adj. : *Une musique, une éloquence entraînante.* ◆ **entraînement** n. m. : *Dans l'entraînement de la discussion* (syn. : ↑ CHALEUR). ◆ **entraîneur** n. m. Celui qui a de l'allant, qui communique aux autres son ardeur (on dit souvent ENTRAÎNEUR D'HOMMES) : *Un officier qui est un remarquable entraîneur d'hommes.* ◆ **entraîneuse** n. f. Jeune femme employée dans un établissement de nuit pour attirer les clients et les pousser à consommer.

3. entraîner [ɑ̃trene] v. tr. *Entraîner quelqu'un, un animal,* lui faire acquérir l'habitude, la pratique de quelque chose : *Un moniteur qui entraîne des jeunes gens à la natation. Des exercices qui entraînent les élèves à la dissertation. Un chien policier entraîné à suivre les pistes qu'on lui indique* (syn. : DRESSER). ◆ ***s'entraîner*** v. pr. Conserver la pratique de quelque chose par un exercice quotidien : *S'entraîner à la marche à pied. Il s'est entraîné* *à la discussion, à rester impassible. Un boxeur qui s'entraîne.* ◆ **entraînement** n. m. : *Un sportif qui s'impose un entraînement quotidien. Il a un long entraînement à la parole en public* (syn. : PRATIQUE). ◆ **entraîneur** n. m. 1° Celui qui entraîne méthodiquement un sportif, un cheval de course, etc. — 2° Pilote de la motocyclette derrière laquelle un coureur cycliste s'abrite du vent.

1. entraver [ɑ̃trave] v. tr. 1° *Entraver un animal,* lui mettre une entrave. — 2° *Entraver quelqu'un, l'action de quelqu'un,* lui causer de la gêne dans ses mouvements, mettre obstacle à son action : *Son costume étriqué l'entravait dans tous ses gestes. Une jupe qui entrave la marche.* — 3° *Entraver quelqu'un, quelque chose,* mettre obstacle à son action, l'empêcher d'agir : *Rien ne l'a entravé dans sa tentative* (syn. : GÊNER). *Des difficultés économiques imprévues ont entravé quelque peu la réalisation de ce plan* (syn. : FREINER, ↑ ARRÊTER). *Une voiture en double file entravait la circulation.* ◆ **entrave** n. f. 1° Lien qu'on fixe aux pieds d'un animal pour gêner sa marche et l'empêcher de s'enfuir. — 2° Ce qui gêne, qui embarrasse : *Dresser un procès-verbal à un automobiliste pour entrave à la circulation. Une barrière douanière qui constitue une entrave au commerce* (syn. : OBSTACLE).

2. entraver [ɑ̃trave] v. tr. Pop. *Je n'y entrave rien, je n'y entrave que dalle,* je n'y comprends rien (syn. fam. : PIGER).

1. entre [ɑ̃tr], **parmi** [parmi] prép. Indiquent une place dans un ensemble, une position définie par deux limites. (V. tableau p. 443.)

2. entre, préfixe qui entre dans la composition : 1° De verbes pronominaux réciproques, pour mettre en évidence l'idée de réciprocité, d'action mutuelle : *s'entraccuser, s'entrechoquer, s'entrecroiser, s'entre-déchirer, s'entre-heurter,* etc. En ce sens, le préfixe est disponible en français contemporain, mais il est moins usuel qu'il ne l'a été au XVIe et au XVIIe siècle. Les verbes composés entrés depuis longtemps dans la langue sont écrits en un seul mot (*s'entremêler*); les formations libres et occasionnelles sont écrites avec un trait d'union (*s'entre-greffer*) et sont traitées éventuellement au verbe simple; 2° De verbes pronominaux ou non, pour indiquer qu'une action est faite à demi, à moitié; les verbes ainsi formés, écrits en un mot, sont anciens dans la langue. Avec cette valeur, le préfixe n'est plus guère disponible : *entrebâiller, entrouvrir,* etc.; 3° De noms composés, où il indique l'idée de réciprocité (*entraide*) ou d'intervalle entre deux limites ou deux espaces (*entrecolonnement*). Le préfixe n'est plus guère disponible que dans le deuxième sens (*entre-deux-guerres*).

entrebâiller [ɑ̃trəbaje] v. tr. Ouvrir légèrement (une fenêtre, une porte, etc.) : *Il entrebâilla la porte et jeta un coup d'œil dans le couloir.* ◆ **entrebâillement** n. m. Ouverture étroite laissée par une chose entrebâillée : *La fumée s'échappait par l'entrebâillement de la fenêtre.*

entrechat [ɑ̃trəʃa] n. m. 1° Saut léger d'un danseur, pendant lequel ses pieds s'entrechoquent rapidement. — 2° Saut léger et rapide quelconque.

entrechoquer v. tr. V. CHOQUER.

entrecôte [ɑ̃trəkot] n. f. Tranche de viande prélevée dans la région des côtes.

entrecouper [ɑ̃trəkupe] v. tr. Interrompre par des intervalles : *Entrecouper une longue étape de quelques haltes. Un récit entrecoupé de sanglots.* ◆ ***s'entrecouper*** v. pr. *Lignes, dessins,* etc., *qui s'entrecoupent,* qui se coupent mutuellement.

entrecroiser v. tr. V. CROISER.

entre-deux [ɑ̃trədø] n. m. État intermédiaire entre deux extrêmes : *Il ne suffit pas de prévoir le début et la fin, il faut remplir l'entre-deux.*

entre-deux-guerres n. m. ou f. V. GUERRE.

entrefaites (sur ces) [syrsezɑ̃trəfɛt] loc. adv. Au moment même où un événement se produisait, il arriva inopinément que... (dans un récit au passé) : *Ils étaient en train de se disputer, sur ces entrefaites survint un de leurs amis qui les sépara* (syn. : ALORS, LÀ-DESSUS, SUR CE [en langue soignée]; fam. : À CE MOMENT-LÀ).

entrefilet [ɑ̃trəfilɛ] n. m. Petit article de journal de quelques lignes, ordinairement précédé et suivi d'un trait (*filet*) de séparation : *La nouvelle se réduit à un bref entrefilet dans un journal du soir.*

entregent [ɑ̃trəʒɑ̃] n. m. (sujet nom de personne). *Avoir de l'entregent,* avoir de l'aisance, de l'habileté dans la manière de se conduire.

entrejambe n. f. V. JAMBE.

entrelacer [ɑ̃trəlase] v. tr. Enlacer l'un dans l'autre : *Entrelacer des fils sur le métier à tisser* (syn. : ENTRECROISER, TRESSER). *Des mains entrelacées.* ◆ ***s'entrelacer*** v. pr. : *Un motif décoratif fait de rameaux qui s'entrelacent* (syn. : S'ENCHEVÊTRER). ◆ **entrelacement** n. m. : *Un entrelacement de rubans.*

entrelarder [ɑ̃trəlarde] v. tr. 1° *Entrelarder de la viande,* la piquer de bandes de lard avant la cuisson. — 2° Fam. *Entrelarder un compte rendu de critiques, un discours de citations,* etc., y glisser des critiques, des citations, etc. (syn. : ENTREMÊLER, PARSEMER, TRUFFER). ◆ **entrelardé, e** adj. Se dit d'une viande qui contient des parties grasses : *Une côtelette entrelardée.*

entremêler [ɑ̃trəmele] v. tr. *Entremêler des choses,* les mêler alors qu'elles diffèrent plus ou moins entre elles : *Entremêler dans un récit des épisodes comiques et des scènes pathétiques* (syn. : MÉLANGER). *Deux arbres qui entremêlent leurs branches. Paroles entremêlées de sanglots* (syn. : ENTRECOUPER). ◆ ***s'entremêler*** v. pr. : *Des ronces qui s'entremêlent aux arbustes de la haie.* ◆ **entremêlement** n. m. : *Un entremêlement de fils.*

entremets [ɑ̃trəmɛ] n. m. Plat sucré qu'on sert après le fromage et avant les fruits.

entremettre (s') [sɑ̃trəmɛtr] v. pr. (conj. **57**). Intervenir activement pour mettre en relation plusieurs personnes, pour les concilier, pour faciliter la conclusion d'une affaire : *Un de leurs amis communs a tenté de s'entremettre dans leur différend* (syn. : S'INTERPOSER). ◆ **entremise** n. f. : *L'entremise de ce négociateur a permis d'aboutir à un accord* (syn. : MÉDIATION, BONS OFFICES). ● LOC. PRÉP. *Par l'entremise de,* grâce à l'intervention, à l'action de : *Le dossier m'a été communiqué par l'entremise d'un secrétaire* (syn. : PAR L'INTERMÉDIAIRE DE). ◆ **entremetteur, euse** n. Personne qui sert d'intermédiaire, de médiateur. ◆ **entremetteuse** n. f. *Péjor.* Femme qui sert d'intermédiaire dans une intrigue galante.

entrepont [ɑ̃trəpɔ̃] n. m. Espace compris entre les deux ponts d'un bateau.

entreposer [ɑ̃trəpoze] v. tr. Déposer momentanément dans un lieu : *Un hangar où le grossiste entrepose des marchandises.* ◆ **entreposage** n. m. Action d'entreposer. ◆ **entrepôt** n. m. Lieu, bâtiment où l'on entrepose des marchandises : *Un entrepôt frigorifique.*

entreprenant, e [ɑ̃trəprənɑ̃, -ɑ̃t] adj. 1° Se dit d'une personne qui est pleine d'allant, qui fait preuve d'initiative pour entreprendre hardiment : *A la tête de cette affaire, il faut un homme entreprenant* (syn. : ACTIF). — 2° Se dit d'un homme hardi auprès des femmes : *Elle est importunée par un voisin trop entreprenant* (syn. : GALANT).

entreprendre [ɑ̃trəprɑ̃dr] v. tr. (conj. **54**). 1° (sujet nom de personne) *Entreprendre quelque chose,* commencer à l'exécuter : *Entreprendre la lecture d'un roman, le récit de ses aventures* (syn. : ENTAMER). *Entreprendre la construction d'un pont* (syn. fam. : METTRE EN ROUTE). *Il a entrepris de rassembler toute une documentation sur cette question. Entreprendre de se justifier* (syn. : TENTER). — 2° Fam. *Entreprendre quelqu'un,* commencer à le harceler de questions, à l'assaillir de demandes, à le taquiner, à lui raconter des histoires plus ou moins ennuyeuses : *Sitôt arrivé, il a été entrepris par le vieux général, qui ne lui a fait grâce d'aucune de ses campagnes. Il m'a entrepris sur son sujet favori* (= commencé à m'en entretenir). ◆ **entreprise** n. f. 1° Ce que l'on entreprend : *Cette ascension est une entreprise périlleuse* (syn. : OPÉRATION). *Ce n'est pas une petite entreprise que de présenter clairement au grand public une question aussi complexe* (syn. : CHOSE, AFFAIRE). *Ses entreprises en matière de vente directe du producteur au consommateur ont eu peu de succès* (syn. : TENTATIVE). — 2° Action par laquelle on cherche à porter atteinte à quelque chose, on s'en prend à quelqu'un : *Ces propositions de lois sont des entreprises contre le droit de grève* (syn. : ATTEINTE À).

entrepreneur, euse [ɑ̃trəprənœr, -øz] n. Personne qui prend en charge l'exécution de certains travaux, notamment de construction, de peinture, de confection, etc. : *Un entrepreneur en bâtiment.*

1. entreprise n. f. V. ENTREPRENDRE.

2. entreprise [ɑ̃trəpriz] n. f. 1° Affaire commerciale ou industrielle : *Il dirige une entreprise de déménagement. Travailler dans une entreprise d'alimentation* (syn. : MAISON). *Une grosse entreprise de tissus* (syn. : FIRME). — 2° Action de fabriquer certains produits, de fournir certains services : *C'est lui qui a obtenu l'entreprise de ce chantier.*

entrer [ɑ̃tre] v. intr. (auxiliaire *être*). 1° (sujet nom de personne ou de chose) Aller de l'extérieur à l'intérieur d'un lieu, d'un corps : *Le visiteur entra dans le salon* (syn. : S'AVANCER). *Le troupeau est entré dans l'étable. On entre dans la ville par une large avenue. Les sauveteurs étaient entrés dans l'eau jusqu'à la ceinture* (syn. : PÉNÉTRER). *La balle est profondément entrée dans les chairs. Le bateau entre dans le port* (syn. : S'ENGAGER). *Il entre au café, au cinéma, à l'usine. Entrer chez le boulanger. Les touristes qui entrent en France.* — 2° (sujet nom de personne) S'engager dans une profession, un état; commencer à faire partie d'un groupe, d'un corps, etc. : *Entrer dans l'enseignement, dans la police. Il est entré à l'Ecole polytechnique* (= il a été reçu au concours d'entrée). *Elle est entrée au couvent* (= elle s'est faite religieuse). *Entrer dans un conseil d'administration. Entrer dans un complot.* — 3° *Entrer dans les détails, dans une discussion, dans le vif du sujet,* etc., commencer à examiner ces détails, entamer cette discussion, aborder le point essentiel, etc. — 4° *Entrer dans l'hiver, dans une période de prospérité,* etc., être au début de cette saison, de cette période. — 5° (sujet nom de personne) *Entrer dans les idées, les vues, les sentiments, les intérêts de quelqu'un,* adhérer à ses idées, partager ses sentiments, prendre à cœur ses intérêts (syn. : ÉPOUSER). — 6° (sujet nom de personne) *Entrer en* (et un nom indiquant un état, une action), passer dans cet état, entreprendre cette action : *Entrer en colère, en convalescence, en concurrence, en compétition, en fonctions. Les troupes sont entrées en action. Il est entré en correspondance avec des étrangers.* — 7° (sujet nom de chose) *Entrer dans quelque chose,* en être un élément composant, faire partie d'un ensemble, y avoir un rôle : *Les ingrédients qui entrent dans une pommade. Ce travail entre dans vos attributions. Cette considération est entrée pour beaucoup dans son choix.* ◆ v. tr. (auxiliaire *avoir*). Faire pénétrer : *Entrer du vin dans sa cave. Entrer le bras dans une cavité. Entrer des marchandises en fraude* (syn. : INTRODUIRE). • REM. Dans la plupart de ses emplois, *entrer* est souvent remplacé par *rentrer* dans la langue courante. Il a pour contraire le plus habituel *sortir.* ◆ **entrant, e** adj. et n. : *Guetter les spectateurs entrants. Pointer les députés entrants au lendemain d'une élection* (= les nouveaux élus). *Le nombre des entrants est inférieur à celui des sortants.* ◆ **entrée** n. f. 1° Action d'entrer : *A son entrée, il fut accueilli par une ovation. Il a fait une entrée bruyante* (contr. : SORTIE). *Une foule nombreuse attendait l'entrée du bateau dans le port* (syn. : ARRIVÉE). *Depuis son entrée au lycée, il n'avait jamais été puni. Son entrée en fonctions a été marquée par des changements importants. Une entrée en matière.* — 2° Faculté d'entrer : *Refuser à quelqu'un l'entrée d'une salle* (syn. : ACCÈS). — 3° Accès à un spectacle : *Payer une entrée au cinéma.* — 4° Somme payée pour entrer : *Les entrées couvrent à peine les frais de location de la salle.* — 5° Lieu par où l'on entre, voie d'accès : *L'entrée principale de l'immeuble est sur le boulevard. L'entrée de la salle de réunion était gardée par des agents* (contr. : SORTIE). *L'entrée de la grotte est étroite. Un chapeau qui a une entrée de tête trop large.* — 6° Moment où une période commence : *Dès l'entrée de la belle saison, il part s'installer dans sa maison de campagne.* ◆ **entrées** n. f. pl. *Avoir ses entrées chez quelqu'un, dans un lieu,* y être reçu : *Il a ses entrées dans ce théâtre, auprès du ministre* (= il a le privilège d'y entrer, de s'y rendre librement). [On dit aussi : *ses petites et ses grandes entrées.*]

entresol [ɑ̃trəsɔl] n. m. Appartement, local bas de plafond, étage situé entre le rez-de-chaussée et le premier étage de certains immeubles : *Habiter au troisième étage au-dessus de l'entresol.*

entre-temps [ɑ̃trətɑ̃] adv. Dans l'intervalle, pendant ce temps-là : *Revenez me voir la semaine prochaine; entre-temps, j'aurai fait le nécessaire* (syn. : D'ICI LÀ). *Il est resté malade un mois; entre-temps, les dossiers s'étaient accumulés.*

entre	parmi (toujours avec un nom pluriel ou un collectif)
1° Indique un intervalle défini par plusieurs points formant une limite : *a*) en parlant de choses : *Les Andelys sont sur la Seine entre Paris et Rouen. Mettez cette phrase entre guillemets, entre crochets. Il hésite entre ces deux possibilités ;* *b*) en parlant d'êtres animés : *Il s'est assis entre la maîtresse de maison et une invitée qu'il ne connaissait pas ;* *c*) dans des expressions : *Entre deux,* à moitié. *Entre les deux,* moyennement. *Etre entre ciel et terre,* haut en l'air. *Parler entre ses dents,* murmurer. *Nager entre deux eaux,* ménager deux partis. *Prendre entre deux feux,* attaquer de deux côtés à la fois. *Lire entre les lignes,* aller au-delà du texte pour en saisir le sens profond. *Entre quatre yeux* (fam. : *entre quatre-z-yeux*), en tête à tête (= dans un entretien qui doit aller au fond des choses).	
2° Indique un intervalle de temps défini par plusieurs points formant une limite : *Téléphonez-moi entre midi et deux heures. Entre deux voyages à Paris, je pourrai vous recevoir. Entre les deux guerres, il se produisit une crise économique désastreuse.*	
3° Indique un ensemble dont fait partie un être ou une chose que l'on distingue : *a*) avec des noms de choses : *Entre plusieurs solutions possibles, choisissez la plus simple. La plupart d'entre elles* (de ces voitures) *sont hors d'usage ;* *b*) avec des noms de personnes : *Entre tous ceux qui se sont présentés, il est le seul à avoir fait une excellente impression. Quelques-uns d'entre eux ont souri à ce bon mot.* **Entre autres, entre autres choses,** d'une manière plus particulière : *Sur cette question, il y a, entre autres, un livre remarquable d'un savant italien.*	1° Indique un ensemble dont fait partie une chose ou un être que l'on distingue soit pour l'isoler, soit pour l'englober : *a*) avec des noms de choses : *Parmi toutes les solutions possibles, il a choisi la plus simple* (= de toutes les solutions). *Ranger le mot « loyal » parmi les adjectifs ;* *b*) avec des noms de personnes : *Parmi tous ceux qui se sont présentés, il est le seul à avoir réussi toutes les épreuves de ce jeu. Il n'est qu'un employé parmi d'autres.*
4° Indique un espace délimité par deux ensembles, et qui sert de cadre à l'action considérée : *L'allée menait droit au château, entre deux rangées de chênes. Les invités défilèrent entre deux rangées de valets. Il a grandi entre des parents désunis* (syn. : AU MILIEU DE). *Il s'est échappé d'entre les mains de son gardien. Nous pourrons discuter librement toi et moi ; nous serons entre nous* (= en tête à tête).	2° Indique un ensemble qui sert de cadre à l'action considérée : *Il s'avance parmi les blés mûrs* (syn. : AU MILIEU DE). *Venez vous asseoir parmi nous* (syn. : À CÔTÉ DE). *Allant à l'aventure parmi les rues obscures* (syn. : DANS).
5° Indique une relation ou un rapport de réciprocité entre deux ou plusieurs groupes d'êtres vivants : *L'égalité entre les hommes. Il y a entre eux une vieille querelle. Entre nous, il est inutile de faire des manières. Qu'y a-t-il entre eux ? Une amitié réelle existe entre eux.*	3° Indique un groupe de personnes de qui relève telle ou telle chose abstraite : *On trouve rarement l'égalité parmi les hommes* (syn. : CHEZ). *Ce geste provoqua l'étonnement parmi ceux qui l'avaient connu. Parmi les savants, son nom est respecté.*
6° Indique une comparaison entre des êtres ou des choses (souvent sous la forme *entre... et*) : *Il existe une dissymétrie entre les deux parties de l'ouvrage. Entre lui et son frère, il y a de nombreux points communs.*	

1. entretenir [ɑ̃trətnir] v. tr. (conj. 22). 1° *Entretenir quelque chose,* le maintenir dans le même état, le faire durer : *Entretenir un feu en y mettant de grosses bûches* (syn. : ALIMENTER). *Des infiltrations d'eau entretiennent une humidité continuelle dans cette cave. Les petits cadeaux entretiennent l'amitié. Cette attente entretient mon inquiétude. Entretenir de bonnes relations avec quelqu'un.* — 2° *Entretenir une chose,* faire le nécessaire pour la conserver en bon état : *Ces bâtiments ont été mal entretenus : certaines parties menacent ruine. Un parc très bien entretenu. Une voiture qu'on n'entretient pas devient dangereuse pour son propriétaire et pour les autres usagers de la route.* — 3° *Entretenir quelqu'un,* pourvoir à sa subsistance : *La maison ne peut pas vous entretenir à ne rien faire* (syn. : PAYER). *Ses modestes revenus lui permettent tout juste d'entretenir décemment ses enfants* (syn. : ÉLEVER, NOURRIR). ◆ **entretenue** adj. f. *Femme entretenue,* femme à qui son amant fournit ses moyens d'existence. ◆ **entretien** n. m. Action de tenir quelque chose en bon état, de fournir ce qui est nécessaire : *Le jardinier chargé de l'entretien des allées. Les frais d'entretien. Les sommes prévues au budget municipal pour l'entretien d'un corps de sapeurs-pompiers. Il est d'un gros entretien* (= il salit, il use beaucoup de linge, il lui faut beaucoup de matériel, etc.).

2. entretenir [ɑ̃trətnir] v. tr. (conj. 22). *Entretenir quelqu'un de quelque chose,* avoir avec lui une conversation sur ce sujet, lui faire un exposé sur cette question : *Il m'a longuement entretenu de ses intentions. Le conférencier a entretenu* *l'assistance de ses voyages à l'étranger.* ◆ ***s'entretenir*** v. pr. Echanger des propos familiers sur tel ou tel sujet : *Ils se sont entretenus de l'attitude à adopter en cette circonstance. S'entretenir par téléphone* (syn. : CONVERSER, CAUSER, BAVARDER). ◆ **entretien** n. m. Conversation suivie : *Un ambassadeur qui sollicite un entretien du ministre des Affaires étrangères* (syn. : AUDIENCE). *Nous avons eu un entretien fructueux sur cette affaire* (syn. : ENTREVUE, ÉCHANGE DE VUES).

entrevoir [ɑ̃trəvwar] v. tr. (conj. **41**). **1°** Voir indistinctement, en raison des mauvaises conditions de visibilité ou de la rapidité du mouvement : *On entrevoit dans la pénombre les arbres du parc* (syn. : DEVINER). *J'ai entrevu la façade de l'église en traversant le village en voiture* (syn. : APERCEVOIR). — **2°** *Entrevoir quelqu'un,* n'avoir qu'un bref entretien avec lui, le voir rapidement. — **3°** *Entrevoir la solution, la vérité, un changement,* etc., en avoir une idée encore imprécise (syn. : DEVINER, SOUPÇONNER, FLAIRER, PRESSENTIR). ◆ **entrevue** n. f. Rencontre concertée avec quelqu'un, en vue de traiter d'une affaire : *Les délégués syndicaux ont eu une entrevue avec le ministre* (syn. : ENTRETIEN). *A l'issue de leur brève entrevue, les deux chefs d'Etat ont publié un communiqué* (syn. : TÊTE-À-TÊTE). *Je peux vous ménager une entrevue avec le directeur de ce service* (syn. : RENDEZ-VOUS).

entrouvrir v. tr. V. OUVRIR.

entuber [ɑ̃tybe] v. tr. Pop. *Entuber quelqu'un,* le duper, l'escroquer (syn. fam. : ROULER; pop. : AVOIR, POSSÉDER). ◆ **entubage** n. m.

énucléation [enykleasjɔ̃] n. f. Acte chirurgical par lequel on enlève le globe oculaire.

énumérer [enymere] v. tr. *Enumérer des choses* (faisant partie d'un tout), les énoncer successivement, les passer en revue : *Pourriez-vous énumérer les titres des romans de cet auteur?* (syn. : CITER). *Enumérer les stations d'une ligne de métro. Un candidat qui énumère les clauses d'un traité* (syn. : DÉTAILLER, DÉBITER). ◆ **énumératif, ive** adj. : *Une liste énumérative des postes vacants.* ◆ **énumération** n. f. : *Il nous a fait une énumération détaillée de ses démarches* (syn. : INVENTAIRE). *Le journal télévisé a donné une énumération des personnalités battues aux élections* (syn. : LISTE).

envahir [ɑ̃vair] **1°** (sujet nom d'être animé) *Envahir un lieu,* s'y répandre par la force : *Les armées de Louis XIV envahirent les Pays-Bas* (syn. : CONQUÉRIR); l'occuper complètement : *La foule envahit les gradins du stade* (syn. : ↓ SE RÉPANDRE). — **2°** (sujet nom de chose) *Envahir un lieu,* le remplir entièrement : *En période de crue, les eaux du Nil envahissent de vastes espaces. Les orties ont envahi tout le fond du jardin.* (V. ENVAHISSEMENT.) — **3°** (sujet nom désignant un sentiment, une idée, etc.) *Envahir quelqu'un, envahir les esprits,* etc., s'emparer de cette personne, des esprits : *Aux premiers grondements du volcan, la terreur envahit les habitants des régions voisines* (syn. : ↓ SAISIR, GAGNER). ◆ **envahissant, e** adj. **1°** Qui se répand dans un lieu, dans les cœurs ou les esprits : *Des herbes envahissantes. Des soucis envahissants. Une mode envahissante.* — **2°** *Fam.* Se dit d'une personne qui s'impose sans discrétion : *C'est un voisin envahissant : on ne peut plus être tranquille chez soi.* ◆ **envahissement** n. m. : *L'envahissement du nord de la France par les troupes allemandes en 1940 fut très rapide* (syn. : INVASION). *L'envahissement d'un port par le sable. Les clients se mirent à affluer dans la boutique : ce fut bientôt un envahissement. Lutter contre l'envahissement de la paperasse.* ◆ **envahisseur** n. m. Personne qui envahit militairement : *Un peuple qui résiste vaillamment aux envahisseurs* (ou *à l'envahisseur*).

envaser (s') v. pr. V. VASE 2.

envelopper [ɑ̃vlɔpe] v. tr. **1°** (sujet nom de personne) Entourer d'un tissu, d'un papier, d'une feuille, d'une matière quelconque, etc. : *Une maman qui enveloppe son bébé dans des langes* (syn. : EMMITOUFLER). *Un bonbon enveloppé dans du papier* (syn. : ENTORTILLER). *Le fruitier enveloppa les oranges avec un journal. Un paquet bien enveloppé* (syn. : EMBALLER). — **2°** (sujet nom désignant la matière qui entoure) Servir d'enveloppe, de protection, de cadre, etc. : *La toile qui enveloppe le paquet. Le brouillard nous enveloppe de tous côtés.* — **3°** *Envelopper une troupe ennemie,* se déployer autour de cette troupe (syn. : CERNER). — **4°** *Envelopper ses paroles, sa pensée,* leur ôter ce qu'elles pourraient avoir de trop incisif, les rendre plus imprécises (syn. : DÉGUISER, CAMOUFLER). — **5°** *Envelopper quelqu'un, quelque chose du regard,* le contempler, le regarder avec affection (littér.). ◆ ***s'envelopper*** v. pr. S'enrouler : *S'envelopper dans des couvertures.* ◆ **enveloppant, e** adj. : *Un manteau très enveloppant. Un mouvement enveloppant* (= une manœuvre qui vise à envelopper l'adversaire). ◆ **enveloppe** n. f. **1°** Ce qui enveloppe : *Un colis dans son enveloppe de papier d'emballage. L'enveloppe des petits pois s'appelle la « cosse ».* — **2°** Pochette de papier destinée à recevoir une lettre, une carte : *Porter sur l'enveloppe l'adresse du destinataire. Coller le rabat d'une enveloppe. Décacheter une enveloppe* (= la découper sur un bord). — **3°** Apparence extérieure d'une personne (littér.) : *Sous cette rude enveloppe se cachait un cœur sensible.* ◆ **enveloppement** n. m. **1°** Action d'envelopper : *L'enveloppement de chaque bibelot est une sage précaution à prendre avant le transport* (syn. : EMBALLAGE). *Une manœuvre qui vise à l'enveloppement de l'armée ennemie.* — **2°** Linges, compresses dont on enveloppe une partie malade : *Le médecin a recommandé des enveloppements sinapisés.*

envenimer [ɑ̃vnime] v. tr. **1°** *Envenimer une plaie, un mal,* y provoquer de l'infection : *L'absence d'hygiène avait envenimé sa blessure* (syn. : INFECTER). — **2°** *Envenimer une discussion, des relations,* etc., y mettre de l'animosité, les rendre plus virulentes : *Ces paroles agressives ont envenimé le débat.* ◆ ***s'envenimer*** v. pr. : *Une écorchure qui s'est envenimée. Leurs rapports se sont envenimés le jour où leurs intérêts ont été opposés* (syn. : SE GÂTER, SE DÉTÉRIORER). ◆ **envenimement** n. m.

1. envergure [ɑ̃vɛrgyr] n. f. Distance entre les extrémités des ailes déployées d'un oiseau ou des ailes d'un avion : *Rapace d'un mètre d'envergure.*

2. envergure [ɑ̃vɛrgyr] n. f. **1°** Capacité d'une personne, aptitude à concevoir et à réaliser : *C'est un garçon charmant, mais qui manque un peu d'envergure* (syn. : CLASSE). *On ne rencontre pas souvent de chefs de cette envergure.* — **2°** Importance d'une action, ampleur d'un projet, etc. : *Une réforme de grande envergure. Il a commencé modestement, mais son commerce a pris de l'envergure* (= s'est développé; syn. : EXPANSION).

1. envers [ɑ̃vɛr] prép. Indique l'objet d'un sentiment, d'une disposition, d'un devoir : *Dans l'Antiquité, les vainqueurs se montraient souvent cruels envers leurs prisonniers* (syn. : À L'ÉGARD DE). *Sa lettre était pleine de déférence envers moi. Il s'est libéré de sa dette envers cet organisme de crédit.* • LOC. ADV. *Envers et contre tout* (ou *tous*), en dépit de tous les obstacles.

2. envers [ɑ̃vɛr] n. m. Côté opposé à l'endroit; face par laquelle il est moins fréquent ou moins naturel de regarder quelque chose : *L'envers de ce tissu est moins brillant que l'endroit. Ces assiettes sont en porcelaine de Limoges : la marque du fabricant figure sur l'envers. Le questionnaire se poursuit sur l'envers de la feuille* (syn. : DOS, REVERS, VERSO; contr. : RECTO). • LOC. ADV. *A l'envers,* dans un sens opposé au sens normal : *Il a mis son chandail à l'envers* (= l'envers à l'extérieur). *Un portrait posé à l'envers* (= la tête en bas, ou la gravure tournée vers le mur). *Au cinéma, les roues des voitures semblent parfois tourner à l'envers.* ‖ Fam. *Etre, aller, marcher,* etc., *à l'envers,* être en désordre, aller en dépit du bon sens : *Depuis qu'il ne s'occupe plus de cette affaire, tout va à l'envers. On est obligé de corriger son travail : il fait tout à l'envers* (syn. : À CONTRESENS). ‖ *Avoir l'esprit, la tête à l'envers,* avoir le jugement faussé, ne plus savoir exactement ce qu'on fait.

envi (à l') [alɑ̃vi] loc. adv. Avec émulation (littér.) : *Des candidats qui promettent à l'envi toutes sortes d'avantages à leurs électeurs.*

1. envie [ɑ̃vi] n. f. Convoitise accompagnée de dépit ou de haine, éprouvée à la vue du bonheur de quelqu'un : *Ses reproches ne sont pas justifiés : c'est l'envie qui le fait parler* (syn. : JALOUSIE). *Sa nomination à ces fonctions a suscité l'envie de ses nombreux concurrents. Porter envie à un rival.* ◆ **envieux, euse** n. 1° Personne qui éprouve du dépit du bonheur d'autrui : *Les envieux attendaient son échec pour se réjouir.* — 2° *Faire des envieux,* obtenir un avantage, un privilège qui suscite soit le dépit, soit la convoitise sans malveillance de certains : *Il a fait bien des envieux le jour où il a reçu cet héritage. Un pêcheur qui fait des envieux en levant une grosse pièce.* ◆ adj. Se dit d'une personne (ou de son comportement) qui manifeste une envie, malveillante ou non, à l'égard de quelqu'un : *Les voisins, envieux de son bonheur, avaient cessé de lui parler. Un enfant qui arrête un regard envieux sur la vitrine d'un magasin* (= un regard de convoitise). ◆ **envier** v. tr. 1° *Envier quelqu'un, envier le sort, le calme, etc., de quelqu'un,* souhaiter d'avoir ou regretter de ne pas avoir un bien dont il jouit : *Je vous envie d'avoir déjà fini ce travail. Je n'envie pas son existence désœuvrée* (syn. : JALOUSER). — 2° *N'avoir rien à envier à quelqu'un,* jouir d'avantages au moins égaux aux siens, être dans une situation comparable à la sienne. ◆ **enviable** adj. Digne d'être envié : *Il a une situation enviable. Un sort peu enviable* (syn. : SOUHAITABLE, ATTIRANT).

2. envie [ɑ̃vi] n. f. 1° Désir d'avoir ou de faire quelque chose : *C'est l'envie de visiter cette ville pittoresque qui lui a fait faire un détour. On lui a offert un livre dont il avait envie depuis longtemps. Je n'ai pas envie de sortir ce soir. Cette voiture me fait envie. Il meurt d'envie de raconter son histoire* (= il en a un désir impatient). *Avez-vous envie que je vous explique l'affaire?* (= souhaitez-vous). *Cette cravate est à la dernière mode : au prix où elle est, on peut s'en passer l'envie* (= ce n'est pas la peine de s'en priver). — 2° Besoin organique : *Avoir envie de dormir.*

3. envie [ɑ̃vi] n. f. Tache naturelle sur la peau d'une personne.

4. envie [ɑ̃vi] n. f. Petit filet de peau qui se soulève parfois au bord des ongles.

environ [ɑ̃virɔ̃] adv. Indique une approximation : *Il y a environ cent cinquante kilomètres par la route de Paris à Rouen* (syn. : À PEU PRÈS). *Trois cents personnes environ assistaient à l'assemblée générale. Dans cette région, il pleut environ soixante-dix jours par an. Je serai de retour à six heures environ.*

environner [ɑ̃virɔne] v. tr. Etre situé ou se disposer plus ou moins circulairement autour de (syn. : ENTOURER) : *Les remparts qui environnaient la ville* (syn. : ENCERCLER). *Une foule de curieux environne le camelot. Nous étions environnés de périls* (= exposés à toutes sortes de périls). *Un enfant environné d'affection au sein de sa famille.* ◆ ***s'environner*** v. pr. Réunir autour de soi : *S'environner de disciples.* ◆ **environnant, e** adj. : *Le village et la campagne environnante* (syn. : AVOISINANT). *Un enfant qui a été marqué fortement par l'influence du milieu environnant* (= des personnes avec lesquelles il vit habituellement). ◆ **environnement** n. m. : *Il était au milieu de son bureau, dans un environnement de livres et de papiers épars. Les psychologues tiennent le plus grand compte de l'environnement de l'enfant* (syn. : ENTOURAGE).

environs [ɑ̃virɔ̃] n. m. pl. Lieux avoisinants, voisinage : *Il cherche à acheter une maison de campagne dans les environs de Paris* (syn. : PROXIMITÉ). *Je connais cette ville, mais je n'ai jamais eu le loisir de visiter les environs* (syn. : ALENTOURS). *Je ne vois personne, dans les environs, qui puisse vous renseigner.* • LOC. PRÉP. *Aux environs de,* indique une proximité de lieu, de temps, de quantité : *Il habite aux environs de Tours* (syn. : DU CÔTÉ DE, AUX ABORDS DE). *Cet arbre fleurit aux environs du quinze avril* (syn. : VERS). *La dépense s'élève aux environs de deux mille francs.*

envisager [ɑ̃vizaʒe] v. tr. 1° *Envisager quelque chose* (terme abstrait), l'examiner sous tel ou tel aspect, le prendre en considération, en tenir compte : *Avez-vous envisagé toutes les conséquences d'un échec éventuel? Dans ce chapitre, on n'envisage que les problèmes théoriques* (syn. : CONSIDÉRER). — 2° *Envisager quelque chose, de faire quelque chose,* en former le projet : *Nous envisageons des vacances sur la Côte d'Azur* (syn. : PROJETER). *Il avait d'abord envisagé de faire sa médecine, mais il a changé d'avis* (syn. : PENSER, PRÉVOIR, SONGER À).

envoler (s') [sɑ̃vɔle] v. pr. 1° Partir en volant, être emporté en l'air : *A mon approche, les moineaux s'envolèrent. Des feuilles sèches qui s'envolent au vent.* — 2° Décoller : *Un avion qui s'envole vers l'Amérique.* — 3° *Le temps s'envole* (littér.), il s'écoule sans retour. ‖ *Les illusions s'envolent,* elles disparaissent à jamais. ◆ **envol** n. m. : *Les corbeaux quittent le champ d'un envol lourd. L'envol et l'atterrissage d'un avion sont des phases plus périlleuses que le vol proprement dit* (syn. : DÉCOLLAGE). *Une pensée qui prend son envol vers les hautes sphères de la métaphysique* (syn. : ESSOR). ◆ **envolée** n. f. Elan oratoire, poétique; mouvement de l'âme vers un idéal élevé : *Une envolée lyrique.*

envoûter [ɑ̃vute] v. tr. *Envoûter quelqu'un,* exercer sur lui un attrait irrésistible, qui annihile sa volonté : *Cette femme l'a envoûté* (syn. : ENSORCELER, ↓ SÉDUIRE). *Un paysage qui vous envoûte* (syn. : FASCINER, ENCHANTER). ◆ **envoûtant, e** adj. : *Une beauté envoûtante. Regard envoûtant. Musique envoûtante.* ◆ **envoûtement** n. m. : *Il ressentait l'envoûtement de cette chaude nuit orientale* (syn. : ENSORCELLEMENT, FASCINATION, ↓ ENCHANTEMENT). [*L'envoûtement* est une opération magique qui est censée opérer, à distance, une action sur un être animé, par le moyen d'une figurine le représentant.]

envoyer [ɑ̃vwaje] v. tr. (conj. **11**). **1°** *Envoyer une personne, un animal,* les faire partir vers telle ou telle destination : *Envoyer ses enfants à l'école. Une compagnie d'assurances qui envoie un expert pour estimer les dégâts* (syn. : DÉLÉGUER, DÉTACHER). *On a envoyé deux compagnies de pompiers en renfort pour combattre l'incendie.* — **2°** *Envoyer une lettre, un paquet, un cadeau,* etc., les faire porter à quelqu'un par un service, les faire parvenir : *Vous m'enverrez un télégramme dès votre arrivée. Envoyer une carte de vœux. Envoyer la facture au client* (syn. : EXPÉDIER). *Envoyer sa démission, des excuses.* — **3°** *Envoyer un projectile,* lui communiquer une énergie qui le transporte à distance : *Un joueur qui envoie le ballon dans les buts adverses* (syn. : LANCER). *Envoyer une fusée dans la Lune. Envoyer une pierre dans un ravin* (syn. : JETER). — **4°** *Envoyer quelqu'un à terre,* le jeter au sol. — **5°** *Envoyer à quelqu'un* (*des coups, sa malédiction,* etc.), lui lancer des choses qui sont destinées à causer du mal. — **6°** Fam. *Envoyer promener, envoyer paître quelqu'un, envoyer quelqu'un sur les roses,* se débarrasser de lui, le renvoyer rudement. ‖ *Ne pas envoyer dire quelque chose,* le dire à quelqu'un bien en face, sans aucun ménagement. ◆ ***s'envoyer*** v. pr. *S'envoyer un travail, une corvée,* etc., en assumer l'exécution (se dit de choses plus ou moins pénibles, désagréables). ‖ Pop. *S'envoyer un verre de vin, une assiette de frites,* etc., le boire, la manger. ◆ **envoi** n. m. **1°** Action d'envoyer : *Le gouvernement a décidé l'envoi d'une mission diplomatique dans ce pays. L'envoi de ce colis est antérieur à la réception de ma lettre. Un joueur de football qui donne le coup d'envoi.* — **2°** Ce qu'on envoie (au sens 2 du v. tr.) : *J'ai bien reçu votre envoi. Un envoi recommandé* (syn. : PAQUET, COLIS). — **3°** Vers placés à la fin d'une ballade, pour en faire hommage à quelqu'un. ◆ **envoyé, e** n. : *Recevoir avec honneur les envoyés d'un gouvernement étranger* (syn. : DÉLÉGUÉ). *Un envoyé extraordinaire* (syn. : MESSAGER, AMBASSADEUR). ◆ adj. Fam. *C'est envoyé!,* c'est remarquablement dit, exécuté (syn. pop. : TAPÉ). ◆ **envoyeur, euse** n. Personne qui envoie un colis, une lettre, etc. : *L'adresse du destinataire étant incomplète, ce paquet a fait retour à l'envoyeur* (syn. : EXPÉDITEUR).

éolien, enne [eɔljɛ̃, ɛn] adj. Se dit de ce qui est mû par le vent : *Un moteur éolien. Une roue éolienne.* ◆ **éolienne** n. f. Pompe éolienne.

épagneul, e [epaɲœl] n. Chien d'arrêt à long poil et à oreilles pendantes.

épais, aisse [epɛ, ɛs] adj. (avant ou plus souvent après le nom). **1°** Se dit d'un corps considéré dans la dimension qui n'est ni la longueur ni la largeur : *Une planche épaisse de deux centimètres. C'est un livre épais : il a plus de deux mille pages* (contr. : PLAT). *Une épaisse couche de neige* (contr. : MINCE). — **2°** Se dit d'un être qui a un volume considérable tout en étant ramassé : *Un petit homme épais* (syn. : TRAPU, MASSIF). — **3°** Se dit de ce qui est consistant, compact, peu fluide : *Une fumée épaisse. La foule est épaisse* (syn. : DENSE). *Une sauce épaisse* (contr. : CLAIR). *Des ténèbres épaisses* (syn. : OPAQUE). — **4°** Se dit de ce qui manque de pénétration : *Esprit épais. Intelligence épaisse* (syn. : LOURD, PESANT, OBTUS; contr. : FIN, DÉLIÉ). — **5°** *Avoir la langue épaisse,* avoir la langue embarrassée, chargée. ◆ **épaisseur** n. f. **1°** Dimension d'une face à la face opposée d'un corps : *Un mur de trente centimètres d'épaisseur.* — **2°** Qualité de ce qui est épais : *L'épaisseur du brouillard* (syn. : DENSITÉ). *L'épaisseur du feuillage. L'épaisseur de la nuit* (syn. : OBSCURITÉ, OPACITÉ). ◆ **épaissir** v. tr. Rendre plus épais : *De grosses couvertures qui épaississent le lit. Ajouter de la farine pour épaissir la sauce.* ◆ v. intr. ou ***s'épaissir*** v. pr. Devenir plus épais (surtout aux sens 2 et 3 de l'adj.) : *Passé la trentaine, il a commencé à épaissir* (syn. : GROSSIR, ENGRAISSER). *La peinture, restée trop longtemps exposée à l'air, commençait à épaissir dans le pot. Le brouillard, la nuit s'épaissit.* ◆ **épaississement** n. m. : *L'épaississement d'un sirop.*

1. épancher [epɑ̃ʃe] v. tr. *Epancher ses peines, ses inquiétudes dans le sein de quelqu'un,* les lui confier librement pour soulager son cœur (littér.). ‖ *Epancher son cœur,* confier avec sincérité ses sentiments. ◆ ***s'épancher*** v. pr. Parler sans retenue, en toute confiance (syn. : DÉCHARGER SON CŒUR). ◆ **épanchement** n. m. Confidences d'une personne qui a le cœur gros.

2. épancher (s') [sepɑ̃ʃe] v. pr. (sujet nom d'un liquide). Se répandre dans une cavité qui n'est pas destinée à le recevoir : *Le sang s'est épanché dans l'estomac.* ◆ **épanchement** n. m. Accumulation d'un liquide dans l'organisme : *Epanchement de sang.*

épandre [epɑ̃dr] v. tr. (conj. **50**). *Epandre un engrais, du fumier,* etc., l'étendre sur le sol en le dispersant. ◆ ***s'épandre*** v. pr. Syn. littér. de SE RÉPANDRE. ◆ **épandage** n. m. **1°** *L'épandage du fumier.* — **2°** *Champs d'épandage,* destinés à l'épuration des eaux d'égout par filtration dans le sol.

épanouir [epanwir] v. tr. **1°** (sujet nom désignant le temps, le soleil, etc.) *Epanouir une fleur,* provoquer son éclosion, la faire s'ouvrir largement : *Le soleil printanier avait épanoui les tulipes.* — **2°** (sujet nom de chose abstraite) *Epanouir le visage,* lui donner une expression de bonheur, de bien-être : *Cette bonne nouvelle lui avait épanoui le visage. La cordialité se lisait sur cette face épanouie.* — **3°** *Epanouir le cœur,* le remplir de joie (littér.) : *Un amour qui épanouit le cœur* (syn. : DILATER LE CŒUR). ◆ ***s'épanouir*** v. pr. **1°** (sujet nom désignant une fleur) S'ouvrir largement. — **2°** (sujet nom désignant le visage) Faire paraître une joie sereine. — **3°** (sujet nom de personne) Apparaître dans toute sa grâce, ou être pleinement détendu : *Une jeune fille qui s'épanouit dans l'éclat de ses vingt ans. Cet enfant ne peut pas s'épanouir dans le milieu où il vit.* ◆ **épanouissement** n. m. : *L'épanouissement d'une rose* (syn. : ÉCLOSION). *L'épanouissement d'un visage heureux. L'épanouissement de la civilisation grecque au Vᵉ siècle avant J.-C.* (syn. : ÉCLAT).

1. épargner [eparɲe] v. tr. *Epargner de l'argent,* le mettre en réserve, éviter de le dépenser : *A force d'épargner sou après sou, il avait pu se faire construire une maisonnette. Un vieillard qui a épargné toute sa vie* (syn. : ÉCONOMISER, METTRE DE CÔTÉ). ◆ **épargnant, e** n. Personne qui a mis de l'argent de côté : *Le nombre des épargnants augmente en période de stabilité monétaire. Le gouvernement a pris des mesures en faveur des petits épargnants* (= de ceux qui ont pu faire de modestes économies en se privant). ◆ **épargne** n. f. 1° Action d'épargner : *Une législation qui tend à encourager l'épargne.* — 2° Partie des revenus qui n'est pas dépensée, mais mise en réserve : *Les économistes calculent le volume de l'épargne nationale* (= des sommes épargnées par les particuliers ou les entreprises dans un pays). *Les dépôts à la caisse d'épargne rapportent du trois pour cent* (= organisme gérant des fonds qui lui sont confiés).

2. épargner [eparɲe] v. tr. 1° *Epargner du temps, de la peine,* etc., éviter de les consacrer inutilement à un travail : *La police n'épargne aucun effort pour retrouver les coupables. Il a poursuivi ses recherches sans épargner son temps* (syn. : MÉNAGER, PLAINDRE, PLEURER). — 2° *Epargner quelque chose à quelqu'un,* l'en dispenser, faire en sorte qu'il n'y soit pas astreint : *Epargnez-moi ce pénible récit* (syn. : FAIRE GRÂCE DE). *On a préféré lui épargner la honte de cet aveu* (syn. : ÉVITER). ◆ **épargne** n. f. : *La modernisation des moyens de production a entraîné une épargne de temps considérable* (syn. : GAIN, ÉCONOMIE).

3. épargner [eparɲe] v. tr. 1° *Epargner quelqu'un,* le traiter avec ménagement : *Dans l'Antiquité, il était fréquent que le vainqueur n'épargnât pas le vaincu* (= ne lui laissât pas la vie sauve; syn. : FAIRE GRÂCE). *Cette loi rigoureuse n'épargne que les enfants et les vieillards* (syn. : EXEMPTER). — 2° *Epargner quelque chose,* ne pas l'endommager, ne pas le détruire : *La sécheresse n'a épargné que certaines régions côtières. Les maisons épargnées par l'incendie.*

éparpiller [eparpije] v. tr. 1° Répandre, disperser de tous côtés : *Le courant d'air a éparpillé les papiers dans toute la pièce. Un chef qui éparpille ses hommes sur le terrain* (syn. : DISSÉMINER). — 2° *Eparpiller ses efforts,* les employer sans méthode à des buts divers. ◆ ***s'éparpiller*** v. pr. : *La boîte est tombée et tous les bonbons se sont éparpillés sur le sol. A l'arrivée de la police, le groupe des manifestants s'éparpilla dans les rues voisines* (syn. : SE DISPERSER, S'ÉGAILLER). ◆ **éparpillement** n. m. : *L'éparpillement des baigneurs sur la plage. Une action concertée vaudrait mieux que cet éparpillement de tentatives* (syn. : DISPERSION).

épars, e [epar, -ars] adj. Se dit de ce qui est dispersé, en désordre : *Les enquêteurs examinent les débris épars de l'avion pour tenter de déterminer la cause de l'accident* (syn. : ÉPARPILLÉ). *Nous n'avons sur cette affaire que quelques renseignements épars* (syn. : SPORADIQUE). *Elle marchait dans le vent, les cheveux épars* (= échevelée). *Des souvenirs épars.*

épaté, e [epate] adj. *Nez épaté,* nez largement aplati. ◆ **épatement** n. m. : *Un type humain caractérisé notamment par l'épatement du nez.*

épater [epate] v. tr. Fam. *Epater quelqu'un,* le remplir d'une surprise plus ou moins admirative : *Il cherche à épater ses voisins avec sa nouvelle voiture* (syn. : ETONNER). *J'ai été épaté en apprenant qu'il était reçu à son examen* (syn. : STUPÉFAIT). *Il affichait des idées propres à épater le bourgeois* (= à scandaliser intentionnellement les esprits conservateurs). ◆ **épatant, e** [epatɑ̃, -ɑ̃t] adj. *Fam.* Se dit de ce qui provoque un étonnement admiratif, par sa beauté, son originalité, ou d'une personne qui suscite l'admiration par son courage, son ardeur, sa générosité, etc. : *Il fait un temps épatant* (= splendide). *Ce fut une soirée épatante. Elle a des toilettes épatantes. Elle est vraiment épatante : elle n'a pas été abattue par ce malheur* (syn. : EXTRAORDINAIRE). *C'est un type épatant* (= généreux). ◆ **épatamment** adv. Fam. : *Ce costume vous va épatamment* (syn. : ADMIRABLEMENT). ◆ **épate** n. f. Fam. *Faire de l'épate,* ou *des épates,* chercher à épater son entourage : *Il porte sans cesse de nouveaux complets pour faire de l'épate.*

épaule [epol] n. f. 1° Partie du corps humain par laquelle le bras s'attache au tronc; partie correspondante du vêtement : *Un jardinier qui va à son travail, la bêche sur l'épaule. Une courte pèlerine qui couvre les épaules. Enfoncer une porte d'un coup d'épaule. Il s'est démis l'épaule en tombant* (= il s'est déboîté l'humérus). *Hausser les épaules en signe de dédain, d'indifférence, d'ignorance. Une veste trop large d'épaules.* — 2° Partie du corps de certains animaux par laquelle la patte de devant s'attache au tronc : *Une épaule de mouton* (la partie correspondante, pour la patte de derrière, est le *gigot*). — 3° Fam. *Avoir la tête sur les épaules,* être sensé. ‖ Fam. *Donner un coup d'épaule à quelqu'un, prêter l'épaule à quelqu'un,* l'aider, lui prêter momentanément son concours (syn. : DONNER UN COUP DE MAIN). ‖ Fam. *Faire un travail, traiter quelqu'un par-dessus l'épaule,* faire ce travail, traiter cette personne avec désinvolture, avec négligence. ‖ Fam. *Porter quelqu'un sur ses épaules,* subir sa présence comme une gêne, souhaiter d'être débarrassé de lui. ◆ **épauler** v. tr. 1° *Epauler quelqu'un,* lui prêter son aide : *Dans cette entreprise, il a besoin de se sentir épaulé par ses amis.* — 2° *Epauler un fusil,* porter la crosse à son épaule pour tirer. ◆ **épaulette** n. f. Bande de tissu ou ornement fixé sur l'épaule de certains uniformes : *Les galons des officiers sont posés sur les épaulettes.*

épaulement [epolmɑ̃] n. m. Mur de soutènement; terrassement protégeant des coups de feu.

épave [epav] n. f. 1° Objet échoué après un naufrage : *Les habitants de la côte se chauffaient avec le bois des épaves. Une épave de navire à demi ensablée.* — 2° Objet abandonné : *Rassembler les épaves au bureau des objets trouvés de la gare.* — 3° Personne complètement désemparée, réduite à la misère à la suite de graves revers : *Depuis sa ruine, il n'est plus qu'une épave* (syn. : LOQUE).

épée [epe] n. f. 1° Arme formée d'une longue lame droite, en acier, emmanchée dans une poignée munie d'une garde : *Dans « les Trois Mousquetaires », d'Alexandre Dumas, nombreux sont les gentilshommes transpercés de coups d'épée. L'épée n'est plus guère aujourd'hui qu'un ornement. Une épée d'académicien à la poignée artistement ciselée.* — 2° *A la pointe de l'épée,* au prix de grands efforts (littér.). ‖ *Officier qui rend son épée,* qui se reconnaît vaincu, qui se constitue prisonnier. ‖ *Passer des personnes au fil de l'épée,* les massacrer, les égorger après une victoire. || *Mettre l'épée dans les reins à quelqu'un,* le presser vivement d'agir. || *C'est un coup d'épée dans l'eau,* c'est une tentative inutile, un effort voué à l'échec. ◆ **épéiste** n. m. Escrimeur à l'épée.

épeler [eple] v. tr. (conj. **6**). *Epeler un mot,* en nommer successivement toutes les lettres : *Lire un texte en épelant les noms propres.* ◆ **épellation** n. f. : *L'élève chargé de l'épellation de la dictée.*

éperdu, e [epɛrdy] adj. **1°** Se dit d'une personne qui éprouve très vivement un sentiment : *Une veuve éperdue de douleur* (syn. : FOU). *Il restait éperdu de reconnaissance devant un tel bienfait* (syn. : CONFONDU). *Etre éperdu d'admiration* (syn. : ↓ PÉNÉTRÉ). — **2°** Se dit aussi d'un sentiment vivement ressenti : *Il lui avait voué un amour éperdu. Une reconnaissance éperdue.* ◆ **éperdument** adv. : *Il est éperdument amoureux, inquiet* (syn. : FOLLEMENT). *Les sinistrés appelaient éperdument au secours. S'en moquer, s'en ficher éperdument* (fam. = rester totalement indifférent).

1. éperon [eprɔ̃] n. m. Branche de métal, souvent munie d'une molette à pointes, que le cavalier s'attache sous la cheville pour stimuler le cheval. ◆ **éperonner** v. tr. **1°** *Eperonner un cheval,* l'exciter à coups d'éperon dans les flancs. — **2°** (sujet nom de sentiment) *Eperonner quelqu'un,* le stimuler : *Il est éperonné par l'ambition* (syn. : AIGUILLONNER).

2. éperon [eprɔ̃] n. m. Promontoire entre deux vallées : *Un château fort bâti sur un éperon rocheux.*

3. éperon [eprɔ̃] n. m. Partie saillante, en avant de la proue de certains navires d'autrefois. ◆ **éperonner** v. tr. *Eperonner un navire,* l'aborder par l'étrave.

1. épervier [epɛrvje] n. m. Oiseau de proie commun dans les bois : *Le cri de l'épervier est une sorte de miaulement.*

2. épervier [epɛrvje] n. m. Filet de pêche de forme conique.

éphèbe [efɛb] n. m. Jeune homme d'une beauté sans défaut (se dit avec une nuance d'ironie). [Les *éphèbes,* dans l'Antiquité grecque, étaient les adolescents de dix-huit à vingt ans.]

éphémère [efemɛr] adj. **1°** Se dit de ce qui n'a qu'une existence très brève : *Des insectes éphémères.* — **2°** Se dit de ce qui a une durée très courte : *Un succès éphémère. L'influence de cet écrivain a été très éphémère* (syn. : PROVISOIRE, PASSAGER).

éphéméride [efemerid] n. f. Calendrier dont on retire chaque jour un feuillet.

épi [epi] n. m. **1°** Partie terminale de la tige du blé, et en général des graminées, portant les graines groupées autour de l'axe : *Des épis de seigle, de maïs, de blé.* — **2°** *Epi de cheveux,* mèche de cheveux de direction contraire de celle des autres.

épice [epis] n. f. **1°** Substance végétale aromatique, servant à assaisonner des mets : *Le poivre, la cannelle, la noix muscade sont des épices.* — **2°** *Pain d'épice,* v. PAIN. ◆ **épicer** v. tr. **1°** Assaisonner avec des épices : *Cette sauce est un peu fade, il faudrait l'épicer davantage.* — **2°** *Récit épicé,* qui contient des traits égrillards (syn. : SALÉ).

épicéa [episea] n. m. Arbre proche du sapin.

épicerie [episri] n. f. **1°** Ensemble des produits comestibles et ménagers vendus par certains commerçants; commerce de ces produits : *Travailler dans l'épicerie.* — **2°** Magasin où l'on vend ces produits : *Dans une épicerie, on vend des conserves, du chocolat, des boissons, des fruits, du savon, etc.* ◆ **épicier, ère** n. : *Un épicier qui fait sa tournée dans la campagne.*

épicurien, enne [epikyrjɛ̃, -ɛn] adj. et n. **1°** Se dit de personnes qui professent une morale facile, qui recherchent en tout leur plaisir, ou de ce qui se rapporte à cette tendance morale : *C'était un homme affable, plein d'insouciance, épicurien sans excès* (syn. : BON VIVANT, SENSUEL, VOLUPTUEUX). *Un épicurien raffiné* (syn. : JOUISSEUR). *Une existence épicurienne* (contr. : STOÏCIEN). — **2°** Se dit de la philosophie d'Epicure et de ceux qui la soutenaient : *Les théories épicuriennes sur la nature. Lucrèce est un poète épicurien. Par bien des traits, Gassendi apparaît comme un épicurien.* ◆ **épicurisme** n. m.

épidémie [epidemi] n. f. **1°** Maladie qui atteint rapidement un grand nombre d'individus d'une même région : *Les services médicaux étaient débordés par l'épidémie de grippe. Le bétail a été très éprouvé par une épidémie de fièvre aphteuse. Des cas de choléra ont été signalés : le gouvernement a pris des mesures énergiques pour enrayer l'épidémie* (syn. : FLÉAU). — **2°** Ce qui atteint, ce qui concerne un grand nombre de personnes : *Une épidémie de copiage dans une classe.* ◆ **épidémique** adj. : *Maladie épidémique. Un besoin épidémique de liberté* (syn. : COMMUNICATIF).

épiderme [epidɛrm] n. m. **1°** Couche superficielle de la peau : *Une coupure qui n'a entamé que l'épiderme.* — **2°** *Avoir l'épiderme sensible,* être susceptible. ◆ **épidermique** adj. : *Les tissus épidermiques. Une réaction épidermique* (= qui n'affecte pas profondément la personne; syn. : SUPERFICIEL).

épier [epje] v. tr. **1°** *Epier quelqu'un, ses allées et venues,* surveiller attentivement et en cachette ses faits et gestes : *Il ne pouvait rien faire sans être épié par des agents secrets.* — **2°** *Epier une occasion, un indice, les bruits,* etc., en guetter l'apparition ou les observer attentivement.

épieu [epjø] n. m. Long bâton ferré, avec lequel on chassait autrefois le gros gibier.

épigone [epigɔn] n. m. Successeur : *Les épigones du positivisme.*

épigramme [epigram] n. f. Trait mordant, satirique, à l'adresse de quelqu'un (littér.) : *Il aimait à décocher des épigrammes contre ses collègues* (syn. : BROCARD, RAILLERIE). [L'*épigramme* était une pièce de vers satirique.]

épigraphe [epigraf] n. f. Inscription placée sur un édifice pour indiquer sa date de construction, l'intention des constructeurs, etc., ou pensée placée en tête d'un livre pour en résumer l'esprit : *Mettre en épigraphe une phrase de Pascal.*

épigraphie [epigrafi] n. f. Science ayant pour objet l'étude des inscriptions.

épilepsie [epilɛpsi] n. f. Maladie qui se manifeste par des crises convulsives suivies de coma. ◆ **épileptique** adj. et n. **1°** Se dit d'une personne ou d'un animal sujets à l'épilepsie : *Un épileptique en pleine crise.* — **2°** Se dit d'une personne qui fait des gestes violents, désordonnés; se dit aussi de ce qui traduit une vive agitation : *Une espèce d'épilep-*

tique se mit à haranguer la foule. Des contorsions épileptiques. Une musique, une danse épileptique (syn. : FORCENÉ, ↓ ENDIABLÉ).

épiler [epile] v. tr. Arracher ou faire tomber les poils : *Une femme qui épile ses sourcils. Une pince à épiler. Se faire épiler dans un institut de beauté.* ◆ **épilation** n. f. : *L'épilation de la lèvre supérieure.* ◆ **épilatoire** adj. Se dit d'un produit qui sert à épiler : *Une pâte épilatoire.*

épilogue [epilɔg] n. m. **1°** Partie conclusive d'un ouvrage littéraire. — **2°** Ce qui termine une aventure, une histoire : *Une bonne bronchite fut l'épilogue de ce bain glacé. L'épilogue d'une affaire judiciaire* (syn. : DÉNOUEMENT).

épiloguer [epilɔge] v. tr. ind. *Epiloguer (sur quelque chose),* faire des commentaires sur un fait, un événement : *On pourrait épiloguer interminablement sur les causes de cet échec. Rien ne sert d'épiloguer, maintenant que le mal est fait.*

épinard [epinar] n. m. Plante potagère à feuilles comestibles (le plur. peut désigner la plante cuite) : *Une boîte d'épinards en conserve.*

épine [epin] n. f. **1°** Excroissance dure et pointue qui vient sur certains végétaux ou certains animaux : *Les épines du rosier, de la ronce, du chardon, de la châtaigne* (syn. : PIQUANT). *Les épines d'un hérisson, d'un oursin.* — **2°** Arbrisseau épineux : *Une haie d'épines.* — **3°** *Etre sur des épines,* être dans une situation très embarrassante, être très impatient. ‖ *Tirer, enlever une épine du pied à quelqu'un,* le soulager d'un grand souci, lui permettre de sortir d'une grave difficulté. ◆ **épineux, euse** adj. **1°** Se dit de ce qui porte des épines : *La tige épineuse du rosier.* — **2°** *Question épineuse, problème épineux,* etc., question, problème, etc., pleins de difficultés (syn. : DÉLICAT).

épingle [epɛ̃gl] n. f. **1°** Petite tige métallique, pointue à une extrémité et terminée à l'autre par une tête : *Les couturières utilisent beaucoup d'épingles. Deux feuilles de papier attachées par une épingle.* — **2°** *Epingle de nourrice, épingle de sûreté, épingle double,* petite tige recourbée et formant ressort, dont la pointe se loge dans une petite pièce placée à l'autre extrémité. ‖ *Epingle à linge,* petite pince destinée à maintenir le linge qu'on met à sécher. — **3°** *Coup d'épingle,* petite blessure d'amour-propre faite intentionnellement, critique légère. ‖ *Virage en épingle à cheveux,* virage très serré d'une route qui repart en sens inverse. ‖ *Etre tiré à quatre épingles,* être extrêmement soigné dans sa toilette. ‖ *Tirer son épingle du jeu,* se tirer habilement d'une situation délicate. ‖ *Monter quelque chose en épingle,* en faire parade, le faire valoir exagérément. ‖ *Chercher une épingle dans une botte* (ou *une meule*) *de foin,* chercher quelque chose avec des chances à peu près nulles de le trouver. ◆ **épingler** v. tr. **1°** Fixer avec une épingle ou des épingles : *Epingler une photographie au mur. Epingler une décoration sur la poitrine de quelqu'un.* — **2°** Fam. *Epingler quelqu'un,* l'arrêter, le prendre sur le fait (syn. : PINCER). ◆ **épinglage** n. m. : *L'épinglage du patron sur le tissu avant la coupe.*

Épiphanie [epifani] n. f. Fête de l'Eglise célébrée le 6 janvier, et rappelant la manifestation de Jésus, notamment aux Mages : *Le jour de l'Epiphanie on mange la galette des Rois.* (On dit aussi FÊTE DES ROIS ou JOUR DES ROIS.)

épiphénomène [epifenɔmɛn] n. m. Phénomène accessoire lié à un phénomène principal.

épique [epik] adj. **1°** Propre à l'épopée : *« L'Iliade », « l'Enéide » sont des poèmes épiques. Le style épique des chansons de geste. Achille est un héros épique.* — **2°** *Fam.* Se dit de ce qui est mémorable par son caractère pittoresque, extraordinaire (souvent ironiq.) : *Une aventure épique. Il a eu des démêlés épiques avec son voisin* (syn. : HOMÉRIQUE).

épiscopal, e, aux [episkɔpal, -po] adj. **1°** Se dit de ce qui appartient, se rapporte à un évêque : *Les ornements épiscopaux. Dignité épiscopale. Bénédiction épiscopale* (= donnée par un évêque). — **2°** *Eglise épiscopale,* Eglise anglicane. ◆ **épiscopat** n. m. **1°** Dignité d'évêque : *Un prêtre appelé à l'épiscopat.* — **2°** Ensemble des évêques : *Une déclaration de l'épiscopat français.* — **3°** Durée pendant laquelle un évêque exerce ses fonctions.

épisode [epizɔd] n. m. **1°** Partie d'un récit ayant son unité propre, mais s'intégrant dans l'ensemble de l'œuvre : *Le combat d'Achille et d'Hector est un épisode célèbre de « l'Iliade ». Un roman à épisodes* (= fait d'une succession d'événements). — **2°** Evénement accessoire, se rattachant plus ou moins à un ensemble : *Un épisode dramatique du voyage d'un explorateur* (syn. : CIRCONSTANCE). ◆ **épisodique** adj. **1°** Se dit de ce qui constitue un simple épisode, ou d'un personnage qui n'apparaît que dans un épisode : *Ce développement est un peu long pour un incident aussi épisodique. Un acteur qui a un rôle tout épisodique.* — **2°** Se dit de faits qui ne se produisent que de temps à autre : *Il fait quelques séjours épisodiques dans la région* (syn. : INTERMITTENT). ◆ **épisodiquement** adv. : *Il nous a épisodiquement prêté son concours.*

épisser [epise] v. tr. *Episser deux bouts de cordage, deux câbles électriques,* les assembler en entrelaçant leurs brins. ◆ **épissure** n. f. Assemblage fait en épissant.

épistémologie [epistemɔlɔʒi] n. f. Etude des sciences cherchant à apprécier leur valeur pour l'esprit humain. ◆ **épistémologique** adj.

épistolaire [epistɔlɛr] adj. Qui concerne les lettres, la correspondance : *Etre en relations épistolaires avec quelqu'un. Une étude sur la littérature épistolaire au XVII*e *siècle.* ◆ **épistolier, ère** n. Personne qui écrit de nombreuses lettres ayant un caractère littéraire : *M*me *de Sévigné est une épistolière célèbre. Un cours de littérature sur Voltaire épistolier.*

épitaphe [epitaf] n. f. Inscription funéraire : *Graver une épitaphe émouvante.*

épithète [epitɛt] n. f. Mot ou expression employés pour qualifier quelqu'un ou quelque chose : *Il le traitait de malappris, de porc, de propre à rien — il n'était jamais à court d'épithètes injurieuses. On appelle « épithète de nature » une expression qui revient souvent dans une œuvre littéraire pour exprimer une qualité permanente d'une personne ou d'une chose; ainsi, dans « l'Iliade », l'Aurore « aux doigts de rose ».* ◆ n. f. et adj. En grammaire, adjectif qualificatif se rapportant à un nom directement, sans l'intermédiaire d'un verbe d'état (par oppos. à *attribut*) et sans pause (par oppos. à *apposition* ou *adjectif en position détachée*). [Ex. : *la grande maison, un livre ancien.*] (V. FONCTION.)

épitoge [epitɔʒ] n. f. Bande d'étoffe que les avocats, les magistrats, les professeurs en robe portent sur l'épaule gauche.

épître [epitr] n. f. 1° Lettre en vers sur un sujet moral ou philosophique : *Une épître de Boileau à M. de Lamoignon.* — 2° *Fam.* Lettre (se dit surtout d'une lettre assez longue ou ayant une certaine solennité) : *Il avait reçu de ses parents une épître de six pages lui prodiguant des recommandations.* — 3° Lettre adressée par un des Apôtres à une des premières communautés chrétiennes.

éploré, e [eplɔre] adj. Se dit d'une personne (ou de son comportement) tout en pleurs, accablée de chagrin : *Une veuve éplorée* (syn. : INCONSOLABLE). *Demander du secours d'une voix éplorée. Un regard éploré* (syn. : ↓ DÉSOLÉ).

éplucher [eplyʃe] v. tr. 1° *Eplucher des légumes, des fruits, des crustacés,* etc., les préparer pour les manger, en ôtant les parties non comestibles ou moins bonnes au goût : *On épluche les pommes de terre avant de les couper en dés dans la cocotte. Eplucher des haricots verts, des poireaux. Eplucher une orange. Eplucher des noix, des crevettes.* — 2° *Eplucher un texte,* le lire attentivement en vue d'en corriger les fautes ou d'y découvrir un détail qu'on cherche : *Les correcteurs épluchent soigneusement les épreuves* (syn. : PASSER AU CRIBLE). *Il épluche tous les articles de la loi pour tâcher d'y trouver sa justification.* ◆ **épluchage** n. m. : *Des campeurs qui se mettent joyeusement à l'épluchage des pommes de terre. Un texte soumis à un épluchage minutieux.* ◆ **éplucheur, euse** n. : *Un seul éplucheur ne suffira pas pour une telle quantité de légumes. Un éplucheur de mots.* ◆ **épluchure** n. f. Partie enlevée des fruits, des légumes, etc., en les épluchant : *Dans les campagnes, on donne souvent les épluchures aux cochons.*

épointer [epwɛ̃te] v. tr. *Epointer un instrument, un outil,* etc., en casser ou en effiler la pointe : *Epointer un crayon en appuyant trop fort* (= casser la mine). *Un couteau à la lame épointée.* ◆ **épointage** ou **épointement** n. m.

éponge [epɔ̃ʒ] n. f. 1° Substance qui a la propriété d'absorber les liquides et qu'on emploie à divers usages domestiques : *Les éponges naturelles sont le squelette corné d'animaux marins. On fabrique des éponges artificielles* (ou *synthétiques*). *Laver la carrosserie d'une voiture avec une éponge.* — 2° *Passer l'éponge* (*sur un incident, une faute,* etc.), les oublier volontairement, les pardonner : *Passons l'éponge et restons amis.* ◆ **éponger** v. tr. 1° *Eponger un liquide,* l'étancher avec une éponge ou avec un corps qui absorbe les liquides : *Eponger du vin renversé sur la table.* — 2° *Eponger quelque chose,* sécher avec une éponge ou un tissu. — 3° *Eponger une circulation monétaire exagérée,* l'absorber, la résorber au moyen de taxes et d'emprunts. ◆ ***s'éponger*** v. pr. Se sécher : *S'éponger le front avec un mouchoir.* ◆ **épongeage** n. m.

épopée [epɔpe] n. f. 1° Récit d'aventures héroïques accompagnées de merveilleux : *« La Chanson de Roland » est une épopée.* — 2° Suite d'événements sublimes et héroïques : *L'épopée napoléonienne.*

époque [epɔk] n. f. 1° Moment déterminé de l'histoire, marqué par un événement important, par un certain état de choses : *L'époque de la Révolution française. La guerre de Cent Ans fut une époque de misère* (syn. : PÉRIODE). *Un meuble d'époque est un meuble datant réellement de l'époque à laquelle correspond son style.* — 2° Moment déterminé de la vie d'un individu ou d'une société, du cours du temps : *A l'époque de son mariage, c'était une femme séduisante. C'est l'époque des nids, des labours* (syn. : SAISON, TEMPS). *Les gens de notre époque sont épris de vitesse. On appelle « la Belle Epoque » celle des premières années du XXe siècle. L'année dernière, à pareille époque, les lilas étaient déjà en fleur* (= à la même date). — 3° *Faire époque,* laisser un souvenir durable, être mémorable (syn. : FAIRE DATE). ‖ *Les époques d'une femme,* le moment de ses règles.

épouiller [epuje] v. tr. Débarrasser de ses poux, de ses parasites. ◆ **épouillage** n. m.

époumoner (s') [sepumɔne] v. pr. Se fatiguer à force de crier, de parler : *Il s'époumonait à ameuter la foule. Voilà une heure que je m'époumone pour essayer de vous convaincre.*

1. épouser v. tr. V. ÉPOUX.

2. épouser [epuze] v. tr. 1° (sujet nom de chose) *Epouser une forme, un creux,* etc., s'y adapter exactement : *Une housse qui épouse la forme de la carrosserie.* — 2° (sujet nom de personne) *Epouser les intérêts, les idées de quelqu'un,* s'y rallier, s'y attacher vivement.

épousseter [epuste] v. tr. (conj. 8). Débarrasser de sa poussière : *Elle époussetait les meubles avec un plumeau.* ◆ **époussetage** n. m.

époustoufler [epustufle] v. tr. Fam. *Epoustoufler quelqu'un,* le surprendre par quelque chose d'insolite, de tapageur : *Je suis époustouflé de sa réponse.* ◆ **époustouflant, e** adj. : *Une remarque époustouflante* (syn. : STUPÉFIANT).

épouvante [epuvɑ̃t] n. f. Grande peur capable d'égarer l'esprit, d'empêcher d'agir : *Etre saisi d'épouvante* (syn. : HORREUR, EFFROI). *Une éruption volcanique qui a répandu le deuil et l'épouvante dans les villages avoisinants* (syn. : TERREUR, FRAYEUR). *Un film d'épouvante* (= qui donne aux spectateurs des émotions violentes). ◆ **épouvanter** v. tr. 1° Remplir d'épouvante : *Un massacre qui épouvantait les malheureux prisonniers* (syn. : TERRIFIER, TERRORISER, HORRIFIER). — 2° Impressionner vivement, provoquer un mouvement de recul : *Je suis épouvanté de cette hausse des prix* (syn. : EFFRAYER). ◆ ***s'épouvanter*** v. pr. Etre saisi de frayeur. ◆ **épouvantable** adj. (avant ou après le nom). 1° Se dit de ce qui cause de l'horreur, de la répulsion : *Un accident épouvantable. Une épouvantable odeur de putréfaction* (syn. : HORRIBLE, EFFROYABLE). — 2° Se dit de ce qui est très mauvais, très contrariant : *Il fait un temps épouvantable* (syn. : AFFREUX). *Une boisson d'une amertume épouvantable. Vous n'avez pas retrouvé votre collier? Mais c'est épouvantable!* ◆ **épouvantablement** adv. : *Des corps épouvantablement mutilés par la catastrophe. Il est épouvantablement laid* (syn. : HORRIBLEMENT, TERRIBLEMENT, EFFROYABLEMENT). ◆ **épouvantail** n. m. 1° Mannequin rudimentaire, placé dans les champs ou les jardins pour effrayer les oiseaux. — 2° Ce dont on a horreur : *On nous avait fait un épouvantail de cette ville, or elle a un certain charme.*

époux, épouse [epu, epuz] n. Personne unie à une autre par le mariage (terme admin. ou noble, souvent avec une nuance ironiq.) : *Le maire a félicité les nouveaux époux. Une épouse irréprochable. Il se promenait dignement sur le boulevard au bras de son épouse* (syn. usuel : FEMME). *Elle admirait naïvement son époux* (syn. usuel : MARI). ◆ **épouser** v. tr. Prendre pour mari, pour femme : *Elle a épousé un ingénieur. Il épouse la fille de ses voisins* (syn. : SE MARIER AVEC). ◆ ***s'épouser*** v. pr. : *Ils se sont épousés l'année dernière.* ◆ **épousailles** n. f. pl. Syn. ironiq. de MARIAGE.

éprendre (s') [seprɑ̃dr] v. pr. (conj. **54**). *S'éprendre de quelque chose, de quelqu'un,* éprouver soudain un vif attachement pour eux, se mettre à les aimer : *Il s'est épris de cette doctrine au point de renier son passé. Plusieurs jeunes gens s'étaient épris de cette femme.* ◆ **épris, e** adj. : *Un homme épris de son métier* (syn. : PASSIONNÉ POUR). *Elle est éprise d'un beau jeune homme* (syn. : AMOUREUX).

éprouver [epruve] v. tr. **1°** *Eprouver une personne, une chose,* la soumettre à des expériences, des essais, pour en apprécier les qualités ou la valeur : *Cette longue marche avait pour but d'éprouver l'endurance des volontaires. J'ai compris qu'il voulait m'éprouver en me demandant d'exécuter cet ordre sans chercher à comprendre. On éprouve un pont en plaçant dessus une forte charge.* — **2°** Constater par l'expérience, subir : *J'ai souvent éprouvé l'utilité de cette précaution. Il a éprouvé bien des difficultés avant de réussir* (syn. : RENCONTRER, SE HEURTER À). — **3°** *Eprouver un sentiment,* le ressentir : *Eprouver de la joie, de l'appréhension, du dépit* (syn. : RESSENTIR). — **4°** *Eprouver quelqu'un,* le faire souffrir : *Ce malheur l'a durement éprouvé.* ◆ **éprouvant, e** adj. Se dit de ce qui est pénible à supporter, à exécuter : *Une chaleur éprouvante. Un travail éprouvant.* ◆ **éprouvé, e** adj. **1°** Se dit d'une personne ou d'une chose en qui on a toute confiance : *C'est un ami éprouvé* (syn. : SÛR). *Une personne d'un dévouement éprouvé. Utiliser un matériel éprouvé.* — **2°** *Un homme éprouvé,* qui a beaucoup souffert. ◆ **épreuve** n. f. **1°** Ce qu'on impose à quelqu'un pour connaître sa valeur, sa capacité : *Les épreuves pratiques du permis de conduire. Un examen qui comporte des épreuves écrites et des épreuves orales* (syn. : COMPOSITION, INTERROGATION). — **2°** Compétition sportive : *Des épreuves d'athlétisme.* — **3°** Expérimentation de la résistance d'une chose, du fonctionnement d'un appareil : *Procéder à l'épreuve d'un moteur* (syn. : ESSAI). — **4°** Texte imprimé tel qu'il sort de la composition : *Corriger les épreuves d'un ouvrage.* — **5°** Malheur, adversité qui frappe quelqu'un : *Dans cette épreuve, il se sentait entouré de la sympathie de ses amis. Des prisonniers de guerre qui surmontent courageusement leur rude épreuve.* — **6°** *A toute épreuve,* capable de résister à tout : *Un courage à toute épreuve. Un blindage à toute épreuve.* ‖ *A l'épreuve de,* en état de supporter sans dommage : *Un alliage à l'épreuve des acides.* ‖ *Mettre à l'épreuve,* essayer la résistance, éprouver les qualités de quelqu'un. ◆ **contre-épreuve** n. f. Epreuve servant à en vérifier une autre.

éprouvette [epruvɛt] n. f. Tube de verre fermé à une extrémité et destiné à diverses expériences de chimie ou de physique.

1. épuiser [epɥize] v. tr. **1°** Vider entièrement de son contenu, de ses réserves : *L'extraction de minerai au rythme actuel risque d'épuiser le gisement avant cinquante ans. La citerne est épuisée* (= à sec, tarie). — **2°** Utiliser en totalité : *Les soldats avaient épuisé leurs munitions. Epuiser les vivres* (syn. : ↓ CONSOMMER). *J'ai épuisé toutes les ressources de mon imagination : je ne sais plus que vous proposer* (syn. : DÉPENSER). — **3°** *Epuiser un sujet, une matière,* les traiter de façon exhaustive, à fond. ◆ ***s'épuiser*** v. pr. Devenir vide, perdre son contenu : *La provision de bois de chauffage commençait à s'épuiser.* ◆ **épuisement** n. m. : *La vente publicitaire dure jusqu'à l'épuisement du stock.* ◆ **inépuisable** adj. : *Le vent et la mer sont des sources inépuisables d'énergie* (syn. : INTARISSABLE). *Sa fortune paraissait inépuisable. Il reprenait ses explications avec une patience inépuisable* (syn. : INLASSABLE). ◆ **inépuisablement** adv. : *La carrière qui fournit inépuisablement de la pierre.*

2. épuiser [epɥize] v. tr. *Epuiser quelqu'un, les forces de quelqu'un,* le jeter dans un affaiblissement extrême : *Cette longue marche m'a épuisé* (syn. : EXTÉNUER, ÉREINTER, ANÉANTIR ; fam. : TUER) ; lui causer une grande lassitude morale : *Cet enfant m'épuise avec ses questions* (syn. : USER, EXCÉDER). ◆ ***s'épuiser*** v. pr. : *Il s'est épuisé à bêcher tout son jardin dans la matinée. Je m'épuise à vous répéter que c'est inutile* (= je m'efforce vainement de vous en persuader). ◆ **épuisant, e** adj. : *Un travail épuisant* (syn. : EXTÉNUANT, ÉREINTANT, ACCABLANT ; fam. : TUANT). ◆ **épuisement** n. m. : *Les naufragés furent recueillis dans un état d'épuisement complet* (syn. : ABATTEMENT, ANÉANTISSEMENT, INANITION).

épuisette [epɥizɛt] n. f. Petit filet de pêche, monté sur une armature métallique et muni d'un manche : *Quand le pêcheur a amené la carpe au bord, il la retire de l'eau avec son épuisette.*

épure [epyr] n. f. Dessin à une échelle définie, représentant la projection sur un ou plusieurs plans d'un corps à trois dimensions.

épurer [epyre] v. tr. **1°** *Epurer un liquide, un corps,* les rendre plus purs : *On épure ce sirop par filtrage.* — **2°** *Epurer le goût, les mœurs, la langue,* etc., en bannir ce qui paraît malséant, déplacé, y mettre plus de raffinement : *On fait généralement un mérite aux salons célèbres du XVIIe siècle d'avoir contribué à épurer les mœurs.* — **3°** *Epurer un auteur,* retrancher ce qui est trop libre dans son œuvre. — **4°** *Epurer une administration, le personnel d'un ministère,* etc., destituer ou blâmer les personnes qui, à la faveur de certains événements politiques, ont eu une conduite jugée indigne. ◆ ***s'épurer*** v. pr. Devenir pur : *Le goût s'épure dans une compagnie aussi distinguée.* ◆ **épuration** n. f. : *L'épuration d'une huile. L'épuration des mœurs. Au lendemain de la Seconde Guerre mondiale, des comités d'épuration examinèrent le cas de fonctionnaires, d'écrivains, etc., accusés d'avoir collaboré avec l'occupant.*

1. équarrir [ekarir] v. tr. *Equarrir un bloc de pierre, un tronc d'arbre,* etc., les tailler assez grossièrement, de façon à leur donner une forme proche de celle d'un cube, d'un parallélépipède.

2. équarrir [ekarir] v. tr. *Equarrir un animal de boucherie,* le dépecer en retirant la peau, la graisse, les os, etc. ◆ **équarrissage** n. m. : *L'équarrissage d'un bœuf.* ◆ **équarrisseur** n. m. Boucher spécialisé dans le dépeçage des animaux.

équateur [ekwatœr] n. m. Grand cercle imaginaire tracé autour de la Terre à égale distance des deux pôles; région terrestre qui avoisine cette ligne. ◆ **équatorial, e, aux** [ekwatɔrjal, -jo] adj. : *Le climat équatorial est chaud et humide.*

équation [ekwasjɔ̃] n. f. **1°** Egalité mathématique entre des quantités dont certaines sont connues, d'autres inconnues, et qui n'est vérifiée que pour certaines valeurs des inconnues : *Un système d'équations à deux, à trois inconnues. Mettre un problème en équation* (= en traduire la donnée par une ou plusieurs équations). — **2°** *Equation personnelle,* déformation personnelle que le caractère ou les préjugés font subir aux observations.

équerre [ekɛr] n. f. **1°** Instrument pour tracer des angles droits : *Une équerre de dessinateur, de menuisier, de maçon.* — **2°** Pièce métallique destinée à maintenir des assemblages à angle droit : *On met souvent des équerres aux angles des vantaux de fenêtre.* — **3°** *D'équerre,* se dit de ce qui est à angle droit : *Une aile de bâtiment d'équerre avec la façade.*

équestre [ekɛstr] adj. **1°** Se dit de ce qui est relatif à l'équitation : *Des exercices équestres.* — **2°** *Statue équestre,* celle qui représente un personnage à cheval.

équeuter v. tr. V. QUEUE.

équidistant, e [ekɥidistɑ̃, -ɑ̃t] adj. Se dit, surtout en géométrie, de ce qui est situé à distance égale de points déterminés : *Tous les points d'un cercle sont équidistants du centre.* ◆ **équidistance** n. f. : *L'équidistance de deux points par rapport à leur axe de symétrie.*

équilatéral, e, aux [ekɥilateral, -ro] adj. Se dit d'une figure de géométrie, et spécialement d'un triangle, dont tous les côtés sont égaux entre eux.

équilibre [ekilibr] n. m. **1°** Etat de repos résultant de l'action de forces qui s'annulent : *Une légère poussée suffirait pour rompre l'équilibre de cette pile de livres. La pesée est juste quand les deux plateaux de la balance restent en équilibre. Un vase en équilibre instable* (= qui risque de tomber). — **2°** Etat d'une personne, au repos ou en mouvement, qui se tient debout, qui ne tombe pas : *En descendant de l'embarcation, il avait peine à garder son équilibre sur la terre ferme. Un cycliste qui conserve son équilibre. Il s'est trop penché et il a perdu l'équilibre.* — **3°** Juste combinaison de forces opposées, disposition harmonieuse, bien réglée : *Une Constitution politique fondée sur l'équilibre des pouvoirs législatif, exécutif et judiciaire. L'équilibre budgétaire est assuré quand les recettes couvrent les dépenses. Une période d'équilibre politique* (syn. : STABILITÉ). *L'équilibre du monde. L'équilibre des masses architecturales d'un château.* — **4°** Bon fonctionnement de l'organisme, pondération dans le comportement : *Un homme dont on peut admirer le bel équilibre physique et intellectuel* (syn. : SANTÉ). ◆ **équilibrer** v. tr. Mettre en équilibre : *Les matelots se répartissent sur les deux bords de la chaloupe pour équilibrer la charge* (syn. : CONTREBALANCER). *Des arcs-boutants qui équilibrent la poussée latérale des voûtes* (syn. : COMPENSER, NEUTRALISER). *Le gouvernement a le souci d'équilibrer le budget.* ◆ **s'équilibrer** v. pr. : *Des poids qui s'équilibrent. Les avantages et les inconvénients de cette méthode s'équilibrent à peu près* (= sont équivalents). ◆ **équilibré, e** adj. Se dit d'une personne dont les diverses facultés sont dans un rapport harmonieux : *C'est un garçon équilibré, intellectuel et sportif tout à la fois. Un esprit équilibré* (syn. : SAIN, SENSÉ, PONDÉRÉ). ◆ **équilibrage** n. m. : *L'équilibrage des roues de voiture vise à supprimer le balourd.* ◆ **équilibration** n. f. Sens qui permet à l'homme de garder son équilibre en station verticale. ◆ **équilibriste** n. Artiste qui fait des tours d'adresse en maintenant des objets en équilibre, ou qui fait des exercices acrobatiques en se tenant en équilibre sur un câble. ◆ **déséquilibre** n. m. : *Un léger déséquilibre fait pencher le bateau d'un côté. Il a souvent montré un certain déséquilibre mental.* ◆ **déséquilibrer** v. tr. *Déséquilibrer quelque chose, quelqu'un,* lui faire perdre l'équilibre : *La statuette, déséquilibrée par un geste maladroit, est tombée par terre.* ◆ **déséquilibré, e** adj. et n. Se dit d'une personne qui a perdu son équilibre mental : *En dépit des traitements qu'il a reçus dans un hôpital psychiatrique, il reste un peu déséquilibré. Les discours extravagants d'un déséquilibré* (syn. : ↑ FOU; fam. : PIQUÉ, TIMBRÉ, TOQUÉ, CINGLÉ).

équille [ekij] n. f. Poisson long et mince, qui s'enfouit dans le sable (syn. : LANÇON).

équinoxe [ekinɔks] n. m. Epoque de l'année où le jour et la nuit ont la même durée : *Il y a deux équinoxes dans l'année : le 21 ou le 22 mars* (*équinoxe de printemps*) *et le 22 ou le 23 septembre* (*équinoxe d'automne*).

équipage [ekipaʒ] n. m. **1°** Personnel nécessaire à la manœuvre et au service d'un navire ou d'un avion : *Le transatlantique a sombré, mais les passagers et l'équipage ont été sauvés.* — **2°** Ensemble des gens qui accompagnent quelqu'un et des ornements qui donnent du faste à son déplacement (se dit d'un personnage important ou, avec une nuance plaisante, d'une personne quelconque) : *La reine arriva en somptueux équipage* (syn. : ESCORTE).

équipe [ekip] n. f. **1°** Ensemble de personnes travaillant ensemble : *Une nouvelle équipe de mineurs est descendue dans la fosse. Le contremaître donne des consignes aux chefs d'équipe. On appelle « esprit d'équipe » l'esprit de solidarité qui unit les membres d'un même groupe.* — **2°** Groupe de joueurs associés en vue de disputer des compétitions sportives, des championnats : *Remanier, entraîner une équipe. L'équipe de France.* ◆ **équipier, ère** n. Personne qui fait partie d'une équipe sportive : *Deux équipiers étant malades, le match a été remis.* ◆ **coéquipier, ère** n. Personne qui fait partie de la même équipe : *Un joueur de rugby qui a couvert de gloire tous ses coéquipiers.*

équipée [ekipe] n. f. Aventure dans laquelle on se lance à la légère : *Une équipée glorieuse, mais sans lendemain. Ils revinrent harassés de leur équipée dans les bois* (syn. : RANDONNÉE). *Une équipée de jeunesse* (syn. : FRASQUE).

équiper [ekipe] v. tr. **1°** *Equiper un navire, un appareil,* etc., le pourvoir de ce qui est nécessaire à son utilisation : *Un téléviseur équipé pour la réception des programmes des différentes chaînes. Les premiers avions n'étaient pas équipés de la radio.* — **2°** *Equiper quelqu'un,* le munir de ce qui lui sera utile : *Des spéléologues équipés d'un matériel éprouvé.* ◆ **s'équiper** v. pr. : *Il s'est équipé pour la plongée sous-marine. Ce pays commence à s'équiper* *en industrie légère.* ◆ **équipement** n. m. 1° Action d'équiper, de doter du matériel, des installations nécessaires : *L'équipement d'une voiture en pneus neufs. Un plan d'équipement.* — 2° Ce matériel lui-même : *Se procurer un équipement de camping. L'équipement électrique de l'entreprise.*

équitation [ekitasjɔ̃] n. f. Art de monter à cheval.

équité [ekite] n. f. Qualité qui consiste à attribuer à chacun ce à quoi il a droit naturellement (parfois opposée à la *justice,* qui se réfère à une législation) : *En toute équité. Traiter quelqu'un avec équité. Juger avec équité. Son esprit d'équité l'a fait choisir unanimement comme arbitre* (syn. : IMPARTIALITÉ). ◆ **équitable** adj. 1° Se dit d'une personne qui agit selon l'équité : *Un juge équitable* (syn. : IMPARTIAL ; contr. : INIQUE). — 2° Se dit de ce qui est conforme à l'équité : *Un partage équitable. Une décision équitable* (contr. : PARTIAL). ◆ **équitablement** adv. : *Un gouvernement qui tente de répartir plus équitablement les impôts.* ◆ **inéquitable** adj. : *Partage inéquitable.*

équivaloir [ekivalwar] v. tr. ind. (conj. 40). *Equivaloir à quelque chose,* avoir une valeur, une importance égale, un effet semblable : *Le mille marin équivaut à 1 852 mètres* (syn. : VALOIR). *Le prix de sa voiture équivaut à quatre ou cinq mois de son salaire. S'arrêter un seul instant équivalait à tout abandonner* (syn. : REVENIR). *Votre silence équivaudrait à un aveu de culpabilité.* ◆ **équivalent, e** adj. Se dit de ce qui a la même valeur : *Ces deux formes sont d'une importance équivalente* (syn. : ÉGAL). *Si le prix de vente est équivalent au prix de revient, le bénéfice est nul.* ◆ n. m. : *Employer un équivalent pour éviter de répéter le mot* (syn. : SYNONYME). *C'est l'équivalent d'une lâcheté.* ◆ **équivalence** n. f. : *Un décret reconnaît l'équivalence entre cet examen et le baccalauréat. A équivalence de salaire, ce métier est plus agréable* (syn. : ÉGALITÉ).

1. équivoque [ekivɔk] adj. 1° Se dit de ce qu'on peut interpréter diversement : *Une expression équivoque* (syn. : AMPHIBOLOGIQUE, AMBIGU). *Dans toute cette affaire, son attitude a été assez équivoque* (syn. : LOUCHE ; contr. : CLAIR, NET, CATÉGORIQUE). — 2° Se dit d'une personne ou d'une chose suspecte, qui suscite la méfiance : *Il a des fréquentations équivoques* (syn. : LOUCHE, DOUTEUX). *Il est d'une honnêteté équivoque* (contr. : INDUBITABLE).

2. équivoque [ekivɔk] n. f. 1° Situation, expression qui manque de netteté, qui laisse dans l'incertitude : *Pour éviter toute équivoque, je vais faire une rapide mise au point. Il faut veiller à ne laisser subsister aucune équivoque dans un texte juridique* (syn. : AMBIGUÏTÉ). — 2° Jeu de mots, expression intentionnellement à double entente : *Un chansonnier qui lance des équivoques osées.*

érable [erabl] n. m. Arbre dont le bois peut être utilisé en ébénisterie : *En Amérique du Nord croît l'érable à sucre, dont la sève, chauffée et brassée, donne un sucre très estimé au Canada.*

érafler [erafle] v. tr. Entamer, écorcher superficiellement en frottant rudement : *L'accrochage a été léger : la peinture des deux carrosseries a été tout juste éraflée* (syn. : RAYER). *Une ronce lui avait éraflé le dos de la main* (syn. : ÉGRATIGNER). ◆ **éraflement** n. m. ◆ **éraflure** n. f. Ecorchure superficielle.

1. érailler [eraje] v. tr. *Erailler du tissu,* en relâcher les fils, l'effiler. ◆ **éraillure** n. f. Partie éraillée d'un tissu.

2. érailler [eraje] v. tr. *Erailler la voix,* la rendre rauque (souvent au part. passé) : *Ses hurlements lui avaient éraillé la voix. Un ivrogne qui répond d'une voix éraillée.*

ère [ɛr] n. f. 1° Epoque fixe à partir de laquelle on compte les années dans telle ou telle chronologie : *L'an 1 de l'ère chrétienne correspond à l'année de la naissance du Christ.* — 2° Epoque où commence un certain ordre de choses : *Une ère de prospérité. La guerre de Cent Ans fut une ère de malheurs pour la France.* — 3° *Ere géologique,* chacune des grandes divisions de l'histoire de la Terre : *Nous sommes au début de l'ère quaternaire.*

1. érection n. f. V. ÉRIGER.

2. érection [erɛksjɔ̃] n. f. Etat de gonflement de certains tissus organiques.

éreinter [erɛ̃te] v. tr. 1° Fam. *Ereinter quelqu'un,* le briser de fatigue (souvent au passif) : *Ce travail pénible l'a éreinté* (syn. : ÉPUISER ; pop. : CREVER). — 2° Fam. *Ereinter quelqu'un, éreinter une œuvre,* les critiquer violemment, avec malveillance : *La presse a éreinté sa dernière pièce de théâtre* (syn. : DÉNIGRER, DÉMOLIR). ◆ ***s'éreinter*** v. pr. : *Ce n'est pas la peine de s'éreinter, il suffit de poursuivre régulièrement la tâche entreprise.* ◆ **éreinté, e** adj. : *Il est revenu de son voyage complètement éreinté* (syn. : FOURBU, HARASSÉ). ◆ **éreintant, e** adj. *Fam.* Sens 1 du v. tr. : *Un travail éreintant.* ◆ **éreintage** n. m. *Fam.* Critique violente. ◆ **éreintement** n. m. *Fam.* Sens 1 et 2 du v. tr. et sens du v. pr. : *Il travaille jusqu'à l'éreintement* (syn. : ↓ FATIGUE, ↑ ÉPUISEMENT). *Un compte rendu qui est un véritable éreintement de l'ouvrage.* ◆ **éreinteur, euse** adj. et n. *Fam.* Qui critique violemment.

érémitique adj. V. ERMITE.

ergot [ɛrgo] n. m. 1° Petit ongle pointu, situé derrière le pied de certains animaux : *Un ergot de coq. Un ergot de chien.* — 2° Petite saillie sur certaines pièces mécaniques. — 3° Fam. *Se dresser sur ses ergots,* se dresser fièrement, se montrer menaçant.

ergoter [ɛrgɔte] v. intr. (sujet nom de personne). Discuter avec ténacité sur des points de détail, recourir à des arguties : *Il a eu beau ergoter, il a dû reconnaître les faits* (syn. : CHICANER ; fam. : PINAILLER). ◆ **ergotage** n. m. : *Ce n'est pas avec de tels ergotages qu'il réussira à nous convaincre.* ◆ **ergoteur, euse** adj. et n. : *Un ergoteur qui essaie de tourner à son profit le texte de la loi.*

ériger [eriʒe] v. tr. 1° *Eriger une statue, un monument,* etc., les installer à leur place (syn. : DRESSER, ÉLEVER). — 2° *Eriger en,* élever au rang, au rôle de : *Une église érigée en basilique. Il a tendance à ériger son opinion en règle générale* (syn. : TRANSFORMER). ◆ ***s'ériger*** v. pr. (sujet nom de personne). *S'ériger en,* se donner le rôle de : *De quel droit s'érige-t-il en juge de nos actes?* (syn. : SE POSER EN, SE FAIRE, AGIR COMME). ◆ **érection** n. f. : *Le conseil municipal a décidé l'érection d'un monument commémoratif. L'érection d'un chef-lieu de canton en sous-préfecture.*

ermite [ɛrmit] n. m. 1° Solitaire qui se consacrait à la prière et menait une vie d'austérité : *Le saint ermite ne recevait que de rares visites dans son* *désert.* — 2° Personne qui vit retirée, qui évite de fréquenter le monde : *C'est un véritable ermite : il reste toute la journée dans son cabinet de travail. Il est allé vivre en ermite dans sa petite maison de campagne.* ◆ **érémitique** adj. : *La vie érémitique fut pratiquée dès les premiers temps du christianisme.* ◆ **ermitage** n. m. 1° Habitation d'un ermite. — 2° Maison de campagne isolée.

érosion [erozjɔ̃] n. f. Usure produite sur le relief du sol par diverses causes naturelles : *Le vent, les eaux de ruissellement sont des agents d'érosion.* ◆ **érosif, ive** adj. Qui produit l'érosion : *L'action érosive de la mer.* ◆ **éroder** v. tr. User par frottement.

érotique [erɔtik] adj. 1° Se dit de ce qui se rapporte à l'amour sensuel, à la sexualité : *Des désirs érotiques.* — 2° *Poésie érotique,* poésie consacrée à l'amour. ◆ **érotisme** n. m. 1° Goût marqué pour tout ce qui est sexuel. — 2° Caractère érotique : *L'érotisme d'un roman.* ◆ **érotiser** v. tr. Colorer d'un caractère érotique.

erratum [eratɔm], pl. **errata** n. m. 1° Erreur commise à l'impression d'un ouvrage. — 2° Au pluriel, liste des erreurs et des corrections à y apporter, jointe à l'ouvrage : *La table des matières est suivie d'un errata.*

errements [ɛrmɑ̃] n. m. pl. *Péjor.* Manière d'agir habituelle et blâmable : *Persévérer dans ses errements. Nous ne permettrons pas qu'on en revienne aux mêmes errements* (syn. : AGISSEMENTS). [Le sens non péjor. a vieilli.]

errer [erre] v. intr. 1° (sujet nom de personne ou de chose) Aller çà et là, en divers sens, sans but précis : *Un mendiant qui erre dans les campagnes, en quête d'un gîte. Quelques nuages erraient dans le ciel.* — 2° (sujet nom de chose) Parcourir en divers sens, sans but : *Son regard errait sur les objets du salon. Un rêveur qui laisse errer son imagination* (syn. : VAGUER, VAGABONDER). ◆ **errant, e** adj. : *Une vieille dame qui recueille les chiens errants* (syn. : ABANDONNÉ). *Regard errant* (syn. : VAGUE). ◆ **errance** n. f. (littér.).

erreur [erœr] n. f. 1° Action de se tromper; faute commise en se trompant : *Ce résultat inexact était dû à une erreur de calcul. Le candidat a commis une erreur importante en situant Poitiers sur la Loire* (syn. : BÉVUE, MÉPRISE). *Rectifier, relever une erreur* (syn. : ↓ INEXACTITUDE). *Cette bataille a eu lieu, sauf erreur, en 1745* (= si je ne me trompe). *Par suite d'une erreur matérielle, ce paragraphe a été omis* (= une erreur qui ne procède pas d'un raisonnement faux; syn. : INADVERTANCE). — 2° Etat de quelqu'un qui se trompe : *Vous êtes dans l'erreur la plus complète* (= votre opinion est totalement fausse). *Son explication m'a tiré d'erreur* (= m'a éclairé). *Il persiste dans son erreur. Une information incomplète m'avait induit en erreur.* — 3° Action faite mal à propos, inconsidérée, regrettable : *Ce serait une erreur d'orienter cet élève vers des études littéraires supérieures* (syn. : ABERRATION). *Un écrivain qui considère son premier roman comme une erreur de jeunesse* (syn. : ÉGAREMENT). — 4° *Erreur n'est pas compte,* formule par laquelle une personne qui s'est trompée dans un compte rappelle qu'il n'y avait là rien d'intentionnel. ● Loc. ADV. *Par erreur,* en se trompant, par ignorance ou par étourderie : *Nous avons pris par erreur la route qui menait à la rivière* (syn. plus recherché : PAR MÉGARDE). *Il est entré dans cette salle par erreur* (= sans le faire exprès). ◆ **erreurs** n. f. pl. Actes condamnables, dérèglements : *Il a bien des erreurs à se faire pardonner.* ◆ **erroné, e** adj. Qui comporte une erreur : *La lettre a été expédiée à une adresse erronée* (syn. : FAUX; contr. : EXACT). *Un calcul erroné* (syn. : INEXACT; contr. : JUSTE).

ersatz [ɛrzats] n. m. 1° Produit de consommation destiné à suppléer à un autre devenu rare : *Cet ersatz de savon desséchait la peau et ne nettoyait guère* (syn. : SUCCÉDANÉ). — 2° *Péjor.* Imitation médiocre, œuvre de qualité inférieure : *Un ouvrage de vulgarisation qui distribue un ersatz de science.*

éructer [erykte] v. intr. Rejeter avec bruit par la bouche les gaz de l'estomac (langue médicale surtout; syn. usuel : ROTER). ◆ v. tr. *Eructer des injures, des menaces,* etc., les proférer avec violence (littér.; syn. usuels : VOMIR, VOCIFÉRER). ◆ **éructation** n. f.

érudit, e [erydi, -it] adj. et n. Se dit d'une personne qui manifeste des connaissances approfondies dans une matière, surtout des connaissances historiques, ou d'une œuvre qui témoigne de ces connaissances : *Il est très érudit en histoire ancienne* (syn. : ↓ SAVANT; fam. : CALÉ). *Consulter une thèse érudite. Une note érudite. Le grand public n'est guère au courant de ces discussions entre érudits* (syn. : SPÉCIALISTE). ◆ **érudition** n. f. : *Son érudition en droit romain est complétée par une large culture générale* (syn. : SCIENCE, SAVOIR). *Les thèses de doctorat sont ordinairement des ouvrages d'érudition.*

éruption [erypsjɔ̃] n. f. 1° *Eruption volcanique,* émission, par un volcan, de matières diverses (lave, scories, gaz, etc.) : *L'éruption de la montagne Pelée, à la Martinique, en 1902, fit 34 000 morts. Volcan qui entre en éruption.* — 2° Apparition de boutons, de taches, de rougeurs sur la peau : *La rougeole est caractérisée par une éruption de taches rouges.* ◆ **éruptif, ive** adj. 1° *Roche éruptive,* qui provient d'une éruption volcanique. — 2° Qui correspond à une éruption sur la peau : *Une fièvre éruptive.*

ès [ɛs] prép. Entre dans quelques expressions de la langue universitaire (devant un nom plur.) : *Licencié ès lettres, docteur ès sciences* (syn. : EN). *Une licence ès lettres* (syn. : DE); ou juridique : *Agir ès qualités* (= agir en tant que personne ayant les fonctions indiquées, et non à titre privé).

esbigner (s') [sɛsbiɲe] v. pr. *Pop.* S'en aller, s'enfuir.

esbroufe [ɛsbruf] n. f. Fam. *Faire de l'esbroufe,* chercher à en imposer, en prenant un air important : *Il fait de l'esbroufe; en réalité, il n'a aucune fonction importante dans cette maison* (syn. : JETER DE LA POUDRE AUX YEUX; fam. : BLUFFER). ● Loc. ADV. *A l'esbroufe,* rapidement et grâce à une vantardise qui en impose : *Enlever une affaire à l'esbroufe.* ◆ **esbroufer** v. tr. Fam. *Esbroufer quelqu'un,* chercher à l'impressionner en prenant des airs importants, en affectant une grande assurance (syn. fam. : BLUFFER, EN JETER PLEIN LA VUE). ◆ **esbroufeur, euse** n. Fam.

escabeau [ɛskabo] n. m. 1° Siège de bois, sans bras ni dossier. — 2° Petite échelle, généralement pliante, à marches assez larges : *Elle était montée sur un escabeau pour nettoyer les vitres.*

escadre [ɛskadr] n. f. Groupe important de navires de guerre ou d'avions : *Les grandes* *manœuvres de l'escadre de Méditerranée. Les escadres de bombardement ou de transport comprennent une cinquantaine d'avions.* ◆ **escadrille** n. f. Unité élémentaire de l'aviation militaire ou groupe de navires légers.

escadron [ɛskadrɔ̃] n. m. Unité de cavalerie ou d'engins blindés correspondant à une ou plusieurs compagnies.

escalade [ɛskalad] n. f. Action de grimper, de s'élever avec effort, avec les pieds et les mains : *Faire l'escalade d'un piton rocheux* (syn. : ↑ ASCENSION). *Les cambrioleurs ont commencé par l'escalade du mur de clôture.* ◆ **escalader** v. tr. : *Escalader une montagne* (syn. : GRAVIR, GRIMPER SUR). *Escalader le mur pour sortir de la caserne.*

escale [ɛskal] n. f. 1° Lieu de relâche et de ravitaillement pour un navire ou un avion. — 2° Temps d'arrêt d'un navire ou d'un avion sur un point de son parcours : *Le bateau a fait escale une matinée dans ce port.*

escalier [ɛskalje] n. m. 1° Série de marches, permettant de monter ou de descendre : *Il habite au troisième étage de l'escalier du fond de la cour. Une rampe d'escalier. Un escalier à vis mène au clocher de l'église* (= un escalier en spirale ou en colimaçon). *Un escalier mécanique* (= un ensemble de marches articulées se déplaçant vers le haut ou vers le bas). *L'escalier de service est spécialement destiné, dans certains immeubles, aux domestiques ou aux fournisseurs.* — 2° Fam. *Avoir l'esprit de l'escalier,* penser trop tard à ce qu'on aurait dû dire, par manque de vivacité d'esprit.

escalope [ɛskalɔp] n. f. Tranche mince de viande, principalement de veau.

escamoter [ɛskamɔte] v. tr. 1° *Escamoter une chose,* la faire disparaître par une manœuvre habile : *Un prestidigitateur qui escamote un foulard devant les spectateurs.* — 2° Faire disparaître subtilement, s'emparer par fraude : *Cet employé peu scrupuleux a escamoté plusieurs articles chez son patron* (syn. : SUBTILISER ; littér. : DÉROBER ; fam. : CHAPARDER, CHIPER). — 3° Eviter de faire (ce qui est difficile) : *L'orateur a habilement escamoté les difficultés de son programme* (syn. : TAIRE, DISSIMULER, LAISSER DANS L'OMBRE, GLISSER SUR). *Un élève qui escamote un devoir.* ◆ **escamotable** adj. : *Un train d'atterrissage escamotable.* ◆ **escamotage** n. m. ◆ **escamoteur, euse** n.

escampette [ɛskɑ̃pɛt] n. f. Fam. *Prendre la poudre d'escampette,* déguerpir, partir sans demander son reste.

escapade [ɛskapad] n. f. Action de s'échapper, en trompant la surveillance de quelqu'un : *Un pensionnaire qui fait une escapade pour aller au cinéma* (syn. : ↑ FUGUE).

escarbille [ɛskarbij] n. f. Fragment de charbon ou de bois en combustion qui s'échappe d'un foyer.

escarcelle [ɛskarsɛl] n. f. Bourse, réserve d'argent (style plaisant) : *Un étudiant qui se passait de dîner quand son escarcelle était vide.*

escargot [ɛskargo] n. m. Mollusque commun dans les jardins et les campagnes, et qui porte une coquille en spirale : *Les escargots de Bourgogne sont appréciés des gourmets. Il marche comme un escargot* (= très lentement). ◆ **escargotière** n. f. Plat spécialement conçu pour cuire les escargots.

escarmouche [ɛskarmuʃ] n. f. 1° Combat local, livré par surprise, entre les éléments avancés de deux armées : *Sur ce secteur du front, l'activité s'est réduite aujourd'hui à quelques escarmouches entre patrouilles de reconnaissance. Les rebelles ont perdu deux hommes, tués dans une escarmouche* (syn. : ACCROCHAGE). — 2° Propos hostiles adressés avec vivacité à un adversaire et préludant à une attaque plus importante : *Après quelques escarmouches entre les avocats de l'accusation et ceux de la défense, on entendit le réquisitoire* (syn. : PASSE D'ARMES).

escarpe [ɛskarp] n. m. Voyou qui attaque pour voler (syn. usuel : ↑ BANDIT).

escarpé, e [ɛskarpe] adj. Se dit d'un lieu, d'un rocher, d'un chemin, etc., qui présente une pente rapide, qui est d'accès difficile : *La troupe progressait péniblement à travers ces montagnes escarpées* (syn. : ABRUPT). *Un sentier escarpé mène sur le promontoire.* ◆ **escarpement** n. m. : *Les assaillants ne se laissèrent pas décourager par l'escarpement des falaises.*

escarpin [ɛskarpɛ̃] n. m. Soulier découvert, à semelle très mince et sans bride.

escarpolette [ɛskarpɔlɛt] n. f. Siège suspendu à des cordes et sur lequel on se balance (syn. plus usuel : BALANÇOIRE).

eschatologie [ɛskatɔlɔʒi] n. f. Ensemble des croyances concernant le sort de l'homme après sa mort. ◆ **eschatologique** adj.

escient [ɛsjɑ̃] n. m. *A bon escient,* avec discernement, avec la conviction d'agir à propos : *Il n'accorde ses éloges qu'à bon escient* (contr. : À LA LÉGÈRE).

esclaffer (s') [sɛsklafe] v. pr. Partir d'un éclat de rire : *Il s'esclaffa quand il apprit leur erreur.*

esclandre [ɛsklɑ̃dr] n. m. Tumulte qui fait scandale ou qui est causé par un fait scandaleux : *Causer, éviter un esclandre* (syn. : ↑ SCANDALE).

esclave [ɛsklav] n. et adj. 1° Personne qui ne jouit pas de la liberté civique, qui est sous la dépendance totale d'un maître ou d'un Etat : *Dans les civilisations antiques, les esclaves étaient souvent d'anciens prisonniers de guerre. A Rome, le maître avait le droit de vie et de mort sur ses esclaves.* — 2° *Etre esclave de quelqu'un,* être entièrement soumis aux volontés, aux caprices de cette personne, n'avoir pas un instant de liberté : *Une mère de famille qui est esclave de ses enfants.* — 3° *Etre esclave de quelque chose,* être sans cesse guidé, dans ses actes, par la considération dominante de cette chose : *Etre esclave de l'argent, de la mode, du qu'en-dira-t-on. Il est esclave de son devoir* (= rien ne saurait l'en détourner). *Il s'est toujours montré esclave de sa parole* (= il a tenu scrupuleusement ses engagements). ◆ **esclavage** n. m. 1° Condition d'esclave : *Une peuplade réduite en esclavage par les conquérants* (syn. : SERVITUDE). *Un peuple qui se révolte pour secouer le joug de l'esclavage* (syn. : OPPRESSION). — 2° Organisation sociale fondée sur l'existence d'une classe d'esclaves ou admettant l'existence d'esclaves : *Les philosophes du XVIIIe siècle luttèrent contre l'esclavage.* — 3° Etat de ceux qui sont soumis à une chose qui laisse peu de liberté : *Son entreprise commerciale est pour lui un esclavage* (syn. : SUJÉTION). *L'esclavage de* *la mode* (syn. : ASSERVISSEMENT). ◆ **esclavagiste** n. et adj. Partisan de l'esclavage des Noirs : *Aux Etats-Unis, les esclavagistes furent vaincus par les abolitionnistes lors de la guerre de Sécession.*

escogriffe [ɛskɔgrif] n. m. *Fam.* Homme grand et malbâti.

escompte [ɛskɔ̃t] n. m. Prime payée à un débiteur qui acquitte sa dette avant l'échéance. ◆ **escompter** v. tr. Payer ou acheter un effet de commerce moyennant un escompte.

1. escompter v. tr. V. ESCOMPTE.

2. escompter [ɛskɔ̃te] v. tr. *Escompter quelque chose, que* (et l'indic.), l'envisager avec espoir : *L'éditeur escomptait une vente rapide de ce livre* (syn. : COMPTER SUR). *On peut escompter que tout se déroulera bien* (syn. : ESPÉRER, COMPTER, PRÉVOIR).

escorte [ɛskɔrt] n. f. 1° Troupe qui accompagne pour protéger, garder ou honorer : *Le cortège présidentiel arrive, précédé d'une escorte de motocyclistes. Le convoi était entouré de navires d'escorte. Le prisonnier a été conduit au tribunal sous bonne escorte* (syn. : GARDE). *Ses amis lui ont fait escorte jusqu'à la gare* (= l'ont accompagné en groupe). — 2° *Une escorte de,* une suite, un enchaînement de : *La maladie entraîne toute une escorte de misères.* ◆ **escorter** v. tr. : *Escorter un souverain. Escorter un bateau de transport* (syn. : CONVOYER). *Nos vœux vous escortent* (syn. : ACCOMPAGNER). ◆ **escorteur** n. m. Petit navire de guerre chargé d'escorter les convois.

escouade [ɛskwad] n. f. Petit groupe de personnes : *Des escouades de touristes parcourent les rues sous la conduite de guides.* (Une *escouade* est un groupe de soldats commandés par un caporal.)

escrime [ɛskrim] n. f. Maniement du fleuret, de l'épée ou du sabre : *Prendre des leçons d'escrime avec un maître d'armes. Un champion olympique d'escrime.* ◆ **escrimeur, euse** n. Personne qui pratique l'escrime.

escrimer (s') [sɛskrime] v. pr. *S'escrimer sur quelque chose, à faire quelque chose,* faire de grands efforts en vue d'un résultat malaisé à obtenir : *Un élève qui s'escrime sur son devoir de mathématiques* (syn. : ↓ S'APPLIQUER). *Il s'escrime à faire des vers* (syn. : S'ÉVERTUER).

escroc [ɛskro] n. m. Individu qui agit frauduleusement, qui trompe la confiance des gens : *La police a arrêté un escroc* (syn. : AIGREFIN). *Etre victime d'un escroc* (syn. : VOLEUR). ◆ **escroquer** [ɛskrɔke] v. tr. 1° *Escroquer de l'argent,* le soutirer à quelqu'un par tromperie. — 2° *Escroquer quelqu'un,* le voler en abusant de sa bonne foi. ◆ **escroquerie** n. f. : *Ses escroqueries l'ont enfin conduit en prison* (syn. : INDÉLICATESSE). *Une tentative d'escroquerie. Une escroquerie intellectuelle* (syn. : TROMPERIE).

esgourde [ɛsgurd] n. f. *Arg.* Oreille : *Débouche tes esgourdes!*

ésotérique [ezɔterik] adj. Se dit de connaissances ou d'œuvres qui ne sont accessibles qu'à des initiés : *Philosophie ésotérique. Poésie ésotérique* (syn. : HERMÉTIQUE). ◆ **ésotérisme** n. m. : *L'ésotérisme d'un poème* (syn. : HERMÉTISME).

espace [ɛspɑs] n. m. 1° Etendue indéfinie qui contient tous les objets : *La distance entre deux points dans l'espace s'exprime en unités de longueur.* (V. SPATIAL.) *Les oiseaux qui volent dans l'espace* (syn. : CIEL). *La géometrie dans l'espace* (= à trois dimensions) *s'oppose à la géométrie plane* (= à deux dimensions). *Avoir le regard perdu dans l'espace* (= dans le vague). — 2° Etendue de l'univers hors de l'atmosphère terrestre : *Lancer une fusée dans l'espace. Les cosmonautes partis à la conquête de l'espace.* — 3° Etendue en surface : *Ces plantations couvrent un espace important* (syn. : SUPERFICIE). *Survoler de vastes espaces désertiques* (syn. : RÉGION). *Cette cour n'offre pas assez d'espace pour des séances d'éducation physique.* (V. SPACIEUX.) — 4° Distance entre deux points, deux objets : *Laisser un espace entre chaque mot* (syn. : INTERVALLE, ÉCARTEMENT). *Il y a des espaces vides sur les rayons de la bibliothèque* (= des vides). — 5° Durée qui sépare deux moments : *Je ne pourrai pas faire tout cela dans un si court espace de temps* (syn. : LAPS, INTERVALLE). *En l'espace de dix minutes, il a reçu quatre coups de téléphone.* ◆ **espacer** v. tr. Séparer par un intervalle, dans l'espace ou dans le temps : *Les arbres de ce verger ne sont pas assez espacés. Il a d'abord espacé ses visites, puis a complètement cessé de venir.* ◆ ***s'espacer*** v. pr. : *Ses lettres s'espacent* (syn. : SE RARÉFIER). ◆ **espacement** n. m. Action d'espacer ou de s'espacer, ou distance entre des choses, des êtres : *Il a fallu réduire l'espacement des élèves dans la classe pour pouvoir les accueillir tous.*

espadon [ɛspadɔ̃] n. m. Poisson dont la mâchoire supérieure se prolonge en forme d'épée.

espadrille [ɛspadrij] n. f. Chaussure de toile, le plus souvent à semelle de corde.

espagnolette [ɛspaɲɔlɛt] n. f. Ferrure à poignée tournante servant à fermer les fenêtres.

espalier [ɛspalje] n. m. Rangée d'arbres fruitiers alignés contre un mur ou un treillage et taillés court : *La culture en espalier donne généralement des fruits de belle qualité.*

1. espèce [ɛspɛs] n. f. 1° Ensemble d'êtres animés ou de végétaux qui se distinguent des autres du même genre par des caractères communs : *Parmi les canards, on distingue des espèces sauvages et des espèces domestiques. Réglementer la chasse à l'éléphant pour éviter la disparition de l'espèce. L'espèce humaine est apparue sur la Terre il y a environ un million d'années* (= l'homme). *Il y a de nombreuses espèces de poires dans ce verger* (syn. : VARIÉTÉ). — 2° Catégorie d'êtres ou de choses (souvent péjor. et comme compl. du nom) : *Il s'est acoquiné avec des paresseux de son espèce* (syn. : ACABIT). *Un menteur de la plus belle espèce* (= un fieffé menteur). *Ce rayon de bibliothèque contient des livres de même espèce* (syn. : GENRE). *Il y a dans l'atelier des outils de toute espèce* (syn. : SORTE). — 3° *Une espèce de,* indique une ressemblance, une assimilation : *Il habite une espèce de château* (syn. : UN GENRE DE). *A cet endroit, le rocher formait une espèce de banc naturel* (syn. : SORTE). ‖ Péjor. *Espèce de,* appliqué à une personne, exprime le mépris ou introduit un terme d'injure : *J'ai eu tort de me fier à cette espèce d'abruti. Espèce de bon à rien!* (La langue familière accorde souvent au masculin l'article qui précède : *C'est un espèce d'imbécile.*) — 4° *Cas d'espèce,* cas particulier, qui ne relève pas de la règle générale. ‖ *En l'espèce,* en la circonstance, en l'occurrence : *En l'espèce, ses arguments étaient valables.*

2. espèces [ɛspɛs] n. f. pl. Argent, monnaie, surtout dans la loc. *en espèces : Préférez-vous être payé par chèque ou en espèces?*

3. espèces [ɛspɛs] n. f. pl. **1°** Dans la théologie catholique, apparences du pain et du vin après la consécration. — **2°** *Les saintes espèces,* le pain et le vin consacrés.

espéranto [ɛsperɑ̃to] n. m. Langue internationale, créée en 1887 par le Russe Lazare Zamenhof. ◆ **espérantiste** adj. et n.

espérer [ɛspere] v. tr. ou intr. **1°** *Espérer quelque chose, que* (et l'indic. ou le subj. quand la principale est négative ou interrogative), ou *espérer* suivi de l'infin., l'attendre avec une confiance plus ou moins ferme : *Le gouvernement espère une reprise de l'activité économique dans les prochains mois* (syn. : PRÉVOIR, COMPTER SUR). *Nous espérons que tout se passera bien. Il se sent déjà beaucoup mieux et espère pouvoir reprendre ses fonctions dans quelques semaines* (syn. : COMPTER). *N'espérez pas que je change d'avis* (syn. : ESCOMPTER). *J'espère bien arriver à le convaincre* (syn. : SE FLATTER DE). *En dépit de tant de déceptions, il espère encore.* — **2°** *Espérer que* (et l'indic. présent ou passé) ou *espérer* suivi de l'infin., souhaiter, aimer à croire : *J'espère que je ne vous ai pas trop ennuyé avec ces détails techniques. Nous espérons être arrivés au bout de nos peines.* — **3°** *Espérer en quelqu'un, en quelque chose,* mettre sa confiance en cette personne, en cette chose : *Espérer en Dieu. Nous ne pouvons plus espérer qu'en vous. J'espère en votre compréhension.* ◆ **espérance** n. f. **1°** Attente confiante, sentiment de la personne qui espère (langue soignée) : *Si je n'avais pas l'espérance de réussir, je ne continuerais pas* (syn. usuel : ESPOIR). — **2°** Personne ou chose qui est l'objet de ce sentiment : *Vous êtes notre seule espérance.* — **3°** *Avoir des espérances,* compter sur des avantages susceptibles d'améliorer considérablement ses conditions de vie; se dit aussi d'une femme qui attend un bébé. ◆ **espoir** n. m. **1°** Fait d'espérer : *Etre aiguillonné par l'espoir du succès* (syn. plus littér. : ESPÉRANCE). *Les sauveteurs conservent l'espoir de dégager les mineurs ensevelis. Il a l'espoir chevillé au corps* (= rien ne peut le décourager). *Il continue à lutter sans espoir. Nous avons bon espoir d'aboutir à un accord. Dans l'espoir d'une réponse favorable, je vous prie d'agréer,* etc. (syn. : ATTENTE). *Dans l'espoir que vous voudrez bien prendre ma demande en considération,* etc.; s'emploie parfois au plur. : *Cette nouvelle a ruiné tous nos espoirs.* — **2°** Personne ou chose qui est l'objet de ce sentiment : *Il est désormais notre unique espoir. Le vainqueur de cette course apparaît comme un des espoirs du cyclisme français* (= un de ceux qui doivent faire une brillante carrière). ◆ **inespéré, e** adj. Qu'on n'espérait plus : *Une victoire inespérée* (syn. : ↓ INATTENDU). [V. DÉSESPÉRER.]

espiègle [ɛspjɛgl] adj. et n. Se dit de quelqu'un (ou de son comportement) qui est vif, éveillé, malicieux sans méchanceté : *Cet enfant est très espiègle, il fait sans cesse des niches à ses camarades* (syn. : COQUIN). *Un regard espiègle* (syn. : MALIN). *Une réplique espiègle. Un professeur qui n'est pas dupe des malices de ses jeunes espiègles* (syn. : ↑ GARNEMENT). ◆ **espièglerie** n. f. : *Des yeux pétillants d'espièglerie* (syn. : MALICE). *Une innocente espièglerie* (syn. : RUSE).

espion, onne [ɛspjɔ̃, -ɔn] n. et adj. **1°** Personne qui cherche à surprendre les secrets d'une puissance étrangère au profit d'une autre puissance : *L'ennemi était renseigné par des espions sur les intentions du haut commandement allié* (syn. : AGENT SECRET). — **2°** Personne qui guette les actions de quelqu'un pour essayer de surprendre ses secrets : *Il a la manie de la persécution : il se croit sans cesse entouré d'espions.* ◆ **espionner** v. tr. : *Espionner l'ennemi. Espionner toutes les allées et venues de quelqu'un* (syn. : ÉPIER, GUETTER). ◆ **espionnage** n. m. : *Etablir un réseau d'espionnage* (syn. : ↓ SURVEILLANCE). *Un roman, un film d'espionnage. Il a fait de l'espionnage pour le compte de ce pays.* ◆ **espionnite** n. f. *Fam.* Manie de ceux qui croient voir partout des espions. ◆ **contre-espionnage** n. m. Organisation chargée de dépister les espions de pays étrangers ou de gêner leur action.

esplanade [ɛsplanad] n. f. Terrain plat, uni et découvert, en avant d'un édifice : *L'esplanade des Invalides. L'esplanade de la basilique du Sacré-Cœur, à Montmartre.*

espoir n. m. V. ESPÉRER.

esprit [ɛspri] n. m. **1°** Personne considérée sur le plan de son activité intellectuelle, ou cette activité elle-même (peut se substituer soit au pronom personnel, soit aux mots *pensée, intelligence, mémoire, caractère, intention;* son emploi dans la langue courante est limité à un certain nombre d'expressions) : *Un esprit avisé* (syn. : PERSONNE). *C'est un esprit subtil. Les grands esprits se rencontrent* (= les personnes intelligentes). *Cette idée m'a traversé l'esprit* (= la pensée). *Dites ce que vous avez présent à l'esprit. Il a l'esprit vif* (syn. : INTELLIGENCE). *Qu'avez-vous dans l'esprit?* (= dans la tête). *Avez-vous perdu l'esprit?* (= êtes-vous devenu fou). *Un esprit positif, audacieux, généreux. Ceci m'est resté dans l'esprit* (= dans la mémoire). *Vous faites preuve de mauvais esprit* (= vous avez une attitude hostile). *Cet élève est un mauvais esprit. Cette phrase me trotte dans l'esprit. Un esprit perspicace. Il a eu le bon esprit de ne pas revenir* (= il a bien fait). *Il m'est venu à l'esprit de nouveaux projets de vacances. Cultiver son esprit* (= se cultiver). *Un esprit fort est celui qui se met au-dessus des opinions reçues dans le milieu social où il vit. Un bel esprit est un homme qui a, avec de la culture, beaucoup de prétention. La liberté de l'esprit se confond avec la liberté de pensée. Il a l'esprit large, étroit* (syn. : JUGEMENT). *Les productions, les travaux, les ouvrages de l'esprit sont les poèmes, les romans, et ce qui est le résultat de l'activité intellectuelle. Une simple vue de l'esprit est une idée fugace, chimérique ou utopique, qui a traversé la pensée. Il n'a pas l'esprit à ce qu'il fait* (= il ne prête pas attention à ce qu'il fait). *Un pur esprit est une personne qui n'a pas le sens des réalités quotidiennes.* — **2°** (avec un compl. du nom sans article, ou accompagné d'un adjectif) Manière de penser, de se comporter, intention définie qui peut être l'élément essentiel, dynamique d'une personne ou d'un groupe : *Avoir l'esprit d'entreprise* (= être entreprenant). *Etre animé de l'esprit de révolte* (= se révolter). *Il n'a pas l'esprit de sacrifice* (= il manque de générosité). *Je partirai sans esprit de retour* (= sans penser à revenir). *L'esprit de géométrie s'associe parfois à l'esprit de finesse* (= le raisonnement déductif à l'intuition). *L'esprit de compétition anime la classe* (= l'émulation). *Ils n'ont pas* *l'esprit d'équipe* (= le sentiment de solidarité). *Faut-il condamner l'esprit de système?* (= systématique). *L'esprit critique se définit comme le souci d'analyser avec des critères objectifs ce qui se présente à votre jugement. Les sectaires sont animés de l'esprit de parti. Il travaille sans esprit de suite* (= sans penser à la continuation). *Avoir l'esprit de l'escalier, c'est trouver trop tard ce qu'il aurait fallu dire. Il parle toujours dans un esprit de dénigrement systématique* (= dans une intention). *Dans quelles dispositions d'esprit se trouve-t-il?* — **3°** (compl. d'un nom et sans article) Equivaut à un adjectif indiquant ce qui se rapporte à l'intelligence ou à la pensée (« spirituel », « intellectuel », « mental ») : *L'état d'esprit que j'ai rencontré chez mes interlocuteurs m'a déçu* (= attitude). *Sa lenteur d'esprit est exaspérante. Ne vous laissez pas aller, secouez cette paresse d'esprit. La simplicité d'esprit* (= la naïveté). *La liberté d'esprit se définit comme le non-conformisme à l'opinion des autres. La présence d'esprit est l'aptitude à agir ou à parler avec à-propos, exactement comme l'exige la situation. Un homme, une femme d'esprit* (= intelligent). *Un mot, un trait d'esprit est une manifestation d'intelligence ironique. Faire assaut d'esprit* (= lutter sur le plan de l'intelligence); comme complément d'un adjectif : *Un simple d'esprit est une personne dont les capacités intellectuelles sont très faibles.* — **4°** (avec un compl. du nom précédé de l'article et lui-même avec l'article défini) Ce qui est le caractère essentiel, la force principale de quelque chose : *L'esprit du XVIIIe siècle est celui de la tolérance et de la liberté. L'esprit d'une époque* (syn. : SENS, SIGNIFICATION). *L'esprit d'une loi s'oppose parfois à ce qui est écrit, à la lettre* (syn. : INTENTION). — **5°** (avec un verbe et précédé de la préposition *de* et souvent de l'article défini) Humour, ironie : *Cessez de faire de l'esprit, il s'agit de choses sérieuses* (= plaisanter, badiner). *Il manque d'esprit et supporte très mal les remarques ironiques des autres. Cet écrivain a de l'esprit jusqu'au bout des ongles* (= il est plein d'esprit). — **6°** Etre imaginaire, comme les revenants, les fantômes, etc. (le plus souvent au plur.) : *Ce château est hanté; un esprit frappeur vient faire sonner ses chaînes dans la grande salle. Croyez-vous aux esprits?* — **7°** *Rendre l'esprit,* mourir (littér.). ‖ *L'esprit divin,* Dieu (terme religieux).

esquif [ɛskif] n. m. Petite embarcation légère (littér.) : *Un frêle esquif.*

esquille [ɛskij] n. f. Petit fragment d'un os fracturé.

1. esquimau, aude [ɛskimo, -od] adj. et n. Relatif au peuple des Esquimaux. ◆ **esquimau** n. m. Langue parlée par les Esquimaux.

2. esquimau [ɛskimo] n. m. Combinaison, généralement en tricot, pour de jeunes enfants.

esquinter [ɛskɛ̃te] v. tr. **1°** Fam. *Esquinter quelqu'un,* le fatiguer beaucoup : *Cette longue marche m'a esquinté* (syn. : ÉREINTER, ↑ ÉPUISER; fam. : VANNER). — **2°** Fam. *Esquinter quelque chose,* l'abîmer, le détériorer : *Il a esquinté la plume de son stylo en le laissant tomber par terre. Il y a eu un accident : les deux voitures sont esquintées* (syn. : ENDOMMAGER). — **3°** *Esquinter une pièce, un livre,* les critiquer violemment (syn. : DÉNIGRER; fam. : ÉREINTER). ◆ ***s'esquinter*** v. pr. Fam. : *Il s'est esquinté un doigt en voulant dépanner son moteur* (syn. : SE BLESSER). *Tu ne prends pas assez de repos, tu vas t'esquinter la santé* (syn. : ↑ SE RUINER). *Ce n'est pas la peine de s'esquinter le tempérament : le problème est insoluble* (= de se tracasser). ◆ **esquintant, e** adj. Fam. Sens 1 du verbe : *Un travail esquintant.*

esquisse [ɛskis] n. f. **1°** Premier tracé d'un dessin, indiquant seulement les grandes lignes : *Un cahier d'esquisses* (syn. : ÉTUDE). *Des esquisses de Raphaël.* — **2°** Indications générales sur une question : *Il nous a donné une esquisse de ses projets* (syn. : APERÇU). — **3°** Ce qui n'est qu'ébauché : *A ces mots, on a pu voir sur son visage l'esquisse d'un sourire* (syn. : ÉBAUCHE). *Il est parti sans l'esquisse d'un regret* (syn. : OMBRE). ◆ **esquisser** v. tr. **1°** *Esquisser quelque chose,* en faire une esquisse : *Peintre qui esquisse un tableau. Esquisser en quelques pages l'histoire de la Révolution française.* — **2°** *Esquisser un geste, un mouvement,* commencer à le faire : *Il se laissa arrêter sans esquisser le moindre geste de défense. Il esquissa un salut et disparut.* ◆ ***s'esquisser*** v. pr. : *La solution commence à s'esquisser* (syn. : SE DESSINER).

esquiver [ɛskive] v. tr. (sujet nom de personne). Eviter habilement : *Un boxeur qui esquive souvent les coups de son adversaire* (syn. : SE DÉROBER À). *Vous esquivez la difficulté* (syn. : ÉCHAPPER À). *Esquiver une corvée* (syn. fam. : COUPER À). ◆ ***s'esquiver*** v. pr. Se retirer, partir furtivement : *Pendant le cours de la réunion, il s'esquiva par une porte dérobée* (syn. fam. : SE SAUVER). ◆ **esquive** n. f. Action d'esquiver, par un déplacement du corps, un coup, l'attaque d'un adversaire, etc.

1. essai n. m. V. ESSAYER.

2. essai [esɛ] n. m. Livre, long article qui traite très librement d'une question, sans prétendre épuiser le sujet : *L'« Essai sur les mœurs », de Voltaire, est une histoire universelle qui met en relief les progrès de l'humanité.* ◆ **essayiste** n. m. Auteur d'essais : *Il est un essayiste plus qu'un romancier.*

essaim [esɛ̃] n. m. **1°** Groupe d'abeilles vivant ensemble, comprenant une reine et des milliers d'ouvrières. — **2°** Groupe nombreux de personnes pleines d'animation : *A la sonnerie, un essaim d'écoliers se répandit dans la rue.* ◆ **essaimer** v. intr. : *Les abeilles essaiment au printemps* (= un essaim de jeunes abeilles quitte la ruche). *Entreprise qui essaime* (= qui fonde des filiales en d'autres régions).

essayer [eseje] v. tr. **1°** *Essayer une chose,* l'utiliser pour en éprouver les qualités, en contrôler le fonctionnement : *Un malade qui essaie un nouveau remède. Essayer une voiture sur un parcours difficile* (syn. : EXPÉRIMENTER). *Retourner chez le tailleur pour essayer un costume* (= le passer sur soi pour voir s'il est bien à la mesure). *Un ouvrage où il a essayé son talent de polémiste.* — **2°** *Essayer de* (et l'infin.), faire des efforts, des tentatives en vue de : *Il a vainement essayé de rattraper le voleur à la course* (syn. : TENTER). *J'essaierai de vous satisfaire* (syn. : S'EFFORCER). *Essayez de vous rappeler le nom de cette personne* (syn. : TÂCHER). *Je n'ai pas réussi à le convaincre, mais tu peux essayer à ton tour.* — **3°** Fam. *Essayer que,* chercher à obtenir que (emploi limité) : *J'essaierai que tout se passe bien.* ◆ ***s'essayer*** v. pr. *S'essayer à, dans* (et un nom), *s'essayer à* (et l'infin.), faire l'essai de ses capacités dans un domaine (langue soutenue) : *A cette époque, il ne s'était pas encore essayé à la peinture.*

◆ **essai** [esɛ] n. m. : *L'essai de l'appareil a donné entière satisfaction* (syn. : VÉRIFICATION). *On a procédé à de nouveaux essais de lancement de fusées. Au deuxième essai, le champion a réussi à battre son record de saut en hauteur* (syn. : TENTATIVE). *Prendre un collaborateur à l'essai* (= sans engagement définitif tant qu'il n'a pas fait ses preuves). *On l'a mis à l'essai dans ce nouveau service. Pour un coup d'essai, c'est un coup de maître* (= un début). ◆ **essayage** n. m. Se dit surtout de vêtements : *L'essayage d'un costume, d'une robe. Passer dans le salon d'essayage.* ◆ **essayeur, euse** n. Personne chargée d'essayer les vêtements aux clients d'un tailleur, aux clientes d'une couturière.

esse [ɛs] n. f. Crochet en forme de S.

1. essence [esɑ̃s] n. f. 1° Liquide très inflammable, provenant de la distillation des pétroles bruts et employé comme carburant ou comme solvant : *Un moteur à essence. Le pompiste a mis vingt litres d'essence dans le réservoir.* — 2° Extrait concentré : *De l'essence de lavande. L'essence de térébenthine est employée en peinture.*

2. essence [esɑ̃s] n. f. Syn. de ESPÈCE, en parlant d'arbres forestiers : *Cette forêt possède des essences très variées.*

3. essence [esɑ̃s] n. f. Nature propre à une chose, à un être, ce qui les constitue fondamentalement (surtout philosophique) : *Dans la philosophie moderne, l'essence s'oppose à l'apparence. Selon l'existentialisme, l'existence précède l'essence. Cette phrase contient toute l'essence de sa pensée* (syn. : RÉSUMÉ). *Ce garçon se croit d'une essence supérieure à tout le monde* (= il se croit par nature supérieur).

essentiel, elle [esɑ̃sjɛl] adj. Se dit d'une chose indispensable ou simplement très importante : *Cette précaution est essentielle à la réussite de l'expérience. Ce chapitre contient le postulat essentiel de l'ouvrage* (syn. : FONDAMENTAL). *Les enquêteurs ont abouti à une conclusion essentielle* (syn. : CAPITAL). *Voici les points essentiels sur lesquels porte le différend* (syn. : PRINCIPAL; contr. : SECONDAIRE, ACCESSOIRE). *Le balancier est une pièce essentielle du mécanisme d'une montre.* ◆ **essentiel** n. m. Ce qu'il y a de plus important : *L'essentiel est de garder son sang-froid. Pour éviter de s'encombrer, il n'a emporté que l'essentiel : il achètera le reste sur place* (contr. : ACCESSOIRE). ◆ **essentiellement** adv. : *Un appareil photographique se compose essentiellement d'une chambre noire, d'un objectif et d'un obturateur* (contr. : ACCESSOIREMENT). *Le programme de cet examen est essentiellement à base de mathématiques* (syn. : PRINCIPALEMENT). *Je tiens essentiellement à dissiper toute équivoque* (syn. : ABSOLUMENT, À TOUT PRIX).

esseulé, e [esœle] adj. Se dit d'une personne abandonnée, solitaire (littér.).

essieu [esjø] n. m. Axe recevant une roue à chaque extrémité et supportant un véhicule.

essor [esɔr] n. m. 1° Développement d'une entreprise, d'un secteur de l'économie, etc. : *L'essor de cette industrie a été très rapide. Donner essor à de nouvelles activités économiques. Favoriser l'essor. Commerce en plein essor. Grâce à l'aménagement des routes et de l'hôtellerie, le tourisme connaît un nouvel essor dans cette région* (syn. : ÉLAN). — 2° *Prendre son essor,* s'envoler, en parlant d'un oiseau (littér.); se développer. — 3° *Laisser l'essor à son imagination, à ses pensées,* etc., leur laisser libre cours (littér.).

essorer [esɔre] v. tr. *Essorer du linge,* le presser ou le tordre pour en faire sortir l'eau ou tout autre liquide qui l'imprègne. ◆ **essorage** n. m. ◆ **essoreuse** n. f. Machine à essorer.

essouffler [esufle] v. tr. *Essouffler une personne, un animal,* les mettre hors d'haleine, à bout de souffle : *Cette longue course l'avait essoufflé* (syn. : ↑ OPPRESSER). *Il veillait à ne pas essouffler son cheval.* ◆ ***s'essouffler*** v. pr. et ***être essoufflé*** v. passif. 1° Perdre, avoir perdu le souffle par un effort excessif : *Un nageur qui s'essouffle. Il s'essoufflait à suivre le cycliste. Il est arrivé essoufflé en haut de la côte* (syn. : HALETANT). — 2° Peiner en vue d'un résultat qu'on atteint difficilement : *Un élève qui s'essouffle dans une classe trop forte pour lui.* ◆ **essoufflement** n. m. : *Il était dans un tel état d'essoufflement qu'il ne pouvait pas prononcer une parole. Arrêter sa course avant l'essoufflement.*

1. essuyer [esɥije] v. tr. 1° Débarrasser d'un liquide, de la poussière, etc., en frottant : *Essuyer la vaisselle. Essuyer ses lunettes avec un mouchoir. Il essuya son front ruisselant de sueur* (syn. : ÉPONGER). *On est prié d'essuyer ses pieds sur le tapis avant d'entrer* (= de frotter la semelle de ses souliers). *Elle a pris un chiffon de laine pour essuyer les meubles.* — 2° *Essuyer les larmes de quelqu'un,* le consoler. ‖ Fam. *Essuyer les plâtres,* être le premier à occuper une pièce, une habitation nouvellement construite; subir les inconvénients d'une chose encore imparfaite : *Les premiers acheteurs de ce modèle de voiture ont essuyé les plâtres.* ◆ **essuyage** n. m. : *Prendre un torchon fin pour l'essuyage des verres.* ◆ **essuie-glace** n. m. Dispositif essuyant le pare-brise d'une voiture par temps de pluie ou de neige : *Les deux essuie-glaces de la voiture.* ◆ **essuie-mains, essuie-meubles, essuie-verres** n. m. invar. Torchon spécialement affecté à l'essuyage des mains, des meubles, des verres à boire.

2. essuyer [esɥije] v. tr. (sujet nom de personne). Avoir à supporter quelque chose de pénible, de dangereux (langue soutenue) : *Essuyer des coups, une tempête, un refus, un échec* (syn. : SUBIR). *Il essuya sans broncher les remontrances de son chef* (syn. : SUPPORTER, ENDURER). *L'armée essuya une grave défaite.*

est [ɛst] n. m. Celui des quatre points cardinaux qui correspond au côté où le soleil se lève : *Par rapport à Paris, Strasbourg est situé à l'est. La Pologne est à l'est de la France. On appelle « pays de l'Est » ceux qui sont situés dans la partie orientale de l'Europe, et spécialement l'ensemble des républiques socialistes. Les croisés, partis de Marseille, cinglaient vers l'est* (syn. littér. : LEVANT, ORIENT). ◆ adj. invar. : *La côte est de la Corse.*

estafette [ɛstafɛt] n. f. Cavalier chargé de transmettre des messages. (On dit habituellement, auj., AGENT DE TRANSMISSION.)

estafilade [ɛstafilad] n. f. Longue entaille faite sur le corps, principalement au visage : *Il portait la cicatrice d'une estafilade reçue sur la joue droite.*

estaminet [ɛstaminɛ] n. m. Débit de boissons de médiocre apparence, petit café de village (syn. pop. usuels : BISTROT, CABOULOT, GARGOTE).

estampe [ɛstɑ̃p] n. f. Image imprimée, reproduite au moyen d'une plaque gravée de cuivre ou de bois.

estamper [ɛstɑ̃pe] v. tr. Fam. *Estamper quelqu'un*, lui faire payer quelque chose trop cher : *Des touristes qui se laissent estamper par les mercantis* (syn. : ↑ ESCROQUER ; fam. : ROULER, AVOIR). ◆ **estampeur, euse** adj. et n. Fam. : *N'allez pas chez ce commerçant, c'est un estampeur.*

estampille [ɛstɑ̃pij] n. f. Marque, cachet appliqués sur un objet pour en garantir l'authenticité, pour attester l'acquittement d'un droit : *Un jeu de cartes portait l'estampille légale sur l'as de trèfle.* ◆ **estampiller** v. tr. : *Estampiller un produit manufacturé.*

est-ce que [ɛskə], **si** [si] adv. interr. Marquent l'interrogation : l'un dans les phrases interrogatives directes, l'autre dans les propositions interrogatives indirectes. (V. tableau ci-dessous.)

esthétique [ɛstetik] adj. 1° Se dit de ce qui se rapporte au sentiment de la beauté : *Distinguer entre les qualités intellectuelles et les qualités esthétiques d'une œuvre littéraire. Il n'a pas un sens esthétique très développé.* — 2° Se dit de ce qui est agréable à voir : *Cette voiture a une carrosserie plus esthétique que celle du modèle précédent* (syn. : JOLI). *Un visage esthétique* (syn. : BEAU). *Ce tas de gravats devant la maison n'a rien d'esthétique* (syn. : DÉCORATIF). — 3° *Chirurgie esthétique*, celle qui vise à accroître la beauté du corps, à corriger les traits du visage. ◆ **esthétique** n. f. 1° Partie de la philosophie qui étudie le sentiment de la beauté. — 2° Ensemble de principes, de règles selon lesquels on juge de la beauté : *L'esthétique romantique. L'esthétique parnassienne. Une statue conforme à l'esthétique moderne.* ◆ **esthétiquement** adv. : *Des fleurs esthétiquement disposées dans un vase* (syn. : ARTISTIQUEMENT). ◆ **esthète** n. Personne qui affecte de considérer la beauté comme la valeur suprême (plus ou moins péjor.) : *Une maison décorée avec un raffinement d'esthète.* ◆ **esthéticien, enne** n. 1° Spécialiste d'esthétique. — 2° Spécialiste des soins de beauté du visage et du corps : *Elle passe de longues heures, chaque semaine, chez une esthéticienne pour atténuer ses rides.* ◆ **inesthétique** adj. : *Une attitude, un visage inesthétique* (syn. : ↑ LAID).

estime [ɛstim] n. f. Bonne opinion qu'on a de quelqu'un ou de l'œuvre de quelqu'un : *Il a toujours agi avec une droiture qui lui a valu l'estime même de ses adversaires* (syn. : ↑ RESPECT). *Il a forcé l'estime de ceux qui d'abord affectaient de l'ignorer* (syn. : CONSIDÉRATION). *J'ai la plus grande estime pour cet ouvrage* (= je fais le plus grand cas de). *C'est un garçon que j'ai en grande estime, en piètre estime. Monter, baisser dans l'estime de quelqu'un* (= jouir d'une plus grande, d'une moins grande considération). *Cette pièce a obtenu un succès d'estime* (= succès limité à la critique, mais qui n'atteint pas le grand public). ◆ **estimer** v. tr. *Estimer quelqu'un*, l'avoir en estime : *Il est de ces gens qu'on estime, même si on ne les aime pas* (syn. : ↑ RESPECTER). *Je l'estime trop pour le soupçonner, même un instant, d'avoir agi par intérêt* (syn. : ↑ VÉNÉRER). ◆ **estimable** v. tr. : *Un homme estimable par sa probité. Il est l'auteur d'une thèse estimable sur cette question.* ◆ **mésestimer** v. tr. *Mésestimer quelqu'un* (*ses actes, son œuvre*), ne pas lui reconnaître son vrai mérite, en faire trop peu de cas (langue soutenue) : *Il souffrait de se sentir mésestimé de ses contemporains* (syn. : MÉCONNAÎTRE).

1. estimer v. tr. V. ESTIME.

2. estimer [ɛstime] v. tr. *Estimer un objet*, en déterminer la valeur : *Porter un bijou à un joaillier pour le faire estimer* (syn. : EXPERTISER). *Ce tableau a été estimé deux cent mille francs.* ◆ **estimatif, ive** adj. Qui constitue une estimation : *L'entrepreneur a fourni un devis estimatif des travaux.* ◆ **estimation** n. f. Détermination exacte ou approximative de la valeur d'une chose, de son importance : *Le remboursement des dommages sera effectué sur la base des estimations de l'expert agréé. D'après mon estimation, le parcours peut s'effectuer environ en deux heures* (syn. : ÉVALUATION). *Le succès a dépassé toutes les estimations* (syn. : PRÉVISION). ◆ **inestimable** adj. : *Une valeur inestimable. Son aide est inestimable.* ◆ **sous-estimer** v. tr. *Sous-estimer quelqu'un, quelque chose*, l'estimer au-dessous de sa valeur : *Le haut commandement avait sous-estimé la capacité de résistance de l'ennemi* (syn. : MINIMISER). ◆ **sous-estimation** n. f. : *La photo est trop sombre, en raison de la sous-estimation du temps de pose.* ◆ **surestimer** v. tr. *Surestimer quelqu'un, quelque chose*, l'estimer au-dessus de sa valeur, de son importance : *Vous avez surestimé vos forces : il vaut mieux renoncer à l'entreprise.* ◆ **surestimation** n. f. : *L'échec provient de la surestimation des possibilités de la machine.*

3. estimer [ɛstime] v. tr. 1° *Estimer que* (et l'indic., ou le subj., en proposition interrogative ou négative), exprime un jugement, une opinion : *J'estime que sa décision est bien imprudente* (syn. : TROUVER). *On a estimé que ce délai était suffisant* (syn. : JUGER, CONSIDÉRER). *Si vous estimez que vous pouvez le faire, allez-y hardiment* (syn. : CROIRE). *Estimez-vous qu'il soit trop tard? Nous n'estimons pas que ce soit utile* (syn. : PENSER). — 2° *Estimer* suivi d'un infin. : *J'estime avoir acquis le droit de*

INTERROGATION DIRECTE	INTERROGATION INDIRECTE
est-ce que	**si**
Est-ce que vous aimez entendre l'accordéon? Est-ce que l'on connaît le gagnant de la loterie? Est-ce que tu as remonté la pendule qui était arrêtée?	*On verra s'il pensera à rapporter le pain. Il demande si tu es capable de traduire ces quelques lignes de russe. Ils ignoraient si l'on devait passer les prendre en voiture.*
Est-ce que peut suivre un pronom ou un adverbe interrogatif dans la langue familière.	
Quand est-ce que tu viendras dîner chez nous? Pourquoi est-ce que tu n'as pas téléphoné? Qui est-ce qui connaît le coupable?	*Je te demande quand est-ce que tu viendras. Pourquoi est-ce qu'il s'est arrêté brusquement? J'ignore à qui est-ce qu'il a pu prêter ce livre.*

parler. — 3° *Estimer* avec un attribut du complément d'objet : *Je m'estime satisfait du résultat. Estimez-vous heureux d'en être quitte à si bon compte* (= réjouissez-vous).

estival, e, aux adj., **estivant, e** n. V. ÉTÉ.

estoc [ɛstɔk] n. m. *Frapper d'estoc et de taille,* donner de grands coups d'épée (littér. ; = de la pointe et du tranchant) : *Un film où l'on voit des chevaliers frapper d'estoc et de taille.* (L'*estoc* était une épée longue et étroite.)

estocade [ɛstɔkad] n. f. 1° Coup donné avec la pointe de l'épée. — 2° Attaque soudaine et violente : *Un témoin désarçonné par les estocades de l'avocat. Donner l'estocade* (= donner le coup de grâce).

estomac [ɛstɔma] n. m. 1° Partie du tube digestif formant une poche, où les aliments, venant de l'œsophage, sont brassés avant de passer dans l'intestin : *Avoir l'estomac alourdi par un trop bon repas. La crème Chantilly m'est restée sur l'estomac* (= je l'ai mal digérée). *L'excès d'acidité du suc gastrique cause des brûlures d'estomac* (= des douleurs comparables à des brûlures). *La faim me donnait des crampes d'estomac.* — 2° Partie du corps qui correspond à l'estomac : *Un coup de poing au creux de l'estomac coupe la respiration* (= au niveau du diaphragme). — 3° Fam. *A l'estomac,* en se payant de hardiesse : *Il a réusi à le décider en y allant à l'estomac* (syn. pop. : CULOT). ‖ Fam. *Avoir l'estomac dans les talons,* être très affamé. ◆ **stomacal, e, aux** adj. : *Des douleurs stomacales.*

estomaquer [ɛstɔmake] v. tr. Fam. *Estomaquer quelqu'un,* le surprendre par quelque chose de choquant (surtout au passif) : *Je suis estomaqué par son impudence* (syn. : SCANDALISER, SUFFOQUER).

estomper [ɛstɔ̃pe] v. tr. *Estomper un dessin, un paysage, une silhouette,* etc., en atténuer les traits, en adoucir les contours : *Retoucher une photographie en estompant les rides* (contr. : ACCUSER). *La brume estompe les collines.* ◆ ***s'estomper*** v. pr. : *Les lignes du paysage s'estompent dans le lointain* (contr. : SE DÉTACHER). *Le souvenir de ces événements commençait à s'estomper dans son esprit* (= à devenir flou). ◆ **estompe** n. f. Papier roulé en petit cylindre aux extrémités pointues, pour estomper des dessins. ◆ **estompage** n. m.

estourbir [ɛsturbir] v. tr. *Pop.* Tuer.

estrade [ɛstrad] n. f. Plancher surélevé par rapport au sol, au plancher d'une pièce : *L'élève monta sur l'estrade et s'approcha du bureau du professeur. Les membres du comité, sur l'estrade, faisaient face à l'assemblée.*

estragon [ɛstragɔ̃] n. m. Plante potagère aromatique : *Moutarde, vinaigre, salade à l'estragon.*

estropier [ɛstrɔpje] v. tr. 1° *Estropier quelqu'un, un animal,* le blesser au point de le priver de l'usage normal d'un ou de plusieurs membres (surtout au passif) : *Un automobiliste qui a estropié un piéton. Il est resté estropié de sa chute.* — 2° *Estropier un mot, une phrase, un texte,* les déformer dans leur prononciation ou leur orthographe : *Il fit l'appel des candidats en estropiant plusieurs noms* (syn. : ÉCORCHER). *Il estropiait trop l'anglais pour espérer se faire comprendre et demander son chemin* (syn. fam. : BARAGOUINER). ◆ **estropié, e** adj. et n. : *Un estropié qui demande l'aumône, se déplaçant avec des béquilles* (syn. : INFIRME, ↓ ÉCLOPÉ).

estuaire [ɛstɥɛr] n. m. Embouchure d'un fleuve envahie par la mer.

estudiantin, e adj. V. ÉTUDE 1.

esturgeon [ɛstyrʒɔ̃] n. m. Grand poisson de mer, atteignant jusqu'à deux cents kilos : *Les œufs d'esturgeon forment le caviar.*

et [e], **ni** [ni], **ou** [u] conj. de coordination. Indiquent une liaison entre deux ou plusieurs membres d'un énoncé. (V. tableau p. 462.)

étable [etabl] n. f. Bâtiment destiné aux bestiaux : *Une étable à vaches, à cochons. Le bétail est à l'étable.* (Pour les chevaux, on use de *écurie.*)

établi [etabli] n. m. Table de travail des menuisiers, des serruriers, etc.

établir [etablir] v. tr. 1° *Etablir quelque chose* (terme concret), le mettre dans un lieu, une position : *Le commandement allié avait établi son quartier général sur une hauteur* (syn. : INSTALLER, FIXER). — 2° *Etablir quelque chose,* le mettre en état, en usage : *Etablir la liste des candidats* (syn. : DRESSER). *Etablir un devis. Le comité a établi le programme des cérémonies* (syn. : ORGANISER, METTRE SUR PIED). *On peut établir un parallèle entre ces deux mouvements littéraires. Etablir une liaison téléphonique entre deux postes. Ceux qui ont établi ce règlement n'avaient pas envisagé ce cas* (syn. : INSTITUER). — 3° *Etablir un fait,* en démontrer la réalité : *Les enquêteurs n'ont pas pu établir la participation de l'inculpé à l'attentat* (syn. : PROUVER). *Il est maintenant établi que ce tableau est un faux.* — 4° *Etablir quelqu'un,* le pourvoir d'un emploi, d'une situation sociale : *Il a cinq enfants à établir* (syn. fam. : CASER). *Etablir son neveu à la tête d'une entreprise* (syn. : PLACER). ◆ ***s'établir*** v. pr. S'installer ; prendre place ; fixer son domicile : *Le cirque s'est établi sur la place du village. Cette coutume s'est établie depuis peu. Il s'est établi marchand de primeurs. Un menuisier qui s'établit à son compte* (= qui cesse de travailler dans une entreprise et gère lui-même son affaire). ◆ **établissement** n. m. : *L'établissement du camp dans cette vallée s'est fait en quelques heures. L'établissement des feuilles de paie. Il met de l'argent de côté pour l'établissement de ses filles. L'établissement des faits reprochés à l'accusé incombe à la partie adverse* (syn. : EXPOSÉ). ◆ **préétabli, e** adj. Etabli d'avance : *Les plans préétablis doivent être révisés.*

1. établissement n. m. V. ÉTABLIR.

2. établissement [etablismɑ̃] n. m. Entreprise commerciale ou industrielle, institution scolaire, etc. : *Le siège social de cet établissement de transports est en province* (syn. : MAISON). *Le bulletin trimestriel d'un élève porte la signature du chef d'établissement.*

1. étage [etaʒ] n. m. Chacun des intervalles compris entre deux planchers successifs d'un immeuble et occupé par un ou plusieurs appartements : *Il y a eu une fuite d'eau chez le locataire du premier étage, et tout le plafond du rez-de-chaussée est dégradé. Il habite au cinquième étage, sous le toit.*

2. étage [etaʒ] n. m. Chacun des niveaux superposés d'un objet (meuble, fusée, etc.) : *Les chemises sont dans l'armoire, à l'étage du haut. Une fusée à trois étages.* ◆ **étager** v. tr. *Etager des choses, des êtres,* les disposer par étages, les mettre à des niveaux différents : *Etager les élèves sur* *des bancs pour la photographie de la classe. Les prix sont étagés de façon à s'adresser à toutes les bourses* (syn. : ÉCHELONNER). ◆ ***s'étager*** v. pr. : *Des maisons qui s'étagent au flanc de la colline.* ◆ **étagement** n. m. : *L'étagement des couches géologiques. L'étagement des prix.* ◆ **étagère** n. f. 1° Meuble formé de tablettes superposées. — 2° Tablette fixée horizontalement sur un mur : *Un vase à fleurs posé sur une étagère.*

3. étage [etaʒ] n. m. *De bas étage,* de condition humble : *Il méprisait ouvertement ces gens qu'il jugeait de bas étage;* de qualité médiocre : *Une plaisanterie de bas étage.*

étai [etɛ] n. m. Pièce de bois servant à soutenir provisoirement un plancher, un mur, etc. ◆ **étayer** v. tr. 1° Soutenir par des étais : *On a étayé l'extrémité des solives pour changer le linteau de la fenêtre. Il a fallu étayer le mur du jardin qui menaçait de s'effondrer.* — 2° *Etayer une conviction, un raisonnement,* etc., les renforcer, les soutenir par des arguments. ◆ ***s'étayer*** v. pr. : *Cette thèse s'étaie sur les recherches les plus récentes* (syn. : S'APPUYER). ◆ **étayage** ou **étaiement** n. m. : *L'étayage du plafond a demandé une matinée de travail.*

étain [etɛ̃] n. m. 1° Métal blanc, très malléable : *Le bronze est un alliage de cuivre et d'étain. Autrefois, on se servait souvent de vaisselle d'étain.* — 2° Objet fait en ce métal et ayant une valeur décorative : *Il a disposé sur sa cheminée quelques vieux étains.* ◆ **étamer** v. tr. Recouvrir d'une couche d'étain : *L'intérieur de cette casserole de cuivre a été étamé.* ◆ **étamage** n. m. ◆ **étameur** n. m.

	et	**ni**	**ou**
LIAISON	Indique une adjonction, qui peut avoir valeur d'addition, de comparaison ou d'opposition.	Indique une addition ou une alternative, de caractère négatif (accompagné de *ne*). Le plus souvent, aujourd'hui, *ni* est répété.	Indique une alternative qui a valeur de distinction, allant jusqu'à l'exclusion ou à l'indifférence.
1° Entre deux termes (substantifs, adjectifs, verbes, adverbes) d'un groupe de mots.	*Un concerto pour piano et orchestre. Un ami fidèle et loyal. Il ne peut et ne doit pas agir ainsi. Répondre brièvement et vivement.* Avec un numéral : *Vingt et un, soixante et onze. Il est midi et quart* (ou *midi un quart*). *A huit heures et demie, nous partirons.*	*Il ne veut ni ne peut refuser. Il ne croit ni à Dieu ni à diable. Il n'est ni plus paresseux ni plus sot que d'autres. Il n'est ni peureux ni téméraire.* *Ni* peut être employé sans *ne*, avec *sans* : *Sans queue ni tête* (= incohérent). *Sans rime ni raison ;* ou dans les réponses : *« Etes-vous libre? — Ni aujourd'hui ni demain. »*	*Il m'est indifférent de parler maintenant ou plus tard. Qui de lui ou de toi se chargera de cette commission? Tôt ou tard, vous accepterez. Qu'il préfère Nice ou Biarritz, peu importe. Fondés ou non, ces reproches m'ont blessé. Quel sport préfères-tu, du football ou du rugby?* Avec un numéral : *Il y avait dans cette salle vingt ou trente personnes* (= de vingt à trente).
2° Entre deux groupes de mots.	*La ville a construit un stade et une piscine couverte. Veuillez nous faire parvenir la réponse et joindre le reçu.*	*Ni la mort de son père ni la ruine de ses affaires n'ont pu l'abattre. Je ne les envie ni les uns ni les autres. Il ne connaît ni toi ni ton père.*	*Tu passes ton temps à bavarder avec les autres ou à rêvasser tout seul. De près ou de loin, on admire toujours cette église.*
3° Entre deux propositions, le plus souvent de même nature.	*Il entendit un bruit insolite qui venait de l'arrière de la voiture et qui ressemblait à un battement. C'est un livre original et qui vous plaira certainement. Il ne sait si son mal de tête cessera bientôt et s'il nous rejoindra.*	*N'espérez pas que je vous félicite ni que je vous récompense pour un pareil travail! Il n'admet ni qu'on le calomnie, ni même qu'on l'attaque d'une manière ou d'une autre.*	*Je lui ai demandé s'il resterait une semaine ou s'il serait absent un mois. Que vous alliez à gauche ou que vous alliez tout droit, vous vous retrouverez sur la grande place.*
4° Entre deux énoncés complets.	*Il faisait très froid et les routes étaient verglacées. Les livres étaient chers et je ne pouvais en acheter beaucoup.* Dans la langue écrite, on peut se servir de *et... et* dans une énumération : *Il prit sa défense et il énuméra toutes ses qualités et il l'excusa de sa méprise involontaire.*	*Ni le compromis ne me paraît justifié, ni l'acceptation pure et simple ne me paraît nécessaire.* Dans cet emploi, *ni* est toujours répété en tête de phrase.	*Viens-tu au théâtre avec nous, ou préfères-tu aller seul au cinéma?* Le plus souvent, en ce cas, on pose l'alternative *ou... ou bien* : *Ou nous allons nous promener ou nous restons, mais décide-toi. Ou vous acceptez, ou bien je m'en vais faire cette proposition à un autre.*
REMARQUES	*Et* en tête de l'énoncé est un renforcement emphatique (souvent employé devant un pronom personnel tonique) : *Et moi, vous ne me demandez pas mon avis? Et soudain la porte s'ouvrit. Et voilà, nous sommes arrivés.*	*Ni* est souvent remplacé, dans la langue contemporaine, par *ou* ou par *et* : *Les conseils ou* (= et) *les reproches n'ont rien pu sur lui* (= *ni* les conseils *ni* les reproches n'ont rien pu). *Ni* peut être renforcé : *ni même.*	*Ou* peut être renforcé : *ou bien, ou plutôt, ou même, ou pour mieux dire.*
ACCORD	Quand deux sujets singuliers sont réunis par *et*, le verbe est au pluriel : *La flûte et la clarinette sont des instruments difficiles.* Lorsqu'il y a un pronom, le verbe se met à la personne de celui-ci : *Lui et moi nous nous servirons de la barque.*	Quand deux sujets singuliers sont réunis par *ni*, le verbe est au singulier quand *ni* remplace *ou* et au pluriel quand il remplace *et* : *Ni lui ni elle ne le sait* ou *ne le savent.* Lorsqu'il y a un pronom, le verbe se met au pluriel et à la personne de celui-ci : *Ni ton père ni toi vous ne le connaissez.*	Le verbe qui suit un groupe de mots unis par *ou* est au singulier : *Son frère ou sa sœur viendra te prévenir.* Lorsqu'il y a un pronom, le verbe se met au pluriel et à la personne de celui-ci : *Ton frère, toi ou moi, nous pourrions aller le chercher.*

étal, étals [etal] ou **étaux** [eto] n. m. 1° Table sur laquelle des denrées sont exposées sur les marchés. — 2° Table sur laquelle un boucher débite la viande.

étalage n. m. V. ÉTALER 2.

étale [etal] adj. *La mer est étale,* son niveau reste stationnaire (à marée haute ou à marée basse). ‖ *Le fleuve, la rivière est étale,* la crue a cessé et le niveau de l'eau est stationnaire.

1. étaler [etale] v. tr. 1° *Etaler une chose,* la disposer à plat en éparpillant, en déployant : *Etaler du linge dans un pré pour le faire sécher* (syn. : ÉTENDRE). *Il a étalé sur la table toutes les pièces de son porte-monnaie. On a étalé le nouveau tapis dans le salon* (syn. : DÉROULER). *Etaler ses cartes* (= les montrer en les mettant sur le tapis). — 2° *Etaler un liquide, de la peinture,* l'appliquer en couche : *Une peinture facile à étaler. Elle a étalé sur son dos une huile spéciale contre les coups de soleil.* — 3° Fam. *Etaler quelqu'un,* le faire tomber en lui donnant un coup. ◆ ***s'étaler*** v. pr. : *Il a renversé l'encrier, et toute l'encre s'est étalée sur la table* (syn. : SE RÉPANDRE). *Il s'étale dans un vaste fauteuil. Il a glissé sur le verglas et s'est étalé de tout son long* (fam. = il est tombé par terre).

2. étaler [etale] v. tr. 1° *Etaler des objets,* les exposer pour la vente : *Un commerçant qui étale à sa devanture des chaussures, des appareils ménagers, etc.* — 2° *Etaler ses richesses, ses connaissances,* etc., en faire parade, les montrer avec ostentation. ‖ *Etaler ses projets,* ne pas les cacher. ‖ *Etaler le mal au grand jour,* le faire apparaître très visiblement. ◆ ***s'étaler*** v. pr. : *Sa vanité s'étale au grand jour* (syn. : S'AFFICHER). ◆ **étalage** n. m. : *Un marchand de jouets qui refait son étalage* (= qui change la disposition des marchandises à la devanture). *Cet article n'est pas à l'étalage. Un bel étalage de fruits. Un tel étalage de luxe est indécent au voisinage de tant de misère* (syn. : DÉPLOIEMENT, OSTENTATION). *Il se rend insupportable par son habitude de faire étalage de ses mérites.* ◆ **étalagiste** n. Décorateur spécialisé dans la présentation des étalages.

3. étaler [etale] v. tr. *Etaler des paiements, le déroulement des opérations, les dates des rendez-vous,* etc., les répartir sur une période plus longue qu'il n'était prévu (syn. : ÉCHELONNER). ◆ ***s'étaler*** v. pr. : *Cette année, les vacances du personnel s'étalent sur trois mois* (syn. : SE RÉPARTIR, S'ÉCHELONNER, S'ÉTAGER). ◆ **étalement** n. m. : *Une campagne de presse en faveur de l'étalement des vacances. Des facilités de crédit qui permettent un étalement des paiements* (syn. : ÉCHELONNEMENT).

1. étalon [etalɔ̃] n. m. Cheval destiné à la reproduction.

2. étalon [etalɔ̃] n. m. Modèle légal de mesure, servant à définir une unité : *Le mètre a été défini par référence à l'étalon de platine déposé au pavillon de Sèvres. Les systèmes monétaires sont basés sur l'étalon-or.* ◆ **étalonner** v. tr. *Etalonner un appareil, un instrument,* etc., procéder à sa graduation, au calcul de ses performances, à sa vérification par référence à un étalon. ◆ **étalonnage** ou **étalonnement** n. m. : *L'étalonnage d'un baromètre.*

étamer v. tr. V. ÉTAIN.

1. étamine [etamin] n. f. Tissu de coton tissé très lâche, qu'on emploie pour confectionner des rideaux, pour passer un liquide au tamis, etc.

2. étamine [etamin] n. f. Chacune des petites tiges qui, dans une fleur, portent le pollen et sont disposées autour du pistil.

étanche [etɑ̃ʃ] adj. Se dit de ce qui ne laisse pas un liquide s'écouler ou pénétrer : *Le niveau de l'eau baisse légèrement : le réservoir n'est pas bien étanche. Des chaussures étanches* (syn. : IMPERMÉABLE). *Tu peux te baigner avec ta montre, car elle est étanche.* ◆ **étanchéité** n. f. : *Le goudronnage assure l'étanchéité de la barque.*

étancher [etɑ̃ʃe] v. tr. 1° *Etancher un liquide,* en arrêter l'écoulement : *Comprimer une blessure pour étancher le sang. Etancher le vin répandu sur la table* (syn. : ÉPONGER). — 2° *Etancher sa soif,* se désaltérer en buvant (langue soutenue). ◆ **étanchement** n. m. *L'étanchement de la soif.*

étançon [etɑ̃sɔ̃] n. m. Grosse pièce de bois au moyen de laquelle on soutient provisoirement un mur ou une masse de terre qui risque de s'ébouler. ◆ **étançonner** v. tr. : *On a étançonné le mur* (syn. usuel : ÉTAYER). ◆ **étançonnement** n. m.

étang [etɑ̃] n. m. Etendue d'eau stagnante ou à très faible courant : *L'étang de Berre, l'étang de Vaccarès en Camargue. Des enfants qui pêchent des grenouilles dans un étang* (syn. : ↓ MARE, ↑ LAC).

étape [etap] n. f. 1° Distance parcourue en une journée, ou d'une seule traite : *L'étape était longue : les campeurs sont fatigués. Il s'est rendu à bicyclette sur la Côte d'Azur, par étapes de soixante kilomètres environ.* — 2° Lieu où l'on s'arrête pour prendre du repos, pour passer la nuit : *Arrivé à l'étape, il écrivit une lettre à sa famille.* — 3° Période dans le cours d'un événement; moment qui en marque le terme : *Pendant une première étape, les anciennes pièces de monnaie auront cours concurremment avec les nouvelles. La réforme s'est faite en plusieurs étapes* (syn. : TEMPS). *Noter les étapes successives d'une maladie* (syn. : PHASE). *Les traitements doivent être revalorisés par étapes* (syn. : PALIER). — 4° *Brûler les étapes,* accélérer le mouvement, ne pas marquer les arrêts normaux : *Brûlant les étapes, ils ont pris un an d'avance.*

1. état [eta] n. m. 1° Manière d'être d'une chose : *Une voiture en bon état. La situation financière de la société est en mauvais état. Des fruits dans un parfait état de conservation. Cette caméra n'est plus en état de marche. Un minéral réduit à l'état de poussière. Vous me tiendrez au courant de l'état de la question* (= de son évolution). *Un appareil en état, hors d'état* (= qui fonctionne, qui ne fonctionne pas). *Remettre en état un appareil* (= le réparer). *Il a acheté la maison en l'état* (= telle qu'elle était). *Il faut tâcher de remédier à cet état de choses* (= à cette situation). *Remettre les choses en l'état* (= les rétablir). *En tout état de cause, il est plus sage de renoncer à ce projet* (= quoi qu'il en soit, quoi qu'il arrive). — 2° Condition physique ou morale d'une personne : *L'état du malade est stationnaire. Son état de santé s'est amélioré. Les naufragés étaient dans un état de complet épuisement. Une femme dans un état intéressant* (= enceinte). *Un poète qui traduit son état d'âme dans son œuvre* (= ses sentiments). *Au XVIII*e *siècle, on a souvent évoqué l'homme dans l'état de nature* (= dans l'état supposé où il vivait avant toute civilisation). *Il est revenu de la manifestation dans un bel état!* (= sale, déchiré, blessé, etc.). *Quel est l'état d'esprit de la population?* (= sa mentalité, sa disposition d'esprit). *Plusieurs des officiers séditieux ont été mis en état d'arrestation. Le malfaiteur a été mis hors d'état de nuire. Il était dans tous ses états en attendant le résultat de son examen* (= il était extrêmement agité, hors de lui). — 3° *Etre en état de,* être capable de : *Je ne suis pas en état de juger de cette question* (syn. : À MÊME, EN MESURE). ‖ *Etre hors d'état de,* être incapable de.

2. état [eta] n. m. 1° Condition de vie, situation professionnelle d'une personne : *Les servitudes de l'état militaire* (syn. : MÉTIER). *L'état ecclésiastique. Il a un train de vie en rapport avec son état* (syn. : PROFESSION). — 2° *Etat civil,* condition d'une personne sous le rapport de sa naissance, des liens de famille, de parenté, de son mariage, de son décès, etc. : *Les registres de l'état civil sont tenus dans les mairies.* ‖ *Devoir d'état,* ensemble des devoirs correspondant à la condition de vie de quelqu'un, à la profession (langue religieuse) : *L'éducation morale d'un enfant fait partie du devoir d'état des parents.* ‖ *Grâce d'état,* grâce spécialement envoyée par Dieu pour aider quelqu'un dans une situation particulière; chance spéciale (parfois ironiq.) : *Il a eu une grâce d'état le jour de l'examen : ce chapitre lui est revenu à la mémoire.*

3. état [eta] n. m. 1° Liste énumérative de choses ou de personnes : *Dresser un état des dépenses de fonctionnement* (syn. : MÉMOIRE). *Procéder à un état du matériel disponible* (syn. : INVENTAIRE). *Vous me fournirez un état des nouveaux clients. Cet employé ne figure plus sur nos états* (= il n'appartient plus à nos services; syn. : CONTRÔLE). *Un état des lieux détaille l'état des locaux à l'entrée ou au départ des locataires.* — 2° *Faire état de,* mettre en avant, se fonder sur : *Il a fait état de son ancienneté dans la maison pour réclamer la priorité* (= il a fait valoir).

4. État [eta] n. m. 1° Nation organisée, administrée par un gouvernement : *Développer ses relations commerciales avec les Etats voisins* (syn. : PAYS). *La conférence des chefs des Etats africains. Le Premier ministre est nommé par le chef de l'Etat.* — 2° Le gouvernement, les pouvoirs publics : *Les conflits entre l'Etat et les collectivités locales. Les fonctionnaires de l'enseignement public* (ou *enseignement d'Etat*) *sont nommés par l'Etat* (syn. : ADMINISTRATION CENTRALE). — 3° *Affaire d'Etat,* affaire de la plus haute importance : *On vous demande simplement de changer la date de cette réunion : ce n'est pas une affaire d'Etat.* ‖ *Coup d'Etat,* acte qui viole la Constitution établie : *Un groupe de militaires s'est emparé du pouvoir par un coup d'Etat;* décision énergique qui bouleverse une situation : *Le directeur de cette société a fait un coup d'Etat en s'adressant à de nouveaux fournisseurs.* ‖ *Homme d'Etat,* celui qui exerce un rôle important dans la politique d'un pays. ‖ *Raison d'Etat,* considération de l'intérêt public portant un gouvernement à commettre une injustice. ‖ *Secret d'Etat,* secret important auquel ne sont initiées que certaines personnes qui participent au gouvernement. ◆ **étatique** adj. Se dit de ce qui a rapport à la gestion exercée par l'Etat. ◆ **étatiser** v. tr. Faire administrer par l'Etat. ◆ **étatisation** n. f. : *L'étatisation se distingue de la nationalisation par le fait que l'Etat exerce une gestion plus directe dans la première que dans la seconde.* ◆ **étatisme** n. m. Système politique dans lequel l'Etat intervient directement dans le domaine économique. ◆ **étatiste** adj. et n.

état-major [etamaʒɔr] n. m. 1° Groupe d'officiers chargés de conseiller, d'assister un chef militaire : *Le général réunit son état-major pour examiner la situation créée par l'attaque ennemie.* — 2° Ensemble des collaborateurs les plus proches d'un chef, des personnes les plus influentes d'un groupement : *Le directeur général et tout son état-major de sous-directeurs et d'ingénieurs. Les états-majors des partis politiques se concertent.*

étau [eto] n. m. Instrument comportant deux mâchoires, entre lesquelles on peut serrer un objet à travailler : *Assujettir une pièce dans un étau pour la limer. L'avant-garde ennemie se trouva enserrée comme dans un étau entre les divisions alliées.*

étayer v. tr. V. ÉTAI.

et cætera [ɛtsetera] loc. adv. Et tout le reste, et ainsi de suite (s'écrit ETC.) : *Tout un matériel de jardinage : bêche, râteau, sécateur, etc.*

été [ete] n. m. Saison chaude de l'année, comprise entre le solstice de juin (21 ou 22 juin) et l'équinoxe de septembre (22 ou 23 septembre) : *Une radieuse journée d'été. Cet été, nous partirons au bord de la mer.* ◆ **estival, e, aux** [ɛstival, -vo] adj. Se dit de ce qui a lieu en été, qui se rapporte à l'été : *La moisson est un travail estival. Les grands couturiers ont présenté la nouvelle mode estivale* (plus habituellement D'ÉTÉ). ◆ **estivant, e** n. Personne venue passer ses vacances d'été dans une station balnéaire ou thermale, à la campagne, etc. : *Au début de juin, les estivants commencent à affluer sur les plages* (syn. : VACANCIER).

éteindre [etɛ̃dr] v. tr. (conj. 55). 1° *Eteindre quelque chose* (mot concret), le faire cesser de brûler, d'éclairer : *Les pompiers ont rapidement éteint l'incendie* (contr. : ALLUMER). *Souffler sur une bougie pour l'éteindre. La pluie a éteint le feu de broussailles. A la sortie du tunnel, les automobilistes éteignent leurs phares.* — 2° *Eteindre une chambre, un couloir,* interrompre l'éclairage de ce lieu. ‖ *Eteindre la radio, la télévision,* arrêter le fonctionnement du poste. — 3° *Eteindre quelque chose* (mot abstrait), y mettre un terme, le faire cesser : *Le temps a éteint sa haine* (syn. : CALMER). *Un souvenir que rien ne peut éteindre* (syn. : EFFACER). *Eteindre sa soif à l'eau d'un torrent* (littér.; syn. : ÉTANCHER, APAISER). *Ce dernier remboursement a éteint sa dette* (syn. : ANNULER). ◆ **s'éteindre** v. pr. 1° *Le feu s'éteint faute de bois* (syn. : MOURIR). *Un amour qui s'est éteint* (syn. : DISPARAÎTRE). — 2° *Personne qui s'éteint,* qui meurt doucement (syn. : AGONISER, EXPIRER). ◆ **éteint, e** adj. Se dit d'une chose ou d'une personne qui a perdu son éclat, sa vivacité : *Une couleur éteinte. Un regard éteint* (syn. : TERNE). *Il répondit d'une voix éteinte* (syn. : NEUTRE; contr. : ÉCLATANT). *C'est un esprit éteint, un homme éteint* (syn. : USÉ, VIDÉ; contr. : DYNAMIQUE). ◆ **éteignoir** n. m. 1° Objet, généralement en forme de cône, servant à éteindre des cierges, des bougies. (V. EXTINCTEUR.) — 2° *Fam.* Personne triste, austère, en présence de qui on ne peut pas être gai (syn. : RABAT-JOIE).

étendard [etɑ̃dar] n. m. 1° Drapeau des régiments de cavalerie et d'artillerie. — 2° *Lever l'étendard de la révolte,* prendre l'initiative de la révolte (littér.).

étendre [etɑ̃dr] v. tr. (conj. 50). 1° *Etendre une chose,* la développer en longueur, en largeur : *Etendre du linge sur un pré pour le faire sécher.*

Il étendit la carte routière sur le capot de la voiture (syn. : DÉPLIER, DÉPLOYER, ÉTALER). *Etendre un tapis sur le sol* (syn. : DÉROULER). *Etendre les bras en croix pour barrer le passage à quelqu'un* (syn. : OUVRIR, TENDRE). *Il voudrait étendre sa propriété en achetant des terres attenantes* (syn. : AGRANDIR). [V. EXTENSION.] — **2°** *Etendre quelqu'un sur le sol, sur un lit,* l'y mettre de tout son long. — **3°** *Etendre un liquide, un enduit,* etc., l'appliquer sur une surface : *Etendre du beurre sur une tranche de pain. Etendre une couche de peinture sur les murs.* — **4°** *Etendre quelque chose,* le développer en durée, en ampleur : *L'historien n'a pas étendu ses recherches jusqu'à cette période. Etendre sa culture en lisant* (syn. : ACCROÎTRE). — **5°** *Etendre un mélange, une sauce,* etc., en diminuer la concentration, en général par addition d'eau : *Il boit du vin étendu d'un peu d'eau* (syn. : ADDITIONNER, COUPER). — **6°** Fam. *Etendre un candidat,* le refuser à un examen, un concours : *Il s'est fait étendre à un certificat de licence.* ◆ **s'étendre** v. pr. : *La brume s'étend sur la vallée* (syn. : SE RÉPANDRE). *S'étendre sur son lit pour se reposer* (syn. : S'ALLONGER). *La plaine s'étend jusqu'à l'horizon* (syn. : S'ÉTALER). *Mes connaissances ne s'étendent pas jusque-là* (syn. : ALLER). *L'épidémie s'est rapidement étendue* (syn. : SE PROPAGER). *Son pouvoir s'étendait sur un vaste territoire.* ◆ **étendage** n. m. : *Une corde pour l'étendage du linge.* ◆ **étendoir** n. m. : *Un étendoir est un fil ou une corde pour étendre le linge.* ◆ **étendu, e** adj. : *Une plaine peu étendue. Un oiseau qui plane les ailes étendues* (syn. : DÉPLOYÉ). *Il a des connaissances très étendues* (syn. : VASTE, AMPLE). ◆ **étendue** n. f. **1°** Dimension en superficie : *Des forêts couvrent le sol de ce pays sur une grande étendue* (syn. : SURFACE). *Les explorateurs avaient parcouru de vastes étendues désertes* (syn. : ESPACE). *Cette ferme est le double de l'autre en étendue* (syn. : SUPERFICIE). — **2°** Temps que dure une chose : *On n'avait pas prévu une séance d'une telle étendue* (syn. : DURÉE). *Un remords l'a poursuivi pendant toute l'étendue de sa vie* (= tout au long de). — **3°** Importance, ampleur : *Sa conversation révèle l'étendue de sa culture. Evaluer l'étendue des dégâts* (syn. : PORTÉE, PROPORTION).

éternel, elle [etɛrnɛl] adj. **1°** (après le nom) Qui n'a ni commencement ni fin, qui est hors du temps (langue religieuse et philosophique) : *La croyance en un Dieu éternel.* — **2°** (après le nom) Qui n'a pas de fin : *Les peines éternelles de l'enfer. Cette situation ne sera pas éternelle* (= elle cessera). *On appelle « zone des neiges éternelles » la partie des montagnes constamment enneigée.* — **3°** (avant ou plus souvent après le nom) Qui durera aussi longtemps que la vie : *Je lui garderai une reconnaissance éternelle de ce qu'il a fait pour moi* (syn. : PERPÉTUEL). — **4°** (avant le nom) Se dit de ce qui lasse par sa longueur, sa répétition : *Se perdre dans d'éternelles discussions* (syn. : INTERMINABLE, SEMPITERNEL). — **5°** (avant le nom) Se dit de ce qui est habituel à quelqu'un, continuellement associé à quelque chose : *Son éternelle cigarette à la bouche. Il répondit de son éternel air ennuyé.* ◆ **éternellement** adv. : *Les élus qui louent Dieu éternellement au ciel* (syn. : SANS FIN). *C'est un pays où il pleut éternellement* (syn. : TOUJOURS, CONTINUELLEMENT). *Une sécheresse qui semble durer éternellement.* ◆ **éterniser** v. tr. Faire durer longtemps, faire traîner en longueur : *Des marchandages qui éternisent le débat.* ◆ ***s'éterniser*** v. pr. **1°** (sujet nom de chose) Durer interminablement : *Une crise politique qui s'éternise.* — **2°** (sujet nom de personne) Rester très longtemps en un lieu : *Nous ne pouvons pas nous éterniser ici, on nous attend ailleurs.* ◆ **éternité** n. f. **1°** Durée qui n'a ni commencement ni fin, ou qui n'a pas de fin : *L'éternité de Dieu. Selon de nombreuses religions, les âmes des morts vivent pour l'éternité.* — **2°** Temps qui paraît très long : *Il y a une éternité que je ne l'avais vu.* — **3°** *De toute éternité,* depuis toujours, depuis un temps immémorial.

éternuer [etɛrnɥe] v. intr. (sujet nom d'être animé). Produire un bruit particulier en expirant brusquement l'air, par suite d'une contraction involontaire de certains muscles respiratoires provoquée par une irritation des muqueuses nasales : *Quand on est enrhumé, on éternue souvent.* ◆ **éternuement** n. m.

étêter [etɛte] v. tr. *Etêter un arbre, une épingle,* etc., en couper la cime, la tête. ◆ **étêtage** ou **étêtement** n. m. : *L'étêtage d'un arbre favorise la pousse des basses branches.*

1. éther [etɛr] n. m. Liquide très volatil, très inflammable, employé en médecine et en pharmacie : *L'éther a des propriétés antiseptiques et anesthésiantes.* (On dit aussi ÉTHER SULFURIQUE.) ◆ **éthéré, e** adj. *Odeur éthérée,* qui rappelle celle de l'éther. ◆ **éthéromane** adj. Personne qui s'intoxique à l'éther, par goût de l'ivresse qu'il produit. ◆ **éthéromanie** n. f.

2. éther [etɛr] n. m. Partie la plus haute de l'atmosphère (syn. : ESPACE). ◆ **éthéré, e** adj. Se dit de quelqu'un ou de quelque chose qui est extrêmement léger, inconsistant (littér.) : *Une pâle jeune fille au regard éthéré* (syn. : IRRÉEL).

éthique [etik] adj. Qui concerne la morale : *Les développements éthiques d'un roman. Un choix guidé par des considérations éthiques* (syn. : MORAL). ◆ **éthique** n. f. Science de la morale ; ensemble des idées de quelqu'un sur la morale.

ethnie [ɛtni] n. f. Groupement organique d'individus ayant même culture, mêmes mœurs (syn. : SOCIÉTÉ, PEUPLE). ◆ **ethnique** adj. Relatif à une ethnie, conditionné par le mode de vie d'un groupe social. ◆ **ethnographie** n. f. Etude descriptive des ethnies. ◆ **ethnographique** adj. ◆ **ethnographe** n. ◆ **ethnologie** n. f. Science qui a pour objet l'étude des caractères ethniques, en vue de dégager des lois générales des sociétés humaines. ◆ **ethnologique** adj. ◆ **ethnologue** n.

éthylisme [etilism] n. m. Intoxication chronique par l'alcool (syn. : ALCOOLISME).

étiage [etjaʒ] n. m. Débit le plus faible d'un cours d'eau (en été ou pendant une période sèche).

étinceler [etɛ̃sle] v. intr. (conj. **6**). **1°** (sujet nom de chose) Briller d'un vif éclat, lancer des feux : *La verrerie étincelle sous les lustres. Les diamants étincellent* (syn. : SCINTILLER, CHATOYER). *La surface de la mer étincelle au soleil* (syn. : MIROITER). *Des yeux qui étincellent d'intelligence* (syn. : PÉTILLER). — **2°** (sujet nom désignant un ouvrage, une conversation, une personne) *Etinceler d'esprit,* abonder en traits d'esprit. ◆ **étincelant, e** adj. : *Un soleil étincelant* (syn. : ↓ BRILLANT). *Des couleurs étincelantes* (syn. : ↓ VIF). *Un causeur d'une verve étincelante.* ◆ **étincellement** n. m. : *L'étincellement des pierreries* (syn. : CHATOIEMENT).

étincelle [etɛ̃sɛl] n. f. 1° Parcelle incandescente projetée par un corps enflammé ou jaillissant du choc ou du frottement de certains corps; petit éclair produit par une décharge électrique : *Quand elle tisonna les bûches, elle fit envoler des gerbes d'étincelles. L'étincelle d'un briquet est produite par le frottement de la molette sur une pierre spéciale. Dans les moteurs à explosion, ce sont les bougies qui produisent les étincelles.* — 2° *Une étincelle d'intelligence, de génie,* une manifestation fugitive de cette faculté : *Ces documents rassemblés, il fallait l'étincelle du génie pour découvrir l'explication du phénomène* (syn. : ÉCLAIR, ↓ LUEUR).

étioler (s') [setjɔle] v. pr. 1° (sujet nom de personne ou de plante) Devenir chétif, malingre, pâle, faute de soins, de nourriture, etc. : *Cette jeune fille s'étiolait dans ce logement insalubre* (syn. : DÉPÉRIR, S'AFFAIBLIR). *Une plante qui s'étiole en appartement.* (L'emploi transitif est rare : *La sécheresse a étiolé les fleurs.*) — 2° (sujet nom désignant une personne, l'intelligence) Perdre de sa vivacité, de sa force : *Un adolescent dont l'esprit s'étiole dans l'isolement.* ◆ **étiolement** n. m. : *L'étiolement d'une plante, d'un enfant* (syn. : DÉPÉRISSEMENT, AFFAIBLISSEMENT).

étique [etik] adj. Se dit d'un être animé qui est d'une maigreur extrême, d'une plante rabougrie, malvenue : *Un attelage tiré par deux vaches étiques* (syn. : ↑ SQUELETTIQUE). *Un sol pierreux où poussent quelques arbustes étiques.*

1. étiquette [etikɛt] n. f. 1° Petit écriteau indiquant la destination ou le contenu d'un paquet, le prix, la nature d'un article, etc. : *Mettre son nom et son adresse sur l'étiquette d'une valise. La taille et le prix de ce complet sont sur l'étiquette, à l'extrémité de la manche. Coller une étiquette avec son nom sur un livre de classe.* — 2° *Fam.* Appartenance à tel ou tel parti, telle ou telle catégorie : *Un homme politique qui refuse de se laisser attribuer une étiquette déterminée.* ◆ **étiqueter** [etikte] v. tr. (conj. 8) : *Un employé chargé d'étiqueter les sachets dans une droguerie. On l'a étiqueté comme socialiste* (syn. : CLASSER). ◆ **étiquetage** n. m. ◆ **étiqueteur, euse** n.

2. étiquette [etikɛt] n. f. Cérémonial observé dans une cour, dans une réception officielle : *Malgré sa simplicité naturelle, il a dû se plier aux exigences de l'étiquette* (syn. : PROTOCOLE). *Elle est très à cheval sur l'étiquette* (= elle observe strictement les usages établis).

étirer [etire] v. tr. 1° (sujet nom de personne ou de chose) *Etirer du métal, du cuir,* etc., l'allonger ou l'étendre par traction. — 2° (sujet nom d'être animé) *Etirer ses membres, ses bras,* ou *s'étirer* v. pr., allonger ses membres, étendre ses muscles pour se délasser. ◆ **étirage** n. m. Sens 1 du verbe : *Du fil de fer obtenu par étirage.* ◆ **étirement** n. m. Sens 2 du verbe : *L'étirement des bras.*

1. étoffe [etɔf] n. f. Nom générique de toute sorte de tissu d'habillement ou d'ameublement : *Une étoffe légère, chaude, claire, soyeuse, rêche.*

2. étoffe [etɔf] n. f. 1° Matière, sujet d'une œuvre littéraire, d'un discours, etc. : *Un film qui manque d'étoffe.* — 2° *Avoir de l'étoffe, avoir l'étoffe d'un chef,* etc., avoir des qualités, des aptitudes à telle fonction : *C'est un garçon sur lequel on peut compter : il a de l'étoffe.* ◆ **étoffer** v. tr. *Etoffer un récit, un développement, un personnage,* etc., lui donner de l'ampleur, l'enrichir. ◆ **étoffé, e** adj. Qui est abondant, consistant, riche : *Un devoir bien étoffé* (syn. : SUBSTANTIEL). *Une voix étoffée* (syn. : FERME, SONORE).

étoile [etwal] n. f. 1° Astre qui apparaît sous la forme d'un point lumineux : *Les étoiles émettent de la lumière, alors que les planètes réfléchissent celle du Soleil. L'étoile Polaire indique le nord. Coucher à la belle étoile* (= en plein air). — 2° Astre considéré par rapport à l'influence qu'il est censé exercer sur la destinée de quelqu'un : *Etre né sous une bonne, sous une mauvaise étoile* (= avoir une destinée heureuse, malheureuse). *Il a toujours eu confiance* (ou *foi*) *en son étoile* (= il s'est toujours fié à sa chance). — 3° Objet formé de branches qui rayonnent à partir d'un point central, ornement en forme d'étoile : *Des cristaux de neige en étoile. Les trois étoiles remplacent les lettres manquantes d'un mot. Un général de brigade porte deux étoiles sur la manche, un général de division en porte trois.* — 4° Personne qui joue un rôle brillant : *Une étoile de cinéma* (syn. : STAR). *Une danseuse étoile.* ◆ **étoiler** v. tr. 1° Parsemer, comme les étoiles dans le ciel (littér.) : *Des fleurs qui étoilent les prés* (syn. : ÉMAILLER, CONSTELLER). — 2° Fêler en forme d'étoile : *Le choc a étoilé la vitre.* ◆ ***s'étoiler*** v. pr. *Le ciel s'étoile,* les étoiles y apparaissent. ◆ **étoilé, e** adj. 1° *Marcher dans la nuit sous un ciel étoilé* (= semé d'étoiles). — 2° *La bannière étoilée,* le drapeau des Etats-Unis d'Amérique.

étole [etɔl] n. f. 1° Ornement sacerdotal consistant en une bande d'étoffe que le prêtre porte autour du cou et dont les extrémités pendent devant lui. — 2° Large bande de fourrure.

étonner [etɔne] v. tr. *Etonner quelqu'un,* le surprendre par quelque chose d'inattendu, d'extraordinaire : *Ce départ inopiné a étonné tout le monde. Un vieillard qui étonne son entourage par sa vivacité d'esprit* (syn. : ↑ STUPÉFIER). *Je suis étonné des progrès de cet élève* (syn. : ÉBAHIR). *Ne soyez pas étonné si cette vieille voiture tombe en panne. Cela m'étonnerait, s'il réussissait.* ◆ ***s'étonner*** v. pr. *S'étonner de quelque chose, que* (et le subj.), *de* (et l'infin.), *si* (et l'indic.), en être surpris : *Je m'étonne de votre peu d'empressement à accepter cette proposition si intéressante. Je m'étonne qu'il n'ait pas répondu, car il est très ponctuel. Nous nous étonnions de ne voir personne sur la place en plein midi. Ne t'étonne pas si on te laisse de côté, tu es si mauvais joueur!* ◆ **étonnant, e** adj. : *Une nouvelle étonnante* (syn. : INATTENDU, ↑ STUPÉFIANT). *Un étonnant succès* (syn. : ↑ PRODIGIEUX, SURPRENANT). *C'est une femme étonnante* (syn. : EXTRAORDINAIRE). ◆ **étonnamment** adv. : *Il a étonnamment vieilli.* ◆ **étonnement** n. m. : *Remplir d'étonnement* (syn. : ↑ STUPEUR). *Ne pas manifester d'étonnement* (syn. : SURPRISE). *A mon grand étonnement* (syn. : ↑ STUPÉFACTION).

étouffer [etufe] v. tr. 1° *Etouffer une personne, un animal,* gêner ou arrêter leur respiration, au point parfois de les faire mourir d'asphyxie : *Il parvint à se défaire du bâillon qui l'étouffait. La fureur l'étouffe : il est tout congestionné. La chaleur de cette petite pièce nous étouffait* (syn. : OPPRESSER, ↑ SUFFOQUER). *Serrer le cou d'un pigeon entre ses doigts pour l'étouffer. Le malfaiteur avait* presque étouffé sa victime (syn. : ÉTRANGLER). — 2° *Etouffer le feu,* en arrêter la combustion en le chargeant de cendre, de terre, d'un excès de combustible. — 3° *Etouffer un bruit,* l'atténuer, le rendre plus sourd : *Un tapis qui étouffe les pas* (syn. : AMORTIR, ASSOURDIR). *Une détonation étouffée. Etouffer un bâillement.* — 4° *Etouffer des plantes,* les empêcher de se développer : *Les fleurs sont étouffées par les mauvaises herbes.* — 5° *Etouffer un sentiment, une opinion, une révolte, un scandale,* etc., les réprimer, les empêcher de se manifester. ◆ v. intr. (sujet nom de personne). Etre gêné pour respirer : *On étouffe ici : ouvrez les fenêtres! Il était temps que les sauveteurs le dégagent : il commençait à étouffer sous les décombres* (syn. : SUFFOQUER). ◆ ***s'étouffer*** v. pr. Perdre la respiration : *Un glouton qui s'étouffe en mangeant.* ◆ **étouffant, e** adj. : *Une chaleur étouffante. Un plat étouffant. Une atmosphère familiale étouffante* (syn. : ↓ PESANT). ◆ **étouffée** n. f. *Cuire à l'étouffée,* à la vapeur, dans un récipient bien clos (syn. : À L'ÉTUVÉE). ◆ **étouffement** n. m. : *Si tu ne laisses pas des trous d'aération, la bestiole mourra d'étouffement dans sa boîte* (syn. : ASPHYXIE). *La toux de la coqueluche provoque souvent des étouffements. L'étouffement du scandale lui a permis de se tirer d'affaire.* ◆ **étouffoir** n. m. Lieu où l'on manque d'air : *Cette salle est un étouffoir.*

étoupe [etup] n. f. Partie la plus grossière de la filasse de chanvre ou de lin : *Tasser de l'étoupe dans les fissures de la coque pour la rendre étanche.*

étourdi, e [eturdi] adj. et n. Se dit d'une personne (ou de son attitude) qui agit sans réfléchir suffisamment, ou qui oublie fréquemment ce qu'elle devrait faire : *Si tu étais moins étourdi, tu te serais renseigné avant de t'engager dans cette affaire* (syn. : ÉCERVELÉ). *Quel étourdi! Il a encore oublié ses clefs. Un écolier intelligent, mais étourdi. Une réponse étourdie* (syn. : IRRÉFLÉCHI). ◆ **étourdiment** adv. : *Un élève primesautier, qui répond trop étourdiment* (syn. : INCONSIDÉRÉMENT). *J'ai pris étourdiment le chemin habituel, au lieu de passer te prendre comme convenu* (syn. : ↑ BÊTEMENT). ◆ **étourderie** n. f. : *Il a agi par étourderie* (syn. : IRRÉFLEXION). *Son étourderie l'oblige souvent à faire des pas inutiles* (syn. : DISTRACTION). *Commettre une étourderie* (= un acte irréfléchi).

étourdir [eturdir] v. tr. 1° *Etourdir quelqu'un,* lui troubler l'esprit, lui faire plus ou moins perdre conscience : *Ce choc sur la tête l'avait étourdi* (syn. : ASSOMMER); lui causer une sorte de griserie : *Etre étourdi par un parfum capiteux, par un flot d'éloges* (syn. : GRISER); lui fatiguer l'esprit, l'importuner : *Tout ce brouhaha m'étourdit* (syn. : ABASOURDIR). — 2° *Etourdir une douleur,* la rendre moins sensible. ◆ ***s'étourdir*** v. pr. Perdre la conscience claire de ses actes, de son état d'esprit : *Il s'étourdit dans les boîtes de nuit pour oublier ses déboires* (syn. : SE DISTRAIRE). ◆ **étourdissant, e** adj. 1° *Un vacarme étourdissant* (syn. : ASSOURDISSANT). — 2° Qui cause de l'admiration : *Une pièce qui obtient un succès étourdissant* (syn. : EXTRAORDINAIRE, ÉBLOUISSANT). ◆ **étourdissement** n. m. : *Le léger étourdissement causé par la pipe. Il resta longtemps penché, et en se relevant il eut un étourdissement* (syn. : VERTIGE).

1. étourneau [eturno] n. m. Passereau à plumage sombre, taché de blanc (syn. : SANSONNET).

2. étourneau [eturno] n. m. Enfant ou adolescent étourdi : *Cet étourneau a oublié d'indiquer son adresse.*

étrange [etrɑ̃ʒ] adj. Se dit de quelque chose ou de quelqu'un qui retient l'attention, qui met en éveil par son caractère inhabituel, par quelque détail particulier : *Il devait se douter de quelque chose, car il m'a regardé d'un air étrange* (syn. : BIZARRE, INSOLITE). *C'est une étrange coïncidence* (syn. : SURPRENANT, ÉTONNANT, SINGULIER, CURIEUX). *C'est un film étrange, qui vous laisse sur une impression de malaise. Le silence de la nuit était troublé par un bruit étrange* (syn. : INQUIÉTANT). ◆ **étrangement** adv. : *Un touriste étrangement habillé* (syn. : BIZARREMENT, CURIEUSEMENT). *Cet homme correspond étrangement au signalement que les journaux ont donné du malfaiteur* (syn. : ÉTONNAMMENT, SINGULIÈREMENT). *Un raisonnement étrangement compliqué.* ◆ **étrangeté** n. f. : *N'avez-vous pas été frappé par l'étrangeté de sa conduite?* (syn. : BIZARRERIE). *Les critiques étaient déconcertés par l'étrangeté du spectacle* (syn. : ORIGINALITÉ). *Il y a plusieurs étrangetés dans ce récit* (syn. : ANOMALIE).

1. étranger, ère [etrɑ̃ʒe, -ɛr] adj. et n. Qui n'appartient pas à la nation, au groupe social, à la famille auxquels on se réfère : *Un musée qui reçoit de nombreux visiteurs étrangers. Le ministère des Affaires étrangères s'occupe des relations avec les autres Etats. Il a une grande aptitude à apprendre les langues étrangères. La plupart des étrangers éprouvent certaines difficultés à prononcer les voyelles nasales du français. Il est aussi désagréable avec sa famille qu'il est accueillant pour les étrangers. Une mère qui ne veut pas confier son bébé à des mains étrangères. Le candidat comptait sur les suffrages des membres de son parti, ainsi que sur un certain nombre de voix étrangères* (syn. : DE L'EXTÉRIEUR). ◆ **étranger** n. m. (avec l'art. défini). Tout pays autre que celui dont on est citoyen : *Il a beaucoup voyagé à l'étranger.*

2. étranger, ère [etrɑ̃ʒe, -ɛr] adj. 1° Qui n'est pas connu : *Il y avait des visages étrangers dans l'assistance* (contr. : FAMILIER). — 2° *Corps étranger,* élément introduit accidentellement dans l'organisme : *L'irritation produite par un corps étranger dans l'œil.* — 3° *Etranger à,* qui est sans rapport, qui n'a pas de relations avec : *Je ne peux vous donner aucun renseignement : je suis totalement étranger à cette affaire* (= à l'écart de, en dehors de). *Il a fait allusion à des notions qui me sont étrangères* (syn. : INCONNU). *Un devoir qui contient un développement étranger au sujet.*

étrangler [etrɑ̃gle] v. tr. 1° *Etrangler une personne, un animal,* lui serrer le cou au point de gêner sa respiration ou même de le faire mourir d'asphyxie : *Le criminel a étranglé la malheureuse locataire. Il était étranglé par le col de sa chemise.* — 2° *Etrangler la taille, étrangler un tuyau,* etc., les comprimer, les resserrer fortement. — 3° *Etrangler la presse, les libertés,* etc., les empêcher de s'exprimer librement (syn. : MUSELER). — 4° *Etrangler quelqu'un,* lui faire subir une contrainte morale insupportable. ◆ ***s'étrangler*** v. pr. (sujet nom d'être animé). Perdre momentanément la respiration : *Il s'étrangle de colère. S'étrangler en avalant trop précipitamment* (syn. : S'ÉTOUFFER). ◆ **étranglé, e** adj. *Voix étranglée,* voix qui a de la peine à émettre des sons : *Une voix étranglée de frayeur.* ◆ **étranglement** n. m. 1° *Un chien qui a failli périr* *d'étranglement, pendu au bout de sa laisse. L'étranglement de sa voix trahissait son émotion.* — 2° *L'étranglement d'une canalisation, d'une rue,* la partie resserrée. ◆ **étrangleur, euse** n. : *La police est sur la piste de l'étrangleur.*

étrave [etrav] n. f. Partie avant de la quille d'un navire : *L'étrave du bateau fendait les flots.*

être [ɛtr], **avoir** [avwar], verbes ayant un statut particulier. (V. tableau ci-contre.)

étreindre [etrɛ̃dr] v. tr. (conj. **55**). **1°** *Etreindre quelqu'un, quelque chose,* le serrer fortement en l'entourant de ses bras (langue soutenue) : *Il étreignit longuement son fils qu'il avait cru perdre* (= il le serra dans ses bras). *Etreindre une épave qui vous sauve de la noyade.* — **2°** *Emotion, sentiment qui étreint quelqu'un,* qui s'empare de lui avec force : *Le regret du passé étreignait son cœur. Une vive émotion nous a étreints* (syn. : SAISIR). ◆ ***s'étreindre*** v. pr. : *Les deux amants s'étreignirent* (syn. : S'EMBRASSER). ◆ **étreinte** n. f. : *S'arracher à l'étreinte des siens* (syn. : EMBRASSEMENT). *L'adversaire ne relâchait pas son étreinte : le lutteur dut s'avouer vaincu. L'étreinte de l'angoisse.*

1. étrenne [etrɛn] n. f. *Avoir l'étrenne de quelque chose,* en user, en jouir pour la première fois. ◆ **étrenner** v. tr. Utiliser le premier ou pour la première fois : *Je viens d'acheter cette valise, c'est toi qui vas l'étrenner. Il a étrenné son nouveau complet pour cette cérémonie.*

2. étrennes [etrɛn] n. f. pl. Cadeau, gratification qu'on donne à certaines personnes, généralement au commencement de l'année : *N'oubliez pas de donner des étrennes au concierge.*

étrier [etrije] n. m. **1°** Anneau de métal suspendu par une courroie (*étrivière*) à la selle d'un cheval et dans lequel le cavalier passe le pied pour se maintenir : *Un cavalier vide les étriers quand il est désarçonné.* — **2°** *Avoir le pied à l'étrier,* être prêt à partir, être en bonne voie pour réussir. ‖ *Mettre le pied à l'étrier à quelqu'un,* l'aider dans ses débuts (syn. : METTRE QUELQU'UN EN SELLE).

étrille [etrij] n. f. Instrument formé de petites lames dentelées, et servant à nettoyer et à lisser le poil des animaux, surtout des chevaux. ◆ **étriller** v. tr. **1°** *Etriller un cheval, un bœuf,* etc., le frotter avec une étrille. — **2°** Fam. *Etriller quelqu'un,* le battre, le malmener, le réprimander.

étriper [etripe] v. tr. **1°** *Etriper un lièvre, un poulet,* etc., en ôter les tripes (syn. plus usuel : VIDER). — **2°** Fam. *Etriper quelqu'un,* le blesser ou le tuer à l'arme blanche.

étriqué, e [etrike] adj. **1°** Se dit de ce qui manque d'ampleur, notamment d'un vêtement : *Un petit complet étriqué* (syn. moins péjor. : ÉTROIT). — **2°** Se dit de quelqu'un de mesquin, d'esprit étroit (syn. : MESQUIN; contr. : LARGE, OUVERT).

étroit, e [etrwa, -wat] adj. **1°** (avant ou après le nom) Se dit de ce qui a peu de largeur : *Un couloir étroit* (syn. : RESSERRÉ). *Une presqu'île reliée à la côte par une étroite bande de terre. Prendre un mot dans son acception la plus étroite.* — **2°** Se dit de ce qui manque d'envergure, de largeur de vues : *Un esprit étroit* (syn. : BORNÉ). *Des idées étroites. Une politique étroite* (= sans grandeur). — **3°** Se dit de ce qui lie fortement : *J'ai gardé avec lui des relations étroites* (syn. : SERRÉ, ASSIDU). *Les liens étroits de l'amitié* (syn. : INTIME). *Se faire une étroite obligation de payer à la date prévue* (syn. : SCRUPULEUX). *Vivre dans une étroite soumission à quelqu'un* (syn. : TOTAL). *Assurer une étroite coordination entre deux services* (syn. : RIGOUREUX). • LOC. ADV. *A l'étroit,* dans un espace trop resserré, dans des conditions qui ne permettent pas d'être à l'aise : *Une famille nombreuse à l'étroit dans un petit appartement* (contr. : AU LARGE). ◆ **étroitement** adv. : *Il est logé étroitement* (contr. : LARGEMENT, SPACIEUSEMENT). *Une famille étroitement unie* (syn. : INTIMEMENT). *Respecter étroitement ses engagements* (syn. : STRICTEMENT, SCRUPULEUSEMENT). *Surveiller étroitement les allées et venues de quelqu'un* (syn. : DE TRÈS PRÈS). ◆ **étroitesse** n. f. : *L'étroitesse de la rue interdit à deux véhicules de se croiser* (syn. : EXIGUÏTÉ). *Il fait preuve d'étroitesse d'esprit* (syn. : MESQUINERIE).

étron [etrɔ̃] n. m. Matière fécale de l'homme et de quelques animaux.

1. étude [etyd] n. f. **1°** Travail de l'esprit qui s'applique à comprendre ou à connaître : *L'étude des mathématiques donne l'habitude des raisonnements rigoureux. Se consacrer à l'étude des questions sociales. Un enfant qui n'aime pas l'étude.* (V. STUDIEUX.) — **2°** Ouvrage dans lequel s'exprime le résultat de recherches : *Il a publié une étude sur le vocabulaire politique.* — **3°** Travaux qui préparent l'exécution d'un projet (plans, croquis, rapports, etc.) : *Un architecte qui présente une étude en vue de l'établissement d'un nouveau lycée. Un dessinateur qui fait des études de mains. Avant de se lancer dans la fabrication de ce produit, on a procédé à des études de marché. Ce projet est à l'étude* (= on en examine les possibilités, les avantages et les inconvénients, etc.). — **4°** Salle d'un établissement scolaire dans laquelle les élèves font leurs devoirs, apprennent leurs leçons, etc., mais où l'on ne donne pas de cours; temps que les élèves passent dans cette salle : *La porte de l'étude s'ouvrit et le surveillant général entra. Il a été puni pour avoir chahuté à l'étude du soir.* ◆ **études** n. f. pl. Ensemble des cours dispensés dans un établissement scolaire, universitaire : *Pendant toutes ses études, il a été un élève assidu. Dans l'enseignement public, les études sont gratuites. Il fait ses études de médecine.* ◆ **étudier** v. tr. et intr. Faire l'étude de, se consacrer aux études : *Etudier une leçon d'histoire* (syn. : APPRENDRE). *Un physicien qui étudie un phénomène. Les députés ont étudié le projet de loi. Etudier la musique, l'architecture. Etudier les auteurs du programme. Il a étudié dans une université anglaise.* ◆ ***s'étudier*** v. pr. **1°** S'observer soi-même soigneusement : *A force de s'étudier, il a deviné la cause de ses malaises. Cette actrice s'étudie trop, elle manque de naturel.* — **2°** *S'étudier à* (et l'infin.), mettre toute son application à : *Il s'étudie à satisfaire tout le monde* (syn. : S'APPLIQUER À). ◆ **étudié, e** adj. Se dit de quelqu'un (ou de son comportement) qui manque de naturel : *Il affectait une nonchalance étudiée* (syn. : CALCULÉ, FEINT). ◆ **étudiant, e** n. Celui ou celle qui suit les cours d'une université ou d'un établissement d'enseignement supérieur : *Etudiant en lettres.* ◆ **estudiantin, e** adj. Relatif aux étudiants : *Farce estudiantine.*

2. étude [etyd] n. f. **1°** Charge d'officier ministériel : *Acheter une étude de notaire, d'avoué.* — **2°** Bureau où il travaille avec son personnel : *Le notaire étant absent, j'ai été reçu dans l'étude par son premier clerc.*

ÊTRE

1° Verbe copule.

a) Réunit un **sujet** (nom, pronom, infinitif) à un substantif, un adjectif ou un pronom, devenant **attribut :** *Pierre est un garçon sérieux. Georges est malade. Il est celui que l'on attendait. Il est bien de sa personne. Etre quelqu'un* (= être un personnage important).

b) Réunit le **sujet** à un **complément** précédé d'une **préposition** (*être de, pour, avec, sans,* etc.) ; en ce cas, il est l'équivalent de *être* suivi d'un qualificatif ou d'un verbe : *Il est de Franche-Comté* (= il est originaire de). *Il est sans ressources* (= privé de ressources). *Elle est sans cesse après lui* (= elle l'importune, le querelle). *Je suis toujours pour toi, avec toi* (= ton partisan). *Il est contre toi* (= ton adversaire). *Nous sommes contre* (= opposés). *Il est à son travail* (= il travaille).

c) Constitue, avec un sens identique, une phrase inverse de celle qui est construite avec le verbe *avoir* (le sujet de *être* devenant complément de *avoir*) : *Ce livre est à moi* (= j'ai ce livre). *Cette maison est la sienne.*

2° Verbe auxiliaire de temps et de mode.

a) Aux temps composés actifs de verbes intransitifs très usuels : *Il est venu. Nous sommes descendus. Tu es tombé.*

b) Aux temps composés des verbes pronominaux : *Il s'est promené. Nous nous étions amusés. Vous vous en seriez aperçus.*

c) Aux temps simples des verbes passifs et comme second auxiliaire aux temps composés des verbes passifs : *La porte est ouverte. Il avait été déçu par sa réponse.*

d) *Être à* + infinitif (inverse de *avoir à*), indique une éventualité jugée nécessaire (= devoir) : *Ce dossier est à compléter. Tout est à refaire.*

Être toujours à + infinitif (sujet nom de personne), équivaut au verbe simple : *Il est toujours à le taquiner* (= il le taquine toujours).

3° Locutions verbales.

a) *C'est* (formule d'introduction, de présentation ou d'explication); avec un nom ou un infinitif : *C'est ma femme qui m'a prévenu la première;* avec un pronom suivi d'une proposition relative ou conjonctive : *C'est lui qui t'a envoyé à ce magasin. C'est pour vous que j'écris;* dans l'interrogation : *Est-ce moi qui vous ai dit de faire cela?;* au pluriel : *Ce sont eux les coupables* ou *C'est eux les coupables.*

C'est que (+ indic.), *ce n'est pas que* (+ subj.), introduisent une proposition causale : *« Il n'est pas venu? — C'est qu'il est malade. » Ce n'est pas qu'il soit paresseux, mais il est lent.*

b) Formule interrogative inverse de *il est* (impersonnel) : *Sera-ce facile de conduire cette voiture?*

c) *Il est* (dans la langue écrite) : *Il est des gens qui disent* (= il y a des gens qui).

4° Le sens plein.

Exprime l'essence, l'existence (surtout à l'infin.) : *Je pense, donc je suis. Etre ou ne pas être.*

5° **Être** n. m.

a) Ce qui possède une existence (avec un art. défini) : *Les êtres humains. Les êtres vivants.*

b) Syn. de PERSONNE, INDIVIDU (avec un art. indéfini, et parfois avec un qualificatif dépréciatif) *Sa pensée allait vers des êtres chers. C'est un être bizarre. Quel être! Quel drôle d'être!* (syn. fam. : TYPE, GARS).

c) Nature intime de quelqu'un : *Nous étions bouleversés au plus profond de notre être.*

AVOIR

1° Verbe copule.

a) Constitue le procès intéressant le **sujet** avec un substantif non précédé de l'article (locutions verbales indiquant une situation, une attitude, un état d'esprit, souvent équivalentes de *être* suivi d'un adjectif) : *Nous avions eu soif* (= nous avions été assoiffés). *J'ai faim* (= je suis affamé). *Il a eu peur d'avoir un accident. Tu as mal à la tête. Avez-vous eu froid?*

b) Constitue le procès intéressant le **sujet** avec un **substantif,** déterminé soit par un article, un possessif, etc., soit par un complément (phrases indiquant une situation, une attitude, un état d'esprit, équivalentes souvent d'un *verbe*) : *Il a une faim de loup. J'ai eu une peur terrible. Il a ses raisons pour agir. Il n'a pas tous les torts. Ils avaient eu une âpre discussion* (= ils avaient discuté âprement). *Il a beaucoup d'esprit* (= il est spirituel). *Il n'a pas de patience* (= il est impatient). *Il a de la fortune* (= il est riche).

c) Constitue, avec un sens identique, une phrase inverse de celle qui est construite avec le verbe *être* (le sujet de *avoir* devenant attribut avec *être*) : *Il a pour ami un de mes voisins* (= un de mes voisins est son ami). *Vous n'aurez pas toujours ma compagnie* (= je ne serai pas toujours votre compagnon). *Il a les cheveux blancs* (= ses cheveux sont blancs).

2° Verbe auxiliaire de temps et de mode.

a) Aux temps composés actifs des transitifs et d'un petit nombre d'intransitifs : *Il a fini. Il avait ouvert. J'ai couru.*

b) Aux temps surcomposés des verbes actifs (double auxiliaire) : *Quand il a eu fini son travail, il est sorti.*

c) Aux temps composés des verbes passifs comme premier auxiliaire : *Le stationnement a été interdit dans certaines rues.*

d) *Avoir à* + infinitif (inverse de *être à*), indique une obligation (= devoir) : *J'ai encore à régler quelques détails. Tu n'as qu'à répéter* (ordre atténué ou ironique).

Il n'y a qu'à + infinitif : *Il n'y a qu'à commander pour être servi* (= il faut seulement).

3° Locutions verbales.

a) *Il y a* [ilja ou ja] (formule d'introduction et de présentation) : *Il y a des fruits cet automne. Il y a eu un accident au carrefour.*

b) *Il y en a,* reprend un substantif déjà exprimé : *Il y en a qui disent* (= il y a des gens qui disent). *Quand il n'y en a plus, il y en a encore* (= c'est inépuisable).

4° Les sens pleins.

a) Indique la possession : *Il a une maison au bord de la mer* (syn. : POSSÉDER, ÊTRE PROPRIÉTAIRE DE). *J'ai un appartement de trois pièces.*

b) *Avoir quelqu'un,* le duper, le tromper (langue fam.) : *Je ne m'y attendais pas, il m'a bien eu* (syn. fam. : POSSÉDER); triompher de lui : *Finalement, on les a eus.*

5° **Avoir** n. m.

Désigne l'ensemble des biens, la fortune : *Son avoir est considérable.*

étui [etɥi] n. m. Boîte le plus souvent allongée et ayant à peu près la forme de l'objet qu'elle est destinée à contenir : *Un étui à lunettes, à ciseaux, à peigne. Des cigarettes rangées dans un étui.*

étuve [etyv] n. f. 1° Chambre dont on élève la température pour faire transpirer. — 2° *Fam.* Pièce très chaude : *Cette salle à manger est une étuve.* — 3° Appareil destiné à stériliser par la chaleur des objets ou des denrées. ◆ **étuvée** n. f. *A l'étuvée,* syn. de À L'ÉTOUFFÉE : *Des petits pois cuits à l'étuvée.*

étymologie [etimɔlɔʒi] n. f. 1° Science qui a pour objet l'origine des mots. — 2° Origine d'un mot : *Un nom dont l'étymologie est contestée.* ◆ **étymologique** adj. : *Dictionnaire étymologique.* ◆ **étymologiquement** adv. : « *Vertu* » *signifie étymologiquement* « *force* ». ◆ **étymologiste** n.

eucalyptus [økaliptys] n. m. Grand arbre qui pousse surtout dans les régions chaudes et dont les feuilles sont très odorantes quand on les froisse.

eucharistie [økaristi] n. f. Sacrement dans lequel, selon la foi catholique, Jésus-Christ est réellement présent sous les apparences du pain et du vin (syn. : SAINT SACREMENT). ◆ **eucharistique** adj. : *Procession, congrès eucharistique* (= en l'honneur de Jésus-Christ présent dans l'eucharistie).

eugénisme [øʒenism] n. m. Science ayant pour objet les conditions d'amélioration physique de l'espèce humaine. ◆ **eugéniste** n.

euh! interj. V. HEU!

eunuque [ønyk] n. m. Homme castré : *Les sultans faisaient garder leur sérail par des eunuques.*

euphémisme [øfemism] n. m. Adoucissement d'un mot ou d'une expression qui pourraient choquer par leur brutalité, leur vigueur : « *Il n'est pas génial* » *est un euphémisme pour* « *il n'est guère intelligent* ». ◆ **euphémique** adj.

euphonie [øfɔni] n. f. Suite harmonieuse de sons dans les syllabes d'un mot, dans les mots d'une phrase : *Le sentiment d'un manquement à l'euphonie résulte le plus souvent d'une prononciation qui choque une habitude acquise* (contr. : CACOPHONIE). ◆ **euphonique** adj. : *Le* « *t* » *de* « *viendra-t-il* », *appelé* « *euphonique* » *du fait qu'il évite un hiatus, s'explique en fait par l'étymologie et l'analogie.*

euphorie [øfɔri] n. f. Sentiment de bien-être physique et moral : *Un légère ivresse peut produire une euphorie passagère. Dans l'euphorie de son succès, le candidat ne songeait plus aux pénibles tâches du lendemain* (syn. : SOULAGEMENT). ◆ **euphorique** adj. : *Par une belle journée ensoleillée, il rêvait devant la mer, dans un état euphorique.*

européen, enne [ørɔpeɛ̃, -ɛn] adj. et n. D'Europe : *Le commerce européen. Etudier la géographie européenne. Des Européens établis en Afrique.* ● LOC. ADV. *A l'européenne,* à la mode de l'Europe : *Etre vêtu à l'européenne.* ◆ **européaniser** ou **européiser** v. tr. Façonner aux mœurs européennes. ◆ **européanisation** n. f.

euthanasie [øtanazi] n. f. Théorie selon laquelle il serait licite d'abréger la vie d'un malade incurable, pour lui épargner des souffrances. ◆ **euthanasique** adj. : *Une piqûre euthanasique* (= qui provoque la mort sans souffrance).

eux pron. pers. V. IL.

évacuer [evakɥe] v. tr. 1° *Evacuer quelque chose,* l'expulser de l'organisme : *Le corps évacue les toxines par la sueur, l'urine.* — 2° *Evacuer un liquide,* le rejeter à l'extérieur : *Une canalisation qui évacue le trop-plein d'un bassin.* — 3° *Evacuer quelqu'un, quelque chose,* le faire sortir, l'ôter d'un lieu ou d'un pays : *A l'approche de l'armée ennemie, on décida d'évacuer les malades de l'hôpital. Evacuer les tableaux d'un musée pour les mettre à l'abri des bombardements.* — 4° *Evacuer un lieu,* cesser de l'occuper : *Le public eut rapidement évacué la salle* (syn. : QUITTER). *Les troupes évacuèrent la ville* (syn. : ABANDONNER). ◆ **évacuateur, trice** adj. : *Un conduit évacuateur.* ◆ **évacuation** n. f. : *L'évacuation des eaux d'égout. La police procéda à l'évacuation de la salle.* ◆ **évacué, e** n. Personne évacuée d'une zone de combat, d'un hôpital, etc.

évader (s') [sevade] v. pr. 1° (sujet nom de personne) S'enfuir furtivement d'un lieu où l'on était enfermé : *Deux prisonniers se sont évadés en creusant une galerie sous l'enceinte de barbelés* (syn. : S'ÉCHAPPER, SE SAUVER). — 2° Se soustraire aux soucis, aux contraintes de la vie professionnelle, etc. : *S'évader quelques heures à la campagne, le dimanche après-midi. Cette soirée au théâtre lui a donné une occasion de s'évader de ses soucis.* ◆ **évasion** n. f. : *Toute évasion de cette prison paraît impossible* (syn. : FUITE). *Une lecture qui procure quelques heures d'évasion.*

évaluer [evalɥe] v. tr. *Evaluer quelque chose,* en déterminer plus ou moins approximativement la valeur, l'importance : *Nous avons plus de deux heures de retard : nous avions mal évalué la durée du trajet. On peut évaluer à deux mille francs par jour le chiffre d'affaires moyen de cette boutique* (syn. : ESTIMER). *J'évalue à trois hectares la surface de ce champ.* ◆ **évaluable** adj. : *Une foule difficilement évaluable.* ◆ **évaluation** n. f. : *Une rapide évaluation du montant des réparations fait prévoir trente mille francs de frais* (syn. : ESTIMATION). ◆ **réévaluer** v. tr. Procéder à une nouvelle estimation de la valeur. ◆ **réévaluation** n. f. : *Réévaluation de la monnaie.* ◆ **sous-évaluer** v. tr. Evaluer au-dessous de sa valeur. ◆ **sous-évaluation** n. f. ◆ **surévaluer** v. tr. Evaluer au-dessus de sa valeur : *Les prix des terrains sont surévalués.* ◆ **surévaluation** n. f.

évanescent, e [evanɛsɑ̃, -ɑ̃t] adj. Qui disparaît, qui diminue peu à peu (littér.) : *Des souvenirs évanescents* (syn. : FUGACE). *Elle répondait d'une voix évanescente* (syn. : MOURANT). ◆ **évanescence** n. f. (littér.) : *L'évanescence d'un rêve.*

évangile [evɑ̃ʒil] n. m. 1° Enseignement de Jésus-Christ : *Des missionnaires partis prêcher l'évangile dans des pays lointains.* — 2° Chacun des textes anciens qui rapportent la vie de Jésus-Christ et son enseignement; livre qui contient ces récits (prend souvent une majusc. en ce sens) : *Les quatre Evangiles reconnus par l'Eglise catholique sont ceux de saint Matthieu, saint Marc, saint Luc et saint Jean. Les Evangiles apocryphes. Le prédicateur a commenté l'Evangile de ce dimanche* (= le passage de l'Evangile correspondant, dans le missel, à la fête de ce dimanche). *Avoir un évangile dans sa poche.* — 3° Code, texte auquel on se réfère comme à une règle absolue et immuable : *Ce petit livre était devenu son évangile politique.* — 4° *C'est, ce n'est pas parole d'Evangile,* c'est, ce n'est pas une vérité intangible. ◆ **évangélique** adj. Relatif, conforme à l'Evangile : *Une parabole évangélique. La morale évangélique.* ◆ **évangéliquement** adv. : *S'efforcer de vivre évangéliquement.* ◆ **évangéliser** v. tr. Instruire de l'Evangile : *Jésus-Christ envoya ses apôtres évangéliser le monde.* ◆ **évangélisateur, trice** adj. et n. : *La mission évangélisatrice de l'Eglise.* ◆ **évangélisation** n. f. : *Saint François Xavier entreprit l'évangélisation de l'Asie orientale et du Japon.* ◆ **évangélisme** n. m. Caractère conforme à l'Evangile. ◆ **évangéliste** n. m. Auteur de l'un des quatre Evangiles reconnus par l'Eglise : *Saint Jean l'évangéliste.*

évanouir (s') [sevanwir] v. pr. 1° (sujet nom de personne) Perdre connaissance, tomber en syncope : *Elle s'évanouit à la vue du sang* (syn. pop. : TOMBER DANS LES POMMES). — 2° (sujet nom de chose) Disparaître sans laisser de traces : *Toutes mes craintes s'évanouirent dès que je sus l'objet de sa visite* (syn. : SE DISSIPER). *Mes dernières illusions se sont évanouies* (syn. : ENVOLER). ◆ **évanoui, e** adj. : *Ranimer une personne évanouie. Regretter son bonheur évanoui.* ◆ **évanouissement** n. m. : *Il a eu un évanouissement en apprenant cette terrible nouvelle* (= il a perdu connaissance). *Elle a été longue à revenir de son évanouissement* (syn. : SYNCOPE). *Cet incident marquait l'évanouissement de ses rêves* (syn. : FIN, DISPARITION).

évaporé, e [evapɔre] adj. et n. *Fam.* Se dit d'une personne étourdie, légère : *Une jeune fille évaporée. C'est une évaporée, on ne peut pas se fier à elle* (syn. : ÉCERVELÉ, TÊTE-EN-L'AIR).

évaporer (s') [sevapɔre] v. pr. 1° (sujet nom désignant un liquide) Se transformer en vapeur, disparaître sans laisser de traces : *Les liquides volatils s'évaporent facilement. Le linge est sec : toute l'eau s'est évaporée.* — 2° (sujet nom de chose abstraite) Cesser, se dissiper : *Ses bonnes résolutions se sont évaporées.* ◆ **évaporation** n. f. : *On obtient du sel par évaporation de l'eau de mer.*

évaser [evaze] v. tr. Elargir à l'ouverture, à l'orifice : *Il faut évaser un peu ce tuyau pour y faire pénétrer l'autre en force* (contr. : RÉTRÉCIR). ◆ **évasement** n. m. : *L'évasement d'un entonnoir.*

évasif, ive [evazif, -iv] adj. Se dit de propos, de gestes qui ne sont pas catégoriques, qui restent vagues et éludent une question : *Réponse évasive. A mon regard interrogateur, il s'est contenté de répondre par un geste évasif* (syn. : VAGUE). ◆ **évasivement** adv. : *Répondre évasivement* (= ne dire ni oui ni non, ne pas donner de précisions).

évasion n. f. V. ÉVADER (s'); **évêché** n. m. V. ÉVÊQUE.

éveiller [eveje] v. tr. 1° *Eveiller une personne, un animal,* les tirer du sommeil : *Marcher sur la pointe des pieds pour éviter d'éveiller un malade assoupi* (syn. plus usuel : RÉVEILLER). — 2° *Eveiller l'attention, la curiosité, l'intérêt, la sympathie, la méfiance,* etc., faire naître ces sentiments, susciter ces réactions. ◆ ***s'éveiller*** v. pr. 1° (sujet nom de personne) Sortir du sommeil : *Quand je m'éveillai, le soleil était déjà haut dans le ciel* (syn. plus usuel : SE RÉVEILLER). — 2° (sujet nom de chose, de sentiment) Manifester de l'activité, apparaître, s'épanouir : *La nature s'éveille au printemps. Mes soupçons ont commencé à s'éveiller ce jour-là. Une intelligence d'enfant qui s'éveille.* ◆ **éveil** n. m. 1° Action de se manifester, d'apparaître : *L'éveil de l'esprit d'aventure. L'éveil des sens chez les adolescents.* — 2° Action de sortir de sa torpeur : *L'éveil d'un peuple qui conquiert son indépendance.* — 3° *En éveil,* attentif : *La prudence nous commande de rester en éveil, en dépit de toutes ses promesses* (syn. : VIGILANT). *Ma curiosité, mise en éveil par ce détail, me poussait à en apprendre davantage.* || *Donner l'éveil,* attirer l'attention, porter à la vigilance : *Si l'enquête s'est orientée vers le caissier, c'est que ses dépenses anormales avaient donné l'éveil à son entourage.* ◆ **éveillé, e** adj. Se dit des personnes (ou de leurs facultés) qui sont vives, alertes : *Un garçonnet à la mine éveillée* (syn. : ↑ ESPIÈGLE). *L'esprit éveillé.* (V. RÉVEILLER.)

événement [evenmɑ̃] n. m. 1° Fait qui se produit : *Le journal télévisé relate les principaux événements de la journée. Un voyage marqué d'événements variés* (syn. : INCIDENT, PÉRIPÉTIE). — 2° Fait d'une importance toute particulière : *Ce discours est l'événement politique de la semaine. Pour la première fois, il s'est déclaré satisfait : c'est un événement!* ◆ **événements** n. m. pl. La situation générale, dans ce qu'elle a d'exceptionnel (guerre, troubles politiques ou sociaux, etc.) : *En raison des événements, le couvre-feu a été fixé à 22 heures. Je ne l'avais pas revu depuis les événements.* ◆ **événementiel, elle** adj. *Histoire événementielle,* celle qui s'en tient au récit des événements, sans insister sur leurs causes, leurs relations, etc.

1. éventail [evɑ̃taj] n. m. 1° Petit écran de papier ou de tissu, servant à agiter l'air pour produire de la fraîcheur : *Certains éventails anciens sont artistement décorés.* — 2° *En éventail,* se dit de ce qui se déploie en rayonnant à partir d'un point : *Des troupes disposées en éventail. Les feuilles de marronnier sont en éventail.*

2. éventail [evɑ̃taj] n. m. Ensemble de choses de même catégorie, offrant de la diversité, du choix dans certaines limites : *Un magasin qui présente des articles de plusieurs qualités, avec un éventail de prix très large* (syn. : GAMME).

éventaire [evɑ̃tɛr] n. m. 1° Plateau que certains marchands ambulants portent devant eux pour présenter leur marchandise : *Un camelot qui promène son éventaire sur le marché.* — 2° Etalage de marchandises à l'extérieur d'une boutique.

1. éventer [evɑ̃te] v. tr. *Eventer quelqu'un,* agiter l'air autour de lui pour lui donner une sensation de fraîcheur. ◆ ***s'éventer*** v. pr. : *Les spectateurs, sous ce soleil torride, s'éventaient avec des journaux.*

2. éventer [evɑ̃te] v. tr. *Eventer un secret, un complot,* etc., le découvrir, y mettre obstacle. ◆ **éventé, e** adj. : *Un secret éventé* (syn. : DIVULGUÉ). *Un truc éventé* (syn. : CONNU).

3. éventer (s') [sevɑ̃te] v. pr. S'altérer, s'affadir ou aigrir à l'air : *La bouteille est restée trop longtemps débouchée et le vin s'est éventé.* ◆ **éventé, e** adj. : *Un parfum éventé.*

éventrer [evɑ̃tre] v. tr. 1° *Eventrer une personne, un animal,* lui ouvrir le ventre : *Un lièvre éventré par un coup de fusil tiré de trop près.* — 2° *Eventrer une chose,* y faire une déchirure, une brèche : *Eventrer un sac de blé en le laissant tomber* (syn. : CREVER). *Un mur éventré par un obus.* ◆ **éventration** n. f. Rupture de la paroi musculaire abdominale, laissant la peau seule contenir les viscères.

éventuel, elle [evɑ̃tɥɛl] adj. (ordinairement avant le nom). Qui dépend des circonstances, qui est seulement du domaine du possible : *Une intervention éventuelle de l'Etat* (syn. : POSSIBLE). *Le contrat prévoit les charges d'un éventuel successeur* (syn. : HYPOTHÉTIQUE). *Les bénéfices éventuels.* ◆ **éventuellement** adv. : *Vous pourrez éventuellement vous servir de ma voiture* (syn. : LE CAS ÉCHÉANT, S'IL Y A LIEU). ◆ **éventualité** n. f. : *L'éventualité d'un recours aux armes* (syn. : HYPOTHÈSE, POSSIBILITÉ). *Dans l'éventualité d'une hausse du coût de la vie, les salaires seraient réajustés* (= en cas de). *Toutes les éventualités ont été examinées* (= tout ce qui peut se produire).

évêque [evɛk] n. m. Dignitaire de l'Eglise, possédant la plénitude du sacerdoce et administrant ordinairement un diocèse : *Un évêque qui fait lire un mandement dans toutes les églises de son diocèse.* ◆ **évêché** n. m. 1° Territoire soumis à l'administration spirituelle d'un évêque. — 2° Résidence de l'évêque : *Une maison attenante à l'évêché.*

évertuer (s') [sevɛrtɥe] v. pr. (sujet nom de personne) *S'évertuer à* (et l'infin.), faire des efforts pour : *Il s'est vainement évertué à me convaincre* (syn. : S'EFFORCER DE). *Un élève qui s'évertue à traduire sa version* (syn. : ↓ S'APPLIQUER À, ↑ SE TUER À).

éviction n. f. V. ÉVINCER; **évidemment** adv. V. ÉVIDENT.

1. évidence n. f. V. ÉVIDENT.

2. évidence [evidɑ̃s] n. f. *En évidence,* d'une façon apparente, bien en vue : *La lettre était posée en évidence sur le bureau. Il aime bien se mettre en évidence* (= se faire remarquer). *Il a mis en évidence les difficultés de l'affaire* (= il les a soulignées).

évident, e [evidɑ̃, -ɑ̃t] adj. Qui s'impose à l'esprit par un caractère de certitude facile à saisir : *L'égalité de ces deux barres est évidente quand on les juxtapose* (syn. : VISIBLE, MANIFESTE). *La raison de son départ est évidente. L'allusion à la dernière crise internationale est évidente dans le discours du président* (syn. : CLAIR). *Le sens de ce passage est évident* (syn. : SÛR; contr. : DOUTEUX). *Cet élève a fait des progrès évidents* (syn. : INCONTESTABLE, INDUBITABLE, INDISCUTABLE). ◆ **évidence** n. f. : *L'évidence d'un axiome. Vous niez l'évidence en contestant ce fait. Il faut se rendre à l'évidence : la caisse est vide* (= reconnaître cette vérité indubitable). *Il était véritablement stupéfait : de toute évidence, il n'avait jamais pensé à cela* (= assurément, évidemment). *La fausseté de cette théorie apparaît à l'évidence quand on examine les faits.* ◆ **évidemment** adv. 1° *L'unité est évidemment supérieure à la moitié* (syn. : INCONTESTABLEMENT). *Il s'est évidemment trompé d'adresse* (syn. : VISIBLEMENT, ASSURÉMENT). — 2° Renforce une affirmation (souvent placé en tête d'une phrase) : *Evidemment, j'aurais préféré être dispensé de ce travail* (syn. : BIEN SÛR). *Vous pouvez évidemment tenter votre chance* (syn. : NATURELLEMENT, CERTES).

évider [evide] v. tr. Creuser, percer intérieurement; échancrer : *Le pêne de la serrure s'engage dans la partie évidée du bâti. On a évidé la plaque pour permettre le passage de l'axe.* ◆ **évidage** n. m. ou **évidement** n. m.

évier [evje] n. m. Petit bassin de grès, de porcelaine, de métal, dans lequel on lave la vaisselle.

évincer [evɛ̃se] v. tr. *Evincer quelqu'un,* le mettre à l'écart, lui interdire l'accès à certaines fonctions : *Plusieurs candidats à ce poste avaient été évincés en raison de leur passé politique* (syn. : ÉLIMINER). ◆ **éviction** n. f. ou **évincement** n. m. : *Il a imposé son autorité par l'éviction de ses rivaux. L'éviction scolaire est la durée légale pendant laquelle un enfant atteint d'une maladie contagieuse ne peut être admis en classe.*

éviter [evite] v. tr. 1° *Eviter quelqu'un, quelque chose, que* (et le subj.), faire en sorte de passer à côté de quelqu'un ou de quelque chose, de ne pas subir quelque chose : *Le conducteur évita habilement l'obstacle. C'est un insupportable bavard, que je tâche d'éviter dans la rue* (syn. : ↑ FUIR; contr. : RECHERCHER). *La manœuvre du mécanicien a évité un accident grave. Vous ne pouvez pas éviter cet inconvénient* (syn. : ÉCHAPPER À, SE PROTÉGER DE). *Il faut éviter qu'on ne se méprenne sur ces mots* (syn. : EMPÊCHER). — 2° *Eviter quelque chose, de* (et l'infin.), s'abstenir de l'utiliser, faire en sorte de ne pas faire : *Le médecin lui a recommandé d'éviter le sel. Veuillez éviter de me déranger quand je reçois un client.* — 3° *Eviter quelque chose à quelqu'un,* faire en sorte qu'il n'en subisse pas les inconvénients : *J'ai fait le travail à sa place : cela lui a évité un dérangement* (syn. : ÉPARGNER). *Je l'ai rencontré dans la rue : cela m'a évité de lui écrire.* ◆ **évitable** adj. : *Ce petit inconvénient est aisément évitable.* ◆ **inévitable** adj. : *Un accident inévitable* (syn. : FATAL). *Un effet inévitable* (syn. : NÉCESSAIRE, FORCÉ). *Il est inévitable qu'il en soit ainsi* (syn. : INÉLUCTABLE). *Son inévitable cigare à la bouche* (syn. : INSÉPARABLE). ◆ n. m. : *Se résigner à l'inévitable.*

1. évoluer [evɔlɥe] v. intr. (sujet nom de personne ou de chose). Passer progressivement à un autre état : *La situation militaire semblait évoluer favorablement pour les alliés* (syn. : CHANGER). *L'état du malade est stationnaire : la maladie n'a pas évolué depuis deux jours* (syn. : SE MODIFIER). *Ses idées politiques ne sont plus les mêmes : il a beaucoup évolué en dix ans* (syn. : SE TRANSFORMER). *La civilisation évolue sans cesse.* ◆ **évolué, e** adj. Se dit des êtres vivants ou de leurs institutions ayant atteint un certain degré de développement : *Un peuple très évolué* (contr. : SOUS-DÉVELOPPÉ). *Un esprit évolué* (contr. : ARRIÉRÉ). ◆ **évolutif, ive** adj. Se dit de ce qui se transforme : *Une maladie à forme évolutive* (= qui s'aggrave). ◆ **évolution** n. f. : *Une maladie à évolution lente* (syn. : PROGRESSION). *L'évolution des idées philosophiques au XVIII*^e^ *siècle. Une civilisation en pleine évolution* (syn. : PROGRÈS, DÉVELOPPEMENT). *La littérature traduit l'évolution du goût* (syn. : CHANGEMENT, MODIFICATION). *L'évolution des espèces animales depuis la préhistoire.* ◆ **évolutionnisme** n. m. Ensemble des théories visant à expliquer le mécanisme de l'évolution des êtres vivants. ◆ **évolutionniste** adj. et n. : *Les évolutionnistes furent combattus par les partisans du fixisme.*

2. évoluer [evɔlɥe] v. intr. (sujet nom de personne ou d'appareil). Exécuter des mouvements en des sens divers, aller et venir : *Des avions qui évoluent dans le ciel pendant le meeting aérien. Il évoluait avec aisance parmi les invités du lunch.* ◆ **évolution** n. f. (surtout au plur.) : *Suivre à la jumelle les évolutions d'un avion* (syn. : MANŒUVRES). *Les évolutions des poissons dans le bassin.*

évoquer [evɔke] v. tr. 1° (sujet nom de personne) Présenter à l'esprit, en paroles ou par écrit : *Un conférencier qui évoque ses souvenirs de voyage. Le rapport évoque d'abord les conclusions de l'enquête* (syn. : RAPPELER). *Il s'est contenté d'évoquer les principaux problèmes d'activité, sans les traiter en détail* (syn. : CITER, MENTIONNER, ESQUISSER). — 2° (sujet nom de chose) Faire songer, par son aspect, à telle ou telle chose ; avoir quelque ressemblance, quelque lien avec : *Les dessins du papier peint évoquent des scènes rustiques* (syn. : REPRÉSENTER). *Un rocher qui évoque vaguement une tête humaine* (syn. : RAPPELER, SUGGÉRER). *Le nom de Verdun évoque une des plus grandes batailles de la Première Guerre mondiale.* ◆ **évocateur, trice** adj. : *Un film très évocateur de la vie des mineurs. Un roman au titre évocateur* (syn. : SUGGESTIF). *Un geste évocateur* (syn. : SIGNIFICATIF). ◆ **évocation** n. f. : *Il s'attendrissait à l'évocation de ces années heureuses* (syn. : SOUVENIR). *L'exposé a été consacré à l'évocation des besoins* (syn. : RAPPEL).

> **ex-** [ɛks], préfixe qui, placé devant un nom auquel on le relie par un trait d'union, marque ce qu'a cessé d'être quelqu'un ou quelque chose : *Un ex-directeur. Une femme divorcée qui rencontre son ex-mari.*

ex abrupto [ɛksabrypto] loc. adv. Brusquement, sans préambule (langue soignée) : *Il est entré ex abrupto dans le vif du sujet.*

exacerber [egzasɛrbe] v. tr. *Exacerber un sentiment, une sensation,* les porter à un haut degré d'irritation : *L'ironie de son interlocuteur exacerbait son dépit.* ◆ ***s'exacerber*** v. pr. (sujet nom de sentiment). Devenir plus aigu : *Une haine qui s'exacerbe.*

exact, e [egzakt] adj. 1° Se dit de ce qui est rigoureusement conforme à la réalité, à la logique, à un modèle : *Une pendule qui donne l'heure exacte. Donnez-moi les dimensions exactes de votre meuble, au millimètre près* (syn. : PRÉCIS). *Une multiplication exacte. Le candidat a donné la réponse exacte* (syn. : JUSTE). *Un raisonnement exact* (syn. : ↑ RIGOUREUX). *Une imitation très exacte de l'original* (syn. : FIDÈLE). ‖ *Sciences exactes,* les mathématiques et les sciences à base de mathématiques. — 2° Se dit d'une personne qui respecte l'horaire, qui arrive à l'heure : *Il est toujours très exact à ses rendez-vous* (syn. : PONCTUEL). ◆ **exactement** adv. : *L'axe de la roue doit être très exactement au centre. Il est exactement six heures. On a calculé exactement la durée du voyage spatial. Il respecte exactement ses engagements* (syn. : RIGOUREUSEMENT, SCRUPULEUSEMENT). ◆ **exactitude** n. f. : *L'exactitude de ses prévisions a été confirmée par les faits* (syn. : JUSTESSE). *La réussite dépendra de l'exactitude des calculs* (syn. : RIGUEUR, PRÉCISION). *Un employé d'une exactitude absolue* (syn. : PONCTUALITÉ, RÉGULARITÉ). ◆ **inexact, e** adj. : *Des renseignements inexacts* (syn. : ↑ FAUX). *Une traduction inexacte* (syn. : INFIDÈLE). *Il est inexact au rendez-vous.* ◆ **inexactement** adv. : *Rapporter inexactement les paroles de quelqu'un.* ◆ **inexactitude** n. f. : *Les inexactitudes d'un témoignage* (syn. : ↑ MENSONGE). *L'inexactitude est une impolitesse.*

exaction [egzaksjɔ̃] n. f. 1° Action de celui qui exige de quelqu'un plus que celui-ci ne doit : *Le peuple gémissait souvent des exactions des collecteurs d'impôts.* — 2° Abus de pouvoir, acte de violence commis envers une population opprimée : *Il doit répondre devant un tribunal des exactions qu'il a commises.*

ex aequo [egzeko] loc. adv., loc. adj. et n. invar. Se dit de deux concurrents à égalité dans un examen, une compétition sportive, etc. : *Ils ont été classés ex aequo à la composition. Trois élèves ex aequo. Une nouvelle question pour départager les ex aequo.*

exagérer [egzaʒere] v. tr. (sujet nom de personne). *Exagérer quelque chose,* le déformer en le rendant ou en le faisant paraître plus grand, plus important : *Le caricaturiste exagère les détails caractérisques de ses personnages* (syn. : GROSSIR). *Il a tendance à exagérer le rôle qu'il a joué dans cette affaire* (syn. : SURFAIRE ; contr. : MINIMISER). *C'est un esprit timoré, qui s'exagère volontiers les difficultés.* ◆ v. intr. (sujet nom de personne). Aller au-delà de ce qui est juste, convenable, bienséant : *Il y avait bien, sans exagérer, trente personnes dans le couloir* (= sans mentir, vraiment). *Il exagère : il a pris la plus grosse part !* (syn. : ABUSER ; pop. : CHARRIER, ATTIGER). ◆ **exagéré, e** adj. : *Un commerçant qui fait un bénéfice exagéré* (syn. : ABUSIF, EXCESSIF). *Il fait preuve d'une sévérité exagérée. Un trajet d'une longueur exagérée* (syn. : DÉMESURÉ). *Il n'est pas exagéré de dire que cet incident pouvait causer un véritable désastre.* ◆ **exagérément** adv. : *Un homme exagérément soupçonneux. Il s'attarde exagérément sur ce problème* (syn. : TROP). ◆ **exagération** n. f. : *Une explication rendue discutable par l'exagération de la position prise* (syn. : EXCÈS). *Le juste milieu fuit toute exagération. Une exagération de langage* (syn. : ABUS, OUTRANCE). *Il prétend pouvoir faire ce travail en trois heures : quelle exagération !*

1. exalter [egzalte] v. tr. *Exalter quelque chose, quelqu'un,* en faire de grands éloges, en célébrer hautement les mérites, les qualités : *Un discours qui exalte les vertus des combattants morts pour la patrie* (syn. : GLORIFIER, LOUER). *Un poème qui exalte la beauté de la nature* (syn. : ↓ VANTER). *Exalter les grands bienfaiteurs de l'humanité.* ◆ **exaltation** n. f. (littér.) : *L'exaltation de ses vertus.*

2. exalter [egzalte] v. tr. (sujet nom de chose). *Exalter quelqu'un,* lui inspirer de l'enthousiasme, lui élever l'âme : *Une musique qui nous exalte* (syn. : TRANSPORTER). *Un savant exalté par la joie de la découverte. Les grandes aventures exaltent la jeunesse* (syn. : ENTHOUSIASMER, ENFLAMMER, PASSIONNER). ◆ ***s'exalter*** v. pr. S'enthousiasmer : *Il s'exaltait progressivement en racontant ses exploits.* ◆ **exaltant, e** adj. : *Une entreprise exaltante* (syn. : PASSIONNANT). *Une lecture exaltante* (syn. : ENTHOUSIASMANT). ◆ **exalté, e** adj. et n. Pris d'un enthousiasme extrême (nuance souvent péjor.) : *Les dirigeants du mouvement eurent quelque peine à calmer les esprits exaltés* (syn. : EXCITÉ, ÉCHAUFFÉ, SURCHAUFFÉ). *Un exalté qui harangue la foule* (syn. : FANATIQUE). ◆ **exaltation** n. f. : *Son exaltation ne cesse de croître* (syn. : EXCITATION). *Il passait par des alternatives d'exaltation et d'abattement* (syn. : EMBALLEMENT).

examen [egzamɛ̃] n. m. 1° Observation attentive : *L'examen des empreintes digitales montre qu'il y avait au moins trois cambrioleurs. Un historien qui se consacre à l'examen de documents anciens* (syn. : ÉTUDE). *Le magistrat instructeur poursuit son examen des faits* (syn. : INVESTIGATION).

Les candidats à cet emploi doivent subir un examen médical sévère. — 2° Epreuve ou ensemble d'épreuves qu'on fait subir à un candidat pour constater ses capacités, ses connaissances : *Le baccalauréat est un examen qui sanctionne les études secondaires. La veille de l'examen, il a fait des révisions toute la journée. Passer un examen.* ◆ **examiner** v. tr. et intr. Soumettre à un examen (dans les deux sens) : *Examiner la disposition des lieux* (syn. : ÉTUDIER). *Le bureau de bienfaisance a examiné plusieurs demandes de secours. Le médecin a examiné le malade* (syn. : AUSCULTER). *Le jury qui examine les candidats. Inutile d'examiner plus longtemps, je n'ai pas l'intention de changer mes habitudes* (syn. : DISCUTER). ◆ **examinateur, trice** n. Personne chargée d'interroger les candidats aux épreuves orales d'un examen ou d'un concours.

exaspérer [egzaspere] v. tr. 1° *Exaspérer quelqu'un,* l'irriter vivement : *Sa lenteur m'exaspère* (syn. : ↓ ÉNERVER). *Toutes ces critiques l'avaient exaspéré* (syn. : ↓ AGACER). — 2° *Exaspérer une douleur, un sentiment,* etc., les rendre plus intenses, plus aigus : *Ce nouvel échec exaspéra son dépit* (syn. : ↑ EXACERBER). ◆ **exaspérant, e** adj. : *Il s'obstinait dans un mutisme exaspérant. C'est un garçon exaspérant par sa manie de taquiner les autres* (syn. : ↓ CRISPANT). ◆ **exaspération** n. f. : *Cette réplique le mit au comble de l'exaspération* (syn. : COLÈRE, NERVOSITÉ, ↓ IRRITATION). *Une exaspération de la douleur, suivie d'un abattement.*

exaucer [egzose] v. tr. *Exaucer quelqu'un, exaucer une prière, un vœu,* etc., satisfaire cette personne dans sa demande, accueillir favorablement cette prière, etc. : *Il avait demandé à Dieu la grâce de résister à cette épreuve et il avait été exaucé. Tous mes désirs sont exaucés, puisque vous êtes sains et saufs* (syn. : COMBLER). ◆ **exaucement** n. m. : *L'exaucement d'une prière, d'un vœu.*

ex cathedra [ɛkskatedra] loc. adj. et adv. Du haut de la chaire, avec autorité : *Un cours ex cathedra à la faculté.*

excavation [ekskavasjɔ̃] n. f. Trou creusé dans le sol : *L'excavation produite par une bombe.* ◆ **excavateur** n. m. ou **excavatrice** n. f. Appareil destiné à creuser le sol.

1. excéder [eksede] v. tr. 1° (sujet nom de chose) Dépasser en importance, en quantité : *L'eau excède le niveau habituel. Les avantages excèdent les inconvénients* (syn. : L'EMPORTER SUR). — 2° (sujet nom de chose) Etre trop important par rapport aux possibilités : *Ce sont des dépenses qui excéderaient mes moyens.* — 3° (sujet nom de personne) Aller au-delà de certaines limites : *Le président a excédé ses pouvoirs, sa décision n'est pas valable* (syn. : OUTREPASSER). ◆ **excédent** n. m. Quantité qui dépasse la limite, la mesure normale : *Payer une taxe pour un excédent de bagages* (syn. : SUPPLÉMENT). *Avoir de la peine à écouler l'excédent de la production* (syn. : SURPLUS). ◆ **excédentaire** adj. : *Une récolte excédentaire de blé.*

2. excéder [eksede] v. tr. *Excéder quelqu'un,* lui imposer une fatigue extrême, l'importuner grandement : *Il m'excède, avec ses récriminations perpétuelles* (syn. : ↓ AGACER ; ↑ HORRIPILER, EXASPÉRER). *Le bruit m'excède* (syn. : ÉPUISER). ◆ **excédant, e** adj. : *Un travail excédant* (syn. : ↑ EXTÉNUANT). *Un enfant excédant* (syn. : ↑ HORRIPILANT, EXASPÉRANT).

1. excellence n. f. V. EXCELLER.

2. excellence [ekselɑ̃s] n. f. Titre donné aux ambassadeurs, aux ministres, aux évêques, etc. (s'écrit avec une majusc., souvent sous forme d'abrév. : S. Exc. pour un évêque, S. E. pour un ministre, un ambassadeur) : *Son Excellence* (ou *S. Exc.*) *Monseigneur X, évêque de Z. Le président a reçu Son Excellence* (ou *S. E.*) *Monseigneur X, ambassadeur d'Italie.*

exceller [eksele] v. intr. (sujet nom de personne). Atteindre un degré éminent dans son genre : *Un peintre qui excelle dans le portrait. Cet élève excelle en mathématiques* (syn. : SE DISTINGUER). *Il excelle à conter des histoires drôles.* ◆ **excellent, e** adj. Se dit d'une personne ou d'une chose qui se distingue par ses mérites, sa qualité (sert de superlatif à *bon*) : *Un élève excellent en dissertation. Un excellent pianiste. Ces fruits sont excellents* (syn. : SUCCULENT, SAVOUREUX). *Une photographie excellente. Un roman excellent.* ◆ **excellemment** adv. : *Vous avez excellemment résumé le problème. Il dessine excellemment* (syn. : ADMIRABLEMENT). ◆ **excellence** n. f. : *Grâce à l'excellence de sa vue, il avait remarqué ce détail minime. Un convive qui apprécie l'excellence des vins.* ● LOC. ADV. *Par excellence,* plus que tout autre, tout particulièrement : *Victor Hugo est un écrivain romantique par excellence. Il s'intéresse par excellence à l'histoire.*

1. excentrique [eksɑ̃trik] adj. 1° Se dit d'un cercle contenu dans un autre et n'ayant pas le même centre. — 2° *Quartier excentrique,* situé loin du centre d'une ville.

2. excentrique [eksɑ̃trik] adj. et n. Se dit d'une personne (ou de son comportement) dont la singularité attire vivement l'attention : *Un individu excentrique, qui tient des discours incohérents* (syn. : ↓ BIZARRE ; fam. : LOUFOQUE). *C'est un excentrique, qui fait tout autrement que tout le monde* (syn. : DÉSÉQUILIBRÉ ; fam. : PIQUÉ, CINGLÉ). *Des idées excentriques.* ◆ **excentricité** n. f. : *L'excentricité d'une robe, d'un chapeau. Ses excentricités ont fini par le faire écarter du poste qu'on lui avait confié* (syn. : EXTRAVAGANCE). ◆ **excentriquement** adv. : *S'habiller excentriquement.*

excepté [eksepte] prép. Indique ce qu'on met à part, ce qu'on ne comprend pas dans un ensemble : *Il avait tout prévu, excepté ce cas* (syn. : SAUF, À L'EXCEPTION DE ; HORMIS, langue littér.). *Ce train circule tous les jours, excepté les dimanches et les jours de fête. Excepté ses voisins de palier, il ne connaît personne dans l'immeuble* (syn. : À PART, EN DEHORS DE). *Vous pouvez courir dans tout le jardin, excepté dans les massifs de fleurs. Ne bougez pas d'ici, excepté si vous avez quelque chose d'important à me faire savoir.* (*Excepté* placé après un nom ou un pronom est adjectif et s'accorde : *Eux exceptés, personne n'a entendu parler de cela.*) ● LOC. CONJ. *Excepté que,* si ce n'est que, sauf que : *Ces deux paquets sont exactement semblables, excepté que celui-ci est plus lourd que l'autre.*

excepter [eksepte] v. tr. *Excepter quelque chose, quelqu'un,* le mettre à part, ne pas en tenir compte : *Il faut excepter de ce total certains frais qui ne sont pas à votre charge* (syn. : RETRANCHER, RETIRER). *Si l'on excepte quelques passages plus étroits, la route est excellente d'un bout à l'autre. Ceci est valable pour tout le monde, sans excepter personne.* ◆ **exception** n. f. 1° Action d'excepter (surtout dans des expressions) : *Ce livre n'est guère intéressant; je ne ferai une exception que pour le deuxième chapitre. Tout le monde sera soumis au même régime; on ne fera d'exceptions que pour les malades présentant un certificat médical. Normalement, il n'a pas droit à ces deux jours de congé, mais on a fait une petite exception en sa faveur. On pourrait, par exception, commencer dans l'ordre inverse* (= contrairement à l'usage habituel). *Il lui a légué par testament tous ses biens sans exception. Il a sous-loué son appartement, à l'exception d'une pièce qu'il se réserve* (= sauf, excepté). *Une mesure, une loi d'exception est celle qui est en dehors du droit commun.* — 2° Ce qui est en dehors de la règle habituelle, qui apparaît comme unique en son genre : *La plupart des règles de grammaire admettent des exceptions. On dit parfois que l'exception confirme la règle. La neige en mai est une exception dans cette région.* — 3° *Faire exception,* sortir de la règle : *La cathédrale date du XIIe siècle; seule fait exception une partie du chœur, qui subsiste d'une église plus ancienne.* ◆ **exceptionnel, elle** adj. 1° Se dit de ce qui constitue une exception : *Une autorisation exceptionnelle* (contr. : NORMAL, COURANT, ORDINAIRE). *Des circonstances exceptionnelles* (syn. : EXTRAORDINAIRE). — 2° Se dit d'une personne ou d'une chose qui se distingue spécialement par son mérite, ses qualités : *César fut un chef exceptionnel* (syn. : ÉMINENT, HORS DE PAIR). *Un roman d'un intérêt exceptionnel* (syn. : CAPITAL). *Un paysage d'une exceptionnelle grandeur.* ◆ **exceptionnellement** adv. : *Le conseil des ministres s'est tenu exceptionnellement le mardi, au lieu du mercredi, en raison du voyage du président* (syn. : PAR EXCEPTION). *Un garçon exceptionnellement intelligent* (syn. : ↓ REMARQUABLEMENT).

excès [eksɛ] n. m. 1° Ce qui dépasse la quantité normale, la mesure : *L'analyse a fait apparaître un excès d'urée dans le sang. On lui a infligé une amende pour excès de vitesse* (syn. : DÉPASSEMENT). *Un paquet refusé à la poste pour excès de poids* (syn. : EXCÉDENT). *Des employés qui font un excès de zèle. Cet acte constitue un excès de pouvoir* (syn. : ABUS). *Autrefois il était trop timoré, maintenant il tombe dans l'excès inverse* (syn. : EXAGÉRATION). — 2° *Faire un excès,* manger ou boire plus qu'il ne faudrait. • Loc. ADV. *A l'excès,* extrêmement, exagérément : *Il est méticuleux à l'excès.* ◆ n. m. pl. Actes de violence, de démesure, de débauche : *Les excès des troupes d'occupation. Il s'est ruiné la santé par ses excès* (syn. : DÉRÈGLEMENTS). ◆ **excessif, ive** adj. 1° Se dit d'une chose ou d'une personne qui dépasse la mesure : *Un discours d'une longueur excessive* (syn. : EXAGÉRÉ). *Il jouit de pouvoirs excessifs* (syn. : ABUSIF). *Vous êtes excessif dans vos jugements* (contr. : MODÉRÉ, NUANCÉ, ÉQUILIBRÉ). — 2° Placé avant le nom, il peut servir de superlatif à *grand : Il nous a reçus avec une excessive bonté* (syn. : EXTRÊME). ◆ **excessivement** adv. 1° Avec excès : *Une voiture qui consomme excessivement* (syn. : TROP, EXAGÉRÉMENT). — 2° A un très haut degré : *Un enfant excessivement intelligent* (syn. : TRÈS, EXTRÊMEMENT; ↓ FORT).

exciper [eksipe] v. tr. ind. *Exciper de quelque chose,* en faire état, s'y référer : *Pour sa défense, il a excipé d'un précédent. Exciper de sa bonne foi.*

excipient [eksipjɑ̃] n. m. Substance à laquelle on incorpore un médicament.

exciser [eksize] v. tr. Enlever en coupant : *Exciser une tumeur.* ◆ **excision** n. f. : *L'excision d'un kyste.*

exciter [eksite] v. tr. 1° *Exciter une personne, un animal, les nerfs de quelqu'un,* les mettre dans un état d'irritation, de tension, leur donner de la vivacité, de l'énergie : *Les encouragements du public excitaient au combat les deux adversaires* (contr. : CALMER, APAISER). *L'orateur excitait la foule contre les affameurs* (syn. : SOULEVER, AMEUTER). *Exciter un chien pour le faire aboyer* (syn. : AGACER, TAQUINER). *Excité par le café et l'alcool, il ne tenait plus en place. L'idée de découvrir de nouvelles idées l'excitait à travailler davantage* (syn. : ↓ POUSSER). *La fraîcheur de l'air matinal excite les sens.* — 2° *Exciter un sentiment, une sensation,* les faire naître ou les développer : *La vue de sa richesse avait excité la jalousie de ses voisins* (syn. : PROVOQUER, SUSCITER, ÉVEILLER). *Des répliques qui excitent le rire des spectateurs* (syn. : DÉCLENCHER). *Ce spectacle excite la pitié. Des hors-d'œuvre qui excitent l'appétit* (syn. : STIMULER). ◆ ***s'exciter*** v. pr. Perdre le contrôle de soi-même, s'énerver : *Il s'excite en racontant son altercation* (syn. fam. : S'EMBALLER). ◆ **excitable** adj. : *Un tempérament nerveux, facilement excitable.* ◆ **excitabilité** n. f. : *L'excitabilité des tissus musculaires sous l'action d'un courant électrique.* ◆ **excitant, e** adj. : *L'action excitante de l'alcool* (syn. : STIMULANT). *Une musique excitante* (syn. : ENTRAÎNANT). ◆ **excitant** n. m. Substance qui accroît l'activité organique : *Le café est un excitant* (syn. : TONIQUE; contr. : CALMANT). ◆ **excitation** n. f. : *Par une continuelle excitation à la lutte, il avait développé l'esprit combatif chez ses camarades* (syn. : ENCOURAGEMENT). *Son excitation se lisait sur son visage* (contr. : CALME, SÉRÉNITÉ). *On ne peut pas discuter raisonnablement avec quelqu'un qui est en proie à une telle excitation* (syn. : EXALTATION). ◆ **surexciter** v. tr. *Surexciter quelqu'un,* l'exciter à un degré extrême (souvent au passif) : *Il paraissait surexcité par la lettre qu'il venait de recevoir. Calmer des esprits surexcités.* ◆ **surexcitable** adj. ◆ **surexcitation** n. f.

exclamer (s') [sɛksklame] v. pr. (sujet nom de personne). Pousser un cri ou des cris, ou prononcer d'une voix forte des paroles exprimant la surprise, la joie, la douleur, etc. (souvent en proposition incise) : *Il s'exclama soudain : j'ai compris! Ouf! s'exclama-t-il, c'est fini!* (syn. : S'ÉCRIER). *Au lieu de vous exclamer sur les difficultés de ce travail, vous feriez mieux de vous y attaquer franchement.* ◆ **exclamatif, ive** adj. : *Le ton exclamatif d'une phrase. Dans « Comme il a changé! », « comme » est un adverbe exclamatif.* ◆ **exclamation** n. f. 1° *Il ne put retenir une exclamation de surprise en le reconnaissant* (syn. : CRI). *La foule poussait des exclamations de joie à l'annonce de la victoire. « Quel dommage! » fit-il; à cette exclamation, son voisin se retourna.* — 2° *Point d'exclamation,* V. PONCTUATION.

exclure [eksklyr] v. tr. (conj. **68**). 1° (sujet nom de personne) *Exclure quelqu'un,* le mettre dehors, ne pas l'admettre : *Plusieurs perturbateurs ont été exclus de la salle* (syn. : EXPULSER; fam. : VIDER). *Exclure quelqu'un d'un parti politique. Le proviseur a exclu cet élève du lycée. On l'a exclu du nombre des bénéficiaires.* — 2° *Exclure quelque chose,* ne pas le compter dans un ensemble, le laisser de côté : *J'exclus de ce total les taxes qui* *m'incombent* (contr. : INCLURE). *On ne peut pas exclure l'hypothèse d'un suicide* (syn. : ÉCARTER, ÉLIMINER, NÉGLIGER). — 3° (sujet nom de chose) *Exclure quelque chose,* être incompatible avec lui : *Le refus par l'adversaire de cette condition exclut pour le moment toute possibilité d'accord* (syn. : EMPÊCHER, S'OPPOSER À). *La gravité du problème abordé dans cette pièce n'exclut pas un certain humour* (syn. : INTERDIRE). ◆ **exclusif, ive** adj. 1° Se dit de ce qui appartient à quelqu'un, à l'exclusion des autres : *Le droit de grâce est un privilège exclusif du président de la République.* — 2° Se dit d'une personne (ou de ses actes) qui s'attache étroitement à quelque chose en laissant de côté tout le reste : *En matière d'art, il porte un intérêt exclusif à la sculpture. C'est un homme très exclusif dans ses goûts* (syn. : ABSOLU, INTRANSIGEANT). *On m'a envoyé ici avec la mission exclusive de m'informer de cette question.* ◆ **exclusivement** adv. : *Il se consacre exclusivement à l'étude des papyrus* (syn. : UNIQUEMENT). *Il a demandé qu'on lui fasse suivre son courrier jusqu'au 20 septembre exclusivement* (contr. : COMPRIS, INCLUSIVEMENT). ◆ **exclusive** n. f. Mesure d'exclusion prononcée contre quelqu'un ou contre quelque chose : *Plusieurs membres de l'association, frappés d'exclusive, n'ont pas pu présenter leur candidature au bureau. Un accord préliminaire stipulait que tous les pays intéressés, sans exclusive, seraient invités à participer à cette conférence.* ◆ **exclusivisme** n. m. Caractère d'une personne exclusive : *Il a fait appel à toutes les bonnes volontés, sans aucun exclusivisme.* ◆ **exclusion** n. f. 1° *Le conseil de discipline a décidé l'exclusion des trois élèves responsables de cet incident* (syn. : RENVOI, MISE À LA PORTE). — 2° *A l'exclusion de,* en excluant : *Il achète toujours des produits de cette marque, à l'exclusion de toutes les autres. Le médecin lui a recommandé de manger des légumes, à l'exclusion des féculents* (syn. : SAUF, EXCEPTÉ). ◆ **exclusivité** n. f. Droit exclusif de vendre une marchandise, de projeter un film, de publier un article : *Vous ne pourrez acheter cette voiture que chez le concessionnaire qui en a l'exclusivité pour la région* (syn. : MONOPOLE). *Un important hebdomadaire lui a acheté l'exclusivité de ses récits de voyage. Ce film passe en exclusivité dans deux salles de cinéma.*

excommunier [ekskɔmynje] v. tr. *Excommunier quelqu'un,* le rejeter hors du sein de l'Eglise. ◆ **excommunication** n. f. : *Jean Hus fut frappé d'excommunication par le pape Alexandre V* (= fut excommunié).

excrément [ekskremɑ̃] n. m. Matière évacuée naturellement du corps de l'homme ou des animaux (matières fécales, urines). ◆ **excrétion** n. f. Elimination par l'organisme des déchets de la nutrition.

excroissance [ekskrwasɑ̃s] n. f. Tumeur externe qui se forme sur le corps de l'homme, d'un animal (verrue, polype, loupe), ou sur les végétaux.

excursion [ekskyrsjɔ̃] n. f. Voyage d'agrément ou de recherche : *Une région pittoresque, qui offre aux touristes de nombreuses excursions* (syn. : ↓ PROMENADE). *Une excursion botanique.* ◆ **excursionner** v. intr. : *Plusieurs services de cars permettent d'excursionner aux environs.* ◆ **excursionniste** n. : *Les clients de cet hôtel sont surtout des excursionnistes* (syn. : TOURISTE).

excuser [ekskyze] v. tr. 1° *Excuser une personne, un acte,* ne pas tenir rigueur à cette personne, être indulgent à cet acte : *Je vous excuse d'avoir oublié de me prévenir, dans votre hâte d'en finir avec cette affaire* (syn. : PARDONNER). *Vous êtes tout excusé : votre retard est indépendant de votre volonté. On ne saurait excuser une telle insolence.* — 2° *Excusez-moi,* formule de politesse destinée à atténuer l'effet désagréable d'une action, d'une parole : *Excusez-moi, vous me bouchez le passage. Votre voiture est rapide, mais, excusez-moi, elle n'est pas très confortable.* ◆ ***s'excuser*** v. pr. Alléguer des raisons pour se justifier : *Je m'excuse de mon retard.* ◆ **excusable** adj. : *C'est une erreur très excusable. Vous êtes excusable de n'avoir pas pensé à cela* (syn. : PARDONNABLE). ◆ **inexcusable** adj. : *Une faute professionnelle inexcusable. Il est inexcusable de ne pas avoir laissé son adresse en partant* (syn. : IMPARDONNABLE). ◆ **excuse** n. f. 1° Raison alléguée pour disculper ou pour se disculper; circonstance qui disculpe : *Mon excuse, c'est l'excès de travail* (syn. : JUSTIFICATION). *Pour toute excuse, il a prétendu qu'il ne l'avait pas fait exprès* (syn. : DÉFENSE). *Une faute sans excuse.* — 2° Motif servant de justification; écrit signé des parents, du tuteur, etc., qu'un élève présente en vue d'une dispense ou pour justifier une absence : *J'ai une bonne excuse pour ne pas avoir assisté à cette réunion : j'étais en voyage* (syn. : PRÉTEXTE). *En rentrant au lycée après sa maladie, il a apporté un mot d'excuse au censeur.* ◆ **excuses** n. f. pl. Paroles ou écrits exprimant le regret qu'on a d'avoir offensé ou contrarié quelqu'un : *Je vous présente mes excuses d'avoir mal interprété votre attitude. Tu l'as insulté sans raison : tu dois lui faire des excuses.*

exécrable [eksekrabl] adj. Sert de superlatif à *mauvais* : *Un vin exécrable* (syn. : AFFREUX; contr. : EXQUIS). *Il fait un temps exécrable* (syn. : HORRIBLE, ABOMINABLE, ÉPOUVANTABLE). *Il est d'une humeur exécrable* (syn. : DÉTESTABLE). ◆ **exécrablement** adv. : *Elle chante exécrablement.*

exécrer [eksekre] v. tr. *Exécrer quelqu'un, quelque chose,* avoir une profonde aversion pour cette personne ou pour cette chose (langue soutenue) : *C'est un homme que j'exècre* (syn. : DÉTESTER). *Ne lui servez pas d'huîtres, il les exècre* (syn. : DÉTESTER, AVOIR HORREUR DE). ◆ **exécration** n. f. : *Il avait une véritable exécration pour ce genre de musique* (syn. : ↓ AVERSION). *Un criminel en exécration à tous les honnêtes gens* (syn. usuel : HORREUR).

1. exécuter [egzekyte] v. tr. 1° *Exécuter une mission, un projet, un ordre, une promesse,* etc., les accomplir, les réaliser. — 2° *Exécuter la loi,* la faire appliquer. ◆ **exécutable** adj. : *Un plan difficilement exécutable* (syn. : RÉALISABLE). ◆ **inexécutable** adj. : *Ces ordres sont inexécutables.* ◆ **exécuteur, trice** n. *Exécuteur testamentaire,* personne à qui l'auteur d'un testament a confié le soin de veiller à l'exécution de celui-ci. ◆ **exécutif, ive** adj. : *Le pouvoir exécutif est chargé d'assurer l'application des lois établies par le pouvoir législatif.* ◆ **exécutif** n. m. : *Un empiétement de l'exécutif sur le législatif* (= du pouvoir exécutif). ◆ **exécution** n. f. : *L'exécution de ce projet demanderait des capitaux considérables. Les conjurés ont été arrêtés par la police avant d'avoir pu mettre leur plan à exécution. En exécution de la loi sur les loyers, le tribunal a fixé la valeur locative de l'appartement* (syn. : APPLICATION). ◆ **exécutoire** adj. Qui doit légalement être exécuté : *Un décret immédiatement exécutoire.*

2. exécuter [egzekyte] v. tr. *Exécuter un travail,* le mener à bien : *Adressez-vous à l'entrepreneur qui a exécuté les travaux* (syn. : EFFECTUER). *Un cuisinier qui exécute des plats compliqués* (syn. : CONFECTIONNER). *Cette statue a été exécutée en marbre de Carrare* (syn. : RÉALISER). *Exécuter le montage d'un appareil* (syn. : OPÉRER). ◆ **exécutable** adj. : *Avec une équipe de six hommes, ce travail est exécutable en une semaine.* ◆ **exécution** n. f. : *L'exécution de ce pont remonte à une vingtaine d'années. Un bijou ciselé d'une remarquable finesse d'exécution.* ◆ **non-exécution** n. f. : *La non-exécution de ce travail dans les délais prévus entraînera la résiliation du contrat.*

3. exécuter [egzekyte] v. tr. *Exécuter un morceau de musique,* le jouer : *La sixième symphonie de Beethoven, que vous venez d'entendre, a été exécutée par l'orchestre de la Société des concerts Colonne.* ◆ **exécutable** adj. : *Assurez-vous que ce concerto est exécutable par des amateurs.* ◆ **inexécutable** adj. ◆ **exécutant, e** n. Personne qui joue un morceau de musique : *Un orchestre de soixante exécutants* (syn. : MUSICIEN). ◆ **exécution** n. f. : *L'exécution publique de cette symphonie avait été préparée par de nombreuses répétitions* (syn. : AUDITION). *Ce concerto est beau, mais son exécution est médiocre* (syn. : INTERPRÉTATION).

4. exécuter [egzekyte] v. tr. *Exécuter quelqu'un,* le tuer par autorité de justice : *Le condamné a été exécuté ce matin à l'aube;* le tuer pour se défaire de lui : *Un chef de bande qui fait exécuter un de ses hommes qui l'avait trahi* (syn. : SUPPRIMER). ◆ **exécuteur** n. m. *L'exécuteur des hautes œuvres,* le bourreau (mot admin. vieilli). ◆ **exécution** n. f. : *Surseoir à l'exécution. Une exécution capitale* (= mise à mort d'un condamné).

5. exécuter (s') [segzekyte] v. tr. (sujet nom de personne). Se résoudre à agir, passer à l'action : *Après avoir gagné du temps par tous les moyens, il a fini par s'exécuter. La somme à payer était lourde, pourtant il dut s'exécuter.*

exégèse [egzeʒɛz] n. f. Explication philologique ou doctrinale d'un texte : *Un théologien qui se spécialise dans l'exégèse biblique. Une savante exégèse a établi que ce texte était faussement attribué à notre auteur.* ◆ **exégète** n. m. : *Un passage de Platon qui a déconcerté les exégètes* (syn. : COMMENTATEUR). ◆ **exégétique** adj. : *Une note exégétique. Une analyse exégétique.*

1. exemplaire [egzɑ̃plɛr] n. m. Un des objets reproduits en série selon un même type (se dit surtout de livres, de journaux, de gravures, etc.) : *Cet ouvrage s'est vendu cette année à plus de vingt mille exemplaires. Un critique littéraire reçoit de nombreux exemplaires des ouvrages qui paraissent.*

2. exemplaire adj. V. EXEMPLE.

exemple [egzɑ̃pl] n. m. 1° Personne, acte, objet pouvant servir de modèle : *Ce garçon est l'exemple du bon élève* (syn. : MODÈLE, TYPE). *On cite souvent en exemple la rigueur des travaux de Pasteur. Prenez exemple sur vos glorieux ancêtres. N'imitons que les bons exemples. Vous vous devez de donner l'exemple. Il prétend que la vie à la campagne est une condition de santé, et il prêche d'exemple en restant dans son village* (= il est le premier à appliquer sa théorie). *À l'exemple de son frère aîné, il veut faire sa médecine* (= en l'imitant, en suivant ses traces). *Cette église est un bel exemple du style roman auvergnat* (syn. : SPÉCIMEN). — 2° Ce qui peut servir de leçon, d'avertissement : *Que cet accident vous serve d'exemple des dangers qu'on court en voulant faire de l'alpinisme sans préparation. Le tribunal d'exception a prononcé une condamnation sévère pour l'exemple* (= pour éviter, par un châtiment sévère, le retour de tels actes). — 3° Fait antérieur du même genre que celui dont il s'agit : *L'histoire de ce pays offre plusieurs exemples de ressaisissement après une période de décadence* (syn. : CAS). *C'est un fait sans exemple dans les annales judiciaires* (syn. : PRÉCÉDENT). — 4° Fait, chose ou être qui illustre, qui justifie une assertion : *Je pourrais vous citer de nombreux exemples de son avarice. Il y a en France des régions peu peuplées; exemple : la Lozère.* — 5° Phrase ou mot, empruntés ou non à un auteur, qui éclairent une règle, une définition : *Dans un dictionnaire, les exemples valent souvent mieux que les définitions pour faire comprendre le sens ou l'emploi des mots. En français, l'adjectif attribut du sujet s'accorde avec celui-ci; exemple : « Ces pêches sont excellentes. »* — 6° *Par exemple,* pour confirmer ou illustrer ce que je dis par un exemple : *Dans ce pays, la vie est très bon marché : par exemple, une paire de chaussures coûte moitié moins cher qu'ici* (syn. : AINSI); entre autres, notamment : *Découpez la feuille avec un instrument bien tranchant, par exemple une lame de rasoir; fam.,* toutefois, pourtant : *On mange très bien dans ce petit restaurant; par exemple, il ne faut pas être pressé* (syn. : SEULEMENT); *fam.* et *interjectiv.,* exprime la surprise, le scandale, le mécontentement : *Par exemple, je ne m'attendais pas à celle-là! Ah çà! par exemple, il ne l'emportera pas en paradis!* (syn. : ALORS). ◆ **exemplaire** adj. 1° Se dit d'une personne, d'un comportement qu'on peut citer en exemple (sens 1) : *C'est un employé exemplaire* (syn. : MODÈLE). *Sa conduite a été exemplaire* (syn. : IRRÉPROCHABLE, PARFAIT). *Il est d'une ponctualité exemplaire.* — 2° *Punition exemplaire,* destinée à frapper les esprits par sa rigueur (sens 2 de *exemple*). ◆ **exemplairement** adv. : *Les coupables ont été châtiés exemplairement.*

exempt, e [egzɑ̃, -ɑ̃t] adj. 1° Se dit d'une personne, d'une chose qui n'est pas assujettie à quelque obligation : *Un soldat exempt de corvée* (syn. : DISPENSÉ). *Des marchandises exemptes de déclaration à la douane.* — 2° Se dit d'une personne ou d'une chose qui est préservée de, qui n'a pas trace de : *On n'est jamais exempt d'un accident* (syn. : À L'ABRI). *Il est exempt de rancune. Un métier qui n'est pas exempt de risques.* ◆ **exempter** v. tr. : *On a exempté d'impôts les revenus inférieurs à ce montant* (syn. : AFFRANCHIR). *Un jeune homme exempté du service militaire* (syn. : DISPENSER). ◆ **exempté** n. m. : *Une loi qui concerne les exemptés de service.* ◆ **exemption** [egzɑ̃psjɔ̃] n. f. : *Un produit qui bénéficie d'une exemption de taxes* (syn. : EXONÉRATION, DISPENSE).

1. exercer [egzɛrse] v. tr. (sujet nom d'être animé) *Exercer quelqu'un, un animal, une faculté,* les soumettre à un entraînement méthodique, les habituer : *Le professeur exerce ses élèves à la conversation en anglais* (syn. : ENTRAÎNER). *Exercer un chien à rapporter le gibier* (syn. : DRESSER). *Exercer* *la mémoire, le jugement des enfants par des jeux appropriés* (syn. : FORMER). ◆ ***s'exercer*** v. pr. (sujet nom de personne) Se soumettre à un entraînement : *Un pianiste qui s'est longtemps exercé avant son récital. S'exercer à de longues marches. Je m'exerce à respecter strictement l'horaire que je me suis imposé.* ◆ **exercé, e** adj. : *Une fausse note qui n'échappe pas à une oreille exercée.* ◆ **exercice** n. m. 1° Action d'exercer : *Un sport qui favorise l'exercice des jambes. Un jeu excellent pour l'exercice de la mémoire. L'exercice du pouvoir l'a rendu de plus en plus autoritaire* (syn. : PRATIQUE). *Il est inattaquable dans l'exercice de ses droits. Vous ne pouvez pas fumer dans l'exercice de vos fonctions. Un directeur en exercice* (= en activité, en fonctions). — 2° Travail destiné à exercer quelqu'un : *Un musicien qui fait des exercices. Le professeur a donné à ses élèves une série d'exercices de mathématiques* (syn. : DEVOIR). *Les soldats partent à l'exercice* (= à une séance d'entraînement). *Le médecin lui a recommandé les exercices physiques* (= la gymnastique). *Il faut vous donner de l'exercice* (= vous dépenser physiquement). ◆ **inexercé, e** adj. : *Une oreille inexercée.*

2. exercer [egzɛrse] v. tr. 1° Mettre en usage, pratiquer : *La police exerce un contrôle discret sur ses activités. Il exerçait l'autorité en véritable dictateur.* — 2° *Exercer un droit,* le faire valoir, en user : *Le propriétaire de l'appartement a exercé son droit de reprise.* — 3° *Exercer (une profession),* la pratiquer : *Il exerce depuis peu des fonctions importantes dans cette entreprise. Exercer la médecine, la coiffure. Un avocat qui n'exerce plus depuis qu'il s'est lancé dans la politique.* — 4° (sujet nom de chose) Mettre à l'épreuve : *Une énigme qui exerce la sagacité des inspecteurs.* — 5° *Exercer une action, une influence,* etc., *sur quelqu'un* ou *sur quelque chose,* agir, influer sur cette personne ou sur cette chose : *Le climat exerce une action déterminante sur la végétation. Un ressort qui exerce une pression continue sur une pièce.* ◆ ***s'exercer*** v. pr. (sujet nom de chose). Se manifester, agir : *Les arcs-boutants équilibrent la poussée qui s'exerce sur ce mur. Son habileté a eu l'occasion de s'exercer dans cette affaire.* ◆ **exercice** n. m. : *L'exercice d'une profession.*

1. exercice n. m. V. EXERCER 1, 2.

2. exercice [egzɛrsis] n. m. Période comprise entre deux inventaires dans une entreprise commerciale, ou entre deux budgets dans une administration : *Une partie des bénéfices de l'exercice précédent a été affectée au fonds de réserve.*

exergue [egzɛrg] n. m. 1° Inscription mise en bas d'une médaille, en tête d'un ouvrage : *Ce chapitre porte en exergue deux vers de Virgile.* — 2° *Mettre en exergue une idée, une phrase,* etc., les mettre en évidence, leur accorder une importance toute particulière, qui aide à comprendre ce qui suit.

exhaler [egzale] v. tr. 1° *Exhaler une odeur,* la répandre autour de soi : *Des fleurs qui exhalent un parfum délicat.* — 2° *Exhaler sa mauvaise humeur, des regrets, des plaintes,* etc., les exprimer, les manifester. ◆ ***s'exhaler*** v. pr. Se répandre : *Une odeur de moisi s'exhale du soupirail* (syn. : ÉMANER). ◆ **exhalaison** n. f. : *Etre incommodé par des exhalaisons sulfureuses* (syn. : ODEUR).

exhausser v. tr. V. HAUT.

exhaustif, ive [egzostif, -iv] adj. Se dit d'une étude, d'un relevé, etc., ou d'une personne qui épuise à fond un sujet : *Cette énumération ne prétend pas être exhaustive* (syn. : COMPLET). *L'historien n'a pas été exhaustif : il n'a choisi que les faits essentiels de cette période.* ◆ **exhaustivement** adv. : *Etudier exhaustivement une question.*

exhiber [egzibe] v. tr. 1° *Exhiber quelque chose à quelqu'un,* lui mettre sous les yeux (une pièce officielle, un document) : *Il exhiba sa carte d'identité et la tendit au commissaire de police. En se présentant dans sa nouvelle place, il exhiba un certificat très élogieux.* — 2° Montrer avec ostentation : *Elle exhibait sur le boulevard sa nouvelle robe.* ◆ ***s'exhiber*** v. pr. *Péjor.* Se montrer en public avec ostentation, en vue de scandaliser : *Comment ose-t-il s'exhiber dans cette tenue?* ◆ **exhibition** n. f. : *L'exhibition des pièces à conviction confondit l'accusé. Un cirque qui fait une exhibition de chiens savants* (syn. non péjor. : PRÉSENTATION). *Il scandalise le voisinage par l'exhibition de sa richesse* (syn. : ÉTALAGE). ◆ **exhibitionnisme** n. m. 1° Tendance pathologique à se montrer entièrement nu. — 2° Etalage sans pudeur des sentiments les plus intimes. ◆ **exhibitionniste** n. m.

exhorter [egzɔrte] v. tr. *Exhorter quelqu'un à quelque chose, à* (et l'infin.), tenter de l'y amener, par des prières, des encouragements : *Un prédicateur qui exhorte l'auditoire au mépris des richesses. Exhorter quelqu'un au calme, à la patience* (syn. : INCITER, INVITER). *Il m'a exhorté à oublier ce malentendu* (syn. : PRIER DE, PRESSER DE); avec un nom de chose comme sujet : *Cet incident doit nous exhorter à la plus grande vigilance* (syn. : ENGAGER, PORTER, POUSSER). ◆ **exhortation** n. f. : *Prodiguer à quelqu'un des exhortations à la modération* (syn. : INVITATION, ENCOURAGEMENT). *Une exhortation à la prudence* (syn. : INCITATION).

exhumer [egzyme] v. tr. 1° *Exhumer quelque chose,* le retirer de la terre, où il était enseveli : *Exhumer un cadavre. Des fouilles archéologiques qui exhument des statues antiques.* — 2° Tirer de l'oubli : *Il a exhumé une vieille loi, jamais abrogée, qui justifie son action.* ◆ **exhumation** n. f. : *Le tribunal a autorisé l'exhumation de la victime pour faciliter la tâche des enquêteurs. L'exhumation de documents inconnus.* (V. INHUMER.)

exiger [egziʒe] v. tr. 1° (sujet nom de personne) *Exiger quelque chose de quelqu'un,* le lui réclamer impérativement, le lui imposer par une volonté formelle : *Un fournisseur qui exige un acompte immédiat au moment de la commande* (syn. : ↓ DEMANDER). *Le professeur exige le silence pendant la classe. On exige du titulaire de ce poste une conduite irréprochable. J'exige que vous me rendiez compte de l'emploi de cet argent* (syn. : ORDONNER). — 2° (sujet nom de chose ou d'animal) Avoir absolument besoin de : *Une plante qui exige beaucoup d'eau. Ce jeu exige une attention constante* (syn. : REQUÉRIR, DEMANDER). *Un bâtiment qui a exigé des réparations coûteuses* (syn. : NÉCESSITER). *L'étude de cette question exige des connaissances mathématiques assez poussées. Les bienséances exigent que vous ne disiez rien.* ◆ **exigeant, e** adj. : *Un chef très exigeant* (syn. : STRICT). *Je ne suis pas exigeant : vous me rembourserez quand vous pourrez, et sans intérêts. Si vous cédez à tous ses caprices, cet enfant deviendra de plus en plus exigeant. Il a une profes-*

sion très exigeante (syn. : ABSORBANT, DUR). ◆ **exigence** n. f. 1° Ce qui est commandé, réclamé : *Un article qui doit répondre aux exigences des clients les plus difficiles. Cette maison me conviendrait : quelles sont les exigences du vendeur?* (syn. : PRIX, CONDITIONS). — 2° Caractère d'une personne exigeante : *Un chef de bureau qui fait preuve d'une exigence tatillonne.* ◆ **exigible** adj. Se dit de ce qui peut être légalement exigé : *L'impôt est exigible le 15 septembre.* ◆ **exigibilité** n. f. : *Quelle est la date d'exigibilité de votre dette?*

exigu, ë [egzigy] adj. Se dit de ce qui est trop petit, qui ne laisse pas assez d'aisance : *Il habite un appartement exigu au cinquième étage* (syn. : ÉTROIT). *Le délai qui m'est accordé est un peu exigu* (syn. : COURT). *Des ressources exiguës* (syn. : INSUFFISANT). ◆ **exiguïté** [egzigɥite] n. f. : *L'exiguïté d'une pièce* (syn. : ÉTROITESSE).

exil [egzil] n. m. 1° Situation d'une personne expulsée ou obligée de vivre hors de sa patrie; lieu où cette personne réside à l'étranger : *Thémistocle fut condamné à l'exil. Un ancien conspirateur qui a préféré l'exil à la prison. Victor Hugo a écrit « les Châtiments » dans son exil des îles Anglo-Normandes. Pendant la Seconde Guerre mondiale, plusieurs gouvernements de pays occupés par l'Allemagne vécurent en exil en Angleterre.* — 2° Séjour hors de sa région, de sa ville d'origine, en un lieu où l'on se sent comme étranger : *Un fonctionnaire à qui plusieurs nominations ont imposé des années d'exil.* ◆ **exiler** v. tr. Bannir de sa patrie : *Exiler un condamné politique* (syn. : EXPULSER, PROSCRIRE). ◆ ***s'exiler*** v. pr. Quitter volontairement sa patrie : *De nombreux monarchistes s'exilèrent en Allemagne pendant la Révolution française* (syn. : S'EXPATRIER, SE RÉFUGIER). ◆ **exilé** n. m. : *Un pays qui ouvre ses frontières aux exilés.*

exister [egziste] v. intr. 1° (sujet nom de personne ou de chose) Avoir la vie, être hors du néant (plus usuel, en cet emploi, que *être,* qui appartient surtout à la langue philosophique) : *Depuis qu'il existe, cet enfant n'a connu que la misère* (= depuis qu'il est né). *Une sorte de léthargie, où l'on perd le sentiment d'exister réellement* (syn. : VIVRE). *L'année dernière, cette maison n'existait pas* (= elle n'était pas construite). *L'univers est l'ensemble de ce qui existe. Ne vous occupez pas de moi, faites comme si je n'existais pas. Il a bien compris toutes les difficultés qui existent dans cette affaire* (= qu'il y a). — 2° S'emploie souvent impersonnellement, avec la valeur de *il y a,* en insistant sur l'individualité, la personnalité d'un être ou d'une chose : *On s'est longtemps demandé s'il existait des hommes sur la Lune. L'étude des fossiles montre qu'il a existé de nombreuses espèces animales aujourd'hui disparues. Il existe au moins deux villes qui portent ce nom. Il n'existe pas d'autre solution à votre problème.* — 3° (sujet nom de chose) Avoir de l'importance, compter (surtout à la forme négative) : *Ses projets sont à longue échéance : pour lui, le temps n'existe pas. Rien n'existe à ses yeux que le bonheur de ses enfants.* — 4° Fam. *Ça n'existe pas,* cela n'a aucune valeur, c'est ridicule, sans intérêt : *Moi, je ne connais que la mer, disait-il; les vacances à la campagne, ça n'existe pas.* ◆ **existant, e** adj. : *Il faut tenir compte des faits existants* (=de la réalité). *Les règlements existants ne permettent pas de construire ici un immeuble de plus de quatre étages* (syn. : EN VIGUEUR). ◆ **inexistant, e** adj. : *Les progrès sont pratiquement inexistants.* ◆ **existence** n. f. 1° Le fait d'exister : *Des ouvrages théologiques sur l'existence de Dieu. Des sondages effectués ici ont établi l'existence d'une nappe de pétrole* (syn. : PRÉSENCE). — 2° Vie, manière de vivre : *Depuis son entrée dans l'existence, il est aveugle. Mener une existence misérable, large, insouciante. Ses moyens d'existence sont modiques* (= ses ressources). ◆ **inexistence** n. f. ◆ **existentiel, elle** adj. Se dit de ce dont on considère fondamentalement l'existence, ou de ce qui est lié intimement à l'existence : *Les réalités existentielles. Un besoin existentiel de bonheur.* ◆ **existentialisme** n. m. Doctrine philosophique selon laquelle l'homme, doté d'abord simplement de l'existence, se crée et se définit perpétuellement en agissant. ◆ **existentialiste** adj. et n. : *Les théories existentialistes. Un roman existentialiste. J.-P. Sartre est, en France, le plus connu des existentialistes.* ◆ **coexister** v. intr. Exister simultanément; vivre côte à côte en se tolérant mutuellement : *Plusieurs tendances coexistent au sein de ce syndicat.* ◆ **coexistence** n. f. : *La coexistence de plusieurs magasins dans le même quartier offre un plus grand choix à l'acheteur. La coexistence pacifique implique l'acceptation du statu quo.* ◆ **préexister** v. intr. Exister avant : *Une instabilité maladive préexistait à sa dépression.* ◆ **préexistant, e** adj.

exode [egzɔd] n. m. Départ en grand nombre : *L'exode des civils vers le sud de la France en 1940. L'exode des citadins en été. On appelle « exode rural » l'émigration des ruraux vers les villes.*

exonérer [egzɔnere] v. tr. *Exonérer quelqu'un, quelque chose d'une charge financière, d'une taxe,* l'en dispenser en totalité ou en partie : *Un étudiant exonéré des droits d'inscription à la faculté* (syn. : EXEMPTER). *Des articles exonérés de la taxe locale.* ◆ **exonération** n. f. : *Obtenir une exonération d'impôts* (syn. : DÉGRÈVEMENT).

exorbitant, e [egzɔrbitɑ̃, -ɑ̃t] adj. Se dit de ce qui scandalise par son caractère excessif : *Prix exorbitant* (syn. : EXAGÉRÉ). *Prétentions exorbitantes* (syn. : DÉMESURÉ). *Un privilège exorbitant* (syn. : ABUSIF).

exorbité, e [egzɔrbite] adj. *Yeux exorbités,* yeux qui semblent sortir de leur orbite.

exorciser [egzɔrsize] v. tr. 1° *Exorciser une personne, une chose,* prononcer des prières sur eux, pour en chasser le démon. — 2° *Exorciser un mal,* le chasser, s'en protéger : *Un gouvernement qui s'efforce d'exorciser le spectre de l'inflation* (syn. : CONJURER). ◆ **exorcisme** n. m. Cérémonie, parole, acte pour exorciser. ◆ **exorciste** n. m.

exorde [egzɔrd] n. m. Entrée en matière d'un discours : *L'exorde est ordinairement constitué par une idée générale* (syn. : INTRODUCTION). *En guise d'exorde, l'orateur rappela les résultats déjà obtenus* (syn. : PRÉAMBULE ; contr. : CONCLUSION).

exotique [egzɔtik] adj. Se dit de ce qui appartient à un pays étranger et lointain, de ce qui en provient et se distingue par un caractère original : *L'explorateur a décoré sa chambre de souvenirs exotiques. Cette plante exotique dépérit sous nos climats.* ◆ **exotisme** n. m. 1° Ensemble des caractères qui différencient ce qui est étranger de ce qui appartient à la civilisation occidentale : *Etre charmé par l'exotisme d'un paysage. Un roman plein d'exotisme.* — 2° Goût pour ce qui est exotique.

expansif, ive [ekspɑ̃sif, -iv] adj. Se dit d'une personne qui aime à faire part aux autres de ses sentiments : *Les Méridionaux ont la réputation d'être plus expansifs que les gens du Nord* (syn. : COMMUNICATIF, DÉMONSTRATIF, ↑ EXUBÉRANT). ◆ **expansivité** n. f. : *Son expansivité le rend peu propre à garder un secret* (contr. : DISCRÉTION).

expansion [ekspɑ̃sjɔ̃] n. f. Mouvement de ce qui se répand, se développe : *L'expansion d'une ville. Une industrie en pleine expansion* (syn. : ESSOR). *L'expansion économique est un facteur de prospérité pour un pays* (= le développement de la production; contr. : RÉGRESSION). *L'expansion d'une doctrine, de la culture.* ◆ **expansionniste** adj. et n. : *Une économie expansionniste.*

expatrier [ekspatrije] v. tr. *Expatrier des capitaux,* les transférer à l'étranger. ◆ ***s'expatrier*** v. pr. Quitter sa patrie : *Il n'avait pas de situation; il dut s'expatrier plusieurs années* (syn. : S'EXILER). ◆ **expatriation** n. f. : *Il a choisi l'expatriation pour échapper à la justice de son pays* (syn. : EXIL).

expectative [ekspɛktativ] n. f. Attitude d'une personne qui attend prudemment avant d'agir : *Il resta dans l'expectative, guettant l'occasion.*

expectorer [ekspɛktɔre] v. tr. et intr. (sujet nom de personne). Rejeter par la bouche les mucosités des bronches : *Expectorer des glaires. Un malade qui tousse, mais n'expectore pas* (syn. : CRACHER). ◆ **expectoration** n. f. : *Un sirop qui facilite l'expectoration.*

1. expédient [ekspedjɑ̃] n. m. Moyen propre à se tirer momentanément d'embarras, sans résoudre vraiment la difficulté (souvent péjor.) : *L'appel à des auxiliaires non spécialistes n'est qu'un expédient. Il vit d'expédients, dans de perpétuelles difficultés financières* (= il se procure de l'argent par toutes sortes de moyens, licites ou non).

2. expédient [ekspedjɑ̃] adj. m. *Il est expédient (de faire cela),* il est indiqué de le faire.

expédier [ekspedje] v. tr. **1°** *Expédier un objet,* le faire partir pour une destination : *Veuillez m'expédier ce colis à domicile. Je lui ai expédié une lettre recommandée* (syn. : ADRESSER). — **2°** Fam. *Expédier quelqu'un,* se débarrasser de lui : *Ils ont expédié leur fils en vacances chez ses grands-parents* (syn. : ENVOYER). — **3°** Péjor. *Expédier une tâche,* l'accomplir vivement, s'en débarrasser au plus vite : *Un élève qui expédie son devoir en dix minutes* (syn. : BÂCLER). *Un médecin qui expédie dix consultations en une heure* (= dix clients). — **4°** *Expédier les affaires courantes,* les gérer en attendant d'être remplacé dans ses fonctions (sans idée de hâte) : *Les ministres démissionnaires expédient les affaires courantes.* ◆ **expéditeur, trice** n. et adj. : *Le nom de l'expéditeur figure au dos de l'enveloppe. La lettre porte le cachet du bureau expéditeur.* ◆ **expéditif, ive** adj. Se dit d'une personne qui expédie vivement la besogne, ou de ce qui permet de l'expédier : *Avec lui, ça ne traîne pas, il est expéditif* (syn. : DILIGENT). *Une solution expéditive* (syn. : PROMPT). *Sa méthode critique est expéditive : il juge un livre sur les deux premières pages.* ◆ **expéditivement** adv. : *L'affaire a été réglée expéditivement.* ◆ **expédition** n. f. **1°** Action d'expédier : *L'expédition d'un paquet au guichet de la poste. Le commandement en chef a décidé l'expédition de renforts sur cette partie du front* (syn. : ENVOI). — **2°** Chose expédiée : *J'ai bien reçu votre dernière expédition* (syn. : ENVOI). — **3°** Opération militaire comportant un envoi de troupes vers un pays éloigné : *L'expédition de Bonaparte en Egypte. Les croisades étaient des expéditions dans les Lieux saints.* — **4°** Voyage scientifique ou touristique : *Il a rapporté de nombreux documents de son expédition en Amazonie. Une expédition polaire. Il est parti avec un camarade pour une expédition de trois jours dans les gorges du Tarn* (syn. : RANDONNÉE, TOURNÉE, ÉQUIPÉE). ◆ **expéditionnaire** adj. *Corps expéditionnaire,* troupes envoyées en expédition militaire. ◆ n. m. **1°** Employé d'administration chargé de recopier des comptes, des écritures, etc. — **2°** Personne ou organisme spécialisés dans l'expédition de marchandises.

1. expérience [eksperjɑ̃s] n. f. Epreuve visant à étudier un phénomène : *Une expérience de physique, de chimie. Le professeur a fait devant ses élèves une expérience d'électricité statique.* ◆ **expérimenter** v. tr. Soumettre à des expériences : *Expérimenter un remède, un appareil.* ◆ **expérimental, e, aux** adj. Se dit de ce qui est à base d'expérience scientifique, de ce qui comporte des expériences : *Une méthode expérimentale. Les études en sont au stade expérimental : la production industrielle n'est pas encore commencée. Les sciences expérimentales s'opposent aux sciences abstraites. Un laboratoire expérimental.* ◆ **expérimentalement** adv. : *L'efficacité de ce produit a été démontrée expérimentalement.* ◆ **expérimentateur, trice** n. : *La réussite de l'expérience dépend de l'habileté de l'expérimentateur.* ◆ **expérimentation** n. f. : *Au bout de longs mois d'expérimentation, le chef de laboratoire a conclu à la parfaite innocuité de ce médicament.*

2. expérience [eksperjɑ̃s] n. f. Connaissance des choses ou des personnes acquise par la pratique : *Il a une longue expérience en matière d'édition. Avoir l'expérience de la vie à la campagne, du monde des affaires. Je sais par expérience que les nuits sont fraîches dans cette région. Une vérité d'expérience* (= imposée par les faits). ◆ **expérimenté, e** adj. Se dit d'une personne qui a de l'expérience : *Le bateau était conduit par un pilote expérimenté. Un travail aussi délicat ne peut être effectué que par un ouvrier très expérimenté.* ◆ **inexpérience** n. f. : *Son inexpérience des affaires a failli causer la ruine de la société* (syn. : IGNORANCE). ◆ **inexpérimenté, e** adj. : *Je ne me sentais pas en sécurité avec un conducteur aussi inexpérimenté* (syn. : NOVICE).

expert, e [ekspɛr, -ɛrt] adj. Se dit de quelqu'un qui connaît très bien une chose par la pratique : *Il est très expert en mécanique; il vous réparera sûrement votre appareil. Voilà ce qu'il prétend; quant à moi, je ne suis pas expert en la matière* (= je ne m'y connais pas). *Il est expert à organiser des séances récréatives. Une ouvrière qui décore les poteries d'une main experte* (syn. : HABILE, ADROIT). ◆ **expert** n. m. Spécialiste chargé d'apprécier, de vérifier : *La compagnie d'assurances a envoyé un expert pour estimer les dégâts. Les experts reconnaissent formellement l'authenticité de ce tableau.* ◆ **inexpert, e** adj. : *Etre inexpert en musique.* ◆ **expertement** adv. : *Un travail expertement exécuté* (syn. : HABILEMENT, ADROITEMENT). ◆ **expertise** n. f. Constatation ou estimation effectuée par un spécialiste mandaté : *Soumettre un* *lieu à une expertise. Le rapport d'expertise est formel : la victime a été empoisonnée.* ◆ **expertiser** v. tr. Soumettre à une expertise : *Faire expertiser des meubles anciens.* ◆ **contre-expertise** n. f. Expertise ayant pour objet d'en contrôler une autre.

expier [ekspje] v. tr. *Expier un crime, une faute, ses péchés,* etc., subir un châtiment, une peine qui en constituent une réparation morale, une contrepartie : *Un assassin qui expie son crime par la prison perpétuelle. Il a expié chèrement à l'hôpital une seconde d'inattention au volant* (syn. : PAYER). ◆ **expiable** adj. : *Une faute difficilement expiable.* ◆ **inexpiable** adj. : *Des crimes de guerre inexpiables.* ◆ **expiation** n. f. : *La justice lui a infligé une lourde expiation de ce moment d'égarement* (syn. : CHÂTIMENT). *Il se consacre aux œuvres charitables, en expiation de ses fautes passées* (syn. : RÉPARATION). ◆ **expiatoire** adj. Se dit de ce qui sert à expier (langue religieuse) : *La messe est un sacrifice expiatoire.*

1. expirer [ekspire] v. tr. et intr. Rejeter l'air contenu dans les poumons : *Expirer de l'air vicié. Expirer lentement* (contr. : INSPIRER, ASPIRER). ◆ **expiration** n. f.

2. expirer [ekspire] v. intr. 1° (sujet nom d'être animé) Mourir (langue soutenue) : *Au terme d'une longue maladie, il a expiré paisiblement, entouré des siens* (syn. : RENDRE LE DERNIER SOUPIR). — 2° (sujet nom de chose) S'affaiblir jusqu'à disparaître ou cesser d'exister : *Les bruits lointains de la ville expirent dans la paix du soir.* — 3° *Traité, bail,* etc., *qui expire,* qui arrive à son terme : *Il nous a accordé un délai qui expire après-demain.* ◆ **expirant, e** adj. : *Il m'a répondu d'une voix expirante* (syn. : MOURANT). *S'efforcer de ranimer une industrie expirante.* ◆ **expiration** n. f. Fin d'un délai, terme convenu : *A l'expiration de son bail, il est menacé d'expulsion. La validité du billet vient à expiration à la fin de la semaine.*

explétif, ive [ekspletif, -iv] adj. Se dit d'un mot ou d'une expression qui n'est pas nécessaire au sens de la phrase, mais dont l'emploi est commandé par l'usage ou a une valeur affective : *« Ne » est explétif dans : « Partons avant qu'il ne pleuve. »*

explicite [eksplisit] adj. Se dit de ce qui est énoncé formellement, de ce qui ne prête à aucune contestation : *En vertu d'une convention explicite, la société est autorisée à majorer les cotisations* (syn. : EXPRÈS; contr. : IMPLICITE). *Le texte de la loi est très explicite sur ce point* (syn. : CLAIR). ◆ **explicitement** adv. : *Le contrat stipule explicitement que le travail devra être achevé à cette date* (syn. : EN TOUTES LETTRES; contr. : IMPLICITEMENT). ◆ **expliciter** v. tr. : *Expliciter une interdiction* (= la formuler plus clairement).

expliquer [eksplike] v. tr. 1° (sujet nom de personne) Faire comprendre par un développement parlé ou écrit, ou par des gestes : *Les savants ont expliqué le phénomène des marées par l'attraction de la Lune. Le professeur explique un problème au tableau* (= il fait saisir les relations entre les éléments de l'énoncé et en donne la solution). *Expliquer le sens d'une phrase. Ce qu'on ne peut pas expliquer demeure mystérieux* (syn. : ÉCLAIRCIR). *Expliquer un auteur, c'est commenter son œuvre, mettre en lumière ses intentions, etc. Expliquer par gestes à un étranger la route à suivre.* — 2° (sujet nom de personne) Faire connaître en détail : *Il m'a expliqué ses projets* (syn. : EXPOSER). *Expliquez votre pensée* (syn. : DÉVELOPPER). *Je lui ai expliqué pourquoi je n'étais pas venu. Explique-moi comment tu t'y prends* (syn. : MONTRER); suivi de *que* (et l'indic.) : *On vous a déjà expliqué que vous deviez vous présenter muni d'une pièce d'identité.* — 3° (sujet nom de chose) Etre une justification, apparaître comme une cause de : *La difficulté des travaux explique le coût de l'opération. L'accident ne peut être expliqué que par une défaillance du conducteur. Les intempéries ne suffisent pas à expliquer pourquoi le coût de la vie a tellement augmenté;* suivi de *que* (et du subj.) : *Les dangers d'éboulement expliquent qu'on ne puisse pas envisager de construire ici.* ◆ **s'expliquer** v. pr. 1° (sujet nom de personne) Faire comprendre ou faire connaître sa pensée, ses raisons : *Cette idée vous paraît peut-être bizarre, mais je vais m'expliquer. Il s'est expliqué sur ses intentions.* — 2° (sujet nom de personne) Avoir une discussion, faire une mise au point : *Nous ne pouvons pas facilement nous expliquer par téléphone; venez me voir, nous réglerons cette question. Il s'est longuement expliqué avec son adversaire.* — 3° (sujet nom de personne) *Pop.* Se battre, vider une querelle : *Ils sont allés s'expliquer dehors.* — 4° *S'expliquer quelque chose,* en comprendre la raison, le bien-fondé : *Je ne m'explique pas son retard. On s'explique aisément pourquoi il n'a rien dit. Je m'explique maintenant que personne n'ait rien vu : tout s'est passé en notre absence.* — 5° (sujet nom de chose) Devenir intelligible, se laisser comprendre : *Un phénomène qui s'explique facilement. Vos craintes ne s'expliquent pas* (= elles sont injustifiées). *Un échec qui s'explique par une erreur de calcul.* ◆ **explicable** adj. : *La rupture du ressort est explicable, étant donné la surcharge. Une erreur explicable par la fatigue de l'ouvrier. Il en a éprouvé un dépit bien explicable* (syn. : LÉGITIME, JUSTIFIÉ, COMPRÉHENSIBLE). ◆ **inexplicable** adj. : *La disparition de cet objet est inexplicable* (syn. : INCOMPRÉHENSIBLE). *Il s'obstine dans un silence inexplicable.* ◆ **explicatif, ive** adj. Qui a pour rôle d'expliquer : *Une notice explicative est jointe à l'appareil.* ◆ **explication** n. f. : *Son explication de ce phénomène est ingénieuse. Un examen qui comporte une explication de texte* (syn. : COMMENTAIRE). *J'ai eu une explication franche avec lui* (syn. : DISCUSSION). *Il a cherché à s'excuser en se lançant dans de longues explications* (syn. : JUSTIFICATION). *Pas d'explications : obéis!* (= il est inutile de tergiverser).

exploit [eksplwa] n. m. 1° Action d'éclat, action mémorable : *Un vieux soldat qui raconte ses exploits* (syn. littér. : HAUTS FAITS). *Les exploits des premiers cosmonautes ont suscité l'admiration du monde. Une journée marquée par un brillant exploit sportif* (syn. : PERFORMANCE). — 2° *Ironiq.* Action inconsidérée, maladresse, sottise : *Tu peux être fier de ton exploit : ton costume neuf est plein de taches.*

1. exploiter [eksplwate] v. tr. 1° *Exploiter une ferme, une entreprise,* etc., les faire valoir, en tirer profit : *Un cultivateur qui exploite une centaine d'hectares. Exploiter une carrière de pierre.* — 2° *Exploiter un avantage, la situation, ses dons,* etc., en user à propos : *Il n'a pas su exploiter son avantage. Vous avez eu le mérite d'exploiter votre chance.* ◆ **exploitable** adj. : *C'est un département très pauvre : les terres exploitables n'en constituent* *qu'une faible partie. Un gisement de pétrole facilement exploitable.* ◆ **inexploitable** adj. ◆ **exploitabilité** n. f. : *Avoir des doutes sur l'exploitabilité d'une mine.* ◆ **exploitant** n. m. et adj. : *Ce matériel agricole très coûteux n'est pas à la portée des petits exploitants. Un propriétaire exploitant est celui qui exploite lui-même son domaine.* ◆ **exploitation** n. f. 1° Action d'exploiter : *Il se consacre à l'exploitation de ses vignes. Plusieurs industriels ont tenté l'exploitation de cette découverte.* — 2° Affaire qu'on exploite : *Etre à la tête d'une exploitation agricole, minière, commerciale.*

2. exploiter [eksplwate] v. tr. *Exploiter quelqu'un, ses actions,* tirer un profit abusif de sa bonne volonté, de sa faiblesse : *Il exploite l'ignorance du public. Ce commerçant exploite les clients.* ◆ **exploité, e** adj. et n. : *Les éternels exploités.* ◆ **exploitation** n. f. : *L'esclavage était une exploitation de l'homme par l'homme.* ◆ **exploiteur, euse** n. et adj. : *C'est un homme simple et naïf, une victime facile pour les exploiteurs.*

explorer [eksplɔre] v. tr. 1° *Explorer un lieu,* le parcourir en l'étudiant attentivement : *Les enquêteurs ont exploré les environs, à la recherche d'un indice pouvant les mener sur la piste des malfaiteurs* (syn. : SCRUTER). *Explorer une région désertique.* — 2° *Explorer une question, les possibilités d'un accord,* etc., les examiner, en étudier les aspects. ◆ **explorable** adj. : *De nombreuses grottes n'étaient pas explorables avant la mise au point d'un matériel spécialisé.* ◆ **explorateur, trice** n. Personne qui fait un voyage de découverte : *On est sans nouvelles d'une équipe d'explorateurs partie dans la forêt tropicale.* ◆ **exploration** n. f. : *L'exploration de l'Afrique centrale par Stanley. Au retour de son exploration, il a donné une série de conférences* (syn. : EXPÉDITION). *Une rapide exploration de la pièce le convainquit que tous les documents importants avaient disparu* (syn. : EXAMEN, INSPECTION). ◆ **inexplorable** adj. : *Les profondeurs inexplorables de la Terre.* ◆ **inexploré, e** adj. : *Région encore inexplorée du globe. Caverne inexplorée.*

exploser [eksploze] v. intr. 1° (sujet nom de chose) Eclater violemment : *Les obus creusent des entonnoirs dans le sol en explosant. Faire exploser une charge de dynamite pour frayer une route dans la montagne.* — 2° (sujet nom de sentiment) Se manifester soudain très bruyamment : *Sa colère explosa* (syn. : ↓ ÉCLATER). — 3° (sujet nom de personne) Ne plus pouvoir contenir sa colère : *La mauvaise foi de son interlocuteur était flagrante : il explosa soudain. Exploser en reproches.* ◆ **explosif, ive** adj. Se dit de ce qui peut exploser : *Un mélange explosif. Il a un tempérament explosif. La situation est explosive* (= un conflit grave est à craindre). ◆ **explosif** n. m. Substance capable d'exploser : *La nitroglycérine est un puissant explosif.* ◆ **explosion** n. f. : *Une explosion s'est produite dans la maison à la suite d'une fuite de gaz. Une explosion de colère* (syn. : ÉCLAT). *Une explosion de joie* (syn. : DÉBORDEMENT).

exporter [eksp ɔrte] v. tr. Transporter et vendre à l'étranger (un produit national, des marchandises, etc.) : *La France exporte des vins dans de nombreux pays* (contr. : IMPORTER). *Exporter une doctrine* (= la propager à l'étranger). ◆ **exportable** adj. : *Des denrées difficilement exportables.* ◆ **exportateur, trice** n. et adj. : *Son père est un gros exportateur de tissus. Les pays exportateurs de céréales* (contr. : IMPORTATEUR). ◆ **exportation** n. f. 1° Action d'exporter : *L'exportation de certains produits est soumise à une réglementation stricte. S'enrichir dans l'exportation. Cultiver des primeurs pour l'exportation* (contr. : IMPORTATION). — 2° Marchandise exportée : *Le volume des exportations est nettement supérieur à celui des importations.*

1. exposer [ekspoze] v. tr. 1° *Exposer quelque chose,* le présenter aux regards du public : *Un commerçant qui expose ses produits au marché* (syn. : ÉTALER). *Un livre exposé à la devanture du libraire. Il a exposé deux de ses tableaux au Salon des indépendants. Un artiste qui expose pour la première fois.* — 2° *Exposer une chose à quelque chose,* la présenter à l'action de quelque chose, la tourner vers quelque chose : *Exposer du linge au soleil, une plaque photographique à la lumière. Des poteries exposées à la chaleur du four. Une maison exposée à l'est* (= dont la façade est orientée vers l'est). *Cette vigne est très bien exposée* (= son orientation est très bonne). ◆ **exposant, e** n. Personne ou firme qui présente des œuvres, des produits dans une exposition : *Parmi les exposants, on relève les noms de peintres célèbres. Au Salon des arts ménagers, les exposants étaient plus nombreux que l'année dernière.* ◆ **exposition** n. f. 1° Action d'exposer : *L'exposition du mobilier aura lieu la veille de la vente aux enchères. L'exposition prolongée du corps aux rayons solaires peut causer des brûlures graves si on ne prend pas quelques précautions.* — 2° Manifestation organisée en vue de la présentation au public d'œuvres d'art ou de choses diverses : *Une exposition de sculpture, de photographie. L'exposition a ouvert ses portes. Le ministre a inauguré l'exposition agricole.* — 3° Manière dont une chose est orientée (notamment une maison) : *L'exposition d'une maison au midi* (syn. : ORIENTATION).

2. exposer [ekspoze] v. tr. *Exposer une question, un problème, un fait,* etc., les présenter avec les développements et les explications nécessaires : *L'orateur a exposé son programme politique* (syn. : DÉCRIRE). *Exposer une nouvelle théorie scientifique. Exposez-nous les raisons de votre choix* (syn. : EXPLIQUER). ◆ **exposé** n. m. Développement explicatif : *Faire un exposé oral de la situation financière. Un étudiant qui présente un exposé sur une question de grammaire* (= une brève conférence ; syn. fam. : TOPO). *L'étude du marché de l'automobile a fait l'objet d'un exposé* (syn. : RAPPORT).

3. exposer [ekspoze] v. tr. *Exposer quelqu'un, quelque chose (à quelque chose),* le mettre en péril, lui faire courir un risque (souvent au part. passé) : *Exposer sa vie pour sauver quelqu'un* (syn. : RISQUER). *Il est à un poste très exposé. Un officier prudent n'expose pas inutilement ses hommes. En l'envoyant seul de nuit, vous l'avez exposé à de graves dangers. Sa rude franchise l'a plus d'une fois exposé à perdre sa place. Les embouteillages exposent les voitures aux accrochages.* ◆ **s'exposer** v. pr. Courir un risque : *Les sauveteurs se sont exposés sans hésiter. Un convalescent s'expose à une rechute en sortant prématurément. Un novateur ne craint pas de s'exposer aux critiques* (syn. : AFFRONTER). *Vous vous exposez à rester en panne si vous ne prenez pas d'essence* (syn. : RISQUER DE).

1. exprès, esse [ekspr ɛ, -ɛs, mais on tend à prononcer ekspr ɛs au masc.] adj. *Ordre exprès, défense expresse,* etc., qui sont nettement exprimés : *Les soldats chargés de contenir les manifestants* *avaient reçu l'interdiction expresse de faire usage de leurs armes* (syn. : FORMEL, ABSOLU). *La lettre porte la mention expresse de son acceptation* (syn. : EXPLICITE). ◆ **expressément** adv. : *Il est expressément défendu de fumer dans la salle. La plus grande prudence est expressément recommandée aux automobilistes* (= avec insistance).

2. exprès [ekspʀɛs] adj. *Lettre exprès, colis exprès,* lettre ou colis remis rapidement au destinataire.

3. exprès [ekspʀɛ] adv. 1° Avec intention : *Je suis venu exprès pour parler de cette question. C'est exprès que j'ai évité d'employer ce mot* (syn. : INTENTIONNELLEMENT ; À DESSEIN, langue soutenue). *Il faut l'excuser de ce geste malheureux : il ne l'a pas fait exprès* (= c'est involontaire). — 2° *Un fait exprès,* une coïncidence plus ou moins fâcheuse : *Il a téléphoné plusieurs fois chez moi : par un fait exprès, j'étais justement absent ce jour-là.*

express [ekspʀɛs] n. m. et adj. Train rapide, qui ne s'arrête que rarement sur son parcours : *Le trajet dure deux heures par l'express et trois heures et demie par l'omnibus. Un train express.*

1. exprimer [ekspʀime] v. tr. *Exprimer le jus d'un fruit,* etc., l'extraire par pression (rare).

2. exprimer [ekspʀime] v. tr. (sujet nom de personne ou de chose). Manifester par le langage, les actes, les traits du visage, etc. : *Il exprima à ses hôtes sa reconnaissance en termes émus. Sa physionomie exprimait son inquiétude. Choisir les mots qui expriment le mieux une pensée* (syn. : TRADUIRE). *Un budget exprimé en francs, en dollars, en livres. La littérature exprime les goûts d'une époque.* ◆ ***s'exprimer*** v. pr. (sujet nom de personne). Formuler sa pensée, se faire comprendre : *Il s'exprime avec élégance. S'exprimer difficilement en anglais* (syn. : PARLER). *Il en était réduit à s'exprimer par gestes.* ◆ **exprimable** adj. : *Un sentiment difficilement exprimable. Des résultats exprimables en chiffres.* ◆ **inexprimable** adj. A généralement une valeur intensive : *Une joie, une surprise inexprimable* (syn. : INDICIBLE, EXTRAORDINAIRE, IMMENSE). ◆ **expressif, ive** adj. 1° Se dit de ce qui exprime avec force une idée, un sentiment : *Un mot, un geste, un regard expressif* (syn. : ÉLOQUENT). — 2° Qui a beaucoup de vivacité : *Une physionomie expressive.* ◆ **expressivement** adv. : *Regarder quelqu'un expressivement. Sourire expressivement.* ◆ **expressivité** n. f. : *L'expressivité d'un visage. Employer un vocabulaire recherché par désir d'expressivité.* ◆ **inexpressif, ive** adj. : *Un visage inexpressif* (syn. : IMPASSIBLE). ◆ **expression** n. f. 1° Manifestation de la pensée, du sentiment, du talent, etc. : *L'expression de la mélancolie dans une page de Chateaubriand. Des exercices de grammaire et de vocabulaire qui visent à développer chez les élèves les moyens d'expression. La liberté d'expression est menacée dans les régimes totalitaires. Cette symphonie est la plus belle expression du génie du compositeur. Les cathédrales sont une expression de la foi d'un peuple.* — 2° Mot, groupe de mots qui exprime une pensée ou un sentiment : *Un roman où abondent les expressions triviales. Une expression imagée* (syn. : LOCUTION). *Il a été odieux au-delà de toute expression* (= plus qu'on ne saurait dire). — 3° Ensemble des signes qui expriment un sentiment sur un visage : *Il regardait sa maison détruite avec une expression de désespoir. Un peintre qui rend admirablement les expressions.* — 4° *Réduire à sa plus simple expression,* ramener à très peu de chose, à un très petit volume, ou même supprimer totalement : *Sa tenue vestimentaire était réduite à sa plus simple expression : tout juste un petit slip de bain.* ◆ **expressionnisme** n. m. Forme d'art qui vise à l'intensité de l'expression. ◆ **expressionniste** adj. et n. : *Les peintres expressionnistes.*

exproprier [ekspʀɔpʀije] v. tr. *Exproprier quelqu'un,* lui retirer par des moyens légaux la propriété d'un bien : *Pour tracer l'autoroute, il a fallu exproprier de nombreux propriétaires de pavillons, moyennant une indemnité.* ◆ **expropriation** n. f. : *La construction du barrage a entraîné l'expropriation de tous les habitants de la vallée.*

expulser [ekspylse] v. tr. 1° *Expulser quelqu'un,* le chasser par la force ou par une décision de l'autorité : *Une contre-attaque a expulsé le détachement ennemi du poste dont il s'était emparé* (syn. : DÉLOGER). *La police expulsa de la salle plusieurs agitateurs* (syn. pop. : VIDER). *Expulser un élève du lycée* (syn. : RENVOYER, EXCLURE, METTRE À LA PORTE). — 2° *Expulser quelque chose,* le rejeter : *Les déchets sont expulsés de l'organisme dans les excréments* (syn. : ÉVACUER). ◆ **expulsion** n. f. : *Le proviseur a décidé l'expulsion de cet élève* (syn. : EXCLUSION, RENVOI, MISE À LA PORTE).

expurger [ekspyʀʒe] v. tr. *Expurger un livre, un texte,* etc., en supprimer des passages jugés contraires à la morale, aux convenances : *Les élèves ont entre les mains une édition expurgée de l'œuvre.*

exquis, e [ekski, -iz] adj. 1° Se dit de ce qui produit une impression très agréable et raffinée sur les sens, principalement sur le goût : *Un vin, un dessert exquis* (syn. : DÉLICIEUX, EXCELLENT, SUCCULENT, FIN). *Une harmonie exquise de couleurs* (syn. : DÉLICAT). *Un adagio d'une douceur exquise* (syn. : DÉLECTABLE). *Un parfum exquis.* — 2° Se dit de ce qui cause un plaisir raffiné d'ordre intellectuel, ou d'un comportement plein de délicatesse, ou même d'une personne extrêmement affable : *Un petit poème exquis* (syn. : CHARMANT). *Une politesse, une élégance exquise. Un humour exquis* (contr. : DÉSAGRÉABLE). *C'est un homme exquis, plein d'attentions.*

exsangue [eksɑ̃g] adj. Se dit d'une personne (ou d'une partie de son corps) qui a perdu beaucoup de sang : *Un blessé exsangue. La pâleur de son visage exsangue* (syn. : BLÊME, LIVIDE).

extase [ekstaz] n. f. Vive admiration, allant jusqu'au ravissement, causée par une personne ou une chose : *Des enfants en extase devant une vitrine de jouets* (syn. : RAVISSEMENT). *Ce n'est pas le moment de rester en extase devant le paysage, il faut se mettre à l'ouvrage* (syn. : CONTEMPLATION). *Il était naïvement en extase devant la culture de son interlocuteur.* (Dans la langue religieuse, *extase* désigne l'état d'une personne qui est comme soustraite au monde sensible par l'intensité de sa contemplation mystique.) ◆ **extasié, e** adj. : *Contempler un cadeau d'un air extasié* (syn. : RAVI, ADMIRATIF, ENCHANTÉ). ◆ **extasier (s')** v. pr. (sujet nom de personne). Exprimer son admiration, son ravissement : *S'extasier sur l'éclat d'un bijou, sur l'interprétation d'une symphonie.* ◆ **extatique** adj. Se dit de ce qui tient de l'extase, ou qui exprime l'extase : *Une immobilité, un regard extatique.*

extension [ekstɑ̃sjɔ̃] n. f. 1° Action d'étendre (surtout au sens 1 du verbe tr.), de s'étendre :

Dans la brasse, la projection des bras en avant s'accompagne de l'extension brusque des jambes. L'extension d'un ressort à boudin. Une revue qui contribue à l'extension du français dans le monde (syn. : DÉVELOPPEMENT). *Le directeur a obtenu du conseil d'administration une extension de ses pouvoirs* (syn. : ACCROISSEMENT). *Le mot « panier » a subi une extension de sens depuis le Moyen Age.* — 2° Limites jusqu'où s'étend quelque chose, importance, étendue : *Cette industrie a maintenant une extension considérable. Son commerce a pris de l'extension.* ◆ **extensif, ive** adj. 1° *Sens extensif,* en linguistique, sens qu'un mot a pris par extension. — 2° *Culture extensive,* celle qu'on fait sur de grandes surfaces avec un rendement faible, par opposition à la *culture intensive.* ◆ **extenseur** [ekstɑ̃sœr] adj. m. Qui sert à étendre : *Les muscles extenseurs du bras.* ◆ n. m. Appareil de gymnastique servant à développer les muscles. ◆ **extensible** adj. Se dit de ce qui peut être étendu, allongé : *Le caoutchouc est extensible.* ◆ **extensibilité** n. f. ◆ **inextensible** adj.

exténuer [ekstenɥe] v. tr. *Exténuer quelqu'un, les forces de quelqu'un,* l'affaiblir extrêmement : *Cette longue marche l'avait exténué* (syn. : ÉPUISER, ÉREINTER, ABATTRE). ◆ **exténuant, e** adj. : *Un travail exténuant.* ◆ **exténuation** n. f. : *Poursuivre son effort jusqu'à complète exténuation.*

extérieur, e [eksterjœr] adj. 1° Se dit, généralement par opposition à *intérieur,* de ce qui est au-dehors : *Fermer les portes et les fenêtres pour s'isoler des bruits extérieurs. L'écorce est la partie extérieure d'un tronc d'arbre. On appelle « boulevards extérieurs » ceux qui sont à la périphérie d'une ville. Le commerce extérieur est florissant* (= avec les pays étrangers). *La politique extérieure est celle qui concerne les relations entre Etats.* — 2° Se dit de ce qui apparaît, de ce qui est visible, par opposition à ce qui est caché : *Les signes extérieurs de richesse peuvent être pris en considération pour la détermination du montant des impôts. Sa gaieté est tout extérieure : en réalité, il vit dans une inquiétude perpétuelle* (syn. : APPARENT, DE FAÇADE). — 3° Se dit de ce qui existe en dehors de l'individu : *Nos sens nous renseignent sûr le monde extérieur. Résister aux sollicitations extérieures.* ◆ **extérieur** n. m. 1° Ce qui est en dehors ou à la surface : *Les animaux de la ferme restent à l'extérieur de la maison* (contr. : INTÉRIEUR). *L'extérieur de ce fruit est rouge, l'intérieur est blanc.* — 2° Les pays étrangers, ou ce qui n'appartient pas à une entreprise, etc. : *Développer les relations commerciales avec l'extérieur. Acheter des matières premières à l'extérieur.* — 3° Aspect général d'une personne : *Il a un extérieur négligé* (syn. : ALLURE). *Sous un extérieur rude, il cache un cœur d'or* (syn. : DEHORS, AIR). *Un extérieur courtois* (syn. : MANIÈRES). ◆ **extérieurement** adv. : *La maison a été un peu endommagée extérieurement, mais elle reste intacte intérieurement. Un homme extérieurement respectable* (= à en juger par les apparences). ◆ **extérioriser** v. tr. Manifester par son comportement : *C'est un homme très expansif, qui extériorise tous ses sentiments.* ◆ **extériorisation** n. f. : *L'extériorisation par la parole des aspirations intimes.*

exterminer [ekstɛrmine] v. tr. *Exterminer des êtres animés,* les faire périr, les anéantir en totalité ou en très grand nombre : *Acheter un produit pour exterminer les rats* (syn. : DÉTRUIRE). *Une peuplade exterminée par les envahisseurs.* ◆ **exterminateur, trice** adj. et n. : *Des représailles exterminatrices.* ◆ **extermination** n. f. : *Un camp d'extermination.*

1. externe [ekstɛrn] adj. Se dit, par opposition à *interne,* de ce qui est situé vers le dehors, de ce qui vient du dehors : *La face interne et la face externe d'un couvercle* (syn. : EXTÉRIEUR). *Un médicament à usage externe ne doit pas être absorbé. L'angle externe de l'œil est celui qui est le plus éloigné du nez. Les causes externes d'un mal.*

2. externe [ekstɛrn] n. Elève qui suit les cours d'un établissement sans y coucher ni y prendre le repas de midi, par opposition aux *internes* et aux *demi-pensionnaires.* ◆ **externat** n. m. 1° Régime des externes. — 2° Etablissement d'enseignement qui ne reçoit que des externes.

extinction [ekstɛ̃ksjɔ̃] n. f. 1° Action d'éteindre ce qui était allumé; le fait de s'éteindre : *L'extinction de l'incendie a demandé plusieurs heures d'efforts. Il est imprudent d'abandonner un feu en plein air avant son extinction.* — 2° Affaiblissement, cessation complète d'une activité : *Il a tellement crié qu'il a attrapé une extinction de voix* (= il est devenu aphone). *L'extinction de l'enthousiasme, du génie créateur.* — 3° Destruction complète, annulation, disparition : *Jusqu'à l'extinction de sa dette, il reste tributaire de son créancier. Une espèce animale en voie d'extinction.* ◆ **extincteur** adj. et n. m. Se dit de ce qui éteint (au sens 1) : *Un produit extincteur. Un appareil extincteur.* ◆ n. m. Appareil destiné à éteindre les incendies.

extirper [ekstirpe] v. tr. 1° *Extirper une plante,* l'arracher du sol avec ses racines. — 2° *Extirper une tumeur,* l'enlever complètement. — 3° *Extirper un renseignement à quelqu'un,* etc., obtenir difficilement de lui ce renseignement, etc. (syn. : ARRACHER). — 3° *Extirper une erreur, un préjugé,* etc., les faire cesser, en débarrasser les esprits (syn. : DÉRACINER). ◆ **extirpable** adj. : *Une erreur difficilement extirpable.* ◆ **extirpation** n. f.

extorquer [ekstɔrke] v. tr. *Extorquer quelque chose à quelqu'un,* l'obtenir de lui par la violence, la menace, par un abus de confiance : *Les auteurs du rapt se proposaient d'extorquer une somme importante aux parents de l'enfant* (syn. : SOUTIRER). *A force d'insister, il a fini par extorquer au vieillard une signature qui le rend héritier.* ◆ **extorsion** n. f. : *Il a été inculpé d'extorsion de fonds.*

1. extra- [ekstra], préfixe (directement rattaché au radical ou relié à lui par un trait d'union) qui exprime l'extériorité : *Une nébuleuse extragalactique* (= située hors de la Voie lactée). *Une commission extra-parlementaire* (= recrutée hors du Parlement); ou qui donne une valeur superlative à un adjectif : *Des haricots extra-fins* (= très fins). *Du beurre extra-frais.*

2. extra [ekstra] n. m. invar. 1° Ce qui est en dehors des habitudes, ce qui sort de l'ordinaire; repas particulièrement soigné : *Il avait fait un extra pour accueillir ses invités.* — 2° Service occasionnel, fait en dehors des heures normales de travail : *Un ouvrier peintre qui fait des extra le samedi, chez des particuliers.* — 3° Personne qui fait ce service : *Les jours de réception, la maîtresse de maison engage un extra.*

3. extra [ekstra] adj. invar. Se dit de ce qui est de qualité supérieure : *Fruits extra. Tissu extra.*

extradition [ekstradisjɔ̃] n. f. Action de remettre un criminel au gouvernement étranger dont il dépend et qui le réclame.

extraire [ekstrɛr] v. tr. (conj. **79**). Tirer d'un ensemble, d'un corps : *Extraire un livre d'un rayon de bibliothèque. Le chirurgien a extrait deux balles de la jambe du blessé. Une carrière d'où on extrait du marbre. Ces vers sont extraits d'un poème.* ◆ **extraction** n. f. 1° Action d'extraire : *L'extraction d'une dent. L'extraction du sable de rivière.* — 2° Origine d'une personne, son ascendance (littér.) : *Un gentilhomme était un homme d'extraction noble.* ◆ **extrait** n. m. 1° Passage tiré d'un livre, d'un discours, d'un document, etc. : *Les journaux ont reproduit de larges extraits du discours du président. Ce livre donne des extraits des principales œuvres du XVIIe siècle. Un extrait de naissance est une copie officielle de l'acte de naissance d'une personne. Un extrait de casier judiciaire.* — 2° Substance extraite d'un corps par des procédés chimiques : *Un flacon d'extrait de lavande.*

1. extraordinaire [ekstraɔrdinɛr] adj. 1° Se dit d'un être animé ou d'une chose qui étonne par sa bizarrerie, sa rareté : *Raconter des aventures extraordinaires* (syn. : INCROYABLE, FANTASTIQUE, MERVEILLEUX). *Il n'y a pas eu une seule belle journée durant le mois d'août : c'est un fait assez extraordinaire dans cette région* (syn. : EXCEPTIONNEL, INSOLITE, INHABITUEL). *Vous êtes extraordinaire : vous vous imaginez qu'on n'a rien d'autre à faire que de s'occuper de vous* (syn. : ÉTONNANT, DRÔLE). — 2° Qui dépasse de beaucoup le niveau ordinaire (peut servir de superlatif à *grand*) : *Un homme d'une taille extraordinaire* (syn. : GIGANTESQUE). *Il a fait une chaleur extraordinaire* (syn. : TORRIDE). *Un froid extraordinaire* (syn. : GLACIAL). *Un prix extraordinaire* (syn. : EXORBITANT). *Une chance extraordinaire. Un succès extraordinaire* (syn. : SENSATIONNEL). ◆ **extraordinairement** adv. : *Chanter extraordinairement faux* (syn. : EXTRÊMEMENT).

2. extraordinaire [ekstraɔrdinɛr] adj. Qui est en dehors de l'usage, de la règle ordinaire : *Un ambassadeur en mission extraordinaire* (syn. : SPÉCIAL). *Un crédit extraordinaire a été ouvert.*

extrapoler [ekstrapɔle] v. intr. Passer à une conclusion générale à partir de données fragmentaires. ◆ **extrapolation** n. f.

extravagant, e [ekstravagɑ̃, -ɑ̃t] adj. et n. Se dit de quelqu'un, de quelque chose qui s'écarte du sens commun, qui est déraisonnable : *Il a eu l'idée extravagante de couper cette charpente qui le gênait : le résultat, c'est que son toit s'est affaissé* (syn. : STUPIDE, ABSURDE, INCROYABLE). *Un demi-fou qui tient des propos extravagants* (syn. fam. : LOUFOQUE). *Ne vous occupez pas des menaces de cet extravagant.* ◆ adj. Se dit de ce qui dépasse exagérément la mesure : *Des prétentions extravagantes* (syn. : EXCESSIF, ABUSIF). *Un prix extravagant* (syn. : FANTASTIQUE, EXORBITANT, EXTRAORDINAIRE). ◆ **extravagance** n. f. : *On peut craindre quelque nouvelle extravagance de sa part.*

1. extrême [ekstrɛm] adj. (avant ou après un nom). Qui est tout à fait au bout, au terme : *S'avancer jusqu'à l'extrême bord de la falaise. Il a attendu la date extrême pour payer ses impôts* (= le dernier jour). *Une ville située à l'extrême limite du territoire* (= sur la frontière). ◆ **extrémité** n. f. La partie qui termine : *Une flèche pointue à l'une de ses extrémités et munie d'une encoche à l'autre* (syn. : BOUT). *La girouette qui se trouve à l'extrémité du clocher* (syn. : SOMMET). *Le malade est à la dernière extrémité* (= il est mourant). ◆ **extrémités** n. f. pl. Les pieds et les mains (surtout dans la langue médicale).

2. extrême [ekstrɛm] adj. 1° (souvent avant le nom) Qui est au degré le plus intense, au point le plus élevé (sert de superlatif à *grand*) : *Ce problème est d'une extrême simplicité. Un bonheur extrême* (syn. : SUPRÊME). *Une chaleur extrême* (contr. : MODÉRÉ). *Il m'a répondu avec la plus extrême politesse.* — 2° (après le nom) Se dit d'une personne ou d'une chose qui dépasse les limites normales : *Il est partisan des solutions extrêmes* (syn. : RADICAL). *Soutenir des opinions extrêmes* (syn. : ↓ AVANCÉ ; contr. : MODÉRÉ). *C'est un homme extrême, qui s'acharne à ce qu'il entreprend ou abandonne tout brutalement* (syn. : EXCESSIF, VIOLENT ; contr. : MESURÉ, PONDÉRÉ). ◆ n. m. 1° *Les extrêmes,* les personnes ou les choses qui s'opposent radicalement. — 2° *D'un extrême à l'autre,* d'un excès à l'excès opposé. ‖ *A l'extrême,* à la dernière limite, au dernier point : *Je ne veux pas pousser cette querelle à l'extrême. Un enfant turbulent à l'extrême* (syn. : EXTRÊMEMENT, EXCESSIVEMENT). ◆ **extrêmement** adv. Sert de superlatif à *beaucoup, très, fort* : *Cet incident me contrarie extrêmement* (syn. : INFINIMENT). *Un livre extrêmement intéressant. Une réponse extrêmement aimable. Il est extrêmement riche* (syn. : IMMENSÉMENT). ◆ **extrémisme** n. m. Tendance à recourir à des moyens extrêmes (sens 2 de l'adj.). ◆ **extrémiste** adj. et n. : *Un conciliateur qui s'efforce d'éviter les solutions extrémistes. Un extrémiste prêt à jouer le tout pour le tout.* ◆ **extrémité** n. f. 1° Situation critique : *Dans cette extrémité, il était prêt à consentir à tout.* — 2° Acte de violence, geste de désespoir : *On craint qu'il ne se porte à quelque extrémité.*

extrême-onction [ekstrɛmɔ̃ksjɔ̃] n. f. Sacrement de l'Eglise catholique destiné aux fidèles en péril de mort.

extrinsèque [ekstrɛ̃sɛk] adj. Se dit, par opposition à *intrinsèque,* de ce qui vient du dehors, de ce qui ne dépend pas fondamentalement de quelque chose : *Les causes extrinsèques d'une maladie.* ◆ **extrinsèquement** adv.

exubérant, e [egzyberɑ̃, -ɑ̃t] adj. Se dit d'une personne (ou de son comportement) qui manifeste ses sentiments par des démonstrations excessives : *Impossible de sommeiller dans le compartiment avec un voisin aussi exubérant* (syn. : COMMUNICATIF, DÉMONSTRATIF, EXPANSIF ; contr. : CALME, RÉSERVÉ, DISCRET, TACITURNE). ◆ **exubérance** n. f. : *Il vous étourdit par son exubérance.*

exulter [egzylte] v. intr. (sujet nom de personne). Eprouver une joie très vive : *Il exultait en voyant que les résultats confirmaient exactement ses prévisions.* ◆ **exultation** n. f. : *Il est au comble de l'exultation* (syn. : ↓ JOIE, BONHEUR).

exutoire [egzytwar] n. m. Moyen de se débarrasser d'une difficulté, de ce qui gêne : *Un exutoire à sa colère* (syn. : DÉRIVATIF).

ex-voto [egzvɔto] n. m. invar. Inscription, objet qu'on place dans un sanctuaire, en action de grâces.

f

f n. m. V. Introduction.

fa [fa] n. m. Note de musique : *Clé de fa. Fa dièse. Sonate en fa majeur.*

1. fable [fabl] n. f. Petit récit, écrit généralement en vers et illustrant un précepte : *Apprendre des fables de La Fontaine. La morale de la fable* (syn. : APOLOGUE). ◆ **fablier** n. m. Recueil de fables. ◆ **fabliau** n. m. Petit récit, édifiant ou plaisant, du Moyen Age. ◆ **fabuliste** n. m. Auteur qui compose des fables.

2. fable [fabl] n. f. 1° Récit mensonger (langue soutenue) : *Vous nous racontez des fables* (syn. : HISTOIRES ; fam. : BONIMENTS ; contr. : VÉRITÉ). *Il ne sait plus quelle fable inventer.* — 2° Sujet des conversations et de la risée publiques : *Il est devenu la fable du quartier.* ◆ **fabulation** n. f. Fait de substituer un récit imaginaire à la réalité vécue : *Cet enfant a le goût de la fabulation* (syn. : MYTHOMANIE). ◆ **fabulateur, trice** adj. et n. : *Quelle faculté fabulatrice!* ◆ **fabuleux, euse** adj. 1° Du domaine de l'imagination (littér.) : *Un personnage fabuleux* (syn. : IMAGINAIRE, CHIMÉRIQUE). *Un animal fabuleux* (syn. : LÉGENDAIRE). — 2° Qui dépasse l'imagination : *Amasser une fortune fabuleuse* (syn. : FANTASTIQUE, FORMIDABLE, INOUÏ). ◆ **fabuleusement** adv. Au sens 2 de l'adj. : *Etre fabuleusement riche* (syn. : FORMIDABLEMENT). ◆ **fabuler** v. intr. Faire un récit imaginaire ; exagérer.

fabriquer [fabrike] v. tr. 1° *Fabriquer un objet,* le façonner à partir d'une matière première : *Nous fabriquons des meubles de cuisine* (syn. : FAIRE). *Fabriquer des outils, des chaussures, des jouets. Je me suis fabriqué un petit établi dans un coin* (syn. : CONFECTIONNER, ARRANGER). *Nous fabriquons des verres en grande série* (syn. : PRODUIRE). *Fabriquer sur mesure, à bas prix. Ils ont été arrêtés après avoir fabriqué plus de cent mille fausses coupures.* — 2° *Fabriquer quelque chose* (mot abstrait), arranger un événement, un récit, etc. : *L'incident était fabriqué de toutes pièces* (syn. : CRÉER). *C'est un récit que nous avons fabriqué pour les besoins de la cause* (syn. : INVENTER, FORGER). — 3° (en proposition interrogative) *Fam.* Faire, avoir telle ou telle occupation : *Qu'est-ce que tu fabriques encore? Je me demande bien ce qu'il fabrique dans son coin* (syn. fam. : FICHER). ◆ **fabrique** n. f. Entreprise industrielle où des matières premières sont transformées en objets finis (*usine* s'est substitué à *fabrique* dans la plupart des emplois) : *Fabrique de bas, de meubles* (syn. : USINE). *Fabrique de porcelaine* (syn. : MANUFACTURE). *Exiger la marque de fabrique* (= portant le nom du fabricant). *Avoir des meubles au prix de fabrique* (= prix de gros, prix industriel). ◆ **fabricant** n. m. 1° Propriétaire d'une entreprise où l'on fabrique des objets ou des produits manufacturés : *Soutenir les intérêts des commerçants, des fabricants et des petits industriels.* — 2° Personne qui fabrique des objets et des produits manufacturés : *Ça sort de chez le fabricant* (syn. : ARTISAN). *Etre fabricant de tapis* (syn. : MANUFACTURIER). ◆ **fabrication** n. f. Confection d'objets ou de produits en usine : *Produits qui sont de même fabrication* (syn. : QUALITÉ). *Secret de fabrication. Un défaut de fabrication. La fabrication de ce gâteau a demandé une demi-heure* (syn. : CONFECTION). *Voulez-vous goûter un plat de ma fabrication?* (= de ma façon). ◆ **préfabriqué, e** adj. Se dit d'éléments d'un ensemble (immeuble, navire, etc.) fabriqués en usine et destinés à être assemblés ultérieurement sur le lieu de construction : *Des maisons préfabriquées.* ◆ **préfabrication** n. f.

fabuler v. intr., **fabuleux, euse** adj. V. FABLE 2 ; **fabuliste** n. m. V. FABLE 1.

façade [fasad] n. f. 1° Partie antérieure d'un bâtiment, où se trouve l'entrée principale : *La façade de l'immeuble donne sur le jardin.* — 2° *De façade,* qui revêt une apparence trompeuse : *Tout ce luxe de façade cache une misère réelle.* — 3° *Pop.* Figure : *Démolir la façade à quelqu'un* (= lui casser la figure).

1. face [fas] n. f. 1° Partie antérieure de la tête : *Avoir une face large, étroite. Un singe qui a une face humaine* (syn. : FIGURE). *Une face barbouillée de confiture. Détourner la face* (= tourner son visage). — 2° Pop. *Face de rat,* injure. ‖ *Jeter quelque chose à la face de quelqu'un,* le lui dire nettement, sans détour : *Elle lui a jeté ses quatre vérités à la face.* ‖ *Se voiler la face,* se couvrir le visage en signe de honte ou de deuil. ‖ *Face contre terre,* prosterné de tout son long. ‖ *Faire face,* se présenter devant quelqu'un pour s'opposer à lui ; accepter des risques, des responsabilités, les assumer : *Faire face à un ennemi* (syn. : FAIRE FRONT). *Faire face à ses obligations.* ‖ *Perdre la face,* subir une grave atteinte à son honneur, à son prestige. ‖ *Sauver la face,* garder les apparences de la dignité après un échec (syn. : FAIRE BONNE FIGURE, SAUVER LES APPARENCES). • LOC. PRÉP. *A la face de quelque chose* ou *de quelqu'un,* en sa présence, en agissant ouvertement : *Proclamer à la face de l'univers.* ‖ *En face de (quelqu'un, quelque chose),* vis-à-vis, en présence (de cette personne, de cette chose) : *Il s'est assis en face de moi. Sa maison est en face de la vôtre. En face du directeur, il n'ose rien dire. La maison d'en face* (= qui est en face de celui qui parle). *Mettre deux personnes en face l'une de l'autre* (= les mettre en présence). ‖ *Se mettre en face de quelqu'un,* lui barrer le chemin, s'opposer à lui. ‖ *En face de cela,* à l'opposé de cela, en contraste avec cela : *D'un côté le luxe des grands propriétaires, et, en face de cela, la misère des paysans.* • LOC. ADV. *De face,* par rapport à la personne ou à la chose regardée, du côté où la face est perpendiculaire au regard : *Un portrait de face. Photographie prise de face* (par oppos. à DE PROFIL et DE TROIS QUARTS). *De l'endroit où j'étais, je le voyais de face* (par oppos. à DE DOS et DE PROFIL), par rapport à la personne elle-même, du côté où se trouve sa figure : *Prendre au théâtre une loge de face* (contr. : DE CÔTÉ). *Retenir dans le train une place de face* (= dans le sens de la marche). *Avoir le vent de face* (syn. : DEBOUT ; contr. : DANS LE DOS). ‖ *En face,* par rapport à la personne, devant elle, directement vis-à-vis d'elle : *Avoir le soleil en face* (= dans les yeux). *Regarder quelqu'un en face* (= le fixer ouvertement, franchement ; syn. : DANS LES YEUX ; contr. : EN DESSOUS, DE BIAIS). *Voir les choses en face* (= examiner la réalité telle qu'elle est, sans biaiser ni se duper) ; par rapport à l'interlocuteur, ouvertement : *Je lui ai dit en face ce que je pense de lui.* ‖ *Face à face,* l'un en face de l'autre : *Les deux adversaires se retrouvèrent face à face. Les deux maisons sont face à face* (= en vis-à-vis). ◆ **facial, e, aux** adj. Qui appartient à la face d'un être vivant : *Névralgie faciale. Paralysie faciale.* ◆ **faciès** [fasjɛs] n. m. *Péjor.* Aspect général de quelqu'un : *Avoir un faciès repoussant.*

2. face [fas] n. f. 1° Côté qu'on regarde de certains objets : *Face d'une pièce de monnaie* (= côté sur lequel est gravé un personnage, une figure humaine, etc., par oppos. à PILE). *Face d'une médaille* (syn. : AVERS ; contr. : REVERS). *Les faces d'un diamant. Face d'un cube, d'un prisme, d'une pyramide* (= surface plane délimitée par des arêtes). *Jouer à pile ou face* (= jouer à deviner de quel côté tombera une pièce de monnaie qu'on jette en l'air ; s'en rapporter au hasard pour choisir dans une alternative). — 2° Aspect sous lequel se présente une chose : *Examiner une situation, une question sur toutes ses faces* (syn. : ANGLE, CÔTÉ, COUTURE). — 3° *Changer de face,* modifier son aspect : *Certains quartiers de Paris ont bien changé de face* (syn. : ASPECT, FIGURE, PHYSIONOMIE). *Le monde change vite de face. Les choses ont changé de face* (syn. : TOURNURE, ALLURE). ◆ **facette** [fasɛt] n. f. 1° Petite surface plane : *Tailler les facettes d'un diamant. Yeux à facettes chez les insectes.* — 2° *A facettes,* se dit de personnes ou de choses qui ont plusieurs aspects, dont certains sont brillants ou agréables : *Homme à facettes* (= qui a des comportements ou des attitudes diverses). *Style à facettes* (= style littéraire fait de tournures brillantes).

face-à-main [fasamɛ̃] n. m. Binocle à manche : *Les faces-à-main des vieilles dames.*

facétieux, euse [fasesjø, -øz] adj. 1° Se dit de quelqu'un (ou de son comportement) qui aime à faire des plaisanteries, des farces : *Un homme facétieux. Avoir un air facétieux* (syn. fam. : RIGOLO ; contr. : SÉRIEUX). — 2° Se dit d'une chose qui se présente comme une plaisanterie, qui fait rire : *Un livre facétieux* (= plein de remarques ironiques ; syn. : DRÔLE, COCASSE). ◆ **facétie** [fasesi] n. f. *Dire, écrire des facéties* (syn. : PLAISANTERIE, BLAGUE, ASTUCE, DRÔLERIE). *Faire des facéties* (syn. : TOUR, FARCE, BLAGUE, NICHE).

facette n. f. V. FACE 2.

fâcher (se) [fɑʃe] v. pr. (sujet nom de personne). Se mettre en colère : *Ne lui dis pas cela, il va se fâcher. Il se fâche pour des riens. Se fâcher tout rouge* (= très fort). *Se fâcher, se fâcher à mort avec quelqu'un* (syn. : SE BROUILLER). ◆ **fâcher** v. tr. *Fâcher quelqu'un,* le mettre en colère : *Par ses bouderies, ses sautes d'humeur, elle ne réussit qu'à le fâcher à tout moment* (syn. : ↓ MÉCONTENTER, CONTRARIER, IRRITER, AGACER). ◆ **fâché, e** adj. 1° En colère : *Avoir l'air fâché* (syn. : ↓ MÉCONTENT). *Etre fâché avec quelqu'un* (syn. : BROUILLÉ). — 2° Contrarié : *Etre fâché d'un contretemps* (syn. : ENNUYÉ). *Je suis très fâché de ce qui vous arrive* (= formule de politesse pour exprimer sa sympathie, ses condoléances, etc.). *Je suis fâché de vous quitter* (= je m'excuse de vous quitter ; syn. : DÉSOLÉ). *Je ne serais pas fâché de vous voir travailler* (= il me serait agréable de). ◆ **fâcheux, euse** [fɑʃø, -øz] adj. (avant ou après le nom). Se dit de ce qui comporte un inconvénient : *Un exemple fâcheux* (syn. : DÉPLACÉ, DÉPLORABLE). *Une fâcheuse aventure* (syn. : DÉSAGRÉABLE). *Un fâcheux contretemps* (syn. : INOPPORTUN, INTEMPESTIF). *Tomber dans une fâcheuse situation* (syn. : EMBARRASSANT, DÉPLAISANT, DÉSAGRÉABLE ; fam. : EMBÊTANT). ◆ adj. et n. Se dit d'une personne qui dérange, qui survient mal à propos (littér.) : *Recevoir la visite d'un fâcheux* (syn. : GÊNEUR ; fam. : CASSE-PIEDS). ◆ **fâcheusement** adj. : *Visage fâcheusement laid.*

facial, e, aux adj., **faciès** n. m. V. FACE 1.

1. facile [fasil] adj. 1° Se dit de ce qui se fait sans effort, de ce qui s'obtient sans difficulté : *Un travail facile* (syn. : AISÉ, SIMPLE ; contr. : DIFFICILE, DUR). *Remporter une victoire facile. Une opération facile* (contr. : DÉLICAT, DIFFICILE). *J'ai une réponse facile à cette objection. Une voie facile d'accès* (= où il est commode d'accéder). ‖ *Avoir la vie facile,* avoir d'abondantes ressources d'argent. ‖ *Avoir l'argent facile,* être sans cesse prêt à payer. ‖ Fam. *Facile comme bonjour,* très facile. — 2° *Péjor.* Se dit d'une chose sans valeur, qui exige trop peu d'effort pour être comprise ou pour être faite : *De la littérature facile* (contr. : DIFFICILE, SÉRIEUX). *Une pièce de théâtre aux effets faciles* (contr. : RECHERCHÉ, SUBTIL). *Votre ironie est facile.* — 3° *Facile à* (et l'infin.), se dit d'une chose aisée à faire : *Un morceau de musique facile à jouer. Une voiture facile à conduire. Un livre facile à se procurer. Une route facile à suivre.* ◆ **facile** adv. *Fam.* Pour le moins : *Il y a bien dix kilomètres facile jusqu'à ce village.* ◆ **facilement** adv. 1° Avec facilité : *Un travail facilement fait. Un livre facilement lu* (= sans difficulté, aisément, rapidement). — 2° Pour le moins : *Il mettra facilement deux heures pour faire ce travail.* ◆ **facilité** n. f. 1° *Il est surpris par la facilité de ce travail* (syn. : SIMPLICITÉ). *La facilité de la victoire le rendait vaniteux. Se laisser prendre par la facilité d'une musique.* — 2° *Solution de facilité,* solution qui est choisie uniquement pour l'économie d'effort qu'elle représente. ‖ *Vivre dans la facilité,* avoir une vie agréable et sans problèmes d'argent. ◆ **facilités** n. f. pl. 1° Moyens commodes d'obtenir une chose, commodités accordées à quelqu'un pour faire quelque chose : *Des facilités de transport. Avoir toutes facilités pour passer la frontière* (syn. : LATITUDE, LIBERTÉ). *Obtenir des facilités de paiement* (= délais pour payer). — 2° *Facilités de crédit,* avances à court terme consenties à une personne dont les paiements précèdent accidentellement les rentrées. ◆ **faciliter** v. tr. *Faciliter quelque chose,* le rendre facile : *Faciliter le travail de quelqu'un.*

2. facile [fasil] adj. 1° Se dit du caractère, du comportement d'une personne qui est accommodante ou complaisante : *Avoir un caractère facile* (syn. : SOUPLE; contr. : DIFFICILE, ACARIÂTRE, MALCOMMODE). *Elle est d'humeur facile* (syn. : ÉGAL). — 2° *Etre facile avec quelqu'un,* se dit (le plus souvent dans une phrase négative) d'une personne dont les rapports sont simples, directs, aisés avec autrui : *Un directeur qui n'est pas facile avec ses subordonnés* (syn. : COMMODE). *Il n'est pas facile tous les jours!* (syn. : COMMODE, DRÔLE). *Un père trop facile avec ses enfants* (syn. : MOU). — 3° Se dit d'une femme dont on obtient aisément les faveurs (syn. : ↑ LÉGER) : *C'est une conquête facile.* — 4° Se dit d'un enfant qu'on nourrit, élève facilement : *Son fils est un enfant facile* (contr. : DIFFICILE). *Un bébé très facile.* — 5° *Facile à* (et l'infin.), se dit d'une personne qui se prête aisément à une action : *Un homme trop facile à tromper. Un auteur très facile à lire. Un invité facile à contenter. Il est facile à vivre* (= il est aisé de vivre avec lui). ◆ **facilement** adv. : *Etre facilement surpris. Se laisser facilement convaincre. Elever facilement un enfant. Tromper facilement quelqu'un.* ◆ **facilité** n. f. 1° Aptitude, disposition d'une personne à faire quelque chose : *Travailler avec facilité* (syn. : AISANCE; contr. : DIFFICULTÉ). *Facilité à s'exprimer* (syn. : DISPOSITION POUR). — 2° *Avoir de la facilité, beaucoup de facilité,* etc., se dit d'un enfant qui étudie sans effort, qui est doué pour un travail. — 3° Qualité d'une personne accommodante, complaisante : *Avoir une grande facilité d'humeur* (syn. : DOUCEUR, ÉGALITÉ). *La facilité de son caractère plaisait à tous* (syn. : SIMPLICITÉ, AFFABILITÉ, DOUCEUR). — 4° *Facilité à* (et l'infin.), disposition naturelle à : *La facilité de cet homme à se laisser convaincre incitait à le duper. Avoir une certaine facilité à se mettre en colère* (syn. : INCLINATION, PENCHANT, TENDANCE, PROPENSION).

1. façon [fasɔ̃] n. f. 1° Manière d'être ou d'agir d'une personne ou d'une chose : *J'admire la façon dont cette personne se conduit. La façon de voler d'un avion. Avoir une bizarre façon de s'habiller.* — 2° *Façon de parler,* tournure particulière d'une langue, manière de s'exprimer particulière à quelqu'un. || *Façon de penser,* opinion d'une personne : *Je vais lui dire ma façon de penser.* ● LOC. ADV. *De... façon, de façon...* (avec un adj.) : *De quelle façon allez-vous en Afrique?* (syn. : PAR QUEL MOYEN). *Je vais vous montrer de quelle façon il faut s'y prendre* (syn. : DE QUELLE MANIÈRE, COMMENT). *D'une façon générale* (syn. : EN GÉNÉRAL). *D'une façon différente* (syn. : DIFFÉREMMENT). *Habillé de façon élégante. Ecrire de façon illisible. Procéder de façon absurde.* || *De toute façon, de toutes les façons,* quoi qu'il arrive, quoi qu'il en soit (syn. : EN TOUT CAS, EN TOUT ÉTAT DE CAUSE, DANS TOUS LES CAS, À TOUT COUP). ● LOC. PRÉP. *De façon à* (et l'infin.), de manière à (indique la conséquence, le but) : *Travaillez de façon à réussir.* || *A la façon de,* indique une ressemblance dans l'action, l'état (littér.) : *Prononcer une phrase à la façon d'un bègue.* ● LOC. CONJ. *De façon que, de telle façon que* (et l'indic. ou le subj.), de telle sorte que (littér.) : *Agissez de façon que vous méritiez l'estime des gens de bien.* || *De façon à ce que* (et le subj.), indique le but : *Prévenir les gens à l'avance, de façon à ce qu'ils viennent.*

2. façon n. f. V. FAÇONNER.

3. façons [fasɔ̃] n. f. pl. 1° Comportement, manière de faire d'un individu : *Ses façons me déplaisent* (syn. : MANIÈRES). *C'est un homme vif, qui a des façons brusques.* — 2° *Faire des façons,* minauder ou manifester une politesse excessive : *Ne faites pas de façons et venez dîner à la maison.* ● LOC. ADV. *Sans façon(s),* sans se faire prier, très simplement : *Il a accepté sans façon mon invitation. Il s'assit sans façon sur le bureau;* et adjectiv. : *C'est un homme sans façon* (= sans affectation); s'emploie dans les phrases de politesse : *Non merci, sans façon* (syn. : SINCÈREMENT).

faconde [fakɔ̃d] n. f. Abondance excessive de paroles : *Parler avec faconde* (syn. : VERVE, LOQUACITÉ; contr. : CONCISION, BRIÈVETÉ).

façonner [fasɔne] v. tr. 1° *Façonner un matériau,* le travailler pour lui donner une forme particulière : *Façonner du marbre. Façonner un tronc d'arbre.* — 2° *Façonner un objet,* le fabriquer : *Façonner une pièce métallique. Façonner une clé* (syn. : FAIRE). *Façonner un chapeau* (= lui donner sa forme). *Façonner une robe.* — 3° *Façonner quelqu'un,* le former par l'éducation, l'expérience (littér.) : *Il a été façonné par la vie* (syn. : TREMPER, MODELER, TRANSFORMER). ◆ **façon** n. f. Travail d'un artisan, d'un artiste : *Première façon. La façon d'une robe, d'un vêtement. Il a fourni le tissu et payé la façon.* — 2° Forme d'un vêtement : *Elle aime la façon de cette robe* (syn. : COUPE, FORME). ● LOC. ADJ. *A façon,* se dit d'un travail artisanal pour lequel la matière première est fournie par le client : *Faire faire un sac de voyage à façon.* ◆ **façonnement** ou **façonnage** n. m. : *Le façonnement des esprits par un régime totalitaire. Le façonnage des bois abattus.* ◆ **façonnier, ère** n. Personne qui travaille à façon. ◆ **malfaçon** n. f. Défaut, défectuosité dans un ouvrage, imputable à la négligence ou au désir de nuire : *L'entrepreneur dut réparer les dommages dus à des malfaçons.*

fac-similé [faksimile] n. m. Reproduction, copie d'une écriture ou d'un dessin, d'un tableau, etc. : *Ils n'ont pas les originaux, mais ils ont des fac-similés.*

1. facteur, trice [faktœr, -tris] n. Employé de la poste chargé de distribuer le courrier à domicile (syn. admin. : PRÉPOSÉ).

2. facteur [faktœr] n. m. *Facteur de pianos, d'orgues,* fabricant de pianos, d'orgues.

3. facteur [faktœr] n. m. Elément entrant dans une composition ou concourant à un certain résultat : *Un facteur de succès. Le facteur moral. Facteurs de l'équilibre.*

4. facteur [faktœr] n. m. Chacun des termes d'une opération arithmétique, d'un produit : *L'inversion des facteurs ne change pas la valeur d'un produit.*

factice [faktis] adj. Se dit de ce qui n'a pas une origine ou une apparence naturelle : *Un diamant factice* (syn. : ARTIFICIEL; contr. : NATUREL). *Un apitoiement factice* (syn. : ↑ FORCÉ, ARTIFICIEL, FEINT; contr. : SINCÈRE). *Un sourire factice* (syn. : CONTRAINT; contr. : FRANC, OUVERT).

1. faction [faksjɔ̃] n. f. Groupe ou parti se livrant à une activité fractionnelle, subversive, etc., à l'intérieur d'un groupe plus important (langue soutenue) : *Ce parti politique tend à se diviser en factions. Le pays était en proie aux factions.* ◆ **factieux, euse** [faksjø, -øz] n. et adj. Se dit de personnes (ou de leurs actions, de leurs pensées) qui exercent ou préparent contre le pouvoir établi une action violente : *Lutter contre les factieux* (syn. : INSURGÉ, REBELLE, RÉVOLTÉ). *Idéologie factieuse* (syn. : SÉDITIEUX).

2. faction [faksjɔ̃] n. f. Garde que monte une personne : *Un militaire en faction.* ◆ **factionnaire** n. m. Syn. littér. de SENTINELLE.

factitif, ive [faktitif, -iv] adj. et n. m. Se dit, en grammaire, d'un mot, d'une forme qui indique que le sujet fait faire l'action : *Le verbe « faire » s'emploie comme factitif devant un infinitif.*

factotum [faktɔtɔm] n. m. Personne chargée de toutes les besognes secondaires : *Il vous fera établir le détail de l'opération par son factotum. Le concierge sert de factotum dans cette école : il remplace les carreaux cassés, répare les serrures, etc.*

facture [faktyr] n. f. Ecrit par lequel le vendeur fait connaître à l'acheteur le détail et le prix des marchandises vendues : *Présenter une facture. Régler la facture.* ◆ **facturer** v. tr. Etablir la facture d'une marchandise vendue : *Il n'a pas encore facturé cette commande.* ◆ **facturation** n. f.

facultatif, ive [fakyltatif, -iv] adj. Se dit d'une chose qu'on a la possibilité légale, ou la permission, de faire ou de ne pas faire : *Cours facultatif. Arrêt facultatif. Présence facultative* (contr. : OBLIGATOIRE). ◆ **facultativement** adv. : *Le candidat traitera facultativement la question hors programme.* ◆ **faculté** n. f. Possibilité, permission (littér.) : *Il m'a laissé la faculté de choisir.*

1. faculté n. f. V. FACULTATIF.

2. faculté [fakylte] n. f. 1° Etablissement d'enseignement supérieur, public ou privé : *Il est maintenant en âge d'aller à la faculté.* — 2° Ensemble des professeurs chargés de l'enseignement d'une discipline particulière dans une université : *La faculté de droit. La faculté des lettres.* — 3° *La Faculté,* la faculté de médecine, l'ensemble des médecins (langue soutenue).

3. faculté [fakylte] n. f. 1° (au plur.) Aptitudes, dispositions naturelles d'un individu dans le domaine intellectuel : *Avoir de brillantes facultés* (syn. : DISPOSITIONS, DONS, MOYENS). *Le développement des facultés chez un enfant* (syn. : INTELLECT, CAPACITÉS MENTALES). — 2° (au sing. et au plur.) Possibilités surtout intellectuelles d'une personne : *Avoir une faculté de travail peu commune* (syn. : PUISSANCE). *Une faculté de mémoire insuffisante* (syn. : CAPACITÉ). *Ce travail dépasse ses facultés* (syn. : POSSIBILITÉS, MOYENS). — 3° *Ne plus avoir toutes ses facultés,* perdre l'usage de certaines activités mentales (surtout en parlant d'un vieillard). ‖ *Ne pas jouir de toutes ses facultés,* avoir un comportement anormal.

fada [fada] n. m. *Fam.* Se dit, principalement dans le Midi, d'une personne un peu folle, un peu niaise (terme plaisant) : *Quel fada, ce Marius!*

fadaise [fadɛz] n. f. Chose insignifiante et sotte, plaisanterie stupide (ordinairement au plur.) : *Dire des fadaises* (syn. : NIAISERIE, INEPTIE).

1. fade [fad] adj. Qui manque de saveur, d'éclat : *Une cuisine fade. Un mets fade* (contr. : ÉPICÉ, RELEVÉ, ASSAISONNÉ). *Une odeur fade* (contr. : FORT, ÂCRE). *Une couleur fade* (contr. : VIOLENT). ◆ **fadasse** [fadas] adj. *Fam.* D'une fadeur déplaisante : *Une soupe au goût fadasse. Des cheveux d'un blond fadasse.* ◆ **fadeur** n. f. : *La fadeur d'un plat.*

2. fade [fad] adj. Se dit d'une chose ou d'une personne sans caractère, sans vie, insignifiante, etc. : *Ce livre est fade* (syn. : ININTÉRESSANT, ENNUYEUX, ↑ FASTIDIEUX; contr. : EXCITANT, PRENANT). *Un compliment fade* (syn. : PLAT, BANAL). ◆ **fadeur** n. f. : *La fadeur d'un compliment. La fadeur d'un livre.* ◆ **fadeurs** n. f. pl. Propos vides et stupides, plaisanteries sans valeur et d'une galanterie banale : *Dire des fadeurs aux dames.*

fafiot [fafjo] n. m. *Pop.* Billet de banque.

fagot [fago] n. m. 1° Faisceau de menu bois, de branches à brûler : *Mettre deux fagots dans la cheminée.* — 2° *Fagot d'épines,* personne au caractère revêche, qu'on ne sait comment prendre. ‖ *De derrière les fagots,* se dit de quelque chose de très bon, qui est mis en réserve depuis longtemps pour le moment opportun : *Une bouteille de derrière les fagots. Il lui prépare une surprise de derrière les fagots.* ‖ *Sentir le fagot,* se dit d'une personne ou d'une chose qui est en opposition avec les opinions couramment admises, qui frise l'hérésie et s'expose à une condamnation : *Un discours qui sent le fagot* (syn. : ↓ N'ÊTRE PAS TRÈS CATHOLIQUE).

fagoter [fagɔte] v. tr. Fam. et péjor. *Fagoter quelqu'un* (avec un adv. de manière), l'habiller sans élégance, de façon ridicule : *Ce pauvre gosse, regardez comment sa mère l'a fagoté!* (syn. : ACCOUTRER, AFFUBLER, FICELER); souvent comme pron. ou au part. passé : *Comment peut-on se fagoter comme ça! Un petit vieux bizarrement fagoté.*

1. faible [fɛbl] adj. et n. 1° (avant ou après le nom) Se dit de quelqu'un (ou de son corps) qui manque de vigueur physique, qui défaille facilement ou dont la santé n'est pas bonne : *Une femme de faible constitution physique* (syn. : DÉLICAT, FRAGILE; contr. : FORT). *Un enfant faible* (syn. : ↑ MALINGRE, CHÉTIF, FRÊLE; contr. : ROBUSTE, VIGOUREUX). ‖ *Se sentir faible,* éprouver de la difficulté à remuer, à agir. ‖ *Etre faible des jambes, du cœur,* etc., avoir une déficience physique particulière. — 2° (généralement après le nom) Se dit d'une personne (ou de son esprit) qui manque de capacité intellectuelle : *Un esprit faible. Une intelligence faible. Un élève très faible.* — 3° (après ou avant le nom) Se dit d'une personne qui est incapable de résister à une épreuve, qui manque de volonté ou d'énergie : *Un homme faible* (syn. : APATHIQUE, INDÉCIS, MOU, VEULE; contr. : FORT, ÉNERGIQUE, VOLONTAIRE). — 4° *Etre faible en* ou *dans quelque chose,* se dit de quelqu'un (surtout d'un élève) qui n'a que peu d'entraînement ou de dons dans une discipline particulière : *Il est faible en français, en dessin, en gymnastique.* ‖ *Etre, se montrer faible avec quelqu'un,* lui céder facilement. ‖ *Une âme faible, un cœur faible,* qui manque d'énergie, qui se laisse attendrir (contr. : FORT, DUR, ÉNERGIQUE). ‖ *Une faible femme,* femme dont le caractère est influençable, instable. ‖ *Faible d'esprit,* intellectuellement déficient. ◆ n. (surtout au plur. ou au sing. collectif) Personne sans défense, physiquement, économiquement, etc. : *Prendre la défense des faibles et des opprimés. Le droit des faibles. En face du fort, le faible doit être secouru* (= les personnes sans défense). ◆ **faiblard, e** adj. et n. Assez faible : *Malgré ses prétentions, cet élève est plutôt faiblard.* ◆ **faiblement** adv. : *Protester faiblement* (syn. : MOLLEMENT; contr. : ÉNERGIQUEMENT). *Critiquer faiblement* (= sans conviction; contr. : VIGOUREUSEMENT, FOUGUEUSEMENT). ◆ **faiblesse** [fɛblɛs] n. f.

1° Manque de vigueur physique chez une personne : *Faiblesse des bras. Une certaine faiblesse dans les jambes. Tomber de faiblesse* (= par manque de résistance physique, par maladie). — 2° Déficience intellectuelle : *Faiblesse d'esprit. Faiblesse d'intelligence. Faiblesse d'un élève en classe.* — 3° Etat d'une personne sans défense, désarmée devant une difficulté : *La faiblesse d'un enfant* (syn. : IMPUISSANCE). — 4° Manque d'énergie morale : *Etre d'une faiblesse coupable envers quelqu'un* (syn. : COMPLAISANCE, ↑ LÂCHETÉ). *Faire preuve de faiblesse en face d'un danger* (syn. : ↑ PUSILLANIMITÉ, VEULERIE). *Montrer sa faiblesse. La grande faiblesse de cet homme, c'est de...* (= son point faible). — 5° *Tomber en faiblesse, être pris de faiblesse,* s'évanouir (littér.). ◆ **faiblir** v. intr. (sujet nom de personne). Devenir faible : *Le malade faiblit* (syn. : S'AFFAIBLIR, BAISSER). *Son cœur faiblit* (syn. fam. : FLANCHER). *Son intelligence faiblit* (syn. : VACILLER, CHANCELER). *Il faiblit dans l'adversité* (syn. : MOLLIR, CÉDER, LÂCHER). *Il faiblit à la vue du sang. Son courage faiblit* (syn. : FLÉCHIR, S'AMOLLIR).

2. faible [fɛbl] adj. 1° (avant ou après le nom) Se dit de ce qui manque de résistance pour supporter un grand poids, une forte pression, etc. : *Une faible passerelle entre deux rives* (syn. : FRAGILE; contr. : SOLIDE). *S'appuyer sur une branche faible* (contr. : SOLIDE, RÉSISTANT). *Une voûte faible, un soutènement faible* (contr. : RÉSISTANT, ROBUSTE). — 2° (après le nom) Se dit de certaines choses qui manquent de force physique, de vigueur, de puissance, de valeur : *Des mains faibles* (= qui ont de la difficulté à saisir quelque chose). *Avoir les jambes faibles* (= se sentir vaciller sur ses jambes; syn. : COTONNEUX; contr. : SOLIDE). *Vue faible* (= qui ne voit pas loin). *Gouvernement faible* (= sans autorité). *Un pays faible* (= sans ressources, sans défense). *Une armée faible. Choisir pour s'exprimer un terme faible* (= en dessous de la réalité). *Un devoir faible* (= qui est mauvais, qui est le fait d'un écolier paresseux ou peu doué; contr. : BON). — 3° (en général avant le nom) Se dit de quelque chose qui est inférieur à la normale par sa force, sa quantité : *Une faible lumière* (contr. : INTENSE, FORT). *Une faible clarté. Un faible bruit* (syn. : ↑ IMPERCEPTIBLE; contr. : INTENSE). *Une faible brise. De faibles détonations. Une faible odeur. Une faible flamme. N'avoir qu'une faible idée de quelque chose* (= n'en avoir qu'une idée vague, imprécise; syn. : PETIT). *N'avoir qu'un faible espoir* (= n'avoir que peu de raisons d'espérer). *N'éprouver qu'une faible attirance pour quelque chose* (syn. : LÉGER). — 4° (en général après le nom) Se dit d'un liquide très étendu, ou d'un mélange qui ne renferme qu'une petite quantité de quelque chose : *Un café faible* (syn. : LÉGER; contr. : FORT). *Un vin relativement faible. Un alliage faible.* — 5° (en général avant le nom) Se dit d'une chose mesurable peu importante : *Une faible poussée de fièvre* (syn. : LÉGER; contr. : FORT). *De faibles chutes de neige. Une faible somme d'argent. Une faible indemnité. Une faible production. Un faible rendement* (contr. : ÉLEVÉ). *Un faible nombre. Un objet placé à faible hauteur. Ne tirer qu'un faible avantage de quelque chose* (syn. : MAIGRE; contr. : CONSIDÉRABLE). *Il y a de faibles chances pour que...* (= il y a peu de chances que...). — 6° *Point faible de quelque chose, de quelqu'un,* partie d'une chose, aspect de quelqu'un qui est de moindre valeur que le reste, qu'on peut critiquer (syn. : FAIBLE n. m., FAIBLESSE). ◆ **faible** n. m. (au sing. seulement). 1° Ce qu'il y a de moins solide, de plus critiquable dans quelque chose ou chez quelqu'un : *Le faible de son livre, c'est qu'il manque de plan. Le faible chez lui, c'est la mémoire.* — 2° Penchant pour une personne ou pour une chose : *Eprouver un faible pour une femme* (syn. : INCLINATION, ATTIRANCE). *Avoir un faible pour le tabac, pour la musique concrète* (syn. : GOÛT, PRÉDILECTION). ◆ **faiblement** adv. : *Eclairer faiblement* (syn. : PEU; contr. : VIVEMENT). *Crier faiblement* (contr. : VIGOUREUSEMENT). *Etre faiblement attiré par la peinture cubiste* (syn. : ↓ MODÉRÉMENT; contr. : FORTEMENT). *Un corps faiblement radio-actif.* ◆ **faiblard, e** adj. *Fam.* Se dit d'une chose assez faible : *Un café un peu faiblard.* ◆ **faiblesse** [fɛblɛs] n. f. : *Faiblesse d'une voûte. Faiblesse d'une résistance électrique* (syn. : INSUFFISANCE). *La faiblesse d'un gouvernement* (syn. : ↑ IMPUISSANCE; contr. : FORCE). *La faiblesse d'une lumière* (contr. : FORCE, INTENSITÉ, VIOLENCE). *La faiblesse d'un son* (syn. : TÉNUITÉ; contr. : INTENSITÉ). *La faiblesse d'une détonation. La faiblesse d'un vin en alcool* (= peu alcoolisé). *La faiblesse de la pression atmosphérique. La faiblesse d'un nombre* (contr. : GRANDEUR). ◆ **faiblir** v. intr. Devenir faible : *La branche sur laquelle il s'appuyait faiblissait lentement* (syn. : S'AFFAISSER, CÉDER). *Le gouvernement faiblissait dans la répression* (syn. : SE RELÂCHER). *Le bruit faiblissait en s'éloignant* (syn. : S'ATTÉNUER).

faïence [fajɑ̃s] n. f. Poterie de terre, vernissée ou émaillée : *De la vaisselle de faïence.* ◆ **faïencerie** n. f. 1° Ensemble d'ustensiles faits en faïence. — 2° Fabrique, commerce des objets de faïence. ◆ **faïencier, ère** n.

faignant, e adj. et n. V. FAINÉANT.

1. faille [faj] n. f. Solution de continuité dans un raisonnement, dans un sentiment, dans une notion abstraite, etc. : *Il y a une faille dans votre exposé* (syn. : TROU, POINT FAIBLE). *Une faille dans un traité entre des nations* (syn. : BRÈCHE).

2. faille [faj] n. f. Cassure des couches géologiques à la surface de la terre.

faillible [fajibl] adj. Se dit d'une personne (ou de son comportement) qui peut se tromper, qui peut faire une faute : *Le juge ne sait pas tout, il est faillible* (contr. : OMNISCIENT). ◆ **faillibilité** n. f. : *La faillibilité des juges, de la justice. La faillibilité humaine* (contr. : INFAILLIBILITÉ). ◆ **infaillible** adj. : *Il est comme tout le monde, il n'est pas infaillible.* ◆ **infailliblement** adv. ◆ **infaillibilité** n. f. : *Le dogme de l'infaillibilité du pape.*

1. faillir [fajir] v. intr. (conj. 30) [sujet nom de personne ou de chose]. *Avoir failli* (et l'infin.), avoir été sur le point de faire quelque chose, s'y être trouvé exposé : *Elle a failli acheter ce sac. La voiture a failli flamber. Nous faillîmes tomber.*

2. faillir [fajir] v. intr. (conj. 30) [sujet nom de personne]. *Faillir à quelque chose,* ne pas faire ce qu'on doit faire, ce qu'on s'est engagé à faire : *Faillir à ses engagements, etc. Cet officier a failli à son devoir et est passé du côté rebelle* (syn. : MANQUER À; contr. : OBÉIR À). *Faillir à sa parole.*

faillite [fajit] n. f. 1° Etat d'un commerçant, d'une entreprise dont la cessation de paiements a été constatée par un tribunal de commerce et déclarée publiquement : *Il a été réduit à la faillite. Faire faillite. Une faillite frauduleuse. Un commerçant* en faillite. — 2° Échec d'une entreprise : *La planification dans ce pays a fait faillite* (= échouer). *La faillite d'une doctrine, d'une politique* (syn. : DÉCONFITURE). *La faillite d'un bonheur conjugal* (syn. : RUINE). ◆ **failli, e** adj. et n. Se dit d'une personne qui a fait faillite.

faim [fɛ̃] n. f. 1° Vif besoin de manger, dû notamment aux contractions de l'estomac vide : *Avoir faim. Une faim insatiable. Mourir de faim. Une odeur, un plat qui donne faim. Manger à sa faim* (= manger autant qu'on en éprouve le besoin). — 2° Besoin de quelque chose : *Faim de richesses* (syn. : SOIF). — 3° Situation de disette, de famine dans un pays ou une région : *Une conférence sur la faim dans le monde. Une campagne contre la faim.* — 4° *Rester sur sa faim,* manger insuffisamment, ne pas manger du tout; demeurer insatisfait. (V. AFFAMER.)

fainéant, e [feneɑ̃, -ɑ̃t], ou plus fam. **faignant, e** ou **feignant, e** [feɲɑ̃, ɑ̃t] adj. et n. Se dit d'une personne peu travailleuse : *Un élève fainéant* (syn. : PARESSEUX; pop. : COSSARD, FLEMMARD). ◆ **fainéanter,** ou plus fam. **faignanter** ou **feignanter** v. intr. Ne rien faire : *Cet enfant est resté toute la matinée à fainéanter au lit* (syn. pop. : FLEMMARDER). ◆ **fainéantise,** ou plus fam. **faignantise** n. f. : *Ses mauvais résultats sont dus à sa fainéantise* (syn. : PARESSE; pop. : COSSE, FLEMME).

1. faire [fɛr] v. tr. (conj. **76**). **I. Sujet nom d'être animé.** — A. COMPLÉMENT : NOM DÉSIGNANT UN OBJET MATÉRIEL. **1°** Constituer de toutes pièces, être l'auteur de : *Faire une maison. Faire un mur* (syn. : CONSTRUIRE, ÉLEVER, BÂTIR). *Faire un costume. Faire un livre* (syn. : ÉCRIRE, RÉALISER ou ÉDITER). *Le boulanger fait le pain. Faire un gâteau* (syn. : CONFECTIONNER). *L'artiste qui a fait ce tableau* (syn. : EXÉCUTER). *Un industriel qui fait des boulons* (syn. : FABRIQUER). *Dieu, selon la Genèse, a fait le monde en six jours* (syn. : CRÉER). — **2°** Préparer, mettre en état : *Faire un rôti au four* (syn. : CUIRE). *Faire la salade* (syn. : APPRÊTER, ASSAISONNER). *La femme de ménage a fait le bureau* (syn. : NETTOYER). *Faire un lit* (= mettre en ordre draps et couvertures). *Faire ses chaussures avant de sortir* (syn. : FROTTER; fam. : ASTIQUER).

B. COMPLÉMENT : NOM DÉSIGNANT UN ÊTRE ANIMÉ. **1°** Doter de l'existence, de la vie, mettre au monde : *Dieu a fait l'homme à son image* (syn. : CRÉER). *La chatte a fait ses petits* (syn. : METTRE BAS). ‖ Pop. *Faire un enfant,* l'engendrer. ‖ Pop. *Faire un enfant à une femme,* la rendre enceinte. — **2°** *Faire une personne, un animal à quelque chose,* l'y adapter, l'y accoutumer (s'emploie surtout au part. passé) : *Son mari l'a faite à l'idée d'habiter la banlieue* (syn. : HABITUER). *Au bout d'un mois d'entraînement, il était fait à la fatigue* (= il la supportait bien). *Etre fait aux subtilités du métier* (= y être rompu). *Je ne suis pas encore fait à son caractère, à de tels procédés.* — **3°** *Je vous fais juge de...,* je vous laisse le soin d'apprécier..., je m'en remets à vous pour... : *Je vous fais juge de la décision à prendre.*

C. COMPLÉMENT : NOM DÉSIGNANT UN RÔLE TENU PAR UNE PERSONNE. **1°** Jouer le rôle de, exercer les fonctions de : *Une actrice qui fait les soubrettes de comédie. Dans cette pièce, il faisait le père* (syn. : JOUER). *Il promet de faire un brillant avocat* (syn. : DEVENIR, ÊTRE). — **2°** (avec un art. défini, le compl. étant souvent un adj. substantivé) Imiter un genre, prendre intentionnellement une certaine apparence : *Faire le malade* (syn. : CONTREFAIRE). ‖ *Faire le malin,* être prétentieux et léger. ‖ Fam. *Faire l'idiot,* faire semblant de ne pas comprendre. ‖ *Faire l'enfant,* se montrer capricieux. ‖ Fam. *Faire le mort,* ne pas répondre, ne pas bouger.

D. COMPLÉMENT : NOM GÉNÉRALEMENT ABSTRAIT ET DÉSIGNANT UNE ACTION, UN ÉTAT. **1°** Accomplir un acte, être engagé dans une voie : *Faire un crime* (syn. littér. : PERPÉTRER). *Faire une farce. Faire une faute* (syn. : COMMETTRE). *Faire un mouvement. Faire la cuisine, la moisson. Faire un discours* (syn. : PRONONCER). ‖ *Faire une fugue. Faire un beau mariage. Faire un cadeau à quelqu'un. Faire des embarras* (= être exagérément poli, donner trop d'importance à des détails). ‖ Fam. *Faire un malheur,* se montrer violent. ‖ *Faire des études,* étudier. ‖ Avec un adj. possessif soulignant le rapport, la convenance de la chose à la personne : *Faire ses études de pharmacie. Faire son droit* (= étudier le droit). *Faire son service militaire. Faire son devoir* (syn. : ACCOMPLIR, S'ACQUITTER DE). *Faire son chemin* (= réussir dans la vie). — **2°** (avec un art. partitif) Pratiquer quelque chose, s'adonner à un sport, avoir une certaine attitude : *Faire de la politique* (= avoir des activités politiques). *Faire de la médecine générale. Faire de l'opposition. Faire de l'obstruction. Faire de la musique, du piano. Faire du tennis, du ballon, de la marche à pied, de la bicyclette.* ‖ Fam. *Faire de la vitesse,* aller vite, généralement en automobile : *Cette fois-ci, impossible de faire de la vitesse, il y a trop d'encombrements.* — **3°** *Faire du pied, du coude, du genou, de l'œil à quelqu'un,* lui faire des signes de connivence avec le pied, le genou, etc., lui adresser des clins d'yeux. — **4°** (avec un art. défini) Exécuter certains exercices physiques, certains mouvements de gymnastique, etc. : *Faire la planche* (= se laisser flotter sans faire de mouvements). *Faire la roue. Faire le pont* (= plier son corps sous forme de pont). *Faire le grand écart. Chat qui fait le gros dos.* — **5°** (avec un art. défini, dans diverses expressions de caractère locutionnel) Avoir tel ou tel comportement : *Faire la paix avec quelqu'un. Faire l'impossible pour aider un ami.* ‖ Pop. *Faire l'amour,* avoir des rapports sexuels. ‖ *Faire la charité,* donner de l'argent dans une intention pieuse. ‖ *Faire la loi,* dominer arbitrairement. ‖ *Faire le guet,* guetter. ‖ Fam. *Faire la bombe,* mener une vie de plaisir. ‖ Fam. *Enfant qui fait la vie,* qui est insupportable. — **6°** (avec un art. partitif ou un art. indéfini devant un compl. désignant une maladie, un état psychologique) Être atteint par cette maladie, être dans cet état : *Faire un gros rhume. Faire de la fièvre* (syn. : AVOIR). *Faire de l'albumine. Faire de la tension. Faire des complexes* (fam. = être timide). *Faire une dépression nerveuse.*

E. COMPLÉMENT : NOM DÉSIGNANT UN PAYS, UN LIEU (avec en général l'art. défini). Parcourir, visiter, fréquenter : *Faire l'Italie pendant les vacances. Faire les grands magasins. Elle a fait toutes les boutiques du quartier.* ‖ Fam. *Prostituée qui fait le trottoir,* qui s'y tient en attendant les clients. ‖ Fam. *Faire les poches de quelqu'un,* les inspecter, lui subtiliser quelque chose dans sa poche.

F. COMPLÉMENT : NOM DÉSIGNANT UNE MARCHANDISE, UNE PRODUCTION. **1°** *Fam.* Pratiquer le commerce de, produire : *Un crémier qui fait aussi les fruits* (syn. : TENIR). *Faire le gros, le demi-gros, le détail. Un cultivateur qui fait du blé, de la* *betterave* (syn. : CULTIVER). — 2° (avec un adv. ou un compl. de prix) *Fam.* Vendre : *Combien me faites-vous ce vieux buffet rustique?*

G. COMPLÉMENT : PRONOM INTERROGATIF OU PRONOM INDÉFINI. Avoir telle ou telle occupation, agir de telle ou telle façon : *Qu'est-ce qu'ils font, pour qu'on les attende aussi longtemps?* (syn. fam. : FABRIQUER, FICHER). *Que faites-vous?* (= quelle est votre occupation actuelle, votre métier). ‖ *Faire quelque chose pour quelqu'un,* lui être utile : *J'ai voulu faire quelque chose pour son ami, mais il ne m'en a pas été reconnaissant.* ‖ *Faire tout pour quelqu'un,* lui être très dévoué. ‖ *Faites quelque chose!,* soyez utile! ‖ *Il n'y a rien à faire,* il n'y a pas d'occupations à proposer; il faut se résigner. ‖ *Il n'y a plus rien à faire,* c'est trop tard, c'est irrémédiable. ‖ *N'en rien faire,* ne pas accomplir une tâche proposée (littér.) : *S'il vous dit de partir, surtout n'en faites rien!* ‖ *Rien à faire,* appuie un refus : *Tu n'auras plus de sucre, rien à faire!*

H. SANS COMPLÉMENT DIRECT. 1° *Fam.* Uriner ou évacuer des matières fécales : *Faire dans sa culotte.* — 2° (dans des propositions incises) Dire, répondre : *Sans doute, fit-il, vous avez raison.* — 3° *Faites donc, je vous prie,* formule de politesse pour inviter quelqu'un à faire quelque chose. ‖ Fam. *Savoir y faire,* être rusé, habile.

I. AVEC UN ADVERBE OU UNE LOCUTION ADVERBIALE DE MANIÈRE. Agir, s'y prendre : *Je croyais bien faire en partant devant. Un mauvais garnement qui ne pense qu'à mal faire* (= à nuire). *Comment avez-vous fait pour résoudre ce problème?*

II. Sujet nom d'être animé ou nom de chose. — A. COMPLÉMENT : NOM DÉSIGNANT L'ÉTAT, LA QUALITÉ DE QUELQU'UN. Susciter, porter à être (surtout dans les loc. proverbiales) : *Les exploiteurs font les révoltés. L'habit ne fait pas le moine. L'occasion fait le larron. Les bons comptes font les bons amis.*

B. COMPLÉMENT : NOM DE PERSONNE OU NOM DE CHOSE. 1° *Faire quelque chose de quelqu'un, de quelque chose,* le transformer en, le faire devenir : *Le mariage a fait de lui un autre homme. La vie a fait de lui un misérable. L'amour a fait d'elle une femme heureuse. Il a fait de sa maison un lieu de rendez-vous.* ‖ *Faire quelqu'un son héritier, faire quelqu'un président,* etc., l'instituer dans cet état, dans ces fonctions : *Cet accident de voiture l'a fait héritier des biens de son oncle* (syn. : RENDRE). *Le peuple le fit roi* (syn. : NOMMER). — 2° (dans des phrases interrogatives) *Fam.* Laisser quelque part : *Qu'as-tu fait de tes lunettes?* (= où les as-tu perdues?). *Qu'a-t-il fait de ma valise?* (= où l'a-t-il laissée?). *Vous êtes seuls? Qu'avez-vous fait de vos enfants?* — 3° (avec un compl. ou un adv. indiquant une mesure) Avoir comme mesure : *Mon frère fait quatre-vingt-cinq kilos* (syn. : PESER). *Une planche qui fait cinq centimètres d'épaisseur* (syn. : MESURER). *Le circuit fait quinze kilomètres* (syn. : REPRÉSENTER). *Ce livre fait trente francs* (syn. : COÛTER). *Le prochain village, ça fait encore loin.*

C. SUIVI D'UN ADJECTIF OU D'UN NOM SANS ARTICLE AYANT VALEUR D'ATTRIBUT. Avoir l'air, paraître, donner l'impression de : *Faire jeune. Faire vieux. Cet enfant fait grand pour son âge. Elle fait vieux à trente ans* (ou *vieille*). *Il fait très vieille France. Elle fait déjà très femme.* ‖ Avec un sujet nom de chose, l'adjectif reste invariable : *Votre cravate fait sérieux. Tableau qui fait joli. Costume qui fait mode d'autrefois* (= qui donne l'impression d'être à la mode d'autrefois). *Un meuble qui fait Empire.*

D. SUIVI D'UN ADVERBE. 1° (adv. indiquant la comparaison) Etre plus, moins, aussi efficace : *Deux ouvriers font plus qu'un seul pour ce travail. L'aspirine fait plus qu'un grog.* — 2° (adv. de manière) Fam. *Faire bien,* être joli, plaisant, avoir un bel aspect : *Votre nouveau chapeau fait bien* (syn. : ↓ NE PAS FAIRE MAL). *Vous faites très bien sur cette photo.* ‖ *Faire bien de* (et l'infin.), avoir raison de faire telle chose : *Il fait bien d'aller voir lui-même ce qui se passe;* souvent employé au conditionnel : *Vous feriez bien de travailler* (= je vous conseille de travailler). *Il ferait bien de songer à l'avenir.* (On dit plus fam. dans le même sens : *vous ne feriez pas mal, il ne ferait pas mal,* etc.) ‖ Fam. *Ça fait bien de* (et l'infin.), il est à la mode, il est bien considéré, etc., de faire telle ou telle chose : *Ça fait bien d'apprendre l'anglais dans un collège britannique* (= c'est bien porté). ‖ *Faire bien les choses,* ne pas lésiner. ‖ *Pour bien faire, il faudrait...,* pour que la situation soit bonne, pour agir au mieux... ‖ *Faire mieux de* (et l'infin.), agir mieux en faisant telle ou telle chose : *Vous feriez mieux de vous taire.* ‖ *Faire pour le mieux,* agir suivant la meilleure solution.

E. SUIVI D'UNE CONJONCTION DE SUBORDINATION. *Faire que* (et l'indic.), avoir pour résultat que : *Sa maladie a fait qu'il n'a pas pu travailler.* ‖ *Faire que* (et le subj.), exercer sa volonté, sa puissance pour que : *Mon Dieu, faites qu'il ne pleuve pas!* (souhait). ‖ *Ne pas pouvoir faire que,* ne pas pouvoir empêcher : *Je ne peux pas faire que cela n'ait pas eu lieu.* ‖ *Faire en sorte que* (et le subj.), prendre des dispositions pour obtenir ce résultat que (langue soignée) : *Le gouvernement a fait en sorte que l'économie nationale reprenne sa vigueur d'antan.*

III. Sujet nom de chose. 1° Avoir telle ou telle forme, présenter tel ou tel aspect, remplir telle ou telle fonction : *La route fait un coude. Votre robe fait des plis. Les montagnes font un amphithéâtre autour de la ville* (syn. : FORMER). *Les trois premiers chapitres font un tout homogène* (syn. : CONSTITUER). *Ces fruits font un excellent déjeuner.* — 2° Produire un effet : *Ce médicament lui a fait beaucoup de bien. Le jus a fait une tache sur la nappe. L'auto fait de la fumée.* — 3° Etre égal à, donner comme résultat : *Deux et deux font quatre. Six fois cinq font trente. « Cheval » fait « chevaux » au pluriel.* — 4° Durer : *Son costume lui a fait trois ans. Ce disque fait une heure d'audition.*

IV. Emplois impersonnels. 1° (avec un adj. ou un nom ordinairement sans art.) Indique les conditions météorologiques ou le moment de la journée : *Il fait chaud, froid, frais. Il fait une chaleur terrible. Il fait jour* (= le jour s'est levé). *Il fait soleil. Il fait un soleil de plomb. Il fait du brouillard. Il fait nuit. Il va faire une nuit froide* (= le temps va être froid cette nuit). — 2° *Il fait bon* (et un infin.), il est agréable, profitable de : *Il fait bon dormir sous ces ombrages. Il ne fait pas bon s'aventurer seul dans ces forêts* (= c'est dangereux). — 3° *Qu'est-ce que cela (ça) fait? Cela (ça) ne fait rien,* cela n'a pas d'importance. — 4° *Cela (ça) fait* (suivi d'une indication de temps), marque le temps écoulé depuis une certaine date : *Ça fait bien quinze jours que je ne l'ai vu* (syn. : IL Y A).

V. Locutions diverses. 1° De très nombreuses locutions verbales sont constituées par *faire* et un complément sans article : *faire fortune, faire fiasco, faire peau neuve*, etc.; il leur correspond souvent un verbe simple : *faire tort* = nuire; *faire peur* = effrayer; *faire part de* = annoncer; *faire foi de* = attester, etc. Nombre de ces locutions sont définies au nom complément. — **2°** *Avoir fort à faire*, être très occupé. ‖ *Ce faisant*, en agissant ainsi. ‖ *N'avoir que faire de quelque chose, de quelqu'un*, ne pas s'en soucier. ‖ *C'en est fait*, tout est fini (littér.). ‖ *C'en est fait de lui, de cette chose*, il est perdu sans espoir, il n'y a plus lieu d'y compter. ‖ *C'est bien fait*, tu l'as, il l'a, etc., bien mérité. ‖ Fam. *On ne me la fait pas*, on ne me berne pas. ‖ Pop. *Le faire à l'esbroufe, à l'estomac, au chiqué*, etc., agir en cherchant à faire illusion ou à intimider. ‖ *Faire son âge*, ne paraître ni plus jeune ni plus vieux qu'on est. ‖ *Il ne fait pas son âge*, il paraît plus jeune qu'il n'est. ‖ *Faire une drôle de tête*, avoir l'air surpris, décontenancé.

2. faire [fɛr] v. tr. (conj. **76**). SUIVI D'UN INFINITIF. **1°** Etre la cause de quelque chose, susciter l'action (forme des loc.) : *Faire tomber des pommes en secouant les branches. Un remède qui fait dormir. Faire monter quelqu'un à une échelle. Faire pousser des fleurs dans un pot.* — **2°** Donner un ordre pour que telle action se produise, inviter à : *Faire transmettre un message. Faire lire un livre* (= le donner à lire). *Faire lire des élèves* (= inciter des élèves à lire). *Faites lire ces livres* (= poussez à ce que ces livres soient lus). *Faites-moi prévenir. Faire faire quelque chose* (= charger quelqu'un de réaliser quelque chose). — **3°** Représenter quelqu'un, lui attribuer quelque chose (littér.) : *On la fait en général mourir vers le Ier siècle avant J.-C.* (= on dit, on pense qu'elle est morte à cette date). *Ne me faites pas dire ce que je n'ai jamais dit* (= ne m'attribuez pas de telles paroles). — **4°** *Ne faire que*, n'avoir pas d'autre activité (que celle qui est exprimée par le verbe) : *Il ne fait que bavarder en classe* (= il bavarde tout le temps). *Ne préparez rien pour lui de spécial, il ne fera que passer* (= il restera peu de temps). — **5°** *Ne faire que de*, venir à peine de faire quelque chose : *Il ne fait que d'arriver* (= il vient à peine d'arriver).

3. faire [fɛr] v. tr. et intr. (conj. **76**). Se substitue à un verbe quelconque déjà énoncé et dans une proposition comparative : *Il court moins bien que je ne faisais à son âge* (= que je ne courais). *Ne t'agite pas comme tu le fais. A vous de faire* (= de donner les cartes).

4. faire (se) [səfɛr] v. pr. (conj. **76**). **1°** (sujet nom de personne) Se former, se transformer, soit par une action volontaire, soit par une évolution naturelle : *Cet homme s'est fait tout seul* (= c'est un *self-made man*). *Il a mis des années à se faire* (syn. : ÉVOLUER). *Cette jeune fille se fait* (= elle se développe, ses traits s'harmonisent). — **2°** *Se faire à quelque chose, à quelqu'un*, s'y habituer, s'y adapter : *Il se fait très bien à son nouveau métier. Le cheval se fait à la selle. Il a eu de la peine à se faire à la discipline* (syn. : SE PLIER). *Il a mis longtemps à se faire à l'idée d'une séparation* (syn. : SE RÉSIGNER). *Il n'a pas pu se faire à ce nouveau directeur. Son œil se fit à l'obscurité de la pièce* (syn. : S'ACCOMMODER). — **3°** *Denrée qui se fait*, qui arrive au degré voulu de maturité, de qualité : *Un camembert qui se fait. Le vin se fait en bouteille* (syn. : S'AMÉLIORER). *Des fruits qui se font.* — **4°** (sujet nom de chose) Etre réalisé, construit, fabriqué, etc. : *La soudure se fait par un procédé nouveau. C'est dans cet atelier que se font les dernières opérations du montage* (= sont faites). — **5°** Etre à la mode, être usuel : *Cette année, c'est la robe courte qui se fait. Ce genre de commerce se fait beaucoup dans ce pays.* ‖ *Cela se fait*, cela est recommandable, bienséant, moral : *Il lui avait prêté un livre incomplet; cela ne se fait pas entre amis.* — **6°** *Se faire* suivi d'un complément d'objet, se procurer, se ménager : *Se faire des amis, des relations. Se faire des ennemis* (syn. : S'ATTIRER). ‖ *Se faire mille francs par mois*, les gagner. ‖ *Se faire la barbe, les ongles*, etc., se raser, se couper ou se soigner les ongles, etc. ‖ *Se faire une idée de quelque chose*, en avoir une connaissance générale, sans entrer dans les détails. ‖ *Se faire des illusions*, être loin de la réalité. ‖ *Se faire une raison*, se résigner. ‖ *Se faire un devoir de quelque chose*, l'accomplir par obligation, sans goût. ‖ *Se faire du souci*, et, fam., *se faire de la bile, du tintouin, des cheveux, du mauvais sang*, etc., avoir des préoccupations. ‖ Fam. *S'en faire*, se faire du souci, se tourmenter. ‖ Fam. *Ne pas s'en faire*, être insouciant, être sans gêne : *Il ne s'en fait jamais* (syn. pop. : ↑ SE LA COULER DOUCE). *Il s'est mis à ma place celui-là, il ne s'en fait pas!* (= il ne doute de rien). — **7°** *Se faire* suivi d'un infinitif, agir de façon à être l'agent ou le patient du procès exprimé par cet infinitif : *Elle se fait maigrir en suivant un régime sévère* (= elle maigrit). *Elle se fait masser* (= on la masse). — **8°** Forme souvent une locution ayant une valeur proche du passif : *Il s'est fait renverser par une voiture* (= il a été renversé). *L'accusé s'est fait condamner.* — **9°** *Se faire* suivi d'un attribut (adj. ou nom sans art.), devenir : *Se faire vieux. Les bonnes occasions se font rares. Il s'est fait moine.* — **10°** *Il se fait*, indique un procès en cours : *Il se fait tard* (= l'heure commence à être tardive). *Il se fait nuit* (= la nuit arrive); il se produit : *Il se fait un grand silence.*

faire-part [fɛrpar] n. m. invar. Lettre, avis, généralement imprimés, annonçant une naissance, un mariage, une mort : *Un faire-part de mariage. Faire imprimer des faire-part.*

fair play [fɛrplɛ] adj. invar. Se dit d'une personne qui accepte loyalement les conditions d'un combat, qui ne cherche pas à duper son adversaire : *Etre très fair play.* ◆ n. m. Jeu loyal : *Le fair play n'est pas son fort.*

faisable [fəzabl] adj. Se dit d'une chose qui peut être faite : *Un livre faisable, un travail faisable* (syn. : RÉALISABLE). ◆ **infaisable** adj. : *Un travail infaisable.*

1. faisan [fəzɑ̃] n. m. Gros oiseau au plumage de couleurs vives, possédant une longue queue, et qui constitue un gibier recherché : *Le faisan est très estimé pour sa chair délicate.* ◆ **faisane** n. et adj. f. Femelle du faisan : *Poule faisane.*

2. faisan [fəzɑ̃] n. m. *Pop.* Homme malhonnête, qui exploite les gens : *N'allez pas chez ce réparateur, c'est un vrai faisan* (syn. : ESCROC). ◆ **faisandé, e** adj. Se dit d'une personne, d'une société dont la morale est relâchée : *Des milieux faisandés* (syn. : POURRI, CORROMPU; contr. : PROPRE, SAIN).

1. faisandé, e [fəzɑ̃de] adj. Se dit d'une viande (principalement du gibier) qui a subi un commencement de décomposition : *Une viande trop* *faisandée, qui est devenue immangeable* (syn. : AVANCÉ; contr. : FRAIS).

2. faisandé, e adj. V. FAISAN 2.

faisceau [feso] n. m. 1° Réunion de plusieurs choses unies dans le sens de la longueur : *Faisceau de branches. Brindilles réunies en faisceaux. Les soldats forment les faisceaux* (= rassemblent leurs fusils en les appuyant les uns contre les autres). — 2° Se dit de choses qui forment, en se réunissant, un ensemble solide : *Un faisceau de preuves.* — 3° Flux de particules électriques, de rayons lumineux, etc., émanant d'une source : *Faisceau électronique. Faisceau lumineux.*

faiseur, euse [fəzœr, -øz] n. 1° (avec un compl. du nom) Se dit d'une personne qui fabrique, qui fait ordinairement quelque chose, en grande quantité et sans soin : *Un faiseur de livres. Un faiseur de bons mots. Un faiseur d'intrigues. Un faiseur de projets.* — 2° *Fam.* et *péjor.* Homme peu scrupuleux : *Il va vous proposer une affaire qu'il prétend magnifique, mais méfiez-vous, c'est un faiseur.*

1. fait, e [fɛ, fɛt] adj. 1° Se dit d'une personne qui est arrivée à son plein développement physique : *Un homme fait* (syn. : MÛR). *C'est un homme fait* (= il ne changera plus). — 2° Se dit d'une chose qui est arrivée à un certain point de maturation : *Ce fromage n'est pas assez fait.* — 3° *Tout fait, toute faite,* se dit de ce qui est préparé d'avance : *C'est un travail tout fait. Un costume tout fait* (par oppos. à SUR MESURE). ‖ *Phrases toutes faites,* formules conventionnelles de politesse (syn. : CLICHÉ). *Idée toute faite,* idée sans originalité (syn. : LIEU COMMUN). — 4° *Fait pour,* se dit d'une chose ou d'une personne qui semble destinée à quelque chose ou à quelqu'un : *Voilà un homme fait pour vous* (= avec lequel vous devez vous entendre). *Il était fait pour ce métier* (= il était comme prédestiné à ce métier). *Cette vie n'est pas faite pour moi.*

2. fait, e [fɛ, fɛt] adj. *Pop.* Se dit d'une personne qui est faite prisonnière, qui est enfermée dans une nécessité inéluctable : *La police a entouré la maison, il est fait comme un rat. Rends-toi, tu es fait* (syn. : PRIS; fam. : COINCÉ).

3. fait [fɛt ou fɛ] n. m. 1° Chose, événement qui se produit : *Ce changement de majorité fut un fait politique important. Les physiciens ont observé un fait curieux* (syn. : PHÉNOMÈNE). *Distinguer les faits de style et les faits de langue.* — 2° Ce dont la réalité est incontestable : *Les théories s'écroulent parfois devant les faits. On aura beau discuter : le fait est là, il est trop tard.* — 3° *Le fait de* (et l'infin.), *le fait que* (et l'indic. ou le subj.), l'action, l'état, la situation consistant à (ou en ce que) : *Le fait de n'avoir rien répondu* (ou *qu'il n'a rien répondu*) *équivaut à un refus de sa part. Le fait d'être absent vous exposerait à un blâme. Le fait qu'on n'ait rien vu ne prouve pas qu'il n'y ait rien.* — 4° *C'est un fait,* c'est une évidence qu'on ne peut nier; il est vrai. ‖ *Les faits et gestes de quelqu'un,* tous ses actes. ‖ *Fait divers,* incident intéressant une personne ou un groupe restreint de personnes et dont le récit ne constitue pas une information politique ou économique. ‖ *Hauts faits,* exploits mémorables : *Les livres d'histoire sont pleins des hauts faits de nos aïeux.* ‖ *Fait d'armes,* exploit militaire, ou, *fam.,* action importante, méritoire : *Il n'a pas accompli un fait d'armes en s'acquittant de ses obligations.* ‖ *Le fait du prince,* décision arbitraire du pouvoir absolu. ‖ *Etre au fait, mettre quelqu'un au fait de quelque chose,* en être informé, en informer quelqu'un de façon précise. ‖ *Ce n'est pas son fait,* il n'a pas l'habitude d'agir ainsi. ‖ *Etre sûr de son fait,* être sûr de ce qu'on avance. ‖ *Dire son fait à quelqu'un,* lui dire sans détour le mal qu'on pense de lui. ‖ *Prendre fait et cause pour quelqu'un, pour les actes* ou *l'opinion de quelqu'un,* s'en déclarer ouvertement partisan. ‖ *Prendre quelqu'un sur le fait,* le surprendre pendant qu'il commet un acte répréhensible. — 5° Entre dans un grand nombre de loc. adv., prép. et adj. : *Au fait!,* assez de détours, venez-en à l'essentiel. ‖ *Au fait...,* introduit une remarque incidente : *Je n'ai reçu aucune lettre de lui, mais, au fait, il n'a peut-être pas mon adresse! Au fait, puisque j'y pense, je vous rappelle la date de la réunion* (syn. : À PROPOS). ‖ *De fait,* se dit d'une chose matérielle qu'on se borne à constater : *Une erreur de fait* (contr. : DE PRINCIPE). *Gouvernement de fait* (contr. : DE DROIT). ‖ *Voies de fait,* actes de violence. ‖ *De fait,* marque la conformité avec ce qui a été dit : *Il avait promis d'être à l'heure, et, de fait, il était là juste au début de la séance.* ‖ *Du fait de,* à cause de, par l'action de : *Du fait de sa maladie, il a manqué plusieurs cours.* ‖ *De ce fait,* pour cette raison, par là même : *Le contrat n'est pas signé, et de ce fait il est nul.* ‖ *En fait,* introduit une idée qui s'oppose à ce qui précède : *On prévoyait environ dix mille francs de réparations; en fait, il y en a eu pour près de vingt mille.* ‖ *En fait de,* pour ce qui est de, en matière de : *En fait de nourriture, il n'est pas exigeant;* en guise de : *En fait d'hôtel, il n'y avait qu'une modeste auberge.* ‖ Fam. *Par le fait,* indique un acquiescement après un instant de réflexion : *Il m'a expliqué qu'il ne pouvait rien faire pour moi : par le fait, il avait des ordres à exécuter.* ‖ *Par le fait même,* indique une conséquence nécessaire : *Il conduisait sa voiture en état d'ivresse, et, par le fait même, il pouvait se voir retirer son permis de conduire.*

1. faîte [fɛt] n. m. 1° Partie supérieure de la charpente d'un édifice : *Le faîte d'un toit.* — 2° Partie la plus élevée de quelque chose : *Le faîte d'une montagne.* — 3° *Ligne de faîte,* ligne formée par les crêtes d'une montagne, par les deux parties d'un toit.

2. faîte [fɛt] n. m. Le degré le plus élevé (littér.) : *Il est parvenu au faîte des honneurs, de la gloire* (syn. : SOMMET, SUMMUM).

fait-tout [fetu] n. m. invar. Récipient en métal, avec anses et couvercle, servant à faire cuire les aliments.

fakir [fakir] n. m. 1° Personne qui prétend connaître l'avenir. — 2° Personne qui exécute des exercices difficiles dans les spectacles, exigeant une grande maîtrise du corps : *Sur la scène, un fakir enturbanné se couchait sur une planche à clous.*

falaise [falɛz] n. f. Escarpement rocheux, descendant presque à la verticale dans la mer.

falbala [falbala] n. m. Ornement prétentieux et de mauvais goût.

fallacieux, euse [fallasjø, -øz ou falasjø, -øz] adj. 1° Se dit d'une chose qui est faite pour induire en erreur (langue soutenue) : *Raisonnement fallacieux* (syn. : CAPTIEUX, SPÉCIEUX). *Espoirs fallacieux* (syn. : TROMPEUR). — 2° Se dit du comportement trompeur de quelqu'un : *Sous des dehors fallacieux* (syn. : HYPOCRITE; contr. : SINCÈRE, LOYAL). ◆ **fallacieusement** adv.

1. falloir [falwar] v. impers. (conj. 48). 1° *Il faut quelque chose ou quelqu'un,* une personne ou une chose manque, elle est nécessaire : *Il faut un ouvrier ici, à cette place, pour ce travail.* — 2° *Il me faut, il te faut,* etc., *quelque chose,* j'ai, tu as, etc., besoin de telle chose : *Il lui faut un équipement complet. Il leur faut du repos;* j'ai, tu as, etc., grande envie de quelque chose : *Il lui faut à tout prix ce collier.* — 3° *Falloir* suivi d'un infinitif, ou du subjonctif avec *que,* être l'objet d'une nécessité ou d'une obligation : *Quand la pluie tombe, il faut prendre son parapluie* (= il est nécessaire de). *Il faut enlever son chapeau avant d'entrer* (= on doit, il est poli de). *Si vous passez par notre rue, il faut monter nous voir* (= montez donc nous voir). *Il faut que tu partes* (= tu dois partir). *Il faut toujours qu'elle se trouve des excuses* (= elle éprouve toujours le besoin de). ‖ Avec le pronom *le* représentant une proposition : *Viens ici, il le faut. Je démissionnerai, s'il le faut* (= si c'est nécessaire). — 4° *Il faut que* peut exprimer la conjecture : *Il n'est pas venu? Il faut qu'il soit bien malade* (= il doit être). — 5° Fam. *Faut-il que...!,* renforce une exclamation : *Faut-il qu'il soit bête pour n'avoir rien compris!* ‖ *Il faut voir, il faudrait voir,* s'emploie pour indiquer une éventualité restrictive : *Il a l'air gentil comme ça, mais il faut voir.* ● LOC. ADJ. *Comme il faut,* V. COMME.

2. falloir (s'en) [sɑ̃falwar] v. pr. impers. (conj. 48). 1° *S'en falloir de quelque chose,* être en moins : *Je ne vous donne pas tout, il s'en faut d'un dixième. Il s'en faut de peu, de beaucoup* (= il en manque peu, beaucoup). *Il s'en faut de trois mètres que l'échelle atteigne à la hauteur convenable. Il s'en faut de beaucoup qu'elle soit heureuse.* — 2° *Peu s'en faut que* (et le subj.), indique un événement, une éventualité bien près de se réaliser : *Peu s'en est fallu que les deux voitures ne se tamponnent!* (= elles ont failli se tamponner). ● LOC. ADV. *Il s'en faut, tant s'en faut,* bien au contraire, loin de là : *Il n'est pas bête, tant s'en faut* (= il est loin d'être bête).

falot [falo] n. m. Lanterne portative.

falot, e [falo, -lot] adj. Se dit d'une personne un peu terne, effacée : *Un personnage falot* (syn. : INSIGNIFIANT).

falsifier [falsifje] v. tr. *Falsifier quelque chose,* l'altérer volontairement, le dénaturer, le modifier volontairement, en vue de tromper : *Falsifier un vin* (syn. : FRELATER). *Falsifier une addition* (syn. : GONFLER). *Falsifier un texte* (syn. : DÉFIGURER). *Falsifier une signature* (= l'imiter frauduleusement). *Falsifier la monnaie* (= en altérer la valeur intrinsèque). ◆ **falsificateur, trice** adj. et n. ◆ **falsification** n. f. : *Falsification des écritures comptables.*

famélique [famelik] adj. Se dit d'une personne ou d'une bête qui souffre continuellement de la faim, qui est amaigrie par le manque de nourriture (littér.) : *Mendiant famélique* (= un crève-la-faim). *Chien famélique* (syn. : ÉTIQUE; contr. : GRAS).

fameux, euse [famø, -øz] adj. 1° (avant le nom) Se dit d'une personne ou d'une chose dont on a déjà parlé, en bien ou en mal : *On m'avait dit de passer par Beaumont, mais je n'ai jamais pu trouver ce fameux village.* — 2° (attribut, ou épithète généralement placée avant le nom) *Fam.* Remarquable, extraordinaire (parfois ironiq.) : *Tu as fait une fameuse gaffe. Il est fameux, votre apéritif.* — 3° (placé après le nom) Se dit de quelqu'un ou de quelque chose qui a une grande réputation : *Une bataille fameuse* (syn. : CÉLÈBRE, ILLUSTRE, GLORIEUX, ↓ CONNU). *Une région fameuse pour ses fromages et ses produits laitiers* (syn. : RÉPUTÉ). ◆ **fameusement** adv. *Fam.* Sens 2 de l'adj. : *Votre repas était fameusement bon* (syn. : EXTRÊMEMENT, TRÈS; fam. : RUDEMENT).

familial, e, aux adj. V. FAMILLE.

familiale [familjal] n. f. Voiture de tourisme carrossée de manière à pouvoir transporter plus de personnes que les modèles ordinaires.

1. familier, ère [familje, -ɛr] adj. Se dit de choses qu'on est habitué à voir autour de soi, ou qui sont habituelles à quelqu'un : *Il entendit une voix familière à côté de lui* (= qui lui était connue). *A force de la voir tous les jours, son visage m'est devenu familier* (syn. : CONNU; contr. : ÉTRANGER). *Un de ses gestes familiers était de se frotter le nez* (syn. : ↑ FAVORI, ↓ HABITUEL, ↓ ORDINAIRE).

2. familier [familje] n. m. Celui qui vit dans la fréquentation habituelle de quelqu'un ou de quelque chose, dans l'intimité de quelqu'un : *C'est un familier de la maison* (syn. : HABITUÉ, AMI). *Les familiers de ce café* (= les clients habituels).

3. familier, ère [familje, -ɛr] adj. 1° Se dit de quelqu'un dont les manières manquent de réserve, ou même qui se montre indiscret ou impoli avec les autres : *Etre familier avec les femmes* (syn. : ↑ ENTREPRENANT). *Si on l'encourage imprudemment, il devient vite familier* (syn. : GROSSIER). *Avoir des manières très familières* (syn. : LIBRE, CAVALIER). — 2° Se dit de ce qui est simple et amical : *Un entretien familier.* — 3° Se dit d'un mot ou d'une construction caractéristique de la langue de la conversation : *Une tournure familière.* ◆ **familièrement** adv. : *Le chef de l'Etat s'entretint familièrement avec un simple citoyen.* ◆ **familiarité** n. f. Comportement simple et amical : *Traiter quelqu'un avec une familiarité de bon goût, avec une familiarité déplacée* (syn. : LIBERTÉ, ↑ DÉSINVOLTURE). ◆ **familiarités** n. f. pl. Façons indiscrètes ou inconvenantes : *Se laisser aller à des familiarités de langage* (syn. : ↑ GROSSIÈRETÉS). *Avoir des familiarités avec une femme* (syn. : PRIVAUTÉS).

4. familier, ère [familje, -ɛr] adj. Se dit de choses dont on a acquis la pratique, que l'on suit bien : *Cette langue lui est devenue familière.* ◆ **familiariser (se)** v. pr. *Se familiariser avec une chose,* se rendre cette chose connue en la pratiquant régulièrement : *Il s'est familiarisé depuis longtemps avec l'usage des signes symboliques. Se familiariser avec le bruit de la rue* (syn. : S'ACCOUTUMER À). ◆ **familiarité** n. f. : *Il a acquis une certaine familiarité avec le russe au cours de son séjour en U.R.S.S.* (syn. : PRATIQUE [DE], HABITUDE [DE]).

famille [famij] n. f. 1° Ensemble des individus, vivants ou morts, qui sont liés par un lien de parenté : *Envoyer des faire-part à toute la famille, jusqu'aux arrière-petits-neveux. Famille proche, famille éloignée* (= les personnes dont le degré de parenté avec quelqu'un est proche, éloigné). *La famille royale. Fils de famille* (=enfant descendant d'une famille noble, ou riche). *Bijoux de famille. Souvenir de famille. Caveau de famille.* — 2° Ensemble constitué par le père, la mère et leurs enfants : *Le chef de famille* (= le père, ou le plus âgé des mâles de la famille, auquel incombent la responsabilité et l'entretien des enfants mineurs). *Un soutien de famille* (= personne qui subvient aux besoins de la famille). *La vie de famille* (= vie intime et familiale). *La Sainte Famille* (= Joseph, la Vierge et l'Enfant Jésus [dans la Bible]). — 3° Ensemble des enfants issus du mariage : *Etre chargé de famille. Carnet de famille nombreuse. Une famille de douze enfants. Livret de famille. La petite famille d'une personne* (fam. = ses enfants en bas âge). — 4° Ensemble d'êtres vivants ou d'objets ayant ensemble des caractères communs : *La grande famille des gens de lettres. La famille des cuivres dans un orchestre.* — 5° *Avoir un air de famille, un petit air de famille,* se dit de personnes qui se ressemblent. ◆ **familial, e, aux** adj. Se dit de choses qui appartiennent à la famille : *Liens familiaux. Vie familiale. Allocations familiales. Maison familiale.*

famine [famin] n. f. 1° Manque presque total de produits alimentaires dans un pays : *Les grandes famines de l'Inde. Période de famine.* — 2° *Salaire de famine,* salaire trop bas. ‖ *Crier famine,* se plaindre de son dénuement (littér.).

fan, fana [fan, fana] n. *Fam.* Abrév. de FANATIQUE : *Les fans d'une vedette de la chanson. Les fanas du rugby.*

fanal, aux [fanal, -no] n. m. 1° Petit phare, signal allumé la nuit sur les côtes et à l'entrée des ports. — 2° Lanterne employée sur les bateaux, pour certains éclairages de bord ou pour la signalisation de nuit.

fanatique [fanatik] adj. et n. Se dit de quelqu'un (ou de son comportement) qui est emporté par un zèle excessif, une passion démesurée, à l'égard de quelque chose ou de quelqu'un : *Il a voulu intervenir dans le débat, mais un fanatique s'est jeté sur lui et l'a fait sortir de la salle. Un nationalisme fanatique* (syn. : AVEUGLE, FRÉNÉTIQUE, DÉLIRANT). ◆ **fanatisme** n. m. Zèle passionné : *Brûler un homme en effigie par fanatisme. Fanatisme religieux, politique. Doctrine poussée jusqu'au fanatisme.* ◆ **fanatiser** v. tr. Exciter par une doctrine, une idée, au point de rendre capable d'une violence aveugle et brutale : *Fanatiser les foules.*

fane [fan] n. f. Feuille de certaines plantes herbacées : *Enlever les fanes des carottes.*

1. faner [fane] v. tr. Retourner plusieurs fois l'herbe fauchée d'un pré, pour la faire sécher. ◆ **fanage** n. m. : *Le fanage doit conserver au fourrage sa valeur nutritive.* ◆ **faneur, euse** n. ◆ **faneuse** n. f. Machine qui sert pour le fanage.

2. faner (se) [səfane] v. pr. (sujet nom de plante, de chose ou de personne). Perdre sa fraîcheur : *Les fleurs se sont fanées dans le vase sans eau. La couleur du papier peint s'est fanée.* ◆ **fané, e** adj. : *Une fille fanée* (syn. : VIEILLIE ; contr. : EN FLEUR). *Rideau fané, tapisserie fanée* (syn. : DÉFRAÎCHI, PASSÉ). *Teint fané* (contr. : ÉCLATANT).

fanfare [fɑ̃far] n. f. 1° Orchestre composé d'instruments de cuivre. — 2° Morceau de musique, exécuté par des trompettes et des timbales, ou par des cuivres en général, à l'occasion de certaines manifestations ou cérémonies : *Jouer une fanfare pour un défilé.*

fanfaron, onne [fɑ̃farɔ̃, -ɔn] n. et adj. Se dit d'une personne (ou de son attitude) qui vante son courage, ses exploits, ses mérites, etc. : *Faire le fanfaron* (syn. : FARAUD, CRÂNEUR). *Il prend un air fanfaron pour raconter ses succès* (syn. : BRAVACHE ; contr. : MODESTE). *Un fanfaron qui raconte des aventures extraordinaires* (syn. : HÂBLEUR, VANTARD). ◆ **fanfaronnade** n. f. : *Ses menaces ne sont que des fanfaronnades* (syn. : HÂBLERIE, FORFANTERIE, VANTARDISE). ◆ **fanfaronner** v. intr. Faire le fanfaron : *Il fanfaronne depuis sa victoire.*

fanfreluche [fɑ̃frəlyʃ] n. f. Ornement de la toilette féminine (ruban, broderie, dentelle, etc.).

fange [fɑ̃ʒ] n. f. 1° Boue presque liquide, qui salit (littér.) : *Marcher dans la fange d'un ruisseau.* — 2° *Se vautrer dans la fange,* se complaire dans une vie ignominieuse ou immonde. ‖ *Couvrir quelqu'un de fange,* l'injurier bassement. ◆ **fangeux, euse** adj. (littér.) : *Une eau fangeuse.*

fanion [fanjɔ̃] n. m. Petit drapeau : *Porter un fanion. Fanion de commandement* (= drapeau indiquant un grade militaire supérieur).

1. fanon [fanɔ̃] n. m. Chacune des lames cornées qui garnissent la bouche de certains cétacés : *Les fanons de la baleine.*

2. fanon [fanɔ̃] n. m. Repli de peau qui pend sous le cou de certains mammifères : *Le fanon d'un bœuf.*

fantaisie [fɑ̃tezi] n. f. 1° Qualité d'une personne (ou de ses actions) qui invente librement, sans contrainte, ou qui agit de manière imprévisible : *Donner libre cours, se laisser aller à sa fantaisie* (= créer, agir de manière originale). *Une femme pleine d'une fantaisie charmante* (= qui agit, qui parle par sauts imprévus). *Un livre plein de fantaisie* (= où l'auteur fait preuve d'une imagination plaisante). *Il n'a aucune fantaisie* (= il manque d'originalité, sa vie est trop régulière). — 2° Goût particulier à quelqu'un : *Agir selon sa fantaisie* (= comme on veut, à sa guise). — 3° Goût passager, capricieux pour quelque chose : *Etre pris d'une fantaisie subite* (syn. : LUBIE). *Avoir la fantaisie de faire quelque chose. Son père lui passe toutes ses fantaisies* (syn. : CAPRICE). ● LOC. ADV. *De fantaisie,* se dit d'une chose où l'imagination joue le premier rôle : *Une œuvre de fantaisie;* se dit d'une chose inventée de toutes pièces : *Il a pris un nom de fantaisie;* se dit de certains objets qui ne sont pas faits suivant les règles habituelles : *Un uniforme de fantaisie. Pain de fantaisie* (= pain qui se vend à la pièce et non au poids). ◆ **fantaisiste** [fɑ̃tezist] adj. et n. 1° Se dit d'une personne qui n'agit qu'à sa guise, sans accepter de règle : *Un étudiant fantaisiste, qui assiste à quelques cours* (syn. : DILETTANTE, ARTISTE). — 2° Se dit d'une personne à qui on ne peut se fier, ou d'une chose qui manque complètement de sérieux : *Un médecin fantaisiste* (syn. : ↑ FUMISTE, CHARLATAN). *Une étymologie fantaisiste* (syn. : INVENTÉ). ◆ n. m. Artiste de cabaret qui chante ou raconte des histoires : *Un numéro de fantaisiste.*

fantasmagorique [fɑ̃tasmagɔrik] adj. Se dit d'une chose qui semble surnaturelle et dont les effets surprennent extrêmement : *Un décor fantasmagorique* (syn. : EXTRAORDINAIRE, FANTASTIQUE). ◆ **fantasmagorie** n. f. Effets troublants, visions fantastiques, produits artificiellement sur une scène ou décrits dans un livre.

fantasme [fɑ̃tasm] n. m. Image qui fait partie d'un rêve ou d'une hallucination.

fantasque [fɑ̃task] adj. Se dit d'une personne sujette à des caprices, ou d'une chose bizarre, imprévue : *Un esprit fantasque. Un récit fantasque.*

fantassin [fɑ̃tasɛ̃] n. m. Militaire de l'infanterie.

fantastique [fɑ̃tastik] adj. 1° Se dit d'êtres ou d'objets créés par l'imagination, et qui sont bizarres : *La licorne est un animal fantastique. La lune donnait aux objets un aspect fantastique* (syn. : EXTRAORDINAIRE, SURNATUREL, FÉERIQUE). — 2° *Fam.* Se dit d'une chose inhabituelle par sa taille, sa beauté, son prix, etc. : *Atteindre une somme fantastique* (syn. : ASTRONOMIQUE). *Un luxe fantastique* (syn. : EXTRAVAGANT, INCROYABLE).

fantoche [fɑ̃tɔʃ] n. m. et adj. Personne sans consistance ni volonté, qui est l'instrument d'un pouvoir caché : *Cet homme est un fantoche entre les mains de sa femme* (syn. : PANTIN, MARIONNETTE). *Les gouvernements de pays occupés militairement sont souvent de simples fantoches.*

fantôme [fɑ̃tom] n. m. 1° Etre fantastique, qu'on croit être la manifestation d'une personne décédée : *Croire aux fantômes* (syn. : REVENANT, SPECTRE). — 2° *Un fantôme de,* ce qui n'a que l'apparence de, ce qui est sans consistance : *Un fantôme de directeur* (= qui ne dirige pas en réalité). ◆ adj. 1° Se dit de choses qui n'existent pas, mais qui pourraient exister, ou dont on a la sensation illusoire qu'elles existent : *Les amputés ont le sentiment d'un membre fantôme.* — 2° Se dit de choses qui n'existent qu'en apparence : *Un ministère fantôme* (syn. : INCONSISTANT, FANTOCHE). — 3° Se dit de choses qui ont le caractère de fantômes (sens 1) : *Vaisseau fantôme.* ◆ **fantomatique** adj. : *Un éclairage fantomatique* (= qui crée un climat de mystère, de surnaturel).

faon [fɑ̃] n. m. Petit des animaux du genre *cerf.*

faramineux, euse [faraminø, øz] adj. *Fam.* Se dit de choses étonnantes, extraordinaires : *Atteindre des prix faramineux* (syn. : FANTASTIQUE, ASTRONOMIQUE).

farandole [farɑ̃dɔl] n. f. Danse provençale dans laquelle les danseurs se tiennent par la main, sur une longue file : *Danser la farandole.*

faraud, e [faro, -od] adj. et n. *Fam.* Se dit d'une personne prétentieuse, ou qui se vante d'exploits : *Faire le faraud* (= faire l'avantageux).

1. farce [fars] n. f. Bon tour qu'on joue à quelqu'un pour se divertir : *Pendant son absence, ses collègues avaient monté une farce* (syn. : NICHE, ATTRAPE, MYSTIFICATION; fam. : CANULAR). *On lui avait caché son chapeau pour lui faire une farce* (syn. : BLAGUE). ◆ **farceur, euse** n. et adj. 1° Personne qui aime à jouer des tours : *C'est un farceur qui vous a caché votre livre* (syn. : MAUVAIS PLAISANT, LOUSTIC). — 2° Personne qui raconte des histoires drôles ou qu'on ne prend jamais au sérieux; se dit aussi de son comportement : *N'écoutez jamais ce qu'il vous dit, c'est un vieux farceur* (syn. : PLAISANTIN). *Un tempérament farceur* (syn. : BLAGUEUR; contr. : SÉRIEUX).

2. farce [fars] n. f. 1° Petite pièce de théâtre, saynète, sketch dont les effets comiques sont grossis et simplifiés : *Molière a écrit quelques farces. Deux ou trois séquences de ce film comique appartiennent au genre de la farce. La grosse farce.* — 2° *Etre le dindon de la farce,* être complètement dupé.

3. farce [fars] n. f. Viandes hachées et épicées, ou hachis d'herbes cuites, qu'on met à l'intérieur d'une volaille, d'un poisson, d'un légume. ◆ **farcir** v. tr. 1° Garnir de farce une volaille, un poisson. — 2° Remplir excessivement quelque chose : *Il a farci son livre de citations* (syn. : BOURRER, TRUFFER). ◆ ***se farcir*** v. pr. 1° *Fam.* Se remplir de quelque chose : *Il s'est farci la mémoire d'un tas d'inutilités* (syn. : SE BOURRER, SE SURCHARGER). — 2° (sujet nom de personne) *Pop.* Supporter difficilement quelqu'un, faire une chose désagréable : *L'adjudant, c'est pas un cadeau, il faut se le farcir!* (syn. pop. : S'APPUYER). *Comme il n'avait rien fait, j'ai dû me farcir tout le travail.* ◆ **farci, e** adj. Se dit d'un mets préparé avec une farce : *Mettre les tomates farcies au four.*

fard [far] n. m. Composition de différentes couleurs, qu'on applique sur la peau pour en rehausser l'éclat ou en masquer les défauts : *Les acteurs mettent du fard. Cette femme n'utilise jamais aucun fard.* ◆ **farder** v. tr. 1° *Farder quelqu'un,* lui mettre du fard : *Farder le visage d'un acteur. Une femme outrageusement fardée.* — 2° *Farder la vérité,* cacher ce qui peut déplaire (syn. littér. : DÉGUISER, TRAVESTIR). ◆ ***se farder*** v. pr. : *Elle se farde discrètement en général* (syn. : SE MAQUILLER).

fardeau [fardo] n. m. 1° Chose qui pèse lourdement et qu'il faut transporter : *Ces trois valises, ce sera un lourd fardeau pour vous. Porter un fardeau sur ses épaules. Traîner un fardeau.* — 2° Chose difficile ou pénible à supporter : *La responsabilité de l'entreprise est un lourd fardeau pour lui* (syn. : CHARGE). *Le fardeau des impôts* (syn. : ↓ POIDS).

farfelu, e [farfəly] adj. et n. Se dit d'une personne (ou de son comportement) à l'esprit bizarre : *Des idées farfelues* (syn. : FANTASQUE, LOUFOQUE; contr. : LOGIQUE, RATIONNEL).

farfouiller [farfuje] v. tr. et intr. *Fam.* et *péjor.* Fouiller maladroitement, en mettant tout sens dessus dessous : *Farfouiller dans une commode. Qu'est-ce que tu viens farfouiller dans mes affaires?* ◆ **farfouillage** n. m.

faribole [faribɔl] n. f. *Fam.* Propos sans valeur, qu'on ne saurait prendre au sérieux : *N'écoute pas toutes ces fariboles* (syn. fam. : BALIVERNE).

farine [farin] n. f. Poudre provenant de la mouture du grain des céréales, notamment du blé, et de quelques autres espèces végétales : *La farine de froment est de loin la plus employée pour l'alimentation. Farine de blé. Farine de seigle. Acheter un kilo de farine chez le boulanger. Farine de moutarde.* ◆ **farineux, euse** adj. Se dit de certaines choses qui ont l'aspect, le goût de la farine : *Une sauce légèrement farineuse.* ◆ **farineux** n. m. pl. Plante alimentaire pouvant fournir une farine : *Les haricots sont des farineux.* ◆ **enfariné, e** adj. 1° Couvert de farine : *Un meunier tout enfariné.* — 2° Pop. *La gueule enfarinée, le bec enfariné,* avec une expression de confiance, de satisfaction, etc., injustifiée : *Il avait fait tout le travail de travers, et il venait, le bec enfariné, proposer ses services!*

farniente [farnjɛ̃t ou farnjɛnte] n. m. *Fam.* Douce oisiveté : *Vivre au soleil dans le farniente.*

farouche [faruʃ] adj. 1° Se dit d'un animal qui fuit quand on l'approche : *Un chat un peu farouche* (= qu'on effarouche facilement). — 2° Se dit d'une personne qui fuit les contacts sociaux, ou dont l'abord est difficile, rude, etc. : *Un enfant farouche, qui se réfugie dans sa chambre quand il vient des étrangers* (syn. : SAUVAGE, ↑ ASOCIAL, INSOCIABLE, MISANTHROPE). — **3°** Se dit de sentiments violents, d'attitudes ou de comportements qui expriment la violence, l'hostilité, l'orgueil, etc. : *Une haine farouche* (syn. : SAUVAGE). *Une volonté farouche* (syn. : TENACE). *Un air farouche* (syn. : FIER, ↑ INTRAITABLE). *Opposer une farouche résistance.* — **4°** (avant ou après le nom) Se dit d'animaux indomptés, d'hommes non civilisés, ou de régions d'aspect sauvage (littér.) : *L'ours farouche. Les farouches guerriers germains. Une contrée farouche.* — **5°** Fam. *Femme peu farouche, qui n'est pas farouche,* etc., qui se laisse facilement courtiser.

fart [fart] n. m. Corps gras dont on enduit les semelles de ski pour les rendre plus glissantes. ◆ **farter** v. tr. : *Il doit constamment farter ses skis à cause de cette neige.*

fascicule [fasikyl] n. m. Cahier ou groupe de cahiers d'un ouvrage publié par fragments.

fasciner [fasine] v. tr. **1°** Attirer irrésistiblement les regards, l'attention de quelqu'un par sa beauté ou par son charme étrange (littér.; souvent au passif) : *Il est fasciné par le spectacle* (syn. : CAPTIVER, ↑ HYPNOTISER). *Il fascinait l'auditoire par sa personnalité* (syn. : ÉBLOUIR). *Il est fasciné par l'argent* (syn. : SÉDUIRE). — **2°** Priver de réaction défensive : *Serpent qui fascine sa proie.* ◆ **fascinant, e** adj. Se dit des yeux, d'une personne, d'un souvenir qui exercent un charme puissant : *Avoir un regard fascinant* (syn. : TROUBLANT, ENVOÛTANT, ENSORCELANT). *C'était un être fascinant* (syn. : SÉDUISANT). *Le souvenir fascinant d'un amour passé* (syn. : OBSÉDANT). ◆ **fascination** n. f. (surtout avec *exercer*) : *Exercer sur l'auditoire une fascination extraordinaire* (syn. : ENVOÛTEMENT, ↓ ATTRAIT). *Elle a sur lui un véritable pouvoir de fascination* (syn. : ↓ ASCENDANT).

fascisme [faʃism ou fasism] n. m. **1°** Régime établi en Italie, par Mussolini, de 1922 à 1945, fondé sur la dictature d'un parti unique, l'exaltation patriotique et le corporatisme : *Le fascisme s'est effondré avec la défaite italienne.* — **2°** Doctrine visant à substituer un régime autoritaire et nationaliste à un régime démocratique. ◆ **fasciste** n. et adj. : *S'opposer à l'arrivée des fascistes au pouvoir.* ◆ **fascisant, e** adj. et n. Se dit d'une personne ou d'une chose qui tend au fascisme ou qui le prépare.

1. faste [fast] n. m. Déploiement de magnificence, de luxe : *Le faste d'une cérémonie* (syn. : LUXE, POMPE, APPARAT). *Le faste de cette maison l'impressionnait* (syn. : SPLENDEUR, LUXE). *Etre entouré de faste.* ◆ **fastueux, euse** [fastɥø, -øz] adj. Se dit d'une chose qui accuse un caractère de luxe, plus rarement d'une personne qui vit dans le faste : *Une vie fastueuse* (contr. : MESQUINE). *Un dîner très fastueux* (syn. : SOMPTUEUX; contr. : MODESTE).

2. faste [fast] adj. *Jour faste,* jour de chance, où tout vous réussit, où l'on est heureux, etc. (littér.): *Etre dans un jour faste* (contr. : NÉFASTE).

fastidieux, euse [fastidjø, -øz] adj. Se dit de ce qui inspire l'ennui, le dégoût : *Une lecture fastidieuse* (syn. : INSIPIDE, ENNUYEUX; fam. : BARBANT, RASOIR). *Une énumération fastidieuse. Travail fastidieux* (syn. : MONOTONE).

fat [fat] adj. et n. m. Qui est vaniteux et infatué de lui-même (littér.; syn. : POSEUR, VANITEUX, ↑ ARROGANT; contr. : MODESTE, RÉSERVÉ). ◆ **fatuité** n. f. : *Etre plein de fatuité* (syn. : PRÉTENTION, VANITÉ). *Un air de fatuité insupportable* (syn. littér. : INFATUATION, CONTENTEMENT DE SOI).

1. fatal, e, als [fatal] adj. Se dit d'une chose qui est comme fixée d'avance, qu'on ne peut éviter, qui doit immanquablement arriver : *Au point où ils en étaient arrivés, la guerre entre eux était fatale* (syn. : INÉVITABLE; contr. : ALÉATOIRE). *Une conséquence fatale* (syn. : NÉCESSAIRE). *Il était fatal que cela finisse ainsi* (syn. : OBLIGATOIRE). ◆ **fatalement** adv. Nécessairement, suivant une logique sans faille : *Les premiers résultats furent fatalement insuffisants* (syn. : FORCÉMENT, INÉVITABLEMENT). *Arrivant tous les jours à la même heure, ils devaient fatalement se rencontrer* (syn. : OBLIGATOIREMENT). ◆ **fatalisme** n. m. Doctrine philosophique selon laquelle les événements de la vie humaine s'enchaînent suivant une logique inéluctable, et qui a été établie par une cause surnaturelle. ◆ **fataliste** adj.

2. fatal, e, als [fatal] adj. **1°** Se dit d'une chose qui est une cause de malheur pour quelqu'un, qui entraîne sa ruine, sa mort : *Porter à quelqu'un un coup fatal* (syn. : MORTEL). *Une erreur fatale* (= qui a des conséquences très graves). *Un accident fatal* (syn. : MORTEL). *Maladie qui a une issue fatale* (= qui aboutit à la mort). — **2°** *Fatal à* ou *pour quelqu'un* ou *pour quelque chose,* se dit d'une chose qui a des conséquences désagréables, pénibles, etc., pour cette personne ou pour cette chose : *Des excès fatals à la santé. Cette décision fut fatale à son entreprise* (syn. : ↓ FUNESTE, NUISIBLE). — **3°** *Femme fatale,* qui attire irrésistiblement. ◆ **fatalité** n. f. Se dit d'une sorte de coïncidence inexplicable, cause de malheurs continuels : *Par quelle fatalité en est-il venu là? Il est poursuivi par la fatalité* (syn. : ↓ MALHEUR). *Victime de la fatalité* (syn. : DESTIN). ◆ **fatalisme** n. m. Attitude de quelqu'un qui accepte ou est prêt à accepter tous les malheurs sans réagir (syn. : RÉSIGNATION, PASSIVITÉ). ◆ **fataliste** adj. et n. : *A force de subir des échecs, il était devenu fataliste* (syn. : ↓ RÉSIGNÉ).

fatidique [fatidik] adj. Dont l'arrivée est prévue et inéluctable : *Le jour fatidique, le candidat se présenta à l'examen* (syn. : FATAL). *Le juge prononça enfin la sentence fatidique.*

fatigue [fatig] n. f. Chez un être vivant, diminution du pouvoir fonctionnel, provoquée par un excès de travail et se traduisant par une sensation de malaise : *Etre gagné par la fatigue* (syn. : LASSITUDE). *La fatigue remonte en fin de journée. Une fatigue passagère. Etre mort de fatigue* (= être complètement épuisé). *Tomber de fatigue* (syn. : ABATTEMENT). *La fatigue intellectuelle* (syn. : ↑ SURMENAGE). *Epargner à quelqu'un une fatigue* (= un travail pénible, une cause de fatigue). ◆ **infatigable** adj. (avant ou plus souvent après le nom). Se dit d'un être animé (ou de son comportement) qui n'éprouve ou ne paraît pas éprouver de fatigue à la suite d'un travail, d'un effort prolongé : *Il aime les longues promenades en montagne; c'est un marcheur infatigable* (syn. : RÉSISTANT, ROBUSTE; pop. : INCREVABLE). *Il avait repris l'explication avec une infatigable patience* (syn. : INLASSABLE). ◆ **infatigablement** adv. : *Il revenait infatigablement à la* charge, le pressant de questions. ◆ **fatiguer** v. tr. 1° *Fatiguer quelqu'un, un animal,* lui faire éprouver une fatigue physique ou intellectuelle : *Une marche prolongée avait fatigué les enfants* (syn. : LASSER; ↑ EXTÉNUER, ÉPUISER, HARASSER; fam. : ÉREINTER). *Les excès fatiguent l'organisme humain. Un professeur qui fatigue les élèves par son manque de méthode.* — 2° *Fatiguer quelqu'un,* l'ennuyer, l'importuner : *Faites taire cet enfant, il me fatigue. Il la fatiguait de ses questions* (syn. : ÉNERVER, ↑ EXASPÉRER). *Fatiguer quelqu'un qui parle par des interventions continuelles* (syn. : IMPORTUNER). — 3° *Fatiguer une chose,* l'affaiblir en la soumettant à des efforts trop grands, à un trop long usage : *Fatiguer des chaussures. Fatiguer une terre, un champ* (= l'exploiter excessivement, au point de diminuer sa fertilité et son rendement). *Une charge qui fatigue les solives.* ◆ v. intr. 1° (sujet nom de personne) Donner des signes de fatigue : *Prends ma place, je commence à fatiguer au volant.* — 2° (sujet nom de chose) Supporter un effort important : *Le moteur fatigue à la montée* (syn. : PEINER). *Cette traverse fatigue beaucoup, elle risque de céder.* ◆ **se fatiguer** v. pr. 1° Éprouver ou se donner de la fatigue : *Un convalescent qui se fatigue rapidement. Il n'aime pas se fatiguer* (syn. : SE REMUER, TRAVAILLER). — 2° *Se fatiguer de quelque chose, de quelqu'un,* en avoir assez, en être importuné : *Une mode excentrique dont on se fatigue vite* (syn. : SE LASSER). *Deux amis qui ne se fatiguent jamais l'un de l'autre.* ◆ **fatigant, e** adj. : *Cette marche est très fatigante* (syn. : ↑ HARASSANT, ÉPUISANT, EXTÉNUANT; fam. : CLAQUANT). *Une journée fatigante* (= où l'on est fatigué; syn. : ↑ ACCABLANT; fam. : ÉREINTANT). *Un bruit fatigant* (syn. : ÉTOURDISSANT). *Une conversation fatigante* (syn. : FASTIDIEUX, LASSANT, ↓ ENNUYEUX). *Une personne fatigante par ses bavardages, ses récriminations.* ◆ **fatigué, e** adj. *Vêtements fatigués,* défraîchis, usés.

fatras [fatrɑ] n. m. *Péjor.* Se dit d'un amas confus de choses, d'idées : *Un fatras de papiers sur son bureau* (syn. : MONCEAU, ENTASSEMENT). *Un fatras de notions philosophiques* (syn. : AMAS).

1. faubourg [fobur] n. m. Partie d'une ville située à la périphérie, et souvent moins élégante que la ville proprement dite : *Habiter les faubourgs de Londres. Les faubourgs industriels.* ◆ **faubourien, enne** adj. Péjor. : *Accent faubourien, allure faubourienne,* de caractère populaire très marqué.

2. faubourg [fobur] n. m. Nom conservé par certains quartiers, à Paris notamment : *Le faubourg Saint-Antoine, le faubourg Saint-Honoré.*

fauché, e [foʃe] adj. et n. *Fam.* Se dit d'une personne qui n'a pas d'argent.

1. faucher [foʃe] v. tr. 1° Couper avec une faux, une faucheuse : *Faucher l'herbe, les blés. Faucher un champ de blé. Les paysans fauchent les prés.* — 2° Abattre, jeter bas : *La grêle a fauché les blés* (syn. : COUCHER). *La mort a fauché notre belle jeunesse. Un tir en rafale qui fauche les assaillants.* ◆ **faucheur, euse** n. ◆ **faucheuse** n. f. Machine qui sert à faucher. ◆ **fauchage** n. m.

2. faucher [foʃe] v. tr. *Pop.* Voler : *On lui a fauché son portefeuille.* ◆ **fauchage** n. m., **fauche** n. f. *Pop.* Vol : *Il y a de la fauche dans ce magasin.*

faucheux [foʃø] n. m. Animal voisin des araignées, à longues pattes fragiles, très commun dans les champs et les bois.

faucille [fosij] n. f. Instrument pour couper les herbes, formé d'une lame d'acier courbée en demi-cercle et montée sur un manche.

faucon [fokɔ̃] n. m. Oiseau rapace diurne, puissant et rapide, qui atteint parfois 0,50 m de long.

1. faufiler [fofile] v. tr. Coudre provisoirement à grands points un tissu, avant de coudre définitivement : *Faufiler une manche* (syn. : BÂTIR). ◆ **faufil** n. m. Fil passé en faufilant (syn. : BÂTI).

2. faufiler (se) [səfofile] v. pr. Se glisser adroitement quelque part : *Se faufiler dans un passage étroit. Se faufiler dans une foule dense* (syn. : SE GLISSER). *Se faufiler dans une réunion* (syn. : S'INTRODUIRE, S'IMMISCER).

1. faune [fon] n. f. 1° Ensemble des animaux vivant dans une région donnée : *La faune alpestre* (= les animaux qui habitent les Alpes). — 2° *Péjor.* Personnes qu'on rencontre dans tel ou tel milieu.

2. faune [fon] n. m. Personnage légendaire, représenté avec un corps velu, de longues oreilles, des cornes et des pieds de chèvre : *Une tête de faune.* ◆ **faunesque** adj. Se dit parfois d'une personne qui ressemble à un faune, barbue, les cheveux hirsutes, etc. : *Un visage faunesque.*

faussaire n. m. V. FAUX 1.

fausser [fose] v. tr. *Fausser un objet,* le déformer de telle sorte qu'il ne revienne pas à son état naturel : *Fausser une clé* (syn. : TORDRE). *Fausser une serrure* (= en déformer le mécanisme). [V. aussi FAUX 4.]

fausset [fosɛ] n. m. *Voix de fausset,* voix très aiguë.

fausseté n. f. V. FAUX 1, 2, 3 et 4.

1. faute [fot] n. f. 1° Manquement à une règle morale, mauvaise action : *Commettre une faute. Une faute contre la religion* (syn. : PÉCHÉ). *Être en faute. Un enfant pris en faute.* — 2° Manquement à une règle professionnelle, à un règlement : *Un automobiliste qui a fait une faute de conduite. Une faute de service* (= à l'égard des obligations d'un service, d'une fonction). — 3° Action d'une femme qui se laisse séduire : *Cette femme a fait une faute dans sa jeunesse.* ◆ **fauter** v. intr. *Fam.* Commettre une faute (au sens 3) : *Une fille qui a fauté et qui est enceinte.* ◆ **fautif, ive** adj. : *Pénaliser un conducteur fautif* (= en faute).

2. faute [fot] n. f. 1° Manquement à une norme, à une procédure, à un principe : *Cet élève a fait une faute de calcul. Une faute d'orthographe* (= erreur dans la graphie d'un mot, par rapport à l'usage établi). *Une faute de français* (= dans la syntaxe). *Une faute de frappe* (= erreur commise par une personne qui tape un texte à la machine). *Corriger ses fautes* (fautes d'orthographe, fautes de grammaire). — 2° Responsabilité d'une personne dans un acte coupable, un manquement à une règle, etc. : *Par sa faute, nous sommes arrivés en retard* (= c'est lui qui est responsable). — 3° *C'est sa faute* (ou *de sa faute*), *c'est la faute de X,* il est cause, par sa conduite, que : *C'est sa faute s'il est tombé. S'il est idiot, ce n'est quand même pas de sa faute.* ‖ *Faute de goût,* choix, jugement, comportement contraires au bon goût : *Les vulgarités de sa conversation constituent autant de fautes de goût. Son chapeau vert est une grosse faute de goût.* ◆ **fautif, ive** adj. et n. 1° Se dit d'une personne qui est coupable : *C'est lui le fautif dans cette histoire* (syn. : RESPONSABLE). — 2° Se dit d'une chose qui contient un grand nombre d'erreurs : *Liste fautive.*

3. faute [fot] n. f. *Faire faute,* manquer (syn. : FAIRE DÉFAUT). • LOC. PRÉP. *Faute de,* à cause du manque de quelque chose ou de quelqu'un : *Je n'ai pas pu achever, faute de temps. Faute d'argent, il a renoncé à ce voyage.* • LOC. ADV. *Sans faute,* à coup sûr : *Vous viendrez sans faute, n'est-ce pas?* (= vous n'oublierez pas de venir?).

fauteuil [fotœj] n. m. 1° Siège à bras et à dossier : *Un fauteuil Louis XVI. Offrir un fauteuil à quelqu'un* (= lui proposer un fauteuil pour s'asseoir). — 2° Fam. *Arriver dans un fauteuil,* arriver le premier sans effort dans une compétition.

fauteur [fotœr] n. m. *Un fauteur de troubles, un fauteur de guerre,* celui qui provoque des troubles, une guerre.

1. fauve [fov] n. m. Animal sauvage de grande taille, comme le lion, le tigre (se dit généralement des félins). ◆ adj. *Bêtes fauves,* bêtes sauvages, féroces. ◆ **fauverie** n. f. Endroit d'une ménagerie où se trouvent les fauves.

2. fauve [fov] adj. invar. Se dit d'une couleur qui tire sur le roux. ◆ **fauve** n. m. Couleur fauve : *Un tapis d'un fauve tirant sur le rouge.* ◆ **fauvisme** n. m. Tendance commune à certains peintres du début du XXe siècle, qui cherchèrent à donner aux objets une couleur nette et eurent une préférence marquée pour le jaune acide et le rouge. ◆ **fauve** adj. et n. Se dit des peintres qui appartinrent au fauvisme : *Parmi les fauves, on peut citer Matisse, Dufy, Vlaminck.*

fauvette [fovɛt] n. f. Oiseau passereau au plumage fauve, au chant agréable, qui se nourrit d'insectes, et qui vit dans les buissons.

1. faux [fo] n. f. Grande lame d'acier recourbée, fixée à un manche et dont on se sert pour faucher.

2. faux, fausse [fo, fos] adj. (ordinairement avant le nom). 1° Se dit d'une chose qui n'est pas réellement ce qu'elle paraît être, qui n'est qu'une imitation : *Fausse monnaie, fausse pièce d'identité* (= monnaie, pièce qui n'est pas produite par un organisme officiel; syn. : CONTREFAIT). *Un faux billet de banque. Une fausse pièce* (ou *une pièce fausse*). *De fausses perles* (syn. : ARTIFICIEL; contr. : VÉRITABLE). *Faux diamant* (contr. : AUTHENTIQUE). *Une fausse signature* (syn. : CONTREFAIT; contr. : AUTHENTIQUE). *Un faux nom* (syn. : SUPPOSÉ; contr. : VÉRITABLE). — 2° *Fausse clé,* clé permettant d'ouvrir frauduleusement une serrure. ‖ *Fausse fenêtre,* fenêtre dessinée sur le mur et non percée. ‖ *Faire une fausse sortie,* se dit d'un acteur, ou généralement d'une personne, qui fait mine de sortir, mais finalement reste. — 3° Se dit de ce qui désigne une partie du corps humain, sans que celle-ci lui appartienne naturellement : *Fausse barbe, faux nez, fausses dents, faux seins* (syn. : POSTICHE; contr. : NATUREL). — 4° Se dit d'un sentiment qui n'est pas réellement éprouvé : *Fausse pudeur, fausse naïveté* (syn. : FEINT, SIMULÉ, CONTREFAIT; contr. : SINCÈRE, VRAI). — 5° Se dit d'une personne qui n'a pas vraiment la qualité exprimée par le nom : *Un faux savant. Un faux héros. Un faux prophète. Un faux ami* (syn. : PRÉTENDU; contr. : VÉRITABLE). ◆ **faux** n. m. 1° Altération ou imitation d'un acte juridique, d'une pièce, d'une signature : *On a prouvé que le testament était un faux établi par un parent frustré. En signant à sa place, il a fait un faux.* — 2° Œuvre qui n'est qu'une copie frauduleuse d'une œuvre d'art connue : *Ce tableau est un faux.* — 3° *S'inscrire en faux contre une déclaration, une interprétation,* etc., en contester vigoureusement la vérité, l'exactitude. ◆ **faussaire** n. m. Personne qui fabrique un faux (sens 1 et 2) : *Un faussaire qui faisait des billets de banque.* ◆ **fausseté** n. f. (sens 4) : *La fausseté d'un sentiment.*

3. faux, fausse [fo, fos] adj. (placé souvent avant le nom). Se dit de quelque chose qui est contraire à la vérité ou qui n'est pas justifié par les faits : *Avoir une idée fausse sur une question* (syn. : ERRONÉ; contr. : EXACT). *Partir d'un principe faux* (contr. : JUSTE). *Une fausse nouvelle* (syn. : MENSONGER, INVENTÉ, INEXACT; contr. : AUTHENTIQUE). *Un faux espoir. Une fausse promesse* (syn. : FALLACIEUX; contr. : SINCÈRE). *Un faux témoignage, un faux témoin* (contr. : VÉRIDIQUE). *L'économie du pays était dans une période de fausse prospérité* (syn. : ILLUSOIRE; contr. : VÉRITABLE). *Une fausse alerte* (= une alerte qui n'avait pas de raison d'être). *Eprouver de fausses craintes* (= sans fondement). *Avoir de faux soupçons* (syn. : INJUSTIFIÉ). *Un faux problème* (= un problème qui ne devrait pas se poser, qui n'existe pas si on examine bien les faits). *De fausses difficultés.* • LOC. ADV. *A faux,* contrairement à la justice, à la vérité : *Accuser à faux quelqu'un* (= l'accuser à tort, porter contre lui des accusations injustifiées). ‖ *Porter à faux,* V. PORTER. ◆ **faussement** adv. : *Etre accusé faussement. Croire faussement quelque chose.* ◆ **fausseté** n. f. : *La fausseté d'une idée, d'une nouvelle.*

4. faux, fausse [fo, fos] adj. 1° (avant le nom) Se dit de ce qui est contraire à la raison, à l'esthétique, à la norme du goût, à l'adresse, à l'habitude (nom concret) : *Un faux pli* (= un pli qui se forme parfois dans un vêtement quand on le porte ou quand on le froisse, etc.). *Faux mouvement* (= mouvement inhabituel et parfois douloureux du corps). *Faux pas* (= pas qui entraîne une douleur dans le corps ou un déséquilibre). *Faire un faux pas* (= avoir un comportement maladroit; syn. : PAS DE CLERC). *Faire fausse route* (= se tromper de route, de voie). *Fausse note* (= note de musique qui, dans l'exécution d'un morceau, ne correspond pas à celle de la partition). *Il y a une fausse note* (= il y a un détail incongru, choquant). *Une voix fausse* (= voix qui manque de justesse; contr. : JUSTE). *Piano faux* (= piano désaccordé; contr. : JUSTE). *Un vers faux* (= un vers qui n'a pas le compte voulu de syllabes). — 2° (placé après le nom) Se dit de ce qui est contraire à la logique, à l'exactitude (nom abstrait) : *Une addition fausse* (contr. : EXACT, JUSTE). *Un problème faux* (= un problème dont la solution est fausse). *Raisonnement faux* (syn. : ABSURDE, ILLOGIQUE; contr. : JUSTE, CORRECT). *Une conception fausse. Un esprit faux* (= une personne qui fait des raisonnements faux). ◆ **faux** adv. : *Chanter faux. Jouer faux. Raisonner faux* (contr. : JUSTE). ◆ **faux** n. m. : *Distinguer le vrai du faux. Plaider le faux pour savoir le vrai.* ◆ **faussement** adv. : *Raisonner faussement.* ◆ **fausser** v. tr. 1° *Fausser quelque chose,* en déformer la vérité, en altérer la logique : *Fausser un résultat* (syn. : ALTÉRER, DÉNATURER). *Fausser un raisonnement* (= lui ôter sa valeur). *Ses idées ont été faussées à la suite d'une mauvaise orientation. Fausser le* sens de quelque chose. — 3° *Fausser l'esprit de quelqu'un,* lui inculquer des façons de penser absurdes, illogiques. ◆ **fausseté** n. f. : *Fausseté d'une note. La fausseté d'un raisonnement.*

5. faux, fausse [fo, fos] adj. (le plus souvent après le nom). **1°** Se dit d'une personne (ou de son attitude) qui trompe, qui dissimule facilement ses sentiments, ses idées, etc. : *Un homme faux* (syn. : MENTEUR, HYPOCRITE, FOURBE; contr. : SINCÈRE). *Un regard faux* (syn. : FOURBE; contr. : FRANC, OUVERT). — 2° Fam. *C'est un faux jeton,* il a l'air d'un ami sincère, mais il vous trahit à la moindre occasion. ‖ Fam. *Faux frère,* homme qui vous abandonne après avoir promis son soutien. ◆ **faussement** adv. : *Avoir un air faussement candide, faussement gentil.* ◆ **fausseté** n. f. : *Accuser quelqu'un de fausseté* (syn. : DUPLICITÉ, HYPOCRISIE; contr. : LOYAUTÉ, FRANCHISE, SINCÉRITÉ).

faux-fuyant [fofɥijɑ̃] n. m. Moyen détourné par lequel on évite de s'engager, de se décider (littér.) : *Prendre des faux-fuyants* (syn. : SUBTERFUGE, ÉCHAPPATOIRE).

faux-monnayeur n. m. V. MONNAIE.

faux-semblant [fosɑ̃blɑ̃] n. m. Ruse, prétexte, mensonge (littér.) : *User de faux-semblants.*

1. faveur [favœr] n. f. **1°** Bienfait, décision qui avantage quelqu'un : *Demander une faveur. Faire une faveur à quelqu'un par rapport à d'autres* (= lui donner un avantage, une préférence qui lui profite). *Combler quelqu'un de faveurs. Un régime de faveur* (= un traitement réservé spécialement à quelqu'un pour l'avantager). — 2° (suivi d'un compl. du nom) Crédit, réputation de quelque chose ou de quelqu'un auprès de quelqu'un : *Cet artiste a la faveur du grand public.* — 3° *Avoir la faveur d'un ministre, d'un roi,* etc., être protégé par lui (littér.). ● Loc. PRÉP. *En faveur de (quelqu'un),* au profit, au bénéfice de quelqu'un : *Voter en faveur d'un candidat du centre. Vous agissez souvent en sa faveur. Tu es prévenu en sa faveur* (= tu as un préjugé favorable à son égard; contr. : CONTRE LUI, À SON DÉSAVANTAGE). *Se prononcer en faveur de quelqu'un* (= opter pour lui). ‖ *A la faveur de (quelque chose),* en profitant de quelque chose (littér.) : *Les évadés gagnèrent la frontière à la faveur de la nuit* (syn. : GRÂCE À). ◆ **faveurs** n. f. pl. Marques d'amour données par une femme à un homme qui la courtise (littér.) : *Accorder ses faveurs. Refuser les dernières faveurs.* ◆ **défaveur** n. f. Contr. de *faveur* 1 et 2 : *Ressentir durement la défaveur du public.* ◆ **favorable** adj. **1°** Se dit d'une personne (ou de ses sentiments) qui est animée de dispositions bienveillantes à l'égard de quelqu'un ou de quelque chose : *Je compte sur lui, car il m'a toujours été favorable* (syn. : BIENVEILLANT, ↑ COMPLAISANT). *Un regard favorable* (syn. : SYMPATHIQUE, ↑ ENCOURAGEANT). *Il serait sans doute favorable à ce projet s'il n'y avait pas d'obstacle* (contr. : DÉFAVORABLE). — 2° Se dit d'une chose qui est à l'avantage de quelqu'un ou qui lui est utile : *Etre dans une position favorable* (syn. : PROSPÈRE, AVANTAGEUX). *Se montrer sous un jour favorable* (= par son bon côté). *Le moment est favorable pour parler au patron* (syn. : OPPORTUN). *Le temps est favorable pour faire une promenade* (syn. : PROPICE, BEAU). *Un changement favorable est intervenu* (= un changement en mieux). ◆ **favorablement** adv. : *Son discours a été favorablement accueilli.* ◆ **défavorable** adj. : *Le temps est défavorable. Il s'est montré défavorable au projet.* ◆ **défavorablement** adv. ◆ **favori, ite** adj. et n. Se dit d'une personne ou d'une chose préférée de quelqu'un : *Son livre favori. Un mot favori* (= qu'on répète fréquemment). ◆ **favori** n. m. Se dit, dans une épreuve sportive, du concurrent qui semble avoir le plus de chance de gagner : *Le favori de la course a finalement perdu. Le grand favori.* ◆ **favorite** n. f. Maîtresse préférée d'un souverain : *Louis XIV et ses favorites.* ◆ **favoriser** v. tr. **1°** *Favoriser quelqu'un,* le traiter de façon à l'avantager : *Favoriser un débutant* (contr. : DÉFAVORISER). — 2° *Favoriser une passion, un sentiment, une activité,* l'encourager (littér.) : *Favoriser la fraude* (syn. : AIDER, AVANTAGER). *Favoriser le commerce* (= pousser à son développement). ◆ **défavoriser** v. tr. : *Défavoriser un candidat. Défavoriser un de ses enfants dans son testament.* ◆ **favoritisme** n. m. Tendance à accorder des faveurs excessives ou trop nombreuses.

2. faveur [favœr] n. f. Petit ruban étroit : *Entourer une boîte de dragées d'une faveur rose.*

favoris [favɔri] n. m. pl. Touffe de barbe qu'on laisse pousser de chaque côté du visage : *Porter des favoris.*

1. fayot [fajo] n. m. *Pop.* Haricot sec.

2. fayot [fajo] n. m. *Pop.* et *péjor.* Personne qui fait du zèle. ◆ **fayoter** v. intr. *Pop.* Faire du zèle.

fébrile [febril] adj. **1°** Se dit de quelqu'un qui manifeste une agitation excessive et nerveuse : *Un homme fébrile* (syn. : AGITÉ). — 2° Se dit d'une conduite, d'une attitude qui s'accompagne de mouvements nerveux, qui est le signe d'une nervosité excessive : *Faire preuve d'une impatience fébrile* (syn. : FIÉVREUX). *Le malade s'exprimait avec une abondance fébrile.* ◆ **fébrilement** adv. : *S'éponger le front fébrilement.* ◆ **fébrilité** n. f. : *Parler avec fébrilité.* (V. FIÈVRE.)

fécale [fekal] adj. f. *Matières fécales,* excréments humains (terme médical).

1. fécond, e [fekɔ̃, -ɔ̃d] adj. Se dit d'un animal, d'une plante capables de se reproduire : *Les mulets ne sont pas féconds* (contr. : STÉRILE). *Semer une graine féconde* (contr. : IMPRODUCTIF). ◆ **féconder** v. tr. Rendre fécond : *Féconder une femelle* (syn. : RENDRE PLEINE). ◆ **fécondation** n. f. : *La fécondation des fleurs. La fécondation artificielle.* ◆ **fécondité** n. f.

2. fécond, e [fekɔ̃, -ɔ̃d] adj. Se dit de ce qui produit beaucoup : *Une terre féconde* (syn. : RICHE, GRAS; contr. : ARIDE). *Un auteur fécond* (syn. : ABONDANT). *Ecrire sur un sujet fécond* (syn. : RICHE, INÉPUISABLE). *Crise féconde en rebondissements* (syn. : PLEIN DE, RICHE EN). ◆ **fécondité** n. f. : *La fécondité inépuisable de la terre* (contr. : STÉRILITÉ, ARIDITÉ). *La fécondité nuit au talent chez certains écrivains* (syn. : ABONDANCE, FACILITÉ).

fécule [fekyl] n. f. Substance pulvérulente composée d'amidon, d'aspect blanc et farineux, qu'on extrait de certains tubercules : *Fécule de pomme de terre.* ◆ **féculent** n. m. Légume qui contient de la fécule : *La pomme de terre est un féculent. Les féculents font grossir.*

1. fédération [federasjɔ̃] n. f. Union de plusieurs Etats qui, tout en conservant chacun une certaine autonomie, reconnaissent l'autorité d'un pouvoir unique dans certains secteurs et constituent un seul Etat pour les Etats étrangers : *Les Etats-Unis constituent une fédération.* ◆ **fédéral, e, aux** adj. 1° Qui constitue une fédération : *Une République fédérale, un Etat fédéral* (syn. ancien : FÉDÉRATIF). — 2° Qui appartient à une fédération : *Les troupes fédérales. La politique fédérale.* ◆ **fédéralisme** n. m. Système politique fondé sur la fédération. ◆ **fédéraliste** adj. et n. ◆ **fédérer** v. tr. Former en fédération. ◆ **fédéré, e** adj. Qui appartient à une fédération : *Etats fédérés.* (V. CONFÉDÉRER.)

2. fédération [federasjɔ̃] n. f. Mouvement historique français, qui demandait l'union des provinces françaises en 1789 : *Fête de la Fédération.* ◆ **fédéré** n. m. Soldat insurgé de la Commune de Paris, en 1871 : *Le mur des fédérés.*

3. fédération [federasjɔ̃] n. f. Association professionnelle, corporative ou sportive : *Fédération des étudiants de France. Fédération française de football.*

fée [fe] n. f. 1° Etre féminin imaginaire, doué de pouvoirs surnaturels : *La fée Carabosse.* — 2° *Conte de fées,* histoire merveilleuse : *Lire des contes de fées aux enfants;* récit incroyable (syn. fam. : HISTOIRE À DORMIR DEBOUT). ‖ *Des doigts de fée,* très habiles. ◆ **féerie** [feri] n. f. Spectacle d'une merveilleuse beauté, ou qui fait intervenir le merveilleux. ◆ **féerique** adj. : *Etre transporté dans un monde féerique* (syn. : MERVEILLEUX, ADMIRABLE).

feignant, e ou **faignant, e** adj. et n. V. FAINÉANT.

feindre [fɛ̃dr] v. tr. (conj. **55**). 1° Donner pour réels un sentiment, une qualité qu'on n'a pas : *Feindre la joie.* — 2° *Feindre de,* faire semblant de : *Feindre de s'attendrir.* — 3° Cacher, dissimuler (souvent intr.) : *Inutile de feindre.* ◆ **feint, e** adj. : *Une douleur feinte.*

1. feinte [fɛ̃t] n. f. Manœuvre pour tromper l'adversaire, dans un jeu d'équipe ou en sport : *Faire une feinte. Tromper un boxeur par une feinte habile.* ◆ **feinter** v. tr. : *Feinter l'arrière et marquer un but.*

2. feinte [fɛ̃t] n. f. Acte destiné à tromper : *Ce prétendu départ n'était qu'une feinte.* ◆ **feinter** v. tr. Fam. : *J'ai été feinté, mais je ne le serai pas deux fois* (syn. : TROMPER).

fêler [fele] v. tr. *Fêler quelque chose,* le fendre légèrement, par choc ou par pression, sans le casser, le plus souvent accidentellement : *Fêler une tasse.* ◆ **fêlure** n. f. Fente laissée dans un objet à la suite d'un choc. ◆ **fêlé, e** adj. 1° *Un vase fêlé.* — 2° Fam. *Avoir le cerveau fêlé,* être un peu fou (syn. : ÊTRE DÉRANGÉ).

félicité [felisite] n. f. Bonheur suprême (littér.) : *Son visage exprime une félicité sans mélange* (syn. : BÉATITUDE, EXTASE).

féliciter [felisite] v. tr. *Féliciter quelqu'un,* l'assurer qu'on prend part à sa joie : *Féliciter un ami à l'occasion de son mariage* (syn. : COMPLIMENTER); lui manifester de l'admiration pour sa conduite : *Il l'a félicité pour son action courageuse* (syn. : CONGRATULER). ◆ ***se féliciter*** v. pr. *Se féliciter de quelque chose,* en être heureux rétrospectivement (langue soignée) : *Je me félicite de n'avoir pas suivi ce conseil funeste. Félicitez-vous d'avoir été épargné* (syn. : SE RÉJOUIR). ◆ **félicitations** n. f. pl. Compliments : *Recevoir les félicitations du proviseur.*

félin, e [felɛ̃, -in] adj. Souple comme un chat (langue écrite et littér.) : *Une danseuse à la grâce féline.* (Les *félins* sont des carnassiers de la famille du chat, du lynx, etc.)

félon, onne [felɔ̃, -ɔn] adj. et n. Déloyal envers un ami, un supérieur. ◆ **félonie** n. f. Traîtrise.

1. femelle [fəmɛl] n. et adj. f. Animal du sexe féminin, apte à la conception : *La femelle et ses petits* (contr. : MÂLE). *Une souris femelle.*

2. femelle [fəmɛl] adj. Se dit d'une pièce en creux, qui peut en recevoir une autre : *Mettre une prise femelle au bout d'un fil* (contr. : MÂLE).

1. féminin, e [feminɛ̃, -in] adj. 1° Propre à la femme : *Le sexe féminin. L'intuition féminine* (contr. : MASCULIN). — 2° Qui rappelle, évoque une femme : *Il a une allure féminine* (syn. : EFFÉMINÉ). ◆ **féminin** n. m. *L'éternel féminin,* les traits dominants du caractère des femmes (notamment la coquetterie), considérés comme permanents à travers les âges. ◆ **féminité** n. f. Grâce, douceur féminines : *Cette femme manque de féminité.* ◆ **féminiser (se)** v. pr. Prendre des caractères féminins. ◆ **féminisme** n. m. ◆ **féministe** adj. et n. Partisan d'une doctrine visant à donner à la femme les mêmes droits qu'à l'homme.

2. féminin, e [feminɛ̃, -in] adj. et n. m. Se dit d'un des deux genres du substantif (et de ses déterminants ou qualificatifs), qui porte en général une marque distinctive, soit intérieure (présence de *-e* à la désinence), soit extérieure (article *la*). — Ce genre correspond au sexe féminin (êtres animés), ou à une répartition qui peut être fonction de la terminaison (les mots en *-ée* sont féminins : *idée*), du suffixe (les mots en *-tion* et *-ite* sont féminins) ou de la classe sémantique (les sciences sont en général au féminin : *l'histoire, la grammaire, les mathématiques*). [V. tableau ci-contre.]

1. femme [fam] n. f. 1° Personne du sexe féminin (par oppos. à *homme*) : *C'est une femme qui dirige ce service. Un pays où les femmes n'ont pas le droit de vote.* — 2° (avec un adj.) *Belle femme,* personne grande et épanouie physiquement. ‖ *Bonne femme,* v. BONHOMME. — 3° (avec un compl. du nom) *Femme au foyer,* femme sans profession rémunérée, qui s'occupe du ménage de sa maison, du soin de ses enfants, etc. ‖ *Femme d'intérieur,* femme qui s'occupe avec compétence de son ménage. ‖ *Femme de lettres,* femme qui écrit des livres, qui s'occupe de littérature, de critique, etc. ‖ *Femme de ménage,* personne qui fait le ménage dans une maison, et qui est généralement payée à l'heure. ‖ *Femme du monde,* femme distinguée, qui aime les réceptions. ◆ adj. (attribut). *Etre femme, se sentir femme,* avoir, sentir en soi toutes les qualités, tous les défauts spécifiquement féminins (syn. : ÊTRE FÉMININE). ‖ *Devenir femme,* devenir nubile. ◆ **femmelette** [famlɛt] n. f. 1° Femme faible et craintive. — 2° Homme mou et sans courage.

2. femme [fam] n. f. 1° Se dit d'une personne du sexe féminin qui est ou a été mariée (par oppos. à *mari*) : *Femme adultère* (syn. : ÉPOUSE). *Après la mort de notre voisin de palier, sa femme est allée habiter ailleurs* (syn. : VEUVE). — 2° (sujet nom désignant un homme) *Prendre femme,* se marier.

fémur [femyr] n. m. Os de la cuisse : *Se casser le col du fémur.* ◆ **fémoral, e, aux** adj. Qui est dans la région du fémur : *Artère fémorale.*

LE FÉMININ

Dans la *langue parlée*, le féminin des substantifs, des adjectifs et des participes est ainsi formé :

1° Les mots terminés par une voyelle dans la langue parlée et écrite ont un féminin identique au masculin dans la langue parlée, l'*e* muet écrit ne se prononçant pas.	*un ami / une amie* [ami] / [ami]; *vu / vue* [vy] / [vy]; *aimé / aimée* [eme] / [eme]; *aigu / aiguë* [egy] / [egy]
2° Le féminin peut s'opposer au masculin par la présence d'une consonne finale, avec ou sans variation de la voyelle.	*mort / morte* [mɔr] / [mɔrt]; *épais / épaisse* [epɛ] / [epɛs]; *secret / secrète* [səkrɛ] / [səkrɛt]; *long / longue* [lɔ̃] / [lɔ̃g]; *favori / favorite* [favori] / [favorit]; *faux / fausse* [fo] / [fos]; *fermier / fermière* [fɛrmje] / [fɛrmjɛr]
3° Le féminin des mots se terminant par une voyelle nasale se fait par voyelle + consonne nasale.	*baron / baronne* [barɔ̃] / [barɔn]; *lion / lionne* [ljɔ̃] / [ljɔn]; *cousin / cousine* [kuzɛ̃] / [kuzin]; *ancien / ancienne* [ɑ̃sjɛ̃] / [ɑ̃sjɛn]; *paysan / paysanne* [peizɑ̃] / [peizan]; *bénin / bénigne* [benɛ̃] / [beniɲ]
4° Les mots en [œr] et [ø] ont le plus souvent un féminin en [øz]. Quelques mots en [tœr] ont un féminin en [tris]; quelques autres en [œr] ont un féminin en [ərɛs].	*menteur / menteuse* [mɑ̃tœr] / [mɑ̃tøz]; *vendeur / vendeuse* [vɑ̃dœr] / [vɑ̃døz]; *peureux / peureuse* [pørø] / [pørøz]; *acteur / actrice* [aktœr] / [aktris]; *vengeur / vengeresse* [vɑ̃ʒœr] / [vɑ̃ʒrɛs]
5° Les féminins des mots terminés par [o] et [u], écrits *-eau* et *-ou* (sauf *flou* et *hindou*), sont en [ɛl] et [ɔl].	*nouveau / nouvelle* [nuvo] / [nuvɛl]; *jumeau / jumelle* [ʒymo] / [ʒymɛl]; *mou / molle* [mu] / [mɔl]; *fou / fol* [fu] / [fɔl]
6° Les mots terminés en [f] ont un féminin en [v].	*bref / brève* [brɛf] / [brɛv]; *vif / vive* [vif] / [viv]
7° De très rares mots ont un féminin en [ɛs].	*prince / princesse* [prɛ̃s] / prɛ̃sɛs]

Dans la *langue écrite*, les règles de la formation du féminin sont les suivantes (pour les substantifs qui connaissent l'opposition masculin/féminin, pour les adjectifs et pour les participes) :

1° En règle générale, un *e* est ajouté au masculin : ainsi les mots en *-ain*, en *-in*, en *-at*, en *-an* (sauf rares exceptions), en *-al*, en *-ais*, en *-ois*, etc., de même que les adjectifs en *-eur* suivants : *antérieur, extérieur, inférieur, majeur, meilleur, mineur, postérieur.*	*un élu / une élue; un candidat / une candidate; grand / grande; hardi / hardie; un cousin / une cousine; un châtelain / une châtelaine; partisan / partisane; français / française; obéissant obéissante; mis / mise; écrit / écrite; idiot / idiote; direct / directe; meilleur / meilleure; fini / finie*
2° Les mots déjà terminés par un *e* gardent la même forme au féminin.	*large, jaune, rouge, artiste*
3° Les mots terminés par *-er* ont un féminin en *-ère.*	*fermier / fermière; léger / légère; dernier / dernière; boulanger / boulangère*
4° Les mots terminés en *-et*, en *-el* en *-il*, en *-ul*, en *-on*, en *-ien*, en *-s*, doublent la consonne finale, ainsi que *paysan, Jean, chat* et les adjectifs en *-ot : boulot, maigriot, pâlot, sot, vieillot.* Les adjectifs *inquiet, complet, incomplet, secret, discret, indiscret, replet* ont un féminin en *-ète.*	*muet / muette; Gabriel / Gabrielle; cruel / cruelle; pareil / pareille; nul / nulle; baron / baronne; lion / lionne; bon / bonne; gardien / gardienne; ancien / ancienne; épais /épaisse; gros / grosse; las / lasse; bas / basse; chat / chatte; pâlot / pâlotte; sot / sotte; inquiet / inquiète; secret / secrète*
5° Les mots en *-eau* et *-ou* (sauf *flou* et *hindou*) ont leur féminin en *-elle* et *-olle.*	*jumeau / jumelle; nouveau / nouvelle; beau / belle; mou / molle; fou / folle* (mais *flou / floue; hindou / hindoue*)
6° Les mots terminés en *-oux*, en *-eur*, en *-eux* ont leur pluriel en *-se* (sauf *roux*). Quelques mots en *teur* ont un féminin en *-trice;* quelques mots en *-eur*, un féminin en *-eresse;* quelques mots ont un féminin en *-esse.*	*jaloux / jalouse; trompeur / trompeuse; vendeur / vendeuse; chanteur / chanteuse* (mais *roux / rousse*)*; acteur / actrice; évocateur / évocatrice; vengeur / vengeresse; pécheur / pécheresse; prince / princesse; traître / traîtresse*
7° Les mots terminés en *-f* ont leur féminin en *-ve.*	*bref / brève; vif / vive; veuf / veuve*
8° Certains substantifs ont un féminin qui est en réalité un autre nom. Certains mots présentent un féminin différent, avec des lettres supplémentaires.	*père / mère; frère / sœur; oncle / tante; lièvre / hase; bouc / chèvre; jars / oie; bénin / bénigne; long / longue; favori / favorite; turc / turque; tiers / tierce; coi / coite; frais / fraîche; faux / fausse; aigu / aiguë*

fenaison [fənɛzɔ̃] n. f. Récolte des foins : *Pendant la fenaison.*

fendre [fɑ̃dr] v. tr. (conj. **50**). 1° *Fendre quelque chose,* le couper, le diviser, généralement dans le sens de la longueur : *Fendre du bois avec la hache* (syn. : TAILLER). *Fendre de l'ardoise.* — 2° *Fendre le sol,* y faire une crevasse : *La sécheresse a fendu le sol* (syn. : FENDILLER, CREVASSER). — 3° *Il gèle à pierre fendre,* il fait très froid. ‖ *Fendre la foule,* se frayer brutalement un chemin à travers (syn. : ÉCARTER, COUPER). ‖ *Cela lui fend le cœur de,* il a beaucoup de chagrin à (faire quelque chose). ◆

se fendre v. pr. 1° Se couvrir de fentes, s'entrouvrir : *La terre se fendit* (syn. : S'ENTROUVRIR, SE DISJOINDRE, SE CREVASSER, SE LÉZARDER). — 2° Pop. *Se fendre de quelque chose,* se décider à le payer : *Il s'est fendu d'une seconde tournée.* — 3° Pop. *Se fendre la pêche, la pomme, la gueule,* etc., rire ouvertement, immodérément. ◆ **fendiller (se)** v. pr. Se couvrir de petites fentes : *Le revêtement de plâtre s'est fendillé* (syn. : SE CREVASSER, SE CRAQUELER). ◆ **fendillé, e** adj. Couvert de craquelures : *Un vernis tout fendillé.* ◆ **fente** n. f. Ouverture étroite et longue, souvent causée par une rupture : *L'eau passe par la fente* (syn. : FISSURE, CRAQUELURE, LÉZARDE, CREVASSE).

fenêtre [fənɛtr] n. f. 1° Ouverture pratiquée dans un mur d'un édifice, pour laisser passer de la lumière, de l'air : *Pièce à deux fenêtres. Regarder par la fenêtre.* — 2° Châssis, généralement en bois et muni de vitres, monté sur cette ouverture : *Ouvrir la fenêtre.* — 3° Fam. *Jeter l'argent par les fenêtres,* dépenser sans compter. ◆ **porte-fenêtre** n. f. Ouverture dans une maison qui descend jusqu'au niveau du plancher et sert à la fois de fenêtre et de porte donnant sur une terrasse, un perron, etc. : *Les portes-fenêtres donnaient sur le parc.* ◆ **défenestrer** v. tr. Jeter quelqu'un par la fenêtre.

fenouil [fənuj] n. m. Plante potagère aromatique.

féodal, e, aux [feɔdal, -do] adj. 1° Qui concerne les fiefs, la féodalité : *L'époque féodale.* — 2° Se dit d'une organisation sociale comportant des classes fortement hiérarchisées. ◆ **féodalité** n. f. 1° Forme d'organisation politique et sociale, au Moyen Age notamment, caractérisée par l'existence des fiefs. — 2° Grande puissance économique : *Lutter contre les féodalités par une législation antitrust.*

1. fer [fɛr] n. m. (au sing.). 1° Métal blanc grisâtre, de densité 7,8, extrêmement employé : *Minerai de fer. Industries du fer. Du fil de fer. Une chaîne de fer.* — 2° *Fer doux,* fer très pur : *Des circuits électriques en fer doux.* ‖ *Fer forgé,* fer travaillé sur l'enclume : *De beaux balcons en fer forgé.* ‖ *Paille de fer,* amas compact de copeaux de fer, servant à nettoyer les parquets. ◆ **ferré, e** adj. Garni de fer : *Une canne à bout ferré.* ◆ **ferreux, euse** adj. Qui contient du fer : *Les minerais ferreux.* ◆ **ferrugineux, euse** adj. Qui contient du fer ou un composé du fer : *Cure d'eau ferrugineuse.*

2. fer (de) [dəfɛr] loc. adj. invar. 1° Solide, robuste : *Avoir une santé de fer* (= être toujours en bonne santé). *Avoir un corps de fer* (syn. : D'ACIER). — 2° Inflexible, impitoyable : *Instaurer une discipline de fer* (= sans défaillance). *C'est un homme de fer* (syn. : DUR, INTRANSIGEANT). *Avoir une poigne de fer* (= commander avec intransigeance à ses subordonnés). *Une main de fer dans un gant de velours* (= une autorité rigoureuse sous une apparence douce).

3. fer [fɛr] n. m. 1° Objet, instrument en fer ou en un autre métal; barre de fer : *Placer un fer sous une poutre pour la soutenir. Faire mettre des fers au bout de ses semelles pour les protéger.* — 2° La destination est souvent indiquée par un complément : *Fer à friser (les cheveux), fer à repasser, fer à souder,* etc. ‖ *Fer à cheval,* demi-cercle de fer dont on garnit la corne des pieds des chevaux : *Trouver un fer à cheval sur le chemin.* ‖ *Fer de lance,* morceau de fer placé au bout de la hampe d'une lance; troupes d'élite engagées dans un combat : *Cette division était le fer de lance de l'armée américaine.* — 3° *En fer à cheval,* se dit de ce qui a la forme d'un objet arrondi aux extrémités rentrées : *Disposer des tables en fer à cheval.* ‖ *Croiser le fer avec quelqu'un,* se battre à l'épée contre lui; échanger avec lui des arguments polémiques (littér.). ‖ *Porter le fer dans la plaie,* utiliser des moyens très énergiques (littér.). ‖ Fam. *Tomber les quatre fers en l'air,* faire une chute spectaculaire. ◆ **fers** n. m. pl. *Mettre quelqu'un aux fers,* le faire enchaîner. ◆ **ferrer** v. tr. *Ferrer un animal,* lui fixer des fers sous les pieds. ◆ **ferrage** n. m. ◆ **ferrailler** v. intr. Se battre au sabre ou à l'épée. ◆ **ferrure** n. f. 1° Garniture de fer fixée sur une porte, un coffre, etc., pour les consolider. — 2° Action de ferrer un animal. ◆ **déferrer** v. tr. Enlever le fer à un animal.

fer-blanc [fɛrblɑ̃] n. m. Fer recouvert d'une mince couche d'étain : *Les boîtes de conserve sont d'ordinaire en fer-blanc.* ◆ **ferblantier** n. m. Industriel qui fabrique ou commerçant qui vend des objets en fer-blanc. ◆ **ferblanterie** n. f.

férié, e [ferje] adj. *Jour férié,* jour où l'on ne travaille pas : *Les dimanches sont des jours fériés.*

férir [ferir] mot invar. *Sans coup férir,* sans rencontrer de difficulté (langue soignée) : *Le ministre a obtenu un premier vote favorable sans coup férir.*

1. ferme [fɛrm] n. f. 1° Maison d'habitation située sur une exploitation agricole : *Une ferme située en plein champ.* — 2° Ensemble des terrains et des locaux appartenant à une même exploitation agricole : *Les produits de la ferme. Valet de ferme, fille de ferme* (= salariés employés par le fermier). ◆ **fermette** n. f. Petite ferme : *Transformer une fermette en villa.* ◆ **fermier, ère** n. 1° Personne qui loue une ferme et l'exploite. — 2° Propriétaire d'une ferme, qui l'habite et l'exploite : *Etre fermier de père en fils.*

2. ferme [fɛrm] n. f. Contrat par lequel un propriétaire abandonne à quelqu'un, moyennant une rente ou un loyer, la jouissance d'un bien rural : *Prendre une propriété à ferme.* ◆ **fermage** n. m. Redevance versée au propriétaire en vertu de ce contrat : *Toucher ses fermages.*

3. ferme [fɛrm] adj. (ordinairement après le nom). 1° Se dit de ce qui oppose une certaine résistance : *Marcher sur un sol ferme* (contr. : MOU). *La terre ferme* (= le continent, par opposition à l'eau). *Des chairs fermes* (= qui se tiennent sans être dures; contr. : FLASQUE). *De la viande ferme* (syn. : DUR, ↑ CORIACE). — 2° Se dit d'une personne (ou de son attitude, de son activité) qui ne tremble pas, qui n'hésite pas : *Marcher d'un pas ferme* (syn. : DÉCIDÉ). *Ecrire d'une main ferme* (syn. : ASSURÉ). *Une écriture ferme* (contr. : TREMBLÉE). *Tendre une main ferme à son adversaire. Parler d'une voix ferme* (= avec assurance). *Répliquer d'un ton ferme. Attendre quelqu'un de pied ferme* (= avec résolution, avec courage). — 3° Se dit de quelqu'un qui fait preuve d'énergie morale, qui ne faiblit pas : *Un homme ferme* (= qui ne se laisse pas influencer; syn. : ÉNERGIQUE, AUTORITAIRE, INFLEXIBLE; contr. : MOU, FAIBLE, ↑ LÂCHE). *Etre ferme avec ses enfants* (= ne pas céder à leurs caprices). — 4° (avant ou après le nom) Se dit de l'attitude de quelqu'un qui ne fléchit pas : *Avoir la* *ferme intention, la volonté ferme de ne pas céder* (= être absolument décidé à; syn. : ASSURÉ, INÉBRANLABLE). ◆ adv. *Discuter ferme,* discuter avec passion. ‖ *Travailler ferme,* travailler beaucoup, énergiquement. ‖ *Tenir ferme contre quelqu'un,* lui résister vigoureusement. ◆ **fermement** adv. : *Tenir fermement à ses opinions. Etre fermement décidé.* ◆ **fermeté** n. f. : *Répondre avec fermeté. Montrer de la fermeté* (syn. : ASSURANCE, DÉTERMINATION, RÉSOLUTION). [V. AFFERMIR.]

4. ferme [fɛrm] adj. *Achat, vente fermes,* qui ont un caractère définitif (par oppos. à *sous condition).* ◆ adv. *Acheter, vendre ferme,* vendre de manière définitive.

fermenter [fɛrmɑ̃te] v. intr. 1° Se transformer sous l'action de microbes ou d'autres agents : *La bière mousse en fermentant.* — 2° Etre dans un état d'agitation latent (littér.) : *Les esprits fermentent.* ◆ **fermentation** n. f. : *La fermentation du jus de raisin. La fermentation des esprits* (syn. : FIÈVRE, BOUILLONNEMENT, EFFERVESCENCE). ◆ **ferment** n. m. 1° Agent provoquant la fermentation : *Mettre du ferment dans du lait pour faire du yaourt.* — 2° *Un ferment de discorde, de haine,* ce qui provoque la discorde, la haine (littér.).

fermer [fɛrme] v. tr. 1° *Fermer une porte, une barrière,* etc., les appliquer sur l'ouverture où elles sont montées, de façon à ôter la possibilité de passer : *Fermer la grille* (syn. fam. : BOUCLER). *Fermer les volets* (contr. : OUVRIR). *Fermer les écluses, une vanne. Fermer un robinet* (= en faire cesser le débit). — 2° *Fermer un passage, une voie,* etc., en empêcher ou en interdire l'accès : *Fermer l'entrée d'un port. Route fermée à la circulation* (syn. : BARRER). — 3° *Fermer un local, un lieu, un contenant,* en isoler l'intérieur en rabattant la porte, le couvercle, etc. : *Un magasin fermé le lundi. Le musée est fermé à partir de dix-sept heures. Fermer son appartement avant de partir en vacances* (syn. : VERROUILLER). *Fermer un sac, une serviette, une boîte. Fermer une lettre* (syn. : CACHETER, CLORE, langue soignée). — 4° *Fermer la bouche,* tenir les lèvres bien closes. ‖ Fam. *Fermer la bouche à quelqu'un,* le faire taire, lui imposer silence. ‖ *Fermer les yeux,* rapprocher les paupières. ‖ *Fermer les yeux sur quelque chose,* affecter de ne pas le remarquer, le tolérer par indulgence. ‖ *Fermer la main,* replier les doigts contre la paume. — 5° *Fermer un couteau, un parapluie,* etc., en rabattre la lame, en replier les baleines contre le manche, etc. ‖ *Fermer un livre, un cahier,* en rabattre les pages les unes contre les autres. — 6° *Fermer un circuit électrique,* faire en sorte qu'il soit continu et que le courant y passe (contr. : COUPER). — 7° *Fermer un appareil,* en arrêter le fonctionnement : *N'oublie pas de fermer la radio avant de sortir. Fermer l'électricité* (syn. : ÉTEINDRE). *Fermer l'eau au compteur* (syn. : COUPER). — 8° *Fermer la parenthèse,* placer le deuxième signe d'une parenthèse [)] ; cesser une digression pour revenir à l'essentiel. — 9° *Fermer la marche,* être parmi les derniers dans un groupe en marche. ◆ v. intr. (sujet nom désignant un établissement). Cesser d'être en activité pour un congé normal : *Les banques ferment le samedi.* ◆ **se fermer** v. pr. : *Ses yeux se ferment. Sa blessure s'est fermée très vite. Les frontières se sont fermées aux produits étrangers. Il s'est fermé tous les cœurs. La porte ne se ferme pas à clef.* ◆ **fermé, e** adj. 1° *Cercle fermé, société fermée,* où il est difficile de se faire admettre (syn. : SNOB; fam. : SÉLECT). — 2° *Etre fermé à quelque chose,* se dit de quelqu'un (ou de son comportement) qui est inaccessible à cela : *Un garçon fermé aux mathématiques. Il reste fermé à la pitié* (contr. : OUVERT À). — 3° *Visage fermé,* impénétrable, hostile. ◆ **fermeture** n. f. 1° Action de fermer : *La fermeture annuelle des théâtres* (syn. : CLÔTURE). *Attendre l'heure de la fermeture des bureaux.* — 2° Dispositif permettant de fermer : *Fermeture automatique. Fermeture à glissière.* ◆ **fermoir** n. m. Agrafe qui tient fermé un livre, un collier • *Un fermoir en or.* ◆ **refermer** v. tr. : *Referme la porte quand tu sortiras.*

féroce [ferɔs] adj. 1° Se dit d'un animal (ou de son comportement) très cruel : *Un tigre féroce* (syn. : SAUVAGE). — 2° Se dit de quelqu'un qui ne manifeste aucune pitié, aucun sentiment de compassion dans ses actes : *Un examinateur féroce* (syn. : IMPITOYABLE). *Etre féroce dans les affaires* (syn. : ÂPRE AU GAIN). *Une raillerie féroce* (syn. : CRUEL). *Jeter des regards féroces* (syn. : ↓ MÉCHANT, ↑ FURIEUX). ◆ **férocement** adv. : *Critiquer férocement un adversaire.* ◆ **férocité** n. f. : *La férocité du tigre. La férocité d'une répression* (syn. : BARBARIE, SAUVAGERIE).

ferraille [ferɑj] n. f. Débris d'objets métalliques hors d'usage : *Un tas de ferraille. Mettre une vieille voiture à la ferraille.* ◆ **ferrailleur** n. m. Commerçant en ferraille.

ferrailler v. intr. V. FER 3.

1. ferré, e [fere] adj. *Voie ferrée,* voie de chemin de fer : *Marchandises transportées par voie ferrée.*

2. ferré, e [fere] adj. *Fam.* Savant, habile dans une matière, un métier, une activité : *Etre ferré en histoire ancienne* (syn. : CALÉ, FORT).

1. ferrer v. tr. V. FER 3.

2. ferrer [fere] v. tr. *Ferrer un poisson,* donner une secousse à la ligne pour accrocher l'hameçon dans la bouche du poisson.

ferronnerie [fɛrɔnri] n. f. Travail artistique du fer, de la fonte; ouvrages ainsi réalisés : *Une enseigne de boutique en ferronnerie.* ◆ **ferronnier** n. m. : *Un ferronnier d'art.*

ferroviaire [ferɔvjɛr] adj. Relatif aux transports par chemin de fer : *Réseau ferroviaire* (= ensemble des voies de chemin de fer d'un pays). *Tarif ferroviaire* (= prix du kilomètre en chemin de fer). *Trafic ferroviaire.*

ferrugineux, euse adj. V. FER 1; **ferrure** n. f. V. FER 3.

ferry-boat [feribot] n. m. Bateau aménagé pour le transport des trains : *Les ferry-boats de Douvres.*

1. fertile [fɛrtil] adj. Qui produit beaucoup : *Sol fertile. Esprit fertile* (syn. : FÉCOND, PRODUCTIF, RICHE; contr. : ARIDE, STÉRILE, PAUVRE). ◆ **fertilité** n. f. : *La fertilité de certains sols diminue si on n'y met pas d'engrais.* ◆ **fertiliser** v. tr. : *Les engrais fertilisent la terre* (syn. : ENRICHIR). ◆ **fertilisation** n. f. : *Fertilisation du désert du Néguev* (syn. : MISE EN VALEUR). ◆ **infertile** adj. : *Une terre, un esprit infertile.*

2. fertile [fɛrtil] adj. *Fertile en* (et un nom de chose plur.), qui abonde en : *Année fertile en événements* (syn. : FÉCOND, RICHE).

féru, e [fery] adj. *Etre féru de quelque chose,* l'aimer passionnément (langue soignée).

férule [feryl] n. f. *Etre sous la férule de quelqu'un,* être sous sa dépendance étroite (littér.).

fervent, e [fɛrvɑ̃, -ɑ̃t] adj. Se dit de quelqu'un (ou de son comportement) dont les sentiments sont d'une grande intensité : *Un disciple fervent* (syn. : ARDENT, ENTHOUSIASTE). *Prière fervente. Un amour fervent* (syn. : PASSIONNÉ). ◆ **ferveur** n. f. : *Ecouter avec ferveur un être que l'on aime* (syn. : ↓ AMOUR, ↑ DÉVOTION). *La ferveur de ses sentiments nous touche profondément* (syn. : ↓ CHALEUR, FORCE).

fesse [fɛs] n. f. 1° Chacune des deux parties charnues situées au bas du dos : *De grosses fesses.* — 2° Pop. *Poser ses fesses,* s'asseoir. ‖ Fam. *Botter les fesses à quelqu'un,* lui donner un coup de pied dans le derrière. ‖ Pop. *Serrer les fesses,* avoir peur. ◆ **fessée** n. f. Correction sur les fesses : *Donner une fessée à son fils.* ◆ **fesser** v. tr. Corriger d'une fessée.

festin [fɛstɛ̃] n. m. Repas abondant (syn. : BANQUET; fam. : RIPAILLE). ◆ **festoyer** v. intr. Faire un festin (syn. pop. : GUEULETONNER).

festival [fɛstival] n. m. 1° Série de représentations artistiques consacrées à un genre donné : *Un festival de la chanson française. Ce film a été primé au festival de Cannes en 1964.* — 2° Ensemble très riche et très admiré dans une réunion : *Un festival de jolies robes.*

festivités [fɛstivite] n. f. pl. Ensemble de manifestations, de réjouissances officielles (langue écrite) : *L'arrivée du président fut l'occasion de grandes festivités* (syn. : RÉJOUISSANCES, FÊTES).

feston [fɛstɔ̃] n. m. Broderie découpée en forme de guirlande : *Faire des festons à un jupon.* ◆ **festonner** v. tr. Garnir de festons : *Festonner un col.*

festoyer v. intr. V. FESTIN.

fête [fɛt] n. f. 1° Solennité publique, accompagnée de réjouissances, destinée à marquer ou à commémorer un fait important : *Organiser une fête au profit des vieillards de la commune.* — 2° Ensemble de manifestations joyeuses au sein d'un groupe fermé, destinées à célébrer ou à commémorer un événement : *Une fête de famille. Etre de la fête* (= y participer). *Célébrer la fête de quelqu'un* (= marquer par une cérémonie familiale le jour du saint dont il porte le nom). *Souhaiter la fête à quelqu'un* (= lui adresser des vœux à l'occasion de sa fête). — 3° Réjouissance en général : *Jour de fête.* — 4° *Salle des fêtes,* local, généralement communal, réservé aux fêtes. ‖ *Comité des fêtes,* comité chargé d'organiser les fêtes d'une collectivité. ‖ *Fête mobile,* fête chrétienne qui ne tombe pas tous les ans à la même date. ‖ *Ne pas être à la fête,* être dans une situation très désagréable. ‖ *Faire la fête,* mener une vie dissipée (syn. fam. : FAIRE BOMBANCE; pop. : FAIRE LA FOIRE). ‖ *Faire fête à quelqu'un,* l'accueillir avec chaleur. ‖ *Se faire une fête de,* se réjouir beaucoup à l'idée de. ◆ **fêtard** n. m. Personne habituée à une vie de plaisirs : *Mener une vie de fêtard* (syn. : DÉBAUCHÉ, VIVEUR). ◆ **fêter** v. tr. 1° Passer un jour de fête en participant aux solennités, aux réjouissances ou aux manifestations religieuses : *Cette année, nous n'avons pas fêté Noël.* — 2° *Fêter quelqu'un,* l'accueillir avec de grandes démonstrations de joie : *Fêter le vainqueur.* ◆ **Fête-Dieu** n. f. Fête du saint sacrement, fixée au jeudi qui suit l'octave de la Pentecôte. (V. FÉRIÉ.)

fétiche [fetiʃ] n. m. 1° Objet auquel certains attribuent le pouvoir d'apporter la chance, le bonheur, etc., à celui qui le possède : *Il avait une carte à jouer comme fétiche dans sa poche* (syn. : AMULETTE, GRI-GRI, PORTE-BONHEUR). — 2° Petit objet décoratif pour lequel on éprouve un attachement particulier : *Porter un petit fétiche autour du cou* (syn. : PORTE-BONHEUR). ◆ **fétichisme** n. m. 1° Croyances, pratiques des peuplades qui rendent un culte à une idole (ou *fétiche*) : *Le fétichisme n'existe presque plus à l'état pur aujourd'hui.* — 2° Attachement, respect exagéré à l'égard de quelqu'un, de quelque chose : *Il pousse jusqu'au fétichisme son amour pour sa mère* (syn. : IDOLÂTRIE, VÉNÉRATION). *Avoir le fétichisme du passé* (syn. : CULTE). ◆ **fétichiste** n. et adj.

fétide [fetid] adj. 1° Qui a une odeur répugnante, impossible à supporter : *Respirer un air fétide* (syn. : EMPESTÉ, ↓ NAUSÉABOND, EMPUANTI, INFECT). *L'haleine fétide d'un malade* (syn. : MALODORANT, ↑ PUANT). — 2° Se dit de l'odeur elle-même : *L'odeur fétide des marais* (syn. : REPOUSSANT, ÉCŒURANT, ↓ DÉGOÛTANT, ↑ IMMONDE).

fétu [fety] n. m. Brin de paille.

1. feu [fø] n. m. 1° Dégagement simultané de chaleur et de lumière produit par la combustion d'un corps; matières en combustion : *Le feu a détruit la grange* (syn. : INCENDIE). *Les explorateurs allumaient un feu, le soir, pour éloigner les bêtes sauvages. Jeter au feu des vieux papiers. Mettre une casserole sur le feu* (= en faire chauffer le contenu). *Cuire un rôti à feu doux, à feu vif. Un plat qui va sur le feu* (= qui résiste à la flamme). *Au feu!* (cri lancé pour signaler un incendie). *Donner du feu à quelqu'un* (= lui donner de quoi allumer sa cigarette, sa pipe). — 2° *Feu de Bengale,* pièce d'artifice donnant une flamme colorée. ‖ *Feu de camp,* réjouissances organisées par une troupe de campeurs, de scouts, généralement le soir, autour d'un feu de bois. ‖ *Feu d'enfer,* feu très vif. ‖ *Feu de joie,* feu allumé en signe de réjouissance : *Les feux de joie de la Saint-Jean.* ‖ *Feu de paille,* ardeur très passagère, activité sans lendemain. ‖ *Il n'y a pas de fumée sans feu,* si on en parle, c'est qu'il y a une raison. ‖ Fam. *Avoir le feu au derrière,* être très pressé, aller très vite. ‖ *Craindre quelqu'un, quelque chose, comme le feu,* le redouter beaucoup. ‖ *Faire long feu,* échouer : *Un plan habile qui a fait long feu.* ‖ *Ne pas faire long feu,* ne pas durer longtemps : *Ça n'a pas fait long feu, il a dépensé tout l'héritage en six mois* (syn. : NE PAS TRAÎNER). ‖ *Faire feu des quatre fers,* utiliser tous les moyens possibles. ‖ *Faire mourir quelqu'un à petit feu,* le tourmenter longtemps, le laisser intentionnellement dans une cruelle incertitude. ‖ *Il se jetterait dans le feu pour elle,* il ferait n'importe quoi pour lui être agréable. ‖ *Jouer avec le feu,* courir au-devant du risque, agir d'une manière dangereuse. ‖ *Mettre le feu aux poudres,* provoquer une catastrophe, ou la colère de quelqu'un. ‖ *Souffler sur le feu,* exciter les passions. ‖ *N'y voir que du feu,* ne rien y voir, ne rien y comprendre.

2. feu [fø] n. m. 1° Ardeur des sentiments : *Parler avec feu dans une discussion* (syn. : PASSION, FOUGUE, ENTHOUSIASME). *Le feu de l'éloquence* (syn. : ARDEUR). — 2° *Avoir du feu dans les veines,* avoir un tempérament vif, des réactions rapides. ‖ *Avoir le feu sacré,* témoigner d'un zèle très vif. ‖ *Etre tout feu, tout flamme,* montrer un grand enthousiasme (SYN. : S'EMBALLER). ‖ *Prendre feu,* s'exalter soudain, ou se mettre en colère.

3. feu [fø] n. m. 1° Sensation de chaleur, de brûlure, due à un agent physique ou à une émotion : *Le feu lui monta au visage* (= il devint tout rouge). — 2° *Le feu du rasoir,* irritation de la peau après le rasage. ‖ *Feu de dents,* rougeur sur la joue d'un enfant qui perce ses dents. • LOC. ADJ. *En feu,* irrité sous l'effet d'une cause physique : *Son oreille est en feu. Un plat trop épicé qui vous met la bouche en feu. Avoir la gorge en feu. Avoir les joues en feu* (= avoir les joues brûlantes). *Avoir la tête en feu* (= avoir très chaud à la tête à la suite d'une brusque montée de sang).

4. feu [fø] n. m. 1° Décharge d'une ou de plusieurs armes, entraînée par la combustion instantanée d'une matière explosive. — 2° *Feu!,* ordre par lequel un chef militaire fait tirer sur un ennemi. ‖ *Coup de feu,* décharge d'un revolver, d'un fusil : *Il a entendu un coup de feu. Il a reçu un coup de feu dans la jambe.* ‖ *Recevoir le baptême du feu,* aller au combat pour la première fois. ‖ *Etre entre deux feux, être pris entre deux feux,* se trouver attaqué de deux côtés à la fois, recevoir en même temps les critiques de gens d'opinions contraires. ‖ *Ouvrir le feu,* commencer à tirer. ‖ *Feu continu, feu roulant,* série ininterrompue de décharges d'armes à feu. ‖ *Feu roulant de questions,* suite ininterrompue de questions. ‖ *Feux croisés,* tirs de projectiles venant de divers côtés sur un seul objectif. ‖ *Feu nourri,* tir rapide et abondant : *Ils ont ouvert un feu nourri sur la ligne ennemie.*

5. feu [fø] n. m. 1° Signal lumineux conventionnel, servant à prévenir d'une intention, à avertir d'un danger, à énoncer une interdiction, etc. — 2° *Feu arrière,* l'un des points lumineux situés à l'arrière d'une voiture. ‖ *Feu de position,* ou *feu,* point lumineux d'un avion, d'un bateau, d'un véhicule de grande taille, servant à en indiquer la largeur ou le gabarit : *Eteignez vos feux! Naviguer, voler, circuler tous feux éteints* (= naviguer, voler, circuler sans aucune lumière visible à l'extérieur). ‖ *Donner le feu vert* (*à quelqu'un*), lui donner l'autorisation de faire quelque chose. — 3° (au plur.) Eclairage d'une caserne, d'un camp militaire : *A dix heures, extinction des feux.* — 4° Lumière dans un théâtre : *Les feux de la rampe* (= l'ensemble de l'éclairage placé sur le devant d'une scène de théâtre). ‖ *Être sous le feu des projecteurs,* être dans le champ des projecteurs, ou être le point de mire de l'actualité.

6. feu [fø] n. m. 1° Maison familiale (vieilli) : *Un hameau de dix feux.* — 2° *Etre sans feu ni lieu,* être sans domicile.

7. feu [fø] adj. invar. (avant le nom et l'article). Mort (littér. ou humoristique) : *Feu ma tante m'a laissé sa fortune* (= ma défunte tante).

1. feuille [fœj] n. f. 1° Partie d'un végétal située le plus souvent à l'air libre, en général de forme aplatie, de dessin symétrique et de couleur verte : *Feuille de tabac. Les arbres perdent leurs feuilles en automne.* — 2° *Trembler comme une feuille,* être sous l'effet d'une violente émotion ou en proie à la peur. ‖ *Feuille de vigne,* feuille peinte ou sculptée cachant le sexe des nus représentés en tableau ou sculptés. ◆ **feuillage** n. m. 1° Ensemble des feuilles d'un arbre : *Le feuillage léger d'un saule.* — 2° Branchages coupés, couverts de feuilles : *Se faire un lit de feuillage.* ◆ **feuillaison** n. f. Renouvellement annuel des feuilles : *A l'époque de la feuillaison.* ◆ **feuillées** n. f. pl. Latrines installées par des troupes en campagne. ◆ **feuille-morte** adj. invar. D'une couleur tirant sur le jaune-brun. ◆ **effeuiller** v. tr. Dépouiller de ses feuilles ou de ses pétales : *Le vent effeuille les arbres en automne. Effeuiller une marguerite. Un rameau effeuillé.* ◆ ***s'effeuiller*** v. pr. : *La rose s'est effeuillée sur le sol.*

2. feuille [fœj] n. f. 1° Morceau de papier, de forme rectangulaire, sur lequel on peut écrire, peindre ou imprimer : *Une feuille de papier.* — 2° *Bonnes feuilles,* tirage définitif d'un texte imprimé. ‖ *Feuille d'impôt,* document adressé à un contribuable, indiquant le montant et la date du versement qu'il doit effectuer aux contributions directes. ‖ *Feuille locale,* journal destiné au public d'une ville ou d'une petite région. ‖ Fam. *Feuille de chou,* journal de petit format et sans intérêt. ◆ **feuillet** n. m. 1° Partie d'une feuille de papier pliée plusieurs fois sur elle-même. — 2° Syn. de PAGE : *Arracher plusieurs feuillets dans un livre.* ◆ **feuilleter** v. tr. (conj. 8). *Feuilleter un livre,* en tourner rapidement les pages, les parcourir sommairement. ◆ **feuilleton** n. m. 1° Article qui paraît régulièrement dans un journal, concernant une rubrique particulière : *Etre chargé du feuilleton littéraire* (syn. : RUBRIQUE). — 2° Partie d'une œuvre romanesque paraissant par fragments dans un journal, lue ou diffusée à la radio ou à la télévision. ◆ **feuilletoniste** n. m. *Péjor.* Auteur de romans-feuilletons (v. ce mot).

3. feuille [fœj] n. f. Plaque mince de bois, de métal, de minéral, de carton, etc. : *Feuille de contre-plaqué, d'ardoise, d'or.* ◆ **feuilleté, e** adj. *Pâte feuilletée* (ou *feuilleté* n. m.), pâte préparée pour qu'elle forme des feuilles à la cuisson.

4. feuille [fœj] n. f. Pop. *Etre dur de la feuille,* être un peu sourd.

feuillure [fœjyr] n. f. Rainure ou entaille pratiquée dans un panneau ou un bâti pour y loger une autre pièce.

feuler [føle] v. intr. (sujet nom désignant le tigre, le chat). Gronder. ◆ **feulement** n. m.

feutre [føtr] n. m. 1° Etoffe de laine ou de poils foulés ou agglutinés : *Un joint en feutre.* — 2° Chapeau en feutre : *Un homme en gabardine, coiffé d'un feutre mou.* ◆ **feutrer** v. tr. Garnir de feutre : *Feutrer une selle de bicyclette.* ◆ v. intr. et ***se feutrer*** v. pr. Prendre l'aspect du feutre : *Ton vieux lainage est en train de se feutrer complètement.* ◆ **feutré, e** adj. 1° Qui a l'aspect du feutre : *Un cache-col feutré.* — 2° Dont le bruit est étouffé : *A pas feutrés* (= silencieusement). *Un bruit feutré* (syn. : AMORTI, OUATÉ, ÉTOUFFÉ). *Vivre dans une atmosphère feutrée* (= sans contact avec l'extérieur). ◆ **feutrage** n. m. Altération d'un tissu de laine qui prend l'aspect du feutre.

fève [fɛv] n. f. 1° Plante voisine du haricot, dont la graine est comestible. — 2° Graine de cette plante.

février [fevrije] n. m. V. MOIS.

fi! [fi] interj. 1° Exprime le dégoût (littér.) : *Fi donc! le vilain qui ne veut pas faire ce qu'on lui dit.* — 2° *Faire fi de quelque chose,* ne pas en tenir compte, le mépriser : *Il fait fi des honneurs et de l'argent.*

fiacre [fjakr] n. m. Voiture de louage à chevaux.

fiancé, e [fijɑ̃se] adj. et n. Se dit d'une personne qui a promis le mariage à une autre, et qui en a reçu la même promesse : *Elle est allée au bal avec son fiancé* (syn. fam. : PROMIS, FUTUR). ◆ **fiancer (se)** v. pr. S'engager à épouser quelqu'un : *Il s'est fiancé avec la fille du patron.* ◆ **fiançailles** n. f. pl. 1° Promesse solennelle de mariage : *Offrir une bague de fiançailles.* — 2° Temps qui sépare la promesse de mariage du mariage lui-même.

fiasco [fiasko] n. m. 1° *Fam.* Echec dans une tentative, une entreprise, etc. : *La première représentation de cette pièce a été un fiasco complet* (syn. fam. : FOUR). — 2° Fam. *Faire fiasco,* échouer totalement : *Son affaire a fait fiasco.*

1. fibre [fibr] n. f. Elément filamenteux qui constitue certains tissus organiques : *Fibres musculaires. Fibres nerveuses.* ◆ **fibreux, euse** adj. Qui contient des fibres : *Une viande fibreuse.*

2. fibre [fibr] n. f. La sensibilité de l'homme dans ce qu'elle a de plus caché ou de plus personnel : *Atteindre quelqu'un jusqu'aux fibres* (syn. : RACINES, TRÉFONDS). *Faire vibrer la fibre patriotique* (syn. : CORDE). *Avoir la fibre paternelle* (= se montrer un excellent père).

3. fibre [fibr] n. f. Elément de forme allongée constitutif de certaines matières; morceau fin et allongé, obtenu mécaniquement à partir de certains matériaux : *Fibres textiles. Fibre de bois* (= filaments de bois, servant à l'emballage d'objets fragiles). *Fibre de verre* (= mince filament de verre employé comme isolant). ◆ **fibranne** n. f. Textile artificiel dont les fibres sont courtes et associées par torsion : *Un tapis en laine et fibranne.*

fibrome [fibrom] n. m. Tumeur non maligne, constituée par du tissu fibreux.

1. ficelle [fisɛl] n. f. 1° Corde mince, servant à lier des objets entre eux, à lier un emballage, etc. : *Acheter une pelote de grosse ficelle.* — 2° Fam. *Tirer les ficelles,* diriger une affaire, commander des personnes sans se montrer ou sans être connu (syn. : MENER LE JEU). ‖ Fam. *Connaître les ficelles du métier,* connaître quelque chose par expérience, par métier : *J'ai été journaliste et je connais les ficelles du métier* (syn. fam. : TRUCS, ASTUCES). ◆ **ficelage** n. m. Ensemble des liens qui entourent un paquet, un colis, etc. : *Le ficelage du paquet s'est défait pendant le voyage.* ◆ **ficeler** v. tr. (conj. 6). Attacher avec de la ficelle : *Ficeler un paquet.* ◆ **ficelé, e** adj. *Fam.* et *péjor.* Habillé : *Il est drôlement ficelé le dimanche* (syn. : FAGOTÉ). ◆ **déficeler** v. tr. : *Déficeler un paquet.* ◆ **reficeler** v. tr.

2. ficelle [fisɛl] n. f. *Arg. mil.* Galon d'officier : *Un capitaine qui attend sa quatrième ficelle* (= d'être nommé commandant).

3. ficelle [fisɛl] adj. invar. *Fam.* Qui est adroit, rusé, trompeur : *Un enfant un peu ficelle* (syn. : ROUÉ, MALICIEUX).

1. fiche [fiʃ] n. f. 1° Petit morceau de carton rectangulaire, sur lequel on note un renseignement et qu'on classe dans un ordre déterminé : *Mettre un ouvrage en fiches. Consulter les fiches d'une bibliothèque. Faire des fiches* (= les rédiger). *Fiche manuelle* (= fiche qu'on classe à la main, par oppos. à *carte perforée*). — 2° *Fiche de consolation,* petit dédommagement qu'on donne à la suite d'un échec à un jeu, à un concours, d'une perte : *Après son échec, ses parents l'envoyèrent en Angleterre comme fiche de consolation.* ◆ **ficher** v. tr. *Ficher un renseignement,* l'inscrire sur une fiche. ◆ **fiché, e** adj. Inscrit sur une liste de suspects : *Depuis qu'il a été pris dans une rafle, il est fiché à la Préfecture.* ◆ **fichier** n. m. Meuble où l'on classe les fiches : *Sortir du fichier des renseignements bibliographiques.*

2. fiche [fiʃ] n. f. Pièce métallique s'adaptant à une autre et utilisée en électricité pour établir un contact : *Une fiche mâle, femelle* (syn. : PRISE).

1. ficher [fiʃe] v. tr. Ficher un objet par la pointe : *Ficher des pieux autour d'un champ* (syn. : PLANTER).

2. ficher [fiʃe], ou plus souvent **fiche** [fiʃ] v. tr. (part. passé *fichu*). 1° *Fam.* Lancer, jeter, donner avec force : *On l'a fichu à la porte de l'école* (syn. : METTRE). *Fichez-moi la paix* (= laissez-moi tranquille). — 2° (avec un pronom compl.) *Fam.* Faire : *Il n'a rien fichu de la journée.* — 3° Fam. *Fiche par terre,* faire ou laisser tomber : *J'ai fichu par terre un vase;* faire échouer : *Cette pluie fiche par terre notre projet de promenade.* (On dit aussi, en ce sens, FICHE EN L'AIR.) ‖ Pop. *Fiche quelqu'un dedans,* le tromper : *C'est ce changement de nom qui m'a fichu dedans;* le mettre en prison, le consigner : *« Tâchez d'obéir, ou je vous fiche dedans », dit l'adjudant.* ‖ Pop. *Fiche* ou *ficher le camp,* v. CAMP. ‖ *Va te faire fiche!, je t'en fiche!,* soulignent l'opposition entre ce qu'on attendait et la réalité : *Je pensais qu'il arrivait à la fin de son discours, mais, va te faire fiche! il a parlé encore une demi-heure.* ‖ *Je t'en ficherai,* marque une forte désapprobation : *Je t'en ficherai, moi, des voyages d'agrément!* ◆ **se ficher** (ou **fiche**) v. pr. *Fam.* Se mettre, commencer : *Il s'est fichu en colère.*

3. ficher (se) [səfiʃe], ou plus souvent **se fiche** [səfiʃ] v. pr. 1° Fam. *Se ficher* (ou *fiche*) *de quelqu'un,* se moquer de lui, le tourner en dérision : *On se fiche de lui depuis sa mésaventure.* — 2° Fam. *Se ficher* (ou *fiche*) *de quelqu'un, de quelque chose,* se désintéresser de lui, le laisser de côté, n'y prêter aucune attention : *Il se fiche complètement de mes conseils* (syn. pop. : S'EN BALANCER, SE FOUTRE). ◆ **contreficher (se)** v. pr. Syn. de SE FICHER.

1. fichu, e [fiʃy] adj. 1° *Fam.* Se dit d'une personne ou d'une chose qui est perdue, détruite : *Il est bien malade, il est fichu* (syn. : CONDAMNÉ). *Il a eu un accident : sa voiture est fichue.* — 2° (avant le nom) *Fam.* Se dit de ce qui est insupportable, pénible, désagréable : *Il a un fichu caractère* (syn. : MAUVAIS). *Quel fichu temps!* — 3° (avant le nom) *Fam.* Se dit de ce qui est remarquable, important : *Il y a une fichue différence.* — 4° *Etre fichu de* (et l'infin.), être capable de, en mesure de : *Vous n'êtes même pas fichu de me donner ce renseignement?;* exprime une éventualité envisagée : *Tous les médecins le croyaient perdu, mais il est fichu de s'en tirer!* (syn. : CAPABLE). [Syn. pop. : FOUTU.] — 5° Fam. *Mal fichu,* se dit d'une personne en mauvaise santé, fatiguée : *Je me sens un peu mal fichu : je vais me reposer* (syn. : SOUFFRANT); se dit d'une chose mal faite, mal disposée : *Il faut me recommencer cela, c'est du travail mal fichu.* ‖ Fam. *Bien fichu,* se dit de quelqu'un ou de quelque chose qui est bien fait : *C'est bien fichu, ce petit mécanisme.*

2. fichu [fiʃy] n. m. Pointe d'étoffe dont les femmes s'entourent les épaules et le cou.

fictif, ive [fiktif, -iv] adj. 1° Qui est produit par l'imagination, inexistant : *Un personnage fictif* (syn. : IMAGINAIRE). — 2° Qui n'existe qu'en vertu d'un accord entre des personnes : *La valeur fictive du papier-monnaie* (syn. : CONVENTIONNEL). ◆ **fictivement** adv. Par un effort de l'imagination, de l'esprit (littér.) : *Transportons-nous fictivement au temps des Celtes* (syn. : PAR LA PENSÉE). ◆ **fiction** n. f. 1° Œuvre ou genre littéraire créés par l'imagination pure, sans souci de vraisemblance. — 2° Imagination (littér.) : *Il vit dans la fiction* (= dans un monde imaginaire).

1. fidèle [fidɛl] adj. (ordinairement après le nom). 1° Se dit de quelqu'un qui remplit ses engagements : *Etre fidèle à sa parole* (contr. : TRAÎTRE). *Etre fidèle à sa patrie, à sa famille* (= remplir ses devoirs à leur égard). — 2° Se dit d'un être animé qui manifeste un attachement constant : *Un chien fidèle. Un ami fidèle* (contr. : INCONSTANT). *Ils sont restés fidèles à leur ami malgré sa déchéance* (contr. : OUBLIEUX). — 3° Se dit de quelqu'un qui n'a de relations amoureuses qu'avec son conjoint : *Un mari fidèle* (contr. : INFIDÈLE). — 4° Se dit d'une personne dont le comportement, les opinions n'ont pas varié par rapport à quelque chose : *Il est fidèle à son tempérament* (= semblable à lui-même). *Il est fidèle à sa jeunesse* (= il a gardé les mêmes idées). — 5° *Historien, narrateur fidèle,* qui rapporte les faits sans les dénaturer, sans en omettre aucun. ◆ **fidèle** n. m. 1° Personne qui pratique régulièrement une religion : *L'église était pleine de fidèles.* — 2° *Un fidèle de,* quelqu'un qui montre du zèle, de l'assiduité pour : *C'est un fidèle des concerts du samedi.* ◆ **fidèlement** adv. : *Il a fidèlement rempli son devoir* (syn. : FERMEMENT, COURAGEUSEMENT). ◆ **fidélité** n. f. : *Fidélité d'un homme à ses chefs, à ses amis, à sa femme.* ◆ **infidèle** adj. et n. : *Un mari infidèle.* ◆ **infidèle** n. Personne qui n'est pas adepte de la religion chrétienne : *Evangéliser les infidèles.* ◆ **infidélité** n. f. : *L'infidélité d'une épouse.*

2. fidèle [fidɛl] adj. (après le nom). 1° Se dit de ce qui est conforme à un modèle, à un original, etc. : *Schéma, figure, copie fidèle* (contr. : FAUX, INEXACT). — 2° *Récit, compte rendu,* etc., *fidèle,* qui suit scrupuleusement la vérité : *Il m'a fait un récit fidèle de ses aventures* (contr. : MENSONGER, FALSIFIÉ). — 3° *Mémoire fidèle,* qui retient bien ce qui lui a été confié (contr. : INFIDÈLE). — 4° *Souvenir fidèle,* qui dure (syn. : DURABLE ; contr. : FUGACE). — 5° *Appareil fidèle,* qui traduit correctement les données, les informations, etc., auquel on peut se fier : *Une balance, une montre fidèle* (contr. : DÉRÉGLÉ, FAUX). ◆ **fidèlement** adv. ◆ **fidélité** n. f. 1° *Fidélité d'une reproduction, d'un récit, d'une mémoire, d'un test.* — 2° *Haute fidélité,* technique visant à obtenir un son ou une image d'une grande qualité, dans un électrophone, un appareil de radio, de télévision, etc. ◆ **infidèle** adj. : *Une mémoire, un compte rendu infidèle* (syn. : INEXACT). ◆ **infidélité** n. f. : *L'infidélité d'une description.*

fief [fjɛf] n. m. Secteur d'activité qu'on se croit réservé, qu'on cherche à garder pour soi : *Ne touchez pas à la littérature, c'est son fief* (syn. : DOMAINE, SPÉCIALITÉ). [Le *fief* était le domaine que le vassal tenait de son suzerain.]

fieffé, e [fjɛfe] adj. (ordinairement avant le nom). *Péjor.* Se dit de quelqu'un qui a atteint le degré le plus haut d'un défaut ou d'un vice : *Un fieffé menteur. Un fieffé coquin* (syn. : FAMEUX).

1. fiel [fjɛl] n. m. Bile : *Oter la poche de fiel d'un lapin avant de le faire cuire.*

2. fiel [fjɛl] n. m. Amertume, animosité sourde à l'égard de quelqu'un ou de quelque chose (littér.) : *Un discours plein de fiel. Ce critique musical distille le fiel dans ses chroniques.* ◆ **fielleux, euse** adj. : *Des propos fielleux* (syn. : ACRIMONIEUX ; contr. : BIENVEILLANT).

fiente [fjɑ̃t] n. f. Excréments de certains animaux : *Fiente de volaille.* ◆ **fienter** v. intr.

fier, fière [fjɛr] adj. 1° (après le nom) Se dit de quelqu'un qui affecte une attitude hautaine et méprisante : *Depuis qu'il a fait fortune, il est devenu fier* (syn. : DISTANT, INSOLENT, ARROGANT). — 2° (après le nom) Qui a le sentiment de son indépendance, de son honneur : *Il est trop fier pour accepter de l'argent. Avoir l'âme fière* (syn. : NOBLE). — 3° (avant le nom) Qui a un port majestueux, une belle prestance : *Une fière démarche. Le pas noble et fier d'un pur-sang* (syn. : ALTIER). — 4° *Fam.* Remarquable dans son genre : *C'est un fier imbécile* (syn. : FAMEUX). — 5° *Avoir fière allure,* se montrer sous son plus bel aspect (syn. : NOBLE). ‖ *Etre fier de quelqu'un, de quelque chose,* en tirer orgueil ou satisfaction : *Il est fier de son fils, de sa fortune.* ‖ *Il n'y a pas de quoi être fier,* il n'y a pas lieu de se vanter, il vaut mieux se taire. ‖ *Faire le fier,* se montrer ostensiblement plein de supériorité à l'égard d'autrui : *S'il fait le fier, je lui rabattrai son caquet* (syn. : SUFFISANT, SUPÉRIEUR, DÉDAIGNEUX). *Ces gens ne sont pas fiers* (= ils ont des habitudes de grande simplicité). ‖ Fam. *Fier comme Artaban,* très fier, plein d'orgueil. ◆ **fièrement** adv. 1° *L'accusé a fièrement riposté à ses adversaires* (syn. : CRÂNEMENT, COURAGEUSEMENT). — 2° Fam. *Etre fièrement content,* être très content (syn. fam. : FAMEUSEMENT). ◆ **fierté** n. f. 1° *Il y a une belle fierté dans sa réponse* (contr. : VEULERIE). *La fierté de son allure* (contr. : VULGARITÉ). *Il montre trop de fierté avec ses amis* (contr. : SIMPLICITÉ). — 2° *Tirer fierté de quelque chose,* en être fier. ◆ **fier-à-bras** [fjɛrabra] n. m. Fanfaron, bravache (littér.). ◆ **fiérot, e** adj. *Fam.* Se dit d'une personne qui fait la fière et qui est un peu ridicule.

fièvre [fjɛvr] n. f. 1° Etat maladif, caractérisé principalement par une élévation anormale de la température du corps : *Avoir la fièvre. Grelotter de fièvre. Un accès de fièvre. Fièvre typhoïde.* — 2° Etat de tension ou d'agitation d'un individu, d'un groupe de personnes : *Travailler dans la fièvre* (syn. : FÉBRILITÉ). *Dans la fièvre du départ* (syn. : AGITATION). *Parler avec fièvre* (syn. : FOUGUE, PASSION). *La fièvre des élections* (= l'agitation causée chez les électeurs par la proximité du vote). *La fièvre de l'or* (syn. : ↓ SOIF ; ↑ RAGE, FOLIE). ◆ **fiévreux, euse** adj. 1° Se dit d'un être vivant (ou d'une partie de son corps) qui a la fièvre : *Se sentir fiévreux. Avoir la main fiévreuse* (syn. : ↑ BRÛLANT). — 2° Se dit d'un endroit, d'un temps, d'un climat, etc., qui donne la fièvre. — 3° Se dit d'une action intense ou désordonnée : *Une activité fiévreuse* (syn. : PASSIONNÉE, AGITÉE). *Une imagination fiévreuse* (syn. : FÉBRILE, DÉSORDONNÉ, ↑ HALLUCINÉ). *Une attente fiévreuse* (syn. : ↓ INQUIÈTE). ◆ **fiévreusement** adv. : *Travailler fiévreusement. Préparer fiévreusement* *un départ, des élections* (syn. : FÉBRILEMENT). ◆ **enfiévrer** v. tr. 1° Mettre en état de fièvre : *Cet effort a enfiévré le malade.* — 2° Jeter dans l'exaltation, enflammer, surexciter : *Des discours qui enfièvrent l'assistance. Une agitation enfiévrée.* ◆ **enfièvrement** n. m. ◆ **fébrile** adj. Qui a la fièvre.

fifre [fifr] n. m. Petite flûte en bois, au son aigu.

figer [fiʒe] v. tr. 1° *Figer un liquide,* le transformer en une masse compacte, le solidifier : *Le froid a figé l'huile dans la bouteille.* — 2° (sujet nom de chose) *Figer quelqu'un,* lui causer un grand saisissement, le laisser stupéfait : *L'épouvante le figea sur place* (syn. : PÉTRIFIER). *Sa réponse m'a figé.* ◆ v. intr. ou ***se figer*** v. pr. 1° (sujet nom désignant un liquide) Se solidifier, s'épaissir sous l'action du froid : *La sauce a figé dans l'assiette. L'huile s'est figée.* — 2° (sujet nom de personne) S'immobiliser dans une attitude fixe, raide : *La sentinelle s'était figée au garde-à-vous.* — 3° *Son sang se fige,* il est saisi de frayeur (littér.). ‖ *Sourire qui se fige,* qui devient inexpressif, qui ne correspond plus à un sentiment réel. ◆ **figé, e** adj. : *Sourire figé* (syn. : CONTRAINT, GLACÉ). *Attitude figée* (syn. : IMMOBILE, RAIDE). *Expression figée* (syn. : STÉRÉOTYPÉ). *Etre figé dans le passé, les traditions* (syn. : SCLÉROSÉ). ◆ **figement** n. m. : *Le figement du sang. Le figement d'une locution verbale* (= le fait qu'elle forme un tout indécomposable).

fignoler [fiɲɔle] v. tr. Fam. *Fignoler un travail,* apporter un soin minutieux à sa finition, en soigner tous les détails : *Un peintre qui fignole un tableau. Fignoler un texte* (syn. : LÉCHER). ◆ **fignolage** n. m.

figue [fig] n. f. Fruit du figuier. • LOC. ADJ. Fam. *Mi-figue, mi-raisin,* se dit d'une chose qui n'est ni tout à fait agréable, bonne, plaisante, etc., ni tout à fait le contraire : *Un sourire, un accueil mi-figue, mi-raisin* (syn. : MITIGÉ, MÉLANGÉ, AMBIGU). ◆ **figuier** n. m. Arbre poussant surtout dans les pays chauds et dont le fruit est comestible.

figurant, e [figyrɑ̃, -ɑ̃t] n. 1° Acteur dont le rôle est muet : *Engager des figurants. Un film à grand spectacle avec de nombreux figurants.* — 2° Personne dont le rôle est secondaire : *Etre réduit au rôle de figurant à une conférence* (syn. : COMPARSE). ◆ **figuration** n. f. Métier, rôle de figurant : *Faire de la figuration* (= n'avoir qu'un rôle de représentation).

1. figure [figyr] n. f. 1° Partie antérieure de la tête : *Avoir la figure rouge, sale* (syn. : VISAGE). *Se laver la figure et les mains. Casser la figure à quelqu'un* (fam. = le rouer de coups). *Se casser la figure* (fam. = tomber, avoir un accident). — 2° Expression particulière à une personne, apparence qu'elle revêt aux yeux d'autrui : *Avoir une figure austère, énergique. Il a une bonne figure* (= il a l'air sympathique; syn. : VISAGE, TÊTE). *Avoir bonne figure* (= être en bonne santé; syn. : MINE). — 3° (généralement précédé d'un adj.) Personnalité marquante : *Les grandes figures du passé* (syn. : PERSONNAGE). *Une noble figure* (syn. : CARACTÈRE). *C'est une figure* (syn. : PERSONNALITÉ). — 4° *Faire bonne figure,* se montrer digne de ce qu'on attend de vous (syn. : CONTENANCE). ‖ *Faire triste figure, faire piètre figure,* avoir l'air triste, sombre, préoccupé : *Il vaut mieux ne pas l'inviter, il fait triste figure en société* (syn. : FAIRE GRISE MINE; fam. : AVOIR UN AIR MINABLE); ne pas se montrer compétent, à la hauteur : *Quand on l'a interrogé, il a fait triste figure.* ‖ *Faire figure de,* avoir l'apparence, l'aspect de (quelque chose ou quelqu'un) : *Parmi ces pauvres gens, le moindre propriétaire d'une guimbarde faisait figure de riche. Une maison cossue, qui fait figure de château dans le pays.* ◆ **défigurer** v. tr. *Défigurer quelqu'un,* lui déformer, lui enlaidir le visage : *Une blessure à la face l'a défiguré.*

2. figure [figyr] n. f. 1° Représentation matérielle ou intellectuelle de quelqu'un ou de quelque chose : *L'explication est accompagnée d'une figure* (syn. : SCHÉMA, DESSIN). *Un livre avec des figures* (syn. : PLANCHE, REPRODUCTION, IMAGE). — 2° *Figure géométrique,* représentation par le dessin d'une abstraction géométrique, constituée généralement par des points, des lignes accompagnés de symboles; dessin symétrique et harmonieux. ‖ *Figure de danse,* ensemble des déplacements d'un danseur formant un tout harmonieux et généralement codifié. ‖ *Figure de style,* procédé littéraire par lequel l'idée exprimée reçoit une forme particulière, propre à attirer l'attention ou considérée comme élégante : *Une figure de style chère à Victor Hugo, c'est l'antithèse.* — 3° *Chose, affaire qui prend figure,* qui commence à se réaliser, à prendre belle apparence (syn. : PRENDRE TOURNURE, PRENDRE FORME). ◆ **figuratif, ive** adj. Se dit d'une chose qui est la représentation d'une autre chose : *Plan figuratif.* ◆ adj. et n. m. Se dit d'un artiste, d'une œuvre d'art (peinture, sculpture) qui se rattachent à une école dont le principe fondamental est de représenter des êtres ou des objets qui existent dans la nature : *Peinture figurative. Art figuratif* (contr. : NON FIGURATIF, ABSTRAIT). ◆ **figurer** v. tr. *Figurer quelqu'un, quelque chose,* les représenter matériellement, soit fidèlement, soit schématiquement ou encore par un signe conventionnel : *L'artiste a voulu figurer une Vierge* (syn. : PEINDRE). *Sur la carte, les villes de plus de 30 000 habitants sont figurées par un point rouge* (syn. : SYMBOLISER). *Le décor figure l'intérieur d'une taverne* (syn. : REPRÉSENTER). ◆ ***se figurer*** v. pr. 1° Se représenter (quelque chose ou quelqu'un) par l'imagination : *Il se figure qu'il va réussir* (syn. : CROIRE). *Figurez-vous un homme seul dans une île* (syn. : IMAGINER). — 2° Fam. *Figurez-vous que,* introduit une remarque inattendue ou importante : *Je voulais vous écrire, mais figurez-vous que j'avais perdu votre adresse.* ◆ **figuré, e** adj. *Prononciation figurée,* qui est représentée par des signes conventionnels. ‖ *Sens figuré,* signification d'un mot ou d'une expression qui sont passés d'une application concrète, matérielle, au domaine des idées ou des sentiments : *Dans l'expression « un noir chagrin », « noir » a un sens figuré* (contr. : SENS PROPRE). ‖ *Langage figuré,* façon de s'exprimer dans laquelle on utilise des images. ◆ **défigurer** v. tr. *Défigurer une œuvre, la pensée de quelqu'un,* la déformer au point de la rendre méconnaissable, de la dénaturer.

figurer [figyre] v. intr. Apparaître dans un ensemble d'objets ou de personnes : *Cela ne figure pas sur ma liste* (syn. : ÊTRE MENTIONNÉ). *Figurer au nombre des élus* (syn. : ÊTRE). [V. aussi FIGURE 2.]

figurine [figyrin] n. f. Statuette de petite dimension, en terre cuite, en bronze, etc.

1. fil [fil] n. m. 1° Brin long et mince constitué par une matière textile tordue sur elle-même, comme le chanvre, le lin, ou par une matière plastique, animale, etc. : *Fil de chanvre. Fil de coton, de laine. Etendre son linge sur un fil de Nylon. Un fil d'araignée.* ‖ Textile, tissu en lin : *Des gants de fil.* — 2° *Fil à coudre,* fil employé pour la confection ou la réparation des vêtements. ‖ *Fil à plomb,* ficelle ou petit câble muni d'une masse métallique à une extrémité, et qui sert à indiquer la verticale. ‖ *Fil d'Ariane,* moyen par lequel on arrive sans se perdre à un résultat (littér.; syn. : FIL CONDUCTEUR). ‖ *De droit fil,* dans le sens des fils d'un tissu : *Couper un tissu de droit fil* (contr. : DE BIAIS). ‖ Fam. *Avoir un fil à la patte,* n'être pas libre de ses déplacements, de ses activités : *Depuis qu'il a épousé cette fille, il a un fil à la patte.* ‖ *Ne tenir qu'à un fil,* être très compromis, n'exister plus que de manière précaire : *Sa vie ne tenait qu'à un fil. Leur amitié ne tient plus qu'à un fil.* ◆ **filiforme** adj. Fin, mince, allongé comme un fil. (V. EFFILÉ.)

2. fil [fil] n. m. 1° Métal étiré, de section cylindrique déterminée, généralement de très faible diamètre, et de longueur variable : *Fil de cuivre. Fil de fer. Fils de fer barbelés.* — 2° *Fil électrique* ou *fil,* fil d'un métal bon conducteur, et entouré d'une gaine isolante : *Remplacer le fil de sa lampe de chevet.* ‖ Fam. *Ne pas avoir inventé le fil à couper le beurre,* n'être pas bien malin. ◆ **filière** n. f. Pièce d'acier dans laquelle on fait passer une barre de métal pour réduire son diamètre.

3. fil [fil] n. m. *Coup de fil,* coup de téléphone : *Si j'ai un empêchement, je vous donnerai un coup de fil.* ‖ *Avoir quelqu'un au bout du fil,* l'avoir comme interlocuteur au téléphone.

4. fil [fil] n. m. 1° Sens dans lequel s'écoule quelque chose : *Une barque suivait le fil de l'eau.* ‖ *Au fil de,* tout le long de (littér.) : *Au fil des jours, il devenait plus triste.* — 2° Enchaînement logique d'un ensemble d'éléments successifs : *On suivait difficilement le fil de son discours. Suivre le fil de ses pensées* (= ne plus être attentif à ce qui se passe autour de soi, rêver). *Perdre le fil* (= ne plus savoir ce qu'on disait, après une interruption). ◆ **filet** [filɛ] n. m. Ecoulement fin et continu : *Un filet de sang s'échappait de sa blessure. Un filet de voix* (= une voix ténue et affaiblie). ‖ *Un filet de vinaigre,* une très petite quantité de vinaigre.

5. fil [fil] n. m. 1° Partie tranchante d'une lame : *Le fil du rasoir. Le fil d'un couteau* (syn. : TRANCHANT). — 2° *Passer au fil de l'épée,* faire tuer à l'arme blanche (littér.).

1. filament [filamɑ̃] n. m. Elément organique, animal ou végétal, de forme fine et allongée : *Des filaments nerveux. Les filaments d'une écorce.* ◆ **filamenteux, euse** adj. : *Matière filamenteuse.*

2. filament [filamɑ̃] n. m. Fil conducteur porté à l'incandescence dans une ampoule électrique : *Le choc a cassé le filament de la lampe.*

filandreux, euse [filɑ̃drø, -øz] adj. 1° Se dit d'un aliment rempli de fibres longues et difficiles à broyer : *Viande filandreuse. Haricots filandreux.* — 2° Fam. *Discours filandreux,* qui abonde en mots ou en détails inutiles, peu clairs : *Un style filandreux* (syn. : EMPÂTÉ, DÉLAYÉ, INDIGESTE). *Un commentaire filandreux* (syn. : CONFUS, EMBARRASSÉ).

filant, e [filɑ̃, -ɑ̃t] adj. *Etoile filante,* traînée lumineuse, visible dans le ciel nocturne, formée par le déplacement d'une météorite incandescente. (V. aussi FILER 2).

filasse [filɑs] n. f. Amas de filaments de chanvre ou de lin brut : *On emploie de la filasse pour assurer l'étanchéité de certains raccords de tuyauterie* (syn. : ÉTOUPE). ◆ adj. invar. *Des cheveux filasse,* d'un blond pâle, presque blanc.

file [fil] n. f. 1° Suite de personnes ou de choses placées les unes derrière les autres : *Se ranger en file le long du trottoir. Une longue file de voitures attendait* (syn. : RANGÉE, QUEUE). — 2° *Prendre la file,* se mettre à la suite, dans une file. ‖ *Chef de file,* personne qui est en tête d'une file. ‖ *Marcher en* (ou *à la*) *file indienne,* marcher l'un derrière l'autre, en file, de façon très rapprochée. ‖ *Se mettre en files parallèles,* se placer sur plusieurs rangées. • LOC. ADV. *A la file,* l'un derrière l'autre : *Marcher à la file. Se suivre à la file* (syn. : À LA QUEUE LEU LEU). *Se mettre à la file* (= prendre une place dans la file à la suite des autres); sans interruption, l'un après l'autre : *Débiter ses phrases à la file sans réfléchir. Boire trois verres à la file* (syn. : COUP SUR COUP).

1. filer [file] v. tr. 1° Transformer un textile en fil : *Filer de la laine, du chanvre. Métier à filer.* — 2° (sujet nom désignant les araignées, certaines chenilles) Sécréter un fil de soie : *L'araignée file sa toile. Le ver à soie file son cocon.* — 3° Fam. *Filer un mauvais coton,* être engagé dans une mauvaise voie, aller vers une issue funeste : *Il ne cesse de maigrir, on dirait qu'il file un mauvais coton.* ◆ **filateur** n. m. Exploitant d'une filature. ◆ **filature** n. f. Etablissement industriel où l'on file les matières textiles : *Travailler dans une filature.*

2. filer [file] v. tr. 1° *Filer un câble, une amarre,* etc., les dérouler lentement et de façon égale, après les avoir attachés. — 2° *Filer une note,* chanter une note en faisant varier son intensité. ‖ *Filer une métaphore, une image,* continuer à exprimer une idée en se servant des termes d'une comparaison unique : *Son style est fleuri et il aime à filer les métaphores dans des pages entières.* ‖ Fam. *Couple qui file le parfait amour,* qui est dans une période de grand bonheur. ◆ v. intr. (sujet nom désignant un liquide, une masse). Prendre une forme rétrécie et allongée; couler sous forme onctueuse ou visqueuse : *Un sirop qui file. Faire fondre et filer du gruyère.* ◆ **filant, e** adj. Qui prend une forme allongée, sans se diviser en gouttes : *Un liquide filant.* ◆ **filé, e** adj. Qui a reçu une forme étirée, allongée : *Du verre filé.*

3. filer [file] v. tr. *Pop.* Donner, passer : *File-moi du fric!* (= donne-moi de l'argent). [V. REFILER.]

4. filer [file] v. tr. *Filer quelqu'un,* le suivre secrètement pour le surveiller. ◆ **filature** n. f. Poursuite discrète de quelqu'un : *Deux policiers en civil étaient chargés de la filature de l'espion.*

5. filer [file] v. intr. 1° Aller, partir très vite : *Il fila vers la sortie. Ce cheval file bon train* (= galope vite). *Filer comme une flèche.* — 2° (sujet nom désignant un navire) Se déplacer à telle vitesse : *Ce bateau file trente nœuds.* — 3° Fam. Partir d'un endroit en toute hâte (syn. fam. : DÉGUERPIR, DÉCAMPER). — 4° *Filer à l'anglaise,* s'échapper (syn. : PRENDRE LA POUDRE D'ESCAMPETTE). ‖ *L'argent lui file entre les doigts,* il dépense tout ce qu'il a. ‖ Fam. *Filer doux,* obéir très exactement : *Après les ennuis qu'il a causés à ses voisins, il a intérêt* *à filer doux* (= à se tenir tranquille). || Fam. *Filer doux avec quelqu'un,* lui céder par crainte (contr. fam. : FAIRE LE MALIN AVEC QUELQU'UN).

1. filet [filɛ] n. m. 1° Réseau de ficelle ou de cordelette servant dans les sports (volley-ball, tennis, Ping-Pong, etc.) ou dans les jeux du cirque : *Envoyer la balle à ras du filet, dans le filet. Tendre le filet pour les équilibristes.* — 2° *Travailler sans filet,* exécuter son numéro sans filet de protection; affronter les dangers les plus graves. || *Filet à bagages,* ou simplem. *filet,* réseau de ficelle ou de métal, tendu horizontalement au-dessus des places dans un train, un car, etc. || *Filet de chasse,* filet utilisé pour prendre certains gibiers. || *Filet de pêche,* réseau de forme variable, en corde souple, pour la capture des poissons, des crustacés, etc. || *Filet à provisions,* sac de cordelette employé par les ménagères pour porter les provisions. || *Filet à cheveux,* fine résille que les femmes utilisent pour retenir leurs cheveux. — 3° *Attirer quelqu'un dans ses filets,* chercher à le séduire, à le tromper, etc. (littér.; syn. : RETS). || *Faire un coup de filet,* monter une opération de police au cours de laquelle plusieurs personnes sont appréhendées, puis relâchées éventuellement après vérifications. (V. aussi FIL 4.)

2. filet [filɛ] n. m. 1° Morceau de viande de boucherie découpé le long de l'épine dorsale : *Filet de bœuf. Filet de porc.* — 2° Morceau d'un seul tenant de la chair d'un poisson : *Filet de hareng. Filet de maquereau. Filet d'anchois.* — 3° *Faux filet,* morceau du bœuf situé le long de l'échine.

3. filet [filɛ] n. m. Rainure d'une vis. ◆ **fileter** v. tr. (conj. 8). Creuser une rainure en forme d'hélice sur une pièce métallique cylindrique : *Fileter un axe. Vis à bout fileté.* ◆ **filetage** n. m. 1° Action de fileter. — 2° Filets d'une vis.

filial, e, aux [filjal, -jo] adj. Propre à un enfant (à l'égard de ses parents) : *Amour filial. Piété filiale. Les devoirs filiaux.* ◆ **filialement** adv.

filiale [filjal] n. f. Entreprise créée et contrôlée par une société mère : *Cette firme a constitué plusieurs filiales en province.*

filiation [filjasjɔ̃] n. f. 1° Lien de parenté qui unit en ligne directe des générations entre elles : *Il prétendait descendre par filiation directe d'Henri IV.* — 2° Enchaînement logique entre des choses : *Etudier la filiation des mots* (= comment les mots se transforment au cours du temps).

filière [filjɛr] n. f. 1° Succession de degrés à gravir, d'étapes à franchir, de formalités à accomplir, etc., qui se suivent dans un ordre immuable : *Pour rencontrer le ministre, il faut passer par la filière* (= faire la série habituelle de démarches). — 2° *Suivre la filière,* passer par tous les grades ordinaires d'une carrière. (V. aussi FIL 2.)

filigrane [filigran] n. m. Dessin qui apparaît en transparence dans certains papiers : *Les filigranes des billets de la Banque de France.* ● LOC. ADJ. et ADV. *En filigrane,* se dit de ce dont on devine la présence : *Son ambition démesurée apparaissait en filigrane jusque dans ses moindres actions* (syn. : À L'ARRIÈRE PLAN, ENTRE LES LIGNES).

filin [filɛ̃] n. m. Cordage de marine.

1. fille n. f. V. FILS.

2. fille [fij] n. f. 1° Personne du sexe féminin considérée en elle-même (par oppos. à GARÇON) : *Ecole de filles.* — 2° *Grande fille,* adolescente. || *Petite fille,* fille considérée depuis l'âge infantile jusqu'au sortir de l'enfance. || *Fille d'auberge,* servante d'auberge. || *Fille de ferme,* personne salariée travaillant dans une exploitation agricole. || *Fille d'honneur,* suivante d'une princesse ou d'une reine. || *Fille de salle,* personne salariée, chargée des travaux de ménage et de nettoyage dans un hôpital ou une clinique. ◆ **fillette** n. f. Petite fille, considérée jusqu'à l'adolescence.

3. fille [fij] n. f. 1° Personne du sexe féminin qui n'est pas mariée, ou qui est vierge : *Arrivée à trente-cinq ans, elle envisageait de rester fille toute sa vie* (syn. : CÉLIBATAIRE). — 2° *Jeune fille,* fille nubile non mariée : *Une petite jeune fille. Une gracieuse jeune fille.* || *C'est une vraie jeune fille,* une personne innocente et pure. || *Vieille fille,* personne qui a atteint ou dépassé l'âge mûr sans se marier : *Elle est restée vieille fille* (au masc. : VIEUX GARÇON). || *Fille mère,* femme qui a eu un enfant sans être mariée (syn. jurid. : MÈRE CÉLIBATAIRE).

4. fille [fij] n. f. Femme débauchée : *Une fille qui fait le trottoir* (syn. : FILLE PUBLIQUE, FILLE DE JOIE). || *Fille repentie,* femme qui s'est retirée après une vie de débauche (littér.).

filleul, e [fijœl] n. Personne dont on est le parrain ou la marraine.

1. film [film] n. m. Bande pelliculaire traitée chimiquement, employée en photographie et en cinématographie : *Mettre un film dans un appareil photo* (syn. : PELLICULE).

2. film [film] n. m. Œuvre cinématographique : *Un film documentaire. Un film muet, parlant, en couleurs.* ◆ **filmer** v. tr. Enregistrer un spectacle, une scène, etc., pour en faire un film de cinéma : *Filmer des chevaux en liberté. Filmer une scène de violence.* ◆ **filmage** n. m. : *Le filmage d'une scène* (syn. : TOURNAGE). ◆ **filmique** adj. Se dit d'une chose filmée ou digne d'être filmée (langue soutenue) : *L'œuvre filmique de Jean Cocteau. Je trouve cette scène d'enfant assez filmique.* ◆ **filmologie** n. f. Etude scientifique des œuvres de cinéma.

3. film [film] n. m. Dans le langage des journalistes, déroulement continu : *Suivre le film des événements. Le film de sa vie tient en trois lignes.*

1. filon [filɔ̃] n. m. Masse allongée d'une matière telle qu'une roche, un minerai, située au milieu de couches de matières différentes : *Exploiter, suivre un filon. Un filon riche, pauvre.*

2. filon [filɔ̃] n. m. *Fam.* Situation qui permet de s'enrichir facilement, d'arriver à ce qu'on veut : *Trouver le filon. Un bon filon.*

filou [filu] n. m. 1° Voleur adroit et rusé : *C'est un filou qui lui a vendu sa montre.* — 2° *Fam.* Enfant espiègle, coquin : *Ce petit filou m'avait caché mes lunettes.* ◆ adj. : *Il est très filou.* ◆ **filouter** v. tr. Voler avec adresse : *Quand il a récupéré ses vêtements, il s'est aperçu qu'on lui avait filouté sa montre et son portefeuille* (syn. : SUBTILISER; fam. : CHIPER, CHAPARDER, PIQUER; pop. : FAUCHER). ◆ **filouterie** n. f., ou plus rarement **filoutage** n. m. : *Expert en filouterie.*

fils [fis] n. m., **fille** [fij] n. f. 1° Personne du sexe masculin ou du sexe féminin considérée par rapport à ses parents : *Le fils aîné a hérité de la ferme de ses parents. La fille aînée.* — 2° *Fils, fille de la mai-*

ron, fils, fille du maître et de la maîtresse de maison. || *Fils de famille,* enfant d'une famille aisée. || Fam. *Fils, fille à papa,* enfant né de parents riches, dont la conduite est égoïste, prodigue, etc. || *Fils naturel* (*fille naturelle*), fils (fille) né (e) hors du mariage. || *Fils spirituel* (*fille spirituelle*), celui (celle) qui est le dépositaire unique ou principal d'un maître : *Alain a eu beaucoup de fils spirituels* (syn. : DISCIPLE, CONTINUATEUR). || *Fils de ses œuvres,* se dit d'une personne qui ne doit sa situation qu'à elle-même (langue soutenue; syn. : SELF-MADE MAN). || *Une fille d'Eve,* une femme rusée et coquette. || *La fille de la maison,* la fille unique de la famille. || Fam. *Jouer la fille de l'air,* disparaître sans avertir.

filtre [filtr] n. m. 1° Appareil à travers lequel on fait passer un liquide ou un gaz pour le débarrasser des matières qui s'y trouvent en suspension, ou pour l'extraire des matières auxquelles il se trouve mélangé : *Mettre un filtre à une citerne pour obtenir de l'eau potable.* || *Café filtre,* ou simplem. *filtre,* café qu'on passe directement dans la tasse au moyen d'un filtre individuel. — 2° Dispositif placé devant un objectif et interceptant certains rayons lumineux : *Photographier des nuages avec un filtre jaune.* — 3° Appareil acoustique ne laissant passer que certaines fréquences d'un son : *Mettre un filtre à son poste radio. Filtre antiparasite.* ◆ **filtrer** v. tr. *Filtrer un liquide, un gaz,* le soumettre au passage dans un filtre : *Filtrer une décoction de camomille.* ◆ v. intr. 1° (sujet nom désignant un liquide, un gaz) Passer lentement à travers une matière perméable : *Les sirops filtrent lentement.* — 2° (sujet nom désignant la lumière, le jour) Traverser un corps, se glisser par un interstice. — 3° (sujet nom abstrait) Passer en dépit des obstacles, des précautions : *La nouvelle de sa mort a filtré jusqu'à nous* (= est arrivée jusqu'à nous). ◆ **filtrant, e** adj. 1° *Porter des lunettes à verres filtrants* (= qui ne laissent passer que certains rayons lumineux). — 2° *Virus filtrant,* germe qui traverse tous les filtres et n'est visible qu'au microscope. ◆ **filtration** n. f. ou **filtrage** n. m. Passage d'un liquide à travers un corps perméable. (V. INFILTRER [s'].)

1. filtrer v. tr. V. FILTRE.

2. filtrer [filtre] v. tr. *Filtrer des personnes, des nouvelles,* en contrôler sévèrement le passage, la diffusion : *Un cordon de soldats filtrait les diverses délégations qui voulaient arriver jusqu'au palais.* ◆ **filtrage** n. m. Contrôle minutieux effectué dans un groupe d'individus : *La police a fait un filtrage sévère des suspects* (= a passé au peigne fin).

1. fin [fɛ̃] n. f. 1° Arrêt d'une chose qui se déroule dans le temps, moment où elle cesse d'exister ou de se produire : *La fin de l'année* (syn. : BOUT). *La fin d'une session* (syn. : CLÔTURE). *La fin du jour* (syn. : DÉCLIN). *La fin de la journée. La fin d'un mandat* (syn. : EXPIRATION). *La fin de ses malheurs* (syn. : CESSATION). *La fin de sa vie* (syn. : TERME). *La fin du monde* (syn. : DESTRUCTION, ANÉANTISSEMENT). *La fin d'un roman, d'un film* (syn. : DÉNOUEMENT, CONCLUSION). — 2° Mort : *Avoir une fin brusque, lente, prématurée, rapide,* etc. *La fin prématurée d'un savant* (syn. : DÉCÈS). — 3° (sujet nom de personne) *Avoir, faire une belle fin,* mourir de façon édifiante : *Après une vie de débauche, il s'est converti et a fait une belle fin.* || *Approcher de la fin,* se terminer, être sur le point de s'achever (sujet nom de chose); n'être pas éloigné du moment de mourir (sujet nom désignant un être vivant). || *Le mot de la fin,* mot spirituel ou profond qui termine une discussion, une querelle. || *Fin de mois,* période qui précède le jour où est versé un salaire mensuel : *Avoir des fins de mois difficiles.* || Fam. *C'est la fin de tout!,* c'est pire que tout, c'est désastreux. || *Etre en fin de,* être placé au bout d'une collection d'objets, d'une rangée de personnes : *Il est en fin de liste* (syn. : EN BOUT DE). || Fam. *Etre en fin de course,* être épuisé après avoir fourni un grand effort, ou après une vie de labeur : *Il vaut mieux prendre sa retraite tout de suite que quand on est en fin de course.* || (sujet nom de personne) *Faire une fin,* se marier : *Après une jeunesse dissipée, il s'est décidé sur le tard à faire une fin.* || *Mener une chose à bonne fin,* la terminer de façon satisfaisante : *Mener à bonne fin une négociation.* || *Mettre fin à,* faire cesser quelque chose : *L'intervention de la police a mis fin à la bagarre.* || *Mettre fin à ses jours,* se donner la mort. || *Prendre fin,* se terminer, s'achever : *La réunion a pris fin à quatre heures.* || (sujet nom de chose) *Tirer à sa fin,* être sur le point de se terminer : *Le règne de la petite entreprise tire à sa fin* (syn. : S'ACHEVER). ● LOC. ADV. *A la fin,* en définitive, pour conclure : *Nous l'avons très souvent invité, mais il refusait toujours. A la fin, il est venu la semaine dernière* (syn. : FINALEMENT); en dernier lieu : *Mettre du lait et du sucre dans une casserole, faire cuire, et, à la fin, ajouter de la vanille* (contr. : AU COMMENCEMENT); marque l'impatience : *Allons, dépêche-toi! Vas-tu venir, à la fin?* ● LOC. PRÉP. *A la fin de* (*quelque chose*), au moment où cette chose se termine : *Vous viendrez à la fin de l'après-midi. A la fin de la Révolution. A la fin du livre, il y a un peu plus d'images.* || *Sans fin,* sans cesse, continuellement : *Il discourait sans fin, s'écoutant parler et ivre de mots. Le feu reprenait sans fin dans la forêt.* || *En fin de,* dans la dernière partie de : *En fin de journée, de semaine, de saison.* || *En fin de compte,* en dernier lieu et pour conclure (syn. : AU BOUT DU COMPTE). ◆ **fin** prép. *Fin mai, fin juillet,* etc., à la fin du mois de mai, de juillet, etc. ◆ **final, e, als** adj. 1° Se dit de quelque chose qui termine une série, un ensemble, une continuité : *Les accords finals de « la Marseillaise ».* — 2° *Victoire finale,* victoire qui intervient au bout d'une longue lutte. || *Point final,* dernier point, signe de ponctuation ultime placé au bout d'une phrase écrite ou d'un ensemble de phrases. || *Mettre un point final à quelque chose,* le terminer définitivement, de façon qu'on n'ait plus à y revenir : *Le vote de l'assemblée générale a mis un point final aux discussions.* ◆ **finale** n. f. 1° Syllabe ou voyelle qui termine un mot : *La finale de certains mots est accentuée en italien.* — 2° Dernière épreuve, dans une série ordonnée de compétitions sportives : *L'équipe de Rennes est restée en finale. La finale de la Coupe de France. La finale du championnat de tennis, de hockey sur glace, etc.* ◆ **finale** ou **final** n. m. Dernier mouvement d'un morceau de musique (symphonie ou sonate). ◆ **finalement** adv. En fin de compte, pour terminer, pour en finir : *Il a longtemps sonné à cette porte, puis finalement il est reparti.* ◆ **finaliste** n. et adj. Se dit d'un sportif ou d'une équipe sportive qualifiés pour une finale.

2. fin [fɛ̃] n. f. 1° Objectif qu'on se propose en accomplissant une tâche, ou vers lequel tend le déroulement d'une action : *Parvenir à ses fins* (syn. : BUT). *La fin justifie les moyens.* — 2° *A cette fin,* pour atteindre cet objectif. || *A seule fin de,* syn. de AFIN DE, dans la langue admin. ◆ **final, e, als**

adj. 1° *Cause finale,* chose qui en explique une autre dans la mesure où elle en est le but : *Ce philosophe recherche les causes finales.* — 2° *Proposition finale,* en grammaire, proposition qui indique une idée de but ou d'intention et qui est introduite par une conjonction telle que *pour que, afin que.* ◆ **finalité** n. f. 1° Caractère d'un fait, d'un enchaînement d'événements où l'on voit un but, une évolution orientée : *Croire à la finalité en histoire.* — 2° Adaptation progressive d'un être vivant à ce qui est supposé être le terme d'une évolution allant dans le sens du meilleur : *Il avait recours à la notion de finalité pour admettre que la fonction crée l'organe.* ◆ **finalisme** n. m. Doctrine philosophique fondée sur l'idée de finalité. ◆ **finaliste** n. et adj.

3. fin [fɛ̃] n. f. *Fin de non-recevoir,* refus catégorique opposé à une demande : *A toutes mes lettres, il a répondu par une fin de non-recevoir.*

4. fin, e [fɛ̃, fin] adj. 1° Se dit d'une chose d'une extrême petitesse, ou d'un ensemble de choses dont chaque élément est petit : *C'est du fil trop fin, il faut une loupe. Ecriture fine* (syn. : ↑ MICROSCOPIQUE; contr. : GROS, ÉTALÉ). *Sable fin. Petits pois extra-fins. Sel fin* (contr. : GROS). — 2° Se dit d'une chose dont l'apparence étroite, effilée est considérée comme belle : *Un visage fin* (contr. : ROND, PLEIN). *Une taille fine* (contr. : ÉPAIS). — 3° Se dit d'une chose de forme très aplatie, de faible épaisseur : *Dentelle fine. Papier fin. Verre fin* (contr. : ÉPAIS). *Tissu fin* (contr. : GROS). ◆ **finesse** n. f. 1° *La finesse d'un point de dentelle* (syn. : DÉLICATESSE). *Finesse des cheveux* (syn. : TÉNUITÉ). *Finesse de la taille. Finesse des traits. Finesse d'un tissu.* — 2° *Finesse d'exécution,* exécution poussée jusque dans les petits détails. ◆ **finement** adv. : *Bijou finement travaillé.*

5. fin, e [fɛ̃, fin] adj. 1° Se dit d'une chose parfaite, pure, ou qui est considérée comme l'indice d'une vie raffinée : *Epicerie fine. Un repas fin.* — 2° *Partie fine,* partie de plaisir. ‖ *Or fin,* or pur (contr. : BRUT). ‖ *Perle fine, pierre fine,* perle, pierre (autre que diamant, rubis, saphir et émeraude) utilisée en joaillerie. ‖ *Vins fins,* vins choisis pour leur goût raffiné. ‖ *Fine fleur,* partie soigneusement triée d'un ensemble de personnes : *Faire partie de la fine fleur de la société.* ‖ *Fines herbes,* herbes aromatiques utilisées en cuisine. ◆ **fine** n. f. Eau-de-vie de qualité supérieure.

6. fin, e [fɛ̃, fin] adj. 1° (après le nom) Se dit d'une chose dont l'extrémité est très pointue ou effilée : *Un pinceau fin* (= dont l'extrémité est constituée de peu de poils; contr. : ÉPAIS). *Une plume fine* (= dont la pointe est aiguë; contr. : GROS). *Une pointe fine* (contr. : ÉMOUSSÉ). — 2° (après le nom) Se dit d'un organe des sens qui peut percevoir des sensations très légères : *Les chiens ont l'odorat très fin* (syn. : DÉLIÉ, SUBTIL). *Avoir l'ouïe* (ou *l'oreille*) *fine* (contr. : DUR). — 3° Se dit d'une personne (de son esprit, de son comportement) qui fait preuve de pénétration, qui a le sens des nuances : *C'est un garçon très fin, qui comprend à demi-mot* (syn. : SUBTIL). *Esprit fin* (syn. : PÉNÉTRANT, DÉLICAT; contr. : GROSSIER). *Observation fine* (= observation d'une chose juste et qui échappe aux autres). *Ecrire des pensées fines* (= pleines de justesse et délicates). *Raillerie fine* (contr. : GROSSIER, LOURD, BALOURD). *Plaisanterie fine* (contr. : GROS). — 4° (avant le nom) Fam. *Fine gueule,* personne qui sait apprécier les plats bien cuisinés (syn. : GOURMET). ‖ Fam. *Fin limier,* habile policier. ‖ *Fine mouche,* femme subtile et rusée. ‖ Fam. *Avoir le nez fin,* deviner intuitivement les idées ou les sentiments cachés d'autrui : *Dans sa vie sentimentale, elle n'a pas eu tellement le nez fin;* pressentir un événement fâcheux : *Quand il apprit la faillite de cette entreprise, il se dit qu'il avait eu le nez fin en vendant toutes ses actions* (syn. fam. : AVOIR LE NEZ CREUX; contr. : MANQUER DE FLAIR). ◆ **fin** n. m. *Jouer au plus fin,* chercher à l'emporter sur un adversaire en se montrant plus rusé que lui : *Ne joue pas au plus fin avec moi.* ‖ Fam. *Le fin du fin,* ce qu'il y a de plus subtil, de plus délicat. ◆ **finement** adv. : *Une phrase finement tournée* (= de manière spirituelle, astucieuse). *Il a finement calculé son coup* (= de manière rusée). ◆ **finesse** n. f. 1° *La finesse d'une pointe* (syn. : ACUITÉ). *La finesse de l'oreille* (syn. : SENSIBILITÉ). *La finesse d'une intelligence* (syn. : ACUITÉ, PÉNÉTRATION). *La finesse d'une observation* (syn. : JUSTESSE, PRÉCISION). *La finesse d'une plaisanterie. Rechercher des finesses là où il n'y en a pas* (syn. : SUBTILITÉ). — 2° *Connaître les finesses d'une chose,* la connaître dans ses aspects les plus subtils. ‖ *Entendre finesse à quelque chose,* y voir une intention hostile (littér.) [syn. : VOIR MALICE].

7. fin [fɛ̃] adj. m. (Placé devant certains noms, a une valeur superlative.) *Fin connaisseur,* celui qui connaît très bien quelque chose : *Pour la chasse, c'est un fin connaisseur.* ‖ *Le fin fond de quelque chose,* la partie la plus reculée : *Aller dans le fin fond des forêts.* ‖ *Le fin mot de quelque chose,* ce qui l'explique complètement, ou ce qui en est la cause profonde. ◆ **fin** adv. (devant certains adjectifs). Complètement, entièrement : *Ils sont fin* (ou *fins*) *prêts. Elle est fin prête.*

finance [finɑ̃s] n. f. 1° Argent : *Obtenir quelque chose moyennant finance* (= en versant de l'argent). — 2° Profession d'une personne qui manie, qui capitalise, qui investit, etc., de l'argent : *Il est entré dans la finance. La haute finance.* ◆ **finances** n. f. pl. 1° Argent dont dispose une personne, un groupe : *L'état de mes finances ne me permet pas cet achat* (syn. : FONDS). *Surveiller les finances d'une société* (syn. : TRÉSORERIE). — 2° Ensemble des activités concernant les mouvements d'argent de l'Etat : *L'administration des Finances requiert des fonctionnaires hautement qualifiés.* — 3° *Loi de finances,* loi par laquelle le Parlement autorise le gouvernement à engager les dépenses et à recouvrer les recettes. ◆ **financer** v. tr. *Financer quelque chose, quelqu'un,* verser de l'argent pour entretenir, développer, etc. : *Financer une entreprise. Financer un journal. Financer un représentant à l'étranger.* ◆ **financement** n. m. Versement d'argent : *Financement d'une entreprise par l'Etat, par les banques. Dresser un plan de financement.* ◆ **financier, ère** adj. Relatif à l'argent qu'on gagne, qu'on place, aux fonds qu'on gère, etc. : *Avoir des embarras financiers* (syn. : PÉCUNIAIRE). *C'est un désastre financier. Equilibre financier* (syn. : BUDGÉTAIRE). ◆ **financier** n. m. Personne qui gère des fonds. ◆ **financièrement** adv. : *Entreprise financièrement réalisable.*

financière adj. f. et n. f. Se dit d'une sauce et d'une garniture utilisées en cuisine.

finasser [finase] v. intr. *Fam.* User de subtilités, de subterfuges pour éviter quelque chose : *Chaque fois que je lui parlais d'acheter son pré, il finassait toujours* (syn. : RUSER). ◆ **finasserie** n. f. Fam. : *J'ai déjoué toutes ses finasseries* (syn. : TROMPERIE).

finaud, e [fino, -od] adj. et n. m. Se dit d'une personne rusée sous des dehors simples et honnêtes : *Un paysan finaud* (syn. : RETORS, MATOIS, MADRÉ). ◆ **finauderie** n. f. : *Son visage décèle la finauderie.*

fini, e [fini] adj. Qui a des bornes, qui est limité (littér.) : *Toutes les expériences humaines sont finies. L'homme est un être fini* (contr. : INFINI). ◆ **fini** n. m. Ce qui est limité (littér.) : *L'esprit de l'homme peut concevoir l'infini par la négation du fini* (contr. : INFINI). [V. aussi FINIR.]

1. finir [finir] v. tr. *Finir un ouvrage, un travail,* etc., le mener à son terme, l'achever : *Elève qui a fini son devoir* (syn. : ACHEVER, TERMINER). *Il faut finir rapidement cette affaire* (syn. : EXPÉDIER). *Finir la vaisselle* (= achever de la nettoyer). ◆ **fini, e** adj. 1° Se dit de ce qui est achevé ou porté à sa perfection : *Mon travail est fini* (syn. : TERMINÉ). *Cette pièce de bois a été mal finie* (syn. : POLI). — 2° (après certains noms) Se dit d'une personne arrivée au dernier degré de quelque chose : *Un coquin fini. Un ivrogne fini. Un menteur fini* (syn. : ACHEVÉ, FIEFFÉ). ◆ **fini** n. m. Qualité d'une chose qui a été poussée au dernier degré de perfection : *Ce dessin manque de fini* (syn. : POLI). *Le fini d'un ouvrage* (syn. : PERFECTION). ◆ **finish** [finiʃ] n. m. 1° Effort maximal fourni au cours de la dernière partie d'une compétition : *Je l'attends au finish. Il manque de finish.* — 2° *Au finish,* au moment du finish. ‖ *Match au finish,* match qui cesse quand l'un des adversaires est hors de combat. ◆ **finissage** n. m. Opération par laquelle on termine un ouvrage, un travail manuel. ◆ **finition** n. f. 1° Opération par laquelle on achève un travail de confection, de construction, de mécanique, etc. : *La finition d'une robe.* — 2° *Travaux de finition,* travaux de construction par lesquels on achève le gros œuvre et l'équipement d'un immeuble, d'une maison, etc. ◆ **finisseur, euse** n. Concurrent qui, dans une course, manifeste des qualités spéciales en fin de parcours.

2. finir [finir] v. tr. 1° Terminer une période de temps, épuiser une quantité d'objets, une matière, etc. : *Finir sa vie dans la misère. Finir son service militaire. Finir son assiette* (= vider son contenu). *Finir son pain. Finir un paquet de cigarettes. Finissez!* (= terminez!). — 2° *Finir de* (et l'infin.), cesser de faire quelque chose : *J'ai fini de travailler. C'est fini de rire* (= cela devient sérieux).

3. finir [finir] v. intr. 1° Arriver à son terme, être au dernier moment de quelque chose : *Les vacances finissent* (syn. : SE TERMINER). *Il est grand temps que ça finisse!* (syn. : CESSER, S'ARRÊTER). *Finir glorieusement, tristement, dans la misère, oublié de tous,* etc. (= mourir glorieusement, etc.). — 2° *Finir en quelque chose,* se terminer sous la forme de : *Cette planche finit en pointe.* ‖ *Finir bien,* avoir un dénouement heureux : *Aimer les films qui finissent bien* (contr. : FINIR MAL). ‖ *Mal finir* ou *finir mal,* mal se terminer (sujet nom de chose) : *Tout cela va mal finir;* tomber dans la débauche, devenir malhonnête (sujet nom de personne) : *Ce garçon finira mal* (syn. : TOURNER MAL). — 3° Fam. *Finir en beauté,* se terminer de façon réussie (sujet nom de chose) : *La soirée, mal commencée, a fini en beauté;* arriver au bout d'une épreuve physique en triomphant des obstacles, des concurrents, etc. (sujet nom de personne). — 4° *Finir par* (et un nom), être marqué ou accompagné vers sa fin par : *Le bal a fini par une farandole. En France, tout finit par des chansons;* (et l'infin.) arriver à un résultat : *Il finira bien par comprendre* (syn. : ARRIVER À). *Tu finis par m'ennuyer* (même sens que *tu commences à m'ennuyer*). — 5° *En finir,* parvenir à une solution (se dit généralement d'une chose désagréable) : *Encore un peu de courage : tu en auras bientôt fini. En finir avec un travail, un problème.* ‖ *En finir avec quelqu'un,* cesser de s'occuper de lui, se débarrasser de lui. ◆ **fini, e** adj. Se dit d'une personne, ou parfois d'une chose, arrivée au bout de ses possibilités : *Depuis la faillite, c'est un homme fini* (syn. : ÉPUISÉ; fam. : FICHU). *Tu peux abandonner cette voiture : elle est finie* (syn. : USÉ).

1. fiole [fjɔl] n. f. Petite bouteille à col étroit.

2. fiole [fjɔl] n. f. *Pop.* Tête.

fioritures [fjɔrityr] n. f. pl. 1° Ornements petits, compliqués ou en nombre excessif : *Un dessin plein de fioritures.* — 2° *Fioritures de style,* tournures de style compliquant l'idée qu'on veut exprimer (syn. : FAUSSES ÉLÉGANCES, FLEURS DE RHÉTORIQUE).

firmament [firmamɑ̃] n. m. Voûte céleste et azurée, qui s'étend au-dessus de nos têtes (littér.).

firme [firm] n. f. Entreprise industrielle ou commerciale.

fisc [fisk] n. m. Ensemble des administrations publiques chargées de percevoir les impôts. ◆ **fiscal, e, aux** adj. 1° Se dit d'une personne employée par l'administration des impôts : *Agent fiscal.* — 2° Se dit d'une chose relative aux impôts : *Timbre fiscal. Une réforme fiscale.* ◆ **fiscalité** n. f. 1° Système d'après lequel sont perçus les impôts : *Refondre la fiscalité d'un pays.* — 2° Ensemble des charges de l'impôt : *Une fiscalité excessive.*

fission [fisjɔ̃] n. f. Processus au cours duquel le noyau d'un atome lourd (uranium, plutonium, etc.) se sépare en deux parties, en libérant une certaine quantité d'énergie. ◆ **fissile** adj. Se dit d'un élément chimique susceptible de subir une fission : *Les matières fissiles sont l'uranium et le plutonium.*

fissure [fisyr] n. f. 1° Fente généralement légère : *Un vase de fleurs dont l'émail est couvert de fissures* (syn. : CRAQUELURE). *Il y a une grande fissure dans ce mur* (syn. : CREVASSE). — 2° Point faible qui compromet la solidité d'une argumentation, la cohésion d'un groupe, etc. : *Il y a une fissure dans ce raisonnement* (syn. : LACUNE, FAILLE; SOLUTION DE CONTINUITÉ, langue soutenue). ◆ **fissurer** v. tr. Former des fissures : *L'eau avait fissuré le plafond.* ◆ ***se fissurer*** v. pr. Se couvrir de petites fentes : *Avec cette sécheresse, le sol se fissure* (syn. : SE CRAQUELER). ◆ **fissuré, e** adj. : *Un mur fissuré* (syn. : LÉZARDÉ). *Un rocher fissuré* (syn. : CREVASSÉ). ◆ **fissuration** n. f. : *Une fissuration due au gel.*

fiston [fistɔ̃] n. m. Appellation familière d'un jeune garçon (syn. : MON GARS, PETIT). [V. FILS.]

fistule [fistyl] n. f. Canal artificiel, ou d'origine congénitale ou pathologique, qui fait communiquer anormalement un organe avec l'extérieur ou avec un autre organe.

1. fixer [fikse] v. tr. 1° (sujet nom de personne) *Fixer quelque chose,* l'établir à une place ou à une date de manière stable, durable : *Fixer un tableau au mur* (syn. : ACCROCHER). *On avait fixé un poteau à l'angle du terrain* (syn. : PLANTER). *Avez-vous fixé un emplacement pour la tente?* (syn. : DÉTERMINER).

Fixer un souvenir dans son esprit (syn. : GRAVER). *Fixer les yeux, son esprit, son attention sur quelque chose* (= porter ses yeux, son esprit, son attention de manière durable ou concentrée sur cette chose; syn. : ARRÊTER). *Fixer son choix sur une chose* (= la choisir après réflexion; syn. : ARRÊTER). *Fixer un rendez-vous* (syn. : DONNER). *Fixer une date, un délai* (syn. : INDIQUER, PRESCRIRE, ASSIGNER). *Fixer une règle* (syn. : POSER, FORMULER). — 2° (sujet nom de personne ou de chose) *Fixer quelque chose,* l'établir dans un état durable, l'empêcher d'évoluer, en préciser le caractère, les limites : *Fixer les attributions de quelqu'un* (syn. : DÉLIMITER). *Le gouvernement avait fixé le montant des importations* (syn. : RÉGLEMENTER, CONTINGENTER). — 3° *Fixer quelqu'un,* l'empêcher d'évoluer, de vivre sans attache, etc. : *Elle cherche à fixer un mari inconstant* (syn. : RETENIR). *Le mariage le fixera* (syn. : STABILISER). ◆ ***se fixer*** v. pr. 1° (sujet nom de chose) Cesser de se déplacer, de bouger : *Son regard se fixa sur moi* (syn. : S'ARRÊTER). *Son attention a de la peine à se fixer* (syn. : SE CONCENTRER). — 2° (sujet nom de personne) S'établir d'une manière permanente : *Après des études de médecine, il est allé se fixer dans le Midi.* ◆ **fixe** adj. 1° Se dit d'une chose qui ne bouge pas d'un endroit ou qui est arrêtée dans une position déterminée : *Un point fixe* (contr. : MOBILE). — 2° *Barre fixe,* v. BARRE. ‖ *Beau fixe,* se dit à propos du temps qu'il fait : *Le baromètre, le temps est au beau fixe* (= il va faire beau de façon durable). ‖ *Regard fixe,* regard dirigé dans le vague, les yeux grands ouverts et immobiles. — 3° Se dit d'une chose qui a été déterminée, réglée à l'avance de façon précise et définitive : *Avoir un domicile fixe* (syn. : PERMANENT; contr. : TEMPORAIRE). *Un camp fixe* (contr. : VOLANT). *Avoir des heures fixes* (syn. : RÉGULIER). *Restaurant à prix fixe. Avoir des parts d'intéressement en plus d'un salaire fixe. Capital fixe* (contr. : CIRCULANT). ◆ **fixement** adv. : *Regarder fixement quelque chose ou quelqu'un* (syn. : ↓ EN FACE, ↑ INTENSÉMENT). ◆ **fixe** n. m. Appointements réguliers : *Outre ses commissions, il touche un fixe mensuel.* ◆ **fixation** n. f. Action par laquelle une chose est fixée ou définitivement réglée : *Fixation d'un clou. Fixation des taxes. Abcès de fixation.* ◆ **fixisme** n. m. Théorie selon laquelle les espèces vivantes n'ont subi aucune évolution depuis leur création. ◆ **fixiste** adj. et n. ◆ **fixité** n. f. Etat d'une chose parfaitement immobile, définitivement invariable : *Fixité d'un regard* (contr. : MOBILITÉ).

2. fixer [fikse] v. tr. *Fixer quelque chose, quelqu'un,* le regarder de manière continue, avec une grande attention : *Il fixait la haie d'où le gibier pouvait sortir. Elle le fixa longuement avant qu'il commençât à parler.*

3. fixer [fikse] v. tr. 1° *Fixer quelqu'un,* le renseigner de manière précise et définitive : *S'il ne sait encore rien de ce qui l'attend, je vais aller le fixer.* — 2° *Fixer quelqu'un sur quelque chose,* l'informer de quelque chose de particulier, qui l'intéresse ou le concerne particulièrement, etc. ◆ **fixe** adj. *Ne rien savoir de fixe,* ne pas avoir un renseignement auquel on puisse se fier : *Pour sa nomination, il ne savait encore rien de fixe* (syn. : CERTAIN, SÛR, DÉFINITIF). ◆ **fixé, e** adj. 1° Se dit d'une personne qui a reçu des renseignements : *Je l'ai vu à l'œuvre et je suis fixé* (= je sais à quoi m'en tenir). — 2° *Etre fixé sur quelqu'un,* savoir à quoi s'en tenir sur son compte, ne plus avoir d'illusion à son égard. — 3° Se dit d'une personne qui a pris une décision : *Pour les prochaines vacances, nous ne sommes pas encore très fixés.*

4. fixer [fikse] v. tr. *Fixer une image photographique, un dessin,* les rendre inaltérables par un traitement spécial. ◆ **fixage** n. m. ◆ **fixateur** n. m. 1° Bain utilisé pour le fixage d'une photographie. — 2° Vaporisateur qui sert à fixer un dessin sur le papier. — 3° Produit brillantiné qui sert à maintenir les cheveux dans leurs plis. ◆ **fixatif** n. m. Préparation liquide incolore, qui permet de fixer un dessin.

flacon [flakɔ̃] n. m. Petite bouteille, de facture soignée, destinée à contenir des liquides précieux.

fla-fla [flafla] n. m. Fam. *Faire des fla-flas,* rechercher des effets.

flageller [flaʒɛle] v. tr. *Flageller quelqu'un,* le battre à coups de fouet ou de verge (littér.; syn. : FUSTIGER; FOUETTER). ◆ ***se flageller*** v. pr. : *Il se flagelle par pénitence.* ◆ **flagellation** n. f.

flageoler [flaʒɔle] v. intr. Avoir les jambes tremblantes, par excès de fatigue ou sous le coup d'une émotion : *Cet enfant flageole sur ses jambes.* ◆ **flageolant, e** adj. : *Se sentir flageolant pendant une convalescence. Avoir les jambes flageolantes.*

1. flageolet [flaʒɔlɛ] n. m. Petite flûte à bec, en bois, à six trous.

2. flageolet [flaʒɔlɛ] n. m. Petit haricot.

flagorner [flagɔrne] v. tr. *Flagorner quelqu'un* (littér.), le flatter de façon servile et fréquemment : *Pour obtenir ce poste, il flagorna le ministre six mois durant* (syn. : ↓ FLATTER; fam. : LÉCHER). ◆ **flagornerie** n. f. (littér.) : *Aimer la flagornerie* (syn. fam. : LÈCHE). ◆ **flagorneur, euse** n. (littér.) : *Un vil flagorneur* (syn. : FLATTEUR; fam. : LÉCHEUR, LÈCHE-BOTTES).

flagrant, e [flagrɑ̃, -ɑ̃t] adj. 1° Se dit d'une chose qui apparaît de façon évidente et incontestable : *Il est victime d'une injustice flagrante. Une erreur flagrante. Il y a là une contradiction flagrante.* — 2° *Flagrant délit,* v. DÉLIT.

1. flairer [flɛre] v. tr. *Flairer une odeur, un objet,* sentir discrètement cette odeur, appliquer son odorat à cet objet : *Le chien flairait les encoignures des portes* (syn. : HUMER, ↑ RENIFLER). ◆ **flair** n. m. Odorat d'un animal.

2. flairer [flɛre] v. tr. Discerner une chose invisible ou secrète, deviner l'action d'une personne ou d'une chose : *Son vieil ami a flairé là-dessous un piège* (syn. : DEVINER, PRESSENTIR, SOUPÇONNER, SUBODORER, SENTIR). ◆ **flair** n. m. 1° Aptitude d'une personne à deviner intuitivement, à pressentir instinctivement quelque chose : *Ce détective manque vraiment de flair.* — 2° Fam. *Avoir du flair,* être doué pour deviner, pressentir, etc., quelque chose (syn. fam. : AVOIR LE NEZ CREUX).

flamant [flamɑ̃] n. m. Oiseau de grande taille, au plumage rose, écarlate ou noir, aux grandes pattes palmées, au cou long et souple et à gros bec.

flambant [flɑ̃bɑ̃] adv. *Flambant neuf,* absolument neuf : *Une voiture flambant neuf.*

flambard [flɑ̃bar] n. m. Fam. *Faire le flambard,* se montrer fanfaron ou vaniteux.

flambeau [flɑ̃bo] n. m. 1° Torche qu'on porte à la main dans certaines circonstances : *Une retraite aux flambeaux. Organiser une course aux flambeaux.* — 2° *Se passer, se transmettre le flambeau,* continuer la tradition de quelque chose (littér.).

flambée [flɑ̃be] n. f. 1° Mouvement brusque et violent d'une passion : *Une flambée de colère, de haine raciale. Un peuple soudain exalté par une flambée de nationalisme.* — 2° *Ne faire qu'une flambée,* ne pas durer longtemps : *L'argent que je lui ai donné n'a fait qu'une flambée* (syn. : N'ÊTRE QU'UN FEU DE PAILLE, NE PAS FAIRE LONG FEU). [V. aussi FLAMBER.]

flamber [flɑ̃be] v. tr. Passer rapidement et légèrement quelque chose à la flamme : *Flamber un poulet. Flamber une aiguille.* ◆ v. intr. Brûler vite et en faisant une flamme claire : *Faire flamber une allumette. Le feu a gagné la maison, qui flambe comme une torche.* ◆ **flambé, e** adj. *Fam.* Ruiné, perdu. ◆ **flambage** n. m. ◆ **flambée** n. f. Feu clair qu'on allume pour se réchauffer : *Faire une flambée de sarments dans la cheminée.*

flamboyant, e [flɑ̃bwajɑ̃, -ɑ̃t] adj. Se dit de la troisième et dernière période de l'art gothique, caractérisée par des lignes ondoyantes : *Le gothique flamboyant. L'architecture flamboyante.* ◆ **flamboyant** n. m. : *Le flamboyant s'est répandu à partir du XVe siècle.* (V. aussi FLAMBOYER.)

flamboyer [flɑ̃bwaje] v. intr. (sujet nom de chose). Jeter de grands éclats lumineux, soit en brûlant, soit en réfléchissant la lumière : *On voyait flamboyer l'incendie au loin* (syn. : ROUGEOYER, ILLUMINER). *Des cristaux qui flamboient sous les lustres* (syn. : ÉTINCELER). *Ses yeux flamboyaient de colère* (syn. : ↓ BRILLER). ◆ **flamboyant, e** adj. Se dit de ce qui projette un vif éclat : *Une épée flamboyante. Jeter à quelqu'un des regards flamboyants.* ◆ **flamboiement** n. m. Vif éclat d'un objet qui brûle ou qui reflète la lumière : *Le flamboiement de l'incendie se reflétait dans l'eau.*

flamenco [flamɛnko] n. m. et adj. Se dit de la musique populaire andalouse.

flamingant, e [flamɛ̃gɑ̃, -ɑ̃t] adj. et n. 1° Se dit d'une chose qui appartient au domaine des dialectes flamands. — 2° Se dit des partisans du mouvement flamand en Belgique.

1. flamme [flɑm] n. f. Gaz incandescent, généralement lumineux, qui se dégage d'une matière en combustion : *La flamme d'une bougie. Les flammes de l'incendie.* ◆ **flammé, e** adj. Se dit de ce qui présente des taches, des dessins en forme de flammes : *Une poterie en grès flammé.* ◆ **flammèche** n. f. Parcelle de matière enflammée qui s'échappe d'un foyer : *Des flammèches s'envolent loin et peuvent causer un grand incendie.* ◆ **enflammer** v. tr. Mettre en flammes, faire brûler : *Approcher l'allumette pour enflammer la paille.* (V. INFLAMMABLE.) ◆ ***s'enflammer*** v. pr. Prendre feu : *Le bois bien sec s'enflamme facilement.*

2. flamme [flɑm] n. f. Ardeur, vivacité d'un sentiment : *Il s'élança avec la flamme de la jeunesse* (syn. : ENTHOUSIASME). *La flamme de son regard vous dévorait tout entier. Parler avec flamme* (syn. : FEU, FIÈVRE, ARDEUR ; contr. : CALME). *Il acheva son discours par une improvisation pleine de flamme.* ◆ **enflammer** v. tr. 1° *Enflammer la peau, l'organisme,* y causer une irritation, un échauffement (V. INFLAMMATION) — 2° *Enflammer quelqu'un, le cœur de quelqu'un,* l'emplir d'ardeur, de passion : *Un discours qui enflamme le cœur des assistants* (syn. : EXCITER). *Il est enflammé du désir de réussir* (syn. : ↓ ANIMER). ◆ ***s'enflammer*** v. pr. Etre gagné par l'irritation, la passion : *Il s'enflamma de colère à ces mots.*

3. flamme [flam] n. f. Petite banderole de forme triangulaire, qui est hissée au haut des mâts d'un navire de guerre.

1. flan [flɑ̃] n. m. Tarte garnie d'une crème consistante faite avec des œufs : *Les enfants mangent des flans à leur goûter.*

2. flan [flɑ̃] n. m. Pop. *C'est du flan!,* ce n'est pas vrai, c'est une plaisanterie : *Tout ce qu'il dit, c'est du flan!* (syn. fam. : C'EST DU VENT).

flanc [flɑ̃] n. m. 1° Partie latérale du corps, chez l'animal et chez l'homme, depuis les côtes jusqu'aux hanches : *Le cheval se coucha sur le flanc* (syn. : CÔTÉ). — 2° Partie latérale d'une chose : *Le flanc d'un navire* (= paroi latérale de la coque). *Le flanc d'une colonne militaire* (= soldats situés sur le côté dans le sens de la marche). *Le flanc abrupt d'une montagne.* — 3° (sujet nom de personne) Fam. *Se battre les flancs,* V. BATTRE 1. ‖ (sujet nom de personne) Fam. *Etre sur le flanc,* être à bout de fatigue (syn. : EXTÉNUÉ, BRISÉ ; fam. : ÉREINTÉ, HARASSÉ) ; être malade. ‖ *Mettre quelqu'un sur le flanc,* le fatiguer jusqu'à l'épuisement. ‖ (sujet nom de personne) *Prêter le flanc à la critique,* s'y exposer par sa conduite (littér.). ‖ Fam. *Tirer au flanc,* rechercher toutes les occasions pour éviter une corvée.

flancher [flɑ̃ʃe] v. intr. 1° (sujet nom de personne) *Fam.* Ne pas persévérer dans une intention, un effort : *Les troupes alliées qui devaient soutenir l'offensive ont flanché* (syn. fam. : MOLLIR). — 2° (sujet nom de chose) *Fam.* Cesser de fonctionner, de résister : *Le cœur a brusquement flanché au cours de l'anesthésie. Son moral flanchait* (syn. : CÉDER, ↑ S'EFFONDRER).

flandrin [flɑ̃drɛ̃] n. m. *Grand flandrin,* grand garçon, un peu mou et gauche dans son comportement.

flanelle [flanɛl] n. f. Tissu léger en laine ou en coton.

flâner [flɑne] v. intr. 1° Se promener sans but, pour se distraire : *Flâner le long des quais de la Seine, devant les bouquinistes* (syn. : ERRER, BAGUENAUDER, MUSER ; fam. : SE BALADER). — 2° Rester dans une agréable inaction : *Un élève qui flâne dans sa chambre au lieu de faire ses devoirs* (syn. : MUSARDER, SE LAISSER VIVRE). ◆ **flânerie** n. f. : *Il aimait les flâneries solitaires sur les Grands Boulevards. Son après-midi se passait en flâneries.* ◆ **flâneur, euse** n. et adj. : *La voiture accidentée fut instantanément entourée de flâneurs et de curieux* (syn. : BADAUD, PROMENEUR).

1. flanquer [flɑ̃ke] v. tr. 1° *Flanquer quelque chose,* y être accolé, lui servir de renfort (sujet nom de chose) : *Les deux tours qui flanquaient le château en ruine ;* y ajouter quelque chose (sujet nom de personne) : *Il a flanqué son pavillon d'un affreux garage.* — 2° (sujet nom de personne) *Etre flanqué de quelqu'un,* en être accompagné sans cesse : *Une jeune fille flanquée de sa mère.*

2. flanquer [flɑ̃ke] v. tr. 1° Fam. *Flanquer quelque chose,* le jeter brutalement, le lancer, l'appliquer violemment quelque part : *Flanquer une paire de gifles à quelqu'un* (syn. : ↓ DONNER; fam. : FICHE, BALANCER). *Il a flanqué une assiette par terre.* — 2° Fam. *Flanquer quelqu'un par terre, à la porte,* etc., le jeter par terre, le faire sortir brutalement d'un local ou le congédier, etc. — 3° *Ça flanque tout par terre!,* se dit de quelque chose qui anéantit des projets.

flapi, e [flapi] adj. *Fam.* Se dit d'une personne extrêmement fatiguée, épuisée : *Après cette promenade, je me sens complètement flapi.*

flaque [flak] n. f. Petite mare, eau stagnant sur le sol.

1. flash [flaʃ] n. m. 1° Eclair très bref et très intense, nécessaire à une prise de vue quand l'éclairage est insuffisant : *Etre ébloui par les flashes des photographes.* — 2° Dispositif dont on équipe un appareil photographique pour prendre des photos au flash. (Au pluriel, on écrit souvent *flashes,* mais on prononce ordinairement [flaʃ], comme au sing.)

2. flash [flaʃ] n. m. Information importante transmise en priorité; information radiophonique très brève. (Même remarque, au sujet du plur., que pour FLASH 1.)

flasque [flask] adj. Se dit d'une chose ou d'une personne molle, sans vigueur ou sans résistance : *Des chairs flasques* (contr. : FERME). *Un homme flasque* (syn. : MOU, INERTE, LÂCHE).

1. flatter [flate] v. tr. 1° (sujet nom de personne) *Flatter quelqu'un, les goûts de quelqu'un,* chercher à lui plaire, dans une intention intéressée, par des louanges excessives, des attentions : *Il ne cesse de flatter le directeur* (syn. : COURTISER, ENCENSER, ↑ FLAGORNER). *Il cherchait toutes les occasions de flatter sa manie du jeu* (syn. : ENCOURAGER, FAVORISER). — 2° (sujet nom de chose) *Flatter quelqu'un,* le faire paraître plus beau qu'il n'est en réalité : *Ce portrait la flatte* (syn. : EMBELLIR). *Sa nouvelle coiffure la flatte* (syn. : AVANTAGER). — 3° (sujet nom de chose) *Flatter les sens, le sentiment de quelqu'un,* lui procurer un contentement profond : *Le vert de ce tapis flatte les yeux. Les palmes académiques flattent son amour-propre* (syn. : ↑ EXCITER). *Votre visite me flatte et m'honore grandement* (syn. : FAIRE PLAISIR). ◆ ***se flatter*** v. pr. *Se flatter de quelque chose,* prétendre pouvoir le faire (littér.) : *Il se flatte de démasquer immédiatement les hypocrites.* ◆ **flatterie** n. f. : *Il m'a dit qu'elle pouvait réussir, mais c'est une basse flatterie. Etre sensible à la flatterie* (syn. : ADULATION, FLAGORNERIE). ◆ **flatteur, euse** adj. et n. : *Un vil flatteur* (syn. : COURTISAN). *Dresser un bilan flatteur de la situation* (syn. : OPTIMISTE). *Son miroir lui renvoyait une image flatteuse* (syn. : AVANTAGEUX).

2. flatter [flate] v. tr. *Flatter un animal,* le caresser avec le plat de la main.

flatulence [flatylɑ̃s] ou **flatuosité** [flatɥozite] n. f. Accumulation de gaz dans l'estomac ou l'intestin.

1. fléau [fleo] n. m. Grand malheur, calamité publique; chose ou être qui accable : *Le fléau de la guerre* (syn. : CATACLYSME). *Les moustiques sont le fléau de cette région.*

2. fléau [fleo] n. m. Instrument qui sert à battre le blé, formé d'un manche et d'un battoir en bois reliés par des courroies.

3. fléau [fleo] n. m. *Fléau d'une balance,* tige métallique horizontale, aux extrémités de laquelle sont placés les deux plateaux.

1. flèche [flɛʃ] n. f. 1° Projectile consistant en une tige de bois, munie à une extrémité d'une pointe généralement métallique, et à l'autre d'un empennage permettant de guider la trajectoire : *Tirer des flèches de son carquois. Décocher une flèche.* — 2° Représentation schématique d'une flèche, utilisée en général pour indiquer une direction, pour attirer l'attention sur un détail, etc. : *La flèche sur le panneau indique le sens obligatoire.* — 3° *Partir comme une flèche,* partir très rapidement. ‖ *La flèche du Parthe,* vérité amère, trait d'esprit ironique ou méchant, qu'on dit à quelqu'un au moment de le quitter (littér.). ‖ *Faire flèche de tout bois,* utiliser toutes ses ressources, recourir à tous les moyens possibles. • LOC. ADV. *En flèche,* à toute vitesse : *La voiture partit en flèche* (= démarrer en trombe). ‖ *Monter en flèche,* monter brusquement, à toute vitesse : *Le pilote fit monter en flèche son avion. La température du malade est montée en flèche ces derniers jours.* ◆ **flécher** v. tr. *Flécher un parcours, une route,* etc., indiquer par des flèches le trajet à suivre, marquer de flèches. ◆ **fléchage** n. m. : *Le fléchage d'un itinéraire.* ◆ **fléchette** n. f. Petite flèche : *Lancer des fléchettes sur une cible.*

2. flèche [flɛʃ] n. f. Extrémité longue et effilée du clocher d'une église, du toit d'un bâtiment : *Les flèches de la cathédrale s'élancent vers le ciel.*

1. fléchir [fleʃir] v. tr. *Fléchir une chose,* la faire plier, lui donner une forme courbe : *Fléchissez le corps en avant!* (syn. : COURBER, PLOYER). ◆ v. intr. (sujet nom concret). Plier, céder, s'incurver : *Son genou fléchit sous l'effort* (syn. : PLIER, S'INFLÉCHIR). *Sous la charge, la planche fléchissait dangereusement.* ◆ **fléchissement** n. m. Position prise par un objet qui a subi une torsion, qui s'est plié, qui s'est infléchi : *Le fléchissement d'une barre* (syn. : TORSION). *Le fléchissement des genoux.* ◆ **fléchisseur** n. et adj. m. : *Les muscles fléchisseurs du bras* (par oppos. à *muscle extenseur*). ◆ **flexion** n. f. Mouvement par lequel une chose est fléchie : *La flexion du bras.*

2. fléchir [fleʃir] v. tr. 1° *Fléchir quelqu'un,* le faire céder, l'amener à des concessions : *Il a réussi à fléchir son père* (syn. : ÉBRANLER, GAGNER À SA CAUSE). — 2° *Fléchir la colère, la rigueur, la fureur de quelqu'un,* les apaiser (syn. : DÉSARMER, CALMER). ◆ v. intr. 1° (sujet nom abstrait de chose) Perdre de son énergie, de sa force : *Sa détermination fléchit devant le danger* (syn. : CÉDER, PLIER, FAIBLIR, MOLLIR). — 2° (sujet nom de personne) Cesser de résister, se laisser convaincre : *Il a fléchi devant les supplications de ses enfants.* ◆ **fléchissement** n. m. : *Le fléchissement de son courage.* (V. INFLÉCHIR.)

flegme [flɛgm] n. m. Tempérament, comportement calme, peu émotif d'une personne : *Agir avec flegme. Un flegme imperturbable* (contr. : AGITATION, EXALTATION, EMPORTEMENT). ◆ **flegmatique** adj. : *Un garçon flegmatique* (syn. : CALME, POSÉ, TRANQUILLE, PLACIDE; contr. : VIOLENT, EMPORTÉ). ◆ **flegmatiquement** adv. : *Après avoir écouté flegmatiquement leurs critiques, il leur tourna le dos.*

flemme [flɛm] n. f. 1° *Pop.* Paresse, inertie : *J'ai la flemme de répondre à cette lettre : on verra ça une autre fois.* — 2° Pop. *Tirer sa flemme,* ne rien faire. ◆ **flemmard, e** adj. Pop. : *Il est devenu très flemmard avec l'âge* (syn. pop. : COSSARD; contr. : ACTIF). ◆ **flemmarder** v. intr. *Pop.* Paresser.

1. flétrir [fletrir] v. tr. *Flétrir une chose,* lui ôter son éclat, lui faire perdre sa fraîcheur, sa jeunesse : *Le vent du nord flétrissait rapidement les fleurs. L'âge a flétri le visage de cette actrice.* ◆ ***se flétrir*** v. pr. Perdre sa fraîcheur : *Les œillets se sont flétris dans le vase* (syn. : SE FANER). *La beauté de cette femme s'est lentement flétrie* (syn. : SE TERNIR, ↓ PASSER). ◆ **flétri, e** adj. : *Fleur flétrie. Peau flétrie* (syn. : DÉFRAÎCHI, ↑ RATATINÉ). *Visage flétri* (syn. : RIDÉ, ↑ RAVAGÉ). ◆ **flétrissure** n. f. : *La flétrissure de la peau, du teint.*

2. flétrir [fletrir] v. tr. *Flétrir quelqu'un* (ou *ses actes*), dénoncer sa conduite dans ce qu'elle a de répréhensible : *On a flétri publiquement l'ancien ministre* (syn. : BLÂMER, CONDAMNER, STIGMATISER). *Flétrir la réputation, le souvenir de quelqu'un.* ◆ **flétrissure** n. f. : *La flétrissure d'une âme.*

1. fleur [flœr] n. f. 1° Partie d'une plante servant à la reproduction, formant un ensemble de couleurs vives et brillantes, et parfois d'odeur agréable; plante dont les fleurs sont appréciées : *Un pot de fleurs. Bouquet de fleurs. Les cerisiers sont en fleur* (= leurs fleurs sont épanouies). *Cultiver des fleurs sur son balcon.* — 2° Partie la plus délicate, la plus fine de quelque chose : *La fleur de l'âge* (= la période de la vie où l'on est au sommet de sa beauté, de son esprit, etc.). ‖ *La fleur de la jeunesse,* l'élite d'une jeune génération. — 3° *Fleur bleue,* sensibilité un peu mièvre. ‖ *Etre fleur bleue,* en parlant d'une personne, être discrètement et naïvement sentimentale. ‖ Fam. *Comme une fleur,* facilement, sans aucune difficulté : *Il est arrivé le premier, comme une fleur.* ‖ *Couvrir quelqu'un de fleurs,* le combler de compliments, d'éloges, etc. ‖ Fam. *Faire une fleur à quelqu'un,* lui procurer un avantage sans demander de contrepartie. ‖ (sujet nom désignant une femme) Pop *Perdre sa fleur,* perdre sa virginité. ◆ **fleurir** v. intr. 1° (sujet nom de plante) Se couvrir de fleurs; s'épanouir : *Des pêchers qui fleurissent fin mars. Ces roses fleurissent au début de l'été.* — 2° (sujet nom de chose) Etre prospère, être dans tout son éclat, jouir d'une grande notoriété (dans cet emploi, l'imparf. est *il florissait* et le part. présent *florissant*) : *Sous Louis XIV, les arts florissaient en France* (syn. : PROSPÉRER, BRILLER). — 3° Fam. *Nez qui fleurit,* qui prend une teinte rouge : *Un ivrogne dont le nez fleurit* (syn. : ROUGEOYER, BOURGEONNER). ◆ v. tr. *Fleurir quelque chose, quelqu'un,* l'orner de fleurs : *A la Toussaint, on fleurit les tombes. Fleurir une femme* (= lui offrir une fleur qu'elle épingle sur sa toilette). ◆ ***se fleurir*** v. pr. Se munir de fleurs : *Fleurissez-vous, mesdames!* ◆ **fleuri, e** adj. : *Il a suivi un sentier tout fleuri* (= bordé de fleurs). *La prairie est fleurie* (= couverte de fleurs). *Teint fleuri* (= teint rougeaud). *Un style fleuri* (= qui offre des métaphores gracieuses). ◆ **défleurir** v. tr. Faire tomber les fleurs d'une tige. ◆ v. intr. (sujet nom désignant une plante ou un arbre). Perdre ses fleurs. ◆ **fleuriste** n. Personne qui vend des fleurs : *Il acheta des roses chez le fleuriste du coin.* ◆ **floraison** n. f. 1° Epanouissement des fleurs d'une plante : *Les rosiers remontants ont plusieurs floraisons.* — 2° Epanouissement d'une chose, moment où elle atteint son plus bel éclat, son plus grand succès, etc. : *La grande floraison du roman se situe à l'époque des prix littéraires.* ◆ **floral, e, aux** adj. : *Exposition florale.* ◆ **floralies** n. f. pl. Exposition publique de fleurs. (V. DÉFLORER.)

2. fleur [flœr] n. f. Loc. PRÉP. *A fleur de* (*quelque chose*), à peu près au même niveau (que cette chose) : *Les jeunes pousses des pivoines apparaissent déjà à fleur de terre. Il a les yeux à fleur de tête* (= peu enfoncés dans les orbites, presque exorbités). ‖ *Avoir les nerfs à fleur de peau,* être très irritable. (V. AFFLEURER.)

fleurdelisé, e [flœrdəlize] adj. Orné de fleurs de lis : *Un étendard fleurdelisé.*

fleurer [flœre] v. tr. et intr. Exhaler une odeur (littér.) : *Du linge qui fleure la lavande. Cela fleure bon* (syn. : SENTIR, EMBAUMER).

fleuret [flœrɛ] n. m. Epée à lame très fine, de section carrée, dont le bout est moucheté, pour la pratique de l'escrime.

fleurette [flœrɛt] n. f. *Conter fleurette,* tenir des propos galants à une femme (littér.; syn. : FLIRTER).

fleuron [flœrɔ̃] n. m. 1° Ornement en forme de fleur. — 2° *Le plus beau fleuron de quelque chose,* la chose la meilleure, la plus remarquable d'un ensemble d'objets (littér.) : *Le plus beau fleuron de sa collection de tableaux, c'est une œuvre de Picasso* (syn. fam. : LE CLOU).

fleuve [flœv] n. m. 1° Cours d'eau important, formé par la réunion de rivières et finissant dans la mer : *La Loire est le plus long fleuve de France. Descendre un fleuve en canot.* — 2° Masse qui coule : *Un fleuve de boue.* ◆ **fluvial, e, aux** adj. : *Les eaux fluviales. Pêche fluviale.*

1. flexible [flɛksibl] adj. Se dit d'une chose qui peut se courber facilement : *Roseau flexible* (contr. : RIGIDE, RAIDE). *La taille flexible d'une jeune fille* (syn. : SOUPLE). ◆ **flexibilité** n. f. : *La flexibilité d'une branche* (syn. : SOUPLESSE).

2. flexible [flɛksibl] adj. Se dit d'une personne qu'on peut fléchir, qui s'adapte aux circonstances : *Un caractère flexible* (syn. : TRAITABLE, SOUPLE, MALLÉABLE; contr. : INTRAITABLE). ◆ **inflexible** adj. Qui ne se laisse pas fléchir : *Se montrer inflexible.* ◆ **inflexiblement** adv. ◆ **inflexibilité** n. f.

1. flexion n. f. V. FLÉCHIR 1.

2. flexion [flɛksjɔ̃] n. f. Ensemble des désinences caractéristiques d'une catégorie de mots et d'une fonction : *Les désinences qui forment la conjugaison marquent les personnes, les temps et les modes; le verbe possède des formes fléchies ou une flexion.* ◆ **flexionnel, elle** adj. : *Les désinences flexionnelles.*

flibustier [flibystje] n. m. Se dit d'une personne vivant de rapine, de vol organisé, ou de trafic malhonnête (syn. : BRIGAND, FILOU, CHEVALIER D'INDUSTRIE, PIRATE). [Les *flibustiers* étaient autrefois des pirates des mers d'Amérique.]

flic [flik] n. m. *Pop.* Agent de police. ◆ **flicaille** n. f. *Pop.* Police.

flic flac [flikflak], onomatopée exprimant le bruit de quelqu'un qui patauge, d'un clapotement, de gifles retentissantes, etc.

flingue [flɛ̃g] n. m. *Pop.* Fusil. ◆ **flinguer** v. tr. Pop. *Flinguer quelqu'un,* tirer des coups de fusil contre lui.

flirt [flœrt] n. m. **1°** Rapports sentimentaux avec une personne de l'autre sexe : *Ce n'est pas une liaison, c'est un flirt sans lendemain* (syn. : AMOURETTE). — **2°** Personne avec laquelle on flirte : *Il est allé au cinéma avec son flirt.* ◆ adj. Se dit de quelqu'un qui aime flirter : *Elle n'est pas du tout flirt.* ◆ **flirter** v. intr. Entretenir des rapports sentimentaux : *Il flirte avec une collègue de bureau.*

floc [flɔk], onomatopée imitant le bruit de la chute d'un corps.

flocon [flɔkɔ̃] n. m. **1°** Petit amas léger d'une matière : *Flocon de laine* (syn. : TOUFFE). *La neige tombait à gros flocons.* — **2°** *Flocons d'avoine,* grains d'avoine écrasés, destinés à faire du potage. ◆ **floconneux, euse** adj. Se dit d'une chose qui ressemble à des flocons : *Des nuages floconneux passaient dans le ciel.*

flonflon [flɔ̃flɔ̃] n. m. Air populaire ou de vaudeville, joué par un orchestre où dominent les instruments à vent et à percussion (généralement au plur.) : *Les flonflons de la fête foraine.*

flopée [flɔpe] n. f. *Pop.* Grande quantité : *Une flopée d'enfants.*

floraison n. f., **floral, e, aux** adj. V. FLEUR 1.

flore [flɔr] n. f. **1°** Ensemble des plantes qui croissent dans une région : *La flore de l'Australie. La flore subtropicale.* — **2°** Livre qui contient la description des plantes d'une région déterminée.

floréal n. m. V. CALENDRIER RÉPUBLICAIN.

florès [flɔrɛs]. *Faire florès,* briller dans le monde, être à la mode (littér.).

florilège [flɔrilɛʒ] n. m. Recueil de poésies.

florissant, e [flɔrisɑ̃, -ɑ̃t] adj. **1°** Se dit d'une chose qui est en pleine prospérité : *Le commerce est florissant* (syn. : PROSPÈRE, EN EXPANSION, ↓ ACTIF). — **2°** Se dit d'une chose qui est l'indice d'un parfait état de santé : *Un teint florissant* (syn. : ↑ RESPLENDISSANT). [V. FLEUR.]

flot [flo] n. m. **1°** Dépression et soulèvement alternatifs de la surface de l'eau : *Les flots de la mer. Les flots d'un lac* (syn. : VAGUE). — **2°** Grande quantité de choses, masse d'une matière, dont l'apparence évoque le mouvement des flots : *Les flots de sa chevelure tombaient sur ses épaules* (syn. : ONDULATIONS). *Verser des flots de larmes* (syn. : RUISSEAUX). *Laisser sortir le flot des employés* (syn. : FOULE, MASSE). *Un flot de souvenirs revint à son esprit* (syn. : AFFLUX). *Couvrir quelqu'un sous un flot de paroles* (syn. : PLUIE). — **3°** *A flots,* en grande quantité : *Dans cette entreprise, les capitaux coulent à flots.* ‖ *Etre à flot,* avoir assez d'eau pour flotter (sujet nom désignant un navire) [par oppos. à *être à sec, en cale sèche*]; *fam.,* avoir de nouveau assez d'argent pour vivre (sujet nom de personne) [contr. fam. : ÊTRE À SEC, À FOND DE CALE]. ‖ *Remettre quelque chose* ou *quelqu'un à flot,* remettre quelque chose en état de fonctionner, quelqu'un en mesure de se tirer d'affaire, en versant de l'argent (syn. : RENFLOUER).

1. flotte [flɔt] n. f. **1°** *Pop.* Pluie : *Qu'est-ce qu'il est encore tombé comme flotte!* — **2°** *Pop.* Eau : *Piquer une tête dans la flotte* (syn. pop. : JUS). ◆ **flotter** v. intr. *Pop.* Pleuvoir.

2. flotte [flɔt] n. f. **1°** Grand nombre de bateaux naviguant ensemble : *J'ai vu rentrer à Concarneau toute la flotte des pêcheurs.* — **2°** Unité d'une marine de guerre, d'une aviation militaire : *La VIIe flotte américaine.* — **3°** Ensemble des forces navales militaires d'un pays : *La flotte française était alors sur le pied de guerre.* ◆ **flottille** n. f. **1°** Ensemble de petits navires : *Equiper une flottille en partance.* — **2°** Formation d'appareils de combat de l'aéronavale.

1. flotter [flɔte] v. intr. Demeurer en équilibre à la surface d'un liquide : *Le bouchon flotte sur l'eau.* ◆ **flottable** adj. **1°** Se dit d'une chose qui peut flotter : *Certains bois ne sont pas flottables.* — **2°** Se dit d'un cours d'eau sur lequel on peut faire du flottage : *Rivière flottable.* ◆ **flottage** n. m. Technique de transport du bois, consistant à le faire descendre des cours d'eau. ◆ **flottaison** n. f. *Ligne de flottaison,* endroit où la surface de l'eau atteint la coque d'un navire. ◆ **flotteur** n. m. Dispositif permettant à un corps de densité supérieure à celle de l'eau de se maintenir à la surface ou entre deux eaux : *Les flotteurs d'un hydravion, d'un pédalo. Le flotteur d'une ligne de pêche* (syn. : BOUCHON).

2. flotter [flɔte] v. intr. Ne pas être fixé à un endroit, être en suspension, être indécis : *Un parfum léger flottait dans la pièce. Faire flotter un drapeau* (syn. : ONDULER, CLAQUER AU VENT). *Un vague sourire flottait sur ses lèvres* (syn. : ERRER). *Il laissait flotter son imagination* (syn. : VAGABONDER, VAGUER). ◆ **flottant, e** adj. **1°** Se dit d'un vêtement ample, qui ne serre pas celui qui le porte : *Une robe flottante.* — **2°** Se dit de ce qui n'est pas nettement fixé : *Un esprit flottant* (syn. : INDÉCIS). *Des effectifs flottants* (contr. : FIXE). ◆ **flottement** n. m. Manque de netteté dans une chose, de précision dans les actions d'une personne : *Il se produisit un certain flottement dans l'assemblée* (syn. : EMBARRAS, BROUHAHA). *On observe du flottement dans la conduite de cet homme* (syn. : INCERTITUDE).

flou, e [flu] adj. Se dit d'une chose dont le contour n'apparaît pas nettement, qui est vague, mal déterminée : *Un dessin flou* (syn. : FONDU; contr. : PRÉCIS). *Tout devint flou autour d'elle et elle perdit connaissance. Une idée floue* (syn. : VAGUE; contr. : CLAIR). ◆ **flou** n. m. : *Le flou d'une pensée.*

flouer [flue] v. tr. Tromper, duper, berner (littér. et fam.) : *Toute sa vie, il s'est laissé flouer.*

fluctuation [flyktɥasjɔ̃] n. f. Variation incessante d'une chose, transformation alternative d'une chose en une autre et réciproquement : *Suivre les fluctuations de la Bourse. Les fluctuations d'une amitié* (= les hauts et les bas). *Les fluctuations d'un esprit inquiet* (syn. : INCERTITUDE, INDÉCISION, IRRÉSOLUTION). *Les fluctuations de l'opinion* (syn. : CHANGEMENT). ◆ **fluctuant, e** adj. : *Un homme fluctuant dans ses opinions* (syn. : INCERTAIN, INDÉCIS). *Des prix fluctuants* (syn. : MOUVANT).

fluet, ette [flyɛ, -ɛt] adj. **1°** Se dit des doigts, des jambes, de la taille d'une personne mince, allongée et d'apparence délicate : *Avoir des doigts fluets comme ceux d'un enfant* (syn. : GRÊLE, ÉLANCÉ). — **2°** *Voix fluette,* qui manque de force : *La voix fluette d'une petite fille* (syn. : LÉGER, ↑ TÉNU).

1. fluide [flyid] adj. Se dit d'une chose qui coule, s'écoule aisément : *Une encre très fluide* (contr. : ÉPAIS). *Un style fluide* (contr. : LOURD). *Une circula-*

tion routière fluide ◆ **fluidité** n. f. : *La fluidité d'un liquide. La fluidité d'une mélodie, d'un raisonnement* (syn. : INCONSISTANCE).

2. fluide [flyid] n. m. Corps dont les molécules ont peu d'adhérence et peuvent glisser librement les unes sur les autres (dans le cas des liquides) ou se déplacer indépendamment les unes des autres (dans le cas des gaz).

3. fluide [flyid] n. m. 1° Se dit d'une cause invisible de certains phénomènes (littér.) : *Fluide nerveux* (syn. : INFLUX). *Fluide électrique* (syn. : COURANT). *Le fluide des astres, le fluide d'un magnétiseur.* — 2° *Avoir du fluide,* être doué pour agir à distance par télépathie, pour découvrir des objets cachés, etc.

fluorescence [flyɔrɛsɑ̃s] n. f. Propriété de certains corps d'émettre de la lumière lorsqu'ils reçoivent un rayonnement. ◆ **fluorescent, e** adj. *Lampe fluorescente, tube fluorescent,* lampe, tube dont la paroi de verre devient fluorescente sous l'influence de radiations émises par la décharge électrique dans le gaz raréfié qui y est contenu.

1. flûte [flyt] n. f. 1° Instrument de musique à vent, constitué d'un tube creux, en bois ou en métal, dans lequel l'instrumentiste souffle par un orifice situé à une extrémité, et fait les notes en bouchant tout ou partie des trous situés le long de l'instrument. — 2° Fam. *Etre du bois dont on fait les flûtes,* être souple, céder à tout sans résistance. ◆ **flûté, e** adj. Qui a le son de la flûte, ou qui évoque la flûte : *Une petite voix flûtée.* ◆ **flûtiste** n. Personne qui joue de la flûte.

2. flûte [flyt] n. f. Pain de forme allongée (syn. : BAGUETTE).

3. flûte [flyt] n. f. Verre haut, mince et étroit.

4. flûte! [flyt] interj. S'emploie, dans la conversation familière, pour marquer l'impatience ou le refus par une interruption brusque de l'énoncé : *Il pleut encore... Ah flûte! on ne va pas pouvoir sortir* (syn. fam. : ZUT!).

1. flux [fly] n. m. Ecoulement continu d'un liquide organique (langue médicale) : *Un flux de sang dans la bouche.*

2. flux [fly] n. m. 1° Marée montante : *Le flux et le reflux de la mer.* — 2° *Le flux et le reflux des choses humaines,* les vicissitudes de la vie.

fluxion [flyksjɔ̃] n. f. *Fluxion de poitrine,* inflammation du poumon, avec réaction douloureuse dans les côtes, les muscles intercostaux et thoraciques.

foc [fɔk] n. m. Voile triangulaire placée à l'avant d'un navire à voiles.

focal, e, aux adj. V. FOYER 1.

fœhn [føn] n. m. Vent chaud et très sec, fréquent au printemps et en automne, qui souffle avec violence dans certaines vallées des Alpes.

fœtus [fetys] n. m. Produit de la conception non encore arrivé à terme, mais ayant déjà les formes de l'espèce distinctes et visibles à l'œil nu : *Fœtus de poulet. Fœtus humain.*

1. foi [fwa] n. f. 1° Croyance en la vérité d'une religion, en son dieu et en ses dogmes : *Avoir la foi, perdre la foi. Voir toute chose avec les yeux de la foi.* — 2° *Article de foi,* dogme qu'un catholique ne peut pas refuser de croire. ‖ *Profession de foi,* renouvellement des promesses du baptême qu'un enfant catholique fait ordinairement vers douze ans; déclaration publique que quelqu'un fait de ses opinions : *Son livre est une profession de foi en faveur du libéralisme économique.* ‖ *N'avoir ni foi ni loi,* n'avoir ni religion ni morale. ‖ *Il n'y a que la foi qui sauve,* se dit ironiq. de ceux qui font une confiance aveugle à quelque chose ou à quelqu'un.

2. foi [fwa] n. f. 1° Engagement qu'on prend d'être fidèle à une promesse (littér.) : *Violer la foi conjugale* (syn. : FIDÉLITÉ). *Sous la foi du serment* (= en appuyant ses déclarations d'un serment; syn. : SCEAU). ‖ *Ma foi!,* formule banale appuyant une affirmation : *Quand je l'ai revu après vingt ans, il avait bien changé, ma foi!* — 2° Confiance qu'on accorde à quelque chose ou à quelqu'un : *Il a mis toute sa foi dans cette expérience. Un jeune qui a foi en l'avenir.* — 3° *Avoir foi, mettre sa foi en quelqu'un, en la bonté, la clairvoyance,* etc., *de quelqu'un,* lui faire confiance absolument : *Avoir foi en ses chefs* (syn. : SE REPOSER SUR, S'ABANDONNER À). ‖ *Ajouter foi à quelque chose,* le tenir pour assuré, pour vrai. ‖ *Digne de foi,* se dit d'une personne en la sincérité de qui on peut avoir confiance, ou des propos de cette personne. ‖ *Sur la foi de quelque chose, de quelqu'un,* en vertu de la confiance accordée à cette chose, à cette personne. ‖ *En foi de quoi,* formule juridique précédant la signature d'un certificat. ‖ *Bonne foi,* qualité d'une personne qui agit avec l'intention d'être honnête, consciencieuse, respectueuse des lois, etc. : *Sa bonne foi ne fait pas de doute. Un homme de bonne foi. Agir de bonne foi* (= avec droiture, avec loyauté). ‖ *Mauvaise foi,* malhonnêteté de quelqu'un qui affirme des choses qu'il sait fausses, ou qui feint l'ignorance, etc. : *L'enquête a démontré la mauvaise foi du témoin. Votre objection est de mauvaise foi.*

foie [fwa] n. m. Organe contenu dans l'abdomen, annexé au tube digestif, qui sécrète la bile et qui remplit plusieurs fonctions organiques.

foies [fwa] n. m. pl. Pop. *Avoir les foies,* avoir très peur.

foin [fwɛ̃] n. m. 1° Fourrage fauché et séché pour servir de nourriture aux animaux : *Une meule de foin.* — 2° Fam. *Avoir du foin dans ses bottes,* avoir d'importantes réserves, être riche. ‖ *Bête à manger du foin,* complètement stupide. ‖ Pop. *Faire du foin,* faire grand bruit, causer du scandale.

1. foire [fwɑr] n. f. Grand marché ou exposition commerciale, se tenant à des époques fixes dans un même lieu : *La foire de Paris, de Marseille.*

2. foire [fwɑr] n. f. *Fam.* 1° Partie de plaisir désordonnée. — 2° *Quelle foire!,* quel désordre, quelle confusion!

3. foire n. f. V. FOIRER.

foirer [fwɑre] v. intr. (sujet nom désignant une affaire, une conduite). *Pop.* Ne pas marcher, ne pas réussir : *Je lui ai proposé d'acheter sa voiture, et il était d'accord, mais ça a foiré au dernier moment* (syn. : ÉCHOUER, RATER). ◆ **foire** n. f. *Pop.* Diarrhée. ◆ **foireux, euse** adj. 1° *Pop.* Se dit d'une chose mal préparée, dont l'échec est prévisible. — 2° *Pop.* Qui a la diarrhée.

fois [fwɑ] n. f. (joint à un nom de nombre). 1° Indique la réitération d'un fait : *Il est venu me voir trois fois. Une seule fois il n'a pas plu; toutes les autres fois, le temps était couvert. Cette fois-ci,* *il ne viendra plus* (= désormais ou, *fam.*, ce coup-ci). ‖ *Une fois pour toutes, une bonne fois,* de manière définitive, sans qu'il y ait lieu de revenir là-dessus : *Je vous le dis une fois pour toutes, ne venez plus me déranger.* ‖ *Encore une fois,* marque l'impatience. — 2° Indique l'importance plus ou moins grande d'une chose en comparaison d'autres : *Cette maison est deux fois plus grande que la vôtre,* ou *deux fois grande comme la vôtre* (= elle est le double). — 3° Indique la répétition ou la multiplication d'une quantité qu'on ajoute à une autre : *Trois fois cinq quinze.* ● Loc. adv. Fam. *Des fois,* éventuellement (loc. déconseillée par certains grammairiens, qui lui préfèrent *quelquefois*) : *Si des fois vous allez le voir, dites-lui le bonjour de ma part* (syn. : PAR HASARD); parfois : *Ici, les orages sont des fois très violents.* ‖ Fam. *Non, mais des fois!,* formule de réprobation : *Non, mais des fois, pour qui me prenez-vous?* ‖ *Une fois,* à une certaine époque, généralement légendaire : *Il y avait une fois une princesse nommée Blanche-Neige.* ‖ *Une fois,* suivi d'un participe passé, d'un adjectif, d'une locution circonstancielle, souligne l'accompli : *Une fois couché, il se mit à lire. Une fois dans le train, vous pourrez vous reposer.* ‖ *A la fois,* en même temps : *Faire deux choses à la fois* (syn. : SIMULTANÉMENT). *Il est à la fois sévère et juste* (syn. : AUSSI... QUE). ● Loc. conj. *Une fois que,* à partir du moment où, dès que : *Une fois qu'il a décidé quelque chose, rien ne peut l'en faire démordre.* ‖ Fam. *Des fois que,* au cas où, pour le cas où : *Je vais téléphoner, des fois qu'il serait encore chez lui.*

foison [fwazɔ̃] n. f. Grande abondance (littér.) : *Un commentaire illustré par une foison de citations* (syn. : PROFUSION, FOULE). ● Loc. adv. *A foison,* en grande quantité : *Il y avait là des livres à foison* (syn. : À PROFUSION, EN ABONDANCE, EN MASSE). ◆ **foisonner** v. intr. 1° Exister en abondance, se trouver en grande quantité quelque part : *Les lapins foisonnaient en Australie. Cette année, les fruits foisonnent chez les marchands de primeurs* (syn. : PULLULER, ABONDER). — 2° (sujet nom de personne ou de chose) Fam. *Foisonner de, foisonner en,* être abondamment fourni en quelque chose : *Notre littérature foisonne en poètes de valeur* (syn. : REGORGER DE). *Ce romancier foisonne d'idées ingénieuses.* ◆ **foisonnant, e** adj. : *Forêt foisonnante de gibier. Poète foisonnant de trouvailles* (syn. : RICHE EN, ABONDANT EN; contr. : PAUVRE EN, MAIGRE EN). ◆ **foisonnement** n. m. : *Un foisonnement de curiosités, de trouvailles* (syn. : PULLULEMENT).

folâtre [fɔlɑtr] adj. 1° Se dit d'une personne dont le caractère est enjoué et qui aime s'amuser : *Un enfant folâtre* (syn. : ESPIÈGLE, ENJOUÉ). — 2° Se dit de ce qui manifeste un caractère enjoué et plaisant : *Une gaieté folâtre. Une humeur folâtre* (syn. : GUILLERET). *Jeux folâtres* (syn. : BADIN, BOUFFON). ◆ **folâtrer** v. intr. S'amuser sans souci : *Des enfants folâtraient dans la prairie.* ◆ **folâtrerie** n. f. : *Une jeune fille pleine d'enjouement et de folâtrerie* (contr. : SÉRIEUX, PONDÉRATION).

folichon, onne [fɔliʃɔ̃, -ɔn] adj. *Fam.* Se dit d'une personne ou d'une chose qui est divertissante, agréable (ordinairement en proposition négative) : *Avec lui, la vie n'est pas folichonne* (syn. : DRÔLE).

folie n. f. V. FOU 1.

folklore [fɔlklɔr] n. m. Ensemble des traditions, des usages, des croyances, des légendes qui appartiennent à un peuple, à une région, et qui lui sont liés étroitement. ◆ **folklorique** adj. : *Costume folklorique. Danses folkloriques.*

follet [fɔlɛ] adj. m. 1° *Feu follet,* flamme légère produite par la combustion spontanée du méthane ou d'autres gaz inflammables, se dégageant à la surface des marais ou de lieux dans lesquels se décomposent des matières animales. — 2° *Etre comme un feu follet,* être un personnage brillant et inconsistant, sur lequel on ne peut pas compter.

fomenter [fɔmɑ̃te] v. tr. *Fomenter une querelle, une agitation, des troubles,* etc., les susciter, en préparer secrètement les conditions : *Ils fomentèrent l'agitation qui devait conduire à la révolution. Fomenter une discorde, des grèves, une sédition, une rébellion.* ◆ **fomentateur, trice** n. : *Un fomentateur professionnel de troubles* (syn. : AGITATEUR). ◆ **fomentation** n. f. : *La fomentation des querelles.*

foncé, e [fɔ̃se] adj. Se dit d'une couleur sombre : *Un teint de peau foncé* (syn. : BISTRE). *Un ton foncé* (syn. : SOMBRE). *Du tissu rouge foncé* (contr. : CLAIR). ◆ **foncer** v. tr. Rendre de couleur plus foncée : *Elle a foncé ses cheveux, sa robe* (contr. : ÉCLAIRCIR). ◆ v. intr. Devenir plus foncé : *Une peinture qui fonce en vieillissant.*

1. foncer [fɔ̃se] v. intr. (sujet nom d'être animé ou de chose). 1° *Fam.* Aller très vite : *Il fonce à cent à l'heure dans les virages. Tu as foncé pour lire ce livre!* ‖ Fam. *Foncer dans le brouillard,* ne pas se préoccuper de ce qui se trouve sur sa route. — 2° *Foncer sur quelqu'un, sur quelque chose,* se précipiter sur eux pour les attaquer : *Les blindés fonçaient sur l'ennemi* (syn. : SE RUER SUR).

2. foncer v. tr. V. FONCÉ.

foncier, ère [fɔ̃sje, -ɛr] adj. Se dit d'une chose plus importante que les autres (valeur superlative) : *La différence foncière entre deux choses* (syn. : PRINCIPAL, CAPITAL). *Ses qualités foncières n'apparaissent pas au premier abord* (syn. : FONDAMENTAL; contr. : APPARENT, SUPERFICIEL, SECONDAIRE). ◆ **foncièrement** adv. Extrêmement, très : *Il est foncièrement honnête* (syn. : FONDAMENTALEMENT). [V. aussi FONDS.]

1. fonction [fɔ̃ksjɔ̃] n. f. 1° Place occupée par quelque chose dans un mécanisme : *La fonction du volant est de commander la direction du véhicule.* — 2° *Faire fonction de,* jouer le rôle de, remplacer quelque chose ou quelqu'un : *Ce capitaine fait fonction de commandant sans le grade. Rideaux qui font fonction de volets* (syn. : FAIRE OFFICE DE).

2. fonction [fɔ̃ksjɔ̃] n. f. *Etre fonction de,* dans la langue usuelle, se dit d'une chose dont la nature, le rôle, etc., dépendent d'une autre chose : *Le développement de l'enfant est fonction de l'établissement des connexions nerveuses.* ● Loc. prép. *En fonction de,* par rapport à quelque chose ou à quelqu'un : *Agir en fonction de ses intérêts* (syn. : EN VUE DE). *Régler une longue-vue en fonction de la distance* (syn. : EN RAPPORT AVEC).

3. fonction [fɔ̃ksjɔ̃] n. f. (accompagné d'un adj. ou d'un compl. du nom). Rôle caractéristique joué par un élément spécifique au sein d'un ensemble structuré (techn.). — 1° En mathématiques : *Fonction algébrique,* fonction mathématique exprimée sous forme algébrique. ‖ *Fonction mathématique,* grandeur mathématique dépendant d'une autre grandeur suivant un système fixe de variables. — 2° En biologie : *Fonctions de nutrition,* ensemble des opérations constituées par les activités du corps, telles que la digestion, l'absorption, la circulation, la respiration et l'excrétion. ‖ *Fonctions de reproduction,* opérations effectuées par les organes de reproduction. — **3°** En psychologie : *Les fonctions supérieures,* les activités intellectuelles. — **4°** En grammaire : *Fonction de sujet, de complément,* etc., relation existant, à l'intérieur d'une proposition ou d'une phrase, entre un mot et un groupe de mots et le reste de la proposition ou de la phrase, et en particulier entre un mot quelconque et le verbe. (V. tableau p. 524.) ◆ **fonctionnel, elle** adj. **1°** Se dit d'une chose qui répond à une fonction particulière : *Architecture fonctionnelle. Education fonctionnelle.* — **2°** Se dit d'une chose qui concerne une fonction particulière : *Troubles fonctionnels* (= troubles dans le fonctionnement d'un organe vivant). — **3°** Se dit d'une chose douée d'une fonction, qui s'exerce en vertu d'une fonction : *Linguistique fonctionnelle* (= qui étudie les éléments, les termes du point de vue d'une fonction dans la structure d'une langue).

4. fonction [fɔ̃ksjɔ̃] n. f. **1°** Profession, métier : *Une fonction très bien rémunérée* (syn. : EMPLOI). *Les problèmes de la fonction enseignante* (syn. : CARRIÈRE). *Le titulaire d'une fonction* (syn. : POSTE). *Etre promu à une nouvelle fonction.* — **2°** (souvent au plur.) Travail professionnel : *Entrer en fonctions* (= s'installer dans un poste). *M. X a été installé dans ses nouvelles fonctions. Interrompre, reprendre ses fonctions* (syn. : TRAVAIL). *Etre en fonction* (syn. : ACTIVITÉ). *Quitter ses fonctions* (= prendre sa retraite). — **3°** *Fonction publique,* profession relative aux choses de l'Etat et dont le statut est fixé par l'Etat : *Le statut de la fonction publique.* ◆ **fonctionnaire** n. Agent d'administration publique dépendant juridiquement de l'Etat : *Un haut fonctionnaire de l'Etat.* ◆ **fonctionnariser** v. tr. Transformer une entreprise en service public, une personne en employé de l'Etat : *Fonctionnariser une entreprise.* ◆ **fonctionnarisation** n. f. : *Les protestations des médecins contre la fonctionnarisation.* ◆ **fonctionnarisme** n. m. Tendance à la multiplication des fonctionnaires et à l'augmentation des tâches qui leur sont confiées.

fonctionner [fɔ̃ksjɔne] v. intr. (sujet nom désignant un appareil, un organe). Etre en état de marche, remplir ses fonctions : *Une machine fonctionnant sur le courant alternatif.* ◆ **fonctionnement** n. m. : *Arrêter le fonctionnement normal des institutions. En état de bon fonctionnement.*

1. fond [fɔ̃] n. m. **1°** Partie la plus basse, la plus profonde de quelque chose : *Les livres sont au fond de la malle. Il reste un peu de peinture dans le fond du pot.* ‖ *Lame de fond,* vague puissante qui s'élève soudain du fond de la mer; bouleversement qui modifie complètement une situation : *La lame de fond qui a presque totalement renouvelé l'Assemblée lors des élections* (syn. : RAZ DE MARÉE). ‖ *Mineur de fond,* celui qui travaille au niveau le plus bas de la mine. ‖ *Fond de culotte,* la partie située au siège : *Pendant qu'il usait ses fonds de culotte sur les bancs de la classe* (= pendant qu'il fréquentait l'école). *Envoyer un navire par le fond,* le couler. ‖ *Regarder quelqu'un au fond des yeux,* le regarder droit dans les yeux pour dissiper toute équivoque. ‖ *Faire fond sur quelqu'un, sur quelque chose,* compter dessus, s'y fier. — **2°** Ce qui reste dans la partie la plus basse, la plus retirée d'un récipient : *Boire un fond de bouteille.* ‖ Fam. *Fond de tiroir,* ultimes ressources dont on dispose. — **3°** Partie la plus éloignée de l'entrée, la plus reculée d'un lieu; partie la plus secrète d'une chose ou d'une personne : *Il y avait un piano au fond de la pièce. Il a pris une retraite paisible au fond de sa province. Nous vous remercions du fond du cœur* (= très sincèrement). *Une lecture qui vous émeut jusqu'au fond de l'âme* (= profondément). *Je peux bien vous confier le fond de ma pensée.* ‖ *Aller au fond des choses,* ne pas s'en tenir à une étude superficielle, analyser les éléments fondamentaux d'une situation. — **4°** Ce qui constitue la base, l'élément dominant : *Dans ce tableau, les fleurs se détachent sur un fond sombre. Le fond de sa nourriture, ce sont des pommes de terre. Il est coléreux, mais il a bon fond* (= il est foncièrement bon). *Le fond de l'air est frais* (= sans les rayons du soleil, nous n'aurions pas chaud). ‖ *Fond sonore,* ensemble des bruits, des sons, de la musique qui mettent en relief un spectacle. ‖ *Fond de teint,* crème destinée à donner au visage un teint uniforme, et sur laquelle on applique le fard. — **5°** *Le fond d'un exposé, d'un roman,* etc., la matière, par opposition à la *forme.* ‖ *Article de fond,* dans un journal ou une revue, grand article qui donne un point de vue sur un problème, ou qui contient un grand nombre d'informations et d'idées sur un sujet important. ‖ *Juger, plaider, statuer au fond,* juger, plaider, statuer sur le contenu essentiel du droit, de l'acte juridique en cause (par oppos. à *sur la forme*). • LOC. ADV. *Au fond, dans le fond,* si on considère la vérité ultime des choses : *Au fond, vous ne vous connaissez pas très bien* (syn. : EN FIN DE COMPTE, EN RÉALITÉ, FINALEMENT). ‖ *A fond,* complètement : *Il connaît à fond la vie de Napoléon. Serrer à fond un écrou.* ‖ Fam. *A fond de train,* à toute vitesse, sans perdre un instant. ‖ *De fond en comble,* entièrement : *Sa maison a été détruite de fond en comble. Sa situation a changé de fond en comble.*

2. fond [fɔ̃] n. m. *Course de fond,* course à pied sur une distance supérieure à 3 000 mètres; en natation, course de 400 mètres ou de 1 500 mètres. ◆ **demi-fond** n. m. **1°** Course à pied sur une distance comprise entre 800 et 3 000 mètres. — **2°** Course cycliste derrière moto : *Coureur de demi-fond.*

fondamental, e, aux [fɔ̃damɑ̃tal, -to] adj. **1°** Se dit d'une chose qui a un caractère déterminant, essentiel par rapport aux autres : *L'objectivité est un principe fondamental pour un homme de science. L'idée fondamentale d'un système* (syn. : DIRECTEUR, DE BASE). *L'absurdité fondamentale d'un raisonnement* (syn. : RADICAL). — **2°** *Note fondamentale,* note de musique qui sert de base à un accord. ◆ **fondamentalement** adv. : *Une philosophie qui juge la condition humaine fondamentalement absurde* (syn. : RADICALEMENT). *Conceptions fondamentalement opposées* (syn. : IRRÉDUCTIBLEMENT, DIAMÉTRALEMENT). *Modifier fondamentalement quelque chose* (syn. : DE FOND EN COMBLE; fam. : DU TOUT AU TOUT).

1. fondation [fɔ̃dasjɔ̃] n. f. **1°** Tranchée que l'on creuse avant la construction d'une maison et destinée à recevoir la maçonnerie qui soutiendra l'édifice. — **2°** Ensemble des travaux destinés à asseoir les fondements d'un édifice : *Les travaux de fondation ne sont même pas encore commencés.* ◆

Fonctions grammaticales

FONCTION	NATURE DU MOT	EXEMPLES	DÉFINITION DE LA RELATION SÉMANTIQUE
sujet	nom pronom infinitif	*Les* ARBRES *perdent leurs feuilles en automne.* ELLE *n'est pas venue.* QUI *vous l'a dit?* PROMETTRE *est facile,* TENIR *est difficile.*	Le sujet désigne la personne ou l'objet qui fait l'action ou qui est dans l'état qu'indique le verbe.
attribut (du sujet ou du complément)	nom adjectif pronom infinitif	*Il semblait un* HOMME *heureux. Il a été élu* DÉPUTÉ. *Il était* MALHEUREUX. *Il le voyait* DÉSESPÉRÉ. *Il était* CELUI *que je cherchais.* QUE *deviens-tu? Votre devoir est de* TRAVAILLER.	L'attribut indique la qualité reconnue au sujet ou à l'objet par l'intermédiaire du verbe.
complément d'objet direct ou **indirect**	nom pronom infinitif	*Je répare ma* BICYCLETTE. *Il a échappé à son* ADVERSAIRE. *Je* LE *crois sur parole. A* QUI *doit-on obéir? Je m'*EN *souviendrai. Il a renoncé à* POURSUIVRE *son agresseur. Il aurait aimé vous* SECONDER.	Le complément d'objet indique la personne ou la chose sur laquelle se fait l'action exprimée par le verbe, sans préposition (objet direct) ou par l'intermédiaire d'une préposition (objet indirect).
épithète	adjectif	*L'appartement avait une cuisine* BASSE *et* SOMBRE.	L'épithète indique la qualité d'un substantif (ou d'un pronom), après lequel elle est ordinairement placée, sans être séparée de lui par une pause (virgule).
apposition	nom adjectif	*Racine, l'*AUTEUR *de « Bérénice ». Vous, les* ÉLÈVES *de cette classe.* INTELLIGENT, *Georges savait faire face à la situation.*	L'apposition indique la qualité d'un substantif, avec lequel elle forme un groupe nominal.
apostrophe	nom	ANDRÉ, *viens à table.*	L'apostrophe désigne la personne que l'on interpelle.
complément du nom	nom pronom infinitif	*Les doigts de la* MAIN. *Il raconta l'accident* DONT *il avait été le témoin. Il fut retenu par la crainte de la* BLESSER.	Le complément du nom, normalement introduit par une préposition, joue après celui-ci le rôle d'un déterminant.
complément de l'adjectif ou de l'adverbe	nom pronom infinitif	*Il est loyal envers ses* AMIS. *Contrairement à son* HABITUDE. *Je vous donne un travail* DONT *vous me semblez capable. C'est un ouvrage fort délicat à* FAIRE.	Le complément de l'adjectif ou de l'adverbe, introduit par une préposition, joue après celui-ci le rôle d'un déterminant.
complément d'objet secondaire ou complément d'attribution	nom pronom	*Il donne un livre à son* AMI. *Il impose son autorité à sa* FAMILLE. *Il* NOUS *raconte de belles histoires. A* QUI *fit-il part de la triste nouvelle?*	Le complément d'objet secondaire, introduit surtout par la préposition *à*, se trouve après un verbe ayant déjà un complément d'objet direct et exprime l'action du verbe.
complément d'agent	nom pronom	*Il fut heurté par un* PASSANT. *Il est compris de* TOUS.	Le complément d'agent exprime, après un verbe passif, par qui l'action est faite.
complément circonstanciel	nom pronom infinitif	*Entrez dans le* BUREAU (lieu). *Il est sorti à* CINQ HEURES (temps). *Il travaille avec* ARDEUR (manière). *Le coupon mesure* DIX MÈTRES (mesure). *Il est parti en vacances avec son* FRÈRE (accompagnement). *Il est mort d'un* CANCER (cause). *Il est venu sans* LUI (privation). *Avec* QUOI *a-t-il écrit?* (instrument). *Il travaille pour* TOI (but). *Il ne sait que faire pour le* SATISFAIRE (but).	Le complément circonstanciel indique dans quelle circonstance s'accomplit l'action marquée par le verbe (lieu, temps, manière, mesure, accompagnement, privation, cause, but, prix, moyen, etc.).
détermination	article, possessif, démonstratif, indéfini, relatif, interrogatif ou exclamatif, numéral	*Servez-nous* LE *thé. Il a vendu* SA *maison.* CETTE *histoire est invraisemblable. Je reviendrai un* AUTRE *jour. Ils ont entendu* LES *témoins,* LESQUELS *témoins ont confirmé... De* QUELLE *province êtes-vous?* QUELLE *peur j'ai eue! Prenez la* TROISIÈME *rue à gauche.*	Les déterminants précisent le substantif qu'ils accompagnent (art. défini, adj. possessif, démonstratif, etc.).
relation	conjonction préposition	*Mon neveu* ET *ma nièce sont partis en vacances.* QUAND *il sera là, dites-le-moi. Aucun* DE *ses amis n'est venu. Il a été blessé* À *la tête.*	Les conjonctions établissent un rapport entre des mots ou des propositions de même fonction (conj. de coordination), ou relient une proposition à une autre (conj. de subordination). Les prépositions établissent un rapport de dépendance entre un mot et un autre.
modification	adverbe	*Il répondit* TRÈS POLIMENT. *Il est* FORT *discret. Il agit* BIEN. *Il a bu* TROP *de vin.*	L'adverbe modifie le sens d'un adjectif, d'un verbe, d'un adverbe ou d'un nom.

fondement n. m. Ensemble des travaux de maçonnerie qui arrivent à fleur de terre et qui servent de base à un édifice : *L'explosion ébranla les maisons jusque dans leurs fondements.*

2. fondation n. f. V. FONDER.

1. fondement [fɔ̃dmɑ̃] n. m. Anus.

2. fondement n. m. V. FONDATION et FONDER.

fonder [fɔ̃de] v. tr. 1° *Fonder une entreprise, un système, un Etat,* etc., être à l'origine de sa création, en poser les principes, les statuts, les bases, etc. : *César a fondé l'Empire romain* (syn. : CRÉER). *Fonder la démocratie* (syn. : INSTITUER). *Il a fondé un magasin et plusieurs succursales. Einstein a fondé la relativité restreinte et généralisée* (syn. : CRÉER, INVENTER). — 2° *Fonder quelque chose sur,* lui assigner comme appui, l'établir sur : *Fonder une démonstration sur une expérience* (syn. : BASER SUR, ÉTAYER PAR). *Fonder de grands espoirs sur son fils* (syn. : PLACER EN, METTRE SUR). ◆ **fondé, e** adj. 1° *Une opinion mal fondée* (= qui ne repose pas sur de bonnes raisons). *Une théorie bien fondée. Accusation fondée* (= qui est justifiée par de solides arguments). *Une idée fondée sur de mauvaises déductions* (syn. : BASÉ SUR). — 2° *Etre fondé à* (et un infin.), se dit d'une personne qui a des raisons valables pour, qui se sent autorisée à : *Puisqu'il ne paie pas ses dettes, je serais fondé à les lui réclamer par voie de justice* (syn. : ÊTRE EN DROIT DE). ◆ **fondé** n. m. *Fondé de pouvoir,* personne qui est chargée d'agir au nom d'une autre ou au nom d'une société. ◆ **fondateur, trice** adj. et n. Personne qui fonde quelque chose, ou qui crée un établissement destiné à se perpétuer après sa mort. ◆ **fondation** n. f. 1° Action de fonder : *La fondation de la République française remonte à la proclamation de 1790.* — 2° Création, par voie de donation ou de legs, d'un établissement d'intérêt général; établissement ainsi fondé : *La Fondation Thiers.* ◆ **fondement** n. m. (le plus souvent au plur.). 1° Elément essentiel sur lequel s'appuie tout le reste : *Les fondements de l'Etat, de la société* (syn. : BASE). *Les fondements d'une théorie* (syn. : PRINCIPES). — 2° *Jeter les fondements de quelque chose,* poser les éléments sur lesquels s'appuiera ce qui suit (syn. : POSER LES PRINCIPES, JETER LES BASES). ‖ *Bruit sans fondement,* rumeur qui ne repose sur rien de vrai.

1. fondre [fɔ̃dr] v. tr. (conj. **51**). 1° *Fondre une matière,* l'amener à l'état liquide, généralement par l'action de la chaleur : *Fondre du métal. Fondre du beurre dans la poêle.* — 2° *Fondre un corps solide,* le dissoudre dans un liquide : *Fondre du sucre, du sel dans l'eau.* — 3° *Fondre la glace,* faire disparaître la gêne établie entre plusieurs personnes : *L'arrivée du gâteau fondit la glace, et les conversations se nouèrent rapidement.* ◆ v. intr. 1° Passer de l'état solide à l'état liquide : *La glace fond à 0 °C. Le beurre fond dans la casserole.* — 2° Disparaître : *L'argent lui fond dans les mains* (= il dépense beaucoup). — 3° Se dissoudre dans un liquide : *Cette friandise fond dans la bouche.* — 4° *Fam.* Maigrir : *Elle a fondu de dix kilos en trois mois. Comme il a fondu!* — 5° *Faire fondre,* dissoudre : *Faire fondre un morceau de sucre dans un verre d'eau,* faire disparaître : *Ce geste d'amitié fit fondre son ressentiment.* — 6° *Fondre en larmes,* se mettre à pleurer abondamment (syn. : ÉCLATER EN SANGLOTS). ◆ **fondant, e** adj. Se dit d'un fruit juteux, d'un mets qui fond rapidement dans la bouche : *Des poires fondantes. Des biscuits fondants.* ◆ **fondu, e** adj. Se dit d'un corps amené de l'état solide à l'état liquide : *On versait jadis du plomb fondu sur les assaillants des châteaux forts. De la neige fondue faisait une boue noire où pataugeaient les passants.* ◆ **fonderie** n. f. Installation métallurgique dans laquelle on fond les métaux ou les alliages pour en faire des lingots, ou dans des moules pour leur donner une forme utilisable. ◆ **fondeur** n. m. Ouvrier qui surveille ou effectue les opérations de fusion et de coulée dans une fonderie. ◆ **fonte** n. f. 1° Opération par laquelle une matière est fondue et transformée en ustensile, en instrument, etc. : *Fonte de l'acier. Fonte des monnaies. Fonte d'une cloche.* — 2° *Fonte des neiges,* époque de l'année où les neiges fondent. ◆ **fusion** [fyzjɔ̃] n. f. Passage d'un corps de l'état solide à l'état liquide : *Un métal en fusion. Point de fusion* (= température au-dessus de laquelle un corps passe de l'état solide à l'état liquide).

2. fondre [fɔ̃dr] v. tr. (conj. **51**). *Fondre plusieurs choses,* les combiner, les joindre de façon à estomper les différences, à former un tout : *Fondre deux livres en un seul. Fondre deux sociétés pour n'en former plus qu'une* (syn. : INCORPORER, AMALGAMER, RÉUNIR). *Fondre des couleurs.* ◆ **fondu, e** adj. Se dit d'une couleur qui est peu distincte d'une couleur voisine, ou qui se transforme progressivement en elle; se dit d'un contour peu net : *Un dessin fondu. Des contours fondus* (syn. : FLOU, VAPOREUX). ◆ **fondu** n. m. Procédé cinématographique par lequel on fait apparaître ou disparaître progressivement une image. ◆ **fusion** n. f. Union résultant de l'interpénétration de plusieurs choses distinctes : *La fusion de deux partis politiques* (syn. : UNIFICATION). *La fusion des races* (syn. : INTÉGRATION). *Fusion de deux sociétés* (syn. : CONCENTRATION, UNION). *La fusion du moi, de l'individu dans la nature.* ◆ **fusionner** v. intr. : *Les deux syndicats rivaux ont fini par s'entendre et par fusionner* (syn. : SE RÉUNIR). ◆ v. tr. Réunir par fusion : *Fusionner deux entreprises.* ◆ **fusionnement** n. m. : *Au terme de longues discussions, le fusionnement des deux entreprises a été décidé.*

3. fondre [fɔ̃dr] v. intr. (conj. **51**). *Fondre sur quelqu'un, sur un animal, sur une chose,* tomber vivement, descendre à vive allure sur cet être ou sur cette chose, s'en emparer brutalement : *L'épervier fondit sur sa proie* (syn. : S'ABATTRE, TOMBER, SE PRÉCIPITER). *Tous les malheurs lui ont fondu dessus au même moment* (syn. : FONCER).

fondrière [fɔ̃drijɛr] n. f. Crevasse, dépression dans le sol.

fonds [fɔ̃] n. m. 1° Désignation générique de certains biens immeubles : *Acheter un fonds de commerce.* — 2° Ce qui constitue un capital, une richesse de base (dans des expressions figées) : *Le fonds d'une bibliothèque* (= l'ensemble des livres les plus importants ou les plus demandés). *Il a un grand fonds d'honnêteté* (= l'honnêteté est sa qualité principale). *Ce garçon a un fonds de santé robuste* (= il ne tombe jamais très gravement malade). ◆ n. m. pl. 1° Argent disponible pour tel ou tel usage : *Manquer de fonds pour construire un immeuble* (syn. : CAPITAUX). *Un gérant inculpé pour détournement de fonds. Fonds de l'Etat* (= capital des sommes empruntées par l'Etat). *Un bailleur de fonds.* — 2° *Fonds publics,* valeurs mobilières émises par l'Etat. ‖ *Fonds secrets,* sommes dont la disposition appartient totalement à certains fonctionnaires. || Fam. *Prêter à fonds perdus,* prêter de l'argent à un débiteur insolvable, ou verser de l'argent à quelqu'un qui ne le rendra pas. ◆ **foncier, ère** adj. 1° Se dit d'un bien immobilier constitué par un fonds de terre, ou du revenu qu'il procure : *Propriété foncière. Revenu foncier.* — 2° *Propriétaire foncier,* personne qui possède des terres.

fondue [fɔ̃dy] n. f. Mets composé de fromage fondu dans une poêle, avec du vin blanc.

fontaine [fɔ̃tɛn] n. f. 1° Source d'eau vive jaillissant du sol naturellement ou artificiellement, et se déversant généralement dans un bassin : *Aller chercher de l'eau à la fontaine.* — 2° Construction de pierre élevée à côté d'une source ou d'une arrivée d'eau : *Une fontaine de marbre. La fontaine des Quatre-Saisons.* — 3° Récipient de grès ou de métal dans lequel on conserve l'eau.

fonte [fɔ̃t] n. f. Alliage de fer et de carbone dont la teneur en carbone est supérieure à 2,5 p. 100, et élaboré à l'état liquide directement à partir du minerai de fer. (V. aussi FONDRE 1.)

fonts [fɔ̃] n. m. pl. 1° *Fonts baptismaux,* grand bassin qui contient l'eau du baptême, dans une église catholique. — 2° *Tenir un enfant sur les fonts baptismaux,* être son parrain ou sa marraine.

football [futbol], ou fam. **foot** [fut] n. m. Sport qui oppose deux équipes de onze joueurs, et qui consiste à envoyer un ballon sphérique dans le but adverse, sans l'intervention des mains. ◆ **footballeur** n. m. : *Les footballeurs professionnels, amateurs.*

for intérieur [fɔrɛ̃terjœr] n. m. *En mon, ton, son,* etc., *for intérieur,* au plus profond de moi-même, toi-même, etc. : *Il se disait en son for intérieur qu'il n'aurait pas dû agir ainsi.*

forain, e [fɔrɛ̃, -ɛn] adj. et n. 1° *Marchand forain,* ou simplem. *forain,* marchand qui, n'ayant pas de domicile fixe, se transporte habituellement dans les villes et les villages pour pratiquer son commerce ou son industrie sur les marchés, les foires, ou dans les fêtes. — 2° Acteur de foire (syn. : BATELEUR). — 3° *Fête foraine,* fête organisée par des forains.

forban [fɔrbɑ̃] n. m. Individu sans scrupule, qui ne respecte aucun droit, et en particulier vendeur malhonnête (syn. : VOLEUR, PIRATE, FLIBUSTIER, BANDIT ; fam. : MARGOULIN).

forçat [fɔrsa] n. m. 1° Criminel condamné aux travaux forcés. — 2° Homme réduit à une condition très pénible. — 3° *Mener une vie de forçat, travailler comme un forçat,* travailler jusqu'à l'épuisement des forces physiques (syn. : COMME UN NÈGRE, UN ROMAIN, UN GALÉRIEN). ◆ **forcé, e** adj. *Travaux forcés,* peine afflictive et infamante, qui punit les criminels de droit commun.

force n. f. V. FORT 1 et 2.

forcené, e [fɔrsəne] adj. et n. 1° Se dit d'une personne qui n'a plus le contrôle de soi et dont le comportement est dangereux : *Quatre agents maîtrisèrent le forcené.* — 2° Qui est l'indice d'une violente ardeur, d'une activité déréglée : *Il continua son travail forcené jusqu'à l'aube* (syn. : ACHARNÉ). *Il s'est montré un partisan forcené de cette politique* (syn. : FANATIQUE, PASSIONNÉ ; contr. : TIÈDE, MOU).

forceps [fɔrsɛps] n. m. Instrument de chirurgie employé dans certains accouchements difficiles (syn. : FERS).

forcer [fɔrse] v. tr. 1° *Forcer une chose,* exercer sur elle un effort qui la fait céder, qui la déforme, qui en modifie le cours : *Nous avons dû forcer la serrure pour pénétrer dans la pièce* (syn. : FRACTURER, CROCHETER). *Forcer une porte* (= l'enfoncer, l'ouvrir en la brisant pour pouvoir entrer) . *Forcer la porte de quelqu'un* (= se faire admettre chez lui contre sa volonté). *Forcer la main à quelqu'un* (= le faire agir malgré lui). *Forcer la consigne* (= ne pas s'y conformer). *Forcer le destin* (= s'efforcer de lutter contre les circonstances défavorables ou contraires [littér.]). — 2° *Forcer une chose,* la pousser au-delà de ses limites normales, de son régime : *Ne forcez pas le moteur, vous provoqueriez son usure prématurée. Il forçait l'allure pour tâcher de rattraper le retard. Forcer la dépense* (= dépenser plus que normalement). *Forcer la dose* (= doser quelque chose au-delà de ce qui convient ou est prescrit). *Forcer sa nature* (= chercher à manifester des sentiments, à adopter un comportement qui ne sont pas naturels). *Forcer la nature* (= ne pas respecter les limites, la condition d'un être vivant). *Forcer la note* (= établir une note de frais plus élevée que ce qui a été réellement dépensé ; exagérer l'expression d'un sentiment). *Forcer le pas* (= accélérer la marche). *Forcer une plante, des fruits* (= en hâter la pousse, la maturation). *Forcer le sens d'un mot, d'un texte,* etc. (= lui faire dire davantage que ce qu'il dit). *Forcer sa voix* (= chanter, parler plus fort, plus haut qu'on ne le peut naturellement sans se fatiguer ; syn. : OUTRER). — 3° *Forcer l'attention, la conviction, le respect, l'admiration,* etc., les susciter, amener les gens à éprouver irrésistiblement ces sentiments : *Des combattants qui ont, par leur vaillance, forcé l'admiration de leurs ennemis. Forcer l'estime, le respect d'un adversaire* (syn. : ARRACHER, EMPORTER). *Forcer le consentement de quelqu'un* (= l'obtenir après de nombreux efforts). — 4° *Forcer quelqu'un, quelque chose* (*à*), les contraindre, leur imposer une action : *S'il ne veut pas manger, ne le forcez pas. Forcer quelqu'un au silence* (syn. : RÉDUIRE). *Forcer un enfant à travailler* (syn. : OBLIGER). *Forcer un prévenu à avouer.* — 5° *Forcer un ennemi,* le poursuivre vigoureusement, l'amener à céder : *Forcer un adversaire jusque dans ses derniers retranchements* (syn. : TRIOMPHER DE, VAINCRE). *Forcer un cerf* (= le poursuivre jusqu'à épuisement). ◆ v. intr. Fournir un effort particulier : *Il peut faire le trajet en deux heures, sans forcer. Si vous forcez trop, vous allez tomber malade.* ◆ ***se forcer*** v. pr. (sujet nom de personne). S'imposer une obligation plus ou moins pénible : *J'ai dû me forcer pour achever la lecture de ce roman. Il se force à parler très lentement pour bien se faire comprendre. Se forcer à la patience.* ◆ **forcé, e** adj. 1° Se dit de ce qui est imposé : *Il s'est trop penché au-dessus de l'eau et a pris un bain forcé* (syn. : INVOLONTAIRE). *Cours forcé* (= cours d'une monnaie à un taux généralement supérieur à sa valeur réelle). *Un atterrissage forcé* (= sous l'effet d'une nécessité). — 2° Se dit d'un sentiment que l'on feint d'éprouver ou dont on exagère les manifestations : *Une pitié forcée. Une amabilité forcée* (syn. : EMBARRASSÉ). *Sourire forcé* (syn. : CONTRAINT, AFFECTÉ ; contr. : NATUREL, OUVERT). — 3° *C'est forcé (que),* cela est nécessaire, dans l'ordre des choses : *Il échouera à l'examen,* *c'est forcé! C'est forcé qu'il aille en prison, après ce qu'il a fait.* ‖ *Travaux forcés,* V. FORÇAT. ◆ **forcément** adv. De manière obligatoire, nécessaire : *Il rentrera forcément, puisqu'il n'a pas mangé. Les débuts sont forcément longs et pénibles* (syn. : INÉVITABLEMENT, FATALEMENT). ◆ **forçage** n. m. *Le forçage d'une plante,* l'ensemble des procédés visant à en hâter la pousse. ◆ **forcement** n. m. Surtout au sens 1 de *forcer : Le forcement d'une serrure.*

forcing [fɔrsinɲ] n. m. Accélération d'un rythme, d'une cadence, dans un exercice sportif : *Ce boxeur a fait le forcing pendant le dernier round.*

forcir [fɔrsir] v. intr. *Fam.* Prendre de l'embonpoint, grossir : *Il a un peu forci depuis qu'il fait ce métier sédentaire.*

forclos, e [fɔrklo, -oz] adj. *Etre forclos,* se dit d'une personne qui est privée du bénéfice d'un droit pour ne pas l'avoir exercé dans les délais prescrits. ◆ **forclusion** n. f.

forer [fɔre] v. tr. Percer un trou dans une matière dure, à l'aide d'un instrument mécanique : *Forer une roche. Forer un puits.* ◆ **forage** n. m. : *Le forage d'un tunnel* (syn. : PERCEMENT). *Le forage d'un puits de pétrole.* ◆ **foreuse** n. f. Appareil léger, monté sur camion, destiné au forage de puits à faible profondeur. ◆ **foret** n. m. Outil employé pour percer un trou dans le métal, le bois, les matières plastiques, la pierre, etc.

forêt [fɔrɛ] n. f. Grande étendue de terrain plantée d'arbres : *Aller se promener en forêt. Une forêt de chênes-lièges.* ◆ **forestier, ère** adj. 1° Se dit d'une chose qui concerne la forêt : *Le Code forestier* (= qui régit l'usage et l'exploitation des forêts). *Région forestière* (= couverte par les forêts). *Chemin forestier* (= qui traverse une forêt). *Maison forestière* (= située dans une forêt). *Exploitation forestière.* — 2° (au masc.) Se dit d'une personne qui a pour métier de protéger une forêt.

1. forfait [fɔrfɛ] n. m. Crime abominable : *Commettre un forfait. Un audacieux forfait.* ◆ **forfaiture** n. f. Crime commis par un fonctionnaire public dans l'exercice de ses fonctions; trahison.

2. forfait [fɔrfɛ] n. m. Convention fixant à l'avance un prix de manière invariable, notamment pour l'exécution de certains travaux, la fourniture de certaines marchandises, de certains services, etc. : *Travail à forfait.* ◆ **forfaitaire** adj. Se dit d'un prix dont le montant a été fixé à forfait.

3. forfait [fɔrfɛ] n. m. 1° Somme que le propriétaire d'un cheval doit verser à l'organisateur des courses s'il ne fait pas courir son cheval. — 2° *Déclarer forfait,* annoncer qu'on ne participera pas à une compétition sportive; et, *fam.*, renoncer à quelque chose.

forfanterie [fɔrfɑ̃tri] n. f. Vantardise impudente (littér.) : *Un homme plein de forfanterie et de vanité* (syn. : HÂBLERIE, VANTARDISE, FANFARONNADE).

forger [fɔrʒe] v. tr. 1° Travailler un métal à chaud, au marteau, pour lui donner une forme bien définie; fabriquer un objet : *Forger une barre de fer. Forger de l'or.* — 2° *Forger des prétextes, des mensonges,* les inventer, les imaginer. ‖ *Se forger un idéal,* se proposer un idéal. ‖ *Forger un caractère,* le former par des épreuves. ◆ **forgé, e** adj. 1° *Fer forgé.* — 2° *Forgé de toutes pièces,* se dit d'une chose qui a été complètement inventée, généralement dans une intention déterminée. ◆ **forgeron** n. m. Ouvrier qui sait forger du métal : *Un forgeron de campagne.* ◆ **forge** n. f. 1° Dans les campagnes, atelier où travaille le forgeron. — 2° Installation dans laquelle on façonne les métaux ou les alliages par traitement mécanique à chaud.

formaliser (se) v. pr., **formalisme** n. m., **formalité** n. f. V. FORME 2.

format n. m. 1° Dimensions caractéristiques d'un objet ou d'une personne : *Une valise d'un format pratique. Cette machine à laver est d'un format un peu encombrant.* — 2° En imprimerie, dimensions d'un livre, déterminées par le nombre de pages que contient la *forme* d'imprimerie (châssis de dimensions variables où l'on serre les pages composées). [Chaque feuille de papier est imprimée des deux côtés et représente en pages de livre le double du nombre indiqué par le format : *in-plano* [inplano], deux pages; *in-folio* [infoljo], quatre pages; *in-quarto* [inkwarto], huit pages; *in-octavo* [inɔktavo], seize pages; *in-seize* [insɛz], trente-deux pages. Pour le même texte, un *livre in-quarto* (ou *un in-quarto*) est plus grand, mais contient moins de pages qu'un *livre in-octavo* (ou *un in-octavo*).] — 3° *Petit format,* expression désignant les appareils photographiques permettant d'obtenir des photographies inférieures ou égales à 24 × 36 mm.

1. forme [fɔrm] n. f. 1° Contour extérieur de quelque chose ou de quelqu'un, apparence visible extérieure d'un objet, aspect particulier pris par quelqu'un ou par quelque chose : *La Terre a la forme d'une sphère légèrement aplatie aux pôles. La forme d'un chapeau. La forme d'un relief* (syn. : CONFIGURATION). *La forme du visage* (syn. : CONTOUR). *Une tête en forme de poire. Un château d'une forme élégante* (syn. : ARCHITECTURE). *Donner à quelque chose une forme caractéristique* (syn. : ASPECT, FIGURE, APPARENCE). — 2° Manière d'être particulière d'une chose abstraite, intellectuelle : *Les diverses formes de l'intelligence* (syn. : MODALITÉ, TYPE). *La forme d'un gouvernement* (syn. : CONSTITUTION, STRUCTURE). *Les formes de l'activité humaine* (syn. : ASPECT). *Les formes de l'art* (syn. : MANIFESTATION). — 3° (au plur.) Contours du corps féminin : *Sa robe moulait ses formes. Elle a des formes superbes.* (V. aussi FORMER.) — 4° *Sous la forme de quelque chose* ou *de quelqu'un,* en prenant ou en donnant l'apparence de quelque chose ou de quelqu'un : *L'acteur parut cette fois sous la forme d'un noble vieillard.* ‖ *Ne plus avoir forme humaine,* ne plus avoir l'aspect d'un être humain. ‖ *Prendre forme,* commencer à ressembler à quelque chose de connu : *Petit à petit, la masse d'argile prenait forme sous les doigts de l'artiste.* ◆ **informe** adj. Sans forme : *Masse informe. Un visage informe* (syn. : ↓ LAID). *Un projet informe* (= sans plan, incomplet).

2. forme [fɔrm] n. f. 1° Manière dont est exécutée une chose (notamment un acte juridique), par opposition à la matière, au sujet : *Respecter la forme légale. Un jugement déclaré nul pour vice de forme. Ils ont passé un contrat en bonne et due forme* (= selon les prescriptions légales). ‖ *Pour la forme,* pour respecter les conventions, les règles, les usages. *Vous devriez, pour la forme, lui notifier par lettre votre acceptation.* ‖ *De pure forme,* se dit de ce qui ne concerne que l'apparence extérieure : *Après des considérations de pure forme, il entra dans* *le vif du sujet.* — 2° Ensemble des moyens propres à chaque art ou spécifiques d'une école, permettant à cet art de s'exprimer : *Etudier la forme d'un texte littéraire* (contr. : LE FOND). *Ce poète est plus attaché à la forme qu'au fond* (syn. : EXPRESSION, STYLE). *Les formes poétiques. La forme de cette œuvre est classique* (syn. : FACTURE). ◆ **formes** n. f. pl. *Les formes,* l'ensemble des conventions sociales, des règles auxquelles obéit un homme bien élevé, une personne du monde, etc. : *Pour respecter les formes, il faut d'abord saluer la maîtresse de maison* (syn. : USAGES, SAVOIR-VIVRE, BIENSÉANCES, PROTOCOLE). ‖ *Dans les formes,* conformément aux règles d'une classe bien élevée : *Donner un bal dans les formes* (= selon l'étiquette). ‖ *Respecter les formes,* agir en tout selon une certaine étiquette : *Il se moquait parfois de ses collaborateurs, mais en respectant les formes, sans jamais une grossièreté.* ◆ **formel, elle** adj. 1° Se dit d'une chose qui concerne uniquement l'apparence d'une autre chose, ou davantage son apparence que son contenu : *Des considérations formelles* (= extérieures au sujet traité). *Il a montré une politesse toute formelle.* — 2° Se dit d'un art, d'un créateur qui cultive surtout la forme : *Une peinture, une musique formelle. Ce poète est essentiellement formel.* ◆ **formellement** adv. : *Deux énoncés semblables formellement, mais de sens tout différent.* ◆ **formaliser (se)** v. pr. Etre blessé, choqué par un manquement aux formes : *Il ne faudra pas se formaliser si j'appelle les choses par leur nom* (syn. : SE CHOQUER, SE SCANDALISER). *Ne vous formalisez pas si je vous dis que votre travail est mal fait* (syn. : S'OFFUSQUER, PRENDRE LA MOUCHE, SE VEXER). ◆ **formalisme** n. m. 1° Attachement aux formes juridiques, aux règlements, etc., ou aux conventions sociales : *Le formalisme administratif. C'est du pur formalisme!* (= c'est uniquement pour respecter les formes, cela ne sert à rien). — 2° Tendance d'un art, d'un artiste à préférer la forme au sujet ou à s'exprimer par des abstractions. — 3° Système de pensée qui ramène tout à la forme. ◆ **formaliste** adj. et n. 1° Se dit d'une personne (ou de son comportement) qui montre un grand attachement aux conventions sociales, ou qui observe strictement les règles : *L'organisateur de la cérémonie s'est montré très formaliste pour répartir les places des invités suivant leur rang et leurs titres* (syn. : PROTOCOLAIRE). *Un examinateur formaliste* (syn. : POINTILLEUX, ↑ VÉTILLEUX). — 2° Se dit d'un milieu social, d'une doctrine où les règles, les conventions sont strictement observées : *Une société formaliste* (syn. : RIGORISTE). *Une religion formaliste* (syn. : RITUALISTE). ◆ **formalité** n. f. 1° Opération prescrite dans l'accomplissement de certains actes civils, judiciaires, etc. : *Remplir une formalité. Les formalités administratives.* — 2° Acte jugé sans importance : *Sa promesse n'était qu'une formalité, car il n'en fait qu'à sa tête.*

3. forme [fɔrm] n. f. *Fam.* Condition physique et intellectuelle particulièrement favorable chez une personne, un être vivant : *La forme, il la retrouvera quand il se sera reposé.* — 2° Fam. *Etre en forme,* être dans de bonnes conditions, ou être en bonne santé. ‖ Fam. *Tenir la forme, la grande forme,* être dans des conditions particulièrement excellentes.

formel, elle [fɔrmɛl] adj. Se dit d'une chose qui est formulée avec précision, sans ambiguïté : *Etablir la preuve formelle de la culpabilité d'un accusé* (syn. : INDUBITABLE, INCONTESTABLE). *Recevoir l'ordre formel de partir* (syn. : CATÉGORIQUE). *Une intention formelle* (syn. : INÉBRANLABLE). ◆ **formellement** adv. : *Etablir formellement une preuve* (syn. : INCONTESTABLEMENT). *Interdire formellement* (syn. : RIGOUREUSEMENT). [V. aussi FORME 2.]

1. former [fɔrme] v. tr. 1° (sujet nom de personne) *Former une chose,* lui donner une forme particulière : *On ne peut pas lire cet enfant, il forme mal ses lettres. Former bien ses phrases.* — 2° (sujet nom d'être animé ou de chose) Créer, constituer ce qui n'existait pas : *Le Premier ministre pressenti a formé son gouvernement. Le vent forme de grandes dunes. Nous avons formé le projet de nous associer* (syn. : CONCEVOIR). *Former un numéro de téléphone sur le cadran de l'automatique* (syn. : FAIRE, COMPOSER). — 3° (sujet ordinairement nom de chose) Etre disposé de telle ou telle façon, prendre la forme de : *La Seine forme une boucle à cet endroit. Ce rideau d'arbres forme écran contre les vents froids. Ces murs forment un angle aigu.* — 4° (sujet nom de chose ou de personne) *Former quelque chose,* en être la matière, le constituer : *Le riz forme la base de leur alimentation. Les gens qui forment l'élite de cette société. Des badauds formaient un attroupement autour de la voiture accidentée. Le produit que forme la multiplication de deux nombres* (syn. : DONNER). *La réunion de deux personnes ne suffit pas à former une assemblée* (syn. : COMPOSER). — 5° *Ne former qu'une seule chose,* être de la même nature : *Les deux amants ne formaient qu'un seul être.* ‖ *Former un tout,* ne composer avec quelqu'un ou quelque chose qu'une seule chose indistincte : *Les qualités contraires formaient chez lui un tout indissoluble.* ◆ ***se former*** v. pr. 1° *Se former en,* prendre une certaine forme, une certaine disposition : *Se former en cortège. La troupe se forma en file indienne* (syn. : SE METTRE). — 2° Apparaître, se réaliser, s'organiser : *Une croûte se forme à la surface du liquide. L'unité nationale s'est formée progressivement au cours des âges.* ◆ **formation** n. f. 1° Processus entraînant l'apparition de quelque chose qui n'existait pas antérieurement : *Formation d'une entreprise* (syn. : FONDATION). *Formation d'une idée, d'un projet* (syn. : ÉLABORATION). *Formation de l'unité d'un pays* (syn. : GENÈSE). *Formation d'un corps chimique* (syn. : PRODUCTION). *Formation du monde* (syn. : CRÉATION). — 2° Elément militaire organisé en vue d'une mission : *Envoyer une formation aérienne bombarder un objectif.* — 3° Milieu social, groupement de personnes : *Les formations politiques* (syn. : PARTI). *Formation de jazz* (syn. : ORCHESTRE). — 4° Ensemble d'objets ayant une forme commune, un aspect semblable qui les distingue du reste : *Formation végétale. Formation géologique. Des formations de cristaux.* ◆ **malformation** n. f. Vice de conformation apparu dès la naissance : *L'enfant présentait une malformation : sa main droite n'avait que deux doigts.* (V. DÉFORMER.)

2. former [fɔrme] v. tr. *Former quelqu'un,* lui donner un enseignement particulier, lui permettre d'acquérir certains réflexes, développer en lui certaines aptitudes, etc. : *Le professeur forme ses élèves à des techniques nouvelles. Un exercice qui forme la main* (syn. : ENTRAÎNER). *Cette aventure lui formera le caractère* (syn. : FAÇONNER, FAIRE). *Former un apprenti. Les voyages, dit-on, forment la jeu-*

passé. ◆ **se former** v. pr. Se développer, s'instruire : *Cet enfant est jeune, il a le temps de se former.* ◆ **formateur, trice** adj. Se dit d'une chose qui développe les facultés intellectuelles de quelqu'un ou qui contribue à faire naître en lui certaines aptitudes : *Un exercice formateur* (syn. : UTILE, PROFITABLE, ÉDUCATIF). *Ce stage a été très formateur.* ◆ **formation** n. f. 1° Acquisition de réflexes adaptés à une tâche, de connaissances spécialisées, etc., chez un être humain : *Une formation de littéraire* (syn. : CULTURE). *Formation du caractère* (syn. : ÉDUCATION). *Formation professionnelle* (syn. : APPRENTISSAGE). *Stage de formation.* — 2° Développement des organes qui s'opère à la puberté.

formidable [fɔrmidabl] adj. 1° D'une grandeur, d'une force énorme, qui cause un sentiment de respect, de peur : *La formidable stature du gorille* (syn. : GIGANTESQUE). *Une détonation formidable.* — 2° *Fam.* Remarquable, extraordinaire : *Les cheveux de la fille étaient formidables* (= très jolis). *Tu es quand même formidable de nous avouer cela!* (syn. : BIZARRE). ◆ **formidablement** adv.

formol [fɔrmɔl] n. m. Puissant antiseptique non caustique utilisé en pharmacie.

1. formule [fɔrmyl] n. f. 1° Expression d'une idée au moyen de mots particuliers, choisis intentionnellement ou ayant une certaine valeur : *Formule diplomatique. Il a trouvé une formule heureuse.* — 2° *Formules de politesse,* phrases stéréotypées parmi lesquelles on choisit selon le rang, le niveau de son correspondant, de son interlocuteur : *Terminer sa lettre par une formule de politesse banale.* ◆ **formulation** n. f. Expression, généralement écrite, d'une chose : *La formulation d'une ordonnance médicale. La formulation de cette idée est maladroite.* ◆ **formuler** v. tr. Emettre une idée : *Formuler ses désirs, ses craintes* (syn. : EXPRIMER, EXPLIQUER, EXPOSER, EXPLICITER, FORMER). *Formuler une plainte.* ◆ **formulable** adj. Qui peut être formulé. ◆ **informulé, e** adj. : *Pensée informulée.*

2. formule [fɔrmyl] n. f. Expression concise, généralement symbolique, exprimant soit la relation qui unit des entités mathématiques, logiques, etc., soit la composition d'un corps au point de vue physique, chimique, biologique, etc., ou la méthode qu'il faut suivre pour accéder à un certain type de compréhension intellectuelle : *Une formule algébrique. La formule chimique de l'eau est H_2O. Formule florale. Formule leucocytaire du sang.* ◆ **formulaire** n. m. Recueil de formules scientifiques.

3. formule [fɔrmyl] n. f. Manière d'organiser quelque chose : *Le mélange de ces deux styles est une formule heureuse. Le voyage par bateau est la formule économique* (syn. : SOLUTION).

forniquer [fɔrnike] v. intr. Avoir des relations charnelles coupables avec quelqu'un (en général seulement par plaisanterie). ◆ **fornication** n. f. Péché de la chair, dans la religion catholique.

1. fort, e [fɔr, fɔrt] adj. (placé en général après le nom). 1° Se dit d'une personne (de son comportement), d'un groupe de personnes capables de fournir un effort physique grâce à une constitution saine et robuste : *Un homme fort. Un garçon grand et fort* (syn. : ROBUSTE, VIGOUREUX, ↑ ATHLÉTIQUE; contr. : DÉBILE, FRÊLE). *C'est une nature forte* (= une personne qui a une constitution robuste). — 2° Se dit d'une personne corpulente (ou d'une partie de son corps) : *Avoir des jambes fortes. Un homme qui a un cou un peu fort. Elle est forte des hanches* (contr. : MINCE). — 3° Qui a de grandes capacités intellectuelles, des connaissances étendues, ou la pratique de certaines choses : *Cet élève est très fort* (syn. : DOUÉ, CALÉ, CAPABLE; contr. : FAIBLE). *Il est fort aux échecs. Il est fort en mathématiques, en gymnastique. Il est très fort sur les questions économiques.* — 4° (placé avant ou après le nom) Capable de résister aux épreuves morales, aux souffrances physiques ou aux pressions extérieures d'autrui : *Demeurer fort dans l'adversité. Une forte nature. Les âmes fortes* (contr. : FAIBLE). ‖ *Forte tête,* personne rebelle à l'obéissance, qui n'en fait qu'à sa tête. ‖ *Un esprit fort,* une personne incrédule en matière de religion (littér.). ‖ *Une forte femme,* se dit d'une femme qui a un caractère énergique (contr. : FAIBLE FEMME). — 5° Se dit d'une personne ou d'un groupement de personnes qui a une grande influence : *Ses relations l'ont rendu très fort. Un régime fort* (= un régime politique qui a beaucoup d'autorité). *Un gouvernement fort* (syn. : PUISSANT; contr. : FAIBLE). — 6° *Etre fort de quelque chose,* en tirer sa force, son assurance : *Etre fort de l'aide de quelqu'un, de son innocence. Il se croit fort de l'appui du ministre.* — 7° *Se faire fort de quelque chose,* se déclarer, se croire capable de le faire (*fort* reste invariable) : *Elle se fait fort de passer l'agrégation. Ils se font fort de se passer de mon aide.* ◆ n. : *Dans un combat, les forts écrasent les faibles. La concurrence économique joue au profit des plus forts.* ‖ *Avoir affaire à forte partie,* être aux prises avec des gens nombreux et puissants, ou avec de grandes difficultés. ◆ **force** n. f. 1° Possibilité, pour une personne ou un être vivant, de faire un effort physique ou intellectuel important, de résister à une épreuve : *Cet homme a beaucoup de force* (contr. : FAIBLESSE). *Force physique. Force intellectuelle. Deux élèves de la même force en mathématiques* (syn. : NIVEAU). *Il a montré une grande force d'âme dans le malheur* (syn. : FERMETÉ). *Avoir beaucoup de force de caractère. Force brutale. Avoir de la force dans les bras. Etre en pleine force. Faire un exercice en force* (= en y déployant toutes ses réserves, en se raidissant dans l'effort; contr. : EN SOUPLESSE). — 2° *Etre de première force,* se dit d'une personne qui a de grandes capacités : *Il est de première force en anglais. Un organisateur de première force.* ‖ *Etre de force à faire quelque chose,* être capable de le réussir, de le mener à bien. ‖ Fam. *Ne plus sentir sa force,* être extrêmement fort. ‖ *Travailleur de force,* se dit d'une personne dont le travail est exclusivement musculaire. ‖ *Faire force de rames,* ramer vigoureusement (littér.). ‖ *Force de l'habitude,* pouvoir contraignant de l'habitude : *Il a été repris par la force de l'habitude et s'est remis à jouer* (syn. : POIDS). ‖ *Force d'inertie,* résistance passive. ‖ *Cas de force majeure,* circonstance dans laquelle on est absolument contraint de faire certaines choses, quelque répréhensibles qu'elles soient. — 3° Effectifs, matériel permettant une action : *Force publique, forces de police* (= ensemble des agents de police, des gendarmes et des troupes dont dispose un gouvernement pour faire respecter l'ordre public). *Agent de la force publique* (= policier). *Force de frappe* (= ensemble des moyens militaires modernes, et spécialement les armes atomiques, dont dispose un pays pour porter un coup décisif à l'ennemi ou le dissuader d'entrer en guerre.

— 4° (comme compl. de nom) *Epreuve de force,* affrontement inévitable entre antagonistes après l'échec de négociations. ‖ *Politique de force,* politique d'un pays qui utilise des moyens diplomatiques d'intimidation ou qui pratique des agressions limitées. ‖ *Tour de force,* exercice, tâche particulièrement difficile à exécuter : *L'acrobate a terminé par un tour de force extraordinaire. Il a réussi le tour de force de résumer en quelques pages une œuvre aussi vaste.* ◆ **forces** n. f. pl. **1°** Capacités physiques, plus rarement intellectuelles : *Courir, sauter, travailler,* etc., *de toutes ses forces* (= avoir recours à toute son énergie physique pour courir, sauter, etc.). *Ménager ses forces* (syn. : SE MÉNAGER). *Perdre ses forces* (= s'épuiser inutilement dans un effort important). *Refaire ses forces* (= se reposer, se restaurer, en vue de récupérer sa vigueur physique, son courage; syn. : SE REFAIRE). *Travail, tâche au-dessus des forces de quelqu'un* (= que cette personne ne peut accomplir, faute de moyens physiques, intellectuels). — **2°** Moyens matériels : *Les forces d'un pays* (= l'ensemble de son matériel de guerre et de son personnel militaire; syn. POTENTIEL MILITAIRE). *Les forces navales* (= la marine de guerre d'un pays). *Les forces vives d'un pays* (= ce qui, dans un pays, produit la richesse économique). • LOC. ADV. *A force,* par des efforts répétés, à la longue : *Au début, cette nourriture le dégoûtait, mais, à force, il s'y est habitué.* ‖ *A toute force,* malgré toutes les résistances, tous les obstacles : *Il faut à toute force passer par cette route* (syn. : ABSOLUMENT, DE TOUTE NÉCESSITÉ). *Vouloir à toute force quelque chose* (= l'exiger, l'imposer contre la volonté de tout le monde, en dépit de tous les obstacles; syn. : À TOUT PRIX). ‖ *De force,* en faisant un effort particulier pour vaincre une résistance : *Faire entrer de force un objet dans une caisse. De gré ou de force, on lui enlèvera son masque* (= qu'il le veuille ou non). ‖ *En force,* en groupe nombreux et puissant : *Les policiers sont venus en force pour cerner la maison* (= en nombre, avec des moyens puissants). ‖ *Par force,* par nécessité, faute de pouvoir faire autrement : *Lui qui ne tient pas en place, il est resté couché un mois par force, avec une jambe cassée.* • LOC. PRÉP. *A force de,* par le fait répété de : *Il a réussi à force de travail. A force de chercher, il finira bien par trouver.* (V. A FORTIORI.)

2. fort, e [fɔr, -fɔrt] adj. (se rapportant à un nom de chose). **1°** Se dit de ce qui résiste, de ce qui est solide : *Un carton fort* (syn. : DUR; contr. : MOU). *Un fil fort. Tissu fort* (syn. : ROBUSTE, RÉSISTANT, ↑ INUSABLE). — **2°** Se dit de ce qui se manifeste avec intensité, de ce qui produit une impression marquée sur les sens, sur l'esprit : *Frapper un coup fort pour enfoncer un piquet* (syn. : VIGOUREUX; contr. : LÉGER, FAIBLE). *Une forte lumière* (syn. : VIF, INTENSE). *Une forte brise, un vent fort. Une forte explosion* (syn. : PUISSANT, VIOLENT). *On sent une forte odeur de gaz. Une liqueur forte* (contr. : DOUX). *De la moutarde forte* (syn. : PIQUANT). *Un tabac fort* (syn. : ↑ ÂCRE). *L'orateur a critiqué cette politique en termes très forts* (syn. : ÉNERGIQUE). *Le mot « trahison » n'est pas trop fort pour désigner cette défection. Une forte crainte.* ‖ Fam. *Ça, c'est trop fort,* c'est exagéré, c'est surprenant. ‖ *Temps fort,* en musique, celui qui est ordinairement plus marqué dans une mesure. ‖ *Lunettes fortes,* celles qui grossissent beaucoup. — **3°** (placé en général avant le nom) Se dit d'une chose mesurable importante en quantité : *Une forte poussée de fièvre* (contr. : FAIBLE). *De fortes chutes de neige. Une forte quantité de neige est tombée* (syn. : ÉLEVÉ, IMPORTANT, GRAND). *Une forte somme d'argent* (syn. : GROS). *Une forte indemnité. Le fort rendement d'une terre, d'un système d'exploitation. Une forte pente* (= une pente faisant un angle relativement grand avec le plan horizontal). *Une forte armée* (= une armée constituée de très nombreux soldats). *Un détachement militaire fort de 300 hommes* (= qui compte 300 soldats). *Payer au prix fort* (= au prix le plus élevé, sans réduction). *La forte pression d'un gaz, d'un liquide. Il y a de fortes chances pour qu'il réussisse. On compte ici une forte proportion d'étrangers.* ◆ **fortement** adv. **1°** Avec force : *Frapper fortement* (syn. : VIGOUREUSEMENT). *Des détails fortement marqués* (syn. : NETTEMENT). *Désirer fortement* (syn. : INTENSÉMENT; contr. : FAIBLEMENT). *Encourager fortement* (syn. : VIVEMENT). *C'est fortement dit* (= avec concision et vigueur, de façon prenante). — **2°** Avec intensité, fréquemment : *Etre fortement attiré par quelque chose. Il est fortement question de sa démission* (syn. : BEAUCOUP, FORT; contr. : PEU). ◆ **force** n. f. **1°** Action exercée ou résistance opposée par un corps, par un élément naturel : *Une force dirigée vers le haut s'exerce sur un corps plongé dans un liquide. La force centrifuge. L'état de repos résulte d'un équilibre des forces.* — **2°** Qualité de ce qui est fort, de ce qui est apte, par son intensité, à produire un important effet physique ou moral : *Force d'une explosion. Force d'un coup de poing* (syn. : VIGUEUR, VIOLENCE). *Force du vent* (= intensité avec laquelle il souffle; syn. : VITESSE). *Force d'une armée* (= son nombre et son armement). *Force d'une liqueur* (= sa teneur en alcool). *Force d'un café* (= sa concentration). *Force d'une lumière* (syn. : INTENSITÉ). *Force d'un mot, d'un terme, d'une expression* (= degré avec lequel ils expriment une idée). *Une lettre qui témoigne de la force de ses sentiments.* — **3°** *La force des choses,* sorte de fatalité à laquelle on finit par se résigner doucement.

3. fort [fɔr] adv. **1°** En usant de sa force physique, avec un gros effort, ou avec une grande intensité : *Serrez très fort la pince, je vais tendre le fil de fer* (syn. : VIGOUREUSEMENT; contr. : DOUCEMENT). *Ne tapez pas si fort* (syn. : DUR). *Sonnez fort, car elle est un peu sourde. Attention! Respirez fort, puis gardez un moment l'air dans vos poumons* (syn. : FORTEMENT). *Le vent souffle fort aujourd'hui* (syn. : ↑ VIOLEMMENT; contr. : FAIBLEMENT). *Ne crie pas si fort* (syn. fam. : COMME UN SOURD). *Ça sent fort* (= il se dégage une odeur violente). *Le robinet coule trop fort, je suis tout éclaboussée.* — **2°** *De plus en plus fort!,* expression d'étonnement ou d'admiration devant un exploit qui surpasse le précédent. ‖ Fam. *Y aller fort,* exagérer : *Tu y vas fort, on ne te croira pas.* — **3°** Devant un adjectif ou un adverbe, sert à exprimer, surtout dans la langue écrite, une grande intensité (superlatif absolu) [la langue usuelle emploie plutôt *très, tout à fait, extrêmement, bien*] : *C'est fort aimable à vous de vous être dérangé. Il est fort mécontent de ce contretemps. Il a presque tout pris, il en reste fort peu. J'ai été fort agréablement surpris. Il se levait toujours de fort bonne heure. Il sait fort bien que ceci est impossible.* — **4°** Dans un emploi limité appartenant surtout à la langue écrite, après un verbe, il marque une grande quantité ou une grande intensité : *Je doute fort qu'il soit à l'heure. Ou je me trompe fort, ou bien vous n'avez pas compris* (syn.

usuel : BEAUCOUP). *Ils ont eu fort à faire pour le calmer* (= ils ont eu du mal à).

4. fort [fɔr] n. m. Utilisé dans quelques expressions : *Le fort et le faible d'une personne, d'une chose,* son côté intéressant, valable, positif, et l'autre. ‖ *Le fort de quelqu'un,* le domaine dans lequel il excelle : *Les mathématiques ne sont pas mon fort.* ‖ *Au fort de quelque chose, au plus fort de quelque chose,* au milieu : *Au fort de l'été* (= en plein été). *Au plus fort de la discussion* (= au moment où la discussion est la plus vive).

5. fort [fɔr] n. m. Ouvrage de fortification que l'on construisait autrefois dans un but surtout défensif : *Le fort de Verdun. Les forts de Metz.* ◆ **forteresse** n. f. 1° Lieu fortifié, organisé pour la défense d'une ville, d'une région : *Guerre de forteresse.* — 2° Lieu fortifié, servant de prison d'Etat. ◆ **fortin** n. m. Petit fort. (V. FORTIFIER 2.)

1. fortifier [fɔrtifje] v. tr. *Fortifier quelqu'un, quelque chose,* les rendre plus forts : *L'exercice fortifie le corps* (syn. : DÉVELOPPER). *Un régime qui fortifie le malade* (syn. : ↑ RÉTABLIR). *Des conseils qui fortifient un homme désespéré* (syn. : RÉCONFORTER). *Fortifier son âme* (syn. : RAFFERMIR). *Fortifier son prestige* (syn. : RENFORCER). ◆ **fortifiant, e** adj. et n. m. Se dit de certaines substances ou de certains médicaments qui augmentent les forces de quelqu'un : *Prendre un fortifiant* (syn. : REMONTANT).

2. fortifier [fɔrtifje] v. tr. *Fortifier une ville, un retranchement,* etc., les protéger par des ouvrages de défense militaire. ◆ **fortification** n. f. Ouvrage de défense militaire : *Les anciennes fortifications de Paris. Fortification naturelle* (= élément naturel favorisant la défense).

fortin n. m. V. FORT 5.

fortuit, e [fɔrtɥi, -ɥit] adj. Se dit d'une chose qui se produit par hasard : *Un événement fortuit* (syn. : INATTENDU, IMPRÉVU, INOPINÉ ; contr. : ATTENDU, PRÉVISIBLE). *Une découverte fortuite* (syn. : ACCIDENTEL). *Une rencontre fortuite* (syn. : OCCASIONNEL). ◆ **fortuitement** adv. : *J'ai appris fortuitement cette nouvelle* (syn. : INCIDEMMENT, PAR HASARD).

1. fortune [fɔrtyn] n. f. 1° Ensemble des richesses appartenant à un individu, à une collectivité : *Son fils héritera d'une belle fortune. Sa fortune n'est pas très grande* (syn. : AVOIR, CAPITAL). — 2° *Revers de fortune,* événement à l'occasion duquel on perd beaucoup d'argent. ‖ *Faire fortune,* devenir riche, obtenir une belle situation : *Il a fait rapidement fortune, mais il a mal placé son argent* (syn. : S'ENRICHIR, RÉUSSIR). ◆ **fortuné, e** adj. Se dit d'une personne qui a de la fortune : *Ce sont des gens fortunés. Etre très fortuné, peu fortuné.*

2. fortune [fɔrtyn] n. f. 1° Ce qui est censé fixer aux êtres humains leur sort (littér.) : *Etre favorisé par la fortune* (syn. : DESTIN, HASARD). — 2° Sort réservé à quelque chose : *Les fortunes de cette œuvre ont été fort diverses* (= son succès a varié suivant les époques). — 3° *Bonne, mauvaise fortune,* chance, malchance (littér.) : *Il a eu la bonne fortune de vous rencontrer.* ‖ *Bonne fortune,* aventure galante (littér.) : *Un homme à bonnes fortunes.* ‖ *A la fortune du pot,* se dit d'une invitation impromptu à un repas (syn. : À LA BONNE FRANQUETTE). ‖ *Tenter fortune,* commencer une vie, une carrière (littér.) : *A l'âge de vingt ans, il décida de quitter son pays et de tenter fortune ailleurs.* ● LOC. ADJ. *De fortune,* se dit d'une chose improvisée, réalisée rapidement et au dernier moment pour parer au plus pressé : *Installation de fortune* (syn. : IMPROVISÉ). ‖ *Moyens de fortune,* ceux dont on dispose dans l'immédiat : *Monter une cabane avec des moyens de fortune* (syn. : MOYENS DU BORD). ◆ **infortuné, e** adj. Malheureux, accablé par le sort.

forum [fɔrɔm] n. m. Place publique, dans l'Antiquité romaine.

1. fosse [fos] n. f. 1° Cavité creusée dans le sol, d'origine artificielle ou naturelle : *Creuser une fosse. Fosse à fumier, fosse à purin.* ‖ *Fosse aux lions, fosse aux ours,* trou creusé et aménagé, dans lequel on tient en captivité des lions, des ours. ‖ *Descendre dans la fosse aux lions,* s'exposer à un grand danger (littér.). — 2° Dépression située au fond des mers et des océans : *Une fosse marine. Les grandes fosses du Pacifique.* — 3° Partie d'un théâtre située en contrebas, entre l'orchestre et la scène, et dans laquelle prennent place les musiciens : *Fosse d'orchestre.* — 4° Cavité anatomique : *Fosses nasales. Fosse iliaque.*

2. fosse [fos] n. f. 1° Trou creusé pour y placer un cercueil : *Faire descendre le corps dans la fosse. Dire une prière au-dessus de la fosse. Recouvrir la fosse d'une dalle.* — 2° *Fosse commune,* endroit d'un cimetière où sont ensevelis ceux dont les familles n'ont pas de concession de terrain. ‖ *Etre au bord de la fosse, avoir un pied dans la fosse,* être proche de la mort (littér. ; syn. : TOMBE). ‖ *Creuser sa propre fosse,* aller volontairement vers une mort certaine par ses excès, sa vie fatigante, etc. ◆ **fossoyeur** n. m. 1° Personne qui a pour métier de creuser les tombes. — 2° *Fossoyeur de (quelque chose),* personne dont l'activité tend à faire disparaître quelque chose : *Les fossoyeurs d'un régime.*

fossé [fose] n. m. 1° Fosse creusée en long pour faire un intervalle pour l'écoulement des eaux ou, jadis, pour défendre une place forte : *Sa voiture a dérapé et est tombée dans le fossé le long de la route.* — 2° *Il y a un fossé entre nous, un fossé nous sépare,* nos relations ne sont pas bonnes, nos opinions sont opposées. ‖ *Le fossé s'élargit entre eux,* leur incompréhension s'accentue. ‖ *Sauter le fossé,* prendre une décision importante (syn. : FRANCHIR LE PAS ; littér. : PASSER LE RUBICON).

fossette [fosɛt] n. f. Petite cavité que quelques personnes ont naturellement au menton ou qui se forme sur la joue quand elles rient.

fossile [fosil] adj. et n. m. 1° Se dit de débris, d'empreintes de plantes et d'animaux ensevelis dans les couches terrestres antérieures à la période géologique actuelle et qui s'y sont conservés : *Des coquillages fossiles. Une plante fossile. Trouver des fossiles dans une mine de charbon. Une falaise où les fossiles abondent.* — 2° *Fam.* Se dit d'une personne dont les habitudes de vie se sont démodées, ou dont les idées et les sentiments se sont figés dans un état immuable : *La jeune génération prétendait s'affranchir des vénérables fossiles.* ◆ **fossiliser (se)** v. pr. Devenir fossile : *Des oiseaux préhistoriques qui se sont fossilisés. Ce savant a été célèbre, mais, aujourd'hui, il est bien fossilisé !*

fossoyeur n. m. V. FOSSE 2.

1. fou, fol, folle [fu, fɔl] adj. et n. (L'adj. masc. *fol* ne s'emploie que devant un nom commençant par une voyelle.) 1° Se dit d'une personne qui a perdu la raison, ou dont le comportement sort de l'ordinaire : *Il est devenu subitement fou et on a dû l'enfermer. Un fou furieux.* — 2° Se dit d'une chose qui est l'indice d'un dérangement d'esprit ou d'un comportement anormal : *Un regard fou* (syn. : ÉGARÉ, FIXE, HAGARD). *Une imagination folle* (syn. : FIÉVREUX, DÉBRIDÉ). *Une tentative folle* (syn. : ABSURDE, INSENSÉ, DÉSESPÉRÉ). *Une pensée folle* (syn. : DÉRAISONNABLE, ABSURDE). *Un fol espoir* (syn. : INSENSÉ, DÉMESURÉ). *Une terreur folle* (syn. : INVINCIBLE). *Une course folle* (syn. : ÉPERDU). *Une gaieté folle* (syn. : ↓ FRANC, DÉBRIDÉ). — 3° Fam. *Maison de fous,* se dit d'un endroit où les gens paraissent déraisonnables : *Ce bureau est devenu une maison de fous.* ‖ *Histoire de fou,* aventure incompréhensible et fantastique. ‖ *Etre fou de* (et un nom), être passionnément épris de : *Il est fou de musique.* ‖ Fam. *Faire le fou,* en parlant d'un enfant, être d'une gaieté exubérante, s'agiter d'une façon désordonnée. ‖ Fam. *Plus on est de fous, plus on rit,* plus on est nombreux à faire les fous, mieux on se divertit. ‖ *Tête folle,* se dit d'une personne dont les intentions ne sont pas suivies de réalisation, ou dont les agissements sont imprévisibles (syn. : TOUT FOU, GIROUETTE). ◆ **folie** n. f. 1° Dérèglement mental : *Folie furieuse. Folie des grandeurs* (syn. : MÉGALOMANIE). *Folie de la persécution. Sa passion confine à la folie.* — 2° Se dit d'un acte déraisonnable, passionné, excessif, coûteux, divertissant, etc. : *Il a passé l'âge des folies* (= l'âge des passions déréglées). *Dire des folies* (syn. : BÊTISES). *Faire des folies* (= avoir une conduite déraisonnable; syn. : BÊTISES). — 3° Passion excessive pour quelque chose, désir passionné de l'avoir, etc. : *Il a la folie des vieux livres* (syn. : PASSION, MANIE). *Sa folie, c'est la musique* (syn. : PASSION; fam. : MAROTTE). — 4° *Faire des folies pour quelque chose* ou *pour quelqu'un,* faire des dépenses excessives : *Il a fait des folies pour décorer sa villa.* ‖ Fam. *Folie des grandeurs,* désir passionné de notoriété, de vie fastueuse, etc. : *Depuis qu'il s'est mis à fréquenter les gens les plus en vue, il est pris par la folie des grandeurs.* ◆ **follet, ette** adj. et n. Se dit d'une personne qui fait de petites folies.

2. fou, folle [fu, fɔl] adj. (toujours placé après le nom). Se dit de choses dont le mécanisme est déréglé, de plantes dont le développement n'est pas contrôlé, etc. : *Aiguille folle* (= aiguille de montre ou de compas qui n'obéit plus au mécanisme de l'horlogerie ou qui n'indique plus le nord). *Des allées envahies d'herbes folles.* ◆ **follet, ette** adj. *Poils follets,* poils qui commencent à pousser au menton des adolescents.

3. fou, folle [fu, fɔl] adj. (toujours placé après le nom). A une valeur superlative : *Il y avait un monde fou à cette réunion* (= il y avait énormément de monde). *Cet artiste a eu toute sa vie un succès fou* (= un très grand succès). *Cet après-midi, il y avait sur l'autoroute une circulation folle* (= une très grande quantité de voitures). *J'ai mis un temps fou à finir ce livre* (syn. : CONSIDÉRABLE; fam. : INTERMINABLE). ◆ **follement** adv. 1° Énormément, entièrement : *Cette soirée a été follement drôle.* — 2° *Désirer follement quelque chose,* le désirer au plus haut point, comme ce à quoi on tient le plus : *Il désire follement être aviateur.*

4. fou [fu] n. m. Bouffon appartenant à la cour de certains rois, et chargé de distraire le souverain.

5. fou [fu] n. m. Pièce du jeu d'échecs, qui se déplace en diagonale.

fouailler [fwaje] v. tr. Frapper souvent un animal à coup de fouet (littér.).

1. foudre [fudr] n. f. 1° Décharge électrique aérienne accompagnée d'une vive lueur et d'une violente détonation : *La foudre n'est pas tombée loin. Etre frappé par la foudre.* — 2° *Coup de foudre,* amour subit et irrésistible : *La première fois qu'il la vit, ce fut le coup de foudre.* ‖ *Avoir le coup de foudre pour quelque chose,* s'en enticher, s'en toquer. ◆ **foudroyer** v. tr. Frapper d'une décharge électrique, en parlant de la foudre (souvent au passif) : *Deux arbres gisaient, foudroyés par l'orage.*

2. foudre [fudr] n. m. 1° Symbole décoratif militaire, en forme de ligne brisée, avec une flèche : *On trouve le foudre sur les écussons du premier Empire.* — 2° *Foudre de guerre, foudre d'éloquence,* grand homme de guerre, grand orateur (littér.) : *Turenne fut un foudre de guerre.*

foudroyer [fudrwaje] v. tr. 1° *Foudroyer une personne, un animal,* les tuer net, en particulier d'un coup de feu (littér.) : *Le chasseur tira : un perdreau, foudroyé, tomba comme une pierre.* — 2° *Foudroyer quelqu'un du regard,* le regarder intensément, pour lui marquer un sentiment particulier d'hostilité, sa désapprobation, etc. : *Pendant le concert, il froissait du papier et son voisin, impatienté, le foudroyait du regard.* ◆ **foudroyant, e** adj. 1° Se dit de ce qui frappe par sa soudaineté, sa violence : *Une nouvelle foudroyante. Un succès foudroyant* (syn. : FULGURANT). *Une vitesse foudroyante.* — 2° Se dit d'une chose qui donne brutalement, soudainement la mort : *Apoplexie foudroyante. Un poison foudroyant.* — 3° *Regard foudroyant,* regard chargé d'une vive désapprobation et même menaçant. (V. aussi FOUDRE 1.)

fouet [fwɛ] n. m. 1° Instrument formé d'une corde ou d'une lanière de cuir attachée à un manche, et dont on se sert pour dresser les animaux ou pour corriger les enfants : *Un fouet de cocher. Le fouet du dompteur.* — 2° *Coup de fouet,* stimulation dont l'action est immédiate : *Cette tasse de café fut pour lui un coup de fouet. Son succès à l'examen lui a donné un coup de fouet.* ‖ *De plein fouet,* perpendiculairement à la ligne de l'obstacle : *Un tir de plein fouet. Le vent arrivait de plein fouet sur la voile* (contr. : DE BIAIS, DE CÔTÉ). ◆ **fouetter** v. tr. 1° Frapper à coups de fouet : *Fouetter un cheval.* — 2° *Fouetter une crème,* etc., la battre vivement, la remuer énergiquement. — 3° Frapper violemment (littér.) : *La pluie fouettait les vitres de la salle* (syn. : CINGLER). *Les vagues fouettent le bateau.* — 4° Fam. *Il n'y a pas de quoi fouetter un chat,* ce n'est pas une faute grave. ◆ **fouetté, e** adj. : *Une crème fouettée.* ◆ **fouettard** adj. m. *Père Fouettard,* personnage légendaire, muni d'un fouet, et dont on menace parfois les enfants.

1. fouetter v. tr. V. FOUET.

2. fouetter [fwete] v. intr. 1° *Pop.* Avoir très peur. — 2° *Pop.* Sentir très mauvais.

fougère [fuʒɛr] n. f. Plante que l'on trouve souvent dans les bois et dont les feuilles sont en général très découpées.

fougue [fug] n. f. Ardeur impétueuse, mouvement passionné qui anime quelqu'un ou quelque chose). *Il agit avec fougue* (syn. : EMPORTEMENT, ARDEUR, FEU, VÉHÉMENCE, IMPÉTUOSITÉ, EXUBÉRANCE). *Il parle avec la fougue de la jeunesse* (syn. : VIOLENCE, ENTRAIN, PÉTULANCE). ◆ **fougueux, euse** adj. : *Un tempérament fougueux* (syn. : VIOLENT, EMPORTÉ, VIF, ARDENT ; contr. : CALME, FLEGMATIQUE, POSÉ). *Une intervention fougueuse de l'avocat. Un cheval fougueux.* ◆ **fougueusement** adv. : *Il s'élança fougueusement* (syn. : IMPÉTUEUSEMENT).

1. fouiller [fuje] v. tr. 1° *Fouiller un local, un lieu, une chose,* l'explorer minutieusement : *J'ai fouillé toute ma chambre pour retrouver ce sac à main. La police fouillait tout le quartier* (syn. : INSPECTER, PERQUISITIONNER ; fam. : PASSER AU PEIGNE FIN). — 2° *Fouiller quelqu'un,* visiter ses poches, ses vêtements : *La sécurité militaire fouillait tous les suspects.* ◆ v. intr. Se livrer à des recherches : *Un vieux chiffonnier fouillait dans les poubelles. Les enfants ont fouillé partout dans la bibliothèque* (syn. : FURETER ; fam. : FOUINER, TRIFOUILLER, FARFOUILLER). *Fouiller dans ses poches* (= y plonger la main pour en extraire ce qu'on cherche). *Fouiller dans sa mémoire, dans ses souvenirs.* ◆ ***se fouiller*** v. pr. Pop. *Tu peux te fouiller !, il peut toujours se fouiller !,* il peut attendre longtemps ce qu'il désire, il ne l'aura jamais (syn. pop. : SE BROSSER). ◆ **fouille** n. f. Opération par laquelle on recherche quelque chose dans un endroit : *Boucler le quartier et faire la fouille de tous les suspects. La fouille des bagages. La fouille ne donnait jamais rien.* ◆ **fouilleur, euse** n. et adj. Personne qui aime à fouiller, à chercher partout pour trouver quelque chose : *Un fouilleur de livres* (syn. : CHERCHEUR ; fam. : FOUINEUR, FURETEUR).

2. fouiller [fuje] v. tr. et intr. 1° Creuser dans certains terrains, suivant une méthode, pour mettre au jour des vestiges de civilisations antérieures : *Les archéologues ont fouillé toute la partie qui entoure le temple romain.* — 2° (sujet nom d'animal) *Fouiller le sol, la terre,* etc., creuser pour y chercher sa nourriture : *Un héron qui fouille dans la vase.* ◆ **fouille** n. f. 1° Activité d'une personne qui creuse ou qui dirige les travaux de creusement du sol dans un but archéologique ; ces travaux eux-mêmes (surtout au plur.) : *Les fouilles n'ont pas vraiment commencé.* — 2° Lieu sur lequel on fouille : *Aller sur la fouille.*

fouillis [fuji] n. m. Accumulation de choses en désordre : *Les livres formaient sur sa table un fouillis indescriptible* (syn. : FATRAS).

fouine [fwin] n. f. Petit mammifère carnivore vivant dans les bois.

fouiner [fwine] v. intr. *Fam.* Fourrer son nez partout, se mêler de choses qui ne vous concernent pas, rechercher vivement, par curiosité : *Je n'aime pas qu'on vienne fouiner dans mes affaires* (syn. : FURETER ; fam. : FARFOUILLER, FOURGONNER). ◆ **fouineur, euse** adj. et n. *Fam.* Se dit d'une personne très curieuse. ◆ **fouinard, e** adj. *Fam.* et *péjor.* Se dit d'une personne que sa curiosité pousse à l'indiscrétion.

fouisseur, euse [fwisœr, -øz] n. et adj. Se dit d'organes, chez certains animaux, qui sont propres à creuser le sol ; ou de ces animaux eux-mêmes : *Les pattes fouisseuses de la taupe.*

foulante [fulɑ̃t] adj. f. *Pompe foulante,* pompe qui élève l'eau au moyen de la pression qu'elle exerce sur le liquide, par opposition aux pompes *aspirantes.*

foulard [fular] n. m. Carré, mouchoir de tissu léger, de confection élégante : *Avoir un foulard autour du cou. Mettre un foulard sur ses cheveux.*

foule [ful] n. f. 1° Multitude de personnes rassemblées indistinctement et sans ordre dans un endroit : *La foule s'engouffrait dans le métro. La foule se massait sur le trottoir. Il y avait foule dans les amphithéâtres* (syn. : AFFLUENCE). *La foule écoutait l'orateur* (syn. : ASSISTANCE, PUBLIC). *La foule des amis défilait devant le catafalque. Fendre la foule. Etre pris dans la foule.* — 2° Masse humaine en général : *Flatter la foule* (syn. : LE PEUPLE). *Aimer la foule. Fuir la foule* (syn. : MULTITUDE ; pop. et péjor. : POPULO). *Le jugement des foules* (syn. : MASSE ; contr. : ÉLITE). — 3° (avec un compl. du nom) Nombre très élevé de personnes ou de choses : *Une foule d'amis* (syn. : MASSE). *Une foule de faits, de documents. Une foule d'idées* (syn. : TAS). ● LOC. ADV. *En foule,* en grand nombre : *Les amis vinrent en foule me voir. Les idées se pressaient en foule dans son esprit surexcité* (syn. : EN MASSE).

foulée [fule] n. f. Distance couverte par un coureur entre deux appuis des pieds au sol : *En fin de course, il allongea la foulée. Etre dans la foulée de quelqu'un* (= le suivre immédiatement).

1. fouler [fule] v. tr. 1° *Fouler quelque chose,* le presser, l'écraser avec un instrument, avec un rouleau, avec les mains, avec les pieds : *Fouler du feutre. Fouler du drap. Autrefois, on foulait le raisin en montant dans les cuves.* — 2° Marcher sur (littér.) : *Fouler le sol de sa patrie.* — 3° *Fouler aux pieds,* traiter avec un grand mépris : *Fouler aux pieds les principes de 1789* (syn. : PIÉTINER, BAFOUER ; littér. : FAIRE LITIÈRE DE). ◆ **foulage** n. m. Opération par laquelle on exerce une forte pression sur un matériau en vue de le transformer : *Foulage du papier. Foulage des peaux. Foulage des tissus.* ◆ **foulon** n. m. *Terre à foulon,* argile qui absorbe l'huile et les graisses.

2. fouler [fule] v. tr. *Fouler une partie du corps, un membre,* lui faire une foulure ou une entorse. ◆ ***se fouler*** v. pr. : *Il s'est foulé la cheville.* ◆ **foulure** n. f. Etirement accidentel des ligaments articulaires, accompagné d'un gonflement douloureux (syn. : ENTORSE).

3. fouler (se) [səfule] v. pr. *Pop.* Faire un gros effort au cours d'un travail ; se donner du mal (le plus souvent dans une expression négative) : *Il ne s'est pas tellement foulé pour décrocher le prix* (syn. : SE FATIGUER ; fam. : S'ÉREINTER ; pop. : SE CASSER ; contr. : SE MÉNAGER). *Travailler sans se fouler* (syn. : S'INQUIÉTER, SE REMUER ; pop. : SE BILER). ◆ **foulant, e** adj. *Pop.* Fatigant : *Un travail pas foulant.*

1. four [fur] n. m. 1° Partie d'une cuisinière ou d'un poêle enveloppée par l'élément chauffant, où l'on peut mettre des aliments pour les faire cuire : *Four d'une cuisinière. Four électrique. Mettre un gâteau au four, dans le four.* — 2° Ouvrage de maçonnerie rond et voûté, qui sert à la cuisson de diverses substances : *Four à pain du boulanger.*

2. four [fur] n. m. *Fam.* Echec d'un spectacle : *Quand ils montèrent la pièce de théâtre à Paris, ce fut un four complet* (syn. : FIASCO). *Sa pièce a fait un four* (= a échoué).

four (petit) [pətifur] n. m. Petit gâteau glacé ou salé : *Ils arrivèrent à la surprise-partie au moment où l'on passait les petits fours.*

fourbe [furb] adj. et n. Se dit de quelqu'un qui trompe autrui avec une ruse perfide (langue soignée) : *Un vieux fourbe* (syn. : HYPOCRITE, SOURNOIS, TROMPEUR). ◆ **fourberie** n. f. : *Agir avec fourberie* (syn. : FAUSSETÉ, HYPOCRISIE, DUPLICITÉ). *Les fourberies d'un valet* (syn. : PERFIDIE).

fourbi [furbi] n. m. *Fam.* Ensemble de choses, d'ustensiles variés : *Il est parti camper trois jours avec tout son fourbi* (syn. fam. : BARDA, BAZAR).

fourbir [furbir] v. tr. 1° *Fourbir un objet,* le nettoyer avec soin pour le rendre brillant. — 2° *Fourbir ses armes,* s'apprêter à affronter un risque, à subir une épreuve (littér.).

fourbu, e [furby] adj. Se dit d'une personne ou d'un animal qui sont rompus de fatigue : *Rentrer fourbu à la maison après une journée de marche* (syn. : MOULU, ÉPUISÉ, HARASSÉ, EXTÉNUÉ ; fam. : ÉREINTÉ, CLAQUÉ ; pop. : CREVÉ).

1. fourche [furʃ] n. f. Instrument à long manche, terminé par de longues dents, et servant à manier la paille, le fourrage.

2. fourche [furʃ] n. f. Division d'une route, d'une voie de chemin de fer, d'un tronc ou d'une branche d'arbre, etc., en deux directions divergentes, mais non opposées : *Suivre le chemin jusqu'à la fourche et tourner à droite* (syn. : BIFURCATION, EMBRANCHEMENT). ◆ **fourchu, e** adj. Se dit d'un objet qui se divise en deux comme une fourche : *Un arbre fourchu. Pied fourchu d'un ruminant.* ◆ **fourcher** v. intr. 1° Se séparer en deux ou plusieurs branches : *Un tronc qui fourche très bas.* — 2° Fam. *Sa langue a fourché,* il a dit un mot pour un autre.

fourchette [furʃɛt] n. f. 1° Ustensile de table faisant partie du couvert et servant à piquer la nourriture : *Piquer sa fourchette dans une pomme de terre.* — 2° *Avoir un joli coup de fourchette, être une belle fourchette,* avoir un bel appétit. ‖ *Prendre en fourchette,* prendre une carte de ses adversaires entre deux cartes, l'une immédiatement inférieure et l'autre immédiatement supérieure à celle que joue l'adversaire, que l'on a dans son jeu ; coincer la voiture de quelqu'un entre deux véhicules.

1. fourgon [furgɔ̃] n. m. 1° Voiture longue et couverte, servant au transport de marchandises, d'objets : *Fourgon de déménagement.* — 2° *Fourgon mortuaire,* voiture transportant le cercueil, dans un enterrement. ◆ **fourgonnette** n. f. Petite voiture commerciale à carrosserie tôlée, s'ouvrant par l'arrière et n'ayant généralement que deux places, dont l'une pour le conducteur.

2. fourgon [furgɔ̃] n. m. Wagon couvert incorporé dans un train de voyageurs, pour le transport des bagages.

fourgonner [furgɔne] v. intr. *Pop.* Fouiller sans ménagements : *Ne fourgonne pas dans mes tiroirs.*

fourguer [furge] v. tr. *Pop.* Vendre, écouler à bas prix des objets volés : *Le cambrioleur a voulu fourguer le collier à un commerçant.*

1. fourmi [furmi] n. f. 1° Insecte de quelques millimètres de long, appartenant à l'ordre des hyménoptères et vivant en société : *Fourmis rouges. Fourmis ailées. La fourmi est un symbole d'activité inlassable, de prévoyance.* — 2° *Travail de fourmi,* travail très assidu. ◆ **fourmilière** n. f. Habitation des fourmis.

2. fourmi [furmi] n. f. *Avoir, sentir des fourmis dans les jambes, les bras,* etc., éprouver une sensation de picotement dans les membres à la suite d'une longue immobilité, ou dans certaines maladies (syn. : AVOIR DES FOURMILLEMENTS). ◆ **fourmiller** v. intr. (sujet nom désignant un membre). Causer une sensation de picotement : *Les pieds me fourmillent.* ◆ **fourmillement** n. m.

fourmiller [furmije] v. intr. 1° (sujet nom d'être animé) S'agiter vivement, se remuer en grand nombre quelque part : *Un fromage où les vers fourmillent* (syn. : GROUILLER). *Les microbes fourmillaient dans le bouillon de culture. Les baigneurs fourmillent sur les plages de la Côte d'Azur.* — 2° (sujet nom de chose) Etre en abondance : *Les fautes d'orthographe fourmillent dans ses devoirs* (syn. : PULLULER, ABONDER). — 3° (sujet nom de chose) *Fourmiller de quelque chose,* en être abondamment pourvu : *Les boulevards fourmillaient de promeneurs endimanchés* (syn. : ÊTRE PEUPLÉ DE). *Sa biographie fourmille d'anecdotes scabreuses* (syn. : ÊTRE PLEIN DE). ◆ **fourmillement** n. m. 1° Agitation en tous sens : *Le fourmillement de la rue, véritable ruche humaine* (syn. : GROUILLEMENT, PULLULEMENT). — 2° Grande abondance de choses : *Un fourmillement d'idées, d'erreurs* (syn. : FOISONNEMENT, MULTITUDE). [V. aussi FOURMI 2.]

fournaise [furnɛz] n. f. 1° Feu violent : *Les pompiers pénétrèrent sans hésiter dans la fournaise.* — 2° Lieu extrêmement chaud : *La chambre sous les toits est une fournaise en été.*

fourneau [furno] n. m. 1° Appareil destiné à la cuisson des aliments : *Acheter un fourneau à gaz.* — 2° Sorte de four dans lequel on soumet à l'action de la chaleur diverses substances que l'on veut fondre ou calciner. — 3° *Haut fourneau,* construction spécialement établie pour effectuer la fusion et la réduction des minerais de fer, en vue d'élaborer la fonte.

fournée [furne] n. f. 1° Quantité de pain que l'on fait cuire à la fois dans un four. — 2° *Fam.* Ensemble de personnes nommées aux mêmes fonctions, aux mêmes dignités ou à qui on réserve le même sort : *Les cars déversent des fournées de touristes au pied de la tour Eiffel.*

fournir [furnir] v. tr. 1° *Fournir quelque chose à quelqu'un, fournir quelqu'un de quelque chose,* le lui procurer, le mettre à sa disposition : *Fournir du travail aux ouvriers. Fournir des renseignements à la police* (syn. : APPORTER). *Fournir un exemple à la postérité* (syn. : OFFRIR). *Fournir les pièces nécessaires à un dossier. L'accusé a fourni un alibi au tribunal* (syn. : ALLÉGUER). *J'attends qu'il me fournisse une preuve de sa bonne volonté. Les réfugiés ont été fournis de vêtements chauds* (syn. : POURVOIR). — 2° *Fournir un effort, un travail,* le faire : *Il a dû fournir un gros effort pour s'adapter au niveau de cette classe* (syn. : ACCOMPLIR). *Une machine qui fournit un travail considérable.* — 3° *Fournir un magasin, un restaurant,* etc., *en* (ou *de*) *quelque chose,* les approvisionner en cette chose. ◆ v. tr. ind. *Fournir à,* contribuer totalement ou en partie à une charge : *Sa famille fournit à son entretien* (syn. : SUBVENIR, PARTICIPER). ◆ ***se fournir*** v. pr. Faire son ravitaillement, se procurer le nécessaire : *Je fournis toujours chez le même commerçant.* ◆ **fourni, e** adj. 1° Se dit d'une chose ou d'une personne équipée matériellement : *Un magasin fourni en alimentation. Etre bien fourni* (syn. : APPROVISIONNÉ, ACHALANDÉ). — 2° Se dit d'une chevelure abondante, d'une barbe épaisse : *Des cheveux bien fournis, peu fournis.* ◆ **fourniment** n. m. Ensemble des objets d'équipement d'un soldat : *Déballer le fourniment pour une revue.* ◆ **fournisseur** n. m. Personne, établissement qui fournit habituellement une marchandise : *Vous trouverez ce produit chez votre fournisseur habituel* (syn. : DÉTAILLANT, COMMERÇANT). *C'est un des plus gros fournisseurs de papier de tout le pays.* ◆ **fourniture** n. f. 1° Action de fournir; provision fournie ou à fournir : *La fourniture du charbon est faite à domicile* (syn. : LIVRAISON). — 2° Equipement particulier : *Les fournitures scolaires.*

fourrage [furaʒ] n. m. Herbe pour la nourriture et l'entretien des bestiaux : *Le fourrage de l'hiver.* ◆ **fourragère** adj. fém. *Plantes fourragères, espèces fourragères,* propres à être employées comme fourrage.

fourrager v. intr. *Fam.* Chercher en dérangeant, sans se soucier de remettre les choses en ordre : *Fourrager dans un tiroir* (syn. : FOUILLER).

fourragère [furaʒɛr] n. f. Cordon porté sur l'épaule par certains corps de la police ou de l'armée.

1. fourré [fure] n. m. Endroit touffu où poussent des arbustes, des broussailles, etc.

2. fourré, e [fure] adj. Fam. *Coup fourré,* moyen inhabituel utilisé contre un adversaire qui ne s'y attend pas.

3. fourré, e adj. V. FOURRER 2.

fourreau [furo] n. m. 1° Gaine, étui allongé servant d'enveloppe à un objet : *Fourreau de parapluie. Fourreau d'une épée.* — 2° *Robe fourreau, jupe fourreau,* vêtement féminin qui moule le corps.

1. fourrer [fure] v. tr. Fam. *Fourrer quelque chose* ou *quelqu'un,* le faire entrer quelque part avec peu de soin ou avec peu d'à-propos, etc. : *Fourrer ses mains dans ses poches* (syn. : METTRE). *Fourrer un ami dans une sale histoire* (syn. fam. : FLANQUER). *Fourrer un homme en prison. Fourrer une idée fausse, ridicule,* etc., *dans la tête de quelqu'un.* ◆ ***se fourrer*** v. pr. 1° Fam. *Se fourrer dans la tête,* se mettre dans l'idée de : *Il s'est fourré dans la tête qu'il partirait à pied en vacances.* — 2° (sujet nom de chose ou de personne) Se placer, se glisser quelque part : *La balle est partie se fourrer sous l'armoire. Je ne sais pas où cet enfant a encore été se fourrer.* — 3° Fam. *Ne plus savoir où se fourrer,* être rempli de confusion ou de honte. ◆ **fourre-tout** n. m. invar. 1° *Fam.* Endroit où l'on rencontre pêle-mêle les objets, les personnes les plus diverses : *Ce petit cabinet de débarras est un vrai fourre-tout.* — 2° Sac de voyage souple.

2. fourrer [fure] v. tr. *Fourrer un vêtement,* en garnir l'intérieur de fourrure : *Faire fourrer son manteau en peau de lapin.* ◆ **fourré, e** adj. 1° *Des gants fourrés. Une veste fourrée.* — 2° Se dit d'un mets dont on garnit l'intérieur : *Bonbon fourré à la confiture. Gâteau fourré aux amandes.* ◆ **fourreur** n. m. Personne qui confectionne ou qui vend des vêtements de fourrure. ◆ **fourrure** n. f. 1° Peau d'animal garnie de poils fins et serrés, qui, après une préparation particulière, peut servir de vêtement, de garniture ou d'accessoire; cette peau préparée : *Un animal qui a une belle fourrure. Manteau de fourrure. Fourrure d'astrakan. Col de fourrure.* — 2° Vêtement fait de cette peau : *Mettre sa belle fourrure.*

fourrier [furje] n. m. 1° Sous-officier qui était chargé de distribuer les vivres ou de pourvoir au logement des troupes en déplacement. — 2° Fam. *Etre le fourrier de quelqu'un* ou *de quelque chose,* faciliter l'arrivée illégitime de quelque chose ou l'avènement illégal de quelqu'un : *Les fourriers de l'hitlérisme. Les fourriers de Napoléon III.*

fourrière [furjɛr] n. f. 1° Lieu où sont déposés les animaux qu'on a saisis sur la voie publique pour contravention : *Les chiens trouvés sont emmenés à la fourrière.* — 2° Lieu où sont conduits par la police les véhicules stationnés de façon irrégulière : *Aller chercher sa voiture à la fourrière.*

fourvoyer (se) [səfurvwaje] v. pr. 1° *Se fourvoyer dans quelque lieu,* se tromper de chemin; aller où l'on n'a que faire : *Se fourvoyer dans une impasse. Se fourvoyer dans le demi-monde* (syn. : S'ÉGARER, SE COMMETTRE). — 2° (sans compl.) Se tromper complètement, commettre une erreur de jugement : *En choisissant cette solution, il s'est complètement fourvoyé* (syn. : FAIRE FAUSSE ROUTE). [L'emploi transitif, au sens de « induire en erreur », « égarer », est rare.]

foutre [futr] v. tr. *Pop.* Syn. de FICHE, FICHER.

foutu, e [futy] adj. *Pop.* Syn. de FICHU 1.

fox-terrier [fɔksterje] n. m. Chien de race terrier, d'origine anglaise : *Des fox-terriers.*

fox-trot [fɔkstrɔt] n. m. invar. Danse à deux temps, d'origine anglo-saxonne.

1. foyer [fwaje] n. m. 1° Espace aménagé dans une pièce d'une maison pour y faire du feu (littér.) : *La cendre du foyer.* — 2° Partie d'un appareil de chauffage dans laquelle brûle le combustible : *Le foyer d'un poêle.* — 3° Point central d'où provient quelque chose : *Le foyer d'un incendie* (syn. : CENTRE). *Athènes a été le foyer d'une brillante civilisation. Un foyer de rébellion. Foyer d'une maladie.* — 4° Point où convergent des rayons émis par une même source de lumière ou de chaleur lorsque ces rayons traversent une lentille ou frappent un miroir, c'est-à-dire après réfraction ou réflexion : *Foyer d'une lentille. Foyer d'un miroir.* ◆ **focal, e, aux** adj.

2. foyer [fwaje] n. m. 1° Lieu d'habitation d'une famille : *Il a quitté le foyer conjugal* (syn. : DOMICILE). — 2° Famille : *Fonder un foyer. Un enfant abandonné qui a trouvé un foyer* (= qui a trouvé le gîte, le couvert et l'affection d'adultes). ‖ *Femme au foyer,* épouse qui tient sa maison et qui n'est pas salariée. ‖ *Rentrer, retourner dans ses foyers,* regagner son domicile, quand on a terminé son service militaire ou une période militaire. — 3° Local servant aux réunions (dans quelques express.) : *Foyer des artistes* (= salle commune où se réunissent les acteurs d'un théâtre). *Foyer du public* (= salle où les spectateurs peuvent aller pendant les entractes). *Foyer du soldat* (= salle commune d'une caserne où les soldats peuvent boire et se distraire). — 4° Etablissement réservé à certaines catégories de personnes : *Un foyer de jeunes filles.*

frac [frak] n. m. Habit noir de cérémonie, serré à la taille et à basques étroites.

fracas [fraka] n. m. Bruit violent : *Le fracas d'un torrent. S'écrouler avec fracas. Le fracas d'un bombardement* (syn. : VACARME). *Vivre loin du fracas de la ville* (syn. : TUMULTE, ↓ BRUIT). *Renvoyer avec perte et fracas* (= brutalement). *Le fracas des armes.* ◆ **fracasser** v. tr. *Fracasser quelque chose,* le briser avec violence : *Il fracassa la porte d'un coup d'épaule. Il lui fracassa la mâchoire d'un coup de poing* (syn. : BRISER, CASSER). ◆ ***se fracasser*** v. pr. : *Le vase s'est fracassé en tombant sur le carrelage* (= il s'est cassé en mille morceaux). ◆ **fracassant, e** adj. Se dit d'une chose qui fait un grand bruit : *On entendit un coup de tonnerre fracassant* (syn. : ASSOURDISSANT). *Ce film a remporté un succès fracassant* (syn. : ÉCLATANT). *Un discours fracassant* (syn. : RÉVOLUTIONNAIRE).

1. fraction [fraksjɔ̃] n. f. Expression numérique indiquant une ou plusieurs parties de l'unité divisée en parties égales.

2. fraction [fraksjɔ̃] n. f. Partie d'un tout : *Une fraction de l'Assemblée. Hésiter une fraction de seconde. Une importante fraction du groupe.* ◆ **fractionner** v. tr. Réduire en parties : *Fractionner un train en plusieurs rames.* ◆ ***se fractionner*** v. pr. : *Le groupe se fractionna en plusieurs éléments.* ◆ **fractionnement** n. m. : *Le fractionnement d'une propriété foncière* (syn. : DIVISION, DÉMEMBREMENT). ◆ **fractionnel, elle** adj. Se dit de ce qui tend à la désunion d'un parti : *Une activité fractionnelle.* ◆ **fractionnisme** n. m. Attitude de quelqu'un qui tend à faire disparaître l'unité d'un parti politique (syn. : SCISSIONNISME).

fracture [fraktyr] n. f. 1° Lésion osseuse par choc, pression ou torsion : *Une fracture du poignet.* — 2° Rupture brutale de quelque chose : *La fracture d'une serrure.* ◆ **fracturer** v. tr. 1° *Fracturer un os,* le briser : *Le coup lui a fracturé l'humérus* (syn. plus usuel : CASSER) ; surtout à la forme pron. : *Elle s'est fracturé le poignet. La jambe qu'elle s'est fracturée est dans le plâtre.* — 2° *Fracturer une porte, une serrure,* etc., l'ouvrir par la force, en la cassant : *Les cambrioleurs avaient fracturé le coffre-fort.*

fragile [fraʒil] adj. 1° Se dit d'une chose qui se casse facilement : *Une porcelaine fragile. Un verre fin et fragile. Un colis expédié avec la mention « fragile ».* — 2° Se dit de ce qui est mal assuré, qui est sujet à disparaître, à s'effondrer : *Des sentiments fragiles* (syn. : INSTABLE, INCERTAIN). *Une théorie fragile* (syn. : MAL FONDÉ). *Des projets fragiles* (syn. : CHANCELANT). *Santé fragile.* — 3° Se dit d'une personne dont la santé est précaire, ou d'un organe sujet à la maladie : *Un enfant fragile* (syn. : DÉLICAT ; VALÉTUDINAIRE [littér.]). *Avoir une constitution fragile* (syn. : DÉBILE, CHÉTIF ; contr. : ROBUSTE, VIGOUREUX, SOLIDE). *Avoir l'estomac fragile.* ◆ **fragilité** n. f. : *La fragilité du verre. La fragilité d'un sentiment* (syn. : INCONSTANCE). *La fragilité d'une théorie* (syn. : INCONSISTANCE).

fragment [fragmɑ̃] n. m. 1° Partie, le plus souvent isolée ou rare, d'un objet qui a été cassé ou déchiré (langue soignée) : *Ce fragment de poterie a retenu l'attention des archéologues* (syn. usuel : MORCEAU). *Des fragments de cheveu ont été soumis à une analyse toxicologique. Elle rassemblait les fragments épars de la photographie. Des fragments de pain* (syn. : MIETTE). *Les fragments d'une vitre* (syn. : ÉCLAT, DÉBRIS). — 2° Morceau d'une œuvre littéraire : *Nous ne connaissons que des fragments des tragédies d'Accius* (syn. : BRIBE). *Il me récita un fragment du « Discours de la méthode ».* ◆ **fragmenter** v. tr. (surtout au passif) : *Fragmenter un roman en épisodes pour la télévision* (syn. : DIVISER). *Fragmenter la publication d'un livre. L'Autriche-Hongrie a été fragmentée en plusieurs Etats en 1919* (syn. : PARTAGER, DÉMEMBRER, MORCELER). ◆ **fragmentaire** adj. : *Il avait des connaissances fragmentaires* (syn. : PARTIEL ; contr. : COMPLET). *Il avait une vue fragmentaire de la situation* (syn. : INCOMPLET). *Un travail fragmentaire.* ◆ **fragmentation** n. f. (surtout terme scientif.) : *La fragmentation des roches sous l'effet du gel.*

1. frais, fraîche [frɛ, frɛʃ] adj. 1° Se dit d'une chose qui produit une impression de froid léger : *Un vent frais. Une rue fraîche. Une boisson fraîche.* — 2° Qui produit une sensation agréable, analogue à la fraîcheur : *Un parfum frais. Des couleurs fraîches. Une voix fraîche. Le frais coloris d'un papier peint.* — 3° Qui manifeste de la réserve, de la froideur : *Recevoir un accueil frais.* ◆ **frais** adv. *Il fait frais,* on éprouve une sensation de fraîcheur (syn. fam. : FRISQUET). ‖ *Boire frais,* boire une boisson préalablement refroidie. ◆ **frais** n. m. 1° Atmosphère légèrement froide ou humide : *On sent le frais, il faut rentrer* (syn. : FRAÎCHEUR). *Mettre au frais un aliment* (= le mettre dans un endroit naturellement frais). — 2° *Prendre le frais,* se promener dans un lieu où il fait frais. ◆ **fraîche** n. f. *A la fraîche,* au moment du jour où il fait frais : *Sortir à la fraîche.* ◆ **fraîchement** adv. *Fam.* Sans aucun enthousiasme, avec froideur : *Recevoir fraîchement une proposition.* ◆ **fraîcheur** n. f. : *Aimer la fraîcheur du soir. Goûter la fraîcheur d'une eau. La fraîcheur d'un coloris. La fraîcheur d'un accueil.* ◆ **fraîchir** v. intr. (sujet nom désignant l'atmosphère, la température, etc.). Devenir plus frais : *Le temps fraîchit, il faut passer un chandail. La brise fraîchit.* (V. RAFRAÎCHIR.)

2. frais, fraîche [frɛ, frɛʃ] adj. 1° Se dit de ce qui est nouveau, de ce qui vient de se produire : *Trouver des traces fraîches du passage d'un animal. Une blessure fraîche. Une nouvelle fraîche* (syn. : RÉCENT). — 2° Se dit de ce qui n'est pas encore sec : *L'encre est encore fraîche. Attention, peinture fraîche!* — 3° *De fraîche date,* se dit d'un événement tout récent. ‖ *Argent frais,* argent qui vient d'arriver : *Mettre de l'argent frais dans la trésorerie.* ◆ **frais** adv. Nouvellement : *Etre frais débarqué à Paris. Etre frais émoulu de l'Université;* en cet emploi, la forme fém. *fraîche* est usitée dans quelques expressions : *Une fleur fraîche éclose. Des oranges fraîches arrivées d'Espagne.* • LOC. ADV. *De frais,* depuis peu : *Etre rasé de frais.* ◆ **fraîchement** adv. Depuis peu de temps, très récemment : *Terre fraîchement labourée. Il est fraîchement arrivé à Paris* (syn. : NOUVELLEMENT).

3. frais, fraîche [frɛ, frɛʃ] adj. 1° Se dit d'une denrée alimentaire qui n'a pas encore subi d'altération : *Des œufs frais* (syn. : ↑ DU JOUR). *Du beurre frais* (contr. : RANCE). *Des poissons frais* (contr. : AVARIÉ). — 2° Se dit d'une denrée alimentaire que l'on consomme directement, sans séchage ni conservation : *Manger des légumes frais* (contr. : SEC). *Des sardines fraîches* (contr. : EN CONSERVE). ◆ **fraîcheur** n. f. : *La fraîcheur d'un poisson.*

4. frais, fraîche [frɛ, frɛʃ] adj. (parfois avant le nom). **1°** Se dit d'une personne (ou de son corps) ou d'une plante qui est en bonne santé, qui a conservé de l'éclat, qui n'est pas fatiguée ou défraîchie, etc. : *Cet homme est encore très frais pour son âge* (syn. : VERT). *Etre frais comme une rose. Une fraîche jeune fille. Le teint frais et reposé. Des joues fraîches* (contr. : FLÉTRI, FANÉ). *Mettre de l'eau dans un vase pour conserver les fleurs fraîches* (contr. : FANÉ). *Des troupes fraîches* (= qui viennent d'effectuer un temps de repos). — **2°** Se dit de sentiments, d'une sensibilité, d'un souvenir, etc., que l'âge n'a pas ternis, qui sont purs (littér.) : *Il a conservé l'âme fraîche de sa jeunesse* (syn. : CANDIDE, PUR). *J'ai encore le souvenir très frais de cet incident* (syn. : VIVANT, PRÉSENT). — **3°** *Fam.* Se dit de quelqu'un qui est dans une situation fâcheuse : *Eh bien, te voilà frais, avec ton complet tout déchiré!* (syn. fam. : DANS DE BEAUX DRAPS). ◆ **fraîcheur** n. f. : *La fraîcheur du teint* (syn. : ÉCLAT). *La fraîcheur d'un souvenir* (syn. : VIVACITÉ, ACTUALITÉ). *La fraîcheur d'un sentiment* (syn. : CANDEUR, PURETÉ). ◆ **défraîchir** v. tr. Altérer la fraîcheur : *Une robe défraîchie.*

5. frais [frɛ] n. m. pl. **1°** Dépenses occasionnées par quelque chose : *La réparation de la toiture vous entraînera à des frais considérables. Il voyage à grands frais* (= avec de grandes dépenses d'argent). *Construire à peu de frais* (syn. : ÉCONOMIQUEMENT). *Réussir à peu de frais* (syn. : SANS GRAND MAL). — **2°** *Frais de déplacement,* somme allouée pour le déplacement de certains employés ou fonctionnaires. ‖ *Frais généraux,* dépenses d'une entreprise qui n'entrent pas dans les frais de fabrication d'un produit. ‖ *Faux frais,* dépenses supplémentaires non prévisibles. ‖ *En être pour ses frais,* ne tirer aucun profit de ses dépenses; s'être donné de la peine pour rien. ‖ *Faire des frais,* dépenser de l'argent. ‖ *Faire des frais pour une personne,* ne pas ménager sa peine pour lui complaire. ‖ Fam. *Faire les frais de quelque chose,* en supporter les conséquences pénibles. ‖ *Faire les frais de la conversation,* en être l'objet : *Les derniers événement faisaient les frais de la conversation.* ‖ *Rentrer dans ses frais,* être remboursé de ses dépenses. ‖ Fam. *Se mettre en frais,* faire plus de dépenses ou se donner plus de peine que d'habitude. (V. DÉFRAYER.)

1. fraise [frɛz] n. f. Fruit du fraisier : *Fraises sauvages. Manger des fraises pour le dessert.* ◆ **fraisier** n. m. Plante basse et rampante, dont le fruit, récolté à l'état sauvage ou cultivé, est comestible.

2. fraise [frɛz] n. f. Mèche en forme de cône, pour évaser l'orifice d'un trou. ◆ **fraiser** v. tr. *Fraiser un trou,* en évaser l'orifice avant d'y mettre une vis. ◆ **fraisé, e** adj. *Vis fraisée,* vis dont la tête a une forme conique. ◆ **fraiseuse** n. f. Machine à fraiser. ◆ **fraisure** n. f. Evasement pratiqué à l'orifice d'un trou.

framboise [frɑ̃bwaz] n. f. Fruit du framboisier : *Confiture de framboises.* ◆ **framboisier** n. m. Arbrisseau voisin de la ronce, dont le fruit est comestible.

franc [frɑ̃] n. m. Nom des unités monétaires utilisées en France, en Belgique et en Suisse.

1. franc, franche [frɑ̃, frɑ̃ʃ] adj. **1°** (ordinairement après le nom) Se dit d'une personne (ou de son comportement) qui ne cherche pas à dissimuler sa pensée, qui agit sans détour : *Je vais être franc avec vous : vous n'avez aucune chance de réussir* (syn. : NET, DIRECT). *Un homme franc* (syn. : HONNÊTE, LOYAL, SINCÈRE; contr. : HYPOCRITE, FOURBE, SIMULATEUR). *Un visage franc* (syn. : OUVERT). *Un récit franc* (contr. : MENSONGER). *Un regard franc. Un rire franc.* — **2°** (avant un nom de personne) Exprime un degré élevé dans un défaut (littér.) : *Une franche canaille* (syn. : VÉRITABLE). — **3°** (après ou avant un nom de chose) Se dit d'une chose pure, sans mélange, nette : *Une couleur franche* (syn. : NET; contr. : DOUTEUX, FLOU). *Montrer une franche hostilité* (syn. : OUVERT, NET, DÉCLARÉ; contr. : SOURD, SOURNOIS). — **4°** *Jouer franc jeu,* agir sans hésitation, sans intention cachée. ‖ *Donner huit jours francs à quelqu'un,* donner un délai de huit jours entiers, sans retenir le premier ni le dernier jour. ◆ **franc** adv. *Parler franc,* parler sans détour, ouvertement. ◆ **franchement** adv. **1°** De manière directe, sans détour, sans ambiguïté : *Agir franchement* (syn. : OUVERTEMENT). *Parler franchement* (syn. : À CŒUR OUVERT, SINCÈREMENT). *Je vous avouerai franchement que je n'y comprends rien* (syn. : CARRÉMENT, TOUT BONNEMENT). *Sauter franchement un obstacle* (syn. : SANS HÉSITER). — **2°** (avant un adjectif, a une valeur superlative) : *Un repas franchement mauvais* (syn. : NETTEMENT, ↑ TOTALEMENT). *Un tissu franchement vert.* ◆ **franchise** n. f. : *La franchise d'un enfant* (syn. : DROITURE, LOYAUTÉ). *La franchise d'un regard* (syn. : NETTETÉ, SINCÉRITÉ). *Je vous avouerai en toute franchise que je ne partage pas votre enthousiasme.*

2. franc, franche [frɑ̃, frɑ̃ʃ] adj. Libre de toute contrainte (dans quelques locutions et expressions) : *Avoir les coudées franches,* avoir toute liberté d'agir. ‖ *Franc de port,* se dit d'un colis, d'un envoi, etc., pour lequel les frais de port sont payés au départ par l'expéditeur. ‖ *Port franc, zone franche,* port ou région frontière où les marchandises étrangères pénètrent librement, sans formalités ni droits à payer. ‖ *Franc de toute servitude,* libre de toute servitude, telle que taxes, etc. ‖ *Corps francs,* troupes qui ne font pas partie d'une armée régulière. ◆ **franchise** n. f. : *Franchise douanière* (= exonération de droits pour les marchandises qui entrent ou sortent par les frontières). *Franchise postale* (= transport gratuit des correspondances ou des objets assimilés).

français, e [frɑ̃sɛ, -ɛz] adj. Se dit de ce qui est relatif à la France : *Le drapeau français est tricolore. Le territoire français. La langue française. L'industrie française.* ◆ n. Personne qui habite en France ou qui est originaire de France : *Les Gaulois étaient les ancêtres des Français. Un Français hors de France.* ◆ **français** n. m. Langue parlée par les Français : *Parler le français.* ◆ **franciser** v. tr. Donner le caractère français à quelque chose : *Franciser une prononciation, un mot.* ◆ **francisation** n. f. : *La francisation d'un mot, d'un vocable.* ◆ **franciste** n. Spécialiste de langue et littérature françaises. ◆ **franco-**, élément préfixé à un adjectif de nationalité et signifiant « français » : *Les accords franco-russes.* ◆ **francophile** adj. et n. Se dit d'un ami de la France, ou de ce qui manifeste cette amitié. ◆ **francophilie** n. f. Amitié à l'égard de la France. ◆ **francophobe** adj. et n. Se dit de quelqu'un qui est hostile à la France, ou de ce qui témoigne de cette attitude. ◆ **francophobie** n. f.

◆ **francophone** adj. et n. Se dit de quelqu'un dont la langue d'expression est le français.

franchir [frɑ̃ʃir] v. tr. 1° *Franchir un obstacle,* le passer par un moyen quelconque : *Le cheval franchit la haie* (= saute par-dessus). — 2° *Franchir une limite,* aller au-delà : *Franchir le seuil d'une maison, d'une pièce. Franchir une porte* (syn. : PASSER). *Franchir les mers, les océans* (= les traverser). *Franchir le cap de la cinquantaine. Franchir tous les examens. Franchir les étapes d'une hiérarchie. Franchir les bornes de la décence.* ◆ **franchissable** adj. Se dit d'une chose qui peut être franchie : *Une rivière franchissable à pied* (contr. : INFRANCHISSABLE). *Un obstacle franchissable* (syn. : SURMONTABLE; contr. : INFRANCHISSABLE, INSURMONTABLE). ◆ **franchissement** n. m. : *Le franchissement d'une rivière.* ◆ **infranchissable** adj. : *Un obstacle infranchissable.*

franciscain, e [frɑ̃siskɛ̃, -ɛn] n. Religieux, religieuse de l'ordre de Saint-François.

franc-maçon [frɑ̃masɔ̃] n. m. Membre de la franc-maçonnerie. ◆ **franc-maçonnerie** n. f. Société secrète répandue dans diverses régions du monde, et dont les membres se reconnaissent entre eux à certains signes.

franco [frɑ̃ko] adv. Se dit d'une expédition postale ou autre effectuée sans frais pour le destinataire : *Expédier, recevoir un colis franco* (syn. : FRANC DE PORT).

franc-parler [frɑ̃parle] n. m. Absence de contrainte ou de réserve dans la façon de s'exprimer : *Avoir son franc-parler.*

franc-tireur [frɑ̃tirœr] n. m. 1° Celui qui mène une action indépendante, sans se soucier des lois ou des usages d'un groupe : *Agir en franc-tireur.* — 2° Combattant qui ne fait pas partie d'une armée régulière : *Les groupes de francs-tireurs.*

1. frange [frɑ̃ʒ] n. f. Bande placée au bord d'une étoffe, garnie de fils retombants et servant à orner des vêtements ou des tentures, des meubles.

2. frange [frɑ̃ʒ] n. f. Se dit d'une zone située au bord de certaines choses : *Les franges d'interférence* (= bandes alternativement brillantes et obscures, résultant de l'interférence de deux radiations lumineuses).

3. frange [frɑ̃ʒ] n. f. Cheveux retombant sur le front.

frangin, e [frɑ̃ʒɛ̃, -in] n. *Pop.* Frère, sœur.

frangipane [frɑ̃ʒipan] n. f. Crème épaisse, parfumée aux amandes, dont on garnit certaines tartes et certaines pièces de pâtisserie.

franquette (à la bonne) [alabɔnfrɑ̃kɛt] loc. adv. et adj. 1° *Fam.* Sans embarras, sans cérémonie : *Venez chez nous ce soir, ce sera à la bonne franquette, entre camarades* (syn. : EN TOUTE SIMPLICITÉ). — 2° Fam. *Un repas à la bonne franquette,* sans faire de préparatifs compliqués (syn. : À LA FORTUNE DU POT).

1. frappe n. f. V. FRAPPER 2 et 3.

2. frappe [frap] n. f. *Pop.* Voyou, garçon aux mœurs douteuses.

frappé, e [frape] adj. Se dit d'un vin, d'une liqueur qu'on a fait refroidir dans de la glace : *Du champagne frappé.*

1. frapper [frape] v. tr. et intr. 1° *Frapper une chose, un être animé,* lui donner un coup ou des coups : *Les marteaux viennent frapper les cordes du piano. Une pierre a frappé le volet. La mer frappe la falaise. Des malfaiteurs l'ont dévalisé après l'avoir frappé. César mourut frappé de vingt-trois coups de poignard. Frapper du poing sur la table* (syn. : ↑ COGNER). *On applaudit en frappant dans ses mains* (syn. fam. : TAPER). *Frapper à la porte* (= donner des coups, généralement assez légers, en vue de se faire ouvrir). *Entrez sans frapper. Qui est-ce qui peut bien frapper à cette heure?* ‖ *Frapper à toutes les portes,* s'adresser à tous ceux qui pourraient vous aider, tenter tout ce qui est possible. ‖ *Frapper à la bonne porte,* s'adresser à la personne ou au service capable de vous faire obtenir satisfaction. ‖ *Frapper un grand coup,* prendre une décision énergique. ‖ *Frapper à la tête,* punir les chefs, les meneurs d'un soulèvement. — 2° *Lumière, bruit,* etc., *qui frappe un objet,* qui le rencontre comme obstacle, comme écran : *Un rayon de soleil frappe les bibelots. Le son se répercute en frappant la paroi.* ‖ *Frapper les yeux, le regard, la vue, l'oreille, les oreilles,* s'imposer soudain avec force à la vue ou à l'ouïe. — 3° *Frapper quelqu'un, l'esprit de quelqu'un,* faire une vive impression sur lui, attirer son attention : *Un spectacle qui frappe de stupeur tous les assistants. Son nom m'a frappé. Ce qui frappe, c'est la jeunesse d'esprit qu'il garde à son âge. J'ai été frappé de leur ressemblance* (= je l'ai constatée avec étonnement). — 4° (sujet nom désignant généralement une mesure administrative, une sanction, un événement fâcheux) Atteindre, concerner : *Un impôt qui frappe certaines catégories de salariés. Une taxe spéciale frappe les articles de luxe. Le tribunal a frappé tous les accusés de la peine maximale. Le malheur s'acharne à frapper cette famille* (syn. : S'ABATTRE SUR). ◆ ***se frapper*** v. pr. 1° Se donner un coup : *Se frapper la poitrine en signe de repentir* (syn. : SE BATTRE). — 2° *Fam.* S'émouvoir outre mesure : *Un malade qui a tendance à se frapper. Ne te frappe pas : tu n'y changeras rien* (syn. : S'INQUIÉTER, SE TRACASSER, SE TOURMENTER). ◆ **frappant, e** adj. Se dit de quelque chose qui produit une vive impression : *Une preuve frappante* (syn. : ÉVIDENT, CERTAIN). *La ressemblance entre ces deux frères est frappante* (syn. : SAISISSANT). *Un détail frappant* (syn. : CARACTÉRISTIQUE). ◆ **frappement** n. m. ◆ **frappeur** adj. m. *Esprit frappeur,* esprit qui se manifesterait par des coups sur les meubles quand on l'invoque.

2. frapper [frape] v. tr. 1° *Frapper une médaille, une monnaie,* y produire une empreinte : *Une monnaie frappée à l'effigie du souverain.* — 2° *Etre frappé au coin du bon sens, de la vérité,* etc., être plein de bon sens, de vérité, etc. (littér.). ◆ **frappe** n. f. Opération par laquelle on produit une empreinte sur une pièce de métal.

3. frapper [frape] v. tr. et intr. Toucher vivement de la main, du doigt : *Dactylo qui frappe sur les touches* (syn. : TAPER). ◆ **frappe** n. f. 1° Manière dont une personne heurte une touche de machine à écrire, d'un instrument de musique à clavier : *Une dactylo qui a une frappe régulière.* — 2° Action ou manière de dactylographier : *L'exemplaire de la première frappe.*

frasque [frask] n. f. Ecart de conduite : *Frasques de jeunesse. Son père refusait de payer ses frasques* (syn. : DÉBORDEMENT, FREDAINE).

fraternel, elle [fraternɛl] adj. 1° Se dit de relations affectueuses existant entre frères ou entre frères et sœurs : *Amour fraternel. Un baiser fraternel.* — 2° Se dit de relations entre des personnes qui se considèrent comme très liées : *Adresser à quelqu'un un salut fraternel* (syn. : AMICAL). *Je lui porte une amitié fraternelle.* ◆ **fraternellement** adv. : *Partager fraternellement le dessert. Vivre fraternellement avec quelqu'un* (= en bonne entente avec lui). ◆ **fraternité** n. f. Lien de solidarité et d'amitié qui existe entre des hommes; sentiment d'appartenir à une même communauté : *La grande fraternité humaine.* ◆ **fraterniser** v. intr. Cesser de se traiter en ennemis, se rapprocher, se réconcilier : *Les soldats ont fraternisé avec la population.* ◆ **fraternisation** n. f. : *La fraternisation des deux partis n'est pas pour demain.*

fratricide [fratrisid] adj. et n. 1° Se dit de quelqu'un qui tue son frère, sa sœur : *On a arrêté un jeune fratricide.* — 2° Se dit de ce qui constitue un crime envers ceux qu'on aurait dû considérer comme frères : *Une lutte fratricide.*

fraude [frod] n. f. Acte accompli de mauvaise foi, dans l'intention de porter atteinte au droit d'autrui : *Fraude électorale. Fraude fiscale. La répression des fraudes. Prendre quelqu'un en fraude.* ◆ **frauder** v. intr. et tr. Commettre une fraude : *Un candidat qui fraude à l'examen. Frauder à la douane. Frauder sur une marchandise. Frauder l'Etat, l'impôt.* ◆ **fraudeur, euse** n. et adj. : *Pourchasser les fraudeurs du baccalauréat.* ◆ **frauduleux, euse** adj. Entaché de fraude : *Un marché frauduleux. Trafic frauduleux.* ◆ **frauduleusement** adv. : *Vendre frauduleusement des marchandises.*

1. frayer [freje] v. tr. *Frayer une voie, un passage,* etc., tracer un chemin, permettre un accès : *La police lui fraya un passage dans la foule. Cette découverte a frayé la voie à tous les travaux ultérieurs.* ◆ **se frayer** v. pr. : *Se frayer un chemin dans les fourrés. Se frayer un passage dans une bousculade. Il s'est frayé un chemin jusqu'à la magistrature suprême.*

2. frayer [freje] v. intr. (sujet nom de personne). *Frayer avec quelqu'un,* le fréquenter, avoir avec lui des relations d'amitié : *Ce ménage frayait peu avec les voisins.*

3. frayer [freje] v. intr. (sujet nom désignant les poissons). Se reproduire : *La perche ne fraie qu'à l'âge de trois ans.* ◆ **frai** n. m. Epoque, acte et résultat de la génération chez les poissons.

frayeur [frejœr] n. f. Peur violente, causée par le sentiment d'un danger imminent : *Trembler de frayeur. Plein de frayeur* (syn. : EFFROI, ÉPOUVANTE, TERREUR). *Avoir des frayeurs continuelles* (syn. : ANXIÉTÉ).

fredaine [frədɛn] n. f. Ecart de conduite sans gravité : *Il a fait des fredaines toute sa vie.*

fredonner [frədɔne] v. tr. et intr. Chantonner à mi-voix, sans ouvrir la bouche : *Fredonner un air d'opéra.* ◆ **fredonnement** n. m. : *Le chahut avait commencé par des fredonnements* (syn. : BOURDONNEMENT).

freezer [frizœr] n. m. Compartiment d'un réfrigérateur dans lequel on met à congeler de l'eau ou certains aliments.

frégate [fregat] n. f. 1° Autrefois, bâtiment à voiles de la marine de guerre, à trois mâts. — 2° Aujourd'hui, bâtiment d'escorte anti sous-marin, d'un tonnage supérieur à celui de la corvette.

frein [frɛ̃] n. m. 1° Dispositif permettant de ralentir ou d'arrêter un mécanisme, un véhicule en mouvement : *Frein hydraulique. Frein à huile. Le frein à main d'une voiture. Frein moteur* (= action du moteur d'une voiture, qui agit comme frein lorsqu'on ôte le pied de l'accélérateur). — 2° *Mettre un frein à quelque chose,* chercher à l'arrêter, à empêcher sa manifestation ou son développement (littér.) : *Il a mis un frein à son éloquence, à ses passions.* ‖ (sujet nom de personne) *Ronger son frein,* cacher mal son impatience : *On l'a mis dans un poste secondaire et il y ronge son frein* (syn. : ↑ BOUILLIR D'IMPATIENCE). ◆ **freiner** [frene] v. intr. Faire agir le frein d'un véhicule pour le faire ralentir : *Freiner doucement, brutalement. Freiner sans déraper dans un virage.* ◆ v. tr. 1° *Freiner quelqu'un,* lui faire obstacle, le modérer : *Il voulait faire un scandale, mais je l'ai freiné.* — 2° *Freiner un mouvement, un sentiment,* etc., en ralentir le cours, en tempérer l'ardeur : *Le gouvernement s'efforçait de freiner la hausse des prix. Il a dû freiner ses ambitions* (syn. : METTRE UN FREIN). ◆ **freinage** n. m. 1° Action des freins sur un véhicule : *Freinage puissant, inefficace.* — 2° Résultat d'un coup de frein : *On voit des traces de freinage sur plusieurs mètres.*

frelaté, e [frəlate] adj. Se dit d'une chose impure, où la morale n'est pas respectée, etc. : *Il fréquente une société frelatée* (syn. : CORROMPU).

frelater [frəlate] v. tr. *Frelater un produit,* le falsifier en y mêlant une ou des substances étrangères : *Un commerçant frappé d'une lourde amende pour avoir frelaté du vin.* ◆ **frelaté, e** adj. : *Alcool frelaté.* ◆ **frelatage** n. m.

frêle [frɛl] adj (avant ou après le nom). Se dit d'une personne ou d'une chose qui semble fragile, qui manque de vitalité : *Une frêle jeune fille* (syn. : MINCE, FIN, FLUET). *Un frêle roseau* (syn. : TÉNU). *De frêles espérances* (syn. : FRAGILE). *Tout reposait sur ses frêles épaules* (contr. : SOLIDE).

frelon [frəlɔ̃] n. m. Grosse guêpe, dont la piqûre est très douloureuse.

freluquet [frəlykɛ] n. m. *Fam.* Se dit d'un homme de petite taille, de peu d'importance, frivole (syn. : GRINGALET, GODELUREAU).

frémir [fremir] v. intr. (sujet nom d'être animé ou de chose). Etre agité par un léger tremblement, sous l'effet d'un agent physique, d'une émotion : *Le froid et la fièvre le faisaient frémir de tous ses membres. Les feuilles des peupliers frémissent sous la brise. L'eau frémit avant de bouillir. Frémir de peur, de crainte, d'impatience* (syn. : TREMBLER). *A ce spectacle, il frémit de colère.* ◆ **frémissant, e** adj. 1° Se dit d'un être vivant agité d'un tremblement : *Se sentir frémissant de fièvre* (syn. : TREMBLANT; ↑ AGITÉ, FRISSONNANT). *Des lèvres frémissantes. Etre frémissant de crainte, d'espoir,* etc. (= craindre, espérer, etc., avec une grande tension nerveuse). — 2° Se dit de quelque chose qui fait entendre un bruit continu, fait de battements, de vibrations, etc. : *Une salle frémissante d'enthousiasme* (syn. : VIBRANT). *Les ailes frémissantes d'une guêpe* (syn. : VROMBISSANT). — 3° Se dit d'un sentiment particulièrement vif : *Etre plein d'une ardeur frémissante* (syn. : ↑ PASSIONNÉ). *Avoir une sensibilité frémissante* (syn. : À FLEUR DE PEAU, ↑ ARDENT).

◆ **frémissement** n. m. : *Le frémissement des ailes d'un insecte* (syn. : BRUISSEMENT). *Le frémissement d'une salle de théâtre. Le frémissement des lèvres. Le frémissement de l'eau* (syn. : TREMBLEMENT). *Un frémissement de rage, de plaisir, d'émotion.*

frêne [frɛn] n. m. Arbre forestier à feuilles opposées et pennées, dont l'écorce est grisâtre et assez lisse, qui peut atteindre 35 mètres de haut environ et fournit un bois dur, blanc-jaune.

frénésie [frenezi] n. f. Degré extrême atteint par une action, par un sentiment; état d'exaltation violent : *Il agitait son mouchoir avec frénésie. Aimer une femme avec frénésie* (syn. : VIOLENCE, ↓ ARDEUR, ↑ FURIE). *Jouer aux courses avec frénésie* (syn. : ↓ PASSION). *La frénésie de ses sentiments* (syn. : DÉCHAÎNEMENT, FUREUR, DÉBORDEMENT). ◆ **frénétique** adj. 1° Se dit d'une passion poussée au point extrême : *Des sentiments frénétiques* (syn. : PASSIONNÉ, EXALTÉ). *Un patriotisme frénétique* (syn. : VIOLENT, DÉCHAÎNÉ). — 2° Se dit d'un bruit violent ou très rythmé, dans lequel se reflète un mouvement violent de passion : *Des applaudissements frénétiques saluèrent la fin du discours* (syn. : À TOUT ROMPRE). *Musique, rythme frénétique* (syn. : ENDIABLÉ). ◆ **frénétiquement** adv. : *Applaudir frénétiquement. Aimer frénétiquement une femme* (syn. : PASSIONNÉMENT, À LA FOLIE).

fréquent, e [frekɑ̃, -ɑ̃t] adj. Se dit de ce qui apparaît souvent, de ce qui se répète : *Un phénomène fréquent* (syn. : RÉITÉRÉ, CONTINUEL; contr. : RARE, SPORADIQUE). *Des averses fréquentes. Un symptôme fréquent dans une maladie* (syn. : HABITUEL, ORDINAIRE, ATTENDU). *Un mot fréquent dans un texte* (syn. : COURANT, USITÉ, USUEL; contr. : RARE, EXCEPTIONNEL). *Un usage fréquent* (syn. : RÉPANDU). ◆ **fréquemment** adv. : *Il est fréquemment fatigué* (syn. : SOUVENT, CONSTAMMENT, TOUJOURS; contr. : PARFOIS, RAREMENT). *Il arrive fréquemment qu'il se rende à son travail à pied.* ◆ **fréquence** n. f. 1° Caractère d'une chose qui se répète très souvent : *Elle était excédée par la fréquence de ses visites* (syn. : NOMBRE, MULTIPLICITÉ, ABONDANCE). — 2° Répétition plus ou moins importante d'un phénomène : *Etudier la fréquence des adjectifs dans un texte.*

fréquenter [frekɑ̃te] v. tr. 1° *Fréquenter un lieu,* y aller habituellement : *Fréquenter les salles de spectacle, les églises, les stades.* — 2° *Fréquenter quelqu'un,* avoir avec lui des relations suivies, le voir souvent : *Fréquenter un ancien camarade de régiment* (syn. : VOIR, FRAYER AVEC). *Fréquenter la bonne société* (syn. : PRATIQUER [langue soutenue]). *Il ne fréquente guère ses collègues;* avoir des relations sentimentales avec lui : *Il fréquente une jeune fille : on parle déjà de mariage.* ◆ **fréquenté, e** adj. 1° Se dit d'un endroit où il y a habituellement du monde : *Une rue très fréquentée* (syn. : PASSANT). — 2° *Bien, mal fréquenté,* se dit d'un endroit où vont habituellement des gens dont on a bonne, mauvaise opinion : *Un bal mal fréquenté.* ◆ **fréquentable** adj. : *Des lieux de plaisir tout juste fréquentables. Depuis qu'il a pris un si mauvais genre, il n'est plus du tout fréquentable.* ◆ **fréquentation** n. f. : *La fréquentation des cinémas. La fréquentation des artistes lui ouvre des horizons nouveaux. Il a de bonnes fréquentations* (syn. : RELATIONS, CONNAISSANCES). *Ce jeune homme est une mauvaise fréquentation pour elle.*

frère [frɛr] n. m. 1° Personne du sexe masculin née du même père et de la même mère que quelqu'un, ou de l'un des deux seulement : *Ce n'est pas lui, c'est son frère. Frère aîné. Frère cadet. Frère utérin, jumeau, consanguin. Ressembler à quelqu'un comme un frère* (= lui ressembler beaucoup). *Vivre comme des frères* (syn. : FRATERNELLEMENT). — 2° Se dit de personnes ayant ensemble des liens particuliers : *Frères d'armes* (= compagnons de combat, camarades unis pour une même cause). *Frères ennemis* (= hommes d'un même parti qui ne s'accordent pas, mais ne peuvent se séparer [littér.]). — 3° Titre que l'on donne aux membres de certains ordres religieux : *Frère des écoles chrétiennes.* ◆ n. m. et adj. Se dit, dans le style soutenu, d'une personne (ou d'une chose) qui a des rapports particuliers avec une autre personne (ou une autre chose) : *Tous les hommes sont frères et doivent s'entraider* (syn. : SOLIDAIRE). *Le sommeil est frère de la mort* (syn. : SEMBLABLE). *Les partis frères* (= partis politiques de même idéal). ◆ **frérot** n. m. *Fam.* Petit frère. ◆ **demi-frère** n. m. Frère né du même père ou de la même mère seulement. (V. FRATERNEL.)

fresque [frɛsk] n. f. 1° Peinture exécutée avec des couleurs minérales trempées dans de l'eau de chaux, sur une muraille fraîchement enduite : *Une église où l'on peut admirer des fresques remarquablement conservées.* — 2° En littérature, tableau descriptif de grandes proportions, cherchant à représenter dans son entier un sujet de caractère élevé (scène historique, allégorique, etc.) : *Balzac a peint, dans une vaste fresque, tous les types humains et sociaux de l'époque de Louis-Philippe.*

fréter [frete] v. tr. 1° *Fréter un véhicule,* le louer : *Nous avons frété un car pour la colonie de vacances.* — 2° *Fréter un navire,* le prendre à fret, ou le donner en location : *Fréter un chaland à un négociant.* ◆ **fret** [frɛ] n. m. Prix d'un transport de marchandises par air, par mer ou par route.

frétiller [fretije] v. intr. 1° (sujet nom d'être animé) Se remuer, s'agiter par des mouvements vifs et courts : *Un poisson qui frétille. Frétiller comme une anguille. Le chien frétille de la queue.* — 2° (sujet nom de personne) S'agiter sous l'effet d'un sentiment : *Il frétille de joie* (syn. : SE TRÉMOUSSER). ◆ **frétillant, e** adj. : *Des poissons frétillants. Etre tout frétillant d'impatience.*

1. fretin [frətɛ̃] n. m. Petits poissons que le pêcheur néglige ordinairement.

2. fretin [frətɛ̃] n. m. *Menu fretin,* choses de rebut; personnes dont on fait peu de cas : *Après son coup de filet, la police a relâché le menu fretin.*

friable [frijabl] adj. Se dit d'une chose susceptible d'être facilement réduite en poussière, en poudre : *Roche friable* (syn. : TENDRE). *Sols friables.* ◆ **friabilité** n. f. : *La friabilité d'une roche.*

friand, e [frijɑ̃, -ɑ̃d] adj. *Friand de quelque chose,* se dit d'une personne ou d'un animal qui recherche avidement cette chose : *Une chatte friande de lait. L'ours est friand de miel. Un vieux monsieur friand de bonbons* (syn. : AMATEUR DE). *Etre friand de compliments* (syn. : ↑ AVIDE). ◆ **friand** n. m. Pâté fait d'un feuilleté garni d'un hachis. ◆ **friandise** n. f. Petite chose délicate et sucrée : *Donner des friandises aux enfants.*

fric [frik] n. m. *Pop.* Argent.

fricandeau [frikɑ̃do] n. m. Tranche de veau piquée de menus morceaux de lard.

fricassée [frikase] n. f. Ragoût de viande coupée en morceaux : *Servir un lapin en fricassée.*

fric-frac [frikfrak] n. m. *Pop.* Cambriolage.

friche [friʃ] n. f. Etendue de terrain inculte. • LOC. ADV. et ADJ. *En friche,* se dit d'une chose dont on ne s'est pas occupé depuis longtemps, dont les possibilités ou les richesses n'ont pas été développées : *Intelligence en friche* (syn. : INCULTE). ◆ **défricher** v. tr. 1° *Défricher un terrain,* le rendre propre à la culture, alors qu'il était en friche. — 2° *Défricher une question, une étude,* en aborder les points essentiels, sans les traiter à fond (syn. : DÉGROSSIR). ◆ **défrichement** n. m. : *Le défrichement d'une lande. Une réunion qui s'est bornée au défrichement du premier chapitre de l'ordre du jour.* ◆ **défricheur, euse** n.

frichti [friʃti] n. m. *Pop.* Déjeuner, dîner : *Il a fait son petit frichti sur son réchaud de campeur.*

1. fricoter [frikɔte] v. tr. *Fam.* Accommoder en ragoût, cuisiner : *Fricoter un lapin.* ◆ **fricot** n. m. *Fam.* Mets, plat cuisiné.

2. fricoter [frikɔte] v. tr. et intr. *Pop.* Manigancer une affaire louche : *Je ne sais pas ce qu'il fricote à présent, mais ça ne doit pas être joli* (syn. fam. : TRAMER, FABRIQUER). ◆ **fricoteur, euse** n. et adj. *Pop.* Personne dont l'activité est louche.

1. friction [friksjɔ̃] n. f. 1° Frottement vigoureux que l'on fait subir à une partie de son corps : *Une friction énergique avec la serviette sur le dos.* — 2° Nettoyage du cuir chevelu avec une lotion aromatique : *Une friction à l'eau de Cologne.* ◆ **frictionner** v. tr. : *Frictionner un enfant après le bain.* ◆ ***se frictionner*** v. pr. : *Se frictionner les jambes.*

2. friction [friksjɔ̃] n. f. 1° Désaccord entre personnes : *Tout était devenu cause de friction entre les époux* (syn. : ACCROCHAGE, HEURT, QUERELLE). — 2° *Point de friction,* sujet sur lequel l'entente est impossible, d'où naît la querelle (syn. : POINT LITIGIEUX, ↑ POMME DE DISCORDE).

frigide [friʒid] adj. Se dit d'une femme incapable d'éprouver du désir ou du plaisir sexuels. ◆ **frigidité** n. f.

frigorifier [frigɔrifje] v. tr. 1° *Frigorifier un produit,* le soumettre au froid pour le conserver : *Un bateau équipé pour frigorifier le poisson dès qu'il est pêché.* — 2° Fam. *Frigorifier quelqu'un,* lui faire éprouver une forte gêne, l'intimider : *Avec son air sévère il frigorifiait les candidats les plus hardis.* ◆ **frigorifié, e** adj. 1° Se dit d'une chose conservée par le froid : *Des viandes frigorifiées.* — 2° Se dit d'une personne qui éprouve une invincible sensation de froid : *Etre frigorifié par le froid, la neige* (syn. : GELÉ, GLACÉ). — 3° Se dit d'une personne qui se sent très intimidée : *Elle se sentit frigorifiée d'avance, avant même de subir l'interrogatoire.* ◆ **frigorifique** adj. Se dit d'une substance qui produit le froid, ou d'un objet dans lequel règne un froid artificiel : *Mélange frigorifique. Armoire frigorifique* (syn. : RÉFRIGÉRATEUR). *Wagon frigorifique* ◆ n. m. Appareil frigorifique. ◆ **frigo** n. m. *Fam.* Réfrigérateur : *Mettez la viande dans le frigo.* ◆ **Frigidaire** n. m. Nom déposé d'armoire frigorifique.

frileux, euse [frilø, -øz] adj. Se dit d'un être animé sensible au froid : *Un vieillard frileux. Un chat frileux.* ◆ **frileusement** adv. : *Il ramena frileusement la couverture sur lui.*

frimaire n. m. V. CALENDRIER RÉPUBLICAIN.

frimas [frimɑ] n. m. Brouillard froid et épais, qui se glace en tombant (littér.).

frime [frim] n. f. Fam. *C'est de la frime,* se dit d'une chose mensongère, faite pour duper : *Tout ce qu'il t'a raconté, c'est de la frime* (syn. fam. : C'EST DE LA BLAGUE ; contr. : C'EST DU SÉRIEUX). ‖ Fam. *Pour la frime,* en apparence seulement : *Il disait qu'il deviendrait avocat, mais c'était pour la frime, car il ne suivait jamais un cours.*

frimousse [frimus] n. f. *Fam.* Figure d'un enfant ou d'une jeune fille : *Va laver ta frimousse* (syn. : FIGURE). *Une jolie frimousse* (syn. : MINOIS).

fringale [frɛ̃gal] n. f. 1° *Fam.* Faim subite et pressante : *Se sentir une fringale de loup.* — 2° Fam. *Une fringale de quelque chose,* un désir ardent de cette chose : *Une fringale de lecture* (syn. : ENVIE).

fringant, e [frɛ̃gɑ̃, -ɑ̃t] adj. 1° Se dit d'une personne d'allure vive, de mise élégante et de belle humeur (littér.) : *Un vieillard encore fringant pour son âge* (syn. : SÉMILLANT, GUILLERET, ALERTE). *Une jeune mariée fringante et enjouée* (syn. : PIMPANT). — 2° *Cheval fringant,* cheval plein de vigueur, qui gambade et s'agite.

fringuer [frɛ̃ge] v. tr. *Pop.* Habiller : *Les gosses, ça coûte cher à fringuer.* ◆ ***se fringuer*** v. pr. Pop. : *Il est trop petit pour se fringuer tout seul.* ◆ **fringué, e** adj. Pop. : *Il est drôlement bien fringué.* ◆ **fringues** n. f. pl. *Pop.* Vêtements.

friper [fripe] v. tr. *Friper un tissu,* le chiffonner, le froisser : *Prends garde de ne pas friper ton beau manteau.* ◆ **fripé, e** adj. Se dit d'une étoffe couverte de plis, d'une peau couverte de rides : *Une robe toute fripée* (syn. : FROISSÉ). *Un visage fripé* (syn. : RIDÉ). ◆ **défriper** v. tr. : *Poser une jupe bien à plat pour la défriper.*

fripier, ère [fripje, -ɛr] n. Personne qui revend d'occasion des vêtements, du linge, etc. ◆ **friperie** n. f. Vieux habits.

fripon, onne [fripɔ̃, -ɔn] n. et adj. Enfant ou jeune fille au caractère enjoué, à la mine rieuse et éveillée : *Fripon d'enfant* (syn. : ESPIÈGLE, MALICIEUX, POLISSON, COQUIN). *Une jeune friponne.* ◆ adj. Se dit d'un trait du visage qui évoque le caractère fripon : *Un nez fripon.* (Le sens de « trompeur sans scrupule », « voleur » est vieilli.) ◆ **friponnerie** n. f. : *Rire de la friponnerie d'un enfant* (syn. : ESPIÈGLERIE, MALICE).

fripouille [fripuj] n. f. Personne sans scrupule, d'une grande malhonnêteté : *Cette vieille fripouille spécule sur la misère* (syn. : CANAILLE, CRAPULE).

frire [frir] v. tr. (conj. **83**). Faire cuire dans une poêle ou dans une bassine, avec un corps gras bouillant : *Frire des poissons dans l'huile.* ◆ v. intr. Subir la cuisson dans un corps gras : *Du boudin qui frit dans la poêle.* ◆ **frit, e** adj. Se dit d'un aliment cuit dans la friture : *Poisson frit.* ◆ **frite** n. f. Pomme de terre frite : *Acheter un cornet de frites.* ◆ **friterie** n. f. Etablissement ambulant, dans lequel on fait et vend des frites. ◆ **friteuse** n. f. Appareil permettant de faire cuire un aliment dans un bain de friture. ◆ **friture** n. f. 1° Huile ou graisse fondue et bouillante dans laquelle cuisent les aliments à frire : *Un bain de friture.* — 2° Poisson frit : *Une friture de sardines, de goujons. Faire une friture.*

frise [friz] n. f. Décoration de forme allongée, en relief, dans une pièce, une salle, etc. : *Frise d'un balcon, d'un escalier* (= sorte de panneau long et étroit, qui est placé à hauteur d'appui). *Frise de théâtre* (= rideau étroit, fixé au cintre, qui traverse toute la longueur de la scène et vient en décorer les deux côtés).

1. friser [frize] v. tr. 1° *Friser des cheveux,* les mettre en boucles. — 2° *Friser quelqu'un,* faire boucler ses cheveux : *Elle se fait friser au petit fer.* ◆ v. intr. 1° *Cheveux, poils qui frisent,* qui forment des boucles. — 2° *Personne, animal qui frise,* dont les cheveux, les poils forment des boucles : *Elle frise naturellement.* ◆ **frisé, e** adj. 1° *Cheveux frisés,* qui forment des boucles. — 2° Se dit d'une personne dont les cheveux frisent : *Enfant tout frisé.* — 3° Se dit d'un animal dont les poils frisent : *Un toutou frisé.* — 4° Se dit de certaines plantes dont les feuilles sont crêpées : *Chicorée frisée.* ◆ **frisette** n. f. Petite boucle de cheveux frisés : *Deux frisettes ornaient le front de la petite fille.* ◆ **frisotter** v. tr. Friser légèrement : *Frisotter une fillette.* ◆ v. intr. Friser à petites boucles : *Ses cheveux frisottaient autour de son col.* ◆ **frisure** n. f. : *La frisure que le coiffeur lui a faite ne tiendra pas plus de trois jours.* ◆ **défriser** v. tr. 1° Défaire la frisure de : *La pluie avait défrisé sa coiffure.* — 2° *Fam.* Contrarier, ennuyer : *Ça te défrise, de voir qu'on s'est passé de toi?* ◆ **indéfrisable** n. f. Ondulation durable, donnée aux cheveux par un coiffeur.

2. friser [frize] v. tr. 1° Passer près de quelque chose en le touchant à peine : *Une balle qui frise le filet.* — 2° Etre tout près de : *Friser la mort* (syn. : FRÔLER). — 3° *Friser (la quarantaine),* avoir bientôt (quarante ans) [syn. : ATTEINDRE]. ◆ **frisant, e** adj. Se dit de la lumière du jour qui frappe de biais un obstacle (syn. : RASANT).

frisquet, ette [friskɛ, -ɛt] adj. *Fam.* Légèrement froid, en parlant du temps, de l'atmosphère : *Un vent frisquet. Il fait frisquet ce soir.*

frisson [frisɔ̃] n. m. Petit tremblement involontaire, dû à une cause physique ou morale : *Un frisson de froid. Etre saisi d'un léger frisson. Un frisson de fièvre. Un frisson de peur, d'angoisse* (syn. : FRÉMISSEMENT). *Un frisson d'admiration parcourut l'assistance* (syn. : FRÉMISSEMENT). *Cette brusque vision lui donna un frisson* (syn. : HAUT-LE-CORPS, SURSAUT). *Cette lecture donne le frisson* (= impressionne profondément, effraie). ◆ **frissonner** v. intr. 1° Etre agité de frissons : *Un étang, des roseaux qui frissonnent sous le vent.* — 2° Etre saisi d'une émotion qui produit un léger tremblement : *Il frissonne de crainte, d'admiration, de plaisir.* ◆ **frissonnement** n. m. Entendre le frissonnement des feuilles (syn. : BRUISSEMENT). *Frissonnement de crainte* (syn. : ↓ FRISSON).

1. frit, e adj. V. FRIRE.

2. frit, e [frit, -it] adj. *Fam.* Se dit de quelqu'un qui est dans une situation dangereuse, qui est perdu : *Les policiers ont cerné l'immeuble, il est frit* (syn. fam. : CUIT, COINCÉ, FICHU; pop. : FOUTU).

1. friture n. f. V. FRIRE.

2. friture [frityr] n. f. *Fam.* Bruit parasite dans un appareil de radio, un téléphone, etc.

frivole [frivɔl] adj. 1° Se dit d'une chose sans importance, légère ou uniquement divertissante : *Une lecture frivole* (syn. : FUTILE, LÉGER). *Un conte frivole* (syn. : LÉGER). *Un spectacle frivole* (syn. : SUPERFICIEL; contr. : SÉRIEUX, GRAVE). — 2° Se dit d'une personne (ou de son comportement) qui a du goût pour les choses vaines, futiles : *Un jeune homme frivole* (syn. : INSOUCIANT, LÉGER; contr. : SÉRIEUX). *Un caractère frivole* (syn. : LÉGER; contr. : GRAVE). *Un esprit frivole* (syn. : ÉTOURDI, INCONSISTANT, VAIN; contr. : RÉFLÉCHI, PONDÉRÉ, SOLIDE). ◆ **frivolité** n. f. : *La frivolité de ses occupations* (syn. : INANITÉ, INCONSISTANCE). *La frivolité d'une lecture* (syn. : FUTILITÉ). *La frivolité de cet homme dépasse les bornes* (syn. : LÉGÈRETÉ, FUTILITÉ; contr. : GRAVITÉ, PONDÉRATION, SÉRIEUX). ◆ **frivolités** n. f. pl. Petits objets de peu de valeur, babioles.

1. froc [frɔk] n. m. 1° Partie de l'habit des moines qui couvre la tête et tombe sur les épaules. — 2° *Jeter le froc aux orties,* renoncer à la vie religieuse. ◆ **défroquer (se)** v. pr. Quitter l'état ecclésiastique ou monastique. ◆ **défroqué, e** n.

2. froc [frɔk] n. m. *Pop.* Pantalon.

1. froid, e [frwa, -ad] adj. 1° Se dit d'un objet qui est à basse température, ou à une température qui paraît plus basse que celle du corps humain : *Une douche froide. Un temps froid. Saison froide. Froid comme la glace. Une chambre froide* (= non chauffée). *Cette soupe est froide* (= s'est refroidie). *De la viande froide* (= viande cuite et refroidie). *Un moteur froid démarre difficilement* (= qui ne s'est pas encore échauffé en tournant). *Une sueur froide* (= qui donne une sensation de froid). — 2° Se dit d'un vêtement qui ne tient pas chaud : *Ce manteau est trop froid pour l'hiver* (= trop léger). • LOC. ADV. *A froid,* se dit de certaines techniques qui ne font pas intervenir le chauffage du matériau, de la machine, etc. : *Battre du fer à froid. Laminer à froid* (contr. : À CHAUD). ‖ *Démarrage à froid,* démarrage d'une voiture quand le moteur est froid. ‖ *Opérer à froid,* faire une opération chirurgicale quand l'inflammation a disparu; agir quand les passions sont calmées. ◆ **froid** n. m. 1° Etat d'un objet, et spécialement de l'atmosphère ambiante, caractérisé par une température basse, ou plus basse que celle du corps humain : *Le froid de la glace. Résistance des êtres, des matériaux au froid. Froid rigoureux. L'époque des grands froids, dans certaines régions, dure plusieurs mois* (= l'époque où l'atmosphère est à une température très basse). — 2° Ensemble des techniques de la réfrigération : *Il est ingénieur dans le froid.* — 3° *Avoir froid,* éprouver une sensation de froid générale dans le corps : *Si tu as froid, habille-toi chaudement. Avoir froid aux pieds, aux mains.* ‖ *Ne pas avoir froid aux yeux,* avoir de la hardiesse, du courage, ou être effronté. ‖ *Attraper un chaud et froid,* tomber malade par suite d'un brusque refroidissement. ‖ *Donner froid, faire froid,* procurer une sensation de froid : *Le courant d'air lui donnait froid dans tout le corps, sur ses bras nus,* etc. ‖ *Cela donne froid dans le dos,* cela procure une sensation physique de peur : *Quand j'ai vu le précipice, cela m'a donné froid dans le dos.* ‖ *Il fait froid,* se dit lorsque la température extérieure est basse. ◆ **froidure** n. f. Froid de l'hiver (littér.). [V. REFROIDIR.]

2. froid, e [frwa, -ad] adj. 1° Se dit d'une personne (de son comportement) qui donne une impression d'indifférence, d'impassibilité ou d'insensibilité : *Malgré toutes les larmes et les cris qu'elle répandait, il est resté froid* (syn. : IMPERTURBABLE ; contr. : SENSIBLE). *Les menaces le laissent généralement froid* (syn. : INDIFFÉRENT). *Rester froid dans le danger* (syn. : IMPASSIBLE ; contr. : IMPRESSIONNABLE). *Avoir un abord froid* (syn. : DISTANT, GLACIAL ; contr. : CHALEUREUX, SYMPATHIQUE). *Un style froid* (= sans passion). *Prendre un ton froid* (syn. : RÉSERVÉ, POSÉ, GRAVE). *Un cœur froid* (syn. : SEC, DUR ; contr. : CHARITABLE, SENSIBLE). *Une colère froide* (= qui n'explose pas, qui se contient). — 2° *Battre froid à quelqu'un,* lui manifester ostensiblement de la réserve, de la froideur. ‖ *Guerre froide,* se dit d'un état d'hostilité entre plusieurs pays, se manifestant par une tension constante dans les rapports, par des rivalités diplomatiques, économiques, etc., éventuellement par des conflits armés localisés, mais non par des opérations engageant la totalité des effectifs militaires de ces pays. ◆ **froid** n. m. 1° Absence de sympathie, relâchement dans les liens d'amitié (emploi restreint) : *Il y a un certain froid entre eux deux.* — 2° *Etre en froid avec quelqu'un,* ne plus avoir avec lui de relations amicales (syn. : ÊTRE EN MAUVAIS TERMES AVEC). ‖ *Jeter un froid,* se dit de quelque chose qui choque, qui heurte les gens : *Cette brusque déclaration jeta un froid dans l'assemblée* (syn. : ↑ FAIRE L'EFFET D'UNE DOUCHE). ◆ **froidement** adv. 1° Sans empressement, sans manifester d'enthousiasme : *Accueillir froidement quelqu'un* (syn. : FRAÎCHEMENT, AVEC INDIFFÉRENCE ; contr. : CHALEUREUSEMENT). *Remercier froidement.* — 2° En gardant la tête lucide : *Ecouter froidement* (syn. : CALMEMENT ; contr. : PASSIONNÉMENT). — 3° Sans aucun scrupule : *Il a tiré froidement sur le prisonnier. Il l'a froidement laissé tomber.* ◆ **froideur** n. f. Absence de sensibilité, indifférence ostensible, etc. : *La froideur de son tempérament* (syn. : FLEGME ; contr. : CHALEUR, ARDEUR, VIVACITÉ). *Froideur des manières. Accueil plein de froideur* (syn. : RÉSERVE, HOSTILITÉ ; contr. : CHALEUR, SYMPATHIE). [V. REFROIDIR.]

1. froisser [frwase] v. tr. 1° *Froisser quelque chose,* lui faire prendre de faux plis, le chiffonner : *Froisser une robe, un manteau. Froisser du papier.* — 2° *Froisser un muscle, le poignet,* etc., *à quelqu'un,* lui causer une meurtrissure, une entorse. ◆ ***se froisser*** v. pr. : *Ce tissu se froisse facilement.* ◆ **froissement** n. m. : *Froissement d'une étoffe. Le froissement du papier s'entendait du bout de la classe. Le froissement d'un muscle.* ◆ **défroisser** v. tr. : *Défroisser un corsage.* ◆ ***se défroisser*** v. pr. : *Le rideau s'est un peu défroissé.*

2. froisser [frwase] v. tr. *Froisser quelqu'un,* le blesser moralement, l'offenser en lui manquant de respect : *Il m'a froissé par son manque de tact. Froisser quelqu'un dans sa dignité, dans sa pudeur, dans son orgueil* (syn. : HEURTER, CHOQUER, OFFUSQUER, FÂCHER, DÉSOBLIGER). ◆ ***se froisser*** v. pr. : *Il s'est froissé de cette remarque* (syn. : ↓ SE PIQUER). ◆ **froissement** n. m. : *Un froissement d'amour-propre* (= vexation).

frôler [frole] v. tr. 1° Toucher légèrement en passant : *Frôler un passant dans la rue* (syn. : EFFLEURER, CÔTOYER, COUDOYER). *La balle a frôlé le filet* (syn. : EFFLEURER, TOUCHER). — 2° Passer très près de quelque chose ou de quelqu'un, sans le toucher : *Frôler les murs* (syn. : RASER). — 3° *Frôler la mort, le ridicule,* y être grandement exposé (syn. : FRISER). ◆ ***se frôler*** v. pr. : *Les deux voitures se sont frôlées.* ◆ **frôlement** n. m. : *Sentir le frôlement des herbes sur ses jambes.* ◆ **frôleur, euse** n. et adj.

1. fromage [frɔmaʒ] n. m. 1° Aliment qui a pour base le lait caillé : *Fromage blanc.* — 2° Fam. *Entre la poire et le fromage,* à la fin du repas, lorsque la gaieté et la liberté sont plus grandes. ◆ **fromager, ère** adj. : *La production fromagère. L'industrie fromagère.* ◆ n. Personne qui fabrique le fromage. ◆ **fromagerie** n. f. Endroit où l'on fait, où l'on garde, où l'on vend du fromage.

2. fromage [frɔmaʒ] n. m. *Fam.* Sinécure : *Se trouver un bon fromage* (= un métier peu fatigant et qui rapporte).

froment [frɔmɑ̃] n. m. Syn. de BLÉ (technique ou littér.) : *La farine de froment.*

1. froncer [frɔ̃se] v. tr. *Froncer un tissu,* y faire des plis, des fronces : *Couturière qui fronce une jupe.* ◆ **fronce** n. f. Petite ondulation de l'étoffe, obtenue par le resserrement d'un fil coulissé : *Faire des fronces. Un rang de fronces.* ◆ **défroncer** v. tr. : *Défroncer une jupe.*

2. froncer [frɔ̃se] v. tr. *Froncer les sourcils,* se rider le front verticalement, en rapprochant légèrement les sourcils (marque de mauvaise humeur ou de concentration d'esprit) : *Il fronça les sourcils sévèrement.* ‖ *Froncer le nez,* le rider en le contractant. ◆ **froncement** n. m. : *Un froncement de sourcils.* ◆ **défroncer** v. tr. : *Défroncer les sourcils.*

frondaison [frɔ̃dɛzɔ̃] n. f. 1° Epoque où paraît le feuillage (littér.) : *Au moment de la frondaison, la nature reverdit.* — 2° Feuillage (littér.) : *Les oiseaux gazouillent dans les frondaisons du parc.*

fronde [frɔ̃d] n. f. Instrument fait d'un morceau de cuir et de deux bouts de corde ou de caoutchouc, et avec lequel on lance des projectiles. (V. aussi FRONDER.)

fronder [frɔ̃de] v. tr. Critiquer, railler une personne ou une chose généralement entourée de respect : *Il n'attaque pas le pouvoir directement, mais il le fronde sans cesse dans ses articles. Fronder les institutions, les usages établis* (syn. : DÉFIER). ◆ **frondeur, euse** adj. et n. Se dit d'une personne ou d'un comportement caractérisés par le goût de la critique, de la raillerie : *Un peuple frondeur* (syn. : ↓ CRITIQUE). *Un esprit frondeur* (syn. : MOQUEUR). ◆ **fronde** n. f. *Esprit de fronde, vent de fronde,* état d'esprit, courant d'idées qui tend à critiquer quelque chose ou quelqu'un, à s'en désolidariser, etc., mais sans rompre avec lui : *Un vent de fronde soufflait sur les députés de la majorité.*

1. front [frɔ̃] n. m. 1° Région antérieure du crâne, allant de la naissance des cheveux jusqu'aux sourcils : *Un front haut, bas, fuyant. Avoir une bosse au front. Se frapper le front du doigt* (= geste à plusieurs significations). *Avoir le front brûlant de fièvre.* — 2° *Avoir le front de faire quelque chose,* avoir l'impudence, l'insolence de faire cette chose : *Il a eu le front de m'accuser de l'avoir trompé.* — 3° *Faire front à quelque chose, à quelqu'un,* se présenter de face par rapport à lui : *Il tourna sa chaise et fit front à son voisin* (syn. : FAIRE FACE) ; résister ouvertement et courageusement : *Malgré son inexpérience, il faisait front à toutes les difficultés. Faire front à ses ennemis* (syn. : RÉSISTER,

TENIR, TENIR BON). — 4° *Baisser le front, courber le front,* éprouver un sentiment de honte. ‖ *Relever le front,* retrouver confiance, recouvrer sa dignité, etc. ◆ **frontal, e, aux** adj. : *Os frontal.*

2. front [frɔ̃] n. m. 1° Ligne de position occupée par deux ennemis cantonnés et fortifiés face à face (par oppos. à l'*arrière*). — 2° Lieu de combat fixe : *Aller au front, monter au front. Attaquer le front ennemi.* — 3° Ligne de démarcation entre certains objets : *Front de mer* (= bande de terrain, avenue située sur la côte, le long de la mer). — 4° Avec certains qualificatifs, se dit de la coalition de partis politiques sur un programme minimal commun : *Le Front populaire.* — 5° *Faire, offrir un front commun contre quelque chose* ou *contre quelqu'un,* unir ses forces contre un adversaire commun : *Ces groupes politiques ont fait un front commun.* ● LOC. ADV. *De front,* du côté face, par-devant : *Les deux voitures se sont heurtées de front;* ouvertement et résolument : *Attaquer quelqu'un de front;* carrément, sans biaiser : *Aborder de front un problème;* se dit de choses ou de personnes qui sont placées sur une même ligne, sur un même plan : *Deux voitures ne pourraient rouler de front dans cette rue;* simultanément : *Mener de front plusieurs tâches.*

frontière [frɔ̃tjɛr] n. f. 1° Limite séparant deux Etats, deux divisions administratives, deux régions caractérisées par des phénomènes physiques ou humains différents : *La frontière entre la France et l'Allemagne. Les Pyrénées sont une frontière naturelle entre la France et l'Espagne. Frontière linguistique* (= ligne théorique, séparant, dans un seul pays, une seule région, deux groupes humains de langues différentes). — 2° Ce qui marque une limite entre des choses, un terme : *Les frontières de la vie et de la mort* (syn. : LIMITES). *Faire reculer les frontières de l'univers connu* (syn. : LIMITES, BORNES). ◆ adj. *Poste frontière, place frontière,* poste, place situés à la frontière entre deux pays. ‖ *Gardes frontières,* douaniers qui ont une organisation militaire. ◆ **frontalier, ère** adj. et n. Se dit de personnes ou de choses situées à la frontière entre deux pays ou près de celle-ci : *Les frontaliers ont des facilités de passage pour la douane. Zone frontalière.*

frontispice [frɔ̃tispis] n. m. Titre d'un livre imprimé, placé à la première page, et ornements qui l'entourent.

1. fronton [frɔ̃tɔ̃] n. m. Mur contre lequel on lance la balle, à la pelote basque.

2. fronton [frɔ̃tɔ̃] n. m. Ornement de l'architecture classique, placé au-dessus de la porte principale d'un édifice : *Le fronton du Panthéon.*

frotter [frɔte] v. tr. 1° Passer, en appuyant, un corps sur un autre : *Frotter son bras contre un mur. Frotter sa main sur une table. Frotter un chiffon sur un tableau. Frotter un mur de son bras, un tableau avec un chiffon. Frotter une allumette* (= sur le frottoir, pour l'allumer). — 2° Nettoyer par friction : *Frotter le plancher, les carreaux, les cuivres. Frotter le couloir, l'entrée* (syn. fam. : ASTIQUER, BRIQUER). — 3° Fam. *Frotter les oreilles à quelqu'un,* le châtier. ◆ v. intr. Produire un frottement : *Une roue qui frotte contre le garde-boue.* ◆ ***se frotter*** v. pr. 1° *Se frotter à quelqu'un,* s'en prendre vivement à lui : *Un homme auquel il vaut mieux ne pas se frotter.* — 2° *Se frotter à la bonne société, aux artistes,* etc., commencer à fréquenter la bonne société, les artistes, etc. (littér.). ◆ **frotté, e** adj. Fam. *Etre frotté de quelque chose,* en avoir quelques notions superficielles : *Un étudiant frotté de linguistique.* ◆ **frottée** n. f. *Pop.* Coups nombreux que l'on reçoit. ◆ **frottement** n. m. (au sens 1) : *Traces de frottement sur un plancher laissées par un objet. Entendre le frottement du saphir sur le disque.* ◆ **frotteur** n. m. Personne qui frotte les parquets. ◆ **frottoir** n. m. Objet, ustensile sur lequel on frotte ou avec lequel on frotte : *Frottoir à allumettes.*

froufrou ou **frou-frou** [frufru] n. m. Bruit léger que produit le froissement des étoffes : *Le froufrou d'une robe de soie.* ◆ **froufrouter** v. intr. Produire un bruit léger.

frousse [frus] n. f. *Fam.* Peur extrême : *Avoir facilement la frousse* (syn. : FRAYEUR, CRAINTE). *Avoir la frousse de faire quelque chose.* ◆ **froussard, e** adj. et n. : *Un soldat terriblement froussard* (syn. : PEUREUX, POLTRON, CRAINTIF; contr. : COURAGEUX).

fructidor n. m. V. CALENDRIER RÉPUBLICAIN.

frugal, e, aux [frygal, -go] adj. 1° (se place parfois avant le nom) Se dit d'une nourriture peu recherchée et peu abondante : *Se contenter d'un repas frugal* (syn. : MAIGRE; contr. : COPIEUX, ABONDANT, RICHE). *Il ne prit qu'un frugal déjeuner.* — 2° Se dit d'une personne qui aime à se nourrir simplement, d'une existence simple : *Un homme frugal. Vie frugale. Des habitudes frugales* (syn. : SIMPLE; ↑ AUSTÈRE, ASCÉTIQUE). ◆ **frugalité** n. f. : *La frugalité d'un repas. La frugalité d'un moine.*

1. fruit [frɥi] n. m. 1° Organe végétal qui succède à la fleur et qui contient les semences : *Les fruits du figuier sont les figues. De nombreuses plantes portent des fruits comestibles.* — 2° *Fruit défendu,* chose dont il n'est pas permis de jouir : *L'attrait du fruit défendu.* ‖ *Fruit sec,* fruit naturellement dépourvu de pulpe, comme la noix; fruit desséché pour être consommé en l'état, comme les raisins secs, les figues sèches, etc.; *fam.,* élève qui n'a pas réussi, homme dont la carrière aurait pu être brillante et qui a tourné court. ◆ **fruité, e** adj. Se dit de quelque chose qui a un goût de fruit frais : *Vin fruité. Huile fruitée.* ◆ **fruiterie** n. f. Boutique où l'on vend des fruits. ◆ **fruitier, ère** adj. Qui produit des fruits : *Les arbres fruitiers.* ◆ n. Personne qui vend des fruits : *Boutique de fruitier.* ◆ **fruitier** n. m. Local où l'on conserve les fruits au frais : *Mettre des pommes dans le fruitier.* ◆ **fruitière** n. f. Coopérative formée, dans certaines régions, pour l'exploitation du lait et principalement la fabrication du fromage (gruyère). ◆ **fructifier** v. intr. Produire des fruits : *Un arbre qui fructifie tardivement.* ◆ **fructification** n. f. Formation des fruits chez une plante; époque de cette formation.

2. fruit [frɥi] n. m. 1° Profit, avantage retiré de quelque chose : *Une découverte qui est le fruit de plusieurs années de recherches. Recueillir le fruit de ses peines* (syn. : RÉSULTAT). *Le fruit de son travail a été exploité par un autre* (syn. : PRODUIT). *Le fruit de l'expérience* (syn. : BÉNÉFICE). *Cet enseignement a porté ses fruits* (= a été efficace). *Lire avec fruit un ouvrage de philosophie.* — 2° Bien matériel, aliment, etc., qu'on retire d'une activité, qu'on extrait de quelque chose : *Les fruits de la chasse, de la pêche* (= les animaux, les poissons, les crustacés, etc., qui sont pris à la chasse ou à la pêche). *Fruits de mer* (= nom donné à divers mollusques et crustacés comestibles). ◆ **fructifier** v. intr. (sujet nom de chose). Avoir des résultats heureux, profitables : *L'idée qu'il avait lancée avait germé et fructifié* (syn. : SE DÉVELOPPER). *Faire fructifier de l'argent, un capital* (syn. : RAPPORTER). ◆ **fructueux, euse** adj. Se dit d'une chose qui rapporte un grand avantage : *Une opération fructueuse. Un commerce fructueux. Une tentative fructueuse* (syn. : RENTABLE, FÉCOND, PROFITABLE, LUCRATIF, AVANTAGEUX). ◆ **fructueusement** adv. Avec profit : *Collaborer fructueusement avec un associé.* ◆ **infructueux, euse** adj. : *Efforts infructueux* (syn. : VAIN). ◆ **infructueusement** adv.

frusques [frysk] n. f. pl. *Pop.* Vêtements : *Pose tes frusques sur cette chaise.* ◆ **frusquer** v. tr. *Pop.* Habiller.

fruste [fryst] adj. 1° Se dit d'une personne dont l'apparence, le comportement manquent de finesse, de politesse : *Un paysan fruste* (syn. : ↑ RUSTRE). *Des manières très frustes.* — 2° Se dit de certains objets dont la surface est rugueuse au contact : *Un marbre encore fruste.*

frustrer [frystre] v. tr. 1° *Frustrer quelqu'un,* le priver de quelque chose auquel il peut légitimement prétendre : *Frustrer un héritier de sa part. Il a été frustré du profit de son travail* (syn. : DÉPOSSÉDER). — 2° *Frustrer un espoir, une espérance,* les décevoir : *Cet enfant a frustré l'espérance de ses parents* (syn. : TROMPER). ◆ **frustration** n. f. Etat de l'individu dont une tendance ou un besoin fondamental n'ont pu être satisfaits : *Eprouver un sentiment de frustration* (syn. : MANQUE, DÉSAPPOINTEMENT, DÉCEPTION, PRIVATION). *La frustration entraîne chez certains une forme d'agressivité.*

fuchsia [fyksja] n. m. Arbrisseau aux fleurs rouges décoratives.

fuel [fyɛl ou fjul] n. m. Huile combustible industrielle, extraite du pétrole brut par distillation (syn. : MAZOUT).

fugace [fygas] adj. Se dit d'une chose qui dure peu, qui échappe facilement ou rapidement : *Une lueur fugace* (syn. : BREF, RAPIDE ; contr. : CONTINU, PERSISTANT). *Une couleur fugace* (= qui passe facilement ; contr. : STABLE). *Un souvenir fugace* (syn. : PÉRISSABLE, FUGITIF ; contr. : TENACE, PERMANENT). ◆ **fugacité** n. f. : *La fugacité d'une lueur, d'une couleur, d'un moment, d'un souvenir, d'une image.*

fugitif, ive adj. V. FUIR.

1. fugue [fyg] n. f. Composition musicale reposant sur le contrepoint, et procédant à partir d'un thème généralement court et caractéristique, nommé « sujet » : *Les fugues pour orgue de J.-S. Bach. Ecrire une fugue à quatre voix. Un choral et fugue.* ◆ **fugué, e** adj. : *Style fugué. Passage fugué.*

2. fugue [fyg] n. f. Disparition d'un individu de son milieu familial, de sa résidence habituelle : *Faire une fugue.*

1. fuir [fɥir] v. intr. (conj. **17**) [sujet nom d'être animé]. S'éloigner pour échapper à quelque chose ou à quelqu'un, pour l'éviter : *Les ennemis fuyaient avant même de se battre* (syn. : S'ENFUIR). *Fuir de sa maison, de son pays. Faire fuir quelqu'un. Fuir de chez ses parents* (syn. : S'ESQUIVER, SE SAUVER, DÉCAMPER). *Ce chien fuit quand on l'appelle* (syn. : SE SAUVER). *Fuir devant ses responsabilités, ses obligations* (syn. : ↑ RECULER). ◆ v. tr. *Fuir quelqu'un, quelque chose,* chercher à l'éviter, à s'y soustraire : *Il le fuit, il fuit sa présence* (syn. : ÉVITER ; contr. : RECHERCHER). *Fuir le danger. Les fautes qu'on doit fuir* (syn. : SE GARDER DE). *Fuir ses responsabilités* (syn. : ESQUIVER). ◆ **fuite** n. f. 1° Action de fuir (au sens du v. intr.) : *Une fuite éperdue. C'est la fuite générale. Soldats en fuite.* — 2° *Prendre la fuite,* s'enfuir. ‖ *Mettre en fuite,* faire fuir : *Le mauvais temps a mis en fuite tous les campeurs.* ‖ *Etre en fuite,* ne pas assister à un procès où l'on est inculpé. ‖ *Délit de fuite,* délit dont se rend coupable l'auteur d'un accident qui, sachant qu'il en est cause, continue sa route. ◆ **fuyant, e** adj. 1° Se dit de quelqu'un ou de quelque chose qui se dérobe à l'analyse, aux regards, etc. : *Un homme fuyant* (syn. : INSAISISSABLE). *Un regard fuyant* (contr. : FRANC). — 2° Se dit de quelque chose qui paraît s'éloigner sous l'effet de la perspective : *Lignes fuyantes. Horizon fuyant.* — 3° Se dit des traits du visage lorsqu'ils s'incurvent fortement vers l'arrière : *Un menton fuyant* (contr. : CARRÉ). *Un front fuyant* (contr. : DROIT). ◆ **fuyard** n. m. Personne qui prend la fuite par lâcheté : *Poursuivre les fuyards.* ◆ **fugitif, ive** [fyʒitif, -iv] adj. et n. Se dit de quelqu'un qui a pris la fuite : *Un soldat fugitif. Rattraper des fugitifs.* ◆ adj. Se dit d'une chose qui disparaît rapidement : *Une vision fugitive* (syn. : ÉVANESCENT). *Un bonheur fugitif* (syn. : FUGACE, ÉPHÉMÈRE ; contr. : DURABLE, STABLE). *La grâce fugitive d'une jeune fille. Un moment fugitif de plaisir* (syn. : PASSAGER, COURT ; contr. : DURABLE). *Une crainte fugitive.*

2. fuir [fɥir] v. intr. (conj. **17**). 1° *Liquide, gaz qui fuit,* qui s'échappe par une fêlure, un orifice mal bouché, etc. : *L'eau de ce vase fuit. Le robinet n'était pas bien fermé, et le gaz a fui.* — 2° *Récipient qui fuit,* qui laisse son contenu s'échapper : *Le réservoir fuit. Le robinet fuit.* ◆ **fuite** n. f. 1° Ecoulement, infiltration, dégagement accidentels d'un liquide ou d'un gaz : *Fuite de gaz dans la cuisine. Fuite d'eau dans un bateau.* — 2° Divulgation clandestine de renseignements ou de documents : *Les fuites du baccalauréat.*

fulgurant, e [fylgyrɑ, -ɑt] adj. 1° Qui se produit très rapidement : *La fusée part avec une vitesse fulgurante* (= très grande). *Réponse fulgurante* (= qui vient immédiatement, du tac au tac ; syn. : PROMPT, RAPIDE ; contr. : LENT). *Douleur fulgurante* (= douleur très vive et très courte). — 2° Se dit de ce qui jette une lueur vive et rapide : *Jeter un regard fulgurant* (= chargé d'intentions ; syn. : ÉTINCELANT, BRILLANT ; contr. : ÉTEINT, MORNE, STUPIDE). — 3° Se dit de choses qui frappent vivement l'esprit, l'imagination : *Une découverte fulgurante est venue tout bouleverser* (syn. : ÉCLAIRANT, LUMINEUX).

fuligineux, euse [fyliginø, -øz] adj. 1° Se dit d'une chose qui a la couleur de la suie : *Un enduit fuligineux.* — 2° Se dit de ce qui donne de la suie, de la fumée : *Une flamme fuligineuse.*

1. fulminant, e [fylminɑ̃, -ɑ̃t] adj. Se dit d'une substance qui produit une détonation.

2. fulminant, e adj. V. FULMINER.

fulminer [fylmine] v. intr. (sujet nom de personne). Entrer dans une violente colère : *Fulminer contre quelqu'un. Fulminer contre les abus* (syn. : TEMPÊTER, ÉCLATER, HURLER, SE DÉCHAÎNER). ◆ **fulminant, e** adj. : *Personne fulminante de colère.*

Un regard fulminant. ◆ **fulmination** n. f. : *Lancer des fulminations contre quelqu'un* (syn. : MALÉDICTION, ↑ INJURE).

1. fumant, e [fymɑ̃, -ɑ̃t] adj. *Pop.* Extraordinaire, sensationnel : *Réussir un coup fumant.*

2. fumant, e adj. V. FUMER 1.

1. fumé, e adj. V. FUMER 4.

2. fumé, e [fyme] adj. Se dit de verres colorés sombres, permettant soit d'observer un objet d'une luminosité intense, soit de reposer la vue : *Porter des verres fumés* (= lunettes de soleil).

1. fumer [fyme] v. intr. 1° (sujet nom de chose) Emettre de la fumée : *Les cendres fumaient encore. Les cheminées des usines fumaient. Un volcan qui fume.* — 2° (sujet généralement nom de chose) Emettre une vapeur légère due à la condensation : *Une soupe bien chaude qui fume sur la table.* ◆ **fumant, e** adj. : *Des cendres fumantes. Une soupe fumante.* ◆ **fumée** n. f. 1° Mélange de produits gazeux, plus ou moins opaques, de couleur variée, qui se dégage d'un corps en combustion : *La fumée d'un volcan. Des murs noirs de fumée. L'incendie dégageait une fumée noire.* — 2° (sujet nom de chose) *S'en aller en fumée, partir en fumée,* disparaître sans résultat ou profit : *Tous ses projets sont partis en fumée* (syn. : S'ÉVANOUIR, TOMBER À L'EAU ; contr. : PRENDRE CORPS). ◆ **fumerolle** n. f. Emission gazeuse d'un volcan, pendant une période d'inactivité. ◆ **fumigène** adj. Se dit de produits qui font de la fumée : *Des grenades fumigènes.* ◆ **enfumer** v. tr. 1° *Enfumer un lieu,* le remplir de fumée : *Un poêle qui enfume la pièce.* — 2° *Enfumer une personne, un animal,* l'incommoder par la fumée : *Enfumer les voisins en brûlant des mauvaises herbes. On enfume le renard pour le chasser de son terrier.*

2. fumer [fyme] v. intr. et tr. (sujet nom de personne). Brûler du tabac et en aspirer la fumée : *Il ne fume jamais. Fumer du tabac gris. Fumer des cigarettes, la pipe.* ◆ **fumeur, euse** n. et adj. Personne qui fume, aime fumer : *Un grand fumeur.* ◆ **fume-cigarette** n. m. invar. Petit tuyau de bois, d'ambre, etc., auquel on adapte une cigarette pour la fumer. ◆ **fumerie** n. f. *Fumerie d'opium,* lieu clandestin où des gens se droguent en fumant de l'opium. ◆ **fumoir** n. m. Pièce réservée aux fumeurs, dans certaines maisons.

3. fumer [fyme] v. intr. *Pop.* Etre furieux, être violemment en colère. ◆ **fumant, e** adj. Pop. 1° Furieux : *La directrice était fumante.* — 2° V. FUMANT 1.

4. fumer [fyme] v. tr. *Fumer de la viande, du poisson,* etc., les exposer à la fumée pour les faire sécher et en assurer la conservation : *Dans certaines régions, on fume le jambon.* ◆ **fumage** n. m. : *Le fumage de la saucisse.* ◆ **fumé, e** adj. : *Une choucroute garnie de jambon fumé.*

5. fumer [fyme] v. tr. *Fumer la terre, un champ,* etc., les enrichir avec du fumier. ◆ **fumier** n. m. Mélange de litière et de déjections des animaux, servant d'engrais : *Mettre du fumier de cheval dans un champ.* ◆ **fumure** n. f. Ensemble des fumiers et des engrais qu'on applique à une culture : *Fumure d'entretien.*

fumet [fymɛ] n. m. Arôme des viandes, des vins : *Le fumet d'une oie. Le fumet d'un bordeaux.*

fumeux, euse [fymø, -øz] adj. Se dit de choses ou de personnes qui manquent de clarté, de netteté : *Idées fumeuses* (syn. : BRUMEUX, CONFUS, NÉBULEUX ; contr. : CLAIR, EXPLICITE). *Explications fumeuses. Un esprit fumeux. Un conférencier fumeux.*

1. fumier n. m. V. FUMER 5.

2. fumier [fymje] n. m. *Pop.* Terme d'injure, appliqué à une personne, à un animal : *Traiter quelqu'un de « fumier ».*

fumigation [fymigasjɔ̃] n. f. Technique par laquelle on répand la fumée ou la vapeur dégagée d'un corps, ou par laquelle on la met en contact avec quelque chose, à des fins thérapeutiques, hygiéniques, etc. : *Faire des fumigations contre le rhume.*

1. fumiste [fymist] n. m. Personne dont le métier est d'entretenir les cheminées ou de fabriquer des appareils de chauffage. ◆ **fumisterie** n. f. Profession, magasin du fumiste.

2. fumiste [fymist] n. m. et adj. Se dit de quelqu'un qui ne prend pas son travail au sérieux, sur qui on ne peut pas compter : *S'il était moins fumiste, il réussirait brillamment.* ◆ **fumisterie** n. f. Chose qui manque de sérieux : *Son livre n'est qu'une fumisterie.*

funambule [fynɑ̃byl] n. et adj. Equilibriste qui marche sur une corde : *Aller au cirque voir des funambules. Un clown funambule.*

funambulesque [fynɑ̃bylɛsk] adj. Se dit d'une chose bizarre (littér.) : *Un projet funambulesque* (syn. : FANTAISISTE).

funèbre [fynɛbr] adj. 1° Se dit de ce qui évoque la mort, qui suscite un sentiment de profonde tristesse : *Les murs funèbres d'une prison* (syn. : LUGUBRE, SINISTRE). *Une couleur funèbre* (syn. : SOMBRE, MACABRE). *Prendre un air funèbre* (contr. : GAI, ENJOUÉ). *Une voix funèbre* (syn. : SÉPULCRAL). — 2° Se dit de choses qui concernent les funérailles (dans quelques expressions) : *Pompes funèbres. Marche funèbre. Service funèbre.*

funérailles [fyneraj] n. f. pl. Ensemble des cérémonies solennelles ou somptueuses qui accompagnent l'enterrement d'une personnalité : *Les funérailles de Victor Hugo. Funérailles nationales.*

funéraire [fynerɛr] adj. 1° Se dit de ce qui est relatif à l'enterrement d'une personne : *Frais funéraires* (= dépenses pour une inhumation). *Drap funéraire* (= drap dont on recouvre le cercueil). *Magasin funéraire* (= magasin où l'on vend certains objets nécessaires aux cérémonies d'enterrement). — 2° Se dit d'une chose relative au tombeau, au lieu de sépulture : *Colonne funéraire* (= colonne qui surmonte certains tombeaux). *Croix funéraire.* — 3° *Mobilier funéraire,* ensemble des objets trouvés dans les tombeaux datant de la Préhistoire ou de la haute Antiquité.

funeste [fynɛst] adj. (avant ou plus souvent après le nom). Qui apporte le malheur, la mort, ou qui conduit à une situation dangereuse, nuisible : *Un conseil funeste. Un dessein funeste.*

funiculaire [fynikylɛr] n. m. Chemin de fer à traction par câble ou à crémaillère, qui est utilisé sur les rampes très fortes.

fur [fyr] S'emploie dans des locutions. • LOC. ADV. *Au fur et à mesure,* dans le même temps et dans la même proportion : *Tout ce qu'il apprend, il* l'oublie au fur et à mesure. • Loc. CONJ. *Au fur et à mesure que* (et l'indic.) : *La lumière devenait de plus en plus vive au fur et à mesure qu'il avançait dans le couloir. Au fur et à mesure qu'on lui donne de l'argent, il le dépense.* • Loc. PRÉP. *Au fur et à mesure de : Dépenser son argent au fur et à mesure de ses besoins.* (On dit aussi *au fur à mesure* [*de, que*].)

1. furet [fyrɛ] n. m. Petit mammifère carnivore, au pelage blanc ou jaunâtre, aux yeux rouges.

2. furet [fyrɛ] n. m. Jeu de société, dans lequel les joueurs, assis en rond, font passer un anneau autour d'une corde que chacun tient.

fureter [fyrte] v. intr. (conj. 7). Fouiller partout avec soin pour découvrir des choses cachées ou secrètes : *Fureter de tous côtés. Fureter dans un grenier* (syn. fam. : FARFOUILLER). ◆ **fureteur, euse** n. et adj. : *Un fureteur qui connaît tous les antiquaires de la région. De petits yeux fureteurs.*

1. fureur [fyrœr] n. f. Violente colère, à l'égard de quelqu'un ou de quelque chose : *A ces mots, il entra dans une fureur noire. Etre pris de fureur contre quelqu'un* (= s'emporter contre lui). *Eclater en fureur.* ◆ **furibond, e** ou *pop.* **furibard, e** adj. Superlatif de *furieux : Jeter des regards furibonds. Elle va être furibarde en apprenant la nouvelle.* ◆ **furieux, euse** adj. Se dit d'une personne qui est en proie à une violente colère, ou d'une chose qui manifeste cette colère : *Il est furieux qu'on lui dise cela. Il est furieux contre elle, contre lui-même.*

2. fureur [fyrœr] n. f. 1° Sentiment passionné et démesuré : *Sa passion allait jusqu'à la fureur* (syn. : FOLIE). *Aimer les sports avec fureur* (syn. : ARDEUR, ACHARNEMENT, VIOLENCE). — 2° *Fureur de quelque chose,* passion violente pour cette chose : *Il a été pris par la fureur du jeu, la fureur de lire* (syn. : PASSION, RAGE). *La fureur de vivre* (= le goût violent des plaisirs de la vie). • Loc. ADV. Fam. et iron. *A la fureur,* extrêmement, passionnément : *Aimer à la fureur la tarte à la crème.* ◆ **furie** n. f. 1° *Fam.* Femme déchaînée, qui ne se maîtrise pas : *Deux furies qui se crêpent le chignon.* — 2° Emportement violent d'une personne. — 3° Agitation violente de quelque chose (littér.) : *La mer en furie soulevait le frêle esquif.* ◆ **furieux, euse** adj. et n. 1° *Fou furieux,* personne dont l'emportement est voisin de la folie. — 2° (parfois avant le nom) Se dit de ce qui a un caractère violent : *Un combat furieux* (syn. : ENRAGÉ). *Une tempête furieuse* (syn. : DÉCHAÎNÉ). *Un furieux tapage* (syn. : VIOLENT). *Donner un furieux coup de poing sur la table* (syn. : RETENTISSANT).

furoncle [fyrɔ̃kl] n. m. Inflammation sous-cutanée, d'origine microbienne : *Avoir un furoncle dans le cou* (syn. fam. : CLOU). ◆ **furonculose** n. f. Maladie caractérisée par l'apparition d'un certain nombre de furoncles.

furtif, ive [fyrtif, -iv] adj. Se dit d'une chose faite à la dérobée, de façon à échapper à l'attention : *Jeter des regards furtifs* (syn. : DISCRET, RAPIDE). *Glisser une main furtive dans le sac. Un sourire furtif* (syn. : FUGACE). ◆ **furtivement** adv. : *S'en aller furtivement* (syn. : DISCRÈTEMENT). *Regarder furtivement quelqu'un* (syn. : À LA DÉROBÉE; contr. : EN FACE, OUVERTEMENT).

1. fusain [fyzɛ̃] n. m. Arbrisseau à feuilles luisantes : *Une haie de fusains.*

2. fusain [fyzɛ̃] n. m. 1° Charbon de bois fait avec le fusain, servant à dessiner : *Dessin au fusain.* — 2° Dessin exécuté à l'aide de ce charbon : *Faire un fusain.*

1. fuseau [fyzo] n. m. Petit instrument en bois, utilisé jadis pour filer la laine et employé aujourd'hui pour faire certaines dentelles.

2. fuseau [fyzo] n. m. *En fuseau,* de forme allongée et dont les extrémités sont fines : *Jambes en fuseau. Des arbres taillés en fuseau.* ◆ **fuselé, e** adj. Se dit d'objets qui ont la forme d'un fuseau : *Colonne fuselée.*

3. fuseau [fyzo] n. m. Pantalon de sport dont les jambes vont en se rétrécissant vers le bas, et qui se terminent par un sous-pied : *Elle mettait ses fuseaux pour aller faire du ski.* (On dit aussi : UN PANTALON FUSEAU.)

4. fuseau [fyzo] n. m. *Fuseau horaire,* chacune des vingt-quatre portions entre lesquelles est divisée conventionnellement la surface de la Terre, et qui sont comprises entre deux demi-grands cercles tracés depuis les pôles.

fusée [fyze] n. f. Projectile ou élément moteur dont la propulsion est assurée par la poussée qui résulte de la combustion continue d'une substance : *Une fusée soviétique s'est posée sur la Lune en février 1966. Fusée de feu d'artifice. Lancer une fusée éclairante pour reconnaître le terrain la nuit.*

fuselage [fyzlaʒ] n. m. Corps d'un avion, auquel sont fixées les ailes, et qui contient généralement la partie habitable de l'appareil.

fuser [fyze] v. intr. *Cris, rires, exclamations,* etc., *qui fusent,* qui jaillissent vivement : *Les rires fusèrent de toutes parts.*

fusible [fyzibl] adj. Se dit d'un métal qui fond facilement sous l'effet de la chaleur : *L'étain est l'un des métaux les plus fusibles.* ◆ n. m. Fil d'un alliage spécial ou de plomb qu'on place dans un circuit électrique, et qui fond si l'intensité de ce courant dépasse une certaine limite.

fusil [fyzi] n. m. 1° Arme à feu portative, utilisée pour la chasse ou comme arme de guerre : *Fusil de chasse à deux coups. Tir au fusil.* — 2° *C'est un excellent fusil,* un bon tireur. ◆ **fusiller** v. tr. 1° *Fusiller quelqu'un,* le tuer à coups de fusil : *L'espion a été fusillé.* — 2° Fam. *Fusiller quelque chose,* le gâcher rapidement : *Il a fusillé sa bagnole en moins de deux* (syn. : ANÉANTIR; pop. : BOUSILLER); dépenser de l'argent en peu de temps : *Fusiller deux millions* (syn. : DÉPENSER, pop. : CLAQUER). ◆ **fusilier** n. m. Soldat armé d'un fusil : *Fusilier marin.* ◆ **fusillade** n. f. Décharge simultanée de fusils : *On entendait au loin les bruits de la fusillade.*

fusion n. f. V. FONDRE 2.

fustiger [fystiʒe] v. tr. 1° Battre à coups de bâton (littér.) : *Autrefois, on fustigeait les enfants à l'école.* — 2° Critiquer vivement (littér.) : *Boileau a fustigé ses adversaires littéraires.*

1. fût [fy] n. m. 1° Portion de la tige d'un arbre qui ne porte pas de rameaux : *Débiter en planches un fût de chêne* (syn. : TRONC). — 2° *Fût de colonne,* partie d'une colonne comprise entre la base et le chapiteau. — 3° *Fût d'une arme à feu,* bois sur lequel est monté le canon.

2. fût [fy] n. m. Tonneau dans lequel on met du vin, du cidre, de l'eau-de-vie : *Un vin qui a pris un goût de fût.* ◆ **futaille** n. f. Tonneau : *Une énorme futaille de cidre.*

futaie [fytɛ] n. f. 1° Forêt dont on exploite les arbres quand ils sont parvenus à une grande dimension. — 2° *Haute futaie,* futaie qui est parvenue à toute sa hauteur; ensemble d'arbres très élevés.

futaille n. f. V. FÛT 2.

futé, e [fyte] adj. et n. Se dit d'une personne (ou de son comportement) intelligente et rusée : *Un homme futé* (syn. : ASTUCIEUX, RUSÉ, MALIN). *Une petite futée* (syn. : ROUÉ). *Prendre un air futé.*

futile [fytil] adj. 1° Se dit de ce qui est sans importance, qui n'a pas de valeur ou d'intérêt : *Une conversation futile* (syn. : INSIGNIFIANT; contr. : GRAVE). *Des préoccupations futiles* (syn. : VAIN, CREUX). *Agir pour des raisons futiles* (syn. : PUÉRIL; contr. : SÉRIEUX). — 2° Se dit d'une personne (ou de son comportement) qui s'occupe de choses frivoles, légères : *Un esprit futile* (syn. : FRIVOLE, LÉGER; contr. : SÉRIEUX). *Une femme futile.* ◆ **futilité** n. f. : *La futilité d'un raisonnement* (syn. : INANITÉ). *Futilité d'esprit. S'attacher à des futilités* (syn. : BAGATELLES, RIENS). *Dire des futilités.*

1. futur, e [fytyr] adj. 1° (placé après le nom) Se dit d'une chose qui va se produire, qui arrivera ultérieurement : *Les temps futurs. La réalisation future de vos désirs. Les biens présents, passés et futurs* (syn. : ULTÉRIEUR). *La vie future* (= l'existence promise après la mort, selon certaines religions). — 2° (placé avant le nom) Se dit de la position, de l'état, de l'appellation, etc., ultérieurs d'une personne : *Les futurs époux. Un futur champion. Votre future situation.* ◆ n. *Fam.* Homme, femme qui va se marier : *Offrir des fleurs à la future* (syn. : FIANCÉE, PROMISE). *Les futurs* (= les futurs époux). ◆ **futur** n. m. Avenir dans ce qu'il a d'indéterminé : *L'attente du futur. Le futur verra peut-être l'accomplissement des rêves du présent.*

2. futur [fytyr] n. m. Système de formes verbales situant l'action dans l'avenir par rapport au moment présent ou à un moment considéré : *Tous les temps de ce discours sont au futur.* ‖ *Futur simple,* forme verbale qui exprime en général la simple postériorité d'une action par rapport au moment où l'on parle. ‖ *Futur antérieur,* forme verbale qui exprime en général l'antériorité d'une action future par rapport à une autre action future. ‖ *Futur du passé, futur dans le passé,* nom donné au conditionnel présent employé au sens temporel. ‖ *Futur antérieur du passé,* nom donné au conditionnel du passé employé dans un sens temporel.

futurisme [fytyrism] n. m. Ecole moderne d'art, qui prétend présenter simultanément des sensations présentes, passées et futures. ◆ **futuriste** adj. et n. Qui appartient au futurisme : *Une peinture futuriste.* ◆ adj. *Fam.* Se dit de quelque chose qui évoque un monde fantastique, fait de choses bizarres : *Un film futuriste.*

fuyard, e adj. et n. V. FUIR.

g

g n. m. V. Introduction.

gabardine [gabardin] n. f. 1° Manteau de pluie en laine croisée imperméabilisée : *Porter une gabardine. Revêtir, endosser, mettre sa gabardine. Enlever, ôter sa gabardine.* — 2° Tissu de laine ou de coton croisé, serré, à fines côtes en diagonale sur l'endroit : *Un pantalon de gabardine, en gabardine.*

gabarit [gabari] n. m. 1° *Fam.* ou *pop.* Dimensions physiques, corpulence ou stature de quelqu'un : *Une personne, une taille d'un gabarit respectable. Quel gabarit!* — 2° *Fam.* Dispositions morales ou aptitudes intellectuelles : *Cet enfant ne dépasse pas le gabarit d'un élève moyen* (syn. : VALEUR). — 3° Dimensions, forme imposée d'un objet : *Un camion chargé conformément au gabarit, à son gabarit. Des bateaux de tout gabarit.*

gabegie [gabʒi] n. f. 1° Désordre provenant d'une gestion financière défectueuse ou malhonnête : *Une gabegie innommable. Le nouveau directeur ne tolérera plus une telle gabegie.* — 2° Désordre chronique (avec l'art. défini et un adj. déterminatif) : *La gabegie administrative.*

gabelou [gablu] n. m. *Péjor.* Employé de la douane : *Redouter la visite des gabelous.*

1. gâcher [gɑʃe] v. tr. *Gâcher quelque chose,* compromettre ou détruire la qualité ou l'existence d'une chose, le résultat d'une action, par un emploi ou un procédé mauvais : *Gâcher une occasion. Gâcher un beau sujet. Gâcher la besogne. Gâcher le métier* (= travailler ou vendre à trop bon marché; faire plus qu'il n'est demandé). *Gâcher son argent* (= jeter l'argent par les fenêtres). *Gâcher son temps, sa vie, son avenir, ses dons, son talent. Cela va lui gâcher son plaisir. Une jeunesse gâchée.* ◆ **gâchage** n. m. : *Le gâchage de ses dons, de ses facultés.* ◆ **gâcheur, euse** adj. et n. 1° Personne qui gâche ce qu'elle fait : *Vous n'êtes qu'un gâcheur. Un gâcheur de besogne. Un gâcheur de papier* (= un écrivain sans talent). — 2° Personne qui vend ou travaille à trop bon marché. ◆ **gâchis** [gɑʃi] n. m. 1° Résultat de la confusion, du désordre, de la mauvaise organisation : *Un gâchis politique, financier. Quel gâchis! C'est un beau gâchis. Nous sommes dans le gâchis.* — 2° Terrain boueux, amas d'ordures en partie liquides : *En hiver, ce chemin est un vrai gâchis. On patauge dans ce gâchis.* (V. aussi GÂCHER 2.)

2. gâcher [gɑʃe] v. tr. Délayer du mortier, du plâtre avec de l'eau : *Gâcher du plâtre.* ◆ **gâchage** n. m. : *De l'eau de gâchage.* ◆ **gâcheur** n. m. : *Un gâcheur de plâtre.* ◆ **gâchis** n. m. Mortier fait de plâtre, de chaux, de sable et de ciment.

gâchette [gɑʃɛt] n. f. Organe par lequel le tireur d'une arme à feu agit sur la pièce d'acier qui commande la percussion de l'arme : *Avoir le doigt sur la gâchette* (= être prêt à tirer). *Appuyer sur la gâchette* (= tirer).

gadoue [gadu] n. f. *Fam.* Boue épaisse, mêlée ou non d'ordures : *Marcher, patauger dans la gadoue.* (Au sens technique : « ordures ménagères, détritus dont le mélange sert d'engrais ».)

1. gaffe [gaf] n. f. Instrument composé d'un croc et d'une pointe métallique fixés au bout d'un manche en bois, qui sert dans la marine pour accrocher, accoster, etc. : *Accrocher un filin avec une gaffe.*

2. gaffe [gaf] n. m. *Fam.* Parole ou action maladroite, malencontreuse : *Commettre, faire une gaffe. Il ne fait que des gaffes. Va réparer ta gaffe. Il a fait la gaffe* (= l'erreur à laquelle on s'attendait). *Ravaler sa gaffe* (= s'empresser de réparer son erreur). ◆ **gaffer** v. intr. *Fam.* Faire une gaffe : *J'ai gaffé. Il a gaffé lourdement.* ◆ **gaffeur, euse** adj. et n. *Fam.* Qui commet facilement des gaffes.

3. gaffe [gɑf] n. f. Pop. *Faire gaffe,* se méfier, se tenir sur ses gardes : *Fais gaffe. Fais gaffe au vieux.*

gag [gag] n. m. Au cinéma, péripétie, retournement de situation comique, jeu de scène burlesque : *Ce film n'est qu'une suite de gags irrésistibles.*

gaga [gaga] adj. et n. *Fam.* Retombé en enfance : *Il n'est pas du tout gaga pour son âge* (syn. : GÂTEUX). *Il est complètement gaga. Rendre quelqu'un gaga.*

1. gage [gaʒ] n. m. 1° Tout objet, tout bien que l'on donne à un créancier en garantie d'une dette : *Mettre, laisser sa montre en gage au mont-de-piété. Prêter sur gages.* — 2° Dans certains jeux de société, ce qu'on dépose quand on se trompe, et qu'on ne peut reprendre qu'après une pénitence : *Jouer aux gages.* — 3° Tout ce qui représente une garantie : *Son honnêteté est le gage d'une gestion irréprochable* (syn. : CAUTION). *N'exiger d'autre gage qu'une promesse. Donner des gages de sa bonne foi.* — 4° Preuve, témoignage : *Donner à quelqu'un un gage d'amitié, de sympathie. Donner des gages de son talent.* ◆ **gager** v. tr. Garantir par un gage : *Gager un emprunt, une monnaie, la circulation monétaire par la réserve d'or.*

2. gages [gaʒ] n. m. pl. 1° *Etre aux gages de quelqu'un,* être payé pour un travail de louage ou de commande, que l'on fait aveuglément. ‖ *A gages,* payé pour remplir un rôle mercenaire : *Tueur à gages.* — 2° Salaire des gens de maison (vieilli) : *Les gages d'un valet de chambre. Toucher ses gages. Etre aux gages de quelqu'un* (= être à son service).

gager [gaʒe] v. tr. *Gager que* (et l'indic.), émettre une opinion personnelle qui implique un pari (langue soutenue) : *Gageons qu'il va pleuvoir et que nous ne pourrons pas sortir. Je gage qu'il ne nous trouvera pas* (syn. usuel : PARIER). ◆ **gageure** [gaʒyr] n. f. 1° Action, opinion qui semble impossible ou incroyable : *C'est une gageure! Il a accompli la gageure de réussir où tous avaient échoué.* — 2° Pari impossible : *Cela ressemble à une gageure.*

Soutenir la gageure (= persévérer dans une entreprise hasardée). [V. aussi GAGE 1.]

1. gagner [gaɲe] v. tr. 1° (sujet nom de personne) *Gagner quelque chose* (moyen de subsistance, récompense), l'acquérir par son travail : *Gagner son pain, sa vie. Gagner de quoi vivre. Gagner son bifteck* (pop. = gagner tout juste sa vie). *Gagner le Pérou* (= des sommes énormes). *Il gagne bien (largement) sa vie. Gagner de l'argent* (= pas mal d'argent). *C'est toujours ça de gagné* (fam. = c'est toujours ça de pris). *Gagner un prix. Gagner ses galons sur le champ de bataille. Gagner le ciel par une vie exemplaire.* — 2° Acquérir par le sort : *Gagner un lot, le gros lot, un million à la loterie;* avec un adv. : *Gagner gros. Il gagne gros comme lui. Il gagne bien, il gagne largement* (fam.). — 3° *Gagner quelque chose* (maladie, événement fâcheux), l'acquérir involontairement : *Je suis sorti par ce froid, j'ai gagné un bon rhume* (syn. plus usuels : ATTRAPER, PRENDRE; fam. : CHIPER). *Il n'a gagné que du ridicule dans cette équipée* (syn. : RAPPORTER). — 4° *Gagner quelque chose* (compétition, lutte), remporter la victoire : *Gagner une bataille, la guerre, un match, une partie, un procès* (syn. : REMPORTER; contr. : PERDRE). *Gagner un pari. Avoir partie gagnée* (= être victorieux avant d'avoir commencé). — 5° *Bien gagner,* obtenir à juste titre, mériter : *Il a bien gagné son argent. Un repos bien gagné. Il l'a bien gagné* (se dit souvent d'un châtiment, d'un échec, avec une valeur péjor.; syn. fam. : IL NE L'A PAS VOLÉ). — 6° *Gagner du temps,* différer une échéance, temporiser : *Dépêchez-vous de partir, en attendant je gagne du temps;* éviter de perdre du temps : *Une organisation rationnelle du travail nous permet de gagner du temps.* ‖ *Gagner de la place,* l'économiser : *Cette nouvelle mise en pages nous fait gagner tout un paragraphe.* ◆ v. intr. 1° (sujet nom d'être animé) Etre vainqueur : *J'ai gagné. Jouer à qui perd gagne. Gagner sur tous les tableaux* (= partout à la fois). *Ce cheval a gagné d'une longueur, d'une tête. Gagner aux courses, à la loterie* (= remporter le lot gagnant); et, le sujet étant l'instrument de la victoire : *L'as de pique gagne. L'impair gagne.* — 2° (sujet nom d'être animé ou de chose) *Y gagner, gagner à* (et un nom), *à ce que* (et le subj.), avoir du bénéfice, de l'avantage à quelque chose : *J'y gagne. Vous y gagnerez. Vous gagnerez à ce qu'on ne sache rien.* — 3° *Gagner à* (et un infin.), *en* (et le part. présent), *en* (et un nom), s'améliorer, prendre de l'avantage : *Ce vin gagne à vieillir, gagne en vieillissant, gagne en bouteille. Un tel gagne à être connu.* — 4° *Gagner de* (et l'infin.), obtenir le résultat que : *Il a gagné à cette sortie d'attraper un bon rhume.* — 5° *Gagner en* (et un nom abstrait), s'améliorer du point de vue de : *Son style a gagné en rigueur.* — 6° *Gagner sur* (et un nom désignant un antagoniste), être plus fort que, l'emporter sur, être vainqueur de : *Il gagne sur son adversaire.* ◆ **gagnant, e** adj. et n. Qui gagne (surtout au jeu, à la loterie) : *Billet, numéro gagnant. Tout le monde le donne gagnant* (= tout le monde est sûr de son succès). *Jouer gagnant* (= compter sur la victoire, ne jouer qu'à coup sûr). *Les gagnants et les perdants.* ◆ **gagne-pain** n. m. invar. 1° Travail ou instrument de travail qui sert à gagner sa vie : *Perdre son gagne-pain. Un modeste gagne-pain.* — 2° Personne qui assure la subsistance d'autres personnes : *Cet enfant demeurait le seul gagne-pain de sa famille.* ◆ **gagne-petit** n. m. invar. Celui qui ne fait que de petits gains : *S'attaquer aux gagne-petit plutôt qu'aux gros trafiquants.* ◆ **gagneur, euse** n. Celui qui gagne habituellement : *Un gagneur de batailles, de matchs. Un gagneur d'argent.* ◆ **gain** n. m. 1° Action de gagner : *Avoir, obtenir, donner gain de cause. Les renforts ont décidé du gain de la bataille* (contr. : PERTE). — 2° Profit, bénéfice : *Réaliser des gains considérables* (contr. : PERTE). *Un gain honorable. Céder à l'appât du gain. Avoir la passion du gain. Tirer du gain de quelque chose. Il n'a qu'un gain médiocre* (= un salaire insuffisant). — 3° (suivi d'un compl.) Avantage (en profit ou en économie) : *Un gain de temps, de place* (contr. : PERTE). *Le gain que l'on retire de l'étude d'une langue.* ◆ **ingagnable** adj. : *Un match ingagnable.*

2. gagner [gaɲe] v. tr. 1° (sujet nom de personne) *Gagner quelqu'un, gagner la sympathie, l'affection de quelqu'un,* se rendre cette personne favorable, se concilier sa sympathie, etc. : *Savoir gagner les hommes. Gagner des amis. J'ai été gagné par son amabilité* (syn. : CONQUÉRIR). *Gagner des sympathisants à sa cause. Gagner le cœur de quelqu'un.* — 2° *Gagner des témoins, gagner ses gardiens,* les corrompre, les acheter pour se les concilier. — 3° *Gagner quelqu'un* (dans une compétition), le vaincre (langue soutenue) : *Il me gagne aux échecs* (syn. : BATTRE). *Il s'est fait gagner par quelqu'un qui ne le valait pas.* — 4° *Gagner quelqu'un de vitesse,* aller plus vite que lui et le devancer au but.

3. gagner [gaɲe] v. tr. (sujet nom de chose). 1° *Gagner quelqu'un,* l'envahir progressivement : *Le froid, le sommeil le gagne. Il est gagné par le découragement. La nuit, la marée, le temps nous gagne* (= va plus vite que nous; nous ne pourrons accomplir notre tâche à temps). — 2° *Gagner une chose,* l'atteindre dans sa progression : *La gangrène gagne la cuisse. Le feu gagne les maisons voisines, le toit.* ◆ v. intr. (sujet nom de chose). Se propager, avancer : *L'incendie gagne. La marée, l'épidémie gagne rapidement, de proche en proche, vers nous. La mer gagne chaque année sur la côte crayeuse.*

4. gagner [gaɲe] v. tr. 1° (sujet nom d'être animé ou désignant un moyen de transport) *Gagner un lieu,* se diriger vers ce lieu et l'atteindre : *Gagner la frontière, un refuge. Gagner le maquis* (syn. : PRENDRE). *Gagner la porte* (= partir, s'esquiver). *Dans une heure, la voiture aura gagné la montagne.* — 2° (sujet nom d'être animé ou de chose) *Gagner du terrain,* avancer : *L'ennemi gagne du terrain dans nos positions;* progresser, se répandre : *Les idées nouvelles gagnent du terrain.* — 3° (sujet nom de personne) *Gagner le large,* s'enfuir (syn. : PRENDRE LE LARGE).

gai, e [ge] adj. 1° Se dit d'une personne (ou de son comportement) qui est d'humeur à rire, à s'amuser : *Etre gai, d'humeur gaie* (syn. : EN TRAIN, EN FORME, JOVIAL, JOYEUX, ENJOUÉ, RÉJOUI, RIEUR, ALLÈGRE; contr. : TRISTE). *Un gai luron* (syn. : JOYEUX DRILLE). *Avoir le cœur gai. Gai comme un pinson* (= très gai). *Avoir un caractère gai. Un visage gai, une voix gaie. Il n'a pas l'air gai. Un repas très gai. Une conversation gaie;* sous l'effet de la boisson : *Il commence à être gai* (= un peu ivre). *Il n'est pas encore vraiment gris, il est gai.* — 2° Se dit de quelque chose ou de quelqu'un qui inspire une humeur gaie : *Une comédie gaie* (contr. : TRISTE). *La pièce fut gaie et très applaudie. Un auteur gai.* — 3° Se dit d'une couleur claire et fraîche : *Etre habillé de couleurs gaies. Une jupe* *gaie. Une chambre gaie.* — 4° Se dit d'un temps clair et serein : *Un soleil gai pour une matinée d'hiver. Le temps était gai.* — 5° *C'est gai!*, se dit par antiphrase d'une situation plus ou moins catastrophique : *J'ai perdu la clef, c'est gai! Tout ça n'est pas gai.* ◆ **gaiement** adv. 1° Avec gaieté : *Chanter gaiement.* — 2° De bon cœur, avec entrain : *Allez-y gaiement! Se mettre gaiement au travail.* ◆ **gaieté** [gete] n. f. 1° Bonne humeur, humeur qui porte à rire ou à s'amuser : *Avoir, montrer de la gaieté. Perdre, retrouver sa gaieté* (syn. : ENTRAIN). *Mettre quelqu'un en gaieté* (syn. : JOIE). *Un accès de gaieté* (syn. : HILARITÉ). *Etre plein de gaieté* (syn. : JOVIALITÉ). *Etre en gaieté* (= être légèrement ivre). *La gaieté gagnait les convives.* — 2° Caractère de ce qui manifeste de la bonne humeur ou de ce qui y dispose : *La gaieté du repas, de la conversation. La gaieté d'une couleur.* — 3° *De gaieté de cœur* (en général à propos d'une action désagréable ou dangereuse), volontairement et avec plaisir : *On ne va pas à l'assaut de gaieté de cœur. S'exposer aux reproches de gaieté de cœur.* ◆ **gaietés** n. f. pl. Les amusements, les côtés drôles propres à un groupe social, à une activité, à une région (souvent ironiq.) : *Les gaietés du métier. Les gaietés de la province.*

gaillard, e [gajar, -ard] adj. 1° Se dit d'une personne pleine de vigueur, d'entrain, de santé (ou de son comportement) : *Se sentir gaillard. Il est plus gaillard que jamais. Il est encore très gaillard* (syn. : VIF, VIGOUREUX, FRAIS ET DISPOS, FRINGANT). *Il y va d'un pas gaillard. Il a un air tout gaillard, une allure gaillarde* (syn. : DÉCIDÉ). — 2° Qui enfreint la bienséance, par un air ou un contenu érotiques mêlés d'une certaine gaieté : *Tenir des propos gaillards* (syn. : CRU, LESTE, LÉGER, LICENCIEUX, GRIVOIS, ÉGRILLARD, GRAVELEUX). *Une chanson gaillarde.* ◆ n. 1° Homme plein de vigueur et d'allant : *Un solide gaillard. Un grand gaillard, qui dépasse tous les autres d'une bonne tête.* — 2° *Fam.* Individu adroit, malin, peu scrupuleux : *Ah! je te tiens, mon gaillard! Attends un peu, mon gaillard!* (syn. : GARS, BONHOMME ; fam. : LASCAR) ; se dit d'un enfant rusé et vigoureux : *C'est un gaillard qui promet.* ◆ **gaillarde** n. f. Femme pleine de santé, de gaieté, et d'une conduite fort libre : *Une rude gaillarde.* ◆ **gaillardement** adv. 1° Avec entrain et bonne humeur : *Supporter gaillardement une épreuve.* — 2° Avec décision et courage, sans hésiter : *Attaquer gaillardement une montée.* ◆ **gaillardise** n. f. 1° Bonne humeur se complaisant à des allusions plus ou moins érotiques : *Des propos pleins d'une gaillardise assez lourde.* — 2° Action ou parole au contenu assez libre : *Lâcher des gaillardises. Lancer une gaillardise. Une gaillardise sans méchanceté. Une gaillardise osée* (syn. : GAULOISERIE, GRIVOISERIE ; fam. : GAUDRIOLE).

gain n. m. V. GAGNER.

gaine [gɛn] n. f. 1° Etui d'un instrument aigu ou tranchant, ou d'une arme de petite dimension : *Sortir un poignard de sa gaine.* — 2° Corset féminin en tissu élastique. ◆ **gainer** v. tr. Mouler comme une gaine : *Cette robe vous gaine un peu trop.*

gala [gala] n. m. 1° Grande fête officielle : *Un gala à l'Opéra. Une représentation de gala. Donner, organiser un gala. Un gala de bienfaisance.* — 2° *De gala*, qui est de mise dans les occasions solennelles ou les sorties officielles : *Il arborait son grand habit de gala. Un repas de gala.*

galant, e [galɑ̃, -ɑ̃t] adj. (placé avant ou après le nom). 1° Se dit d'un homme empressé, prévenant avec les femmes : *En homme galant, il céda sa place à une femme. Soyez galant, passez-moi mon manteau.* — 2° Se dit de ce qui a trait aux relations sentimentales et amoureuses : *Un rendez-vous galant. Etre en galante compagnie. Etre d'humeur galante. Faire une déclaration galante. Des compliments galants.* — 3° Péjor. *Une femme galante, une fille galante*, une femme légère, entretenue (littér.). ◆ **galant** n. m. *Ironiq.* Amoureux, soupirant : *Elle est entourée de tous ses galants.* ◆ **galamment** [galamɑ̃] adv. 1° Avec galanterie : *Céder galamment sa place à une femme. Agir galamment.* — 2° Avec adresse : *Quand tous les autres se sont fait prendre, il a réussi à s'en tirer galamment.* ◆ **galanterie** n. f. 1° Politesse empressée auprès des femmes : *Proposer à une femme, par galanterie, de lui porter sa valise. Il manque de galanterie.* — 2° Propos, compliment flatteur adressé à une femme : *Une galanterie d'un goût douteux. Dire des galanteries.* — 3° Intrigue amoureuse : *Avoir une galanterie.*

galantine [galɑ̃tin] n. f. Mets composé de viande hachée cuite dans une gelée.

galapiat [galapja] n. m. *Pop.* Vaurien, vagabond (se dit surtout des enfants ou des adolescents) : *Petit galapiat! Tous les galapiats du quartier qui traînent dans les rues* (mot vieilli).

galaxie [galaksi] n. f. Gigantesque groupement d'étoiles.

galbe [galb] n. m. Contour gracieux du corps ou d'une partie du corps humain, d'un meuble, etc. : *Des jambes d'un galbe parfait. Le galbe d'une épaule. Le galbe d'une commode Louis XV.* ◆ **galbé, e** adj. : *Un corps bien galbé* (= bien fait).

gale [gal] n. f. 1° Affection contagieuse de la peau, due à un parasite et caractérisée par des démangeaisons : *Avoir, attraper la gale.* — 2° Pop. *Ne pas avoir la gale*, être en bonne santé, n'avoir aucune maladie qui puisse dégoûter les autres : *Approche, je n'ai pas la gale.* ‖ Fam. *C'est une gale, il est mauvais comme la gale*, il a très mauvais caractère, il ne fait que dire du mal des autres. ◆ **galeux, euse** adj. et n. Atteint de la gale : *Un chien galeux.* ◆ adj. 1° Produit par la gale : *Une plaie galeuse.* — 2° Sale et sordide : *Une banlieue galeuse.* — 3° *Brebis galeuse*, personne méprisée et rejetée par un groupe social : *Traiter quelqu'un comme une brebis galeuse.* ◆ **galeux** n. m. Individu méprisable.

galéjade [galeʒad] n. f. Histoire exagérée ou invraisemblable, qui tient de la mystification, et propre au folklore provençal : *C'est une galéjade! Dire des galéjades.* ◆ **galéjer** v. intr. *Fam.* Dire des galéjades : *Tu galèjes?*

galère [galɛr] n. f. 1° Métier, condition très durs : *Mener une vie de galère* (syn. : BAGNE). *C'est une vraie galère.* — 2° Fam. *Vogue la galère!*, advienne que pourra. ◆ **galérien** n. m. Forçat, bagnard (littér.) : *Travailler comme un galérien* (= faire un travail très dur). *Mener une vie de galérien* (= une vie très rude, très pénible). [La *galère* était un navire allant à la voile et à la rame.]

1. galerie [galri] n. f. 1° Lieu de passage plus long que large, situé à l'extérieur (syn. : BALCON, LOGGIA) ou à l'intérieur (syn. : CORRIDOR, COULOIR) d'un bâtiment : *La galerie des Glaces à Versailles.*

— 2° Passage souterrain : *Galerie de mine. Creuser une galerie* (syn. : BOYAU, TUNNEL). *Il y a eu un éboulement dans la galerie. Les galeries d'une fourmilière.* — 3° Au théâtre, balcon à plusieurs rangs de spectateurs : *Les premiers applaudissements partirent des galeries. Les premières, les secondes galeries.*

2. galerie [galri] n. f. 1° Lieu disposé pour recevoir une collection d'objets, principalement d'objets d'art : *Les galeries du Louvre.* — 2° Magasin ou salle d'exposition pour le commerce des tableaux et des objets d'art : *Visiter une galerie de peinture. Les galeries de la Rive droite. Une exposition à la galerie Charpentier.* — 3° Collection formant une suite de sujets : *Une galerie de médailles.* — 4° *Galerie de portraits,* suite de portraits littéraires : *Les « Mémoires » de Saint-Simon contiennent une remarquable galerie de portraits.*

3. galerie [galri] n. f. 1° *La galerie,* l'ensemble des personnes qui regardent des joueurs, des acteurs; l'assistance, le public qu'on prend à témoin : *Les applaudissements n'en finissaient plus, tant la galerie était enthousiaste. Il veut épater, amuser la galerie. Impressionner la galerie.* — 2° *Pour la galerie,* seulement pour les apparences : *Il dit ça pour la galerie, mais il n'y croit pas* (syn. fam. : POUR LA FRIME).

4. galerie [galri] n. f. Porte-bagages qu'on fixe sur le toit d'une voiture.

galet [galɛ] n. m. Caillou arrondi par le frottement, que l'on trouve sur le rivage de la mer et dans le lit des torrents : *Une plage de galets.*

galetas [galta] n. m. Logement misérable : *Il habite un galetas au fond d'une cour* (syn. : TAUDIS, RÉDUIT).

1. galette [galɛt] n. f. Gâteau rond et plat, fait le plus souvent de pâte feuilletée : *Plat comme une galette. Tirer la galette des Rois le 6 janvier.*

2. galette [galɛt] n. f. *Pop.* Argent : *Avoir beaucoup de galette.*

galimatias [galimatjɑ] n. m. Discours confus, inintelligible : *Je ne comprends rien à son galimatias* (syn. : CHARABIA ; fam. : PATHOS).

galipette [galipɛt] n. f. *Fam.* Culbute, gambade : *Faire des galipettes.*

gallicisme [galisism] n. m. 1° Tour ou emploi propre à la langue française. — 2° Construction française intégrée dans une autre langue : *Un thème latin rempli de gallicismes.*

gallup [galœp] n. m. Sondage méthodique de l'opinion publique.

galoche [galɔʃ] n. f. 1° Chaussure de cuir à semelle de bois : *Enfiler une paire de galoches.* — 2° Fam. *Menton en galoche,* menton fortement accusé et recourbé en avant.

galon [galɔ̃] n. m. 1° Ruban épais, qui sert à orner des vêtements, des rideaux : *Des galons d'argent.* — 2° Signe distinctif des grades militaires : *Des galons de lieutenant. Gagner ses galons au combat. Arroser ses galons* (fam. = payer à boire à l'occasion d'un avancement en grade). *Prendre du galon* (= monter en grade; obtenir une situation plus avantageuse).

galop [galo] n. m. 1° Allure la plus rapide du cheval : *Prendre le galop. Se mettre au galop. Partir au galop. Un cheval au galop* (= en train de galoper). *Faire un temps de galop* (= galoper un moment, galoper sur un espace assez court). — 2° *Prendre, courir le grand galop,* courir vite, faire quelque chose en vitesse. ◆ **galoper** v. intr. 1° (sujet nom désignant le cheval) Aller au galop : *Les chevaux galopent ventre à terre.* — 2° (sujet nom de personne) Monter un cheval qui court au galop. — 3° (sujet nom de personne) *Fam.* Aller avec précipitation : *Passer sa journée à galoper d'un bout à l'autre de Paris.* — 4° (sujet nom de chose) Se mouvoir d'un mouvement très rapide : *Ses doigts galopent sur le clavier;* avoir une activité fiévreuse : *Son imagination galope;* (sujet nom de personne) faire quelque chose très vite : *Il galope en lisant.* ◆ v. tr. ind. *Galoper après,* rechercher ardemment : *Galoper après quelqu'un.* ◆ **galopade** n. f. Course précipitée : *On entendait des galopades d'élèves attardés dans les couloirs.*

galopin, e [galɔpɛ̃, -in] n. 1° *Fam.* Enfant qui court les rues : *Une bande de galopins joue dans la cour.* — 2° Petit garçon effronté : *Petit galopin, je vais te tirer les oreilles.*

galurin [galyrɛ̃], **galure** [galyr] n. m. *Pop.* Chapeau.

1. galvaniser [galvanize] v. tr. *Galvaniser quelqu'un, un groupe,* l'animer d'une énergie, d'un enthousiasme intenses, mais peu durables : *Cet orateur galvanise la foule.*

2. galvaniser [galvanize] v. tr. *Galvaniser du fer,* le recouvrir d'une couche de zinc pour le protéger de l'oxydation : *Du fil de fer galvanisé.* ◆ **galvanisation** n. f.

galvauder [galvode] v. tr. Fam. *Galvauder quelque chose,* le compromettre, le déshonorer en en faisant un mauvais usage : *Galvauder son nom, son talent.* ◆ v. intr. Traîner sans rien faire : *Ne reste pas là à galvauder.* ◆ **se galvauder** v. pr. *Fam.* S'avilir : *Se galvauder dans une affaire louche.* ◆ **galvaudage** n. m. : *Passer son temps en galvaudages.* ◆ **galvaudeux, euse** n. *Fam.* Vaurien, vagabond : *Il traîne avec un tas de galvaudeux.*

gambade [gɑ̃bad] n. f. Bond qui marque de la gaieté : *Faire des gambades dans l'herbe.* ◆ **gambader** v. intr. 1° Faire des gambades, s'ébattre : *Les enfants gambadent dans le jardin.* — 2° Se laisser aller à sa fantaisie : *Son esprit gambade.*

gambette [gɑ̃bɛt] n. f. *Pop.* Jambe : *Jouer, tricoter, se tirer des gambettes* (= s'enfuir).

gambiller [gɑ̃bije] v. intr. *Pop.* Danser : *On va gambiller ce soir.* ◆ **gambille** n. f. *Pop.* Danse, bal.

gamelle [gamɛl] n. f. Récipient métallique individuel, muni d'un couvercle, pour faire la cuisine ou transporter un plat chaud.

gamin, e [gamɛ̃, -in] n. 1° *Fam.* Enfant ou adolescent : *Une bande de gamins* (syn. : GOSSE). *Quand j'étais gamin. Une gamine de douze ans. Se conduire comme un gamin.* — 2° Enfant, jeune adolescent des rues : *Le gamin de Paris est symbolisé par Gavroche* (syn. : TITI). *Faire des farces de gamin.* ◆ adj. Qui a un caractère insouciant, espiègle, malicieux : *Il a un air gamin, un esprit gamin, des manières gamines.* ◆ **gaminerie** n. f. 1° Comportement de gamin : *Il a conservé toute sa vie une certaine gaminerie.* — 2° Action, parole digne d'un gamin : *Je n'arrive pas à me faire à ses gamineries.*

gamme [gam] n. f. 1° Suite de notes musicales dans l'intervalle d'une octave, rangées selon un ordre croissant ou décroissant : *Chanter la gamme.* — 2° *Faire des gammes,* faire des exercices en forme de gammes; s'initier à quelque chose par des exercices élémentaires continuels : *Il fait ses gammes.* — 3° Série continue dont les éléments sont classés selon une gradation : *La gamme des couleurs. Toute la gamme des vins de Bordeaux. Eprouver toute la gamme des nuances du dépit.*

gammée [game] adj. f. *Croix gammée,* croix dont les quatre branches sont coudées à angle droit, dans le même sens par rapport à chacune : *La croix gammée était l'emblème du parti national-socialiste allemand.*

ganache [ganaʃ] n. f. *Fam.* Personne incapable et stupide : *C'est une vieille ganache. Traiter quelqu'un de ganache.*

gandin [gɑ̃dɛ̃] n. m. Jeune homme qui a un soin excessif de son élégance.

gang [gɑ̃g] n. m. Bande organisée de malfaiteurs : *Un gang spécialisé dans les attaques à main armée.* ◆ **gangster** [gɑ̃gstɛr] n. m. 1° Membre d'un gang : *Voir un film de gangsters.* — 2° Personne qui exploite les clients sans scrupule : *N'allez pas chez ce tailleur, c'est un vrai gangster* (syn. : VOLEUR). ◆ **gangstérisme** n. m. 1° Ensemble des crimes commis par des gangsters : *Le gangstérisme sévit.* — 2° Comportement de gangster : *Le gangstérisme de certains trafiquants.*

ganglion [gɑ̃glijɔ̃] n. m. Renflement sur le trajet d'un nerf, sur le trajet des vaisseaux lymphatiques. ◆ **ganglionnaire** adj.

gangrène [gɑ̃grɛn] n. f. 1° Putréfaction des tissus : *Une jambe rongée par la gangrène.* — 2° (compl. nom abstrait) Cause de corruption, de destruction progressive : *La jalousie est la gangrène du cœur. L'indifférence politique est la gangrène d'une société.* ◆ **gangrener** v. tr. 1° *Gangrener un membre,* l'attaquer par la gangrène : *Un membre gangrené.* — 2° *Gangrener quelqu'un, une société,* les corrompre par de mauvais exemples : *Un seul mauvais élève peut gangrener toute une classe.* ◆ ***se gangrener*** v. pr. Etre atteint de gangrène : *Un membre qui se gangrène est perdu.* ◆ **gangreneux, euse** adj. Atteint de gangrène; qui a la nature de la gangrène : *Ulcère gangreneux. Plaie gangreneuse.*

gangue [gɑ̃g] n. f. 1° Matière sans valeur qui entoure un minerai, une pierre précieuse, dans son gisement naturel : *Débarrasser des cristaux de leur gangue.* — 2° Couche épaisse d'une matière quelconque recouvrant un objet : *Il faut sans cesse décoller la gangue de terre qui alourdit la pelle.*

gant [gɑ̃] n. m. 1° Partie de l'habillement qui couvre la main jusqu'au poignet ou plus haut, chaque doigt séparément : *Porter des gants fourrés. Mettre, retirer ses gants. Une paire de gants.* — 2° Objet de forme analogue, destiné à divers usages (les doigts ne sont pas séparés dans ce cas) : *Des gants de boxe. Un gant de toilette.* — 3° *Souple comme un gant,* d'humeur facile jusqu'à la docilité. ‖ *Aller comme un gant,* convenir à la perfection : *Ce rôle lui va comme un gant.* ‖ *Se donner les gants de...,* s'attribuer le mérite de ce qu'on n'a pas : *Il se donne les gants d'être objectif;* avoir l'effronterie, l'insolence, l'impudence de... : *Ils se sont donné les gants de lui faire faire leur propre travail.* ‖ *Mettre des gants, prendre des gants,* agir avec ménagement, délicatesse : *Je ne vais pas prendre des gants pour lui dire ce que je pense.* ‖ *Retourner quelqu'un comme un gant,* le faire complètement changer d'opinion : *Il n'a aucune personnalité, on peut le retourner comme un gant.* ‖ *Jeter le gant à quelqu'un,* le défier, le provoquer. ‖ *Relever le gant,* accepter un défi : *Notre concurrent n'a pas osé relever le gant.* ◆ **ganter** v. tr. 1° Couvrir d'un gant : *De grosses mains, difficiles à ganter. Etre ganté et cravaté. Ganter quelqu'un* (= lui passer des gants). — 2° (sujet nom désignant des gants) Aller, convenir : *Ces gants de sport vous gantent très joliment.* ◆ **ganterie** n. f. Fabrication ou commerce des gants; usine qui les fait ou magasin qui les vend. ◆ **gantier, ière** n. Personne qui fabrique ou vend des gants. ◆ **déganter (se)** v. pr. Retirer ses gants.

garage [garaʒ] n. m. 1° Lieu couvert, destiné à servir d'abri aux véhicules : *Un garage particulier. Mettre sa voiture au garage. Stationnement interdit : sortie de garage.* — 2° Entreprise de réparation et d'entretien d'automobiles : *Conduire sa voiture au garage pour faire réviser les freins.* — 3° *Voie de garage,* voie secondaire, où l'on gare des wagons de chemin de fer. ‖ *Mettre sur une voie de garage,* laisser de côté pour reprendre plus tard. ◆ **garagiste** n. m. Exploitant ou employé d'un garage de réparation : *Allez chercher un garagiste pour dépanner la voiture.*

garance [garɑ̃s] adj. invar. Rouge vif : *Un ruban garance. Des pantalons garance.* (La *garance* est une plante qui fournit une substance colorante rouge.)

garant, e [garɑ̃, -ɑ̃t] n. et adj. 1° Personne qui répond de la dette d'une autre : *Etre garant d'une créance.* — 2° Etat qui garantit le respect d'une situation politique : *Les pays garants d'un pacte. Les garants d'un traité.* — 3° Personne qui prend la responsabilité de : *Se porter garant du succès. J'en suis garant. Je suis garant que...* (= j'assure, j'affirme que). — 4° Personnage ou auteur dont le témoignage et l'autorité appuient une assertion : *Ne rien avancer que sur de bons garants. Aristote est le garant de cette opinion.* — 5° Se dit d'une chose qui sert de caution, qui garantit : *Son passé est le garant de sa bonne conduite à l'avenir. Votre amitié est mon meilleur garant.* ◆ **garantie** [garɑ̃ti] n. f. 1° Engagement par lequel on répond de la qualité d'une chose : *Un bon de garantie est joint à la facture.* — 2° Ce qui assure la possession ou l'exécution d'une chose : *Demander, donner, prendre des garanties. Servir de garantie. Demander à quelqu'un des garanties de sa bonne foi.* — 3° Ce qui assure la protection des droits ou des personnes : *Les garanties constitutionnelles.* ◆ **garantir** v. tr. 1° *Garantir une chose,* en assurer sous sa responsabilité le maintien, l'exécution : *Garantir une créance. Garantir l'indépendance d'un pays.* — 2° *Garantir quelque chose,* le rendre sûr, le donner pour certain, authentique : *Garantir le succès. Je vous garantis qu'il ne lui est rien arrivé* (syn. : AFFIRMER, CERTIFIER). *Je vous garantis son soutien* (syn. : ASSURER DE). *Garantir un tableau.* — 3° *Garantir quelqu'un, quelque chose de quelque chose,* le mettre à l'abri, le préserver : *Le parapluie nous garantit de la pluie.*

garce [gars] n. f. 1° Fille ou femme de mauvaise vie. — 2° *Fam.* Femme ou fille mauvaise ou désagréable : *Ah! la garce, elle m'a eu!* (syn. pop. : CHAMEAU). ‖ *Pop.* Avec une nuance d'admiration mêlée à la désapprobation : *C'est quand même une belle garce.* ◆ adj. Pop. *Une garce de,* indique quelque chose de très mauvais : *Cette garce de maladie qui me tient* (syn. pop. : CHIENNE).

1. garçon [garsɔ̃] n. m. 1° Enfant mâle : *Ils ont trois garçons et deux filles. Les garçons sont plus turbulents que les filles.* — 2° *Un petit garçon,* enfant depuis l'âge où il n'est plus un bébé jusque vers douze ans (syn. : GARÇONNET). ‖ *Etre traité en petit garçon,* avec désinvolture. ‖ *Se sentir, devenir, être (très, tout) petit garçon,* être pénétré de son infériorité. ‖ *Un grand garçon,* garçon qui est déjà par la taille un adolescent (se dit aussi par flatterie à un petit enfant); jeune homme qui a droit à une certaine indépendance : *C'est un grand garçon maintenant.* ‖ *Un jeune garçon,* un adolescent : *Un jeune garçon timide.* — 3° Jeune homme : *Un garçon de vingt ans. Un garçon jeune, dynamique, plein d'avenir.* ‖ *Garçon d'honneur,* jeune homme chargé d'assister les époux pendant la cérémonie du mariage. — 4° Homme jeune : *C'est un beau garçon. Il est beau garçon, joli garçon. Un bon, un brave, un gentil garçon* (= un homme serviable, facile à vivre). *Un mauvais garçon* (= un homme tapageur, querelleur, de mauvaise vie). *Un joyeux garçon* (= qui mène joyeuse vie). *Un drôle de garçon* (= un homme bizarre). *Un pauvre garçon.* — 5° (avec un possessif) *Fam.* Fils : *Son garçon va déjà au lycée. J'ai envoyé mes garçons à la campagne.* — 6° *Fam.* Sert à interpeller quelqu'un de plus jeune que soi (avec le possessif) : *Dites donc! mon garçon, ne vous gênez pas!* ◆ **garçonne** [garsɔn] n. f. Fille ou femme qui revendique ou qui prend les libertés d'un garçon, particulièrement dans ses mœurs amoureuses : *Elle a une allure de garçonne.* ◆ **garçonnet** n. m. *Fam.* Petit garçon : *C'est encore un garçonnet. Un manteau d'une taille garçonnet. Vous trouverez cela dans notre nouveau magasin, au rayon garçonnets.* ◆ **garçonnière** adj. f. Se dit d'une jeune fille qui a des manières de garçon.

2. garçon [garsɔ̃] n. m. 1° Homme célibataire : *Etre, rester garçon. Un vieux garçon* (= un homme âgé qui ne s'est jamais marié). — 2° *Mener une vie de garçon,* une vie libre. ‖ *Enterrer (dire adieu à) sa vie de garçon,* se marier. ◆ **garçonnière** n. f. Petit logement, convenant à un homme seul.

3. garçon [garsɔ̃] n. m. 1° Jeune ouvrier travaillant chez un patron artisan : *Un garçon tailleur. Un garçon coiffeur. Un garçon boucher. Un garçon boulanger* (v. MITRON). — 2° Employé subalterne : *Un garçon de bureau, de laboratoire.* — 3° *Garçon de café,* ou simplem. *garçon,* employé chargé d'accueillir ou de servir la clientèle, dans un restaurant, un café (au fém. : SERVEUSE) : *Donner un pourboire au garçon.*

1. garde n. f. V. GARDER 1.

2. garde [gard] n. f. 1° Corps de troupes assigné à la protection d'une personne : *La garde impériale. Les grenadiers de la Garde. La garde républicaine de Paris* (= corps de gendarmerie et de parade). — 2° Groupe d'hommes qui gardent un poste : *Appeler la garde. Renforcer la garde. Relever la garde* (= changer les hommes de faction). *La relève de la garde. La garde montante* (= celle qui va prendre sa faction). *La garde descendante* (= celle qui a terminé sa faction). — 3° *Corps de garde,* groupe d'hommes désignés pour être de service au poste de garde d'une caserne, etc. ‖ *Plaisanterie de corps de garde,* plaisanterie très grossière. ‖ *La vieille garde,* les vieux partisans, les derniers amis fidèles d'une personnalité politique. ◆ **arrière-garde** n. f. 1° Eléments qu'une troupe détache derrière elle afin de se protéger : *L'arrière-garde de l'armée de Charlemagne fut anéantie au col de Roncevaux.* — 2° *Mener un combat d'arrière-garde,* défendre une cause que l'on sait perdue en raison du mouvement général des idées et des événements. ◆ **avant-garde** n. f. 1° Unité militaire qu'on détache devant une troupe pour la protéger et la renseigner : *L'avant-garde est tombée dans une embuscade.* — 2° Ce qui est en tête du progrès ou en avance sur son temps : *L'avant-garde de la science* (syn. : LA POINTE). *Etre à l'avant-garde du mouvement de libération des peuples* (= en être l'initiateur). *Les idées d'avant-garde* (syn. : AVANCÉ; contr. : RÉACTIONNAIRE, RÉTROGRADE).

3. garde [gard] n. f. 1° *La garde d'une épée, d'une arme blanche,* le rebord entre la lame et la poignée, pour protéger la main : *Enfoncer un poignard jusqu'à la garde. Mettre la main sur (à) la garde de son épée.* — 2° *Les gardes d'un livre, les pages de garde,* les feuillets qui séparent la couverture de la première et de la dernière page d'un livre : *Prendre des notes sur la garde de son livre.* — 3° *Avoir la garde à pique, à trèfle, à carreau, au roi,* avoir dans son jeu une petite carte qui en défend une plus forte de la même couleur. — 4° Espace libre qui évite un contact : *Dans ce nouveau modèle de voiture, la garde au toit a été un peu augmentée* (= l'espace entre la tête des occupants et le toit). *Laisser une garde suffisante à la pédale d'embrayage* (= une course libre avant l'embrayage).

4. garde [gard] n. Personne chargée de la surveillance de quelqu'un : *Il a échappé à ses gardes. La vigilance de ses gardes s'était relâchée* (syn. : GARDIEN). *Nous avons laissé l'enfant avec la garde. La garde s'était endormie vers le matin* (syn. : GARDE-MALADE). ◆ n. m. 1° Homme qui a la charge d'assurer la surveillance d'un lieu : *Garde champêtre* (= agent d'une commune rurale). *Garde forestier* (= préposé à la conservation d'un district forestier). — 2° *Garde du corps,* homme chargé de protéger une personnalité contre des attentats éventuels : *Etre escorté (entouré, accompagné) par ses gardes du corps* (syn. fam. : GORILLE). — 3° Tout soldat d'un corps appelé *garde : Un garde républicain. Un garde mobile.* — 4° Autref., soldat de l'escorte d'un souverain : *Le roi était entouré de ses gardes. Gardes, emmenez-le!* — 5° *Garde des Sceaux,* ministre de la Justice. ◆ **garde-barrière** n. Personne qui a la garde d'un passage à niveau : *La responsabilité des gardes-barrière(s).* ◆ **garde-chasse** n. m. Celui qui veille à la conservation du gibier d'un domaine : *La surveillance des gardes-chasse(s).* ◆ **garde-chiourme** n. m. Surveillant dur et brutal : *Ce sont de vrais gardes-chiourme!* ◆ **garde-malade** n. Personne qui garde les malades et leur donne les soins élémentaires : *Des gardes-malades.* ◆ **garde-pêche** n. m. Personne chargée de faire observer les règlements sur la pêche : *Des gardes-pêche(s).*

garde-à-vous [gardavu] n. m. 1° Position prise sur un commandement militaire prescrivant l'immobilité dans une attitude tendue, talons serrés, bras le long du corps : *Etre, se mettre, rester au garde-à-vous. Etre figé dans un garde-à-vous irréprochable, le petit doigt sur la couture du pantalon.* — 2° Postude pleine de raideur qu'on prend par déférence, humilité, etc. : *Vivre sans cesse au garde-à-vous.*

1. garder [garde] v. tr. **1°** *Garder quelqu'un, un animal,* les surveiller pour les protéger ou pour les empêcher de s'échapper : *Garder un malade, un enfant. Garder un troupeau de chèvres. Garder un prisonnier. Il est gardé par un policier en civil. Etre gardé à la disposition de la justice. Plusieurs manifestants ont été gardés à vue dans les locaux de la police* (= retenus momentanément sous surveillance). — **2°** *Garder quelqu'un,* le faire rester près de soi en l'occupant, en l'invitant : *Retournez vite chez vous : avec mes histoires, je ne vous ai gardé que trop longtemps. Nous allons vous garder à dîner.* — **3°** (sujet nom de personne ou de chose) *Garder quelqu'un de* (et un nom ou un infin.), le protéger, le préserver de quelque danger : *Nous avons en vain tenté de les garder de l'erreur. Dieu vous garde de ce fléau!, de commettre cette maladresse! Cette veste de fourrure vous gardera du froid.* — **4°** *Garder une chose* (nom désignant généralement un lieu), en prendre soin, la surveiller, la défendre : *Le concierge garde l'immeuble. Les soldats gardent le pont. Le chien garde la basse-cour. Toutes les entrées sont gardées par des hommes en armes. Voudriez-vous être assez aimable pour me garder ma place?* (= pour empêcher que quelqu'un ne l'occupe pendant mon absence). ‖ *Chasse gardée,* chasse dont l'accès est interdit par le propriétaire; *fam.,* femme à qui il ne faut pas faire la cour. — **5°** (sujet nom de chose) *Garder un lieu,* être situé à l'entrée de ce lieu : *Un cyprès garde le cimetière. La statue de la Liberté garde le port de New York.* ◆ ***se garder*** v. pr. **1°** Etre sur la défensive, sur ses gardes : *Gardez-vous!* — **2°** *Se garder de* (et un nom de personne ou un nom abstrait), se défendre contre, se défier de : *Il faut se garder des médisants, de la flatterie.* — **3°** *Se garder de* (et un infin.), avoir soin de ne pas... : *Gardez-vous de manquer votre train. Je me garderai bien de le détromper sur mon compte.* ◆ **garde** n. f. **1°** Action de surveiller quelque chose, afin de le conserver ou de le protéger : *Confier (des documents, des bagages, une maison, une frontière, etc.) à la garde de quelqu'un. Laisser quelque chose en garde à quelqu'un. Veiller à la garde de... Etre chargé (se charger) de la garde de... Avoir (être préposé à, être commis à) la garde de... On a mis les lingots sous bonne garde. Il fait bonne garde autour de la caisse. Un chien de garde* (= qui garde une maison). — **2°** Action de surveiller quelqu'un ou un animal, afin de le protéger, de le soigner : *Prendre (tenir) un enfant (un malade, un troupeau, etc.) sous sa garde. Confier quelqu'un à la garde de...* — **3°** Action de surveiller quelqu'un pour l'empêcher de nuire : *Mettre (tenir) un prisonnier (un malfaiteur, etc.) sous bonne garde. Etre sous la garde de la police.* — **4°** Action d'assurer un service de surveillance périodique et temporaire : *Etre de garde. J'ai déjà fait ma garde. C'est son tour de garde. Prendre la garde. L'interne de garde. La pharmacie de garde.* ‖ *Monter la garde, être de garde* (à l'armée), être de faction dans un poste. — **5°** Action d'adopter une position de défense (en escrime, en boxe) : *Se mettre (se tenir, être, tomber) en garde. En garde!* (= mettez-vous en garde). ‖ (avec un compl.) Action d'adopter une attitude vigilante : *Se mettre (se tenir) en garde contre quelqu'un* ou *contre quelque chose. Mettre quelqu'un en garde. Une mise en garde* (= un avertissement). ‖ (au plur.) *Etre (se mettre, se tenir) sur ses gardes,* dans une attitude vigilante, aux aguets. — **6°** *Prendre garde* (sans compl.), être vigilant, se préparer à un danger : *Prenez garde!* (peut être une exhortation ou une menace). ‖ *Prendre garde à quelqu'un, à quelque chose,* faire très attention à : *Prends garde à toi. Prenez garde aux voitures. Sans y prendre garde* (= sans s'en rendre compte). ‖ *Sans prendre garde à personne (à rien),* avec indifférence. ‖ *Prendre garde de* (et un infin.), faire tous ses efforts pour éviter de : *Prends garde de te refroidir après avoir couru.* ‖ *Prendre garde de ne pas* (et un infin.), même sens : *Prends garde de ne pas te salir.* ‖ *Prendre garde que* (et l'indic.), se rendre bien compte que : *Prenez garde qu'on vous voit de tous les côtés ici.* ‖ *Prendre garde que* (avec *ne* et le subj.), tâcher d'éviter que : *Prenez garde qu'on ne vous voie, qu'on ne vous entende.* ‖ *Prendre garde que* (ou, fam., *à ce que*) *ne... pas* (et le subj.), même sens : *Prenez garde qu'on ne vous entende pas cette nuit. Vous prendrez garde à ce que* (avec le subj.) : *Prenez garde à ce qu'on ne vous entende pas.* — **7°** *N'avoir garde de* (et un infin.), mettre tout son soin à éviter de (littér.) : *Le voilà prévenu, il n'aura garde de venir se frotter à nous.* ◆ **garderie** n. f. Dans une école, une usine, etc., local où sont gardés les enfants en bas âge en dehors des heures de classe. ◆ **garde-boue** n. m. invar. Bande de métal placée au-dessus d'une roue de bicyclette, de motocyclette, pour protéger des projections de boue. ◆ **garde-fou** n. m. **1°** Balustrade ou parapet d'un pont, d'un quai, etc., pour empêcher de tomber : *S'appuyer sur le garde-fou. Se retenir aux garde-fous.* — **2°** Avertissement : *Que ces conseils vous servent de garde-fou.* ◆ **garde-manger** n. m. invar. Petite armoire garnie de toile métallique, ou placard, où l'on conserve les aliments. ◆ **garde-meuble** n. m. Lieu où l'on entrepose des meubles : *Mettre tout son mobilier dans des garde-meuble(s) en attendant d'emménager.*

2. garder [garde] v. tr. **1°** Conserver pour soi ou sur soi, ne pas se dessaisir de : *Il ne sait pas garder son argent. Garder copie d'un document. Il a tendance à garder ce qu'on lui prête. Il ne peut rien garder* (= il donne, il dissipe tout ce qu'il a). *Vous n'allez pas garder votre manteau, il fait si chaud.* — **2°** Mettre en réserve : *Garder une bonne bouteille pour des amis. Garder le meilleur pour la fin* (syn. : RÉSERVER). *Gardez en pour demain.* — **3°** (avec un adj. attribut du compl. d'objet) Tenir, avoir de manière constante : *L'enfant garde les yeux levés vers la maîtresse.* ‖ *Garder la tête froide,* rester de sang-froid. — **4°** *Garder un secret, garder quelque chose pour soi,* n'en faire part à personne : *Garder le secret sur une entrevue. Je compte sur votre discrétion pour que vous gardiez cela pour vous.* — **5°** (avec un compl. d'objet abstrait désignant un état, un sentiment) Rester dans tel ou tel état, conserver tel ou tel sentiment : *Garder ses habitudes, ses illusions, sa liberté. Garder rancune. Garder de l'espoir. Garder fidélité à quelqu'un. Garder toutes ses facultés. Il n'arrive pas à garder son sérieux. Il vous garde une reconnaissance très grande. Il n'a pas su garder son avantage. Garder sa parole. Garder les apparences. Garder le silence. Garder l'anonymat. Il ne sait pas garder la mesure.* ‖ *Toute(s) proportion(s) gardée(s),* en tenant compte des différences qui existent entre les objets que l'on compare. — **6°** *Malade qui garde la chambre,* qui ne sort pas. — **7°** (sujet nom d'être animé ou de chose) Rester marqué par, ne pas perdre : *Il garde une cicatrice de sa blessure. Un pantalon qui ne garde pas le pli. Ce vin garde un goût de bouchon. Un bois qui garde sa souplesse en séchant.* — 8° (sujet nom de chose) Renfermer, tenir caché : *Le tombeau qui garde les cendres de l'Empereur.*

garde-robe [gardərɔb] n. f. 1° Ensemble des vêtements d'une personne (se dit surtout des femmes) : *Avoir une garde-robe fournie, abondante.* — 2° Placard, armoire où l'on range les vêtements : *Ses garde-robes sont pleines à craquer.*

gardian [gardjɑ̃] n. m. Gardien de troupeaux, en Camargue.

gardien, enne [gardjɛ̃, -ɛn] n. 1° Personne préposée à la garde de quelque chose ou de quelqu'un : *Le gardien de l'immeuble* (= le concierge). *Le gardien de la prison. Le détenu a échappé à la surveillance de ses gardiens. Surprendre (tromper) la vigilance d'un gardien. Les gardiens d'un musée.* ‖ *Gardien de but,* au football, joueur chargé de défendre le but. ‖ *Gardien de la paix,* agent de police. — 2° (avec un compl. nom abstrait) Personne chargée de défendre : *Les gardiens de l'ordre public.* — 3° (sujet nom abstrait) Moyen de défendre, de protéger : *Le Sénat, gardien de la tradition. La Constitution est la gardienne des libertés.* ◆ adj. *Ange gardien,* ange qui protège ; et, en parlant d'une personne : *Vous êtes mon ange gardien* (syn. : SAUVEUR, PROTECTEUR). ◆ **gardiennage** n. m. Emploi, service du gardien d'un immeuble.

1. gare [gar] n. f. 1° Ensemble des installations de chemin de fer destinées à l'embarquement et au débarquement des voyageurs, au transbordement des marchandises, en un point déterminé : *La gare de départ. La gare d'arrivée. La gare terminus* (= située à l'extrémité d'une ligne). *Le chef de gare. Arriver (aller) à la gare, entrer dans la gare* (se disent des personnes). *Entrer en gare* (ne se dit que du train). — 2° *Gare routière,* emplacement aménagé pour accueillir les véhicules routiers de gros tonnage. ‖ *Gare maritime,* gare aménagée sur les quais d'un port.

2. gare ! [gar] interj. 1° Sert à prévenir quelqu'un d'un danger ou à le menacer (le plus souvent suivi de la prép. *à* et d'un nom, d'un pron. ou d'un infin.) : *Gare aux conséquences! Gare à toi, si tu continues à conduire ta voiture aussi imprudemment! Gare à ne pas recommencer une telle sottise!* — 2° *Sans crier gare,* sans prévenir, sans avertissement : *Il est arrivé hier à l'heure du repas, sans crier gare* (syn. : À L'IMPROVISTE, SOUDAIN).

garenne [garɛn] n. f. Endroit boisé où les lapins vivent en liberté : *Manger un lapin de garenne.* ◆ n. m. Lapin de garenne.

garer [gare] v. tr. 1° *Garer un véhicule,* le rentrer dans un garage ou dans un endroit aménagé, ou le ranger à l'écart de la circulation : *Garer sa voiture au bord du trottoir. Garer un convoi pour laisser passer un autre train. Le train est resté garé pendant longtemps.* — 2° *Garer quelque chose,* le mettre à l'abri, en lieu sûr : *Garer ses récoltes. Garer sa fortune.* ◆ ***se garer*** v. pr. 1° *Fam.* Ranger sa voiture : *Avoir du mal à se garer. Je me suis garé en haut de la rue.* — 2° *Fam.* Se mettre à l'abri : *On a tout juste eu le temps de se garer. Nous nous sommes garés pour laisser passer les coureurs.* — 3° *Se garer de quelque chose,* l'éviter : *Se garer des coups. Se garer d'un danger. Se garer des voitures. Se garer des passants.* (V. GARAGE.)

gargantua [gargɑ̃tɥa] n. m. 1° Gros mangeur. — 2° *Un repas de gargantua,* extrêmement copieux.

gargariser (se) [səgargarize] v. pr. 1° Se rincer la bouche et l'arrière-bouche avec un liquide : *Se gargariser avec de l'eau salée. Se gargariser à l'eau tiède.* — 2° *Pop.* Boire : *Un gaillard qui aime à se gargariser.* — 3° *Fam.* Se délecter de : *Se gargariser de grands mots, avec de grands mots. Se gargariser de son succès.* ◆ **gargarisme** n. m. Médicament liquide pour se gargariser.

gargote [gargɔt] n. f. 1° Petit restaurant bon marché, où l'on mange mal : *C'est une gargote.* — 2° Tout endroit où la cuisine est mauvaise. ◆ **gargotier, ère** n. Personne qui tient une gargote ou qui fait de la mauvaise cuisine (syn. pop. : MARCHAND DE SOUPE).

gargouille [garguj] n. f. 1° Gouttière saillante, souvent ornée d'une figure animale ou monstrueuse : *L'eau jaillit à gros bouillons des gargouilles.* — 2° Cette figure elle-même : *Admirer les gargouilles de Notre-Dame.*

gargouiller [garguje] v. intr. 1° (sujet nom désignant un liquide) Produire un bruit d'eau courante rencontrant un obstacle : *L'eau gargouille dans le robinet.* — 2° (sujet nom désignant l'estomac, l'intestin, etc.) Produire un bruit dû au passage d'un liquide dans le tube digestif : *Il a l'estomac qui gargouille.* ◆ **gargouillement** n. m. et **gargouillis** [garguji] n. m. : *Les gargouillements de l'estomac* (syn. : BORBORYGME).

gargoulette [gargulɛt] n. f. *Pop.* Gosier : *Se rincer la gargoulette.*

garnement [garnəmɑ̃] n. m. Enfant, jeune homme porté à faire de mauvais tours : *Méchant, mauvais, vilain, petit garnement!* (syn. : GALOPIN).

garni [garni] n. et adj. m. Chambre, maison meublée destinée à la location (vieilli) : *Habiter un garni. Vivre, loger en garni. Un hôtel garni.*

garnir [garnir] v. tr. 1° *Garnir une chose,* la pourvoir de ce qui lui est nécessaire : *Garnir une vitrine, une bibliothèque. Avoir un portefeuille bien garni. Avoir une bouche mal garnie* (= ne plus avoir toutes ses dents). *Une chevelure bien garnie* (= abondante, touffue). — 2° *Garnir quelque chose d'instruments de guerre, de défense,* etc., le munir d'éléments nécessaires à la défense, à la protection : *On a garni les remparts. Garnir une place forte.* — 3° Orner, enjoliver : *Garnir une table de fleurs. Garnir une étagère de bibelots.* — 4° *Garnir une chose* (nom désignant un mets), l'accompagner d'un autre aliment : *Une entrecôte garnie. Un plat de bœuf garni. Une choucroute garnie.* — 5° *Garnir un lieu, un meuble,* etc., le remplir, le couvrir : *Les spectateurs garnissaient déjà les balcons et les galeries. Les trottoirs sont garnis d'une foule nombreuse. Les murs sont tout garnis de livres chez lui.* — 6° (sujet nom de la chose qui garnit) Remplir : *Les livres garnissent la bibliothèque. Ses cheveux ne garnissent plus très bien son front.* ◆ ***se garnir*** v. pr. 1° Se remplir : *Le théâtre se garnit lentement. Les étagères se garnissent de livres.* — 2° Pop. *Se garnir le ventre, l'estomac, la panse,* manger. ◆ **garnissage** n. m. ◆ **garniture** n. f. 1° Ce qui sert à garnir une chose, pour la renforcer, la compléter ou l'embellir : *Une garniture métallique. Une garniture de toilette en porcelaine. Voulez-vous des frites ou des haricots comme garniture? La garniture d'un chapeau.* — 2° *Garniture de foyer,* la pelle, les pincettes, le tisonnier, etc. ‖ Assortiment d'objets : *Une garniture de boutons.* ◆ **dégarnir** v. tr. : *Dégarnir un arbre de Noël. Général qui dégarnit l'aile droite du front* (= qui en retire les troupes). *Sa tête se dégarnit* (= ses cheveux tombent). ◆ **regarnir** v. tr.

garnison [garnizɔ̃] n. f. 1° Ensemble des troupes stationnées dans une ville ou dans une place forte : *Une ville de garnison. La vie de garnison* (= le genre de vie d'un militaire qui fait partie d'une garnison). — 2° La ville où se tient une garnison : *Une garnison triste, plaisante. Le régiment a changé de garnison. Regagner sa garnison après une permission.* — 3° *Etre en garnison dans telle ville,* se dit d'un militaire qui y est stationné. ‖ *Tenir garnison à tel endroit,* se dit du régiment qui y est installé.

1. garrot [garo] n. m. Partie saillante de l'encolure d'un quadrupède, au-dessus de l'épaule : *Un cheval blessé au garrot par le harnais.*

2. garrot [garo] n. m. Lien servant à comprimer un membre pour arrêter une hémorragie : *Poser, mettre un garrot. Serrer un garrot.*

garrotter [garɔte] v. t. 1° *Garrotter quelqu'un,* le lier étroitement et très fort : *Garrotter un prisonnier. Cet enfant est garrotté dans son maillot.* — 2° *Garrotter quelque chose* (nom abstrait), lier moralement, priver de toute liberté d'action : *Garrotter l'opposition* (syn. : MUSELER).

gars [gɑ] n. m. 1° *Fam.* Garçon, jeune homme : *C'est un brave, un bon petit gars. C'est un drôle de gars.* — 2° Gaillard solide, courageux ou peu scrupuleux : *Un beau gars. Un gars qui n'a pas froid aux yeux. Un gars du milieu.* — 3° Jeune homme de la campagne : *Tous les gars du village.* — 4° *Pop.* Employé comme apostrophe : *Eh! les gars! Par ici, les gars!*

gas-oil ou **gasoil** [gazwal] n. m. Produit pétrolier utilisé dans certains moteurs.

gaspiller [gaspije] v. tr. 1° *Gaspiller l'argent,* le dépenser follement, inutilement : *Gaspiller ses économies* (syn. : DILAPIDER, DISSIPER [langue soutenue]; fam. : JETER L'ARGENT PAR LES FENÊTRES). — 2° *Gaspiller quelque chose,* le mal employer : *Gaspiller son temps, sa santé, son talent* (syn. : GÂCHER). *Qu'est-ce qu'il gaspille!* ◆ **gaspillage** n. m. ◆ **gaspilleur, euse** n. et adj.

gastronomie [gastrɔnɔmi] n. f. Art de faire bonne chère. ◆ **gastronomique** adj. : *Menu gastronomique. Relais gastronomique.* ◆ **gastronome** n. Personne qui aime faire bonne chère (syn. : GOURMET).

gâteau [gɑto] n. m. 1° Pâtisserie faite de farine, de beurre, d'œufs, de sucre, etc. : *Un gâteau aux amandes, à la crème. Couper un gâteau en quatre parts. Des gâteaux secs* (syn. : BISCUIT). — 2° Fam. *Partager le gâteau, avoir part au gâteau,* partager le profit d'une affaire (syn. : BUTIN). ‖ Pop. *C'est du gâteau,* c'est extrêmement facile à faire; la situation est excellente, il faut en profiter. ◆ adj. Fam. *Papa gâteau, maman gâteau,* père, mère — et plutôt grand-père, grand-mère — qui gâte ses enfants.

1. gâter [gɑte] v. tr. 1° *Gâter une chose,* la putréfier, la pourrir : *La chaleur gâte la viande. Il faut manger ces fruits, demain ils seront gâtés* (syn. : ABÎMER). *Avoir des dents gâtées* (syn. : CARIÉ). — 2° *Gâter quelque chose,* le compromettre, en dégrader l'aspect : *Son visage est gâté par une verrue. Cette maison gâte le paysage. Un détail mal placé peut gâter un ensemble.* — 3° *Gâter quelque chose,* en compromettre le résultat : *Gâter une affaire par sa maladresse. Il va tout gâter* (syn. : GÂCHER). — 4° *Gâter quelque chose* (nom abstrait), le corrompre, en altérer la nature, le diminuer, le dépraver : *Ces marchands de tableaux gâtent le goût du public. Gâter le plaisir de quelqu'un. Ses lectures lui ont gâté l'esprit, le jugement, la raison.* — 5° *Cela ne gâte rien,* c'est un avantage qui vient par surcroît : *Ses parents sont riches, ce qui ne gâte rien.* ◆ ***se gâter*** v. pr. 1° Se putréfier : *Les fruits se gâtent facilement.* — 2° Se corrompre, s'altérer : *Faute de travail, il a laissé ses dons se gâter.* — 3° *Le temps se gâte,* il devient mauvais. ‖ *Cela (ça) se gâte, les choses se gâtent,* la situation prend une mauvaise tournure.

2. gâter [gɑte] v. tr. 1° *Gâter un enfant,* le traiter avec trop d'indulgence, au point de corrompre son caractère : *Cet enfant est gâté par sa grand-mère. On le gâte comme un roi, comme un prince. Il est affreusement gâté. Enfant gâté* (= celui auquel on passe tous ses caprices et qui se conduit de manière odieuse). *Il est l'enfant gâté de la fortune, du succès* (= celui à qui tout réussit). — 2° *Gâter quelqu'un,* le combler d'attentions, de soins délicats, de cadeaux, etc. : *C'était splendide, vous nous avez gâtés! Il ne l'aime pas, il la gâte.* — 3° (sujet nom de personne) *Etre gâté,* avoir de la chance : *Il a fait un temps superbe pendant tout notre séjour, nous avons été gâtés; ironiq.,* jouer de malchance : *Encore la pluie, nous sommes gâtés!* ◆ **gâterie** n. f. (le plus souvent au plur.). 1° Caresses, complaisances excessives : *Il n'a que des gâteries pour cet enfant.* — 2° Petits présents, friandises : *Apporter des gâteries aux enfants.*

gâteux, euse [gɑtø, -øz] n. et adj. 1° Se dit d'un vieillard diminué intellectuellement : *Un grand-père gâteux.* — 2° Se dit d'une personne qui paraît atteinte de débilité mentale, qui manque de lucidité : *Il l'aime tellement qu'il en est gâteux. Tu te répètes, tu deviens gâteux.* ◆ **gâtisme** n. m. : *Il s'en tient toujours à ses vieilles théories : c'est du gâtisme.* (V. GAGA.)

1. gauche [goʃ] adj. et n. 1° Se dit de la partie du corps située du côté du cœur (par oppos. à *droit*) : *La main gauche. L'œil gauche. Un crochet du gauche* (= donné avec le poing gauche). — 2° Se dit, pour une chose orientée (cours d'eau, bâtiment, etc.), du côté qui correspond au côté gauche de celui qui suit le cours d'eau, qui est adossé à la façade du bâtiment, etc. : *La rive gauche de la Seine. L'aile gauche du château. L'ailier gauche d'une équipe de joueurs.* — 3° Se dit, pour une chose non orientée, de la partie qui fait face au côté gauche de celui qui la regarde : *Le côté gauche d'un tableau. Ecrire de gauche à droite.* — 4° Fam. *Se lever du pied gauche,* se lever de mauvaise humeur. ● LOC. ADV. *A main gauche, à gauche,* du côté gauche. ‖ *A droite et à gauche, de droite et de gauche,* de tous côtés. ‖ Fam. *Passer l'arme à gauche,* mourir. ‖ Pop. *Mettre de l'argent à gauche,* économiser, mettre de côté. ● LOC. PRÉP. *A gauche* *de : L'escalier est à gauche de la loge du concierge.* ◆ **gauche** n. f. Côté gauche d'une personne ou d'une chose : *Asseyez-vous à ma gauche. L'ennemi déboucha sur notre gauche. Se tenir à la gauche de quelqu'un. Il roulait tout à fait sur la gauche* (de la chaussée). ◆ **gaucher, ère** [goʃe, -ɛr] adj. et n. Qui se sert mieux de la main gauche que de la main droite : *Les gauchers ont souvent appris à écrire de la main droite et de la main gauche* (contr. : DROITIER).

2. gauche [goʃ] adj. Se dit de quelqu'un (ou de son comportement) qui est emprunté, embarrassé, maladroit et mal à l'aise : *Il est, il se sent gauche. Il a l'air un peu gauche. Renverser une tasse d'un geste gauche. Un style gauche.* ◆ **gauchement** adv. : *Saisir gauchement un objet.* ◆ **gaucherie** n. f. 1° Allure embarrassée : *La gaucherie de ses gestes. Avoir de la gaucherie dans les manières.* — 2° Action maladroite : *Les gaucheries d'un paysan.*

3. gauche [goʃ] adj. Se dit d'une chose qui est de travers, tordue : *Une planche, une règle toute gauche.* ◆ **gauchir** v. intr. (sujet nom d'objet). Se contourner, se tordre : *Une règle qui gauchit.* ◆ v. tr. 1° *Gauchir quelque chose* (nom concret), le déformer : *L'humidité a gauchi cette planche.* — 2° *Gauchir une chose* (nom abstrait), lui donner, en la rapportant, une direction autre que celle qu'elle a en réalité : *Gauchir une idée, un fait, un sentiment.* ◆ ***se gauchir*** v. pr. Subir une déformation : *Cette planche s'est gauchie.* ◆ **gauchissement** n. m. : *Le gauchissement d'une porte sous l'action de l'humidité. Le gauchissement inévitable d'un récit transmis de bouche en bouche.* ◆ **dégauchir** v. tr. Redresser ce qui est gauchi (sens 1 du v. tr.) : *Dégauchir un axe, une porte.* ◆ **dégauchissement** n. m.

4. gauche [goʃ] n. f. Ensemble de ceux qui, dans l'opinion publique, au Parlement, etc., professent des idées progressistes : *Les progrès de la gauche aux élections. Les divisions de la gauche. Une politique de gauche. Un homme de gauche. L'extrême gauche. Etre de gauche, être à gauche* (= professer les opinions de la gauche). *Le rassemblement des gauches* (= des partis de gauche). ◆ **gauchisant, e** adj. et n. Dont les sympathies politiques vont aux mouvements de gauche. ◆ **gauchisme** n. m. Attitude de ceux qui préconisent des mesures révolutionnaires sans tenir compte des réalités. ◆ **gauchiste** adj. et n. m. : *Politique gauchiste. La critique des gauchistes.*

gaucho [goʃo] n. m. Gardien de troupeaux, en Amérique du Sud.

gaudriole [godrijɔl] n. f. 1° *Fam.* Plaisanterie libre (surtout au plur.) : *Dire, débiter des gaudrioles* (syn. : GAULOISERIE, GAILLARDISE). — 2° Fam. *La gaudriole,* les relations sexuelles : *Ne penser qu'à la gaudriole* (syn. fam. : LA BAGATELLE).

gaufre [gofr] n. f. Pâtisserie légère, cuite dans un moule formé de deux plaques métalliques, appelé *gaufrier.* ◆ **gaufrette** n. f. Petite gaufre sèche.

gaufrer [gofre] v. tr. *Gaufrer du papier, un tissu,* etc., y imprimer en relief ou en creux des dessins (surtout au part. passé).

gaule [gol] n. f. 1° Grande perche pour diriger des animaux ou abattre les fruits d'un arbre. — 2° Canne à pêche. ◆ **gauler** v. tr. 1° Battre les branches d'un arbre avec une gaule pour en faire tomber les fruits : *Gauler un pommier.* — 2° *Gauler des noix, des châtaignes,* les faire tomber avec une gaule. ◆ **gaulage** n. m. : *Le gaulage des noix.*

1. gaulois, e [golwɑ, -waz] adj. et n. 1° De la Gaule : *Les peuplades gauloises. Nos ancêtres les Gaulois. Moustaches à la gauloise* (= longues moustaches pendantes). — 2° *Le coq gaulois,* emblème français symbolisant la fierté nationale.

2. gaulois, e [golwɑ, waz] adj. et n. 1° Se dit de quelqu'un (de son comportement verbal) qui est d'une gaieté leste, grasse et franche : *Avoir l'esprit gaulois. Une plaisanterie gauloise. La conversation prit un tour* (*un ton*) *gaulois. Des propos gaulois.* — 2° Fam. *C'est gaulois,* c'est très drôle, c'est impayable. ◆ **gauloisement** adv. : *Répondre gauloisement.* ◆ **gauloiserie** n. f. : *Raconter des gauloiseries* (syn. : GAILLARDISE ; pop. : ↑ COCHONNERIE).

gauloise [golwɑz] n. f. Cigarette de la Régie française : *Allumer, fumer, griller une gauloise.*

gausser (se) [səgose] v. intr. (sujet nom de personne). *Se gausser de quelqu'un,* se moquer de lui, lui rire au nez (littér.) : *On se gausse de vous. Vous vous gaussez de moi.*

gave [gav] n. m. Torrent issu des Pyrénées : *Le gave de Pau.*

gaver [gave] v. tr. 1° *Gaver un animal,* le faire manger beaucoup et par force : *Gaver des oies pour les mettre en chair. Un poulet gavé.* — 2° *Gaver quelqu'un,* le faire manger beaucoup : *Gaver un enfant de friandises, de confiture* (syn. : BOURRER, GORGER, RASSASIER). *Je suis gavé* (= je n'en peux plus). — 3° *Gaver un écolier de connaissances,* lui en emplir l'esprit jusqu'à satiété. ◆ ***se gaver*** v. pr. 1° *Se gaver d'un mets,* en manger trop : *Il se gave de chocolat.* — 2° *Se gaver de quelque chose,* en absorber en grande quantité par la lecture, le spectacle, etc. : *Se gaver de romans policiers. Se gaver de cinéma* (syn. : SE REPAÎTRE, S'ABREUVER). ◆ **gavage** n. m. : *Le gavage des oies dans le Périgord.*

gavroche [gavrɔʃ] n. m. Gamin parisien, spirituel et frondeur : *Un gavroche qui déride la foule dans le métro bondé* (syn. fam. : TITI). ◆ adj. : *Un air gavroche.*

gaz [gaz] n. m. 1° Tout corps à l'état de fluide, expansible et compressible : *Gonfler un ballon avec un gaz. Un gaz plus lourd que l'air.* — 2° *Le gaz de ville,* ou absol. *le gaz,* le gaz de chauffage, dit aussi *gaz d'éclairage : Avez-vous le gaz chez vous? Payer la note de gaz. Allumer, éteindre le gaz* (= le réchaud à gaz). *Une intoxication par le gaz. Une usine à gaz. Un employé du gaz* (= des services de fabrication ou de distribution du gaz). *Bec de gaz* (= appareil d'éclairage utilisant du gaz de ville). — 3° Gaz asphyxiant : *Une grenade de gaz lacrymogènes. Mettre son masque à gaz. Une alerte aux gaz. Combien sont passés par la chambre à gaz!* (= ont été exécutés par asphyxie dans un local spécial). — 4° Gaz utilisé dans les moteurs à explosion et fait de vapeurs d'essence et d'air : *Mettre* (*donner*) *les gaz* (= donner de la vitesse en appuyant sur l'accélérateur). *Le moteur tourne à pleins gaz* (= à pleine vitesse). *Rouler, marcher pleins gaz* (fam. = très vite). — 5° *Avoir des gaz,* des gaz stomacaux et intestinaux. ◆ **gazé (être)** v. passif (sujet nom de personne). Etre intoxiqué par les gaz asphyxiants, en parlant des combattants de la Première Guerre mondiale : *Il a été gazé.* ◆ **gazé** n. m. : *Il y a eu beaucoup de gazés pendant la Première Guerre mondiale.* ◆ **gazeux, euse** adj. 1° De la nature des gaz : *Un corps gazeux.* — 2° *Eau gazeuse*, eau qui contient des gaz en dissolution. ◆ **gazomètre** n. m. Réservoir pour emmagasiner le gaz de ville avant de le distribuer. ◆ **gazier** n. m. Employé du gaz.

gaze [gaz] n. f. 1° Etoffe légère et transparente, de coton ou de soie : *Un voile, une écharpe, un rideau de gaze.* — 2° Bande d'étoffe légère stérilisée, pour pansements : *Mettre une compresse de gaze sur une plaie.*

gazelle [gazɛl] n. f. Mammifère ruminant voisin de l'antilope : *Courir comme une gazelle* (= très vite).

gazer [gaze] v. intr. 1° *Pop.* Aller à toute vitesse (en voiture) : *On a gazé pour venir chez vous.* — 2° Pop. *Ça gaze*, se dit d'une affaire, d'une situation qui prend une bonne tournure, qui va bien : *Si vous ne faites pas ce que je dis, ça ne pourra pas gazer.*

1. gazette [gazɛt] n. f. Titre donné à certains journaux.

2. gazette [gazɛt] n. f. *Fam.* Personne très bavarde, qui répand toutes sortes de potins.

gazon [gazɔ̃] n. m. 1° Herbe courte et menue : *Semer, tondre du gazon.* — 2° Terrain couvert de cette herbe : *S'allonger sur le gazon* (syn. : PELOUSE).

gazouiller [gazuje] v. intr. 1° (sujet nom désignant de petits oiseaux) Faire entendre un chant doux et confus : *Une hirondelle gazouille.* — 2° (sujet nom désignant l'eau) Produire un murmure : *Un ruisseau qui gazouille.* — 3° (sujet nom désignant de petits enfants) Emettre des sons inarticulés, commencer seulement à parler : *L'enfant gazouille dans son berceau* (syn. : BABILLER, JASER). ◆ **gazouillement** n. m. : *Le gazouillement des hirondelles* (syn. : RAMAGE). *Le gazouillement d'une source* (syn. : MURMURE). *Le gazouillement d'un enfant* (syn. : BABIL). *Le gazouillement d'une voix douce* (syn. : CHUCHOTEMENT). ◆ **gazouillis** n. m. Bruit léger de quelqu'un ou de quelque chose qui gazouille : *Le gazouillis d'un oiseau, d'un ruisseau.*

geai [ʒɛ] n. m. Oiseau à plumage brun clair tacheté de bleu, de blanc et de noir, commun dans les bois.

géant, e [ʒeɑ̃, -ɑ̃t] n. 1° Personne, animal ou être inanimé de stature très grande : *Cet individu est un géant. Avoir une force de géant. Ce sapin était le géant de la forêt.* (V. GIGANTISME.) — 2° *A pas de géant*, très vite : *Si vous allez à pas de géant, nous ne pourrons pas vous suivre. Il a rattrapé son retard en classe à pas de géant.* — 3° Personne qui surpasse ses semblables par des capacités exceptionnelles : *Homère, Eschyle sont des géants* (syn. : GÉNIE, SURHOMME, TITAN). ◆ adj. 1° Très grand (avec un nom d'animal ou de chose, non de personne) : *Un singe géant. Un arbre géant. Un immeuble géant. Une agglomération géante* (syn. : COLOSSAL, ÉNORME, GIGANTESQUE, IMMENSE). — 2° Considérable, très important (avec un nom abstrait) : *Une clameur géante. Une entreprise géante.*

geindre [ʒɛ̃dr] v. intr. (conj. 55). 1° (sujet nom d'être animé) Se plaindre d'une voix faible et inarticulée : *Un blessé qui geint. Geindre de douleur. Geindre sous un fardeau* (syn. : GÉMIR). — 2° (sujet nom de personne) *Fam.* Se plaindre de tout sans grande raison : *Il passe son temps à geindre* (syn. : PLEURNICHER). — 3° (sujet nom de chose) Faire entendre un bruit qui rappelle une plainte (littér.) : *Ce vent fait geindre la girouette.* ◆ **geignard, e** [ʒɛɲar, -ard] adj. et n. *Fam.* Se dit de quelqu'un (ou de son comportement) qui se plaint sans cesse : *C'est un geignard* (syn. : PLEURNICHEUR). *Je ne supporte plus son ton geignard. Une voix geignarde.* ◆ **geignement** [ʒɛɲmɑ̃] n. m. Plainte inarticulée : *Entendre un geignement lointain.*

gélatine [ʒelatin] n. f. Substance plus ou moins molle et transparente, provenant de tissus animaux, et notamment des os. ◆ **gélatineux, euse** adj. Se dit de ce qui a l'apparence, la consistance de la gélatine : *Les méduses gélatineuses laissées sur le sable par la mer.*

1. gelée n. f. V. GELER.

2. gelée [ʒəle] n. f. 1° Suc de viande coagulé après refroidissement : *Manger un lapin en gelée. Du bœuf en gelée, à la gelée.* — 2° Jus de fruits cuits au sucre, coagulé après refroidissement : *De la gelée de groseilles, de coings.*

geler [ʒle] v. tr. (conj. 5). 1° Transformer en glace : *Le froid gèle la buée des vitres. Le fleuve est gelé.* — 2° Durcir par le froid : *Le froid gèle le sol.* — 3° Atteindre les tissus vivants, animaux et végétaux, dans leurs fonctions vitales, en parlant du froid : *Avoir eu les pieds gelés par manque d'équipement.* — 4° *Etre gelé*, souffrir du froid : *Etre gelé* (syn. : TRANSI), *gelé jusqu'aux os. J'ai les mains gelées, je n'arrive pas à me réchauffer.* — 5° *Geler quelqu'un*, le faire souffrir du froid : *Ferme cette porte : tu nous gèles.* ◆ v. intr. 1° Se transformer en glace : *Le lac a gelé pendant la nuit.* — 2° Devenir dur sous l'action de la glace : *Tout le linge dehors a gelé.* 3° Etre atteint dans ses fonctions vitales par le froid : *Ses oreilles ont gelé. Les soldats et les chevaux gelaient sur place. Les blés ont gelé.* — 4° Avoir très froid : *On gèle ici.* ◆ v. impers. *Il gèle*, il fait un temps de gel. ‖ *Il gèle à pierre fendre*, à faire éclater les pierres, tant il fait froid. ◆ ***se geler*** v. pr. *Fam.* Avoir très froid : *On se gèle ici.* ◆ **gelé, e** [ʒəle] adj. 1° (avec un nom abstrait) Sans réaction, très peu enthousiaste : *Le public est gelé* (syn. : FROID, GLACÉ, GLACIAL). *J'ai l'esprit gelé.* — 2° *Crédits gelés*, bloqués, immobilisés. ◆ **gelée** n. f. Abaissement de la température au-dessous du point de congélation de l'eau : *Les premières gelées matinales. La gelée nocturne. Le sol est durci par la gelée. Protéger les tuyauteries contre la gelée. Gelée blanche* (= rosée congelée avant le lever du soleil). ◆ **gel** [ʒɛl] n. m. 1° Temps où il gèle : *Le gel persiste depuis trois jours. Les victimes du gel.* — 2° Congélation des eaux : *Les dégâts causés par le gel.* — 3° *Gel des crédits*, action de bloquer les crédits. ◆ **antigel** n. m. et adj. Produit qu'on incorpore à l'eau pour l'empêcher de geler : *Mettre de l'antigel dans son radiateur.* ◆ **dégeler** v. tr. 1° Ramener à l'état liquide ce qui était gelé : *Dégeler de la glace pour boire.* — 2° *Dégeler quelqu'un, une réunion*, faire perdre à cette personne sa froideur ou sa timidité, mettre de l'animation dans cette réunion. — 3° *Dégeler des crédits*, en permettre l'utilisation (syn. : DÉBLOQUER). ◆ v. impers. *Il dégèle*, la glace, la neige fond. ◆ ***se dégeler*** v. pr. : *Un invité qui commence à se dégeler.* ◆ **dégel** n. m. 1° Fonte des glaces et des neiges due à l'élévation de la température. — 2° *Dégel des relations diplomatiques,* retour à de meilleures relations.

géminé, e [ʒemine] adj. Se dit de choses groupées par deux : *Colonnes géminées. Fenêtres géminées. Consonnes géminées* (syn. : DOUBLE). ◆ **gémination** n. f. : *La gémination de « l » dans le mot « illicite », de la syllabe « bê » dans « bébête ».*

gémir [ʒemir] v. intr. 1° (sujet nom de personne) Faire entendre des plaintes d'une voix inarticulée : *Un malade qui gémit. Elle n'avait plus la force de pleurer et gémissait. Gémir doucement* (syn. : GEINDRE). *Sous le coup, il gémit de douleur.* — 2° (sujet nom de chose ou d'animal) Faire entendre un bruit semblable à une plainte : *Le vent gémit. La porte gémit. Le lit gémit. La colombe gémit.* — 3° *Gémir sous* (*dans, sur*), souffrir, être malheureux à cause de : *Gémir sous la tyrannie. Gémir sous le poids des années. Gémir dans les fers. Gémir sur la paille des cachots. Gémir de son sort.* ◆ **gémissant, e** adj. Qui gémit : *Une voix gémissante.* ◆ **gémissement** n. m. 1° Plainte inarticulée : *La douleur lui arrachait des gémissements. Pousser un gémissement. Un sourd, un long gémissement.* — 2° Son qui ressemble à une plainte : *Le gémissement du vent. Le gémissement de la mer sur la grève. Les gémissements du violon.*

1. gemme [ʒɛm] n. f. Pierre précieuse quelconque.

2. gemme [ʒɛm] adj. *Sel gemme,* sel fossile.

gencive [ʒɑ̃siv] n. f. 1° Muqueuse qui recouvre la base des dents : *Avoir des gencives saines, malades.* — 2° Pop. *En prendre un coup dans les gencives,* recevoir un coup dans les dents, un affront.

gendarme [ʒɑ̃darm] n. m. 1° Militaire appartenant à la gendarmerie : *Deux gendarmes vinrent pour l'emmener. Les gendarmes lui ont passé les menottes.* — 2° *Avoir peur du gendarme,* n'être retenu de mal faire que par la crainte du châtiment. ‖ *Faire le gendarme,* exercer sur quelqu'un une surveillance incessante et déplaisante. ‖ *C'est un gendarme,* se dit d'une femme grande et désagréable. ‖ *Un chapeau de gendarme,* un bicorne en papier. ‖ Fam. *Dormir en gendarme,* faire semblant de dormir, tout en restant attentif (syn. : NE DORMIR QUE D'UN ŒIL). ◆ **gendarmerie** n. f. 1° Corps militaire chargé de veiller à la sécurité intérieure du territoire : *La gendarmerie mobile.* — 2° Caserne, bureaux administratifs des gendarmes : *Aller à la gendarmerie.*

gendarmer (se) [səʒɑ̃darme] v. pr. 1° Protester vivement, âprement : *Se gendarmer contre quelqu'un. Il était sur le point de se gendarmer, mais il se tut.* — 2° Hausser la voix sévèrement : *Il dut se gendarmer pour se faire obéir.*

gendre [ʒɑ̃dr] n. m. Mari de la fille, par rapport aux parents de celle-ci. (V. PARENTÉ.)

gêne [ʒɛn] n. f. 1° Malaise physique diffus, oppression : *Eprouver une gêne à respirer* (syn. : DIFFICULTÉ). *Sentir de la gêne dans le genou. Garder une gêne à remuer le bras à la suite d'une fracture. Avoir de la gêne à avaler. Ressentir une gêne intolérable.* — 2° Désagrément imposé : *Sa présence m'est devenue une gêne* (syn. : CHARGE, EMBARRAS, ENNUI). *Causer une gêne à quelqu'un. Il n'y a pas de gêne entre amis.* — 3° Manque d'argent : *Etre, se trouver dans la gêne, dans une grande gêne* (syn. : BESOIN). *Sortir de la gêne. Des pertes importantes au jeu l'ont mis dans la gêne.* — 4° Embarras, malaise moral : *Son comportement montrait de la gêne* (syn. : CONFUSION, TROUBLE). *Eprouver de la gêne devant quelqu'un. Eprouver une gêne inexpliquée. Eprouver une certaine gêne. Il y eut une certaine gêne, un moment de gêne* (syn. : FROID). *N'ayez aucune gêne.* — 5° Fam. *Etre sans gêne,* prendre ses aises sans se préoccuper des autres : *Il est sans gêne, c'est incroyable.* ◆ **gêner** v. tr. 1° Causer une gêne physique : *Ce costume est étroit, il me gêne. Ces chaussons vont vous gêner un peu au début. Tout ce matériel me gêne* (syn. : ENCOMBRER, EMBARRASSER). *Est-ce que la fumée vous gêne?* — 2° Constituer un obstacle, un désagrément pour : *C'est le manque de temps qui me gêne le plus. Dites-le-moi si je vous gêne* (syn. : IMPORTUNER). *Une réussite gêne toujours les envieux. Gêner la libre entreprise. Restez, vous ne gênez pas.* — 3° Mettre dans une gêne financière : *Cette dépense ne va-t-elle pas vous gêner en ce moment?* ‖ *Etre gêné,* manquer d'argent : *A la fin du mois, il était toujours un peu gêné* (syn. : À COURT). — 4° Causer une impression d'embarras, rendre confus : *Son regard me gêne* (syn. : INTIMIDER). *Se sentir gêné.* ◆ **se gêner** v. pr. S'imposer une gêne : *Faites comme chez vous, ne vous gênez pas* (peut se dire aussi ironiq. à une personne sans gêne). *Il faut savoir se gêner un peu si on veut mettre de l'argent de côté.* ◆ **gênant, e** adj. : *J'étais dans une position très gênante à l'égard de mon associé. C'est très gênant. Cette armoire est gênante* (syn. : ENCOMBRANT, EMBARRASSANT). *Un regard gênant* (syn. : INDISCRET). *Une présence gênante.* ◆ **gêné, e** adj. : *Avoir un air (l'air) gêné devant quelqu'un. Prendre une contenance gênée. Avoir un sourire gêné.* ◆ **gêneur, euse** n. Personne gênante : *Se retirer loin des gêneurs* (syn. : IMPORTUN, FÂCHEUX; fam. : RASEUR). ◆ **sans-gêne** n. invar. Personne qui agit sans tenir compte de la politesse, avec indiscrétion. ◆ n. m. invar. Manière d'agir impolie.

généalogie [ʒenealɔʒi] n. f. 1° Dénombrement des ancêtres : *Faire, dresser la généalogie d'une famille.* — 2° Science de la filiation des invidus et des familles. ◆ **généalogique** adj. *Arbre généalogique,* tableau de filiation sous forme d'arbre : *L'arbre généalogique des Bourbons. L'arbre généalogique des espèces.* ◆ **généalogiste** n.

1. général, e, aux [ʒeneral, -ro] adj. 1° Qui se rapporte, s'applique globalement à un ensemble de choses ou d'êtres : *C'est une loi générale. Des traits, des caractères généraux* (contr. : PARTICULIER). *Faire des observations générales. Prendre une vue générale de la question* (syn. : D'ENSEMBLE). *Au sens général. En règle générale. Nous prenons ce terme au sens le plus général. Ce phénomène est trop général pour que nous puissions le négliger* (syn. : COURANT, RÉPANDU). *Brosser un tableau général de la situation. Manquer de culture générale. Avoir le goût des idées générales* (= qui ont une large portée). — 2° *Péjor.* Vague, sans précision : *Se perdre dans des considérations générales* (syn. : ABSTRAIT). *N'avoir qu'une idée générale de la question* (syn. : SUPERFICIEL, SOMMAIRE; contr. : PRÉCIS). *Ce que vous dites est beaucoup trop général.* — 3° Qui concerne la plupart des hommes, des membres d'un groupe social; qui est le fait de la majorité ou de la totalité : *Pour le bien général. Dans l'intérêt général* (syn. : COMMUN). *L'opinion générale. Au sentiment général, cette pièce est mal* *jouée. La tendance générale de la science moderne. L'usage général. L'usage le plus général condamne l'emploi de ce tour. L'indignation, la curiosité étaient générales. A l'étonnement général, il ne fit pas allusion à cet événement. Une amnistie générale. La mobilisation générale. La grève générale. La mêlée devint générale. Concours général* (= concours entre les meilleurs élèves de tous les lycées de France). — **4°** En parlant de la santé, qui concerne tout le corps humain : *Etat général satisfaisant. Etre atteint de paralysie générale.* — **5°** Qui intéresse l'ensemble d'une administration, d'un service public, d'un commandement : *Un inspecteur général en tournée. L'avocat, le procureur général. Le secrétaire général d'un parti. Les officiers généraux.* ● LOC. ADV. *En général,* le plus souvent : *En général, c'est ce qui se produit dans ce cas-là;* d'une manière générale : *C'est la prononciation des Parisiens, et de tous les Français cultivés en général;* d'un point de vue général : *Parler en général. Je ne disais cela qu'en général. L'humanisme traditionnel poursuit l'étude de l'homme en général.* ◆ **général** n. m. sing. Ensemble des principes généraux (le plus souvent en oppos. à *particulier*) : *Aller du particulier au général et du général au particulier. Avoir la notion, le sens du général.* ◆ **générale** n. f. Dernière représentation théâtrale avant la première séance publique, réservée à la presse et à des invités spéciaux (abrév. de RÉPÉTITION GÉNÉRALE) : *Assister à la générale. Tout le monde se pressait le soir de la générale.* ◆ **généralement** adv. En général. ◆ **généralité** n. f. **1°** Caractère de ce qui est général : *Classer les termes d'une série par degré de généralité.* — **2°** *La généralité de,* le plus grand nombre de : *Dans la généralité des cas que nous avons étudiés* (syn. : LA PLUPART). *La généralité des hommes.* ◆ **généralités** n. f. pl. Notions générales, vagues (souvent péjor.) : *Commencer par des généralités. Se perdre dans les généralités. Ne trouver à dire, à répondre que des généralités.* ◆ **généraliser** v. tr. **1°** Rendre applicable à un ensemble de personnes ou de choses : *Généraliser une méthode. Généraliser sa pensée.* — **2°** (sans compl.) Etendre à un ensemble ce que l'on sait d'un cas particulier : *Avoir tendance à généraliser. Il vaut mieux ne pas généraliser trop vite.* ◆ ***se généraliser*** v. pr. Etre généralisé, devenir général, concerner un ensemble : *Le progrès technique se généralise de plus en plus. L'infection a eu le temps de se généraliser. Le cancer était déjà généralisé* (contr. : LOCALISÉ). ◆ **généralisation** n. f. : *Se laisser aller à des généralisations abusives. En cas de généralisation du conflit.*

2. général, aux [ʒeneral, -ro] n. m. **1°** Chef militaire d'une armée, sans précision de grade : *Napoléon est, avec Alexandre et César, un des plus célèbres généraux de l'histoire. Général en chef. Un grand général.* — **2°** Officier appartenant aux grades les plus élevés de la hiérarchie : *Général de brigade, de division, de corps d'armée, d'armée. Général d'infanterie, d'aviation.* (V. GRADE.) — **3°** Supérieur d'un ordre religieux : *Le général des Jésuites.* ◆ **générale** n. f. Femme d'un général : *Madame la générale.* ◆ **généralissime** n. m. Général commandant en chef toutes les troupes d'un pays ou d'une coalition : *Foch fut, en 1918, le généralissime des armées alliées.*

générateur, trice [ʒeneratœr, -tris] adj. (avec un nom abstrait). Qui produit certains effets : *Un manque de discipline générateur de désordres.*

1. génération [ʒenerasjɔ̃] n. f. **1°** Degré de descendance dans la filiation : *De génération en génération. A travers toute la suite des générations. Jusqu'à quelle génération? Les immigrants sont généralement assimilés à la deuxième génération, et la troisième génération est pratiquement autochtone.* — **2°** Ensemble des individus qui ont à peu près le même âge en même temps : *D'une génération à l'autre, les goûts changent. La génération actuelle. La génération montante. Les jeunes générations. C'est un homme de ma génération. La génération de 1830.*

2. génération [ʒenerasjɔ̃] n. f. Fonction de reproduction : *La thèse de la génération spontanée a été réfutée par Pasteur. Les organes de la génération.*

générer [ʒenere] v. tr. *Générer une phrase,* la produire (terme de linguistique). ◆ **génération** n. f. : *La génération de phrases a pour résultat la production d'énoncés minimaux.*

généreux, euse [ʒenerø, -øz] adj. et n. **1°** Se dit de quelqu'un (ou de son comportement) qui donne largement : *Etre, se montrer généreux. Un mécène généreux. Il n'est pas généreux, même avec ses amis* (syn. : LARGE). *Avoir, faire un geste généreux. Il a tort d'être si généreux de son temps. Faire le généreux* (= donner avec ostentation). — **2°** Se dit de quelqu'un (ou de son comportement) qui est dévoué, désintéressé et montre des sentiments nobles : *Un caractère généreux* (= qui pardonne de bonne grâce). *Un sacrifice généreux. Il a gardé les illusions généreuses de sa jeunesse. Avoir (céder à) un mouvement généreux.* ◆ adj. **1°** Se dit de ce qui manifeste l'excellence de sa nature : *Un vin généreux. Une terre généreuse* (syn. : FERTILE, FÉCOND). *Un sang généreux.* — **2°** Presque trop abondant : *Un repas généreux* (syn. : COPIEUX, ↑ PLANTUREUX). *Elle avait une poitrine généreuse.* ◆ **généreusement** adv. : *Il le gratifia généreusement d'un pourboire royal. Lutter généreusement pour une cause noble. Il traite généreusement ses hôtes.* ◆ **générosité** n. f. **1°** Caractère de quelqu'un qui donne largement (ou de son action) : *Une générosité déplacée, exagérée. Donner avec générosité. La générosité d'un pourboire.* — **2°** Disposition de quelqu'un à la bonté, à l'indulgence, même aux dépens de son intérêt personnel : *Faire preuve de générosité envers un ennemi vaincu* (syn. : MAGNANIMITÉ). *Avoir la générosité de ne pas tirer parti de son avantage. Céder à un mouvement de générosité* (contr. : PETITESSE, MESQUINERIE). ◆ **générosités** n. f. pl. Dons généreux : *Faire des générosités* (syn. : LARGESSES, CADEAUX).

générique [ʒenerik] n. m. Partie d'un film où sont indiqués les noms du producteur, du metteur en scène, des acteurs, etc.

genèse [ʒənɛz] n. f. Ensemble des étapes à travers lesquelles se forme un concept ou s'élabore une création de l'esprit : *La genèse d'une idée, d'un sentiment, d'une œuvre d'art.*

génétique [ʒenetik] n. f. Science de l'hérédité. ◆ **généticien, enne** n. Spécialiste de génétique.

1. génie [ʒeni] n. m. **1°** Faculté de créer, d'inventer, d'entreprendre, portée à un point que ne possède pas le commun des hommes : *Le génie de Shakespeare, de Molière, de Tolstoï. Le génie de J.-S. Bach. Etre dans la pleine possession de son* *génie. Avoir un éclair (un trait) de génie. Le génie est sans commune mesure avec le talent.* — 2° Personne, œuvre de génie, qui montre du génie : *Un peintre de génie. Une découverte de génie* (= géniale). *Une idée de génie* (= d'une astuce remarquable ou, *ironiq.*, d'une inspiration malheureuse). — 3° *Un génie,* une personne douée de génie à un point exceptionnel : *Lucrèce fut un génie. Existe-t-il vraiment des génies méconnus? Il se prend pour un génie. Ce n'est pas un génie* (= c'est quelqu'un de très médiocre). — 4° *Avoir le génie de quelque chose,* avoir un talent et un goût naturels pour cette chose, poussés à un point remarquable : *Avoir le génie du commerce* (syn. fam. : BOSSE). *Cet enfant a le génie de la destruction. Cet homme avait le génie du mal en lui.* ◆ **génial, e, aux** adj. : *Un savant, un artiste génial. Une invention géniale. Une idée géniale. C'est génial* (souvent par hyperbole : ce qui montre une astuce particulière; syn. : ASTUCIEUX, LUMINEUX). ◆ **génialement** adv. : *Un concerto génialement interprété.*

2. génie [ʒeni] n. m. *Le génie d'un peuple, d'une langue,* etc., l'ensemble des caractères naturels qui en font l'originalité : *Le génie de la Grèce. Le génie de la langue française.*

3. génie [ʒeni] n. m. 1° Etre surnaturel de certaines mythologies : *Un génie des airs, des bois.* — 2° *Bon génie, mauvais génie,* personne qui a une influence bonne ou mauvaise sur quelqu'un : *Cet homme a été le mauvais génie de son chef* (syn. : ↓ ÂME DAMNÉE).

4. génie [ʒeni] n. m. 1° *Génie militaire,* ensemble des services techniques de l'armée chargés des travaux de fortification et de l'aménagement des voies de communication : *Les sapeurs du génie. Faire son service dans le génie. Un soldat du génie.* — 2° *Génie maritime,* corps des ingénieurs de l'Etat chargés des constructions navales. ‖ *Génie civil, génie rural,* art des constructions civiles, rurales (surtout d'intérêt général); ensemble des services qui en sont chargés.

génisse [ʒenis] n. f. Jeune vache n'ayant pas encore eu de veau.

génital, e, aux [ʒenital, -to] adj. Qui concerne la reproduction : *Les organes génitaux. Les fonctions génitales. La vie génitale. L'appareil génital.*

génitif n. m. V. CAS.

génocide [ʒenɔsid] n. m. Extermination d'un groupe humain, national ou religieux : *Le génocide est un crime contre le droit des gens.*

genou [ʒnu] n. m. 1° Partie des membres inférieurs formée par l'articulation de la cuisse et de la jambe : *Tomber sur les genoux. S'enfoncer dans la neige jusqu'au genou. De fatigue, ses genoux se dérobent sous lui. Des pantalons usés aux genoux* (= à l'endroit des genoux). — 2° *Faire du genou à quelqu'un,* lui faire signe en lui touchant le genou avec son propre genou : *Il lui fait du genou sous la table.* ‖ Fam. *Etre sur les genoux,* être très fatigué. ‖ *Plier (fléchir, ployer) le genou (les genoux) devant quelqu'un,* se soumettre, s'humilier devant lui pour lui présenter une requête (littér.). ‖ *Etre, tomber aux genoux de quelqu'un, mettre le genou à terre devant quelqu'un,* se prosterner en signe de reconnaissance, le supplier ardemment. ● LOC. ADV. ou ADJ. *A genoux,* les genoux sur le sol : *Etre à genoux. Prier à genoux. Des fidèles à genoux dans l'église. Demander pardon à genoux. Demander quelque chose à genoux, à deux genoux* (= le demander en s'humiliant). ◆ **genouillère** n. f. Enveloppe dont on entoure le genou pour le protéger ou pour le soutenir. ◆ **génuflexion** [ʒenyflɛksjɔ̃] n. f. Action de fléchir le genou ou les genoux en signe de respect, de soumission : *Il esquissa une génuflexion en passant devant l'autel. Faire une génuflexion.* ◆ **génuflexions** n. f. pl. *Fam.* Manifestations exagérées de respect, de politesse : *Se confondre, se répandre en génuflexions* (syn. : FLATTERIES, COURBETTES, FLAGORNERIES). [V. AGENOUILLER.]

1. genre [ʒɑ̃r] n. m. 1° Ensemble des traits caractéristiques communs à un groupe de choses ou d'êtres animés : *Aimez-vous ce genre de spectacle? Ce genre de lunettes fait fureur. Ce genre d'exercices vous fera du bien. Des marchandises de tout genre. Vêtements, confection en tout genre. Les livres qu'il préfère sont tous du même genre. Il faut voir jouer cet acteur, il est unique en son genre. On ne fait pas mieux dans le genre. J'en entends tous les jours, des protestations de ce genre* (syn. : ESPÈCE, SORTE). — 2° *Le genre humain,* tous les hommes en tant qu'êtres humains envisagés collectivement, sans tenir compte des différences de sexe, de civilisation, de race, etc. : *Le misanthrope est l'ennemi du genre humain* (syn. : HOMME). *Les guerres sont le fléau du genre humain. Les bienfaiteurs du genre humain* (syn. : HUMANITÉ). ‖ *Genre de vie,* ensemble des manières, des comportements qui caractérisent un individu ou un groupe social : *Le genre de vie anglais.* — 3° Avec un adjectif ou un nom apposé : *Avoir un genre prétentieux. Il a un genre déplaisant* (syn. : MANIÈRES). *Il a le genre artiste* (syn. : ALLURE). *Lui, c'est le genre du monde.* ‖ *Avoir bon genre,* avoir des manières distinguées. ‖ *Avoir un mauvais genre, un drôle de genre,* de mauvaises manières. ‖ *Se donner un genre, se donner du genre, faire du genre* (fam.), affecter une allure particulière. ‖ *C'est d'un genre douteux,* ce n'est pas de bon goût. ‖ *Cet individu n'est pas mon genre, ce n'est pas mon genre,* il n'est pas de mon goût, ce n'est pas dans mes goûts.

2. genre [ʒɑ̃r] n. m. 1° En littérature, catégorie d'œuvres définies par un ensemble de caractères, qui imposent un choix de moyens déterminés : *Le roman est le genre en prose qui a hérité de l'épopée. Le genre épistolaire. Le genre oratoire. Le genre dramatique.* — 2° Ensemble des caractères qui font l'unité de ton en rapport avec le choix des sujets : *Le genre sérieux. Le genre comique. Le genre sublime. Le genre merveilleux. Le genre épique. Tableau, peintre de genre* (= qui représente des scènes d'intérieur, des animaux ou des natures mortes).

3. genre [ʒɑ̃r] n. m. Caractéristique grammaticale d'un substantif (de ses déterminants ou qualificatifs) par laquelle celui-ci se trouve placé dans la classe des masculins ou dans celle des féminins. (Cette répartition correspond à un sexe différencié [noms d'êtres animés] ou à un classement arbitraire, le plus souvent en rapport avec la terminaison ou le suffixe [noms d'êtres inanimés].) [V. FÉMININ.]

gens [ʒɑ̃] n. m. et f. pl. 1° Personnes en nombre indéterminé : *Il connaît beaucoup de gens. La plupart des gens vous répondront comme moi. Une foule de gens s'amassaient sur le trottoir. Il y* *a des gens qui exagèrent. Tous les gens vous le diront.* ‖ Fam. *Un tas de gens,* beaucoup de personnes. — **2°** Avec un adjectif épithète ou suivi de *de* avec un nom déterminatif ne désignant pas une profession (les adjectifs qui suivent *gens* sont toujours au masculin; l'adjectif qui précède *gens* immédiatement se met au féminin et avec lui tous les adjectifs et pronoms qui précèdent) : *Seules certaines gens savaient ce qui se passait. Ce sont des gens gais. De pauvres gens. Des gens braves* (= courageux). *De braves gens* (= des gens honnêtes et bons). *De vieilles gens. Des gens du monde. Des gens du peuple. Des gens de la campagne.* ‖ Fam. *Des gens bien, des gens comme il faut,* se dit des gens dont les qualités et le comportement sont appréciés. ‖ *Des jeunes gens* (plur. de *jeune homme*), des personnes jeunes en général : *Les jeunes gens sont partis tous ensemble. Ce sont encore de très jeunes gens.* — **3°** (sans compl.) Les hommes envisagés collectivement : *Tout le monde souffrait du froid, les bêtes comme les gens.* ‖ *Fam.* Se dit d'une seule personne, supposée connue, et parfois de soi-même à l'interlocuteur : *On ne laisse pas tomber les gens comme ça! On ne se moque pas des gens! Vous avez une manière de parler aux gens!* — **4°** *Gens de* (et un nom), désigne une profession : *Les gens d'Eglise* (= les ecclésiastiques, les prêtres). *Les gens de mer* (= les marins). *Les gens d'affaires. Les gens de lettres* (= les auteurs, les écrivains). *Les gens de maison* (syn. : EMPLOYÉ). — **5°** *Droit des gens,* droit des nations, droit public international.

gentil, ille [ʒɑ̃ti, -ij] adj. (avant ou après le nom). **1°** Agréable à voir pour sa délicatesse, son charme gracieux : *Cette petite est gentille. Cette robe est tout à fait gentille. Une gentille statuette. Un gentil visage. Elle est gentille comme tout* (fam.). *Gentil comme un cœur* (fam.). *Gentil tout plein* (fam.). — **2°** Aimable et complaisant : *Merci de votre gentille lettre. Un gentil garçon. Etre gentil avec (pour) quelqu'un. Vous êtes trop gentil. C'est gentil à vous (de votre part). Vous seriez gentil de lui faire la commission. Les enfants ont été très gentils* (syn. : SAGE, OBÉISSANT). — **3°** Se dit d'une œuvre dont on ne fait pas grand cas (exprime un compliment mitigé) : *C'est gentil, mais ça n'a rien d'extraordinaire.* — **4°** Exprime une désapprobation : *C'est bien gentil d'avoir tout démonté.* — **5°** *Une gentille somme, la gentille somme de...,* une somme importante (syn. : COQUET, RONDELET). ◆ **gentiment** adv. : *Les enfants s'amusent gentiment. Merci de m'avoir si gentiment reçu.* ◆ **gentillesse** [ʒɑ̃tijɛs] n. f. **1°** Grâce et douceur de l'aspect, des manières : *La gentillesse d'un enfant.* — **2°** Complaisance attentive et aimable : *Il a été avec moi d'une grande gentillesse. Avoir la gentillesse de... Je compte sur votre gentillesse. Remercier quelqu'un de (pour) sa gentillesse.* — **3°** Action, geste aimable : *Combler quelqu'un de gentillesses. Faire une gentillesse à quelqu'un.* — **4°** Se dit avec ironie d'une insulte ou d'une action mauvaise : *Echanger des gentillesses entre adversaires.*

gentilhomme [ʒɑ̃tijɔm], plur. **gentilshommes** [ʒɑ̃tizɔm] n. m. Nom donné autrefois aux nobles.

gentleman [dʒɑ̃tləman] n. m. Homme d'une parfaite éducation, qui se comporte de manière irréprochable : *De riches gentlemen.*

géographie [ʒeɔgrafi] n. f. **1°** Science qui a pour objet la description de la Terre : *Géographie générale. Une carte de géographie. Etudier la géographie. Géographie physique, économique, humaine, politique.* — **2°** Ensemble des réalités physiques et humaines qui caractérisent un pays : *La géographie de la France.* — **3°** Manuel de géographie : *Acheter, feuilleter une géographie. Il avait une géographie toute neuve.* ◆ **géographique** adj. : *Une carte géographique.* ◆ **géographiquement** adv. ◆ **géographe** n.

geôle [ʒol] n. f. Prison, cachot (littér.) : *Jeter quelqu'un dans une sombre geôle.* ◆ **geôlier, ère** [ʒolje, -jɛr] n. **1°** Gardien, concierge d'une prison (littér.). — **2°** Personne qui surveille quelqu'un de très près : *Vous êtes un vrai geôlier.*

géologie [ʒeɔlɔʒi] n. f. Etude des éléments (matériaux, terrains, etc.) constituant le globe terrestre et de leurs transformations. ◆ **géologique** adj. : *Carte géologique.* ◆ **géologue** n.

géométrie [ʒeɔmetri] n. f. **1°** Science de l'espace, sous les trois aspects de la ligne, de la surface et du volume : *Géométrie plane, dans l'espace. Géométrie euclidienne, non euclidienne. Esprit de géométrie* (= esprit mathématique, logique, méthodique). — **2°** Manuel de géométrie : *Acheter une géométrie.* ◆ **géométrique** adj. **1°** *Une démonstration, une figure, une progression géométrique.* — **2°** Se dit de ce qui est caractérisé par des formes régulières et simples : *Une forme géométrique. Une décoration géométrique.* ◆ **géométriquement** adv. ◆ **géomètre** n. m. **1°** Spécialiste de géométrie. — **2°** Technicien des levés de terrains.

gerbe [ʒɛrb] n. f. **1°** Botte de céréales coupées et liées : *Lier une gerbe. Mettre le blé en gerbes. Mettre les gerbes en meule.* — **2°** Botte de fleurs coupées avec de longues tiges : *Offrir une gerbe de glaïeuls.* — **3°** Jet d'eau, ou faisceau, groupe de fusées qui jaillit en forme de gerbe : *Le plongeur souleva une gerbe d'eau et d'écume. Le feu d'artifice retombait en gerbes colorées.* — **4°** Réunion de choses semblables : *Une gerbe de faits, de preuves.*

gercer [ʒɛrse] v. tr. (sujet nom désignant le froid). Faire de petites crevasses : *Un froid vif qui gerce les mains* (syn. : CREVASSER). ◆ **être gercé** v. passif, **gercer** v. intr. ou **se gercer** v. pr. Se couvrir de petites crevasses : *Avoir les lèvres gercées. Les mains, les lèvres gercent ou se gercent. La terre se gerce.* ◆ **gercement** n. m. Se dit du sol : *Le gercement de la terre desséchée.* ◆ **gerçure** n. f. Petite crevasse de la peau : *Souffrir de gerçures aux lèvres. L'écorce d'un arbre couverte de gerçures* (syn. : FISSURE).

gérer [ʒere] v. tr. **1°** Administrer une affaire, des intérêts pour le compte d'un autre : *Gérer des fonds. Gérer les biens d'un enfant mineur. Gérer une société.* — **2°** Administrer ses affaires : *Bien, mal gérer son capital, son avoir, sa fortune.* ◆ **gérant, e** n. Personne qui gère une affaire commerciale comme mandataire d'une autre : *Le magasin a changé de gérants. Le gérant de l'hôtel. Un gérant d'immeubles. Le gérant d'un journal* (= le directeur de la publication). ◆ **gérance** n. f. : *Avoir une gérance. La gérance d'un commerce.* ◆ **gestion** [ʒɛstjɔ̃] n. f. **1°** Action de gérer des affaires : *Une bonne, une saine, une sage gestion. Avoir la gestion de certains fonds, d'un patrimoine, d'une* *fortune.* — 2° Période pendant laquelle quelqu'un gère une affaire : *Au cours de sa gestion.*

germain, e [ʒɛrmɛ̃, -ɛn] adj. *Cousins germains, cousines germaines,* cousins qui possèdent au moins un grand-père ou une grand-mère en commun.

germanique [ʒɛrmanik] adj. 1° De l'Allemagne. — 2° Relatif à la civilisation allemande : *Il a le caractère germanique. Une sensibilité germanique.* ◆ **germaniser** v. tr. Imposer le caractère germanique, la domination allemande à : *Germaniser un pays. Etre germanisé.* ◆ ***se germaniser*** v. pr. Devenir allemand (de langue, de caractère, d'administration, etc.) : *Cette région n'a pas pu se germaniser.* ◆ **germanisation** n. f. : *La germanisation fut menée énergiquement.* ◆ **germanisme** n. m. Tour propre à la langue allemande. ◆ **germano-,** élément signif. « allemand » : *germanophile, germanophobe,* etc.

germe [ʒɛrm] n. m. 1° Elément primitif de tout être vivant : *Un germe se développe. Des germes de pomme de terre.* — 2° Microbe : *Etre porteur de germes de la tuberculose.* — 3° (avec un nom abstrait comme compl.) Elément qui est à l'origine de quelque chose : *Le germe d'une maladie. La jalousie est un germe de discorde. Le premier livre contenait en germe toute son œuvre. Porter en soi un germe de malheur.* ◆ **germer** v. intr. 1° (sujet nom d'une plante) Avoir un germe qui commence à croître : *Les haricots ont germé. Les pommes de terre commencent à germer.* — 2° (sujet nom abstrait) Commencer à se développer : *Une idée, un sentiment, une ambition germe dans votre esprit.* ◆ **germination** n. f. : *La germination des idées révolutionnaires.* ◆ **dégermer** v. tr. Enlever le germe de.

germinal n. m. V. CALENDRIER RÉPUBLICAIN.

gérondif [ʒerɔ̃dif] n. m. 1° En français, forme en *-ant* du verbe, précédée de la préposition *en.* (V. PARTICIPE.) — 2° En latin, forme verbale à valeur de substantif.

gésier [ʒezje] n. m. Dernière poche de l'estomac des oiseaux : *Les volailles triturent leurs aliments dans le gésier* (syn. : JABOT).

gésir [ʒesir] v. intr. (conj. 32). 1° V. CI-GÎT. — 2° (sujet nom de personne) Etre couché, étendu : *Il gît sur son lit, sans bouger. Ses habits gisaient en désordre sur le plancher.* — 3° (sujet nom abstrait) Etre, se trouver, résider : *C'est là que gît la difficulté.*

gestation [ʒɛstasjɔ̃] n. f. 1° Etat d'une femelle de mammifère qui porte son petit : *La gestation dure environ onze mois chez la jument. Chez la femme, l'organe de la gestation est l'utérus* (syn. : GROSSESSE). — 2° Elaboration secrète qui précède la création proprement dite, la mise au jour d'une œuvre de l'esprit : *La gestation d'un roman. La gestation des idées nouvelles.*

1. geste [ʒɛst] n. m. 1° Mouvement du corps, surtout des bras, des mains ou de la tête, porteur ou non d'une intention de signification : *Faire des gestes en parlant. S'exprimer par gestes. Un geste nerveux, affecté, évasif, machinal, menaçant, significatif. Encourager quelqu'un du geste et de la voix. Faire un geste de refus. Esquisser un geste de protestation, d'effroi, d'assentiment, de reconnaissance, de dénégation. Avoir un geste malheureux. Avoir le geste noble, élégant* (= avoir une attitude noble, une allure élégante). — 2° Fam. *Faire un geste,* accomplir une action généreuse : *Allons, faites un geste!* (syn. : AVOIR UN BON MOUVEMENT). ‖ *Joindre le geste à la parole,* faire aussitôt ce qu'on vient de dire. ‖ Fam. *N'avoir qu'un geste à faire pour,* être capable d'obtenir quelque chose sans la moindre difficulté, sans le moindre effort. ◆ **gestes** n. f. pl. *Les faits et gestes de quelqu'un,* le détail de ses actions. ◆ **gestuel, elle** adj. : *Mimique gestuelle. Langage gestuel.* ◆ **gesticuler** [ʒɛstikyle] v. intr. Faire beaucoup de gestes : *Il gesticule sans arrêt.* ◆ **gesticulation** n. f.

2. geste [ʒɛst] n. f. 1° *Chanson de geste,* poème épique du Moyen Age. — 2° Cycle de poèmes épiques du Moyen Age concernant un héros : *La poésie épique médiévale est constituée par trois grandes gestes.*

gestion n. f. V. GÉRER.

geyser [ʒɛzɛr] n. m. Source d'eau chaude jaillissante et intermittente : *Un geyser qui projette une colonne d'eau à une très grande hauteur;* et par comparaison : *La voiture est passée à toute vitesse, soulevant un geyser de boue* (syn. : TROMBE). *Du tuyau crevé, l'eau jaillissait comme un geyser.*

ghetto [gɛto] n. m. 1° Quartier où les Juifs étaient tenus de résider : *Le siège du ghetto de Varsovie par les Allemands.* — 2° Lieu où une minorité est contrainte à une existence séparée des autres communautés : *Aux Etats-Unis, les Noirs habitent souvent de véritables ghettos.*

gibbon [ʒibɔ̃] n. m. Singe d'Asie, aux bras très longs.

gibbosité [ʒibosite] n. f. Bosse dorsale.

gibecière [ʒibsjɛr] n. f. Sac où le chasseur met le gibier tué, le pêcheur le poisson pêché.

gibelotte [ʒiblɔt] n. f. *Gibelotte de lapin, lapin en gibelotte,* fricassée de lapin au vin blanc.

giberne [ʒibɛrn] n. f. Fam. *Avoir son bâton de maréchal dans sa giberne,* avoir la possibilité de parvenir aux grades élevés, d'accéder aux plus hautes situations. (La *giberne* était une cartouchière.)

gibet [ʒibɛ] n. m. Instrument qui servait au supplice de la pendaison : *Conduire, envoyer, condamner, échapper au gibet* (syn. : POTENCE).

gibier [ʒibje] n. m. 1° Se dit collectivement des animaux que l'on chasse pour les manger : *Du gros, du menu, du petit gibier. Du gibier à plume, à poil. Attirer, poursuivre, faire lever le gibier. Une pièce de gibier.* — 2° La viande de l'animal chassé : *Manger du gibier. Accommoder du gibier. Du gibier faisandé. Du pâté de gibier.* — 3° Fam. *Gibier de potence,* criminel qui mérite la mort, un châtiment sévère. ‖ *Du gibier de cour d'assises, un drôle de gibier,* etc., des individus peu recommandables. ◆ **giboyeux, euse** [ʒibwajø, -øz] adj. Qui abonde en gibier : *Un pays giboyeux.*

giboulée [ʒibule] n. f. Pluie soudaine et de courte durée, accompagnée souvent de chute de grêle : *Les premières giboulées de printemps.*

gibus [ʒibys] n. m. *Fam.* Chapeau haut de forme.

gicler [ʒikle] v. intr. Jaillir en éclaboussant : *L'eau, le sang gicle.* ◆ **giclée** n. f. Jet de liquide qui gicle. ◆ **gicleur** n. m. Pièce du carburateur servant à limiter l'arrivée d'essence dans le moteur. ◆ **giclement** n. m. : *Un giclement violent.*

gifle [ʒifl] n. f. 1° Coup donné sur la joue avec le plat ou le dos de la main : *Donner, recevoir, flanquer une gifle.* — 2° Humiliation infligée à quelqu'un : *Ce démenti public a été pour lui une gifle retentissante.* ◆ **gifler** v. tr. *Gifler quelqu'un,* lui donner une gifle : *Gifler un enfant* (syn. : SOUFFLETER); le frapper violemment : *La pluie et le vent lui giflaient la figure.*

gigantesque [ʒigɑ̃tɛsk] adj. 1° Se dit d'un être animé, d'un objet extrêmement grand par rapport à l'homme : *Un animal gigantesque. Un arbre, une statue gigantesque.* — 2° Se dit d'une chose (nom abstrait) qui dépasse toute mesure : *Une entreprise, une aventure, une œuvre, une guerre gigantesque.* ◆ **gigantisme** n. m. 1° Développement anormal du corps ou de certaines de ses parties : *Etre atteint de gigantisme.* — 2° Développement excessif d'un organisme quelconque : *Une entreprise atteinte de gigantisme.* (V. GÉANT.)

gigogne [ʒigɔɲ] adj. *Meubles, fusées,* etc., *gigognes,* qui s'emboîtent les uns dans les autres.

gigolo [ʒigolo] n. m. Jeune homme entretenu par une femme plus âgée que lui.

1. gigot [ʒigo] n. m. Cuisse de mouton, d'agneau ou de chevreuil, en boucherie : *Manger du gigot. Une tranche de gigot. Le manche du gigot* (= le bout de l'os par où l'on peut tenir le gigot).

2. gigot [ʒigo] n. m. *Manches à gigot, manches gigot,* manches de robe, de corsage dont la partie supérieure est bouffante.

gigoter [ʒigɔte] v. intr. *Fam.* Agiter sans cesse ses jambes, ses bras, ou tout son corps : *Un bébé qui gigote quand on le lave.*

gigue [ʒig] n. f. 1° Danse et air au rythme vif : *Une gigue de Bach.* — 2° *Danser la gigue,* danser en se trémoussant fortement.

gilet [ʒilɛ] n. m. 1° Veste courte, sans manches, qui se porte sous le veston : *Porter un gilet. Etre en gilet. Boutonner son gilet.* — 2° *Gilet de flanelle, de coton, de laine,* sous-vêtement chaud. — 3° Fam. *Venir pleurer dans le gilet de quelqu'un,* se plaindre auprès de quelqu'un.

gin [dʒin] n. m. Eau-de-vie de grain d'origine anglaise : *Boire du gin. Demander un verre de gin.*

giorno (a) [adʒɔrno] loc. adv. et adj. Se dit d'un éclairage aussi vif que la lumière du jour : *Une salle éclairée a giorno.*

girafe [ʒiraf] n. f. 1° Mammifère d'Afrique de taille élevée, au cou long et rigide. — 2° Pop. *Peigner la girafe,* faire un travail absurde et inutile.

girandole [ʒirɑ̃dɔl] n. f. Candélabre à plusieurs branches.

giratoire [ʒiratwar] adj. *Sens giratoire,* sens obligatoire dans lequel doivent tourner les véhicules autour d'un obstacle, d'un rond-point. ‖ *Mouvement giratoire,* mouvement circulaire.

girl [gœrl] n. f. Danseuse de music-hall.

girofle [ʒirɔfl] n. f. *Clou de girofle,* bouton desséché des fleurs de l'arbre appelé *giroflier,* utilisé comme aromate.

giron [ʒirɔ̃] n. m. 1° Partie du corps allant de la ceinture aux genoux, chez une personne assise (nuance plaisante) : *Le giron maternel. Aller se blottir dans le giron de sa mère.* — 2° *Le giron de l'Eglise,* la communion des fidèles de l'Eglise catholique.

girouette [ʒirwɛt] n. f. 1° Plaque mobile autour d'un axe, fixée au sommet d'un édifice, et qui indique, par son orientation, la direction du vent : *Une girouette grince sur le toit en tournant.* — 2° *Fam.* Personne qui change souvent d'opinion.

gisant [ʒizɑ̃] n. m. Statue funéraire représentant un mort couché : *On voit l'évolution du sentiment de la mort sur les gisants sculptés du XII*[e] *au XIV*[e] *siècle.* (V. GÉSIR.)

gisement [ʒizmɑ̃] n. m. Masse importante de minéraux disposée dans le sol : *Un gisement de houille. Découvrir, exploiter un gisement de pétrole. Un gisement à ciel ouvert. Un pays riche en gisements de fer.*

gitan, e [ʒitɑ̃, -an] n. Nom espagnol des bohémiens. ◆ adj. : *Une danse, une musique gitane.*

gitane [ʒitan] n. f. Cigarette de la Régie française : *Fumer une gitane. Un paquet de gitanes.*

1. gîte [ʒit] n. m. 1° Endroit où l'on peut trouver à se loger (littér.) : *Etre à la recherche d'un gîte pour la nuit. Trouver un bon gîte. Rentrer, revenir au gîte* (= rentrer chez soi). — 2° Abri du lièvre. ◆ **gîter** [ʒite] v. intr. : *Le fossé où gîte un lièvre* (= qui lui sert de gîte).

2. gîte [ʒit] n. m. *Gîte à la noix,* partie inférieure de la cuisse du bœuf, qui contient la noix.

givre [ʒivr] n. m. Mince couche de glace qui se dépose par suite de la condensation du brouillard : *La campagne est couverte de givre. Les arbres sont blancs de givre.* ◆ **givrer** v. tr. Couvrir de givre. ◆ **givré, e** adj. Couvert de givre : *Les fenêtres sont givrées.* ◆ **givrage** n. m. ◆ **dégivrer** v. tr. Oter le givre qui s'est formé sur un pare-brise, une aile d'avion. ◆ **dégivrage** n. m. ◆ **dégivreur** n. m. Dispositif installé pour dégivrer.

glabre [glabr] adj. Dépourvu de barbe et de moustache : *Un visage glabre* (syn. : IMBERBE).

1. glace [glas] n. f. Eau congelée par le froid : *Patiner sur la glace. Marcher, glisser tomber sur de la glace. Briser la glace* (= la couche de glace formée sur l'eau). *La glace craque au moment du dégel. Couche, mer, bloc, cristaux de glace. Aller chercher des cubes de glace au réfrigérateur. Se mettre de la glace sur le ventre.* ◆ **glaces** n. f. pl. Couche de glace des pôles, de la banquise, de la montagne : *Un bateau pris dans les glaces. Les glaces du pôle Nord.* ◆ **glacer** v. tr. 1° *Glacer quelque chose* (constitué d'eau), le faire prendre en glace : *Le froid a glacé la rivière* (syn. plus usuel : GELER). — 2° *Glacer quelqu'un, une partie du corps,* lui causer une vive sensation de froid : *Le froid (la pluie, l'eau, le vent) glace les mains (le visage). Ce vent vous glace.* ◆ v. intr. *Il glace,* il fait froid au point que l'eau se transforme en glace (syn. plus usuel : IL GÈLE). ◆ ***se glacer*** v. pr. Prendre en glace : *L'eau du seau s'est glacée* (syn. plus usuel : GELER). ◆ **glacé, e** adj. 1° Se dit d'une chose qui est solidifiée, durcie par le froid : *Les caniveaux sont glacés. La terre est glacée* (syn. : GELÉ). — 2° Se dit de quelque chose qui est très froid : *Une maison glacée. Un lit glacé. Un vent glacé. Une pluie glacée. Une boisson glacée.* — 3° (avec un nom de personne ou de partie du corps) Qui ressent un grand froid : *Fermez la fenêtre, nous sommes glacés. Avoir les mains glacées, les pieds glacés* (= avoir très froid aux mains, aux pieds). ◆ **déglacer** v. tr. Faire fondre la glace de : *Déglacer une bassine.* ◆ **glaciaire** adj. Se dit, en géographie, de ce qui concerne les glaciers : *Erosion glaciaire. Calotte glaciaire.* ◆ **glacial, e, als** adj. 1° D'un froid extrême et pénétrant : *Un vent glacial. Un courant d'air glacial. Une pluie glaciale. Une nuit glaciale.* — 2° Se dit des régions polaires : *L'océan Glacial. Zone glaciale.* ◆ **glacier** n. m. Amas de glace, dans les montagnes ou les régions polaires : *Les glaciers des Alpes. Les glaciers sont animés d'un lent mouvement.* ◆ **glacière** n. f. 1° Garde-manger maintenu à basse température par de la glace : *Mettre de la glace dans la glacière. Garder le beurre dans la glacière.* — 2° Pièce très froide : *Cette chambre à coucher est une glacière.* ◆ **glaçon** [glasɔ̃] n. m. 1° Morceau de glace naturelle : *Lors du dégel, le fleuve transporte (charrie) des glaçons.* — 2° Petit cube de glace artificielle : *Prendre un glaçon. Mettre un glaçon dans son verre. Voulez-vous un glaçon?* — 3° *Fam.* Partie du corps où l'on a très froid : *Ses pieds sont des glaçons.*

2. glace [glas] n. f. Crème glacée : *Voulez-vous une glace? Glace à la vanille, au citron. Prendre, déguster, manger une glace. Sucer sa glace.* ◆ **glacier** n. m. Fabricant ou marchand de glaces, de sorbets : *Par ces jours de grande chaleur, les glaciers ont fait de bonnes affaires.*

3. glace [glas] n. f. *Etre de glace, avoir un cœur de glace, un air, un visage de glace,* être, se montrer insensible. ‖ *Rompre, fendre la glace,* faire cesser toute gêne qui paralyse un entretien : *Pour rompre la glace, il commença à parler de leurs amis communs. Au bout d'un quart d'heure, la glace était rompue.* ◆ **glacer** v. tr. 1° *Glacer quelqu'un,* l'intimider au plus haut point : *Son attitude, son expression, son air, son sourire me glace* (syn. : PARALYSER). *Sa vue me glace. Il me glace.* — 2° *Glacer quelqu'un d'effroi, d'horreur,* le frapper d'effroi, d'une horreur profonde : *Ce spectacle nous a glacés d'horreur.* ◆ **se glacer** v. pr. *Mon sang se glace,* je suis pris d'une frayeur soudaine et violente : *A cette vue, mon sang s'est glacé.* ◆ **glaçant, e** adj. Se dit d'une chose (abstraite) qui décourage ou intimide par un caractère d'indifférence ou d'hostilité : *Un air glaçant. Des manières glaçantes.* ◆ **glacé, e** adj. Se dit d'un comportement qui a un caractère d'indifférence et d'hostilité mêlées : *Un air, un abord, un accueil glacé* (syn. : ↓ FROID). *Une politesse glacée. Un regard glacé. Une voix glacée.* ◆ **glacial, e, als** adj. *Personne glaciale, air, abord, accueil, sourire, silence,* etc., *glacial,* qui intimide fortement par sa froideur, son indifférence. ◆ **glaçon** n. m. *Fam.* Personne très distante.

4. glace [glas] n. f. 1° Plaque de verre transparente et épaisse : *La glace d'une vitrine. Voir son reflet dans une glace. Un bris de glaces.* — 2° Vitre d'une voiture : *Baisser, monter, lever la glace. Une glace incassable.* — 3° Plaque de verre rendue réfléchissante par une couche de tain : *Se regarder, se voir dans une glace. Il y a une glace au-dessus de la cheminée* (syn. : MIROIR). *Une glace ovale. Un panneau de glace. Une glace taillée, biseautée.*

1. glacer v. tr. et intr. V. GLACE 1 et 3.

2. glacer [glase] v. tr. 1° *Glacer un gâteau, une crème,* les recouvrir d'une couche lisse de sucre. — 2° *Glacer un rôti,* l'arroser de jus de façon à le rendre brillant à la cuisson. — 3° *Glacer un tissu, du papier,* etc., lui donner du lustrage, du poli, le rendre lisse et brillant. ◆ **glacé, e** adj. 1° *Marrons glacés,* marrons confits dans du sucre. — 2° Rendu lisse et brillant : *Col de chemise glacé. Des gants glacés. Du papier glacé.* ◆ **glaçage** n. m. 1° Action de glacer. — 2° Apprêt brillant de certains tissus. ◆ **déglacer** v. tr. *Déglacer une sauce,* ajouter un peu d'eau pour la délayer en la chauffant.

glacis [glasi] n. m. Talus en pente douce.

glaïeul [glajœl] n. m. Plante à bulbe, cultivée pour ses fleurs ornementales.

glaire [glɛr] n. f. Sécrétion visqueuse et blanchâtre des muqueuses : *Avoir, rendre des glaires.* ◆ **glaireux, euse** adj. Qui est de la nature, qui a la consistance des glaires : *Des matières glaireuses.*

glaise [glɛz] n. f. Terre argileuse, compacte et imperméable : *Avoir ses chaussures pleines de glaise.* ◆ adj. f. : *De la terre glaise. Faire des modelages en terre glaise.* ◆ **glaiseux, euse** adj. De la nature de la glaise : *Une terre glaiseuse.*

glaive [glɛv] n. m. 1° Epée à deux tranchants. — 2° *Remettre le glaive au fourreau,* faire la paix (langue soutenue). ‖ *Le glaive de la loi, le glaive de la justice,* la loi, la justice, représentées par l'attribut de leur force (langue soutenue).

gland [glɑ̃] n. m. 1° Fruit du chêne : *Les porcs mangent des glands.* — 2° Ornement de fil tressé, de verroterie, etc., en forme de gland : *Les glands d'un cordon.*

glande [glɑ̃d] n. f. 1° Organe producteur de sécrétions externes ou internes : *Les glandes salivaires. Les glandes endocrines.* — 2° Fam. *Avoir une glande (des glandes), souffrir d'une glande (de glandes),* avoir un, des ganglions lymphatiques enflammés. ◆ **glandulaire** adj. : *Inflammation glandulaire.*

glaner [glane] v. tr. et intr. 1° *Glaner du blé, glaner un champ,* ramasser les épis qui restent dans un champ après la moisson. — 2° *Glaner quelque chose,* recueillir au hasard des connaissances fragmentaires qui peuvent être utiles : *Glaner des anecdotes, des renseignements, des détails sur la vie de quelqu'un.* ◆ **glanage** n. m. ◆ **glane** n. f. Poignée d'épis ramassés en glanant. ◆ **glaneur, euse** n. Personne qui glane. ◆ **glanure** n. f. Ce que l'on a glané.

glapir [glapir] v. intr. (sujet nom désignant certains animaux). Pousser un cri aigu : *Le renard glapit. Les lapins glapissent.* ◆ v. intr. et tr. (sujet nom de personne). Crier d'une voix très aiguë : *Une chanteuse qui glapit. Un ivrogne glapit des injures. Un tourne-disque qui glapit une rengaine.* ◆ **glapissant, e** adj. : *Une voix glapissante.* ◆ **glapissement** n. m.

glas [glɑ] n. m. 1° Tintement d'une cloche pour les obsèques d'une personne : *Les cloches sonnent (tintent) le glas. Un glas lugubre.* — 2° *Sonner le glas de quelque chose,* annoncer sa fin : *Un échec qui sonne le glas de nos espérances.*

glauque [glok] adj. De couleur bleu-vert : *La mer est glauque. Une eau glauque.*

glèbe [glɛb] n. f. La terre cultivée (littér.) : *Le paysan courbé sur la glèbe.*

glisser [glise] v. intr. 1° (sujet nom de personne ou de chose) Se déplacer, volontairement ou non, d'un mouvement continu sur une surface lisse : *Les patineurs glissent sur la glace. Glisser dans la boue et tomber. Son pied a glissé. Le pied lui a glissé. Les pneus ont glissé sur la chaussée mouillée* (syn. : DÉRAPER). *Les anneaux glissent sur la tringle* (syn. : COULISSER). — 2° Avancer, progresser en donnant l'impression de glisser : *Ce sont des terrains qui glissent vers la mer. Il laissa glisser son manteau de ses épaules jusqu'à terre. La barque glisse sur le lac.* — 3° (sujet nom désignant une lumière, une clarté) Passer, apparaître furtivement : *Un rayon de soleil glisse dans la chambre par les volets entrouverts* (syn. : PÉNÉTRER, S'INFILTRER, FILTRER). *Un reflet (une ombre, un sourire, un frisson) glisse sur son visage* (syn. : PASSER, ERRER). — 4° (sujet nom abstrait) *Glisser (sur quelqu'un)*, ne pas faire d'impression sur lui : *Les reproches, les injures, tout glisse sur lui. On peut lui dire n'importe quoi, ça glisse.* — 5° (sujet nom de personne) *Glisser sur quelque chose*, ne pas y insister : *Glissons sur le passé. Glissons là-dessus, voulez-vous?* — 6° (sujet nom de personne ou de chose) *Glisser à, dans, vers*, indique le passage progressif à un autre état, un autre genre : *Il glisse au romanesque. Il a glissé dans la corruption. L'ensemble des électeurs a glissé vers la gauche. La confession, ici, commence à glisser au pamphlet.* — 7° (sujet nom de chose) *Glisser des mains, glisser entre les doigts de quelqu'un*, lui échapper physiquement : *Il nous a glissé entre les doigts et s'est perdu dans la foule* (syn. : FILER). ◆ v. tr. 1° *Glisser une chose* (objet matériel), la faire passer adroitement ou en cachette dans un endroit : *Glisser une lettre sous une porte. Glisser sa clé dans sa poche. Glisser un billet à quelqu'un.* — 2° *Glisser une chose* (nom abstrait), la communiquer, l'adresser en cachette : *Glisser un secret à quelqu'un. Glisser un regard en coulisse à son voisin. Glisser un mot à l'oreille de quelqu'un.* ◆ **se glisser** v. pr. 1° (sujet nom d'être animé) Entrer, passer d'un mouvement adroit ou furtif : *Se glisser dans sa chambre* (syn. : SE FAUFILER). *Se glisser dans son lit (dans ses draps). Le chat s'est glissé sous l'armoire. Se glisser le long d'un mur.* — 2° (sujet nom abstrait) S'introduire insensiblement dans : *L'inquiétude (l'envie, le soupçon, l'espoir) se glisse dans son cœur* (ou *en lui*). *Il s'est glissé une erreur dans les calculs.* ◆ **glissant, e** adj. 1° Qui fait glisser : *La chaussée est glissante. Déraper sur un sol glissant.* — 2° Se dit d'un objet qui est si lisse qu'on ne peut le retenir ou qu'on ne peut s'y retenir : *Un savon glissant. Une rampe glissante.* — 3° *Terrain glissant, pente glissante*, milieu social dangereux; affaire risquée, circonstance qui entraîne vers le mal. ◆ **glissade** n. f. Action de glisser (sens 1 du v. intr.) : *Les enfants font des glissades.* ◆ **glissement** n. m. 1° Action de glisser sur une surface; mouvement de ce qui glisse : *Le glissement du curseur sur la tige graduée. Le glissement de la barque sur le lac. Des maisons menacées par un glissement de terrain.* — 2° Action de passer insensiblement d'un état à un autre : *Le glissement incessant du sens des mots. Les dernières élections avaient marqué un glissement à droite.* ◆ **glissière** n. f. Pièce, généralement métallique, destinée à guider dans son mouvement une pièce mobile : *Une porte à glissière. Les glissières d'un tiroir.*

global, e, aux [glɔbal, -bo] adj. 1° Pris en bloc : *La somme globale.* — 2° *Méthode globale*, méthode d'apprentissage de la lecture qui fait reconnaître des ensembles au lieu d'analyser des syllabes et des lettres. ◆ **globalement** adv. : *On ne peut pas condamner globalement toutes ses théories.*

globe [glɔb] n. m. 1° *Le (notre, ce) globe*, la Terre : *La surface du globe.* ‖ *Un globe (terrestre)*, une sphère où est représentée la carte de la Terre : *Offrir un globe lumineux.* — 2° Sphère en verre pour couvrir et préserver quelque chose : *Une pendule sous globe.* ‖ *Mettre sous globe*, garder précieusement. — 3° Corps sphérique, en général.

globe-trotter [glɔbtrɔtɛr] n. m. Voyageur qui parcourt le monde : *Ce sont de grands journalistes et des globe-trotters.*

globule [glɔbyl] n. m. Cellule du sang : *Les globules rouges, les globules blancs. L'examen du sang a montré une nette diminution du nombre des globules rouges et une augmentation de celui des globules blancs.* ◆ **globulaire** adj. *Numération globulaire*, dénombrement des cellules du sang.

globuleux, euse [glɔbylø, øz] adj. *Des yeux globuleux*, saillant hors de l'orbite.

gloire [glwar] n. f. 1° *La gloire de quelqu'un*, sa renommée, répandue dans un public très vaste, par des mérites remarquables : *Avoir la passion de la gloire. Etre au sommet de la gloire. Etre en pleine gloire* (syn. : ↓ CÉLÉBRITÉ). *La gloire de Napoléon. Courir après la gloire. Se couvrir de gloire* (syn. littér. : LAURIERS). *La gloire littéraire. Une gloire naissante, solide, durable, immortelle. Pour la plus grande gloire de (Dieu, etc.)* [= pour contribuer à accroître la majesté, le rayonnement de]. *Travailler (faire quelque chose) pour la gloire* (= sans viser ou espérer un profit matériel). — 2° *La gloire de quelque chose*, son mérite : *Avoir (s'attribuer) la gloire de la réussite. Tirer gloire de ce qui ne vous appartient pas. Sa plus grande gloire a été de vulgariser les découvertes des autres. Ils ont partagé à deux la gloire de cette découverte.* — 3° *Se faire gloire de*, se vanter de. ‖ *Rendre gloire à*, rendre un hommage de respect mêlé d'admiration ou de dévotion : *Rendre gloire à Dieu. Rendre gloire aux vaillants défenseurs de la patrie.* ‖ *Gloire à*, formule d'hommage : *Gloire à Dieu. Gloire à tous ceux qui sont morts pour la patrie.* — 4° Personne qui a une gloire incontestée : *C'est une des gloires du pays. Une gloire reconnue;* parfois ironiq. : *Sur cette photo, il est entouré de toutes les gloires du canton.* — 5° *Christ en gloire*, représenté entouré d'une auréole qui enveloppe son corps. (V. NIMBE.) ‖ *Une gloire, des gloires*, représentation picturale d'un Christ en gloire : *Les gloires des peintres de la Renaissance.* ◆ **glorieux, euse** adj. 1° Se dit de ce qui donne de la gloire : *Un combat glorieux. Action (vie, existence, mort) glorieuse* (syn. : ↓ ILLUSTRE, CÉLÈBRE). — 2° Se dit de quelqu'un qui s'est acquis de la gloire, surtout par des actions militaires : *Un héros glorieux.* — 3° *Glorieux de quelque chose*, qui en tire vanité : *Etre glorieux de sa naissance, de sa richesse, de son rang.* — 4° *Glorieux comme un paon*, très vaniteux. ‖ *Un air glorieux*, un air vaniteux (syn. : SUFFISANT). ◆ **glorieusement** adv. : *Les soldats morts glorieusement pour leur pays.* ◆ **glorifier** v. tr. *Glorifier quelqu'un, quelque chose*, leur rendre gloire : *Glorifier ceux qui sont morts pour la patrie. Glorifier la mémoire de quelqu'un.*

Glorifier une victoire, un exploit, une découverte. Glorifier Dieu. ◆ **se glorifier** v. pr. *Se glorifier de*, tirer gloire de, se faire un mérite de : *Se glorifier d'avoir fait quelque chose. La France se glorifie de ses grands hommes.* ◆ **glorification** n. f. : *La glorification d'un héros.* ◆ **gloriole** n. f. 1° *La gloriole*, une gloire illusoire et de qualité médiocre. — 2° *Par gloriole*, par une vanité mesquine : *Agir (faire quelque chose) par gloriole.*

glose [gloz] n. f. Commentaire explicatif : *Mettre des gloses en marge d'un texte* (syn. : NOTE). ◆ **gloser** v. intr. *Gloser sur quelqu'un*, faire sur lui des commentaires malveillants (emploi restreint) : *Gloser sur les gens, sur tout.* ◆ v. tr. *Gloser un texte*, l'éclaircir par une glose, le traduire : *Gloser un texte biblique. Un mot glosé par une périphrase.*

glossaire [glɔsɛr] n. m. Dictionnaire expliquant les mots anciens ou rares d'une langue, d'un dialecte, d'une œuvre littéraire : *Le « Glossaire de la moyenne et de la basse latinité » de Du Cange. Cette édition est suivie d'un glossaire* (syn. : LEXIQUE).

glotte [glɔt] n. f. 1° Orifice du larynx. — 2° *Donner un coup de glotte*, faire entendre un bruit guttural provoqué par une occlusion laryngale.

glouglou [gluglu] n. m. *Fam.* Bruit d'un liquide qui s'échappe d'une bouteille, d'un conduit. ◆ **glouglouter** v. intr. Faire entendre des glouglous.

glousser [gluse] v. intr. 1° (sujet nom désignant la poule) Appeler ses petits. — 2° *Fam.* (sujet nom de personne) Rire à petits cris : *Des fillettes gloussaient.* ◆ **gloussement** n. m. : *Les gloussements de la poule appellent les poussins. Les propos de l'orateur provoquèrent les gloussements ironiques de l'assistance.*

glouton, onne [glutɔ̃, -ɔn] n. et adj. Se dit de quelqu'un (ou de son comportement) qui mange en se bourrant de nourriture avec avidité : *Cet enfant est glouton* (syn. : GOINFRE, GOULU, GOURMAND). *Un appétit glouton.* ◆ **gloutonnement** adv. ◆ **gloutonnerie** n. f. : *Cette indigestion est une conséquence de sa gloutonnerie.*

glu [gly] n. f. 1° Colle végétale qui sert à prendre les oiseaux. — 2° Fam. *Il est collant comme de la glu*, c'est un importun dont on ne peut se débarrasser. ◆ **gluant, e** adj. Visqueux et collant : *Une boue gluante.* ◆ **dégluer** v. tr. Dépêtrer de ce qui colle comme de la glu : *Du sirop dont on a du mal à dégluer ses doigts.*

glycérine [gliserin] n. f. Produit sirupeux, incolore, extrait des corps gras.

glycine [glisin] n. f. Plante grimpante, à fleurs mauves très odorantes et réunies en grappes.

gnangnan [ɲɑ̃ɲɑ̃] adj. invar. *Fam.* Se dit d'une personne indolente, qui se plaint sans cesse.

gnognote [ɲɔɲɔt] n. f. Fam. *C'est de la gnognote*, c'est une chose de peu de valeur : *Ce film, c'est de la gnognote.*

gnole ou **gnôle** [ɲol] n. f. *Fam.* Eau-de-vie.

gnome [gnom] n. m. Homme petit et difforme.

gnon [ɲɔ̃] n. m. *Pop.* Coup donné à quelqu'un ou à quelque chose : *Recevoir un gnon.*

go (tout de) [tudgo] loc. adv. *Fam.* Sans préparation, sans préliminaires : *Il m'a dit tout de go que j'avais tort* (syn. fam. : TOUT À TRAC).

goal [gol] n. m. Gardien de but, au football, au polo, etc.

gobelet [gɔblɛ] n. m. Récipient pour boire, en métal, en matière plastique, etc., de forme légèrement évasée : *Un gobelet d'étain, d'argent. Boire un gobelet de cidre.*

gobe-mouches [gɔbmuʃ] n. m. invar. Niais qui croit tout.

1. gober [gɔbe] v. tr. 1° *Gober un aliment*, l'avaler vivement sans mâcher : *Gober un œuf. Gober une huître.* — 2° Fam. *Gober un propos*, le croire naïvement : *Il gobe tout ce qu'on lui dit.* — 3° *Gober le morceau*, se laisser prendre. ◆ **se gober** v. pr. *Fam.* et *péjor.* Avoir une très haute opinion de soi-même : *Qu'est-ce qu'il peut se gober!* ◆ **gobeur, euse** adj. *Fam.* Personne qui croit naïvement tout ce qu'on lui dit.

2. gober [gɔbe] v. tr. Fam. *Gober quelqu'un*, avoir de la sympathie pour lui (surtout dans des propositions négatives) : *Celui-là, je ne le gobe pas* (syn. fam. : ENCAISSER; pop. : ENCADRER).

goberger (se) [səgɔbɛrʒe] v. pr. *Fam.* Faire bonne chère, prendre ses aises : *Se goberger à la table de quelqu'un.*

godailler [gɔdaje] v. intr. *Fam.* Mener une vie déréglée, perdre son temps : *De jeunes désœuvrés qui passent leurs soirées à godailler.*

godasse [gɔdas] n. f. *Pop.* Soulier.

godelureau [gɔdlyro] n. m. *Fam.* Jeune homme qui fait l'élégant, l'intéressant.

goder [gɔde] v. intr. (sujet nom de vêtement). Faire des faux plis : *Une robe, un manteau qui gode par-devant.*

1. godet [gɔdɛ] n. m. Petit récipient à divers usages : *Un godet à eau.*

2. godet [gɔdɛ] n. m. *Jupe à godets*, à gros plis ronds.

godiche [gɔdiʃ] adj. et n. f. *Fam.* Niais et maladroit : *Qu'est-ce qu'il est godiche! C'est une godiche.* ◆ **godichon, onne** adj. et n. *Fam.* Dimin. de GODICHE.

1. godille n. f. V. GODILLER.

2. godille (à la) [alagɔdij] loc. adj. et loc. adv. *Fam.* Se dit de ce qui est en mauvais état, de ce qui fonctionne mal : *Avoir un foie à la godille. Un poste de radio qui marche à la godille.*

godiller [gɔdije] v. intr. Faire avancer une embarcation au moyen d'un seul aviron, qu'on manœuvre à l'arrière d'un mouvement alternatif. ◆ **godille** n. f. • LOC. ADV. *A la godille*, en godillant : *Une barque qui avance à la godille.*

godillot [gɔdijo] n. m. 1° *Fam.* Grosse chaussure de marche. — 2° *Pop.* Chaussure en général : *S'acheter une paire de godillots* (syn. pop. : GODASSE).

goéland [gɔelɑ̃] n. m. Oiseau de mer du genre *mouette.*

goémon [gɔemɔ̃] n. m. Nom donné au varech, en Bretagne et en Normandie.

1. gogo [gogo] n. m. *Fam.* Personne crédule, facile à tromper.

2. gogo (à) [agogo] loc. adv. *Fam.* En abondance : *Il y avait du whisky à gogo* (syn. : À DISCRÉTION).

goguenard, e [gɔgnar, -ard] adj. Se dit d'une personne (ou de son attitude) qui se moque ouvertement d'une autre : *Il le regardait, goguenard. Un ton, un sourire goguenard.* ◆ **goguenardise** n. f. : *Sa goguenardise m'irritait* (syn. : RAILLERIE).

goguette (en) [ɑ̃gɔgɛt] loc. adv. Fam. *Mettre, être en goguette,* en léger état d'ivresse : *Ça nous avait mis en goguette* (syn. : EN GAIETÉ).

goinfre [gwɛ̃fr] adj. et n. m. Se dit de qui mange beaucoup et salement : *Il est goinfre. Il se comportait au repas comme un goinfre* (syn. : GLOUTON, GOULU, GOURMAND). ◆ **goinfrer** v. intr. ou ***se goinfrer*** v. pr. *Pop.* Manger comme un goinfre. ◆ **goinfrerie** n. f. : *Une goinfrerie répugnante.*

goitre [gwatr] n. m. Hypertrophie de la glande thyroïde : *Un goitre lui déformait le cou.* ◆ **goitreux, euse** adj. et n. : *Il y a beaucoup de goitreux dans cette région.* ◆ adj. : *Un gonflement goitreux.*

golf [gɔlf] n. m. Sport consistant à envoyer une balle dans les trous successifs d'un vaste terrain spécialement aménagé, au moyen d'une crosse.

golfe [gɔlf] n. m. Vaste avancée de la mer à l'intérieur des terres : *Le golfe de Gascogne. Un grand golfe* (syn. : ↓ BAIE). *Un golfe étroit.*

1. gomme [gɔm] n. f. Petit bloc de caoutchouc, servant à effacer le crayon ou l'encre : *Passer un coup de gomme sur son brouillon. Effacer d'un coup de gomme. Prêtez-moi votre gomme.* ◆ **gommer** v. tr. Effacer avec une gomme : *Gommer une tache d'encre.*

2. gomme [gɔm] n. f. Substance visqueuse suintant de certains arbres.

3. gomme (à la) [alagɔm] loc. adj. *Pop.* Se dit de ce qui, personne ou chose, n'a pas de valeur : *Une idée à la gomme. Un type à la gomme.*

4. gomme [gɔm] n. f. Pop. *Mettre (toute) la gomme,* forcer l'allure.

gommé, e [gɔme] adj. *Papier gommé,* papier collant dont la colle, sèche, n'agit qu'au contact d'un liquide.

gommeux [gɔmø] n. m. *Fam.* Jeune homme d'une élégance prétentieuse : *Un gommeux ridicule.*

gond [gɔ̃] n. m. **1°** Pièce métallique sur laquelle pivote un battant de porte ou de fenêtre : *La porte grince sur ses gonds.* — **2°** Fam. *Hors de ses gonds,* se dit de quelqu'un qui est hors de lui, furieux : *Mettre (jeter, faire sortir) quelqu'un hors de ses gonds. Il s'est longtemps contenu, mais, en entendant ce dernier reproche, il est sorti de ses gonds* (syn. : EXPLOSER).

gondole [gɔ̃dɔl] n. f. Barque vénitienne longue et plate, à un aviron : *Faire une promenade en gondole sur le Grand Canal, à Venise.* ◆ **gondolier** n. m. Batelier qui conduit une gondole.

1. gondoler [gɔ̃dɔle] v. intr. ou **gondoler (se)** v. pr. Se bomber, se gonfler en se déformant : *Une planche qui gondole. La cloison s'est gondolée.*

2. gondoler (se) [səgɔ̃dɔle] v. pr. *Pop.* Se tordre de rire. ◆ **gondolant, e** adj. *Pop.* Qui fait se tordre de rire : *Une histoire gondolante.*

gonfler [gɔ̃fle] v. tr. **1°** *Gonfler quelque chose,* le faire augmenter de volume sous l'action de l'air, de l'eau ou d'autre chose : *Gonfler un ballon. Faire gonfler les pneus de sa voiture. Le vent gonfle les voiles du bateau. L'orage a gonflé la rivière* (syn. : GROSSIR). *Gonfler sa poitrine.* — **2°** *Gonfler le cœur de quelqu'un,* en parlant d'un sentiment fort, envahir cette personne : *L'orgueil gonfle son cœur. Son cœur est gonflé de joie (d'indignation, d'enthousiasme, d'espoir). Le chagrin lui gonfla le cœur.* — **3°** *Gonfler une estimation, un résultat,* etc., les exagérer à dessein : *Gonfler le nombre des assistants.* — **4°** Fam. *Etre gonflé,* être plein de courage, d'ardeur ou d'impudence. ◆ v. intr. Augmenter de volume : *Le gâteau a gonflé. Le bois gonfle par l'humidité. Son genou s'est mis à gonfler* (syn. : ENFLER). ◆ ***se gonfler*** v. pr. **1°** (sujet nom de chose) Augmenter de volume : *Les eaux de la rivière se sont gonflées à la suite des dernières pluies. Les nuages se gonflent. Sa poitrine se gonflait.* — **2°** (sujet nom de personne ou de son cœur) *Se gonfler* (*de*), être envahi par (un sentiment) : *Il se gonfle d'orgueil. Son cœur se gonfle d'espoir;* et sans complément : *Son cœur se gonfle* (= il devient triste; syn. : IL A LE CŒUR GROS). — **3°** (sujet nom de personne et sans compl.) *Fam.* Etre plein de vanité : *Regarde-le, comme il se gonfle!* ◆ **gonflage** n. m. Action de gonfler. ◆ **gonflement** n. m. Etat de ce qui est gonflé. ◆ **gonfleur** n. m. Appareil servant à gonfler. ◆ **dégonfler** v. tr. **1°** *Dégonfler quelque chose,* faire disparaître son gonflement, son enflure; évacuer l'air ou le gaz d'un objet gonflé : *Appliquer des compresses humides pour dégonfler la partie malade. Dégonfler un pneu.* — **2°** Fam. *Dégonfler quelqu'un,* lui faire perdre toute assurance, tout courage. ◆ ***se dégonfler*** v. pr. **1°** (sujet nom de chose) Perdre son gonflement, perdre l'air ou le gaz qui gonflait : *Le ballon s'est dégonflé.* — **2°** (sujet nom de personne) *Pop.* Perdre son assurance, son courage : *Il s'est dégonflé dès qu'il s'est agi de passer à l'action.* ◆ **dégonflé, e** n. *Pop.* Lâche, peureux. ◆ **dégonflage** ou **dégonflement** n. m. : *Le dégonflage des pneus.* ◆ **regonfler** v. tr.

gong [gɔ̃g] n. m. Instrument de percussion qui sert à appeler : *Un coup de gong. Le gong a sonné.*

goret [gɔrɛ] n. m. **1°** Jeune cochon. — **2°** *Fam.* Enfant malpropre : *Petit goret!*

1. gorge [gɔrʒ] n. f. **1°** Gosier : *Avoir mal à la gorge. Avoir la gorge sèche. La fumée prend à la gorge. Un sanglot lui monte à la gorge. Cette bouchée faillit lui rester dans la gorge. S'éclaircir (se racler) la gorge.* ‖ *Cela m'est resté dans la gorge,* je ne peux pas l'admettre, l'oublier; ou je n'ai pas pu le dire. ‖ *Faire rentrer à quelqu'un ses mots dans la gorge,* le forcer à rétracter ses paroles. ‖ *Faire des gorges chaudes de quelque chose,* s'en moquer bruyamment et méchamment. ‖ *A gorge déployée,* (rire) bruyamment. ‖ *Rendre gorge,* restituer ce qu'on avait pris d'une manière illicite. — **2°** Partie antérieure du cou : *Il lui saute à la gorge. Saisir quelqu'un à la gorge.* ‖ *Se couper la gorge,* s'entretuer. ‖ *Prendre quelqu'un à la gorge,* le mettre dans une situation matérielle ou morale où il n'ait plus de recours. ‖ *Tenir quelqu'un à la gorge,* le tenir à sa merci, lui avoir enlevé tout recours (financier, moral). ‖ *Mettre à quelqu'un le couteau sur* ou *sous la gorge,* le forcer à faire quelque chose. ◆ **gorger** v. tr. **1°** *Gorger quelqu'un,* le nourrir avec excès : *Gorger un enfant de sucreries.* — **2°** *Gorger quelqu'un* ou *quelque chose,* les remplir jusqu'à saturation : *Des terres gorgées d'eau. Gorger quelqu'un d'or et d'argent. Etre gorgé de bonheur.* ◆ **gorgée** n. f. Ce qu'on peut avaler de liquide en une seule fois : *Boire (prendre, avaler) une gorgée de café. Boire une grande gorgée d'eau. Boire à petites gorgées.* ◆ ***se gorger*** v. pr. Se remplir jusqu'à saturation, se bourrer avec excès : *Se gorger de pâtisseries, d'air pur.* (V. DÉGORGER, ENGORGER.)

2. gorge [gɔrʒ] n. f. Les seins de la femme (littér.) : *Avoir une gorge abondante, plantureuse, opulente* (syn. : POITRINE). *Une gorge naissante. Une gorge frémissante.* (V. SOUTIEN-GORGE.)

3. gorge [gɔrʒ] n. f. (surtout au plur.). Passage étroit entre deux montagnes : *Des gorges profondes. Les gorges du Tarn. Une gorge encaissée* (syn. : DÉFILÉ).

gorge-de-pigeon [gɔrʒdəpiʒɔ̃] adj. invar. Se dit d'une couleur à reflets changeants.

1. gorille [gorij] n. m. Grand singe d'Afrique.

2. gorille [gorij] n. m. *Fam.* Garde du corps d'un personnage officiel, d'un homme d'Etat, etc.

gosier [gozje] n. m. 1° Partie interne du cou : *Avoir le gosier serré* (syn. : GORGE). — 2° *Avoir le gosier en feu,* irrité par un mets épicé ou par une boisson forte. ‖ *Crier, chanter à plein gosier,* à tue-tête. ‖ Fam. *Avoir le gosier sec,* avoir soif.

gosse [gɔs] n. 1° *Fam.* Enfant, garçon ou fille : *Les gosses sortent de l'école* (syn. : GAMIN; pop. : MÔME). *Un gosse d'environ huit ans. Un sale gosse. Il a une femme et trois gosses.* — 2° Pop. *Un beau gosse, une belle gosse,* un beau garçon, une belle fille (en parlant d'adultes).

gothique [gɔtik] adj. *Architecture gothique,* ogivale. ‖ *Cathédrale (église) gothique,* de style ogival. ◆ n. m. *Le gothique,* le style gothique : *Le gothique ancien. Le gothique flamboyant.*

gouache [gwaʃ] n. f. 1° Peinture à l'eau où les couleurs sont opaques : *Peindre à la gouache.* — 2° Tableau peint selon cette technique : *Il a quelques jolies gouaches.*

gouailler [gwaje] v. intr. *Fam.* Plaisanter de façon vulgaire : *Il lui demanda en gouaillant si ce bain forcé lui avait rafraîchi les idées.* ◆ **gouailleur, euse** adj. Fam. *Ton (sourire) gouailleur,* moqueur et vulgaire.

gouape [gwap] n. f. Syn. de VOYOU.

goudron [gudrɔ̃] n. m. Résidu de distillation du charbon, utilisé surtout comme revêtement de route : *Une chaussée revêtue de goudron.* ◆ **goudronner** v. tr. Recouvrir de goudron : *Goudronner une route. Une route goudronnée. Du papier goudronné. De la toile goudronnée.* ◆ **goudronnage** n. m. : *Le goudronnage de la route.*

gouffre [gufr] n. m. 1° Trou extrêmement profond et large : *Un gouffre béant* (syn. : ABÎME). *Tomber dans un gouffre. Un gouffre s'ouvrait devant lui. Un gouffre souterrain. Explorer un gouffre. Descendre au fond d'un gouffre.* — 2° Immense tourbillon dans la mer : *Le gouffre du Malström.* — 3° Se dit de ce qui semble insondable, de ce qui anéantit : *Sombrer dans le gouffre de l'oubli. La misère est un gouffre. Ce procès est un gouffre* (= on y engloutit des sommes énormes). ‖ *Etre au bord du gouffre,* devant un danger grave et imminent. — 4° Se dit d'une personne insatiable : *Cet homme est un gouffre* (= il dilapide son argent).

goujat [guʒa] n. m. Personnage qui se conduit grossièrement, surtout envers une femme : *Se comporter comme un goujat. Traiter quelqu'un de goujat* (syn. : MUFLE). ◆ **goujaterie** n. f. Caractère du goujat; action d'un goujat : *Faire une goujaterie.*

goujon [guʒɔ̃] n. m. 1° Petit poisson de rivière : *Une friture de goujons.* — 2° Fam. *Taquiner le goujon,* pêcher en amateur.

goulée [gule] n. f. *Fam.* Grande gorgée : *Prendre (respirer, aspirer) une grande goulée d'air.*

goulet [gulɛ] n. m. Entrée étroite d'un port : *Le goulet de Brest.*

goulot [gulo] n. m. Col étroit d'un vase, d'une bouteille : *Le goulot d'une bouteille. Boire au goulot.*

goulu, e [guly] adj. et n. Se dit de quelqu'un (ou de son comportement) qui mange avec avidité ou qui montre de l'avidité pour quelque chose : *Il est goulu* (syn. : GOINFRE, GLOUTON). *C'est un goulu. Des regards goulus* (syn. : AVIDE). ◆ **goulûment** adv. : *Manger, boire goulûment.*

goupiller [gupije] v. tr. Pop. *Goupiller quelque chose,* l'arranger, le combiner : *Qu'est-ce qu'il est en train de goupiller?* (syn. fam. : FABRIQUER). *Ça s'est mal goupillé.*

1. goupillon [gupijɔ̃] n. m. 1° Instrument avec lequel on asperge d'eau bénite dans une cérémonie religieuse. — 2° Fam. *Le sabre et le goupillon,* l'Armée et l'Eglise.

2. goupillon [gupijɔ̃] n. m. Brosse cylindrique, à long manche, pour nettoyer les bouteilles.

gourbi [gurbi] n. m. *Fam.* Local mal tenu, habitation misérable (syn. : CAHUTE, ↑ TAUDIS).

gourd, e [gur, -urd] adj. *Avoir les doigts, les membres gourds,* engourdis par le froid.

1. gourde [gurd] n. f. Récipient portatif, muni généralement d'une enveloppe : *Porter sa gourde attachée à la ceinture. Remplir sa gourde d'eau.*

2. gourde [gurd] n. f. et adj. *Fam.* Se dit d'une personne dont la maladresse, la gaucherie révèle la bêtise, la stupidité : *Ce garçon est une vraie gourde. Quelle gourde que cette fille! Avoir l'air gourde.*

gourdin [gurdɛ̃] n. m. *Fam.* Gros bâton.

gourer (se) [səgure] v. pr. (sujet nom de personne). *Pop.* Se tromper. ◆ **gourante** n. f. *Pop.* Erreur.

gourmand, e [gurmɑ̃, -ɑ̃d] adj. et n. 1° Se dit de quelqu'un qui aime manger de bonnes choses, et qui en mange beaucoup : *Elle est très gourmande. Il est surtout gourmand de choses sucrées. Les gourmands s'en léchaient déjà les lèvres.* — 2° *Jeter des regards gourmands sur quelque chose, sur quelqu'un,* regarder avec un plaisir avide cette chose ou cette personne. (V. GOURMET.) ◆ **gourmandise** n. f. 1° Défaut du gourmand : *Manger avec gourmandise.* — 2° Mets dont on est friand, généralement sucrerie (syn. : BONBON).

gourmander [gurmɑ̃de] v. tr. Réprimander sévèrement (littér.) : *Un père gourmande son enfant.*

gourme [gurm] n. f. 1° Maladie de peau caractérisée par des croûtes : *Cet enfant a la gourme.*

— 2° *Jeter sa gourme,* en parlant d'un jeune homme, faire ses premières folies.

gourmé, e [gurme] adj. Se dit de quelqu'un (ou de son attitude) qui affecte un maintien grave (littér.) : *Air gourmé* (syn. : GUINDÉ). *Etre gourmé* (syn. : PRÉTENTIEUX).

gourmet [gurmɛ] n. m. Connaisseur raffiné en ce qui concerne la nourriture et le vin : *C'est un fin gourmet. Apprécier un repas en gourmet.* (V. GOURMAND.)

gourmette [gurmɛt] n. f. Chaîne de montre; bracelet à mailles aplaties.

gousse [gus] n. f. Fruit sec et allongé, à plusieurs graines.

gousset [gusɛ] n. m. Petite poche du gilet : *Glisser sa montre dans son gousset.*

goût [gu] n. m. I. GOÛT DE QUELQU'UN. **1°** Sens qui permet de discerner les saveurs des aliments : *La langue est l'organe du goût.* — **2°** Appétit, désir de manger : *N'avoir aucun goût pour les sucreries. Avoir du goût pour la charcuterie. N'avoir (ne prendre, ne trouver) goût à rien. Manger avec goût. Mettre quelqu'un en goût* (= lui donner envie de continuer). ‖ Pop. *Faire passer le goût du pain à quelqu'un,* le tuer. (V. GUSTATIF, ci-après.) — **3°** Penchant qui attire vers quelque chose ou vers quelqu'un : *Avoir du goût pour les mathématiques. Le goût de l'ordre (des livres, du risque). Prendre goût à ce qu'on fait* (= se mettre à aimer ce qu'on fait). *Faire quelque chose par goût. Avoir, prendre du goût pour quelqu'un. Trouver quelqu'un à son goût.* — **4°** (avec un adj.) Sens intuitif du beau et du laid, appliqué à des productions de l'esprit : *Vous avez bon goût, mauvais goût. Avoir le goût difficile, étroit, délicat, sévère. Avoir un goût vulgaire.* — **5°** (sans adj. ni compl.) Sens intuitif des valeurs esthétiques en général : *Avoir du goût. Manquer de goût. Une faute de goût. Etre habillé avec goût, sans goût. Homme de goût. Le goût ne s'apprend pas.* — **6°** (avec l'adj. possessif) Manière personnelle d'apprécier : *Juger selon (d'après) son goût. A mon goût.* ◆ **goûts** n. m. pl. L'ensemble des penchants, des préférences qui font la personnalité de chacun : *Nous avons des goûts communs. Avoir des goûts modestes, vulgaires.* ‖ *Des goûts et des couleurs, on ne discute pas,* chacun peut légitimement avoir ses préférences, voir les choses à sa manière.

II. GOÛT DE QUELQUE CHOSE. **1°** Saveur d'un aliment : *Cette viande a bon goût. Un plat sans goût. Cela a pris un goût de moisi (de brûlé, de fumée). Cette crème a un goût* (= un mauvais goût). — **2°** Sentiment causé par quelque chose : *La vie n'a plus de goût pour lui* (syn. : INTÉRÊT). *Ces souvenirs ont un goût amer.* — **3°** Se dit d'un objet, d'une création intellectuelle qui marque tel ou tel sens des valeurs esthétiques chez celui qui en est l'auteur ou le possesseur : *Un livre qui a des illustrations de mauvais goût. Une plaisanterie d'un goût douteux. Un costume de bon goût.* — **4°** *Dans le goût* (suivi d'un adj. ou d'un compl. du nom), dans la manière, le style : *Des nouvelles dans le goût français du XVIIIe siècle. Dans le goût de l'époque.* ‖ *Au goût du jour,* selon le genre à la mode : *Se mettre au goût du jour.* ◆ **arrière-goût** [arjɛrgu] n. m. **1°** Goût qui revient dans la bouche après qu'on a avalé certaines boissons ou certains aliments, et qui est très différent de celui qu'on a d'abord eu : *Ce vin a un arrière-goût amer.* — **2°** Souvenir vague qui subsiste chez quelqu'un après un événement, une épreuve de sa vie : *Toute cette amitié disparue me laissait un arrière-goût d'amertume.* ◆ **avant-goût** [avɑ̃gu] n. m. Première impression agréable ou désagréable, premier aperçu de ce que l'avenir peut apporter (employé surtout avec le verbe *donner*) : *Ces réalisations techniques donnent un avant-goût de ce que sera la vie future* (syn. : PRÉFIGURATION). *Cette page est un avant-goût de son roman.* ◆ **gustatif, ive** [gystatif, -iv] adj. Relatif au goût (sens 1) : *Sensibilité gustative.*

1. goûter [gute] v. tr. **1°** *Goûter un aliment, une boisson,* en sentir la saveur : *Goûter une sauce, un plat.* — **2°** *Goûter quelque chose,* le trouver bon, jouir d'un état de choses : *Goûter une gloire méritée. Goûter un repos, un bonheur bien acquis. Goûter le silence, le calme, l'ombre, la fraîcheur d'un lieu.* — **3°** *Goûter quelqu'un, l'œuvre de quelqu'un,* en sentir la valeur et y prendre plaisir : *Un peintre très goûté sous le second Empire. Goûter un livre. Goûter la poésie d'un tableau. Il n'a pas goûté la plaisanterie.* ◆ v. tr. ind. **1°** *Goûter à un plat, à un vin,* etc., en prendre alors qu'on n'en a pas encore mangé ou bu : *Goûtez à cette sauce. Goûtez-y.* — **2°** *Goûter d'un mets,* en prendre une petite quantité : *Goûtez de ce gâteau. Goûtez-en.* — **3°** *Goûter de quelque chose,* en faire l'expérience : *Goûter des plaisirs de la ville. Goûter de la province. Goûter de la prison* (syn. fam. : TÂTER).

2. goûter [gute] v. intr. Faire un léger repas dans l'après-midi : *Les enfants ont goûté à quatre heures.* ◆ **goûter** n. m. Léger repas que l'on prend dans l'après-midi : *Les enfants ont mangé leur goûter.*

1. goutte [gut] n. f. **1°** Très petite quantité de liquide, qui se détache avec une forme sphérique : *Une goutte d'eau. La pluie commence à tomber à petites gouttes, à grosses gouttes.* ‖ *Avoir la goutte au nez,* avoir le nez qui coule. ‖ *Goutte à goutte,* goutte après goutte. ‖ *Une goutte d'eau dans la mer,* une quantité insignifiante, qui ne saurait influer sur le résultat. ‖ *C'est la goutte d'eau qui fait déborder le vase,* cela met le comble à la mesure. ‖ *Se ressembler comme deux gouttes d'eau,* se ressembler parfaitement. — **2°** Très petite quantité de boisson : *J'en boirai juste une goutte. Boire une goutte de vin.* ‖ Fam. *Boire la goutte,* boire un petit verre d'eau-de-vie. ◆ **gouttes** n. f. pl. Médicament que l'on prend sous forme de gouttes : *Prendre ses gouttes.* ◆ **gouttelette** n. f. Petite goutte.

2. goutte [gut] n. f. Maladie caractérisée notamment par des douleurs articulaires. ◆ **goutteux, euse** adj. et n. Qui est atteint de la goutte : *Un médicament pour les goutteux.* ◆ adj. Se dit de ce qui concerne la goutte : *Une affection goutteuse.*

3. goutte [gut] n. f. *Ne voir, n'entendre, ne comprendre goutte,* ne rien voir, entendre, comprendre (littér.) : *On n'y voit goutte ici. Je n'y entends goutte, à votre affaire.*

gouttière [gutjɛr] n. f. **1°** Conduite métallique placée à la base d'un toit pour recueillir l'eau de pluie : *L'eau gargouille dans la gouttière.* — **2°** *Chat de gouttière,* chat d'espèce commune.

gouvernail [guvɛrnaj] n. m. 1° Partie d'un bateau, d'un avion qui assure sa direction. — 2° *Abandonner le gouvernail,* abandonner la direction des affaires (du gouvernement, d'une grande entreprise). ‖ *Etre au gouvernail,* occuper un poste de direction. ‖ *Tenir le gouvernail,* diriger.

gouvernant, e [guvɛrnɑ̃, -ɑ̃t] adj. Qui gouverne un pays : *La classe gouvernante.* ◆ **gouvernants** n. m. pl. *Les gouvernants,* les hommes qui possèdent le pouvoir politique : *Il y a les gouvernants d'un côté et les gouvernés de l'autre.*

gouvernante [guvɛrnɑ̃t] n. f. Femme chargée de la garde et de l'éducation d'un ou de plusieurs enfants : *Les enfants sont sortis avec la gouvernante* (syn. : INSTITUTRICE).

gouverne [guvɛrn] n. f. *Pour ma (ta, sa, notre, votre, leur) gouverne,* pour servir de règle de conduite (comme rappel à l'ordre, dans le style de la conversation) : *Sachez, pour votre gouverne, qu'il est interdit de fumer dans le bureau.*

gouvernement [guvɛrnəmɑ̃] n. m. 1° Ensemble des membres d'un même ministère, en régime parlementaire : *Constituer (former) le gouvernement* (syn. : CABINET). *Le Premier ministre a présenté son gouvernement. Entrer au gouvernement. Soutenir, faire tomber le gouvernement.* — 2° Autorité politique qui gouverne un pays : *Le gouvernement français (anglais, russe,* etc.). *Un gouvernement fort, stable* (contr. : FAIBLE, INSTABLE). *La lourde machine du gouvernement.* — 3° Constitution politique : *Le gouvernement monarchique. Vivre sous un gouvernement républicain.* — 4° Action d'exercer l'autorité politique : *La pratique, l'exercice du gouvernement. Une méthode de gouvernement. L'art du gouvernement.* — 5° *Le gouvernement de soi-même,* la maîtrise de soi (littér.). ◆ **gouvernemental, e, aux** adj. 1° Qui concerne le ministère : *La politique gouvernementale. L'équipe gouvernementale.* — 2° Qui soutient le ministère : *Un journal gouvernemental.* ◆ **antigouvernemental, e, aux** adj. : *Campagne de presse antigouvernementale.*

gouverner [guvɛrne] v. tr. 1° Exercer l'autorité politique sur : *Gouverner un pays, un Etat, un peuple, une nation.* — 2° (sans compl.) Avoir entre ses mains l'autorité : *Gouverner sagement* (syn. : DIRIGER). *Gouverner en tyran. Ceux qui gouvernent. Ici, ce ne sont pas les parents qui gouvernent, mais les enfants* (syn. : COMMANDER). *Gouverner, c'est prévoir.* — 3° *Gouverner ses sentiments, son cœur, sa pensée,* etc., les dominer, les maîtriser (littér.). — 4° (sujet nom de chose) *Gouverner quelqu'un,* exercer une influence puissante sur lui : *Une idée surtout le gouverne. C'est la jalousie qui le gouverne. La raison gouverne les sens. Nous ne savons rien des mobiles qui gouvernent ses faits et gestes.* — 5° *Gouverner une barque, un navire, une péniche,* la diriger, diriger ses manœuvres. — 6° *Gouverner (mener) sa barque,* diriger seul ses affaires. ◆ ***se gouverner*** v. pr. Se conduire volontairement de telle ou telle manière. ◆ **gouverneur** n. m. *Gouverneur militaire,* général mis à la tête d'une place (Paris, Metz, Lyon, etc.). ‖ *Gouverneur de la Banque de France,* directeur de la Banque de France.

grabat [graba] n. m. Lit misérable, lit où l'on souffre (littér.) : *Etre étendu sur un grabat. Un infirme cloué sur son grabat.* ◆ **grabataire** adj. et n. Se dit d'un malade qui ne quitte pas le lit.

grabuge [grabyʒ] n. m. Fam. *Faire du grabuge,* faire du scandale : *Ça va faire du grabuge* (syn. fam. : FAIRE DU VILAIN). ‖ Fam. *Il y a du grabuge,* de la bataille (syn. : DE LA BAGARRE).

1. grâce [grɑs] n. f. 1° Faveur, avantage librement accordés : *Demander (solliciter, obtenir, recevoir, accorder, octroyer) une grâce. Il nous a fait la grâce d'accepter notre invitation* (souvent ironiq.). *Vous me faites trop de grâce* (syn. : HONNEUR). ‖ *Etre en grâce, rentrer en grâce auprès de quelqu'un,* être en faveur auprès de lui, obtenir son pardon. ‖ *Donner à quelqu'un un délai (un jour,* etc.) *de grâce,* un délai supplémentaire par faveur spéciale. ‖ *Donner (porter) le coup de grâce à quelqu'un,* l'achever, lui porter un coup définitif, alors qu'il est en difficulté (financière, etc.). — 2° Aide surnaturelle accordée par Dieu en vue du salut : *Avoir, demander la grâce. Les sacrements fortifient la grâce. Dieu accorde sa grâce.* ‖ *A la grâce de Dieu,* comme il plaira à Dieu (en laissant les choses se faire toutes seules). ‖ *C'est la grâce que je vous souhaite,* c'est le bonheur, la faveur que je vous souhaite. ‖ *L'an de grâce...,* se dit des années de l'ère chrétienne. • Loc. ADV. *De grâce,* je vous en prie (littér.). ◆ **grâces** n. f. pl. *Les bonnes grâces de quelqu'un,* ses faveurs : *Rechercher, gagner, se concilier, perdre les bonnes grâces de... Chercher à entrer dans les bonnes grâces de son chef.*

2. grâce [grɑs] n. f. 1° *Rendre grâce* (ou *rendre grâces) à quelqu'un,* le remercier (langue relig. ou littér.) : *Rendre grâce à Dieu pour les bienfaits dont on est comblé. Tout un peuple qui rend grâce à son libérateur.* — 2° *Action de grâces,* manifestation de gratitude; prière adressée à Dieu en reconnaissance de ses dons : *Un cantique d'action de grâces. Se recueillir pour faire son action de grâces après la communion.* — 3° *Dire les grâces,* faire la prière qui rend grâces à Dieu après le repas.

3. grâce [grɑs] n. f. 1° Pardon bénévole, remise d'une peine : *Le condamné à mort a été avisé que sa grâce lui avait été accordée par le président de la République.* — 2° *Faire grâce à quelqu'un de quelque chose,* l'en dispenser, le lui épargner : *Faites-moi grâce de vos observations* (= dispensez-vous de me les faire). — 3° S'emploie souvent sans article, dans diverses locutions : *Faire grâce à quelqu'un. Faire grâce à quelqu'un d'une peine. Le droit de grâce. Un recours en grâce.* ‖ *Demander, crier grâce,* se déclarer vaincu, à bout de forces. ‖ *Grâce!,* interj. pour implorer le pardon, la pitié (littér.). ◆ **gracier** v. tr. *Gracier un condamné,* lui remettre sa peine ou la commuer en une peine moins grave : *Le président de la République peut gracier un condamné à mort.*

4. grâce [grɑs] n. f. 1° Beauté, charme dans l'attitude, les mouvements d'une personne, d'un animal, ou l'aspect d'une chose : *Avoir de la grâce* (syn. : CHARME). *La grâce est une chose fugitive. Une grâce nonchalante. La grâce d'un enfant, d'une jeune fille, d'une gazelle. Grandir en beauté et en grâce. Des mouvements pleins de grâce* (syn. : ÉLÉGANCE). *Un corps sans grâce. La grâce d'une attitude. Admirer la grâce d'un bouquet.* — 2° Elégance du style : *S'exprimer avec grâce.* — 3° *Bonne, mauvaise grâce,* bonne, mauvaise volonté. ‖ *De* *bonne grâce,* spontanément, avec bonne volonté : *Faire quelque chose (s'exécuter) de bonne grâce* (syn. : VOLONTIERS). ‖ *Avoir mauvaise grâce à,* être mal placé pour : *Vous auriez mauvaise grâce à vous plaindre.* ◆ **gracieux, euse** adj. : *Un corps jeune et gracieux. Des gestes gracieux.* ◆ **gracieusement** adv. : *Une jeune fille qui salue gracieusement l'assistance.* ◆ **gracieusetés** n. f. pl. Amabilités : *Faire mille gracieusetés à quelqu'un.*

5. grâce [grɑs] n. f. LOC. PRÉP. *Grâce à (quelqu'un* ou *quelque chose),* exprime une valeur causale et implique un résultat heureux (opposée à *par suite de, à cause de, par la faute de, du fait de*) : *C'est grâce à vous que nous sommes là. Grâce à vos conseils, j'ai évité une catastrophe. Grâce à ce renseignement, la police a mis la main sur le coupable.* ‖ *Grâce à Dieu,* par bonheur : *Grâce à Dieu, nous sommes arrivés à temps!*

gracieux, euse [grasjø, -øz] adj. *A titre gracieux,* gratuitement, bénévolement : *Faire une chose à titre gracieux.* ‖ *Prêter à quelqu'un un concours gracieux,* gratuit, bénévole. ◆ **gracieusement** adv. Gratuitement : *Offrir gracieusement quelque chose. Une prime est remise gracieusement par la maison à tout acheteur.* ◆ **gracieuseté** n. f. Gratification librement accordée : *Faire une gracieuseté à un employé.* (V. aussi GRÂCE 4.)

gracile [grasil] adj. Qui a une grâce fragile : *Un enfant gracile. Un corps gracile* (syn. : FRÊLE). ◆ **gracilité** n. f. : *Une gracilité enfantine.*

gradation [gradasjɔ̃] n. f. Progression par degrés : *Une gradation insensible. Une gradation savante. Une suite de gradations.*

grade [grad] n. m. 1° Degré de la hiérarchie militaire : *Le grade de lieutenant. Les insignes de son grade. Avancer (monter) en grade.* — 2° *Grades universitaires,* titres décernés par les facultés : *Le grade de bachelier, de licencié.* — 3° Fam. *En prendre pour son grade,* recevoir une sévère réprimande. ◆ **gradé** n. m. et adj. Militaire qui a un grade inférieur à celui d'officier : *Tous les gradés de la compagnie. Il n'est pas gradé.*

gradin [gradɛ̃] n. m. Chacun des bancs superposés d'un amphithéâtre : *Le public commence à remplir (garnir, s'entasser sur) les gradins.*

graduer [gradɥe] v. tr. 1° Augmenter par degrés : *Graduer les effets. Graduer les difficultés, l'intérêt de quelque chose. Des exercices gradués.* — 2° Diviser en degrés : *Graduer un thermomètre. Une règle graduée.* ◆ **graduation** n. f. Division par degrés. ◆ **graduel, elle** adj. Qui progresse par degrés : *Un réchauffement graduel.* ◆ **graduellement** adv.

graffiti [grafiti] n. m. pl. Inscriptions, dessins griffonnés sur un mur : *Des graffiti obscènes, politiques.*

1. graillon [grɑjɔ̃] n. m. Mauvaise odeur de graisse : *Une cuisine qui sent le graillon.*

2. graillon [grɑjɔ̃] n. m. *Pop.* Mucosité dans la gorge. ◆ **graillonner** v. intr. *Pop.* Tousser, se racler la gorge pour en expulser des mucosités.

1. grain [grɛ̃] n. m. 1° Fruit ou semence d'une céréale : *Des grains de riz, de blé. Récolter (semer, vanner, cribler, rentrer, moudre) le grain* (ou *les grains*). *Le commerce des grains. De l'eau-de-vie de grain. Un poulet de grain* (= nourri exclusivement de grain). — 2° Petit fruit d'autres plantes : *Des grains de raisin. Des grains de café.* ‖ *Le bon grain,* les hommes de bien (littér.) : *Séparer l'ivraie du bon grain* (allusion à une parabole évangélique). — 3° *Grains d'un collier, d'un chapelet,* etc., perles, petites billes qui les composent. — 4° Fragment infime de matière : *Un grain de métal (de sable, de poussière, de sel).* — 5° Aspect plus ou moins marqué d'aspérités d'une surface : *Le grain d'un cuir, d'une pierre.* — 6° Fam. *Mettre son grain de sel,* se dit d'une personne qui se mêle d'une conversation qui ne la regarde pas. ‖ *Grain de beauté,* petite tache brune de la peau. ‖ *Un grain de* (et un nom abstrait), petite quantité de... : *Un grain de bon sens. Un grain de folie;* et *fam.,* sans complément : *Avoir un grain* (*avoir un petit grain*), être légèrement fou. ◆ **granulé** n. m. Petit grain. ◆ **granulé, e** adj. Qui se présente sous forme de

GRADES MILITAIRES EN FRANCE

	armée de terre armée de l'air	armée de mer
OFFICIERS	général d'armée général de corps d'armée général de division général de brigade colonel lieutenant-colonel commandant chef de bataillon (ou d'escadron) capitaine lieutenant sous-lieutenant aspirant	amiral vice-amiral d'escadre vice-amiral contre-amiral capitaine de vaisseau capitaine de frégate capitaine de corvette lieutenant de vaisseau enseigne de vaisseau de 1re classe enseigne de vaisseau de 2e classe aspirant
SOUS-OFFICIERS	adjudant-chef adjudant sergent-major (ou maréchal des logis-major) sergent-chef (ou maréchal des logis-chef) sergent (ou maréchal des logis)	maître principal premier maître maître second maître de 1re classe second maître de 2e classe
HOMMES DE TROUPE (ou MARINS)	caporal-chef (ou brigadier-chef) caporal (ou brigadier) soldat de 1re classe	quartier-maître de 1re classe quartier-maître de 2e classe matelot breveté

petits grains. ◆ **granulation** n. f. Réduction en petits grains. ◆ **granuleux, euse** adj. Divisé en petits grains.

2. grain [grɛ̃] n. m. 1° Averse brusque : *C'est un (petit) grain. Ce n'est qu'un grain.* — 2° *Veiller au grain,* prendre ses précautions. ‖ *Voir venir le grain,* prévoir un danger.

graine [grɛn] n. f. 1° Semence d'une plante : *De la graine de poireaux. Des graines d'œillets. Semer des graines. Monter en graine* (= produire sa semence, en parlant d'une plante). — 2° Fam. *En prendre de la graine,* s'inspirer de quelqu'un ou de quelque chose comme d'un modèle : *Lis, et prends-en de la graine!* ‖ Péjor. *Mauvaise graine,* se dit d'enfants dont on ne pense rien de bon, d'adultes qui ont mal tourné : *C'est de la mauvaise graine.* ‖ Péjor. *Graine de* (*voyou, assassin,* etc.), individu qui prend le chemin d'être un ... ◆ **grainetier, ière** [grɛntje, -jɛr] n. Commerçant en graines, oignons, bulbes, etc. ◆ **graineterie** n. f. Commerce, magasin de grainetier. (V. ÉGRÉNER.)

1. graisse [grɛs] n. f. 1° Substance onctueuse, répandue dans les tissus sous la peau des hommes, des animaux : *Une couche de graisse. Avoir de la graisse* (= avoir un excès de graisse). *Prendre de la graisse* (= devenir trop gras). *Avoir de la mauvaise graisse* (= une accumulation malsaine de graisse). ‖ *C'est une boule de graisse, il est noyé dans la graisse, il est bouffi de graisse,* se disent d'individus excessivement gras. — 2° Substance onctueuse, animale ou végétale, employée en cuisine : *Faire fondre de la graisse d'oie. Une odeur de graisse. Faire des frites à la graisse végétale. Ne pas digérer la graisse.* ◆ **dégraisser** v. tr. *Dégraisser de la viande, du bouillon,* en retirer la graisse. ◆ **engraisser** v. tr. *Engraisser un animal, une personne,* les rendre plus gras : *Un éleveur qui engraisse des porcs. Ce régime alimentaire l'a un peu engraissé.* ◆ v. intr. et ***s'engraisser*** v. pr. Devenir plus gras : *En un an, elle a engraissé de trois kilos* (syn. : GROSSIR). ◆ **engraissement** ou **engraissage** n. m. : *L'engraissement des volailles.*

2. graisse [grɛs] n. f. Tout corps gras utilisé comme lubrifiant ou pour protéger : *Des graisses minérales. De la graisse d'armes. Mettre de la graisse sur une machine. Un mécanicien qui a les mains pleines de graisse. Une tache de graisse.* ◆ **graisser** v. tr. 1° Enduire de graisse pour entretenir en bon état : *Graisser une machine, une voiture. Graisser ses chaussures.* — 2° Tacher de graisse : *Graisser son pull-over.* — 3° Fam. *Graisser la patte à quelqu'un,* lui donner de l'argent pour obtenir de lui un service. ◆ **graissage** n. m. Action de graisser un moteur, un mécanisme : *Faire faire le graissage et la vidange de sa voiture.* ◆ **graisseux, euse** adj. Taché de graisse : *Une blouse graisseuse. Un carnet graisseux.* ◆ **dégraisser** v. tr. *Dégraisser un tissu, des cheveux,* etc., en ôter les taches de graisse, faire disparaître ce qui les graisse. ◆ **dégraissage** n. m. : *Le dégraissage de la laine.*

grammaire [grammɛr] n. f. 1° Etude scientifique des structures morphologiques et syntaxiques d'une langue, c'est-à-dire des caractéristiques formelles des mots et des rapports entretenus entre les membres d'une phrase ou d'un groupe de termes; livre consacré à cette étude : *Les constatations de la* GRAMMAIRE DESCRIPTIVE *peuvent être érigées en règles permanentes, enseignées dans les classes afin d'amener les membres d'une communauté linguistique à éviter les écarts qui sont jugés des incorrections ou des fautes* (GRAMMAIRE NORMATIVE). *La* GRAMMAIRE HISTORIQUE *étudie le développement de ces structures dans le temps, tandis que la* GRAMMAIRE COMPARÉE *procède à des comparaisons entre les structures de différentes langues et que la* GRAMMAIRE GÉNÉRALE *s'efforce de distinguer les lois communes à toutes les langues. Les classes de grammaire (6ᵉ, 5ᵉ, 4ᵉ des lycées et collèges). Apprendre dans sa grammaire les règles d'accord des participes.* — 2° Ensemble des règles particulières à une technique, à une science : *La grammaire du cinéma est faite d'un ensemble de principes et de méthodes dont le metteur en scène usera librement.* ◆ **grammairien, enne** n. Personne qui étudie ou enseigne la grammaire, qui en connaît les règles : *Ce romancier est un bon grammairien.* ◆ **grammatical, e, aux** adj. : *Donner des exercices grammaticaux à des élèves. L'analyse grammaticale étudie la fonction des mots dans une proposition.*

gramme [gram] n. m. V. MESURE, *Unités de mesure.*

grand ([grɑ̃, -ɑ̃d]; devant un nom ou un adjectif à initiale vocalique, on articule un [t] de liaison : *grand arbre* [grɑ̃tarbr]) adj. I. SANS VALEUR SPÉCIALEMENT INTENSIVE. 1° (normalement, *grand* précède le nom, sauf cas d'obligation grammaticale ou effet de style) Se dit d'un être animé adulte qui est de taille élevée : *Un homme grand* (cf. UN GRAND HOMME en II, 4°). *Une grande femme. Une femme grande. Un grand rhinocéros. Un grand gars* (= un gars grand et fort, un gars grand comme son père). *Les grandes personnes* (= les adultes, par oppos. aux enfants). — 2° En parlant des enfants, l'idée de croissance en âge s'adjoint à celle de taille élevée (seul le contexte détermine laquelle l'emporte) : *Vous avez de grands enfants déjà. Un grand garçon, une grande fille* (= qui a grandi). *Il est grand pour son âge* (= de taille élevée). *Tu es grand maintenant* (= tu n'es plus un petit enfant). *Cet enfant est grand et maigre. Se faire grand* (= grandir). *Etre assez grand pour* (= être capable de). — 3° Se dit des parties du corps humain qui sont de dimensions considérables par rapport à une moyenne : *Avoir de grands yeux. Un grand nez. De grands pieds.* ‖ *Ouvrir de grands yeux,* marquer son étonnement, sa curiosité. — 4° Se dit de toute chose qui a des dimensions très étendues : *Une grande forêt. Un grand immeuble. Une grande ville. Un grand fleuve.* — 5° Se dit de phénomènes de la nature ou d'actions humaines qui se distinguent par leur intensité relative : *Il fait un grand froid. Il souffle un grand vent. Les grandes marées. Les grandes eaux de Versailles. Les grandes chaleurs. Un grand bruit. Faire de grands éclats de voix. Un grand soupir. Un grand coup de poing. Faire de grandes provisions. De grandes dépenses. Le grand air* (= l'air vif du dehors). — 6° Se dit de la modalité d'une mesure de l'espace ou du temps qui atteint une importance considérable, d'une mesure difficilement appréciable : *Descendre à une grande profondeur. Parvenir à un grand âge. Sur une grande surface. Sur une grande échelle.* — 7° (précédé d'un nombre et suivi d'un nom de mesure, généralement du temps) Qui dépasse en réalité la mesure indiquée ou semble la dépasser : *Attendre deux grandes heures* (syn. : LONG). *Un grand quart d'heure* (syn. : BON). *Un grand mois.*

II. AVEC VALEUR INTENSIVE. 1° (formant avec un verbe et un nom sans article une locution toute faite) Qui est considérable : *Avoir grand besoin de. Faire grand cas de. Faire grand tort. Cela vous fera le plus grand bien. Je n'y vois pas grand mal. Vous aurez grand avantage à. Avoir grand air* (littér.). *Avoir grande allure. Aller grand train* (littér. = très vite). *Il n'y a pas grand monde;* à la forme masculine avec un nom féminin : *Avoir grand faim, grand soif, grand peur.* — 2° (formant une locution adverbiale avec une préposition et un nom sans article) Même sens : *Boire à grands traits. A grands frais. A grande eau. Au grand complet. A grande vitesse. Au grand jamais. De grand matin. A grand-peine. Au grand jour* (= à la lumière du soleil). — 3° (formant avec un nom, précédé le plus souvent de l'article défini, un mot composé à valeur de superlatif absolu; se trouve surtout avec des noms désignant des phénomènes sociaux) Qui est le plus considérable, le principal : *La Grande Guerre. La Grande Armée. Le Grand Siècle. Les grandes puissances* (*une grande puissance*). *Les grands trusts. Les grands patrons. La grande industrie. Les grandes écoles* (*une grande école*). *Le grand jour* (*c'est un grand jour*). *Les grands crus* (*un grand bourgogne*). *Le grand art.* ‖ *Mener la grande vie,* mener une vie somptueuse. — 4° Se dit de l'homme, du point de vue de sa qualité, de sa condition, de sa situation, qui réalise cette qualité, cette condition, cette situation à un degré exceptionnel : *Un grand homme* (= un homme célèbre, qui a réalisé de grandes choses). *Un grand poète. Un grand travailleur. Un grand buveur. Un grand imbécile. Un grand brûlé. Un grand blessé. Un grand seigneur, une grande dame* (= se disent des gens qui se conduisent comme tels). — 5° Avec des titres : *Grand officier de la Légion d'honneur.* ‖ Précédé de l'article défini, se dit d'une dignité accordée à un seul homme : *Le grand prêtre. Le grand veneur.* — 6° Se dit d'actions, d'œuvres, de qualités humaines qui sont particulièrement remarquables : *Une grande civilisation. Un grand cœur. Une grande âme. Un grand cerveau. Un exploit de grande classe. De grands mots* (péjor. : = des mots déclamatoires et qu'on estime vides de sens). — 7° (précédant un nom propre) Qui dépasse tous les autres en mérite : *Le grand Molière. Le Grand Condé. Le Grand Frédéric.* ‖ (suivant le nom propre) Titre de gloire qui joue également un rôle distinctif : *Louis le Grand. Pierre le Grand.* ◆ **grand** adv. 1° *Grand ouvert,* tout à fait ouvert (*grand* est senti par certains comme invariable) : *Portail grand ouvert. Porte grande ouverte. Les yeux grands ouverts* (moins souvent *grand ouverts*). *Les fenêtres grandes ouvertes* (ou *grand ouvertes*). — 2° *Voir grand,* avoir de vastes ambitions; concevoir des projets grandioses : *Il ne faut pas craindre de voir grand.* ● LOC. ADV. *En grand,* sur une vaste échelle; loin de toute mesquinerie : *Faire quelque chose en grand. Voir les choses en grand.* ◆ **grand, e** n. Se dit, dans le milieu scolaire, des enfants les plus âgés (par oppos. aux petits) : *C'est un grand qui l'a fait tomber dans la cour. La cour des grandes. Se conduire comme un grand.* ‖ *Fam.* (ou *plaisamment*) *Mon grand, ma grande,* se dit en s'adressant à un enfant. ◆ **grand** n. m. 1° *L'infiniment grand* (par oppos. à l'infiniment petit), l'univers à l'échelle de l'astronomie. — 2° *Les Grands* ou *les grands,* les plus hauts personnages de la noblesse, sous l'Ancien Régime. — 3° *Les quatre grands, les deux grands,* etc., se dit des grandes puissances mondiales. ◆ **grand-chose** pron. indéf. *Ne... pas grand-chose,* presque rien : *Cela ne vaut pas grand-chose* (= cela ne vaut pas cher). *Ce n'est pas grand-chose* (= c'est peu de chose). *Il n'en sortira pas grand-chose* (= il n'y aura guère de résultat positif). *Il n'en sortira pas grand-chose de bon* (= il ne peut en sortir que quelque chose de mauvais). ◆ n. invar. *Fam. Un* (*une, des*) *pas grand-chose,* se dit d'une personne pour qui l'on éprouve du mépris. ◆ **grandement** adv. 1° (modifiant un verbe) Vraiment, beaucoup : *Vous vous trompez grandement* (syn. : DE BEAUCOUP). — 2° (modifiant un adjectif ou un adverbe) Indique un degré atteint sans peine : *Vous en avez grandement assez comme ça* (syn. : LARGEMENT, AMPLEMENT). ◆ **grandeur** n. f. 1° Qualité d'une personne qui réunit en elle la puissance et la gloire : *La grandeur d'un conquérant. La grandeur de Napoléon.* — 2° Élévation morale, intellectuelle : *Grandeur et misère de l'homme. Grandeur d'âme.* — 3° Condition sociale élevée : *Servitude et grandeur militaires.* — 4° Qualité d'une œuvre intellectuelle remarquable par sa puissance : *La grandeur d'une symphonie, d'une épopée.* — 5° (sans compl., ou avec un compl. nom abstrait) Puissance morale ou matérielle (selon le contexte) : *Admirer la grandeur. Une politique de grandeur. La grandeur d'une entreprise. La grandeur d'un sacrifice, d'un danger.* — 6° (au plur.) *Péjor.* La gloire dans son aspect le plus pompeux, le plus vain : *Avoir la folie des grandeurs.* — 7° Qualité d'un objet matériellement grand : *La grandeur d'une maison.* — 8° *Ordre de grandeur,* dimension ou quantité approximative : *De quel ordre de grandeur seront les dépenses?* — 9° *Regarder quelqu'un du haut de sa grandeur,* le regarder de haut en bas, avec dédain, le toiser. ● LOC. ADJ. *Grandeur nature,* qui représente quelque chose selon ses dimensions réelles : *Faire un dessin grandeur nature.* ◆ **grandiloquence** [grɑ̃dilɔkɑ̃s] n. f. Utilisation abusive des grands mots, du style oratoire : *La grandiloquence révolutionnaire.* ◆ **grandiloquent, e** adj. Qui s'exprime ou qui est exprimé avec grandiloquence : *Une personne grandiloquente. Un discours grandiloquent.* ◆ **grandiose** [grɑ̃djoz] adj. Qui impressionne par sa grandeur physique ou morale : *Un spectacle grandiose. Un drame grandiose.* ◆ **grandir** [grɑ̃dir] v. intr. 1° (sujet nom d'être animé ou de plante) Devenir plus grand : *Cet arbre a grandi* (syn. : POUSSER, ALLONGER). *Cet enfant a grandi de plusieurs centimètres. On a trouvé votre fils bien grandi. Comme il a grandi!* — 2° (sujet nom désignant un phénomène physique ou moral) Devenir plus important : *Le bruit grandissait toujours plus* (syn. : AUGMENTER). *Le malaise* (*l'inquiétude*) *ne fait que grandir* (syn. : CROÎTRE, S'ACCROÎTRE). — 3° *Grandir en force, en beauté, en sagesse,* etc., devenir plus grand, plus beau, plus sage, etc. — 4° *Sortir grandi de,* retirer un bénéfice moral de : *Il sort grandi de ces difficultés.* ◆ v. tr. 1° (sujet nom de chose) Faire paraître plus grand : *Elle portait des talons qui la grandissaient.* — 2° (sujet nom abstrait) Donner plus de prestige : *Le succès l'a grandi à ses propres yeux.* ◆ **se grandir** v. pr. Se faire paraître plus grand qu'on n'est : *Se grandir en se haussant sur la pointe des pieds.* ◆ **grandissant, e** adj. Se dit d'un phénomène physique ou moral qui grandit sans cesse : *Un bruit grandissant. Une inquiétude grandissante* (syn. : CROISSANT). [V. AGRANDIR.]

grand-père [grɑ̃pɛr], **grand-mère** [grɑ̃mɛr] n. 1° Père (ou mère) du père ou de la mère d'une personne : *Grands-pères maternel et paternel. Avoir ses deux grands-mères* (ou *grand-mères*). *Devenir grand-père. L'art d'être grand-père.* — 2° Vieillard quelconque : *Un bon vieux grand-père. On a rencontré une bonne grand-mère sur le petit chemin.* — 3° *Du temps de nos grands-mères,* il y a très longtemps. ◆ **grands-parents** n. m. pl. Le grand-père et la grand-mère, du côté paternel ou maternel, ou des deux côtés. (V. PARENTÉ.)

grand-rue [grɑ̃ry] n. f. Rue principale d'un village ou d'une bourgade : *Des grand-rues.*

grange [grɑ̃ʒ] n. f. Bâtiment rural qui sert à abriter la paille, le foin, les récoltes. ◆ **engranger** v. tr. Mettre dans une grange : *Engranger du blé, de la paille.*

granit ou **granite** [granit] n. m. 1° Roche dure, cristalline et grenue : *Un bloc de granit. Un monument de granit.* — 2° *Cœur de granit,* insensible (syn. : CŒUR DE PIERRE). ◆ **granité, e** adj. Qui présente des grains comme le granit.

granulé n. m., **granulation** n. f. V. GRAIN 1.

graphie [grafi] n. f. ou **graphisme** [grafism] n. m. Manière d'écrire un mot (langue scientif.) : *Ecrire un nom propre sans fautes de graphie* (syn. usuel : ORTHOGRAPHE). ◆ **graphique** adj. Qui représente par des signes ou des lignes : *L'écriture est la manière de transcrire les mots au moyen d'un système de signes graphiques nommé « alphabet ». Les arts graphiques comportent l'ensemble des procédés d'impression utilisés à des fins artistiques, comme la gravure, la typographie et la photographie.* ◆ **graphique** n. m. Courbe représentant les variations d'une grandeur. ◆ **graphème** n. m. Syn. de LETTRE. ◆ **graphologie** n. f. Etude de l'écriture en fonction des indications qu'elle peut fournir sur le caractère de son auteur. ◆ **graphologique** adj. : *Une expertise graphologique.* ◆ **graphologue** n. : *Soumettre une lettre à l'examen d'un graphologue.*

grappe [grap] n. f. 1° Groupe de fleurs ou de fruits poussant sur une tige commune : *Une grappe de lilas. Manger une grappe de raisins* (ou simplem. *une grappe*). — 2° Assemblage d'objets imitant cette forme : *Les fourmis déposent leurs œufs en grappes. Des oignons qui sont accrochés en grappes, par grappes.* — 3° Groupe serré d'êtres animés : *Des grappes d'enfants s'accrochent aux touristes. Des grappes humaines.*

grappiller [grapije] v. tr. ou intr. 1° *Grappiller quelque chose,* recueillir de côté et d'autre des restes épars : *Grappiller des cerises. Grappiller des nouvelles.* — 2° (sans compl.) *Fam.* et *péjor.* Faire de menus gains : *Grappiller à droite et à gauche.* ◆ **grappillage** n. m. ◆ **grappilleur, euse** adj. et n.

grappin [grapɛ̃] n. m. Fam. *Mettre le grappin sur quelqu'un, sur quelque chose* (ou *lui mettre le grappin dessus*), accaparer cette personne ou cette chose, s'en emparer : *Une fois qu'il a mis le grappin sur vous, vous ne pouvez plus vous en défaire. Mettre le grappin sur un héritage.* (Le *grappin* est une petite ancre à pattes recourbées et aiguës.)

1. gras, grasse [grɑ, grɑs] adj. 1° Se dit de ce qui est formé de graisse ou de ce qui en contient : *Le beurre, l'huile sont des corps gras. Evitez les aliments gras. Ce bouillon est trop gras. Manger du foie gras.* ‖ *Eaux grasses,* eaux de vaisselle. ‖ Fam. *Faire ses choux gras de quelque chose,* en tirer profit. — 2° Se dit d'un être animé qui a beaucoup de graisse : *Elle est un peu grasse aux hanches. Il est très gras. Il a le visage gras.* ‖ Fam. *Gras comme un moine, gras à lard,* bien gras. — 3° Se dit de ce qui est sali par de la graisse, enduit de graisse : *Avoir les mains grasses. Un col gras. Jeter des papiers gras.* ◆ **gras** n. m. Partie grasse d'une viande (contr. : MAIGRE). ◆ **gras** adv. *Faire gras,* manger de la viande (contr. : FAIRE MAIGRE). ◆ **grassouillet, ette** adj. *Fam.* Légèrement gras : *Une petite femme grassouillette* (syn. : POTELÉ, DODU).

2. gras, grasse [grɑ, grɑs] adj. 1° Se dit de ce qui est fait, enduit d'une substance épaisse et glissante au toucher : *Glisser sur le pavé gras. Une boue grasse. Une terre grasse.* — 2° Se dit de ce qui présente un aspect épais à la vue : *Un trait gras. Une encre grasse. Un crayon gras* (= à la mine grasse). *Des plantes grasses* (= à feuilles épaisses). — 3° Se dit de ce qui produit un son pâteux : *Une toux grasse* (= accompagnée de glaires; contr. : SEC). *Une voix, un rire gras* (= produits en se raclant la gorge). — 4° *Paroles grasses,* grossières et licencieuses (syn. : GRAVELEUX, OBSCÈNE). — 5° (avant le nom) Se dit de ce qui est abondant, copieux, fertile : *De grasses récoltes* (*moissons, prairies*), *de gras pâturages. Distribuer de grasses récompenses.* — 6° Fam. *Faire la grasse matinée,* se lever tard le matin.

grassement [grɑsmɑ̃] adv. 1° Péjor. *Vivre grassement,* dans le confort et le luxe. — 2° *Payer* (*rétribuer,* etc.) *grassement,* largement, avec excès.

grasseyer [graseje] v. intr. Prononcer les *r* du fond de la gorge : *Il grasseye.* ◆ **grasseyant, e** adj. : *Une voix grasseyante.* ◆ **grasseyement** n. m.

gratifier [gratifje] v. tr. 1° *Gratifier quelqu'un de quelque chose,* lui faire généreusement un cadeau : *Il a gratifié le garçon d'un bon pourboire* (syn. : ACCORDER À, ALLOUER À). *Gratifier ses voisins d'un sourire.* — 2° *Ironiq.* Donner en rétribution quelque chose de désagréable : *On l'a gratifié d'une bonne volée. Il s'est vu gratifier d'une bordée d'injures.* ◆ **gratification** n. f. Somme d'argent accordée à quelqu'un en plus d'une rémunération : *Un employé qui reçoit une gratification en fin d'année* (syn. : PRIME, ENVELOPPE).

1. gratin [gratɛ̃] n. m. Plat saupoudré de chapelure et de fromage râpé, et passé au four : *Du chou-fleur au gratin. Un gratin au fromage.* ◆ **gratiné, e** adj. Cuit au gratin : *Des pommes de terre gratinées.*

2. gratin [gratɛ̃] n. m. *Pop.* La partie la plus distinguée d'une société : *Ces gens-là, c'est le gratin. Tout le gratin de la ville* (syn. : ÉLITE; fam. : CRÈME). ◆ **gratiné, e** adj. et n. m. *Pop.* Se dit de ce qui sort de l'ordinaire, en bien ou en mal : *Une histoire gratinée. Ça, c'est du gratiné.*

gratis [gratis] adv. *Fam.* Pour rien, sans rien dépenser ou faire dépenser : *On a mangé gratis. Soigner quelqu'un gratis* (syn. : GRATUITEMENT; pop. : À L'ŒIL).

gratitude [gratityd] n. f. Sentiment de contentement et d'affection pour un service rendu : *Dire sa gratitude à quelqu'un* (syn. : RECONNAISSANCE). *Comment puis-je vous témoigner ma gratitude? Un visage empreint de gratitude.* (V. GRÉ.)

gratte-ciel [gratsjɛl] n. m. invar. Immeuble ayant un très grand nombre d'étages (syn. : TOUR).

gratte-papier [gratpapje] n. m. invar. *Fam.* et *péjor.* Petit employé de bureau.

1. gratter [grate] v. tr. 1° *Gratter quelque chose,* en frotter la surface de manière à l'entamer légèrement, pour la nettoyer, la polir, etc. : *Gratter un plancher avec de la paille de fer. Gratter un mur au couteau* (ou *avec un couteau*). *Gratter ses chaussures* (= en frotter les semelles). — 2° *Gratter une étiquette, une inscription, une croûte,* etc., les faire disparaître en frottant, en raclant : *Un mot a été gratté dans le texte. Gratter la peinture d'une cloison. Gratter la boue de ses chaussures.* — 3° *Gratter une personne, un animal,* lui frotter la peau, particulièrement pour faire cesser une démangeaison : *Gratte-moi dans le dos.* — 4° Irriter : *Mon col de chemise me gratte.* ‖ Fam. *Ça me gratte,* je sens une démangeaison. ◆ v. intr. *Gratter à la porte,* frapper discrètement à une porte pour avertir de sa présence. ‖ Fam. *Gratter du violon, de la guitare,* etc., en jouer mal (syn. fam. : RACLER).◆ ***se gratter*** v. pr. : *Un enfant qui a la varicelle est sans cesse tenté de se gratter. Il se grattait la tête avec perplexité.* ◆ **grattage** n. m. Action de gratter : *Le grattage des vieilles affiches sur un mur.* ◆ **grattement** n. m. Bruit fait en grattant : *Il fut intrigué par un léger grattement à sa porte.* ◆ **grattoir** n. m. Canif à large lame pour gratter le papier et en faire disparaître l'écriture ou les taches.

2. gratter [grate] v. tr. et intr. *Fam.* Faire un petit bénéfice : *Il gratte quelques billets sur chaque commande. On n'a rien réussi à gratter là-dessus. Il gratte sur tout.* ◆ **gratte** n. f. *Fam.* Petit profit illégitime.

3. gratter [grate] v. tr. Pop. *Gratter quelqu'un,* le dépasser : *Il les a tous grattés au poteau d'arrivée.*

4. gratter [grate] v. intr. *Pop.* Travailler : *Il gratte du matin au soir* (syn. pop. : BOSSER).

gratuit, e [gratɥi, -ɥit] adj. 1° Se dit d'une chose qu'on donne sans faire payer ou qu'on reçoit sans payer : *L'enseignement gratuit et obligatoire. Une consultation gratuite. Entrée gratuite* (contr. : PAYANT) ‖ *A titre gratuit,* sans avoir rien à payer (syn. : GRATUITEMENT ; contr. : À TITRE ONÉREUX). — 2° Se dit d'une opinion ou d'une action sans fondement, sans justification : *Une affirmation gratuite. Une supposition, une hypothèse gratuite.* — 3° *Acte gratuit,* qui n'a aucun motif rationnel. ◆ **gratuitement** adv. : *Les prospectus sont distribués gratuitement* (syn. : GRACIEUSEMENT, GRATIS). *Vous affirmez cela gratuitement.* ◆ **gratuité** n. f. : *La gratuité de l'enseignement. La gratuité d'une hypothèse.*

gravats [grava] n. m. pl. Débris de plâtre, de pierres, etc., provenant d'une démolition : *Un tas de gravats* (syn. : PLÂTRAS).

1. grave [grav] adj. 1° Se dit d'une personne (ou de son comportement) qui manifeste un très grand sérieux : *Le juge était grave. Un personnage grave. Une assemblée grave. Son visage prit une expression grave. Un air grave. Une figure, un ton grave. Avoir des manières graves.* — 2° Se dit de ce qui est d'une très grande importance : *La question est grave. S'absenter pour une raison grave* (syn. : SÉRIEUX). *J'ai des choses graves à vous dire. Un grave avertissement* (syn. : SOLENNEL). *Les nouvelles sont graves* (syn. : ALARMANT, INQUIÉTANT). — 3° Se dit de ce qui peut avoir des conséquences sérieuses, tragiques, ou de ce qui peut être jugé sévèrement : *La situation est grave, il faut agir vite. Les faits sont graves. De graves ennuis. Une blessure, une opération, une maladie grave. Sa faute n'est pas très grave. Un blessé grave* (= atteint d'une blessure grave). [V. AGGRAVER.] ◆ **gravement** adv. : *Il regarda gravement son interlocuteur avant de répondre. J'ai été gravement malade* (syn. : SÉRIEUSEMENT). *Vous êtes gravement coupable.* ◆ **gravité** n. f. : *Il n'arrivait pas à garder sa gravité* (syn. SÉRIEUX). *Perdre sa gravité. La gravité affectée de ses paroles. Il ne voit pas la gravité du problème. La gravité de ces nouvelles impose des mesures urgentes. La gravité de la situation* (syn. : ↓ DANGER). *La gravité d'une maladie, d'une faute. Une blessure sans gravité* (= bénigne).

2. grave [grav] adj. Se dit d'un son qui occupe le bas de l'échelle musicale par sa faible fréquence : *Une note grave. Une voix chaude et grave* (syn. : BAS). ◆ n. m. Son bas dans l'échelle musicale.

3. grave [grav] adj. *Accent grave,* v. ACCENT.

graveleux, euse [gravlø, -øz] adj. Licencieux, mais de manière à provoquer plus le dégoût que la complicité : *Raconter une anecdote graveleuse. Tenir des propos graveleux* (syn. : CRU, ÉGRILLARD, GRIVOIS, LIBRE, ↑ OBSCÈNE). ◆ **gravelure** n. f. Langage, mot graveleux.

1. graver [grave] v. tr. 1° Tracer en creux sur une matière : *Graver son nom sur un arbre. Graver une inscription sur un tombeau.* — 2° Faire une empreinte qui servira à l'impression d'un texte, d'un dessin : *Faire graver des cartes de visite, des faire-part. Une planche, une illustration gravée sur cuivre, sur bois.* — 3° *Graver un disque,* enregistrer la musique, les paroles, qu'il est destiné à pouvoir reproduire. ◆ **gravure** n. f. 1° Art de graver : *La gravure sur bois. La gravure sur cuivre. La gravure à l'eau-forte.* — 2° Reproduction de l'ouvrage du graveur : *Une gravure de Dürer. Un livre orné de gravures romantiques.* — 3° Toute reproduction d'un dessin, d'un tableau : *Mettre des gravures au mur.* — 4° Reproduction, enregistrement d'un disque : *La gravure de ce disque est mauvaise.* ◆ **graveur** n. m. Artiste, ouvrier qui fait des gravures.

2. graver [grave] v. tr. *Graver un souvenir, un nom,* etc., *dans sa mémoire, dans son esprit,* etc., les y enregistrer durablement : *Il grava dans son esprit la date de ce rendez-vous. Cette image est restée gravée dans mon souvenir. Un détail s'est gravé dans mon cœur.* ◆ **être gravé** v. passif et ***se graver*** v. pr. Laisser une trace visible (sur un visage) [littér.] : *Les soucis sont gravés sur son front. Ces années de captivité se sont gravées sur son visage* (syn. : S'IMPRIMER).

gravier [gravje] n. m. 1° Très petit caillou : *Retirer un gravier de sa chaussure.* — 2° Ensemble de très petits cailloux : *Le gravier de l'allée crissait sous ses pas. Ratisser le gravier.* ◆ **gravillon** n. m. Gravier fin, servant surtout à la couverture des routes : *Il y a des risques de projection de gravillons sur un kilomètre.*

gravir [gravir] v. tr. 1° (sujet nom de personne) Monter avec effort : *Gravir une pente raide. Gravir péniblement les étages* (syn. : MONTER, GRIMPER). — 2° *Gravir les échelons d'une hiérarchie,* les franchir avec une certaine lenteur.

1. gravité [gravite] n. f. 1° Attraction de la Terre ou d'un astre qui s'exerce sur un corps (terme scientif.) : *Le liquide descend dans le tube par gravité* (syn. : PESANTEUR). — 2° *Centre de gravité,* centre des forces parallèles dues à la pesanteur et point sur lequel un corps se tient en équilibre dans toutes ses positions. ◆ **graviter** v. intr. 1° (sujet nom désignant un astre) Tourner sur son orbite autour d'un centre d'attraction : *La Terre gravite autour du Soleil.* — 2° (sujet nom de personne) Evoluer autour des hommes au pouvoir, afin d'en recueillir des bénéfices : *Les courtisans qui gravitaient autour du roi. Graviter dans l'orbite du pouvoir.* — 3° (sujet nom de pays) Etre sous la dépendance économique et politique d'un Etat puissant : *Les pays sous-développés finissent par graviter dans l'orbite des grands.* ◆ **gravitation** n. f. Force par laquelle les corps s'attirent en raison directe de leur masse et en raison inverse du carré de leur distance (terme scientif.) : *La loi de la gravitation universelle. Les planètes tournent autour du Soleil sous l'effet de la gravitation.*

2. gravité n. f. V. GRAVE 1.

gré [gre] n. m. 1° *Au gré de quelqu'un,* selon son goût : *Avez-vous trouvé la chambre à votre gré?* (syn. : CONVENANCE) ; selon sa volonté (avec un verbe d'action) : *Il en fait à son gré* (syn. : À SA GUISE); selon ce qu'il estime préférable : *Ce roman est trop long à mon gré. A mon gré, cette version est la meilleure.* ‖ *A ton gré, à votre gré* (dans un dialogue), comme tu voudras, comme vous voudrez : « *Je pars maintenant. — A votre gré* » (syn. : À TA [VOTRE] GUISE). — 2° *Au gré de quelque chose,* selon, en se laissant aller à : *Vagabonder au gré de sa fantaisie, de son imagination, de son caprice. Etre ballotté au gré des événements. Ses cheveux flottent au gré du vent.* ‖ *Contre le gré de quelqu'un,* contre sa volonté : *Il a obéi contre son gré* (= malgré lui, à contrecœur). ‖ *De bon gré, de son plein gré,* en acceptant volontiers (littér.) : *Vous êtes venu de votre plein gré, on ne vous a pas forcé la main?* ‖ *De gré ou de force,* même s'il faut recourir à la contrainte (syn. : PAR TOUS LES MOYENS). ‖ *Bon gré mal gré,* qu'on le veuille ou non, qu'on l'ait souhaité ou qu'on accepte en maugréant : *Bon gré mal gré, il faut y aller.* ‖ *Savoir gré à quelqu'un de quelque chose* (et, en style soutenu, *savoir bon gré, savoir un gré infini*), être reconnaissant à quelqu'un de quelque chose (littér.) : *Je vous sais gré de cette attention.* ‖ *Savoir mauvais gré (peu de gré) à quelqu'un de,* être mécontent de ce que quelqu'un a dit ou fait (littér.) : *On vous saura peu de gré d'avoir dit ces vérités.*

grec, grecque [grɛk] adj. et n. 1° Propre à la Grèce, à son peuple ou à sa civilisation : *Les îles grecques. Le peuple grec* (syn. : HELLÈNE). *L'Antiquité grecque. L'art grec. La tragédie grecque.* — 2° *Eglise grecque,* Eglise chrétienne d'Orient. ‖ *Rite grec,* rite de l'Eglise grecque. — 3° *Nez grec,* nez droit, formant une ligne continue avec celle du front. ‖ *Profil grec,* caractérisé par un nez grec. — 4° *Croix grecque,* à quatre branches égales. ◆ n. (avec une majusc.). Habitant de la Grèce : *Les Grecs de l'Antiquité.* ◆ n. m. La langue grecque : *Le grec ancien. Le grec moderne.* ◆ **gréco-latin, e** adj. Qui concerne à la fois le latin et le grec comme langues : *La culture gréco-latine.* ◆ **gréco-romain, e** adj. Qui concerne l'art, la civilisation à la fois des Grecs et des Romains.

grecque [grɛk] n. f. Ornement composé de lignes droites formant entre elles des angles droits.

gredin, e [grədɛ̃, -in] n. Individu malhonnête, coupable de graves méfaits (peu usité au fém.) : *Ce gredin de comptable avait falsifié les chiffres* (syn. : CANAILLE, ↑ CRAPULE, MISÉRABLE, VAURIEN).

gréer [gree] v. tr. *Gréer un voilier,* l'équiper de ses voiles, cordages et accessoires : *Gréer un trois-mâts. Gréer un navire en goélette.* ◆ **gréement** [gremɑ̃] n. m. Ensemble des éléments qui servent à la manœuvre des voiles d'un navire : *Grimper dans le gréement. Le vent souffle dans le gréement* (syn. : LES AGRÈS).

1. greffe [grɛf] n. m. Endroit où sont déposées les minutes des jugements et où se font les déclarations intéressant la procédure : *Etre convoqué au greffe du Palais de Justice. Déposer une pièce au greffe.* ◆ **greffier** n. m. Fonctionnaire préposé au greffe : *Le greffier dirige les services du greffe, prend les notes d'audience, recueille les dépositions des témoins, transcrit les jugements sur les minutes et en délivre les copies.*

2. greffe [grɛf] n. f. 1° Pousse, branche, bourgeon d'une plante qu'on insère sur une autre plante : *Cette greffe a bien pris.* — 2° *Greffe animale,* partie de l'organisme d'un individu implantée sur une autre partie du corps du même individu, ou sur un autre individu. — 3° Opération par laquelle on implante une pousse sur une autre plante, ou une partie d'un organisme animal sur une autre : *La greffe de la cornée. La greffe d'un rein.* ◆ **greffer** v. tr. 1° Soumettre à la greffe, ou transporter par la greffe : *Greffer un pommier. Greffer un rein.* — 2° (sutout à la forme pron.) Introduire des éléments dans quelque chose, les ajouter à une situation : *Ces nouveaux problèmes se sont greffés sur ceux qui existaient déjà.* ◆ **greffage** n. m. Ensemble des opérations concernant la greffe des végétaux. ◆ **greffon** n. m. Pousse végétale ou fragment de tissu animal que l'on destine à être greffé sur un sujet.

grégaire [gregɛr] adj. Se dit de ce qui pousse les animaux et les êtres humains à former un groupe social, où l'individu perd sa personnalité : *L'instinct grégaire. Des sentiments grégaires.* ◆ **grégarisme** n. m. Disposition ou état grégaire.

1. grège [grɛʒ] adj. *Soie grège,* soie écrue dont on n'a pas fait disparaître l'enduit gommeux.

2. grège [grɛʒ] adj. Se dit d'une couleur qui tient du gris et du beige à la fois.

grégorien, enne [gregɔrjɛ̃, -ɛn] adj. 1° *Chant grégorien,* chant liturgique codifié par le pape Grégoire Ier : *Il aime beaucoup la gravité du chant grégorien.* — 2° *Calendrier grégorien,* calendrier julien réformé par le pape Grégoire XIII en 1582 : *Le calendrier grégorien fut adopté en Russie en 1917.* ◆ **grégorien** n. m. Le chant grégorien : *Ecouter du grégorien. Apprécier le grégorien* (syn. : PLAIN-CHANT).

1. grêle [grɛl] n. f. 1° Pluie congelée qui tombe en grains : *La grêle frappe les vitres. Une averse de grêle a saccagé les vignes.* — 2° *Une grêle de coups, de pierres, d'obus, d'injures,* etc., des coups, des pierres, etc., qui tombent, qui arrivent en abondance. ◆ **grêler** v. impers. 1° *Il grêle,* il tombe de la grêle. — 2° *Il grêle des coups,* les coups tombent dru. ◆ **grêlon** n. m. Grain d'eau congelée formé dans l'atmosphère : *Les grêlons tombent de plus en plus gros.*

2. grêle [grɛl] adj. 1° Se dit d'une personne qui est d'une maigreur dépourvue de grâce, ou d'une chose longue et mince : *Des jambes grêles. Une apparence grêle et chétive. La silhouette grêle d'un arbuste* (syn. : ÉLANCÉ, FLUET, GRACILE, MENU, MINCE). — 2° Se dit d'un son aigu et faible : *Une voix grêle.* — 3° *L'intestin grêle,* la portion de l'intestin comprise entre l'estomac et le début du gros intestin.

grêlé, e [grele] adj. Marqué par la petite vérole : *Il a le visage grêlé.*

grelot [grəlo] n. m. 1° Sonnette faite d'une boule métallique creuse, enfermant un morceau de métal qui la fait résonner quand elle est agitée : *Un tintement de grelots annonce l'arrivée du troupeau.* — 2° *Attacher le grelot,* commencer, ouvrir la voie dans une entreprise difficile.

grelotter [grəlɔte] v. intr. Trembler très fort : *Grelotter de froid, de peur, de fièvre. Il grelotte sous trois couvertures.* ◆ **grelottant, e** adj. : *Je l'ai trouvé tout grelottant.* ◆ **grelottement** n. m. : *Un grelottement de fièvre.*

1. grenade [grənad] n. f. Fruit du grenadier, d'une saveur aigrelette : *Du jus de grenade.* ◆ **grenadier** n. m. Arbrisseau cultivé dans les pays méditerranéens : *Le grenadier a des fleurs rouges.* ◆ **grenadine** n. f. Sirop de jus de grenade.

2. grenade [grənad] n. f. 1° Projectile léger, antipersonnel ou antichar : *Une grenade explosive, incendiaire, fumigène, lacrymogène. Une grenade à main, à fusil.* — 2° *Grenade de képi, d'écusson,* ornement d'uniforme figurant une grenade allumée. ◆ **grenadier** n. m. Fantassin chargé de lancer des grenades.

grenat [grəna] adj. invar. Rouge vineux plus ou moins vif : *Un velours grenat.*

grené, e [grəne] ou **grenu, e** [grəny] adj. *Cuir grené,* qui présente à l'œil ou au toucher de nombreux grains rapprochés.

grenier [grənje] n. m. 1° Le plus haut étage d'une maison, sous le toit, en général non destiné à l'habitation : *Monter quelque chose au grenier. Nous avons fouillé de la cave au grenier sans rien trouver* (syn. : COMBLES). — 2° A la campagne, partie d'un bâtiment située sous le toit et destinée à entreposer les grains ou le foin : *Un grenier à blé.* — 3° Région dont la fertilité est utile à tout un pays : *La Beauce est le grenier de la France.*

1. grenouille [grənuj] n. f. Animal sauteur et nageur, sans queue, aux pattes postérieures longues et palmées, à la peau lisse, verte ou rousse, et à température variable, qui vit près des mares et des étangs : *La larve de la grenouille est le têtard. La grenouille coasse. Manger une friture de cuisses de grenouille.*

2. grenouille [grənuj] n. f. Pop. *Manger la grenouille,* voler de l'argent appartenant à un groupe de personnes dont on fait partie.

grès [grɛ] n. m. 1° Roche très dure, utilisée pour la construction ou le pavage : *Une carrière de grès. Une meule de grès. Un pavé de grès.* — 2° Poterie très dure, épaisse et opaque : *Une chope de grès. Un pot de grès. Du grès cérame.*

grésil [grezil] n. m. Grêle blanche, dure et menue : *Il tombe du grésil. La pluie, avec le froid, se change en grésil.*

grésiller [grezije] v. intr. Produire un bruit de friture : *L'huile grésille dans la poêle. Le téléphone grésille.* ◆ **grésillement** n. m. : *Les jours d'orage, on entend des grésillements dans le poste de radio.*

1. grève [grɛv] n. f. Terrain plat, couvert de gravier et de sable, au bord de la mer ou le long d'un cours d'eau : *Les vagues déferlent sur la grève. La mer rejette du varech sur la grève* (syn. : PLAGE, RIVAGE).

2. grève [grɛv] n. f. 1° Arrêt collectif et concerté du travail ou de l'activité, décidé par un ensemble de salariés ou par les membres d'autres professions ou catégories sociales, pour des raisons économiques ou politiques : *Faire grève. Se mettre en grève. Le mot d'ordre de grève. Une grève partielle. La grève générale. Une grève perlée* (= consistant en un ralentissement du travail). *La grève sur le tas* (= l'arrêt du travail sur place, avec occupation des lieux par les ouvriers). *Grève tournante* (= qui affecte l'un après l'autre plusieurs secteurs de l'économie). *Une grève des transports. La grève de l'électricité.* — 2° *Faire la grève de la faim,* refuser toute nourriture, en signe de protestation. ◆ **gréviste** n. Salarié qui participe à une grève : *Une délégation de grévistes. Les grévistes ont repris le travail.*

grever [grəve] v. tr. (sujet nom de chose). Accabler d'une charge financière excessive : *Etre grevé d'impôts. Des frais imprévus ont grevé notre budget. Une propriété grevée d'hypothèques.* ◆ **dégrever** v. tr. *Dégrever une personne, un produit,* les décharger, en tout ou en partie, des impôts qui les frappent. ◆ **dégrèvement** n. m. : *Obtenir un dégrèvement* (= une diminution des charges fiscales).

gribouille [gribuj] n. m. Individu qui, par manque de clairvoyance, se jette dans le danger qu'il pensait éviter : *Une politique de gribouille.*

gribouiller [gribuje] v. intr. et tr. Ecrire de manière illisible, ou faire des dessins, des peintures informes : *Gribouiller sur son cahier. Un enfant qui gribouille des mots indéchiffrables. Une lettre toute gribouillée.* ◆ **gribouillage** ou **gribouillis** n. m. Ecriture illisible, ou dessin, peinture informes. ◆ **gribouilleur, euse** n.

grief [grijɛf] n. m. 1° Sujet de plainte : *Avoir un grief contre quelqu'un. Des griefs imaginaires, justifiés. Ce n'est pas un mince grief. Exposer, formuler ses griefs.* — 2° *Faire grief de quelque chose à quelqu'un,* le lui reprocher : *Je ne lui fais pas grief de cet oubli* (syn. : TENIR RIGUEUR).

grièvement [grijɛvmɑ̃] adv. *Grièvement blessé,* très gravement blessé (syn. : SÉRIEUSEMENT).

1. griffe [grif] n. f. 1° Ongle crochu d'un animal : *Les oiseaux de proie ont des griffes puissantes et acérées* (syn. : SERRE). *Le chat sort ses griffes, donne un coup de griffe.* — 2° *Montrer, rentrer ses griffes,* se montrer menaçant, conciliant. ‖ *Rogner les griffes de quelqu'un,* prendre des mesures pour l'empêcher de nuire. ‖ *Lancer (donner) un coup de griffe,* dire une parole méchante. ‖ *Tomber sous la griffe (dans les griffes) de quelqu'un,* venir à sa merci. ‖ *Arracher une personne des griffes de quelqu'un,* la mettre à l'abri, la soustraire à son pouvoir. ◆ **griffer** v. tr. Marquer d'un coup de griffe : *Le chat l'a griffé* (syn. : ÉGRATIGNER). ◆ **griffu, e** adj. Armé de griffes : *Des pattes griffues.* ◆ **griffure** n. f. Egratignure causée par une griffe ou par un ongle (syn. : ÉCORCHURE, ÉRAFLURE).

2. griffe [grif] n. f. 1° Signature d'un fabricant, d'un fonctionnaire, etc., reproduite sur un tampon : *Apposer sa griffe au bas d'un document.* — 2° Marque d'une personnalité qui se reconnaît dans ses œuvres : *On reconnaît là sa griffe. Cet ouvrage porte sa griffe. La griffe du génie.*

griffonner [grifɔne] v. tr. et intr. Ecrire très mal et hâtivement; dessiner grossièrement : *Griffonner son nom sur un bout de papier. Griffonner une note au crayon. Les enfants ont griffonné sur les murs.* ◆ **griffonnage** n. m. : *Un griffonnage illisible.* ◆ **griffonneur, euse** n.

grignoter [griɲɔte] v. intr. et tr. 1° Manger très peu; manger quelque chose en le rongeant petit à petit : *Il ne mange pas, il grignote. Grignoter un bout de pain.* — 2° Fam. *Grignoter quelqu'un,* se rendre peu à peu maître de lui : *Grignoter un ennemi, un concurrent.* ◆ **grignotement** n. m. Bruit caractéristique produit en grignotant : *Entendre un grignotement de souris au grenier.*

grigou [grigu] n. m. *Fam.* Personne d'une avarice sordide : *Un vieux grigou* (syn. : LADRE).

gri-gri ou **grigri** [grigri] n. m. Syn. de AMULETTE.

1. grille [grij] n. f. 1° Assemblage de barreaux fermant une ouverture ou constituant une clôture : *Les fenêtres sont protégées par des grilles. Les détenus peuvent communiquer avec les visiteurs à travers la grille du parloir. Le square est entouré de grilles. Fermer la grille. Sonner à la grille.* — 2° *La grille d'un fourneau* (*d'un foyer*), châssis métallique sur lequel repose le charbon dans un poêle. ◆ **grillé, e** adj. Fermé par une grille : *Des fenêtres grillées.* ◆ **grillage** n. m. Treillis métallique placé aux fenêtres ou aux portes, ou servant de clôture : *Le grillage d'un poulailler.* ◆ **grillager** v. tr. Munir d'un grillage : *Faire grillager son jardin.*

2. grille [grij] n. f. Carton ajouré, qui permet la lecture d'un message en code : *Reconstituer, posséder, utiliser une grille.*

griller [grije] v. tr. 1° Faire rôtir en exposant à la flamme, à la braise, etc. : *Griller une côtelette. Manger des sardines grillées. Des marrons grillés. Du pain grillé. Un épicier qui grille du café* (syn. : TORRÉFIER). — 2° Soumettre à une température excessive, qui dessèche et racornit : *Le grand feu de la cheminée nous grille la figure. Une vague de froid a grillé tous les bourgeons que le printemps précoce avait fait sortir.* — 3° Fam. *Griller une cigarette,* la fumer. ‖ Fam. *Griller une lampe, une résistance,* la mettre hors de service par un court-circuit. ‖ Fam. *Griller une étape,* ne pas y faire halte, pour arriver plus vite au but (syn. : BRÛLER). ‖ Fam. *Griller quelqu'un,* le dépasser dans une course de vitesse : *Un coureur cycliste qui se fait griller à l'arrivée.* ‖ Arg. *Etre grillé, se faire griller,* être démasqué, ne plus avoir d'issue, être sur le point d'être pris (syn. pop. : ÊTRE CUIT, FAIT, FLAMBÉ). ◆ v. intr. 1° Etre exposé à une chaleur trop forte : *On grille dans cette pièce.* — 2° *Griller d'impatience* (ou simplem. *griller*) *de* (et l'infin.), avoir une extrême impatience de faire quelque chose : *Il grille de vous le dire, mais il n'ose pas.* ◆ **gril** [gri ou gril] n. m. 1° Ustensile de cuisine pour faire rôtir à feu vif de la viande, du poisson, etc. : *Faire cuire un bifteck sur le gril.* — 2° Fam. *Etre sur le gril,* être dans une extrême anxiété ou dans une grande impatience (syn. : ÊTRE SUR DES CHARBONS ARDENTS). ◆ **grillade** n. f. Viande grillée : *Ne manger que des grillades.* ◆ **grille-pain** n. m. invar. Appareil pour griller des tranches de pain.

grillon [grijɔ̃] n. m. Insecte noir, sauteur, qui produit un grésillement caractéristique : *Le grillon des champs. Le grillon du foyer. On entend chanter le grillon* (syn. : CRI-CRI).

grimace [grimas] n. f. 1° Contorsion du visage faite par jeu ou exprimant un sentiment de dégoût, de douleur, de dépit, etc. : *Rire des grimaces d'un clown. Les enfants se font des grimaces. Faire une grimace de douleur.* — 2° *Faire la grimace à quelqu'un,* lui réserver un accueil froid (syn. : FAIRE GRISE MINE). ‖ *Faire la grimace devant quelque chose,* montrer de l'aversion pour cette chose, ou du mécontentement : *Il a fait la grimace quand on lui a appris qu'il fallait sortir.* — 3° (au plur.) Mines hypocrites qui affectent tel ou tel sentiment : *Ce ne sont que des grimaces. Se laisser prendre à des grimaces. Ce sont des grimaces de circonstance, qui ne trompent personne.* — 4° *Fam.* Faux pli d'un vêtement, d'une tenture, etc. : *Ce veston fait des grimaces. Du papier peint mal posé qui fait des grimaces.* ◆ **grimaçant, e** adj. Qui grimace : *Un visage grimaçant.* ◆ **grimacer** v. intr. 1° Faire une grimace, des grimaces : *Grimacer de douleur.* — 2° Faire un faux pli : *Cette manche tombe mal, elle grimace.* ◆ v. tr. Faire quelque chose en affectant des sentiments qu'on n'éprouve pas (littér.) : *Grimacer un bonjour. Grimacer un sourire.* ◆ **grimacier, ère** adj. et n. Qui fait des grimaces, des manières; qui fait le difficile : *Cet enfant n'est qu'un grimacier.*

grimer [grime] v. tr. *Grimer un acteur,* le maquiller. ◆ ***se grimer*** v. pr. : *Un acteur qui a l'art de se grimer.*

grimoire [grimwar] n. m. Ecrit indéchiffrable, illisible, ou livre incompréhensible : *Ses lettres sont de vrais grimoires.*

grimper [grɛ̃pe] v. intr. 1° (sujet nom de personne ou de chose) Monter en s'agrippant : *Les enfants grimpent sur le cerisier. Grimper à l'échelle. Le lierre grimpe sur la façade de la maison.* — 2° S'élever sur une pente très raide : *La chèvre grimpe à flanc de montagne. Une voiture qui grimpe jusqu'au col.* — 3° (sujet nom de personne) Monter vivement : *Un gamin qui grimpe sur une chaise, sur la table.* — 4° *Chemin, route qui grimpe,* qui suit une pente montante très raide : *Le sentier grimpe vers des cabanes de bergers.* — 5° Fam. *La fièvre grimpe,* elle s'élève rapidement. ◆ v. tr. Monter, avec un certain effort, en haut de quelque chose : *Grimper les escaliers quatre à quatre.* ◆ **grimper** n. m. Exercice qui consiste à monter à la corde lisse ou à la corde à nœuds. ◆ **grimpant, e** adj. *Plante grimpante,* dont la tige s'élève en s'enroulant, en se cramponnant aux corps voisins (arbre, mur, etc.) : *Un rosier grimpant.* ◆ **grimpette** n. f. *Fam.* Courte montée en pente raide (syn. : RAIDILLON). ◆ **grimpeur, euse** adj. et n. 1° *Oiseau grimpeur,* qui peut s'accrocher et grimper aux arbres. — 2° *Un grimpeur,* un cycliste doué pour la montée des côtes et des cols.

grincer [grɛ̃se] v. intr. 1° Produire, par frottement, un bruit plus ou moins strident : *Une porte aux gonds rouillés grince. Une girouette grince au* *vant. Le sommier du lit grince.* — 2° *Grincer des dents,* produire un crissement en se frottant les dents du bas contre celles du haut, nerveusement ou par agacement, colère ou douleur : *Le bruit de la scie fait grincer des dents.* ◆ **grincement** n. m. 1° *On n'entendait que le grincement des plumes sur le papier.* — 2° *Il y aura des pleurs et des grincements de dents,* beaucoup de personnes seront mécontentes (allusion à *l'Enfer*).

grincheux, euse [grɛ̃ʃø, -øz] adj. et n. Se dit de quelqu'un (ou de son comportement) qui est sans cesse de mauvaise humeur : *Un vieillard grincheux.*

gringalet [grɛ̃galɛ] n. m. et adj. 1° *Fam.* Homme petit et chétif : *Elle a épousé un gringalet.* — 2° Personnage falot, inconsistant : *Ce ne sont que des gringalets à côté de lui.*

grippe [grip] n. f. 1° Maladie contagieuse, caractérisée par de la fièvre, souvent accompagnée de rhume : *Attraper la grippe. Avoir une bonne grippe. Une épidémie de grippe.* — 2° *Prendre en grippe quelqu'un, quelque chose,* éprouver envers cette personne ou cette chose une antipathie soudaine. ◆ **grippal, e** adj. Sens 1 de GRIPPE : *Etat grippal.* ◆ **grippé, e** adj. et n. Atteint de la grippe : *Se sentir un peu grippé. Nous avons beaucoup de grippés par ici en ce moment.*

gripper [gripe] v. intr. S'échauffer et adhérer par défaut de graissage, en parlant de pièces métalliques en mouvement : *Les rouages grippent.* ◆ v. tr. Provoquer un arrêt dans un mécanisme par défaut de graissage : *Le moteur est grippé.* ◆ ***se gripper*** v. pr. : *Le moteur s'est grippé.* ◆ **grippage** n. m. Blocage d'un mécanisme mal lubrifié : *Le grippage d'un tour, d'une machine.*

grippe-sou [gripsu] n. m. et adj. *Fam.* Avare attaché à de petits gains sordides : *Ce vieux grippe-sou fait argent de tout. Ils ont toujours été grippe-sou* (ou *grippe-sous*).

1. gris, e [gri, -iz] adj. 1° D'une couleur intermédiaire entre le blanc et le noir : *Un mur gris. Des yeux gris. Avoir des cheveux gris aux tempes. Un ciel gris* (= sombre, sans soleil). *Le temps est gris* (syn. : COUVERT). *Il fait gris.* — 2° *La matière* ou *la substance grise,* le tissu qui constitue l'écorce cérébrale. — 3° *Une vie grise,* sans intérêt, sans distraction, monotone (syn. : MORNE, TERNE). ‖ *Faire grise mine à quelqu'un,* lui réserver un accueil froid, lui témoigner une certaine hostilité. ◆ n. m. La couleur grise : *Peindre un meuble en gris foncé. Un gris clair. Un gris ardoise.* ◆ **grisaille** n. f. 1° Jeu de tons gris sur gris, propre aux paysages d'hiver ou de brume : *La grisaille de l'horizon. Les grisailles de l'aube.* — 2° Peinture en camaïeu gris, donnant un relief en trompe l'œil : *Des détails d'architecture peints en grisaille.* — 3° Atmosphère triste et monotone; caractère d'une vie terne et sans intérêt : *La grisaille de l'existence quotidienne.* ◆ **grisâtre** adj. 1° Qui tire sur le gris : *Un ciel grisâtre. Une couleur sale et grisâtre.* — 2° Se dit de ce qui est terne et triste : *Mener une existence grisâtre.* ◆ **grisé** n. m. Teinte grise donnée à un tableau, un plan, une carte.

2. gris, e adj. V. GRISER.

grisbi [grizbi] n. m. *Arg.* Argent.

griser [grize] v. tr. 1° *Griser quelqu'un,* le mettre en état d'ivresse : *On ne peut pas le griser. Le champagne le grise facilement* (syn. : ENIVRER). 2° *Griser quelqu'un,* le mettre dans un état d'excitation physique : *Cette odeur le grisait. L'air vif vous grise au début* (syn. : ÉTOURDIR). *Il se laisse griser par la vitesse.* — 3° *Griser quelqu'un,* le transporter d'enthousiasme : *Il est grisé par toutes les flatteries qu'on lui prodigue. Son bonheur le grisait* (syn. : TOURNER LA TÊTE À). ◆ ***se griser*** v. pr. Se mettre en état d'ivresse ou s'exalter : *Se griser d'air pur, de vitesse. Se griser d'émotions violentes.* ◆ **gris, e** adj. *Fam.* Se dit d'une personne plus ou moins ivre : *A la fin du banquet, il commençait à être un peu gris* (syn. fam. : ÉMÉCHÉ). ◆ **grisant, e** adj. Se dit de ce qui a un pouvoir exaltant, surexcitant : *Un succès grisant. Une odeur grisante.* ◆ **griserie** n. f. 1° Excitation physique semblable à un début d'ivresse : *La griserie de l'action, de la vitesse, du grand air.* — 2° Stimulation morale, intellectuelle, qui fait perdre en partie la notion claire de la réalité : *Se laisser aller à la griserie du succès.* ◆ **dégriser** v. tr. : *L'air frais a commencé à le dégriser* (syn. pop. : DESSOÛLER). *Il se voyait déjà vainqueur : la réalité l'a dégrisé.* ◆ **dégrisement** n. m.

grisonner [grizɔne] v. intr. 1° (sujet nom désignant les cheveux, les poils) Commencer à devenir gris. — 2° (sujet nom de personne) Commencer à avoir des cheveux gris : *Il grisonne sur les côtés.* ◆ **grisonnant, e** adj. : *Avoir des cheveux grisonnants. Des tempes grisonnantes. Un homme grisonnant.* ◆ **grisonnement** n. m.

grisou [grizu] n. m. 1° Gaz inflammable qui se dégage des mines de houille et qui forme avec l'air un mélange détonant. — 2° *Coup de grisou,* explosion de grisou.

grive [griv] n. f. 1° Oiseau migrateur au plumage brun, tacheté sur la poitrine, qui se nourrit de raisin pendant les vendanges et que l'on chasse pour sa chair. — 2° Fam. *Etre soûl comme une grive,* être complètement ivre. ‖ *Faute de grives, on mange des merles,* il faut se contenter de ce qu'on a.

grivèlerie [grivɛlri] n. f. Délit qui consiste à consommer dans un café ou dans un restaurant sans avoir de quoi payer.

grivois, e [grivwɑ, -ɑz] adj. D'une gaieté assez libre : *Raconter des histoires grivoises. Tenir des propos grivois* (syn. : GAULOIS, GRAVELEUX, INDÉCENT, LESTE, LIBRE, LICENCIEUX). ◆ **grivoiserie** n. f. : *Dire des grivoiseries.*

grog [grɔg] n. m. Boisson faite de rhum et d'eau chaude sucrée : *Boire un grog très chaud.*

grogner [grɔɲe] v. intr. et tr. 1° Exprimer son mécontentement en protestant sourdement, de manière indistincte : *Il grogne, mais il obéit. Cet enfant n'arrête pas de grogner. Grogner après quelqu'un, contre quelqu'un.* — 2° (sujet nom d'animal) Emettre un ronflement sourd, un grondement : *Le cochon grogne en reniflant. Le chien grogne d'un air menaçant.* ◆ **grognement** n. m. 1° *Fam.* Murmure de mécontentement. — 2° Cri du cochon, du sanglier, de l'ours, etc. ◆ **grognon** adj. et n. Qui a l'habitude de grogner : *Un enfant grognon. Un air grognon. Une humeur grognon. Elle est grognon et insupportable. Un, une grognon* (syn. : BOUGON, MAUSSADE, PLEURNICHEUR). [Le fém. *grognonne* est rare.] ◆ **grognonner** v. intr. Faire le grognon. ◆ **grognasser** v. intr. *Pop.* Grogner sans cesse.

groin [grwɛ̃] n. m. 1° Museau du porc, du sanglier : *Le porc fouille la terre avec son groin.* — 2° *Fam.* Visage bestial et très laid.

grommeler [grɔmle] v. intr. et tr. (conj. 6). Se plaindre entre ses dents, dire de manière indistincte : *Obéir en grommelant. Grommeler des menaces.*

gronder [grɔ̃de] v. intr. 1° (sujet nom désignant un animal, un élément naturel, etc.) Produire un bruit sourd et menaçant : *Le chien gronde. Le tonnerre gronde. L'orage gronde. Le vent gronde et siffle. Le canon gronde.* — 2° (sujet nom abstrait) Etre menaçant, imminent : *La colère grondait en lui. L'émeute gronde dans la rue. Le conflit gronde et est près d'éclater.* — 3° (sujet nom de personne) Exprimer son mécontentement à voix indistincte : *Gronder entre ses dents* (syn. : BOUGONNER, GROGNER, GROMMELER, RONCHONNER). ◆ v. tr. *Gronder quelqu'un,* lui faire des reproches sans gravité (s'applique surtout aux enfants) : *Gronder des enfants qui ne sont pas sages. Sa mère l'a grondé pour être sorti sans pardessus* (syn. : RÉPRIMANDER, TANCER ; fam. : ATTRAPER, SECOUER). ◆ **grondement** n. m. 1° Bruit sourd et prolongé : *Le grondement du canon. Le grondement d'un torrent. Un grondement de tonnerre. Les grondements menaçants du chien de garde.* — 2° *Le grondement de la colère,* le bouleversement qu'elle cause (littér.). ◆ **gronderie** n. f. Action de gronder quelqu'un : *Une gronderie amicale. Les gronderies de sa mère* (syn. : RÉPRIMANDE). ◆ **grondeur, euse** adj. Propre à celui qui gronde quelqu'un : *Un ton grondeur. Une voix grondeuse.*

1. gros, grosse [gro, gros] adj. 1° (avant le nom) Qui a des dimensions importantes, en volume, en épaisseur : *Un gros arbre. Une grosse pierre. Un gros bâton. Un gros chien. Il pleut à grosses gouttes. Un gros homme. Une grosse femme* (syn. : CORPULENT, OBÈSE, REPLET). *Avoir un gros nez, un gros ventre.* ‖ *Chat qui fait le gros dos,* qui arrondit son dos. ‖ *Faire les gros yeux,* regarder avec une expression menaçante. — 2° (postposé au nom dans des tours figés) *Avoir les yeux gros* ou *les yeux gros de larmes,* les yeux gonflés de larmes. ‖ *Avoir le cœur gros,* avoir du chagrin. — 3° Se dit de ce qui a des proportions particulièrement importantes : *Une grosse averse. Un gros bruit. Avoir un gros appétit* (syn. : SOLIDE). *Une grosse fièvre. Un gros rhume* (syn. : BON). *De gros soucis* (syn. : GRAVE). *Il y a eu de gros dégâts. Faire une grosse faute. La grosse industrie* (syn. : LOURD). *Une grosse mer* (= une mer houleuse). *Un gros temps* (= du mauvais temps en mer). *Une grosse fortune. Avoir une grosse situation. Gagner le gros lot. Jouer gros jeu.* — 4° Se dit d'une personne très riche, importante (avec un nom désignant une catégorie sociale) : *Un gros industriel. Un gros commerçant. Un gros banquier. Un gros capitaliste* (syn. : GRAND). *Un gros épicier. Un gros fermier. Un gros héritier.* ‖ Fam. *Un gros bonnet, une grosse légume,* un personnage officiel très important. — 5° Avec un nom désignant une qualité (qui peut être péjor.) : *Un gros mangeur. Un gros buveur. Un gros joueur* (syn. : GRAND). — 6° Se dit de ce qui n'a pas de finesse dans l'exécution, la qualité : *Du gros drap. Porter de grosses chaussures. Du gros rouge* (fam. = du vin rouge très ordinaire). *Un gros rire* (= un rire sonore ou graveleux). *Un gros bon sens* (= sans finesse). *Un gros mot* (= un mot grossier). ‖ *Les gros travaux,* ceux qu'on fait en premier, dans une construction, ou les travaux les plus pénibles. ‖ *Le gros œuvre,* l'ensemble des murs d'un bâtiment. — 7° *Gros de promesses, de conséquences,* etc., se dit de ce qui annonce certains résultats, qui paraît devoir entraîner des conséquences importantes, etc. ◆ n. 1° *Fam.* Personne grosse : *Un petit gros. Une grosse mal habillée. Oui, mon gros* (fam.). — 2° *Fam.* Personne riche, influente (souvent au plur.) : *Les gros s'en tirent toujours, mais il faut penser aux difficultés des petits.* — 3° *Le gros de quelque chose,* la partie la plus importante de cette chose : *Le gros de l'armée, des troupes. Faites le plus gros seulement, laissez le reste.* ● LOC. ADV. *En gros,* dans l'ensemble et de manière approximative, sans entrer dans le détail : *En gros, la situation est la suivante. Voilà, en gros, ce que je voulais dire. Dites-moi seulement en gros comment ça s'est passé.* ◆ **gros** adv. *Ecrire gros,* en gros caractères. ‖ *Gagner, jouer,* etc., *gros,* des sommes importantes : *Cela va vous coûter gros* (syn. : CHER). *Parier gros. Il y a gros à parier que... Risquer gros. Je donnerais gros pour savoir quel sera le vainqueur.* ‖ *En avoir gros sur le cœur,* avoir beaucoup de chagrin, de remords, etc. ◆ **grosseur** n. f. 1° Volume, dimensions en général : *Un trou de la grosseur du poing. Prix selon grosseur. Il est d'une grosseur maladive.* — 2° Tumeur, enflure : *Avoir une grosseur sensible au toucher.*

2. gros [gro] n. m. Commerce portant sur de grosses quantités, à l'exclusion du détail : *Ce magasin ne fait que le gros et le demi-gros. Prix de gros. Acheter* (*achat*) *en gros, vendre* (*vente*) *en gros.* ◆ **grossiste** n. Marchand de gros et de demi-gros (contr. : DÉTAILLANT). ◆ **demi-gros** n. m. Commerce intermédiaire entre le gros et la vente au détail.

groseille [grozɛj] n. f. Petit fruit rouge ou blanc qui vient par grappes sur un arbrisseau appelé *groseillier.*

1. grosse [gros] n. f. Douze douzaines de certaines marchandises : *Une grosse de boutons, de peignes.*

2. grosse [gros] n. f. Expédition d'un contrat, d'un jugement, en gros caractères : *Délivrer la grosse d'un acte notarié.*

3. grosse [gros] adj. f. *Femme grosse,* enceinte : *Elle est grosse de sept mois.* ◆ **grossesse** n. f. Etat d'une femme enceinte : *Avoir de nombreuses grossesses.* ◆ **engrosser** v. tr. Pop. *Engrosser une femme, une fille,* la rendre enceinte.

grossier, ère [grosje, -ɛr] adj. (parfois avant le nom). 1° Se dit de ce qui est d'une élaboration rudimentaire ou de mauvaise qualité : *Des aliments grossiers* (contr. : DÉLICAT, RAFFINÉ). *Un tissu grossier* (contr. : FIN). *Un travail grossier. Une ruse grossière. Avoir une grossière idée de la question* (syn. : SOMMAIRE). ‖ *Des traits grossiers,* sans finesse d'expression et sans grâce. — 2° Se dit de quelqu'un (ou de son comportement) qui manque de culture et d'éducation, qui n'est pas affiné par la civilisation : *Un peuple grossier. Un public grossier* (syn. : RUSTRE). *Un grossier personnage* (= un mufle, un malappris). *Une faute grossière. Une ignorance grossière.* — 3° Se dit de quelqu'un (ou de son comportement) qui choque les bienséances, la pudeur : *Un individu grossier avec les femmes. Dire des mots grossiers. Faire un geste grossier* (syn. : ↑ OBSCÈNE). *Une plaisanterie, une équivoque grossière.* ◆ **grossièrement** adv. 1° De façon rudimentaire : *Un objet grossièrement emballé. Un dessin grossièrement* *esquisse. Voilà grossièrement le sujet de la pièce* (syn. : SOMMAIREMENT, GROSSO MODO). — 2° De façon très forte : *Se tromper grossièrement.* — 3° De manière brutale et inconvenante : *Répondre grossièrement.* ◆ **grossièreté** n. f. 1° Caractère de ce qui est grossier : *La grossièreté de ses manières est choquante.* — 2° Action ou parole grossière : *On ne peut tolérer de telles grossièretés.*

grossir [grosir] v. intr. Devenir ou paraître plus gros, plus important : *Vous avez grossi depuis la dernière fois que je vous ai vu. Suivre un régime pour ne pas grossir. Le fleuve a grossi à la fonte des neiges. L'avion, qui n'était qu'un point, grossit à vue d'œil. Ses économies ont grossi. La foule grossit et s'amasse autour de l'accident.* ◆ v. tr. et intr. Rendre ou faire paraître plus volumineux, plus important : *La fonte des neiges a grossi le fleuve. La loupe grossit suffisamment ces lettres minuscules. Un microscope qui grossit trois cents fois. Les déserteurs vont grossir le nombre des rebelles* (syn. : ACCROÎTRE). *Pendant ce temps, il grossit sa fortune* (syn. : ARRONDIR). *Votre imagination a grossi le danger* (syn. : EXAGÉRER). *Les journaux grossissent l'affaire* (syn. : AMPLIFIER). ◆ **grossissant, e** adj. 1° Qui devient de plus en plus nombreux, important : *Une foule grossissante remplissait la place.* — 2° *Verre grossissant,* qui augmente les dimensions apparentes. ◆ **grossissement** n. m. : *Suivre un régime alimentaire contre le grossissement. Le grossissement d'un microscope.*

grosso modo [grosomodo] loc. adv. Sans entrer dans le détail : *Voici grosso modo de quoi il s'agit* (syn. : EN GROS, GROSSIÈREMENT).

grotesque [grotɛsk] adj. 1° D'un ridicule invraisemblable : *On a fait d'un rien une histoire grotesque. Se trouver dans une situation grotesque. C'est grotesque.* — 2° Qui fait rire par son extravagance : *Un accoutrement, un costume grotesque. Des contorsions grotesques.* ◆ n. m. : *C'est d'un grotesque !*

grotte [grɔt] n. f. Petite caverne : *Une grotte naturelle. Une grotte préhistorique.*

1. grouiller [gruje] v. intr. 1° (sujet nom désignant les éléments d'une masse confuse et dense) S'agiter : *Des asticots qui grouillent dans la viande avariée* (syn. : FOURMILLER, PULLULER). *Les enfants grouillent dans la cour à la récréation.* — 2° *Grouiller de* (personnes, choses), être plein d'une masse confuse et en mouvement de : *La rue grouille de monde à la sortie des bureaux.* ◆ **grouillant, e** adj. : *Une foule grouillante. Une rue grouillante de monde* (syn. : FOURMILLANT). ◆ **grouillement** n. m. : *Le grouillement des vers, de la foule.*

2. grouiller [gruje] v. intr. ou **se grouiller** v. pr. *Pop.* Se dépêcher : *Grouillez-vous, vous allez être en retard. Grouille-toi !*

groupe [grup] n. m. 1° Ensemble de personnes rapprochées dans un endroit : *Des groupes animés discutent dans la rue. Un groupe de curieux. Les employés sortent par petits groupes.* — 2° Ensemble de personnes qui partagent une même condition ou les mêmes opinions : *Travailler en groupe. Un groupe humain. Un groupe social. S'affilier à un groupe. Appartenir à un groupe politique. Un groupe artistique.* — 3° Ensemble d'objets rapprochés les uns des autres ou ayant des caractères communs : *Un groupe de maisons. Un groupe de rochers. Groupe de mots* (= mots formant une unité de sens dans la phrase). — 4° *Groupe industriel,* ensemble d'entreprises qui s'unissent pour accroître leur production. ‖ *Groupe de combat,* unité élémentaire de combat de l'infanterie. ‖ *Groupe sanguin,* ensemble d'individus entre lesquels on peut faire des transfusions de sang. ‖ *Groupe scolaire,* ensemble des bâtiments d'une école communale, réunissant les filles, les garçons et la maternelle. ◆ **grouper** v. tr. Assembler en groupe : *Grouper tous les mécontents d'un parti.* ◆ **se grouper** v. pr. : *Se grouper autour d'un chef. Les maisons se groupent autour de l'église. Les idées se groupent toutes seules une fois que vous avez le fil directeur.* ◆ **groupage** n. m. Action de grouper des colis ayant une même destination. ◆ **groupement** n. m. Réunion importante de personnes ou de choses : *Un groupement politique, syndical.*

gruau [gryo] n. m. Grains de céréale non décortiqués.

1. grue [gry] n. f. 1° Oiseau échassier de grande taille : *La grue vole par bandes.* — 2° *Faire le pied de grue,* attendre longtemps, debout, au même endroit.

2. grue [gry] n. f. *Pop.* Femme de mœurs légères : *Cette fille est une grue.*

3. grue [gry] n. f. Appareil de levage pour soulever et déplacer de lourdes charges : *Une grue de chantier. Une grue montée sur rails.* ◆ **grutier** n. m. Conducteur d'une grue.

gruger [gryʒe] v. tr. *Gruger quelqu'un,* le tromper en affaires, le voler (syn. : DUPER ; fam. : ROULER).

grume [grym] n. f. *Bois de grume, bois en grume,* bois coupé couvert de son écorce.

grumeau [grymo] n. f. Petite portion de matière coagulée, généralement gluante : *Une bouillie qui fait des grumeaux. Des grumeaux de lait caillé.* ◆ **grumeleux, euse** adj. 1° Qui contient des grumeaux : *Une bouillie grumeleuse.* — 2° Qui présente des granulations dures à la surface ou à l'intérieur : *Une peau grumeleuse. Une poire grumeleuse.*

gruyère [gryjɛr ou, pop., gryɛr] n. m. Fromage de lait de vache cuit, à pâte dure percée de trous : *Le gruyère se fabrique surtout dans les Alpes.*

gué [ge] n. m. Endroit d'une rivière où l'on peut passer à pied : *Traverser un gué. Passer à gué.* ◆ **guéable** adj. Qu'on peut passer à gué : *La rivière est guéable en cet endroit.*

guenille [gənij] n. f. 1° (généralement au plur.) Vêtements sales, déchirés : *Un mendiant en guenilles. Fouiller dans un tas de guenilles* (syn. : HAILLONS, HARDES, LOQUES). — 2° Homme usé par l'âge ou par la débauche : *C'est une guenille* (syn. : LOQUE). ◆ **déguenillé, e** adj. Vêtu de guenilles : *Un pauvre homme déguenillé* (syn. : LOQUETEUX).

guenon [gənɔ̃] n. f. 1° Femelle du singe. — 2° Femme très laide : *C'est une vieille guenon.*

guêpe [gɛp] n. f. 1° Insecte à abdomen annelé jaune et noir : *Etre piqué par une guêpe. Tomber sur un nid de guêpes.* — 2° *Taille de guêpe,* taille très fine. ‖ Fam. *Pas folle, la guêpe,* se dit de quelqu'un qui sait ce qu'il veut, qui agit de manière avisée. ◆ **guêpier** n. m. 1° Nid de guêpes : *Enfumer un guêpier. Marcher sur un guêpier.* — 2° *Tomber, donner, se fourrer dans un guêpier,* tomber dans un piège, se mettre dans une situation difficile.

guère [gɛr] adv. (le plus souvent avec la négation *ne;* parfois sans *ne* dans la langue parlée). **1°** Indique une quantité très minime, avec un adjectif : *Il n'est guère raisonnable* (syn. : PEU; contr. : TRÈS). *Tu n'es guère solide en ce moment;* devant un comparatif : *Il ne va guère mieux* (syn. : PAS BEAUCOUP; contr. : BIEN). *Il n'y a guère plus de deux kilomètres jusqu'au village;* avec un verbe : *Il n'aime guère cette peinture. Cette coiffure ne lui va guère. Je n'y vois guère. Il ne craint guère votre ressentiment;* sans la négation *ne,* dans les réponses : « *Vous aimez les endives? — Guère* » (contr. : BEAUCOUP). — **2°** Indique un temps minime, une fréquence faible : *On peut attendre, il ne tardera guère* (syn. : PAS BEAUCOUP). *Je ne vais guère au cinéma* (= j'y vais rarement). *Vous ne venez guère à la maison* (contr. : FRÉQUEMMENT, SOUVENT); avec *ne... plus : Les cravates en tweed ne sont plus guère à la mode. Il n'écrit plus guère depuis qu'il a quitté la France.* — **3°** *Guère de,* suivi d'un nom, indique une faible quantité *: Je n'ai guère de loisirs en ce moment. Il n'a guère fait de frais pour la circonstance.*

guéret [gerɛ] n. m. Terre labourée et non ensemencée : *Laisser une partie de ses terres en guérets* (syn. : JACHÈRE).

guéridon [geridɔ̃] n. m. Petite table ronde, à pied central unique.

guérilla [gerija] n. f. Guerre de partisans, par embuscades et harcèlement : *Une guérilla meurtrière. La guérilla décimait les forces de l'ordre.* ◆ **guérillero** [gerijero] n. m. Combattant de guérilla (syn. : MAQUISARD, PARTISAN).

guérir [gerir] v. tr. (sujet nom d'être animé ou inanimé). **1°** *Guérir quelqu'un,* le délivrer d'une maladie, d'un mal, d'un défaut : *Il m'a guéri de ma bronchite. Ce médicament vous guérira* (syn. : RÉTABLIR). *Pourra-t-on le guérir de sa timidité?* (syn. : CORRIGER). *Rien ne peut le guérir de sa jalousie.* — **2°** *Guérir une maladie, un mal, un défaut,* les faire passer, y trouver un remède : *Il m'a guéri de mon ulcère à l'estomac. Le secret, pour guérir votre timidité...* (syn. : CORRIGER, PALLIER). *Le temps guérira sa douleur.* — **3°** *Etre guéri de quelque chose,* en avoir perdu le goût : *Je ne m'occuperai plus de lui, j'en suis guéri.* ◆ v. intr. **1°** (sujet nom d'être animé) Etre délivré d'une maladie ou d'un mal moral : *Si vous voulez guérir, il faut vous soigner. Sa robuste constitution lui a permis de guérir très vite.* — **2°** (sujet nom de maladie, de mal) Disparaître par le retour à la santé : *Un rhume qui ne veut pas guérir. Sa plaie a guéri. Une passion qui ne guérira pas;* s'emploie parfois, en ce sens, à la forme pronominale : *Une grippe qui a mis longtemps à se guérir.* ◆ **guérison** n. f. : *Etre en voie de guérison. La guérison d'une maladie, d'un chagrin, d'une blessure d'amour-propre.* ◆ **guérissable** adj. Qui peut être guéri : *Un malade, une maladie guérissable.* ◆ **inguérissable** adj. Syn. de INCURABLE. ◆ **guérisseur, euse** n. Personne qui prétend guérir les malades par des procédés magiques et empiriques, en dehors de l'exercice légal de la médecine.

guérite [gerit] n. f. Abri d'une sentinelle : *Monter la garde devant la guérite.*

guerre [gɛr] n. f. **1°** Lutte organisée et sanglante entre des Etats ou entre des factions : *Déclarer la guerre. Entrer en guerre (dans la guerre). Gagner la guerre. Perdre la guerre. Déclencher la guerre. La guerre a éclaté. Aller à la guerre (en guerre). Revenir de la guerre. C'est la guerre. Vivre en guerre avec des voisins. Vivre (être) sur le pied de guerre (avec). La déclaration de guerre. L'entrée en guerre. En cas de guerre. Un criminel de guerre. Les fauteurs de guerre. Etre décoré pour fait de guerre. Blessé, prisonnier de guerre. Fusil (navire, marine) de guerre. Changer l'économie de paix en économie de guerre. Avoir les honneurs de la guerre* (= des conditions honorables de reddition). *Foudre de guerre* (ironiq. = chef militaire redoutable). *Conseil de guerre* (= réunion des chefs d'une armée pour discuter de la poursuite des opérations; tribunal militaire spécial). *Guerre civile* (= entre partis d'une même nation). *Guerre sainte* (= menée par des fidèles au nom de leur foi). — **2°** Conflit non sanglant : *Une guerre idéologique, psychologique. Une guerre de propagande. La guerre des nerfs.* ‖ *Guerre froide,* v. FROID. ‖ *Petite guerre,* jeu d'enfants qui imite la guerre; simulacre de combat. ‖ *Nom de guerre,* pseudonyme occasionnel. ‖ *Faire la guerre à quelqu'un,* lui faire des reproches constants. ‖ *Faire la guerre à quelque chose* (nom abstrait), chercher à le faire disparaître : *Faire la guerre aux abus.* — **3°** *De bonne guerre,* se dit d'un moyen employé légitimement : *C'est de bonne guerre.* ‖ *De guerre lasse,* en renonçant à la lutte par lassitude : *De guerre lasse, il a fini par nous recevoir.* ‖ Fam. *A la guerre comme à la guerre,* il faut se contenter de ce que l'on a, faire contre mauvaise fortune bon cœur. ◆ **guerrier, ère** adj. **1°** Qui a trait à la guerre (littér.) : *Des exploits guerriers. Un chant guerrier.* — **2°** Se dit de quelqu'un (ou de son comportement) qui a du goût pour la guerre : *Une peuplade guerrière. Un caractère guerrier. Etre d'humeur guerrière* (syn. : BELLIQUEUX). ◆ **guerrier** n. m. Celui qui fait la guerre par métier (se dit surtout littér. ou des soldats du passé) : *Un vieux guerrier blanchi sous le harnais. De vaillants guerriers. L'armement des guerriers francs.* ◆ **guerroyer** v. intr. Faire la guerre (littér.) : *Les seigneurs passaient leur temps à chasser ou à guerroyer* (syn. : SE BATTRE, COMBATTRE). ◆ **après-guerre** n. m. ou f. Période qui suit une guerre : *La France a connu deux après-guerres depuis 1900, l'un après l'armistice de 1918, l'autre après la capitulation allemande de 1945.* ◆ **avant-guerre** n. m. ou f. Epoque qui a précédé la Première Guerre mondiale (1914) ou la Seconde Guerre mondiale (1939) : *En réalité, bien qu'il y ait deux avant-guerres, le mot désigne presque toujours la période du début du XXe siècle, à moins que l'on n'apporte une autre précision.* (Employé surtout comme complément sans article : *L'Europe d'avant guerre.*) ◆ **entre-deux-guerres** n. m. ou f. Période située entre deux conflits (se dit surtout de la période entre 1918 et 1939).

guet [gɛ] n. m. *Faire le guet,* guetter (syn. : ÊTRE AUX AGUETS). ‖ *Avoir l'œil, l'oreille au guet,* se tenir sur ses gardes.

guet-apens [gɛtapɑ̃] n. m. Piège préparé contre quelqu'un pour qu'il y tombe par surprise : *Tomber dans (être victime d') un guet-apens. Tendre un guet-apens. Ils l'ont attiré dans un guet-apens.*

guêtre [gɛtr] n. f. Jambière de toile ou de cuir, qui couvre le haut de la chaussure et monte parfois jusqu'au genou.

guetter [gete] v. tr. **1°** (sujet nom d'être animé) *Guetter quelqu'un,* le surveiller en cachette, avec une intention hostile : *Guetter le gibier. Le chat guette une souris. Guetter l'ennemi* (syn. : ÉPIER). — **2°** (sujet nom d'être animé) *Guetter quelqu'un,* attendre avec impatience une personne dont la venue est prévue ou espérée : *Guetter le facteur. Le chien guette son maître.* — **3°** (sujet nom abstrait) *Guetter quelqu'un,* faire peser sur lui une menace imminente : *La maladie le guette. La pauvreté le guette.* — **4°** (sujet nom de personne) *Guetter quelque chose,* l'attendre avec impatience : *Guetter l'occasion. Guetter le bon moment. Guetter un signal. Guetter la sortie de quelqu'un.* ◆ **guetteur** n. m. Personne qui a une mission d'alerte et de surveillance.

gueule [gœl] n. f. **1°** *Pop.* Bouche d'une personne : *Une moutarde qui emporte la gueule* (= forte). ‖ Pop. *Ferme ta gueule!,* ou simplem. *Ta gueule!,* tais-toi. ‖ Pop. *Il est fort en gueule, c'est une grande gueule,* il crie beaucoup sans agir. ‖ Pop. *Crever la gueule ouverte,* mourir sans secours. ‖ Pop. *Une fine gueule,* quelqu'un qui aime la bonne nourriture (syn. : GOURMAND, GOURMET). — **2°** *Pop.* Figure, visage d'une personne : *Avoir une bonne gueule, une sale gueule. Il en fait une gueule! C'est bien fait pour ta gueule* (= pour toi). *Se casser la gueule* (= tomber). *Casser la gueule à quelqu'un* (= le battre, le frapper). *Aller se faire casser la gueule* (= se faire tuer). *Les gueules cassées* (= les soldats de la guerre de 1914-1918 blessés au visage). — **3°** Fam. *Avoir de la gueule,* de l'allure. — **4°** Ouverture béante de certains objets : *La gueule du four, du tunnel, du canon.* — **5°** Bouche des animaux carnassiers, des poissons, des reptiles : *Le chien ouvre sa gueule. Le poisson happe le bout de pain d'un coup de gueule.* ‖ *Se jeter dans la gueule du loup,* s'exposer imprudemment à un danger certain. ◆ **gueulante** n. f. *Arg. scol.* Cris de protestation ou d'acclamation. ◆ **gueulard, e** adj. et n. **1°** *Très fam.* Qui parle beaucoup et très fort. — **2°** *Pop.* Gourmand. ◆ **gueuler** v. intr. et tr. *Pop.* Crier ou parler très fort : *Les voisins font gueuler leur radio* (syn. fam. : BEUGLER). *Il a gueulé quelque chose que je n'ai pas compris.* ◆ **gueuleton** n. m. *Fam.* Repas copieux entre amis : *Faire un bon petit gueuleton pour fêter un anniversaire.*

gueux, euse [gø, -øz] n. *Péjor.* Mendiant vagabond (littér.) : *Mener une vie de gueux* (syn. : CLOCHARD, MISÉREUX, NÉCESSITEUX).

guibolle [gibɔl] n. f. *Pop.* Jambe : *Il ne tient plus sur ses guibolles. Jouer des guibolles* (= se sauver en courant).

guiches [giʃ] n. f. pl. *Fam.* Mèches de cheveux frisés : *Porter, avoir des guiches sur le front, sur les tempes.*

guichet [giʃɛ] n. m. **1°** Ouverture par laquelle le public communique avec les employés d'une administration, ou poste situé derrière un comptoir : *Faire la queue au guichet. Adressez-vous à l'autre guichet. Les guichets de location sont ouverts.* — **2°** Petite porte pratiquée dans une porte monumentale : *Le guichet d'une prison. Le portail est muni d'un guichet.* — **3°** *Les guichets du Louvre,* passages voûtés qui donnent de la cour du Louvre sur l'extérieur. ‖ *Guichet d'une cellule,* ouverture à hauteur du visage, dans une porte de prison, par laquelle on peut faire passer des objets : *Passer son repas à un détenu par le guichet.* ◆ **guichetier** n. m. Employé auquel s'adresse le public, au guichet.

1. guide [gid] n. m. **1°** Celui qui conduit, qui montre le chemin (en montagne, dans un musée) : *Servir de guide à quelqu'un. Donner un pourboire au guide. Suivez le guide!* — **2°** Personne qui dirige un pays, qui conseille dans la vie quotidienne, qui oriente le goût, etc. : *Prendre quelqu'un pour guide. Un guide éclairé.* — **3°** Principe d'après lequel on se dirige : *Ne prendre que ses passions pour guides. Il a un goût sûr qui lui sert de guide. N'avoir d'autre guide que l'amour de la vérité.* — **4°** Ouvrage qui contient des renseignements classés sur tel ou tel sujet : *Acheter, consulter un guide. Le guide touristique du Jura. Le guide de l'étudiant.* ◆ **guide-âne** n. m. Aide-mémoire pour débutants : *Il a besoin de guide-ânes.* ◆ **guider** v. tr. **1°** (sujet nom de personne ou d'animal) *Guider quelqu'un,* l'accompagner pour lui montrer le chemin : *Guider un étranger qui demande son chemin. Un aveugle guidé par son chien. Le berger guide son troupeau;* lui indiquer une voie morale, intellectuelle : *Guider un enfant dans ses études. Il n'a eu personne pour le guider.* — **2°** (sujet nom de chose) *Guider quelqu'un,* l'aider à trouver son chemin : *Le clair de lune nous guidait. Les poteaux indicateurs vous guideront. Son flair le guide infailliblement;* le pousser, le mener, être le principe qui le fait agir : *Il a une sorte de sagesse qui le guide. Il est guidé par une discipline de fer.* ◆ **se guider** v. pr. *Se guider sur,* se diriger d'après : *Se guider sur la boussole. Je me guide sur votre exemple.* ◆ **guidage** n. m. Action de guider. ◆ **autoguidé, e** adj. Se dit d'un mobile qui se dirige par ses propres moyens vers le but qui lui a été assigné : *Avion autoguidé.* ◆ **autoguidage** n. m.

2. guide [gid] n. f. **1°** Lanière attachée au mors d'un cheval attelé et servant à le conduire : *Tirer sur les guides. Lâcher les guides* (syn. : RÊNES). — **2°** *Mener la vie à grandes guides,* faire de grandes dépenses, avoir un grand train de vie (littér.).

guidon [gidɔ̃] n. m. Barre munie de poignées, commandant la roue directrice d'une bicyclette, d'une motocyclette, etc. : *Un coureur cycliste penché sur son guidon.*

1. guigne [giɲ] n. f. **1°** Petite cerise à longue queue. — **2°** Fam. *Se soucier de quelqu'un, de quelque chose comme d'une guigne,* ne pas s'en soucier du tout.

2. guigne [giɲ] n. f. ou **guignon** [giɲɔ̃] n. m. *Fam.* Malchance qui s'attache à quelqu'un : *Avoir la guigne. Passer* (ou, fam., *flanquer*) *la guigne à quelqu'un* (syn. pop. : POISSE).

guigner [giɲe] v. tr. *Guigner quelqu'un, quelque chose,* porter ses yeux dessus à la dérobée : *Il guigne mon jeu* (syn. : LORGNER); le convoiter : *Guigner un héritage, un poste.*

guignol [giɲɔl] n. m. **1°** Théâtre de marionnettes sans fil, animées par les doigts : *Mener les enfants au guignol. Un spectacle de guignol.* — **2°** Personne ridicule, qui fait le clown : *Faire le guignol.* — **3°** *C'est du guignol,* c'est de la comédie. ◆ **grand-guignol** n. m. *C'est du grand-guignol,* c'est un affreux mélodrame, aux péripéties sanglantes. ◆ **grand-guignolesque** adj. : *Des aventures grand-guignolesques.*

guilledou [gijdu] n. m. Fam. *Courir le guilledou,* avoir des aventures galantes (se dit des hommes et des femmes).

guillemet [gijmɛ] n. m. Signe typographique que l'on emploie par paire (« ... »), pour mettre en valeur un mot ou signaler une citation : *Mettre un passage entre guillemets. Ouvrir, fermer les guillemets.* (V. PONCTUATION.)

guilleret, ette [gijrɛ, -ɛt] adj. Se dit de quelqu'un (ou de son comportement) qui est vif et gai : *Etre tout guilleret. Avoir un air guilleret* (syn. : FRINGANT, RÉJOUI).

guillotine [gijɔtin] n. f. 1° Instrument servant à décapiter les condamnés à mort : *Dresser la guillotine. Monter sur la guillotine* (syn. : ÉCHAFAUD). — 2° Peine de mort : *Condamner à la guillotine.* — 3° *Fenêtre à guillotine,* dont le châssis glisse entre deux rainures verticales. ◆ **guillotiner** v. tr. Exécuter au moyen de la guillotine : *Guillotiner un assassin.*

guimbarde [gɛ̃bard] n. f. *Fam.* Vieille voiture, à demi hors d'usage : *Il a réussi à vendre sa vieille guimbarde* (syn. fam. : TACOT).

guimpe [gɛ̃p] n. f. 1° Pièce de toile qui encadre le visage des religieuses : *La guimpe couvre le cou et la tête.* — 2° Corsage sans manches, au col montant, porté sous la jaquette d'un tailleur.

guindé, e [gɛ̃de] adj. 1° Se dit de quelqu'un (ou de son comportement) qui affecte la raideur et la dignité : *Un air guindé* (syn. : CONTRAINT). *Etre grave et guindé. Un style, un écrivain guindé* (syn. : APPRÊTÉ, EMPHATIQUE, POMPEUX). — 2° *Etre guindé dans des vêtements,* se tenir raide : *Il était tout guindé dans son costume neuf* (syn. : ENGONCÉ). ◆ **guinder (se)** v. pr. Affecter la raideur, la dignité : *Il n'est jamais lui-même, il se guinde sans cesse.*

guingois (de) [dəgɛ̃gwa] loc. adv. De travers (littér.) : *Une lampe, posée de guingois sur des livres et des journaux, menaçait de tomber.*

guinguette [gɛ̃gɛt] n. f. Cabaret populaire situé hors d'une ville, dans la verdure.

guirlande [girlɑd] n. f. Feuillage ou fleurs, réels, peints ou sculptés, disposés en cordons ou en couronnes : *Le lierre forme des guirlandes. Des guirlandes de roses. Accrocher des guirlandes lumineuses en travers des rues pour les fêtes de Noël. Des porcelaines décorées de guirlandes à l'ancienne mode* (syn. : FESTON). ◆ **enguirlandé, e** adj. Orné de guirlandes : *Une salle enguirlandée pour un banquet.*

guise [giz] n. f. *A ma (ta, sa, notre, votre, leur) guise,* selon ma manière propre d'agir, suivant mes propres vues : *Il n'en fait qu'à sa guise* (= il agit comme il lui plaît; syn. : À SA TÊTE). « *Je préfère partir le matin de bonne heure. — A votre guise.* » *Chacun vit à sa guise.* ● LOC. PRÉP. *En guise de,* pour remplacer quelque chose (souvent avec une nuance dépréciative) : *Il nous servit quelques sardines à l'huile en guise de repas* (syn. : À LA PLACE DE). *Il écrivait sur ses genoux en guise de pupitre;* pour servir de (souvent ironiq.) : *En guise de consolation, il lui fit cadeau d'un livre* (syn. : COMME, À TITRE DE).

guitare [gitar] n. f. Instrument de musique à six cordes, que l'on pince avec les doigts : *Jouer de la guitare. Chanter avec un accompagnement de guitare.* ◆ **guitariste** n.

guitoune [gitun] n. f. *Pop.* Tente.

gustatif, ive adj. V. GOÛT.

guttural, e, aux [gytyral, -ro] adj. 1° *Voix gutturale,* qui vient de la gorge (syn. : RAUQUE). — 2° *Consonne gutturale,* et *gutturale* n. f., ancien nom des occlusives vélaires [g] et [k].

gymnastique [ʒimnastik] n. f. 1° Ensemble d'exercices propres à assouplir et fortifier le corps : *Faire de la gymnastique tous les matins.* ‖ Fam. *Se livrer à (faire) une gymnastique,* faire des gestes qui indiquent la difficulté de l'entreprise : *Il faut se livrer à une gymnastique incroyable pour pouvoir passer, tant il y a de monde.* — 2° Effort intellectuel pour débrouiller une difficulté : *Se livrer à toute une gymnastique pour résoudre un problème.* ◆ **gymnase** [ʒimnaz] n. m. Salle ou bâtiment aménagés pour l'athlétisme et la gymnastique.

gynécologie [ʒinekɔlɔʒi] n. f. Etude de l'organisme de la femme. ◆ **gynécologue** n.

h

h n. m. 1° Lettre ne correspondant pas à la réalisation d'un phonème en français (v. Introduction). — 2° *L'heure H,* l'heure que l'état-major a fixée pour l'attaque d'une armée ou, plus communément, l'heure fixée pour une opération quelconque : *Au jour J et à l'heure H, il était au rendez-vous.*

***ha !** [a] interj. 1° Autre graphie de *ah!,* considérée comme exprimant des sentiments plus forts : *Ha! vous me faites mourir!* — 2° Transcrit le rire (*ha! ha!*), en corrélation avec *hi* (*hi! hi!*).

habile [abil] adj. (avant ou après le nom). 1° (sans compl.) Se dit d'une personne (ou de son comportement) qui agit avec adresse, avec ingéniosité ou avec ruse : *Un vieux menuisier habile et expérimenté* (syn. : CAPABLE). *Un chirurgien habile* (syn. : ÉMÉRITE). *Un prestidigitateur habile* (syn. : ADROIT). *Le faux billet a été dessiné par un habile faussaire* (contr. : MALHABILE). *Il est trop habile pour être honnête* (syn. : RUSÉ; fam. : ROUBLARD; contr. : NAÏF). *Ce qu'il a fait là n'est pas très habile. Un raisonnement habile. Le scénario du film est conduit sur une intrigue très habile* (contr. : MALADROIT). — 2° *Etre habile à quelque chose, à faire quelque chose,* exceller à : *Etre habile à se décharger de ses responsabilités. Habile à détourner la conversation des sujets qu'il ne connaît pas.* ◆ **habilement** adv. : *Figure habilement dessinée* (syn. : ADROITEMENT). *Discours habilement fait pour calmer les oppositions* (contr. : MALADROITEMENT). ◆ **habileté** n. f. 1° *Etre doué d'une grande habileté manuelle* (syn. : ADRESSE, DEXTÉRITÉ). *L'habileté d'un avocat qui détruit les témoignages adverses* (syn. : TALENT). *Mener une affaire avec habileté* (syn. : DIPLOMATIE). *Parvenir avec habileté à ses fins.* — 2° Ce qui est fait avec ingéniosité, finesse (surtout au plur.) : *Ce sont des habiletés qui retardent l'échéance, mais ne résolvent pas le problème* (syn. : ARTIFICE; fam. : TRUC). ◆ **inhabile** adj. Qui manque d'adresse, de diplomatie, d'aptitude : *Un discours inhabile qui parut une provocation.* ◆ **inhabileté** n. f. : *Son inhabileté à éviter les heurts avec les autres.* ◆ **malhabile** [malabil] adj. Qui manque d'adresse : *L'enfant s'efforçait avec ses doigts malhabiles de saisir le verre* (syn. : MALADROIT).

habiliter [abilite] v. tr. Donner la capacité légale d'accomplir certaines actions (terme jurid.; souvent au passif) : *Le ministre des Affaires étrangères fut habilité à signer le traité* (= eut qualité pour).

habiller [abije] v. tr. 1° *Habiller quelqu'un,* lui mettre un vêtement; faire un vêtement pour quelqu'un; couvrir d'un vêtement de telle ou telle nature : *Habiller un enfant* (syn. : VÊTIR). *Le tailleur m'a bien habillé. L'Administration habille les gardiens de la paix* (syn. : ÉQUIPER); surtout au passif : *Etre habillé par un grand couturier. Etre mal habillé. Etre habillé de noir. Un enfant habillé en Indien* (syn. : DÉGUISER). — 2° (sujet nom de vêtement) *Habiller bien,* convenir parfaitement : *Ce costume bleu marine habille bien* (= fait très habillé). — 3° *Habiller quelque chose,* le couvrir de quelque chose qui enveloppe, dissimule : *Habiller les fauteuils de housses* (syn. : ENVELOPPER). *Habiller le mur du jardin de plantes grimpantes* (syn. : RECOUVRIR). *Habiller une demande d'argent d'excuses diverses* (syn. : DÉGUISER). ◆ ***s'habiller*** v. pr. 1° Mettre ses vêtements; revêtir des habits de telle ou telle manière : *Aider un enfant à s'habiller* (syn. moins usuel : SE VÊTIR). *Il met une heure à s'habiller. Il s'habille avec élégance. Faut-il s'habiller pour le dîner de ce soir?* (= se mettre en toilette, mettre une tenue de soirée). *La petite fille s'habilla en Colombine* (syn. : SE DÉGUISER). — 2° Se faire confectionner des vêtements : *S'habiller chez un tailleur réputé. S'habiller sur mesure.* ◆ **habillé, e** adj. Se dit de ce qui donne de l'élégance : *Elle avait une robe très habillée. Cette couleur fait très habillé* (syn. : CHIC). ◆ **habillage** [abijaʒ] n. m. Action de mettre une enveloppe protectrice, de recouvrir, d'arranger : *L'habillage d'un livre avec une couverture, une jaquette.* ◆ **habillement** n. m. 1° Action de fournir des vêtements : *L'habillement des troupes. Les dépenses d'habillement sont très élevées dans une famille. Le syndicat de l'habillement.* — 2° Costume dont on est vêtu (emploi restreint par *vêtement* et *costume*) : *Les diverses pièces de l'habillement militaire.* ◆ **habilleuse** n. f. Celle qui aide les artistes à mettre leur costume de théâtre. ◆ **habit** [abi] n. m. 1° Vêtement masculin de cérémonie, en drap noir, dont les basques pendent par-derrière : *L'habit est de rigueur à ce dîner officiel.* — 2° (suivi d'un adj. ou d'un compl. du nom indiquant l'usage, l'origine, etc.) Vêtement qui couvre le corps : *Un habit de gala. Un habit d'huissier. L'habit ecclésiastique. L'habit vert* (= la tenue des académiciens). *L'habit ne fait pas le moine* (= il ne faut pas juger les gens sur leur aspect). — 3° (au plur.) Ensemble de vêtements : *Oter ses habits. Ne jette pas tes habits n'importe comment sur la chaise* (syn. : AFFAIRES). *Une brosse à habits. Un marchand d'habits* (= un chiffonnier qui achète et vend des vêtements usagés). ◆ **déshabiller** v. tr. Oter ses vêtements à quelqu'un : *Déshabiller un enfant avant de le mettre au lit* (syn. : DÉVÊTIR). ◆ **se déshabiller** v. pr. 1° Enlever ses vêtements : *Se déshabiller pour prendre un bain.* — 2° Oter les vêtements destinés à n'être portés que dehors : *Déshabillez-vous dans l'entrée, il fait très chaud dans le salon* (syn. : SE DÉCOUVRIR, SE METTRE À L'AISE). ◆ **déshabillé** n. m. Tenue légère que l'on porte chez soi : *Excusez-moi de vous recevoir en déshabillé* (syn. : EN NÉGLIGÉ). *Un déshabillé de soie.* ◆ **déshabillage** n. m. ◆ **rhabiller** v. tr. : *Rhabiller un enfant.* ◆ ***se rhabiller*** v. pr. : *Le malade se rhabilla après la visite médicale.*

habiter [abite] v. tr. ou intr. 1° Avoir sa demeure, sa résidence dans (le complément indiquant le lieu où l'on réside peut être introduit directement ou par l'intermédiaire d'une préposition) : *J'habite Paris* ou *à Paris* (syn. : DEMEURER À). *Il est venu habiter la Côte d'Azur* ou *sur la Côte d'Azur* (syn. : VIVRE). *Habiter le Quartier latin* ou *au Quartier latin. Il habite un immeuble neuf* ou *dans un immeuble neuf. Il habite la banlieue* ou *en banlieue* (syn. : RÉSIDER). — 2° (sujet nom désignant un sentiment) Etre d'une manière permanente dans l'esprit, le cœur, etc. (littér.) : *L'enthousiasme habite son cœur.* ◆ **habité, e** adj. Occupé par des habitants, par des personnes qui y résident actuellement : *Mars est-elle habitée?* (contr. : INHABITÉ). *Quitter les zones habitées pour entrer dans le désert* (syn. : PEUPLÉ). ◆ **inhabité, e** adj. : *Une maison inhabitée depuis longtemps. Un village inhabité* (syn. : DÉSERT). ◆ **habitant, e** n. Personne qui vit ou réside ordinairement en un lieu : *On prévoit que la France aura 56 millions d'habitants en 1980* (= la population de la France sera de...). *Les habitants de la banlieue, de l'immeuble;* se dit aussi des animaux (littér.) : *Les habitants de ces forêts.* ◆ **habitable** adj. Où l'on peut habiter (sens 1) : *Cette maison est très habitable hiver comme été.* ◆ **inhabitable** adj. : *La ville, après le tremblement de terre, est devenue inhabitable.* ◆ **habitabilité** n. f. Qualité de ce qui peut être habité : *Les conditions d'habitabilité de cette résidence sont exceptionnelles.* ◆ **habitat** [abita] n. m. Mode particulier de peuplement; ensemble des conditions de logement (terme de géographie et d'administration) : *Des subventions ont été consenties pour améliorer l'habitat rural.* ◆ **habitation** n. f. 1° Action de résider dans une maison d'une manière durable : *Locaux à usage d'habitation. Améliorer les conditions d'habitation* (syn. : HABITAT). — 2° Lieu, maison où l'on demeure : *Changer d'habitation* (syn. : DOMICILE, RÉSIDENCE). *Trouver une habitation provisoire* (syn. : DEMEURE). *Construire des habitations à loyer modéré ou H. L. M.* ◆ **cohabiter** v. intr. Habiter ensemble sous le même toit : *Deux familles cohabitent dans ce pavillon.* ◆ **cohabitation** n. f. : *Les nouveaux mariés logèrent chez les beaux-parents : la cohabitation se révéla difficile.*

Noms d'habitants

Ils sont généralement dérivés des noms propres correspondants, au moyen de suffixes dont les plus usités sont *-ais, -ois, -ien, -ain, -on.* Certains ont une forme assez éloignée de celles des noms propres : on en trouvera des exemples ci-dessous.

Abyssinie	*Abyssin, e*
Afghānistān	*Afghan, e*
Afrique	*Africain, e*
Afrique du Nord	*Nord-Africain, e*
Afrique du Sud	*Sud-Africain, e*
Afrique du Sud	*Afrikander* (origine hollandaise)
Afrique et Asie	*Afro-Asiatique*
Albanie	*Albanais, e*
Albi	*Albigeois, e*
Alger	*Algérois, e*
Algérie	*Algérien, enne*
Allemagne	*Allemand, e*
Alpes	*Alpin, e*
Alsace	*Alsacien, enne*
Amérique	*Américain, e*
Amérique du Nord	*Nord-Américain, e*
Amérique du Sud	*Sud-Américain, e*
Andalousie	*Andalou, ouse*
Andes	*Andin, e*
Andorre	*Andorran, e*
Angleterre	*Anglais, e*
	Anglo-Saxon, onne
Angola	*Angolais, e*
Anjou	*Angevin, e*
Antilles	*Antillais, e*
Anvers	*Anversois, e*
Aquitaine	*Aquitain, e*
Arabie	*Arabe*
Aragon	*Aragonais, e*
Ardennes	*Ardennais, e*
Argentine	*Argentin, e*
Arles	*Arlésien, enne*
Arménie	*Arménien, enne*
Artois	*Artésien, enne*
Asie	*Asiatique*
Assyrie	*Assyrien, enne*
Asturies	*Asturien, enne*
Athènes	*Athénien, enne*
Australie	*Australien, enne*
Autriche	*Autrichien, enne*
Auvergne	*Auvergnat, e*
Azerbaïdjan	*Azerbaïdjanais, e*
Babylone	*Babylonien, enne*
Bade	*Badois, e*
Bâle	*Bâlois, e*
Basque (pays)	*Basque; Basquais, e*
Bavière	*Bavarois, e*
Béarn	*Béarnais, e*
Beauce	*Beauceron, onne*
Belgique	*Belge*
Bengale	*Bengali*
Berlin	*Berlinois, e*
Berne	*Bernois, e*
Berry	*Berrichon, onne*
Besançon	*Bisontin, e*
Béziers	*Biterrois, e*
Biarritz	*Biarrot, otte*
Birmanie	*Birman, e*
Bithynie	*Bithynien, enne*
Blois	*Blésois, e*
Bolivie	*Bolivien, enne*
Bordeaux	*Bordelais, e*
Bosnie	*Bosnien, enne; Bosniaque*
Boulogne	*Boulonnais, e*
Bourgogne	*Bourguignon, onne*
Brabant	*Brabançon, onne*
Brésil	*Brésilien, enne*
Bretagne	*Breton, onne*
Brie	*Briard, e*
Bruxelles	*Bruxellois, e*
Bulgarie	*Bulgare*
Cahors	*Cadurcien, enne*
Calabre	*Calabrais, e*
Californie	*Californien, enne*
Cambodge	*Cambodgien, enne*
Cameroun	*Camerounais, e*
Canada	*Canadien, enne*
Carthage	*Carthaginois, e*
Castille	*Castillan, e*
Catalogne	*Catalan, e*
Centrafricaine (république)	*Centrafricain, e*
Cerdagne	*Cerdan, e*
Cévennes	*Cévenol, e*
Ceylan	*Ceylanais, e; Cinghalais, e*
Chamonix	*Chamoniard, e*
Champagne	*Champenois, e*
Charente	*Charentais, e*
Chartres	*Chartrain, e*
Château-Thierry	*Castrothéodoricien, enne*
Chili	*Chilien, enne*
Chine	*Chinois, e*
Chypre	*Chypriote*
Colombie	*Colombien, enne*
Congo	*Congolais, e*
Cordoue	*Cordouan, e*
Corée	*Coréen, enne* (*Nord-Coréen; Sud-Coréen*)
Corfou	*Corfiote*
Corse	*Corse*
Costa Rica	*Costaricien, enne*
Côte-d'Ivoire	*Ivoirien, enne*
Crète	*Crétois, e*
Croatie	*Croate*
Cuba	*Cubain, e*
Dahomey	*Dahoméen, enne*

Dalmatie	*Dalmate*
Damas	*Damascène; Damasquin, e*
Danemark	*Danois, e*
Dauphiné	*Dauphinois, e*
Dieppe	*Dieppois, e*
Dominicaine (république)	*Dominicain, e*
Écosse	*Écossais, e*
Égée	*Égéen, enne*
Égypte	*Égyptien, enne*
Équateur	*Équatorien, enne*
Espagne	*Espagnol, e; hispanique* (adj.)
Estonie	*Estonien, enne*
Éthiopie	*Éthiopien, enne*
Étrurie	*Étrusque*
Europe	*Européen, enne*
Finlande	*Finlandais, e; Finnois, e*
Flandres	*Flamand, e*
Florence	*Florentin, e*
Fontainebleau	*Bellifontain, e*
Forez	*Forésien, e*
Formose	*Formosan, e*
Franche-Comté	*Franc-Comtois, e*
Frise	*Frison, onne*
Gabon	*Gabonais, e*
Galles	*Gallois, e*
Gambie	*Gambien, enne*
Gand	*Gantois, e*
Gascogne	*Gascon, onne*
Gaule	*Gaulois, e*
Gênes	*Génois, e*
Genève	*Genevois, e*
Géorgie	*Géorgien, enne*
Ghāna	*Ghanéen, enne*
Gironde	*Girondin, e*
Grande-Bretagne	*Britannique*
Grèce	*Grec, Grecque*
Groenland	*Groenlandais, e*
Guadeloupe	*Guadeloupéen, enne*
Guatemala	*Guatémaltèque*
Guinée	*Guinéen, enne*
Guyane	*Guyanais, e*
Hainaut	*Hainuyer, ère*
Haïti	*Haïtien, enne*
Hanovre	*Hanovrien, enne*
Haute-Volta	*Voltaïque*
Hawaii	*Hawaiien, enne*
Hollande	*Hollandais, e*
Honduras	*Hondurien, enne*
Hongrie	*Hongrois, e*
Inde	*Indien, enne*
Indochine	*Indochinois, e*
Indonésie	*Indonésien, enne*
Irak ou Iraq	*Irakien, enne; Iraqien, enne*
Iran	*Iranien, enne*
Irlande	*Irlandais, e*
Islande	*Islandais, e*
Israël	*Israélien, enne*
Italie	*Italien, enne*
Jamaïque	*Jamaïquain, e*
Japon	*Japonais, e*
Java	*Javanais, e*
Jordanie	*Jordanien, enne*
Jura	*Jurassien, enne*
Kabylie	*Kabyle*
Landes	*Landais, e*
Languedoc	*Languedocien, enne*
Laos	*Laotien, enne*
Laponie	*Lapon, e*
Lesbos	*Lesbien, enne*
Lettonie	*Letton, e*
Levant	*Levantin, e*
Liban	*Libanais, e*
Liberia	*Libérien, enne*
Libye	*Libyen, enne*
Liège	*Liégeois, e*
Lille	*Lillois, e*
Limoges	*Limougeaud, e*
Limousin	*Limousin, e*
Lituanie	*Lituanien, enne*
Lombardie	*Lombard, e*
Londres	*Londonien, enne*
Lons-le-Saunier	*Lédonien, enne*
Lorraine	*Lorrain, e*
Luxembourg	*Luxembourgeois, e*
Lyon	*Lyonnais, e*
Madagascar	*Malgache*
Madrid	*Madrilène*
Maghreb	*Maghrébin, e*
Majorque	*Majorquin, e*
Malaisie	*Malais, e*
Mali	*Malien, enne*
Mans (Le)	*Manceau, Mancelle*
Maroc	*Marocain, e*
Marseille	*Marseillais, e*
Martinique	*Martiniquais, e*
Mauritanie	*Mauritanien, enne*
Metz	*Messin, e*
Mexique	*Mexicain, e*
Milan	*Milanais, e*
Monaco	*Monégasque*
Mongolie	*Mongol, e*
Montréal	*Montréalais, e*
Morvan	*Morviandiau; Morvandeau, elle*
Moscou	*Moscovite*
Munich	*Munichois, e*
Nantes	*Nantais, e*
Népal	*Népalais, e*
New York	*New-Yorkais, e*
Nicaragua	*Nicaraguayen, enne*
Nice	*Niçois, e*
Niger et Nigeria	*Nigérien, enne*
Normandie	*Normand, e*
Norvège	*Norvégien, enne*
Nouvelle-Calédonie	*Néo-Calédonien, enne*
Nouvelle-Guinée	*Néo-Guinéen, enne*
Nouvelles-Hébrides	*Néo-Hébridais, e*
Nouvelle-Zélande	*Néo-Zélandais, e*
Océanie	*Océanien, enne*
Orléans	*Orléanais, e*
Ouganda	*Ougandais, e*
Pakistan	*Pakistanais, e*
Pamiers	*Appaméen, enne*
Panama	*Panaméen, enne; Panamien, enne*
Papouasie	*Papou, e*
Paraguay	*Paraguayen, enne*
Paris	*Parisien, enne*
Parme	*Parmesan, e*
Patagonie	*Patagon, onne*
Pau	*Palois, e*
Pays-Bas	*Néerlandais, e*
Pékin	*Pékinois, e*
Périgord	*Périgourdin, e*
Pérou	*Péruvien, enne*
Perse	*Persan,* ou *Perse*
Phénicie	*Phénicien, enne*
Philippines	*Philippin, e*
Picardie	*Picard, e*
Piémont	*Piémontais, e*
Poitou	*Poitevin, e*
Pologne	*Polonais, e*
Pont-à-Mousson	*Mussipontain, e*
Porto Rico	*Portoricain, e*
Portugal	*Portugais, e*
Provence	*Provençal, e*
Prusse	*Prussien, enne*
Pyrénées	*Pyrénéen, enne*
Québec	*Québécois, e*
Reims	*Rémois, e*
Réunion	*Réunionnais, e*
Rhodésie	*Rhodésien, enne*
Rome	*Romain, e*
Roumanie	*Roumain, e*
Ruanda	*Ruandais, e*
Russie	*Russe*
Sahara	*Saharien, enne*
Saint-Denis	*Dionysien, enne*
Saint-Étienne	*Stéphanois, e*
Saint-Malo	*Malouin, e*
Salvador	*Salvadorien, enne*
Samoa	*Samoan, e*
Sardaigne	*Sarde*
Sarre	*Sarrois, e*
Savoie	*Savoyard, e*
Saxe	*Saxon, onne*
Scandinavie	*Scandinave*
Sénégal	*Sénégalais, e*
Serbie	*Serbe*
Siam	*Siamois, e*
Sibérie	*Sibérien, enne*
Sicile	*Sicilien, enne*
Silésie	*Silésien, enne*
Somalie	*Somali(s), e*
Soudan	*Soudanais, e*
Sparte	*Spartiate*
Strasbourg	*Strasbourgeois, e*
Suède	*Suédois, e*

Suisse	*Suisse, Suissesse*
Syrie	*Syrien, enne*
Tahiti	*Tahitien, enne*
Tanzanie	*Tanzanien, enne*
Tchad	*Tchadien, enne*
Tchécoslovaquie	*Tchécoslovaque* ou *Tchèque*
Thaïlande	*Thaïlandais, e*
Thèbes	*Thébain, e*
Tibet	*Tibétain, e*
Togo	*Togolais, e*
Tolède	*Tolédan, e*
Toscane	*Toscan, e*
Toulouse	*Toulousain, e*
Touraine	*Tourangeau, elle*
Troie	*Troyen, enne*
Tunisie et Tunis	*Tunisien, enne*
Turquie	*Turc, Turque*
Tyrol	*Tyrolien, enne*
Ukraine	*Ukrainien, enne*
U. R. S. S.	*Soviétique*
Uruguay	*Uruguayen, enne*
Vendée	*Vendéen, enne*
Venezuela	*Vénézuélien, enne*
Venise	*Vénitien, enne*
Versailles	*Versaillais, e*
Vichy	*Vichyssois, e*
Vienne	*Viennois, e*
Viêt-nam	*Vietnamien, enne*
Vosges	*Vosgien, enne*
Wallonie	*Wallon, onne*
Yémen	*Yéménite* ou *Yéminite*
Yougoslavie	*Yougoslave*

habitude [abityd] n. f. 1° Manière d'être, de voir, d'agir, de se comporter que l'on a acquise par des actes répétés et qui est devenue constante; aptitude acquise par l'expérience : *Se conformer aux habitudes du pays* (syn. : USAGE, COUTUME). *Cela est contraire à nos habitudes occidentales* (syn. : TRADITION). *L'insensibilité qu'engendre l'habitude* (syn. : ACCOUTUMANCE). *Comme à son habitude, il protesta. J'ai l'habitude de prendre mes repas au restaurant. La force de l'habitude. Prendre des habitudes de paresse. Il vous faudra abandonner vos vieilles habitudes. A son habitude, il a mis deux morceaux de sucre dans son café.* — 2° *D'habitude,* en général, d'ordinaire : *D'habitude, il sort plus tôt de chez lui* (syn. : HABITUELLEMENT, ORDINAIREMENT; contr. : EXCEPTIONNELLEMENT). *Servez-moi, comme d'habitude, un café.* ‖ *Par habitude,* d'une manière machinale, sans réflexion : *Il tourna par habitude le bouton de la radio, sans intention précise d'écouter* (syn. : MACHINALEMENT). ◆ **habituer** v. tr. *Habituer quelqu'un à quelque chose,* lui en faire prendre l'habitude : *Elle a habitué ses enfants à prendre les initiatives nécessaires* (syn. : APPRENDRE À). *On l'a habitué à être poli;* souvent au passif : *J'ai été habitué dès l'enfance à me lever tôt* (syn. : FORMER). *Il est habitué à de tels spectacles et il n'y fait plus attention.* ◆ ***s'habituer*** v. pr. Prendre l'habitude de : *Il faut s'habituer à ses sautes d'humeur* (syn. : S'ACCOUTUMER). *Il lui est impossible de s'habituer à son nouvel horaire de travail* (syn. : S'ADAPTER, SE FAIRE). ◆ **habitué, e** n. Personne qui fréquente un lieu d'une manière habituelle : *Le garçon de café servait toujours en premier les habitués* (= les clients habituels). *C'est un habitué de la maison qui vient chaque semaine* (syn. : FAMILIER). ◆ **habituel, elle** adj. 1° Devenu une habitude : *Une expression habituelle dans sa bouche* (syn. : FAMILIER; contr. : RARE, EXTRAORDINAIRE). *Les conversations habituelles avec les collègues du bureau* (syn. : ORDINAIRE). *Le cinéma est ma distraction habituelle* (contr. : EXCEPTIONNEL, OCCASIONNEL). — 2° Devenu très fréquent ou qui est normal : *La chaleur habituelle au mois d'août* (syn. : COURANT). *Cette douceur n'est pas habituelle chez lui* (contr. : ANORMAL). *J'ai aujourd'hui ma migraine habituelle* (syn. : CHRONIQUE). ◆ **habituellement** adv. : *Il a habituellement une serviette noire* (syn. : D'ORDINAIRE). ◆ **inhabituel, elle** adj. Contr. d'*habituel* : *Le silence inhabituel de la maison* (syn. : ANORMAL, INSOLITE). *C'est chez lui une réaction inhabituelle.* ◆ **déshabituer** v. tr. Faire perdre l'habitude : *Il est difficile de le déshabituer d'arriver en retard.* ◆ ***se déshabituer*** v. pr. Perdre l'habitude : *J'ai réussi à me déshabituer de fumer.* ◆ **réhabituer** v. tr. : *Réhabituer peu à peu ses yeux à la lumière.* ◆ ***se réhabituer*** v. pr. : *Se réhabituer au travail après un mois de vacances.*

***hâbleur, euse** [ablœr, -øz] adj. et n. Qui a l'habitude de se vanter, qui tient de longs discours sur des succès qu'il s'attribue (littér.) : *Un Méridional hâbleur et bavard nous a entretenus de ses aventures de jeunesse* (syn. : FAISEUR).

***hache** [aʃ] n. f. 1° Instrument tranchant muni d'un manche, qui sert à fendre, à couper : *Fendre du bois avec une hache. Briser une porte à coups de hache.* — 2° *Porter la hache dans,* faire des suppressions dans : *Il fallut porter la hache dans les ministères pléthoriques.* ◆ ***hachette** n. f. Petite hache.

***hacher** [aʃe] v. tr. 1° *Hacher quelque chose* (objet), le couper en petits morceaux avec un instrument tranchant : *Hacher de la viande, des herbes et des oignons pour faire de la chair à pâté. Hacher des feuilles de tabac.* — 2° Tailler, mettre en pièces : *La grêle a haché la récolte de maïs* (syn. : DÉCHIQUETER). *Les rafales successives hachèrent les bataillons qui montaient à l'assaut.* — 3° *Hacher quelque chose* (énoncé, discours, etc.), l'interrompre fréquemment, en briser la continuité : *Les applaudissements hachaient le discours. La conversation était hachée d'éclats de rire* (syn. : ENTRECOUPER). *Un style haché* (= heurté, saccadé, fait de petites phrases). — 4° *Se faire hacher,* se faire tuer jusqu'au dernier. ‖ *Il se ferait plutôt hacher...,* il est prêt à tout souffrir, à subir tous les risques... ◆ ***hachis** [aʃi] n. m. Morceaux de viande, de volaille, de poisson coupés menu et utilisés surtout comme farce : *Des choux farcis avec du hachis.* ◆ ***hachoir** n. m. Couperet ou appareil mécanique servant à hacher la viande, les légumes.

***hachure** [aʃyr] n. f. Chacun des traits parallèles ou croisés qui servent à indiquer les ombres, les demi-teintes, les accidents de terrain sur une carte, etc. (surtout au plur.). ◆ ***hachurer** v. tr. Couvrir, marquer de hachures : *Le dessinateur hachurait à grands traits l'ombre de son personnage. La partie hachurée de la carte.*

***hagard, e** [agar, -ard] adj. Qui est en proie à un trouble violent, manifesté par un air, un visage affolé : *Les sinistrés avaient tous le visage hagard de ceux qui ont vécu des moments effroyables* (syn. : EFFARÉ).

1. ***haie** [ɛ] n. f. Clôture faite d'arbustes, de buissons, de petits arbres, de branchages, qui sert à limiter un champ, à le protéger du vent, etc. : *Un chemin creux entre deux haies. Faire une brèche dans une haie. Une haie vive est faite d'arbustes en pleine végétation. Les courses de haies*

(= parcours où les chevaux ont à franchir des haies artificielles). *Une course de haies* (= celle où un athlète doit franchir un certain nombre de cadres de bois disposés sur un parcours de 110 mètres ou de 400 mètres).

2. *haie [ɛ] n. f. Rangée de personnes placées le long d'une rue, d'une voie, etc., sur le passage de quelqu'un : *Le défilé eut lieu devant une double haie de curieux* (syn. : RANG). *Une haie d'agents de police* (syn. : CORDON).

***haillon** [ajɔ̃] n. m. Vêtement en loques (surtout au plur.) : *Clochard vêtu de haillons* (syn. : LOQUES). *La malheureuse grelottait sous ses haillons* (syn. : GUENILLES).

***haïr** [air] v. tr. (conj. 13). 1° *Haïr quelqu'un*, lui vouloir du mal, être animé contre lui de sentiments violemment hostiles : *Ils le haïssent, mais ils le craignent en même temps* (syn. : DÉTESTER). *Se faire haïr par ses subordonnés* (contr. : AIMER). *Il me hait de ce que j'ai découvert sa faiblesse.* — 2° *Haïr une chose*, avoir un grand dégoût ou une forte répugnance pour elle : *Haïr l'hypocrisie. Un régime haï* (syn. : DÉTESTER, EXÉCRER). *Je ne hais pas un bon repas de temps à autre.* ◆ **se haïr** v. pr. Avoir l'un pour l'autre de l'hostilité : *Les deux hommes se haïssent cordialement et sont condamnés à vivre dans le même bureau.* ◆ ***haïssable** adj. : *Un individu haïssable, hypocrite et fourbe. Une bassesse particulièrement haïssable* (syn. : DÉTESTABLE). ◆ ***haine** [ɛn] n. f. Sentiment violent d'hostilité ou de répugnance : *Vouer une haine mortelle, farouche, à un adversaire* (syn. : ↓ INIMITIÉ). *Etre incapable de haine* (syn. : ↓ RESSENTIMENT ; contr. : AFFECTION). *Parler par haine* (syn. : ↓ ANTIPATHIE). *La haine de la médiocrité* (syn. : AVERSION). *Exciter les haines entre les partis politiques* (syn. : DISSENSION, ↓ RIVALITÉ ; contr. : ENTENTE). ◆ ***haineux, euse** [ɛnø, -øz] adj. Qui manifeste de la haine, de l'hostilité : *Des gens haineux, aigris, prêts à toutes les méchancetés. Tenir contre un ennemi des propos haineux* (contr. : BIENVEILLANT).

***hâle** [ɑl] n. m. Brunissement de la peau par le soleil ou par l'air de la mer, de la montagne : *Le hâle de son visage de vieux marin.* ◆ ***hâler** v. tr. Rendre le teint brun (surtout au passif) : *Il est revenu hâlé de son séjour à la montagne* (syn. : BRONZER, BRUNIR).

haleine [alɛn] n. f. 1° Air qui sort des poumons : *Par ce temps glacial, on voyait l'haleine sortir de sa bouche comme une légère buée. Avoir l'haleine forte* ou *mauvaise haleine* (= sentir mauvais de la bouche). — 2° Respiration, souffle (surtout dans des express. ou des loc.) : *Etre hors d'haleine* (= très essoufflé). *Courir, rire à perdre haleine* (= jusqu'à l'essoufflement). *Il retenait son haleine afin de ne pas dévoiler sa présence indiscrète* (= retenir sa respiration). *Au quatrième, il s'arrêta pour reprendre haleine* (= reprendre une respiration régulière après un effort). — 3° *Travail, ouvrage de longue haleine*, qui demande de la persévérance dans l'effort et beaucoup de temps. ‖ *Tenir quelqu'un en haleine*, retenir son attention ; le maintenir dans l'incertitude sur la suite des événements : *Le romancier savait tenir ses lecteurs en haleine jusqu'à la fin.*

***haler** [ale] v. tr. Tirer au moyen d'une corde : *Haler un canot le long d'une rivière.* ◆ ***halage** n. m. : *Le chemin de halage, le long d'un cours d'eau, permet à des animaux ou à des machines de haler un bateau, une péniche.*

***haleter** [alte] v. intr. (conj. 7). Respirer avec gêne ou à un rythme précipité : *Haleter après une course* (= être hors d'haleine, essoufflé). *Le malade haletait de fièvre.* ◆ ***haletant, e** adj. : *La voix haletante d'émotion. La respiration courte et haletante d'un agonisant* (syn. : PRÉCIPITÉE). *La poitrine haletante.* ◆ ***halètement** n. m. : *Le halètement du chien qui a couru.*

***hall** [ol] n. m. Salle de grandes dimensions, qui est contiguë à l'entrée d'un hôtel, d'un établissement public, d'une maison particulière : *Quelqu'un vous attend dans le hall de l'hôtel* (syn. : VESTIBULE). *Les guichets se trouvent dans le hall de la gare.*

hallali [alali] n. m. Cri ou fanfare qui annonce la prise prochaine de l'animal poursuivi par les chasseurs et donc sa mort. (Utilisé parfois dans la langue littéraire avec une valeur symbolique.)

1. *halle [al] n. f. Grand bâtiment servant au commerce en gros d'une marchandise (indiquée comme compl. du nom) : *La halle aux cuirs. La halle aux vins.*

2. *halles [al] n. f. pl. Bâtiment, place publique généralement couverte, où se tient le principal marché des denrées alimentaires d'une ville : *Les halles de la petite ville datent du XIVe siècle. Les Halles centrales, le quartier des Halles, à Paris* (prend une majusc. quand il s'agit de celles de Paris).

hallucination [alysinasjɔ̃] n. f. Sensation éprouvée par quelqu'un alors que l'objet n'est pas présent ; interprétation erronée d'une sensation : *J'ai cru l'apercevoir dans le métro, mais j'ai été victime* (ou *le jouet*) *d'une hallucination* (syn. : ILLUSION). ◆ **halluciné, e** adj. et n. : *Ce sont là les rêves d'un poète halluciné* (syn. : VISIONNAIRE). ◆ **hallucinant, e** adj. : *Il y a entre les deux frères une ressemblance hallucinante* (syn. : EXTRAORDINAIRE).

***halo** [alo] n. m. 1° Zone circulaire, blanche ou colorée, diffuse autour d'une source lumineuse : *Le halo des réverbères.* — 2° *Un halo (de)*, un rayonnement de : *Etre entouré d'un halo de gloire* (= d'une réputation brillante).

***halte** [alt] n. f. 1° Moment d'arrêt pendant une marche ou un voyage (en parlant d'une personne) : *La halte est finie, il faut reprendre la route* (syn. : REPOS). *Avant d'entreprendre l'escalade du dernier piton, les alpinistes firent halte quelques instants* (= s'arrêtèrent). — 2° Lieu établi pour l'arrêt d'une marche, d'un train, d'un car : *Il faut arriver de bonne heure à la halte fixée* (syn. : ÉTAPE). *La halte du car* (syn. : ARRÊT, STATION). — 3° *Halte !, halte-là !*, ordre de s'arrêter, de ne plus avancer : *Halte ! vous marchez trop vite, je ne peux pas vous suivre. Halte-là ! vous dépassez les bornes.* ‖ *Dire halte*, signifier l'ordre d'arrêter : *Il faut dire halte à l'inflation menaçante.*

haltère [altɛr] n. m. (souvent fém. dans l'usage). Instrument formé de deux masses sphériques ou de disques métalliques de poids variable, réunis par une tige et servant à des exercices de gymnastique (le plus souvent au plur.) : *Faire des haltères. Les poids et haltères* (= sport consistant à soulever les haltères les plus lourds possible, selon des mouvements déterminés). ◆ **haltérophilie** n. f. Sport des poids et haltères. ◆ **haltérophile** adj. et n.

***hamac** [amak] n. m. Filet ou toile rectangulaire, suspendus horizontalement par les extrémités et servant de lit : *Tendre un hamac entre deux arbres.*

***hameau** [amo] n. m. Groupe de quelques maisons situées hors de l'agglomération principale de la commune, hors du village.

hameçon [amsɔ̃] n. m. 1° Crochet de métal placé au bout d'une ligne de pêche, et sur lequel on fixe un appât pour prendre le poisson. — 2° (sujet nom de personne) *Mordre à l'hameçon,* se laisser prendre au piège qu'on lui tend, se laisser séduire par un attrait trompeur.

***hampe** [ɑ̃p] n. f. 1° Long manche de bois sur lequel sont fixés un drapeau, une bannière, le fer d'une lance, etc. — 2° Trait d'écriture vertical des lettres *t, h, j,* etc., au-dessus ou au-dessous de la ligne.

***hanche** [ɑ̃ʃ] n. f. Articulation de la jambe et du tronc : *Marcher en roulant des hanches. Mettre les poings, les mains sur les hanches* (souvent attitude de défi). ◆ **déhancher (se)** v. pr. Balancer les hanches avec mollesse ou souplesse; faire porter le poids du tronc sur une seule jambe, ce qui met le bassin en position oblique : *Marcher en se déhanchant* (syn. : SE DANDINER). ◆ **déhanché, e** adj. Qui ne se tient pas d'aplomb sur ses hanches (syn. : DÉGINGANDÉ). ◆ **déhanchement** n. m. : *Le déhanchement des marcheurs disputant un championnat.*

***handicap** [ɑ̃dikap] n. m. Désavantage ou infériorité qu'un concurrent doit supporter par rapport à d'autres, ou que quelqu'un subit par rapport aux conditions normales de l'existence : *La défection de deux joueurs fait subir un handicap sérieux à cette équipe. Sa faiblesse en mathématiques est un handicap pour la suite de ses études.* (Le *handicap* est une course de chevaux où les chances sont équilibrées en faisant porter une surcharge ou rendre de la distance aux meilleurs.) ◆ ***handicaper** v. tr. : *Sa blessure au genou a sérieusement handicapé le coureur cycliste pendant les étapes de montagne* (syn. : DÉSAVANTAGER). *Il a été handicapé pendant son voyage par sa méconnaissance de la langue du pays.*

***hangar** [ɑ̃gar] n. m. Grand abri servant à divers usages : *Un hangar a été construit près de la ferme pour le matériel agricole* (syn. : REMISE). *Les hangars d'un terrain d'aviation. Les hangars du port ont été ravagés par un incendie* (syn. : ENTREPÔT).

***hanneton** [antɔ̃] n. m. Insecte nuisible, très commun en France et dont la larve est connue sous le nom de *ver blanc.*

***hanter** [ɑ̃te] v. tr. 1° *Fantôme qui hante un lieu,* qui y apparaît : *La demeure seigneuriale est hantée par le fantôme de son dernier propriétaire.* — 2° *Vision, idée, souvenir qui hante quelqu'un,* qui occupe entièrement sa pensée : *Il est hanté par le remords* (syn. : OBSÉDER, POURSUIVRE). *L'espoir d'aller dans d'autres planètes hantait depuis longtemps l'imagination des hommes.* ◆ ***hanté, e** adj. : *Maison hantée.* ◆ ***hantise** n. f. Idée, souvenir, etc., dont on ne peut se débarrasser : *Il a la hantise du suicide* (syn. : OBSESSION). *Il est poursuivi par la hantise de l'examen* (syn. : IDÉE FIXE).

***happer** [ape] v. tr. Saisir brusquement par un mouvement rapide, violent : *Le chat bondit et happa la souris* (syn. : ATTRAPER). *Au moment où j'allais sauter, je me sentis happé par le bras* (syn. : AGRIPPER).

***hara-kiri** [arakiri] n. m. *Se faire hara-kiri,* se sacrifier (emploi plaisant). [Le *hari-kiri* est un mode de suicide japonais, qui consiste à s'ouvrir le ventre.]

***harangue** [arɑ̃g] n. f. 1° Discours prononcé par un orateur devant une assemblée, devant la foule d'un meeting, etc. : *Faire, prononcer une harangue enflammée* (syn. : DISCOURS). — 2° Discours solennel, fait d'une suite de remontrances ennuyeuses : *Quand vous aurez fini votre harangue, nous pourrons parler d'affaires sérieuses.* ◆ ***haranguer** v. tr. : *Un orateur improvisé harangua la foule des ouvriers à la sortie de l'usine* (syn. : S'ADRESSER À, PARLER À).

***haras** [ara] n. m. Lieu, établissement où des étalons et des juments sont réunis en vue de la reproduction.

***harasser** [arase] v. tr. Accabler d'une grande fatigue (souvent au passif) : *Rentrer harassé d'une journée de travail* (syn. fam. : ÉREINTER). *Etre harassé par une longue marche* (syn. : EXTÉNUER). ◆ **harassant, e** adj. : *Une besogne harassante.*

***harceler** [arsəle] v. tr. (conj. 5 ou 6). *Harceler quelqu'un,* le soumettre à des attaques incessantes, à des critiques ou des moqueries continuelles : *Les convois étaient harcelés par l'ennemi, dissimulé sur les hauteurs* (syn. : ATTAQUER). *On le harcela de questions sur son emploi du temps* (syn. : PRESSER). *Le service de renseignements est harcelé de réclamations* (syn. : ASSAILLIR). *Il harcèle ses parents pour que la famille aille au cinéma* (syn. : IMPORTUNER). *As-tu fini de harceler ta sœur?* (syn. : TAQUINER, AGACER). ◆ ***harcèlement** n. m. : *Poursuivre une guerre de harcèlement.*

***hardes** [ard] n. f. pl. Ensemble de vêtements usagés (péjor. et littér.) : *Le clochard traînait avec lui un paquet de hardes* (syn. : NIPPES).

hardi, e** [ardi] adj. (avant ou plus souvent après le nom). 1° Qui manifeste de l'audace et de la décision en face d'une difficulté, d'un obstacle : *Des alpinistes hardis ont entrepris l'ascension de la face nord de l'Eiger* (syn. : DÉTERMINÉ, COURAGEUX). *Votre entreprise est hardie, mais elle peut réussir* (syn. : AUDACIEUX). *Prendre sur un problème une position hardie* (syn. : EN FLÈCHE; péjor. : AVENTUREUX; contr. : RÉSERVÉ, EN RETRAIT). *Vous n'êtes pas très hardi; à votre place, je lui aurais répondu* (syn. : BRAVE; contr. : PUSILLANIME, ↑ LÂCHE). *Une pensée hardie, qui approfondit les questions les plus difficiles* (syn. : ORIGINAL). — 2° Qui manifeste un mépris des convenances qui va jusqu'à l'insolence : *Vous êtes bien hardi de m'interrompre ainsi* (syn. : EFFRONTÉ, IMPUDENT). *Une fille hardie* (contr. : TIMIDE, RÉSERVÉ). *Le roman contient des passages un peu hardis* (syn. : OSÉ, LESTE). — 3° *Hardi!,* interj. qui sert à encourager dans l'effort. ◆ ***hardiment** adv. : *S'attaquer hardiment aux abus de la bureaucratie* (syn. : BRAVEMENT). *Vous vous êtes engagé bien hardiment* (syn. : À LA LÉGÈRE). *Nier hardiment l'évidence* (syn. : EFFRONTÉMENT). ◆ ***hardiesse** n. f. : *La hardiesse d'un grimpeur* (syn. : COURAGE, INTRÉPIDITÉ). *La hardiesse de son décolleté* (syn. : ↑ INCONVENANCE). *Il manque de hardiesse* (contr. : PUSILLANIMITÉ, ↑ LÂCHETÉ). *Je prends la hardiesse de vous adresser cette requête* (syn. : LIBERTÉ). *Quelle hardiesse d'aller dire cela!* (syn. : IMPUDENCE). *Les hardiesses du metteur en scène* (syn. : AUDACE). ◆ enhardir [ɑ̃ardir] v. tr. Rendre hardi : *Le silence l'enhardit, il fit quelques pas dans la pièce* (syn. : DONNER DE L'ASSURANCE; contr. : INTIMIDER, ↑ EFFRAYER). ◆ ***s'enhardir v. pr. Devenir hardi : *Il s'est enhardi jusqu'à lui parler.*

***harem** [arɛm] n. m. **1°** Endroit de la maison réservé aux femmes, chez les musulmans; les femmes qui y demeurent. — **2°** Fam. *Avoir un harem,* se dit d'un homme qui a simultanément de nombreuses liaisons. — **3°** Famille où les femmes sont très nombreuses et vivent sous le même toit : *Il avait autour de lui tout un harem de tantes, de nièces, de cousines qui vivaient à ses dépens.*

***hareng** [arɑ̃] n. m. Poisson au dos bleu-vert et au ventre argent, très abondant dans la Manche et la mer du Nord.

***hargne** [arɲ] n. f. Irritation qui se manifeste par une attitude méchante, agressive, par des paroles dures : *Répondre avec hargne à des taquineries* (syn. : COLÈRE). *Il lutte toujours avec une hargne qui lui donne souvent la victoire* (syn. : AGRESSIVITÉ). ◆ **hargneux, euse** adj. Qui manifeste de la hargne : *Un homme hargneux, qui passe sa vie à protester* (syn. : GROGNON, MOROSE). *Un ton hargneux* (syn. : ↓ DÉSAGRÉABLE). ◆ **hargneusement** adv.

***haricot** [ariko] n. m. **1°** Plante qui comprend de nombreuses espèces comestibles, cultivées pour leurs gousses vertes (*haricots verts*) ou pour leurs graines récoltées plus ou moins mûres (*flageolets, haricots blancs*) : *Un plat de haricots. Des haricots verts en salade. Ecosser des haricots blancs.* — **2°** Pop. *Courir sur le haricot,* ennuyer : *Tu commences à nous courir sur le haricot avec tes pleurnicheries!* (syn. : IMPORTUNER, langue soutenue). ‖ Pop. *C'est la fin des haricots,* c'est le désastre total, c'est la fin de tout. ‖ Pop. *Des haricots!,* exclamation indiquant que l'on n'aura rien, que l'on en sera pour ses frais. ‖ Pop. *Toucher des haricots,* toucher une somme d'argent insignifiante.

***haridelle** [aridɛl] n. f. Mauvais cheval, maigre et efflanqué.

harmonica [armɔnika] n. m. Petit instrument de musique populaire, dont le son est produit par de petites lames que l'on met en vibration en soufflant et en aspirant.

harmonie [armoni] n. f. **1°** Accord ou succession de divers sons agréables à l'oreille : *L'harmonie des violons. La douce harmonie de sa voix* (syn. : SONORITÉ). *L'harmonie d'une phrase* (syn. : MÉLODIE). *L'harmonie imitative* (= sonorité des mots qui évoque le bruit de la chose signifiée). — **2°** Système musical qui a pour objet l'emploi de sons simultanés : *Traité d'harmonie.* — **3°** Accord bien réglé entre les parties d'un tout : *Mettre en harmonie les nouveaux immeubles avec le caractère propre de la ville* (syn. : ACCORD). *L'harmonie des couleurs d'un tableau* (syn. : BEAUTÉ). *L'harmonie d'un visage* (syn. : GRÂCE). — **4°** Accord des sentiments entre des personnes, à l'intérieur d'un groupe : *Ces discussions finissent par détruire l'harmonie de la famille* (syn. : UNION; contr. : MÉSENTENTE). *Goûter l'harmonie retrouvée du ménage* (syn. : PAIX). *Vivre en parfaite harmonie avec son entourage* (syn. : AMITIÉ; contr. : DISSENTIMENT). *Une harmonie de sentiments s'est établie entre les deux jeunes gens* (syn. : COMMUNION, CONFORMITÉ). ◆ **harmonieux, euse** adj. **1°** Agréable à l'oreille : *Une voix harmonieuse* (syn. : MÉLODIEUX; contr. : FAUX). — **2°** Dont l'accord entre les diverses parties produit un effet agréable : *Le développement harmonieux de l'économie française* (syn. : COHÉRENT, ÉQUILIBRÉ). *Le mouvement harmonieux de son corps* (syn. : BEAU). *Un visage harmonieux* (syn. : ↓ AGRÉABLE). ◆ **harmonieusement** adv. : *Les intérêts en cause ont été harmonieusement accordés.* ◆ **harmonique** adj. Relatif à l'harmonie (au sens 2; terme technique). ◆ n. m. Son musical dont la fréquence est un multiple entier du son fondamental. (Il se surajoute à ce son pour donner le timbre.) ◆ **harmoniser** v. tr. Mettre en accord, en harmonie : *Harmoniser l'action des ministères entre eux* (syn. : COORDONNER). *Harmoniser les couleurs d'un tableau* (syn. : ÉQUILIBRER). *Harmoniser une chanson* (= en composer la musique d'accompagnement). ◆ ***s'harmoniser*** v. pr. Etre en harmonie : *Sa tristesse s'harmonisait avec ce paysage d'automne* (syn. : CORRESPONDRE). ◆ **harmonisation** n. f. : *L'harmonisation des divers intérêts en présence.* ◆ **harmonium** [armɔnjɔm] n. m. Instrument de musique à vent, dont le mécanisme est commandé par un clavier.

***harnais** [arnɛ] n. m. Ensemble des pièces composant l'équipement d'un cheval de trait ou de selle. ◆ ***harnacher** [arnaʃe] v. tr. **1°** *Harnacher un cheval,* lui mettre le harnais. — **2°** *Etre harnaché,* être habillé d'une manière ridicule, d'une tenue lourde, être muni d'objets encombrants : *Il partait pour une excursion en montagne, harnaché de sacs, d'appareils photographiques et d'objets hétéroclites.* ◆ ***harnachement** n. m. **1°** Equipement d'un cheval de selle. — **2°** Accoutrement pesant et encombrant : *Le harnachement des fantassins.* ◆ **enharnacher** v. tr. Syn. de HARNACHER (sens 2).

***haro** [aro] n. m. *Crier haro sur quelqu'un,* soulever contre lui la colère d'autrui (littér.) : *Le scandale était public, tous les voisins crièrent haro sur le malheureux.*

***harpe** [arp] n. f. Instrument de musique triangulaire, à cordes inégales, que l'on pince des deux mains. ◆ ***harpiste** n.

***harpie** [arpi] n. f. Femme très méchante, violente et coléreuse.

***harpon** [arpɔ̃] n. m. Instrument muni de fers recourbés et acérés, dont on se sert pour la pêche des gros poissons et des baleines : *Lancer un harpon à la main ou avec un canon.* ◆ ***harponner** v. tr. **1°** Saisir ou percer avec un harpon : *La baleine, harponnée, fut ensuite hissée sur le pont du navire.* — **2°** *Fam.* Arrêter au passage : *Je me suis fait harponner par un importun et j'ai été mis en retard.*

hasard** [azar] n. m. **1°** Evénement heureux ou fâcheux, dû à un ensemble de circonstances imprévues : *Il a profité d'un hasard heureux* (syn. : OCCASION). *Les hasards de la vie. Une rencontre de hasard* (= fortuite). *Les hasards de la carrière d'ambassadeur l'avaient amené en Amérique du Sud. Un hasard malheureux* (= une malchance). *Les hasards de la guerre* (syn. : RISQUE, PÉRIL). — **2°** Cause attribuée aux événements considérés comme inexplicables logiquement et soumis seulement à la loi des probabilités : *Les jeux de hasard : la roulette, le baccara, la loterie. Le hasard décidera. Il ne laisse rien au hasard. Il faut faire la part du hasard dans sa réussite* (syn. : CHANCE). ● LOC. ADV. *Au hasard,* n'importe où, n'importe comment : *Aller au hasard* *à travers les rues de la ville. Il a donné ce conseil un peu au hasard* (syn. fam. : AU PETIT BONHEUR). ‖ *A tout hasard,* en prévision d'un événement possible : *Je suis venu à tout hasard prendre de ses nouvelles.* ‖ *Par hasard,* d'une manière accidentelle, fortuite : *Nous avons eu par hasard la même idée. Auriez-vous par hasard l'intention de me rendre le livre que je vous ai prêté?* (ironiq.). ‖ *Par le plus grand des hasards,* d'une manière extraordinaire. ◆ ***hasarder** v. tr. 1° Exposer à un risque, à un danger : *Hasarder sa réputation dans une entreprise dangereuse* (syn. : COMMETTRE). *Hasarder sa vie* (syn. : EXPOSER). *Hasarder sa fortune dans des spéculations* (syn. : RISQUER, JOUER). — 2° Entreprendre quelque chose, avancer une opinion, une idée en risquant d'échouer ou de déplaire : *Hasarder une démarche auprès d'un ministre* (syn. : TENTER). *Je hasardai une explication de ce phénomène extraordinaire* (syn. : RISQUER). ◆ ***se hasarder v. pr. 1° Aller en un endroit dangereux : *Se hasarder la nuit dans une ruelle obscure* (syn. : S'AVENTURER). — 2° *Se hasarder à* (et l'infin.), se décider à faire quelque chose en dépit du risque : *Je me hasardai à sortir malgré le temps menaçant.* ◆ ***hasardé, e** adj. : *Une hypothèse hasardée* (syn. : TÉMÉRAIRE, OSÉ). *La demande était hasardée* (syn. : HARDI, RISQUÉ). ◆ ***hasardeux, euse** adj. Qui comporte un risque : *Une affaire hasardeuse* (syn. : ALÉATOIRE, DANGEREUX). *Une vie hasardeuse* (syn. : AVENTUREUX).

***hase** [az] n. f. Femelle du lièvre.

hâte** [ɑt] n. f. Grande rapidité mise à faire quelque chose, allant jusqu'à la précipitation : *Mettre trop peu de hâte à achever un travail* (syn. : PROMPTITUDE). *Une hâte excessive* (syn. : EMPRESSEMENT; contr. : LENTEUR). *Quelle hâte à vouloir prendre la parole!* (syn. : IMPATIENCE). *Répondre sans hâte à une question insidieuse* (= calmement). *Il avait hâte de sortir* (= il était pressé). ● LOC. ADV. *A la hâte,* avec une rapidité très grande ou excessive : *Manger à la hâte. Il me laissa quelques mots écrits à la hâte.* ‖ *En hâte,* sans perdre de temps : *On envoya en hâte chercher le médecin* (syn. : D'URGENCE). ◆ ***hâter** v. tr. *Hâter quelque chose,* le faire arriver plus tôt, le rendre plus rapide : *Ce chagrin a hâté sa mort* (syn. : AVANCER). *Hâter son départ* (syn. : BRUSQUER; contr. : AJOURNER, RETARDER). *L'arrivée du ministre hâta l'évolution des pourparlers* (syn. : ACCÉLÉRER, ACTIVER). *Hâter le pas* (= marcher plus vite). *Hâter le mouvement* (syn. : PRESSER; contr. : RALENTIR). ◆ ***se hâter v. pr. 1° Aller plus vite : *Hâtez-vous, le spectacle commence dans quelques minutes* (syn. : SE DÉPÊCHER; contr. : ATTENDRE). — 2° *Se hâter de* (et l'infin.), ne pas perdre de temps pour : *Il ne se hâte pas de répondre à votre lettre* (syn. : SE PRESSER). ◆ ***hâtif, ive** adj. 1° *Fruits, légumes hâtifs,* qui arrivent à maturité avant les autres de même espèce (syn. : PRÉCOCE). — 2° Qui a été trop vite fait : *Des précautions hâtives et inutiles* (syn. : PRÉCIPITÉ). *Un travail hâtif où les fautes abondent* (syn. fam. : BÂCLÉ). ◆ ***hâtivement** adv.

1. *hausser [ose] v. tr. 1° *Hausser la voix,* lui donner plus d'ampleur, plus d'intensité, pour imposer son avis, donner un ordre : *Les enfants s'agitaient; le père haussa la voix pour réclamer le silence.* — 2° *Hausser les prix, les impôts,* etc., les augmenter : *Le gouvernement a décidé de hausser les tarifs des chemins de fer.* ◆ ***hausse** n. f. 1° Augmentation de quantité, de valeur, de prix : *La hausse de la température* (syn. : ÉLÉVATION; contr. : BAISSE). *La hausse du coût de la vie* (syn. : AUGMENTATION; contr. : DIMINUTION, BAISSE). *Les cours de la Bourse sont en hausse. Obtenir une hausse des salaires.* — 2° Appareil servant au pointage des armes à feu.

2. *hausser [ose] v. tr. *Hausser les épaules,* les soulever en signe de mépris, d'indifférence : *Devant tant de stupidité, il se contenta de hausser les épaules.* ◆ **se hausser** v. pr. S'élever : *Se hausser sur la pointe des pieds* (= se dresser). *Se hausser à la hauteur de quelqu'un.* ◆ ***haussement** n. m. *Haussement d'épaules,* mouvement marquant le mépris, l'indifférence.

***haut, e** [o, ot] adj. 1° (avant ou moins souvent après le nom) Se dit de ce qui a une grande dimension dans le sens vertical, de ce qui est élevé, ou de ce qui a beaucoup d'intensité : *J'ai aperçu sa haute silhouette dans la rue* (syn. : GRAND). *Habiter le plus haut étage de la maison. Les hautes branches d'un arbre. La rivière est très haute; on peut craindre qu'elle ne déborde. Recevoir une haute paie* (syn. : ÉLEVÉ). *Les nuages sont hauts dans le ciel* (contr. : BAS). *A marée haute, la mer vient jusqu'aux cabines installées sur la plage* (contr. : MARÉE BASSE). *Il marche la tête haute* (contr. : BAS). *Parler à voix haute* (syn. : FORT; contr. : BAS). *Il a le verbe haut* (= il parle impérieusement ou d'une voix forte). *Des notes hautes* (= aiguës). *C'est du plus haut comique* (= très amusant). *Il ne dit jamais une parole plus haute que l'autre* (= il parle avec calme). — 2° (après le nom) Se dit de ce qui a une certaine dimension dans le sens vertical (suivi d'un compl. indiquant cette dimension) : *Un mur haut de deux mètres.* — 3° (avant le nom) Se dit de ce qui vient avant, de ce qui est reculé dans le temps, de ce qui est supérieur dans sa fonction, sa situation géographique ou sociale, par sa qualité, sa quantité ou son prix : *Depuis la plus haute antiquité. La haute Normandie* (= la partie qui est le plus à l'est). *Les hautes Alpes. Les hautes classes de la société. Acheter à haut prix une villa* (syn. : ÉLEVÉ). *Les hautes températures du mois d'août* (contr. : BAS). — 4° (avant le nom) Se dit de ce qui est jugé supérieur sur le plan social ou intellectuel, de ce qui possède de la noblesse, de la distinction, de la force : *Le haut-commissaire à l'Energie atomique. La haute bourgeoisie. Dans les hautes sphères de l'armée. En haut lieu, on a apprécié favorablement le plan* (= parmi les personnes au pouvoir). *Il jouit d'une haute réputation. Je vous assure de ma très haute considération. Je suis persuadé de la haute valeur de ses travaux* (syn. : GRAND). *Calculs d'une haute précision.* ◆ ***haut** adv. : *L'avion vole haut dans le ciel. Parler tout haut* (= à voix haute). *S'adresser à des personnages haut placés* (= dans une haute situation). *Les prix sont montés très haut. Il parle haut et fort* (= avec autorité). *Il a pris le chant trop haut* (= trop aigu). *Voyez plus haut dans le livre si vous ne trouvez pas ce que vous cherchez.* ‖ *Là-haut,* V. LÀ. ◆ ***haut** n. m. 1° *Le haut d'une chose,* sa partie la plus élevée : *Le haut de la colline est couvert d'un bois. Le haut du vase est légèrement ébréché.* — 2° *De haut* (suivant un nom de nombre), dont la dimension verticale de la base au sommet est de tant : *Le mur a quatre mètres de haut* (= sa hauteur est de 4 m, il est haut de 4 m). ‖ *Venir de haut,* d'un supérieur très élevé dans la hiérarchie : *C'est un ordre qui vient de haut.* ‖ *Le prendre de haut, considérer de haut,* avec dédain, mépris : *Il est inutile de le prendre de haut avec moi.* ‖ *Voir, regarder les choses de haut,* d'une manière superficielle. ‖ *Tomber de haut, de son haut,* être tout à fait surpris : *Je tombais de mon haut : il avait été arrêté pour escroquerie.* ‖ *Tomber de tout son haut,* tomber à terre de tout son long. — 3° *Les hauts et les bas, de haut en bas, du haut en bas,* V. BAS. ● LOC. ADV. *En haut,* sur un lieu élevé, à l'étage supérieur : « *Qu'as-tu fait de la valise? — Elle est restée en haut.* » ● LOC. PRÉP. *En haut de, au haut de : La concierge est en haut de l'escalier* (= au dernier étage). *L'oiseau s'était posé au haut de l'arbre* (= au sommet de). ‖ *Du haut de,* de l'endroit élevé, du sommet de : *Du haut du balcon, il me fit signe.* ‖ *Regarder quelqu'un du haut de sa grandeur,* le considérer avec mépris ou indifférence. ◆ ***haute** n. f. Pop. *Les gens de la haute,* les gens des hautes classes de la société, les gens riches et puissants. ◆ ***hautement** adv. 1° A un haut degré : *Evénement hautement improbable.* — 2° D'une manière ouverte, déclarée : *Professer hautement des opinions non conformistes.* ◆ ***hauteur** n. f. 1° *La hauteur d'une tour. Le saut en hauteur* (= au-dessus d'une barre placée transversalement). *La hauteur du mont Blanc est de 4 807 mètres. Avion qui prend de la hauteur* (= qui s'élève), *qui perd de la hauteur* (= qui descend). *La hauteur de ses sentiments ne fait pas de doute* (syn. : NOBLESSE). *Parler avec hauteur* (syn. : ARROGANCE, FIERTÉ). *J'admire sa hauteur de vues* (syn. : AMPLEUR). — 2° Lieu élevé, naturel : *Gagner les hauteurs. Monter sur une hauteur* (syn. : COLLINE). — 3° *Tomber de toute sa hauteur,* tomber de tout son long par terre (syn. fam. : S'ÉTALER). ‖ Fam. *Etre à la hauteur,* avoir les plus grandes capacités : *Un chef remarquable, qui est vraiment à la hauteur. Il n'a pas été à la hauteur et sa réputation surfaite s'est effondrée.* ‖ *Etre à la hauteur de,* être capable d'un emploi, d'une fonction, d'une situation importante ou délicate : *Il s'est montré vraiment à la hauteur de la situation;* être au niveau de : *Le débat a été à la hauteur du sujet traité;* être sur la même ligne qu'une autre personne ou qu'un objet : *Un agent resta en faction à la hauteur de la maison. Arrivé à ma hauteur, il me salua.*

***hautain, e** [otɛ̃, -ɛn] adj. Qui montre un orgueil autoritaire à l'égard de ceux qui sont ses inférieurs ou qui sont considérés comme tels : *Un chef hautain et dur* (syn. : MÉPRISANT). *Prendre un air hautain pour répondre à une question déplacée* (syn. : DÉDAIGNEUX, CONDESCENDANT).

***hautbois** [obwa] n. m. Instrument à vent appartenant à la même catégorie que la clarinette. ◆ **hautboïste** n.

***haut-de-forme** [otfɔrm] n. m. Chapeau de forme cylindrique, haut et à bords plus ou moins larges, que l'on met pour les cérémonies : *Des messieurs en redingote et avec des hauts-de-forme.*

***haut-fond** [ofɔ̃] n. m. Elévation du fond de la mer ou d'un cours d'eau rendant la navigation dangereuse : *Navire échoué sur des hauts-fonds.*

***haut-le-cœur** [olkœr] n. m. invar. Dégoût violent, qui peut aller jusqu'à la nausée : *Cette boisson trop sucrée lui donnait des haut-le-cœur. Il eut un haut-le-cœur devant ce spectacle atroce* (syn. : ↓ RÉPULSION).

***haut-le-corps** [olkɔr] n. m. invar. Mouvement brusque du corps, indiquant une vive répulsion, une forte indignation ou un grand étonnement : *Il eut un haut-le-corps quand il entendit cela.*

***haut-parleur** [oparlœr] n. m. Appareil destiné à transformer les courants électriques d'un récepteur de radio, d'un électrophone, en ondes sonores : *Plusieurs haut-parleurs furent installés dans la salle en vue de la réunion du soir.*

***hâve** [ɑv] adj. D'une pâleur et d'une maigreur maladives (se dit surtout du visage) [littér.] : *Le visage hâve et défait* (syn. : LIVIDE, BLAFARD). *Des joues hâves* (syn. : ÉMACIÉ, CREUX).

***havre** [ɑvr] n. m. Refuge contre l'adversité (littér.) : *Un havre de liberté, de bonheur.*

***hé!** [e] interj. Autre graphie de *eh!,* considérée comme plus expressive et notant une attaque de la phrase exclamative plus nette (usité avec une intonation de surprise, d'indignation, etc., et dans des interpellations) : *Hé! vous, là-bas. Hé bien! que dites-vous là?* (V. EH!) ‖ *Hé* redoublé indique la malice, l'hésitation : *Hé! hé! vous ne savez pas encore tout! Hé! hé! peut-être que oui.*

hebdomadaire [ɛbdɔmadɛr] adj. Qui a lieu chaque semaine; qui se renouvelle chaque semaine : *Le carnet de notes hebdomadaire d'un élève. Le travail hebdomadaire* (= fixé pour la semaine). *Tenir une chronique hebdomadaire des expositions artistiques.* ◆ adj. et n. m. Se dit d'une publication qui paraît chaque semaine : *Les hebdomadaires politiques. Un hebdomadaire illustré pour les jeunes.* ◆ **bihebdomadaire** adj. Qui a lieu deux fois par semaine : *Le concert bihebdomadaire de la radio.*

héberger [ebɛrʒe] v. tr. *Héberger quelqu'un,* le loger ou l'abriter provisoirement chez soi : *L'hôtel était plein, des habitants complaisants hébergèrent les voyageurs* (syn. : RECEVOIR). ◆ **hébergement** n. m. : *L'hébergement de tous les touristes pendant l'été se révéla difficile dans certaines régions côtières* (syn. : LOGEMENT). *Des centres d'hébergement furent installés pour accueillir les rapatriés.*

hébéter [ebete] v. tr. *Hébéter quelqu'un,* lui faire perdre toute intelligence, tout sentiment de la réalité, toute volonté de réagir; le rendre stupide (surtout au passif et comme part. passé) : *De la voiture accidentée, le conducteur sortit hébété* (syn. : AHURI; contr. : ÉVEILLÉ). *Rester hébété devant un spectacle effroyable* (syn. : SIDÉRÉ, EFFONDRÉ). *Un ivrogne hébété par l'alcool* (syn. : ABRUTI). ◆ **hébétement** n. m. ou **hébétude** n. f. (littér.) : *L'hébétement d'un ivrogne.*

hébreu [ebrø], **hébraïque** [ebraik] adj. Qui concerne le peuple juif (réservé à la période ancienne) : *L'alphabet hébreu. La poésie hébraïque.* ◆ **hébreu** n. m. 1° Langue sémitique parlée par les Juifs de l'Antiquité et remise en usage par l'Etat d'Israël, où elle est la langue officielle. — 2° Fam. *C'est de l'hébreu,* c'est incompréhensible (syn. : C'EST DU CHINOIS).

hécatombe [ekatɔ̃b] n. f. 1° Massacre d'un grand nombre de personnes, d'animaux : *Les guerres provoquent d'atroces hécatombes* (syn. : TUERIE, CARNAGE). *Faire une hécatombe de canards sauvages.* — 2° Grand nombre de refusés à un concours, à un examen : *Le baccalauréat a été très dur cette année; il y a eu une hécatombe de candidats.*

hectogramme n. m., **hectolitre** n. m., **hectomètre** n. m. V. MESURE, *Unités de mesure.*

hégémonie [eʒemɔni] n. f. Suprématie d'un Etat, d'une nation sur d'autres : *Une hégémonie politique et économique* (syn. : DOMINATION, ↓ POUVOIR). *L'hégémonie de la France en Europe au XVIIe siècle* (syn. : PRÉPONDÉRANCE, SUPRÉMATIE). *Viser à l'hégémonie mondiale* (syn. : LEADERSHIP).

***hein !** [ɛ̃] interj. *Fam.* Sollicite de l'interlocuteur la répétition de ce qu'il a dit ou une explication de ses paroles; ou bien sert de renforcement à une interrogation (avant ou après la phrase interrogative) : « *Vous êtes un sot. — Hein?* » (syn. : QUOI ?, COMMENT ?). *Je l'ai bien attrapé, hein? C'est bien joué, hein?* (syn. : N'EST-CE-PAS ?).

hélas ! [elɑs] interj. Exprime la douleur, le désespoir ou l'apitoiement, et parfois l'ennui, le déplaisir : *C'est, hélas! vrai, il a encore échoué à son examen. Hélas! il a beaucoup souffert de l'incompréhension de son entourage.*

***héler** [ele] v. tr. Appeler de loin pour faire venir : *Héler un porteur. Héler un taxi à la sortie de la gare.*

hélice [elis] n. f. 1° Appareil formé de pales fixées sur un axe, et dont la rotation sert à la propulsion, à la traction, etc. : *Les hélices d'un avion, d'un navire. L'hélice d'un ventilateur.* — 2° *Escalier en hélice,* qui a la forme d'une spirale autour d'un axe (syn. : EN COLIMAÇON).

hélicoptère [elikɔptɛr] n. m. Appareil d'aviation qui se déplace grâce à des hélices (*pales*) horizontales. (Sur *héli-* de *hélicoptère,* on a formé *héligare, héliport* [aéroport pour hélicoptères], *héliporté* [transporté par hélicoptère].)

hellénique [ɛllenik] adj. Qui appartient à la Grèce ancienne. ◆ **hellénisme** n. m. 1° Expression particulière à la langue grecque ancienne. — 2° Civilisation de la Grèce ancienne. ◆ **helléniste** n. Spécialiste de cette langue et de cette civilisation.

helvétique [ɛlvetik] adj. De Suisse : *La Constitution helvétique. Le commerce helvétique.*

***hem !** [ɛm], ***hum !** [œm] ou ***hom !** [ɔm] interj. Graphies diverses d'une interj. qui marque le début d'un énoncé (pour attirer l'attention, s'éclaircir la voix, etc.), ou qui sert de support à une intonation indiquant l'impatience, le doute, l'hésitation (le plus souvent redoublée) : *Hem! hem! approchez donc. Hum! hum! je commence à en avoir assez.*

hémicycle [emisikl] n. m. Espace semi-circulaire, où sont disposés des gradins pour des spectateurs ou les membres d'une assemblée : *Les députés ont leur place dans l'hémicycle de l'Assemblée nationale.*

hémiplégie [emipleʒi] n. f. Paralysie de la moitié du corps, due à une lésion du cerveau. ◆ **hémiplégique** adj. et n.

hémisphère [emisfɛr] n. m. 1° Moitié d'une sphère, et en particulier moitié du globe terrestre : *L'hémisphère austral. L'hémisphère boréal.* — 2° Moitié du cerveau : *Les hémisphères cérébraux.* ◆ **hémisphérique** adj. Qui a la forme d'un hémisphère.

hémorragie [emɔraʒi] n. f. 1° Ecoulement de sang hors des vaisseaux sanguins (langue médicale) : *Avoir une hémorragie nasale* (= un saignement de nez). *Une hémorragie interne* (= un épanchement de sang). — 2° Grave déperdition de ce qui est essentiel pour la vie ou la richesse d'un pays, d'un Etat, etc. : *Les guerres avaient causé de graves hémorragies* (= pertes de vies humaines). *L'hémorragie des capitaux se poursuit à la faveur de la crise économique* (= la sortie des capitaux).

***hennir** [enir] v. intr. (sujet nom désignant le cheval). Pousser le cri propre à son espèce : *Le cheval hennit et bondit pour sauter la clôture.* ◆ ***hennissement** n. m.

***hep !** [ɛp] interj. Marque le début d'une interpellation ou exprime seule un appel : *Hep! taxi! vous êtes libre? Hep! vous, là-bas, taisez-vous donc.*

hépatique [epatik] adj. Relatif au foie (terme médical) : *Coliques hépatiques. Avoir une insuffisance hépatique.*

herbe [ɛrb] n. f. 1° Plante dont la tige molle et verte est plus ou moins haute et meurt chaque année (nom donné à de nombreuses plantes de ce type) : *Ruines envahies par l'herbe. Les allées du jardin sont envahies par les mauvaises herbes* (= plantes parasites). *Les fines herbes (persil, civette, estragon) sont aromatiques et entrent dans l'assaisonnement des plats. Un bouillon aux herbes* (= un bouillon de légumes). *Les herbes médicinales* (= entrant dans la composition de remèdes). *Les herbes folles tremblent au moindre vent* (= herbes très légères). *Les hautes herbes des bords du lac.* — 2° (au sing.) Réunion de plantes de ce type, formant une végétation peu élevée : *Se coucher dans l'herbe d'un champ. Les vaches broutent l'herbe du pré. L'herbe bien entretenue des plates-bandes* (syn. : GAZON). — 3° *En herbe,* se dit d'une céréale (blé, orge, etc.) qui n'est pas encore mûre : *Des blés en herbe;* se dit d'un enfant, d'une personne jeune qui manifeste des aptitudes à une activité : *C'est un artiste en herbe* (syn. : EN PUISSANCE). *Un avocat en herbe* (= un futur avocat). ‖ *Manger son blé en herbe,* dépenser son capital avant d'avoir touché le revenu. ‖ *Couper l'herbe sous le pied de quelqu'un,* le devancer en le frustrant d'un avantage qui pouvait lui revenir. ◆ **herbage** n. m. Prairie naturelle qui sert au pâturage des bestiaux : *Les herbages de Normandie.* ◆ **herbager** n. m. Eleveur qui engraisse les bestiaux destinés à la consommation. ◆ **herbeux, euse** adj. Où il y a de l'herbe (littér.) : *Les fossés herbeux le long d'une petite route.* ◆ **herbicide** n. m. et adj. Produit destiné à détruire les mauvaises herbes. ◆ **herbier** n. m. Collection de plantes desséchées et pressées, utilisée pour les études botaniques : *Se constituer un herbier. Confectionner un herbier.* ◆ **herbivore** n. m. et adj. Mammifère qui se nourrit de végétaux, d'herbes, de feuilles : *Les chèvres, les moutons sont des herbivores.* ◆ **herboriser** v. intr. Recueillir des plantes pour les étudier, pour en faire un herbier, pour confectionner des remèdes. ◆ **herboriste** n. Commerçant qui vend des plantes médicinales, des produits d'hygiène, de la parfumerie (à l'exclusion des produits pharmaceutiques). ◆ **herboristerie** n. f. ◆ **désherber** v. tr. *Désherber un lieu,* en enlever les mauvaises herbes : *Désherber soigneusement les allées du jardin.* ◆ **désherbage** n. m.

hercule [ɛrkyl] n. m. Homme d'une très grande force physique : *Etre bâti en hercule. Il était suivi de deux gardes du corps, deux hercules trapus* (syn. : COLOSSE). *Un hercule forain* (= un lutteur de foire).

◆ **herculéen, enne** [ɛrkyleɛ̃, -ɛn] adj. : *Une force herculéenne* (syn. : COLOSSAL). *Un travail herculéen* (syn. : TITANESQUE).

***hère** [ɛr] n. m. *Un pauvre hère,* un malheureux qui inspire de la pitié.

hérédité [eredite] n. f. 1° Transmission de certains caractères des êtres vivants à leur descendance; ensemble des caractères ainsi transmis : *Les lois de l'hérédité. Avoir une lourde hérédité* (= des tares physiques ou mentales). — 2° Caractères particuliers à un milieu géographique ou social et qui restent permanents à travers les générations : *Hérédité paysanne, provinciale.* — 3° Caractère d'une possession, d'une dignité transmise par voie de succession : *L'hérédité de la couronne.* ◆ **héréditaire** adj. Transmis par hérédité : *Une tare héréditaire. La royauté héréditaire.*

hérésie [erezi] n. f. 1° Opinion religieuse, philosophique ou politique contraire aux principes essentiels d'une religion ou d'une doctrine établie : *La condamnation d'une hérésie par l'Eglise* (syn. : HÉTÉRODOXIE). *Etre suspect d'hérésie aux yeux des détenteurs du dogme.* — 2° Opinion ou usage contraires aux manières de penser ou aux habitudes du plus grand nombre : *Les idées de Harvey sur la circulation du sang parurent en leur temps une hérésie scientifique. Servir du vin blanc avec une entrecôte est une véritable hérésie* (syn. : ↑ SACRILÈGE). ◆ **hérétique** adj. et n. Qui soutient une hérésie : *Les hérétiques étaient condamnés par l'Eglise au supplice du feu.* ◆ adj. Entaché d'hérésie : *Des opinions hérétiques* (contr. : ORTHODOXE).

hérisser** [erise] v. tr. (surtout au passif). 1° (sujet nom d'animal) Dresser ses poils, ses plumes, etc. : *Le chat hérisse ses poils de colère. L'oiseau hérisse ses plumes.* — 2° *Hérisser quelqu'un, une partie de son corps,* en faire dresser les poils, les cheveux (surtout au passif) : *Des jambes hérissées de poils. La barbe hérissée* (syn. : HIRSUTE). — 3° Faire saillie sur une surface, sur un objet (surtout au passif) : *La planche est hérissée de clous. L'enceinte est hérissée de créneaux. Des obstacles hérissent la course.* — 4° *Hérisser une chose,* la garnir d'objets menaçants, dangereux : *Fortin hérissé de mitrailleuses* (syn. : ARMER). *Mur hérissé de morceaux de verre.* — 5° *Hérisser quelque chose,* le remplir de choses difficiles, désagréables : *Un concours hérissé de difficultés* (syn. fam. : TRUFFER). — 6° *Hérisser quelqu'un,* le mettre en colère : *En vous obstinant, vous ne faites que le hérisser davantage.* ◆ ***se hérisser v. pr. : *Ses cheveux se hérissent sur sa tête* (= se dresser). *Il se hérisse dès qu'il l'aperçoit* (= s'irriter).

1. *hérisson [erisɔ̃] n. m. Mammifère qui se nourrit d'insectes, et dont le corps est couvert de piquants.

2. *hérisson [erisɔ̃] n. m. Brosse métallique servant au ramonage des cheminées.

hériter [erite] v. intr. ou tr. et tr. ind. 1° *Hériter quelque chose* ou *de quelque chose,* recevoir un bien transmis par succession (la construction avec *de* est la plus fréquente) : *Il a hérité d'une ferme* ou *il a hérité une ferme de ses parents. Il a dépensé tout l'argent dont il avait hérité.* — 2° Tenir quelque chose de quelqu'un, l'avoir reçu de ses parents : *Le fils a hérité la nonchalance de sa mère. Hériter d'une longue tradition d'honneur* (syn. : RECUEILLIR). ◆ **héritage** n. m. 1° Bien transmis par voie de succession : *L'héritage de son oncle était très important. Par héritage, il avait une propriété dans la Beauce.* — 2° Ce qui est transmis par les parents, par la génération antérieure : *Le lourd héritage transmis par les gouvernements précédents. Sauvegarder l'héritage culturel de la France.* ◆ **héritier, ère** n. 1° Personne qui hérite : *Les héritiers naturels. Etre l'héritier d'un grand nom. L'héritier spirituel d'un savant* (syn. : DISCIPLE, CONTINUATEUR). — 2° *Fam.* Enfant : *Sa femme attendait un troisième héritier. Une riche héritière* (= jeune fille qui apporte en dot l'espoir d'une riche succession). ◆ **déshériter** v. tr. *Déshériter quelqu'un,* le priver d'une succession qu'il pouvait attendre. ◆ **déshérité, e** adj. et n. Privé de tout avantage naturel : *Un département déshérité du centre de la France* (syn. : ↑ MISÉRABLE). *Secourir les déshérités de la fortune* (syn. : PAUVRE).

1. hermétique [ɛrmetik] adj. *Fermeture hermétique,* qui ne laisse rien passer : *La fermeture hermétique d'un bocal* (syn. : ÉTANCHE). *La fermeture hermétique des frontières.* ◆ **hermétiquement** adv. : *Une boîte hermétiquement close.*

2. hermétique [ɛrmetik] adj. Impossible ou difficile à comprendre : *Une poésie hermétique* (syn. : ÉSOTÉRIQUE). *Il garda pendant tout l'entretien un visage hermétique* (syn. : IMPÉNÉTRABLE). ◆ **hermétiquement** adv. : *S'exprimer hermétiquement* (syn. : OBSCURÉMENT). ◆ **hermétisme** n. m. : *L'hermétisme de la poésie surréaliste* (syn. : OBSCURITÉ).

hermine [ɛrmin] n. f. 1° Petit mammifère dont le pelage, blanc en hiver, est très recherché. — 2° Bande de fourrure de cet animal, qui est fixée au costume de cérémonie des magistrats et des professeurs.

***hernie** [ɛrni] n. f. Tuméfaction formée par la sortie d'un organe hors de la cavité où il se trouve naturellement.

héroïne [erɔin] n. f. Médicament stupéfiant, dérivé de la morphine.

***héron** [erɔ̃] n. m. Oiseau à long cou et à long bec, haut sur pattes, qui vit au bord des eaux.

1. *héros [ero] n. m., **héroïne** [erɔin] n. f. Celui, celle qui se distingue par son très grand courage, par sa vertu exceptionnelle, par son dévouement, etc. : *Un héros de la dernière guerre. Mourir en héros. Un héros du travail. Etre le triste héros d'une aventure* (= celui qui en a été l'acteur principal). *Le héros de la fête* (= celui en l'honneur de qui la fête a été donnée, ou qui s'y est fait remarquer). *Le héros du jour* (= celui qui joue le rôle principal dans l'événement le plus remarqué de la journée). ◆ **héroïsme** n. m. : *L'héroïsme d'une vie tout entière donnée aux autres* (syn. : DÉVOUEMENT). *Montrer de l'héroïsme* (syn. : ↓ COURAGE). *Un acte d'héroïsme.* ◆ **héroïque** adj. 1° Se dit d'une personne qui se conduit en héros : *Un combattant héroïque* (syn. : ↓ BRAVE). — 2° Se dit d'une chose digne d'un héros : *Offrir une résistance héroïque. Avoir une mort héroïque.* — 3° Dont l'efficacité même est dangereuse : *Une résolution héroïque* (syn. : ↓ ÉNERGIQUE). *Prendre un parti héroïque. Un remède héroïque.* ◆ **héroïquement** adv. : *Supporter héroïquement des douleurs atroces.* ◆ **héroï-comique** adj. Dont l'intrigue, le déroulement sont faits d'incidents tragiques et comiques : *L'accident tourna en une aventure héroï-comique.*

2. *héros [ero] n. m., **héroïne** [erɔin] n. f. Principal personnage d'une œuvre littéraire (roman, poème, pièce de théâtre) : *Les héros de Corneille, d'Homère. Les héros du cinéma muet. Se comporter en héros de roman* (= sans souci de la réalité).

***herse** [ɛrs] n. f. Instrument agricole muni de dents de fer, avec lequel on égalise la surface d'un terrain labouré en brisant les mottes.

hésiter [ezite] v. intr. et tr. ind. 1° (sujet nom d'être animé) Etre dans l'incertitude sur ce que l'on va dire ou faire : *Il a longtemps hésité avant de faire cette démarche* (syn. : BALANCER). *Je n'ai pas hésité une seconde. Il a pris sans hésiter cette décision* (syn. : TERGIVERSER). *N'hésite pas, ce départ est nécessaire* (syn. : ATTENDRE). — 2° Marquer son irrésolution, son ignorance par un arrêt : *L'élève hésitait en récitant sa leçon* (syn. : ↑ ANONNER). — 3° *Hésiter sur quelque chose,* ne savoir que faire sur un sujet précis : *Hésiter sur le lieu où l'on passera ses vacances. Il hésite sur la route à suivre.* — 4° *Hésiter entre deux* ou *plusieurs choses,* rester irrésolu entre plusieurs partis possibles : *Il hésite entre divers projets* (syn. : FLOTTER). — 5° *Hésiter à* (et l'infin.), avoir peur de, ne pas oser : *Le témoin hésitait à dire toute la vérité* (syn. : CRAINDRE DE, REDOUTER DE). *On hésite à le critiquer lorsqu'on le connaît* (syn. : AVOIR SCRUPULE À). ◆ **hésitant, e** adj. et n. : *Il est de caractère hésitant* (syn. : IRRÉSOLU). *Les pas hésitants d'un enfant* (contr. : ASSURÉ). *Il voulut raffermir la confiance hésitante du pays* (contr. : SÛR). *Rallier les hésitants à sa politique.* ◆ **hésitation** n. f. : *Il a accepté après bien des hésitations* (syn. : ATERMOIEMENT, TERGIVERSATION). *Cette réponse lève mes hésitations* (syn. : DOUTE, INCERTITUDE). *Marquer une hésitation avant de parler* (syn. : ARRÊT). *Obéir sans hésitation* (syn. : RÉTICENCE).

hétéroclite [eterɔklit] adj. Fait d'un mélange bizarre d'éléments disparates : *On trouvait chez le marchand d'occasions des objets hétéroclites dont l'usage était parfois obscur.*

hétérodoxe [eterɔdɔks] adj. Qui ne se conforme pas à la doctrine reçue : *Professer des idées hétérodoxes* (syn. : NON CONFORMISTE; contr. : ORTHODOXE). ◆ **hétérodoxie** n. f. : *L'hétérodoxie de ses ouvrages était mal jugée par les traditionalistes* (syn. : INDÉPENDANCE; contr. : CONFORMISME).

hétérogène [eterɔʒɛn] adj. Se dit d'un tout qui est formé d'éléments dissemblables, disparates, souvent contraires : *Une classe hétérogène* (= dont les élèves sont de niveau très différent; contr. : HOMOGÈNE). *La population très hétérogène du Bassin méditerranéen* (syn. : DISPARATE). *L'œuvre hétérogène d'un écrivain à la fois poète, romancier et homme de théâtre* (syn. : COMPOSITE). ◆ **hétérogénéité** n. f. : *L'hétérogénéité des immigrants facilite leur assimilation.*

***hêtre** [ɛtr] n. m. Arbre à écorce lisse et à bois blanc, très commun en France et utilisé en menuiserie : *Une table de hêtre.*

***heu!** ou **euh!** [ø] interj. Marque en général le début hésitant d'un énoncé ou son interruption; exprime aussi le dédain, le doute ou la restriction (souvent redoublée) : « *Quelle est la capitale du Honduras? — Heu!... heu!... je ne sais pas.* »

heur [œr] n. m. *N'avoir pas l'heur de plaire à quelqu'un,* n'avoir pas la chance, le bonheur de lui plaire.

heure [œr] n. f. 1° Vingt-quatrième partie de la journée, unité de mesure du temps, de la durée : *Retarder son départ de deux heures. Je vous remettrai ce dossier dans vingt-quatre heures* (= un jour), *dans quarante-huit heures* (= deux jours). *J'ai passé trois mortelles heures à l'attendre. Faire des journées de travail de huit heures. Quart d'heure* (v. QUART). — 2° Chiffre indiquant une des divisions de la journée; moment déterminé du jour (les subdivisions suivent le mot *heure,* avec ou sans *et,* suivant les cas) : *Le car est à huit heures et demie. Lire l'heure. Il est parti à neuf heures un quart* (ou *et quart*). *Le train arrive à vingt-trois heures cinq. Je suis resté éveillé jusqu'à trois heures du matin. Est-ce que tu as l'heure?* (= as-tu une montre pour me faire connaître l'heure?). *L'horloge n'est pas à l'heure* (= elle ne marque pas l'heure juste). *L'heure légale* (= déterminée par les règlements en usage). — 3° Mesure de la distance évaluée d'après le temps passé à la parcourir : *Dijon est à moins de quatre heures de Paris par le train. Londres est à une heure de Paris par l'avion.* — 4° Moment ou durée quelconque dans la journée ou dans la vie : *Je n'ai pas une heure à moi* (= je suis surchargé d'occupations). *Le livre vient à son heure* (= au moment favorable). *C'est l'heure du dîner. Il a cru sa dernière heure arrivée* (= le moment de sa mort). *Les nouvelles de dernière heure* (= celles qui sont arrivées juste avant l'édition du journal, l'émission de radio). *En dernière heure, on nous apprend que les alpinistes ont été retrouvés. J'ai connu des heures de désespoir* (syn. : PÉRIODE). *Il y a une heure, une grande heure, une bonne heure que je l'attends. A ses heures, il est complaisant* (= quand cela lui convient). *Paul était là à l'heure, à l'heure juste, juste à l'heure, à l'heure fixée* (= au moment déterminé). *Prenons heure pour demain* (= fixons le moment du rendez-vous). *C'est la bonne heure, profitons-en. C'est la mauvaise heure de la journée, tous les commerçants sont fermés. Arriver à une heure indue* (= à un moment peu convenable de la journée). *Il est une heure avancée de la nuit. A l'heure du danger. Son heure est venue* (= son moment de gloire ou sa mort). *Il est mort avant l'heure* (= encore jeune). *Le pays a traversé des heures critiques.* — 5° Unité de travail et de salaire, correspondant en général à la vingt-quatrième partie du jour : *C'est l'heure de français* (syn. : CLASSE, LEÇON). *Etre payé à l'heure. Toucher des heures supplémentaires.* • LOC. ADV. *A l'heure qu'il est, pour l'heure, à l'heure actuelle, à cette heure,* en ce moment précis, à notre époque, dans la période présente : *A l'heure qu'il est, il doit être arrivé à Rome. A l'heure actuelle, la tension internationale diminue.* ‖ *A la bonne heure,* voilà qui est bien : *A la bonne heure, le temps s'annonce très beau pour les vacances.* ‖ *A toute heure,* d'une manière continue, sans interruption : *La pharmacie est ouverte à toute heure de la journée.* ‖ *D'heure en heure,* progressivement : *D'heure en heure, l'inquiétude se faisait plus vive.* ‖ *D'une heure à l'autre,* en l'espace de quelques instants : *Nous aurons des nouvelles de l'avion d'une heure à l'autre.* ‖ *De bonne heure,* très tôt le matin; au début de la vie : *Se lever de bonne heure* (syn. : TÔT). *Cet enfant a appris à lire et à écrire de très bonne heure.* ‖ *Sur l'heure,* à l'instant même : *Obéissez sur l'heure* (syn. : SUR-LE-CHAMP). ‖ *Tout à l'heure,* dans très peu de temps (verbe au présent, au futur, au futur antérieur, etc.) : *Il va sortir tout à l'heure;* il y a très peu de temps (verbe au passé) : *Tout à l'heure, il est tombé un peu de grêle.* ◆ **demi-heure** n. f. Moitié d'une heure : *Se promener pendant une demi-heure.* ◆ **horaire** [ɔrɛr] adj. Relatif aux heures : *Le tarif horaire des émissions publicitaires à la radio. Le salaire horaire* (= de l'heure de travail). ◆ n. m. Tableau des heures d'arrivée et de départ des trains, des avions, etc.; tableau et répartition des heures de travail; emploi du temps : *Où est l'horaire de départ des cars? L'horaire de la classe de seconde dans un lycée. Les exigences impératives de l'horaire. J'ai un horaire très chargé cette semaine.*

heureux, euse [ørø, -øz] adj. (avant ou après le nom). **1°** Se dit d'une personne qui jouit du bonheur, qui est favorisée par le sort; d'une chose qui exprime ce bonheur, qui en porte la marque : *Etre heureux comme un roi. Se sentir heureux. Etre heureux au jeu* (syn. fam. : VEINARD). *Etre heureux en ménage. Il a un air heureux* (syn. : RADIEUX). *Des souvenirs heureux.* — **2°** Se dit d'une chose qui procure un avantage, qui a des suites favorables : *L'heureuse issue de l'entreprise* (syn. : FAVORABLE). *Votre conseil s'est révélé très heureux* (syn. : BON, AVANTAGEUX). *Voilà une réussite qui est d'heureux augure pour l'avenir. Il a eu la main heureuse* (= a eu de la chance). *Etre né sous une heureuse étoile* (= réussir). *Il a une heureuse mémoire* (= excellente). — **3°** Qui manifeste une grande originalité, une parfaite justesse ou adaptation : *Une heureuse trouvaille de style. Repartie heureuse* (syn. : ↑ BRILLANT). — **4°** *Etre heureux d'une chose,* en être satisfait, s'en réjouir : *Je suis heureux de votre succès. Il est très heureux d'en être quitte à si bon compte. Heureux de vous revoir.* ◆ **heureux** n. m. *Faire un heureux, des heureux,* procurer à quelqu'un un plaisir ou un avantage qu'il n'espérait pas. ◆ **heureusement** adv. **1°** D'une manière avantageuse, favorable : *Il est heureusement doué par la nature* (syn. : AVANTAGEUSEMENT). *L'aventure finit heureusement* (syn. : FAVORABLEMENT). — **2°** Par une chance extraordinaire : *Heureusement, le train avait quelques minutes de retard* (syn. : PAR BONHEUR). *Heureusement que vous avez téléphoné, sans cela vous vous dérangiez inutilement.* — **3°** D'une manière originale : *Rime heureusement trouvée.*

***heurter** [œrte] v. tr. (langue soignée). **1°** *Heurter quelque chose, quelqu'un,* entrer rudement en contact avec eux : *La voiture est venue heurter un arbre. Dans sa précipitation, il avait heurté plusieurs convives. Il est tombé et sa tête a heurté le trottoir* (syn. fam. : COGNER). *Tâche de porter ces bouteilles sans les heurter* (syn. : CHOQUER; fam. : COGNER). — **2°** *Heurter quelqu'un,* lui causer un choc moral, contrarier ses goûts, ses idées : *Ces paroles risquent de heurter certains auditeurs* (syn. : CHOQUER; ↓ ÉMOUVOIR; ↑ FROISSER, OFFENSER, BLESSER, SCANDALISER). — **3°** *Heurter quelque chose* (nom abstrait), être en opposition totale avec lui : *Heurter le bon sens, le goût, les convenances, les préjugés,* etc. *Votre initiative va heurter de vieilles traditions* (syn. : BOUSCULER, BOULEVERSER). — **4°** *Heurter de front quelqu'un, quelque chose,* s'attaquer ouvertement à eux : *Il vaut mieux ruser que de heurter de front un homme aussi violent* (syn. : AFFRONTER). *Une hypothèse qui heurte de front les théories admises.* ◆ v. tr. ind. *Heurter à,* donner des coups, généralement discrets, en vue de se faire ouvrir : *Heurter à la porte, à la vitre* (syn. : FRAPPER; fam. : ↑ TAPER, COGNER). ◆ v. intr. ou se heurter v. pr. *Heurter contre* ou *se heurter contre* ou *à,* rencontrer comme obstacle : *Il avait heurté du front contre une porte basse. Il s'est heurté à un lampadaire, à un passant* (syn. : BUTER; fam. : SE COGNER). ‖ Quand l'obstacle est désigné par un mot abstrait, on dit *se heurter à : Je me suis heurté à l'incompréhension du chef de service. Sa demande s'est heurtée à un refus catégorique. Ce projet se heurte à de grosses difficultés.* ◆ ***heurt** [œr] n. m. (langue soignée; souvent avec une négation) : *Déplacez sans heurt ce vase fragile* (syn. usuel : CHOC). *Amitié qui ne va pas sans heurt* (syn. : FROISSEMENT). *Il y avait entre eux des heurts continuels* (syn. : FRICTION). ◆ ***heurté, e,** adj. : *Couleurs heurtées* (syn. : CONTRASTÉ). *Style heurté* (= aux oppositions rudes). *Il a une manière heurtée de vous parler* (syn. : SACCADÉ).

hexagone [ɛkzagɔn] n. m. Polygone ayant six angles et six côtés : *On appelle parfois la France l'« Hexagone », par opposition aux départements d'outre-mer et aux pays anciennement colonisés.* ◆ **hexagonal, e, aux** adj.

***hi! hi!** [i-i] interj. Sert à transcrire le rire ou les pleurs : *Hi! hi! c'est vraiment trop drôle!*

hiatus [jatys] n. m. **1°** Rencontre de deux voyelles à l'intérieur d'un mot (*créa*) ou entre deux mots (*Il dîna à Amiens*). — **2°** Brusque interruption entre deux faits, deux ensembles, qui auraient dû être continus ou joints : *Il y a un hiatus sensible entre la génération des parents et la nôtre* (syn. : FOSSÉ).

hiberner [ibɛrne] v. intr. (sujet nom désignant certains animaux comme la marmotte). Passer l'hiver dans un état d'engourdissement. ◆ v. tr. *Hiberner un malade,* provoquer chez lui un abaissement considérable de la température du corps par des moyens physiques et l'emploi de produits pharmaceutiques. ◆ **hibernation** n. f.

***hibou** [ibu] n. m. Oiseau de proie nocturne, qui mange les rats, les souris, les mulots.

***hic** [ik] n. m. Fam. *Voilà le hic, c'est là le hic, le hic c'est que...,* c'est la principale difficulté de l'affaire, l'obstacle majeur.

***hideux, euse** [idø, -øz] adj. (avant ou après le nom). D'une laideur horrible, repoussante : *Le corps décharné et hideux du malheureux* (syn. : AFFREUX). *Un spectacle hideux* (syn. : ATROCE, IGNOBLE). *Une hideuse hypocrisie* (syn. : RÉPUGNANT). ◆ ***hideusement** adv. : *Elle est hideusement maquillée.*

hier [ijɛr] adv. **1°** Le jour qui précède immédiatement celui où l'on est (par rapport à un présent [*aujourd'hui*]; par rapport à un passé ou à un futur, on dit *la veille*) [v. TEMPS (*expression du*)] : *Il est parti hier soir* (ou *hier au soir*). *Sa colère d'hier est passée. Hier, il faisait encore beau* (syn. : IL Y A VINGT-QUATRE HEURES). *J'ai attendu vainement toute la matinée d'hier, toute la journée d'hier;* comme substantif sans article : *Je suis resté tout hier chez moi. Hier s'est fort bien passé.* — **2°** Dans un passé récent, il y a peu de temps, à une date récente : *L'enseignement d'hier ne peut être celui d'aujourd'hui.* ‖ *Ne pas dater d'hier,* être fort ancien, n'être pas nouveau : *C'est une théorie qui ne date pas d'hier.* ‖ Fam. *Ne pas être né d'hier,* avoir de l'expérience (se dit lorsqu'on se défend d'être naïf en face d'une intrigue, d'une situation complexe, etc.) : *Toutes ces ruses ne sauraient me tromper; je ne suis tout de même pas né d'hier.* ◆ **avant-hier** [avɑ̃tjɛr ou avɑ̃jɛr] adv. Le jour qui précède immédiatement hier (par rapport au présent [*aujourd'hui*]; par rapport à un passé ou à un futur, on dit *l'avant-veille*) : *Avant-hier soir, j'ai été au théâtre* (syn. : IL Y A QUARANTE-HUIT HEURES).

***hiérarchie** [jerarʃi] n. f. Classement des fonctions, des dignités, des pouvoirs, etc., à l'intérieur d'un ensemble, et en particulier à l'intérieur d'un groupe social, de telle manière que chaque terme soit supérieur au terme précédent, selon des critères d'importance, de responsabilité, de valeur, etc. : *La hiérarchie administrative, militaire. Il est arrivé au sommet de la hiérarchie. La hiérarchie sociale a été bouleversée par la Révolution* (syn. : ORDRE). *Notre hiérarchie des valeurs n'est plus celle de l'époque précédente* (syn. : CLASSEMENT, CLASSIFICATION). ◆ ***hiérarchique** adj. : *Adresser une demande à son supérieur hiérarchique. Passer par la voie hiérarchique.* ◆ ***hiérarchiquement** adv. ◆ ***hiérarchiser** v. tr. : *Société fortement hiérarchisée. L'indemnité a été hiérarchisée* (= elle varie selon l'échelle des traitements). ◆ ***hiérarchisation** n. f. : *La hiérarchisation nécessaire des problèmes divers qui se posent aux dirigeants.*

hiératique [jeratik] adj. Dont la raideur solennelle est imposée par un rite, par une tradition : *La figure hiératique des icônes grecques.*

hiéroglyphe [jerɔglif] n. m. (au plur.). Ecriture difficile à lire : *Le pharmacien n'a pu lire qu'avec peine les hiéroglyphes de l'ordonnance médicale.* (Un *hiéroglyphe* est un caractère de l'écriture des anciens Egyptiens.)

hilare [ilar] adj. Qui montre une joie béate, un état de grand contentement : *Des spectateurs hilares se satisfaisaient de ces calembours stupides* (contr. : RENFROGNÉ, MAUSSADE). *Le visage hilare d'un ivrogne* (syn. : RÉJOUI). ◆ **hilarité** n. f. Mouvement brusque de gaieté, qui se manifeste par une explosion de rire : *La plaisanterie déclencha l'hilarité générale* (syn. : RIRE). *Une hilarité irrésistible secoua la classe.*

***hip !** [ip] interj. Toujours triplée avec *hourra!*, exprime l'enthousiasme : *Hip! hip! hip! hourra!*

hippique [ipik] adj. Relatif aux chevaux, à l'équitation : *Un concours hippique comporte un parcours semé d'obstacles, où le cavalier doit faire le moins de fautes possible.* ◆ **hippisme** n. m. Sport équestre.

hippodrome [ipodrom] n. m. Lieu où se déroulent des courses de chevaux : *L'hippodrome d'Auteuil, de Longchamp, du Tremblay* (syn. : CHAMP DE COURSES).

hippophagique [ipofaʒik] adj. *Boucherie hippophagique*, commerce de la viande de cheval.

hippopotame [ipopotam] n. m. Gros mammifère d'Afrique, qui vit dans les fleuves et se nourrit d'herbes fraîches.

hirondelle [irɔ̃dɛl] n. f. Petit oiseau noir et blanc, quittant l'Europe en septembre-octobre et revenant en mars-avril : *Le retour des hirondelles annonce le printemps.*

hirsute [irsyt] adj. Se dit de quelqu'un dont la chevelure ou la barbe très fournie est en désordre, ou de cette chevelure ou de cette barbe elle-même : *La barbe hirsute d'un vagabond.*

hispanique [ispanik] adj. Relatif à l'Espagne : *Institut d'études hispaniques.* ◆ **hispanisant, e** adj. et n. Qui étudie la langue et la civilisation espagnoles. ◆ **hispano-américain, e** adj. et n. Qui appartient à l'Amérique du Sud de langue espagnole.

hisser** [ise] v. tr. Faire monter en tirant ou en soulevant avec effort : *Hisser le drapeau au haut du mât* (syn. : ARBORER). *Hisser les valises sur le porte-bagages. Hisse! ho! hisse!* (interj. accompagnant l'effort de plusieurs pour tirer ou pour soulever). ◆ ***se hisser v. pr. Monter avec effort : *Il se hissa à la force du poignet le long du rocher* (syn. : GRIMPER). *Se hisser aux premières places* (syn. : SE HAUSSER, S'ÉLEVER).

histoire [istwar] n. f. 1° Partie de la vie de l'humanité, d'un peuple, période dans l'existence d'un Etat, d'un individu; suite des événements qui ont marqué une période : *L'histoire de France. L'histoire de la révolution russe. L'histoire des relations franco-allemandes. Le sens de l'histoire. L'accélération de l'histoire.* — 2° Récit cherchant à reconstituer le déroulement des événements de la vie d'un peuple, d'un individu, etc. : *Un livre d'histoire. Ecrire l'histoire de Napoléon Ier* (syn. : BIOGRAPHIE). *Relater l'histoire d'un procès, d'un château.* — 3° Récit d'événements imaginaires : *L'histoire d'un film. Il nous raconte des histoires* (syn. : MENSONGE). *Une histoire de brigands* (syn. : CONTE). *Ce sont des histoires, tout cela est faux* (syn. fam. : BLAGUE). — 4° (souvent suivi d'un compl. accompagné d'un adj.) Incident, complication ou sujet fâcheux (souvent fam.) : *Il est le héros de l'histoire* (syn. : AFFAIRE). *Tu vas t'attirer des histoires. C'est une histoire d'argent qui les divise* (syn. : QUESTION). *Je ne veux pas d'histoires* (syn. : ENNUI). *Il me cherche une histoire* (= il me cherche querelle). *Il en fait des histoires pour si peu de chose* (très fam. = il fait des embarras). *C'est une autre histoire* (= c'est un sujet tout différent). *Le plus beau, le plus curieux de l'histoire* (= ce qui, dans cet incident, dans cet événement, est le plus étonnant). — 5° *C'est toute une histoire,* c'est long à raconter : « *Que vous est-il arrivé? on ne vous a pas vu depuis quinze jours. — Oh! c'est toute une histoire.* » ‖ Très fam. *Histoire de,* dans la seule intention de : *Je suis sorti, histoire de fumer une cigarette* (syn. fam. : QUESTION DE). ◆ **historien, enne** n. Personne qui étudie l'histoire, qui écrit des ouvrages d'histoire (sens 1 et 2) : *Selon les historiens grecs.* ◆ **historiette** n. f. Petit récit d'une aventure plaisante, souvent imaginée. ◆ **historique** adj. 1° Qui appartient à l'histoire : *Les circonstances historiques de l'attentat. Un monument historique* (= qui présente un intérêt pour l'histoire). — 2° Attesté par l'histoire : *Le poète a fait de ces personnages historiques des êtres légendaires.* ◆ n. m. Relation des faits dans l'ordre chronologique : *Faire l'historique d'un mot, c'est indiquer les transformations successives qu'il a subies depuis son apparition dans la langue.* ◆ **historiquement** adv. ◆ **historicité** n. f. Caractère de ce qui est attesté par l'histoire : *Prouver l'historicité d'un document.*

hiver [ivɛr] n. m. Saison la plus froide de l'année (du 21 ou 22 décembre au 20 ou 21 mars), dans l'hémisphère Nord : *Le dur hiver de 1940. Les* *sports d'hiver* (= sports de neige). *L'hiver a été court* (= la période de froid). ◆ **hivernal, e, aux** adj. Propre à l'hiver : *Les stations hivernales* (= où l'on peut pratiquer le ski). ◆ **hiverner** v. intr. Passer l'hiver à l'abri, dans les zones de grands froids : *L'expédition polaire hiverna deux ans de suite.* ◆ **hivernage** n. m. : *L'hivernage au Groenland fut cette année-là particulièrement pénible.* (V. HIBERNER.)

***ho !** [o] interj. Autre graphie de *oh!*, jugée plus expressive.

***hobereau** [ɔbro] n. m. Propriétaire terrien d'origine noble, qui vit sur ses terres (littér.).

***hocher** [ɔʃe] v. tr. *Hocher la tête,* la remuer de haut en bas, ou plus rarement de gauche à droite, pour exprimer le doute, l'incertitude, la désapprobation ou, moins souvent, l'accord : *Il hoche la tête d'un air de regret, de doute, en signe de refus. Il refuse, il approuve en hochant la tête.* ◆ **hochement** n. m. : *Approuver d'un hochement de tête.*

***hochet** [ɔʃɛ] n. m. 1° Petit jouet formé d'une boule creuse contenant des grains, qui fait un léger bruit quand on le remue et que l'on donne aux enfants en bas âge : *La mère agitait le hochet pour calmer le bébé en pleurs.* — 2° Babiole qui flatte quelque désir enfantin de l'homme (littér.) : *Cet honneur est pour lui le hochet de la vanité.*

***hockey** [ɔkɛ] n. m. Jeu de balle qui se pratique avec une crosse, soit sur un gazon, soit sur la glace (*hockey sur glace*), selon des règles différentes. ◆ ***hockeyeur** n. m.

***holà !** [ola] interj. Sert à appeler, à attirer l'attention vers soi, à avertir d'un danger : *Holà! vous, là-bas, venez donc ici* (syn. : HÉ!). ◆ n. m. *Mettre le holà à quelque chose,* en arrêter le cours désordonné, y mettre fin : *Mettre le holà à des dépenses de prestige ruineuses.*

***hold-up** [ɔldœp] n. m. invar. Attaque à main armée contre un établissement bancaire, un commerce, un bureau de poste, etc., en vue de le dévaliser : *Un hold-up a eu lieu contre une bijouterie du centre de la ville.*

holocauste [ɔlɔkost] n. m. *S'offrir en holocauste,* se sacrifier totalement (littér.).

***hom !** [ɔm] interj. V. HEM!

***homard** [ɔmar] n. m. Crustacé au corps bleu marbré de jaune et à grosses pinces : *Le homard devient rouge après la cuisson. Il a pris un coup de soleil et il est rouge comme un homard.*

homélie [ɔmeli] n. f. Discours moralisateur (souvent péjor.) : *Subir les homélies continuelles et les récriminations d'une épouse acariâtre* (syn. : REMONTRANCE). [L'*homélie* est un sermon familier sur une matière religieuse.]

homéopathie [ɔmeɔpati] n. f. Méthode thérapeutique consistant à soigner les malades à l'aide de remèdes qui produisent des affections analogues à celles que l'on veut combattre. ◆ **homéopathe** adj. et n. : *Un médecin homéopathe.* ◆ **homéopathique** adj. : *Traitement homéopathique.*

homérique [ɔmerik] adj. Qui est à la fois héroïque et comique : *Nous avons été témoin, dans notre vie d'élève, de chahuts homériques. Un rire homérique salua cette repartie naïve* (= bruyant, inextinguible).

homicide [ɔmisid] n. et adj. Qui a causé la mort de quelqu'un; qui a tué (terme jurid.) : *Condamner un chauffard homicide.* ◆ n. m. Acte de celui qui tue un être humain : *Etre coupable d'un homicide involontaire. Homicide par imprudence.*

hommage [ɔmaʒ] n. m. 1° Témoignage de courtoisie ou de respect (dans quelques expressions) : *Recevoir l'hommage de nombreux admirateurs. Cette cérémonie est un hommage à la science de cette éminente personnalité. Rendre hommage au travail que représente un ouvrage scientifique.* — 2° *Faire hommage d'un livre à quelqu'un,* lui en donner un exemplaire en témoignage de respect ou de reconnaissance. ◆ **hommages** n. m. pl. Compliments adressés à quelqu'un : *Présenter ses hommages à la maîtresse de maison* (syn. : CIVILITÉS, RESPECTS). *Fuir les hommages* (syn. : HONNEURS).

1. homme [ɔm] n. m. 1° Terme générique désignant l'espèce humaine, douée de langage et de raison (par oppos. à l'animal, à la divinité, etc.); membre de cette espèce : *L'évolution de l'homme. L'origine de l'homme. L'exploitation de l'homme par l'homme;* et au pluriel : *Les rapports des hommes entre eux. Ne pas craindre le jugement des hommes.* (V. HUMAIN.) — 2° (suivi d'un compl. ou accompagné d'un adj.) Individu qui a tel ou tel caractère, tel ou tel métier, qui est de telle ou telle époque, etc. (dans un grand nombre d'expressions; le fém. est souvent ici *femme*) : *Un homme (une femme) d'affaires* (= un financier). *Un homme (une femme) d'argent* (= intéressé). *Un homme de bien* (= honnête, charitable). *Un homme de cheval* (= celui qui s'occupe d'équitation, de courses). *Homme d'Eglise* (= ecclésiastique). *Homme d'Etat* (= un dirigeant). *Un grand homme* (= remarquable). *Un homme (une femme) de lettres* (= un écrivain). *L'homme de la rue* (= le premier venu). *Un homme de mer* (= un marin). *Un homme de loi* (= un huissier, un magistrat). *Un homme à femmes* (= qui a de nombreuses liaisons). *Un homme (une femme) du Moyen Age.* — 3° (avec un adj. possessif) La personne convenable, propre à quelque chose : *Voilà mon homme* (= c'est la personne que j'attendais). *Je suis votre homme* (= je suis prêt à faire ce que vous voulez). *Il a trouvé son homme* (= l'homme plus fort ou plus intelligent qui a réussi à le battre). — 4° *D'homme à homme,* en toute franchise : *Parlons d'homme à homme; croyez-vous possible la réalisation de ce projet?* ‖ *Comme un seul homme,* à l'unanimité, avec un ensemble parfait : *Comme un seul homme, ils se déclarèrent prêts à le suivre.* ‖ *Etre homme à,* être capable de : *Il n'est pas homme à manquer de parole.* ◆ **homme-grenouille** n. m. Plongeur muni d'un appareil pour la respiration, qui lui permet d'effectuer sous l'eau certains travaux. ◆ **homme-orchestre** n. m. Celui qui est capable d'effectuer des travaux très divers, qui a des compétences en des domaines très éloignés les uns des autres. ◆ **homme-sandwich** n. m. Celui qui est payé pour promener un panneau publicitaire sur son dos et sur sa poitrine. ◆ **humain, e** [ymɛ̃, -ɛn] adj. Relatif à l'homme, distingué des autres espèces animales : *L'organisme humain. La faiblesse humaine. Les races humaines. Les sciences humaines ou sciences de l'homme. Le respect de la vie humaine. Les choses humaines* (= tout ce qui concerne l'homme). *Le genre humain* (= l'ensemble des hommes). *N'avoir plus figure humaine* (= être défiguré). *C'est au-dessus des forces humaines. Les êtres humains* (= les hommes). *La condition humaine* (= la destinée de l'homme). *Le respect humain* (= la crainte de l'opinion d'autrui). ◆ **humain** n. m. Ce qui appartient en propre à l'homme : *Perdre le sens de l'humain.* ◆ **humains** n. m. pl. Syn. littér. de HOMME : *L'ensemble des humains.* ◆ **humanité** n. f. L'ensemble des êtres humains : *Les origines de l'humanité. Un bienfaiteur de l'humanité.* ◆ **humanitaire** adj. Qui vise à faire le bien de l'humanité (en parlant d'idées, de sentiments) : *Ces sentiments humanitaires vous honorent.* ◆ **surhomme** n. m. Homme qui se montre exceptionnellement supérieur aux autres par ses qualités physiques, par son génie. ◆ **surhumain, e** adj. Qui est ou qui semble au-dessus des forces ou des qualités de l'homme : *Les naufragés firent un effort surhumain pour regagner le rivage* (syn. : EXTRAORDINAIRE).

2. homme [ɔm] n. m. 1° Par opposition à *femme,* mâle de l'espèce humaine : *Des vêtements d'homme. Salon réservé aux hommes.* — 2° Individu qui est parvenu à la maturité d'esprit, ou qui jouit de certaines qualités viriles : *C'est déjà un homme à seize ans. Si tu es un homme, montre-le. Ce n'est pas un homme.* (V. VIRILITÉ.) — 3° *Pop.* Mari (avec un possessif). ◆ **hommasse** [ɔmas] adj. *Péjor.* Se dit d'une femme d'allure masculine : « *Comment la trouves-tu? — Un peu hommasse.* »

homogène [ɔmɔʒɛn] adj. Se dit d'un tout formé d'éléments de même nature, cohérents entre eux : *Un mélange homogène* (contr. : HÉTÉROGÈNE). *Un ministère homogène* (= dont tous les ministres appartiennent au même parti; contr. : BIPARTITE, TRIPARTITE, etc.). ◆ **homogénéité** n. f. : *L'homogénéité d'un corps. L'homogénéité d'une formation politique* (syn. : COHÉSION).

homographe [ɔmɔgraf] adj. et n. Se dit de mots dont l'orthographe est la même, mais dont le sens est différent. (Ex. : *pignon* d'une rue et *pignon* d'une roue; *mâtin,* gros chien, et *mâtin,* taquin; *mâche,* plante, et *il mâche;* etc.) [V. HOMONYME.]

homologue [ɔmɔlɔg] adj. et n. Se dit d'une personne ou d'une chose qui correspond exactement à une autre : *Les fonctionnaires homologues de deux ministères reçoivent parfois un traitement différent. L'homologue d'un professeur français, aux Etats-Unis, a un service plus long, mais mieux rémunéré.*

homologuer [ɔmɔlɔge] v. tr. Approuver, enregistrer ou autoriser d'une manière officielle, administrative : *Homologuer les tarifs de transport. La fédération internationale homologue les records* (syn. : RATIFIER). ◆ **homologation** n. f. : *L'homologation d'une performance.*

homonyme [ɔmɔnim] adj. et n. m. Se dit de deux ou plusieurs mots (substantifs, adjectifs ou verbes) qui se présentent dans la langue parlée ou écrite comme formellement identiques, mais qui ont des contenus (des sens) différents : *Ainsi, le substantif « ferme » (n. f.) se confond avec « ferme » (du verbe « fermer »). Les substantifs « sceau » et « seau » sont homonymes entre eux et sont homonymes de l'adjectif « sot ».* ◆ **homonymie** n. f. : *L'homonymie de deux termes est une simple ressemblance formelle; elle ne prête à aucune ambiguïté si les sens sont différents.*

homophone [ɔmɔfɔn] adj. et n. Se dit de mots qui ont la même prononciation, mais des sens différents : « *Sot* », « *seau* », « *sceau* » *sont des homophones.* (V. HOMOGRAPHE, HOMONYME.)

homosexuel, elle [ɔmɔsɛksɥɛl] n. et adj. Syn. de INVERTI. ◆ **homosexualité** n. f.

honnête [ɔnɛt] adj. 1° (avant ou plus souvent après le nom) Qui respecte rigoureusement la loyauté, la justice, sur le plan de l'argent, en particulier, ou de l'honneur : *Un commerçant honnête, qui vend à juste prix* (syn. : PROBE). *Un juge honnête* (syn. : INCORRUPTIBLE, DROIT). *Un homme foncièrement honnête* (syn. : INTÈGRE). *Elle a toujours été une épouse honnête* (syn. : VERTUEUX). *Il a une conduite très honnête* (syn. : MORAL, LOUABLE). *Avoir des plaisirs honnêtes. Ses buts sont honnêtes* (syn. : AVOUABLE). — 2° (après ou avant le nom) Conforme au bon sens, à la vérité, à la situation, à la moyenne : *Son travail est honnête* (syn. : CORRECT, CONVENABLE). *Il a un honnête talent de musicien* (syn. : PASSABLE). *Nous avons fait un honnête repas* (syn. : SATISFAISANT). *Il est resté dans une honnête moyenne* (syn. : HONORABLE). *Ce film est honnête, vous pouvez le voir sans ennui* (syn. : MOYEN). *Une honnête récompense* (syn. : JUSTE). ◆ **honnêtement** adv. : *Honnêtement, je ne l'ai pas fait exprès* (syn. : SINCÈREMENT). *Je vous ai honnêtement mis en garde contre lui* (syn. : LOYALEMENT). ◆ **honnêteté** n. f. Sens 1 de l'adj. : *Sa parfaite honnêteté est connue de tous* (syn. : PROBITÉ, LOYAUTÉ). *L'honnêteté d'une épouse* (syn. : VERTU). *Ces paroles choquent l'honnêteté* (syn. : PUDEUR, DÉCENCE). ◆ **déshonnête** [dezɔnɛt] adj. Contraire à la pudeur, à la morale : *Un mot déshonnête* (syn. : INCONVENANT, INDÉCENT). *Geste déshonnête* (syn. : ↑ OBSCÈNE). ◆ **malhonnête** adj. Contr. de *honnête* : *Un associé malhonnête* (syn. : INDÉLICAT). *Un joueur malhonnête. Un livre intellectuellement malhonnête* (= non conforme à la vérité). *Il est malhonnête de se conduire ainsi* (syn. : IMPOLI, INDÉCENT). ◆ **malhonnêtement** adv. : *Agir malhonnêtement avec ses collaborateurs.* ◆ **malhonnêteté** n. f. : *La malhonnêteté d'un fraudeur* (syn. : FRIPONNERIE). *La malhonnêteté de ses intentions transparaît dans ses propos* (syn. : DÉLOYAUTÉ).

honneur [ɔnœr] n. m. 1° Vif sentiment de sa propre dignité, qui pousse à agir de manière à conserver l'estime des autres; principes moraux qui sont à la base de ce sentiment : *Avoir le sentiment de l'honneur. Un homme d'honneur* (= qui tient sa parole). *Un homme sans honneur. Il a manqué à l'honneur.* — 2° Réputation ou gloire que donnent le courage, le talent, la vertu : *Mon honneur est en jeu* (syn. : DIGNITÉ). *Jurer sur son honneur* (ou *sur l'honneur*) *que l'on a dit la vérité. Sauver l'honneur de la famille. Cette action est toute à son honneur* (syn. : ÉLOGE). *L'honneur lui en revient* (syn. : MÉRITE). *Il met son honneur à ne laisser aucune question sans réponse. Son honneur de femme* (= sa vertu). *Il est l'honneur de la famille* (= la gloire). — 3° Traitement particulier, privilège donné afin de marquer la considération : *Je n'ai pas mérité cet honneur. Honneur à ceux qui sont morts pour la patrie* (= louons ceux...). *Après sa victoire, le vainqueur de la course a fait un tour d'honneur. Etre à la place d'honneur.* (= place donnée à celui que l'on veut distinguer). *Je n'ai pas l'honneur de vous connaître* (formule de politesse). *Faites-moi l'hon-*

neur de me présenter à votre ami. — 4° (loc., avec un verbe) *Etre en honneur,* être particulièrement apprécié, entouré de considération : *Le roman a été fort en honneur au XIXe siècle.* ‖ *Faire honneur à quelqu'un,* lui valoir de la considération, être un sujet de gloire pour lui : *Ces nouveaux bâtiments font honneur à l'architecte.* ‖ *Faire honneur à quelque chose,* y rester fidèle : *Faire honneur à ses engagements, à sa signature* (= la respecter); en user pleinement : *Faire honneur à un dîner en reprenant de chaque plat.* ‖ *Mettre, remettre en honneur,* faire estimer, faire apprécier de nouveau : *Remettre en honneur les danses folkloriques.* — 5° (loc., comme compl. d'un nom) *Champ d'honneur,* champ de bataille (langue officielle) : *Mourir au champ d'honneur* (= au combat). ‖ *Garde d'honneur,* troupe qui escorte un personnage officiel dans ses déplacements. ‖ *Parole d'honneur, ma parole d'honneur,* formules par lesquelles on atteste la vérité de ce que l'on dit. ‖ *Point d'honneur,* ce qui met en jeu l'honneur, la réputation : *Il met son point d'honneur à finir dans les délais le travail demandé.* ‖ *Titre d'honneur,* marque de considération : *Son véritable titre d'honneur est d'avoir été le premier à signaler ce phénomène.* — 6° *En tout bien tout honneur,* avec des intentions pures : *Courtiser une jeune fille en tout bien tout honneur* (= en vue du mariage). • Loc. PRÉP. et ADV. *En l'honneur (de),* pour rendre hommage à : *Réception donnée en l'honneur des diplomates présents à la négociation.* ‖ *Pour l'honneur,* gratuitement, sans aucune rémunération. ◆ **honneurs** n. m. pl. 1° Marque de distinction; fonction ou titre qui donne de l'éclat : *Etre comblé d'honneurs, au sommet des honneurs. Parvenir aux plus grands honneurs. Il fut reçu avec tous les honneurs dus à son rang. Troupe qui rend les honneurs à un chef militaire* (= salue). *Les honneurs funèbres* (= hommage rendu lors des funérailles). *La nouvelle a les honneurs de la première page des journaux* (= elle y est mentionnée). *Nous lui avons fait les honneurs de la maison* (= nous l'avons accueilli avec politesse). *Se rendre avec les honneurs de la guerre* (= avec des conditions honorables). — 2° Les cartes les plus hautes, à certains jeux : *Avoir tous les honneurs à cœur. Au bridge, les honneurs sont l'as, le roi, la dame, le valet et le dix.* ◆ **honorer** v. tr. 1° Traiter quelqu'un avec respect, avec estime et considération, rendre hommage à son mérite : *Historien honoré de son vivant, oublié après sa mort* (syn. : GLORIFIER). *Honorer la mémoire d'un savant* (syn. : CÉLÉBRER). *C'est trop l'honorer que de faire attention à lui.* — 2° Procurer de l'honneur, de la considération : *Cette conduite vous honore. Ces scrupules l'honorent. Il honore la profession.* — 3° *Honorer quelqu'un de quelque chose,* lui accorder une distinction, une marque de faveur (parfois ironiq.) : *Il ne m'a pas honoré de la moindre réponse. Il m'honora d'un titre dont je suis bien indigne* (syn. : GRATIFIER). *Votre confiance m'honore.* — 4° *Honorer un chèque,* le payer. ‖ *Honorer sa signature,* remplir ses engagements financiers. ◆ ***s'honorer*** v. pr. *S'honorer de quelque chose,* en tirer fierté : *Rouen s'honore d'être la patrie de Corneille.* ◆ **honorable** adj. (avant ou après le nom). 1° Se dit de quelqu'un qui est digne de considération : *Un commerçant honorable* (syn. : PROBE). — 2° Se dit de quelque chose qui attire la considération : *Son classement au concours est très honorable. Exercer une profession honorable* (syn. : DIGNE). — 3° Qui atteint un niveau, une quantité, une intensité jugés suffisants : *Avoir une fortune honorable* (syn. : HONNÊTE). *Les résultats honorables de l'entreprise* (syn. : CONVENABLE). *Obtenir une note honorable à un examen* (syn. : MOYEN). — 4° Qualificatif de politesse entre membres d'une même assemblée : *Le discours de mon honorable collègue ne m'a pas convaincu.* ◆ **honorablement** adv. : *Etre honorablement connu dans son quartier. Gagner honorablement sa vie* (= assez bien). ◆ **honorabilité** n. f. Qualité d'une personne honorable (sens 1) : *La parfaite honorabilité de cet hôtelier.* ◆ **honorifique** adj. Qui procure seulement de la considération : *Fonction purement honorifique* (= qui n'apporte pas d'avantages matériels). ◆ **honoraire** adj. Qui a le titre sans exercer la fonction : *Professeur honoraire* (= qui a exercé cette fonction et en garde le titre). *Le président honoraire de notre société de pêche.* ◆ **honoraires** n. m. pl. Rétribution des personnes exerçant des professions libérales (notaire, médecin, avocat, etc.) : *Verser des honoraires.* ◆ **déshonneur** n. m. Perte de l'honneur (sens 2) : *Il n'a pu survivre au déshonneur de son fils* (syn. : INFAMIE). *Il n'y a pas de déshonneur à avouer son ignorance* (syn. : HONTE). ◆ **déshonorer** v. tr. *Déshonorer quelqu'un, quelque chose,* porter atteinte à son honneur (sens 2) : *Etre déshonoré par une condamnation* (syn. : FLÉTRIR). *Déshonorer la mémoire de ses parents* (syn. : SALIR). *Il déshonore la profession par de telles pratiques* (syn. : ↓ DISCRÉDITER). *Déshonorer un édifice en le maculant d'inscriptions à la peinture* (syn. : ABÎMER, DÉGRADER). *Il se croit déshonoré d'effectuer un travail manuel* (= avili). ◆ **déshonorant, e** adj. : *Une conduite déshonorante* (contr. : GLORIEUX).

***honnir** [ɔnir] v. tr. (le plus souvent au passif). *Etre honni de quelqu'un,* en être méprisé et détesté : *Un dictateur honni du peuple* (syn. : VOMI PAR).

***honte** [ɔ̃t] n. f. 1° Sentiment pénible de sa bassesse, de son déshonneur, de sa confusion, de son abaissement devant les autres ou simplement de son ridicule : *Eprouver de la honte devant un échec. Etre rouge de honte* (= confus). *L'enfant pleurait de honte de se voir humilié devant ses camarades. Il a perdu toute honte* (= il est insensible au déshonneur, à l'humiliation). *Pleurer de dépit et de honte.* — 2° *Avoir honte de,* avoir du remords, être dégoûté de; être gêné de : *Il a honte de ce qu'il a fait. J'ai honte de toi, tu es le dernier de la classe. Vous n'avez pas honte de le taquiner ainsi? Il a honte de venir vous parler* (syn. : ÊTRE EMBARRASSÉ). ‖ *Faire honte à quelqu'un,* être pour lui un sujet de déshonneur : *Tu me fais honte : tes habits sont encore déchirés;* lui faire des reproches afin de lui donner du remords : *Fais-lui honte de sa conduite, de sa paresse* (= fais-le rougir). ‖ *Fausse honte, mauvaise honte,* embarras ou gêne qui proviennent d'un sentiment de timidité, de modestie, d'un scrupule inutile : *Acceptez sans fausse honte cette récompense qui vous est due.* — 3° Déshonneur ou humiliation : *La honte du scandale le fit reculer. Etre couvert de honte. Les regrets ne peuvent effacer la honte d'une telle action* (syn. : FLÉTRISSURE). *C'est une honte de loger les gens dans de pareils taudis. Honte à ceux qui trahissent* (= que soient déshonorés). ◆ ***honteux, euse** adj. 1° Qui cause de la honte : *Une attitude honteuse* (syn. : IGNOBLE, INFÂME). *Une accusation honteuse* (syn. : DÉSHONORANTE). *Il est honteux de se défier d'un ami* (syn. : VIL, DÉGOÛTANT). — 2° Qui éprouve de la honte (sens 1 et 2) : *Je suis honteux d'être en retard* (syn. : CONFUS, ↑ CONSTERNÉ). *Etre honteux de son ignorance. Un pauvre honteux* (= qui cache sa pauvreté par dignité). *Un partisan honteux* (= qui n'ose pas avouer ouvertement ses convictions). *Les maladies honteuses* (= celles des organes génitaux). ◆ **honteusement** adv. : *Etre renvoyé honteusement du lycée. Il est honteusement payé pour ses travaux* (= d'une manière ridicule). ◆ **éhonté, e** adj. Se dit d'une personne (ou de son comportement) qui agit sans aucune pudeur, qui n'a pas honte de ses actes répréhensibles : *Un menteur éhonté* (syn. : EFFRONTÉ, IMPUDENT, CYNIQUE). *Il a fait preuve d'une partialité éhontée* (syn. : HONTEUX, SCANDALEUX).

***hop** [ɔp] ou ***houp !** [up] interj. Accompagne en général un mouvement brusque : *Hé! hop-là, saute donc! Allez, hop!*

hôpital [ɔpital] n. m. Etablissement public ou privé qui reçoit et traite les malades : *Un hôpital pour enfants. Médecin des hôpitaux de Paris.* ◆ **hospitalier** adj. m. : *Etablissement hospitalier* (= hôpital). *Les services hospitaliers.* ◆ n. m. Employé d'hôpital (infirmier). ◆ **hospitaliser** v. tr. Faire entrer dans un hôpital : *Hospitaliser d'urgence un blessé.* ◆ **hospitalisation** n. f. : *L'état du malade réclame son hospitalisation.*

***hoquet** [ɔkɛ] n. m. 1° Contraction involontaire de la gorge, produisant un appel d'air qui fait un bruit rauque : *Etre secoué par le hoquet. Un hoquet d'émotion.* — 2° Bruit qui accompagne les larmes et qui est provoqué par l'irrégularité de la respiration : *De gros sanglots entrecoupés de hoquets.* ◆ ***hoqueter** [ɔkte] v. intr. (conj. 8). Emettre des sanglots accompagnés de hoquets.

horaire adj. et n. m. V. HEURE.

***horde** [ɔrd] n. f. Groupe ou troupe d'hommes, plus ou moins disciplinés, qui commettent des actes de violence : *Des hordes d'envahisseurs. Une horde de gamins excités bousculait les passants* (syn. : BANDE). [*Horde* était le nom attribué à des tribus nomades de l'Asie centrale.]

***horion** [ɔrjɔ̃] n. m. Coup violent donné à une personne : *Les deux ivrognes échangèrent quelques horions.*

horizon [ɔrizɔ̃] n. m. 1° Partie de la terre et du ciel qui est à la limite visible d'un plan circulaire dont un observateur est le centre : *La plaine s'étend jusqu'à l'horizon. Le soleil est encore au-dessus de l'horizon. Quelques bateaux se détachaient à l'horizon* (= dans le lointain). *Scruter l'horizon. Des nuages noirs surgirent du bout de l'horizon. La plaine aux horizons immenses* (syn. : ÉTENDUE). *De ma fenêtre, j'avais pour tout horizon un mur nu et gris.* — 2° Domaine qui s'ouvre à l'esprit ou à l'activité de quelqu'un : *Ce livre nous ouvre des horizons nouveaux. L'horizon politique s'assombrit, s'éclaircit* (syn. : LES PERSPECTIVES D'AVENIR). *Faire un tour d'horizon de la situation internationale* (= donner des nouvelles du monde, faire une synthèse de la situation). — 3° *A l'horizon,* dans l'avenir : *On voit se profiler à l'horizon la menace d'une crise.*

horizontal, e, aux [ɔrizɔ̃tal, -to] adj. Perpendiculaire au plan vertical de l'observateur : *La ligne que vous avez tracée n'est pas tout à fait horizontale.* ◆ **horizontalement** adv.

horloge [ɔrlɔʒ] n. f. Appareil, souvent muni d'une sonnerie, qui marque les heures : *Il est dix heures à l'horloge de la gare. L'horloge parlante* (= procédé servant à diffuser d'une façon continue l'heure au téléphone et à la radio). *Il a une précision d'horloge* (= il est très ponctuel). *Il est réglé comme une horloge* (= il a des habitudes d'une régularité parfaite). *L'orateur parla deux heures d'horloge* (= deux heures entières). ◆ **horloger, ère** n. Personne qui fabrique, répare ou vend des montres, des pendules, etc. ◆ adj. : *Industrie horlogère* (= fabrication des montres, des pendules, etc.). ◆ **horlogerie** n. f.

***hormis** [ɔrmi] prép. Indique ce qui est exclu d'une totalité, d'un ensemble : *La majorité, hormis deux ou trois abstentionnistes volontaires, vota le projet* (syn. : EXCEPTÉ). *Hormis quelques jours gris, nous avons eu très beau temps pendant les vacances* (syn. : SAUF).

hormone [ɔrmɔn] n. f. Substance qui est sécrétée par certains tissus (glandes) et qui, transportée par le sang, agit sur des organes situés à distance. ◆ **hormonal, e, aux** adj. : *Subir un traitement hormonal.*

horoscope [ɔrɔskɔp] n. m. Prédictions que les astrologues prétendent déduire de l'étude des influences astrales qui peuvent s'exercer sur un individu : *Se faire tirer son horoscope.*

horreur [ɔrœr] n. f. 1° Violente impression de répulsion, de dégoût, de peur : *A la vue de l'accident, un sentiment d'horreur s'empara des témoins. Etre saisi, rempli d'horreur* (syn. : ↓ PEUR). *Frémir d'horreur. Un cri d'horreur* (syn. : ÉPOUVANTE). *Glacé d'horreur, il restait muet* (syn. : EFFROI). *Ta conduite me fait horreur* (= m'écœure). *Ce médicament lui fait horreur* (= le dégoûte, le répugne). *Inspirer une sainte horreur* (syn. : AVERSION, RÉPUGNANCE). *J'ai horreur de ces bavardages inutiles* (= je déteste, j'exècre). *Il a horreur d'être contredit, de se lever tôt. Il l'a pris en horreur depuis ce geste indélicat* (syn. : HAINE). — 2° Caractère de ce qui inspire ce sentiment : *L'horreur d'un crime. L'horreur de la guerre, d'un accident. Pour comble de l'horreur.* — 3° (souvent au plur.) Ce qui inspire le dégoût ou l'effroi : *Les horreurs de la guerre* (syn. : ATROCITÉ, MONSTRUOSITÉ). *Cet article de journal est une horreur* (= il est ignoble). *Débiter des horreurs sur ses voisins* (syn. : CALOMNIE). *Ecrire des horreurs* (syn. : OBSCÉNITÉS). ◆ **horrible** adj. 1° (avant ou après le nom) Qui fait horreur : *Spectacle horrible* (syn. : AFFREUX). *Une horrible blessure* (syn. : ATROCE, ÉPOUVANTABLE). *Une peur horrible. C'est horrible de penser qu'il est mort ainsi* (syn. : EFFRAYANT, ABOMINABLE). *Il a une écriture horrible* (= très mauvaise). — 2° Qui dépasse tout ce que l'on peut imaginer : *J'ai un horrible mal de tête* (syn. : TERRIBLE). *Une horrible confusion* (syn. : EXTRÊME). *Un temps horrible* (syn. : ÉPOUVANTABLE). ◆ **horriblement** adv. : *Souffrir horriblement. Il est horriblement vexé pour ce reproche. Les fruits sont horriblement chers.* ◆ **horrifier** v. tr. Causer un sentiment d'effroi (souvent au passif) : *Elle était horrifiée par la dépense* (syn. : SCANDALISER). ◆ **horrifiant, e** adj. : *Il fit un tableau horrifiant de la situation.*

horripiler [ɔripile] v. tr. *Horripiler quelqu'un,* provoquer son énervement, son impatience : *Cette manière d'éluder les sujets embarrassants finissait par m'horripiler* (syn. : IMPATIENTER, ↑ EXASPÉRER).

Être horripilé par les conversations des voisins (syn. : AGACER). ◆ **horripilant, e** adj. : *Il est horripilant avec ses hésitations continuelles.*

***hors** [ɔr] prép., **hors de** loc. prép. Indiquent l'extériorité ou l'exclusion. (V. tableau ci-dessous.)

***hors-bord** [ɔrbɔr] n. m. invar. Petit canot automobile, dont le moteur est placé hors de la coque : *Des hors-bord remontaient à grande vitesse la Marne.*

***hors-d'œuvre** [ɔrdœvr] n. m. invar. 1° Menus mets servis au début d'un repas : *Des hors-d'œuvre variés.* — 2° Partie d'une œuvre littéraire qu'on peut retrancher sans nuire à l'ensemble.

***hors-la-loi** [ɔrlalwa] n. m. invar. Individu qui vit en marge de la société, qui se met volontairement en dehors des lois par ses crimes.

***hors-texte** [ɔrtɛkst] n. m. invar. Gravure tirée à part et intercalée dans un livre.

hortensia [ɔrtɑ̃sja] n. m. Petit arbuste cultivé pour ses grosses fleurs blanches, roses ou bleues.

horticulture [ɔrtikyltyr] n. f. Culture des jardins; production des légumes, des fleurs, des arbres fruitiers, etc. ◆ **horticulteur, trice** n. ◆ **horticole** adj. : *Une exposition horticole.*

hospice [ɔspis] n. m. Établissement public destiné à accueillir des vieillards, des infirmes dans le besoin ou des orphelins abandonnés (le mot a vieilli et a pris souvent une valeur péjor.) : *Un hospice de vieillards. Finir dans un hospice* (= mourir dans la misère).

1. hospitalier adj. et n. m. V. HÔPITAL.

2. hospitalier, ère [ɔspitalje, -ɛr] adj. Qui accueille avec libéralité et bonne grâce les hôtes, les invités, les étrangers : *Les peuples méditerranéens sont très hospitaliers.* ◆ **hospitalité** n. f. : *Il pratique l'hospitalité la plus libérale à l'égard de ses amis. Remercier la maîtresse de maison de sa charmante hospitalité* (syn. : ACCUEIL). *Offrir l'hospitalité pour une nuit.* ◆ **inhospitalier, ère** adj. Contr. de hospitalier : *Un peuple inhospitalier. Un rivage inhospitalier.*

hospitaliser v. tr. V. HÔPITAL; **hostellerie** n. f. V. HÔTEL.

hostie [ɔsti] n. f. Pain mince et sans levain, que le prêtre consacre à la messe.

hostile [ɔstil] adj. Se dit de quelqu'un (ou de son comportement) qui manifeste des intentions agressives ou peu favorables, qui se conduit en ennemi (le compl. est introduit par la prép. *à*) : *La foule hostile s'apprêtait à lui faire un mauvais parti* (contr. : BIENVEILLANT). *Une nature hostile. Il est hostile à toute nouveauté* (syn. : OPPOSÉ). *Le pays tout entier est hostile à la guerre* (= contre la guerre). *L'attitude hostile d'une partie du public. Être l'objet de manifestations hostiles* (syn. : ↓ INAMICAL; contr. : CORDIAL). *Il posa sur moi un regard hostile* (contr. : AMICAL, AFFECTUEUX). ◆ **hostilité** n. f. Disposition ou attitude hostile : *Manifester de l'hostilité à l'égard d'un intrus* (syn. : ANTIPATHIE). *Regarder avec hostilité* (syn. : MALVEILLANCE, ↑ HAINE; contr. : AMITIÉ, BIENVEILLANCE). ◆ **hostilités** n. f. pl. Actes de guerre : *Les hostilités ont repris. Pendant la durée des hostilités. La cessation des hostilités* (= l'armistice).

hôte, hôtesse [ot, otɛs] n. 1° Personne qui reçoit quelqu'un chez elle : *Remercier ses hôtes de leur hospitalité. L'aimable hôtesse qui nous a accueillis ici.* — 2° *Table d'hôte,* table où les clients d'un hôtel, d'une pension de famille, d'un restaurant sont parfois réunis pour un repas à prix fixe. ◆ **hôte** n. m. Personne qui reçoit l'hospitalité : *Le Premier ministre du Canada est l'hôte et l'invité de la France. Les touristes, hôtes de passage dans notre ville. Les hôtes successifs d'un appartement* (syn. : OCCUPANT, LOCATAIRE). ◆ **hôtesse** n. f. Personne chargée de veiller au confort des passagers à bord des avions commerciaux (*hôtesse de l'air*), d'accueillir et de renseigner les visiteurs dans une exposition, une foire, etc.

VALEURS	hors	hors de
1° Extériorité (sens local)	Emploi rare, limité à quelques expressions figées : *Saint-Paul-hors-les-Murs* (= hors des limites anciennes de Rome), ou à quelques locutions : *Mettre hors la loi* (= rendre passible d'une exécution sommaire). *Être hors jeu* (= se dit d'un joueur qui n'a pas la position requise par rapport au ballon). *Il a un talent hors pair pour esquiver les difficultés. Avoir un destin hors série, hors ligne* (= exceptionnel). *Être hors concours* (= ne pas être autorisé à concourir, en raison de sa supériorité).	*Vivre hors de son pays* (= à l'étranger). *Il s'est sauvé hors de chez ses parents. La carpe faisait des bonds hors de l'eau. Hors de son milieu habituel, il devient un tout autre homme.*
2° Extériorité (sens temporel)		*Il vit hors du temps* (= il n'a pas le sens des réalités, il n'a pas les pieds sur terre). *L'achat de ce réfrigérateur est vraiment hors de saison* (= inopportun).
3° Exclusion	Emploi très rare, limité à la langue littéraire archaïque : *Hors son goût pour le jeu, vous ne trouverez guère de passion chez lui.*	Emploi limité à certaines expressions usuelles : *La voiture est hors d'usage. Vous voici hors de danger maintenant* (= à l'abri). *Il est hors d'affaire* (= sauvé). *Je suis hors d'état de vous convaincre* (= je suis incapable). *Son indignation est hors de propos* (= inopportune). *Les résultats obtenus sont hors de proportion avec ce qu'on attendait. Il est hors de doute qu'il sera réélu* (= on ne peut douter). *Il est hors de lui* (= furieux). *Vous la mettez hors d'elle* (= vous l'exaspérez). *La viande est hors de prix* (= inabordable). Etc.

1. hôtel [otɛl] n. m. 1° Maison meublée où l'on peut loger (en voyage ou comme résidence provisoire) : *L'hôtel loue des chambres à la journée, au mois. Un hôtel avec ou sans restaurant. Les touristes descendirent à l'hôtel de la Gare.* — 2° *Maître d'hôtel,* celui qui dirige le service de la table dans un restaurant. ◆ **hôtelier, ère** n. Personne qui tient un hôtel. ◆ adj. Relatif à l'hôtel : *Industrie hôtelière. Ecole hôtelière* (= où l'on forme les professionnels de l'hôtellerie). ◆ **hôtellerie** n. f. 1° Métier ou profession des hôteliers. — 2° Hôtel ou restaurant élégant, situé à la campagne ou d'allure rustique. (On écrit aussi, en ce sens, *hostellerie.*)

2. hôtel [otɛl] n. m. 1° *Hôtel particulier,* ou simplem. *hôtel,* immeuble entièrement occupé par un riche particulier et sa famille. — 2° Grand édifice destiné à un établissement ou à un organisme public : *L'hôtel de ville* (= où siègent la mairie et le conseil municipal). *L'hôtel des Invalides à Paris.*

***hotte** [ɔt] n. f. 1° Grand panier d'osier, fixé sur le dos avec des bretelles : *Les vignerons portaient des hottes où se trouvaient des grappes de raisin.* — 2° Construction, de forme évasée, qui termine le bas d'une cheminée : *Une hotte de pierre garnissait le fond de la grande salle du château.* — 3° Dispositif destiné à recueillir les vapeurs dans une cuisine : *Faire poser une hotte de verre dans la cuisine pour éviter la buée et les odeurs.*

***hou!** [u] interj. Onomatopée (souvent redoublée) servant à marquer le mépris, la haine (utilisée pour *huer*) : *Hou! hou! à la porte!*

***houblon** [ublɔ̃] n. m. Plante grimpante cultivée dans l'est et le nord de la France, et dont les fleurs sont utilisées pour donner son arôme à la bière.

***houille** [uj] n. f. 1° Roche sédimentaire due à la décomposition des débris végétaux et utilisée comme combustible (langage scientif.) : *La diminution de la production de houille* (syn. : CHARBON). *Un gisement de houille. Le goudron est un des produits de distillation de la houille.* — 2° *Houille blanche,* force motrice obtenue par les chutes d'eau et utilisée notamment dans les centrales hydrauliques. ◆ ***houiller, ère** adj. : *Le bassin houiller du nord de la France.* ◆ ***houillère** n. f. Au pluriel surtout et au sens de « ensemble des mines de houille nationalisées » : *Les houillères du Nord et du Pas-de-Calais* (syn. : LES CHARBONNAGES).

***houle** [ul] n. f. Mouvement, sous la forme d'ondes successives, qui agite la mer sans que les vagues déferlent : *Le navire est secoué par une forte houle* (= il y a du roulis). ◆ ***houleux, euse** adj. 1° *Mer houleuse,* agitée par la houle. — 2° Se dit d'une assemblée agitée de sentiments contraires : *Parler devant une salle houleuse* (syn. : AGITÉ). *Séance houleuse à la Chambre aujourd'hui* (syn. : MOUVEMENTÉ, ↑ ORAGEUX).

***houp!** [up] interj. Var. de *HOP !

***houppe** [up] n. f. 1° Assemblage de brins de laine, de soie, de duvet, formant une touffe : *Une houppe pour se poudrer le visage.* — 2° Touffe de cheveux (syn. : TOUPET).

***houppelande** [uplɑ̃d] n. f. Ample manteau sans manches, que l'on jette sur ses épaules et qui enveloppe entièrement.

***hourra** ou ***hurrah** [ura] n. m. Cri d'enthousiasme ou d'acclamation poussé en l'honneur de quelqu'un ou d'un spectacle : *Un immense hourra salua l'entrée de l'équipe sur le terrain* (syn. : ACCLAMATION, BRAVO). *Des hourras enthousiastes s'élevèrent de la foule des spectateurs.* ◆ ***hourra!** ou ***hurrah!** interj. Exprime une grande satisfaction devant une victoire ou est utilisée en guise d'acclamation (généralement en corrélation avec *hip!*) : *Hip! hip! hip! hourra! Mon cheval est arrivé premier. Hurrah pour Georges.*

***houspiller** [uspije] v. tr. Faire de vifs reproches, émettre une sévère critique contre quelqu'un : *Houspiller un enfant qui a traversé la rue en courant* (syn. : GRONDER). *Il se fit houspiller par un vieux monsieur qu'il avait bousculé par mégarde* (syn. : RÉPRIMANDER). *Etre houspillé par une assistance hostile* (syn. : CHAHUTER).

***housse** [us] n. f. Enveloppe qui sert à recouvrir les meubles, à protéger les vêtements : *Mettre les manteaux dans des housses en matière plastique. Recouvrir de housses les banquettes d'une automobile.*

***houx** [u] n. m. Arbuste épineux à feuilles vertes et luisantes, dont l'écorce sert à fabriquer la glu.

***hublot** [yblo] n. m. Ouverture, généralement ronde, pratiquée dans la coque d'un navire ou d'un avion pour donner du jour et de l'air, tout en permettant une fermeture étanche : *Regarder par le hublot de la cabine.*

***hue!** [y] interj. 1° S'emploie pour inciter un cheval à avancer. — 2° *Tirer à hue et à dia,* agir de façon désordonnée, contradictoire.

***huer** [ɥe] v. tr. Accueillir par des cris manifestant l'hostilité, la réprobation, le mépris : *Les spectateurs huèrent la pièce et l'auteur à la fin de la représentation* (syn. : CONSPUER, SIFFLER). ◆ **huée** n. f. (au plur. le plus souvent). Cris hostiles : *L'acteur sortit de scène sous les huées des spectateurs* (syn. : SIFFLET). *Cette intervention fut accueillie dans la salle par des huées et des sifflets* (syn. : CHAHUT).

huile [ɥil] n. f. 1° Substance grasse, liquide et insoluble dans l'eau, d'origine végétale (*huile d'olive, huile d'arachide, de lin, de colza,* etc.) ou animale (*huile de baleine, de phoque, huile de foie de morue,* etc.), qui sert à l'alimentation ou à des usages industriels. — 2° Combustible liquide obtenu à partir du pétrole (*huile lourde*) ou le pétrole lui-même (*huile minérale*). — 3° Produit obtenu en faisant macérer une substance végétale ou animale dans de l'huile (*huile de rose, huile pour brunir,* etc.). — 4° *Peinture à l'huile,* mélange d'huile et de matière colorante. — 5° *Mer d'huile,* mer très calme, presque sans ondulation. ‖ *Jeter, verser de l'huile sur le feu,* exciter, envenimer une querelle, une passion : *Il ne faisait rien pour adoucir ses reproches et se plaisait à jeter de l'huile sur le feu.* ‖ *Mettre de l'huile (dans les rouages),* aplanir les difficultés, adoucir les contacts entre personnes hostiles (syn. : ARRONDIR LES ANGLES). — 6° *Pop.* Personnage officiel, influent : *Il est maintenant dans les huiles.* ◆ **huiler** v. tr. *Huiler quelque chose,* le frotter avec de l'huile, y mettre de l'huile : *Huiler une poêle* (syn. : GRAISSER). *Huiler une serrure qui grince. Du papier huilé.* ◆ **huilage** n. m. : *L'huilage des pièces d'un moteur.* ◆ **huilerie** n. f. Usine fabriquant de l'huile végétale. ◆ **huileux, euse** adj. 1° Qui est de la nature de l'huile, qui en a l'aspect, la consistance, qui en contient : *Substance huileuse. Un sirop huileux* (syn. : VISQUEUX). — 2° Gras et comme imbibé d'huile : *Une peau huileuse* (syn. : GRAS). *Des cheveux huileux.* ◆ **huilier** n. m. Accessoire de table contenant les burettes de vinaigre et d'huile pour les assaisonnements.

***huis** [ɥi] n. m. *A huis clos,* sans que le public soit admis (expression judiciaire) : *Audience à huis clos.* ◆ ***huis clos** n. m. : *Le tribunal ordonna le huis clos.*

huissier [ɥisje] n. m. 1° Employé chargé d'introduire les visiteurs près d'un ministre, d'un chef de service, etc. (syn. : APPARITEUR). — 2° Officier ministériel chargé de mettre à exécution certaines décisions de justice ou de dresser des constats.

***huit** ([ɥit] devant une voyelle, un *h* muet et en fin de phrase; [ɥi] devant une consonne) adj. num. et n. V. NUMÉRATION. ◆ ***huitième** [ɥitjɛm] adj. num. et n. ◆ **huitièmement** adv. ◆ **huitaine** n. f. 1° Ensemble de huit choses. — 2° Ensemble de huit jours consécutifs : *Nous pourrions nous revoir dans une huitaine* (syn. : SEMAINE). *Le jugement est remis à huitaine.*

huître [ɥitr] n. f. Mollusque marin, comestible, dont la coquille est fixée aux rochers : *Des bancs d'huîtres. La culture des huîtres s'appelle l'ostréiculture. Les huîtres sont désignées par le lieu de leur élevage (huîtres de Marennes, huîtres d'Arcachon, etc.).*

***hum!** [œm] interj. V. HEM!

1. humain, e adj. V. HOMME 1.

2. humain, e [ymɛ̃, -ɛn] adj. 1° Qui marque de la sensibilité, de la compassion ou de la compréhension à l'égard d'autres hommes : *Un juge humain, accessible à la pitié. Il n'a plus rien d'humain* (= il est très dur). — 2° Qui a les qualités ou les défauts liés à ces sentiments : *Les personnages de la pièce restent humains, en dépit du sujet. C'est une réaction humaine* (contr. : INHUMAIN). *Il a d'abord regardé son intérêt : c'est humain.* ◆ **humainement** adv. : *On a fait tout ce qui était humainement possible pour le sauver* (syn. : MATÉRIELLEMENT). *Traiter humainement ses subordonnés.* ◆ **humanité** n. f. : *Homme plein d'humanité* (syn. : SENSIBILITÉ, BONTÉ). *Il y avait chez lui, en dépit des apparences, une profonde humanité* (syn. : DOUCEUR). *Les héros de ce roman manquent par trop d'humanité.* ◆ **humaniser** v. tr. Rendre plus humain (sens 1) : *Humaniser les dures conditions de travail dans les mines* (syn. : ADOUCIR). ◆ ***s'humaniser*** v. pr. Devenir plus doux, plus compréhensif, bienveillant : *Il s'humanise peu à peu, jusqu'à parler avec ses subordonnés.* ◆ **humanisation** n. f. : *L'humanisation des conditions de travail.* ◆ **déshumaniser** v. tr. Faire perdre tout caractère humain : *Déshumaniser une doctrine jusqu'à lui enlever toute vie.* ◆ **inhumain, e** adj. Contr. de *humain* : *Une loi inhumaine* (syn. : IMPITOYABLE, CRUEL). *Un cri inhumain* (= qui semble ne pas être celui d'un homme). *Faire subir un traitement inhumain* (syn. : BARBARE). *L'univers inhumain d'une tragédie* (syn. : ARTIFICIEL). ◆ **inhumanité** n. f. Cruauté indigne d'un homme : *Son inhumanité le condamne à être craint plus que respecté. L'inhumanité de la guerre* (syn. : FÉROCITÉ, BARBARIE).

humanisme [ymanism] n. m. Attitude philosophique qui se donne pour fin le développement des qualités de l'homme dans l'univers réel. ◆ **humaniste** adj. et n. m. 1° Qui appartient à l'humanisme. — 2° Qui est versé dans la connaissance des langues et littératures anciennes.

1. humanité n. f. V. HOMME 1 et HUMAIN 2.

2. humanités [ymanite] n. f. pl. *Faire ses humanités,* étudier les langues et les littératures gréco-latines.

1. humble [œbl] adj. (avant ou, moins souvent, après le nom). 1° Qui est pauvre, sans éclat, sans grandeur (littér., en parlant de la condition) : *Je ne suis qu'un humble fonctionnaire subalterne* (syn. : OBSCUR). *Une humble situation* (syn. : MODESTE). *Une humble demeure* (syn. : PAUVRE). *Il a passé sa vie dans d'humbles travaux.* — 2° *A mon humble avis,* si je puis exprimer mon opinion. ◆ **humbles** n. m. pl. Les gens de modeste situation (littér.).

2. humble [œbl] adj. (après ou, moins souvent, avant le nom). 1° Se dit d'une personne qui s'abaisse volontairement devant les autres, par sentiment de sa faiblesse, de son insuffisance vraie ou fausse; qui donne aux autres des témoignages de déférence (la valeur peut être péjor.) : *La profondeur de notre ignorance nous rend humbles* (contr. : ORGUEILLEUX). *Se faire humble devant un supérieur* (syn. : SERVILE, PLAT). — 2° Se dit de ce qui témoigne de ce sentiment : *Faire l'humble aveu de ses fautes. Demander d'une voix humble son pardon* (syn. : TIMIDE). ◆ **humblement** adv. : *Je vous fais humblement remarquer que vous avez commis une erreur.* ◆ **humilité** n. f. Sentiment de celui qui est humble; caractère de ce qui est humble : *S'agenouiller en signe d'humilité. Donner des marques évidentes d'humilité. Une fausse humilité qui cache un grand orgueil* (syn. : MODESTIE). *En toute humilité, je vous avoue mon ignorance.* ◆ **humilier** v. tr. *Humilier quelqu'un,* le rabaisser d'une manière qui outrage ou qui couvre de confusion : *Se plaire à humilier un adversaire vaincu* (syn. : ÉCRASER, ACCABLER). *Sa fierté a été humiliée par l'indifférence de ceux qui l'écoutaient* (syn. : MORTIFIER). *Le scepticisme de son entourage l'humilia* (syn. : VEXER, OFFENSER). *Se sentir humilié par un échec.* ◆ ***s'humilier*** v. pr. Se faire humble : *Refuser de s'humilier devant un vainqueur* (syn. : S'ABAISSER). ◆ **humiliant, e** adj. : *Un échec humiliant. Un aveu humiliant.* ◆ **humiliation** n. f. : *Le silence de l'assistance fut pour lui le comble de l'humiliation* (syn. : MORTIFICATION). *Éprouver l'humiliation d'un refus* (syn. : HONTE). *Infliger une humiliation à quelqu'un* (syn. : AFFRONT, VEXATION).

humecter [ymɛkte] v. tr. *Humecter quelque chose,* le rendre humide, le mouiller légèrement : *Humecter son doigt. L'herbe est humectée de rosée* (syn. : IMPRÉGNER). *La sueur humectait son front.* ◆ ***s'humecter*** v. pr. : *S'humecter les lèvres.*

***humer** [yme] v. tr. 1° Absorber par le nez en respirant : *Il ouvrit la fenêtre pour humer l'air frais du matin* (syn. : RESPIRER). — 2° Aspirer par le nez pour sentir : *Il humait un parfum de chocolat qui s'insinuait doucement dans sa chambre.*

humérus [ymerys] n. m. Os du bras, articulé à l'épaule et au coude.

1. humeur [ymœr] n. f. 1° Disposition, tendance naturelle, dominante ou momentanée, d'une personne : *Ce garçon est d'humeur batailleuse* (syn. : CARACTÈRE). *L'humeur m'a pris d'aller me promener après dîner* (= j'ai eu envie). *Je ne suis pas d'humeur à vous écouter* (= je ne suis pas disposé).

Il est d'une humeur massacrante. Je ne suis pas d'humeur à rire (= je ne suis pas enclin). *Etre de bonne humeur* (= être gai). *Etre de mauvaise humeur* (= triste, morose, irrité). *Ce film m'a mis de bonne humeur. Son inégalité d'humeur est pénible pour son entourage.* — 2° Disposition à l'irritation, à la colère (littér., ou dans quelques expressions) : *Dans un mouvement d'humeur, il le mit à la porte.*

2. humeur [ymœr] n. f. Liquide organique du corps humain ou d'un animal. (Le mot, vieilli, ne se conserve plus que pour désigner parfois la lymphe ou dans des expressions anatomiques : *humeur vitrée, humeur aqueuse.*) ◆ **humoral, e, aux** adj.

humide [ymid] adj. Imprégné d'eau, de liquide, de vapeur : *Le linge est encore humide, il faut le faire sécher* (syn. : MOUILLÉ). *La route a été rendue humide et grasse par la petite pluie* (syn. : ↑ DÉTREMPÉ). *Avoir le front humide de sueur* (syn. : ↓ MOITE). *Le pays est très humide* (contr. : SEC). *L'automne est une saison humide* (= où il pleut beaucoup). *Ses yeux sont humides de larmes* (syn. littér. : EMBUÉ). ◆ **humidité** n. f. : *Serrure rouillée par l'humidité.* ◆ **humidifier** v. tr. Rendre plus humide : *Humidifier l'air.* ◆ **humidification** n. f.

humour [ymur] n. m. Forme d'esprit qui consiste à dissimuler sous une impassibilité apparente une raillerie parfois cruelle, une satire ou l'absurdité comique d'une situation, etc. : *L'humour est souvent prêté aux Anglais. Manquer d'humour. Avoir le sens de l'humour* (= savoir se moquer de soi-même). *L'humour noir souligne avec amertume l'incohérence du monde.* ◆ **humoriste** n. Celui qui s'exprime avec humour, qui écrit ou dessine avec humour. ◆ **humoristique** adj. : *Un dessin humoristique* (syn. : SATIRIQUE).

***hune** [yn] n. f. Sur un bâtiment, plate-forme ronde qui se trouve à la partie haute d'un mât.

***huppe** [yp] n. f. Touffe de plumes que certains oiseaux ont sur la tête.

***huppé, e** [ype] adj. Qui appartient à un haut rang; qui se classe parmi les personnes distinguées et riches ou dans la noblesse (surtout dans les expressions *des plus huppés, de très huppé*) : *C'est quelqu'un de très huppé. Elle avait épousé ce qu'il y avait de plus huppé dans la région.*

***hurler** [yrle] v. intr. 1° (sujet nom désignant un chien, un loup, etc.) Pousser des cris prolongés manifestant la crainte ou la fureur : *Le chien, attaché à sa niche, a hurlé toute la nuit.* — 2° (sujet nom de personne) Pousser des cris aigus et violents, sous l'effet de la douleur, de la peur, etc. : *Dès les premières secousses, les gens sortirent de chez eux en hurlant de terreur. Le blessé hurlait de douleur* (syn. : CRIER). *Hurler avec les loups* (= agir comme ceux avec qui l'on se trouve en collectivité). — 3° (sujet nom de chose) Faire entendre un bruit effrayant : *La tempête hurle sur la mer. La sirène hurle. Le vent hurle dans la cheminée.* — 4° (sujet nom de chose) Produire un effet de contraste violent et désagréable : *Ces deux couleurs hurlent ensemble* (syn. : JURER). ◆ v. intr. et tr. Dire, prononcer, chanter en criant très fort : *Hurler comme un sourd. La foule hurlait. Cet acteur hurle ses tirades* (syn. fam. : BEUGLER). *Hurler des injures contre ses adversaires* (syn. : CLAMER). ◆ **hurlant, e** adj. : *La meute hurlante des loups. Des couleurs hurlantes* (syn. : CRIARD). ◆ **hurlement** n. m. : *Les hurlements d'un chien. Pousser un hurlement de douleur, de colère* (syn. : CRI). *Le hurlement de la sirène. Les hurlements de la foule* (syn. : VOCIFÉRATION).

hurluberlu [yrlybɛrly] n. m. et adj. *Fam.* Personne étourdie, qui agit d'une manière bizarre, extravagante : *Un hurluberlu nous a téléphoné à une heure du matin; il s'était trompé de numéro* (syn. : ÉCERVELÉ). *Il est un peu hurluberlu* (syn. fam. : FARFELU).

***hutte** [yt] n. f. Habitation rudimentaire en torchis, ou abri provisoire fait de branchages, de paille : *Les huttes d'un village africain* (syn. : CASE). *Une hutte de roseaux* (syn. : CABANE, CAHUTE). *Les huttes de glace des Esquimaux* (syn. : IGLOO).

hybride [ibrid] adj. Composé de deux ou de plusieurs éléments de nature différente; qui participe de plusieurs espèces : *On n'a pu trouver qu'une solution hybride. Un mot hybride est formé de radicaux provenant de langues différentes : ainsi, « bicyclette » est composé du radical « cycle », d'origine grecque, et du préfixe « bi », d'origine latine. L'essai est un genre hybride qui tient du roman et de la dissertation philosophique.* ◆ n. m. Animal ou plante provenant de deux sujets d'espèce différente : *Le mulet est un hybride.*

hydraulique [idrolik] adj. 1° Qui fonctionne à l'aide d'un liquide, d'une pompe : *Des freins hydrauliques. Une presse hydraulique.* — 2° Relatif à la circulation de l'eau : *Des travaux hydrauliques. Installation hydraulique.*

hydravion [idravjɔ̃] n. m. Avion construit pour pouvoir se poser sur l'eau et y décoller.

hydre [idr] n. f. Symbole de ce qui se développe monstrueusement et dangereusement, sans que l'on puisse le détruire (dans quelques expressions littér.) : *L'hydre de l'anarchie.*

hydrogène [idroʒɛn] n. m. Corps simple, gazeux, qui entre dans la composition de l'eau.

hydrographie [idrografi] n. f. 1° Science qui étudie la partie liquide (mers, fleuves, etc.) du globe terrestre. — 2° Ensemble des eaux courantes d'un pays, d'une région. ◆ **hydrographe** n. ◆ **hydrographique** adj.

hydrophile [idrofil] adj. *Coton hydrophile*, coton qui absorbe facilement les liquides.

hyène [jɛn] n. f. Mammifère d'Afrique et d'Asie, qui se nourrit surtout d'animaux morts. (On dit aussi bien *l'hyène* ou *la hyène*.)

hygiène [iʒjɛn] n. f. Partie de la médecine qui traite des mesures propres à conserver la santé en améliorant le milieu dans lequel l'homme est appelé à vivre; moyens et pratiques mis en œuvre pour parvenir à cette amélioration : *Les règles, les principes d'hygiène élémentaire. Hygiène alimentaire* (= un sain régime d'alimentation). *Manquer d'hygiène. Le rayon des articles d'hygiène dans un grand magasin. L'hygiène publique* (= l'ensemble des moyens mis en œuvre par l'Etat, les communes, etc., pour sauvegarder la santé publique). ◆ **hygiénique** adj. 1° Favorable à la santé : *Faire tous les matins une promenade hygiénique.* — 2° Utilisé dans les soins d'hygiène, de propreté : *Serviette, seau hygiénique. Papier hygiénique.*

1. hymne [imn] n. m. Chant, poème à la gloire de Dieu, d'un héros, d'un personnage puissant, d'une entité quelconque : *Un hymne de reconnaissance. Les hymnes révolutionnaires. Un hymne national* (= chant patriotique adopté par chaque pays pour être exécuté dans les cérémonies solennelles).

2. hymne [imn] n. f. Poème religieux de la liturgie catholique.

hyper-, préfixe qui, dans le vocabulaire scientifique (médical, psychologique, etc.), indique, avec des adjectifs ou des noms, une intensité ou une qualité supérieures à la normale (contr. de *hypo*); passé dans la langue commune : *hypersensible* (qui a une sensibilité excessive, anormale), *hypersensibilité, hyperémotif, hypertension* (tension artérielle supérieure à la normale), etc.

hyperbole [ipɛrbɔl] n. f. Emploi d'un mot ou d'une locution dont le sens dépasse de loin ce qu'il convient d'exprimer, et va jusqu'à l'exagération. (Ex. : *un travail titanesque* pour *un grand travail; une douleur infinie* pour *une grande douleur; une bêtise incommensurable, insondable* pour *une profonde bêtise.*) ◆ **hyperbolique** adj. Dont l'expression est excessive, qui va jusqu'à l'exagération : *Adresser des louanges hyperboliques à un chef d'Etat* (syn. : EXAGÉRÉ).

hypertrophie [ipɛrtrɔfi] n. f. Développement excessif d'un organe, d'un caractère chez l'individu, d'une activité dans un pays : *L'hypertrophie du foie chez les alcooliques. L'hypertrophie de la sensibilité, du moi. L'absence de plan d'ensemble aboutit à l'hypertrophie d'industries parasitaires* (contr. : ATROPHIE). ◆ **hypertrophier (s')** v. pr. Se développer excessivement (surtout aux temps composés) : *Son foie s'est hypertrophié. Les services administratifs se sont hypertrophiés.* ◆ **hypertrophié, e** adj. : *Glande hypertrophiée. Administration hypertrophiée.*

hypnose [ipnoz] n. f. Sommeil provoqué par des moyens artificiels (chimiques ou psychologiques). ◆ **hypnotiser** v. tr. 1° Provoquer l'hypnose chez un sujet. — 2° Retenir exclusivement l'attention, au point d'empêcher toute action ou toute réflexion : *Etre hypnotisé par les obstacles d'une entreprise* (syn. : OBNUBILER). ◆ ***s'hypnotiser*** v. pr. Concentrer toute son attention sur quelque chose : *Il s'est hypnotisé sur l'idée qu'il allait échouer à l'examen.* ◆ **hypnotisme** n. m. Ensemble des phénomènes qui constituent l'hypnose, ou procédés par lesquels on parvient à créer un sommeil artificiel chez quelqu'un.

hypo-, préfixe qui, dans le vocabulaire scientifique (médical, psychologique, chimique, etc.), indique une intensité ou une qualité inférieures à la normale (contr. de *hyper*) : *hypotension, hypotendu*, etc.

hypocoristique [ipokɔristik] n. m. et adj. Mot qui exprime une affection tendre : *Les hypocoristiques sont souvent des diminutifs* (« *bichette* », « *frérot* ») *ou des redoublements expressifs* (« *fifille* »).

hypocrite [ipɔkrit] adj. et n. Se dit d'une personne (ou de sa conduite) qui déguise ou cache ses véritables sentiments, qui montre une vertu ou des qualités qui n'existent pas en réalité : *Etre entouré de flatteurs hypocrites* (syn. : MENTEUR; contr. : SINCÈRE). *L'habileté d'un hypocrite. Il demanda d'un air hypocrite qu'on veuille bien l'excuser* (syn. : DISSIMULÉ, SOURNOIS; contr. : FRANC). *Verser des larmes hypocrites* (syn. : FAUX, AFFECTÉ; contr. : SINCÈRE). *Ne vous laissez pas prendre à ses promesses hypocrites* (syn. : FALLACIEUX). ◆ **hypocritement** adv. ◆ **hypocrisie** n. f. : *L'hypocrisie puritaine d'une société qui ne s'effarouche du vice que quand il est public. L'hypocrisie d'une réponse* (syn. : DUPLICITÉ, FOURBERIE). *Toute sa conduite n'est que pure hypocrisie* (syn. : COMÉDIE, SIMAGRÉE, TARTUFERIE).

hypothèque [ipɔtɛk] n. f. 1° Droit accordé à un créancier sur un bien, sans que le propriétaire en soit dépossédé : *Prendre une hypothèque sur un immeuble. Maison grevée d'une hypothèque.* — 2° Ce qui empêche l'accomplissement de quelque chose, ce qui est une cause de difficulté : *Une lourde hypothèque pèse sur les relations entre les deux pays* (syn. : CONTENTIEUX). *On attend que l'hypothèque de l'élection présidentielle soit levée* (= supprimée). — 3° *Prendre une hypothèque sur l'avenir, hypothéquer l'avenir*, disposer d'une chose avant de la posséder. ◆ **hypothéquer** v. tr. Affecter, grever d'une hypothèque (surtout au passif) : *Hypothéquer une maison. Les fermes sont hypothéquées. Il a hypothéqué imprudemment l'avenir* (syn. : ENGAGER). ◆ **hypothécaire** adj. : *Prêt hypothécaire.*

hypothèse [ipɔtɛz] n. f. 1° Proposition, donnée initiale admise provisoirement pour servir de base à un raisonnement, à une démonstration, à une explication, et que l'on justifiera par les conséquences, par l'expérience : *Formuler une hypothèse. L'hypothèse conditionne l'expérimentation. L'hypothèse de Newton. Les hypothèses de travail ont dû être remises en question* (= celles qui ont permis de commencer une étude). — 2° Supposition concernant les causes d'un événement quelconque, la probabilité qu'il a ou non de se produire : *Envisager l'hypothèse d'un accident* (syn. : ÉVENTUALITÉ, POSSIBILITÉ). *Il a formulé l'hypothèse gratuite qu'on lui en voulait* (syn. : CONJECTURE). *Dans l'hypothèse où il n'accepterait pas votre proposition, que feriez-vous?* (= en supposant que). *Il est âgé et il est par hypothèse hostile à toute innovation. En toute hypothèse, nous agirons comme s'il ne savait rien* (= en tout cas). ◆ **hypothétique** adj. Qui n'est pas certain, qui repose sur une hypothèse : *Un accord hypothétique entre les grandes puissances* (syn. : PROBLÉMATIQUE, DOUTEUX; contr. : SÛR). *Un succès hypothétique à l'examen.*

hystérie [isteri] n. f. Excitation poussée jusqu'au délire : *Le pays tout entier fut pris d'une hystérie guerrière* (syn. : FOLIE). *Des manifestations d'hystérie collective accueillirent l'arrivée sur scène de la jeune vedette.* (L'*hystérie* est une maladie mentale.) ◆ **hystérique** adj. et n. : *Des femmes hystériques voulaient lyncher le misérable* (syn. : ↓ EXCITÉ). *Une foule hystérique.* ◆ adj. Qui manifeste de l'hystérie : *Un rire hystérique.*

i

i n. m. 1° V. Introduction. — 2° *Mettre les points sur les « i »*, s'exprimer d'une façon claire, de manière à dissiper toute équivoque : *On n'écoutait point son conseil, alors il mit les points sur les « i » en déclarant que la catastrophe était proche* (syn. : PRÉCISER).

iceberg [isbɛrg ou aisbɛrg] n. m. Masse de glace flottante, dans les mers polaires.

ici adv. V. LÀ.

icône [ikon] n. f. Image représentant la Vierge et les saints, dans l'Eglise orthodoxe.

iconographie [ikɔnografi] n. f. 1° Etude des sujets représentés par des œuvres d'art. — 2° Ensemble d'illustrations relatives à un sujet donné.

idéal, e, als [ideal] adj. 1° Qui n'existe que dans la pensée, qui ne peut pas être perçu par les sens : *Un monde idéal* (syn. : IMAGINAIRE). — 2° Qui possède ses qualités, ses caractéristiques à un degré parfait : *La beauté idéale. Rêver à un bonheur idéal* (syn. : ABSOLU). *Les vacances idéales* (syn. : RÊVÉ). *La solution idéale à nos difficultés. Vous avez là la voiture idéale. Il est le fonctionnaire idéal.* ◆ **idéal, aux** n. m. 1° Type, modèle de la perfection absolue dans un ordre quelconque, moral, artistique, etc.; ce qui remplit complètement l'aspiration à la perfection : *Un idéal de beauté. Réaliser son idéal. Avoir des idéaux de grandeur.* — 2° Système de valeurs morales et intellectuelles : *Un homme sans idéal* (= bassement réaliste). *Il a depuis longtemps abandonné l'idéal de sa jeunesse.* — 3° *L'idéal est* (*serait*, etc.), *de* (et l'infin.), *que* (et le subj.), la meilleure solution est (serait, etc.) : *L'idéal serait que vous puissiez vous libérer pour le début de septembre.* ‖ Fam. *Ce n'est pas l'idéal,* ce n'est pas ce qui est le meilleur : *Cet appartement de deux pièces n'est pas l'idéal, mais il est habitable.* ◆ **idéaliser** v. tr. Donner un caractère idéal; revêtir de toutes les perfections : *Idéaliser une situation qui n'est pas brillante* (syn. : EMBELLIR). *Idéaliser la personne aimée* (syn. : ENNOBLIR). *Idéaliser sa propre vie dans ses Mémoires* (syn. : MAGNIFIER, ↑ FLATTER). ◆ ***s'idéaliser*** v. pr. Se représenter sous un aspect idéal : *Il s'est idéalisé dans son œuvre. Le passé s'idéalise dans le souvenir.* ◆ **idéalisation** n. f. : *L'idéalisation du personnage de Napoléon.* ◆ **idéalisme** n. m. 1° Système philosophique qui n'admet la réalité qu'à travers l'esprit (contr. : MATÉRIALISME). — 2° Attitude d'esprit de celui qui aspire à un idéal, souvent utopique : *Son idéalisme est constamment déçu par la réalité.* ◆ **idéaliste** adj. et n. : *Une philosophie idéaliste* (contr. : MATÉRIALISTE). *Avoir une vue trop idéaliste de la situation* (syn. : UTOPIQUE).

idée [ide] n. f. 1° Représentation abstraite d'un être, d'un objet, d'un rapport, etc., élaborée par la pensée : *Une idée générale* (syn. : NOTION). *Les rapports du mot et de l'idée qu'il représente* (syn. : CONCEPT). *L'idée de beauté. L'expression des idées. L'idée qu'on se fait du monde. L'élévation des idées. Suggérer quelques idées* (syn. : PENSÉE). *Il a eu l'idée du moteur à explosion. L'association des idées.* — 2° Aperçu sommaire : *Ces photographies vous donneront une idée du pays. Je vais vous donner une idée de sa sottise* (syn. : EXEMPLE). *N'avoir pas la moindre idée de l'heure* (= ne pas la connaître). *Il n'a aucune idée de la politesse* (= il y est totalement indifférent). *Il y a dans ce roman une idée de la mentalité africaine* (syn. : APERÇU). *As-tu une idée de l'endroit où tu iras pour les vacances? J'ai idée des difficultés que vous avez rencontrées* (= j'imagine aisément). *On n'a pas idée de son orgueil.* — 3° Manière de voir les choses, impliquant un jugement de valeur; vue plus ou moins originale, juste ou fausse : *A-t-il une idée de ce qu'il veut faire?* (syn. : OPINION). *Laissez-le faire, c'est son idée* (syn. : DESSEIN, PROJET). *Avoir une haute idée de soi. Avoir des idées noires* (= être pessimiste). *Qu'il fasse à son idée* (= à sa guise). *Vivre à son idée* (syn. : FANTAISIE). *Chacun a ses idées. Il a des idées politiques de gauche* (syn. : IDÉOLOGIE). *Je ne partage pas vos idées* (syn. : VUES). *Avoir des idées larges. Il est large d'idées* (= très tolérant). *Il faut se faire à cette idée. L'idée fait son chemin. Suivre le fil de ses idées* (syn. : RAISONNEMENT). *Quelle est l'idée maîtresse du livre? Il a pris cette idée chez ses devanciers* (syn. : SUJET, THÈME). *J'ai mon idée* (= je sais ce que je veux). *Avoir des idées de derrière la tête* (= des arrière-pensées). *C'est chez lui une idée fixe* (= pensée dominante; syn. : MANIE, OBSESSION). *Il est plein d'idées* (= de pensées originales). *Il a eu la bonne idée de ne pas venir. Quelle drôle d'idée il a eue! Vous vous faites des idées sur lui* (= votre opinion sur lui est erronée). *Ça pourrait lui donner des idées* (= exciter sa sensualité). — 4° L'esprit même qui élabore la pensée : *On ne m'ôtera pas de l'idée qu'il nous a entendus. Cela ne lui viendrait même pas à l'idée* (syn. : ESPRIT). *J'ai dans l'idée qu'il veut partir.*

idem [idɛm] adv. S'emploie surtout dans l'écriture (sous la forme abrégée *id.*), pour éviter une répétition dans une liste, une énumération, etc.

identique [idɑ̃tik] adj. Se dit d'une chose ou d'une personne qui ne diffère en rien d'une autre, qui présente avec elle une parfaite ressemblance : *Mon opinion est identique à la vôtre* (syn. : SEMBLABLE À; contr. : DIFFÉRENT DE). *Il a abouti à des conclusions identiques* (syn. : MÊME; contr. : AUTRE). *Les deux vases sont rigoureusement identiques* (syn. : PAREIL). *Un raisonnement identique* (syn. : ANALOGUE; contr. : OPPOSÉ). *Il est toujours identique à lui-même* (= il ne change pas). *Avoir des noms identiques.* ◆ **identité** n. f. 1° Caractère de ce qui est identique à autre chose : *Une parfaite identité de vues* (syn. : COMMUNAUTÉ). *Une identité de goûts, de sentiments* (syn. : ACCORD; contr. : DIFFÉRENCE,

OPPOSITION). *L'identité de ces paysages américains avec ceux de la France est frappante* (syn. : RESSEMBLANCE). — 2° Ensemble des caractères (signalement), des circonstances (état civil) qui font qu'une personne est reconnue comme étant telle personne, sans confusion avec une autre; se dit aussi d'un véhicule : *Découvrir l'identité de l'agresseur* (= le nom). *Sous une fausse identité. La carte d'identité porte le signalement de la personne, sa photographie, son état civil, ses empreintes. Les papiers d'identité de la voiture. Produire une pièce d'identité. Vérification d'identité au cours d'un contrôle de police.* ◆ **identifier** v. tr. 1° Considérer comme identique à une autre chose : *Identifier ses conceptions personnelles avec celles de tous* (syn. : CONFONDRE). *Robespierre est identifié à la Révolution.* — 2° Etablir l'identité (sens 2) de quelqu'un ou de quelque chose : *Identifier le criminel* (= reconnaître qui il est). *Identifier des restes archéologiques avec les fondations d'un temple ancien. Identifier la voiture qui a causé l'accident* (= déterminer à qui elle appartient). ◆ ***s'identifier*** v. pr. Se déclarer, se faire identique à autre chose : *L'actrice s'est identifiée avec son personnage.* ◆ **identifiable** adj. : *Les cadavres, atrocement brûlés, n'étaient pas identifiables.* ◆ **identification** n. f. : *L'identification des voleurs se révéla difficile.*

idéogramme [ideogram] n. m. Signe graphique qui représente un mot d'une langue (par oppos. aux signes qui indiquent un son [écriture phonétique], ou une syllabe [écriture syllabique]).

idéologie [ideɔlɔʒi] n. f. Doctrine politique, économique et sociale formant un tout systématique, qui inspire les actes d'une classe sociale, d'un gouvernement, d'un individu : *Animé par une idéologie révolutionnaire. L'idéologie bourgeoise.* ◆ **idéologique** adj. : *Les luttes idéologiques* (= entre les idéologies). *Des motifs d'ordre idéologique. Des divergences idéologiques.* (Le mot *idéologue* [doctrinaire] a vieilli.)

idiome [idjom] n. m. Langue propre à une communauté étendue, en général langue d'une nation, d'un peuple, d'une région (terme technique) : *L'alsacien est un idiome germanique* (syn. : DIALECTE). *Le malenké est un des idiomes de la Guinée* (syn. : LANGUE). ◆ **idiomatique** adj. Propre à une langue : *Les expressions idiomatiques sont proprement intraduisibles* (= idiotisme).

idiot, e [idjo, -ɔt] adj. et n. Se dit d'une personne complètement dépourvue d'intelligence, de bon sens ou de finesse, ou de ce qui marque ce manque d'intelligence (sert aussi d'injure) : *Est-ce qu'il me prend pour un idiot? As-tu fini de faire l'idiot?* (= faire des bêtises). *Raconter une histoire idiote* (syn. : STUPIDE). *Il serait idiot de ne pas accepter. Un film idiot. Un rire idiot. Faire une réflexion idiote* (syn. : INEPTE). ◆ **idiotie** [idjɔsi] n. f. : *C'est une idiotie de refuser* (syn. : STUPIDITÉ). *Ne dis pas d'idioties. Il lit des idioties* (= des livres stupides).

idiotisme [idjɔtism] n. m. Locution ou expression propre à une langue, et dont la traduction, par une forme analogue, dans une autre langue est pratiquement impossible : *Une forme comme « il y a » est un idiotisme du français, ou gallicisme.*

idoine [idwan] adj. Qui convient parfaitement (souvent ironiq.) : *On a trouvé un endroit idoine pour camper* (syn. : APPROPRIÉ).

idole [idɔl] n. f. 1° Représentation d'une divinité sous une forme matérielle (statue, image, etc.), qui est adorée comme s'il s'agissait du dieu lui-même : *On a parfois assimilé le fétichisme au culte des idoles.* — 2° Personne qui est l'objet d'un culte passionné, et en particulier jeune vedette de la chanson, du music-hall, etc., adulée par le public : *Elle est l'idole de sa vie. Un joueur de jazz idole des jeunes.* ◆ **idolâtre** adj. Qui manifeste un sentiment d'adoration pour quelqu'un, qui lui voue une sorte de culte : *Une mère idolâtre de ses enfants. Une foule idolâtre et fanatique qui se prosterne devant le dictateur.* ◆ **idolâtrer** v. tr. : *Elle idolâtre son fils. Il idolâtre l'argent au point de lui sacrifier sa famille et ses amis* (syn. : ADORER). ◆ **idolâtrie** n. f. 1° Admiration excessive, amour allant jusqu'au culte passionné : *L'actrice était pour la foule un objet d'idolâtrie.* — 2° Culte rendu à des statues, des images, etc., adorées comme des divinités. ◆ **idolâtrique** adj. : *Attachement idolâtrique.*

idylle [idil] n. f. Amour tendre, chaste et naïf : *Une idylle passagère s'ébaucha entre les deux jeunes gens* (syn. : FLIRT, AMOURETTE). [L'*idylle* est un petit poème amoureux, qui se passe dans un décor champêtre.]

idyllique [idilik] adj. Qui a un caractère idéal et naïf : *Il fit un tableau idyllique de ce que devait être leur existence* (syn. : DE RÊVE).

ignare [iɲar] adj. et n. *Péjor.* Suprêmement ignorant : *Il est ignare en peinture* (syn. : INCULTE).

ignoble [iɲɔbl] adj. (avant ou après le nom). 1° D'une bassesse écœurante : *Tenir des propos ignobles* (syn. : HORRIBLE, IMMONDE). *Un ignoble individu* (syn. : INFÂME). *Il a eu à mon égard une conduite ignoble* (syn. : ABJECT; contr. : GÉNÉREUX). — 2° D'une saleté repoussante; qui soulève le cœur : *Son tablier est ignoble, couvert de taches* (syn. : DÉGOÛTANT). *La nourriture du restaurant est ignoble* (syn. : ↑ INFECT).

ignominie [iɲɔmini] n. f. Etat de celui qui a perdu tout honneur, toute réputation, pour avoir commis une action infamante ou avoir fait un outrage; cette action elle-même : *Se couvrir d'ignominie* (syn. : ↑ DÉSHONNEUR). *L'ignominie de sa conduite* (syn. : ABJECTION, INFAMIE; contr. : NOBLESSE). *La torture est une ignominie qui déshonore ceux qui s'en rendent coupables* (syn. : FLÉTRISSURE, TURPITUDE). ◆ **ignominieux, euse** adj. (littér.) : *Subir une condamnation ignominieuse* (syn. : INFAMANT). ◆ **ignominieusement** adv. : *Mourir ignominieusement* (syn. : HONTEUSEMENT).

ignorer [iɲɔre] v. tr. 1° *Ignorer une chose,* ne pas la connaître, ne rien savoir d'elle : *Nul n'est censé ignorer la loi. Il a changé de métier, vous ne l'ignorez pas. Ses travaux restent ignorés* (syn. : INCONNUS). *Il ignore les difficultés de la vie* (= il n'en a pas l'expérience). — 2° *Ignorer que* (avec le subj. dans la langue littér. et l'indic. dans la langue commune), *ne pas ignorer que* (et l'indic.), ne pas savoir, savoir : *J'ignorais qu'il pût* ou *qu'il pouvait se blesser pour une plaisanterie. Je n'ignorais pas qu'il avait quitté Paris.* — 3° *Ignorer si* (et l'indic.), *ignorer où, quand, comment,* etc. (et une interrogative indirecte) : *J'ignore s'il revient cette semaine ou dans quinze jours. Il ignore comment l'accident a pu se produire* (syn. : SE DEMANDER). *J'ignore où il habite.* — 4° *Ignorer quelqu'un,* lui manifester une indifférence complète, n'avoir pour lui aucune considération : *Il m'exaspérait par sa bêtise et je pris le parti de l'ignorer. Vivre ignoré.* ◆ ***s'ignorer*** v. pr. 1° *Sentiment, passion,* etc., *qui s'ignore,* qui n'a pas pris conscience de son existence. — 2° *S'ignorer soi-même,* ne pas connaître ses sentiments ou ses possibilités : *C'est un malade qui s'ignore.* — 3° *S'ignorer réciproquement,* feindre de ne pas se connaître : *Ils étaient dans le même bureau, mais s'ignoraient complètement.* ◆ **ignorance** n. f. 1° Etat de celui qui ne connaît pas une chose déterminée (suivi d'un compl.) : *Je suis dans l'ignorance complète de l'endroit où il passe ses vacances. Il m'a tenu dans l'ignorance de ses projets. Dans son ignorance des mathématiques, il était incapable de faire une règle de trois* (syn. : MÉCONNAISSANCE). *L'ignorance du danger passe pour du courage.* — 2° Manque de connaissance, de savoir, d'instruction (sans compl.) : *Faire preuve d'une ignorance complète, d'une ignorance crasse* (= totale). *Il croupit dans son ignorance* (contr. : CULTURE). *C'est une ignorance bien excusable.* ◆ **ignorant, e** adj. et n. Qui ne sait pas; qui manque de connaissances, de savoir : *Etre ignorant des usages. Etre très ignorant en histoire* (syn. : INCOMPÉTENT, ↑ IGNARE). *C'est un être ignorant et borné* (syn. : INCULTE; contr. : LETTRÉ, INSTRUIT). *Ne fais pas l'ignorant; tu sais qui a renversé l'encrier.*

il- préfixe. V. IN-. (Pour les mots composés commençant par *il-*, v. au mot simple.)

il (s) [il ou i], **elle (s)** [ɛl], **le** [lə], **la** [la], **l', les** [lɛ], **lui** [lɥi], **eux** [ø], **leur** [lœr], pron. pers. 3ᵉ pers.; **se** [sə], **s', soi** [swɑ], pron. pers. réfléchi; **en** [ɑ̃], **y** [i], pron. pers. 3ᵉ pers. V. tableaux pp. 427 et 614.

île [il] n. f. Espace de terre entouré d'eau de tous côtés : *L'île de Ré. Les îles du Cap-Vert. L'avion survolait un chapelet d'îles. Le porte-avions est une véritable île flottante. Il vit comme dans une île* (= isolé de tous). ◆ **îlot** [ilo] n. m. 1° Petite île : *Un îlot de sable au milieu de la Loire. Un îlot rocheux.* — 2° Petit groupe d'arbres, de maisons, etc., isolé au milieu d'un grand espace vide : *L'oasis, un îlot de verdure. La démolition des îlots insalubres* (= groupe d'immeubles vétustes). — 3° Petit groupe d'hommes isolé au milieu d'un ensemble souvent hostile : *L'insurrection est vaincue; il ne reste plus que quelques îlots de résistance* (syn. : CENTRE). ◆ **insulaire** [ɛ̃sylɛr] adj. : *Un peuple insulaire* (= qui habite une île). *La flore insulaire du Pacifique Sud* (= celle qui pousse dans les îles). ◆ n. : *Les insulaires de Tahiti* (= les habitants de l'île). ◆ **insularité** n. f. Caractère particulier d'un pays formé par une île ou un groupe d'îles : *L'insularité de la Grande-Bretagne.*

illégal, e, aux adj. V. LÉGAL; **illégitime** adj. V. LÉGITIME; **illettré, e** adj. V. LETTRES; **illicite** adj. V. LICITE.

illico [illiko] adv. *Fam.* Immédiatement, sans délai : *Il est parti illico* (syn. : AUSSITÔT). *Mettez-vous illico au travail* (syn. littér. : SUR-LE-CHAMP.)

illimité, e adj. V. LIMITE; **illisible** adj. V. LIRE; **illogique** adj. V. LOGIQUE.

illuminé, e [illymine] n. Personne qui suit aveuglément, sans critique, ses intuitions ou une doctrine considérée comme révélée : *Tous les partis ont leurs illuminés, leurs fanatiques* (syn. : VISIONNAIRE).

illuminer [illymine] v. tr. 1° Eclairer d'une vive lumière : *Les éclairs illuminaient le ciel. Le salon est brillamment illuminé.* — 2° Donner de l'éclat, du brillant, de la clarté : *La joie illumine son regard* (syn. : ALLUMER). *Il est comme illuminé par la foi* (syn. : ↑ EMBRASER). ◆ ***s'illuminer*** v. pr. Devenir éclairé; prendre un éclat, une clarté : *La pièce s'illumine* (syn. : S'ÉCLAIRER). *Ses yeux s'illuminent de colère* (syn. : BRILLER). *Son visage s'est illuminé à la suite de ce succès.* ◆ **illumination** n. f. 1° Action d'illuminer : *L'illumination de la cathédrale.* — 2° Ensemble des lumières disposées pour servir de décoration, pour éclairer les monuments publics : *Les illuminations de Paris le soir. Les illuminations du 14-Juillet.* — 3° Inspiration subite, idée qui traverse l'esprit : *Il eut comme une illumination* (syn. : TRAIT DE GÉNIE). *Une illumination subite lui fit trouver la solution* (syn. : INSPIRATION).

illusion [illyzjɔ̃] n. f. 1° Erreur de perception qui fait prendre une apparence pour la réalité : *Etre le jouet d'une illusion. Le décor donne l'illusion de la perspective. C'est une illusion d'optique* (= erreur due à la perception visuelle). — 2° Effet artistique qui donne l'impression d'une réalité : *Les illusions des prestidigitateurs.* — 3° Croyance fausse, idée erronée qui s'impose par un caractère flatteur, séduisant : *Les illusions de la jeunesse* (syn. : RÊVE). *De funestes illusions* (syn. : CHIMÈRE). *Caresser de dangereuses illusions* (syn. : UTOPIE). *Perdre ses illusions. Il se fait des illusions s'il croit m'avoir persuadé* (= il s'abuse, il se leurre). *Ne vous faites pas d'illusions* (= ne soyez pas aveugle). *Pendant quelque temps, il a fait illusion* (= il en a imposé). *Ses titres font illusion, il n'est pas si savant. La gloire n'est qu'une illusion* (syn. : SONGE; contr. : RÉALITÉ). ◆ **illusionner** v. tr. Tromper par l'effet d'une idée erronée : *Il cherche à nous illusionner sur le sort qui nous attend* (syn. : FLATTER). ◆ ***s'illusionner*** v. pr. *S'illusionner sur quelque chose* ou *sur quelqu'un,* se tromper sur eux : *Il s'illusionne sur ses capacités réelles* (syn. : S'ABUSER). ◆ **illusionniste** n. Artiste qui exécute des tours d'adresse, des tours qui nécessitent des truquages (syn. : PRESTIDIGITATEUR). ◆ **illusoire** adj. Propre à tromper par une fausse apparence : *Des promesses illusoires* (syn. : TROMPEUR). *La prospérité est illusoire* (syn. : FAUX; contr. : RÉEL, VRAI). *Il est illusoire d'espérer le succès.* ◆ **désillusion** n. f. Perte de l'illusion, de l'espoir : *L'échec des pourparlers fut une grande désillusion pour tous* (syn. : DÉCEPTION). *Eprouver une désillusion* (syn. : DÉSAPPOINTEMENT, MÉCOMPTE). ◆ **désillusionner** v. tr. Faire perdre ses illusions (au sens 3; surtout au passif) : *Il a été désillusionné par le spectacle* (syn. : DÉCEVOIR; contr. : RAVIR). *Etre complètement désillusionné sur la vie* (syn. : DÉGOÛTER DE).

illustre [illystr] adj. (avant ou après le nom). Se dit de personnes ou de choses dont le renom, la gloire, le mérite est éclatant : *L'illustre Corneille* (syn. : FAMEUX). *Les personnages illustres de la cour de Louis XIV* (syn. : CÉLÈBRE). *Quel est cet illustre inconnu?* (ironiq.). *Sa famille a été illustre au siècle dernier* (syn. : BRILLANT; contr. : HUMBLE, OBSCUR). ◆ **illustrer** v. tr. Rendre illustre : *Illustrer son pays par une grande invention* (syn. : FAIRE HONNEUR À). ◆ ***s'illustrer*** v. pr. Se rendre célèbre par un exploit quelconque : *Il s'est illustré dans le roman. S'illustrer par une victoire éclatante sur ses concurrents* (syn. : SE DISTINGUER).

1. illustrer v. tr. V. ILLUSTRE.

2. illustrer [illystre] v. tr. Mettre en lumière d'une manière saisissante, éclatante, en soulignant par des exemples : *Cette attitude illustre bien la manière dont il se conduit d'habitude* (syn. : MONTRER). *Illustrer un discours de citations.* ◆ **illustration** n. f. Action d'illustrer, de rendre clair : *L'illustration d'une analyse par des exemples concrets.*

3. illustrer [illystre] v. tr. Orner un livre de gravures, de dessins, de cartes, d'images, qui donnent de l'agrément et rendent le texte plus clair : *Illustrer un livre de gravures du XVIII*^e^ *siècle. L'ouvrage est illustré avec goût et discrétion.* ◆ **illustré, e** adj. : *Un livre illustré. Les journaux illustrés pour enfants.* ◆ **illustré** n. m. : *Les illustrés sont des périodiques (hebdomadaires ou mensuels) composés essentiellement de photographies, de dessins, etc., accompagnant un texte court.* ◆ **illustration** n. f. Photographie, gravure, dessin ornant un livre; ensemble des images illustrant un texte : *Les illustrations d'une revue. L'abondante illustration d'un dictionnaire.* ◆ **illustrateur** n. m. Artiste qui dessine des illustrations, concourt à leur mise en pages.

îlot n. m. V. ÎLE.

ilote [ilɔt] n. *Péjor.* Personne qui est réduite au dernier degré de la servilité, de la sujétion, de la misère, de l'abaissement ou de l'ignorance : *De malheureux habitants, pauvres ilotes, habitent des huttes de torchis. Il a fait de sa femme une véritable ilote* (syn. : ESCLAVE).

im- préfixe. V. IN-. (Pour les mots composés commençant par *im-*, v. au mot simple.)

image [imaʒ] n. f. **1°** Dessin, gravure, photographie, film, etc., représentant une personne, une chose, un sujet quelconque : *Une image fidèle de Molière* (syn. : PORTRAIT). *Des images pieuses. Un livre d'images. Une image de Paris au XVII*^e^ *siècle* (syn. : DESSIN). *L'enfant regarde les images du livre* (syn. : ILLUSTRATION). *Un chasseur d'images* (= un reporter-photographe, un cinéaste). *Les images d'un film.* — **2°** Représentation d'une personne ou d'une chose par l'effet de certains phénomènes optiques, par réflexion sur une glace, etc. : *La glace lui renvoya son image. Regarder son image dans l'eau du lac* (syn. : REFLET). — **3°** Vision intérieure qu'une personne a d'un être ou d'une chose : *Etre poursuivi par l'image d'un être cher disparu* (syn. : SOUVENIR). *Conserver l'image des paysages parcourus. Se forger une image fausse d'un ami.* — **4°** Manière de rendre une idée plus sensible, plus belle, en donnant à ce dont on parle des formes empruntées à d'autres objets similaires : *S'exprimer par images. Des images banales* (syn. : MÉTAPHORE). — **5°** Ce qui imite ou reproduit quelqu'un ou quelque chose d'une manière exacte ou analogique : *Il se représente tous les hommes à son image* (= selon son caractère, ses goûts). *Donner une image fidèle de la situation* (syn. : TABLEAU). *Cette lettre donne une image imparfaite de ce qu'ont pu être nos vacances* (syn. : DESCRIPTION). *Il nous offre l'image du désespoir* (syn. : EXPRESSION). *Ces atrocités sont une image des guerres modernes* (syn. : ASPECT, MANIFESTATION). *Offrir l'image du bonheur* (syn. : APPARENCE). ◆ **imagé, e** adj. *Un style imagé,* où les images, les comparaisons sont nombreuses (syn. : COLORÉ). ◆ **imagerie** n. f. Ensemble d'images représentant des faits, des personnages, etc., de même origine, de même inspiration : *L'imagerie populaire a beaucoup aidé à construire la légende napoléonienne.*

imaginer [imaʒine] v. tr. **1°** *Imaginer quelque chose,* se le représenter dans l'esprit : *On ne peut imaginer plus belles fleurs* (syn. : SE FIGURER). *Imaginez la vie que nous pourrions mener avec une telle fortune* (syn. : ENVISAGER). *J'imagine sa surprise quand il apprendra l'événement* (syn. : CONCEVOIR). *Imaginons un moment qu'il finisse par céder* (syn. : SUPPOSER, ADMETTRE). *Sa lenteur dépasse tout ce qu'on peut imaginer* (syn. : CONCEVOIR). *Je ne peux pas imaginer qu'il ait disparu* (syn. : CROIRE). — **2°** Trouver un nouveau moyen, inventer quelque chose de nouveau : *Qu'est-ce qu'il a pu encore imaginer pour taquiner sa sœur?* (syn. : TROUVER). *Imaginer un mécanisme plus simple et plus efficace* (syn. : CONSTRUIRE). *Imaginer un roman policier. Il a imaginé d'acheter un garage.* ◆ ***s'imaginer*** v. pr. **1°** Se représenter soi-même en esprit : *Il s'imagine en train de passer de longues heures sur le sable chaud de la plage!* (syn. : SE VOIR). — **2°** *S'imaginer quelque chose, quelqu'un, que* (et l'indic.), s'en faire une idée, concevoir que : *Elle se l'imaginait très différent de ce qu'il était* (syn. : SE FIGURER). *On s'imagine facilement qu'on ne vous veut que du bien* (syn. : CROIRE). *Elle s'est imaginé que quelqu'un ferait le travail à sa place.* ◆ **imaginable** adj. Accompagné de l'adj. *tout : Il a pour elle toutes les attentions imaginables* (syn. : CONCEVABLE). *Avec toute la prudence imaginable.* ◆ **imaginaire** adj. Qui n'existe que dans l'esprit, qui ne correspond pas à la réalité : *Une maladie imaginaire. Les personnages imaginaires d'un film* (syn. : INVENTÉ; contr. : HISTORIQUE). *Ses craintes sont purement imaginaires* (syn. : CHIMÉRIQUE; contr. : RÉEL). *Souffrir des maux imaginaires* (syn. : ILLUSOIRE). *Vivre dans un monde imaginaire* (syn. : IRRÉEL, FANTASTIQUE; contr. : RÉEL, VÉRITABLE). ◆ **imaginatif, ive** adj. et n. Se dit de quelqu'un qui est capable d'inventer facilement : *Elle est très imaginative et embellit sans cesse la réalité* (syn. : RÊVEUR). *Un esprit imaginatif, toujours prêt à trouver la solution idéale* (syn. : INVENTIF). ◆ **imagination** n. f. **1°** Possibilité pour l'esprit d'imaginer, d'évoquer des images, d'inventer, etc. : *Se laisser emporter par son imagination. Manquer d'imagination. Avoir de l'imagination* (= être inventif). *S'évader par l'imagination* (syn. : RÊVE). *On ne peut qu'admirer l'imagination des inventeurs de cet appareil* (syn. : INTELLIGENCE). — **2°** Idée chimérique, fantaisie née de l'esprit, etc. : *Se repaître d'imaginations* (syn. : ILLUSION). *Etre le jouet de ses imaginations* (syn. : CHIMÈRE). *Sa peur n'est qu'une pure imagination* (syn. : ABSURDITÉ, FOLIE). ◆ **inimaginable** adj. : *Créer un désordre inimaginable dans la pièce* (syn. : INCROYABLE). *Sa paresse est inimaginable* (syn. : EXTRAORDINAIRE).

imbattable adj. V. BATTRE.

imbécile [ɛ̃besil] adj. et n. Se dit d'une personne (ou de sa conduite) totalement dépourvue d'intelligence, de compréhension (souvent terme d'injure) : *C'est le roi des imbéciles. Passer pour un imbécile* (syn. : IDIOT; fam. : ↑ CRÉTIN). *Etre pris pour un imbécile* (syn. : ABRUTI). *Mener une vie imbécile* (syn. : STUPIDE). *Une réponse imbécile* (syn. : BÊTE, SOT). ◆ **imbécillité** n. f. : *Déplorer l'imbécillité de quelqu'un* (syn. : BÊTISE). *Il est prêt à toutes les imbécillités* (syn. : SOTTISE). *Il se croit malin en disant des imbécillités* (syn. : IDIOTIE).

PRONOMS PERSONNELS

FONCTION	NOMBRE	GENRE	pronoms atones	Joints au verbe et toujours dans le groupe verbal.	pronoms toniques	Disjoints, placés hors du groupe verbal, avant ou après selon la phrase.
sujet	s.	m. n.	il	*IL a vu ce film. Est-IL arrivé? Ne comprendra-t-IL pas?* *IL faut partir.*	lui	*Georges, LUI, a vu ce film. Elle est arrivée et LUI aussi. LUI seul comprendra. Mais LUI, qui vous a vu, vous a reconnu.*
sujet	s.	f.	elle	*ELLE aime regarder les vitrines. Qu'a-t-ELLE encore imaginé?*	elle	*Il est plus grand qu'ELLE. ELLE seule ne viendra pas. Ce n'est pas ELLE, la coupable.*
sujet	pl.	m.	ils	*ILS parlent sans cesse. Que sont-ILS devenus?*	eux	*Il court aussi vite qu'EUX.*
sujet	pl.	f.	elles	*ELLES ne m'ont pas vu. Qu'ont-ELLES fait hier?*	elles	*Je cours aussi vite qu'ELLES.*
complément d'objet direct non réfléchi	s.	m. n.	le l' en	*Je LE rendrai* (= ce livre) *à Paul. « As-tu des devoirs? — J'EN ai »* (= des devoirs). *Il ment, je LE sais, je L'ai compris* (= je sais cela, j'ai compris cela [valeur d'un neutre]).	lui	*On n'admire que LUI ici. Je te félicite et LUI aussi d'avoir réussi.*
complément d'objet direct non réfléchi	s.	f.	la l'	*Je LA rendrai* (= cette petite somme) *dès que je pourrai.*	elle	*Je n'ai aperçu ni ELLE ni son mari.*
complément d'objet direct non réfléchi	pl.	m.	les	*Je ne LES ai pas rencontrés hier* (= les Durand).	eux	*On ne les a retrouvés ni EUX ni leur bateau.*
complément d'objet direct non réfléchi	pl.	f.	les	*Il LES a cueillies* (= ces fleurs) *dans le pré. LES avez-vous brûlées* (= ces lettres)?	elles	*Nous les avons saluées, ELLES et leur mère.*
complément d'objet direct réfléchi	s. pl.	m. f.	se s'	*Elle SE regarde dans la glace. Il S'est blessé au doigt.*	soi-même lui-même elle-même	*Il faut s'aider SOI-MÊME avant d'appeler les autres* (sujet indéterminé). *Il doit s'aider LUI-MÊME avant d'appeler les autres* (sujet déterminé).
complément d'objet indirect ou complément d'attribution (= prép. *à* + substantif) non réfléchi	s.	m. n.	lui y en	*Je LUI rendrai* (= à Paul). *J'Y penserai* (= à cela). *Pensez-Y. Je ne m'Y ferai pas. Je m'EN souviens* (= de cela).	lui	*Pensez à LUI. A LUI, on peut tout dire.*
complément d'objet indirect ou complément d'attribution (= prép. *à* + substantif) non réfléchi	s.	f.	lui	*Dites-LUI* (= à Odile) *de venir.*	elle	*Est-ce à lui ou à ELLE que vous vous êtes adressé?*
complément d'objet indirect ou complément d'attribution (= prép. *à* + substantif) non réfléchi	pl.	m.	leur	*Je ne LEUR ai pas prêté* (= à mes amis) *ce livre.*	eux	*C'est à EUX qu'il faut vous adresser.*
complément d'objet indirect ou complément d'attribution (= prép. *à* + substantif) non réfléchi	pl.	f.	leur	*LEUR as-tu envoyé* (= à tes tantes) *des fleurs?*	elles	*A ELLES aussi vous l'avez dit.*
complément d'objet indirect réfléchi	s. pl.	m. f.	se s'	*Ils SE sont nui. Elle SE l'est offert* (= ce livre) *pour sa fête. Ils SE sont envoyé des lettres menaçantes.*	soi lui elle	*On ne pense qu'à SOI* (sujet indéterminé). *Il ne pense qu'à LUI* (sujet déterminé). *Elle ne pense qu'à ELLE.*
complément circonstanciel, précédé d'une préposition, ou complément de l'adjectif	s.	m.			lui soi	*Je suis parti sans LUI. Il est maître de LUI. Il faut rester maître de SOI* (sujet indéterminé). *Il vaut mieux l'avoir avec SOI que contre SOI.*
complément circonstanciel, précédé d'une préposition, ou complément de l'adjectif	s.	f.			elle elle-même	*Sans ELLE, il était perdu. Le chien s'assit auprès d'ELLE.* *Elle est maîtresse d'ELLE-MÊME.*
complément circonstanciel, précédé d'une préposition, ou complément de l'adjectif	pl.	m.			eux	*Il s'élança sur EUX. Il est arrivé avant EUX.*
complément circonstanciel, précédé d'une préposition, ou complément de l'adjectif	pl.	f.			elles	*Il a parlé pour ELLES avec chaleur.*

Place du pronom atone

1° Pronom sujet :

a) Avant le verbe dans les phrases affirmatives ou négatives, sauf lorsqu'elles commencent par *du moins, peut-être, au moins, en vain, aussi, à peine, ainsi* ou lorsque ce sont des incises :
IL n'y est pas allé. C'est sa faute, dit-IL. Peut-être trouvera-t-IL un appui;

b) Après le verbe dans les phrases interrogatives ou exclamatives directes :
Que lui a-t-IL dit? Puisse-t-IL guérir vite!

2° Pronom objet direct non réfléchi :

a) Avant le verbe à tous les modes (sauf l'impératif) et dans tous les types de phrases :
verbe : *Je LE crois sans peine.*
verbe + auxiliaire : *Je L'ai reconnu tout de suite.*
verbe + négation : *Il ne L'a jamais vu.*
verbe + réfléchi : *Il se LE dit. Je me LE suis toujours dit;*

b) Après le verbe à l'impératif, mais l'ordre est inversé lorsque l'impératif est négatif :
Surveille-LE. Ne LE tourmentez pas.

3° Pronom objet indirect non réfléchi :

a) Avant le verbe à tous les modes (sauf l'impératif) et dans tous les types de phrases; entre le pronom objet direct et le verbe :
Il LUI a offert un livre. LUI obéit-il?;

b) Après le verbe et l'objet direct à l'impératif; l'ordre est inversé à l'impératif négatif :
Obéissez-LUI. Dites-le-LUI. Ne le LUI dites pas.

4° Pronom réfléchi : le réfléchi atone est toujours avant le verbe :
Il SE flatte de réussir. S'est-il servi de ce verbe?

imberbe adj. V. BARBE.

imbiber [ɛ̃bibe] v. tr. Pénétrer profondément d'un liquide, mouiller entièrement (le plus souvent au passif) : *Imbiber un tampon d'éther* (syn. : IMPRÉGNER). *Après les pluies d'automne, la terre est imbibée d'eau* (syn. : DÉTREMPER).

imbriquer (s') [sɛ̃brike] v. pr. (sujet nom de chose). Etre lié, mêlé d'une manière étroite : *Des questions économiques sont venues s'imbriquer dans les discussions politiques.* ◆ **imbriqué, e** adj. 1° Se dit d'objets disposés de manière à se chevaucher : *Tuiles imbriquées.* — 2° Se dit de choses qui sont engagées les unes dans les autres : *Les deux affaires sont si étroitement imbriquées qu'il est impossible de les dissocier* (syn. : LIER, ENCHEVÊTRER). ◆ **imbrication** n. f. : *L'imbrication des divers éléments du récit donne au roman une grande cohérence* (syn. : LIEN, ENCHEVÊTREMENT).

imbroglio [ɛ̃broljo, ou plus souvent -glijo] n. m. Situation confuse; affaire embrouillée : *Démêler un imbroglio inextricable. L'intrigue aboutit à un imbroglio que l'auteur résout brillamment. L'imbroglio politique né des élections* (syn. : CONFUSION, DÉSORDRE).

imbu, e [ɛ̃by] adj. *Etre imbu d'un sentiment, d'une opinion, d'une idée,* en être pénétré, en être imprégné profondément : *Etre imbu de sa valeur* (syn. : INFATUÉ). *Tout imbu de sa doctrine austère et étroite* (syn. : PLEIN). *Imbu de préjugés* (syn. : REMPLI).

imbuvable adj. V. BOIRE.

imiter [imite] v. tr. 1° (sujet nom d'être animé) *Imiter quelqu'un,* chercher à faire la même chose que lui, s'inspirer de sa conduite, de sa pensée, de sa manière d'écrire, etc.; le prendre pour modèle : *L'enfant imite son père. Elève qui imite le professeur* (syn. : SINGER). *Le singe imitait les gestes du spectateur* (syn. : REPRODUIRE). — 2° (sujet nom de personne) *Imiter quelque chose,* le reproduire, le copier, le prendre comme modèle : *Imiter la conduite d'un camarade plus âgé* (syn. : ADOPTER). *Roman imité de l'anglais* (syn. : ADAPTER; contr. : CRÉER). *Imiter la signature de son père* (syn. : COPIER). *Imiter un billet de banque* (syn. : CONTREFAIRE). *Imiter le cri d'un animal* (syn. : SIMULER). — 3° (sujet nom de chose) Produire le même effet que : *Le cuivre doré imite l'or. Une pierre qui imite le rubis.* ◆ **imitateur, trice** adj. et n. Qui s'attache à imiter quelqu'un ou quelque chose, qui met son talent à imiter : *Des imitateurs sans talent* (syn. : PLAGIAIRE; contr. : NOVATEUR). *Il a eu de nombreux imitateurs. Le singe est imitateur.* ◆ **imitatif, ive** adj. *Harmonie imitative,* qui suggère les bruits naturels que les mots doivent exprimer. ◆ **imitation** n. f. 1° Action d'imiter : *L'imitation d'une signature* (syn. : REPRODUCTION). *Une imitation ridicule des attitudes d'un personnage officiel* (syn. : CARICATURE). *Avoir le don d'imitation* (syn. : PARODIE). *L'imitation servile d'un prédécesseur* (syn. : COPIE). — 2° Chose, objet produits en imitant : *Ce roman est une pâle imitation de ceux de Balzac* (syn. : DÉMARQUAGE, PLAGIAT). *Un sac imitation cuir.* ● LOC. PRÉP. *A l'imitation de,* en suivant le modèle de, à la façon de : *A l'imitation de ses amies, elle porte une nouvelle coiffure.* ◆ **inimitable** adj. Qu'on ne peut imiter : *Un talent inimitable* (syn. : UNIQUE). *Un artiste inimitable* (syn. : EXTRAORDINAIRE).

immaculé, e [immakyle] adj. Sans une tache : *Une nappe d'une blancheur immaculée. Un ciel immaculé* (= sans un nuage).

immanent, e [imanɑ̃, -ɑ̃t] adj. Contenu dans la nature même des choses (langue philosophique) : *L'absurdité immanente à la société actuelle* (syn. : INHÉRENT À). *La justice immanente* (= celle qui résulte du cours naturel des choses). ◆ **immanence** n. f.

immatriculer [immatrikyle] v. tr. Inscrire sur un registre public (surtout au passif) : *Voiture immatriculée dans le département de la Vienne. L'étudiant se fait immatriculer à la faculté.* ◆ **immatriculation** n. f. : *Relever le numéro d'immatriculation* (ou simplem. *l'immatriculation*) *d'une voiture.*

immédiat, e [immedja, -at] adj. 1° Qui précède ou suit sans qu'il y ait un intermédiaire ou un intervalle : *Nous habitons dans le voisinage immédiat de* *la gare du Nord* (= très près de). *Recevoir le châtiment immédiat de sa faute. Le cachet lui procura un soulagement presque immédiat* (syn. : INSTANTANÉ). — 2° *Dans l'immédiat,* pour le moment : *Dans l'immédiat, il faut d'abord parer à cette défaillance imprévue.* ◆ **immédiatement** adv. : *L'Assemblée se prononça immédiatement sur la proposition de loi* (syn. : SUR L'HEURE). *Sortez immédiatement* (syn. : TOUT DE SUITE). *Il est arrivé immédiatement après votre départ* (syn. : AUSSITÔT). *Je le précède immédiatement* (syn. : DIRECTEMENT).

immémorial, e, aux [immemorjal, -jo] adj. *Usage immémorial, coutume immémoriale,* si anciens qu'on n'en connaît pas l'origine. ‖ *De temps immémorial, aux temps immémoriaux,* qui remonte à la plus haute antiquité, très éloigné dans le passé. ‖ *Depuis un temps immémorial,* depuis très longtemps. (V. MÉMOIRE.)

immense [immɑ̃s] adj. D'une très grande étendue, d'une grandeur, d'une importance, d'une valeur considérable : *La mer, l'océan immense* (syn. : VASTE). *Une foule immense* (syn. : ↑ GIGANTESQUE). *Avoir une immense fortune* (syn. : COLOSSAL). *Il dispose d'un crédit immense auprès de ses amis* (contr. : INFIME). *Son chagrin est immense* (syn. : INFINI). *Avoir un immense succès* (syn. : GROS, ÉNORME ; contr. : PETIT). ◆ **immensément** adv. : *Etre immensément riche* (syn. : EXTRÊMEMENT). ◆ **immensité** n. f. : *L'immensité de la plaine russe, de la mer, des abîmes marins. L'immensité des besoins des pays sous-développés. L'immensité de leur bonheur.*

immerger [immɛrʒe] v. tr. *Immerger quelque chose,* le plonger entièrement dans un liquide, spécialement dans la mer : *Immerger des caissons de matières radio-actives dans la mer. Le navire est immergé par trois cents mètres de fond. Les rochers sont immergés à marée haute.* ◆ ***s'immerger*** v. pr. (sujet nom de chose). Plonger de manière à être recouvert d'eau : *Le sous-marin s'immerge rapidement* (contr. : ÉMERGER). ◆ **immersion** n. f. : *L'immersion d'un câble téléphonique entre la France et la Grande-Bretagne. L'immersion d'un sous-marin.*

immeuble [immœbl] n. m. Grand bâtiment urbain de plusieurs étages : *Des immeubles de dix et douze étages s'élèvent aux portes de Paris. Des immeubles à usage locatif.* ◆ **immobilier, ère** adj. Qui a pour objet un immeuble (langue du droit) : *Une vente immobilière* (= d'immeubles). *Une société immobilière* (= qui s'occupe de la construction d'immeubles).

immigrer [immigre] v. intr. (sujet nom de personne). Venir s'installer dans un pays étranger, d'une manière durable ou même définitive : *Les Irlandais continuent d'immigrer en grand nombre aux Etats-Unis* (contr. : ÉMIGRER). ◆ **immigrant, e** n. : *Des services d'accueil ont été installés pour recevoir les immigrants les plus pauvres* (contr. : ÉMIGRANT). ◆ **immigré, e** adj. et n. : *En France, les travailleurs immigrés ont droit à la sécurité sociale.* ◆ **immigration** n. f. : *L'immigration portugaise en France. Les services d'immigration au ministère de l'Intérieur* (contr. : ÉMIGRATION).

imminent, e [imminɑ̃, -ɑ̃t] adj. Qui est près de se produire, qui va avoir lieu dans très peu de temps : *La décision est imminente* (syn. : PROCHE). *Un danger imminent* (syn. : ↑ IMMÉDIAT). *Le conflit est imminent* (syn. : MENAÇANT). *La conclusion imminente des négociations* (contr. : LOINTAIN). ◆ **imminence** n. f. : *L'imminence d'une grève* (syn. : APPROCHE). *L'imminence d'un départ* (syn. : PROXIMITÉ).

immiscer (s') [simmise] v. pr. (sujet nom de personne). Intervenir d'une manière indiscrète dans une affaire : *S'immiscer dans la vie privée d'autrui* (syn. : S'INGÉRER). *S'immiscer dans les affaires d'autrui* (syn. : SE MÊLER DE). ◆ **immixtion** [immiksjɔ̃] n. f. : *Condamner toute immixtion dans les affaires intérieures d'un pays étranger* (syn. : INGÉRENCE, INTERVENTION).

immobilier, ère adj. V. IMMEUBLE.

immoler [immɔle] v. tr. *Immoler quelqu'un ou quelque chose,* les sacrifier en considération de certains motifs ou intérêts (littér.) : *Immoler sa famille à son égoïsme. Immoler son amour à son devoir* (syn. : RENONCER À). ◆ **s'immoler** v. pr. Sacrifier sa vie, ses intérêts.

immonde [immɔ̃d] adj. (avant ou après le nom). 1° D'une saleté extrême qui soulève le dégoût (superlatif de *sale*) : *Habiter un immonde taudis* (syn. : IGNOBLE). *Un cachot immonde, glacial et obscur.* — 2° D'une bassesse qui écœure : *Un vice immonde. Des conversations immondes* (syn. : DÉGOÛTANT).

immondices [immɔ̃dis] n. f. pl. Ordures ménagères; débris ou déchets de toute nature, issus de l'activité commerciale, industrielle, etc. : *Immondices déposées dans les poubelles. Un tas d'immondices* (syn. : ORDURES).

immortel, elle adj. V. MORT ; **immotivé, e** adj. V. MOTIF.

immuable [immɥabl] adj. (avant ou après le nom). Qui ne change pas : *L'horaire immuable des classes* (syn. : CONSTANT). *Un ciel immuable. Garder un visage immuable* (syn. : FIGÉ). *Son immuable sourire* (syn. : ÉTERNEL). ◆ **immuablement** adv.

immuniser [immynize] v. tr. 1° *Immuniser un être vivant,* le rendre réfractaire à une maladie (souvent au passif) : *Etre immunisé contre la typhoïde. La vaccination immunise l'organisme contre la variole.* — 2° Mettre à l'abri d'une attaque, d'un mal, etc. (surtout au passif) : *Cet échec l'a immunisé contre le désir de renouveler une telle demande* (syn. : GARANTIR). *Je suis immunisé contre la tentation de venir en aide à cet ingrat.* ◆ **immunisation** n. f. ◆ **immunité** n. f. 1° Propriété, naturelle ou acquise, que possède un organisme d'être réfractaire à une maladie : *Le vaccin confère l'immunité.* — 2° Droit que possèdent certaines personnes de jouir de certains privilèges particuliers (terme jurid.) : *Les ambassadeurs possèdent l'immunité diplomatique* (= sont soustraits aux juridictions des pays où ils sont en fonctions). *Immunité parlementaire.*

impact [ɛ̃pakt] n. m. *Point d'impact,* endroit où un projectile touche l'objectif ou un obstacle : *Après l'attentat, on a relevé plusieurs points d'impact sur la carrosserie de l'automobile.*

impair, e adj. et n. m. V. PAIR ; **impalpable** adj. V. PALPER.

1. imparfait, e adj. V. PARFAIT.

2. imparfait [ɛ̃parfɛ] n. m. Temps de l'indicatif traduisant la durée dans le passé. (V. VERBE.)

impartial, e, aux adj. V. PARTIAL.

impartir [ɛ̃partir] v. tr. (seulement à l'infin. et au part. passé). Accorder (sujet nom désignant une autorité administrative) : *Un nouveau délai lui a été imparti pour payer ses impôts.*

impasse [ɛ̃pas] n. f. **1°** Rue sans issue : *Au fond d'une impasse* (syn. : CUL-DE-SAC). — **2°** Situation sans issue favorable : *Les négociations sont dans l'impasse. Comment sortir de cette impasse? L'impasse budgétaire est une fraction des dépenses de l'Etat couvertes par les ressources de la trésorerie.*

impassible [ɛ̃pasibl] adj. Se dit d'une personne (ou de son attitude) qui ne manifeste aucune émotion, aucun trouble, aucun sentiment : *Rester impassible devant le danger, sous la souffrance* (syn. : FROID, ↓ CALME). *Le visage impassible* (syn. : IMPÉNÉTRABLE; contr. : TROUBLÉ). ◆ **impassiblement** adv. ◆ **impassibilité** n. f. : *Ne pas se départir de son impassibilité* (syn. : FLEGME). *L'accusé garda son impassibilité pendant le verdict* (syn. : INDIFFÉRENCE; contr. : TROUBLE).

impayable [ɛ̃pejabl] adj. Se dit d'une personne qui fait beaucoup rire, d'une chose d'une bizarrerie incroyable : *Il est impayable quand il raconte ses histoires de chasse* (syn. : ↓ AMUSANT, COCASSE, DRÔLE). *Une aventure impayable.*

impeccable [ɛ̃pekabl] adj. (avant ou plus souvent après le nom). Sans défaut : *La « Caravelle » a une pureté de ligne impeccable* (syn. : PARFAIT). *Une tenue impeccable* (syn. : IRRÉPROCHABLE). *Il est toujours impeccable quand il vient chez nous* (= mis avec élégance). *Il a une conduite impeccable* (= à laquelle on ne peut faire de reproche). ◆ **impeccablement** adv. : *Etre habillé impeccablement. Se conduire impeccablement.*

1. impératif, ive [ɛ̃peratif, -iv] adj. **1°** Qui exprime un ordre absolu : *Recevoir une consigne impérative. Le caractère impératif de la loi.* — **2°** Qui a le caractère du commandement : *Parler d'un ton impératif. D'une voix impérative, il les invita à se taire* (syn. : AUTORITAIRE). — **3°** Qui s'impose comme une nécessité absolue : *Les besoins impératifs de l'économie française.* ◆ **impératif** n. m. Nécessité absolue : *Les impératifs de la défense nationale. Les économies dans le budget sont un impératif auquel il faut se soumettre.* ◆ **impérativement** adv. : *La situation commande impérativement des mesures exceptionnelles.*

2. impératif [ɛ̃peratif] n. m. Mode utilisé pour traduire un ordre, un appel, et suppléé en français aux 1re et 3e personnes par le subjonctif.

impératrice [ɛ̃peratris] n. f. **1°** Femme d'un empereur. — **2°** Fém. d'EMPEREUR.

impérial, e, aux [ɛ̃perjal, -jo] adj. **1°** Qui appartient à un empereur, à un empire; qui caractérise cette autorité : *La dignité impériale. Le pouvoir impérial.* — **2°** Se dit d'une personne dont les manières, le ton, l'attitude ont un caractère souverain, dominateur : *Dans ce film, elle est vraiment impériale.*

impérialisme [ɛ̃perjalism] n. m. Politique d'expansion et de domination manifestée par une nation au détriment de peuples divers, qu'elle cherche à placer dans une sujétion économique et politique : *L'impérialisme des nations coloniales au XIXe siècle.* ◆ **impérialiste** adj. et n. : *Les doctrines impérialistes.*

impérieux, euse [ɛ̃perjø, -øz] adj. **1°** Se dit d'une personne (ou de son attitude) qui commande d'une manière absolue, sans qu'il soit possible de répliquer ou de résister : *Un chef impérieux, méprisant et dur* (syn. : AUTORITAIRE, DICTATORIAL). *Prendre un ton impérieux.* — **2°** Qui oblige à céder, qui s'impose sans que l'on puisse résister : *Les besoins impérieux du pays en écoles* (syn. : PRESSANT). *Une nécessité impérieuse.* ◆ **impérieusement** adv. : *La situation commande impérieusement l'union.*

impéritie [ɛ̃perisi] n. f. Manque de capacité dans la profession ou la fonction que l'on exerce : *La criminelle impéritie qui a présidé à l'organisation des secours* (syn. : INCAPACITÉ). *L'impéritie est à l'origine de ce grave accident* (syn. : MALADRESSE, INAPTITUDE).

imperturbable [ɛ̃pɛrtyrbabl] adj. Se dit d'une personne (ou de son comportement) que rien ne trouble : *Il garda un sérieux imperturbable. Rester imperturbable sous les reproches* (syn. : CALME, FROID). *Imperturbable, il continua son discours comme s'il n'entendait pas les protestations* (syn. : FLEGMATIQUE, IMPASSIBLE; contr. : ÉMU). ◆ **imperturbablement** adv. (V. PERTURBER.)

impétrant, e [ɛ̃petrɑ̃, -ɑ̃t] n. Personne qui obtient un titre, un diplôme, etc. (mot admin.) : *La signature de l'impétrant est nécessaire pour la validité de l'acte.*

impétueux, euse [ɛ̃petɥø, -øz] adj. (avant ou plus souvent après le nom). **1°** Se dit de ce qui se meut avec violence et rapidité (littér.) : *Le mouvement impétueux des eaux du torrent* (syn. : FURIEUX). *Le rythme impétueux de l'orchestre* (syn. : ENDIABLÉ). *Une attaque impétueuse. Le vent impétueux a enlevé les tuiles du toit* (syn. : DÉCHAÎNÉ). — **2°** Se dit d'une personne (ou de son comportement) qui met de la fougue, de la violence dans la manière de se conduire : *Un caractère impétueux* (syn. : EMPORTÉ, VIF; contr. : MOU). *Impétueux dans ses reparties* (syn. : ARDENT, BOUILLANT). *La jeunesse impétueuse et impatiente* (syn. : PÉTULANT; contr. : NONCHALANT). *Une ardeur impétueuse* (syn. : VÉHÉMENT). ◆ **impétueusement** adv. : *Se jeter impétueusement au-devant du danger.* ◆ **impétuosité** n. f. : *L'impétuosité de la rivière. S'élancer avec impétuosité* (syn. : FOUGUE, ↑ FURIE). *Maîtriser l'impétuosité de sa colère* (syn. : ARDEUR, VIOLENCE, VIVACITÉ).

impie [ɛ̃pi] adj. et n. Qui marque du mépris à l'égard des croyances religieuses (littér. et relig.) : *Lutter contre les impies, contre la propagande impie* (syn. : ATHÉE). *L'Eglise a condamné ce livre impie* (syn. : ↑ SACRILÈGE; contr. : PIEUX).

impiété n. f. V. PIEUX.

implacable [ɛ̃plakabl] adj. (avant ou après le nom). **1°** Dont on ne peut apaiser la violence, adoucir la dureté, l'inhumanité : *Un juge implacable* (syn. : IMPITOYABLE). *Un ennemi implacable* (syn. : ACHARNÉ). *Un soleil implacable* (syn. : TRÈS DUR). *La répression fut implacable* (syn. : ↓ SÉVÈRE, BARBARE). *Une logique implacable* (syn. : RIGOUREUX, INTRAITABLE). — **2°** Dont il est impossible de changer l'évolution malheureuse : *Un sort implacable pèse sur cette famille. Etre atteint d'un mal implacable.* ◆ **implacablement** adv.

implanter [ɛ̃plɑ̃te] v. tr. **1°** Installer dans une région une industrie, un organisme, de la main-d'œuvre, etc. : *Implanter à Dunkerque des entreprises* *sidérurgiques.* — 2° Introduire dans l'esprit d'une manière durable (souvent au passif) : *Des préjugés solidement implantés* (syn. : ENRACINER, ANCRER). ◆ ***s'implanter*** v. pr. Se fixer en un endroit, s'installer : *Des familles d'émigrants italiens se sont implantées dans le sud-est de la France.* ◆ **implantation** n. f. : *L'implantation de nouvelles industries* (syn. : INSTALLATION, ÉTABLISSEMENT). ◆ **réimplanter** v. tr. : *Réimplanter une population déplacée.*

implicite [ɛ̃plisit] adj. Qui n'est pas formulé, mais qui est contenu virtuellement dans quelque chose, qui en est la conséquence nécessaire : *La remise à neuf de l'appartement est la condition implicite que nous mettons à son achat* (contr. : EXPLICITE). *Une volonté implicite* (= qui se manifeste par la conduite, non par des affirmations). ◆ **implicitement** adv. : *Son silence constitue implicitement une acceptation* (contr. : EXPLICITEMENT).

impliquer [ɛ̃plike] v. tr. 1° *Impliquer quelqu'un dans quelque chose,* le compromettre dans une affaire fâcheuse, le mettre en cause dans une accusation (souvent au passif) : *On l'a impliqué dans cette escroquerie. Il a été impliqué dans une affaire de détournement de fonds* (syn. : MÊLER). — 2° *Impliquer quelque chose* ou *impliquer que,* avoir pour conséquence nécessaire, logique, inéluctable : *La collaboration dans ce travail implique la confiance réciproque* (syn. : SUPPOSER). *L'existence d'états sociaux différents n'implique pas nécessairement la guerre* (syn. : ENTRAÎNER). *Cela implique-t-il que la réalisation de l'entreprise est remise à plus tard?* (syn. : SIGNIFIER). *Ces propos semblent impliquer de votre part un refus* (syn. : VOULOIR DIRE; contr. : EXCLURE). ◆ **implication** n. f. : *Les implications de l'accord intervenu sont trop nombreuses pour pouvoir être toutes prévues* (syn. : CONSÉQUENCE).

implorer [ɛ̃plore] v. tr. 1° *Implorer quelqu'un,* le supplier avec insistance en cherchant à émouvoir sa pitié (littér. et relig.) : *Implorer Dieu* (syn. : PRIER). *Implorer ses juges* (syn. : SUPPLIER). — 2° *Implorer quelque chose,* le demander en suppliant, d'une manière pressante : *Implorer le pardon de sa victime. Implorer du secours. J'implore de vous un geste de bienveillance* (syn. : ↓ RÉCLAMER). ◆ **implorant, e** adj. : *Des regards implorants. Une voix implorante* (syn. : SUPPLIANT).

impoli, e adj. V. POLI.

impondérable [ɛ̃pɔ̃derabl] adj. et n. m. Se dit de facteurs, d'événements qui ne peuvent être ni prévus ni calculés, parce que dus au hasard : *La politique est souvent faite d'impondérables, comme la vie elle-même.*

impopulaire adj. V. POPULAIRE.

important, e [ɛ̃pɔrtɑ̃, -ɑ̃t] adj. (avant ou après le nom). 1° Se dit de choses qui sont considérables en valeur, en nombre, en quantité, en conséquence : *Une question très importante* (syn. : GRAVE). *Une affaire importante* (syn. : SÉRIEUX, CAPITAL). *L'important retard de l'économie* (syn. : GROS). *Un important héritage* (syn. : CONSIDÉRABLE). *Le fait le plus important des dernières vingt-quatre heures* (syn. : MARQUANT). *Le point important* (syn. : ESSENTIEL). *Rendre d'importants services à la nation* (syn. : ↓ APPRÉCIABLE). *Rien d'important aujourd'hui* (syn. : NOTABLE). *Occuper d'importantes fonctions au ministère.* — 2° (suivi de *à* et l'infin.) Utile, nécessaire : *C'est important à savoir, à faire.* — 3° Se dit d'une personne dont l'influence morale, sociale, intellectuelle est grande, dont la position sociale est élevée : *Un personnage important* (syn. : INFLUENT). *Un fonctionnaire important. Il est tout ce qu'il y a de plus important dans son domaine* (syn. : CONSIDÉRABLE). ◆ adj. et n. m. *Péjor.* Qui veut paraître plus considérable qu'il n'est : *Prendre des airs importants* (syn. : AVANTAGEUX). *Faire l'important.* ◆ n. m. *L'important est de* (et l'infin.), *l'important est que* (et le subj.), le point essentiel, le principal : *L'important est de se décider tout de suite. L'important est qu'ils soient tous deux heureux.* ‖ *Le plus important,* le principal : *Parer au plus important* (syn. : URGENT, PRESSÉ). ◆ **importance** n. f. 1° *Le problème est d'une importance capitale, de première importance* (syn. : PORTÉE). *L'importance donnée aux constructions scolaires. Une communication de la plus haute importance* (syn. : INTÉRÊT). *C'est de peu d'importance* (syn. : GRAVITÉ). *Aucune importance qu'il soit prévenu. C'est sans importance* (syn. : CONSÉQUENCE). *Se donner de l'importance* (= faire l'important). *Prendre des airs d'importance. Faire l'homme d'importance. Il n'a pas plus d'importance qu'un modeste employé* (syn. : CRÉDIT, INFLUENCE). — 2° *D'importance,* considérable : *L'affaire est d'importance* (= de grande conséquence); fortement : *Rosser quelqu'un d'importance.*

1. importer [ɛ̃pɔrte] v. tr. 1° *Importer des produits,* les faire entrer dans un pays, en provenance d'un autre pays : *Importer des légumes. Les produits importés* (contr. : EXPORTER). — 2° *Importer une manière de penser, une mode,* etc., introduire dans un pays des façons de penser, de se conduire, etc., appartenant à un autre pays : *Ces danses modernes sont importées d'Amérique.* ◆ **importateur, trice** adj. et n. : *Les pays importateurs de blé. La France est un gros importateur de cacao.* ◆ **importation** n. f. : *L'importation de matériel de forage* (contr. : EXPORTATION). *Les importations se sont accrues considérablement.* ◆ **réimporter** v. tr. Procéder à une nouvelle importation : *Réimporter du blé à cause de la sécheresse* (contr. : RÉEXPORTER).

2. importer [ɛ̃pɔrte] v. tr. ind. et intr. 1° (sujet nom de chose, ou impersonnellement) *Importer à quelqu'un,* avoir de l'importance ou de l'intérêt pour lui : *Vos histoires m'importent peu* (syn. : INTÉRESSER). *Ce qui importe avant tout, c'est de conserver la santé* (syn. : COMPTER). *Il importe de lui faire parvenir le chèque dans les plus brefs délais* (syn. : ÊTRE NÉCESSAIRE). — 2° *Qu'importe!, Peu importe!,* indiquent le dédain, le mépris : *Qu'importe son avis! Peu importent les difficultés!* ou (le verbe restant au sing.) *Peu importe ses objections : Que m'importe que vous soyez ou non content! Prenez l'autobus ou le métro, peu importe, vous mettrez le même temps* (= cela est indifférent). ‖ *N'importe,* indique l'indifférence : « *Quelle cravate mets-tu? — Oh! n'importe* » (= cela m'est égal); l'opposition, la concession : *Son roman est très discuté, n'importe, il a eu beaucoup de succès.* ● LOC. ADV. *N'importe où, n'importe comment, n'importe quand,* indiquent un lieu, une manière, un moment indéfinis : *Je partirai n'importe où, mais je m'en irai. Travailler n'importe comment* (= sans méthode). *Venez n'importe quand, je suis chez moi la semaine prochaine.* ● PRON. INDÉF. *N'importe qui, n'importe quoi, n'importe lequel, n'importe quel,* indiquent une personne ou une chose indéfinie :

N'importe qui pourrait le faire. Ce n'est pas n'importe qui (= c'est un personnage important). *N'importe quoi plutôt que de manger encore ces endives. Acheter le repos à n'importe quel prix.*

importun, e [ɛ̃pɔrtœ̃, -yn] adj. et n. Se dit d'une personne qui ennuie ou gêne en intervenant mal à propos : *Un visiteur importun* (syn. : FÂCHEUX). *Se rendre importun par des questions continuelles* (syn. : INSUPPORTABLE). *Je crains d'être importun en restant plus longtemps* (syn. : INDISCRET). *Se débarrasser d'un importun.* ◆ adj. Se dit d'une chose qui cause du tracas, de l'incommodité, par sa fréquence, sa répétition, son arrivée hors de propos : *Des plaintes importunes en la circonstance* (syn. : INOPPORTUN, INTEMPESTIF). *Une visite importune* (syn. : DÉSAGRÉABLE). *Une curiosité importune* (syn. : GÊNANT). ◆ **importuner** v. tr. (sujet nom de personne ou de chose). Causer du désagrément, de l'ennui, par une conduite intempestive ou par la répétition : *Vous importunez votre voisin par votre bavardage continuel* (syn. : GÊNER, ENNUYER). *Vous ne m'importunez pas; vous pouvez rester quelques instants encore* (syn. : DÉRANGER). *Tes jérémiades ne font que l'importuner* (syn. : ↑ EXASPÉRER ; fam. : ASSOMMER). *Etre importuné par le bruit de la rue* (syn. : INCOMMODER). ◆ **importunité** n. f. : *L'importunité d'une démarche* (syn. : INDISCRÉTION). *Poursuivre une femme de ses importunités* (= assiduités importunes). [V. OPPORTUN.]

1. imposer [ɛ̃poze] v. tr. **1°** (sujet nom de chose ou de personne) *Imposer quelque chose à quelqu'un,* l'obliger à l'accepter, à le faire, à le subir; lui ordonner une action pénible, dure : *La situation nous impose des décisions rapides* (syn. : COMMANDER). *Ses parents lui imposèrent une punition sévère* (syn. : INFLIGER). *Le professeur imposa silence à la classe* (= fit taire). *Imposer des règles de stationnement rigoureuses* (syn. : FIXER). *L'ouvrage qui m'est imposé est pénible* (syn. : EXIGER DE, PRESCRIRE). *Je ne vous impose pas de terminer ce travail avant ce soir* (syn. : CONTRAINDRE, FORCER). *Imposer ses idées à son entourage.* — **2°** *Imposer le respect,* provoquer, inspirer des sentiments de respect. — **3°** *Imposer les mains sur la tête à quelqu'un,* les lui poser sur la tête pour le bénir, pour lui conférer certains sacrements (relig.). ◆ v. intr. **1°** *En imposer,* commander le respect, la crainte, l'admiration : *Il finit par en imposer à tous par son assurance* (syn. : IMPRESSIONNER). *Son intelligence en impose.* — **2°** *S'en laisser imposer,* se laisser tromper par des apparences faussement remarquables : *Ne vous en laissez pas imposer par ses discours, par son train de vie.* ◆ ***s'imposer*** v. pr. **1°** (sujet nom de chose) Devenir une obligation pressante : *La plus grande prudence s'impose sur la route. Le recours à la force ne s'impose pas* (= n'est pas obligatoire). — **2°** (sujet nom de personne) *S'imposer quelque chose,* s'en faire une obligation, une règle : *Il s'impose de ne jamais intervenir dans les affaires privées des autres. S'imposer une promenade à pied chaque jour.* — **3°** Se faire reconnaître, admettre par sa valeur; se faire accepter par une contrainte morale : *Il s'impose comme le meilleur joueur de tennis actuel. Il s'impose par ses qualités de travail et de sérieux. Il a réussi à s'imposer dans cette famille* (péjor. = y faire la loi). ◆ **imposant, e** adj. (avant ou après le nom). **1°** Se dit de choses qui impressionnent par la grandeur, le nombre, la force : *Une taille imposante. Le nombre imposant des assistants. Une foule imposante* (syn. : [illegible]). *Un imposant service d'ordre avait été mis en place* (syn. : CONSIDÉRABLE). *La mise en scène imposante de ce film* (syn. : GRANDIOSE). — **2°** Se dit ironiq. d'une personne corpulente : *Imposante paysanne.* ◆ **imposition** n. f. Action d'imposer les mains.

2. imposer [ɛ̃poze] v. tr. **1°** Faire payer par voie d'autorité, prélever une contribution, une taxe sur des produits, des revenus, pour assurer le fonctionnement du budget de l'Etat : *Imposer une taxe sur le chiffre d'affaires. Imposer lourdement les gros revenus* (syn. : FRAPPER). — **2°** Déterminer le montant de la contribution levée sur quelqu'un, sur une collectivité : *Imposer les salariés. Imposer les communes* (syn. : TAXER). ◆ **imposable** adj. : *La part du revenu imposable* (= qui doit être soumise à l'impôt). *Les personnes imposables* (= qui peuvent être assujetties à l'impôt). ◆ **imposition** n. f. : *Le gouvernement réexamine les conditions générales de l'imposition.* ◆ **impôt** [ɛ̃po] n. m. Contribution, taxe levée sur des revenus, des transactions, des produits, etc., pour assurer le fonctionnement du budget de l'Etat ou des collectivités locales : *L'impôt foncier* (= sur la propriété foncière). *L'impôt sur le revenu est un impôt direct. L'impôt sur les apéritifs est un impôt indirect. Augmenter les impôts* (syn. : CONTRIBUTION). *Produit dégrevé d'impôts* (syn. : TAXE). *Faire sa déclaration d'impôts. Exonérer de l'impôt une catégorie de contribuables. Payer l'impôt. L'impôt du sang* (= l'obligation de servir à l'armée).

impossible adj. V. POSSIBLE.

imposture [ɛ̃pɔstyr] n. f. Action de tromper par de fausses apparences, en particulier tromperie de celui qui cherche à se faire passer pour ce qu'il n'est pas : *Renommée qui repose sur une imposture* (syn. : MYSTIFICATION). *Cette affirmation n'est qu'une imposture* (syn. : MENSONGE). *Etre dupe de l'imposture d'un charlatan.* ◆ **imposteur** n. m.

impôt n. m. V. IMPOSER 2.

impotent, e [ɛ̃pɔtɑ̃, -ɑ̃t] adj. et n. Se dit de quelqu'un qui ne peut se mouvoir ou qui a une extrême difficulté à marcher, à remuer les membres; se dit aussi parfois des membres eux-mêmes : *Un vieillard impotent* (syn. : INFIRME). *Les rhumatismes l'ont rendu impotent* (syn. : PERCLUS). *Depuis son attaque, il a le bras droit impotent* (syn. : PARALYSÉ).

impraticable adj. V. PRATIQUER.

imprécation [ɛ̃prekasjɔ̃] n. f. Malédiction proférée contre quelqu'un, souhait de malheur (littér.) : *Se répandre en imprécations* (syn. : JURON). *Les imprécations des personnages tragiques* (syn. : ANATHÈME).

imprécis, e adj. V. PRÉCIS.

imprégner [ɛ̃preɲe] v. tr. **1°** (sujet nom désignant un liquide, une odeur) *Imprégner quelque chose,* pénétrer un corps (souvent au passif) : *Tissu imprégné d'eau* (syn. : IMBIBER). *Tampon imbibé d'alcool* (syn. : HUMECTER). *Mouchoir imprégné de lavande.* — **2°** *Imprégner quelqu'un,* le pénétrer d'une manière profonde, décisive (souvent au passif) : *Il était tout imprégné de son souvenir* (syn. : ENVAHIR). *Son enfance fut imprégnée par l'atmosphère heureuse de la maison* (syn. : MARQUER). *Etre imprégné des préjugés de sa classe* (syn. : ÊTRE IMBU). ◆ ***s'imprégner*** v. pr. : *Les prairies se sont* *imprégnées d'humidité. S'imprégner d'une langue étrangère en séjournant dans le pays* (syn. : APPRENDRE, ASSIMILER). ◆ **imprégnation** n. f. : *L'imprégnation de la terre par la pluie. La lente imprégnation d'un esprit par les idées de son milieu.*

imprésario [ɛ̃presarjo] n. m. Celui qui s'occupe des engagements d'un artiste (chanteur, artiste de music-hall, vedette de cinéma, etc.), qui organise des spectacles moyennant un pourcentage sur les contrats ou les bénéfices.

imprescriptible adj. V. PRESCRIPTION 2.

1. impression n. f. V. IMPRIMER 1 et 2.

2. impression [ɛ̃presjɔ̃] n. f. 1° Effet produit dans l'esprit de quelqu'un par un phénomène quelconque; réaction morale, sentimentale devant un fait, une personne : *Produire une vive impression* (= émouvoir). *Il m'a fait une bonne, une mauvaise impression. Ce spectacle a fait une grosse impression sur les jeunes* (syn. : SENSATION). *Cela m'a laissé une impression de tristesse* (syn. : SENTIMENT). *Ressentir une impression de calme* (syn. : SENSATION). *Quelle est votre impression sur lui?* (= que pensez-vous de lui?). *Raconter ses impressions de voyage.* — 2° *Avoir l'impression de* (et l'infin.), *que* (et l'indic.), *de* (et un nom), avoir le sentiment vrai ou faux de, que : *Il a l'impression que l'on se moque de lui. On a l'impression d'un dialogue de sourds entre les adversaires.* ‖ *Donner l'impression de* (et l'infin.), inspirer la croyance, le sentiment vrai ou faux de : *Ce livre me donne l'impression d'avoir été écrit rapidement. Il donne l'impression d'être très occupé en ce moment.* ‖ *Faire impression,* susciter un grand intérêt, provoquer l'admiration, l'étonnement : *Sa déclaration a fait grande impression.* ◆ **impressionner** v. tr. 1° *Impressionner quelqu'un,* produire une vive impression sur lui : *La nouvelle nous a beaucoup impressionnés* (syn. : AFFECTER, FRAPPER). *Je suis impressionné par la force de ses arguments* (syn. : ÉBRANLER). *Elle s'est laissé impressionner par sa désinvolture apparente* (syn. : INFLUENCER). *Vos menaces ne m'impressionnent pas* (syn. : TOUCHER, INTIMIDER). — 2° *Impressionner une pellicule photographique,* y laisser une image. ◆ **impressionnable** adj. : *Cet enfant est très impressionnable* (syn. : ÉMOTIF, SENSIBLE). ◆ **impressionnant, e** adj. Qui agit vivement sur la sensibilité, par sa grandeur, son importance, etc. : *Déployer des forces militaires impressionnantes* (syn. : IMPOSANT). *Une démonstration impressionnante* (syn. : CONVAINCANT). *Le spectacle impressionnant de la mer déchaînée* (syn. : GRANDIOSE, EFFRAYANT). ◆ **impressionnisme** n. m. Forme d'art (surtout peinture) qui consiste à traduire l'impression ressentie et non à représenter objectivement la réalité. ◆ **impressionniste** adj. et n. : *Monet, Renoir, Degas, Seurat sont des peintres impressionnistes.*

imprévisible adj., **imprévision** n. f., **imprévoyant, e** adj. V. PRÉVOIR.

1. imprimer [ɛ̃prime] v. tr. 1° *Imprimer un mouvement, une pression,* etc., les communiquer, les transmettre : *Imprimer un mouvement de rotation à un mécanisme. Modifier la direction jusqu'ici imprimée à des recherches, à une politique.* — 2° *Imprimer une empreinte, une marque,* etc., *dans quelque chose,* l'y faire, l'y laisser par pression : *Les chasseurs ont imprimé leurs empreintes dans la boue. Imprimer la marque de ses doigts sur une serviette. L'âge et les malheurs ont imprimé de profondes rides sur son visage* (littér.). ◆ **impression** n. f. Sens 2 du verbe : *L'impression des pas sur la neige* (syn. : MARQUE).

2. imprimer [ɛ̃prime] v. tr. 1° Reporter sur du papier, du tissu, etc., un texte, un dessin, par pression d'une surface portant des caractères, des clichés enduits d'encre, selon les techniques de l'imprimerie : *Le livre a été imprimé à Tours. Imprimer un ouvrage en tel ou tel caractère. Remplir une formule imprimée pour sa déclaration d'impôts. On lui imprima le visa d'entrée sur son passeport. Imprimer un cachet sur une carte d'identité. Une étoffe imprimée.* — 2° Peut s'employer pour « faire paraître, publier un ouvrage, un livre, un article » : *Imprimer un romancier à la mode. Le journal peut tout imprimer* (syn. : EXPRIMER). ◆ ***s'imprimer*** v. pr. Etre imprimé : *Son ouvrage s'imprime chez Larousse.* ◆ **imprimé** n. m. Livre, brochure, formule administrative : *Des imprimés distribués gratuitement pour les déclarations d'impôts. Le département des imprimés à la Bibliothèque nationale. La distribution des imprimés par le facteur.* ◆ **imprimerie** n. f. Technique de reproduction de textes, de dessins, etc.; établissement industriel où l'on imprime : *Les caractères d'imprimerie. Envoyer un manuscrit à l'imprimerie. Les épreuves sont revenues de l'imprimerie.* ◆ **imprimeur** n. m. Propriétaire, directeur d'une imprimerie; professionnel de l'imprimerie. ◆ **impression** [ɛ̃presjɔ̃] n. f. : *Le livre est à l'impression* (= on est en train de l'imprimer). *Impression de billets de banque. Les frais d'impression d'un ouvrage. Les fautes d'impression.*

improbable adj. V. PROBABLE; **improductif, ive** adj. V. PRODUIRE.

impromptu, e [ɛ̃prɔ̃(p)ty] adj. Qui n'a pas été préparé, qui est fait sur-le-champ selon les nécessités : *Un dîner impromptu. On lui réclama un exposé impromptu sur son sujet favori. Une visite impromptue.* ◆ adv. : *Arriver impromptu chez un ami* (syn. : À L'IMPROVISTE).

impropre adj., **impropriété** n. f. V. PROPRE.

improviser [ɛ̃provize] v. tr. *Improviser quelque chose,* le composer, l'organiser sur-le-champ, rapidement, sans préparation préalable : *Improviser un discours à la fin d'un repas officiel. Elle dut improviser un dîner pour les amis de son mari. Improviser une excuse.* ◆ v. intr. : *Improviser au piano. On n'improvise pas dans de telles circonstances. Rien n'avait été prévu : le gouvernement dut improviser.* ◆ ***s'improviser*** v. pr. Etre fait rapidement : *Les secours s'improvisèrent* (syn. : S'ORGANISER). *On ne s'improvise pas maçon ou peintre aussi facilement* (= on ne devient pas). ◆ **improvisé, e** adj. : *Des réformes improvisées* (syn. : DE FORTUNE, HÂTIF). ◆ **improvisation** n. f. : *Il se fie trop à ses dons d'improvisation. Se lancer dans une improvisation maladroite. Jouer une courte improvisation à l'orgue.* ◆ **improvisateur, trice** n. : *Il a un réel talent d'improvisateur.*

imprudent, e adj. V. PRUDENT; **impubère** adj. V. PUBERTÉ.

impudent, e [ɛ̃pydɑ̃, -ɑ̃t] adj. et n. D'une insolence poussée au cynisme : *Un impudent qui ne rougit pas de contredire la vérité* (syn. : CYNIQUE, EFFRONTÉ). *Un mensonge impudent* (syn. : INSOLENT). ◆ **impudence** n. f. : *Mentir avec impudence* (syn. : CYNISME, ↓ EFFRONTERIE). *L'impudence d'un jeune blanc-bec* (syn. : AUDACE, APLOMB).

impudeur n. f. V. PUDEUR; **impudique** adj., **impudicité** n. f. V. PUDIQUE; **impuissant, e** adj. V. PUISSANT.

impulsion [ɛ̃pylsjɔ̃] n. f. 1° Mouvement communiqué à un corps, à un organisme, etc., par une force quelconque : *Ces mesures donnèrent une nouvelle impulsion au commerce extérieur. Sous l'impulsion des dirigeants, le club prit de l'extension.* — 2° Force, penchant irrésistible qui pousse quelqu'un à une action : *Agir sous l'impulsion de la vengeance. Céder à des impulsions irréfléchies* (syn. : ÉLAN). *Se laisser aller à des impulsions aveugles* (syn. : ENTRAÎNEMENT, TENDANCE). *Une impulsion morbide* (syn. : INSTINCT). ◆ **impulser** v. tr. Diriger dans un certain sens (emploi limité). ◆ **impulsif, ive** adj. et n. Qui agit sans réfléchir, d'une manière spontanée; qui cède à ses tendances : *C'est un garçon impulsif, dont le premier mouvement est toujours généreux* (syn. : FOUGUEUX). *Il a les vives réactions d'un impulsif* (syn. : EMPORTÉ). ◆ **impulsivité** n. f.

impunément adv., **impuni, e** V. PUNIR; **impur, e** adj., **impureté** n. f. V. PUR.

imputer [ɛ̃pyte] v. tr. 1° *Imputer une chose à quelqu'un* ou *à quelque chose,* en attribuer la responsabilité à quelqu'un, à quelque chose; désigner quelqu'un comme l'auteur d'un acte : *Le crime fut imputé à un rôdeur* (syn. : ATTRIBUER). *On impute l'échec des négociations au mauvais vouloir d'une des délégations* (syn. : RENDRE RESPONSABLE DE). — 2° Mettre au compte d'un chapitre particulier d'un budget (langue financière) : *Les dépenses nouvelles furent imputées aux frais généraux.* ◆ **imputable** adj. : *Le déficit est imputable à une baisse notable des ventes. Cette erreur est imputable à son inexpérience.* ◆ **imputation** n. f. : *Vos imputations sont calomnieuses* (syn. : ALLÉGATION). *Se justifier des imputations sans preuve dont on est l'objet* (syn. : ACCUSATION). *L'imputation d'un chèque à un compte.*

> **in-**, préfixe joint à un grand nombre d'adjectifs (de substantifs et de verbes dérivés), pour indiquer la privation, la négation, le contraire, et qui peut prendre, en s'assimilant à la consonne suivante, les formes *il-, im-, ir- : illisible, imbattable, inachevé, inaudible, incohérent, indéfini, indépendant, irréfléchi,* etc. Il peut entrer en concurrence avec le préfixe *a(n)- : amoral (immoral).* [V. au mot simple les termes formés avec le préfixe *in-*.]

inabordable adj. V. ABORDER; **inacceptable** adj. V. ACCEPTER; **inaccessible** adj. V. ACCESSIBLE; **inaccoutumé, e** adj. V. ACCOUTUMER; **inachevé, e** adj. V. ACHEVER 1; **inactif, ive** adj. V. ACTIF 1; **inaction** n. f. V. ACTION 1; **inactuel, elle** adj. V. ACTUEL; **inadapté, e** adj. V. ADAPTER; **inadéquat, e** adj. V. ADÉQUAT; **inadmissible** adj. V. ADMETTRE.

inadvertance [inadvɛrtɑ̃s] n. f. 1° Ce qui est le résultat de l'inattention, de l'étourderie (langue soignée) : *Ces fautes d'orthographe ne sont que des inadvertances, qui ne seront plus commises.* — 2° *Par inadvertance,* par inattention : *Cette sottise lui a échappé par inadvertance* (syn. : PAR MÉGARDE).

inaliénable adj. V. ALIÉNER; **inaltérable** adj. V. ALTÉRER 2; **inamical, e, aux** adj. V. AMI; **inamovible** adj. V. AMOVIBLE.

inanité [inanite] n. f. Qualité de ce qui est inutile, sans objet : *L'inanité des efforts déployés le découragea* (syn. : VANITÉ, INUTILITÉ). *Il fut frappé par l'inanité de la querelle* (syn. : FUTILITÉ).

inanition [inanisjɔ̃] n. f. *Mourir, tomber d'inanition,* mourir, s'évanouir épuisé par le manque de nourriture.

inaperçu, e [inapɛrsy] adj. Qui échappe aux regards : *Passer inaperçu.* (V. APERCEVOIR.)

inapplication n. f. V. APPLIQUER 2 et 3; **inappliqué, e** adj. V. APPLIQUER 3; **inappréciable** adj. V. APPRÉCIER; **inapte** adj., **inaptitude** n. f. V. APTE; **inarticulé, e** adj. V. ARTICULER 1; **inassouvi, e** adj. V. ASSOUVIR; **inattaquable** adj. V. ATTAQUER 1; **inattendu, e** adj. V. ATTENDRE; **inattention** n. f. V. ATTENTION; **inaudible** adj. V. AUDIBLE.

inaugurer [inogyre] v. tr. 1° Procéder, par une cérémonie solennelle, à la mise en service d'un édifice; consacrer solennellement un monument : *Le ministre est venu inaugurer l'exposition agricole. Le maire inaugura la nouvelle école.* — 2° Marquer le début de quelque chose; entreprendre pour la première fois (avec l'adj. *nouveau*) : *Inaugurer une nouvelle politique.* ◆ **inaugural, e, aux** adj. : *La séance inaugurale d'un congrès. Prononcer le discours inaugural.* ◆ **inauguration** n. f. Surtout au sens 1 du verbe : *L'inauguration d'un groupe d'immeubles, d'une ligne aérienne. La cérémonie d'inauguration. Un discours d'inauguration.*

inavouable adj. V. AVOUER; **incalculable** adj. V. CALCUL 2.

incandescent, e [ɛ̃kɑ̃desɑ̃, -ɑ̃t] adj. Devenu blanc ou rouge vif, sous l'effet d'une très haute température : *Une coulée de métal incandescent. Des charbons incandescents.* ◆ **incandescence** n. f. : *Le filament de la lampe porté à l'incandescence.*

incantation [ɛ̃kɑ̃tasjɔ̃] n. f. Chant, formule, etc., auxquels on attribue le pouvoir d'agir sur les éléments, les esprits, etc. : *La mélopée ressemblait à une incantation magique.* ◆ **incantatoire** adj. : *Des paroles incantatoires.*

incapable adj. V. CAPABLE 1 et 2; **incapacité** n. f. V. CAPABLE 2.

incarcérer [ɛ̃karsere] v. tr. *Incarcérer quelqu'un,* le mettre en prison (langue admin.) : *Etre incarcéré à Fresnes. Après l'avoir inculpé, le juge d'instruction le fit incarcérer* (syn. : EMPRISONNER). ◆ **incarcération** n. f. : *Donner l'ordre d'incarcération* (syn. : EMPRISONNEMENT).

incarnat [ɛ̃karna] adj. invar. D'un rouge vif : *Des tentures incarnat.*

incarner [ɛ̃karne] v. tr. 1° Donner une forme matérielle et visible à quelque chose : *Le magistrat incarne la justice. La Commune incarnait les espoirs des classes pauvres en 1871. Ce roman incarne les nouvelles tendances littéraires* (syn. : REPRÉSENTER). — 2° (sujet nom désignant un acteur) *Incarner un rôle,* interpréter ce rôle au cinéma, au théâtre : *Elle incarne à la scène les ingénues du théâtre de Marivaux.* — 3° *C'est le diable incarné,* se dit d'une personne très méchante ou qui fait beaucoup de bruit. ‖ *C'est la jalousie, le vice incarné,* il est extrêmement jaloux, vicieux, etc. (syn. : C'EST LA JALOUSIE, LE VICE FAIT HOMME). ◆ ***s'incarner*** v. pr. Se matérialiser : *Tous nos espoirs s'incarnent maintenant en* *lui* (= sont représentés par lui). [Le verbe a un emploi religieux : « revêtir un corps charnel », en parlant de Dieu.] ◆ **incarnation** n. f. : *Cet homme est l'incarnation de la bienveillance, de la générosité, du dévouement* (syn. : PERSONNIFICATION). [Le mot a un emploi surtout religieux : *L'incarnation du Christ.*] ◆ **désincarner (se)** v. pr. ou **être désincarné** v. passif. Avoir perdu tout sentiment d'humanité : *Dans la solitude, il s'est en quelque sorte désincarné.* ◆ **réincarner** v. tr. : *Il a réincarné à l'écran le rôle que tenait avec tant de talent cet acteur disparu.* ◆ **réincarnation** n. f.

incartade [ɛ̃kartad] n. f. Léger écart de conduite, de langage : *Pardonnez-moi cette incartade* (syn. : ERREUR). *Les incartades de la jeunesse* (syn. : FAUTES). *A la moindre incartade, vous serez sévèrement puni* (syn. : ↓ PECCADILLE).

incassable adj. V. CASSER 1.

incendie [ɛ̃sɑ̃di] n. m. Grand feu, qui cause de grandes destructions en se propageant : *Les pompiers ont été appelés pour un incendie* (syn. : SINISTRE). *Incendie de forêt dû à l'imprudence* (syn. : ↓ FEU). *Maîtriser, circonscrire un incendie. On voyait les flammes de l'incendie à des kilomètres* (syn. : ↑ BRASIER). [Le mot peut avoir des emplois imagés (littér.) : *L'incendie de la guerre, de la révolte*, etc.] ◆ **incendiaire** n. Qui allume volontairement un incendie : *Le tribunal punit sévèrement les incendiaires.* ◆ adj. 1° Propre à causer un incendie : *Une bombe incendiaire.* — 2° Propre ou destiné à enflammer les esprits, à pousser à la révolte : *Tenir des propos incendiaires* (syn. : SÉDITIEUX). *Des écrits incendiaires.* ◆ **incendier** v. tr. 1° *Incendier quelque chose*, y mettre le feu, le détruire par le feu (souvent au passif) : *Les émeutiers ont incendié une voiture* (syn. : BRÛLER). *Plusieurs hectares de forêt ont été incendiés.* — 2° Fam. *Se faire incendier par quelqu'un*, être accablé par lui de reproches. (Les emplois imagés « éclairer d'une vive lueur », « colorer » sont littéraires.)

incertain, e adj., **incertitude** n. f. V. CERTAIN 1 ; **incessant, e** adj. V. CESSER.

incessamment [ɛ̃sesamɑ̃] adv. D'un instant à l'autre, immédiatement (dans le futur) : *Les travaux commenceront incessamment. Il arrivera incessamment* (syn. : TRÈS BIENTÔT). *Nous aurons des nouvelles incessamment* (syn. : SOUS PEU).

inceste [ɛ̃sɛst] n. m. Rapport sexuel entre un homme et une femme qui sont parents proches par le sang : *Coupable d'inceste.* ◆ **incestueux, euse** adj. 1° Qui a commis un inceste ; qui constitue un inceste : *Un couple incestueux. Un amour incestueux entre frère et sœur.* — 2° Issu d'un inceste : *Un fils incestueux.*

inchangé, e adj. V. CHANGER.

inchoatif [ɛ̃kɔatif] n. m. Verbe qui exprime un commencement de l'action (*verdir, enlaidir*, etc.).

incidence [ɛ̃sidɑ̃s] n. f. Conséquence que peut avoir un fait précis sur le déroulement d'une affaire, sur un phénomène : *L'incidence de la hausse des prix sur le pouvoir d'achat* (syn. : RÉPERCUSSION). *Vous n'avez pas envisagé les incidences de votre décision* (syn. : EFFET).

1. incident, e [ɛ̃sidɑ̃, -ɑ̃t] adj. Qui se produit par hasard, d'une manière accessoire, secondaire : *Faire une observation incidente* (= ouvrir une parenthèse). ◆ **incidemment** adv. : *Je vous rappellerai incidemment la promesse que vous m'aviez faite* (syn. : ENTRE PARENTHÈSES). *Ils parlèrent incidemment de leurs souvenirs communs, mais sans s'y attarder* (syn. : ACCIDENTELLEMENT).

2. incident [ɛ̃sidɑ̃] n. m. 1° Événement fâcheux, qui survient au cours d'une action, d'une affaire, et qui en trouble souvent le déroulement : *Un incident imprévu interrompit notre voyage. Le moindre incident peut ruiner l'entreprise. A la suite de cet incident, ils sont restés fâchés. Tout s'est déroulé sans incident* (= normalement). — 2° Difficulté peu importante, mais dont les conséquences peuvent être graves : *Un incident diplomatique. L'avocat a soulevé un incident en protestant contre la procédure suivie.*

incinérer [ɛ̃sinere] v. tr. Réduire en cendres : *Faire incinérer un cadavre.* ◆ **incinération** n. f. : *L'incinération des ordures.*

incise [ɛ̃siz] n. f. Phrase de peu d'étendue, formant une sorte de parenthèse dans une phrase plus longue, à l'intérieur d'un récit, pour évoquer une réflexion, rappeler le personnage qui s'exprime, etc. (Ex. : *Il était*, JE PENSE, *parfaitement inconscient de la bévue qu'il venait de faire.*)

inciser [ɛ̃size] v. tr. Fendre avec un instrument tranchant : *Inciser l'écorce d'un arbre pour le greffer* (syn. : ENTAILLER). *Inciser la peau* (syn. : SCARIFIER). ◆ **incision** n. f. : *Pratiquer une incision.*

incisif, ive [ɛ̃sizif, -iv] adj. Qui va droit au but, d'une manière mordante, acerbe : *Une repartie, une réponse incisive. Son ironie est incisive* (syn. : ACÉRÉ). *Un regard incisif.*

incisive [ɛ̃siziv] n. f. Chacune des dents situées sur le devant de chaque mâchoire : *L'homme a huit incisives.* (V. CANINE, MOLAIRE.)

inciter [ɛ̃site] v. tr. *Inciter quelqu'un à quelque chose, à faire quelque chose*, l'y pousser, l'y encourager : *Ce premier succès l'incita à persévérer. Je l'incitais à oublier son ressentiment* (syn. : EXHORTER). *Une publicité tapageuse incite le client à des achats même inutiles* (syn. : ENGAGER, INVITER). ◆ **incitation** n. f. : *Le journal fut condamné pour incitation à l'assassinat* (syn. : APPEL). *Incitation à la violence* (syn. : EXCITATION).

incivil, e adj., **incivilité** n. f. V. CIVIL 2 ; **inclémence** n. f. V. CLÉMENT.

1. incliner [ɛ̃kline] v. tr. *Incliner quelque chose*, le mettre dans une position faisant un angle avec un plan ; le porter vers le bas, de côté : *Incliner la tête* (syn. : PENCHER). *Le vent incline la cime des arbres* (syn. : COURBER). *Incliner le front vers le sol* (syn. : BAISSER). *La tête inclinée sur l'épaule. Incliner la bouteille pour verser du vin. Le navire fait eau et il est fortement incliné* (= donner de la bande). *Un plan incliné* (syn. : OBLIQUE). ◆ v. intr. et ***s'incliner*** v. pr. Etre placé obliquement par rapport à un plan : *Le mur incline* ou *s'incline dangereusement* (syn. : PENCHER). *Les tiges inclinent* ou *s'inclinent vers le sol.* ◆ ***s'incliner*** v. pr. Donner des marques de respect, de politesse, en particulier en courbant la tête, le corps : *S'incliner profondément pour saluer. S'incliner devant l'autel* (syn. : ↑ SE PROSTERNER). *Je m'incline devant votre chagrin.* ◆ **inclinaison** [ɛ̃klinezɔ̃] n. f. : *L'inclinaison de la route* (syn. : PENTE). *L'inclinaison de la voie ferrée* (syn. : COURBE). *L'inclinaison de la tête.*

2. incliner [ɛ̃kline] v. tr. *Incliner quelqu'un à faire quelque chose, à une chose,* l'y pousser, l'y inciter : *Son passé l'incline à pardonner cette faute* (syn. : PORTER). *Cela m'incline à croire, à penser qu'il réussira. Sa meilleure conduite incline le professeur à l'indulgence.* ◆ v. intr. (sujet nom de personne) Etre poussé vers quelque chose; avoir du penchant pour : *J'incline à accepter son offre* (syn. : PENCHER). *Il incline vers les solutions extrêmes* (syn. : TENDRE VERS). ◆ ***s'incliner*** v. pr. Renoncer à la lutte, à la discussion, en s'avouant vaincu : *S'incliner devant les arguments donnés* (syn. : CÉDER). *S'incliner devant les faits. Dans les derniers cent mètres, tous les autres concurrents durent s'incliner devant lui; il était réellement le plus fort* (syn. : SE RÉSIGNER; fam. : BAISSER LES BRAS). ◆ **inclination** n. f. 1° Sens 2 du v. tr. : *Avoir de l'inclination pour la musique* (syn. : GOÛT). *Montrer de l'inclination pour quelqu'un* (syn. : AMOUR). — 2° *Faire une inclination de tête,* faire un signe de la tête pour saluer ou pour approuver.

inclure [ɛ̃klyr] v. tr. (conj. 68). 1° *Inclure une chose,* la mettre dans une autre chose, de telle sorte qu'elle y soit contenue : *Inclure un nom dans une liste. Inclure un nouveau chapitre dans un livre* (syn. : INTRODUIRE). *Inclure un chèque dans une lettre* (syn. : INSÉRER). *Incluez cette dépense dans les frais généraux.* — 2° *Inclure quelque chose,* entraîner comme conséquence nécessaire : *Cette acceptation inclut pour vous que vous partagiez les risques de l'entreprise* (syn. : IMPLIQUER). ◆ **inclus, e** adj. : *Apprenez jusqu'à la troisième leçon incluse* (syn. : COMPRIS). ‖ *Ci-inclus,* v. à son ordre alphab. ◆ **inclusif, ive** adj. Qui contient en soi : *La première personne du pluriel est dite inclusive quand « nous » se substitue à « je » et « tu »* (contr. : EXCLUSIF). ◆ **inclusivement** adv. En comprenant ce qui est dit : *Du premier au sixième chapitre inclusivement, l'auteur fait l'historique du problème* (syn. : Y COMPRIS; contr. : EXCLUSIVEMENT). ◆ **inclusion** n. f. : *L'inclusion de ce paragraphe ne peut se faire sans un remaniement complet de la page* (syn. : INTRODUCTION).

incoercible [ɛ̃kɔɛrsibl] adj. Qu'on ne peut retenir, réprimer (dans quelques express.) : *Un rire incoercible* (syn. : FOU RIRE). *Une toux incoercible. Un désir incoercible.*

incognito [ɛ̃kɔɲito] adv. Sans se faire connaître, d'une manière non officielle; sans révéler sa véritable identité : *Ce chef d'Etat a fait un voyage incognito à l'étranger. Descendre incognito dans un hôtel* (syn. : SECRÈTEMENT). ◆ n. m. Situation d'une personne qui cache son identité : *Garder l'incognito. Laisser l'incognito à un personnage mêlé à cette triste affaire* (= garder secrète son identité).

incohérent, e adj. V. COHÉRENT; **incolore** adj. V. COULEUR.

incomber [ɛ̃kɔ̃be] v. tr. ind. *Incomber à quelqu'un,* lui appartenir, en parlant d'une charge, d'une responsabilité : *C'est à vous qu'incombe le devoir de prévenir la famille* (syn. : REVENIR À). *Ces réparations incombent au propriétaire de la maison* (syn. : RETOMBER SUR).

incombustible adj. V. COMBUSTION.

incommensurable [ɛ̃kɔmmɑ̃syrabl] adj. Se dit de ce qui est si grand qu'il ne peut être mesuré : *Une foule incommensurable se pressait sur les quais de la gare* (syn. : INNOMBRABLE, ÉNORME, IMMENSE). *Il est d'une bêtise incommensurable* (syn. : ILLIMITÉ). ◆ **incommensurablement** adv.

incommode adj., **incommoder** v. tr. V. COMMODE 7; **incommunicable** adj. V. COMMUNIQUER; **incomparable** adj. V. COMPARER; **incompatible** adj. V. COMPATIBLE; **incompétent, e** adj. V. COMPÉTENT; **incomplet, ète** adj. V. COMPLET 1; **incompréhensible** adj. V. COMPRENDRE 2; **incompressible** adj. V. COMPRIMER; **incompris, e** adj. V. COMPRENDRE 2; **inconcevable** adj. V. CONCEVOIR 2; **inconciliable** adj. V. CONCILIER; **inconditionnel, elle** adj. V. CONDITION 1; **inconduite** n. f. V. CONDUIRE (SE) 2; **inconfortable** adj. V. CONFORT.

incongru, e [ɛ̃kɔ̃gry] adj. Contraire à la bienséance, aux règles du savoir-vivre, aux convenances : *Faire une réponse incongrue* (syn. : DÉPLACÉ). *Un bruit incongru* (syn. : INCONVENANT). ◆ **incongruité** n. f. : *Commettre une incongruité.*

inconnu, e adj. V. CONNAÎTRE; **inconscient, e** adj. et n. m. V. CONSCIENCE; **inconséquent, e** adj. V. CONSÉQUENCE.

inconsidéré, e [ɛ̃kɔ̃sidere] adj. Se dit de quelqu'un (ou de son comportement) qui agit sans réflexion : *Une remarque inconsidérée* (syn. : IRRÉFLÉCHI). ◆ **inconsidérément** adv. : *Agir inconsidérément* (= avec étourderie).

inconsistant, e adj. V. CONSISTANT; **inconsolable** adj. V. CONSOLER; **inconstant, e** adj. V. CONSTANT; **inconstitutionnel, elle** adj. V. CONSTITUTION 2; **incontestable** adj. V. CONTESTER.

1. incontinent, e adj., **incontinence** n. f. V. CONTINENCE.

2. incontinent [ɛ̃kɔ̃tinɑ̃] adv. Sans le moindre retard (littér. et archaïque) : *Il ne demanda pas son reste et partit incontinent* (syn. : AUSSITÔT, IMMÉDIATEMENT, SUR-LE-CHAMP).

incontrôlé, e adj. V. CONTRÔLE; **inconvenant, e** adj. V. CONVENIR 2.

inconvénient [ɛ̃kɔ̃venjɑ̃] n. m. Ce qui est fâcheux, nuisible, dans une action ou une situation donnée; ce qui a un résultat désavantageux : *Cette décision présente de sérieux inconvénients* (syn. : DÉFAUT). *Le départ un samedi comporte plus d'inconvénients que d'avantages* (syn. : DÉSAVANTAGE). *On peut modifier sans inconvénient notre itinéraire de vacances* (syn. : MAL). *N'y a-t-il pas d'inconvénient à laisser cet enfant jouer près de la rivière?* (syn. : RISQUE, ↑ DANGER).

inconvertible adj. V. CONVERTIR 2.

incorporer [ɛ̃kɔrpɔre] v. tr. 1° *Incorporer une chose,* la faire entrer en composition avec une autre; mêler intimement deux ou plusieurs choses, de façon à former un tout : *Incorporer dans une rédaction un développement nouveau. Territoires étrangers incorporés dans un empire* (syn. : ANNEXER, INTÉGRER). — 2° *Incorporer des recrues,* les affecter à un corps de troupes : *Les soldats appelés sont incorporés dans des régiments.* ◆ ***s'incorporer*** v. pr. Entrer dans un tout : *Il n'a pas réussi à s'incorporer à notre petit groupe d'amis.* ◆ **incorporation** n. f. : *L'incorporation de l'Autriche à l'Allemagne en 1938* (syn. : ANNEXION). *L'incorporation d'une indemnité au traitement. Obtenir un sursis d'incorporation.* ◆ **réincorporer** v. tr. ◆ **réincorporation** n. f.

incorrect, e adj. V. CORRECT; **incorrigible** adj. V. CORRIGER; **incorruptible** adj. V. CORROMPRE; **incrédule** adj. V. CRÉDULE; **increvable** adj. V. CREVER.

incriminer [ɛ̃krimine] v. tr. 1° *Incriminer quelqu'un,* le rendre responsable d'un acte blâmable, le mettre en cause : *On l'avait incriminé à tort dans un vol.* — 2° *Incriminer la conduite, les actions de quelqu'un,* les attaquer comme blâmables : *Ses articles dans la presse sont incriminés. On incriminera sa bonne foi* (syn. : SUSPECTER). ◆ **incriminable** adj. : *Sa conduite n'est pas incriminable.*

incroyant, e adj. V. CROIRE.

incruster [ɛ̃kryste] v. tr. 1° Insérer des fragments d'une matière dans une autre pour former des ornements (souvent au passif) : *Manche de poignard incrusté d'ivoire.* — 2° *Etre incrusté,* être couvert d'un dépôt pierreux : *Le radiateur de la voiture est incrusté et refroidit mal.* ◆ ***s'incruster*** v. pr. Fam. *S'incruster (chez quelqu'un),* rester chez lui, s'y installer d'une manière prolongée et inopportune : *Voilà un mois qu'il s'incruste ici sans qu'on puisse le faire partir* (syn. : S'ENRACINER). ◆ **incrustation** n. f. : *Une tablette avec des incrustations d'ivoire.*

incubation [ɛ̃kybasjɔ̃] n. f. 1° Action des oiseaux qui couvent leurs œufs. — 2° Temps qui s'écoule entre le moment où les microbes s'introduisent dans l'organisme et celui où apparaissent les symptômes de la maladie. (V. COUVER.)

inculper [ɛ̃kylpe] v. tr. *Inculper quelqu'un,* l'accuser officiellement d'un crime ou d'un délit (jurid. et admin.) : *Le magistrat l'a inculpé d'homicide par imprudence.* ◆ **inculpé, e** n. : *L'inculpé a été écroué à la prison de la Santé, à Paris.* ◆ **inculpation** n. f. : *L'inculpation de meurtre a été retenue contre lui. Arrêté sous l'inculpation de vol.*

inculquer [ɛ̃kylke] v. tr. *Inculquer quelque chose à quelqu'un,* le lui faire entrer durablement dans l'esprit : *Inculquer à un élève les rudiments des mathématiques* (syn. : ENSEIGNER). *On lui inculqua de solides principes d'honnêteté et de loyauté* (syn. : APPRENDRE). *Il parvint à se débarrasser des idées fausses qu'on lui avait inculquées.*

inculte adj. V. CULTIVER 1 et 2; **incurable** adj. V. CURABLE.

incurie [ɛ̃kyri] n. f. Manque total de soin dans l'exécution d'une chose : *Faire preuve d'incurie* (syn. : LAISSER-ALLER). *Le retard du programme de fabrication est dû à l'incurie* (syn. : NÉGLIGENCE).

incursion [ɛ̃kyrsjɔ̃] n. f. 1° Invasion brutale, mais de peu de durée, dans un territoire étranger : *Incursion de troupes parachutées dans l'intérieur d'un pays ennemi* (syn. : RAID). — 2° Arrivée soudaine dans un lieu, causant des perturbations, du dérangement : *Les enfants ont encore fait une incursion dans mon bureau* (= ont fait irruption). *Les incursions de cars de touristes dans le paisible village.* — 3° *Faire une incursion dans un domaine qui n'est pas le sien,* y pénétrer momentanément.

incurver [ɛ̃kyrve] v. tr. Donner une forme courbe (surtout au passif) : *Incurver une tige de fer* (syn. : COURBER). *Les pieds incurvés du fauteuil. Ses joues incurvées sous les pommettes.* ◆ ***s'incurver*** v. pr. Prendre la forme d'une courbe : *La côte rocheuse s'incurve pour former une large baie. La route s'incurve pour contourner la montagne.*

indécent, e adj. V. DÉCENT.

indécis, e [ɛ̃desi, -siz] adj. et n. 1° Se dit d'une personne qui a de la peine à prendre un parti, à se décider : *Rester indécis devant la solution à adopter* (syn. : PERPLEXE). *Elle était indécise sur la robe qu'elle devait mettre* (syn. : EMBARRASSÉ). *Un caractère indécis* (syn. : IRRÉSOLU; contr. : DÉCIDÉ). *C'est un indécis dont on ne tirera jamais rien* (syn. : FAIBLE). — 2° Se dit d'une chose qui n'a pas reçu de solution, qui n'est pas sûre : *La victoire est indécise* (syn. : DOUTEUX, FLOTTANT). *La question reste indécise* (= non tranchée). *Une paix indécise* (syn. : INCERTAIN). *Le temps est indécis* (contr. : AU BEAU FIXE). — 3° Qu'il est difficile de reconnaître, d'apprécier, de définir : *Un sourire indécis* (syn. : INDÉFINISSABLE). *Donner une réponse indécise* (syn. : VAGUE, DILATOIRE). *Apercevoir dans l'obscurité une forme indécise* (syn. : INDISTINCT; contr. : NET, PRÉCIS). ◆ **indécision** n. f. : *Son indécision lui a fait perdre une excellente occasion* (syn. : HÉSITATION). *Mettre fin à son indécision* (syn. : DOUTE, IRRÉSOLUTION). *Laisser dans l'indécision sur ses intentions.*

indéclinable adj. V. DÉCLINER 2; **indécrottable** adj. V. CROTTÉ.

indéfectible [ɛ̃defɛktibl] adj. Se dit d'un sentiment qui dure toujours, qui ne cesse pas d'exister : *Il lui conserva un attachement indéfectible. Jurer une amitié, un amour indéfectible* (syn. : ÉTERNEL; (contr. : ÉPHÉMÈRE). ◆ **indéfectiblement** adv. : *Rester indéfectiblement attaché à un idéal.*

indélébile [ɛ̃delebil] adj. Que l'on ne peut effacer : *Cette tache de graisse sur le parquet est indélébile. Ecrire avec une encre indélébile* (syn. : INEFFAÇABLE). *Cet enseignement a laissé sur lui une impression indélébile* (syn. : INDESTRUCTIBLE).

indélicat, e [ɛ̃delika, -at] adj. Qui manque d'honnêteté : *Un employé indélicat* (syn. : MALHONNÊTE). ◆ **indélicatesse** n. f. : *Commettre une indélicatesse* (syn. : MALHONNÊTETÉ, ↑ ESCROQUERIE).

indemne [ɛ̃dɛmn] adj. Qui n'a éprouvé aucun dommage, qui n'a subi aucune blessure, à la suite d'un accident, d'une épreuve difficile, etc. : *Sortir indemne d'une collision de voitures* (syn. : SAIN ET SAUF; contr. : BLESSÉ).

indemnité [ɛ̃dɛmnite] n. f. 1° Somme d'argent donnée à quelqu'un en réparation d'un dommage subi, en compensation de certains frais : *Payer une indemnité* (syn. : DOMMAGES-INTÉRÊTS). *Indemnité de logement, de transport, de déplacement. Recevoir une indemnité de cherté de vie.* — 2° *Indemnité parlementaire,* émoluments que reçoivent les membres du Parlement. ◆ **indemniser** [ɛ̃dɛmnize] v. tr. *Indemniser quelqu'un,* lui payer une indemnité, le dédommager de ses pertes, de ses frais : *Indemniser un propriétaire exproprié, une personne accidentée. Les sinistrés ont été indemnisés.* ◆ **indemnisation** n. f. : *L'indemnisation des sinistrés.*

indépendant, e [ɛ̃depɑ̃dɑ̃, -ɑ̃t] adj. 1° Se dit d'une personne (ou de son comportement) qui n'est pas sous la dépendance, l'autorité d'une autre, qui a son autonomie : *Un peuple devenu depuis peu indépendant* (syn. : LIBRE, AUTONOME, SOUVERAIN). *Mener une existence indépendante.* — 2° Se dit de quelqu'un qui a le goût de la liberté, qui répugne à toute soumission : *Il est trop indépendant pour accepter ce métier. Il juge tout d'un esprit indépendant. Un artiste indépendant.* — 3° Se dit d'une chose qui n'est pas solidaire d'une autre : *Un véhicule à roues indépendantes* (= qui ne sont pas reliées par un essieu rigide). *Une chambre indépendante* (= à laquelle on peut accéder sans passer par une autre pièce). — 4° Se dit d'une chose qui est sans relation avec une autre : *La vitesse de la chute des corps dans le vide est indépendante de leur masse.* ◆ **indépendante** adj. et n. f. Se dit, en grammaire, d'une proposition qui constitue à elle seule une phrase ou un énoncé, sans dépendre d'aucune autre proposition et sans qu'aucune proposition dépende d'elle : *« Le camion roulait à vive allure » est une proposition indépendante.* ◆ **indépendance** n. f. : *Son goût de l'indépendance l'a amené à donner sa démission* (syn. : LIBERTÉ). *Un peuple colonisé qui a conquis son indépendance* (syn. : AUTONOMIE). *Juger d'une chose en toute indépendance d'esprit.* (V. DÉPENDRE.)

indescriptible adj. V. DÉCRIRE ; **indestructible** adj. V. DÉTRUIRE ; **indéterminé, e** adj. V. DÉTERMINER 1 ; **indétermination** n. f. V. DÉTERMINER 1 et 2.

1. index [ɛ̃dɛks] n. m. Deuxième doigt de la main, le plus proche du pouce : *Montrer, désigner de l'index. Saisir un objet entre le pouce et l'index. Mettre l'index devant sa bouche pour commander le silence.*

2. index [ɛ̃dɛks] n. m. 1° Table alphabétique des noms cités, des sujets traités, etc., placée à la fin d'un livre et permettant de les retrouver dans l'ouvrage. — 2° *Mettre quelqu'un* ou *quelque chose à l'index,* les signaler comme dangereux et les exclure d'un groupe : *Sa trahison le fit mettre à l'index par tous ses amis.* (L'*Index* est le catalogue des livres dont le Saint-Siège interdit la lecture.)

indexer [ɛ̃dekse] v. tr. Lier les variations d'une valeur (titre, salaire, emprunt, etc.) à celles d'un élément donné comme référence (or, coût de la vie, etc.) : *Indexer les salaires sur l'indice général des prix de détail.* ◆ **indexation** n. f. : *L'indexation des traitements sur le coût de la vie.*

1. indicatif, ive adj. et n. m. V. INDIQUER.

2. indicatif [ɛ̃dikatif] n. m. Mode de base du verbe, comportant une série de temps simples (présent, passé simple, imparfait, futur) et une série correspondante de temps composés (passé composé, passé antérieur, plus-que-parfait, futur antérieur).

indice [ɛ̃dis] n. m. 1° Signe apparent qui met sur la trace de quelque chose ou de quelqu'un, qui révèle quelque chose d'une manière très probable : *Ce geste généreux est l'indice d'un grand cœur* (syn. : MARQUE). *La hausse des prix est l'indice d'un déséquilibre économique croissant* (syn. : SIGNE). *On ne peut condamner l'accusé sur d'aussi faibles indices* (syn. : PREUVE). *Cette paralysie est l'indice d'une lésion grave* (syn. : SYMPTÔME, MARQUE). — 2° Indication numérique qui sert à caractériser une grandeur : a *indice 1 s'écrit* a_1. — 3° Rapport moyen entre des prix, des quantités, qui en montre l'évolution (en économie politique) : *L'indice des prix de détail, de gros* (= tableau indiquant, pour un certain nombre d'articles, le prix moyen relevé à une date déterminée). *Les indices de la production* (= tableau indiquant le niveau moyen de la production dans chaque branche d'activité). *Les indices des traitements et salaires* (= les niveaux hiérarchisés). ◆ **indiciaire** adj. Attaché à un indice : *Le classement indiciaire d'un fonctionnaire* (= le niveau de son indice de traitement).

indicible [ɛ̃disibl] adj. D'une intensité, d'une force, d'une grandeur telle qu'on ne peut l'exprimer : *Une joie indicible* (syn. : INEXPRIMABLE, INDESCRIPTIBLE). *Une épouvante, une peur, une angoisse indicible* (syn. : EXTRAORDINAIRE).

indien, enne [ɛ̃djɛ̃, -ɛn] adj. et n. 1° Relatif à l'Inde. — 2° Relatif aux populations autochtones de l'Amérique. (On dit aussi, en ce sens, AMÉRINDIEN.) ◆ **indianisme** n. m. Science des civilisations de l'Inde. ◆ **indianiste** n.

indifférent, e [ɛ̃diferɑ̃, -ɑ̃t] adj. Qui touche peu, qui ne provoque aucun intérêt particulier (construit avec la prép. *à*) : *Il nous est indifférent d'aller par cet itinéraire-ci ou par celui-là* (syn. : ÉGAL). *Ces arguments sont indifférents à ceux qui sont de parti pris. Elle ne t'est pas indifférente* (= elle t'inspire un sentiment amoureux). *Il m'est indifférent de le savoir instruit ou non de ce que je fais. Parler de choses indifférentes* (= de la pluie et du beau temps). *Ce n'est pas une chose indifférente !* (= sans importance, sans intérêt). ◆ adj. et n. Se dit d'une personne qui ne prend pas d'intérêt à quelqu'un ou à quelque chose, qui y est insensible, qui reste froide (construit avec la prép. *à*) : *Indifférent à la misère humaine, à son sort, à la vie. Indifférent à l'argent* (= désintéressé). *Demeurer indifférent devant le danger* (syn. : IMPERTURBABLE, IMPASSIBLE). *Poser un regard indifférent sur l'auditoire* (syn. : DÉTACHÉ, DÉDAIGNEUX). *C'est un indifférent, que rien ne peut émouvoir* (syn. : BLASÉ, ÉGOÏSTE). ◆ **indifféremment** adv. Sans faire de différence : *Il est courtois avec tout le monde indifféremment* (syn. : INDISTINCTEMENT). ◆ **indifférence** n. f. : *Marquer son indifférence par une attitude désinvolte* (syn. : ↑ DÉDAIN). *Regarder avec indifférence un spectacle* (syn. : ↑ ENNUI). *Cette proposition n'a rencontré que l'indifférence générale. Il est sensible à l'indifférence que tu montres à son égard* (syn. : FROIDEUR). *Jouer l'indifférence pour mieux retenir la personne aimée* (syn. : INSENSIBILITÉ). *Indifférence en matière religieuse* (= attitude de celui qui considère les problèmes religieux comme sans importance ; absence de foi). ◆ **indifférer** v. tr. (sujet nom de chose). Ne présenter aucun intérêt pour quelqu'un : *Cela m'indiffère. La question d'argent l'indiffère profondément.*

indigène [ɛ̃diʒɛn] adj. et n. Originaire du pays où il vit, où il se trouve (se dit surtout des populations autres que celles de l'Europe et de l'Amérique du Nord, mais l'emploi du mot s'étend) : *La population indigène* (syn. : AUTOCHTONE). *Utiliser la main-d'œuvre indigène* (= celle de la région où est installée l'entreprise ; contr. : IMPORTÉE). *Les indigènes de la région sont très hospitaliers* (syn. : NATUREL).

indigent, e [ɛ̃diʒɑ̃, -ɑ̃t] adj. et n. Qui vit dans le plus extrême dénuement, dans la plus grande pauvreté : *Un vieillard indigent* (syn. : NÉCESSITEUX). *Des indigents qui vivent de la charité publique* (syn. : MENDIANT). ◆ adj. Qui manifeste une grande pauvreté de moyens : *Son vocabulaire est indigent. Une imagination indigente* (syn. : ↓ PAUVRE). *La lampe versait une lumière indigente.* ◆ **indigence** n. f. : *Vivre dans la plus terrible indigence* (syn. : DÉNUEMENT, MISÈRE). *Témoigner d'une rare indigence intellectuelle* (syn. : PAUVRETÉ, FAIBLESSE).

indigeste adj., **indigestion** n. f. V. DIGÉRER; **indigne** adj., **indignité** n. f. V. DIGNE.

indigner [ɛ̃diɲe] v. tr. *Indigner quelqu'un,* exalter sa colère, sa révolte par l'absence de moralité, de justice, etc. (souvent au passif) : *Sa conduite m'indigne* (syn. : SCANDALISER). *Il est indigné d'avoir entendu une telle réflexion* (syn. : IRRITER). *Je suis indigné qu'on puisse être aussi cruel* (syn. : OUTRER). ◆ ***s'indigner*** v. pr. *S'indigner de, que* (et le subj.), éprouver un sentiment de colère, de révolte contre l'amoralité, l'injustice, en raison de, de ce que : *Il s'indigne de la condamnation de cet innocent* (syn. : S'OFFENSER). *S'indigner que tant de conducteurs soient imprudents. S'indigner d'être écarté des négociations* (syn. : S'IRRITER). *S'indigner contre l'injustice sociale* (syn. : S'EMPORTER). ◆ **indigné, e** adj. Qui marque la colère, la révolte : *Une protestation indignée. Jeter des regards indignés.* ◆ **indignation** n. f. : *Ce spectacle excite l'indignation générale* (syn. : RÉVOLTE). *Protester avec indignation* (syn. : COLÈRE). *Indignation générale* (syn. : TOLLÉ).

indigo [ɛ̃digo] n. m. Couleur bleue tirant légèrement sur le violet.

indiquer [ɛ̃dike] v. tr. 1° *Indiquer quelqu'un, quelque chose,* le désigner, le faire voir d'une manière précise, par un geste, un signal, etc. : *Du doigt, il m'indiqua une place libre dans le compartiment* (syn. : SIGNALER). *Je lui indiquais le coupable* (syn. : MONTRER). *Ma montre indique trois heures et demie* (syn. : MARQUER). *La flèche vous indiquera la direction* (syn. : DONNER). — 2° *Indiquer quelqu'un, quelque chose à quelqu'un,* le lui faire connaître : *Pouvez-vous m'indiquer un bon oculiste? Il nous indiqua l'origine du phénomène* (syn. : DIRE, ENSEIGNER). *Indiquez-moi l'heure de la réunion* (syn. : FIXER). — 3° (sujet nom de chose) *Indiquer quelque chose,* révéler, faire connaître l'existence ou la caractéristique d'un être ou d'un événement : *La pâleur de son visage indique son trouble* (syn. : DÉNOTER). *La fièvre indique une aggravation de la maladie* (syn. : MARQUER). *Tout indique qu'il est parti précipitamment* (syn. : PROUVER). *Cette réponse indique une grande intelligence* (syn. : DÉCELER, REFLÉTER). — 4° Représenter à grands traits, légèrement : *Le peintre a indiqué dans le fond de la toile un paysage d'hiver* (syn. : ESQUISSER). *Indiquer un jeu de scène à un acteur.* ◆ **indicateur, trice** adj. : *Un poteau indicateur* (= qui indique le chemin). *Une plaque indicatrice portant le nom de la rue.* ◆ n. Personne qui est à la solde de la police pour dénoncer les agissements des malfaiteurs (ou *indicateur de police*). ◆ **indicateur** n. m. 1° Livre, brochure contenant des renseignements divers (le compl. en indique la nature) : *Indicateur des chemins de fer* (= qui en indique les horaires). *Indicateur des rues de Paris.* — 2° Instrument servant à fournir des renseignements : *Indicateur de pression, d'altitude.* ◆ **indicatif, ive** adj. Se dit de ce qui indique : *L'état indicatif des dépenses. A titre indicatif, je vous signale que le magasin ferme au mois d'août.* ◆ **indicatif** n. m. Fragment musical répété au début d'une émission radiophonique régulière, et destiné à l'identifier : *L'indicatif du journal parlé.* ◆ **indication** n. f. : *Donner une fausse indication* (syn. : RENSEIGNEMENT). *Ces empreintes sont une indication suffisante pour suivre cette piste* (syn. : INDICE). *L'indication du prix doit être portée d'une manière évidente* (syn. : MARQUE). *L'indication d'un virage dangereux* (syn. : ANNONCE). *Suivre les indications du médecin* (syn. : ORDONNANCE, PRESCRIPTIONS).

indirect, e adj. V. DIRECT; **indiscipline** n. f. V. DISCIPLINE; **indiscret, ète** adj. V. DISCRET; **indiscutable** adj. V. DISCUTER; **indispensable** adj. V. DISPENSER; **indisponible** adj. V. DISPOSER.

1. indisposer [ɛ̃dispoze] v. tr. 1° *Indisposer quelqu'un,* le rendre un peu malade; le mettre mal à l'aise physiquement : *Cette grosse chaleur m'a indisposé* (syn. : INCOMMODER). — 2° *Etre indisposé,* être légèrement souffrant : *Il est indisposé et ne peut venir dîner; fam.,* avoir ses règles, en parlant d'une femme. ◆ **indisposition** n. f. Maladie, malaise physique : *Une légère indisposition l'a rendue nerveuse* (syn. : FATIGUE). *Une indisposition l'a forcé à garder la chambre. Une indisposition après un trop bon repas* (syn. : ↑ INDIGESTION).

2. indisposer [ɛ̃dispoze] v. tr. *Indisposer quelqu'un,* le mettre dans une disposition d'esprit peu favorable : *Il a réussi à indisposer tout le monde contre lui* (syn. : SE METTRE À DOS). *Ses punitions trop sévères indisposaient les élèves contre lui. Ces obscurités du roman indisposent le lecteur* (syn. : DÉPLAIRE À, HÉRISSER). *Etre indisposé par l'aigreur de certaines remarques* (syn. : FROISSER, ↑ VEXER).

indissoluble adj. V. DISSOUDRE; **indistinct, e** adj. V. DISTINCT.

individu [ɛ̃dividy] n. m. 1° Etre humain considéré comme une unité isolée, opposé à la collectivité, au groupe : *Les droits de l'individu* (syn. : PERSONNE HUMAINE). *L'individu écrasé par la société.* — 2° Homme indéterminé ou dont on parle avec mépris (le plus souvent péjor.) : *Un individu suspect, louche, peu recommandable, indésirable* (syn. : PERSONNE). *La police a mis la main sur un dangereux individu.* ◆ **individuel, elle** adj. Qui concerne une seule personne, qui appartient à un seul individu : *La responsabilité individuelle* (syn. : PERSONNEL; contr. : COLLECTIF). *La propriété individuelle* (contr. : PUBLIC). *Le travail individuel. Les cas individuels seront examinés avec attention* (syn. : PARTICULIER). *La liberté individuelle.* ◆ **individuellement** adv. : *Pris individuellement, chacun des enfants est obéissant, mais en groupe ils sont insupportables* (syn. : ISOLÉMENT). ◆ **individualiser** v. tr. Rendre distinct des autres par des caractères propres : *Individualiser les peines en adaptant la loi aux circonstances et au milieu. Un groupe fortement individualisé.* ◆ **individualisation** n. f. ◆ **individualisme** n. m. Attitude visant à affirmer son indépendance vis-à-vis des groupes sociaux et à ne considérer que son intérêt ou ses droits propres (syn. : NON-CONFORMISME). ◆ **individualiste** adj. et n. : *Un individualiste qui réagit contre les idées toutes faites. Il est trop individualiste, il ne pense qu'à lui-même* (syn. : ÉGOÏSTE). ◆ **individualité** n. f. 1° Ce qui constitue le caractère propre et original : *L'individualité d'une province* (syn. : ORIGINALITÉ). — 2° Personne dont le caractère est nettement différent des autres, qui a une forte personnalité : *Une individualité marquante du monde des affaires. Ce roman manifeste une forte individualité* (syn. usuel : PERSONNALITÉ).

indivisible adj. V. DIVISER; **indocile** adj. V. DOCILE.

indo-européen, enne [ɛ̃doœropeɛ̃, -ɛn] adj. et n. Se dit d'un groupe de langues parlées d'abord en Europe et en Asie, et auxquelles on a trouvé une parenté d'origine, et des personnes qui les parlaient.

indolent, e [ɛ̃dɔlɑ̃, -ɑ̃t] adj. et n. Se dit d'une personne (ou de son comportement) qui ne se donne aucune peine, qui agit avec mollesse : *Un élève indolent* (syn. : MOU, ↑ APATHIQUE ; contr. : ACTIF). *L'enfant jouait sous le regard indolent de la bonne* (syn. : NONCHALANT, INSOUCIANT ; contr. : DILIGENT). *Un indolent que rien n'intéresse* (syn. : ENDORMI, FAINÉANT). ◆ **indolence** n. f. : *Secouer son indolence* (syn. : APATHIE, INERTIE). *L'indolence d'un homme habitué aux pays chauds* (syn. : MOLLESSE, NONCHALANCE ; contr. : ARDEUR).

indolore adj. V. DOULEUR ; **indomptable** adj. V. DOMPTER.

indu, e [ɛ̃dy] adj. *Une heure indue*, celle où il n'est pas convenable de faire telle ou telle chose (en général très tard dans la nuit) : *Rentrer chez soi à une heure indue. Téléphoner à un ami à une heure indue.* ◆ **indûment** adv. D'une manière qui n'est pas légitime : *Toucher indûment de l'argent.*

indubitable [ɛ̃dybitabl] adj. Se dit d'une chose dont on ne peut pas douter : *On a des preuves indubitables de sa culpabilité* (syn. : INCONTESTABLE). *Il est indubitable que vous avez raison* (= hors de doute ; syn. : CERTAIN, ÉVIDENT). ◆ **indubitablement** adv. : *Il est indubitablement innocent* (syn. : SANS AUCUN DOUTE). (V. DOUTER.)

1. induire [ɛ̃dɥir] v. tr. (conj. **70**). **1°** *Induire quelqu'un à mal faire, induire quelqu'un en tentation,* le pousser à commettre une faute, à céder à une tentation. — **2°** *Induire quelqu'un en erreur,* l'amener à se tromper : *On nous a induits en erreur en nous faisant prendre ce chemin* (syn. : TROMPER).

2. induire [ɛ̃dɥir] v. tr. (conj. **70**). *Induire d'une chose que,* en tirer telle conclusion : *J'induis de son silence qu'il ne fait aucune réserve. Que peut-on induire de faits aussi disparates?* (syn. : INFÉRER). ◆ **induction** n. f. **1°** Raisonnement qui va du particulier au général. — **2°** Raisonnement allant de la cause à la conséquence ou inversement : *Par induction, il remonta aux mobiles du crime.*

indulgent, e [ɛ̃dylʒɑ̃, -ɑ̃t] adj. Se dit d'une personne (ou de son attitude) qui pardonne aisément les fautes : *Une mère trop indulgente* (syn. : BON). *Un professeur indulgent* (syn. : BIENVEILLANT ; contr. : SÉVÈRE, DUR). *Se montrer indulgent pour une défaillance* (syn. : CLÉMENT ; contr. : IMPITOYABLE). *Sous le regard indulgent des parents* (syn. : DÉBONNAIRE, COMPRÉHENSIF ; contr. : IMPLACABLE). ◆ **indulgence** n. f. : *Réclamer l'indulgence* (syn. : CLÉMENCE, BIENVEILLANCE). *Cet acte ne mérite pas l'indulgence* (syn. : PARDON). *Une faute d'étourderie qui rencontre l'indulgence du jury* (syn. : COMPRÉHENSION ; contr. : RIGUEUR). *Ecouter sans indulgence un bavard* (syn. : MANSUÉTUDE).

industrie [ɛ̃dystri] n. f. Ensemble des activités qui ont pour objet de fabriquer des produits à partir de matières premières, d'exploiter les mines et les sources d'énergie : *L'industrie automobile, pétrolière, alimentaire, textile, métallurgique, etc. Les ouvriers d'industrie. L'industrie lourde* (= celle qui met en œuvre directement les matières premières). *L'industrie légère* (= celle qui transforme les produits de l'industrie lourde). *La grande, la petite industrie* (selon l'importance des moyens de production). *Donner des industries de base à un pays sous-développé.* ◆ **industriel, elle** adj. **1°** Qui a rapport à l'industrie : *L'activité industrielle ne se ralentit pas. L'équipement industriel d'une région. Les produits industriels.* — **2°** Où l'industrie est importante : *Ville industrielle. Un centre industriel du nord de la France.* — **3°** Fam. *En quantité industrielle,* en très grande quantité. ◆ **industriel** n. m. Propriétaire d'une usine, d'établissements industriels : *Les gros industriels de la métallurgie.* ◆ **industriellement** adv. : *Ce produit est maintenant fabriqué industriellement.* ◆ **industrialiser** v. tr. **1°** Exploiter sous une forme industrielle : *Industrialiser l'agriculture.* — **2°** Equiper en usines, en industries (souvent au passif) : *Les régions industrialisées de Lorraine.* ◆ ***s'industrialiser*** v. pr. Etre exploité, être équipé industriellement : *Le cinéma s'est industrialisé rapidement. La Chine s'industrialise.* ◆ **industrialisation** n. f. : *L'industrialisation des pays sous-développés.*

industrieux, euse [ɛ̃dystrijø, -øz] adj. Qui montre de l'ingéniosité et de l'activité dans sa profession, son métier, etc. (littér.).

inébranlable adj. V. ÉBRANLER.

inédit, e [inedi, -it] adj. **1°** Se dit d'un ouvrage qui n'a pas été publié, d'un auteur qui n'a pas été édité : *Les Mémoires inédits d'un chef d'Etat. Un jeune écrivain inédit.* — **2°** Qui est d'un caractère nouveau, original : *Il a trouvé un moyen inédit de se procurer de l'argent. Un numéro encore inédit de prestidigitation.* ◆ **inédit** n. m. : *Il a laissé une quantité importante d'inédits. Voilà de l'inédit!*

ineffable [inefabl] adj. Se dit de sentiments, de sensations dont la force, la beauté ne peuvent être exprimées par des mots : *Un bonheur ineffable* (syn. : INDICIBLE, INEXPRIMABLE). *Le calme ineffable de la campagne* (syn. : EXTRAORDINAIRE).

ineffaçable adj. V. EFFACER ; **inefficace** adj. V. EFFICACE ; **inégal** adj. V. ÉGAL ; **inélégant** adj. V. ÉLÉGANT ; **inéligible** adj. V. ÉLIRE.

inéluctable [inelyktabl] adj. Se dit de ce qu'il est impossible d'éviter, contre quoi on ne peut lutter : *La mort inéluctable* (syn. : IMPLACABLE). *Les conséquences inéluctables du conflit entre les deux groupes de nations* (syn. : INÉVITABLE). ◆ **inéluctablement** adv.

inénarrable [inenarabl] adj. Qui est d'une bizarrerie, d'un comique extraordinaires : *Un spectacle inénarrable. Une aventure inénarrable. Elle était coiffée d'un chapeau inénarrable.* (V. NARRER.)

inepte [inɛpt] adj. D'une grande bêtise : *Un film inepte* (syn. : STUPIDE, IDIOT). *Réponse inepte* (syn. : ABSURDE). *J'ai été mal renseigné par un employé inepte* (syn. : NIAIS, SOT). ◆ **ineptie** [inɛpsi] n. f. : *L'ineptie de son raisonnement nous étonna* (syn. : STUPIDITÉ). *Ce roman est une ineptie* (syn. : IDIOTIE). *Raconter des inepties* (syn. : SOTTISE).

inépuisable adj. V. ÉPUISER.

inerte [inɛrt] adj. **1°** Qui est sans mouvement : *Un corps inerte* (= où il n'y a plus signe de vie). *Le blessé soutenait son bras inerte* (syn. : IMMOBILE). — **2°** Sans énergie morale, sans réaction : *Il restait inerte devant l'étendue du désastre* (syn. : APATHIQUE, PARALYSÉ). ◆ **inertie** [inɛrsi] n. f. : *Les corps opposent au mouvement la force d'inertie. Quand sortira-t-il de son inertie?* (syn. : APATHIE). *L'inertie des bureaux entrave la réalisation du projet* (syn. : IMMOBILISME). *Il oppose à tous les encouragements une force d'inertie incroyable* (= une résistance passive).

inévitable adj. V. ÉVITER; **inexact, e** adj., **inexactitude** n. f. V. EXACT; **inexistant, e** adj. V. EXISTER.

inexorable [inegzɔrabl] adj. Que l'on ne peut fléchir; d'une dureté implacable : *Etre inexorable à toutes les prières* (syn. : INSENSIBLE). *Une volonté inexorable. Son père a été inexorable : elle n'a pas pu sortir dimanche* (syn. : INFLEXIBLE, IMPITOYABLE). ◆ **inexorablement** adv. : *Marcher inexorablement à sa perte* (syn. : FATALEMENT).

inexpérience n. f. V. EXPÉRIENCE; **inexpérimenté, e** adj. V. EXPÉRIMENTÉ; **inexpiable** adj. V. EXPIER; **inexplicable** adj. V. EXPLIQUER; **inexpressif, ive** adj. V. EXPRESSIF.

inexpugnable [inekspyknabl] adj. Qu'on ne peut prendre par la force : *Occuper une position inexpugnable. Un château perché sur un piton rocheux, inexpugnable* (syn. : IMPRENABLE).

inextensible adj. V. EXTENSIBLE.

inextinguible [inekstɛ̃gibl ou -gɥibl] adj. *Soif inextinguible,* qu'on ne peut calmer. ‖ *Rire inextinguible,* qu'on ne peut arrêter : *Etre secoué d'un rire inextinguible* (syn. : FOU RIRE).

inextricable [inekstrikabl] adj. Si embrouillé qu'on ne peut le démêler, qu'on ne peut s'en retirer : *Un inextricable enchevêtrement de poutres, de ferrailles tordues. Un embouteillage inextricable. C'est une situation inextricable.* ◆ **inextricablement** adv.

infaillible [ɛ̃fajibl] adj. 1° Se dit de quelqu'un qui ne peut se tromper : *Se croire infaillible. Nul n'est infaillible.* — 2° Se dit de quelque chose qui ne peut manquer de produire le résultat attendu : *Un remède infaillible contre la migraine* (syn. : EFFICACE). *Il pense avoir un secret infaillible pour gagner au jeu.* ◆ **infailliblement** adv. : *Si vous continuez vos imprudences, l'accident arrivera infailliblement* (syn. : SÛREMENT, INÉVITABLEMENT). ◆ **infaillibilité** n. f. 1° : *Prétendre à l'infaillibilité.* — 2° *L'infaillibilité pontificale,* dogme catholique selon lequel le pape est infaillible en matière de doctrine.

infâme [ɛ̃fɑm] adj. (avant ou après le nom). 1° Qui cause du dégoût par sa bassesse, sa flétrissure : *Un infâme coquin. Un crime infâme* (syn. : ATROCE, HORRIBLE). *Une infâme trahison* (syn. : IGNOBLE). *Une complaisance infâme* (syn. : ABJECT, INDIGNE, HONTEUX). — 2° Qui cause de la répugnance par sa laideur, sa saleté : *Un infâme taudis* (syn. : IGNOBLE). *Un logis infâme* (syn. : ↓ MALPROPRE, SALE). ◆ **infamant, e** adj. Qui nuit à la réputation, à l'honneur : *L'épithète infamante d' « escroc »* (syn. : DÉSHONORANT). *Une peine infamante* (syn. : FLÉTRISSANT). ◆ **infamie** n. f. 1° Grand déshonneur, atteinte à la réputation de quelqu'un : *Etre couvert d'infamie* (syn. : HONTE). *Vivre dans l'infamie.* — 2° Caractère de ce qui est déshonorant : *L'infamie d'un crime* (syn. : IGNOMINIE). — 3° Action ou parole déshonorante : *Commettre une infamie* (syn. : BASSESSE). *Pourquoi me soupçonner d'une telle infamie?* (syn. : VILENIE). *Dire des infamies sur une voisine* (syn. : CALOMNIE).

infanterie [ɛ̃fɑ̃tri] n. f. Ensemble des troupes à pied chargées de l'occupation du terrain : *Unités d'infanterie. Soldat d'infanterie* (syn. : FANTASSIN).

infanticide [ɛ̃fɑ̃tisid] n. et adj. Personne qui tue un nouveau-né : *Une mère infanticide.* ◆ n. m. Meurtre d'un nouveau-né : *Femme accusée d'infanticide.*

infantile [ɛ̃fɑ̃til] adj. 1° Relatif à l'enfant en bas âge, au nouveau-né (terme de médecine et de psychologie) : *Les maladies infantiles. Médecine infantile* (syn. : PÉDIATRIE). — 2° *Péjor.* Se dit d'une personne (ou de son attitude) comparable à un enfant par son intelligence ou par sa sensibilité : *Avoir des réactions infantiles* (syn. : PUÉRIL). *Un esprit infantile* (syn. : ENFANTIN). ◆ **infantilisme** n. m. Persistance chez l'adulte de caractères propres à un enfant (souvent péjor.).

infatigable adj. V. FATIGUE.

infatuer (s') [sɛ̃fatɥe] v. pr. ou **être infatué** v. passif. *S'infatuer de soi-même, de ses mérites,* en avoir une opinion très avantageuse : *Il est très infatué de sa petite personne* (syn. : ÊTRE FIER). *Un homme très infatué de lui-même, de son physique, de son importance* (= très prétentieux, fat). ◆ **infatuation** n. f. (littér.) : *Une insupportable infatuation* (syn. : SUFFISANCE, VANITÉ, PRÉTENTION).

infect, e [ɛ̃fɛkt] adj. (avant ou après le nom). 1° Qui excite le dégoût par son odeur puante, son goût répugnant, sa corruption, sa saleté, ou, simplement, qui est très mauvais : *Une haleine infecte. L'odeur infecte de la viande pourrie. Ce café est infect! Avec quoi l'avez-vous fait?* (syn. : ↑ ATROCE). *Une boue infecte remplissait les rues après l'inondation* (syn. : PESTILENTIEL). *Un marais infect* (syn. : PUTRIDE). *Un infect taudis* (syn. : IGNOBLE). *Il fait un temps infect.* — 2° Qui suscite une répulsion morale : *Il a été infect avec ce pauvre homme* (syn. : RÉPUGNANT). *Un roman infect* (syn. : ABJECT). ◆ **infecter** v. tr. 1° Imprégner d'émanations puantes ou malsaines : *Les usines et les voitures contribuent à infecter l'air des grandes villes* (syn. : EMPESTER). *Les cadavres en décomposition infectent la ville sinistrée* (syn. : EMPOISONNER). — 2° Contaminer par des germes de maladie : *Le malade est contagieux, il peut infecter tous ceux qui l'approchent* (syn. : CONTAMINER). ◆ ***s'infecter*** v. pr. Etre contaminé par des germes infectieux : *La plaie s'est infectée.* ◆ **infection** [ɛ̃fɛksjɔ̃] n. f. 1° Maladie caractérisée par la pénétration et par le développement de germes dans l'organisme : *Il s'est développé un foyer d'infection. Infection généralisée à la suite d'un manque de soins.* — 2° Odeur, goût particulièrement mauvais : *C'est une infection dans cette pièce; ouvre la fenêtre* (syn. : PUANTEUR). *Cette viande est une infection.* ◆ **infectieux, euse** adj. *Germe infectieux,* qui communique une maladie, une infection. ‖ *Maladie infectieuse,* qui résulte ou s'accompagne d'une infection. ◆ **désinfecter** v. tr. Détruire les germes infectieux dans un endroit : *Désinfecter la chambre d'un malade.* ◆ **désinfection** n. f. : *La désinfection d'une salle, des vêtements.* ◆ **désinfectant** n. m. Produit qui désinfecte : *Mettre du désinfectant dans une pièce.*

inféoder [ɛ̃feɔde] v. tr. Mettre sous la dépendance de quelqu'un (le plus souvent au passif ou comme pron.) : *Un petit pays inféodé à une grande puissance* (syn. : SOUMETTRE). *Le journal s'est inféodé à un groupe financier.* (V. FÉODAL.)

inférer [ɛ̃fere] v. tr. Tirer une conséquence d'un fait : *On peut inférer de ses déclarations que tout danger n'a pas disparu* (syn. : DÉDUIRE). *Peut-on infé-*

rer de ce témoignage que l'accusé est coupable? (syn. : CONCLURE).

inférieur, e [ɛ̃ferjœr] adj. 1° Situé au-dessous, en bas : *La lèvre inférieure. La mâchoire inférieure* (contr. : SUPÉRIEUR). *Les étages inférieurs de la maison. Les membres inférieurs* (= les jambes). *L'extrémité inférieure du pied.* — 2° Se dit de la partie d'un fleuve qui est la plus voisine de la mer : *Le cours inférieur de la Seine* (contr. : SUPÉRIEUR). — 3° Qui a une valeur moins grande, qui occupe un degré plus bas dans une classification, qui est à un rang moins considéré (le compl. s'introduit par la prép. *à*) : *Note inférieure à la moyenne. Roman inférieur à ce que l'on pouvait attendre de l'auteur. Des forces inférieures en nombre. Etre inférieur à sa tâche* (= ne pas être à la hauteur de son travail). *Avoir une situation inférieure* (syn. : SUBALTERNE). ◆ **inférieur** n. m. Personne qui, par son rang ou sa dignité, est située au-dessous d'une autre ou en bas de la hiérarchie : *Parler avec condescendance de ses inférieurs* (syn. : SUBORDONNÉ; contr. : SUPÉRIEUR, CHEF). ◆ **infériorité** n. f. Sens 3 de l'adj. : *Avoir une réelle infériorité intellectuelle. Il a un complexe, un sentiment d'infériorité* (= le sentiment d'une faiblesse, réelle ou fausse). *L'infériorité des armes. L'adverbe « moins » sert à former les comparatifs d'infériorité (moins cher).*

infernal, e, aux [ɛ̃fɛrnal, -no] adj. 1° Qui appartient aux enfers : *Les puissances infernales* (= les dieux des enfers). *Les démons infernaux.* — 2° Digne de l'enfer par son caractère horrible, furieux, désordonné : *La ruse infernale d'un mari jaloux* (syn. : TERRIBLE, DIABOLIQUE). *La ronde infernale des voitures sur le circuit du Mans* (syn. : ENDIABLÉ). *Le cycle infernal des salaires et des prix* (= que rien ne peut arrêter). *Un vacarme infernal. Une machine infernale fit exploser le camion dès qu'on le mit en marche* (= un engin explosif). — 3° *Fam.* Se dit de ce qui est impossible à supporter : *Cet enfant est infernal* (syn. : INSUPPORTABLE). *Il faut sans cesse répondre au téléphone, cela devient infernal. Un métier infernal.*

infester [ɛ̃fɛste] v. tr. *Infester un lieu,* le ravager par une invasion violente, des actes de brigandage, des attaques brutales (en parlant d'êtres humains), ou causer des dommages par le pullulement (en parlant d'animaux) : *La montagne est infestée de bandes de pillards* (= pleine de bandits qui pillent, ravagent, etc.). *La côte du Languedoc était infestée de moustiques* (syn. : ENVAHIR). *Les souris infestent la maison.*

infidèle adj. V. FIDÈLE.

infiltrer (s') [sɛ̃filtre] v. pr. 1° (sujet nom désignant un fluide) Pénétrer peu à peu, insensiblement, à travers un corps, par des interstices : *L'eau s'infiltre à travers les terrains calcaires. Le vent s'infiltre par les joints de la fenêtre.* — 2° Pénétrer furtivement à travers des lignes fortifiées, dans l'esprit de quelqu'un, etc. : *La patrouille s'est infiltrée dans le dispositif ennemi. Quelques adversaires se sont infiltrés jusque dans les organismes dirigeants* (syn. : SE GLISSER, S'INTRODUIRE). *Des doctrines subversives se sont infiltrées* (syn. : S'INSINUER). ◆ **infiltration** n. f. : *Des infiltrations se sont produites jusque dans les fondations. Infiltration d'un esprit de révolte* (syn. : PÉNÉTRATION).

infime [ɛ̃fim] adj. (avant ou après le nom). Qui est d'une intensité, d'un degré, d'une grandeur extrêmement petits, faibles : *Des détails infimes m'ont échappé* (syn. : MINUSCULE). *Une quantité infime* (syn. : INFINITÉSIMAL). *La différence est infime entre les deux projets* (syn. : MINIME). *Une infime minorité.*

infini, e [ɛ̃fini] adj. 1° Qui n'a pas de limite (sens restreint aux mathématiques, à la philosophie et à la religion) : *La suite infinie des nombres. La béatitude infinie des élus dans le ciel* (syn. : ÉTERNEL). — 2° D'une grandeur, d'une quantité, d'une intensité si grande qu'on ne peut communément le mesurer : *Une plaine infinie* (syn. : ILLIMITÉ). *La distance infinie qui nous sépare des étoiles les plus proches* (syn. : IMMENSE). *Une foule infinie remplissait la place* (syn. : INNOMBRABLE). *Le bavardage infini de deux commères* (syn. : INTERMINABLE). *Avoir une patience infinie* (syn. : EXTRÊME). *Prendre d'infinies précautions.* ◆ **infini** n. m. 1° Ce qui est sans limite : *L'infini mathématique.* — 2° Ce qui paraît sans bornes par son intensité ou sa grandeur : *L'infini des cieux.* • LOC. ADV. *A l'infini,* sans fin, sans bornes : *Droite prolongée à l'infini. Les champs de blé s'étendent à l'infini. Varier les hypothèses à l'infini* (syn. : INDÉFINIMENT). *Ce furent des discussions à l'infini.* ◆ **infiniment** adv. : *L'infiniment petit* (= les corps très petits). *Je vous suis infiniment obligé de votre geste* (syn. : TRÈS). *Montrer infiniment de bonté. Je vais infiniment mieux* (syn. : INCOMPARABLEMENT). ◆ **infinité** n. f. 1° Caractère de ce qui est infini : *L'infinité de la puissance divine.* — 2° *Une infinité de* (et un nom plur.), un grand nombre de : *On lui posa une infinité de questions.*

infinitésimal, e, aux [ɛ̃finitezimal, -mo] adj. D'une extrême petitesse : *Prendre une dose infinitésimale d'un médicament. Une quantité infinitésimale de ce produit peut entraîner la mort* (syn. : INFIME).

infinitif, ive [ɛ̃finitif, -iv] adj. et n. m. Se dit de la forme nominale du verbe (*aimer, finir, vouloir, prendre, rire*) : *Mode infinitif. La proposition infinitive est celle dont le verbe est à l'infinitif.*

infirme [ɛ̃firm] adj. et n. Qui ne jouit pas de toutes ses facultés physiques : *Il est resté infirme à la suite de cette chute* (contr. : VALIDE). *Donner ses soins à un infirme* (syn. : INVALIDE). *Un pauvre enfant infirme des jambes* (syn. : DIFFORME). ◆ **infirmité** n. f. 1° Incapacité chronique de l'organisme de remplir telle ou telle fonction : *La surdité est une pénible infirmité. Les infirmités de l'âge.* — 2° Imperfection ou faiblesse intéressant l'intelligence, l'organisation d'un Etat, etc. : *Cette timidité est une véritable infirmité de l'esprit.*

infirmer [ɛ̃firme] v. tr. Détruire la force, l'autorité, l'importance de quelque chose : *Les événements ont infirmé son optimisme* (syn. : DÉMENTIR). *L'hypothèse a été infirmée par les résultats* (syn. : DÉTRUIRE). *L'enquête est venue infirmer son témoignage* (syn. : RUINER). *Le jugement de la cour a été infirmé* (jurid.; syn. : CASSER; contr. : CONFIRMER).

infirmier, ère [ɛ̃firmje, -ɛr] n. Personne qui soigne les malades dans les hôpitaux, les cliniques, les infirmeries, etc. ◆ **infirmerie** n. f. Local où l'on donne des soins aux malades, dans les collèges, les casernes, les communautés : *Etre transporté à l'infirmerie. Recevoir des soins à l'infirmerie.*

inflammable [ɛ̃flamabl] adj. Qui prend feu (s'enflamme) facilement, qui brûle rapidement : *L'essence est un liquide inflammable. Un gaz* *inflammable.* ◆ **ininflammable** adj. : *Une matière ininflammable* (= qui ne peut s'enflammer).

inflammation [ɛ̃flamasjɔ̃] n. f. Réaction de l'organisme là où il a subi une atteinte, généralement microbienne, et qui se traduit par une tuméfaction, une rougeur, etc. : *Une inflammation des bronches, de l'intestin.* (V. FLAMME.)

inflation [ɛ̃flasjɔ̃] n. f. 1° Déséquilibre économique caractérisé par la hausse des prix et l'accroissement de la circulation monétaire : *Mesures d'économie contre l'inflation. Tendance à l'inflation* (contr. : DÉFLATION). — 2° Augmentation excessive de moyens ou d'hommes : *Une inflation de fonctionnaires, conséquence de la bureaucratie.* ◆ **inflationnisme** n. m. Politique qui considère l'inflation comme un moyen de l'expansion économique. ◆ **inflationniste** adj. : *Le danger inflationniste.*

infléchir [ɛ̃fleʃir] v. tr. Modifier la direction, l'orientation en inclinant, en tournant : *La colonne de troupes infléchit sa route vers l'ouest* (syn. : INCLINER). *Infléchir le cours des événements. Infléchir sa politique vers des solutions de compromis.* ◆ ***s'infléchir*** v. pr. Prendre une autre direction : *Le cours du fleuve s'infléchit vers le sud* (syn. : DÉVIER). ◆ **inflexion** n. f. 1° *Une inflexion du corps* (syn. : INCLINATION). — 2° Modification subite du ton de la voix, de l'accent : *Elle eut pour s'adresser à lui une tendre inflexion dans la voix. Cette inflexion trahit son émotion.*

inflexible [ɛ̃flɛksibl] adj. Se dit de quelqu'un (ou de son comportement) que rien ne peut émouvoir, fléchir; qui résiste à la pitié, à la persuasion : *Se montrer inflexible dans ses résolutions* (syn. : INÉBRANLABLE). *Un juge inflexible* (syn. : DUR, IMPLACABLE; contr. : CLÉMENT). *Etre inflexible dans l'application de la loi* (syn. : INTRANSIGEANT, IMPITOYABLE). *Etre d'une sévérité inflexible* (syn. : RIGOUREUX). ◆ **inflexiblement** adv. : *Suivre inflexiblement la même ligne de conduite* (syn. : INEXORABLEMENT).

infliger [ɛ̃fliʒe] v. tr. 1° *Infliger quelque chose à quelqu'un,* lui faire subir quelque chose de pénible : *On lui infligea une contravention pour excès de vitesse* (syn. : DONNER). *Infliger une correction à un enfant désobéissant* (syn. : ADMINISTRER). *Un blâme fut infligé à l'élève paresseux. Il nous inflige sa présence chaque matin* (syn. : IMPOSER). *Il m'a infligé le récit de ses mésaventures.* — 2° *Infliger un démenti,* démentir d'une manière catégorique : *Les événements lui infligèrent un cruel démenti.*

influence [ɛ̃flyɑ̃s] n. f. Action qu'une chose exerce sur une personne ou sur une autre chose; action qu'une personne exerce sur une autre : *Influence du climat sur la végétation* (syn. : ACTION). *Influence de l'alcool sur l'organisme* (syn. : EFFET). *Agir sous l'influence de la colère* (syn. : IMPULSION). *Exercer une grande influence sur son entourage* (syn. : EMPIRE). *Il subit l'influence de son frère* (syn. : ASCENDANT). *Avoir beaucoup d'influence* (syn. : CRÉDIT). *Il espère ainsi accroître son influence* (syn. : POUVOIR, AUTORITÉ). *Influence de l'éducation sur le caractère* (syn. : EMPREINTE). *Influence politique d'un parti* (syn. : PUISSANCE). *La zone d'influence d'un Etat. Il s'efforce de l'obtenir à l'influence* (fam. = par intimidation, en usant d'une autorité contestable). ◆ **influencer** v. tr. *Influencer quelqu'un,* exercer une influence sur lui : *Il se laisse facilement influencer par les autres* (syn. : ENTRAÎNER). *Influencer la population par des nouvelles alarmantes* (syn. : PESER SUR). ◆ **influençable** adj. : *La foule influençable et versatile. Une femme sensible est très influençable.* ◆ **influer** v. intr. *Influer sur quelqu'un* ou *sur quelque chose,* exercer une action sur eux de manière à les modifier : *La crise politique influe directement sur la situation économique* (syn. : PESER SUR). *La maladie a influé sur son caractère* (syn. : AGIR). ◆ **influent, e** adj. Qui a du crédit, du prestige, de l'influence : *Personnage très influent* (syn. : IMPORTANT). *Un critique influent* (= dont l'avis fait autorité).

influx [ɛ̃fly] n. m. *Influx nerveux,* phénomène de propagation de l'excitation nerveuse. ‖ *Avoir, manquer d'influx nerveux,* se dit d'un sportif qui a l'élan, qui manque de l'élan final nécessaire pour vaincre un adversaire.

in-folio n. m. et adj. V. FORMAT; **informe** adj. V. FORME.

informer [ɛ̃fɔrme] v. tr. *Informer quelqu'un de quelque chose* ou *que* (et l'indic.), le mettre au courant de quelque chose, lui donner des renseignements sur : *Il m'a informé par télégramme de son arrivée* (syn. : PRÉVENIR). *On nous a informés que les magasins seront fermés jeudi 15 août* (syn. : FAIRE SAVOIR, AVERTIR). *Il a été informé des difficultés* (syn. : AVISER). *Le ministère l'a informé de son avancement* (= lui a notifié). ◆ ***s'informer*** v. pr. *S'informer de quelque chose,* interroger sur quelque chose afin d'être renseigné : *S'informer de la santé d'un ami* (syn. : S'ENQUÉRIR). *Informez-vous du prix. Chercher à s'informer avant de se décider* (= recueillir des renseignements). ◆ **informé, e** adj. 1° Qui sait ce qu'il faut savoir : *Une opinion mal informée. Un journal généralement bien informé. Dans les milieux bien informés* (= qui ont des renseignements politiques sérieux). — 2° *Jusqu'à plus ample informé,* en attendant d'avoir des renseignements plus complets. ◆ **information** n. f. 1° Action de mettre au courant des événements : *Assurer l'information de ses lecteurs. Le ministère de l'Information. Un journal d'informations* (= qui n'ajoute pas de commentaires politiques aux nouvelles). *Faire un voyage d'information.* — 2° Renseignement obtenu de quelqu'un ou sur quelqu'un ou quelque chose : *Manquer d'informations sur un événement. Les informations sportives. Un bulletin d'information à la radio. L'ampleur de son information nous étonne* (= la somme des renseignements obtenus). *Recueillir d'utiles informations* (syn. fam. : TUYAU). *N'avoir aucune information sur l'accident d'avion survenu à midi* (syn. : NOUVELLE). ◆ **informateur, trice** n. Personne qui, par métier, par fonction, donne ou recueille des informations, des renseignements : *Avoir des informateurs sérieux pour ses enquêtes linguistiques.*

infortune [ɛ̃fɔrtyn] n. f. Malheur inattendu : *Son infortune fait peine à voir.* ◆ **infortunes** n. f. pl. Malheurs conjugaux. ◆ **infortuné, e** adj. et n. m. : *Des réfugiés infortunés* (syn. : MALHEUREUX).

infraction [ɛ̃fraksjɔ̃] n. f. Violation d'un engagement, d'un règlement, d'une loi (langue admin., judiciaire) : *Une infraction à la loi* (syn. : DÉLIT, CRIME). *Commettre une infraction. Une grave infraction aux usages du pays, aux lois de l'honneur* (syn. : ↑ ATTENTAT). *Une infraction au traité signé entraînera son annulation. Infraction aux règles de stationnement en vigueur* (syn. : CONTRAVENTION).

infranchissable adj. V. FRANCHIR; **infrastructure** n. f. V. STRUCTURE; **infroissable** adj. V. FROISSER; **infructueux, euse** adj. V. FRUCTUEUX.

infuse [ɛ̃fyz] adj. f. *Avoir la science infuse,* se dit ironiq. de quelqu'un qui prétend tout savoir naturellement, sans avoir besoin d'un long travail.

1. infuser [ɛ̃fyze] v. tr. 1° *Infuser du sang,* le faire pénétrer dans le corps par transfusion. — 2° *Infuser du courage, un sang nouveau,* etc., communiquer à quelqu'un du courage, de l'ardeur.

2. infuser [ɛ̃fyze] v. tr. et intr. *Infuser* ou *faire infuser du thé, du tilleul, de la verveine,* etc., verser sur eux un liquide bouillant, afin qu'il en prenne l'odeur et en dissolve les principes actifs. ◆ **infusion** n. f. : *Prendre, préparer une infusion* (syn. : TISANE). *Une infusion de thé.*

ingambe [ɛ̃gɑ̃b] adj. Qui se meut avec facilité, avec vivacité : *Un vieillard encore ingambe malgré son âge* (syn. : ALERTE, GAILLARD; contr. : IMPOTENT).

ingénier (s') [sɛ̃ʒenje] v. pr. *S'ingénier à* (et l'infin.), chercher avec toutes les ressources de son esprit le moyen de faire quelque chose : *S'ingénier à trouver une solution à un problème difficile* (syn. : S'ÉVERTUER). *Il s'ingéniait à plaisir à le mettre en colère en le contredisant sans cesse.* ◆ **ingénieux, euse** adj. 1° Se dit de quelqu'un qui a un esprit inventif, fertile en ressources : *Un garçon ingénieux, qui n'est jamais embarrassé pour faire une petite réparation* (syn. : HABILE). *Il est parfois trop ingénieux, et ses explications sont inutilement compliquées* (syn. : SUBTIL; fam. : ASTUCIEUX). — 2° Se dit d'une chose qui témoigne de l'adresse, de l'habileté, de l'intelligence de celui qui en est l'auteur : *Une trouvaille ingénieuse. L'explication est ingénieuse, elle peut être exacte* (contr. : STUPIDE). ◆ **ingénieusement** adv. : *Rapprocher ingénieusement deux idées.* ◆ **ingéniosité** n. f. : *Faire preuve d'ingéniosité* (syn. : HABILETÉ; fam. : ASTUCE). *Déployer beaucoup d'ingéniosité pour masquer la vérité* (syn. : SUBTILITÉ, ESPRIT). *L'ingéniosité d'un projet* (contr. : BÊTISE, SOTTISE).

ingénieur [ɛ̃ʒenjœr] n. m. Personne qui est appelée à élaborer, organiser ou diriger des plans, des recherches et des travaux techniques, dans le cadre d'une entreprise industrielle, agricole ou d'un service public : *Ingénieur de l'aéronautique. Ingénieur sorti de Polytechnique, de l'Ecole centrale, de l'Ecole des arts et métiers.*

ingénu, e [ɛ̃ʒeny] adj. et n. Se dit d'une personne qui laisse voir ses sentiments, qui est d'une naïveté souvent excessive : *Une jeune fille ingénue* ou *une jeune ingénue* (contr. : COQUET). *Ils se jouent de ce bon garçon, trop ingénu pour leur en vouloir* (syn. : CANDIDE). ◆ adj. Qui manifeste une innocence, une candeur très grande : *Une réponse ingénue* (syn. : NAÏF, SIMPLE). *Une franchise ingénue* (syn. : INNOCENT). *Prendre un air ingénu.* ◆ **ingénument** adv. : *Faire ingénument confiance à un escroc* (syn. : NAÏVEMENT). *Avouer ingénument sa faute* (syn. : SINCÈREMENT). ◆ **ingénuité** n. f. : *L'ingénuité de l'enfant* (syn. : PURETÉ, CANDEUR). *Il a de ces ingénuités qu'on ne croirait pas possibles chez un savant* (syn. : IGNORANCE). *L'ingénuité d'une question* (syn. : NAÏVETÉ).

1. ingérer [ɛ̃ʒere] v. tr. Introduire par la bouche (terme médical) : *Ingérer un médicament sous forme de pilules. Les aliments ingérés dans l'estomac.* ◆ **ingestion** n. f. : *L'ingestion des aliments, d'une boisson.*

2. ingérer (s') [sɛ̃ʒere] v. pr. Intervenir, sans en avoir le droit, dans l'activité d'autrui : *S'ingérer dans les affaires intérieures des Etats* (syn. : SE MÊLER DE). *S'ingérer dans la vie d'un ami sous prétexte de lui rendre service* (syn. : S'IMMISCER). ◆ **ingérence** n. f. : *Dénoncer les ingérences d'un pays étranger dans la vie politique d'un Etat* (syn. : IMMIXTION). *L'ingérence de l'Administration dans la conduite d'une entreprise privée* (syn. : INTERVENTION).

ingouvernable adj. V. GOUVERNER.

ingrat, e [ɛ̃gra, -at] adj. et n. Se dit de quelqu'un (ou de son comportement) qui n'a aucune reconnaissance pour les bienfaits ou les services reçus : *La jeunesse ingrate* (syn. : OUBLIEUX; contr. : RECONNAISSANT). *Vous n'aurez pas affaire à un ingrat* (= je me souviendrai du service rendu). ◆ adj. 1° Qui ne répond pas aux efforts que l'on fait, à la peine que l'on se donne : *Un sol ingrat* (syn. : STÉRILE; contr. : FERTILE). *Un métier ingrat et obscur* (syn. : PÉNIBLE, DÉCEVANT). *Il a la tâche ingrate de recopier toutes les notes à la main* (contr. : PLAISANT). *Un sujet ingrat donné comme dissertation* (syn. : DIFFICILE). *Une mémoire ingrate* (syn. : INFIDÈLE). — 2° Qui n'est pas agréable, qui manque de grâce : *Un visage ingrat, dur et anguleux* (syn. : DISGRACIEUX; contr. : AVENANT). *Une contrée ingrate* (syn. : HOSTILE). *Etre à, dans l'âge ingrat* (= au début de l'adolescence). ◆ **ingratitude** n. f. Sens 1 de l'adj. : *L'ingratitude des enfants envers leurs parents* (contr. : RECONNAISSANCE). *Payer quelqu'un d'ingratitude. Etre un monstre d'ingratitude.*

ingrédient [ɛ̃gredjɑ̃] n. m. Ce qui entre dans une composition, un mélange (substance, liquide) : *Les ingrédients divers dont est faite la sauce. Les ingrédients d'un médicament* (syn. : CONSTITUANTS).

ingurgiter [ɛ̃gyrʒite] v. tr. 1° Avaler rapidement, souvent en grande quantité : *Ingurgiter son repas en quelques minutes. On prétendait qu'il ingurgitait plusieurs litres de vin par jour.* — 2° Acquérir massivement des connaissances, sans les assimiler : *Ingurgiter des mathématiques à haute dose pendant les vacances pour rattraper son retard.*

inhabile adj. V. HABILE; **inhabitable** adj., **inhabité, e** adj. V. HABITER; **inhabituel, elle** adj. V. HABITUDE.

inhalation [inalasjɔ̃] n. f. Absorption par les voies respiratoires d'un gaz, d'une vapeur, d'un liquide réduit en fines gouttelettes : *Faire des inhalations pour guérir un mal de gorge. L'inhalation d'éther provoque l'anesthésie.* ◆ **inhalateur** n. m. Appareil servant à prendre des inhalations.

inhérent, e [inerɑ̃, -ɑ̃t] adj. Se dit d'une chose qui est liée d'une manière inséparable, nécessaire, à une autre ou à une personne : *La responsabilité est inhérente à l'autorité. La versatilité est inhérente à son caractère inconsistant* (= tient à).

inhiber [inibe] v. tr. Supprimer toute possibilité de réaction, toute activité : *Ma volonté était comme inhibée par sa personnalité écrasante* (syn. : ÉCRASER). [Le mot appartient à la physiologie.] ◆ **inhibition** n. f. : *La timidité provoquait chez lui une sorte d'inhibition quand il voulait prendre la parole.*

inhospitalier, ère adj. V. HOSPITALIER; **inhumain, e** adj. V. HUMAIN.

inhumer [inyme] v. tr. Mettre en terre un corps humain (admin., relig.; souvent au passif) : *Le corps a été inhumé dans le caveau de famille* (syn. usuel : ENTERRER). *Obtenir le permis d'inhumer.* ◆ **inhumation** n. f. : *L'inhumation a eu lieu dans le village natal du défunt* (contr. : EXHUMATION).

inimaginable adj. V. IMAGINER.

inimitié [inimitje] n. f. Sentiment d'hostilité, moins vif que la haine et plus fort que l'antipathie : *Se créer de solides inimitiés. Nourrir de l'inimitié à l'égard de ses voisins* (syn. : RESSENTIMENT). *Encourir l'inimitié de ses collègues* (syn. : ANIMOSITÉ).

ininflammable adj. V. INFLAMMABLE; **inintelligent, e** adj. V. INTELLIGENT; **inintelligible** adj. V. INTELLIGIBLE; **inintéressant, e** adj. V. INTÉRÊT; **ininterrompu, e** adj. V. INTERROMPRE.

inique [inik] adj. D'une injustice grave, criante : *Un jugement inique rendu par passion* (syn. : INJUSTE). *Une loi inique. Un impôt inique qui touche lourdement les familles* (contr. : ÉQUITABLE). ◆ **iniquité** [inikite] n. f. : *Etre victime d'une iniquité révoltante* (syn. : INJUSTICE). *Se révolter devant tant d'iniquités.*

initial, e, aux [inisjal, -sjo] adj. Qui est au début, au commencement de quelque chose : *La cause initiale de son succès est dans sa persévérance* (syn. : PREMIER). *La syllabe initiale d'un mot. L'état initial* (syn. : ORIGINEL, PRIMITIF). *La vitesse initiale d'un véhicule, d'un projectile. Les données initiales d'un problème.* ◆ **initiale** n. f. Première lettre du nom d'une personne, du nom d'un organisme, etc., qui représente le mot tout entier : *Signer un reçu de ses initiales. Les initiales O.N.U. sont l'abréviation d' « Organisation des Nations unies »* (syn. : SIGLE). ◆ **initialement** adv. : *Initialement, je n'avais pas confiance en lui* (syn. : AU DÉBUT).

initiative [inisjativ] n. f. 1° Action de celui qui est le premier à proposer ou à faire quelque chose : *Il a eu l'initiative de l'expédition. Reprendre l'initiative dans des négociations. Savoir prendre les initiatives nécessaires* (syn. : MESURES). *Sur l'initiative* ou *à l'initiative de quelqu'un* (= sur sa proposition). *Une initiative hardie, catastrophique. S'en remettre à l'initiative privée, individuelle. Le syndicat d'initiative de la ville* (= organisme chargé de l'essor du tourisme). — 2° Qualité d'une personne qui sait prendre les décisions nécessaires : *Faire preuve d'initiative. Avoir l'esprit d'initiative. Il ne peut rien faire de sa propre initiative. Manquer d'initiative.*

initier [inisje] v. tr. **1°** *Initier quelqu'un à quelque chose,* être le premier à lui apprendre les éléments d'une science, d'une technique, d'une connaissance quelconque : *Un maître excellent nous a initiés à la philosophie* (syn. : APPRENDRE, ENSEIGNER). *Etre initié à la peinture. Initier un ami aux secrets de la maison* (syn. : RÉVÉLER À). — 2° Faire entrer dans une société secrète (vieilli). ◆ ***s'initier*** v. pr. (sujet nom de personne). Se mettre au courant des premiers éléments d'une connaissance : *S'initier aux pratiques d'un métier. S'initier à une méthode nouvelle d'enseignement.* ◆ **initié, e** n. Personne qui est dans le secret d'un art, d'une science, d'une connaissance : *Poésie réservée aux seuls initiés.* ◆ **initiation** n. f. : *Initiation au latin. Initiation à la politique, aux affaires.* ◆ **initiateur, trice** n. Personne qui fait connaître la première, qui ouvre une voie nouvelle : *C'est en sa matière un véritable initiateur* (syn. : PRÉCURSEUR, NOVATEUR). *Ils ont été les initiateurs de la révolte* (syn. : PROMOTEUR).

injecter [ɛ̃ʒekte] v. tr. Introduire par jet, par pression un liquide, un gaz dans un organisme, dans un corps, dans une substance poreuse, etc. : *Injecter du ciment dans le rocher pour consolider un barrage. Injecter de l'huile dans un moteur. Yeux injectés de sang* (= rougis par l'afflux du sang). ◆ **injection** n. f. : *Faire une injection de morphine* (syn. : PIQÛRE). *Une injection d'air dans une canalisation. Moteur à injection* (= où l'alimentation en carburant se fait directement dans les cylindres, sans carburateur).

injonction [ɛ̃ʒɔ̃ksjɔ̃] n. f. Ordre formel d'obéir sur-le-champ, souvent accompagné de menace de sanctions (admin. ou langue soutenue) : *Obtempérer aux pressantes injonctions de ses parents. Sur l'injonction du commissaire de police* (syn. : SOMMATION). ◆ **injonctif** n. m. Syn. de IMPÉRATIF (terme de grammaire). (V. ENJOINDRE.)

injure [ɛ̃ʒyr] n. f. Parole, action, procédé qui offense d'une manière grave et consciente : *Le mépris des injures* (syn. : INSULTE, AVANIE). *Il considéra cet oubli comme une injure personnelle* (syn. : AFFRONT, OUTRAGE). *Il m'a fait l'injure de refuser mon invitation. Vous faites injure à sa perspicacité, à son honnêteté* (= vous soupçonnez injustement). *Proférer des injures. Couvrir d'injures* (syn. : INVECTIVES). *Ils en vinrent rapidement aux injures. Echanger des injures.* ◆ **injurier** v. tr. *Injurier quelqu'un, quelque chose,* lui adresser des injures, l'offenser par des paroles, par des actes : *Injurier bassement un ennemi. J'ai été injurié par un inconnu que j'avais bousculé* (syn. : INVECTIVER). *Injurier la mémoire d'un mort* (syn. : OFFENSER, INSULTER). ◆ ***s'injurier*** v. pr. : *Les deux ivrognes s'injuriaient sans trop savoir pourquoi.* ◆ **injurieux, euse** adj. Qui porte atteinte à la réputation, à la dignité de quelqu'un : *Des mots injurieux furent échangés* (syn. : INSULTANT). *Article injurieux* (syn. : OFFENSANT). *Des soupçons injurieux* (syn. : BLESSANT). ◆ **injurieusement** adv.

injuste adj., **injustice** n. f. V. JUSTE 2; **inlassable** adj. V. LAS.

inné, e [inne] adj. Qui appartient au caractère fondamental de quelqu'un : *Avoir un goût inné pour la musique* (syn. : NATUREL). *Il a le sens inné de la justice. Une qualité innée.*

innerver v. tr. V. NERF.

innocent, e [inɔsɑ̃, -ɑ̃t] adj. et n. **1°** (après le nom) Se dit de quelqu'un qui n'est pas coupable : *Etre innocent du crime, de la faute dont on est accusé. Condamner un innocent.* — **2°** (avant ou après le nom) Se dit de quelqu'un qui est pur, qui ignore le mal ou n'en est pas souillé : *Une innocente jeune fille* (syn. : INGÉNU, NAÏF). *Prendre un air innocent* (syn. : IGNORANT; contr. : MALIN). *Un petit innocent* (= un tout jeune enfant). *Des sourires innocents* (syn. : CANDIDE). — **3°** Se dit de quelqu'un dont l'ignorance, la naïveté ou la simplicité d'esprit est trop grande : *Une bien innocente personne* (syn. : NIAIS, CRÉDULE). *Quel innocent d'aller croire un pareil conte!* (syn. : ↑ IMBÉCILE). *L'innocent du village* (syn. : IDIOT). — **4°** Se dit de quelque chose qui est inoffensif, sans danger, qu'on ne peut blâmer : *Une manie bien innocente, celle de collec-*

tionner les timbres (contr. : NOCIF). *Railleries innocentes* (contr. : MÉCHANT, MALFAISANT). *Un baiser innocent* (syn. : CHASTE). *Ce ne sont pas des jeux innocents* (contr. : DANGEREUX, BLÂMABLE). ◆ **innocemment** [inɔsamɑ̃] adv. : *Il tomba bien innocemment dans le piège qu'on lui avait tendu* (syn. : SOTTEMENT). ◆ **innocence** n. f. : *Proclamer son innocence* (contr. : CULPABILITÉ). *L'innocence d'un jeune enfant* (syn. : PURETÉ, CANDEUR). *En toute innocence* (syn. : SIMPLICITÉ, FRANCHISE). *Abuser de l'innocence de quelqu'un* (syn. : IGNORANCE). ◆ **innocenter** v. tr. 1° *Innocenter quelqu'un,* le déclarer non coupable : *Le témoignage innocenta le malheureux* (syn. : DISCULPER). *Il sortit du tribunal innocenté* (syn. : RÉHABILITER). — 2° *Innocenter quelque chose,* l'excuser : *Chercher à innocenter la conduite blâmable de son fils* (syn. : JUSTIFIER).

innocuité [inɔkɥite] n. f. Qualité de ce qui n'est pas nuisible : *L'innocuité d'un remède.* (V. NOCIF.)

innombrable adj. V. NOMBRE; **innomé, e, innommable** adj. V. NOM.

innover [inɔve] v. tr. et intr. Introduire une chose nouvelle pour remplacer quelque chose d'ancien : *Innover en matière d'art. Ne rien vouloir innover* ou *ne vouloir innover en rien* (syn. : CHANGER). ◆ **innovateur, trice** adj. et n. : *Des innovateurs hardis conçurent une architecture adaptée aux nouveaux besoins des cités humaines.* ◆ **innovation** n. f. : *Avoir horreur des innovations* (syn. : CHANGEMENT). *Une innovation dangereuse* (syn. : NOUVEAUTÉ). *Innovation heureuse dans la mise en scène* (syn. : CRÉATION).

inobservable adj. V. OBSERVER 1; **inoccupation** n. f., **inoccupé, e** adj. V. OCCUPER; **in-octavo** n. m. et adj. V. FORMAT.

inoculer [inɔkyle] v. tr. 1° *Inoculer quelque chose à quelqu'un,* introduire un virus, un germe, un vaccin dans le corps d'une personne, d'un animal; communiquer une maladie : *La morsure du chien lui avait inoculé la rage. Inoculer le vaccin contre la variole.* — 2° Transmettre un sentiment, une doctrine, assimilés à un virus dangereux : *Inoculer une passion exclusive, un goût, un vice* (syn. : COMMUNIQUER). ◆ **inoculation** n. f. Sens 1 du verbe : *L'inoculation de la fièvre typhoïde.*

inodore adj. V. ODEUR.

inoffensif, ive [inɔfɑ̃sif, -iv] adj. 1° Se dit d'un être vivant qui ne fait de mal à personne : *Un animal inoffensif* (contr. : NUISIBLE). *C'est un être bien inoffensif.* — 2° Se dit de quelque chose qui est sans danger : *Un remède inoffensif.*

inonder [inɔ̃de] v. tr. 1° (sujet nom désignant un fleuve qui déborde, la mer qui submerge les terres, etc.) Couvrir d'eau : *La Loire a inondé les terrains bas de la rive gauche. La mer a rompu les digues et inondé les terres. Les caves ont été inondées par la pluie d'orage.* — 2° (sujet nom désignant un liquide) Tremper : *La sueur inonde son visage* (syn. : RUISSELER SUR). *Les joues inondées de larmes* (syn. : BAIGNER). *Etre inondé par une averse* (syn. : MOUILLER). *S'inonder les cheveux de parfum.* — 3° (sujet nom de personne ou de chose) Affluer dans un endroit au point de l'envahir; emplir une chose complètement : *En août, Paris est inondé de touristes. Les fabricants ont inondé le marché d'articles textiles à bas prix. Le journal fut inondé de lettres de protestation. La plage est inondée de soleil. Une joie immense inonde son cœur* (syn. : PÉNÉTRER). ◆ **inondation** n. f. : *Les terribles inondations de 1910 à Paris. Une inondation de produits étrangers sur les marchés nationaux.*

inopérant, e adj. V. OPÉRATION 3.

inopiné, e [inɔpine] adj. Qui arrive sans qu'on l'ait prévu : *Une arrivée inopinée* (syn. : IMPRÉVU). *La nouvelle inopinée de sa maladie* (syn. : INATTENDU). *Un incident inopiné. Une rencontre inopinée* (syn. : FORTUIT). ◆ **inopinément** adv. : *Recevoir inopinément l'ordre de partir. Surprendre inopinément un élève en train de copier.*

inopportun, e adj. V. OPPORTUN; **inorganisation** n. f., **inorganisé, e** adj. V. ORGANISER; **inoubliable** adj. V. OUBLI.

inouï, e [inwi] adj. Qui est sans exemple par son caractère extraordinaire : *La nouvelle est inouïe. Etre reçu avec des honneurs inouïs* (syn. : PRODIGIEUX). *La vogue inouïe de ce chanteur* (syn. : INCROYABLE). *Paul est inouï, il n'a pas peur de lui répondre* (syn. : FORMIDABLE).

inoxydable adj. V. OXYDE; **inqualifiable** adj. V. QUALIFIER; **in-quarto** n. m. et adj. V. FORMAT.

inquiet, ète [ɛ̃kjɛ, -ɛt] adj. et n. Se dit d'une personne qui est agitée par la crainte d'un danger, l'incertitude, l'appréhension de l'avenir : *Je suis inquiet de son retard* (syn. : SOUCIEUX). *Etre inquiet de ne pas avoir de nouvelles. La population de la ville est inquiète* (syn. : TROUBLÉ). *Etre inquiet pour l'avenir de son fils* (syn. : ANXIEUX). *C'est un inquiet qu'un rien émeut.* ◆ adj. Se dit d'une attitude qui manifeste cet état d'esprit : *Jeter des regards inquiets autour de soi* (contr. : PAISIBLE). *Attente inquiète* (syn. : FIÉVREUX). ◆ **inquiéter** v. tr. *Inquiéter quelqu'un,* troubler son repos, sa tranquillité, son optimisme : *Il ne faut pas l'inquiéter en lui parlant de cet accident* (syn. : ALARMER). *La santé de sa fille l'inquiète* (syn. : TOURMENTER). *Son silence m'inquiète* (syn. : TRACASSER, TROUBLER). *Il a été inquiété par la police.* ◆ **s'inquiéter** v. pr. 1° *S'inquiéter de quelque chose,* avoir de la crainte, de l'appréhension : *Il s'inquiète de ne pas la voir rentrer* (syn. : S'ALARMER). *Vous n'avez pas là de quoi vous inquiéter* (syn. : SE SOUCIER, S'ÉMOUVOIR). *Il ne s'inquiète jamais de rien* (= il ne se fait aucun souci). — 2° *S'inquiéter d'une chose,* prendre des renseignements sur elle : *S'inquiéter de la santé de quelqu'un* (syn. : S'ENQUÉRIR). *S'inquiéter de l'heure de fermeture d'un magasin.* ◆ **inquiétant, e** adj. : *Des nouvelles inquiétantes* (syn. : ALARMANT, SOMBRE). *L'avenir est inquiétant* (syn. : ↑ ANGOISSANT). *Personnage inquiétant* (syn. : TROUBLE). ◆ **inquiétude** n. f. : *L'état du blessé n'inspire aucune inquiétude* (syn. : CRAINTE). *Eprouver une réelle inquiétude* (syn. : SOUCI). *Etre rempli d'inquiétude* (syn. : ANGOISSE). *Avoir beaucoup de sujets d'inquiétude* (syn. : ↓ APPRÉHENSION, ↑ ALARME). *Fou d'inquiétude* (syn. : ANXIÉTÉ).

inquisition [ɛ̃kizisjɔ̃] n. f. Enquête rigoureuse et arbitraire (littér.) : *L'inquisition du fisc, de la censure.* (Le mot désignait un tribunal ecclésiastique chargé de la répression des hérésies.) ◆ **inquisiteur** adj. et n. m. Qui cherche à découvrir les pensées secrètes, les détails insoupçonnés, etc. : *Un regard inquisiteur. Des procédés d'inquisiteur.*

insaisissable adj. V. SAISIR; **insalubre** adj. V. SALUBRE.

insanité [ɛ̃sanite] n. f. Caractère de ce qui manque de bon sens; acte ou parole déraisonnable : *L'insanité de tels propos est révoltante* (syn. : SOTTISE, STUPIDITÉ). *Dire des insanités* (syn. : BÊTISE).

insatiable [ɛ̃sasjabl] adj. Se dit de la faim, d'un désir, d'une passion qui ne peuvent être assouvis : *Appétit insatiable* (syn. : VORACE). *Curiosité insatiable. Il n'est jamais heureux : il est insatiable d'honneurs et d'argent* (syn. : AVIDE). [V. SATIÉTÉ.]

insatisfait, e adj. V. SATISFAIT.

inscrire [ɛ̃skrir] v. tr. (conj. **71**). **1°** *Inscrire quelque chose,* l'écrire sur un registre, un cahier, etc.; le graver sur la pierre, sur le métal, etc., de manière à ce qu'il demeure : *Inscrire son nom et son adresse sur la fiche d'hôtel* (syn. : INDIQUER). *Inscrire un rendez-vous sur son carnet* (syn. : NOTER). *Inscrire de nouvelles dépenses au budget* (syn. : PORTER). *L'épitaphe inscrite sur la tombe* (syn. : GRAVER). *Inscrivez bien cette date dans votre mémoire.* — **2°** *Inscrire quelqu'un,* le mettre sur une liste, le porter sur un rôle, un tableau, etc., afin qu'il fasse partie d'un groupe, qu'il figure parmi ceux qui possèdent une dignité, etc. : *Inscrire son enfant à une école du quartier. Inscrire sur la liste des candidats. Inscrire un élève au tableau d'honneur.* ◆ ***s'inscrire*** v. pr. **1°** (sujet nom de personne) Entrer dans un groupe, un organisme, un établissement, etc. : *S'inscrire à la faculté* (= y entrer comme étudiant). *S'inscrire à un parti, à un club* (= s'y affilier). *S'inscrire à un examen.* — **2°** *S'inscrire en faux contre quelque chose,* lui opposer un démenti formel : *Il s'inscrit en faux contre tous les bruits qui courent sur lui* (syn. : DÉMENTIR). — **3°** (sujet nom de chose) Se situer : *Cette mesure s'inscrit dans le cadre de la campagne contre la hausse des prix* (syn. : S'INSÉRER). ◆ **inscrit, e** n. Personne dont le nom est porté sur une liste : *Les inscrits devront se présenter à la salle d'examen à huit heures.* ◆ **inscription** n. f. **1°** Action d'inscrire quelque chose ou quelqu'un : *Inscription d'un étudiant à une faculté. Inscription à un concours.* — **2°** Ensemble de caractères écrits ou gravés sur la pierre, sur une médaille, etc., pour consacrer le souvenir de quelqu'un ou de quelque chose, donner un renseignement, un avis : *Déchiffrer une inscription en caractères grecs. Une inscription injurieuse sur le mur de la mairie* (syn. : GRAFFITI). *L'inscription portée sur le poteau indicateur* (syn. : INDICATION). ◆ **réinscrire** v. tr. ◆ **réinscription** n. f.

insecte [ɛ̃sɛkt] n. m. Petit animal invertébré, articulé : *Une nuée d'insectes. Les insectes avaient détruit toute la récolte.* ◆ **insecticide** n. m. et adj. Produit destiné à détruire les insectes.

insécurité n. f. V. SÉCURITÉ; **in-seize** n. m. et adj. V. FORMAT.

insémination [ɛ̃seminasjɔ̃] n. f. *Insémination artificielle,* procédé de fécondation artificielle (utilisé en particulier pour les bovins).

insensible adj. V. SENSIBLE; **inséparable** adj. V. SÉPARER.

insérer [ɛ̃sere] v. tr. **1°** *Insérer une chose dans une autre,* l'y introduire, l'y faire entrer : *Insérer des exemples dans une démonstration* (syn. : AJOUTER). *Faire insérer une annonce dans un journal. La revue fait publier cet article; il y sera inséré le mois prochain.* — **2°** *Insérer un objet* (*sous un autre, dans un autre*), le glisser dans un espace libre, l'intercaler : *Insérer une feuille dans un livre. Insérer une photo sous une glace.* ◆ ***s'insérer*** v. pr. *S'insérer dans quelque chose,* s'y rattacher : *Ces événements s'insèrent dans un contexte de troubles, d'émeutes et de discorde civile* (syn. : SE DÉROULER). *Ce projet de loi s'insère dans un ensemble de réformes* (syn. : SE PLACER). ◆ **insertion** n. f. : *L'insertion d'une réponse à un article, d'un jugement rendu par le tribunal.*

insidieux, euse [ɛ̃sidjø, -øz] adj. **1°** (après le nom) Se dit de quelqu'un qui cherche habilement à induire en erreur, à faire tomber dans un piège : *Un homme insidieux qui, par d'adroites questions, s'efforce de découvrir un secret* (syn. : RUSÉ). — **2°** (avant ou après le nom) Se dit d'une attitude qui a le caractère d'une ruse, d'une tromperie : *D'insidieuses questions. Ses manières insidieuses et hypocrites* (syn. : SOURNOIS). — **3°** *Odeur insidieuse, parfum insidieux,* qui pénètre insensiblement, doucement. — **4°** *Maladie insidieuse,* dont les débuts, apparemment bénins, cachent la gravité. ◆ **insidieusement** adv. : *Il cherche insidieusement à obtenir ce qu'on lui a déjà refusé.*

1. insigne [ɛ̃siɲ] adj. (avant ou après le nom). Qui s'impose par sa grandeur, son éclat, son importance (restreint à quelques expressions, ou ironiq.) : *Les honneurs insignes qu'il a reçus* (syn. : ÉCLATANT). *Occuper une place insigne dans le monde scientifique* (syn. : ÉMINENT). *Rendre un service insigne* (syn. : SIGNALÉ). *Faire preuve d'une insigne maladresse* (syn. : REMARQUABLE).

2. insigne [ɛ̃siɲ] n. m. Marque extérieure d'un grade, d'une dignité, de l'appartenance à un groupement : *Maire revêtu des insignes de sa fonction. L'insigne de garde-champêtre* (syn. : PLAQUE). *L'insigne de la Légion d'honneur* (syn. : DÉCORATION). *Porter sur son blouson l'insigne de son club sportif.*

insignifiant, e adj. V. SIGNIFIER.

insinuer [ɛ̃sinɥe] v. tr. *Insinuer quelque chose,* le faire entendre adroitement, sans le dire expressément : *Il insinue que la mésentente règne dans leur ménage* (syn. : PRÉTENDRE). *Qu'insinuez-vous par là?* (syn. : VOULOIR DIRE). ◆ ***s'insinuer*** v. pr. **1°** (sujet nom de personne) Pénétrer adroitement dans un lieu, auprès de quelqu'un : *S'insinuer dans la foule pour parvenir au premier rang* (syn. : SE FAUFILER). *S'insinuer partout pour se faire voir* (syn. fam. : SE FOURRER). *Je me suis insinué dans ses bonnes grâces, dans sa confiance* (= j'ai réussi à capter sa confiance). — **2°** (sujet nom de chose) Pénétrer doucement quelque part : *Le poison s'insinue dans les reins. L'eau s'est insinuée dans les fentes de la maçonnerie* (syn. : S'INFILTRER). ◆ **insinuant, e** adj. : *Il agit toujours d'une manière insinuante* (syn. : INDIRECT). ◆ **insinuation** n. f. **1°** Manière adroite et subtile de faire entendre quelque chose sans l'exprimer formellement : *Procéder par insinuation* (syn. : ALLUSION). — **2°** Chose qui est ainsi suggérée : *Une insinuation calomnieuse publiée dans la presse* (syn. : ATTAQUE, ACCUSATION).

insipide [ɛ̃sipid] adj. **1°** Qui n'a pas de goût : *Une boisson insipide* (syn. : FADE; contr. : SAVOUREUX). — **2°** Qui n'a rien d'attirant; qui dégage l'ennui : *Un film insipide* (syn. : ENNUYEUX; contr. : DIVERTISSANT). *Il nous assomme de leçons de morale insipides et inutiles* (syn. : FASTIDIEUX). ◆ **insipidité** n. f. Caractère de ce qui est insipide : *L'insipidité d'un aliment, d'une œuvre littéraire.*

insister [ɛ̃siste] v. tr. 1° *Insister sur quelque chose* (nom abstrait), le souligner avec force, s'y arrêter : *Il insista sur la discrétion nécessaire* (syn. : METTRE L'ACCENT SUR). *Insister sur un point particulier* (syn. : S'ÉTENDRE SUR); sans complément : *N'insistez pas : il ne comprendra jamais* (= passez). *Il expose clairement, mais n'insiste pas* (syn. : RÉPÉTER). — 2° *Insister pour une chose, pour* et l'infinitif, continuer à la demander afin de l'obtenir : *Insister pour obtenir des assurances. J'insiste pour la réponse. Il insiste pour lui parler;* sans complément : *Je n'insiste pas, mais vous le regretterez* (syn. : CONTINUER). ◆ **insistant, e** adj. : *Un regard insistant* (syn. : PRESSANT). *Ses demandes se faisaient insistantes.* ◆ **insistance** n. f. : *Réclamer une augmentation de salaire avec insistance. Revenir sur le sujet avec insistance* (syn. : OBSTINATION). *Votre insistance est déplacée.*

insociable adj. V. SOCIABLE.

insolation [ɛ̃sɔlasjɔ̃] n. f. 1° Action de la chaleur ou de la lumière solaire sur quelqu'un ou sur quelque chose (technique et scientif.) : *Insolation d'une pellicule photographique. L'insolation prolongée peut être dangereuse.* — 2° Accident provoqué par l'exposition à un soleil très chaud : *Un cas d'insolation. Attraper une insolation* (syn. : ↓ COUP DE SOLEIL). — 3° Temps pendant lequel le soleil a brillé : *L'insolation au mois d'août 1963 a été la plus faible enregistrée depuis cinquante ans.* (V. ENSOLEILLER.)

insolent, e [ɛ̃sɔlɑ̃, -ɑ̃t] adj. et n. 1° Se dit d'une personne qui manifeste un manque de respect injurieux; se dit aussi de son attitude : *Un fils insolent envers sa mère* (syn. : EFFRONTÉ, GROSSIER; contr. : DÉFÉRENT, POLI). *Un domestique insolent, traitant les visiteurs avec impertinence* (syn. : IMPOLI, DÉSAGRÉABLE). *Faire une réponse insolente* (syn. : INSULTANT, INJURIEUX). *Prendre un ton insolent* (syn. : INCONVENANT, DÉPLACÉ). — 2° Se dit de quelqu'un qui est d'un orgueil offensant : *Un rival heureux et insolent* (syn. : ARROGANT). ◆ adj. Se dit d'une chose qui prend le caractère d'un défi : *Montrer une joie insolente* (syn. : INDÉCENT). *Etaler une santé insolente* (syn. : EXTRAORDINAIRE). ◆ **insolemment** adv. : *Parler insolemment à ses supérieurs.* ◆ **insolence** n. f. : *Répondre avec insolence à ses parents* (syn. : IRRESPECT, IMPERTINENCE; contr. : DÉFÉRENCE). *Braver avec insolence des reproches mérités* (syn. : EFFRONTERIE). *L'insolence d'un vainqueur* (syn. : ARROGANCE, HAUTEUR; contr. : MODESTIE). *Il a l'insolence de celui à qui tout réussit* (syn. : ↓ ASSURANCE).

insolite [ɛ̃sɔlit] adj. Contraire aux usages, qui surprend par son caractère inhabituel : *Un bruit insolite attira mon attention* (syn. : INHABITUEL). *Il avait une tenue insolite pour la saison* (syn. : EXTRAORDINAIRE, ÉTRANGE). *Votre demande est insolite* (syn. : ANORMAL, BIZARRE).

insoluble [ɛ̃sɔlybl] adj. 1° Se dit de quelque chose (nom concret) qui ne peut être dissous : *La résine est insoluble dans l'eau.* — 2° Se dit d'un problème, d'une question, etc., qui ne peuvent être résolus.

insolvable adj. V. SOLVABLE.

insomnie [ɛ̃sɔmni] n. f. Impossibilité de dormir; phase de veille interrompant anormalement le sommeil : *Pendant mes nuits d'insomnie, je lis. Avoir des insomnies fréquentes.*

insondable adj. V. SONDER; **insonore** adj. V. SONORE; **insouciant, e** adj. V. SOUCI; **insoumis, e** adj. V. SOUMETTRE; **insoupçonné, e** adj., **insoupçonnable** adj. V. SOUPÇON; **insoutenable** adj. V. SOUTENIR.

inspecter [ɛ̃spɛkte] v. tr. 1° Examiner avec soin afin de contrôler, de vérifier : *Inspecter une école, une classe, un lycée. Inspecter des travaux. Bagages inspectés par la douane.* — 2° Observer attentivement : *Inspecter l'horizon* (syn. : EXPLORER). *Inspecter le ciel avant de partir. Inspecter tous les recoins de la maison pour découvrir quelques indices* (syn. : FOUILLER). ◆ **inspection** n. f. : *Procéder à l'inspection des lieux* (syn. : VISITE). *L'inspection des comptes a révélé des détournements* (syn. : CONTRÔLE). *Etre en tournée d'inspection. Subir une inspection.* ◆ **inspecteur, trice** n. et adj. 1° Agent, fonctionnaire chargé de contrôler le fonctionnement d'un organisme, d'une administration, etc., de vérifier l'application des règlements, de veiller à l'activité normale d'autres employés : *Inspecteur général des lycées et collèges. Inspecteur primaire* (= de l'enseignement primaire). *Inspecteur des assurances. Inspecteur du travail. Inspecteur des finances. Général inspecteur des armées.* — 2° *Inspecteur de police,* agent sans uniforme, attaché à une préfecture de police, à un commissariat.

1. inspirer [ɛ̃spire] v. tr. et intr. Faire entrer de l'air dans ses poumons : *Inspirez profondément, puis expirez doucement.* ◆ **inspiration** n. f. : *Les brèves et rapides inspirations d'un malade.*

2. inspirer [ɛ̃spire] v. tr. 1° *Inspirer quelque chose à quelqu'un, inspirer quelqu'un,* faire naître chez lui, dans son esprit une idée, un sentiment : *Le danger lui inspire une crainte salutaire* (syn. : DONNER). *Il est inspiré par la pitié, l'amour* (syn. : ANIMER, CONDUIRE). *Sa santé inspire de l'inquiétude à son médecin. Le ressentiment inspire ses propos* (syn. : DICTER). *Elle lui a inspiré une passion violente* (= elle est la cause, l'objet d'une passion). *Cela ne m'inspire pas confiance. Le projet lui fut inspiré par un conseiller bien intentionné, mais maladroit* (syn. : SUGGÉRER). *J'ai été bien mal inspiré d'agir ainsi* (= j'ai été malavisé). — 2° *Inspirer quelqu'un,* faire naître dans son esprit l'enthousiasme créateur : *Ces paysages lui ont inspiré ses plus beaux tableaux. Elle lui a inspiré son premier roman. L'amour lui a inspiré des vers déchirants.* ◆ **s'inspirer** v. pr. *S'inspirer de quelqu'un, de quelque chose,* prendre ses idées à quelqu'un, les tirer de quelque chose : *Il s'est manifestement inspiré de la traduction pour faire cette version latine* (syn. : SE SERVIR). *S'inspirer de l'exemple de son père.* ◆ **inspiré, e** adj. et n. Comme mû par une impulsion surnaturelle : *Un poète inspiré. Un moine inspiré* (syn. : MYSTIQUE). *Prendre un air inspiré pour dire des choses banales* (syn. : ILLUMINÉ). ◆ **inspiration** n. f. 1° Enthousiasme créateur : *Suivre son inspiration* (syn. : VERVE). *Il cherche l'inspiration. Manquer d'inspiration.* — 2° Action de faire naître une idée, un sentiment : *Il agit selon l'inspiration du moment* (syn. : IMPULSION). *Suivre l'inspiration d'un ami* (syn. : CONSEIL, SUGGESTION). *Crime commis sous l'inspiration d'un complice plus âgé* (= à l'instigation de). — 3° Idée brusque, spontanée : *Tu as eu une mauvaise inspiration en l'invitant. Avoir d'heureuses inspirations* (syn. : INTUITION). — 4° Influence exercée sur une œuvre littéraire, artistique : *Musique d'inspiration orientale. Une colonnade d'inspiration* *classique. Roman d'inspiration philosophique.* ◆ **inspirateur, trice** adj. et n. : *L'inspirateur du complot réside à l'étranger* (syn. : INSTIGATEUR). *La femme inspiratrice de son œuvre* (syn. littér. : MUSE).

instable adj. V. STABLE.

installer [ɛ̃stale] v. tr. 1° *Installer une chose (en une place déterminée),* la disposer, la mettre en ordre, l'établir selon un plan précis : *Il est difficile d'installer la tente par ce vent* (syn. : DRESSER). *On a enfin installé le téléphone* (syn. : POSER). *Leur appartement est bien mal installé* (syn. : AMÉNAGER). *Installer l'électricité.* — 2° *Installer quelqu'un en un lieu précis,* l'y établir d'une manière durable : *Installer un enfant sur son siège. Installer sa famille à Lyon* (syn. : LOGER). *Installer un blessé sur une civière* (syn. : METTRE). — 3° *Installer un fonctionnaire, un magistrat,* etc., l'établir officiellement dans ses fonctions. ◆ ***s'installer*** v. pr. 1° Se fixer, s'établir en une résidence, en un lieu de travail, etc. : *S'installer à Paris, dans le quartier de Passy. Les employés se sont installés dans leurs nouveaux bureaux. Nous nous sommes installés à l'hôtel en attendant* (syn. : LOGER). *Cette idée obsédante s'est installée dans son esprit* (syn. : SE FIXER). — 2° Se mettre dans une certaine position pour longtemps : *S'installer dans un fauteuil pour lire à son aise. Il s'est installé dans le mensonge et ne peut en sortir.* ◆ **installé, e** adj. *Un homme installé,* parvenu à une situation sociale qui lui assure l'aisance et le confort. ◆ **installation** n. f. Action d'installer; ensemble des appareils, bâtiments mis en place : *L'installation de la salle de bains dans cette petite pièce a été très difficile* (syn. : AMÉNAGEMENT). *Ils ont une installation de fortune, dans une chambre au sixième étage. L'installation électrique est défectueuse. Les superbes installations du château. Les installations portuaires* (= le port et les docks). ◆ **installateur** n. m. Personne qui assure la pose et la mise en service d'un appareil sanitaire, d'un poste de télévision, du chauffage central, etc. ◆ **réinstaller** v. tr. : *Se réinstaller dans le quartier de sa jeunesse* (= venir y habiter de nouveau). ◆ **réinstallation** n. f. : *La réinstallation des Assemblées après les nouvelles élections.*

1. instant, e [ɛ̃stɑ̃, -ɑ̃t] adj. (avant ou après le nom). Qui presse vivement : *Céder aux instantes prières de ses amis. Avoir un besoin instant d'argent* (syn. : IMMÉDIAT). ◆ **instamment** [ɛ̃stamɑ̃] adv. : *Demander instamment le silence. Je vous prie instamment d'oublier ces paroles.* ◆ **instance** n. f. 1° Prière, demande pressante : *Devant les instances de sa famille* (syn. : INSISTANCE). *Sur l'instance de sa femme* (syn. : PRIÈRE). *Les instances répétées dont il est l'objet* (syn. : SOLLICITATION). — 2° Organisme, bureau, service qui a un pouvoir d'autorité, de décision : *Les hautes instances internationales* (syn. : AUTORITÉS). *Le chef de l'Etat représente l'instance suprême.* — 3° *En instance,* se dit d'une affaire dont on attend la solution : *Le traité est en instance devant les comités d'experts* (syn. : PENDANT, EN DISCUSSION). • LOC. PRÉP. *En instance de,* sur le point de : *Le train est en instance de départ.*

2. instant [ɛ̃stɑ̃] n. m. Espace de temps très court : *La scène n'avait duré qu'un instant. Le souvenir de ces instants de bonheur. Attendez un instant* (syn. : PETIT MOMENT, MINUTE). *Revenez dans un instant* (syn. : BIENTÔT). *Pendant un instant, je l'ai perdu de vue* (syn. : SECONDE). *Ne perds pas un instant. D'instant en instant, la circulation des voitures augmentait. C'est l'affaire d'un instant. Un instant, je suis occupé* (= attendez un petit moment). *Arrête-toi de lire pour un instant et écoute-moi. Pas un seul instant je ne me suis méfié. En un instant, la grange fut brûlée* (= très rapidement). *Par instants, je me demande s'il pense ce qu'il dit* (= de temps en temps). *C'est une attention de tous les instants qu'il faut donner au malade* (= continuelle). *A chaque instant, on le dérange* (= tout le temps). *Au même instant, on frappa à la porte* (= en même temps). • LOC. ADV. *A l'instant,* aussitôt, il y a très peu de temps : *Je l'ai quitté à l'instant.* • LOC. CONJ. *Dès l'instant que,* indique la cause dont la conséquence immédiate est traduite par la principale : *Dès l'instant que vous êtes satisfait, c'est le principal* (syn. : DU MOMENT QUE). ‖ *A l'instant où,* au moment précis où : *A l'instant où j'allais sortir, le téléphone sonna.* ◆ **instantané, e** adj. Qui se produit subitement, en un instant : *La mort fut instantanée* (syn. : IMMÉDIAT). *Riposte instantanée* (syn. : PROMPT). *Une décision instantanée fut prise. L'explosion fut presque instantanée.* ◆ **instantané** n. m. Cliché photographique obtenu après un temps très court d'exposition à la lumière. ◆ **instantanément** adv. : *Arrêtez-vous instantanément* (syn. : TOUT DE SUITE, IMMÉDIATEMENT).

instar de (à l') [alɛ̃star] loc. prép. En suivant l'exemple, le modèle donné par quelqu'un : *A l'instar de ses prédécesseurs* (syn. : À L'IMITATION DE). *A l'instar de ses frères et sœurs* (syn. : COMME).

instaurer [ɛ̃store] v. tr. *Instaurer quelque chose,* en établir les bases : *Il instaura une nouvelle politique* (syn. : INAUGURER). *Instaurer des cours martiales* (syn. : INSTITUER, ORGANISER). *Instaurer la République* (syn. : INSTITUER; contr. : RENVERSER). ◆ **instauration** n. f. : *L'instauration du règne de la justice, du socialisme* (syn. : ÉTABLISSEMENT).

instigation [ɛ̃stigasjɔ̃] n. f. *A (sur) l'instigation, sur les instigations de quelqu'un,* sur ses conseils, sur son encouragement (souvent péjor.) : *Le vol a été commis à l'instigation du plus âgé de la bande. Sur l'instigation de sa femme, il se décida à faire cette demande* (syn. : EXHORTATION). ◆ **instigateur, trice** n. : *Les principaux instigateurs du complot furent arrêtés* (syn. : DIRIGEANT). *Elle fut l'instigatrice de cette équipée* (syn. : PROTAGONISTE).

instinct [ɛ̃stɛ̃] n. m. 1° Tendance innée, involontaire, impérative, commune à tous les êtres vivants appartenant à la même espèce : *L'instinct sexuel. L'instinct maternel. De mauvais instincts. L'instinct grégaire.* — 2° Impulsion naturelle, irréfléchie, propre à un homme et qui le détermine dans ses actions : *Pressentir par instinct un danger* (syn. : INTUITION). *Avoir l'instinct de l'ordre, de la discipline* (= le goût inné). *Un instinct infaillible.* — 3° Disposition naturelle permanente : *Avoir l'instinct des affaires* (syn. plus usuel : SENS). • LOC. ADV. *D'instinct,* par un mouvement naturel, irréfléchi : *D'instinct, il prit au carrefour le sentier de gauche* (= par une sorte d'intuition). *D'instinct, elle trouvait l'idée excellente* (syn. : SPONTANÉMENT). ◆ **instinctif, ive** adj. : *Etre pris du désir instinctif de connaître quelqu'un* (syn. : IRRÉFLÉCHI). *Il a eu un geste instinctif* (syn. : INCONSCIENT). *Avoir une sympathie instinctive pour le plus faible* (syn. : NATUREL). *C'est un être instinctif, capable des décisions les plus inattendues* (syn. : SPONTANÉ). ◆ **ins-**

tinctivement adv. : *Instinctivement, il s'opposait à tout ce qu'elle disait. Agir instinctivement* (= sans réfléchir).

instituer [ɛ̃stitɥe] v. tr. **1°** *Instituer une chose,* l'établir, la fonder d'une manière permanente, dans l'intention de la voir durer : *Instituer de nouveaux règlements de circulation* (syn. : METTRE EN VIGUEUR). *La Constitution institue un Conseil économique et social* (syn. : CRÉER). *Le service militaire de seize mois fut institué en 1963* (syn. : INSTAURER). *Instituer un débat sur les problèmes agricoles* (syn. : PROMOUVOIR). — **2°** *Instituer quelqu'un son héritier, instituer quelqu'un héritier,* le désigner comme l'héritier de ses biens : *Il a institué son neveu héritier de sa fortune* (syn. : CONSTITUER). ◆ ***s'instituer*** v. pr. : *S'instituer l'ardent défenseur d'une cause. Des relations commerciales se sont instituées entre les deux pays.* ◆ **institution** n. f. **1°** Action d'instituer quelque chose : *L'institution d'un nouveau régime politique* (syn. : FONDATION). *L'institution d'un Fonds national du logement* (syn. : CRÉATION). *L'institution de relations amicales entre les deux Etats.* — **2°** Ce qui est institué (organisme, loi, établissement, groupement, etc.) : *Les institutions internationales* (= organismes). *Il a élevé sa paresse à la hauteur d'une institution* (= règle). *L'institution du mariage. Une institution de jeunes filles* (= un établissement scolaire privé). ◆ **institutions** n. f. pl. Ensemble des lois fondamentales, des structures politiques et sociales d'un Etat : *Les institutions de la France. Des institutions démocratiques.* ◆ **institutionnel, elle** adj. : *La réforme institutionnelle* (= celle des institutions).

institut [ɛ̃stity] n. m. **1°** Nom donné à certains établissements de recherches scientifiques, d'enseignement (avec une majusc. et un qualificatif) : *Institut national agronomique. L'Institut Pasteur. L'Institut français d'Athènes.* — **2°** Nom donné, en France, à la réunion des cinq Académies (avec une majusc.) : *Faire une communication à l'Institut.* — **3°** *Institut de beauté,* établissement commercial où l'on donne des soins de beauté.

instituteur, trice [ɛ̃stitytœr, -tris] n. Personne chargée de l'instruction des enfants dans les écoles primaires (en général jusqu'au certificat d'études ou à l'entrée dans un lycée ou un collège).

instruire [ɛ̃strɥir] v. tr. (conj. **70**). **1°** (sujet nom de personne) *Instruire quelqu'un,* former son esprit par un enseignement, des leçons, lui donner des connaissances nouvelles : *Elle instruit de jeunes élèves dans une école du quartier* (syn. : ENSEIGNER À). *Instruire des recrues* (= leur enseigner le maniement des armes). *Etre instruit dans une science* (syn. : FORMER). *Instruire les enfants par l'image;* avec un nom de chose : *Ce livre m'a beaucoup instruit sur des questions qui m'étaient étrangères* (syn. : APPRENDRE). *Je suis instruit par l'expérience.* — **2°** *Instruire une affaire,* rechercher et réunir les preuves d'un délit commis par quelqu'un. — **3°** *Instruire quelqu'un de quelque chose,* le mettre au courant de quelque chose, lui faire connaître un fait particulier : *Il m'a instruit de votre désir de collaborer à cet ouvrage* (syn. : AVERTIR, PRÉVENIR). *Il est instruit de toute l'affaire* (syn. : INFORMER). *La presse n'a pas été instruite des décisions avant qu'elles n'entrent dans les faits* (syn. : RENSEIGNER). *Ses mésaventures l'avaient instruit de la méchanceté humaine* (syn. : RÉVÉLER). ◆ ***s'instruire*** v. pr. *Accroître ses connaissances : Il chercha à s'instruire* (syn. : APPRENDRE). *S'instruire auprès d'un employé des formalités à accomplir* (syn. : S'INFORMER). ◆ **instruit, e** adj. Qui a beaucoup de connaissances : *Un homme instruit* (syn. : CULTIVÉ, ↑ ÉRUDIT). ◆ **instruction** n. f. **1°** Action d'instruire : *L'instruction reçue au lycée* (syn. : ENSEIGNEMENT, FORMATION). *L'instruction des jeunes soldats* (= la formation militaire). *Instruction d'un procès. Cela servira à son instruction* (syn. : ÉDIFICATION). — **2°** Organisation de l'enseignement : *Instruction publique. L'instruction primaire, secondaire, supérieure.* — **3°** Savoir d'une personne qui a reçu un enseignement scolaire, qui a appris beaucoup : *Avoir une solide instruction* (syn. : CONNAISSANCES). *Etre sans instruction* (syn. : CULTURE). *Son défaut d'instruction apparaît en la circonstance.* ◆ **instructions** n. f. pl. Renseignements verbaux ou écrits, donnés à quelqu'un en vue d'une action particulière, d'une mission, de l'usage particulier de quelque chose, etc. : *Recevoir des instructions* (syn. : ORDRES). *Le préfet donna des instructions rigoureuses à ses subordonnés* (syn. : DIRECTIVES). *Conformément aux instructions reçues* (syn. : CONSIGNES). *Des instructions accompagnent l'appareil de chauffage* (syn. : EXPLICATIONS). ◆ **instructeur** n. m. et adj. m. Militaire chargé d'instruire les jeunes soldats : *Officier instructeur.* ◆ adj. m. *Magistrat instructeur,* celui qui est chargé de faire une enquête sur des faits délictueux. ◆ **instructif, ive** adj. : *Un livre instructif* (= qui apporte des connaissances). *Cette conversation a été très instructive pour moi* (syn. : ÉDIFIANT).

1. instrument [ɛ̃strymɑ̃] n. m. **1°** Objet fabriqué servant à exécuter quelque travail, à faire une opération (souvent accompagné d'un adj. ou d'un compl.) : *Instruments aratoires* (syn. : OUTILLAGE AGRICOLE). *Le baromètre est un instrument de mesure. Un instrument de chirurgie. Des instruments de précision. Les tenailles sont des instruments pour couper ou arracher* (syn. : OUTIL). *Les crayons, le stylo, le papier sont nos instruments de travail.* — **2°** Personne ou chose grâce à laquelle on obtient un résultat : *Ce pacte de non-agression a été un instrument décisif de la paix* (syn. : MOYEN). *Il est un simple instrument au service de gens plus puissants* (syn. : EXÉCUTANT). *La télévision peut être un instrument efficace de propagande.* ◆ **instrumental** n. m. V. CAS 2.

2. instrument [ɛ̃strymɑ̃] n. m. Appareil propre à produire des sons musicaux (*instrument de musique*) : *Les musiciens de l'orchestre accordent leurs instruments. Jouer d'un instrument. Instrument à vent, à percussion.* ◆ **instrumental, e, aux** adj. Qui s'exécute avec un instrument de musique : *Musique instrumentale* (contr. : VOCALE). ◆ **instrumentation** n. f. Syn. d'ORCHESTRATION. ◆ **instrumentiste** n. Musicien qui joue d'un instrument dans un orchestre.

insu de (à l') [alɛ̃sydə] loc. prép. Sans qu'on le sache : *Sortir à l'insu de ses parents. Tout s'est passé à mon insu. A son insu, il m'a livré le fond de sa pensée* (syn. : INCONSCIEMMENT). *A l'insu de tout le monde, le mal se développait* (contr. : AU VU ET AU SU DE).

insubmersible adj. V. SUBMERSIBLE ; **insubordination** n. f. V. SUBORDONNER ; **insuccès** n. m. V. SUCCÈS ; **insuffisance** n. f., **insuffisant, e** adj. V. SUFFISANT.

1. insuffler [ɛ̃syfle] v. tr. Introduire dans l'organisme en soufflant : *Insuffler de l'oxygène à un noyé.* ◆ **insufflation** n. f. : *Insufflation d'air dans les poumons.*

2. insuffler [ɛ̃syfle] v. tr. *Insuffler quelque chose à quelqu'un,* lui communiquer un sentiment, le lui inspirer : *Insuffler à des vaincus le désir de revanche* (syn. : INSPIRER). *Cette première réussite lui insuffla une nouvelle ardeur.*

insulaire adj. et n. V. ÎLE.

insuline [ɛ̃sylin] n. f. Hormone du pancréas, utilisée dans le traitement du diabète.

insulter [ɛ̃sylte] v. tr. *Insulter quelqu'un,* l'offenser par des actes méprisants et surtout par des paroles injurieuses : *Se faire insulter par quelqu'un* (syn. : INJURIER). *On l'insulta mort, alors qu'on l'avait célébré de son vivant* (syn. : OUTRAGER). ◆ v. tr. ind. *Insulter à quelqu'un, à quelque chose,* avoir une attitude offensante, méprisante à leur égard (littér.) : *Ces propos insultent à la misère des gens.* ◆ **insultant, e** adj. : *Un silence insultant* (syn. : INSOLENT, INJURIEUX). ◆ **insulte** [ɛ̃sylt] n. f. Acte ou parole qui offense, qui blesse la dignité, l'honneur, etc., de quelqu'un : *Dire, adresser des insultes* (syn. : INJURE). *Je ressens son attitude à mon égard comme une insulte grave* (syn. : AFFRONT, OUTRAGE). *Une insulte au courage* (syn. : ATTEINTE, DÉFI). *C'est une insulte faite à tout ce que nous estimons* (syn. : OFFENSE). *Proférer des insultes* (syn. : INVECTIVE). ◆ **insulteur** n. m.

insupportable adj. V. SUPPORTER.

insurger (s') [sɛ̃syrʒe] v. pr. *S'insurger contre une autorité, un gouvernement, un pouvoir,* se soulever contre lui : *Le peuple s'insurgea contre la dictature* (syn. : SE DRESSER, PRENDRE LES ARMES CONTRE). *S'insurger contre les abus de l'Administration* (syn. : PROTESTER). *S'insurger contre la négligence des autorités* (syn. : SE RÉVOLTER). ◆ **insurgé, e** n. : *Les insurgés sont maîtres d'une partie du pays* (syn. : RÉVOLTÉ). ◆ **insurrection** n. f. : *Mater, briser une insurrection* (syn. : SÉDITION, RÉVOLTE). *Mouvement d'insurrection. L'insurrection triomphe* (syn. : RÉVOLUTION). ◆ **insurrectionnel, elle** adj. : *Gouvernement insurrectionnel* (= issu de l'insurrection). *Des journées insurrectionnelles* (= qui ont vu une insurrection).

intact, e [ɛ̃takt] adj. Se dit des choses qui n'ont pas subi de dommage, d'altération, ou des personnes qui n'ont souffert aucune atteinte physique ou morale : *Les fresques sont intactes, préservées de l'humidité. Le colis est arrivé intact. Les passagers sont sortis miraculeusement intacts de la voiture accidentée* (syn. plus usuel : INDEMNE). *Sa réputation est restée intacte* (syn. : SAUF).

intangible [ɛ̃tɑ̃ʒibl] adj. Qui doit rester intact : *Des droits intangibles.* ◆ **intangibilité** n. f. : *L'intangibilité d'un traité.*

intarissable adj. V. TARIR.

intégral, e, aux [ɛ̃tegral, -gro] adj. Dont on n'a rien retiré : *Le remboursement intégral d'une dette* (syn. : COMPLET). *L'édition intégrale d'un roman* (= sans coupures). *Une audition intégrale d'une grande œuvre musicale* (syn. : ENTIER). *Le renouvellement intégral de l'Assemblée nationale* (contr. : PARTIEL). ◆ **intégralement** adv. : *Vous serez payé intégralement* (syn. : EN TOTALITÉ). ◆ **intégralité** n. f. : *Dépenser l'intégralité de son salaire.*

intègre [ɛ̃tɛgr] adj. Se dit d'une personne (ou de son comportement) qui est d'une très grande honnêteté, qu'on ne peut corrompre avec de l'argent : *Un juge intègre. Un ministre intègre* (contr. : CORROMPU). *Une vie intègre* (syn. : HONNÊTE). ◆ **intégrité** n. f. : *Etre d'une parfaite intégrité* (syn. : PROBITÉ). *Son intégrité ne peut être mise en doute.*

intégrer [ɛ̃tegre] v. tr. Faire entrer dans un ensemble, dans un groupe plus vaste : *Intégrer les nouveaux apports de la science dans l'enseignement. Intégrer un paragraphe dans un exposé* (syn. : INCORPORER). ◆ v. intr. ou tr. *Fam.* Entrer dans une grande école : *Intégrer à Polytechnique. Intégrer l'Ecole normale.* ◆ ***s'intégrer*** v. pr. S'assimiler entièrement au groupe dans lequel on entre : *Les réfugiés se sont parfaitement intégrés au reste de la population.* ◆ **intégrant, e** adj. *Partie intégrante,* qui fait partie d'un tout : *Les biens acquis sont devenus une partie intégrante du bien familial. Les mots étrangers empruntés deviennent une partie intégrante du vocabulaire français.* ◆ **intégration** n. f. *L'intégration économique de l'Europe* (syn. : FUSION, UNIFICATION). *L'intégration des émigrants dans la population autochtone* (syn. : ASSIMILATION À).

1. intégrité n. f. V. INTÈGRE.

2. intégrité [ɛ̃tegrite] n. f. Etat d'une chose qui est demeurée intacte, qui n'a pas subi de diminution, d'altération : *Conserver dans sa vieillesse l'intégrité de ses facultés intellectuelles* (syn. : PLÉNITUDE). *L'intégrité du territoire.* ◆ **intégrisme** n. m. Attitude de ceux qui refusent d'adapter une doctrine aux conditions nouvelles. ◆ **intégriste** adj. et n.

intellectuel, elle [ɛ̃tɛlektɥɛl] adj. Qui appartient à la faculté de raisonner, de comprendre, aux connaissances et à l'activité de l'esprit, à l'intelligence : *Une supériorité intellectuelle incontestable. La vie intellectuelle d'une ville de province. Le mouvement intellectuel au début du XXe siècle.* ◆ adj. et n. 1° Se dit d'une personne qui a un goût affirmé pour les activités de l'esprit : *Un romancier très intellectuel, qui organise son roman comme une partie d'échecs.* — 2° Dont la profession comporte essentiellement une activité de l'esprit : *Les travailleurs intellectuels.* ◆ **intellectuellement** adv. : *Intellectuellement, on ne saurait le comparer à celui qu'il remplace.* ◆ **intellect** [ɛ̃telɛkt] n. m. Syn. ironiq. de INTELLIGENCE. (Le mot appartient aussi au vocabulaire de la philosophie.)

1. intelligence [ɛ̃tɛliʒɑ̃s] n. f. 1° Faculté de comprendre, de connaître, de donner une signification, un sens : *Avoir une grande intelligence. Cultiver son intelligence. Les défauts de son intelligence.* — 2° Aptitude d'un homme, d'un animal à s'adapter à la situation, à choisir des moyens d'action en fonction des circonstances : *L'intelligence animale. Faire preuve d'intelligence* (syn. : DISCERNEMENT ; contr. : STUPIDITÉ). *Il met beaucoup d'intelligence dans ce qu'il fait* (syn. : JUGEMENT ; contr. : BÊTISE). *Agir sans intelligence* (syn. : CLAIRVOYANCE). — 3° (suivi d'un compl.) Capacité de comprendre telle ou telle chose : *Lisez la préface pour l'intelligence de ce qui va suivre* (syn. : COMPRÉHENSION). *Pour l'intelligence du texte, il faut remarquer ceci.* — 4° Etre humain qui a une grande faculté de compréhension : *C'est une intelligence supérieure.* ◆ **inintelligence** n. f. Manque d'intelligence. ◆ **intelligent, e** adj. Qui a, manifeste de l'intelligence : *Un élève intelligent* (syn. : ÉVEILLÉ). *Être très intelligent en affaires* (syn. : CAPABLE, ENTENDU). *Un regard intelligent. Une réponse intelligente* (syn. fam. : ASTUCIEUX). ◆ **intelligemment** [ɛ̃tɛlliʒamɑ̃] adv. : *Sortir intelligemment d'une situation difficile* (syn. : HABILEMENT). ◆ **inintelligent, e** adj. : *Une remarque inintelligente* (syn. : STUPIDE). ◆ **inintelligemment** adv. ◆ **intelligentsia** [ɛ̃tɛlliʒɛ̃sja] n. f. *Péjor.* Ensemble d'intellectuels.

2. intelligence [ɛ̃tɛlliʒɑ̃s] n. f. *D'intelligence*, qui est un témoignage d'entente secrète, tacite entre deux personnes : *Adresser à quelqu'un un signe d'intelligence* (syn. : CONNIVENCE). *Il eut un sourire d'intelligence à mon adresse* (syn. : COMPLICITÉ). ‖ *Être, agir d'intelligence avec quelqu'un*, être, agir secrètement d'accord avec lui : *Ils sont d'intelligence pour le perdre aux yeux de tous.* ‖ *Vivre en bonne, en mauvaise intelligence avec quelqu'un*, être en bons, en mauvais termes avec lui : *Les deux voisins vivaient en très mauvaise intelligence* (syn. : ÊTRE EN COMPLET DÉSACCORD). ◆ **intelligences** n. f. pl. Relations secrètes établies entre des personnes appartenant à des camps opposés : *Entretenir des intelligences avec l'ennemi* (= être un espion à son service). *Être accusé d'intelligences avec une puissance étrangère. Avoir des intelligences dans la place* (= avoir des informateurs dans un milieu, un groupe fermé). ◆ **mésintelligence** n. f. Absence d'accord, de bonne entente entre des personnes (littér.) : *Vivre en mésintelligence avec ses voisins. La mésintelligence règne dans le ménage* (syn. : DÉSUNION, MÉSENTENTE).

intelligible [ɛ̃tɛlliʒible] adj. **1°** Qui peut être compris : *S'exprimer d'une manière intelligible* (syn. : COMPRÉHENSIBLE, CLAIR). — **2°** (avant le nom) Qui peut être entendu : *Parler à haute et intelligible voix.* ◆ **intelligiblement** adv. : *Expliquez-vous intelligiblement* (syn. : CLAIREMENT). ◆ **intelligibilité** adj. : *L'intelligibilité de cette peinture pose un problème pour le profane.* ◆ **inintelligible** adj. : *Un texte inintelligible* (syn. : INCOMPRÉHENSIBLE). *La version latine restait pour lui inintelligible* (syn. : OBSCUR). *Marmonner des phrases inintelligibles.*

intempérance n. f. V. TEMPÉRANCE.

intempéries [ɛ̃tɑ̃peri] n. f. pl. Mauvais temps, rigueurs du climat, de la saison : *Les agriculteurs victimes des intempéries. À l'abri des intempéries.*

intempestif, ive [ɛ̃tɑ̃pɛstif, -iv] adj. Se dit d'une chose que l'on fait à un moment où il ne convient pas de la faire, qui se produit mal à propos : *Une demande intempestive* (syn. : INOPPORTUN). *Manifester une joie intempestive* (syn. : INCONVENANT, DÉPLACÉ). *Un rire intempestif.* ◆ **intempestivement** adv.

intenable adj. V. TENIR.

intendant, e [ɛ̃tɑ̃dɑ̃, -ɑ̃t] n. **1°** Fonctionnaire chargé de la direction ou de la surveillance administrative ou financière d'un service public, d'un grand établissement : *L'intendant d'un lycée est chargé de la gestion financière.* — **2°** Personne chargée d'administrer une propriété importante pour le compte d'un propriétaire : *L'intendant d'un château.* ◆ **intendance** n. f. Service de l'intendant (sens 1); bureau où est installé ce service : *L'intendance militaire est le service qui pourvoit aux besoins alimentaires de l'armée et à ceux de son administration.*

intense [ɛ̃tɑ̃s] adj. Se dit d'une chose qui est d'une force, d'une puissance très grande, qui agit vivement, qui dépasse la mesure, la moyenne : *L'éclairage intense des projecteurs. Un bruit intense. Une chaleur, un froid intense. Circulation intense sur l'autoroute du Sud* (syn. : ↓ FORT). *Une émotion intense* (syn. : ↓ VIF). *Activité intense sur le chantier* (syn. : GRAND; contr. : FAIBLE). ◆ **intensément** adv. : *Vivre, travailler intensément* (= plus activement que les autres). ◆ **intensif, ive** adj. Qui met en œuvre des moyens importants, qui fait l'objet d'un effort considérable : *Un bachotage intensif. Propagande intensive. La culture intensive vise à obtenir de hauts rendements* (contr. : EXTENSIF). ◆ **intensifier** v. tr. Rendre plus intense : *Intensifier ses efforts* (syn. : AUGMENTER). *Le gouvernement intensifie son action contre les prix élevés.* ◆ **s'intensifier** v. pr. Devenir plus intense : *La construction des immeubles s'intensifie dans la région parisienne. Son travail s'intensifie* (syn. : S'ACCROÎTRE; contr. : DIMINUER). ◆ **intensification** n. f. : *Intensification des efforts pour accroître la production.* ◆ **intensité** n. f. Très haut degré d'énergie, de force, de puissance atteint par quelque chose : *La tempête diminue d'intensité, perd de son intensité* (syn. : VIOLENCE). *L'intensité du froid. L'intensité de son regard me faisait baisser les yeux* (syn. : ACUITÉ). *La crise atteint son maximum d'intensité. L'intensité dramatique de cette pièce de théâtre.*

intenter [ɛ̃tɑ̃te] v. tr. *Intenter une action en justice contre quelqu'un*, engager contre lui des poursuites judiciaires.

inter-, préfixe utilisé en français pour indiquer la mise en relation de deux ou plusieurs choses. Les noms et les adjectifs ainsi formés sont à l'ordre alphabétique de l'élément principal, quand ils sont très usuels : *interaction* n. f. (action réciproque), *interallié* adj. (entre alliés), *interarmes* adj. invar. (commun à plusieurs armes : infanterie, artillerie, etc.), *intercommunal* adj. (entre plusieurs communes), *intercontinental* (entre les continents), *interministériel* (entre plusieurs ministères), *interplanétaire* (dans l'espace, entre les planètes), *interprofessionnel* (entre plusieurs professions), *intersidéral* (entre plusieurs astres), *intersyndical* (entre divers syndicats), etc.

intention [ɛ̃tɑ̃sjɔ̃] n. f. Disposition d'esprit par laquelle on se propose délibérément un but; ce but lui-même : *Agir dans une bonne intention. Je n'ai aucun doute sur ses intentions* (syn. : DESSEIN). *Il n'est pas dans mes intentions de vous révéler ce secret* (syn. : PROPOS). *L'intention du romancier m'échappe* (syn. : PENSÉE). *Il n'avait pas mauvaise intention en agissant ainsi* (syn. : MOBILE). *Taire ses intentions* (syn. : PROJET). *Deviner les intentions d'un adversaire. Nourrir des intentions perfides* (syn. : CALCUL). *Je ne veux pas contrecarrer vos intentions* (syn. : OBJECTIF). *Il n'a pas l'intention de partir* (= il ne veut pas). *Ses paroles ont dépassé ses intentions. Faire un procès d'intention à quelqu'un* (= l'accuser non sur ses actes, mais sur des desseins supposés). • LOC. PRÉP. *À l'intention de (quelqu'un)*, spécialement destiné à lui : *Film dont le scénario a été écrit à l'intention des enfants* (syn. : POUR). *Prier à l'intention des disparus.* ◆ **intentionné, e** adj. *Être bien, mal intentionné*, avoir de bonnes, de mauvaises dispositions d'esprit à l'égard de quelqu'un. ◆ **intentionnel, elle** adj. Fait de propos délibéré, dans un dessein déterminé : *L'oubli intentionnel d'un rendez-vous* (syn. : VOLONTAIRE). *Une gaffe intentionnelle* (syn. : CONSCIENT). ◆ **intentionnellement** adv.

intercaler [ɛ̃tɛrkale] v. tr. *Intercaler une chose,* l'introduire entre deux autres, dans une série, dans un ensemble : *Intercaler une phrase dans un énoncé. Il sera difficile d'intercaler ce rendez-vous dans une journée si chargée.* ◆ ***s'intercaler*** v. pr. Se mettre entre deux autres : *Le demi centre est venu s'intercaler dans la ligne d'attaque.* ◆ **intercalaire** adj. : *Feuille intercalaire* (= ajoutée à l'intérieur d'un fascicule, d'un livre). ◆ **intercalation** n. f. : *L'intercalation d'un paragraphe dans un article, de l'arrière dans la ligne des trois-quarts, au rugby.*

intercéder [ɛ̃tɛrsede] v. intr. *Intercéder pour, en faveur de quelqu'un,* intervenir en sa faveur : *Intercéder auprès du président de la République pour obtenir la grâce du condamné. Intercéder pour un élève coupable* (= parler pour). ◆ **intercession** n. f. (relig. surtout) : *L'intercession de la Vierge.*

intercepter [ɛ̃tɛrsepte] v. tr. Prendre, arrêter au passage; interrompre dans sa course, dans son déroulement : *La police a intercepté le message téléphonique* (syn. : SURPRENDRE, CAPTER). *Le store intercepte les rayons du soleil* (syn. : CACHER). *L'arrière intercepta le ballon. Les services secrets ont intercepté l'agent de liaison* (syn. : S'EMPARER DE). *Des plaques d'amiante interceptent le son et la chaleur* (syn. : ARRÊTER). ◆ **interception** n. f. : *Interception d'une lettre. Mission d'interception confiée à une escadrille de chasse.*

intercostal, e, aux [ɛ̃tɛrkɔstal, -to] adj. Qui se situe entre les côtes : *Douleur intercostale.*

interdire [ɛ̃tɛrdir] v. tr. (conj. **72**). **1°** *Interdire une chose (à quelqu'un),* la lui défendre, l'empêcher de l'utiliser, de la faire, etc. : *On lui a interdit le tabac* (contr. : PERMETTRE). *L'accès du bureau est interdit aux personnes étrangères. Son état de santé lui interdit tout déplacement* (contr. : TOLÉRER). *Interdire le stationnement dans le centre de Paris* (contr. : AUTORISER). *Le journal a été interdit pendant deux mois* (= empêché de paraître). *Passage interdit. Film interdit aux moins de seize ans* (contr. : CONSEILLER). — **2°** *Interdire à quelqu'un de (et l'infin.),* lui défendre de : *Je vous interdis de me parler sur ce ton. Il est interdit d'ouvrir la portière pendant la marche du train.* — **3°** *Interdire quelqu'un,* dans la langue administrative et religieuse, lui défendre d'exercer ses fonctions (souvent au part. passé) : *Un prêtre interdit.* — **4°** *Interdit de séjour,* se dit d'un condamné libéré qui ne peut résider en un lieu déterminé. ◆ **interdiction** n. f. : *Interdiction d'importer certains produits. Interdiction absolue de stationner* (syn. : DÉFENSE; contr. : AUTORISATION). *Interdiction de sortir* (contr. : PERMISSION). *Prêtre frappé d'interdiction* (= suspendu de ses fonctions). ◆ **interdit** n. m. Décision prohibant, interdisant l'emploi de quelque chose, excluant une personne d'un groupe, etc. : *Jeter l'interdit contre quelqu'un* (syn. : EXCLUSIVE). *Lever un interdit* (syn. : CENSURE).

1. interdit n. m. V. INTERDIRE.

2. interdit, e [ɛ̃tɛrdi, -it] adj. Qui éprouve un grand étonnement et ne sait plus que dire ou que faire : *Rester interdit devant tant d'ignorance* (syn. : AHURI, STUPÉFAIT). *La nouvelle les laissa interdits* (syn. : CONFONDU, PANTOIS).

1. intérêt [ɛ̃terɛ] n. m. **1°** Ce qui est avantageux, profitable à quelqu'un; ce qui est utile à quelque chose : *Ce n'est pas votre intérêt de vous conduire ainsi* (syn. : AVANTAGE). *Agir dans son intérêt. Il trouve son intérêt dans cette affaire* (syn. : COMPTE). *Il a intérêt à se taire. Il y a intérêt à ne pas encourir sa colère.* — **2°** Somme due à son créancier par celui qui emprunte, en plus du capital prêté : *Le taux de l'intérêt. Le nouvel emprunt d'Etat sera à 4 % d'intérêt par an. Consentir des prêts à intérêt très bas.* — **3°** Souci exclusif de ce qui est pour soi avantageux, et en particulier attachement exclusif à l'argent : *Agir uniquement par intérêt* (syn. : ÉGOÏSME). ◆ **intérêts** n. m. pl. Ensemble des biens, des avantages, etc., qui appartiennent à quelqu'un; la cause de quelqu'un : *Le notaire a pris soin des intérêts de son client.* ◆ **intéresser** v. tr. **1°** *Intéresser quelqu'un, quelque chose,* avoir de l'importance, de l'utilité pour lui : *Le plan économique intéresse l'avenir du pays. Cette mesure intéresse l'ordre public. Les nouveaux règlements intéressent les automobilistes* (syn. : TOUCHER). — **2°** *Intéresser quelqu'un,* lui donner une part financière, un intérêt : *Intéresser le personnel à la marche de l'entreprise. Etre intéressé dans une affaire commerciale.* ◆ **intéressant, e** adj. Qui procure un avantage matériel : *Acheter à un prix intéressant* (syn. : AVANTAGEUX; contr. : ÉLEVÉ). *Avoir une situation intéressante* (syn. : LUCRATIF). *C'est un client intéressant* (= qui achète beaucoup). ◆ **intéressé, e** adj. **1°** Qui n'a en vue que son intérêt personnel, et en particulier son intérêt pécuniaire; qui est inspiré par l'intérêt : *Un homme intéressé, qui ne travaille jamais pour rien* (syn. : ↑ CUPIDE). *Une amitié intéressée. Un conseil intéressé* (syn. : ÉGOÏSTE). *Etre mû par des motifs intéressés.* — **2°** Qui est mis en cause dans une affaire, qui y a une part importante : *Les personnes intéressées devront passer à l'économat;* et comme substantif : *Il est le principal intéressé à la réussite de l'entreprise. Il faut consulter les intéressés* (= les personnes concernées). ◆ **intéressement** n. m. Action de rémunérer le personnel, en plus de son salaire, sur les bénéfices de l'entreprise. ◆ **désintéresser** v. tr. *Désintéresser quelqu'un,* lui donner l'argent qui lui est dû; retirer d'une affaire en indemnisant : *Désintéresser des créanciers. Il a proposé de désintéresser ceux qui avaient subi un dommage du fait de l'accident.* ◆ **désintéressé, e** adj. Qui n'agit pas par intérêt égoïste; qui n'est entaché par aucun souci personnel (contr. de *intéressé* au sens 1) : *Un homme désintéressé, uniquement soucieux du bien commun* (syn. : GÉNÉREUX). *Avoir une attitude désintéressée. Agir de façon désintéressée. Croyez bien que mon conseil est désintéressé. Un travail désintéressé* (syn. : GRATUIT). *Porter un jugement désintéressé* (syn. : IMPARTIAL, OBJECTIF). ◆ **désintéressement** n. m. **1°** Action de désintéresser : *Le désintéressement des divers participants à une affaire par le principal actionnaire.* — **2°** Indifférence à tout ce qui est intérêt personnel, matériel : *Son désintéressement est total* (syn. : ABNÉGATION). *Agir avec désintéressement* (syn. : GÉNÉROSITÉ). *Il a fait preuve, en cette occasion, d'un remarquable désintéressement.*

2. intérêt [ɛ̃terɛ] n. m. **1°** Sentiment de curiosité à l'égard de quelque chose; agrément que l'on y prend : *Écouter avec intérêt un exposé. Son intérêt fut éveillé par un petit détail* (syn. : ATTENTION). *Prendre intérêt à une conversation. Cette découverte suscite un intérêt considérable.* — 2° Sentiment de bienveillance à l'égard de quelqu'un; attention qu'on lui porte : *Porter de l'intérêt à quelqu'un, lui donner des marques d'intérêt* (syn. : SOLLICITUDE; contr. : INDIFFÉRENCE). *Je ne ressens aucun intérêt pour ce jeune hurluberlu* (= ne pas se soucier). *Je vous remercie de l'intérêt que vous lui portez.* — 3° Originalité, importance, etc., de quelque chose ou de quelqu'un, qui attire ou séduit : *Quel est l'intérêt de ces recherches? Sa conversation manque d'intérêt* (syn. : ORIGINALITÉ). *Un film sans intérêt. Perdre son intérêt. Un livre dénué d'intérêt. Le ministre a fait une déclaration du plus haut intérêt* (syn. : IMPORTANCE). ◆ **intéresser** v. tr. 1° *Intéresser quelqu'un,* exciter sa curiosité, son attention à l'égard de quelque chose ou de quelqu'un (sens 1 de *intérêt*) : *La comédie nous a intéressés* (syn. : ↑ CAPTIVER). *Votre idée nous intéresse beaucoup* (syn. : ↑ PASSIONNER). *Sa proposition m'intéresse* (syn. : ↓ CONVENIR). — 2° *Intéresser quelqu'un,* exciter sa sympathie (sens 2 de *intérêt*) : *Ce jeune homme intéresse fort notre cousine* (syn. : PLAIRE). *Il a su intéresser le public au sort de son héroïne.* ◆ ***s'intéresser*** v. pr. Prendre part moralement ou matériellement à quelque chose; éprouver de la sympathie, de la bienveillance à l'égard de quelqu'un : *S'intéresser à la politique. Ne s'intéresser à rien* (syn. : SE SOUCIER). *Faire semblant de s'intéresser à la conversation. S'intéresser à un sport* (= le pratiquer). *S'intéresser aux nouvelles du jour* (syn. : SE PRÉOCCUPER). *S'intéresser au sort d'un ami, à sa santé. Il s'intéresse beaucoup trop à elle. Il mérite qu'on s'intéresse à lui.* ◆ **intéressant, e** adj. 1° Qui retient l'attention, excite la curiosité, la bienveillance : *Une remarque intéressante* (syn. : BON). *Une précision intéressante* (syn. : IMPORTANT; contr. : INSIGNIFIANT). *Avoir un visage intéressant* (= qui a du charme, mais non de la beauté). *Nous vivons à une époque intéressante* (syn. : PASSIONNANT). *Un conférencier intéressant* (syn. : BRILLANT). — 2° Qui est digne d'intérêt par sa situation particulière ; *Cette famille offre un cas intéressant.* — 3° *Faire l'intéressant,* se dit péjor. de quelqu'un qui cherche à se faire remarquer. ◆ **désintéresser (se)** v. pr. Ne plus porter d'intérêt, d'attention à quelque chose, de sympathie à quelqu'un : *Se désintéresser de l'avenir* (syn. fam. : SE MOQUER). *Se désintéresser du sort de ses proches. Se désintéresser de ses affaires* (syn. : NÉGLIGER). *Il s'est complètement désintéressé d'elle.* ◆ **inintéressant, e** adj. Contr. de *intéressant* : *Film inintéressant* (= sans originalité).

interférer [ɛ̃tɛrfere] v. intr. Se mêler, se superposer en créant des renforcements ou des oppositions : *La crise agricole interfère avec d'autres problèmes économiques et crée une situation difficile.* ◆ **interférence** n. f. : *Les interférences du politique et du social* (syn. : CONJONCTION). [Les deux termes appartiennent au vocabulaire de la physique.]

intérieur, e [ɛ̃terjœr] adj. 1° Qui est au-dedans, dans l'espace compris entre les limites de quelque chose : *La poche intérieure du veston. La cour intérieure de l'immeuble. La politique intérieure de la France* (contr. : EXTÉRIEURE). *Ne pas se mêler des affaires intérieures d'un pays.* — 2° Qui se rapporte à la vie morale, psychologique de l'homme : *Il y a chez lui une flamme intérieure. Quels sont ses sentiments intérieurs? Le langage intérieur* (= qui ne s'exprime pas à haute voix). *La vie intérieure* (= l'activité morale, celle de l'esprit). ◆ **intérieur** n. m. 1° Ce qui est au-dedans, par opposition à ce qui est au-dehors (extérieur) : *L'intérieur d'une église* (syn. : LE DEDANS). *Vider l'intérieur d'une boîte* (syn. : CONTENU). *Nettoyer l'intérieur d'une pipe. L'intérieur d'un pays* (= la partie la plus éloignée des frontières, des côtes). *L'intérieur de la ville est fait de ruelles tortueuses.* — 2° Lieu qui se trouve dans un bâtiment, qui est à l'abri : *Attendez-moi à l'intérieur* (contr. : EXTÉRIEUR). — 3° Endroit où l'on habite (appartement, maison) : *Il a su arranger coquettement son intérieur. Un intérieur modeste, mais propre* (syn. : UN CHEZ-SOI). *Un vêtement d'intérieur* (= que l'on met à la maison). *Une femme d'intérieur est celle qui sait tenir sa maison, son ménage.* — 4° Pays que l'on habite (par oppos. à *étranger*) : *Les ennemis de l'intérieur. Ministère de l'Intérieur.* — 5° *De l'intérieur, par l'intérieur,* en faisant partie d'un groupe, d'une société, en participant à la chose elle-même : *Juger un parti de l'intérieur. Etudier une question de l'intérieur* (= en étant soi-même un spécialiste). ● LOC. PRÉP. *A l'intérieur de,* au-dedans de : *Regarde à l'intérieur de la poche, tu trouveras mon carnet.* ◆ **intérieurement** adv. : *Le palais est intérieurement décoré de façon magnifique* (syn. : AU-DEDANS). *Il ne fait que protester intérieurement* (= en lui-même). ◆ **intérioriser** v. tr. : *Il intériorise ses réactions devant les personnes étrangères* (= garder pour soi, contenir; contr. : EXTÉRIORISER). ◆ **intériorisation** n. f. : *L'intériorisation d'un sentiment.*

intérim [ɛ̃terim] n. m. Espace de temps pendant lequel une fonction est vacante, un emploi n'est pas assuré : *Assurer l'intérim jusqu'à l'arrivée de son successeur. Dans l'intérim des vacances, il y aura une permanence assurée au secrétariat. Ministre par intérim* (= pendant l'absence du titulaire). ◆ **intérimaire** adj. : *Personnel intérimaire* (= qui remplace provisoirement les titulaires).

interjection [ɛ̃tɛrʒɛksjɔ̃] n. f. V. CLASSE, *Classes grammaticales.* ◆ **interjectif, ive** adj. : *Les expressions « au secours! », « à l'aide! » sont des locutions interjectives.*

interligne n. m. V. LIGNE.

interlocuteur, trice [ɛ̃tɛrlɔkytœr, -tris] n. 1° Personne conversant avec une autre : *Votre interlocuteur vous aura mal compris. Contredire son interlocuteur.* — 2° Personne avec laquelle on engage des négociations, des pourparlers : *Les syndicats étaient des interlocuteurs qualifiés. Ce gouvernement insurrectionnel n'était pas considéré comme un interlocuteur valable.*

interlope [ɛ̃tɛrlɔp] adj. Qui est le lieu ou qui est suspect de trafics louches, de combinaisons malhonnêtes, etc. : *Un bar interlope. Un personnage interlope qui a des relations avec des hommes du milieu* (syn. : ÉQUIVOQUE).

interloquer [ɛ̃tɛrlɔke] v. tr. *Interloquer quelqu'un,* le mettre dans l'impossibilité de parler à la suite d'un effet de surprise (aux temps composés ou au passif) : *Ma réponse l'a interloqué* (syn. : DÉCONTENANCER). *Rester interloqué devant tant d'impudence* (syn. : INTERDIT).

interlude [ɛ̃tɛrlyd] n. m. Divertissement musical et filmé projeté entre deux émissions télévisées.

intermède [ɛ̃tɛrmɛd] n. m. 1° Temps pendant lequel une action s'interrompt, ou qui sépare deux événements de même nature : *L'année passée à l'étranger fut un intermède inattendu dans sa carrière.* — 2° Divertissement musical ou dramatique joué pendant les entractes d'une pièce de théâtre (*intermède musical*).

intermédiaire [ɛ̃tɛrmedjɛr] adj. Qui se trouve entre deux limites, entre deux termes; qui est au milieu, au point de jonction de plusieurs lignes : *Occuper une position intermédiaire dans une hiérarchie. Une solution intermédiaire* (= de juste milieu). *Nous vivons une époque intermédiaire* (= de transition). *Une couleur intermédiaire entre le rouge et le rose.* ◆ n. m. 1° Personne qui sert de lien entre deux autres : *Servir d'intermédiaire pour résoudre un conflit* (syn. : MÉDIATEUR). *Discuter en tête à tête, sans intermédiaire. Je ne suis que l'intermédiaire entre lui et vous.* — 2° Personne qui intervient dans le circuit de distribution pour faire conclure une transaction commerciale. ● LOC. PRÉP. *Par l'intermédiaire de,* grâce à l'entremise de quelqu'un, au moyen de quelque chose : *La nouvelle nous est parvenue par l'intermédiaire d'une agence* (syn. : PAR LE CANAL DE).

interminable adj. V. TERMINER.

intermittent, e [ɛ̃tɛrmitɑ, -ɑ̃t] adj. Qui s'arrête et reprend par intervalles : *Un bruit intermittent* (contr. : RÉGULIER, CONTINU). *Le souffle intermittent d'un malade. Un signal lumineux intermittent. Effort intermittent* (syn. : DISCONTINU; contr. : PERMANENT). ◆ **intermittence** n. f. 1° Interruption momentanée : *Pendant les intermittences de la fièvre* (syn. : RÉMISSION). — 2° *Par intermittence,* d'une manière discontinue, par moments : *On entend par intermittence un bruit d'avion. Il travaille par intermittence* (syn. : IRRÉGULIÈREMENT).

international, e, aux adj. V. NATION.

1. interne [ɛ̃tɛrn] n. m. et adj. 1° Elève logé et nourri dans un établissement scolaire : *Etre interne dans un lycée* (contr. : EXTERNE). — 2° Elève en médecine qui, après concours, seconde le chef de service dans un hôpital. ◆ **internat** n. m. 1° Situation d'interne dans un établissement scolaire : *L'internat lui est très pénible* (contr. : EXTERNAT). — 2° Etablissement où sont reçus des élèves internes : *Internat de jeunes filles.* — 3° Concours des internes des hôpitaux.

2. interne [ɛ̃tɛrn] adj. Situé en dedans, à l'intérieur : *Les parois internes d'une cuve* (syn. : INTÉRIEUR; contr. : EXTERNE). *Des troubles internes.*

interner [ɛ̃tɛrne] v. tr. 1° Mettre dans un camp de concentration, dans une prison : *Interner des suspects. Etre interné à Fresnes* (syn. : EMPRISONNER). — 2° Mettre dans un hôpital psychiatrique (asile d'aliénés) : *Interner un dément dangereux* (syn. : ENFERMER). ◆ **internement** n. m. : *Prendre une mesure d'internement à l'égard des fauteurs de troubles* (syn. : EMPRISONNEMENT). *Demander l'internement d'un aliéné.* ◆ **interné, e** n. : *Les internés politiques.*

interpeller [ɛ̃tɛrpəle] v. tr. 1° *Interpeller quelqu'un,* lui adresser la parole d'une manière brusque, pour l'interrompre, pour attirer son attention : *L'agent interpelle l'automobiliste qui a commis une infraction. Etre grossièrement interpellé par un chauffeur* (syn. : APOSTROPHER). *Interpeller un élève qui parle à son voisin* (syn. : AVERTIR). *Je fus interpellé par le concierge, qui me remit un pneumatique. Etre interpellé par la police* (= être arrêté). — 2° *Interpeller un ministre, un membre du gouvernement,* etc., lui demander une explication à l'Assemblée nationale. ◆ **interpellation** n. f. : *Cette interpellation me surprit* (syn. : APOSTROPHE). *Renvoyer l'interpellation à une commission.* ◆ **interpellateur** n. m. : *Le président fit monter l'interpellateur à la tribune.*

interpénétrer v. tr. V. PÉNÉTRER.

interpoler [ɛ̃tɛrpɔle] v. tr. Introduire dans un texte ou un ouvrage, un mot, une phrase, un passage qui n'en fait pas partie : *Le copiste avait interpolé son propre commentaire dans le texte* (syn. : INTERCALER, INSÉRER). *Un passage interpolé* (contr. : ORIGINAL). ◆ **interpolation** n. f. : *La deuxième édition contient des interpolations qui transforment l'esprit du livre* (= des passages intercalés). ◆ **interpolateur, trice** n.

interposer [ɛ̃tɛrpoze] v. tr. 1° Mettre, placer entre deux choses : *Interposer un filtre coloré entre l'objectif d'un appareil photographique et la lumière.* — 2° Faire intervenir entre des personnes : *Interposer un barrage de police entre les deux groupes de manifestants.* — 3° *Par personne interposée,* par l'entremise d'une autre personne : *Les deux gouvernements négocièrent par personne interposée.* ◆ ***s'interposer*** v. pr. Se mettre entre deux choses, entre des personnes : *Des obstacles insurmontables se sont interposés entre ses projets et leur réalisation* (syn. : SE DRESSER). *Des passants se sont interposés pour les séparer. La mère tentait de s'interposer entre le père et le fils* (syn. : S'ENTREMETTRE). ◆ **interposition** n. f. (peu fréquent).

1. interprète [ɛ̃tɛrprɛt] n. 1° Personne qui traduit oralement une langue dans une autre, afin de permettre la communication entre des personnes de langue différente : *Recourir à un interprète.* — 2° Personne qui est chargée de faire connaître la volonté, les désirs de quelqu'un : *Je suis son interprète auprès de vous* (syn. : PORTE-PAROLE). *Je suis l'interprète des sentiments de tous en disant cela.* ◆ **interprétariat** n. m. Métier d'interprète (sens 1) : *Ecole d'interprétariat.*

2. interprète [ɛ̃tɛrprɛt] n. Personne qui exécute une œuvre musicale, vocale ou instrumentale, qui joue un rôle au théâtre, au cinéma : *Ce pianiste est un grand interprète de Bach. Les interprètes du film* (syn. : ACTEUR). *Les interprètes de Tartuffe au cours des siècles.* ◆ **interpréter** v. tr. Exécuter une œuvre musicale; jouer un rôle au théâtre, au cinéma : *Un virtuose qui interprète excellemment Liszt. Interpréter le rôle d'une ingénue au théâtre* (syn. : INCARNER). *Interpréter les personnages les plus divers au cinéma* (syn. : JOUER). ◆ **interprétation** n. f. : *L'interprétation de ce concerto est particulièrement difficile. Donner une interprétation nouvelle du Dom Juan de Molière.*

1. interpréter [ɛ̃tɛrprete] v. tr. *Interpréter quelque chose,* chercher à le rendre compréhensible, à le traduire, à lui donner un sens : *Interpréter un passage obscur d'un texte ancien* (syn. : COMMENTER). *Interpréter un rêve* (syn. : EXPLIQUER). *Comment doit-on interpréter ces propos équivoques?* (syn. : COMPRENDRE). *Il a mal interprété mes paroles* (syn. : PRENDRE). *J'interprète son silence comme une acceptation.* ◆ **interpréta-**

tion n. f. : *Votre interprétation du livre me paraît fort justifiée* (syn. : EXPLICATION). *L'interprétation abusive d'un règlement. Une grave erreur d'interprétation. La phrase est à double interprétation* (syn. : SENS). *Donner une mauvaise interprétation de la conduite de quelqu'un.*

2. interpréter v. tr. V. INTERPRÈTE 2.

interprofessionnel, elle adj. V. PROFESSION.

interroger [ɛ̃tɛrɔʒe] v. tr. 1° *Interroger quelqu'un,* lui poser des questions (avec ou sans idée d'autorité, avec ou sans obligation de répondre) : *Le juge d'instruction interrogea les inculpés. L'examinateur interroge un candidat* (syn. : QUESTIONNER). *On l'interrogea sur le vol commis à la banque* (= faire subir un interrogatoire). *Interroger un passant sur la direction à prendre* (syn. : S'ENQUÉRIR AUPRÈS [littér.]). *Interroger un écrivain sur ses projets* (syn. : INTERVIEWER). — 2° *Interroger une chose,* l'examiner avec attention pour en tirer un renseignement : *Interroger le ciel pour savoir s'il fera beau aujourd'hui. Interroger le passé pour comprendre le présent.* ‖ *Interroger sa mémoire,* essayer de se remémorer un fait, fouiller dans ses souvenirs. ◆ ***s'interroger*** v. pr. Se poser des questions, être dans l'incertitude : *Il s'interroge lui-même sur la valeur de ce qu'il a écrit.* ◆ **interrogateur, trice** adj. : *Un regard interrogateur* (= qui interroge). ◆ **interrogateur** n. m. Professeur chargé de faire passer un examen oral à des candidats. ◆ **interrogatif, ive** adj. Qui indique une interrogation (emploi plus large qu'*interrogateur*) : *Regarder quelqu'un d'un air interrogatif;* surtout en grammaire : *Pronoms, adjectifs interrogatifs* (v. CLASSE, *Classes grammaticales*). *Une proposition interrogative directe* (ex. : « *Viendra-t-il?* »), *indirecte* (ex. : *Je me demande s'il viendra* »). ◆ **interrogatif** n. m. Mot (pronom, adjectif, adverbe) qui introduit une proposition interrogative. ◆ **interrogative** n. f. Proposition interrogative. ◆ **interrogation** n. f. 1° Action de poser des questions à quelqu'un; la question elle-même : *L'interrogation le surprit. Donner aux élèves une interrogation écrite* (syn. : ÉPREUVE). *Répondre à une interrogation.* — 2° *Point d'interrogation,* signe de ponctuation (?) mis à la fin d'une interrogation directe. (V. PONCTUATION.) ‖ *Poser un point d'interrogation,* être un problème à éclaircir : *Ce changement brusque d'attitude a posé à tout le monde un point d'interrogation.* — 3° Phrase qui constitue une question directe à un interlocuteur : *L'interrogation « Où allez-vous? » est accompagnée d'une intonation montante, opposée à l'intonation descendante des phrases énonciatives.* ◆ **interrogatoire** n. m. Ensemble de questions posées à quelqu'un par un magistrat, un agent de la force publique, etc. : *Faire subir un interrogatoire à un inculpé. Un interrogatoire d'identité* (= pour connaître l'identité de la personne interrogée).

interrompre [ɛ̃terɔ̃pr] v. tr. (conj. 53). 1° *Interrompre une chose,* en briser la continuité, en rompre la continuation : *La récréation interrompit la classe* (syn. : SUSPENDRE). *N'interrompez pas votre travail, je ne reste qu'un instant* (syn. : ARRÊTER). *Interrompre une conversation* (contr. : RENOUER). *Notre voyage fut interrompu par le mauvais temps* (syn. : ARRÊTER). — 2° *Interrompre quelqu'un,* l'arrêter dans son discours, dans sa conversation : *Interrompre brutalement un interlocuteur* (syn. : COUPER LA PAROLE À). *L'arrivée d'un étranger les interrompit.* — 3° Arrêter quelqu'un dans son action : *Il m'a interrompu dans ma réflexion, dans mon travail, dans mon repos* (syn. : DÉRANGER). ◆ ***s'interrompre*** v. pr. 1° (sujet nom de personne) S'arrêter de faire quelque chose, et en particulier de parler : *Il s'interrompit pour aller saluer un ami. S'interrompre au milieu de ses réflexions.* — 2° (sujet nom de chose) Etre arrêté dans son développement : *L'émission de télévision s'est interrompue.* ◆ **interruption** [ɛ̃terypsjɔ̃] n. f. : *L'interruption des études* (syn. : SUSPENSION). *L'interruption des vacances* (= la coupure dans les activités, que constituent les vacances). *Le mauvais temps continua sans interruption pendant un mois* (syn. : ARRÊT). *Après une interruption de quelques semaines due à la maladie, il reprit son travail* (syn. : INTERVALLE). *Parler sans interruption pendant une heure* (= d'affilée). *Les coups de tonnerre se succédaient sans interruption* (= d'une manière continue). *Les interruptions fusaient de la salle* (= cris qui interrompaient l'orateur). ◆ **interrupteur, trice** n. Personne qui en interrompt une autre : *Imposer silence aux interrupteurs.* ◆ **interrupteur** n. m. Dispositif permettant d'interrompre un circuit électrique. ◆ **ininterrompu, e** adj. : *Un bruit ininterrompu* (syn. : CONTINU). *Un flot ininterrompu de touristes. Musique ininterrompue.*

intersection [ɛ̃tɛrsɛksjɔ̃] n. f. Endroit où deux lignes, deux routes, deux chemins, etc., se croisent : *A l'intersection des voies ferrées venant de Dijon et d'Autun. L'intersection des deux routes est rendue dangereuse par le manque de visibilité* (syn. : CROISEMENT).

intersidéral, e, aux [ɛ̃tɛrsideral, -ro] adj. *Espaces intersidéraux,* situés entre les astres.

interstice [ɛ̃tɛrstis] n. m. Petit espace vide entre deux corps, entre deux parties d'un tout : *Les interstices entre les lames du parquet. Obturer les interstices de la fenêtre avec des joints de feutre.*

interurbain, e adj. V. URBAIN.

intervalle [ɛ̃tɛrval] n. m. 1° Espace plus ou moins large entre deux corps, deux parties d'un tout : *Ménager des intervalles réguliers entre les arbres d'une plantation* (syn. : ESPACE, DISTANCE). *Laisser un large intervalle entre des lignes d'écriture* (syn. : INTERLIGNE). — 2° Espace de temps entre deux dates, deux périodes, deux époques : *Je téléphonerai samedi; dans l'intervalle, finissez ce que je vous ai demandé* (= pendant ce temps). *Un court intervalle, il resta silencieux* (syn. : MOMENT). *A deux mois d'intervalle, quel changement! A intervalles rapprochés* (= de moment en moment). *Au cours de sa crise, il avait des intervalles de lucidité.* ● LOC. ADV. *Par intervalles,* de temps en temps : *Par intervalles, on entendait le bruit d'un avion.*

intervenir [ɛ̃tɛrvənir] v. intr. (conj. 22). 1° (sujet nom de personne) Prendre part volontairement à une action, afin de la déterminer, de l'infléchir : *L'avocat intervint pour poser une question au témoin. Il intervint dans la discussion pour apporter une note d'apaisement. Intervenir dans les affaires intérieures d'un Etat* (syn. : S'IMMISCER, S'INGÉRER). *Les pompiers interviennent pour éteindre l'incendie. Intervenir auprès du proviseur pour demander une mesure d'indulgence à l'égard d'un élève* (syn. : INTERCÉDER). — 2° Agir énergiquement pour éviter l'évolution d'un mal : *Après un examen* *rapide, le chirurgien décida d'intervenir immédiatement* (syn. : OPÉRER). — 3° (sujet nom de chose) Survenir au cours d'une négociation, d'un procès : *Un facteur imprévu est intervenu qui modifie la situation* (syn. : ENTRER EN JEU). *Un accord de salaires est intervenu dans la métallurgie.* ◆ **intervention** n. f. : *Son intervention au cours du débat n'arrangea rien. L'intervention du gouvernement pour maintenir les prix* (syn. : ACTION). *Je compte sur votre intervention en ma faveur* (= appui; syn. : INTERCESSION). *Intervention dans la politique économique d'un autre pays* (syn. : IMMIXTION, INGÉRENCE). *Une intervention chirurgicale était impossible* (syn. : OPÉRATION). ◆ **interventionniste** adj. et n. Favorable à une intervention politique, économique ou militaire pour le règlement d'un différend entre Etats, ou qui préconise une intervention de l'Etat dans l'économie d'un pays. ◆ **non-intervention** n. f. : *Une politique de non-intervention.*

intervertir [ɛ̃tɛrvɛrtir] v. tr. Renverser ou déplacer l'ordre naturel, habituel des éléments : *Les feuilles du manuscrit ont été interverties* (syn. : DÉRANGER). *Intervertir les mots d'une phrase* (syn. : INVERSER). *Il a interverti les rôles* (= il prend l'attitude qui conviendrait justement à son interlocuteur). ◆ **interversion** n. f. : *Interversion de lettres dans un mot.*

interview [ɛ̃tɛrvju] n. f. Entretien d'un journaliste avec une personne, en vue de l'interroger sur ses actes, ses projets, etc., d'enregistrer ses réponses et de les divulguer, par écrit ou autrement : *Solliciter une interview d'une vedette de cinéma. Prendre l'interview d'un ministre. Son interview a été publiée dans le journal. Donner une interview à la radio.* ◆ **interviewer** [ɛ̃tɛrvjuve] v. tr. : *Interviewer un écrivain* (= le soumettre à une interview). *Se faire interviewer par un reporter d'actualités.* ◆ **interviewer** [ɛ̃tɛrvjuvœr] n. m. : *L'interviewer conduit la conversation par ses questions.*

1. intestin [ɛ̃tɛstɛ̃] n. m. Viscère abdominal allant de l'estomac à l'anus, divisé en *intestin grêle* et *gros intestin,* et où s'effectue une partie de la digestion : *Avoir les intestins fragiles. Etre opéré d'un cancer de l'intestin.* ◆ **intestinal, e, aux** adj. : *Des embarras intestinaux. Une grippe intestinale.*

2. intestin, e [ɛ̃tɛstɛ̃, -in] adj. *Querelle, lutte, guerre intestine,* qui se produit entre deux groupes d'adversaires appartenant à une même communauté, à une même nation.

intime [ɛ̃tim] adj. 1° Qui est au plus profond d'une chose, d'une personne, qui est lié à son existence même : *Avoir la connaissance intime d'un être* (syn. : COMPLÈTE). *J'ai le sentiment intime qu'il garde une certaine méfiance à notre égard* (syn. : PROFOND). *Avoir une conscience intime de ses propres insuffisances.* — 2° Qui est caché des autres et appartient à ce qu'il y a de tout à fait privé : *Sa vie intime ne nous regarde pas* (syn. : PRIVÉ, PERSONNEL). *Des chagrins intimes. Un journal intime* (syn. : SECRET). — 3° Se dit de personnes réunies par des liens profonds : *Un ami intime. Avoir des relations intimes avec quelqu'un* (= des rapports sexuels). — 4° Qui se passe entre quelques personnes plus ou moins étroitement unies par des liens d'amitié : *Un dîner intime. Ce sera une cérémonie intime où il n'y aura que des amis.* ◆ n. Personne amie, confident : *Les intimes du président* (syn. : FAMILIER, CONSEILLER). *Nous serons entre intimes* (syn. : AMI). ◆ **intimement** adv. : *Je suis intimement persuadé de mon erreur première* (syn. : PROFONDÉMENT). *Il est intimement lié avec un ministre.* ◆ **intimité** n. f. 1° Caractère, qualité de ce qui est intime : *Dans l'intimité de sa conscience* (= dans le plus profond). *L'intimité de leurs rapports* (syn. : FAMILIARITÉ). *Ce malheur commun a renforcé leur intimité* (syn. : AMITIÉ). *Vivre dans l'intimité de quelqu'un. L'intimité conjugale. Le mariage a eu lieu dans l'intimité* (= entre intimes). — 2° Vie privée : *Pénétrer dans l'intimité d'un ménage. Dans l'intimité, c'est un homme charmant* (= dans sa vie personnelle).

intimer [ɛ̃time] v. tr. *Intimer un ordre à quelqu'un,* lui donner un ordre impératif, absolu : *Le professeur intime l'ordre à l'élève de sortir immédiatement de la classe* (syn. : ENJOINDRE).

intimider [ɛ̃timide] v. tr. 1° *Intimider quelqu'un,* lui inspirer une crainte, un trouble dû à la timidité; lui faire perdre l'assurance : *L'examinateur intimidait les candidats* (syn. : IMPRESSIONNER). *L'acteur est toujours intimidé au moment d'entrer en scène. Intimidé devant la perspective de lui parler* (syn. : PARALYSER). — 2° *Intimider quelqu'un,* lui inspirer de l'effroi par la force, la violence : *Chercher à intimider un adversaire* (syn. : EFFRAYER). *Ses menaces ne m'intimidaient pas.* ◆ **intimidant, e** adj. : *Il y avait quelque chose d'intimidant dans ce silence.* ◆ **intimidation** n. f. : *Des manœuvres, des mesures d'intimidation* (syn. : PRESSION). *User d'intimidation* (syn. : MENACE).

intituler [ɛ̃tityle] v. tr. *Intituler quelque chose,* le désigner par un titre : *Il intitula son recueil de vers « Lointains ». Film intitulé « Terreur sur la ville »* (= qui a pour titre). ◆ ***s'intituler*** v. pr. Avoir pour titre : *Le livre s'intitule « Histoire anecdotique de la France ». Comment s'intitule le film?* (syn. : S'APPELER). ◆ **intitulé** n. m. Formule en tête d'un jugement, d'une loi.

intolérable adj., **intolérance** n. f. V. TOLÉRER.

intonation [ɛ̃tonasjɔ̃] n. f. Mouvement mélodique de la parole, caractérisé par des variations de hauteur : *L'intonation montante de la phrase interrogative. Prendre une intonation douce et tendre* (syn. : INFLEXION). *Intonation monotone* (syn. : TON).

intouchable adj. V. TOUCHER; **intoxication** n. f., **intoxiquer** v. tr. V. TOXIQUE.

intra-, préfixe signifiant « à l'intérieur de » et entrant dans la composition de nombreux termes scientifiques et techniques : *intramusculaire, intraveineux,* etc., qui se trouvent à l'ordre alphabétique du mot principal.

intraitable adj. V. TRAITER; **intransigeant, e** adj. V. TRANSIGER; **intransitif, ive** adj. et n. m. V. TRANSITIF.

intrépide [ɛ̃trepid] adj. et n. (avant ou plus souvent après le nom). 1° Se dit d'une personne (ou de son comportement) qui ne craint pas le danger et affronte les obstacles sans être rebutée : *Les héros intrépides qui ont barré la route à l'invasion* (syn. : COURAGEUX). *Des sauveteurs intrépides sont partis à la recherche des alpinistes en péril* (syn. : BRAVE). *Une expédition intrépide au cœur de l'Amazone* (syn. : HARDI). — 2° Qui manifeste une assurance, une détermination, une persévérance imperturbable : *Un intrépide bavard.* ◆ **intrépidement**

adv. ◆ **intrépidité** n. f. : *Se lancer avec intrépidité dans une entreprise périlleuse* (syn. : HARDIESSE, COURAGE). *L'intrépidité de sa démarche nous a surpris* (syn. : AUDACE).

intrication [ɛ̃trikasjɔ̃] n. f. Etat de choses qui sont emmêlées les unes dans les autres : *L'intrication des événements est telle qu'on ne voit pas clairement les solutions possibles.*

intrigue [ɛ̃trig] n. f. 1° Manœuvre secrète ou déloyale, jeu de combinaisons habiles pour obtenir une faveur, un avantage ou pour nuire à quelqu'un : *Nouer une intrigue contre quelqu'un* (syn. : ↑ COMPLOT). *Les intrigues parlementaires* (syn. : ↑ MENÉES). *Déjouer une intrigue* (syn. : ↑ MACHINATION). — 2° Liaison amoureuse passagère : *La séparation coupa court à l'intrigue ébauchée* (syn. : AVENTURE). *Une intrigue scandaleuse, sentimentale.* — 3° Ensemble des événements qui forment l'action d'une pièce de théâtre, d'un roman, etc. : *Suivre avec passion les rebondissements de l'intrigue. Une comédie d'intrigue* (= où le comique résulte des incidents divers). ◆ **intrigant, e** adj. et n. Qui recourt à l'intrigue : *Une femme intrigante. Un intrigant ambitieux, prêt à toutes les bassesses* (syn. : ARRIVISTE). ◆ **intriguer** v. intr. Faire des intrigues, mener des intrigues : *Intriguer pour obtenir une place convoitée* (syn. : MANŒUVRER).

1. intriguer v. intr. V. INTRIGUE.

2. intriguer [ɛ̃trige] v. tr. *Intriguer quelqu'un,* exciter vivement sa curiosité, le rendre perplexe : *Les nombreuses visites qu'il recevait intriguèrent les voisins. Je suis intrigué par son silence prolongé.*

intrinsèque [ɛ̃trɛ̃sɛk] adj. Qui appartient à l'objet lui-même, à son essence, indépendamment de tous les facteurs externes : *Les inconvénients et les difficultés intrinsèques de l'entreprise* (syn. : INHÉRENT À; contr. : EXTRINSÈQUE). *Reconnaître la valeur intrinsèque de l'œuvre d'un écrivain.*

introduire [ɛ̃trodɥir] v. tr. (conj. **70**). 1° *Introduire quelqu'un, quelque chose dans un endroit déterminé,* l'y faire entrer : *Introduire un visiteur au salon. Vous serez introduit dans quelques instants auprès du directeur* (syn. : CONDUIRE). *Introduire des marchandises en fraude dans un pays. De nouveaux mots ont été introduits dans la langue* (syn. : INCORPORER). — 2° *Introduire une chose,* la faire pénétrer dans une autre : *Introduire la clef dans la serrure* (syn. : ENGAGER). *Introduire la main dans une ouverture* (syn. : ENFONCER). *Introduire l'aiguille de la seringue dans le bras* (contr. : RETIRER). — 3° *Introduire quelque chose,* le faire adopter : *Introduire des idées nouvelles dans une science* (syn. : RÉPANDRE). *Des danses d'Amérique ont été introduites* (syn. : IMPORTER; contr. : REJETER). — 4° *Introduire quelqu'un,* le faire admettre dans un lieu, lui donner accès dans une société : *Introduire un ami dans sa famille* (syn. : PRÉSENTER À). *Etre introduit dans le monde* (= avoir ses entrées). *Introduire quelqu'un dans un club* (syn. : RECEVOIR). ◆ **s'introduire** v. pr. Entrer, pénétrer, être adopté : *Le voleur s'introduisit dans la maison sans que personne le vît. Ces techniques se sont introduites au début du siècle.* ◆ **introduction** n. f. 1° Action d'introduire : *L'introduction d'un ambassadeur auprès d'un chef d'Etat. L'introduction de produits alimentaires étrangers sur le marché français* (syn. : IMPORTATION). *L'introduction d'idées subversives* (syn. : PÉNÉTRATION). — 2° Ce qui sert de préparation à une étude; ouvrage qui sert d'initiation à une science : *Introduction aux mathématiques modernes.* — 3° Texte explicatif placé en tête d'un ouvrage : *L'introduction explique la conception de l'ouvrage et en donne le plan* (syn. : PRÉFACE [moins importante]). — 4° Dans une dissertation, un exposé, un discours, entrée en matière dans laquelle on expose le problème traité et le plan : *Introduction rapide, verbeuse. Introduction lente et embarrassée* (syn. : PRÉAMBULE, EXPOSITION). ◆ **introducteur, trice** n. 1° Personne qui introduit quelqu'un auprès d'une autre : *Il a été mon introducteur auprès de cette personnalité.* — 2° Personne qui introduit le premier un usage, une idée, etc. : *Etre l'introducteur d'un mot nouveau.* ◆ **introductif, ive** adj. Qui sert à introduire un problème, une question : *A la tribune, un premier orateur fit un exposé introductif* (syn. : PRÉALABLE).

introniser [ɛ̃tronize] v. tr. 1° Installer sur le trône, par une cérémonie, un roi, un évêque, etc. — 2° Etablir d'une manière officielle et souveraine : *Introniser une nouvelle doctrine. Introniser une mode.* ◆ **intronisation** n. f. : *L'intronisation d'un pape.*

introspection [ɛ̃trospɛksjɔ̃] n. f. Analyse de la conscience, de ses sentiments, de ses mobiles par le sujet lui-même.

introuvable adj. V. TROUVER.

intrus, e [ɛ̃try, -yz] adj. et n. Qui s'introduit dans une société, un groupe, un milieu sans y être invité ou sans y avoir droit : *Elle considère toujours son gendre comme un intrus.* ◆ **intrusion** [ɛ̃tryzjɔ̃] n. f. 1° Action de s'introduire sans droit, sans invitation : *L'intrusion de ce rustre jeta un froid dans l'assemblée* (syn. : ARRIVÉE). — 2° Action d'intervenir dans un domaine où il ne convient pas de le faire : *L'intrusion de la politique dans les relations familiales.*

intuition [ɛ̃tɥisjɔ̃] n. f. 1° Connaissance directe de la vérité, sans le secours du raisonnement : *Comprendre par intuition.* — 2° Sentiment irraisonné, mais non vérifiable, qu'un événement va se produire, que quelque chose existe : *Avoir l'intuition d'un danger* (syn. : PRESSENTIMENT). *Ne pas se fier à sa première intuition* (syn. : INSPIRATION). *Avoir de l'intuition* (syn. fam. : DU FLAIR). ◆ **intuitif, ive** adj. Qui a le caractère de l'intuition : *Connaissance intuitive.* ◆ adj. et n. Se dit d'une personne qui a l'intuition pour qualité essentielle : *Il était peu intuitif et se trompait sur les intentions des autres à son égard.* ◆ **intuitivement** adv.

inusable adj. V. USER; **inutile** adj. V. UTILE; **invalide** adj. et n. V. VALIDE; **invariable** adj. V. VARIER.

invasion [ɛ̃vazjɔ̃] n. f. Sert de subst. à *envahir.* 1° Pénétration violente de forces armées d'un Etat dans un pays étranger ou de populations hostiles qui se déplacent en dévastant : *Les troupes d'invasion. Les grandes invasions du Vᵉ siècle. Les réfugiés fuient devant l'invasion.* — 2° Arrivée massive d'animaux nuisibles : *Invasion de sauterelles dans le Sud marocain* (syn. : INCURSION). *Une invasion de moustiques, de rats.* — 3° Action d'entrer soudainement en grand nombre dans un lieu (sans idée hostile) : *L'invasion des enfants dans le bureau me tira brusquement de ma rêverie* (syn. : IRRUPTION). *L'invasion des produits étrangers sur le marché européen* (syn. : ↓ PÉNÉTRATION). — 4° Diffusion d'idées, de mœurs, etc., jugées mauvaises : *Invasion de mauvais goût.*

invective [ɛ̃vɛktiv] n. f. (surtout au plur.). Paroles violentes, injures adressées à quelqu'un : *Se répandre en invectives contre un conducteur maladroit. Accabler d'invectives un adversaire. Se lancer des invectives* (syn. : INSULTE). ◆ **invectiver** v. tr. Dire des invectives à quelqu'un : *L'ivrogne invectivait les passants.* ◆ ***s'invectiver*** v. pr. *Ils se sont violemment invectivés dans la rue* (syn. : S'INJURIER).

invendu, e adj. et n. V. VENDRE.

inventaire [ɛ̃vɑ̃tɛr] n. m. 1° Etat des biens laissés par une personne pour sa succession; évaluation des marchandises en magasin : *Le notaire dresse, établit l'inventaire. Le commerçant fait un inventaire en fin d'année.* — 2° Revue détaillée, minutieuse d'un ensemble : *Faire l'inventaire des dégâts causés par les derniers orages* (syn. : TABLEAU). *Procéder à l'inventaire des ressources touristiques d'un département* (syn. : DÉNOMBREMENT, RECENSEMENT). — 3° *Sous bénéfice d'inventaire,* v. BÉNÉFICE. ◆ **inventorier** v. tr. Faire l'inventaire de quelque chose : *Inventorier des marchandises entreposées. Inventorier les manuscrits d'une bibliothèque.*

inventer [ɛ̃vɑ̃te] v. tr. 1° Créer une chose originale ou nouvelle, à laquelle personne n'avait encore pensé, dans tous les domaines de l'activité : *Inventer un nouveau procédé de fabrication* (syn. : IMAGINER). *Inventer un médicament. Il n'a pas inventé la poudre, le fil à couper le beurre* (fam. = il n'est pas très intelligent). — 2° Concevoir quelque chose qui, dans une occasion déterminée, serve à un usage particulier : *Inventer un moyen de se sortir d'un mauvais pas* (syn. : TROUVER). *Il invente toujours quelque chose pour taquiner sa sœur* (syn. : IMAGINER). — 3° Concevoir d'une manière arbitraire, fausse, quelque chose de fictif : *Inventer une histoire pour se disculper* (syn. : FORGER). *On avait inventé pour le perdre une fausse accusation* (syn. : FABRIQUER). *Une histoire inventée de toutes pièces* (= controuvée). ◆ ***s'inventer*** v. pr. Etre conçu faussement (sens 3 du v. tr.) : *Ce sont des choses qui ne s'inventent pas* (syn. : S'IMAGINER). ◆ **invention** n. f. 1° Action d'inventer : *L'invention de l'écriture. L'invention d'un nouveau système de fermeture des portes. Esprit fertile en inventions de toute sorte.* — 2° Faculté d'inventer, don d'imagination : *Cette histoire est tout entière de son invention. Etre à court d'invention. Un esprit d'invention* (= imaginatif). — 3° Chose inventée : *Les grandes inventions humaines* (syn. : DÉCOUVERTE). *Prendre un brevet d'invention. Une belle invention!* (syn. fam. : TROUVAILLE). ◆ **inventeur, trice** n. et adj. Personne qui invente (au sens 1) un procédé, un nouvel objet, qui crée quelque chose d'original : *Gutenberg, l'inventeur de l'imprimerie. L'inventeur du moteur à explosion. Un inventeur de génie.* ◆ **inventif, ive** adj. Qui a le don d'inventer : *Un esprit inventif. Il a une imagination inventive* (syn. : FERTILE). *La nécessité l'a rendu inventif. Il est très inventif quand il s'agit d'ennuyer les autres* (syn. : ASTUCIEUX). ◆ **réinventer** v. tr. Créer de nouveau ce qui avait déjà été inventé, mais dont le souvenir s'est perdu.

invérifiable adj. V. VÉRIFIER.

inverse [ɛ̃vɛrs] adj. Qui est opposé exactement à la direction, à la fonction actuelle ou habituelle : *L'ordre inverse des mots. Venir en sens inverse* (= de la direction opposée). *Faire un mouvement inverse* (= exactement contraire). *Faire l'opération inverse de celle que l'on avait prévue. Son intelligence est en raison inverse du bruit qu'il peut faire.* ◆ n. m. *L'inverse,* la chose contraire : *C'est l'inverse qu'il fallait faire. Supposez l'inverse. Ce projet va à l'inverse de nos propres intentions.* ◆ **inversement** adv. : *Je l'aiderai pour son devoir de mathématiques, et inversement il me donnera quelques idées pour la dissertation* (syn. : RÉCIPROQUEMENT). ◆ **inverser** v. tr. Renverser la direction, changer la position relative de deux choses : *Inverser les propositions dans une phrase. Les rôles sont inversés* (= l'avantage a changé de côté). ◆ **inversion** n. f. Construction où l'ordre des mots n'est pas conforme à l'ordre habituel, commun de la langue considérée : *En français, dans les phrases interrogatives directes, on peut avoir l'inversion du sujet* (ex. : « *Viendra-t-il?* »).

invertébré, e adj. et n. m. V. VERTÉBRÉ.

inverti, e [ɛ̃vɛrti] n. Qui a une affinité sexuelle pour les personnes de son sexe (syn. : HOMOSEXUEL). ◆ **inversion** n. f. *Inversion sexuelle,* affinité sexuelle pour les personnes de son sexe.

investigation [ɛ̃vɛstigasjɔ̃] n. f. Recherche menée avec persévérance et attention, jusque dans les détails : *La police poursuit ses investigations dans l'appartement pour retrouver des indices. Mener de délicates investigations* (syn. : ENQUÊTE). *Pousser assez loin ses investigations* (syn. : ↓ EXAMEN). ◆ **investigateur, trice** n. et adj.

1. investir [ɛ̃vɛstir] v. tr. 1° *Investir quelqu'un d'une autorité, d'une fonction,* etc., le mettre en possession de cette autorité, l'installer dans cette fonction : *On l'a investi de tous les pouvoirs* (syn. : DOTER). — 2° *Investir quelqu'un de sa confiance,* se fier entièrement à lui. ◆ **investiture** n. f. (sens 1 du verbe). ◆ **réinvestir** v. tr.

2. investir [ɛ̃vɛstir] v. tr. *Investir une ville, une position,* etc., l'encercler en coupant ses communications avec l'extérieur : *La ville avait été investie dès le début des hostilités* (syn. : CERNER). *Le feu menace et investit le village. La police investit le repaire des bandits* (syn. : ASSIÉGER). ◆ **investissement** n. m. : *L'investissement de Paris en 1870.*

3. investir [ɛ̃vɛstir] v. tr. et intr. Placer de l'argent, des capitaux, pour en tirer profit ou assurer l'expansion d'une entreprise : *Investir son argent dans l'industrie chimique. Des capitaux importants ont été investis dans les grands magasins pour multiplier les succursales. Il faut investir pour éviter la crise de l'emploi.* ◆ **investissements** n. m. pl. Emploi de capitaux visant à l'accroissement de la production d'une entreprise : *Poursuivre une politique d'investissements. Les investissements ont diminué au cours du premier trimestre.*

4. investir [ɛ̃vɛstir] v. tr. Donner à quelque chose une signification personnelle, lui attacher des valeurs affectives (terme de psychologie). ◆ **investissement** n. m. ◆ **désinvestir** v. tr. Retirer la valeur que l'on attachait à quelque chose. ◆ **réinvestir** v. tr.

invétéré, e [ɛ̃vetere] adj. 1° Qui s'est fortifié, enraciné chez quelqu'un avec le temps : *L'habitude invétérée de fumer.* — 2° Qui a laissé une manière d'être s'enraciner en soi : *Un bavard invétéré* (syn. : IMPÉNITENT). *Un buveur invétéré* (syn. : ENDURCI).

inviolable adj. V. VIOLER; **invisible** adj. V. VOIR.

inviter [ɛ̃vite] v. tr. 1° *Inviter quelqu'un,* lui demander par courtoisie, par politesse, etc., de faire telle ou telle chose, de venir en un lieu, d'assister à telle ou telle cérémonie : *Inviter une jeune fille à danser. Inviter quelques amis au mariage de son fils. Je suis invité à dîner ce soir* (syn. : CONVIER). *Etre invité à un gala. Inviter à un bridge.* — 2° (sujet nom de personne) *Inviter quelqu'un,* lui demander avec autorité de faire quelque chose (sens moins fort que *ordonner*) : *Le président de séance invita les assistants à se taire* (syn. : EXHORTER). *Je vous invite à modérer vos expressions* (syn. : PRIER, CONSEILLER). — 3° (sujet nom de chose) Engager à faire quelque chose : *Ce temps chaud invite à la paresse* (syn. : INCITER, PORTER). *Ce petit chemin ombragé invite à la promenade* (syn. : ENGAGER). ◆ **invité, e** n. Personne que l'on a priée de venir assister à un repas, à une cérémonie, etc. : *Recevoir les invités dans le salon. Des invités de marque. Vous êtes mon invité; laissez-moi payer les consommations.* ◆ **invitation** n. f. Sens 1 et 2 du verbe : *Une lettre d'invitation. Envoyer les invitations à un mariage* (syn. : FAIRE-PART). *Invitation à se retirer* (syn. : AVERTISSEMENT). *Je ne l'ai fait que sur votre invitation* (syn. : APPEL, PRIÈRE). ◆ **invite** [ɛ̃vit] n. f. Manière adroite, plus ou moins directe, d'amener quelqu'un à faire quelque chose : *Ne pas répondre aux invites d'un adversaire* (syn. : APPEL). ◆ **réinviter** v. tr.

involontaire adj. V. VOLONTÉ.

invoquer [ɛ̃vɔke] v. tr. 1° Implorer l'aide, réclamer le secours de quelqu'un de plus puissant, par des prières, des supplications : *Invoquer Dieu. L'élève invoque la clémence du professeur. Invoquer l'aide immédiate de ses alliés.* — 2° Donner comme argument, comme justification, comme cause : *Invoquer en sa faveur le témoignage des gens présents* (syn. : EN APPELER A). *Invoquer son ignorance pour excuser sa faute* (syn. : ALLÉGUER). *Invoquer un texte pour soutenir son point de vue* (syn. : CITER). *Invoquer des prétextes pour ne pas accepter une invitation.* ◆ **invocation** n. f. Action d'implorer une divinité par des prières ou des cérémonies particulières : *Une formule d'invocation* (syn. : ADJURATION). *L'invocation à la Vierge* (syn. : PRIÈRE). ● LOC. PRÉP. *Sous l'invocation de,* sous la protection de, en se réclamant de : *Sous l'invocation de saint Christophe. Il met toute son œuvre sous l'invocation de la lutte contre le conformisme.*

invraisemblable adj. V. VRAISEMBLABLE ; **invulnérable** adj. V. VULNÉRABLE.

iode [jɔd] n. m. Corps chimique utilisé en solution alcoolique, en particulier comme antiseptique (*teinture d'iode*).

iota [jota] n. m. *Il n'y manque pas un iota,* il n'y manque rien. (*L'iôta* est une lettre de l'alphabet grec correspondant à *i.*)

ipso facto [ipsofakto] loc. adv. Par le fait même, par une conséquence obligée : *Signer ce traité, c'est reconnaître ipso facto l'existence de cet Etat.*

> **ir-** préfixe. V. IN-. (Pour les mots composés commençant par *ir-* [*irraisonnable, irrationnel, irréductible, irréel, irrégulier,* etc.], v. au mot simple.)

irascible [irasibl] adj. Se dit d'une personne qui se met en colère facilement, qui est prompte à s'irriter : *La fatigue m'a rendu irascible. Tomber à l'examen sur un examinateur irascible* (syn. : DIFFICILE, OMBRAGEUX). *Un homme d'humeur irascible* (syn. : IRRITABLE, ↑ COLÉREUX).

1. iris [iris] n. m. Plante cultivée pour ses grandes fleurs ornementales.

2. iris [iris] n. m. Membrane colorée de l'œil, percée d'un orifice (*pupille*).

ironie [irɔni] n. f. 1° Attitude de raillerie qui consiste à faire entendre le contraire de ce que l'on dit, l'intonation aidant : *Ne pas comprendre l'ironie* (syn. : HUMOUR). *Manier l'ironie avec finesse. Parler sans ironie* (= sérieusement). *Cacher ses sentiments sous l'ironie* (syn. : ↑ SARCASME). — 2° Contraste entre la réalité cruelle, décevante et ce qui pouvait être attendu : *Par une cruelle ironie du sort, ce sont les immeubles neufs qui ont souffert le plus du tremblement de terre* (syn. : DÉRISION). *Il ne goûte pas l'ironie de la situation.* ◆ **ironique** adj. (avant ou après le nom) : *Réponse ironique* (syn. : RAILLEUR). *Un sourire ironique* (syn. : MOQUEUR, NARQUOIS). *Un ironique coup du destin.* ◆ **ironiquement** adv. : *Il m'invita ironiquement à montrer mon habileté à ce jeu.* ◆ **ironiser** v. tr. ind. *Ironiser sur une chose, sur une personne,* les traiter avec ironie : *Il ironise sur l'embarras dans lequel je suis.* ◆ **ironiste** n. Personne qui use habituellement de l'ironie : *Un ironiste amer* (syn. : HUMORISTE).

irradier [irradje] v. intr. ou **s'irradier** v. pr. Se propager à partir d'un centre, en rayonnant : *La douleur du genou irradiait dans toute la jambe.* ◆ **irradier** v. tr. Exposer un corps à des radiations. ◆ **irradiation** n. f. Syn. de RAYONNEMENT.

irriguer [irige] v. tr. Arroser artificiellement un sol, des terres, etc. : *Des travaux ont été entrepris pour irriguer la plaine. Des prairies bien irriguées.* ◆ **irrigation** n. f. : *Des canaux d'irrigation. Le barrage a permis l'irrigation de toute la région.*

irriter [irite] v. tr. 1° (sujet nom de personne ou de chose) *Irriter quelqu'un,* provoquer chez lui un certain énervement, pouvant aller jusqu'à la colère : *Tu ne cesses de l'irriter avec tes plaintes continuelles* (syn. : ÉNERVER, ↓ AGACER, HORRIPILER ; ↑ EXASPÉRER). *Cette obstination l'irritait* (syn. : IMPATIENTER, CONTRARIER). *Rien ne l'irrite plus que la nonchalance* (syn. : INDIGNER). *Avoir un air irrité.* — 2° (sujet nom de chose) *Irriter un organe,* provoquer une inflammation légère : *La fumée des cigarettes irrite sa gorge. Ce produit irrite la peau* (syn. : BRÛLER ; contr. : CALMER). ◆ ***s'irriter*** v. pr. 1° *S'irriter de quelque chose,* se mettre en colère à cause de cela : *S'irriter du retard des invités. S'irriter de la mauvaise orthographe de son fils.* — 2° (sans compl.) S'enflammer : *L'œil s'est irrité, il est tout rouge.* ◆ **irritant, e** adj. : *Il a la manie irritante de tapoter sur la table* (syn. : AGAÇANT). ◆ **irritable** adj. Qui s'irrite facilement : *L'attente prolongée le rend irritable* (syn. : NERVEUX). *De caractère irritable* (syn. : IRASCIBLE ; contr. : CALME). ◆ **irritation** n. f. *Provoquer de l'irritation* (syn. : ↓ HUMEUR, ↑ COLÈRE). *Dans l'état d'irritation où il se trouve* (syn. : EXASPÉRATION). *L'irritation de la gorge, des bronches* (syn. : INFLAMMATION). *Irritation de la peau* (syn. : BRÛLURE).

irruption [irypsjɔ̃] n. f. 1° Brusque et violente entrée de quelqu'un dans un lieu : *L'irruption des* *manifestants dans l'Hôtel de Ville* (syn. : INVASION). *Les enfants en criant firent irruption dans le bureau* (= se précipiter). — 2° Envahissement violent et subit : *L'irruption des eaux dans la basse ville* (syn. : INONDATION).

islam [islam] n. m. Religion et civilisation musulmanes; ensemble des pays habités par des musulmans (en ce dernier sens, prend une majusc.). ◆ **islamique** adj. : *La culture islamique.* ◆ **islamiser** v. tr. Convertir à l'islam. ◆ **islamisation** n. f.

isoler [izɔle] v. tr. 1° *Isoler une chose, un objet,* les séparer des choses, des objets qui les environnent (souvent au passif) : *La ville est isolée du monde extérieur depuis le début de l'état de siège. Isoler un événement de son contexte politique* (syn. : ABSTRAIRE). — 2° *Isoler un fil, un câble électrique,* lui ôter tout contact avec ce qui pourrait lui enlever son électricité. — 3° *Isoler quelqu'un,* le séparer des autres hommes, lui interdire toute relation avec la société des autres : *Isoler un malade contagieux. Ses opinions l'isolent au sein de sa famille.* ◆ ***s'isoler*** v. pr. (sujet nom de personne). Se séparer du monde extérieur, des autres hommes : *Il cherche à s'isoler pour pouvoir travailler dans le silence. S'isoler dans sa méditation* (syn. : S'ENFERMER). ◆ **isolé, e** adj. 1° Mis à part, séparé des autres choses : *Un mot isolé* (= détaché de la phrase). *Une protestation isolée* (syn. : INDIVIDUEL; contr. : COLLECTIF). *Ne déduisez rien de ce fait isolé* (syn. : UNIQUE). *Une maison isolée* (syn. : ÉCARTÉ, ↑ PERDU). *Une plage isolée* (syn. : RECULÉ). — 2° Séparé des autres hommes : *Vivre isolé. Se sentir isolé* (syn. : SEUL, DÉLAISSÉ). ◆ **isolément** adv. : *Agir, travailler isolément* (syn. : INDIVIDUELLEMENT). *Etudier isolément chaque partie de l'ensemble.* ◆ **isolement** n. m. : *L'isolement de la ferme. Etre tenu dans l'isolement* (syn. : ABANDON). *Se complaire dans son isolement* (syn. : SOLITUDE). *Le « splendide isolement » de l'Angleterre. L'isolement des détenus dans une prison.* ◆ **isolant** n. m. Matériau qui empêche la propagation des bruits, qui ne conduit pas la chaleur, l'électricité. ◆ **isolation** n. f. Action de réaliser un isolement thermique, électrique ou phonique. ◆ **isolationnisme** n. m. Doctrine, attitude d'un pays qui vise à son propre isolement politique et économique. ◆ **isolationniste** adj. et n. ◆ **isoloir** n. m. Cabine où l'électeur met son bulletin de vote dans une enveloppe, afin que le secret de sa décision soit conservé.

issu, e [isy] part. adj. 1° *Etre issu d'une personne, d'une famille, de parents,* etc., en être né, en descendre : *Issu d'une humble famille paysanne* (syn. : DESCENDANT). *Cousins issus de germains* (= petits cousins). — 2° Se dit d'une chose qui est la conséquence d'une autre : *Tout progrès est issu de l'effort collectif* (syn. : RÉSULTER DE). *La révolution est issue du mécontentement général* (syn. : VENIR DE).

issue [isy] n. f. 1° Lieu (passage, ouverture, porte, etc.) par lequel peut sortir, s'échapper une personne ou une chose : *Trouver une issue pour s'enfuir. Le château avait une issue secrète* (syn. : SORTIE). *Fermer toutes les issues pour que la chaleur reste dans la maison* (syn. : ORIFICE). *Un chemin sans issue* (= une impasse). — 2° Moyen de sortir d'une affaire dangereuse, d'une difficulté : *Il n'y a pas d'autre issue* (syn. : SOLUTION). *La situation est sans issue. La seule issue est le mariage.* — 3° Manière dont une affaire trouve sa solution, dont une chose aboutit : *L'issue malheureuse de la conférence* (syn. : RÉSULTAT). *On craint l'issue fatale* (= la mort). • LOC. PRÉP. *A l'issue de,* à la fin de : *A l'issue du conseil des ministres, il y eut une conférence de presse.*

isthme [ism] n. m. Bande ou langue de terre resserrée entre deux mers et réunissant deux terres : *Le percement de l'isthme de Panama, de l'isthme de Suez.*

itératif [iteratif] n. m. Forme verbale indiquant la répétition de l'action (terme de grammaire).

itinéraire [itinerɛr] n. m. Chemin à suivre pour aller d'un lieu à un autre : *Un itinéraire touristique dans la vallée du Tarn* (syn. : TRAJET). *Etudier l'itinéraire le plus court* (syn. : PARCOURS).

itinérant, e [itinerɑ̃, -ɑ̃t] adj. Se dit d'un fonctionnaire qui se déplace dans l'exercice de ses fonctions : *Inspecteur itinérant.*

ivoire [ivwar] n. m. 1° Substance dure, provenant des dents ou des défenses de l'éléphant, ou d'autres animaux (hippopotame) : *Une bille d'ivoire. Une statuette d'ivoire.* — 2° Objet d'art fait en cette matière : *De petits ivoires du Moyen Age.*

ivraie [ivrɛ] n. f. Plante commune qui gêne la croissance des céréales.

ivre [ivr] adj. 1° (sans compl.) Qui a le cerveau troublé à la suite de l'absorption d'alcool, de vin : *Etre à moitié ivre* (syn. : GRIS). *Ivre mort* (= ivre au point d'avoir perdu toute conscience). *Rouler ivre sous la table. Tituber comme un homme ivre.* — 2° *Ivre de quelque chose,* exalté par une idée, un sentiment, au point de ne pouvoir se retenir de les exprimer violemment, d'agir en conséquence : *Ivre de joie, de passion* (syn. : TRANSPORTÉ PAR). *Ivre d'enthousiasme, de colère* (syn. : FOU). *Ivre de sang, de carnage, de fatigue.* ◆ **ivresse** n. f. : *Noyer son désespoir dans l'ivresse. L'air frais dissipera l'ivresse* (syn. : ÉBRIÉTÉ; pop. : CUITE). *L'ivresse de la danse* (syn. : GRISERIE, EXCITATION). *Dans l'ivresse du combat* (syn. : EXALTATION). *L'ivresse de la victoire, du plaisir* (syn. : TRANSPORT). *Il la regardait avec ivresse* (syn. : RAVISSEMENT, ↑ EXTASE). ◆ **ivrogne** n. et adj. Personne qui a l'habitude de s'enivrer : *Un ivrogne invétéré* (syn. : ALCOOLIQUE). *Une voix d'ivrogne.* (Fém. pop. : IVROGNESSE.) ◆ **ivrognerie** n. f. : *Sombrer dans l'ivrognerie* (syn. : ALCOOLISME). ◆ **enivrer** [ɑ̃nivre] v. tr. Rendre ivre : *Ce petit vin blanc enivre facilement* (syn. : GRISER; pop. : ↑ SOÛLER). *Enivré par le parfum qui monte du jardin. Enivrer de joie* (syn. : TRANSPORTER). *Les louanges l'enivraient* (syn. : EXALTER). ◆ ***s'enivrer*** v. pr. Devenir ivre : *S'enivrer chaque jour. S'enivrer de ses succès.* ◆ **enivrant, e** adj. : *Un vin doux enivrant* (syn. : CAPITEUX). *Des applaudissements enivrants* (syn. : ENTHOUSIASMANT). *Une beauté enivrante* (syn. : VOLUPTUEUX). *Le sport enivrant du ski nautique* (syn. : EXCITANT). ◆ **enivrement** n. m. Sens 2 de *ivre* (littér.) : *L'enivrement du succès* (syn. : EXALTATION, EXCITATION). *L'enivrement de la vitesse* (syn. : FRÉNÉSIE). ◆ **désenivrer** v. tr.

j

j n. m. 1° V. Introduction. — 2° *Le jour J,* le jour où doit se déclencher une attaque, se faire une opération quelconque : *Le jour J était arrivé, il devait passer l'oral de son concours.*

jabot [ʒabo] n. m. Poche que possèdent certains oiseaux à la base du cou, et où les aliments séjournent avant d'aller dans l'estomac.

jacasser [ʒakase] v. intr. 1° (sujet nom de certains oiseaux comme la pie, la perruche, etc.) Crier, piailler. — 2° (sujet nom de personne) Parler avec volubilité sur des sujets banals, pour ne rien dire : *La concierge jacassait avec une locataire au bas de l'escalier.* ◆ **jacassement** n. m.

jachère [ʒaʃɛr] n. f. 1° Etat d'une terre labourable qu'on laisse reposer (*champs en jachère*) ; terre non cultivée. — 2° *Rester, être en jachère,* demeurer inexploité.

jacinthe [ʒasɛ̃t] n. f. Plante aux fleurs ornementales.

jacobin [ʒakɔbɛ̃] n. m. Démocrate intransigeant (du nom du club des Jacobins pendant la Révolution). ◆ **jacobin, e** adj. : *Professer des opinions jacobines* (= révolutionnaires).

jacquerie [ʒakri] n. f. Révolte paysanne : *Des jacqueries éclatèrent en France sous l'Ancien Régime.*

jacquet [ʒakɛ] n. m. Jeu que l'on joue avec des pions et des dés, sur une tablette divisée en quatre compartiments.

jactance [ʒaktɑ̃s] n. f. Attitude arrogante, qui se manifeste par l'emphase avec laquelle une personne parle d'elle-même : *Un homme plein de jactance* (syn. : VANITÉ). *La jactance insupportable d'un imbécile.*

jade [ʒad] n. m. Pierre précieuse d'un vert plus ou moins foncé, dans laquelle on sculpte des objets d'art.

jadis [ʒadis] adv. En un temps fort éloigné dans le passé : *Comme jadis dans son enfance, il avait grimpé jusqu'au haut de la colline* (syn. : AUTREFOIS). *Il n'avait plus l'enthousiasme de jadis. Au temps jadis* (= dans l'ancien temps : formule qui commence souvent un conte).

jaguar [ʒagwar] n. m. Bête fauve voisine de la panthère.

jaillir [ʒajir] v. intr. 1° (sujet nom désignant un liquide, une vapeur, une lumière, etc.) Sortir avec précipitation, s'élancer subitement et impétueusement : *Le pétrole jaillit par la fuite de la canalisation* (syn. : ↓ GICLER). *Le gaz jaillit des puits de forage. L'huile jaillit du réservoir crevé. Une lumière jaillit de l'obscurité. Les flammes jaillissaient du brasier;* également en parlant d'un son : *Un cri jaillit de toutes les poitrines. Les rires jaillissaient de partout* (syn. : FUSER). — 2° (sujet nom de chose) Sortir soudainement, vivement d'un endroit (littér.) : *Il jaillit des flots de spectateurs par toutes les portes du stade.* — 3° S'élever au-dessus d'autres objets en une forme élancée : *Quelques gratte-ciel jaillissent au-dessus de la cité.* — 4° Se manifester soudainement avec vivacité : *Une idée jaillit en lui. Les réponses jaillissent de tous côtés* (syn. : SURGIR, FUSER). *De la discussion peut jaillir une solution* (syn. : ↓ SE DÉGAGER). ◆ **jaillissement** n. m. : *Le jaillissement de la source. Un jaillissement de vapeur. C'était à cette époque un jaillissement d'idées nouvelles.*

jais [ʒɛ] n. m. *Noir de jais,* couleur noire très brillante. ‖ *Des yeux de jais,* noirs (littér.). [Le *jais* est une pierre noire.]

jalon [ʒalɔ̃] n. m. 1° Piquet de métal, tige de bois, marque quelconque, plantés en terre pour établir des alignements, déterminer une direction : *Placer des jalons pour rectifier le tracé d'une rue.* — 2° Ce qui sert de point de repère, de première marque pour aller dans une voie déterminée : *Planter des jalons pour un travail futur. Il posa les premiers jalons de ce qui fut une grande découverte* (= il prépara le terrain). ◆ **jalonner** v. tr. 1° Déterminer une direction, les limites d'un terrain; marquer l'alignement de quelque chose : *Jalonner une allée de plants de buis. Des arbres jalonnent l'avenue* (= s'échelonner le long de). *Les poteaux télégraphiques jalonnent la voie de chemin de fer.* — 2° Servir de point de repère, de marque dans le cours d'une vie, d'une carrière, etc. : *Des succès éclatants jalonnent sa vie d'acteur* (syn. : MARQUER). *La route de la paix est jalonnée d'obstacles.* ◆ **jalonnement** n. m.

jaloux, ouse [ʒalu, -uz] adj. et n. 1° (avec ou sans compl. introduit par *de*) Se dit d'une personne (ou de son attitude) qui manifeste pour une autre un attachement exclusif et vit dans la crainte de son infidélité : *Etre jaloux de sa femme. Jaloux comme un tigre. Un affreux jaloux. Un amour jaloux* (syn. : EXCLUSIF). — 2° (avec ou sans compl. introduit par *de*) Se dit de quelqu'un (ou de son attitude) qui éprouve du dépit ou de l'envie devant les avantages d'autrui : *Jaloux du succès de ses camarades* (syn. : ENVIEUX). *C'est un jaloux, un aigri qui ne pense qu'à dénigrer les autres. Jeter un regard jaloux sur son concurrent plus heureux.* ◆ adj. Se dit d'une personne qui est très attachée à une chose, ou de ce qui marque ce sentiment : *Jaloux de son indépendance, il préféra ne pas se marier* (syn. : SOUCIEUX). *Etre jaloux de son autorité, de ses privilèges.* ◆ **jalousement** adv. : *Garder jalousement un secret* (syn. : SOIGNEUSEMENT). *Regarder jalousement une rivale.* ◆ **jalouser**

v. tr. *Jalouser quelqu'un* ou *quelque chose,* en être jaloux : *Jalouser ses amis plus riches* (syn. : ENVIER). *Jalouser les titres et la situation de quelqu'un* (syn. : PORTER ENVIE À). ◆ **jalousie** n. f. : *Concevoir de la jalousie contre son mari. Cette coquetterie excitait sa jalousie. Etre torturé par la jalousie. Il y avait entre eux une jalousie professionnelle* (syn. : RIVALITÉ). *Crever de jalousie* (syn. : DÉPIT).

1. jalousie [ʒaluzi] n. f. Persienne formée d'une série de petites planchettes réunies par des chaînes et dont l'inclinaison peut être modifiée pour donner plus ou moins de jour dans la pièce.

2. jalousie n. f. V. JALOUX.

jamais [ʒamɛ], **toujours** [tuʒur] adv. Expriment la continuité dans l'absence ou dans l'existence. (V. tableau ci-dessous.)

jambage [ʒɑ̃baʒ] n. m. Dans l'écriture, trait perpendiculaire ou légèrement incliné des lettres *p, l, q, d, f, g, m, n, u,* etc.

jambe [ʒɑ̃b] n. f. **1°** Membre inférieur de l'homme dans son ensemble, y compris la cuisse et le genou (en anatomie, désigne seulement la partie entre le genou et le pied; pour l'animal, on dit *patte*) : *Avoir de grandes jambes. Plier les jambes. Croiser les jambes étant assis. Ecarter les jambes. Avoir de mauvaises jambes* (= avoir des rhumatismes, des varices, etc.). *Avoir de bonnes jambes* (= être capable de marcher longtemps, sans fatigue). *Aller se dégourdir les jambes. Je ne peux plus tenir sur mes jambes* (= je suis éreinté). *Tirer, traîner la jambe de fatigue* (= marcher avec peine). *Avoir les jambes brisées, cassées* (= n'être plus en état de marcher). *Prendre ses jambes à son cou* (= partir, s'enfuir rapidement). *Avoir trente kilomètres dans les jambes* (= être las après avoir fait trente kilomètres à pied). *N'avoir plus de jambes* (= ne plus pouvoir marcher sans fatigue). *Ce vieillard a des jambes de vingt ans* (= il est très alerte). *Ne restez pas sur vos jambes, asseyez-vous. La peur donne des jambes* (= fait courir). *Il s'est littéralement jeté dans mes jambes. Cet enfant est tout le temps dans mes jambes* (= sur mon chemin). — **2°** *A toutes jambes,* très vite, le plus vite possible : *S'enfuir à toutes jambes.* ‖ *Cela (me) fait une belle jambe!,* ça ne sert à rien, c'est parfaitement inutile. ‖ *Faire des ronds de jambe,* faire des manières en vue de plaire. ‖ *Traiter quelqu'un par-dessus la jambe,* le traiter avec mépris. ‖ *Faire quelque chose par-dessus la jambe,* d'une manière peu consciencieuse. ‖ *Tenir la jambe à quelqu'un,* l'importuner, le retenir par une conversation ennuyeuse. ‖ *Tirer dans les jambes de quelqu'un,* l'attaquer en traître, chercher à lui nuire d'une manière déloyale. ◆ **entrejambe** n. m. Partie de la culotte ou du pantalon située entre les jambes.

jambon [ʒɑ̃bɔ̃] n. m. Cuisse ou épaule salée ou fumée d'un porc : *Demander trois tranches de jambon au charcutier. Du jambon de Paris, d'York.* ◆ **jambonneau** [ʒɑ̃bɔno] n. m. Partie de la patte du porc située au-dessous de l'articulation du genou.

---

jamais

1° ● Accompagné de *ne,* exprime la continuité dans l'absence, dans l'inexistence, dans la négation (d'un moment du passé à l'heure actuelle, dans la totalité du temps ou du présent dans l'avenir) :
Il ne m'a jamais vu. Jamais il n'avait pensé à vous le dire. Je n'ai jamais autant pleuré. Il n'a jamais été aussi attentif. Elle n'en a jamais rien su. Il sera peut-être reçu à son examen : on ne sait jamais (= il est des circonstances extraordinaires). *Il pleut comme jamais il n'a plu.*
● Renforcement de la négation, **jamais, au grand jamais** (fam.) indique un refus : *Jamais, au grand jamais, protesta-t-il, je n'ai renversé l'encrier.*
● Avec *sans* ou avec *ne... plus, ne... que :*
Il regarde les malheurs des autres sans jamais s'attendrir. Je ne l'ai jamais plus revu (= du moment passé à nos jours). *Depuis cette cure, il n'avait plus jamais mal au foie. Il n'a jamais fait que ce que vous lui avez dit* (= il a seulement fait). *Il n'a jamais fait que s'en moquer* (= il s'en est toujours moqué).

2° ● Non accompagné de *ne,* dans les réponses :
« *Accepterez-vous sa collaboration? — Jamais* »; ou renforcé : « *Jamais de la vie* ».
● En coordination, accompagné ou non de *mais* et *ou :*
Je travaille plusieurs heures par jour, mais jamais après dîner. C'est le moment ou jamais de se taire (= il est en ce moment préférable de se taire). *Fais-le maintenant ou jamais* (invitation pressante à l'action).
● Avec un adjectif :
Des leçons jamais sues.

3° Non accompagné de *ne,* il peut avoir le sens de « en un moment quelconque », « un jour dans le passé ou l'avenir » (emploi limité à la langue soignée ou à quelques constructions [*si* et dans les comparaisons]) :
Si jamais vous le voyez, vous lui direz que j'ai besoin de son aide. Elle est plus belle que jamais. Il est plus souriant que jamais. C'est pire que jamais.

4° **A jamais, à tout jamais,** dans tout le temps à venir :
C'est à tout jamais fini entre nous (syn. : POUR TOUJOURS).

toujours

1° Exprime la continuité dans la présence, dans l'existence, dans la totalité du temps ou du présent dans l'avenir) :
La science donnera toujours à l'homme de nouveaux moyens de connaissance (syn. : SANS CESSE). *Il l'avait toujours détesté. Il est toujours prêt à vous aider* (syn. : EN TOUTE OCCASION). *Je suis toujours d'un avis différent* (syn. : ORDINAIREMENT). *Il est toujours plus morne et désespéré. Il en a toujours fait à sa tête.*

2° Explique que l'action dure encore au moment où le verbe la situe :
Il était trahi, mais il l'aimait toujours (syn. : ENCORE). *Il est toujours le même* (= il a le même caractère).

3° ● Exprime une possibilité, souvent très incertaine, dans l'avenir :
Il n'est pas trop bête, vous en tirerez toujours quelque chose (syn. : EN TOUT ÉTAT DE CAUSE). *Vous pourrez toujours vous adresser au guichet* (syn. : APRÈS TOUT). *Tu peux toujours courir* (fam. = tu ne réussiras pas).
● En coordination, accompagné de *mais :*
Je lui faisais des objections, mais toujours avec prudence.
● **C'est toujours ça, c'est toujours autant de pris** indiquent la satisfaction devant un résultat inférieur à ce qu'on pouvait espérer : *Tu as pris une seule truite : c'est toujours ça.*
● Avec un adjectif :
Un homme toujours satisfait de lui-même.

4° **Toujours est-il,** sert de conjonction de coordination pour marquer la restriction, l'opposition : *Certes, la météo a annoncé du beau temps, toujours est-il que le temps est menaçant* (syn. : NÉANMOINS). *J'accepte vos excuses, toujours est-il que l'erreur est faite* (syn. : DU MOINS).
Depuis toujours, depuis un temps très éloigné : *Nous nous connaissons depuis toujours.*
Pour toujours, dans tout le temps à venir (syn. : À JAMAIS) : *Je vais vous ôter pour toujours l'envie de vous mêler de ce qui ne vous regarde pas.*

jansénisme [ʒɑ̃senism] n. m. Vertu austère, rigoureuse. (Le mot désigne une doctrine religieuse du XVIIe-XVIIIe siècle.) ◆ **janséniste** adj. et n.

jante [ʒɑ̃t] n. f. Cercle extérieur d'une roue (en bois, en métal), relié au moyeu par les rayons : *Enlever le pneu de la jante d'une bicyclette pour réparer une crevaison.*

janvier [ʒɑ̃vje] n. m. Premier mois de l'année. (V. MOIS.)

japper [ʒape] v. intr. (sujet nom désignant un petit chien) Aboyer faiblement, de façon aiguë. ◆ **jappement** n. m.

jaquette [ʒakɛt] n. f. 1° Vêtement d'homme, à longs pans arrondis, porté seulement dans les cérémonies officielles, les réceptions. — 2° Vêtement de femme porté sur le corsage et ajusté à la taille. — 3° Chemise de protection d'un livre.

1. jardin [ʒardɛ̃] n. m. 1° Terrain, généralement clos, où l'on cultive des légumes (*jardin potager*) ou des fleurs (*jardin d'agrément*) : *Installer des chaises dans le jardin pour prendre le frais en été. Un jardin anglais* (= aux allées irrégulières et d'apparence désordonnée, mais en réalité disposé artistiquement). *Jardin japonais. Un jardin public* (= espace vert ménagé dans une ville et à la disposition de tous). *Jardin botanique* (= où l'on étudie scientifiquement les plantes). *Jardin zoologique ou zoo. La Touraine est le jardin de la France* (= la région la plus fertile). — 2° *Jeter une pierre dans le jardin de quelqu'un,* l'attaquer directement ou indirectement, surtout par des paroles blessantes. ◆ **jardinet** n. m. Petit jardin. ◆ **jardiner** v. intr. Travailler dans un jardin, l'entretenir (sans le faire par métier) : *Prendre plaisir à jardiner pour se distraire.* ◆ **jardinage** n. m. Culture des jardins familiaux : *Consommer les produits de son jardinage.* ◆ **jardinier, ère** n. Personne dont le métier est de cultiver les jardins, de faire la culture des légumes, des fleurs : *Un outil de jardinier.*

2. jardin [ʒardɛ̃] n. m. *Jardin d'enfants,* établissement destiné à recevoir les enfants trop jeunes pour entrer dans les classes primaires (en dessous de six ans). ◆ **jardinière** n. f. *Jardinière d'enfants,* personne qui a pour métier de tenir un jardin d'enfants.

jargon [ʒargɔ̃] n. m. 1° Langue formée d'éléments hétérogènes, de mots altérés, et dont la compréhension est parfois difficile : *Les jargons sont utilisés pour les relations entre des communautés de langue différente* (syn. non péjor. : CRÉOLE, PIDGIN, SABIR, etc., suivant les éléments composants). — 2° *Péjor.* Langue savante d'un groupe professionnel, d'une science, d'une technique, d'une activité quelconque (distincte de l'argot) : *Le jargon des médecins. Le jargon du sport.* — 3° *Fam.* Langue qu'on ne comprend pas : *Deux étrangers, à la table voisine, parlent un jargon incompréhensible.*

jarre [ʒar] n. f. Grand vase de grès dans lequel on conserve des liquides, des salaisons.

jarret [ʒarɛ] n. m. 1° Partie de la jambe située derrière l'articulation du genou. — 2° *Avoir du jarret,* pouvoir marcher, courir, sauter longtemps sans fatigue.

jarretelle [ʒartɛl] n. f. Bande de tissu élastique fixée au corset, à la gaine, et servant à maintenir les bas tendus.

jarretière [ʒartjɛr] n. f. Lien de caoutchouc servant à maintenir le haut d'un bas au-dessus ou au-dessous du genou.

jars [ʒar] n. m. Mâle de l'oie.

jaser [ʒaze] v. intr. 1° Bavarder sans fin sur des sujets futiles pour le plaisir de parler ou pour dire du mal de quelqu'un : *Les visites continuelles qu'il reçoit font jaser les voisins et la concierge* (syn. : CAUSER). — 2° Trahir un secret par un bavardage imprudent : *Un complice a jasé et la police a mis la main sur toute la bande* (syn. : PARLER). — 3° Emettre des sons modulés proches de ceux de la parole : *Bébé qui jase dans son berceau* (syn. : GAZOUILLER).

jasmin [ʒasmɛ̃] n. m. Arbuste à fleurs très odorantes, utilisées en parfumerie.

jatte [ʒat] n. f. Petit récipient rond et sans bords rentrés : *Une jatte de lait* (syn. : ÉCUELLE).

jauge [ʒoʒ] n. f. 1° Evaluation de la capacité intérieure d'un navire : *La jauge des bateaux est exprimée en tonneaux.* — 2° Instrument permettant de mesurer la capacité d'un récipient, d'un réservoir : *La jauge d'huile d'une voiture. La jauge d'essence.* ◆ **jauger** v. tr. Mesurer la capacité d'un réservoir : *Jauger une barrique.* ◆ v. intr. (sujet nom désignant un navire). Avoir une capacité ou un tirant d'eau de : *Navire qui jauge 1 000 tonneaux. Bateau qui jauge 6 mètres.* ◆ **jaugeage** n. m.

1. jauger v. tr. et intr. V. JAUGE.

2. jauger [ʒoʒe] v. tr. *Jauger quelqu'un,* apprécier rapidement sa valeur intellectuelle, morale, sa capacité à faire tel ou tel travail : *D'un coup d'œil, il jaugea le candidat à cet emploi* (syn. : JUGER).

1. jaune [ʒon] n. m. et adj. Une des sept couleurs fondamentales, placée dans le spectre entre le vert et l'orangé; se dit d'un objet de cette couleur : *Le mélange du jaune et du bleu donne le vert. Peindre les murs en jaune. Des fleurs jaunes. Les épis jaunes. Un teint jaune et maladif. Des dents jaunes. Etre jaune comme un citron, comme un coing.* ◆ n. m. Partie jaune de l'œuf (par opposition au *blanc*). ◆ **jaune** adv. 1° Avec une couleur jaune : *Cette enseigne électrique éclaire jaune.* — 2° *Rire jaune,* avoir un rire forcé, qui dissimule mal le dépit, la gêne, l'irritation. ◆ **jaunâtre** adj. et n. m. Qui tire sur le jaune; qui est d'un jaune pâle, défraîchi, sale : *Un visage jaunâtre. Des murs jaunâtres.* ◆ **jaunir** v. tr. Rendre jaune : *La sécheresse a jauni l'herbe des prés. Doigts jaunis par les cigarettes.* ◆ v. intr. Devenir jaune : *Les feuilles des arbres commencent à jaunir.* ◆ **jaunissant, e** adj. : *Les épis jaunissants.* ◆ **jaunissement** n. m. : *Combattre le jaunissement des dents par un brossage quotidien. Le jaunissement de son teint annonce une crise de foie.* ◆ **jaunisse** n. f. 1° Affection hépatique aiguë caractérisée par la coloration jaune de la peau. — 2° Fam. *En faire une jaunisse,* éprouver un violent dépit à la suite d'un événement.

2. jaune [ʒon] adj. et n. Se dit d'une race d'hommes qui est caractérisée par le teint jaune : *Les Jaunes et les Noirs.*

3. jaune [ʒon] n. m. *Péjor.* Briseur de grève, ouvrier qui travaille alors que les autres sont en grève.

Javel (eau de) [odəʒavɛl] n. f. Produit désinfectant et décolorant. ◆ **javelliser** v. tr. *Javelliser de* *l'eau,* la stériliser en y ajoutant de l'eau de Javel. ◆ **javellisation** n. f.

javelle [ʒavɛl] n. f. Petit tas de blé, d'orge, etc., coupé, qu'on laisse sur le champ jusqu'à ce qu'on le lie en gerbe.

javelot [javlo] n. m. Instrument en forme de lance, employé en athlétisme dans un des sports du lancer.

jazz [dʒaz] n. m. **1°** Musique d'origine négro-américaine, largement répandue en Amérique et en Europe, et caractérisée par son élément rythmique : *Orchestre de jazz.* — **2°** Petit ensemble orchestral jouant cette musique (piano, batterie, trompette, saxophone, etc.).

je [ʒə], **me** [mə], **moi** [mwa] pron. pers. 1re pers. sing. V. tableau ci-dessous.

Jeep [dʒip] n. f. Petite voiture d'origine américaine, capable d'aller en tout terrain et utilisée surtout par l'armée.

je-m'en-fichiste [ʒmɑ̃fiʃist] n. et adj. invar. *Fam.* Personne qui manifeste une complète indifférence à l'égard de tous les événements, et en particulier à l'égard de ceux dont elle pense qu'ils ne la concernent pas directement (syn. pop. : JE-M'EN-FOUTISTE). ◆ **je-m'en-fichisme** n. m. invar. *Fam.* Insouciance.

je-ne-sais-quoi [ʒənsɛkwa], ou plus souvent **je ne sais quoi** n. m. invar. Chose qu'on ne peut définir (littér.) : *Il y a chez lui un je-ne-sais-quoi qui inquiète* (syn. : QUELQUE CHOSE).

jérémiades [ʒeremjad] n. f. pl. *Fam.* Plaintes fatigantes et importunes : *Des jérémiades sans fin* (syn. : LAMENTATION). *Etre excédé par les jérémiades d'un enfant* (syn. : PLEURNICHERIE).

jerrycan [djerikan] n. m. Récipient de forme quadrangulaire, dont la contenance est d'environ vingt litres et qui sert à transporter l'essence.

jersey [ʒɛrzɛ] n. m. **1°** Corsage de laine qui moule le corps : *Porter un jersey à col roulé qui monte jusqu'au menton.* — **2°** Tissu de laine fine servant à faire ce corsage.

jésuite [ʒezɥit] n. m. **1°** Membre d'un ordre religieux, la Compagnie de Jésus. — **2°** *Péjor.* Personne hypocrite qui admet que ses actes puissent être en contradiction avec ses paroles. ◆ adj. : *Un air jésuite* (syn. : HYPOCRITE, FOURBE). ◆ **jésuitisme** n. m. : *Son jésuitisme et sa platitude envers ses supérieurs me répugnent* (syn. : HYPOCRISIE).

jésus [ʒezy] n. m. **1°** Représentation du Christ enfant. — **2°** *Fam.* Nom que l'on donne à un petit enfant.

jetée [ʒəte] n. f. Construction en pierre, en bois, formant une avancée dans la mer pour protéger un port contre les vagues (syn. : DIGUE, qui a aussi d'autres emplois).

jeter [ʒəte ou ʒte] v. tr. (conj. **8**). **1°** (sujet nom de personne) Envoyer loin, en lançant à travers l'espace, ou laisser tomber (en particulier pour atteindre un but ou une personne, pour donner quelque chose à quelqu'un, etc.) : *Jeter une pierre dans l'eau* (syn. : LANCER). *Jeter quelques graviers contre une fenêtre* (syn. : PROJETER). *Jeter son sac par terre. Jeter à terre son adversaire* (= faire tomber). *Jeter un morceau de pain à un animal du zoo.* — **2°** Se débarrasser d'une chose gênante, inutile : *Jeter des papiers dans une corbeille. Jeter aux ordures de vieilles chaussures. Jeter au feu des lettres compromettantes* (= les brûler). — **3°** *Jeter l'argent par les fenêtres,* le dépenser n'importe comment, le gaspiller. ‖ *Jeter bas,* abattre : *Jeter bas une cheminée d'usine.* ‖ *Jeter un pont, une passerelle,* etc., les disposer d'un point à un autre à travers l'espace : *Jeter un nouveau pont sur le Rhône* (syn. : CONSTRUIRE). — **4°** Mettre une chose rapidement ou sans soin sur soi ou en un lieu : *Jeter un manteau sur ses épaules. Jeter son vêtement sur une chaise. Jeter une lettre dans la boîte* (= mettre une lettre à la boîte). *Jeter les cartes sur la table* (= abattre son jeu pour signifier que la partie est finie). — **5°** Lancer, disposer, placer avec plus ou moins de violence (dans un grand nombre d'expressions abstraites) : *Elle lui jeta à la tête, au visage, au nez tout ce qu'elle avait sur le cœur* (= elle lui reprocha vivement). *Jeter un sort* (= maudire, en parlant d'un sorcier, d'une fée, etc.). *Le sort en est jeté* (= on ne peut revenir en arrière). *Jeter tout le poids de son autorité dans la balance* (= faire peser toute son autorité). *Jeter un sérieux argument dans une discussion* (syn. : INTRODUIRE). *Jeter une idée sur le papier* (syn. : NOTER). *Jeter quelques mots sur une carte* (syn. : ÉCRIRE). *Jeter les bases d'une nouvelle étude* (syn. : POSER). — **6°** Faire mouvoir rapidement, dans une direction, une partie de son corps : *Jeter les bras en l'air* (syn. : LANCER). *Jeter la tête en arrière. Jeter le poing en avant. Jeter les bras autour du cou de quelqu'un* (= l'embrasser). *Jeter un coup d'œil vers son voisin* (= le regarder rapidement). — **7°** (sujet nom de chose) Répandre

pronoms personnels (1re pers.)

FONCTION	pronoms atones	Joints au verbe et toujours dans le groupe verbal.	pronom tonique	Disjoint, placé hors du groupe verbe + pronom sujet atone, avant ou après le verbe.
sujet	je j'	JE *travaille.* J'*arrive. Ai-*JE *tort? Suis-*JE *assez près?*	moi	MOI *aussi, j'ai vu ce film. Il court aussi vite que* MOI. *Georges et* MOI *nous travaillons.*
complément d'objet direct ou indirect, réfléchi ou non réfléchi	me m'	*Il* ME *voit. Je* ME *vois dans la glace.* M'*écoutera-t-on? Ne* ME *troublez pas. Tous* M'*obéissaient.*	moi	*Regarde-*MOI. *Obéissez-*MOI. *Je ne me compte pas dans le nombre,* MOI. *A* MOI, *on obéira. Usez de* MOI *comme il vous plaira.*
complément circonstanciel, après préposition			moi	*Il est parti sans* MOI. *Vous travaillez pour* MOI ? *Il l'a su par* MOI.

REM. Ordre des pronoms personnels, V. IL.

autour dans : *Cette nouvelle jeta le trouble dans le pays* (syn. : SEMER). *Le crime jeta l'effroi dans la ville* (syn. : CAUSER). *Cette interruption jeta un froid* (= provoqua un silence gêné). — **8°** (sujet nom de personne) Répandre hors de soi, émettre un son, une clarté : *Jeter un cri* (syn. : PROFÉRER). *Le soleil jette ses dernières clartés. Jeter une lueur. Jeter des menaces. Jeter des insultes à la tête de quelqu'un.* — **9°** Pousser quelqu'un avec violence dans une direction : *Jeter dehors un importun* (= chasser). — **10°** Mettre brusquement dans un état d'esprit déterminé : *Sa mort jeta sa famille dans le désespoir* (syn. : PLONGER). *Cette proposition me jeta dans l'embarras* (syn. : METTRE). *De telles sottises me jettent hors de moi.* ◆ **se jeter** v. pr. **1°** (sujet nom de personne) Aller vivement vers un endroit déterminé, vers une occupation précise : *Se jeter contre un mur. Se jeter dans une bouche de métro* (syn. : S'ENGOUFFRER). *Se jeter sur son lit* (= s'y laisser tomber). *Se jeter à genoux* (syn. : TOMBER). *Se jeter sur quelqu'un pour le frapper* (syn. : SE PRÉCIPITER). *Se jeter dans une rue obscure pour échapper à ses poursuivants. Se jeter dans les bras de quelqu'un* (= l'embrasser). *Se jeter à la tête du premier venu* (= lui donner toute sa confiance). *Il se jette avec inconscience dans les pires difficultés. Se jeter dans la mêlée* (= participer au combat). *Se jeter dans la politique* (syn. : SE LANCER, S'ENGAGER). *Se jeter en travers des projets de quelqu'un* (= y faire obstacle). — **2°** (sujet nom désignant un cours d'eau) Déverser ses eaux (dans un fleuve ou dans la mer) : *La Durance se jette dans le Rhône.* ◆ **jet** [ʒɛ] n. m. **1°** Action de jeter, de lancer un objet loin de soi (emploi limité aux projectiles) : *Athlète qui réussit au javelot un jet exceptionnel. Le jet d'une grenade, d'une pierre.* — **2°** Mouvement d'un liquide, de la vapeur, etc., qui s'échappe avec force : *Un jet de sang. Un jet de vapeur sortit du tuyau* (syn. : JAILLISSEMENT). *Un jet d'eau s'échappe par la fuite de la canalisation. Brûlé par un jet de liquide bouillant.* — **3°** Apparition brusque et vive (d'une lumière) : *Un jet de lumière éclaira la façade de l'immeuble.* — **4°** *Jet d'eau,* gerbe d'eau jaillissant d'un bassin, de motifs sculptés, etc. ‖ *Le premier jet,* la première esquisse, l'ébauche d'un travail intellectuel : *Le premier jet d'un article, d'un livre, d'un poème.* ‖ *Du premier jet,* du premier coup, sans brouillon, sans hésitation : *Atteindre la perfection du premier jet.* ‖ *D'un seul jet, d'un jet,* sans tâtonnements, sans retouches : *Le roman a été écrit d'un seul jet pendant les vacances* (syn. : D'UNE SEULE VENUE).

jeton [ʒətɔ̃ ou ʃtɔ̃] n. m. **1°** Petite pièce ronde en métal, en ivoire, etc., utilisée pour marquer ou pour payer dans certains jeux de société, dans certains services publics : *Jetons servant à la roulette. Jeton de téléphone.* — **2°** *Jeton de présence,* somme donnée comme rémunération aux membres d'un conseil d'administration, d'une académie, etc., présents à une réunion de ces assemblées. — **3°** Fam. *Faux jeton,* personne hypocrite, à laquelle on ne peut se fier. ‖ *Vieux jeton,* vieil homme borné et stupide. ‖ Pop. *Avoir les jetons,* avoir peur. — **4°** Pop. Coup : *Recevoir un jeton.*

jeudi [ʒødi] n. m. **1°** Cinquième jour de la semaine, entre mercredi et vendredi : *Le jeudi est un jour de congé pour les jeunes écoliers.* — **2°** Fam. *La semaine des quatre jeudis,* un moment qui n'arrivera jamais.

jeune [ʒœn] adj. (surtout avant le nom) et n. Se dit d'une personne (ou de son physique, de son caractère, de son attitude, etc.) qui n'est pas avancée en âge : *Etre jeune, tout jeune, très jeune. Il est plus jeune qu'il ne paraît. Il était le plus jeune des deux frères* (= le cadet; contr. : AÎNÉ). *Se marier jeune. Un jeune homme. La population jeune de l'Algérie. Une jeune fille. Une jeune femme. Mourir jeune. Les jeunes de maintenant. Une maison, un club de jeunes* (contr. : VIEUX). *Un jeune visage. Dans mon jeune âge. De jeunes amours. Une coiffure jeune. Un jeune talent.* ◆ adj. (avant et après le nom). **1°** Se dit d'une personne qui est moins âgée que celles de la même profession : *Un jeune directeur. Un jeune professeur. Un jeune écrivain.* — **2°** Se dit d'un animal qui n'a pas fini sa croissance : *Un jeune chien. Un jeune chat.* — **3°** Se dit d'un végétal qui n'a pas atteint son plein développement : *De jeunes pousses.* — **4°** Se dit de ce qui existe depuis relativement peu de temps : *Une jeune république. Un pays jeune* (syn. : NEUF). *La jeune industrie des pays sous-développés* (syn. : RÉCENT). — **5°** (après le nom) Se dit de celui ou de ce qui a gardé les caractères physiques et moraux de la jeunesse (vivacité, spontanéité, etc.) : *Rester jeune malgré son âge. Elle paraît encore jeune. Etre jeune de cœur. Un visage jeune.* — **6°** Se dit d'une personne qui n'a pas encore les qualités de la maturité : *Il s'est laissé prendre à sa rouerie : c'est qu'il est encore bien jeune* (syn. : NAÏF, CANDIDE). *Il est jeune dans le métier* (= il est inexpérimenté). — **7°** Fam. *C'est un peu jeune,* c'est insuffisant, c'est un peu juste, un peu court. ◆ adv. (variable) : *Faire jeune* (= paraître jeune). *De jeunes mariés* (= nouvellement). ◆ **jeunesse** [ʒœnɛs] n. f. **1°** Période de la vie située entre l'enfance et l'âge mûr : *En pleine jeunesse. Dans le temps de ma jeunesse. Elle n'est plus de la première jeunesse* (= elle est déjà âgée). *Un péché de jeunesse* (= une erreur due au manque de maturité). *Une œuvre de jeunesse. Une seconde jeunesse* (= un renouvellement de vigueur, de santé). *Dans sa première jeunesse* (= immédiatement après l'enfance). — **2°** Ensemble des caractères physiques et moraux d'une personne jeune; fait d'être jeune : *La jeunesse de son cœur, de son visage. Avoir l'emportement de la jeunesse. Avoir un air de jeunesse* (= une apparence jeune). *En raison de son extrême jeunesse, il lui fut pardonné.* — **3°** Ensemble des personnes jeunes : *Une jeunesse exubérante. La jeunesse des écoles. Une auberge de la jeunesse. Emission de radio spécialement destinée à la jeunesse.* — **4°** Caractère d'une chose nouvellement créée : *La jeunesse d'un équipement industriel. La jeunesse du monde* (= le début de l'histoire du monde). ◆ **jeunet, ette** adj. et n. *Fam.* Dimin. de *jeune : Elle est encore bien jeunette* (= très jeune). ◆ **jeunot** adj. et n. m. *Fam.* et *péjor.* D'une jeunesse naïve.

jeûner [ʒøne] v. intr. S'abstenir de manger ou manger très peu, par nécessité ou pour satisfaire à une obligation religieuse : *Son manque d'argent l'obligeait parfois à jeûner tout un jour. Jeûner pendant le carême.* ◆ **jeun (à)** [aʒœ̃] loc. adv. *Etre à jeun,* n'avoir rien mangé ou rien bu depuis le début de la journée : *Partir à jeun à son travail. Rester à jeun jusqu'à midi. Quand il est à jeun, cet ivrogne devient méchant* (= quand il n'a pas bu). ◆ **jeûne** n. m. Abstinence d'aliments pendant un certain temps : *Le médecin prescrit un jeûne complet pendant quarante-huit heures.*

joaillier, ère [ʒoaje, -ɛr] n. Personne qui monte les pierres précieuses sur des métaux précieux pour faire des bijoux; personne qui vend ces bijoux. ◆ **joaillerie** n. f. Commerce, art du joaillier; articles vendus par le joaillier.

job [dʒɔb] n. m. *Fam.* Emploi, travail rémunérateur, mais souvent provisoire.

jobard [ʒɔbar] adj. et n. m. Naïf, crédule que l'on dupe facilement : *C'est un jobard trompé par sa femme et ses soi-disant amis.* ◆ **jobardise** n. f. : *Sa jobardise est une source d'amusement pour tous ceux qui le connaissent* (syn. : CRÉDULITÉ).

jockey [ʒɔkɛ] n. m. Professionnel qui monte les chevaux de course : *La casaque des jockeys est aux couleurs des propriétaires.*

joie [ʒwa] n. f. **1°** Sentiment de grande satisfaction, de vif plaisir, que la possession d'un bien réel ou imaginaire fait éprouver : *Ressentir une grande joie* (contr. : CHAGRIN, AFFLICTION). *Pousser un cri de joie* (contr. : DOULEUR). *Le visage rayonnant de joie* (syn. : ↓ GAIETÉ). *Etre au comble de la joie* (contr. : DÉSESPOIR). *La joie de vivre* (contr. : ENNUI). *J'accepte avec joie votre invitation* (syn. : PLAISIR). *Il se fait une joie de passer ses vacances à la campagne* (= il se réjouit). *Cet incident mit l'assistance en joie* (= provoqua la gaieté). *Le cœur inondé de joie* (contr. : TRISTESSE). — **2°** Ce qui est la cause d'un grand plaisir (souvent au plur.) : *Les joies de l'existence* (syn. : PLAISIR). *Ses enfants sont sa seule joie.* — **3°** *S'en donner à cœur joie,* jouir pleinement de quelque chose, s'y adonner sans retenue : *Les élèves sont sans surveillance, alors ils s'en donnent à cœur joie.* ‖ *Feu de joie,* allumé en plein air, en signe de réjouissance. ‖ *Fille de joie,* prostituée. ‖ *Ne plus se sentir de joie,* être extrêmement content : *Il ne se sent plus de joie à la pensée des vacances très proches maintenant.* ◆ **joyeux, euse** adj. (avant ou plus souvent après le nom). **1°** Se dit de personnes qui ont de la gaieté, qui ressentent de la joie : *Il est joyeux à la pensée de la revoir* (syn. : HEUREUX, GAI; contr. : TRISTE, SOMBRE). *La bande joyeuse des enfants* (contr. : MORNE). *Mener joyeuse vie* (= une vie de plaisirs, de débauche). *Un joyeux garçon* (= un boute-en-train). — **2°** Se dit de ce qui témoigne de tels sentiments : *Des cris joyeux. Une joyeuse fanfare traversa la rue principale le 14 juillet. Le dîner a été très joyeux.* — **3°** (surtout avant le nom) Qui apporte de la joie : *Une joyeuse nouvelle* (syn. : HEUREUX; contr. : DOULOUREUX). ◆ **joyeusement** adv. : *Fêter joyeusement Noël* (syn. : GAIEMENT).

joindre [ʒwɛ̃dr] v. tr. (conj. **55**). **1°** *Joindre deux choses* (des objets), les mettre en contact ou les mettre ensemble de telle manière qu'elles forment un tout continu ou qu'elles communiquent : *Joindre les deux bouts de la ficelle par un nœud* (syn. : ATTACHER). *Une digue joint l'île au continent* (syn. : RELIER). *Joindre les mains* (= les unir en entrecroisant les doigts). *Joindre les talons* (= les faire se toucher en tournant la pointe des pieds en dehors). *Sauter à pieds joints* (= avec les pieds en contact). *Joindre les pieds* (= les faire se toucher dans le sens de la longueur); et en parlant des choses abstraites : *Ils joignent leurs efforts pour tirer la barque sur la rive* (syn. : CONJUGUER). — **2°** *Joindre une chose à une autre,* l'y ajouter pour former un tout : *Joignez ce témoignage aux autres* (syn. : ADJOINDRE). *Une prime a été jointe au salaire. Il a joint sa signature aux autres au bas du document. Je joins à cette lettre un chèque de cent francs* (syn. : INSÉRER); et en parlant de choses abstraites : *Il joint ses prières aux miennes. Joindre l'utile à l'agréable. Les avantages joints à la situation sont importants.* — **3°** *Joindre quelqu'un,* parvenir à le rencontrer, à lui parler : *J'ai essayé de le joindre par téléphone, mais je n'ai pas pu* (syn. : TOUCHER). *Je n'arrive pas à le joindre pour lui parler de cette affaire.* — **4°** *Joindre une personne à une autre, joindre des personnes,* les unir par un lien moral, religieux, etc. (langue soutenue) : *Joindre par les liens du mariage. L'amitié qui les joint.* — **5°** *Ci-joint,* v. à son ordre alphab. ‖ *Fam. Joindre les deux bouts,* parvenir difficilement à boucler le budget d'un ménage, d'une entreprise, etc. : *Son salaire ne lui suffisait pas pour joindre les deux bouts et il avait des fins de mois difficiles.* ◆ v. intr. (sujet nom de chose) Etre en contact : *La porte du placard joint mal.* ◆ **se joindre** v. pr. **1°** (sujet nom de personne) Se réunir à d'autres, se mettre ensemble : *Se joindre au cortège* (syn. : SE MÊLER). *Il s'est joint à nous pour demander la levée de la punition.* — **2°** (sujet nom de chose) Etre réuni en un tout : *Leurs mains se joignent.* ◆ **joint** n. m. **1°** Endroit où deux choses sont contiguës, se trouvent réunies; dispositif assurant une fermeture à l'articulation de deux pièces : *Les joints entre deux pierres de la maçonnerie. Fuite du radiateur causée par l'usure d'un joint. Le joint du robinet.* — **2°** *Chercher, trouver le joint,* chercher, trouver le moyen habile de résoudre un problème difficile : *Il faut trouver le joint pour l'amener à nous accorder ce que nous demandons.* ◆ **jointure** n. f. **1°** Endroit où deux os se joignent : *A la jointure du poignet* (syn. : ARTICULATION). *Faire craquer les jointures des doigts.* — **2°** Endroit où deux objets, deux choses sont en contact : *La jointure de deux pierres.* ◆ **jonction** [ʒɔ̃ksjɔ̃] n. f. **1°** Action d'unir des choses séparées : *La jonction de deux câbles.* — **2°** Action de joindre, d'entrer en contact : *La jonction des troupes est opérée* (syn. : RENCONTRE). *A la jonction des deux lignes de chemin de fer.* — **3°** *Point de jonction,* endroit où deux choses se rencontrent : *Au point de jonction de la route nationale et de la route départementale* (syn. : POINT DE RENCONTRE, CROISEMENT).

joli, e [ʒɔli] adj. (avant le nom). **1°** Se dit des personnes, de leur physique, des productions de l'esprit, des choses, etc., qui séduisent par la grâce, le charme, par un agrément extérieur : *Une jolie fille* (syn. : BEAU, ↓ GENTIL). *Avoir de jolies jambes. Joli comme un cœur. Une jolie bouche* (syn. : GRACIEUX, MIGNON). *Avoir une jolie voix de soprano* (syn. : ↑ RAVISSANT). *Il a chez lui de très jolies statuettes grecques. Faire le joli cœur* (= agir avec une coquetterie exagérée). — **2°** *Fam.* Se dit de ce qui est avantageux, qui mérite de retenir l'attention (accompagné d'une intonation expressive) : *Avoir une jolie situation* (syn. : INTÉRESSANT). *Toucher une jolie somme aux courses* (syn. : CONSIDÉRABLE). *Obtenir de très jolis résultats.* — **3°** Se dit ironiq. de ce qui est laid, mauvais, etc. (accompagné d'une intonation expressive) : *Un joli monsieur!* (= peu recommandable). *Jouer un joli tour à quelqu'un. Elle est jolie, votre idée!* (= stupide). *C'est joli, ce que vous lui avez fait!* (= laid, méchant); et, fam., répété : *C'est pas joli, joli, ce que vous avez fait!* ◆ **joli** n. m. Fam. *C'est du joli,* c'est très mal : *C'est du joli d'agir ainsi dans son dos!* ◆ **joliment** adv. : *Salon joliment aménagé* (syn. : AGRÉABLE-

MENT). *Il est joliment en retard* (syn. : CONSIDÉRABLEMENT). *Il est joliment bête* (syn. : TRÈS).

jonc [ʒɔ̃] n. m. Plante des lieux humides, à tige cylindrique, droite, dont on se sert à divers usages : *Une canne de jonc. Un panier de jonc.*

joncher [ʒɔ̃ʃe] v. tr. 1° (sujet nom de personne ou de chose) Répandre çà et là, étendre sur le sol des feuilles, des fleurs, etc. (le plus souvent au passif) : *Les fidèles ont jonché le sol de fleurs sur le passage de la procession. Après la tempête, les rues étaient jonchées de débris de toutes sortes. Suivre une route jonchée d'obstacles.* — 2° (sujet nom de chose) Etre épars sur le sol : *Les feuilles jonchent les allées du jardin* (syn. : COUVRIR). *Les papiers jonchent le parquet.*

jonction n. f. V. JOINDRE.

jongler [ʒɔ̃gle] v. intr. 1° *Jongler avec des choses,* faire des tours d'adresse en lançant en l'air divers objets, que l'on relance à mesure qu'on les reprend : *Jongler avec des assiettes, avec des ballons.* — 2° *Jongler avec quelque chose,* en user avec adresse, comme si c'était un jeu : *Jongler avec les chiffres, avec les idées. Jongler avec les difficultés* (syn. : SE JOUER DE). ◆ **jonglerie** n. f. Surtout au sens 2 du verbe, et péjor. : *Cette manière de présenter les faits est une simple jonglerie pour amuser les gens et les détourner des choses sérieuses* (syn. : TOUR DE CHARLATAN). [Au sens 1 du verbe, on emploie auj. JONGLAGE.] ◆ **jongleur, euse** n. Sens 1 du verbe : *Les tours d'un jongleur.*

jonquille [ʒɔ̃kij] n. f. Plante cultivée pour ses fleurs jaunes. ◆ adj. invar. De couleur blanche et jaune : *Une robe jonquille.*

joue [ʒu] n. f. 1° Chacune des parties latérales du visage, limitées par le nez, la bouche, le menton, les oreilles, les tempes, les yeux : *Les joues rebondies d'un enfant. Embrasser sur la joue, sur les joues. Gifler sur les deux joues. Tendre la joue pour recevoir un baiser. Tendre l'autre joue* (= s'exposer à être de nouveau outragé). — 2° *Mettre en joue, tenir, coucher en joue,* viser avec une arme à feu. ‖ *En joue!,* ordre donné à des soldats de mettre l'arme en position de tir, ajustée contre la joue. ◆ **joufflu, e** adj. Aux joues pleines : *Un bébé joufflu. Un gros homme joufflu* (= aux joues rebondies).

1. jouer [ʒwe] v. intr. ou tr. ind. [à] (sujet nom d'être animé). S'adonner à un divertissement qui n'a d'autre but que le plaisir, la distraction, l'amusement : *Les élèves jouent dans la cour. Mon fils joue avec son jeu de construction. Les enfants jouent à cache-cache, aux soldats, aux Indiens. Jouer aux cartes, aux dés, au football. Il a dit cela pour jouer* (syn. : BADINER). *Jouer serré* (= de telle manière que l'adversaire est forcé à une grande attention). *A vous de jouer!* (= à vous de commencer à jouer, à vous d'agir). ◆ v. tr. Faire une partie de ce qui constitue un divertissement, un amusement; avancer, jeter ce avec quoi on joue : *Jouer une partie d'échecs. Jouer un pion dans une partie de dames. Jouer atout, pique, cœur. Jouer une belle balle.* ◆ **se jouer** v. pr. (sujet nom de chose). Etre joué : *Le bridge se joue à quatre. C'est un coup qui doit pouvoir se jouer* (= une combinaison de cartes où l'on peut enlever la décision). ◆ **joueur, euse** n. Personne qui joue à un jeu quelconque : *Un joueur de football. Les joueurs de cartes, de boules.* ◆ adj. et n. 1° Qui aime à jouer : *Des joueurs infatigables. Un enfant très joueur.* — 2° Qui a la passion du jeu, en particulier des cartes : *Etre un joueur imprudent, incorrigible. Un joueur heureux, malheureux. Se montrer mauvais joueur* (= accepter mal sa défaite). *Etre beau joueur* (= rester impassible devant l'échec, accepter loyalement un revers). ◆ **jeu** [ʒø] n. m. 1° Activité visant au plaisir, à la distraction de soi-même ou des autres; manière de s'y livrer : *S'adonner au jeu. Interrompre le jeu des enfants pour le goûter* (syn. : RÉCRÉATION, AMUSEMENT). *Un jeu brutal. Le jeu d'échecs, de boules. Il fait ce problème par jeu* (syn. : PLAISIR). *Joueur de tennis qui a un jeu rapide, efficace. C'est pour lui un jeu d'enfant* (= c'est très facile). — 2° Limites marquant l'espace consacré à un jeu (sens 1) : *La balle est sortie du jeu. Joueur mis hors jeu.* — 3° Au tennis, division d'une partie. — 4° Ce qui sert à jouer : *Un jeu de cartes, de dames.* — 5° Ensemble des cartes données à un joueur : *Tenir son jeu dans la main. Ne pas laisser voir son jeu.* — 6° Ensemble des règles qui définissent un certain type d'activité visant à l'amusement, au divertissement : *Tricher au jeu. Etre très fort à un jeu. Il a perdu, c'est le jeu. Ce n'est pas de jeu* (= c'est irrégulier). ◆ **jouet** [ʒwɛ] n. m. 1° Objet dont les enfants se servent pour s'amuser : *Une exposition de jouets. Le rayon des jouets dans un grand magasin. Enfant qui casse ses jouets.* — 2° (sujet nom de personne ou de chose) *Etre le jouet de,* être la victime d'autres personnes, d'une volonté supérieure, des éléments : *Etre le jouet d'enfants cruels* (syn. : CIBLE). *Etre le jouet d'une hallucination. Barque qui est le jouet des vents. Etre le jouet d'une femme.* ◆ **joujou** n. m. 1° Dans le langage enfantin, se dit fam. pour JOUET (sens 1) : *Recevoir un beau joujou à Noël.* — 2° Fam. *Faire joujou,* jouer, s'amuser.

2. jouer [ʒwe] v. tr. ind. et intr. 1° S'adonner à des divertissements intéressés : *Jouer à la roulette, au baccara, au poker.* — 2° Se livrer à des spéculations en vue d'en tirer un profit (surtout avec la prép. *sur*) : *Jouer à la Bourse. Jouer sur la hausse du café. Jouer sur la victoire* (syn. : MISER). ◆ v. tr. Mettre comme enjeu sur : *Jouer dix francs sur un cheval. Jouer gros jeu. Jouer une fortune* (syn. : RISQUER). *Jouer sa réputation sur un coup de tête* (syn. : EXPOSER). *Jouer un jeu d'enfer. Jouer son avenir.* — 3° *Jouer le tout pour le tout,* risquer beaucoup pour tout gagner. ‖ *Jouer un mauvais tour, un tour de cochon* (fam.) *à quelqu'un,* lui causer quelque préjudice. ‖ *Etre en jeu,* être mis en question, être l'objet d'un débat, d'une discussion : *C'est votre honneur qui est en jeu* (syn. : ÊTRE EN CAUSE). *L'avenir du plan est en jeu.* ◆ **jeu** n. m. 1° Amusement, distraction où l'on risque de l'argent : *Des jeux d'argent. Le jeu de la roulette, du baccara. Maison de jeu* (= établissement où l'on joue de l'argent). — 2° Somme d'argent mise en enjeu : *Jouer gros jeu à la Bourse, aux courses. Faites vos jeux.* — 3° *Jouer le grand jeu,* employer toutes les ressources de son esprit pour atteindre son but. ‖ *Avoir beau jeu de, pour,* être dans des conditions particulièrement favorables pour : *Il a beau jeu de vous reprocher maintenant votre dédain.* ‖ *Cacher son jeu,* dissimuler ses intentions. ‖ *Mettre en jeu,* employer dans une action déterminée : *Les intérêts mis en jeu;* risquer : *Mettre en jeu d'importants capitaux.* ‖ *Tirer son épingle du jeu,* se dégager adroitement d'une mauvaise affaire. ‖ *Se piquer au jeu,* ne pas se laisser décourager par un obstacle, un insuccès : *Il s'est piqué au jeu et il a cherché à* *regagner ce qu'il avait perdu sur ses concurrents plus heureux.* ‖ *D'entrée de jeu,* dès l'abord, dès le début : *D'entrée de jeu, il posa la question essentielle.* ‖ *Jouer franc jeu,* loyalement.

3. jouer [ʒwe] v. tr. ind. et intr. 1° *Jouer de quelque chose,* le manier avec plus ou moins d'adresse : *Jouer du bâton, du couteau, du revolver.* — 2° *Jouer avec quelque chose,* ne pas le prendre au sérieux, l'exposer avec légèreté : *Jouer avec sa vie. Jouer avec sa santé. Il joue avec le feu* (= s'exposer témérairement à un danger). — 3° *Jouer de malheur,* être malchanceux. ‖ *Jouer au plus fin,* chercher à tromper. ‖ *Jouer sur les mots,* chercher à tirer parti des équivoques des mots. ◆ ***se jouer*** v. pr. *Se jouer de quelque chose,* le surmonter facilement, en venir à bout, en triompher comme s'il s'agissait d'un jeu : *Se jouer des difficultés. Il a fait le problème en se jouant.* ◆ **jeu** n. m. 1° Manière d'agir légère, facile, gratuite, dépourvue de valeur ou sans gravité (péjor. ou non selon les cas) : *C'est un jeu, ce n'est pas sérieux. Un simple jeu de mots* (syn. : ÉQUIVOQUE, CALEMBOUR). *Un jeu d'esprit* (syn. : BADINAGE). *Les jeux de l'imagination* (syn. : FANTAISIE). *Se faire un jeu de contredire un adversaire* (= s'amuser), *de vaincre un obstacle* (= le surmonter). — 2° *Jeu d'écriture,* opération comptable qui n'a aucune incidence sur l'équilibre entre les recettes et les dépenses. ‖ *Jeux de physionomie,* mouvements du visage exprimant tel ou tel sentiment. ‖ *Jeu de clefs,* ensemble de clefs pouvant ouvrir les différentes portes d'un établissement ou utilisées par un particulier.

4. jouer [ʒwe] v. tr. ind. et intr. 1° Interpréter un rôle : *Jouer dans un film, dans une pièce du Boulevard.* — 2° *Jouer à,* se donner des airs : *Jouer au grand seigneur* (= faire comme si on l'était). *Jouer à l'homme compétent, avisé.* — 3° *Jouer d'un instrument de musique,* s'en servir : *Jouer du piano, du violon, de la flûte.* ◆ v. tr. 1° Représenter au théâtre, au cinéma, etc. : *Jouer une tragédie, un film. Que joue-t-on au cinéma? Jouer la comédie* (= simuler certains sentiments pour tromper les autres). — 2° Faire semblant d'avoir tel ou tel sentiment : *Jouer la douleur.* — 3° *Jouer un rôle,* représenter un personnage au cinéma, au théâtre ; se conduire de telle ou telle manière : *Jouer un rôle ridicule dans une affaire.* ‖ *Jouer son jeu,* agir en conformité avec ses intérêts. — 4° Exécuter sur un instrument : *Jouer un concerto. Jouer du Chopin.* — 5° *Faire jouer la corde sensible,* chercher à émouvoir. ◆ ***se jouer*** v. pr. 1° Etre représenté : *La pièce se joue à la Comédie-Française. Le drame s'est joué au début de la soirée.* — 2° Etre exécuté : *Ce morceau se joue au piano.* ◆ **jouable** adj. Qui peut être joué (dans des phrases négatives surtout) : *Le rôle n'est jouable que par un grand acteur.* ◆ **injouable** adj. : *Une pièce injouable.* ◆ **joueur, euse** n. Personne qui joue d'un instrument de musique : *Un joueur de saxophone. Un joueur de flûte.* ◆ **jeu** n. m. 1° Manière d'interpréter un rôle : *Le jeu d'un acteur. Un jeu très sobre.* — 2° Manière dont on se sert d'un instrument de musique, d'un objet : *Le jeu brillant d'un violoniste.* — 3° *Jeux de scène,* ensemble des mouvements, des attitudes réglés par un metteur en scène dans une pièce, un film, et concourant à un certain effet. ‖ *Entrer en jeu* (*entrée en jeu*), intervenir dans une affaire, une entreprise, un combat : *Des forces puissantes sont entrées en jeu. L'entrée en jeu de nouvelles troupes fit pencher la balance.* ‖ *Entrer dans le jeu de quelqu'un,* s'associer à ses entreprises, prendre son parti : *Il est entré dans le jeu de l'adversaire pour mieux le ruiner.* ‖ *Faire le jeu de quelqu'un,* agir sans le vouloir dans l'intérêt de quelqu'un.

5. jouer [ʒwe] v. intr. (sujet nom de chose). 1° Fonctionner, se mouvoir aisément, sans résistance : *La clef joue dans la serrure. Faire jouer un ressort.* — 2° Ne plus joindre, par suite de contraction, de dilatation : *La porte a joué par suite de l'humidité* (syn. : SE GONDOLER). ◆ **jeu** n. m. 1° Mouvement régulier, fonctionnement aisé d'un organe, d'un organisme : *Le jeu d'un ressort. Le libre jeu des institutions. Le jeu des forces contraires. Les forces en jeu* (syn. : EN ACTION). — 2° Espace aménagé pour qu'un organe se meuve, ou défaut de serrage dû à l'usure : *Donner du jeu à une serrure. Laisser un peu de jeu entre les pièces d'un mécanisme. Il y a trop de jeu dans le piston. Prendre du jeu.*

6. jouer [ʒwe] v. tr. *Jouer quelqu'un,* le tromper (surtout au passif et dans la langue soutenue) : *Il a été joué par un escroc.* ◆ ***se jouer*** v. pr. 1° (sujet nom d'être animé) *Se jouer de quelque chose,* s'en moquer, vouloir l'ignorer : *Se jouer des lois.* — 2° *Se jouer de quelqu'un,* le tromper, l'induire en erreur : *Se jouer d'un mari trop crédule* (syn. : SE MOQUER). *Il s'est joué de vous* (syn. : DUPER).

joufflu, e adj. V. JOUE.

joug [ʒu] n. m. 1° Pièce de bois qu'on attache sur la tête des bœufs pour les atteler. — 2° Dure contrainte, matérielle ou morale, exercée à l'encontre de quelqu'un (langue soutenue) : *Subir le joug de l'envahisseur. Tomber sous le joug des ennemis* (syn. : DOMINATION). *Secouer le joug de la puissance occupante* (syn. : OPPRESSION).

jouir [ʒwir] v. tr. ind. et intr. 1° (sujet nom de personne) *Jouir d'une chose,* en tirer un vif plaisir, une grande joie, un profit : *Jouir de la vie* (syn. : PROFITER DE). *Jouir de sa victoire* (syn. : SAVOURER). *Jouir de la paix, du bien-être. Nous jouissons de sa présence chez nous. Il jouissait de son embarras évident* (syn. plus usuel : SE RÉJOUIR DE). — 2° (sujet nom de personne ou de chose) *Jouir de quelque chose,* avoir la possession avantageuse de quelque bien : *Jouir de l'estime universelle* (syn. : BÉNÉFICIER DE). *Jouir d'une grosse fortune* (syn. : POSSÉDER). *Le pays jouit d'un heureux climat* (syn. : AVOIR). *La villa jouit d'une belle vue sur la mer.* — 3° (sans compl. ou avec un nom de personne comme compl.) Eprouver un plaisir sexuel. ◆ **jouissance** n. f. : *Ce succès lui a procuré une vive jouissance* (syn. : ↓ SATISFACTION). *Les jouissances de la vie* (syn. : PLAISIR, DÉLICES). *Avoir la libre jouissance d'un appartement dès son achat* (syn. : USAGE). ◆ **jouisseur, euse** n. Personne qui ne cherche qu'à se procurer les plaisirs de la vie : *Un jouisseur paresseux et égoïste.*

1. jour [ʒur] n. m., **journée** [ʒurne] n. f. Espace de temps correspondant à une rotation complète de la Terre sur elle-même, ou qui se situe entre le lever et le coucher du soleil. (En général les emplois des deux mots s'excluent [v. tableau].) ◆ **demi-journée** n. f. Moitié d'une journée : *Un ouvrier qui a trouvé à faire quelques demi-journées de travail.* ◆ **journellement** adv. Chaque jour : *Le président est tenu journellement au courant des* *progrès de la négociation* (syn. : QUOTIDIENNEMENT). *Je le rencontre journellement* (syn. : TOUS LES JOURS). ◆ **journalier, ère** adj. Qui se fait chaque jour : *Accomplir sa tâche journalière* (syn. : QUOTIDIEN). *L'existence journalière.* ◆ **journalier** n. m. Ouvrier agricole payé à la journée.

2. jour [ʒuːr] n m **1°** Clarté, lumière que le Soleil répand sur la Terre : *Le jour apparaît, se lève. Les premières lueurs du jour. A la tombée du jour. En plein jour* (= à la pleine lumière). *Au petit jour, à la pointe du jour* (= à l'aube). *Les volets fermés ne laissent entrer qu'un faible jour dans la pièce*

jour	**journée**
1° Accompagné d'un adjectif numéral cardinal, de l'article défini ou d'un adjectif indéfini, indique la durée de vingt-quatre heures prise comme unité de temps, ou l'espace de temps qui sépare le moment présent d'un autre évalué selon cette unité : *Il est resté deux jours à Marseille. Quinze jours après* (= deux semaines). *Elle est malade depuis huit jours* (= depuis une semaine). *En deux jours, il avait repeint la cuisine* (= en quarante-huit heures). *L'Italie est à deux jours de voiture.* Peut indiquer l'âge d'un tout jeune enfant : *Un bébé de huit jours.*	1° Accompagné d'un adjectif numéral cardinal placé avant, d'un adverbe de quantité (emploi plus rare) ou suivi d'un qualificatif (emploi usuel), indique une durée imprécise, correspondant à un espace de vingt-quatre heures : *Deux journées entières ne lui avaient pas suffi pour faire ce travail. Une journée passa : il n'était toujours pas là.*
2° Accompagné de *un* ou d'un adjectif possessif, démonstratif, indéfini singulier, de l'article défini, indique la date : *Choisissez un jour pour notre rendez-vous. Le jour d'après, il reçut ma lettre. Jusqu'à ce jour, je n'ai rien su. Un jour ou l'autre, vous vous ferez prendre. Un jour plus tôt, un jour plus tard, cela ne changera rien. Venez donc un autre jour. Quel est votre jour?* (= le jour où vous êtes libre). *Un jour décisif. C'est venu à son jour* (= au jour fixé par le destin). *Le jour où vous comprendrez n'est pas encore proche. Le dernier jour de sa vie. C'est son jour* (= celui où il reçoit). *Les nouvelles du jour* (= du jour où nous sommes). *Du jour au lendemain, tout peut changer* (= d'un moment à l'autre, sans transition, brusquement). *Être dans un bon, un mauvais jour* (= être de bonne, de mauvaise humeur). *Un jour de fête, de repos. C'est le jour d'ouverture de la chasse. Un beau jour, vous verrez ce qui arrivera* (= à un moment donné). *L'autre jour, il m'a dit* (= il y a peu de temps). *C'était le jour où il fit si froid. Un jour d'orage. Le jour de son arrivée. Le jour du marché.*	2° Accompagné de l'article défini, d'un adjectif possessif, démonstratif, d'un qualificatif, etc., indique l'espace de temps compris entre le lever et le coucher du soleil : *En fin de journée. Quel est l'emploi de la journée? J'ai perdu ma journée. Je ne suis pas libre à ce moment de la journée. Je ne l'ai pas vu de toute la journée. La radio marche toute la journée. A longueur de journée, il ne cesse de récriminer* (= pendant toute la journée). *Bonne journée! La journée m'a paru courte.*
3° Au sens d' « espace de temps compris entre le lever et le coucher du soleil » et considéré sur le plan de la température, il est limité à quelques expressions : *Avec le mois d'avril, les beaux jours reviennent* (= le printemps).	3° Accompagné d'un déterminatif, indique le travail fourni pendant l'espace de temps compris entre le lever et le coucher du soleil : *Être payé à la journée. Faire des journées de huit heures, de dix heures. La journée continue réduit l'intervalle de deux heures pour le repas. La journée est longue, dure, pénible. Une femme de journée fait les travaux d'entretien dans une entreprise* (= femme de ménage).
4° Au pluriel, *jours* indique une durée, une époque indéterminée : *Nous avons passé des jours critiques* (syn. : MOMENTS). *Aux jours héroïques* (syn. : MOMENT). *Aux jours héroïques de la Grèce du Ve siècle;* indique aussi la durée de la vie : *Il coule des jours heureux. Il a attenté à ses jours* (= tenté de se suicider). *Finir ses vieux jours à la campagne.*	4° Au sens d' « espace de temps compris entre le lever et le coucher du soleil » et considéré sur le plan de la température, il est toujours accompagné d'un qualificatif : *Quelle belle journée! Une journée chaude, fraîche, tiède. Une journée de chaleur accablante. Une journée pluvieuse, orageuse. Les journées d'automne.*
5° **Au jour le jour**, en se limitant à la journée présente : *Vivre au jour le jour* (= sans savoir ce qui se passera demain). *Gagner sa vie au jour le jour* (= sans aucune stabilité de l'emploi); régulièrement, sans passer une seule journée : *Noter ses dépenses au jour le jour* (syn. : AU FUR ET À MESURE). **A jour**, selon l'ordre fixé, établi : *La mise à jour d'un ouvrage est la révision qui vise à le rendre conforme aux exigences de l'état présent.* **Tous les jours**, d'habitude, d'ordinaire : *Cela arrive tous les jours. C'est mon costume de tous les jours.* **De nos jours**, à notre époque : *De nos jours, les distances sont devenues insignifiantes* (syn. : ACTUELLEMENT, AUJOURD'HUI). **D'un jour** (suivant un nom), très bref : *Ce fut un bonheur d'un jour.* **Du jour**, de notre époque : *Le goût du jour. L'homme du jour* (= le plus célèbre en ce moment). **Par jour**, loc. indiquant que l'action se répète chaque espace de vingt-quatre heures : *Gagner tant par jour. Plusieurs fois par jour* (syn. : JOURNELLEMENT).	

(syn. : CLARTÉ). *Il a le jour dans les yeux.* — 2° Manière dont les objets sont éclairés : *La façade de la cathédrale est sous un mauvais jour; on ne peut pas prendre de photographie. Le tableau est dans un faux jour* (= dans un mauvais éclairage, qui masque certains aspects). — 3° *Exposer, étaler,* etc., *une chose au grand jour, en plein jour,* la faire savoir à tous : *Le scandale fut étalé au grand jour* (= divulguer). ‖ *Mettre au jour,* sortir de terre, découvrir : *Les restes d'une ville ancienne ont été mis au jour lors de la démolition de l'hôtel de ville.* ‖ *Montrer, présenter, voir,* etc., *une chose sous un jour favorable, flatteur, nouveau,* etc., sous une apparence, un aspect favorable, flatteur, nouveau, etc. : *L'affaire se présente sous un jour favorable.* ‖ *Jeter un jour nouveau sur une chose,* la faire apparaître d'une manière nouvelle : *Ces recherches ont jeté un jour nouveau sur la Commune.* ‖ *Donner le jour à un enfant,* le mettre au monde : *Elle a donné le jour à deux jumeaux.* ‖ *Voir le jour,* naître (littér.) : *Il a vu le jour dans un petit village de Bretagne;* être publié, édité : *Son roman est resté dans ses tiroirs et n'a vu le jour que vingt ans après avoir été écrit.* ‖ *Clair comme le jour,* évident : *C'est clair comme le jour, c'est lui le coupable.* ‖ *Beau comme le jour,* très beau, très élégant. ‖ *C'est le jour et la nuit,* ils sont le contraire l'un de l'autre, ils n'ont aucun point de ressemblance. ‖ *Percer à jour,* deviner ce qui est secret, caché : *La police a percé à jour le réseau secret des trafiquants. Percer à jour les mauvais desseins d'un adversaire.* ‖ *Se faire jour* (sujet nom de chose), se montrer à tous, émerger de l'obscurité : *La vérité finit par se faire jour.* ◆ **contre-jour** n. m. Eclairage d'un corps placé entre celui qui le regarde et la source lumineuse; tableau ou photographie représentant un objet ainsi éclairé : *Le contre-jour détache nettement le contour du visage. Tandis que je contemplais le soleil couchant, la silhouette d'un bateau se profila à contre-jour.* ◆ **demi-jour** n. m. Lumière du jour atténuée : *Le demi-jour d'une pièce aux persiennes fermées.*

journal, aux [ʒurnal, -no] n. m. 1° Publication, quotidienne ou périodique, qui donne des nouvelles, relate les événements d'actualité, fait passer des annonces, etc. : *Acheter son journal au kiosque* (syn. : QUOTIDIEN). *Un journal du matin, du soir. Un journal sportif. Déplier son journal. Le marchand de journaux installé près du métro. J'ai lu cela dans le journal* ou *sur le journal. Les journaux d'enfants. Un journal littéraire paraissant chaque semaine* (syn. : HEBDOMADAIRE). — 2° *Journal parlé, journal télévisé,* bulletin d'information transmis par la radio, la télévision. — 3° Direction et bureaux d'un journal : *Ecrire à un journal. Protester auprès du journal télévisé.* — 4° Relation au jour le jour des faits intéressant la vie d'une personne, de ce qu'elle a vu, etc. : *Le « Journal » des Goncourt, d'A. Gide. Un journal intime* (= relatant les impressions personnelles). *Journal de bord* (= rapport sur les incidents à bord d'un navire, d'un avion, etc.). ◆ **journalisme** n. m. 1° Profession de ceux qui écrivent dans les journaux, qui participent à la rédaction d'un journal (écrit, parlé, télévisé, filmé) : *Ecole de journalisme. Faire du journalisme.* — 2° Style, manière d'écrire propre aux journalistes : *L'exploitation du scandale est du mauvais journalisme.* ◆ **journaliste** n. : *Journaliste sportif* (syn. : REPORTER). *Journaliste littéraire* (syn. : CHRONIQUEUR). *Journaliste parlementaire. Journaliste à la radio* (syn. : COMMENTATEUR). ◆ **journalistique** adj. : *Un style journalistique.*

journalier, ère adj., **journée** n. f. V. JOUR 1.

joute [ʒut] n. f. Lutte entre deux adversaires, rivalité : *Joute oratoire* (syn. : DUEL). ◆ **jouteur** n. m. : *Un rude jouteur* (= un adversaire difficile).

jouvenceau, celle [ʒuvɑ̃so, -sɛl] n. Adolescent, adolescente (valeur ironiq. ou plaisante).

jovial, e, als [ʒɔvjal] adj. Se dit d'une personne (ou de son comportement) qui est d'une gaieté familière, qui s'exprime avec franchise, bonhomie, simplicité : *Un homme jovial* (syn. : ENJOUÉ; contr. : RENFROGNÉ). *Avoir la mine joviale, le caractère jovial* (syn. : GAI; contr. : MAUSSADE). ◆ **jovialité** n. f. : *Sa jovialité le rendait très populaire auprès de ses électeurs* (syn. : GAIETÉ, RONDEUR).

joyau [ʒwajo] n. m. Objet en matière précieuse (diamant, or, argent, etc.), qui sert à la parure : *Parée de tous ses joyaux.*

joyeux, euse adj. V. JOIE.

jubilé [ʒybile] n. m. Cinquantenaire d'un mariage, de l'exercice d'une fonction, etc. : *Fêter son jubilé de mariage.*

jubiler [ʒybile] v. intr. Se réjouir très vivement, le plus souvent sans extérioriser sa joie : *Il jubile de voir son équipe gagner.* ◆ **jubilation** n. f. : *Une jubilation intense* (syn. : ↓ JOIE).

jucher [ʒyʃe] v. tr. *Jucher quelque chose, quelqu'un,* le placer à une hauteur relativement grande pour sa taille (souvent au passif) : *Elle avait juché les pots de confiture sur l'armoire. L'enfant juché sur sa chaise. Juché en haut de l'échelle* (syn. : PERCHER). *Une petite maison juchée au sommet de la colline.* ◆ **se jucher** v. pr. : *L'enfant se jucha difficilement sur l'âne.*

judaïsme [ʒydaism] n. m. Religion des juifs. ◆ **judaïque** adj. : *La loi judaïque* (= celle des juifs).

judas [ʒyda] n. m. Petite ouverture ménagée dans une porte et permettant de regarder sans être vu, de reconnaître celui qui frappe.

judiciaire [ʒydisjɛr] adj. Qui appartient à la justice, à son administration, à l'autorité qu'elle concerne : *Le pouvoir judiciaire doit être indépendant du pouvoir exécutif. Une enquête judiciaire* (= ordonnée par la justice). *La police judiciaire* (= qui constate les infractions à la loi pénale). *L'éloquence judiciaire* (= celle du barreau, des avocats, du procureur). *Vente judiciaire.*

judicieux, euse [ʒydisjø, -øz] adj. 1° Se dit d'une personne qui a une manière saine, bonne, de juger, de voir les choses : *Un homme judicieux, qui est de bon conseil dans les affaires difficiles* (syn. : SAGE). — 2° Se dit de ce qui manifeste un bon jugement : *Formuler une critique judicieuse* (syn. : PERTINENT; contr. : ABSURDE). *Faire un emploi judicieux de l'argent reçu* (syn. : RATIONNEL). *Il serait judicieux de le prévenir de votre absence* (syn. : SENSÉ, LOGIQUE). ◆ **judicieusement** adv. : *Il m'a fait judicieusement remarquer que j'avais oublié un point important* (syn. : INTELLIGEMMENT).

judo [ʒydo] n. m. Sport de combat où les qualités de souplesse sont prééminentes. ◆ **judoka** n. Personne qui pratique le judo.

juge [ʒyʒ] n. m. 1° Magistrat chargé de rendre la justice, d'appliquer les lois : *Les juges de la cour d'assises. Les juges, en toque et en robe, firent leur entrée dans la salle du tribunal. Le juge d'instruction est spécialement chargé de faire les enquêtes sur les délits, de faire arrêter les coupables et de rechercher les preuves.* — 2° Personne appelée à décider, à apprécier telle ou telle chose (souvent comme attribut ou sans article) : *Etre bon juge en la matière. Se faire juge de ses propres actes. Je vous fais juge de ma bonne foi. Il est seul juge de ce qu'il doit faire. Etre à la fois juge et partie* (= être appelé à juger ses propres actes et n'avoir pas l'impartialité nécessaire). — 3° Arbitre désigné dans certains sports ou commissaire adjoint à l'arbitre : *Les juges de la course. Les juges d'un match de boxe.*

juger [ʒyʒe] v. tr. et intr. 1° Décider en qualité de juge sur une cause, une affaire, un accusé : *Juger une affaire criminelle. Juger un assassin. Le tribunal a jugé* (syn. : STATUER). *Le jury a jugé en conscience que l'accusé n'était pas coupable* (syn. : CONCLURE). — 2° *Juger quelqu'un, quelque chose,* prendre une décision à leur propos, en qualité d'arbitre entre des concurrents, des antagonistes, etc. : *Juger un différend* (syn. : RÉGLER). *Le jury a jugé les candidats au concours.* — 3° *Juger quelqu'un, quelque chose, juger que* (et l'indic.), donner une opinion, en bien ou en mal, à leur sujet : *Il est difficile de juger la valeur de l'ouvrage sur ce seul extrait* (syn. : ESTIMER, APPRÉCIER). *Il juge selon les principes d'une morale austère* (syn. : CRITIQUER). *Juger que la situation est très mauvaise* (syn. : CONSIDÉRER). *Il ne juge pas que votre présence soit nécessaire* (syn. : PENSER). *Il juge qu'on l'a trompé* (syn. : ESTIMER, ÊTRE D'AVIS). *Je ne juge pas cette demande opportune.* — 4° *Juger de quelque chose, de quelqu'un,* porter une appréciation sur eux : *Juger de la conduite de quelqu'un sans en connaître les véritables raisons* (syn. : CONCLURE SUR). *Si j'en juge par mon expérience* (= si je m'en fais une idée). *Autant que j'en puisse juger* (= à ce qu'il me semble). *Il juge bien mal de la distance qui le sépare encore du but à atteindre. Vous pouvez juger de ma joie quand je le revis!* (syn. : SE REPRÉSENTER). ◆ ***se juger*** v. pr. 1° (sujet nom de personne) Porter une appréciation, donner son opinion sur soi-même, ses actes, etc. : *Il se juge toujours avec une grande indulgence. Se juger perdu* (syn. : S'ESTIMER). — 2° (sujet nom de chose) Etre soumis à la justice ou à l'appréciation : *Le procès se jugera à l'automne. Une décision politique se juge à son efficacité.* ◆ **jugé** n. m. *Au jugé,* selon une appréciation sommaire : *Tirer au jugé dans un fourré pour abattre un lapin.* ◆ **jugement** n. m. 1° Décision résultant de l'acte de juger; action de juger : *Le jugement du tribunal* (syn. : SENTENCE). *Poursuivre en jugement. Quel est votre jugement sur lui?* (syn. : OPINION). *Formuler un jugement hâtif* (syn. : APPRÉCIATION). *Soumettre un livre au jugement des lecteurs* (syn. : SENTIMENT). *Je m'en remets à votre jugement* (syn. : AVIS). — 2° Faculté permettant de comparer et de décider : *Avoir du jugement* (syn. : INTELLIGENCE). *Il a le jugement solide, une certaine sûreté de jugement. Faire une grave erreur de jugement.* ◆ **jugeote** [ʒyʒɔt] n. f. Fam. *Avoir de la jugeote,* avoir du bon sens, juger sainement des choses.

jugulaire [ʒygylɛr] n. f. Courroie d'un casque, qui, passée sous le menton, sert à le maintenir sur la tête.

juguler [ʒygyle] v. tr. Arrêter le développement de quelque chose : *Juguler une crise. Juguler l'inflation menaçante. Juguler une hémorragie.*

juif, ive [ʒɥif, ʒɥiv] adj. et n. 1° Qui appartient au peuple d'Israël; qui appartient à une communauté religieuse professant la religion judaïque : *Le peuple juif. Les persécutions contre les juifs* (= inspirées par l'antisémitisme). *La religion juive.* — 2° Pop. *Le petit juif,* le petit doigt.

juillet [ʒɥijɛ] n. m. Septième mois de l'année. (V. MOIS.)

juin [ʒɥɛ̃] n. m. Sixième mois de l'année. (V. MOIS.)

jumeau, elle [ʒymo, -mɛl] adj. et n. Se dit de deux enfants nés d'un même accouchement et qui présentent certains traits de ressemblance physique : *Des frères jumeaux* ou *des jumeaux. Des sœurs jumelles* ou *des jumelles.* ◆ adj. Se dit de choses qui ont des caractères semblables, qui sont parallèles ou symétriques : *De petites maisons jumelles bordent l'avenue qui conduit à la mer. Des lits jumeaux* (= semblables, placés l'un à côté de l'autre et parallèlement). ◆ **jumeler** v. tr. 1° Disposer par couple (surtout au passif et au part. passé) : *Roues jumelées* (= roues arrière des véhicules lourds, munies de deux pneumatiques juxtaposés). — 2° Associer deux villes étrangères dans des manifestations culturelles, sociales. ◆ **jumelage** n. m.

1. jumelle n. f. V. JUMEAU.

2. jumelle [ʒymɛl] n. f. Double lorgnette (au sing. comme au plur.) : *Une jumelle marine. Des jumelles de théâtre. Il suivait avec ses jumelles l'arrivée de la course de chevaux.*

jument [ʒymɑ̃] n. f. Femelle du cheval.

jungle [ʒœ̃gl ou ʒɔ̃gl] n. f. 1° Forme de savane propre aux pays de mousson, où dominent les hautes herbes et où vivent des fauves. — 2° Société humaine où règne seulement la loi du plus fort : *La jungle du monde des affaires.*

junior [ʒynjɔr] adj. et n. m. Se dit d'un jeune sportif qui n'a pas atteint vingt et un ans (*sonior*), mais a dépassé dix-sept ans (*cadet*). ◆ adj. m. (après un nom propre). Désigne le plus jeune d'une famille (langue commerciale) : *Dubois junior.*

junte [ʒœ̃t ou ʒɔ̃t] n. f. Nom donné aux gouvernements installés par un soulèvement militaire.

jupe [ʒyp] n. f. Partie du vêtement féminin qui descend de la ceinture à mi-jambe ou plus bas, selon la mode. ◆ **jupon** n. m. Jupe de dessous, en tissu de lingerie.

1. jurer [ʒyre] v. tr. 1° *Jurer quelque chose, jurer de* (et l'infin.), *jurer que* (et l'indic.), s'engager à faire quelque chose, promettre une chose solennellement ou par serment : *Il leur a juré un attachement indéfectible. Ils ont juré ma perte* (syn. : DÉCIDER). *Jurer fidélité, jurer amitié à quelqu'un. Jurer de garder un secret. Il jure qu'il n'était pas là au moment de l'agression* (syn. : ↓ AFFIRMER). — 2° *Jurer sa foi, jurer le ciel, ses grands dieux,* etc., prendre à témoin sous serment la divinité ou une chose jugée sacrée : *Il jura ses grands dieux qu'il n'était pas au courant* (syn. : ↓ ASSURER). — 3° (sans compl.) Prêter serment : *Le témoin jura sur la Bible.* — 4° *Je vous jure,* expression incidente renforçant une affirmation ou indiquant un moment d'indignation : *Il faut être patient, je vous jure, pour supporter de telles bêtises.* ‖ *On ne jure plus que par lui,* on le croit aveuglément, à cause de l'admiration qu'on lui porte. ‖ *J'en jurerais,* je suis prêt à attester le fait sous serment. ‖ *Il ne faut jurer de rien,* on ne doit jamais répondre de l'avenir. ◆ ***se jurer*** v. pr. 1° Se promettre intérieurement à soi-même : *Il se jura bien qu'on ne l'y reprendrait plus.* — 2° Se promettre réciproquement : *Ils se sont juré un amour éternel.* ◆ **juré, e** adj. *Ennemi juré,* adversaire implacable avec lequel on ne peut se réconcilier. ◆ **juré** n. m. Citoyen composant le jury d'une cour d'assises.

2. jurer [ʒyre] v. intr. 1° Prononcer des blasphèmes, des paroles offensantes à l'égard de tout ce qui est saint ou sacré, par colère ou pour renforcer une affirmation : *Jurer comme un charretier. Pris dans un embarras de voitures, il ne cessait de jurer* (syn. : PESTER). *Il jure après, contre une serrure qu'il ne parvient pas à ouvrir* (syn. : CRIER). — 2° (sujet nom de chose) *Jurer avec, entre,* être mal assorti avec une autre chose : *De telles paroles jurent avec son caractère* (syn. : DÉTONNER). *Ces deux couleurs jurent entre elles* (syn. : ↑ HURLER). ◆ **juron** [ʒyrɔ̃] n. m. Exclamation grossière ou blasphématoire marquant le dépit, la colère, un sentiment très vif : « *Flûte* », « *zut* », « *sapristi* », « *parbleu* », « *nom de Dieu* », *etc., sont des jurons.*

juridiction [ʒyridiksjɔ̃] n. f. 1° Pouvoir, droit de rendre la justice; ressort ou limite du territoire où s'exerce ce pouvoir : *Exercer sa juridiction dans les limites du département. La juridiction ecclésiastique.* — 2° Ensemble des tribunaux appelés à juger des affaires de même nature : *Les juridictions commerciales. La juridiction criminelle.*

juridique [ʒyridik] adj. Qui a rapport aux formes judiciaires, à la justice, aux règles et aux lois qui fixent les rapports des citoyens entre eux : *Un acte juridique. Le vocabulaire juridique* (= du droit). *La science juridique. Avoir une formation juridique* (= de juriste). ◆ **juridiquement** adv. ◆ **jurisprudence** n. f. Ensemble des décisions prises par les tribunaux sur une question : *Cette condamnation a fait jurisprudence. Se conformer à la jurisprudence en la matière.* ◆ **juriste** n. Personne qui pratique le droit.

jury [ʒyri] n. m. 1° Commission de simples citoyens qui remplissent occasionnellement une fonction judiciaire : *Le jury de la cour d'assises se prononce sur la culpabilité du prévenu. Le président du jury donne la réponse aux questions posées par le tribunal.* — 2° Commission de professeurs, d'examinateurs, d'experts, etc., chargée de procéder à l'examen des candidats à un examen ou à un concours : *Les jurys du baccalauréat.*

jus [ʒy] n. m. 1° Suc tiré d'une substance par pression, cuisson, macération, etc. : *Du jus de citron. Boire du jus de raisin. Faire cuire un poulet dans son jus. Jus de réglisse* (= extrait de racine de réglisse préparée en bâtons). — 2° *Pop.* Café noir : *Servir un jus.* ‖ Eau (de la mer, d'une rivière, d'une piscine, etc.) : *Il est tombé dans le jus.* — 3° Pop. *Laisser cuire quelqu'un dans son jus,* le laisser avec ses propres difficultés, avec sa mauvaise humeur. ◆ **juter** v. intr. *Fam.* Répandre, rendre du jus : *La pêche trop mûre a juté dans mes doigts.* ◆ **juteux, euse** adj. Qui a beaucoup de jus : *Une poire juteuse* (syn. : FONDANT).

jusque [ʒysk] ● LOC. PRÉP. *Jusqu'à (au, aux),* indique la limite spatiale ou temporelle, la limite de valeur que l'on ne dépasse pas : *Aller jusqu'au bout du jardin. Jusqu'à dix ans, il fut élevé par ses grands-parents. Jusqu'à quel point pense-t-il ce qu'il dit? Du matin jusqu'au soir. Avoir de l'eau jusqu'au genou. Il pousse la méchanceté jusqu'à la cruauté. Jusqu'à concurrence de mille francs;* suivi d'un infinitif : *Il est allé jusqu'à l'interrompre dans son exposé. J'irai jusqu'à te prêter de l'argent;* indique l'inclusion dans un tout : *Tout a brûlé, jusqu'aux écuries. Tous jusqu'au dernier. Il n'est pas jusqu'à ses amis qui ne le désapprouvent.* ‖ *Jusqu'en, jusque vers, jusque dans,* etc. (*jusque* suivi d'une autre prép.), indique la limite extrême (avec indication du lieu) : *Je vous accompagne jusque chez vous. Il l'a crié jusque sur les toits. Il y avait des souris jusque dans le buffet de la salle à manger. Il fouilla partout et regarda jusque sous le lit.* ● LOC. CONJ. *Jusqu'au moment où,* indique la limite temporelle précise : *Il a été malheureux jusqu'au moment où, par hasard, il l'a rencontrée.* ‖ *Jusqu'à ce que* (et le subj.), indique une limite temporelle : *Restez jusqu'à ce que je revienne.* ● LOC. ADV. *Jusque et y compris* (invar.), indique la limite extrême : *Vous reverrez les leçons jusque et y compris la page 30.* ‖ Avec un adv. de temps, de lieu (*jusqu'ici, jusque-là,* etc.), indique une limite qu'on ne dépasse pas : *Jusqu'ici je n'ai pas eu de nouvelles. Le sentier va jusque-là. Il a lu jusque très tard le soir. Jusqu'à présent, il n'a pas téléphoné. Jusqu'à aujourd'hui. Jusqu'à quand l'attendrons-nous?*

1. juste [ʒyst] adj. 1° (avant ou plus souvent après le nom) Qui est parfaitement adapté à sa destination, qui convient bien, qui est conforme à la règle : *Avez-vous l'heure juste* (syn. : EXACT). *Une expression très juste. A la minute juste où vous arriviez... Estimer à sa juste valeur* (syn. : CONVENABLE). *L'addition est juste. Se tenir dans un juste milieu* (= éloigné des extrêmes). — 2° Se dit de ce qui fonctionne avec précision, de ce qui apprécie exactement : *Avoir une montre juste* (syn. : PRÉCIS). *Il a la voix juste* (= il chante bien). *C'est la note juste. Avoir le coup d'œil juste, une oreille juste.* — 3° Se dit de quelqu'un (ou de son comportement) qui a le sens de la précision, de la vérité, qui apprécie les choses ou les personnes avec raison, exactitude : *Un esprit juste. Il a une idée très juste de la situation* (contr. : FAUX, INEXACT). *Une pensée juste* (syn. : VRAI). *Tenir un raisonnement juste* (syn. : LOGIQUE; contr. : BOITEUX). *Votre remarque est très juste* (syn. : PERTINENT, JUDICIEUX). — 4° Avec les adv. *bien, trop, un peu,* se dit d'un vêtement qui est étroit, trop ajusté : *Chaussures trop justes. Le veston est un peu juste aux entournures.* — 5° Qui suffit à peine : *Le gigot sera un peu juste pour nous six* (= sera insuffisant). *Vous avez trois jours pour faire ce travail; ce sera juste!* ◆ adv. 1° Avec exactitude, comme il convient : *Chanter juste* (contr. : FAUX). *Penser, voir juste. Il est tombé juste sur la réponse. Il a frappé juste* (= visé là où il fallait). — 2° Avec précision : *Vous trouverez le café juste au coin de la rue. Il est arrivé juste pour voir l'autobus démarrer. Donnez-moi juste ce qu'il me faut. Ce manteau est juste assez grand pour moi.* — 3° D'une manière insuffisante, étroite : *Il a mesuré trop juste le tissu pour le costume. Etre chaussé un peu juste* (syn. : À L'ÉTROIT). *Je reste juste quelques minutes* (syn. : À PEINE). *Il est arrivé bien juste* (= au dernier moment). ● LOC. ADV. *Au juste,* exactement : *Au juste,* *qu'est-ce qu'il lui est arrivé?* (syn. : PRÉCISÉMENT). *Tu ne sais pas au juste ce qu'il faut faire.* ‖ *Au plus juste,* d'une manière très précise : *Calculer au plus juste les dépenses journalières.* ‖ *Comme de juste,* comme il se doit : *Comme de juste, tu t'attendais au succès de ton roman?* ◆ **justement** adv. : *On a justement trouvé votre lettre au moment où nous rentrions. On parlait justement de vous* (syn. : PRÉCISÉMENT). *Voilà justement comment on doit lui répondre.* ◆ **justesse** n. f. : *La justesse d'une expression* (syn. : EXACTITUDE; contr. : FAUSSETÉ). *La justesse d'une comparaison* (syn. : CONVENANCE). *La justesse de son coup d'œil. Avoir une grande justesse d'esprit* (syn. : RECTITUDE). ● LOC. ADV. *De justesse,* de très peu : *Il a gagné de justesse. Il a pu attraper de justesse l'autobus. Je l'ai évité de justesse* (= il s'en est fallu de peu que je ne le rencontre).

2. juste [ʒyst] adj. (avant ou plus souvent après le nom). 1° Se dit d'une personne qui agit avec équité, en respectant les droits, la valeur d'autrui : *Un professeur juste dans ses notations* (syn. : IMPARTIAL). *Il est juste à l'égard de ses subordonnés* (syn. : ÉQUITABLE; contr. : INJUSTE). — 2° Se dit de ce qui est conforme au droit, à la justice : *La juste récompense des services rendus* (syn. : HONNÊTE). *Recevoir une juste indemnité* (syn. : CORRECT). *Une juste colère* (syn. : FONDÉ). *Présenter de justes revendications* (syn. : LÉGITIME). *Il n'est pas juste de le traiter ainsi* (syn. : BIEN). — 3° *Juste Ciel!, Juste Dieu!,* exclamations d'indignation, d'étonnement. ◆ n. m. : *Avoir la conscience du juste. Dormir du sommeil du juste* (= d'un sommeil profond et tranquille). ◆ **justement** adv. : *Etre justement inquiet des nouvelles* (syn. : LÉGITIMEMENT). *Craindre justement pour sa vie* (= avec raison). *Justement puni de son indiscrétion* (= avec justice). ◆ **injuste** adj. : *Vous êtes injuste à son égard* (syn. : ↑ ODIEUX). *Sa colère est injuste* (syn. : ILLÉGITIME). *Châtiment injuste* (syn. : ↑ INIQUE). *D'injustes soupçons* (syn. : INJUSTIFIÉ). ◆ **injustement** adv. : *Se plaindre injustement. Accuser injustement quelqu'un.* ◆ **justice** n. f. 1° Caractère de ce qui est juste, équitable, conforme au droit : *En bonne justice, en toute justice* (= selon le droit strict). *On lui doit cette justice qu'il est objectif* (= reconnaître). *Ce n'est que justice qu'il soit réhabilité. Il a la justice pour lui* (syn. : DROIT). *Agir contre la justice. Il faut lui rendre cette justice qu'il ne nous a jamais menti* (= il faut avouer). — 2° Vertu morale qui inspire le respect absolu du droit des autres : *Traiter les gens avec justice* (syn. : ÉQUITÉ). *Se faire une haute idée de la justice.* — 3° Pouvoir ou action de faire droit aux réclamations des autres, de faire régner le droit : *Exercer la justice avec rigueur. La justice doit être implacable. La justice distributive* (= celle qui récompense le bien et punit le mal). *Une cour de justice* (= lieu où l'on rend la justice). *Obtenir justice des dommages subis. Demander justice pour le tort causé.* — 4° Organisation, administration publique chargée de ce pouvoir : *Passer en justice* (= devant le tribunal). *La justice recherche le coupable. Etre déféré, traduit devant la justice. Le palais de justice* (= où siègent les tribunaux). *Un repris de justice* (= un individu qui a déjà été condamné). *Avoir maille à partir avec la justice* (= être arrêté pour avoir commis un délit). *Témoigner en justice. Etre brouillé avec la justice* (= s'exposer à être arrêté). *La justice militaire, maritime.* — 5° *Rendre, faire justice à quelqu'un,* réparer le tort qui lui a été fait; reconnaître ses mérites. ‖ *Faire justice d'une chose,* en montrer les défauts, le caractère injuste, nocif, odieux : *Il a fait justice des accusations portées contre lui* (= il a réduit à néant). ‖ *Se faire justice,* se venger : *Il décida de se faire lui-même justice et il tua le meurtrier de son fils;* se suicider pour se punir d'un crime : *L'assassin s'est fait justice en se tirant une balle dans la tête.* ◆ **injustice** n. f. : *Etre révolté par l'injustice sociale. Réparer une injustice. Etre victime d'une injustice criante* (syn. : INIQUITÉ). *On a commis une injustice à son égard.* ◆ **justiciable** adj. Qui relève de certains tribunaux : *Criminel justiciable de la cour d'assises.* ◆ **justicier** n. m. Celui qui agit en redresseur de torts sans en avoir reçu le pouvoir légal : *S'ériger en justicier.*

justifier [ʒystifje] v. tr. 1° *Justifier quelqu'un,* le mettre hors de cause, dégager sa responsabilité, le défendre d'une accusation : *Justifier un ami devant des personnes malintentionnées à son égard* (syn. : DISCULPER). *Sa conduite le justifie pleinement* (syn. : INNOCENTER, EXCUSER). — 2° *Justifier une chose,* en prouver le bien-fondé, le caractère légitime, nécessaire, etc. : *Les événements ont justifié mon opinion* (syn. : VÉRIFIER). *Il a justifié les espoirs mis en lui* (syn. : CONFIRMER). *Il justifie son attitude par sa méfiance* (syn. : EXPLIQUER). *Rien ne justifie ses craintes* (syn. : MOTIVER). *Une réclamation justifiée* (= légitime). *Ses ressources normales ne justifient pas son train de vie* (syn. : PERMETTRE). *Il faut justifier que vous avez bien effectué ce paiement* (syn. : PROUVER). ◆ v. tr. ind. *Justifier de quelque chose,* en apporter la preuve concrète : *Justifier de la possession de certains titres universitaires.* ◆ ***se justifier*** v. pr. 1° (sujet nom de personne) Dégager sa responsabilité, prouver son innocence : *Se justifier devant ses accusateurs.* — 2° (sujet nom de chose) Etre légitime, être fondé : *De tels propos ne se justifient guère en cette occasion.* ◆ **justifiable** adj. (surtout avec une négation) : *Une telle négligence n'est pas justifiable* (syn. : EXCUSABLE). ◆ **injustifiable** adj. : *Une conduite injustifiable* (syn. : INDÉFENDABLE). ◆ **justifié, e** adj. Qui repose sur une preuve, sur des raisons solides : *Des craintes justifiées.* ◆ **injustifié, e** adj. : *Des réclamations injustifiées.* ◆ **justificatif, ive** adj. Qui sert à justifier quelqu'un ou quelque chose : *Un mémoire justificatif. Les pièces justificatives d'un droit de propriété.* ◆ **justification** n. f. : *Quelle peut être la justification de cette guerre? Demander une justification des frais à un entrepreneur* (syn. : COMPTE). *Fournir des justifications* (syn. : EXCUSE). *La justification d'un acte* (syn. : EXPLICATION).

jute [ʒyt] n. m. Textile tiré des tiges d'une plante cultivée aux Indes et qui sert à faire la toile à sacs.

1. juteux, euse adj. V. JUS.

2. juteux [ʒytø] n. m. *Pop.* Adjudant.

juvénile [ʒyvenil] adj. Se dit d'un trait physique, d'une qualité morale qui appartient en propre à la jeunesse : *Ardeur, silhouette juvénile* (syn. : JEUNE).

juxtaposer [ʒykstapoze] v. tr. *Juxtaposer des choses,* placer une chose à côté d'une autre, à la suite d'une autre (souvent au passif) : *Les divers paragraphes sont simplement juxtaposés; ils ne forment pas un tout. Les phrases juxtaposées ne sont reliées entre elles par aucune conjonction.* ◆ ***se juxtaposer*** v. pr. Etre mis à côté d'une autre chose : *Les phrases se juxtaposent sans lien.* ◆ **juxtaposition** n. f. : *Un mot composé est formé par la juxtaposition de deux termes* (*ex.* : « *chou-fleur* »).

k

k n. m. V. Introduction.

kaki [kaki] adj. et n. m. invar. D'une couleur jaunâtre tirant sur le brun clair : *Des chemises kaki. Une teinte de toile kaki. Le kaki est la couleur de la tenue de campagne de nombreuses armées. Etre habillé de kaki.*

kaléidoscope [kaleidɔskɔp] n. m. Tube cylindrique, à l'intérieur duquel des miroirs reflètent les images de morceaux de verre multicolores.

kangourou [kɑ̃guru] n. m. Mammifère australien dont les membres postérieurs longs permettent des déplacements par bonds : *Les femelles des kangourous abritent leurs petits dans une poche ventrale. Les kangourous sont des herbivores.*

kaolin [kaɔlɛ̃] n. m. Argile blanche très pure utilisée par l'industrie de la porcelaine.

kapok [kapɔk] n. m. Fibre végétale, très légère, dont on se sert pour rembourrer des matelas, des coussins, etc.

kayak [kajak] n. m. Petite embarcation en toile huilée ou goudronnée, utilisée par les sportifs pour la descente des rivières.

képi [kepi] n. m. Coiffure rigide et légère, munie d'une visière, portée en France par les officiers, les gendarmes, les agents de police, les douaniers.

kermesse [kɛrmɛs] n. f. 1° Fête populaire, en particulier dans le nord de la France, en Belgique et aux Pays-Bas : *Une grande kermesse s'est tenue pendant trois jours sur la place principale de la ville* (syn. : FOIRE). — 2° Fête de charité, qui a lieu souvent en plein air : *La kermesse annuelle pour les œuvres de bienfaisance a lieu dans les jardins de l'archevêché.*

khâgne n. f. V. CAGNE.

kidnapper [kidnape] v. tr. 1° *Kidnapper une personne* (surtout un enfant), l'enlever afin d'obtenir une rançon, ou pour tout autre motif : *Le bébé a été kidnappé dans sa voiture. Les bandits qui ont kidnappé l'enfant ont exigé une rançon importante.* — 2° Fam. *Kidnapper quelque chose,* le voler : *Il s'est fait kidnapper sa bicyclette à la sortie du lycée.* ◆ **kidnapping** [kidnapiŋ] n. m. Enlèvement d'enfant : *Le kidnapping est parfois le fait d'une déséquilibrée.*

kif-kif [kifkif] adj. invar. Fam. *C'est kif-kif,* c'est la même chose : *Revenir par la route ou par le chemin de fer, c'est kif-kif : on mettra le même temps.*

kilogramme n. m. V. MESURE, *Unités de mesure.*

kilomètre [kilomɛtr] n. m. Unité pratique de distance qui vaut 1 000 mètres (symb. : km) : *Nous avons fait cinq cents kilomètres dans la journée avec la voiture. La vitesse du train a dépassé cent vingt kilomètres/heure.* ◆ **kilométrique** adj. : *Les bornes kilométriques marquent chaque kilomètre le long des routes.* ◆ **kilométrage** n. m. Mesure en kilomètres : *Etablir le kilométrage d'un itinéraire touristique. J'ai acheté une voiture d'occasion qui a déjà un assez fort kilométrage* (= nombre de kilomètres parcourus).

kilowatt n. m. V. MESURE, *Unités de mesure.*

kimono [kimono] n. m. 1° Tunique japonaise à manches, d'une seule pièce, croisée devant et maintenue par une ceinture : *Les judokas revêtent un kimono.* — 2° Peignoir léger de femme.

kinésithérapeute [kineziterapøt] n. Professionnel exerçant le massage thérapeutique et la rééducation des membres.

kiosque [kjɔsk] n. m. 1° Petit abri établi dans les rues, sur les places publiques, dans les gares, etc., pour la vente de journaux, de revues, de livres : *Tous les matins, il bavarde quelques minutes avec la marchande du kiosque. Les illustrés et les hebdomadaires sont accrochés le long du kiosque.* — 2° Abri installé dans un jardin public et destiné en particulier aux concerts en plein air (rare).

kirsch [kirʃ] n. m. Eau-de-vie de cerises et de merises : *Le kirsch est surtout produit dans les Vosges et dans la Forêt-Noire. Préparer des ananas au kirsch.*

Klaxon [klaksɔn] n. m. Nom commercial d'une marque d'avertisseur sonore pour véhicules automobiles : *L'emploi des Klaxons est interdit dans les grandes villes.* ◆ **klaxonner** v. intr. et tr. Avertir au moyen d'un Klaxon : *Klaxonner pour doubler une voiture sur la route. Klaxonner un cycliste pour l'obliger à se ranger.*

knock-out [nɔkaut], abrév. **k.-o.** [kao] n. m. Mise hors de combat d'un boxeur qui, à la suite d'un coup de poing, est resté à terre plus de dix secondes : *Battu par knock-out à la troisième reprise.* ◆ adj. invar. Mis hors de combat : *L'arbitre compta jusqu'à dix : le champion du monde était knock-out.*

krach [krak] n. m. Effondrement du cours des actions de la Bourse : *Le grand krach de 1929 à New York* (syn. : DÉBÂCLE FINANCIÈRE).

kyrielle [kirjɛl] n. f. *Une kyrielle de* (suivi d'un nom plur.), une suite ininterrompue de : *Une kyrielle d'enfants sortait de l'école. Je fus accueilli par une kyrielle d'injures. Elle a une kyrielle d'amis assommants et prétentieux* (syn. : FOULE, QUANTITÉ).

kyste [kist] n. m. Tumeur bénigne, dont le contenu est liquide ou semi-liquide : *Le dentiste a dû enlever le kyste qui s'était formé à la racine de la dent gâtée.* ◆ **enkyster (s')** v. pr. *Tumeur, écharde,* etc., *qui s'enkyste,* qui s'enveloppe d'un kyste. ◆ **enkysté, e** adj. Enfermé dans un kyste : *L'épine enkystée dans le doigt ne le faisait pas souffrir.* ◆ **enkystement** n. m.

l

l n. m. V. Introduction.

1. la [la] n. m. invar. 1° Sixième note de la gamme. — 2° *Donner le « la »*, donner le ton, régler la manière de faire, la mode.

2. la pron. pers. V. IL ; art. déf. V. LE.

là [la], **ici** [isi], **ci** [si] adv. Employés isolément ou en composition avec un autre mot (relatif, pronom, adverbe), indiquent un lieu éloigné ou proche d'un point considéré. (V. tableau page suiv.)

label [labɛl] n. m. Marque apposée sur un produit pour en certifier l'origine, la qualité, etc. : *Label d'origine, de qualité.*

labeur [labœr] n. m. Travail pénible et prolongé (littér. ; emploi réduit à quelques expressions) : *Réussir grâce à un patient, un dur labeur* (syn. : TRAVAIL). ◆ **laborieux, euse** adj. 1° Se dit de quelqu'un qui travaille beaucoup (littér.) : *Etre patient et laborieux* (contr. : PARESSEUX). — 2° *Masses, classes laborieuses,* la classe ouvrière.

labial, e, aux [labjal, -bjo] adj. et n. f. Se dit d'une consonne qui se prononce avec un mouvement des lèvres (*p, b, v, f, m*).

laboratoire [labɔratwar] n. m. Local aménagé pour faire des recherches scientifiques, des expériences (on dit fam. LABO) : *Les appareils d'un laboratoire. Un garçon de laboratoire* (= un préparateur). ◆ **laborantine** n. f. Femme qui est employée comme assistante, comme aide dans un laboratoire. ◆ **labo** n. m. Abrév. fam. de *laboratoire.*

1. laborieux, euse [labɔrjø, -øz] adj. (avant ou après le nom). Se dit de ce qui exige un effort pénible, un travail soutenu : *De laborieuses recherches* (syn. : DIFFICILE). *Une laborieuse négociation. Faire un récit laborieux de ses mésaventures* (syn. : EMBARRASSÉ ; contr. : AISÉ). ◆ **laborieusement** adv. : *Arriver laborieusement au bout de son travail* (= avec difficulté, peine).

2. laborieux, euse adj. V. LABEUR.

labourer [labure] v. tr. 1° *Labourer la terre,* la retourner avec une charrue, une bêche, une pioche, etc. : *Labourer un champ. Le soc de la charrue laboure la terre.* — 2° *Labourer quelque chose,* y creuser des entailles profondes, des sillons : *La piste de Longchamp a été labourée par les chevaux. Le visage labouré de coups de griffes* (syn. : DÉCHIRER). ◆ **labourable** adj. : *Une terre labourable* (syn. : CULTIVABLE). ◆ **labourage** n. m. : *Le labourage d'un champ.* ◆ **laboureur** n. m. Syn. ancien de CULTIVATEUR. ◆ **labour** n. m. Travail fait en retournant la terre pour la culture : *Un labour profond. Un champ en labour. Bœuf, cheval de labour* (= utilisés pour le labourage). ◆ **labours** n. m. pl. Terres labourées.

labyrinthe [labirɛ̃t] n. m. 1° Réseau compliqué de chemins, de galeries, dont on a du mal à trouver l'issue : *Le labyrinthe des ruelles d'une vieille ville* (syn. : ENCHEVÊTREMENT). — 2° *Un labyrinthe de difficultés, de procédure,* etc., des complications inextricables dues à des difficultés, à la procédure.

lac [lak] n. m. 1° Etendue d'eau assez vaste, entourée de terre : *Le lac d'Annecy. Le lac du bois de Boulogne.* — 2° (sujet nom de chose) Fam. *Tomber dans le lac, être dans le lac,* ne pas avoir de suite, d'aboutissement ; échouer : *Tous nos beaux projets sont tombés dans le lac.* (V. LACUSTRE.)

lacérer [lasere] v. tr. Mettre en pièces, en lambeaux : *Lacérer un livre* (syn. : DÉCHIRER). *La police lacéra les affiches.*

lacet [lasɛ] n. m. 1° Cordon que l'on passe dans les œillets pour attacher une chaussure au pied, pour serrer un vêtement : *Les lacets de ses chaussures sont défaits. Serrer les lacets. Un lacet s'est cassé.* — 2° Courbe sinueuse, zigzag : *Les lacets d'une route de montagne. Un chemin en lacet monte jusqu'au chalet.* ◆ **lacer** v. tr. *Lacer ses chaussures,* les serrer, les maintenir avec un lacet. ◆ **délacer** v. tr. Défaire ou relâcher le lacet de : *Délacer ses chaussures.*

1. lâche [lɑʃ] adj. V. LÂCHER 1.

2. lâche [lɑʃ] adj. et n. 1° Se dit de quelqu'un (ou de son attitude) qui manque de courage, d'énergie, qui n'ose pas affronter le danger : *C'est un lâche, qu'il est facile d'intimider* (syn. : PEUREUX, POLTRON). — 2° Se dit de quelqu'un qui manifeste de la bassesse, de la cruauté, en sachant qu'il ne sera pas puni : *C'est le crime d'un lâche. Un grand lâche qui ne s'attaque qu'aux faibles.* ◆ adj. (avant ou après le nom). Se dit de ce qui manifeste une absence de courage, de loyauté : *Un lâche attentat* (syn. : MÉPRISABLE). *User de lâches procédés* (syn. : VIL). ◆ **lâchement** adv. : *Fuir lâchement devant le danger* (contr. : VAILLAMMENT, COURAGEUSEMENT). ◆ **lâcheté** n. f. : *Céder par lâcheté* (syn. : FAIBLESSE ; contr. : COURAGE). *Se taire par lâcheté devant l'injustice* (syn. : VEULERIE ; contr. : HÉROÏSME). *Cet abandon est une lâcheté* (syn. : INDIGNITÉ). *C'est une lâcheté de s'attaquer à ce malheureux* (syn. : BASSESSE).

1. lâcher [lɑʃe] v. tr. 1° *Lâcher quelque chose,* le tenir moins serré, le rendre moins tendu : *Il lâcha sa ceinture d'un cran* (syn. : DÉTENDRE, DESSERRER). *Lâcher un peu la ligne pour fatiguer le poisson* (= donner du mou). — 2° *Lâcher pied,* s'enfuir. ◆ v. intr. Se rompre, casser : *Ne tire plus, la corde va lâcher.* ◆ **lâche** [lɑʃ] adj. 1° Qui n'est pas tendu : *Le nœud est lâche, on peut le desserrer facilement. Le veston est un peu lâche aux épaules* (syn. : FLOTTANT). *Un tissu très lâche* (contr. : SERRÉ). *Une corde lâche* (syn. : MOU). — 2° Qui manque de concision, de brièveté, de précision : *Un style lâche* (contr. : DENSE). *Une expression lâche* (contr. : VIGOUREUX).

là	ici
1° Indique un lieu autre que celui où l'on se trouve (par oppos. avec *ici*) : *Votre stylo n'est pas ici, je le vois là, sur l'autre bureau. Il est allé à Londres et de là à New York. N'allez pas là, tournez ici, à la première rue à droite. De là au bourg, il y a bien deux kilomètres. Vous connaissez Albi? Ce n'est pas loin de là.* En corrélation avec *où : J'irai passer mes vacances là où vous êtes allé cet été.*	1° Indique un lieu identifié avec celui où l'on est (par oppos. avec *là*) : *Ne répétez pas ici ce que vous avez entendu là-bas. D'ici, il ira à Lyon dimanche. Sortez d'ici, vous nous dérangez. Il est passé par ici il y a quelques minutes. Non, il n'est pas ici en ce moment. Notre ami, ici présent, va nous dire quelques mots. Il habite ici.*
2° Indique un lieu éloigné quelconque, désigné d'une manière vague, sans opposition avec *ici* (*là* est devenu l'adverbe usuel) : *Je pense que là je serai tranquille, enfin seul;* comme antécédent d'un relatif : *C'est là, près de Verdun, qu'il fut blessé.*	2° Indique un lieu quelconque à l'intérieur duquel on se trouve : *Les gens d'ici sont très hospitaliers* (= de cette région). *Vous n'êtes pas d'ici? Cela se voit* (= de ce pays). *Près d'ici, il y a une source délicieuse* (= près de ce lieu-ci). *Mon séjour ici est achevé* (= en ce pays).
3° Indique le lieu où l'on est (remplace *ici* dans l'emploi qui lui était propre) : « *Puis-je lui parler? — Non, il n'est pas là* » (= il n'est pas présent). *Déjà là, à cette heure! C'est là où nous sommes que l'accident s'est produit.* « *Qu'as-tu fait ce dimanche? — Je suis resté là à lire et à regarder la télévision.* » *Être un peu là* (sujet nom d'être animé ; fam.), ne pas passer inaperçu, avoir un rôle important dont les autres doivent tenir compte : *Il ne resta pas silencieux, comme on le croyait; mais il montra qu'il était là et même un peu là.*	3° Indique un endroit précis (mais qui n'est pas forcément l'endroit où l'on se trouve) : *Regardez ici, dans ce livre, ce que l'on dit de la question. Il y a ici une faute d'orthographe.* *Ici, Médor, cherche!* (s'adressant à un chien). *Ici, Radiodiffusion-télévision française. Ici, Radio-Luxembourg. Allô, Littré 95-31? Ici, M. X, qui voudrait parler à...* (au téléphone).
4° Indique un moment imprécisé du temps (passé ou futur; en particulier dans les loc. *d'ici là* et *jusque-là*) : *Il viendra demain et là vous pourrez le féliciter personnellement. Il n'eut plus de nouvelles et c'est là qu'il le crut perdu. Vous m'écrirez en février, jusque-là ne faites rien. D'ici là, vous pourrez toujours juger de la situation* (= entre maintenant et un moment postérieur). *A quelques semaines de là, il sortit de l'hôpital* (= quelques semaines plus tard).	4° Indique le moment du temps où l'on est (présent), dans les loc. *d'ici là* et *jusqu'ici* : *D'ici à vendredi, j'aurai fini ce travail urgent. Jusqu'ici, je n'avais rien à lui reprocher. D'ici peu, il aura de mes nouvelles* (= dans peu de temps). *D'ici à ce qu'il vous le rende, il se passera du temps. Faites-moi savoir d'ici là quelles sont vos intentions* (= entre le moment où nous sommes et cette époque).
5° Indique une situation, précisée ou non, dans des circonstances données : *Ne voyez là aucun reproche* (= en cela). *Là est toute sa pensée* (= dans cela, dans cette œuvre). *Et dire que j'ai fait tout cela pour en arriver là où je suis maintenant!* (= en ce point où). *Tenez-vous-en là, ne cherchez pas plus loin, vous perdriez votre temps. La situation en est là* (= à ce point). *Vous êtes en bonne santé, tout est là.* (= c'est ce qui est le plus important). *Hors de là, il n'y a pas de remède* (= en dehors de cela). *C'est là que nous l'attendons* (= sur ce point). *Il n'est pas heureux, loin de là* (= de cet état). *Il passera par là comme tous les autres* (= par cet état). *Il faut user de l'autorité là où la persuasion ne suffit pas* (= lorsque, dans le cas où). *Elle s'ennuie là où il n'est pas. Là où il croit être simple, il est plat et banal* (= alors que). *De là vient qu'il est très timide* (= c'est pourquoi). *Le métro a eu une panne, de là mon retard* (= en conséquence). *On peut conclure de là qu'il a fait tout son possible* (= de ce point).	5° Indique la situation où l'on se trouve, les circonstances dans lesquelles on est actuellement placé, l'ouvrage que l'on écrit, le discours que l'on prononce : *Il faut répéter ici ce que nous avons dit dans d'autres circonstances. Ici, on voit les techniques les plus audacieuses et, là, les machines les plus anciennes. J'ai voulu raconter ici l'histoire de ma jeunesse. J'évoquerai ici les toutes dernières années de ce XIXᵉ siècle.*
6° Sert de particule de renforcement, en renvoyant parfois à une phrase (souvent avec un relatif ou avec *c'est*) : *Vous me dites là des choses incroyables. Qu'as-tu fait là! le tapis est déchiré. Ce sont là des erreurs impardonnables. C'est là ce qu'on appelle une gaffe. C'est bien là qu'est la difficulté. Qu'entend-il par là* (= par ces mots).	
7° Prend parfois la valeur d'une interjection, qui, répétée ou avec *hé*, est une mise en garde, une exhortation, un appel, etc. : *Là! là! restez calme, ce n'est pas encore fait. Hé là, vous, s'il vous plaît! Là! là! allez-y doucement.* Comme reprise et renforcement (fam.) : *Il était d'une naïveté incroyable! Il y avait du verglas, mais, là, un de ces verglas!*	
Loc.	Loc.
Çà et là, disséminés de tous côtés, de côté et d'autre : *Il y avait çà et là sur la nappe des taches de graisse.* **Là-bas,** en un lieu situé plus bas : *Là-bas, dans la vallée, tout est dans la brume;* plus souvent, indique un lieu éloigné : *Une fois arrivés là-bas, nous nous arrangerons. Il était en Australie, il est revenu de là-bas en avion.* **Là-haut,** en un lieu situé au-dessus : *Ma maison de campagne est là-haut sur la colline. Montez là-haut sur la terrasse, vous verrez un très beau panorama;* dans le ciel, dans la vie future : *Quand je serai là-haut.*	**Ici et là,** de côté et d'autre : *Ici et là, il y avait encore des plaques de neige.* **Ici-bas,** sur cette terre, en ce bas monde : *Les choses d'ici-bas. Ce n'est pas la justice qui règne ici-bas.*

EMPLOIS ET VALEURS	-là	-ci
1° Postposés à un nom et en corrélation avec le démonstratif *ce* (*cet, cette*) : les formes avec *là* indiquent l'éloignement quand elles sont opposées aux formes en *ci*; seules, elles sont plus fréquentes et indiquent une situation quelconque. Avec le pronom *celui* (*celle, ceux*), *là* et *ci* forment des pronoms démonstratifs composés. Dans *voici, voilà*.	*a*) Eloignement dans l'espace : *Cette chaise est peu confortable, prenez plutôt ce fauteuil-là;* *b*) Eloignement dans le temps : *Ce jour-là, il y avait du verglas sur la route et les accidents furent nombreux. Ce soir-là, cette nuit-là. En ce temps-là, les transports étaient beaucoup plus lents.* **Celui-là, celle-là, ceux-là, celles-là, cela** (sans accent), V. CE.	*a*) Proximité dans l'espace : *Ce magasin-ci offre peu de choix, allez plutôt dans ce magasin-là;* *b*) Proximité dans le temps : *Ces jours-ci, nous avons eu de la pluie. Je passerai cette nuit-ci dans le train.* **Celui-ci, celle-ci, ceux-ci, celles-ci, ceci**, V. CE.
2° Préposés à un adverbe, *là* et *ci* forment des locutions adverbiales.	**Là-dessus, là-dessous**, V. DESSOUS; **là-contre**, V. CONTRE; **là-dedans**, V. DEDANS.	**Ci-dessus, ci-dessous**, V. DESSOUS; **ci-contre**, V. CONTRE.
3° En corrélation entre eux, *là* et *ci* forment des locutions adverbiales indissociables.	**De-ci de-là**, en divers endroits, d'une manière dispersée, mais assez fréquente (littér.) : *Aller de ci de là, sans but précis.* **Par-ci par-là**, en quelques rares endroits ou occasions, de côté et d'autre : *Je lui ai par-ci par-là donné une coup de main. Tu ne pourrais pas trouver par-ci par-là quelques documents qui m'intéresseraient? J'ai relevé par-ci par-là quelques observations utiles.*	

2. lâcher [lɑʃe] v. tr. 1° *Lâcher quelque chose*, lancer brusquement quelque chose qui blesse, choque, surprend : *Lâcher un coup de poing. Lâcher un mot grossier* (syn. : LAISSER ÉCHAPPER). *Lâcher une sottise. Voilà le grand mot lâché. Lâcher le paquet* (pop. = avouer). — 2° *Lâcher quelque chose*, cesser de le retenir, de le garder : *Lâcher une proie. Lâcher un verre* (= le laisser tomber). *L'enfant lâcha la main de sa mère* (contr. : SAISIR). — 3° Fam. *Lâcher quelqu'un, quelque chose*, le quitter : *Il ne me lâche pas d'une semelle. Il a lâché la place qu'il avait* (syn. : ABANDONNER). *Il a lâché sa maîtresse. Il a lâché ses études. Le coureur lâcha le peloton. Les avions ont lâché leurs bombes sur la ville* (syn. : LANCER). *Lâcher les chiens contre un cerf* (= les lancer à sa poursuite). ◆ **lâchage** n. m. : *Le lâchage d'un ballon* (syn. : LARGAGE). *Le lâchage de ses amis* (fam. = action de les quitter brusquement). ◆ **lâcheur, euse** n. *Fam.* Personne qui abandonne ceux avec qui elle est engagée : *Nous l'avions invité, mais c'est un lâcheur, il n'est pas venu.*

lacis [lasi] n. m. Réseau compliqué de fils, de vaisseaux, de rues, etc. : *Se perdre dans le lacis des ruelles étroites de la vieille ville* (syn. : LABYRINTHE).

laconique [lakɔnik] adj. Qui s'exprime ou qui est exprimé en peu de mots : *Se montrer très laconique en face de questions pressantes et indiscrètes. Fournir une réponse laconique* (syn. : CONCIS, COURT). *Une dépêche laconique annonce l'attentat* (syn. : BREF). ◆ **laconiquement** adv. ◆ **laconisme** n. m. : *Le laconisme des dépêches d'agence ne cache rien cependant de l'ampleur de la catastrophe* (syn. : CONCISION).

lacrymal, e, aux [lakrimal, -mo] adj. Relatif à la production des larmes (terme d'anatomie) : *Glande lacrymale.* ◆ **lacrymogène** adj. Qui provoque la sécrétion des larmes : *La police lance contre les manifestants des grenades lacrymogènes.*

lacté, e [lakte] adj. 1° Qui est à base de lait : *Régime lacté. Chocolat lacté. Farine lactée.* — 2° *Voie lactée*, bande blanchâtre qui fait le tour de la sphère céleste, constituée par un amas d'étoiles et d'autres corps célestes.

lacune [lakyn] n. f. Absence, omission, interruption qui brise l'enchaînement, la continuité de quelque chose, qui le rend insuffisant : *Ce passage du manuscrit est rendu incompréhensible par de nombreuses lacunes. Son information présente de graves lacunes* (syn. : INSUFFISANCE). *Sa mémoire a des lacunes* (syn. : TROU, DÉFAILLANCE). ◆ **lacuneux, euse** ou **lacunaire** adj. : *L'index lacuneux d'un livre* (syn. : INCOMPLET).

lacustre [lakystr] adj. Relatif aux lacs; qui se trouve sur les bords, vit dans les eaux ou sur les rives d'un lac : *Une cité lacustre est bâtie sur pilotis.*

lad [lad] n. m. Garçon d'écurie qui soigne les chevaux de course et aide à leur entraînement.

ladre [ladr] adj. et n. Syn. littér. de AVARE. ◆ **ladrerie** n. f. Avarice mesquine et sordide.

lagune [lagyn] n. f. Etendue d'eau de mer retenue derrière un cordon littoral : *Venise est construite sur les îles d'une lagune.*

laid, e [lɛ, lɛd] adj. 1° Se dit de quelqu'un, de quelque chose qui, par son aspect, son apparence, sa forme, etc., produit une impression désagréable à la vue, qui est contraire au beau : *Etre laid de figure* (syn. fam. : MOCHE, ↑ HIDEUX). *Femme qui a les jambes laides* (syn. : VILAIN). *Etre laid à faire peur* (syn. : ↑ HORRIBLE). *Laid comme un singe* (syn. : ↑ AFFREUX). *Une ville laide, aux maisons grises, uniformes* (syn. : DÉPLAISANT). — 2° Se dit de quelque chose qui inspire un sentiment de dégoût, de recul, de mépris, par son caractère contraire à la morale, aux usages (surtout dans des phrases impersonnelles) : *Il est laid de mentir ainsi à ses parents* (syn. : ↑ HONTEUX, IGNOBLE). *C'est laid de parler en mangeant* (syn. : MALSÉANT). ◆ **laideron** n. m. ou f. Jeune femme, jeune fille laide. ◆ **laideur** n. f. : *La laideur d'un monument, d'un visage* (contr. : BEAUTÉ). *La laideur du vice* (syn. : TURPITUDE). *Les laideurs de la guerre* (syn. : ↑ HORREUR). ◆ **enlaidir** v. tr. Rendre laid : *Ces panneaux publicitaires enlaidissent le paysage. Visage enlaidi par le chagrin.* ◆ v. intr. Devenir laid : *Avec l'âge, elle a enlaidi* (contr. : EMBELLIR). ◆ **enlaidissement** n. m.

laie [lɛ] n. f. Femelle du sanglier.

laine [lɛn] n. f. 1° Poils épais, doux et frisés, qui proviennent de la toison du mouton; étoffe tissée avec ce textile : *Un matelas de laine. Une étoffe de laine. De la laine à tricoter. Des vêtements en laine. Un tapis de laine. Un complet de laine.* — **2°** Produit qui se présente comme de la laine naturelle : *La laine de verre, faite de verre filé, est utilisée comme isolant.* — **3°** *Se laisser manger la laine sur le dos,* se laisser dépouiller sans résistance. ◆ **lainage** n. m. **1°** Vêtement de laine tricotée : *Mettre un gros lainage en hiver.* — **2°** Etoffe de laine : *La fabrication des lainages.* ◆ **laineux, euse** adj. **1°** Qui a beaucoup de laine : *Une étoffe très laineuse.* — **2°** *Cheveux laineux,* frisés et fournis comme la laine. ◆ **lainier, ère** adj. : *L'industrie lainière* (= de la laine).

laïque [laik] adj. et n. **1°** Se dit d'un chrétien baptisé qui ne fait pas partie du clergé (masc. écrit parfois LAÏC) : *Les laïques sont appelés à aider les prêtres dans l'enseignement religieux. Les prêtres sont autorisés à revêtir l'habit laïque* (= qui appartient aux laïques). — **2°** Indépendant de toute confession, qui maintient à l'école une neutralité totale entre les opinions philosophiques et religieuses : *L'école laïque. L'enseignement laïque* (contr. : ÉCOLE PRIVÉE, RELIGIEUSE). ◆ **laïciser** [laisize] v. tr. Organiser suivant la conception de la séparation de l'Eglise et de l'Etat, en donnant un statut laïque (sens 2) : *Laïciser des écoles, des hôpitaux.* ◆ **laïcisation** n. f. : *La laïcisation de l'enseignement.* ◆ **laïcité** n. f. Doctrine visant à la neutralité entre les diverses conceptions religieuses et philosophiques (dans l'enseignement en particulier).

laisse [lɛs] n. f. **1°** Lanière servant à mener, à retenir un chien : *Le chien tire sur la laisse.* — **2°** *Tenir quelqu'un en laisse,* lui imposer sa volonté, le contraindre à agir selon des règles déterminées.

1. laisser [lese] v. tr. **1°** (sujet nom d'être animé) *Laisser quelque chose,* ne pas le prendre, alors qu'il est à portée, qu'on pourrait en disposer : *Laisser des restes dans son assiette* (= ne pas manger toute sa part). *Laisse des fruits pour ce soir* (syn. : GARDER). *C'est à prendre ou à laisser* (= il faut l'accepter ainsi ou renoncer). *Laissez une marge suffisante. Laissez ça pour demain* (= ne le faites pas maintenant). — **2°** *Laisser une chose à quelqu'un* (ou *à quelque chose*), la lui réserver, ne pas la prendre, afin qu'il puisse en disposer : *Laisse de telles plaisanteries aux imbéciles. Ne rien laisser au hasard* (syn. : ABANDONNER). *Il lui laisse le soin de recevoir les importuns* (syn. : CONFIER); la lui remettre en partant : *Laisser la clef au gardien. Laissez-moi une note à ce sujet* (syn. : DONNER); la lui donner par testament, par succession : *Il a laissé à ses enfants de grands biens* (syn. : LÉGUER); ne pas la lui enlever : *Laisse-lui le temps d'agir. Le jugement a laissé la garde des enfants à la mère* (syn. : CONFIER). — **3°** *Laisser une chose* (*quelque part*), l'abandonner : *J'ai laissé mes gants chez lui* (syn. : OUBLIER). *Ils ont laissé leur appartement de Paris pour aller habiter en banlieue.* — **4°** *Laisser une chose, une personne* (*quelque part*), ne pas l'emporter, ne pas l'emmener avec soi, la perdre : *Il a laissé son manteau et son chapeau au vestiaire* (syn. : METTRE; contr. : GARDER). *Laisser ses enfants à la campagne. Laisser ses bagages à la consigne. Il m'a laissé en plan, en rade* (fam. = il m'a quitté brusquement). *Laisser la vie au combat* (= perdre la vie); abandonner une direction : *Laissez la première rue à gauche et prenez la seconde à votre droite.* — **5°** *Laisser une personne, une chose dans tel ou tel état* (compl. ou adj. attribut), les maintenir dans cet état : *Le prévenu a été laissé en liberté* (syn. : GARDER). *Laissez-le tranquille, laissez-le en paix. Cela me laisse indifférent. Ça me laisse froid* (fam. = ça ne m'intéresse pas). *Laisser les choses en l'état* (= telles qu'on les a trouvées). *Laisser de côté les détails insignifiants* (= omettre). *Laisser des terres en friche.* — **6°** (sujet nom de personne ou de chose) *Laisser une trace, une marque, un souvenir,* etc., abandonner derrière soi, après sa disparition, son passage, une trace, une marque, etc. : *L'accrochage a laissé des traces sur l'aile. Sa disparition ne laisse que des regrets. Il laisse après lui trois enfants. Il a laissé des plumes dans l'affaire* (fam. = il a beaucoup perdu). *Le fleuve, dans la décrue, a laissé sur ses berges des débris de toute sorte* (syn. : DÉPOSER). — **7°** *Laisser à désirer,* appeler les plus grandes réserves sur le soin, l'application, etc. : *Son travail laisse beaucoup à désirer* (= est insuffisant). ‖ *Laisser à penser,* abandonner le soin de juger (sujet nom de personne) : *Je vous laisse à penser quelle fut notre joie;* donner matière à réflexion (sujet nom de chose). ‖ *Je vous laisse à juger,* je ne vous explique pas en détail, vous laissant le soin de deviner. ◆ **laissé-pour-compte** n. m. Ce qui n'a pas été vendu dans un magasin, ce dont aucun acheteur n'a voulu : *Mettre en solde des laissés-pour-compte.*

2. laisser [lese] v. tr. (servant d'auxiliaire). **1°** *Laisser quelqu'un* (*faire*), lui donner pleine liberté, lui permettre, ne pas l'empêcher de faire (le participe reste invariable en général; lorsque le complément est sujet de l'infinitif, il peut y avoir accord) : *Je ne le laisserai pas faire* (= je ne lui permettrai pas d'agir comme il veut). *Je ne les ai pas laissés* ou *laissé partir. Ne laissez entrer personne. Laissez-moi rire. Rien ne laissait voir son exaspération* (= découvrait, montrait). — **2°** *Laisser quelque chose* (et l'infin.), agir de telle manière qu'une chose se fait (attitude passive, l'auxiliaire *faire* indiquant une attitude active) : *Laisser tomber un verre. Laisser passer les voitures avant de traverser. Laisser faire le temps.* ◆ ***se laisser*** v. pr. (et l'infin.). Prendre une attitude passive telle qu'une chose se fait : *Ils se sont laissé surprendre par l'orage. Je me laisse aller à lui faire quelques confidences. Il se laisse faire* (= cède aux désirs, à la volonté de quelqu'un). *Se laisser faire une douce violence* (= paraître résister pour céder finalement). *Ce film se laisse voir* (fam. = on peut le voir avec plaisir). *Se laisser aller* (= s'abandonner à ses penchants, à la nonchalance). ◆ **laisser-aller** n. m. invar. Négligence dans la tenue, les manières; absence de soin : *Le laisser-aller qui précède les vacances. Sévir contre le laisser-aller dans le travail, dans la correction vestimentaire.* ◆ **laissez-passer** n. m. invar. Permis de circuler librement donné par une autorité : *Il fallait un laissez-passer pour aller dans la tribune officielle* (syn. : COUPE-FILE, PERMIS).

lait [lɛ] n. m. **1°** Liquide produit par les femelles des mammifères et servant à l'alimentation : *Le lait est un aliment complet. Un verre, un bol, une tasse de lait. Acheter une bouteille de lait chez le crémier. Du lait de chèvre, de vache. Mouiller le lait* (= y ajouter de l'eau [pratique interdite]). *Faire bouillir le lait. Le lait bout, monte, se sauve* (= passe par-dessus les bords de la casserole). *Du lait en poudre, du lait concentré. Un café au lait. Du savon au lait. Les dents de lait* (= la première dentition). — 2° *Boire du lait,* éprouver une très vive satisfaction devant des éloges, des flatteries, un succès. ‖ *C'est une soupe au lait,* c'est un homme qui se met facilement en colère. ‖ *Frère, sœur de lait,* enfants qui ont eu la même nourrice. — 3° Liquide ayant l'apparence du lait : *Lait d'amande, de coco.* ◆ **laitage** n. m. Lait ou aliment fait avec du lait : *Le médecin lui a ordonné de prendre seulement des laitages pendant huit jours.* ◆ **laiterie** n. f. 1° Usine où est traité le lait recueilli dans les fermes, en vue de sa transformation en beurre, fromage, etc. — 2° Magasin où l'on vend du lait et des produits laitiers. ◆ **laiteux, euse** adj. Dont la couleur blanchâtre ressemble à celle du lait : *La clarté laiteuse de la lune.* ◆ **laitier** n. m. Personne qui vend ou livre du lait. ◆ **laitier, ère** adj. : *L'industrie laitière* (= du lait). *Les fromages, le beurre sont des produits laitiers. Une vache laitière* (= qui est élevée en vue de la production de lait). ◆ **petit-lait** n. m. *Boire du petit-lait,* goûter avec un grand plaisir les flatteries, les compliments qu'on vous adresse. (Le *petit-lait* est un liquide qui se sépare du lait caillé.)

laiton [lɛtɔ̃] n. m. Alliage de cuivre et de zinc : *Un fil de laiton.*

laitue [lɛty] n. f. Plante cultivée comme légume pour l'alimentation : *Une salade de laitue. Les feuilles de laitue.*

laïus [lajys] n. m. *Pop.* Discours, exposé, généralement long et verbeux. ◆ **laïusser** v. intr. *Pop.* Bavarder, prononcer une longue allocution.

lama [lama] n. m. Mammifère ruminant des Andes.

lambeau [lɑ̃bo] n. m. 1° Morceau déchiré d'une étoffe, morceau arraché de papier, de chair, de cuir, etc. : *Un habit en lambeaux* (syn. : LOQUE). *Mettre en lambeaux* (= déchirer). *Un lambeau de chair. Le livre s'en va en lambeaux.* — 2° Partie détachée d'un tout : *Il lui parvenait des lambeaux de conversation* (syn. : BRIBE). *Il ne reste plus dans sa mémoire que des lambeaux de passé.*

lambin, e [lɑ̃bɛ̃, -in] adj. et n. *Fam.* Qui agit d'ordinaire avec lenteur, avec mollesse, avec paresse (se dit surtout d'un enfant) : *Un lambin qui traîne dans la classe quand le cours est fini* (syn. : TRAÎNARD). ◆ **lambiner** v. intr. : *Il lambine dans la rue au lieu de rentrer tout de suite à la maison* (syn. : S'ATTARDER ; contr. : SE PRESSER). *Ne lambine pas; achève vite ton devoir* (syn. : LANTERNER).

lambris [lɑ̃bri] n. m. Revêtement en bois, en marbre, en stuc sur les murs intérieurs d'une pièce ; revêtement en bois d'un plafond. ◆ **lambrissé, e** adj. Revêtu d'un lambris : *Un salon lambrissé. Les plafonds lambrissés de cet hôtel particulier du XVIIIe siècle.*

1. lame [lam] n. f. Vague de la mer : *Un navire soulevé par les lames. Un port abrité des lames. Une lame de fond* (= qui s'élève très haut, venant du fond de la mer). *Etre emporté par une lame.*

2. lame [lam] n. f. 1° Morceau de métal, de verre, plat et très mince : *Une lame d'ivoire ciselée. Les lames du parquet.* — 2° Fer d'un couteau, d'une épée, d'un canif, d'un instrument tranchant : *La lame aiguë, acérée, émoussée d'un couteau.* — 3° *Une fine lame,* un bon escrimeur. ‖ *Visage en lame de couteau,* visage long et mince. ◆ **lamé, e** adj. Tissé avec des fils de métal : *Robe lamée d'or.* ◆ **lamelle** n. f. Petite lame mince et courte : *Une lamelle de mica. Découper en lamelles.*

lamentable [lamɑ̃tabl] adj. Qui fait pitié (par sa misère, sa pauvreté, sa nullité, etc.) : *Le sort lamentable des naufragés* (syn. : PITOYABLE, NAVRANT). *Un spectacle lamentable* (syn. : ↓ DOULOUREUX, TRISTE). *Un orateur lamentable* (syn. : MINABLE). ◆ **lamentablement** adv. : *La révolte a échoué lamentablement.*

lamenter (se) [səlamɑ̃te] v. pr. *Se lamenter sur quelque chose, sur quelqu'un,* se répandre en plaintes, en gémissements, en regrets sur eux : *Se lamenter sur son sort* (syn. : GÉMIR). *Se lamenter sur la mauvaise tenue de son fils* (syn. : SE DÉSOLER DE). ◆ **lamentation** n. f. : *Ses lamentations perpétuelles sur la dureté de la vie* (syn. : JÉRÉMIADES).

laminer [lamine] v. tr. 1° Etirer du métal en le comprimant, afin de lui donner la forme de feuille, de barre, etc. — 2° Ecraser par une force qui domine, étouffe : *Etre laminé par l'existence.* ◆ **laminage** n. m. : *Le laminage des tôles d'acier.* ◆ **lamineur** n. m. Ouvrier employé au laminage des métaux. ◆ **laminoir** n. m. 1° Machine servant à laminer les métaux. — 2° *Passer au laminoir,* être soumis ou soumettre à de rudes épreuves.

lampadaire [lɑ̃padɛr] n. m. Support vertical destiné à porter un appareil d'éclairage : *Les lampadaires de la rue, de la ville, de la place.*

lampe [lɑ̃p] n. f. 1° Appareil d'éclairage par l'électricité (désigne soit la source de lumière proprement dite, soit l'ensemble de l'appareil) : *Remettre une lampe* (syn. : AMPOULE). *La lampe a sauté, il faut la changer. L'abat-jour de la lampe de bureau. Allumer, éteindre une lampe électrique. Une lampe de poche.* — 2° Tube servant aux émissions et aux réceptions de radio : *Un poste à six lampes.* — 3° Récipient contenant un liquide combustible et une mèche, et dont on se sert pour produire de la lumière ou de la chaleur : *Une lampe à pétrole, à essence. L'employé de chemin de fer leva la lampe pour indiquer que la voie était libre. Une lampe de mineur.* — 4° Pop. *S'en mettre plein la lampe,* boire, manger beaucoup. ◆ **lampiste** n. m. 1° Personne chargée, dans les chemins de fer, dans les mines, etc., de l'entretien et de la réparation des lampes. — 2° Employé subalterne ou personne qui n'a pas de responsabilités importantes dans une entreprise : *On a arrêté quelques lampistes, mais les principaux responsables courent encore.* ◆ **lampisterie** n. f. Lieu où l'on garde et répare les appareils d'éclairage d'une exploitation industrielle.

lampée [lɑ̃pe] n. f. *Pop.* Grande gorgée de liquide qu'on avale d'un coup : *Une lampée de vin. Absorber son verre d'une seule lampée. Boire à grandes lampées, à même le goulot de la bouteille.*

lampion [lɑ̃pjɔ̃] n. m. 1° Lanterne en papier translucide et coloré, employée dans les fêtes, les illuminations, les retraites aux flambeaux : *Allumer, éteindre les lampions.* — 2° *(Demander) sur l'air des lampions,* avec des cris, des appels rythmés, répétés trois fois de suite.

lance [lɑ̃s] n. f. 1° Arme faite d'un long manche muni d'un fer pointu : *Brandir une lance. En fer de lance* (= se dit d'un objet qui en a la forme). — 2° Tube métallique adapté à l'extrémité d'un tuyau de pompe et servant à diriger le jet d'eau : *Une* *lance à incendie. Mettre des lances en batterie pour lutter contre le feu.* — 3° *Rompre des lances avec quelqu'un,* discuter avec lui.

lancer [lɑ̃se] v. tr. 1° (sujet nom d'être animé) *Lancer une chose* (un projectile) *vers, sur, à, dans,* etc., *quelque chose* ou *quelqu'un,* la jeter loin de soi, loin d'un lieu, avec plus ou moins de force, pour atteindre quelque chose ou quelqu'un : *Lancer une pierre contre un arbre* (syn. : JETER). *Lancer la balle à son partenaire* (syn. : ENVOYER). *Lancer son cahier sur le bureau. Lancer le ballon en l'air* (syn. : PROJETER). *Lancer le disque, le poids, le javelot, le marteau dans une épreuve d'athlétisme. Lancer une fusée.* — 2° (sujet nom d'être animé) Faire mouvoir rapidement (une partie du corps), faire un geste dans une direction précise : *Lancer ses bras en avant* (syn. : TENDRE). *Lancer un coup de pied dans les jambes de quelqu'un. L'âne lançait quelques ruades. Lancer la tête en avant. Ses yeux lançaient des regards de colère.* — 3° (sujet nom de chose) Faire jaillir hors de soi dans une direction : *Le volcan lançait des torrents de lave. L'avion a lancé ses bombes sur l'objectif.* — 4° Emettre avec violence, avec force : *Lancer un cri strident. Lancer une fausse note* (syn. : LÂCHER). *Lancer une plaisanterie. Lancer une proclamation, une fausse nouvelle. Le navire lança un S.O.S.* — 5° Envoyer contre quelqu'un ou quelque chose, avec hostilité ou violence : *Le juge d'instruction lança un mandat d'amener contre l'inculpé. Lancer les troupes à l'assaut. Lancer un ultimatum.* — 6° Animer d'un mouvement vif : *Lancer une cloche à toute volée. Le train est lancé à toute vitesse. Lancer un moteur* (= le mettre en marche). — 7° *Lancer une offensive, une campagne électorale,* etc., les entreprendre, les déclencher. ‖ *Lancer un navire,* le mettre à l'eau, une fois terminée la construction. — 8° *Lancer quelqu'un* ou *quelque chose,* les faire connaître, les mettre en vedette, en renom : *Son nouveau roman l'a définitivement lancé. Son premier film a lancé cette jeune vedette. Lancer une mode. Lancer un nouveau produit sur le marché* (syn. : RÉPANDRE). *Lancer un slogan.* — 9° *Lancer quelqu'un, quelque chose (dans),* le pousser, le mettre dans telle ou telle voie : *Il a lancé son fils dans les affaires. Lancer son pays dans une folle aventure. Il est lancé, il ne se taira plus* (= il s'est mis à parler). *Lancer une affaire* (= la mettre en bonne voie). ◆ ***se lancer*** v. pr. 1° Se précipiter dans une direction déterminée : *Se lancer dans la rivière du haut du pont* (syn. : SE JETER). *Se lancer contre l'obstacle.* — 2° Prendre son élan : *Le sauteur recula pour se lancer* (syn. : S'ÉLANCER). — 3° S'engager avec hardiesse, avec violence : *Se lancer dans l'aventure. Se lancer dans des dépenses inconsidérées* (syn. fam. : S'EMBARQUER). *Se lancer dans des explications confuses* (syn. : ENTRER DANS). *Se lancer dans la politique. Se lancer dans la lecture d'un livre difficile* (syn. : ENTAMER). — 4° (sans compl.) Se mettre en vedette, se faire connaître : *Il cherche à se lancer; il est présent à tous les cocktails.* ◆ **lancée** n. f. *Sur sa lancée,* en profitant de l'élan qu'on a pris pour atteindre un objectif et en faisant un nouveau bond en avant (surtout avec les verbes *courir, continuer*) : *L'ailier gauche courut le long de la touche, continua sur sa lancée et dribbla deux adversaires. Il exposa tous ses griefs et, sur sa lancée, en vint même à offrir sa démission* (syn. : DANS SON ÉLAN). ◆ **lancement** n. m. : *Une rampe de lancement pour les fusées. Le lancement du javelot. Le lancement d'un nouveau satellite artificiel. Le lancement d'une campagne de presse. Le lancement d'un emprunt. Le lancement d'une nouvelle vedette.* ◆ **lancer** n. m. 1° Epreuve d'athlétisme, consistant dans le jet du poids, du javelot, du disque ou du marteau; ce jet lui-même : *Les athlètes auront droit à six lancers.* — 2° *Pêcher au lancer,* pêche qui consiste à lancer l'appât au loin et à le ramener lentement au moyen d'un moulinet. ◆ **lanceur, euse** n. Athlète qui effectue un lancer : *Les lanceurs de javelot.* ◆ **lance-,** élément qui entre dans des composés désignant des appareils servant à lancer des projectiles : *Lance-bombes, lance-flammes, lance-fusées, lance-pierres, lance-roquettes, lance-torpilles,* etc.

lancette [lɑ̃sɛt] n. f. Instrument chirurgical servant à inciser la peau, à ouvrir une veine.

lanciner [lɑ̃sine] v. tr. et intr. Faire souffrir par des élancements répétés; importuner d'une manière insistante : *Cet abcès au doigt me lancine. La pensée de la maladie le lancinait* (syn. : OBSÉDER). ◆ **lancinant, e** adj. : *Un souvenir lancinant. Une musique lancinante.* ◆ **lancinement** n. m.

landau [lɑ̃do] n. m. Voiture d'enfant à grandes roues et à capote.

lande [lɑ̃d] n. f. Paysage caractérisé par une végétation d'ajoncs, de genêts, de bruyère, poussant sur des terrains granitiques : *Les landes bretonnes.*

langage [lɑ̃gaʒ] n. m. 1° Emploi de la langue (2) pour communiquer avec d'autres hommes : *Les rapports du langage et de la pensée. Le langage est une technique corporelle consistant en l'emploi de signes vocaux, de gestes pour traduire une expérience.* — 2° (avec un qualificatif ou un compl. du nom) Manière de parler propre à une communauté linguistique, à un groupe, à un individu, etc. : *Le langage commun* (syn. : LANGUE [2]). *Les subtilités du langage. Le langage administratif, technique. Un langage chiffré* (= code selon un système de signes connus seulement de ceux qui communiquent directement). *Son langage est expressif, direct, incompréhensible. Le langage de l'enfant. Surveiller son langage* (syn. : STYLE). — 3° Contenu de la communication elle-même : *Tenir un langage mensonger, honnête, franc. Avoir le langage d'un flatteur. C'est le langage de la raison, de l'amour.*

lange [lɑ̃ʒ] n. m. Pièce de laine ou d'étoffe épaisse qui sert à envelopper complètement un bébé : *Changer les langes d'un enfant.*

langouste [lɑ̃gust] n. f. Crustacé à fortes antennes, mais sans pinces, vivant sur les fonds rocheux de la mer. ◆ **langoustier** n. m. Navire spécialement équipé pour la pêche des langoustes. ◆ **langoustine** n. f. Petit crustacé proche du homard.

1. langue [lɑ̃g] n. f. 1° Organe charnu fixé au plancher de la bouche, qui intervient dans la déglutition et la parole, et dont les papilles assurent la gustation : *Se mordre la langue. Avoir la langue blanche, pâteuse. Tirer la langue* (= la sortir de la bouche en signe de moquerie, ou involontairement pour marquer l'effort). *Faire claquer la langue. Le café est trop chaud, je me suis brûlé la langue. Passer sa langue sur les lèvres;* se dit aussi des animaux : *Une langue de bœuf.* (V. LINGUAL.) — 2° Ce qui a la forme d'une langue : *Une langue de terre* (= une bande de terre entourée d'eau). *Des langues de feu* (= des flammes allongées). —

3° *Donner sa langue aux chats,* renoncer à deviner quelque chose. ‖ *Un coup de langue,* une médisance. ‖ *Il a avalé sa langue,* il garde le silence (alors que d'ordinaire il parle beaucoup). ‖ *Avoir la langue bien pendue, bien affilée,* être très bavard. ‖ *Avoir la langue trop longue,* ne pas savoir garder un secret. ‖ *Avoir une langue de serpent, de vipère,* être très médisant dans ses propos, calomnier. ◆ **languette** n. f. Objet en cuir, en métal, en bois, etc., dont la forme rappelle celle d'une petite langue : *La languette de cuir d'une chaussure. Une languette de pain.*

2. langue [lɑ̃g] n. f. 1° Système structuré de signes vocaux (ou transcrits graphiquement), utilisé par les individus pour communiquer entre eux : *L'évolution de la langue. La langue française du XVIIe siècle. L'étude phonologique, morphologique, lexicale d'une langue. Les langues se groupent par familles. Le flamand et le français sont les langues officielles de la Belgique. Le latin est une langue morte; l'anglais, une langue vivante. La langue écrite est différente de la langue parlée. La langue maternelle est celle que l'on a apprise dans son enfance, dans le pays où l'on est né. Les langues romanes sont issues de la même langue, le latin. La langue est le système de communication de toute une communauté linguistique; elle se réalise dans la parole, le discours individuel. Un professeur de langues* (= de langues étrangères). [V. LINGUISTIQUE.] — 2° (avec un qualificatif ou un compl. du nom) Système de signes particulier à un groupe, à un milieu, à une activité, à un individu : *La langue philosophique. La langue savante, populaire. La langue poétique. La langue de Mallarmé.*

langueur [lɑ̃gœr] n. f. 1° Abattement physique ou moral, qui se manifeste par une absence d'activité, de dynamisme : *Périr de langueur* (syn. : DÉPRESSION). — 2° Etat d'âme consistant en un sentiment d'attendrissement amoureux, mêlé d'inquiétude : *Etre accablé d'une douce langueur.* — 3° Manque de mouvement, d'animation : *La conversation tombe en langueur.* ◆ **langoureux, euse** adj. : *Prendre un air langoureux* (syn. : ALANGUI). *Le rythme langoureux de la danse. Une chanson langoureuse.* ◆ **langoureusement** adv. ◆ **languir** [lɑ̃gir] v. intr. 1° (sujet nom de personne) Etre dans un état d'abattement, conséquence de la durée d'une attente, d'un besoin, d'une souffrance physique : *Elle languit d'ennui dans la solitude qui lui est imposée* (syn. : SE MORFONDRE). *Languir d'amour pour quelqu'un.* — 2° (sujet nom de chose) Manquer d'activité, d'animation : *La conversation languit. Les affaires languissent.* — 3° *Fam.* Attendre vainement : *Ne le fais pas languir; préviens-le tout de suite. Je ne languirai pas longtemps ici.* ◆ **languissant, e** adj. : *Une conversation languissante* (= qui se traîne). *Une industrie languissante* (= qui se meurt). ◆ **languissamment** adv. : *Languissamment appuyée sur le bras de son ami.*

lanière [lanjɛr] n. f. Longue et étroite bande de cuir ou d'étoffe : *Frapper avec une lanière* (syn. : COURROIE). *Les lanières de cuir d'une chaise.*

lanterne [lɑ̃tɛrn] n. f. 1° Boîte à armature rigide et garnie d'une matière transparente, dans laquelle on met une source de lumière : *Une lanterne de verre, de papier. La lanterne du veilleur de nuit.* — 2° Lampe des phares d'une voiture qui donne un faible éclairage : *Un automobiliste qui a oublié, le soir, dans une ville, d'allumer ses lanternes.* — 3° Appareil servant à projeter des photographies, des diapositives. — 4° *Prendre des vessies pour des lanternes,* faire une confusion absurde, croire une chose stupide. ‖ *Eclairer la lanterne de quelqu'un,* lui fournir les renseignements nécessaires. ‖ *Eclairer sa lanterne,* se faire comprendre, éclaircir une démonstration obscure. ‖ *La lanterne rouge,* le dernier d'un classement, d'un concours; le dernier d'une file.

lanterner [lɑ̃tɛrne] v. tr. *Lanterner quelqu'un,* le bercer d'espérances illusoires. ◆ v. intr. S'attarder en perdant son temps, en hésitant, en traînant (syn. : LAMBINER).

lapalissade [lapalisad] n. f. Réflexion d'une banalité et d'une évidence proches de la niaiserie : *« Deux heures avant sa mort, il était encore en vie » est une lapalissade.*

laper [lape] v. intr. et tr. (sujet nom d'animal, tel que le chien, le chat, etc.). Boire en prenant le liquide avec de petits coups de langue : *Le chat lape le lait dans le bol.* ◆ **lapement** n. m.

lapereau n. m. V. LAPIN.

1. lapidaire [lapidɛr] n. m. et adj. Artisan qui taille les pierres précieuses autres que le diamant.

2. lapidaire [lapidɛr] adj. *Inscription lapidaire,* gravée sur une pierre.

3. lapidaire [lapidɛr] adj. *Formule lapidaire,* composée d'un minimum de mots, d'une concision brutale, expressive.

lapider [lapide] v. tr. Attaquer à coups de pierres : *La foule commença à lapider les assassins.*

lapin, e [lapɛ̃, -in] n. 1° Mammifère rongeur dont la race sauvage (*lapin de garenne*) est répandue en toutes régions, et dont certaines espèces sont l'objet d'élevage domestique (*lapin domestique, lapin de choux*) : *Tirer un lapin au sortir de son terrier. Poser des collets pour attraper des lapins. Une lapine peut avoir trois ou quatre portées par an.* — 2° Chair comestible du lapin : *Du civet de lapin. Un pâté de lapin.* — 3° *Peau de lapin,* fourrure du lapin, de bas prix. — 4° Fam. *Un chaud lapin,* un homme ardent en amour. ‖ Fam. *Poser un lapin,* ne pas venir à un rendez-vous que l'on a fixé à quelqu'un. ◆ **lapereau** [lapro] n. m. Jeune lapin.

lapsus [lapsys] n. m. Faute commise en parlant ou en écrivant, et qui consiste à employer un autre mot que le terme voulu, à mutiler un mot ou à substituer un élément étranger à un de ses composants : *La langue lui a fourché et ce lapsus a révélé involontairement son intention réelle.*

laquais [lakɛ] n. m. 1° Valet de pied qui porte la livrée : *Un laquais recevait les invités à la porte du château.* — 2° Homme servile : *Les laquais d'un régime.*

laque [lak] n. f. Substance transparente, colorée ou non, servant pour vernir. ◆ **laqué, e** adj. Revêtu d'une couche de laque : *Un bureau, une bibliothèque laqués.*

larbin [larbɛ̃] n. m. *Pop.* 1° Domestique de grande maison. — 2° *Fam.* Homme servile, qui a une mentalité de laquais.

larcin [larsɛ̃] n. m. Vol de peu d'importance, commis furtivement; l'objet volé : *Commettre un larcin. Dissimuler son larcin* (= le produit du vol).

lard [lar] n. m. **1°** Graisse qui se trouve sous la peau épaisse de certains animaux (en particulier du porc) : *Du lard fumé. Une tranche de lard.* — **2°** Pop. *Un gros lard,* une personne grosse. ‖ Pop. *Tête de lard,* injure adressée à quelqu'un de stupide, d'entêté. ‖ Fam. *Faire du lard,* engraisser dans l'oisiveté, l'inactivité. ◆ **larder** v. tr. Piquer une viande de petits morceaux de lard. ◆ **lardon** n. m. **1°** Petit morceau de lard pour accommoder un plat. — **2°** *Pop.* Petit enfant.

1. larder v. tr. V. LARD.

2. larder [larde] v. tr. Fam. *Larder de coups,* percer de coups (de couteau), blesser : *Le corps lardé de coups de rasoir.*

1. large [larʒ] adj. (avant ou plus souvent après le nom). **1°** Qui a une dimension (en général dans le sens latéral) plus grande que la moyenne : *Des épaules larges* (contr. : MINCE). *La rivière est large en cet endroit* (contr. : RESSERRÉ). *Une large avenue* (contr. : ÉTROITE). *Un large front* (contr. : ÉTROIT). *Ouvrir une large bouche. Un large sourire se peignit sur son visage* (syn. : ÉPANOUI). *De larges fenêtres éclairaient la pièce. Le veston est trop large* (contr. : SERRÉ). *Décrire un large cercle* (syn. : ÉTENDU; contr. : PETIT). *De larges gouttes de pluie* (syn. : GROS). *Une large plaie* (syn. : GRAND). — **2°** Dont l'importance, la quantité est très grande : *Faire de larges concessions* (syn. : CONSIDÉRABLE). *Il dispose d'un large pouvoir. Dans une large mesure, il a raison. Prendre un mot dans son acception la plus large.* — **3°** Qui n'est pas borné, limité, restreint : *Etre large d'idées* (syn. : LIBÉRAL). *Faire un large tour d'horizon. Mener une vie large.* ◆ adv. Fam. *Ne pas en mener large,* être plein d'inquiétude, de peur, être dans une situation difficile, dangereuse. ‖ *Voir large,* sans être borné par des préjugés. ◆ **large** n. m. **1°** *De large,* qui a une étendue de : *Une rivière de vingt mètres de large* (= en largeur). ‖ *En long et en large,* sous tous les aspects, de toutes les manières : *Examiner en long et en large une pièce.* ‖ *Aller, se promener de long en large,* aller et venir en faisant sans cesse le même chemin. ‖ *Etre au large,* être à son aise, avoir suffisamment de place; être dans l'aisance. — **2°** La haute mer : *Gagner le large. La vie du large. Un chalutier s'est perdu au large de Cherbourg* (= dans les parages). — **3°** *Prendre le large,* s'enfuir. ◆ **largement** adv. **1°** D'une manière abondante, importante : *La Seine a largement débordé sur les quais. Le sel a été trop largement utilisé* (syn. : ABONDAMMENT). *Gagner largement sa vie* (syn. : BIEN). *Il donne largement à ses enfants* (syn. : BEAUCOUP, GÉNÉREUSEMENT). — **2°** Sur une grande surface, d'une manière large (sens 1) : *Les baies sont largement ouvertes sur la mer. Robe largement décolletée* (syn. : AMPLEMENT). — **3°** Au minimum : *Il a largement deux mille francs par mois. Il était largement onze heures quand il est arrivé* (= onze heures étaient depuis longtemps passées). ◆ **largeur** n. f. **1°** Dimension latérale d'un corps : *La largeur de la route* (contr. : LONGUEUR). *La largeur d'une fenêtre* (contr. : HAUTEUR). *La largeur d'une rivière* (contr. : PROFONDEUR). *Mesurer une table dans le sens de la largeur* (= en travers). — **2°** Caractère de ce qui n'est pas borné, étriqué : *Sa largeur d'esprit* (contr. : MESQUINERIE, ÉTROITESSE). *Traiter les problèmes difficiles avec une grande largeur de vues* (syn. : ÉLÉVATION, AMPLEUR). — **3°** Fam. *Dans les grandes largeurs,* complètement.

2. large [larʒ] adj. *Etre large avec quelqu'un,* se montrer généreux à son égard. ◆ **largesse** n. f. Qualité de celui qui est large, généreux : *Sa largesse excessive passe pour de la naïveté* (syn. : GÉNÉROSITÉ, LIBÉRALITÉ; contr. : AVARICE). ◆ **largesses** n. f. pl. Dons généreux : *Prodiguer des largesses.*

larghetto, largo adv. V. MOUVEMENT, *Mouvements musicaux.*

larguer [large] v. tr. **1°** *Larguer les amarres,* les détacher, de manière que le navire puisse quitter le quai. ‖ *Larguer une voile,* la laisser aller. — **2°** *Larguer des bombes,* les laisser tomber d'un avion. ‖ *Larguer un parachutiste,* le lâcher en un lieu déterminé. — **3°** *Fam.* Abandonner volontairement ce qui embarrasse dans une entreprise : *Quand il a vu la tournure prise par la situation, il a largué sans ménagement tout ce qui le gênait.* ◆ **largage** n. m. : *Le largage d'un planeur.*

larigot (à tire-) [atirlarigo] loc. adv. En grande quantité et sans s'arrêter : *Boire à tire-larigot.*

larme [larm] n. f. **1°** Liquide qui coule des yeux sous l'effet d'une émotion, d'une douleur physique ou morale (le syn. PLEUR est littér.) : *Verser des larmes de colère, de joie. Avoir les larmes aux yeux* (= être ému). *Les yeux voilés de larmes. Le visage inondé de larmes. Retenir ses larmes à grand-peine. Ecraser une larme au coin de l'œil. Ce spectacle lui arrachait des larmes. Les larmes lui montent aux yeux. Pleurer à chaudes larmes* (= beaucoup). *Fondre en larmes* (= pleurer abondamment et brusquement). *Verser des larmes de crocodile* (= des larmes hypocrites). *Rire aux larmes* (= au point que les larmes coulent des yeux). *Avoir toujours la larme à l'œil* (= être d'une sensibilité exagérée). *Verser toutes les larmes de son corps, des torrents de larmes. Etre en larmes* (= pleurer). *La mauvaise conduite de son fils a coûté bien des larmes à sa mère.* — **2°** *Une larme de vin,* une très petite quantité de vin (syn. : UNE GOUTTE). ◆ **larmoyer** v. intr. **1°** Verser des larmes : *Des yeux qui larmoient à cause de la fumée* (syn. : PLEURER). — **2°** Se lamenter continuellement : *Le vieillard larmoyait* (syn. : PLEURNICHER). ◆ **larmoyant, e** adj. : *Voix larmoyante* (= où s'entremêlent des larmes). *Récit larmoyant* (syn. : PLEURARD). ◆ **larmoiement** n. m.

larron [larɔ̃] n. m. *S'entendre comme larrons en foire,* s'entendre à merveille, être d'accord pour jouer un mauvais tour.

larve [larv] n. f. **1°** Stade de développement, différent par la forme de l'état adulte, que présentent certains animaux : *Des larves d'insectes.* — **2°** *Une larve humaine,* un être qui n'a plus rien d'humain, qui a perdu tout ce qui distingue l'homme de l'animal.

larvé, e [larve] adj. Qui ne s'est pas encore manifesté de manière nette : *Un révolte larvée* (syn. : LATENT; contr. : OUVERT).

larynx [larɛ̃ks] n. m. Partie supérieure du canal respiratoire, où se trouvent les cordes vocales. ◆ **laryngien, enne** adj. : *Cavité laryngienne.* ◆ **laryngite** n. f. Inflammation du larynx. ◆ **laryngologiste** n. Spécialiste des affections du larynx.

1. las, lasse [lɑ, lɑs] adj. **1°** Qui éprouve une grande fatigue physique, qui se sent incapable de fournir un effort : *Las après une journée de travail* (syn. : FATIGUÉ). *Le visage las* (contr. : FRAIS). *Se sentir las* (syn. fam. : ↑ ÉREINTÉ; contr. : DISPOS).

Les jambes lassées après une longue marche. — 2° *Las de quelqu'un, de quelque chose, las de faire,* se dit d'une personne qui ne peut plus supporter quelqu'un, quelque chose, qui est ennuyée de faire quelque chose : *Las de vivre* (syn. : DÉGOÛTÉ). *Etre las de faire des remontrances à ses fils* (syn. : ↑ EXCÉDÉ). *Las d'attendre en vain* (syn. : ENNUYÉ, ↑ IRRITÉ). — 3° *De guerre lasse,* à bout de résistance : *De guerre lasse, il lui acheta la voiture qu'elle désirait.* ◆ **lasser** v. tr. Rendre las quelqu'un (sens 2) : *Lasser ses lecteurs par les mêmes récits* (syn. : ENNUYER). *Lasser son entourage par de continuelles jérémiades* (syn. : FATIGUER, ↑ EXCÉDER, IMPORTUNER). *Il a fini par lasser ma bonté* (syn. : ÉPUISER). *Esprit lassé de tout* (syn. : DÉSABUSER). ◆ ***se lasser*** v. pr. Se fatiguer d'une chose par ennui : *Il se lasse de vos réclamations. Il se lassa de l'attendre en vain. Il parle des heures sans se lasser.* ◆ **lassant, e** adj. : *Des reproches lassants* (syn. : ENNUYEUX). ◆ **lassitude** n. f. 1° Sensation de fatigue physique : *La lassitude due à l'âge* (syn. : FATIGUE). — 2° Etat moral de celui qui ne peut plus supporter quelque chose : *Céder par lassitude aux caprices de ses enfants. La lassitude des combattants* (syn. : DÉCOURAGEMENT ; contr. : ENTHOUSIASME). ◆ **délasser** v. tr. Oter la fatigue physique ou morale : *Le jeu délasse après une journée de tension, d'effort* (syn. : DÉTENDRE). ◆ ***se délasser*** v. pr. Se reposer des fatigues physiques ou morales : *Se délasser quelques minutes entre deux cours.* ◆ **délassement** n. m. Ce qui divertit, ce qui délasse : *La télévision est pour moi un délassement le soir* (syn. : DIVERTISSEMENT). ◆ **inlassable** adj. Se dit d'une personne très résistante et qui ne laisse pas paraître sa fatigue : *Un travailleur inlassable* (syn. : INFATIGABLE). ◆ **inlassablement** adv. : *Poser inlassablement les mêmes questions* (= sans arrêt).

2. las ! [lɑs] interj. Syn. littér. de HÉLAS !

lascar [laskar] n. m. *Fam.* Individu malin, prêt à des actes hardis, quelquefois répréhensibles : *Nos deux lascars s'entendent pour me tromper. C'est un drôle de lascar.*

lascif, ive [lasif, -iv] adj. 1° Se dit de quelqu'un qui est porté vers les plaisirs des sens, de ses gestes, de son comportement (littér.) : *Une femme lascive* (syn. : SENSUEL). — 2° Qui excite à la sensualité : *Danse lascive. Posture lascive* (syn. : VOLUPTUEUX).

lasser v. tr. V. LAS.

lasso [laso] n. m. Longue lanière de cuir, terminée par un nœud coulant et qui sert à capturer des animaux.

latent, e [latɑ̃, -ɑ̃t] adj. Qui ne se manifeste pas à l'extérieur, qui reste caché : *Le mécontentement latent finit par éclater. La maladie reste à l'état latent* (= sans se déclarer). *Un foyer latent de troubles* (syn. : LARVÉ ; contr. : OUVERT).

latéral, e, aux [lateral, -ro] adj. Relatif au côté; qui est sur le côté : *Une porte latérale. Les galeries latérales dans une église.* ◆ **latéralement** adv. ◆ **bilatéral, e, aux** adj. Relatif aux deux côtés d'une chose; qui engage les deux parties signataires d'un accord : *Stationnement bilatéral* (= des deux côtés d'une rue). *Un traité bilatéral de défense* (syn. : RÉCIPROQUE).

latin, e [latɛ̃, -in] adj. et n. 1° Qui appartient à la Rome ancienne, à l'empire qu'elle avait constitué : *La langue latine. La mythologie latine.* — 2° Qui appartient à la langue parlée par les Romains : *Les déclinaisons latines. Un thème latin. Une version latine.* — 3° Qui appartient à une civilisation où la langue est d'origine latine : *L'Amérique latine. Les peuples latins. Les Français sont des Latins.* — 4° *Quartier latin,* quartier de Paris, sur la rive gauche de la Seine, où se trouvent les facultés et où vivent de nombreux étudiants. ◆ **latin** n. m. 1° La langue des anciens Romains : *Le latin est une langue morte. Enseigner le latin.* — 2° *Latin de cuisine,* mauvais latin, latin plein de barbarismes. ‖ *Y perdre son latin,* être dans l'embarras le plus grand pour comprendre, pour expliquer quelque chose. ◆ **latiniser** v. tr. Donner à un mot la forme latine; introduire un mot d'origine latine dans une langue. ◆ **latinisation** n. f. ◆ **latinisme** n. m. Forme propre à la langue latine. ◆ **latiniste** n. Spécialiste du latin. ◆ **latinité** n. f. Civilisation des peuples latins.

1. latitude [latityd] n. f. 1° Ecart séparant de l'équateur un point quelconque de la surface terrestre (terme de géographie) : *La latitude est mesurée en degrés.* — 2° *Sous toutes les latitudes,* sous tous les climats, dans toutes les régions.

2. latitude [latityd] n. f. *Avoir toute latitude, donner, laisser toute latitude à quelqu'un,* avoir toute liberté d'agir, donner, laisser à quelqu'un tout pouvoir d'agir à son gré.

latrines [latrin] n. f. pl. Lieux d'aisances (dans une caserne, dans un camp, dans une prison, dans un établissement scolaire, dans un lieu public).

latte [lat] n. f. Morceau de bois long, étroit et mince, qui sert dans la construction. ◆ **lattis** [lati] n. m. Ensemble en lattes destiné à recevoir un enduit, un revêtement : *Le lattis d'un plafond.*

laudatif, ive [lodatif, -iv] adj. Se dit de quelque chose qui loue, qui célèbre : *Parler d'un ami en termes laudatifs* (syn. : ÉLOGIEUX). *Un article très laudatif a été publié sur son livre.*

lauréat, e [lorea, -at] n. Personne qui a remporté un prix, une récompense dans un concours : *Les lauréats du prix Nobel. La liste des lauréats du Concours général. Le lauréat d'un prix littéraire.*

laurier [lorje] n. m. 1° Arbre à feuilles persistantes, qui pousse dans les régions tempérées et chaudes (dit communément LAURIER-SAUCE) : *Les feuilles du laurier servent de condiment. La couronne de laurier ceint le front du vainqueur.* — 2° *Se couvrir de lauriers,* se couvrir de gloire. ‖ *Se reposer sur ses lauriers,* se contenter du succès remporté et ne pas poursuivre son effort. ‖ *Les lauriers de la victoire,* les récompenses et la gloire issues du succès.

lavallière [lavaljɛr] n. f. Cravate formée d'un large nœud flottant, et qui fut à la mode chez les artistes à la fin du XIXe siècle.

lavande [lavɑ̃d] n. f. Plante aux fleurs odorantes, poussant dans les terrains secs de Provence et des Alpes du Sud : *Essence, eau de lavande.*

lavandière [lavɑ̃djɛr] n. f. Femme qui lave le linge à la main (littér.).

lave [lav] n. f. Matière visqueuse, en fusion, émise par un volcan : *La lave brûlante descendait du cratère. Un champ de lave solidifiée.*

laver [lave] v. tr. 1° Enlever avec un liquide ce qui salit, souille : *Laver du linge. Laver les carreaux* *de la cuisine à grande eau* (syn. : NETTOYER). *Laver la vaisselle dans l'évier. Une machine à laver. Laver la figure d'un enfant* (syn. : DÉBARBOUILLER). *Laver une plaie à l'alcool.* — 2° *Laver un affront, une injure,* les effacer par la vengeance. ‖ *Laver quelqu'un d'une accusation,* le justifier aux yeux des autres. ‖ Fam. *Laver la tête à quelqu'un,* lui adresser un blâme sévère (syn. fam. : PASSER UN SAVON). ◆ ***se laver*** v. pr. 1° Laver son corps : *Se laver dans la salle de bains* (syn. : FAIRE SA TOILETTE). *Se laver la figure, les mains.* — 2° *Se laver d'une accusation,* se justifier, se disculper. ‖ Fam. *S'en laver les mains,* décliner toute responsabilité dans une affaire, s'en désintéresser complètement. ‖ Fam. *Laver son linge sale en famille,* régler à l'intérieur de la famille ou entre soi des affaires domestiques ou peu honorables. ◆ **lavable** adj. : *Du tissu lavable* (= qui peut se laver sans dommage). ◆ **lavabo** n. m. 1° Cuvette fixée au mur et servant à faire la toilette. — 2° Pièce où se trouvent les toilettes. — 3° (au plur.) cabinets d'aisances. ◆ **lavage** n. m. Action de laver, de nettoyer : *La blanchisserie assure le lavage et le repassage du linge* (syn. : BLANCHISSAGE, NETTOYAGE). ◆ **lavement** n. m. Injection d'un liquide dans le gros intestin, à l'aide d'un appareil : *Un lavement pour lutter contre la constipation.* ◆ **lavasse** n. f. Café, boisson trop étendus d'eau et qui ont perdu leurs qualités. ◆ **laverie** n. f. Etablissement commercial équipé de machines à laver pour nettoyer séparément le linge de chaque client. ◆ **lavette** n. f. 1° Morceau de linge avec lequel on lave la vaisselle. — 2° *Pop.* Homme veule et sans énergie. ◆ **laveur, euse** n. Personne dont le métier est de laver, de nettoyer : *Laveur de carreaux. Un laveur de vaisselle* (syn. : PLONGEUR). *Un laveur de voitures.* ◆ **lavis** [lavi] n. m. Dessin teinté en noir ou en brun, ou avec des couleurs d'aquarelle. ◆ **lavoir** n. m. Lieu où on lave le linge en commun : *Le lavoir municipal.* ◆ **lavure** n. f. *Lavure de vaisselle,* eau qui a servi à nettoyer la vaisselle.

laxatif, ive [laksatif, -iv] adj. et n. m. Se dit d'un purgatif léger : *Une tisane laxative. Prendre un laxatif.*

laxisme [laksism] n. m. Libéralisme jugé excessif, en matière de morale, de politique, de grammaire, etc. ◆ **laxiste** adj. et n.

layette [lɛjɛt] n. f. Ensemble de ce qui sert à vêtir un enfant nouveau-né : *Des articles de layette dans un grand magasin.*

lazzi [lazi] n. m. Plaisanterie ironique, piquante : *Etre l'objet des lazzis* (ou *lazzi*) *de ses camarades* (syn. : MOQUERIE). *Cette étourderie suscita des lazzis* (syn. : RAILLERIE).

1. le pron. pers. V. IL.

2. le [lə], **la** [la], **l', les** [lɛ] art. définis; **un** [œ̃], **une** [yn], **des** [dɛ] art. indéfinis; **du** [dy], **des** [dɛ], **au, aux** [o] art. contractés. V. tableau p. 673.

leader [lidœr] n. m. Celui qui est à la tête d'un parti, d'une équipe, etc. : *Leader politique. Le leader de l'opposition au Sénat. Le leader du championnat.*

lécher [leʃe] v. tr. 1° *Lécher une chose,* passer la langue sur elle : *Le chien lèche la main de son maître. Lécher la lèvre supérieure avec la pointe de la langue. Lécher un plat.* — 2° Enlever avec la langue : *Le chat lèche le lait dans la soucoupe.* — 3° Effleurer légèrement : *Les flammes s'élevaient du bâtiment en feu et léchaient les murs de l'immeuble voisin. Les vagues venaient lécher le bas de la falaise.* — 4° Exécuter avec un soin excessivement minutieux (souvent au passif) : *Un tableau trop léché.* — 5° Fam. *Lécher les vitrines,* regarder complaisamment les vitrines des magasins. ‖ Fam. *Lécher les pieds, les bottes,* etc., *de* ou *à quelqu'un,* avoir à son égard une attitude servile. ◆ ***se lécher*** v. pr. *Se lécher les lèvres, les doigts,* etc., se passer la langue sur les lèvres, les doigts. ‖ *S'en lécher les doigts,* manifester un vif plaisir en mangeant un plat délicieux. ◆ **léché, e** adj. Fam. *Ours mal léché,* personne grossière, brutale, peu courtoise. ◆ **lèche** n. f. Fam. *Faire de la lèche à quelqu'un,* le flatter servilement. ◆ **lécheur, euse** adj. et n. *Fam.* Personne qui fait de la lèche.

leçon [ləsɔ̃] n. f. 1° Enseignement donné par un professeur, un maître, en une séance, à une classe, à un auditoire : *Les étudiants assistent aux leçons d'un professeur* (syn. : COURS). *Une leçon de danse, de dessin. Prendre des leçons* (= se faire donner un enseignement particulier). *Donner des leçons particulières à un élève faible.* — 2° Ce qu'un élève doit apprendre : *Etudier sa leçon. Il ne sait pas sa leçon. Sa mère lui a fait réciter sa leçon. Revoir sa leçon.* — 3° Avertissement donné à quelqu'un; enseignement tiré d'une faute : *Cela lui donnera une bonne leçon* (= cette mésaventure lui servira de punition). *Cette humiliation est pour lui une rude leçon. Infliger une terrible leçon* (syn. : ↓ RÉPRIMANDE). *Il se souviendra de la leçon* (syn. : ADMONESTATION). — *Les leçons de l'expérience.* — 4° *Réciter sa leçon,* répéter fidèlement ce qu'on vous ordonne de dire.

lecteur, trice n., **lecture** n. f. V. LIRE.

légal, e, aux [legal, -go] adj. 1° Conforme à la loi, prescrit par la loi : *Une expulsion légale des occupants d'un appartement. Respecter les formes légales* (syn. : RÉGLEMENTAIRE). *Le cours légal de la monnaie. L'âge légal pour voter. Le pays légal* (= ensemble des habitants d'un pays qui exercent des droits politiques). *User des moyens légaux* (syn. : JURIDIQUE). — 2° Qui appartient à la loi : *Les dispositions légales actuellement en vigueur.* ◆ **légalement** adv. : *Prononcer légalement la dissolution de l'Assemblée nationale* (contr. : ARBITRAIREMENT). ◆ **légaliser** v. tr. 1° *Faire légaliser sa signature,* en faire certifier l'authenticité par une autorité officielle. — 2° Rendre légal, légitimer : *De nouvelles élections légalisèrent le régime.* ◆ **légalisation** n. f. : *La légalisation d'un acte, d'une signature.* ◆ **légaliste** adj. et n. Qui a un respect scrupuleux, excessif des formes légales, de la loi. ◆ **légalité** n. f. Caractère de ce qui est légal; pouvoir politique conforme à la loi; ensemble des choses prescrites par les lois : *La légalité d'un régime. Respecter la légalité. Sortir de la légalité. Rétablir la légalité. Rester dans la légalité.* ◆ **illégal, e, aux** adj. : *Décision illégale.* ◆ **illégalement** adv. ◆ **illégalité** n. f. : *L'illégalité d'une mesure.*

légat [lega] n. m. *Légat du pape,* son représentant dans un pays étranger.

légation [legasjɔ̃] n. f. Mission entretenue par un gouvernement dans un pays où il n'a pas d'ambassade; lieu où réside cette mission : *Un secrétaire de légation. La légation donne les visas.*

1. légende [leʒɑ̃d] n. f. 1° Récit traditionnel dont les événements fabuleux ont pu avoir une base historique, réelle, mais ont été transformés par

GENRE ET NOMBRE	PRÉPOSITION	article défini (déterminé) FORMES	EXEMPLES ET VALEURS	article indéfini (indéterminé) FORMES	EXEMPLES ET VALEURS	absence d'article (neutralisation de l'opposition déterminé-indéterminé)	EXEMPLES ET EMPLOIS
masc. sing.	0 ou toute autre préposition que *de* et *à*	le, l'	Valeur de détermination : *Le premier lundi du mois. Il est le plus grand* (superlatif). Indication du genre et du nombre : *Le vase est fêlé.* Valeur d'habitude : *Il vient le mardi.* Valeur démonstrative : *Je viens dans l'instant même. Cela s'est passé le 9 août.* Valeur possessive : *Le bras droit me fait mal.* Valeur distributive : *Tissu à tant le mètre. Le lundi, il revenait de sa maison de campagne.*	un	Valeur d'indétermination : *J'habite un hôtel meublé. Vous viendrez un mardi du mois. Nous avons eu un mois de décembre pluvieux. C'est un sous-préfet.* Valeur affective (mépris ou admiration) : *Il a parlé avec un enthousiasme! En voilà un imbécile!*		La présence d'un possessif, d'un démonstratif, d'un numéral, d'un interrogatif et de certains indéfinis exclut l'article : *Bruxelles, grand centre de la Belgique* (apposition). *Venez mardi : vous me verrez* (date). *Faire grâce* (loc. verbale). *Il est plus grand* (comparatif). *A bon chat, bon rat* (maxime). *Tu n'as rien compris, camarade* (apostrophe). *Père, mère, enfants, tous étaient là* (énumération). *Il est sous-préfet* (attribut). *André est ingénieur* (métier). *Etre blanc comme neige* (comparaison); après *sans, en, sous,* etc. : *Sans argent, en été, sous abri;* avec *par* (valeur distributive) : *Rangez vos papiers par tas.*
						de	Avec une négation : *Je n'ai plus d'espoir. Pas d'argent.*
fém. sing.	0	la, l'	Valeur de détermination : *Donne-moi la clef. Manquer la correspondance du train.* Valeur démonstrative : *De la sorte, vous n'obtiendrez rien.* Valeur possessive : *J'ai mal à la tête.* Valeur distributive : *Deux fois la semaine.*	une	Valeur d'indétermination : *Acheter une machine à écrire. Elle est pour lui une mère.*		*Paris, capitale de la France* (apposition). Valeur distributive (sans prép.) : *Articles à trois francs pièce. Rendre justice* (= reconnaître).
						de	*Je n'ai plus de mère* (avec une négation).
masc., fém. plur.	0	les	*J'achète un livre pour les enfants. Ils partent dans les huit jours* (durée). Valeur possessive : *Chacune, les yeux fixés sur lui, était attentive.*	des	*Pour des enfants, cela sera excellent. Il reste des semaines sans écrire* (durée indéterminée). Valeur possessive : *Avoir des espérances.*		*Un livre pour enfants. Ils partent dans huit jours* (date).
						de	Précédé d'un adjectif épithète : *J'ai de grandes satisfactions;* avec une négation : *Je n'ai plus d'espoir.*
masc. sing.	*de*	du de l'	*L'auteur du « Cid ». Le locataire de l'appartement. Avoir du mal à terminer.*	d'un	*Le livre d'un grand écrivain. Je m'aperçois d'un grave danger.*	de	*Manquer de flair. Les comédies de Molière* (nom propre). LOC. ADV. : *de fait, de près.*
fém. sing.	*de*	de la de l'	*Que penses-tu de la pièce? Le propriétaire de l'auto.* LOC. ADV. : *de la sorte.*	d'une	*La réputation d'une montre. Il souffre d'une angine.*	de	*Poste de télévision. Table de marbre* (valeur d'adjectif). LOC. ADV. : *de grâce.*
masc. fém. plur.	*de*	des	*La foule des badauds* (compl. de collectif). *Les toits des maisons.*	des	*L'avis des gens incompétents ne m'intéresse pas.*	de	*Une foule de badauds* (compl. de collectif). *Manquer de ressources.*
masc., sing.	*à*	au à l'	*Vous reviendrez au printemps. Au revoir!*	à un	*A un de ces jours! Rêver à un héritage.*	à	*Un moulin à café. Aller à pied, à cheval.* LOC. ADV. : *à dessein.*
fém. sing.	*à*	à la à l'	*Avez-vous pensé à la commission que vous devez faire? Je suis allé à l'adresse indiquée.* LOC. ADV. : *à la légère.*	à une	*Rendez-vous à une station de métro.*	à	*Un avion à réaction.* LOC. ADV. : *à merveille.*
fém. masc. plur.	*à*	aux	*Je ne vois personne aux alentours. Songez aux amies!* LOC. ADV. : *aux dépens.*	à des	*Il se trouve à des kilomètres d'ici.*	à	*Homme à femmes. Patins à roulettes.*

Remarques. — I. PARTITIFS. Les articles *du, de la, de l', des* peuvent être employés avec des noms avec une valeur de partitifs (articles partitifs indiquant une certaine quantité de) : *Prends encore du jambon. Je mange de la confiture à quatre heures. Sers-nous de la soupe* (différent de *Sers-nous la soupe*). *Mange des épinards. Il reste du pain sur la table.*

II. — NOMS PROPRES. L'article défini se place devant les noms propres géographiques (*la France*), sauf lorsqu'ils sont compléments (*les régions de France*), devant les noms propres de peuples (*les Français*), les noms désignant une firme, un journal, etc. (*le Monde*), devant les noms de personnes accompagnés d'un adjectif (*le célèbre Lamartine*), les noms de personnes au pluriel (*les Durand*).

III. OMISSION DANS LES COORDINATIONS. La répétition de l'article est normale dans les coordinations, sauf quand les deux termes coordonnés correspondent à un contenu unique : *Les enfants et les parents. Les officiers, sous-officiers et soldats* (= l'armée dans sa totalité). *Faculté des lettres et sciences humaines. Ingénieur des ponts et chaussées. Ecole des arts et métiers.*

l'imagination populaire : *Les légendes du Moyen Age. Hugo a écrit « la Légende des siècles ». La science détruit les légendes.* — 2° Histoire déformée et embellie par l'imagination : *La légende napoléonienne* (syn. : ÉPOPÉE). *Son nom était entouré d'une sorte de légende héroïque. Il est entré vivant dans la légende.* ◆ **légendaire** adj. 1° Qui n'a pas d'existence réelle; qui est déformé par l'imagination populaire : *Les animaux légendaires des sculptures du Moyen Age* (syn. : MYTHIQUE, FABULEUX). — 2° Passé à la célébrité : *Le chapeau légendaire de Napoléon. Un exploit resté légendaire. Un héros légendaire.*

2. légende [leʒɑ̃d] n. f. Explication jointe à une illustration, une gravure, une carte, un plan, afin d'en faciliter l'intelligence : *La légende d'une photographie dans un livre, d'une carte de Paris.*

léger, ère [leʒe, -ɛr] adj. (avant ou après le nom). 1° Dont le poids est peu élevé; dont la densité n'est pas grande : *N'avoir avec soi que des bagages légers* (contr. : LOURD). *Léger comme de la plume* (contr. : PESANT). *Un gaz léger. Une huile légère. Arme légère* (= facilement transportable). — 2° Qui a peu d'épaisseur : *Porter des vêtements légers. Passer une légère couche de vernis* (syn. : MINCE). *Un voile léger. Une neige légère recouvrait le sol* (syn. : FIN; contr. : ÉPAIS). — 3° Qui a peu de force, de violence, de gravité, d'importance : *Un café léger* (contr. : FORT). *Un parfum léger. Une légère tape sur la joue* (contr. : VIOLENT). *Une douleur légère* (contr. : VIF). *Un léger malaise. Une blessure légère* (contr. : GRAVE). *Des blessés légers. On voyait une légère tristesse dans ses yeux. La différence est légère* (syn. : ↑ INFIME, INSENSIBLE). *Une ironie légère* (syn. : DOUX). *Une faute légère* (contr. : GRAVE). *Un léger mouvement de tête* (syn. : PETIT). — 4° Qui donne une impression de vivacité, de délicatesse, de grâce : *Une démarche légère* (syn. : ALERTE, SOUPLE; contr. : LOURD). *Une ballerine légère et souple* (syn. : VIF). *La main légère caressait ses joues. Un rire léger* (contr. : ÉPAIS). *Une voix légère* (= qui peut monter aux aigus). *Se sentir léger après une heure de repos* (syn. : DISPOS). *La taille légère* (syn. : ÉLANCÉ, SVELTE). — 5° Qui a peu de sérieux, de profondeur, de stabilité : *Il a été bien léger de lui confier ce dossier* (syn. : IMPRUDENT). *Une tête légère* (= une tête sans cervelle, un étourdi). *Un caractère léger* (syn. : FRIVOLE). *Porter un jugement léger* (syn. : IRRÉFLÉCHI). *Une femme légère* (syn. : VOLAGE). *Des poésies légères* (= sur des sujets peu importants). *Une conversation légère* (syn. : GRIVOIS). — 6° *Avoir le cœur léger,* être sans souci, sans remords. ‖ *Avoir le sommeil léger,* avoir un sommeil qu'interrompt le moindre bruit. • LOC. ADV. *A la légère,* sans réfléchir : *Parler, agir à la légère* (syn. : INCONSIDÉRÉMENT). *Prendre une décision à la légère. Prendre les choses à la légère* (= avec insouciance). ◆ **légèrement** adv. : *Etre habillé légèrement* (contr. : CHAUDEMENT). *Remuer légèrement la tête* (= un peu). *Manger légèrement* (= sans excès). *Il est légèrement plus gros que son frère. Vous agissez légèrement* (= à la légère). *Parler légèrement de la maladie des autres* (= avec désinvolture). *Etre blessé légèrement* (= sans gravité). ◆ **légèreté** n. f. : *La légèreté d'un ballon. La légèreté d'un repas* (contr. : LOURDEUR). *La légèreté d'une punition* (contr. : GRAVITÉ). *Danser avec légèreté* (syn. : AISANCE, SOUPLESSE). *Faire preuve de légèreté* (syn. : IRRÉFLEXION, FRIVOLITÉ; contr. : SÉRIEUX). *La légèreté de sa conduite. C'est une légèreté indigne de vous* (syn. : SOTTISE). *Légèreté du style* (syn. : FACILITÉ).

légiférer [leʒifere] v. intr. Faire des lois (langue officielle) : *Le Parlement légifère.*

1. légion [leʒjɔ̃] n. f. 1° Unité de gendarmerie commandée par un colonel. — 2° Troupe particulière, composée de volontaires surtout étrangers (*Légion étrangère*). — 3° *Légion d'honneur,* décoration donnée en récompense de services civils et militaires. (Chez les Romains, la *légion* était un corps de troupes.) ◆ **légionnaire** n. m. Militaire de la Légion étrangère.

2. légion [leʒjɔ̃] n. f. Grand nombre d'êtres vivants : *Une légion de cousins, de solliciteurs* (syn. : MULTITUDE).

législateur, trice [leʒislatœr, -tris] n. Personne qui fait les lois, qui les fait voter (langue admin.) : *Les intentions, la volonté du législateur.* ◆ **législatif, ive** adj. 1° Qui fait les lois, qui a la mission de les faire : *Le pouvoir législatif. Une assemblée législative.* — 2° Qui se rapporte à la loi : *Un acte législatif. Les dispositions législatives.* — 3° *Elections législatives,* où l'on procède à l'élection des députés à l'Assemblée nationale. ◆ **législation** n. f. Ensemble des lois concernant tel ou tel domaine : *La législation financière. La législation électorale.* ◆ **législature** n. f. Période pour laquelle est élue une assemblée législative : *Au début de la législature.*

légiste [legist] n. m. Celui qui connaît, qui étudie les lois. ◆ adj. *Médecin légiste,* chargé d'expertises en matière légale.

légitime [leʒitim] adj. (après le nom; plus rarement avant). 1° Se dit de ce qui est conforme au droit, à la justice, à l'équité, à la raison : *Faire valoir ses droits légitimes sur une succession* (syn. : LÉGAL). *Etre en état de légitime défense* (= se défendre en cas d'attaque). *Des revendications légitimes* (syn. : JUSTE; contr. : DÉRAISONNABLE). *Faire droit à des prétentions légitimes* (syn. : FONDÉ). *Rien de plus légitime que cette demande* (syn. : NORMAL, RAISONNABLE). *Faire preuve d'un optimisme légitime. Une sévérité légitime* (syn. : JUSTIFIÉ; contr. : ARBITRAIRE). — 2° Qui est consacré ou admis par la loi : *La femme légitime* (= l'épouse selon la loi). *Union légitime. Enfant légitime* (contr. : NATUREL). ◆ **légitimement** adv. : *Il s'estime légitimement satisfait.* ◆ **légitimer** v. tr. 1° *Légitimer une action,* la justifier, la faire admettre comme excusable, comme juste : *Rien ne légitime son refus de discuter. Tenter de légitimer sa conduite* (syn. : JUSTIFIER). — 2° *Légitimer un enfant,* donner à un enfant naturel, par un acte juridique, les droits d'un enfant légitime. ◆ **légitimation** n. f. Sens 2 de *légitimer : La légitimation d'un enfant.* ◆ **légitimité** n. f. Qualité de ce qui est fondé en justice, en équité : *La légitimité de ses droits* (syn. : BIEN-FONDÉ). — 2° Qualité de ce qui est fondé en droit : *La légitimité du pouvoir établi* (syn. : LÉGALITÉ). ◆ **illégitime** adj. *Une prétention illégitime* (syn. : INJUSTE). ◆ **illégitimement** adv.

legs [lɛg ou lɛ] n. m. 1° Don fait par testament : *Faire un legs à une institution charitable.* — 2° *Le legs du passé,* la tradition, les coutumes. ◆ **légataire** n. Bénéficiaire d'un legs. ◆ **léguer** v. tr. 1° Donner par testament : *Il légua toute sa collec-*

tion de tableaux au Louvre. — 3° Transmettre à ceux qui viennent ensuite : *Le lourd bilan financier légué au gouvernement par le précédent. Traditions de métier qu'on se lègue de père en fils.*

légume [legym] n. m. 1° Plante potagère dont les graines, les feuilles, les tiges ou les racines entrent dans l'alimentation : *Acheter des légumes au marché. Cultiver des légumes dans son jardin. Un plat de viande garni de légumes. Les épinards, les pommes de terre, les tomates sont des légumes.* — 2° Fam. *Une grosse légume,* un personnage important. ◆ **légumineuse** n. f. Plante dont le fruit est une gousse (ex. : la fève, le haricot).

leitmotiv [lɛitmotiv ou lɛtmotiv] n. m. Formule qui revient sans cesse dans un discours, une œuvre littéraire, etc. : *L'éloge du passé et la critique du présent forment le leitmotiv de ses propos.* (Le *leitmotiv* est le motif musical conducteur.)

lendemain [lɑ̃dmɛ̃] n. m. 1° (toujours avec l'art.) Le jour qui suit celui dont on parle, par rapport à un moment passé ou futur (par rapport à un moment présent, on dit *demain*) : *Ce samedi-là, il emmena ses amis dîner au restaurant, et le lendemain il se sentit la tête très lourde. Nous arriverons vendredi à Marseille, et le lendemain samedi nous nous embarquerons pour Alger* (syn. : VINGT-QUATRE HEURES APRÈS). *Le lendemain de son arrivée à Rome, il alla voir le Colisée. Un lendemain de fête est toujours pénible.* — 2° Désigne un temps futur très proche, un avenir plus ou moins immédiat (en ce sens, peut s'employer au plur.) : *Il ne pense jamais au lendemain. Tu n'as pas souci du lendemain* (syn. : AVENIR). *C'est un velléitaire; il prend des décisions sans lendemain* (= sans durée). *Cette affaire a eu de sombres lendemains* (syn. : CONSÉQUENCES). *Au lendemain de l'armistice* (= aussitôt après). — 3° *Du jour au lendemain,* en un espace de temps très court : *Du jour au lendemain, son attitude à mon égard changea complètement* (syn. : SUBITEMENT). *Il change d'opinion du jour au lendemain.*

lénifiant, e [lenifjɑ̃, -ɑ̃t] adj. *Paroles lénifiantes,* qui calment une peine, apaisent la colère, atténuent la rigueur, la dureté.

lent, e [lɑ̃, lɑ̃t] adj. 1° (après le nom) Se dit d'un être animé (ou de son comportement) dont les actions, les mouvements durent un temps plus long qu'il n'est prévu : *Il est lent dans tout ce qu'il fait* (syn. : MOU; contr. : RAPIDE). *Il est lent à se décider* (contr. : PROMPT À). *Il a l'esprit lent* (syn. : PARESSEUX; contr. : VIF). *Marcher d'un pas lent* (contr. : ACCÉLÉRÉ). *Parler d'une voix lente* (contr. : PRÉCIPITÉ). — 2° (avant ou après le nom) Se dit de quelque chose dont l'effet est lent à se manifester ou qui est fait avec beaucoup de temps : *Un poison lent. La lente progression de la maladie. Une mort lente* (contr. : BRUSQUE). [V. RALENTIR.] ◆ **lentement** adv. : *Les journées s'écoulent lentement* (syn. : DOUCEMENT). *Avancer lentement* (syn. : POSÉMENT). ◆ **lenteur** n. f. : *Parler avec lenteur* (contr. : VIVACITÉ). *Une grande lenteur d'esprit* (syn. : APATHIE, PARESSE). *La lenteur de la construction* (syn. : RETARD).

1. lentille [lɑ̃tij] n. f. Plante dont les graines sont utilisées pour l'alimentation; la graine elle-même : *Un plat de lentilles.*

2. lentille [lɑ̃tij] n. f. Disque de verre taillé, servant dans les instruments d'optique pour grossir des images.

lento adv. V. MOUVEMENT, *Mouvements musicaux.*

léonin, e [leɔnɛ̃, -in] adj. *Partage, contrat léonin,* où l'un des participants ou des associés se donne la plus grande part.

léopard [leɔpar] n. m. Panthère tachetée d'Afrique.

lèpre [lɛpr] n. f. 1° Maladie chronique, caractérisée surtout par des pustules et par la formation d'écailles sur la peau. — 2° Taches qui creusent une surface : *La façade des maisons anciennes couverte de lèpre.* ◆ **lépreux, euse** adj. et n. Atteint de la lèpre : *Un hôpital pour lépreux* (ou *léproserie*). ◆ adj. Couvert de taches, de traces de moisissure : *Des murs lépreux. Une maison lépreuse.*

lequel [ləkɛl], **laquelle** [lakɛl], **lesquels, lesquelles** [lekɛl], **duquel** [dykɛl], **desquels, desquelles** [dekɛl], **auquel, auxquels, auxquelles** [okɛl], pron. relatifs et pron. interrogatifs. S'emploient dans un nombre de cas limité, à la place des pronoms *qui, que* et *dont.* (L'emploi comme adj. relatif est restreint à l'expression *auquel cas.*) [V. tableau ci-dessous.]

lequel

RELATIF	INTERROGATIF
1° Dans la langue écrite, pour renvoyer à un antécédent éloigné, lorsqu'il y aurait ambiguïté avec *qui* ou *que* (en particulier, lorsque l'antécédent est suivi d'un complément du nom), ou dans la langue juridique : *C'est la maison d'un ami, laquelle n'est pas neuve.* 2° Lorsque l'antécédent est un inanimé (nom de chose), *lequel* s'emploie obligatoirement avec une préposition autre que *de* : *Cette recherche sur laquelle nous fondons de grands espoirs* (au contraire : *Le garçon sur qui nous fondons de grands espoirs*). *L'énergie avec laquelle il mène toute chose. C'est un point auquel vous n'avez pas pensé.* 3° Lorsque le pronom est complément d'un nom précédé d'une préposition, on emploie *duquel* (*desquels*), au lieu de *dont* : *Le pays à l'avenir duquel je pense. Les gens intelligents, au nombre desquels il se compte.* 4° **Auquel cas,** dans cette circonstance (seul emploi comme adjectif relatif) : *Auquel cas je ne puis rien faire.*	Implique un choix entre des personnes ou des choses exprimées avant ou après, dans une phrase différente ou dans la même phrase sous la forme d'un complément (avec *préférer, aimer mieux* ou des adverbes comme *le plus*) : *Lequel des enfants est le plus vif? Laquelle de ces cravates préférez-vous? J'hésite entre ces tissus; lequel convient le mieux? Vous ne savez pas auquel des employés je dois m'adresser?*

les pron. pers. V. IL; art. défini. V. LE.

lèse-majesté [lɛzmaʒɛste] n. f. *Crime de lèse-majesté,* attentat à la majesté souveraine.

1. léser [leze] v. tr. Faire tort à quelqu'un, à ses intérêts (souvent au passif) : *Le testament lésait gravement la famille du disparu* (syn. : DÉSAVANTAGER). *Etre lésé dans un contrat* (contr. : AVANTAGER). *S'estimer lésé et demander des réparations.*

2. léser [leze] v. tr. Provoquer une blessure grave, une lésion (terme méd.) : *La balle a lésé l'intestin.* ◆ **lésion** n. f. Perturbation, dommage apportés dans un organe, tels que plaie, coup, inflammation, tumeur, dégénérescence, etc. : *Une lésion du cerveau. Lésion du poumon.* ◆ **lésionnel, elle** adj.

lésiner [lezine] v. intr. *Lésiner (sur quelque chose),* ne faire à ce sujet que le minimum de dépenses : *Lésiner sur les repas. Lésiner sur tout* (syn. : ROGNER). *Il ne lésinait pas quand il s'agissait de ses propres distractions.* ◆ **lésinerie** n. f. : *Il est capable des lésineries les plus sordides.*

lessive [lesiv] n. f. 1° Produit commercial pour le nettoyage. — 2° Action de passer le linge dans la lessive (sens 1) : *Faire la lessive* (= laver le linge). *Le jour de la lessive* (syn. : BLANCHISSAGE). — 3° Linge qui doit être lavé ou qui vient d'être lavé : *Porter sa lessive à la laverie. Étendre sa lessive sur un séchoir. Rincer la lessive.* ◆ **lessiver** v. tr. 1° *Lessiver quelque chose,* le nettoyer avec de la lessive : *Lessiver le parquet. Lessiver les murs avant de repeindre.* — 2° Pop. *Lessiver quelqu'un,* l'éliminer d'un poste, le dépouiller complètement de ce qu'il possède : *Se faire lessiver au baccara.* ‖ Pop. *Etre lessivé,* être fatigué, éreinté. ◆ v. intr. Faire la lessive. ◆ **lessivage** n. m. : *Le lessivage du carrelage de la cuisine.* ◆ **lessiveuse** n. f. Récipient spécial où l'on fait bouillir le linge.

lest [lɛst] n. m. 1° Matière pesante dont on charge un navire, un véhicule, pour lui donner de la stabilité, rendre sa conduite plus facile : *Garnir un bateau de lest.* — 2° *Jeter du lest,* faire un sacrifice nécessaire pour rétablir une situation compromise, pallier un échec. ◆ **lester** v. tr. 1° Charger de lest : *Lester un navire.* — 2° Fam. *Lester son estomac,* manger des nourritures lourdes. — 3° Fam. *Lesté d'un aliment,* après l'avoir mangé : *Lesté de son petit déjeuner.* ◆ **délester** v. tr. 1° Enlever le lest : *Délester un bateau.* — 2° Fam. *Se faire délester de son portefeuille,* se faire voler.

leste [lɛst] adj. 1° Se dit de quelqu'un (ou de son comportement) qui est agile, souple dans ses mouvements : *Un vieillard encore leste* (syn. : ALERTE). *Marcher d'un pas leste* (syn. : VIF). *Avoir la main leste* (= être prompt à frapper). — 2° Se dit de paroles ou d'actions qui sont contraires à la pudeur (souvent modifié par un adv.) : *Une plaisanterie un peu leste* (syn. : GRIVOIS, CRU). *Un conte très leste de La Fontaine* (syn. : ↑ LICENCIEUX). ◆ **lestement** adv. : *Sauter lestement dans l'autobus en marche* (= avec agilité). *Mener lestement une affaire* (syn. : RONDEMENT).

let [lɛt] adj. invar. Se dit, au tennis, d'une balle qui touche le filet avant de tomber dans le camp adverse.

léthargie [letarʒi] n. f. Etat général d'affaiblissement extrême d'une personne; diminution considérable de l'activité de quelque chose : *Il est difficile de l'arracher à sa léthargie* (syn. : TORPEUR). *Sortir de sa léthargie* (syn. : ENGOURDISSEMENT). *Artisanat qui tombe en léthargie.* (La *léthargie* est un état pathologique dans lequel les fonctions de la vie sont atténuées et où le sujet est plongé dans un sommeil profond.) ◆ **léthargique** adj. : *Un sommeil léthargique.*

1. lettre [lɛtr] n. f. 1° Chacun des signes graphiques, des caractères imprimés de l'alphabet, servant à transcrire une langue : *Le français a vingt-six lettres. Les « ll », « rr » sont des lettres doubles. Un mot de six lettres. Une lettre minuscule, majuscule.* — 2° *En toutes lettres,* écrit avec des mots (et non en chiffres) : *Mettez la somme en toutes lettres sur le chèque.* ‖ *Dire, écrire en toutes lettres,* sans atténuation, avec netteté, franchise : *Il a écrit en toutes lettres que tu étais un imbécile.* ‖ *Etre écrit en lettres d'or,* être digne d'être rappelé, d'être gardé dans la mémoire. ‖ *Etre écrit en lettres de sang,* être marqué par une série de crimes. — 3° Sens étroit, strict des mots : *S'attacher à la lettre de la loi et non à son esprit.* (V. LITTÉRAL.) — 4° *A la lettre, au pied de la lettre,* au sens exact, propre des termes : *Il a pris mon conseil ironique au pied de la lettre;* ponctuellement, sans rien omettre : *Exécuter à la lettre les ordres reçus.*

2. lettre [lɛtr] n. f. 1° Ecrit adressé à quelqu'un (mis sous enveloppe pour être envoyé par la poste) : *Recevoir une lettre. Le facteur a apporté des lettres; il les a déposées dans la boîte. Garder une copie de la lettre. Décacheter une lettre. Le contenu de la lettre m'a déplu* (syn. : MISSIVE). *Du papier à lettres. Recevoir une lettre de condoléances, de remerciements. Poster, affranchir une lettre. Une lettre recommandée. La distribution des lettres n'aura pas lieu le lundi de Pâques.* — 2° *Rester, devenir lettre morte,* rester sans effet; être une chose dont on ne tient pas compte : *Mes recommandations restèrent lettre morte. Le traité est devenu lettre morte.* ‖ *Passer comme une lettre à la poste,* être admis sans difficulté, sans qu'on y fasse obstacle. ‖ *Lettres de créance,* lettres que remet un diplomate, à son arrivée, au chef du gouvernement auprès duquel il est accrédité. ◆ **pèse-lettre** n. m. Petit appareil pour déterminer le poids d'une lettre : *Des pèse-lettres.* (V. ÉPISTOLAIRE.)

3. lettres [lɛtr] n. f. pl. 1° Ensemble des connaissances et des études littéraires : *Une licence ès lettres. La faculté des lettres. Un élève fort en lettres, mais faible en sciences.* (V. *belles-lettres* à BEAU.) — 2° *Avoir des lettres,* avoir une certaine culture littéraire. ‖ *Homme, femme, gens de lettres,* écrivains, personnes qui font profession d'écrire. ◆ **lettré, e** adj. et n. Qui a de la culture, des lettres : *Un médecin fort lettré* (syn. : CULTIVÉ, ÉRUDIT). ◆ **illettré, e** adj. et n. Qui n'a aucune connaissance intellectuelle, ou qui ne sait ni lire ni écrire : *Des paysans illettrés* (syn. : IGNORANT). *Dans certains Etats, les illettrés n'ont pas le droit de vote* (syn. : ANALPHABÈTE). [V. LITTÉRAIRE.]

leucémie [løsemi] n. f. Maladie caractérisée par l'augmentation anormale des globules blancs dans le sang. ◆ **leucémique** adj. et n. Se dit d'une personne atteinte de leucémie.

leur pron. pers. V. IL; adj. poss. V. MON.

leurrer [lœre] v. tr. Attirer par des espérances trompeuses, par de vaines paroles : *Il leurrait le malheureux par des promesses extraordinaires* (syn. : MYSTIFIER). *On vous leurre, on vous berne, on vous trompe* (syn. : DUPER). ◆ ***se leurrer*** v. pr. Se faire des illusions : *Ne vous leurrez pas : les études sont longues et difficiles* (syn. : S'ILLUSIONNER). ◆ **leurre** n. m. : *Ce beau projet n'est qu'un leurre* (syn. : DUPERIE). *Cet avenir magnifique qu'on lui avait fait miroiter était un leurre* (syn. : MYSTIFICATION, IMPOSTURE). [Le *leurre* est un appât artificiel dans le voc. techn. de la pêche.]

levain [ləvɛ̃] n. m. 1° Substance (levure, pâte fermentée, etc.) propre à produire la fermentation de la pâte à pain : *Du pain sans levain.* — 2° Ce qui suscite un sentiment passionné, violent, une idée mauvaise (littér.) : *Un levain de haine, de jalousie, de rancœur.*

lever [ləve] v. tr. 1° *Lever quelque chose,* le mouvoir de bas en haut : *Lever la glace du compartiment dans un train* (contr. : ABAISSER). *Lever son verre à la santé de quelqu'un* (= porter un toast en son honneur). *Il leva de terre ce poids énorme* (syn. plus usuel : SOULEVER). *Le navire lève l'ancre* (= appareille). — 2° *Lever la main, le poing, la jambe* (une partie du corps), les mettre plus haut qu'ils ne sont habituellement, les faire mouvoir de bas en haut : *Il lève le doigt pour obtenir le silence* (contr. : BAISSER). *Lever le poing pour frapper. Les policiers ordonnèrent aux bandits de lever les mains en l'air. Elle leva le coude pour se protéger la figure. Le chien lève la patte. Lever les épaules* (= les soulever en signe de mépris, d'indifférence; syn. : HAUSSER). ‖ *Lever l'étendard de la révolte,* prendre l'initiative d'une révolte, d'une révolution. ‖ *Lever le pied,* s'enfuir après avoir commis une faute. — 3° *Lever la tête, le visage, le nez, les yeux,* les diriger vers le haut : *Lever le visage vers quelqu'un* (contr. : INCLINER, PENCHER). *Il leva la tête de son livre* (syn. : REDRESSER; contr. : BAISSER). *Elle leva vers lui un regard suppliant.* — 4° *Lever le voile, le masque,* etc., les mouvoir de bas en haut, de manière à découvrir ce qu'ils cachent. ‖ *Lever le masque,* agir ouvertement en dévoilant ses véritables intentions. ‖ *Lever le rideau,* l'écarter du devant de la scène (en le soulevant ou en le tirant sur les côtés) pour commencer la représentation. — 5° Faire disparaître, faire cesser, enlever (dans des expressions figées) : *Lever une interdiction* (= cesser d'interdire). *Ces assurances levèrent ses scrupules* (syn. : ÉCARTER). *Tous les obstacles sont levés* (syn. : SUPPRIMER). *Lever une difficulté. Lever le blocus* (= cesser d'assiéger). *Lever le siège* (= mettre fin au siège). *Lever la séance* (= la clore). *Lever les scellés* (= les retirer). — 6° *Lever un plan,* le dresser. ‖ *Lever un lièvre, une perdrix,* les faire partir de leur gîte (à la chasse). ‖ Pop. *Lever une femme, une fille,* la séduire, en faire la conquête rapide. ‖ *Au pied levé,* sans préparation, à l'improviste. ‖ *Lever les lettres* (en parlant d'un facteur), les retirer de la boîte postale pour les porter à la poste centrale. ‖ *Lever les impôts,* les percevoir. ‖ *Lever une armée,* enrôler des soldats. ◆ v. intr. 1° (sujet nom désignant une plante) Sortir de terre : *Le blé commence à lever.* — 2° Fermenter en gonflant : *La pâte lève.* ◆ **se lever** v. pr. 1° (sujet nom de chose) Etre mû de bas en haut : *Les mains se levèrent. Le rideau s'est levé.* — 2° (sujet nom de personne) Se dresser sur ses pieds, se mettre debout : *Se lever de son fauteuil pour reconduire un visiteur. Se lever sur son séant* (= se redresser). *Se lever de table* (= la quitter à la fin du repas). — 3° Sortir de son lit : *Il se lève tous les matins à six heures. Se lever tôt, tard. C'est l'heure de se lever* (contr. : SE COUCHER). — 4° *Le soleil, la lune se lèvent,* ils apparaissent à l'horizon (contr. : SE COUCHER). — 5° *Le vent se lève,* il commence à souffler (contr. : BAISSER). ◆ **lever** n. m. *Le lever du jour, du soleil,* l'aurore. ‖ *A son lever, au lever, dès son lever,* au moment où une personne sort de son lit. ‖ *Le lever de rideau,* le moment où on lève le rideau, au théâtre, pour que commence la pièce. ‖ *Un lever de rideau,* une petite pièce jouée en prélude. ◆ **levage** n. m. *Appareil de levage,* appareil destiné à soulever, à hisser des fardeaux (grue, élévateur, etc.). ◆ **levant** adj. m. *Au soleil levant,* au moment où le soleil se lève. ◆ **levantin, e** adj. et n. Originaire des pays du Levant, de la Méditerranée orientale. ◆ **levée** n. f. 1° Action d'enlever, d'ôter, de faire cesser (sens 5 du v. tr.) : *La levée des punitions à l'occasion d'une fête. La levée des difficultés. La levée de la séance. La levée du blocus.* — 2° Action de prélever, de recueillir : *La levée des impôts. Les heures des levées sont indiquées sur les boîtes postales.* — 3° *Faire une levée,* ramasser les cartes après avoir gagné un coup. ‖ *Levée en masse,* appel de tous les hommes valides pour défendre un pays. ‖ *La levée du corps,* l'enlèvement du corps de la maison mortuaire. — 4° Remblai retenant les eaux d'un cours d'eau et servant de chaussée : *Les levées des bords de la Loire.* (V. RELEVER.)

levier [ləvje] n. m. 1° Barre rigide pouvant basculer autour d'un point d'appui, d'un pivot, pour soulever un objet pesant, pour commander un mécanisme : *Soulever une pierre avec un levier. Le levier du changement de vitesse dans une voiture.* — 2° Moyen d'action : *L'argent est un puissant levier.*

lèvre [lɛvr] n. f. 1° Chacune des parties charnues de la bouche qui couvrent les dents : *La lèvre supérieure, inférieure. Des lèvres épaisses, fines. Serrer les lèvres pour retenir un cri. Vexé, il pinça les lèvres. Avoir le sourire aux lèvres. Se mettre du rouge aux lèvres. Manger du bout des lèvres* (= sans appétit). *Avoir la cigarette aux lèvres. J'ai le mot sur les lèvres et je ne le trouve pas. Il n'a pas desserré les lèvres de la soirée. Les premiers mots qui lui vinrent aux lèvres furent pour remercier l'assistance. Approuver des lèvres, mais non du cœur. Les auditeurs étaient suspendus aux lèvres de l'orateur.* — 2° *Du bout des lèvres,* sans conviction, avec dédain. ◆ **lèvres** n. f. pl. Bords d'une plaie.

lévrier [levrije] n. m. Chien à longues pattes. ◆ **levrette** n. f. Femelle du lévrier.

levure [ləvyr] n. f. Champignon qui produit la fermentation des solutions sucrées ou qui fait lever la pâte à pain.

lexique [lɛksik] n. m. 1° Ensemble des mots ayant la valeur d'une dénomination et formant la langue d'une communauté, d'une activité humaine, d'un écrivain : *On exclut souvent du lexique les termes grammaticaux comme les prépositions et les conjonctions. Le lexique de Mallarmé. Le lexique de l'aviation, des matières plastiques. Le renouvellement du lexique au XXᵉ siècle a été très rapide.* — 2° Livre comprenant la liste des termes utilisés par un auteur, par une science ou une technique (avec ou sans définition); dictionnaire bilingue réduit à l'essentiel : *Un lexique français-latin.* ◆ **lexical, e, aux** adj. : *Les mots sont les unités lexicales de la langue.* ◆ **lexicographie** n. f. Composition de dictionnaires ou de lexiques. ◆ **lexicographe** n. : *Littré et P. Larousse ont été les principaux lexicographes de la fin du XIXe siècle.* ◆ **lexicologie** n. f. Etude scientifique des ensembles formés par les mots du lexique : *La lexicologie est une science récente, qui vise à comprendre les structures formées par le lexique d'une langue et à étudier les conditions dans lesquelles elles se forment.* ◆ **lexicologue** n.

lézard [lezar] n. m. 1° Petit reptile de 30 centimètres de long environ, vivant près des murs ou dans les bois, et dont la peau, tannée, est utilisée en maroquinerie. — 2° *Faire le lézard,* se chauffer paresseusement au soleil. ◆ **lézarder** v. intr. Faire le lézard.

lézarde [lezard] n. f. Fente ou crevasse irrégulière et étroite, qui se produit dans un mur, un plafond : *Les lézardes d'une vieille maison. Le mur présente d'inquiétantes lézardes.* ◆ **lézarder** v. tr. Produire des lézardes (souvent au passif) : *Les travaux du chantier voisin ont lézardé les murs de l'immeuble. Un plafond lézardé.* ◆ ***se lézarder*** v. pr. Se crevasser : *Le mur s'est lézardé sous l'effet du gel.*

1. liaison n. f. V. LIER 2 et 3.

2. liaison [ljezɔ̃] n. f. 1° Relations établies entre plusieurs personnes, par le moyen des télécommunications : *L'avion reste en liaison avec la tour de contrôle de l'aérodrome. Se tenir en liaison permanente avec l'état-major* (syn. : CONTACT). *Un agent de liaison.* — 2° Communication assurée entre deux villes par le moyen d'avions, de trains, etc. : *Une liaison aérienne entre Paris et Montréal. Une liaison ferroviaire, routière, maritime.*

liane [ljan] n. f. Plante possédant des tiges grimpantes et vivaces.

liard [ljar] n. m. *N'avoir pas un liard* (littér.), être complètement démuni d'argent.

liasse [ljas] n. f. Paquet de papiers, de billets de banque réunis, tenus ensemble : *Sortir une liasse de son portefeuille. Une liasse de feuilles.*

libations [libasjɔ̃] n. f. pl. *Faire de copieuses, de joyeuses libations,* prendre beaucoup de boissons alcoolisées, s'enivrer.

libelle [libɛl] n. m. Petit écrit satirique, violent, injurieux (littér.) : *Des libelles circulaient contre les autorités* (syn. : PAMPHLET, TRACT).

libeller [libɛlle ou libele] v. tr. Exposer par écrit, dans les formes légales ou requises : *Libeller une demande de congé* (syn. : FORMULER). *Libeller un télégramme, une réclamation.* ◆ **libellé** n. m. Termes dans lesquels est rédigé un texte officiel : *Le libellé d'un jugement.*

libellule [libɛllyl ou libelyl] n. f. Insecte au vol rapide, dont les larves sont aquatiques.

1. libéral, e, aux [liberal, -ro] adj. et n. Se dit de quelqu'un (ou de son attitude) qui donne largement, généreusement : *Se montrer libéral envers ses amis* (syn. : LARGE; contr. : AVARE, MESQUIN). *Avoir un geste libéral* (syn. : GÉNÉREUX). ◆ **libéralement** adv. ◆ **libéralité** n. f. 1° Disposition à donner généreusement : *Manifester une grande libéralité* (syn. : GÉNÉROSITÉ, LARGESSE). *Donner avec libéralité* (syn. : ↑ PRODIGALITÉ). — 2° (surtout au plur.) Don fait avec largesse : *Vivre des libéralités de ses parents.*

2. libéral, e, aux [liberal, -ro] adj. et n. 1° Se dit de quelqu'un (de son attitude, de sa pensée, etc.) qui est partisan de la plus grande liberté individuelle possible dans le domaine politique ou économique, qui est hostile à toute intervention de l'Etat : *C'est un libéral en matière d'échanges internationaux. Un régime libéral sur le plan économique* (contr. : DIRIGISTE). — 2° Tolérant à l'égard de toutes les tendances, de toutes les manifestations individuelles : *Il est très libéral et accepte volontiers d'avoir des contradicteurs.* — 3° *Professions libérales,* professions indépendantes, d'ordre intellectuel : *Les médecins, les avocats appartiennent aux professions libérales; ils ne reçoivent pas de salaires ou de traitements, mais des honoraires.* ◆ **libéralement** adv. Avec une grande largeur de vue : *Interpréter libéralement une loi.* ◆ **libéraliser** v. tr. Rendre plus libre, donner à la liberté et à l'initiative individuelles une part plus grande dans l'activité sociale; rendre les interventions de l'Etat moins rigoureuses : *Libéraliser un régime politique, économique.* ◆ **libéralisation** n. f. ◆ **libéralisme** n. m. 1° Doctrine ou attitude des libéraux (en matière politique, économique), par opposition à *socialisme.* — 2° Tolérance à l'égard des opinions, de la conduite d'autrui : *Manifester un grand libéralisme.*

libérer [libere] v. tr. 1° *Libérer un prisonnier,* le mettre en liberté : *Libérer un détenu* (syn. : RELÂCHER, ÉLARGIR). *Le vol a été commis par un condamné récemment libéré.* — 2° *Libérer un pays, un peuple,* etc., le délivrer de la domination ennemie. — 3° *Libérer quelqu'un de quelque chose,* le décharger de quelque obligation, de quelque chose qui est une charge, une peine : *Libérer un ami d'imprudents engagements* (syn. : DÉLIER, DÉGAGER). — 4° *Libérer une chose,* la dégager de ce qui l'entrave, la gêne, l'empêche de fonctionner : *Libérer le passage. Libérer le cran de sûreté d'un fusil. Libérer les échanges économiques.* — 5° *Libérer des soldats* (*une classe, un contingent*), les renvoyer dans leurs foyers. ‖ *Libérer de l'énergie,* en parlant d'un corps, dégager une certaine énergie, notamment dans une réaction chimique. ‖ *Libérer sa conscience, son cœur,* faire une confession qui délivre du remords. ◆ ***se libérer*** v. pr. 1° Se rendre libre d'occupations : *J'essaierai de me libérer cet après-midi pour aller à cette réunion.* — 2° Se libérer de ce qui gêne, de ce à quoi on reste assujetti : *Se libérer d'une dette* (syn. : ACQUITTER). *Se libérer de la tutelle de ses parents* (syn. : S'ÉMANCIPER). ◆ **libération** n. f. : *La libération des prisonniers* (syn. : ÉLARGISSEMENT). *La libération d'un pays* (syn. : DÉLIVRANCE). *La libération de l'homme* (syn. : AFFRANCHISSEMENT; contr. : SERVITUDE, ESCLAVAGE). *La libération du contingent.* ◆ **libérateur, trice** adj. et n. Qui délivre, libère : *Le libérateur de la patrie* (syn. : ↑ SAUVEUR). *Un rire libérateur détendit l'atmosphère.*

libertin, e [libɛrtɛ̃, -in] adj. et n. Qui s'adonne sans retenue aux plaisirs charnels, qui manifeste un dérèglement dans la conduite : *Avoir la réputation d'un libertin* (syn. : DÉBAUCHÉ). *Une gravure libertine.* ◆ **libertinage** n. m. : *Vivre dans le libertinage* (syn. : DÉVERGONDAGE). *La maladie mit un terme à son libertinage* (syn. : DÉBORDEMENTS, INCONDUITE).

libidineux, euse [libidinø, -øz] adj. Qui manifeste des désirs sensuels, de l'impudeur (littér.) : *Un vieillard libidineux* (syn. : SENSUEL). *Des spectacles libidineux* (syn. : LICENCIEUX).

libraire [librɛr] n. m. Commerçant dont la profession est de vendre des livres : *Les ouvrages nouveaux à la devanture d'un libraire. Revendre ses livres chez un libraire d'occasion* (syn. : MARCHAND DE LIVRES). ◆ **librairie** n. f. Commerce du libraire; magasin où l'on vend des livres : *Une librairie spécialisée en ouvrages religieux.*

libre [libr] adj. I. SANS COMPLÉMENT (avant ou après le nom). 1° Qui ne dépend de personne, qui n'est soumis à aucune autorité, à aucune nécessité absolue; qui jouit du pouvoir d'agir à sa guise : *Se sentir, se croire libre. Rester libre* (syn. : INDÉPENDANT). *Etre libre comme l'air* (= complètement indépendant). — 2° (le plus souvent après le nom) Se dit d'une personne, d'un groupe, d'une nation qui ne sont pas soumis à une autorité arbitraire ou dictatoriale, à un pouvoir qu'ils ne contrôlent pas : *Les citoyens libres des nations libres* (contr. : OPPRIMÉ, ESCLAVE). *Les pays libres* (= non soumis à une autorité étrangère ou dictatoriale). — 3° Se dit de quelqu'un qui n'est pas privé de la possibilité d'aller et venir, qui n'est pas emprisonné : *Un prévenu libre* (contr. : DÉTENU). *Etre libre sur parole* (= moyennant certains engagements). — 4° (avant ou après le nom, selon les expressions) Se dit de ce qui n'est pas entravé ou interdit par le pouvoir politique, par une autorité, etc., et dont le fonctionnement, l'usage sans limitation est garanti par les lois, les règlements : *Une presse libre* (contr. : SOUMIS, ↑ ENCHAÎNÉ). *Avoir la libre disposition d'un local. La libre entreprise* (contr. : NATIONALISÉ). *Le commerce est maintenant libre entre certains pays européens. La libre concurrence. Le passage est libre* (syn. : AUTORISÉ). *Les prix de la viande sont libres* (contr. : SURVEILLÉ, ↑ FIXÉ). — 5° Se dit de celui ou de ce qui n'est pas occupé, retenu : *Etes-vous libre? Le taxi est libre. Je tâcherai de me rendre libre lundi. Une chambre libre* (syn. : INOCCUPÉ). *La voie est libre* (contr. : ENCOMBRÉ). *La route est libre* (syn. : DÉGAGÉ). *Il me reste du temps libre* (syn. : DISPONIBLE). *Vous avez une heure libre?* — 6° Qui agit sans retenue, sans contrainte, sans souci des règles : *Etre libre dans ses manières* (contr. : TIMIDE, RÉSERVÉ). *Une improvisation libre* (= faite avec fantaisie). *Etre très libre avec un ami* (= s'exprimer avec une pleine franchise). — 7° Se dit de quelque chose qui n'est pas attaché : *La taille libre* (= non serrée). *Les cheveux libres* (= flottants). — 8° (après le nom) Qui manifeste du détachement à l'égard des convenances : *Des propos très libres* (syn. : ↑ LICENCIEUX; contr. : RÉSERVÉ).
II. SUIVI D'UN COMPLÉMENT. 1° (avec un substantif compl.) Qui ne subit pas la contrainte de quelque chose : *Il est libre de tout préjugé. Je suis libre de tout engagement.* — 2° (avec un infin. compl.) Qui peut, qui a le droit de (faire) : *Je suis libre d'agir comme je l'entends. Libre à vous d'accepter ou de refuser* (= vous pouvez accepter ou refuser).
III. LOCUTIONS. *Avoir, garder son libre arbitre,* garder sa liberté de jugement, la possibilité de décider librement. ‖ *Ecole libre* (par oppos. à *école publique*), celle qui dépend d'organismes ou de sociétés privés. ‖ *Libre penseur,* celui qui manifeste une attitude sceptique à l'égard de toute religion. ‖ *Union libre,* association d'un homme et d'une femme qui vivent comme s'ils étaient mariés (syn. : CONCUBINAGE). ‖ *Avoir le champ libre,* avoir entière liberté d'agir. ‖ *Avoir ses entrées libres au ministère, dans un organisme,* etc., pouvoir y entrer sans difficulté, à volonté, y connaître des personnages influents. ‖ *A l'air libre,* en plein air, à l'air : *Après plusieurs jours passés dans la grotte, ils remontèrent à l'air libre.* ‖ *Donner libre cours à,* laisser échapper, ne plus retenir : *Donner libre cours à sa colère.* ‖ *Avoir les mains libres pour faire quelque chose,* avoir toute liberté de le faire, ne plus dépendre de rien ni de personne pour le faire. ‖ *Roue libre,* où l'engrenage n'est pas enclenché. ◆ **librement** adv. : *Circuler librement* (= sans interdiction légale). *Parler, s'expliquer librement* (= avec franchise). *La discipline librement consentie* (= sans contrainte ni pression). *Traduire très librement* (= sans suivre le texte). ◆ **liberté** n. f. : *Rendre la liberté à un prisonnier* (= le libérer). *Recouvrer la liberté. Laisser trop de liberté à ses enfants* (syn. : INDÉPENDANCE). *Donner à quelqu'un toute liberté d'action* (= toute possibilité d'agir). *La liberté de pensée. S'exprimer avec une grande liberté* (syn. : FRANCHISE). *Une grande liberté de jugement* (= indépendance d'esprit). *Je prends la liberté de vous écrire* (formule épistolaire = je me permets de vous écrire). *Parler en toute liberté* (= sans se contraindre). *La liberté individuelle* (= droit de ne pas être arrêté, sauf dans les cas prévus par la loi). *La liberté économique* (= droit de commercer librement). *La liberté de la presse* (= droit d'exprimer librement son opinion). ◆ **libertés** n. f. pl. 1° Ensemble des droits concernant l'indépendance, l'autonomie : *Les libertés communales.* — 2° *Prendre des libertés avec un texte,* ne pas le citer exactement, l'interpréter plus que le traduire. ‖ *Prendre des libertés avec quelqu'un,* agir avec lui avec trop de familiarité, avec une hardiesse impudente. ◆ **libre-échange** n. f. Commerce libre entre nations, sans protection des droits de douane (contr. : PROTECTIONNISME). ◆ **libre-service** n. m. Service assuré par le client lui-même, dans certains restaurants ou dans des magasins (syn. : SELF-SERVICE).

librettiste [libretist] n. m. Auteur du livret d'une œuvre musicale.

lice [lis] n. f. *Entrer en lice,* s'engager dans une lutte, intervenir dans une discussion.

1. licence [lisɑ̃s] n. f. Grade universitaire, décerné dans les facultés après plusieurs années d'études au-delà du baccalauréat et dont l'obtention est nécessaire pour prétendre à certaines fonctions : *Licence ès lettres, ès sciences. Licence en droit.* ◆ **licencié, e** n. et adj. Qui a obtenu une licence : *Etudiant licencié. Un licencié ès sciences.*

2. licence [lisɑ̃s] n. f. Autorisation donnée par une autorité administrative d'exercer certaines activités économiques, un commerce, un sport : *Une licence de débit de boissons. Licence de transport. Joueur titulaire d'une licence.*

3. licence [lisɑ̃s] n. f. 1° Liberté excessive prise avec les bienséances (littér.) — 2° *Licence poétique, grammaticale,* liberté prise par un écrivain avec les règles de la poésie, de la grammaire.

licencier [lisɑ̃sje] v. tr. Priver des employés, des ouvriers, etc., de leur emploi : *Licencier une partie de son personnel* (syn. : RENVOYER). ◆ **licenciement** n. m. : *Le licenciement d'un employé* (syn. : RENVOI). *Protester contre les licenciements* (contr. : EMBAUCHE).

licencieux, euse [lisɑ̃sjø, -øz] adj. Qui incite au dévergondage, à la débauche; qui vise à exciter la sensualité : *Des gravures licencieuses* (syn. : ↑ OBSCÈNE). *Des écrits licencieux* (syn. : ÉROTIQUE). *Tenir des propos licencieux* (syn. : ÉGRILLARD, GRIVOIS, INDÉCENT).

lichen [likɛn] n. m. Végétal vivant sur le sol, les pierres, les arbres, et formé d'un champignon et d'une algue.

licite [lisit] adj. Permis par la loi : *Des profits licites.* ◆ **illicite** adj. : *Avoir une activité illicite* (syn. : INTERDIT, DÉFENDU). *Vous avez obtenu cet avantage par des moyens illicites* (syn. : COUPABLE).

licorne [likɔrn] n. f. Animal fabuleux à corps de cheval, avec une corne au milieu du front.

licou [liku] ou **licol** [likɔl] n. m. Courroie de cuir que l'on met autour du cou des chevaux, des ânes, des mulets, pour les mener.

liège [ljɛʒ] n. m. Tissu végétal très léger, constituant l'écorce de certains arbres et dont on se sert pour faire des bouchons, des flotteurs, des revêtements intérieurs de casques, des semelles intérieures de chaussures, etc.

1. lier [lje] v. tr. 1° *Lier une personne, une chose,* l'attacher avec quelque chose de souple, de flexible, de manière à tenir serré : *Lier un prisonnier avec une corde* (syn. : LIGOTER). *Lier ses cheveux avec un ruban. Lier des fleurs ensemble pour faire un bouquet. Les mains liées derrière le dos.* — 2° *Lier une sauce,* l'épaissir avec de la farine. — 3° *Avoir les mains liées,* n'avoir plus aucune possibilité d'action, être réduit à l'impuissance. ‖ *Etre livré pieds et poings liés à quelqu'un,* être mis entièrement à sa merci. ‖ *Lier la langue à quelqu'un,* le contraindre au silence. ◆ **lieuse** n. f. Machine agricole servant à lier les gerbes. ◆ **lien** [ljɛ̃] n. m. Bande, courroie, corde, etc., flexible, servant à attacher, à serrer étroitement : *Un lien d'osier. Retenir un jeune arbre à son tuteur par des liens de paille. Briser ses liens* (syn. : CHAÎNE). ◆ **délier** v. tr. 1° Libérer d'un lien matériel; défaire un nœud : *Délier un bouquet pour mettre les fleurs dans un vase* (syn. : DÉNOUER). *Délier un ruban* (syn. : DÉTACHER). — 2° Fam. *Délier la langue à quelqu'un,* l'amener à parler, à révéler ce qu'il sait : *Il avait glissé une pièce dans la main d'un domestique pour lui délier la langue.* ‖ *Sans bourse délier,* sans avoir rien à payer. ◆ ***se délier*** v. pr. : *Le sac s'est délié.*

2. lier [lje] v. tr. 1° *Lier des personnes,* les unir par l'intérêt, par l'amitié, par les sentiments, les goûts, etc. (le plus souvent au passif) : *Ils sont liés d'amitié. Je suis peu lié avec lui* (syn. : FAMILIER). *Un commun mépris des honneurs les avait liés étroitement* (syn. : RAPPROCHER; contr. : ÉLOIGNER). *Lier connaissance avec un étranger* (= commencer à entrer en relation). *Lier conversation* (= engager, entamer la conversation). — 2° *Avoir partie liée avec quelqu'un,* être engagé avec lui dans une affaire commune. ◆ ***se lier*** v. pr. S'unir à une autre personne par un lien affectif : *Se lier d'amitié avec un camarade d'école. Il ne se lie pas facilement.* ◆ **liaison** n. f. 1° Union plus ou moins stable de deux amants : *Dans les premiers temps de leur liaison. Avoir une liaison. Rompre une liaison.* — 2° *En liaison avec quelqu'un,* en accord avec lui : *Travailler en liaison étroite avec ses collaborateurs.* ◆ **lien** n. m. Ce qui unit des personnes : *Les liens du sang, de la parenté. Le lien qui unit les deux époux* (syn. : ATTACHEMENT). *Servir de lien entre deux personnes* (syn. : INTERMÉDIAIRE). ◆ **liant, e** adj. Qui se lie facilement avec les gens : *Il était peu liant et ne parlait pas aux étrangers* (syn. : SOCIABLE).

3. lier [lje] v. tr. 1° Unir des choses par la logique, par le raisonnement, par un rapport quelconque : *Lier ses idées* (syn. : ENCHAÎNER). *Lier une phrase à la précédente par un mot de liaison. Ces deux crimes sont étroitement liés. Ces souvenirs étaient liés à son enfance.* — 2° Imposer une obligation morale, juridique : *Le contrat le lie. Votre parole vous lie.* ◆ ***se lier*** v. pr. *Se lier par un serment, un vœu,* etc., s'imposer une obligation. ◆ **liaison** n. f. 1° Rapport entre deux choses : *Manque de liaison entre les parties du sujet* (syn. : SUITE). *Il n'a pas établi la liaison entre les deux événements* (syn. : CORRESPONDANCE). *Je vois mal la liaison des idées* (syn. : ENCHAÎNEMENT). — 2° Dans la prononciation, jonction entre deux phonèmes consécutifs par le moyen d'un phonème supplémentaire : *Ne pas faire de liaison. Une mauvaise liaison.* ‖ *Mot de liaison,* en grammaire, conjonction ou adverbe indiquant la suite des diverses parties d'un énoncé. ◆ **lien** n. m. Ce qui unit plusieurs choses entre elles : *Il y a un lien logique entre cet événement et la situation actuelle* (syn. : RAPPORT). *Il n'y a pas de lien entre les deux affaires* (syn. : LIAISON). ◆ **délier** v. tr. *Délier quelqu'un d'une obligation,* l'en libérer : *Il se considère comme délié de son serment de fidélité* (syn. : DÉGAGER).

lierre [ljɛr] n. m. Plante grimpante, à feuilles vertes persistantes : *Le lierre s'attache aux murs ou aux arbres par des racines.*

liesse [ljɛs] n. f. (*Etre*) *en liesse,* être en joie : *Une foule en liesse se répandait dans les rues.*

lieu [ljø] n. m. 1° Partie déterminée de l'espace (moins usuel que *endroit,* s'emploie surtout dans la langue écrite, dans la langue administrative et dans des expressions) : *Un lieu charmant. Choisir un lieu pour ses vacances. C'est un lieu dangereux;* suivi de la prép. *de* et d'un compl. sans art. : *Un lieu de séjour. Quel est votre lieu de naissance? Sur le lieu de travail. Un lieu de promenade, de passage* (= où l'on passe souvent). *Un lieu de retraite, de pèlerinage;* suivi de la prép. *de* et d'un compl. du nom, d'un adj. poss., etc. : *Le lieu du crime. Le lieu de la scène est à Séville. Indiquer le lieu de son domicile.* — 2° *Ce n'est pas le lieu de,* ce n'est pas l'endroit convenable de : *Ce n'est ni le temps ni le lieu de discuter : il faut agir.* ‖ *En temps et lieu,* au moment et à l'endroit convenables. ‖ *Lieu public,* endroit où le public peut aller (cinéma, jardin, café). ‖ *Un mauvais lieu,* un lieu de débauche, un café mal famé. ‖ *En lieu et place,* à la place de (langue admin. ‖ *N'avoir ni feu ni lieu,* ne pas avoir de domicile fixe. ‖ *En haut lieu,* près des personnes influentes, près des dirigeants : *Je me plaindrai en haut lieu.* — 3° *Adverbe, préposition, complément de lieu,* en grammaire, termes qui indiquent un lieu relativement à la situation de la communication. ● LOC. VERBALES. *Avoir lieu,* se produire en un endroit et à un moment donnés : *Le bal aura lieu dans la salle des fêtes* (syn. : SE TENIR). *Des manœuvres militaires auront lieu en Champagne* (syn. : SE DÉROULER). ‖ *Avoir lieu de* (suivi d'un infin.), avoir une raison pour : *Je n'ai pas lieu de me louer de son aide* (syn. : AVOIR SUJET). *Il a lieu de se féliciter.* ‖ *Il y a lieu de* (suivi d'un infin.), il convient de (surtout dans des phrases négatives ou hypothétiques) : *Vous appellerez le docteur s'il y a lieu. Il n'y a pas lieu de s'inquiéter outre mesure.* ‖ *Donner lieu à* (suivi d'un nom), fournir le prétexte, l'occasion de : *Son retour donna lieu à des scènes d'enthousiasme* (syn. : OCCASIONNER). *Son attitude donna lieu à quelques remarques amères* (syn. : PROVOQUER). ‖ *Donner lieu de* (suivi d'un infin.), autoriser, permettre (littér.) : *La montée de la fièvre donne lieu de craindre une issue fatale.* ‖ *Tenir lieu de* (suivi d'un nom), remplacer, tenir la place de : *Il lui tient lieu de père* (syn. : SERVIR DE). • LOC. ADV. *En premier, en second lieu,* premièrement (d'abord), deuxièmement (ensuite). ‖ *En dernier lieu,* enfin, finalement. • LOC. PRÉP. *Au lieu de,* à la place de (suivi d'un nom) : *Il a pris le cartable de son frère au lieu du sien. Employer un mot au lieu d'un autre* (syn. : POUR); suivi d'un infin. : *Au lieu de vous lamenter, essayez de réagir.* • LOC. CONJ. *Au lieu que* (suivi du subj. ou de l'indic.), marque une opposition : *Au lieu qu'il reconnaisse ses erreurs, il s'entête à soutenir l'impossible.* ◆ **lieux** n. m. pl. 1° Endroit où l'on est, où l'on habite, maison, appartement (langue officielle) : *Quitter, vider les lieux. Dresser l'état des lieux. Visiter les lieux avant d'emménager.* — 2° *Les Lieux saints,* la Palestine, Jérusalem, où le Christ a vécu. ‖ *Les hauts lieux,* le théâtre de hauts faits : *Le Vercors est un des hauts lieux de la Résistance.* ‖ *Lieux d'aisances,* cabinets, latrines. ‖ *Etre, se rendre sur les lieux,* en parlant de la police, être, aller à l'endroit où un délit, un crime a été commis. ◆ **lieu commun** n. m. Idée, sujet banal que tout le monde utilise : *Un roman qui s'écarte des lieux communs* (syn. : IDÉES TOUTES FAITES). ◆ **lieu-dit** n. m. Lieu qui, à la campagne, porte un nom traditionnel : *Les lieux-dits « la Pierre au Diable » et « les Trois-Epis ».* ◆ **local, e, aux** adj. Relatif à une région précise, à un lieu déterminé : *Les produits locaux. Les questions d'intérêt local. Les libertés locales* (= l'autonomie des communes). *Une notabilité locale* (= de la ville, de la province). *Les collectivités locales* (= les communes). *Le journal local. La couleur locale* (= la reproduction des caractères spécifiques d'une région, d'un pays). *Effectuer une anesthésie locale* (= qui ne touche qu'une partie du corps). ◆ **local** n. m. Partie d'un bâtiment qui a une destination déterminée : *Un local commercial. Des locaux à usage d'habitation. Détruire des locaux insalubres* (syn. : LOGEMENT). ◆ **localement** adv. : *Demain, le ciel sera localement nuageux* (= par endroits dans le pays). ◆ **localiser** v. tr. 1° Déterminer l'emplacement, l'origine, la cause : *Localiser exactement le siège d'une lésion cérébrale. Localiser une maladie.* — 2° Arrêter l'extension de quelque chose à des limites précises : *Localiser un incendie* (syn. : CIRCONSCRIRE). *Des conflits localisés* (=limités à une région). ◆ ***se localiser*** v. pr. Se fixer en un lieu : *L'épidémie se localise dans une ville.* ◆ **localisation** n. f. ◆ **localité** n. f. Petite ville : *L'autocar dessert toutes les localités entre Tours et Vendôme* (syn. : AGGLOMÉRATION).

lieue [ljø] n. f. Unité utilisée anciennement pour la mesure des distances, et valant environ 4 kilomètres.

lieutenant [ljøtnɑ̃] n. m., **lieutenant-colonel** n. m., **sous-lieutenant** n. m .V. GRADE.

lièvre [ljɛvr] n. m. 1° Petit mammifère rongeur, à longues pattes postérieures : *La femelle du lièvre est la hase. Lever un lièvre. Le lièvre déboule vers son gîte.* — 2° Chair de cet animal : *Un civet de lièvre.* — 3° *Courir comme un lièvre,* très vite. ‖ *Soulever, lever un lièvre,* soulever une question embarrassante, mais importante. ‖ *Courir deux lièvres à la fois,* poursuivre plusieurs buts différents en même temps. — 4° Coureur chargé d'entraîner un champion dans une tentative de record.

ligament [ligamɑ̃] n. m. Terme d'anatomie désignant un tissu conjonctif qui retient les os au niveau des articulations.

ligature [ligatyr] n. f. 1° Opération consistant à serrer avec une bande, avec un lien, afin de comprimer : *Faire une ligature à la jambe d'un blessé pour empêcher l'hémorragie. Fixer par une ligature un arbrisseau à un tuteur.* — 2° Trait qui, dans l'écriture, réunit deux lettres. ◆ **ligaturer** v. tr. : *Ligaturer une artère.*

lige [liʒ] adj. *Homme lige,* qui obéit sans condition à un autre, à un parti, à un gouvernement (syn. plus usuel : INCONDITIONNEL).

ligne [liɲ] n. f. 1° Trait long, fin et continu : *Tracer, tirer une ligne. Une ligne verticale, oblique. Une ligne courbe. A l'intersection de deux lignes. Une ligne pointillée. Lire dans les lignes de la main* (= interpréter les rides sillonnant la paume de la main). — 2° Ce qui forme une séparation, une limite entre deux choses : *Cette rivière indique la ligne de démarcation entre les deux pays* (syn. : FRONTIÈRE). *Le navire a franchi la ligne* (= l'équateur). — 3° Ensemble de fortifications protégeant la frontière; retranchement : *La ligne Maginot. Forcer les lignes adverses. Monter en ligne* (= aller à l'assaut). *En première ligne* (= au plus près du combat). — 4° Forme, dessin, contour d'un objet, d'un corps, d'une représentation picturale, etc. : *Les montagnes forment à l'horizon une ligne continue. La ligne du nez* (syn. : PROFIL). *La ligne d'une voiture. Quelle est la ligne cette année dans la mode?* (= la forme générale). ‖ *Avoir de la ligne,* se dit de quelqu'un qui a un corps svelte, des formes élégantes et minces. ‖ *Perdre la ligne,* engraisser, prendre de l'embonpoint. — 5° Direction déterminée : *Cela fait vingt kilomètres en ligne droite. Avoir une ligne générale de conduite* (syn. : RÈGLE). *S'écarter de sa ligne* (syn. : VOIE). *Etre dans la ligne* (= être dans la stricte orthodoxie). *La ligne de tir d'une arme à feu.* — 6° Installation servant à la communication, à la transmission, au transport d'énergie : *Une ligne téléphonique, télégraphique. Une ligne à haute tension. Une ligne de chemin de fer. La ligne aérienne Paris-Tokyo. Une tête de ligne* (= gare de départ). *Les lignes de banlieue. Une ligne d'autobus, de métro. Un avion de ligne* (= qui assure le service entre deux points). *Un pilote de ligne* (= qui assure la conduite d'un avion de transport). — 7° Fil servant à la pêche : *La pêche à la ligne. Lancer la ligne.* — 8° Suite continue de personnes ou de choses : *Une ligne d'arbres le long de la route* (syn. : ALIGNEMENT). *Soldats rangés sur deux lignes.* — 9° Suite de caractères imprimés ou manuscrits : *Intervalle entre deux lignes* (= interligne). *Ecrire quelques lignes. Mettre la dernière ligne à un article* (= terminer). *Lire de la première à la dernière ligne* (= entièrement). *Lire entre les lignes* (= deviner ce qui est sous-entendu). *L'élève a fait cent lignes* (= copié cent lignes comme punition). *Un journaliste qui tire à la ligne* (= qui allonge son article payé à la ligne). — 10° *Ligne d'avants, d'arrières, de demis,* ensemble formé par les joueurs occupant des positions parallèles (au football, au rugby, etc.). — 11° Ensemble des ascendants ou des descendants d'une famille : *Descendre en ligne directe, en droite ligne d'une noble famille bretonne. La ligne collatérale* (= descendance par le frère ou la sœur). — 12° *Entrer en ligne de compte,* avoir de l'importance : *Vos désirs personnels ne doivent pas entrer en ligne de compte lorsqu'il s'agit d'intérêts collectifs.* ‖ *Faire entrer en ligne de compte,* prendre en considération. ‖ *Bâtiment de ligne,* grand navire de guerre formant l'élément principal d'une escadre. ‖ *Mettre en ligne,* présenter pour affronter l'adversaire : *Mettre en ligne tous les meilleurs joueurs pour essayer de vaincre l'équipe adverse.* ‖ *Sur la même ligne,* de même force. ‖ *Hors ligne,* d'une valeur supérieure. ‖ *Etre en ligne,* se dit de troupes qui sont sur la ligne de combat; se dit aussi, en sports, d'équipes prêtes à affronter une épreuve. ‖ *Etre battu sur toute la ligne,* complètement. ◆ **interligne** n. m. Espace entre deux lignes d'écriture ou d'impression : *Les interlignes sont trop petits : la lecture est difficile.*

lignée [liɲe] n. f. Ensemble des descendants : *N'avoir qu'un fils pour toute lignée* (syn. : POSTÉRITÉ). *Il était le dernier d'une lignée de paysans* (syn. : RACE).

ligneux, euse [liɲø, -øz] adj. Qui est de la nature du bois, qui lui appartient (terme technique) : *Tige, fibre ligneuse.*

lignite [liɲit] n. m. Roche combustible proche du charbon.

ligoter [ligɔte] v. tr. 1° Attacher solidement avec un lien : *Ligoter un prisonnier* (syn. : LIER). — 2° Priver de la liberté d'agir : *Se laisser ligoter par les préjugés.*

ligue [lig] n. f. Nom donné à des associations, des groupements dont les buts sont moraux, politiques, sportifs, etc. : *La Ligue française de l'enseignement. Ligue contre l'alcoolisme.* ◆ **liguer** v. tr. Unir dans une même coalition, dans une même alliance : *Liguer tous les mécontents* (syn. : COALISER). ◆ ***se liguer*** v. pr. : *Ils se liguèrent pour le contraindre à avouer.* ◆ **ligueur, euse** n. Membre d'une ligue politique.

lilas [lila] n. m. Arbuste cultivé pour ses grappes de fleurs mauves ou blanches, odorantes; les fleurs elles-mêmes. ◆ adj. invar. De couleur violette tirant sur le rose : *Une robe lilas* (syn. : MAUVE).

lilliputien, enne [lilipysjɛ̃, -ɛn] adj. *Taille lilliputienne,* toute petite taille.

limace [limas] n. f. Petit mollusque sans coquille apparente, qui, en mangeant les feuilles, cause de grands dégâts dans les jardins.

limaçon [limasɔ̃] n. m. Syn. de ESCARGOT.

limande [limɑ̃d] n. f. Poisson plat, comestible, de la Manche et de l'Atlantique.

limbes [lɛ̃b] n. m. pl. (sujet nom de chose). *Etre dans les limbes,* être vague, incertain, n'avoir pas pris corps : *Ces projets de réforme sont encore dans les limbes.* (Les *limbes* sont, dans la religion chrétienne, le séjour des âmes des enfants morts sans baptême.)

lime [lim] n. f. Outil d'acier trempé, dont la surface est entaillée de dents, et qui sert à détacher par frottement des parcelles de matières (bois, métaux, etc.) : *Lime plate. La lime mord dans le bois. Une lime à ongles.* ◆ **limer** v. tr. Polir, user avec une lime : *Limer ses ongles. Limer un barreau.* ◆ **limaille** n. f. Parcelles de métal détachées par le frottement de la lime : *Limaille de fer.*

limier [limje] n. m. 1° Grand chien de chasse à courre. — 2° Fam. *Un fin limier,* un policier sagace.

liminaire [liminɛr] adj. Qui se trouve au début d'un livre, d'un discours, d'un débat : *Le président lut une déclaration liminaire.*

limite [limit] n. f. 1° Ligne séparant deux pays, deux territoires, etc. : *Le Rhin marque la limite entre les deux pays* (syn. : FRONTIÈRE). *Les limites d'une zone d'influence. Les limites d'une propriété* (syn. : BORNES). *Marquer, fixer les limites d'un champ.* — 2° Ce qui marque la fin d'une étendue, d'une période; partie extrême : *Les armées installées aux limites de l'Empire romain. Un horizon sans limite. Dans les limites du temps qui m'est imparti, j'exposerai cette question* (syn. : CADRE). *La dernière limite pour les inscriptions est fixée au 15 mai* (syn. : TERME; contr. : COMMENCEMENT, DÉBUT). *Fonctionnaire qui est atteint par la limite d'âge.* — 3° Borne, point au-delà desquels on ne peut aller dans son action, dans son influence, etc. : *Ce film a dépassé la limite de l'horreur* (syn. : COMBLE). *Ma patience a des limites. Il a en vous une confiance sans limites. Il connaît ses limites* (= ses possibilités intellectuelles). *Un pouvoir sans limites* (syn. : FREIN, RESTRICTION). ◆ adj. Que l'on ne peut dépasser : *Des prix limites* (syn. : PLAFOND). *C'est le cas limite* (syn. : EXTRÊME). *La vitesse limite des véhicules.* ◆ **limiter** v. tr. *Limiter quelqu'un, quelque chose,* l'enfermer, le restreindre dans certaines limites : *Limiter la durée de parole des orateurs. Les montagnes limitent l'horizon* (syn. : BORNER). *Il faut vous limiter dans vos recherches. Limiter les dégâts* (syn. : CIRCONSCRIRE). *Limitez vos dépenses.* ◆ ***se limiter*** v. pr. S'imposer des limites : *Savoir se limiter dans son activité. Je vais me limiter à exposer l'essentiel.* ◆ **limité, e** adj. Qui ne doit durer qu'un certain temps; qui est restreint à un certain domaine : *Une mesure de durée limitée. Cette politique a des objectifs limités* (contr. : VASTE, IMMENSE). *Un décret de portée limitée. Le tirage limité d'un livre. J'ai une confiance très limitée en lui* (syn. : RÉDUIT; contr. : ABSOLU, TOTAL). ◆ **limitatif, ive** adj. Qui précise, fixe les limites : *Les dispositions limitatives de la loi.* ◆ **limitation** n. f. Action de limiter : *La limitation des importations. La limitation des prix* (syn. : FIXATION). *La limitation des naissances* (syn. : CONTRÔLE). *Sans limitation de temps, de durée* (syn. : RESTRICTION). ◆ **limitrophe** [limitrɔf] adj. Qui est immédiatement voisin d'un pays, d'une région, etc. : *Les villes limitrophes de la frontière* (syn. : PROCHE). ◆ **délimiter** v. tr. *Délimiter quelque chose,* en déterminer les limites : *Délimiter l'emplacement d'un camp. Le conférencier commença par délimiter son sujet* (syn. : CIRCONSCRIRE). *Ses attributions ne sont pas nettement délimitées* (syn. : DÉFINIR, FIXER). ◆ **délimitation** n. f. : *La commission chargée de la délimitation de la frontière* (syn. : FIXATION, TRACÉ). ◆ **illimité, e** adj. Sans limites : *Il a une confiance illimitée en sa femme* (syn. : ABSOLUE). *Il a pris un congé d'une durée illimitée* (syn. : INDÉTERMINÉ). *Pays qui dispose de ressources illimitées* (syn. : INFINI, IMMENSE).

limoger [limɔʒe] v. tr. Fam. *Limoger un officier, un haut fonctionnaire,* le priver de son emploi, par révocation, mise à la retraite, déplacement, etc. : *Limoger un préfet* (syn. : DESTITUER). *Limoger un général.* ◆ **limogeage** n. m.

limon [limɔ̃] n. m. Terre fine et légère, déposée par les fleuves sur les rives. ◆ **limoneux, euse** adj. : *Eau limoneuse* (= qui contient du limon).

limonade [limɔnad] n. f. Boisson composée de citron, de sucre et d'eau. ◆ **limonadier** n. m. Commerçant vendant des boissons au détail, consommées sur place.

limpide [lɛ̃pid] adj. 1° Se dit de ce qui est d'une parfaite transparence, de ce qui n'est troublé par rien : *Une eau limpide* (syn. : ↓ CLAIR ; contr. : TROUBLE). *Le ciel est limpide* (= sans nuages). *L'air limpide. Un regard limpide* (syn. : PUR). *Une âme limpide.* — 2° Très facile à comprendre : *Une explication limpide* (syn. : ↓ CLAIR). ◆ **limpidité** n. f. : *La limpidité d'une source, d'un ciel sans nuages, d'un regard. La limpidité d'une démonstration* (syn. : ↓ CLARTÉ ; contr. : OBSCURITÉ).

lin [lɛ̃] n. m. Plante cultivée pour ses fibres textiles et pour ses graines, utilisées pour faire de l'huile.

linceul [lɛ̃sœl] n. m. Toile dans laquelle on ensevelit les morts : *Envelopper un cadavre dans un linceul.*

linéaire [lineɛr] adj. Qui a rapport aux lignes droites, à une suite continue d'éléments disposés sur une même ligne, se déroulant selon une ligne.

linge [lɛ̃ʒ] n. m. 1° Etoffe, tissu de coton, de lin, de Nylon, etc., servant aux divers usages du ménage (la toilette, l'hygiène, le service de table, le lit, etc.) : *Du linge de toilette* (= des serviettes). *Laver, faire sécher, étendre du linge. Un paquet de linge sale. Le gros linge* (= les draps). — 2° Vêtements de dessous (caleçon, slip, maillot de corps, etc.) et certaines pièces d'habillement (mouchoir, chaussettes, pyjama, chemise) : *Changer de linge. Mettre du linge propre.* — 3° (avec l'art. indéf.) Pièce d'étoffe, de tissu : *Frotter avec un linge* (syn. : CHIFFON). *Mettre un linge mouillé sur le front brûlant* (syn. : COMPRESSE). — 4° *Blanc comme un linge,* blême. ◆ **lingère** n. f. Personne chargée de l'entretien et de la distribution du linge dans une communauté, un internat. ◆ **lingerie** n. f. 1° Linge de corps, ensemble des pièces composant les sous-vêtements d'une personne : *De la lingerie fine. Magasin de lingerie.* — 2° Local où on range et où on entretient le linge dans une communauté, un internat.

lingot [lɛ̃go] n. m. Morceau de métal précieux solidifié après fusion et conservant la forme du moule : *Des lingots d'or, d'argent.*

linguistique [lɛ̃gɥistik] n. f. Etude scientifique du langage humain : *La linguistique décrit les langues du monde, leur histoire et leur fonctionnement, et étudie le langage comme activité humaine.* ◆ **linguistique** adj. : *Bulletin de la Société linguistique de Paris.* ◆ **linguiste** n.

linoléum [linɔleɔm], ou fam. **lino** n. m. Revêtement fait d'une toile de jute recouverte d'un enduit imperméable.

linotte [linɔt] n. f. 1° Petit oiseau brun et rouge, au chant agréable. — 2° *Tête de linotte,* personne très étourdie, incapable de concentration.

linteau [lɛ̃to] n. m. Pièce horizontale en pierre, en bois, en métal, qui soutient la maçonnerie au-dessus d'une porte.

lion, onne [ljɔ̃, -ɔn] n. 1° Grand mammifère carnivore d'Afrique et d'Asie, au pelage fauve : *Les rugissements d'un lion.* — 2° *C'est un lion,* c'est un homme courageux. ‖ *La part du lion,* la plus grosse part, que l'on s'adjuge parce qu'on est le plus fort. ◆ **lionceau** n. m. Petit du lion.

lippe [lip] n. f. Fam. *Faire la lippe,* faire la moue en avançant la lèvre inférieure. ◆ **lippu, e** adj. *Bouche lippue,* à grosses lèvres.

liqueur [likœr] n. f. Boisson à base d'eau-de-vie ou d'alcool, sucrée et aromatisée : *Boire un petit verre de liqueur après le repas.*

1. liquide [likid] adj. Se dit d'un corps qui coule ou qui tend à couler : *Le sang est liquide. Un gaz qui passe à l'état liquide* (contr. : GAZEUX ou SOLIDE). *Cette sauce est trop liquide* (syn. : FLUIDE). *Des aliments liquides* (= des bouillons). ◆ **liquide** n. m. Corps qui se présente à l'état liquide : *Plonger dans un liquide. Un liquide incolore. Liquide qui bout.* ◆ **liquéfier** v. tr. Transformer en liquide : *Liquéfier un gaz.* ◆ **se liquéfier** v. pr. Devenir liquide : *Le goudron, sous l'action de la chaleur, se liquéfie.* ◆ **liquéfaction** n. f.

2. liquide [likid] adj. Se dit de sommes d'argent immédiatement disponibles : *Avoir un peu d'argent liquide pour régler des frais inattendus.* ◆ **liquidités** n. f. pl. Sommes disponibles pour faire face à des créances (terme de droit).

liquider [likide] v. tr. 1° Mener à sa fin, donner une solution à quelque chose : *Liquider une affaire* (syn. : RÉGLER). *Je liquide rapidement ce travail et je suis à vous* (syn. : ACHEVER). *C'est liquidé, on ne peut plus revenir en arrière* (syn. : TERMINER). — 2° *Liquider ses dettes,* les payer. ‖ *Liquider des actions, des biens, des terres,* les vendre. — 3° Vendre au rabais des marchandises : *Le commerçant liquide son stock.* — 4° Fam. *Liquider quelqu'un,* s'en débarrasser en le tuant : *Ils ont liquidé un complice* (syn. : SE DÉBARRASSER) ; ou en le renvoyant : *Il liquide rapidement ses derniers visiteurs avant de sortir.* ◆ **liquidation** n. f. : *La liquidation d'une succession, d'un compte* (syn. : RÈGLEMENT). *La liquidation d'une propriété* (syn. : VENTE). *La liquidation de marchandises en solde* (syn. : RÉALISATION). *La liquidation d'un témoin gênant* (fam. ; syn. : MEURTRE).

lire [lir] v. tr. et intr. (conj. 73). 1° Parcourir des yeux ce qui est écrit ou imprimé, en prenant connaissance du contenu : *Lire une lettre, un roman, le journal. Lire ses notes avant d'aller au cours. Lire Homère dans le texte* (= en grec). *Il lit couramment le russe. Tu te fatigues à lire avec cette lampe insuffisante.* — 2° Prononcer à haute voix un texte écrit : *Lire un discours à la tribune de l'Assemblée* (syn. : PRONONCER). *Le tribunal lit le jugement. Lire une histoire à ses enfants.* — 3° Identifier les lettres et les assembler pour comprendre le lien qui existe entre ce qui est écrit et la parole : *Un enfant qui apprend à lire. Lire les caractères chinois. Lire une écriture difficile* (syn. : DÉCHIFFRER). — 4° Pénétrer le sens de, grâce à des signes que l'on interprète : *Lire une carte. Lire dans les lignes de la main. Lire l'avenir dans le marc de café* (syn. : DÉCOUVRIR). *J'ai lu dans ses yeux une sorte de* *regret* (syn. : DISCERNER). *Il a lu dans ton jeu* (= il a vu tes intentions). ◆ **lecteur, trice** [lɛktœr, -tris] n. 1° Personne qui lit un ouvrage imprimé (sens 1 et 2) : *Un grand lecteur de romans* (syn. : LISEUR). *Le nombre de lecteurs du journal a augmenté. Le courrier des lectrices d'un hebdomadaire féminin.* — 2° Professeur étranger adjoint à un professeur de langues vivantes, dans un lycée ou dans une université. ◆ **lecteur** n. m. Appareil servant à reproduire les sons enregistrés par un magnétophone. ◆ **lecture** n. f. 1° Action de lire; ce qu'on lit : *La lecture est un divertissement. La lecture du journal, d'une carte. Faire de mauvaises lectures.* — 2° Art de lire : *Enseigner la lecture à de jeunes enfants. Un livre de lecture* (= où l'on apprend à lire). — 3° Action de délibérer sur une loi, dans une assemblée législative : *Le texte du gouvernement est venu en première lecture au Sénat.* ◆ **liseur, euse** n. *Un grand liseur,* celui qui lit beaucoup : *Un grand liseur de romans policiers.* ◆ **liseuse** n. f. Couvre-livre mobile. ◆ **lisible** adj. 1° Facile à lire, à déchiffrer : *Une écriture à peine lisible. Les caractères de l'impression sont particulièrement lisibles.* — 2° Qui mérite d'être lu : *Un roman qui n'est pas lisible.* ◆ **lisiblement** adv. : *Ecrire lisiblement.* ◆ **lisibilité** n. f. ◆ **illisible** adj. Qu'on ne peut lire : *Il a une écriture illisible* (syn. : INDÉCHIFFRABLE). *Sa signature est illisible. Il écrit des romans illisibles, dont le caractère abstrait rebute le lecteur* (syn. : INSUPPORTABLE). ◆ **relire** v. tr. et intr. Lire de nouveau, afin de vérifier l'exactitude, de contrôler la connaissance qu'on a prise du texte : *Relire un manuscrit en corrigeant les fautes. Relire un passage difficile.* ◆ ***se relire*** v. pr. Lire ce qu'on a écrit, afin d'en vérifier la correction, l'exactitude. ◆ **relecture** n. f.

lis ou **lys** [lis] n. m. Plante à fleurs blanches et odorantes : *Le lis est le symbole de la pureté. La fleur de lis était l'emblème de la royauté en France.*

liséré [lizre] n. m. Ruban étroit dont on borde un vêtement ou une étoffe.

liseron [lizrɔ̃] n. m. Plante vivace à fleurs blanches, à corolle en entonnoir.

1. lisière [lizjɛr] n. f. Partie, bord extrême d'un terrain : *A la lisière d'un bois* (syn. : LIMITE).

2. lisières [lizjɛr] n. f. pl. *Tenir en lisières,* mener avec rigueur.

lisse [lis] adj. Dont la surface est égale, douce au toucher : *La peau lisse des joues d'un enfant* (contr. : RIDÉ). *Un rocher lisse* (contr. : RUGUEUX). *Avoir le visage lisse après s'être rasé* (contr. : BARBU). *La surface lisse du lac* (syn. : UNI). ◆ **lisser** v. tr. Rendre lisse : *Lisser sa moustache. L'oiseau lisse ses plumes. Cheveux bien lissés.* ◆ **lissage** n. m.

liste [list] n. f. 1° Suite de noms, de signes numériques, etc., inscrits à la suite les uns des autres : *Une liste des abréviations se trouve en tête du livre* (syn. : TABLEAU). *Faire la liste des absents. La liste des livres nouvellement entrés à la bibliothèque. Son nom n'est pas dans, sur la liste. Etre inscrit sur la liste électorale* (= des électeurs). *La liste des candidats aux élections législatives. Scrutin de liste* (= où l'on vote pour plusieurs candidats de même tendance, groupés sur la même liste). *La liste noire* (= qui contient des gens suspects, objet d'une étroite surveillance). — 2° Enumération importante : *La liste des revendications.* ◆ **lister** v. tr. Mettre en liste, sur une liste. ◆ **colistier** n. m. Candidat qui est sur la même liste qu'un autre à des élections.

1. lit [li] n. m. 1° Meuble sur lequel on se couche pour dormir; ensemble des objets qui le composent : *Un lit pour une, pour deux personnes. Un lit mou, dur. Un lit de repos* (= où l'on s'allonge pour se reposer). *Aller au lit, se mettre au lit* (= se coucher). *Etre au lit* (= être couché). *Se glisser dans le lit. Rester au lit. Sauter, sortir du lit. Au saut du lit* (= dès le lever). *La sonnerie du réveil l'arracha de son lit. Faire son lit* (= le disposer de manière à pouvoir se coucher). *Le malade doit garder le lit une semaine. Cloué au lit par les rhumatismes. Mourir dans son lit* (= de mort naturelle). *Sur son lit de mort* (= sur le point de mourir). *Faire lit à part* (= en parlant de deux époux, avoir chacun son lit). *Les enfants du premier lit* (= du premier mariage). — 2° Tout ce qui, sur le sol, peut être utilisé pour se coucher, ce qui a la mollesse d'un lit : *Un lit de feuillage* (syn. : TAPIS). *Un lit de mousse.* — 3° Tout ce qui a la forme d'une couche étendue sur une autre : *Un lit de sable. Un lit de cendres.* ◆ **literie** n. f. Ensemble des objets servant à confectionner un lit : *La literie des chambres de l'hôtel.*

2. lit [li] n. m. Chenal creusé par un cours d'eau et par où il s'écoule : *Le lit ensablé de la Loire. La crue a détourné le torrent de son lit.*

litanies [litani] n. f. pl. Longue suite de prières, faites de formules brèves récitées sur le même ton et constituées de phrases de structure analogue : *Les litanies de la Vierge, des saints.* ◆ **litanie** n. f. *Fam.* Répétition ennuyeuse et longue (de reproches, de plaintes, etc.) : *Une litanie d'injures.*

lithographie [litɔgrafi] n. f. Reproduction par l'impression des dessins tracés au moyen d'une encre spéciale sur une pierre calcaire. ◆ **lithographique** adj. ◆ **lithographier** v. tr.

litière [litjɛr] n. f. 1° Paille, fourrage, etc., qu'on répand sur le sol d'une étable ou d'une écurie et sur quoi les animaux se couchent. — 2° *Faire litière d'une chose,* ne pas s'en soucier, la négliger (littér.).

litige [litiʒ] n. m. Contestation entre deux parties : *Le Conseil de sécurité de l'O.N.U. fut appelé à régler le litige entre les deux nations* (syn. : ↑ CONFLIT). *La solution du litige est en vue* (syn. : DIFFÉREND). *Quels sont les points en litige?* (syn. : DISCUSSION, CAUSE). ◆ **litigieux, euse** adj. Qui est ou peut être l'objet d'un litige : *Arbitrer une affaire litigieuse. Les points litigieux* (syn. : CONTESTÉ).

litote [litɔt] n. f. Emploi d'une expression, d'un terme qui atténuent la pensée et suggèrent beaucoup plus qu'on ne dit. (Ex. : *ce n'est pas très bon,* pour *c'est mauvais; il ne m'est pas antipathique,* pour *il m'est très sympathique.*)

litre [litr] n. m. 1° Unité de mesure de capacité pour les liquides et les matières sèches : *Demander un litre de lait, d'alcool.* — 2° Bouteille contenant cette quantité de liquide : *Mettre dans son sac deux litres de vin. Déboucher un litre.* — 3° Contenu de ce récipient : *Boire un litre de bière.*

littéraire adj. V. LITTÉRATURE.

littéral, e, aux [literal, -ro] adj. Qui est pris rigoureusement à la lettre; qui s'en tient à la lettre :

Au sens littéral du mot (syn. : PROPRE). *Une traduction littérale* (= mot à mot). *La copie littérale d'un texte* (= exactement conforme à l'original). ◆ **littéralement** adv. *Fam.* Absolument : *Il était littéralement hors de lui.*

littérature [literatyr] n. f. 1° Ensemble des œuvres orales ou écrites qui dépassent dans leur objet la simple communication et visent à une valeur esthétique, morale ou philosophique : *La littérature contemporaine. Les grandes œuvres de la littérature classique. La littérature engagée.* — 2° Métier, travail de l'écrivain : *Faire de la littérature. Considérer la littérature comme une distraction.* — 3° Bibliographie d'une question : *Faire le recensement de toute la littérature existant sur le problème de l'aphasie.* ◆ **littéraire** adj. 1° Relatif à la littérature, à l'écrivain : *La comédie est un genre littéraire. Faire une explication littéraire en classe* (= sur un texte tiré de la littérature). *La vie littéraire, artistique. Les milieux littéraires* (= ceux que fréquentent des écrivains). *Une école littéraire. L'histoire littéraire* (= qui traite des œuvres de la littérature). *Une langue littéraire* (= réservée aux œuvres de la langue écrite). *Une revue littéraire* (= où l'on édite, commente les œuvres des écrivains). *Avoir un réel talent littéraire* (= d'écrivain). *Un personnage littéraire.* — 2° Qui a les qualités esthétiques reconnues à une œuvre de la littérature : *La valeur littéraire d'un ouvrage.* ◆ adj. et n. Qui se consacre aux lettres, à la philosophie, à l'histoire, à la littérature (par oppos. à *scientifique*). ◆ **littérairement** adv. ◆ **littérateur** n. m. Ecrivain de métier (souvent péjor.).

littoral, e, aux [litɔral, -ro] adj. Qui appartient au bord de la mer (terme de géographie) : *Les dunes littorales. La faune littorale.* ◆ **littoral** n. m. Etendue de pays qui borde la mer : *Le littoral de l'Atlantique, de la Manche. Le littoral breton* (syn. : CÔTE). *Un littoral sablonneux* (syn. : RIVAGE).

liturgie [lityrʒi] n. f. Ordre des cérémonies et des prières déterminé par l'autorité religieuse : *La liturgie catholique.* ◆ **liturgique** adj. : *Des chants liturgiques* (= conforme à la liturgie).

livide [livid] adj. Qui est extrêmement pâle, d'une couleur plombée : *Etre livide sous l'effet de l'émotion* (syn. : BLÊME). *Un cadavre livide. Le froid était vif, ses lèvres étaient livides* (syn. : BLEU). *A la lueur des lampes au néon, son teint paraissait livide* (syn. : BLAFARD). ◆ **lividité** n. f. : *La lividité cadavérique.*

1. livre [livr] n. m. 1° Volume imprimé d'une certaine étendue, considéré du point de vue de l'objet matériel ou de celui du contenu : *Livre relié, doré sur tranches. L'impression, le format d'un livre. Le commerce des livres. Les livres scolaires* (= destinés à l'enseignement). *Couper les pages d'un livre. Quel est le sujet du livre? Se plonger dans un livre.* — 2° *Livre de compte,* registre où l'on note la comptabilité d'une maison. ‖ *Livre d'or,* registre où sont inscrits les noms de visiteurs connus, où sont réunis des éloges, des réflexions sur un lieu célèbre. ‖ *Connaître la vie par les livres,* par l'étude, par la théorie, et non par l'expérience. ‖ *Parler comme un livre,* d'une manière savante. ‖ *A livre ouvert,* couramment : *Traduire le russe à livre ouvert.* ◆ **livresque** [livrɛsk] adj. Qui provient des livres et non d'une expérience personnelle : *Un savoir livresque.*

2. livre [livr] n. f. Unité monétaire anglaise (*livre sterling*), égyptienne, israélienne, turque.

3. livre [livr] n. f. Demi-kilo.

livrée [livre] n. f. Costume particulier que portent les domestiques masculins d'une grande maison : *Un valet en livrée.*

1. livrer [livre] v. tr. 1° *Livrer une personne à quelqu'un,* la remettre en son pouvoir, la soumettre à son action : *Livrer un coupable à la police* (syn. : REMETTRE). *L'assassin fut livré à la justice* (syn. : DÉFÉRER, langue jurid.). *Livrer une malheureuse victime à ses bourreaux.* — 2° *Livrer une personne, une chose à,* la donner, l'abandonner pour qu'elle soit soumise à l'action de quelque chose, de quelqu'un : *Livrer une ville au pillage, à l'émeute. Jeanne fut livrée au bûcher. Livrer son âme au diable.* — 3° *Livrer quelqu'un, quelque chose* (*à quelqu'un*), les lui remettre par trahison : *Le voleur arrêté a livré ses complices* (syn. : DÉNONCER). *Livrer ses compagnons de lutte par lâcheté* (syn. : TRAHIR). *Livrer son pays à l'ennemi. Livrer un secret* (= le dévoiler). — 4° *Livrer passage,* laisser passer. ◆ **se livrer** v. pr. 1° *Se livrer à quelqu'un,* se confier à lui, découvrir ses secrets, ses pensées intimes : *Il se livre trop facilement à des étrangers.* — 2° *Se livrer à quelqu'un,* se remettre complètement en son pouvoir : *Le meurtrier se livra à la police* (syn. : SE CONSTITUER PRISONNIER). — 3° *Se livrer à quelque chose,* s'y abandonner complètement : *Se livrer au désespoir. Se livrer à une joie exubérante;* s'y donner volontairement. *Se livrer à l'étude* (syn. : SE CONSACRER). *Se livrer à une enquête approfondie* (syn. : PROCÉDER À). — 3° (sans compl.) Faire don de soi-même : *Se livrer sans réserve;* en parlant d'une femme, accorder ses dernières faveurs.

2. livrer [livre] v. tr. *Livrer* (*une marchandise*), la remettre à l'acheteur : *Les commandes sont livrées à domicile. La maison livrera les meubles dès que possible.* ◆ **livraison** n. f. : *Effectuer une livraison. Des voitures de livraison. Prendre livraison de la marchandise* (= venir chercher une marchandise achetée). ◆ **livreur, euse** n. Personne qui livre une marchandise achetée : *Le livreur a laissé le paquet chez la concierge.*

livret [livrɛ] n. m. 1° Petit registre sur lequel sont reproduites des indications concernant le titulaire : *Livret individuel* ou *livret militaire* (= donnant les renseignements relatifs à la situation militaire du titulaire). *Le livret scolaire contient le relevé des notes et le classement obtenus aux compositions, ainsi que les appréciations des professeurs. Un livret de caisse d'épargne. Le livret de famille* (= remis aux époux pour recevoir mention des actes de l'état civil les concernant). — 2° Texte mis en musique pour le théâtre lyrique : *Le livret d'un opéra.* (V. LIBRETTISTE.)

lob [lɔb] n. m. Au tennis, au football, etc., action consistant à faire passer la balle ou le ballon au-dessus de la tête du joueur adverse, pour qu'il ne puisse pas les renvoyer ou les rattraper. ◆ **lober** v. tr. : *L'avant centre lobe le gardien de but et loge la balle dans les filets.*

lobe [lɔb] n. m. 1° En anatomie, partie arrondie d'un organe du corps : *Lobes du poumon, du cerveau.* — 2° *Lobe de l'oreille,* partie arrondie et molle du bas de l'oreille.

local, e, aux adj., **localiser** v. tr., **localité** n. f. V. LIEU; **locatif, ive** adj. et n. m. V. LOUER et CAS.

lock-out [lɔkaut] n. m. invar. Fermeture d'une entreprise par la direction, afin de faire pression sur le personnel qui menace de faire grève. ◆ **lock-outer** v. tr. : *Les ouvriers lock-outés ont manifesté devant les portes de l'usine.*

locomotion [lɔkɔmɔsjɔ̃] n. f. *Moyens de locomotion,* moyens de transport pour se déplacer d'un point à un autre.

locomotive [lɔkɔmɔtiv] n. f. 1° Machine à vapeur, véhicule de traction mû par un moteur électrique ou un moteur Diesel, qui sont utilisés pour le déplacement de wagons et de voitures sur une voie ferrée. — 2° *Fumer comme une locomotive,* fumer beaucoup.

locuteur, trice [lɔkytœr, -tris] n. Terme de linguistique désignant la personne qui parle (syn. : SUJET PARLANT). [V. INTERLOCUTEUR.]

locution [lɔkysjɔ̃] n. f. Groupe figé de mots constituant une unité sur le plan du sens : *Les locutions verbales équivalent à un verbe* (ex. : « *faire grâce, avoir peur, avoir pitié* », *etc.*). *Les locutions adverbiales* (ex. : « *côte à côte, à la débandade* », *etc.*). *Les locutions prépositives* (ex. : « *à côté de, auprès de* », *etc.*). *Les locutions conjonctives* (ex. : « *bien que, de même que* », *etc.*).

loge [lɔʒ] n. f. 1° *Loge de concierge,* ou simplem. *loge,* logement ou rez-de-chaussée, près de la porte d'entrée d'un immeuble, destiné à l'habitation du concierge. — 2° Dans une salle de spectacle, compartiment séparé de ceux qui lui sont contigus par des cloisons et comprenant plusieurs places : *Les loges de balcon. Louer une loge de face à la Comédie-Française.* — 3° Dans un théâtre, chaque petite pièce, dans les coulisses, où s'habillent et se maquillent les artistes : *Aller féliciter une actrice dans sa loge après le spectacle.* — 4° Fam. *Etre aux premières loges,* être le témoin bien placé d'un événement.

1. loger [lɔʒe] v. tr. 1° *Loger quelqu'un,* lui donner un lieu d'habitation, une maison, une résidence (souvent au passif) : *L'hôtelier logea les nouveaux arrivés à l'annexe de l'hôtel* (syn. : INSTALLER). *Etre logé confortablement* (= avoir un appartement confortable). *Le lycée peut loger une centaine d'internes* (syn. : RECEVOIR). — 2° (sujet nom de personne) *Etre logé à la même enseigne,* être traité de la même manière. ◆ ***être logé*** v. passif ou ***loger*** v. intr. Avoir une habitation permanente ou temporaire en un endroit : *Où êtes-vous logé?* (syn. : HABITER). *Loger dans un appartement du centre de la ville, dans un hôtel* (syn. : RÉSIDER). *Loger rue du Bac* (syn. : DEMEURER). *Loger à la belle étoile* (fam. = coucher en plein air). ◆ ***se loger*** v. pr. Habiter un endroit : *Il est allé se loger au sixième étage d'un immeuble moderne. Ne pas trouver à se loger, d'endroit où se loger.* ◆ **logeable** adj. : *La pièce est très logeable* (= on peut y habiter). ◆ **logement** n. m. 1° Action de loger quelqu'un, de lui donner une habitation : *La crise du logement. Avoir une politique du logement.* — 2° Lieu où l'on habite : *Avoir un logement de trois pièces* (syn. : APPARTEMENT). *Les logements ouvriers* (syn. : HABITATION). *Chercher un logement. Un logement insalubre, confortable, spacieux.* ◆ **logeur, euse** n. Personne qui loue des chambres meublées. ◆ **logis** n. m. Syn. littér. et vieilli de LOGEMENT, entrant dans quelques expressions : *Rentrer au logis* (= chez soi). *La maîtresse de maison nous fit les honneurs du logis. Le corps de logis* (= la partie principale d'un bâtiment, par oppos. aux dépendances). ◆ **reloger** v. tr. Loger de nouveau : *Reloger des sinistrés dans des baraquements provisoires.* ◆ **relogement** n. m. ◆ **sans-logis** n. m. Personne qui n'a pas d'habitation permanente.

2. loger [lɔʒe] v. tr. *Loger quelque chose,* mettre, introduire, placer quelque chose dans un endroit : *Loger de vieux tableaux au grenier. Il a logé toutes ses balles dans la cible. Nous n'arrivons pas à loger cette armoire dans cette petite chambre* (syn. : CASER). ◆ ***se loger*** v. pr. (sujet nom de personne) *Se loger quelque chose dans un endroit du corps,* l'y faire pénétrer : *Se loger une balle dans le cœur* (= se tuer). *Quelle drôle d'idée il s'est logée dans la tête* (syn. : SE METTRE). ◆ **logement** n. m. Lieu, cavité où se place une pièce mobile d'un mécanisme : *Le logement du percuteur dans un fusil.*

logique [lɔʒik] adj. 1° Se dit d'une chose conforme au bon sens, aux règles de cohérence d'un bon raisonnement : *Un plan logique* (syn. : JUDICIEUX; contr. : ABSURDE). *La suite logique d'un événement* (syn. : ATTENDU, NÉCESSAIRE). *Il est logique de l'inviter à nos discussions* (syn. : NATUREL; contr. : DÉRAISONNABLE). — 2° Se dit de quelqu'un qui raisonne d'une manière cohérente : *Il reste logique avec lui-même, avec ce qu'il pense.* ◆ **logique** n. f. 1° Suite cohérente d'idées, d'événements : *Son raisonnement manque de logique* (syn. : COHÉRENCE). *La logique de la situation réclame des décisions immédiates. Sa démission est dans la logique des choses.* — 2° Manière de raisonner : *Sa logique implacable met ses adversaires dans l'embarras* (syn. : MÉTHODE). *Il est souvent difficile de comprendre la logique de l'enfant* (syn. : RAISONNEMENT). *La logique du cœur.* — 3° En philosophie, la science du raisonnement. ◆ **logiquement** adv. : *Logiquement, nous devrions avoir une lettre ce matin* (= à considérer la suite normale des choses). ◆ **logicien, enne** n. Personne qui étudie la logique ou qui raisonne avec méthode. ◆ **illogique** adj. Qui manque de logique : *Sa conduite est illogique* (syn. : ABSURDE). *Ses arguments sont illogiques* (syn. : INCOHÉRENT). ◆ **illogisme** n. m. : *L'illogisme de son plan, de son attitude saute aux yeux* (syn. : ABSURDITÉ).

loi [lwa] n. f. 1° Règle obligatoire promulguée par le pouvoir souverain, établie par une société, prise par le législateur : *La loi autorise, interdit, permet. Les lois en vigueur. L'application de la loi. Une infraction aux lois. Violer, transgresser, enfreindre, respecter, observer la loi. Nul n'est censé ignorer la loi. Une loi-programme permet au gouvernement d'engager des dépenses sur plusieurs années. La loi martiale autorise l'intervention des forces armées en cas de troubles intérieurs. Cet acte tombe sous le coup de la loi. J'ai la loi pour moi* (= le droit). *Le procureur requiert au nom de la loi une peine d'emprisonnement.* (V. LÉGAL, LÉGALITÉ). — 2° Commandement, ordre impératif imposé à quelqu'un par une autre personne, par les circonstances, par la vie sociale, etc. : *Ce n'est pas vous qui viendrez faire la loi chez nous* (= vous y comporter en maître). *Il se fait une loi de ne jamais* se mêler de la vie personnelle des autres (= il s'impose). *La loi du milieu* (= de la pègre). *Les lois de l'honneur* (syn. : LE CODE). *La loi du jeu. Les lois de la grammaire* (syn. : RÈGLE). *Les lois morales. Les lois de la guerre.* — **3°** Enoncé d'une propriété d'un objet ou d'une relation entre des phénomènes, vérifiée selon une méthode définie : *La loi de la pesanteur. Les lois phonétiques.*

loin [lwɛ̃] adv. Indique l'éloignement relativement à un point situé dans l'espace ou le temps. **1°** A une distance d'un lieu déterminé jugée comme relativement grande (v. ÉLOIGNER) : *Mettez-vous un peu plus loin. Vous êtes trop loin, rapprochez-vous. Il n'ira pas loin avec une pareille voiture. Il laissa loin derrière lui les autres coureurs. Il y a loin de la maison à la rivière.* — **2°** A une distance du moment présent jugée comme relativement grande : *Le temps n'est pas loin où il te faudra renoncer à ces ascensions* (syn. : ÉLOIGNÉ). *Comme ces années me paraissent loin! L'hiver n'est pas loin maintenant. Il prend les choses de trop loin.* — **3°** Au-delà d'une limite fixée; d'une portée plus grande, etc. (dans des loc. verbales) : *Ne cherchez pas si loin. Il a poussé trop loin.* ‖ *Aller loin,* être promis à la réussite, au succès : *Ce garçon a des qualités évidentes d'énergie et de courage, il ira loin.* ‖ *Ne pas aller loin,* être près de la mort : *Il n'ira plus loin maintenant* (= il ne vivra plus très longtemps). ‖ *Aller plus loin,* oser dépasser ce qui est dit : *J'irai même plus loin et je dirai que...* ‖ *Aller trop loin,* dépasser ce qui est convenable, exagérer : *Il a été trop loin dans ses critiques, il l'a blessé.* ‖ *Aller, mener loin,* avoir de grandes conséquences : *C'est un conflit qui peut mener loin. Ça n'ira pas plus loin : nous étoufferons l'affaire.* ‖ *Etre loin,* être perdu dans ses pensées, être absent. ‖ *Il y a loin de... à,* il y a une grande différence entre : *Il y a loin d'un projet à sa réalisation. De là à dire que tout est perdu, il y a loin* (contr. : IL N'Y A QU'UN PAS). ‖ *Voir loin,* avoir de la prévoyance, être perspicace : *Quand il s'agit de ses intérêts, il voit loin.* ● LOC. ADV. *Au loin,* à une grande distance : *Il est parti au loin, sans laisser d'adresse. On aperçoit au loin un bouquet d'arbres.* ‖ *De loin,* d'une distance assez grande relativement à un point déterminé : *Regarde de loin, n'approche pas. Il m'appela de loin. Il suit de loin les événements;* et dans le temps : *Cela date de loin. C'est une coutume qui vient de loin;* d'une distance ou d'une quantité très grande (syn. : DE BEAUCOUP) : *C'est de loin le garçon le plus intelligent que je connaisse. Il voit de loin la ruse de son adversaire* (= il devine). *Revenir de loin* (= réchapper d'une grave maladie). ‖ *De loin en loin,* à des intervalles très espacés : *Ils revenaient nous voir de loin en loin.* ● LOC. PRÉP. *Loin de* (et un substantif), à une grande distance de (dans l'espace ou le temps) : *Orléans n'est pas loin de Paris. Nous sommes encore loin des vacances. Il n'est pas loin de dix heures du soir. Cela ne fait pas loin de cent francs* (= cela fait presque); en tête de phrases exclamatives, pour rejeter : *Loin de moi l'idée de vous imposer cette corvée.* ‖ *Loin de là,* bien au contraire : *Il n'est pas antipathique, loin de là.* ‖ *Loin de, bien loin de* (et l'infin.), négation renforcée pour affirmer le contraire : *Il était loin de s'attendre à pareille mésaventure* (= il ne s'y attendait pas du tout). *Mon fils est loin de me donner toute satisfaction dans son travail* (= il ne me donne pas du tout satisfaction). ● LOC. CONJ. *D'aussi loin que, du plus loin que* (et l'indic. ou le subj.), indiquent une distance très grande : *D'aussi loin qu'il me vit, il agita son mouchoir. Du plus loin qu'il m'en souvienne.* ‖ *Bien loin que* (et le subj.), marque le contraire de ce qui est affirmé dans la principale : *Bien loin qu'il ait des sentiments hostiles, il proclame son estime pour vous.*

lointain, e [lwɛ̃tɛ̃, -ɛn] adj. (avant [littér.] ou plus souvent après le nom). Qui se trouve à une grande distance dans l'espace ou dans le temps, relativement au lieu où l'on se trouve ou au moment où l'on est : *Les pays lointains* (syn. : ÉLOIGNÉ; contr. : PROCHE, VOISIN). *Une époque lointaine* (syn. : RECULÉ; contr. : RAPPROCHÉ, RÉCENT). *Les perspectives d'accord sont encore lointaines* (contr. : IMMINENT, PROCHAIN). *Il n'y a qu'un rapport lointain entre les deux affaires* (contr. : DIRECT). ◆ **lointain** n. m. *Dans le lointain, au lointain,* dans un lieu éloigné, mais visible, par rapport à l'endroit où l'on est : *Dans le lointain s'élève un nuage de poussière* (syn. : À L'HORIZON, AU LOIN).

loir [lwar] n. m. *Dormir comme un loir,* profondément. (Le *loir* est un mammifère rongeur, hibernant.)

loisir [lwazir] n. m. **1°** Temps dont on dispose en dehors de ses occupations régulières, de son métier, pour se distraire, pour se reposer, pour ne rien faire (le plus souvent au plur.) : *Mon travail me laisse peu de loisirs* (syn. : LIBERTÉ). *Avoir beaucoup de loisirs.* — **2°** Distractions auxquelles on se livre pendant les moments où l'on est libre de tout travail : *Organiser les loisirs. Des loisirs coûteux. Les loisirs dirigés* (= activités non intellectuelles, organisées pour les élèves). — **3°** *Avoir le loisir de* (suivi d'un infin.), avoir le temps disponible de (faire) : *Il aura tout le loisir de réfléchir. Je n'ai encore pas eu le loisir de lui écrire.* ● LOC. ADV. *A loisir, tout à loisir,* en prenant tout son temps, sans être pressé par le temps : *J'y penserai à loisir quand je serai seul.*

loisible [lwazibl] adj. *Il m' (t', lui, nous, vous, leur) est loisible,* il m'est permis, tu as la possibilité, vous êtes libre de, etc. : *Il vous est loisible de refuser l'offre qui vous est faite.*

lombes [lɔ̃b] n. m. pl. En anatomie, régions situées dans le bas du dos. ◆ **lombaire** adj. : *Douleur lombaire* (= des reins).

long, longue [lɔ̃, lɔ̃g] adj. (avant ou après le nom). **1°** Au point de vue de l'espace, qui s'étend sur une distance, sur une étendue plus grande que la moyenne ou simplement grande : *Il avait de longues jambes minces* (contr. : PETIT). *Son chandail est trop long* (contr. : COURT). *La mode des robes longues. Canon à longue portée. J'ai fait un long détour avant de venir ici* (syn. : GRAND). *Une longue suite de noms* (syn. : ↑ INTERMINABLE). *Des culottes longues* (contr. : COURT). *Faire de longues phrases. Une longue introduction à un petit livre. Ecrire une longue lettre.* — **2°** Qui est envisagé dans sa plus grande dimension, d'une extrémité à l'autre : *Une corde longue de trois mètres.* — **3°** (avant le nom) Au point de vue du temps, qui dure longtemps : *Il resta un long moment silencieux* (contr. : COURT). *Sa carrière est déjà longue* (contr. : BREF). *Une longue maladie. A longs intervalles. Les heures lui paraissent longues. Il trouve le temps long; il s'impatiente. Boire à longs traits. Vous êtes trop long* (= vous parlez trop). *J'ai une longue habitude de ces sortes d'affaires* (= qui date de loin). *Nous sommes amis de longue date* (= depuis longtemps). *A longue échéance, on peut entrevoir une solution. La réponse est longue à venir* (syn. : LENT). *Une voyelle longue* (contr. : BREF). — 4° *Avoir le bras long,* avoir de l'influence, de la puissance. ◆ **long** n. m. Dimension dans le sens de la longueur (avec une prép.) : *Une rue d'un kilomètre de long. Tomber de tout son long* (= dans toute sa longueur). *Etendu de tout son long. En long, la table a un mètre cinquante. Aller de long en large* (= aller et venir en tous sens). *Lire tout du long un roman* (= complètement). *Raconter une histoire tout au long* (= sans rien omettre). • Loc. PRÉP. *Le long de,* en suivant, en allant sur la plus grande dimension de, pendant toute la durée de : *Se promener le long de la rivière. Les arbres le long de la route* (= au bord de). *Grimper le long de l'arbre. Tout le long de sa vie, il n'a cessé de lutter. Le lierre pousse le long du mur.* ◆ **long** adv. *En savoir long,* être pleinement instruit de quelque chose. ‖ *Sa mine, son attitude,* etc., *en dit long,* est éloquente, fait connaître ses véritables sentiments. ◆ **longuement** adv. Pendant un long moment : *Parler longuement. Projet longuement médité* (syn. : LONGTEMPS). ◆ **longueur** n. f. 1° Qualité de ce qui est long (espace et durée) : *La longueur du chemin. Les unités de longueur* (= qui sont utilisées pour mesurer). *La longueur des négociations* (syn. : LENTEUR). *En longueur, dans le sens de la longueur, la pièce a quatre mètres. Le saut en longueur* (contr. : HAUTEUR). — 2° Distance définie par la longueur du cheval, du véhicule, etc., et servant à mesurer l'espace qui sépare deux concurrents dans une course : *Le cheval a gagné de deux longueurs. Il l'a emporté au sprint de plusieurs longueurs.* — 3° *Traîner en longueur,* durer trop longtemps. ‖ *Tirer les choses en longueur,* les faire durer. ‖ *A longueur de journée, de semaine,* etc., pendant toute la journée, la semaine, etc., sans arrêter : *On l'entend récriminer à longueur d'année.* ◆ **longueurs** n. f. pl. Développements trop longs, inutiles, qui alourdissent, encombrent un texte : *Le livre a des longueurs. Eviter les longueurs dans la dissertation.*

longanimité [lɔ̃ganimite] n. f. Patience à supporter les offenses des autres ou ses propres malheurs (littér.).

1. longe [lɔ̃ʒ] n. f. Courroie pour attacher ou pour conduire un cheval.

2. longe [lɔ̃ʒ] n. f. *Longe de veau,* moitié de l'échine d'un veau.

longer [lɔ̃ʒe] v. tr. Suivre le bord de quelque chose (sujet nom de chose); marcher le long de quelque chose (sujet nom d'être animé) : *La voie de chemin de fer longe la mer. Des promeneurs longeaient les allées du parc* (syn. : PARCOURIR). *Longer les murs afin de ne pas être aperçu* (syn. : RASER).

longévité [lɔ̃ʒevite] n. f. Longue durée de la vie d'un être animé : *Un cas exceptionnel de longévité.*

longitude [lɔ̃ʒityd] n. f. Angle que fait le plan méridien d'un point à la surface du globe avec un plan méridien d'origine.

longitudinal, e, aux [lɔ̃ʒitydinal, -no] adj. Dans le sens de la longueur : *Faire une coupe longitudinale* (= en long). ◆ **longitudinalement** adv.

longtemps [lɔ̃tɑ̃] adv. 1° Pendant un long espace de temps : *Il vivra encore longtemps* (contr. : PEU). *Ils parlèrent assez longtemps* (syn. : LONGUEMENT). *Longtemps après sa mort, on parlera de ses livres.* — 2° *Il y a longtemps, voilà, voici longtemps que...,* depuis un long espace de temps : *Il y a longtemps que je l'ai prévenu. Voilà longtemps que je patiente.* ‖ *De longtemps,* pour une très longue durée : *Je ne le verrai pas de longtemps.* ‖ *Avant, depuis, pendant, pour longtemps,* avant, depuis, pendant, pour un long espace de temps : *Je n'en ai pas pour longtemps. J'ai fini depuis longtemps.*

longue-vue [lɔ̃gvy] n. f. Lunette d'approche : *Des longues-vues.*

lopin [lɔpɛ̃] n. m. *Lopin de terre,* petit morceau de terrain, petit champ : *Cultiver un lopin de terre.*

loquace [lɔkas ou lɔkwas] adj. Qui parle volontiers, qui est très expansif : *Il devient loquace chaque fois que l'on parle de théâtre* (syn. : BAVARD, ÉLOQUENT; contr. : MUET). *Il n'est pas très loquace ce matin* (contr. : TACITURNE). ◆ **loquacité** n. f.

loque [lɔk] n. f. 1° (surtout au plur.) Lambeau d'une étoffe déchirée, usée : *Sa veste tombe en loques* (syn. : HAILLON). — 2° Etre sans énergie, veule : *La peur en avait fait une véritable loque* (syn. : ÉPAVE). ◆ **loqueteux, euse** adj. : *Des vêtements loqueteux* (= en loques). *Un mendiant loqueteux* (= vêtu de haillons).

loquet [lɔkɛ] n. m. Barre mobile autour d'un pivot, servant à fermer une porte par la pression d'un ressort ou par son propre poids : *Abaisser le loquet. Manœuvrer le loquet de la porte.*

lorgner [lɔrɲe] v. tr. 1° Regarder avec insistance et avec une intention particulière : *Lorgner les passants avec insolence. Lorgner une femme* (syn. fam. : RELUQUER). — 2° Convoiter secrètement quelque chose : *Lorgner l'héritage d'un oncle riche* (syn. fam. : LOUCHER SUR).

lorgnette [lɔrɲɛt] n. f. 1° Petite lunette d'approche portative. — 2° *Regarder par le petit bout de la lorgnette,* ne regarder que le petit côté des choses, grossir un détail secondaire, un élément accessoire.

lorgnon [lɔrɲɔ̃] n. m. Lunettes maintenues sur le nez par une pince à ressort.

lors [lɔr] adv., **lorsque** [lɔrsk] conj., **alors** [alɔr] adv., **alors que** [alɔrkə] conj. Indiquent en général un rapport temporel. (V. tableau p. suiv.)

losange [lɔzɑ̃ʒ] n. m. Figure géométrique à quatre côtés égaux, dont les diagonales sont perpendiculaires l'une à l'autre et dont les angles ne sont pas droits.

1. lot [lo] n. m. Ce qui revient à chaque billet gagnant, dans une loterie (argent, denrées, etc.) : *Gagner le gros lot. Les lots de consolation.* ◆ **loterie** n. f. 1° Jeu de hasard consistant dans le tirage au sort de numéros qui désignent les billets dont les possesseurs ont droit à des lots : *Un billet de loterie. La liste des numéros gagnants à la loterie.* — 2° *(C') est une loterie,* c'est réglé uniquement par le hasard : *Ces concours sont de véritables loteries.*

2. lot [lo] n. m. 1° Portion d'un tout partagé entre plusieurs personnes (langue du droit, du commerce) : *La propriété fut partagée en une dizaine de lots. Un lot de livres anciens.* — 2° Ce qui échoit à chacun (littér.) : *La mort est le lot commun de l'humanité* (syn. : DESTIN). ◆ **lotir** v. tr. 1° *Lotir quelque chose,* le diviser en lots : *Lotir un terrain.*

— 2° *Etre bien, mal loti,* favorisé ou défavorisé par le sort. ◆ **lotissement** n. m. Ensemble des parcelles d'un terrain vendu pour la construction d'immeubles : *Les lotissements de la banlieue parisienne.*

lotion [losjɔ̃] n. f. Liquide répandu sur le corps dans le but de rafraîchir, de soigner : *Une lotion calmante. Une lotion capillaire.*

loto [loto] n. m. Jeu de hasard où les joueurs couvrent les cases de cartons numérotés, à mesure qu'ils tirent d'un sac les quatre-vingt-dix numéros correspondants.

lotte [lɔt] n. f. Poisson d'eau douce ou d'eau de mer à chair estimée.

lotus [lɔtys] n. m. Nom donné à plusieurs espèces de nénuphars.

1. louche [luʃ] n. f. Grande cuiller à long manche, pour servir le potage.

2. louche [luʃ] adj. Se dit de quelque chose qui manque de franchise, de netteté, de clarté; de quelqu'un dont l'attitude est équivoque : *Des manœuvres louches* (syn. : TROUBLE). *Une conduite louche* (syn. : SUSPECT). *Fréquenter un milieu louche* (syn. : INTERLOPE). *Cette histoire est louche* (= peu vraisemblable). *Un individu au passé louche* (syn. : DOUTEUX). ◆ n. m. : *Il y a du louche dans cette proposition.*

loucher [luʃe] v. intr. 1° Etre atteint d'un défaut de parallélisme dans les yeux : *Avoir l'œil droit qui louche* (= regarde de travers). — 2° Fam. *Loucher sur quelque chose, sur quelqu'un,* jeter sur eux un regard d'envie, de convoitise : *Loucher sur la voiture d'un ami. Loucher sur une fille.*

1. louer [lwe] v. tr. 1° *Louer une chose,* en donner la jouissance, moyennant un loyer, une rémunération, pour un temps déterminé, et en en conservant la propriété : *Louer des chambres aux estivants. Appartement à louer. Dans les jardins publics, les chaises sont louées.* — 2° Avoir la possession, pour un temps déterminé, d'un local, d'une terre, etc., moyennant le paiement d'une somme au propriétaire : *Louer un appartement. Louer un canot à moteur pour une promenade en mer.* — 3° *Louer une place,* la retenir à l'avance : *Louer sa place dans le train. Louer un fauteuil d'orchestre dans un théâtre.* ◆ **louage** n. m. *Contrat de louage,* par lequel on donne en location des choses (terres, objets). ◆ **loueur, euse** n. *Loueuse de chaises,* celle qui perçoit pour une entreprise commerciale une certaine somme pour les chaises disposées dans un jardin public. ‖ *Loueur de voitures,* qui donne en location des voitures pour les cérémonies, les promenades, etc.). ◆ **sous-louer** v. tr. Louer, moyennant le paiement d'une somme, un local, une chose dont on est soi-même locataire : *Sous-louer une chambre de son appartement.* ◆ **locataire** [lɔkatɛr] n. Personne qui loue un appartement, une maison, une terre : *Les locataires du cinquième* (= du 5ᵉ étage). *Donner congé à un locataire.* ◆ **colocataire** n. Personne qui est locataire en même temps que d'autres dans un immeuble. ◆ **sous-locataire** n. Personne qui loue un local d'habitation, une terre, à quelqu'un qui en est lui-même locataire. ◆ **locatif, ive** adj. *Valeur locative,* revenu d'un immeuble en location. ◆ **location** n. f. 1° Action de louer un local d'habitation, une terre, un appareil, etc. : *Prendre en location* (syn. : À BAIL). *La location d'un pavillon pour les vacances. Payer le prix de la location.* — 2° Action de retenir à l'avance une place dans un train, un avion, etc. : *La location d'une place de théâtre.* ◆ **sous-location** n. f. : *La sous-location d'une chambre dans un appartement.*

---

alors
adv. et loc. adv.

1° Marque un moment précis dans le temps : *Je me souviens de l'avoir vu : il avait alors vingt ans. Jusqu'alors, il n'avait pas dit un mot.*

2° Marque une relation de cause à conséquence entre deux événements :
Il restait indécis; alors, j'avançai d'autres arguments.

3° Dans le style familier, marque un renforcement de l'intonation (indignation, impatience, interrogation) :
Alors, tu viens? Alors, ça vient? Ça alors, il est encore absent? Et alors, que peux-tu ajouter? Alors, là! qu'est-ce que j'ai pris!
Non mais alors, marque l'indignation devant un fait ou une attitude jugés inadmissibles ou impossibles : *Les mains dans vos poches? Non mais alors, à qui croyez-vous parler?*
Et alors, et puis alors, cela ne change rien; il n'y a pas lieu d'en déduire des conclusions : *Tu es champion de natation, et alors?* (syn. : ET PUIS APRÈS).

alors que loc. conj.
(indicatif ou conditionnel)

Marque un rapport d'opposition :
Alors qu'il pleut à torrent, tu restes là, planté, à attendre.

alors même que loc. conj.

Avec le conditionnel, marque l'opposition :
Alors même que vous insisteriez, je ne vous communiquerais pas ce document.

---

lors
adv. et loc. adv.

Inusité auj. dans l'emploi adverbial; usité seulement dans des loc. adv.:
Pour lors, en conséquence et sur le moment (littér.) : *La situation est embrouillée, pour lors essayons d'en examiner les divers aspects.*
Depuis, dès lors, v. DÈS.

lors de loc. prép.

Lors de votre arrivée dans ce village, les gens étaient intrigués (syn. : AU MOMENT DE; plus fréquent : À).

lorsque *conj.*
(indicatif ou conditionnel)

Marque un rapport de temps (concomitance, simultanéité) :
Lorsque vous y penserez, vous me rapporterez ce livre (syn. plus fréquent : QUAND). *J'allais sortir, lorsque vous avez téléphoné* (syn. : AU MOMENT OÙ).

lors même que loc. conj.

Avec le conditionnel, marque une opposition (littér.) :
Lors même que vous me montreriez cette lettre, je ne pourrais pas croire à sa culpabilité (syn. : MÊME AU CAS OÙ).

2. louer [lwe] v. tr. 1° *Louer quelqu'un, quelque chose,* le déclarer comme digne d'estime, en vanter les mérites ou les qualités : *Louer un élève de son travail* (syn. : FÉLICITER; contr. : BLÂMER). *Louer la prudence d'un conducteur* (syn. : VANTER, ↓ APPROUVER; contr. : CRITIQUER). *On loua l'orateur pour la clarté de son exposé* (syn. : REMERCIER). *Louer les beautés d'un pays* (syn. : CÉLÉBRER; contr. : DÉPRÉCIER). — 2° *Dieu soit loué!,* exclamation manifestant le soulagement et la satisfaction. ◆ ***se louer*** v. pr. 1° *Se louer de quelqu'un, de quelque chose,* en être pleinement satisfait : *Je me loue des services de ma secrétaire.* — 2° *Se louer de* (et un infin.), témoigner sa satisfaction de : *Je me loue d'avoir été très prudent et de ne m'être pas engagé* (syn. : SE FÉLICITER). ◆ **louange** [lwɑ̃ʒ] n. f. 1° Action de louer, fait d'être loué : *La louange lui est insensible* (syn. : ↑ GLOIRE). *Il faut dire ceci à sa louange qu'il avait vu le premier le danger* (syn. : HONNEUR). *Son attitude est digne de louange* (syn. : ÉLOGE). — 2° (au plur. surtout) Paroles par lesquelles on fait l'éloge de quelqu'un ou de quelque chose : *Prodiguer des louanges* (syn. : COMPLIMENTS). *Ce fut un concert de louanges : on n'avait rien vu de plus beau!* (syn. : APPLAUDISSEMENTS). ◆ **louangeur, euse** adj. et n. Qui manifeste une grande estime (souvent exagérée) : *Des paroles louangeuses.*

loufoque [lufɔk] adj. et n. *Fam.* Se dit de quelqu'un (ou de son comportement) dont la conduite est bizarre, qui est déséquilibré : *Raconter une histoire loufoque* (syn. : INSENSÉ). ◆ **loufoquerie** n. f.

loulou [lulu] n. m. Petit chien à long poil.

1. loup [lu] n. m. 1° Mammifère carnivore, au pelage gris jaunâtre, aux oreilles droites, au museau pointu, qui vit dans les forêts d'Europe, d'Asie et d'Amérique : *Les hurlements du loup.* — 2° *Avoir une faim de loup,* avoir une grande faim. ‖ *Il fait noir comme dans la gueule du loup,* il fait très sombre, on ne voit rien. ‖ *Un froid de loup,* une température rigoureuse. ‖ *Etre connu comme le loup blanc,* être très connu. ‖ *Hurler avec les loups,* se joindre avec ceux qui attaquent, critiquent quelqu'un; faire comme les autres. ‖ *Marcher, avancer,* etc., *à pas de loup,* sans bruit, dans l'intention de surprendre quelqu'un. ‖ *Un (vieux) loup de mer,* un vieux marin qui a beaucoup navigué. ‖ *Mon loup,* terme d'affection. ◆ **loup-cervier** n. m. : *Les loups-cerviers sont des lynx.* ◆ **loup-garou** n. m. Etre légendaire, qui commettait des méfaits en errant la nuit, dans la campagne, sous la forme d'un loup : *Les loups-garous sont issus des croyances superstitieuses du Moyen Age.* ◆ **louve** n. f. Femelle du loup. ◆ **louveteau** n. m. 1° Petit loup. — 2° Jeune scout (âgé de moins de douze ans).

2. loup [lu] n. m. Demi-masque de velours noir, que l'on met sur le visage dans les bals masqués, au moment du carnaval, etc.

loupe [lup] n. f. Lentille de verre qui sert à grossir les objets : *Examiner un timbre à la loupe. Tout le manuscrit a été regardé à la loupe* (= avec minutie).

louper [lupe] v. tr. Fam. *Louper quelque chose, quelqu'un,* ne pas réussir à l'avoir, à l'atteindre, à l'obtenir, à le réaliser : *Louper son train, son métro* (syn. : RATER). *Mon fils a loupé sa composition de français* (syn. : MANQUER). *Il a loupé l'occasion.* ◆ **loupé** n. m. Erreur commise par une mauvaise exécution (syn. : RATAGE).

loupiot, e [lupjo, -ɔt] n. *Pop.* Enfant.

lourd, e [lur, lurd] adj. 1° (avant ou plus souvent après le nom) Dont le poids est élevé, supérieur à la moyenne; difficile à porter, à soulever à cause de son poids : *Transporter deux lourdes malles à la gare* (syn. : PESANT; contr. : LÉGER). *Une lourde masse de fonte* (syn. : GROS, MASSIF). [V. ALOURDIR.] — 2° *Industrie lourde,* grosse industrie sidérurgique. ‖ *Poids lourd,* camion. ‖ *Artillerie lourde,* à gros calibre. ‖ *Eau lourde,* liquide employé dans les piles atomiques. ‖ *Gaz lourd,* dont la densité est élevée. ‖ *Avoir les yeux lourds,* appesantis par la fatigue, le sommeil. ‖ *Marché lourd,* se dit, à la Bourse, quand les cours sont en baisse. ‖ *Avoir la tête lourde,* avoir un léger mal de tête, éprouver une sensation de gêne pénible à la tête. ‖ *Avoir la main lourde,* frapper, punir durement; verser en trop grande abondance : *Le potage est salé; elle a eu la main lourde.* — 3° Dont la quantité, la force, la violence, etc., est difficile à supporter; pénible à faire, à accomplir : *Des frais très lourds* (syn. : ↑ ÉCRASANT). *Une lourde tâche à accomplir* (contr. : FACILE). *De lourdes présomptions pèsent contre lui* (syn. : ACCABLANT). *Une phrase lourde de menaces* (= chargée de). *Une chaleur lourde présageant un orage. Des aliments lourds* (= difficiles à digérer). — 4° (après le nom ou plus rarement avant) Qui se fait avec lenteur; qui donne une impression de pesanteur, de masse : *Le vol lourd d'un oiseau de proie. Une démarche lourde* (syn. péjor. : LOURDAUD). *Un homme lourd et gros* (syn. : MASSIF). *L'édifice est comme écrasé par une tour lourde et inélégante* (syn. : MASTOC). *Une odeur lourde* (syn. : FORT). — 5° Qui manque de finesse, d'intelligence, d'adresse : *Avoir l'esprit lourd* (syn. : ÉPAIS, ↑ GROSSIER; contr. : SUBTIL). *Une lourde plaisanterie* (syn. : MALADROIT, ↑ NIAIS; contr. : DÉLICAT, FIN). *Le style lourd d'une dissertation d'élève* (syn. : GAUCHE). *Une phrase lourde* (syn. : EMBARRASSÉ). ◆ **lourd** adv. *Peser lourd,* avoir un poids plus élevé que la moyenne. ‖ *Cela ne pèsera pas lourd dans la balance,* quand il s'agira de décider, cela n'aura pas grande importance. ‖ Fam. *Il n'en sait pas lourd,* son ignorance est grande. ◆ **lourde** n. f. *Pop.* Porte. ◆ **lourdaud, e** [lurdo, -od] adj. et n. Maladroit, gauche dans ses mouvements, dans son attitude, sa conduite : *Un jeune lourdaud, emprunté dans ses vêtements du dimanche. Etre un peu lourdaud* (syn. : ↑ BALOURD). ◆ **lourdement** adv. 1° D'une manière pesante : *Voiture lourdement chargée* (contr. : LÉGÈREMENT). *Tomber lourdement.* — 2° D'une manière maladroite : *Se tromper lourdement* (syn. : GROSSIÈREMENT). ◆ **lourdeur** n. f. 1° Etat de ce qui est lourd, pesant, massif, de ce qui est difficile à supporter : *La lourdeur d'un fardeau. La lourdeur du temps* (= chaleur et humidité). *La lourdeur des cours à la Bourse. Une lourdeur de tête* (= un mal de tête). — 2° Etat de ce qui est gauche, maladroit : *La lourdeur du style* (contr. : LÉGÈRETÉ). *La lourdeur d'esprit* (contr. : AGILITÉ). *S'exprimer avec beaucoup de lourdeur* (syn. : MALADRESSE; contr. : AISANCE, ↑ BRIO).

loustic [lustik] n. m. *Fam.* Celui qui joue des farces aux autres, qui plaisante en se moquant d'autrui, dont l'attitude manque de sérieux : *Un drôle de loustic* (syn. : PLAISANTIN). *Faire le loustic.*

loutre [lutr] n. f. Mammifère carnivore, qui se nourrit de poissons et que l'on chasse pour sa fourrure.

1. louvoyer [luvwaje] v. intr. Naviguer contre le vent, tantôt à droite, tantôt à gauche de la route à suivre : *Les petits voiliers louvoyaient le long de la côte.*

2. louvoyer [luvwaje] v. intr. Prendre des détours pour parvenir à un but qu'on ne peut pas atteindre directement : *Il louvoya quelque temps avant de refuser* (syn. : TERGIVERSER). *Il est inutile de louvoyer pour lui faire comprendre votre opposition* (syn. : BIAISER). ◆ **louvoiement** n. m. : *Son caractère hésitant l'entraînait à des louvoiements sans fin.*

loyal, e, aux [lwajal, -jo] adj. (surtout après le nom). Se dit de quelqu'un (ou de son attitude) qui obéit aux lois de la probité, de l'honnêteté, de l'honneur : *Un adversaire loyal* (syn. : HONNÊTE). *Se montrer un ami loyal et sûr* (syn. : FIDÈLE; contr. : HYPOCRITE). *User de procédés loyaux dans la lutte* (syn. : RÉGULIER, CORRECT; contr. : PERFIDE). ◆ **loyalement** adv. : *Accepter loyalement sa défaite.* ◆ **loyalisme** n. m. Fidélité aux institutions politiques établies, à des dirigeants, à une cause : *Un loyalisme à toute épreuve* (syn. : DÉVOUEMENT). ◆ **loyauté** n. f. : *Reconnaître avec loyauté son erreur* (syn. : HONNÊTETÉ). *Se conduire avec loyauté à l'égard d'un ami* (syn. : DROITURE). ◆ **déloyal, e, aux** adj. Se dit d'une personne ou d'une action qui n'est pas loyale, qui manque de bonne foi : *Un adversaire déloyal* (syn. : FOURBE). *Manœuvre déloyale* (syn. : PERFIDE). ◆ **déloyalement** adv. : *Un lutteur disqualifié pour avoir combattu déloyalement.* ◆ **déloyauté** n. f. : *Il ne reculera devant aucune déloyauté pour arriver à ses fins* (syn. : ↑ PERFIDIE, TRAHISON, FOURBERIE).

loyer [lwaje] n. m. 1° Prix auquel on loue une maison, un logement, une terre : *Payer le loyer d'un appartement. Le propriétaire touche les loyers de l'immeuble le 15 janvier. Avoir un gros, un petit loyer.* — 2° *Loyer de l'argent,* son taux d'intérêt.

lubie [lybi] n. f. Idée extravagante, capricieuse ou folle : *Avoir des lubies. Il lui prend parfois la lubie de téléphoner à une heure indue.*

lubrifier [lybrifje] v. tr. Graisser une pièce d'une machine pour en faciliter le fonctionnement. ◆ **lubrifiant** n. m. Substance servant à graisser.

lubrique [lybrik] adj. Qui marque un penchant effréné pour les plaisirs sexuels : *Une femme lubrique* (syn. : ↓ SENSUEL). *Des danses lubriques* (syn. : ↓ LASCIF, LUXURIEUX). ◆ **lubricité** n. f.

lucarne [lykarn] n. f. Ouverture pratiquée dans le toit d'une maison, pour éclairer et aérer le grenier, les combles; petite ouverture pratiquée dans le mur, dans une cloison d'un lieu clos.

lucide [lysid] adj. Qui est en pleine possession de ses facultés de compréhension : *Le mourant était encore lucide* (syn. : CONSCIENT). *Un témoin lucide des événements* (syn. : CLAIRVOYANT, PERSPICACE; contr. : AVEUGLE). ◆ **lucidement** adv. : *Regarder en face, lucidement, une situation dangereuse.* ◆ **lucidité** n. f. : *Juger avec beaucoup de lucidité* (syn. : PÉNÉTRATION). *L'impitoyable lucidité de son analyse* (syn. : PERSPICACITÉ). *Le malade garde sa pleine lucidité* (syn. : CONNAISSANCE). *Il n'a plus que de rares moments de lucidité* (syn. : CONSCIENCE). ◆ **extralucide** adj. *Voyante extralucide,* personne qui prétend avoir connaissance du passé et de l'avenir des hommes par des moyens divinatoires.

luciole [lysjɔl] n. f. Insecte voisin du ver luisant.

lucratif, ive [lykratif, -iv] adj. Qui rapporte de l'argent, qui procure un profit : *Un emploi lucratif. Un travail lucratif.*

lucre [lykr] n. m. *L'appât du lucre,* le désir d'un profit exagéré et souvent illicite.

ludique [lydik] adj. Relatif au jeu (par oppos. à un travail dont la destination est précise; langue de la psychologie).

luette [lyɛt] n. f. Appendice mobile qui termine en arrière le voile du palais et qui, en se relevant, contribue à fermer les fosses nasales : *Le « r » français comporte, dans son articulation, une vibration de la luette.*

lueur [lyœr] n. f. 1° Clarté faible ou intermittente : *La lueur vacillante de la bougie. A la lueur du clair de lune.* — 2° Eclat vif (des yeux) : *Une lueur de colère passa dans ses yeux* (syn. : ÉCLAIR). *Une lueur de désir illumina ses yeux* (syn. : FLAMME). — 3° Manifestation passagère, mais vive, d'un sentiment, de la conscience, etc. : *Il reste une lueur d'espoir de la sauver* (syn. : RAYON).

luge [lyʒ] n. f. Petit traîneau utilisé pour glisser sur la neige.

lugubre [lygybr] adj. Qui indique ou provoque une grande tristesse; qui incite à de sombres pensées : *Une maison lugubre* (syn. : SINISTRE). *Une atmosphère lugubre* (syn. : ↑ MORTEL). *Une chanson lugubre* (syn. : FUNÈBRE; contr. : GAI). *Une figure lugubre* (contr. : RÉJOUI). ◆ **lugubrement** adv. : *La sirène hurle lugubrement.*

lui pron. pers. V. IL.

luire [lɥir] v. intr. (conj. **69,** sauf part. passé *lui*). 1° Emettre ou réfléchir de la lumière (langue soutenue et littér.) : *Le soleil commence à luire* (syn. usuel : BRILLER). *Son front luisait de sueur. Ses regards luisent d'envie, de colère.* — 2° *Un espoir luit encore,* on peut encore espérer, il reste un espoir. ◆ **luisant, e** adj. 1° *Des yeux luisants de fièvre. Une peau luisante.* — 2° *Ver luisant,* insecte qui brille la nuit. ◆ **reluire** v. tr. Briller en réfléchissant la lumière : *Ces souliers neufs reluisent. Tout est nettoyé et reluit.* ◆ **reluisant, e** adj. *Peu reluisant,* médiocre, qui ne met pas en évidence, qui manque de grandeur : *Une situation peu reluisante* (contr. : BRILLANT).

lumbago [lɔ̃bago] n. m. Douleur violente dans la région des reins, due à une atteinte des articulations des vertèbres.

1. lumière [lymjɛr] n. f. 1° Ce qui éclaire naturellement les objets et les rend visibles : *La lumière du soleil m'éblouit. Ouvre les volets pour que la lumière pénètre* (contr. : OBSCURITÉ). *Travailler à la lumière du jour* (syn. : CLARTÉ). — 2° Ce qui éclaire artificiellement les objets; source d'éclairage : *Ouvre la lumière, on ne voit rien* (syn. : ÉLECTRICITÉ). *La lumière aveuglante des phares. Ferme la lumière du bureau avant de sortir. Il y a encore de la lumière chez le voisin.* ◆ **lumignon** [lymiɲɔ̃] n. m. Faible source de lumière : bout de chandelle, petite lampe, etc. ◆ **luminaire** n. m. Terme technique désignant l'ensemble des appareils d'éclairage. ◆ **lumineux, euse** adj. 1° Qui émet de la lumière ou la réfléchit : *Une enseigne lumineuse.*

Le cadran lumineux d'une horloge. Une fontaine lumineuse (= dont les jeux d'eau sont éclairés). — 2° Qui appartient à la lumière : *Des rayons lumineux. L'intensité lumineuse d'une lampe.* ◆ **luminosité** n. f. Qualité de ce qui est lumineux : *La luminosité du ciel* (syn. : CLARTÉ). [V. ALLUMER, ILLUMINER.]

2. lumière [lymjɛr] n. f. *Avoir, acquérir quelque lumière sur une chose,* avoir quelque connaissance sur elle. ‖ *Faire la lumière, jeter de la lumière sur une affaire,* réussir à l'éclaircir, alors qu'elle était mystérieuse, obscure : *On a fait la lumière sur le meurtre de la rue Clovis.* ‖ *Mettre (remettre) en lumière, en pleine lumière,* signaler à l'attention, découvrir (syn. : METTRE EN ÉVIDENCE) : *Des savants ont mis en lumière l'action nocive du tabac sur les voies respiratoires.* ‖ *A la lumière de quelque chose,* au moyen de : *A la lumière des récentes expériences spatiales.* ‖ *Trait de lumière,* connaissance soudaine (syn. : ILLUMINATION). ‖ *Ce n'est pas une lumière,* c'est un sot (ironiq.). ◆ **lumières** n. f. pl. Capacités intellectuelles, ensemble des connaissances que possède quelqu'un : *Nous allons avoir recours à vos lumières, avoir besoin de vos lumières. Il va nous aider de ses lumières.* ◆ **lumineux, euse** adj. Qui est d'une grande clarté, d'une grande lucidité : *Une idée lumineuse* (syn. : INGÉNIEUX; contr. : OBSCUR). *Faire un exposé lumineux* (contr. : EMBROUILLÉ). ◆ **lumineusement** adv. : *Expliquer lumineusement un problème difficile* (syn. : CLAIREMENT).

lumignon n. m. V. LUMIÈRE 1; **luminaire** n. m. V. LUMIÈRE 1; **lumineux, euse** adj. V. LUMIÈRE 2; **lunaison** n. f. V. LUNE.

lunatique [lynatik] adj. et n. Dont l'humeur est changeante, bizarre : *Un homme lunatique, qui vous sourit un jour et ne vous connaît pas le lendemain* (syn. : FANTASQUE).

lunch [lœʃ ou lœnʃ] n. m. Repas léger, composé de sandwiches, de viandes froides, de pâtisseries, etc., et que l'on prend debout, à l'issue d'une cérémonie, au cours d'une réception, etc.

lundi n. m. V. SEMAINE.

lune [lyn] n. f. 1° Planète satellite de la Terre, autour de laquelle elle tourne : *La lune brille dans la nuit. La fusée vogue vers la lune* (v. ALUNIR). *La lune est à son premier quartier. La pleine lune. Il fait un très beau clair de lune. Par une nuit sans lune. Les phases de la lune. La lune rousse* (= lunaison située en avril-mai). — 2° *Etre dans la lune,* être distrait, manquer de réalisme (syn. : ÊTRE PERDU DANS LES NUAGES). ‖ *Tomber de la lune,* être surpris par un événement imprévu. ‖ *Promettre la lune,* faire des promesses impossibles. ‖ *Aller décrocher la lune pour quelqu'un,* tenter l'impossible pour lui. ‖ *Lune de miel,* premier temps du mariage; entente parfaite entre deux personnes. ‖ *De vieilles lunes,* des idées périmées, dépassées. ◆ **lunaire** adj. : *La clarté lunaire* (= de la lune). *Un paysage lunaire* (= sinistre et accidenté, analogue à ceux que l'on observe à la surface de la lune). *Une face lunaire* (= figure ronde et pâle). ◆ **lunaison** n. f. Espace de temps qui s'écoule entre deux nouvelles lunes consécutives.

luné, e [lyne] adj. *Etre bien, mal luné,* être dans de bonnes, de mauvaises dispositions d'humeur.

lunettes [lynɛt] n. f. pl. 1° Paire de verres enchâssés dans une monture faite de manière à être placée sur le nez devant les yeux : *Porter des lunettes. Des lunettes d'écaille. Un étui à lunettes. Des lunettes de soleil. Des lunettes de plongeur sous-marin.* — 2° *Serpent à lunettes,* serpent venimeux d'Asie et d'Afrique. ◆ **lunette** n. f. 1° Instrument d'optique destiné à faire voir de manière distincte des objets éloignés : *Une lunette d'approche* (syn. : LONGUE-VUE). *Une lunette astronomique* (syn. : TÉLESCOPE). — 2° Ouverture ronde d'un siège de cabinet d'aisances. ◆ **lunetier** n. m. Commerçant, fabricant de lunettes. ◆ **lunetterie** n. f. Commerce du lunetier.

lunule [lynyl] n. f. Tache blanche, en forme de croissant, située à la base de l'ongle chez l'homme.

lupanar [lypanar] n. m. Maison de prostitution (littér.).

lurette [lyrɛt] n. f. Fam. *Il y a belle lurette (que),* il y a bien longtemps (que).

luron, onne [lyrɔ̃, -ɔn] n. *Fam.* Personne d'une gaieté vive, insouciante, hardie en amour : *Il a été un fameux luron dans sa jeunesse* (syn. : DRÔLE, GAILLARD).

1. lustre [lystr] n. m. Appareil d'éclairage suspendu au plafond et portant plusieurs lampes : *Un lustre de cristal. Le salon est éclairé par un lustre.*

2. lustre [lystr] n. m. Eclat naturel ou artificiel d'une surface quelconque : *Le vernis donne du lustre au parquet.* ◆ **lustrer** v. tr. Rendre brillant : *Le frottement avait lustré ses vêtements aux coudes. Des manches de veston lustrées* (= rendues brillantes par l'usure). ◆ **lustrage** n. m.

3. lustre [lystr] n. m. Eclat que donne le mérite ou la beauté (littér.) : *Le festival a redonné du lustre à la petite ville* (syn. : RÉPUTATION).

4. lustre [lystr] n. m. Période de cinq ans (pris dans le sens de « longue durée » en général) : *Je ne l'ai pas vu depuis de nombreux lustres.*

lustrine [lystrin] n. f. Etoffe de coton apprêtée : *Mettre des manches de lustrine pour éviter d'user son veston.*

luth [lyt] n. m. Instrument de musique ancien, à cordes pincées. ◆ **luthier** n. m. Fabricant d'instruments de musique à cordes. ◆ **lutherie** n. f. Profession du luthier.

1. lutin [lytɛ̃] n. m. Petit démon familier, qui apparaît pendant la nuit : *Une troupe de lutins.*

2. lutin, e [lytɛ̃, -in] adj. Qui a l'esprit éveillé, l'humeur malicieuse (littér.) ◆ **lutiner** v. tr. *Lutiner une femme,* prendre avec elle des privautés sous prétexte de jeu.

lutrin [lytrɛ̃] n. m. Pupitre élevé, dans le chœur d'une église, pour porter les livres de l'office religieux.

lutte [lyt] n. f. 1° Effort fait par une personne, combat mené par un individu ou un groupe pour venir à bout d'un rival, d'un obstacle, d'un danger ou pour résister à une attaque : *La lutte contre un adversaire* (syn. : CONFLIT AVEC; contr. : ACCORD). *La lutte d'un peuple pour son indépendance* (syn. : COMBAT). *La lutte contre le cancer* (syn. : DÉFENSE). *Après sept années de lutte, la guerre cessa* (contr. : ENTENTE). *La lutte des classes* (= antagonisme des classes sociales). *Les luttes civiles* (syn. : GUERRE). *Abandonner la lutte* (= être vaincu). — 2° Sport consistant à essayer de renverser et de maintenir à terre un adversaire. — 3° Opposition de deux ou plusieurs choses : *Des luttes d'intérêts* (syn. : CONFLIT). *La lutte du devoir et de la pitié.* — 4° *De haute lutte,* en l'emportant sur ses adversaires par la force, par un effort de volonté, d'autorité : *Enlever de haute lutte une position ennemie, la place de premier de sa classe.* ◆ **lutter** v. intr. Entrer en lutte avec quelqu'un ou quelque chose : *Les deux boxeurs ont lutté avec acharnement* (syn. : SE BATTRE). *Lutter corps à corps. Lutter contre la mort, la maladie, le froid. Lutter contre le sommeil* (= s'efforcer de ne pas dormir). *Cesser de lutter* (syn. : RÉSISTER). *Lutter pour la première place.* ◆ **lutteur, euse** n. 1° Personne qui pratique le sport de la lutte. — 2° Personne qui fait preuve d'ardeur, de ténacité, d'énergie : *Tempérament de lutteur.*

luxe [lyks] n. m. 1° Etat de ce qui est caractérisé par des richesses superflues; usage de biens coûteux et inutiles : *Faire étalage de luxe* (syn. : RICHESSE). *Le luxe insolent des nouveaux riches* (syn. : FASTE). *C'est un luxe que mon salaire ne me permet pas* (= une dépense superflue). *Un appartement de grand luxe. Magasin de luxe, d'objets de luxe.* — 2° *Un luxe de* (suivi d'un nom plur.), une grande quantité de : *Raconter un accident avec un luxe de détails* (syn. : PROFUSION). *S'entourer d'un luxe de précautions.* ‖ *Se payer le luxe de* (faire), se permettre avec une hardiesse inhabituelle de (faire). ◆ **luxueux, euse** adj. : *Une installation luxueuse* (syn. : RICHE). *Un hôtel luxueux* (syn. : ↑ SOMPTUEUX). *Mener un train de vie luxueux* (syn. : ↑ PRINCIER ; contr. : MODESTE). ◆ **luxueusement** adv. : *Etre luxueusement meublé.*

luxer [lykse] v. tr. Faire sortir un os de sa place normale (surtout au pron. et au part. passé) : *L'épaule luxée* (syn. : DÉMETTRE). *Se luxer le genou* (syn. : SE DÉBOÎTER). ◆ **luxation** n. f. : *La luxation accidentelle du coude.*

luxure [lyksyr] n. f. Recherche déréglée des plaisirs sexuels (littér.) : *Une vie de luxure* (syn. usuel : DÉBAUCHE). *Les yeux brillants de luxure* (syn. : SENSUALITÉ). ◆ **luxurieux, euse** adj. : *Des pensées luxurieuses* (syn. : SENSUEL).

luxuriant, e [lyksyrjã, ãt] adj. Qui pousse, se développe avec abondance : *Végétation luxuriante* (syn. : SURABONDANT). *Une imagination luxuriante* (syn. : RICHE, EXUBÉRANT). ◆ **luxuriance** n. f. : *La luxuriance des forêts tropicales.*

luzerne [lyzɛrn] n. f. Plante utilisée comme fourrage.

lycée [lise] n. m. Etablissement d'enseignement du second degré, destiné aux élèves de onze à dix-huit ans (de la sixième aux classes terminales) : *Le lycée est dirigé par un proviseur.* ◆ **lycéen, enne** n. Elève d'un lycée. (V. COLLÈGE.)

lymphe [lɛ̃f] n. f. Liquide organique limpide et incolore, formé de plasma et de globules blancs. ◆ **lymphatique** adj. : *Ganglions, vaisseaux lymphatiques.* ◆ adj. et n. Atteint d'un état de déficience physique, souvent lié à une mauvaise nutrition : *Un enfant lymphatique.* ◆ **lymphatisme** n. m.

lyncher [lɛ̃ʃe] v. tr. (sujet nom désignant un groupe humain) *Lyncher quelqu'un,* lui faire subir des violences ou l'exécuter sommairement, sans jugement : *Le voleur fut lynché par les passants. La foule tenta de lyncher le coupable.* ◆ **lynchage** n. m. : *Le lynchage d'un assassin.*

lynx [lœ̃ks] n. m. 1° Mammifère carnivore, ressemblant à un grand chat. — 2° *Avoir des yeux de lynx,* des yeux vifs et perçants.

lyre [lir] n. f. Instrument de musique à cordes pincées, en usage dans l'Antiquité gréco-latine.

lyrique [lirik] adj. 1° *Poésie lyrique,* poésie qui exprime les sentiments personnels du poète, ses émotions, ses passions. — 2° Relatif à ce genre de poésie : *Style lyrique.* — 3° Destiné à être mis en musique, à être chanté : *Comédie lyrique.* ‖ *Artiste lyrique,* chanteur, chanteuse d'opéra, d'opéra-comique. ◆ adj. et n. 1° Qui cultive ce genre de poésie : *Un poète lyrique. Les grands lyriques grecs.* — 2° D'une expression exaltée, d'une grande émotion : *Il devient lyrique quand il parle de son auteur préféré* (syn. : PASSIONNÉ). ◆ **lyrisme** n. m. Expression poétique ou exaltée de sentiments personnels, d'émotions, de passions : *Le lyrisme romantique. S'exprimer avec lyrisme sur son bonheur présent* (syn. : EXALTATION).

lys n. m. V. LIS.

m

m n. m. V. Introduction.

ma adj. poss. V. MON.

maboul [mabul] adj. et n. *Pop.* Fou.

macabre [makabr] adj. Qui a trait à la mort, qui l'évoque : *Faire une découverte macabre dans la Seine* (= repêcher un cadavre). *C'est une plaisanterie macabre, de l'humour noir* (syn. : SINISTRE).

macadam [makadam] n. m. **1°** Revêtement des routes formé de pierres concassées, mêlées de sable et agglomérées au moyen d'un rouleau compresseur : *Le macadam goudronné de la route.* — **2°** La route elle-même : *Rouler sur le macadam.*

macaque [makak] n. m. **1°** Singe d'Asie à corps trapu. — **2°** *Fam.* Homme très laid.

macaron [makarɔ̃] n. m. Pâtisserie croquante, ronde, faite de pâte d'amandes et de sucre.

macaroni [makarɔni] n. m. Pâte alimentaire moulée en tubes creux et longs (longtemps invar., il est écrit auj. avec un *s* au plur.) : *Manger des macaronis au fromage, à la sauce tomate.*

macchabée [makabe] n. m. *Pop.* Cadavre : *Repêcher un macchabée dans la Seine.*

macérer [masere] v. tr. Laisser tremper assez longtemps dans un liquide, pour que se dissolvent certaines parties (surtout au passif) : *Des fleurs macérées dans l'alcool.* ◆ v. intr. (surtout avec FAIRE, LAISSER) : *Faire macérer une plante dans l'huile pour fabriquer un baume.* ◆ **macération** n. f.

mâche [mɑʃ] n. f. Plante potagère mangée en salade.

mâchefer [mɑʃfɛr] n. m. Résidu provenant de la combustion ou de la fusion de minéraux.

mâcher [mɑʃe] v. tr. **1°** Broyer avec les dents, avant d'avaler, ou triturer dans la bouche : *Mâcher la viande. Mâcher du chewing-gum.* — **2°** Expliquer mot à mot une chose à quelqu'un, pour la lui faire comprendre, la lui faire assimiler : *Il faut tout lui mâcher. Mâcher la leçon, la besogne de quelqu'un.* — **3°** *Ne pas mâcher ses mots,* exprimer son opinion avec une franchise, une simplicité brutale. ◆ **mâchoire** n. f. Os de la face portant les dents : *La mâchoire supérieure, inférieure. Serrer les mâchoires. Bâiller à se décrocher la mâchoire.* ◆ **mâchonner** v. tr. **1°** Triturer avec les dents lentement, continuellement : *Mâchonner le bout de son cigare. Mâchonner son crayon en réfléchissant.* — **2°** Emettre d'une manière indistincte, mal articuler : *Mâchonner quelques excuses.* ◆ **mâchonnement** n. m. ◆ **remâcher** v. tr. Garder et rappeler sans cesse le souvenir amer d'un affront, d'une humiliation, etc. : *Remâcher sa colère, son échec.*

machiavélique [makjavelik] adj. Qui vise à tromper par une habileté perfide, par le mensonge, etc. : *Un homme machiavélique, qui use de n'importe quels moyens pour parvenir à ses fins* (syn. : PERFIDE). *Des intrigues machiavéliques.* ◆ **machiavélisme** n. m. : *Il y a du machiavélisme dans la proposition qu'il a faite à ses adversaires de cesser toute polémique.*

machin [maʃɛ̃] n. m. Désigne fam. tout objet ou toute personne dont on ignore le nom ou que l'on ne cherche pas à dénommer : *Il y avait sur son établi un tas de machins que je ne connaissais pas* (syn. : TRUC). *Est-ce que tu as besoin de tous ces machins-là pour partir en vacances? Qu'est donc devenu Machin Chouette? La mère Machin.*

machine [maʃin] n. f. **1°** Ensemble d'appareils ou dispositif destinés à recevoir une certaine forme d'énergie et à la transformer pour produire un effet donné : *Le rôle des machines dans le monde moderne. Ne pas être esclave de la machine;* peut être suivi de *à* avec l'infin. ou un substantif : *Une machine à laver, à coudre, à calculer. Machine à vapeur, à air comprimé;* suivi d'un adj. : *Machine électrique, électronique;* suivi de *de* avec un nom : *Machine de bureau, d'imprimerie.* — **2°** Machine à écrire : *Taper à la machine. Lettre écrite à la machine.* — **3°** Nom générique de véhicules (bicyclette, locomotive, etc.) : *Le cycliste monté sur sa machine. Le mécanicien grimpe sur sa machine.* — **4°** Désigne un homme qui n'agit plus spontanément, qui est réduit à l'état de mécanisme (souvent suivi de *à* avec l'infin.) : *Ces aventuriers ne sont plus que des machines à tuer. Etre une simple machine à travailler.* — **5°** Ensemble de moyens, de services, d'organismes dont la marche régulière a un aspect automatique, sans âme : *La grande machine de l'Etat. Il est difficile d'émouvoir la machine administrative.* — **6°** *Machine infernale,* engin contenant un explosif et réglé pour tuer. ‖ *Machine de guerre,* engin de guerre; moyen d'amener la destruction de l'adversaire. ‖ *Une grande machine,* une œuvre (peinte, sculptée) de très grandes dimensions. ◆ **machinal, e, aux** adj. Se dit d'un mouvement humain qui n'a plus de spontanéité, où la volonté n'a pas part : *Il tendit la main vers son verre d'un geste machinal* (syn. : MÉCANIQUE). *Une réaction machinale* (syn. : AUTOMATIQUE). ◆ **machinalement** adv. : *Appliquer machinalement les règles de grammaire.* ◆ **machinerie** n. f. **1°** Ensemble de machines servant à effectuer un travail déterminé. — **2°** Endroit où sont les machines d'un navire. ◆ **machinisme** n. m. Emploi généralisé des machines dans l'industrie. ◆ **machiniste** n. m. Ouvrier chargé de mettre en place les décors et les accessoires de théâtre, de cinéma.

machiner [maʃine] v. tr. Préparer en secret des combinaisons plus ou moins illégales ou malhonnêtes; former un dessein secret : *Il est en train de machiner un motif quelconque pour ne pas venir* (syn. : RUMINER). *Ils ont machiné toute l'histoire dans le seul but de le perdre* (syn. : MANIGANCER). ◆ **machination** n. f. : *Déjouer les machinations de ses adversaires* (syn. : MANŒUVRE, INTRIGUE). *D'obscures machinations* (syn. : COMBINAISON).

maçon [masɔ̃] n. et adj. m. Ouvrier qui exécute la partie des travaux constituant le gros œuvre d'une construction et les revêtements. ◆ **maçonnerie** n. f.

Partie de la construction faite de matériaux (pierres, briques, etc.) assemblés par du mortier, du ciment, du plâtre, etc. : *Une maçonnerie de pierres. Un mur de maçonnerie.*

maculer [makyle] v. tr. Salir de taches : *Maculer ses vêtements de boue. Chemise maculée de sang* (syn. : SOUILLER, TACHER). *Papier maculé d'encre* (syn. : NOIRCIR).

madame [madam ou, pop., mdam] n. f. 1° Titre donné à une femme qui est ou a été mariée (sans art.; abrév. : Mme) : *Madame Durand;* peut être précédé d'un adjectif (apostrophe en tête de lettre, etc.) : *Chère madame.* — 2° Titre désignant toute femme exerçant une fonction (avec une valeur de respect) : *Madame la Directrice;* en ce sens, peut être suivi d'un nom masc. : *Madame le Maire de la commune.* — 3° Titre donné à une maîtresse de maison : *Madame est sortie. Madame désire? Madame est-elle chez elle?* — 4° Fam. *Jouer à la madame,* se donner des airs de femme de la haute société.

madeleine [madlɛn] n. f. Petit gâteau léger, de forme arrondie.

mademoiselle [madmwazɛl ou, pop., mamzɛl] n. f. Titre donné aux jeunes filles et aux femmes non mariées (sans art.; abrév. : Mlle) : *Mademoiselle votre sœur. Mademoiselle Dupont.*

madré, e [madre] adj. Se dit de quelqu'un dont l'habitude inventive s'accompagne d'une absence de scrupule (littér.) : *Les paysans madrés des contes de Maupassant* (syn. plus usuel : RETORS, FINAUD).

madrier [madrije] n. m. Pièce de bois très épaisse, employée dans la construction : *La charpente est faite en madriers de chêne.*

madrigal, aux [madrigal, -go] n. m. Petite pièce de vers exprimant des sentiments tendres.

maestoso adv. V. MOUVEMENT, *Mouvements musicaux.*

maestria [maestrija] n. f. Maîtrise et vivacité dans l'exécution, la réalisation de quelque chose (souvent avec la prép. *avec*) : *Conduire un orchestre avec maestria. La maestria avec laquelle il s'est tiré de cette affaire est étonnante* (syn. : BRIO).

maestro [maestro] n. m. *Fam.* Titre donné à un musicien de talent.

maffia [mafja] n. f. Association secrète de malfaiteurs (commerce de drogue, entreprises de chantage, etc.).

magasin [magazɛ̃] n. m. 1° Etablissement de commerce où l'on expose des marchandises en vue de les vendre (se substitue à *boutique,* qui désigne un commerce plus petit) : *Les magasins d'alimentation. Les grands magasins de Paris* (= grands établissements de vente réunissant de nombreux rayons spécialisés). *Un magasin* (ou *une boutique*) *d'antiquités. Marchandises exposées à la devanture d'un magasin. Courir les magasins* (= faire des courses). *Les magasins à prix unique.* — 2° Lieu où l'on conserve des marchandises, des provisions, des objets : *Les magasins à blé installés près du port* (syn. : ENTREPÔT). *Le magasin des accessoires et des décors dans un théâtre. Je n'ai pas cet article en magasin* (= dans mon stock de marchandises). — 3° *Magasin d'une arme, d'un appareil photographique,* partie ménagée pour l'approvisionnement en cartouches, en pellicule photographique. ◆ **magasinage** n. m. Action de mettre en dépôt dans un magasin. ◆ **magasinier** n. m. Employé chargé de garder les objets amenés en magasin et d'en assurer la distribution. ◆ **emmagasiner** [ɑ̃magazine] v. tr. 1° Mettre en magasin : *Un grossiste qui emmagasine un nouveau stock de marchandises.* — 2° Amasser, mettre en réserve : *Un bibliophile qui a emmagasiné chez lui des livres rares. Emmagasiner des souvenirs* (syn. : ACCUMULER). ◆ **emmagasinage** n. m.

magazine [magazin] n. m. Publication périodique illustrée, traitant de sujets divers : *Les grands magazines paraissent au milieu de chaque semaine.*

mage [maʒ] n. m. et adj. 1° *Les Rois mages,* les personnages qui, selon l'Evangile, vinrent rendre hommage à l'Enfant Jésus (*Adoration des Mages*). — 2° Celui qui se prétend versé dans les sciences occultes, grand prêtre d'une religion secrète.

magie [maʒi] n. f. 1° Art supposé de produire, par des procédés mystérieux, secrets, des phénomènes qui vont contre les lois de la nature : *La magie et la sorcellerie du Moyen Age. Les formules de magie.* — 2° *C'est de la magie,* c'est un phénomène extraordinaire. ‖ *Comme par magie,* d'une manière inexplicable (syn. : PAR ENCHANTEMENT). — 3° Effet étonnant ou influence surprenante exercés par un sentiment très vif : *La magie de l'art, de l'amour* (syn. : CHARME). *La magie du verbe, des mots* (syn. : PUISSANCE, PRESTIGE). ◆ **magique** adj. 1° Qui tient de la magie : *Formule magique* (syn. : CABALISTIQUE). *Pouvoir magique* (syn. : OCCULTE). *La baguette magique d'une fée* (syn. : ENCHANTÉ). — 2° Qui produit un effet d'étonnement, d'enchantement : *Le mot magique de « liberté ». Le spectacle magique du feu d'artifice sur le lac.* — 3° *Lanterne magique,* instrument d'optique avec lequel on projette sur un écran des images agrandies. ◆ **magicien, enne** n. 1° Personne qui pratique la magie : *Etre ensorcelé par un magicien. Les alchimistes furent considérés comme des magiciens.* — 2° Personne capable de produire des choses extraordinaires : *Un véritable magicien, qui peut retourner une foule hostile en sa faveur. Magicien du vers.*

magistère [maʒistɛr] n. m. *Exercer un magistère,* exercer une autorité doctrinale d'une manière absolue.

magistral, e, aux [maʒistral, -tro] adj. (avant ou plus souvent après le nom). 1° Qui porte la marque d'un homme éminent, qui a des qualités supérieures incontestées : *Laisser derrière soi une œuvre magistrale. Réussir un coup magistral* (= un coup de maître). *Avoir une adresse magistrale.* — 2° *Fam.* Qui est d'une force remarquable : *Une magistrale paire de claques* (syn. : MAGNIFIQUE). *Recevoir une fessée magistrale* (syn. : SUPERBE). — 3° Qui appartient à un maître; qui est donné en chaire : *Un enseignement magistral. Un cours magistral.* ◆ **magistralement** adv.

magistrat [maʒistra] n. m. Fonctionnaire ou officier civil ayant une autorité de juridiction (membres des tribunaux), d'administration (préfet, maire), de gouvernement (ministre) : *Les magistrats municipaux d'une ville;* désigne surtout les fonctionnaires chargés de la justice : *Le magistrat instructeur d'une affaire. Les magistrats de la cour d'assises.* ◆ **magistrature** n. f. Charge, fonction, corps des magistrats : *La magistrature suprême*

(= la présidence de la République). *Faire carrière dans la magistrature* (= la justice).

magma [magma] n. m. Masse confuse, non ordonnée : *Son article est un magma grandiloquent.*

magnanime [maɲanim] adj. Se dit d'une personne (ou de son comportement) dont la générosité se manifeste par la bienveillance envers les faibles ou le pardon aux vaincus : *Se montrer magnanime* (syn. : CLÉMENT). *Un vainqueur magnanime* (syn. : GÉNÉREUX). *Un cœur magnanime* (syn. : NOBLE). ◆ **magnanimité** n. f. : *Agir avec magnanimité* (syn. : GRANDEUR D'ÂME). *La magnanimité de son pardon* (syn. : GÉNÉROSITÉ).

magnat [maɲa ou magna] n. m. *Magnat de l'industrie, de la finance, du pétrole, de la métallurgie,* etc., personnage important de l'industrie, de la finance, etc., où il représente de puissants intérêts économiques (valeur péjor.).

magnésium [maɲesjɔm] n. m. Métal blanc argenté, utilisé dans les alliages, et qui brûle dans l'air avec une flamme éblouissante.

magnétisme [maɲetism] n. m. 1° Ensemble des propriétés des aimants et des phénomènes s'y rapportant : *L'aiguille de la boussole est soumise à l'action du magnétisme terrestre.* — 2° Ensemble de phénomènes par lesquels se manifeste l'influence supposée d'une personne sur une autre. ◆ **magnétique** adj. 1° *Corps magnétique* (= qui possède les propriétés de l'aimant). *Champ magnétique.* — 2° (sujet nom de personne) *Avoir un pouvoir magnétique,* exercer une influence puissante et mystérieuse. ◆ **magnétiser** v. tr. 1° Donner les propriétés de l'aimant : *Barre de fer magnétisée.* — 2° Soumettre une personne à une influence magnétique : *Etre magnétisé par un regard pénétrant.*

magnétophone [maɲetɔfɔn] n. m. Appareil d'enregistrement et de restitution des sons par aimantation d'un ruban (bande). ◆ **magnétique** adj. : *Bandes magnétiques* (= sur lesquelles on enregistre des sons au moyen du magnétophone).

magnifier [maɲifje] v. tr. Célébrer comme grand (littér.) : *Il magnifia dans son discours l'héroïsme de ceux qui s'étaient sacrifiés* (syn. : VANTER, GLORIFIER).

magnifique [maɲifik] adj. (avant ou après le nom). 1° Se dit d'une chose qui a de la grandeur, une beauté majestueuse, de l'éclat : *Le magnifique portail de la cathédrale de Chartres* (syn. : SPLENDIDE, SUPERBE). *Un magnifique paysage* (syn. : ↓ BEAU). *Un avenir magnifique l'attend* (syn. : BRILLANT; contr. : EFFROYABLE). *La nuit était magnifique* (syn. : ADMIRABLE). *Il nous exposa un projet magnifique* (syn. : AMBITIEUX). — 2° Se dit de quelqu'un de très beau, très fort : *Une femme magnifique. De magnifiques athlètes.* — 3° Ironiq. et fam. *Vous êtes magnifique,* vous êtes étonnant (syn. : ÊTRE IMPOSSIBLE). ◆ **magnifiquement** adv. : *Livre magnifiquement illustré. L'équipe s'est magnifiquement comportée au cours du match* (= très bien). ◆ **magnificence** n. f. 1° Qualité de ce qui est magnifique (langue soutenue) : *La magnificence de la réception officielle* (syn. : ÉCLAT, FASTE). *La magnificence d'un spectacle* (syn. : SPLENDEUR, SOMPTUOSITÉ). — 2° Attitude de celui qui donne avec une grande libéralité (littér.) : *Traiter quelqu'un avec magnificence* (syn. : GÉNÉROSITÉ). *Etaler une ruineuse magnificence* (syn. : PRODIGALITÉ).

magnolia [maɲɔlja] n. m. Arbre ornemental, aux fleurs opulentes à l'odeur suave, planté dans les parcs.

magot [mago] n. m. *Fam.* Argent, économies cachés dans un lieu jugé sûr : *Les malfaiteurs cherchèrent vainement où était le magot.*

mahométan, e [maɔmetɑ̃, -an] adj. et n. Syn. anc. de MUSULMAN, E.

mai n. m. V. MOIS.

maigre [mɛgr] adj. et n. 1° (après le nom) Se dit d'une personne, d'un animal (ou des parties de son corps) qui n'a pas de graisse, de quelqu'un qui est plus ou moins sec : *Il est devenu très maigre avec l'âge* (syn. : ↑ SQUELETTIQUE; contr. : GRAS, GROS, ↑ OBÈSE). *Etre maigre comme un clou* (fam.). *Un grand maigre. Des joues maigres* (syn. : ↑ DÉCHARNÉ, CREUX; contr. : POTELÉ). *La figure maigre* (syn. : HÂVE, TIRÉ). *Un chat maigre.* — 2° (après le nom) Se dit d'un aliment qui ne contient pas de graisse : *Une viande maigre* (contr. : GRAS). *Du fromage maigre.* ‖ *Jours maigres,* où l'on ne mange, par prescription religieuse, ni viande ni aliments gras. — 3° (avant le nom) Où il y a peu à manger : *Faire un maigre repas. Le menu est bien maigre aujourd'hui* (contr. : PLANTUREUX). — 4° (avant le nom) Peu abondant : *La maigre végétation de ce paysage désertique* (syn. : PAUVRE). *Un maigre filet d'eau. Les moissons sont bien maigres* (contr. : RICHE). — 5° (avant le nom) Peu important : *Toucher un maigre salaire* (syn. : MÉDIOCRE, PETIT). *Le profit est bien maigre* (syn. : MINCE). *Le résultat de ses efforts est bien maigre* (syn. : ↑ INSIGNIFIANT). ◆ adv. *Faire maigre,* ne manger ni viande ni aliments gras les jours prescrits par la religion catholique. ◆ **maigrement** adv. D'une manière pauvre : *Vivre maigrement d'un salaire misérable. Etre maigrement payé.* ◆ **maigreur** n. f. : *Etre d'une maigreur effrayante. La maigreur de la végétation* (syn. : PAUVRETÉ). *La maigreur d'un sujet* (= son peu d'importance). ◆ **maigrichon, onne** et **maigrelet, ette** adj. et n. Un peu trop maigre (sens 1) : *Des jambes maigrelettes. Une petite fille maigrichonne.* ◆ **maigrir** v. intr. Devenir maigre : *Les privations l'ont fait maigrir. Elle a beaucoup maigri* (syn. : PERDRE DU POIDS). ◆ **maigri, e** adj. Syn. plus usuel de AMAIGRI : *Je l'ai trouvé maigri.*

1. maille [maj] n. f. 1° Chaque boucle que forme le fil, la laine, etc., dans les tissus tricotés, dans les filets : *Laisser échapper une maille en tricotant.* — 2° Ouverture que les boucles de ces tissus laissent entre elles : *Les mailles sont trop larges. Passer entre les mailles du filet. Tissu à mailles fines.* — 3° *Cotte de mailles,* armure du Moyen Age faite de petits annelets de fer. ◆ **maillon** n. m. 1° Anneau d'une chaîne : *Un maillon est rompu.* — 2° *Etre un maillon de la chaîne,* être un élément dans un organisme dont tous les services dépendent les uns des autres. ◆ **démailler (se)** v. pr. Se dit d'un tissu dont les mailles se défont. ◆ **remmailler** v. tr. Remettre les mailles de : *Remmailler un filet, des bas.* ◆ **remmaillage** n. m.

2. maille [maj] n. f. *Avoir maille à partir avec quelqu'un,* avoir avec lui des difficultés, une dispute.

maillet [majɛ] n. m. 1° Marteau en bois très dur, à deux têtes. — 2° Instrument similaire, à long manche, avec lequel on joue au croquet.

maillot [majo] n. m. 1° Large carré d'étoffe dont on enveloppe les jambes et le corps d'un nouveau-né jusqu'au dessous des bras (syn. : LANGE). — 2° Vêtement souple, de tricot, qui couvre une partie du corps et se porte sur la peau : *Un maillot de corps. Un maillot de danseur. Un maillot de bain. Le maillot jaune du coureur classé premier au Tour de France cycliste.* ◆ **démailloter** v. tr. *Démailloter un enfant,* lui ôter le maillot (sens 1). ◆ **emmailloter** v. tr. 1° Envelopper un enfant dans des langes. — 2° *Emmailloter un doigt blessé,* l'envelopper complètement avec de la gaze, un pansement.

main [mɛ̃] n. f. 1° Organe qui termine le bras de l'homme et qui lui sert à prendre, à tenir, à toucher, à exécuter, etc. : *Les cinq doigts de la main. Tenir dans la paume de la main. Large comme la main* (= de petite dimension). *Se laver les mains. Croiser les mains. Joindre les mains pour prier, pour implorer. Poser la main sur le front. Le stylo est à portée de la main. Arrêter le ballon de la main. Le verre lui a échappé des mains. Lever la main pour prêter serment. Ils se promènent la main dans la main.* — 2° Symbole de l'autorité, de la possession, de la violence, de l'effort, de l'aide (dans de nombreuses expressions, v. ci-après) : *Trouver une main secourable* (= une aide). *Tomber entre des mains sacrilèges* (= en la possession de). — 3° Au jeu de cartes, distribution des cartes : *Prendre la main* (= prendre son tour de distribuer). *Avoir une belle main* (= avoir une belle distribution de cartes).

Locutions et expressions. — I. « MAIN » ACCOMPAGNÉ D'UN ADJECTIF. *Ne pas y aller de main morte,* agir avec brutalité, dureté, violence. ‖ *Avoir la main heureuse,* être habituellement heureux dans son choix. ‖ *Avoir la main légère,* agir avec douceur, en n'appuyant pas. ‖ *Avoir les mains libres,* avoir l'entière liberté d'agir. ‖ *Avoir les mains liées,* ne plus être libre de faire telle ou telle chose : *Il a les mains liées par un contrat très strict.* ‖ *A pleines mains,* abondamment, largement, sans compter : *Distribuer les crédits à pleines mains;* de manière à remplir totalement les mains : *Puiser à pleines mains dans un sac de blé.* ‖ *A deux mains,* en se servant des deux mains. ‖ *D'une main,* en ne se servant que d'une seule main. ‖ *A main armée,* en ayant des armes à la main : *Attaque à main armée.* ‖ *De première main,* directement, sans intermédiaire : *Renseignements obtenus de première main.* ‖ *De seconde main,* d'une manière indirecte et le plus souvent avec des risques d'erreur : *Travailler de seconde main.* ‖ *Des deux mains,* avec un grand empressement : *Je souscris des deux mains au projet que vous présentez.* ‖ *En main propre,* dans les mains de la personne même : *Le télégramme doit être remis en main propre à son destinataire.* ‖ *De longue main,* en s'y prenant longtemps à l'avance : *Cette attaque a été préparée de longue main.* ‖ *Avoir la haute main sur quelque chose,* jouir de la principale autorité sur cette chose. ‖ *Etre en bonnes mains,* être entre les mains d'une personne honnête ou compétente. ‖ *Faire main basse sur quelque chose,* s'en emparer sans en avoir le droit, voler. ‖ *Petite main,* apprentie couturière. ‖ *Première main,* première ouvrière d'une maison de couture. ‖ *Mettre la dernière main à une chose,* la terminer.

II. « MAIN » COMPLÉMENT D'UN VERBE. *Battre des mains,* applaudir. ‖ *Changer de main,* passer d'un possesseur à un autre : *La ferme a changé de main.* ‖ *Demander, obtenir la main d'une femme,* demander, obtenir de l'épouser. ‖ *Forcer la main,* obliger, contraindre. ‖ *En venir aux mains,* en arriver au combat, se battre. ‖ *Lever, porter la main sur quelqu'un,* se préparer à le frapper. ‖ *Passer la main,* transmettre son pouvoir, se démettre. ‖ *Passer par des mains, par les mains de,* venir en la possession de quelqu'un : *Ce tableau est passé par bien des mains avant de venir dans le musée;* venir sous l'autorité, sous la responsabilité de quelqu'un : *Toutes les décisions importantes passent par ses mains.* ‖ *S'en laver les mains,* dégager sa responsabilité. ‖ *En mettre la* (ou *sa*) *main au feu,* être prêt à jurer que ce qu'on avance est vrai; être fortement persuadé de quelque chose : *Je mettrais ma main au feu qu'il a encore oublié de le prévenir.* ‖ *Mettre la main à la pâte,* prêter son concours efficace à une entreprise. ‖ *Mettre la main sur quelqu'un,* l'arrêter, le mettre en prison : *La police a mis la main sur le criminel.* ‖ *Perdre la main,* perdre l'habitude de faire quelque chose. ‖ (sujet nom de personne). Péjor. *Se donner la main,* avoir la même valeur : *Ils peuvent se donner la main; ils sont aussi bêtes l'un que l'autre.* ‖ *Serrer la main, donner la main,* la serrer en signe d'amitié ou de paix. ‖ *Tendre la main,* demander l'aumône; aider.

III. « MAIN » PRÉCÉDÉ D'UNE PRÉPOSITION. *Avoir une chose bien en main,* la tenir solidement; *avoir quelqu'un bien en main,* exercer sur lui une autorité incontestée. ‖ *A la main,* en tenant par la main : *Tenir un chapeau à la main;* fait avec la main (et non avec une machine) : *Tricot fait à la main.* ‖ *De main en main,* en allant d'une personne à une autre : *L'objet d'art passa de main en main pour que chacun pût l'examiner.* ‖ *De la main à la main,* sans faire l'objet d'un acte officiel : *J'ai versé au vendeur, de la main à la main, une partie de la somme due.* ‖ *Prendre en main quelque chose,* s'en charger, en prendre la responsabilité. ‖ *Reprendre en main,* redresser une situation compromise. ‖ *En main,* en la possession de : *Il a en main le livre que j'aurais désiré lire.* ‖ *Sous la main,* à la disposition immédiate : *Je n'ai pas sous la main les papiers nécessaires.* ‖ *De la main* (*de la propre main*) *de,* par la main de : *Tableau exécuté de la main même de Rubens;* de la part de : *J'ai reçu, pour l'impression, le manuscrit de la main même de l'auteur.* ‖ *Entre les mains de quelqu'un,* en sa possession, en son pouvoir, à sa disposition : *Votre demande est maintenant entre les mains de la personne intéressée.* ‖ *Tomber sous la main de quelqu'un,* venir par hasard en sa possession. ‖ *Agir sous main,* secrètement, à l'insu des autres.

IV. « MAIN » COMPLÉMENT D'UN NOM. *Coup de main,* action militaire locale, visant à obtenir des renseignements; aide apportée à quelqu'un : *Donne-moi un coup de main pour soulever l'armoire.* ‖ *Homme de main,* homme d'action, décidé, souvent sans scrupule et au service d'une autre personne. ‖ *En un tour de main,* en très peu de temps : *Il a fait cette réparation en un tour de main.*

V. « MAIN » SUIVI D'UN COMPLÉMENT. *De main d'homme,* exécuté par les forces, l'activité de l'homme. ‖ *De main de maître,* d'une manière magistrale, remarquable : *Peinture exécutée de main de maître.*

VI. « MAIN » ET UN ADVERBE. *Haut les mains,* les mains au-dessus de la tête (en signe de reddition). ‖ *Pas plus que sur la main,* se dit fam. pour signifier qu'il n'y a pas trace de quelque chose.

main-d'œuvre [mɛ̃dœvr] n. f. 1° Travail de l'ouvrier, dans la fabrication d'un produit, dans la confection d'un ouvrage, considéré sur le plan du prix de revient : *Les frais de main-d'œuvre. Fournir la main-d'œuvre.* — 2° Ensemble des ouvriers, des salariés d'une entreprise, d'une région, d'un pays : *Faire appel à la main-d'œuvre étrangère. La diminution de la main-d'œuvre agricole.*

main-forte [mɛ̃fɔrt] n. f. *Donner, prêter main-forte à quelqu'un,* l'assister, lui venir en aide pour assurer son autorité dans des circonstances difficiles (syn. fam. : DONNER UN COUP DE MAIN).

mainmise [mɛ̃miz] n. f. Action de mettre la main sur quelque chose, d'en prendre possession, d'avoir une influence exclusive : *La mainmise de l'Etat sur certaines entreprises.*

maint, e [mɛ̃, mɛ̃t] adj. indéf. (surtout au plur. et dans quelques expressions de la langue soutenue ou littéraire). 1° En un grand nombre de : *En maints endroits* (= plus d'un endroit). *A maintes reprises* (= de nombreuses fois). *Maintes fois, il a été averti du danger.* — 2° *Maintes et maintes fois, à maintes et maintes reprises,* très fréquemment.

maintenant [mɛ̃tnɑ̃] adv. 1° Dans le moment présent, à l'époque actuelle (avec un verbe à l'indic. présent) : *Maintenant, il connaît la nouvelle* (syn. : À PRÉSENT, PRÉSENTEMENT). *C'est maintenant trop tard* (syn. : AUJOURD'HUI). *Nous avons maintenant plus de moyens de guérir qu'autrefois* (syn. : ACTUELLEMENT; contr. : JADIS); avec un passé composé : *Il est maintenant arrivé à Lyon* (syn. : À L'HEURE QU'IL EST); avec un imparfait (style indirect libre) : *Maintenant, il se sentait découragé.* — 2° A partir de l'instant où l'on est (suivi du futur) : *Il sera maintenant plus prudent* (syn. : DÉSORMAIS). *Vous cesserez maintenant de parler de ce que vous ne savez pas.* — 3° Introduit une considération nouvelle et conclusive après une affirmation : *C'est mon idée; maintenant, vous pourrez agir comme vous l'entendez.* ● LOC. CONJ. *Maintenant que,* indique une relation causale entre deux événements qui se suivent dans le temps : *Maintenant que le temps s'est remis au beau, nous allons pouvoir sortir* (syn. : DU MOMENT QUE, PUISQUE).

maintenir [mɛ̃tənir] v. tr. (conj. 22). 1° *Maintenir quelque chose,* le tenir dans une position fixe, en état de stabilité : *Le mur maintient la terre qu'emporterait l'eau de pluie* (syn. : RETENIR, FIXER). *Maintenir la tête au-dessus de l'eau* (syn. : SOUTENIR). *Maintenir les mains derrière la tête* (syn. : APPUYER). — 2° *Maintenir quelqu'un,* l'empêcher de remuer, d'avancer : *Deux oreillers maintiennent le malade assis. Un cordon de police maintenait la foule loin du cortège* (syn. : CONTENIR). *Maintenir solidement son chien par la laisse.* — 3° Tenir pendant longtemps dans le même état; faire durer, subsister : *Maintenir les impôts à leur taux actuel* (syn. : GARDER). *Chercher à maintenir ses privilèges* (syn. : CONSERVER). *Maintenir un fonctionnaire dans son poste* (syn. : CONFIRMER). *Les traditions sont maintenues* (syn. : SAUVEGARDER). *Maintenir sa candidature. Maintenir un adversaire en respect* (= le tenir éloigné par crainte). — 4° Affirmer avec insistance, répéter avec force : *Maintenir une opinion* (syn. : SOUTENIR). *Je maintiens que cette erreur ne vient pas de moi.* ◆ ***se maintenir*** v. pr. Rester dans le même état, dans une même situation : *La santé se maintient. La paix s'est maintenue vingt ans* (syn. : DURER). *Le candidat se maintient au second tour* (= maintient sa candidature). *L'élève se maintient dans une honnête moyenne* (syn. : RESTER). ◆ **maintien** n. m. 1° Action de faire durer : *Le maintien des libertés* (syn. : CONSERVATION; contr. : SUPPRESSION). *Le maintien des situations acquises. Le maintien des prix. Les forces du maintien de l'ordre* (= la police). — 2° Manière habituelle de se comporter en société, de se tenir physiquement (le mot vieillit) : *Un maintien modeste* (syn. : ATTITUDE). *Avoir de la gaucherie dans son maintien* (syn. : TENUE, ALLURE). *Il cherche à se donner du maintien* (syn. : CONTENANCE).

maire [mɛr] n. m. Membre du conseil municipal élu pour diriger les affaires de la commune. (Le fém. MAIRESSE est rare.) ◆ **mairie** n. f. 1° Hôtel de ville, où se trouvent les bureaux, l'administration de la commune, du maire. — 2° L'administration de la ville elle-même.

maïs [mais] n. m. Céréale cultivée pour ses graines comestibles.

1. mais [mɛ] conj. 1° Introduit une opposition à ce qui a été affirmé, une restriction à ce qui a été dit : *Il est généreux, mais d'une générosité affectée. Ils ne sont pas là, mais il est déjà huit heures* (syn. : POURTANT, CEPENDANT, TOUTEFOIS; littér. : NÉANMOINS). *Il est intelligent, certes, mais très paresseux* (syn. : EN REVANCHE). *Il n'est pas riche, mais au moins, lui, il est honnête* (syn. fam. : PAR CONTRE). *J'ai invité non seulement Durand, mais aussi son père;* l'objection n'étant pas formulée, mais suggérée par des points de suspension : *Je ne dis pas, mais enfin...;* substantiv. : *Que veut dire ce mais?* (syn. : OBJECTION, OPPOSITION; contr. : OUI, ACQUIESCEMENT). *Il y a un mais* (= il y a une difficulté, une objection). — 2° Sert de particule de renforcement dans les réponses : *Mais oui, bien sûr, je viendrai demain* (syn. : ASSURÉMENT). *Mais non, je vous assure, je n'ai reçu aucune lettre;* sert de liaison entre un mot et sa répétition insistante : *C'était d'un drôle, mais d'un drôle! Il avait vraiment réussi dans la vie, mais, alors, ce qui s'appelle réussi!;* entre dans les phrases exclamatives en liaison avec certaines interjections ou dans les propositions interrogatives : *Ah ça, mais! ne me dites pas que vous ne l'avez pas fait exprès. Mais enfin, qu'est-ce que vous avez?* (marque quelque impatience). *Mais encore, quelle décision prenez-vous?* (marque l'insistance); en particulier dans la loc. *non mais* marque l'indignation (fam.) : *Non mais, des fois! pour qui me prends-tu? Non mais! avez-vous vu un abruti pareil!* — 3° Sert de particule de transition pour marquer soit le début de la conversation, soit son changement : *Mais j'y pense, que faites-vous demain? Mais, à propos, avez-vous de bonnes nouvelles de votre fils? Mais passons!* (= ne nous appesantissons pas). *Mais quoi! revenons à notre sujet.*

2. mais [mɛ] adv. *N'en pouvoir mais,* n'avoir aucune possibilité de modifier la situation (littér.) : *Vous m'accusez, mais je n'en peux mais* (= je ne suis pas responsable; syn. usuel : N'Y POUVOIR RIEN). *Il rendait responsable de tout ce désordre son épouse, qui n'en pouvait mais.*

maison [mezɔ̃] n. f. 1° Bâtiment construit pour servir d'habitation à l'homme : *Une maison de brique* (syn. : IMMEUBLE). *Avoir une petite maison de campagne pour les vacances* (syn. : PAVILLON).

Maison à vendre, à louer. Une maison forestière (= petite habitation d'un garde dans un bois). *Un groupe de maisons* (= un bloc). *Maison frappée d'alignement.* — **2°** Logement que l'on habite; son aménagement : *Rentrer à la maison* (= chez soi; syn. : DOMICILE). *Venez à la maison* (= chez moi). *La maîtresse de maison* (syn. : LOGIS). *Il reste dimanche à la maison. La maison est bien tenue* (syn. : APPARTEMENT). *Savoir tenir sa maison* (syn. : MÉNAGE). — **3°** Edifice servant à un usage particulier : *La maison de Dieu* (= église). *Maison de fous, de santé* (= un asile). *Une maison d'arrêt* (= prison). *La maison du peuple* (= mairie). *Maison de retraite* (= où sont reçus les vieillards). *Maison de famille* (= hôtel, pension de famille). *Maison de jeu* (= où l'on joue à des jeux d'argent). *Maison close* (= maison de prostitution). *La maison mère* (= le principal établissement d'un ordre religieux, d'une maison de commerce). *La Maison-Blanche* (= où réside le président des Etats-Unis). — **4°** Entreprise commerciale (*maison de commerce*) : *La maison a été fondée en 1880. Une maison de tissus, de vins en gros. Avoir trente ans de maison* (= être employé depuis trente ans dans la même entreprise). *La maison est en faillite. Les bénéfices d'une maison.* — **5°** Membres d'une même famille : *Quelqu'un de la maison* (= parmi les intimes). *C'est un familier, un ami de la maison* (= qui la visite souvent). *Le fils de la maison* (syn. : FAMILLE). *L'honneur de la maison.* — **6°** *Gens de maison,* domestiques. ◆ adj. invar. **1°** De premier ordre, fait selon des recettes éprouvées, traditionnelles : *Une tarte maison. Le pâté maison* (= pâté du chef). — **2°** *Fam.* Qui appartient en propre à la maison de commerce où l'on est employé : *Il a pris le genre maison.* ◆ **maisonnée** n. f. Ensemble des personnes de la même famille, vivant dans la même maison (souvent ironiq.) : *La maisonnée était prête au départ dès six heures.* ◆ **maisonnette** n. f. Petite maison : *La maisonnette du garde-barrière* (syn. : PAVILLON).

maître [mɛtr], **maîtresse** [mɛtrɛs] n. **1°** Personne qui exerce un pouvoir, une autorité sur d'autres, qui a la possibilité de leur imposer sa volonté, qui dirige : *Le maître et l'esclave. Le maître et son chien. Le père est le maître de la famille* (syn. : CHEF). *Le maître, la maîtresse de maison. Parler en maître* (syn. : DIRIGEANT). *S'installer en maître dans un pays* (syn. : DOMINATEUR). — **2°** Personne qui possède un bien et en dispose : *Le maître d'un domaine* (syn. : POSSESSEUR). *La maîtresse d'une ferme* (syn. : PROPRIÉTAIRE). — **3°** Personne qui enseigne, éduque : *Une maîtresse d'école, un maître d'école* (= professeurs d'écoles primaires; syn. : INSTITUTRICE, INSTITUTEUR). *Donner un maître à ses enfants* (syn. : PRÉCEPTEUR). *Le maître interroge l'élève* (syn. : PROFESSEUR). *Une maîtresse de piano, de français. Un maître, une maîtresse d'internat* (= chargés de la surveillance d'un internat); ce qui instruit (au masc.) : *L'amour est un grand maître.* • LOCUTIONS. **1°** Avec *maître, maîtresse* attribut sans article : *Etre, rester maître de soi,* avoir, garder la maîtrise de soi, de ses sentiments : *Elle est restée maîtresse d'elle-même* (= elle a gardé son sang-froid; syn. : SE DOMINER). ‖ *Etre maître de quelque chose,* en disposer librement : *Il est maître de son temps, de ses loisirs, de son destin. Etre maître de son sujet* (= le dominer). *Rester maître de la situation.* ‖ *Etre maître de* (et l'infin.), être libre de, pouvoir librement : *Vous êtes maître de refuser.* ‖ *Se rendre maître de quelqu'un,* s'en emparer, le maîtriser; *de quelque chose,* l'occuper, s'en saisir. ‖ *Etre maître à telle couleur,* aux cartes, avoir les cartes les plus importantes dans cette couleur. — **2°** Avec *maître* seul : *Passer maître dans quelque chose,* y être fort habile. ‖ *Etre maître dans le métier de,* avoir une compétence incontestée dans. ‖ *Trouver son maître,* rencontrer quelqu'un qui vous est supérieur. ‖ *De main de maître,* avec une habileté incomparable. ◆ **maître** n. m. (sans fém.). **1°** Titre donné aux avocats et aux gens de loi : *Maître Un tel, avocat.* — **2°** *Maître d'armes,* celui qui enseigne l'escrime. ‖ *Maître d'hôtel,* celui qui, dans un restaurant ou dans une grande maison, veille au service de la table. ‖ *Maître de ballet,* celui qui dirige un corps de ballet dans un théâtre. ‖ *Maître d'équipage,* officier marinier. ‖ *Maître de conférences,* titre porté par un professeur de l'enseignement supérieur, avant celui de professeur. ‖ *Maître d'étude,* surveillant dans une école (vieux). ‖ *Maître de forges,* propriétaire d'une usine sidérurgique. — **3°** Celui dont on est le disciple, qui est pris comme modèle; artiste, écrivain célèbre : *Suivre les leçons, l'exemple d'un maître. Il est pour tous un maître à penser* (syn. : MODÈLE). ◆ **maîtresse** n. f. (sans masc.). Femme qui accorde ses faveurs à un homme avec lequel elle n'est pas mariée légalement : *La maîtresse en titre. Une ancienne maîtresse. Entretenir une maîtresse.* ◆ **maître, maîtresse** adj. **1°** Qui est le plus important, le principal, qui est essentiel : *L'idée maîtresse de son exposé. La poutre maîtresse. La branche maîtresse de l'arbre. Jouer ses cartes maîtresses. Abattre un atout maître* (= une carte qui l'emporte sur les autres). — **2°** *Une maîtresse femme,* une femme énergique, volontaire, qui sait commander. ‖ *Un maître fripon, un maître filou,* un homme devenu très habile dans le vol, l'escroquerie. ◆ **maître-autel** n. m. Autel principal d'une église. ◆ **maîtrise** n. f. **1°** *Maîtrise de soi,* ou simplem. *maîtrise,* qualité de celui qui a du sang-froid, qui se domine : *Retrouver la maîtrise de soi. Perdre sa maîtrise* (syn. : CALME). — **2°** Possession d'une chose dont on dispose librement : *Les physiciens ont la maîtrise de l'atome. Avoir la maîtrise des mers, de l'air* (syn. : DOMINATION, EMPIRE, PRÉPONDÉRANCE). — **3°** Perfection, sûreté dans la technique : *Opération exécutée avec maîtrise* (syn. : ↓ HABILETÉ). *Faire preuve d'une maîtrise exceptionnelle* (syn. : VIRTUOSITÉ). — **4°** Ensemble des contremaîtres et des chefs d'équipe d'une entreprise. — **5°** Ensemble des chanteurs d'une église : *La maîtrise paroissiale.* — **6°** *Maîtrise de conférences,* fonction de maître de conférences. ◆ **maîtriser** v. tr. **1°** Soumettre, contenir par la force : *Maîtriser un cheval sauvage* (syn. : DOMPTER). *Les agents maîtrisèrent le forcené* (= le réduisirent à l'impuissance). — **2°** Dominer un sentiment, une passion : *Maîtriser son émotion* (syn. : RÉPRIMER). *Maîtriser sa colère* (syn. : CONTENIR, SURMONTER). *Maîtriser un geste d'énervement* (syn. : RETENIR). ◆ ***se maîtriser*** v. pr. Se dominer, se rendre maître de son émotion : *Réussir à se maîtriser* (= à garder son calme). *Ne pleurez pas, maîtrisez-vous* (contr. : S'ABANDONNER). ◆ **maîtrisable** adj. (surtout dans des phrases négatives) : *En ces occasions, la douleur n'est pas facilement maîtrisable.*

majesté [maʒɛste] n. f. **1°** Caractère de grandeur, de dignité, de souveraineté qui impose le respect : *La majesté des lois. Attenter à la majesté royale. La majesté solennelle des juges de la cour.* — **2°** Caractère extérieur de noblesse, de beauté admirable : *La majesté du palais du Louvre. La majesté des ruines romaines. Son visage est empreint d'une grande majesté* (contr. : VULGARITÉ). — 3° Titre que l'on donne aux souverains héréditaires (avec une majusc.; abrév. : *S. M.*) : *Sa Majesté la reine d'Angleterre. Sa Majesté le roi des Belges. Sa Majesté Louis XIII.* ◆ **majestueux, euse** adj. 1° Se dit d'une personne (ou de son attitude) qui a de la grandeur, de la dignité : *Un majestueux vieillard présidait l'assemblée* (syn. : SOLENNEL). *Une démarche majestueuse* (syn. : GRAVE, NOBLE; contr. : QUELCONQUE, VULGAIRE). — 2° Se dit d'une chose d'une beauté grandiose et admirable : *La façade majestueuse de la cathédrale de Chartres* (syn. : MONUMENTAL). ◆ **majestueusement** adv. : *Le cortège s'avançait majestueusement vers l'estrade.*

majeur, e [maʒœr] adj. 1° Sert de comparatif à *grand,* dans le sens d' « important », « considérable » : *Avoir un empêchement majeur. Un cas de force majeure* (= situation, événement qui empêche de faire quelque chose et dont on n'est pas responsable). *L'intérêt majeur du pays nous commande d'agir ainsi. C'est une raison majeure pour refuser le projet. Sa préoccupation majeure est de gagner de l'argent.* — 2° *En majeure partie,* pour la plus grande partie. ‖ *La majeure partie,* la plus grande quantité, le plus grand nombre. ◆ adj. et n. 1° Se dit de quelqu'un qui a atteint l'âge de la majorité (vingt et un ans en France) : *Il est majeur maintenant. Une fille majeure* (contr. : MINEUR). — 2° Qui sait se diriger lui-même : *Un peuple majeur.* ◆ **majeur** n. m. Le troisième et le plus grand des doigts de la main. ◆ **majorité** n. f. 1° Groupement de voix qui, dans un vote, donne à une personne, à un parti ou au gouvernement la supériorité par le nombre des suffrages obtenus : *Obtenir la majorité à l'Assemblée nationale. Elu à la majorité des présents. La majorité absolue* (= la moitié plus un des suffrages exprimés). *La majorité relative* (= qui groupe plus de voix que chacun des autres concurrents, mais sans atteindre la majorité absolue). — 2° Ensemble de ceux qui, dans une assemblée, représentent le plus grand nombre : *La majorité soutient le gouvernement* (contr. : OPPOSITION). *Les députés de la majorité* (contr. : MINORITÉ). *Se rallier à la majorité.* — 3° Le plus grand nombre, la plus grande partie : *La majorité des personnes interrogées n'avait rien vu. Dans leur immense majorité, ils sont favorables à une telle mesure. Nous sommes en majorité hostiles à cette opinion.* — 4° Age à partir duquel on est légalement responsable de ses actes (en France, vingt et un ans) : *Attendre sa majorité. L'oncle fut nommé tuteur jusqu'à la majorité des enfants.* ◆ **majoritaire** adj. Qui appartient à la majorité : *Un gouvernement majoritaire* (= qui s'appuie sur une majorité à l'Assemblée; contr. : MINORITAIRE). *Scrutin majoritaire* (= où seule la majorité est représentée). ◆ adj. et n. Qui fait partie de la majorité.

major [maʒɔr] n. m. 1° Médecin militaire (vieilli). — 2° Premier d'une promotion, dans une grande école; candidat reçu premier à un concours.

majordome [maʒɔrdɔm] n. m. Chef des domestiques d'une grande maison.

majorer [maʒɔre] v. tr. Augmenter le prix d'une marchandise, le montant d'un salaire, l'estimation d'un objet; porter à un chiffre plus élevé : *Les commerçants ont majoré leurs prix* (syn. : AUGMENTER; contr. : BAISSER). *Majorer les salaires* (syn. : RELEVER). ◆ **majoration** n. f. : *Majoration du prix des transports* (syn. : AUGMENTATION; contr. : DIMINUTION). *Majoration des frais, d'une taxe* (syn. : HAUSSE; contr. : BAISSE).

majuscule [maʒyskyl] n. f. et adj. Lettre plus grande que les autres et de forme différente, que l'on met aux noms propres, au premier mot d'une phrase, au début des vers, etc. (contr. : MINUSCULE).

1. mal, maux [mal, mo] n. m. 1° Ce qui cause du dommage, de la peine : *Faire du mal* (syn. : ↓ TORT; contr. : BIEN). *Il ne ferait pas de mal à une mouche. Le mal est fait. Je ne veux de mal à personne. Supporter des maux cruels* (syn. : ÉPREUVE). *Sa jalousie est la cause de tous ses maux* (syn. : MALHEUR; contr. : BONHEUR). *Ces reproches lui ont fait du mal.* — 2° Ce qui cause une souffrance, une douleur physique : *Se faire du mal en tombant. Il y a plus de peur que de mal.* — 3° Ce qui exige de l'effort, de la peine : *Il a du mal à travailler le soir* (syn. : FACILITÉ). *Ils se donnent bien du mal pour payer les études de leur fils. Traduire sans trop de mal une lettre écrite en allemand* (syn. : DIFFICULTÉ). *On n'a rien sans mal.* — 4° Ce qui est contraire à la morale, au bien : *Dire du mal des autres* (= calomnier, médire de). *Faire le mal pour le mal. Il tourne en mal tout ce que je dis. Penser du mal d'un voisin. Je ne vois aucun mal à ce qu'il exprime ses critiques* (syn. : ↑ CRIME). *Attaquer le mal par la racine.* — 5° Sans article, forme avec le verbe une loc. verbale : *Avoir mal à la tête* (= souffrir). *Cela me fait mal de l'entendre* (= m'écœure). *Il s'est fait mal en tombant* (= s'est blessé). *Prendre mal* (= tomber malade). *Il ne songe pas à mal* (= il ne pense pas à nuire). *Mettre à mal* (= abîmer). ‖ *Etre en mal de quelque chose,* souffrir de son absence : *Journaliste en mal de copie.* — 6° Suivi d'un complément du nom (avec ou sans art.) ou avec un adjectif postposé, forme une loc. figée : *Un mal de gorge. Souffrir de violents maux de tête. Le mal de cœur* (= la nausée). *Des maux de rein. Le mal de mer* (= malaise proche de la nausée). *Le mal des hauteurs, des montagnes. Un mal blanc* (= nom usuel du panaris). *Le mal du pays* (= la nostalgie). *Le mal du siècle* (= l'inquiétude propre à une génération). ◆ **demi-mal** n. m. Inconvénient moins grave qu'on n'aurait pu craindre : *Il n'y a que demi-mal : sa voiture est endommagée, mais il est indemne. Nous sommes un peu en retard, mais c'est un demi-mal : tout le travail est achevé.*

2. mal [mal] adv. 1° D'une manière mauvaise (défectueuse, fâcheuse, désagréable, douloureuse, défavorable, etc.) : *Ecrire, s'exprimer mal. Un travail mal fait. Un mariage mal assorti. Les affaires vont mal. La situation tourne mal. Ça va mal. La porte ferme mal* (= imparfaitement). *Ce chapeau lui va mal* (= ne lui convient pas). *Le moment est mal choisi* (= inopportun). *Elle s'est trouvée mal* (= s'est évanouie). *Etre mal fichu* (fam.). *Etre bien mal, au plus mal* (= très malade). *Son échec s'explique mal* (= difficilement). *Etre mal reçu. Il a très mal pris ton retard* (= s'en est offensé). *Il est au plus mal avec ses collègues de bureau* (= est brouillé). *Etre mal nourri* (contr. : BIEN). *Le moteur fonctionne mal. Agir mal* (= contrairement à la morale). *Ce voyou finira mal. Elle a mal tourné* (= est tombée dans l'immoralité). — 2° Fam. *Pas mal,* équivaut à un adv. de quantité, de qualité (le plus souvent sans *ne*) : *Il y avait pas mal de badauds* (syn. : BEAUCOUP). *Il en sait pas mal sur son compte. J'ai déjà vu pas mal de choses.* « *Ça va? — Pas mal* (= assez bien) ». *Elle ne s'en est pas mal tirée.* ‖ *De mal en pis,* d'un état mauvais à un autre plus mauvais encore : *La situation va de mal en pis.*

3. mal [mal] adj. invar. *Bon an mal an,* l'un dans l'autre, en dépit des situations diverses, contraires. ‖ *Bon gré mal gré,* plus ou moins volontiers. ‖ Fam. *Etre pas mal,* être joli, beau, d'un aspect agréable. ‖ *Il est mal de, c'est mal de* (suivi d'un infin.), il est contraire à la morale : *C'est mal de mentir à ses parents!* (contr. : IL EST BIEN DE, C'EST BIEN DE).

malade [malad] adj. et n. Se dit d'un être vivant dont l'organisme souffre de troubles, qui a subi une altération dans sa santé : *Etre gravement malade* (syn. : ↓ SOUFFRANT). *Tomber malade. Il s'est rendu malade en mangeant trop. Avoir l'air malade* (syn. : ↓ INDISPOSÉ; contr. : BIEN PORTANT). *Se sentir malade* (syn. : INCOMMODÉ; contr. : DISPOS). *Il est malade du cœur. Un malade mental. Un grand malade. Il est malade d'inquiétude* (syn. : ↑ FOU). ◆ adj. 1° Troublé, altéré dans ses fonctions : *Avoir la poitrine malade. Badigeonner sa gorge malade.* — 2° Dont le fonctionnement est déréglé, dont l'état a subi un grave dérangement : *L'entreprise est bien malade; elle ne peut faire face à ses échéances. Un monde malade.* ◆ **maladie** n. f. 1° Altération, trouble, dérangement de l'organisme humain : *Attraper une maladie. Etre miné par la maladie. La maladie s'est déclarée. Soigner, guérir une maladie. Les maladies professionnelles* (= qui résultent de l'exercice normal d'une profession). *Les maladies mentales.* — 2° Trouble dans la manière de se conduire, dans l'état d'esprit : *La maladie de la vitesse* (syn. : PASSION, MANIE). *C'est une maladie chez elle de s'occuper des affaires des autres.* — 3° Fam. *En faire une maladie,* être très contrarié de quelque chose. ◆ **maladif, ive** adj. 1° Sujet à être malade : *Un enfant maladif* (syn. : MALINGRE; contr. : ROBUSTE). *Une jeune fille frêle et maladive* (syn. fam. : PATRAQUE). — 2° Se dit de ce qui manifeste une constitution fragile, un état de maladie : *La pâleur maladive de son visage.* — 3° Qui dénote un trouble mental, un comportement malsain : *Une curiosité maladive* (syn. : ↑ MORBIDE). *Le besoin maladif de persécuter son entourage.*

maladresse n. f. V. ADRESSE; **maladroit, e** adj. et n. V. ADROIT.

malaga [malaga] n. m. Raisin récolté dans le sud de l'Espagne; vin fait avec ce raisin.

malaise [malɛz] n. m. 1° Sensation pénible d'un trouble de l'organisme, provoquée en particulier par les affections du cœur : *Eprouver un malaise* (syn. : VERTIGE). *La fumée lui cause un malaise passager* (syn. : INCOMMODITÉ; contr. : BIEN-ÊTRE). *Souffrir d'un malaise* (syn. : INDISPOSITION). — 2° Sentiment pénible et mal défini : *Un malaise inexplicable, indéfinissable grandissait en lui* (syn. : ENNUI). *Eprouver un malaise* (syn. : TROUBLE, ↑ INQUIÉTUDE). — 3° Début de crise, de troubles économiques, politiques : *Le malaise général du monde des affaires. Le malaise politique.*

malaisé, e adj. V. AISE.

malandrin [malɑ̃drɛ̃] n. m. Voleur, bandit (mot vieilli et surtout littér.).

malappris, e [malapri, -iz] adj. et n. Qui a reçu une mauvaise éducation (souvent terme d'injure) : *Un garçon malappris* (syn. : IMPOLI, MAL ÉLEVÉ). *Espèce de malappris! faites donc attention.*

malaria [malarja] n. f. Syn. de PALUDISME.

malaxer [malakse] v. tr. *Malaxer une substance,* la pétrir de façon à la rendre plus molle ou pour la mêler à une autre : *Malaxer du beurre, de la farine et des jaunes d'œufs* (syn. : TRITURER). ◆ **malaxage** n. m. (syn. : MIXAGE).

malchance n. f. V. CHANCE; **malcommode** adj. V. COMMODE; **maldonne** n. f. V. DONNER.

mâle [mɑl] adj. et n. Se dit d'un individu appartenant au sexe qui porte les attributs de la fécondation : *Un enfant mâle. Maladie qui se transmet uniquement par les mâles. Une perdrix mâle.* ◆ adj. (avant ou après le nom). Dont la force, l'énergie, la vigueur rappellent celles d'un homme dans la pleine force du terme : *Une voix mâle* (= grave). *La mâle beauté d'un visage* (contr. : EFFÉMINÉ). *Une mâle assurance* (syn. : VIRIL). *Les mâles accents de « la Marseillaise »* (syn. : MARTIAL). *Une mâle résolution* (syn. : HARDI).

malédiction n. f. V. MAUDIRE.

maléfice [malefis] n. m. Sortilège qui vise à nuire à quelqu'un, à des animaux; mauvais sort qu'on peut jeter sur eux : *La vieille femme était accusée par les villageois de jeter des maléfices sur des familles entières. Elle portait au doigt une émeraude qui, disait-elle, écarte les maléfices.* ◆ **maléfique** adj. Se dit de quelque chose doué d'une influence surnaturelle et mauvaise (littér.) : *Exercer un pouvoir maléfique autour de soi.*

malencontreux, euse [malɑ̃kɔ̃trø, -øz] adj. Qui cause de l'ennui en survenant mal à propos : *Une panne malencontreuse m'a mis en retard* (syn. : FÂCHEUX). *Faire une allusion malencontreuse au cours d'une conversation* (syn. : MALHEUREUX; contr. : OPPORTUN). ◆ **malencontreusement** adv. : *Oublier malencontreusement ses clefs.*

malentendu [malɑ̃tɑ̃dy] n. m. Divergence d'interprétation sur le sens d'une action, d'une parole, entraînant un désaccord, une mésentente, une contestation : *Faire cesser un malentendu* (syn. : QUIPROQUO). *Cette querelle repose sur un malentendu* (syn. : MÉPRISE, ERREUR). *Dissiper un malentendu. Malentendu diplomatique* (syn. : DIFFÉREND).

malfaçon n. f. V. FAÇON.

malfaisant, e [malfəzɑ̃, -ɑ̃t] adj. Qui fait, qui cause du mal : *Un être malfaisant* (= qui cherche à nuire). *Avoir une influence malfaisante* (syn. : PERNICIEUX; contr. : BIENFAISANT). *Une bête malfaisante* (syn. : NUISIBLE). ◆ **malfaisance** n. f. : *La malfaisance d'une philosophie pessimiste.*

malfaiteur [malfetœr] n. m. Personne qui a commis des vols, des crimes : *On a arrêté un dangereux malfaiteur* (syn. : BANDIT). *Une association de malfaiteurs. La police recherche les malfaiteurs* (syn. : VOLEUR).

malfamé, e [malfame] adj. *Maison, rue, hôtel,* etc., *mal famés,* qui sont fréquentés par des individus louches, qui ont mauvaise réputation.

malgré [malgre] prep., **malgré que** [malgrekə] loc. conj. Indiquent une opposition active. (V. tableau p. 702.)

malhabile adj. V. HABILE.

malgré prép. (suivie d'un substantif ou d'un pronom)	**malgré que** loc. conj. (suivie du subjonctif)
1° Opposition de quelqu'un : *Il s'est marié malgré son père* (syn. : CONTRE). *Il y est arrivé presque malgré lui* (= involontairement). *Il y a consenti malgré soi* (= à contrecœur). 2° Opposition de quelque chose : *Je continue malgré les critiques malveillantes* (syn. : EN DÉPIT DE). *Malgré les ordres reçus* (syn. : AU MÉPRIS DE). 3° **Malgré tout,** en dépit de tous les obstacles qui peuvent se présenter : *Il faut malgré tout que je réussisse à cet examen;* marque une opposition avec ce qui précède : *Il suivait un entraînement fantaisiste, mais c'était malgré tout un grand champion;* marque une opposition à ce que l'on pense ou ce que l'on juge d'habitude : *Je connais votre duplicité et malgré tout je me suis laissé prendre.*	*Malgré que cela ne puisse vous servir à rien, je veux bien vous le prêter* (syn. : BIEN QUE [langue soutenue et écrite]; QUOIQUE, ENCORE QUE, EN DÉPIT QUE [langue usuelle]). L'emploi de *malgré que* est restreint par quelques grammairiens à celui du verbe *avoir* dans la subordonnée conjonctive, cela afin de respecter l'origine présumée de *que* (*malgré qu'on en ait* = en dépit de l'opposition que l'on manifeste) : *Il faut se plier à une certaine discipline, malgré qu'on en ait.*

malheur [malœr] n. m. 1° Evénement pénible, douloureux, ou simplement regrettable, qui affecte quelqu'un : *Il lui est arrivé un grand malheur : il a perdu son fils* (syn. : DEUIL, PERTE). *Les malheurs m'assaillent* (syn. : ÉPREUVE). *Un malheur arrive si vite!* (syn. : ACCIDENT). *Un affreux malheur se prépare* (syn. : CATASTROPHE, CALAMITÉ). *Supporter avec courage un horrible malheur* (syn. : INFORTUNE, COUP DU SORT, REVERS). *Il a eu des malheurs dans sa vie* (= des ennuis). *Cette rencontre fut le grand malheur de sa vie* (contr. : BONHEUR). *Le malheur, c'est que je n'ai pas sur moi son adresse* (syn. : ENNUI, INCONVÉNIENT). — 2° Sort pénible, douloureux, funeste qui est celui de quelqu'un : *Il fait le malheur de toute sa famille* (syn. : CHAGRIN). *Montrer du courage dans le malheur* (syn. : ADVERSITÉ). *Faire l'expérience du malheur* (syn. : INFORTUNE). *Etre frappé par le malheur* (syn. : ↓ MALCHANCE). *Le malheur a voulu que j'oublie le rendez-vous.* — 3° Pop. *Faire un malheur,* faire une action dont les conséquences peuvent être dures pour quelqu'un d'autre : *Retenez-moi, ou je fais un malheur!* ‖ *Jouer de malheur,* avoir une mauvaise chance persistante. ‖ *Porter malheur,* avoir une influence fatale, entraîner des conséquences néfastes pour quelqu'un. ‖ *Oiseau de malheur,* personne qui porte malheur. ‖ *Par malheur,* par un effet de la malchance. • INTERJ. *Malheur!,* exprime le désespoir, la surprise peinée. ‖ *Malheur à* (et un nom de personne), interj. par laquelle on souhaite qu'il arrive un malheur à quelqu'un. ◆ **malheureux, euse** adj. et n. 1° (après le nom) Qui se trouve dans une situation douloureuse, qui est victime d'un malheur; qui est dans l'ennui : *Il la rend très malheureuse par sa mauvaise humeur continuelle* (contr. : HEUREUX). *Une famille malheureuse* (syn. : MISÉRABLE, ↑ PITOYABLE). *Je suis malheureux de ne pouvoir lui venir en aide* (syn. : PEINÉ). *Les malheureux sinistrés du tremblement de terre* (syn. : INFORTUNÉ). *Secourir les malheureux* (syn. : PAUVRE, INDIGENT, MISÉREUX). *Il est malheureux comme les pierres* (= très malheureux). — 2° (avant le nom) Se dit de quelqu'un qui inspire un sentiment de mépris mêlé de pitié : *Un malheureux qui passe sa vie à envier le sort des autres* (syn. : MISÉRABLE). *Ce n'est qu'un malheureux ivrogne* (syn. : PAUVRE). — 3° *Petit malheureux!,* interj. adressée à un enfant imprudent. ◆ adj. 1° (avant ou après le nom) Qui exprime ou est marqué par le malheur; qui en est victime : *Prendre un air malheureux pour avouer une faute* (syn. : TRISTE, ↑ LAMENTABLE). *Mener une existence malheureuse* (syn. : DUR, PÉNIBLE). *La situation malheureuse dans laquelle se trouve cette famille* (syn. : ↑ PITOYABLE). — 2° (avant ou après le nom) Dont les conséquences entraînent le malheur : *Une entreprise malheureuse* (syn. : ↑ FUNESTE, DÉSASTREUX; contr. : AVANTAGEUX). *Avoir un geste malheureux* (syn. : FÂCHEUX, DÉPLORABLE). *Un mot malheureux* (syn. : MALENCONTREUX; contr. : HEUREUX). — 3° (après le nom) Qui manque de chance, à qui la réussite fait défaut : *Etre malheureux au jeu* (syn. : MALCHANCEUX). *Il a vraiment eu la main malheureuse dans le choix de ses collaborateurs. Il est malheureux que vous ne l'ayez pas rencontré* (syn. : REGRETTABLE). *Avoir une initiative malheureuse* (contr. : ADROIT, HABILE). — 4° (avant le nom) Qui est sans importance, sans valeur : *Se mettre en colère pour une malheureuse petite erreur!* (syn. : INSIGNIFIANT; contr. : GROS). ◆ **malheureusement** adv. : *Je ne pourrai malheureusement pas venir* (syn. : PAR MALHEUR). *Vous êtes arrivé bien malheureusement à la fin de la discussion.*

malice [malis] n. f. 1° Attitude d'esprit consistant à s'amuser ironiquement aux dépens d'autrui; penchant à jouer des tours à quelqu'un; parole ou action reflétant cet état d'esprit : *Sa réponse était pleine de malice* (syn. : MOQUERIE). *Il y eut dans ses yeux un éclair de malice. Une malice bien innocente!* (syn. : PLAISANTERIE, FARCE). *La malice est cousue de fil blanc* (= la ruse est trop visible pour ne pas être déjouée). *Un sac à malice* (= une personne qui a plus d'un tour dans son sac). — 2° *Par malice,* par méchanceté, par désir de nuire : *Il a rapporté cet incident par pure malice.* ◆ **malicieux, euse** adj. : *Un enfant malicieux* (syn. : ESPIÈGLE). *Faire une réflexion malicieuse* (syn. : NARQUOIS, SPIRITUEL). *Un regard malicieux* (syn. : IRONIQUE, RAILLEUR). ◆ **malicieusement** adv. : *Interroger malicieusement sur une question délicate.*

malin, igne [malɛ̃, -iɲ] adj. et n. Se dit de quelqu'un qui a de la finesse d'esprit, de la ruse, et qui s'en sert pour se tirer d'embarras ou se moquer : *Etre malin comme un singe. Etre né malin* (syn. fam. : FUTÉ). *Un homme malin et débrouillard* (syn. ASTUCIEUX, DÉLURÉ). *Il ne faut pas jouer avec moi au plus malin. Il n'est pas très malin* (syn. : INTELLIGENT, FINAUD). *Bien malin serait celui qui éclaircirait le fond de l'affaire. Il a fait le malin et s'est fait berner* (= il a voulu montrer son esprit). *Ce gros malin a cru que les autres se laisseraient prendre à sa ruse.* ◆ adj. 1° (après le nom) Se dit de ce qui manifeste ou demande de la finesse, de l'intelligence : *Il a toujours sur les lèvres un sourire malin* (syn. : SPIRITUEL). *Ce n'est pas bien malin; un enfant de cinq ans saurait manipuler cet appareil* (fam.; syn. : COMPLIQUÉ, DIFFICILE). *C'est malin de l'avoir averti; maintenant, nous ne pourrons pas nous débarrasser de lui* (fam. = ce n'est pas fort). — 2° (avant le nom) Se dit de ce qui montre de la méchanceté : *Mettre un malin vouloir à importuner son voisin. Il éprouve un malin plaisir à relever toutes nos erreurs* (syn. : MÉCHANT). — 3° *Tumeur maligne,* susceptible de provoquer la mort en se généralisant. ‖ *Influence maligne,* pernicieuse, dangereuse. ◆ **malignité** n. f. 1° Caractère de celui qui cherche à nuire bassement : *Dénonciation faite par malignité* (syn. : BASSESSE). *Etre en butte à la malignité publique* (syn. : MÉCHANCETÉ, MALVEILLANCE). — 2° *La malignité d'une tumeur,* son caractère dangereux, mortel.

malingre [malɛ̃gr] adj. et n. Se dit d'une personne de constitution délicate, fragile : *Un enfant malingre, aux joues maigres* (syn. : CHÉTIF, FRÊLE; contr. : ROBUSTE).

malle [mal] n. f. 1° Coffre en bois, en métal, etc., où l'on enferme les objets et les vêtements que l'on emporte en voyage : *Défaire ses malles.* — 2° Coffre d'une automobile où l'on met les bagages : *La malle arrière.* (On dit auj. COFFRE.) — 3° *Faire sa malle,* partir. ◆ **mallette** n. f. Petite valise rigide, renfermant en général le nécessaire de toilette.

malléable [maleabl] adj. Qui subit facilement les volontés des autres : *Un caractère malléable* (syn. : DOCILE). *Les adolescents sont malléables* (syn. : INFLUENÇABLE). [Dans la langue technique, se dit d'un métal qui peut être réduit en lamelles minces.]

malmener [malməne] v. tr. 1° *Malmener quelqu'un,* le traiter avec dureté, violence, sans douceur, en actions ou en paroles : *La foule malmena le chauffard imprudent* (syn. : BRUTALISER). *L'auteur de la pièce fut malmené par la critique* (syn. fam. : ÉREINTER, ESQUINTER). — 2° Faire subir un échec, battre durement : *Le champion malmena son adversaire dès le premier round.*

malodorant, e adj. V. ODEUR.

malotru, e [malɔtry] n. et adj. Individu mal élevé, grossier dans ses propos et dans ses attitudes (souvent terme d'injure) : *Un malotru m'a bousculé pour monter le premier dans l'autobus* (syn. : GOUJAT, MUFLE). *Un conducteur malotru.*

malséant, e [malseɑ̃, -ɑ̃t] adj. Qui est contraire à la politesse, aux bonnes mœurs, à la pudeur (langue soutenue) : *Des propos malséants* (syn. : INCONVENANT, GROSSIER). *Il est malséant de laisser cette vieille femme debout; cédez-lui votre place* (syn. : CHOQUANT, INCORRECT).

malsonnant, e [malsɔnɑ̃, -ɑ̃t] adj. Contraire aux convenances, à la pudeur (langue soutenue) : *Des qualificatifs malsonnants* (syn. : GROSSIER).

malt [malt] n. m. Orge germée, séchée et réduite en farine pour faire de la bière.

malthusianisme [maltyzjanism] n. m. 1° Restriction volontaire des naissances. — 2° Limitation volontaire de l'expansion économique. ◆ **malthusien, enne** adj. et n.

maltraiter [maltrete] v. tr. *Maltraiter un être vivant* (ou ses œuvres), le traiter avec violence, dureté, sévérité; lui faire subir de mauvais traitements : *Maltraiter un enfant* (syn. : BRUTALISER). *Maltraiter un chien* (syn. : FRAPPER). *Etre maltraité par le sort* (syn. : MALMENER). *La pièce a été fort maltraitée par les critiques* (syn. fam. : ÉREINTER).

malveillant, e [malvejɑ̃, -ɑ̃t] adj. et n. 1° Se dit d'une personne portée à juger mal autrui, à lui souhaiter du mal : *Laissez donc les malveillants* (syn. : MÉCHANT). *Une voisine malveillante avait répandu sur lui des calomnies.* — 2° Qui est inspiré par des intentions hostiles : *Tenir des propos malveillants à l'égard de quelqu'un* (syn. : DÉSOBLIGEANT). *Jeter un regard malveillant sur un importun.* ◆ **malveillance** n. f. 1° Disposition d'esprit de celui qui est malveillant : *Regarder avec malveillance* (syn. : ANIMOSITÉ). — 2° Intention de nuire : *Accident dû à la malveillance.*

malvenu, e [malvəny] adj. *Etre malvenu de, à* (et l'infin.), être peu fondé à (littér.) : *Vous êtes malvenu de juger les autres, alors que vous ne voulez pas qu'on vous juge.*

malversation [malvɛrsasjɔ̃] n. f. Détournement d'argent, de fonds, commis par un fonctionnaire, un employé, dans l'exercice de sa charge : *Un caissier coupable de malversations. Commettre une malversation.*

maman [mamɑ̃ ou mɑ̃mɑ̃] n. f. Mère, dans le langage affectif, surtout celui des enfants (appellation affectueuse).

mamelle [mamɛl] n. f. 1° Organe qui, chez les mammifères, sécrète le lait. — 2° Syn. de SEIN (chez la femme) : *Enfant à la mamelle* (= qui tète encore). ◆ **mamelon** n. m. 1° Bout de la mamelle. — 2° Petite colline de forme arrondie : *Le flanc sud des mamelons était couvert de vignes.* ◆ **mamelonné, e** adj. : *Paysage mamelonné* (syn. : ACCIDENTÉ).

mammifère [mamifɛr] n. m. Animal vertébré de température constante, pourvu de mamelles, de poumons, d'un cœur et d'un encéphale relativement développé.

mammouth [mamut] n. m. Eléphant fossile de la période quaternaire.

mamours [mamur] n. m. pl. Fam. *Faire des mamours à quelqu'un,* lui faire des caresses, des flatteries.

manager [manadʒœr] n. m. Celui qui gère les intérêts financiers des champions professionnels, des artistes, en leur procurant des contrats, qui organise des spectacles, des concerts, etc.

1. manche [mɑ̃ʃ] n. f. 1° Partie du vêtement qui couvre le bras : *Les manches courtes d'une robe. Passer, enfiler les manches de son veston. Retrousser les manches de sa chemise pour travailler. Tirer quelqu'un par la manche pour attirer son attention.* — 2° *Etre en manches* (*en bras*) *de chemise,* se dit d'un homme qui a retiré sa veste et se trouve en chemise. ‖ Fam. *Avoir quelqu'un dans sa manche,* pouvoir disposer pour ses intérêts personnels du crédit, de l'autorité de cette personne. ‖ Fam. *C'est une autre paire de manches,* c'est une affaire tout à fait différente, beaucoup plus difficile. ◆ **manchette** n. f. 1° Bande de toile, fixe ou mobile, adaptée aux poignets d'une chemise : *Des manchettes empesées. Mettre ses boutons de manchettes.* — 2° Coup donné avec l'avant-bras. — 3° Dans un journal, titre en gros caractères de la première page : *Les manchettes des journaux annoncent un attentat.* ◆ **manchon** n. m. 1° Fourrure en forme de rouleau, dans laquelle on met les mains pour les protéger du froid. — 2° Pièce cylindrique servant à divers usages.

2. manche [mɑ̃ʃ] n. f. *Manche à air,* large tube, conduit métallique servant à aérer l'intérieur d'un navire.

3. manche [mɑ̃ʃ] n. f. Chacune des parties liées d'un jeu (aux cartes, au tennis, etc.) : *Le joueur de tennis a gagné la première manche par six jeux à deux. Il a remporté la première manche dans la partie diplomatique, mais tout n'est pas gagné. Nous avons chacun une manche, il faut jouer la belle.*

4. manche [mɑ̃ʃ] n. m. 1° Partie allongée par laquelle on tient un outil, un instrument : *Un manche de couteau, de pelle, de fourchette. Un manche à balai. Le manche d'une casserole. Le manche d'un violon.* — 2° *Manche à gigot,* pince par laquelle on tient l'os du gigot pour découper la viande. — 3° Fam. *Branler dans le manche,* être dans une situation mal assurée. ‖ Fam. *Jeter le manche après la cognée,* abandonner tout après le premier échec, la première difficulté. ‖ Fam. *Se mettre du côté du manche,* se ranger du côté du plus fort. ◆ **mancheron** n. m. Chacune des deux poignées d'une charrue. ◆ **démancher** v. tr. 1° Ôter le manche d'un outil, d'un instrument : *Démancher un balai, une pioche.* — 2° Défaire les parties de quelque chose; démettre un membre : *Chaise toute démanchée* (syn. : DISLOQUER). ◆ ***se démancher*** v. pr. 1° *Un marteau qui se démanche.* — 2° *Se démancher le bras,* se démettre le bras. — 3° *Fam.* Se donner du mal : *Il s'est démanché pour obtenir des crédits* (syn. : SE DÉMENER; fam. : SE METTRE EN QUATRE). ◆ **emmancher** v. tr. 1° Mettre un manche à : *Emmancher un marteau.* — 2° Fam. *L'affaire est mal emmanchée,* elle est mal commencée. ◆ ***s'emmancher*** v. pr. Fam. *Bien, mal s'emmancher,* avoir un bon, un mauvais commencement : *La négociation s'emmanche bien.*

manchot, e [mɑ̃ʃo, -ɔt] adj. et n. 1° Privé ou estropié d'un bras, d'une main ou des deux mains, des deux bras. — 2° *Ne pas être manchot, un manchot,* être habile manuellement, être actif.

mandarin [mɑ̃darɛ̃] n. m. Nom donné ironiq. à des personnages importants. (Le mot désigne un haut fonctionnaire public de la Chine impériale.)

mandarine [mɑ̃darin] n. f. Fruit doux et parfumé du *mandarinier,* arbrisseau plus petit que l'oranger.

mandat [mɑ̃da] n. m. 1° Pouvoir, fonction, mission donnés par une personne à une autre de s'acquitter de quelque chose (souvent avec *donner*) : *Donner mandat à un notaire d'acheter une ferme. Remplir le mandat qu'on a reçu d'un ami* (syn. : COMMISSION). *Confier un mandat difficile* (syn. : MISSION). — 2° Fonction d'un membre élu d'une assemblée; pouvoir d'un élu : *Le président a demandé le renouvellement de son mandat. Les délégués ont reçu un mandat impératif* (= qui impose de s'en tenir aux instructions reçues). — 3° Ordre donné de comparaître, ordre d'arrêter, etc. (langue admin.) : *Le juge d'instruction délivra un mandat d'amener* (= de comparaître). *Mandat d'arrêt, de dépôt* (= de conduire en prison). — 4° Titre reçu par le service des postes pour faire parvenir une somme à un correspondant : *Envoyer un mandat à son fils soldat;* la forme ou la destination du mandat peut être indiquée par une épithète : *Mandat télégraphique. Mandat-poste. Mandat-carte* (= qui a la forme d'une carte postale). *Mandat-contributions* (= qui sert pour le paiement des impôts directs). *Mandat-lettre* (= qui contient une partie réservée à la correspondance). ◆ **mandataire** n. 1° Personne à qui on a confié un mandat (sens 1 et 2) : *Je suis son mandataire auprès de vous* (syn. : REPRÉSENTANT, DÉLÉGUÉ). *Les députés sont les mandataires des électeurs.* — 2° *Mandataire aux Halles,* personne dont le métier est de servir d'intermédiaire entre les producteurs de province et les revendeurs de Paris, sur le marché de la viande, des fruits, etc. ◆ **mandater** v. tr. 1° Payer une somme avec un mandat (sens 4) : *Mandater cent francs au nom de son fils.* — 2° *Mandater quelqu'un,* lui confier une mission, une charge au nom d'un autre : *Les locataires ont mandaté l'un des leurs pour négocier avec le propriétaire.* ◆ **mandant, e** n. Personne qui confie un mandat (sens 1 et 2) à une autre : *Je parle au nom de mes mandants.*

mandement [mɑ̃dmɑ̃] n. m. Ecrit adressé par un évêque aux fidèles de son diocèse, par lequel il leur donne ses instructions.

mander [mɑ̃de] v. tr. 1° Faire savoir par une lettre, un message (littér.) : *On nous mande d'Iran qu'un tremblement de terre s'est produit.* — 2° Demander de venir (langue soutenue) : *Mander le médecin* (syn. usuel : APPELER).

mandibules [mɑ̃dibyl] n. f. pl. *Fam.* Mâchoires : *Jouer des mandibules.* (Dans la langue technique, désigne chacune des deux parties du bec des oiseaux ou des deux pièces buccales de certains insectes.)

mandoline [mɑ̃dɔlin] n. f. Instrument de musique à cordes pincées et à caisse de résonance bombée.

1. manège [manɛʒ] n. m. 1° Lieu où l'on forme des cavaliers, où l'on fait le dressage des chevaux. — 2° Attraction foraine où des figures d'animaux, des véhicules, etc., qui servent de montures à des enfants, sont animés d'un mouvement circulaire : *Faire un tour de manège. Payer le manège de chevaux de bois à ses enfants.*

2. manège [manɛʒ] n. m. Conduite rusée qui est jugée défavorablement : *Je me méfie du manège de mes adversaires* (syn. : MANŒUVRE). *Le manège de la coquette l'amusait* (syn. : ↑ ROUERIE).

manette [manɛt] n. f. Clef, poignée ou petit levier qui commande un mécanisme et que l'on manœuvre à la main : *La manette des gaz dans un avion.*

manganèse [mɑ̃ganɛz] n. m. Métal employé en alliage, pour la fabrication d'aciers spéciaux.

manger [mɑ̃ʒe] v. tr. et intr. 1° Mâcher et avaler un aliment solide ou pâteux, afin de se nourrir : *Manger du pain. Manger de la viande à midi* (syn. : CONSOMMER). *Vous mangerez bien un fruit?* (syn. : PRENDRE). *Il mange comme quatre* (= beaucoup). *Il ne mange rien* (= très peu). *Y a-t-il quelque chose à manger dans le réfrigérateur?* (syn. pop. : BOUFFER). *L'appétit vient en mangeant. Il faut manger un peu, sans cela vous tomberez malade* (syn. : S'ALIMENTER, SE NOURRIR). *Aller manger au restaurant* (syn. fam. : CASSER LA CROÛTE). *Manger du bout des dents* (= sans appétit). *Les oiseaux mangent les graines qu'on a mises dans la cage.* — 2° (sujet nom désignent des insectes, des souris, etc.) Détruire en rongeant : *Vêtement mangé aux mites. Les souris ont mangé la couverture;* (sujet nom de chose) : *Barre de fer mangée par la rouille* (syn. : ATTAQUER). — **3°** Faire disparaître en altérant : *Le soleil a mangé la couleur bleue du papier;* en cachant, en recouvrant : *Le visage est comme mangé par cette barbe énorme;* en utilisant, en consommant : *Le poêle mange trop de charbon* (fam. ; syn. : DÉVORER) ; en dissipant, en perdant : *Ces discussions inutiles ont mangé toute ma soirée. Il a mangé toute sa fortune* (syn. : DÉPENSER, DILAPIDER). *Manger les économies de sa femme. Il a mangé beaucoup d'argent dans cette affaire* (= il a perdu de l'argent); en absorbant : *Cette grosse entreprise a mangé toutes les petites affaires concurrentes;* et, fam., en oubliant : *Il a mangé la consigne.* — **4°** *Manger des yeux,* regarder avidement. ‖ *Manger de baisers,* couvrir de baisers. ‖ *Il ne vous mangera pas,* il n'est pas terrible, ne soyez pas si timide. ‖ Pop. *Manger du curé,* être violemment hostile au clergé (syn. : ÊTRE ANTICLÉRICAL). ‖ *A quelle sauce sera-t-il mangé?,* comment va-t-on le dépouiller, l'éliminer. ‖ *Manger son pain blanc le premier,* commencer une affaire par ce qu'elle a de plus agréable. ‖ *Il y a à boire et à manger,* il y a du bon et du mauvais. ‖ Pop. *Manger le morceau,* dénoncer ses complices, révéler une affaire secrète (syn. pop. : SE METTRE À TABLE). ‖ Fam. *Manger de la vache enragée,* subir de rudes privations. ◆ v. intr. Prendre un repas : *Inviter un ami à manger* (syn. : DÉJEUNER, DÎNER). *On peut manger à la carte ou à prix fixe. Je vais manger chez mon frère. Manger sur le pouce* (= très rapidement). ◆ **manger** n. m. Nourriture, aliments, repas : *Préparer le manger des enfants.* ◆ **mangeable** adj. Qui peut être mangé : *C'est mangeable, mais on n'en prendrait pas tous les jours.* ◆ **immangeable** adj. : *Ces lentilles brûlées sont immangeables* (syn. : ↓ MAUVAIS). ◆ **mangeaille** n. f. *Fam.* et *péjor.* Nourriture abondante et de qualité médiocre. ◆ **mangeoire** n. f. Bac, auge où mangent les animaux. ◆ **mangeur, euse** n. *Gros, grand mangeur,* personne de gros appétit, qui mange beaucoup. ‖ *Un mangeur de quelque chose,* celui qui en mange habituellement : *Un mangeur de viande. Les Italiens sont des mangeurs de pâtes.* ◆ **mange-tout** n. et adj. m. invar. Haricot ou pois dont la cosse se mange avec le grain.

manie [mani] n. f. Goût, habitude bizarre, ridicule, qui provoque l'irritation ou la moquerie : *Il a la fâcheuse manie de dire toujours « N'est-ce pas? »* (syn. : TIC). *Les manies d'un écrivain. Avoir la manie de la contradiction* (syn. : ↑ RAGE). *Quelle manie chez lui de toujours s'occuper des affaires d'autrui* (syn. : DÉMANGEAISON). *Chacun a ses petites manies* (syn. : MAROTTE, DADA). [La *manie* est aussi un trouble mental, caractérisé par l'exubérance et l'agitation.] ◆ **maniaque** adj. et n. **1°** Se dit de quelqu'un qui a une idée fixe, bizarre ou perverse : *Un maniaque qui vit retiré du monde, entouré de ses seuls chats* (syn. : ↓ ORIGINAL). *Les meurtres ont été commis par un dangereux maniaque* (syn. : FOU). — **2°** Qui est très attaché à des habitudes : *Un maniaque de l'exactitude. Il est maniaque dans ses rangements* (syn. : POINTILLEUX, MÉTICULEUX).

manier [manje] v. tr. **1°** Prendre un objet entre les mains, le tourner et le retourner pour l'examiner; utiliser quelque chose avec adresse : *Manier un appareil avec précaution* (syn. : MANIPULER). *Manier avec dextérité le pinceau. Un camion difficile à manier dans ces rues étroites. Manier un râteau.* — **2°** (sujet nom de personne) *Manier de l'argent, des fonds,* avoir pour fonction, pour tâche habituelle de verser et d'encaisser des sommes assez considérables; gérer des affaires. — **3°** Utiliser avec habileté (des idées, des mots, des sentiments, etc.) : *Il manie souvent le paradoxe. Manier sa langue avec une grande sûreté* (= en user). *Manier les idées.* — **4°** Soumettre à une direction : *Savoir manier la foule, le peuple* (syn. : MENER, MANŒUVRER). ◆ ***se manier*** v. pr. **1°** (sujet nom de chose) Etre utilisé facilement : *Ce vélomoteur se manie très bien* (syn. : SE CONDUIRE). — **2°** (sujet nom de personne) *Pop.* Se hâter, se presser : *Maniez-vous.* (On dit aussi SE MAGNER LE TRAIN ou SE MAGNER : *Magne-toi!*) ◆ **maniement** n. m. : *Le maniement d'un outil, d'un fusil, d'une voiture* (syn. : USAGE). *Appareil électrique d'un maniement très simple* (syn. : UTILISATION). *Le maniement d'armes* (= ensemble de mouvements réglementaires effectués par les soldats et qui font partie de l'instruction). *Le maniement des affaires* (syn. : GESTION). *Le maniement des mots* (syn. : EMPLOI). ◆ **maniable** adj. : *Instrument maniable* (syn. : PRATIQUE). *Cet appareil photo de petit format est très maniable* (syn. : COMMODE). *Une voiture très maniable en ville. Il n'est pas de caractère maniable* (syn. : SOUPLE; contr. : INTRAITABLE). ◆ **maniabilité** n. f. : *La maniabilité d'un avion* (= qualité de l'appareil qui peut être facilement dirigé). ◆ **manieur** n. m. *Manieur d'argent, de fonds,* homme d'affaires, de finance.

1. manière [manjɛr] n. f. **1°** Façon particulière de penser, de parler, de se conduire, d'agir, propre à quelqu'un (surtout avec un infin. complément, avec un possessif ou un démonstratif) : *Sa manière d'agir avec lui est inqualifiable* (= sa conduite). *Une manière de vivre, de gouverner, de parler* (syn. : FAÇON, GENRE). *Une curieuse manière de s'exprimer. Sa manière de voir la situation est intéressante. Une manière d'écrire qui surprend* (= un style). *Refusez, mais mettez-y la manière* (= sachez vous y prendre). *Employer la manière forte* (= la force). *C'est une manière de parler* (= il ne faut pas prendre cela au pied de la lettre). *La manière d'un écrivain, d'un peintre, d'un acteur* (= son genre, sa personnalité). *La manière dont il s'y prend n'est pas la bonne. D'une manière générale, il n'est pas très soigneux* (= pour voir les choses en gros). *D'une manière générale, il faut être très prudent sur une route mouillée* (= en règle générale). *De cette manière, vous n'y arriverez pas. D'une certaine manière, il a raison* (= sous un certain angle). *L'accident ne s'est pas produit de cette manière* (= ainsi). *Je l'ai reçu d'une belle manière! Agir de manière brutale, adroite. De toute manière, il réussira* (= quoi qu'il arrive). — **2°** *Une manière de* (et un nom), quelque chose qui approche (syn. : UNE SORTE DE, UNE FAÇON DE) : *C'est une manière de roman philosophique. C'est une manière de secrétaire particulier.* ‖ *A la manière de* (suivi d'un nom), *à la manière* (et un adj.), selon les habitudes de, à l'imitation de : *Ecrire à la manière de Saint-Simon. Il se levait avec l'aube, à la manière paysanne.* ● LOC. PRÉP. *De manière à* (et l'infin.), indique le but : *Il travaillait le soir, de manière à ne pas être à la charge de ses parents* (syn. : AFIN DE). *Mettre des bourrelets aux fenêtres, de manière à éviter les courants d'air* (syn. : DE FAÇON À). ● LOC. CONJ. *De telle manière que* (et l'indic.), indique la conséquence : *Il a crié de telle manière qu'il m'a réveillé* (syn. : TELLEMENT QUE, DE TELLE SORTE QUE).

2. manières [manjɛr] n. f. pl. 1° Façons habituelles de parler, d'agir en société : *Avoir des manières ridicules. Il a pris de mauvaises manières* (syn. : GENRE). *Apprendre les belles manières* (= la distinction, les usages du monde). *Avoir des manières désinvoltes* (syn. : ATTITUDE). *En voilà des manières! Quel grossier personnage!* — 2° *Manquer de manières,* ne pas connaître la courtoisie, la politesse. ‖ *Faire des manières,* hésiter à accepter, se faire prier : *Il en fait des manières pour se rendre à notre invitation.* ‖ Fam. *Sans manières,* en toute simplicité : *Chez nous, c'est sans manières, vous partagerez notre repas.* ◆ **maniéré, e** adj. Qui manque de naturel, de simplicité; qui est affecté dans son comportement, dans ses expressions : *Une petite société maniérée de gens du monde* (syn. : COMPASSÉ). *Prendre un ton maniéré* (syn. : AFFECTÉ). *Le style maniéré d'un écrivain sans talent* (syn. : APPRÊTÉ, PRÉCIEUX). ◆ **maniérisme** n. m. Affectation et manque de naturel en matière artistique et littéraire.

1. manifester [manifɛste] v. tr. (sujet nom d'être animé ou de chose). Laisser apparaître un sentiment, donner des marques d'un état d'esprit; donner des preuves d'une qualité, d'un défaut, etc. : *Manifester à haute voix sa mauvaise humeur, son indignation* (syn. : EXPRIMER). *Manifester clairement son opinion* (syn. : PROCLAMER, AFFIRMER). *Il m'a toujours manifesté son amitié* (syn. : MONTRER). *Ses traits tirés manifestent une grande fatigue* (syn. : INDIQUER). *Ces contradictions manifestent un grand désarroi* (syn. : RÉVÉLER, TRADUIRE). ◆ ***se manifester*** v. pr. 1° (sujet nom de chose) Apparaître, se montrer au grand jour : *Sa satisfaction, sa haine se manifeste nettement* (syn. : ↑ ÉCLATER). *L'irritation de l'opinion publique se manifeste par les journaux* (syn. : SE RÉVÉLER). — 2° (sujet nom d'être animé) Donner des signes de son existence : *Un candidat au poste vacant s'est manifesté. Il se manifeste de temps en temps par un article retentissant.* ◆ **manifestation** n. f. : *S'abandonner à des manifestations de joie exubérantes* (syn. : DÉMONSTRATION). *Se livrer à des manifestations de tendresse* (syn. : MARQUE, TÉMOIGNAGE). *La manifestation de la vérité* (syn. : EXPRESSION). *La manifestation soudaine de la maladie a surpris ses proches* (syn. : APPARITION). ◆ **manifeste** adj. Qui est évident, dont l'existence, la nature réelle est hors de contestation : *Une erreur manifeste* (syn. : INDÉNIABLE). *Sa jalousie est manifeste* (syn. : FLAGRANT). *Ces billets sont des faux manifestes* (syn. : INDISCUTABLE). *Sa fatigue est manifeste* (syn. : VISIBLE). *Il est manifeste que nous ne pouvons plus rien faire pour lui* (syn. : CLAIR). ◆ **manifestement** adv. : *Manifestement, il n'est pas prêt pour son examen. Ce raisonnement est manifestement erroné.* ◆ **manifeste** n. m. Déclaration écrite par laquelle un parti, un groupe de personnes, un homme politique, etc., définit ses vues, son programme, justifie son action passée : *Un manifeste littéraire, politique.*

2. manifester [manifɛste] v. intr. Faire une démonstration collective publique : *Les étudiants ont manifesté pour réclamer des locaux et des maîtres.* ◆ **manifestant, e** n. : *Les manifestants arrêtés par la police.* ◆ **manifestation** n. f. : *Le préfet a interdit toute manifestation* (syn. : RASSEMBLEMENT). ◆ **contre-manifester** v. intr. Faire une manifestation en opposition à une autre. ◆ **contre-manifestant, e** n. : *Le cortège des manifestants et celui des contre-manifestants s'affrontèrent sur la place.* ◆ **contre-manifestation** n. f. : *A l'appel du parti adverse, une contre-manifestation s'était formée.*

manigance [manigɑ̃s] n. f. *Fam.* Petite manœuvre qui a pour but de tromper quelqu'un, de cacher quelque chose : *Voilà encore une de ses manigances pour vous ennuyer* (syn. : ↑ MÉCHANCETÉ). *Il est arrivé à ce poste par une série de manigances* (syn. : COMBINAISONS, AGISSEMENTS). ◆ **manigancer** v. tr. *Fam.* Machiner secrètement : *Il a manigancé toute l'affaire pour me perdre* (syn. : COMBINER). *Les voleurs ont bien manigancé leur coup.*

manille [manij] n. f. Jeu de cartes qui se joue à quatre, et qui fut très en vogue à la fin du XIXe siècle et au début du XXe.

manioc [manjɔk] n. m. Plante dont la racine fournit une fécule nourrissante, servant à faire le tapioca.

manipuler [manipyle] v. tr. 1° Manœuvrer, remuer, déplacer, faire fonctionner avec la main : *Manipuler un vase avec précaution* (syn. : DÉPLACER). *Ne manipule pas le bouton de l'appareil* (syn. : TOUCHER). — 2° Transformer par des opérations suspectes : *Manipuler les statistiques.* ◆ **manipulation** n. f. 1° Action de manipuler un objet, un produit : *Les explosifs sont d'une manipulation dangereuse, délicate* (syn. : MANIEMENT). — 2° (au plur.) Travaux pratiques de physique et chimie, dans les établissements scolaires ou universitaires. — 3° Manœuvre visant à tromper, à frauder : *Des manipulations électorales.* ◆ **manipulateur, trice** n. Celui, celle qui manipule.

manitou [manitu] n. m. Fam. *Un grand manitou,* un personnage puissant et influent, dont l'autorité est incontestée (syn. : GRAND PATRON).

manivelle [manivɛl] n. f. Levier coudé à angle droit, à l'aide duquel on imprime un mouvement rotatif à un arbre sur lequel il est placé : *Tourner la manivelle pour mettre en marche le moteur. Un retour de manivelle.*

manne [man] n. f. *La manne céleste,* bienfaits inattendus, qui semblent un don de Dieu.

manœuvre [manœvr] n. f. 1° Manière ou action de régler la marche d'une machine, d'un instrument, d'un appareil, d'un bateau, d'un véhicule : *Surveiller la manœuvre d'une grue, d'un pont tournant. La manœuvre d'un fusil* (syn. : MANIEMENT). *Diriger la manœuvre. La manœuvre d'un navire. Faire une fausse manœuvre* (= opération mal appropriée ou mal exécutée). *Il manqua sa manœuvre et rentra dans un arbre.* — 2° Exercice faisant partie de l'instruction militaire donnée aux troupes : *Un terrain de manœuvres. Les grandes manœuvres de printemps.* — 3° Moyen mis en œuvre pour atteindre un but, pour obtenir le résultat cherché (souvent péjor.) : *Des manœuvres électorales* (= pour exercer une influence sur les votes). *S'opposer aux manœuvres de ses adversaires* (syn. : AGISSEMENTS, MENÉE). *Les manœuvres dilatoires des avocats de la défense* (syn. : COMBINAISON). *Victime de manœuvres frauduleuses* (syn. : ACTION, MACHINATION). ◆ **manœuvre** n. m. Ouvrier exécutant des travaux manuels qui n'exigent pas une grande qualification.

◆ **manœuvrer** v. tr. et intr. 1° Faire fonctionner une machine; faire exécuter des mouvements à un appareil, à un navire, etc. : *Manœuvrer un levier* (syn. : MANIER). *Manœuvrer un bateau, une voiture* (syn. : CONDUIRE). *Manœuvrer habilement pour se dégager de la file de voitures.* — 2° Prendre des mesures, agir habilement de manière à obtenir le résultat désiré : *Cet hypocrite l'a bien manœuvré* (= mené à sa guise). *C'est bien manœuvré : il n'a pas su quoi répondre.* ◆ v. intr. Exécuter une manœuvre militaire : *Les soldats manœuvrent dans la cour de la caserne.* ◆ **manœuvrier, ère** adj. et n. Qui manœuvre habilement. ◆ **manœuvrable** adj. Qui peut être manœuvré facilement.

manoir [manwar] n. m. Petit château servant de résidence de campagne.

manquer [mɑke] v. tr. 1° *Manquer quelque chose,* ne pas le réussir; ne pas atteindre son but : *Manquer une photo* (syn. fam. : RATER, LOUPER). *Un livre manqué* (= mauvais). *Il a manqué son coup* (fam. = il n'a pas obtenu le succès attendu). *Un poète manqué. Il a manqué sa vie* (= il n'a pas réalisé ce qu'il espérait). *Une vie manquée. Le gardien de but a manqué le ballon* (= il ne l'a pas attrapé). *Il a manqué son objectif. Il a manqué la marche et il est tombé. Le chasseur a manqué le lièvre.* — 2° *Manquer quelqu'un,* ne pas le rencontrer alors qu'on veut le voir : *Vous l'avez manqué de quelques minutes; il vient juste de sortir.* — 3° Etre absent de; ne pas assister, ne pas venir à : *Manquer l'école, les cours* (syn. fam. : SÉCHER). *Nous avons manqué le début du film* (= nous n'avons pas vu). *Il ne manquait pas une réunion. Manquer un rendez-vous.* — 4° Ne pas prendre (parce qu'on est en retard) : *Manquer son train* (syn. fam. : RATER). — 5° Laisser passer, sans pouvoir ou vouloir prendre : *Manquer une occasion. Vous n'avez rien manqué!* (syn. : PERDRE). ‖ *Ne pas manquer quelqu'un,* lui donner une leçon dès qu'on le rejoint, lorsqu'on l'atteint. ◆ v. tr. ind. 1° *Manquer de* (et l'infin.) ou *manquer* tr. direct (et l'infin.), être sur le point de (au passé composé) : *Il a manqué (de) se faire écraser* (syn. : FAILLIR). *J'ai manqué de tomber.* ‖ *Ne pas manquer de* (et l'infin.), ne pas oublier de, ne pas omettre de : *Je ne manquerai pas de l'avertir. Ne manquez pas de venir nous voir à la campagne cet été;* être certainement : *Il ne manqua pas d'être surpris;* sujet nom de chose : *Ça n'a pas manqué d'arriver* (= cela devait arriver). — 2° *Manquer de quelque chose,* ne pas en avoir suffisamment : *Il manque d'argent. La police manque de preuves pour l'arrêter. Manquer d'expérience* (syn. : ÊTRE DÉPOURVU). *Il ne manque pas d'esprit* (= il a de l'esprit). ◆ v. tr. ind. 1° *Manquer à quelqu'un,* lui faire défaut (surtout avec un pron. pers.) : *Les occasions ne lui manquent pas de se mettre en avant. Les mots me manquent pour vous exprimer mon admiration. Le cœur lui manque* (= il s'évanouit). *Mes enfants me manquent beaucoup. Le pied lui manque* (= il tombe). *La voix me manque* (= je ne peux parler). *Le temps me manque pour aller le voir;* ne pas lui témoigner du respect (littér.) : *Il m'a gravement manqué* (syn. : OFFENSER). *Manquer à un supérieur.* 2° *Manquer à quelque chose,* ne pas y assister, être absent : *Manquer à l'école. Manquer à une séance. Un homme manque à l'appel;* ne pas s'y conformer : *Manquer à l'honneur* (syn. : DÉROGER). *Il manque à tous ses devoirs* (syn. : S'ÉCARTER DE). *Il manque à l'honnêteté la plus élémentaire* (syn. : ENFREINDRE). *Manquer à sa parole* (= ne pas la respecter). ◆ v. intr. 1° Etre absent, faire défaut : *Rien ne manque. L'argent vint à manquer. Il manque deux élèves. Il ne manque plus que cela!* (= c'est le comble, on ne peut pas avoir une situation plus mauvaise). — 2° Ne pas réussir : *L'expérience a manqué* (syn. : ÉCHOUER; fam. : RATER). ◆ **manquant, e** adj. et n. : *Les livres manquants devront être restitués dans les huit jours.* ◆ **manque** [mɑ̃k] n. m. 1° Absence de quelque chose : *Le manque de sommeil* (syn. : INSUFFISANCE). *Le manque de logements* (syn. : PÉNURIE; contr. : ABONDANCE). *Manque de chance. Un manque de mémoire* (syn. : DÉFAILLANCE). *Manque de conviction.* — 2° Chose qui fait défaut : *Il y a beaucoup de manques dans ce travail* (syn. : LACUNE, OMISSION). ‖ *Un manque à gagner,* une perte portant sur un bénéfice escompté et non réalisé. • LOC. ADJ. Pop. *A la manque,* mauvais, raté : *Un sportif à la manque* (syn. pop. : À LA FLAN). • LOC. PRÉP. *Par manque de,* en raison de l'absence de : *Par manque de précaution, un accident est vite arrivé* (syn. : FAUTE DE). ◆ **manquement** n. m. Action de manquer à un devoir, à une loi, etc. : *Tout manquement à la discipline sera sévèrement puni. De graves manquements au Code de la route* (syn. : INFRACTION). ◆ **immanquable** [ɛ̃mɑ̃kabl] adj. : *L'échec est immanquable si vous ne faites pas plus attention* (syn. : OBLIGATOIRE). *C'est le moyen immanquable de le persuader de son erreur* (syn. : INFAILLIBLE). ◆ **immanquablement** adv. : *Un tel geste attire immanquablement l'attention sur vous* (syn. : SÛREMENT, INÉVITABLEMENT).

mansarde [mɑsard] n. f. Petite chambre ménagée sous le comble d'un immeuble, dont un mur est en pente et le plafond très bas, éclairée par une petite fenêtre, par un vasistas : *Habiter dans une mansarde au sixième étage.* ◆ **mansardé, e** adj. *Chambre mansardée,* aménagée sous le comble d'une maison.

mansuétude [mɑ̃sɥetyd] n. f. Douceur de caractère qui incline à la patience, au pardon : *Faire preuve de mansuétude à l'égard d'un élève en faute* (syn. : INDULGENCE). *Juger avec mansuétude.*

1. mante [mɑ̃t] n. f. Insecte abondant dans le midi de la France. (Dite souvent MANTE RELIGIEUSE.)

2. mante [mɑ̃t] n. f. Ample vêtement (surtout féminin), sans manches, que l'on met sur les épaules.

1. manteau [mɑto] n. m. 1° Vêtement ample, que l'on porte au-dessus des autres vêtements pour se protéger contre le froid ou la pluie : *Mettre, enlever, accrocher, pendre son manteau.* — 2° *Sous le manteau,* d'une manière secrète, en se cachant : *Un ouvrage interdit, vendu sous le manteau* (syn. : CLANDESTINEMENT). ◆ **mantelet** n. m. Petit manteau court, sans manches, que portent les femmes et qui couvrent les épaules et les bras.

2. manteau [mɑ̃to] n. m. *Le manteau de la cheminée,* la partie en saillie au-dessus du foyer.

mantille [mɑ̃tij] n. f. Echarpe de dentelle ou de soie, que les femmes mettent sur la tête.

manucure [manykyr] n. Personne dont le métier est de soigner les ongles des mains, dans un salon de coiffure, dans un institut de beauté.

1. manuel, elle [manɥɛl] adj. *Travail, métier manuel,* ordre d'activité où le travail des mains joue le rôle principal (contr. : INTELLECTUEL). ◆ adj. et n. Se dit de quelqu'un qui exerce un métier manuel. ◆ **manuellement** adv. : *Travailler manuellement* (= de ses mains).

2. manuel [manɥɛl] n. m. Ouvrage scolaire ou d'intention didactique, qui présente les notions essentielles d'une science, d'une technique, etc. : *Les manuels d'histoire* (syn. : LIVRE, COURS). *Le « Manuel du parfait secrétaire ».*

manufacture [manyfaktyr] n. f. Vaste établissement industriel (le mot ne s'emploie plus que pour certaines fabrications; dans les autres cas, il est remplacé par USINE) : *Une manufacture de tabac. La manufacture des Gobelins, où se font des tapisseries. Les manufactures d'armes, de porcelaine.* ◆ **manufacturé, e** adj. *Produits, articles manufacturés,* qui sont issus de la transformation des matières premières en usine.

manuscrit, e [manyskri, -it] adj. Ecrit à la main : *Une lettre manuscrite de Victor Hugo* (syn. : AUTOGRAPHE). *Quelques lignes manuscrites ajoutées en marge du livre.* ◆ **manuscrit** n. m. 1° Ouvrage écrit à la main : *Les manuscrits conservés à la Bibliothèque nationale. Collationner des manuscrits nécessaires à l'édition d'un texte.* — 2° Texte original d'un ouvrage destiné à l'impression : *Les manuscrits de Gide. On a retrouvé un manuscrit de Diderot. Lire un manuscrit envoyé par l'auteur.*

manutention [manytɑ̃sjɔ̃] n. f. Action de manipuler des marchandises, de les emmagasiner, de les emballer pour l'expédition ou la vente (techn.) : *Le service de manutention dans un grand magasin. Les appareils de manutention permettent de charger et de transporter les marchandises dans les lieux où on les emmagasine.* ◆ **manutentionnaire** n. Employé chargé d'effectuer la manutention. ◆ **manutentionner** v. tr. : *Manutentionner des livres.*

mappemonde [mapmɔ̃d] n. f. Carte représentant le globe terrestre.

1. maquereau [makro] n. m. Poisson de mer comestible, très commun, au dos vert et bleu.

2. maquereau [makro] n. m. *Pop.* Celui qui vit de la prostitution des femmes.

maquette [makɛt] n. f. 1° Modèle réduit d'une maison, d'un décor, d'une machine ou d'un ouvrage quelconque : *La maquette des nouveaux quartiers. La maquette d'un avion.* — 2° Présentation, avant exécution finale, d'une affiche, d'une couverture de livre, ou de la mise en pages (texte et illustrations) d'un ouvrage, etc. ◆ **maquettiste** n. Spécialiste des maquettes.

maquignon [makiɲɔ̃] n. m. 1° Marchand de chevaux. — 2° Commerçant, agent d'affaires peu scrupuleux. ◆ **maquignonnage** n. m. Procédés indélicats, tromperies employés dans des négociations, dans les affaires : *On assista à un véritable maquignonnage entre les deux parties.*

maquiller [makije] v. tr. 1° Mettre sur le visage des produits de beauté, des fards, afin d'en modifier les traits : *Maquiller un acteur avant son entrée en scène. Elle était très maquillée* (syn. : FARDER). — 2° Modifier les apparences de quelque chose afin de tromper : *Maquiller une voiture volée* (syn. fam. : CAMOUFLER). *Maquiller une carte d'identité. Maquiller la vérité* (syn. : DÉGUISER). *Ces statistiques sont maquillées* (syn. : TRUQUER). *Maquiller un meurtre en suicide.* ◆ **maquillage** n. f. : *Refaire son maquillage. Le maquillage d'un tableau.* ◆ **maquilleur, euse** n. : *Le maquilleur d'un studio de cinéma.* ◆ **démaquiller** v. tr. : *Elle se démaquille avant de se coucher.* ◆ **démaquillant** n. m. Produit destiné à ôter le maquillage du visage.

maquis [maki] n. m. 1° Paysage méditerranéen dont la végétation dense et touffue est composée de petits arbustes, de bruyères, de lauriers, poussant sur des terrains rocheux : *Le maquis corse a servi de refuge à des hors-la-loi.* — 2° Lieu retiré, en général boisé ou montagneux, dans lequel se réfugiaient et luttaient les résistants, pendant l'occupation allemande en France, de 1940 à 1944; ces hommes eux-mêmes : *Prendre le maquis. La résistance du maquis. Le maquis du Vercors.* — 3° Réseau inextricable de complications : *Se perdre dans le maquis de la procédure.* ◆ **maquisard** n. m. Résistant d'un maquis (sens 2).

1. marabout [marabu] n. m. Oiseau échassier d'Asie et d'Afrique, au bec énorme et au jabot proéminent.

2. marabout [marabu] n. m. Saint religieux musulman.

maraîcher, ère [mareʃe, -ɛr] n. Cultivateur qui se livre à la production en grand des légumes, des primeurs. ◆ adj. : *Cultures maraîchères* (= de légumes, de primeurs).

marais [marɛ] n. m. 1° Nappe d'eaux stagnantes, accumulées sur une faible épaisseur, dans des régions basses : *La végétation des marais : les roseaux et les plantes aquatiques* (syn. : MARÉCAGE). *S'enfoncer dans la vase d'un marais. L'assèchement des marais.* (V. MARÉCAGEUX.) — 2° *Marais salant,* terrain où l'on fait venir la mer pour extraire le sel par évaporation.

marasme [marasm] n. m. Arrêt de l'activité commerciale, industrielle et économique : *Le marasme des affaires* (= la crise; syn. : RALENTISSEMENT, STAGNATION).

marâtre [marɑtr] n. f. Mère dénaturée, qui traite ses enfants avec méchanceté.

marauder [marode] v. intr. Commettre des vols de fruits, de légumes, de volailles, à la campagne : *Enfants qui vont marauder dans les vergers* (syn. : CHAPARDER). *Vagabonds qui maraudent dans les poulaillers* (syn. : VOLER). ◆ **maraude** n. f. ou **maraudage** n. m. : *Vivre de mendicité et de maraude* (syn. : VOL, RAPINE). *Taxi qui fait la maraude* (= dont le conducteur cherche à charger un client en dehors des stationnements indiqués). ◆ **maraudeur** n. m. : *Des maraudeurs avaient cueilli les fruits mûrs pendant la nuit* (syn. : VOLEUR).

marbre [marbr] n. m. 1° Pierre calcaire très dure, souvent veinée de couleurs diverses et capable de recevoir un beau poli : *Du marbre vert, blanc, bleu. Une statue en marbre de Carrare. Des colonnes de marbre. Etre froid comme le marbre. Un visage de marbre* (= insensible). — 2° Œuvre plastique en marbre : *Des marbres antiques.* — 3° Table sur laquelle, dans une imprimerie, on place la composition pour l'impression ou la correction.

• **marbrier** n. m. Celui qui fabrique ou vend des ouvrages en marbre (cheminées, plaques, marches d'escalier, etc.) et des monuments funéraires.

marbrer [marbre] v. tr. Faire, sur la peau, des marques longues et étroites : *Les coups lui avaient marbré le visage. Le bras marbré de bleus.* ◆ **marbrure** n. f. : *Des marbrures causées par le froid.*

marcassin [markasɛ̃] n. m. Petit sanglier au-dessous d'un an.

marchand, e [marʃɑ̃, -ɑ̃d] n. Personne dont le métier est de vendre des produits (remplacé auj. par COMMERÇANT, il n'est plus usuel qu'avec un complément qui en limite l'acception) : *Un marchand de meubles. Une marchande de légumes. Une marchande de poisson. La boutique d'un marchand de tissus. Le kiosque du marchand de journaux. Le marchand de charbon. Le marchand de couleurs* (= quincaillier et droguiste). *Les marchands de canons* (péjor. = les fabricants d'armes de guerre). *Les marchands de soupe* (péjor. = les restaurateurs économes ou de basse qualité). *Un marchand de vin* (syn. fam. : BISTROT). ◆ **marchand, e** adj. (langue techn.). *Valeur marchande d'un objet,* sa valeur dans le commerce. ‖ *Prix marchand,* prix d'achat pour le commerçant. ‖ *Marine marchande,* celle qui assure le transport des marchandises. ‖ *Navire marchand,* syn. de CARGO. ◆ **marchandise** n. f. Tout produit faisant l'objet d'un commerce : *Présenter sa marchandise dans une vitrine. De la marchandise de premier choix. Le transport des marchandises par train, par péniche.* (On appelle DENRÉES les produits alimentaires.)

marchander [marʃɑ̃de] v. tr. 1° *Marchander une chose* (nom concret), essayer de l'acheter meilleur marché en discutant le prix avec le vendeur : *Marchander une voiture d'occasion. Marchander un meuble ancien chez un antiquaire.* — 2° *Marchander quelque chose* (nom abstrait), l'accorder à regret, ou en exigeant en retour certains avantages : *Marchander ses éloges à l'œuvre d'un rival. Il ne nous a pas marchandé son appui.* ◆ **marchandage** n. m. 1° Action de marchander : *Un marchandage pénible.* — 2° Manière sans scrupule de traiter une affaire, où deux partis se concèdent des avantages réciproques : *Un marchandage diplomatique entre deux puissances.*

marchandise n. f. V. MARCHAND.

1. marche n. f. V. MARCHER.

2. marche [marʃ] n. f. Chacune des surfaces horizontales, placées à des hauteurs différentes, qui servent à monter et à descendre, et dont l'ensemble constitue un escalier : *Monter, descendre les marches. Attention, il y a une marche! Les marches d'un autel. Manquer une marche et tomber.*

marché [marʃe] n. m. 1° Lieu public, en plein air ou couvert, où des commerçants vendent des marchandises (en particulier des denrées comestibles, des tissus, etc.) : *La place du Marché, dans un village. Les ménagères vont au marché. Le marché aux fleurs à Paris. Un marché aux bestiaux.* — 2° Réunion périodique, dans une localité ou le quartier d'une ville, de commerçants, pour la vente de leurs marchandises : *Les paysans portent des œufs au marché. Les jours de marché. Faire son marché* (= aller acheter ses provisions). *Vendre, acheter au marché.* — 3° Endroit, ville où se font principalement certaines transactions : *Le marché des cuirs.* — 4° Endroit où l'on peut vendre des produits; débouché économique : *Les pays en voie de développement offrent d'importants marchés aux industries européennes. L'analyse des marchés.* — 5° Ensemble des conditions de vente, d'achat, de commerce : *Les marchés internationaux. Le Marché commun institue les pays qui en font partie comme un ensemble où les marchandises peuvent être échangées sans payer de droits de douane.* — 6° Etat de l'offre et de la demande; circuits commerciaux : *Le marché du travail* (= les conditions d'engagement de la main-d'œuvre). *Le marché financier. Inonder le marché de produits de mauvaise qualité. Offrir sur le marché un appareil nouveau* (= à la vente). *Le marché noir* (= trafic clandestin, à des prix illégaux). — 7° Convention d'achat et de vente : *Faire un marché avantageux. Un marché honnête. Conclure un marché* (syn. : AFFAIRE). *Rompre un marché* (syn. : ACCORD, CONVENTION). *Marché conclu* (= affaire faite). — 8° (*A*) *bon marché,* à bas prix : *Vendre, acheter bon marché, à bon marché. Edition à bon marché;* à peu de frais : *S'en tirer à bon marché* (= sans graves inconvénients). ‖ *Produits bon marché,* d'un prix abordable. ‖ *A meilleur marché,* moins cher. ‖ *Faire bon marché de quelque chose,* en tenir peu de compte, lui accorder peu de valeur : *Il fait bon marché de l'opinion, de l'avis des autres.* ‖ *Par-dessus le marché,* en outre, en plus de ce qui a été convenu. ‖ *Mettre le marché en main à quelqu'un,* lui donner le choix de décider l'acceptation ou le refus. (V. SUPERMARCHÉ.)

marchepied [marʃəpje] n. m. 1° Marche servant à monter dans une voiture de chemin de fer : *Ne pas se tenir sur le marchepied quand le train entre en gare. Grimper sur le marchepied.* — 2° *Se faire un marchepied de quelqu'un,* s'en servir pour parvenir à ses fins, pour s'élever.

marcher [marʃe] v. intr. 1° (sujet nom d'être animé) Changer de place en déplaçant les pieds l'un après l'autre; se déplacer à pied vers un lieu déterminé : *Marcher sur une route, dans la rue. J'ai besoin de marcher un peu pour me dégourdir les jambes. Apprendre à marcher à un enfant. Marcher à pas de géant* (= à grandes enjambées), *à pas de loup* (= silencieusement). *Marcher pieds nus, à quatre pattes. Les écoliers marchent en rang* (syn. : AVANCER). — 2° Faire mouvement vers un but : *Marcher à la conquête de la gloire. Refuser de marcher* (= d'obéir). — 3° *Marcher sur, dans quelque chose,* mettre le pied sur quelque chose en avançant : *Ne marche pas sur la pelouse. Marcher sur le pied de sa danseuse. Marcher dans une flaque d'eau.* ‖ *Marcher sur les pas de quelqu'un,* le suivre docilement, suivre son exemple, l'imiter. ‖ *Marcher sur les brisées de quelqu'un,* empiéter sur le domaine qu'il s'est réservé. ‖ *Marcher sur des charbons ardents, sur la corde raide, sur des œufs,* marcher avec précaution sur un terrain difficile, dangereux, où l'on n'est pas à son aise. ‖ *Marcher droit,* obéir strictement aux ordres. — 4° (sujet nom de personne) *Fam.* Donner son acceptation, consentir : *Vous pouvez lui proposer, il marchera. Je ne marche pas dans la combine* (pop.); croire naïvement : *Il n'a pas marché dans cette histoire de retard de train.* ‖ Fam. *Faire marcher quelqu'un,* le tromper : *N'essayez pas de me faire marcher, ça ne prend pas avec moi.* — 5° (sujet nom de chose) Fonctionner, en parlant d'un mécanisme, d'un organe, etc. : *La pendule marche bien* (= elle marque exactement l'heure). *Le radiateur marche. Faire marcher un appareil. De nouvelles commandes font marcher l'usine* (syn. : TOURNER); se mouvoir, avancer régulièrement (en parlant d'un véhicule) : *La voiture marche à 120 kilomètres à l'heure* (syn. : ROULER); faire des progrès, aller (en parlant d'une activité quelconque) : *Les affaires marchent* (syn. : PROSPÉRER). *Comment ça marche aujourd'hui? Ça marche mal. Rien ne marche* (syn. fam. : TOURNER ROND). *Ça marche comme sur des roulettes* (fam.). *Sa convalescence marche bien. Les événements marchent vite* (syn. : AVANCER). *La crise marche vers son dénouement.* ◆ **marche** [marʃ] n. f. 1° Action de marcher; façon de marcher : *L'épreuve des 50 kilomètres à la marche en athlétisme. Une marche rapide, pesante* (syn. : ALLURE, DÉMARCHE). *La colonne ralentit, accélère la marche* (syn. : PAS). *Poursuivre sa marche* (syn. : ROUTE). *Le convoi fit marche vers la ville. Ouvrir la marche* (= marcher le premier). *Régler la marche d'un cortège* (= l'ordre des participants, l'horaire du défilé). *Des patrouilles protégeaient la marche du régiment. Avancer à marche forcée* (= prolongée au-delà de la durée normale d'une étape). *Le village est situé à une heure de marche* (= temps mis en marchant). — 2° (sujet nom désignant un véhicule, un mécanisme, un organisme) Action de se déplacer, de fonctionner : *La voiture fit marche arrière* (= recula). *La marche irrégulière d'un train, d'un navire. Régler la marche d'une horloge* (syn. : FONCTIONNEMENT). *La marche du typhon vers le Japon* (syn. : PROGRESSION, AVANCE). *Cela est nécessaire pour la bonne marche du service. La marche d'une maladie* (syn. : COURS). *La marche d'une affaire* (syn. : DÉVELOPPEMENT). *L'employé lui indique la marche à suivre pour déposer sa demande* (= les papiers à remplir). ‖ *Mettre en marche,* faire fonctionner. ‖ *Se mettre en marche,* commencer à progresser, à fonctionner. ‖ *Etre en marche,* se développer, fonctionner. ‖ *Monter en marche, prendre un véhicule en marche,* y monter alors qu'il est déjà en mouvement. — 3° Pièce de musique de rythme marqué, destinée à régler le pas des troupes, d'un cortège, etc. : *La musique du régiment jouait une marche. Une marche nuptiale.* ◆ **marcheur, euse** n. Personne qui marche, qui aime à marcher; athlète qui participe à une épreuve de marche : *Un bon, un excellent marcheur. Les marcheurs de Paris-Strasbourg.*

mardi [mardi] n. m. 1° V. SEMAINE. — 2° *Mardi gras,* dernier jour avant le début du carême.

mare [mar] n. f. 1° Petite nappe d'eau dormante : *Les canards barbotent dans la mare de la ferme. Des mares d'eau sur une route de terre détrempée par l'orage* (syn. : ↓ FLAQUE). — 2° *Mare de sang,* grande quantité de sang répandue sur le sol.

marécage [marekaʒ] n. m. Terrain bas, humide, couvert de marais : *Des marécages infestés de moustiques.* ◆ **marécageux, euse** adj. : *Plaine marécageuse. Le delta marécageux du Pô.*

maréchal [mareʃal] n. m. 1° Officier général titulaire d'une dignité qui est conférée à certains commandants en chef victorieux devant l'ennemi et dont l'insigne est un *bâton de maréchal.* — 2° *Avoir son bâton de maréchal,* obtenir le plus haut titre auquel on pouvait prétendre. — 3° *Maréchal des logis,* sous-officier de cavalerie, d'artillerie, du train, dont le grade correspond à celui de sergent dans l'infanterie. ◆ **maréchale** n. f. Femme d'un maréchal.

maréchal-ferrant [mareʃalferɑ̃] ou **maréchal** n. m. Artisan dont le métier est de ferrer les chevaux : *La disparition des maréchaux-ferrants* (syn. : FORGERON).

maréchaussée [mareʃose] n. f. *Fam.* Syn. de GENDARMERIE.

1. marée [mare] n. f. 1° Mouvement régulier et périodique des eaux de la mer, montant et descendant chaque jour dans un même lieu : *A la marée montante, descendante. A marée haute, basse. Les grandes marées d'équinoxe. La force des marées est utilisée dans des usines marémotrices, comme celle de la Rance.* — 2° *Marée humaine,* masse d'hommes qui se répand, déferle irrésistiblement (syn. : FLOT). ‖ *Contre vents et marée,* en dépit de tous les obstacles.

2. marée [mare] n. f. Poissons de mer frais et crustacés destinés à la consommation : *Le train de marée venu de Boulogne.* ◆ **mareyeur** n. m. Commerçant en gros vendant les produits de la pêche en mer.

marelle [marɛl] n. f. Jeu d'enfants qui consiste à pousser, à cloche-pied, un palet dans des cases tracées sur le sol.

margarine [margarin] n. f. Substance grasse comestible, préparée à partir de graisses végétales et d'huiles.

marge [marʒ] n. f. 1° Espace blanc autour d'un texte imprimé ou écrit, et en particulier espace blanc à gauche d'une page manuscrite : *Laisser une marge suffisante pour porter les corrections. Ecrire une remarque dans la marge.* — 2° Intervalle (temps, espace) dont on dispose ou facilité que l'on se donne pour faire quelque chose : *Prévoir une marge d'erreur de cinq pour cent* (syn. : LATITUDE). *La marge de sécurité s'est sensiblement réduite* (= intervalle dont on dispose avant d'atteindre un point critique; syn. : VOLANT). *Laisser un peu de marge à ses collaborateurs dans l'exécution d'un travail* (syn. : FACILITÉ). *Tu as de la marge; ne te presse pas* (= tu as du temps). — 3° *Marge bénéficiaire* ou *marge,* différence entre le prix de vente et le prix d'achat d'une marchandise, évaluée en pourcentage du prix de vente : *Réduire les marges bénéficiaires. Des marges abusives.* — 4° *En marge,* qui ne s'intègre pas à la société : *Un destin en marge. Une carrière en marge.* • LOC. PRÉP. *En marge de,* plus ou moins en dehors de : *Vivre en marge de la société* (syn. : À L'ÉCART DE). *On signale en marge de cette affaire un incident curieux.* ◆ **marginal, e, aux** adj. 1° Mis en marge (sens 1) : *Des notes, des remarques marginales.* — 2° Qui n'entre pas dans l'essentiel, dans l'activité principale; qui est accessoire : *Entreprise marginale* (syn. : SECONDAIRE). *Un travail marginal* (= en dehors du sujet principal).

margelle [marʒɛl] n. f. *Margelle d'un puits,* pierres disposées circulairement autour de l'orifice d'un puits et qui en forment le rebord.

margoulin [margulɛ̃] n. m. *Fam.* Individu sans scrupule en affaires; commerçant malhonnête.

marguerite [margərit] n. f. Nom de plusieurs plantes communes à fleurs jaune et blanc : *Effeuiller une marguerite.*

mari [mari] n. m. Homme uni à une femme par le mariage : *Le mari est le chef de famille. Trouver, refuser un mari. Donner un mari à sa fille.* ◆ **marital, e, aux** adj. (langue du droit) : *Puissance maritale* (= celle du mari). ◆ **maritalement** adv. *Vivre maritalement,* vivre comme des époux, mais sans être mariés légalement.

marier [marje] v. tr. 1° (sujet nom désignant une autorité civile ou religieuse) Unir un homme et une femme en célébrant le mariage : *L'adjoint au maire les a mariés vendredi.* — 2° (sujet nom désignant un père, une mère, etc.) Donner comme époux ; célébrer le mariage : *Il a marié sa fille à (avec) un riche cultivateur. Une fille à marier* (= en âge d'être mariée). *Il marie son fils le mois prochain.* — 3° Associer des choses qui peuvent se combiner, s'allier (littér.) : *Marier des couleurs* (syn. : ASSORTIR). *Marier l'intelligence au sens de l'humain* (syn. : JOINDRE). ◆ ***se marier*** v. pr. Contracter mariage : *Ils se sont mariés religieusement. Elle s'est mariée avec un ingénieur* (contr. : DIVORCER). *Il se marie sur un coup de tête* (contr. : SE SÉPARER). ◆ ***être marié*** v. passif. Etre dans l'état de celui qui a contracté mariage : *Ils sont mariés depuis deux ans. Un homme marié.* ◆ **marié, e** n. 1° *Les mariés arrivent à la mairie* (= ceux dont on va célébrer le mariage). *De jeunes mariés. Cadeaux faits aux mariés. La robe blanche de la mariée.* — 2° *Se plaindre que la mariée est trop belle,* se plaindre de ce dont on devrait se féliciter. ◆ **mariage** n. m. 1° Union légale d'un homme et d'une femme : *Contracter mariage. Les liens sacrés du mariage* (contr. : DIVORCE, SÉPARATION). *Un mariage mal assorti* (syn. : UNION). *Mariage civil, religieux. Une promesse de mariage. Faire un mariage de raison, d'intérêt, d'amour. Donner sa fille en mariage.* — 2° Célébration de cette union légale : *Fixer la date du mariage* (syn. : NOCES). *Un faire-part de mariage.* — 3° Combinaison harmonieuse de plusieurs choses : *Mariage de mots* (syn. : ASSOCIATION). ◆ **marieuse** n. f. Femme qui s'entremet pour faciliter des mariages. ◆ **remarier (se)** v. pr. : *Après son divorce, il s'est remarié avec sa secrétaire.* ◆ **remariage** n. m. (V. MATRIMONIAL).

marigot [marigo] n. m. Bras de rivière qui se perd dans des lieux bas facilement inondables.

1. marin [marɛ̃] n. m. 1° Membre du personnel d'un navire, personne dont la profession est de naviguer sur mer : *Les marins bretons. Un costume, un béret de marin. Marin péri en mer.* — 2° Homme d'équipage (par oppos. à *officier*). ◆ **marine** n. f. 1° Ensemble des marins et des navires qui effectuent les transports commerciaux ; ensemble des marins et des bâtiments destinés à la guerre sur mer : *La marine marchande. La marine de guerre. La marine nationale.* — 2° Administration et services ayant trait à la navigation maritime : *S'engager dans la marine de guerre. Ministère de la marine.* — 3° La navigation maritime : *Le vocabulaire de la marine.* — 4° Peinture ayant pour sujet la mer. ◆ adj. invar. *Bleu marine* ou *marine,* bleu foncé. ◆ **marinier, ère** n. Personne dont la profession est de conduire ou d'entretenir les bateaux destinés à la navigation intérieure.

2. marin, e [marɛ̃, -in] adj. 1° Relatif à la mer : *Un courant marin* (= de la mer). *Des plantes marines* (= qui vivent dans la mer). *La brise marine* (— qui souffle de la mer). *Le sel marin* (par oppos. à *sel gemme*). — 2° Qui sert à la navigation maritime : *Jumelles marines. Une carte marine.* — 3° *Avoir le pied marin,* n'avoir jamais le mal de mer, en dépit du tangage et du roulis. ‖ *Costume marin,* vêtement bleu foncé de garçonnet, dont la coupe (le col en particulier) rappelle la tenue des marins français.

mariner [marine] v. intr. Tremper dans une saumure faite de vinaigre, de sel, d'huile, d'épices, qui permet de conserver certaines viandes, certains poissons en leur donnant un arôme : *Faire mariner des harengs.* ◆ **mariné, e** adj. : *Du thon mariné.* ◆ **marinade** n. f.

mariol ou **mariole** [marjɔl] n. m. Pop. *Faire le mariol,* se faire remarquer ; faire l'intéressant (syn. : FAIRE LE MALIN).

marionnette [marjɔnɛt] n. f. 1° Petite figure de bois, de carton, articulée ou non, qu'une personne cachée derrière une toile fait mouvoir à l'aide de ses mains ou de fils, ou qui est animée dans un film spécial dit *film d'animation : Un montreur de marionnettes. Guignol est la plus célèbre des marionnettes.* — 2° Personne sans caractère, qu'on manœuvre comme on veut : *C'est une vraie marionnette entre les mains de sa femme* (syn. : PANTIN).

marital, e, aux adj., **maritalement** adv. V. MARI.

maritime [maritim] adj. 1° Qui est au bord de la mer, près de la mer : *Une ville maritime* (= un port). *Port maritime* (par oppos. à *port fluvial*). *La gare maritime du Havre* (= qui dessert le port pour l'embarquement des voyageurs). — 2° Qui concerne la navigation, la marine : *Le trafic maritime. Un chantier maritime. L'aviation maritime. Le droit maritime.*

marivauder [marivode] v. intr. Echanger des galanteries précieuses, des badinages recherchés : *Elle marivaudait avec quelques-uns de ses invités.* ◆ **marivaudage** n. m. : *Un marivaudage sentimental.*

marjolaine [marʒɔlɛn] n. f. Plante aromatique.

marmaille [marmaj] n. f. *Fam.* Groupe de tout jeunes enfants, bruyants et tapageurs : *La marmaille jouait sur le trottoir.*

marmelade [marməlad] n. f. 1° Compote de fruits écrasés et cuits avec du sucre : *Une marmelade de pommes, de poires, d'abricots.* — 2° *En marmelade,* réduit en bouillie : *Les haricots sont trop cuits : ils sont en marmelade.* ‖ Fam. *Avoir la figure en marmelade,* avoir le visage meurtri (syn. : EN CAPILOTADE). ‖ Fam. *Etre dans la marmelade,* dans une situation financièrement difficile.

1. marmite [marmit] n. f. 1° Récipient avec couvercle, dans lequel on fait bouillir et cuire des aliments ; son contenu : *Mettre des pommes de terre dans une marmite.* — 2° *Marmite norvégienne,* récipient à parois épaisses, dont le contenu est porté à ébullition et où la cuisson se poursuit sans feu.

2. marmite [marmit] n. f. Gros obus. ◆ **marmiter** v. tr. Bombarder. ◆ **marmitage** n. m. Bombardement.

marmiton [marmitɔ̃] n. m. Jeune apprenti attaché au service de la cuisine dans un grand restaurant.

marmonner [marmɔne] v. tr. et intr. Murmurer entre ses dents, d'une manière confuse ou avec hostilité : *Marmonner des paroles inintelligibles* (syn. : BREDOUILLER). *Marmonner des injures, des menaces.*

marmot [marmo] n. m. 1° *Fam.* Petit enfant : *Promener ses marmots dans le jardin public. Des marmots jouaient près du tas de sable* (syn. fam. : MIOCHE). — 2° Fam. *Croquer le marmot,* attendre longtemps et avec impatience.

marmotte [marmɔt] n. f. 1° Petit mammifère rongeur, qui hiberne plusieurs mois dans un terrier. (Une espèce vit dans les Alpes.) — 2° *Dormir comme une marmotte,* dormir profondément.

marmotter [marmɔte] v. tr. et intr. *Fam.* Murmurer confusément entre ses dents : *Marmotter des prières* (syn. : BREDOUILLER, MARMONNER).

marne [marn] n. f. Roche argileuse, contenant aussi du calcaire. ◆ **marneux, euse** adj. : *Sol marneux* (= qui contient de la marne).

maronner [marɔne] v. intr. *Fam.* Exprimer son mécontentement par des murmures, par des paroles entre les dents : *Il me fait maronner avec ses hésitations* (syn. fam. : BISQUER). *Tu as fini de maronner tout seul?* (syn. fam. : RÂLER).

maroquin [marɔkɛ̃] n. m. 1° Peau de chèvre tannée, teinte et utilisée pour la reliure, pour la confection de portefeuilles, de sacs, d'étuis, etc. — 2° *Obtenir un maroquin,* obtenir un poste de ministre. ◆ **maroquinerie** n. f. Fabrication et commerce des articles de cuir. ◆ **maroquinier** n. m. Personne qui fabrique ou vend ces objets.

marotte [marɔt] n. f. *Fam.* Idée fixe : *Les étudiants sont attentifs aux marottes de leurs professeurs* (syn. : MANIE ; fam. : DADA).

marquer [marke] v. tr. 1° (sujet nom d'être animé) *Marquer (une chose) de, à, par,* etc., lui mettre un signe qui permette de la distinguer, de la reconnaître : *Marquer les fautes d'une croix faite en marge* (syn. : SIGNALER, INDIQUER). *Marquer sa place avec ses gants. Marquer au crayon un passage d'un livre. Marquer le linge à ses initiales.* — 2° (sujet nom d'être animé, ou au passif) Indiquer par écrit ou désigner par oral : *Marquer un rendez-vous sur un agenda. Les élèves marquent sur le cahier les devoirs à faire. Les frontières sont indiquées sur la carte. A l'heure marquée, il arriva* (syn. : FIXER). — 3° (sujet nom de chose) Etre un signe qui permet de distinguer, de noter : *Ces bornes marquent les limites de la propriété* (syn. : INDIQUER). *Le lever du rideau marque le début du spectacle* (syn. : SIGNALER). *L'anniversaire du débarquement a été marqué par des cérémonies importantes* (syn. : COMMÉMORER, CÉLÉBRER). *Le thermomètre marque cinq au-dessous de zéro.* — 4° (sujet nom de chose) Laisser des traces, des empreintes sur quelque chose : *La fatigue marque ses yeux. Elle a le visage marqué* (= ridé). — 5° Souligner en faisant ressortir, en mettant en évidence : *Marquer la mesure* (syn. : SCANDER). *Marquer un temps d'arrêt. Ces attitudes divergentes marquent la différence existant entre eux deux. Avoir une préférence marquée pour l'aîné. Des incidents violents ont marqué la séance* (syn. : PONCTUER). *Cette réflexion marque bien que vous avez compris mes intentions. Une ironie marquée* (syn. : ACCENTUÉ). *Une différence marquée* (= nette). — 6° (sujet nom de personne) Faire connaître aux autres : *Marquer son désaccord* (syn. : EXPRIMER). *Marquer sa fidélité* (syn. : MANIFESTER). — 7° Fam. *Marquer le coup,* souligner l'importance de quelque chose ; manifester qu'on a été vexé par quelque chose. ‖ *Marquer un point,* obtenir un avantage. ‖ *Marquer les points,* faire le compte des points, au cours d'une partie de cartes. ‖ *Marquer un but,* réussir un but, au football. ‖ *Marquer un joueur,* surveiller de près un adversaire, dans les jeux d'équipe, afin de l'empêcher d'aller librement vers le but. ‖ *Marquer le pas,* conserver la cadence du pas sans avancer. ◆ v. intr. Laisser une trace durable : *C'est un boxeur dont les coups marquent. Ces événements ont marqué dans ma vie.* ◆ ***se marquer*** v. pr. Etre indiqué, marqué : *La colère se marque chez lui par un silence obstiné.* ◆ **marquant, e** adj. Qui laisse un souvenir durable, qui est remarquable : *Les événements marquants de la semaine* (syn. : IMPORTANT). *Les personnages marquants de la IIIᵉ République* (= en vue). ◆ **marque** n. f. 1° Empreinte ou signe servant à reconnaître, à distinguer une chose : *Effacer les marques mises au crayon dans la marge. Faire une marque devant chaque mot à retenir. La marque d'origine d'un produit* (syn. : ESTAMPILLE). *La marque de fabrique* (syn. : LABEL). *Mettre une marque à la page d'un livre* (syn. : SIGNET). — 2° Ce qui distingue une personne : *Les marques d'une fonction* (syn. : INSIGNE). — 3° Entreprise commerciale : *Une grande marque de champagne. Une marque de postes de radio.* — 4° Trace laissée par quelque chose ou par quelqu'un : *Des marques de pas dans la neige. Des marques de doigts sur un verre* (syn. : TACHE). *Les marques d'une brûlure.* — 5° Signe, indice qui révèle quelque chose : *Donner des marques de sa confiance* (syn. : TÉMOIGNAGE). *Recevoir une grande marque d'amour. Cette attitude est la marque d'un homme de caractère* (syn. : PREUVE). — 6° Décompte de points au cours d'une partie, d'un match : *La marque, à la mi-temps, est de deux à zéro.* — 7° *Reconnaître dans quelque chose la marque de quelqu'un,* reconnaître son style, sa manière de faire. ‖ *Produits de marque,* produits de grande qualité. ‖ *Personnage, hôtes de marque,* personnalité, hôtes importants. ◆ **marquage** n. m. 1° Action de marquer des marchandises, du linge. — 2° En sports, action de marquer un joueur. ◆ **démarquer** v. tr. 1° Oter ou changer la marque de : *Démarquer du linge. Démarquer des articles.* — 2° Libérer un partenaire de la surveillance d'un adversaire, dans un sport d'équipe. ◆ ***se démarquer*** v. pr. Echapper à la surveillance d'un adversaire (dans un sport d'équipe).

marqueterie [markɛtri] n. f. Assemblage composé de feuilles de bois précieux, de métal ou de marbre, plaquées sur un ouvrage de menuiserie et formant des dessins variés.

marquis [marki] n. m. Titre de noblesse entre ceux de duc et de comte. ◆ **marquise** n. f. Femme d'un marquis.

marquise [markiz] n. f. Auvent vitré construit au-dessus d'une porte pour la protéger de la pluie.

marraine [marɛn] n. f. 1° Celle qui tient un enfant sur les fonts du baptême : *Filleul qui reçoit un cadeau de sa marraine.* — 2° Celle qui préside au baptême d'un navire, d'un ouvrage d'art, etc., qui lui donne son nom.

marre [mar] adv. Pop. *En avoir marre,* être excédé, écœuré (syn. : EN AVOIR ASSEZ; fam. : EN

AVOIR PLEIN LE DOS) : *J'en ai marre d'attendre. J'en ai marre de lui. Il n'a pas encore fait ce que je lui ai dit; je commence à en avoir marre. Tu as trop parlé; y en a marre!* ‖ Pop. *C'est marre,* c'est assez.

marrer (se) [səmare] v. pr. *Pop.* Se tordre de rire. ◆ **marrant, e** adj. *Pop.* Amusant : *Une histoire marrante.*

marri, e [mari] adj. *Etre marri de quelque chose,* ou *de* (et l'infin.), être désolé de (littér.) : *Il était marri de rappeler de si tristes souvenirs.*

1. marron [marɔ̃] n. m. 1° Nom usuel donné au fruit comestible du châtaignier : *Marrons grillés. Dinde farcie aux marrons. Des marrons glacés. Les marchands de marrons s'installent au coin des rues, l'hiver.* — 2° *Pop.* Coup de poing : *Recevoir un marron.* ◆ adj. invar. et n. m. De la couleur jaune-brun ou brun-rouge des marrons : *Des yeux marron.* ◆ **marronnier** n. m. Châtaignier cultivé.

2. marron, onne [marɔ̃, -ɔn] adj. Qui exerce une profession d'une manière irrégulière, en se livrant à des pratiques illégales : *Un médecin marron, qui fait des certificats de complaisance.*

mars n. m. V. MOIS.

marsouin [marswɛ̃] n. m. Mammifère marin voisin du dauphin.

marteau [marto] n. m. 1° Outil formé d'une tête en métal et d'un manche de bois, dont on se sert pour frapper; instrument servant à percer, à perforer, etc. : *Enfoncer un clou avec un marteau. On entendait le bruit des coups de marteau frappés contre la cloison. Le marteau pneumatique est une machine fonctionnant automatiquement et mettant en jeu un outil de percussion (marteau piqueur). Le marteau du commissaire-priseur sert à indiquer, lorsque ce dernier en frappe la table, l'adjudication d'un objet mis aux enchères. Le marteau d'une porte est un battant de fer (ou de bronze) qui, fixé sur la porte d'entrée, sert à heurter la porte pour avertir.* — 2° Sphère métallique, munie d'un fil d'acier et d'une poignée, que les athlètes lancent après l'avoir fait tournoyer : *Le lancement du marteau.* — 3° Pop. *Etre marteau,* être fou. ‖ Pop. *Avoir reçu un coup de marteau sur la tête,* être déséquilibré. ◆ **marteau-pilon** n. m. Gros marteau de forge : *Les marteaux-pilons fonctionnent à l'air comprimé.* ◆ **marteler** v. tr. (conj. 15). 1° Frapper à coups de marteau : *Le forgeron martelait le fer sur l'enclume.* — 2° Frapper fort et à coups redoublés : *Le boxeur martelait le visage de son adversaire acculé dans un coin du ring* (syn. : PILONNER). *L'artillerie martèle les positions ennemies.* — 3° Ebranler par un bruit fort et répété : *Le bruit des pétards lui martelait le crâne.* — 4° Articuler avec force, en détachant les syllabes : *Il martelait les phrases de son discours.* ◆ **martelage** n. m. Sens 1 du verbe : *Le martelage d'une pièce sur l'enclume.* ◆ **martèlement** n. m. Sens 2, 3, 4 du verbe : *Le martèlement des pas* (= bruit cadencé).

martial, e, aux [marsjal, -sjo] adj. 1° Qui manifeste du goût pour la lutte, pour le combat; se dit de ce qui encourage cet état d'esprit : *Un discours martial. Le petit groupe s'avança d'un air martial* (syn. : ↓ DÉCIDÉ). *Une voix martiale, bien assurée, énergique.* — 2° *Loi martiale,* loi autorisant l'intervention de la force armée en cas de troubles intérieurs. ‖ *Cour martiale,* tribunal militaire exceptionnel, fonctionnant en cas d'état de guerre ou de troubles.

1. martinet [martinɛ] n. m. Fouet formé de brins de cuir, dont on menace les enfants.

2. martinet [martinɛ] n. m. Petit oiseau ressemblant à l'hirondelle.

martingale [martɛ̃gal] n. f. 1° Demi-ceinture placée à la taille, dans le dos d'un pardessus, d'une gabardine. — 2° Système de jeu fondé sur des considérations découlant du calcul des probabilités, et qui prétend assurer un bénéfice certain dans les jeux de hasard.

martyr, e [martir] n. et adj. 1° Personne qui souffre, qui meurt pour ses croyances religieuses, pour une cause politique : *Martyr de la foi. Le sang des martyrs. Les martyrs de la liberté.* — 2° Personne qui souffre de mauvais traitements systématiques : *Un enfant martyr. Se donner des airs de martyr* (= de celui qui est persécuté). *Le petit était le martyr des aînés* (syn. : SOUFFRE-DOULEUR). ◆ **martyre** n. m. 1° Souffrance, mort endurées pour une cause : *Marcher au martyre. Le martyre de saint Pierre.* — 2° Grande souffrance morale ou physique : *Sa vie fut un long martyre* (syn. : CALVAIRE). *Il souffre le martyre. Cette séparation est un martyre* (syn. : ↓ DOULEUR). *C'est un véritable martyre que de l'écouter pendant une heure* (syn. : SUPPLICE). ◆ **martyriser** v. tr. Faire souffrir beaucoup : *Enfant martyrisé par ses parents* (syn. : TORTURER).

marxisme [marksism] n. m. Doctrine philosophique, politique et économique issue de Marx, qui analyse les processus historiques selon des méthodes dialectiques et matérialistes, à la lumière de la lutte des classes. ◆ **marxiste** adj. et n.

mascarade [maskarad] n. f. Mise en scène trompeuse, hypocrite.

mascaret [maskarɛ] n. m. Brusque surélévation des eaux à l'estuaire de certains fleuves, qui prend l'aspect d'une grande vague.

mascotte [maskɔt] n. f. Objet, animal fétiche, qui, selon certains, porte bonheur : *Il avait pour mascotte un petit ours en peluche.*

1. masculin, e [maskylɛ̃, -in] adj. Propre à l'homme, au mâle; qui a ses caractères, ses qualités : *La force masculine* (syn. : VIRIL). *Le sexe masculin. La population masculine* (= celle des hommes). *Un métier masculin* (contr. : FÉMININ). *Une voix masculine* (syn. : MÂLE). ◆ **masculiniser** v. tr. Rendre masculin : *Ce tailleur la masculinise.* ◆ **masculinité** n. f. Ensemble des caractères psychologiques masculins.

2. masculin, e [maskylɛ̃, -in] adj. et n. m. Se dit d'un des deux genres du substantif (ou des déterminants ou qualificatifs), qui ne porte aucune marque distinctive et qui correspond au sexe mâle (êtres animés), ou à une répartition qui est fonction de la terminaison (les mots en *-ès* sont masculins : *abcès, procès*), du suffixe (les mots en *-age* et *-ment* sont masculins) ou de la classe sémantique (les noms de métaux : *le fer, le zinc, l'aluminium,* sont masculins). [V. FÉMININ.]

masochisme [mazɔʃism] n. m. Attitude d'une personne qui trouve de la satisfaction dans sa propre souffrance, dans sa déchéance, son humiliation. ◆ **masochiste** adj. et n.

masque [mask] n. m. 1° Objet (pièce de tissu, forme de carton, appareil, etc.) dont on se couvre le visage, soit pour le cacher, soit pour le protéger : *Les enfants mettent des masques grotesques au moment du carnaval. Les masques de la comédie grecque. Les escrimeurs portent un masque métallique pour se protéger le visage des coups de l'adversaire. Le masque à gaz protège des fumées et des gaz asphyxiants. Les chirurgiens mettent un masque de gaze qui couvre le nez et la bouche.* — 2° Moulage de la face pris sur le vif ou sur le cadavre : *Le masque mortuaire de Pascal.* — 3° Aspect du visage considéré sur le plan des traits généraux de la physionomie (littér.) : *Présenter un masque impénétrable* (syn. : AIR). *Avoir un masque d'une extraordinaire laideur* (syn. : VISAGE). *Un masque féroce* (syn. : EXPRESSION). — 4° Apparence trompeuse (langue soutenue) : *Sous un masque de gentillesse et de courtoisie se cachait un esprit férocement ironique* (syn. : DEHORS); surtout dans des expressions : *Lever, ôter le masque* (= dévoiler son jeu). *Arracher le masque à quelqu'un* (= révéler son vrai visage de fourbe). ◆ **masquer** v. tr. 1° Cacher à la vue, à la pensée, etc. : *L'entrée du souterrain était masquée par d'épais buissons* (syn. : DÉROBER). *Masquer ses projets véritables. Ces discussions superficielles nous ont masqué les vrais problèmes* (syn. : DISSIMULER). *Le poivre trop abondant masque le goût de la langouste.* — 2° (au passif surtout) Couvrir le visage d'un masque : *Des bandits au visage masqué ont attaqué la banque. Un bal masqué* (= travesti). ◆ **démasquer** v. tr. 1° *Démasquer quelqu'un,* lui ôter son masque. — 2° *Démasquer quelqu'un, quelque chose,* le faire apparaître sous son véritable aspect, sa vraie identité, que cachaient des apparences trompeuses : *Un espion démasqué par les services secrets. Démasquer les intentions de quelqu'un.* — 3° Faire connaître ce qu'on tenait caché : *Il n'a pas démasqué son plan* (syn. : DÉVOILER, RÉVÉLER).

massacre [masakr] n. m. 1° Action de tuer sauvagement et en masse des gens qui ne peuvent se défendre : *Le massacre de la Saint-Barthélemy à Paris* (syn. : TUERIE, BOUCHERIE). *Le massacre des déportés dans les camps de concentration* (syn. : EXTERMINATION). *Les villages de l'intérieur ont été livrés au pillage et au massacre* (= mis à feu et à sang). *Donner le signal du massacre. Envoyer des troupes au massacre* (= à une mort certaine); et en parlant d'animaux : *Les chasseurs se livrèrent à un véritable massacre* (syn. : CARNAGE). — 2° Action d'endommager, de briser des choses, par brutalité ou par maladresse : *Le découpage de la dinde de Noël fut un véritable massacre.* — 3° Action de défigurer une œuvre musicale, théâtrale, etc., en l'exécutant mal : *Les acteurs ont fait un massacre de la pièce.* — 4° *Jeu de massacre,* jeu de foire qui consiste à renverser avec des balles des pantins ou des poupées placés à distance. ◆ **massacrer** v. tr. 1° Tuer sauvagement et en masse : *Massacrer des populations civiles* (syn. : EXTERMINER). *On a retrouvé dans une ferme isolée toute une famille odieusement massacrée* (syn. : ÉGORGER, ASSASSINER). — 2° *Fam.* Mettre à mal quelqu'un : *Le boxeur massacra son adversaire* (syn. fam. : DÉMOLIR). — 3° Abîmer par maladresse, par un travail sans soin, par une mauvaise exécution, etc. : *Massacrer une volaille. Massacrer un texte en le remaniant* (syn. : DÉFIGURER). *Le paysage a été massacré par la présence de panneaux publicitaires.* ◆ **massacrant, e** adj. *Etre d'une humeur massacrante,* être de très mauvaise humeur. ◆ **massacreur** n. m.

masse [mas] n. f. 1° Grande quantité d'une matière, d'une substance, etc., sans forme précise, mais compacte : *La masse d'eau retenue par un barrage* (syn. : VOLUME). *Une énorme masse de rocher* (syn. : BLOC). *Des masses d'air froid venues d'Europe centrale. Statue taillée dans la masse* (= dans un seul bloc de pierre, de marbre). — 2° Amas, réunion de parties, de choses distinctes, assemblées en un tout (suivi d'un compl. introduit par *de*) : *Une masse de pierres. S'entourer d'une masse de documents* (syn. : ↑ MONCEAU). *Il y a une masse de mots dont il ne connaît pas le sens* (syn. : QUANTITÉ); et, *fam.,* au plur. : *Des masses de lettres à écrire. Elle a des masses d'amis, d'admirateurs.* — 3° Ensemble imposant dont on ne distingue pas les parties : *On voyait dans la brume la masse du paquebot glisser sur les eaux. L'immeuble écrase de la masse de ses quinze étages les petites maisons alentour.* — 4° *Une masse de,* un grand ensemble d'êtres animés : *Des masses de touristes envahissent l'Italie en été* (syn. : FOULE). — 5° Grand groupe humain, caractérisé par une fonction déterminée (généralement au plur.) : *Les masses laborieuses, les masses paysannes.* — 6° Le plus grand nombre, la grande majorité des hommes (avec ou sans compl.) : *La masse des électeurs, du peuple* (syn. : LE GROS). *Une manifestation de masse. S'efforcer de plaire à la masse* (syn. : GRAND PUBLIC). — 7° (au plur. surtout) La classe ouvrière, les classes populaires : *Discours qui a de l'influence sur les masses* (syn. : PEUPLE). — 8° Gros marteau. — 9° *Tomber comme une masse,* d'une manière pesante : *Sous le choc, elle tomba évanouie comme une masse.* ‖ *Masse de manœuvre,* troupe mise en réserve et disponible pour une manœuvre; argent mis de côté pour servir éventuellement à une opération financière. ‖ Fam. *Il n'y en a pas des masses,* il n'y en a pas beaucoup. ● LOC. ADV. *En masse,* en grand nombre : *Départ en masse de skieurs à la gare de Lyon. Venir en masse à une réunion* (syn. : EN FOULE). ◆ **masser** v. tr. Rassembler en grand nombre : *Masser des troupes à la frontière. Les habitants du village étaient tous massés sur la place* (syn. : RÉUNIR). ◆ **se masser** v. pr. : *La foule s'est massée au passage du cortège.* ◆ **massif, ive** adj. 1° Qui forme une masse épaisse, imposante, lourde, compacte : *Les portes massives du vieux château* (syn. : PESANT). *Un homme au visage massif* (syn. : ÉPAIS). — 2° Qui forme un bloc compact, sans présenter de creux ni être plaqué : *Bijou en or massif. Statue de bronze massif* (syn. : PLEIN). — 3° En grande quantité; qui réunit un grand nombre de personnes : *Une dose massive de poison. Une manifestation massive. Les départs massifs de juillet.* ◆ **massivement** adv.

1. masser v. tr. V. MASSE.

2. masser [mase] v. tr. Presser, en pétrissant avec les mains ou avec un appareil, différentes parties du corps, pour leur donner de la souplesse, pour enlever la fatigue, une douleur, etc. : *Masser les jambes d'un sportif. Se faire masser le cou.* ◆ **massage** n. m. : *Le massage du visage.* ◆ **masseur, euse** n. : *Le masseur d'une équipe sportive.*

1. massif, ive adj. V. MASSE.

2. massif [masif] n. m. 1° Ensemble de montagnes formant une masse : *Le massif du Mont-Blanc. Le Massif armoricain.* — 2° Ensemble de fleurs, d'arbustes groupés sur un espace de terre : *Un massif de roses, de tulipes* (syn. : PARTERRE).

massue [masy] n. f. 1° Gros bâton noueux, dont une des extrémités était plus grosse que l'autre et dont on se servait comme arme : *Assommer d'un coup de massue. Frapper avec une massue.* — 2° *Coup de massue,* événement brutal, catastrophique et inattendu : *La nouvelle de l'attentat fut un véritable coup de massue.* ‖ *Argument massue,* qui laisse sans réplique l'interlocuteur.

mastic [mastik] n. m. Pâte adhésive, faite de craie pulvérisée et d'huile de lin, dont on se sert pour boucher les trous, pour faire tenir les vitres, etc. ◆ **mastiquer** v. tr. : *Mastiquer les fentes d'un mur.* ◆ **masticage** n. m.

1. mastiquer [mastike] v. tr. Broyer les aliments avec les dents et les triturer avant de les avaler : *Bien mastiquer la viande afin de digérer facilement* (syn. usuel : MÂCHER). ◆ **mastication** n. f. : *La mastication des aliments.*

2. mastiquer v. tr. V. MASTIC.

mastoc [mastɔk] adj. invar. *Péjor.* Se dit de quelqu'un ou de quelque chose aux formes grossières, massives, lourdes : *Des édifices mastoc.*

mastodonte [mastɔdɔ̃t] n. m. Personne énorme : *Deux mastodontes montèrent sur le ring.*

mastroquet [mastrɔkɛ] n. m. *Pop.* Débit de boissons. (Auj. remplacé par BISTROT.)

m'as-tu-vu [matyvy] n. m. invar. *Fam.* Personne toujours prête à se vanter.

masure [mazyr] n. f. Vieille maison délabrée : *Des masures aux murs sales et écaillés.*

1. mat [mat] adj. invar. et n. m. Terme du jeu d'échecs indiquant que le roi ne peut plus quitter sa place sans être pris.

2. mat, e [mat] adj. 1° Se dit d'un métal, d'une couleur, etc., qui n'a pas d'éclat, de poli : *De l'argent mat* (contr. : BRILLANT). *Le teint mat d'un convalescent* (syn. : PÂLE ; contr. : ÉCLATANT). — 2° Se dit d'un son qui n'a pas de résonance : *Tomber avec un bruit mat* (syn. : SOURD ; contr. : SONORE).

mât [mɑ] n. m. 1° Dans un navire, pièce de bois verticale ou oblique, portant la voilure, les antennes de radio, les signalisations, etc. : *Le drapeau flotte au mât du navire.* — 2° Poteau servant à divers usages : *Un mât de tente.* ◆ **mâture** n. f. Ensemble des mâts d'un navire.

matador [matadɔr] n. m. Celui qui, dans les courses de taureaux, est chargé de tuer l'animal.

matamore [matamɔr] n. m. Personne qui n'est courageuse qu'en paroles : *Prendre des airs de matamore* (syn. : BRAVACHE). *Les vantardises d'un matamore* (syn. : FANFARON).

match [matʃ] n. m. Epreuve sportive disputée entre deux adversaires ou deux équipes : *Un match de tennis, de football, de boxe. La série des matchs* (ou *matches*) *aller est terminée* (dans une coupe où les adversaires se rencontrent deux fois). *Faire match nul* (= se dit de concurrents qui, à l'issue des épreuves, ont un nombre égal de points). *L'arbitrage, le résultat, le déroulement d'un match. Faire un match avec quelqu'un* (= lutter avec lui sur un point précis). ◆ **matcher** v. tr. et intr. Affronter un adversaire dans un match : *Le champion du monde matchera son jeune adversaire dimanche.*

matelas [matla] n. m. 1° Pièce de la literie, composée d'un long et large coussin piqué, rembourré et qui est posé sur le sommier : *Un matelas de laine. Des matelas de caoutchouc. Retourner son matelas quand on fait son lit.* — 2° *Matelas pneumatique,* enveloppe de toile caoutchoutée que l'on gonfle, et que les campeurs utilisent pour se coucher. — 3° *Matelas de feuilles,* épaisse couche de feuilles mortes étendues sur le sol. ‖ *Matelas d'air,* couche d'air entre deux parois, protégeant contre les bruits. ‖ Fam. *Matelas de billets de banque,* grosse liasse de billets. ‖ *Servir de matelas protecteur,* mettre à l'épreuve des coups violents. ◆ **matelasser** v. tr. : *Les épaules du costume sont fortement matelassées* (syn. : REMBOURRER). *Des murs matelassés de toile, de plusieurs couches de papier.* ◆ **matelassier, ère** n. Personne dont le métier est de confectionner des matelas.

matelot [matlo] n. m. Homme de l'équipage d'un navire qui participe à sa manœuvre.

matelote [mat(ə)lɔt] n. f. Plat cuisiné composé de poisson (anguille), assaisonné de vin et d'oignons.

mater [mate] v. tr. 1° *Mater quelqu'un,* le soumettre à son autorité par la violence, par la sévérité, en brisant sa résistance : *Mater des prisonniers révoltés. Mater un enfant indiscipliné* (syn. : DOMPTER). — 2° *Mater quelque chose,* s'en rendre maître, en empêcher le développement dangereux : *Les pompiers ont réussi à mater l'incendie. Mater une révolte* (syn. : ÉTOUFFER).

matérialiser [materjalize] v. tr. Donner une forme concrète ; rendre réel, effectif : *Matérialiser ses promesses* (syn. : CONCRÉTISER). *Matérialiser un projet* (syn. : RÉALISER). ◆ ***se matérialiser*** v. pr. Devenir réel : *Ses rêves se matérialisèrent quand il put acheter cette petite maison.* ◆ **matérialisation** n. f. : *La matérialisation d'un espoir.*

matérialisme [materjalism] n. m. 1° Doctrine, attitude philosophique qui considère la matière comme existant indépendamment de l'homme pensant et qui fait de la pensée un simple phénomène matériel comme les autres : *Le matérialisme mécaniste du XVIIIe siècle. Le matérialisme dialectique.* — 2° Etat d'esprit, attitude de celui pour qui seuls comptent les biens matériels et la recherche immédiate du plaisir. ◆ **matérialiste** adj. et n. : *Un philosophe matérialiste. Une doctrine matérialiste.*

matérialité [materjalite] n. f. *Etablir la matérialité des faits,* établir leur existence réelle.

matériaux [materjo] n. m. pl. 1° Ensemble des matières entrant dans la construction des bâtiments, des voies de communication, etc. : *Eprouver la résistance des matériaux.* — 2° Ensemble de faits, d'idées entrant dans la composition d'une œuvre littéraire, d'un ouvrage savant : *Matériaux réunis pour la rédaction d'un livre. Classer, répertorier des matériaux* (syn. : DOCUMENT). ◆ **matériau** n. m. Matière entrant dans la construction : *La pierre est un matériau.*

1. matériel [materjɛl] n. m. Ensemble des objets, des équipements, des machines utilisés dans une usine, des bureaux, une exploitation, etc. : *Le service du matériel se charge de l'entretien. Une exposition de matériel de bureau. Le matériel agricole. Un matériel de camping. Le matériel roulant* (= locomotives, wagons, voitures).

2. matériel, elle [materjɛl] adj. **1°** Formé par la matière : *L'univers matériel. Un être matériel* (contr. : SPIRITUEL). — **2°** Qui existe effectivement, d'une manière réelle, tangible : *Je suis dans l'impossibilité matérielle de le joindre. Des obstacles matériels se sont dressés entre eux deux. Commettre une erreur matérielle* (= qui ne concerne que la forme). *Ne pas avoir le temps matériel d'accomplir une action* (= nécessaire). *Avoir les preuves matérielles d'un mensonge.* — **3°** Qui appartient aux nécessités de la vie humaine, aux moyens financiers d'existence; qui est fait des biens possédés : *Le confort matériel* (contr. : MORAL). *Les avantages matériels accordés aux employés de l'entreprise* (par oppos. aux salaires proprement dits). *Les besoins matériels de l'existence. Avoir des soucis matériels. Apporter une aide matérielle aux pays sous-développés.* — **4°** Exclusivement attaché à l'argent, aux plaisirs, à la possession des biens : *Un esprit matériel. Il est beaucoup trop matériel pour se lancer dans une pareille entreprise* (syn. : ↑ GROSSIER, PROSAÏQUE). ◆ **matériellement** adv. D'une manière réelle, positive : *C'est matériellement impossible. Il n'a pas matériellement le temps avant ce soir* (syn. : EFFECTIVEMENT). ◆ **immatériel, elle** adj. Sans consistance.

maternel, elle adj., **maternité** n. f. V. MÈRE.

mathématiques [matematik] n. f. pl. Science qui a pour objet l'étude des grandeurs, de leur comparaison et de leur mesure : *Etudier les mathématiques. La classe de mathématiques élémentaires* (fam. : *math-élem*) *clôt le cycle secondaire.* (Abrév. fam. MATHS : *Etre nul en maths. Prof de maths.*) ◆ **mathématique** adj. **1°** Relatif aux mathématiques : *Des connaissances mathématiques.* — **2°** Qui a la rigueur des mathématiques : *Une précision mathématique.* — **3°** Fam. *C'est mathématique,* c'est absolument nécessaire ou inévitable : *Il va échouer, c'est mathématique.* ◆ **mathématiquement** adv. Comme si cela était calculé : *Mathématiquement, l'accident devait se produire* (syn. : NÉCESSAIREMENT). ◆ **mathématicien, enne** n. Personne qui connaît bien ou qui étudie les mathématiques. (Fam. : MATHEUX, EUSE.)

1. matière [matjɛr] n. f. **1°** Substance constituant les corps : *Désintégration de la matière. La matière vivante.* — **2°** (avec un adj.) Substance ayant des caractéristiques, des formes déterminées : *Matière combustible. Matière inflammable.* — **3°** Produit destiné à être transformé : *Matière première.* (V. MATÉRIEL 2.)

2. matière [matjɛr] n. f. **1°** Ce qui constitue le fond, le sujet d'un ouvrage, d'un discours, etc. : *La matière d'un livre. La table des matières. La matière d'un exposé.* — **2°** *En matière* (et un adj.), en ce qui concerne : *En matière juridique.* ‖ *En matière de,* sous le rapport de : *En matière de religion.* ‖ *Etre, donner,* etc., *matière à* (et un subst., un infin.), être l'occasion, la cause de : *Donner matière à plaisanter. Etre matière à réflexion.*

matin [matɛ̃] n. m., **matinée** [matine] n. f. Temps compris entre le lever du soleil et midi. (On étend parfois le matin au temps compris entre minuit et midi.) [V. tableau ci-dessous.] ◆ **matinal, e, aux** adj. **1°** Se dit de quelqu'un qui se lève tôt : *Vous êtes bien matinal pour un dimanche. Il est toujours très matinal.* — **2°** Se dit de quelque chose qui se fait, qui a lieu le matin : *La toilette matinale.*

mâtin, e [mɑtɛ̃, -in] n. *Fam.* Personne vive, mais astucieuse : *La mâtine nous a trompés!* (syn. : COQUIN).

mâtiné, e [mɑtine] adj. **1°** Se dit d'un chien, d'un chat qui n'est pas de race pure. — **2°** Qui est mêlé à quelque chose d'autre : *Parler un français mâtiné d'italien.*

matois, e [matwa, -waz] adj. et n. Rusé, finaud (littér.) : *Un paysan matois* (syn. : MADRÉ).

matou [matu] n. m. *Fam.* Chat mâle.

matraque [matrak] n. f. Arme constituée par un bâton de bois, de caoutchouc durci, plus ou moins long, dont sont munies les forces de police ou dont peuvent se servir éventuellement des agresseurs. ◆ **matraquer** v. tr. : *Les premiers rangs du défilé, durement matraqués, refluèrent en désordre.* ◆ **matraquage** n. m.

matriarcat [matrijarka] n. m. Forme de société en vertu de laquelle, chez certains peuples, les femmes donnent leur nom aux enfants et exercent une autorité prépondérante au sein de la

matin

1° Employé avec l'article, un indéfini ou un démonstratif, indique l'espace de temps entre minuit et midi, et en particulier après le lever du jour; considéré comme une date ou un moment de la journée, il peut être employé sans article après un mot désignant un jour de la semaine (le plus souvent, *matin* est complément circonstanciel de temps ou complément du nom) :
Il sortit par un froid matin de décembre (contr. : SOIR). *Les matins d'automne brumeux et tristes. Il ne travaille que le matin. Dimanche matin, nous pourrons nous reposer. Ils ont dansé jusqu'au matin* (= jusqu'au lever du jour). *Le lendemain matin. Il chante du matin au soir. Ce matin, il fait encore froid. Tous les matins, elle va faire ses courses. Il faut prendre ces cachets matin et soir. A une heure du matin* (= une heure après minuit). *A demain matin!*

2° **Un beau matin,** un jour indéterminé (où se passe un incident) : *Un beau matin, on retrouva son portefeuille derrière le radiateur.* ‖ **De grand matin, de bon matin, dès le petit matin, au petit matin,** de très bonne heure : *Il est obligé, pour se rendre à son travail, de partir de grand matin. Au petit matin, il se mit à l'affût.* ‖ **Au matin de la vie,** expression poétique désignant la jeunesse (contr. : AU SOIR DE LA VIE).

matinée

1° Employé avec l'article, un possessif, un démonstratif, un indéfini ou un numéral, indique l'espace de temps entre minuit et midi, et en particulier après le lever du soleil, compris comme une durée (*matinée* a toutes les fonctions du substantif) :
La matinée se passa sans incident. Venez me voir à la fin de la matinée. Au début de la matinée, elle allait faire ses courses. Nous avons eu une très belle matinée (contr. : SOIRÉE). *Je suis resté chez moi toute la matinée. Faire la grasse matinée* (= s'attarder dans son lit le matin).

2° Spectacle, fête, réunion qui a lieu en général au début de l'après-midi (elle peut commencer le matin et finir avant le dîner) :
Qu'est-ce que la Comédie-Française donne en matinée? Assister à une matinée théâtrale. Jouer une pièce en matinée. Le dimanche, en matinée, il y a un excellent film dans le cinéma du quartier (contr. : SOIRÉE). *Une matinée dansante* (= un bal dans l'après-midi).

famille. ◆ **matriarcal, e, aux** adj. : *Une société matriarcale.*

1. matrice [matris] n. f. Moule métallique qui sert à reproduire des objets par estampage.

2. matrice [matris] n. f. Viscère où se fait le développement de l'embryon ou du fœtus chez les mammifères.

matricule [matrikyl] n. f. Registre, liste où sont inscrites les personnes qui entrent dans une collectivité ou un organisme : *Matricule militaire.* ◆ n. m. Numéro d'inscription sur ce registre : *Le prisonnier matricule 390.* ◆ adj. : *Registre, numéro matricule.*

matrimonial, e, aux [matrimɔnjal, -njo] adj. Relatif au mariage : *Régime matrimonial. L'agence matrimoniale met en rapport des personnes désireuses de contracter mariage.*

matrone [matrɔn] n. f. *Péjor.* Grosse femme, d'âge mûr, aux manières vulgaires.

maturation n. f., **maturité** n. f. V. MÛR.

maudire [modir] v. tr. (conj. 72). *Maudire quelqu'un, quelque chose,* manifester contre eux son exaspération, sa colère, son impatience : *Il maudissait ceux qui lui avaient conseillé de prendre ce chemin* (syn. : PESTER CONTRE). *Les mères maudissent la guerre* (syn. : HAÏR, EXÉCRER). *Il maudit la bêtise humaine* (syn. : S'EMPORTER CONTRE). *Il maudissait l'idée stupide qu'il avait eue de partir en voiture.* ◆ **maudit, e** adj. et n. Qui est voué à la damnation; qui est rejeté par la société : *Les sculptures évoquaient les supplices des maudits* (syn. : DAMNÉ). *L'amour maudit* (syn. : INTERDIT). ◆ adj. (avant le nom). Sert d'injure pour manifester sa colère, son impatience contre quelqu'un, contre quelque chose : *Maudit soit l'importun qui me téléphone à une heure pareille! Maudit garnement!* (syn. fam. : SATANÉ). *Ce maudit accident* (syn. fam. : SACRÉ). *Une maudite pluie nous a empêchés de sortir.* ◆ **malédiction** [malediksjɔ̃] n. f. 1° Action de maudire, d'appeler sur quelqu'un le malheur; paroles par lesquelles on souhaite du mal à quelqu'un : *La malédiction paternelle. Poursuivi dans l'escalier par les malédictions de la concierge* (syn. : INJURE, IMPRÉCATION). — 2° Malheur fatal qui semble s'abattre sur quelqu'un, sur quelque chose : *La malédiction semble peser sur ce navire, trois fois atteint par l'incendie.* ◆ interj. : *Malédiction! j'ai oublié de fermer le gaz.*

maugréer [mogree] v. intr. et tr. Manifester de la mauvaise humeur, du mécontentement, en prononçant des paroles à mi-voix : *Le chauffeur maugréa quelques mots à l'adresse de ce mauvais conducteur. Maugréer contre tout le monde* (syn. fam. : RONCHONNER, RÂLER). *Il céda sa place en maugréant* (syn. fam. : ROUSPÉTER).

mausolée [mozɔle] n. m. Monument funéraire somptueux et de grandes dimensions.

maussade [mosad] adj. 1° Se dit de quelqu'un (ou de son attitude) qui manifeste de la mauvaise humeur : *Il nous a accueillis d'un air maussade* (syn. : RENFROGNÉ, MÉCONTENT). *Devenir maussade avec l'âge* (syn. : CHAGRIN, GROGNON). *Des propos maussades* (syn. : DÉSABUSÉ). — 2° Se dit de ce qui provoque l'ennui, le désagrément : *Le temps est maussade* (syn. : TERNE). *Une ville maussade, aux rues sombres* (syn. : TRISTE).

mauvais, e [movɛ, -ɛz] adj. (avant le nom). 1° Se dit d'une chose qui présente un défaut, une imperfection : *Acheter de la mauvaise marchandise* (syn. : DÉFECTUEUX; contr. : BON). *Une mauvaise route* (syn. : ↑ ÉPOUVANTABLE, HORRIBLE; contr. : BEAU). *Son écriture est mauvaise* (syn. : DÉTESTABLE). *Sa mémoire est mauvaise* (syn. : INFIDÈLE). *C'est la mauvaise saison pour la chasse. Parler un mauvais français* (syn. : INCORRECT). *Voilà de la bien mauvaise littérature. Faire un mauvais calcul* (syn. : FAUX). *La fausse nouvelle est due à une mauvaise interprétation de la dépêche d'agence. Sa santé est mauvaise. Avoir mauvaise mine* (= paraître malade). *Faire une mauvaise politique* (syn. : DÉSASTREUX). — 2° Se dit de quelqu'un qui n'a pas les qualités qu'il devrait avoir : *Etre un mauvais père. De mauvais acteurs* (contr. : EXCELLENT). — 3° Se dit de ce qui ne convient pas, de ce qui n'est pas opportun : *Il s'est décidé au mauvais moment* (syn. : INOPPORTUN). *Chercher une mauvaise querelle à quelqu'un. Il n'est pas mauvais que nous puissions discuter entre nous de ce projet* (= il est utile). — 4° Se dit de ce qui nuit, cause du mal, présente un danger : *Il s'est fait une mauvaise fracture. Etre en mauvaise compagnie. Il a reçu une mauvaise éducation* (syn. : ↑ DÉSASTREUX). *C'est mauvais pour votre santé* (syn. : NUISIBLE À). — 5° Se dit de ce qui est désagréable, de ce qui déplaît, cause de la peine : *Faire un mauvais repas, un mauvais rêve. Passer un mauvais quart d'heure* (syn. : PÉNIBLE). — 6° Se dit de ce qui manifeste de l'hostilité, de l'opposition : *Etre de mauvaise humeur* (= être renfrogné). *Faire courir de mauvais bruits sur quelqu'un* (= des calomnies). — 7° Se dit de quelqu'un (ou de son comportement) qui n'a pas les qualités morales requises : *Avoir de mauvais instincts. Etre le mauvais génie de quelqu'un. Une femme de mauvaise vie. Avoir une mauvaise conduite. Un mauvais prêtre* (= indigne). — 8° Qui fait le mal; qui manifeste de la méchanceté : *Il est mauvais comme la gale* (syn. : MÉCHANT). *Une mauvaise langue* (= une personne médisante). *Faire la mauvaise tête* (= s'obstiner méchamment). *Un mauvais sujet* (= un enfant dont la conduite est répréhensible). *Faire un mauvais tour. Avoir de mauvaises intentions.* — 9° Fam. *L'avoir, la trouver mauvaise,* être particulièrement vexé, peiné de quelque chose. ‖ *Trouver mauvais que* (et le subj.), considérer comme néfaste (syn. : DÉSAPPROUVER). ◆ **mauvais** adv. *Il fait mauvais,* le temps n'est pas beau (= il pleut, il neige, il fait froid, etc.). ‖ *Sentir mauvais,* exhaler une odeur désagréable (syn. : PUER). ◆ n. m. : *Le bon et le mauvais.*

1. mauve [mov] n. f. Plante à fleurs roses ou violacées.

2. mauve [mov] adj. De couleur violet pâle. ◆ n. m. : *Un mauve très proche du bleu.*

mauviette [movjɛt] n. f. *Fam.* Individu d'apparence chétive, faible physiquement.

maxillaire [maksilɛr] n. m. Chacun des deux os qui constituent la mâchoire (langue savante) : *Maxillaire inférieur, supérieur.*

maxime [maksim] n. f. Formule énonçant une règle de morale ou de conduite : *Des maximes populaires* (syn. : DICTON). *Les maximes de la politique* (syn. : PRINCIPE).

maximum [maksimɔm], pl. **maximums** ou **maxima,** adj. et n. m. Se dit du degré le plus haut qu'une chose puisse atteindre ; la plus grande quantité : *Le maximum de vitesse du véhicule est 160 km/heure* (contr. : MINIMUM). *Le rendement maximum. Payer le tarif maximum. La hauteur maximum atteinte par le niveau des eaux. Courir le maximum de risques. Pousser la vitesse au maximum. Le condamné a eu le maximum* (= la peine la plus forte qui soit prévue). *Au grand maximum, nous mettrons dix heures pour aller à Marseille. Les maximums* (ou *maxima*) *de température du mois d'août sont élevés.* ◆ **maximal, e, aux** adj. Syn. de l'adj. *maximum : Les températures maximales de septembre* (contr. : MINIMAL).

mayonnaise [majɔnɛz] n. f. Sauce froide, composée d'huile et de jaune d'œuf battus jusqu'à émulsion.

1. mazette [mazɛt] n. f. *Fam.* et *péjor.* Personne qui manque de force, d'habileté, d'ardeur : *Il n'est qu'une mazette dont tu ne feras qu'une bouchée* (syn. : MAUVIETTE).

2. mazette! [mazɛt] interj. Exprime l'étonnement ou l'admiration : *Mazette! je ne l'aurais pas cru aussi fort. Mazette! quelle voiture!*

mazout [mazut] n. m. Mélange noirâtre et visqueux de résidus de la distillation du pétrole, qui est utilisé comme combustible : *La chaudière à mazout du chauffage central de l'immeuble.*

me pron. pers. V. JE.

mea-culpa [meakylpa] n. m. *Faire son mea-culpa,* se repentir, avouer sa faute, son erreur.

méandre [meɑ̃dr] n. m. **1°** Sinuosité décrite par un cours d'eau : *Les méandres de la Seine.* — **2°** Détours sinueux, tortueux : *Les méandres de la politique, de la diplomatie. Il est difficile de suivre les méandres de sa pensée* (syn. : ZIGZAG).

mécanique [mekanik] adj. **1°** Se dit de ce qui est mis en mouvement par une machine, par un mécanisme : *Un escalier mécanique permet aux clients des grands magasins de monter aux étages supérieurs. Des jouets mécaniques. Un train mécanique. L'industrie mécanique* (= des machines). — **2°** Relatif au mouvement et à ses propriétés : *Les agents mécaniques de l'érosion* (= qui dépendent des seules lois du mouvement). *Les lois mécaniques.* — **3°** Se dit d'une attitude humaine qui ne semble pas dépendre de la volonté ni de la réflexion : *Un geste mécanique* (syn. plus usuel : MACHINAL). — **4°** *Avoir des ennuis mécaniques,* avoir une panne de moteur. ◆ **mécanique** n. f. **1°** Etude scientifique du mouvement des corps. — **2°** Ensemble complexe de pièces ou d'organes assemblés de manière à produire un mouvement : *Ce moteur est une mécanique bien compliquée* (syn. : MÉCANISME). ◆ **mécaniquement** adv. : *Réciter mécaniquement sa leçon* (= comme un automate). ◆ **mécanicien** n. m. **1°** Celui qui a pour métier de construire, de réparer des machines, etc. : *Le mécanicien va s'occuper de votre voiture* (syn. pop. : MÉCANO). *Les mécaniciens révisent l'avion.* — **2°** Celui qui conduit une locomotive : *Mécanicien au chemin de fer.* — **3°** *Ingénieur mécanicien,* celui qui s'occupe des applications de la mécanique (construction de machines). ◆ **mécanicienne** n. f. Ouvrière qui travaille sur une machine à coudre. ◆ **mécaniser** v. tr. Utiliser, dans un travail déterminé, les machines à la place des hommes : *Mécaniser le travail de comptabilité.* ◆ **mécanisation** n. f. : *La mécanisation progressive des travaux de manutention.* ◆ **mécanisme** n. m. **1°** Combinaison de pièces, d'organes destinés à assurer un fonctionnement ; ce fonctionnement lui-même : *Le mécanisme d'une serrure. Les mécanismes compliqués d'une horloge astronomique. Le mécanisme de ce jouet est très simple.* — **2°** Ensemble de structures d'une société ou d'un être humain dont l'organisation assure une fonction : *Les mécanismes économiques. Les mécanismes psychologiques* (syn. : PROCESSUS). *Les mécanismes du langage. Des mécanismes administratifs lourds et inopérants.* — **3°** Théorie philosophique qui ramène l'ensemble des phénomènes à la relation mécanique de cause à effet. ◆ **mécaniste** adj. Sens 3 du nom : *Explication mécaniste de l'univers. Le matérialisme mécaniste.*

mécène [mesɛn] n. m. Personnage riche, protecteur des arts, des sciences : *La galerie de tableaux modernes d'un mécène américain.* ◆ **mécénat** n. m. Protection des arts, des sciences par une personne riche, un groupe financier.

méchant, e [meʃɑ̃, -ɑ̃t] adj. et n. (surtout après le nom). **1°** Se dit d'une personne qui fait consciemment du mal, qui cherche à nuire aux autres : *Il est plus bête que méchant* (contr. : BON). *Etre méchant comme la gale. Les malheurs l'ont rendu méchant* (syn. : DUR). *Un homme méchant* ou *un méchant homme* (syn. : MALVEILLANT, ↑ ODIEUX). *Etre méchant envers les faibles* (syn. : SANS-CŒUR, BRUTAL ; contr. : BIENVEILLANT, HUMAIN). *Les justes et les méchants* (syn. : ↑ CRIMINEL) ; et en parlant d'un animal : *Chien méchant* (= qui cherche à mordre). — **2°** Fam. *Faire le méchant,* s'opposer à quelque chose en protestant violemment ou avec colère. ◆ adj. **1°** (surtout après le nom) Qui marque la volonté de nuire, la malveillance : *Un sourire méchant* (syn. : ↑ DIABOLIQUE). *Il nous a joué un méchant tour. Un article de journal méchant et dur* (syn. : ↑ VENIMEUX). *Jeter un regard méchant sur quelqu'un.* — **2°** Fam. *Ce n'est pas* (*bien*) *méchant,* ce n'est pas grave, ni dangereux. — **3°** (avant le nom) Qui n'a aucune valeur, qui est insignifiant (surtout littér., sauf quelques exceptions) : *Il fait de bien méchants vers* (= mauvais) ; qui attire des ennuis, cause des difficultés : *S'attirer une méchante affaire* (= dangereuse). *Etre de méchante humeur* (= maussade, chagrin). ◆ **méchamment** adv. Sens 1 de l'adj. : *Il rit méchamment de ma mésaventure* (syn. : CRUELLEMENT). *Agir méchamment* (contr. : GENTIMENT). ◆ **méchanceté** n. f. **1°** Caractère, attitude d'une personne méchante : *Agir par pure méchanceté* (contr. : BONTÉ). *Il l'a fait sans méchanceté. La méchanceté de ses paroles, de ses écrits* (syn. : DURETÉ). — **2°** Parole, acte qui vise à nuire : *Se dire des méchancetés* (syn. fam. : ROSSERIE). *Méchanceté gratuite* (= qui ne rapporte rien à son auteur).

1. mèche [mɛʃ] n. f. **1°** Assemblage de fils, cordon, support d'un corps combustible que l'on fait brûler et qui est destiné à donner une flamme d'une certaine durée (dans une lampe, une bougie, etc.) ; gaine de poudre noire servant à enflammer un explosif. — **2°** Pièce de gaze longue et étroite qui, introduite dans une plaie, permet l'écoulement du pus. — **3°** Tige d'acier servant à percer des trous. — **4°** *Eventer la mèche,* dévoiler un projet secret.

2. mèche [mɛʃ] n. f. Fam. *Etre de mèche avec quelqu'un,* être son complice dans une affaire louche. ‖ Pop. *Y a pas mèche,* il n'y a pas moyen (de réussir), c'est impossible.

2. **mèche** [mɛʃ] n. f. Petite touffe de cheveux, qui se distingue du reste de la chevelure par sa couleur, sa position : *Des mèches bouclées. Couper une mèche de cheveux.*

mécompte [mekɔ̃t] n. m. Attente, espérance trompée : *Subir de graves mécomptes* (syn. : DÉCEPTION). *Cette affaire ne m'a apporté que des mécomptes* (syn. : DÉSILLUSION).

méconnaître [mekɔnɛtr] v. tr. (conj. **64**). **1°** *Méconnaître quelque chose,* ne pas le comprendre, le reconnaître, ne pas en voir les caractéristiques, les qualités, etc. : *Il méconnaît les principes mêmes de la méthode scientifique* (syn. : IGNORER). *Je ne méconnais pas les difficultés de votre entreprise* (syn. : OUBLIER). *Un amour méconnu* (syn. : NÉGLIGER). — **2°** *Méconnaître quelqu'un,* ne pas l'apprécier à sa juste valeur (surtout au passif) : *Les génies méconnus.* ◆ **méconnaissable** adj. Devenu difficile à reconnaître : *La peur le rendait méconnaissable. La ville est maintenant méconnaissable* (syn. : TRANSFORMÉ). *Il est méconnaissable depuis son accident* (syn. : CHANGÉ). ◆ **méconnaissance** n. f. Sens 1 du verbe : *Il y a chez lui une méconnaissance totale de la situation réelle* (syn. : INCOMPRÉHENSION). *Une méconnaissance des problèmes importants* (syn. : IGNORANCE). ◆ **méconnu, e** n. Personne dont on n'a pas reconnu la valeur : *Cet inventeur est un grand méconnu. Il joue les méconnus* (syn. : INCOMPRIS).

mécréant, e [mekreɑ̃, -ɑ̃t] adj. et n. Qui n'a aucune religion, qui ne croit pas en l'existence d'un dieu.

médaille [medaj] n. f. **1°** Pièce de métal frappée en mémoire d'un personnage, d'une action glorieuse, ou décoration donnée comme distinction honorifique pour des services signalés : *Une médaille à l'effigie d'un savant. La médaille du travail. La médaille militaire est donnée aux sous-officiers et aux soldats.* — **2°** Pièce de métal représentant des sujets divers ; porte-bonheur ou pièce de métal portés en mémoire d'un événement : *Médaille de saint Christophe. Médaille pieuse* (= représentant un sujet religieux). ◆ **médaillé, e** adj. et n. Se dit d'une personne qui porte une médaille (décoration) : *Un médaillé militaire. Un médaillé du travail.* ◆ **médaillon** n. m. **1°** Médaille de grandes dimensions. — **2°** Bijou de forme circulaire ou ovale, où l'on place un portrait, des cheveux, etc. : *Porter un médaillon à son cou.*

médecin [medsɛ̃] n. m. Personne qui est titulaire du diplôme de docteur en médecine et exerce la profession de soigner et de guérir : *Appeler le médecin* (syn. : DOCTEUR). *Un médecin des hôpitaux. Le cabinet du médecin. Le médecin des morts* ou *médecin légiste* (= qui vient constater le décès et donne le permis d'inhumer). *Le médecin de famille. Le médecin traitant* (= qui donne ses soins au cours d'une maladie). *Une femme médecin* (= doctoresse). ◆ **médecine** n. f. **1°** Science qui a pour but de conserver ou de rétablir la santé : *Docteur en médecine. Faire sa médecine* (= faire des études de médecine). *La pratique de la médecine. Médecine générale* (= qui s'occupe de l'ensemble des maladies). *Médecine du travail* (= qui vise à prévenir les maladies et infirmités imputables à l'activité professionnelle). *Médecine sociale* (= dispensaire, sécurité sociale, etc.). — **2°** Profession de médecin : *Exercer la médecine.* ◆ **médical, e, aux** adj. Qui concerne la médecine : *Donner des soins médicaux. La profession médicale. Le corps médical* (= l'ensemble des médecins). *L'assistance médicale gratuite. Une ordonnance médicale.* ◆ **médicalement** adv. ◆ **médico-social, e, aux** adj.

médian, e [medjɑ̃, -an] adj. Placé au milieu (langue techn.) : *La ligne médiane du corps. La nervure médiane de la feuille. Le plan médian.* ◆ **médiane** n. f. Dans un triangle, segment de droite qui joint un des sommets au milieu du côté opposé.

médiation [medjasjɔ̃] n. f. Entremise destinée à amener un accord entre deux ou plusieurs personnes, groupes, nations, à les réconcilier, à leur proposer d'être arbitre : *Offrir sa médiation* (syn. : ARBITRAGE). *La médiation de l'O.N.U.* (syn. : INTERVENTION). ◆ **médiateur, trice** n. Qui s'entremet entre deux personnes, deux groupes, etc. : *Un pays neutre fut pris comme médiateur* (syn. : ARBITRE). *Un médiateur choisi avec l'accord des deux parties fixa les termes du contrat* (syn. : CONCILIATEUR).

médicament [medikamɑ̃] n. m. Substance préparée et utilisée pour traiter une maladie : *L'efficacité d'un médicament. Médicament énergique* (syn. : REMÈDE). ◆ **médicamenteux, euse** adj. : *Les plantes médicamenteuses* (= qui entrent dans la composition de médicaments).

médication [medikasjɔ̃] n. f. Emploi de médicaments, de moyens thérapeutiques pour combattre une maladie déterminée (langue de la médecine).

médicinal, e, aux [medisinal, -no] adj. *Herbe, plante médicinale,* qui sert de remède, qui entre dans la composition de médicaments.

médiéval, e, aux [medjeval, -vo] adj. Relatif au Moyen Age : *L'histoire, la littérature médiévale.* ◆ **médiéviste** n. Spécialiste qui s'occupe de la littérature, de l'histoire, de la civilisation du Moyen Age.

médiocre [medjɔkr] adj. (avant ou après le nom). **1°** Qui est au-dessous de ce qui est normal, de ce qui est suffisant : *Avoir des ressources médiocres* (syn. : MODIQUE). *Il a une situation médiocre* (syn. : MODESTE). *Un médiocre roman* (syn. : ↑ MAUVAIS). *Il a eu une note médiocre* (syn. : ↑ BAS). *L'éclairage est bien médiocre* (syn. : FAIBLE, INSUFFISANT). — **2°** Qui est peu important : *Je n'ai qu'un médiocre intérêt à cette affaire* (syn. : INSIGNIFIANT). *Avoir une taille médiocre* (syn. : PETIT). ◆ adj. et n. Se dit d'une personne qui a peu de valeur, d'intelligence, de capacités : *Un écrivain médiocre. Un élève médiocre en classe* (syn. : FAIBLE). *Un médiocre jaloux des succès des autres.* ◆ **médiocrement** adv. Assez peu : *Je suis médiocrement satisfait de votre travail* (syn. : NE ... GUÈRE). ◆ **médiocrité** n. f. : *La médiocrité de son existence* (contr. : ÉCLAT). *La médiocrité de son salaire. La médiocrité d'une pièce de théâtre* (syn. : PLATITUDE). *Ce caractère envieux est un signe de sa médiocrité* (syn. : PETITESSE ; contr. : ↑ GÉNIE).

médire [medir] v. tr. ind. (conj. **72**). *Médire de quelqu'un,* en révéler les défauts, les fautes, en dire du mal avec l'intention de nuire : *Médire de ses voisins* (syn. : DÉNIGRER, ↑ CALOMNIER ; pop. : DÉBINER). *Une méchante langue qui médit toujours des autres* (syn. : CRITIQUER). ◆ **médisant, e** adj. et n. : *Un journaliste médisant, dont les potins réjouissent le lecteur. Une vieille femme médisante et envieuse.* ◆ **médisance** [medizɑ̃s] n. f. **1°** Action de médire : *Etre victime de la médisance* (syn. : CALOMNIE). — 2° Parole, propos de celui qui médit : *Il méprisait les médisances qu'on débitait sur son compte* (syn. : RAGOT, COMMÉRAGE).

méditer [medite] v. tr. 1° *Méditer un projet,* le préparer en y réfléchissant longuement : *Méditer une terrible vengeance* (syn. : PROJETER). *Prisonnier qui médite une évasion* (syn. : COMBINER). *Un ouvrage longtemps médité* (syn. : MÛRIR). — 2° *Méditer de* (et l'infin.), penser à : *Il médite de supplanter son rival dans cette fonction.* ◆ v. intr. *Méditer sur quelque chose,* y réfléchir longuement : *Méditer sur la fragilité de la destinée.* ◆ **méditatif, ive** adj. Porté à la méditation; qui indique un état d'esprit : *Un caractère méditatif. Prendre un air méditatif* (syn. : PENSIF, RÊVEUR). ◆ **méditation** n. f. Réflexion demandant une grande concentration d'esprit : *Ce livre est le fruit de ses profondes méditations* (syn. : PENSÉE).

médium [medjɔm] n. m. Personne pouvant servir d'intermédiaire entre les hommes et les esprits, selon les spirites.

méduse [medyz] n. f. Animal marin, formé d'une ombrelle contractile dont le bord porte des filaments.

méduser [medyze] v. tr. Frapper de stupeur (souvent au passif) : *Je fus médusé par son effronterie* (syn. : STUPÉFIER). *Une telle ignorance me méduse.*

meeting [mitiɲ] n. m. 1° Réunion publique organisée pour débattre d'un problème politique ou social : *Un meeting d'agriculteurs. Des meetings se sont tenus pendant la campagne électorale.* — 2° Réunion sportive : *Meeting d'athlétisme.*

méfait [mefɛ] n. m. 1° Résultat désastreux, conséquences pernicieuses de quelque chose : *Les méfaits du mauvais temps, du verglas. Il subit encore les méfaits de son attitude intransigeante.* — 2° Mauvaise action commise par quelqu'un : *Etre puni pour ses méfaits* (syn. : FAUTE).

méfier (se) [mefje] v. pr. 1° *Se méfier de quelqu'un, de son attitude,* ne pas avoir confiance en lui, soupçonner une mauvaise intention : *Je me méfie de lui, de ses jugements* (contr. : SE FIER À). *Je ne me méfie pas assez de mes premières réactions* (syn. : SE GARDER DE). *Je me méfie des intuitions.* — 2° (sans compl.) Se tenir sur ses gardes, avoir une attitude soupçonneuse : *Méfie-toi! il nous écoute.* ◆ **méfiant, e** adj. : *Etre de caractère méfiant. Méfiant à l'égard de tous ceux qu'il ne connaît pas* (syn. : DÉFIANT). ◆ **méfiance** n. f. : *Cette lettre a éveillé sa méfiance* (syn. : SOUPÇONS). *L'animal s'approcha du piège sans méfiance.*

méforme [mefɔrm] n. f. Mauvaise condition physique (langue des sports) : *Etre en méforme. La méforme d'une équipe de football.*

mégalomane [megalɔman] adj. et n. Qui manifeste un désir excessif, anormal, de grandeur, de gloire, de puissance : *Un homme politique mégalomane.* ◆ **mégalomanie** n. f.

mégarde (par) [parmegard] loc. adv. Par défaut d'attention, pour ne pas avoir pris garde (langue soignée) : *Il a brisé ce vase par mégarde* (syn. : PAR INADVERTANCE). *Il est entré par mégarde dans le salon* (syn. : PAR ERREUR; fam. : SANS LE FAIRE EXPRÈS).

mégère [meʒɛr] n. f. Femme méchante, hargneuse et acariâtre.

mégot [mego] n. m. *Pop.* Bout de cigarette ou de cigare qu'on a fini de fumer : *Clochard qui ramasse les mégots. Allumer une nouvelle cigarette à un mégot.*

meilleur, e [mejœr] adj. (avant ou après le nom), **mieux** [mjø] adv. Servent de comparatif (et, avec l'article, de superlatif) à *bon* et à *bien.* (V. tableau ci-contre.)

méjuger [meʒyʒe] v. tr. ind. *Méjuger de ses forces, de son talent,* etc., commettre une erreur d'interprétation sur sa propre valeur en l'estimant en dessous de ce qu'elle est (littér.).

mélancolie [melɑ̃kɔli] n. f. Etat de tristesse vague, de dégoût de la vie, humeur sombre, accompagnés de rêveries : *Dans sa solitude, il eut un accès de mélancolie* (syn. fam. : CAFARD). *Plongé dans la mélancolie. Les souvenirs du passé incitent à la mélancolie* (syn. : NOSTALGIE). *Se laisser aller à la mélancolie* (syn. : VAGUE À L'ÂME). *Il est un convive délicieux et sa conversation n'engendre pas la mélancolie* (= est très amusante). ◆ **mélancolique** adj. et n. Se dit de quelqu'un qui est dans un état de tristesse vague, de rêverie : *La nouvelle de sa disparition m'a rendu mélancolique* (syn. : SOMBRE). ◆ adj. Qui marque ou inspire la mélancolie : *Une chanson mélancolique* (syn. : TRISTE). *Un regard, une expression mélancolique* (syn. : MORNE; contr. : GAI). *L'orchestre jouait un air mélancolique.* ◆ **mélancoliquement** adv.

mélange [melɑ̃ʒ] n. m. 1° Action de mettre ensemble des choses diverses : *Opérer, effectuer un mélange. Un mélange de vins. Un mélange de races* (syn. : BRASSAGE). — 2° Ensemble de choses différentes réunies pour former un tout : *Un mélange détonant. Les produits entrant dans ce mélange* (syn. : COMPOSITION, MIXTURE). *Un mélange de tabacs. Un mélange d'indulgence et de rigueur morale* (syn. : RÉUNION). *Ce récit est un mélange inextricable de vérités et de mensonges* (syn. : AMAS). — 3° *Sans mélange,* pur : *Bonheur, joie sans mélange.* ◆ **mélanger** v. tr. 1° Mettre ensemble des choses pour former un tout, souvent hétérogène : *Mélanger des vins. Mélanger des laines pour faire un pull-over* (syn. : MÊLER). *Une assistance très mélangée* (= composite). — 2° Mettre en désordre : *La femme de ménage a mélangé tous mes papiers* (syn. : BROUILLER). *Mélanger des fiches. Mélanger des idées.* ◆ **mélangeur** n. m. Appareil, dispositif servant à mélanger : *Un mélangeur d'eau chaude et d'eau froide.*

mélasse [melas] n. f. 1° Liquide sirupeux, résidu de la distillation du sucre. — 2° Fam. *Etre dans la mélasse,* dans la misère, dans la gêne.

mêlée [mele] n. f. 1° Combat tumultueux, opiniâtre, confus et désordonné : *Une mêlée sanglante* (syn. : BATAILLE). *Il a été blessé dans la mêlée* (syn. : RIXE). *La mêlée fut générale. Rester en dehors de la mêlée* (= de la lutte d'idées). *Se tenir à l'écart de la mêlée* (syn. : CONFLIT). — 2° Groupement formé au cours d'une partie de rugby par plusieurs joueurs de chaque équipe, attendant que le ballon soit placé au sol au milieu d'eux.

mêler [mele] v. tr. 1° Mettre ensemble des choses diverses, de façon à former un tout : *Mêler de l'eau et du vin. Dans le salon, des fleurs de toute sorte mêlaient leurs parfums délicats* (syn. : CONFONDRE).

EMPLOIS	meilleur le meilleur	mieux le mieux
1° Comparatif sans article, avec les sens correspondant à *bon* (adj.) et *bien* (adv.) : « plus avantageux, plus accompli », etc.; « de façon plus avantageuse, plus favorable », etc. L'adverbe modifie surtout un verbe; modifiant un adjectif, il appartient à la langue littéraire et il est remplacé dans la langue usuelle par *plus*.	*Le repas est meilleur qu'hier* (= sa qualité est supérieure). *Ce vin est bien meilleur. Nous avons l'espoir d'un monde meilleur* (= plus juste). *Je vous souhaite une meilleure santé.*	*Il travaille mieux que cela. Cela vaut mieux pour vous* (= est préférable). *Il se porte mieux, il se sent mieux, il est mieux* (= en meilleure santé). *Il a mieux fini qu'il n'avait commencé. Nous ferons beaucoup mieux. Ça ne vaut guère mieux. Vous êtes mieux logé. C'est mieux ainsi. C'est ce qu'on fait de mieux dans le genre. Elle est mieux que jolie, elle est séduisante. Je ne peux pas vous dire mieux.* Introduisant une phrase qui indique une précision : *J'accepte tous vos projets; mieux, je vous soutiendrai devant vos adversaires.* Avec une préposition : *Je m'attendais à mieux* (= à quelque chose de mieux fait). *Il a changé en mieux* (= il s'est amélioré).
2° Superlatif : *a*) Avec l'article défini ou indéfini, les possessifs, les démonstratifs (l'adjectif varie avec le mot qualifié).	*Les plaisanteries les plus courtes sont souvent les meilleures. Il a la meilleure part. Cette information est puisée aux meilleures sources. Je vous présente mes meilleurs vœux, mes souhaits les meilleurs. C'est une femme du meilleur monde* (= de la haute société).	*C'est cette façon de vivre qui me convient le mieux. Son fils cadet est le mieux doué* (littér.; syn. usuel : LE PLUS). *On fera le mieux qu'on pourra.* **De mon (ton, son, etc.) mieux,** aussi bien qu'il est en mon (ton, son) pouvoir : *Il a toujours fait de son mieux pour ne pas vous déplaire.*
b) Avec l'article défini invariable (« ce qui est excellent dans quelqu'un ou dans quelque chose »).	*Il lui a consacré le meilleur de sa vie. Ils sont unis pour le meilleur et pour le pire.*	
c) Substantif avec l'article indéfini et sans complément (*un mieux*).		*Le médecin a constaté un mieux* (syn. : AMÉLIORATION). *La situation est moins mauvaise, il y a du mieux* (syn. : PROGRÈS).

	LOCUTIONS ADVERBIALES ET PRÉPOSITIVES	LOCUTIONS DIVERSES
meilleur	**Au meilleur marché,** d'une façon moins coûteuse : *On trouve des asperges à meilleur marché chez l'épicier de la rue de Vaugirard.* **De meilleure heure,** syn. littér. de PLUS TÔT : *Je me suis levé de meilleure heure pour prendre le train du Havre.* **De meilleure grâce,** plus spontanément, sans se faire prier.	*J'en passe et des meilleures,* je ne parle pas d'autres aventures extraordinaires qui ont eu lieu. ‖ *Prendre le meilleur sur quelqu'un,* remporter un avantage sur lui : *Un coureur cycliste qui, au sprint, prend le meilleur sur ses adversaires.*
mieux	**A qui mieux mieux,** en rivalisant les uns avec les autres : *Tous, à qui mieux mieux, faisaient assaut de bassesse et de flatterie* (syn. : À L'ENVI). **Au mieux,** de la meilleure façon possible : *Arrangez l'affaire au mieux* (syn. plus usuel : POUR LE MIEUX). *En mettant les choses au mieux, nous serons à Marseille dans trois heures* (= en prenant l'hypothèse la plus favorable). *Acheter, vendre au mieux* (= au meilleur prix). ‖ *Être au mieux avec quelqu'un* (= avoir avec lui d'excellents rapports). ‖ *Au mieux de,* de la manière la plus favorable à : *Il a réglé la succession au mieux de nos intérêts;* dans l'état le meilleur : *Un athlète qui est au mieux de sa forme.* **De mieux en mieux,** progressivement vers un état plus favorable, en s'améliorant : *Il se porte de mieux en mieux;* souvent ironiq. : *De mieux en mieux, le froid augmente et nous avons une panne d'électricité.* **Faute de mieux,** en raison de l'absence d'une solution meilleure, de quelque chose de plus favorable : *Faute de mieux, nous nous arrêterons dans cette auberge.* **Pour le mieux,** d'une manière excellente, favorable : *Tout est pour le mieux dans le meilleur des mondes. Faites pour le mieux. Tout va pour le mieux* (= la situation se présente sous un jour favorable). **Tant mieux,** v. TANT à AUTANT.	*Aller mieux,* être en meilleure santé : *Le malade va mieux; sa température a baissé* (syn. : S'AMÉLIORER; SE REMETTRE); être en situation plus favorable : *Ça ira mieux demain, vous aurez oublié. Ça ne va pas mieux, il perd complètement la tête* (= c'est un comble). ‖ *Aimer mieux,* syn. de PRÉFÉRER : *J'aime mieux prendre le train, car, par ce temps-ci, la route est dangereuse.* ‖ *Faire mieux,* faire des progrès, obtenir de meilleurs résultats : *Cet élève peut faire mieux s'il s'en donne la peine.* ‖ *Faire mieux de* (suivi d'un infin.), avoir avantage à (souvent dans des conseils impératifs) : *Vous feriez mieux de vous taire; on n'entend que vous. Il aurait mieux fait de se tenir tranquille; on ne l'aurait pas reconnu.* ‖ *Valoir mieux,* être capable de plus hautes fonctions, de réalisations plus importantes, etc. (sujet nom de personne) : *Il vaut mieux que la place qu'il remplit;* avoir une plus grande valeur (sujet nom de chose) : *Cette maison vaut beaucoup mieux; on vous en offre un prix trop bas.* ‖ *Il vaut mieux,* il est préférable : *Il vaut mieux acheter un kilo de pain supplémentaire, car nos invités ont un gros appétit.*

Mêler des œufs et de la farine pour faire une pâte (syn. : AMALGAMER, MÉLANGER). *Il mêlait la sévérité à un souci extrême de la justice* (syn. : JOINDRE). — 2° Unir dans un accord, dans un tout : *Il mêle dans son accusation coupables et simples témoins. Plaisir mêlé de crainte. Une société mêlée* (= composite, disparate). — 3° Mettre en désordre : *Mêler une pelote de fil* (syn. : EMBROUILLER). *Des cheveux mêlés. Il a mêlé tous les dossiers* (syn. : MÉLANGER, BROUILLER). — 4° *Mêler les cartes,* les battre avant de les distribuer. ‖ *Mêler quelqu'un à une affaire,* l'y faire participer, l'y impliquer. ◆ ***se mêler*** v. pr. 1° Etre mis ensemble : *Les races les plus diverses se mêlent dans la ville de Singapour* (syn. : FUSIONNER). *Les laines se sont mêlées, les pelotes sont embrouillées. Les éclatements des pétards se mêlaient aux cris. Sa colère se mêlait d'amertume.*

2° (sujet nom de personne) Participer à une activité, à une action, souvent mal à propos : *Se mêler à une querelle. Se mêler des affaires des autres* (syn. : S'IMMISCER, S'INGÉRER DANS). *Ne vous mêlez pas de les réconcilier!* (syn. : INTERVENIR POUR).

Mêlez-vous de ce qui vous regarde. De quoi je me mêle! (interjection populaire pour reprocher une indiscrétion). *Il se mêle de réformer le monde. Depuis quand se mêle-t-il d'apprendre le chinois?* (syn. : S'AVISER). — 3° Entrer dans un tout : *Se mêler à un cortège* (syn. : SE JOINDRE).

mélèze [melɛz] n. m. Arbre à aiguilles caduques, croissant dans les montagnes.

méli-mélo [melimelo] n. m. *Fam.* Mélange confus, désordonné, de choses diverses : *Il y a un de ces mélis-mélos sur son bureau!* (syn. : FOUILLIS).

mélisse [melis] n. f. *Eau de mélisse,* produit obtenu par la distillation des feuilles d'une plante appelée *mélisse* dans de l'alcool et employé contre les maux de cœur, les évanouissements.

mélodie [melɔdi] n. f. 1° Suite de sons ordonnés selon un certain rythme, généralement agréable à entendre : *La mélodie du violon. Les accents d'une mélodie espagnole.* — 2° Composition vocale avec accompagnement d'un instrument de musique : *Chanter une mélodie* (syn. : AIR). *Une mélodie de Fauré.* — 3° Caractère de ce qui est propre à flatter l'oreille : *La mélodie du vers.* ◆ **mélodieux, euse** adj. Se dit d'un son, d'une suite de sons agréables à l'oreille : *Une voix mélodieuse* (syn. : HARMONIEUX). *Les accents mélodieux de la flûte. Un chant mélodieux.* ◆ **mélodique** adj. Relatif à la mélodie (sens 1 et 2) : *La ligne mélodique de la phrase.*

mélodrame [melɔdram], ou fam. **mélo** n. m. Drame populaire, caractérisé par l'accumulation d'épisodes pathétiques, outrés, violents, par la multiplication d'intrigues compliquées et par des incidents imprévus (souvent péjor., pour marquer l'invraisemblance d'une action théâtrale, d'un film, etc.) : *Le mélodrame comporte nécessairement une simplification des personnages, qui s'opposent en deux groupes, les bons et les mauvais* (*ou les traîtres*). *La scène tourna au mélodrame.* ◆ **mélodramatique** adj. Qui tient du mélodrame par l'exagération pathétique : *Un film mélodramatique. Prendre une attitude mélodramatique.*

mélomane [meloman] adj. et n. Passionné de musique.

1. melon [məlɔ̃] n. m. Plante dont le fruit arrondi a une chair juteuse et sucrée, jaunâtre ou rougeâtre selon les espèces.

2. melon [məlɔ̃] n. m. *Chapeau melon* ou *melon,* chapeau rond et bombé : *Seuls les Anglais portent encore le melon.*

mélopée [melɔpe] n. f. Chant monotone, long récitatif sur la même mélodie : *Une mélopée sauvage, funèbre.*

membrane [mɑ̃bran] n. f. Tissu mince et souple, qui enveloppe, forme ou tapisse les organes (*membrane des intestins, du tympan,* etc.) ou une partie d'un végétal (la membrane qui recouvre la graine d'une plante).

membre [mɑ̃br] n. m. 1° Partie du corps des vertébrés servant à la locomotion (*jambes*) ou à la préhension (*bras*) : *La paralysie des membres supérieurs, inférieurs. Avoir les membres forts. Enfant né avec un membre atrophié.* — 2° Partie d'une phrase correspondant à une unité syntaxique (groupe nominal, verbal) ou à une unité significative (mot). — 3° Personne, pays, etc., faisant partie d'un ensemble organisé : *Les membres d'un équipage. Les membres de l'Assemblée nationale. Un membre de l'assistance se leva. Les divers membres de la famille.* ◆ adj. Se dit d'un pays qui fait partie d'un tout : *Les Etats membres de l'O.N.U.* (V. DÉMEMBRER, REMEMBRER.)

1. même [mɛm] adj. 1° Entre l'article, le déterminatif et le nom, indique l'identité, la ressemblance, l'égalité : *Ils ont les mêmes goûts* (syn. : IDENTIQUE, PAREIL). *Je ne suis pas du même avis. Je l'ai vu au même endroit. Le cheval a gardé la même allure jusqu'au poteau. Arriver en même temps* (= ensemble), *dans le même temps. Il est travailleur et en même temps il est intelligent* (= à la fois); suivi d'une proposition comparative introduite par *que : Il fait la même température qu'hier.* — 2° Après un substantif, un pronom démonstratif, ou joint à un pronom personnel par un trait d'union, a une valeur de renforcement : *Ce sont les propos mêmes qu'il a tenus sur vous* (syn. : PROPRE). *Il est la loyauté même* (syn. : EN PERSONNE). *Nous-mêmes, vous-mêmes, eux-mêmes. Il ne cesse de gémir sur lui-même* (= sur son propre sort). *Elle-même n'avait plus confiance en sa parole. C'est un autre moi-même* (= il peut me remplacer en toute circonstance). ‖ *De lui-même, de toi-même,* etc., spontanément, de son propre mouvement : *D'eux-mêmes, ils sont venus me trouver.* ◆ pron. indéf. Précédé de l'article, joue le rôle d'un substantif indiquant l'identité, la ressemblance : *Il est toujours le même* (= il garde le même caractère). *On prend les mêmes et on recommence. Ce sont toujours les mêmes qui travaillent.* ‖ Fam. *C'est du pareil au même,* c'est tout à fait la même chose. ‖ *Cela revient au même,* on obtient ainsi le même résultat.

2. même [mɛm] adv. 1° (avant ou après un adjectif, un autre adverbe, un verbe, avant un substantif, un pronom) Introduit un terme qui renchérit dans une énumération, une opposition, une gradation, qui insiste sur le mot : *Il est réservé et même timide* (syn. : QUI PLUS EST). *Je ne me rappelle même plus son nom. Dans le bateau, même lui était malade* (= lui aussi). *Je ne l'ai même pas vu. Je vous dirai même que je n'ai pas été surpris.* — 2° (après un adverbe de lieu ou de temps, un pronom démonstratif) Indique une valeur exclusive : *C'est ici même que l'accident s'est produit* (syn. : PRÉCISÉMENT). *Voici un ami, celui-là même dont je vous ai parlé.* ● LOC. ADV. *Quand même, tout de même,* indique une opposition insistante : *Je le ferai quand même* (syn. : MALGRÉ TOUT). *Il est quand même honnête* (syn. : NÉANMOINS). *On aura quand même fini à l'heure. Ça fait quand même deux heures que l'on roule en voiture. Il exagère quand même!* (= il faut l'avouer). *C'est un peu fort quand même! Tout de même, tu aurais pu écrire. Il est tout de même un peu curieux. Il a réussi tout de même* (syn. : APRÈS TOUT). ‖ *De même,* pareillement, d'une manière identique : *Agissez de même.* ‖ *A même,* directement : *Boire à même la bouteille* (= au goulot même). *Coucher à même le sol* (= sur la terre même). *Creuser à même la roche* (= dans le rocher même). ● LOC. PRÉP. *Etre à même de* (suivi d'un infin.), être capable de : *Je ne suis pas à même de vous renseigner sur ce sujet. Il est à même maintenant de faire son travail seul.* ● LOC. CONJ. *De même que,* introduit une proposition comparative. ‖ Pop. *Même que,* introduit une addition qui renchérit (en tête de phrase) : *Même que je lui ai parlé il n'y a pas dix minutes* (syn. : À PREUVE QUE).

mémento [memɛ̃to] n. m. **1°** Agenda où l'on inscrit les rendez-vous, les adresses, les numéros de téléphone, etc. — **2°** Ouvrage où sont résumées les parties essentielles d'une question.

mémoire [memwar] n. f. **1°** Faculté de conserver et de rappeler des sentiments éprouvés, des idées, des connaissances antérieurement acquises : *Garder dans sa mémoire le souvenir d'années heureuses. Ces vers se sont gravés dans ma mémoire. Cela m'est sorti de la mémoire. Remettez-moi en mémoire les aspects principaux du projet* (= faites-moi souvenir). *Il a perdu la mémoire* (= il ne se souvient de rien). *Avoir une bonne mémoire, une mémoire fidèle. Avoir la mémoire courte. J'ai une défaillance de mémoire. Rafraîchir la mémoire. Son nom demeurera dans la mémoire des hommes. Je n'ai pas la mémoire des visages. N'avoir aucune mémoire* (= ne se souvenir de rien). *Avoir de la mémoire* (= avoir une excellente aptitude à la mémorisation). — **2°** *De mémoire,* en s'aidant seulement de la mémoire, sans avoir le texte sous les yeux : *Donner de mémoire un poème* (syn. : PAR CŒUR). *Il cite de mémoire.* ‖ *De mémoire d'homme,* du plus loin qu'on puisse se souvenir : *De mémoire d'homme, on n'avait pas vu de pareilles inondations.* — **3°** Ce qui reste d'une personne ou d'une chose, après sa disparition, dans le souvenir des hommes : *Un dictateur de sinistre mémoire. Venger la mémoire de son père. Réhabiliter la mémoire d'un innocent injustement condamné. Conserver la mémoire de moments tragiques.* ◆ **mémorable** adj. (avant ou après le nom). Digne de mémoire : *Une parole mémorable* (syn. : INOUBLIABLE). *La date mémorable de leur mariage* (syn. : MARQUANT). *La mémorable séance du conseil municipal* (syn. : FAMEUX). ◆ **mémoriser** v. tr. Fixer dans la mémoire. ◆ **mémorisation** n. f.

2. mémoire [memwar] n. m. **1°** Écrit sommaire, contenant un exposé, une requête, etc. : *Mémoire adressé au chef de l'Etat pour lui demander la grâce d'un condamné.* — **2°** Dissertation sur un sujet déterminé et destinée à être présentée à une société savante, à un jury de concours, etc. : *Mémoire présenté à l'Académie des sciences.*

3. Mémoires [memwar] n. m. pl. (avec une majusc.). Souvenirs écrits par une personne sur sa vie publique ou privée : *Les « Mémoires » de Saint-Simon. Ecrire ses Mémoires. Les « Mémoires d'outre-tombe ».* ◆ **Mémorial** n. m. (avec une majusc.). Recueil de faits mémorables : *Le « Mémorial de Sainte-Hélène ».* ◆ **mémorialiste** n. Auteur de Mémoires.

mémorandum [memɔrɑ̃dɔm] n. m. Note diplomatique contenant l'exposé d'une question : *Le gouvernement allemand a fait remettre au gouvernement français un mémorandum sur les questions agricoles pendantes entre les deux pays.*

1. Mémorial n. m. V. MÉMOIRES 3.

2. mémorial [memɔrjal] n. m. Monument commémoratif : *Le mémorial élevé en l'honneur des héros de la Résistance.*

menacer [mənase] v. tr. **1°** (sujet nom d'être animé) *Menacer quelqu'un,* l'avertir en lui faisant craindre quelque chose, en lui manifestant son intention de faire mal : *Dans sa colère, il me menaça de sa canne. Il le menaça de mort;* suivi d'un infinitif : *Il menaça de sévir contre les retardataires. Il menaça de démissionner. Menacer un élève de le renvoyer.* — **2°** (sujet nom de chose) *Menacer quelqu'un, quelque chose,* constituer un danger, un objet de crainte pour eux (souvent au passif) : *Son bonheur est menacé. Il n'y a pas de danger qui menace en ce moment.* — **3°** (sujet nom de chose) Laisser prévoir, être à craindre : *Les murs branlants menacent de tomber. La maison menace ruine* (= tombe presque en ruine). *La pluie menace* (= est prête à tomber). ◆ **menaçant, e** adj. : *Un orage menaçant* (syn. : IMMINENT). *Une voix menaçante, des gestes menaçants* (= qui constituent une menace). *Une foule menaçante* (contr. : CALME, APAISÉE). ◆ **menace** [mənas] n. f. **1°** Parole, geste, action par lesquels on exprime son intention de faire mal, par lesquels on manifeste sa colère : *Proférer des menaces de mort. Obliger sous la menace à se retirer* (syn. : INTIMIDATION). *Mettre ses menaces à exécution* (syn. : ↓ AVERTISSEMENT). — **2°** Signe qui fait craindre une chose : *Des menaces de guerre* (syn. : DANGER). *Locataire qui est sous la menace d'une expulsion. La hausse des prix constitue une menace pour l'économie nationale* (syn. : PÉRIL).

ménage [menaʒ] n. m. **1°** Ensemble de ce qui concerne la conduite, l'entretien d'une maison, d'une famille, et en particulier travaux concernant la propreté de l'appartement, des intérieurs : *Vaquer aux soins du ménage. S'occuper de son ménage. Faire le ménage* (= nettoyer la maison). *Le ménage n'est pas encore fait. La femme de ménage* (= qui fait le ménage pour un particulier, moyennant un salaire). *La concierge faisait des ménages* (= faisait les travaux du ménage chez des particuliers). — **2°** *Monter son ménage,* acheter les ustensiles, le mobilier nécessaires à la vie domestique. — **3°** Homme et femme vivant ensemble et formant la base de la famille : *Un ménage uni. Il réussit à mettre la mésentente dans le ménage. Un jeune ménage* (syn. : COUPLE). *Un ménage sans enfants. Un ménage à trois* (= le mari, la femme et l'amant). *Se mettre en ménage* (= se marier). *Des querelles, des scènes de ménage* (= entre mari et femme). — **4°** *Faire bon, mauvais ménage avec quelqu'un,* s'entendre bien ou mal avec lui (syn. : S'ACCORDER). ◆ **ménager, ère** adj. Relatif aux soins du ménage, à tout ce qui concerne l'entretien, la propreté, la conduite d'une maison : *Les ustensiles, les appareils ménagers* (= balai, aspirateur, etc.). *Les travaux ménagers. Le Salon des arts ménagers présente les dernières nouveautés qui assurent le confort domestique. L'enlèvement des ordures ménagères.* ◆ **ménagère** n. f. Femme qui a soin du ménage : *Etre une bonne ménagère. Les ménagères qui vont faire leur marché.*

ménager [menaʒe] v. tr. **1°** *Ménager quelqu'un,* le traiter avec respect, avec prudence, avec considération, de manière à ne pas lui déplaire ou l'humilier : *Ménager un ministre puissant. Il ne ménage pas ses adversaires* (syn. : ÉPARGNER). *Ménager les deux partis.* — **2°** *Ménager* (*le caractère de quelqu'un*), traiter avec délicatesse, avec respect, avec modération : *Il ménage la susceptibilité de ses amis.* — **3°** *Ménager une chose,* en user avec modération, l'utiliser avec économie : *Ménager ses vêtements. Ménager son argent* (syn. : ÉPARGNER). *Ménager son temps* (= ne pas le perdre). *Ménager ses paroles*

(= parler peu). *Je n'ai rien à ménager* (= je n'ai aucune mesure à garder). *Ménagez vos expressions* (= parlez avec plus de modération). *Elle n'a pas ménagé le sel dans la soupe* (= elle en a trop mis). *Ménager une santé délicate. Ménager la vie de ses hommes* (= éviter de l'exposer). — 4° Préparer avec attention, avec prudence, avec un soin minutieux : *Ménager l'avenir. Ménager une transition heureuse entre deux développements* (syn. : AMENER). *Ménager un entretien* (syn. : ARRANGER). *Je lui ménage une surprise* (syn. : RÉSERVER). *Se ménager une revanche.* — 5° Réserver, disposer une place; pratiquer une ouverture : *Ménager une fenêtre dans le mur de derrière* (syn. : OUVRIR). *Ménager un chemin dans un petit bois. Se ménager une porte de sortie* (= s'assurer par avance un moyen de sortir d'une difficulté). ◆ ***se ménager*** v. pr. Ménager sa santé. ◆ **ménagement** n. m. 1° Réserve, modération dont on use à l'égard de quelqu'un : *Traiter avec ménagement* (syn. : CIRCONSPECTION; contr. : BRUTALITÉ). *Parler sans ménagement* (= avec une franchise brutale). — 2° (au plur.) Procédés dont on use envers quelqu'un : *Traiter un malade avec de grands ménagements* (syn. : PRÉCAUTION).

ménagerie [menaʒri] n. f. Lieu où l'on conserve une collection d'animaux de toute espèce, généralement rares ou curieux, soit pour les étudier (ménagerie du Jardin des Plantes), soit pour les montrer (ménagerie d'un cirque).

mendier [mɑ̃dje] v. tr. et intr. 1° Demander humblement à quelqu'un d'accorder un secours nécessaire; faire appel à la pitié secourable, à la charité d'autrui : *Mendier un morceau de pain dans une boulangerie. Mendier à la porte d'une église. Mendier du travail. Etre obligé de mendier sa vie* (= le nécessaire pour vivre). — 2° Rechercher avec empressement, avec une insistance servile ou humble : *Mendier des éloges, des compliments* (syn. : SOLLICITER). *Elle mendie un regard* (syn. : IMPLORER). ◆ **mendiant, e** n. Personne qui mendie : *Donner de l'argent à un mendiant* (= lui faire l'aumône). *Une vieille mendiante.* ◆ **mendicité** n. f. 1° Action de mendier (terme admin.) : *Etre arrêté pour mendicité.* — 2° Condition de celui qui mendie : *Son ivrognerie et sa paresse avaient réduit sa famille à la mendicité.* ◆ **mendigot, e** n. Syn. pop. de MENDIANT, E.

menées [məne] n. f. pl. Manœuvres secrètes et malveillantes qui visent à faire réussir un projet : *Etre victime de menées perfides* (syn. : AGISSEMENTS, MACHINATIONS).

mener [məne] v. tr. 1° (sujet nom d'être animé) *Mener quelqu'un,* le conduire vers un endroit en le guidant, en exerçant sur lui une autorité, le faire aller avec soi en usant ou non de contrainte (en ce sens, *emmener* est plus usuel) : *Je peux vous mener à la gare. Mener des troupes au combat. Mener un enfant à l'école* (syn. : AMENER). *Mener le condamné à l'échafaud.* — 2° (sujet nom de chose) *Mener quelqu'un,* le transporter d'un lieu à un autre : *L'autocar vous mènera au village. Le rapide le mène en huit heures à Marseille;* faire arriver en un lieu, en une situation déterminés : *Tous les chemins mènent à Rome* (syn. : CONDUIRE). *Où tout cela peut-il nous mener? Cela ne vous mènera à rien* (= vous ne pouvez rien faire avec cela). *Cette petite rente ne le mènera pas loin* (= il n'ira pas loin). — 3° (sujet nom d'être animé ou nom de chose) *Mener quelqu'un, quelque chose,* les entraîner vers un lieu, vers une situation : *Ces dépenses mèneront l'entreprise au bord du gouffre. Cet acte irréfléchi l'a mené en cours d'assises;* les gouverner à sa guise : *Les idées qui mènent le monde* (syn. : DIRIGER). *Le président mène les débats. Sa femme le mène par le bout du nez, à la baguette* (= le fait agir comme elle veut). *Il mène le jeu* (= il est maître du jeu, de la situation). *Il vous a mené en bateau* (fam. = il vous a trompé). — 4° (sujet nom d'être animé) *Mener un véhicule, un navire,* etc., en assurer la marche, le faire aller en un lieu : *Mener sa voiture au garage. Le capitaine a mené le navire au port. Il mène bien sa barque* (= il gère bien ses affaires). — 5° *Mener* (*une affaire, une lutte*), en assurer le déroulement : *Il mène rondement les négociations. Les policiers ont mené l'enquête avec diligence. Mener à bonne fin son travail* (= le terminer heureusement). *Mener une partie difficile* (syn. : DISPUTER). *Mener de front deux activités* (= s'occuper simultanément). ‖ *Mener grand bruit, grand tapage autour d'une affaire,* attirer l'attention sur elle en faisant du bruit. ‖ *Mener une vie* (et un adj. ou un compl.), vivre (et un adv.) : *Mener une vie honnête, une vie sans souci.* ‖ *Mener la vie dure à quelqu'un,* exercer sur lui une autorité brutale, rude. ‖ Fam. *Ne pas en mener large,* être dans une situation gênante, difficile; être dans l'inquiétude, la peur. — 6° *Mener* (*une figure géométrique*), la tracer : *Mener une parallèle à une droite.* ◆ v. intr. (sujet nom désignant une équipe, un joueur). Avoir l'avantage (à la marque) : *L'équipe mène à la mi-temps par deux buts à zéro.* ◆ **meneur, euse** n. 1° Personne qui dirige, entraîne les autres dans une entreprise : *Quelques meneurs sont à l'origine de ce chahut. On a arrêté les meneurs de l'émeute.* — 2° *Un meneur d'hommes,* celui qui sait diriger les hommes. ‖ *Le meneur de jeu,* celui qui est chargé, dans une émission radiophonique, télévisée, etc., d'enchaîner les moments du spectacle.

menhir [menir] n. m. Pierre dressée verticalement par les hommes de la préhistoire (surtout en Bretagne).

méninges [menɛ̃ʒ] n. f. pl. *Fam.* Cerveau, esprit : *Ne pas se fatiguer les méninges.* (En anatomie, au sing., chacune des membranes qui entourent les centres nerveux.) ◆ **méningé, e** adj. (langue médic.) : *Phénomènes méningés.* ◆ **méningite** n. f. 1° En médecine, inflammation des méninges. — 2° Fam. *Il n'attrapera pas une méningite,* il évite tout effort intellectuel.

1. menotte [mənɔt] n. f. Petite main d'enfant (langage enfantin).

2. menottes [mənɔt] n. f. pl. Bracelets métalliques avec lesquels on attache les poignets des prisonniers : *Passer, mettre les menottes à un voleur.*

mensonge n. m. V. MENTIR.

mensuel, elle [mɑ̃sɥɛl] adj. Qui se fait tous les mois : *Une revue mensuelle* (= qui paraît tous les mois). *Le salaire mensuel* (= du mois). ◆ **mensuel** n. m. Employé payé au mois (par oppos. aux ouvriers payés chaque quinzaine, chaque jour). ◆ **mensuellement** adv. ◆ **mensualité** n. f. Somme versée chaque mois : *Payer par mensualités. Le prix de la voiture peut être acquitté en dix mensualités.* ◆ **bimensuel, elle** adj. Qui paraît deux fois par mois : *Bulletin bimensuel.*

mensurations [mɑ̃syrasjɔ̃] n. f. pl. Ensemble des dimensions caractéristiques du corps humain, chez un individu : *Prendre les mensurations des nouvelles recrues.*

mental, e, aux [mɑ̃tal, -to] adj. 1° Relatif au fonctionnement psychique : *Son état mental est très déficient. La démence est une maladie mentale. Débilité mentale. Les malades mentaux* (= ceux qui ont une affection du psychisme). — 2° Qui se fait dans l'esprit : *Calcul mental* (par oppos. au calcul fait par écrit). *Restriction mentale* (= réserve tacite sur ce que l'on dit). ◆ **mentalement** adv. : *Elève qui repasse mentalement sa table de multiplication.* ◆ **mentalité** n. f. 1° Ensemble de croyances, d'idées, de coutumes caractérisant une société déterminée; manière habituelle de penser d'un groupe humain : *La mentalité primitive. Nos enfants ont une mentalité très différente de la nôtre.* — 2° Etat d'esprit : *Il a une mentalité de commerçant* (= il pense comme un commerçant). *Quelle peut être la mentalité des spectateurs d'un film pareil?* — 3° Conduite, comportement moral : *La belle mentalité de la jeunesse actuelle!* (syn. : MORALITÉ).

menthe [mɑ̃t] n. f. Plante aromatique avec laquelle on prépare des infusions et une essence qui sert à parfumer des bonbons, ou qui entre dans la fabrication de liqueurs, etc.

mention [mɑ̃sjɔ̃] n. m. 1° Note fournie sur quelque chose; citation ou bref renseignement donnés par écrit : *Je ne vois nulle part mention de cet ouvrage. Cet accident a fait l'objet d'une courte mention dans le journal.* ‖ *Faire mention de,* signaler : *Il a fait mention de vos travaux dans son cours.* — 2° Appréciation élogieuse donnée à la suite de certains examens : *Avoir la mention « très bien » au baccalauréat.* ◆ **mentionner** v. tr. : *Tous les collaborateurs de l'ouvrage sont mentionnés dans l'avant-propos* (syn. : CITER). *Mentionnez votre adresse sur la lettre, afin qu'on puisse vous répondre* (syn. : INDIQUER). *Le journal mentionne plusieurs incendies de voitures* (syn. : SIGNALER).

mentir [mɑ̃tir] v. intr. (conj. **19**). 1° Donner pour vrai ce que l'on sait être faux : *Mentir avec impudence. Mentir effrontément. Il ment comme un arracheur de dents. Il ment comme il respire* (= continuellement). — 2° *Faire mentir le proverbe,* contredire par son attitude, sa conduite, une idée communément admise. ‖ *Mentir sur quelque chose, sur quelqu'un,* ne pas dire, sciemment, la vérité à son sujet. ‖ *Sans mentir,* à dire vrai, en vérité (renforcement d'une affirmation) : *Sans mentir, la salle était comble pour l'entendre.* ◆ **se mentir** v. pr. Refuser d'avouer à soi-même la vérité : *Il se ment à lui-même quand il affirme ne pas douter de son succès.* ◆ **mensonge** n. m. Affirmation contraire à la vérité : *Un grossier mensonge* (syn. : TROMPERIE). *C'est vrai, ce mensonge-là?* (syn. : HISTOIRE). *Un pieux mensonge* (= fait dans l'intention de cacher une vérité pénible ou offensante). *Etre accusé de mensonge* (syn. : FAUSSETÉ). *Un mensonge criminel* (syn. : INVENTION). *Etre victime d'un mensonge* (syn. : MYSTIFICATION). *Vivre dans le mensonge* (syn. : HYPOCRISIE). ◆ **mensonger, ère** adj. Fondé sur le mensonge : *Affirmations mensongères* (syn. : TROMPEUR, FAUX; contr. : VRAI). *Un récit mensonger* (syn. : CONTROUVÉ; contr. : VÉRIDIQUE). ◆ **menterie** n. f. Syn. vieilli de MENSONGE. ◆ **menteur, euse** adj. et n. Se dit d'une personne qui ment, qui a l'habitude de mentir : *C'est un grand menteur, qui se vante de bonnes fortunes imaginaires* (syn. : IMPOSTEUR, VANTARD). *Ne crois pas ce menteur qui ne cherche qu'à te nuire* (syn. : HYPOCRITE). ◆ adj. Qui trompe, qui induit en erreur : *Le proverbe est menteur qui affirme que la fortune vient en dormant.*

menton [mɑ̃tɔ̃] n. m. Partie saillante du visage formée par le maxillaire inférieur : *Avoir peu de menton. Avoir un menton en galoche* (= proéminent, long et recourbé). *Le boxeur frappa son adversaire à la pointe du menton. Avoir un double, un triple menton* (= être gras au point d'avoir deux ou trois plis au-dessous du menton). ◆ **mentonnière** n. f. Bande d'étoffe passant sous le menton, pour attacher certaines coiffures.

mentor [mɛ̃tɔr] n. m. Conseiller sage et expérimenté d'un jeune homme (langue soutenue et souvent ironiq.) : *Jouer les mentors. Il est excellent dans ce rôle de mentor.*

1. menu [məny] n. m. Liste détaillée des mets, des plats servis à un repas : *Quel est le menu aujourd'hui? Le menu est affiché à la porte du restaurant. Un menu à prix fixe. Menu touristique.*

2. menu, e [məny] adj. (avant ou plus souvent après le nom). 1° Très petit; de très faible volume : *Une tige menue* (syn. : GRÊLE). *Un menu grain de poussière* (contr. : GROS). *Avoir des doigts menus* (syn. : FIN). *Une écriture menue. Une voix menue* (syn. : FLUET; contr. : FORT). — 2° De peu d'importance : *De menus frais. Faire face à de menues difficultés* (syn. : NÉGLIGEABLE). *Raconter une aventure dans le menu détail. La menue monnaie* (syn. : PETIT). ◆ **menu** adv. *Couper, hacher menu,* en petits morceaux. ◆ **menu** n. m. *Expliquer, raconter par le menu,* en détail. (V. AMENUISER.)

menuet [mənɥɛ] n. m. Danse du XVIIe siècle.

menuisier [mənɥizje] n. m. Ouvrier, artisan exécutant des travaux en bois pour le bâtiment et des meubles. ◆ **menuiserie** n. f. : *Une entreprise de menuiserie qui travaille pour une fabrique de meubles. Un atelier de menuiserie.*

méprendre (se) [səmeprɑ̃dr] v. pr. (conj. **54**). 1° *Se méprendre sur quelqu'un, sur quelque chose,* se tromper à leur sujet, les méconnaître : *Je me suis mépris sur ses intentions réelles. Se méprendre sur le sens de ses paroles.* — 2° *A s'y méprendre,* d'une manière telle qu'il est possible de commettre une confusion, une erreur : *Ils se ressemblent que c'est à s'y méprendre.* ◆ **méprise** n. f. Erreur commise sur quelqu'un, sur son attitude, sur quelque chose : *Commettre une méprise impardonnable* (syn. : CONFUSION). *Victime d'une méprise* (syn. : MALENTENDU). *Il m'a adressé par méprise une lettre qui ne m'était pas destinée* (syn. : INADVERTANCE).

mépris [mepri] n. m. 1° Sentiment par lequel on juge quelqu'un ou quelque chose indigne d'estime ou d'attention, condamnable, inférieur sur le plan moral, intellectuel, etc. : *Montrer, témoigner, avoir du mépris. Regarder avec mépris* (syn. : ↓ DÉDAIN). *Un sourire de mépris. Des termes de mépris* (= des injures). — 2° Absence de considération, d'attention pour quelque chose; sentiment par lequel on s'élève au-dessus des émotions et des passions : *Le mépris des convenances, de la tradition* (contr. : RESPECT, VÉNÉRATION). *Le mépris des injures. Le mépris de la vie, du danger. Le mépris des honneurs, de l'argent* (contr. : ENVIE). *Le mépris de la* *mort* (contr. : CRAINTE). ● LOC. PRÉP. *Au mépris de,* contrairement à, sans considérer : *Au mépris des lois, de la justice* (syn. : MALGRÉ). ◆ **mépriser** v. tr. *Mépriser quelqu'un* ou *quelque chose,* témoigner pour eux du mépris : *Un orgueilleux qui méprise ses subordonnés* (syn. : DÉDAIGNER). *Un homme méprisé* (syn. : DÉTESTER). *Mépriser le mensonge* (syn. : HONNIR). *Mépriser les flatteries* (syn. : IGNORER). *Mépriser la fortune, la gloire* (syn. : SE DÉSINTÉRESSER DE). *Mépriser le danger* (syn. : BRAVER). *Mépriser la morale, les conventions* (syn. : ↓ NÉGLIGER). ◆ **méprisable** adj. Digne de mépris : *Des gens méprisables* (syn. : ↑ IGNOBLE). *Des procédés méprisables* (syn. : VIL). ◆ **méprisant, e** adj. Qui montre du mépris : *Sourire méprisant* (syn. : FIER). *Un homme méprisant* (syn. : DÉDAIGNEUX).

méprise n. f. V. MÉPRENDRE.

mer [mɛr] n. f. 1° Vaste étendue d'eau salée qui couvre une partie de la surface du globe (v. MARIN, MARITIME) : *La Seine se jette dans la mer par un large estuaire. Les rivages de la mer. La brise venue de la mer. L'état de la mer ne permet pas de se baigner ce matin. Un coup de mer* (= une courte tempête). *La mer est démontée. La mer est basse, haute* (= elle a atteint, au moment de la marée, son niveau le plus bas, le plus haut). *Avoir le mal de mer* (= des nausées). *Les gens de mer* (= les marins). *Le navire tient bien la mer. Marseille, port de mer. Un voyage par mer. Un homme à la mer* (= tombé du bateau). *Un bras de mer* (= partie resserrée entre deux côtes). *L'Angleterre a eu la maîtrise de la mer au XVIII*e *siècle. C'est une goutte d'eau dans la mer* (= un effort insignifiant, un apport insuffisant). — 2° (avec un compl. ou un adj.) Partie déterminée de cette étendue : *La mer du Nord. La mer Rouge.* — 3° (avec un compl.) Vaste étendue, immense superficie : *Une mer de sable. Une mer de feu.* — 4° *Ce n'est pas la mer à boire,* ce n'est pas une tâche insurmontable.

mercanti [mɛrkɑ̃ti] n. m. *Péjor.* Commerçant malhonnête. ◆ **mercantile** adj. *Esprit mercantile,* attitude, comportement d'une personne préoccupée surtout de réaliser par tous les moyens des bénéfices, des gains. ◆ **mercantilisme** n. m. Apreté au gain.

mercenaire [mɛrsənɛr] adj. et n. Se dit des soldats qui servent, à prix d'argent, un Etat, une autorité : *Des troupes mercenaires. Des mercenaires à la solde d'un gouvernement étranger.*

1. merci [mɛrsi] interj. de politesse. 1° Employée pour remercier : *Merci mille fois. Merci bien;* suivie d'un nom complément : *Merci de votre cadeau;* suivie d'un infinitif : *Merci de m'avoir répondu si vite.* — 2° Employée pour accompagner ou appuyer une affirmation, un refus : *Non, merci, je ne fume pas. « Allez lui parler. — Oui, merci* (= ah! non, merci!), *pour qu'il m'attrape! »* — 3° *Dieu merci!,* exclamation indiquant le soulagement, la satisfaction (syn. : GRÂCE À DIEU). ◆ n. m. Paroles de remerciement : *Dites-lui un grand merci de ma part. Dis merci à ton père* (= remercie).

2. merci [mɛrsi] n. f. 1° *Être à la merci de quelqu'un, de quelque chose,* être dans une situation telle qu'on dépend d'eux entièrement : *Sur la route, on est à la merci du premier chauffard venu. Ce petit navire est à la merci des flots déchaînés* (= est le jouet de). — 2° *Lutte, combat,* etc., *sans merci,* sans pitié, avec un acharnement extraordinaire.

mercier, ère [mɛrsje, -ɛr] n. Personne qui vend des articles relatifs à la couture (fil, boutons, etc.) et à la toilette (dentelles, rubans, etc.). ◆ **mercerie** n. f. Commerce et boutique du mercier (en voie de disparition).

mercredi [mɛrkrədi] n. m. V. SEMAINE.

mercure [mɛrkyr] n. m. Corps métallique liquide, employé pour la construction d'appareils de physique (thermomètre, baromètre, etc.), pour l'étamage des glaces, et en médecine.

mercuriale [mɛrkyrjal] n. f. Liste des prix moyens des denrées alimentaires sur les marchés.

merde [mɛrd] n. f. Excrément de l'homme et de quelques animaux (mot jugé trivial). ◆ interj. *Pop.* Exprime la surprise, la contrariété, le refus, etc. ◆ **merdeux, euse** n. *Pop.* Personne qui ne mérite aucune considération (syn. pop. : MERDAILLON). ◆ **merdier** n. m. *Pop.* Situation embrouillée, inextricable.

mère [mɛr] n. f. 1° Femme qui a un ou plusieurs enfants : *Une mère de famille. Mère qui adore son fils. Une jeune mère.* — 2° Femelle d'un animal qui a eu des petits : *Les agneaux viennent téter leur mère.* — 3° Femme qui porte en elle un enfant : *Celui qui l'a rendue mère a disparu.* — 4° Femme qui joue socialement le même rôle que la femme qui a un enfant : *Une mère adoptive.* — 5° Supérieure d'un couvent : *La mère abbesse.* — 6° *La mère Un tel,* appellation familière appliquée à une femme du peuple d'un certain âge. — 7° Entre dans un certain nombre de proverbes au sens de « cause », « source » : *L'oisiveté est la mère de tous les vices.* ◆ adj. f. Qui est l'origine, le centre, etc. : *La maison mère* (= établissement dont dépendent les succursales). *La langue mère* (=celle dont une autre est issue). *L'idée mère d'un ouvrage* (= principale). ◆ **maternel, elle** adj. 1° Propre à une mère, à son rôle : *L'allaitement maternel. L'amour maternel.* — 2° Qui est semblable à ce qui vient d'une mère : *Elle était affectueuse, presque maternelle avec lui. Avoir des gestes maternels. Elle s'est montrée très maternelle en cette occasion.* — 3° Relatif à la mère : *Son grand-père maternel* (= du côté de sa mère). *Il avait les qualités maternelles* (= de sa mère). *La protection maternelle.* — 4° *Langue maternelle,* celle que l'on a parlée dans son enfance, que l'on a apprise de ses parents. ‖ *Ecole maternelle,* ou *la maternelle* n. f., école qui reçoit les enfants entre quatre et six ans. ◆ **maternellement** adv. ◆ **maternité** n. f. 1° Etat, qualité de mère : *La maternité a épanoui ses qualités. Les maternités répétées l'ont fatiguée* (= le fait de mettre des enfants au monde). — 2° Etablissement hospitalier, clinique où s'effectuent les accouchements.

méridien [meridjɛ̃] n. m. Cercle imaginaire passant par les deux pôles terrestres.

méridional, e, aux [meridjɔnal, -no] adj. Qui est situé au midi : *La côte méridionale de la Grande-Bretagne* (contr. : SEPTENTRIONAL). ◆ adj. et n. Qui appartient au midi de la France; habitant de cette région : *Avoir un accent méridional. Les Méridionaux ont la réputation d'être très liants.*

meringue [mərɛ̃g] n. f. Pâtisserie légère, à base de sucre et de blanc d'œuf.

mérinos [merinos] n. m. Mouton de race espagnole dont la laine est très fine.

merisier [mərizje] n. m. Cerisier sauvage qui a donné des variétés cultivées, et dont le bois est utilisé en ébénisterie. ◆ **merise** n. f. Fruit noir et légèrement acide du merisier.

mériter [merite] v. tr. 1° *Mériter quelque chose, de* (et l'infin.), *que* (et le subj.), être digne d'une récompense ou avoir droit justement à un châtiment : *Mériter le premier prix de sa classe. Il mériterait d'être sévèrement puni. Mériter un blâme sévère* (syn. : ENCOURIR). *La jeunesse de l'accusé mérite l'indulgence des jurés. Cette injure mérite le mépris. Il ne mérite pas qu'on se fasse du souci pour lui* (syn. : VALOIR). *Un acte de courage qui mérite d'être cité dans les journaux. Il n'avait pas mérité ce sort. J'ai bien mérité de me reposer* (syn. : GAGNER). *Elle n'a pas mérité le mari qu'elle a.* — 2° (sujet nom de chose) Avoir besoin de quelque chose : *La nouvelle mérite confirmation* (syn. : RÉCLAMER). *Une telle opinion mérite réflexion. Cette lettre mérite une réponse* (syn. : ↑ EXIGER). ◆ v. tr. ind. *Bien mériter de la patrie,* avoir des titres à sa reconnaissance. ◆ **méritant, e** adj. *Des élèves méritants* (= dont le travail mérite récompense). *Dans la situation difficile où il se trouve, il est très méritant.* ◆ **mérite** n. m. 1° Ce qui rend une personne digne d'estime, de récompense : *Il a un grand mérite à se consacrer ainsi à ses parents malades. Il a eu le mérite d'avoir aperçu le premier les conséquences de cette découverte. Tout le mérite de l'affaire lui revient. Il se fait un mérite de refuser tous les honneurs* (syn. : GLOIRE). *Ses mérites sont grands, mais ils ne cachent pas ses défauts.* — 2° Qualités intellectuelles, morales qui font qu'une personne est digne d'éloges : *Apprécier le mérite d'un écrivain, d'un ouvrage* (syn. : VALEUR). *Un élève plein de mérite* (= méritant). *Un peintre de grand mérite. Ce livre n'est pas sans mérite.* — — 3° Nom donné à certaines décorations : *Mérite agricole.* ◆ **méritoire** adj. Digne de récompense, d'estime : *Un acte méritoire* (contr. : BLÂMABLE). *Faire des efforts méritoires pour redresser une situation compromise* (syn. : LOUABLE). *Sa conduite a été très méritoire* (contr. : INDIGNE). ◆ **démériter** v. intr. (sujet nom de personne). Agir de manière à perdre l'estime, l'affection, à encourir le blâme : *En quoi a-t-il démérité? A mes yeux, il n'a jamais démérité.* ◆ **démérite** n. m. Ce qui fait perdre l'estime, la bienveillance (littér.) : *Il n'y a aucun démérite à avoir agi de cette manière* (syn. : FAUTE). ◆ **immérité, e** adj. Que l'on n'a pas mérité : *Des reproches immérités* (syn. : INJUSTE).

1. merlan [mɛrlɑ̃] n. m. Poisson à chair estimée, pêché sur les côtes françaises.

2. merlan [mɛrlɑ̃] n. m. *Pop.* Coiffeur.

merle [mɛrl] n. m. Oiseau à plumage noir (mâle) ou gris (femelle) : *Siffler comme un merle.*

merluche [mɛrlyʃ] n. f. Morue sèche.

merveille [mɛrvɛj] n. f. 1° Ce qui suscite l'admiration, l'étonnement, par sa beauté, sa perfection, ses qualités extraordinaires : *Les merveilles de la nature. Les Sept Merveilles du monde* (= les sept ouvrages les plus remarquables de l'Antiquité). *Cette œuvre est une merveille de mesure, de goût, de beauté simple, d'équilibre* (syn. : MIRACLE). *Ce bas-relief est une pure merveille. Un mécanisme qui est une merveille d'ingéniosité* (syn. : PRODIGE). — 2° *Faire merveille, faire des merveilles,* obtenir ou produire des résultats étonnants : *La nouvelle machine à laver fait merveille.* ‖ *Promettre monts et merveilles,* faire des promesses extraordinaires, exagérées et trompeuses. ‖ *Au pays des merveilles,* dans le monde des contes de fées. ● LOC. ADV. *A merveille,* d'une manière qui approche la perfection : *S'acquitter à merveille d'un emploi* (syn. : PARFAITEMENT). *Ils se sont entendus à merveille pour me tromper* (syn. : ADMIRABLEMENT). *Je me porte à merveille* (= très bien). ◆ **merveilleux, euse** adj. (avant ou après le nom). Qui cause de l'admiration, de l'étonnement, par ses qualités extraordinaires : *Une merveilleuse réussite* (syn. : PRODIGIEUX, ↑ ÉTOURDISSANT). *Le merveilleux printemps de l'année dernière* (syn. : MAGNIFIQUE). *Un acteur, un artiste merveilleux* (syn. : ADMIRABLE). *Avoir une adresse, une intelligence merveilleuse.* ◆ **merveilleux** n. m. Caractère de ce qui appartient au surnaturel, au monde de la magie, de la féerie : *L'emploi du merveilleux, du fantastique, du surnaturel dans les films de J. Cocteau.* ◆ **merveilleusement** adv. : *Elle est merveilleusement belle* (syn. : EXTRAORDINAIREMENT). *Les salons du château sont merveilleusement décorés* (syn. : ADMIRABLEMENT).

mes adj. poss. V. MON.

mésalliance n. f., **mésaventure** n. f., **mésestimer** v. tr., etc. V. au mot simple.

mésange [mezɑ̃ʒ] n. f. Petit oiseau très commun, grand destructeur d'insectes.

mesquin, e [mɛskɛ̃, -in] adj. Se dit de ce qui manque de grandeur, de noblesse, d'une personne médiocre, attachée aux petitesses : *Ce refus est de sa part un geste mesquin. Un homme mesquin, pointilleux, jaloux de ce qui est grand. Des calculs mesquins* (syn. : SORDIDE ; contr. : GÉNÉREUX). ◆ **mesquinement** adv. : *Traiter quelqu'un mesquinement.* ◆ **mesquinerie** n. f. : *Agir avec mesquinerie à l'égard d'un rival* (syn. : BASSESSE). *La mesquinerie de ses reproches frappa les témoins objectifs* (syn. : ÉTROITESSE D'ESPRIT). *Je ne le crois pas capable d'une telle mesquinerie* (syn. : PETITESSE ; contr. : GÉNÉROSITÉ).

message [mesaʒ] n. m. Communication, nouvelle généralement importante, transmise à quelqu'un : *Etre porteur d'un message* (syn. : DÉPÊCHE). *Etre chargé d'un message* (syn. : ↓ COMMISSION). *Le message nouveau d'un écrivain. Le président des Etats-Unis a adressé au Congrès le message annuel sur l'état de l'Union* (= déclaration écrite). ◆ **messager, ère** n. Personne chargée de transmettre un message : *Le gouvernement a délégué un messager spécial pour faire connaître son avis aux autres Etats* (syn. : ENVOYÉ). *Un messager de malheur, de mauvais augure* (= qui transmet de mauvaises nouvelles).

messagerie [mesaʒri] n. f. Transport des marchandises, des colis, par chemin de fer, par bateau (généralement au plur.).

messe [mɛs] n. f. 1° Cérémonie principale du culte catholique, consistant dans le sacrifice rituel du corps et du sang de Jésus-Christ, fait à l'autel de l'église par le ministère du prêtre : *Aller à la messe. La messe du dimanche. La grand-messe* (= messe chantée). *Messe basse* (= celle dont toutes les parties sont lues et récitées). *La messe des morts.* — 2° Composition musicale pour une grand-messe. — 3° Fam. *Messes basses,* entretien particulier entre deux personnes, à voix basse : *Cessez ces messes* *basses continuelles* (syn. : APARTÉS). || *Messe noire,* pratique de sorcellerie, consistant en une parodie sacrilège de la messe, célébrée en l'honneur du diable.

messidor [mesidɔr] n. m. V. CALENDRIER RÉPUBLICAIN.

messie [mesi] n. m. 1° *Le Messie,* pour les chrétiens, le Christ. — 2° *Etre attendu comme le Messie,* avec une grande impatience. ◆ **messianisme** n. m. Croyance en l'avènement du royaume de Dieu sur terre ou en l'avènement d'un monde meilleur (*messianisme révolutionnaire*).

1. mesure [məzyr] n. f. 1° Action d'évaluer une grandeur par comparaison avec une autre de même espèce prise pour unité de référence : *La mesure de la vitesse, de la chaleur. Un appareil de mesure. Effectuer une mesure. Les unités, les systèmes de mesure.* — 2° Quantité servant d'unité de base pour cette évaluation : *Le mètre est la mesure de longueur* (= étalon). *Le service des poids et mesures.* — 3° Quantité, grandeur déterminée par cette évaluation : *Prendre les mesures d'un costume, d'une pièce* (syn. : TAILLE, DIMENSION). *Cette mesure est à vérifier.* — 4° Division de la durée musicale en parties égales : *Battre la mesure. Jouer en mesure* (= selon le rythme). *Mesure à deux temps.* || *Mesure d'un vers,* sa structure rythmique. — 5° *Sur mesure,* spécialement adapté à son but, à la personne : *Se faire donner un emploi du temps sur mesure. Faire un costume sur mesure* (= spécialement adapté à la personne). || *Donner la mesure de son talent, donner toute sa mesure,* montrer pleinement, dans une circonstance, ce dont on est capable. || *Avoir deux poids, deux mesures,* traiter d'une manière différente (jusqu'à l'injustice) deux personnes équivalentes. || *Faire bonne mesure,* donner à un acheteur un peu au-delà de ce qui lui revient (en parlant d'un commerçant). || *Il n'y a pas de commune mesure entre* (deux choses), il est impossible de les comparer entre elles. || *Etre en mesure de* (et l'infin.), être capable de; avoir la possibilité de : *Je ne suis pas en mesure de vous répondre tout de suite* (syn. : ÊTRE À MÊME DE). ● LOC. ADV., PRÉP. ET CONJ. *A mesure, au fur et à mesure, au fur à mesure,* par degrés successifs, d'une manière progressive : *Le chemin devenait à mesure plus difficile* (syn. : PEU À PEU). *Faites votre travail au fur et à mesure;* suivi de *que,* indique la durée progressive ou la simultanéité : *Au fur et à mesure que l'heure avançait, elle s'inquiétait davantage. A mesure que l'orateur parlait, l'auditoire s'assoupissait.* || *A la mesure de,* proportionné à : *Des rêves qui ne sont pas à la mesure de l'homme* (syn. : À L'ÉCHELLE DE). *Ce qu'on lui propose n'est pas à sa mesure.* || *Dans la mesure où,* dans la proportion où : *Dans la mesure où vous le croirez nécessaire, avertissez-moi.* || *Dans la mesure du possible,* autant qu'il est possible. || *Outre mesure, sans mesure,* d'une manière excessive : *Dépenser outre mesure. Une ambition sans mesure. S'adonner sans mesure aux sports.* ◆ **mesurer** v. tr. 1° Evaluer une grandeur par comparaison avec l'unité, déterminer une quantité, une longueur, un volume par cette évaluation : *Mesurer la profondeur d'une plaie avec une sonde. Mesurer des œufs en les calibrant. Mesurer le tour du cou* (= prendre la pointure). *Mesurer la distance de la Terre à la Lune* (syn. : CALCULER). *Mesurer la pression dans une chaudière.* — 2° Déterminer la valeur : *Savoir mesurer les risques. Mesurer son travail aux résultats à obtenir* (= proportionner). *Il n'a pas mesuré la portée de ses paroles* (= il n'en a pas vu les conséquences). *Mesurer l'étendue des pertes subies. Mesurez vos paroles* (= faites attention à ce que vous dites). — 3° Avoir pour mesure : *Cette pièce mesure trois mètres sur cinq. Il mesure un mètre soixante-dix.* — 4° Donner d'une manière restreinte, limitée, avec parcimonie : *Elle mesure strictement l'argent de poche de ses enfants* (syn. : DISTRIBUER). *Le temps nous est mesuré; pressons-nous* (= nous avons peu de temps). ◆ ***se mesurer*** v. pr. *Se mesurer avec quelqu'un,* lutter, se battre avec lui. || *Se mesurer des yeux,* se considérer réciproquement pour évaluer les forces respectives avant la lutte (syn. : SE TOISER). ◆ **mesurable** adj. Capable d'être mesuré : *La distance est difficilement mesurable.* (V. INCOMMENSURABLE.)

2. mesure [məzyr] n. f. 1° Modération mise dans sa manière d'agir : *Il n'a pas le sens de la mesure* (syn. : ÉQUILIBRE). *Discuter avec mesure* (syn. : MÉNAGEMENT; contr. : VIOLENCE). *Homme plein de mesure* (syn. : RETENUE; contr. : DÉMESURE). — 2° *Passer toute mesure,* dépasser ce qui est permis (syn. : PASSER LES BORNES). ◆ **mesuré, e** adj. Qui est modéré, fait avec mesure : *Etre mesuré dans ses paroles* (contr. : DÉPLACÉ). *Prendre un ton mesuré. Un effort mesuré* (syn. : CALCULÉ; contr. : ↑ GIGANTESQUE). ◆ **démesure** n. f. Excès d'orgueil, de violence chez une personne; état d'une chose qui dépasse fâcheusement les limites normales (langue soignée) : *Un conquérant emporté par sa démesure. Il a scandalisé l'assistance par la démesure de ses propos* (syn. : OUTRANCE, OUTRECUIDANCE). ◆ **démesuré, e** adj. Se dit de ce qui dépasse les bornes, certaines normes : *Un orgueil démesuré. Une maison d'une hauteur démesurée dans ce village* (syn. : EXCESSIF, EXAGÉRÉ). ◆ **démesurément** adv. : *Une caricature qui le représente avec un nez démesurément long* (syn. : EXAGÉRÉMENT).

3. mesure [məzyr] n. f. Manière d'agir, moyen mis en œuvre pour obtenir un résultat précis : *Prendre des mesures efficaces contre la hausse des prix* (syn. : DISPOSITION). *La saisie des journaux était une mesure arbitraire* (syn. : ACTE). *La réhabilitation est une mesure de justice. Des mesures d'ordre social.* ◆ **demi-mesure** n. f. Moyen insuffisant ou provisoire : *Ces décisions ne sont que des demi-mesures inefficaces.* ◆ **contre-mesure** n. f. : *Pour riposter aux mesures d'élévation des droits de douane, les gouvernements étrangers ont pris des contre-mesures* (= des mesures de rétorsion).

métal, métaux [metal, -to] n. m. Corps simple, doué d'un éclat particulier et en général bon conducteur de la chaleur et de l'électricité (ex. : cuivre, fer, argent, etc.) : *L'industrie des métaux* (= la métallurgie). *Plaque de métal.* ◆ **métallique** adj. 1° Fait d'un métal : *La charpente métallique du hall de la gare.* — 2° Constitué d'or et d'argent : *L'encaisse métallique de la Banque de France.* — 3° Qui rappelle le métal par son apparence, par ses caractéristiques : *Reflet métallique. Bruit métallique.*

métallurgie [metalyrʒi] n. f. Industrie de l'extraction et du travail des métaux; ensemble des établissements industriels assurant ce travail : *La métallurgie de l'est de la France.* ◆ **métallurgique** adj. ◆ **métallurgiste** adj. et n. : *Ouvrier métallurgiste* (syn. pop. : MÉTALLO).

Unités de mesure

MESURE	UNITÉ	ABRÉVIATION
longueur	**mètre** **centimètre** (0,01 m)	m cm
superficie	**mètre carré** **are** (100 m²)	m² a
volume	**mètre cube** **stère** (1 m³ : bois) **litre** (0,001 m³ : liquide)	m³ st l
masse	**kilogramme** **tonne** (1 000 kg) **quintal** (100 kg) **gramme** (0,001 kg)	kg t q g
temps	**seconde** **minute** (60 s) **heure** (3 600 s) **jour** (86 400 s)	s mn h j
puissance	**watt**	W
intensité de courant électrique	**ampère**	A
différence de potentiel	**volt**	V
résistance électrique	**ohm**	Ω
éclairement	**lux**	lx
énergie	**joule** **calorie** (4,185 5 J) **thermie** (10⁶ cal)	J cal th

Les multiples sont formés avec les préfixes suivants : *méga,* **1 000 000;** *kilo,* **1 000;** *hecto,* **100;** *déca,* **10.**
Les sous-multiples sont formés avec les préfixes suivants : *déci,* **0,1;** *centi,* **0,01;** *milli,* **0,001.**

métamorphose [metamɔrfoz] n. f. Changement de forme ou de structure survenant chez un être vivant ou dans une chose, tel qu'ils deviennent qualitativement différents de ce qu'ils étaient : *Les métamorphoses du papillon, des grenouilles. Il s'est opéré en lui une véritable métamorphose : il n'est plus le garçon timide et inquiet que nous connaissions* (syn. : TRANSFORMATION). ◆ **métamorphoser** v. tr. : *Ce déguisement le métamorphosait complètement* (syn. : CHANGER). ◆ ***se métamorphoser*** v. pr. Changer de forme, d'état : *L'enfant qu'il était s'est métamorphosé en un jeune homme réfléchi* (syn. : SE TRANSFORMER).

métaphore [metafɔr] n. f. Procédé d'expression qui consiste à donner à un mot la valeur d'un autre présentant avec le premier une analogie. (Ex. : *La situation qu'on lui offre est un* TREMPLIN *pour de plus hautes fonctions.*) ◆ **métaphorique** adj.

métaphysique [metafizik] n. f. Recherche philosophique des causes et des principes premiers. ◆ adj. Qui relève de cet ordre de réflexion : *Problèmes métaphysiques.* ◆ **métaphysicien, enne** n.

métayer, ère [meteje, -ɛr] n. Personne qui loue à bail un domaine rural en s'engageant à le cultiver et à donner une partie des récoltes au propriétaire. ◆ **métairie** n. f. Domaine agricole exploité par un métayer. ◆ **métayage** n. m.

météore [meteɔr] n. m. 1° Phénomène qui a lieu dans l'atmosphère, et, en particulier, corps céleste lumineux qui passe dans le ciel et tombe sur la Terre. — 2° *Passer comme un météore,* briller d'un éclat vif et passager.

météorite [meteorit] n. f. Fragment de corps céleste qui tombe sur la Terre.

météorologie [meteorɔlɔʒi] ou **météo** n. f. 1° Etude scientifique des phénomènes atmosphériques, en particulier pour la prévision du temps. — 2° Organisme chargé de cette étude, afin de donner les indications sur l'évolution du temps : *Le bulletin de la météo.* ◆ **météorologique** adj. : *Les prévisions météorologiques pour la journée de demain sont pessimistes.*

métèque [metɛk] n. m. *Péjor.* Etranger établi dans un pays et dont le comportement est jugé défavorablement.

méthode [metɔd] n. f. 1° Manière d'exposer des idées, de découvrir la vérité, etc., selon certains principes et dans un certain ordre, caractérisant une démarche organisée de l'esprit : *La méthode cartésienne* (= de Descartes). *Chaque science a ses méthodes.* — 2° Démarche raisonnée, ordonnée de l'esprit pour parvenir à un certain but : *Avoir une excellente méthode de travail. Manquer totalement de méthode. Composer avec méthode* (syn. : LOGIQUE). — 3° Manière de se comporter, technique raisonnée pour obtenir un résultat : *Changez de méthode si vous voulez qu'on vous écoute* (syn. : MANIÈRE DE FAIRE). *Trouver une méthode pour* *augmenter la productivité. Les méthodes nouvelles de la pédagogie.* ◆ **méthodique** adj. 1° Se dit de quelqu'un qui raisonne, qui agit selon certains principes et dans un ordre voulu : *Un esprit méthodique* (syn. : RÉFLÉCHI; contr. : BROUILLON). *Il est très méthodique dans son travail* (contr. : DISPERSÉ, DÉSORDONNÉ). — 2° Réalisé par une démarche raisonnée de l'esprit : *Faire une démonstration méthodique et précise. Le classement méthodique des fiches.* ◆ **méthodiquement** adv. : *Procéder méthodiquement* (= avec réflexion, suivant un certain plan). ◆ **méthodologie** n. f. Etude des méthodes propres à une science.

méticuleux, euse [metikylø, -øz] adj. et n. Se dit de quelqu'un (ou de sa manière d'agir) qui a le goût du petit détail, qui a de la minutie : *Etre très méticuleux dans son travail* (syn. : MINUTIEUX). *Avoir une propreté méticuleuse* (syn. : SCRUPULEUX). ◆ **méticuleusement** adv. : *Observer méticuleusement les règles de la ponctuation* (syn. : MINUTIEUSEMENT).

1. métier [metje] n. m. 1° Genre de travail, occupation dont on tire des moyens d'existence : *Donner un métier à son fils. Exercer un métier manuel, intellectuel* (syn. : PROFESSION). *Avoir un métier, un bon métier, un métier agréable. Le métier des armes* (= le métier militaire). *Apprendre un métier. Il connaît son métier* (= il a de l'expérience dans son travail). *Il est du métier* (= c'est un spécialiste de ce genre de travail). *L'argot de métier* (= termes non techniques propres à une profession). *Changer de métier* (syn. : TRAVAIL). *Il est horloger de son métier. Connaître les ficelles du métier.* — 2° *Apprendre son métier à. quelqu'un,* lui donner une leçon, le remettre à sa place. ‖ *Faire son métier de, faire métier de,* remplir les devoirs de sa charge, de sa fonction; jouer le rôle de : *Elle fait bien son métier de maîtresse de maison.* — 3° Expérience acquise, qui se manifeste par une grande habileté technique : *Il a du métier, mais pas de génie. Le roman policier demande du métier.*

2. métier [metje] n. m. 1° Machine servant à confectionner divers ouvrages et surtout des tissus : *Métier à filer la laine.* — 2° *Mettre quelque chose sur le métier,* en entreprendre la réalisation.

métis, isse [metis] adj. et n. Qui est issu du croisement de sujets de races différentes (se dit surtout d'êtres humains) : *Les métis sont nombreux au Brésil.* ◆ **métisser** v. tr. (surtout au part. passé) : *Race métissée.* ◆ **métissage** n. m.

1. mètre [mɛtr] n. m. 1° Unité de longueur dans le système légal des poids et mesures : *Le mètre est la longueur d'un prototype en platine déposé à Sèvres, près de Paris. Mesurer un mètre soixante-treize. Courir un huit cents mètres.* — 2° Règle, ruban servant à mesurer, divisé en centimètres, et ayant la longueur d'un mètre (ou plus) : *Prendre une mesure avec un mètre.* ◆ **métrer** v. tr. Mesurer avec un mètre un terrain, une construction, du tissu, etc. (langue technique). ◆ **métrage** n. m. 1° Action de métrer : *Le métrage d'un tissu.* — 2° Coupon de tissu d'une certaine longueur. — 3° Longueur d'un film : *Film de court, de long métrage.* ◆ **métreur** n. m. Professionnel chargé de mesurer (dans la construction en particulier). ◆ **métrique** adj. *Système métrique,* système des poids et mesures ayant pour base le mètre et adopté en France depuis 1790.

2. mètre [mɛtr] n. m. 1° Unité du vers dans la prosodie grecque et latine : *Le mètre comporte une suite déterminée de syllabes longues et brèves.* — 2° Type de vers, déterminé en français par le nombre de syllabes. ◆ **métrique** n. f. Science qui étudie la versification.

métro [metro] n. m. Chemin de fer souterrain ou aérien qui dessert les quartiers d'une grande ville et sa banlieue : *Où est la station de métro la plus proche? Acheter un ticket de métro. Prendre le métro. S'engouffrer dans une bouche de métro.*

métropole [metropɔl] n. f. 1° Capitale politique ou économique d'un pays, d'une région : *Paris, métropole de la France. San Francisco, la grande métropole de l'Ouest américain.* — 2° Pays considéré relativement à des territoires extérieurs qui dépendent de lui : *Retour en métropole des troupes stationnées outre-mer.* ◆ **métropolitain, e** adj. et n. : *Troupes métropolitaines.*

mets [mɛ] n. m. Aliment préparé pour entrer dans la composition d'un repas (langue écrite surtout) : *Un mets succulent. Goûter des mets régionaux dans une auberge.*

mettre [mɛtr] v. tr. (conj. 57). 1° (suivi d'un compl. d'objet direct et d'un compl. de lieu) Faire passer d'un endroit dans un autre : *Mettez le livre sur la table* (syn. : POSER). *Mettre la main sur le front* (syn. : PLACER). *Mettre sa tête à la portière* (syn. : PASSER). *Où ai-je mis mes lunettes? Mettre la radio sur France I* (= écouter le poste France I). *Mettre une question sur le tapis* (= la traiter). *Mettre des papiers dans un tiroir* (syn. : RANGER). *Mettre la clé dans la serrure* (syn. : INTRODUIRE). *Mettre du vin en bouteilles. Mettre bas les armes* (= les déposer). *Mettre un enfant au lit* (= le coucher). *Mettre sous clé un dossier* (= l'enfermer). — 2° *Mettre quelqu'un à un endroit,* l'y mener, l'y accompagner : *Mettre ses enfants dans le train. Le taxi nous a mis à la gare. Mettre dans le bon chemin.* — 3° Placer dans telle ou telle position ou situation : *Mettre en croix. Mettre à la broche. Mettre à la direction des affaires du pays.* — 4° *Mettre* (*un vêtement, un objet*), le revêtir, le poser sur soi : *Mettre ses gants. Mettre ses chaussures, ses lunettes.* — 5° Placer à un certain rang, dans une certaine situation : *Mettre sur la même ligne. Mettre au nombre des meilleurs. Mettre en danger. Mettre un malade en observation. Mettre en liberté* (= libérer). *Mettre en colère.* — 6° *Mettre quelque chose à* (et l'infin.), le faire, le soumettre à : *Mettre du café à chauffer, du linge à sécher.* — 7° Ajouter, apporter quelque chose : *Mettre un couvercle sur la casserole* (= poser sur). *Mettre de l'entêtement à refuser. Il met son orgueil à ne pas céder. Mettre tous ses espoirs dans un avenir incertain* (syn. : PLACER). — 8° Utiliser, employer : *Il a mis plusieurs jours à venir. La viande a mis longtemps à cuire* (= a été très longue). — 9° *Mettre* (*de l'argent*) *sur, dans,* l'engager dans : *Mettre des capitaux dans une affaire. Mettre une grosse somme sur le n° 8, aux courses.* — 10° Avoir pour conséquence, entraîner : *Mettre du désordre. Mettre obstacle* (= empêcher). *Mettre bon ordre* (= ranger). — 11° Ecrire sur quelque chose : *Mettre sa signature au bas d'une lettre. Mettre son nom sur une pétition* (syn. : INSCRIRE). — 12° *Mettre sur scène,* représenter, faire figurer dans une pièce, un film. — 13° Avec un substantif, forme de nombreuses locutions : *Mettre cartes sur table. Mettre de l'huile sur le feu* (= envenimer une querelle). *Mettre sous les yeux, sous le nez* (= montrer). *Mettre sur le dos de quelqu'un* (= faire endosser la responsabilité). *En mettre plein la vue* (fam. = faire étalage de qualités, de succès pour éblouir). *Mettre les points sur les « i »* (= insister et préciser). *Mettre le doigt sur une erreur. Mettre en forme* (= composer d'une manière régulière). *Mettre à l'épreuve* (= éprouver). *Mettre la table* (= y placer la nappe et les couverts). *Mettre au fait* (= instruire). *Mettre la main sur quelqu'un* (= l'arrêter). *Mettre en présence* (= confronter). *Mettre de côté* (= réserver). *Mettre au monde* (= donner naissance). *Mettre à l'abri* (= abriter). *Mettre de l'eau dans son vin* (= se modérer). *Il y met du sien* (= il y met de la bonne volonté). *Mettre à pied* (= renvoyer). ◆ ***se mettre*** v. pr. 1° (sujet nom d'être animé; sans compl. direct, mais avec un compl. de lieu) Aller occuper un lieu, une place, une fonction, etc. : *Se mettre debout* (= se lever). *Se mettre derrière quelqu'un. Se mettre à côté de quelqu'un. Se mettre au piano. Se mettre à l'abri* (= s'abriter). *Se mettre dans une mauvaise situation. Se mettre à l'eau* (= se baigner). *Se mettre au lit* (= se coucher). *Se mettre dans un fauteuil* (= s'y asseoir). *Se mettre à table* (= s'attabler). *Se mettre de la partie* (= s'associer). *Se mettre dans la peau de quelqu'un* (= à sa place). *Il s'est mis dans de beaux draps* (= il est dans une triste situation). *Il ne sait plus où se mettre* (= il est honteux). *Se mettre du côté du plus fort* (= se ranger du côté). — 2° (sujet nom d'être animé ou de chose; avec un attribut ou un compl. de manière) Prendre tel ou tel état, devenir : *Se mettre nu. Se mettre à son aise* (= se dépouiller de ce qui gêne). *Le temps se met au froid* (= devient). *Se mettre en colère. Se mettre d'accord sur l'heure du départ* (= s'accorder). *Mettez-vous en communication avec lui* (= entrez en communication). *Se mettre en frais* (= faire des dépenses). — 3° (sujet nom d'être animé ou de chose; avec un substantif compl. introduit par *en* ou *à*, ou avec un infin. introduit par *à*) Commencer à, entreprendre de : *Se mettre au travail, à travailler. Se mettre aux mathématiques. Il commence à s'y mettre* (= à travailler). *Se mettre à rire, à pleurer, à boire. Il se met à pleuvoir.* — 4° (avec un compl. d'objet direct) Mettre sur soi, dans son esprit, etc. : *Se mettre une couronne. Quelle drôle d'idée il s'est mise dans la tête!* (syn. fam. : SE FOURRER). *Il s'est mis de l'encre sur les doigts. Elle n'a plus rien à se mettre* (= elle n'a plus de vêtements pour s'habiller convenablement). *Il faut se mettre la ceinture* (= se priver). ‖ Fam. *Qu'est-ce qu'ils se sont mis!*, comme ils se sont battus! ◆ **mettable** adj. Se dit d'un vêtement, ou d'une de ses parties, qu'on peut porter (surtout dans des phrases négatives) : *Ce chapeau n'est plus mettable* (syn. : UTILISABLE). ◆ **immettable** adj. : *Ce veston fripé est immettable.* ◆ **metteur** n. m. Avec un nom complément, forme un nom composé qui désigne un technicien, un ouvrier, un spécialiste qui réalise tel ou tel projet, qui assure telle ou telle fonction : *Un metteur en pages* (= celui qui effectue la mise en pages d'un ouvrage imprimé). *Metteur en scène* (= celui qui, au théâtre, dirige la représentation sur scène; celui qui dirige la prise de vues d'un film). *Metteur en ondes* (= celui qui assure la réalisation d'une émission radiophonique). *Metteur au point*; etc. ◆ **mise** [miz] n. f. 1° Action de mettre : *Mise en liberté d'un détenu* (= libération). *Adresser une mise en demeure* (= un écrit sommant de remplir telle ou telle obligation). *La mise en disponibilité d'un fonctionnaire. Demander sa mise à la retraite. La mise à jour d'un dictionnaire* (= la tenue à jour). *La mise en scène d'une pièce de théâtre, d'un film. La mise hors de combat d'un adversaire. La mise au point d'un appareil. La mise en pages d'un livre. La mise en vente de nouveaux produits*; etc. — 2° *Ne pas être de mise*, se dit de choses, d'habitudes, de propos, etc., qui ne sont pas opportuns, qui ne conviennent pas aux bienséances : *Ces propos pessimistes ne sont plus de mise dans la situation présente* (= ne sont plus admissibles).

1. meuble [mœbl] n. m. 1° Objet mobile qui sert à l'usage ou à la décoration des lieux d'habitation (table, siège, armoire, bureau, etc.) : *Des meubles anciens, modernes. Déménager les meubles d'une pièce. Mettre un meuble dans le coin d'un salon. Essuyer, frotter les meubles.* — 2° *Etre dans ses meubles*, dans un appartement où les meubles appartiennent au locataire, à celui qui habite les lieux. ◆ **meubler** v. tr. 1° *Meubler un lieu*, le garnir, l'équiper, le remplir de meubles : *Meubler une pièce, un appartement, une maison de campagne. Un lit et une chaise meublent la chambre. Salon meublé avec goût.* — 2° Remplir ce qui est vide, enrichir de connaissances : *Meubler sa mémoire. Meubler son imagination de rêves insensés. Savoir meubler ses loisirs* (syn. : OCCUPER). ◆ v. intr. Produire un effet d'ornementation : *Ces rideaux meublent bien.* ◆ **meublé, e** adj. *Chambre meublée, appartement meublé*, etc., ou *un meublé* n. m., local qui est loué avec tout le mobilier : *Il est en meublé et la location coûte fort cher.* ◆ **démeubler** v. tr. Dégarnir de ses meubles.

2. meuble [mœbl] adj. Qui se brise facilement : *Terre, sol meuble* (= qui se laboure facilement). *Roche meuble* (syn. : FRIABLE).

1. meule [møl] n. f. 1° Corps cylindrique, solide, qui sert à broyer (*meule de moulin*) ou à aiguiser : *Affûter un couteau sur une meule.* — 2° Gros fromage en forme de disque : *Meule de gruyère.*

2. meule [møl] n. f. Gros tas de foin, de gerbes de blé, etc., dressé après la moisson dans les champs et couvert de chaume pour le protéger de la pluie.

meulière [møljɛr] n. f. Pierre calcaire abondante dans le Bassin parisien. (On dit aussi PIERRE MEULIÈRE.)

meunier, ère [mønje, -ɛr] n. Personne qui exploite un moulin à blé. ◆ **meunerie** n. f. Industrie, commerce du meunier.

meurtre [mœrtr] n. m. Action de tuer volontairement un être humain : *Etre inculpé, accusé de meurtre* (syn. : HOMICIDE). *Le meurtre commis avec préméditation est un assassinat* (syn. : CRIME). *Perpétrer un meurtre. L'auteur de l'article publié fut condamné pour provocation, excitation au meurtre.* ◆ **meurtrier, ère** n. : *Arrestation du meurtrier* (syn. : ASSASSIN). *Le meurtrier a laissé ses empreintes sur l'arme du crime.* ◆ adj. 1° Qui cause la mort : *Une main meurtrière a frappé dans l'ombre* (syn. : CRIMINEL). *Une épidémie meurtrière* (syn. : DESTRUCTEUR). *Des combats meurtriers* (syn. : SANGLANT). — 2° Qui sert à un meurtre : *Une arme meurtrière.*

meurtrière [mœrtrijɛr] n. f. Ouverture pratiquée dans une muraille, afin de permettre de tirer sur des assaillants.

meurtrir [mœrtrir] v. tr. 1° Blesser par un choc qui produit une marque livide (souvent au passif) : *La chute l'avait durement meurtri* (syn. : CONTUSIONNER). *Le visage meurtri par les coups* (syn. : MARQUER). — 2° *Fruit meurtri,* qui a une tache due à un choc. — 3° Provoquer une douleur morale profonde, une peine terrible : *De tels reproches lui meurtrissaient le cœur* (syn. : DÉCHIRER). *Une âme meurtrie* (syn. : BLESSER). ◆ ***se meurtrir*** v. pr. : *Se meurtrir la tête contre une poutre basse.* ◆ **meurtrissure** n. f. : *Les liens lui avaient laissé des meurtrissures aux poignets* (syn. : MARQUE, ↓ BLEU). *Les meurtrissures de la vie* (syn. : BLESSURE).

meute [møt] n. f. 1° Troupe de chiens courants dressés pour la chasse à courre : *Lancer, lâcher la meute contre le cerf.* — 2° Bande de gens acharnés à la poursuite de quelqu'un : *La meute des journalistes attachés à connaître sa vie privée.*

1. mi [mi] n. m. Note de musique, troisième degré de la gamme de *do.*

2. mi- [mi], mot invar. qui entre dans la composition de certains substantifs en signifiant « à moitié », « à demi », et forme : 1° des loc. adv. : *à mi-corps (Avoir de l'eau à mi-corps), à mi-côte (La voiture s'arrêta à mi-côte), à mi-chemin (A mi-chemin du bureau, il s'aperçut qu'il avait oublié ses clefs. Rester à mi-chemin de son projet).* — 2° des substantifs : *la mi-carême* (= le jeudi de la troisième semaine du carême), *la mi-août, à la mi-octobre,* etc.; *mi-temps* (chacune des deux parties d'un jeu comme le football, le rugby : *La première mi-temps s'est achevée sur un résultat nul*); — 3° des adjectifs (littér.) : *mi-souriant.*

miasme [mjasm] n. m. Gaz, émanation pestilentielle provenant des marais, des déchets en décomposition : *Des miasmes étouffants remplissaient l'atmosphère de la ville bouleversée par le tremblement de terre; on répandit de la chaux sur les ruines.*

miauler [mjole] v. intr. (sujet nom désignant le chat, le tigre). Crier. ◆ **miaulement** n. m. : *Le miaulement des chats.*

mica [mika] n. m. Minéral brillant, que l'on peut découper en lamelles très minces et qui est utilisé pour sa transparence ou pour sa résistance à la chaleur.

miche [miʃ] n. f. *Miche de pain,* gros pain rond.

micheline [miʃlin] n. f. Voiture de chemin de fer à moteur à essence et montée sur pneumatiques (syn. : AUTORAIL).

micmac [mikmak] n. m. *Fam.* Intrigue secrète, obscure et embrouillée : *La situation politique a abouti à ce micmac invraisemblable.*

micro [mikro] ou **microphone** [mikrofɔn] n. m. Instrument qui, transformant le son en vibrations électriques, permet d'enregistrer ou de transmettre ce son : *Parler devant le micro. Tenir le micro à la main pour interviewer un passant.*

microbe [mikrɔb] n. m. Etre vivant constitué d'une seule cellule microscopique. ◆ **microbien, enne** adj. : *Maladie microbienne* (= causée par les microbes).

microfilm [mikrofilm] n. m. Photographie de petit format d'un document. ◆ **microfilmer** v. tr. ◆ **microfilmage** n. m.

microscope [mikrɔskɔp] n. m. Instrument d'optique formé de plusieurs lentilles, qui permet de voir des objets très petits. ◆ **microscopique** adj. Infiniment petit : *Du haut de l'avion, les bateaux apparaissent comme des points microscopiques* (syn. : MINUSCULE, IMPERCEPTIBLE).

microsillon [mikrosijɔ̃] n. m. Disque qui permet une longue durée d'audition.

midi [midi] n. m. 1° Milieu du jour; heure du milieu du jour (douzième heure) : *Demain à midi, venez chez nous. Tous les midis. Le repas de midi. En plein midi, la circulation est intense. A midi juste* (contr. : MINUIT). *Il est midi sonné. Arriver sur le coup de midi, vers les midi. Fermé de midi à deux heures, entre midi et une heure. Nous irons ce midi au restaurant.* — 2° Syn. de SUD : *Appartement exposé au midi;* avec une majuscule, les régions du sud de la France : *Descendre vers le Midi. L'accent du Midi. Les produits du Midi.* — 3° *Chercher midi à quatorze heures,* chercher des difficultés là où il n'y en a pas.

midinette [midinɛt] n. f. Jeune ouvrière parisienne de la mode ou de la couture.

mie [mi] n. f. 1° Partie molle de l'intérieur du pain, par opposition à la croûte : *Une boulette de mie de pain.* — 2° *Pain de mie,* pain sans croûte, utilisé pour les toasts, les sandwiches.

miel [mjɛl] n. m. 1° Substance sucrée, parfumée, jaunâtre, produite par certains insectes (abeille) : *Les gâteaux de miel des ruches. Bonbons au miel. Cigarettes qui sentent le miel. Doux comme le miel.* — 2° (sujet nom de personne) *Etre tout miel,* être d'une grande affabilité pour obtenir ce que l'on veut. — 3° *Lune de miel,* premier temps du mariage, considéré comme une période de grande joie. ◆ **mielleux, euse** adj. D'une douceur hypocrite, affectée : *Un sourire mielleux. Des paroles mielleuses* (syn. : DOUCEREUX; contr. : BRUTAL).

mien, mienne adj. et pr. poss. V. MON.

miette [mjɛt] n. f. 1° Petite parcelle qui tombe du pain lorsqu'on le coupe : *Ramasser les miettes restées sur la nappe. Donner les miettes du gâteau aux oiseaux.* — 2° Débris, fragment d'une chose : *Mettre un vase en miettes* (= casser, briser). *Réduire en miettes une tasse* (syn. : MORCEAU). *Il ne reçut que des miettes de la fortune de son oncle.* — 3° *Ne pas perdre une miette d'un spectacle, d'un exposé,* etc., y prêter une grande attention pour n'en rien perdre. ‖ *Il ne s'en fait pas une miette,* il ne se fait aucun souci. ◆ **émietter** v. tr. 1° Mettre en petits fragments, en miettes : *Emietter du pain sur le balcon pour les moineaux.* — 2° Disperser en tous sens, éparpiller : *Emietter son existence sans jamais être capable de se concentrer.* ◆ **émiettement** n. m.

mieux adv. V. MEILLEUR.

mieux-être [mjøzɛtr] n. m. invar. Amélioration de la situation matérielle, physique de quelqu'un : *La diminution du nombre d'heures de travail doit aboutir à un mieux-être général.*

mièvre [mjɛvr] adj. D'une gentillesse, d'une grâce, etc., un peu affectée et fade : *Un roman mièvre, où les personnages n'ont aucun relief. Des paroles mièvres* (syn. : DOUCEREUX). *Elle avait une beauté un peu mièvre.* ◆ **mièvrerie** n. f. : *La mièvrerie d'une poésie champêtre.*

mignard, e [miɲar, -ard] adj. D'une grâce d'une douceur, d'une délicatesse affectée, recherchée (littér.) : *Une petite femme au sourire mignard, aux mines enfantines.* ◆ **mignardise** n. f. : *La mignardise de ses manières contrastait avec la grossièreté de son mari* (= ses minauderies).

mignon, onne [miɲɔ̃, -ɔn] adj. (avant ou après le nom). Qui a de la grâce, de la gentillesse, de la délicatesse : *Un mignon petit nez* (syn. : JOLI). *Un petit enfant mignon et souriant* (syn. : CHARMANT). *Ce chapeau est vraiment mignon.* ◆ n. Personne mignonne (en parlant d'un enfant, d'une jeune fille; employé aussi comme apostrophe de tendresse).

migraine [migrɛn] n. f. Violente douleur affectant un côté de la tête, de durée variable, accompagnée souvent de nausées : *Elle a sa migraine* (syn. : MAL DE TÊTE). ◆ **migraineux, euse** adj. : *Tempérament migraineux.*

migration [migrasjɔ̃] n. f. 1° Déplacement de populations, de groupes humains importants, qui passent d'un pays dans un autre pour s'y établir : *Les grandes migrations humaines dans les premiers siècles de notre ère.* — 2° Déplacement en groupe et dans une direction déterminée, qu'entreprennent périodiquement certains animaux : *La migration des hirondelles commence au début du printemps.* ◆ **migrateur, trice** adj. et n. : *Oiseau migrateur.*

mijaurée [miʒɔre] n. f. Femme, jeune fille qui prend des manières affectées et ridicules : *Faire la mijaurée.*

mijoter [miʒɔte] v. tr. Préparer avec soin, minutieusement et dans le secret, un projet : *Qu'est-ce qu'il mijote encore contre nous? Il mijotait depuis longtemps d'acquérir la propriété.* ◆ v. intr. *Faire mijoter un potage, un ragoût,* etc., *sur le feu,* le faire cuire lentement et à petit feu. ◆ **se mijoter** v. pr. Se préparer : *Il se mijote de louches intrigues pour l'écarter de cette entreprise.*

milan [milɑ̃] n. m. Oiseau rapace.

mildiou [mildju] n. m. Nom donné à une maladie de la vigne.

milice [milis] n. f. Garde auxiliaire, constituée en général par des volontaires, qui supplée ou renforce l'armée ou la police régulière : *Des milices ouvrières, populaires.* ◆ **milicien, enne** n.

1. milieu [miljø] n. m. 1° Ce qui est à égale distance des deux extrémités (dans l'espace et dans le temps), des deux bords : *Le milieu de la colonne. Une ride parcourt le milieu de son front. Le milieu du jour. Depuis le milieu du XVe siècle.* — 2° Ce qui est éloigné des extrêmes (dans des expressions) : *Il n'y a pas de milieu entre la soumission et la résistance* (syn. : ENTRE-DEUX). *Garder le juste milieu* (syn. : MESURE). ● LOC. PRÉP. *Au milieu de,* à égale distance de, au centre de : *Un arbre se dresse au milieu du champ. S'arrêter au milieu de la route;* entre le début et la fin : *Au milieu de la journée. Au milieu de l'hiver;* à l'intérieur de : *Se perdre au milieu de la foule. Une oasis au milieu du désert;* en compagnie de : *Se trouver au milieu de gens de connaissance. Trouver la joie au milieu de sa famille;* entouré de quelque chose : *Travailler au milieu du bruit* (syn. : DANS). *Rester impassible au milieu du danger. Il a fini son anecdote au milieu des rires.* ‖ *Au beau milieu, en plein milieu de,* formes intensives de *au milieu de : Au beau milieu du film, il y eut une panne d'électricité.*

2. milieu [miljø] n. m. 1° Circonstances conditions physiques, biologiques qui entourent un être vivant, le conditionnent : *Le milieu physique, géographique, humain. Adaptation au milieu.* — 2° Entourage social qui influence un être humain : *Changer de milieu. Fréquenter un milieu bourgeois. Il ne se sent pas dans son milieu parmi nous. La nouvelle vient des milieux généralement bien informés* (= des gens). *Les milieux scientifiques.* — 3° *Le milieu,* groupe social vivant de la prostitution et de trafics illicites.

militaire [militɛr] adj. 1° Qui concerne les forces armées, les soldats, la guerre : *Les autorités civiles et militaires. Le budget militaire d'un pays. Une tenue, un habit militaire. La marine, l'aviation militaire. Un gouvernement militaire* (= fondé sur les forces armées). *Un coup d'Etat militaire.* — 2° Qui est considéré comme propre à l'armée : *Avoir une exactitude toute militaire.* ◆ n. m. Membre des forces armées : *Un militaire de carrière* (syn. : SOLDAT). *Une réduction à l'entrée du spectacle est faite aux militaires.* ◆ **militairement** adv. : *Saluer militairement* (= de façon militaire). *Occuper militairement une base ennemie.* ◆ **militariser** v. tr. Pourvoir de forces armées; donner une structure, une organisation militaire (surtout au part. passé) : *Une zone militarisée. Les pays militarisés* (= mis sur pied de guerre). ◆ **militarisation** n. f. ◆ **militarisme** n. m. Politique fondée sur l'usage ou la menace des forces armées. ◆ **militariste** adj. et n. ◆ **antimilitarisme** n. m. : *L'antimilitarisme est une hostilité à l'égard de l'armée, de son existence et de son état d'esprit.* ◆ **antimilitariste** adj. et n. ◆ **démilitariser** v. tr. Supprimer ou interdire toute activité militaire dans une région déterminée : *Les grandes puissances concluent un accord pour démilitariser les zones frontières.* ◆ **démilitarisation** n. f. : *La démilitarisation de l'Allemagne en 1945.* ◆ **remilitariser** v. tr. Redonner une structure militaire; munir à nouveau de forces armées. ◆ **remilitarisation** n. f.

militer [milite] v. intr. 1° (sujet nom de personne) Participer d'une manière active à la vie d'un parti, d'un syndicat, d'une association : *Militer dans un parti révolutionnaire.* — 2° (sujet nom de chose) Agir pour ou contre quelqu'un, quelque chose : *Son passé milite en faveur de l'accusé* (syn. : PLAIDER). *Ces arguments militent contre une décision brusquée.* ◆ **militant, e** adj. Qui manifeste de l'activité au service d'une idée, d'une cause, d'un parti, etc. : *Une politique militante* (syn. : ACTIF). ◆ n. Membre actif d'un syndicat, d'un parti : *Les militants ouvriers. Les militants de la base.* ◆ **militantisme** n. m. Attitude du militant.

1. mille [mil] adj. num. invar. 1° Dix fois cent : *Deux mille neuf cents;* employé comme ordinal : *Page mille.* (Dans la numération des années.) *Le monde de l'an deux mille* (on peut écrire, dans ce dernier cas, *mil : L'an mil cinq cent quatre-vingt-treize*). — 2° Indique un nombre indéterminé considérable : *Je l'ai aidé en mille occasions. Une anecdote entre mille sur son compte. Mille baisers.* ◆ n. m. 1° Nombre composé de mille unités : *Le roman a dépassé son centième mille* (= en nombre d'exemplaires). — 2° *Avoir, gagner des mille et des cents,* avoir, gagner beaucoup d'argent. ◆ **millième** adj. num. et n. 1° Qui occupe un rang marqué par le nombre mille. — 2° Chacune des parties d'un tout divisé en mille parties égales. — 3° Très petite partie d'un tout : *Je n'ai pas le millième de ce que vous me demandez.* ◆ **millier** [milje] n. m. Quantité, nombre de mille unités environ, ou quantité considérable : *Un millier d'hommes. Des milliers de sans-abri errent dans les rues de la ville sinistrée. Par milliers les gens étaient atteints de la grippe* (= en très grand nombre). ◆ **millénaire** n. m. Mille années : *Le premier millénaire avant J.-C.*

2. mille [mil] n. m. Unité marine de longueur, égale à 1 852 mètres.

mille-feuille [milfœj] n. m. Gâteau fait de pâte feuilletée : *Des mille-feuilles à la devanture de la pâtisserie.*

mille-pattes [milpat] n. m. invar. Petit animal articulé, de la grandeur d'un vers, dont le corps formé d'anneaux porte de nombreuses pattes.

millésime [millezim] n. m. Numéro d'une année civile (qui peut figurer comme date sur la monnaie, les médailles).

millet [mijɛ] n. m. Nom donné à plusieurs céréales, qui ne sont plus guère cultivées en France.

milliard [miljar] n. m. Mille millions. ◆ **milliardième** n. m. 1° Chaque partie d'un tout divisé en un milliard de parties égales. — 2° Très petite partie : *Il ne lui est pas arrivé le milliardième de ce qui aurait pu lui arriver.* ◆ **milliardaire** adj. et n. Personne très riche (dont le capital ou les revenus se comptent en milliards).

milligramme n. m., **millimètre** n. m. V. MESURE, *Unités de mesure.*

million [miljɔ̃] n. m. 1° Mille fois mille : *Deux millions d'électeurs se sont abstenus.* — 2° Somme équivalente à un million de francs : *Toucher cinq millions à la Loterie nationale. Riche à millions.* — 3° Très grand nombre : *Des millions d'étoiles dans le ciel.* ◆ **millionième** adj. et n. : *Le millionième visiteur de l'exposition.* ◆ **millionnaire** n. et adj. Personne très riche. ◆ **multimillionnaire** adj. Sert de superlatif à *millionnaire.*

mime [mim] n. m. Acteur qui joue dans les pièces sans paroles, où l'intrigue est évoquée par de simples gestes. ◆ **mimer** v. tr. Reproduire les gestes, les attitudes ou les jeux de physionomie de quelqu'un sans l'aide de paroles : *Il mima leur réconciliation. Les élèves miment leur professeur* (syn. : CONTREFAIRE ; fam. : SINGER). ◆ **mimétisme** n. m. Imitation mécanique de gestes ou d'attitudes : *Il était arrivé à ressembler à son père par un mimétisme parfait.* ◆ **mimique** n. f. Ensemble de gestes, d'attitudes, de jeux de physionomie qui expriment sans paroles des sentiments : *Il cherchait à me prévenir par une mimique très expressive.*

mimi [mimi] n. m. et adj. *Fam.* Terme d'affection, de tendresse : *Il est mimi, très mimi* (syn. : GENTIL, MIGNON). ◆ n. m. *Fam.* Chat.

mimosa [mimoza] n. m. Plante cultivée dans le midi de la France, pour ses fleurs jaunes réunies en petites boules.

minable [minabl] adj. (avant et surtout après le nom). D'une pauvreté, d'une médiocrité pitoyable : *Toucher un salaire minable. Un être minable, sans volonté, sans ambition* (syn. : PITEUX). *Avoir une existence minable* (syn. : LAMENTABLE). *Son exposé a été minable* (= au-dessous de tout). *Le minable spectacle d'acteurs médiocres.*

minaret [minarɛ] n. m. Tour d'une mosquée : *Du haut du minaret, le muezzin appelle les fidèles à la prière.*

minauder [minode] v. intr. Prendre des manières affectées, se montrer d'une amabilité précieuse pour plaire : *Elle minaudait auprès de quelques invités dans le salon.* ◆ **minauderie** n. f. Attitude affectée (souvent au plur.) : *Les minauderies d'une vieille fille* (syn. : MANIÈRES). *Etre exaspéré par les minauderies d'une coquette* (syn. : CHICHIS, SIMAGRÉES).

1. mince [mɛ̃s] adj. (avant ou après le nom). 1° Qui a peu d'épaisseur : *Une lame très mince* (syn. : EFFILÉ). *Couper la viande en tranches minces* (syn. : FIN ; contr. : ÉPAIS). *Une mince couche de neige* (contr. : PROFOND). *Un mince filet d'eau* (contr. : LARGE). *Avoir la taille mince* (syn. : ÉLANCÉ, SVELTE ; contr. : GROS). — 2° Qui a peu de valeur, qui est peu considérable : *Avoir un rôle très mince dans une affaire* (syn. : INSIGNIFIANT). *Le prétexte est mince* (syn. : FAIBLE). *Ses connaissances sont bien minces* (syn. : MÉDIOCRE). *Ce n'est pas une mince affaire que de le joindre par téléphone* (syn. : PETIT). ◆ **minceur** n. f. : *La minceur de son nez* (contr. : GROSSEUR). *La minceur d'une feuille* (contr. : ÉPAISSEUR). *La minceur de sa taille* (contr. : AMPLEUR). [V. AMINCIR.]

2. mince! [mɛ̃s] interj. *Fam.* Exprime l'étonnement, la surprise : *Mince! je n'ai plus d'essence. Ah! mince alors! j'ai oublié mon portefeuille* (syn. fam. : ZUT!). ‖ *Pop.* Peut être suivi d'un nom complément pour marquer l'admiration ou, ironiq., la déception : *Mince de costar!* (= costume). *Ah! tu parles!, mince de rigolade* (= cela est totalement inintéressant, déplaisant).

1. mine [min] n. f. 1° Aspect de la physionomie, ensemble des traits du visage, exprimant l'état général du corps, l'humeur, les sentiments : *Il revient de vacances et il a une mine resplendissante. Un enfant à la mine éveillée. Avoir mauvaise mine. Avoir une sale mine* (= être malade). *Avoir une mine renfrognée* (syn. : VISAGE). *Avoir la mine souriante* (syn. : FIGURE). *Faire triste mine à quelqu'un* (= lui montrer sa contrariété, son ennui). *On l'a privée de dessert et elle fait la mine* (= montrer un air boudeur). — 2° Aspect extérieur d'une personne, manière apparente dont elle se conduit : *Ne jugez pas les gens sur la mine* (syn. : DEHORS, EXTÉRIEUR). *Il a la mine de quelqu'un qui va jouer un bon tour* (= il ressemble à celui qui...) ; en parlant de choses : *Ce gigot a vraiment bonne mine* (= est très appétissant). — 3° *Faire mine de,* faire semblant de, paraître : *Je devais faire mine de m'intéresser à ses réflexions absurdes et pédantes.* ‖ *Avoir bonne mine,* avoir l'air ridicule : *Il a bonne mine, maintenant que ses affirmations se sont révélées des vantardises.* ‖ *Ne pas payer de mine,* ne pas inspirer confiance par son extérieur : *Le restaurant ne paie pas de mine, mais on y mange bien.* ‖ Pop. *Mine de rien,* sans en avoir l'air (syn. : EN FAISANT COMME SI DE RIEN N'ÉTAIT). ◆ **mines** n. f. pl. Jeux de physionomie (souvent péjor.) : *Elle fait des mines pour attirer l'attention sur elle* (syn. : SIMAGRÉES).

2. mine [min] n. f. 1° Gisement d'un minerai utile : *Une région riche en mines. Des mines de fer encore inexploitées. L'épuisement des mines de charbon. Des mines d'uranium. Exploiter une mine.* — 2° Cavité creusée dans le sol et installation souterraine établie pour l'extraction du minerai : *Des-*

cendre dans une mine. Les galeries de la mine sont à huit cents mètres sous terre. Les mines du nord, de l'est de la France. Le carreau de la mine (= installations de surface). *Le travail de la mine. Une tragédie de la mine.* — 3° Fonds très riche, ressource importante : *Ces archives sont une mine inépuisable de renseignements.* ◆ **mineur** n. m. Ouvrier qui travaille dans une mine : *Les mineurs de fer. Les mineurs de fond* (= qui travaillent au fond de la mine). ◆ **miner** v. tr. 1° Creuser lentement à la base de quelque chose ou en dessous : *La rivière mine peu à peu la berge* (syn. : RONGER). *La falaise est minée par la mer* (syn. : SAPER). — 2° Attaquer, ruiner peu à peu, de manière continue : *Le chagrin le mine* (syn. : USER, CONSUMER). *Ces excès minent sa santé* (syn. : AFFAIBLIR). *Etre miné par la passion* (syn. : BRÛLER). *De telles doctrines minent les bases mêmes de la société* (syn. : DÉTRUIRE). *Le régime, miné de l'intérieur, s'effondra* (syn. : DÉSINTÉGRER).

3. mine [min] n. f. Matière solide, utilisée dans la fabrication des crayons : *Casser la mine du crayon. Tailler la mine.* ◆ **porte-mine** n. m. invar. Petit instrument de métal ou de matière plastique dans lequel on met plusieurs mines de crayon pour écrire.

4. mine [min] n. f. Charge explosive, engin explosif souterrain ou immergé dont l'explosion est déclenchée par le passage d'un véhicule ou d'un individu dans le premier cas, d'un navire dans le deuxième : *Le char, le navire a sauté sur une mine. Poser une mine. Un champ de mines est installé devant les barbelés. Un appareil pour détecter les mines. Le dragueur a mouillé des mines.* ◆ **miner** v. tr. Garnir de mines : *Miner une rivière, un pont, une route. Toutes les maisons avaient été minées par l'ennemi.* ◆ **déminer** v. tr. Débarrasser un lieu des mines qui y ont été placées : *A la cessation des hostilités, il fallut déminer de vastes zones près du front.* ◆ **déminage** n. m. ◆ **démineur** n. m. Membre des équipes chargées du déminage.

minerai [minərɛ] n. m. Roche contenant un métal sous la forme de combinaison, que l'on peut isoler par des procédés industriels : *Minerai de fer, de cuivre, d'uranium,* etc. ◆ **minéral, aux** [mineral, -ro] n. m. Corps inorganique et solide, élément constituant de l'écorce terrestre. ◆ **minéral, e, aux** adj. 1° Qui appartient aux minéraux. — 2° *Eaux minérales,* qui contiennent des minéraux en dissolution et dont on se sert comme boisson. ◆ **minéralogie** n. f. Etude scientifique des minéraux. ◆ **minéralogiste** n. ◆ **minéralogique** adj. : *Des recherches minéralogiques.*

minet, ette [minɛ, -ɛt] n. 1° Nom donné fam. à un chat, une chatte. — 2° *Fam.* Terme d'affection appliqué à une personne.

1. mineur, e [minœr] adj. et n. Qui n'a pas encore atteint l'âge requis (en France, vingt et un ans) pour exercer pleinement les droits fixés par la loi : *Les enfants mineurs ont un tuteur à la mort d'un des parents* (contr. : MAJEUR). *Les mineurs ne sont pas pleinement responsables en matière pénale.* ◆ **minorité** n. f. 1° Etat d'une personne mineure (contr. : MAJORITÉ). — 2° Temps pendant lequel un jeune souverain ne peut exercer le pouvoir : *La minorité de Louis XIV.*

2. mineur, e [minœr] adj. D'une importance, d'un intérêt secondaire, accessoire : *Les écrivains mineurs d'une époque* (= de moindre talent, de second plan). *Les genres mineurs de la littérature. Se perdre dans des problèmes mineurs* (contr. : MAJEUR, CAPITAL). ◆ **minorité** n. f. Groupe, ensemble réunissant le moins grand nombre de voix (dans une élection, un vote), le moins de membres (dans un groupe, un parti de plusieurs tendances), etc. : *Le gouvernement est mis en minorité* (= il est battu, il n'a pas la majorité des voix). *Dans la minorité des cas, la responsabilité du conducteur n'est pas engagée* (contr. : MAJORITÉ). *Une minorité de gens a conscience de travailler au bien-être des générations futures.* ◆ **minoritaire** adj. Qui appartient à la minorité : *Parti minoritaire.*

miniature [minjatyr] n. f. 1° Peinture de petites dimensions, faite avec des couleurs fines, et servant d'illustration ou de petit tableau : *Les miniatures du Moyen Age. Miniature représentant le portrait d'une femme.* — 2° *En miniature,* en réduction, en tout petit : *Les magasins du centre donnent à la ville la physionomie d'un Paris en miniature.* ◆ **miniaturiste** n. Peintre auteur de miniatures. ◆ **miniaturiser** v. tr. Réduire un objet, un élément à de plus petites dimensions, sans que le fonctionnement soit modifié : *Miniaturiser les postes de radio par les transistors.* ◆ **miniaturisation** n. f.

minime [minim] adj. (avant ou après le nom). Superlatif de *petit,* au sens de « peu important » : *Devoir une somme minime* (syn. : INSIGNIFIANT). *Il y a entre eux une minime différence d'âge. Occuper une place minime dans les préoccupations de quelqu'un* (syn. : MÉDIOCRE). *Subir des pertes minimes.* ◆ n. m. Jeune sportif de treize à quinze ans. ◆ **minimiser** v. tr. *Minimiser quelque chose,* en réduire l'importance : *Il cherche à minimiser les conséquences de son acte* (contr. : EXAGÉRER). *Minimiser la gravité de la situation* (contr. : GROSSIR).

minimum [minimɔm], pl. **minimums** ou **minima,** adj. et n. m. Se dit du degré le plus bas qu'une chose puisse atteindre; la plus petite quantité (contr. : MAXIMUM) : *Prendre le minimum de précautions. Faire le minimum de dépenses. Appliquer le minimum de la peine. Les températures minimums* (ou *minima*). *L'âge minimum requis. Le salaire minimum interprofessionnel garanti* (*S. M. I. G.*). *Avoir le minimum vital* (= toucher un salaire qui suffit aux besoins vitaux). *Il faut fournir un minimum de travail. Il faut au minimum un appartement de trois pièces pour cette famille* (= pour le moins). ◆ **minimal, e, aux** adj. Syn. de l'adj. MINIMUM : *Donnez-lui la dose minimale* (contr. : MAXIMAL).

ministre [ministr] n. m. 1° Homme d'Etat chargé de la direction d'un ensemble de services qui constitue son département ministériel : *Le ministre de l'Agriculture, de l'Education nationale, des Affaires étrangères, de la Santé publique, des Finances. La réunion du conseil des ministres aura lieu mercredi.* — 2° Diplomate de rang inférieur à celui d'ambassadeur : *Le ministre* (*plénipotentiaire*) *de la France à Sofia a été remplacé par un ambassadeur.* — 3° Pasteur du culte réformé (*ministre protestant*). ◆ **ministrable** adj. *Fam.* Susceptible de devenir ministre (au sens 1) : *Le parti de la majorité a réuni son congrès, où ministres et ministrables ont tenu la vedette pendant trois jours.* ◆ **ministère** n. m. 1° Ensemble des ministres constituant l'organe exécutif de l'Etat : *Réunion du ministère présidée par le chef de l'Etat* (= conseil des ministres). *La formation du ministère* (syn. : GOUVERNEMENT). *Le ministère a été renversé, battu. Un ministère d'union nationale, d'union des gauches, du centre.* — **2°** Temps pendant lequel dure un gouvernement : *Pendant le ministère Herriot, Queuille, etc.* — **3°** Administration dépendant d'un ministre (sens 1); bâtiment où se trouvent ses services : *Le ministère de l'Education nationale est situé rue de Grenelle. Un employé de ministère* (= un huissier, une secrétaire, un chef de bureau, etc.). — **4°** *Ministère public,* magistrature qui a la mission, auprès du tribunal, de défendre la loi et la société : *Le ministère public est tenu par l'avocat général.* — **5°** Charge remplie par le prêtre, par le pasteur : *Le prêtre exerce son ministère dans une paroisse.* — **6°** *Par le ministère de,* loc. juridique signifiant « par l'intermédiaire de, par l'entremise de ». ◆ **ministériel, elle** adj. **1°** Relatif au ministère (sens 1) : *Une crise ministérielle vient d'éclater. Une circulaire ministérielle. Un arrêté ministériel. Les décisions ministérielles sont maintenant connues.* — **2°** Qui est partisan du gouvernement, de la majorité : *Les journaux ministériels* (syn. : GOUVERNEMENTAL). ◆ **interministériel, elle** adj. Qui concerne plusieurs ministres : *Réunion interministérielle sur les problèmes du logement et de la construction.*

minium [minjɔm] n. m. Produit chimique qui, délayé dans l'huile, fournit une peinture rouge vif : *On enduit le fer de minium pour le préserver de la rouille.*

minois [minwa] n. m. Visage frais et éveillé d'enfant ou de jeune fille (souvent accompagné d'un adj. indiquant la délicatesse, la grâce, l'esprit) : *Un gracieux minois.*

minorité n. f. V. MINEUR 1 et 2.

minotier [minotje] n. m. Industriel exploitant un établissement où l'on prépare les farines pour le commerce. ◆ **minoterie** n. f. Usine pour la préparation des farines.

minuit [minɥi] n. m. (sans art.). Moment correspondant au milieu de la nuit et marqué d'une manière précise par la vingt-quatrième heure de la journée : *Il est minuit* (ou *zéro heure*). *A minuit et demi. L'horloge sonne les douze coups de minuit. Veiller jusqu'à minuit.*

minuscule [minyskyl] adj. (avant ou après le nom). Superlatif de *petit : Un minuscule bouton sur le nez* (syn. : ↑ MICROSCOPIQUE) : *Il apercevait dans la vallée de minuscules villages. De minuscules flocons de neige. Avoir une écriture minuscule.* ◆ n. f. et adj. Petite lettre (par oppos. à *majuscule*) : *Un « f » minuscule.*

minus habens [minysabɛ̃s] n. m. *Fam.* Individu ayant très peu de capacités intellectuelles.

1. minute [minyt] n. f. **1°** Soixantième partie d'une heure : *La pendule retarde de dix minutes. Observer une minute de silence en l'honneur des morts de la guerre.* — **2°** Court espace de temps : *Dans cinq minutes, je sortirai. Je ne peux pas rester une minute de plus* (syn. : INSTANT). *Je serai de retour dans une minute. Il va revenir d'une minute à l'autre. Il a espéré jusqu'à la dernière minute* (syn. : MOMENT). *Une minute de distraction, et ce fut l'accident. La minute de vérité est arrivée* (= le moment où l'on va connaître la vérité). *De minute en minute, l'eau montait sur les quais. A la minute même où j'allais partir. Il est arrivé à la minute au rendez-vous* (= d'une manière très précise). ◆ **minuter** v. tr. Fixer d'une manière précise la durée d'un discours, d'une cérémonie, etc. : *Les différentes phases de la fabrication sont rigoureusement minutées. On avait minuté le temps de parole de chaque orateur.* ◆ **minutage** n. m. : *Le minutage précis de l'horaire de travail.*

2. minute [minyt] n. f. Original d'un jugement ou d'un acte passé devant notaire. ◆ **minutier** n. m. Registre qui contient les minutes d'un notaire.

minuterie [minytri] n. f. Appareil électrique, muni d'un mouvement d'horlogerie, destiné à garder la lumière allumée pendant un certain temps : *Appuyez sur le bouton de la minuterie pour éclairer l'escalier.*

minutie [minysi] n. f. **1°** Soin donné aux petits détails : *Décrire avec minutie les péripéties d'un voyage. Corriger une copie d'élève avec minutie* (syn. : EXACTITUDE; contr. : NÉGLIGENCE). — **2°** Détail insignifiant, sans importance : *Il s'arrête à des minuties* (syn. : BABIOLE, VÉTILLE). ◆ **minutieux, euse** adj. et n. Se dit de quelqu'un qui a soin des détails, qui y prête une attention consciencieuse : *Un observateur minutieux* (syn. : SCRUPULEUX). *Un esprit tatillon et minutieux* (syn. : POINTILLEUX). ◆ adj. Fait avec minutie : *Observation, inspection minutieuse* (syn. : MÉTICULEUX). *Le dessin minutieux d'une machine* (syn. : DÉTAILLÉ, SOIGNÉ). *S'attacher aux détails les plus minutieux* (= petit). ◆ **minutieusement** adv. : *Coller minutieusement des timbres sur un album. Il notait minutieusement toutes les indications* (syn. : CONSCIENCIEUSEMENT).

mioche [mjɔʃ] n. *Fam.* Jeune enfant (au masc. et au fém.) : *Une bande de mioches jouent dans la rue.*

mirabelle [mirabɛl] n. f. Petite prune jaune, douce et parfumée; eau-de-vie tirée de ce fruit.

miracle [mirakl] n. m. Chose extraordinaire ou inattendue, qui suscite l'étonnement ou l'admiration : *Le miracle d'une guérison inespérée* (syn. : MYSTÈRE). *La cathédrale de Chartres est un miracle de l'art* (syn. : MERVEILLE). *Ce sauvetage tient du miracle* (= est étonnant). *Elle est un miracle de bonté* (= d'une bonté admirable). *Il n'y a pas de quoi crier au miracle* (= s'étonner). *Ce serait un miracle s'il arrivait à l'heure. Il a échappé par miracle* (syn. : ↓ PAR BONHEUR). [Comme terme relig., le *miracle* est un événement inattendu, manifestant d'une manière éclatante l'intervention de Dieu.] ◆ **miraculé, e** adj. et n. Qui a échappé à la mort par miracle : *Les miraculés du tremblement de terre de Skoplje en 1963.* ◆ **miraculeux, euse** adj. **1°** Qui tient du miracle; inexplicable : *Une guérison miraculeuse* (syn. : EXTRAORDINAIRE, SURNATUREL). — **2°** Extraordinaire par ses effets : *Il n'y a pas de remède miraculeux* (syn. : MERVEILLEUX). ◆ **miraculeusement** adv. : *Miraculeusement sauvé des flammes.*

mirador [miradɔr] n. m. Poste d'observation et de surveillance surélevé, dans les camps de prisonniers, dans les prisons, etc.

mirage [miraʒ] n. m. Apparence trompeuse, qui séduit pendant un court instant : *Se laisser prendre aux mirages de la gloire* (syn. : MENSONGE). *Le mirage trompeur du succès, de la célébrité, de l'argent* (syn. : CHIMÈRE). *Les mirages de l'amour* (syn. : ILLUSION). [Le *mirage* est une illusion d'optique consistant à apercevoir, dans les pays chauds, une image renversée d'objets en réalité très éloignés, qui semblent se refléter sur une nappe d'eau.]

mire [mir] n. f. 1° *Ligne de mire,* ligne droite, déterminée par l'œil du tireur et les points qui, sur l'arme à feu (fusil), servent à viser : *Le chasseur avait le lièvre dans sa ligne de mire.* — 2° *Etre le point de mire de tout le monde, de tout un groupe,* être la personne vers qui convergent tous les regards, un centre d'attraction : *Etre le point de mire de la classe.* ‖ *Avoir en point de mire,* avoir en vue (le but à atteindre) : *Le poursuivant a maintenant son adversaire en point de mire.*

mirer [mire] v. tr. *Mirer un œuf,* l'examiner à la lumière, par transparence, pour voir s'il est bon. ◆ ***se mirer*** v. pr. Se regarder longuement et avec complaisance (littér.) : *Se mirer dans une glace.*

mirifique [mirifik] adj. *Fam.* Se dit d'une chose si admirable, si magnifique qu'on doute de sa réalité : *Des projets mirifiques* (syn. : MERVEILLEUX; fam. : MIROBOLANT).

mirliton [mirlitɔ̃] n. m. 1° Flûte faite d'un roseau creusé et garni aux deux bouts d'un morceau de baudruche. — 2° Fam. *Vers de mirliton,* mauvais vers.

mirobolant, e [mirɔbɔlɑ̃, -ɑ̃t] adj. *Fam.* Trop extraordinaire, trop beau pour être réalisable (il vieillit au profit de MIRIFIQUE) : *Des promesses mirobolantes* (syn. : MERVEILLEUX). *Il a toujours un projet mirobolant à vous présenter.*

miroir [mirwar] n. m. 1° Surface ou verre polis qui réfléchissent la lumière et donnent des images des objets ou des personnes qui sont placés en face : *Le miroir posé au-dessus de la toilette, dans la salle de bains. Le cadre doré du miroir* (syn. : GLACE). *Se regarder dans un miroir.* — 2° Toute surface unie qui réfléchit les objets (littér.) : *Le miroir du lac, des eaux.* — 3° Ce qui est l'image, la représentation de quelqu'un, des choses, etc. : *Les journaux sont-ils le miroir fidèle de la nation?* ◆ **miroiter** v. intr. 1° Réfléchir la lumière en jetant des reflets par intervalles : *L'eau du lac miroitait sous la clarté de la lune* (syn. : SCINTILLER). *Sa robe de soie miroite* (syn. : CHATOYER). — 2° *Faire miroiter quelque chose aux yeux de quelqu'un, à quelqu'un,* le lui faire entrevoir comme possible, comme accessible, d'une manière séduisante et souvent trompeuse : *Il lui fit miroiter les avantages qu'il aurait à changer de situation* (syn. : BRILLER). ◆ **miroitement** n. m. Sens 1 du verbe : *Le miroitement des eaux de la mer* (syn. : REFLET). ◆ **miroitier** n. m. Personne qui coupe, encadre ou vend des glaces, des miroirs. ◆ **miroiterie** n. f. Industrie ou commerce des miroirs, des glaces.

miroton [mirɔtɔ̃] n. m. Ragoût de viandes cuites, assaisonnées aux oignons.

misaine [mizɛn] n. f. *Mât de misaine,* premier mât vertical à l'avant d'un navire.

misanthrope [mizɑ̃trɔp] adj. et n. Se dit d'une personne qui est d'une humeur constamment maussade, agressive, hostile, et qui aime la solitude : *Devenir misanthrope* (syn. : ASOCIABLE, SAUVAGE). ◆ **misanthropie** n. f. ◆ **misanthropique** adj. : *Un caractère misanthropique.*

miscible [misibl] adj. Qui peut être mêlé à un autre corps, à un autre liquide (techn.).

1. mise [miz] n. f. 1° Somme d'argent que l'on risque dans un jeu, dans une affaire, etc. : *Doubler sa mise à la roulette, au baccara. Retirer sa mise. Récupérer sa mise* (= ses fonds). *Sauver la mise* (= retirer son enjeu sans rien perdre ni gagner). — 2° *Mise de fonds,* somme d'argent, capital engagé dans une entreprise. ◆ **miser** v. tr. et intr. 1° Mettre comme enjeu une somme d'argent : *Aux courses, miser cent francs sur un cheval. Miser sur le mauvais numéro.* — 2° *Miser sur les deux tableaux,* ménager, dans un but personnel, les intérêts de deux partis adverses.

2. mise n. f. V. METTRE.

3. mise [miz] n. f. Manière d'être habillé : *Un enfant à la mise débraillée* (syn. : TENUE). *Ne jugez pas les gens à leur mise* (syn. : EXTÉRIEUR).

misère [mizɛr] n. f. 1° Etat d'extrême pauvreté : *Etre dans la misère* (syn. : DÉNUEMENT). *S'enfoncer dans la misère* (contr. : RICHESSE). *L'effroyable misère des bidonvilles. Un salaire de misère* (= insuffisant pour faire face aux dépenses indispensables). *La misère morale* (syn. : DÉTRESSE). *La misère physiologique* (= état désastreux de l'organisme). — 2° (surtout au plur.) Evénements douloureux, pénibles, qui suscitent la pitié : *Les misères de la guerre* (syn. : MALHEURS). *Les misères de l'âge* (syn. : ↓ DISGRÂCES). *C'est une misère de le voir dans un tel état* (syn. : PITIÉ). *Reprendre son collier de misère* (= son travail pénible). — 3° *Crier misère,* se plaindre d'être dénué de tout. ‖ Fam. *Faire des misères à quelqu'un,* le taquiner, lui créer des ennuis légers par des tracasseries. — 4° Chose sans importance, sans valeur : *Il a eu cette petite maison pour une misère* (= une très petite somme). ◆ **misérable** adj. 1° (après le nom) Se dit de ce qui témoigne d'une extrême pauvreté, de ce qui excite la compassion par le dénuement : *Une chambre misérable* (syn. : MINABLE). *Mener une existence misérable* (syn. : PITOYABLE). — 2° (avant le nom) D'une grande insignifiance, d'une totale absence de valeur : *Une misérable querelle* (syn. : INSIGNIFIANT). *Un misérable salaire.* — 3° (avant le nom) Qui inspire le mépris : *Un misérable acte de vengeance* (syn. : HONTEUX, MESQUIN). ◆ n. Personne digne de mépris, de ressentiment (mot d'injure) : *Le misérable m'a encore trompé.* ◆ **misérablement** adv. : *Mourir misérablement* (= dans la misère, dans l'abandon). *Vivre misérablement* (syn. : ↓ PAUVREMENT). ◆ **miséreux, euse** adj. et n. Se dit de quelqu'un qui est dans une extrême pauvreté : *Les miséreux qui mendient à la porte de l'église* (syn. : MENDIANT, PAUVRE).

miséricorde [mizerikɔrd] n. f. Pitié qui pousse à pardonner à un vaincu, à un coupable (littér.; surtout relig.) : *A tout péché miséricorde. Implorer la miséricorde divine.* ◆ interj. Marque la surprise effarée. ◆ **miséricordieux, euse** adj. Enclin au pardon : *Le Christ miséricordieux.*

misogyne [mizɔʒin] adj. et n. Qui a une hostilité manifeste à l'égard des femmes. ◆ **misogynie** n. f. (V. MISANTHROPE.)

missel [misɛl] n. m. Livre contenant les prières de la messe.

missile [misil] n. m. Fusée ou engin portant des charges nucleaires.

mission [misjɔ̃] n. f. 1° Charge, fonction, mandat donnés à quelqu'un de faire quelque chose : *Remplir une mission délicate. Envoyer en mission.*

Prêtres qui reçoivent la mission d'évangéliser des peuples d'Afrique. Mission a été donnée aux enquêteurs d'agir avec circonspection. Envoi d'une mission diplomatique, culturelle, économique à l'étranger (syn. : DÉLÉGATION, AMBASSADE). *Etre en mission. Il avait la difficile mission de prévenir la famille du terrible accident* (syn. : TÂCHE). *Soldats qui partent en mission de reconnaissance.* — 2° Ensemble de personnes faisant partie d'un groupe, d'une organisation chargés d'une mission temporaire, déterminée : *La mission scientifique est parvenue en terre Adélie;* en particulier, organisation de religieux chargés de propager la foi chrétienne : *Les missions catholiques et protestantes à Madagascar.* — 3° Devoir essentiel que l'on se propose à soi-même, ou but auquel quelqu'un ou quelque chose semble destiné : *La mission de l'Université est d'enseigner et de promouvoir la recherche* (syn. : FONCTION). *Se donner pour mission de soigner et guérir. La mission de l'homme* (syn. : VOCATION). *La mission d'un journal est d'informer ses lecteurs* (syn. : RÔLE). *Il avait failli à sa mission.* ◆ **missionnaire** n. m. et adj. Prêtre, pasteur, etc., envoyé pour prêcher une religion : *Les missionnaires catholiques.*

missive [misiv] n. f. Lettre : *Envoyer une longue missive à une amie.*

mistral [mistral] n. m. Vent violent qui descend la vallée du Rhône, et souffle le long du rivage méditerranéen, surtout vers l'est.

mitaine [mitɛn] n. f. Gant recouvrant la main jusqu'à la deuxième phalange des doigts.

mite [mit] n. f. Insecte dont la larve ronge les vêtements de laine, les tapis, etc. ◆ **mité, e** adj. : *Couverture, fourrure mitée.* ◆ **antimite** n. m. et adj. Produit contre les mites : *Répandre pendant l'été de l'antimite sur les fourrures.*

miteux, euse [mitø, -øz] adj. et n. Qui est d'une pauvreté pitoyable, misérable, d'apparence piteuse : *Un hôtel miteux* (syn. : MISÉRABLE). *Porter un pardessus miteux.*

mitigé, e [mitiʒe] adj. Qui n'a pas la rigueur, la force réclamée : *Il n'a pour le travail qu'un zèle mitigé.*

mitonner [mitɔne] v. tr. *Mitonner un ragoût,* le faire cuire longtemps et doucement.

mitoyen, enne [mitwajɛ̃, -ɛn] adj. Se dit de ce qui est la propriété commune de deux personnes et qui sépare deux choses (langue du droit) : *L'entretien du mur mitoyen qui séparait les jardins était une source de conflits. Les deux chambres étaient séparées par une cloison mitoyenne.* ◆ **mitoyenneté** n. f. : *La mitoyenneté d'un mur.*

mitrailler [mitraje] v. tr. 1° Tirer par rafales, sur un objectif, avec une arme automatique : *Les avions mitraillent les nids de résistance* (= attaquent à la mitrailleuse). *La voiture de la banque fut mitraillée par des gangsters;* ou avec des projectiles quelconques : *Mitrailler le plafond à coups de boulettes de papier.* — 2° *Fam.* Prendre des photographies ou filmer sans arrêt : *Les touristes mitraillaient la cathédrale sous tous les angles. A la sortie du Conseil, le ministre de l'Agriculture fut mitraillé par les reporters-photographes.* ◆ **mitraille** n. f. Projectiles divers déchargés par les armes automatiques, les canons, etc. : *Fuir sous la mitraille.* ◆ **mitraillade** n. f. Action de tuer avec des armes automatiques : *Des déportés furent tués par pendaison, par mitraillade, par la chambre à gaz.* ◆ **mitraillette** n. f. Arme à tir automatique portative. ◆ **mitrailleur** n. m. Servant d'une mitrailleuse. ◆ adj. m. *Fusil mitrailleur,* arme automatique portative. ◆ **mitrailleuse** n. f. Arme automatique à tir rapide, montée sur un affût.

mitre [mitr] n. f. Coiffure haute et pointue de certains prélats, des évêques, portée au cours des cérémonies de l'Eglise.

mitron [mitrɔ̃] n. m. Garçon boulanger ou pâtissier.

mi-voix (à) [amivwa] loc. adv. En émettant un faible son de voix : *Parler à mi-voix à son voisin* (syn. : À VOIX BASSE).

mixer [mikse] v. tr. Syn. technique de MÉLANGER. ◆ **mixage** n. m. Enregistrement simultané, sur une bande, des images et du son nécessaire (bruits de fond, musique, paroles, etc.). ◆ **mixer** [miksœr] n. m. Appareil ménager servant à broyer, à mélanger des denrées alimentaires (sucre, œufs, etc.).

mixte [mikst] adj. 1° Formé d'éléments de nature diverse, d'origine différente : *Une équipe mixte du Racing et du P.U.C. rencontrera une équipe londonienne* (= composée de joueurs appartenant à ces deux associations). *Un mariage mixte* (= entre un catholique et une protestante ou une orthodoxe, ou *vice versa*). *Un cargo mixte* (= transportant des marchandises et des passagers). *Un tribunal mixte, formé de civils et de militaires. La commission mixte chargée de la réforme de l'enseignement* (= formée de membres de l'administration et de l'enseignement). — 2° *Ecole mixte, classe mixte,* où sont admis des garçons et des filles.

mixture [mikstyr] n. f. Boisson dont les composants sont nombreux et dont le goût est désagréable : *Le garçon nous servit une affreuse mixture, qu'il appela un café.*

mnémotechnique [mnemotɛknik] adj. Qui développe, qui aide la mémoire : *Des moyens, des procédés mnémotechniques.*

1. mobile [mɔbil] n. m. Impulsion qui incite à agir de telle ou telle manière; ce qui détermine une action volontaire : *Découvrir les mobiles d'un crime* (syn. : MOTIF, RAISON). *L'argent est chez lui le mobile principal.*

2. mobile [mɔbil] adj. 1° Qui peut se mouvoir, être mis en mouvement : *La mâchoire inférieure de l'homme est mobile. Des casiers mobiles peuvent remplacer une bibliothèque.* — 2° Qui change sans cesse, qui se déplace continuellement : *Un visage très mobile* (syn. : ANIMÉ). *Les fêtes mobiles sont celles dont la date change chaque année. Une main-d'œuvre mobile* (syn. : MOUVANT; contr. : SÉDENTAIRE). — 3° Qui manifeste une grande instabilité : *Une attention très mobile* (syn. : INCONSTANT). *Un esprit mobile, qui saute d'un sujet à l'autre* (syn. : CHANGEANT). — 4° *Garde mobile,* gendarme affecté au maintien de l'ordre. ◆ **mobilité** n. f. : *La mobilité du piston dans le cylindre. Le nombre des véhicules dans Paris diminue leur mobilité. La mobilité d'un visage, d'un regard* (contr. : FIXITÉ). *La mobilité de la population accroît les difficultés de la scolarisation. La mobilité de l'imagination* (syn. : INSTABILITÉ). ◆ **immobile** adj. : *Rester immobile.* ◆ **immobilité** n. f. ◆ **immobiliser** v. tr. Rendre immobile; priver de moyens d'agir : *Immobiliser un membre, des troupes.* ◆ **s'immobiliser** v. pr.

Devenir immobile, s'arrêter. ◆ **immobilisme** n. m. Opposition à tout progrès.

1. mobilier [mɔbilje] n. m. Ensemble des meubles servant, dans les appartements, à l'usage ou à la décoration : *Le mobilier de la maison fut vendu à la mort de ma mère. Le mobilier du bureau, du salon.*

2. mobilier, ère [mɔbilje, -ɛr] adj. Qui concerne les biens susceptibles d'être déplacés, ou biens meubles (terme de droit) : *La propriété mobilière* (contr. : IMMOBILIER). *La contribution mobilière* (= calculée sur la valeur locative). *Une vente mobilière après saisie par la justice.*

mobiliser [mɔbilize] v. tr. 1° Mettre sur le pied de guerre les forces militaires d'un pays, adapter ses structures économiques au temps de guerre : *Mobiliser plusieurs classes pour faire face à une menace extérieure* (syn. : APPELER). *Mobiliser les réservistes* (syn. : RAPPELER). *Etre mobilisé dans le génie. Le gouvernement prit la décision de mobiliser.* — 2° *Mobiliser quelqu'un,* le mettre en état d'alerte, le requérir pour accomplir une œuvre collective : *Les militants mobilisés pour la manifestation. Il mobilisa tous ses amis pour se faire aider dans son déménagement.* — 3° *Mobiliser quelque chose,* le mettre en œuvre en réunissant, en concentrant : *Mobiliser toutes les bonnes volontés* (syn. : FAIRE APPEL À). *Il mobilisa tout son courage pour faire cette démarche.* ◆ **mobilisable** adj. : *Il est trop jeune et n'est pas mobilisable.* ◆ **mobilisation** n. f. *Décréter la mobilisation générale* (= mise sur le pied de guerre de la nation). *La mobilisation de toutes les bonnes volontés suffira-t-elle?* ◆ **démobiliser** v. tr. 1° Renvoyer des soldats, des troupes dans leurs foyers : *Démobiliser deux classes.* — 2° Relâcher la tension, le dynamisme : *Ces discours apaisants n'ont pour but que de démobiliser les énergies.* ◆ **démobilisation** n. f.

mocassin [mɔkasɛ̃] n. m. Chaussure simple et basse, sans lacets, en cuir très souple.

moche [mɔʃ] adj. *Fam.* Laid (sur le plan esthétique, moral, etc.) : *Cette femme est vraiment moche* (syn. : ↑ AFFREUX). *Le temps est plutôt moche* (syn. : VILAIN). *Une attitude aussi déplaisante, c'est moche de sa part* (syn. : MESQUIN, ↑ MÉPRISABLE). ◆ **mocheté** n. f. *Pop.* Femme laide; chose laide : *Epouser une pareille mocheté, c'est incompréhensible!* (V. AMOCHER.)

1. mode [mɔd] n. m. En grammaire, forme verbale qui indique la manière dont l'action est présentée : *Les modes indicatif, subjonctif, impératif en français.* ◆ **modal, e, aux** adj. : *Les formes modales du verbe français.*

2. mode [mɔd] n. m. Manière générale dont un phénomène se présente, dont une action se fait (suivi d'un nom compl. sans art.) : *Changer de mode de vie, de mode d'existence* (= de manière de vivre). *Un mode de pensée très différent du nôtre. Le mode de paiement par chèque est le plus commode* (= la façon de payer). *Un mode de locomotion. Le mode d'emploi se trouve dans la boîte* (= la manière de s'en servir). ◆ **modalité** n. f. Forme particulière sous laquelle se présente un fait, une pensée, etc. : *Fixer les modalités de paiement lors de l'achat d'une voiture* (= de quelle manière les paiements seront effectués). *Les modalités d'application de la loi seront fixées par décret.*

3. mode [mɔd] n. f. 1° Manière passagère d'agir, de vivre, de penser, etc., liée à un milieu et à une époque déterminés : *La mode du livre de poche. Un auteur à la mode. Cette danse est passée de mode* (= démodée). *Une plage à la mode. Lancer une mode. Les caprices, les fantaisies de la mode.* — 2° Manière passagère de s'habiller conforme aux goûts d'une certaine société : *Les dernières créations de la mode parisienne. Un journal de mode. Etre habillé à la dernière mode. Ce vert est très à la mode* (fam., *très mode*) *cette année.* — 3° Commerce de la toilette féminine : *Travailler dans la mode. Magasins de modes* (= où l'on vend des articles de toilette féminine). — 4° *A la mode de,* préparé à la manière de (en cuisine) : *Tripes à la mode de Caen.* ‖ *Bœuf mode* ou *à la mode,* cuit avec des carottes et des oignons. ◆ **modiste** n. et adj. f. Femme qui crée, exécute ou vend des coiffures féminines. ◆ **démoder (se)** v. pr. Cesser d'être à la mode : *Ce genre de costume se démode très lentement.* ◆ **démodé, e** adj. Qui n'est plus à la mode : *Un chapeau démodé* (syn. : VIEILLOT). *Des théories démodées* (syn. : DÉSUET, DÉPASSÉ).

modèle [mɔdɛl] n. m. 1° Ce qui sert d'objet d'imitation; ce qui est offert pour servir à la reproduction, à l'imitation : *Se conformer au modèle. Donner un modèle à la jeunesse* (syn. : EXEMPLE). *Ne le prenez pas pour modèle. Sa conduite est un modèle pour tous. Un modèle de corrigé pour une dissertation. Le modèle d'un peintre* (= la personne dont l'artiste reproduit les traits). — 2° (suivi d'un compl. du nom) Personne ou objet qui possède à la perfection certaines caractéristiques : *C'est un modèle de loyauté. Il est le modèle de l'enfant gâté.* — 3° Objet industriel qui sera reproduit en série : *Le modèle d'une nouvelle voiture. La présentation des modèles de haute couture. Un fusil modèle 1936.* — 4° *Modèle réduit,* représentation, à échelle réduite, d'un objet plus grand : *Le modèle réduit d'un navire.* ◆ adj. Parfait en son genre : *Un élève modèle* (syn. : EXEMPLAIRE). *Une ferme modèle. Une cuisine modèle.* ◆ **modéliste** n. et adj. 1° Personne qui fabrique des modèles réduits. — 2° Personne qui crée des modèles dans la couture.

modeler [mɔdle] v. tr. (conj. 6). 1° *Modeler un objet,* le façonner dans l'argile, la cire, la terre : *Modeler une statuette. De la pâte à modeler* (= que l'on peut pétrir pour lui donner une forme). — 2° Donner une forme, un relief particuliers : *La robe modelait son corps. Un relief accidenté, modelé par l'érosion.* — 3° Régler une chose sur quelque modèle : *Modeler sa conduite sur celle de son père* (syn. : CONFORMER). *Modeler sa conversation sur le caractère de ses interlocuteurs.* ◆ **se modeler** v. pr. Régler sa conduite, son caractère sur quelqu'un ou d'après quelque chose : *Elle s'était modelée sur les goûts de son ami.* ◆ **modelage** n. m. : *Le modelage d'une poterie.* ◆ **modelé** n. m. Relief des formes en sculpture, en peinture.

moderato adv. V. MOUVEMENT, *Mouvements musicaux.*

modérer [mɔdere] v. tr. Diminuer la force, l'intensité, jugées excessives, de quelque chose : *Modérer sa colère* (syn. : TEMPÉRER, APAISER). *Modérer son enthousiasme* (syn. : FREINER, RETENIR). *Modérer la vitesse de la voiture* (= ralentir). *Modérez vos paroles* (= atténuez-en la violence). *Savoir modérer son ambition, ses désirs* (syn. : BORNER).

Modérer les dépenses de l'Etat (syn. : LIMITER). ◆ **se modérer** v. pr. (sujet nom de personne). S'écarter de tout excès, contenir des sentiments violents : *Modère-toi, la faute n'est pas si grave* (syn. : SE CALMER). ◆ **modéré, e** adj. et n. 1° Se dit de quelqu'un qui est éloigné de tout excès : *Etre modéré dans ses prétentions* (syn. : MESURÉ). — 2° Se dit de quelqu'un qui professe des opinions politiques conservatrices : *Les députés modérés à l'Assemblée nationale.* ◆ adj. Se dit de quelque chose qui tient le milieu entre les extrêmes : *Un vent modéré* (contr. : FORT OU FAIBLE). *Des prix modérés* (contr. : EXCESSIF). *Habitation à loyer modéré (ou H.L.M.).* ◆ **modérément** adv. : *Boire, fumer modérément* (contr. : EXCESSIVEMENT). ◆ **modération** n. f. Qualité d'une personne ou d'une chose éloignée de tout excès : *Faire preuve, user de modération* (syn. : DOUCEUR, SAGESSE). *Avoir beaucoup de modération dans ses paroles* (syn. : RETENUE ; contr. : EXCÈS). *La modération des mesures prises* (syn. : MÉNAGEMENT). ◆ **modérateur, trice** adj. et n. Qui modère : *Pouvoir modérateur. Jouer le rôle de modérateur dans un conflit.* ◆ **immodéré, e** adj. Qui dépasse la mesure : *Dépenses immodérées.* ◆ **immodérément** adv. : *Boire immodérément.*

moderne [mɔdɛrn] adj. 1° Qui appartient ou convient au temps présent ou à une époque récente (par oppos. au passé) : *La vie moderne* (syn. : ACTUEL). *La science moderne* (syn. : CONTEMPORAIN). *La peinture moderne* (contr. : CLASSIQUE). *Cet appartement a tout le confort moderne. Le matériel le plus moderne* (syn. : RÉCENT, NOUVEAU ; contr. : DÉSUET). *Le Paris moderne s'étend largement au sud et à l'ouest du Paris ancien. L'histoire moderne, enseignée dans les classes, commence en 1453, date de la prise de Constantinople, et va jusqu'en 1789, où commence l'histoire contemporaine. L'enseignement moderne se distingue de l'enseignement classique par le fait qu'il ne comporte pas les langues anciennes, grec et latin.* — 2° Qui se conforme aux évolutions les plus récentes : *Etre résolument moderne dans ses goûts, dans sa manière de s'habiller. La linguistique moderne* (contr. : TRADITIONNEL). ◆ n. m. 1° Ce qui appartient à l'époque actuelle, ce qui en suit le goût : *Dans son ameublement, il a choisi le moderne* (contr. : L'ANCIEN). — 2° Homme (écrivain, artiste) de l'époque contemporaine, par opposition aux anciens. ◆ **moderniser** v. tr. Organiser en adaptant aux techniques présentes, rajeunir en conformant à l'esthétique ou aux goûts actuels : *Moderniser une entreprise industrielle. Moderniser ses méthodes de vente, son magasin* (syn. : RÉNOVER). *Moderniser l'orthographe d'un texte ancien* (syn. : ADAPTER). ◆ **modernisation** n. f. : *La modernisation de l'agriculture est un des impératifs actuels.* ◆ **modernisme** n. m. Goût, recherche de ce qui est moderne, des idées qui rompent avec la tradition ou avec ce qui est désuet, vieilli. ◆ **moderniste** adj. et n. (spécialisé en un sens religieux). Partisan de la réinterprétation des croyances chrétiennes en fonction de l'évolution générale du monde et des découvertes de la science des Ecritures saintes.

modeste [mɔdɛst] adj. (après le nom) et n. Se dit d'une personne (ou de son comportement) qui a sur elle-même une opinion mesurée, qui parle sans orgueil ni ostentation : *Un savant modeste, qui n'aime pas les honneurs* (syn. : EFFACÉ; contr. : VANITEUX). *Votre œuvre est remarquable, vous êtes bien trop modeste* (syn. : DISCRET). *C'est un timide et un modeste, qui reste sur la réserve.* ◆ adj. 1° (avant ou après le nom) D'une grande simplicité, sans faste, sans importance : *Un modeste présent* (syn. : MODIQUE). *Mener un train de vie modeste* (contr. : LUXUEUX, FASTUEUX). *Un modeste commerçant* (syn. : PETIT). *Il est modeste dans ses prétentions* (syn. : MODÉRÉ). — 2° (après le nom) Qui montre de la pudeur (littér.) : *Une tenue modeste. Prendre un air modeste* (syn. : PUDIQUE ; contr. : EFFRONTÉ). ◆ **modestement** adv. ◆ **modestie** n. f. : *La charmante modestie de cet homme timide* (syn. : RÉSERVE, SIMPLICITÉ ; contr. : ORGUEIL, VANITÉ). ◆ **immodeste** adj.

modifier [modifje] v. tr. *Modifier quelque chose,* en changer la forme, la qualité, etc. : *Modifier l'ordre des paragraphes dans une rédaction* (syn. : CHANGER). *Modifier une loi* (syn. : AMENDER). *Modifier sa ligne de conduite* (syn. : RECTIFIER). *Modifier le prix d'une denrée. La politique financière n'a pas été modifiée* (syn. : TRANSFORMER). ◆ ***se modifier*** v. pr. Changer de forme : *Ses idées ne se sont pas modifiées avec l'âge* (syn. : ÉVOLUER, CHANGER). ◆ **modification** n. f. : *La modification d'un projet* (syn. : REFONTE). *La modification du régime des allocations* (syn. : CHANGEMENT, TRANSFORMATION). *Le manuscrit a subi plusieurs modifications successives* (syn. : REMANIEMENT, ADAPTATION).

modique [mɔdik] adj. (avant ou après le nom). Se dit d'une somme d'argent peu importante, de ce qui est de faible valeur : *J'ai acheté ce stylo pour une somme modique* (syn. : ↓ INSIGNIFIANT, INFIME). *Avoir un salaire très modique* (syn. : MODESTE ; contr. : GROS). *Elle vivait d'une modique pension* (syn. : MAIGRE, PETIT). ◆ **modicité** n. f. : *La modicité du prix qu'on lui demandait pour ce meuble ancien l'étonna.*

moduler [modyle] v. tr. et intr. Emettre une succession de sons avec des changements de ton, de hauteur, d'accent : *Moduler un air, des sons.* ◆ **modulation** n. f. 1° Inflexion variée de la voix ; passage d'un ton dans un autre. — 2° *Emission par modulation de fréquence,* émission radiophonique obtenue par variation de la fréquence d'une oscillation électrique.

moelle [mwal] n. f. 1° Substance riche en graisse, située à l'intérieur des os longs. — 2° *Moelle épinière,* centre nerveux abrité par la colonne vertébrale. — 3° *Jusqu'à la moelle des os,* au plus profond du corps : *Le froid me pénétrait jusqu'à la moelle des os.* ‖ *Tirer toute la moelle d'un sujet,* en retirer toute la substance, l'essence (syn. : SUC). Fam. *Etre vidé jusqu'à la moelle,* être anéanti par la fatigue.

moelleux, euse [mwalø, -øz ou mwelø, -øz] adj. 1° Doux et d'une mollesse agréable au toucher : *Une étoffe moelleuse. Le tapis moelleux de l'escalier. Un fauteuil moelleux* (= confortable, où l'on enfonce un peu). — 2° Agréable à goûter, à entendre, à voir, etc., à cause de sa douceur et de son velouté : *Boire un chocolat moelleux* (syn. : ONCTUEUX). *Une voix moelleuse* (= d'une belle sonorité douce). *Un vin moelleux* (= légèrement sucré). ◆ **moelleusement** adv. : *Moelleusement étendu sur son lit* (syn. : MOLLEMENT).

moellon [mwalɔ̃] n. m. Pierre de construction de petite dimension : *Une maison, un mur en moellons.*

mœurs [mœrs ou plus souvent mœr] n. f. pl. 1° Habitudes ou pratiques morales d'un individu, d'un groupe : *La pureté de ses mœurs* (syn. : CONDUITE). *Etre irréprochable dans ses mœurs. La corruption des mœurs. Une femme de mœurs faciles, de mauvaises mœurs* (= une femme légère, une prostituée). *Un mot contraire aux bonnes mœurs* (= à la décence). *Condamné pour attentat aux mœurs* (= pour crime contre les bonnes mœurs). *Demander un certificat de bonne vie et mœurs* (= qui atteste l'excellente conduite de quelqu'un). — 2° Pratiques sociales, habitudes de vie d'un groupe, d'un peuple, d'une époque, d'une personne, d'une espèce animale : *Les mœurs des peuplades primitives* (syn. : COUTUMES). *Les mœurs du XIIIe siècle. Les mœurs politiques. Ce roman est une étude de mœurs. Avoir des mœurs simples* (syn. : MODE DE VIE). *Les mœurs des abeilles. Quelle grossièreté! Il a de drôles de mœurs* (fam.; syn. : MENTALITÉ).

moi pron. pers. V. JE.

moignon [mwaɲɔ̃] n. m. Extrémité d'un membre coupé, amputé : *Mettre une jambe artificielle au moignon de la cuisse d'un mutilé.*

moindre [mwɛ̃dr] adj. 1° (avant ou après le nom) Comparatif de *petit* (dans des expressions en nombre limité) : *Des nouvelles de moindre importance. Acheter à moindre prix* (= à un prix plus bas). *Une bière de moindre qualité* (= de moins bonne). *Un sinistre de bien moindre étendue s'est produit dans un immeuble du XVIIe arrondissement* (= de moins grande). — 2° Précédé de l'article, superlatif relatif de *petit* : *A la moindre défaillance, il punit. Le moindre effort lui coûte. Je n'ai pas la moindre idée de ce qui s'est passé. La moindre des choses est de vous excuser* (= le minimum). *On n'a pas la moindre preuve contre lui.* ◆ **moindrement** adv. *Le moindrement* (dans une phrase négative et littér.) : *Je n'ai pas le moindrement du monde l'intention de vous blesser.*

moine [mwan] n. m. Membre d'une communauté religieuse d'hommes : *Les moines de la Trappe* (syn. : RELIGIEUX). *Les moines bouddhistes.* ◆ **monacal, e, aux** adj. Relatif aux moines (emploi restreint à *vie monacale*). ◆ **monastère** n. m. Ensemble des bâtiments où vivent des moines ou des religieuses : *Se retirer dans un monastère* (syn. : COUVENT). *Un abbé dirige un monastère.* ◆ **monastique** adj. : *Une vie monastique* (= de moine). *La simplicité monastique* (= qui est celle des moines). *Les règles monastiques.*

moineau [mwano] n. m. 1° Petit oiseau brun et noir, très commun en France : *Une volée de moineaux s'abattit sur le cerisier.* — 2° *Un drôle de moineau,* un individu désagréable ou malhonnête (syn. : OISEAU).

moins adv. V. PLUS.

moire [mwar] n. f. Tissu à reflets changeants : *Robe de moire.* ◆ **moiré, e** adj. Se dit de ce qui a des reflets brillants (littér.) : *L'eau moirée de la rivière.*

mois [mwa] n. m. 1° Chacune des douze divisions de l'année légale; sa durée : *Les mois sont de trente ou trente et un jours; le mois de février de vingt-huit jours* (*de vingt-neuf les années bissextiles*). *Dans le courant du mois, au cours du mois* (présent). *Chaque mois* (= mensuellement). *Tous les trois mois* (= par trimestre). *Tous les six mois* (= par semestre). *Prendre ses vacances au mois d'août.* — 2° Unité de travail et de salaire correspondant à un mois légal : *Gagner tant par mois. Etre payé au mois* (v. MENSUEL n. m.). *Toucher son mois* (= salaire d'un mois de travail). *La fin de mois est difficile* (= la période où le salaire du mois est presque épuisé). *Toucher un treizième mois* (= rétribution extraordinaire, équivalant au salaire d'un mois et touchée dans certains emplois à la fin de l'année). — 3° Espace de temps d'environ trente jours : *Il y a six mois qu'il est parti. D'ici le mois prochain, les travaux seront achevés. Dans un mois, vous recevrez votre commande.* (V. MENSUEL.)

janvier n. m.	31	jours	*juillet* n. m.	31	jours
février n. m.	28 ou 29	—	*août* n. m.	31	—
mars n. m.	31	—	*septembre* n. m.	30	—
avril n. m.	30	—	*octobre* n. m.	31	—
mai n. m.	31	—	*novembre* n. m.	30	—
juin n. m.	30	—	*décembre* n. m.	31	—

moisir [mwazir] v. intr. 1° Se couvrir de moisissures sous l'effet de l'humidité, et commencer à s'altérer : *Le fromage, le pain ont moisi. Des meubles ont moisi au fond d'une cave.* — 2° *Fam.* Rester longtemps dans le même endroit à s'ennuyer, à ne rien faire : *Nous n'allons pas moisir ici, partons.* ◆ v. tr. Détériorer en couvrant de moisissure (surtout au part. passé) : *De la confiture, du pain, des gâteaux moisis* (syn. : GÂTER). ◆ **moisi** n. m. Ce qui est moisi : *Sentir le moisi. Une odeur de moisi. Un goût de moisi.* ◆ **moisissure** n. f. Mousse blanchâtre ou verdâtre, faite de champignons microscopiques : *La moisissure d'un fromage.*

moisson [mwasɔ̃] n. m. 1° Récolte des céréales (blé, avoine, orge, etc.) : *Faire la moisson. La moisson est en retard cette année. La moisson s'achève.* — 2° Ensemble des céréales qui ont été récoltées ou qui vont l'être : *La moisson est bonne, abondante, mauvaise.* — 3° Action de réunir une grande quantité de récompenses ou de profits : *Faire une moisson de lauriers, de renseignements. Revenir de voyage avec une moisson de souvenirs* (syn. : MASSE). ◆ **moissonner** v. tr. 1° *Moissonner du blé, de l'orge,* etc., les faucher en vue de la récolte. — 2° *Moissonner un champ,* y faire la récolte des céréales. — 3° *Moissonner des lauriers,* récolter de nombreux succès (littér.). ◆ **moissonneur, euse** n. Personne qui fait la moisson. ◆ **moissonneuse** n. f. Machine à moissonner les céréales. ◆ **moissonneuse-batteuse** n. f. Machine qui sert à moissonner les céréales et à les battre.

moite [mwat] adj. Légèrement humide : *Avoir les mains moites. Le corps moite après une longue course. Une chaleur moite.* ◆ **moiteur** n. f. : *La moiteur étouffante de la campagne marécageuse surchauffée. La moiteur du front d'un malade fiévreux.*

moitié [mwatje] n. f. 1° Une des deux parties égales ou presque égales d'un tout : *Vingt est la moitié de quarante. Partager le pain en deux moitiés. La moitié de la route a déjà été parcourue. La seconde moitié du XXe siècle a vu les premiers voyages dans l'espace. A peine la moitié des passagers a été sauvée* (ou *ont été sauvés*) *du naufrage. Il est sorti la moitié du temps* (= presque toujours). *Je suis parti avant d'avoir vu la moitié du film. La* *moitié des vacances est passée* (ou *sont passées*). — 2° *Ironiq.* et *fam.* L'épouse, pour le mari. • LOC. ADV. *A moitié,* en partie : *Son verre est rempli à moitié* (syn. : À DEMI). *Une pomme à moitié pourrie.* ‖ *A moitié chemin,* au milieu du parcours, du trajet : *S'arrêter à moitié chemin* (syn. : À MI-CHEMIN). ‖ *A moitié prix,* pour la moitié du prix fixé : *L'antiquaire me l'a laissé finalement à moitié prix.* ‖ *Moitié..., moitié,* ou *à moitié..., à moitié,* en partie..., en partie : *Un groupe de touristes moitié Allemands, moitié Suisses. Il passe son temps à moitié à Tours, à moitié à Paris.* ‖ Fam. *Faisons moitié-moitié,* partageons en deux parts égales. ‖ *Moitié-moitié,* ni bien ni mal : « *La santé est bonne? — Moitié-moitié, je souffre de mes rhumatismes.* » ‖ *De moitié,* dans la proportion de un à deux : *Impôts réduits de moitié.* ‖ *Etre de moitié,* participer à égalité avec quelqu'un aux bénéfices ou aux pertes d'une entreprise. ‖ *Etre pour moitié dans quelque chose,* en être responsable pour une large part. ‖ *Par moitié,* par la moitié, en deux parties égales.

moka [mɔka] n. m. Gâteau fourré d'une crème au beurre parfumée.

molaire [mɔlɛr] n. f. Grosse dent servant à broyer les aliments.

môle [mol] n. m. Ouvrage en maçonnerie destiné à protéger l'entrée d'un port (syn. : DIGUE).

molécule [mɔlekyl] n. f. La plus petite portion d'un corps qui puisse exister à l'état libre en conservant ses propriétés. ◆ **moléculaire** adj. : *Poids moléculaire.*

moleskine [mɔlɛskin] n. f. Toile recouverte d'un enduit et imitant le cuir : *Des fauteuils recouverts en moleskine.*

molester [mɔleste] v. tr. Faire subir des brutalités, des violences à quelqu'un : *Le voleur a été molesté par la foule* (syn. : MALMENER, ↑ LYNCHER). *La police molesta quelques manifestants* (syn. : BRUTALISER).

molette [mɔlɛt] n. f. Petite roue striée : *La molette d'un briquet. Clef à molette* (= clef dont une roulette actionne la mâchoire mobile).

1. mollet [mɔlɛ] adj. m. *Œuf mollet,* œuf cuit de telle façon que le blanc seul soit coagulé, le jaune restant liquide. ‖ *Petit pain mollet,* petit pain blanc et léger.

2. mollet [mɔlɛ] n. m. Partie saillante des muscles postérieurs de la jambe, entre la cheville et le jarret : *Des mollets musclés. Le gras du mollet.* ◆ **molletière** n. et adj. f. *Bande molletière,* bande de drap ou de toile que l'on enroule autour de la jambe.

molleton [mɔltɔ̃] n. m. Etoffe épaisse de laine ou de coton, moelleuse et chaude, dont on fait des peignoirs, de la doublure de manteaux, etc. ◆ **molletonné, e** adj. Garni de molleton : *Gants molletonnés.* ◆ **molletonneux, euse** adj. Qui ressemble à du molleton : *Etoffe molletonneuse.*

mollir v. intr. V. MOU.

mollusque [mɔlysk] n. m. 1° Animal à corps mou, recouvert d'une coquille calcaire. — 2° Fam. *C'est un mollusque,* c'est un être mou, sans énergie.

molosse [mɔlɔs] n. m. Gros chien de garde, d'allure féroce.

môme [mom] n. et adj. *Pop.* Enfant : *Un petit môme* (syn. fam. : GOSSE). *Il est encore tout môme.* ◆ n. f. *Pop.* Jeune fille, jeune femme : *Belle môme.*

moment [mɔmɑ̃] n. m. Espace de temps (avec ou sans idée de brièveté) : *Attendez un moment* (syn. : INSTANT). *C'est le moment de la journée où je suis occupé. Dans le moment présent* (syn. : HEURE). *Les grands moments de l'histoire* (syn. : DATE). *Un moment! j'arrive* (syn. : SECONDE, MINUTE). *Les bons moments de la vie. Il resta lucide jusqu'à ses derniers moments* (= sa mort). *Je n'ai pas un moment à moi* (= un instant libre). *Ce disque est le grand succès du moment* (= d'aujourd'hui). *Lire à ses moments perdus* (= quand on n'est pas occupé). *Je suis prêt depuis un long moment. Elle en a pour un bon moment, patientez* (= longtemps). *Je reviendrai dans un moment* (= bientôt). *En un moment, tout a été fini* (= en très peu de temps). *Il est très fatigué en ce moment* (= dans le temps présent). *Il hésita un moment.* • LOC. PRÉP. *Au moment de* (suivi d'un nom ou d'un infin.), indique la simultanéité, la coïncidence : *Au moment de l'accident, il regardait justement par la fenêtre. Au moment de partir, il s'aperçut qu'il oubliait son portefeuille. Le moment psychologique* (= l'instant décisif). • LOC. ADV. *A tout moment,* continuellement, sans cesse : *Il tourne la tête à tout moment.* ‖ *De moment en moment,* à intervalle régulier. ‖ *D'un moment à l'autre,* très prochainement. ‖ *Par moments,* de temps à autre. ‖ *Pour le moment,* dans l'instant présent : *Pour le moment, le commerçant en manque, mais il sera approvisionné demain.* ‖ *Sur le moment,* au moment précis où une chose s'est faite : *Sur le moment, j'ai été surpris de le voir, puis j'ai compris la raison de sa présence.* • LOC. CONJ. *Au moment où,* indique le temps précis où un événement s'est produit. ‖ *A partir du moment où,* indique le point de départ, l'origine (dès l'instant que). ‖ *Du moment que,* indique une relation de cause : *Du moment que vous vous connaissez, je ne vous présente pas* (syn. : PUISQUE). ◆ **momentané, e** adj. Qui ne dure qu'un bref instant : *La panne d'électricité a été momentanée* (syn. : BREF). *Ne fournir qu'un effort momentané* (syn. : ÉPHÉMÈRE ; contr. : DURABLE). ◆ **momentanément** adv. : *Je suis gêné momentanément; pouvez-vous me prêter cent francs?* (syn. : TEMPORAIREMENT). *Il est momentanément arrêté dans son travail* (syn. : PROVISOIREMENT).

momeries [momri] n. f. pl. Affectation hypocrite, outrée, d'un sentiment qu'on n'éprouve pas (syn. : SIMAGRÉES).

momie [momi] n. f. Dans l'Egypte ancienne, cadavre conservé embaumé et desséché : *Une momie entourée de bandelettes. Il est maigre comme une momie* (= très maigre). *Rester figé sur place comme une momie.* ◆ **momifier** v. tr. Transformer en momie (surtout au part. passé) : *Un cadavre momifié.* ◆ ***se momifier*** v. pr. 1° Se dessécher. — 2° Devenir inerte : *Avec l'âge, il se momifie.*

mon [mɔ̃], **ton** [tɔ̃], **son** [sɔ̃], **ma** [ma], **ta** [ta], **sa** [sa], **mes** [mɛ], **tes** [tɛ], **ses** [sɛ], **leur** [lœr], **notre** [nɔtr], **votre** [vɔtr], **nos** [no], **vos** [vo] adj. poss.; **le mien** [ləmjɛ̃], **le tien** [lətjɛ̃], **le sien** [ləsjɛ̃], **le nôtre** [lənotr], **le vôtre** [ləvotr], **le leur** [ləlœr] pron. poss. Indiquent en général la possession ou la relation entre le sujet et l'objet. (V. tableau p. 744-745.)

monarchie [mɔnarʃi] n. f. Régime dans lequel un roi héréditaire gouverne l'Etat : *La monarchie anglaise* (syn. : ROYAUTÉ). *La monarchie parlementaire* (= où l'autorité du roi est limitée par un parlement). *La monarchie absolue* (= où le pouvoir du roi n'est pas contrôlé). ◆ **monarque** n. m. Syn. de ROI : *Un monarque absolu* (syn. : ROI). ◆ **monarchique** adj. Qui appartient à la monarchie : *Le pouvoir monarchique.* ◆ **monarchiste** n. et adj. Partisan de la monarchie (syn. : ROYALISTE).

monastère n. m., **monastique** adj. V. MOINE.

monceau [mɔ̃so] n. m. Grande quantité de choses accumulées en tas, en amas : *Des monceaux de ruines* (syn. : AMONCELLEMENT). *Le fleuve, en se retirant, a laissé des monceaux de cadavres d'animaux sur les berges* (syn. : AMAS). *Des monceaux de livres s'entassent sur tous les sièges du bureau* (syn. : ↓ PILE). *Il a laissé dans son texte un véritable monceau de fautes d'orthographe.*

1. monde [mɔ̃d] n. m. **1°** Ensemble de tout ce qui existe : *La connaissance du monde. Les lois qui gouvernent le monde* (syn. : UNIVERS). *Une conception, une vision du monde.* ‖ *Venir au monde,* naître. ‖ *Mettre au monde,* enfanter. — **2°** Système planétaire formé par la Terre et les astres visibles : *On avait placé la Terre au centre du monde. Les origines du monde.* — **3°** La Terre elle-même, où vivent les hommes : *Donner des nouvelles du monde entier. Faire le tour du monde. Aux quatre coins du monde. Le monde est petit; nous nous rencontrerons encore. Le Nouveau Monde* (= l'Amérique). *L'Ancien Monde* (= l'Europe, l'Asie et l'Afrique). *Se croire le centre du monde* (= se croire regardé par tous les hommes). *Au bout du monde* (= en un endroit très éloigné). — **4°** La terre, par opposition au ciel, où, d'après certaines religions, les âmes habitent après la mort : *Dans le monde d'ici-bas. Dans l'autre monde* (= au ciel). *Il n'est plus de ce monde* (= il est mort). *Envoyer dans l'autre monde* (= tuer). — **5°** Ensemble des hommes vivant sur la Terre : *Les idées qui mènent le monde* (syn. : HUMANITÉ). *Les révolutions du début du siècle ont bouleversé le monde. Du train où va le monde, nous aurons bientôt les moyens d'aller dans la Lune. Depuis que le monde est monde* (= depuis qu'il y a des hommes). *C'est une histoire vieille comme le monde* (= cela se répète depuis qu'il y a des hommes). — **6°** (avec un adj. ou un compl. du nom) Société déterminée (humaine ou animale); groupement humain défini : *Le monde capitaliste, socialiste. Le monde chrétien. Le monde du travail* (= l'ensemble des travailleurs). *Le monde libre. Il vit dans un monde cruel. Le petit monde des fourmis. Le monde des affaires, des lettres. Le pauvre monde* (= les classes pauvres). *Le monde où l'on s'amuse. Le monde du spectacle* (= les acteurs). *Ils sont du même monde* (= du même milieu). — **7°** Domaine particulier, distinct, spécifique : *Le monde du silence. Le monde de la poésie.* — **8°** Ensemble de personnes; grand nombre ou nombre indéfini : *Il y a du monde dans les magasins aujourd'hui* (syn. : FOULE). *Est-ce qu'il y a du monde dans le salon?* (syn. : QUELQU'UN). *Le monde est méchant* (syn. : LES GENS). *Le match avait attiré un monde fou. Il se moque du monde. Tout un monde de petites bêtes vivent dans les bois* (= une quantité de). — **9°** *Tout le monde,* tous les gens, chacun des hommes : *Tout le monde est d'accord? Il arrive à tout le monde de se tromper. Dans le jardin public, les bancs sont à tout le monde.* — **10°** Personnes que l'on a sous ses ordres : *Son monde lui est très dévoué* (syn. : DOMESTIQUE). *Disposez votre monde dans les diverses baraques du camp.* — **11°** *Du monde,* renforce un superlatif : *C'est le meilleur homme du monde. C'est la chose la plus amusante du monde. Il n'est pas le moins du monde fâché.* ‖ *Pour rien au monde,* en aucun cas, nullement : *Je ne voudrais pour rien au monde vous causer une gêne.* ‖ Fam. *C'est un monde!,* indique l'indignation devant une chose exagérée. ‖ *Se faire un monde de quelque chose,* lui donner une importance exagérée. ◆ **mondial, e, aux** adj. Relatif au monde (sens 3 et 5) : *La politique mondiale. Les guerres mondiales. Les marchés mondiaux. Un événement d'importance mondiale.* ◆ **mondialement** adv. : *Une marque d'alcool mondialement connue* (syn. : UNIVERSELLEMENT).

2. monde [mɔ̃d] n. m. Ensemble des personnes appartenant aux classes les plus riches des villes et formant une société caractérisée par son luxe, ses divertissements particuliers : *Se lancer dans le monde. Le grand monde* (syn. : HAUTES CLASSES). *Faire son entrée dans le monde. Elle appartient au meilleur monde.* ‖ *Homme, femme du monde,* qui connaissent les usages de cette société aristocratique à laquelle ils appartiennent. ◆ **mondain, e** adj. Relatif à cette société particulière : *La vie mondaine. Donner une soirée mondaine. Le carnet mondain donne dans les journaux les nouvelles du monde.* ◆ adj. et n. Qui fréquente ce milieu, qui aime les divertissements qu'on y donne : *Un peintre mondain* (= qui peint pour le public). *Un danseur mondain. La police mondaine* (= spécialisée dans les trafics de stupéfiants, dans les affaires de mœurs particulières à ces milieux). ◆ **mondanités** n. f. pl. Divertissements du monde : *Ce bal tient une place considérable dans les mondanités parisiennes.* ◆ **demi-monde** n. m. Milieu où se mêlent les gens des classes riches, aristocratiques et des femmes déclassées, des individus équivoques. ◆ **demi-mondaine** n. f. Femme légère qui fréquente les milieux riches.

monétaire adj. V. MONNAIE.

moniteur, trice [mɔnitœr, -tris] n. Instructeur auxiliaire dans certaines disciplines, certaines activités; personne servant à l'encadrement de groupes d'enfants : *Des moniteurs de colonies de vacances. Moniteur d'éducation physique* (= chargé de l'enseignement de certains sports dans les établissements de l'Etat).

monnaie [mɔnɛ] n. f. **1°** Moyen d'échanger des biens, de conserver des valeurs acquises, consistant en pièces frappées ou en billets émis par un Etat pour être utilisés dans un pays déterminé : *Le pouvoir de la monnaie. La dévaluation, la stabilisation de la monnaie. Une monnaie forte. Fabriquer de la fausse monnaie* (= contrefaire la monnaie d'un pays). — **2°** Pièce de métal frappée par l'Etat pour servir de moyen d'échange : *Une nouvelle monnaie. L'hôtel de la Monnaie, à Paris, fabrique les pièces de monnaie. Battre monnaie* (= fabriquer de la monnaie). *De la petite monnaie* (= des pièces de petite valeur). — **3°** Equivalent de la valeur d'un billet ou d'une pièce en billets ou en pièces de valeur moindre : *Faire à la banque la monnaie d'un billet de cinq cents francs. Donnez-moi la monnaie de dix francs.* — **4°** Différence entre la valeur d'un

POSSESSIFS

	POSSESSEUR (pronom)	POSSÉDÉ (genre et nombre)	ADJECTIF ANTÉPOSÉ	EXEMPLES	PRONOM	EXEMPLES (souvent en opposition avec un autre possessif)
1re personne	*je*	masc. sing.	**mon**	*Mon livre est sur la table* (= qui est à moi : possession). *Mon voyage en Corse* (= que j'ai fait : sujet de l'action).	**le mien**	*Ce livre n'est pas le mien. Ton temps est aussi précieux que le mien.*
1re personne	*je*	fém. sing.	**ma** (devant consonne) **mon** (devant voyelle)	*Ma montre est arrêtée* (possession). *A ma vue, tous se taisent* (= en me voyant : objet de l'action). *Il est venu à mon aide* (= m'aider : objet de l'action).	**la mienne**	*Je ne vois pas ta brosse à dents; je n'aperçois que la mienne.*
1re personne	*je*	masc., fém. plur.	**mes**	*Mes amis m'ont accompagné* (= les amis que j'ai). *Mes mains sont couvertes d'engelures.*	**les miens** **les miennes**	*Vos soucis sont grands : les miens sont encore plus sérieux. Tes propositions ne sont pas raisonnables; écoute les miennes.*
1re personne	*nous* (*on* en style fam.)	masc., fém. sing.	**notre**	*Notre procès est venu devant le tribunal correctionnel* (= le procès que nous avons). *Notre Jean-Claude est déjà là* (valeur affective). *Il a perdu notre confiance* (possession).	**le nôtre** **la nôtre**	*Votre appartement est grand, le nôtre est tout petit* (= celui que nous habitons). *Votre voiture est de la même marque que la nôtre.*
1re personne	*nous* (*on* en style fam.)	masc., fém. plur.	**nos**	*Nos enfants sont tous heureux* (possession). *On ne voit plus nos amies.*	**les nôtres**	*Les enfants des voisins commencèrent à jouer avec les nôtres. Soyez des nôtres demain* (= parmi nos invités).
2e personne	*tu*	masc. sing.	**ton**	*Ton départ nous a surpris* (tu es parti : sujet de l'action).	**le tien**	*Mon devoir d'algèbre est plus difficile que le tien.*
2e personne	*tu*	fém. sing.	**ta** (devant consonne) **ton** (devant voyelle)	*Ta chemise est sale* (possession). *C'est donc cela, ta petite plage tranquille? Tu as raté ton épreuve.*	**la tienne**	*Laisse ma bicyclette et prends la tienne.*
2e personne	*tu*	masc., fém. plur.	**tes**	*Tes reproches sont sans objet. Je n'ai pas pris tes cravates!*	**les tiens** **les tiennes**	*Tiens, voilà mes ciseaux, ils coupent mieux que les tiens. On se passerait de réflexions comme les tiennes.*
2e personne	*vous*	masc., fém. sing.	**votre**	*Prenez-vous votre café?* (= que vous prenez habituellement). *Votre erreur a été de ne pas avouer tout de suite* (= l'erreur que vous avez commise : sujet de l'action).	**le vôtre** **la vôtre**	*Mon droit est incontestable, je n'en dirai pas autant du vôtre. A la vôtre, chers amis* (fam. = à votre santé).
2e personne	*vous*	masc., fém. plur.	**vos**	*Buvons à vos succès futurs. Vos remarques me sont très précieuses* (= celles que vous me faites).	**les vôtres**	*Je retrouve mes notes, mais où sont passées les vôtres?*

billet ou d'une pièce et la valeur d'une marchandise (cette différence étant versée en argent par le vendeur) : *Le receveur d'autobus me rend la monnaie sur dix francs.* — 5° *Payer quelqu'un en monnaie de singe,* se moquer de lui, au lieu de le rembourser. ‖ *Rendre à quelqu'un la monnaie de sa pièce,* lui rendre le mal qu'il vous a fait. ‖ *C'est monnaie courante,* cela arrive fréquemment. ‖ *Servir de monnaie d'échange,* être utilisé comme moyen d'échange dans une négociation. ◆ **monnayer** v. tr. 1° *Monnayer un terrain, une valeur,* etc., les transformer en argent liquide. — 2° *Monnayer son talent, son génie,* etc., en tirer un profit pécuniaire (syn. : FAIRE ARGENT DE). ◆ **monétaire** adj. : *L'unité monétaire est en France le franc. La circulation monétaire a augmenté.* ◆ **démonétisé, e** adj. 1° Se dit d'une monnaie qui n'a plus cours : *Les anciennes pièces de cinq francs ont été démonétisées.* — 2° Se dit de quelqu'un qui a perdu son autorité, qui s'est discrédité : *Un ministre démonétisé.* ◆ **faux-monnayeur** n. m. Celui qui fabrique de la fausse monnaie : *Les faux-monnayeurs ont été arrêtés avant d'avoir écoulé leurs faux billets.* ◆ **porte-monnaie** n. m. invar. Bourse pour mettre la petite monnaie, les pièces de monnaie.

monocle [mɔnɔkl] n. m. Petit verre que l'on maintient sous l'arcade de l'œil.

POSSESSIFS

	POSSESSEUR (pronom)	POSSÉDÉ (genre et nombre)	ADJECTIF ANTÉPOSÉ	EXEMPLES	PRONOM	EXEMPLES (souvent en opposition avec un autre possessif)
3e personne	il, elle, on	masc. sing.	**son**	*Son pays est là-bas, près de la mer* (= le pays où il est né : origine). *Cela sent son homme malhonnête* (valeur péjor.). *Chacun va de son côté.*	**le sien**	*On demanda les passeports, chacun présenta le sien. Chacun doit y mettre du sien* (= participer à l'œuvre commune).
		fém. sing.	**sa** (devant consonne)	*Sa voiture est garée dans le jardin.*	**la sienne**	*Nous avions perdu notre lampe; il nous a prêté la sienne.*
			son (devant voyelle)	*Son aimable fille nous renseigna* (possession). *On a le droit d'avoir son opinion.*		
		masc., fém. plur.	**ses**	*Il parla de ses chevaux* (possession). *Ne dérange pas ses affaires.*	**les siens** **les siennes**	*Il est entouré de l'affection des siens. Ton frère a encore fait des siennes* (= fait ses sottises habituelles).
	ils, elles	masc., fém. sing.	**leur**	*Leur fils est malade* (= le fils qu'ils ont). *Ils n'ont pas retrouvé leur chemin. Ils vont chacun de leur côté.*	**le leur** **la leur**	*Vous n'avez pas votre parapluie? Prenez le leur en attendant. Ma maison est bien modeste, mais la leur est magnifique.*
		masc., fém. plur.	**leurs**	*Leurs désirs sont irréalisables. Ils n'ont pas manqué à leurs promesses* (= à celles qu'ils ont faites).	**les leurs**	*Ils sont entourés de l'affection des leurs* (= de leurs proches parents).

Remarque : On emploie parfois les formes *mien, tien, sien, nôtre, vôtre* (formes du pronom possessif sans article) comme attributs; cet emploi est devenu peu fréquent : *Cette opinion est mienne* (= c'est mon opinion). *Considérez cet argent comme vôtre* (= comme le vôtre). On n'emploie plus que très rarement les formes du pronom possessif comme adjectifs épithètes (style archaïque) : *Un mien cousin.*

monocorde [mɔnɔkɔrd] adj. Dont le son, dont le ton est monotone : *Le timbre monocorde de sa voix. Un discours monocorde, ennuyeux.*

monogramme [mɔnɔgram] n. m. Marque, signe formés de la lettre initiale ou de plusieurs lettres entrelacées d'un nom : *Son monogramme était brodé sur ses chemises.*

monographie [mɔnɔgrafi] n. f. Etude limitée à un point d'histoire, de géographie, de littérature, et consistant souvent dans la description d'une région ou dans une biographie.

monolithique [mɔnɔlitik] adj. Se dit de ce qui forme un ensemble rigide et d'un dogmatisme inébranlable : *Un parti monolithique. Un système monolithique* (contr. : NUANCÉ, SOUPLE). ◆ **monolithisme** n. m. : *Le monolithisme des partis politiques.* (Un *monolithe* est un monument fait d'un seul bloc de pierre.)

monologue [mɔnɔlɔg] n. m. 1° Discours d'une personne qui se parle à elle-même à haute voix : *Il avait oublié son auditoire et son exposé devint un monologue qui ne s'adressait qu'à lui-même* (syn. : SOLILOQUE). *Monologue intérieur* (= suite de pensées non extériorisées, analogue à la rêverie). — 2° Dans une pièce de théâtre, scène où un personnage est seul et se parle à lui-même : *Les monologues des tragédies classiques.* ◆ **monologuer** v. intr. Parler seul ou pour soi-même.

monôme [monom] n. m. Défilé d'étudiants en file indienne : *Le monôme du bac a été interdit cette année à Paris.*

monopole [mɔnɔpɔl] n. m. 1° Privilège légal ou de fait qu'une entreprise, un gouvernement ou un individu possède pour fabriquer et vendre un produit ou pour exploiter certains services : *L'Etat a le monopole des tabacs et des allumettes. Les monopoles industriels.* — 2° Privilège exclusif et souvent arbitraire : *Il n'a pas le monopole de la générosité. L'erreur n'est pas le monopole des imbéciles* (syn. : EXCLUSIVITÉ). ◆ **monopoliser** v. tr. 1° Réduire en monopole. — 2° Réserver pour son profit personnel, accaparer pour son seul usage : *Monopoliser les honneurs. Il a monopolisé le livre à la bibliothèque et personne ne peut l'avoir.* ◆ **monopolisme** n. m. Tendance à la concentration des entreprises en trusts.

monosyllabe [monosilab] ou **monosyllabique** adj. Qui n'a qu'une syllabe : *Terme monosyllabique. Mot monosyllabe.* ◆ **monosyllabe** n. m. : *Les monosyllabes sont souvent des homonymes en langue parlée, comme « seau, sot, sceau ».*

monotone [mɔnɔtɔn] adj. Dont la régularité, le peu de variété, l'uniformité, la répétition lassent, ennuient : *Un chant monotone* (syn. : UNIFORME). *Un bruit, un rythme monotone. Le débit monotone d'un orateur* (contr. : VARIÉ). *Un paysage monotone. Mener une existence monotone* (contr. : DIVERTISSANT). *Une vie monotone* (= triste, sans relief). ◆ **monotonie** n. f. : *La monotonie d'une voix* (syn. : UNIFORMITÉ). *La monotonie des journées d'hiver* (syn. : GRISAILLE; contr. : DIVERSITÉ). *Cet incident rompit la monotonie de sa vie* (syn. : ENNUI; contr. : VARIÉTÉ).

monseigneur [mɔ̃sɛɲœr] n. m. Titre d'honneur donné à certaines personnes de dignité éminente (évêques, princes).

monsieur [møsjø], au pl. **messieurs** [mesjø] n. m. 1° Titre donné à tout homme à qui l'on écrit, à qui l'on parle ou dont on parle (suivi d'un nom propre, d'un titre, ou employé en apostrophe) : *Monsieur Durand. Messieurs, la séance est ouverte. Monsieur le Président. Monsieur me disait justement que vous étiez au courant.* (Ecrit en abrégé *M.* [au sing.] et *MM.* [au plur.].) — 2° Titre donné au maître de la maison, ou par un commerçant, un garçon de café, etc., à son client : *Monsieur est sorti. Ces messieurs désirent déjeuner?* — 3° Homme quelconque dont on ne connaît pas le nom : *Un monsieur très bien. Un vilain monsieur. Un joli monsieur* (= un individu peu recommandable). — 4° Homme de la bourgeoisie aisée : *Des messieurs en haut-de-forme. Un monsieur important.* — 5° *C'est un monsieur, un grand monsieur,* un homme de grande valeur intellectuelle ou morale.

monstre [mɔ̃str] n. m. 1° Etre vivant présentant une importante malformation, une absence ou une position anormale des membres : *Les monstres créés par l'ingestion de certains médicaments pendant la grossesse.* — 2° Etre fantastique des mythologies, des légendes, généralement formé de parties d'êtres ou d'animaux différents : *Les centaures, monstres à moitié cheval, à moitié homme.* — 3° Animal féroce de grande taille : *Les monstres enfermés dans la cage rugissent à l'apparition du dompteur. Les monstres marins.* — 4° Personne dont les sentiments inhumains, pervers, provoquent l'horreur : *Un monstre de cruauté, d'ingratitude. Tu es un monstre avec les autres;* qui se distingue par un caractère anormal : *C'est un monstre de travail.* — 5° *Les monstres sacrés,* les grandes vedettes du cinéma ou de la scène. — 6° Terme d'affection : *Petit monstre! tu auras encore fait une sottise!* ◆ adj. D'une grandeur, d'une quantité extraordinaire : *Son intervention au congrès fit un effet monstre* (syn. : PRODIGIEUX). *Une publicité monstre* (syn. : FANTASTIQUE). *Des dîners monstres* (syn. : COLOSSAL). ◆ **monstrueux, euse** adj. 1° D'une conformation contre nature : *Un enfant monstrueux* (syn. : DIFFORME). — 2° D'une grandeur, d'une force extraordinaire : *Un bruit monstrueux réveilla les habitants en pleine nuit* (syn. : ÉNORME). *Le navire était désemparé sur une mer monstrueuse.* — 3° D'une cruauté, d'une perversion qui provoque l'horreur : *Commettre un crime monstrueux* (syn. : ABOMINABLE, ↓ AFFREUX). *Des massacres monstrueux* (syn. : EFFROYABLE, ÉPOUVANTABLE). *Une idée monstrueuse germa dans son esprit* (syn. : HORRIBLE). ◆ **monstrueusement** adv. : *Etre monstrueusement laid.* ◆ **monstruosité** n. f. Caractère de celui qui est monstrueux, de ce qui est horrible : *La monstruosité du geste indigna l'opinion publique* (syn. : ATROCITÉ).

mont [mɔ̃] n. m. 1° Désigne, en géographie, une élévation de terrain variable, mais généralement importante (accompagné d'un nom propre) : *Le mont Blanc. Les monts d'Auvergne.* (Il appartient à la langue littéraire en emploi libre.) — 2° *Par monts et par vaux,* à travers le pays tout entier : *Etre sans cesse par monts et par vaux* (= en voyage). ‖ *Promettre monts et merveilles,* faire des promesses étonnantes, exagérées. ◆ **montagne** [mɔ̃taɲ] n. f. 1° Elévation importante du sol (langue usuelle; contr. : PLAINE, VALLÉE) : *Escalader une montagne* (syn. littér. : MONT). *Caverne creusée dans la montagne* (syn. : ↓ COLLINE). *Village construit au pied de la montagne, au flanc de la montagne. Sur le versant sud de la montagne.* — 2° Région d'altitude élevée, avec des vallées encaissées : *L'orage a éclaté sur la montagne. Une route de montagne. Un chalet de montagne. Les stations de montagne. Faire une excursion en montagne. La haute montagne.* — 3° *Une montagne (des montagnes) de,* une grande quantité de : *Une montagne de livres.* — 4° *Se faire une montagne de quelque chose,* s'en exagérer l'importance, les dangers, les difficultés. ◆ **montagnard, e** adj. et n. Qui habite les montagnes, qui y vit : *Les tribus montagnardes du nord du Yémen. Les montagnards de Savoie.* ◆ **montagneux, euse** adj. Formé de montagnes, où il y a beaucoup de montagnes : *Pays montagneux. Les régions montagneuses de l'Algérie.* ◆ **montueux, euse** adj. Qui présente des élévations peu importantes, des collines nombreuses : *Terrain, pays montueux* (syn. : ACCIDENTÉ; contr. : PLAT). ◆ **monticule** n. m. Petite bosse de terrain, amas de matériaux, de pierres, etc. : *Des monticules se profilaient à l'horizon* (syn. : BUTTE). *Un monticule de pierres s'élevait au milieu du jardin* (syn. : TAS).

1. montant n. m., **montant, e** adj. V. MONTER.

2. montant [mɔ̃tɑ̃] n. m. Pièce de bois, de métal posée verticalement, dans un ouvrage de menuiserie ou de serrurerie, pour servir de soutien : *Les montants d'une échelle* (= pièces dans lesquelles s'emboîtent les barreaux). *Les montants d'un lit. Les montants d'une charpente.*

mont-de-piété [mɔ̃dəpjete] n. m. Etablissement public qui prête de l'argent à intérêt, moyennant la mise en gage d'un objet mobilier : *Une fois les délais prescrits dépassés, les monts-de-piété mettent en vente les objets en dépôt.*

monter [mɔ̃te] v. intr. (auxiliaire *être*). I. SUJET DÉSIGNANT UN ÊTRE ANIMÉ. 1° Se transporter en un lieu plus élevé : *Monter au sommet de la montagne* (syn. : GRIMPER; contr. : DESCENDRE DE). *Monter dans sa chambre. Monter lentement. Monter dans un arbre avec une échelle. L'enfant est monté sur les épaules de son père. Le député monte à la tribune. Le prêtre monte à l'autel. Le professeur monte en chaire. L'élève monte au tableau pour réciter sa leçon;* suivi d'un infinitif : *Le garçon de l'hôtel est monté me prévenir. Les enfants sont montés se coucher.* ‖ *Monter sur le trône,* devenir roi. ‖ *Monter sur les planches,* devenir acteur. — 2° Se placer dans ou sur ce qui peut transporter : *Monter à cheval. Monter en voiture. Monter à bicyclette. Les passagers montent sur le bateau* (= embarquer). *Monter dans le train, dans un taxi, dans un avion* (syn. : PRENDRE [*le train,* etc.]). — 3° *Monter à Paris,* se déplacer du sud vers Paris. — 4° Progresser en passant d'un degré à un autre plus élevé : *Officier qui monte en grade. Monter au faîte des honneurs.* ‖ *Les générations qui montent,* celles qui parviennent à l'âge adulte.

II. SUJET DÉSIGNANT UNE CHOSE. 1° S'élever dans l'espace, venir d'un lieu moins élevé : *L'avion monte dans le ciel. Les flammes montent de l'immeuble en feu. Le brouillard monte de la vallée* (contr. : DESCENDRE SUR). *La tour Eiffel monte à plus de trois cents mètres. Les bruits qui montent de la nue. Le sang lui monte au visage. Le vin lui monte à la tête* (= il devient ivre). *Les larmes me sont montées aux yeux. Un cri lui monta à la gorge.* — 2° Aller en pente d'un lieu moins élevé vers un autre : *La rue monte vers l'église. Le chemin monte* (syn. : GRIMPER). — 3° Devenir plus haut, accroître son niveau (auxiliaire *avoir*) : *La banlieue se construit; de nouveaux immeubles montent chaque jour. La mer monte, on peut se baigner* (contr. : DESCENDRE). *La rivière monte* (= est en crue). *Le flot boueux du fleuve a monté hier encore de quelques centimètres. Sa renommée monte dans le public. Sa température a encore monté* (= sa fièvre). — 4° (sujet nom désignant un prix, une valeur) Augmenter (auxiliaire *avoir*) : *Les prix ont monté* (contr. : DESCENDRE). *Les cours des actions n'ont cessé de monter* (contr. : BAISSER). — 5° S'élever à un certain total : *Les frais ont monté à plusieurs milliers de francs.* — 6° Passer du grave à l'aigu : *La voix monte par tons et demi-tons.* ◆ v. tr. (auxiliaire *avoir*). 1° Parcourir en s'élevant, en allant de bas en haut : *Monter les escaliers, les marches. Monter une côte* (syn. : ESCALADER). — 2° Transporter en un lieu plus élevé : *Monter une valise dans la chambre d'hôtel. Le garçon vous montera votre petit déjeuner.* — 3° *Monter un cheval,* aller à cheval : *Ce cheval n'a jamais été monté.* — 4° Mettre un objet en état de fonctionner; en assembler les parties de façon à le faire servir : *Monter une ligne pour pêcher. Monter une tente. Monter un diamant sur une bague* (syn. : ENCHÂSSER). — 5° Entreprendre en organisant : *Monter une affaire. Monter une pièce de théâtre* (= la préparer pour qu'elle soit représentée). *Monter un coup, une farce, un complot, un canular* (syn. : COMBINER). *C'est un coup monté* (= préparé à l'avance et en secret). — 6° Fournir de ce qui est nécessaire à (souvent au passif) : *Monter son ménage. Monter sa maison. Il est bien monté en cravates. Les nouvelles rames de métro sont montées sur pneus* (syn. : ÉQUIPER). — 7° *Monter la gamme,* aller du grave à l'aigu. — 8° *Monter la tête à quelqu'un,* l'exciter contre un autre; provoquer chez lui une exaltation par des espérances trompeuses (au passif aussi) : *On lui a monté la tête contre vous.* ‖ *Être monté,* être en colère : *Il est très monté contre toi.* ◆ **se monter** v. pr. 1° *Se monter la tête,* se mettre en colère en s'excitant soi-même. — 2° S'élever à un total de : *Les réparations se montent à plus de mille francs.* ◆ **montage** n. m. 1° Action d'assembler les pièces d'un mécanisme, de mettre en état de fonctionner (sens 4 du v. tr.) : *Le montage d'une tente, d'un moteur. Le montage des appareils de télévision à l'usine.* — 2° Assemblage des diverses séquences d'un film en une bande définitive. ◆ **montant, e** adj. Qui monte : *La marée montante* (contr. : DESCENDANT). *Un chemin montant* (syn. : ESCARPÉ). *Un col montant, une robe montante* (= qui cache la gorge, les épaules). ◆ **montant** n. m. Total d'un compte : *Le montant d'une note d'hôtel. Le montant de l'impôt* (syn. : CHIFFRE). *Le montant des dettes de l'Etat* (syn. : SOMME). ◆ **monte** [mɔ̃t] n. f. Manière de monter à cheval. ◆ **montée** n. f. 1° Action de monter sur un lieu élevé : *La montée a été rude; reposons-nous* (syn. : ASCENSION). *Il a voulu faire la montée à pied* (syn. : ESCALADE). — 2° Action de croître en valeur, en grandeur : *La montée des prix* (syn. : AUGMENTATION). *La montée de la température. La montée des eaux du fleuve* (syn. : CRUE). — 3° Pente plus ou moins raide, chemin par où l'on monte vers une éminence : *Une petite montée mène directement à la ferme* (syn. : RAIDILLON). ◆ **monte-pente** n. m. V. REMONTE-PENTE. ◆ **monte-plats** n. m. invar. Monte-charge qui, dans un restaurant, monte les plats de la cuisine dans la salle à manger. ◆ **monteur, euse** n. Spécialiste du montage. ◆ **monture** n. f. 1° Bête sur laquelle on monte : *Enfourcher sa monture. Qui veut voyager loin ménage sa monture.* — 2° Garniture d'un objet, d'un outil, d'un appareil qui en maintient les diverses parties et permet de l'utiliser facilement : *La monture d'une scie. La monture des lunettes* (syn. : GARNITURE). *La monture en or d'une bague. La pierre est sertie dans une monture de platine.* (V. DÉMONTER, REMONTER.)

1. montre [mɔ̃tr] n. f. 1° Petit instrument qui indique l'heure et que l'on porte sur soi (en général au poignet) : *Regarder l'heure à sa montre* (ou *montre-bracelet*). *Mettre sa montre à l'heure. Ma montre est en retard, en avance. Remonter sa montre. Ma montre est arrêtée.* — 2° *Course contre la montre,* épreuve cycliste où chaque coureur part seul, et où le classement se fait selon le temps mis pour parcourir une distance fixée; affaire qui doit être menée à bien en un temps court, fixé à l'avance. ‖ *Montre en main,* d'une manière précise, en vérifiant sur une montre : *Montre en main, j'ai mis une heure pour aller de chez moi au bureau.* ‖ *Dans le sens des aiguilles d'une montre,* selon un mouvement circulaire pris de la gauche vers la droite. ◆ **montre-bracelet** n. m.

2. montre n. f. V. MONTRER.

montrer [mɔ̃tre] v. tr. 1° Faire ou laisser voir en mettant devant les yeux : *Montrer sa carte d'identité* (syn. : EXHIBER). *Le vendeur montre au client plusieurs paires de chaussures* (syn. : PRÉSENTER). *Je lui ai montré la lettre. Montrer ses bijoux* (syn. : ARBORER). *L'enfant montra ses mains pour prouver qu'il n'avait rien pris. Montrer le poing à quelqu'un* (= le menacer). *Montrer ses jambes* (syn. : DÉCOUVRIR; contr. : CACHER). *Le chien montra les dents. Le film montre les diverses péripéties du combat.* — 2° Faire voir par un geste, un signe; donner une indication : *Montrer le chemin à un étranger* (syn. : INDIQUER). *Il me montra de la main le fauteuil. Le panneau montre la direction de la sortie.* — 3° Faire paraître (quelque chose) : *Les nouvelles reçues nous montrent un pays en proie à l'anarchie* (syn. : DÉCRIRE). *Ce livre montre la vie sous un jour très sombre* (syn. : DÉPEINDRE). *Il a montré un courage exceptionnel* (syn. : RÉVÉLER). *Montrer un zèle intempestif* (syn. : MANIFESTER, TÉMOIGNER). *Montrer de la mauvaise humeur, de la surprise. Montrer ses intentions. Montrer son amitié* (syn. : MARQUER). — 4° Faire constater (à quelqu'un) : *Montrer sa science. Montrer ses fautes à un élève* (syn. : SIGNALER). *Cela montre jusqu'à quel point il est minutieux* (syn. : DÉMONTRER, PROUVER). — 5° Apprendre quelque chose à quelqu'un : *L'avenir montrera qui a raison* (syn. : ENSEIGNER). *Montrer le piano à une petite fille. Montrer le fonctionnement d'un appareil. Montrer l'exemple* (= donner le modèle à suivre); et avec un infinitif complément : *Montrer à un enfant à écrire.* ◆ **se montrer** v. pr. 1° Apparaître à la vue : *Elle se montre toujours en ta compagnie. Le soleil se montre à l'horizon* (syn. : PARAÎTRE, SURGIR). — 2° Etre en réalité, se faire voir (et un attribut ou un adv., etc.) : *Il se montre intransigeant. Montrez-*

vous digne de votre père. Il se montre à la hauteur de la situation. Les mesures se montrent efficaces (syn. : S'AVÉRER). ◆ **montre** n. f. *Faire montre de,* manifester, prouver aux autres : *Faire montre de courage* (syn. : FAIRE PREUVE). *Faire montre de son talent exceptionnel* (syn. : MONTRER). ◆ **montreur** n. m. *Montreur d'ours,* celui qui montre des ours dressés dans un spectacle.

monument [monymɑ̃] n. m. 1° Ouvrage d'architecture ou de sculpture, remarquable par son intérêt esthétique, historique, religieux, ou par sa masse : *Un monument aux morts de la guerre. Les monuments de la Grèce antique. Visitez les principaux monuments de la ville : la cathédrale, l'hôtel de ville, le musée* (syn. : ÉDIFICE). *Cette église est classée monument historique* (= sa conservation est assurée par une protection spéciale). *Le monument le plus ancien est ici l'amphithéâtre romain* (syn. : CONSTRUCTION). — 2° *Monument funéraire,* ouvrage élevé sur la sépulture de quelqu'un. — 3° Œuvre dont l'importance et les dimensions sont considérables : *Le dictionnaire de Littré et le Larousse du XIXe siècle sont les monuments de la lexicographie française du siècle dernier.* — 4° *Etre un monument de bêtise,* être très bête. ◆ **monumental, e, aux** adj. 1° Qui a les proportions d'un monument, qui en a la masse, la grandeur : *Une statue monumentale* (syn. : ↑ COLOSSAL). *Les fontaines monumentales de Rome* (syn. : MAJESTUEUX). *Les sculptures monumentales de la façade du palais* (syn. : GIGANTESQUE). — 2° De caractère démesuré, de proportions énormes : *Commettre une erreur monumentale* (syn. : COLOSSAL). *Ecrire un ouvrage monumental sur l'économie en France au XVIIe siècle* (syn. : IMMENSE). *Etre d'une stupidité monumentale* (syn. : PRODIGIEUX).

moquer (se) [səmɔke] v. pr. *Se moquer de quelqu'un, de quelque chose,* en faire un objet d'amusement, de plaisanterie, les tourner en ridicule : *Elle se moqua de la maladresse de son voisin* (syn. : SE DIVERTIR DE, RAILLER). *On se moquait de ses retards continuels* (syn. : PLAISANTER SUR, DAUBER SUR). *Ne vous moquez pas de lui : il est très vaniteux* (syn. : RIRE DE ; fam. : BLAGUER) ; ne pas tenir compte de quelque chose, ne pas y faire attention : *Il se moque de tous les conseils qu'on peut lui donner* (syn. : MÉPRISER). *Je me moque pas mal de ce qu'il peut dire* (fam. ; syn. : SE DÉSINTÉRESSER DE ; pop. : S'EN FICHER). *Il se moque de commettre une injustice si cela lui est profitable;* prendre quelqu'un pour un sot, essayer de le tromper : *Vous vous moquez des gens en leur racontant de pareilles balivernes.* ◆ **moquerie** n. f. Action, geste, parole par lesquels on s'amuse aux dépens de quelqu'un : *Etre en butte aux moqueries de ses proches* (syn. : RAILLERIE, QUOLIBET). *Son nouveau chapeau excita les moqueries de son mari* (syn. : PLAISANTERIE, IRONIE). ◆ **moqueur, euse** adj. Se dit de quelqu'un qui a l'habitude de se moquer, ou de quelque chose qui est inspiré par le désir de railler : *L'enfant était très moqueur et se plaisait à taquiner sa sœur* (syn. : FACÉTIEUX). *Regarder d'un air moqueur* (syn. : IRONIQUE, NARQUOIS).

moquette [mɔkɛt] n. f. Etoffe épaisse, en laine ou en coton, dont on recouvre uniformément les parquets d'un appartement.

1. moral, e, aux [mɔral, -ro] adj. 1° Qui concerne les règles de conduite en usage dans une société déterminée : *Les valeurs morales se modifient au cours de l'histoire. Les principes moraux. Les lois morales. Porter un jugement moral. Les problèmes moraux de notre époque. La conscience morale.* — 2° Se dit de ce qui est conforme à ces habitudes, à ces manières de se conduire, de ce qui est admis comme honnête, juste, édifiant, de ce qui est considéré comme bien par une société : *Avoir le sens moral* (= discerner le bien et le mal). *Je prends l'engagement moral de vous soutenir dans votre entreprise. Ce film n'est guère moral. Etre dans l'obligation morale de subvenir aux besoins de ses parents malades. Mener une vie morale* (= conforme aux habitudes sociales). ◆ **morale** n. f. 1° Ensemble des règles de conduite considérées comme impératives et érigées souvent en doctrine : *La morale chrétienne. Un traité de morale. La morale de notre époque* (syn. : LES MŒURS). *La morale internationale* (= les principes admis par toutes les nations dans leurs relations). *La morale d'un écrivain* (= son attitude en face des problèmes moraux). *Avoir une morale relâchée.* — 2° Précepte qui découle d'une histoire ; conclusion que l'on peut tirer d'un événement : *La morale d'une fable. La morale de cette histoire est que nous ne prenons jamais assez de précautions* (syn. : MORALITÉ). — 3° *Faire la morale à quelqu'un,* le réprimander en invoquant des considérations morales. ◆ **moralement** adv. Du point de vue des règles de conduite, des habitudes de la société, de la justice : *Une attitude moralement estimable. Etre moralement vainqueur* (= être privé de la victoire réelle par suite de circonstances malheureuses). ◆ **moraliser** v. tr. *Moraliser quelqu'un,* lui faire la morale, le réprimander en faisant appel aux notions de bien et de mal (syn. : SERMONNER). ◆ **moralisateur, trice** adj. et n. Qui cherche à élever les sentiments, le sens moral, selon la morale d'une époque (souvent péjor.) : *Un roman moralisateur* (syn. : ÉDIFIANT). *D'ennuyeux moralisateurs tentaient de restreindre la liberté de l'écrivain.* ◆ **moraliste** n. Ecrivain qui décrit les mœurs d'une époque et développe, à partir de là, ses réflexions sur la nature humaine : *Pascal, Vauvenargues, La Bruyère sont des moralistes.* ◆ **moralité** n. f. 1° Attitude, conduite de quelqu'un jugée dans sa conformité aux préceptes de la morale : *Avoir une haute moralité. Une personne d'une moralité irréprochable. Les vols témoignent d'une baisse de la moralité publique.* — 2° Conclusion morale tirée d'un texte : *La moralité d'une fable* (syn. : ENSEIGNEMENT). ◆ **amoral, e, aux** adj. Se dit d'une personne, d'une doctrine qui est étrangère à toute conception visant à faire une distinction universelle entre le bien et le mal : *Ce n'est pas un être pervers, mais il est amoral.* ◆ **amoralisme** n. m. : *L'amoralisme d'A. Gide.* ◆ **immoral, e, aux** adj. 1° Se dit d'une personne qui se conduit contrairement aux règles de la morale : *Un homme immoral, prêt à toutes les trahisons* (syn. : DÉPRAVÉ). *C'est un être immoral, qui corrompt tous ceux qui l'entourent.* — 2° Se dit d'une chose (parole, écrit, etc.) qui est contraire aux bonnes mœurs, à la justice : *Un roman immoral, qui décrit avec complaisance les pires dépravations* (syn. : PORNOGRAPHIQUE, OBSCÈNE). *Cette inégalité est profondément immorale* (syn. : HONTEUX). ◆ **immoralisme** n. m. Mépris de la morale établie : *Son immoralisme est un sujet de scandale pour sa famille.* ◆ **immoralité** n. f. Caractère de celui ou de ce qui est immoral : *Sans doute, son immoralité* est-elle plus affectée que réelle (syn. : CYNISME). *L'immoralité d'une pièce de théâtre. L'immoralité d'une politique qui ne considère que l'efficacité.*

2. moral, e, aux [mɔral, -ro] adj. Se dit de ce qui est relatif à l'esprit, de ce qui est intellectuel (par oppos. à *matériel*) : *La misère morale. Trouver la force morale de faire face aux difficultés. Le courage moral* (contr. : PHYSIQUE). ◆ **moralement** adv. Du point de vue de l'esprit, de la pensée : *Je suis moralement sûr de ce que j'avance.* ◆ **moral** n. m. 1° Ensemble des phénomènes relatifs au caractère, à la pensée : *Au moral, c'est un homme d'une parfaite loyauté.* — 2° Etat d'esprit de la personne considérée dans sa volonté plus ou moins grande de faire face au danger, à la fatigue, etc. : *Le moral des troupes est très bas* (syn. : COMBATIVITÉ). *Avoir un moral élevé. Après son échec, son moral est atteint.* ◆ **démoraliser** v. tr. Oter le courage, l'énergie, le moral (souvent au passif) : *Ces échecs répétés le démoralisent* (syn. : ABATTRE). *Etre démoralisé par l'incompréhension du public* (syn. : DÉCOURAGER). ◆ **démoralisant, e** adj. : *Des nouvelles démoralisantes.* ◆ **démoralisation** n. f. : *La démoralisation de l'armée après la défaite.* ◆ **démoralisateur, trice** adj. : *L'influence démoralisatrice exercée par le spectacle de l'injustice.*

moratoire [mɔratwar] n. m. Suspension légale de certaines obligations (loyers, paiement de dettes, etc.) pendant un temps déterminé.

morbide [mɔrbid] adj. 1° *Etat morbide,* état maladif. — 2° Se dit d'un sentiment, d'une idée, etc., qui dénote un déséquilibre mental, dont le caractère anormal est pathologique : *Une imagination morbide, qui se complaît dans l'affreux* (syn. : MALSAIN). *Avoir des goûts morbides. Une littérature morbide.*

morbleu ! [mɔrblø] interj. Juron exprimant l'indignation (littér.) : *Morbleu! que faites-vous ici?*

morceau [mɔrso] n. m. 1° Partie d'un corps, d'une substance, d'un aliment, etc., séparée d'un tout; fragment d'un corps solide : *Manger un morceau de pain* (syn. : BOUT). *Couper un morceau de jambon* (syn. : TRANCHE). *Mettez dans le café deux morceaux de sucre. Un morceau de bois, de fer. Achetez un morceau d'étoffe. Il y a un morceau de savon sur la toilette. Mettre en morceaux* (= briser). *Réduire en mille morceaux* (= en miettes). *Prendre un morceau de ficelle pour faire un paquet. Couper en quatre un morceau de papier. Les bas morceaux du bœuf, par opposition aux morceaux de choix. C'est un morceau de roi* (= excellent). — 2° Fragment d'une œuvre artistique, littéraire : *Un recueil de morceaux choisis* (= de textes pris dans plusieurs auteurs). *Un beau morceau d'éloquence* (= une partie digne d'être donnée comme exemple). — 3° Œuvre musicale prise dans sa totalité : *Le dernier morceau d'un concert.* — 4° *Acheter, avoir quelque chose pour un morceau (une bouchée) de pain,* pour presque rien. ‖ Fam. *Enlever le morceau,* emporter l'affaire. ‖ *Etre fait de pièces et de morceaux,* manquer d'unité, de cohérence. ‖ Fam. *Manger, prendre un morceau,* prendre un petit repas. ‖ Pop. *Manger, lâcher le morceau,* avouer un mauvais coup (syn. pop. : SE METTRE À TABLE). ◆ **morceler** v. tr. (conj. 6). Diviser en parties, partager en petits morceaux : *La propriété a été morcelée à la mort du père* (syn. : DÉMEMBRER; contr. : REGROUPER). *Ne produire que des efforts morcelés* (syn. : FRAGMENTER; contr. : REMEMBRER). ◆ **morcellement** n. m. : *Le morcellement des terres* (contr. : REMEMBREMENT). *Le morcellement politique de l'Afrique* (syn. : DIVISION).

mordicus [mɔrdikys] adv. Fam. *Soutenir, affirmer mordicus une chose,* la soutenir avec opiniâtreté, obstination.

mordoré, e [mɔrdɔre] adj. D'un brun chaud, à reflets dorés (littér.) : *De la soie mordorée.*

mordre [mɔrdr] v. tr. et intr. (conj. **52**). 1° (sujet nom d'être animé) Serrer, saisir fortement avec les dents, en entamant, en blessant, etc. : *Le chat m'a mordu la main. Ce chien porte une muselière, car il a l'habitude de mordre. Il aboie, mais ne mord pas. Mordre dans une tranche de pain. Je me suis mordu la langue en mangeant. Quand il réfléchit, il se mord légèrement le bout des doigts, il mord son crayon.* — 2° (sujet nom d'animal) Blesser par un croc, un crochet, un bec, etc. : *Mordue toute la nuit par les moustiques. La vipère le mordit à la jambe* (syn. : PIQUER). — 3° (sujet nom de chose) Pénétrer dans quelque chose : *La lime mord le métal* (syn. : ATTAQUER). *L'ancre n'a pas mordu dans le sable. La vis mord dans le bois.* — 4° Pénétrer en brûlant, en rongeant, etc. : *Etre mordu par le soleil et les embruns. Le froid sec mord au visage.* — 5° Aller au-delà de la limite fixée (avec la prép. *sur* ou transitif direct) : *Le départ doit être redonné; un des concurrents a mordu sur la ligne. Les illustrations mordent sur la marge* (syn. : EMPIÉTER SUR). *La balle a mordu légèrement la ligne.* — 6° *Mordre la poussière,* tomber par terre; subir une défaite : *Faire mordre la poussière à tous ses concurrents.* ‖ Fam. *Etre mordu,* être amoureux. ◆ v. tr. ind. 1° Fam. *Mordre à une chose,* la comprendre, manifester des aptitudes pour l'apprendre : *L'élève commence à mordre aux mathématiques.* — 2° *Poisson qui mord à l'appât,* qui s'en saisit, qui s'y laisse prendre. ◆ **se mordre** v. pr. *Se mordre les doigts de quelque chose,* s'en repentir amèrement : *Il se mord maintenant les doigts d'avoir fait appel à vos services.* ‖ *Se mordre la langue,* regretter d'avoir dit quelque chose. ◆ **mordant, e** adj. 1° Qui critique, qui raille avec dureté, avec l'intention de blesser : *Une ironie mordante* (syn. : INCISIF). *Répondre par un article mordant à des insinuations malveillantes* (syn. : CAUSTIQUE). *Un écrivain mordant* (syn. : SATIRIQUE). — 2° *Voix mordante,* dont le timbre est dur, pénétrant. ◆ **mordant** n. m. Energie, dynamisme, vivacité dans l'action : *L'équipe attaque avec mordant ses adversaires* (syn. : ↑ FOUGUE). *La troupe a du mordant. Ses articles de journaux ont toujours un mordant qui les rend redoutables.* ◆ **mordu, e** n. *Fam.* Personne qui manifeste un goût très prononcé, une passion pour quelque chose : *Un mordu du jazz* (syn. : FOU, FANATIQUE). ◆ **mordiller** v. tr. et intr. Mordre légèrement et à plusieurs reprises : *Le jeune chien mordillait la balle en jouant.* ◆ **morsure** n. f. Plaie faite en mordant : *On voyait encore sur son mollet la cicatrice de la morsure. Les morsures des insectes* (syn. : PIQÛRE).

morfondre (se) [səmɔrfɔ̃dr] v. pr. (conj. **51**). S'ennuyer, s'attrister à attendre longuement : *Il se morfondait dans un coin de la salle en attendant les résultats de l'examen. Il reste à se morfondre dans sa chambre* (syn. : ↑ SE DÉSESPÉRER). ◆ **être morfondu** v. passif. Etre atterré par une déception cruelle, par une blessure d'amour-propre.

1. morgue [mɔrg] n. f. Attitude hautaine et méprisante; sentiment affecté et exagéré de sa dignité : *Montrer de la morgue* (syn. : ARROGANCE). *Un homme plein de morgue* (syn. : SUFFISANCE).

2. morgue [mɔrg] n. f. Lieu où l'on met les cadavres des personnes décédées sur la voie publique, dont on ignore l'identité, etc.

moribond, e [moribɔ̃, -ɔ̃d] adj. et n. Se dit de quelqu'un qui est près de mourir : *Un blessé moribond gisait sur le bord de la route* (syn. : AGONISANT, MOURANT).

moricaud, e [mɔriko, -od] adj. et n. Qui a la peau très brune : *Une petite moricaude aux cheveux noirs.*

morigéner [mɔriʒene] v. tr. *Morigéner un subordonné, un enfant,* etc., les réprimander : *Se faire morigéner par ses parents pour être sorti le soir sans permission* (syn. : TANCER, ↓ GRONDER).

morille [mɔrij] n. f. Champignon des bois, à chapeau jaune-brun creusé d'alvéoles.

morne [mɔrn] adj. 1° Se dit d'une personne (ou de son attitude) accablée par la tristesse, le désespoir : *Rester morne et silencieux devant un désastre* (syn. : ABATTU, SOMBRE). *Jeter un regard morne* (syn. : TRISTE). — 2° (parfois avant le nom) Se dit de ce qui porte à la tristesse par son aspect sombre : *Une morne soirée. Une ville de province morne et grise. Une conversation morne* (= sans intérêt). *Un style morne* (syn. : PLAT). *Une vie morne* (= sans éclat ni originalité). *Une journée morne* (syn. : TERNE).

mornifle [mɔrnifl] n. f. *Pop.* Gifle donnée du revers de la main.

morose [moroz] adj. Se dit d'une personne (ou de son comportement) d'humeur maussade, triste, prête à tout critiquer : *Un vieillard morose* (syn. : GROGNON). *Avoir un air morose* (syn. : SOMBRE, MORNE).

morphine [mɔrfin] n. f. Produit tiré de l'opium et doué de propriétés soporifiques et calmantes.

morphologie [mɔrfɔlɔʒi] n. f. 1° Etude de la forme des mots ou des groupes de mots : *La morphologie vise à définir chaque catégorie ou classe de mots par un ensemble de caractéristiques formelles, par opposition à l'étude du sens, ou sémantique, et à l'étude du rapport des termes entre eux, ou syntaxe.* — 2° Etude des formes et des structures du relief (en géographie) ou de celles des êtres vivants (en sciences naturelles et en anatomie); ces formes et ces structures elles-mêmes : *La morphologie du relief terrestre et de son évolution a reçu le nom de* « géomorphologie ». *La morphologie d'un organe.* — 3° Forme structurée : *Morphologie d'un relief, d'un tissu.* ◆ **morphologique** adj. : *Le substantif est défini, sur le plan morphologique, par ses marques particulières de genre et de nombre.*

mors [mɔr] n. m. 1° Barre métallique passée dans la bouche du cheval et maintenue par la bride. — 2° *Prendre le mors aux dents,* se laisser aller à la colère (syn. : S'EMPORTER).

morse [mɔrs] n. m. Système de transmission télégraphique utilisant un code conventionnel fait de traits et de points.

morsure n. f. V. MORDRE ; **mort** n. f. V. MOURIR.

mortadelle [mɔrtadɛl] n. f. Gros saucisson d'Italie, fait de porc et de bœuf.

mortaise [mɔrtɛz] n. f. Entaille faite dans une pièce pour recevoir le tenon d'une autre pièce qui doit s'ajuster avec elle.

mortalité n. f., **mortel, elle** adj. V. MOURIR.

1. mortier [mɔrtje] n. m. Mélange de sable et de chaux ou de ciment, délayé dans l'eau, qui durcit à l'air et sert à lier la pierre, les briques : *Remplir de mortier le joint entre deux pierres.*

2. mortier [mɔrtje] n. m. Canon à tir courbe, servant à lancer des bombes (*obus de mortier*).

3. mortier [mɔrtje] n. m. Récipient en matière dure, servant à broyer des couleurs, des drogues.

mortifier [mɔrtifje] v. tr. *Mortifier quelqu'un,* le blesser en l'humiliant, en froissant son amour-propre : *Ce reproche injuste le mortifie* (syn. : VEXER). *Il fut très mortifié de l'affront qu'on lui faisait* (syn. : ↓ FÂCHER). *Il est mortifié qu'on ne prête pas attention à ce qu'il dit* (contr. : SATISFAIRE). ◆ **mortifiant, e** adj. : *Il est mortifiant de se voir préférer quelqu'un que l'on croit moins intelligent* (syn. : BLESSANT, ↑ INJURIEUX). ◆ **mortification** n. f. : *Subir des mortifications* (syn. : VEXATION, CAMOUFLET). *Cet échec fut pour lui une très dure mortification* (syn. : HUMILIATION; contr. : SATISFACTION). [Dans la langue religieuse, les *mortifications* sont des traitements pénibles qu'on inflige à son corps, à sa chair pour les préserver des tentations.]

morue [mɔry] n. f. Gros poisson vivant dans les mers arctiques, consommé frais (*cabillaud*) ou salé, et dont le foie fournit une huile utilisée comme fortifiant (*huile de foie de morue*). ◆ **morutier** n. m. Navire ou homme qui fait la pêche à la morue.

morve [mɔrv] n. f. Humeur qui coule des narines. ◆ **morveux, euse** adj. et n. 1° Qui a la morve au nez : *Un enfant morveux et sale.* — 2° *Fam.* Se dit d'un jeune vaniteux et prétentieux : *Un petit morveux l'interrompit pour faire une remarque stupide.*

mosaïque [mɔzaik] n. f. 1° Assemblage de petits cubes ou fragments multicolores en pierre, en verre, etc., formant un motif décoratif et incrustés dans du ciment : *Les mosaïques romaines de Pompéi. Le revêtement en mosaïque d'une salle de bains.* — 2° Ensemble formé d'éléments nombreux et disparates : *Une mosaïque de populations diverses. Essai philosophique qui n'est qu'une mosaïque de pensées de multiples origines.*

mosquée [mɔske] n. f. Temple consacré au culte musulman.

mot [mo] n. m. 1° Ensemble de sons ou de lettres formant une unité autonome susceptible d'être utilisée dans les diverses combinaisons des énoncés : *Les mots de la langue. Un mot d'emprunt* (syn. : TERME). *Le sens d'un mot. Un néologisme est un mot nouveau* (syn. : VOCABLE). *Les mille cinq cents mots les plus fréquents de la langue française forment le vocabulaire fondamental. Mal orthographier un mot. Il cherche ses mots* (= il hésite en parlant). *Je ne retrouvais pas le mot exact. Un mot à double sens* (syn. : ÉQUIVOQUE). *Manger ses mots* (= prononcer indistinctement). — 2° Enoncé, ensemble de paroles, de termes constituant un message court : *Glisser un mot à quelqu'un. Laissez-moi* *vous dire deux mots. En un mot, il n'est pas content* (= brièvement). *Je n'ai qu'un mot à dire pour que vous ayez satisfaction. Envoyer un mot à un ami. Ecrivez deux mots sur cette carte postale. Sur ces mots, à ces mots, il s'en alla* (= aussitôt après avoir dit cela). *Il n'arrivait pas à placer un mot dans la discussion. Je m'en vais lui dire deux mots* (expression de menace = faire des reproches). *Il ne dit pas un mot, il ne souffle mot* (= reste silencieux). *C'est mon dernier mot* (= c'est ma dernière proposition). *Pas un mot sur ce que vous avez entendu. Je n'ai pas peur des mots : c'est un imbécile! Il ne mâche pas ses mots* (= il parle avec une franchise brutale). *Proférer des mots vides de sens. Passer des mots aux actes. Echanger des mots violents* (syn. : PAROLE). *Avoir le mot pour rire* (= plaisanter). — **3°** *Se donner le mot,* se mettre d'accord, convenir à l'avance de ce qu'il faut dire, de ce qu'il faut faire. ‖ *Avoir son mot à dire,* être autorisé à donner son avis. ‖ *Se payer de mots,* s'en tenir aux discours, sans passer à l'action. ‖ *Grand mot,* terme emphatique, dont la valeur est disproportionnée avec ce que l'on doit dire : *Parler de trahison est un bien grand mot en cette circonstance.* ‖ *Bon mot, mot d'esprit,* plaisanterie. ‖ *Gros mot,* mot grossier, parole injurieuse. ‖ *Le fin mot de l'histoire,* le sens caché de ce qui s'est passé. ‖ *Jeu de mots,* calembour. ‖ *Jouer sur les mots,* employer des termes d'une manière équivoque, en utilisant les divers sens dans lesquels ils peuvent être compris. ‖ *Le dernier mot de la bêtise, de la sagesse,* etc., *humaine,* ce qu'il y a de plus parfait, de plus achevé en ce domaine. ‖ *Ne pas avoir dit son dernier mot,* ne pas avoir encore montré tout ce dont on est capable. ‖ *Avoir le dernier mot,* l'emporter dans une discussion. ‖ *Prendre au mot,* accepter une proposition dès qu'elle est formulée, sans donner le temps d'en préciser les limitations. ‖ *Trancher le mot,* parler avec une brutale netteté, sans ménagement. ● LOC. ADV. ET ADJ. *Mot à mot, mot pour mot,* sans rien changer : *Répéter mot à mot une conversation* (syn. : TEXTUELLEMENT). ‖ *Traduction mot à mot,* celle qui consiste à rendre un mot par un mot d'une autre langue, sans envisager l'ensemble de la phrase ou le sens total de l'énoncé. ‖ *En un mot,* brièvement. ‖ *En un mot comme en cent,* pour dire les choses en une seule expression. ‖ *Au bas mot,* en évaluant au plus bas : *Cet appartement vaut au bas mot deux cent mille francs.* ◆ **mot-à-mot** n. m. Traduction mot après mot, qui reste très proche du texte original. ◆ **mots croisés** n. m. pl. Jeu consistant à trouver, d'après leurs définitions, des mots qui doivent entrer dans une grille, où ils sont disposés verticalement et horizontalement, de telle sorte que certaines de leurs lettres coïncident. (V. CRUCIVERBISTE.) ◆ **demi-mot (à)** loc. adv. *Comprendre, entendre à demi-mot,* sans qu'il soit nécessaire de tout dire : *Il s'est fait comprendre à demi-mot.*

moteur [mɔtœr] n. m. **1°** Appareil servant à transformer en énergie mécanique d'autres formes d'énergie : *Un moteur à essence, à vapeur. Un moteur à réaction. Un moteur électrique. Le régime, la vitesse d'un moteur. Le moteur chauffe. Une panne de moteur est la cause de l'accident d'avion. Les ratés d'un moteur. Le moteur cale.* — **2°** Personne qui pousse à agir, qui dirige : *Il est le véritable moteur de l'entreprise* (syn. : INSTIGATEUR, ÂME). ◆ **moteur, trice** adj. Qui produit un mouvement ou qui le transmet : *Les muscles moteurs. Nerfs moteurs. La force motrice. Les roues motrices sont à l'avant.*

1. motif [mɔtif] n. m. Raison d'ordre intellectuel qui pousse à agir de telle ou telle manière, à faire quelque chose : *Quels sont les motifs de sa conduite?* (syn. : MOBILE, qui est d'ordre affectif). *Les motifs louables de son opposition* (syn. : RAISON). *Je cherche vainement les motifs réels de sa démarche* (syn. : INTENTION). *Sa colère est sans motif* (syn. : SUJET). *L'exposé des motifs d'une loi* (= des raisons qui ont motivé son dépôt). ◆ **motiver** v. tr. **1°** (sujet nom d'être animé) Justifier, excuser une action par les raisons qui l'expliquent : *Il motive son refus par l'insuffisance des renseignements qui lui ont été fournis. Les juges ont motivé leur arrêt indulgent par la jeunesse malheureuse de l'accusé. Leurs revendications sont motivées.* — **2°** (sujet nom de chose) *Motiver quelque chose,* lui servir de motif à quelque chose : *La méfiance a motivé son attitude* (syn. : EXPLIQUER). *Les troubles ont motivé l'intervention de l'O.N.U.* (syn. : ↑ NÉCESSITER). ◆ **motivation** n. f. Ensemble des motifs qui expliquent un acte, une conduite, surtout en psychologie. ◆ **immotivé, e** adj. Sans motif : *Des craintes immotivées* (syn. : INJUSTIFIÉES).

2. motif [mɔtif] n. m. **1°** Sujet d'une peinture; ornement d'une architecture : *Des peintres différents traitent le même motif. Un motif décoratif. Le motif très simple d'un papier peint.* — **2°** Dessin musical qui est développé au cours d'une œuvre. (V. LEITMOTIV.)

motion [mosjɔ̃] n. f. Proposition faite dans une assemblée par un ou plusieurs membres : *Rédiger une motion. Motion de censure* (= celle qui, à l'Assemblée nationale, met en cause le gouvernement).

motoculture [mɔtɔkyltyr] n. f. Culture pratiquée à l'aide d'engins mécaniques. ◆ **motoculteur** n. m. Appareil agricole léger, utilisé pour des labours superficiels ou en terrain impraticable aux tracteurs.

motocyclette [mɔtɔsiklɛt], ou fam. **moto** n. f. Véhicule à deux roues, actionné par un moteur assez puissant : *Monter sur une moto. Aller à, en moto.* ◆ **motocycliste** n. et adj. : *Les motocyclistes doivent avoir un casque protecteur. Un agent motocycliste de la sécurité routière.* ◆ **motard** n. m. *Fam.* Motocycliste de la police (souvent au sens général de « motocycliste »).

motopompe [mɔtɔpɔ̃p] n. f. Pompe actionnée par un moteur : *Les motopompes en action luttent contre l'incendie.*

motoriser [mɔtɔrize] v. tr. **1°** Pourvoir d'engins mécaniques (surtout au part. passé) : *Motoriser une division d'infanterie. Des colonnes motorisées. L'agriculture est fortement motorisée.* — **2°** (sujet nom de personne) Fam. *Etre motorisé,* avoir une voiture pour se déplacer : *Si vous êtes motorisé, vous pouvez me conduire jusqu'à la gare, qui est sur votre chemin.* ◆ **motorisation** n. f.

motrice [mɔtris] n. f. Véhicule servant de tracteur à d'autres voitures : *La motrice électrique d'une navette dans les chemins de fer.*

motte [mɔt] n. f. **1°** *Motte de terre,* ou *motte,* petite masse de terre compacte : *La charrue laissait derrière elle de grosses mottes. Des mottes de gazon.* — **2°** *Motte de beurre, du beurre en motte,* masse de beurre préparée pour la vente au détail.

motus! [motys] interj. Dans la langue fam., invite quelqu'un à garder le silence, à être discret sur ce qui se fait ou sur ce qui va suivre : *Et puis, hein? motus! vous ne m'avez pas vu* (syn. : SILENCE!, CHUT!).

1. mou [mu] ou **mol** [mɔl] (devant un nom masc. commençant par une voyelle), **molle** [mɔl] adj. 1° (après le nom) Qui cède facilement au toucher, qui manque de fermeté : *Une pâte molle* (contr. : DUR). *Un beurre mou. L'humidité rend le pain mou. Un oreiller mou. Les traits mous de son visage* (syn. : AVACHI, FLASQUE). *La chair molle de ses joues* (contr. : FERME); avant le nom, dans des expressions littéraires : *Le mol oreiller de l'oisiveté* (syn. : MOELLEUX). — 2° (après le nom) Qui manque de rigidité, qui plie facilement : *La tige molle du roseau. Porter un col mou* (contr. : RAIDE). *Un chapeau mou.* — 3° (souvent avant le nom) Qui a de la souplesse, de la douceur : *Les molles inflexions de la voix* (syn. : DOUX). *De molles ondulations.* — 4° (après le nom) Qui manque de force : *Un bruit mou* (contr. : FORT, VIOLENT). *Le vent est mou ce matin* (syn. : FAIBLE). *J'étais étourdi, j'avais les jambes molles* (syn. : FLASQUE). *Un temps mou* (= chaud et humide). — 5° (après le nom) Qui n'a pas d'énergie, de fermeté morale : *Des gestes mous. Une femme molle* (syn. : INDOLENT). *Un homme mou, qui préfère sa tranquillité personnelle à un acte de courage* (syn. : APATHIQUE, AVACHI). *Mener une vie molle* (syn. : EFFÉMINÉ, LANGUISSANT). — 6° (avant le nom) Qui manifeste un manque de ténacité, de vigueur : *Elever de molles protestations* (contr. : FERME). *Opposer une molle résistance à des prétentions inadmissibles* (contr. : VIGOUREUX, VIF, ↑ INDOMPTABLE). ◆ n. m. 1° Personne sans énergie : *C'est un mou facilement influençable.* — 2° *Donner du mou à une corde,* la laisser détendue. ◆ **mollement** adv. : *Mollement étendu sur un divan* (syn. : NONCHALAMMENT). *Se balancer mollement dans son fauteuil basculant* (syn. : PARESSEUSEMENT). *Refuser mollement des demandes pressantes* (syn. : FAIBLEMENT). *Sévir trop mollement contre des abus criants* (syn. : TIMIDEMENT). ◆ **mollasse** adj. *Péjor.* Qui est très mou, sans vigueur : *Un grand garçon mollasse* (syn. : ENDORMI, NONCHALANT). ◆ **mollasson** n. m. *Fam.* Personne molle, sans énergie : *Son mollasson de fille restait des heures sans rien faire.* ◆ **mollesse** n. f. : *La mollesse de l'argile. La mollesse de son visage* (syn. : ATONIE). *Diriger avec mollesse ses subordonnés* (syn. : INDOLENCE, FAIBLESSE). *Résister avec mollesse* (syn. : TIMIDITÉ; contr. : VIGUEUR). *Il avait cédé par mollesse* (syn. : LÂCHETÉ). ◆ **mollir** v. intr. 1° Perdre de sa force : *Le vent mollit. Devant le danger, il sentit ses jambes mollir.* — 2° Perdre de sa vigueur, de son énergie : *La résistance de l'ennemi mollit* (syn. : FAIBLIR). *Il mollit dans ses exigences* (syn. : RABATTRE DE). *Son courage mollit* (syn. : DIMINUER).

2. mou [mu] n. m. Poumon de certains animaux de boucherie : *Mou de veau.*

mouchard [muʃar] n. m. *Fam.* Personne qui en espionne une autre, qui la surveille, qui dénonce ses actes : *Les élèves entourèrent le mouchard et le houspillèrent* (syn. : DÉLATEUR, RAPPORTEUR; fam. : CAFARD). ◆ **moucharder** v. tr. *Fam.* Dénoncer auprès de quelqu'un : *Il moucharda son camarade plutôt que de se laisser punir seul* (syn. fam. : CAFARDER). ◆ **mouchardage** n. m. (fam.).

mouche [muʃ] n. f. 1° Insecte commun, qui est souvent dans les maisons : *Des mouches collées contre le pot. Des mouches bourdonnaient autour du plat. Ecraser, attraper une mouche.* — 2° *Il ne ferait pas de mal à une mouche,* il est d'une grande douceur. ‖ *Faire la mouche du coche,* s'agiter beaucoup, sans rendre des services effectifs. ‖ *Faire mouche,* atteindre la cible visée. ‖ Fam. *Quelle mouche le pique?,* pourquoi se met-il en colère (on n'en voit pas la raison). ‖ *Prendre la mouche,* se mettre en colère. ‖ *Pattes de mouche,* petite écriture fine et souvent illisible. ‖ *Une fine mouche,* personne habile, astucieuse, rusée. ◆ **moucheron** n. m. Petite mouche.

moucher [muʃe] v. tr. 1° Débarrasser les narines des sécrétions nasales : *Mouche ton nez. Moucher un enfant.* — 2° Pop. *Se faire moucher,* se faire sèchement réprimander. ◆ ***se moucher*** v. pr. 1° *Se moucher avec bruit* (= moucher son nez). — 2° Pop. *Ne pas se moucher du coude,* se croire un personnage important. ◆ **mouchoir** n. m. 1° Pièce de linge servant à se moucher, à essuyer des larmes sur le visage, etc. (*mouchoir de poche*) : *Faire un nœud à son mouchoir pour se souvenir d'une commission. Le jardin est grand comme un mouchoir* (= tout petit). *Secouer son mouchoir en signe d'adieu.* — 2° Etoffe dont les femmes se couvrent la tête, le cou (*mouchoir de tête*). — 3° Fam. *Arriver dans un mouchoir,* arriver dans une course en peloton serré, si bien que le premier est difficile à reconnaître.

moucheté, e [muʃte] adj. Marqué de petits points, de taches d'une couleur autre que celle du fond : *La panthère a une peau mouchetée de noir* (syn. plus usuel : TACHETÉ). ◆ **moucheture** n. f. (littér.) : *Des mouchetures de boue sur un vêtement.*

moudre [mudr] v. tr. (conj. 58). Broyer du grain avec une meule; réduire en poudre avec un moulin : *Moudre du blé. Moudre du café. Acheter du café tout moulu.* ◆ **être moulu** v. passif. Etre rompu, brisé (par des coups, par la fatigue) : *Etre moulu de fatigue. Arriver moulu après vingt heures de voyage* (syn. : ÉREINTÉ, FOURBU).

moue [mu] n. f. Grimace faite en avançant les lèvres et manifestant un sentiment d'ennui, de mécontentement, de mépris, etc. : *Une moue de dédain, d'incrédulité, de dépit. L'enfant fit la moue devant son assiette de soupe.*

mouette [mwɛt] n. f. Oiseau vivant sur les côtes.

moufle [mufl] n. f. Gros gant fourré, où le pouce seul est isolé des autres doigts : *Mettre des moufles pour skier.*

mouflon [muflɔ̃] n. m. Grand mouton à fourrure épaisse, dont le mâle porte des cornes recourbées en volutes.

1. mouiller [muje] v. intr. (sujet nom désignant un navire). Jeter l'ancre, s'arrêter dans un port, une rade, etc. : *Le navire a mouillé dans le port de Gênes* (syn. : ÊTRE ANCRÉ). ◆ v. tr. Laisser tomber au fond de l'eau quelque chose : *Mouiller une ancre pour retenir le navire. Mouiller une sonde pour mesurer la profondeur. Mouiller des mines pour interdire un détroit, un goulet, etc.* ◆ **mouillage** n. m. 1° Action de mouiller : *Le mouillage d'un bateau. Le mouillage des mines pendant la guerre.* — 2° Plan d'eau favorable au stationnement des navires. ◆ **mouilleur** n. m. *Mouilleur de mines,* petit bâtiment de guerre aménagé pour immerger des mines.

2. mouiller [muje] v. tr. **1°** Rendre humide, imbiber d'eau ou d'un autre liquide : *Mouiller légèrement un chiffon pour essuyer la table de la cuisine. Mouiller son doigt pour tourner les pages* (syn. : HUMECTER). *Sa chemise est toute mouillée; il est en sueur* (syn. : TREMPER). *La pluie avait mouillé le bas de son pantalon. Faire sécher ses cheveux mouillés. Les joues mouillées de pleurs* (= ruisselantes). *Le brouillard, en tombant, a mouillé la route. J'ai été surpris par l'averse, je suis tout mouillé.* — **2°** *Mouiller du vin, du lait,* etc., y ajouter un peu d'eau, l'étendre avec de l'eau. ‖ *Avoir le regard, les yeux mouillés,* pleins de larmes. ‖ *Avoir la voix mouillée,* légèrement troublée sous l'effet de l'émotion. ◆ ***se mouiller*** v. pr. **1°** Etre imbibé d'eau : *Tu vas te mouiller en sortant par ce mauvais temps.* — **2°** *Pop.* Se compromettre dans une affaire louche : *Il s'est mouillé dans une histoire de drogue* (= il a trempé). ◆ **mouillette** n. f. Petit morceau de pain long et mince, qu'on trempe dans les œufs à la coque. ◆ **mouillure** n. f. Trace laissée par l'humidité : *On voyait sur le papier de la chambre de larges mouillures.*

mouise [mwiz] n. f. *Pop.* Misère : *Etre dans la mouise* (syn. pop. : PURÉE).

1. moule [mul] n. m. **1°** Objet présentant en creux la forme d'un objet que l'on veut reproduire : *On verse dans le moule une substance liquide ou pâteuse qui, devenue solide, prend la forme du moule. Retirer un objet du moule. Le moule à gaufre, le moule à glaces, etc., sont utilisés en pâtisserie. Les enfants font des pâtés de sable avec de petits moules de différentes formes.* — **2°** *Personnes faites sur le même moule,* absolument semblables. ‖ *Mettre dans un moule étroit, rigide,* etc., imposer à quelqu'un, à quelque chose, une forme étroite, rigide, etc. ◆ **mouler** v. tr. **1°** Obtenir un objet en versant dans un moule la substance qui, par solidification, en prendra la forme : *Mouler une statue.* — **2°** Prendre une empreinte en appliquant sur l'objet une matière qui en épouse les contours : *Mouler le visage d'un mort. Mouler un bas-relief.* — **3°** *Mouler sa pensée, son style,* etc., *sur un modèle,* les adapter à ce modèle; *dans une forme,* les faire entrer dans cette forme. ‖ *Ecriture moulée,* d'une netteté parfaite. — **4°** Accuser nettement les contours en épousant étroitement la forme (au passif surtout) : *Les jambes étaient moulées dans un pantalon étroit* (syn. : SERRER). *Une robe de soie moulant son corps* (syn. : DESSINER). ◆ **moulage** n. m. Action de mouler; objet obtenu avec un moule : *Le moulage d'une cloche en bronze, d'une statue. Prendre un moulage du visage d'une vedette de cinéma. Les moulages de ces statues célèbres sont exposés au musée.* ◆ **moulure** n. f. Ornement d'architecture, d'ébénisterie, etc., plus ou moins saillant, carré ou rond. ◆ **démouler** v. tr. Retirer d'un moule : *Démouler un gâteau.*

2. moule [mul] n. f. Coquillage comestible commun sur les côtes de France.

moulin [mulɛ̃] n. m. **1°** Machine ou appareil servant à moudre le grain des céréales, à broyer, à écraser certaines matières : *Un moulin à vent, à eau. Un moulin à légumes. Un moulin à café, à poivre.* — **2°** Bâtiment où la machine à broyer des céréales est installée : *Le moulin d'A. Daudet.* — **3°** *On entre ici comme dans un moulin,* on y entre comme on veut. ‖ Fam. *Moulin à paroles,* bavard impénitent. ‖ *Apporter de l'eau au moulin de quelqu'un,* lui donner un appui en lui fournissant des arguments.

moulinet [mulinɛ] n. m. **1°** Appareil qui fonctionne par un mouvement de rotation : *Moulinet d'un treuil. Le moulinet d'une canne à pêche sert à enrouler la ligne.* — **2°** *Faire des moulinets avec un bâton,* lui donner un mouvement de rotation rapide, pour parer un coup ou pour éloigner un adversaire; *avec les bras,* les faire tourner vite.

mourir [murir] v. intr. (conj. **25**). **1°** (sujet nom d'être animé) Cesser de vivre : *Mourir de vieillesse. Mourir de sa belle mort. Il est mort d'un cancer* (syn. : PARTIR). *Mourir dans son lit* (syn. : S'ÉTEINDRE). *Mort accidentellement. Mourir assassiné, empoisonné* (syn. : PÉRIR). *Mourir muni des derniers sacrements* (syn. : DÉCÉDER). *Mourir jeune, vieux. Mourir pour une juste cause* (syn. : TOMBER). *Le chien est allé mourir au fond du jardin* (syn. fam. : CREVER); en parlant d'un végétal : *Les fleurs sont mortes sous la gelée. Des feuilles mortes. Un arbre mort.* — **2°** (sujet nom de chose) : Cesser d'exister, d'avoir de la force : *Les civilisations, les langues peuvent mourir* (syn. : DISPARAÎTRE). *Une langue morte* (= qui n'est plus parlée). *Le jour meurt* (= la nuit vient). *Laisser mourir la conversation* (syn. : TOMBER). *Les vagues viennent mourir sur la plage. Le passé est mort pour moi. Les pneus sont morts* (fam. = usés). *Une balle morte* (= qui n'a plus de force de pénétration). *Son amour pour elle est maintenant mort* (syn. : S'ÉTEINDRE, S'ÉVANOUIR). *Une ville morte* (= où il n'y a plus trace de vie). *Une eau morte* (= qui ne coule pas). — **3°** Eprouver une peine très vive, un sentiment violent, une grande souffrance physique ou morale : *Mourir de tristesse. Etre mort de peur. Je suis mort de fatigue. Il a l'air complètement mort* (= épuisé). *Il le fait mourir à petit feu* (= le tourmente, le fait souffrir). *Il me fait mourir d'impatience. Je m'ennuie à mourir. Mourir de chaleur, de soif, de froid. Mourir d'amour.* — **4°** *Etre plus mort que vif,* être paralysé par la peur. ‖ *Rester lettre morte,* n'avoir aucun effet : *Mes avertissements répétés sont restés lettre morte.* ‖ *Temps mort,* moment pendant lequel il ne se passe rien, où l'activité baisse ou cesse complètement : *Les entractes trop longs sont des temps morts qui nuisent à l'unité du spectacle.* ‖ *Etre au point mort,* ne plus recevoir d'impulsion : *Du fait de l'inertie des bureaux, le projet présenté est maintenant au point mort.* ◆ ***se mourir*** v. pr. Etre sur le point de disparaître, de cesser d'être : *Il se meurt sur un lit d'hôpital.* ◆ **mourant, e** adj. et n. En train de mourir : *Etre mourant. Les cris des mourants. Le prêtre fut appelé auprès du mourant* (syn. : MORIBOND). ◆ adj. Qui est près de disparaître : *Une voix mourante* (= à peine perceptible). *Ranimer le feu mourant* (= presque éteint). *Des regards mourants* (= languissants). ◆ **mort, e** n. **1°** Personne qui a cessé de vivre : *Deux morts et trois blessés dans un accident de la circulation. Monument aux morts de la guerre. La messe des morts. Le lendemain de la Toussaint est le jour des Morts. Il fait un bruit à réveiller les morts.* — **2°** *Faire le mort,* rester immobile en contrefaisant une personne morte; ne donner aucun signe de vie, ne manifester aucune activité; au bridge, être celui des quatre joueurs qui étale son jeu. ◆ **mort** n. f. 1° Cessation de la vie; terme de la vie : *Mort accidentelle, subite. Périr de mort violente. Mourir de sa belle mort. Il ne craint pas la mort. Nous avons appris sa mort il y a quelques jours* (syn. : DÉCÈS). *Echapper à la mort. Etre en péril, en danger de mort. Le chien hurle à la mort* (= d'une manière sinistre, comme après la mort de quelqu'un). *Etre entre la vie et la mort* (= en danger de mourir). *Etre à deux doigts de la mort. Etre à l'article de la mort* (= être près de mourir). *Etre sur son lit de mort. C'est une question de vie ou de mort* (= il y va de la vie de quelqu'un). *Il a hérité d'une grosse fortune à la mort de son oncle. Condamner un assassin à la peine de mort. Souhaiter la mort d'un ennemi. Pousser des cris de mort* (= cris hostiles). *Proférer des menaces de mort.* — 2° Arrêt total de l'activité : *Sans des mesures de soutien, c'est la mort de cette industrie* (syn. : FIN). — 3° *La mort dans l'âme,* à regret. ‖ *Souffrir mille morts,* subir d'atroces souffrances. ‖ *Un silence de mort,* absolu, total. ‖ *Etre amis à la vie et à la mort,* pour toujours. ‖ *A mort,* d'une manière qui entraîne la mort : *Frapper à mort. Un combat à mort. Etre brouillés à mort* (= être animés l'un contre l'autre d'une haine mortelle). ‖ *En vouloir à mort à quelqu'un* (= le détester jusqu'à souhaiter sa mort). ‖ *Mort à* (quelqu'un)!, *A mort!,* interj. par lesquelles on menace de mort. ◆ **mortel, elle** adj. (avant ou plus souvent après le nom). 1° Qui cause la mort, qui entraîne la mort : *Courir un danger mortel. Une blessure mortelle. Un poison mortel. Donner un coup mortel.* — 2° *Ennemi mortel,* qui hait profondément. ‖ *Une pâleur mortelle,* qui ressemble à celle de la mort. — 3° Qui provoque de la souffrance, de la peine, de l'ennui : *Un froid mortel. Il fait une chaleur mortelle* (= très grande). *Un silence mortel* (syn. : SINISTRE). *Une frayeur mortelle. Nous avons passé une soirée mortelle* (syn. : ↓ ENNUYEUX). *Faire un long discours pendant deux mortelles heures* (syn. : LUGUBRE). *Il est mortel avec son pédantisme prétentieux* (fam.; syn. : PÉNIBLE). ◆ adj. et n. 1° Se dit de l'homme, qui est sujet à la mort (littér.) : *Tous les hommes sont mortels. Les sujets mortels que nous sommes. Voici un heureux mortel* (= homme heureux de vivre). — 2° *Dépouille mortelle,* cadavre. ◆ **mortellement** adv. : *Etre blessé mortellement* (syn. : À MORT). *Etre mortellement jaloux de sa femme. Il est mortellement ennuyeux* (syn. : EXTRÊMEMENT, TERRIBLEMENT). ◆ **mortalité** n. f. Rapport entre le nombre de décès survenus au cours d'un temps donné et celui de la population, dans un lieu déterminé : *La diminution de la mortalité infantile.* ◆ **mortuaire** adj. Relatif au mort, à la cérémonie des funérailles : *Le drap mortuaire* (= linceul). *La cérémonie mortuaire. La maison mortuaire. Les couronnes mortuaires.* ◆ **mort-aux-rats** [mɔrora] n. f. invar. Préparation empoisonnée, destinée à détruire les rats. ◆ **morte-saison** n. f. Temps pendant lequel, dans certaines professions, on a moins de travail qu'à l'ordinaire : *Les mortes-saisons de l'hôtellerie.* ◆ **mort-né, e** adj. et n. 1° Se dit d'un enfant mort en venant au monde. — 2° Qui échoue dès le début : *Des projets mort-nés.* ◆ **immortel, elle** adj. et n. : *Un héros immortel. Les Immortels* (= les Académiciens). ◆ **immortalité** n. f. : *L'immortalité de l'âme.*

mouron [murɔ̃] n. m. Petite plante commune, à fleurs rouges ou bleues.

mousquetaire [muskətɛr] n. m. Gentilhomme qui servait dans une des deux compagnies à cheval de la maison du roi.

mousqueton [muskətɔ̃] n. m. Arme à feu individuelle, plus légère et plus courte qu'un fusil.

1. mousse [mus] n. m. Jeune marin de quinze à seize ans. ◆ **moussaillon** n. m. Petit mousse.

2. mousse [mus] n. f. Petite plante verte, formant une touffe sur le sol, les arbres, les murs : *Un tapis de mousse au pied d'un arbre. Des branches mortes couvertes de mousse. La mousse envahit les marches de pierre de la maison.* ◆ **moussu, e** adj. Couvert de mousse : *Des pierres moussues.*

3. mousse [mus] n. f. 1° Ecume, amas de bulles qui se forme à la surface d'un liquide : *La mousse du lait. La mousse du shampooing. La mousse de la bière déborda du verre.* — 2° Dessert ou entremets fait de crème et de blancs d'œufs fouettés : *Mousse au chocolat.* ◆ adj. invar. Se dit de toute matière semblable à une éponge : *Caoutchouc mousse. Balle mousse.* ◆ **mousser** v. intr. 1° Produire de la mousse : *Le champagne, le cidre moussent. Ce savon mousse beaucoup.* — 2° Fam. *Faire mousser quelqu'un, quelque chose,* le vanter, le faire valoir d'une manière exagérée : *Se faire mousser auprès de ses supérieurs. Faire mousser l'organisation de son entreprise.* ‖ *Tu as réussi à le faire mousser,* à le mettre en colère. ◆ **mousseux, euse** adj. Qui produit de la mousse : *Du chocolat mousseux. Une eau mousseuse. Du vin mousseux* (= qui, après préparation, donne de la mousse par fermentation). ◆ **mousseux** n. m. Vin qui mousse, à l'exclusion du champagne : *Verser du mousseux dans des coupes.*

mousseline [muslin] n. f. Tissu peu serré, léger, souple et transparent.

mousson [musɔ̃] n. f. Vents (Asie du Sud-Est) qui soufflent alternativement vers la mer et vers la terre, et qui, en ce dernier cas, apportent la pluie.

moustache [mustaʃ] n. f. 1° Partie de la barbe qui pousse sur la lèvre supérieure : *Laisser pousser sa moustache. Retrousser la moustache. Une petite moustache en brosse.* — 2° Poils longs et raides qui poussent sur la lèvre de certains animaux (chat, lion, phoque, souris, etc.). ◆ **moustachu, e** adj. et n. Qui a de la moustache : *Un gardien de square moustachu. Un grand moustachu.*

moustique [mustik] n. m. Variété d'insecte dont la femelle pique la peau de l'homme et des animaux : *Une piqûre de moustique. Une région infestée de moustiques.* ◆ **moustiquaire** n. f. Rideau de mousseline dont on entoure les lits pour se préserver des moustiques. ◆ **démoustiquer** v. tr. Détruire les moustiques dans une région.

moutard [mutar] n. m. *Pop.* Petit garçon.

moutarde [mutard] n. f. 1° Assaisonnement fait avec la graine broyée de la plante appelée *moutarde* et de l'eau, du vinaigre, des aromates : *La moutarde de Dijon. Un sandwich à la moutarde. Un pot de moutarde.* — 2° *Cataplasme à la moutarde,* fait avec des graines de la plante dite *moutarde noire.* — 3° *La moutarde lui monte au nez,* il commence à se mettre en colère. ◆ adj. invar. Jaune verdâtre : *Une jupe moutarde.*

mouton [mutɔ̃] n. m. 1° Mammifère ruminant à cornes, domestiqué, caractérisé par sa toison de laine. (Le mâle est le bélier, la femelle, la brebis.) — 2° Viande de cet animal, vendue dans les boucheries : *Acheter du mouton. Faire un ragoût de mouton.* — 3° Personne qui modèle son attitude sur ceux qui l'entourent. — 4° *Pop.* Mouchard que la police met dans la même cellule qu'un détenu, qu'il est chargé de faire parler. — 5° *Etre frisé comme un mouton,* avoir les cheveux qui frisent. ‖ *Doux comme un mouton,* très doux. ‖ *Suivre comme des moutons,* suivre la conduite des autres personnes sans réfléchir. — 6° Amas de poussière d'aspect laineux (surtout au plur.). ◆ **moutonner** v. intr. Rappeler, par ses ondulations blanches, par son aspect, la toison d'un mouton : *Les vagues moutonnaient à l'horizon. Les nuages moutonnent dans le ciel.* ◆ **moutonné, e** adj. *Un ciel moutonné,* couvert de nuages blancs. ◆ **moutonnement** n. m. : *Le moutonnement des vagues.* ◆ **moutonnier, ère** adj. Qui suit aveuglément et stupidement : *Les foules moutonnières.*

mouture [mutyr] n. f. 1° Opération consistant à moudre le grain dans une meunerie. — 2° *Péjor.* Reprise d'un sujet déjà traité et que l'on présente d'une manière différente : *La pièce n'est qu'une mouture d'un thème trop connu : le mari, la femme et l'amant.*

mouvement [muvmɑ̃] n. m. 1° Changement de position d'un corps par rapport à un point fixe dans l'espace et à un moment déterminé du temps : *Le mouvement d'un pendule* (syn. : DÉPLACEMENT). *Le mouvement des astres* (syn. : COURS). *Les mouvements de l'air, de l'eau. Le mouvement de la caméra. Les mouvements des navires dans le port* (= les entrées et les sorties). *Les mouvements de fonds* (= les opérations financières). — 2° Ensemble d'organes, de mécanismes engendrant un déplacement régulier : *Le mouvement d'un appareil* (syn. : MÉCANISME). *Un mouvement d'horlogerie devait faire exploser l'engin à une heure précise.* — 3° Action ou manière de mouvoir son corps ou une partie de son corps dans l'espace : *Un mouvement de jambes. D'un mouvement involontaire, il renversa le verre* (syn. : GESTE). *Des mouvements de gymnastique* (syn. : EXERCICE). *Un mouvement d'épaules marqua sa désapprobation* (syn. : HAUSSEMENT). *En deux temps trois mouvements* (= très rapidement). *Etre sans cesse en mouvement* (= ne pas tenir en place). *J'ai besoin de mouvement, je reste assis toute la journée* (syn. : ACTIVITÉ). *Se donner du mouvement* (= prendre de l'exercice). — 4° Changement de place d'un groupe : *Des mouvements de foule. Les armées ont fait mouvement vers la frontière* (= se déplacer, avancer). *Le mouvement du personnel* (= les mutations). *Une guerre de mouvement* (par oppos. à *guerre de position*). — 5° Animation, dans le langage, dans les compositions littéraires ou artistiques : *La phrase a du mouvement* (syn. : VIVACITÉ, ↑ FOUGUE). *Le mouvement dramatique d'une scène. Une peinture sans mouvement* (syn. : VIE). — 6° En musique, degré de vitesse ou de lenteur dans l'exécution : *Indication du mouvement sur la partition;* partie d'une œuvre musicale exécutée dans un mouvement donné : *Le deuxième mouvement d'une symphonie.* — 7° *Mouvement du sol,* vallonnement, accident de terrain. — 8° Modification dans l'état d'esprit, qui se traduit par une émotion, une réaction : *Un mouvement de colère, d'indignation, de joie. En proie à des mouvements divers* (syn. : SENTIMENT). *Dans un bon mouvement, il lui pardonna. Son premier mouvement fut d'accepter* (syn. : INSPIRATION). *Il a agi de son propre mouvement* (syn. : INITIATIVE). — 9° Modification dans l'état social, politique, économique : *Le mouvement des idées. Un mouvement d'opinion. Le mouvement de l'histoire* (syn. : PROGRÈS). — 10° Action collective qui vise à produire un changement, ou courant d'idées qui témoigne de cette transformation : *Un mouvement insurrectionnel. Le mouvement humaniste en France au XVIᵉ siècle. Un mouvement artistique;* organisation politique, sociale, etc., qui tend à diriger ce changement : *Le mouvement syndical. Les mouvements de jeunesse* (syn. : GROUPEMENT). *Etre l'âme d'un mouvement.* — 11° Modification, variation dans le prix, dans les valeurs, dans les quantités : *Un mouvement de hausse sur les fruits et légumes. Mouvement de baisse sur les ventes à la Bourse. Les mouvements de population* (= les augmentations et les diminutions). ◆ **mouvementé, e** adj. 1° Troublé ou agité par des événements subits, violents : *Une séance mouvementée à l'Assemblée nationale* (syn. : ANIMÉ). *La poursuite mouvementée à travers les rues de la ville s'acheva par l'arrestation des voleurs.* — 2° *Terrain mouvementé,* qui présente des accidents, qui n'est pas uni, plat.

Mouvements musicaux
(le *tempo*)

Les termes ne définissent pas des mouvements absolus, mais seulement relatifs les uns aux autres.

↓ plus rapide		↑ plus lent
largo	adv. et s. m.	
larghetto	—	
lento	—	
adagio	—	
andante	—	
andantino	—	
allegretto (adv.)	*allégretto* (s. m.)	
allegro (adv.)	*allégro* (s. m.)	
presto	adv. et s. m.	
prestissimo	—	

Maestoso (majestueux), *moderato* (modéré), *vivace* (vif), *furioso* (violent), *scherzo* et *scherzando* (vivement et gaiement) peuvent être employés seuls ou ajoutés à un terme désignant le mouvement.

mouvoir [muvwar] v. tr. (conj. **36**; surtout à l'infin., et au passif avec le part. passé *mû, mue*). 1° *Mouvoir une chose,* la mettre en mouvement : *Il bondit sur moi, comme mû par un ressort. Les moteurs de la centrale sont mus par la force hydraulique* (syn. : ACTIONNER). *Il ne pouvait mouvoir sa jambe* (syn. : REMUER). — 2° *Mouvoir quelqu'un,* le mettre en action, le faire agir (uniquement au passif) : *Etre mû par un intérêt sordide* (syn. : POUSSER). *Il était mû par un sentiment de bonté* (syn. : ANIMER, PORTER). ◆ ***se mouvoir*** v. pr. Etre soi-même en mouvement : *Son bras engourdi avait peine à se mouvoir* (syn. : REMUER). *Il ne pouvait se mouvoir qu'avec difficulté* (syn. : BOUGER, MARCHER). ◆ **mouvant, e** adj. 1° *Sables mouvants,* qui n'ont pas de stabilité, où l'on enfonce très rapidement. ‖ *Terrain mouvant,* dont le fond n'est pas solide. ‖ *Avancer en terrain mouvant,* dans un domaine qui est peu connu, où l'on risque à tout moment de commettre une erreur fatale (contr. : SOLIDE). — 2° Qui change continuellement d'aspect : *Une pensée mouvante* (contr. : STABLE). *La situation actuelle est mouvante* (syn. : INSTABLE, CHANGEANT).

1. moyen [mwajɛ̃] n. m. 1° Ce qui sert pour parvenir à un but : *Utiliser des moyens illégitimes, adroits, mystérieux, indirects, dangereux,* etc. *J'ai* *trouvé le moyen d'éviter cette corvée* (syn. fam. : TRUC). *Il n'y a pas moyen de faire tout ce qu'il demande* (= il est impossible). *Alors, il n'y a plus moyen?* (= interpellation d'impatience adressée à quelqu'un qui est en retard). *Tous les moyens lui sont bons pour parvenir à ses fins* (= il n'a aucun scrupule). *Il a lutté par tous les moyens pour empêcher le désastre. C'est l'unique moyen de le persuader* (syn. : MANIÈRE). *Employer les grands moyens* (= énergiques). *Se servir des moyens du bord* (= de ceux qui sont immédiatement à la disposition). *Pas moyen de le toucher au téléphone* (fam.). — 2° (suivi d'un compl. du nom sans art.) Ce qui permet de faire quelque chose (objet, véhicule, etc.) : *Les moyens d'action dont il dispose sont restreints. Les moyens de défense d'un pays* (= l'armement qu'il possède). *Les moyens de transport* (= les véhicules servant au transport des voyageurs et des marchandises). *La presse est un moyen d'expression.* — 3° *Le moyen de* (suivi d'un infin.), la possibilité de : *Le moyen de lui refuser ce qu'il demande!* ◆ **moyens** n. m. pl. 1° Capacités intellectuelles ou physiques : *Cet élève manque de moyens* (syn. : DONS). *Il perd ses moyens au moment des examens. Athlète en pleine possession de ses moyens. C'est au-dessus de mes moyens* (syn. : FORCES). — 2° Ressources pécuniaires : *Je n'ai pas les moyens de me payer une croisière. Il mène un grand train de vie, mais il a les moyens* (= il est riche). — 3° *Les moyens de la défense, de l'accusation,* les raisons alléguées par la défense, par l'accusation, à un procès. ‖ *Par ses propres moyens,* avec ses seules ressources, par sa seule action : *Il a réussi par ses propres moyens. Les voyageurs du car en panne devaient gagner le village par leurs propres moyens* (= à pied). • LOC. PRÉP. *Au moyen de,* grâce à l'aide apportée par quelque chose : *Monter au grenier au moyen d'une échelle. Soulever une voiture au moyen d'un cric.* ‖ *Par le moyen de,* par l'intermédiaire de : *Annoncer la nouvelle par le moyen des ondes* (syn. : PAR LE CANAL DE).

2. moyen, enne [mwajɛ̃, -ɛn] adj. (avant ou après le nom). 1° Se dit de ce qui tient le milieu entre deux extrémités, entre deux périodes extrêmes, entre deux choses : *Le cours moyen du Rhône. Homme de taille moyenne. Se maintenir au niveau moyen de la classe* (s'oppose à *dans les premiers, dans les derniers*). *C'est une moyenne entreprise* (contr. : IMPORTANT OU PETIT). *Le Français moyen. Le spectateur moyen réclame des spectacles de variétés* (syn. : ORDINAIRE). *Les classes moyennes* (= dont le niveau d'existence est aisé et qui composent les cadres de l'industrie, du commerce, les professions libérales, les fonctionnaires des grades supérieurs, etc.). — 2° Qui n'est ni bon ni mauvais : *Une intelligence moyenne. Il fait un temps moyen* (syn. : ↓ MÉDIOCRE). *Les résultats bien moyens de cet élève* (= à peine passables). *Il est moyen en français.* — 3° Que l'on calcule en divisant la somme de plusieurs quantités par leur nombre : *La température moyenne de cet hiver a été faible. L'espérance moyenne de vie s'est élevée. Le cours moyen de la viande pendant le mois écoulé.* ◆ **moyenne** n. f. 1° Ce qui s'éloigne des extrêmes, ce qui est au milieu de deux choses : *Intelligence au-dessus de la moyenne. Il est dans la bonne moyenne.* — 2° Nombre obtenu en divisant la somme de plusieurs quantités par leur nombre : *La moyenne de ses notes est basse. Calculer, faire la moyenne. Cet élève a dix sur vingt; il a la moyenne* (= la moitié des points sur le total possible). *Dans cette classe, la moyenne d'âge est de treize ans.* — 3° *En moyenne,* si l'on prend approximativement la moyenne (sens 2) : *Il y a en moyenne trente accidents mortels chaque fin de semaine. On compte en moyenne trente-cinq élèves par classe.* ◆ **moyennement** adv. Ni peu ni beaucoup : *Travailler moyennement* (syn. : MÉDIOCREMENT). *Il va moyennement bien.*

Moyen Age [mwajɛnɑʒ] n. m. Période de l'histoire qui va de la chute de l'Empire romain (476) à la prise de Constantinople par les Turcs (1453). ◆ **moyenâgeux, euse** adj. 1° Qui appartient au Moyen Age : *La France moyenâgeuse* (syn. : MÉDIÉVAL). — 2° Qui évoque le Moyen Age : *Des rues moyenâgeuses.* — 3° Syn. de SURANNÉ : *Des idées moyenâgeuses.*

moyen-courrier [mwajɛ̃kurje] n. m. Avion commercial servant au transport de passagers sur des distances moyennes : *Les moyen-courriers des lignes européennes.* (V. LONG-COURRIER.)

moyennant [mwajenɑ̃] prép. Par le moyen de; à la condition de : *Moyennant une somme modique, vous pourrez louer cet appareil* (syn. : POUR). *Il y parviendra moyennant un effort soutenu* (syn. : GRÂCE À). *Moyennant ce petit service, vous aurez droit à son appui* (syn. : EN ÉCHANGE DE).

moyeu [mwajø] n. m. Partie centrale d'une roue, que traverse l'essieu autour duquel elle tourne.

mucosité [mykozite] n. f. Humeur épaisse sécrétée par les muqueuses du nez (langue médicale). [V. MUQUEUSE.]

mue [my] n. f. 1° Changement dans le plumage, le poil, la peau auquel certains animaux sont sujets à des périodes de leur vie. — 2° Changement qui s'opère dans le timbre de la voix humaine au moment de la puberté. ◆ **muer** v. intr. 1° Changer de peau ou de poil, se déplumer : *Les serpents, les oiseaux muent.* — 2° Avoir un timbre de voix plus grave au moment de la puberté; devenir plus grave, en parlant de la voix : *Les enfants muent vers douze ou treize ans. Sa voix mue.* ◆ ***se muer*** v. pr. Se transformer : *Sa sympathie s'est muée en amour* (syn. : SE CHANGER).

muet, muette [myɛ, -ɛt] adj. (avant ou après le nom) et n. 1° Se dit d'une personne qui n'a pas ou qui n'a plus l'usage de la parole : *Il est sourd et muet de naissance. Devenir muet à la suite d'un accident* (V. MUTITÉ). — 2° Se dit de celui qu'un sentiment empêche de parler, qui ne veut pas manifester son opinion, qui ne veut pas répondre : *Muet de terreur. Rester muet d'étonnement. Etre muet comme une carpe* (syn. SILENCIEUX; contr. : BAVARD, PROLIXE). *Muet comme une tombe.* (V. MUTISME.) ◆ adj. 1° Se dit d'une chose (émotion, sentiment, etc.) qui n'est pas exprimée par la parole, de ce qui n'est pas explicite : *De muets reproches. Un désespoir muet. Une douleur muette. La loi est muette sur cette question.* — 2° *Film muet,* qui n'est pas accompagné d'un son enregistré (contr. : SONORE, PARLANT); et substantiv., *le muet,* le cinéma muet, avant que la reproduction du son sur film ne soit inventée. ‖ « *E* » *muet,* qui est écrit, mais ne se prononce pas. ‖ *Une carte muette,* qui ne comporte aucune indication écrite. ◆ **mutisme** [mytism] n. m. Attitude de celui qui refuse de parler, de s'exprimer, qui garde le silence : *S'enfermer dans un mutisme hostile. Le mutisme de la presse au* *sujet de cette affaire.* ◆ **mutité** n. f. Impossibilité réelle de parler (sens 1 de *muet*). ◆ **démutiser** v. tr. Apprendre à parler à des enfants nés sourds.

mufle [myfl] n. m. Extrémité du museau de certains gros mammifères : *Le mufle du lion, du bœuf.* ◆ n. et adj. *Fam.* Individu grossier : *Se conduire comme un mufle* (syn. : MALOTRU). *Quel mufle!* (syn. : GOUJAT). *Ce qu'il peut être mufle!* ◆ **muflerie** n. f. : *Attitude d'une muflerie révoltante* (syn. : GROSSIÈRETÉ, GOUJATERIE).

mugir [myʒir] v. intr. 1° (sujet désignant un bœuf, une vache) Pousser un cri sourd et long : *Le taureau mugit* (syn. : BEUGLER). — 2° (sujet nom de personne) Faire entendre un bruit qui ressemble à ce cri : *Le vent mugit avec fureur. La sirène mugit dans la nuit.* ◆ **mugissant, e** adj. : *Les vagues mugissantes.* ◆ **mugissement** n. m. : *Les mugissements des bœufs* (syn. : BEUGLEMENT).

muguet [mygɛ] n. m. Plante des bois, dont les fleurs, petites et blanches, sont groupées en grappes d'odeur douce, et qui fleurit en mai : *Un brin de muguet. La vente du muguet le 1er mai. Le muguet porte-bonheur.*

mulâtre, mulâtresse [mylɑtr, mylɑtrɛs] n. et adj. Homme ou femme de couleur, né d'un Noir et d'une Blanche ou d'une Noire et d'un Blanc.

1. mule n. f. V. MULET.

2. mule [myl] n. f. Pantoufle laissant le talon découvert.

1. mulet [mylɛ] n. m. Animal issu de l'accouplement d'un âne et d'une jument. ◆ **mule** n. f. 1° Femelle du mulet. — 2° *Têtu comme une mule,* très têtu. ‖ *Avoir une tête de mule,* être d'un entêtement borné. ◆ **muletier** n. m. Conducteur de mulets.

2. mulet [mylɛ] n. m. Poisson à large tête, vivant près des côtes.

mulot [mylo] n. m. Petit rat gris, qui vit sous terre, dans les bois et les champs.

> **multi-** [mylti], préfixe indiquant un grand nombre d'éléments : *multiforme* (qui prend plusieurs formes), *multicolore* (de plusieurs couleurs), *multimillionnaire* (riche à plusieurs millions), etc.

1. multiple [myltipl] adj. (après et avant un nom au plur.). Qui se produit de nombreuses fois, qui existe à de nombreux exemplaires : *Je l'ai averti à de multiples reprises. Les multiples aventures des héros de feuilletons* (syn. : NOMBREUX). *Les aspects multiples de son activité* (syn. : DIVERS, VARIÉ). ◆ **multiplicité** n. f. Caractère de ce qui est nombreux et varié : *La multiplicité des points de vue, des opinions* (= le grand nombre). *La multiplicité des articles ménagers. La multiplicité des questions qui restent à débattre.* ◆ **multiplier** v. tr. Augmenter le nombre de; accroître en quantité : *Multiplier les expériences diverses pour comprendre un phénomène* (syn. : RÉPÉTER). *Multiplier les citations d'auteurs. Multiplier les gestes de bonne volonté.* ◆ **se multiplier** v. pr. S'accroître en nombre, en quantité : *Les moyens de communication se multiplient* (syn. : SE DÉVELOPPER). *Les accidents se sont multipliés au cours des dernières vingt-quatre heures* (syn. : AUGMENTER). ◆ **multiplication** n. f. : *La multiplication des points de vente simplifiera la distribution des produits* (= accroissement en nombre). *La multiplication des postes de télévision* (syn. : PROLIFÉRATION). ◆ **démultiplier** v. tr. *Démultiplier une vitesse, un déplacement,* faire en sorte que, dans un système de transmission, la vitesse ou le déplacement de l'organe entraîné soient moindres que ceux de l'organe qui entraîne. ◆ **démultiplication** n. f. Rapport de réduction de la vitesse ou du mouvement.

2. multiple [myltipl] n. m. et adj. Nombre qui en contient un autre plusieurs fois exactement (terme de mathématiques) : *9 est un multiple de 3.* ◆ **multiplier** v. tr. Faire l'opération arithmétique (*multiplication*) consistant à obtenir un produit formé avec un nombre *a* (*multiplicande*) comme un nombre *b* (*multiplicateur*) est formé avec l'unité : *Multiplier 5 par 4 pour avoir le produit 20.* ◆ **multiplicateur** n. m. ◆ **multiplication** n. f. : *Les tables de multiplication donnent les produits l'un par l'autre des dix premiers nombres.*

multitude [myltityd] n. f. 1° (avec un compl.) Très grande quantité d'êtres, d'objets, de choses : *Une multitude d'événements* (syn. : UNE QUANTITÉ DE). *La multitude des étudiants* (syn. : LE GRAND NOMBRE). *Accumuler une multitude de fiches.* — 2° (sans compl.) La masse importante des gens, le plus grand nombre des hommes (littér.) : *Fuir les acclamations de la multitude* (syn. : FOULE, MASSE).

municipal, e, aux [mynisipal, -po] adj. Qui a rapport à l'administration des communes : *Le conseil municipal* (= assemblée élue, chargée de l'administration de la commune sous la présidence du maire et sous la tutelle du préfet). *Les règlements municipaux. Des élections municipales.* ◆ **municipalité** n. f. 1° Ensemble formé par le maire et le conseil municipal. — 2° Syn. de COMMUNE.

munificence [mynifisɑ̃s] n. f. Disposition qui porte à donner avec largesse, avec libéralité (littér.) : *Donner, agir avec munificence.*

munir [mynir] v. tr. 1° *Munir une chose,* la garnir, l'équiper de ce qui est utile : *Munir une lampe d'un abat-jour. Laboratoire muni du matériel le plus moderne* (syn. : DOTER). *Voiture munie de tous ses accessoires.* — 2° *Munir quelqu'un,* le pourvoir de ce qui lui est indispensable, utile : *Munir son fils d'argent de poche. Etre muni des diplômes nécessaires.* ◆ **se munir** v. pr. 1° Prendre avec soi : *Munissez-vous de votre passeport, de vos papiers. Munissez-vous d'un parapluie.* — 2° *Se munir de patience,* se préparer à supporter avec patience ce qui va arriver (syn. : S'ARMER). ◆ **démunir** v. tr. Priver de ce qu'on possédait : *Cette période de disette nous avait démunis de nos petites réserves. Un commerçant qui s'est laissé démunir faute d'avoir renouvelé à temps sa commande.* ◆ **se démunir** v. pr. *Se démunir de quelque chose,* abandonner ce qu'on a : *Il a refusé de se démunir de ce certificat* (syn. : SE DESSAISIR).

munitions [mynisjɔ̃] n. f. pl. Projectiles et charges explosives nécessaires à l'approvisionnement des armes à feu : *Des munitions pour l'artillerie. Manquer de munitions. Etre ravitaillé en munitions.*

muqueuse [mykøz] n. f. Membrane tapissant certaines cavités du corps humain, et dont la surface est humectée d'un liquide dit *muqueux.*

mur [myr] n. m. **1°** Ouvrage de maçonnerie, élevé verticalement, qui constitue un des côtés de la maison et supporte les étages, ou qui sert à séparer des espaces ou à soutenir quelque chose : *Un mur épais de plusieurs dizaines de centimètres. Les murs sont percés d'étroites fenêtres. Poser du papier peint sur les murs intérieurs. Ravaler le mur de façade d'un immeuble. Le mur de clôture du jardin. Longer les murs de la rue. La vieille ville est entourée d'un mur datant du XIII*e *siècle. Raser les murs pour éviter d'être vu. Un pan de mur;* ouvrage analogue d'une autre matière que la maçonnerie : *Un mur de terre. Un mur taillé dans le roc.* — **2°** *Les quatre murs,* une pièce totalement vide : *Il est parti avec tous ses meubles, ne laissant que les quatre murs.* ‖ *Entre quatre murs,* à l'intérieur d'une pièce : *Rester, pendant les vacances, malade entre les quatre murs de sa chambre.* ‖ *Sauter, faire le mur,* sortir sans permission, en parlant d'élèves internes, de soldats. ‖ *Faire le mur,* en parlant d'une équipe de football, être sur une ligne serrée, lorsqu'on tire un coup franc direct. ‖ *Mettre, être au pied du mur,* mettre, être devant ses responsabilités, sans pouvoir reculer ni différer la réponse; forcer à prendre parti. ‖ *Etre le dos au mur,* ne plus pouvoir fuir. ‖ *Coller au mur quelqu'un,* le fusiller. ‖ *Se cogner, se heurter à un mur,* échouer parce qu'on se heurte à un obstacle insurmontable. ‖ *Cet homme est un mur, on parle à un mur,* il est insensible, inhumain; on ne peut le persuader. ‖ *Un mur d'incompréhension, de haine,* etc., *s'élève entre deux personnes, deux groupes,* il y a entre eux un obstacle infranchissable dû à l'incompréhension, la haine, etc. ‖ *Les murs ont des oreilles,* on peut être entendu (= parlons bas). ‖ *Le mur de la vie privée,* expression signifiant que la vie intime ne concerne pas les étrangers. ‖ *Franchir le mur du son,* atteindre une vitesse voisine de celle du son, en parlant d'un avion, d'un engin. ◆ **muraille** n. f. **1°** Mur épais, assez élevé, servant de fortification le plus souvent : *De hautes murailles protégeaient le donjon intérieur. La Grande Muraille de Chine.* — **2°** *Couleur* (ou *de*) *muraille,* couleur grise. ◆ **mural, e, aux** adj. : *Plante murale* (= qui pousse sur les murs). *Une décoration murale* (= faite sur les murs). *Un tableau mural* (= accroché au mur). ◆ **murer** v. tr. **1°** *Murer une fenêtre, une porte, etc.,* les fermer par un mur, par des pierres, etc. : *Murer une galerie de mine pour éviter la propagation de l'incendie. La cheminée a été murée.* — **2°** *Murer quelqu'un,* l'enfermer dans un endroit dont les issues sont bouchées : *Les mineurs sont restés murés pendant deux jours au fond de la mine.* ◆ ***se murer*** v. pr. ou **être muré** v. passif : *Se murer dans un silence* (*hostile*), rester obstinément silencieux. ‖ *Etre muré dans son orgueil,* être enfermé, séparé des autres à cause de son orgueil. ◆ **emmurer** [ɑ̃myre] v. tr. *Emmurer quelqu'un,* l'enfermer, le bloquer dans un lieu d'où il est impossible de s'échapper : *Un éboulement a emmuré toute une équipe de mineurs.*

mûr, e [myr] adj. (en général après le nom). **1°** Se dit d'un fruit, d'une graine qui ont atteint leur complet développement et peuvent être cueillis : *Le raisin est mûr à l'automne. Ne mangez pas ces pommes qui ne sont pas mûres. Des pêches trop mûres. Le blé mûr est moissonné.* — **2°** Se dit de ce qui est tellement usé qu'il est près de se déchirer : *La toile du matelas est mûre.* — **3°** Se dit de ce qui, après une longue évolution, est arrivé au stade de la réalisation : *Le projet n'est pas mûr* (= il exige encore de la réflexion, il ne correspond pas encore à la situation). *L'abcès est mûr* (= il est près de crever). — **4°** *Mûr pour quelque chose,* se dit de quelqu'un qui est prêt à quelque chose, après une série d'événements : *Il est maintenant mûr pour le mariage.* — **5°** Se dit de quelqu'un (ou de ce qui le concerne) qui a atteint son plein développement physique ou intellectuel : *Un homme mûr a atteint la quarantaine. Son échec dans les dissertations montre qu'il n'est pas encore assez mûr* (= réfléchi). *L'âge mûr.* — **6°** *Après mûre réflexion,* après une longue méditation, après avoir pesé les avantages et les inconvénients. ◆ **mûrement** adv. Surtout dans *J'ai mûrement réfléchi à la question* (= beaucoup, longuement). ◆ **mûrir** v. intr. Devenir mûr : *Les fruits ont bien mûri avec la chaleur. L'idée a lentement mûri dans son esprit.* ◆ v. tr. **1°** Rendre mûr : *Le soleil a mûri les fruits. Homme, esprit mûri par l'expérience, par l'adversité. La vie l'a mûri* (= lui a donné du sérieux). — **2°** Réfléchir longuement à une chose pour la mettre en état d'être utilisée : *Mûrir un projet de vengeance* (syn. : MÉDITER, PRÉPARER). ◆ **maturation** n. f. Ensemble des phénomènes par lesquels un fruit devient mûr (langue scientif.) : *La maturation du raisin a été accélérée par la température exceptionnelle de cet été.* ◆ **maturité** n. f. Etat d'une personne qui a atteint son plein développement physique et intellectuel; état d'un esprit qui a acquis l'expérience de la réflexion : *Etre en pleine maturité* (= dans la force de l'âge). *Atteindre la maturité. Parvenir à la maturité. La maturité précoce d'un adolescent. Sa maturité d'esprit.* ◆ **immaturé, e** adj. Qui n'a pas de maturité intellectuelle.

mûre [myr] n. f. **1°** Fruit noir comestible des arbustes formant les haies de ronces. — **2°** Fruit du mûrier. ◆ **mûrier** n. m. Arbre dont les feuilles servent de nourriture aux vers à soie.

murène [myrɛn] n. f. Poisson des fonds rocheux des côtes de la Méditerranée.

murmure [myrmyr] n. m. **1°** Bruit sourd et confus de voix humaines : *On n'entendait pas le moindre murmure dans la classe. Des murmures, puis des rires s'élevèrent* (syn. : CHUCHOTEMENT). *Un murmure d'admiration. Des murmures de protestation.* — **2°** Bruit léger et harmonieux (littér.) : *Le murmure d'un ruisseau, d'une source. Le murmure des vagues qui viennent mourir sur le rivage.* — **3°** Plainte de gens mécontents (le plus souvent au plur.) : *Ce projet excita les murmures de la presse* (syn. : PROTESTATION). *Obéir sans murmure.* ◆ **murmurer** v. tr. (sujet nom de personne) Dire à mi-voix, prononcer à voix basse : *Murmurer quelques mots à l'oreille de son voisin* (syn. : CHUCHOTER). *Murmurer des paroles inintelligibles* (syn. : MARMONNER). *On murmurait dans la maison qu'elle avait un amant.* ◆ v. intr. **1°** (sujet nom de chose) Faire entendre un murmure (littér.) : *Le vent murmure dans les feuilles.* — **2°** Faire entendre une protestation, une plainte : *A l'annonce des sanctions, les élèves murmurèrent* (syn. : PROTESTER). *Il murmure entre ses dents sans oser dire ouvertement ce qu'il pense* (syn. fam. : RONCHONNER, RÂLER, GRONDER).

musaraigne [myzarɛɲ] n. f. Petit mammifère, de la taille d'une souris, qui mange des insectes.

musarder [myzarde] ou **muser** [myze] v. intr. Perdre son temps, s'amuser à des riens (littér.) : *Musarder le long d'un chemin* (syn. : FLÂNER).

musc [mysk] n. m. Substance odorante produite par certains mammifères (cerf) et utilisée en parfumerie. ◆ **musqué, e** adj. Qui a le goût ou l'odeur du musc.

muscade [myskad] n. f. 1° Graine du fruit d'un arbrisseau des pays chauds (*muscadier*), utilisée comme épice à cause de son odeur aromatique. — 2° *Passez muscade,* le tour a été exécuté avec une adresse telle que les assistants n'ont rien vu.

muscadet [myskadɛ] n. m. Vin blanc sec de la région de Nantes.

muscat [myska] adj. et n. m. *Raisin muscat,* ou *muscat* n. m., raisin à saveur de musc.

muscle [myskl] n. m. Organe formé de fibres capables de se contracter et de provoquer le mouvement : *Développer ses muscles par la gymnastique. Avoir des muscles d'acier. Avoir du muscle* (= de la force). *Etre tout en muscle* (= sans graisse). ◆ **musclé, e** adj. Qui a des muscles très développés : *Un bras musclé. Un homme musclé.* ◆ **musculaire** adj. (langue de la biologie) : *Tissu musculaire. Force musculaire.* ◆ **musculature** n. f. Ensemble des muscles du corps humain, d'une partie du corps humain : *Avoir une solide musculature. La musculature du bras.*

muse [myz] n. f. 1° Chacune des neuf déesses de la mythologie qui présidaient aux arts (avec une majusc.) : *Les Muses, filles de Zeus et de Mnémosyne, sont Clio (histoire), Euterpe (musique), Thalie (comédie), Melpomène (tragédie), Terpsichore (danse), Erato (élégie), Polymnie (poésie lyrique), Uranie (astronomie), Calliope (éloquence).* — 2° Inspiratrice d'un poète; inspiration poétique (littér.) : *La muse d'A. de Musset dans « les Nuits ».* — 3° *Cultiver les muses,* s'adonner à la poésie.

museau [myzo] n. m. 1° Partie saillante de la face de certains mammifères et poissons : *Le museau du chien, du chat.* — 2° *Fam.* Figure humaine : *Un joli petit museau.* ◆ **museler** v. tr. (conj. 6). 1° *Museler un animal,* lui mettre un appareil pour l'empêcher de mordre : *Un chien solidement muselé.* — 2° Empêcher de s'exprimer, réduire au silence : *Les saisies des journaux étaient un des moyens de museler la presse. La France muselée attendait la libération* (syn. : BÂILLONNER). ◆ **démuseler** v. tr. : *Démuseler un chien.* ◆ **muselière** n. f. Appareil servant à museler un animal.

musée [myze] n. m. 1° Edifice où sont rassemblées et présentées au public des collections d'objets d'intérêt historique, esthétique, scientifique : *Un musée de peinture. Un musée lapidaire. Les gardiens du musée. Le musée du Louvre, du Vatican, de la Marine. Le musée de l'Homme.* — 2° *C'est une pièce de musée,* se dit d'un objet rare et précieux, digne de figurer dans la collection d'un musée. ◆ **muséum** [myzeɔm] n. m. Musée destiné à contenir des collections de sciences naturelles.

1. musette [myzɛt] n. f. Sac en toile, servant à divers usages et que l'on porte en bandoulière : *Mettre son repas dans sa musette. Une musette de soldat, d'ouvrier.*

2. musette [myzɛt] n. f. *Bal musette,* bal populaire, où l'on danse au son de l'accordéon.

musique [myzik] n. f. 1° Art de combiner les sons de manière à produire une impression esthétique; théorie de cet art : *L'étude, l'histoire de la musique. La musique vocale* (= le chant). *La musique instrumentale* (= écrite pour des instruments). *Musique légère* (= sans prétention). *La musique d'église. Musique de chambre* (= pour un petit nombre d'instruments). *Faire de la musique. La musique classique, romantique, moderne.* — 2° Notation écrite d'une composition musicale : *Lire la musique. Le pianiste joue de mémoire, sans musique.* — 3° Réunion de musiciens appartenant à un corps de troupes, à une fanfare : *La musique du régiment. Chef de musique.* — 4° Suite de sons donnant une impression analogue à celle de la musique proprement dite : *La musique du vers, de la phrase* (syn. : HARMONIE). — 5° Fam. *Connaître la musique,* connaître les moyens d'obtenir le résultat cherché, savoir comment s'y prendre dans telle circonstance. ‖ *C'est toujours la même musique,* c'est toujours la même chose (syn. : CHANSON, HISTOIRE). ‖ *Changer de musique,* parler d'autre chose, changer d'attitude. ‖ *Réglé comme du papier à musique,* ordonné d'une manière précise, minutieuse, dans les moindres détails. ◆ **musical, e, aux** adj. 1° Qui a les caractères de la musique : *Des sons musicaux* (syn. : MÉLODIEUX). *Une voix musicale. Une phrase musicale* (syn. : HARMONIEUX). — 2° Propre à la musique, qui la concerne : *La critique musicale d'un journal. Une émission musicale. Une soirée musicale.* — 3° *Avoir l'oreille musicale,* distinguer avec précision les sons de la musique. ◆ **musicalement** adv. ◆ **musicalité** n. f. Qualité de ce qui est musical (sens 1) : *L'excellente musicalité d'un poste de radio.* ◆ **musicien, enne** n. Personne qui compose ou exécute des morceaux de musique : *Les musiciens de l'orchestre du Conservatoire.* ◆ adj. et n. Qui a le goût de la musique; qui a des aptitudes pour la musique : *Elle est très musicienne. Avoir l'oreille musicienne.* ◆ **musicologie** n. f. Science de l'histoire de la musique, de l'esthétique musicale. ◆ **musicologue** n. Spécialiste de musicologie. ◆ **musiquette** n. f. Petite musique sans prétention, dépourvue de valeur artistique. ◆ **music-hall** [mysikol] n. m. Etablissement spécialisé dans des spectacles de fantaisie, de variétés, où la musique sert de fond; ce spectacle lui-même : *Chanteuse de music-hall. L'Olympia, Bobino sont des music-halls.*

musulman, e [myzylmɑ̃, -an] adj. et n. Relatif à l'islam et à la culture qui en est issue.

mutation [mytasjɔ̃] n. f. Variation, modification brusque dans un groupe, dans une espèce vivante : *Les grandes mutations historiques* (syn. : RÉVOLUTION). *Les mutations biologiques.* (V. aussi MUTER.)

muter [myte] v. tr. *Muter un fonctionnaire, un employé,* le changer d'affectation, de poste. ◆ **mutation** n. f. Changement d'affectation d'un fonctionnaire : *Demander sa mutation.*

mutiler [mytile] v. tr. 1° *Mutiler quelqu'un* (ou *un animal*), lui enlever un membre, lui infliger une blessure grave qui altère son intégrité physique (souvent au passif) : *Il fut atrocement mutilé au visage par l'explosion de la mine. On sortit de la voiture un cadavre mutilé.* — 2° *Mutiler un objet, une chose,* les détériorer gravement : *Mutiler une statue. Mutiler un texte* (= en retrancher une partie essentielle; syn. : AMPUTER). ◆ **mutilé, e** n. : *Les mutilés de guerre* (syn. : BLESSÉ). *Recevoir une pension de mutilé. Un mutilé des deux bras* (syn. : AMPUTÉ). ◆ **mutilation** n. f. : *Le corps portait encore les traces des mutilations subies* (syn. : BLESSURE). *La mutilation du texte en transforme le sens.*

1. mutin n. m. V. MUTINER.

2. mutin, e [mytɛ̃, -in] adj. Qui aime à taquiner; qui manifeste du goût pour les facéties, les espiègleries : *Le petit air mutin d'une fillette* (syn. : ESPIÈGLE, ASTUCIEUX).

mutiner (se) [səmytine] v. pr. Se révolter contre une autorité avec violence : *Les prisonniers se mutinèrent et massacrèrent les gardiens. Les soldats mutinés refluèrent du front.* ◆ **mutin** [mytɛ̃] n. m. Celui qui refuse de se soumettre à l'autorité établie : *Les mutins furent mis à la raison* (syn. : REBELLE). ◆ **mutinerie** n. f. : *Une mutinerie éclata dans le pénitencier* (syn. : RÉVOLTE).

mutisme n. m., **mutité** n. f. V. MUET.

mutualité [mytyalite] n. f. Forme de prévoyance sociale fondée sur les mutuelles. ◆ **mutualiste** adj. *Société mutualiste,* syn. de MUTUELLE n. f.

mutuel, elle [mytɥɛl] adj. (avant ou surtout après le nom). Qui comporte un rapport de réciprocité, un échange : *Une affection mutuelle. Un amour mutuel* (syn. : PARTAGÉ). *Des torts mutuels. Le respect mutuel qu'ils ont l'un pour l'autre* (syn. : RÉCIPROQUE). *Le Pari mutuel urbain ou P. M. U.* (= jeu ouvert au public pour les courses de chevaux). ◆ **mutuelle** n. f. Société d'entraide, de secours mutuels, reposant sur les cotisations de ses membres. ◆ **mutuellement** adv. : *Se jurer mutuellement fidélité.*

myope [mjɔp] adj. et n. Qui ne voit pas nettement les objets éloignés; dont la vue est courte : *Etre très myope. Des lunettes de myope.* ◆ **myopie** n. f. 1° Défaut de la vision dû à un excès de courbure du cristallin : *Etre affligé d'une forte myopie.* — 2° *Myopie intellectuelle,* point de vue étroit, sans envergure sur le plan intellectuel.

myosotis [mjɔzɔtis] n. m. Plante à petites fleurs bleues.

myriade [mirjad] n. f. Quantité considérable : *Des myriades d'étoiles.*

myrte [mirt] n. m. Arbuste des régions chaudes, à feuillage persistant et à petites fleurs blanches, d'odeur agréable.

myrtille [mirtij] n. f. Baie noire, comestible, que l'on trouve sur les arbrisseaux du même nom.

mystère [mistɛr] n. m. 1° Ce qui n'est pas accessible à la connaissance, ce qui est incompréhensible, ce qui est obscur, caché, inconnu : *Un mystère étrange entoure sa disparition. Lever les voiles du mystère* (syn. : SECRET). *Cet enfant est un mystère; nous ne le comprendrons jamais. La politique n'a plus de mystère pour lui.* — 2° Question difficile, obscure : *Les enquêteurs devront éclaircir ce mystère* (syn. : ÉNIGME). — 3° Discrétion volontaire, afin d'empêcher qu'une chose ne soit divulguée; ensemble de précautions prises pour cacher quelque chose : *Il a enveloppé son voyage d'un mystère bien inutile. Pas tant de mystères! dites clairement ce que vous savez* (syn. : CACHOTTERIE). *Faire grand mystère d'une chose* (= la cacher, être très discret à son sujet). — 4° Dogme religieux inaccessible à la raison : *Les mystères de la Trinité, de la Rédemption, dans la religion catholique.* ◆ **mystérieux, euse** adj. (avant ou plus souvent après le nom). 1° Se dit d'une chose difficile à comprendre, d'une chose cachée ou dont le contenu est tenu secret : *Un assassinat mystérieux. Un hasard mystérieux* (syn. : INEXPLICABLE). *Le monde mystérieux des abîmes sous-marins* (syn. : INCONNU). *Ils se sont rencontrés en un lieu mystérieux* (syn. : SECRET). — 2° Se dit de quelqu'un dont l'identité n'est pas connue ou qui s'entoure de mystère; se dit de son attitude : *Un mystérieux personnage. Echanger quelques paroles mystérieuses.* ◆ **mystérieusement** adv. : *Il parle mystérieusement de ce projet.*

mystifier [mistifje] v. tr. 1° Abuser de la crédulité de quelqu'un pour se moquer de lui : *Il l'a mystifié en lui faisant croire une histoire invraisemblable* (syn. : DUPER). — 2° Tromper en donnant de la réalité une idée séduisante, mais trompeuse : *L'opinion a été mystifiée par quelques journalistes.* ◆ **mystification** n. f. Acte, parole propre à mystifier : *Etre le jouet d'une mystification plaisante* (syn. : FARCE). *Les étudiants montèrent une mystification dont les journaux se firent l'écho* (syn. : CANULAR). *Mérimée est l'auteur d'une mystification littéraire célèbre. La mystification de la race pure* (syn. : TROMPERIE, MENSONGE). ◆ **mystificateur, trice** adj. et n. : *Un esprit mystificateur. Des mystificateurs habiles avaient mis la police sur une fausse piste.* ◆ **démystifier** v. tr. Détromper quelqu'un qui a été abusé : *Cruellement démystifié, il a été profondément humilié.* ◆ **démystification** n. f.

mystique [mistik] adj. et n. 1° Dont les idées, les attitudes sont empreintes de mysticisme : *Les auteurs mystiques. Les grands mystiques espagnols. Il fut un poète mystique, tout entier à son œuvre* (syn. : ↓ INSPIRÉ). — 2° Dont le caractère est exalté, dont les idées sont absolues : *Les révolutions ont leurs mystiques* (syn. : ILLUMINÉ). ◆ adj. Qui concerne le mysticisme ou qui en est empreint : *La foi, la contemplation mystique. L'amour mystique.* ◆ n. f. Croyance absolue, qui se forme autour d'une idée, d'une personne, mise hors de toute discussion et prenant une valeur magique : *La mystique de la force. La mystique de la paix.* ◆ **mysticisme** n. m. Ensemble de croyances religieuses ou philosophiques d'après lesquelles la connaissance parfaite consiste dans l'union intime de l'homme et des principes de l'être, et en particulier dans la contemplation de la divinité.

mythe [mit] n. m. 1° Récit d'origine populaire, transmis par la tradition et exprimant d'une manière allégorique, ou sous les traits d'un personnage historique déformé par l'imagination collective, un grand phénomène naturel : *Le mythe solaire. Les mythes grecs* (syn. : LÉGENDE). *Le mythe de Prométhée.* — 2° Amplification et déformation par l'imagination populaire d'un personnage ou de faits historiques, de phénomènes sociaux, etc. : *Le mythe napoléonien. Le mythe de Faust. Le mythe de l'argent, du héros, de la jeunesse.* — 3° Construction de l'esprit qui ne repose pas sur un fond de réalité : *Sa fortune est un mythe.* ◆ **mythique** adj. : *Les héros mythiques de l'Antiquité. Cet ami dont il parle si souvent est un être mythique que l'on ne voit jamais* (= sorti de l'imagination). ◆ **mythologie** n. f. 1° Ensemble des légendes, des mythes qui appartiennent à une civilisation, à un peuple, à une religion et en particulier à l'Antiquité gréco-latine. — 2° Etude scientifique des mythes, de leurs origines. ◆ **mythologique** adj. : *Les divinités mythologiques.* ◆ **mythomane** n. et adj. Déséquilibré qui a tendance à imaginer des mensonges ou à simuler la vérité. ◆ **mythomanie** n. f.

n

n n. m. V. Introduction.

nabot, e [nabo, -ɔt] n. m. *Péjor.* Personne de très petite taille (syn. : NAIN).

nacelle [nasɛl] n. f. Grand panier suspendu à un ballon et dans lequel montait l'équipage.

nacre [nakr] n. f. Substance irisée, blanc rosé, constituant la couche interne de la coquille de certains mollusques et dont on se sert en bijouterie, en ébénisterie, etc. : *Des boutons de manchette en nacre. Un plateau de nacre où l'on a disposé les liqueurs et les verres. Un étui de nacre.* ◆ **nacré, e** adj. Qui a la couleur, l'aspect de la nacre : *Une peau nacrée.*

nager [naʒe] v. intr. 1° (sujet nom de personne) Se soutenir et avancer à la surface de l'eau grâce à des mouvements particuliers : *Nager dans une piscine. Traverser la rivière en nageant. Il sait nager* (V. NATATION); (sujet nom désignant des poissons) : *Les poissons rouges nagent dans le bocal.* — 2° (sujet nom de chose) Flotter sur l'eau, être dans un liquide : *Les débris de l'appareil nageaient sur une grande étendue. De petits morceaux de viande nagent dans une sauce épaisse* (syn. : BAIGNER). — 3° *Nager entre deux eaux,* se ménager adroitement deux partis opposés. ‖ *Nager dans son sang,* être étendu dans une mare de son propre sang (langue soutenue). ‖ *Nager dans la joie, le plaisir,* etc., être dans un état de joie sans mélange. ‖ *Nager dans la prospérité,* être très riche. ‖ *Savoir nager,* savoir se conduire selon les circonstances (syn. fam. : SE DÉBROUILLER). — 4° *Fam.* Ne savoir que faire dans une situation compliquée; être au milieu des pires difficultés : *Je ne trouve pas la solution du problème; je nage. Nous nageons dans la confusion la plus complète.* ◆ v. tr. Pratiquer une certaine forme de nage ou parcourir à la nage une distance : *Nager la brasse, le crawl. Nager un cent mètres.* ◆ **nage** n. f. 1° Action de nager : *La nage sur le dos. Le deux cents mètres nage libre aux jeux Olympiques.* — 2° *A la nage,* en nageant : *Gagner la rive à la nage. Traverser le pas de Calais à la nage. Se jeter à la nage pour secourir quelqu'un qui se noie* (= se jeter à l'eau). ‖ (*Etre*) *en nage,* être inondé de sueur : *Cette course l'a mis en nage.* ◆ **nageoire** n. f. Membre ou organe court et plat qui permet à des animaux aquatiques (poissons) de se soutenir et d'avancer dans l'eau. ◆ **nageur, euse** n. 1° *Un excellent nageur.* — 2° *Maître nageur,* celui qui enseigne la natation dans les piscines, dans les lieux où l'on se baigne.

naguère [nagɛr] adv. Il y a quelque temps (passé limité à l'existence du sujet lui-même) : *Il était naguère encore plein d'entrain; maintenant, la maladie l'a abattu.*

naïf, ive [naif, -iv] adj. et n. 1° Se dit de quelqu'un (ou de son attitude) qui manifeste dans ses actions l'inexpérience, la spontanéité ou l'irréflexion de la jeunesse : *Une jeune fille naïve* (syn. : CANDIDE, INGÉNU). *Avoir une foi naïve dans ses parents* (syn. : SINCÈRE). — 2° Se dit de quelqu'un (ou de son attitude) qui a une confiance exagérée et ridicule : *Tu es naïf de penser qu'il agit par pur désintéressement* (syn. : NIAIS). *Il me prend pour plus naïf que je ne suis* (syn. : BÊTE). *Une réponse naïve* (syn. : IRRAISONNÉ). *C'est un naïf, toujours dupe des autres* (syn. fam. : JOBARD; pop. : POIRE). ◆ adj. Qui est d'une grande simplicité, sans artifice : *Les grâces naïves de l'enfance* (syn. : NATUREL). ◆ **naïvement** adv. : *Dire tout naïvement ce que l'on pense* (syn. : INGÉNUMENT). *S'étonner naïvement de la méchanceté des hommes.* ◆ **naïveté** n. f. : *La naïveté d'un enfant* (syn. : CANDEUR, INGÉNUITÉ). *En toute naïveté, je le croyais convaincu* (syn. : CRÉDULITÉ). *C'est une naïveté de croire que toutes les difficultés ont disparu* (syn. : BÊTISE).

nain, e [nɛ̃, nɛn] adj. et n. 1° Se dit de quelqu'un dont la taille est très inférieure à la normale : *Blanche-Neige et les sept nains. Les nains d'un cirque* (contr. : GÉANT). — 2° *Nain jaune,* nom donné à un jeu de cartes. ◆ adj. Se dit de végétaux, d'animaux, d'objets de taille minuscule ou plus petite que la normale : *Un chêne nain.* ◆ **nanisme** n. m. Etat d'une personne naine (contr. : GIGANTISME).

naître [nɛtr] v. intr. (conj. **65**). 1° Venir au monde (sujet nom d'être animé); commencer à pousser (sujet nom désignant un végétal) : *Enfant qui naît avant terme, qui vient de naître, qui est né il y a trois jours. Molière naquit à Paris. Il naît plus de dix enfants chaque jour à la clinique. Elle est née aveugle. Innocent comme l'agneau qui vient de naître. Les fleurs naissent au printemps* (contr. : MOURIR). — 2° *Etre né de,* être issu par sa naissance de : *Etre né d'un père lorrain et d'une mère parisienne. Né d'une famille d'ouvriers.* — 3° *Etre né pour* (et un infin. ou un nom), avoir des dispositions naturelles pour, être destiné à : *Il est né pour commander. Ils sont nés l'un pour l'autre* (syn. : FAIRE). — 4° *Naître à une chose,* commencer à montrer de l'intérêt pour elle, s'éveiller à : *Naître à l'amour, à une vie nouvelle.* — 5° (sujet nom de chose) Commencer à se manifester, à exister (langue soutenue) : *L'industrie atomique française est née après l'installation des premières piles atomiques. La guerre est née d'un conflit d'intérêts économiques* (syn. : RÉSULTER). *Il fait naître de nouvelles difficultés pour faire échouer le projet* (syn. : PROVOQUER). *Un sourire naît sur ses lèvres* (syn. : APPARAÎTRE). *Une amitié naquit entre eux deux* (syn. : SE DÉVELOPPER). *De cette rencontre est né un grand amour. Sentir naître en soi un sentiment de malaise* (syn. : ÉCLORE). — 6° *Né* (et un adj.), qui est en naissant (avec un trait d'union) : *Orateur-né. Mort-né* (= enfant mort en naissant). *Premier-né, dernier-né* (= enfant né le premier ou le dernier dans une famille). — 7° *Bien né,* qui est de naissance noble; qui a un cœur généreux. ◆ **naissant, e** adj. : *Une barbe naissante* (= qui commence à apparaître). *Le jour naissant* (= l'aube; contr. : FINISSANT). ◆ **naissance** [nɛsɑ̃s] n. f. 1° Commencement de la vie, de l'existence, pour un être vivant; origine, début d'une chose : *La naissance d'un fils. Elle a donné naissance à une fille* (= enfanter). *Acte de naissance délivré par la mairie. L'anniversaire de sa naissance tombe le 20 juin. Aveugle de naissance. La naissance des poussins dans la couveuse. La naissance d'une idée* (syn. : APPARITION). *Cette fausse nouvelle a donné naissance à des commentaires absurdes. La naissance du jour* (syn. : COMMENCEMENT). — **2°** *A la naissance de quelque chose,* à l'endroit où elle commence : *A la naissance de la gorge, des cheveux. A la naissance de la colonne* (= à la base). ◆ **renaître** v. intr. (seulement aux temps simples). **1°** (sujet nom désignant des végétaux) Naître de nouveau; (sujet nom de chose) se manifester de nouveau : *Les fleurs renaissent au printemps* (= croissent de nouveau). *L'espoir renaît dans les cœurs* (syn. : REPARAÎTRE). *Le conflit renaissait sans cesse* (syn. : RECOMMENCER). — **2°** Reprendre des forces; prendre un nouvel essor : *Il renaissait à la vie après sa longue maladie. L'industrie renaissait après les destructions de la guerre.* — **3°** *Renaître à l'espérance,* être animé de nouveau par un sentiment d'espoir. ◆ **renaissant, e** adj. : *L'antagonisme renaissant entre les deux Etats.* ◆ **renaissance** n. f. **1°** Action de naître de nouveau (sens 5) : *La renaissance de l'agriculture. La renaissance d'idées anciennes* (syn. : RÉAPPARITION). — **2°** Mouvement artistique, littéraire et scientifique qui eut lieu en Europe, au XVe siècle, et qui est fondé sur une nouvelle conception de la vie prise à l'Antiquité gréco-latine. (Avec une majusc., en ce sens.)

naja [naʒa] n. m. Serpent venimeux d'Asie et d'Afrique.

nanan [nanɑ̃] n. m. Fam. *C'est du nanan,* c'est une chose délicieuse, exquise.

nantir [nɑ̃tir] v. tr. *Nantir quelqu'un de quelque chose,* le pourvoir, le mettre en possession de cette chose (souvent au passif) : *Nantir un enfant d'un peu d'argent de poche* (syn. : MUNIR). *Nanti de titres universitaires.* ◆ ***se nantir*** v. pr. Prendre avec soi : *Se nantir d'un parapluie.* ◆ **nanti, e** adj. et n. Qui a de la fortune, une situation aisée : *Le conservatisme des nantis.*

naphtaline [naftalin] n. f. Substance blanche, tirée du goudron de houille et utilisée pour préserver les tissus des insectes, des mites en particulier.

1. nappe [nap] n. f. Linge dont on couvre la table pour prendre un repas : *Mettre, ôter la nappe. Une nappe en plastique.* ◆ **napperon** n. m. Petite nappe placée sous une assiette, sur un coin de table, sur un guéridon, etc., comme décoration ou pour protéger la nappe : *Un napperon brodé, ajouré.*

2. nappe [nap] n. f. Vaste étendue d'eau, de liquide, de gaz, etc., s'étendant comme une couche sous terre ou en surface, dans une dépression, etc. : *Une nappe d'eau souterraine. Atteindre par le forage une nappe de pétrole. Une nappe de gaz. Une nappe de feu* (= une étendue embrasée).

narcotique [narkɔtik] n. m. Médicament qui provoque l'assoupissement, le sommeil en diminuant la sensibilité.

narine [narin] n. f. Chacune des deux ouvertures du nez chez l'homme et, moins fréquemment, chez certains animaux tels que le cheval, le taureau, le bœuf (on dit alors NASEAU).

narquois, e [narkwa, -waz] adj. Se dit d'une personne (et surtout de son attitude) qui se moque avec une ironie fine : *Se montrer narquois à l'égard d'un jeune vaniteux* (syn. : CAUSTIQUE, RAILLEUR). *Un sourire narquois* (syn. : IRONIQUE). ◆ **narquoisement** adv.

narrer [nare] v. tr. *Narrer quelque chose,* le faire connaître dans le détail, par un récit généralement assez long (langue soutenue) : *Narrer le récit de ses mésaventures* (syn. : RACONTER). *Le témoin narra les circonstances du drame* (syn. : EXPOSER). *Narrer une belle histoire à des enfants* (syn. : CONTER). ◆ **narration** n. f. **1°** *Faire une longue narration des événements. Il interrompit sa narration* (syn. : EXPOSÉ, RELATION, RÉCIT). — **2°** Exercice scolaire consistant à faire un récit circonstancié sur un sujet donné. ◆ **narratif, ive** adj. Qui appartient au récit, à son style : *Poésie narrative.* ◆ **narrateur, trice** n. Personne qui fait par écrit un récit, qui raconte : *A. Daudet est un narrateur de talent.*

nasal, e [nazal] adj. (le masc. plur. *nasaux* est inusité). Relatif au nez (terme technique) : *Une hémorragie nasale. Les fosses nasales* (= cavités par où l'air passe en venant des narines). *Une consonne, une voyelle nasale* (= prononcée alors que le voile du palais est abaissé, c'est-à-dire avec une résonance nasale, comme [m], [n], [ɑ̃], [ɛ̃], [ɔ̃]). ◆ **nasaliser** v. tr. Prononcer avec une résonance nasale (surtout au part. passé) : *Un « a » nasalisé.* ◆ **nasalisation** n. f. ◆ **dénasaliser** v. tr. Enlever la résonance nasale de : *Les voyelles nasales suivies d'une consonne nasale étaient dénasalisées au début du XVIIe siècle* (« *femme* », *prononcé* [fɑ̃mə], *devint* [fam]). ◆ **dénasalisation** n. f.

naseau [nazo] n. f. Chacune des deux ouvertures du nez chez le cheval, le taureau, etc. : *Une vapeur blanche sortait des naseaux du cheval* (syn. : NARINE).

nasiller [nazije] v. intr. et tr. Avoir une voix modifiée par la fermeture plus ou moins complète des fosses nasales (« parler du nez »), ou émettre des sons dont la résonance est analogue à cette voix : *Il nasille légèrement en parlant. Le phonographe nasillait un vieux refrain.* ◆ **nasillement** n. m. ◆ **nasillard, e** adj. : *Un ton nasillard. Le son nasillard d'un disque ancien.*

nasse [nas] n. f. Engin de pêche constitué par une sorte de panier en osier ou en fil de fer.

natal, e [natal] adj. (plur. masc. inusité). *Pays natal, terre natale, village natal, ville natale,* où l'on est né. ◆ **natalité** n. f. Rapport entre le nombre des naissances et celui des habitants d'un pays, d'une région, pendant une période déterminée : *L'accroissement du taux de natalité. Pays à forte, à faible natalité.* ◆ **dénatalité** n. f. Diminution du nombre des naissances : *La dénatalité en France pendant l'entre-deux-guerres.* ◆ **prénatal, e, als** adj. Qui précède la naissance : *Allocations prénatales.*

natation [natasjɔ̃] n. f. Sport, exercice de la nage : *Les épreuves de natation aux jeux Olympiques. Faire de la natation* (syn. : NAGE).

natif, ive [natif, -iv] adj. et n. *Natif de tel lieu,* en parlant d'une personne, originaire de tel endroit, qui est né en ce lieu, où sa famille a résidé et où elle a vécu un certain temps : *Natif de Toulouse. C'est un natif de Limoges.* ◆ adj. Se dit d'un sentiment, d'une qualité apportés en naissant : *Sa peur native* pour les serpents. Sa répugnance native pour le mensonge.

nation [nasjɔ̃] n. f. Grande communauté humaine, installée en général sur un même territoire ou dans des territoires dépendants et qui se caractérise par des traditions historiques et culturelles communes, par des intérêts économiques convergents et par une unité linguistique ou religieuse : *La nation française. C'est une nation de marchands, de soldats, de colonisateurs. La nation se distingue de l'Etat* (= forme d'organisation institutionnelle) *et du peuple* (= ensemble des individus appartenant à une même communauté) *par ses bases historiques et culturelles, mais, dans l'usage, les mots sont souvent équivalents. La Société des Nations fut créée en 1919. L'Organisation des Nations unies* (*O.N.U.*). *La nation tout entière élit ses députés.* ◆ **national, e, aux** adj. 1° Se dit de ce qui appartient à la nation ou qui en est issu : *« La Marseillaise » est l'hymne national de la France. La production nationale. Le 14-Juillet, fête nationale. L'Assemblée nationale. L'éducation nationale. La défense nationale.* — 2° Se dit de ce qui intéresse l'ensemble du pays et non une seule région : *L'équipe nationale de football. Les routes nationales* (distinctes des routes départementales). *Faire des obsèques nationales à un grand savant;* et par opposition à *international : Mener une politique nationale.* ◆ **nationaux** n. m. pl. Personnes, membres d'une nation déterminée, qui ont une nationalité précise. ◆ **nationaliser** v. tr. Transférer à la communauté, à l'Etat les moyens de production qui sont entre les mains de propriétaires privés : *Nationaliser les chemins de fer.* ◆ **nationalisation** n. f. : *La nationalisation des houillères.* ◆ **dénationaliser** v. tr. *Dénationaliser une industrie,* la rendre à l'entreprise privée alors qu'elle était nationalisée. ◆ **dénationalisation** n. f. ◆ **nationalisme** n. m. Doctrine politique qui préconise la prise de conscience ou la défense des intérêts nationaux et se fonde sur l'exaltation de l'idée de patrie ou de nation : *Le nationalisme africain.* ◆ **nationaliste** adj. et n. : *Le mouvement nationaliste en Asie.* ◆ **nationalité** n. f. Etat de celui qui a le statut juridique de membre d'une nation déterminée : *Acquérir, avoir, prendre, perdre la nationalité française. Etre déchu de la nationalité française.* ◆ **international, e, aux** adj. Qui se rapporte aux relations entre nations, entre Etats : *La politique, la situation internationale. Une conférence internationale. Les championnats internationaux. Le droit international* (= qui régit les rapports entre nations). ◆ n. m. Athlète qui appartient à l'équipe nationale d'un pays : *Les internationaux de l'équipe de France de football.* ◆ **Internationale** n. f. 1° (avec une majusc.) Association générale (internationale) d'ouvriers appartenant à diverses nations, pour la défense des intérêts de la classe ouvrière dans son ensemble. — 2° Hymne révolutionnaire des travailleurs de l'Internationale (sens 1). ◆ **internationaliser** v. tr. Donner un caractère international, porter sur le plan international : *Internationaliser un port. Internationaliser une guerre locale.* ◆ **internationalisation** n. f. : *Eviter l'internationalisation d'un conflit.* ◆ **internationalisme** n. m. Doctrine politique qui a pour base le développement de la solidarité entre les peuples, entre les membres d'une classe sociale, par-delà les frontières, entre tous les Etats : *L'internationalisme prolétarien, ouvrier.* ◆ **supranational, e, aux** adj. Qui dépend d'un pouvoir situé au-dessus des gouvernements de chaque nation : *Les organismes supranationaux.* ◆ **national-socialiste** adj. et n. V. NAZI.

nativité [nativite] n. f. *Fête de la Nativité,* syn. de NOËL.

natte [nat] n. f. 1° Pièce de tissu fait avec des végétaux entrelacés (paille, jonc), et dont on recouvre le sol pour marcher, pour s'étendre : *Couvrir les carreaux d'une pièce de nattes multicolores.* — 2° Tresse de cheveux : *Nattes qui retombent derrière la tête. Défaire ses nattes.* ◆ **natter** v. tr. Mettre en natte (sens 2) : *Des cheveux nattés en deux longues tresses.*

naturaliser [natyralize] v. tr. Donner à un étranger le statut juridique et les droits attachés à une nationalité déterminée : *Se faire naturaliser français.* ◆ **naturalisé, e** adj. et n. : *Un naturalisé de fraîche date.* ◆ **naturalisation** n. f. : *Demander sa naturalisation.*

nature [natyr] n. f. 1° Ensemble des caractères fondamentaux, physiques ou moraux, propres à un être, à une chose : *La nature de l'homme* (syn. : CONDITION). *Quelle est la nature de ses sentiments? Ce n'est pas dans sa nature* (syn. : CARACTÈRE). *L'habitude agit comme une seconde nature* (= a la même force que la nature). *Avoir une nature enjouée* (syn. : TEMPÉRAMENT). *La nature du terrain est un obstacle. La nature du poisson est de vivre dans l'eau. La nature des réformes envisagées nous inquiète* (syn. : GENRE, ESPÈCE). *Des emplois de toute nature devront être mis à la disposition des ouvriers licenciés. C'est une heureuse nature* (= un optimiste). — 2° Principe fondamental qui donne son caractère propre à l'espèce humaine : *Un vice contre nature. Le cri, la voix de la nature* (= du sang). — 3° Principe d'organisation du monde; le monde physique lui-même : *L'ordre de la nature. La place de l'homme dans la nature.* — 4° Réalité physique existant indépendamment de l'homme, considérée affectivement ou esthétiquement : *Opposer la nature et la science. L'homme vit au milieu d'une nature hostile. Les sciences de la nature. Aimer la nature* (syn. : CAMPAGNE). *Le spectacle de la nature au printemps.* — 5° *Les forces de la nature,* éléments naturels considérés comme non dominés par l'homme (feu, vent, eau, etc.). ‖ *Etre une force de la nature,* être un homme d'une force, d'une puissance physique très grande. ‖ Fam. (*Partir, disparaître, envoyer, expédier*) *dans la nature,* dans un endroit indéterminé, mais écarté : *Il s'est perdu dans la nature.* ‖ *En nature,* avec des produits du sol, des objets : *Payer en nature, don en nature* (par oppos. à *en argent*). ‖ *Par sa nature,* essentiellement : *Cette loi est par sa nature irrévocable* (syn. : EN SOI). ‖ *De nature à* (et un infin.), capable de, propre à : *Une objection de nature à ruiner tout un raisonnement.* ‖ *Nature morte,* tableau représentant des objets ou des animaux morts, groupés en un ensemble artistique. ◆ adj. invar. 1° *Fam.* Qui est servi seul, sans accompagnement : *Du café nature* (noir). — 2° Fam. *Il est nature,* il est spontané, sans détour. ◆ **naturel, elle** adj. 1° Qui appartient à la nature (monde physique, organisation, ordre habituel) : *Les phénomènes naturels. Les productions naturelles d'un pays. Les sciences naturelles* (= celles qui étudient les êtres vivants). *La mer est la défense naturelle de la Grande-Bretagne. Le gaz naturel est exploité à Lacq. Les héritiers naturels. Il ne trouve pas cela naturel* (syn. : NORMAL). — 2° Qui appartient à une personne, aux gens; qui est compréhensible venant d'un homme : *Avoir des dispositions naturelles pour la peinture* (= une inclination). *Sa bonté naturelle* (syn. : INNÉ). *Il est naturel qu'on en vienne à des négociations* (syn. : NORMAL). *C'est un geste naturel chez lui.* — 3° Qui est exempt de recherche, d'artifice, d'affectation : *Rester naturel en toute circonstance. Un style naturel.* — 4° *Enfant naturel,* né hors du mariage. ‖ *Mort naturelle,* mort résultant de l'âge, de la maladie, et non d'un accident. ◆ **naturel** n. m. 1° Ensemble des tendances et des caractères propres à un individu : *Il est d'un naturel bavard* (syn. : TEMPÉRAMENT). — 2° Absence d'affectation, de contrainte : *Se conduire avec naturel dans les milieux les plus divers.* — 3° *Péjor.* Personne originaire d'un pays, d'une région, d'une ville : *Les naturels viennent regarder ces touristes originaux avec une surprise ironique.* — 4° *Au naturel,* se dit d'aliments préparés simplement, sans assaisonnement : *Des conserves au naturel.* ◆ **naturellement** adv. 1° Par une impulsion naturelle, conformément au tempérament, à la nature physique : *Etre naturellement gai. Cette idée lui est venue naturellement. Ses cheveux frisent naturellement.* — 2° D'une manière aisée, simple : *Ecrire naturellement.* — 3° D'une manière inévitable, par une conséquence logique : *Naturellement, il n'est pas encore arrivé* (syn. : ÉVIDEMMENT, FORCÉMENT). *Il ne l'a naturellement pas prévenu.* ◆ **naturalisme** n. m. 1° Système philosophique de ceux qui considèrent la nature comme le premier principe (et non Dieu). — 2° Ecole littéraire du XIXe siècle, qui s'est proposée de décrire les aspects réels de la vie humaine, même les plus laids. ◆ **naturaliste** adj. et n. : *Les romanciers naturalistes comme E. Zola, H. Céard, J.-K. Huysmans, G. de Maupassant.* (V. DÉNATURER, SURNATUREL.)

naufrage [nofraʒ] n. m. 1° Perte accidentelle d'un bâtiment en mer : *Etre sauvé d'un naufrage. Le navire a fait naufrage. Son père avait fait naufrage sur les côtes de Bretagne.* — 2° Perte totale, ruine complète : *Le naufrage de son ambition, de sa réputation.* ◆ **naufragé, e** adj. et n. : *Des naufragés réfugiés sur une île. L'équipage naufragé d'un chalutier.* ◆ **naufrageur** n. m. : *Les naufrageurs d'un projet* (= ceux qui en provoquent la ruine).

nausée [noze] n. f. 1° Mal de cœur, envie de vomir : *Avoir la nausée, des nausées. Cette odeur me donne la nausée* (syn. : DES HAUT-LE-CŒUR). — 2° Sentiment profond de dégoût : *Tant de bassesse donne la nausée.* ◆ **nauséabond, e** adj. Qui cause des nausées : *Une odeur nauséabonde* (syn. : ÉCŒURANT, FÉTIDE). *Un scandale nauséabond* (syn. : DÉGOÛTANT).

nautique [notik] adj. Qui appartient à la navigation de plaisance, aux jeux et aux sports de l'eau : *Une fête nautique* (= sur l'eau). *Faire du ski nautique.* ◆ **nautisme** n. m. Ensemble des sports nautiques.

naval, e, als [naval] adj. Relatif à la marine de guerre : *Un combat naval. L'Ecole navale forme les officiers de la marine militaire. Une base navale. L'attaché naval de l'ambassade.* (V. AÉRONAVAL.)

navet [navɛ] n. m. 1° Plante dont la racine, longue et ronde, est comestible. — 2° *Fam.* Œuvre d'art, roman, film sans intérêt ni originalité : *Le peintre exposait ses navets dans la rue.*

navette [navɛt] n. f. 1° Véhicule (train, car, bateau, etc.) servant à des liaisons courtes et répétées entre deux lieux : *Prendre la navette.* — 2° *Faire la navette,* aller et venir continuellement entre deux lieux déterminés : *Sa profession l'oblige à faire la navette entre Tours et Paris* (syn. : L'ALLER ET RETOUR). *Le projet de loi fait la navette entre le Sénat et l'Assemblée nationale.*

naviguer [navige] v. intr. 1° (sujet nom de navire ou de personne) Voyager sur mer, sur l'eau : *Bateau hors d'état de naviguer. Le cargo navigue sous pavillon des Etats-Unis. Nous avons navigué sur la Méditerranée par un calme plat. Ce navire a beaucoup navigué.* — 2° (sujet nom de personne) Faire suivre à un avion une route déterminée : *Le pilote naviguait à 5 000 mètres d'altitude en direction d'Amsterdam.* — 3° *Savoir naviguer,* savoir éviter les obstacles, les difficultés avec une habileté souvent excessive. ◆ **navigable** adj. Où un navire peut naviguer : *Rivière navigable.* ◆ **navigabilité** n. f. ◆ **navigant** adj. et n. m. Qui fait partie de l'équipage d'un avion (*personnel navigant*). ◆ **navigation** n. f. 1° Action de naviguer; voyage de quelqu'un ou marche d'un navire sur mer, sur l'eau : *Navigation au long cours, côtière. Navigation marchande* (= celle des cargos). *Nous avons eu une navigation pénible.* — 2° Ensemble du trafic sur l'eau : *Compagnies de navigation. La navigation fluviale, maritime* (syn. : TRANSPORT). — 3° *Navigation aérienne,* transports aériens, voyages en avion. ‖ *Navigation interplanétaire, intersidérale,* voyages dans le cosmos. ◆ **navigateur** n. m. et adj. 1° Syn. de MARIN (langue soutenue) : *Les Normands étaient de hardis navigateurs. Les grands navigateurs des XVe et XVIe siècles.* — 2° Membre de l'équipage d'un avion chargé de déterminer la route à suivre.

navire [navir] n. m. Bateau, en général de fort tonnage, destiné à la navigation en pleine mer : *Navire de guerre. Navire de commerce* (= cargo). *Navire de plaisance* (= yacht). *Le navire vient à quai, appareille, s'amarre. Le déchargement des navires marchands.* ◆ **navire-école** n. m. Navire où l'on fait l'apprentissage du métier de marin.

navrer [navre] v. tr. *Navrer quelqu'un,* lui causer une peine très vive (souvent au passif) : *Ses échecs me navrent* (syn. : DÉSOLER). *Je suis navré de l'avoir vexé* (syn. : ↓ CONTRARIER). *Il prit, pour refuser, un air navré* (syn. : ↓ ENNUYER). ◆ **navrant, e** adj. : *Une situation navrante* (syn. : ATTRISTANT, DÉPLORABLE). *Une nouvelle navrante* (syn. : DOULOUREUX, DÉSOLANT). *Ce malentendu est navrant* (syn. : ↓ ENNUYEUX).

nazi [nazi] ou **national-socialiste** adj. et n. Se dit de qui a adhéré aux doctrines racistes et politiques de Hitler. ◆ **nazisme** ou **national-socialisme** n. m.

ne [nə] (**n'** devant une voyelle ou un *h* muet) adv. Indique une négation dans le groupe verbal, seul ou plus souvent en corrélation avec un autre mot négatif (*pas, point, plus, jamais, nul, aucun,* etc.). [V. tableau p. ci-contre.]

néanmoins [neɑ̃mwɛ̃] adv. Employé surtout dans la langue soutenue, il marque une opposition à ce qui vient d'être dit, et joue le rôle d'une conjonction de coordination dont la place est variable dans la phrase (en tête de l'énoncé, après le verbe ou son auxiliaire, etc.) : *La foule était dense, néanmoins il se sentait seul, isolé dans un monde indif-*

térent (syn. : POURTANT, ↓ MAIS). *Rien ne semblait changé dans sa vie, néanmoins il avait maintenant repris espoir* (syn. : CEPENDANT, TOUTEFOIS).

néant [neɑ̃] n. m. 1° Défaut d'existence : *Arracher, tirer une œuvre du néant où elle était tombée. Réduire à néant les espérances de quelqu'un* (= anéantir, détruire). *Retourner au néant. Signes particuliers : néant* (— aucun). — 2° Absence de valeur, d'importance (relig.) : *Le néant de l'homme.*

nébuleux, euse [nebylø, -øz] adj. Qui manque de clarté, qui est peu compréhensible, ou a peu de sens : *Développer une théorie nébuleuse* (syn. : CONFUS, FUMEUX). *Ses projets sont encore nébuleux* (syn. : VAGUE, OBSCUR ; contr. : PRÉCIS).

NE

EMPLOIS ET VALEURS	EXEMPLES
	« Ne » seul
1° Dans une proposition principale ou indépendante, *ne* employé seul peut indiquer une négation, mais cet emploi est restreint à des expressions figées, en nombre limité, ou reste facultatif dans quelques constructions, qui appartiennent à la langue littéraire ou soutenue.	**Locutions verbales :** *Je n'ai cure de vos plaintes continuelles. Il n'a garde de l'importuner par ses questions. Qu'à cela ne tienne, je me passerai de votre avis. Il n'empêche que vous auriez pu m'avertir à temps. N'était l'orage qui menace, nous sortirions. Que ne suis-je déjà en vacances! Je n'ai que faire de tous ces meubles qui m'embarrassent. Il fait froid. N'importe! nous sommes bien chauffés.* **Groupes verbaux où « ne » seul est moins fréquent que « ne pas » :** *Il ne peut faire un pas sans qu'elle s'inquiète* (= il ne peut pas faire). *Il ne cesse, il ne peut, il n'ose parler* (on dit plus souvent : *il ne cesse pas, il ne peut pas, il n'ose pas parler*). *Il ne sait ce qu'il veut* (= il ne sait pas). *Il est venu une personne pour vous voir, je ne sais qui* (= je ne sais pas qui; la différence faite entre les deux phrases — indécision avec *ne* seul et ignorance avec *pas* — n'existe pas dans la langue usuelle). *Il n'est travail qui ne demande un temps d'apprentissage* (littér. = il n'y a pas de travail). *Je n'ai d'autre désir que de vous satisfaire* (plus souvent : *je n'ai pas d'autre*).
2° Dans une proposition subordonnée, l'emploi de *ne* avec la valeur négative est restreint à des expressions figées ou à des constructions en nombre limité. (Il est remplacé par *ne... pas* dans la langue usuelle.)	**Locutions :** *Si je ne me trompe, je vous ai bien rencontré l'année dernière? Si je ne l'ai vu hier sur ton bureau, je veux bien être pendu!* (fam.). **Dans une proposition relative au subjonctif, après une principale négative ou interrogative :** *Il n'est pas de jour qu'il ne se lamente sur son sort.* **Après « depuis que », « voici x temps que », « il y a x temps que » + temps composé :** *Voici cinq ans que je ne l'ai vu* (= je ne l'ai pas vu depuis cinq ans). *Il s'est passé bien des choses depuis que je ne vous ai vu.* **Après « ce n'est pas que », « non que », « non pas que » (causales) :** *J'ai refusé, mais ce n'est pas que je n'en aie eu envie.*
3° Dans certaines propositions subordonnées, en nombre limité, *ne* n'a pas de valeur négative. (Le plus souvent, la langue parlée le supprime, le *ne* se conservant dans la langue soutenue ou littéraire.)	**Après les verbes de crainte :** *Je crains, j'ai peur, j'appréhende qu'il n'apprenne cette nouvelle.* **Après les verbes d'empêchement, de défense :** *J'évite, j'empêche, je prends garde qu'il ne vienne* (plus souvent sans *ne*). **Après les verbes de doute employés négativement ou interrogativement :** *Il ne doute pas, il ne désespère pas, il ne disconvient pas, il ne méconnaît pas, il ne dissimule pas, il ne nie pas qu'il ne se soit trompé. Est-ce qu'il nie que cette erreur ne se soit produite?* **Après « avant que », « à moins que », « il s'en faut que » (langue soutenue), « sans que » (langue usuelle) :** *Il faut le prévenir avant qu'il ne fasse cette sottise. Peu s'en faut qu'il n'ait tout abandonné. Prends le pain chez le boulanger, à moins qu'il ne soit déjà fermé.* **Dans les propositions comparatives, après « plus », « moins », « mieux », « autre », « meilleur », « pire », « plutôt », « moindre », si la principale est affirmative (langue soutenue; dans la langue parlée, « ne » est supprimé) :** *Il est plus fin qu'on ne croit. Il veut faire mieux qu'il n'est pratiquement possible.*
	« Ne » avec un mot négatif placé avant ou après
Le plus souvent, dans la langue parlée, *ne* disparaît dans le premier cas.	**Avec « aucun », « personne », « nul », « rien » :** *Je ne l'ai dit à personne. Nul ne l'a compris. Il n'y a rien de compromettant dans le dossier.* **Avec « pas », « point », « plus », « guère », « aucunement », « nullement » :** *Il ne le connaît pas. Vous n'êtes plus satisfait de votre métier. Je ne l'ai guère rencontré ces temps-ci. Je voudrais ne pas sortir cet après-midi. Il ne faut pas qu'il se méprenne;* **pas de, plus de,** etc., devant les substantifs : *Il n'y avait pas d'homme plus connu dans cette ville. Je n'ai pas de disques.* **Avec « ni » :** *Il n'a plus ni parents ni amis;* dans la langue moins usuelle : *Il n'a pas de parents ni d'amis.*
Double négation.	**Ne... pas (plus, jamais,** etc.) peut être la négation d'un verbe lui-même suivi d'une proposition subordonnée ou d'un infinitif négatif (parfois affirmation renforcée) : *Il n'est pas sans savoir* (= il connaît très bien). *Il n'est pas d'homme qui ne le connaisse pas* (= tout le monde le connaît). *Je ne suis pas mécontent de ne pas l'avoir attendu.*
Ne... que indique une restriction (syn. : SEULEMENT).	*Il n'y a que dix minutes qu'il est là* (= il y a seulement dix minutes qu'il est là). *Je n'ai que peu de temps à vous consacrer* (= j'ai seulement très peu de temps). Avec une négation, la restriction porte sur une idée négative : *Il n'y a pas que des paresseux. On ne vit pas que d'air et d'eau fraîche.*

nébulosité [nebylozite] n. f. Rapport entre la surface du ciel couverte de nuages et la surface totale du ciel au-dessus d'une région (terme techn.) : *Nébulosité variable à l'est d'une ligne allant de La Rochelle à Strasbourg.*

nécessaire [nesesɛr] adj. **1°** Se dit de ce qui est exigé pour qu'une autre chose existe, pour qu'un résultat soit obtenu, pour réussir : *Les conditions nécessaires de l'existence. Il a les qualités nécessaires à (pour) cet emploi* (syn. : REQUIS PAR; contr. : INUTILE). *Cette sévérité est nécessaire pour (afin de) maintenir l'ordre* (syn. : OBLIGATOIRE). *Mettre à la disposition de la recherche scientifique les moyens nécessaires* (syn. : ESSENTIEL). *Est-il nécessaire de le prévenir? Un repos prolongé sera nécessaire* (syn. : ↓ UTILE). *C'est un mal nécessaire* (= inévitable si l'on veut obtenir ce qui est désiré). — **2°** Se dit d'une personne dont l'absence est nuisible : *Il est devenu l'homme nécessaire dans le service* (syn. : INDISPENSABLE). *Il sait se rendre nécessaire.* — **3°** Se dit de ce qui arrive d'une manière inévitable dans une suite d'événements : *Le désordre, résultat nécessaire de l'imprévoyance et de l'impéritie* (syn. : INÉLUCTABLE). ◆ **nécessaire** n. m. **1°** Ce dont on ne peut se passer pour un mode normal d'existence ou pour faire quelque chose : *N'avoir chez soi que le strict nécessaire.* — **2°** *Nécessaire de toilette, nécessaire de voyage,* sac, mallette renfermant tous les ustensiles nécessaires à la toilette, au voyage. ◆ **nécessairement** adv. : *Cette fièvre a nécessairement une cause* (syn. : FORCÉMENT). *De telles mesures ont nécessairement pour résultat un mécontentement général* (syn. : FATALEMENT, MATHÉMATIQUEMENT). ◆ **nécessité** n. f. **1°** Caractère de ce qui est nécessaire; chose nécessaire : *La nécessité de prendre une décision* (syn. : OBLIGATION). *C'est une nécessité absolue. Je me trouve dans la nécessité de le congédier* (= je suis obligé). — **2°** *Par nécessité,* par l'effet d'une contrainte matérielle ou morale : *Obéir par nécessité. Je suis obligé de m'absenter par nécessité.* — **3°** Chose (moyen, condition) nécessaire, inhérente à une autre chose : *Les nécessités de la concurrence, de la défense nationale. Faire face à des nécessités financières imprévues.* — **4°** *Les nécessités de la vie,* les besoins indispensables à l'existence. ‖ *De première nécessité,* qui est nécessaire pour satisfaire des besoins essentiels : *Des dépenses de première nécessité.* ◆ **nécessiter** v. tr. Rendre nécessaire : *Les dégâts causés par la tempête nécessitent d'urgentes réparations* (syn. : EXIGER, RÉCLAMER). *La situation a nécessité l'envoi d'importants moyens dans la région* (syn. : REQUÉRIR). ◆ **nécessiteux, euse** adj. et n. Qui manque du nécessaire, qui est dans la pauvreté, le dénuement : *Des familles nécessiteuses* (syn. : INDIGENT).

nécrologique [nekrɔlɔʒik] adj. *Rubrique nécrologique,* rubrique où l'on annonce les décès récents. ‖ *Article, notice nécrologique,* consacrés à un défunt et où l'on retrace sa carrière.

nécropole [nekrɔpɔl] n. f. Cimetière d'une grande ville (littér.).

nectar [nɛktar] n. m. Boisson exquise : *Ce vin est un vrai nectar.*

nef [nɛf] n. f. Partie d'une église qui s'étend du chœur à la porte principale.

néfaste [nefast] adj. Qui a des conséquences nuisibles, désastreuses : *L'action néfaste d'un homme politique* (syn. : FUNESTE). *Un régime néfaste* (syn. : DANGEREUX).

nèfle [nɛfl] n. f. Fam. *Des nèfles!,* interj. ayant la valeur d'un refus, d'un doute indigné. (La *nèfle* est le fruit comestible d'un arbrisseau appelé *néflier.*)

négatif, ive adj., **négation** n. f. V. NIER.

négliger [negliʒe] v. tr. **1°** *Négliger quelque chose, de faire quelque chose,* le laisser de côté, omettre de le faire : *Négliger un avertissement* (syn. : DÉDAIGNER). *Ne rien négliger pour obtenir ce qu'on désire* (syn. : OMETTRE). *Il a négligé de m'avertir de son changement d'adresse* (syn. : OUBLIER). — **2°** *Négliger une chose,* la laisser sans soin, ne lui accorder aucune importance : *Négliger sa santé, ses affaires* (syn. : SE DÉSINTÉRESSER; contr. : SOIGNER). *Négliger sa tenue. Négliger ses talents* (= ne pas les cultiver). *Avoir une barbe négligée. Un style négligé* (contr. : IMPECCABLE). — **3°** *Négliger quelqu'un,* le traiter sans attention, sans considération, l'oublier : *Négliger ses amis* (syn. : ABANDONNER). *Il néglige sa femme* (= ne lui montre plus les attentions d'un mari). ◆ ***se négliger*** v. pr. Ne plus prendre soin de soi-même. ◆ **négligeable** adj. : *En quantité négligeable* (= très petite). *Avoir une influence non négligeable* (syn. : MÉDIOCRE). *Détail négligeable* (syn. : MINCE). ◆ **négligence** n. f. **1°** Manque de soin, d'application, de prudence : *Montrer de la négligence dans son travail* (syn. : ↑ PARESSE). *Une négligence qui coûte cher* (syn. : OMISSION, INATTENTION). *Coupable de négligence professionnelle* (contr. : CONSCIENCE). *Réparer la négligence de sa tenue* (syn. : LAISSER-ALLER). — **2°** Manque de précision, faute légère : *Des négligences de style.* ◆ **négligent, e** adj. et n. : *Un employé, un élève négligent* (syn. : PARESSEUX; contr. : APPLIQUÉ, CONSCIENCIEUX). *Désigner d'un geste négligent une feuille sur un bureau* (syn. : INSOUCIANT). ◆ **négligemment** [-ʒamɑ̃] adv. : *Répondre négligemment à une question grave* (=avec négligence). *Regarder négligemment autour de soi* (= avec nonchalance).

négoce [negɔs] n. m. Activité commerciale intéressant surtout le commerce de gros ou les grandes affaires (le mot vieillit) : *S'enrichir dans le négoce* (syn. : COMMERCE). *Le négoce de l'argent* (= l'activité boursière). ◆ **négociant, e** n. Personne qui fait du commerce en gros : *Un négociant en vins* (contr. : DÉTAILLANT). *Négociant en tissus* (syn. : MARCHAND). ◆ **négocier** v. tr. *Négocier une valeur, un titre, une action,* les transmettre à un acheteur contre de l'argent liquide.

1. négocier [negɔsje] v. tr. et intr. (sujet nom désignant des Etats, des parties entre lesquels existe un différend). Discuter afin d'arriver à un accord : *Négocier la paix, un traité, une reddition, un accord de salaires. Négocier avec une puissance étrangère* (syn. : TRAITER). *Refuser de négocier* (syn. : DISCUTER, COMPOSER). ◆ ***se négocier*** v. pr. Etre discuté : *Un traité secret s'est négocié entre les deux pays.* ◆ **négociation** n. f. : *Enregistrer des progrès sensibles dans la négociation* (syn. : DISCUSSION). *Régler un conflit par voie de négociation. Ouverture, échec des négociations. Les deux parties ont entamé des négociations* (syn. : DISCUSSION). ◆ **négociateur, trice** n. : *Les négociateurs se sont rencontrés en terrain neutre.*

2. négocier [negɔsje] v. tr. *Négocier un virage* (en voiture), manœuvrer de manière à le prendre le mieux possible à grande vitesse.

3. négocier v. tr. V. NÉGOCE.

nègre, négresse [nɛgr, negrɛs] n. et adj. 1° Homme, femme de la race noire (mot péjor. et injurieux dans la langue commune, remplacé auj. par NOIR, E) : *La race nègre. Des tribus nègres. Avoir une Négresse comme domestique;* a désigné l'esclave noir (au masc.) : *La traite des Nègres.* — 2° *Travailler comme un Nègre,* avec acharnement et sans repos. ◆ **nègre** n. m. *Fam.* Personne, au service d'un écrivain, qui rédige des ouvrages que ce dernier signe de son nom. ◆ adj. *Motion nègre blanc,* rédigée en termes équivoques, pour tenir la balance égale entre des tendances contraires. ◆ **négrier** n. m. et adj. Bâtiment qui servait à la traite des Nègres; capitaine ou armateur qui faisait le commerce des esclaves. ◆ **négrillon, onne** n. Enfant de race noire. ◆ **négritude** n. f. Ensemble des caractères particuliers à la race noire.

neige [nɛʒ] n. f. 1° Eau congelée qui tombe en flocons blancs et légers : *La neige tombe en hiver. Des pas sur la neige fraîche. Les neiges éternelles des hautes montagnes. De la neige fondue* (= une pluie glaciale). *Les sports de neige. Etre blanc comme neige. Les classes de neige sont organisées pendant l'hiver pour de jeunes citadins. Les trains de neige conduisent les vacanciers aux stations de sports d'hiver. Ses espoirs ont fondu comme neige au soleil.* — 2° *Neige carbonique,* gaz carbonique solidifié employé contre le feu. — 3° *Œufs à la neige,* blancs d'œufs battus, montés et cuits, servis en entremets. ◆ **neiger** v. intr. et impers. : *Il neige sur toute la région* (= il tombe de la neige). ◆ **neigeux, euse** adj. 1° Couvert de neige : *Les cimes neigeuses.* — 2° *Temps neigeux,* qui laisse prévoir des chutes de neige. ◆ **enneigé** (**être**) v. passif. Etre couvert de neige : *Les toits sont enneigés* (= couverts d'une épaisse couche de neige). ◆ **enneigement** n. m. Etat d'un endroit couvert de neige : *L'enneigement, au début de l'hiver, est insuffisant pour les skieurs.*

nénuphar [nenyfar] n. m. Plante aquatique aux larges feuilles et aux fleurs blanches, jaunes ou rouges.

néologisme [neɔlɔʒism] n. m. Mot de création récente ou emprunté depuis peu à une autre langue; acception nouvelle d'un mot déjà ancien (on dit alors NÉOLOGISME DE SENS) : *Les néologismes répondent au renouvellement et à l'évolution des besoins de la communication; ils traduisent aussi l'apparition de techniques ou de sciences nouvelles* (contr. : ARCHAÏSME).

néon [neɔ̃] n. m. Gaz rare de l'atmosphère, employé dans l'éclairage : *Tubes au néon. Les enseignes au néon des boutiques. Lampe au néon.*

néophyte [neɔfit] n. Adepte récent d'une doctrine, d'un parti, d'une religion : *Se conduire comme un néophyte* (syn. fam. : UN BLEU). *Avoir l'ardeur d'un néophyte.*

néphrite [nefrit] n. f. Inflammation du rein : *Néphrite aiguë, chronique.*

népotisme [nepɔtism] n. m. Attitude d'un homme en place (ministre, haut fonctionnaire, etc.) qui use de son crédit ou de son pouvoir en faveur de sa famille.

nerf [nɛr] n. m. 1° Organe conducteur de la sensibilité et du mouvement chez un être vivant (en anatomie). — 2° *Fam.* Vigueur physique et morale d'une personne : *Il a du nerf. Un peu de nerf et vous y arriverez. Ça manque de nerf.* — 3° *Le nerf de la guerre,* l'argent. ‖ *Nerf de bœuf,* matraque faite d'un ligament du bœuf. ◆ **nerfs** n. m. pl. Système nerveux, ensemble de la sensibilité : *Il a les nerfs ébranlés. Ce bruit me porte, me donne sur les nerfs* (= m'agace). *Il a les nerfs à toute épreuve* (= il est d'un calme imperturbable). *Calmer les nerfs. Son rire me porte sur les nerfs* (fam. = est irritant). *Avoir les nerfs tendus* (= être dans une attente crispée). *Il a une vie fatigante; il est* (*vit*) *toujours sur les nerfs* (= il ne continue à travailler que par un effort de volonté) : *Une crise de nerfs* (= un état dépressif, qui se manifeste par des crises de larmes). *Attaque de nerfs* (= trouble violent qui se manifeste par des gestes désordonnés). *La guerre des nerfs* (= un ensemble de procédés de propagande visant à créer chez l'adversaire un affaiblissement du moral). *Avoir les nerfs en pelote* (fam. = être irritable). *Un paquet de nerfs* (fam. : une personne agitée, fébrile). *Avoir ses nerfs* (fam. = être irritable). ◆ **nerveux, euse** adj. 1° *Cellule nerveuse. Fibre nerveuse. Exaltation nerveuse. Avoir des gestes nerveux. Une maladie nerveuse* (= des troubles mentaux). — 2° Se dit d'un être vivant qui a de la vigueur, de la vivacité, ou de ses membres : *Il n'est pas très nerveux dans son travail. Un bras nerveux* (syn. : VIGOUREUX). — 3° *Centres nerveux,* cerveau et moelle épinière; (au sing.) centre où se trouvent les organismes directeurs : *Paris est le centre nerveux de la France.* ‖ *Un style nerveux,* ferme, concis. ◆ **nerveusement** adv. : *Frapper nerveusement sur la table.* ◆ **nervosité** n. f. Excitation passagère ou permanente d'une personne : *Faire preuve de nervosité devant les lenteurs administratives* (syn. : IRRITATION). *Etre en état de nervosité* (syn. : AGACEMENT). *Ce geste trahit sa nervosité* (syn. : ÉNERVEMENT, IRRITATION). ◆ **énerver** v. tr. Provoquer l'irritation (donner, porter, taper sur les nerfs) : *Il m'énerve avec ses questions stupides* (syn. : ↓ AGACER). *Etre énervé par le bruit* (syn. : CRISPER). ◆ **énervant, e** adj. : *Cet enfant est énervant à courir sans cesse autour de nous* (syn. : ↑ EXASPÉRANT, INSUPPORTABLE). *Vous êtes énervant avec votre indécision continuelle.* ◆ **énervé, e** adj. : *Sa colère s'explique parce qu'il était très énervé.* ◆ **énervement** n. m. : *N'attachez pas d'importance à des mots prononcés dans un moment d'énervement* (syn. : IMPATIENCE, IRRITATION, NERVOSITÉ). ◆ **innerver** v. tr. (sujet nom désignant un nerf). Atteindre un organe. ◆ **innervation** n. f. Distribution des nerfs dans un organe. (V. NÉVRALGIE, NÉVRITE, NÉVROSE.)

nervi [nɛrvi] n. m. *Fam.* Bandit spécialisé dans les attaques à main armée ou servant d'homme de main dans des organisations subversives.

nervure [nɛrvyr] n. f. 1° *Nervure d'une feuille,* filet ramifié et saillant, où passe la sève. — 2° *Nervure d'une reliure,* saillie formée sur le dos d'un livre relié. — 3° *Nervure d'une voûte,* moulure arrondie formant l'arête saillante d'une voûte.

n'est-ce pas [nɛspa] loc. adv. 1° Prononcée sur un ton interrogatif, appelle l'acquiescement de l'auditeur à ce qui vient d'être dit (le plus souvent, dans la conversation, elle est une simple articulation de la phrase) : *Ce livre est excellent, n'est-ce* *pas? Vous me croyez, n'est-ce pas? La vérité, n'est-ce pas, c'est que les difficultés le rebutent.* — 2° *N'est-ce pas que,* introduit une phrase interrogative avec une valeur insistante : *N'est-ce pas que cette voiture est particulièrement maniable dans une ville à grande circulation?* (V. EST-CE QUE.)

net, nette [nɛt] adj. 1° (après le nom) Qui n'est sali par rien : *Une nappe nette, sans la moindre tache* (syn. : PROPRE). *Elle soigne son intérieur, qui est toujours net* (syn. : ↑ IMPECCABLE; contr. : SALE). — 2° (après ou plus rarement avant le nom) Dont les limites, les contours, les formes sont distinctement indiqués : *Une écriture nette* (syn. : CLAIR; contr. : CONFUS). *Les photographies étaient très nettes* (contr. : FLOU). *Parler d'une voix nette* (syn. : DISTINCT). *Une copie nette* (syn. : SANS RATURE). *Avoir les idées nettes* (contr. : IMPRÉCIS). *Il y a une différence très nette entre eux deux* (syn. : MARQUÉ). *Présenter un tableau très net de la question* (syn. : EXACT). — 3° (après le nom) Qui ne prête à aucun doute, à aucun soupçon : *Son refus est net* (syn. : CATÉGORIQUE). *Il a un avis très net sur ceci* (syn. : FORMEL; contr. : INDÉCIS). *Sa position n'est pas nette* (syn. : EXPLICITE; contr. : LOUCHE). — 4° Dont on a retiré tout élément étranger : *Le poids net. Le prix net* (toutes déductions ou majorations effectuées). *Bénéfice net* (= une fois retirées les charges). *Le morceau de viande pèse net deux cents grammes.* — 5° *Avoir les mains nettes,* avoir les mains propres, être parfaitement honnête. ‖ *Faire place nette,* débarrasser un endroit de tout ce qui gêne; congédier ceux dont on veut se débarrasser. ‖ *Avoir la conscience nette,* se juger irréprochable. ‖ *En avoir le cœur net,* s'assurer entièrement de l'exactitude d'un fait pour dissiper un doute. ‖ *Net de,* exempt de (charge) : *Emprunt net de tout impôt sur le revenu.* ◆ adv. 1° D'une manière brutale, unie, tout d'un coup : *S'arrêter net. Il a été tué net* (syn. : SUR LE COUP). *La lame s'est cassée net.* — 2° D'une manière précise, franche : *Parler net. Refuser tout net* (syn. : CARRÉMENT). ◆ n. m. *Mettre au net,* mettre au propre, recopier un brouillon. ◆ **nettement** adv. 1° D'une manière précise, distincte, claire : *Prendre nettement position. S'exprimer nettement. Déclarer nettement son intention. Condamner nettement ces abus. Dire nettement son mécontentement.* — 2° D'une manière incontestable, qui est claire aux yeux de tous : *L'équipe de France l'a emporté nettement.* — 3° Renforce un adjectif au superlatif ou au comparatif : *Il est nettement le plus fort. Aller nettement plus mal* (syn. : BEAUCOUP). ◆ **netteté** n. f. : *La netteté d'un intérieur* (syn. : PROPRETÉ). *La netteté d'un miroir* (syn. : ÉCLAT). *La netteté d'une photographie. Répondre, parler avec netteté* (contr. : AMBIGUÏTÉ).

nettoyer [netwaje] v. tr. 1° *Nettoyer quelque chose,* le rendre propre en le débarrassant de tout ce qui le salit ou l'encombre : *Nettoyer le parquet* (= le balayer), *des meubles* (= les essuyer), *les tapis* (= les épousseter). *Nettoyer une chambre, un appartement* (syn. : FAIRE LE MÉNAGE DE). *Nettoyer les allées du jardin* (syn. : RATISSER). *Nettoyer un bassin* (syn. : CURER). *Nettoyer une plaie.* — 2° Fam. *Nettoyer quelqu'un,* le priver de son argent, de ses biens : *Il s'est fait nettoyer au poker* (syn. : RUINER). — 3° *Nettoyer un lieu,* le débarrasser de gens dangereux, des ennemis qui s'y trouvent : *La police a nettoyé le quartier où avaient eu lieu les agressions.* — 4° *Fam.* Provoquer une fatigue, un abattement laissant sans réaction : *Cette promenade a été éreintante; je suis nettoyé* (syn. fam. : LIQUIDER; pop. : VIDER). ◆ **nettoyage** n. m. 1° Action de nettoyer : *Le nettoyage des bureaux. Le nettoyage du linge. Le nettoyage d'un village par l'armée.* — 2° *Fam.* Action de se débarrasser d'un personnel inefficace : *Procéder à un nettoyage général dans une administration.* ◆ **nettoiement** n. m. Ensemble des opérations servant au nettoyage : *Les services du nettoiement à Paris. Le nettoiement des rues.*

1. neuf [nœf] adj. num. et n. m. V. NUMÉRATION. ◆ **neuvième** [nøvjɛm] adj. num. et n. ◆ **neuvièmement** adv.

2. neuf, neuve [nœf, nœv] adj. 1° Qui vient d'être fait, fabriqué, construit depuis peu de temps et qui n'a pas encore été utilisé : *Acheter un appartement neuf* (contr. : ANCIEN). *Son costume n'est plus neuf* (= il est usagé). *Ces livres d'occasion sont à l'état neuf, comme neufs.* — 2° Qui n'a pas été encore dit ou vu sur le plan artistique, littéraire, etc. : *Un roman très neuf* (syn. : ORIGINAL). *Une expression, une idée neuve* (syn. : AUDACIEUX). — 3° Qui a la force, la fraîcheur ou l'inexpérience de la jeunesse : *Une âme neuve. Il faut des yeux neufs pour examiner de nouveau le problème.* — 4° *Pays neuf,* qui n'a pas encore connu la civilisation industrielle. — 5° *Rien de neuf, quoi de neuf?,* rien de nouveau, quelle nouvelle? ◆ **neuf** n. m. 1° Ce qui est nouveau : *Du neuf, mais du raisonnable, en politique. Il y a du neuf aujourd'hui dans le Moyen-Orient* (syn. : NOUVEAU). — 2° *Habillé, vêtu de neuf,* avec des vêtements qui viennent d'être achetés. — 3° *Rebâtir, repeindre, refaire, remettre quelque chose à neuf,* de façon à ce que l'objet, la salle, la maison, etc., apparaissent comme neufs. (V. NOUVEAU.)

neurasthénie [nørasteni] n. f. Etat plus ou moins durable d'abattement, de tristesse, pouvant aller jusqu'à un trouble mental caractérisé. ◆ **neurasthénique** adj. et n.

neurologie [nørɔlɔʒi] n. f. Science médicale qui a pour objet les maladies du système nerveux. ◆ **neurologue** n.

1. neutre [nøtr] adj. et n. m. En grammaire, se dit d'une catégorie qui n'a les caractéristiques ni du masculin ni du féminin : *Genre neutre. Pronoms neutres.*

2. neutre [nøtr] adj. et n. Qui ne participe pas à un conflit, qui s'abstient de prendre parti dans une lutte, une querelle mettant aux prises plusieurs puissances, plusieurs groupes, plusieurs personnes : *La Suisse, pays neutre. Les Etats neutres d'Afrique et d'Asie. Rester neutre dans une discussion, un débat.* ◆ adj. 1° Se dit de ce qui n'appartient pas aux belligérants : *Conférence qui se tient sur un terrain neutre.* — 2° Se dit de ce qui est objectif, de ce qui n'interprète pas selon les sentiments d'un parti, d'un gouvernement : *Exiger une information neutre* (contr. : ENGAGÉ, PARTISAN, DIRIGÉ). *Une école neutre* (syn. : LAÏQUE). — 3° Se dit de ce qui est sans éclat, sans originalité : *Une dissertation neutre.* ◆ **neutraliser** v. tr. 1° *Neutraliser une ville, un territoire,* les déclarer neutres, les placer hors d'un conflit entre plusieurs Etats : *Neutraliser une zone entre deux armées.* — 2° *Neutraliser quelque chose, quelqu'un,* faire obstacle à une action, annihiler les efforts, les tentatives de quelqu'un; réduire à l'impuissance : *Neutraliser un projet en multipliant les* *lenteurs et les retards* (syn. : PARALYSER). *Neutraliser un adversaire dangereux. Les arrières ont neutralisé l'avant centre de l'équipe adverse.* ◆ **neutralisation** n. f. : *La neutralisation d'un objectif par des tirs de barrage.* ◆ **neutralité** n. f. Caractère de celui qui est neutre, de ce qui est neutre : *Garder la neutralité dans un conflit. La neutralité scolaire.* ◆ **neutralisme** n. m. Doctrine politique préconisant le refus d'adhérer à aucun bloc de puissances antagonistes. ◆ **neutraliste** adj. et n. : *Les Etats neutralistes.*

neveu [nəvø] n. m., **nièce** [njɛs] n. f. Fils, fille du frère ou de la sœur. (V. PARENTÉ.)

névralgie [nevralʒi] n. f. Vive douleur d'origine nerveuse, et en particulier syn. de MAL DE TÊTE : *Une névralgie faciale. Avoir une violente névralgie.* ◆ **névralgique** adj. 1° *Douleur névralgique* (= des nerfs). — 2° *Centre, point névralgique,* point sensible qui commande les divers accès à un lieu, les communications, ou qui commande l'issue d'une entreprise : *Les grandes gares de triage sont les centres névralgiques du réseau ferroviaire. Le point névralgique d'une situation* (syn. : SENSIBLE).

névrose [nevroz] n. f. Maladie mentale caractérisée par des troubles nerveux d'origine psychique. ◆ **névrosé, e** adj. et n. Syn. de DÉSÉQUILIBRÉ, E. ◆ **névrotique** adj. et n. Atteint de névrose (terme médical).

névrite [nevrit] n. f. Lésion inflammatoire des nerfs.

1. nez [ne] n. m. 1° Partie saillante du visage, entre la lèvre supérieure et le front, qui abrite les organes de l'odorat et joue un rôle dans la respiration et la parole (v. NASAL) : *Un nez droit, aquilin. Nez en trompette, retroussé. Les ailes du nez. Parler du nez. Saignement de nez. Avoir le nez bouché pendant un rhume. Mon nez coule. Moucher son nez. Se boucher le nez pour ne pas sentir une odeur. Enfant qui se met les doigts dans le nez, qui se fourre les doigts dans le nez* (fam.). — 2° Visage, tête en entier : *Il tourna le nez vers moi. Il baissa le nez de honte.* — 3° Museau d'un animal : *Chien qui suit la trace avec le nez, qui enfouit son nez dans le trou qu'il creuse.* — 4° *Au nez de quelqu'un,* devant lui, sans se cacher : *Rire au nez de quelqu'un.* ‖ *Fermer la porte au nez,* ne pas recevoir. ‖ Fam. *A vue de nez,* de loin, approximativement, sans approfondir : *A vue de nez, la maison a besoin de grosses réparations.* ‖ Fam. *Avoir quelqu'un dans le nez,* avoir pour lui de l'antipathie, de l'hostilité. ‖ Fam. *Ça sent à plein nez,* cela répand une odeur très forte : *Ça sent le gaz à plein nez.* ‖ Fam. (*Il a gagné*) *les doigts dans le nez,* sans aucune difficulté, avec de l'avance. ‖ *Faux nez,* forme en matière plastique ou en carton qui imite le nez. ‖ *Montrer le bout du nez,* se montrer, laisser voir ses intentions secrètes. ‖ *Se laisser mener par le bout du nez,* se soumettre docilement aux ordres d'une autre personne. ‖ *Ne pas voir plus loin que le bout de son nez,* être incapable de voir plus loin que son intérêt immédiat, ne voir que les conséquences les plus proches et non celles qui sont lointaines. ‖ *Avoir le nez creux, avoir le nez fin, avoir du nez,* avoir du discernement, de la clairvoyance. ‖ Pop. *Se bouffer le nez,* se quereller avec violence. ‖ *Faire un drôle de nez,* marquer son dépit, sa déception par une mimique (allonger le visage). ‖ Pop. *Avoir un verre dans le nez,* être ivre. ‖ *Mettre* (ou, fam., *fourrer*) *le nez dehors,* sortir : *Il fait un temps à ne pas mettre le nez dehors.* ‖ *Mettre* (ou, fam., *fourrer*) *le nez* (*dans quelque chose*), se mêler indiscrètement d'une affaire : *Fourrer son nez partout.* ‖ *Lever le nez,* lever la tête. ‖ *Tu as le nez dessus,* tu as près de toi, devant les yeux, la chose que tu cherches. ‖ *Le nez en l'air,* la tête levée, sans faire attention. ‖ (sujet nom de chose) Fam. *Passer sous le nez de quelqu'un,* lui échapper, alors qu'il aurait pu en profiter : *L'affaire lui est passée sous le nez.* ‖ *Regarder quelqu'un sous le nez,* l'examiner avec indiscrétion, le toiser avec insolence. ‖ *Se trouver nez à nez avec quelqu'un,* se rencontrer face à face avec lui. ‖ Fam. *Se casser le nez,* échouer. ‖ *Se casser le nez à la porte de quelqu'un,* ne pas le trouver chez lui. ‖ *Tirer les vers du nez,* arracher un secret par d'habiles questions. ‖ *Faire un pied de nez,* faire un geste de moquerie qui consiste à appuyer le pouce sur le bout du nez, les quatre doigts de la main étant écartés.

2. nez [ne] n. m. Partie avant d'un navire, d'un avion : *L'avion piqua du nez vers la mer.*

ni conj. V. ET ; **niable** adj. V. NIER.

niais, e [njɛ, njɛz] adj. et n. Se dit de quelqu'un (ou de son comportement) qui est d'une grande ignorance associée à une naïveté un peu sotte : *Un grand garçon niais et gauche* (syn. : BENÊT, INNOCENT ; fam. : GODICHE). *Pauvre niais! tu as encore beaucoup à apprendre* (syn. : SOT). *Prendre un air niais pour écarter les soupçons* (syn. : ↑ STUPIDE). *Une chanson niaise* (syn. : IMBÉCILE). ◆ **niaisement** adv. ◆ **niaiserie** n. f. : *La niaiserie d'une remarque* (syn. : SOTTISE). *Sa niaiserie est déroutante* (syn. : NAÏVETÉ). *Débiter des niaiseries sentimentales* (syn. : FADAISE). *Raconter toujours la même niaiserie* (syn. : STUPIDITÉ, ÂNERIE). ◆ **déniaiser** v. tr. *Déniaiser quelqu'un,* l'éduquer, l'instruire afin de le rendre moins naïf, en particulier, lui faire perdre son innocence : *De vivre aussi loin de sa famille l'a un peu déniaisé* (syn. : DÉGROSSIR).

1. niche [niʃ] n. f. 1° Petit abri en forme de cabane, destiné au logement d'un chien : *A la niche! Chien méchant attaché à sa niche.* — 2° Petit enfoncement pratiqué dans un mur afin d'y placer une statue, un vase.

2. niche [niʃ] n. f. Fam. *Faire une niche, des niches,* jouer un tour, des farces à quelqu'un : *L'enfant fait des niches à sa sœur.*

nichée n. f., **nicher** v. intr. V. NID.

nickel [nikɛl] n. m. 1° Métal blanc argenté, très résistant, dont on se sert en alliage avec d'autres métaux dans la fabrication de la monnaie, des aciers spéciaux, etc. — 2° Pop. (*C'est*) *nickel,* c'est d'une propreté impeccable, d'une parfaite finition : *Son vélo est nickel.* ◆ **nickelé, e** adj. Recouvert de nickel : *Acier nickelé.*

nicotine [nikɔtin] n. f. Composé chimique contenu dans le tabac, et qui, à forte dose, est un poison. ◆ **dénicotinisé, e** adj. Débarrassé d'une partie de sa nicotine : *Cigarettes dénicotinisées.*

nid [ni] n. m. 1° Construction faite par certains oiseaux ou poissons, pour y déposer leurs œufs, élever leurs petits, ou abri que se ménagent certains insectes : *Un nid de mésange, d'hirondelle. Un nid d'abeilles. Détruire un nid de guêpes. Nid de fourmis.* — 2° Habitation intime et confortable : *Se ménager un nid douillet à l'abri des importuns* *et du bruit. Un nid d'amoureux.* — 3° Endroit où se trouvent rassemblés des personnes, des animaux dangereux, des engins : *Un nid de brigands* (syn. : REPAIRE). *Un nid de vipères. Un nid de mitrailleuses.* — 4° *Nid-de-poule,* trou dans une route défoncée. ‖ *Nid d'aigle,* château placé sur le sommet d'une montagne, d'une colline escarpée et inaccessible. ◆ **nicher** [niʃe] v. intr. ou **se nicher** v. pr. 1° Faire son nid : *Les oiseaux nichent* (ou *se nichent*) *dans les arbres.* — 2° (sujet nom de personne) *Fam.* Avoir sa demeure, son logement : *Où niche-t-il maintenant?* (syn. : HABITER, SE LOGER). ◆ ***se nicher*** v. pr. (sujet nom de chose). Se loger, s'installer : *La bille s'est nichée dans le trou et on ne peut la sortir. Où sa pruderie va-t-elle se nicher?* (syn. fam. : SE FOURRER).

nièce n. f. V. NEVEU.

nier [nje] v. tr. et intr. *Nier quelque chose* (ou infin. sans prép.), *nier que* (et l'indic. ou le subj.), affirmer avec force l'inexistence d'un fait, rejeter comme faux : *Il nie la réalité des preuves* (syn. : CONTESTER). *Il va jusqu'à nier l'évidence* (syn. : S'INSCRIRE EN FAUX CONTRE, REFUSER). *Nier une théorie* (= mettre en cause sa justesse). *Il continue de nier. Nier sa signature* (syn. : DÉSAVOUER). *Il nie être sorti après dix heures. Il nie qu'il est* ou *soit coupable.* (Lorsque la proposition principale est interrogative ou négative, on peut employer ou non la particule *ne* dans la subordonnée : *Je ne nie pas que le problème ne soit* ou *soit difficile.*) ◆ **niable** adj. Qui peut être nié (uniquement dans des phrases négatives) : *Cela n'est pas niable.* ◆ **négatif, ive** adj. 1° Dépourvu d'éléments constructifs, d'efficacité; qui n'aboutit à rien : *Une critique négative* (= qui n'apporte aucune amélioration). *L'attitude purement négative de mes interlocuteurs. Les résultats négatifs d'une conférence internationale. La rencontre entre les deux équipes se solde par un résultat négatif* (= match nul). — 2° Qui exprime un refus : *Faire une réponse négative* (contr. : AFFIRMATIF). *« Non » est un adverbe négatif* (contr. : POSITIF). ◆ **négatif** n. m. Cliché photographique dans lequel les parties éclairées sont figurées en noir. ◆ **négative** n. f. : *Répondre par la négative* (= par un refus). *Dans la négative, nous nous adresserons à une autre personne* (= dans le cas d'un refus). ◆ **négativement** adv. ◆ **négation** n. f. 1° Action de rejeter comme fausse une idée, de nier l'existence de : *La négation de Dieu.* — 2° Acte contraire à quelque chose : *Cette mesure est la négation de toute justice, du droit.* — 3° Adverbe ou conjonction de coordination qui sert à nier (ex. : *ne, non, pas, point, ni,* etc.). [V. DÉNIER.]

nigaud, e [nigo, -od] adj. et n. D'une crédulité et d'une naïveté excessives : *Son grand nigaud de frère* (syn. : DADAIS; fam. : GODICHE). *Gros nigaud qui a cru que personne ne verrait son erreur!* (syn. : BÊTA).

nippes [nip] n. f. pl. *Fam.* et *péjor.* Vêtements usagés, malpropres, etc. ◆ **nipper** v. tr. *Fam.* Vêtir (surtout au passif) : *Il est nippé comme un prince. Il est mal nippé* (syn. pop. : FRINGUER). ◆ ***se nipper*** v. pr. *Fam.* S'habiller.

nique [nik] n. f. *Faire la nique à quelqu'un,* lui faire un signe de moquerie : *Il mit l'ongle du pouce entre les dents pour faire la nique à son camarade.*

nitouche (sainte-) n. f. V. SAINTE-NITOUCHE.

niveau [nivo] n. m. 1° Hauteur d'un point, degré d'élévation par rapport à un plan de référence : *Mesurer le niveau d'huile du moteur. Le niveau des eaux a atteint la cote d'alerte. Etre au même niveau. A deux cents mètres au-dessus du niveau de la mer. L'eau lui arrive au niveau des genoux. Il avait une cicatrice sur la joue, au niveau du lobe de l'oreille.* — 2° Degré social, intellectuel, moral; situation par rapport à un point de référence : *Les divers niveaux sociaux* (= degrés de l'échelle sociale). *Le niveau très élevé des études. La production industrielle a atteint son niveau le plus haut depuis un an. Des élèves du même niveau* (syn. : VALEUR). *Le niveau de vie* (= évaluation du mode moyen d'existence). *Un très haut niveau intellectuel. Mettez-vous à son niveau* (syn. : PORTÉE). *Ces cours ne sont pas à votre niveau* (= ne répondent pas à vos connaissances). *Se ravaler au niveau d'un voleur.* — 3° *Niveau d'eau,* appareil servant à déterminer les différences de hauteur ou à repérer le plan horizontal. ◆ **niveler** v. tr. (conj. **6**). Rendre horizontal, uni : *Niveler un terrain pour y installer un tennis* (syn. : APLANIR). *Niveler les fortunes* (syn. : ÉGALISER). ◆ **nivellement** n. m. : *Le nivellement des salaires. Un nivellement par la base* (= une réduction vers le plus bas niveau de l'échelle des valeurs). ◆ **déniveler** v. tr. 1° Mettre à un niveau inférieur, en contrebas : *Le fond du jardin est dénivelé par rapport à cette partie-ci.* — 2° Rendre inégale la surface de : *Des éboulements qui ont dénivelé le sol.* ◆ **dénivellation** n. f. ou **dénivellement** n. m. Différence de niveau; inégalité de la surface : *La voiture cahotait à toutes les dénivellations du chemin. L'eau suit la dénivellation* (syn. : PENTE).

nivôse [nivoz] n. m. V. CALENDRIER RÉPUBLICAIN.

noble [nɔbl] adj. (avant ou après le nom) et n. Qui fait partie d'une catégorie de personnes qui possèdent des titres les distinguant des autres, et qui est issu historiquement d'une classe jouissant, sous les régimes monarchiques et impériaux, de privilèges soit de naissance, soit concédés par les souverains (V. ANOBLIR) : *Les nobles de l'Ancien Régime* (syn. : ARISTOCRATE; contr. : BOURGEOIS, ROTURIER). *Etre issu d'une très noble famille.* ◆ adj. 1° Qui appartient aux nobles : *De sang noble* (syn. : ILLUSTRE). — 2° Qui indique de grandes qualités morales ou intellectuelles, une élévation d'esprit : *Un noble caractère* (syn. : GÉNÉREUX, MAGNANIME; contr. : ↑ ABJECT). *De nobles sentiments* (contr. : BAS). *La noble tâche de venir en aide à ses semblables* (syn. : MAGNIFIQUE). ‖ *Le noble art,* la boxe. — 3° Qui commande le respect par son autorité, sa majesté : *Une noble prestance* (syn. : MAJESTUEUX). *Une allure noble* (syn. : IMPOSANT; contr. : COMMUN). *Jouer les pères nobles au théâtre. Un style noble* (syn. : ÉLEVÉ, SOUTENU). ◆ **noblesse** n. f. 1° Condition de noble; classe des nobles : *Noblesse de naissance* (contr. : BOURGEOISIE, ROTURE). *Un titre de noblesse. Les privilèges de la noblesse* (syn. : ARISTOCRATIE). — 2° Caractère de ce qui est généreux, de celui qui est noble : *La noblesse de cœur* (syn. : GÉNÉROSITÉ; contr. : MESQUINERIE). *Manquer de noblesse* (syn. : GRANDEUR). *La noblesse de ses vues* (syn. : ÉLÉVATION; contr. : BASSESSE). *La noblesse d'une entreprise. La noblesse d'une attitude* (syn. : MAJESTÉ). *Personne sans noblesse* (syn. : DISTINCTION). ◆ **noblement** adv. Avec générosité, grandeur : *Répon-*

dre noblement à une accusation calomnieuse (syn. : DIGNEMENT). ◆ **nobiliaire** adj. Propre à la noblesse (sens 1) : *Titre nobiliaire. Orgueil nobiliaire.* ‖ *Particule nobiliaire,* V. PARTICULE. ◆ **ennoblir** [ɑ̃nɔblir] v. tr. Rendre plus noble moralement : *C'est l'intention qui ennoblit certains actes* (contr. : AVILIR). *Un style qui ennoblit les détails les plus modestes* (syn. : REHAUSSER, MAGNIFIER). ◆ **ennoblissement** n. m. : *Des conversations sur des sujets élevés, qui amènent un certain ennoblissement du cœur.* (V. ANOBLIR.)

noce [nɔs] n. m. 1° (au sing. et au plur.) Ensemble des réjouissances, festin qui accompagnent un mariage : *Etre invité à la noce d'un ami. La robe de noce(s). Cadeau de noce(s). Voyage de noce(s). Repas de noce(s).* — 2° *Epouser en secondes noces,* faire un second mariage. ‖ *Epouser en justes noces,* faire un mariage légitime. ‖ *Noces d'argent, noces d'or,* vingt-cinquième, cinquantième anniversaire de mariage. — 3° Fam. *Faire la noce,* mener une vie de débauche accompagnée d'excès de boisson. ‖ *Etre à la noce,* se réjouir, être particulièrement à son aise. ‖ Fam. *Ne pas être à la noce,* être dans une situation embarrassante, gênante, désagréable. ◆ **noceur, euse** n. *Fam.* Personne qui fait la noce.

nocif, ive [nɔsif, -iv] adj. Se dit de quelqu'un (ou de son comportement), de quelque chose qui peut nuire beaucoup : *Exercer une influence nocive sur son entourage* (syn. : FUNESTE, NUISIBLE ; contr. : BÉNÉFIQUE). *Un climat nocif, chaud et humide* (syn. : DANGEREUX, PERNICIEUX). ◆ **nocivité** n. f. : *La nocivité d'une doctrine* (contr. : BIENFAISANCE).

noctambule [nɔktɑ̃byl] n. m. Personne qui fréquente, la nuit, les lieux de plaisir, les cabarets (vieilli; syn. péjor. : NOCEUR, FÊTARD).

nocturne [nɔktyrn] adj. Qui a lieu la nuit : *Une agression nocturne dans un quartier désert. Tapage nocturne.* ◆ n. m. Nom donné à des mélodies romantiques du XIXe siècle.

nodosité [nɔdɔzite] n. f. Formation naturelle ou accidentelle, arrondie et dure : *Les nodosités d'un arbre. Des nodosités apparaissent au poignet après une crise de rhumatisme.* ◆ **nodule** n. m. Petite nodosité. (V. NŒUD 2.)

Noël [nɔɛl] n. m. 1° Fête de la nativité du Christ : *Noël tombe un samedi cette année. La fête de Noël. A la Noël, nous serons installés dans notre nouvel appartement* (= le 25 décembre). *Les vacances de Noël.* — 2° *Arbre de Noël,* arbuste vert (sapin) sur lequel on accroche des jouets, des ampoules électriques, des friandises, pour la fête de Noël; se dit aussi du branchement de conduites à la tête d'un puits de pétrole.

1. nœud [nø] n. m. 1° Enlacement d'un fil, d'une corde, d'un ruban, etc., qui est d'autant plus serré que l'on tire davantage sur les deux extrémités : *Faire un nœud* (= nouer). *Défaire, desserrer un nœud. Faire un nœud à son mouchoir pour se souvenir d'un rendez-vous. Nœud coulant* (= fait de manière à former une boucle qu'on peut rétrécir ou agrandir à volonté). — 2° Ornement en forme de nœud : *Nœud de cravate. Dénouer un nœud fait avec un ruban. Un nœud papillon* (= nœud de cravate dont la forme évoque celle d'un papillon). — 3° Point essentiel d'une affaire compliquée : *Vous êtes au nœud de la question, du problème. Cet antagonisme entre les deux nations est au nœud du débat* (syn. : POINT CAPITAL). *Le nœud de la situation. Trancher le nœud* (= résoudre). *Trancher, couper le nœud gordien* (= résoudre d'une manière violente une difficulté jusque-là insoluble). *Le nœud vital* (= le bulbe rachidien, centre des mouvements du cœur). *Le nœud d'une tragédie, le nœud de l'action* (= le moment où l'intrigue sur laquelle repose toute l'action prend un nouveau cours vers le dénouement). — 4° *Avoir un nœud à la gorge,* avoir la gorge serrée. ‖ *Nœud de vipères,* enlacement de vipères dans le nid. ◆ **nœuds** n. m. pl. Liens très étroits qui unissent des personnes, des groupes (littér.) : *Rompre des nœuds déjà anciens* (= une amitié, un amour). ◆ **nouer** [nue] v. tr. 1° Serrer, lier par un ou plusieurs nœuds : *Nouer un paquet avec une ficelle* (syn. : FERMER). *Nouer une gerbe.* — 2° Unir en faisant un nœud : *Nouer les lacets de ses chaussures* (syn. : ATTACHER). *Nouer sa cravate. Nouer sa ceinture.* — 3° *Nouer une amitié, une alliance,* etc., *nouer amitié avec quelqu'un,* former des liens amicaux avec lui. ‖ *Nouer la conversation,* engager une conversation avec quelqu'un. ‖ *Nouer un complot, une intrigue,* organiser, être le promoteur d'un conflit. ‖ *Avoir les articulations nouées,* raidies par les rhumatismes. ‖ *Avoir la gorge nouée par l'émotion,* ne plus pouvoir parler. ◆ ***se nouer*** v. pr. Etre organisé, engagé, etc. : *Les intrigues se nouent. La conversation s'est nouée facilement. Une amitié qui s'est nouée pendant les vacances.* ◆ **noueux, euse** adj. *Doigts noueux,* qui présentent aux articulations des renflements dus aux rhumatismes. ◆ **dénouer** v. tr. 1° Défaire un nœud : *Dénouer la ficelle d'un paquet* (syn. : DÉTACHER). *Dénouer une cravate. Dénouer ses lacets de chaussures* (= délacer ses chaussures). *Dénouer ses cheveux* (= défaire les nœuds qui les enserrent).— 2° Résoudre une difficulté, rendre plus clair : *Dénouer une intrigue* (syn. : ÉCLAIRCIR). *Dénouer une situation* (syn. : DÉMÊLER). 3° *Dénouer la langue de quelqu'un,* le faire parler. ◆ ***se dénouer*** v. pr. : *Les langues se dénouèrent* (= on parla). *La crise internationale s'est dénouée.* ◆ **dénouement** n. m. Manière dont se résout une difficulté, une intrigue : *Le dénouement heureux, malheureux d'une affaire* (syn. : RÉSULTAT). *Le dénouement de cette pénible aventure* (syn. : TERME). *Le dénouement tragique de la pièce* (syn. : CONCLUSION, ISSUE).

2. nœud [nø] n. m. Partie du tronc d'un arbre d'où part une branche et où les fibres prennent une nouvelle orientation : *La scie a cassé sur le nœud de la planche.* ◆ **noueux, euse** adj. Se dit d'un arbre, d'un végétal qui a beaucoup de nœuds. (V. NODOSITÉ.)

3. nœud [nø] n. m. Unité de vitesse utilisée dans la marine : *Le navire file 25 nœuds* (= 46,30 km à l'heure).

noir, e [nwar] adj. et n. m. 1° Se dit, par opposition à *blanc,* d'une couleur foncée analogue à celle du charbon : *Un marbre noir veiné de vert. Une encre noire. Un noir intense. La fumée noire de l'incendie. Ecrire à la craie au tableau noir de la classe. Des yeux noirs. Des cheveux d'un beau noir* (par oppos. à *blanc, blond, châtain, roux, brun*). *Savon noir. Raisin noir. Des nuages noirs à l'horizon. Du café noir* (= sans lait). *Du pain noir. Du noir de fumée* (= suie servant à divers usages); se dit d'une matière colorante, d'un fard : *Mettre du noir sur les paupières;* se dit d'un vêtement, d'un tissu de couleur noire : *Mettre une cravate noire.*

Habillé de noir (= en habits de deuil). — **2°** Se dit de ce qui est sale : *Avoir les ongles noirs* (syn. : SALE). *Avoir les mains noires* (syn. : CRASSEUX). — **3°** Se dit de ce qui n'est pas éclairé, de ce qui est dans l'obscurité : *Une rue noire* (syn. : OBSCUR, SOMBRE). *Il fait noir cette nuit, il n'y a pas de lune. Arriver à la nuit noire* (= en pleine nuit). *Il commence à faire noir, ouvrez la lumière. L'enfant a peur du noir* (= de l'obscurité). *Marcher dans le noir.* — **4°** (quelquefois avant le nom) Se dit de ce qui est assombri par la tristesse, la mélancolie : *Avoir des idées noires. Faire un tableau très noir de la situation* (syn. : SOMBRE). *Etre d'une humeur noire. Broyer du noir* (= avoir des idées tristes). *Voir tout en noir* (= être pessimiste). *Pousser les choses au noir* (= envisager les pires conséquences). — **5°** Se dit de ce qui manifeste de l'hostilité, de la haine, du mal : *Jeter un regard noir sur un adversaire. Faire preuve d'une noire ingratitude.* — **6°** *C'est sa bête noire,* c'est la personne pour laquelle il a le plus d'antipathie. ‖ *Marché noir,* trafic illicite de marchandises (lors des périodes de pénurie). ‖ *Roman, film noir,* ceux qui ont une intrigue dramatique à dénouement malheureux ou qui cherchent à créer des sentiments d'épouvante chez les lecteurs, les spectateurs. ‖ *Caisse noire,* fonds secrets utilisés sans contrôle, par une administration, un gouvernement, et qui n'apparaissent pas en comptabilité. ‖ *Liste noire,* celle qui comprend des noms sur lesquels pèse un interdit, que l'on veut boycotter. ‖ *Travail noir,* celui qui est effectué en infraction à la législation du travail, en particulier qui est payé à un salaire moindre. ◆ adj. et n. Se dit des gens appartenant à une race caractérisée en particulier par la noirceur de la peau : *L'Afrique noire. La traite des Noirs au XVIIIe siècle. Les Noirs d'Amérique.* ◆ **noirâtre** adj. Qui tire sur le noir, qui n'est pas franchement noir : *Une traînée noirâtre sur le sol.* ◆ **noiraud, e** adj. et n. Qui a les cheveux noirs et le teint très brun : *Un petit noiraud. La figure noiraude de l'enfant.* ◆ **noirceur** n. f. **1°** Qualité de ce qui est noir : *La noirceur du ciel, de ses yeux, des cheveux.* — **2°** Très grande méchanceté : *La noirceur de ses sentiments* (syn. : PERFIDIE). *La noirceur d'un crime* (syn. : HORREUR). ◆ **noircir** v. tr. **1°** Rendre noir : *La fumée a noirci le plafond. Papier noirci par une écriture serrée. Les mains noircies de terre* (syn. : SALIR, MACULER). — **2°** Peindre sous des couleurs noires : *Noircir la situation. On a noirci sa réputation* (syn. : DÉSHONORER). ◆ v. intr. et ***se noircir*** v. pr. Devenir noir : *Le ciel se noircit* (syn. : S'ASSOMBRIR). *Ce tableau a noirci au cours des siècles.* ◆ **noircissement** n. m. : *Le noircissement des murs de la cuisine.*

noise [nwaz] n. f. *Chercher noise à quelqu'un,* lui chercher querelle; trouver un prétexte pour se disputer avec lui.

noisette [nwazɛt] n. f. Fruit contenant une graine riche en huile, produit par le noisetier. ◆ adj. invar. D'un gris roux. ◆ **noisetier** n. m. Arbrisseau des pays tempérés.

noix [nwɑ] n. f. **1°** Fruit du noyer, qui fournit une huile comestible; fruit d'autres arbres (*noix de coco, noix muscade*). — **2°** *Noix de veau,* partie charnue placée au-dessus de la cuisse de l'animal. — **3°** *Noix de beurre,* petit morceau de beurre en forme de noix. — **4°** Pop. *A la noix,* sans valeur, très mauvais : *C'est une explication à la noix.* — **5°** *Pop.* Imbécile (dans quelques expressions) : *C'est une noix* (syn. fam. : BALLOT). *Quelle noix! Une vieille noix.* ◆ **noyer** [nwaje] n. m. Grand arbre des régions tempérées, qui porte des noix; bois de cet arbre : *Un lit, une table, des chaises en noyer.*

nom [nɔ̃] n. m. **1°** Mot servant à désigner un individu, dénomination sous laquelle il est connu : *Plusieurs personnes peuvent porter le même nom. Le nom de personne est formé d'un nom de famille* (*Durand*) *et d'un ou de plusieurs prénoms* (*Georges*). *L'enfant répond au nom de Pierre* (= s'appelle). *Je n'arrive pas à mettre un nom sur ce visage* (= à me souvenir du nom de cette personne). *Je ne prêterai pas mon nom à cette entreprise* (= je n'engagerai pas ma responsabilité). *Mettre son nom au bas d'un contrat* (syn. : SIGNATURE). *Décliner son nom* (= se faire connaître). *On a mêlé son nom au scandale. J'agis en son nom* (= à sa place). *On a donné le nom de Gambetta à de nombreuses avenues en France. Donner à un enfant le nom de son grand-père* (= le prénom). *La femme prend le nom de son mari* (= nom de famille). *Nom de guerre* (= nom emprunté sous lequel une personne est connue). — **2°** Mot servant à désigner un animal, un lieu, un objet : *Médor est le nom de mon chien. J'ai vu le nom du pays sur le poteau indicateur. Quel est le nom de la rue?* — **3°** Terme servant à désigner les choses ou les êtres de même espèce : *Ne pas trouver le nom d'un objet. La cardiologie, comme son nom l'indique, est une partie de la médecine qui traite du cœur. Il est digne du nom de savant qu'on lui donne. On l'a accablé de tous les noms* (= épithètes injurieuses). *Etre accueilli par la foule du nom d'assassin. Une dictature qui n'ose pas dire son nom* (= honteuse). *Il faut nommer les choses par leur nom et appeler ce geste une infamie* (= s'exprimer sans ménagement). — **4°** Terme grammatical désignant les substantifs et les mots substantivés (le plus souvent, *nom* et *substantif* sont confondus) : *On distingue les noms propres, qui dans l'écriture prennent une majuscule, et les noms communs. Les noms composés sont formés de plusieurs mots qui existent indépendamment.* ● LOC. PRÉP. *Au nom de,* au lieu et place de, sous sa responsabilité : *Je prends la parole au nom de la majorité des assistants. Arrêter un individu au nom de la loi;* en considération de : *Au nom de ce que vous avez de plus cher, soyez prudent.* ● LOC. INTERJ. Fam. *Nom de Dieu!, nom d'un chien!, nom d'une pipe!, nom de nom!,* jurons exprimant l'indignation, la surprise, etc. ◆ **nominal, e, aux** adj. **1°** *Appel nominal,* qui se fait en désignant les noms. ‖ *Liste nominale,* qui contient les noms d'une catégorie, d'une espèce déterminée de personnes. — **2°** Qui n'a que le nom, sans avoir de réalité, d'importance : *Etre le chef nominal d'un parti. C'est une satisfaction purement nominale, qui ne me rapporte pratiquement rien* (syn. : THÉORIQUE; contr. : RÉEL). — **3°** Relatif au nom grammatical (sens 4) : *L'infinitif est une forme nominale du verbe. Le groupe nominal est formé d'un nom accompagné de ses déterminants, ou d'un pronom; il forme avec le groupe verbal la phrase ou la proposition.* ◆ **nominalement** adv. : *Il reste nominalement le propriétaire de l'immeuble* (= en nom). ◆ **nominatif, ive** adj. **1°** *Liste nominative, état nominatif,* qui contient les noms de la catégorie concernée (personnes ou surtout choses). — **2°** *Titre nominatif,* action, obligation, etc., portant le nom du propriétaire. ◆ **nominatif** n. m. V. CAS 2. ◆ **nominativement** adv. : *Désigner nominativement les respon-*

publics ou de désordre. ◆ **nomination** n. f. Désignation à un emploi, à une fonction, à une dignité par voie d'autorité : *La nomination d'un professeur. Obtenir sa nomination au grade de commandant* (syn. : PROMOTION). *Une nomination à un poste d'ambassadeur.* ◆ **nommer** [nɔme] v. tr. 1° *Nommer quelqu'un, quelque chose,* les distinguer par un nom : *Ses parents l'ont nommée Laurence* (syn. : APPELER). *Nommer un nouveau produit. Un banquier nommé Casimir Perier.* — 2° *Nommer quelqu'un, quelque chose,* les qualifier d'un nom : *On l'a nommé « le Sauveur de la patrie ». Il l'a nommé son bienfaiteur et ami.* — 3° *Nommer quelqu'un, quelque chose,* en indiquer (prononcer, écrire) le nom : *Nommer ses complices* (syn. : DÉNONCER). *Nommez-moi le nom de cette plante. Monsieur X..., pour ne pas le nommer.* — 4° *Nommer quelqu'un,* le désigner à un emploi, à une fonction : *On l'a nommé à une ambassade. Nommé d'office à un poste. Instituteur récemment nommé. Le conseil municipal l'a nommé maire* (syn. : CHOISIR COMME). ◆ ***se nommer*** v. pr. 1° Avoir pour nom : *Il se nomme André Dubois.* — 2° Se faire connaître par son nom : *L'inconnu s'avança et se nomma.* ◆ **nommé, e** n. *Le nommé, la nommée, les nommés,* la ou les personnes de tel nom (admin.) : *Le nommé Paul Dupuis est accusé de vol.* ◆ **nommément** adv. Par son nom : *Etre dénoncé nommément comme l'auteur du crime.* ◆ **innommable** adj. (avant ou après le nom). Trop vil, trop dégoûtant pour être nommé : *S'abaisser à des procédés innommables* (syn. : INQUALIFIABLE). *Un innommable tas d'ordures à la sortie même du village.* ◆ **susnommé, e** adj. et n. Nommé plus haut dans le texte (langue admin.) : *Le susnommé a été interpellé par le gendarme Vallat.* (V. DÉNOMMER, PRÉNOM, SURNOM.)

nomade [nɔmad] adj. et n. 1° Se dit d'une population, de gens qui n'ont pas d'habitation fixe, permanente : *Les tribus nomades du désert* (contr. : SÉDENTAIRE). *Les nomades du Maroc. Un camp installé pour les nomades aux abords de la ville.* — 2° Se dit d'une personne qui se déplace continuellement : *C'est un nomade, il est sans cesse en voyage. Mener une vie nomade* (syn. : VAGABOND).

nombre [nɔ̃br] n. m. 1° Concept attaché à la notion de grandeur : *Les mathématiques sont la science des nombres.* — 2° Symbole définissant une unité, ou une réunion de plusieurs unités, ou une fraction d'unité : *Le nombre zéro. Les nombres entiers. Elever un nombre au carré.* — 3° Collection plus ou moins grande de personnes ou de choses : *Quel est le nombre d'habitants dans cette ville? Le petit nombre de fautes dans le texte. Nous ne sommes pas en nombre suffisant. Le plus grand nombre des votes s'est porté* (ou *se sont portés*) *sur le nom de cet homme politique* (= la majorité). *Un nombre infini de grains de sable* (= une infinité). *Un bon nombre de spectateurs sortirent mécontents. Restreindre le nombre des bénéficiaires.* ‖ *Sans nombre,* qui ne peut être compté, en très grande quantité : *Des erreurs sans nombre défigurent le livre.* — 4° *Le nombre,* la masse, la grande quantité : *L'emporter par le nombre. Succomber sous le nombre. Dans le nombre, nous trouverons ce qu'il nous faut.* ‖ *En nombre,* en masse : *Attaquer, venir en nombre.* ‖ *Nombre,* beaucoup : *Depuis nombre d'années, on signale des abus dans ce service. Nombre d'entre vous.* ‖ *Etes-vous du nombre?,* serez-vous parmi les présents. — 5° Catégorie grammaticale qui permet l'expression de l'opposition entre le singulier et le pluriel. ‖ *Noms de nombre,* unités du lexique jouant le rôle d'adjectifs ou de substantifs et servant à exprimer soit le nombre, la quantité ou la date (*noms de nombre cardinaux*), soit le rang précis (*noms de nombre ordinaux*). [V. NUMÉRATION.] ● LOC. PRÉP. *Au nombre de,* au total : *Les accusés sont au nombre de trois* (= il y a trois accusés); indique que le complément est compris dans un ensemble (syn. : PARMI) : *Je le compte au nombre de mes amis.* ◆ **nombrer** v. tr. Evaluer en quantité : *On ne peut nombrer tous les spectateurs.* ◆ **nombrable** adj. ◆ **innombrable** adj. En une quantité, une masse si grande qu'on ne peut l'évaluer : *Une foule innombrable emplissait la place* (syn. : NOMBREUX, CONSIDÉRABLE, ↑ INFINI). *D'innombrables tentes et parasols couvraient la plage de sable* (syn. : BEAUCOUP). ◆ **nombreux, euse** adj. 1° (avec un nom sing. surtout; avant ou après le nom) Composé d'éléments en très grand nombre : *Une nombreuse assistance. Il faut contenter notre nombreuse clientèle.* — 2° (avec un nom plur.) Qui est en très grand nombre : *Venir sans cesse plus nombreux. On a à déplorer de nombreuses victimes. De nombreuses expériences.* ◆ **numéral, e, aux** adj. *Adjectif numéral,* V. CLASSE, *Classes grammaticales.* ‖ *Système numéral,* ensemble des symboles utilisés pour représenter les nombres. ◆ **numérateur** n. m. En mathématiques, terme d'une fraction indiquant combien celle-ci contient de parties égales de l'unité. ◆ **numération** n. f. Action d'énoncer et d'écrire les nombres, de compter (langue des mathématiques) : *La numération décimale* (= à base 10), *binaire* (= à base 2). [V. tableau p. 780.] ◆ **numérique** adj. Evalué par des nombres : *La force numérique de l'adversaire* (= en nombre). *Quelles sont les données numériques du problème?* ◆ **numériquement** adv. : *Vaincre un ennemi numériquement supérieur* (= au point de vue du nombre). [V. DÉNOMBRER.]

nombril [nɔ̃bril] n. m. Petite cicatrice du cordon ombilical, au milieu du ventre.

nomenclature [nɔmɑ̃klatyr] n. f. 1° Ensemble des termes, strictement définis, composant le lexique d'une technique, d'une science : *La nomenclature chimique. La nomenclature grammaticale a été fixée par des instructions ministérielles.* — 2° Liste méthodique énumérant les objets d'une collection, les événements d'une période, etc. : *Dresser la nomenclature des hôtels particuliers des quartiers du centre de Paris.*

1. non [nɔ̃], **pas** [pa] (précédé ou non de *ne*) adv. Indiquent une négation. (V. tableau p. suiv.)

2. non-, préfixe indiquant l'absence totale ou la négation du terme entrant en composition comme second élément. *Non* connaît en français contemporain un développement imposant, en concurrence avec le préfixe *in-*, sous ses différentes formes (*illégal, inaccoutumé, impossible, irrationnel*), et avec le préfixe *a*(*n*) [*apolitique, analphabète*] ; il est particulièrement productif dans la langue administrative, politique, juridique. Les mots composés formés avec le préfixe *non-* (et comportant un trait d'union) sont indiqués à l'ordre alphabétique du terme principal, sauf ceux qui ont acquis une autonomie lexicale.

EMPLOIS	**non**	**pas**
1° Réponse négative à une question, refus à une proposition.	a) Seul : « *Veux-tu lui téléphoner? — Non* » (contr. : OUI). « *Vous n'avez pas pu accepter ce poste? — Non* » (contr. : SI). b) Renforcé par un adverbe (langue usuelle : *sûrement, vraiment, certes, certainement, mais, ah çà! ma foi, merci;* langue pop. : *fichtre, foutre*), par *que (que non)*, ou une formule *(non, rien à faire) : Sortir par cette pluie battante? Non, merci. Je ne ferai pas son travail à sa place, ah çà! non* (contr. : OUI).	Avec un adverbe ou une formule de renforcement, après une question positive ou négative : « *Tu acceptes? — Absolument pas.* » « *Il est rentré? — Pas encore.* » « *Tu ne le lui as pas donné par hasard? — Sûrement pas, pas le moins du monde.* » « *Vous viendrez avec nous cet été? — Pourquoi pas?* » (a remplacé *pourquoi non*, littér.).
	Ou sous la forme **non pas** : « *Vous avez jeté les papiers qui étaient sur mon bureau? — Non pas, nous les avons rangés.* »	
2° Sert de renforcement dans une question, une réponse, une exclamation ou une affirmation.	a) Dans une question : *Tu as fini de t'agiter, non?* (dans le même emploi : *oui*). *Ce n'est pas beau, non?* b) Dans une réponse : *Non, mille fois non! je ne lui en veux pas. Il a été reçu? Non, pas possible?* c) Dans une exclamation (indignation, protestation), souvent appuyé par une formule : *Ah non! par exemple, vous ne sortirez pas avant d'avoir fini. Non mais, des fois, qu'est-ce qui vous prend?* (fam. = pourquoi vous mettez-vous en colère). *Non, sans blague, vous croyez que je vous laisserai faire! Non! il a eu le courage de lui répondre?* d) Renforcement de la réponse négative par la reprise d'un terme de la phrase qui précède : « *Je suis désolé. — Moi non.* » e) Renforcement d'une affirmation par un système de double négation *(non sans) : Il a accepté votre invitation, non sans hésitation. Il y est arrivé non sans peine. Il s'est aventuré sur le rocher, non sans avoir pris toutes ses précautions.*	a) Dans une phrase interrogative ou exclamative (fam.) : *Tu es reçu, pas vrai? Voilà-t-il pas qu'il prend la parole! Tu m'écriras, pas?* (pour *n'est-ce pas,* souvent sous la forme *s'pas*). *Tombera, tombera pas?* b) Dans des formules populaires : *Faut pas s'en faire. Si c'est pas malheureux!* Dans une exclamation, il s'emploie avec un participe, formant une phrase nominale : *Pas changé depuis que je le connais, ce numéro-là!* (fam.). *Pas vu! Pas folle, la guêpe!* (= elle est assez sensée pour éviter le piège tendu). Dans les phrases sans verbe, il s'emploie sous la forme *pas de*, avec des substantifs : *Pas d'histoires! Pas de blagues!* c) Même rôle de renforcement que *non* : « *Je suis très content. — Moi, pas* » (ou *pas moi*). d) Renforcement d'une affirmation par un système de double négation (*n'est pas sans*) : *Ce n'est pas sans hésitation qu'il a accepté votre invitation. Ce n'est pas sans peine qu'il y est parvenu. Il ne s'est pas approché sans avoir regardé autour de lui.*
3° Peut représenter, comme complément d'un verbe, la négation totale de la phrase ou d'un membre de phrase précédent; peut former avec le verbe une locution négative.	a) *Vous dites qu'il vous a téléphoné. Lui prétend que non* (syn. : LE CONTRAIRE). b) *Il répond non à toutes les sollicitations* (= il refuse). *Il fait non de la tête. Il dit non à tout* (= il refuse tout). *Je ne dis ni oui ni non* (= je refuse de donner une réponse définitive).	
4° Indique une opposition absolue ou la négation d'un membre de phrase précédent (avec ou sans coordination).	a) **Et non, mais non, ou non :** *Tu l'as fait par pitié et non par conviction. Je veux bien de ce livre, mais non de ton disque. Venez-vous ou non?* b) L'opposition peut se faire par juxtaposition : *Il a besoin de toi, moi non* (langue soignée ou renforcement de la négation). *Il l'a fait pour son frère, non pour sa belle-sœur. C'est mon opinion, non la vôtre, je le sais. C'est mon désir, le vôtre non, je le sais.*	a) **Et pas, mais pas, ou pas :** *C'est la peur qui t'a poussé, et pas ta conviction intérieure. Je veux bien que tu viennes, mais pas lui. Ceci est à vous ou pas?* (fam.). b) L'opposition peut se faire par juxtaposition : *Il a eu la grippe cet hiver, moi pas* (langue commune). *Il l'a fait pour elle, pas pour toi. C'est ton avis, pas le mien en tout cas. C'est votre désir, le mien pas.*
	Et non pas, mais non pas renforcent l'opposition : *J'approuve le fond de ce que vous dites, mais non pas votre violence. C'est un conseil et non pas un ordre.*	
	c) L'opposition peut être renforcée par *seulement* (coordonné avec *mais encore, mais aussi, mais même*) : *Non seulement il ne fait rien, mais encore il proteste.* Avec *que* (causale) : *Il ne réussit pas, non qu'il soit paresseux, mais parce qu'il est très malchanceux.*	c) L'opposition peut être renforcée par *seulement* (mêmes coordinations) : *Il ne fait pas seulement de l'aquarelle, mais il est aussi bon musicien* (syn. : UNIQUEMENT). Avec *que* (causale) : *Ce n'est pas qu'il soit sot, mais il est vraiment apathique.*
	Non pas que (langue soutenue) : *Il aimait ce quartier de Paris, non pas qu'il fût beau, mais parce qu'il était tranquille.*	
5° Dans les systèmes comparatifs.	**Non plus que, non moins que** ont le sens de *aussi* ou *et aussi*, avec des phrases négatives : *Il n'a pas été blessé dans cet accident, non plus que moi d'ailleurs. C'est un restaurant non moins fameux que les meilleurs de Paris.*	**Pas plus, pas moins que** indiquent qu'une quantité égale n'est pas remplie : *Je n'en sais pas plus que vous. Il n'est pas moins intelligent que toi.*

EMPLOIS	non	pas
Adverbe modifiant un adjectif, un participe, un substantif.	1° Un adjectif ou un participe : *Des leçons non sues. C'est un enregistrement non audible* (= inaudible). *Des objets de luxe non indispensables. Les peuples non engagés.* 2° Un substantif (joue le rôle de préfixe à valeur négative, comme *in-*) : *Une politique de non-violence, de non-intervention dans les affaires des autres nations.*	1° Un adjectif ou un participe (sans *ne*, fam.) : *Ce sont des enfants pas sages. Il a un travail pas fatigant. Raconter une histoire pas drôle. Manger des poires pas mûres.* 2° Emploi restreint à la loc. : *C'est un* (ou *une*) *pas-grand-chose* (= un vaurien).
N. m. invar.	*Ils se disputent pour un oui ou pour un non* (= pour un rien, pour un détail futile). *Il hésite entre le oui et le non à donner comme réponse. Il répondit par un non très sec* (syn. : REFUS ; contr. : OUI). *Les non au référendum* (= ceux qui votèrent non).	V. PAS.

Ne... pas, ne... pas que, V. NE. — **Pas un,** V. AUCUN.
REM. : *Pas* (sans *ne*) est la négation usuelle de la langue parlée et familière : *Il vient pas* [ivjɛ̃ pɑ]. *C'est pas intéressant. Il est pas venu* [ilɛpɑvny].

nonagénaire adj. et n. V. ÂGE.

nonce [nɔ̃s] n. m. *Nonce apostolique,* ou *nonce,* ambassadeur du pape auprès d'un gouvernement étranger.

nonchalant, e [nɔʃalɑ̃, -ɑ̃t] adj. et n. Se dit d'une personne (ou de son attitude) qui manque d'ardeur, de vivacité, qui ne se soucie de rien : *Un élève nonchalant* (syn. : MOU, INSOUCIANT). *Avoir des gestes nonchalants* (syn. : LANGUISSANT). *Se promener d'un pas nonchalant dans les allées du jardin.* ◆ **nonchalamment** adv. : *Assis nonchalamment dans un fauteuil* (syn. : PARESSEUSEMENT). ◆ **nonchalance** n. f. : *La nonchalance des gestes, de la démarche* (syn. : MOLLESSE). *Qui pourra le faire sortir de sa nonchalance naturelle?* (syn. : APATHIE).

non-lieu [nɔ̃ljø] n. m. Décision du juge d'instruction constatant qu'il n'y a pas lieu de poursuivre en justice : *Une ordonnance de non-lieu a été prise en faveur du prévenu.*

nonobstant [nɔnɔpstɑ̃] adv. et prép. Employé uniquement dans le style administratif ou par ironie, marque une opposition très forte à ce qui vient d'être dit (le plus souvent en tête de la proposition) : *L'enfant fut grondé, nonobstant il recommença à renverser le contenu de la salière* (syn. : CEPENDANT). *Nonobstant ses protestations indignées, il fut emmené au commissariat* (syn. usuel : MALGRÉ, EN DÉPIT DE).

nord [nɔr] n. m. 1° Un des quatre points cardinaux, dans la direction de l'étoile polaire, du pôle situé dans l'hémisphère où se trouvent l'Europe et une partie de l'Asie : *Pôle Nord. Appartement exposé au nord, en plein nord* (= dans la direction de ce pôle). *Le vent du nord.* — 2° Ensemble des pays situés près du pôle Nord (avec une majusc.) : *Expédition vers le Nord, vers le Grand Nord.* — 3° Ensemble des régions d'un pays qui se trouvent le plus au nord relativement aux autres parties : *Le nord de la Suède. La France du Nord* (contr. : MIDI). *Un homme du Nord* (par oppos. à un homme du Midi, de l'Est, de l'Ouest, du Centre). — 4° *Au nord de,* dans une région située plus près du nord, relativement à une autre : *On annonce des pluies et du vent dans les régions au nord de la Loire. Au nord de Paris, on construit de nouveaux immeubles.* — 5° Fam. *Perdre le nord,* ne plus savoir que faire, être affolé (syn. : PERDRE LA TÊTE). ◆ adj. invar. : *Les côtes nord du Brésil.* ◆ **nord-africain, e** adj. et n. D'Afrique du Nord. ◆ **nord-américain, e** adj. et n. D'Amérique du Nord. ◆ **nordique** adj. et n. Du nord de l'Europe : *Les pays nordiques* (= Suède, Norvège, Finlande, Danemark, Islande). *Les langues nordiques. Les touristes étaient des Nordiques blonds et grands.* ◆ **nord-est** [nɔrɛst ou nɔrdɛst] n. m. Point de l'horizon situé entre le nord et l'est; partie d'un pays située dans cette direction : *Le nord-est de l'Angleterre.* ◆ **nord-ouest** [nɔrwɛst ou nɔrdwɛst] n. m. Point de l'horizon situé entre le nord et l'ouest; partie d'un pays située dans cette direction.

1. normal, e, aux [nɔrmal, -mo] adj. Se dit de ce qui est conforme à l'état le plus fréquent, le plus habituel, de ce qui n'est pas modifié par un accident, de ce qui n'a aucun caractère exceptionnel : *Ce n'est pas le jour normal* (syn. : HABITUEL). *La situation sociale est redevenue normale. Les conditions normales de l'existence* (contr. : INSOLITE). *La maladie suit son cours normal* (syn. : NATUREL). *Il n'est pas dans son état normal* (= il est malade, ivre, etc.). *En temps normal.* ◆ **normale** n. f. Etat normal, habituel : *Revenir à la normale. Des capacités intellectuelles au-dessous de la normale* (syn. : MOYENNE). ◆ **normalement** adv. : *Normalement, on doit arriver à dix heures* (contr. : EXCEPTIONNELLEMENT). *Il est normalement chez lui à cette heure* (syn. : HABITUELLEMENT). ◆ **normaliser** v. tr. Unifier et simplifier des produits industriels, des chaînes de fabrication, des règlements de travail, etc., pour obtenir un meilleur rendement (syn. : STANDARDISER). ◆ **normalisation** n. f. : *La normalisation des procédures budgétaires. La normalisation des appareils sanitaires* (syn. : STANDARDISATION). ◆ **anormal, e, aux** adj. Qui est contraire à l'ordre habituel; qui s'écarte des règles ou des usages établis, de la raison ou du bon sens (le plus souvent péjor.) : *Ce mauvais temps est anormal pour la saison* (syn. : INHABITUEL, EXCEPTIONNEL; contr. : NORMAL, HABITUEL). *Il est dans un état anormal* (syn. : INSOLITE). *Il est anormal que l'on condamne si peu les parents indignes* (syn. : ILLOGIQUE, SURPRENANT, ÉTONNANT). *Complications anormales d'une maladie.* ◆ adj. et n. Dont le développement intellectuel ou l'état affectif ou mental présente un grand déséquilibre, une forte instabilité ou quelque défectuosité : *Clinique pour enfants anormaux. Seul* *un anormal a pu commettre un pareil crime* (syn. : DÉSÉQUILIBRÉ, FOU). ◆ **anormalement** adv. : *La température est anormalement basse pour un mois d'octobre* (syn. : EXCEPTIONNELLEMENT ; contr. : NORMALEMENT).

2. normal, e [nɔrmal] adj. *Ecoles normales,* où l'on forme les futurs instituteurs. ‖ *Ecoles normales supérieures,* où l'on forme les futurs professeurs. ◆ **normalien, enne** adj. Elève d'une école normale.

normand, e [nɔrmɑ̃, -ɑ̃d] adj. et n. 1° De Normandie. — 2° *Faire une réponse de Normand,* répondre d'une manière équivoque.

norme [nɔrm] n. f. Etat habituel, conforme à la moyenne générale des cas et considéré le plus souvent comme la règle : *La norme grammaticale. Rester dans la norme* (syn. : RÈGLE). ◆ **normes** n. f. pl. Ensemble de règles fixant le type d'un objet, les procédés techniques de fabrication, de production : *L'appareil est conforme aux normes de fabrication. Les normes de production n'ont pas été respectées* (= heures rationnellement nécessaires à la fabrication d'un objet). ◆ **normatif, ive** adj. Qui établit la norme : *Grammaire normative* (= dont le but est d'enseigner les règles).

nos adj. poss. V. MON.

nostalgie [nɔstalʒi] n. f. Tristesse vague causée par l'éloignement de ce que l'on a connu, par le sentiment d'un passé révolu, par un désir insatisfait : *Avoir la nostalgie des longs voyages, la nostalgie de sa jeunesse* (syn. : REGRET). *Garder la nostalgie de ses enthousiasmes de jadis. Un regard plein de nostalgie* (syn. : MÉLANCOLIE). ◆ **nostalgique** adj. : *Des souvenirs nostalgiques* (syn. : MÉLANCOLIQUE).

1. notable [nɔtabl] adj. (avant ou après le nom). Se dit d'une chose importante, digne d'être remarquée, d'être prise en considération : *Un fait notable. Un élève qui a fait de notables progrès* (syn. : REMARQUABLE). *Pas de changement notable dans la situation* (syn. : APPRÉCIABLE). *Notable amélioration du temps* (syn. : SENSIBLE). ◆ **notablement** adv. : *La tension a notablement diminué* (syn. : BEAUCOUP).

2. notable [nɔtabl] n. m. Personne qui occupe un rang important dans les affaires publiques, qui a une situation sociale de premier rang dans une ville (littér.) : *Les notables de la ville.* ◆ **notabilité** n. f. Personne en vue par sa situation, sa renommée, son autorité intellectuelle, morale ou administrative : *A la tête du conseil fut placée une notabilité.*

notaire [nɔtɛr] n. m. Officier ministériel qui rédige les actes, les contrats, etc. : *Une charge de notaire s'achète.* ◆ **notarial, e, aux** adj. : *Fonctions notariales.* ◆ **notariat** n. m. : *Ecole de notariat* (= où l'on apprend le métier de notaire). ◆ **notarié, e** adj. : *Acte notarié* (= passé devant notaire).

notamment [nɔtamɑ̃] adv. En particulier, entre autres : *Les fruits sont chers, et notamment les fraises.*

1. note [nɔt] n. f. 1° Courte remarque faite sur un texte pour le rendre intelligible : *Les notes d'une édition. Une note de l'auteur. Mettre une note manuscrite dans la marge* (syn. : ANNOTATION). — 2° Courte indication recueillie par écrit pendant un exposé, une lecture, etc. : *Prendre des notes à un cours. Ses notes de cours sont réunies dans un dossier. Prendre en note le numéro de téléphone d'un ami. Prendre note d'un renseignement* (= noter). *Je prends bonne note de ce que vous venez de dire* (= je me souviendrai). — 3° Brève communication écrite faite à un service, à une ambassade, etc. : *Faire passer une note dans tous les services. Une note diplomatique. Une note officielle du gouvernement français* (syn. : MÉMORANDUM). ◆ **noter** v. tr. 1° Faire une marque sur ce que l'on veut retenir : *Noter d'une croix un passage intéressant.* — 2° *Noter quelque chose,* le mettre par écrit afin d'en conserver la mémoire : *Noter un rendez-vous sur son agenda* (syn. : INSCRIRE). *Noter quelques idées sur le papier* (syn. : JETER). — 3° *Noter quelque chose,* y faire attention : *Note qu'il nous a observés pendant tout notre entretien* (syn. : REMARQUER, PRENDRE NOTE). *Je n'ai noté aucun changement dans son attitude* (syn. : CONSTATER). *Il a noté une faute d'orthographe dans le texte* (syn. : APERCEVOIR). ◆ **notation** n. f. 1° Action de noter, de représenter par des signes convenus : *La notation algébrique, phonétique.* — 2° Remarque brève, faite à propos de quelque chose : *Il jeta sur le papier quelques notations rapides sur ce qu'il avait lu.* ◆ **notule** n. f. Remarque sur un point particulier d'un texte, d'un exposé (syn. : ANNOTATION).

2. note [nɔt] n. f. Appréciation chiffrée donnée sur un travail, sur la conduite de quelqu'un : *Elève qui a de mauvaises notes. Avoir une note au-dessus, au-dessous de la moyenne. Le carnet de notes d'un lycéen.* ◆ **noter** v. tr. Apprécier la valeur de quelqu'un, de quelque chose, en particulier en l'affectant d'une note chiffrée : *Devoir noté dix sur vingt. Un fonctionnaire bien noté. Il est très mal noté auprès de ses supérieurs* (= mal considéré). ◆ **notation** n. f. : *La notation des leçons.*

3. note [nɔt] n. f. Détail d'un compte à payer : *Demander, réclamer la note de l'hôtel. Une note de frais. Présenter, régler la note.*

4. note [nɔt] n. f. 1° Signe de musique figurant un son : *Les notes de la gamme.* — 2° *Etre dans la note,* être dans le style de quelque chose ou de quelqu'un, être en accord avec eux : *Cette remarque ironique est bien dans la note de son esprit sarcastique. Il est bien dans la note dans ce milieu mondain et superficiel.* ‖ *Forcer la note,* exagérer. ‖ *Une note juste,* un détail parfaitement en accord avec la situation. ‖ *Une fausse note,* un détail qui brise l'harmonie de l'ensemble : *Ce tableau met une fausse note dans son bureau.* ‖ *Donner la note,* indiquer le ton : *Le compte rendu vous donnera la note de ce qu'ont pu être les discussions.* ◆ **noter** v. tr. : *Noter un air* (= le transcrire). ◆ **notation** n. f.

notice [nɔtis] n. f. Court écrit qui donne des indications sommaires ou qui forme un résumé sur un sujet particulier : *Une notice explicative est jointe à l'appareil. Une notice de l'auteur met en garde les lecteurs contre une conclusion hâtive. Une notice biographique, nécrologique, bibliographique.*

notifier [nɔtifje] v. tr. *Notifier quelque chose,* le faire connaître d'une manière officielle, expressément : *Notifier l'ordre d'expulsion à des locataires* (syn. : INTIMER). *Notifier à un élève son renvoi du lycée* (syn. : SIGNIFIER). *Notifier un rendez-vous pour la semaine suivante* (syn. : FAIRE PART DE). ◆ **notification** n. f. : *La notification du jugement à l'accusé. La notification de la résiliation du contrat n'a pas été faite en temps voulu* (syn. : AVIS).

notion [nosjɔ̃] n. f. 1° Connaissance de quelque chose : *Elle n'a pas la moindre notion du temps; elle est toujours en retard* (syn. : IDÉE). *Perdre la notion de la réalité* (syn. : CONSCIENCE). — 2° Connaissance élémentaire d'une science : *Des notions de physique et de chimie données à l'école primaire.* — 3° Syn. de CONCEPT, IDÉE : *La notion de bien, de mal* (= la connaissance de ce qui est le bien, le mal). ◆ **notionnel, elle** adj. : *Champ notionnel* (= ensemble des mots recouvrant un concept déterminé).

notoire [nɔtwar] adj. Se dit de choses ou de personnes qui sont connues de tous : *Son mauvais caractère est notoire* (syn. : RECONNU). *Le fait est notoire* (syn. : PUBLIC). *Un criminel notoire* (syn. : ↑ CÉLÈBRE). ◆ **notoriété** n. f. Caractère d'une personne ou d'un fait notoire : *Leur dissentiment est de notoriété publique. Sa notoriété dépasse le cadre étroit de sa spécialité* (syn. : RENOMMÉE, RÉPUTATION). *Ses publications lui ont acquis une grande notoriété* (syn. : RENOM). ◆ **notoirement** adv.

notre, le nôtre adj. et pron. poss. V. MON;

notule n. f. V. NOTE 1.

nougat [nugɑ] n. m. Confiserie faite d'amandes, de sucre et de miel : *Du nougat de Montélimar.*

nouille [nuj] n. f. 1° Pâte alimentaire coupée en lanières minces (généralement au plur.) : *Des nouilles à la sauce tomate, au fromage.* — 2° *Fam.* Personne sans énergie, molle et lente (terme d'injure) : *C'est une nouille : il est incapable de faire quelque chose lui-même.* ◆ adj. *Fam.* : *Ce qu'il peut être nouille!* (syn. : BÊTE).

nourrir [nurir] v. tr. 1° *Nourrir un être animé,* le faire vivre en lui donnant des aliments; fournir des aliments : *Nourrir un bébé* (syn. : ALLAITER). *Nourrir un malade avec du bouillon* (syn. : ALIMENTER). *Les élèves sont bien nourris à la cantine* (= mangent bien). *Nourrir des oiseaux avec des graines. Les départements qui nourrissent Paris* (= les fournisseurs de produits alimentaires). — 2° *Nourrir quelqu'un,* lui donner les moyens de vivre, de subsister : *Nourrir et élever ses enfants* (syn. : ENTRETENIR). *Il a cinq personnes à nourrir* (= à sa charge). *Les industries chimiques nourrissent des milliers d'ouvriers. Etre logé, blanchi et nourri.* — 3° *Nourrir quelque chose,* l'entretenir pendant quelque temps en accroissant son importance, sa force (souvent au passif) : *Le fourrage sec nourrissait l'incendie. Une fusillade nourrie* (= dense). *Un feu nourri* (= intense). *La conversation était nourrie* (= abondante). — 4° *Nourrir quelqu'un,* lui donner une formation, le pouvoir d'idées, de sentiments, etc. (souvent au passif) : *Etre nourri de sentiments généreux, de préjugés tenaces. Nourrir son esprit de saines lectures.* — 5° Entretenir un sentiment, une idée : *Nourrir un préjugé, de la haine contre quelqu'un. Nourrir de noirs desseins. Nourrir une rancune tenace.* ◆ ***se nourrir*** v. pr. 1° Absorber les aliments nécessaires à la vie : *Se nourrir de viande. Bien se nourrir.* — 2° Entretenir en soi : *Se nourrir d'illusions* (syn. : SE REPAÎTRE). ◆ **nourrissant, e** adj. Qui nourrit bien : *Aliments particulièrement nourrissants. Un plat nourrissant.* ◆ **nourrisson** n. m. Enfant en bas âge (jusqu'à deux ans). ◆ **nourrice** n. f. 1° Femme qui allaite un enfant qui n'est pas le sien : *Confier un enfant à une nourrice.* ‖ *Mettre un enfant en nourrice,* le donner à nourrir à une femme en dehors de chez soi. — 2° Réservoir supplémentaire pour contenir un liquide comme l'eau, l'essence. ◆ **nourriture** n. f. 1° Aliment destiné à entretenir la vie : *Une nourriture légère, lourde* (syn. : ALIMENTATION). *Nourriture solide, liquide. Prendre de la nourriture* (= s'alimenter). *Se priver de nourriture* (= jeûner). *La nourriture est chère. Assurer la nourriture et le logement de quelqu'un.* — 2° *Les nourritures de l'esprit,* ce qui sert à sa formation.

nous [nu], **vous** [vu] pron. pers. 1re et 2e pers. plur. S'emploient dans toutes les fonctions (sujet, complément, etc.), comme personnels et comme réfléchis. (V. tableau ci-dessous.)

nouveau [nuvo] ou **nouvel** [nuvɛl] (devant une voyelle ou un *h* muet), **nouvelle** [nuvɛl] adj. 1° (avant ou plus souvent après le nom) Se dit de ce qui n'existe ou n'est connu que depuis très peu de temps, de ce qui vient d'apparaître : *Un modèle nouveau de voiture* (contr. : ANCIEN). *Acheter des petits pois nouveaux. La mode nouvelle. Un mot nouveau* (= un néologisme). *Une ère nouvelle. Du cidre nouveau* (= de l'année; contr. : VIEUX). *Qu'y a-t-il de nouveau depuis que je suis parti? C'est nouveau, cette idée d'aller en Espagne* (fam.). *Il n'y*

nous

VALEUR	EXEMPLES
1° = *je* + *tu* (ou *vous*).	*Toi et moi, nous sommes persuadés de son innocence. Nous autres, nous considérons que cela est inexact.*
2° = *je* + *il* (ou *eux*).	*Lui et moi, nous en sommes bien convaincus. Rendez-le-nous.*
3° *Nous* de majesté ou de modestie.	*Nous, Préfet de..., décidons que...* (employé uniquement dans le style officiel). *Nous avons rédigé cet ouvrage en pensant le rendre pratique pour les lecteurs* (*nous,* l'auteur, au lieu de *je*).
4° *Nous* de reproche bienveillant.	*Avons-nous repris courage après cet échec, mon ami?* (emploi fam. et vieilli).

vous

VALEUR	EXEMPLES
1° *tu* + *tu.*	*Vous deux, vous avez bien répondu. C'est à vous seuls qu'il appartient de continuer ce que j'ai fait.*
2° *tu* + *il.*	*Toi et lui, puissiez-vous réussir!*
3° *Vous* social (= 2e pers. sing.).	*Vous me permettez de vous interrompre un instant? Où êtes-vous allé en vacances?* (Le *vouvoiement,* usuel dans les relations sociales, s'oppose au *tutoiement,* familier et usuel dans les relations familiales, amicales, etc.)

REM. : Pour l'ordre des pronoms personnels, v. IL.

a rien de nouveau dans la situation ce matin. — **2°** Qui a un caractère d'originalité, de hardiesse propre à ce qui apparaît pour la première fois : *Un esprit nouveau souffle sur l'Université* (syn. : NEUF). *Une vue toute nouvelle* (syn. : ORIGINAL). *Un style politique nouveau* (syn. : INSOLITE). — **3°** Qui était jusqu'alors inconnu, inusité : *Jeter une clarté nouvelle sur un problème obscur. Voir de nouveaux visages.* — **4°** (avant le nom) Qui succède, s'ajoute à quelque chose d'autre : *La nouvelle saison. Mettre une nouvelle robe. Au nouvel an* (= au 1er janvier). *Acheter une nouvelle voiture. La nouvelle édition d'un livre* (contr. : ANCIEN). *La police a mis la main sur un nouveau Landru* (= quelqu'un qui a commis des crimes comme Landru). — **5°** Se dit d'une personne qui est telle depuis peu de temps (avec un adj. substantivé et considéré souvent comme adv. variable) : *Les nouveaux riches. Les nouveaux mariés. Des nouveau-nés* (avec trait d'union), *des enfants nouveau-nés* (seul cas invar.). *Le nouvel élu. Les nouveaux venus.* — **6°** *Le Nouveau Monde,* l'Amérique. ‖ *Le Nouveau Testament,* l'Evangile. ◆ n. Celui, celle qui vient d'arriver dans une école, une classe, un atelier : *La nouvelle était très intimidée. L'arrivée des nouveaux dans la classe* (syn. en arg. scol. : BIZUTH). ◆ **nouveau** n. m. Ce qui est original, neuf, inattendu : *Le journaliste cherche du nouveau, du sensationnel. Voilà du nouveau.* • LOC. ADV. *A nouveau,* en recommençant d'une nouvelle manière : *Reprendre à nouveau le problème;* une seconde fois : *Entendre à nouveau un disque.* ‖ *De nouveau,* indique la répétition (encore une fois) : *Il commit de nouveau la même erreur.* ◆ **nouvellement** adv. *Etre nouvellement arrivé* (syn. : RÉCEMMENT). ◆ **nouveauté** n. f. **1°** Caractère de ce qui est nouveau : *La nouveauté d'un mot, d'une mode. Le problème garde sa nouveauté* (syn. : ACTUALITÉ). *La nouveauté du livre apparaît à tous les critiques* (syn. : ORIGINALITÉ). — **2°** Ce qui est nouveau : *Les nouveautés l'effraient* (syn. : CHANGEMENT, INNOVATION). — **3°** Ouvrage nouveau : *Les dernières nouveautés sont dans la vitrine du libraire.* — **4°** *Magasin de nouveautés,* où l'on vend les derniers produits de la mode, de l'industrie. ‖ *La nouveauté,* le commerce de ces produits. (V. RENOUVELER.)

1. nouvelle [nuvɛl] n. f. Première annonce faite d'un événement arrivé récemment : *Transmettre la nouvelle d'un accident. On a donné la nouvelle à la radio. Une fausse nouvelle. Une bonne, une mauvaise nouvelle. On confirme cette nouvelle.* ◆ **nouvelles** n. f. pl. **1°** Renseignements fournis sur un événement, sur une chose, sur quelqu'un : *Donner des nouvelles de sa santé. Nous sommes sans nouvelles de lui. Aux dernières nouvelles, il était encore à Paris. Envoyer de ses nouvelles.* — **2°** Renseignements donnés par la presse, la radio : *Les nouvelles du jour. Quelles sont les nouvelles aujourd'hui? Les nouvelles sont mauvaises.*

2. nouvelle [nuvɛl] n. f. Petit récit assez court. ◆ **nouvelliste** n. m. Auteur de nouvelles.

novembre n. m. V. MOIS.

novice [nɔvis] adj. et n. Qui montre de l'inexpérience dans un métier, dans une activité : *Un jeune instituteur, encore novice dans sa profession* (contr. : EXPÉRIMENTÉ). *Se laisser prendre comme un novice* (syn. : APPRENTI, DÉBUTANT). ◆ n. Personne qui est entrée récemment dans un ordre religieux. ◆ **noviciat** n. m. Temps d'épreuve imposé aux novices (sens relig.).

noyau [nwajo] n. m. **1°** Partie dure qui se trouve à l'intérieur de certains fruits : *Noyaux de cerise, de pêche, d'abricot. Retirer un noyau.* — **2°** Partie centrale autour de laquelle s'organise un groupe, un ensemble, un système : *Le verbe est le noyau de la phrase. Le noyau de l'atome.* — **3°** Petit groupe d'individus solidement liés les uns aux autres et formant un élément essentiel : *Il ne restait plus qu'un noyau d'opposants. Détruire les derniers noyaux de résistance ennemie* (= groupes isolés).

noyauter [nwajɔte] v. tr. Introduire dans un groupement (parti, syndicat, etc.) des éléments isolés chargés de le diviser, de le désorganiser ou d'en prendre la direction pour en modifier le but : *Les administrations avaient été noyautées et étaient inefficaces.* ◆ **noyautage** n. m. : *Le noyautage d'un syndicat.*

noyer [nwaje] v. tr. **1°** *Noyer un être animé,* le faire périr par asphyxie en le plongeant dans un liquide : *Noyer des petits chats.* — **2°** Faire disparaître sous les eaux; recouvrir d'une grande quantité d'eau : *La rupture des digues a noyé toutes les basses terres* (syn. : SUBMERGER, INONDER). *Les pompiers ont noyé l'incendie sous des tonnes d'eau* (syn. : ↓ ÉTEINDRE). — **3°** Faire disparaître dans une masse (souvent au passif) : *Etre noyé dans la foule. Le cri fut noyé par le bruit de la fête foraine* (syn. : ÉTOUFFER). *Cette idée originale est noyée dans un ensemble très confus.* — **4°** (sujet nom de personne) *Etre noyé,* être dépassé par les difficultés, ne pouvoir les surmonter : *Il est noyé en mathématiques, il faudra lui faire donner des leçons.* — **5°** *Noyer une révolte dans le sang,* la réprimer avec violence. ‖ *Noyer le poisson,* embrouiller une question, un problème, de telle manière que l'adversaire soit fatigué et cède. ‖ *Noyer son chagrin dans l'alcool,* le faire disparaître en s'enivrant. ‖ *Noyer quelqu'un sous les mots,* l'assourdir par un bavardage. ‖ *La pièce est noyée dans l'ombre,* elle est très obscure. ◆ ***se noyer*** v. pr. **1°** Mourir asphyxié dans l'eau : *Deux baigneurs se sont noyés à marée descendante.* — **2°** *Se noyer dans les détails,* être incapable de les dépasser pour aller à l'essentiel. ‖ *Se noyer dans un verre d'eau,* échouer devant une petite difficulté. ‖ *Regard noyé,* vague. ◆ **noyé, e** n. : *Ranimer un noyé par la respiration artificielle.* ◆ **noyade** n. f. Action de se noyer ou de noyer quelqu'un : *Une tragique noyade. Sauver quelqu'un de la noyade.*

nu, e [ny] adj. (après le nom). **1°** Se dit de quelqu'un (d'une partie de son corps) qui n'a sur lui aucun vêtement : *Etre nu comme un ver, nu comme la main. Nu jusqu'à la ceinture. A moitié nu. A demi nu. Les bras nus. Le torse nu. Se battre à mains nues* (= sans armes). *Le crâne nu* (= chauve). *Tête nue* ou *nu-tête. Pieds nus* ou *nu-pieds.* — **2°** Se dit d'un lieu, d'un objet dépourvu d'ornement : *Une chambre nue* (= sans meubles). *Le mur nu de la prison. Le sabre nu* (= hors de son fourreau). — **3°** *Dire la vérité toute nue,* simplement, sans adoucissement ni déguisement. ‖ *A l'œil nu,* sans utiliser de jumelles, de lunettes. ‖ *Mettre à nu,* découvrir, montrer à tous : *Mettre son cœur à nu. Mettre à nu les vices de la société;* enlever ce qui recouvre : *Mettre à nu un fil électrique* (syn. : DÉNUDER). ◆ **nu** n. m. Genre d'art (dessin, peinture, sculpture) représentant le corps humain nu. ◆ **nûment** adv. : *Dire tout nûment la vérité* (= sans la déguiser; syn. : CRÛMENT). ◆ **nudisme** n. m. Pratique de la vie en plein air dans un état de nudité complète. ◆ **nudiste** n.

et adj. : *Un camp de nudistes.* ◆ **nudité** n. f. 1° Etat d'une personne nue, d'une partie du corps nue : *Belle dans sa nudité. La nudité de sa gorge.* — 2° Etat d'une chose qui n'est recouverte, ornée par rien : *La nudité d'une cellule. La nudité du désert.* — 3° *Dans toute sa (leur) nudité,* sans masque, en parlant des choses : *Les horreurs et les crimes de cette dictature se montraient dans toute leur nudité.* ◆ **dénuder** v. tr. Découvrir un fil électrique de son isolant, un os de sa chair, enlever à quelque chose ce qui le recouvre (souvent au passif) : *Arbre dénudé* (= dépouillé de son écorce). *Crâne dénudé* (= chauve).

nuage [nyaʒ] n. m. 1° Masse de vapeur d'eau en suspension dans l'atmosphère et près de se condenser : *Des nuages noirs s'amoncelaient dans le ciel. De petits nuages blancs. Le soleil perce les nuages.* — 2° Masse compacte de vapeur, de menues particules, etc., qui empêche de voir : *Un nuage de poussière, de fumée. Un nuage artificiel.* — 3° *Bonheur sans nuages,* parfait, sans souci. ‖ *Il y a des nuages noirs à l'horizon,* de graves dangers nous menacent. ‖ *Se perdre dan les nuages,* rêver à des utopies, à des chimères (syn. : N'AVOIR PLUS LES PIEDS SUR TERRE). ‖ *Un nuage de lait,* une petite quantité de lait versée dans du thé, du café (syn. : SOUPÇON). ◆ **nuageux, euse** adj. Couvert de nuages : *Un temps nuageux. Selon les prévisions météorologiques, le ciel sera nuageux aujourd'hui.*

nuance [nyɑ̃s] n. f. 1° Chacun des degrés différents par lesquels peut passer une même couleur : *Les nuances du rouge (cerise, cramoisi, vermillon,* etc.). — 2° Chacun des états par lesquels peut passer une odeur, un sentiment, etc. : *Les nuances d'un parfum. Les nuances de l'amour.* — 3° Différence minime, fine, entre deux choses de même genre : *Les nuances d'une pensée. Il y a plus qu'une nuance entre ces deux points de vue. Un homme sans nuance* (= intransigeant). ◆ **nuancer** v. tr. Exprimer d'une manière délicate, en tenant compte des différences (souvent au passif) : *Nuancer sa pensée. Nuancer son acceptation de quelques réserves de détail. Opinion nuancée* (contr. : ENTIER).

nubile [nybil] adj. f. *Une fille nubile,* en âge de se marier.

nucléaire [nykleɛr] adj. 1° Relatif au noyau de l'atome : *Energie nucléaire. Centrale nucléaire.* — 2° Relatif à la bombe atomique : *Une guerre nucléaire. Un armement nucléaire* (syn. : ATOMIQUE). ◆ **dénucléarisé, e** adj. Se dit d'un territoire où l'on a supprimé tout engin atomique.

nuée [nɥe] n. f. Multitude dense d'animaux, de gens, d'objets : *Une nuée de sauterelles, de flèches. Vedette assaillie par une nuée d'admirateurs* (syn. : ↓ FOULE).

nues [ny] n. f. pl. *Porter, élever quelqu'un aux nues,* le louer avec un enthousiasme excessif. ‖ *Tomber des nues,* être extrêmement surpris.

nuire [nɥir] v. tr. ind. (conj. **69**). 1° *Nuire à quelqu'un* (ou à ce qui lui appartient), lui faire du mal, lui causer du dommage : *Chercher à nuire à quelqu'un auprès de ses amis* (syn. : DISCRÉDITER). *Cette manière de faire nuit à sa réputation* (syn. : ↑ RUINER). *En agissant ainsi, il nuit à sa santé. Sa volonté de nuire est incontestable* (= méchanceté). — 2° *Nuire à quelque chose,* causer une gêne, faire obstacle : *Cet incident risque de nuire aux négociations* (syn. : CONTRARIER). *Ce retard nuit à l'efficacité de notre action* (syn. : GÊNER). ◆ **se nuire** v. pr. Nuire à soi-même : *Il se nuit en insistant trop.* ◆ **nuisible** adj. : *Un animal nuisible* (= parasite, dangereux). *Un climat particulièrement nuisible à la santé* (syn. : NÉFASTE POUR; contr. : BIENFAISANT). [V. NOCIF.]

nuit [nɥi] n. f. 1° Temps pendant lequel le soleil n'est pas visible en un point de la Terre : *Etre surpris par la nuit. Etre réveillé pendant la nuit. En pleine nuit, au milieu de la nuit* (contr. : JOUR). *Rentrer avant la nuit. Une nuit sans lune. Passer la nuit à lire. Je n'aime pas rouler la nuit en voiture. Souhaiter une bonne nuit. La nuit porte conseil. Passer une nuit blanche* (= sans dormir). — 2° Obscurité qui règne pendant cette durée : *Il fait nuit, nuit noire. A la nuit tombante, à la tombée de la nuit.* — 3° *Dans la nuit des temps,* à une époque très ancienne, très reculée. ‖ *La nuit éternelle,* la mort (langue poétique). ‖ *De nuit,* qui se passe la nuit : *Travail, service de nuit;* qui sert pendant la nuit : *Vase de nuit;* qui fonctionne la nuit : *Une boîte de nuit* (= un cabaret); qui vit la nuit : *Oiseau de nuit.* ◆ **nuitamment** adv. Pendant la nuit : *Un vol commis nuitamment.* ◆ **nuitée** n. f. Séjour d'une nuit d'un voyageur dans un hôtel. (V. NOCTAMBULE, NOCTURNE.)

1. nul, nulle [nyl] adj. indéf. (Toujours placé avant le nom; emploi réduit à quelques constructions dans la langue usuelle ou dans la langue soutenue.) Indique, avec la négation *ne,* l'absence totale : *Nous n'avons nul besoin de votre aide. Nul doute qu'il ne soit déjà arrivé* (= il n'y a aucun doute). *Je n'ai nulle envie de travailler sous ses ordres;* avec *sans* : *Sans nul doute, il aura perdu le contrôle de sa direction* (= incontestablement, sûrement); avec *autre,* de sens comparatif : *Nul autre que toi ne peut réaliser cette entreprise* (= aucune autre personne). *Livre qui ne peut se comparer à nul autre.* ● LOC. ADV. *Nulle part,* en aucun lieu : *On ne l'a trouvé nulle part* (contr. : PARTOUT). *Aucune trace de lui nulle part.* ◆ **nullement** adv. En aucune façon : *Il n'en est nullement responsable* (syn. : AUCUNEMENT). *Il n'en est nullement question.* ◆ **nul** pron. indéf. Presque toujours sujet et masculin; emploi limité à la langue administrative ou sentencieuse : *Nul n'a le droit de pénétrer dans cette salle, sauf pour des raisons de service* (syn. : PERSONNE). *Nul n'est censé ignorer le règlement. A l'impossible, nul n'est tenu. Nul n'est prophète en son pays.*

2. nul, nulle [nyl] adj. (après le nom). 1° Indique la réduction à rien, l'inexistence, l'absence de validité : *Résultat nul : deux buts partout. Ils ont fait match nul* (= le match s'est terminé sans vainqueur ni vaincu). *La récolte du vin est presque nulle dans la région* (syn. : INEXISTANT). *L'élection est nulle par suite de cette intervention illégale* (syn. : INVALIDÉ). *Le testament a été déclaré nul* (= sans validité). — 2° Se dit de choses qui n'ont aucune valeur, et en particulier de ce qui est intellectuel : *Intelligence nulle. Ce devoir est nul, j'ai mis un zéro;* se dit d'une personne qui n'a aucun mérite : *Il est vraiment nul et ne sait que répéter ce que disent les autres. Cet élève est nul en mathématiques* (= il obtient de très mauvais résultats dans cette discipline). ◆ **nullard, e** adj. *Fam.* et *péjor.* : *C'est un nullard qui se laisse mener par le bout du nez.* ◆ **nullité** [nyllite ou nylite] n. f. 1° Caractère d'une chose sans valeur, d'une personne sans intelligence, sans connaissances : *La nullité d'un* *raisonnement. Cet élève est d'une parfaite nullité* (syn. : ↓ FAIBLESSE). — 2° Personne sans valeur : *Cet homme est une complète nullité, incapable de la moindre originalité* (syn. : ZÉRO). — 3° Caractère d'un acte juridique qui ne peut avoir d'effet parce qu'il n'a pas d'existence légale : *Testament frappé de nullité.*

numéraire [nymerɛr] n. m. Toute monnaie ayant cours légal (techn., par opposition à *traite, chèque,* etc.) : *Payer en numéraire* (syn. : EN ESPÈCES).

numéral, e, aux adj., **numération** n. f., **numérique** adj. V. NOMBRE et tableaux ci-dessous et ci-contre.

Numération

CHIFFRES	NUMÉRAUX CARDINAUX (adj. et n.) Indique un nombre précis, le jour, la date, le rang d'un souverain, le numéro d'une maison, d'une page.	NUMÉRAUX ORDINAUX (adj. et n. ; suffixe *-ième*) Indique un rang précis.	ADVERBES (formés sur les ordinaux et d'origine latine)
1	un	premier	premièrement (primo)
2	deux	deuxième (second)	deuxièmement (secondement, secundo)
3	trois	troisième	troisièmement (tertio)
4	quatre	quatrième	quatrièmement (quarto)
5	cinq	cinquième	cinquièmement (quinto)
6	six	sixième	sixièmement (sexto)
7	sept	septième	septièmement (septimo)
8	huit	huitième	huitièmement (octavo)
9	neuf	neuvième	neuvièmement (nono)
10	dix	dixième	dixièmement (decimo)
11	onze	onzième	onzièmement
12	douze	douzième	douzièmement
13	treize	treizième	treizièmement
14	quatorze	quatorzième	quatorzièmement
15	quinze	quinzième	quinzièmement
16	seize	seizième	seizièmement
17	dix-sept	dix-septième	dix-septièmement
18	dix-huit	dix-huitième	dix-huitièmement
19	dix-neuf	dix-neuvième	dix-neuvièmement
20	vingt	vingtième	vingtièmement
21	vingt et un	vingt et unième	vingt et unièmement
22	vingt-deux	vingt-deuxième	vingt-deuxièmement
29	vingt-neuf	vingt-neuvième	vingt-neuvièmement
30	trente	trentième	trentièmement
31	trente et un	trente et unième	trente et unièmement
38	trente-huit	trente-huitième	trente-huitièmement
40	quarante	quarantième	quarantièmement
50	cinquante	cinquantième	cinquantièmement
60	soixante	soixantième	soixantièmement
70	soixante-dix	soixante-dixième	soixante-dixièmement
71	soixante et onze	soixante et onzième	soixante et onzièmement
73	soixante-treize	soixante-treizième	soixante-treizièmement
79	soixante-dix-neuf	soixante-dix-neuvième	soixante-dix-neuvièmement
80	quatre-vingts	quatre-vingtième	quatre-vingtièmement
81	quatre-vingt-un	quatre-vingt-unième	quatre-vingt-unièmement
83	quatre-vingt-trois	quatre-vingt-troisième	quatre-vingt-troisièmement
90	quatre-vingt-dix	quatre-vingt-dixième	quatre-vingt-dixièmement
97	quatre-vingt-dix-sept	quatre-vingt-dix-septième	quatre-vingt-dix-septièmement
100	cent	centième	centièmement
101	cent un	cent unième	cent unièmement
110	cent dix	cent dixième	cent dixièmement
200	deux cents	deux centième	deux centièmement
220	deux cent vingt	deux cent vingtième	deux cent vingtièmement
280	deux cent quatre-vingts	deux cent quatre-vingtième	deux cent quatre-vingtièmement
600	six cents	six centième	six centièmement
1 000	mille	millième	millièmement
2 000	deux mille	deux millième	
100 000	cent mille	cent millième	
1 000 000	un million	un millionième	
10 000 000	dix millions	dix millionième	
1 000 000 000	un milliard	un milliardième	
10 000 000 000	dix milliards	dix milliardième	

Remarque. Pour désigner un nombre ordinal indéterminé, en mathématiques ou fam., on dit *ennième* ou $n^{ième}$ (n + suffixe *-ième*) : *Pour la ennième fois, je vous le répète.* Le *quantième* indique le jour du mois dans la langue administrative. Dans les phrases interrogatives familières, *combientième?* indique en quel rang, à quelle date : *Tu es le combientième à la composition?*

Accord. Les numéraux cardinaux sont invariables comme adjectifs et comme noms, sauf *million, milliard, vingt* dans *quatre-vingts* et *cent* dans *deux cents, trois cents,* etc. Toutefois, il est d'usage de ne pas mettre d'*s* lorsqu'ils sont complétés d'un autre adjectif numéral : *quatre-vingt-deux, deux cent trois.* Les numéraux ordinaux sont variables.

Exemples d'emplois et d'accord. *Le 15 janvier 1902 à 8 h* se lit : *Le quinze janvier mille neuf cent deux à huit heures. Charles VIII* se lit *Charles huit. Au vingt-six de la rue de Babylone. Page quatre-vingt* (lorsque le numéral cardinal indique un rang, il est invariable). *Deux mille hommes. Trente-quatre lignes. Il habite au troisième étage. Il a été quarante et unième à la composition. Il a écrit le troisième tome de ses Mémoires.*

Adverbes. Les adverbes d'origine latine ne sont usuels que jusqu'à *decimo.*

FRACTIONS (n.)	× (multiplié par)	MULTIPLE (adj. et n. m.)	ENSEMBLE OU QUANTITÉ APPROXIMATIVE (n. f.)
$\frac{1}{2}$ un demi; la moitié	× 2	(le) double (adv. : doublement)	une huitaine (de jours)
			une dizaine
$\frac{1}{3}$ un (le) tiers	× 3	(le) triple (adv. : triplement)	une douzaine
$\frac{1}{4}$ un (le) quart	× 4	(le) quadruple	une vingtaine
$\frac{1}{5}$ un (le) cinquième			une (la) trentaine
$\frac{1}{6}$ un (le) sixième	× 5	(le) quintuple	une (la) quarantaine
$\frac{2}{3}$ (les) deux tiers	× 6	(le) sextuple	une (la) cinquantaine
			une (la) soixantaine
$\frac{3}{4}$ (les) trois quarts	× 10	(le) décuple	une (la) centaine ou un cent
$\frac{4}{5}$ (les) quatre cinquièmes, etc.	× 100	(le) centuple	un (le) millier

● La *trentaine,* la *quarantaine,* la *cinquantaine,* la *soixantaine* désignent l'âge d'environ trente ans, quarante ans, cinquante ans, soixante ans : *Avoir atteint, dépassé la cinquantaine. Approcher de la soixantaine.*

Emplois particuliers des noms de nombre cardinaux et ordinaux ; ils désignent :

Dans l'organisation de l'enseignement, les classes du second degré, et anciennement celles du premier degré (ordinal au fém.).	*Les classes de la sixième* (11-12 ans) *à la première* (16-17 ans) : *la cinquième, la quatrième, la troisième, la seconde; anciennement, la onzième* (7 ans), *la dixième, la neuvième, la huitième, la septième* (11 ans).	Les jours de l'année (cardinal au masc.).	*Vous viendrez le huit à la maison?*
		Les numéros des maisons d'une rue ; les étages d'une maison (cardinal au masc.).	*Habiter le 26 de la rue de Vaugirard. Habiter au troisième, au second.*
Dans les jeux de cartes, les basses cartes (cardinal au masc.)	*Le huit de trèfle. Un sept de cœur.*	Les chiffres.	*Un trois. Demain en huit.*

1. numéro [nymero] n. m. 1° Nombre qui indique la place d'un objet dans une série, qui sert à distinguer une chose d'autres choses de même nature : *Le numéro de la maison. Habiter au numéro trente de la rue de Vaugirard. L'agent a relevé le numéro de la voiture. Les coureurs ont un numéro sur leur dossard.* — 2° Nombre marqué sur les billets, les boules, etc., utilisés dans les loteries, les jeux de hasard : *Le numéro gagnant à la loterie. Tirer le mauvais numéro.* — 3° Partie d'une revue, d'un périodique publiée à une date donnée : *Un numéro spécial d'une revue. Le numéro trois de la revue est épuisé. Son article vient de paraître dans le dernier numéro. La suite au prochain numéro* (= la suite de l'article, de l'histoire paraîtra dans le numéro suivant du journal, de la revue; ce qui reste à faire est remis à plus tard). — 4° *Numéro un,* principal, de première importance : *Ennemi public numéro un.* ◆ **numéroter** v. tr. Marquer d'un numéro : *Numéroter des feuillets, des fiches.* ◆ **numérotage** n. m.

2. numéro [nymero] n. m. 1° Chacune des divisions du spectacle d'un cirque, d'un music-hall : *Un numéro de clown, de jongleurs. Présenter un nouveau numéro. Faire son numéro habituel* (= se donner habituellement en spectacle par une attitude ridicule, déplacée). — 2° *Fam.* Personne singulière, bizarre : *C'est un drôle de numéro.*

nuptial, e, aux [nypsjal, -sjo] adj. Qui se rapporte aux noces, à la cérémonie du mariage : *Bénédiction nuptiale. Chambre nuptiale. Anneau nuptial.* ◆ **nuptialité** n. f. Nombre des mariages dans une population déterminée et pendant une période donnée : *L'élévation du taux de nuptialité* (= nombre annuel des mariages par groupe de 1 000 habitants). ◆ **prénuptial, e, aux** adj. Qui précède le mariage : *Certificat prénuptial.* (V. NOCE.)

nuque [nyk] n. f. Partie postérieure du cou : *Une nuque épaisse.*

nutrition [nytrisjɔ̃] n. f. Ensemble des fonctions de l'organisme qui assurent la digestion et l'assimilation des aliments (techn.) : *Troubles de la nutrition. La nutrition des animaux. Maux de tête qui résultent d'un défaut de la nutrition.* ◆ **nutritif, ive** adj. 1° Qui a la propriété de nourrir : *Aliments très nutritifs* (syn. : NOURRISSANT). *Les qualités nutritives d'un aliment.* — 2° Qui concourt à la nutrition : *L'appareil nutritif d'un animal.*

Nylon [nilɔ̃] n. m. Nom déposé d'une fibre textile artificielle : *Des bas en Nylon.*

nymphe [nɛ̃f] n. f. Jeune fille ou jeune femme belle et gracieuse (par comparaison avec les déesses des bois, des montagnes, etc., de la mythologie).

O

o n. m. V. Introduction.

ô [o] interj. Marque le début d'une apostrophe, d'une invocation (toujours avec un subst. ou un adj.; style soutenu et langue tragique) : *Ô fou que vous êtes! Ô mon Maître et Seigneur, ayez pitié de moi!*

oasis [ɔazis] n. f. **1°** Endroit d'une région désertique où se trouve un point d'eau, qui permet à la végétation de croître : *Trois jours de marche séparent ces deux oasis.* — **2°** *Une oasis de* (et un substantif), îlot privilégié, lieu isolé du milieu environnant (littér.) : *Ce quartier résidentiel est une oasis de calme dans la ville* (syn. : REFUGE, ÎLOT). *Ils considèrent les vacances comme une oasis de paix dans le tumulte de la vie* (= moment privilégié). ◆ **oasien, enne** adj. et n. Habitant d'une oasis.

obédience [ɔbedjɑ̃s] n. f. **1°** Soumission à un supérieur ecclésiastique. — **2°** *D'obédience* (avec un adj.), se dit d'une personne, d'un peuple, etc., qui se soumet à une autorité doctrinale : *Les pays d'obédience communiste. Une entente profonde est difficile entre des gens qui ne sont pas de même obédience* (syn. : APPARTENANCE).

obéir [ɔbeir] v. tr. ind. et intr. **1°** (sujet nom d'être animé) *Obéir à quelqu'un, à quelque chose,* se soumettre aux ordres de quelqu'un, aux stipulations d'un règlement, ou se conformer aux impulsions d'un sentiment, etc. : *Obéir au doigt et à l'œil à quelqu'un* (= aveuglément). *Il n'obéit qu'à ses instincts* (syn. : ÉCOUTER, SUIVRE). *Le chien obéit au sifflement de son maître* (syn. : RÉPONDRE À). *Cet enfant obéit facilement.* — **2°** *Etre obéi, se faire obéir,* obtenir que quelqu'un vous obéisse : *Un chef qui n'a pas été obéi. Ce moniteur sait se faire obéir des enfants.* — **3°** (sujet nom de chose) *Obéir à une loi, à un principe,* etc., y être soumis, les confirmer : *Tout objet lancé obéit à la loi de la chute des corps* (syn. : SUIVRE). — **4°** (sujet nom d'un animal ou d'un mécanisme) *Obéir à quelque chose,* suivre une impulsion donnée, y répondre : *Le cheval obéit à l'éperon. Le bateau obéit à la barre. Le moteur obéit bien.* ◆ **obéissant, e** adj. : *Un enfant obéissant* (syn. : DOCILE). *Elèves obéissants* (syn. : DISCIPLINÉ). *La foule, obéissante, s'est dispersée en silence* (syn. : ↑ SOUMIS, PASSIF). ◆ **obéissance** n. f. Sens 1 du verbe : *L'obéissance est l'attitude que l'on apprécie le plus chez les enfants* (syn. : DOCILITÉ, DISCIPLINE, ↑ SOUMISSION). *Obéissance d'un soldat à ses chefs. Refus d'obéissance* (= insoumission, révolte). ◆ **désobéir** v. tr. ind. *Désobéir à quelqu'un, à quelque chose,* ne pas y obéir : *Enfant qui désobéit à ses parents. Désobéir au règlement* (syn. : ENFREINDRE, TRANSGRESSER, CONTREVENIR). ◆ **désobéissant, e** adj. : *Un élève désobéissant.* ◆ **désobéissance** n. f. : *L'enfant a été puni pour sa désobéissance. La désobéissance d'un militaire* (syn. : INSUBORDINATION). *Désobéissance à la loi, aux règlements administratifs* (syn. : INFRACTION).

obélisque [ɔbelisk] n. m. Pierre levée, très allongée, quadrangulaire à sa base, et terminée en pointe : *Les faces des obélisques égyptiens sont le plus souvent gravées d'hiéroglyphes.*

obérer [ɔbere] v. tr. Accabler d'une lourde charge financière (langue soignée) : *Les conflits armés obèrent toujours les ressources d'un pays* (syn. : GREVER). *Obéré de dettes* (= très endetté).

obèse [ɔbɛz] adj. et n. Se dit d'une personne anormalement grosse : *Depuis qu'il a pris sa retraite, cet homme devient obèse* (syn. : ÉNORME, ↓ CORPULENT; contr. : MAIGRE, ÉTIQUE). ◆ **obésité** n. f. : *L'exercice physique est recommandé pour lutter contre l'obésité* (syn. : CORPULENCE, EMBONPOINT; contr. : MAIGREUR).

objecter [ɔbʒɛkte] v. tr. *Objecter à quelqu'un* (ou à sa conduite) *quelque chose,* ou *que* (et l'indic.), lui opposer une réfutation, émettre une protestation ou une affirmation contraire à sa proposition ou à ses ordres : *Objecter le peu de chance de succès d'une expérience* (syn. : ALLÉGUER). *Avoir toujours quelque chose à objecter. On vous objectera que votre projet est utopique* (syn. : RÉTORQUER). ◆ **objection** n. f. **1°** Argument opposé à une affirmation : *Je réfuterai d'abord vos abjections à mon projet. Prévenir d'éventuelles objections de la part de ses adversaires.* — **2°** *Objection de conscience,* refus de remplir ses obligations militaires, pour des raisons morales ou religieuses. ◆ **objecteur** n. m. Sens 2 de *objection : Obtenir un statut pour les objecteurs de conscience.*

1. objectif [ɔbʒɛktif] n. m. **1°** Système optique d'une lunette qui se trouve tourné vers l'objet à examiner (par oppos. à l'*oculaire,* contre lequel on place l'œil) : *La distance focale d'un objectif.* — **2°** Système optique d'un appareil photographique, formé de lentilles et qui donne des objets une image réelle, enregistrée sur une plaque sensible ou un film; l'appareil photographique lui-même : *L'objectif du cinéaste a pris la scène sur le vif.*

2. objectif [ɔbʒɛktif] n. m. **1°** But précis que se propose l'action : *Se fixer un objectif limité* (syn. : BUT). *Atteindre son objectif. Avoir de nobles objectifs* (syn. : AMBITION, DESSEIN, VISÉE). — **2°** Point contre lequel est dirigée une opération militaire : *Bombarder les objectifs stratégiques.*

3. objectif, ive [ɔbʒɛktif, -iv] adj. **1°** Qui existe hors de l'esprit, comme chose ou comme matière, qui fait partie du monde extérieur et peut être perçu par les sens (s'emploie surtout en philosophie) : *La réalité objective* (contr. : SUBJECTIF). — **2°** Se dit d'une personne (ou de son comportement) qui ne fait pas intervenir d'éléments affectifs, personnels dans ses jugements, qui décrit avec exactitude la réalité : *C'est l'historien le plus objectif pour la période d'avant guerre* (syn. : IMPARTIAL). *Des constatations objectives* (contr. : SUBJECTIF). *Un compte rendu objectif* (contr. : PARTIAL). *Faire une étude objective d'un problème* (syn. : SCIENTI-

FIQUE). ◆ **objectivement** adv. : *Le monde existe objectivement* (= indépendamment de nous). *Objectivement, je n'en sais rien.* ◆ **objectivité** n. f. : *L'objectivité de la science* (contr. : SUBJECTIVITÉ). *L'objectivité d'un romancier, d'un cinéaste* (syn. : IMPARTIALITÉ). *Son jugement est dénué de toute objectivité* (contr. : PARTIALITÉ). ◆ **objectivisme** n. m. Absence systématique de parti pris. ◆ **objectiviste** n. m.

4. objectif, ive adj. V. OBJET 3.

1. objet [ɔbʒɛ] n. m. 1° Chose définie par sa matière, sa forme, sa couleur : *Cet enfant commence à découvrir les objets. L'image d'un objet réfléchie par le miroir.* — 2° Chose de peu de volume, destinée à un usage quelconque (en général avec un adj., un compl. qui indiquent la destination) : *Des objets traînaient dans la pièce : ses livres, ses vêtements, ses papiers. Apporter ses objets de toilette* (= son nécessaire). *Rassembler ses objets personnels* (= ses affaires). *Objets de première nécessité. Le bureau des objets trouvés. Ranger les petits objets fragiles dans une vitrine* (syn. : BIBELOT). *Collection d'objets d'art* (= d'œuvres d'art).

2. objet [ɔbʒɛ] n. m. 1° (sujet nom d'être animé ou de chose) *Etre l'objet, faire l'objet de,* être le support d'une pensée, d'un sentiment, d'une attitude ou d'une activité : *Cet enfant malade est l'objet d'un dévouement constant. Le choix des horaires a fait l'objet de violentes discussions. L'industrialisation de cette région a fait l'objet de nombreuses études.* — 2° But d'une action, matière d'une activité : *L'objet d'une démarche* (syn. : BUT). *L'objet de ces recherches est le traitement du cancer* (= ces recherches portent sur). *L'objet de la discussion est très important* (syn. : CONTENU, SUJET). — 3° *Sans objet,* qui n'est pas fondé, sans but : *Une question sans objet. Un travail sans objet.*

3. objet [ɔbʒɛ] n. m. Par opposition à *sujet* grammatical, terme de la proposition désignant l'être ou la chose sur lesquels s'exerce l'action exprimée par le verbe : *Complément d'objet direct, indirect.* ◆ **objectif, ive** adj. *Complément objectif,* terme qui serait complément d'objet si le mot complété était un verbe. (Ainsi *paix* dans *le désir de la paix* = désirer la paix.) [Contr. : SUBJECTIF.]

objurgations [ɔbʒyrgasjɔ̃] n. f. pl. Paroles par lesquelles on essaie, avec une vive insistance, de détourner quelqu'un d'agir comme il a l'intention de le faire (littér.) : *J'ai cédé à vos objurgations* (syn. : EXHORTATION).

oblation [ɔblasjɔ̃] n. f. Offrande faite à Dieu; acte par lequel le prêtre offre à Dieu le pain et le vin qu'il doit consacrer à la messe.

1. obligation n. f. V. OBLIGER 1.

2. obligation [ɔbligasjɔ̃] n. f. Titre négociable, nominatif ou au porteur, remis par une société à ceux qui lui prêtent des capitaux, et constituant une part d'un emprunt. ◆ **obligataire** n. m.

obligeant, e adj., **obligeance** n. f. V. OBLIGER 2.

1. obliger [ɔbliʒe] v. tr. 1° *Obliger quelqu'un,* le lier par une loi, une convention : *Le contrat oblige les deux parties signataires* (syn. : ENGAGER). — 2° *Obliger quelqu'un à (faire) quelque chose,* le forcer à une action (au passif, ordinairement prép. *de*) : *La nécessité l'a obligé à accepter ce travail* (syn. : CONTRAINDRE À). *Il a été obligé de réparer les dégâts* (syn. : CONDAMNER, ASTREINDRE À). *Je suis obligé de partir* (= il faut que je parte). *Rien ne l'obligeait à intervenir dans le débat.* ◆ **obligation** n. f. 1° Loi ou prescription religieuse, morale ou sociale : *Remplir ses obligations militaires* (= répondre à l'appel, faire son service militaire). *Faire honneur à ses obligations familiales* (syn. : TÂCHE, DEVOIR). *Avoir des obligations mondaines* (= visites ou invitations à faire ou à rendre). *Obligation scolaire* (= devoir de fréquenter l'école). *Cette réunion n'est pas très importante, ne vous faites pas une obligation d'y assister* (syn. : DEVOIR). ‖ *Fête d'obligation,* fête religieuse que le croyant est tenu d'observer. — 2° Lien juridique unissant deux personnes, en particulier un débiteur à un créancier : *Obligation alimentaire* (= devoir, pour une personne, de fournir les ressources nécessaires à la vie de ses proches parents et alliés). *Il lui faut d'abord s'acquitter de ses obligations* (= dettes, contrats). *Contracter une obligation envers quelqu'un* (= se lier par un engagement). — 3° Nécessité, caractère inévitable ou contraignant d'une situation : *Etre dans l'obligation de démissionner. Je vous propose ce travail, mais c'est sans obligation pour vous* (syn. : CONTRAINTE). *J'ai reçu ce poste de télévision à l'essai, sans obligation de l'acheter* (syn. : ENGAGEMENT). ◆ **obligatoire** adj. Se dit d'une chose imposée par la loi ou par des circonstances particulières : *L'assistance aux travaux pratiques est obligatoire* (syn. : INDISPENSABLE; contr. : FACULTATIF). *Service militaire obligatoire. Tenue de soirée obligatoire* (syn. : EXIGÉ, DE RIGUEUR). ◆ **obligatoirement** adv. : *Vous passerez obligatoirement au bureau avant de sortir. En suivant cette rue, on arrive obligatoirement sur la place* (syn. : NÉCESSAIREMENT, FATALEMENT, INÉVITABLEMENT).

2. obliger [ɔbliʒe] v. tr. *Obliger quelqu'un,* lui rendre un service par pure complaisance (langue soignée) : *Vous m'obligeriez beaucoup en ne répétant pas ce que je vous ai dit* (= vous me feriez un très grand plaisir en...). *Je vous serais fort obligé de bien vouloir m'accorder un entretien* (syn. : RECONNAISSANT). ◆ **obligeant, e** adj. 1° Se dit d'une personne (ou de son attitude) aimable et serviable : *Cette employée est particulièrement obligeante* (contr. : DÉSOBLIGEANT). — 2° *Paroles obligeantes,* paroles flatteuses. ◆ **obligeamment** adv. : *Il a très obligeamment proposé de nous reconduire* (syn. : GENTIMENT, AIMABLEMENT). ◆ **obligeance** n. f. : *Auriez-vous l'obligeance de me prêter vos documents?* (syn. : COMPLAISANCE). ◆ **obligation** n. f. Sentiment ou devoir de reconnaissance de quelqu'un envers un bienfaiteur (langue soignée, et le plus souvent au sing.) : *Avoir beaucoup d'obligation à quelqu'un pour des services rendus. S'acquitter d'anciennes obligations* (= dettes de reconnaissance). ◆ **désobliger** v. tr. *Désobliger quelqu'un,* lui causer de la contrariété, du déplaisir : *J'évitai toute allusion qui aurait pu le désobliger* (syn. : BLESSER, FROISSER). *Je ne voudrais pas vous désobliger en contestant vos affirmations* (syn. : CONTRARIER, DÉPLAIRE). ◆ **désobligeant, e** adj. : *Il entendit en passant quelques réflexions désobligeantes* (syn. : BLESSANT). *Ces soupçons sont très désobligeants à son égard* (syn. : INJURIEUX). ◆ **désobligeance** n. f.

oblique [ɔblik] adj. Se dit d'une droite, d'un chemin ou d'un tracé qui n'est pas dans le prolongement d'une ligne, ou qui n'est pas perpendiculaire à une droite ou à un plan : *Tracer une ligne oblique par rapport à une droite. Le chemin suit un tracé oblique par rapport à la rivière* (= qui fait un angle aigu avec). *Muscle oblique de l'œil.* • Loc. ADV. *En oblique,* de biais, en diagonale : *Traverser une rue en oblique.* ◆ **obliquement** adv. : *Regarder quelqu'un obliquement* (syn. : DE CÔTÉ, DE BIAIS). ◆ **obliquer** v. intr. Prendre une direction de côté : *Arrivés sur la place, vous obliquerez à droite pour rattraper l'autoroute* (syn. : TOURNER). ◆ **obliquité** [ɔblikɥite] n. f. Inclinaison d'une ligne ou d'une surface par rapport à une autre : *Le degré d'obliquité des rayons solaires permet d'apprécier l'heure.*

oblitérer [ɔblitere] v. tr. 1° *Oblitérer un timbre,* le marquer d'un cachet spécial : *Ce timbre a beaucoup moins de valeur oblitéré que neuf.* — 2° Obstruer (terme médic.) : *Avoir une artère oblitérée par un caillot.* — 3° *Oblitérer quelque chose,* l'effacer, l'user progressivement (langue soignée) : *Les inscriptions murales sont partiellement oblitérées par le temps* (syn. : EFFACÉ). ◆ **oblitération** n. f. : *Les timbres de cette lettre ne portaient trace d'aucune oblitération. Souffrir de l'oblitération d'une artère.*

oblong, oblongue [ɔblɔ̃, ɔblɔ̃g] adj. De forme allongée : *Il est arrivé pour vous un paquet oblong.*

obnubiler [ɔbnybile] v. tr. (sujet nom désignant une idée). Assombrir l'esprit, éclipser les autres idées (surtout au passif) : *Cette maladie l'obnubile, elle y pense tout le temps* (syn. : OBSÉDER). *Elle a l'esprit obnubilé par des préjugés.*

obole [ɔbɔl] n. f. Petite offrande, contribution en argent peu importante : *Vous remettrez votre obole à la sortie* (syn. : OFFRANDE).

obscène [ɔpsɛn] adj. Qui choque la pudeur par sa trivialité ou sa crudité : *Tenir des propos obscènes* (syn. : DÉGOÛTANT, GROSSIER, INCONVENANT; contr. : CHASTE, PUDIQUE, CONVENABLE). *Mur couvert de graffiti obscènes.* ◆ **obscénité** n. f. : *L'obscénité de cet ouvrage l'a fait exclure des programmes* (syn. : INCONVENANCE). *Des gens qui ne savent dire que des obscénités* (syn. : GROSSIÈRETÉ; pop. : COCHONNERIE).

obscur, e [ɔpskyr] adj. 1° Se dit d'un lieu qui est mal éclairé, privé de lumière, qui n'est pas lumineux : *Ce rez-de-chaussée est très obscur* (syn. : SOMBRE; contr. : CLAIR). *Ils ont trois pièces, plus un cabinet obscur* (syn. : NOIR). *Ce quartier est très obscur le soir* (= mal éclairé). *Fréquenter les salles obscures* (= aller au cinéma). — 2° Se dit d'une pensée, d'une personne que l'on comprend difficilement (avant le nom dans la langue littér.) : *Il traduit ses idées de façon obscure* (contr. : CLAIR). *Je ne peux suivre un exposé fait en termes aussi obscurs* (syn. : INCOMPRÉHENSIBLE). *Un sentiment obscur de crainte* (syn. : CONFUS). *Au plus obscur de lui-même* (= au plus profond). — 3° Se dit de quelqu'un (ou de son rôle) qui reste inconnu, peu célèbre : *Il a mené une vie obscure dans son département* (syn. : EFFACÉ). *Son origine est très obscure* (syn. : HUMBLE). *Occuper dans la hiérarchie administrative un poste obscur* (syn. : INSIGNIFIANT; contr. : IMPORTANT). *Un poète obscur* (syn. : INCONNU). ◆ **obscurément** adv. D'une manière confuse, imprécise : *Il sentit obscurément la crainte l'envahir* (syn. : CONFUSÉMENT). ◆ **obscurité** n. f. 1° Etat, qualité de ce qui est obscur : *On dit que les chats voient dans l'obscurité* (syn. : LES TÉNÈBRES [littér.], LA NUIT; contr. : LE JOUR). *Une demi-obscurité. Il recherche avant tout la simplicité et l'obscurité* (syn. : ↑ ANONYMAT). *Laisser un problème dans l'obscurité* (= ne pas le traiter). *L'obscurité de la poésie mallarméenne* (= la difficulté de la comprendre). — 2° (au sing. ou au plur.) Phrase, pensée obscure : *Son langage est plein d'obscurités.* ◆ **obscurcir** v. tr. Rendre obscur : *Les feuillages obscurcissent le jardin en été* (syn. : ASSOMBRIR). *Le vin lui obscurcit les idées* (syn. : BROUILLER; contr. : ÉCLAIRCIR). *Il n'a réussi par sa déclaration qu'à obscurcir encore le mystère* (syn. : ÉPAISSIR). ◆ **s'obscurcir** v. pr. Devenir obscur : *Le temps s'obscurcit* (syn. : SE COUVRIR). *Son esprit s'obscurcit* (= devient confus). ◆ **obscurcissement** n. m.

obscurantisme [ɔpskyrɑ̃tism] n. m. Attitude d'opposition au progrès de la vérité et de l'instruction : *Le XVIIIe siècle a dénoncé l'obscurantisme et l'intolérance.* ◆ **obscurantiste** adj. et n. : *Une époque obscurantiste. Des esprits obscurantistes.*

obséder [ɔpsede] v. tr. 1° (sujet nom de personne ou de chose) *Obséder quelqu'un,* l'importuner d'une manière continue (langue soignée) : *Obséder quelqu'un par ses assiduités* (syn. : POURSUIVRE; fam. : CRAMPONNER). *L'idée de la maladie l'obsède* (syn. : HARCELER; littér. : HANTER). — 2° *Etre obsédé,* avoir une idée fixe : *Etre obsédé par les questions d'argent.* ◆ **obsédant, e** adj. : *Le rythme obsédant de cette musique* (syn. : PERSISTANT, ↓ FATIGANT, ↑ LANCINANT; littér. : ENTÊTANT). *Les images obsédantes d'un film policier.* ◆ **obsédé, e** n. et adj. : *Un obsédé. C'est un obsédé de la montagne* (syn. : FOU, MANIAQUE; fam. : MALADE). ◆ **obsession** n. f. Idée fixe : *Ce voyage l'a délivré de ses obsessions* (syn. : ENNUI, TRACAS, ↓ SOUCI). *L'obsession de grossir* (syn. : HANTISE). *Etre toujours en proie aux mêmes obsessions.* ◆ **obsessionnel, elle** adj. Se dit d'un état morbide caractérisé par une idée fixe : *Une névrose obsessionnelle.*

obsèques [ɔpsɛk] n. f. pl. Cérémonie et convoi funèbres : *Obsèques civiles, religieuses. Suivre les obsèques d'un parent* (syn. : CONVOI). *Se rendre à des obsèques* (= enterrement). *Les obsèques nationales d'un homme politique.*

obséquieux, euse [ɔpsekjø, -øz] adj. Poli et empressé à l'excès : *Un subordonné obséquieux* (syn. : PLAT, SERVILE; littér. : ADULATEUR). *Des manières obséquieuses.* ◆ **obséquiosité** n. f. Politesse, respect exagérés : *S'adresser à quelqu'un avec obséquiosité* (syn. : SERVILITÉ). ◆ **obséquieusement** adv. : *Il s'incline obséquieusement.*

1. observer [ɔpsɛrve] v. tr. 1° *Observer quelqu'un, quelque chose,* le considérer attentivement, l'étudier en détail : *Vous observerez son visage : il nous cache certainement quelque chose* (syn. : ↓ REGARDER). *Observer une éclipse de soleil. Il vaut mieux observer l'adversaire avant de choisir une tactique. Ne rien dire et observer.* — 2° *Observer quelqu'un, quelque chose,* l'étudier scientifiquement : *Observer un insecte au microscope. Je me contente d'observer les faits sans les interpréter* (syn. : EXAMINER). — 3° *Observer quelqu'un,* épier ses faits et gestes : *Elle se sait observée et se méfie* (syn. : SURVEILLER). *Tout le monde observe le nouveau venu.* — 4° *Observer quelque chose,* faire une remarque particulière : *Enfin, on a observé un mieux chez ce convalescent* (syn. : REMARQUER, NOTER). *Je vous ferai observer que vous êtes en retard.* ◆ **s'observer** v. pr. Exercer sur ses propres actions un contrôle constant pour éviter un geste déplacé, une maladresse, etc. ◆ **observateur, trice** n. 1° Personne concernée par une action en tant que spectateur : *Les gens s'étaient tous postés aux fenêtres, en observateurs curieux* (syn. : SPECTATEUR). *Un observateur attentif, averti.* — 2° Personne attentive à un fait particulier, ou qui a pour fonction d'étudier scientifiquement un phénomène : *L'observateur, placé dans une cabine spéciale, enregistre les mouvements des différents appareils.* — 3° Personne qui a pour mission d'assister à un événement sans y participer : *Des observateurs ont été admis au Concile* (syn. : AUDITEUR). *Aller à une manifestation en observateur* (syn. : SPECTATEUR). ◆ **observateur, trice** adj. Très apte à observer : *Les enfants sont très observateurs* (= remarquent tout). *Avoir l'esprit observateur* (syn. : ATTENTIF). *Promener un œil observateur sur les lieux* (syn. : SCRUTATEUR). ◆ **observation** n. f. 1° Fait de considérer quelque chose avec attention : *Avoir l'esprit d'observation, de création,* etc. *Leurs rapports de voisinage commencèrent par une période d'observation muette* (syn. : EXAMEN). — 2° Etude attentive et scientifique d'un phénomène : *Sciences d'observation. C'est un travail d'observation. Cycle d'observation* (= d'étude des aptitudes des élèves). *Mettre un malade en observation* (= sous une surveillance particulière). *Poste d'observation* (= poste de contrôle). — 3° Remarque ou note exprimant le résultat d'un examen, d'une étude, une appréciation sur le contenu d'un texte : *Consigner ses observations par écrit. Placer des observations en marge* (syn. : COMMENTAIRE, REMARQUE). — 4° Remarque, critique : *Mériter des observations* (syn. : REPROCHE, RAPPEL À L'ORDRE). *Etre obligé de faire des observations fréquentes à un élève dissipé. Je n'ai pas d'observation à faire.* ◆ **observatoire** n. m. 1° Lieu où l'on procède à des études d'astronomie et de météorologie : *L'observatoire de Forcalquier.* — 2° Endroit d'où l'on peut aisément observer, surveiller. ◆ **observable** adj. Qui peut être remarqué, étudié : *L'éclipse de soleil totale n'est que très rarement observable.* ◆ **inobservable** adj. : *Certaines étoiles sont inobservables à l'œil nu.*

2. observer [ɔpsɛrve] v. tr. *Observer un règlement, un principe,* etc., s'y conformer : *Observer le Code de la route. Observer la règle du jeu. Observer les coutumes d'un pays* (syn. : ADOPTER, SE PLIER À; contr. : MANQUER À). *Observer les usages* (syn. : SUIVRE). *Observer les règles de la grammaire* (syn. : S'EN TENIR À). ◆ **observance** n. f. Obéissance à une règle, le plus souvent religieuse : *Il vit dans la plus stricte observance des préceptes du Coran* (syn. : SOUMISSION). *Religieuse qui appartient à telle observance* (= ordre). ◆ **observation** n. f. : *L'observation du règlement* (syn. : OBÉISSANCE, RESPECT). ◆ **non-observation** n. f. : *La non-observation de cette loi entraînera des poursuites.*

obsession n. f. V. OBSÉDER.

obstacle [ɔpstakl] n. m. 1° Tout objet qui empêche de passer : *Le soleil ne peut pénétrer dans l'appartement, car la maison d'en face lui fait obstacle* (syn. : ÉCRAN). — 2° En sports, difficulté que l'on place sur le parcours d'une course de haies ou d'un steeple-chase : *Ce cheval bute à chaque obstacle. Participer à une course d'obstacles.* — 3° Ce qui entrave la réalisation de quelque chose : *Projet qui se heurte à des obstacles insurmontables* (syn. : DIFFICULTÉ). *Le principal obstacle à ce mariage est l'âge des intéressés* (syn. : EMPÊCHEMENT, ENTRAVE). *Réussir à franchir tous les obstacles dans ses études* (syn. : BARRIÈRE). *Buter contre un obstacle* (= une pierre d'achoppement). *Susciter des obstacles à quelqu'un* (fam. = lui mettre des bâtons dans les roues). *Tout ira bien si rien ne vient mettre obstacle à nos plans. Il a longtemps fait obstacle aux initiatives de ses collaborateurs* (= il s'est opposé).

obstétrique [ɔpstetrik] n. f. Partie de la médecine relative aux accouchements. ◆ **obstétrical, e, aux** adj.

obstiner (s') [sɔpstine] v. pr. S'acharner dans une voie, s'y tenir très fermement : *Inutile de chercher à le persuader, il s'obstine* (syn. : S'ENTÊTER). *Elle s'obstine à tout contrôler elle-même, au lieu de faire confiance aux autres* (syn. : S'ACHARNER, ↑ S'OPINIÂTRER [langue soutenue]). *Pourquoi vous obstinez-vous sur cette question? Vous aurez la solution demain* (syn. : SE BUTER). ◆ **obstiné, e** adj. Se dit de quelqu'un (ou de son attitude) qui s'attache énergiquement à une manière d'être : *Un travail obstiné* (syn. : ACHARNÉ). ◆ **obstinément** adv. : *Il maintient obstinément son veto.* ◆ **obstination** n. f. : *Faire preuve d'obstination* (syn. : ACHARNEMENT, ↓ CONSTANCE, PERSÉVÉRANCE, INSISTANCE; contr. : SOUPLESSE). *Son obstination l'a acculé à la ruine* (syn. : ENTÊTEMENT). *Réussir à un examen à force d'obstination* (syn. : TÉNACITÉ). *Vaincre l'obstination des parents* (syn. : ENTÊTEMENT).

obstruer [ɔpstrye] v. tr. (souvent au passif). *Obstruer une canalisation, un passage,* etc., y rendre difficile ou impossible la circulation des matières ou des personnes : *Le conduit est obstrué par des détritus* (syn. : BOUCHER). *Des paquets accumulés qui obstruent un couloir* (syn. : ENCOMBRER, EMBARRASSER). *Un bouchon de circulation obstrue le passage depuis une heure sur la nationale 20* (syn. : ARRÊTER, ENTRAVER). ◆ **obstruction** n. f. 1° En politique, tactique consistant à paralyser les débats : *Les députés irlandais faisaient de l'obstruction systématique aux Communes. L'obstruction parlementaire.* — 2° En médecine, engorgement d'un canal, d'un vaisseau, etc. : *L'obstruction des voies biliaires par des calculs est visible à la radio.* — 3° Dans les sports d'équipe, action de s'opposer de façon déloyale à un adversaire : *Sanctionner l'obstruction d'une équipe.* ◆ **obstructionnisme** n. m. Tactique parlementaire consistant à employer l'obstruction de façon systématique : *Partisan de l'obstructionnisme.* ◆ **obstructionniste** adj. et n. : *Tactique obstructionniste. Groupe d'obstructionnistes.* ◆ **désobstruer** v. tr. : *Désobstruer une canalisation.*

obtempérer [ɔptɑ̃pere] v. tr. ind. et intr. *Obtempérer à un ordre,* s'y soumettre sans répliquer (surtout admin.) : *Il n'avait pas le choix : il dut obtempérer à la décision de son chef. Il sait que s'il n'obtempère pas immédiatement, il sera puni.*

obtenir [ɔptənir] v. tr. (conj. 22). 1° *Obtenir une chose,* se la faire donner, parvenir à se la faire accorder : *Obtenir de l'avancement. Elle a obtenu la permission de sortir une fois par semaine* (syn. fam. : ↑ ARRACHER). *Obtenir de sortir* (syn. : GAGNER). *Ils ont obtenu leur bac* (syn. fam. : DÉCROCHER). *Obtenir son diplôme avec les félicitations du jury* (syn. : REMPORTER, ENLEVER). *Obtenir un délai. Obtenir de son patron une augmentation.*

Ce groupe politique a obtenu quinze pour cent des voix aux élections. Je tâcherai de vous obtenir cet ouvrage gratuitement (syn. : PROCURER, AVOIR). *J'ai obtenu de lui qu'il se taise sur cette affaire.* — 2° *Obtenir quelque chose,* atteindre un but, arriver à un résultat : *Il faut obtenir une température de — 25 °C* (syn. : RÉALISER, PARVENIR À). *Faites l'addition; quel total obtenez-vous?* (syn. : TROUVER). *Nous avons obtenu pour 1965 cent quintaux de plus qu'en 1964* (syn. : PRODUIRE). *Cette espèce de tulipe s'obtient par croisement* (= résulte de). ◆ **obtention** n. f. : *Ne rien décider avant l'obtention du diplôme de fin d'année.*

obturer [ɔptyre] v. tr. *Obturer quelque chose,* le boucher hermétiquement : *Obturer un trou dans le mur* (syn. : FERMER). *Obturer une ouverture* (syn. : CONDAMNER). *Obturer une dent* (syn. : PLOMBER). ◆ **obturation** n. f. : *L'obturation d'une dent.* ◆ **obturateur, trice** adj. : *Plaque obturatrice.* ◆ **obturateur** n. m. 1° Appareil qui assure l'étanchéité d'un récipient : *Fermer l'obturateur* (syn. : VALVE, CLAPET, ROBINET). — 2° Dispositif d'un appareil photographique pour obtenir des temps de pose différents.

1. obtus [ɔpty] adj. m. *Angle obtus,* plus grand qu'un angle droit.

2. obtus, e [ɔpty, -yz] adj. Se dit d'une personne (ou de son intelligence) qui est lente à comprendre : *Elève obtus* (contr. : FIN). *Esprit obtus* (syn. : BORNÉ, LOURD, ÉPAIS; fam. : BOUCHÉ; contr. : PÉNÉTRANT, VIF).

obus [ɔby] n. m. Projectile de forme cylindrique, lancé par une bouche à feu : *Trou d'obus. Eclat d'obus. Obus explosif.*

obvier [ɔbvje] v. tr. ind. *Obvier à quelque chose,* parer à un danger, à un inconvénient : *Faire poser une balustrade pour obvier aux accidents* (syn. : PRÉVENIR, REMÉDIER).

ocarina [ɔkarina] n. m. Petit instrument de musique à vent, de forme ovoïde.

1. occasion [ɔkazjɔ̃] n. f. 1° Circonstance, et en particulier circonstance qui vient à propos : *Puisque je vous vois, je profite de l'occasion pour vous dire ma satisfaction* (syn. : ÉVÉNEMENT). *Sauter sur l'occasion* (fam.; syn. : AUBAINE). *Il a laissé échapper plusieurs occasions de vendre sa maison. Venez si vous en avez l'occasion* (syn. : POSSIBILITÉ). *C'est une occasion inespérée* (syn. : CHANCE). *Vous avez eu l'occasion de vous justifier* (syn. : FACULTÉ). *Je n'ai jamais eu l'occasion de le gronder* (= je n'ai jamais eu de raison de). *Le sport lui fournit des occasions de se dépenser* (= lui permet de). *Le noir convient en toute occasion* (syn. : CIRCONSTANCE). *Sortir la bouteille de champagne des grandes occasions* (= des grands jours). *A la première occasion, il faudra s'échapper. A l'occasion, venez dîner* (= le cas échéant, éventuellement). *On a organisé une surprise-partie à l'occasion de ses vingt ans* (= à propos de, pour). *Passer dans un quartier par occasion* (= par hasard). ◆ **occasionnel, elle** adj. Qui arrive par hasard : *Un travail occasionnel* (contr. : RÉGULIER, HABITUEL, PERMANENT). ◆ **occasionnellement** adv. : *Remplir occasionnellement un emploi.*

2. occasion [ɔkazjɔ̃] n. f. 1° *Une occasion, un objet d'occasion,* un objet, un meuble, un véhicule, etc., qui n'est pas neuf et que l'on achète de seconde main : *Pour ce prix-là, vous aurez une belle occasion. Acheter une voiture d'occasion. Des livres d'occasion. Magasin qui fait l'occasion* (= qui vend des objets d'occasion). *Le marché de l'occasion.* — 2° Acquisition faite à un prix avantageux : *J'ai acheté cet appareil photographique à moitié prix : c'est une belle occasion.* ◆ **occase** n. f. Syn. pop. de OCCASION.

occasionner [ɔkazjɔne] v. tr. *Occasionner quelque chose,* en être la cause : *Je vous ai occasionné des ennuis* (syn. : CRÉER, CAUSER, SUSCITER). *Sa maladie lui occasionnait beaucoup de frais* (syn. : ENTRAÎNER, PROVOQUER).

occident [ɔksidɑ̃] n. m. 1° Un des quatre points cardinaux, côté de l'horizon où le soleil se couche (littér.) : *Le vent vient de l'occident* (syn. plus usuel : OUEST; contr. : ORIENT, EST). — 2° (avec une majusc.) Pays d'Europe situés à l'ouest du continent; civilisation de ces pays; ensemble des Etats du pacte de l'Atlantique Nord : *L'évolution de l'Occident* (syn. : L'OUEST; contr. : L'EST, L'ORIENT). — 3° *Eglise d'Occident,* Eglise romaine, par opposition à l'Eglise orthodoxe. ◆ **occidental, e, aux** adj. : *La côte occidentale de la Corse est plus découpée que la côte orientale. Le bloc occidental* (= de l'Ouest; contr. : DE L'EST). *Les peuples occidentaux.* ◆ **occidentaliser (s')** v. pr. Prendre les caractères des civilisations occidentales. ◆ **occidentalisation** n. f. Evolution d'une civilisation vers les caractères occidentaux : *L'occidentalisation éventuelle du Moyen-Orient.* ◆ **occidentalisme** n. m. Tendance à préférer les valeurs politiques, intellectuelles, etc., de l'Occident, par opposition à celles de l'Est. ◆ **occidentaliste** adj. et n.

occiput [ɔksipyt] n. m. Partie inférieure et postérieure de la tête. ◆ **occipital, e, aux** adj. : *Lobe occipital.*

occlusion [ɔklyzjɔ̃] n. f. *Occlusion intestinale,* arrêt des matières et des gaz dans un segment de l'intestin.

occlusive [ɔklyziv] adj. et n. f. *Consonne occlusive,* produite par une fermeture momentanée (dite *occlusion*) du canal buccal : *[b], [p], [d], [t], [g], [k] sont des occlusives.*

occulte [ɔkylt] adj. 1° Se dit de ce qui agit d'une manière cachée (littér.) : *Une politique guidée par des forces occultes.* — 2° *Sciences occultes,* l'astrologie, l'alchimie, la magie, la nécromancie. ◆ **occultisme** n. m. Pratique des sciences occultes. ◆ **occultiste** adj. et n.

1. occuper [ɔkype] v. tr. 1° (le plus souvent, sujet nom de personne) *Occuper un lieu,* y entrer ou y être en l'envahissant militairement : *Les Allemands ont occupé la France pendant la Seconde Guerre mondiale* (syn. : ENVAHIR). *La Pologne a souvent été occupée.* — 2° (sujet nom de personne ou de chose) *Occuper un lieu,* en avoir la possession; s'y trouver : *J'occupe cet appartement depuis dix ans* (syn. : HABITER). *Nous occupons le rez-de-chaussée de la maison. Ce vieux meuble occupe trop de place* (syn. : PRENDRE, TENIR). — 3° (sujet nom de personne ou de chose) *Occuper un moment,* faire en sorte que le temps ne soit pas vide d'activités : *A quoi peut-on occuper le temps ici?* (syn. : TUER). *Encore une heure à occuper* (syn. : REMPLIR, MEUBLER). — 4° (sujet nom de personne) *Occuper un poste, une fonction,* l'avoir comme charge, comme fonction : *Il occupe le poste de* *directeur depuis la mort de son père. Occuper la charge de procureur de la République. Le poste qu'on vous avait proposé est occupé depuis un mois* (syn. : PRENDRE; contr. : VACANT). ◆ **occupé, e** adj. Se dit d'un lieu dont quelqu'un a pris possession : *Un appartement occupé* (contr. : LIBRE). *Poste occupé* (contr. : VACANT). *La place est occupée* (syn. : PRIS; contr. : DISPONIBLE). *Zone occupée* [par l'ennemi] (syn. : ENVAHI). ◆ **occupant, e** adj. : *Une répression atteint ceux qui ont collaboré avec la puissance occupante.* ◆ **occupant** n. m. Personne qui occupe un lieu : *Etre occupant de bonne foi dans un appartement* (syn. : HABITANT). *L'occupant, en temps de guerre, vit sur l'habitant* (= la puissance étrangère qui a envahi un pays). ◆ **occupation** n. f. 1° Fait de prendre possession d'un lieu ou d'être en possession d'un lieu : *L'occupation des lieux rend des aménagements nécessaires.* — 2° Période où la France était occupée par les Allemands, de 1940 à 1945 : *Il s'est caché pendant l'Occupation. Les restrictions qu'on a connues sous l'Occupation.* ◆ **inoccupé, e** adj. : *Un appartement inoccupé* (syn. : INHABITÉ). ◆ **réoccuper** v. tr. *Réoccuper un lieu,* en reprendre possession : *J'ai laissé cette pièce à ma tante, puis je l'ai réoccupée.* ◆ **réoccupation** n. f.

2. occuper [ɔkype] v. tr. 1° (sujet nom de personne) *Occuper quelqu'un,* l'employer à un travail, ou lui fournir des distractions : *L'usine ne peut occuper que six cents ouvriers* (syn. : EMPLOYER). *En vacances, le problème est d'occuper les enfants les jours de pluie* (syn. : DISTRAIRE, AMUSER, INTÉRESSER). — 2° (sujet nom de chose) *Occuper quelqu'un,* remplir complètement son activité, sa pensée : *Ce travail m'a occupé tout l'après-midi* (syn. : ABSORBER, PRENDRE, RETENIR). *Le ménage l'occupe beaucoup* (= lui prend beaucoup de temps). — 3° (sujet nom de chose) *Occuper une période, un temps,* etc., avoir lieu, être fait pendant cette durée : *Les rencontres familiales ont occupé toutes les vacances de Noël* (syn. : REMPLIR). ◆ ***s'occuper*** v. pr. 1° Ne pas rester oisif, exercer son activité : *Les enfants ont besoin de s'occuper* (syn. : SE DÉPENSER). *Histoire de s'occuper* (= pour faire quelque chose). *Avec cette grande maison à remettre en état, il y a de quoi s'occuper* (syn. : FAIRE, TRAVAILLER). *Depuis sa retraite, il ne sait à quoi s'occuper* (syn. : S'EMPLOYER, S'INTÉRESSER). *S'occuper à classer des fiches.* — 2° *S'occuper de quelque chose, de quelqu'un,* ou de (et l'infin.), leur consacrer son activité, les prendre en charge : *Il n'a absolument pas le temps de s'occuper de ses affaires* (syn. : PENSER À, VEILLER À). *Est-ce que je me suis déjà occupé de cette affaire?* (syn. : SUIVRE, ÉTUDIER). *Donnez-lui ses médicaments, et si elle crie ne vous en occupez pas* (syn. : S'INQUIÉTER, SE SOUCIER DE). *Pour l'instant nous ne nous occuperons que des verbes* (syn. : S'INTÉRESSER À). *Ne pas s'occuper de politique* (syn. : S'INTÉRESSER À, SE MÊLER DE). *S'occuper des malades et des prisonniers* (syn. : SE CONSACRER À). *Une minute, et je m'occupe de vous* (syn. : SE CONSACRER À, ÊTRE À, ÉCOUTER). *Pauvre vieux, personne ne s'occupe de lui* (syn. : SOIGNER, CHOYER). *Je m'occuperai de vous procurer les pièces nécessaires* (syn. : SE CHARGER). ◆ **occupé, e** adj. Se dit d'une personne (ou de son esprit) très absorbée par son travail, ses activités : *Une personne très occupée* (syn. : PRIS). *Avoir l'esprit occupé par des projets de vacances* (syn. : PLEIN DE, ABSORBÉ PAR). *Etre toujours occupé* (syn. : ACTIF, AFFAIRÉ, SURCHARGÉ). ◆ **occupation** n. f. Travail, activité rémunérée ou non : *Avoir bien de l'occupation* (syn. : TRAVAIL, BESOGNE). *Chercher une occupation. Il faudrait, au milieu de toutes ces occupations, garder du temps libre* (syn. : ACTIVITÉ). ◆ **inoccupé, e** adj. : *Il lui est pénible de rester inoccupé* (syn. : OISIF). ◆ **inoccupation** n. f. Etat de quelqu'un qui n'a ni travail ni activité : *Végéter dans l'inoccupation* (syn. : OISIVETÉ).

occurrence [ɔkyrɑ̃s] n. f. *En l'occurrence, en pareille occurrence,* dans la circonstance présente. (Dans la langue scientifique, *occurrence* désigne un événement fortuit ou une rencontre fortuite d'événements : *Probabilité d'occurrences.*)

océan [ɔseɑ̃] n. m. 1° Vaste étendue marine : *Les océans et les mers couvrent la plus grande partie de la Terre.* — 2° (avec une majusc.) *L'Océan,* l'océan Atlantique : *Passer ses vacances au bord de l'Océan.* ◆ **océanique** adj. : *Le climat océanique.* ◆ **océanographie** n. f. Etude des océans et de la vie dans les océans. ◆ **océanographique** adj. : *L'Institut océanographique.* ◆ **océanographe** n.

ocelot [ɔslo] n. m. Mammifère carnivore d'Amérique du Sud, à robe fauve tachetée de brun; fourrure de cet animal : *Un manteau d'ocelot.*

ocre [ɔkr] n. f. et adj. invar. Jaune-brun ou jaune-rouge : *Murs tapissés d'un papier de couleur ocre.*

octave [ɔktav] n. f. En musique, intervalle de huit degrés; ensemble des notes contenues dans cet intervalle : *Jouer un morceau à l'octave supérieure* (= le jouer une octave plus haut qu'il n'est écrit).

octavo adv. V. NUMÉRATION; **octobre** n. m. V. MOIS; **octogénaire** adj. et n. V. ÂGE.

octogone [ɔktogon] n. m. Polygone qui a huit angles : *Un octogone régulier.* ◆ **octogonal, e, aux** adj. : *Une tour octogonale* (= dont la section est un octogone).

octroi [ɔktrwa] n. m. Droit que payaient certaines denrées à leur entrée en ville; bureau chargé de percevoir ce droit. (V. aussi OCTROYER.)

octroyer [ɔktrwaje] v. tr. *Octroyer quelque chose à quelqu'un,* le concéder, l'accorder à quelqu'un de condition moins élevée (langue soignée) : *Le directeur a octroyé une prime à tout le personnel.* ◆ ***s'octroyer*** v. pr. *Fam.* Prendre sans permission : *Il s'est octroyé huit jours de vacances supplémentaires* (syn. : S'ACCORDER). ◆ **octroi** n. m. : *Le gouvernement a décidé l'octroi d'un jour de congé pour fêter ce glorieux anniversaire.*

oculaire [ɔkylɛr] adj. et n. Se dit du système optique d'une lunette placé du côté de l'œil de l'observateur (s'oppose à *objectif*) : *La lentille oculaire. Approcher son œil de l'oculaire.* ◆ adj. *Témoin oculaire,* qui a vu la chose dont il témoigne : *Il n'y a pas de témoin oculaire de cet accident.* ‖ *Le globe oculaire,* le globe de l'œil. ◆ **oculiste** n. m. Médecin spécialiste des yeux (syn. : OPHTALMOLOGISTE [langue soignée]).

odeur [odœr] n. f. 1° Emanation volatile d'un corps, qui provoque une sensation olfactive : *Etre allergique à l'odeur du jasmin* (syn. : SENTEUR). *Aimer l'odeur de l'encens* (syn. : PARFUM). *Une épouvantable odeur de putréfaction* (= une puanteur). — 2° *Ne pas être en odeur de sainteté auprès de quelqu'un,* n'être pas particulièrement bien vu de lui. ◆ **odorat** n. m. Sens par lequel on perçoit les odeurs : *Avoir l'odorat fin, émoussé. Manquer d'odorat.* ◆ **odorant, e** adj. : *Des essences odorantes* (syn. : PARFUMÉ). ◆ **odoriférant, e** adj. Qui répand une bonne odeur. ◆ **inodore** adj. : *Un produit inodore* (= sans odeur). ◆ **désodoriser** v. tr. Débarrasser d'une odeur : *Désodoriser un liquide, une pièce.* ◆ **désodorisant** ou **déodorant** adj. et n. m. : *Un produit désodorisant. Utiliser un désodorisant pour détruire toute odeur de transpiration.* ◆ **malodorant, e** adj. Qui a une mauvaise odeur (langue soutenue) : *Des vapeurs malodorantes* (syn. : FÉTIDE).

odieux, euse [odjø, -øz] adj. (après ou parfois avant le nom). Se dit d'une personne ou d'un acte, etc., qui excite la haine, l'indignation : *Avoir un caractère odieux* (syn. : DÉTESTABLE; contr. : DÉLICIEUX). *Se conduire d'odieuse façon* (syn. : IGNOBLE). *Cet enfant a été odieux pendant les vacances* (syn. : INSUPPORTABLE, ↑ EXÉCRABLE). *La vie me devient odieuse* (syn. : INSUPPORTABLE). ◆ **odieusement** adv. : *Se conduire odieusement* (= de façon ignoble). *Des prisonniers odieusement torturés.*

odyssée [ɔdise] n. f. Voyage riche en aventures (style soutenu) : *Leur voyage au Portugal a été une véritable odyssée.*

œcuménique [ekymenik] adj. 1° Se dit de ce qui tend à rassembler diverses confessions religieuses : *Le mouvement œcuménique est né en 1948.* — 2° *Concile œcuménique,* concile présidé par le pape et auquel sont convoqués tous les évêques catholiques. ◆ **œcuménisme** n. m. Tendance à l'union de toutes les Eglises chrétiennes en une seule.

œdème [edɛm] n. m. Gonflement pathologique du tissu sous-cutané ou de certains organes : *Avoir un œdème du poumon.* ◆ **œdémateux, euse** adj. De la nature de l'œdème : *Gonflement œdémateux.*

œil [œj], pl. **yeux** [jø] n. m. Organe de la vue : *Perdre un œil à la suite d'un accident. Avoir les yeux bleus. Des yeux enfoncés, bridés. Avoir les yeux cernés, exorbités. Avoir une poussière dans l'œil. Ciller, cligner des yeux. Avoir les yeux perdus dans le vague.* ● LOCUTIONS ET EXPRESSIONS. 1° [avec *œil* au sing.] Fam. *A l'œil,* gratuitement, pour rien : *Faire faire un travail à l'œil.* ‖ *Du coin de l'œil,* discrètement : *Surveiller quelqu'un du coin de l'œil.* ‖ Fam. *Mon œil!,* ce n'est pas vrai, ce n'est pas possible (exprime l'incrédulité). ‖ *L'œil du maître,* la surveillance du patron, du chef. ‖ *A l'œil nu,* sans l'aide d'un instrument d'optique. ‖ *Sous l'œil de,* sous la surveillance de. ‖ *A vue d'œil,* de façon aisément perceptible. ‖ Fam. *Avoir quelqu'un à l'œil, avoir l'œil sur quelqu'un,* le surveiller. ‖ *Avoir l'œil à tout, avoir l'œil,* être attentif. ‖ Fam. *Faire de l'œil à quelqu'un,* cligner de l'œil dans sa direction, en signe de connivence ou pour l'aguicher. ‖ *Ne pas pouvoir fermer l'œil,* ne pas pouvoir dormir. ‖ Fam. *Ouvrir l'œil,* faire attention, être attentif à un danger, à un événement imprévu, etc. ‖ *Tape-à-l'œil,* d'un caractère voyant : *Une robe tape-à-l'œil.* ‖ Fam. *Taper dans l'œil à quelqu'un,* attirer son attention (syn. : PLAIRE). ‖ *Ça tire l'œil,* cela attire l'attention (syn. : FRAPPER). ‖ Fam. *Tourner de l'œil,* s'évanouir. ‖ *Voir quelque chose d'un bon œil, d'un mauvais œil,* de façon favorable, défavorable. — 2° [avec *yeux* au plur.] *Aux yeux de quelqu'un,* à son jugement, selon son appréciation. ‖ Fam. *Pour les beaux yeux de,* pour plaire à, gratuitement, pour rien : *Travailler pour les beaux yeux de quelqu'un.* ‖ *Entre quatre yeux* (fam., *entre quat'-z-yeux*), dans l'intimité. ‖ *Sous les yeux,* devant soi : *Regardez le mode d'emploi, vous l'avez sous les yeux.* ‖ *Sous les yeux de,* sous la surveillance, le contrôle de : *Elle a fait son travail toute seule et très vite, sous mes yeux.* ‖ *Avoir de bons yeux,* savoir observer : *Attention, j'ai de bons yeux.* ‖ *N'avoir d'yeux que pour quelqu'un,* ne regarder que lui (littér.). ‖ *Baisser les yeux, tenir les yeux baissés,* prendre un air modeste. ‖ *Coûter les yeux de la tête,* valoir très cher. ‖ *Crever les yeux,* être évident : *La solution de ce problème crève les yeux* (syn. : SAUTER AUX YEUX). ‖ *Etre tout yeux,* être très attentif. ‖ *Fermer les yeux sur quelque chose,* faire semblant de ne pas le voir, l'ignorer : *Le contremaître fermait parfois les yeux sur les retards des ouvriers.* ‖ *Acheter un article les yeux fermés,* en toute confiance, sans vérification. ‖ Fam. *Avoir les yeux plus gros que le ventre,* avoir plus d'appétit que de possibilité de manger; avoir plus d'ambition que ne vous en permettent vos possibilités réelles. ‖ Fam. *Faire les gros yeux,* regarder avec sévérité. ‖ *Lever les yeux,* manifester de l'intérêt, de la curiosité : *Il a daigné lever les yeux de dessus son journal.* ‖ *Ouvrir les yeux de quelqu'un,* faire cesser son aveuglement, lui découvrir une réalité qu'il ignore. ‖ Fam. *Ne pas avoir les yeux dans sa poche,* être très observateur. ‖ *Regarder quelqu'un dans les yeux, dans le blanc des yeux,* le regarder bien en face. ‖ *Sauter aux yeux,* être évident. ‖ Fam. *Travail qui vous sort par les yeux,* qu'on a trop vu, dont on est rebuté. ‖ Pop. *N'avoir pas les yeux en face des trous,* ne pas voir ce qui est devant soi; être mal réveillé. (V. OCULAIRE, OCULISTE.)

œil-de-bœuf [œjdəbœf] n. m. Fenêtre ronde ou ovale, dans un comble, un pignon : *Les œils-de-bœuf du grenier donnent un éclairage vague.*

œil-de-perdrix [œjdəpɛrdri] n. m. Cor entre les doigts de pied : *Aller chez le pédicure se faire enlever ses œils-de-perdrix.*

1. œillère [œjɛr] n. f. Petit récipient ovale servant à se baigner les yeux.

2. œillères [œjɛr] n. f. pl. *Avoir des œillères,* ne pas voir ou ne pas comprendre certaines choses, par étroitesse d'esprit ou parti pris : *Cette personne a des œillères* (= elle est bornée). [Les *œillères* d'un cheval sont des pièces de la bride qui l'empêchent de voir de côté.]

1. œillet [œjɛ] n. m. Plante comportant de nombreuses variétés cultivées pour leurs fleurs parfumées et de couleurs variées; la fleur même : *Une douzaine d'œillets roses.*

2. œillet [œjɛ] n. m. Trou circulaire ou ovale, pratiqué dans du cuir, une étoffe, etc., pour passer un lacet ou un crochet; cercle de métal qui entoure ce trou : *Il faudrait faire des œillets supplémentaires à votre ceinture.*

œsophage [ezɔfaʒ] n. m. Partie de l'appareil digestif qui va du pharynx à l'estomac.

œuf [œf, plur. ø] n. m. 1° Corps organique contenant une cellule-œuf ou un embryon, et pondu par les femelles de nombreux animaux, notamment des oiseaux : *Les œufs de poule sont très employés dans* *l'alimentation. Faire des œufs sur le plat. Des œufs de tortue.* — 2° Première cellule d'un être vivant, et en particulier d'un être humain : *L'étude de l'œuf et de l'embryon a beaucoup progressé ces dernières années.* — 3° *Dans l'œuf,* au début (d'une affaire) : *Il a écrasé la révolte dans l'œuf* (syn. : EN GERME). ‖ Fam. *Marcher sur des œufs,* gauchement, ou avec précaution. ‖ Fam. *Mettre tous ses œufs dans le même panier,* mettre tous ses espoirs du même côté, dans la même affaire. ‖ Fam. *On ne fait pas d'omelette sans casser des œufs,* dans une entreprise, il faut faire la part des choses, accepter les pertes inévitables pour avoir quelque succès. ‖ Fam. *Plein comme un œuf,* tout à fait plein, repu. ‖ Pop. *Quel œuf!,* quel idiot! ‖ *Il tondrait un œuf,* se dit d'une personne qui est d'une avarice sordide. ‖ Pop. *Va te faire cuire un œuf,* va-t'en plus loin et débrouille-toi.

1. œuvre [œvr] n. f. 1° Activité, travail (dans un nombre limité d'expressions) : *Etre à l'œuvre dès six heures du matin* (littér., syn. : TRAVAIL). *Il est temps de se mettre à l'œuvre* (syn. : OUVRAGE). *La modernisation de ce quartier sera une œuvre de longue haleine* (syn. : ENTREPRISE). *La vieillesse fait son œuvre lentement* (= agit). *Faire œuvre utile* (syn. : TÂCHE). ‖ *Etre fils de ses œuvres,* ne devoir sa réussite qu'à ses seuls efforts (littér.). ‖ *Juger quelqu'un à l'œuvre,* selon ses actes. ‖ *Etre à pied d'œuvre,* près de son travail, sur place. — 2° *Mettre en œuvre,* mettre en action, utiliser : *On a tout mis en œuvre pour éteindre le feu* (= on a essayé tous les moyens). — 3° Résultat d'un travail, d'une action : *La décoration de la salle est l'œuvre de l'école tout entière* (= résulte du travail de). *L'éducation doit être l'œuvre de toute la nation* (syn. : OUVRAGE). *Etre fier de son œuvre. Regardez ces morceaux de verre par terre, c'est l'œuvre des enfants* (syn. : TRAVAIL). ‖ *Femme grosse des œuvres de quelqu'un,* enceinte de (littér.). — 4° (surtout au plur.) Action humaine envisagée d'un point de vue moral : *L'importance des œuvres pour le salut* (syn. : ACTE). *Faire œuvre pie. Œuvres de bienfaisance* (syn. : ACTION). *Bonnes œuvres* (= actions charitables). *Dame d'œuvres* (= qui se consacre aux actions charitables). *Œuvres d'une paroisse* (= les organisations de charité). *Donner pour les œuvres laïques.* — 5° Composition, production littéraire ou artistique : *L'œuvre romanesque de V. Hugo* (syn. : PRODUCTION). *Une œuvre de jeunesse d'un peintre. Œuvre posthume. Œuvres complètes, choisies. Des œuvres d'art.* ◆ **œuvrer** v. intr. *Œuvrer pour quelque chose,* travailler d'une manière désintéressée (langue soignée) : *J'ai œuvré pour votre succès* (syn. : TRAVAILLER). ◆ **désœuvré, e** adj. Qui n'a rien à faire : *Personne désœuvrée.* ◆ **désœuvrement** n. m. : *Vivre dans le désœuvrement* (syn. : OISIVETÉ).

2. œuvre [œvr] n. m. *Gros œuvre,* en architecture, ensemble des parties principales d'une bâtisse (fondations, murs et toiture) : *Le gros œuvre est terminé.* ‖ *En sous-œuvre,* par-dessous.

3. œuvre [œvr] n. m. ou souvent f. Ensemble des œuvres d'un artiste, et particulièrement d'un peintre ou d'un graveur : *L'œuvre gravé de Jacques Callot.*

4. œuvres [œvr] n. f. pl. En termes de marine, parties d'un navire : *Œuvres vives* (= parties immergées), *œuvres mortes* (= parties émergées).

offense [ɔfɑ̃s] n. f. 1° Parole ou action blessant quelqu'un dans sa dignité : *Une offense impardonnable* (syn. : OUTRAGE). *Pardonner, venger une offense* (syn. : AFFRONT, INJURE). *Offense au bon goût, à la pudeur. Il y a offense envers le chef de l'Etat.* — 2° Péché, dans la religion chrétienne : *Demander pardon à Dieu de ses offenses* (syn. : FAUTE, PÉCHÉ). ◆ **offenser** v. tr. *Offenser quelqu'un,* le blesser par des paroles ou par des actes : *Je l'ai offensé sans le vouloir* (syn. : ↑ HUMILIER, ↓ FROISSER). *Ne soyez pas offensé de ce que je dis* (syn. : VEXÉ). *Soit dit sans vous offenser* (= sans vouloir vous faire de la peine). ◆ ***s'offenser*** v. pr. *S'offenser de quelque chose,* s'en sentir blessé moralement, s'en vexer : *Il est très susceptible, il s'offense d'une plaisanterie innocente.* ◆ **offensé, e** adj. et n. : *Se sentir offensé par les paroles de quelqu'un* (syn. : OUTRAGÉ, HUMILIÉ). *Prendre un air offensé* (syn. : BLESSÉ). *Dans un duel, le choix des armes était souvent laissé à l'offensé.* ◆ **offensant, e** adj. : *Paroles offensantes pour quelqu'un* (syn. : BLESSANT). *Tenir des propos offensants. Attitude offensante à l'égard des autres.* ◆ **offenseur** n. m. Personne qui offense (littér.) : *Dans cette querelle, l'offenseur criait et récriminait plus que l'offensé.*

offensif, ive [ɔfɑ̃sif, -iv] adj. Qui sert à attaquer; qui prend le caractère d'une attaque : *Armes offensives* (contr. : DÉFENSIF). *Retour offensif du mauvais temps* (syn. : BRUTAL, VIOLENT). ◆ **inoffensif, ive** adj. Qui ne fait pas de mal : *Un remède inoffensif. Un personnage inoffensif* (= pas méchant). ◆ **offensive** n. f. 1° Initiative, attaque : *Prendre l'offensive* (= prendre les devants; s'oppose à *être, se tenir, rester sur la défensive*). *Nouvelle offensive de l'hiver* (syn. : ASSAUT). *Offensive généralisée des commerçants contre la taxation* (syn. : ATTAQUE). — 2° Action d'une force militaire qui attaque l'ennemi : *Garder les avantages de l'offensive* (contr. : DÉFENSIVE). ◆ **contre-offensive** n. f. Mouvement d'une troupe qui passe de la défensive à l'offensive.

offertoire [ɔfɛrtwar] n. m. Partie de la messe pendant laquelle le prêtre offre à Dieu le pain et le vin, avant de les consacrer.

1. office [ɔfis] n. m. 1° Fonction, charge exercée par une personne; rôle joué par une chose : *Remplir l'office de gérant* (syn. : RÔLE). *Faire office de chauffeur* (syn. : SERVIR DE). *Recommandation qui a fait son office* (= qui a servi à quelque chose). *Papier qui fait office de passeport* (= qui tient lieu de). *Pièce qui fait office de bureau.* — 2° Fonction publique conférée à vie à quelqu'un : *Office public, ministériel. Office de notaire* (syn. : CHARGE). — 3° Bureau, agence, service dotés de la personnalité morale : *Office de publicité* (syn. : AGENCE). *Office commercial* (syn. : BUREAU). *Office des H.L.M.* — 4° *Bons offices,* service occasionnel rendu par quelqu'un : *Recourir aux bons offices de quelqu'un* (syn. : OBLIGEANCE). *Proposer, offrir ses bons offices* (syn. : MÉDIATION). — 5° *D'office,* par décision administrative, sans que cela ait été demandé par l'intéressé : *Avocat commis d'office dans une affaire. Promu d'office* (syn. : AUTOMATIQUEMENT).

2. office [ɔfis] n. m. Service religieux : *Aller à l'office* (messe, vêpres, etc.). *L'office des morts* (syn. : SERVICE). ◆ **officiant** n. m. Celui qui célèbre un office religieux : *L'officiant se tient devant l'autel* (syn. : CÉLÉBRANT, PRÊTRE). ◆ **officier** v. intr. Célébrer l'office divin : *Officier en français, en latin.*

3. office [ɔfis] n. f. Pièce attenante à la cuisine, ou la cuisine elle-même : *Ranger la vaisselle à l'office.* (Le mot est souvent masc. dans l'usage.)

officiel, elle [ɔfisjɛl] adj. 1° Se dit de ce qui émane d'une autorité reconnue, publique : *Information de source officielle* (contr. : OFFICIEUX). *Journal officiel. Nouvelle officielle. Acte officiel* (syn. : AUTHENTIQUE). *Visite officielle* (contr. : PRIVÉ). — 2° Se dit de ce qui concerne une cérémonie ou un acte public : *Personnage officiel. Voiture officielle. Fiançailles officielles. Style officiel. Tenue officielle.* ◆ **officiel** n. m. Personnage qui a une autorité reconnue, publique : *Attendre la visite des officiels.* ◆ **officiellement** adv. : *Nouvelle officiellement connue.* ◆ **officialiser** v. tr. Rendre officiel : *Officialiser une nomination.* ◆ **officialisation** n. f.

officier [ɔfisje] n. m. 1° Militaire qui a un grade au moins égal à ceux de sous-lieutenant ou d'enseigne de vaisseau : *Passer officier. Elève officier. Officier de gendarmerie.* — 2° Grade de certains ordres : *Officier d'académie* (= officier dans l'ordre des Palmes académiques). *Officier de la Légion d'honneur* (= grade immédiatement supérieur à celui de chevalier). — 3° Titulaire d'une charge : *Officier ministériel. Officier municipal* (= personne qui a une charge dans l'administration d'une commune). *Officier de police judiciaire* (= personne chargée de rechercher les infractions).

officieux, euse [ɔfisjø, -øz] adj. Se dit d'une nouvelle émanant d'une source autorisée, mais dont l'authenticité n'est pas garantie : *Un bruit officieux. Nomination connue de façon officieuse* (contr. : OFFICIEL). *De source officieuse* (syn. : PRIVÉ). ◆ **officieusement** adv. : *Il a pu savoir officieusement les décisions du conseil* (contr. : OFFICIELLEMENT).

officine [ɔfisin] n. f. Terme qui désigne la boutique, la réserve et le laboratoire d'une pharmacie : *Etre propriétaire d'une officine.* ◆ **officinal, e, aux** adj. : *Plante officinale* (= utilisée en pharmacie).

offrir [ɔfrir] v. tr. (conj. **16**). 1° (sujet nom de personne) *Offrir quelque chose (à quelqu'un)*, le lui donner en cadeau, le lui présenter : *Offrir une bicyclette à un enfant pour son anniversaire* (syn. : DONNER). *Savoir offrir. La joie d'offrir* (contr. : ACCEPTER, RECEVOIR). *Offrir le bras à quelqu'un dans un cortège* (syn. : DONNER). *Offrir l'apéritif* (syn. : PAYER). — 2° (sujet nom de personne) *Offrir quelque chose à quelqu'un, offrir de* (et l'infin.), le mettre à sa disposition, le lui proposer : *Offrir à quelqu'un l'hospitalité* (contr. : REFUSER). *On lui offre mille francs pour ce travail. Que m'offrez-vous de ce tableau?* (= à combien achetez-vous...). *Je lui ai offert de le loger chez moi.* — 3° (sujet nom de chose) Comporter, être caractérisé par : *Cette solution offre de nombreux avantages. Son dernier roman offre une certaine analogie avec le précédent* (syn. : PRÉSENTER). *La situation ne nous offre pas le choix* (syn. : LAISSER). ◆ ***s'offrir*** v. pr. 1° *S'offrir à* (et un infin.), se proposer pour, se montrer disposé à : *En nous voyant en panne sur la route, il s'est aimablement offert à nous aider.* — 2° *Femme qui s'offre,* qui fait des avances, qui est prête à se donner. — 3° *S'offrir quelque chose,* s'accorder le plaisir de cette chose : *Ils se sont offert des vacances en Egypte* (syn. fam. : SE PAYER). — 4° (sujet nom de chose) Apparaître, se manifester : *Nous saisirons la première occasion qui s'offrira* (syn. : SE RENCONTRER, SE PRÉSENTER). ◆ **offrant** adj. et n. m. *Au plus offrant,* à l'acheteur qui propose le prix le plus élevé : *Vendre sa maison au plus offrant, aux enchères.* ◆ **offre** n. f. 1° Proposition ou avance faite à quelqu'un : *Une offre avantageuse, intéressante. Décliner l'offre d'un logement. Offre d'emploi* (contr. : DEMANDE). *Offres d'entente, de paix* (syn. : OUVERTURES). *Il faudrait qu'il y ait des offres de négociation dans chaque camp pour aboutir à une trêve* (contr. : REFUS). — 2° En économie politique, quantité de marchandises disponibles à un moment donné sur le marché : *L'offre croissante d'appareils ménagers* (contr. : DEMANDE). *La loi de l'offre et de la demande.* ◆ **offrande** n. f. Don en argent offert pour le service divin ou pour des œuvres charitables : *Déposer son offrande* (syn. : PRÉSENT, OBOLE). *Recueillir les offrandes.*

offusquer [ɔfyske] v. tr. *Offusquer quelqu'un,* le choquer, lui déplaire fortement : *Sa conduite m'offusque. Ne soyez pas offusqué par ses manières* (syn. : FROISSER, HEURTER).

ogive [ɔʒiv] n. f. 1° Arc diagonal bandé sous une voûte en arc brisé : *La croisée d'ogives est un caractère essentiel de l'art gothique.* — 2° Arcade formée de deux arcs qui se croisent de manière à former au sommet un angle aigu : *L'architecture mauresque utilise l'ogive lancéolée.* — 3° En artillerie, partie antérieure d'un projectile, de forme conique : *L'ogive d'un obus porte la fusée. Ogive atomique* (= à charge nucléaire). *L'ogive d'un missile* (syn. : TÊTE). ◆ **ogival, e, aux** adj. : *Forme ogivale. Architecture ogivale* (= architecture gothique).

ogre [ɔgr] n. m., **ogresse** [ɔgrɛs] n. f. 1° (au masc.) Dans les contes de fées, géant qui se nourrit de chair fraîche : *L'Ogre et le Petit Poucet.* — 2° Personne affamée et vorace. — 3° Personne méchante et cruelle : *Selon lui, sa propriétaire était une vraie ogresse.*

oh ! [o] interj. Marque en général le début d'une interpellation ou d'une phrase exclamative, dont les intonations variées peuvent exprimer la joie, la douleur, l'impatience, l'indignation, etc. (interj. usuelle en français, d'une valeur plus expressive que *ah!*) : *Oh! quelle horreur! Oh! vous m'ennuyez à la fin. Oh! ayez pitié. Oh! attention, vous allez vous faire mal;* et substantiv. : *Il pousse des oh! d'indignation.* (*Oh!* peut être redoublé pour plus d'expressivité.)

ohé! [oe] interj. Sert à appeler : *Ohé! vous, là-bas! il est interdit de stationner. Ohé! les amis, venez voir!*

oie [wɑ] n. f. 1° Oiseau palmipède, sauvage ou domestique : *Les oies sauvages émigrent en bandes en hiver. L'oie domestique est élevée pour sa chair, et spécialement pour son foie. Gavage des oies.* — 2° *Fam.* Personne très sotte, niaise : *C'est une petite oie.* ‖ *Oie blanche,* jeune fille candide. — 3° *Pas de l'oie,* pas militaire spécial et de parade. ◆ **oison** n. m. Très jeune oie.

1. oignon [ɔɲɔ̃] n. m. 1° Plante potagère à bulbe comestible : *Avez-vous mangé de la soupe à l'oignon dans le quartier des Halles?* — 2° Bulbe de la racine, ou racine de certaines plantes : *J'ai rapporté des oignons de tulipe à mettre en terre.* — 3° *Pelure d'oignon,* sorte de vin rosé. ‖ Pop. *Occupe-toi de tes oignons,* mêle-toi de tes affaires. ‖ Fam. *Il a fait un travail aux petits oignons,* très bon, très soigné ou, par antiphrase, très mauvais. ‖ Fam. *En rang d'oignons,* sur une seule ligne.

2. oignon [ɔɲɔ̃] n. m. Callosité du pied, à la naissance du gros orteil.

oindre [wɛ̃dr] v. tr. (conj. 82). Attoucher une partie du corps avec les saintes huiles pour bénir ou consacrer : *L'évêque oint les enfants auxquels il administre le sacrement de confirmation.* ◆ **oint** n. m. *L'Oint du Seigneur,* Jésus-Christ. ◆ **onction** n. f. Geste rituel consistant à appliquer les saintes huiles sur quelqu'un : *Les rois de France recevaient l'onction du sacre.*

oiseau [wazo] n. m. 1° Animal vertébré ovipare, couvert de plumes, pourvu d'ailes, de deux pattes et d'un bec, capable ordinairement de voler : *Au printemps, la plupart des oiseaux font leurs nids dans les arbres et les haies. L'aigle est un oiseau de proie.* — 2° *Avoir un appétit d'oiseau,* un très petit appétit. ‖ *Avoir une cervelle d'oiseau,* être très étourdi. ‖ *Un drôle d'oiseau,* un personnage peu recommandable (syn. : INDIVIDU). ‖ *Un oiseau rare,* quelqu'un qui a d'éminentes qualités (le plus souvent ironiq.). ‖ *A vol d'oiseau,* en prenant la distance théorique la plus courte, sans suivre les chemins existants : *Ils ont mis deux heures pour venir, et à vol d'oiseau il n'y a que cinq kilomètres.* ‖ *Vivre comme l'oiseau sur la branche,* dans une situation instable. ◆ **oiseleur** n. m. Celui qui fait métier de prendre les oiseaux. ◆ **oiselier, ère** n. Personne dont le métier est d'élever et de vendre des oiseaux. ◆ **oisillon** ou **oiselet** n. m. Petit oiseau.

oiseux, euse [wazø, -øz] adj. Qui ne sert à rien, à cause de son caractère superficiel : *Nous avons dû écouter une conversation sur des questions oiseuses* (= sans intérêt). *Digressions oiseuses. Propos oiseux. Il est inutile d'ajouter au texte des commentaires oiseux* (syn. : ↓ INUTILE).

oisif, ive [wazif, -iv] adj. Se dit de quelqu'un qui ne travaille pas : *C'est une distraction pour gens oisifs* (syn. : DÉSŒUVRÉ, INOCCUPÉ). *Passer sa jeunesse de manière oisive* (contr. : STUDIEUX). ◆ **oisivement** adv. ◆ **oisiveté** n. f. Etat d'une personne inoccupée : *Finir ses jours dans l'oisiveté* (syn. : DÉSŒUVREMENT).

O. K. ! [oke] interj. *Fam.* D'accord, c'est entendu : « *A vendredi? — O.K.!, nous y serons.* »

okoumé [okume] n. m. Arbre du Gabon, au bois rose, utilisé en menuiserie et pour fabriquer le contre-plaqué.

oléagineux, euse [ɔleaʒinø, -øz] adj. 1° Se dit des végétaux (ou de leurs parties) dont on tire de l'huile : *Le colza est une plante oléagineuse.* — 2° De la nature de l'huile : *Les liquides oléagineux se figent à une température proche de zéro.*

oléiculture [ɔleikyltyr] n. f. Culture de l'olivier : *Le midi de la France est une région d'oléiculture.* ◆ **oléiculteur** n. m.

olfactif, ive [ɔlfaktif, -iv] adj. Relatif à l'odorat, à la perception des odeurs : *Le sens olfactif. Les organes olfactifs.*

olibrius [ɔlibrijys] n. m. *Fam.* Individu au comportement bizarre.

olifant [ɔlifɑ̃] n. m. Petit cor d'ivoire, que portaient les chevaliers : *Roland, se voyant cerné par les Maures, se mit à sonner de l'olifant.*

oligarchie [ɔligarʃi] n. f. 1° Régime politique dans lequel le pouvoir est aux mains d'une classe restreinte, ou d'un petit nombre de personnes ou de familles : *L'oligarchie de Sparte.* — 2° Puissance de fait de quelques personnes : *Une oligarchie financière contrôle les trois quarts des intérêts de ce pays.* ◆ **oligarchique** adj. : *Etre en régime oligarchique. Une Constitution oligarchique.*

olive [ɔliv] n. f. 1° Petit fruit comestible à noyau, dont on tire en particulier de l'huile de table : *Les olives vertes et les olives noires. Faire la cueillette des olives.* — 2° Nom de divers objets ayant la forme d'une olive : *Appuyer sur une olive pour allumer une lampe* (= un interrupteur). *L'olive est un ornement d'architecture utilisé en frise.* ◆ adj. invar. De couleur verdâtre : *Une robe olive.* ◆ **olivette** n. f. Sorte de raisin dont les grains rappellent la forme de l'olive. ◆ **olivier** n. m. Arbre des pays chauds, dont le fruit est l'olive : *L'olivier pousse en climat méditerranéen.* ◆ **oliveraie** ou **olivaie** n. f. Lieu planté d'oliviers. ◆ **olivâtre** adj. Verdâtre : *Un mur couvert de moisissure olivâtre.* (V. OLÉAGINEUX, OLÉICULTURE.)

olympien, enne [ɔlɛ̃pjɛ̃, -ɛn] adj. Noble et majestueux (langue soutenue) : *Garder un calme olympien. Avoir un regard olympien.*

olympique [ɔlɛ̃pik] adj. 1° *Jeux Olympiques,* rencontres sportives internationales, qui ont lieu tous les quatre ans : *Les jeux Olympiques de Tōkyō. Les jeux Olympiques d'hiver.* — 2° Se dit de tout ce qui a trait à ces rencontres : *Un champion olympique. Les records olympiques.*

ombilic [ɔ̃bilik] n. m. 1° Orifice de l'abdomen, chez le fœtus, laissant passer le cordon ombilical; cicatrice du cordon ombilical, qui demeure après la naissance. — 2° Point central : *L'ombilic de la terre, de l'univers* (syn. : NOMBRIL). ◆ **ombilical, e, aux** adj. : *Le cordon ombilical tombe vers le dixième jour* (= qui relie le fœtus de certains mammifères au placenta maternel). *Avoir une hernie ombilicale* (= du nombril).

1. ombrage [ɔ̃braʒ] n. m. Ensemble de branches et de feuilles qui donnent de l'ombre; cette ombre elle-même : *Se promener sous les ombrages du parc. Ce noyer donne beaucoup trop d'ombrage, il faudra le tailler.* ◆ **ombragé, e** adj. Se dit d'un lieu où des arbres donnent de l'ombre : *Chercher un coin ombragé.* ◆ **ombrager** v. tr. 1° Couvrir d'ombre : *Les pommiers ombragent le jardin.* — 2° Couvrir en masquant, en cachant (littér.) : *Avoir une mèche qui ombrage le front.*

2. ombrage [ɔ̃braʒ] n. m. Se dit soit d'une blessure d'amour-propre causée à quelqu'un ou ressentie par quelqu'un, soit de la crainte de cette blessure (littér., limité à quelques expressions) : *Causer de l'ombrage à quelqu'un. Il a pris ombrage de mon refus d'aller chez lui* (= il s'est vexé). *Sa gloire porte ombrage à ses rivaux.* ◆ **ombrageux, euse** adj. : *Regarder quelqu'un d'un air ombrageux* (syn. : SOUPÇONNEUX, MALVEILLANT). *Un caractère ombrageux* (syn. : SUSCEPTIBLE, ↓ DIFFICILE, JALOUX). *Cette personne est facilement ombrageuse.*

ombre [ɔ̃br] n. f. 1° Zone sombre créée par un corps qui intercepte les rayons lumineux : *S'asseoir à l'ombre* (contr. : AU SOLEIL). *Il fait 40° à l'ombre. A l'ombre de la maison. Faire de l'ombre. Reposer ses yeux à l'ombre* (contr. : LUMIÈRE). — 2° Reproduction sombre et plus ou moins déformée d'un corps éclairé : *Ombre portée* (= tache noire, ombre d'un objet sur le sol). *Les ombres des arbres s'allongent vers le soir. Théâtre d'ombres. Représenter une scène en ombres chinoises* (= figures sombres produites sur un écran). *Avoir peur de son ombre* (= être très peureux). *Etre l'ombre de son maître* (syn. : COPIE, REFLET). — **3°** Reflet, apparence d'une chose (langue soutenue) : *L'ombre d'un doute* (= un très léger doute). *Lâcher la proie pour l'ombre* (syn. : SIMULACRE, SEMBLANT). *Une ombre de moustache* (syn. : SOUPÇON). *N'être plus que l'ombre de soi-même* (= avoir beaucoup maigri). — **4°** Pop. *Etre, mettre à l'ombre,* être, mettre en prison. ‖ *A l'ombre de sa mère,* sous sa protection. ‖ *Dans l'ombre,* dans l'obscurité, l'humilité : *Vivre dans l'ombre;* de côté, à l'écart : *Laisser une question dans l'ombre.* ‖ *Il y a une ombre au tableau* (langue soignée), il y a un inconvénient, un ennui dans cette affaire. ◆ **ombrer** v. tr. *Ombrer un dessin, un tableau,* lui mettre des ombres. ◆ **ombré, e** adj. : *Dessin ombré.* ◆ **ombreux, euse** adj. : *Forêt ombreuse* (= où il y a beaucoup d'ombre).

ombrelle [ɔ̃brɛl] n. f. Petit parasol de femme.

oméga [ɔmega] n. m. invar. *L'alpha et l'oméga,* le commencement et la fin (allusion à un passage de l'Evangile où le Christ dit de lui-même qu'il est l'alpha et l'oméga). — L'*oméga* est la dernière lettre de l'alphabet grec.

omelette [ɔmlɛt] n. f. **1°** Préparation culinaire constituée d'œufs battus et cuits dans une poêle : *Omelette aux fines herbes.* — **2°** *Fam.* Œufs cassés par accident : *Faire l'omelette.*

omettre [ɔmɛtr] v. tr. (conj. **57**). *Omettre quelque chose,* ou *de* (et l'infin.), ou *que* (et l'indic.), négliger de faire ou de dire cette chose (langue soignée) : *Omettre une négation* (syn. : SAUTER). *J'ai omis de donner le nom de l'éditeur et le format de ce livre dans ma bibliographie* (syn. : OUBLIER). *Je crois n'avoir omis personne sur cette liste d'invités* (syn. : LAISSER DE CÔTÉ). ◆ **omission** n. f. **1°** Action d'omettre : *Péché par omission* (syn. : ABSENCE, DÉFAUT). *L'omission de l'article dans une énumération* (syn. : ABSENCE). — **2°** Chose oubliée, volontairement ou non : *Il y a plusieurs omissions dans votre liste* (syn. : LACUNE, MANQUE, OUBLI). *Relever une omission grave.*

omnibus [ɔmnibys] adj. et n. m. invar. *Train omnibus,* qui dessert toutes les stations (contr. : EXPRESS, RAPIDE).

omnipotent, e [ɔmnipɔtɑ̃, -ɑ̃t] adj. Tout-puissant (littér.) : *Personne omnipotente dans l'Administration.*

omniscient, e [ɔmnisjɑ̃, -ɑ̃t] adj. Qui sait tout (littér.) : *Un homme omniscient.*

1. omnium [ɔmnjɔm] n. m. Compagnie financière ou commerciale qui fait indistinctement tous les genres d'opérations.

2. omnium [ɔmnjɔm] n. m. En sports, compétition cycliste sur piste, comportant plusieurs épreuves.

omnivore [ɔmnivɔr] adj. Qui se nourrit indifféremment de substances animales ou végétales (par oppos. à *carnivore* ou à *herbivore*) : *L'homme, le chien, le porc sont omnivores.*

omoplate [ɔmɔplat] n. f. Os large, mince et triangulaire, situé à la partie postérieure de l'épaule : *Avoir les omoplates saillantes.*

on ([ɔ̃]; la liaison en [n] se fait toujours, sauf en cas d'inversion, avec le mot suivant si celui-ci commence par une voyelle ou un *h* muet : *on aime* [ɔ̃nɛm], *on habite* [ɔ̃nabit]) pron. pers. indéf.

EMPLOI DE « ON »

1° *On* ne peut s'employer que comme sujet ; il est remplacé comme complément par divers équivalents.

SUJET	COMPLÉMENT
On *m'a demandé de vos nouvelles* (syn. : QUELQU'UN [sing.] ; DES GENS, DES PERSONNES [plur.]).	*J'ai rencontré* **quelqu'un** *qui m'a demandé de vos nouvelles* (sing.). *J'ai rencontré* **des gens** *qui m'ont demandé de vos nouvelles* (plur.).
On *est venu vous voir* (syn. : QUELQU'UN).	*Je n'ai vu* **personne** *venir.*
On *ne travaille bien qu'avec une bonne santé* (syn. : LES HOMMES, CHACUN, VOUS).	*Si on ne sait pas s'en servir* **soi-même**, *on doit se faire aider. On doit réfléchir par* **soi-même** *à ce problème.*
On *est inquiet de ce qu'on ne comprend pas* (syn. : NOUS, VOUS, LES GENS).	*Quand on est inquiet, rien ne peut* **vous** *distraire;* ou : *Quand on est inquiet, rien ne peut* **nous** *distraire.*

2° *On* ne peut être séparé du verbe que par les pron. pers. *le, la, les, leur, lui, me, te, se,* ou par *en, y, ne.*
3° La forme *l'on* se rencontre dans la langue écrite, plus particulièrement quand le mot qui précède comporte une voyelle finale.

1° Remplace ou désigne un être humain non précisé : *On a frappé à la porte* (= quelqu'un a frappé à la porte). ‖ *On dirait* s'emploie pour introduire une comparaison : *Son costume était tout taché, on aurait dit un homme des bois. Cette voiture, on dirait un veau* (fam.). ‖ *On dirait que,* il semble que : *On dirait que c'est le voisin qui vient. On dirait bien que c'est lui* (= il est bien possible que ce soit lui). — **2°** Permet de supprimer la désignation explicite de l'auteur d'une action (il correspond alors au passif sans compl. d'agent) : *On a barré la route* (= la route a été barrée) [syn. fam. : ILS : *Ils ont barré la route pour les travaux. Ils vont encore augmenter les prix*]. — **3°** Peut désigner des personnes dont l'existence est connue comme réelle, mais dont l'identité n'est pas indiquée, soit par ignorance, soit par indifférence : *On vous demande à la loge. On m'a remis cette lettre pour vous.* — **4°** Peut désigner des personnes éloignées dans le temps ou dans l'espace, excluant celui qui parle et celui à qui il parle : *Autrefois, on vivait mieux. Au Japon, on porte des kimonos.* — **5°** Avec un verbe au présent, peut désigner n'importe quelle personne, y compris celui qui parle (cet emploi est fréquent dans les proverbes) : *Quand on veut, on peut. Quand on veut noyer son chien, on l'accuse de la rage. On aime bien se sentir approuvé* (syn. : NOUS, CHACUN, QUICONQUE). — **6°** Dans la langue fam., remplace *nous* (incluant clairement celui qui parle) : *On a tous les deux les mêmes goûts* (= toi et moi). *Paulette et moi, on s'entend bien* (= elle et moi). *Qu'est-ce qu'on fait là, tous autant qu'on est?* (*on* = vous et moi). *Nous, on n'y peut rien.* — **7°** Dans la langue fam., remplace *je : On fait ce qu'on peut;* ou dans la langue littér., avec certaines intentions (modestie, etc.) : *Dans cet ouvrage, on se propose de* *distinguer trois parties.* — 8° Remplace surtout dans la langue parlée, la 2ᵉ ou la 3ᵉ personne du singulier ou du pluriel, avec diverses intentions (familiarité, sympathie, enjouement, mépris), dans un discours adressé directement à quelqu'un ou non : *Alors, on se promène? Alors, on n'est plus fâché maintenant? Comme on est élégante aujourd'hui! on a mis sa belle robe. Cette petite pimbêche ne s'est même pas excusée : on est trop fière pour ça!* (N. B. : L'accord grammatical se fait alors comme avec le pronom remplacé.)

onagre [ɔnagr] n. m. Mammifère ongulé sauvage, de la Perse et de l'Inde, intermédiaire entre le cheval et l'âne.

once [ɔ̃s] n. f. *Une once de* (et un nom sing.), une très petite quantité de (emploi rare) : *Mettre une once de beurre dans la pâte* (syn. : POINTE).

oncle [ɔ̃kl] n. m. 1° Frère du père ou de la mère : *Déjeuner chez son oncle.* (V. PARENTÉ.) — 2° *Oncle d'Amérique,* parent riche, qui laisse un héritage inattendu (syn. : ONCLE À HÉRITAGE).

1. onction [ɔ̃ksjɔ̃] n. f. Douceur particulière dans les gestes ou la manière de parler : *Cette personne a beaucoup d'onction. Parler avec une onction tout ecclésiastique.*

2. onction n. f. V. OINDRE.

onctueux, euse [ɔ̃ktyø, -øz] adj. Qui donne à la vue, au toucher ou au goût une sensation de douceur : *Potage onctueux* (syn. : LIÉ, VELOUTÉ). ◆ **onctuosité** n. f. : *L'onctuosité d'une crème.*

1. onde [ɔ̃d] n. f. Mouvement de la surface de l'eau formant des rides concentriques : *Des ondes apparaissent à la surface d'une mare quand on y jette un caillou* (syn. : RIDES). ◆ **ondoyer** v. intr. (sujet nom de chose) Avoir un mouvement semblable à celui de la surface d'un liquide parcourue par des ondes : *Blé, herbe qui ondoie* (syn. : FRÉMIR). ◆ **ondoyant, e** adj. Mouvant, variable : *Couleur ondoyante* (syn. : CHANGEANT). *Démarche ondoyante* (syn. : SOUPLE, LÉGÈRE, DANSANTE). ◆ **ondoiement** n. m. Mouvement de ce qui ondoie : *Ondoiement des herbes sous l'effet du vent* (syn. : FRÉMISSEMENT). ◆ **onduler** v. intr. (sujet nom de chose) Avoir un léger mouvement sinueux : *Cheveux qui ondulent* (syn. : BOUCLER, FRISER). ◆ **ondulé, e** adj. : *Cheveux ondulés* (contr. : RAIDE). ◆ **ondulation** n. f. Mouvement alternatif de la surface d'un liquide; mouvement sinueux : *Une légère ondulation sur le lac* (syn. : FRISSON). *Ondulations des cheveux* (syn. : CRAN). ◆ **onduleux, euse** ou **ondulant, e** adj. : *Former des plis onduleux. La croupe ondulante d'un cheval.*

2. onde [ɔ̃d] n. f. 1° En physique, mouvement vibratoire à fonction périodique : *Onde sonore, électromagnétique. Ondes hertziennes, radioélectriques de la T. S. F.* — 2° *Longueur d'onde,* espace parcouru par la vibration pendant une période. ‖ *Ondes courtes, petites ondes, grandes ondes,* les différentes gammes dans lesquelles sont classées les longueurs d'onde en matière de radiodiffusion : *Prendre les ondes courtes* (= une émission diffusée sur ondes courtes). ‖ *Sur les ondes,* à la radio : *Allocution diffusée sur les ondes.* ‖ Fam. *Etre sur la même longueur d'onde,* se comprendre, parler le même langage. ◆ **ondulatoire** adj. Qui se rapporte aux ondes (sens 1) : *Théorie ondulatoire. Mécanique ondulatoire.*

3. onde [ɔ̃d] n. f. L'eau de la mer, d'un lac, d'une rivière, etc. (littér., poétique).

ondée [ɔ̃de] n. f. Pluie soudaine et de peu de durée : *Recevoir une ondée* (syn. : AVERSE).

on-dit [ɔ̃di] n. m. invar. Rumeur, bruit répété de bouche en bouche : *Se méfier des on-dit* (syn. fam. : PAPOTAGE, RAGOT, CANCAN, COMMÉRAGE).

1. ondoyer v. intr. V. ONDE 1.

2. ondoyer [ɔ̃dwaje] v. tr. *Ondoyer un enfant,* lui administrer le baptême sans les cérémonies extérieures. ◆ **ondoiement** n. m. Baptême réduit à l'essentiel (eau versée sur le front et paroles sacramentelles). [V. OINDRE.]

onduler v. intr., **onduleux, euse** adj. V. ONDE 1; **ondulatoire** adj. V. ONDE 2.

onéreux, euse [ɔnerø, -øz] adj. 1° Qui provoque de grosses dépenses (langue soignée) : *Un voyage onéreux* (syn. : COÛTEUX, CHER; plus rare : DISPENDIEUX; contr. : ÉCONOMIQUE). — 2° *Acquérir quelque chose à titre onéreux,* en payant (loc. jurid.) [contr. : À TITRE GRACIEUX].

ongle [ɔ̃gl] n. m. 1° Partie cornée qui couvre le dessus du bout des doigts : *Des ongles soignés.* — 2° *Rogner les ongles à quelqu'un,* diminuer son profit, son pouvoir. ◆ **onglier** n. m. Nécessaire pour la toilette des ongles. ◆ **ongulé, e** adj. et n. Se dit des mammifères dont les doigts sont terminés par des sabots. ◆ **onglée** n. f. Engourdissement douloureux du bout des doigts, causé par un grand froid : *Avoir l'onglée.*

onglet [ɔ̃glɛ] n. m. 1° Petite rainure sur la lame d'un couteau ou d'un canif, sur un couvercle, etc., servant à saisir cette lame ou ce couvercle avec l'ongle : *Prendre une lame par l'onglet.* — 2° Petit morceau de papier fort ou de toile qui dépasse de la tranche d'un livre, ou échancrure pratiquée dans cette tranche, pour faciliter l'ouverture à une page donnée.

onguent [ɔ̃gɑ̃] n. m. Médicament d'usage externe, dont l'excipient est fait de corps gras : *Passer un onguent sur un coup de soleil* (syn. : POMMADE, CRÈME).

onirique [ɔnirik] adj. Relatif au rêve : *Etre dans un état onirique* (syn. : DÉLIRANT). ◆ **oniromancie** n. f. Divination par les songes, ou explication des songes.

onomatopée [ɔnɔmatɔpe] n. f. Mot dont le son imite celui de la chose qu'il représente : *Les personnages des bandes dessinées s'expriment souvent par onomatopées, telles que « plouf! » « vlan! »,* etc.

onyx [ɔniks] n. m. Variété d'agate présentant des zones concentriques régulières de diverses couleurs, et dont on fait des camées, des vases, etc. : *Une coupe en onyx.*

onze ([ɔ̃z]; la liaison ne se fait pas avec un mot précédent : *les onze jours* [leɔ̃zʒur], *un onze* [œ̃ɔ̃z]) adj. num. et n. 1° V. NUMÉRATION. — 2° Equipe de onze joueurs, au football : *Le onze de France.* ◆ **onzième** [ɔ̃zjɛm] adj. num. et n. ◆ **onzièmement** adv.

opale [ɔpal] n. f. Pierre précieuse, à reflets irisés : *Une opale montée en bague.* ◆ **opalin, e** adj. Qui a la teinte laiteuse et blanchâtre, les reflets irisés de l'opale : *Matière opaline.* ◆ **opaline** n. f. Substance vitreuse dont on fait des objets d'ornement : *Vase en opaline.* ◆ **opalescence** n. f. Reflet opalin. ◆ **opalescent, e** adj. : *Lueur opalescente.*

opaque [ɔpak] adj. 1° (sans compl.) Se dit d'un corps qui s'oppose au passage de la lumière : *Vitre opaque* (contr. : TRANSPARENT, TRANSLUCIDE). — 2° *Opaque à quelque chose,* qui s'oppose au passage de cette chose : *Corps opaque aux rayons X.* ◆ **opacité** n. f. : *Opacité des nuages.* ◆ **opacifier** v. tr. : *Deux verres de couleurs complémentaires opacifient la lumière.*

opéra [ɔpera] n. m. 1° Ouvrage dramatique entièrement chanté, comprenant des récitatifs, des airs et des chœurs, et joué avec accompagnement d'orchestre : *Livret d'opéra. Ecouter un opéra de Mozart.* — 2° Genre lyrique auquel appartiennent ces sortes d'ouvrages : *Aimer l'opéra. Préférer l'opéra au théâtre. Cantatrice d'opéra.* — 3° Théâtre, édifice où sont joués les drames lyriques : *Aller à l'Opéra. Voir l'Opéra de Vienne.* — 4° Ensemble des acteurs, chœurs et orchestre qui jouent un même répertoire : *Entendre « la Flûte enchantée » avec l'opéra de Munich.* ◆ **opéra bouffe** n. m. Opéra dont l'action est entièrement comique, en vogue au XVIIIe siècle. ◆ **opéra-comique** n. m. 1° Drame lyrique sans récitatif, comprenant parfois des dialogues parlés : *Les opéras-comiques de Massenet.* — 2° Théâtre où sont représentés des drames lyriques sans récitatif. ◆ **opérette** n. f. 1° Opéra-comique sur une musique non savante et de caractère très léger : *Les opérettes d'Offenbach.* — 2° *Un décor d'opérette,* conventionnel, représentant un luxe factice. ‖ *Un personnage d'opérette,* falot, sans consistance.

1. opération [ɔperasjɔ̃] n. f. Processus mathématique de nature définie, permettant de trouver un nombre nouveau à partir de nombres constants : *Les quatre opérations arithmétiques* (= l'addition, la soustraction, la multiplication, la division). *Ce problème se résume à deux ou trois opérations* (syn. : CALCUL). *Poser une opération* (= en écrire les chiffres). *Faire une opération de tête. Les termes d'une opération.* ◆ **opérationnel, elle** adj. : *Recherche opérationnelle* (= analyse d'un problème par la méthode mathématique). *Hypothèse opérationnelle* (= qui n'est posée que pour permettre un certain nombre d'analyses, de calculs, etc.).

2. opération [ɔperasjɔ̃] n. f. Ensemble de mouvements militaires faits dans un but précis : *Ligne d'opérations* (= front). *Etre en opération.* ◆ **opérationnel, elle** adj. Relatif à des mouvements militaires : *Ligne opérationnelle. Corps opérationnel* (contr. : LOGISTIQUE).

3. opération n. f. V. OPÉRER 1 et 2.

1. opérer [ɔpere] v. tr. *Opérer quelqu'un, opérer un membre, un organe,* etc., pratiquer un acte chirurgical sur cette personne, ce membre, cet organe : *Opérer un malade de l'appendicite. Opérer quelqu'un d'un cancer* (= lui enlever un cancer). *Se faire opérer du nez. On lui a opéré l'œil droit. Opérer un kyste* (= en faire l'ablation). *Il faut opérer* (syn. : INTERVENIR). ◆ **opéré, e** adj. et n. Qui a subi un acte chirurgical : *Quel est le bras opéré? L'opéré commence à se lever. Un grand opéré* (= quelqu'un qui a subi une opération importante). ◆ **opérable** adj. Qui peut être opéré : *Malade opérable. Maladie opérable.* ◆ **inopérable** adj. : *Un malade, une maladie inopérable.* ◆ **opération** n. f. Action d'opérer : *Opération chirurgicale* (syn. : INTERVENTION). *Salle d'opération. Table d'opération. Opération délicate. Les suites d'une opération.* ◆ **opératoire** adj. Relatif aux opérations : *Bloc opératoire d'un hôpital* (= ensemble de locaux et d'installations permettant les opérations). *Choc opératoire* (= consécutif à une opération). ◆ **postopératoire** adj. Se dit de ce qui suit une opération : *Complications postopératoires.*

2. opérer v. tr. et intr. 1° (sujet nom de chose) Produire un effet, donner un résultat : *Les vacances ont opéré sur lui un heureux changement* (syn. : PRODUIRE). *Le remède a opéré; ça va mieux* (syn. : AGIR, FAIRE SON EFFET, RÉUSSIR). — 2° (sujet nom de personne) Accomplir l'action que l'on se propose de faire : *J'ai opéré un redressement de mes finances* (syn. : RÉALISER). *Regardez-moi, ne fixez pas l'appareil photographique, je vais opérer* (= prendre une photo). *Vous pouvez ranger les appareils, j'ai opéré* (= terminé). *Pour installer votre maison, il faut opérer avec méthode* (syn. : PROCÉDER, AGIR, S'Y PRENDRE). ◆ **opérant, e** adj. Se dit de ce qui est efficace : *Une méthode très opérante.* ◆ **inopérant, e** adj. : *Renoncer à un remède inopérant* (syn. : INEFFICACE). ◆ **opérateur, trice** n. Personne qui fait fonctionner des appareils : *Une défaillance de l'opérateur* (syn. : MACHINISTE). *L'opérateur a dû déplacer sa caméra.* ◆ **opération** n. f. 1° Action d'opérer (sens 1) : *L'opération de la digestion. Une opération de sauvetage* (syn. : ACTE). *Une opération de publicité* (syn. : CAMPAGNE, OFFENSIVE). — 2° Affaire financière : *Une opération avantageuse* (syn. : TRANSACTION). *Faire une opération malheureuse en Bourse* (syn. : SPÉCULATION). — 3° Fam. et ironiq. *Par l'opération du Saint-Esprit,* par une intervention divine, miraculeusement. ‖ *Opération « Primevère », « Tonnerre »,* etc., ensemble de mesures de police, d'opérations militaires baptisées « Primevère », « Tonnerre », etc.

opérette n. f. V. OPÉRA.

ophtalmie [ɔftalmi] n. f. Affection inflammatoire de l'œil et de ses annexes. ◆ **ophtalmologie** n. f. Partie de la médecine qui concerne l'œil et la vision. ◆ **ophtalmologiste** n. m. Syn. d'OCULISTE.

opiner [ɔpine] v. intr. 1° Exprimer son opinion (langue soutenue) : *Tous les membres du bureau ont opiné dans le même sens que le président.* — 2° *Opiner de la tête,* acquiescer en hochant la tête. ‖ Fam. *Opiner du bonnet,* être d'accord avec les autres.

opiniâtre [ɔpinjɑtr] adj. m. et f. Se dit de quelqu'un qui est obstiné dans sa résolution ou de quelque chose qui est tenace dans sa manière d'être, durable dans son état : *Avoir un caractère opiniâtre* (syn. : ACHARNÉ; contr. : VERSATILE). *Jalousie opiniâtre* (syn. : IRRÉDUCTIBLE). *Bronchite opiniâtre* (syn. : PERSISTANT; contr. : PASSAGER). ◆ **opiniâtrement** adv. ◆ **opiniâtreté** n. f. : *Travailler avec opiniâtreté.*

opinion [ɔpinjɔ̃] n. f. 1° Jugement, manière de penser sur un sujet : *Donner son opinion sur une question* (syn. : AVIS). *Je suis de votre opinion. Se faire une opinion à propos d'une chose* (syn. : IDÉE). *C'est une opinion* (syn. : POINT DE VUE). *Avoir le courage de ses opinions* (syn. : IDÉE). *Journal d'opinion* (syn. : TENDANCE; contr. : INFORMATION). *Mon opinion est que tel candidat ne passera pas* (= je pense que). *Avoir bonne, mauvaise opinion* *de soi-même* (= être content, mécontent de soi). — 2° *L'opinion publique,* ou simplem. *l'opinion,* la manière générale de penser commune à une société : *Flatter, amuser l'opinion publique* (syn. fam. : LE PUBLIC). *Braver l'opinion* (syn. : QU'EN-DIRA-T-ON). *Informer l'opinion* (= les gens, les lecteurs, les auditeurs, etc.). *Mettre l'opinion en éveil sur un sujet.*

opium [ɔpjɔm] n. m. 1° Suc des capsules du pavot, utilisé en médecine (morphine) et dont certains usent comme stupéfiant : *L'opium fait dormir. Médicament à base d'opium.* — 2° Se dit de tout ce qui assoupit les facultés intellectuelles et morales : *Marx considérait la religion comme l'opium du peuple.* ◆ **opiomane** n. Fumeur d'opium.

opportun, e [ɔpɔrtœ̃, -yn] adj. Se dit de ce qui vient à propos : *Faire une démarche opportune* (contr. : INOPPORTUN, DÉPLACÉ). *Choisir le moment opportun* (syn. : CONVENABLE, PROPICE). *Vous nous le montrerez en temps opportun* (syn. : UTILE). ◆ **opportunément** adv. : *Il est arrivé opportunément* (= au bon moment; syn. : À PROPOS). ◆ **opportunité** n. f. : *S'interroger sur l'opportunité d'une visite* (syn. : À-PROPOS, CONVENANCE ; contr. : INOPPORTUNITÉ). ◆ **opportunisme** n. m. Tactique ou politique de celui qui cherche à tirer le meilleur parti des circonstances en transigeant avec les principes : *Etre taxé d'opportunisme.* ◆ **opportuniste** n. et adj. : *Faire une politique opportuniste.* ◆ **inopportun, e** adj. : *Une démarche inopportune* (= à contretemps; syn. : DÉPLACÉ).

opposer [opoze] v. tr. 1° *Opposer deux choses,* les mettre en vis-à-vis, en correspondance : *Opposer deux gros meubles dans une pièce. Opposer deux masses sombres dans un tableau* (= faire qu'elles se répondent). — 2° *Opposer une chose* ou *une personne à une autre,* les faire contraster, s'affronter : *Opposer des couleurs vives à des couleurs tendres. Ce match opposera l'équipe de Reims à celle de Montpellier. Venez faire un bridge, nous avons de très bons joueurs à vous opposer.* — 3° *Opposer des choses,* les comparer en soulignant les différences : *Opposer les avantages de la mer et ceux de la montagne* (contr. : RAPPROCHER). *On a souvent opposé à tort les aptitudes littéraires aux aptitudes scientifiques* (syn. : ↓ DISSOCIER). — 4° *Opposer quelque chose à quelqu'un, à quelque chose,* le lui présenter comme obstacle, matériel ou non : *Opposer un barrage au déferlement des eaux. Opposer des arguments valables* (syn. : ALLÉGUER). *Je n'ai rien à opposer à ce projet* (syn. : OBJECTER). *Je pourrais vous opposer que vous êtes en contradiction avec vous-même. Opposer une résistance à tous les ordres reçus.* ◆ **s'opposer** v. pr. 1° (sujet nom de personne) *S'opposer à quelqu'un, à quelque chose, à ce que* (et le subj.), leur faire front, leur faire obstacle : *Ce garçon s'oppose continuellement à son père* (syn. : ENTRER EN LUTTE AVEC). *De nombreux orateurs se sont opposés au cours du débat* (syn. : S'AFFRONTER). *Il s'oppose à tout progrès technique* (syn. : LUTTER CONTRE, ÊTRE HOSTILE À). *S'opposer à des mesures de licenciement* (syn. : EMPÊCHER, ÉVITER). *Le propriétaire s'oppose à ce qu'on modifie en quoi que ce soit l'appartement* (contr. : PERMETTRE). *Ses parents se sont opposés à son mariage* (contr. : CONSENTIR). — 2° (sujet nom de chose) *S'opposer à quelque chose,* constituer un obstacle : *Qu'est-ce qui s'oppose à votre départ?* (syn. : EMPÊCHER, GÊNER). *Votre état de santé s'oppose à tout surmenage physique* (syn. : INTERDIRE). — 3° Se trouver face à face : *Ces deux magasins s'opposent exactement de part et d'autre de la rue* (syn. : SE FAIRE FACE). — 4° Contraster : *Leurs goûts, leurs caractères s'opposent* (contr. : SE RESSEMBLER, SE RÉPONDRE). *Nos positions s'opposent sur ce problème* (syn. : DIVERGER ; contr. : CONCORDER). ◆ **opposant, e** adj. 1° Qui s'oppose à un acte, à un jugement : *La partie opposante.* — 2° Qui s'oppose à une mesure, à une loi : *La minorité opposante* (contr. : CONSENTANT). ◆ **opposant** n. m. Adversaire : *Les opposants au régime* (contr. : DÉFENSEUR, SOUTIEN). *Compter les opposants à un projet.* ◆ **opposé, e** adj. 1° Se dit de deux choses placées vis-à-vis, de deux directions allant en sens inverse : *Les angles opposés d'un carré. Habiter à deux points diamétralement opposés de Paris* (= aux deux bouts de Paris). *Partir dans des directions opposées* (syn. : CONTRAIRE). — 2° Se dit de choses très différentes l'une de l'autre, et souvent contradictoires : *Après leur baccalauréat, ils ont suivi des voies opposées* (syn. : CONTRAIRE, DIVERGENT). *Ces deux enfants sont de caractère opposé. Sur cette question, nous sommes d'un avis opposé* (syn. : ↓ DIFFÉRENT, ↑ INVERSE). — 3° Se dit d'une personne défavorable, hostile à quelque chose : *Je suis opposée à la télévision pour les enfants jeunes* (syn. : HOSTILE, ENNEMI DE). *Seriez-vous opposé au progrès?* (syn. : DÉFAVORABLE). ◆ **opposé** n. m. *L'opposé,* le contraire : *C'est tout l'opposé de son frère. Vous dites une chose et vous faites l'opposé* (contr. : INVERSE). ● LOC. ADV. ET PRÉP. *A l'opposé, à l'opposé de,* dans une situation, une position contraire (à) : *Etre à l'opposé l'un de l'autre* (syn. : AUX ANTIPODES). *Pierre est un pur intellectuel, Jean est tout à l'opposé.* ◆ **opposable** adj. 1° Qui peut être mis vis-à-vis de quelque chose : *Le pouce est opposable aux autres doigts.* — 2° Qui peut être un obstacle à quelque chose : *Un argument opposable à une décision. Droit opposable à quelqu'un* (= que l'on peut juridiquement faire valoir contre quelqu'un). ◆ **opposition** n. f. 1° Position de deux choses situées en face l'une de l'autre : *Remarquer l'opposition des masses dans un tableau* (= rapport, répartition, équilibre). *Phase où la Lune est en opposition avec le Soleil* (contr. : CONJONCTION). — 2° Différence extrême, contraste entre deux choses : *Opposition de couleurs* (syn. : CONTRASTE). *Opposition de caractère entre deux personnes* (syn. : ANTAGONISME). *Personnage plein d'oppositions* (syn. : CONTRADICTION, INCOHÉRENCE). ‖ *Par opposition à,* au contraire de : *J'aime mieux me lever et me coucher tôt que l'inverse, par opposition à toute ma famille.* — 3° Rapport de tension, de lutte, entre deux choses ou deux personnes : *Opposition d'intérêts* (syn. : CONFLIT). *Etre en opposition avec ses parents, son directeur* (syn. : RÉACTION, RÉBELLION ; ↑ RÉVOLTE). — 4° Fait de mettre obstacle à quelque chose, de lutter contre : *Faire de l'opposition systématique* (syn. : RÉACTION, ↑ OBSTRUCTION). *Pas d'opposition? Je continue* (syn. : OBJECTION, CRITIQUE). *Ce projet rencontre beaucoup d'opposition parmi les intéressés eux-mêmes* (syn. : RÉSISTANCE, ↓ DÉSAPPROBATION). *Se heurter à l'opposition tacite d'un enfant* (contr. : SOUMISSION, ADHÉSION). — 5° Ensemble des personnes qui sont hostiles à un programme politique, à un gouvernement : *Les partis de l'opposition* (= antigouvernementaux). *Faire partie de l'opposition* (syn. : MINORITÉ ; contr. : MAJORITÉ). — 6° Déclaration de la volonté de faire obstacle à une chose par un acte juridique : *Faire* *opposition à un chèque* (= empêcher que quelqu'un ne le touche). ◆ **oppositionnel, elle** adj. Qui est dans l'opposition ou propre à l'opposition : *Tactique oppositionnelle.* ◆ **opposite de (*à l'*)** loc. prép. Vis-à-vis, à l'opposé de (rare).

oppresser [ɔprese] v. tr. 1° (sujet nom de chose) *Oppresser quelqu'un,* gêner sa respiration : *La chaleur m'oppresse* (syn. : ACCABLER). *Avoir un vêtement trop serré qui vous oppresse* (syn. : ↓ COMPRIMER). *Se sentir oppressé* (= avoir l'impression d'étouffer, de suffoquer). — 2° *Sentiment qui oppresse quelqu'un,* qui l'étreint, l'accable : *L'angoisse m'oppresse* (syn. : ÉTREINDRE). ◆ **oppressant, e** adj. Qui accable, étouffe : *Une chaleur oppressante. Des souvenirs oppressants* (= qui serrent fortement le cœur). ◆ **oppression** n. f. : *Souffrir d'oppression à cause de la chaleur.*

opprimer [ɔprime] v. tr. *Opprimer quelqu'un,* l'accabler sous le poids d'une autorité excessive ou par la violence : *Opprimer les faibles, les pauvres* (contr. : SOULAGER, LIBÉRER). *Opprimer l'opinion, les consciences* (syn. : ÉTOUFFER). ◆ **opprimé, e** n. Personne, peuple injustement ou violemment traités : *La révolte des opprimés.* ◆ **oppresseur** n. m. Personne ou peuple qui accable un inférieur. ◆ **oppression** n. f. 1° Action de faire violence, abus d'autorité : *L'oppression fut exercée sur le vaincu par tous les moyens.* — 2° Etat de celui qui est opprimé : *Ce peuple vit dans un état d'oppression permanente.* ◆ **oppressif, ive** adj. Qui vise à l'oppression : *Des mesures oppressives. Système de censure, de contrôle oppressif* (syn. : COERCITIF, ↑ TYRANNIQUE ; contr. : LIBÉRAL).

opprobre [ɔprɔbr] n. m. 1° Honte, humiliation infligées à quelqu'un (littér.) : *Couvrir, accabler quelqu'un d'opprobre.* — 2° Etat d'abjection : *Vivre dans l'opprobre.* — 3° Sujet de honte, de déshonneur : *Ce garçon est l'opprobre de sa famille* (syn. : ↓ HONTE, DÉSHONNEUR).

optatif [ɔptatif] n. m. Mode verbal existant dans certaines langues et exprimant le souhait : *L'optatif existe en grec.* ◆ **optatif, ive** adj. : *Le mode optatif.*

opter [ɔpte] v. intr. *Opter pour quelque chose,* le choisir entre deux ou plusieurs possibilités : *A sa majorité, elle pourra opter pour la nationalité française ou américaine* (syn. : CHOISIR). *J'opte pour une carrière diplomatique* (syn. : SE DÉCIDER). ◆ **option** [ɔpsjɔ̃] n. f. 1° Faculté, action d'opter : *Se trouver devant une option délicate* (syn. : CHOIX). *Matière à option* (= facultative; s'oppose à *obligatoire*). — 2° Chose choisie : *Bac de série A avec option mathématiques.* — 3° Droit de choisir entre plusieurs situations juridiques : *Avoir un droit d'option.* — 4° Promesse d'achat ou de vente : *Avoir une option de deux mois sur un appartement.*

opticien, enne n. V. OPTIQUE.

optimisme [ɔptimism] n. m. 1° Tournure d'esprit qui dispose à voir les choses du bon côté : *Son optimisme foncier l'empêche de croire à la méchanceté humaine. Etre d'un optimisme béat* (syn. : CONTENTEMENT, SATISFACTION). — 2° Confiance dans l'avenir : *Période d'optimisme* (syn. : CONFIANCE, ↑ ESPOIR ; contr. : PESSIMISME). *Envisager une situation avec optimisme. Partager l'optimisme de quelqu'un.* — 3° Nom de divers systèmes philosophiques selon lesquels le mal n'est jamais absolu ou définitif : *Voltaire a réfuté l'optimisme dans son « Candide ».* ◆ **optimiste** adj. et n. 1° Qui voit ou qui prend les choses du bon côté : *Avoir un naturel, un caractère optimiste* (syn. : HEUREUX). — 2° Se dit de quelqu'un (ou de ses actes, de ses paroles) qui a confiance dans l'avenir : *Je ne suis pas très optimiste pour sa carrière. Le pronostic du médecin est optimiste* (syn. : BON, RASSURANT ; contr. : PESSIMISTE, SOMBRE). *Tenir des propos optimistes* (syn. : ENCOURAGEANT).

optimum [ɔptimɔm] n. m. Etat d'une chose considérée comme le plus favorable : *Atteindre l'optimum de production. Les optimums* (ou *optima*) *de rendement.* ◆ adj. : *L'effet optimum* (= le meilleur). ◆ **optimal, e, aux** adj. Syn. de OPTIMUM : *La température optimale d'une chambre de malade.*

option n. f. V. OPTER.

optique [ɔptik] n. f. 1° Partie de la physique qui traite de la lumière et de la vision : *L'étude de l'optique. Matériel d'optique.* — 2° Manière particulière dont on voit les objets dans certains cas : *L'optique du théâtre impose un grossissement des traits du caractère comme des traits de la physionomie* (syn. : PERSPECTIVE). *Tenir compte de l'optique de la scène* (syn. : CONVENTIONS). *Se placer dans l'optique des élèves* (syn. : MANIÈRE DE VOIR, CONCEPTIONS). ◆ **optique** adj. Relatif à l'œil, à la vision : *Angle optique* (= de vision). *Nerf optique. Verre optique.* ◆ **opticien, enne** n. Fabricant ou marchand d'instruments d'optique.

opulent, e [ɔpylɑ̃, -ɑ̃t] adj. 1° Se dit d'une personne (ou de ses possessions) qui est très riche (littér.) : *Une famille opulente* (syn. : ↓ RICHE, AISÉ). *Une maison opulente* (syn. : COSSU). — 2° Se dit des formes corporelles très développées : *Avoir une poitrine opulente* (syn. : GÉNÉREUX). ◆ **opulence** n. f. : *Vivre, nager dans l'opulence* (syn. : ↓ RICHESSE). *L'opulence de ses formes fait éclater sa robe* (syn. : GÉNÉROSITÉ).

opus [ɔpys] n. m. invar. Indication d'un morceau de musique avec son numéro dans l'œuvre d'un compositeur : *La sonate opus 109 de Beethoven.*

opuscule [ɔpyskyl] n. m. Petit ouvrage de science ou de littérature.

1. or [ɔr] n. m. 1° Métal précieux, jaune et brillant : *Paillette d'or. Bracelet en or. Avoir une dent en or.* — 2° Ce métal considéré du point de vue de sa valeur : *Etalon-or. Encaisse or de la Banque de France.* — 3° Richesse, fortune (dans certaines expressions) : *La soif de l'or* (littér.). *Une affaire d'or* (fam. ; = très avantageuse). *Valoir son pesant d'or* (fam. ; = être très cher, ou très précieux). *Pour tout l'or du monde* (= pour rien au monde) [dans une proposition négative]. *A prix d'or* (= très cher). *Rouler sur l'or* (fam. ; = être très riche). *Cette affaire, c'est de l'or en barre* (fam. ; = c'est très avantageux). *Faire un pont d'or à quelqu'un* (fam. ; = lui offrir une rémunération très intéressante). — 4° Indique l'excellence : *Avoir un cœur d'or* (= être très bon, très compatissant). *Un mari en or* (= parfait). *L'âge d'or du rationalisme* (= l'époque où il triomphait). — 5° Indique une nuance de jaune : *Jaune d'or* (= doré, chaud). *Les ors et les bruns de la peinture siennoise.* — 6° *L'or noir,* le pétrole.

2. or [ɔr] conj. de coordination. Marque une transition entre deux idées, dans le cours d'un raisonnement, entre deux moments distincts d'un récit, ou introduit une réflexion incidente (se place toujours en tête de la proposition) : *On comptait beaucoup sur lui; or il a eu un empêchement au dernier moment. Assis sur le banc, il semblait attendre quelqu'un; or il était déjà huit heures...*

oracle [ɔrakl] n. m. **1°** Personne qui parle avec autorité ou compétence; ce qui est ainsi affirmé : *C'est l'oracle de la famille. Parler en oracle.* — **2°** Réponse que les dieux étaient censés faire, dans l'Antiquité, à certaines questions que leur adressaient les hommes; sanctuaire où l'on consultait le dieu : *L'oracle d'Apollon, à Delphes, était un des plus célèbres.*

orage [ɔraʒ] n. m. **1°** Trouble électrique de l'atmosphère, accompagné de tonnerre, de vent et de pluie : *L'orage menace, gronde. Etre surpris par l'orage.* — **2°** Trouble et violence dans les sentiments ou les rapports humains : *Sentir venir l'orage* (= les reproches, l'explosion de colère, etc.). *Il y a de l'orage dans l'air* (fam. = cela va mal se passer). ◆ **orageux, euse** adj. **1°** Se dit du temps et des signes qui caractérisent l'orage : *Ciel orageux. Temps orageux. La mer est orageuse* (contr. : CALME). — **2°** Se dit des comportements ou des sentiments tourmentés : *Une jeunesse orageuse* (syn. : MOUVEMENTÉ). *La discussion a été orageuse* (syn. : AGITÉ, HOULEUX). ◆ **orageusement** adv. : *Réunion qui se termine orageusement.*

oraison [ɔrezɔ̃] n. f. **1°** Prière religieuse : *Oraison dominicale* (= le *Notre Père*). — **2°** *Oraison funèbre,* éloge public et solennel d'un mort.

oral, e, aux [ɔral, -ro] adj. **1°** Se dit de ce qui est exprimé de vive voix, de ce qui est transmis par la voix (par oppos. à *écrit*) : *Déposition orale. Examen oral. Promesse orale* (syn. : VERBAL; contr. : ÉCRIT). *Tradition orale.* — **2°** *Voyelle orale, son oral,* qui ne comporte pas de nasalisation. ◆ **oral, aux** n. m. Partie orale d'un examen ou d'un concours : *Avoir un oral à passer* (contr. : ÉCRIT). *Les dates des oraux seront publiées plus tard.* ◆ **oralement** adv. : *Accord conclu oralement* (contr. : PAR ÉCRIT).

1. orange [ɔrɑ̃ʒ] n. f. Fruit comestible de l'oranger, de couleur jaune doré : *Un kilo d'oranges.* ◆ **orangeade** n. f. Boisson faite de jus d'orange allongé d'eau sucrée : *Boire un grand verre d'orangeade.* ◆ **oranger** n. m. Arbre cultivé dans les pays méditerranéens, et dont le fruit est l'orange : *Les orangers sont fragiles. Eau de fleur d'oranger.* ◆ **orangeraie** n. f. Lieu planté d'orangers. ◆ **orangerie** n. f. Serre où l'on met les orangers pendant l'hiver : *L'orangerie de Versailles.*

2. orange [ɔrɑ̃ʒ] adj. et n. m. invar. D'une couleur jaune doré : *Tissu orange clair. Tissu d'un orange un peu vif.* ◆ **orangé, e** adj. et n. m. D'une couleur qui tire sur l'orange.

orang-outang ou **orang-outan** [ɔrɑ̃utɑ̃] n. m. Singe anthropoïde mesurant de 1,20 m à 1,50 m : *Les orangs-outangs se nourrissent de fruits et vivent notamment dans les forêts d'Indonésie.*

orateur [ɔratœr] n. m. **1°** Personne qui prononce un discours devant une assemblée, un public : *L'orateur avait captivé l'assistance.* — **2°** Personne qui a le don de la parole en public : *C'est un très bon orateur.* ◆ **oratoire** adj. Se dit de ce qui concerne l'art de parler en public : *Il connaît toutes les règles de l'art oratoire* (= de l'éloquence).

1. oratoire adj. V. ORATEUR.

2. oratoire [ɔratwar] n. m. Lieu d'une maison destiné à la prière; petite chapelle.

oratorio [ɔratɔrjo] n. m. Composition musicale dramatique sur un sujet religieux : *Les oratorios de Hændel.*

1. orbite [ɔrbit] n. f. (le plus souvent au plur.). Chacune des cavités osseuses de la face où sont les yeux : *Les yeux lui sortent des orbites. Avoir les yeux enfoncés dans les orbites.* ◆ **exorbité** adj. m. : *Avoir les yeux exorbités* (= qui font saillie hors des orbites).

2. orbite [ɔrbit] n. f. **1°** En physique, trajectoire fermée décrite par un corps animé d'un mouvement périodique : *Orbite décrite dans un atome par un électron autour du noyau.* — **2°** Toute trajectoire courbe d'un corps céleste ayant pour foyer un autre corps céleste : *L'orbite décrite en un an par la Terre autour du Soleil.* ◆ **orbital, e, aux** adj. : *Mouvement orbital. Rendez-vous orbital* (= dans la langue des journalistes, rencontre provoquée de deux engins satellisés).

3. orbite [ɔrbit] n. f. *Dans l'orbite de quelqu'un, d'un peuple,* dans la zone d'influence exercée par cette personne ou par ce peuple.

1. orchestre [ɔrkɛstr] n. m. Groupe d'instrumentistes qui exécutent de la musique polyphonique : *Le concerto de Beethoven pour violon et orchestre. Diriger un orchestre. Orchestre de jazz. L'orchestre se met à jouer. Orchestre de chambre* (= formation d'instrumentistes réduite). ◆ **orchestrer** v. tr. **1°** *Orchestrer une œuvre,* la composer ou l'adapter pour un orchestre. — **2°** *Orchestrer une campagne, un mouvement revendicatif,* etc., les organiser de façon à leur donner le maximum d'ampleur et de retentissement. ◆ **orchestration** n. f. ◆ **orchestral, e, aux** adj. : *Musique orchestrale.*

2. orchestre [ɔrkɛstr] n. m. **1°** Partie d'un théâtre située devant et un peu en contrebas de la scène et où les musiciens prennent place pour la représentation d'un opéra, d'une opérette, etc. : *A l'orchestre, les musiciens accordaient leurs instruments* (syn. : FOSSE). — **2°** Partie d'une salle de spectacle réservée aux spectateurs et située au rez-de-chaussée, près de la scène : *Réserver trois places à l'orchestre. Préférer l'orchestre aux balcons, au parterre, aux loges. Les applaudissements de l'orchestre* (= les spectateurs assis à l'orchestre).

orchidée [ɔrkide] n. f. Plante à fleurs ornementales.

ordinaire [ɔrdinɛr] adj. **1°** Se dit de ce qui ne se distingue pas des autres choses du même genre : *Procéder de façon ordinaire* (syn. : HABITUEL, COURANT, NORMAL; contr. : EXCEPTIONNEL). *Un jour ordinaire. Menu ordinaire* (= de tous les jours; contr. : EXTRAORDINAIRE). *Ça alors, ce n'est pas ordinaire!* (= c'est surprenant, bizarre). — **2°** Se dit d'une chose, d'une personne qui est de valeur moyenne, commune : *Tissu de qualité ordinaire* (syn. : COURANT, ↑ MÉDIOCRE). *Avoir des manières ordinaires* (syn. : ↑ GROSSIER; contr. : RAFFINÉ). *Une personne très ordinaire* (syn. : COMMUN, ↑ VULGAIRE; contr. : DISTINGUÉ). *C'est un esprit très ordinaire* (syn. : BANAL, QUELCONQUE; contr. : EXCEPTIONNEL, REMARQUABLE). ◆ **ordinaire** n. m. **1°** Menu de tous les jours : *Je ne prendrai pas d'extra, je me contenterai de l'ordinaire.* — **2°** *Ordinaire de la messe,* prières qui ne changent pas avec l'office du jour. • Loc.

ADV. *A l'ordinaire, d'ordinaire,* de façon habituelle, le plus souvent : *Il est venu dimanche à midi, comme à l'ordinaire* (syn. : D'HABITUDE). *D'ordinaire, nous déjeunons à midi et demi* (syn. : EN GÉNÉRAL). ◆ **ordinairement** adv. : *Etre ordinairement à l'heure* (syn. : HABITUELLEMENT).

ordinal, e, aux [ɔrdinal, -no] adj. et n. m. *Adjectifs numéraux ordinaux, noms de nombre ordinaux,* ceux qui indiquent un rang précis, comme *deuxième, vingtième, millième.* (V. NUMÉRATION.)

ordinand n. m., **ordination** n. f. V. ORDRE 4.

ordinateur [ɔrdinatœr] n. m. Calculateur composé d'un nombre variable d'unités spécialisées, permettant, sans l'intervention de l'homme, d'effectuer des ensembles d'opérations arithmétiques et logiques complexes.

1. ordonnance [ɔrdɔnɑ̃s] n. f. Ensemble des prescriptions d'un médecin; papier sur lequel elles sont consignées : *Se reporter à l'ordonnance pour les doses d'un médicament.* ◆ **ordonner** v. tr. Prescrire comme ordonnance : *Le médecin lui a ordonné le repos et la montagne. Ce médicament m'a été ordonné pour mes maux de tête* (syn. : ↓ INDIQUER).

2. ordonnance [ɔrdɔnɑ̃s] n. f. Disposition législative prise par le gouvernement dans le cadre d'une délégation de pouvoir : *Le gouvernement a pris plusieurs ordonnances en matière militaire.*

3. ordonnance [ɔrdɔnɑ̃s] n. m. ou f. Soldat mis à la disposition d'un officier : *Avoir un* (ou *une*) *ordonnance.*

4. ordonnance n. f. V. ORDRE 1.

ordonner v. tr. V. ORDRE 1, 2, 4.

1. ordre [ɔrdr] n. m. 1° Organisation, disposition harmonieuse des choses : *Une maison en ordre* (contr. : DÉSORDRE). *Mettre de l'ordre dans ses affaires* (= les ranger, les classer). *Exposer les faits dans l'ordre* (= successivement, chronologiquement). *Ils ont été promus par ordre d'ancienneté. L'ordre hiérarchique, alphabétique* (syn. : RANG). *L'ordre des mots dans une phrase. Défiler en ordre. Laisser des comptes en ordre* (= bien tenus, nets). *Armée en ordre de marche, de bataille* (syn. : FORMATION). — 2° Catégorie dans laquelle se classent les choses, les idées, les personnes : *Dans le même ordre d'idée* (syn. : GENRE, DOMAINE). *Remplacer une récompense par une dignité du même ordre* (syn. : VALEUR, IMPORTANCE). *Pour donner un ordre de grandeur* (= une approximation). *Affaire de premier ordre* (= très importante). *Homme de second ordre* (syn. : PLAN). — 3° Qualité d'une personne qui sait ranger, organiser : *Avoir de l'ordre. Personne qui manque d'ordre. Travailler avec ordre* (syn. : MÉTHODE). — 4° Organisation de la société, stabilité des institutions, respect des règlements : *Troubler l'ordre social* (syn. : CALME, PAIX). *Les C. R. S. ont assuré le maintien de l'ordre* (contr. : DÉSORDRE). *Le parti de l'ordre* (= les conservateurs). *Un homme d'ordre* (= rangé). *Que tout rentre dans l'ordre. C'est dans l'ordre, dans l'ordre des choses* (= c'est normal, régulier). — 5° *Ordre du jour,* matières, sujets de délibération pour une séance d'assemblée : *Passer à l'ordre du jour* (= écarter une question étrangère au programme prévu). *Voter l'ordre du jour* (= la motion résumant les décisions prises). *Ce problème est à l'ordre du jour* (= en vogue, à la mode). ◆ **ordonner** v. tr. *Ordonner des choses,* les mettre en ordre : *Il va falloir ordonner ces différents paragraphes dans votre dissertation* (syn. : CLASSER). *Savoir ordonner ses idées* (syn. : ORGANISER). ◆ ***s'ordonner*** v. pr. Se disposer en ordre, se classer : *Les faits s'ordonnent autour de deux dates principales. Les maisons s'ordonnent le long des routes* (= sont placées). ◆ **ordonné, e** adj. 1° Se dit de ce qui est bien rangé, régulièrement disposé : *Maison ordonnée* (= en ordre). *Coiffure ordonnée* (syn. : NET). *Discours bien ordonné* (syn. : ARRANGÉ). — 2° Se dit de quelqu'un qui a de l'ordre, qui sait ranger ses affaires : *Un enfant ordonné* (syn. : SOIGNEUX, MÉTHODIQUE). ◆ **ordonnance** n. f. Ordre, distribution d'un ensemble : *Un incident qui trouble l'ordonnance du repas* (syn. : AGENCEMENT, ORGANISATION). *Admirer l'ordonnance d'une œuvre d'architecture* (syn. : DISPOSITION, PLAN). ◆ **ordonnateur, trice** n. : *L'ordonnateur des pompes funèbres.* ◆ **désordre** n. m. 1° Manque d'ordre, d'organisation : *Des livres qui traînent en désordre sur tous les meubles* (syn. fam. : PAGAILLE). *Des cheveux en désordre* (= épars, en broussaille). *On a peine à suivre son raisonnement dans le désordre de ses idées* (syn. : CONFUSION, ↑ CHAOS). — 2° Agitation qui trouble le fonctionnement régulier des institutions, d'un organisme, etc. (souvent au plur. en parlant de troubles politiques) : *Des jeunes gens ont causé du désordre dans le théâtre en sifflant bruyamment la pièce* (syn. : TUMULTE; fam. : CHAHUT). *Le malaise économique laissait craindre de graves désordres* (syn. : MANIFESTATION, ↑ ÉMEUTE). — 3° Dérèglement moral : *Après avoir vécu des années dans le désordre, il a fini par se ranger* (syn. : DÉBAUCHE). ◆ **désordonné, e** adj. 1° Se dit des choses dont les éléments sont en désordre : *Une chambre désordonnée. Des mouvements désordonnés.* — 2° Se dit des personnes qui n'ont pas des habitudes d'ordre : *Un enfant très désordonné.* — 3° *Vie désordonnée,* vie qui n'est pas soumise à des principes moraux bien fermes (syn. : VIE DÉRÉGLÉE, DÉBAUCHÉE).

2. ordre [ɔrdr] n. m. 1° Manifestation de l'autorité, commandement : *Donner un ordre* (syn. : ↓ DIRECTIVE, INSTRUCTION). *Donner l'ordre de se disperser* (syn. : CONSIGNE, INJONCTION). *N'avoir pas d'ordre à recevoir de quelqu'un. Avoir un ordre de mission. Je suis à vos ordres* (= à votre service, à votre disposition). — 3° *Mot d'ordre,* consigne donnée à une ou plusieurs personnes en vue d'une circonstance précise : *Il a donné comme mot d'ordre de ne laisser entrer personne.* — 2° Endossement d'un billet, d'une lettre de change, pour les passer au profit d'une autre personne : *Billet à ordre. Ordre de Bourse.* ◆ **ordonner** v. tr. Donner un ordre : *Je vous ordonne de vous taire* (syn. : ENJOINDRE, ↓ DEMANDER, PRIER). *Faites ce qu'on vous ordonne* (syn. : ↓ DIRE). *Ce travail m'a été ordonné* (syn. : PRESCRIRE, DEMANDER, IMPOSER). ◆ **ordonnancer** v. tr. Donner l'ordre de payer le montant d'une dépense publique. ◆ **ordonnancement** n. m. ◆ **ordonnateur** n. m. Autorité compétente pour ordonnancer une dépense engagée et liquidée.

3. ordre [ɔrdr] n. m. 1° Association obligatoire de personnes appartenant à certaines professions libérales, et dont des membres élus veillent au respect des règles internes de la profession : *L'ordre des médecins. Le conseil de l'ordre des avocats.* — 2° Compagnie ayant un statut particulier : *L'ordre de la Légion d'honneur. L'ordre de Saint-Vincent-de-Paul* (= communauté religieuse).

4. ordre [ɔrdr] n. m. Sacrement qui donne le pouvoir d'exercer les fonctions ecclésiastiques. ◆ **ordres** n. m. pl. *Etre, entrer dans les ordres,* faire partie de la hiérarchie cléricale catholique, y entrer. ◆ **ordonner** v. tr. Elever à l'un des ordres de l'Eglise : *Etre ordonné prêtre* (syn. : CONSACRER). ◆ **ordinand** n. m. Celui qui reçoit le sacrement de l'ordre. ◆ **ordination** n. f. Acte par lequel est administré le sacrement de l'ordre : *L'ordination de tel séminariste aura lieu le prochain dimanche.*

5. ordre [ɔrdr] n. m. Système, style architectural : *L'ordre dorique, ionique, corinthien.*

ordure [ɔrdyr] n. f. 1° (au plur.) Déchets, saletés : *Les éboueurs enlèvent tous les matins les ordures ménagères* (syn. : DÉTRITUS). *Mettre un objet aux ordures* (= à la poubelle). *Un tas d'ordures* (syn. : IMMONDICES). — 2° Souillure, abjection (langue soutenue) : *Vivre, se vautrer dans l'ordure* (syn. : FANGE, BOUE). — 3° Action ou propos obscène, sale : *Ce livre est plein d'ordures* (syn. : ↑ OBSCÉNITÉ; pop. : COCHONNERIE). *Ce livre est une ordure* (syn. : SALETÉ, HORREUR). — 4° Personne abjecte : *C'est une ordure, ce type* (syn. pop. : FUMIER). ◆ **ordurier, ère** adj. 1° Qui dit ou écrit des choses sales, obscènes : *Un homme ordurier* (syn. : ↓ GROSSIER). — 2° Qui contient des propos ou des mots obscènes : *Publier un article ordurier.*

orée [ɔre] n. f. *A l'orée d'un bois,* à la lisière de ce bois (littér.).

1. oreille [ɔrɛj] n. f. 1° Partie externe de l'organe de l'ouïe, située de chaque côté de la tête : *Avoir les oreilles décollées. Avoir l'oreille rouge. Se couvrir les oreilles. Oreilles bien ourlées.* — 2° Partie moyenne ou interne de l'organe de l'ouïe : *Avoir des bourdonnements d'oreille.* — 3° Sens de l'ouïe : *Etre dur d'oreille* (= être presque sourd). *Avoir l'oreille fine. Avoir de l'oreille, manquer d'oreille. Le bruit m'écorche les oreilles, me casse les oreilles* (= m'assourdit). *Avoir les oreilles qui tintent* (= être assourdi). — 4° *Avoir l'oreille de quelqu'un,* être écouté favorablement par lui. ‖ *Aux oreilles de quelqu'un,* à sa connaissance : *J'espère que cela n'arrivera pas à ses oreilles.* ‖ *Marcher l'oreille basse,* être honteux, penaud. ‖ *Se boucher les oreilles,* refuser ostensiblement d'écouter. ‖ *Dire quelque chose à quelqu'un dans le creux, dans le tuyau de l'oreille,* de bouche à oreille, en grand secret, en confidence. ‖ *N'en pas croire ses oreilles,* être incrédule à ce qu'on vous dit. ‖ *Dresser l'oreille,* avoir brusquement l'attention attirée par quelque chose. ‖ *Cela entre par une oreille et sort par l'autre,* cela sort rapidement de l'esprit. ‖ *Etre tout oreilles,* écouter attentivement (syn. : ÊTRE TOUT OUÏE). ‖ *Faire la sourde oreille,* rester insensible à une demande. ‖ Fam. *Frotter les oreilles à quelqu'un,* le gronder. ‖ *Les murs ont des oreilles,* il y a des espions partout. ‖ *Ouvrir l'oreille, ouvrir ses oreilles,* être attentif à ce qu'on va vous dire. ‖ Fam. *En avoir par-dessus les oreilles,* être las, excédé de quelque chose (syn. : PAR-DESSUS LA TÊTE). ‖ Fam. *Avoir la puce à l'oreille,* se méfier. ‖ Fam. *Mettre la puce à l'oreille de quelqu'un,* l'avertir, le mettre en éveil. ‖ *Rougir jusqu'aux oreilles,* très fort (syn. : COMME UNE PIVOINE). ‖ *Tendre l'oreille,* écouter très attentivement. ‖ Fam. *Tirer les oreilles à quelqu'un,* le gronder familièrement. ‖ Fam. *Se faire tirer l'oreille,* se faire prier. ‖ *Ce n'est pas tombé dans l'oreille d'un sourd,* il a bien remarqué ce détail, il n'oubliera pas ces mots. ◆ **oreillons** [ɔrɛjɔ̃] n. m. pl. Maladie infectieuse, caractérisée par une inflammation des glandes parotides et des douleurs dans les oreilles.

2. oreille [ɔrɛj] n. f. Se dit de toutes sortes d'objets, allant généralement par paires et ayant très approximativement la forme d'une oreille : *Les oreilles d'un écrou. Un vieux fauteuil à oreilles. Les oreilles d'une soupière* (syn. : ANSE).

oreiller [ɔreje] n. m. Coussin de literie servant à reposer sa tête pendant le sommeil : *Aimer les oreillers mous. Confidences sur l'oreiller* (= faites dans l'intimité).

oreillette [ɔrejɛt] n. f. Chacune des deux cavités supérieures du cœur.

ores [ɔr] adv. *D'ores et déjà* [dɔrzedeʒa], dès maintenant, dès à présent, dès aujourd'hui (souvent avec *mais,* indique que le fait prévisible est pour ainsi dire en voie de réalisation; appartient à la langue soutenue) : *La production d'énergie électrique sera accrue, mais, d'ores et déjà, elle couvre les besoins actuels.*

orfèvre [ɔrfɛvr] n. m. 1° Artisan dont le métier est de faire des objets en métal précieux : *Orfèvre-joaillier.* — 2° *Etre orfèvre en la matière,* être expert en quelque chose, s'y connaître. ◆ **orfèvrerie** n. f. 1° Métier de l'orfèvre; corporation des orfèvres : *L'orfèvrerie suisse est très réputée.* — 2° Magasin d'orfèvre : *Une grande orfèvrerie-bijouterie.* — 3° (au sing. et au plur.) Ouvrages de l'orfèvre : *L'orfèvrerie d'une église* (= les objets sacrés, précieux). *Une pièce d'orfèvrerie* (= une pièce d'argenterie).

orfraie [ɔrfrɛ] n. f. 1° Oiseau de proie diurne. — 2° *Pousser des cris d'orfraie,* pousser des hurlements.

organdi [ɔrgɑ̃di] n. m. Mousseline de coton légère et apprêtée : *Robe en organdi.*

1. organe [ɔrgan] n. m. Ensemble de cellules physiologiquement différenciées et combinées, remplissant une fonction déterminée : *Les organes des sens* (syn. : APPAREIL). *Les organes génitaux* (syn. : PARTIES). *Organe malade* (syn. : VISCÈRE). ◆ **organique** adj. 1° Relatif aux organes du corps : *Avoir des troubles organiques* (= des organes). *une déficience organique.* — 2° Qui provient de tissus vivants : *De l'engrais organique* (syn. : ANIMAL, VÉGÉTAL; contr. : SYNTHÉTIQUE, CHIMIQUE). *Matières, déchets organiques.* — 3° *Chimie organique,* partie de la chimie qui étudie les composés du carbone (contr. : CHIMIE MINÉRALE). — 4° Se dit de ce qui concerne la constitution d'un être : *Vice organique* (syn. : CONGÉNITAL, CONSTITUTIONNEL). ◆ **organiquement** adv. : *Etre vivant organiquement déficient* (= du point de vue des organes). ◆ **organisme** n. m. Ensemble des organes qui constituent un être vivant : *Un organisme jeune* (syn. : ÊTRE, CORPS, CONSTITUTION). *Assurer aux enfants un développement sain de l'organisme* (= un développement physique).

2. organe [ɔrgan] n. m. 1° Instrument : *La parole est l'organe de la pensée* (syn. : VÉHICULE). — 2° Voix humaine : *Cette cantatrice a un bel organe.* — 3° Voix autorisée, porte-parole, interprète officiel : *L'organe officiel du gouvernement* (syn. : REPRÉSENTANT). *Ce journal est l'organe des modérés* (syn. : VOIX).

organique [ɔrganik] adj. 1° Se dit d'un ensemble qui fait un tout : *Un groupement organique d'associations* (syn. : CONSTITUÉ). — 2° Qui a rapport à l'essentiel de la constitution d'un Etat : *Loi organique relative aux élections.* ◆ **organiquement** adv. : *Deux institutions liées organiquement entre elles* (= formant un tout). ◆ **organisme** n. m. 1° Tout ensemble organisé : *L'organisme social* (syn. : MACHINE). — 2° Association de personnes, société officiellement reconnue : *Avoir affaire à un organisme privé* (syn. : AGENCE, BUREAU). *Organisme syndical* (syn. : ASSOCIATION). [V. aussi ORGANE 1.]

organiser [ɔrganize] v. tr. 1° *Organiser quelque chose,* le préparer selon un plan précis : *Organiser une grande réception. Organiser une campagne de publicité* (syn. : LANCER). *Organiser une réunion de copropriétaires* (syn. : CONVOQUER). — 2° *Organiser quelque chose,* le mettre en ordre de façon à le faire fonctionner : *Organiser un service dans un bureau de façon moderne* (syn. : CRÉER, FORMER). *Organiser son emploi du temps* (syn. : AMÉNAGER). *Organiser un programme de vacances* (syn. : ARRANGER, PRÉVOIR). *Organiser le travail de l'année* (syn. : RÉPARTIR). ◆ ***s'organiser*** v. pr. 1° (sujet nom de personne) Agencer son travail, ses affaires de façon harmonieuse : *Il faut savoir s'organiser* (syn. : S'ARRANGER). *Comment vais-je m'organiser?* — 2° (sujet nom de chose) S'arranger, se clarifier : *Peu à peu, tout ça va s'organiser.* ◆ **organisé, e** adj. 1° En biologie, qui est pourvu d'organes dont le fonctionnement constitue la vie : *La matière organisée* (contr. : INERTE). — 2° Qui est constitué, aménagé d'une certaine façon : *Cuisine mal organisée* (syn. : ÉQUIPÉ, INSTALLÉ, AMÉNAGÉ). *Travail bien organisé* (syn. : PLANIFIÉ, PROGRAMMÉ). *Un parti organisé.* — 3° Prévu, réglé par avance : *Service organisé pour le lavage. Voyage organisé.* — 4° Se dit d'une personne qui appartient à un parti, à une association, ou de personnes qui constituent une association : *Citoyen organisé* (= affilié à un parti, à un groupement, etc.). *Foule organisée* (syn. : ENCADRÉ). — 5° Qui sait organiser sa vie, ses affaires : *C'est une personne organisée.* ◆ **organisateur, trice** n. et adj. Personne qui organise une chose, qui a l'art d'organiser : *L'organisateur d'une cérémonie. Il est très organisateur.* ◆ **organisation** n. f. 1° Action d'organiser : *L'organisation de la coopération s'est heurtée à de nombreuses difficultés* (syn. : AMÉNAGEMENT, MISE SUR PIED). *L'organisation du territoire est confiée à des sociétés mixtes* (syn. : MISE EN VALEUR). — 2° Fait d'être organisé de telle ou telle manière : *L'organisation de ce bureau est déplorable.* — 3° Association qui se propose des buts déterminés : *Une organisation politique. Partir en vacances avec une organisation de jeunes. L'organisation des Nations unies, c'est-à-dire l'O.N.U.* ◆ **inorganisé, e** adj. 1° Qui n'a pas été organisé : *Un secteur de l'industrie encore inorganisé.* — 2° Qui ne sait pas s'organiser : *Une personne inorganisée* (syn. : DÉSORDONNÉ, BROUILLON). ◆ **inorganisation** n. f. Manque d'organisation d'une chose : *Dénoncer l'inorganisation d'un service public* (syn. : DÉSORDRE ; fam. : PAGAILLE). ◆ **réorganiser** v. tr. : *Réorganiser un magasin en fonction des nouveaux besoins de la clientèle.* ◆ **réorganisation** n. f. : *La réorganisation des services de police.* ◆ **désorganiser** v. tr. *Désorganiser quelque chose,* le mettre en désordre, en déranger l'organisation : *Tous nos projets de vacances ont été désorganisés par cette maladie* (syn. : BOULEVERSER ; fam. : CHAMBOULER). ◆ **désorganisation** n. f. : *Un groupement menacé de désorganisation par des rivalités personnelles* (syn. : DÉSAGRÉGATION, DISLOCATION). *Ces réformes partielles ont abouti à une véritable désorganisation* (syn. : ANARCHIE).

organiste n. V. ORGUE.

orge [ɔrʒ] n. f. (parfois masc.). 1° Plante portant des épis munis de longues barbes, et dont une espèce est cultivée pour l'alimentation et pour la fabrication de la bière. — 2° *Sucre d'orge,* friandise faite de sucre cuit avec une décoction d'orge et présentée sous la forme de bâtonnets colorés.

orgeat [ɔrʒa] n. m. Sirop préparé avec une émulsion d'amandes.

orgelet [ɔrʒəlɛ] n. m. Furoncle en forme de grain d'orge, situé au bord de la paupière (syn. fam. : COMPÈRE-LORIOT).

orgie [ɔrʒi] n. f. 1° Débauche : *A la veille des vacances, ils se sont livrés à une véritable orgie.* — 2° Surabondance, profusion : *Une orgie de fleurs, de musique, de lumières.* ◆ **orgiaque** adj. : *Une nuit orgiaque* (= où l'on se livre à des excès).

orgue [ɔrg] n. m. 1° Très grand instrument de musique, à vent et à clavier : *Buffet d'orgue. Facteur d'orgues. Concerto pour orgue et orchestre. Tenir l'orgue dans une église.* (Parfois au plur. pour désigner un seul instrument; il est alors fém. : *De très belles orgues.*) — 2° *Orgue de Barbarie,* orgue portatif, actionné par une manivelle. ◆ **organiste** n. Personne dont la profession est de jouer de l'orgue : *L'organiste de Notre-Dame.*

orgueil [ɔrgœj] n. m. Sentiment exagéré qu'une personne a de sa valeur ou de son importance : *Crever d'orgueil* (contr. : MODESTIE, HUMILITÉ). *Etre bouffi d'orgueil. Avoir l'orgueil de son rang* (syn. : ARROGANCE). *Cacher ses ennuis par orgueil* (syn. : FIERTÉ). *Un orgueil démesuré.* ◆ **orgueilleux, euse** adj. : *Caractère orgueilleux. Personne orgueilleuse.* ◆ **orgueilleusement** adv. : *Bomber le torse orgueilleusement.* ◆ **enorgueillir** [ɑ̃nɔrgœjir] v. tr. Rendre orgueilleux : *Ses succès l'ont enorgueilli.* ◆ ***s'enorgueillir*** v. pr. *S'enorgueillir de quelque chose, de* (et l'infin.), s'en montrer orgueilleux : *Il s'enorgueillit de l'approbation qu'il a reçue. S'enorgueillir d'être le premier à avoir réalisé un tel exploit.*

orient [ɔrjɑ̃] n. m. 1° Côté de l'horizon où le soleil se lève : *Regarder vers l'orient* (syn. : EST ; contr. : OCCIDENT). *Se diriger du côté de l'orient* (syn. : LEVANT ; contr. : OUEST). — 2° (avec une majusc.) Ensemble des pays d'Asie par rapport à l'Europe, ou de l'est du Bassin méditerranéen par rapport à l'ouest : *Proche-Orient* (= Albanie, Yougoslavie, Bulgarie, Roumanie). *Moyen-Orient* (= tous les pays baignant la Méditerranée de l'Egypte à la Turquie, plus la Perse et l'Irak). *Extrême-Orient* (= Chine, Indochine, Japon). — 3° *Le Grand-Orient de France,* la loge centrale des francs-maçons. ◆ **oriental, e, aux** adj. Qui se situe à l'orient, à l'est : *La frontière occidentale et la frontière orientale d'un pays.* ◆ adj. et n. Qui a trait à la région ou aux peuples de l'Orient : *Pays orientaux. Langues orientales. Lois et coutumes orientales* (contr. : OCCIDENTAL). ◆ **orientalisme** n. m. 1° Science des choses ou des langues de l'Orient : *Les progrès de l'orientalisme en Europe.* — 2° Goût pour les choses de l'Orient : *La mode de l'orientalisme.* ◆ **orientaliste** n. Spécialiste de l'étude des langues et des civilisations de l'Orient.

orienter [ɔrjɑ̃te] v. tr. 1° *Orienter une chose,* la disposer par rapport à une direction déterminée : *Maison bien orientée* (syn. : EXPOSER). *Orienter la lumière vers le papier* (syn. : DIRIGER). *Orienter un projecteur vers la droite* (syn. : TOURNER). — 2° *Orienter quelqu'un,* le diriger vers des études, une carrière, etc. : *Orienter un élève vers les sections modernes* (syn. : GUIDER). *Avoir été bien, mal orienté. Orienter les loisirs des enfants vers la musique ou d'autres arts.* ◆ **s'orienter** v. pr. (sujet nom de personne). 1° Déterminer la position que l'on occupe par rapport aux points cardinaux ou à tout autre repère : *Comment s'orienter dans le noir?* (syn. : SE REPÉRER, SE RETROUVER, SE RECONNAÎTRE). — 2° *S'orienter vers,* tourner son activité vers : *Il s'oriente vers de nouvelles recherches, vers des études de médecine.* ◆ **orienté, e** adj. Qui manifeste une opinion, une tendance idéologique; qui est au service d'une cause précise, d'une propagande : *Passage orienté dans un livre. Article de journal nettement orienté* (syn. : TENDANCIEUX). ◆ **orientable** adj. Que l'on peut orienter : *Bras orientable d'une machine.* ◆ **orientation** n. f. 1° Action de se repérer géographiquement par rapport aux quatre points cardinaux : *Avoir le sens de l'orientation.* — 2° Direction, tendance donnée à une action, à un ouvrage : *L'orientation d'un exposé, d'une enquête* (syn. : TENDANCE). — 3° *Orientation professionnelle,* système qui dirige les adolescents vers une carrière déterminée, en tenant compte de leurs aptitudes et de leurs goûts, ainsi que des débouchés. ◆ **orienteur, euse** n. Personne qui s'occupe d'orientation scolaire et professionnelle : *Consulter l'orienteur* (désignation courante du CONSEILLER D'ORIENTATION SCOLAIRE ET PROFESSIONNELLE). [V. DÉSORIENTER.]

orifice [ɔrifis] n. m. Entrée ou issue d'une cavité ou d'un organe du corps, qui permet l'écoulement d'un fluide : *Boucher un orifice* (syn. : OUVERTURE). *Orifice intestinal.*

oriflamme [ɔriflam] n. f. Drapeau ou bannière d'apparat : *Les rues sont pavoisées, partout claquent les drapeaux et les oriflammes.*

1. original, e, aux [ɔriʒinal, no] adj. Se dit d'une pièce, d'un document émanant directement de son auteur, de sa source : *Illustrations originales* (= dues à l'artiste lui-même). *Edition originale* (= la première sortie). *Se référer à l'acte original* (contr. : COPIE). *Gravure originale* (contr. : REPRODUCTION). ◆ **original, aux** n. m. Modèle, ouvrage primitif d'un auteur : *Faire collection d'originaux* (= tableaux, dessins, etc.). *Copie conforme à l'original. L'original de l'acte* (syn. : MINUTE; contr. : COPIE, DOUBLE). *Faire un dessin d'après l'original* (syn. : MODÈLE).

2. original, e, aux [ɔriʒinal, -no] adj. Se dit d'une personne ou d'une chose unique en son genre, qui ne ressemble à rien d'autre : *Une femme originale* (contr. : COMMUN, ORDINAIRE). *Une installation originale* (syn. : PERSONNEL, INÉDIT; contr. : TRADITIONNEL, CONFORMISTE, HABITUEL). ◆ n. Personne excentrique, qui ne ressemble à aucune autre : *C'est un original* (syn. : FANTAISISTE, PHÉNOMÈNE; fam. : FARFELU, UN NUMÉRO). *Une vieille originale* (syn. : ↑ EXCENTRIQUE; fam. : TOQUÉ). ◆ **originalité** n. f. 1° Caractère de ce qui est nouveau, singulier : *Manquer d'originalité* (syn. : PERSONNALITÉ, FANTAISIE). *L'originalité d'un écrivain* (contr. : CLASSICISME, BANALITÉ). — 2° Marque ou preuve de fantaisie et de nouveauté : *Se faire remarquer par certaines originalités* (syn. : BIZARRERIE).

origine [ɔriʒin] n. f. 1° Principe, commencement : *L'origine des temps. L'origine du monde* (syn. : NAISSANCE, GENÈSE). *Histoire des peuples des origines à nos jours* (syn. : DÉBUT). — 2° Point de départ : *Etudier l'origine du langage* (syn. : NAISSANCE, FORMATION). *Rechercher l'origine d'une croyance, d'une superstition* (syn. : FONDEMENT). *Remonter à l'origine d'une idée* (syn. : SOURCE). — 3° Cause d'un événement : *L'origine du conflit était contenue dans le traité conclu quelques années auparavant* (syn. : GERME). *A l'origine de cette maladie, il y a souvent un traumatisme. Souvenir d'enfance à l'origine d'une vocation* (syn. : BASE). — 4° Milieu d'où sont issues des personnes, des idées, des choses : *Etre d'origine bourgeoise, paysanne* (syn. : EXTRACTION, FAMILLE, NAISSANCE, ASCENDANCE). *Avoir une origine modeste. Coutume, musique d'origine africaine* (syn. : PROVENANCE). — 5° Introduction, étymologie d'un mot : *Mot d'origine savante, étrangère, populaire* (syn. : FORMATION). — 6° *A l'origine, dès l'origine,* au début, dès le début : *A l'origine, il travaillait seul. Il aurait fallu enlever cette tumeur dès l'origine.* ◆ **originaire** adj. Qui tire son origine de : *Etre originaire de Tchécoslovaquie* (syn. : NÉ EN). *Il est originaire du pays* (= indigène, autochtone; contr. : ÉTRANGER). ◆ **originairement** adv. : *Nous étions originairement dans la même situation; mais nous avons évolué différemment* (syn. : AU POINT DE DÉPART). ◆ **originel, elle** adj. Qui date de l'origine : *Le péché originel* (= que tous les hommes, selon la croyance chrétienne, ont contracté, à l'origine de l'humanité, en la personne d'Adam). *Le sens originel d'un terme* (syn. : PREMIER, INITIAL). *Parler sa langue originelle* (syn. : NATALE, MATERNELLE). ◆ **originellement** adv. Primitivement : *Cette maison devait originellement rester un bien indivis entre frères et sœurs* (= dans le plan primitif, au point de départ). *Contrat originellement vicié* (syn. : À LA BASE).

oripeaux [ɔripo] n. m. pl. Vêtements usés ou de mauvais goût : *Etre vêtu d'oripeaux* (syn. : HAILLONS, GUENILLES).

orme [ɔrm] n. m. Arbre haut de 20 à 30 mètres, à feuilles dentelées, dont le bois est utilisé en charpente et en ébénisterie : *Une allée plantée d'ormes.* ◆ **ormeau** n. m. Petit orme.

orner [ɔrne] v. tr. *Orner quelque chose,* l'arranger, l'embellir par un ou plusieurs éléments décoratifs : *Une pièce très bien ornée* (syn. : DÉCORÉ). *Orner un balcon avec des plantes vertes* (syn. : GARNIR). *Orner un discours de citations* (syn. : ENJOLIVER, ÉMAILLER). *Il faut orner cette robe d'un bijou* (syn. : ÉGAYER). *Orner un livre de dessins* (syn. : ILLUSTRER). ◆ **ornement** n. m. 1° Qualité de ce qui est purement décoratif : *Dessin d'ornement* (= décoratif). *Broder un ouvrage d'ornement. Jardin d'ornement.* — 2° Détail qui sert à la décoration : *Ornements de cheminée* (syn. : GARNITURE). *S'habiller avec élégance et sans aucun ornement* (syn. : COLIFICHET, FANFRELUCHE, FANTAISIE). — 3° Dans certains arts, détail qui agrémente un ensemble : *Ornement d'architecture* (syn. : MOTIF). *Ornements d'un frontispice. Ornements de style* (syn. : FIORITURE, ÉLÉGANCE). ◆ **ornements** n. m. pl. Dans la liturgie catholique, vêtements revêtus pour les cérémonies du culte : *Ornements sacerdotaux.* ◆ **ornemental,**

e, aux adj. 1° Qui use des ornements : *Style ornemental* (contr. : SOBRE, DÉPOUILLÉ). — 2° Qui sert à l'ornement : *Motif ornemental* (syn. : DÉCORATIF). ◆ **ornementation** n. f. Action de décorer un ensemble, de garnir d'ornements : *L'ornementation d'un monument public à X... a été confiée à un artiste en renom* (syn. : DÉCORATION). *Dessin d'ornementation* (= décoratif).

ornière [ɔrnjɛr] n. f. 1° Trace creusée par les roues de voiture dans un chemin de terre : *Les ornières boueuses d'un chemin. Enfoncer dans les ornières.* — 2° Habitude, routine : *Savoir sortir de l'ornière* (syn. : CHEMIN BATTU). *Retomber dans ses vieilles ornières* (= revenir à un état antérieur, démodé, condamné ; syn. : ERREMENTS).

ornithologie [ɔrnitɔlɔʒi] n. f. Science des oiseaux. ◆ **ornithologue** ou **ornithologiste** n.

oronge [ɔrɔ̃ʒ] n. f. Champignon dont certaines variétés sont comestibles.

orphelin, e [ɔrfəlɛ̃, -in] n. et adj. Enfant qui a perdu l'un de ses parents, ou les deux : *Etre orphelin de père* (= avoir perdu son père). ◆ **orphelinat** n. m. Etablissement où sont élevés les enfants orphelins : *Un orphelinat dirigé par des sœurs.*

orphéon [ɔrfeɔ̃] n. m. Société musicale, en général masculine : *L'orphéon du village jouait une marche militaire.*

orteil [ɔrtɛj] n. m. Doigt de pied : *Le gros orteil. Se casser le petit orteil.*

orthodoxe [ɔrtɔdɔks] adj. 1° Conforme à un dogme religieux, ou à une doctrine : *Théologie orthodoxe* (contr. : HÉRÉTIQUE). *Avoir toujours une opinion orthodoxe* (syn. : CONFORMISTE). — 2° Qui concerne les Eglises chrétiennes d'Orient : *Eglise de rite orthodoxe. Clergé orthodoxe.* ◆ n. Chrétien de rite oriental : *Congrès réunissant des catholiques romains, des orthodoxes et des protestants.* ◆ **orthodoxie** n. f. Dogme ou doctrine officielle d'une Eglise ou d'un groupe social : *L'orthodoxie catholique* (contr. : HÉRÉSIE). *Orthodoxie politique* (contr. : DÉVIATIONNISME, HÉTÉRODOXIE).

orthogonal, e, aux [ɔrtɔgɔnal, -no] adj. Se dit de droites, de plans, ou d'une droite et d'un plan qui se coupent à angle droit : *Projection orthogonale* (= projection d'une figure faite à l'aide de perpendiculaires abaissées sur un plan).

orthographe [ɔrtɔgraf] n. f. Manière d'écrire les mots d'une langue en conformité avec des usages définis et des règles traditionnelles (syn. : GRAPHIE [langue scientif.]) : *L'orthographe française s'est progressivement fixée au XVIIe siècle et n'a subi depuis le début du XIXe siècle que des modifications minimes. Avoir une mauvaise orthographe, c'est commettre des erreurs dans la transcription des mots ou des phrases. L'orthographe d'un mot est définie par l'ensemble des signes graphiques servant à transcrire ce terme.* ◆ **orthographique** adj. : *Les habitudes orthographiques sont maintenues par l'enseignement.* ◆ **orthographier** v. tr. : *Orthographiez correctement mon nom : Gautier, sans « h ».*

orthopédie [ɔrtɔpedi] n. f. Art de prévenir ou de corriger les difformités du corps : *Avoir recours à l'orthopédie.* ◆ **orthopédique** adj. : *Chirurgie orthopédique. Chaussures orthopédiques.* ◆ **orthopédiste** n. et adj. : *Aller chez l'orthopédiste. Médecin orthopédiste.*

ortie [ɔrti] n. f. 1° Plante couverte de poils contenant un liquide irritant qui pénètre dans la peau au moindre contact de la plante : *Des piqûres d'ortie.* — 2° Fam. *Jeter son froc aux orties,* quitter un ordre religieux.

ortolan [ɔrtɔlɑ̃] n. m. 1° Petit oiseau recherché pour sa chair délicate. — 2° Fam. *Manger des ortolans,* manger de très bonnes choses.

orvet [ɔrvɛ] n. m. Reptile sans pattes, proche du lézard.

os [ɔs, au plur. : o] n. m. 1° Partie dure et solide qui forme la charpente du corps de l'homme et des animaux vertébrés : *Avoir de gros os* (= un fort squelette). *Viande avec os, sans os. Donner un os à ronger à un chien. Figurines en os.* — 2° Fam. *Il y a un os,* une difficulté. ‖ Pop. *L'avoir dans l'os,* subir un échec. ‖ *En chair et en os,* en personne. ‖ Fam. *N'avoir que la peau sur les os,* être très maigre. ‖ Fam. *Jeter, donner un os à ronger à quelqu'un,* lui donner une maigre compensation. ‖ *Etre trempé jusqu'aux os,* être mouillé complètement. ‖ Fam. *Ne pas faire de vieux os,* ne pas vivre vieux. ◆ **ossature** n. f. 1° Ensemble des os dans le corps de l'homme ou de l'animal : *Une forte ossature* (syn. : SQUELETTE, CHARPENTE). — 2° Toute charpente qui soutient un ensemble : *L'ossature d'un bâtiment* (syn. : CHARPENTE). ◆ **osseux, euse** adj. 1° Qui se rapporte aux os : *Le tissu osseux* (= le tissu organique qui constitue les os). *Maladie osseuse.* — 2° *Visage osseux, main osseuse,* très maigres (contr. : GRASSOUILLET, REBONDI, DODU, CHARNU). ◆ **ossu, e** adj. Qui a de gros os : *Un grand gaillard ossu.* ◆ **ossifier (s')** v. pr. Se transformer en tissu osseux : *Le crâne s'ossifie chez l'embryon.* ◆ **ossification** n. f. ◆ **ossements** n. m. pl. Os décharnés d'un cadavre humain ou d'un animal : *Les nombreux ossements découverts ici attestent l'existence d'une nécropole préhistorique.* ◆ **osselets** [ɔslɛ] n. m. pl. 1° *Jouer aux osselets,* lancer et rattraper sur le dos de la main de petits os provenant du gigot ou du pied de mouton. — 2° *Les osselets de l'oreille,* les petits os de l'oreille moyenne : *La chaîne des osselets.* ◆ **ossuaire** n. m. Bâtiment où sont conservés des ossements humains : *Ossuaire érigé sur le lieu d'une bataille.* ◆ **désosser** v. tr. 1° *Désosser une viande,* en retirer les os : *Le boucher a désossé le rôti.* — 2° Fam. *Désosser un texte,* l'analyser minutieusement. — 3° (sujet nom de personne) *Etre désossé,* être extrêmement souple : *Valentin le Désossé* (syn. fam. : INVERTÉBRÉ) ; (sujet nom de chose) manquer de fermeté, de netteté : *Un discours désossé* (syn. : DÉCOUSU). ◆ **désossement** n. m.

oscar [ɔskar] n. m. 1° Récompense cinématographique décernée chaque année aux Etats-Unis : *Ce film a eu l'oscar de la meilleure interprétation masculine en telle année.* — 2° Se dit de toutes sortes de récompenses décernées par un jury, dans divers domaines : *Ce disque de chansons a eu un oscar l'an dernier* (syn. : PRIX).

osciller [ɔsile] v. intr. 1° (sujet nom de chose) Avoir un mouvement alternatif : *Le balancier d'une pendule oscille régulièrement* (syn. : SE BALANCER). *Un choc violent fit osciller la statue sur son socle.* — 2° (sujet nom de personne) Hésiter, penser alternativement une chose ou l'autre : *J'oscille entre deux partis contraires* (syn. : BALANCER). ◆ **oscil-**

lant, e adj. : *Un esprit perpétuellement oscillant* (syn. : HÉSITANT). ◆ **oscillation** n. f. 1° Mouvement de balancement alternatif : *Etudier la période et l'amplitude d'une oscillation.* — 2° Va-et-vient, variation : *Vos perpétuelles oscillations me fatiguent* (= votre indécision). ◆ **oscillatoire** adj. : *Mouvement oscillatoire d'un pendule.*

oseille [ɔzɛj] n. f. 1° Plante potagère à feuilles comestibles, de goût acide. — 2° *Arg.* Argent.

oser [oze] v. tr. (et l'infin. sans prép.). 1° Avoir l'audace, le courage de : *Oser poser une question dans un débat* (contr. : CRAINDRE DE). *Oser dire la vérité aux gens. Je voudrais faire cette démarche, mais je n'ose pas.* — 2° Avoir le front de, se permettre de : *Il a osé porter plainte, alors qu'il était dans son tort* (syn. pop. : AVOIR LE CULOT DE). *Qu'osez-vous dire?* ◆ **osé, e** adj. Risqué, audacieux : *Une plaisanterie osée* (syn. : LIBRE, LESTE).

osier [ozje] n. m. Variété de saule dont les rameaux sont employés en vannerie.

osmose [osmoz] n. f. 1° Interpénétration, influence : *Une lente osmose s'est produite entre ces civilisations.* — 2° Phénomène de diffusion d'une solution à travers une membrane semi-perméable.

ossature n. f., **osselets** n. m. pl., **ossement** n. m., **osseux, euse** adj., **s'ossifier** v. pr., **ossuaire** n. m. V. os.

ostensible [ɔstɑ̃sibl] adj. Que l'on ne cache pas, que l'on cherche à montrer : *De façon ostensible* (syn. : VISIBLE; contr. : DISCRET, FURTIF). *Afficher un mépris ostensible.* ◆ **ostensiblement** adv. : *Porter ostensiblement un insigne* (= sans se cacher).

ostensoir [ɔstɑ̃swar] n. m. Pièce d'orfèvrerie dans laquelle on expose l'hostie consacrée.

ostentation [ɔstɑ̃tasjɔ̃] n. f. Etalage excessif d'un avantage ou d'une qualité; geste, attitude de quelqu'un qui cherche à se faire remarquer : *Agir avec ostentation* (syn. : AFFECTATION; contr. : DISCRÉTION). *Faire ostentation de sa culture* (syn. : ÉTALAGE, MONTRE). *Par pure ostentation* (syn. : ORGUEIL, VANITÉ). ◆ **ostentatoire** adj. Fait avec ostentation : *Un luxe ostentatoire* (syn. : AFFECTÉ; contr. : DISCRET).

ostracisme [ɔstrasism] n. m. Action d'exclure, d'écarter quelqu'un d'un groupe, d'un parti politique ou d'une société : *Etre frappé d'ostracisme.*

ostréiculture [ɔstreikyltyr] n. f. Elevage des huîtres. ◆ **ostréiculteur** n. m.

ostrogoth, e [ɔstrogo, -ɔt] adj. et n. *Fam.* Se dit d'une personne grossière, bourrue. — Les *Ostrogoths* étaient un peuple germanique.

otage [ɔtaʒ] n. m. Personne livrée ou reçue en garantie de l'exécution d'une promesse, d'un traité : *Echanger des otages. Garder quelqu'un comme otage.*

otarie [ɔtari] n. f. Mammifère voisin du phoque.

ôter [ote] v. tr. 1° *Oter une chose,* l'enlever de l'endroit où elle se trouve : *J'ai ôté cette garniture de cheminée que je trouve affreuse* (syn. : SUPPRIMER). *Otez votre manteau* (syn. : ENLEVER, RETIRER; contr. : METTRE, GARDER). — 2° *Oter quelque chose à quelqu'un,* l'en déposséder, l'en débarrasser : *Je voudrais vous ôter cette idée de la tête* (syn. : ENLEVER, RETIRER). *Cette affaire m'a ôté bien des illusions et même des espoirs* (= m'a fait perdre). *Le vin m'ôte les forces* (syn. : COUPER). *La naissance de cet enfant aurait pu ôter la vie à sa mère* (syn. : COÛTER). — 3° *Oter une chose d'une autre, à une autre,* la retrancher de cette autre chose : *Oter la moitié de 100, puis encore la moitié du reste, cela fait 25* (syn. : RETRANCHER, SOUSTRAIRE, ENLEVER). *Le sucre ôte son amertume au cacao.* ◆ ***s'ôter*** v. pr. Fam. *Ote-toi de là,* retire-toi, va-t'en.

otite [ɔtit] n. f. Inflammation des oreilles : *Avoir une otite. Etre sujet aux otites.*

oto-rhino-laryngologiste [ɔtorinolarɛ̃gɔlɔʒist] n. Spécialiste des maladies des oreilles, du nez et de la gorge. (Abrév. : OTO-RHINO et O.R.L.)

ou [u] conj. de coordination. V. ET.

où [u] adv. 1° Utilisé dans les propositions interrogatives et relatives pour indiquer le lieu (avec ou sans adjonction d'une préposition) : *Où va-t-il? D'où vient-il? Par où passera-t-il? Je me demande où il est allé. Le document n'est plus dans le dossier où il avait été mis* (= dans lequel). *Il n'habite plus la ville où il était il y a cinq ans.* — 2° Employé dans des propositions relatives et des locutions conjonctives pour indiquer la date, le temps : *A l'époque où j'étais au lycée. Le soir où il y eut la représentation. Au moment où il viendra* (= quand). ● LOC. ADV. *D'où,* introduit un terme exprimant la conséquence : *Il ne s'y attendait pas, d'où sa surprise.* (V. aussi QUI.) ‖ *Là où,* v. LÀ.

ouailles [wɑj] n. f. pl. Ensemble des paroissiens d'un prêtre ou d'un pasteur (littér.) : *Un pasteur dévoué à ses ouailles.*

ouais! [wɛ] interj. *Fam.* Introduit une phrase exclamative (ou constitue à lui seul une exclamation), dont l'intonation exprime le doute, l'ironie, la perplexité, la surprise (souvent redoublé) : *Toi, un inventeur? Ouais! raconte ça à d'autres!*

ouate [wat] (l'élision d'un *e* muet précédant ce mot est souvent évitée) n. f. 1° Coton étalé en nappe et préparé pour servir de pansement ou de doublure à des vêtements chauds ou à des objets de literie : *Un paquet d'ouate hydrophile. De la ouate chirurgicale, stérilisée. Robe de chambre doublée d'ouate.* — 2° *Elever un enfant dans de la ouate,* dans du coton, avec trop de mollesse. ◆ **ouater** v. tr. Garnir d'ouate : *Ouater un manteau.* ◆ **ouaté, e** adj. Se dit d'un endroit où l'on se sent à l'abri des dérangements, où l'on vit confortablement, etc. : *Une atmosphère ouatée.* ◆ **ouatine** n. f. Etoffe molletonnée utilisée comme doublure : *Ouatine double face.* ◆ **ouatiné, e** adj. : *Un manteau ouatiné.*

oubli [ubli] n. m. 1° Absence de souvenirs dans la mémoire individuelle ou collective : *Rechercher l'oubli dans l'alcool. Le temps apporte l'oubli. L'oubli croît avec l'âge* (contr. : MÉMOIRE). *Cet écrivain est tombé dans l'oubli* (= il n'est plus connu). *Tirer un nom de l'oubli* (contr. : CÉLÉBRITÉ). — 2° Défaillance précise de la mémoire ou de l'attention : *Un oubli involontaire* (syn. : ÉTOURDERIE, NÉGLIGENCE). *J'ai un oubli, quel est votre nom?* (syn. fam. : TROU). *Réparer un oubli* (syn. : INADVERTANCE, OMISSION, INATTENTION). — 3° Manquement à des règles ou habitudes : *L'oubli des convenances* (syn. : INOBSERVATION, MANQUEMENT; contr. : RESPECT). — 4° *Oubli de soi,* renoncement à ses goûts, à ses intérêts personnels, en faveur d'une personne, d'une cause (syn. : ABNÉGATION, DÉVOUEMENT). ‖ *Oubli des* *injures,* attitude consistant à ne pas en tenir rigueur à leur auteur, à abandonner tout ressentiment (syn. : PARDON). ◆ **oublier** v. tr. 1° *Oublier quelque chose, quelqu'un,* ne pas en garder mémoire : *J'ai oublié votre nom* (contr. : RETENIR). *Avoir oublié une histoire, une affaire* (= ne pas se les rappeler). *Cette chanteuse est complètement oubliée aujourd'hui* (= personne ne s'en souvient). *J'ai oublié de passer chez vous* (contr. : PENSER À). *J'ai oublié comment on prépare ce gâteau* (= ne plus savoir). — 2° *Oublier quelque chose, quelqu'un, de* (et l'infin.), l'abandonner par étourderie; ne pas y penser : *Oublier son parapluie dans le métro* (syn. : LAISSER). *Oublier de saler la purée. Oublier un anniversaire* (syn. : NÉGLIGER). *Oublier l'heure* (= laisser passer). *Je vous ai oublié sur le palmarès* (syn. : OMETTRE). *N'oublie pas que ce paquet est très fragile.* — 3° Manquer à une règle : *Oublier sa famille, son travail, ses devoirs* (syn. : NÉGLIGER). *Oublier les règles de la politesse* (syn. : MANQUER À). — 4° *Oublier quelqu'un,* ne pas penser à lui comme il le mérite : *Oublier ses amis* (syn. fam. : LAISSER TOMBER). *Allez, on ne vous oublie pas* (= on pense à vous). — 5° *Oublier quelque chose,* n'en être plus préoccupé : *Vous m'avez fait oublier mes misères* (syn. : DISTRAIRE DE; contr. : SONGER À, RUMINER). *Oublier les horreurs de la guerre. Il faut oublier. Oublier avec le temps* (= ne plus penser à ses ennuis, à ses soucis, à ses aventures sentimentales, etc.). — 6° Pardonner : *Oublier les offenses. Faire oublier ses erreurs de jeunesse* (= se faire pardonner). — 7° *Se faire oublier,* faire en sorte de passer inaperçu, éviter de se faire remarquer : *Après toutes ces bêtises, mieux vaut qu'il se fasse oublier* (syn. fam. : FAIRE LE MORT). ◆ ***s'oublier*** v. pr. 1° Etre oublié : *La douleur s'oublie vite* (contr. : RESTER DANS LA MÉMOIRE). *De tout ce qu'on apprend au lycée, beaucoup de choses s'oublient vite* (contr. : RESTER). — 2° Perdre la conscience de soi, de ses intérêts : *Il ne s'est pas oublié dans le partage* (contr. : PENSER À SOI). — 3° Ne pas penser à l'heure ou à ses obligations : *Je m'oublie ici, je devrais être à la maison.* — 4° (sujet nom désignant un enfant, un malade, un animal) *Fam.* Manquer aux convenances; faire ses besoins : *L'enfant s'est oublié dans sa culotte.* ◆ **inoubliable** adj. : *Cette rencontre m'a laissé un souvenir inoubliable.*

oubliette [ublijɛt] n. f. 1° Cachot souterrain et obscur, où l'on enfermait autrefois certains prisonniers (souvent au plur.) : *Etre relégué dans les oubliettes. Voir la trappe des oubliettes d'un château.* — 2° Fam. *Tomber dans les oubliettes,* tomber dans l'oubli.

oued [wɛd] n. m. Cours d'eau temporaire d'Afrique du Nord et des régions arides.

ouest [wɛst] n. m. 1° Un des quatre points cardinaux, situé du côté où le soleil se couche : *Vent d'ouest* (syn. : OCCIDENT; contr. : EST, LEVANT). *Regarder vers l'ouest* (syn. : COUCHANT). *Neuilly est à l'ouest de Paris.* — 2° (avec une majusc.) *L'Ouest,* l'ensemble des départements de l'ouest de la France : *Avoir un accent de l'Ouest. Les différences économiques entre l'Ouest et l'Est.* — 3° *L'Ouest,* l'ensemble des pays de l'ouest de l'Europe et de l'Amérique du Nord, par opposition à ceux de l'est de l'Europe : *La politique de l'Ouest* (syn. : OCCIDENT). ◆ adj. invar. : *La côte ouest de la Corse est plus découpée que la côte est* (syn. : OCCIDENTAL).

ouf ! [uf] interj. 1° Exprime le soulagement après une épreuve, un travail difficile, une sensation d'oppression : *Ouf! il est enfin parti. Ouf! enfin, on respire.* — 2° Fam. *Sans avoir le temps de dire ouf, sans faire ouf,* sans pouvoir répliquer, sans que l'on ait le temps de prononcer un mot : *Et sans avoir le temps de dire ouf, elle s'est vu entre les mains une centaine de lettres à dactylographier.*

oui [wi], **si** [si] adv. d'affirmation. Indiquent une réponse positive à une question (contr. : NON). [V. tableau ci-contre.]

ouï-dire [widir] n. m. invar. *Apprendre, savoir,* etc., *quelque chose par ouï-dire,* l'apprendre, le savoir par la rumeur publique.

ouïe ! ou **ouille !** [uj] interj. Sert à exprimer une douleur vive : *Ouïe! fais donc attention, regarde où tu marches!*

1. ouïe [wi] n. f. Sens de la perception des sons : *Les organes de l'ouïe. Avoir l'ouïe fine* (= entendre très bien). *Je suis tout ouïe* (fam. = je vous écoute; syn. : TOUT OREILLES).

2. ouïes [wi] n. f. pl. 1° Branchies et surtout orifices externes des branchies des poissons : *Enlever les ouïes d'un poisson pour le faire cuire.* — 2° Ouvertures en forme d'S pratiquées sur la table supérieure d'un violon.

ouïr [uir] v. tr. *Avoir ouï dire que,* avoir entendu dire que (avec une intention humoristique). [Les formes de *ouïr* autres que le part. passé sont pratiquement inusitées.]

ouistiti [wistiti] n. m. Singe de très petite taille, portant une longue queue et une touffe de poils à la pointe de chaque oreille.

oukase [ukaz] n. m. Décision autoritaire et impérative : *Prendre un oukase.* (On appelait *oukases* les édits des tsars.)

ouragan [uragɑ̃] n. m. 1° Temps caractérisé par un vent très violent, accompagné ou non de pluie et d'orage : *Se trouver dans un ouragan* (syn. : TEMPÊTE). — 2° Ce qui a l'impétuosité de l'ouragan : *Déchaîner un ouragan de protestations* (syn. : TEMPÊTE). *Arriver en ouragan* (= très brusquement).

ourdir [urdir] v. tr. Disposer, combiner les éléments d'une intrigue (littér.) : *Ourdir une conspiration en secret* (syn. : TRAMER, MACHINER).

ourlet [urlɛ] n. m. Repli cousu au bord d'une étoffe : *Point d'ourlet. Faire un ourlet à un vêtement trop long.* ◆ **ourler** v. tr. 1° Faire un repli cousu au bord d'une étoffe : *Ourler un mouchoir.* — 2° *Oreille bien ourlée,* au repli régulier.

ours [urs] n. m. 1° Mammifère carnivore, au corps lourd et massif : *L'ours peut peser jusqu'à six cents kilos.* — 2° Fam. *Tourner comme un ours en cage,* aller et venir sans raison. ‖ Fam. *Ours mal léché,* personne mal élevée, bourrue. ‖ Fam. *Vivre en ours,* en sauvage. ◆ **ourse** n. f. Femelle de l'ours. ◆ **ourson** n. m. Petit de l'ours.

Ourse n. f. *Petite Ourse, Grande Ourse,* constellations de l'hémisphère boréal.

oursin [ursɛ̃] n. m. Animal marin à carapace calcaire couverte de piquants, en partie comestible.

oust ! ou **ouste !** [ust] interj. *Fam.* Exprime un mouvement brusque, qui vise souvent à l'expulsion, ou incite à presser le mouvement : *Et puis oust!*

oui	**si**
1° Réponse positive à une question (en tête de phrase) : « *Avez-vous vu ce film? — Oui.* » « *Le voyez-vous souvent? — Oui, nous prenons le même autobus.* » « *Est-il rétabli? — Oui, le docteur lui a permis de se lever.* » En combinaison avec *et non,* indique une réponse dubitative : « *Vous êtes content en ce moment de vos affaires? — Oui et non.* »	1° Réponse positive à une question comprenant un terme négatif : « *Personne n'est venu? — Si, André.* » « *N'a-t-il pas été en Bretagne l'année dernière? — Si, pour un mois.* »
2° Sert de renforcement à une affirmation : *C'est un paresseux, oui, oui, un paresseux. Tu aurais peur, oui! Tu as fini de faire du bruit, oui!*	2° Sert de réfutation à une énonciation négative : « *Il n'est pas venu aujourd'hui. — Si, mais il n'est resté que quelques instants.* » « *Je ne le connais pas. — Mais si, vous l'avez rencontré un jour chez moi.* »
3° Peut représenter, après un verbe d'énonciation ou d'opinion, une phrase ou un membre de phrase précédents en confirmant la réalité de l'affirmation : « *Serez-vous libre samedi? — Je pense que oui.* » *Il dit toujours oui, mais, finalement, il n'en fait qu'à sa tête* (= il paraît accepter). *Répondez par oui ou par non. Je crois qu'oui* (= je suis presque sûr).	3° Peut représenter, après un verbe d'énonciation ou d'opinion, une phrase ou un membre de phrase précédents pour affirmer le contraire : *Vous affirmez que cet éclairage n'est pas défectueux. Je vous réponds que si : on y voit très mal. Il semble bien que si. Il me répond que si.*
4° Peut être renforcé par *certes, ma foi, vraiment, mais, ah ça, certainement, assurément, sûrement,* et dans la langue familière par *que* : « *Et ce livre vous a plu? — Mais oui!* » « *Alors vous êtes d'accord? — Ma foi oui.* » *Il aime les gâteaux — que oui, trop même!* Avec *merci,* peut remplacer une négation : *Lui servir de secrétaire? Ah bien oui, merci! vous ne le connaissez pas.*	4° *Si fait* est un renforcement de *si* dans la langue soutenue, *mais si* dans la langue usuelle : « *Vous n'avez pas fini de lire ce roman? — Si fait, je suis resté pour cela dimanche après-midi chez moi.* »
N. M. INVAR. Réponse affirmative : *Les oui au référendum* (contr. : NON). *Se fâcher pour un oui ou pour un non* (= pour un motif futile).	N. M. INVAR. Approbation : *Des si et des mais.*

dehors, on vous a assez vu. Allons, ouste! dépêche-toi.

outarde [utard] n. f. Oiseau échassier habitant les grandes plaines, recherché pour sa chair savoureuse.

outil [uti] n. m. 1° Instrument fabriqué par l'homme pour faire un travail manuel : *Une boîte à outils bien montée. Outils de jardinier* (syn. : INSTRUMENT, USTENSILE). *Avoir un outil bien en main.* — 2° Tout instrument de travail : *Ce livre est un outil de travail précieux.* ◆ **outillage** n. m. Ensemble des outils, des machines nécessaires à l'exercice d'une activité ou d'une profession manuelle : *Un outillage moderne* (syn. : ÉQUIPEMENT). *L'outillage du parfait bricoleur.* ◆ **outillé, e** adj. Muni des outils, des instruments nécessaires à un travail : *Atelier bien outillé* (syn. : MONTÉ, ÉQUIPÉ). *Je suis trop mal outillé pour ce travail.*

outrage [utraʒ] n. m. Affront ou offense grave, manquement à une règle morale : *Outrage à magistrat* (syn. : AFFRONT). *Outrage au bon sens* (syn. : INJURE). *Etre condamné pour outrage à la pudeur* (syn. : ATTENTAT). ◆ **outrager** v. tr. Offenser gravement : *Outrager quelqu'un par ses remarques* (langue soignée; syn. : INSULTER). *Prendre un air outragé* (syn. : OFFENSÉ). ◆ **outrageant, e** adj. Insultant : *Tenir des propos outrageants.* ◆ **outrageux, euse** adj. 1° Qui a le caractère d'un outrage : *Un soupçon outrageux* (syn. : INSULTANT). — 2° Excessif : *Se vanter d'une manière outrageuse.* ◆ **outrageusement** adv. Excessivement : *Femme outrageusement fardée.*

outrance n. f. V. OUTRER.

1. outre [utr] n. f. Peau de bouc cousue en forme de sac, pour conserver et transporter des liquides : *Une outre de vin. Gonflé comme une outre* (= très plein).

2. outre [utr] prép. En plus de, en sus de (langue soignée) : *Outre son travail régulier, il fait des heures supplémentaires* (syn. : EN PLUS DE). *Outre leurs enfants et une cousine, ils logent une amie de la famille.* ◆ adv. *Passer outre,* ne pas s'arrêter, ne pas s'attarder sur un point : *Cet employé travaille lentement, mais je préfère passer outre* (= ne rien dire). *Je lui fais des observations, mais il passe outre* (= il n'en tient aucun compte). *Passer outre aux inconvénients d'un logement* (= les négliger). • LOC. ADV. *Outre mesure,* au-delà de ce qui convient (langue soutenue) : *Boire outre mesure* (syn. : TROP). ‖ *En outre,* de plus : *J'ai lu toute l'œuvre de Hugo, et, en outre, j'ai vu jouer plusieurs de ses pièces* (syn. : DE PLUS).

3. outre [utr] préfixe entrant dans la composition de certains mots avec le sens de « au-delà de » : *outre-monts, outre-Rhin, outre-Atlantique, outre-Manche,* etc.

outrecuidance [utrəkɥidɑ̃s] n. f. Confiance excessive en soi-même (langue soignée) : *Parler avec outrecuidance* (syn. : FATUITÉ, ORGUEIL). *Répondre à quelqu'un avec outrecuidance* (syn. : ↓ SUFFISANCE, ↑ ARROGANCE). *Quelle outrecuidance!* (syn. : ↓ PRÉSOMPTION). ◆ **outrecuidant, e** adj. Qui manifeste une confiance excessive en soi-même : *Une personne outrecuidante* (= infatuée d'elle-même; syn. : ↓ PRÉSOMPTUEUX). *Une attitude outrecuidante.*

outremer [utrəmɛr] n. m. Couleur d'un beau bleu, extraite d'une pierre fine.

outre-mer [utrəmɛr] loc. adv. Au-delà des mers, par rapport à un pays défini, à une métropole : *Les territoires d'outre-mer.*

outrepasser [utrəpase] v. tr. *Outrepasser ses droits,* aller au-delà de ce qui est prescrit, de ce qui est légal.

outrer [utre] v. tr. **1°** *Outrer quelque chose,* lui donner une importance, une grandeur, une force exagérée : *Outrer la vérité* (syn. : FORCER). *Tenir des propos outrés* (= excessifs). — **2°** *Outrer quelqu'un,* provoquer chez lui une vive indignation : *Vos propos m'ont outrée* (syn. : INDIGNER). *Je suis outré de votre conduite.* ◆ **outrance** n. f. **1°** Excès dans les paroles ou le comportement : *Un jugement qui perd toute valeur par son outrance.* — **2°** Chose excessive, exagérée : *Une outrance verbale.* ● LOC. ADV. *A outrance,* jusqu'à l'excès, exagérément, à fond : *En travaillant à outrance, il me faut une semaine.* ◆ **outrancier, ère** adj. : *Caractère outrancier* (= qui exagère). *Propos outranciers* (syn. : EXCESSIF).

outre-tombe [utrətɔ̃b] loc. adv. Au-delà de la mort : *Une voix d'outre-tombe.*

outsider [utsaidœr] n. m. Concurrent d'une épreuve, sportive ou autre, qui peut gagner, mais n'est pas parmi les favoris : *Cette course a été gagnée par un outsider. Victoire aux élections remportée par un outsider* (= un candidat jusque-là inconnu).

ouvertement adv.; **ouverture** n. f. V. OUVRIR.

ouvrable [uvrabl] adj. *Jour ouvrable,* jour où l'on travaille : *La femme de ménage ne vient que les jours ouvrables* (par oppos. à *jours non ouvrables*).

ouvrage [uvraʒ] n. m. **1°** Travail, besogne : *Avoir de l'ouvrage* (syn. fam. : DU PAIN SUR LA PLANCHE). *Mettre la main à l'ouvrage* (= à la pâte [fam.]). *Avoir le cœur à l'ouvrage* (= être en bonne forme pour travailler). *C'est un ouvrage difficile. Je me mets à l'ouvrage* (syn. : ŒUVRE). — **2°** Objet travaillé : *Ouvrage de dames* (= travail de couture, de tapisserie, tricot, etc.). — **3°** Fortification : *Un ouvrage avancé.* — **4°** Production, travail de l'esprit : *Un gros ouvrage de chimie* (syn. : LIVRE, TRAITÉ; fam. : BOUQUIN). *Publier un ouvrage sur la politique contemporaine.* — **5°** Fam. *De la belle ouvrage,* se dit d'une chose réussie (style plaisant). ◆ **ouvragé, e** adj. Travaillé avec minutie : *Un lambris ouvragé* (syn. : SCULPTÉ; contr. : GROSSIER). *Un napperon ouvragé* (syn. : BRODÉ).

ouvré, e [uvre] adj. Travaillé, façonné avec soin : *Métal ouvré. Bague ouvrée.*

ouvreuse [uvrøz] n. f. Femme chargée de placer les spectateurs dans un cinéma, un théâtre : *Les ouvreuses reçoivent des pourboires.*

ouvrier, ère [uvrije, -ɛr] n. **1°** Homme ou femme qui exécute un travail manuel ou mécanique, le plus souvent en usine, et dont le salaire est généralement horaire ou fixé aux pièces : *Ouvrier spécialisé. Comparer le sort des ouvriers à celui des employés. Ouvrier agricole. Agitation chez les ouvriers* (par oppos. à *employeur, patron*). — **2°** Artisan, personne qui fait un travail : *C'est un bon ouvrier* (= il travaille bien). ◆ **ouvrier, ère** adj. : *La classe ouvrière, le monde ouvrier* (= les ouvriers). *Habiter une cité ouvrière* (= destinée au logement des ouvriers). *Les revendications ouvrières.* ◆ **ouvriérisme** n. m. Doctrine qui considère les ouvriers comme seuls qualifiés pour diriger le mouvement socialiste.

ouvrir [uvrir] v. tr. (conj. **16**). [Le contraire, dans presque tous les emplois, est *fermer.*] **1°** Oter ou écarter l'obstacle qui sépare l'intérieur de l'extérieur; permettre d'accéder, de voir à l'intérieur : *Ouvrir une bouteille* (= en retirer le bouchon). *Ouvrir une boîte de conserves. Ouvrir une valise* (= soulever le couvercle). *Ouvrir une armoire* (= écarter les portes). *Les enquêteurs ont ouvert toutes les pièces de la maison. Un commerçant qui ouvre sa boutique. Ouvrir la bouche pour crier. Il n'a pas ouvert la bouche de la soirée* (= il n'a rien dit). *Ouvrez bien vos yeux, vos oreilles* (= regardez, écoutez attentivement). *Ouvrir son col de chemise. Ouvrir un paquet* (syn. : DÉBALLER). *Il se hâta d'ouvrir la lettre* (syn. : DÉCACHETER). — **2°** Provoquer une déchirure, une plaie en coupant : *Le chirurgien a ouvert l'abcès* (syn. : INCISER). *Un éclat d'obus lui avait ouvert la jambe.* — **3°** Ecarter des parties appliquées l'une sur l'autre ou sur autre chose : *Ouvrez votre livre à la page 100. Il ouvrit son journal. L'oiseau ouvre ses ailes pour s'envoler* (syn. : DÉPLOYER). *Ouvrir ses bras pour embrasser son enfant.* — **4°** *Ouvrir une porte, une fenêtre, une barrière,* etc., les disposer de telle sorte qu'elles permettent le passage, la vue : *Ouvrez le vasistas, on étouffe ici. Ouvrir les volets. L'automobiliste ouvrit sa portière, et descendit;* et absol. : *Frappez, on vous ouvrira.* — **5°** *Ouvrir une brèche, un passage,* etc., les pratiquer, les établir : *Un obus a ouvert un trou dans le mur de la maison. On a ouvert une large avenue dans ce quartier* (syn. : PERCER). — **6°** *Ouvrir un magasin, un établissement,* etc., les créer : *Un nouveau lycée a été ouvert dans cette banlieue. Une maison de commerce qui a ouvert plusieurs succursales en province* (syn. : FONDER). — **7°** *Ouvrir la lumière, la radio,* etc., faire fonctionner l'éclairage, la radio, etc. — **8°** *Ouvrir un crédit, un compte à quelqu'un,* commencer à lui faire crédit. — **9°** *Ouvrir quelque chose* (nom abstrait), le commencer, l'inaugurer : *Un bref discours du président ouvrit la cérémonie. Ouvrir le bal par une valse. Ouvrir des négociations.* — **10°** *Ouvrir l'esprit à quelqu'un,* le rendre plus capable de comprendre : *Je ne m'étais aperçu de rien, mais ce détail m'a soudain ouvert l'esprit* (= m'a éclairé). ‖ *Ouvrir des horizons à quelqu'un,* lui faire découvrir des choses insoupçonnées. ◆ v. intr. **1°** *Porte, fenêtre qui ouvre sur,* qui donne accès à, qui regarde vers (syn. : DONNER). — **2°** *Magasin, commerçant qui ouvre à telle heure,* qui reçoit les clients à partir de telle heure. — **3°** *Ouvrir à cœur, à trèfle,* etc., au jeu de cartes, commencer à enchérir ou à jouer dans cette couleur. ◆ ***s'ouvrir*** v. pr. **1°** (sujet nom de chose) *La porte, la fenêtre,* etc., *s'ouvre,* une force qui agit sur elles les ouvre. — **2°** (sujet nom désignant une fleur) S'épanouir. — **3°** *La séance, le procès,* etc., *s'ouvre,* ils commencent. — **4°** (sujet nom de personne) *S'ouvrir à quelqu'un d'un projet, d'une intention,* lui en faire part. — **5°** *Personne, esprit qui s'ouvre aux arts, aux problèmes économiques,* etc., qui s'y intéresse, qui les découvre. ◆ **ouvrant, e** adj. Se dit de ce qui peut être ouvert : *Une voiture à toit ouvrant.* ◆ **ouvert, e** adj. **1°** Se dit de ce qui n'est pas fermé : *Valise ouverte. Porte ouverte. Ville* ouverte (contr. : FERMÉ). *Une mine à ciel ouvert* (= à découvert). *Lettre ouverte* (= article conçu sous forme de lettre et publié dans la presse). — **2°** Se dit d'un lieu accessible à quelqu'un : *Bibliothèque ouverte aux étudiants seulement. Un bureau ouvert au public* (contr. : FERMÉ). — **3°** Se dit d'un groupe humain ou de quelqu'un qui est accueillant, accessible : *Une famille, un milieu très ouverts. Caractère très ouvert* (= franc, qui aime se livrer). *Une physionomie ouverte* (syn. : AVENANT, FRANC). ◆ **ouvertement** adv. Sans déguisement, sans cacher ses intentions : *Il a déclaré ouvertement qu'il ne craignait personne* (syn. : PUBLIQUEMENT, ↑ OSTENSIBLEMENT). ◆ **ouverture** n. f. **1°** Action d'ouvrir : *Des clients faisaient la queue dehors une demi-heure avant l'ouverture du magasin. L'ouverture de deux nouvelles routes à la circulation. L'ouverture de la chasse a lieu en septembre. Les formalités nécessaires à l'ouverture d'un compte en banque.* — **2°** Espace vide permettant une communication entre deux lieux, entre l'intérieur et l'extérieur : *Il y a plusieurs ouvertures dans le vieux mur de la propriété* (syn. : TROU, BRÈCHE). *Toutes les ouvertures de la maison regardent vers le midi* (= les portes et les fenêtres). — **3°** *Ouverture d'esprit,* aptitude à comprendre des questions diverses, à s'y intéresser. ‖ *Ouverture de cœur,* aptitude à compatir aux maux des autres, faculté de sympathie. ‖ *Avoir des ouvertures sur une question,* des idées générales, des aperçus. ‖ *Faire des ouvertures,* des propositions, des offres. ◆ **ouvre-boîtes** [uvrəbwat] n. m. invar. Instrument pour ouvrir les boîtes de conserve. ◆ **ouvreur, euse** n. Dans certains jeux de cartes, personne qui commence les enchères. (V. aussi OUVREUSE.) ◆ **entrouvrir** v. tr. *Entrouvrir quelque chose,* l'ouvrir partiellement, en en écartant, en en séparant les parties : *Il entrouvrit son pardessus pour chercher son portefeuille dans la poche de son veston. Entrouvrir la porte pour appeler quelqu'un dans la pièce voisine* (syn. : ENTREBÂILLER). *Un enfant qui dort la bouche entrouverte.* ◆ **rouvrir** [ruvrir] v. tr. Ouvrir de nouveau : *Rouvrir une porte, un livre, une école.* ‖ *Rouvrir une blessure, une plaie,* ranimer une douleur. ◆ **réouverture** n. f. : *La réouverture d'un magasin, d'un théâtre.*

ouvroir [uvrwar] n. m. Endroit où se réunissent les dames d'une paroisse, ou les religieuses d'un couvent, pour faire des travaux d'aiguille bénévoles.

ovaire [ɔvɛr] n. m. Glande génitale femelle. ◆ **ovarien, enne** adj. : *Une maladie ovarienne.*

ovale [ɔval] adj. Se dit d'une courbe fermée et allongée rappelant la forme d'un œuf en plan ou en volume : *Une table ovale. Un ballon ovale.* ◆ n. m. Courbe plane imitant l'ellipse : *Dessiner un ovale.*

ovation [ɔvasjɔ̃] n. f. Honneurs rendus à quelqu'un par une assemblée ou par une foule : *Etre accueilli, salué par une ovation. On lui a fait une véritable ovation à son entrée.* ◆ **ovationner** v. tr. : *L'orateur a été ovationné* (contr. : HUER ; syn. : APPLAUDIR).

ovin, e [ɔvɛ̃, -in] adj. Qui concerne les moutons et les brebis : *Les races bovines et les races ovines.*

ovipare [ɔvipar] adj. Se dit d'un animal qui se reproduit par des œufs pondus avant l'éclosion : *Les poules sont ovipares* (contr. : VIVIPARE).

oxyde [ɔksid] n. m. Composé résultant de la combinaison d'un corps avec l'oxygène : *L'oxyde de carbone a pour formule CO.* ◆ **oxyder (s')** v. pr. Passer à l'état d'oxyde, se couvrir d'oxyde : *L'argent noircit en s'oxydant.* ◆ **oxydation** n. f. : *L'oxydation du fer produit la rouille.* ◆ **inoxydable** adj. Qui ne s'oxyde pas : *Un couteau en acier inoxydable.*

oxygène [ɔksiʒɛn] n. m. **1°** Corps simple entrant pour un cinquième dans la composition de l'air atmosphérique : *L'oxygène est un gaz incolore, inodore et sans saveur. Malade placé sous une tente à oxygène.* — **2°** Air pur, non vicié : *Aller faire une cure d'oxygène à la montagne.* ◆ **oxygéner (s')** v. pr. **1°** *Fam.* Respirer de l'air pur : *Les citadins vont s'oxygéner le dimanche à la campagne.* — **2°** *S'oxygéner les cheveux,* les décolorer à l'eau oxygénée. ◆ **oxygéné, e** adj. *Eau oxygénée,* solution aqueuse employée comme antiseptique.

ozone [ozɔn] n. m. Gaz d'odeur forte, servant en particulier à la stérilisation des eaux. ◆ **ozonisation** n. f. Stérilisation des eaux par l'ozone.

P

p n. m. V. Introduction.

pacage [pakaʒ] n. m. Terrain couvert d'herbe où l'on fait paître les bestiaux : *Mener les bêtes au pacage.*

pacha [paʃa] n. m. Fam. *Mener une vie de pacha,* mener une vie paisible et fastueuse en se faisant servir par les autres. (*Pacha* était un titre honorifique des gouverneurs de province, dans l'ancienne Turquie.)

pachyderme [paʃidɛrm] n. m. Animal à peau épaisse, comme l'éléphant, l'hippopotame, le rhinocéros.

pacifier v. tr., **pacifique** adj. V. PAIX.

pack [pak] n. m. Ensemble des avants d'une équipe de rugby.

pacotille [pakɔtij] n. f. (*Marchandise*) *de pacotille,* sans valeur, de qualité inférieure.

pacte [pakt] n. m. Convention solennelle entre des Etats ou entre des particuliers : *Rompre, violer, signer un pacte* (syn. : TRAITÉ). *Un pacte d'alliance. Faire un pacte avec le diable* (= faire alliance avec une personne dangereuse afin d'obtenir quelque avantage). *Conclure un pacte* (syn. : MARCHÉ). *Faire un pacte avec la chance* (= en être favorisé constamment). ◆ **pactiser** v. intr. Péjor. *Pactiser avec quelqu'un,* se mettre d'accord avec lui : *Pactiser avec l'ennemi. Pactiser avec le crime* (syn. : COMPOSER, TRANSIGER).

pactole [paktɔl] n. m. *C'est un pactole, c'est un vrai pactole,* c'est une vraie source de richesses.

paddock [padɔk] n. m. 1° Dans un hippodrome, enceinte réservée où les chevaux sont promenés en main. — 2° Syn. pop. de LIT.

1. paf ! [paf] interj. Exprime un bruit de coup, de chute, un accident brusque (souvent en combinaison avec *pif*) : *Paf! il reçut la gifle en pleine figure* (syn. : VLAN!). *Paf! il est tombé par terre de tout son poids* (syn. : BOUM!).

2. paf [paf] adj. Pop. *Etre paf,* être ivre : *Il était drôlement paf hier soir* (syn. fam. : SOÛL).

pagaie [pagɛ] n. f. Aviron court que l'on manie sans le fixer sur l'embarcation. ◆ **pagayer** v. intr. Faire mouvoir un canot à la pagaie : *Il pagayait vigoureusement pour remonter le courant.*

pagaille ou **pagaïe** [pagaj] n. f. 1° *Fam.* Désordre : *Quelle pagaille sur son bureau! C'est une pagaille complète dans cette administration. Mettre la pagaille partout.* — 2° Fam. *Il y en a en pagaille,* en grande quantité (syn. : EN MASSE). ◆ **pagailleux, euse** adj. et n. *Fam.* Désordonné.

paganisme n. m. V. PAÏEN.

1. page [paʒ] n. f. 1° Chacun des deux côtés d'une feuille de papier capable de recevoir un texte imprimé ou manuscrit, des dessins, etc. : *La catastrophe est racontée à la première page du journal. La page des petites annonces. Garder une page avec un signet. Je n'ai pas trouvé la page où se trouve cette remarque. Noircir des pages en écrivant. Un livre de deux cents pages. Etre payé à la page. Le titre est en haut de page. La mise en pages* (= opération par laquelle on dispose les différentes parties de la composition typographique). *Commencer en belle page* (= en page de droite). — 2° Feuillet complet : *Déchirer une page. Il manque une page dans le livre. Tourner les pages. Ecorner une page.* — 3° Passage d'une œuvre littéraire : *Les plus belles pages d'un roman.* — 4° *Les belles pages de l'histoire* (de France), les événements les plus glorieux de cette histoire. ‖ *Ecrire une page glorieuse, sanglante,* etc., accomplir un acte glorieux, sanglant, etc., qui marque dans l'histoire. ‖ *Tourner la page,* passer sous silence, oublier le passé sans se perdre en regrets ou en reproches inutiles. ‖ *Une page est tournée,* on est passé à un état historique tout différent du précédent : *Avec la prise de la Bastille une page de l'histoire est tournée.* ‖ *Etre à la page,* être au courant de ce qui se passe, de ce qui se fait. ◆ **paginer** v. tr. Numéroter les pages d'un cahier, d'un livre. ◆ **pagination** n. f. Manière dont un livre est paginé : *Une erreur de pagination.*

2. page [paʒ] n. m. Jeune noble qui était placé près d'un noble de rang supérieur pour apprendre le métier des armes et le servir en quelques occasions : *Etre hardi, effronté comme un page.*

pageot [paʒo] n. m. *Pop.* Lit. ◆ **pageoter (se)** v. pr. *Pop.* Se mettre au lit.

pagne [paɲ] n. m. Morceau d'étoffe dont certains peuples d'Afrique ou d'Asie se couvrent de la ceinture aux genoux.

pagode [pagɔd] n. f. Temple de l'Extrême-Orient : *Pagode chinoise, japonaise.*

paie, paye n. f., **paiement** n. m. V. PAYER.

païen, enne [pajɛ̃, ɛn] adj. et n. 1° Se dit de tous les peuples non chrétiens de l'Antiquité : *Les dieux de la civilisation païenne. Les religions païennes. Les païens adoraient plusieurs dieux.* — 2° Qui n'a pas de religion (littér.) : *Un païen qui ne se soucie pas de la morale!* (syn. : IMPIE). *Jurer comme un païen.* ◆ **paganisme** n. m. Etat de ceux qui ne sont pas chrétiens.

paillard, e [pajar, -ard] adj. *Fam.* Se dit de quelqu'un (ou de son comportement) qui est enclin à la vie dissolue, aux plaisirs de la chair, qui tient des propos grivois : *Une histoire paillarde* (syn. : ↓ POLISSON; pop. : COCHON). *Un rire paillard* (syn. : GRAS). *Un paysan paillard.* ◆ **paillardise** n. f. Acte ou parole grivoise, manifestant un penchant aux plaisirs de la chair.

paillasse [pajas] n. f. Grand sac de toile bourré de paille, de balle d'avoine, et dont on garnit le fond d'un lit : *Coucher sur une paillasse. Sur la paillasse on met un matelas.*

paillasson [pajasɔ̃] n. m. Natte en fibres dures qu'on place à la porte des appartements pour s'essuyer les pieds : *La concierge a déposé les lettres sous le paillasson. Mettre la clef sous le paillasson.*

1. paille [pɑj] n. f. **1°** Tiges des céréales dépouillées de leur grain : *Une botte de paille. La paille du blé est répandue sur le champ. Brin, fétu de paille. La paille tressée sert à faire des corbeilles, des sièges.* — **2°** Tuyau de paille ou petit cylindre de papier, de matière plastique, servant à aspirer un liquide : *Boire une citronnade avec une paille.* — **3°** *Chapeau de paille,* coiffure d'été en paille, d'homme ou de femme. ‖ *Paille de fer,* fins copeaux de métal réunis en paquet pour nettoyer les parquets. ‖ *Un feu de paille,* v. FEU 1. ‖ *Etre, coucher, mourir sur la paille,* dans la misère. ‖ *Mettre quelqu'un sur la paille,* le ruiner. ‖ *Tirer à la courte paille,* tirer au sort avec des brins de paille de longueur inégale. (Celui qui tire la paille la plus courte est choisi.) ‖ Pop. et ironiq. *Une paille!,* une chose insignifiante : *Cent mille francs à verser en deux ans, une paille pour lui!* ‖ *Homme de paille,* complice qui prête son nom dans une affaire malhonnête, qui aide quelqu'un dans une entreprise criminelle. ◆ adj. invar. De couleur jaune clair : *Des gants paille.* ◆ **empailler** [ɑ̃paje] v. tr. **1°** *Empailler un siège,* le garnir de paille tressée. — **2°** *Empailler un animal,* remplir de paille sa peau, quand il est mort, afin de lui garder son aspect (syn. : NATURALISER). ◆ **empaillé, e** n. *Pop.* Personne indolente, stupide. ◆ **empailleur** n. m.

2. paille [pɑj] n. f. Défaut interne d'une pièce de métal ou de verre.

paillette [pajɛt] n. f. **1°** Petite lame très mince, faite de métal brillant, et qu'on applique sur une étoffe pour la faire scintiller : *Une robe à paillettes d'or. Un voile de paillettes d'argent.* — **2°** *Savon, lessive en paillettes,* en petites lamelles. — **3°** Parcelle d'or qu'on trouve dans le sable de quelques rivières. ◆ **pailleter** v. tr. (conj. 8). Orner de paillettes (surtout au part. passé) : *Des cheveux pailletés d'or.*

paillote [pajɔt] n. f. Hutte de paille ou d'un matériau analogue.

pain [pɛ̃] n. m. **1°** Aliment fait de farine pétrie, fermentée et cuite au four : *Le pain est surtout fait de farine de blé; mais il y a aussi du pain de seigle. Du pain de fantaisie* (= vendu à la pièce et non au poids). *Pain de mie* (= qui a peu de croûte). *Du gros pain* (= vendu au poids). *Pain bis* (= dont la farine contient encore le son). *Pain dur* ou *pain rassis. Pain frais* ou *tendre. Pain noir* (= fait avec la farine de sarrasin). *Pain viennois* (= dont la pâte contient un peu de lait). — **2°** (avec un compl. ou un adj.) Nom donné à certains aliments où entre de la farine : *Pain de Gênes* (gâteau à base d'œufs, de sucre, de farine et d'amandes). *Pain perdu* (pain rassis trempé dans du lait aromatisé et doré à la poêle). *Pain d'épice* (gâteau de farine de seigle, de sucre et de miel). — **3°** Préparation culinaire où entre de la mie de pain : *Pain de poisson, de champignons.* — **4°** Masse de matière qui a une forme allongée : *Pain de sucre, de savon. Un pain à cacheter* (les lettres). — **5°** Fam. *Avoir du pain sur la planche,* avoir beaucoup de travail à faire. ‖ *Gagner son pain quotidien,* ce qui est nécessaire pour la subsistance journalière. ‖ *Long comme un jour sans pain,* très long. ‖ *Manger son pain blanc le premier,* jouir d'un moment présent, de circonstances favorables qui ne vont pas durer. ‖ Fam. *Ça se vend comme des petits pains,* avec une grande facilité. ‖ *Retirer le pain de la bouche de quelqu'un,* le priver du nécessaire. ‖ *Faire passer le goût du pain à quelqu'un,* le tuer. ◆ **panifiable** adj. *Farine panifiable,* qui est propre à être transformée en pain. ◆ **panifier** v. tr. Transformer en pain. ◆ **panification** n. f.

1. pair, e [pɛr] adj. *Nombre pair,* celui qui est divisible par deux : *Deux, quatre, trente-deux sont des nombres pairs.* ‖ *Numéro pair,* qui est représenté par un nombre pair : *Les numéros pairs gagnent dix francs.* ‖ *Jouer pair,* à la roulette, jouer les numéros pairs. ◆ **impair, e** adj. Contr. de PAIR. ◆ **impair** n. m. *Fam.* Maladresse choquante : *Commettre un impair* (syn. fam. : GAFFE).

2. pair [pɛr] n. m. **1°** *Etre au pair,* se dit de valeurs mobilières dont le cours actuel en Bourse est égal au capital nominal (*valeur, action, rente au pair*). — **2°** *Travailler au pair,* sans autre rémunération que la nourriture et le logement.

3. pair [pɛr] n. m. **1°** *Aller, marcher de pair,* se dit de choses qui vont ensemble : *La paresse et l'ignorance vont de pair.* — **2°** *Hors pair, hors de pair,* qui n'a pas son égal, qui est supérieur à tout : *Un collaborateur hors pair. Un succès hors pair.*

4. pair [pɛr] n. m. **1°** Membre de la Chambre des lords, en Angleterre. — **2°** *Un pair de France,* membre de la Chambre haute entre 1814 et 1848. (Le fém. *pairesse* est peu usuel.) ◆ **pairie** n. f. Dignité de pair.

paire [pɛr] n. f. **1°** Ensemble de deux choses identiques, analogues, utilisées en même temps ou formant un seul objet; de deux animaux travaillant ensemble : *Une paire de gants, de chaussettes. Une paire de draps. Une paire de bretelles. Une paire de lunettes* (— des lunettes) *Une paire de bœufs. Donner une paire de gifles;* de deux personnes : *Une paire d'amis* (= des amis inséparables). *Ces deux-là font bien la paire* (= ils ont les mêmes défauts). — **2°** Les deux parties d'un membre, d'une partie du corps : *Avoir une bonne paire de joues. Une paire de fesses. Il a une solide paire de jambes.* ◆ **déparier** ou **désapparier** v. tr. Faire disparaître l'un des éléments d'une paire : *Des bas dépariés.* (V. APPARIER.)

pairs [pɛr] n. m. pl. Ceux qui ont la même fonction sociale (langue soutenue) : *Etre jugé par ses pairs* (= par ses égaux).

paisible [pezibl] adj. (après ou moins souvent avant le nom). **1°** Se dit de quelqu'un (ou de son comportement) qui n'est pas troublé, inquiet, qui est d'humeur douce et tranquille : *Un homme paisible* (syn. : ↑ PACIFIQUE; contr. : EMPORTÉ). *Avoir un air paisible* (syn. : PLACIDE, CALME; contr. : OMBRAGEUX). *Le visage paisible d'un homme heureux* (contr. : TOURMENTÉ). — **2°** Se dit de quelque chose que rien ne trouble, où règne la paix : *Mener une vie paisible* (syn. : TRANQUILLE; contr. : AGITÉ). *Un quartier paisible. Passer une nuit paisible. Un fleuve paisible* (= qui donne une impression de calme). ◆ **paisiblement** adv. : *Discuter paisiblement* (syn. : CALMEMENT). *Reposer paisiblement après une nuit agitée et fiévreuse.* (V. PAIX.)

paître [pɛtr] v. intr. (conj. 80). **1°** (sujet nom désignant des animaux herbivores) Manger de l'herbe en broutant : *Faire, mener paître un troupeau.* —

2° Fam. *Envoyer paître quelqu'un,* s'en débarrasser brutalement (syn. : ENVOYER PROMENER; fam. : ENVOYER SUR LES ROSES).

paix [pɛ] n. f. 1° Situation d'un Etat, d'un peuple qui n'est pas en guerre, qui n'a pas avec d'autres des rapports de violence, de lutte : *Le rétablissement de la paix. Les ennemis de la paix. La paix entre les nations* (contr. : GUERRE, CONFLIT). *Ce traité commercial consolide la paix. La volonté de paix. Sauvegarder, maintenir, préserver, torpiller, violer, mettre en danger la paix. Rester en paix. La paix armée.* (V. PACIFIQUE, PACIFISME.) — 2° Cessation des hostilités, traité qui met fin à l'état de guerre : *Demander, signer la paix. Faire des offres de paix. Les pourparlers de paix. Conclure, rompre la paix. Une paix honteuse. Une paix boiteuse* (= instable). — 3° Etat d'accord entre les membres d'un groupe, d'une nation : *Vivre en paix avec son voisin. Avoir la paix chez soi. Faire la paix avec un adversaire* (= se réconcilier). *Manifestations qui troublent la paix* (syn. : ORDRE). *Ramener la paix entre les citoyens. La paix scolaire* (= absence de conflits entre école publique et école privée). *Les gardiens de la paix* (= agents de police urbaine chargés du maintien de l'ordre et de l'application des règlements de police). *Baiser de paix* (= marque de réconciliation). — 4° Etat d'une personne qui n'est pas troublée, inquiète, qui a le calme, la tranquillité : *Goûter une paix profonde* (syn. : ↓ REPOS). *Avoir la conscience en paix. Etre en paix avec sa conscience* (= ne pas avoir de remords). *Retrouver la paix après des heures d'angoisse. Allez en paix. Qu'il repose en paix* (en parlant d'un mort). *Je voudrais bien avoir la paix* (= qu'on me laisse tranquille). *Laissez-le donc en paix* (= ne le dérangez pas). *Foutez-moi* (pop.), *fichez-moi la paix* (fam.) [= ne m'ennuyez pas]. *La paix!* (= silence). [V. PAISIBLE.] — 5° Etat d'un lieu qui ne connaît ni bruit ni agitation : *La paix des cimetières* (syn. : CALME). *La paix de la maison aujourd'hui vide* (syn. : SILENCE). [V. PAISIBLE.] ◆ **pacifier** [pasifje] v. tr. Rétablir le calme, la paix, dans un pays en état de guerre, parmi des populations révoltées, dans un esprit troublé : *Pacifier une région en proie à des désordres. Tout le pays est maintenant pacifié* (contr. : RÉVOLTER). *Pacifier les esprits* (syn. : CALMER; contr. : AMEUTER). ◆ **pacification** n. f. Action de rétablir l'ordre : *Des opérations militaires de pacification.* ◆ **pacificateur, trice** adj. et n. ◆ **pacifique** [pasifik] adj. 1° Se dit de quelqu'un, d'un groupe d'hommes qui désire vivre en paix avec les autres : *Un peuple pacifique* (syn. : ↓ PAISIBLE). — 2° Qui est fait avec une intention de paix, qui tend à la paix, qui n'a pas de caractère agressif : *L'utilisation pacifique de l'atome* (contr. : À DES FINS GUERRIÈRES). *Sa volonté pacifique est indéniable* (contr. : BELLIQUEUX). *La coexistence pacifique* (contr. : LA GUERRE FROIDE). — 4° *Océan Pacifique,* situé entre l'Amérique, l'Asie et l'Australie. ◆ **pacifiquement** adv. : *Le gouvernement chercha à rétablir l'ordre pacifiquement dans les régions troublées.* ◆ **pacifisme** n. m. Doctrine politique préconisant la recherche à tout prix de la paix par des négociations ou des moyens pacifiques : *Le pacifisme est le renoncement à l'action révolutionnaire violente.* ◆ **pacifiste** adj. et n. : *L'idéal pacifiste. Une campagne pacifiste pour le désarmement.*

pal [pal] n. m. Longue pièce de bois ou de métal aiguisée à un bout : *Le pal a servi d'instrument de supplice.* ◆ **empaler** [ɑ̃pale] v. tr. Transpercer d'un pieu. ◆ ***s'empaler*** v. pr. *Fam.* Tomber ou se jeter sur un objet en saillie qui blesse, qui défonce : *La voiture est allée s'empaler sur un poteau transporté par un camion.*

palabres [palabr] n. f. pl. Discussions, conversations longues et ennuyeuses : *La conférence se perdit dans des palabres sans fin. Après des palabres interminables, on finit par aborder les sujets essentiels.* ◆ **palabrer** v. intr. Discuter longuement et de façon oiseuse : *Il dut palabrer un long moment avant de pouvoir obtenir ce qu'il désirait.*

palace [palas] n. m. Hôtel luxueux de réputation internationale, en général dans des villes d'eaux, des résidences balnéaires, etc. : *Fréquenter les palaces.*

paladin [paladɛ̃] n. m. Seigneur du Moyen Age en quête d'aventures héroïques.

1. palais [palɛ] n. m. 1° Partie supérieure interne de la bouche, formée d'une voûte osseuse (*dôme du palais* ou *palais dur*) et d'une membrane (*voile du palais*) en arrière : *Le palais desséché par la soif. Faire claquer sa langue sur son palais.* — 2° Syn. de GOÛT dans quelques expressions : *Avoir le palais fin.* (V. PALATAL.)

2. palais [palɛ] n. m. 1° Résidence vaste et somptueuse d'un chef d'Etat, d'un riche particulier; ancienne demeure d'une famille royale princière : *Le palais présidentiel. La cour d'honneur du palais de l'Elysée. Le palais du Louvre, où habitèrent les rois de France. Le palais des Papes, à Avignon. Le palais des Doges, à Venise.* — 2° Vaste édifice abritant un musée, des assemblées, des services publics, etc. (parfois avec une majusc.) : *Le Grand Palais. Le palais des Expositions. Le palais des Sports.* — 3° *Palais de justice* ou *palais,* édifice affecté aux services de la justice : *Se rendre au palais pour y plaider.*

palan [palɑ̃] n. m. Appareil de levage utilisé pour déplacer de lourds fardeaux : *Un palan est formé de poulies actionnées par des cordages ou des chaînes.*

palanquin [palɑ̃kɛ̃] n. m. Litière qui était utilisée en Orient.

palatal, e, aux [palatal, -to] adj. et n. f. Se dit de voyelles ou de consonnes dont le point d'articulation est dans la région du palais dur. ([e] et [i] sont des voyelles palatales; [ʃ] et [f], des consonnes palatales.) ◆ **palatalisé, e** adj. Se dit d'un phonème dont l'articulation est reportée vers le palais dur. ◆ **palatalisation** n. f.

pale [pal] n. f. Aile d'hélice.

pâle [pɑl] adj. 1° (après le nom) Se dit du visage, de la peau, etc., qui est d'une blancheur terne, mate, qui a perdu ses couleurs : *La figure pâle d'un convalescent* (syn. : ↑ BLÊME, BLAFARD; contr. : ROSE, COLORÉ). *Des lèvres pâles.* — 2° (après le nom) Se dit d'une personne dont le teint est terne, blanc : *Etre pâle comme la mort, comme un linge. Etre pâle de colère, de rage. Les Visages pâles* (= les Blancs, d'après les Indiens d'Amérique). — 3° (quelquefois avant le nom) Se dit de ce qui est faible de couleur, qui n'a pas d'éclat : *Un bleu pâle. Une cravate vert pâle. Une lueur pâle* (syn. : DOUCE). *A la pâle clarté de la bougie* (syn. : FAIBLE). — 4° *Péjor.* Se dit de quelqu'un qui est terne, sans brillant : *Un pâle imitateur de Racine;* fam. : *Un* *pâle voyou* (= un triste individu). ‖ Pop. *Se faire porter pâle,* se faire inscrire comme malade. ◆ **pâleur** n. f. : *La pâleur du visage. La pâleur des couleurs. La pâleur des joues.* ◆ **pâlir** v. intr. 1° (sujet nom de personne ou de chose) Devenir pâle : *Il pâlit sous l'injure* (syn. : BLÊMIR). *La lumière pâlit* (syn. : FAIBLIR, JAUNIR). *Les couleurs du papier ont pâli* (syn. : PASSER). *Il vit avec le petit jour les étoiles pâlir* (= perdre leur clarté). — 2° *Faire pâlir quelqu'un,* lui inspirer des sentiments de jalousie : *Son intelligence et sa réussite faisaient pâlir d'envie ses camarades.* ‖ *Pâlir sur les livres,* consacrer de longues heures à l'étude. ‖ *Son étoile pâlit,* son influence, son crédit diminue. ◆ v. tr. Rendre pâle (surtout au part. passé) : *L'encre pâlie du manuscrit. Les traits pâlis par la maladie.* ◆ **pâlot, otte** adj. Assez pâle : *Il est un peu pâlot; il faudra l'envoyer à la campagne.*

palefrenier [palfrənje] n. m. Garçon d'écurie chargé de soigner et de panser les chevaux.

palefroi [palfrwa] n. m. Cheval de parade, au Moyen Age.

paléographie [paleɔgrafi] n. f. Science du déchiffrement des anciennes écritures. ◆ **paléographe** n.

paléontologie [paleɔ̃tɔlɔʒi] n. f. Science des fossiles. ◆ **paléontologue** n.

palet [palɛ] n. m. Pierre ou pièce de métal plate et ronde avec laquelle on vise un but dans certains jeux.

paletot [palto] n. m. Vêtement d'homme ou de femme, muni de poches extérieures, en général assez court, que l'on porte sur les autres vêtements (employé surtout en parlant d'un manteau d'enfant).

palette [palɛt] n. f. Plaque de bois, large et aplatie, sur laquelle les artistes peintres disposent et mélangent leurs couleurs, ou petit instrument de bois de forme analogue servant à divers usages.

palétuvier [paletyvje] n. m. Nom donné à de grands arbres tropicaux, aux racines abondantes, croissant dans les eaux saumâtres.

pali [pali] n. Langue ancienne de l'Inde.

palier [palje] n. m. 1° Espace horizontal formant une sorte de plate-forme qui est aménagée à chaque étage d'une maison, ou qui se trouve de distance en distance sur une voie inclinée : *Les voisins de palier* (= de l'appartement qui se trouve au même étage). *La route montait par paliers vers le col* (= par plans horizontaux entre deux déclivités). — 2° Etat stable, étape après une modification en hausse : *Les prix ont atteint un nouveau palier. Procéder par paliers* (syn. : DEGRÉ).

palinodies [palinɔdi] n. f. pl. Changement brusque et fréquent d'opinion selon les circonstances et l'intérêt personnel (langue écrite) : *Les palinodies d'un homme politique* (syn. : VOLTE-FACE, REVIREMENT).

palissade [palisad] n. f. Clôture, barrière faite de pieux ou de planches reliées les uns aux autres, ou mur de verdure fait d'une rangée d'arbustes.

palissandre [palisɑ̃dr] n. m. Bois exotique, lourd et dur, de couleur brun foncé et servant à l'ébénisterie.

pallier [palje] v. tr. *Pallier quelque chose* (inconvénient, difficulté, etc.) ou *pallier à quelque chose* (construction rejetée par quelques grammairiens), y remédier d'une manière provisoire ou incomplète : *Il cherche à pallier les conséquences de son erreur* (syn. : OBVIER À, ATTÉNUER). ◆ **palliatif** n. m. Mesure qui n'a qu'une efficacité incomplète ou provisoire : *Ces nouveaux impôts ne sont que des palliatifs* (syn. : EXPÉDIENT).

palmarès [palmarɛs] n. m. Liste des lauréats dans un concours, dans une rencontre sportive, à la distribution des prix d'un établissement scolaire, etc. : *Figurer au palmarès. Le palmarès des jeux Olympiques.*

1. palme n. f. V. PALMÉ, PALMIER.

2. palme [palm] n. f. 1° Insigne ou décoration en forme de feuilles de palmier : *Les palmes académiques* (= attribuées pour services rendus à l'enseignement). — 2° Symbole de la victoire, de la gloire (littér.) : *Recevoir la palme du vainqueur. La palme du martyre. Remporter la palme* (= être vainqueur).

palmé, e [palme] adj. Dont les doigts sont réunis par un tissu (*membrane*), comme chez le canard, les grenouilles : *Les pattes, les pieds palmés.* ◆ **palme** n. f. Nageoire en caoutchouc qui s'ajuste à chaque pied du nageur pour lui permettre de se propulser sous l'eau. ◆ **palmipède** n. m. Oiseau appartenant à une espèce dont les pieds sont palmés.

palmier [palmje] n. m. Arbre dont le tronc est couronné par un bouquet de feuilles et dont certaines espèces portent des fruits (noix de coco, dattes), dont d'autres fournissent des produits alimentaires (huile de palme) ou industriels (raphia, rotin). ◆ **palme** n. f. 1° Feuille de palmier. — 2° *Vin, huile de palme,* de palmier. ◆ **palmeraie** n. f. Lieu planté de palmiers : *Les palmeraies du sud de l'Algérie.*

palombe [palɔ̃b] n. f. Syn. de PIGEON RAMIER.

palourde [palurd] n. f. Nom usuel donné à divers mollusques comestibles.

palper [palpe] v. tr. 1° Toucher avec la main à plusieurs reprises et doucement, afin d'examiner, de connaître : *Palper un tissu* (syn. : TÂTER). *Palper le matelas pour voir s'il est souple. Il palpa les murs dans l'obscurité* (syn. : TOUCHER). — 2° Fam. *Palper* (*de l'argent*), en recevoir, en toucher. ◆ **palpable** adj. Dont on peut s'assurer de soi-même l'existence; que l'on peut vérifier : *Des avantages palpables* (syn. : RÉEL, CONCRET). *Il y a entre eux des différences palpables* (syn. : MATÉRIEL, POSITIF). *Des preuves palpables* (syn. : ÉVIDENT). ◆ **impalpable** adj. Si ténu qu'il ne peut être palpé; dont les éléments constituants sont si petits qu'ils ne peuvent être perçus au toucher : *Une poussière impalpable* (syn. : ↓ FIN).

palpiter [palpite] v. intr. 1° (sujet nom désignant le cœur, le pouls) Battre d'une manière précipitée et désordonnée; (sujet nom de chose) avoir des mouvements convulsifs : *Il a le cœur qui palpite de peur* (syn. : FRÉMIR). *Ses paupières palpitèrent sous la brusque clarté.* — 2° (sujet nom désignant la chair d'animaux fraîchement tués) Etre animé de mouvements brusques : *Le corps du cerf palpitait encore.* — 3° (sujet nom de chose) Etre agité d'un tremblement léger (littér.) : *Les voiles du navire palpitaient au vent.* ◆ **palpitant, e** adj. 1° Qui palpite : *Avoir le cœur palpitant* (= vivement ému). *Cadavre palpitant. Palpitant d'émotion.*

— 2° Qui excite l'émotion : *Le moment palpitant d'un film* (syn. : ↓ ÉMOUVANT). *Une expérience, un roman d'un intérêt palpitant* (syn. : SAISISSANT). ◆ **palpitation** n. f. Battement précipité et déréglé du cœur; frémissement convulsif (le plus souvent au plur.) : *Avoir des palpitations. Les palpitations des paupières.*

paltoquet [paltɔkɛ] n. m. *Fam.* Terme d'injure désignant un individu grossier, mal élevé.

paludisme [palydism] n. m. Maladie contagieuse d'origine microbienne, caractérisée par de violents accès de fièvre. ◆ **paludéen, enne** adj. et n. Atteint de paludisme.

pâmer (se) [sәpɑme] v. pr. ou **être pâmé** v. passif (sujet nom de personne). *Se pâmer d'amour, d'effroi, de plaisir,* etc., être comme paralysé sous le coup d'une émotion, d'une sensation violente : *Elle était pâmée d'admiration devant ses propos. Se pâmer de rire* (= s'y abandonner complètement). ◆ **pâmoison** n. f. Fam. et ironiq. *Tomber en pâmoison,* s'évanouir, avoir une défaillance.

pampa [pɑ̃pa] n. f. Vaste prairie de l'Amérique du Sud.

pamphlet [pɑ̃flɛ] n. m. Brochure courte et satirique, écrit qui attaque violemment les institutions, le régime, la religion ou les hommes politiques : *Ecrire, lancer un pamphlet.* ◆ **pamphlétaire** n. : *Etre en butte à l'hostilité des pamphlétaires de la presse.*

pamplemousse [pɑ̃plәmus] n. m. ou f. Fruit à goût acide d'un arbre proche de l'oranger (syn. : GRAPE-FRUIT).

pampre [pɑ̃pr] n. m. Rameau de vigne avec ses feuilles et ses fruits.

1. pan [pɑ̃] n. m. 1° Partie tombante et flottante d'un vêtement : *Un pan de chemise. Les pans d'un habit de cérémonie* (syn. : BASQUES). *Les pans d'un manteau.* — 2° *Pan de mur,* partie plus ou moins grande d'un mur : *Il ne restait plus de la maison que des pans de mur calcinés.*

2. pan ! [pɑ̃] interj. Exprime un bruit sec, celui d'un coup, d'une chute brusque : *Pan! pan! il frappa à droite, à gauche, et parvint à s'enfuir* (syn. : VLAN!). *Pan! pan! on entendit deux coups de feu.*

panacée [panase] n. f. Ce qu'on croit capable de guérir de tous les maux, de résoudre tous les problèmes : *Le droit des peuples à disposer d'eux-mêmes est pour lui la panacée universelle* (ou *la panacée*).

panache [panaʃ] n. m. 1° Assemblage de plumes flottantes dont on ornait un casque, un drapeau, un corbillard, etc. : *Ralliez-vous à mon panache blanc.* — 2° *Un panache de fumée,* des nuages de fumée ondoyante. ‖ *Avoir du panache,* avoir de l'éclat, du brio, une fière allure. ‖ *Aimer le panache,* avoir du goût pour la gloire militaire, les parades, les attitudes chevaleresques. ‖ *Faire un panache,* culbuter, se renverser : *La voiture, le cheval fit un panache.* ◆ **empanaché, e** adj. Garni d'un panache : *Un chapeau empanaché.*

panaché, e [panaʃe] adj. 1° Composé de couleurs variées : *Un œillet panaché.* — 2° Composé de bière et de limonade : *Un bock, un demi panaché.*

panacher [panaʃe] v. tr. Dans une élection, mêler sur une même liste des candidats qui appartiennent à des listes différentes. ◆ **panachage** n. m.

panade [panad] n. f. 1° Soupe faite d'eau, de pain et de beurre, qui ont bouilli ensemble. — 2° Pop. *Etre, tomber dans la panade,* dans la misère (syn. : PURÉE).

panaméricain, e [panamerikɛ̃, -ɛn] adj. Relatif aux deux Amériques. ◆ **panaméricanisme** n. m. Doctrine politique visant à soustraire les affaires américaines à l'ingérence des nations des autres continents.

panarabe [panarab] adj. Relatif à l'ensemble des pays de langue arabe et de civilisation musulmane. ◆ **panarabisme** n. m. Doctrine politique préconisant l'union des pays arabes.

panard [panar] n. m. *Pop.* Pied.

panaris [panari] n. m. Inflammation aiguë des doigts.

pancarte [pɑ̃kart] n. f. Plaque de bois, de carton, etc., sur laquelle sont donnés des avis, des renseignements, des slogans, etc., et qu'on applique sur un mur, un panneau, etc., ou que l'on porte : *Une pancarte à la grille de l'usine annonce les licenciements. Porter une pancarte dans un défilé politique.*

pancrace [pɑ̃kras] n. m. Exercice combinant la lutte et le pugilat.

pancréas [pɑ̃kreas] n. m. Glande située en arrière de l'estomac, dans l'abdomen. ◆ **pancréatique** adj.

pandore [pɑ̃dɔr] n. m. Syn. vieilli et fam. de GENDARME.

panégyrique [paneʒirik] n. m. Parole, écrit à la louange de quelqu'un : *Faire le panégyrique d'un professeur* (syn. : ↑ APOLOGIE, DITHYRAMBE). ◆ **panégyriste** adj. et n. : *Se faire le panégyriste de quelqu'un.*

paner [pane] v. tr. Couvrir de pain râpé ou émietté (terme de cuisine; surtout au part. passé) : *Des pieds de porc panés.*

pangermanisme [pɑ̃ʒɛrmanism] n. m. Doctrine politique visant à unir dans le même Etat toutes les populations de langue allemande. ◆ **pangermaniste** adj. et n.

1. panier [panje] n. m. 1° Ustensile d'osier, de jonc, ou formé d'une matière rigide, muni d'une anse, avec lequel on transporte des provisions, des marchandises, etc. : *Mettre des œufs dans son panier. Prendre un panier pour aller au marché.* — 2° Contenu d'un panier : *Un plein panier de fraises.* — 3° *Panier à ouvrage,* corbeille où les femmes mettent leurs travaux d'aiguille, de tricot. ‖ *Panier à salade,* ustensile de cuisine ajouré où l'on fait égoutter la salade; *fam.,* voiture cellulaire. ‖ *Jeter au panier,* mettre dans une corbeille des choses inutiles. ‖ *Panier percé,* personne dépensière, qui ne peut jamais garder d'argent. ◆ **panier-repas** n. m. Repas froid distribué à des touristes lors d'une excursion.

2. panier [panje] n. m. Au basket-ball, but formé d'une armature métallique circulaire et horizontale soutenant un filet sans fond, à travers laquelle on doit faire passer le ballon; point marqué en y envoyant le ballon : *Réussir un panier.*

panique [panik] n. f. Terreur subite et violente de caractère collectif : *Un début d'incendie provoqua la panique parmi les spectateurs* (syn. : AFFOLEMENT, ↑ SAUVE-QUI-PEUT). *La foule fut prise de* *panique* (syn. : ↓ PEUR). *Ces fausses rumeurs ont semé la panique* (syn. : EFFROI). *Je me sentais gagné par la panique générale.* ◆ **panique** adj. *Terreur panique,* effroi violent. ◆ **paniqué, e (être)** v. passif. *Fam.* Etre pris d'une peur violente qui provoque la fuite. ◆ **paniquard** n. m. Personne qui se laisse gagner facilement par une peur irraisonnée.

1. panne [pan] n. f. Arrêt accidentel dans le fonctionnement d'une machine quelconque : *La voiture a une panne* (syn. : ENNUI MÉCANIQUE). *L'avion a eu une panne de moteur. Tomber en panne* (= se détraquer). *Etre en panne. Réparer une panne. Avoir une panne d'essence* (ou *panne sèche*). *Une panne d'électricité nous a plongés dans le noir.* ◆ **dépanner** v. tr. 1° *Dépanner une voiture, un appareil,* etc., les remettre en état de marche. — 2° Fam. *Dépanner quelqu'un,* lui rendre un service qui le tire d'embarras : *Il m'a dépanné en me prêtant mille francs.* ◆ **dépannage** n. m. : *Un mécanicien appelé pour un dépannage. Le dépannage d'un poste de radio.* ◆ **dépanneur** n. m. Ouvrier qui dépanne. ◆ **dépanneuse** n. f. Voiture, camion utilisés pour dépanner les automobiles.

2. panne [pan] n. f. Graisse dont sont garnis les rognons du porc.

panneau [pano] n. m. 1° Plaque de bois ou de métal servant de support à des inscriptions : *Des panneaux de signalisation* (ou *panneaux indicateurs*). *Les programmes des candidats sont affichés sur les panneaux électoraux. Des panneaux publicitaires cachent les travaux de réfection du magasin.* — 2° Surface plane constituant une partie d'un meuble, d'un ouvrage d'architecture, etc. : *Les panneaux d'une armoire. Les panneaux vitrés du hall de départ à l'aéroport d'Orly.* — 3° *Tomber, donner dans le panneau,* se laisser prendre au piège de quelqu'un.

panonceau [panɔ̃so] n. m. Plaque métallique placée à la porte des notaires et huissiers, ou à celle des hôtels et indiquant leur catégorie.

panoplie [panɔpli] n. f. 1° Jouet d'enfant constitué par un déguisement présenté sur un carton et comprenant plusieurs pièces : *Une panoplie d'Indien, de pompier.* — 2° Ensemble d'armes présentées et disposées sur un panneau, et servant de trophée, d'ornement.

panorama [panɔrama] n. m. Vaste paysage que l'on découvre d'une hauteur : *Découvrir un panorama splendide depuis un belvédère* (syn. : ↓ VUE). *Un étonnant panorama se déroulait devant mes yeux.* ◆ **panoramique** adj. : *Un croquis panoramique* (= qui représente un terrain). *Une carrosserie panoramique* (= dont la surface vitrée très étendue permet de voir largement le paysage).

panse [pɑ̃s] n. f. 1° *Fam.* Gros ventre : *Se remplir la panse.* — 2° Partie arrondie d'un récipient : *La panse d'un vase.* ◆ **pansu, e** adj. Se dit de ce qui a une grosse panse : *Un vase pansu.*

panser [pɑ̃se] v. tr. 1° *Panser quelqu'un, une partie du corps,* soigner une plaie sur le corps en y appliquant un remède ou une bande pour la guérir ou la protéger : *Panser un bras blessé* (syn. : BANDER). *Panser un malade. Panser une blessure.* — 2° *Panser un cheval,* le soigner en lui donnant des soins de propreté, en l'étrillant. ◆ **pansage** n. m. Action de panser un cheval. ◆ **pansement** n. m. Action de panser un malade, une blessure, une plaie; appareil (bande) utilisé pour cela : *Faire un pansement. Une boîte à pansements. Un pansement humide, sec* (syn. : COMPRESSE). *Changer le pansement d'un blessé* (syn. : BANDAGE). *Appliquer un pansement sur une carie dentaire.*

pantalon [pɑ̃talɔ̃] n. m. Longue culotte descendant de la ceinture aux pieds et enveloppant séparément chaque jambe : *Enfiler son pantalon. Un pantalon de Tergal, de coton. Soldat au garde-à-vous, le petit doigt sur la couture du pantalon.*

pantalonnade [pɑ̃talɔnad] n. f. Attitude faite de regrets hypocrites dont l'exagération ne trompe personne : *Les ridicules pantalonnades d'un petit escroc pris sur le fait.*

pantelant, e [pɑ̃tlɑ̃, -ɑ̃t] adj. Qui respire avec peine : *Etre pantelant d'émotion, de terreur* (syn. : HALETANT). *Frappé à la nuque, il tomba pantelant sur le sol.*

panthéisme [pɑ̃teism] n. m. Doctrine religieuse ou philosophique de ceux qui identifient le monde et Dieu qui en constitue l'unité. ◆ **panthéiste** adj. et n.

panthéon [pɑ̃teɔ̃] n. m. Monument consacré à la mémoire des grands hommes d'une nation : *Le Panthéon de Paris.*

panthère [pɑ̃tɛr] n. f. Mammifère carnivore, à robe tachetée ou noire, vivant en Asie. (C'est le *léopard* en Afrique, le *jaguar* en Amérique.)

pantin [pɑ̃tɛ̃] n. m. 1° Jouet constitué par une figure de carton peint représentant un personnage burlesque dont on agite les membres à l'aide d'un fil : *Gesticuler comme un pantin. Marcher comme un pantin* (= à pas saccadés, rigides). — 2° Personne qui change sans cesse d'opinion au gré des circonstances ou de la volonté d'un autre : *Pierre Louÿs a écrit le roman « la Femme et le pantin ».*

pantois, e [pɑ̃twɑ, -wɑz] adj. *Rester pantois,* être déconcerté, stupéfait devant un événement imprévu (syn. : PENAUD).

pantomime [pɑ̃tɔmim] n. f. Art d'exprimer les sentiments par les gestes, par les jeux de physionomie; jeu par lequel un acteur exprime une situation par les seuls gestes : *Jouer une pantomime.*

pantoufle [pɑ̃tufl] n. f. 1° Chaussure d'intérieur en tissu ou en cuir, sans talon ni tige : *Mettre ses pantoufles dès qu'on rentre chez soi. Marcher en pantoufles.* — 2° *Ne pas quitter ses pantoufles, passer sa vie dans ses pantoufles,* mener une vie paisible, confinée chez soi, sans ambition ni idéal. ‖ Pop. *Raisonner comme une pantoufle,* d'une manière stupide. ◆ **pantouflard** n. m. *Fam.* Homme qui aime à rester chez lui et qui appréhende le risque.

paon [pɑ̃] n. m., **paonne** [pan] n. f. 1° Oiseau originaire d'Asie, au grand plumage tacheté qui peut se dresser et s'étaler en roue. — 2° *Se rengorger comme un paon,* faire le vaniteux. ‖ *Jeter des cris de paon,* des cris aigus. ‖ *Se parer des plumes du paon,* tirer vanité de ce qu'on a emprunté et qui ne vous appartient pas. ◆ **paonneau** [pano] n. m. Jeune paon.

papa [papa] n. m. Nom donné au père par les enfants et par ceux qui leur parlent. • LOC. ADV. Pop. *A la papa,* sans se hâter, tranquillement : *Conduire à la papa.* ◆ **grand-papa** n. m. Grand-père.

pape [pap] n. m. Chef de l'Eglise catholique, élu par un conclave de cardinaux. ◆ **papal, e, aux** adj. : *La croix papale. L'autorité papale.* ◆ **papauté** n. f. 1° Système de gouvernement ecclésiastique où l'autorité suprême est exercée par le pape : *Histoire de la papauté.* — 2° Dignité, fonction de pape : *Le cardinal Pacelli fut élevé à la papauté et prit le nom de Pie XII.* ◆ **papisme** n. m. Terme péjoratif par lequel les protestants désignent l'Eglise catholique.

papelard, e [paplar, -ard] adj. Qui manifeste une hypocrisie doucereuse (littér.) : *Un air papelard* (syn. : MIELLEUX). ◆ **papelardise** n. f. : *La papelardise du personnage suscitait un malaise chez l'interlocuteur.*

papier [papje] n. m. 1° Matière à base de cellulose, obtenue à partir de substances végétales réduites en pâte, et dont on fait des feuilles qui servent à écrire, imprimer, envelopper, recouvrir, etc. (suivi d'un adj. ou d'un compl. avec la prép. *à* pour indiquer l'usage) : *De la pâte à papier. Une feuille de papier. Du papier blanc* (= sans lignes tracées). *Du papier fin, épais. Le format du papier. Dessiner sur un bout de papier. Un mouchoir en papier. Du papier à cigarette. Le papier buvard* (= qui sèche l'encre). *Du papier carbone* (= pour obtenir des copies d'un même document). *Du papier hygiénique* (= pour l'usage des toilettes). *Papier timbré* (= sur lequel on fait les actes officiels et qui est marqué d'un timbre). *Du papier peint* (= que l'on colle sur les parois intérieures des murs d'une maison). *Du papier de verre* (= qui sert à polir). *Du papier à musique* (= où sont inscrites les portées et qui sert à écrire la musique). *Papier mâché* (= pâte à papier contenant de la colle et pouvant être moulée). *Papier-monnaie* (= billet de banque). *Un bloc de papier à lettres. Noircir du papier* (= écrire beaucoup). — 2° Feuille, morceau de papier écrits ou imprimés; article rédigé : *Jeter des papiers dans la corbeille. Brûler des papiers compromettants* (syn. : ÉCRIT). *Une serviette pleine de papiers. Il a envoyé un papier au journal* (syn. : ARTICLE). *Ranger ses papiers* (syn. : NOTE). *Les papiers diplomatiques.* — 3° (au plur.) Documents : *Les papiers d'identité* (syn. : PIÈCE). *Perdre ses papiers* (= ses pièces d'identité). *Avoir de faux papiers* (= de fausses pièces d'identité). *Les papiers militaires* (= les pièces concernant la situation militaire de quelqu'un). — 4° Fam. *Etre dans les petits papiers de quelqu'un,* jouir de sa considération, lui être cher. ‖ *Sur le papier,* en projet; par écrit : *C'est très beau sur le papier, mais c'est irréalisable.* ‖ *Rayez cela de vos papiers,* n'y comptez pas. ‖ *Figure de papier mâché,* d'une pâleur maladive. ◆ **paperasses** [papras] n. f. pl. Ensemble de papiers écrits ou imprimés, considérés comme inutiles, sans valeur : *Les paperasses encombrent son bureau. Des paperasses administratives. Dossier plein de vieilles paperasses.* ◆ **paperasserie** n. f. Quantité abusive de papiers administratifs : *Votre demande s'est perdue dans la paperasserie du ministère.* ◆ **paperassier, ère** adj. et n. Qui multiplie les formalités écrites; qui s'embarrasse inutilement de papiers : *Une administration paperassière.* ◆ **papetier, ère** n. Personne qui fabrique ou vend du papier. ◆ **papeterie** n. f. 1° Fabrique de papier. — 2° Commerce de papier (cahiers, papier à écrire, etc.) et de petits articles de bureau (crayon, stylo, etc.).

papille [papij] n. f. Petite éminence saillante à la surface de la peau, en particulier sur la langue (*papilles gustatives*).

1. papillon [papijɔ̃] n. m. Insecte diurne ou nocturne, qui a quatre ailes couvertes d'écailles fines et parées de diverses couleurs : *Un papillon de nuit. Faire la chasse aux papillons. Un filet à papillons. Une collection de papillons. Etre vif, léger comme un papillon.* ◆ adj. *Nœud papillon,* nœud de cravate affectant la forme d'un papillon. ‖ *Brasse papillon,* V. BRASSE.

2. papillon [papijɔ̃] n. m. Petite feuille de papier contenant un avis et en particulier une contravention : *Trouver un papillon sur le pare-brise de sa voiture qui stationnait du mauvais côté. Coller des papillons de propagande sur les murs.*

papillonner [papijɔne] v. intr. (sujet nom de personne). *Fam.* Aller d'un objet à l'autre, d'une personne à l'autre sans s'arrêter : *Incapable d'approfondir une question, il ne cessait de papillonner d'un sujet à l'autre. Papillonner autour d'une femme.*

papillote [papijɔt] n. f. Morceau de papier sur lequel on enroule les cheveux pour les faire friser : *Elle avait encore ses papillotes quand le livreur vint apporter la commande.*

papilloter [papijɔte] v. intr. 1° (sujet nom désignant les yeux, les paupières) Etre animé d'un mouvement continuel, involontaire, qui empêche de voir distinctement : *Sous le soleil vif, les yeux papillotent* (syn. : CLIGNOTER). — 2° (sujet nom désignant la lumière) Avoir des reflets, des miroitements, des scintillements. ◆ **papillotant, e** adj. : *Des lumières papillotantes.* ◆ **papillotement** n. m.

papoter [papɔte] v. intr. Parler beaucoup et d'une manière insignifiante ou frivole : *Les deux vieilles dames papotaient dans un coin du salon* (syn. : BAVARDER). ◆ **papotage** n. f. : *Le papotage des enfants le divertissait.*

papouille [papuj] n. f. *Fam.* Chatouillement indiscret.

paprika [paprika] n. m. Piment très fort qui sert de condiment.

papyrus [papirys] n. m. Texte écrit sur la feuille d'une plante qui pousse sur les bords du Nil et que les Anciens utilisaient comme papier : *Déchiffrer un papyrus. Les papyrus égyptiens.* ◆ **papyrologie** n. f. Etude et déchiffrement des papyrus. ◆ **papyrologue** n.

paquebot [pakbo] n. m. Grand navire aménagé pour le transport des passagers : *Les paquebots des lignes transatlantiques.*

pâquerette [pakrɛt] n. f. Petite fleur blanche qui fleurit dans les prés au début du printemps.

pâques [pak] n. m. pl. 1° (avec une majusc. et sans art.) Fête annuelle, mobile de l'Eglise chrétienne en mémoire de la résurrection du Christ : *Les vacances de Pâques. Pâques tombe tôt cette année. Le lundi de Pâques est chômé. Le dimanche de Pâques.* — 2° *Faire ses pâques,* communier un jour du temps pascal. ◆ **pascal, e, als** adj. : *La communion pascale. Le temps pascal va de Pâques à la Trinité.*

paquet [pakɛ] n. m. 1° Réunion de plusieurs choses attachées ou enveloppées ensemble pour être transportées; marchandise, objet, etc., enveloppé ou attaché pour la vente, le transport, etc. : *Faire un paquet. Apporter un paquet de linge à la blanchisserie. Expédier un paquet par la poste. Acheter un paquet de café. Un paquet de sucre, de lessive. Un paquet de cigarettes. Il fume deux paquets par jour.* — 2° *Un paquet de,* une masse importante de : *Un paquet d'actions. Un paquet de billets de banque. Recevoir sur la tête un paquet de neige. Des paquets de mer balayaient la digue* (= de grosses vagues). — 3° *Faire ses paquets,* s'apprêter à partir, s'en aller. ‖ Fam. *Mettre le paquet,* donner le maximum de ce que l'on peut; mettre toute son énergie dans une entreprise. ‖ Fam. *Avoir, recevoir son paquet,* recevoir une juste réprimande. ‖ Fam. *Lâcher son paquet,* dire tout ce que l'on a sur le cœur. ‖ Fam. *Risquer le paquet,* s'engager dans une entreprise dangereuse en prenant tous les risques. ‖ *Un paquet de nerfs,* une personne nerveuse, qui remue continuellement. ‖ *Par paquets,* par masses successives, par groupes. ◆ **paquetage** n. m. Ensemble des effets et des objets militaires d'un soldat : *Faire son paquetage.* ◆ **dépaqueter** v. tr. Défaire ce qui était en paquet : *Dépaqueter des livres.* ◆ **dépaquetage** n. m. ◆ **empaqueter** v. tr. (conj. 8). Mettre en paquet, envelopper en paquet ou comme un paquet : *Empaqueter des livres. Il est empaqueté dans son pardessus* (syn. : BOUDINÉ). ◆ **empaquetage** n. m. : *Les employés préposés à l'empaquetage des colis à expédier.*

par [par] prép. Indique le moyen ou l'agent par lequel se réalise l'action, le lieu de passage, etc. (V. tableau p. 816.)

1. parabole [parabɔl] n. f. Récit allégorique derrière lequel il y a une morale.

2. parabole [parabɔl] n. f. Courbe décrite par un projectile.

parachever [paraʃve] v. tr. Mener à son achèvement complet avec le plus grand soin, conduire à sa perfection : *Parachever un roman, un exposé* (syn. fam. : FIGNOLER). *Parachever un travail* (syn. : PARFAIRE). ◆ **parachèvement** n. m. : *Le parachèvement des préparatifs de la fête.*

parachute [paraʃyt] n. m. Appareil destiné à ralentir la chute d'un corps qui descend d'une grande hauteur ou à freiner un avion au sol : *Le parachute s'ouvrit.* ◆ **parachuter** v. tr. 1° *Parachuter quelqu'un, quelque chose,* les lâcher d'un avion avec un parachute : *Parachuter des vivres aux sinistrés isolés par l'inondation. Parachuter des troupes.* — 2° Fam. *Parachuter quelqu'un,* le nommer brusquement à un emploi, à un poste où sa nomination n'était pas prévue. ◆ **parachutage** n. m. : *Un parachutage d'armes à un maquis pendant la guerre.* ◆ **parachutisme** n. m. Sport consistant dans la pratique du saut en parachute. ◆ **parachutiste** n. et adj. Personne, soldat, entraînés à sauter en parachute. ◆ **para** n. m. *Fam.* Soldat parachutiste appartenant à des troupes de choc.

1. parade n. f. V. PARER 2.

2. parade [parad] n. f. 1° *Faire parade de quelque chose,* étaler une qualité afin de la faire valoir : *Faire parade de son savoir, de ses relations* (syn. : FAIRE ÉTALAGE, ÉTALER). ‖ *Lit de parade,* où l'on expose après leur mort de hauts personnages. — 2° Syn. vieilli de REVUE (militaire), de DÉFILÉ, conservé dans *pas de parade, défiler comme à la parade.* — 3° Scène burlesque jouée à la porte d'un théâtre forain pour attirer le monde. ◆ **parader** v. intr. Se donner un air avantageux en attirant l'attention de tous : *Parader au milieu de jolies femmes* (syn. : SE PAVANER). *Parader dans un salon* (syn. : PLASTRONNER).

paradigme [paradigm] n. m. 1° Ensemble des formes diverses appartenant au même mot (paradigme du verbe). — 2° Ensemble des termes qui appartiennent à la même classe grammaticale, lexicale ou sémantique (contr. : CLASSE SYNTAGMATIQUE). ◆ **paradigmatique** adj.

paradis [paradi] n. m. 1° Séjour des justes après leur mort, dans la religion chrétienne : *Le paradis céleste. Monter au paradis. Gagner le paradis.* ‖ *Le paradis terrestre,* jardin merveilleux où Dieu plaça Adam et Eve. — 2° Séjour enchanteur : *Trouver le paradis sur terre. Cette plage est le paradis des enfants. Les paradis artificiels* (= états de bien-être procuré par l'opium). — 3° *Vous ne l'emporterez pas au paradis,* formule de menace. ‖ *Oiseau de paradis,* v. PARADISIER. ◆ **paradisiaque** adj. (littér.) : *Séjour paradisiaque* (= enchanteur).

paradisier [paradizje] n. m. Passereau de Nouvelle-Guinée au plumage nacré (syn. : OISEAU DE PARADIS).

paradoxe [paradɔks] n. m. Opinion, chose qui va contre la manière de penser habituelle, qui heurte la raison ou la logique : *Soutenir un étonnant paradoxe. Cette victoire du plus faible est un étrange paradoxe.* ◆ **paradoxal, e, aux** adj. : *Son refus est paradoxal, puisque sur le fond il est d'accord* (syn. : BIZARRE; contr. : NORMAL). *Une idée paradoxale.* ◆ **paradoxalement** adv.

paraffine [parafin] n. f. Substance solide, blanche, qui sert à imperméabiliser certains tissus, à fabriquer les bougies : *L'huile de paraffine est utilisée comme lubrifiant.* ◆ **paraffiner** v. tr. ◆ **paraffinage** n. m.

parages [paraʒ] n. m. pl. 1° Espace déterminé de la mer (avec un compl. du nom indiquant la côte) : *Les parages du cap de Bonne-Espérance ont vu bien des naufrages. Les parages dangereux des îles Anglo-Normandes.* — 2° *Dans les parages de,* au voisinage de, dans des lieux proches de : *Les embouteillages sont importants dans les parages de la Madeleine, à Paris. Il doit être dans les parages* (= non loin d'ici).

paragraphe [paragraf] n. m. Petite division d'un texte en prose, formant une unité : *Rédiger un paragraphe tout entier sur un petit détail. Les députés repoussèrent ce paragraphe de la loi.*

1. paraître [parɛtr] v. intr. (conj. 64). 1° (sujet nom de personne ou de chose) Se faire voir subitement ou peu à peu (langue soutenue; auxiliaire *avoir*) : *Un sourire parut sur son visage* (syn. en langue usuelle : APPARAÎTRE). *Le soleil commence à paraître. Un avion parut dans le ciel* (syn. : SURGIR). *Le président paraît au balcon* (syn. : SE MONTRER). *Le conférencier tarde à paraître.* — 2° (sujet nom de personne) Se montrer en un endroit où l'on doit faire quelque chose (auxiliaire *avoir*) : *Il n'a fait que paraître à son bureau. Il n'a pas paru à la réunion* (syn. : VENIR). *Le témoin paraît à la barre. Paraître en justice* (syn. : COMPARAÎTRE). *Paraître en scène, à l'écran* (= se produire). *Il a paru à son avantage* (syn. : SE MONTRER SOUS SON MEILLEUR JOUR). — 3° *Faire paraître, laisser paraître,* faire voir, montrer : *Laisser paraître son irritation* (syn. : MANIFESTER, TÉMOIGNER). ‖ *Il y paraît,* cela se voit : *Il a été vexé et il y paraît encore. Malgré sa maladie, il continue à travailler sans qu'il y paraisse rien.* ‖ *Chercher, aimer à paraître,* chercher, aimer à se faire remarquer. ‖ *Le désir de paraître,* de briller.

par	VALEUR	EXEMPLES
1° Suivi d'un nom d'être animé ou d'un collectif accompagné de l'article et dépendant d'un verbe, qui est souvent au passif, ou d'un nom d'action (en *-ment*, en *-tion*, etc.).	agent	Avec un verbe : *Cet avis a été exprimé par l'un d'entre vous à la dernière réunion. Il a été choisi par l'assemblée tout entière. Le vase a été cassé par cet enfant. Faites porter le paquet par la bonne. Il a fait prendre la lettre par un ami. Le progrès se fait par quelques individus. Il ne fait rien par lui-même. Je l'apprends par les voisins.* Avec un nom : *Le rassemblement des élèves dans la cour par le surveillant. L'exploitation des faibles par les forts. L'écrasement de l'armée par des forces supérieures en nombre.*
2° Suivi d'un nom de chose accompagné ou non d'un article et dépendant d'un verbe ou d'un nom d'action.	moyen ou manière, cause ou mobile	Avec un article : *Il cherche à arriver par tous les moyens. Il a été averti par votre dépêche. Je l'ai su par le journal. Il voyage par le train. Assurer la paix par la négociation. Il a obtenu ces renseignements par la torture. La suppression par la force de tous les abus. La mort par le poison. Une porte fermée par un verrou* (syn. : AU MOYEN DE). *Il réussit par son travail. Il s'est imposé par son intelligence* (syn. : GRÂCE À). *Il a envoyé un colis par la poste.*
Il peut être suivi d'un nom désignant une partie du corps ou un caractère particulier. Il introduit dans des formules toutes faites des jurons ou des invocations. Les emplois sans article forment de nombreuses locutions à valeur adverbiale ou prépositives.		*Il le retint au dernier moment par le bras. Il le saisit par la taille pour le jeter à terre. Une prise par le cou. Prendre quelqu'un par son faible. Ils diffèrent par le caractère.* *Je jure par tous les dieux que je ne l'ai pas fait.* Sans article : *Par bonheur, il n'est pas tombé* (syn. : HEUREUSEMENT). *C'est un parent par alliance. J'ai dû arrêter mes recherches par manque de temps* (syn. : FAUTE DE). *Par pitié, ne le renvoyez pas. Il a gâché sa vie par bêtise. C'est par excellence le moyen le plus sûr de l'émouvoir* (syn. : SURTOUT). *Par exemple. Il sait tout par cœur* (= de mémoire). *Etre condamné par contumace. Mettez-le par écrit. Par approximations successives. Il agit par impulsion* (= impulsivement). *Je le récuse par avance* (= d'avance). *Avaler par petites bouchées. Il a renoncé par faiblesse, par amour, par passion, par devoir.*
3° N'est suivi d'un infinitif qu'avec les verbes *finir* et *commencer.* Peut être suivi d'une proposition avec *finir, terminer, commencer.*		*Il commença par s'exercer quelques instants avant d'entrer en scène. Il finit par nous ennuyer avec ses récriminations continuelles. Il termine par où il aurait dû commencer.*
4° Suivi d'un nom de chose au pluriel ou moins souvent au singulier, ou précédé et suivi du même nom.	distribution	*Il achète en gros, par douzaines. On l'a interrompu par deux fois. Par moments il ne sait plus ce qu'il dit. Je le vois plusieurs fois par mois. La voiture dépense dix litres par cent kilomètres* (syn. : AUX). *Il gagne tant par jour. Son salaire se monte à tant par mois. Jour par jour il amassait de l'argent.* (= jour après jour). *Entrez dans la salle trois par trois.*
5° Suivi d'un nom de lieu ou d'un nom indiquant un espace, le plus souvent avec un article. Avec un nom abstrait. Renforcé par *de.*	*a)* le lieu où se fait un passage	*Nous irons en voiture par Tours et Vierzon. Il passe par son bureau. Allez par le passage souterrain jusque de l'autre côté de la rue. Il est sorti par l'escalier de service. N'allez pas par cet itinéraire. Ils sont revenus par la Touraine. Le bruit se répand par la ville, par le pays. C'est passé par tant de mains.* *Il est passé par de rudes épreuves. Cette idée lui est passée par l'esprit.* *Aller de par le monde.* Sans article : *Voyager par terre, par mer, par voie aérienne, par voie maritime.*
	b) la position ou le milieu où se situe une action	*Aborder par le flanc. Lancer la main par la figure* (syn. : À TRAVERS). *Le heurt par l'avant de deux véhicules. Envoyer un navire par le fond.* Sans article : *Etre assis par terre. Un navire par tribord !*
	c) le moment pendant lequel se déroule l'action	*Il se promène par cette température glaciale ! Il reste à rêver par cette nuit étoilée. Par une belle après-midi d'automne, nous avons été à Versailles. Par le temps qui court* (= en ce moment). Sans article : *Par mauvais temps, que pouvons-nous faire? Par temps de brouillard, il est préférable de ne pas sortir.*

2. paraître [parɛtr] v. intr. (conj. **64**; surtout auxiliaire *avoir*). **1°** (avec un substantif, un adjectif, un participe, une expression comme attribut) Avoir l'apparence de, donner l'impression de : *Il paraît souffrant, malade* (syn. : SEMBLER). *Cela me paraît vraisemblable. Ces agissements me paraissent une pure provocation. Le voyage paraît très long. Il paraît surpris de votre question. Il ne paraît pas très intelligent. Elle paraît trente ans* (= elle semble avoir trente ans). *Il ne paraît pas son âge* (= il semble plus jeune que son âge réel); avec un infinitif : *Il paraît douter de votre affirmation. Il paraît être convaincu. Il paraît approuver cette idée.* — **2°** *Il paraît que* (et l'indic.), on prétend que, on dit que : *Il paraît que vous êtes allé en Grèce cet été. Il paraît qu'on va augmenter le métro. Paraît qu'il va se marier* (très fam.). ‖ *Il me paraît que* (et l'indic.), *il ne me paraît pas que* (et le subj.), j'ai l'impression que : *Il ne me paraît pas que la situation soit si mauvaise.* ‖ *A ce qu'il paraît,* selon les apparences. ‖ *Il paraît* (et un adj.), *de* (et l'infin.), *que* (et l'indic.) avec le même sens : *Ça me paraît enfantin. Il paraît absurde de revenir sur cette décision. Il paraît préférable que nous partions un jeudi.*

3. paraître [parɛtr] v. intr. (conj. **64**; auxiliaire *avoir* ou plus souvent *être*). Etre mis en vente dans les librairies : *L'ouvrage est paru en librairie* (syn. : PUBLIER). *Faire paraître les œuvres complètes de Balzac* (= éditer). *Le journal vient juste de paraître. Une édition de ses poésies a paru l'année dernière.* ◆ **parution** [parysjɔ̃] n. f. : *La parution de ce roman provoqua des critiques acerbes* (syn. : PUBLICATION).

parallèle [paralɛl] adj. **1°** Se dit d'une ligne, d'une surface qui est également distante d'une autre ligne ou d'une autre surface sur toute son étendue : *Une rue parallèle à une autre. Deux droites parallèles. Des massifs parallèles bordaient les allées.* — **2°** Se dit de choses qui se développent dans la même direction, qui ont lieu en même temps ou présentent des caractères semblables : *Les difficultés économiques des deux pays sont parallèles. Des vies parallèles* (contr. : DIVERGENT). — **3°** Qui porte sur le même objet, mais d'une manière illégale, non officielle ou dans l'intention de nuire : *Les cours parallèles du dollar se sont fortement élevés. Le marché parallèle de l'or* (syn. : ↑ MARCHÉ NOIR). *Mener une action parallèle* (syn. : EN MARGE). ◆ **parallèle** n. m. Comparaison entre deux personnes ou deux choses pour en estimer les qualités ou les défauts : *Etablir, faire un parallèle entre deux auteurs* (syn. : RAPPROCHEMENT). *Mettre en parallèle les avantages et les inconvénients* (syn. : EN BALANCE). ◆ n. f. Droite, ligne parallèle à une autre. ◆ **parallèlement** adv. : *On va aménager des parcs de stationnement parallèlement au boulevard pour dégager la circulation.* ◆ **parallélisme** n. m. **1°** Etat de droites ou de surfaces parallèles : *Vérifier le parallélisme des roues d'une voiture.* — **2°** Etat de ce qui est parallèle (sens 2) : *On constate un parallélisme complet dans les réactions des divers syndicats à ces mesures* (syn. : ACCORD).

paralysie [paralizi] n. f. **1°** Privation ou diminution considérable du mouvement volontaire et de la sensibilité : *Etre frappé de paralysie.* — **2°** Impossibilité totale d'agir : *La paralysie de l'Etat en face de l'anarchie grandissante* (syn. : INERTIE). *La paralysie de l'Administration* (syn. : IMPUISSANCE). ◆ **paralyser** v. tr. **1°** *Paralyser quelqu'un,* le frapper de paralysie : *Une attaque l'a paralysé sur tout le côté droit.* — **2°** *Paralyser quelque chose, quelqu'un,* l'empêcher de produire, d'agir; le frapper d'impuissance, lui faire perdre tous ses moyens : *La grève de l'électricité a paralysé toutes les activités du pays* (syn. : ARRÊTER, BLOQUER). *La dureté de l'examinateur paralysait les candidats* (syn. : GLACER, FIGER). *Etre paralysé par la peur, par la timidité.* ◆ **paralysé, e** adj. et n. : *Un vieillard paralysé. Un bras paralysé.* ◆ **paralytique** adj. et n. Se dit d'une personne atteinte de paralysie (sens 1).

paramètre [paramɛtr] n. m. Variable d'une fonction.

paranoïaque [paranojak] adj. et n. Dont la maladie mentale se caractérise par un orgueil démesuré, un égoïsme absolu et une tendance à se croire persécuté.

parapet [parapɛ] n. m. Mur, balustrade à hauteur d'appui qui sert de garde-fou : *S'accouder au parapet du quai. La voiture franchit le parapet du pont et tomba dans la rivière.*

paraphe ou **parafe** [paraf] n. m. **1°** Signature abrégée de forme schématique : *Apposer son paraphe au bas d'un document.* — **2°** Trait de plume de forme variée qui accompagne la signature. ◆ **parapher** ou **parafer** v. tr. Signer d'un paraphe (sens 1) : *Parapher un procès-verbal.*

paraphrase [parafraz] n. f. Explication, commentaire diffus, verbeux, qui ne fait qu'allonger un texte sans l'enrichir. ◆ **paraphraser** v. tr. : *Paraphraser un texte* (syn. : DÉVELOPPER, ÉTENDRE; contr. : ABRÉGER).

parapluie [paraplɥi] n. m. Objet portatif, formé d'un manche et d'une étoffe qui se tend sur des tiges flexibles, et destiné à garantir de la pluie : *Ouvrir, fermer son parapluie. S'abriter sous un parapluie. Le camelot vendait des cravates qui remplissaient un parapluie retourné.* ◆ **porte-parapluies** n. m. invar. Meuble, objet de formes diverses dans lequel on dépose les parapluies.

parasite [parazit] n. m. Personne qui vit dans l'oisiveté, aux dépens des autres, de la société qui l'entretient : *Les circuits commerciaux sont parfois embarrassés de parasites.* ◆ n. m. et adj. **1°** Etre vivant qui prélève une partie ou la totalité de sa nourriture sur un autre être vivant (*hôte*) : *Le ténia est un parasite de l'homme. Le mildiou est un parasite* (adj. *un champignon parasite*) *de la vigne.* — **2°** Bruit qui trouble la réception radiophonique : *Le moteur de l'aspirateur provoque des parasites. Des bruits parasites empêchent d'écouter l'émission.* ◆ adj. Qui est gênant et inutile : *Des constructions parasites enlaidissent cette vieille demeure* (syn. : SUPERFLU). ◆ **parasitaire** adj. Relatif aux parasites : *Un commerce parasitaire. Une industrie parasitaire.* ◆ **parasiter** v. tr. Perturber par des bruits parasites : *Le moteur de l'atelier parasite les émissions.* ◆ **parasitisme** n. m. Etat d'une personne vivant en parasite. ◆ **antiparasite** adj. : *Mettre un dispositif antiparasite pour empêcher les perturbations dans son récepteur de radio.* ◆ **antiparasiter** v. tr. : *Antiparasiter une voiture.*

parasol [parasɔl] n. m. Grand objet portatif de même forme que le parapluie, utilisé pour se protéger du soleil.

paratonnerre [paratɔnɛr] n. m. Appareil destiné à préserver les bâtiments des effets de la foudre.

paravent [paravɑ̃] n. m. Meuble composé de panneaux verticaux mobiles pour isoler quelqu'un des regards : *Se déshabiller derrière un paravent.*

parbleu! [parblø] interj. Juron qui exprime en général l'approbation ou souligne une évidence : « *Il est content. — Parbleu! C'est justement ce qui lui convenait* » (syn. fam. : PARDI !, BIEN SÛR !, DAME !).

1. parc [park] n. m. Etendue boisée de terrain clos, dépendant d'une grande maison, d'un château, aménagée pour la promenade ou destinée aux plaisirs de la chasse : *Le parc de Versailles. Le parc était laissé à l'abandon. La grille du parc. Un parc zoologique* (= un jardin où se trouvent rassemblés des animaux sauvages). *Les parcs nationaux* (= grande étendue boisée surveillée, permettant la conservation de certaines espèces animales et végétales vivant à l'état sauvage).

2. parc [park] n. m. 1° Pré entouré ou non de fossés, où l'on met les bœufs à l'engrais, où l'on enferme le bétail. — 2° Lieu clos où sont entreposés les munitions, le matériel militaire : *Le parc d'artillerie. Le parc à munitions. — 3° Parc à huîtres,* bassin où sont engraissés ces coquillages. ‖ *Parc de stationnement,* place réservée pour le stationnement des véhicules dans une ville (syn. : PARKING). — 4° Ensemble des véhicules dont dispose une armée, une collectivité : *Le parc des voitures augmente chaque année.* ◆ **parquer** v. tr. 1° *Parquer des animaux,* les mettre dans un lieu entouré d'une clôture, d'un fossé : *Parquer des bœufs dans un pâturage. — 2° Parquer quelque chose,* le mettre, le placer dans une enceinte, dans un endroit protégé ou caché : *Parquer de l'artillerie dans un camp militaire. Parquer des vivres, des provisions. — 3° Parquer sa voiture* (ou *se parquer*), la mettre en stationnement : *J'ai parqué la voiture dans une rue avoisinante. — 4° Parquer des gens,* les enfermer dans un espace étroit : *Les badauds étaient parqués sur les trottoirs, le long des balustrades. Les manifestants arrêtés furent parqués dans une caserne* (syn. : ENTASSER). ◆ **parcage** n. m. : *Le parcage des moutons. Le parcage des voitures dans le sous-sol d'un immeuble.* ◆ **parking** [parkiɲ] n. m. 1° Parc de stationnement réservé aux voitures : *De grands parkings ont été aménagés dans le sous-sol de Paris.* — 2° Action de mettre sa voiture dans un parc de stationnement : *Le parking est aisé le matin.*

parcelle [parsɛl] n. f. 1° Très petite partie : *Une parcelle d'or, de mica* (syn. : FRAGMENT). *Il n'y a pas une parcelle de vérité dans ce qu'il dit* (= la moindre vérité). — 2° Pièce de terrain d'étendue variable, où on pratique la culture : *Une parcelle de blé. Une parcelle de terre.* ◆ **parcellaire** adj. Fait de parcelles.

parce que [pars(ə)kə] conj. Indique la cause (usuelle en français écrit et parlé en réponse à la question *pourquoi*) : *Nous avons renoncé à notre promenade parce qu'il commençait à pleuvoir* (syn. : CAR, conj. de coordination). *Je ne peux vous croire parce que les faits vont contre votre argumentation* (syn. : PUISQUE, ÉTANT DONNÉ QUE, qui insistent sur la dépendance causale). *Parce que tout semble se retourner contre lui il désespère* (syn. : COMME, qui se place alors en tête de l'énoncé). *Il ne répondit rien parce que très embarrassé;* dans la langue fam., dans une réponse sans principale exprimée : « *Vous êtes pressé? — Non. — Parce que nous aurions pu prendre l'apéritif ensemble.* »

parchemin [parʃəmɛ̃] n. m. 1° Peau de mouton, d'agneau, de chevreau, etc., séchée à l'air et non tannée, de manière à recevoir une écriture manuscrite ou imprimée, à servir à la reliure; document écrit sur parchemin : *Les scribes grattaient les parchemins afin d'écrire de nouveaux textes. Retrouver un parchemin dans une bibliothèque. Déchiffrer un vieux parchemin. — 2° Fam.* Diplôme universitaire (syn. : PEAU D'ÂNE). ◆ **parcheminé, e** adj. *Visage parcheminé,* qui a l'aspect du parchemin (ridé et grisâtre).

parcimonie [parsimɔni] n. f. Economie rigoureuse et mesquine dans les dépenses, dans les dons (surtout avec la prép. *avec*) : *Donner avec parcimonie de l'argent de poche* (contr. : GÉNÉROSITÉ, PRODIGALITÉ). *Elle n'a pas mis du sel avec parcimonie!* (= elle en a mis trop). *Il n'accordait ses éloges qu'avec parcimonie* (syn. : RÉSERVE; contr. : PROFUSION). ◆ **parcimonieux, euse** adj. : *Une distribution parcimonieuse de récompenses* (contr. : ABONDANT). ◆ **parcimonieusement** adv.

parcourir [parkurir] v. tr. (conj. **29**). 1° *Parcourir un lieu, un chemin, une rue,* etc., se déplacer dans ce lieu en divers sens pour trouver, visiter; suivre un chemin, une rue, etc. : *Parcourir le village à la recherche d'un épicier. Il parcourut rapidement le jardin sans trouver le lapin échappé. Parcourir une région en touriste. Le train parcourt cette distance en deux heures* (syn. : FRANCHIR). *Un ruisseau parcourt le fond de la vallée. — 2° Parcourir un texte,* le lire rapidement : *A peine eut-il parcouru la lettre qu'il poussa une exclamation de joie. J'ai parcouru le premier chapitre de ce roman et je n'ai pas continué. — 3° Parcourir un lieu des yeux, du regard,* l'examiner sans se déplacer : *En parcourant la pièce du regard, il remarqua plusieurs tableaux anciens.* ◆ **parcours** [parkur] n. m. Trajet suivi par un être animé ou une chose : *Un prisonnier qui s'évade en effectuant un parcours compliqué. Le fleuve traverse plusieurs grandes villes sur son parcours* (syn. : COURS). *S'informer du parcours d'un autobus* (syn. : ITINÉRAIRE). *Les organisateurs de la course cycliste ont établi le parcours.*

pardessus [pardəsy] n. m. Vêtement masculin que l'on porte au-dessus des autres vêtements pour se garantir du froid : *Mettre, ôter son pardessus. Un pardessus d'hiver* (syn. : MANTEAU).

pardi ! [pardi] interj. *Fam.* Juron qui sert de renforcement à un énoncé, qui a une valeur de conclusion : « *Il n'est pas là. — Pardi! il aura encore oublié le rendez-vous* » (syn. : NATURELLEMENT, BIEN SÛR).

pardon [pardɔ̃] n. m. 1° Décision de ne pas tenir rigueur d'une faute : *Demander, obtenir, mériter son pardon. Devant un repentir si sincère, il ne pouvait pas refuser le pardon de cette faute. Prêcher le pardon des injures. — 2° Pardon* ou *je vous demande pardon,* interjection, formule de politesse adressées à quelqu'un qu'on dérange plus ou moins ou qu'on prie de ne pas se formaliser : *Pardon, monsieur, pourriez-vous me dire l'heure qu'il est? Je vous demande pardon, je suis obligé de m'absenter;* formule qui appuie une contradiction : « *Vous n'étiez pas à cette réunion? — Pardon, j'y étais, mais vous ne m'avez pas vu.* » « *Tu as oublié de me prévenir! — Je te demande bien pardon : je t'ai signalé la chose dans ma dernière lettre.* » ‖ Pop. *Pardon!,* interjection marquant l'admiration : *Tu as vu sa nouvelle voiture? Oh! pardon! ce* *n'est pas de la camelote!* ◆ **pardonner** v. tr. et tr. ind. *Pardonner quelque chose, pardonner à quelqu'un,* ne pas tenir rigueur à la personne qui est responsable d'un acte hostile, contrariant : *Veuillez pardonner mon indiscrétion* (syn. : EXCUSER). *Je lui pardonne sa rude franchise. Ces enfants sont bruyants, mais on leur pardonne, car ils n'ont pas l'habitude de la vie en appartement.* (Le part. *pardonné* peut s'appliquer à une personne ou à une chose : *Vous êtes pardonné. Il s'en retourne pardonné. Cette faute est pardonnée depuis longtemps.*) ◆ v. intr. *Cela ne pardonne pas,* cela a des conséquences fatales : *Une maladie qui ne pardonne pas.* ◆ **pardonnable** adj. Se dit d'une personne ou d'une chose qu'on peut pardonner : *Il est pardonnable de l'avoir oublié. C'est une légère erreur bien pardonnable à son âge* (syn. : EXCUSABLE). ◆ **impardonnable** adj. Qu'on ne peut pas pardonner (généralement avec une valeur atténuée) : *Vous êtes impardonnable d'avoir négligé cette précaution élémentaire* (= gravement coupable). *Une étourderie impardonnable* (syn. : INCONCEVABLE).

pare-balles, pare-brise, pare-chocs n. m. V. PARER 2.

pareil, eille [parɛj] adj. 1° Qui présente une ressemblance ou une similitude : *Toutes les assiettes du service sont pareilles* (syn. : IDENTIQUE). *Les deux itinéraires sont pareils en longueur* (syn. : ÉGAL). *Sa maison est pareille à la mienne* (syn. : SEMBLABLE). *Ils ont l'un et l'autre un pareil goût du risque* (syn. : MÊME). *Jusqu'ici, il a toujours agi selon sa fantaisie, mais maintenant ce n'est plus pareil, il est obligé de rendre des comptes* (= c'est différent). — 2° Avec une valeur démonstrative, indique le cas présent, la situation actuelle : *Je n'ai encore jamais vu une pareille obstination* (syn. : TEL). *En pareil cas, il convient d'être prudent. Qui peut bien m'appeler à pareille heure?* (= à une heure aussi inhabituelle que celle-ci). ◆ n. : *Elle n'a pas sa pareille pour réussir ce plat* (= elle est supérieure à n'importe qui, incomparable). *C'est un désordre sans pareil* (= que rien n'égale). *On a beau appeler ça autrement, c'est toujours du pareil au même* (fam.; = c'est toujours la même chose, cela revient au même). *Vous et vos pareils, vous croyez toujours que tout vous est dû* (= les gens de votre espèce). ◆ **pareille** n. f. *Rendre la pareille à quelqu'un,* le traiter de la même manière qu'on a été traité par lui, et particulièrement se venger. ◆ **pareillement** adv. : *Deux pièces tapissées pareillement* (= de la même façon). *Ils étaient tous pareillement mécontents* (syn. : ÉGALEMENT, AUSSI). *Vous souhaitez terminer le plus vite possible; je le souhaite pareillement* (syn. : DE MÊME). [V. APPAREILLER, DÉPAREILLER.]

parent, e [parɑ̃, -ɑ̃t] adj. et n. 1° Qui a des liens familiaux plus ou moins étroits avec quelqu'un : *Leurs grand-mères étaient cousines; ils sont donc parents éloignés. Deux beaux-frères sont parents par alliance* (ou *alliés*). *Il annonça la nouvelle à ses plus proches parents. J'ai encore une vieille parente dans ce village. Il est parent du ministre par son père.* — 2° *Traiter quelqu'un en parent pauvre,* ne pas lui accorder une aussi bonne part qu'aux autres; se dit aussi des choses, des institutions : *Le ministre se plaignait que son département fût traité en parent pauvre.* ◆ adj. Se dit de ce qui a des affinités, des traits communs avec quelque chose : *Le chat est parent du tigre. L'italien est parent du français. L'art mycénien est parent de l'art crétois.* ◆ **parents** n. m. pl. (d'ordinaire avec l'art. défini, un possessif, ou accompagné d'un adj.). Le père et la mère : *Les parents de cet enfant l'ont inscrit dans une colonie de vacances. Ses parents sont commerçants. Le tribunal a condamné des parents indignes* (= qui maltraitaient leurs enfants). *Il a des parents jeunes. L'association des parents d'élèves d'un établissement scolaire.* ◆ **parenté** n. f. 1° Situation de personnes parentes : *Ils ont le même nom, mais il n'y a entre eux aucune parenté. Ce mariage a créé des liens de parenté entre les deux familles. Ils sont l'un et l'autre mes cousins issus de germains, donc au même degré de parenté par rapport à moi.* — 2° Ensemble des parents et des alliés : *Il est brouillé avec toute sa parenté.* — 3° Ressemblance, points communs entre des choses : *Une littérature qui a une parenté évidente avec le romantisme. La parenté des goûts, des caractères* (syn. : AFFINITÉ). ◆ **apparenter (s')** v. pr. V. APPARENTÉ (*être*). [V. tableau p. 820.]

parenthèse [parɑ̃tɛz] n. f. 1° Remarque incidente, développement accessoire qui s'écarte du sujet principal : *Après cette courte parenthèse pour répondre à votre question, je reprends le cours de mon exposé* (syn. : DIGRESSION). *J'ouvre ici une parenthèse pour justifier mon plan.* — 2° Signe de ponctuation, v. PONCTUATION. — 3° *Entre parenthèses* ou, plus rarement, *par parenthèse,* soit dit en passant (souligne une remarque incidente) : *J'ai à vous transmettre les amitiés de Paul — entre parenthèses, il a bien vieilli.*

1. parer [pare] v. tr. 1° (sujet nom de personne) Embellir par des ornements, par ce qui peut apporter de la gloire (le plus souvent au part. adj. *paré* ou à la forme pron.) : *On avait paré de fleurs la table du banquet* (syn. : DÉCORER, ORNER). *Une toilette richement parée. Elle s'était parée de ses plus beaux atours. Il se parait du titre de directeur général, quoique son entreprise n'employât qu'une cinquantaine de personnes* (= il se donnait par vanité ce titre pompeux). — 2° (sujet nom de la chose qui sert d'ornement) : *Le ruban qui parait ses cheveux.* ◆ **parement** n. m. 1° Revers des manches de certains vêtements. — 2° Revêtement en pierres de taille d'une construction. ◆ **parure** n. f. 1° Ce qui embellit, met en valeur quelque chose (littér.) : *La grâce est la parure de l'adolescence. Au printemps, les prés ont revêtu leur parure de fleurs.* — 2° Garniture de pierreries ou de perles comprenant collier, bracelets, etc. : *Une parure de diamants.* — 3° Ensemble de sous-vêtements féminins : *Une parure de dentelle.* ◆ **déparer** v. tr. Rendre moins beau; nuire à la qualité esthétique de : *Des panneaux publicitaires qui déparent un site* (syn. : ENLAIDIR). *Cette parole mesquine dépare un geste généreux* (syn. : GÂTER). [V. PARADE 2.]

2. parer [pare] v. tr. 1° *Parer un coup, une manœuvre,* etc., détourner de soi ce coup, se protéger contre cette manœuvre, etc. : *Un boxeur qui pare un direct du droit. On l'a attaqué sur la gestion de son entreprise, mais il a adroitement paré le coup.* — 2° (sujet nom de personne) *Etre paré* (*contre quelque chose*), être en sécurité, à l'abri : *J'ai une bonne provision de combustible, je suis paré contre le froid. La question ne l'a pas pris au dépourvu : il était paré.* ◆ v. tr. ind. *Parer à un danger, à un inconvénient,* y remédier, y pourvoir : *Il avait heureusement paré à cet incident* (= il

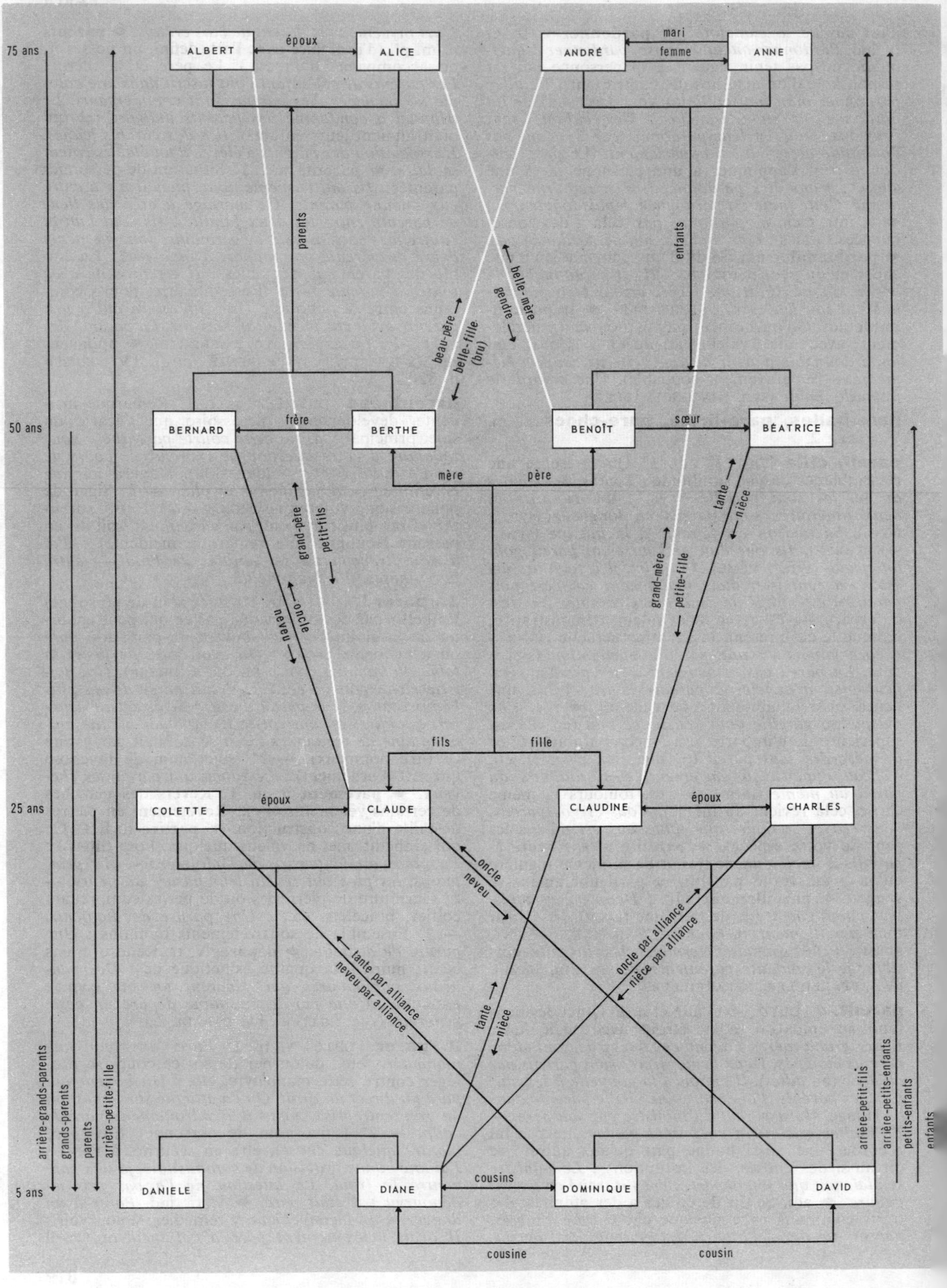
75 ans
50 ans
25 ans
5 ans
ALBERT
ALICE
ANDRÉ
ANNE
époux
mari
femme
parents
enfants
belle-mère
gendre
beau-père
belle-fille (bru)
BERNARD
BERTHE
BENOÎT
BÉATRICE
frère
sœur
mère
père
grand-père
petit-fils
grand-mère
petite-fille
tante
nièce
oncle
neveu
fils
fille
COLETTE
CLAUDE
CLAUDINE
CHARLES
époux
épouse
tante par alliance
neveu par alliance
oncle par alliance
nièce par alliance
DANIELE
DIANE
DOMINIQUE
DAVID
cousins
cousine
cousin
arrière-grands-parents
grands-parents
parents
arrière-petite-fille
arrière-petit-fils
arrière-petits-enfants
petits-enfants
enfants

avait pris des mesures pour s'en préserver). ‖ *Parer au plus pressé, au plus urgent,* prendre les dispositions les plus urgentes pour éviter ou atténuer un mal. ◆ **parade** n. f. Geste, action par lesquels on pare un coup donné par un adversaire : *Un escrimeur, un boxeur qui a la parade rapide. Un avocat qui trouve la bonne parade pour sauver son client.* ◆ **imparable** adj. Qu'on ne peut parer : *Un coup imparable.* ◆ **pare-balles** n. m. invar. Plaque d'acier, vêtement spécial servant à protéger contre les balles. ◆ **pare-brise** n. m. invar. Plaque transparente (de verre ou de produit de même qualité) à l'avant d'une automobile, d'une locomotive, etc., qui préserve le conducteur de l'action de l'air, de la pluie, de la poussière. ◆ **pare-chocs** n. m. invar. Plaque de métal servant à protéger la carrosserie d'une voiture à l'avant et à l'arrière. ◆ **pare-feu** n. m. invar. Dispositif empêchant la propagation d'un incendie.

paresse [parɛs] n. f. Répugnance au travail, à l'effort, à l'activité pénible, goût pour l'inaction : *Un climat amollissant qui incite à la paresse* (syn. : OISIVETÉ, ↓ INDOLENCE, NONCHALANCE ; contr. : ÉNERGIE). *S'abandonner à la paresse* (syn. : FAINÉANTISE). *Paresse intellectuelle* (syn. : APATHIE, ASSOUPISSEMENT). *C'est une solution de paresse* (= celle qui demande le moins d'effort). *Paresse d'esprit* (= lenteur à concevoir). ◆ **paresser** v. intr. Se laisser aller à la paresse en évitant l'effort, le travail : *Paresser le matin dans son lit. Elle reste à paresser tout l'après-midi chez elle* (syn. fam. : TRAÎNASSER). ◆ **paresseux, euse** adj. Qui montre, manifeste de la paresse : *Être paresseux comme une couleuvre. Un élève paresseux* (syn. fam. : COSSARD, FLEMMARD ; contr. : BÛCHEUR). *Les paresseux étaient les derniers à entrer en classe* (syn. : CANCRE). *Il est paresseux à se lever le matin* (= il tarde par paresse). *Un estomac paresseux* (= qui digère avec lenteur). *Choisir une solution paresseuse.* ◆ **paresseusement** adv. : *S'étendre paresseusement sur un divan* (syn. : MOLLEMENT).

parfaire [parfɛr] v. tr. *Parfaire quelque chose,* l'amener à l'achèvement complet, à la plénitude (seulement à l'infin.) : *Pour parfaire la ressemblance, il avait pris l'accent nasillard du professeur* (syn. : PARACHEVER). *Il espère parfaire la somme rapidement en faisant des heures supplémentaires* (syn. : COMPLÉTER).

parfait, e [parfɛ, -ɛt] adj. 1° (avant ou plus souvent après le nom) Se dit d'une personne ou d'une chose qui ne présente aucun défaut, ou qui a telle ou telle qualité au degré le plus élevé : *Aucun homme n'est parfait. Un garçon d'une parfaite correction* (syn. : IRRÉPROCHABLE, ACCOMPLI). *Il a été parfait de discrétion* (= il ne pouvait être plus judicieusement discret). *Une imitation d'une ressemblance parfaite* (syn. : COMPLET). *Un travail parfait* (syn. : IMPECCABLE). *Jouir d'un calme parfait* (syn. : ABSOLU, TOTAL). *Aspirer au bonheur parfait* (syn. : IDÉAL). — 2° *C'est parfait,* tout est pour le mieux : *Puisque rien d'anormal ne s'est produit, c'est parfait, je peux me retirer* (syn. : C'EST TRÈS BIEN). ‖ *Parfait!* (généralement suivi d'une réflexion, d'une critique, etc.), sert à souligner qu'on a pris note d'un fait : *Vous ne voulez pas m'écouter? Parfait, nous verrons bien le résultat!* (syn. : ↓ BON, BIEN). — 3° (avant le nom) Se dit de quelqu'un ou de quelque chose qui est tel, sans aucune réserve : *Il a agi comme un parfait imbécile* (syn. : ACCOMPLI, ACHEVÉ). *Ce récit est d'une parfaite invraisemblance* (syn. : COMPLET, TOTAL). *J'étais dans la plus parfaite ignorance de ce détail.* ◆ **parfaitement** adv. 1° *Il prononce parfaitement l'anglais. Une photographie parfaitement réussie* (syn. : TRÈS BIEN, À LA PERFECTION). *La boîte est parfaitement étanche* (syn. : TOUT À FAIT). — 2° Insiste sur la véracité absolue d'une affirmation : *Vous avez parfaitement le droit de refuser* (syn. : INCONTESTABLEMENT, ASSURÉMENT). *C'est parfaitement exact* (syn. : ABSOLUMENT). « *Vous avez bien prononcé cette phrase? — Mais oui, parfaitement, et je suis prêt à la répéter.* » « *Tu y crois, toi, à cette histoire? — Parfaitement, j'y crois* » (syn. : BIEN SÛR, CERTAINEMENT). ◆ **imparfait, e** adj. Contr. de *parfait* (sens 1, surtout pour les choses) : *Une réussite imparfaite. Sa prononciation de l'anglais reste très imparfaite.* ◆ **imparfaitement** adv. : *Un ouvrage imparfaitement rédigé. Il nage imparfaitement.* ◆ **perfection** n. f. 1° Qualité de ce qui est parfait (sens 1 de l'adj.) : *Il a fait des progrès en orthographe, mais il est encore loin de la perfection dans ce domaine. Un écrivain admiré pour la perfection de son style. La perfection d'une statue de Phidias* (syn. : ↓ BEAUTÉ). *Un artiste qui joue à la perfection* (= admirablement). — 2° (au plur.) Vertus, qualités portées à un très haut degré : *Un poème qui loue les perfections de la femme aimée.* — 3° Personne ou chose parfaite en son genre : *Elle se plaisait à répéter que sa nouvelle bonne était une perfection* (syn. : PERLE). *Cette machine est une petite perfection* (syn. : BIJOU, MERVEILLE). ◆ **perfectible** adj. Qui est capable de s'améliorer : *Un élève, un projet perfectible.* ◆ **imperfection** n. f. Caractère, détail imparfait d'une chose : *La qualité médiocre de l'émission était due à l'imperfection des moyens techniques. On remarque quelques imperfections dans le cristal de ce vase* (syn. : DÉFAUT). ◆ **perfectionnisme** n. m. Désir excessif de perfection (sens 1). ◆ **perfectionniste** adj. et n. (V. aussi PERFECTIONNER.)

parfois [parfwɑ] adv. Indique que le fait se produit dans des circonstances relativement rares ou à des moments espacés (langue soutenue) : *Au mois d'avril, il y a parfois encore de fortes gelées* (syn. : QUELQUEFOIS, DE TEMPS À AUTRE). *Les pièces du Boulevard sont parfois excellentes* (= dans certains cas). *Il a parfois des mots qui me touchent profondément* (contr. : TOUJOURS, CONSTAMMENT). *Parfois il se montre gai et souriant, parfois il est bourru et morose, sans que l'on sache pourquoi* (syn. fam. : DES FOIS).

parfum [parfœ̃] n. m. 1° Odeur agréable : *Une rose qui répand un parfum délicat* (syn. : ARÔME). *Le riche parfum de l'ambre* (syn. : SENTEUR). *Le parfum capiteux d'un vin* (syn. : BOUQUET). *Un parfum frais, chaud, léger, lourd.* — 2° Composition odorante, souvent à base d'alcool : *Mettre quelques gouttes de parfum sur son mouchoir. Un flacon de parfum.* — 3° Impression agréable, souvenir évoqués par une chose (littér.) : *Ce conte a un charmant parfum d'autrefois.* ◆ **parfumer** v. tr. Remplir ou imprégner de parfum : *Un bouquet qui parfume la pièce* (syn. : EMBAUMER). *Un sachet de fleurs de lavande pour parfumer le linge.* ◆ **se parfumer** v. pr. Mettre du parfum sur soi ou sur ses vêtements : *Cette femme se parfume discrètement.* ◆ **parfumerie** n. f. 1° Industrie ou commerce des parfums : *Il a fait fortune dans la parfumerie.* —

2° Parfums divers (sens 2) : *Vendre de la parfumerie.* — 3° Magasin, boutique où l'on vend des parfums : *Entrer dans une parfumerie.* ◆ **parfumeur, euse** n. Fabricant ou marchand de parfums.

pari [pari] n. m. 1° Convention entre des personnes qui soutiennent des opinions contradictoires et qui s'engagent soit à verser une somme à celui d'entre eux dont il sera prouvé qu'il a dit vrai, soit à exécuter quelque chose : *Gagner, perdre un pari. Faire un pari dangereux. Je tiens le pari* (= j'accepte de le soutenir). — 2° Jeu d'argent où le gain dépend de l'issue d'une épreuve, d'une compétition sportive : *Recueillir des paris sur un match de boxe. Le pari mutuel* (= jeu autorisé en matière de courses de chevaux). ‖ *Les paris sont ouverts,* se dit quand le dénouement d'une affaire est incertain. ◆ **parier** v. tr. et intr. : *Parier cent francs. Il parie toujours à coup sûr. Parier aux courses. Parier gros sur un cheval. Je parie tout ce que tu veux qu'il ne viendra pas. Il y a gros à parier qu'il a raté son train* (= il y a beaucoup de chances pour que). *Je parie qu'il a oublié de lui téléphoner* (= je suis sûr que). ◆ **parieur, euse** n. : *Les parieurs du champ de courses.*

paria [parja] n. m. Homme méprisé, considéré comme un être inférieur, mis au ban de la société (littér.) : *Vivre en paria. Traiter quelqu'un en paria.* (En Inde, le *paria* est un individu qui, par son origine, est privé de tous droits religieux ou sociaux.)

pariétal, e, aux [parjetal, -to] adj. 1° Se dit des deux os qui forment les côtés et la voûte du crâne. — 2° *Peinture pariétale,* faite sur les parois ou la voûte d'une grotte (syn. : RUPESTRE).

parisien, ienne [parizjɛ̃, -jɛn] adj. et n. De Paris : *La mode parisienne. La banlieue parisienne* (= autour de Paris). *Un événement bien parisien* (= caractéristique de la vie mondaine de Paris). *Les Parisiens s'évadent de la capitale au mois d'août.*

parité [parite] n. f. Equivalence parfaite (restreint auj. à un emploi économique) : *La parité des prix et des salaires, des traitements. La parité des changes* (entre les cours de deux monnaies). ◆ **paritaire** adj. *Commission paritaire,* où siègent à égalité de nombre les représentants des patrons et des ouvriers ou employés. ◆ **disparité** n. f. Manque d'harmonie, d'égalité : *Les disparités de salaires entre l'industrie privée et les entreprises nationalisées.*

parjure [parʒyr] n. m. Faux serment ou violation de serment : *Etre coupable de parjure envers son pays* (syn. : TRAÎTRISE). ◆ **parjure** adj. et n. Qui viole son serment : *Une amante parjure* (syn. : INFIDÈLE). *Parjure à ses amis, il a abusé de leur confiance* (syn. : TRAÎTRE ; contr. : FIDÈLE). ◆ **parjurer (se)** v. pr. Violer son serment ; faire un faux serment : *Le témoin s'est parjuré et a fait condamner le malheureux.*

parking n. m. V. PARC 2.

parlement [parləmɑ̃] n. m. Assemblée ou ensemble d'assemblées chargées d'exercer le pouvoir législatif (s'écrit avec une majusc.) : *En France, le Parlement comprend l'Assemblée nationale et le Sénat.* ◆ **parlementaire** adj. : *Les débats parlementaires* (= du Parlement). ‖ *Régime parlementaire,* régime politique dans lequel les ministres sont responsables devant le Parlement. ◆ n. m. Membre d'un Parlement. ◆ **parlementarisme** n. m. Syn. de RÉGIME PARLEMENTAIRE. ◆ **antiparlementaire** adj. : *Discours antiparlementaire.* ◆ **antiparlementarisme** n. m. : *L'antiparlementarisme est une hostilité à l'égard du régime parlementaire.*

parlementer [parləmɑ̃te] v. intr. 1° Négocier avec un adversaire en vue d'un armistice, d'une reddition. — 2° Discuter en vue d'un accommodement : *Il fallut parlementer longtemps avec le gardien pour se faire ouvrir la porte.* ◆ **parlementaire** n. m. Celui qui, en temps de guerre, a pour mission d'entrer en pourparlers ou de poursuivre des négociations avec le commandement adverse.

parler [parle] v. intr. et tr. ind. 1° Articuler des paroles : *Les enfants commencent à parler vers le début de la deuxième année. Parler tout haut, tout bas. Il parle en dormant. On dit qu'un perroquet parle quand il reproduit des mots du langage humain. Parler du nez* (= prononcer les mots avec un son nasal). — 2° Exprimer sa pensée, ses sentiments par la parole : *Si je pouvais parler librement, je révélerais des faits surprenants* (syn. : S'EXPRIMER). *Un négociateur qui parle habilement. Parler en l'air* (= sans certitude, sans preuves). *Parler en maître* (= avec autorité). *Parler d'or* (= dire des choses excellentes). ‖ *Voilà qui est parler,* ou *ça, c'est parler,* exprime une pleine approbation de la déclaration de quelqu'un. — 3° Prononcer un discours, une allocution : *Un orateur qui parle devant un auditoire attentif. Il déteste parler en public* (syn. : DISCOURIR). — 4° *Parler à quelqu'un,* lui adresser la parole : *Il parlait à un de ses amis, je n'ai pas voulu l'interrompre. Depuis qu'il est brouillé avec son cousin, il ne lui parle plus.* ‖ Fam. *Trouver à qui parler,* rencontrer une vive opposition. — 5° *Parler avec quelqu'un,* s'entretenir avec lui (syn. : CAUSER, CONFÉRER, CONVERSER). — 6° *Parler de quelqu'un, de quelque chose,* en faire le sujet d'une conversation, d'un exposé : *Nous parlions de lui quand il est entré. Le ministre a parlé à la radio des objectifs du plan. On parle d'abattre ces immeubles* (= on fait le projet). *Parler de la pluie et du beau temps* (= s'entretenir de choses banales, indifférentes). *Ne m'en parlez pas!* (= je ne le sais que trop). ‖ *Sans parler de...,* indique une considération accessoire : *Cela va vous coûter très cher, sans parler de tous les ennuis que vous vous attirerez* (syn. : INDÉPENDAMMENT DE, OUTRE). ‖ *Faire parler de soi,* se signaler par quelque action remarquable, en bien ou en mal. — 7° Exprimer une pensée, un sentiment autrement qu'en paroles : *Parler par gestes. Dans sa lettre, il me parle de ses soucis* (syn. : FAIRE PART DE, EXPOSER). — 8° (sujet nom de chose) Etre un témoignage de : *Tout ici nous parle du passé;* dicter la conduite : *Quand le devoir a parlé, il n'hésite jamais.* ‖ *Son cœur a parlé,* il (elle) a éprouvé de l'amour. ‖ *Parler aux yeux, au cœur, à l'imagination,* etc., flatter le regard, plaire, porter à la rêverie, etc. — 9° (sans article) *Parler politique, affaires,* etc. — 10° Fam. *Tu parles!, Vous parlez!,* naturellement, je crois bien! — 11° *Parlant,* précédé d'un adverbe en *-ment : Scientifiquement, administrativement,* etc., *parlant,* en termes scientifiques, du point de vue administratif, etc. ◆ v. tr. *Parler une langue,* être capable de s'exprimer en cette langue, l'employer : *Il parle un peu l'anglais* (ou *anglais*). *Le français est parlé dans une grande partie de l'Afrique.* ◆ **se parler** v. pr. 1° *Se parler à soi-même,* tenir un monologue intérieur. — 2° Etre parlé : *L'espagnol se parle en Amérique latine.* ◆

parler n. m. 1° Manière dont quelqu'un s'exprime : *Un parler doux, nasillard* (syn. : SON). *Un parler truculent* (syn. : LANGAGE). *Il a le parler tranchant* (syn. : PAROLE). — 2° Langue particulière à une région : *Les parlers méridionaux* (syn. : DIALECTE, PATOIS). ◆ **parlant, e** adj. 1° Se dit de ce qui est expressif, suggestif : *Une image parlante. La comparaison est parlante* (syn. : ÉLOQUENT). — 2° *Film, cinéma parlant,* accompagné de paroles synchronisées (contr. : MUET). ◆ **parlé, e** adj. Manifesté par la parole : *La langue parlée se distingue par bien des traits de la langue écrite. Un texte parlé.* ◆ **parlé** n. m. Partie d'une œuvre exprimée par la parole : *Le parlé et le chanté dans un opéra.* ◆ **parleur** n. et adj. m. *Beau parleur,* celui qui s'exprime avec agrément, dont la parole est séduisante (nuance généralement péjor.) : *Elle s'est laissé enjôler par un beau parleur. Un garçon beau parleur.* ◆ **parloir** n. m. Salle où l'on reçoit les visiteurs dans certains établissements : *Le parloir d'un lycée, d'un monastère.* ◆ **parlote** n. f. *Fam.* Conversation, discussion de peu d'utilité : *La réunion du comité s'est passée en vaines parlotes.*

parmesan [parməzɑ̃] n. m. Fromage italien à pâte dure fait avec du lait écrémé.

parmi [parmi] prép. V. ENTRE.

parodie [parɔdi] n. f. 1° Travestissement plaisant d'une œuvre ou d'un passage d'œuvre littéraire ou artistique : *Des étudiants qui interprètent une parodie du « Cid » au cours d'une séance récréative.* — 2° Imitation grossière, de caractère ironique ou cynique : *Tout ce procès n'a été qu'une sinistre parodie, les accusés étant condamnés d'avance.* ◆ **parodier** v. tr. : *Parodier une tragédie, une symphonie. Parodier le ton doctoral de quelqu'un* (syn. fam. : SINGER). ◆ **parodiste** n. Auteur d'une parodie littéraire.

paroi [parwa] n. f. 1° Surface intérieure latérale d'un récipient, d'un conduit : *Un dépôt qui se fixe aux parois du réservoir. Une paroi étanche.* — 2° Face intérieure des murs, cloison qui sépare les pièces d'une habitation : *Une paroi humide.* — 3° *Paroi rocheuse,* ou simplement *paroi,* surface de rocher à peu près unie et proche de la verticale : *Des alpinistes qui gravissent une paroi en s'aidant de pitons et de cordes.*

paroisse [parwas] n. f. Circonscription ecclésiastique où s'étend la juridiction spirituelle d'un curé; église où s'exerce ce ministère : *L'église de la paroisse. Aller à la paroisse.* ◆ **paroissien, ienne** n. Catholique fidèle d'une paroisse. ‖ Fam. *Un drôle de paroissien,* un drôle d'individu. ◆ **paroissial, e, aux** adj. : *Les œuvres paroissiales* (= de la paroisse). *L'église paroissiale.*

parole [parɔl] n. f. 1° Faculté de parler, aptitude à parler : *La parole est le propre de l'homme* (syn. : LANGAGE). *Un conférencier qui a la parole facile* (= qui s'exprime avec facilité). *Il a le don de la parole* (= il s'exprime avec agrément). *L'accusé semblait avoir perdu la parole* (= être devenu muet). — 2° *Prendre la parole,* commencer à parler. ‖ *Passer la parole à quelqu'un,* l'inviter à parler. ‖ *Couper la parole à quelqu'un,* l'interrompre quand il parle. — 3° Ton, débit de la voix : *Avoir la parole douce, vive, rapide, traînante, chantante.* — 4° Mot, phrase qu'on prononce : *Il nous a regardés sans dire une parole. Des paroles de bienvenue. Je n'ai pas osé lui adresser la parole* (= lui parler). *Citer une parole de Napoléon* (= une phrase mémorable, sentencieuse). — 5° *Belles paroles* (souvent péjor.), vaines promesses. ‖ *Parole en l'air,* dite à la légère. ‖ *La parole de Dieu,* l'Ecriture sainte. — 6° Assurance donnée à quelqu'un, engagement formel : *Vous pouvez y compter, vous avez ma parole. Je vous en donne ma parole. Reprendre sa parole* (= se dédire, se rétracter). *Je n'ai qu'une parole* (= je ne reviens pas sur mes promesses). *On ne peut pas se fier à lui, il n'a aucune parole. C'est un homme de parole* (= fidèle, sûr). *Inutile de m'apporter des preuves, je vous crois sur parole* (= je vous fais confiance). *Un prisonnier sur parole* (= lié seulement par sa promesse de ne pas s'évader). — 7° *Parole d'honneur!* ou (plus usuel) *Ma parole!,* formules d'affirmation. ◆ **parolier** n. m. Auteur des paroles d'une chanson.

paronyme [parɔnim] n. m. Mot proche d'un autre par ses combinaisons phonétiques (*conjecture* et *conjoncture*).

paroxysme [parɔksism] n. m. Extrême intensité d'une maladie, d'une douleur, d'un sentiment, d'une passion : *Douleur de tête poussée à son paroxysme. La folie atteignit son paroxysme. Au paroxysme de la colère, il se jeta sur son adversaire.*

parpaillot [parpajo] n. m. Nom injurieux donné anciennement aux protestants par les catholiques.

parpaing [parpɛ̃] n. m. Bloc rectangulaire de matériaux agglomérés (ciment, gravillons, mâchefer), de la grandeur d'une pierre de taille, servant à la construction des murs.

parquer v. tr. V. PARC 2.

1. parquet [parkɛ] n. m. Ensemble des magistrats sous l'autorité du ministère public ou du procureur général (magistrats de l'accusation); local qui leur est affecté en dehors des audiences : *Le parquet s'est transporté sur les lieux du crime pour reconstituer les circonstances exactes du meurtre.*

2. parquet [parkɛ] n. m. Assemblage de lames de bois qui garnissent le sol d'une pièce : *Le plancher était fait d'un parquet de chêne. Cirer, frotter, nettoyer un parquet.* ◆ **parqueter** v. tr. (conj. 8). Garnir d'un parquet. ◆ **parquetage** n. m.

parrain [parɛ̃] n. m. 1° Celui qui a pour fonction de présenter un enfant au baptême et de veiller à son éducation religieuse : *Le parrain et la marraine tiennent l'enfant sur les fonts baptismaux.* (V. MARRAINE.) — 2° Celui qui présente quelqu'un dans une société, qui lui sert de répondant. ◆ **parrainer** v. tr. *Parrainer quelqu'un, parrainer une entreprise,* lui servir de répondant, de garant (syn. : PATRONNER). ◆ **parrainage** n. m. : *Un grand savant qui accepte le parrainage d'une campagne contre la ségrégation raciale.*

parricide [parisid] n. m. Meurtre du père ou de la mère ou de tout autre ascendant. ◆ n. et adj. Qui a commis ce crime : *Un jeune parricide. Un enfant parricide.*

parsemer [parsəme] v. tr. 1° (sujet nom d'être animé ou de chose) Couvrir de choses répandues çà et là (surtout au part. passé) : *L'ennemi avait parsemé le sol de mines. Un discours parsemé de citations* (syn. : TRUFFÉ). *L'entreprise était parsemée de difficultés.* — 2° (sujet nom de chose) Etre épars sur une surface, dans quelque chose : *Quelques* *feuilles mortes parsèment les allées* (syn. : ↑ JONCHER). *Les fleurs qui parsèment le gazon* (syn. : ÉMAILLER). *Les fautes d'orthographe qui parsèment un texte.*

1. part [par] n. f. 1° Portion d'un tout destinée à quelqu'un, affectée à un emploi : *Diviser un gâteau en six parts égales. Il a abandonné à ses frères sa part d'héritage. Consacrer une part importante de son salaire au loyer* (syn. : PARTIE). *Chacun a sa part de bonheur et de misère* (syn. : LOT). — 2° *La part du lion,* la plus grosse, celle que s'attribue le plus fort dans un partage, au mépris de la justice. ‖ Fam. *Part à deux!* [paradø], partageons (invitation très ferme adressée à quelqu'un). ‖ *Avoir part à,* recevoir ce qui vous revient : *Il a eu part à la distribution.* ‖ Fam. *Ne pas donner (jeter) sa part aux chats,* ne renoncer à rien de ce qu'on peut obtenir. ‖ *Faire la part du feu,* abandonner quelque chose pour ne pas tout perdre. ‖ *Associé à part entière, membre à part entière d'un groupe,* etc., personne qui jouit pleinement de tous les droits reconnus aux membres de ce groupe. — 3° Ce qui est apporté à une œuvre commune, participation, concours : *Chacun doit fournir sa part d'efforts. Je me félicite d'avoir pu contribuer pour une petite part à ce résultat.* — 4° (sujet nom d'être animé) *Avoir part à,* jouer son rôle dans : *Remercier tous ceux qui ont eu part au succès d'une entreprise.* ‖ *Prendre part à, prendre une part dans,* participer activement à, s'associer à : *Plusieurs députés n'ont pas pris part au vote. Il a pris la principale part dans ces négociations. Je prends part à vos soucis.* ‖ *Faire la part de quelque chose,* tenir compte de l'influence exercée par cette chose : *Il faut faire la part du mauvais temps dans l'analyse des causes de la hausse des prix.* — 5° Titre garantissant à un actionnaire des dividendes ou des droits sur une fraction du capital d'une société anonyme. — 6° *Pour une part,* indique un des mobiles, une des causes que l'on considère séparément : *Sa décision résulte pour une part du souci de ne gêner personne. Des considérations électorales entraient pour une bonne (une large) part dans les mesures prises par le gouvernement* (= dans une large mesure). ‖ *Pour ma (ta,* etc.) *part,* en ce qui me (te, etc.) concerne : *Pour ma part, je trouve ce choix excellent* (syn. : QUANT À MOI [TOI, etc.]). ‖ *De la part de quelqu'un,* en son nom, venant de lui : *J'ai un paquet à vous remettre de la part de vos parents. Cette réponse ne me surprend pas de sa part.* ‖ *Faire part de quelque chose à quelqu'un,* l'en informer : *Je lui ai fait part de mes projets.* ‖ *Prendre des paroles, des actes en mauvaise part, en bonne part,* s'en offenser, ne pas s'en offenser : *Ne prenez pas en mauvaise part ces quelques remarques.*

2. part [par] n. f. LOC. ADV. *Autre part,* à un autre endroit, ailleurs : *Il n'est pas ici, il faut chercher autre part.* ‖ *Nulle part,* en aucun lieu : *Il ne se plaît nulle part. Nulle part ailleurs vous ne trouverez de meilleures conditions.* ‖ *Quelque part,* en quelque lieu : *C'est un visage que j'ai déjà vu quelque part. J'ai lu cette phrase quelque part dans l'œuvre de Victor Hugo.* ‖ Fam. *Aller, être quelque part,* aux cabinets. ‖ Fam. *Un coup de pied quelque part,* au derrière. ‖ *De toute(s) part(s),* de tous côtés, partout (indiquant soit la provenance, soit la présence) : *Des lettres de félicitations qui arrivent de toute part. De toute part on pouvait observer des signes de reprise économique. De part et d'autre* [dəpartedotr ou dəparedotr], d'un côté comme de l'autre, chez l'un (les uns) comme chez l'autre (les autres) : *Il y a de la mauvaise foi de part et d'autre dans cette discussion.* ‖ *De part en part,* d'un côté à l'autre en traversant l'épaisseur : *Le projectile a transpercé le blindage de part en part.* ‖ *D'une part..., d'autre part...,* marquant les différents points d'un développement : *D'une part il est paresseux, d'autre part il n'a pas eu de chance.*

3. part (à) [apar] loc. adv. Séparément : *Il faut ranger ces livres à part. Une question qui sera examinée à part. Prendre quelqu'un à part pour lui confier un secret.* ◆ LOC. ADJ. Qui se distingue nettement des autres, du reste : *C'est un garçon à part* (syn. : SPÉCIAL). *Considérer chaque fait comme un cas à part* (syn. : PARTICULIER). ◆ LOC. PRÉP. Excepté : *A part toi, personne n'est au courant* (syn. : SAUF). *A part cela, tout va bien. Le mauvais temps à part, nous avons passé de bonnes vacances.* ‖ *A part moi (toi,* etc.), en mon (ton, etc.) for intérieur : *J'ai gardé mes réflexions à part moi.*

partager [partaʒe] v. tr. 1° *Partager quelque chose,* le diviser en plusieurs parts : *Partager les bénéfices entre les associés. La propriété a été partagée et vendue par lots* (syn. : MORCELER, LOTIR). *Partager une pomme en deux par la moitié* (syn. : COUPER). *Nous allons nous partager la besogne* (syn. : RÉPARTIR); et absolum. : *C'est un égoïste : il n'aime pas partager avec ses voisins.* — 2° *Partager le pouvoir, les responsabilités, un droit,* etc., *avec quelqu'un,* être associé à cette personne dans ce domaine : *Le directeur technique et le directeur commercial partagent la responsabilité de la situation financière de l'entreprise.* — 3° *Partager les sentiments, l'opinion de quelqu'un,* éprouver les mêmes sentiments que lui, être du même avis : *Je partage votre joie, votre peine, vos soucis, votre embarras* (syn. : S'ASSOCIER À). *Je ne partage pas ses idées politiques.* — 4° *Etre partagé* (sujet nom de personne), être animé de sentiments, de tendances contraires : *Il restait partagé entre la crainte et l'espoir;* (sujet nom de personne ou de chose au plur.) être divers, en désaccord : *Les avis sont partagés sur la question. Les spécialistes sont très partagés sur ce point;* (sujet nom de chose au plur.) ne pas être le fait d'une seule personne : *Dans cette querelle, les torts sont partagés.* — 5° (sujet nom de personne) *Etre bien, mal partagé,* être favorisé, défavorisé : *Il n'est pas trop bien partagé sous le rapport de la santé.* ◆ **se partager** v. pr. 1° Diviser entre plusieurs : *Ils se partagèrent l'héritage.* — 2° Etre divisé : *Les responsabilités ne se partagent pas.* ◆ **partage** n. m. 1° Action ou manière de partager : *On a procédé au partage de l'héritage entre les successeurs. Un partage à l'amiable. Le partage n'est pas équitable.* ‖ *Sans partage,* exclusif, total, sans réserve : *Exiger des adhérents une fidélité sans partage.* — 2° Ce qui échoit à quelqu'un : *Son partage dans cette affaire, ce sont les soucis plus que les avantages.* ‖ *En partage,* comme lot, comme don naturel : *Il s'est retiré dans la maison qui lui était échue en partage à la mort de son père. Un écrivain qui a reçu en partage une imagination débordante.* ◆ **partageable** adj. : *Les frais d'entretien sont partageables entre les copropriétaires. Vous avez émis une opinion difficilement partageable.* ◆ **partageant** n. m. Une des personnes entre qui se fait un partage : *Distribuer des lots égaux aux partageants.*

partance n. f. V. PARTIR.

partant [partɑ̃] conj. Indique la conséquence (littér.) : *Il se voyait abandonné, partant son désarroi était grand.* (V. aussi PARTIR.)

partenaire [partənɛr] n. Personne à qui on est associé dans un jeu, avec qui on est en relation dans une entreprise : *Avant le début du match de tennis, les deux partenaires français avaient mis au point leur tactique. Une conférence économique où les différents partenaires débattent les intérêts de leur pays respectif.*

1. parterre [partɛr] n. m. Partie d'un jardin où des fleurs variées sont disposées d'une manière ornementale : *Les parterres d'un jardin à la française.*

2. parterre [partɛr] n. m. 1° Partie d'un théâtre située au rez-de-chaussée, derrière les fauteuils d'orchestre. — 2° Les spectateurs qui y sont placés : *Un parterre enthousiaste.*

1. parti [parti] n. m. 1° Groupe organisé de personnes réunies par une communauté d'opinions (en général politiques), d'intérêts : *Un parti politique qui tient son congrès annuel. Il y a traditionnellement deux grands partis en Angleterre : les conservateurs et les travaillistes. L'union des partis du centre et de la gauche.* — 2° Ensemble inorganisé de gens ayant des tendances communes : *Des électeurs qui sont allés grossir le parti des mécontents.* — 3° *Esprit de parti,* attitude de ceux qui, trop exclusivement attachés aux idées d'un parti, manquent d'objectivité à l'égard des autres (syn. : SECTARISME). ◆ **partisan** n. m. 1° Attaché aux idées d'un parti, à une doctrine, à la personne d'un homme politique, à un régime : *Un leader qui obtient un appui massif de ses partisans. Les partisans d'un système de libéralisme économique* (syn. : ADEPTE). *Les partisans d'une dictature.* — 2° (sans compl.) Combattant volontaire n'appartenant pas à une armée régulière et luttant pour un idéal national, politique : *La lutte des partisans contre les armées d'occupation pendant la Seconde Guerre mondiale* (syn. : MAQUISARD). ◆ **partisan, e** adj. 1° Se dit de quelqu'un qui est favorable à une idée (en ce sens, le fém. est parfois *partisante*) : *Je ne suis pas partisan de cette thèse. Il était partisan d'un régime présidentiel. Etes-vous partisan de le mettre au courant de nos projets?* (syn. : D'AVIS). — 2° *Péjor.* Se dit de ce qui est inspiré par l'esprit de parti (le fém. est toujours *partisane*) : *Des luttes, des querelles partisanes. Un choix partisan.*

2. parti [parti] n. m. *Prendre un parti,* fixer son choix, arrêter sa résolution : *C'est assez tergiversé, il est temps de prendre un parti* (syn. : DÉTERMINATION). *En voyant le peu d'ardeur des autres, il a pris le parti d'agir seul* (= il a décidé); s'emploie parfois sans le verbe *prendre : Il a opté pour le parti le plus avantageux* (syn. : SOLUTION). *C'est là le meilleur parti.* ‖ *Prendre parti pour quelqu'un, en faveur de quelqu'un, contre quelqu'un,* se prononcer pour ou contre lui. ‖ *Prendre son parti de quelque chose,* l'accepter comme inévitable, s'y résigner : *Il faut prendre son parti de la lenteur des formalités administratives.* ‖ Péjor. *Parti pris,* opinion préconçue qui empêche de juger objectivement : *Une critique littéraire qui évite le parti pris* (syn. : PARTIALITÉ). *Je le crois, sans parti pris, incapable d'occuper ce poste.*

3. parti [parti] n. m. *Tirer parti de quelque chose, de quelqu'un,* en profiter, l'utiliser : *Il a tiré parti de ses relations pour obtenir cette place. On ne peut pas tirer parti d'un document dont l'authenticité est douteuse;* et avec des déterminants : *L'architecte a tiré le meilleur parti possible du terrain.*

4. parti [parti] n. m. *Faire un mauvais parti à quelqu'un,* le maltraiter ou le tuer : *Il ne se risquait pas à revoir les victimes de ses escroqueries, qui auraient pu lui faire un mauvais parti.*

5. parti [parti] n. m. *Un beau parti, un riche parti,* etc., une personne à marier qui représente des avantages considérables : *Il épouse la fille de son patron : c'est pour lui un beau parti.*

6. parti, e [parti] adj. *Fam.* Ivre : *A la fin du repas, il était un peu parti.*

partial, e, aux [parsjal, -sjo] adj. Se dit d'une personne (ou de son comportement) qui a du parti pris en faveur de quelqu'un ou de quelque chose : *L'œuvre de cet historien est partiale par ses tendances politiques marquées. Un arbitre partial. Un juge partial* (syn. : INIQUE). ◆ **partialement** adv. : *Il a été trop impliqué dans cette affaire, il ne peut la juger que partialement.* ◆ **partialité** n. f. : *On a critiqué la partialité de ce choix. Juger sans partialité les mérites et les défauts de quelqu'un.* ◆ **impartial, e, aux** adj. : *Juge impartial* (syn. : INTÈGRE). *Un arbitrage impartial* (syn. : ÉQUITABLE). *Un historien impartial* (syn. : OBJECTIF). ◆ **impartialement** adv. ◆ **impartialité** n. f. : *Je vous donnerai mon avis sur cette personne en toute impartialité.*

participe [partisip] n. m. Forme adjective du verbe qui joue le rôle tantôt d'un adjectif (variable), tantôt d'un verbe suivi du complément (invariable). ◆ **participial, e, aux** adj. : *La proposition participiale a son verbe au participe et un sujet indépendant de la principale.* (V. tableau p. 826.)

participer [partisipe] v. tr. ind. 1° *Participer à quelque chose,* y avoir part, en recevoir sa part : *Les actionnaires participent aux bénéfices de l'affaire;* s'y associer, y prendre part : *Les organisations syndicales qui participent à la grève. Je participe à votre joie.* — 2° *Participer de quelque chose,* en présenter certains caractères : *Le drame, en littérature, participe à la fois de la tragédie et de la comédie.* ◆ **participant, e** n. et adj. : *Le nombre des participants à ce concours a été très élevé. Une conférence où s'est manifestée l'unanimité des nations participantes.* ◆ **participation** n. f. : *Ce monument a pu être restauré grâce à la participation des pouvoirs publics* (syn. : CONCOURS). *Il est accusé de participation à un complot.*

1. particule [partikyl] n. f. Très petite partie, parcelle d'une chose matérielle : *Une poudre composée de fines particules.*

2. particule [partikyl] n. f. 1° Petit mot invariable servant à préciser le sens d'autres mots ou à indiquer des rapports grammaticaux : *Dans « celui-ci », « -ci » est une particule qui indique la proximité.* — 2° Préposition (en français *de,* en allemand *von,* etc.) qui précède certains noms de famille (spécialement de familles nobles) : *Particule nobiliaire. Un nom à particule.*

1. particulier, ère [partikylje, -ɛr] adj. 1° Se dit de ce qui appartient ou est affecté en propre à un être animé ou à une chose : *Il utilise tantôt une voiture de l'usine, tantôt sa voiture particulière* (syn. : PERSONNEL). *Une partie du lycée*

PARTICIPE ET ADJECTIF VERBAL

I. Valeur de verbe

FORMES ET EMPLOIS	EXEMPLES
1° Participe présent invariable ou participe passé avec ou sans auxiliaire *étant* ou *ayant*, variable selon des conditions étudiées plus loin ; tous deux équivalent à une proposition subordonnée complément circonstanciel de temps, de condition, de cause ou relative. (Appartient à la langue écrite ; la langue parlée préfère le gérondif ou la proposition subordonnée.)	*Appelant un de ses amis à son aide, il s'efforça de soulever le rocher. Les personnes ayant des renseignements à demander pourront s'adresser ici. Appliqués à leur travail, ils doivent réussir. Il ne put comprendre ce qui se passait, étant étourdi par le choc. Ayant oublié sa clef, il ne pouvait rentrer chez lui.*
2° Gérondif : forme simple en *-ant* invariable, ou forme composée variable sous conditions avec auxiliaire (*ayant, étant*), précédée de la préposition *en* et équivalant à une proposition subordonnée de temps, de condition, etc., à un complément de manière.	*Ils défilèrent dans la rue en chantant* (manière). *Il lisait le journal tout en mangeant* (temps). *En prenant l'escabeau vous atteindrez le compteur* (condition). *Il est parti en ayant fini son travail.*

II. Valeur d'adjectif

FORMES ET EMPLOIS	EXEMPLES
1° Adjectif verbal en *-ant* variable : sans modification de l'orthographe ; avec modification de l'orthographe ; — modification de la forme du radical ; — modification de la forme de la désinence.	*Vous aurez des enfants très obéissants. C'est une rue passante.* *Des paroles provocantes* (participe *provoquant*). *Une course fatigante* (participe *fatiguant*). *Place vacante* (participe *vaquant*). *Capitaine navigant* (participe *naviguant*). *Des personnes négligentes* (participe *négligeant*).
2° Adjectif verbal en *-é, -i, -u, -is, -(i)t* (sans auxiliaire) variable.	*C'est une femme dissimulée et hypocrite. Un garçon étourdi, mais intelligent. Un jeune homme bien mis. Une soirée très courue. Une personne bien faite.*

ACCORD DU PARTICIPE PASSÉ

RÈGLES D'ACCORD	EXEMPLES
1° Conjugué avec *être :* le participe passé s'accorde en genre et en nombre avec le sujet du verbe.	*La villa a été louée pour les vacances. Les feuilles sont tombées. Nos amis sont venus hier. Les rues sont bien éclairées.*
2° Conjugué avec *avoir :* le participe passé des temps composés des verbes actifs s'accorde en genre et en nombre avec le complément d'objet direct lorsque ce complément le précède.	*Vous avez pris la bonne route ;* mais : *La bonne route que vous avez prise. Vous aviez envoyé une lettre : je l'ai bien reçue.*
3° Conjugué avec *avoir* suivi d'un infinitif : le participe passé reste invariable si l'infinitif est complément d'objet direct. Il s'accorde si le complément d'objet du participe est sujet de l'infinitif.	*Vous auriez dû écouter nos conseils. Les conseils que vous auriez dû écouter. La cantatrice que j'ai entendue chanter.*
4° Conjugué avec *avoir* et précédé de *en :* le participe passé reste invariable, sauf lorsque *en* est précédé d'un adverbe de quantité.	*J'ai cueilli des fraises dans le jardin et j'en ai mangé. Autant d'ennemis il a attaqués, autant il en a vaincus.*
5° Conjugué avec *avoir* et précédé de *l'* représentant une proposition : le participe passé reste invariable.	*La journée fut plus belle qu'on ne l'avait prévu.*
6° Conjugué avec *avoir* et les verbes *courir, valoir, peser, vivre, coûter :* le participe passé s'accorde avec le complément d'objet des emplois transitifs.	*Les dangers que j'ai courus. Les efforts que ce travail m'a coûtés. Les jours heureux qu'elle a vécus ici. Les mois qu'il a vécu* (que est complément de temps).
7° Conjugué avec *avoir* et un verbe impersonnel : le participe passé reste invariable.	*Les deux jours qu'il a neigé. Les accidents nombreux qu'il y a eu cet été. La chaleur qu'il a fait.*
8° Conjugué avec *avoir* et une expression collective comme complément d'objet direct placé avant : le participe passé s'accorde soit avec le mot collectif, soit avec le mot complément du terme collectif.	*Le grand nombre de succès que vous avez remporté* (ou *remportés*). *Le peu d'attention que vous avez apporté* (ou *apportée*) *à cette affaire.*
9° Conjugué avec *être* et une forme pronominale : le participe passé s'accorde avec le sujet du verbe, sauf les cas suivants : *a*) lorsque le verbe est suivi d'un complément d'objet direct (il y a accord lorsque ce complément précède) ; *b*) lorsque le verbe pronominal réfléchi ou réciproque est, à la forme active, un verbe transitif indirect, ou un verbe admettant un complément d'attribution introduit par *à*.	*Ils se sont aperçus de leur erreur. Ils se sont lavés. Ils se sont battus. Elle s'est regardée dans la glace. Ils se sont lavé les mains. Ils se sont écrit des lettres ;* mais : *Les mains qu'ils se sont lavées. Les lettres qu'ils se sont écrites.* *Ils se sont nui* (nuire à quelqu'un). *Ils se sont écrit* (écrire à quelqu'un).

est réservée aux appartements particuliers du proviseur, du censeur, du personnel (syn. : PRIVÉ). *Il a son secrétaire particulier. Une entreprise qui a son service particulier de distribution du courrier* (syn. : PROPRE). — 2° Se dit de ce qui concerne spécialement un individu : *S'efforcer de concilier les intérêts particuliers avec l'intérêt général* (syn. : INDIVIDUEL). *Il a des raisons toutes particulières d'agir ainsi* (syn. : PERSONNEL). ‖ *Avoir un entretien particulier, une conversation particulière avec quelqu'un,* parler avec lui seul à seul (syn. : PRIVÉ). ‖ *Leçon particulière,* leçon faite à un seul élève et non à une classe. — 3° Se dit de ce qui distingue quelqu'un ou quelque chose, qui a un caractère remarquable : *Un écrivain qui a un style très particulier* (syn. : SPÉCIAL). *Ce phénomène ne peut se produire que dans certaines circonstances particulières. C'est un film d'un genre particulier* (syn. : ↑ UNIQUE). — 4° *Particulier à quelqu'un, à quelque chose,* qui ne se rencontre, ne s'observe que chez cette personne, dans cette chose : *Un plat particulier à une région* (syn. : SPÉCIAL). *Cette habitude lui est particulière. Un symptôme particulier à une maladie* (syn. : SPÉCIFIQUE DE). — 5° (parfois avant le nom) Se dit de ce qui est important, se manifeste avec force : *Ce travail a été exécuté avec un soin tout particulier. Je l'ai écouté avec une particulière attention.* ◆ **particulier** n. m. Ce qui concerne seulement un élément d'un ensemble : *Le conférencier, passant du général au particulier, raconta quelques anecdotes.* • LOC. ADV. *En particulier,* à part, séparément (après un verbe) : *Cette question a été laissée de côté dans la discussion générale : elle devra être examinée en particulier. Je vous raconterai cela en particulier* (syn. : EN PRIVÉ ; contr. : EN PUBLIC) ; spécialement, notamment, entre autres (souvent avant un nom, un pron., un adj., un adv., une proposition) : *Il a fait beau toute la semaine, en particulier hier. J'aimerais connaître l'avis d'un spécialiste : le vôtre en particulier. On a fait des travaux importants; en particulier, il a fallu élargir le pont.* ◆ **particularisme** n. m. Attitude d'une population, d'un groupe social, d'une région, et même d'un individu qui maintient ses caractères particuliers, originaux, qui veut conserver son autonomie par rapport à l'ensemble dont il fait partie : *Le particularisme des habitants du Jura suisse.* ◆ **particularité** n. f. : *Cette horloge a, offre, présente la particularité d'indiquer les mois et les jours* (syn. : CARACTÉRISTIQUE). *Quelles sont les particularités de ce dialecte?* (= les traits distinctifs). *Chercher à définir les particularités d'une œuvre littéraire* (= les traits pertinents). *Les particularités de la formation du pluriel en français* (= les exceptions).

2. particulier [partikylje] n. m. 1° Personne privée, par opposition au public, à l'ensemble des citoyens, d'un homme d'Etat : *N'importe quel particulier peut intenter un procès à une collectivité locale. Le président de la République vote comme un simple particulier.* — 2° *Fam.* Individu quelconque : *Qu'est-ce qu'il réclame, ce particulier?*

1. partie [parti] n. f. 1° Portion, élément d'un tout : *Un exposé en trois parties* (syn. : POINT). *Toute la première partie de la séance a été consacrée au compte rendu financier. Il n'occupe qu'une partie de la maison. Les cinq parties du monde* (= les cinq continents). *Diviser les bénéfices en quatre parties* (syn. : PART). *Une partie de l'assemblée acclama l'orateur* (syn. : FRACTION). — 2° *En partie,* s'oppose à *totalement, en totalité : Le bâtiment a été en partie détruit par un incendie. C'est en partie pour lui que j'avais fait cela* (contr. : UNIQUEMENT). ‖ *Tout ou partie,* la totalité ou une fraction : *Il espère obtenir le remboursement de tout ou partie des dégâts.* ‖ *Faire partie de quelque chose,* en être un élément : *La France fait partie de l'Europe. Un livre qui fait partie de la littérature policière* (syn. : APPARTENIR). *Il ne fait pas partie de ce syndicat* (syn. : ADHÉRER). *Vous faites partie des heureux gagnants* (syn. : ÊTRE AU NOMBRE DE). ◆ **partiel, elle** [parsjɛl] adj. Qui constitue, qui concerne une partie seulement d'un ensemble : *Il n'a obtenu qu'un succès partiel* (syn. : INCOMPLET). *Un dépouillement partiel du texte donne une idée approximative de la fréquence de ce mot* (contr. : TOTAL, EXHAUSTIF). ◆ **partiellement** adv. : *Cette demande n'a pu être que partiellement satisfaite. Une réponse partiellement fausse.*

2. partie [parti] n. f. (généralement précédé d'un possessif). Profession, spécialité de quelqu'un, domaine qu'il connaît bien : *Je ne prétends pas lui en remontrer dans sa partie. La chimie, ce n'est pas ma partie* (syn. fam. : RAYON). *Quand on lui parle publicité, il est dans sa partie* (= à son affaire [fam.]). *Je ne peux pas discuter de cette question : je ne suis pas dans la partie* (ou *de la partie*).

3. partie [parti] n. f. 1° Totalité des coups à jouer, des points à obtenir pour avoir gagné ou perdu à un jeu : *La partie d'échecs est terminée quand un des rois est échec et mat. Une partie de cartes en trois manches.* — 2° Ensemble de manœuvres, d'opérations à accomplir demandant une certaine habileté : *Il va falloir obtenir l'accord du ministère des Finances : la partie est délicate. Entre les deux candidats, la partie a été serrée* (= chacun a exploité à fond ses avantages). *C'est une rude partie. La partie n'est pas égale entre eux* (= l'un est désavantagé). *Gagner, perdre la partie* (= réussir, échouer). *Abandonner la partie* (= se décourager devant les difficultés, renoncer à une entreprise). — 3° *Partie de chasse, de pêche, de canotage,* etc., divertissement qu'on prend à plusieurs en pratiquant ces exercices. ‖ *Partie de campagne,* promenade, excursion à la campagne, à plusieurs et généralement pour une journée. ‖ *Partie de plaisir,* divertissements collectifs variés. ‖ Fam. *Ce n'est pas une partie de plaisir,* c'est un travail pénible, une occupation ennuyeuse. ‖ *Ce n'est que partie remise,* ce n'est que différé.

4. partie [parti] n. f. 1° Personne qui participe à un acte juridique ou qui est engagée dans un procès, un débat (langue jurid.) : *L'avocat a contesté les arguments de la partie adverse. Un arbitre qui s'efforce de mettre d'accord les parties en présence.* — 2° *Partie civile,* plaideur qui demande réparation des dommages que lui a causés l'accusé : *Se constituer, se porter partie civile.* ‖ *Etre juge et partie,* avoir à juger d'un cas où l'on a ses propres intérêts engagés. ‖ *Avoir affaire à forte partie,* avoir un adversaire redoutable. ‖ *Prendre quelqu'un à partie,* s'en prendre à lui, l'attaquer.

5. parties n. f. pl. Organes de la génération. (On dit aussi PARTIES NATURELLES, PARTIES SEXUELLES.)

partir [partir] v. intr. (conj. **26**). 1° (sujet nom d'être animé ou de véhicule) Quitter un lieu, se mettre en route : *Vous ne pouvez pas voir cette* *personne : elle est déjà partie. Quand partez-vous en vacances? Partons vite, nous allons être en retard* (syn. : S'EN ALLER). *Le train part dans dix minutes* (syn. : DÉMARRER). *Un avion qui part pour l'Amérique. Un cheval qui part au galop.* (V. aussi DÉPART.) — 2° (sujet nom de personne) Entreprendre quelque chose : *Un conférencier qui part sur un paradoxe* (syn. : COMMENCER, DÉBUTER). *Vous êtes mal parti : vous devriez changer de méthode.* — 3° (sujet nom de personne ou de chose) *Partir de quelque chose,* le prendre comme base, comme origine : *Il est parti d'une hypothèse fausse. C'est le quatrième de la rangée, en partant de la droite. Il est parti de rien, ses débuts ont été très modestes.* ‖ *A partir de,* à dater de, depuis : *A partir de maintenant, tout va changer. A partir d'ici, on change de département.* ‖ *Partir à rire, partir d'un éclat de rire,* rire tout à coup aux éclats. — 4° (sujet nom de chose) S'échapper, se dégager : *Un bouchon de champagne qui part au plafond* (syn. : SAUTER). *Des cris partaient à l'adresse de l'orateur* (syn. : ÉCLATER, FUSER); se détacher; disparaître : *Deux boutons de sa veste étaient partis dans la bagarre. Une tache qui part à la lessive.* — 5° Avoir tel ou tel début : *L'affaire part très bien* (syn. : S'ENGAGER). ‖ *Coup de feu qui part,* qui est tiré : *Les coups de fusil partaient de tous côtés.* — 6° (sujet nom de chose) Avoir pour origine dans l'espace, dans le temps, dans l'enchaînement des choses : *Une route qui part du faubourg nord de la ville* (contr. : ABOUTIR À). *La fissure part du sol. Les vacances partent du 1er juillet* (syn. : COMMENCER). *Une réponse fausse qui part d'une erreur de calcul. Votre proposition part d'un bon sentiment.* ◆ **partant** n. m. : *Il y avait cinquante partants pour cette course.* ◆ **partance *(en)*** loc. adv. et adj. Sur le point de partir vers une destination éloignée (suivi généralement de *pour,* et en parlant d'un navire, d'un train, d'un avion ou des passagers) : *Rapide en partance pour Lyon. Navire en partance pour Alexandrie. Avion en partance pour Lima.* ◆ **repartir** v. tr. Revenir à l'endroit d'où l'on vient.

partisan, e n. V. PARTI 1.

partitif [partitif] n. m. Article *du, de la, des* lorsqu'il désigne une partie d'un tout. (Ex. : *Manger du chocolat, de la confiture, des épinards.*)

partition [partisjɔ̃] n. f. Ensemble des mélodies formant une composition musicale : *Les musiciens ont devant eux la partition. La partition d'un opéra.*

partout [partu] adv. En tout lieu, n'importe où : *C'est une plante qui ne pousse pas partout. Partout se manifestaient des signes de reprise économique* (= dans tous les domaines). *L'odeur s'était répandue partout dans l'appartement.*

parure n. f. V. PARER 1; **parution** n. f. V. PARAÎTRE 3.

parvenir [parvənir] v. intr. (conj. 22). 1° (sujet nom de personne ou de chose) Arriver à un certain point, à un certain degré : *Au bout de deux heures d'ascension, les alpinistes étaient parvenus au refuge. A cette distance, le son ne parvenait pas jusqu'à nous. La lettre ne lui est pas parvenue en temps utile. Des fruits qui ne parviennent pas à maturité sous ce climat* (syn. : VENIR). — 2° (sujet nom de personne) *Parvenir à* (et l'infin.), réussir au prix d'un certain effort : *Je ne parviens pas à déchiffrer son écriture* (syn. : ARRIVER). *Il était parvenu à amasser sou à sou une somme considérable.* — 3° (sujet nom de personne et sans compl.) S'élever socialement, faire fortune : *Il a mis vingt ans à parvenir* (syn. : ARRIVER, RÉUSSIR). ◆ **parvenu, e** n. *Péjor.* Personne qui s'est enrichie, mais dont les manières, les mœurs manquent de distinction : *Des goûts de parvenu. Un appartement meublé avec un luxe de parvenu.*

parvis [parvi] n. m. Place qui se trouve devant l'entrée principale d'une église : *Une représentation théâtrale fut donnée sur le parvis de la cathédrale.*

1. pas [pɑ] n. m. 1° Mouvement que fait l'homme en portant un pied devant l'autre pour marcher : *Faire un pas en avant, en arrière. Marcher à petits pas, à grands pas* (syn. : ENJAMBÉE). *Reculer d'un pas. Le bruit d'un pas dans le jardin. Entendre les pas de quelqu'un dans l'escalier. Aller à pas comptés* (= prudemment), *à pas de tortue* (= très lentement), *à pas de loup* (= très doucement et silencieusement), *à pas de géant* (= très vite). *Avancer pas à pas* (= lentement et avec précaution). *Faire les cent pas* (= aller et venir dans un lieu déterminé). *La mère apprend à l'enfant à faire les premiers pas* (= à marcher). *Faire un faux pas* (= glisser en appuyant mal le pied sur le sol). *La trace des pas dans la neige* (= trace laissée par les semelles, le pied). *Revenir sur ses pas* (= retourner en arrière). *Je ne pouvais faire un pas sans le rencontrer. A chaque pas il était obligé de s'arrêter. Arriver sur les pas de quelqu'un* (= immédiatement derrière lui). — 2° Longueur d'une enjambée : *Dix pas plus loin on trouva le corps étendu, sans vie. C'est à deux pas d'ici* (= c'est très près). *Viser une cible placée à trente pas. Ne le quitte pas d'un pas* (= suis-le de près). — 3° Manière de marcher des êtres humains et des animaux : *Marcher d'un bon pas* (= vite). *Le pas lourd du vieillard* (syn. : DÉMARCHE). *Presser le pas* (syn. : ALLURE). *Doubler le pas* (= marcher deux fois plus vite; accélérer). *Ralentir le pas* (= aller moins vite). *Les passants, sous la pluie, hâtaient le pas vers le métro. Je reconnais son pas dans l'entrée* (= le bruit de son pas). *J'y vais de ce pas* (= tout de suite, sans délai). *Marcher, aller au pas, au pas cadencé, au pas de course, au pas de gymnastique, au pas redoublé. Voiture qui roule au pas* (= à une vitesse réduite). *Marquer le pas* (= rester sur place en simulant la marche). *Changer de pas* (= passer d'un pied sur l'autre pour marcher sur le même rythme que les autres). *Le pas d'une girafe, d'un bœuf. Le cheval va au pas* (= selon l'allure naturelle la plus lente). — 4° *Avancer à grands pas,* faire de grands progrès. ‖ *Prendre le pas sur quelqu'un,* le devancer, le précéder; prendre le dessus, l'emporter. ‖ *Céder le pas,* laisser passer devant soi. ‖ *Sauter le pas,* se décider à surmonter un obstacle difficile; mourir. ‖ *C'est un pas difficile,* c'est un moment pénible à passer. ‖ *Etre dans un mauvais pas,* dans une situation critique. ‖ *Sortir, se tirer d'un mauvais pas,* se tirer d'une situation critique, dangereuse. ‖ *Faire un faux pas,* commettre une erreur. ‖ *Faire les premiers pas,* faire les premières avances; prendre l'initiative : *Ce n'est pas à vous de faire les premiers pas; il est votre obligé.* ‖ *C'est le premier pas qui coûte,* c'est le début, le commencement qui est le plus difficile. ‖ *Un pas de clerc,* une gaffe, une grosse méprise, une imprudence. ‖ *Mettre quelqu'un au pas,* le dresser, le réduire à l'obéissance (syn. : ↑ METTRE À LA RAISON). ‖ *Salle des pas perdus,* salle où les gens vont et viennent (syn. : PASSAGE). — 3° *Sur le pas de la porte,* devant la porte d'entrée : *La concierge est sur le pas de la porte.*

2. pas [pɑ] n. m. *Un pas de vis, d'écrou,* distance entre deux filets d'une vis, d'un écrou.

3. pas adv. V. NON, PAS UN (à AUCUN).

pascal, e adj. V. PÂQUES.

pas-de-porte [pɑdpɔrt] n. m. invar. 1° Ensemble des éléments d'un fonds commercial (maison de commerce) faisant l'objet d'un prix spécial lors de la vente. — 2° Somme demandée illégalement par le vendeur à l'acheteur d'un appartement, d'un fonds de commerce, pour entrer dans les lieux.

passable [pasabl] adj. Qui est d'une qualité acceptable, suffisante sans être bonne : *Un café à peine passable* (= médiocre). *Un devoir passable* (syn. : MOYEN). *Le déjeuner était passable* (= assez bon). ◆ **passablement** adv. : *Elève qui travaille passablement* (syn. : MOYENNEMENT). *J'ai passablement voyagé dans ma jeunesse* (syn. : PAS MAL).

passade [pasad] n. f. Aventure amoureuse de très courte durée; caprice passager : *Une simple passade qui disparaîtra en quelques semaines* (syn. : CAPRICE).

passage n. m. V. PASSER.

passe-droit [pasdrwa] n. m. Faveur accordée à l'encontre de ce qui est juste, légitime : *Ces avancements sont des passe-droits inadmissibles* (syn. : PRIVILÈGE).

passe-lacet [paslasɛ] n. m. 1° Grosse aiguille servant à introduire un lacet dans un ourlet : *Des passe-lacets.* — 2° Pop. *Etre raide comme un passe-lacet,* n'avoir plus d'argent.

passementerie [pasmɑ̃tri] n. f. Commerce de bandes de tissus, de dentelles, de galons, etc., dont on orne des meubles, des tentures, des habits, etc.; marchandises de cette nature.

passe-montagne [pasmɔ̃taɲ] n. m. Coiffure en laine qui couvre la tête, le cou et les oreilles en laissant le visage découvert : *Les enfants, la tête dans leurs passe-montagnes, jouaient dans la neige.*

passe-partout [paspartu] n. m. invar. 1° Clef qui permet d'ouvrir plusieurs serrures : *Ouvrir la porte d'une chambre d'hôtel avec un passe-partout* (abrév. fam. : PASSE). — 2° Ce qui convient à tout : *Des expressions passe-partout* (= des clichés).

passe-passe [pɑspɑs] n. m. invar. 1° *Tour de passe-passe,* tour d'adresse des prestidigitateurs consistant à faire disparaître ou changer de place un objet devant des spectateurs. — 2° Habileté visant à tromper adroitement quelqu'un : *Par un tour de passe-passe, il réussit à me faire croire que je lui devais encore mille francs.*

passeport [paspɔr] n. m. Document délivré par l'autorité, qui certifie l'identité de son possesseur et lui donne la faculté d'aller librement à l'étranger : *Faire renouveler son passeport. Présenter son passeport à la frontière. Mon passeport est périmé. Ambassadeur qui demande ses passeports* (= qui sollicite son départ en cas de difficultés diplomatiques).

passer [pase] v. intr. 1° (sujet nom d'être animé ou d'objet en mouvement) Aller d'un lieu à un autre par rapport à un point situé soit sur la ligne du mouvement, soit hors de cette ligne : *Les voitures ne cessent de passer dans la rue* (syn. : CIRCULER). *Il passe sur le pont* (= il traverse). *Il est passé à Paris* (= il est venu quelques instants). *Passez à la caisse* (syn. : ALLER, SE RENDRE). *L'agent fait passer le convoi, les piétons. Le facteur est passé* (= il a déposé les lettres). *Il m'est passé devant* (= il m'a dépassé). *Le camion lui est passé dessus* (= l'a écrasé). *Le courant ne passe plus* (= il n'y a plus de courant électrique). *Il passe en seconde* (= il change de vitesse, en parlant d'un automobiliste). *Ces garnitures empêchent l'air de passer sous la porte* (syn. : FILTRER). *Je suis passé voir Paul à l'hôpital* (= j'ai été). *Nous allons passer dans le salon pour prendre le café. Je passe te prendre en voiture* (= je viens). *Il passera dans une heure;* avec un nom de chose : *La route passe par Etampes. Cette idée m'est passée par la tête* (= m'est venue à l'esprit). *Son intérêt passe avant celui des autres.* — 2° *Passer aux ordres,* aller prendre les ordres d'un supérieur. ‖ *Passer à la radio, à la visite médicale,* subir un examen médical. ‖ *Passer aux aveux,* avouer. — 3° *Passer pour* (et un substantif attribut), être considéré comme : *Passer pour un imbécile. Il le fait passer pour son neveu.* — 4° (et un adj. attribut) Rester dans un état défini : *Passer inaperçu* (= rester). — 5° (sujet nom de personne ou de chose) Aller d'un lieu à un autre en franchissant une limite, avec ou sans changement qualitatif : *Les ennemis ne passeront pas* (= ne briseront pas la ligne de combat). *Laissez-le passer* (syn. : ENTRER, VENIR). *Le café passe. Le déjeuner ne passe pas* (= je ne le digère pas). *Cette réplique ne passe pas* (= n'atteint pas les spectateurs). *Il est passé une loi réprimant ce genre de délit* (= l'Assemblée nationale a voté une loi qui...). *Un fil passe* (syn. : DÉPASSER). *Le jupon passe sous la jupe* (= dépasse la jupe). *Ça fait mal quand ça passe* (= quand on avale). *Il l'a senti passer* (= il a subi quelque chose qui l'a profondément atteint). *Le candidat a passé à l'écrit, mais a échoué à l'oral de son examen* (syn. : ÊTRE ADMIS). *L'élève est passé en classe de première* (= il a été admis en première). *Les marchandises ont passé la frontière, la douane* (syn. : FRANCHIR). *Ce mot a passé dans la langue* (= est devenu usuel). *A sa mort, cette propriété passera à son fils* (syn. : ALLER, REVENIR À). *Le voleur a passé entre les mailles du filet* (= a réussi à s'échapper). *Il faut en passer par là* (= il faut subir cette épreuve). *Je passe sur les détails* (= je ne les mentionne pas). — 6° *Passer outre à quelque chose,* n'en pas tenir compte : *Il a passé outre à une interdiction.* ‖ *Passe encore de* (et l'infin.), indique une concession : *Passe encore de n'être pas à l'heure, mais il aurait dû nous prévenir.* — 7° S'écouler, avec ou sans modification qualitative (en parlant d'un mouvement dans le temps et relativement à un moment déterminé) : *Les jours passent* (syn. : S'ÉCOULER). *Le temps a passé où il était capable d'un réel enthousiasme* (= est fini). *Ce film est déjà passé dans une autre salle* (= on l'a déjà projeté). *Il est passé une bonne pièce à la télévision* (= on a représenté). *La jeunesse passe* (= ne dure qu'un moment). *La douleur va passer* (syn. : FINIR). *La mode passe* (syn. : CHANGER). *Cette étoffe a passé de mode* (= n'est plus de mode). *Ces cachets m'ont fait passer mon mal de tête* (= ont mis fin à). *Le papier bleu passe au soleil* (= change de couleur). *Cette pastille fait passer le goût du tabac* (= fait oublier). *Il agonise, il va passer* (= mourir). *Il est passé de vie à trépas. Son tour a passé, à vous de jouer. Après les trois carreaux de mon adversaire, je passe* (terme de bridge indiquant que l'on ne fait aucune annonce). — **8°** *Y passer,* subir une épreuve : *Tout le monde y passe* (= ce sont des difficultés que tout le monde a connues); mourir : *Si tu conduis aussi vite, nous allons tous y passer;* être dilapidé : *Tout son capital y a passé.* ◆ v. tr. **1°** Faire aller d'un lieu à un autre : *Passer le bras par la portière* (syn. : TENDRE). *Passer la cire sur le parquet* ou *passer le parquet à la cire* (= le cirer). *Je lui ai passé mon stylo* (syn. : PRÊTER). *Il a passé sa grippe à toute la famille* (syn. : DONNER, TRANSMETTRE). *Passe-moi l'appareil, je vais lui répondre* (= donne-moi le téléphone). — **2°** Franchir une limite, la dépasser : *Il a passé la grille du jardin. Il passe la frontière. Il passe le pont rapidement* (syn. : TRAVERSER). *Le candidat a passé l'oral* (= a réussi l'examen oral). *J'ai été passé par une voiture dans la côte* (syn. : DÉPASSER). *Il l'a passé à la course. Cela passe mes forces* (= est au-dessus de mes forces). *Passer le café, le thé* (= le filtrer, le faire). — **3°** *Passer ses ordres à quelqu'un,* les lui donner. ‖ *Passer un vêtement, un veston,* le mettre sur soi. ‖ *Passer un condamné par les armes,* le fusiller. ‖ *Passer en revue,* examiner en détail. ‖ *Passer la radio, la visite médicale,* subir un examen radiologique, médical. ‖ *Passer commande à un fournisseur,* lui faire une commande. ‖ *Passer sa seconde, sa troisième,* changer de vitesse (en parlant d'un automobiliste). ‖ *Passer quelque chose à quelqu'un,* ne pas le lui reprocher, admettre de sa part quelque chose de blâmable : *Il passe tous leurs caprices à ses enfants. Il lui passe tout.* — **4°** Faire s'écouler : *Il passe ses journées à ne rien faire. Cette distraction passe le temps. Il passe son temps à taquiner sa sœur* (= il ne cesse de). *Il a bien passé la semaine. Passer son tour* (= ne pas parler à son tour). — **5°** Provoquer une modification qui peut aller jusqu'à la disparition : *Les comprimés passent la douleur* (= font disparaître). *Le soleil passe les couleurs* (= fait pâlir). *Il passe sa colère sur les autres.* ‖ *Passer un film,* le projeter. ‖ *Passer une pièce,* la représenter. ‖ *Passer un disque,* l'écouter sur un électrophone. ◆ ***se passer*** v. pr. **1°** Avoir lieu : *La scène se passe en Italie. Il se passe ici d'étranges choses. Que se passe-t-il?* (syn. : SE PRODUIRE). — **2°** S'écouler : *La journée se passe bien. Il ne se passe pas de jour qu'il ne vienne.* — **3°** *Se passer les mains dans l'eau,* se les laver. ‖ *Cela se passe de commentaires,* cela parle de soi-même, cela n'a pas besoin de commentaires. — **4°** *Se passer de quelque chose,* ne pas l'utiliser, ne pas en user : *Il essaie de se passer du tabac* (syn. : S'ABSTENIR). *Il se passera de manger. Je m'en passe.* ◆ **passant, e** adj. : *Une rue passante* (= où il y a beaucoup de circulation; syn. : FRÉQUENTÉ, PASSAGER). ‖ *En passant,* au premier coup d'œil et sans approfondir : *Il a relevé quelques erreurs en passant* (syn. : INCIDEMMENT). ◆ **passant, e** n. Qui circule à pied dans une agglomération : *Les passants s'arrêtaient pour regarder la vitrine* (syn. : PIÉTON). ◆ **passé, e** adj. Qui se rapporte à ce qui est déjà écoulé : *Les événements passés. Il est onze heures passées.* ◆ **passé** prép. invar. (avant le substantif). Après : *Passé dix heures, il ne faut pas faire de bruit.* ◆ n. m. **1°** Evénement appartenant au temps écoulé, partie de ce temps : *Songer avec regret au passé* (contr. : AVENIR). *Que le passé nous instruise. Tout ça, c'est du passé* (syn. fam. : DE L'HISTOIRE ANCIENNE). *Dans le plus lointain passé* (= autrefois). *Cela appartient au passé.* — **2°** Vie écoulée antérieurement à ce moment présent : *Le passé de cet homme m'est inconnu. Les erreurs du passé. Un long passé de souffrances. On ne peut oublier le passé. Il revoyait les images de son passé. Se pencher sur son passé* (= sur ses souvenirs). ◆ **passation** n. f. *Passation des pouvoirs,* action de transmettre les pouvoirs administratifs, politiques à son successeur. ‖ *Passation d'un contrat,* action de signer un contrat. ◆ **passage** n. m. **1°** Action de passer (v. intr.) : *Le passage des hirondelles dans le ciel. Le passage du fleuve par un gué. Le passage de l'équateur par un navire* (syn. : FRANCHISSEMENT). *Le passage de la Berezina* (syn. : TRAVERSÉE). *Le passage des voyageurs se fait par le couloir souterrain. Attendre le passage de l'autobus* (syn. : ARRIVÉE). *Le passage d'un train, d'un car. Il prenait au passage un journal* (= en passant). *Un hôte de passage* (= qui ne reste que peu de temps). *Guetter le passage de quelqu'un* (syn. : VENUE). *Un lieu de passage* (= où l'on passe beaucoup). *Le passage de l'enfance à l'adolescence. Le passage du jour à la nuit, de la crainte à l'espoir.* — **2°** Traversée d'un voyageur sur un navire : *Payer son passage jusqu'à Alexandrie.* — **3°** Lieu où l'on passe nécessairement pour aller d'un endroit à un autre (v. tr. et intr.) : *Les passages à travers les Alpes* (syn. : TROUÉE, COL). *Un passage difficile en montagne. Barrer le passage à quelqu'un* (syn. : ACCÈS). *Laisser le passage* (= le lieu pour passer). *N'obstruez pas le passage. Les gens se découvraient sur le passage du cortège* (= au lieu où passait). *Il eut le malheur de se trouver sur mon passage. Se frayer un passage* (syn. : CHEMIN). *Un passage à niveau* (= endroit où une voie ferrée est coupée par une route au même niveau). *Un passage souterrain* (= tunnel servant de voie de communication). *Un passage clouté* (= chemin délimité par des clous et que les piétons doivent suivre pour traverser une rue). — **4°** Fragment bref d'un ouvrage que l'on cite, d'une œuvre écrite, musicale : *Lire un passage des « Mémoires d'outre-tombe »* (syn. : EXTRAIT). *Supprimer un passage d'un développement verbeux* (syn. : MORCEAU). *Un passage de la Ve symphonie de Beethoven.* ◆ **passager, ère** n. Personne qui emprunte un moyen de transport, bateau ou voiture, sans faire partie de l'équipage ou sans en assurer la marche : *Les passagers ont été conviés à une fête dans le grand salon. Un passager clandestin* (= qui n'a pas payé la traversée). *Le passager de la voiture a été grièvement blessé dans l'accident.* ◆ adj. **1°** Se dit de ce dont la durée est bien brève : *Un malaise passager* (syn. : COURT). *Un bonheur passager* (syn. : FUGITIF, ÉPHÉMÈRE). *Ce n'est qu'un moment d'orgueil passager* (syn. : MOMENTANÉ). *Une averse passagère.* — **2°** Se dit de quelqu'un qui ne fait que passer : *Un hôte passager.* — **3°** *Rue passagère,* très fréquentée. ◆ **passagèrement** adv. : *Résider passagèrement dans un hôtel meublé* (syn. : PROVISOIREMENT). ◆ **passe** [pas] n. f. **1°** Action de passer, d'envoyer le ballon à un partenaire dans un jeu d'équipe (football, rugby, basket, etc.) : *Faire une belle passe à l'avant-centre. Une passe en arrière au gardien.* — **2°** En escrime, action d'avancer sur l'adversaire; en tauromachie, mouvement par lequel le matador fait passer le taureau près de lui. — **3°** Mouvement de la main que fait un magnétiseur pour endormir son sujet : *Faire des passes (magnétiques).* — **4°** *Mot* *de passe,* formule ou mot convenu grâce auxquels on se fait reconnaître et on passe librement. ‖ *Une passe d'armes,* une dispute entre deux personnes échangeant de vives répliques. ‖ *Maison de passe,* de prostitution. ‖ *Etre dans une bonne, une mauvaise passe,* être dans une situation avantageuse, mauvaise. ‖ *Etre en passe de* (suivi d'un infin.), être sur le point de, être en état, en situation de : *Il est en passe d'être nommé inspecteur. Il est en passe de devenir célèbre.* ‖ *Livre* (*exemplaire*) *de passe,* en plus du chiffre normal du tirage. — 5° Chenal étroit ouvert à la navigation entre des écueils, des bancs de sable, etc. : *La passe est balisée. Le petit bateau chercha la passe entre les récifs.* ◆ **passeur** n. m. 1° Celui qui conduit un bac. — 2° Celui qui fait passer une frontière dans des conditions illégales : *Des passeurs ont conduit des travailleurs portugais à travers la frontière pyrénéenne.* ◆ **passoire** n. f. Ustensile de cuisine percé de petits trous, destiné à égoutter des légumes, à filtrer grossièrement certains liquides : *Une petite passoire pour retenir la crème du lait.* ◆ **repasser** v. intr. 1° Passer de nouveau : *Je repasserai vous voir ces jours-ci. Il ne fait que passer et repasser devant la maison. Au retour, nous ne sommes pas repassés par la même route.* — 2° *Repasser derrière quelqu'un,* contrôler, corriger son travail. ◆ v. tr. 1° Franchir de nouveau : *L'armée a repassé les Pyrénées. Repasser une rivière.* — 2° *Repasser un plat,* le présenter de nouveau. (V. aussi REPASSER.)

passereau [pasro] n. m. Nom désignant une classe de petits oiseaux : *Les moineaux sont des passereaux.*

passerelle [pasrɛl] n. f. 1° Pont étroit réservé aux piétons : *Une passerelle passe au-dessus de la voie de chemin de fer.* — 2° Petit plan incliné, escalier mobile par lequel on peut accéder à un navire, à un avion : *Enlever, approcher la passerelle. Rentrer la passerelle.* — 3° *Une passerelle entre deux choses,* un passage, une relation entre elles : *La réforme de l'enseignement s'efforçait de ménager des passerelles entre les divers établissements.*

passe-temps [pastɑ̃] n. m. invar. Occupation sans importance qui divertit, qui fait passer le temps : *Un passe-temps innocent, agréable* (syn. : AMUSEMENT). *Chercher en vacances un passe-temps pour les jours de pluie* (syn. : DISTRACTION).

passible [pasibl] adj. *Etre passible d'une peine,* avoir mérité de la subir : *Etre passible d'une amende. Il est passible de la peine de mort* (= il encourt). ‖ *Etre passible de l'impôt,* y être assujetti.

1. passif, ive [pasif, -iv] adj. 1° Se dit de quelqu'un (ou de son attitude) qui subit sans réagir, qui manque d'énergie, qui ne manifeste aucune activité personnelle : *Il reste passif devant les événements graves qui se déroulent* (syn. : INDIFFÉRENT). *Un élève passif en classe* (syn. : ↑ APATHIQUE ; contr. : ACTIF). *Obéissance passive* (syn. : ↑ AVEUGLE). *Faire de la résistance passive* (= non violente). — 2° *Défense passive,* ensemble des moyens ou des actions militaires mis en œuvre pour défendre la population civile. ◆ **passivement** adv. : *Obéir passivement.* ◆ **passivité** n. f. : *Sa passivité en classe est cause de ses mauvais résultats* (syn. : INERTIE, APATHIE ; contr. : INITIATIVE).

2. passif [pasif] n. m. Ensemble des dettes et des charges qui pèsent sur une entreprise industrielle ou commerciale : *Le lourd passif de l'année passée ;* d'un patrimoine : *Le passif d'une succession.*

3. passif, ive [pasif, -iv) adj. et n. m. Se dit de l'ensemble des formes verbales qui traduisent la transformation de la phrase active (sujet - verbe actif - objet direct) en une autre phrase où l'objet direct devient le sujet et le sujet devient le complément d'agent. (Ex. : *La voiture a renversé le piéton ; le piéton a été renversé par la voiture ;* la forme *a été renversé* est dite *forme passive.* L'ensemble des formes passives est appelé *voix passive.*)

passim [pasim] loc. adv. Formule indiquant qu'on trouvera dans un ouvrage donné de nombreuses références à ce sujet.

passion [pasjɔ̃] n. f. Puissante, vive inclination, attachement de quelqu'un vers ce qu'il désire de toutes ses forces, vers ce qu'il aime avec violence, avec intensité, en aveugle : *La passion qu'il ressentait pour cette femme* (syn. : ↓ AMOUR). *Avouer sa passion. Une passion subite, irrésistible* (syn. : EMBALLEMENT). *Au paroxysme de la passion. La passion du jeu* (syn. : ↑ FRÉNÉSIE). *La passion de l'argent* (syn. : AVIDITÉ). *Il a peint dans son théâtre la passion violente, exclusive et destructrice. Une œuvre pleine de passion* (syn. : ↓ FLAMME, ÉMOTION ; contr. : CALME, SÉRÉNITÉ). *Contenir, maîtriser ses passions* (syn. : ↑ EXALTATION). *Discuter avec passion de problèmes religieux. Se laisser aveugler par la passion politique* (syn. : ↑ FANATISME). *Ce discours déchaîna la passion de la foule. La passion partisane. Juger avec passion et parti pris. Se laisser emporter par la passion* (syn. : COLÈRE). ‖ *La Passion du Christ,* ses souffrances et son supplice : *La semaine de la Passion précède dans l'office chrétien la semaine sainte.* ◆ **passionnel, elle** adj. Inspiré par la passion amoureuse : *Un crime passionnel. Un drame passionnel s'est déroulé dans un petit hôtel.* ◆ **passionner** v. tr. 1° *Passionner quelqu'un,* éveiller chez lui un intérêt puissant, exclusif : *Ce mystère passionne tout Paris. Ce roman m'a passionné* (syn. : ↓ INTÉRESSER). *Cette lutte passionnait les spectateurs* (syn. : ↑ ENTHOUSIASMER). — 2° *Passionner un débat, une discussion,* lui donner un caractère violent, animé ; attiser les passions dans une discussion. ◆ ***se passionner*** v. pr. *Se passionner pour quelque chose,* y prendre un très vif intérêt, s'y attacher avec passion : *Il se passionnait pour les courses de chevaux* (syn. : S'ENTICHER DE). *Se passionner pour ses recherches scientifiques* (syn. : ↑ S'ENFLAMMER). *Ne vous passionnez pas pour une affaire sans importance* (syn. : ↑ S'EMBALLER). ◆ **passionné, e** adj. 1° Se dit d'une personne animée par la passion : *Une femme passionnée* (syn. : ROMANESQUE). *Des amants passionnés* (syn. : EXALTÉ). *Un jugement passionné* (syn. : PARTIAL). *Un lecteur passionné* (syn. : ENTHOUSIASTE). *Un amour passionné. Une haine passionnée* (syn. : ↓ VIF). — 2° *Etre passionné d'une chose,* avoir pour elle un vif attachement : *Etre passionné de belles choses, de gloire* (syn. : AVIDE). ◆ n. Personne qui agit avec passion : *C'est un passionné qui est incapable d'agir avec calme et objectivité* (syn. : ↑ FRÉNÉTIQUE, ↑ FORCENÉ). ◆ **passionnant, e** adj. Capable de susciter un vif intérêt : *Une histoire passionnante* (syn. : ↓ INTÉRESSANT, ÉMOUVANT). *Un film passionnant* (syn. : ↓ ATTACHANT). *Le match entre les deux équipes a été passionnant* (syn. : EXCITANT). ◆ **dépassionner** v. tr. *Dépassionner un débat, une discussion,* lui ôter son caractère passionné.

pastel [pastɛl] n. m. 1° Bâtonnet fait d'une pâte pigmentée : *Peindre au pastel.* — 2° Dessin en couleurs exécuté avec des crayons de pastel : *Les pastels des peintres de portraits du XVIII*e *siècle.*

pastèque [pastɛk] n. f. Plante cultivée dans les pays méditerranéens pour ses gros fruits allongés; fruit de cette plante (syn. : MELON D'EAU).

1. pasteur [pastœr] n. m. Ministre du culte protestant : *Un pasteur de l'Eglise réformée de France.* ‖ *Le Bon Pasteur, le Pasteur des âmes,* le Christ. ◆ **pastoral, e, aux** adj. Qui relève des pasteurs (protestants) ou des évêques (catholiques) : *Une tournée pastorale. L'anneau pastoral.*

2. pasteur [pastœr] n. m. 1° Celui qui garde les troupeaux (littér.) [syn. usuel : BERGER]. — 2° Nomade vivant d'élevage (en ethnologie) : *Un peuple de pasteurs.* ◆ **pastoral, e, aux** adj. Qui évoque les bergers, la campagne, les mœurs rustiques : *La vie pastorale* (= celle des bergers). *Un roman pastoral* (syn. : CHAMPÊTRE). ◆ **pastorale** n. f. Ouvrage littéraire ou musical dont les thèmes évoquent la vie champêtre. ◆ **pastoureau, elle** n. Jeune berger, jeune bergère (littér.).

pasteuriser [pastørize] v. tr. Détruire les microbes d'un liquide en le portant à haute température : *Du lait pasteurisé* (syn. : STÉRILISER). ◆ **pasteurisation** n. f.

pastiche [pastiʃ] n. m. Imitation de la manière d'écrire, du style d'un écrivain, de la façon de parler, de jouer, etc., d'un artiste : *Faire un pastiche de Saint-Simon. C'est un pastiche très réussi de Proust.* ◆ **pasticher** v. tr. : *Pasticher un romancier à la mode* (syn. : CONTREFAIRE).

pastille [pastij] n. f. Bonbon de sucre, de chocolat, etc., pâte pharmaceutique ou médicamenteuse ayant la forme d'un petit disque plat : *Des pastilles de menthe. Prendre une pastille après chaque repas.*

1. pastis [pastis] n. m. Liqueur anisée prise comme apéritif.

2. pastis [pastis] n. m. *Pop.* Situation embrouillée, inextricable, qui cause des ennuis : *Quel pastis!* (syn. : GÂCHIS).

pas un, pas une [pazœ̃, -zyn] pron. et adj. indéf. V. AUCUN.

patache [pataʃ] n. f. Vieille et mauvaise voiture.

patachon [pataʃɔ̃] n. m. Fam. *Mener une vie de patachon,* avoir une vie désordonnée (syn. : FAIRE LA FÊTE).

patapouf [patapuf] n. m. Fam. *Un gros patapouf,* un enfant gros et lourd.

pataquès [patakɛs] n. m. Erreur de parole consistant à faire de fausses liaisons ou à mutiler un mot en substituant un son à un autre : *Les « quatre-z-enfants »* (au lieu de : *les quatre enfants*) *est un pataquès.*

patate [patat] n. f. 1° Syn. fam. de POMME DE TERRE. — 2° Pop. *En avoir gros sur la patate,* être très ennuyé ou très vexé (syn. : EN AVOIR GROS SUR LE CŒUR).

patati [patati] interj. *Et patati et patata,* onomatopée employée pour résumer des bavardages incessants ou des propos insignifiants.

patatras! [patatra ou patatras] interj. Onomatopée exprimant une chute bruyante : *Patatras! toute la pile d'assiettes tomba.*

pataud, e [pato, -od] adj. et n. A la démarche ou à l'allure lourde et grossière : *Un gros pataud de paysan.*

patauger [patoʒe] v. intr. 1° Marcher sur un sol bourbeux, détrempé par la pluie, dans l'eau : *Les chasseurs pataugeaient dans la boue du marais en guettant l'envol des canards. Les enfants pataugent dans le ruisseau.* — 2° S'embarrasser dans des difficultés : *Patauger dans un raisonnement, dans un exposé.* ◆ **pataugeage** n. m.

patchouli [patʃuli] n. m. Parfum très fort extrait d'une plante aromatique de même nom d'Asie et d'Océanie.

pâte [pɑt] n. f. 1° Préparation alimentaire, à base de farine délayée dans l'eau et pétrie : *Pétrir, aplatir la pâte. Une pâte à frire. Une pâte à crêpes, à tarte. La pâte lève.* — 2° Substance plus ou moins consistante entrant dans des produits alimentaires, pharmaceutiques, techniques : *Un fromage à pâte dure. De la pâte d'amandes. Des pâtes pectorales. Un tube de pâte dentifrice. De la pâte à papier. De la colle de pâte. Les enfants jouaient avec de la pâte à modeler. Le peintre dispose sur la toile des pâtes diversement colorées* (= des couleurs). *Une pâte de fruits* (confiserie de fruits séchés). *La pâte de coings* (= gelée). *Ces nouilles trop cuites sont une vraie pâte* (= masse gluante). — 3° *Mettre la main à la pâte,* faire un travail soi-même. ‖ *Une bonne pâte,* un homme bon, accommodant. ‖ *Etre comme un coq en pâte,* mener une vie très heureuse, étant choyé chez soi. ‖ *Une pâte molle,* un homme mou, lâche. ◆ **pâteux, euse** adj. 1° Qui a la consistance épaisse de la pâte : *Encre pâteuse* (contr. : FLUIDE). *Une poire pâteuse* (syn. : COTONNEUX; contr. : JUTEUX). — 2° *Style pâteux,* manière d'écrire lourde, sans élégance. ‖ *Avoir la bouche, la langue pâteuse,* avoir une salive épaisse, une langue comme empâtée : *La bouche pâteuse après avoir bu.* ‖ *Voix pâteuse,* qui manque de netteté, de sonorité. (V. aussi PÂTES, EMPÂTER.)

1. pâté [pɑte] n. m. Hachis de viande, de poisson, de volaille enveloppé dans une pâte feuilletée ou conservé dans une terrine : *Un pâté de foie gras. Un pâté en croûte. De la chair à pâté. Un pâté de campagne. Un pâté de lapin, de lièvre.*

2. pâté [pɑte] n. m. Grosse tache d'encre sur du papier : *Faire un pâté pour dissimuler une faute d'orthographe.*

3. pâté [pɑte] n. m. 1° *Pâté de maisons,* groupe de maisons formant un bloc, que ne traverse aucune rue. — 2° *Pâté* (*de sable*), petite masse de sable que les enfants façonnent dans des seaux ou des moules sur une plage, dans un jardin public : *Les enfants jouent aux pâtés sur la plage.*

pâtée [pɑte] n. f. Nourriture préparée pour les animaux domestiques au moyen de divers aliments réduits en une sorte de bouillie (pain, son, pommes de terre, éventuellement viande, etc.) : *La fermière porte la pâtée aux canards. Préparer de la pâtée pour le chat.*

1. patelin [patlɛ̃] n. m. *Fam.* Pays, région, village : *Est-ce qu'il y a un hôtel dans ce patelin? Il est du même patelin que moi* (syn. fam. : BLED).

2. patelin, e [patlɛ̃, -in] adj. *Fam.* et *péjor.* Se dit d'une personne (ou de son comportement) qui est d'une douceur affectée, qui cherche à séduire hypocritement : *Il me demanda d'un ton patelin si je ne lui en voulais pas trop.* ◆ **patelinage** n. m. : *Il s'était rendu odieux à tous par son patelinage.*

patène [patɛn] n. f. Vase sacré en forme d'assiette utilisé par le prêtre pour recevoir l'hostie.

patenôtres [patnotr] n. f. pl. *Fam.* et *péjor.* **1°** Prières : *Après quelques patenôtres, on descendit le cercueil dans la fosse.* — **2°** Paroles marmonnées, peu intelligibles.

patent, e [patɑ̃, -ɑ̃t] adj. Se dit de ce qui apparaît avec évidence, qui ne prête à aucune contestation : *L'accroissement de la longévité dans de nombreux pays est un fait patent* (syn. : ÉVIDENT, MANIFESTE, INCONTESTABLE). *Une injustice patente* (syn. : CRIANT).

patente [patɑ̃t] n. f. Impôt direct servant de base à l'établissement de certaines taxes dues par les commerçants, les industriels et quelques professions libérales. ◆ **patenté, e** adj. **1°** *Commerçant patenté* (= qui paie patente). — **2°** *Fam.* Qui, par habitude, a reçu le titre de quelque chose : *Le défenseur patenté des nobles causes* (syn. : ATTITRÉ).

Pater [patɛr] n. m. invar. Mot qui commence l'oraison dominicale en latin et dont on se sert pour nommer cette prière : *Dire deux Pater.*

patère [patɛr] n. f. Support fixé à un mur pour accrocher des vêtements.

paternalisme [patɛrnalism] n. m. **1°** Doctrine selon laquelle un patron a seul autorité pour créer et gérer les œuvres sociales de l'entreprise. — **2°** Attitude marquée de bienveillance condescendante d'un patron, d'un supérieur envers son personnel. ◆ **paternaliste** adj. : *Une gestion paternaliste. Une entreprise paternaliste.*

paterne [patɛrn] adj. *Ton, air paterne, paroles paternes,* d'une bienveillance doucereuse.

paternel, elle adj., **paternité** n. f. V. PÈRE.

pâtes [pɑt] n. f. pl. Produits alimentaires faits avec de la semoule de blé et prêts à l'emploi culinaire : *Le vermicelle, les nouilles, les spaghetti,* etc., *sont des pâtes* (ou *pâtes alimentaires*).

pathétique [patetik] adj. Se dit de ce qui émeut fortement : *Lancer un appel pathétique en faveur des sinistrés. Un roman, un film pathétique* (syn. : ÉMOUVANT). ◆ n. m. : *Une scène d'un pathétique sobre.* ◆ **pathétiquement** adv. : *Déclamer pathétiquement une tirade.*

pathogène [patɔʒɛn] adj. Se dit, dans la langue de la biologie, de ce qui provoque une maladie : *Des microbes pathogènes. Le bacille de Koch est l'agent pathogène de la tuberculose.*

pathologie [patɔlɔʒi] n. f. Etude scientifique des maladies. ◆ **pathologiste** n. ◆ **pathologique** adj.

pathos [patos] n. m. *Fam.* et *péjor.* Propos pleins d'emphase et plus ou moins incompréhensibles : *Un article de critique littéraire écrit dans un pathos insupportable* (syn. : GALIMATIAS).

patibulaire [patibylɛr] adj. *Mine, air patibulaire,* qui inspirent la défiance, qui dénotent un individu peu recommandable : *Les soupçons se portèrent aussitôt sur un rôdeur à la mine patibulaire.*

patience [pasjɑ̃s] n. f. **1°** Vertu d'une personne qui supporte sans réagir des maux, des incommodités, des injures ou des critiques, etc. : *Un blessé qui endure ses souffrances avec une patience admirable* (syn. : RÉSIGNATION). *Ma patience est à bout : je ne me laisserai plus insulter. Il faillit perdre patience en entendant ces reproches injustes. Prenez patience, vous serez bientôt guéri.* ‖ *Prendre son mal en patience,* le supporter sans se plaindre. — **2°** Qualité de quelqu'un qui persévère sans se lasser : *La patience d'un pêcheur à la ligne. On admire la patience de l'artiste qui a exécuté cette tapisserie* (syn. : PERSÉVÉRANCE). — **3°** *Patience!,* interjection invitant à ne pas s'irriter ou se lasser, ou exprimant une menace : *Patience! le spectacle va commencer dans quelques minutes. Patience! je saurai prendre ma revanche.* ◆ **patient, e** adj. (après ou, au sens 2 de *patience,* avant le nom) : *Un malade patient. Il n'est pas très patient : il n'admet pas la contradiction* (contr. : IRRITABLE). *Une enquête patiente. Au prix d'un patient travail, des savants ont réussi à déchiffrer cette inscription.* ◆ n. Celui, celle qui subit un traitement douloureux, une opération : *Un dentiste très doux avec ses patients.* ◆ **patiemment** [pasjamɑ̃] adv. : *Je l'ai laissé patiemment débiter ses doléances. Le réparateur a patiemment rassemblé et recollé les morceaux du vase brisé.* ◆ **patienter** v. intr. Attendre sans irritation : *Prier un visiteur de patienter un instant dans l'antichambre. On a donné des illustrés à l'enfant pour le faire patienter.* ◆ **impatience** n. f. : *Donner des signes d'impatience. Trépigner d'impatience. Brûler d'impatience* (syn. : HÂTE). *Attendre avec impatience* (syn. : ↑ FIÈVRE). *Maîtriser son impatience* (syn. : ↑ IRRITATION, ÉNERVEMENT). ◆ **impatient, e** adj. Contr. de *patient : Etre extrêmement impatient de voir quelqu'un. Impatient d'agir. Un geste impatient.* ◆ **impatiemment** [-sjamɑ̃] adv. ◆ **impatienter** v. tr. *Impatienter quelqu'un,* lui faire perdre patience (souvent au passif) : *Sa lenteur m'impatiente.* ◆ ***s'impatienter*** v. pr. Perdre patience : *Ne vous impatientez pas; il va revenir.*

patin [patɛ̃] n. m. **1°** Semelle munie d'une lame métallique que l'on fixe sous la chaussure pour glisser sur la glace. — **2°** *Patin à roulettes,* semelle munie de roulettes, qui s'adapte à la chaussure. — **3°** *Patin d'un frein,* pièce qui frotte sur la jante d'une roue (de bicyclette) pour freiner. ◆ **patiner** v. intr. **1°** (sujet nom de personne) Evoluer avec des patins à glace ou à roulettes. — **2°** (sujet nom d'objet ou de véhicule) Glisser par manque d'adhérence : *Les disques de l'embrayage patinent l'un sur l'autre avant de se solidariser. Les roues arrière de la voiture patinent sur le verglas. L'auto patine dans la boue.* ◆ **patinage** n. m. : *Un spectacle de patinage artistique sur glace. Le patinage des roues d'une voiture sur la neige durcie.* ◆ **patineur, euse** n. : *Les patineurs évoluent avec grâce sur l'étang gelé.* ◆ **patinoire** n. f. **1°** Lieu spécialement aménagé pour patiner sur glace : *Une piscine transformée en patinoire pendant l'hiver.* — **2°** Lieu très glissant : *Quand il gèle, cette portion de route est souvent une patinoire.*

1. patiner v. intr. V. PATIN.

2. patiner [patine] v. tr. *Patiner un meuble, un objet,* lui donner une teinte plus foncée, l'aspect de l'ancien, par le contact répété des mains ou par un traitement artificiel : *Plusieurs générations ont patiné cette rampe d'escalier. Un buffet bien patiné.*

◆ **patine** n. f. Aspect d'un objet patiné : *Une statuette de bronze qui a pris une belle patine. La patine d'un manche d'outil.*

patinette [patinɛt] n. f. Jouet comportant une planchette montée sur deux petites roues et un guidon qui dirige la roue avant (syn. : TROTTINETTE).

patio [patjo] n. m. Cour intérieure d'une maison (surtout dans le Midi).

pâtir [pɑtir] v. intr. (sujet nom de personne). Eprouver un dommage, une souffrance (littér.) : *Je ne veux pas avoir à pâtir de ses négligences. Avec une mine si épanouie, il n'a pas l'air de pâtir de la vie qu'il mène* (syn. : SOUFFRIR).

pâtisserie [pɑtisri] n. f. **1°** Pâte sucrée cuite au four et souvent garnie de crème, de fruits, etc. : *La pâtisserie se mange spécialement au dessert.* — **2°** (au plur.) Gâteaux divers. — **3°** Art de préparer les gâteaux : *Apprendre la pâtisserie.* — **4°** Magasin où l'on fabrique, où l'on vend des gâteaux : *Il tient une pâtisserie sur la Côte d'Azur.* ◆ **pâtisser** v. tr. Faire de la pâtisserie (rare) : *Elle pâtisse remarquablement.* ◆ **pâtissier, ère** n. Personne qui fabrique, qui vend de la pâtisserie. ◆ **pâtissière** adj. f. *Crème pâtissière,* crème que l'on met dans certaines pâtisseries (choux, éclairs).

patois [patwa] n. m. Parler propre à une région rurale : *Le patois d'Auvergne, le patois savoyard.* ◆ **patois, e** adj. : *Une expression patoise.*

patraque [patrak] adj. De santé fragile, faible : *Je me sens un peu patraque.*

pâtre [pɑtr] n. m. Syn. littér. de BERGER.

patriarche [patrijarʃ] n. m. **1°** Titre des chefs de l'Eglise grecque et de quelques communautés orthodoxes. — **2°** Vieillard respectable entouré d'une nombreuse famille (littér.). ◆ **patriarcal, e, aux** adj. **1°** *Une vie patriarcale,* qui rappelle des mœurs paisibles, rustiques et simples. — **2°** *Une société patriarcale,* organisée selon le patriarcat (sens 2). ◆ **patriarcat** n. m. **1°** Dignité de patriarche. — **2°** Type familial caractérisé par la prépondérance du père sur tous les autres membres de la tribu.

patrie [patri] n. f. **1°** Pays où l'on est né, considéré notamment sous le rapport de la civilisation, des mœurs : *Un voyageur qui retrouve avec émotion le sol de sa patrie en rentrant de l'étranger. Défendre par les armes sa patrie envahie.* ‖ *Patrie d'adoption,* pays d'où l'on n'est pas originaire, mais où l'on s'est fixé. ‖ *La mère patrie,* la métropole, par rapport aux territoires d'outre-mer. — **2°** Ville, village, région d'où l'on est originaire : *Rouen était la patrie de Corneille.* ◆ **patriote** adj. et n. Se dit de quelqu'un qui est très attaché à sa patrie : *Dans cette province, on est traditionnellement très patriote. Des groupes de patriotes avaient organisé la résistance à l'occupant.* ◆ **patriotisme** n. m. Amour de la patrie : *Des engagés volontaires qui font preuve d'un ardent patriotisme. Un patriotisme chauvin* (= chauvinisme, nationalisme). ◆ **patriotard, e** adj. *Fam.* et *péjor.* Se dit de quelqu'un ou de quelque chose qui manifeste un patriotisme trop voyant. ◆ **patriotique** adj. : *Des chants patriotiques. Un poème d'inspiration patriotique.* ◆ **patriotiquement** adv. : *Un peuple qui endure patriotiquement de dures privations pour défendre son indépendance.* ◆ **apatride** n. et adj. Personne qui a perdu sa nationalité, sans en acquérir légalement une autre : *Nombre d'exilés politiques sont devenus des apatrides.*

patrimoine [patrimwan] n. m. **1°** Ensemble des biens de famille reçus en héritage : *Dilapider le patrimoine maternel.* — **2°** Bien commun d'une collectivité, d'un groupe humain, de l'humanité considéré comme un héritage transmis par les ancêtres : *Les œuvres littéraires sont le patrimoine de l'univers.* ◆ **patrimonial, e, aux** adj. (sens 1) : *Biens patrimoniaux.*

1. patron, onne [patrɔ̃, -ɔn] n. **1°** Personne qui dirige une entreprise industrielle ou commerciale : *Le patron d'une usine* (syn. : CHEF D'ENTREPRISE, DIRECTEUR). *La patronne du restaurant est à la caisse.* — **2°** Pop. *La patronne,* la maîtresse de maison. ◆ **patronal, e, aux** adj. Se dit de ce qui concerne le patron, les patrons : *Un syndicat patronal. Les cotisations patronales à la Sécurité sociale.* ◆ **patronat** n. m. Ensemble des patrons : *La Confédération nationale du patronat français.*

2. patron, onne [patrɔ̃, -ɔn] n. Saint, sainte dont on porte le nom ou qui sont désignés comme protecteurs d'une paroisse, d'une ville, etc. : *Sainte Geneviève est la patronne de Paris.* ◆ **patronage** n. m. Protection d'un saint ou d'une sainte : *Une église sous le patronage de saint Etienne.* ◆ **patronner** v. tr. *Patronner une personne, une entreprise,* lui donner le soutien de son autorité.

3. patron [patrɔ̃] n. m. Modèle, généralement en papier, sur lequel on taille un vêtement ou toute autre chose en tissu, en bois, etc.

1. patronage n. m. V. PATRON 2.

2. patronage [patrɔnaʒ] n. m. *Patronage scolaire, paroissial,* organisation visant à donner aux enfants un complément de formation morale, ainsi que des distractions les jours de congé; lieu où cette organisation a son siège : *Les enfants du patronage vont jouer dans les bois les jeudis où il fait beau* (abrév. fam. : PATRO).

patronnesse [patrɔnɛs] n. f. *Dame patronnesse,* dame qui dirige une œuvre, une fête de bienfaisance (généralement ironique).

patronyme [patrɔnim] n. m. Nom de famille, par opposition au *prénom.* (On dit aussi NOM PATRONYMIQUE.)

patrouille [patruj] n. f. **1°** Groupe de soldats qui ont pour mission de surveiller les actions ennemies; ronde d'agents, de gendarmes chargés d'une surveillance ou d'une garde : *Les patrouilles de police ont vérifié l'identité des passants. Une patrouille motorisée surveille l'autoroute.* — **2°** Cette mission elle-même : *Aller en patrouille. Etre envoyé en patrouille. Exécuter une patrouille.* ◆ **patrouiller** v. intr. Parcourir un lieu en mission de surveillance, de garde : *De petits groupes en armes patrouillent dans les rues.* ◆ **patrouilleur** n. m. Navire, avion chargé de la surveillance (des côtes, d'un convoi, etc.).

1. patte [pat] n. f. **1°** Membre articulé du corps des animaux, jouant un rôle dans la marche, dans la préhension : *Le chien tend la patte pour avoir un sucre. Les pattes d'un homard. La poule fouillait la terre de sa patte. Le chat mit sa patte sur la soucoupe.* — **2°** Syn. fam. de JAMBE, PIED, dans quelques expressions : *Se casser la patte. Traîner la patte* après une longue marche. *Avoir une patte folle* (= boiter légèrement). *Je vais à pattes jusqu'au métro* (= aller à pied). — 3° *Marcher à quatre pattes,* en posant les mains et les pieds par terre. ‖ Fam. *Tirer dans les pattes de quelqu'un,* lui causer des ennuis, quelques difficultés. ‖ Fam. *Bas les pattes!,* restez tranquille (à l'adresse d'une personne indiscrète). ‖ Fam. *Coup de patte,* critique malveillante faite en passant à quelqu'un. ‖ *Avoir un fil à la patte,* être lié à quelqu'un qui vous est une charge pénible. ‖ *Mouton à cinq pattes,* un animal rare; une personne exceptionnelle (ironiq.). ‖ Fam. *Retomber sur ses pattes,* se tirer sans dommage d'une affaire difficile. ‖ *Faire patte de velours,* mettre une douceur habile dans ses manières d'agir. ‖ Fam. *Graisser la patte à quelqu'un,* lui donner de l'argent pour obtenir quelque faveur. ‖ *Montrer patte blanche,* présenter toutes les garanties nécessaires pour pénétrer dans un lieu, pour être admis dans une société. ‖ Fam. *Se tirer des pattes de quelqu'un,* se délivrer de sa domination. ‖ Fam. *La patte d'un artiste,* son originalité, sa virtuosité. ‖ *Pattes de lapin,* favoris très courts. ‖ *Pattes de mouche,* petite écriture fine et gribouillée.

2. patte [pat] n. f. Languette de cuir à l'intérieur d'une chaussure, d'un portefeuille, petit morceau de tissu d'une poche de vêtement, servant à la fermeture. ‖ *Patte d'épaule,* syn. d'ÉPAULETTE.

patte-d'oie [patdwa] n. f. 1° Point de réunion de deux routes qui coupent obliquement une voie principale : *Les chemins convergent en des pattes-d'oie très dangereuses pour la circulation* (syn. : CROISEMENT, CARREFOUR). — 2° Petites rides divergentes à l'angle extérieur de l'œil.

pâturage [patyraʒ] n. m. Lieu couvert d'herbe où les bestiaux prennent leur nourriture : *Les hauts pâturages des Alpes. Les verts pâturages de Normandie* (syn. : HERBAGE). *De maigres, gras pâturages.* ◆ **pâture** n. f. 1° Ce qui sert d'aliment aux animaux (langue soutenue) : *Les oiseaux cherchent leur pâture.* — 2° Ce sur quoi on peut exercer une activité (dans quelques express.) : *Il fait sa pâture de romans policiers. Etre offert en pâture à l'opinion publique* (= comme proie). *Cet incident a servi de pâture à des journalistes en mal de copie.* (V. PAÎTRE.)

1. paume [pom] n. f. Le dedans de la main : *Lancer une balle avec la paume de la main. Il me tendit une paume humide que je serrai avec dégoût.*

2. paume [pom] n. f. Jeu de balle au mur (syn. : PELOTE).

paumer [pome] v. tr. 1° Pop. *Paumer quelqu'un,* l'arrêter : *On l'a paumé à la sortie de son hôtel. Se faire paumer.* — 2° Pop. *Paumer quelque chose,* le perdre : *J'ai paumé mon portefeuille.* ◆ ***se paumer*** v. pr. Se perdre, se tromper. ◆ **paumé, e** n. et adj. *Pop.* Pauvre.

paupérisme [poperism] n. m. Phénomène social consistant dans l'état de grande pauvreté de la population d'un pays ou d'une partie de celle-ci. ◆ **paupérisation** n. f. Appauvrissement d'une population ou d'une partie de celle-ci.

paupière [popjɛr] n. f. Peau mobile qui peut recouvrir l'œil : *Elle avait les paupières rougies par les larmes.*

paupiette [popjɛt] n. f. Tranche de viande de veau roulée et farcie.

pause [poz] n. f. Interruption momentanée dans un travail, une marche, etc. : *Des manœuvres qui font cinq minutes de pause toutes les heures. Les points et les virgules, dans un texte, correspondent à des pauses* (syn. : ARRÊT, SUSPENSION).

1. pauvre [povr] adj. (après le nom). 1° Se dit de quelqu'un qui a peu de ressources, peu de biens : *Un jeune homme qui a d'autant plus de mérite qu'il est né d'une famille pauvre* (syn. : ↑ MISÉREUX, NÉCESSITEUX, INDIGENT; contr. : RICHE, ↓ AISÉ). *Des paysans pauvres qui ne mangeaient presque jamais de viande;* et substantiv. : *Aider les pauvres. Faire l'aumône à un pauvre.* — 2° Se dit de ce qui contient une substance en faible quantité : *Un minerai pauvre. Un mélange pauvre en gaz d'essence.* ‖ *Langue pauvre,* langue qui offre peu de moyens d'expression. — 3° Se dit de ce qui produit peu : *Un sol pauvre* (syn. : STÉRILE, INGRAT; contr. : FERTILE, GÉNÉREUX). ◆ **pauvrement** adv. : *Elle vit pauvrement d'une maigre pension. Un ouvrier pauvrement vêtu* (syn. : ↑ MISÉRABLEMENT). ◆ **pauvresse** n. f. Femme pauvre, mendiante : *Une pauvresse qui tendait la main au coin de la rue.* ◆ **pauvreté** n. f. 1° Etat de quelqu'un ou de quelque chose qui est pauvre : *Sa pauvreté ne lui permettait pas de se nourrir convenablement* (syn. : ↑ MISÈRE, DÉNUEMENT, GÊNE, INDIGENCE). *La pauvreté d'un terrain, d'une langue.* — 2° (surtout au plur.) Chose médiocre, propos d'une grande banalité : *Dans son journal, il n'a noté que des pauvretés.* (V. APPAUVRIR, PAUPÉRISME.)

2. pauvre [povr] adj. (avant le nom). 1° Exprime la pitié, la commisération : *Le pauvre garçon était tout désemparé* (syn. : MALHEUREUX; littér. : INFORTUNÉ). *Mon pauvre ami, jamais vous ne viendrez à bout de ce travail!* — 2° Se dit de ce qui est médiocre, de peu de valeur : *Sa pauvre petite robe ne la protégeait guère du froid.* ◆ **pauvret, ette** adj. et n. Diminutif de *pauvre* : *Un visage pauvret. La pauvrette était tout intimidée devant un personnage si important.*

pavane [pavan] n. f. Danse ancienne d'allure lente; air de musique sur lequel elle s'exécute.

pavaner (se) [səpavane] v. pr. (sujet nom de personne). Prendre des airs avantageux, faire l'important : *Il se pavanait au milieu d'un cercle d'admirateurs.*

pavé [pave] n. m. 1° Petit bloc de pierre dont on revêt le sol des rues : *Des pavés de grès.* ‖ *Battre le pavé,* marcher dans les rues, sans but précis. ‖ *Etre sur le pavé,* être sans domicile (syn. : ÊTRE À LA RUE); être sans emploi. ‖ *Tenir le haut du pavé,* être au plus haut rang social. ‖ *Un pavé dans la mare,* une vérité qui jette la perturbation. — 2° Elément d'un carrelage (syn. : CARREAU). ◆ **paver** v. tr. : *On a pavé la rue, la cour.* ◆ **pavage** n. m. 1° Action de paver : *Le pavage de l'avenue a été effectué en deux jours.* — 2° Lieu pavé : *Un vase qui se casse en tombant sur le pavage de la pièce* (syn. : CARRELAGE). [On dit plus rarement PAVEMENT.] ◆ **paveur** n. m. Ouvrier qui pave. ◆ **dépaver** v. tr. Enlever les pavés de : *Dépaver une rue.*

1. pavillon [pavijõ] n. m. Maison particulière de petite ou de moyenne dimension : *Il habite un modeste pavillon de banlieue. Le pavillon des gardiens se trouve à l'entrée du domaine. Un pavillon de chasse.*

2. pavillon [pavijɔ̃] n. m. 1° Petit drapeau indiquant la nationalité, sur un navire en général, et sur un navire commercial le nom de la compagnie : *Un cuirassé battant pavillon anglais. Hisser son pavillon. Amener (le) pavillon* (= se rendre). — 2° Fam. *Baisser pavillon,* céder, capituler devant quelqu'un.

3. pavillon [pavijɔ̃] n. m. 1° Extrémité évasée d'un instrument à vent. — 2° *Pavillon de l'oreille,* la partie extérieure de l'oreille.

pavois [pavwa] n. m. 1° *Elever, hisser quelqu'un sur le pavois,* le mettre en grand honneur, faire son panégyrique. — 2° *Hisser le grand pavois,* hisser, sur un navire, l'ensemble des pavillons en signe de réjouissance.

pavoiser [pavwaze] v. tr. et intr. Orner un édifice, un navire, etc., de drapeaux à l'occasion d'une fête, de la réception d'une personnalité, etc. : *On a pavoisé tous les bâtiments publics à l'occasion du 14-Juillet. Pavoiser pour l'arrivée du président d'un Etat voisin.* ◆ **pavoisement** n. m.

pavot [pavo] n. m. Plante cultivée pour ses capsules qui fournissent de l'opium.

payer [peje] v. tr. 1° *Payer une somme,* la verser : *Il n'a pas encore payé sa cotisation syndicale. Les impôts doivent être payés avant le 15 du mois prochain* (syn. : ACQUITTER). *Je viens payer mes dettes;* et absolum. : *Régalez-vous, c'est moi qui paie.* — 2° *Payer quelqu'un,* lui donner (généralement en argent) ce qui lui est dû : *On le paie bien cher pour ce qu'il fait. Vous serez payé à la fin du mois. Préférez-vous être payé par chèque ou en espèces?* (syn. : RÉGLER). *Il a été payé en nature;* et absolum. : *C'est une maison qui paie bien.* — 3° *Payer quelqu'un de quelque chose,* l'en récompenser : *Ce succès me paie de tous mes efforts. Il a été payé de ses peines par une belle lettre de félicitations.* — 4° *Payer un travail, un service, une chose,* en acquitter le montant, verser une somme correspondante : *Il faut payer les réparations. Payez-lui son déplacement. Combien avez-vous payé votre appartement?* ‖ Fam. *Payer quelque chose à quelqu'un,* le lui offrir en se chargeant de la dépense : *Il nous a payé l'apéritif. Ses parents lui ont payé un mois de vacances à la mer. Il s'est payé une nouvelle voiture.* ‖ *Payer cher quelque chose,* l'obtenir au prix de grands efforts, ou en subissant des dommages : *Nos troupes ont payé cher cette victoire.* — 5° *Payer une faute, un crime,* etc., les expier : *Il a payé de dix ans de prison cette tentative de meurtre.* ‖ *Tu me le paieras!,* je me vengerai (formule de menace). ◆ v. intr. 1° (sujet nom de chose) Etre de bon rapport, être profitable : *C'est un métier qui paie. Des efforts qui paient.* — 2° (sujet nom de personne) *Payer d'audace,* faire preuve d'audace, prendre un risque. ‖ *Payer de sa personne,* agir par soi-même, ne pas ménager ses efforts. ◆ ***se payer*** v. pr. *Se payer de mots, d'illusions,* etc., s'en contenter (par oppos. à l'action, à la réalité). ‖ Fam. *Se payer de culot,* agir hardiment, avec effronterie. ◆ **payable** adj. Se dit d'une somme, d'un article qu'il faut payer : *Acheter un téléviseur payable en dix mensualités.* ◆ **payant, e** adj. 1° Se dit d'une personne qui paie : *Recevoir chez soi des hôtes payants.* — 2° Se dit de ce qu'on obtient en payant : *Les places gratuites et les places payantes. Un spectacle payant.* — 3° Se dit de ce qui rapporte, qui est profitable : *Une entreprise payante* (syn. : RENTABLE). *La persévérance est payante.* ◆ **payeur, euse** adj. et n. : *Organisme payeur, bureau payeur. Mauvais payeur* (= celui qui paie mal ses dettes). ◆ **paie** [pɛ] ou **paye** [pɛj] 1° Action de payer : *Le jour de la paye.* — 2° Salaire : *Bulletin de paie. La paie des ouvriers. Recevoir une haute paie.* — 3° Pop. *Ça fait une paye,* il y a longtemps. ◆ **paiement** [pemɑ̃] n. m. 1° Action de verser une somme d'argent pour s'acquitter d'une obligation : *Faire un paiement* (= payer). *Le paiement d'une amende, des frais de notaire. Demander un délai, des facilités de paiement.* — 2° Ce qu'on donne, somme payée : *Exiger le paiement immédiat en espèces* (= en argent). ◆ **non-paiement** n. m. : *Le non-paiement des traites entraîne la restitution de l'appareil.* ◆ **paierie** n. f. Bureau du trésorier-payeur. ◆ **impayé, e** adj. : *La facture est restée impayée.* (V. aussi IMPAYABLE.)

1. pays [pei] n. m. 1° Territoire d'une nation : *Parcourir des pays étrangers. Défendre son pays par les armes* (syn. : PATRIE). ‖ *Avoir le mal du pays,* avoir une grande envie de revoir sa patrie. (V. NOSTALGIE.) — 2° Région, contrée : *La Savoie est un pays montagneux.* ‖ *Voir du pays,* voyager. — 3° Village, agglomération : *Il passe ses vacances dans un petit pays des Alpes.* — 4° Ensemble des habitants, des forces économiques et sociales d'une nation : *Le pays l'acclamait. Les pays qui ont signé le pacte. La renaissance économique d'un pays.* — 5° Fam. *En pays de connaissance,* parmi des gens connus, dans une situation connue. ◆ **arrière-pays** n. m. invar. L'intérieur d'une région (par oppos. au bord de la mer, au port) : *La côte est rocheuse et âpre, mais l'arrière-pays est verdoyant. Le port a été construit pour servir de débouché à l'arrière-pays, très riche.*

2. pays, e [pei, -iz] n. *Fam.* Personne qui est du même pays, de la même région : *Il a rencontré un pays séjournant comme lui à l'étranger* (syn. : COMPATRIOTE). *C'est ma payse, nous sommes du même village.*

paysage [peizaʒ] n. m. 1° Vue d'ensemble d'une région, d'un site : *Arrivé au sommet, on découvre un paysage magnifique* (syn. : PANORAMA). *Cette maison nous masque le paysage* (syn. : VUE). — 2° Tableau représentant un site généralement champêtre : *Les paysages de Corot.* ◆ **paysagiste** n. 1° Artiste qui peint des paysages. — 2° Décorateur qui compose des plans de parcs, jardins, paysages.

paysan, anne [peizɑ̃, -an] n. Personne de la campagne, qui cultive le sol : *Des paysans qui se rendent à la foire. Les citadins connaissent souvent mal la vie des paysans* (syn. : CULTIVATEUR, AGRICULTEUR). *Des manières de paysan* (= peu raffinées). ◆ adj. : *Le malaise paysan. La vie paysanne. L'agitation paysanne.* ◆ **paysanat** n. m. Ensemble des paysans; condition paysanne. ◆ **paysannerie** n. f. Ensemble des paysans : *Comparer les niveaux de vie de la paysannerie française et de celle des autres nations européennes.*

péage [peaʒ] n. m. Droit que l'on paie pour emprunter un pont, une autoroute, etc. : *Une route à péage.*

peau [po] n. f. 1° Couche de tissu organique recouvrant le corps de l'homme et des animaux : *Des veines visibles sous la peau. Une jeune fille à la peau délicate. Une peau gercée, ridée, mate, lisse. Une épine qui érafle la peau.* — 2° Cuir détaché du corps d'un animal et traité : *Une fourrure en peau de lapin. Un sac à main en peau de lézard* (on dit plus couramment *en lézard,* etc.). *Des livres reliés pleine peau* (= dont toute la couverture est revêtue de peau). ‖ Fam. *Peau d'âne,* diplôme. ‖ *Faire peau neuve,* changer complètement de manières, d'aspect. ‖ *N'avoir que la peau et les os,* être très maigre. — 3° Partie consistante qui recouvre un fruit : *Manger une pomme avec la peau. Glisser sur une peau de banane* (syn. : PELURE). — 4° Syn. de ÉCORCE : *Oter la peau d'une baguette de saule.* — 5° Couche consistante qui se forme à la surface d'un liquide : *La peau du lait bouilli. Si vous laissez votre boîte ouverte, la peinture fera une peau* (syn. : PELLICULE). — 6° *Fam.* ou *pop.* Syn. de CORPS, VIE, dans quelques locutions : *Se mettre dans la peau de quelqu'un,* se mettre à sa place, adopter son comportement, ses sentiments. ‖ *Tenir à sa peau,* tenir à la vie. ‖ *Vendre cher sa peau,* se défendre vigoureusement avant de succomber. ‖ *Avoir quelqu'un dans la peau,* être éperdument amoureux de cette personne. ‖ Fam. *Peau de vache,* personne très dure, très rigoureuse. ◆ **peaussier** n. et adj. m. Celui qui prépare les peaux (sens 2) ou en fait commerce. ◆ **peausserie** n. f. (V. PELAGE, PELER, PELURE.)

pécari [pekari] n. m. Cochon sauvage d'Amérique.

pêche [pɛʃ] n. f. 1° Fruit juteux et à chair savoureuse, à noyau dur : *La peau duvetée de la pêche. Une compote de pêches.* ‖ *Avoir une peau de pêche,* une peau douce, rose et veloutée. — 2° *Pop.* Coup sur la figure : *Recevoir une pêche.* ◆ **pêcher** n. m. Arbre dont le fruit est la pêche.

péché [peʃe] n. m. 1° Faute commise contre la loi divine : *Demander pardon à Dieu de ses péchés. Le péché d'orgueil, de colère. La théologie distingue entre les péchés mortels, qui donnent la mort à l'âme, et les péchés véniels. On appelle « péchés capitaux » ceux qui sont considérés comme la source de tous les autres.* — 2° *Péché originel,* selon la Bible, faute du premier homme transmise à toute l'humanité. ‖ *Péché mignon,* petit défaut auquel on s'abandonne volontiers : *Il a un faible pour le bon vin : c'est son péché mignon.* ‖ Fam. *Pour mes péchés,* se dit de ce qui cause des tracas, des ennuis : *Je l'ai accueilli sans méfiance, pour mes péchés.* ‖ *A tout péché miséricorde,* il faut savoir pardonner à quelqu'un qui se repent. ‖ *Laid comme les sept péchés capitaux,* très laid. ◆ **pécher** v. intr. 1° Commettre un péché, des péchés : *Un pénitent qui prend la résolution de ne plus pécher.* — 2° Manquer à un devoir, se mettre en faute : *Pour rien au monde, il n'aurait voulu pécher contre l'hospitalité. Il a péché par excès d'optimisme.* — 3° (sujet nom de chose) Etre en défaut : *Ce raisonnement pèche sur un point. Un plan qui pèche par imprévoyance.* ◆ **pécheur, eresse** n. et adj. 1° Personne qui commet des péchés. — 2° *Ne pas vouloir la mort du pécheur,* ne pas demander de sanctions excessives.

pêcher [peʃe] v. intr. et tr. 1° Prendre ou essayer de prendre du poisson : *Il pêche à la ligne au bord de l'étang. On pêche le hareng au filet.* — 2° *Fam.* Prendre, trouver : *Où est-ce qu'il est allé pêcher ce renseignement? Un bibelot pêché chez un brocanteur* (syn. fam. : DÉNICHER; pop. : DÉGOTER). — 3° Fam. *Pêcher en eau trouble,* profiter du désordre pour en tirer un avantage. ◆ **pêche** [pɛʃ] n. f. 1° Action ou manière de pêcher : *Un filet, une barque de pêche. La pêche est ouverte. La pêche à la ligne est son passe-temps favori.* — 2° Poisson pêché : *Une pêche abondante. Il montrait orgueilleusement sa pêche.* ◆ **pêcheur, euse** n. et adj. Personne qui pêche, qui a profession de pêcher. ◆ **pêcherie** n. f. Lieu où l'on pêche : *Les pêcheries de Terre-Neuve.*

pécore [pekɔr] n. f. *Fam.* Femme stupide, prétentieuse (syn. : PIMBÊCHE).

pecque [pɛk] n. f. Femme sotte et prétentieuse (style fam. vieilli).

pectoral, e, aux [pɛktɔral, -ro] adj. Terme technique servant d'adjectif à *poitrine* : *Muscles pectoraux. Pâte pectorale* (= contre la toux). ◆ **pectoraux** n. m. Muscles de la poitrine : *Bomber ses pectoraux.*

pécule [pekyl] n. m. 1° Somme d'argent, généralement faible, économisée par quelqu'un sur ce qu'il gagne par son travail : *Amasser un petit pécule. Se constituer un modeste pécule.* — 2° *Le pécule d'un prisonnier,* somme allouée à un détenu par l'Administration, à sa libération, pour la rémunération de son travail.

pécuniaire [pekynjɛr] adj. Qui consiste en argent : *Une aide pécuniaire de l'Etat sera nécessaire. Il n'a tiré aucun avantage pécuniaire de ses travaux personnels;* qui a rapport à l'argent : *Il a de sérieux ennuis pécuniaires* (syn. : FINANCIER). ◆ **pécuniairement** adv. : *Il est pécuniairement dans une situation difficile* (syn. : FINANCIÈREMENT).

pédagogie [pedagɔʒi] n. f. Science ou méthode dont l'objet est l'instruction ou l'éducation des enfants : *La pédagogie use des méthodes audiovisuelles.* ◆ **pédagogue** n. Personne qui a les qualités d'un bon professeur, qui connaît la manière efficace d'instruire les enfants : *Cet excellent pédagogue réussit fort bien dans son enseignement.* ◆ **pédagogique** adj. 1° Relatif à la pédagogie : *La formation pédagogique des futurs professeurs. De nouvelles méthodes pédagogiques.* — 2° Qui a les qualités d'un bon enseignement : *Cet exercice est bien peu pédagogique; il ne fait pas réfléchir les enfants.* ◆ **pédagogiquement** adv.

pédale [pedal] n. f. 1° Organe de transmission ou de commande d'un appareil, d'une machine, que l'on actionne avec le pied : *Appuyer sur la pédale de l'accélérateur* (d'une voiture). *La pédale du frein. Les pédales du piano assourdissent le son ou en prolongent la résonance. Les pédales d'une bicyclette. Lâcher les pédales.* — 2° Pop. *Perdre les pédales,* perdre le fil de son discours, s'embarrasser dans ses explications, perdre son sang-froid. ◆ **pédaler** v. intr. 1° Actionner les pédales d'une bicyclette : *Il pédalait dans les descentes pour rattraper son retard.* — 2° Rouler à bicyclette : *Le peloton des coureurs pédalait à toute allure vers l'arrivée de l'étape.* ◆ **pédalier** n. m. Mécanisme comprenant l'axe, les manivelles, les pédales et le plateau d'une bicyclette.

pédant, e [pedɑ̃, ɑ̃t] n. et adj. *Péjor.* Personne qui fait étalage de sa science, de son savoir, qui donne des leçons sur un ton prétentieux : *Les pédants qui se posent en censeurs intraitables du langage des autres* (syn. : CUISTRE). *Prendre un ton pédant. Un discours pédant* (syn. : SUFFISANT, DOCTORAL). ◆ **pédantesque** adj. Syn. littér. de l'adj. PÉDANT. ◆ **pédantisme** n. m. Affectation propre au pédant ou à ce qui est pédant : *Le pédantisme de ses explications exaspère ses auditeurs* (syn. : PRÉTENTION; contr. : SIMPLICITÉ).

pédéraste [pederast] n. m. Homme qui s'adonne à des pratiques homosexuelles. ◆ **pédérastie** n. f.

pédestre [pedɛstr] adj. *Randonnée pédestre,* excursion qui se fait à pied. ◆ **pédestrement** adv. A pied.

pédiatre [pedjɑtr] n. Spécialiste des maladies de l'enfant. ◆ **pédiatrie** n. f.

pédicure [pedikyr] n. Spécialiste traitant les affections de la peau et des ongles du pied : *Se faire enlever un cor par un pédicure.*

pedigree [pedigre] n. m. Généalogie d'un animal de race (chien, chat, etc.).

pègre [pɛgr] n. f. Groupe social formé des voleurs, escrocs, bandits, etc. : *La pègre des grandes villes.*

peigne [pɛɲ] n. m. 1° Instrument d'écaille, de matière plastique, etc., taillé en forme de dents et qui sert à démêler les cheveux, à les lisser, ou instrument incurvé analogue dont les femmes se servent pour retenir leurs cheveux : *Un peigne de poche. Se passer le peigne dans les cheveux. Se donner un coup de peigne* (= se peigner rapidement). — 2° *Passer au peigne fin,* examiner minutieusement afin de retrouver un objet égaré, une personne recherchée : *La police passa au peigne fin tous les bars de la ville, mais on ne trouva aucune trace des voleurs.* ◆ **peigner** v. tr. *Peigner quelqu'un,* lui démêler et lui ordonner les cheveux : *La mère peignait ses jeunes enfants avant leur départ en classe.* ◆ **se peigner** v. pr. : *Sortir un petit peigne de sa poche pour se peigner rapidement.* ◆ **dépeigner** v. tr. *Dépeigner quelqu'un,* lui déranger les cheveux (surtout au passif) : *Un enfant dépeigné par le jeu.* ◆ **repeigner** v. tr.

peignée [peɲe] n. f. Fam. *Donner, recevoir une peignée,* une volée de coups.

peignoir [peɲwar] n. m. 1° Vêtement ample, en tissu-éponge, que l'on met au sortir du bain. — 2° Robe d'intérieur ample et légère que portent les femmes le matin, avant de s'habiller : *Elle est encore en peignoir à onze heures.*

peinard, e [penar, -ard] adj. et n. *Pop.* Se dit d'une personne tranquille, à l'abri des risques, des tracas : *Rester peinard dans son coin. Il vit en peinard avec une retraite confortable.* ◆ adj. Se dit d'un travail, d'une existence qui ne fatiguent pas : *Il a trouvé un petit emploi bien peinard. Mener une vie peinarde* (syn. fam. : PÉPÈRE). ◆ **peinardement** adv. : *Il s'est tenu peinardement chez lui, loin de l'agitation générale.*

peindre [pɛ̃dr] v. tr. (conj. 55). 1° *Peindre un mur, un meuble, une carrosserie,* etc., y appliquer une couche de couleur : *Il a fait peindre ses volets en vert.* — 2° *Peindre un paysage, une personne,* etc., les représenter par des lignes, des couleurs : *Un aquarelliste qui peint les quais de la Seine, à Paris. Les bisons peints sur les parois de grottes préhistoriques. Un portrait de François Ier peint par Clouet.* — 3° *Peindre une scène, une personne, un caractère,* etc., les décrire, les représenter par la parole ou l'écriture : *Balzac a peint des types variés de la société de son temps* (syn. : DÉPEINDRE). ◆ **peintre** [pɛ̃tr] n. m. 1° Ouvrier ou artisan qui a pour métier d'appliquer de la peinture sur des surfaces : *Un peintre en bâtiment. Les peintres ont refait tout l'appartement.* — 2° Personne qui peint sur une surface et au moyen de couleurs, de lignes, etc., une représentation d'un monde visible ou imaginaire : *Les peintres figuratifs. Un peintre cubiste. Les peintres flamands.* — 3° Se dit aussi d'un écrivain : *Balzac, le peintre de la société de son temps.* ◆ **peinture** n. f. 1° Couche de couleur, matière colorante dont sont peints un objet, une surface, etc. : *La peinture s'écaille. Attention à la peinture* (= prenez garde, la peinture est fraîche). *La peinture commence à sécher. Un tube de peinture. Les pots de peinture.* — 2° Action de recouvrir d'une matière colorante : *La peinture au pistolet. Faire de la peinture au rouleau.* — 3° Représentation faite par le peintre (sens 2 et 3) : *Une peinture murale. La peinture d'une femme nue. Une peinture à l'huile. Vendre sa peinture* (= ses tableaux). — 4° Art et technique du peintre (sens 2) : *Des termes de peinture. Un ouvrage sur la peinture. Des écoles de peinture. Exposition de peinture. Faire de la peinture. La peinture d'une époque.* — 5° *Ne pouvoir voir quelqu'un en peinture,* ne pouvoir le supporter, avoir une grande animosité à son égard. ◆ **peinturlurer** v. tr. *Fam.* Peindre de couleurs criardes : *L'enfant a peinturluré son livre.* (V. PICTURAL.)

1. peine [pɛn] n. f. 1° Douleur morale : *Cette mort a plongé toute une famille dans la peine* (syn. : AFFLICTION). *Alléger la peine d'un ami éprouvé. Il me fait part de ses joies et de ses peines* (syn. : CHAGRIN). *Je ne voudrais pas vous faire de la peine, mais je suis obligé de vous contredire. Son air abattu faisait peine à voir.* — 2° *Etre, se mettre en peine de,* avoir, se donner du souci, de l'inquiétude pour : *Ne vous mettez pas en peine de moi : je me débrouillerai bien.* ◆ **peiner** v. tr. *Peiner quelqu'un,* lui causer de la peine (souvent au passif) : *Son ingratitude m'a beaucoup peiné* (syn. : CHAGRINER, ATTRISTER). *Nous sommes peinés de ne pouvoir rien faire pour vous* (syn. : DÉSOLER; ↑ AFFLIGER). ◆ **pénible** adj. (avant ou après le nom). Se dit de ce qui cause de la peine : *Dans ces circonstances pénibles, il essayait de me réconforter. Une séparation pénible* (syn. : DOULOUREUX). *J'ai appris une pénible nouvelle : un de mes parents a été gravement accidenté* (syn. : TRISTE). ◆ **péniblement** adv. : *J'ai été péniblement surpris de son échec.*

2. peine [pɛn] n. f. 1° Effort pour venir à bout d'une difficulté : *Il se donne beaucoup de peine pour satisfaire tout le monde. Cet élève a eu de la peine à atteindre la moyenne* (syn. : MAL). *On peut manœuvrer à grand-peine ce levier avec la main. Un texte qui se comprend sans peine* (= aisément). *Je me suis donné la peine de recopier tout ce texte de ma main.* — 2° *Homme de peine,* celui qui fait les travaux les plus pénibles. ‖ *Mourir à la peine,* travailler péniblement jusqu'à sa mort. ‖ *Perdre sa peine,* travailler sans résultat. ‖ *C'est peine perdue,* c'est inutile. ‖ *Donnez-vous la peine de,* formule d'invitation polie : *Donnez-vous la peine de lire cet article du règlement. Donnez-vous la peine d'entrer* (= entrez, je vous prie). ‖ *Valoir la peine,* avoir une certaine importance : *En procédant ainsi, on réalise une économie qui vaut la peine;* mériter, être digne : *Un film qui vaut la peine d'être vu.* ‖ *C'est la peine de* (et l'infin.), *que* (et le subj.), il est utile, il y a lieu de, que (dans des phrases négatives ou interr.) : *Ce n'est pas la peine de me le répéter, j'ai très bien compris* (= il est inutile). *Est-ce bien la peine de passer tant de temps à un travail qui n'intéresse personne? Ce n'était pas la peine que vous vous dérangiez, il suffisait d'envoyer une lettre.* ‖ *Avoir peine à* (et l'infin.), parvenir difficilement à : *J'ai peine à déchiffrer une écriture aussi confuse. J'ai peine à croire qu'il n'y ait pas d'autre solution.* ‖ *Pour ta peine*, pour te punir : *Tu es en retard; pour ta peine, tu seras servi après tous les autres.* ◆ **peiner** v. intr. Éprouver de la fatigue, de la difficulté : *Un cycliste qui peine en grimpant la côte. Il a peiné longtemps sur un problème de mathématiques. Un texte qu'on ne comprend qu'en peinant.* ◆ **pénible** adj. Se dit de ce qui exige un effort, qui s'accompagne de fatigue, de souffrance : *Une ascension pénible. Le travail des mineurs est pénible* (syn. : FATIGANT, ↑ ÉPUISANT, HARASSANT). *Une maladie très pénible* (syn. : DOULOUREUX). ◆ **péniblement** adv. : *Soulever péniblement un meuble. Il gagne péniblement sa vie* (syn. : DIFFICILEMENT).

3. peine [pɛn] n. f. Punition infligée à un coupable : *Les accusés ont été condamnés à des peines sévères* (syn. littér. : CHÂTIMENT). *La peine de mort a été abolie dans de nombreux pays. Un crime passible de la peine capitale. Un escroc qui purge sa peine en prison.* ◆ **pénal, e, aux** adj. Se dit de ce qui est relatif à la punition des infractions : *Une loi pénale. Le Code pénal. La responsabilité civile et pénale.* ◆ **pénalement** adv. : *Une infraction sanctionnée pénalement.* ◆ **pénaliser** v. tr. *Pénaliser une personne, un acte*, les frapper d'une sanction : *Certaines infractions au Code de la route sont lourdement pénalisées. Un concurrent pénalisé dans un rallye automobile pour avoir dépassé la vitesse autorisée. Un barème de correction qui pénalise particulièrement les barbarismes.* ◆ **pénalisation** n. f. Désavantage infligé à un concurrent d'une épreuve sportive qui a commis une faute. ◆ **pénalité** n. f. Sanction qui frappe un délit, et spécialement un délit fiscal.

4. peine (à) [apɛn] loc. adv. 1° Très peu, de façon peu sensible : *C'est à peine si on remarque son accent étranger. Il est à peine plus âgé que moi.* — 2° Indique une succession très rapide entre deux actions : *À peine entré, il se mit à sa table de travail* (syn. : AUSSITÔT, SITÔT). *À peine étiez-vous parti qu'il arrivait.*

peintre n. m. V. PEINDRE.

péjoratif, ive [peʒɔratif, -iv] adj. *Mot péjoratif, expression péjorative*, etc., qui comporte une idée défavorable, qui déprécie : *Le suffixe « -ard » est péjoratif dans « chauffard », « criard », « pleurard ». Prendre un sens péjoratif* (contr. : MÉLIORATIF). ◆ **péjorativement** adv. ◆ **péjoration** n. f. Addition d'une valeur dépréciative à un mot.

pékin ou **péquin** [pekɛ̃] n. m. *Fam.* et *péjor.* Civil, par opposition à *militaire* (vieilli).

pékinois [pekinwa] n. m. Petit chien à poil long et à tête massive.

pelage [pəlaʒ] n. m. Ensemble des poils d'un animal : *Le pelage d'un renard* (syn. : FOURRURE). *Le pelage lustré du vison* (syn. : ROBE).

pêle-mêle [pɛlmɛl] loc. adv. Dans le plus grand désordre : *Tous ses papiers sont pêle-mêle sur son bureau* (syn. : EN VRAC). *Les gens s'entassaient pêle-mêle dans les voitures de métro. Il a tout mis pêle-mêle dans ce livre, sans essayer d'ordonner les faits.*

peler [pəle] v. tr. (conj. 5). Ôter la peau d'un fruit ou d'un légume : *Peler une pêche, des oignons.* ◆ v. intr. Perdre son épiderme, qui tombe par petites parcelles : *Après la scarlatine, tout le corps pèle.* ◆ **se peler** v. pr. : *Ce fruit se pèle facilement.* ◆ **pelé, e** part. adj. et n. 1° Qui a perdu ses poils : *Le cou pelé d'un chien qui porte un collier. Le crâne pelé* (= chauve). — 2° Qui a perdu sa végétation : *Une campagne pelée* (syn. : NU). — 3° Fam. *Il y a quatre pelés et un tondu*, un tout petit nombre. ◆ **pelade** n. f. Maladie qui détermine la chute totale ou partielle des cheveux et des poils.

pèlerin [pɛlrɛ̃] n. m. Personne qui se rend seule ou avec d'autres en un lieu saint dans un esprit de piété : *Les pèlerins de Lourdes. Les pèlerins se plongent dans les eaux du Gange. Les pèlerins musulmans vont à La Mecque.* ◆ **pèlerinage** n. m. 1° Voyage dans un lieu saint pour un motif religieux : *Faire un pèlerinage. Les routes du pèlerinage de Saint-Jacques-de-Compostelle.* — 2° Visite faite à un lieu célèbre : *Un pèlerinage littéraire. Faire un pèlerinage dans les lieux où vécut Ronsard.*

pèlerine [pɛlrin] n. f. Vêtement sans manches que l'on met sur les épaules et qui descend jusqu'aux hanches.

pélican [pelikɑ̃] n. m. Oiseau dont les pattes sont palmées et dont le bec porte une poche où sont emmagasinés les poissons destinés à la nourriture des jeunes.

pelisse [pəlis] n. f. Manteau garni de fourrure.

pelle [pɛl] n. f. 1° Outil formé d'une plaque de fer ou de bois plus ou moins concave, munie d'un manche et dont on se sert pour déplacer de la terre, du charbon, etc., ou pour prendre toute matière solide ou pâteuse : *Une pelle à charbon. L'enfant joue avec une pelle et un seau. Une pelle à tarte. Un pelle mécanique est un appareil qui sert à enlever de grosses quantités de matériaux, de terre.* — 2° Fam. *Ramasser une pelle*, faire une chute, tomber; essuyer un échec. ‖ *On en ramasse à la pelle*, on en trouve en abondance. ◆ **pelletée** [pɛlte] n. f. Quantité de matière qu'on peut enlever d'un coup de pelle : *Jeter quelques pelletées de terre dans un trou.* ◆ **pelle-pioche** n. f. : *Les pelles-pioches sont munies d'un côté d'une pioche et de l'autre côté d'une houe.* ◆ **pelleter** v. tr. (conj. 8). Remuer avec la pelle : *Pelleter du sable, de la terre.* ◆ **pelleteuse** n. f. Appareil servant à charger mécaniquement les camions.

pelletier [pɛltje] n. m. Celui qui prépare, travaille ou vend des fourrures. ◆ **pelleterie** n. f. Préparation et commerce des fourrures.

pellicule [pelikyl] n. f. 1° Mince lamelle de peau qui se détache du cuir chevelu : *Une lotion contre les pellicules. Son veston est parsemé de pellicules.* — 2° Mince couche d'une matière solide : *De fines pellicules de boue.* — 3° Feuille cellulosique mince, sensibilisée afin de recevoir les impressions de la lumière : *Une pellicule photographique. Gâcher des kilomètres de pellicules pour tourner des scènes d'un film.*

pelote [plɔt] n. f. 1° Boule formée avec de la laine, de la soie, du fil, etc., roulés sur eux-mêmes : *Une pelote de fil. Le chat joue avec une pelote de laine.* — 2° Petit coussinet où l'on fiche les épingles et les aiguilles : *Une pelote d'épingles.* — 3° Balle de caoutchouc dur utilisée dans un jeu appelé *pelote basque : Les enfants envoyaient la pelote contre le mur. Jouer à la pelote* (= lancer la balle contre un fronton, la reprendre après son rebond sur le fronton). — 4° Fam. *Avoir les nerfs en pelote* (*en boule*), être très énervé. ◆ **pelotari** n. m. Joueur de pelote basque.

peloter [plɔte] v. tr. 1° *Fam.* Caresser en palpant d'une manière sensuelle une partie du corps (syn. : LUTINER). — 2° *Fam.* Flatter d'une manière intéressée. ◆ **pelotage** n. m. ◆ **peloteur, euse** n. Personne qui aime caresser.

1. peloton [plɔtɔ̃] n. m. Petite boule de laine, de fil, etc. : *Un peloton de laine pour repriser les chaussettes.* ◆ **pelotonner** v. tr. *Pelotonner du fil,* le mettre en peloton.

2. peloton [plɔtɔ̃] n. m. 1° Groupe compact de concurrents dans une course (athlétisme, cyclisme, etc.) : *Le peloton de tête. Les échappés rentrèrent dans le peloton. Sortir du peloton. Les attardés rejoignirent le peloton. Dans la première course de la réunion hippique, le peloton s'étira dans la descente.* — 2° Groupe de soldats, de policiers, etc. : *Un peloton d'agents. Un peloton d'exécution* (= groupe de soldats chargés de l'exécution d'un condamné). *Un chef de peloton.*

pelotonner (se) [səplɔtɔne] v. pr. Se blottir en repliant les jambes : *Se pelotonner dans son lit.*

pelouse [pluz] n. f. 1° Terrain couvert d'une herbe courte et épaisse : *Les enfants jouaient sur la pelouse du jardin. Tondre la pelouse.* — 2° Partie d'un champ de courses située entre les pistes : *Les habitués de la pelouse* (= les spectateurs qui se placent toujours en cet endroit). — 3° Terrain couvert de gazon où se disputent les matches de football, de rugby, etc.

peluche [plyʃ] n. f. Etoffe ayant d'un côté de longs poils soyeux : *Un bébé qui joue avec son ours en peluche.* ◆ **pelucher** v. intr. (sujet nom désignant un tissu). Se couvrir de poils, de fils : *Une cotonnade qui peluche.* ◆ **pelucheux, euse** adj. Qui peluche : *Un torchon pelucheux.*

pelure [pəlyr ou plyr] n. f. 1° Peau qu'on ôte de certains fruits ou légumes : *Une pelure de pêche. La pelure d'un oignon.* — 2° *Fam.* Vêtement de dessus, imperméable : *Accrocher sa pelure au portemanteau.* — 3° *Papier pelure,* papier très fin et translucide.

pénal, e, aux adj., **pénaliser** v. tr., **pénalité** n. f. V. PEINE 3.

penalty [penalti] n. m. Au football, sanction prise contre une équipe pour une faute commise par un de ses joueurs dans certaines limites situées près de son propre but.

pénates [penat] n. m. pl. Fam. et ironiq. *Regagner ses pénates,* rentrer chez soi. (Les *pénates* étaient les dieux domestiques chez les Romains.)

penaud, e [pəno, -od] adj. et n. Se dit de quelqu'un qui est confus après avoir été pris en défaut, après avoir subi une mésaventure, etc.

penchant [pɑ̃ʃɑ̃] n. m. 1° Tendance qui porte quelqu'un à un certain comportement, qui l'attire vers quelque chose : *Il a un penchant à la gourmandise, à l'optimisme, à la paresse, à se moquer des autres* (syn. : INCLINATION). *Lutter contre ses mauvais penchants* (syn. : INSTINCT). *Son penchant pour la musique classique apparaît dans le choix des programmes* (syn. : GOÛT). — 2° *Le penchant d'une colline,* sa partie inclinée (archaïque; syn. usuel : PENTE, FLANC).

pencher [pɑ̃ʃe] v. tr. *Pencher quelque chose,* l'incliner vers le bas : *Pencher une bouteille pour verser à boire. Il pencha la tête sur l'ouverture du puits. Une écriture penchée* (syn. : ↑ COUCHÉ). ◆ v. intr. 1° (sujet nom de chose) Ne pas être d'aplomb, être incliné : *Un arbre qui penche. Cette pile d'assiettes penche dangereusement. Le tableau penche un peu à gauche, il faut le redresser.* — 2° (sujet nom de personne) Etre porté à quelque chose : *Les deux explications sont plausibles, mais je penche plutôt pour la première* (syn. : ADOPTER, SE PRONONCER POUR). *Deux des jurés penchaient à l'indulgence. Je penche à croire qu'il avait raison* (syn. : TENDRE). ◆ ***se pencher*** v. pr. 1° (sujet nom de personne) Incliner son corps : *Il se pencha pour examiner les traces de pas* (syn. : SE BAISSER). — 2° *Se pencher sur une question, sur un cas,* etc., les examiner avec attention, avec bienveillance : *Les psychologues qui se sont penchés sur le sort de l'enfance délinquante.*

pendable [pɑ̃dabl] adj. *Tour pendable,* très mauvais tour joué à quelqu'un, mauvaise farce : *Ce gamin est insupportable, il a encore joué un tour pendable à son professeur.* ‖ *Cas pendable,* cas de quelqu'un qui a commis une faute grave; cette faute elle-même (surtout dans les phrases négatives) : *Il vous a prévenu un peu tard, c'est entendu, mais ce n'est tout de même pas un cas pendable!*

pendaison n. f. V. PENDRE.

1. pendant [pɑ̃dɑ̃] n. m. 1° Œuvre ou partie d'œuvre d'art, de mobilier, etc., qui est symétrique d'une autre : *Dans ce salon, le portrait de la grand-mère est le pendant de celui du bisaïeul. Dans la tour nord, le boudoir était le pendant de la bibliothèque de la tour sud* (syn. : RÉPLIQUE). *Une comédie où les scènes entre valets font pendant aux scènes entre maîtres.* — 2° Personne ou chose qui est dans une situation semblable à celle d'une autre : *Un directeur commercial qui est le pendant du directeur industriel.* (V. aussi PENDRE.)

2. pendant prép. et adv. V. DURANT.

pendard, e [pɑ̃dar, -ard] n. *Fam.* Vaurien, mauvais sujet (nuance de sympathie) : *Ce pendard-là ne m'avait pas dit qu'il était déjà au courant.*

pendeloque [pɑ̃dlɔk] n. f. Pierre précieuse suspendue à une boucle d'oreille : *Des pendeloques de diamant.*

pendentif [pɑ̃dɑ̃tif] n. m. 1° Bijou suspendu à une chaînette portée autour du cou. — 2° Syn. de PENDELOQUE.

pendre [pɑ̃dr] v. tr. (conj. **50**). 1° (sujet nom de personne) *Pendre une chose,* l'attacher par un point ou une partie seulement, sa masse étant attirée vers le sol par gravité : *Pendre un pardessus au portemanteau, un rideau à la tringle. Pendre un cadre au mur* (syn. : ACCROCHER). *On a pendu le lustre au milieu du salon* (syn. : SUSPENDRE). — 2° *Pendre une personne, un animal,* l'étrangler en le suspendant par le cou : *Autrefois, les marins coupables de mutinerie étaient pendus aux vergues.* — 3° (sujet nom de personne) *Etre pendu aux lèvres, aux* *paroles de quelqu'un,* être très attentif à ce qu'il dit : *Tout l'auditoire était pendu aux lèvres de l'orateur.* ‖ Fam. *Etre pendu au téléphone, à la sonnette de quelqu'un,* téléphoner sans cesse, rendre des visites continuelles à cette personne. — 4° Fam. *Avoir la langue bien pendue,* être bavard, parler avec facilité. ‖ Fam. *Dire pire* (littér. *pis*) *que pendre de quelqu'un,* dire beaucoup de mal de lui. ◆ v. intr. 1° Etre suspendu : *Des fruits qui pendent aux branches. Des tentures pendaient du plafond. Son bras blessé pendait, inerte.* — 2° *Vêtement qui pend d'un côté,* qui tombe trop bas. — 3° Fam. *Ça lui pend au nez,* c'est un danger, un risque qui le menace. ◆ ***se pendre*** v. pr. S'étrangler en se suspendant par le cou : *Le malheureux s'est pendu dans sa cave.* ◆ **pendant, e** adj. Se dit de ce qui pend : *Un épagneul aux oreilles pendantes* (syn. : TOMBANT). *Il était assis sur le parapet, les jambes pendantes* (syn. : BALLANT). *Les branches pendantes d'un saule pleureur.* ◆ **pendant** n. m. *Pendants d'oreilles,* boucles d'oreilles munies d'un ornement qui pend. ◆ **pendu, e** n. Personne qui s'est pendue ou qui a été pendue : *Villon a écrit la célèbre « Ballade des pendus ».* ◆ **pendaison** n. f. 1° Supplice d'une personne que l'on pend : *Des criminels exécutés par pendaison.* — 2° *Pendaison de crémaillère,* réjouissance consistant à pendre la crémaillère. ◆ **penderie** n. f. Placard, meuble ou petite pièce où l'on pend des vêtements. ◆ **pendiller** v. intr. Etre suspendu et agité d'oscillations. ◆ **pendouiller** v. intr. *Fam.* Etre suspendu mollement, sans grâce. ◆ **dépendre** v. tr. Détacher ce qui est pendu : *Dépendre des rideaux.* (V. PENDELOQUE, PENDENTIF.)

1. pendule [pɑ̃dyl] n. m. Corps suspendu à un point fixe et oscillant régulièrement : *Le pendule d'un sourcier.* ◆ **pendulaire** adj. *Mouvement pendulaire,* mouvement d'oscillation propre au pendule.

2. pendule [pɑ̃dyl] n. f. Petite horloge d'appartement souvent munie d'une sonnerie : *Regarder la pendule pour savoir l'heure. Etre réveillé par la sonnerie de la pendule* (syn. : RÉVEIL). ◆ **pendulette** n. f. Petite pendule.

pêne [pɛn] n. m. Pièce principale d'une serrure, qui, actionnée par la clef, ferme la porte en s'engageant dans la gâche.

pénétrer [penetre] v. intr. (sujet nom d'être animé ou inanimé). Entrer, s'avancer à l'intérieur de : *Que personne ne pénètre ici en mon absence. On pénètre dans le bureau par un petit couloir. Il a réussi à pénétrer dans ce milieu pourtant si fermé* (syn. : S'INTRODUIRE, SE GLISSER). *Boucher hermétiquement un flacon pour éviter que l'air n'y pénètre. La balle a pénétré profondément dans les chairs. Un produit d'entretien qui pénètre dans le bois* (syn. : S'IMPRÉGNER, S'IMBIBER). ◆ v. tr. 1° Entrer à l'intérieur de : *La pluie a pénétré ses vêtements.* — 2° (sujet nom de personne) *Pénétrer les intentions, les idées de quelqu'un, pénétrer quelqu'un,* découvrir ses intentions cachées, comprendre sa pensée, ses mobiles secrets : *J'ai fini par pénétrer le sens de ses paroles* (syn. : SAISIR). *Le général en chef cherchait à pénétrer le plan du commandement adverse* (syn. : DEVINER). *Je crois avoir pénétré son secret* (syn. : PERCER). — 3° (sujet nom désignant un sentiment) *Pénétrer le cœur,* le toucher profondément : *Une grande pitié pour ces malheureux nous pénétrait le cœur.* ◆ ***se pénétrer*** v. pr. (sujet nom de personne). Se convaincre profondément : *Il s'est pénétré de cette vérité. J'ai peine à me pénétrer de l'utilité de cette décision.* ◆ **pénétrant, e** adj. : *Une scie pénétrante. Un regard pénétrant* (= qui découvre ce qui est caché). *Un parfum pénétrant* (= qui imprègne profondément). *Un esprit très pénétrant* (syn. : FIN, SUBTIL, PROFOND). *Une analyse très pénétrante de la situation* (= qui fait preuve d'une grande intelligence). ◆ **pénétré, e** adj. *Etre pénétré de quelque chose,* en être très convaincu : *Il a l'air très pénétré de son importance.* ‖ *Parler d'un ton pénétré,* avec beaucoup de conviction. ◆ **pénétrable** adj. (surtout dans des phrases négatives ou restrictives) : *Les outils s'émoussent sur cette matière difficilement pénétrable. Une pensée malaisément pénétrable* (syn. : INTELLIGIBLE, SAISISSABLE). *Des mobiles peu pénétrables* (syn. : COMPRÉHENSIBLE). ◆ **impénétrable** adj. : *Une cuirasse impénétrable aux balles. Un secret impénétrable. Des desseins impénétrables. Cet homme est resté impénétrable.* ◆ **pénétration** n. f. 1° Action de pénétrer : *La pénétration de l'armée ennemie sur notre territoire* (syn. : INVASION). *Le développement de la culture favorise la pénétration d'idées nouvelles. La pénétration de l'eau dans le sol.* — 2° Faculté de comprendre des choses difficiles : *C'est un esprit d'une grande pénétration* (= d'une intelligence profonde). ◆ **interpénétrer (s')** v. pr. : *Le politique et l'économique s'interpénètrent profondément.* ◆ **interpénétration** n. f.

pénible adj. V. PEINE 1 et 2.

péniche [peniʃ] n. f. Bateau à fond plat servant pour le transport fluvial : *Des péniches remontent la Seine. Péniches à moteur. Un train de péniches. Une péniche de débarquement* (= utilisée pour mettre à terre troupes et matériel).

pénicilline [penisilin] n. f. Substance antibiotique.

péninsule [penɛ̃syl] n. f. Région, pays qu'entoure la mer de tous côtés sauf un : *La péninsule scandinave. La péninsule Ibérique.* ◆ **péninsulaire** adj. (V. PRESQU'ÎLE.)

pénis [penis] n. m. Organe d'accouplement mâle.

pénitence [penitɑ̃s] n. f. 1° Peine, châtiment, punition qu'on inflige à quelqu'un en expiation d'une faute : *Infliger une pénitence à un coupable. Mettre un enfant en pénitence* (= le punir). *Faire pénitence* (= subir des privations par mortification). — 2° *Pour* (*ta*) *pénitence,* pour (te) punir : *Pour ta pénitence, tu n'iras pas dimanche au cinéma.* (La *pénitence* est un sacrement de la religion chrétienne, « regret d'avoir offensé Dieu ».) ◆ **pénitent, e** n. 1° Personne qui se confesse auprès d'un prêtre des péchés qu'il a commis. — 2° *Confrérie de pénitents,* celle dont les membres pratiquent des œuvres de charité par expiation. ◆ **impénitent, e** adj. et n. 1° *Pécheur impénitent.* — 2° Qui ne renonce pas à une habitude : *Un fumeur impénitent* (syn. : INVÉTÉRÉ).

pénitencier [penitɑ̃sje] n. m. Prison dans laquelle on enferme les condamnés à de longues peines. ◆ **pénitentiaire** adj. : *Régime pénitentiaire* (= des prisons).

pénombre [penɔ̃br] n. f. Lumière faible ou tamisée : *Dans la pénombre d'une pièce dont on a baissé les stores* (syn. : CLAIR-OBSCUR).

pensée [pɑ̃se] n. f. Fleur ornementale multicolore, commune en France.

penser [pɑ̃se] v. intr. **1°** Exercer ses facultés intellectuelles, former des idées : *Tout homme qui pense reconnaît la fausseté d'une telle affirmation* (syn. : RÉFLÉCHIR). *Voilà un détail qui laisse à penser* (= qui suggère des réflexions importantes). *Un homme qui marchait dans la rue en pensant tout haut* (= en exprimant ses pensées en paroles). — **2°** Avoir telle ou telle opinion : *Je ne pense pas comme vous sur cette question. Il pense juste* (syn. : RAISONNER). *Même s'il ne dit rien, il n'en pense pas moins* (= il a son idée). — **3°** Fam. *Tu penses!, vous pensez!*, renforce une affirmation ou exprime ironiquement le refus, la dénégation : *Je connais bien ce pays : tu penses, j'y ai vécu dix ans! Vous pensez s'il était heureux de cette nouvelle! Il voulait me voir le jour même : tu penses, j'avais autre chose à faire!* (syn. fam. : TU PARLES!). ‖ Fam. *Penses-tu!, pensez-vous!*, expriment l'incrédulité, la dénégation énergique : *Lui, un adversaire dangereux? Pensez-vous! je ne crains rien de ce côté-là!* (syn. : ALLONS DONC!). *« Tu as cru ce qu'il te disait? — Penses-tu, j'ai bien compris qu'il mentait! »* ◆ v. tr. **1°** *Penser quelque chose* (le plus souvent un pronom compl.), l'avoir dans l'esprit, avoir une opinion : *Il ne dit pas tout ce qu'il pense. Que penses-tu de cette solution? Tu dis cela, mais tu ne le penses pas.* — **2°** *Penser du bien, du mal,* etc., *de quelqu'un, de quelque chose,* avoir sur cette personne ou cette chose une opinion favorable, défavorable, etc. — **3°** *Penser que* (et l'indic.), *ne pas penser que* (et le subj.), considérer comme vrai (ou non), comme probable (ou non) que : *Il pense fermement que sa découverte est capitale* (syn. : ÊTRE PERSUADÉ, ÊTRE CONVAINCU). *Il ne pense pas un instant qu'on puisse le tromper* (syn. : IMAGINER). *Je pense que j'aurai fini ce travail demain si aucun incident ne se produit* (syn. : ESPÉRER). *Je ne pense pas que ce soit très difficile* (syn. : CROIRE). — **4°** *Penser* et l'infinitif (ayant même agent que lui) expriment soit une conviction, soit une supposition, un fait probable : *Il a agi ainsi parce qu'il pensait devoir le faire. Au moment où je pensais être enfin libre, il m'est arrivé une visite. Je pense avoir fini ce travail demain. Pensez-vous pouvoir agir tout seul?* — **5°** *Penser une entreprise, un projet, une question,* etc., y réfléchir longuement et en régler les détails, en résoudre les difficultés : *Un plan minutieusement pensé* (syn. : CONCEVOIR). *Vous n'avez pas suffisamment pensé ce problème* (syn. : EXAMINER, MÛRIR, APPROFONDIR). ◆ v. tr. ind. **1°** *Penser à quelque chose* (les pronoms compléments, sauf *y*, ont toujours la forme disjointe : *à moi, à toi, à lui, à eux,* etc., et non la forme conjointe *me, te, lui, leur,* etc.), diriger sa pensée vers, avoir comme objet de réflexion : *Il faut penser à l'avenir. Pensez aux conséquences de vos actes* (syn. : SONGER). *Je pense à tous ceux qui souffrent;* ne pas oublier, ne pas omettre dans ses réflexions : *Il avait pensé à tout : une voiture nous attendait à la gare. C'est le jour de ta fête, j'ai pensé à toi. C'est un procédé très simple, il suffisait d'y penser;* et avec un infin. compl. : *As-tu pensé à fermer le gaz avant de partir?* — **2°** *Sans penser à mal,* sans mauvaise intention : *Ne vous formalisez pas, il a dit cela sans penser à mal.* ◆ **pensant, e** adj. : *C'est une réaction indigne d'un être pensant.* ◆ **pensée** n. f. **1°** Faculté de combiner des idées, de raisonner : *La pensée fait la grandeur de l'homme* (syn. : RAISON). *Un site préhistorique dont les peintures révèlent déjà une pensée organisée.* — **2°** Acte particulier de l'esprit qui se porte sur un objet : *Devant ces ruines, notre pensée se porte vers les civilisations disparues. Une pensée ingénieuse lui traversa l'esprit* (syn. : IDÉE). *Etre assailli par de sombres pensées. Il est absorbé dans ses pensées* (syn. : RÉFLEXION, MÉDITATION, RÊVERIE). — **3°** Jugement porté sur quelqu'un ou quelque chose : *Il a parlé franchement, sans déguiser sa pensée* (syn. : AVIS). *Un philosophe dont la pensée est difficile à comprendre* (syn. : SYSTÈME, DOCTRINE). — **4°** Sentence exprimée par quelqu'un : *Expliquer une pensée de La Rochefoucauld* (syn. : MAXIME). *Les « Pensées » de Pascal sont des fragments de longueur variable.* ◆ **penseur** n. m. **1°** Personne qui réfléchit, qui émet des pensées profondes : *Cet écrivain est plutôt un artiste qu'un penseur. Socrate est un des plus célèbres penseurs de l'Antiquité.* — **2°** *Libre penseur,* v. LIBRE. ◆ **pensif, ive** adj. Se dit de quelqu'un (ou de son comportement) qui est absorbé dans ses pensées : *Il était accoudé à sa fenêtre, immobile et pensif* (syn. : SONGEUR). *Regarder dans le vague d'un air pensif.* ◆ **pensivement** adv. : *Contempler pensivement le paysage.* ◆ **impensable** adj. Qu'il est impossible d'imaginer, extraordinaire : *Il est impensable qu'il ait oublié notre rendez-vous.* ◆ **arrière-pensée** n. f. Intention, pensée qu'on ne manifeste pas, mais qui est à l'origine de l'action présente : *Il y avait dans toutes ses politesses des arrière-pensées* (syn. : CALCUL); le plus souvent avec la prép. *sans* ou une négation : *Il a agi sans arrière-pensée* (= sans dessein malveillant). *Accepter une proposition sans arrière-pensée* (syn. : RÉTICENCE). *La sympathie soudaine qu'il nous manifeste cache sans doute des arrière-pensées.* ◆ **repenser** v. tr. *Repenser une question, un problème,* les examiner d'un point de vue nouveau en leur donnant une nouvelle solution (syn. : REVOIR, RECONSIDÉRER).

1. pension [pɑ̃sjɔ̃] n. f. **1°** Etablissement d'enseignement privé où l'on peut être interne : *Une pension religieuse* (syn. : INSTITUTION, INTERNAT). *Il a mis ses enfants en pension* (= à l'internat). — **2°** *Pension de famille,* hôtel où le service est simple et où les repas sont généralement pris à une table commune. — **3°** Prix payé pour la nourriture, le logement et, éventuellement, l'entretien d'une personne. ◆ **pensionnaire** n. **1°** Enfant qui est nourri et logé dans un établissement d'enseignement : *Un lycée comprend souvent des externes, des demi-pensionnaires* (qui prennent au lycée le repas de midi) *et des pensionnaires* (syn. : INTERNE). — **2°** Personne qui est nourrie et logée pendant un certain temps dans un hôtel, chez une famille : *Dans l'hôtel où j'ai passé mes vacances, il y avait toujours plus de pensionnaires que de clients de passage. Nous avons un pensionnaire chez nous pour un mois : c'est le fils d'un ami qui séjourne à l'étranger.* ◆ **pensionnat** n. m. **1°** Syn. de PENSION (sens 1) : *Un pensionnat de jeunes filles.* — **2°** Ensemble des élèves de cet établissement : *Le jeudi après-midi, le pensionnat va en promenade au bois.* ◆ **demi-pension** n. f. Régime des élèves qui prennent le repas de midi dans l'établissement scolaire : *La plupart des collèges font la demi-pension. Un élève inscrit à la demi-pension.* ◆ **demi-pensionnaire** n. et adj. Elève qui suit le régime de la demi-pension : *Une classe qui ne comprend que des demi-pensionnaires.*

2. pension [pɑ̃sjɔ̃] n. f. Allocation versée par l'Etat à un fonctionnaire ou un militaire qui a un certain nombre d'années de service (*pension d'ancienneté, pension proportionnelle*), qui est mutilé de guerre (*pension de guerre*), qui est invalide (*pension d'invalidité*), ou à la veuve de ce fonctionnaire ou de ce militaire, ou allocation destinée à assurer la subsistance du créancier et de sa famille (*pension alimentaire*). ◆ **pensionné, e** adj. et n. Qui reçoit une pension.

pensum [pɛ̃sɔm] n. m. 1° Devoir supplémentaire donné comme punition à un élève : *Faire des pensums. Avoir trois pages à copier comme pensum.* — 2° Besogne écrite, longue et ennuyeuse.

pentagone [pɛ̃tagon] adj. et n. m. Se dit d'une figure géométrique qui a cinq côtés. ◆ **Pentagone** n. m. Ministère et état-major des Forces armées aux Etats-Unis (avec une majusc. en ce sens).

pentathlon [pɛ̃tatlɔ̃] n. m. Ensemble de cinq épreuves d'athlétisme (200 m, 1 500 m plat, saut en longueur, disque et javelot) constituant un concours.

pente [pɑ̃t] n. f. 1° Etat, partie d'un terrain, d'une surface, qui est incliné par rapport à l'horizontale : *La pente d'une route* (syn. : DÉCLIVITÉ). *La route a une pente de dix pour cent* (= 10 mètres d'élévation sur 100 mètres de parcours). *L'eau suit la pente. Les pentes boisées de la montagne* (syn. : VERSANT). *Gravir, monter, descendre une pente. Une descente en pente douce. La rue est en pente.* — 2° *Etre sur une pente glissante, savonneuse,* être entraîné irrésistiblement vers des difficultés croissantes, vers un état plus mauvais. ‖ *Etre sur une mauvaise pente,* se laisser entraîner par ses mauvais penchants. ‖ *Remonter la pente,* aller mieux (sur le plan moral ou physique). ‖ *La pente du moindre effort,* la facilité. ‖ Pop. *Avoir le gosier en pente,* boire immodérément.

Pentecôte [pɑ̃tkot] n. f. Fête chrétienne qui se célèbre cinquante jours après Pâques, en mémoire de la descente du Saint-Esprit sur les Apôtres.

pénultième [penyltjɛm] adj. et n. Se dit de l'avant-dernière syllabe d'un mot, de l'avant-dernier vers d'un poème.

pénurie [penyri] n. f. Manque complet de ce qui est nécessaire à l'alimentation, à l'activité, etc. : *Le gouvernement a dû faire face à la pénurie de charbon* (syn. : MANQUE). *Une grave pénurie de main-d'œuvre. Pénurie de devises.*

pépère [pepɛr] n. m. 1° *Fam.* Grand-père. — 2° Fam. *Gros pépère,* un gros enfant, un gros homme tranquille. ◆ adj. *Pop.* 1° Important : *Un repas pépère.* — 2° *Pop.* Tranquille : *Un petit coin pépère pour pêcher.*

pépettes [pepɛt] n. f. pl. *Pop.* Argent.

pépie [pepi] n. f. Fam. *Avoir la pépie,* avoir très soif.

pépier [pepje] v. intr. (sujet nom désignant des oiseaux, des moineaux). Pousser de petits cris. ◆ **pépiement** n. m.

1. pépin [pepɛ̃] n. m. Graine que l'on trouve dans certains fruits : *Les pépins d'une poire, d'une pomme, d'un melon.*

2. pépin [pepɛ̃] n. m. *Pop.* Ennui.

3. pépin [pepɛ̃] n. m. Syn. fam. de PARAPLUIE.

pépinière [pepinjɛr] n. f. 1° Lieu où l'on fait pousser de jeunes arbres destinés à être transplantés. — 2° *Une pépinière de,* se dit d'un lieu qui fournit des personnes propres à une profession, à une activité : *Le Conservatoire est une pépinière de jeunes talents.* ◆ **pépiniériste** n. et adj.

pépite [pepit] n. f. Masse de métal (principalement d'or) telle qu'on la trouve sous terre.

percale [pɛrkal] n. f. Tissu de coton fin et serré : *Un col de chemise en percale.*

perce-neige [pɛrsənɛʒ] n. f. invar. Plante des prés et des bois à fleurs blanches, qui s'épanouit à l'époque des neiges.

perce-oreille [pɛrsɔrɛj] n. m. Insecte portant une pince sur l'abdomen : *Des perce-oreilles.*

percepteur n. m. V. PERCEVOIR 2; **perceptible** adj., **perception** n. f. V. PERCEVOIR 1 et 2.

percer [pɛrse] v. tr. 1° *Percer quelque chose,* le traverser de part en part, le marquer d'un trou : *La pointe du compas perce la feuille de papier* (syn. : TROUER). *L'acide a percé la tôle* (syn. : PERFORER). *Le médecin a percé l'abcès* (syn. : CREVER, OUVRIR). *Une attaque qui a réussi à percer le front ennemi* (syn. : ENFONCER). — 2° *Percer un trou, une fenêtre,* etc., produire ce trou, ménager cette fenêtre, etc. : *Percer des trous avec une chignole pour le passage des boulons* (syn. : FORER). *On a percé une large baie sur la façade de cette vieille maison* (syn. : OUVRIR). ‖ *Percer une rue, une avenue,* abattre des constructions pour établir cette rue, cette avenue. — 3° *Percer la foule,* passer à travers (syn. : FENDRE, TRAVERSER). ‖ *Lumière qui perce l'obscurité, les ténèbres,* qui apparaît dans le noir. ‖ *Le soleil perce les nuages,* ses rayons filtrent à travers eux. — 4° *Percer un mystère, une énigme,* les comprendre, trouver la solution (syn. : PÉNÉTRER). — 5° *Cela vous perce le cœur,* vous afflige profondément (littér.) [syn. : CREVER]. ‖ *Un bruit qui perce les oreilles, le tympan,* qui produit une impression très désagréable par son caractère strident. ◆ v. intr. 1° (sujet nom de chose) Commencer à apparaître, à se manifester, à être perceptible : *L'aube allait percer à l'horizon* (syn. : POINDRE). *L'ironie perce dans ses paroles* (syn. : TRANSPARAÎTRE). — 2° (sujet nom de personne) Se distinguer, acquérir de la célébrité : *Un artiste qui a mis longtemps à percer.* — 3° *Abcès qui perce,* dont le pus se répand à l'extérieur (syn. : CREVER). ◆ **perçant, e** adj. *Froid perçant,* qui pénètre, qui saisit. ‖ *Yeux perçants, regard perçant, esprit perçant,* qui ont une grande acuité, qui pénètrent (syn. : VIF, PÉNÉTRANT). ‖ *Voix perçante, cri perçant,* dont le son est très aigu. ◆ **perce** [pɛrs] n. f. *Mettre un tonneau en perce,* faire une ouverture dans un tonneau pour en tirer le vin. ◆ **percée** n. f. 1° Ouverture, dégagement : *Abattre des arbres pour faire une percée dans la forêt.* — 2° Pénétration dans les lignes de défense ennemies, dans la masse du public : *Nos troupes ont fait une percée dans le dispositif ennemi.* ◆ **percement** n. m. : *Le percement d'une cloison.* (On dit plus rarement PERÇAGE.) *Le percement d'une rue, d'une fenêtre.* ◆ **perceur, euse** n. : *Un perceur de murailles* (= cambrioleur). ◆ **perceuse** n. f. Machine à percer.

1. percevoir [pɛrsəvwar] v. tr. (conj. 34). Saisir par les sens ou par l'esprit : *Seul un œil exercé peut percevoir des nuances aussi délicates. L'oreille* *humaine ne perçoit pas les ultra-sons. On perçoit dans ce livre une évolution de la pensée de l'auteur* (syn. : DISCERNER). ◆ **perceptible** adj. : *Certaines étoiles sont difficilement perceptibles à l'œil nu* (syn. : VISIBLE). *Le bruit devenait nettement perceptible* (syn. : AUDIBLE). *Une certaine amélioration de la situation est maintenant perceptible* (syn. : SENSIBLE). ◆ **imperceptible** adj. : *Un déplacement imperceptible suffit à compromettre l'équilibre* (syn. : MINIME, INFIME). *Les changements linguistiques sont imperceptibles, mais continus* (syn. : INSENSIBLE). ◆ **imperceptiblement** adv. : *Une plante qui pousse sans cesse imperceptiblement* (syn. : INSENSIBLEMENT). ◆ **perception** n. f. : *Une maladie qui altère la perception des couleurs* (= la faculté de les percevoir). *Il n'a pas une perception nette de la situation* (syn. : VUE, REPRÉSENTATION).

2. percevoir [pɛrsəvwar] v. tr. (conj. **34**). *Percevoir de l'argent,* le toucher, l'encaisser : *Vous pouvez percevoir une indemnité de déplacement. Les taxes perçues sur les transactions immobilières.* ◆ **percepteur** n. m. Fonctionnaire chargé du recouvrement des impôts directs et des taxes pénales : *Adresser un mandat de versement au percepteur.* ◆ **perception** n. f. 1° Action de percevoir : *La perception d'un impôt, d'une amende* (syn. : RECOUVREMENT). — 2° Bureau du percepteur : *Il travaille à la perception. La perception est fermée aujourd'hui.*

1. perche [pɛrʃ] n. f. Poisson des lacs et des cours d'eau lents, dont la chair est estimée.

2. perche [pɛrʃ] n. f. 1° Pièce de bois, de métal, de fibre de verre, longue et mince, utilisée pour atteindre un objet au loin, pour faire avancer un bateau, pour les échafaudages, pour un saut en athlétisme (*saut à la perche*); longue tige au bout de laquelle est suspendu le microphone que l'on tend au-dessus des acteurs au cinéma, à la télévision. — 2° *Tendre la perche à quelqu'un,* lui venir en aide en lui fournissant l'occasion de se rattraper. ‖ Fam. *Une grande perche,* se dit d'une personne grande et maigre. ◆ **perchiste** n. 1° Sauteur à la perche. — 2° Personne chargée de la perche portant le micro au cinéma, à la télévision.

percher [pɛrʃe] v. intr. ou **se percher** v. pr. 1° (sujet nom désignant un oiseau) Se poser sur une branche, sur un support : *Tous les soirs, les pigeons viennent percher sur ces arbres.* — 2° *Fam.* Loger, résider, se trouver : *Où est-ce qu'il perche, ce type-là? Un petit village qui perche en Normandie.* ◆ v. tr. Placer à un endroit élevé : *D'un bon coup de pied, il a perché le ballon sur la terrasse;* et au passif : *Un hameau perché dans la montagne.* ◆ **perchoir** n. m. 1° Endroit où perchent les volailles : *Sitôt la nuit venue, toutes les poules sont sur leur perchoir.* — 2° Bâton muni de barres transversales où perchent les oiseaux domestiques.

percheron, onne [pɛrʃərɔ̃, -ɔn] n. et adj. Cheval de trait lourd et puissant du Perche, dans l'ouest du Bassin parisien.

perclus, e [pɛrkly, -yz] adj. Se dit d'une personne privée d'une manière permanente ou passagère de la faculté de mouvoir ses membres : *Le corps perclus de rhumatismes* (= rendu impotent). *Etre perclus de froid* (= paralysé par le froid).

percolateur [perkɔlatœr] n. m. Grande cafetière à filtre que l'on emploie pour faire du café en grande quantité.

percuter [pɛrkyte] v. tr. et v. intr. (sujet généralement nom de chose). *Percuter quelque chose,* le frapper fortement, le heurter : *Le chien de fusil percute l'amorce. Une voiture qui a percuté contre un pylône.* ◆ **percutant, e** adj. 1° *Un mécanisme percutant.* — 2° *Projectile percutant,* qui n'explose qu'en percutant un obstacle. ‖ Fam. *Argument percutant, phrase percutante,* qui produit un choc psychologique. ◆ **percuteur** n. m. Pièce métallique ayant pour fonction, dans une arme à feu, de frapper l'amorce pour provoquer le départ du projectile (balle, obus, etc.). ◆ **percussion** [pɛrkysjɔ̃] n. f. 1° *Arme à percussion,* arme à feu qui fonctionne par choc du percuteur contre l'amorce. — 2° *Instrument de percussion,* nom générique désignant les instruments de l'orchestre tels la grosse caisse, le tambour, les cymbales, le triangle.

perdre [pɛrdr] v. tr. (conj. **52**). 1° (sujet nom de personne ou de chose) Cesser d'avoir (un bien, un avantage, une qualité); être privé, dépossédé de : *Il a été riche, mais il a perdu une partie de sa fortune* (contr. : GAGNER, ACQUÉRIR). *Il cherche du travail, car il a perdu sa place. Perdre son crédit, sa réputation. Ce délai passé, vous perdrez tous vos droits. Il perd toute autorité en plaisantant avec son personnel. Ce tableau a perdu sa fraîcheur. Un argument qui a perdu toute valeur* (contr. : PRENDRE). — 2° (sujet nom d'être animé) Cesser d'avoir tel ou tel comportement, d'éprouver tel ou tel sentiment : *Il a perdu l'habitude de fumer* (syn. : SE DÉFAIRE DE; contr. : PRENDRE). *Un enfant qui perd sa timidité en grandissant. Perdre courage* (= se décourager). *Perdre espoir* (= désespérer). — 3° (sujet nom d'être animé ou de chose) Laisser échapper une partie de soi-même : *Un arbre qui perd ses feuilles. Un vieillard qui perd ses cheveux. Une fourrure qui perd ses poils. La carriole avait perdu une roue.* — 4° (sujet nom d'être animé) Subir une mutilation; être privé de l'usage d'une faculté : *Il a perdu un bras à la guerre. Le malheureux a perdu la raison. Avec l'âge, on perd la mémoire. Perdre l'appétit. Perdre la vue, l'ouïe, la parole.* — 5° (sujet nom d'être animé) Ne plus pouvoir trouver : *J'ai perdu mon stylo : tu ne l'as pas vu?* (syn. : ÉGARER; pop. : PAUMER). *Un chien qui a perdu la piste. J'ai perdu le nom de ce produit* (syn. : OUBLIER). ‖ *Perdre de vue une chose, une personne,* cesser de les apercevoir, cesser de les avoir présents à l'esprit. — 6° (sujet nom de personne) Faire un mauvais usage de, dépenser inutilement : *Il perd son temps à des futilités au lieu de travailler. Cette recherche m'a fait perdre une heure* (contr. : GAGNER). *N'essayez pas de le convaincre, vous perdriez votre peine. J'ai perdu beaucoup d'argent dans ce procès* (syn. : MANGER, GASPILLER). ‖ *Perdre une occasion,* ne pas en profiter. ‖ *Vous ne perdrez rien pour attendre,* votre récompense (ou *fam.* votre punition) n'est que différée. — 7° (sujet nom de personne) Avoir le dessous dans une lutte, une compétition : *Perdre une bataille, une partie de cartes, un procès, un match* (contr. : GAGNER). — 8° *Perdre quelqu'un,* être séparé de lui par la mort : *Il est tout désemparé depuis qu'il a perdu sa femme. Ces enfants ont perdu leur père à la guerre.* — 9° (sujet nom d'être animé ou de chose) *Perdre quelqu'un,* lui faire subir un grave préjudice matériel ou moral, causer sa ruine ou même sa mort : *Il a eu recours à un procédé malhonnête pour perdre ses adversaires* (syn. : DISCRÉDITER, RUINER). *Sa témérité le perdra. Ce qui l'a perdu, c'est le témoignage accablant des voisins*

(= ce qui l'a fait condamner; contr. : SAUVER). || *Perdre son âme,* la corrompre par des fautes, être damné. ◆ v. intr. **1°** (sujet nom de personne) Ne pas obtenir le gain, le profit attendu, ne pas bénéficier d'un avantage : *Un commerçant qui perd sur un article. Tu as perdu en n'assistant pas à ce spectacle extraordinaire.* — **2°** (sujet nom de personne) Avoir le désavantage au jeu, ne pas gagner : *Il est très mauvais joueur, il ne peut pas supporter de perdre. Chaque fois qu'il a pris un billet de loterie, il a perdu.* — **3°** (sujet nom de chose) Diminuer de valeur : *La Bourse n'est pas favorable : la plupart des actions ont encore perdu* (syn. : BAISSER ; contr. : GAGNER, MONTER). — **4°** *Récipient qui perd,* qui laisse échapper son contenu (syn. : FUIR). ◆ ***se perdre*** v. pr. **1°** (sujet nom d'être animé) Ne plus retrouver son chemin, ne plus pouvoir s'orienter : *Je me suis perdu dans ce quartier inconnu* (syn. : S'ÉGARER). || *Se perdre dans les détails,* s'y attarder outre mesure, au détriment de l'essentiel. || *Je m'y perds,* je n'y comprends plus rien, je m'y embrouille. || *Se perdre en conjectures, en calculs, en explications,* etc., s'y livrer longuement. — **2°** (sujet nom d'être animé ou de chose) Disparaître, échapper aux sens : *Il s'éloigna et se perdit bientôt dans la foule. Une parole qui se perd dans le tumulte.* — **3°** (sujet nom de chose) Rester inutilisé : *Le sous-sol de cette région offre beaucoup de ressources qui se perdent, faute d'être exploitées.* — **4°** (sujet nom de chose) Se gâter, s'avarier, être anéanti : *Avec cette chaleur, les fraises vont se perdre. Un bateau qui se perd en mer* (= qui fait naufrage). — **5°** (sujet nom de chose) Cesser d'être en usage, d'être connu : *Ces métiers artisanaux se perdent. Le sens original de cette expression s'est perdu.* ◆ **perdant, e** adj. et n. Qui perd au jeu, à une loterie, etc. : *Jeter les billets perdants. Les perdants ont voulu prendre leur revanche* (contr. : GAGNANT). ◆ **perdu, e** adj. **1°** Se dit d'un être animé ou d'une chose dont le cas est désespéré : *Ce malade est perdu* (syn. fam. : FICHU ; pop. : FOUTU ; contr. : SAUVÉ). *La partie est perdue* (= il n'y a plus rien à faire) [contr. : GAGNÉ]. — **2°** *Etre perdu dans ses réflexions, ses pensées,* s'y absorber. — **3°** *Pays perdu, région perdue,* endroit isolé, éloigné de toute agglomération : *Il a passé ses vacances dans un village perdu des Alpes.* — **4°** *A temps perdu, à vos moments perdus,* à vos moments de loisir. ◆ **perdu** n. m. Fam. *Courir, crier comme un perdu,* de toutes ses forces. ◆ **perdition** n. f. **1°** Corruption morale (langue soutenue) : *Cette lecture ne risque pas de causer la perdition de votre âme.* || *Lieu de perdition,* lieu où l'on est exposé au vice. — **2°** *Navire en perdition,* qui est exposé au naufrage (syn. : EN DÉTRESSE). ◆ **perte** n. f. **1°** Action de perdre : *La perte de ses biens, de son honneur lui a causé un coup sensible. Une perte de prestige. Une mauvaise nouvelle qui entraîne la perte de tout espoir. Un produit qui retarde la perte des cheveux* (syn. : CHUTE). *Un blessé affaibli par une importante perte de sang. La perte de la mémoire, de l'appétit. La perte d'un document. Une perte de temps. La perte d'une bataille. La perte d'un parent* (syn. : MORT). *Il court à sa perte* (syn. : RUINE). — **2°** (souvent au plur.) Quantité perdue de biens matériels ou moraux : *Un commerçant qui subit une perte considérable. Une perte sèche de mille francs* (= que rien ne compense). *Les pertes en hommes et en matériel ont été très lourdes durant cette bataille.* — **3°** *A perte,* en perdant de l'argent : *Travailler à perte. Il a dû revendre ces denrées à perte.* || *En pure perte,* sans aucun profit ; inutilement : *J'ai fait tout ce travail en pure perte, puisque le projet est abandonné.* || Fam. *Avec pertes et fracas,* avec éclat, de façon exemplaire : *Il a été mis à la porte avec pertes et fracas.* || *A perte de vue,* jusqu'au point le plus éloigné qu'on puisse voir : *Une lande qui s'étend à perte de vue.* || *Discuter à perte de vue,* sans fin, sans aboutir à aucune conclusion. ◆ **imperdable** adj. : *Avec le jeu que vous avez, la partie est imperdable* (= ne peut être perdue). ◆ **reperdre** v. tr.

perdrix [pɛrdri] n. f. Oiseau au plumage roux ou gris, commun en France et qui est recherché comme gibier : *Les perdrix rouges, grises. Chasser la perdrix. Manger une perdrix aux choux.* ◆ **perdreau** n. m. Jeune perdrix de l'année.

père [pɛr] n. m. **1°** Celui qui a un ou plusieurs enfants (se dit parfois des animaux). [V. PARENTÉ.] — **2°** *De père en fils,* par transmission du père aux enfants : *Une famille où l'on est vigneron de père en fils, depuis des siècles.* || *Placement de père de famille,* qui est d'un rapport modeste, mais sûr. — **3°** Créateur d'une œuvre, promoteur d'une doctrine, d'une technique, etc. : *Hérodote est parfois appelé « le Père de l'Histoire ». Auguste Comte, le père du positivisme.* (V. PATERNITÉ.) — **4°** Celui qui a des sentiments paternels, qui protège : *Un souverain qui a été le père de son peuple. Professeur qui est un père pour ses élèves.* — **5°** (précédant un nom propre) Appellation familière, généralement pour des personnes d'un certain âge : *Notre jardinier, le père Louis.* || Fam. *Mon petit père,* interpellation marquant la sympathie. || *Un gros père,* un homme gros, ou un enfant bien potelé. — **6°** Nom donné à certains religieux, ou à des prêtres exerçant une direction spirituelle (on écrit en abrégé *P.* au singulier, *PP.* au plur.) : *Le Père X., de la Compagnie de Jésus. Un père dominicain. Une lettre de Pascal au P. Mersenne.* — **7°** Nom donné à Dieu, spécialement comme première personne de la Trinité : *Notre Père qui es aux cieux... Un vitrail qui représente Dieu le Père avec une large barbe.* || *Le Père éternel* (nuance plaisante), Dieu. — **8°** *Le Saint-Père* (nuance de déférence), le pape. || *Les Pères de l'Eglise,* ou *les Pères,* les écrivains ecclésiastiques dont l'œuvre fait autorité en matière de foi. || *Les Pères conciliaires,* les évêques qui participent à un concile. — **9°** (au plur.) *Nos* (*vos,* etc.) *pères,* nos (vos, etc.) ancêtres (littér.) : *Gloire aux vertus de nos pères.* ◆ **paternel, elle** adj. **1°** Se dit de ce qui concerne le père, de ce qui lui est propre : *Un enfant élevé loin du domicile paternel. Un homme déchu de ses droits paternels. L'autorité paternelle.* || *Oncle, cousin, grand-père,* etc., *paternel,* parent du côté du père. — **2°** Se dit d'un homme (ou de son comportement) qui manifeste une grande bonté, une grande indulgence : *Un professeur très paternel avec ses élèves. Un regard, un ton paternel.* ◆ **paternel** n. m. *Pop.* Père : *Il a reçu une lettre de son paternel.* ◆ **paternellement** adv. (sens 2 de l'adj.) : *Un vieil ouvrier qui conseille paternellement un apprenti.* ◆ **paternité** n. f. **1°** Etat, qualité de père : *Les joies, les soucis de la paternité. La paternité adoptive.* — **2°** Qualité d'auteur, d'inventeur : *Il revendique la paternité de ce projet. La paternité de certains poèmes a été faussement attribuée à Homère.* (V. PAPA.)

pérégrination [peregrinasjɔ̃] n. f. **1°** Long voyage, en particulier à l'étranger : *Au bout de toute cette pérégrination, il se retrouvait avec joie* *dans son foyer.* — **2°** (surtout au plur.) *Fam.* Série d'allées et venues : *Après de nombreuses pérégrinations dans les différents ministères, il obtint enfin l'autorisation demandée.*

péremption [perɑ̃psjɔ̃] n. f. Prescription qui anéantit, passé un certain délai, les actes de procédure non exécutés.

péremptoire [perɑ̃ptwar] adj. *Ton, parole, réplique péremptoire,* qui n'admet pas la discussion, qui a un caractère décisif (syn. : TRANCHANT, CATÉGORIQUE). ◆ **péremptoirement** adv. : *Il a démontré péremptoirement la fausseté de cette théorie.*

pérennité [perɛnite] n. f. Caractère de ce qui dure toujours, ou du moins très longtemps : *Des lois qui visent à assurer la pérennité des institutions.* ◆ **pérenniser** v. tr. Rendre perpétuel : *La force de l'habitude a pérennisé cet abus.* ‖ *Pérenniser un fonctionnaire,* lui assurer un poste stable. ◆ **pérennisation** n. f.

péréquation [perekwasjɔ̃] n. f. **1°** Répartition des charges financières proportionnellement aux possibilités de chaque personne, de chaque organisme concerné. — **2°** Rajustement des notes, ainsi que du montant des traitements et pensions des fonctionnaires.

perfection n. f. V. PARFAIT.

perfectionner [pɛrfɛksjɔne] v. tr. *Perfectionner quelqu'un, quelque chose,* le rendre meilleur, plus proche du modèle idéal : *Il a suivi un stage professionnel qui l'a perfectionné.* ◆ **se perfectionner** v. pr. : *Faire un séjour en Allemagne pour se perfectionner en allemand. Ce nouveau modèle d'aspirateur a été perfectionné* (syn. : ↓ AMÉLIORER). ◆ **perfectionnement** n. m. : *Des cours de perfectionnement. Les études entreprises pour le perfectionnement du réseau routier* (syn. : ↓ AMÉLIORATION). *Une caméra dotée des derniers perfectionnements.* ◆ **perfectible** adj. Se dit d'une personne, ou plus souvent d'une chose, susceptible d'être perfectionnée : *Je vous ai exposé mes idées, mais il ne s'agit que d'un projet toujours perfectible.* ◆ **perfectibilité** n. f.

perfide [pɛrfid] adj. (avant ou plus souvent après le nom). Se dit d'une personne (ou de son comportement) qui manque de loyauté, qui cherche à nuire sournoisement (langue soignée) : *Il fut trahi par cet allié perfide* (syn. : DÉLOYAL). *Il se laissa prendre à ces perfides promesses* (syn. : TRAÎTRE, ↓ TROMPEUR). ◆ **perfidement** adv. : *Il vous a conseillé perfidement ce qui risquait de vous nuire le plus.* ◆ **perfidie** n. f. : *Je suis scandalisé de la perfidie avec laquelle il vous a induit en erreur* (contr. : DROITURE, FRANCHISE, LOYAUTÉ). *On peut s'attendre de leur part à toutes les perfidies* (syn. : TRAHISON, DÉLOYAUTÉ).

perforer [pɛrfore] v. tr. *Perforer quelque chose,* y faire un ou plusieurs trous en traversant : *Le contrôleur a perforé le billet de chemin de fer, le ticket de métro* (syn. : POINÇONNER). *Les cartes et les bandes perforées permettent, sur des machines mécanographiques ou sur des ordinateurs, des classements automatiques, des calculs, etc.* ◆ **perforation** n. f. **1°** Action de perforer : *La perforation des cartes par une machine à perforer. Une perforation intestinale* (= ouverture accidentelle des intestins). — **2°** Ouverture faite : *Les perforations d'une bande.* ◆ **perforateur, trice** adj. et n. Employé, dactylo qui perfore des cartes, des bandes, etc. ◆ **perforatrice** ou **perforeuse** n. f. Machine destinée à pratiquer des perforations.

performance [pɛrfɔrmɑ̃s] n. f. **1°** Résultat obtenu par un athlète, une équipe dans une épreuve sportive ou dans un match, par un cheval dans une course : *Réaliser une belle performance. On attend de notre équipe de 4 × 100 une performance. La performance ne sera pas homologuée.* — **2°** Résultat obtenu au cours d'une épreuve, d'un test. — **3°** Exploit : *C'est une belle performance que de l'avoir ainsi dupé!*

perfusion [pɛrfyzjɔ̃] n. f. Introduction lente et continue dans l'organisme d'un médicament ou de sang.

pergola [pɛrgɔla] n. f. Construction légère, composée de poteaux ou de colonnes et de poutrelles à claire-voie formant une toiture, que l'on aménage près d'une maison, dans un jardin.

péricliter [periklite] v. intr. Aller vers la ruine : *L'entreprise périclite. Sa puissance périclite lentement* (syn. : DÉCLINER).

péril [peril] n. m. **1°** Ce qui menace la sécurité, la vie d'une personne; ce qui fait courir de grands risques (langue soutenue ou littér., et dans quelques express.) : *Courir de grands périls. Son imprudence a mis en péril tous les passagers de la voiture. Il y a péril à vouloir ignorer les conséquences de cet acte* (syn. : ↓ RISQUE). *Navire en péril au large de la côte* (= en danger de couler). *Ils sont maintenant hors de péril. Je ne méconnais pas les périls de cette expédition. Au péril de sa vie* (= au risque de perdre la vie). *Etre en péril de mort. Le péril communiste, le péril rouge. Le péril jaune. Le péril fasciste.* — **2°** *A (ses) risques et périls,* en prenant sur soi toutes les responsabilités et en acceptant de subir les dommages éventuels. ◆ **périlleux, euse** adj. (avant ou plus souvent après le nom) : *Une entreprise périlleuse* (syn. : DANGEREUX, ↓ HASARDEUX). *Une route périlleuse. Aborder un sujet périlleux* (syn. : DÉLICAT). ◆ **périlleusement** adv.

périmé, e [perime] adj. **1°** Qui est annulé, qui perd sa valeur, une fois passé un certain délai : *Le billet est périmé. Le bon de garantie est maintenant périmé* (= nul). — **2°** Qui appartient à un temps antérieur, aujourd'hui dépassé : *Le contenu de l'enseignement est périmé* (= en retard). *Des conceptions économiques périmées* (syn. : DÉSUET, ATTARDÉ). *Des institutions politiques périmées* (syn. : CADUC). ◆ **périmer** v. intr. (après *laisser*) et **périmer (se)** v. pr. Perdre sa valeur une fois passé un certain temps : *Ne laissez pas périmer votre billet. Les livres de physique se périment vite.*

périmètre [perimɛtr] n. m. **1°** Ligne qui délimite un espace : *A l'intérieur du périmètre de Paris, il est interdit de se servir de l'avertisseur sonore.* — **2°** Zone qui s'étend autour d'un lieu déterminé (édifice, ville, etc.) : *Il n'y a pas de pharmacies dans le périmètre immédiat* (= à une distance rapprochée).

1. période [perjɔd] n. f. Espace de temps plus ou moins long (avec un adj. ou un compl. de nom) : *Une période de deux ans* (syn. : DURÉE). *Une courte période. Pendant la dernière période de sa vie, ses facultés baissèrent beaucoup;* marqué par un événement : *Une période de chômage, d'expansion économique. Subir une période de sécheresse. Une période révolutionnaire* (syn. : ÉPOQUE). *La période* *classique du XVII*e *et XVIII*e *siècle. La période comprise entre les deux guerres* (syn. : INTERVALLE). *Il a traversé une période d'abattement après son échec. Les périodes géologiques* (= les grandes divisions des ères géologiques). *On parle des périodes d'un peintre* (= moments de son évolution). *Les périodes d'une maladie* (syn. : PHASE). *La période électorale. Une période d'instruction,* ou *période* (en termes militaires, temps d'instruction limité donné à un réserviste). ◆ **périodique** adj. Qui revient à intervalles fixes : *Les crises périodiques de l'économie. Le retour périodique des hirondelles* (syn. : RÉGULIER). *Une publication périodique. La presse périodique.* ◆ n. m. Journal, revue qui paraît chaque semaine, chaque mois, chaque trimestre, etc. : *Les périodiques littéraires, scientifiques.* ◆ **périodiquement** adv. : *Le Gange a périodiquement des inondations désastreuses.* ◆ **périodicité** n. f. : *La revue a une périodicité semestrielle. La périodicité des cours en faculté* (syn. : FRÉQUENCE).

2. période [perjɔd] n. f. Phase composée de plusieurs propositions dont la structure s'organise selon des règles d'équilibre : *Les périodes d'un discours.* ◆ **périodique** adj. : *La phrase périodique de Bossuet, de J.-J. Rousseau.*

péripétie [peripesi] n. f. Evénement particulier d'un phénomène, d'un fait général, marqué par un changement imprévu ou remarquable : *Les péripéties de l'enquête policière* (syn. : INCIDENT). *Les péripéties de la guerre* (syn. : ÉPISODE).

périphérie [periferi] n. f. Ensemble des quartiers qui se trouvent loin du centre de la ville : *A la périphérie de Lyon* (= sur le pourtour de). *Les arrondissements de la périphérie de Paris.* (La *périphérie* est, en géométrie, le périmètre d'une figure curviligne.) ◆ **périphérique** adj. : *La banlieue périphérique* (syn. : LIMITROPHE). *Les quartiers périphériques* (syn. : EXCENTRIQUE).

périphrase [perifraz] n. f. Expression formée d'un groupe de mots dont on se sert pour exprimer une idée qui pourrait l'être par un seul terme : *Il utilisa une périphrase pour éviter le terme propre* (syn. : EUPHÉMISME). *Il parle par périphrases obscures* (syn. : CIRCONLOCUTION). ◆ **périphrastique** adj. : *Une tournure périphrastique, comme « l'auteur de Ruy Blas » pour V. Hugo.*

périple [peripl] n. m. Voyage par voie de mer ou de terre, où l'on va d'un point à un autre pour visiter : *Faire un périple en Grèce pendant les grandes vacances* (syn. : TOURNÉE). *Un long périple nous mena à travers toute l'Afrique du Nord* (syn. : RANDONNÉE).

périr [perir] v. intr. (sujet nom d'être animé ou de chose). Syn. littér. de MOURIR : *Périr de faim, de misère. Deux personnes ont péri dans l'incendie* (syn. : SUCCOMBER). *Il périt d'ennui à la campagne. La sécheresse a fait périr de nombreuses plantes. Les marins péris en mer* (= noyés). *La liberté ne peut périr* (syn. : DISPARAÎTRE). ◆ **périssable** adj. Sujet à s'altérer, à se corrompre : *Les fruits sont des denrées périssables* (= qui se conservent mal). ◆ **impérissable** adj. : *Laisser après soi une gloire impérissable* (syn. : ÉTERNEL, IMMORTEL). *Cette œuvre est un monument impérissable de la science* (syn. : DURABLE).

périscope [periskɔp] n. m. Appareil optique permettant de voir par-dessus un obstacle : *Les badauds, derrière les premiers rangs, ont des périscopes de carton pour voir le défilé. Le périscope d'un sous-marin.*

périssoire [periswar] n. f. Petite embarcation légère, longue et étroite, manœuvrée à la pagaie.

péristyle [peristil] n. m. Galerie extérieure fermée d'un côté par des colonnes isolées et de l'autre par le mur de l'édifice.

péritoine [peritwan] n. m. Membrane qui tapisse l'intérieur de l'abdomen. ◆ **péritonite** n. f. Inflammation du péritoine.

perle [pɛrl] n. f. 1° Petite boule de nacre que l'on trouve dans certains mollusques et qui peut avoir un grand prix : *Perle fine. Perle de culture. Un collier de perles. Enfiler des perles. Les perles d'un diadème.* — 2° Petite boule décorative en verre, en plastique, en métal, etc., percée d'un trou : *Un rideau de perles.* — 3° Personne qui surpasse toutes les autres en son genre : *C'est la perle des domestiques.* — 4° Erreur grossière et ridicule : *Relever des perles dans les copies d'élèves.* ◆ **perlé, e** adj. 1° Orné de perles : *Tissu perlé.* — 2° Qui a la forme d'une perle : *Riz perlé.* — 3° *Travail perlé,* fait à la perfection (syn. fam. : FIGNOLÉ). — 4° *Grève perlée,* ralentissement concerté de travail. ◆ **perler** v. tr. *Perler un ouvrage,* l'exécuter avec un grand soin. ◆ v. intr. Tomber goutte à goutte : *La sueur lui perlait au front.* ◆ **perlier, ère** adj. : *Huître perlière* (= qui produit des perles).

permanent, e [pɛrmanɑ̃, -ɑ̃t] adj. 1° Qui dure sans changer, qui reste dans le même état pendant un certain espace de temps : *L'agriculture reste un des éléments permanents de l'économie française* (syn. : CONSTANT). *Un des traits permanents de son caractère* (syn. : STABLE; contr. : FUGACE, ÉPHÉMÈRE). *Un spectacle permanent. Le cinéma est permanent le dimanche* (= on y projette plusieurs fois de suite le même film). — 2° Qui ne cesse pas; qui exerce une activité continuelle : *Maintenir un contrôle permanent sur les prix* (syn. : CONTINU; contr. : PROVISOIRE). *Instituer entre les deux gouvernements une collaboration permanente* (syn. : DURABLE; contr. : PASSAGER). *Entretenir une armée permanente. L'envoyé permanent d'un journal à New York. Un comité permanent.* ◆ **permanent** n. m. Membre d'un syndicat, d'un parti, etc., qui est rémunéré par lui pour assurer des tâches administratives, politiques, etc. ◆ **permanente** n. f. Traitement appliqué aux cheveux pour leur assurer une ondulation durable. ◆ **permanence** n. f. 1° Caractère de ce qui est permanent : *La permanence de ses goûts. La permanence d'une situation* (syn. : STABILITÉ). *Assurer la permanence du pouvoir* (syn. : CONTINUITÉ; contr. : INTERRUPTION). — 2° Service chargé d'assurer un fonctionnement permanent dans une administration, un service public; lieu où se tient ce service : *Des permanences fonctionneront dans les mairies pendant les fêtes. Tenir une permanence. La permanence électorale d'un candidat aux élections* (= lieu où il se tient prêt à recevoir les électeurs). — 3° Salle où les élèves travaillent sous surveillance pendant les moments où ils ne sont pas en classe : *Les élèves iront en permanence de 10 à 11 heures.* ● LOC. ADV. *En permanence,* d'une manière constante, sans arrêt : *Les policiers restèrent en permanence devant la maison pour surveiller les entrées. S'installer en permanence dans un café* (syn. : À DEMEURE).

perméable [pɛrmeabl] adj. [à] 1° Se dit de ce qui se laisse traverser par l'eau : *Un terrain très perméable.* — 2° Se dit de quelqu'un qui se laisse toucher par (un conseil, une suggestion, etc.) : *Un homme perméable à toutes les influences* (= influençable). ◆ **perméabilité** n. f. : *La perméabilité d'un sol calcaire. La perméabilité des frontières.* ◆ **imperméable** adj. : *Un tissu, une étoffe imperméable. Le terrain argileux est imperméable. Un joint imperméable* (syn. : ÉTANCHE). *Il est imperméable à tout conseil* (syn. : INACCESSIBLE). *Les mesures prises ont rendu la frontière imperméable à tout trafic. Il reste imperméable à toute affection* (syn. : INSENSIBLE). ◆ **imperméable** ou, *fam.*, **imper** n. m. Vêtement qui a été apprêté de manière à ne pas laisser passer l'eau : *Mettre, prendre son imperméable.* ◆ **imperméabiliser** v. tr. Rendre imperméable à l'eau, à la pluie : *Imperméabiliser de la toile d'emballage.* ◆ **imperméabilisation** n. f. ◆ **imperméabilité** n. f. : *L'imperméabilité du sol.*

permettre [pɛrmɛtr] v. tr. (conj. **57**). I. (sujet nom de personne) **1°** *Permettre une chose, que* (et le subj.), accepter qu'une chose soit : *Les règlements ne permettent pas le stationnement en cet endroit* (syn. : AUTORISER, TOLÉRER). *L'importation de ce produit n'est pas permise. Il ne permet pas que ses enfants regardent la télévision le soir* (syn. : ADMETTRE). *Vous permettez qu'il assiste à l'entretien?* — **2°** *Permettre à quelqu'un quelque chose, de* (et l'infin.), lui donner la liberté d'en user, de le faire : *Mon médecin m'a permis le café. Son père lui permet d'utiliser sa voiture.* — **3°** *Permettez,* formule de politesse : *Permettez-moi de vous présenter mon collègue. Permettez, je voudrais dire un mot.* II. (sujet nom de chose) **1°** *Permettre quelque chose à quelqu'un,* lui en laisser la possibilité, le moyen de le faire, lui en donner l'occasion : *Ses occupations ne lui permettent pas de sortir le soir. S'il m'est permis de faire une objection, je dirai ceci. Il est permis à tout le monde de se tromper! Ses moyens financiers ne lui permettent pas de vivre de cette façon. Ces quelques lignes ne me permettent pas de me décider en connaissance de cause. Il se croit tout permis* (= il croit que rien ne limite sa liberté). — **2°** *Permettre quelque chose,* le rendre possible : *Son absence permet toutes les craintes. Son succès lui permet les plus grands espoirs.* ◆ ***se permettre*** v. pr. Faire ou dire quelque chose en prenant la liberté de, en dépassant les limites admises par la morale : *Il se permet de me faire des reproches immérités. Je ne me permets pas de parler de ce que je connais mal. Il se permet des plaisanteries stupides. Je me permettrai de vous faire observer qu'il est déjà dix heures.* ◆ **permis** n. m. Autorisation écrite qui est exigée pour exercer certaines activités : *Le préfet a retiré à deux chauffards leur permis de conduire. Un permis de circulation délivré à la gare. Un permis de chasse, de pêche. Un permis de bâtir. Un permis de séjour pour des étrangers.* ◆ **permission** n. f. **1°** Action de permettre quelque chose à quelqu'un : *Demander la permission de sortir* (syn. : AUTORISATION). *Agir sans la permission de ses supérieurs* (syn. : CONSENTEMENT). *Ils n'ont pas la permission de s'absenter. Avec votre permission* (= si vous le permettez). *Je n'abuserai pas de votre permission.* — **2°** Congé de courte durée accordé à un militaire : *Une permission de détente. Une permission de minuit* (= autorisation de ne rentrer à la caserne qu'à minuit). ◆ **permissionnaire** n. m. Militaire qui a une autorisation écrite de s'absenter.

permuter [pɛrmyte] v. tr. Substituer une chose à une autre chose : *Permuter deux chiffres dans un nombre* (syn. : INTERVERTIR, TRANSPOSER). ◆ v. intr. *Permuter avec un collègue,* se dit de deux fonctionnaires qui échangent leur poste. ◆ **permutation** n. f. : *Procéder à une permutation de deux lettres pour faire un jeu de mots* (syn. : INTERVERSION).

pernicieux, euse [pɛrnisjø, -øz] adj. Se dit de ce qui cause du mal, qui présente un grave danger pour la santé, pour la vie, pour la morale : *L'usage des tranquillisants est pernicieux* (syn. : DANGEREUX; contr. : SALUTAIRE). *L'abus de l'alcool est pernicieux pour la santé* (syn. : NUISIBLE, MAUVAIS). *Une doctrine pernicieuse* (syn. : SUBVERSIF). *Donner des conseils pernicieux* (syn. : MALFAISANT). ◆ **pernicieusement** adv.

péroné [perɔne] n. m. Os long et grêle placé à la partie externe de la jambe.

péronnelle [perɔnɛl] n. f. *Fam.* Femme ou fille sotte, bavarde et prétentieuse.

péroraison [perɔrɛzɔ̃] n. f. Conclusion d'un discours : *La pathétique péroraison de la plaidoirie arracha des larmes aux jurés.*

pérorer [perɔre] v. intr. *Péjor.* Discourir longuement d'une manière prétentieuse et avec emphase : *Il pérorait au comptoir du café, en se vantant de prouesses imaginaires.*

perpendiculaire [pɛrpɑ̃dikylɛr] adj. Qui fait un angle droit avec une ligne ou un plan : *Perpendiculaire à l'horizon* (syn. : VERTICAL; contr. : HORIZONTAL). *Abaisser une droite perpendiculaire* (ou *une perpendiculaire*). ◆ **perpendiculairement** adv.

perpète (à) loc. adv. V. PERPÉTUEL.

perpétrer [pɛrpetre] v. tr. *Perpétrer un crime, un attentat,* etc., l'exécuter (langue soutenue) : *L'accusé a perpétré l'assassinat avec un cynisme révoltant* (syn. : COMMETTRE, ACCOMPLIR). ◆ **perpétration** n. f. : *La perpétration d'un crime.*

perpétuel, elle [pɛrpetɥɛl] adj. (avant ou après le nom). Qui dure longtemps, qui se renouvelle constamment : *Une inquiétude perpétuelle* (syn. : CONTINUEL; contr. : MOMENTANÉ). *Etre gêné par un murmure continuel* (syn. : INCESSANT). *Sa réussite est un miracle perpétuel. De perpétuelles difficultés d'argent* (contr. : PASSAGER, TEMPORAIRE). *Je suis exaspéré par ses perpétuelles lamentations* (syn. : FRÉQUENT). *Le secrétaire perpétuel de l'Académie* (= qui remplit sa charge à vie). ◆ **perpétuellement** adv. : *La maison est perpétuellement en réparations* (syn. : CONTINUELLEMENT). *Il arrive perpétuellement en retard* (syn. : TOUJOURS, CONSTAMMENT). ◆ **perpétuité *(à)*** loc. adv. **1°** *Concession à perpétuité,* terrain vendu définitivement pour servir de sépulture dans un cimetière. — **2°** Pour toute la vie : *Travaux forcés à perpétuité.* ◆ **perpète *(à)*** loc. adv. *Pop.* En un temps très éloigné et imprécis : *Vas-tu l'attendre ici jusqu'à perpète?* (syn. : JUSQU'À LA SAINT-GLINGLIN).

perpétuer [pɛrpetɥe] v. tr. *Perpétuer quelque chose,* le faire durer très longtemps : *Perpétuer une tradition ancienne* (syn. : MAINTENIR; contr. : CESSER). *Il désirait un fils pour perpétuer son nom* (syn. : TRANSMETTRE). ◆ ***se perpétuer*** v. pr. Durer : *Les abus se sont perpétués jusqu'à nos jours* (syn. : SE CONTINUER; contr. : FINIR). ◆ **perpétuation** n. f. : *La perpétuation de l'espèce par la reproduction.*

perplexe [pɛrplɛks] adj. Se dit de quelqu'un qui ne sait quelle décision prendre, quel jugement porter devant une situation embarrassante : *Rester perplexe devant une réponse ambiguë* (syn. : ↑ INQUIET). *Cette attitude m'a laissé perplexe* (syn. : INDÉCIS). ◆ **perplexité** n. f. : *Cette question nous a jetés dans la plus terrible perplexité* (syn. : EMBARRAS, INCERTITUDE). *Je suis dans une grande perplexité après avoir entendu des avis si contradictoires* (syn. : DOUTE).

perquisition [pɛrkizisjɔ̃] n. f. Recherche faite par la police dans un lieu déterminé pour trouver des documents utiles à la manifestation de la vérité : *Les policiers ont opéré une perquisition au domicile de l'accusé. La perquisition est faite de jour.* ◆ **perquisitionner** v. intr. et tr. : *On a perquisitionné à son domicile. Les inspecteurs ont perquisitionné toutes les chambres de l'hôtel* (syn. : FOUILLER).

perron [perɔ̃] n. m. Escalier extérieur dont la dernière marche forme palier devant la porte d'entrée, légèrement élevée au-dessus du sol : *Le perron d'une église. Les marches du perron.*

perroquet [perɔkɛ] n. m. 1° Oiseau grimpeur de grande taille, commun en Océanie et en Amérique, au plumage souvent très coloré, et qui peut répéter des sons articulés : *Le perroquet, perché sur son bâton, parle, jase, répète des mots.* — 2° Personne qui répète les paroles d'autrui sans comprendre. ◆ **perruche** [peryʃ] n. f. 1° Femelle du perroquet. — 2° Oiseau grimpeur de petite taille, à longue queue et au plumage coloré, mais qui ne parle pas.

perruque [peryk] n. f. Coiffure de faux cheveux : *Perruque de femme. Porter une perruque.*

pers [pɛr] adj. *Des yeux pers,* dont la couleur est intermédiaire entre le vert et le bleu.

persécuter [persekyte] v. tr. 1° *Persécuter quelqu'un,* le tourmenter, l'opprimer d'une manière continuelle par des traitements cruels, injustes, tyranniques : *Persécuter les juifs* (syn. : MARTYRISER). *Jésus a été persécuté.* — 2° *Persécuter quelqu'un,* s'acharner sur lui, l'importuner sans cesse : *Il la persécute de ses assiduités* (syn. : PRESSER). *Les photographes n'ont pas cessé de persécuter la vedette lors de son séjour à Rome* (syn. : HARCELER). ◆ **persécuté, e** n. et adj. : *Défendre les persécutés* (syn. : OPPRIMÉ). ◆ **persécuteur, trice** n. et adj. : *Les cruels persécuteurs qui, par lâcheté, se sont acharnés contre ces malheureux.* ◆ **persécution** n. f. (sens 1 du verbe) : *Les sanglantes persécutions menées contre les chrétiens. Etre en butte à la persécution. Avoir le délire de la persécution* (= se croire attaqué par des ennemis imaginaires).

persévérer [pɛrsevere] v. intr. (sujet nom de personne). Demeurer constant dans une décision prise, mettre toute sa volonté à continuer ce qu'on a entrepris : *Persévérer dans son erreur* (syn. : S'OPINIÂTRER, S'OBSTINER ; contr. : RENONCER À). *Il doit persévérer dans ses efforts* (syn. : PERSISTER). *Persévérer dans ses recherches malgré un échec initial* (syn. : POURSUIVRE). ◆ **persévérant, e** adj. : *Cet enfant est persévérant et ses efforts seront récompensés.* ◆ **persévérance** n. f. : *Travailler avec persévérance* (= avec une énergie soutenue). *Mettre de la persévérance dans ses entreprises* (syn. : CONSTANCE, TÉNACITÉ).

persienne [pɛrsjɛn] n. f. Panneau extérieur à claire-voie, qui sert à protéger une fenêtre du soleil ou de la pluie, tout en laissant pénétrer de l'air et de la lumière : *Ouvrir, fermer les persiennes* (syn. : VOLET).

persifler [pɛrsifle] v. tr. *Persifler quelqu'un* (ou *ses actes*), le tourner en ridicule par des paroles ironiques (littér.) : *L'écrivain persiflait dans son œuvre les mœurs parlementaires.* ◆ **persiflage** n. m. ◆ **persifleur, euse** adj. et n. : *Prendre un ton persifleur.*

persil [pɛrsi] n. m. Plante potagère aromatique dont on se sert comme condiment : *Mettre quelques brins de persil sur des pommes de terre.*

persister [pɛrsiste] v. intr. 1° (sujet nom d'être animé) *Persister dans quelque chose,* y demeurer attaché d'une manière inébranlable, en dépit des difficultés : *Il persiste dans son erreur, dans ses projets* (syn. : S'OBSTINER, PERSÉVÉRER) ; avec *à* et l'infin. : *Il persiste à soutenir le contraire* (syn. : CONTINUER). — 2° (sujet nom de chose) Continuer d'exister : *Les froids ont persisté jusqu'au début d'avril* (syn. : DURER). *Cette mode n'a pas persisté* (syn. : RESTER, TENIR). ◆ **persistant, e** adj. : *Une humidité persistante* (= qui ne disparaît pas). *Un feuillage persistant* (= qui reste vert pendant l'hiver). *Une fièvre persistante* (syn. : CONTINU). *Une odeur persistante* (syn. : TENACE). ◆ **persistance** n. f. : *Sa persistance à croire l'invraisemblable est absurde* (syn. : OBSTINATION, OPINIÂTRETÉ). *La persistance des grands froids* (syn. : DURÉE ; contr. : CESSATION).

persona grata [pɛrsɔnagrata] loc. adj. ou adv. 1° Se dit d'un personnage qui est agréé dans des fonctions diplomatiques par la puissance où il va exercer. — 2° Se dit de quelqu'un qui est vu avec faveur dans une société déterminée.

personnage [pɛrsɔnaʒ] n. m. 1° Personne en vue, considérable par son rôle social : *Les grands personnages de l'Etat* (= les hauts dignitaires). *Un personnage officiel, historique. Il se croit un personnage* (= il se prend pour quelqu'un). — 2° Personne considérée du point de vue de son aspect extérieur et de son rôle social : *Un inquiétant personnage. Un singulier personnage.* ‖ Fam. *C'est un triste personnage,* c'est quelqu'un de peu recommandable. — 3° Rôle dans une pièce de théâtre, dans la vie courante : *Pièce à trois personnages. Un personnage comique.* ‖ Fam. *Se mettre dans la peau de son personnage,* bien se pénétrer du rôle qu'on doit jouer. ‖ *Jouer un personnage,* ne pas être naturel, se conduire selon l'opinion d'autrui, etc. : *Avec ses amis, il cherche toujours à jouer un personnage.*

personnaliser [pɛrsɔnalize] v. tr. 1° Donner un caractère original, personnel à un objet fabriqué en série : *Personnaliser son appartement. Personnaliser sa voiture en y ajoutant des accessoires, ou par une nouvelle carrosserie.* — 2° Dans une répartition, diversifier les parts en fonction de chaque personne concernée : *Une loi qui vise à personnaliser davantage l'impôt.* ◆ **personnalisation** n. f. : *La personnalisation d'un salon. La personnalisation de l'impôt.* ◆ **dépersonnaliser** v. tr. Faire perdre son caractère personnel à quelqu'un ou à quelque chose. ◆ **dépersonnalisation** n. f.

personnalité [pɛrsɔnalite] n. f. 1° Ensemble des éléments qui constituent le comportement et les réactions d'une personne : *Certains tests étudient la personnalité de base. Il est atteint de certains troubles de la personnalité.* ‖ *Dédoublement de la personnalité,* maladie dans laquelle le sujet se sent successivement être deux personnes différentes. — **2°** Energie, originalité plus ou moins accusée du caractère d'une personne : *Avoir une forte personnalité. Manquer de personnalité* (syn. : RELIEF). *Il n'a pas de personnalité* (= il est effacé, il reste à l'écart, ses idées sont banales, etc.). ‖ *Culte de la personnalité,* exaltation excessive des qualités d'un dirigeant. — **3°** Personne ayant une haute fonction : *L'arrivée des personnalités au monument aux morts. Les hautes personnalités de la politique.* ◆ **personnalités** n. f. pl. *Faire des personnalités,* prononcer des allusions offensantes qui visent une personne.

1. personne [pɛrsɔn] n. f. **1°** Etre humain, sans distinction de sexe : *Il y a des personnes qui préfèrent le cinéma au théâtre* (syn. : GENS). *Plusieurs personnes ont été blessées dans cet accident. Une belle, une jolie personne* (= une belle, une jolie femme ou jeune fille). *Une grande personne* (= un adulte, surtout par rapport aux enfants). ‖ *Par personne,* indique la distribution : *On a droit à trente kilos de bagages par personne.* ‖ *Par personne interposée,* par l'intermédiaire de quelqu'un. — **2°** Individu considéré en lui-même, dans l'unicité de son être : *On peut critiquer son œuvre tout en respectant sa personne. Toute sa personne respirait la joie de vivre* (= son être tout entier). *L'efficacité de la méthode dépend de la personne qui l'applique. Le respect de la personne humaine* (= de chaque humain en tant qu'être moral). *Le mystère de la Trinité est celui d'un seul Dieu en trois personnes.* ‖ *Sans acception de personne,* sans préférence pour qui que ce soit, sans partialité. — **3°** Etre humain considéré sous le rapport de son corps : *Il est bien fait de sa personne* (= il a un physique agréable). *Il soigne sa personne* (= il aime ses aises, son bien-être). *Etre content de sa personne* (= de soi). *Etre satisfait de sa petite personne* (ironiq.). *Le ministre viendra en personne* (= il ne se contentera pas de se faire représenter). *Payer de sa personne* (= se dépenser physiquement, ne pas craindre sa peine, le danger). ◆ **personnel, elle** adj. **1°** Se dit de ce qui appartient en propre à quelqu'un, qui le concerne spécialement : *Comme il n'a obtenu aucune subvention pour cette œuvre, il l'a financée avec ses ressources personnelles. Un livre où il raconte ses malheurs personnels* (syn. : INTIME). *Il a agi par intérêt personnel. Vous ne devez pas tenir de conversations personnelles au téléphone pendant vos heures de service* (syn. : PRIVÉ). *J'ai des raisons personnelles de me méfier de lui.* — **2°** Se dit de ce qui porte la marque nettement accusée du caractère, des idées, des goûts de quelqu'un : *Un appartement décoré de façon très personnelle* (contr. : IMPERSONNEL). *Un devoir riche en idées personnelles* (syn. : ORIGINAL ; contr. : BANAL). — **3°** *Péjor.* Se dit de quelqu'un qui songe surtout à lui-même, qui ne partage pas volontiers avec les autres ce qu'il possède : *Il est trop personnel pour prêter ses affaires aux voisins* (syn. : ÉGOÏSTE). *Un footballeur qui a un jeu trop personnel* (= qui manque d'esprit d'équipe). ◆ **personnellement** adv. : *Il lui est opposé personnellement. Je le connais personnellement* (= pas seulement de réputation, de vue, etc.). *Je m'occuperai personnellement de votre affaire* (= moi-même). *Cette lettre lui est adressée personnellement. Personnellement, je ne suis pas de cet avis* (syn. : POUR MA PART, QUANT À MOI, EN CE QUI ME CONCERNE). ◆ **impersonnel, elle** adj. Contr. du sens 2 de *personnel : Un style impersonnel* (syn. : BANAL, PLAT). [V. PERSONNALISER.]

2. personne [pɛrsɔn] n. f. Dans la langue juridique, entité représentant un ou plusieurs individus, à qui est reconnue la capacité d'être sujet de droit : *Les droits de la personne sont imprescriptibles. Personne civile* (= être moral qui a une existence juridique). *Personne morale* (= groupement d'individus auquel la loi reconnaît une personnalité juridique distincte de celle de ses membres).

3. personne [pɛrsɔn] n. f. Forme que prend le verbe, le pronom pour distinguer les participants de la communication (l'individu qui parle, celui à qui l'on parle, celui de qui l'on parle). ‖ *Parler à quelqu'un à la troisième personne,* s'adresser à lui en employant la troisième personne par déférence (emploi réservé aux gens de maison ou ironiq.) : *Le dîner de Madame est servi.* ◆ **personnel, elle** adj. **1°** Se dit des formes verbales qui reçoivent les flexions relatives aux trois personnes : *Temps personnel.* ‖ *Modes personnels,* modes du verbe dont les désinences marquent les différentes personnes grammaticales. — **2°** *Pronoms personnels,* pronoms qui désignent les êtres en marquant les personnes grammaticales (*je, tu, nous, vous, il, ils, elle, elles,* etc.). ◆ **impersonnel, elle** adj. *Verbe impersonnel,* verbe qui ne se conjugue qu'à la troisième personne du singulier, le pronom de conjugaison (*il, ça, cela*) ne représentant aucun nom (ex. : *il pleut, il gèle, il faut,* etc.). ‖ *Construction impersonnelle,* construction du type : *il manque deux livres* (= deux livres manquent). ‖ *Mode impersonnel,* mode qui n'exprime pas la personne grammaticale : *En français, l'infinitif et le participe sont les deux modes impersonnels.* ◆ **impersonnellement** adv. : *Dans la phrase : « Il est arrivé une catastrophe », le verbe est employé impersonnellement.*

4. personne pron. indéf. V. RIEN.

personnel [pɛrsɔnɛl] n. m. Ensemble des personnes employées par une entreprise, un service public ou un particulier : *Le chef du personnel est un ancien militaire. Le personnel de l'Education nationale. Le trafic aérien est paralysé par la grève du personnel navigant. La baronne a renvoyé tout son personnel.*

personnifier [persɔnifje] v. tr. Représenter une notion abstraite ou une chose sous les traits d'une personne : *L'artiste peintre a voulu personnifier la patrie sous l'aspect d'une déesse guerrière.* ◆ **personnifié, e** adj. : *Cet élève, c'est la paresse personnifiée* (= il est le type même du paresseux). *Le courage personnifié* (syn. : INCARNÉ). ◆ **personnification** n. f. : *La personnification de la mort dans les tableaux du Moyen Age* (syn. : ALLÉGORIE, INCARNATION, SYMBOLISATION).

perspective [pɛrspektiv] n. f. **1°** Art de représenter sur un dessin plan à deux dimensions les objets perçus dans l'espace : *Les élèves des beaux-arts doivent apprendre les lois de la perspective.* ‖ *Perspective cavalière,* dessin conventionnel dans lequel les lignes parallèles de l'objet restent parallèles, sur le dessin, sans obéir à la loi de la perspective, selon laquelle les lignes parallèles d'un objet perçu de façon oblique se rejoignent à l'horizon. — **2°** Aspect agréable de certaines choses considérées comme un tout (langue soutenue) : *Cette fenêtre ouvre sur une jolie perspective. D'ici, on a une belle perspective* (syn. : VUE). — **3°** Manière de voir, aspect sous lequel se présentent les choses : *Il faut envisager cette évolution sociale dans une perspective* *historique* (syn. : AUTEUR, OPTIQUE, POINT DE VUE). 4° Espérance ou crainte d'événements considérés comme probables, quoique éloignés : *Une perspective rassurante. Vous m'ouvrez, ici, des perspectives nouvelles!* (syn. : HORIZONS). *Il était rempli de joie à la perspective de quitter la ville* (syn. : À L'IDÉE). • LOC. ADV. *En perspective,* en espérance, dans l'avenir : *Il a une belle situation en perspective.*

perspicace [pɛrspikas] adj. Se dit d'une personne qui est douée d'un esprit pénétrant et subtil, qui voit ce qui échappe ordinairement aux gens : *Un homme fin et perspicace* (syn. : PÉNÉTRANT, SAGACE, RUSÉ, FUTÉ, CLAIRVOYANT). ◆ **perspicacité** n. f. : *Ce policier a fait preuve de perspicacité dans cette affaire* (syn. : CLAIRVOYANCE, SAGACITÉ, SUBTILITÉ).

persuader [pɛrsɥade] v. tr. 1° *Persuader quelqu'un,* réussir à obtenir son adhésion en faisant valoir des arguments : *Vous avez très habilement présenté votre thèse, pourtant vous ne m'avez pas persuadé* (syn. : CONVAINCRE). — 2° *Persuader quelqu'un de quelque chose* ou *que* (et l'indic.), plus rarement *persuader à quelqu'un que* (et l'indic.), le lui faire admettre comme vrai : *Il a persuadé les juges de sa bonne foi. Il les a persuadés qu'ils n'avaient rien à craindre de ce côté-là. Un rapide coup d'œil le persuada que quelqu'un avait fouillé dans ses affaires. J'ai eu du mal à leur persuader que ma solution était plus avantageuse.* — 3° *Persuader quelqu'un* (ou plus rarement *à quelqu'un*) *de faire quelque chose,* l'amener, à force d'exhortations, à le faire : *Tâche de persuader ton frère de se joindre à nous* (syn. : DÉCIDER À; contr. : DISSUADER). *On lui a persuadé de prendre du repos pour ménager sa santé.* ◆ ***se persuader*** v. pr. S'imaginer à tort, croire faussement : *Ils se sont persuadés* (ou *persuadé*) *qu'on les trompait. Elle s'est persuadée* (ou *persuadé*) *de la sincérité de ses amis.* ◆ **persuadé, e** adj. : *Elle est tout à fait persuadée de la venue prochaine de son père* (syn. : CONVAINCU). *Je ne suis pas tellement persuadé qu'il ait été désintéressé* (syn. : CERTAIN). ◆ **persuasif, ive** adj. 1° Se dit de ce qui persuade, qui entraîne l'adhésion : *Un argument peu persuasif* (syn. : CONVAINCANT). *Avoir un ton persuasif* (syn. : ÉLOQUENT). — 2° Se dit d'une personne dont les discours, les arguments, etc., persuadent quelqu'un : *C'est un orateur très persuasif.* ◆ **persuasion** n. f. : *Avoir le don de persuasion. La force de persuasion de l'exemple.*

perte n. f. V. PERDRE.

pertinent, e [pɛrtinɑ̃, -ɑ̃t] adj. 1° Se dit d'une chose qui se rapporte exactement à ce dont il est question, qui dénote un esprit précis et juste : *Faire une remarque pertinente* (syn. : APPROPRIÉ, JUSTIFIÉ). *Avoir un esprit pertinent* (syn. : JUDICIEUX). — 2° Qui a une valeur significative : *Les traits pertinents d'un phonème sont les éléments distinctifs.* ◆ **pertinence** n. f. : *La pertinence de l'argument avait porté sur le jury. L'orateur avait parlé avec pertinence* (syn. : À-PROPOS, BIEN-FONDÉ). ◆ **pertinemment** [pɛrtinamɑ̃] adv. *Savoir pertinemment quelque chose,* le savoir de manière indubitable, sans contestation possible.

perturber [pɛrtyrbe] v. tr. 1° *Perturber une cérémonie, un programme,* etc., y mettre du désordre : *Cet incident a perturbé la séance* (syn. : TROUBLER). *Les émissions radiophoniques ont été perturbées par le cyclone* (syn. : BROUILLER). *Une dépression qui perturbe l'atmosphère.* — 2° *Perturber quelqu'un, son calme,* etc., lui causer un trouble moral. ◆ **perturbateur, trice** adj. et n. : *L'influence perturbatrice de quelques élèves agités. On chassa de la salle une poignée de perturbateurs.* ◆ **perturbation** n. f. : *Ce début d'incendie jeta une grande perturbation dans la fête* (syn. : AGITATION, TROUBLE, DÉSORDRE). *Une perturbation atmosphérique qui amène de violentes averses.* ◆ **imperturbable** adj. Se dit d'une personne (ou de son comportement) que rien ne trouble, n'émeut : *Il est resté imperturbable dans le malheur* (syn. : IMPASSIBLE, INÉBRANLABLE). *Un calme imperturbable.* ◆ **imperturbablement** adv. : *Il écoutait imperturbablement ces accusations* (syn. : FROIDEMENT, PLACIDEMENT). *Réciter une leçon imperturbablement* (= sans une faute). ◆ **imperturbabilité** n. f. : *Un candidat qui fait preuve d'une rare imperturbabilité aux épreuves orales* (syn. : CALME, SANG-FROID, ASSURANCE).

pervenche [pɛrvɑ̃ʃ] n. f. Plante commune en France, à fleurs bleues ou mauves et poussant dans les lieux ombragés.

pervers, e [pɛrvɛr, -ɛrs] adj. et n. 1° Se dit de quelqu'un (ou de son comportement) qui a le goût de la malfaisance : *Un piège si savamment dressé dénote un homme foncièrement pervers* (syn. : MALFAISANT). *Cet enfant a des instincts pervers.* — 2° Se dit de quelqu'un (ou de son comportement) qui recherche ce qui est contraire à la morale, spécialement à la morale sexuelle : *C'est un garçon pervers, son cas relève de la psychiatrie* (syn. : VICIEUX, DÉNATURÉ, DÉPRAVÉ). *Une femme d'une beauté perverse* (= dont la beauté suscite des sentiments coupables, violents). ◆ **perversion** n. f. Corruption des mœurs : *L'état des mœurs était arrivé, à la fin de l'Empire romain, à la plus complète perversion.* ◆ **perversité** n. f. 1° Caractère d'une personne ou d'une action perverse : *La perversité et la corruption étaient le fond de son caractère.* — 2° Acte pervers : *Toutes ses perversités seront un jour châtiées à leur mesure.* ◆ **pervertir** v. tr. 1° *Pervertir quelqu'un,* le corrompre, l'inciter au désordre, à la débauche : *Les mauvais exemples pervertissent les jeunes.* — 2° *Pervertir le goût,* le corrompre. ◆ **pervertissement** n. m. : *Des écrivains accusés d'avoir contribué au pervertissement de la morale publique* (syn. : CORRUPTION).

1. peser [pəze] v. tr. 1° *Peser un corps,* en déterminer le poids relativement à un autre : *Peser du pain. Les colis que l'on a pesés.* — 2° *Peser quelque chose,* l'examiner attentivement : *Pèse bien tes mots* (syn. : MESURER). — 3° *Peser le pour et le contre,* évaluer les arguments favorables et défavorables. ◆ **pesé, e** adj. : *Toutes ses paroles sont soigneusement pesées* (= judicieusement choisies). ‖ *Tout bien pesé,* après mûre réflexion. ◆ **pesage** n. m. 1° Action de peser : *Le pesage des marchandises sur une bascule. Appareil de pesage.* — 2° Endroit réservé où l'on pèse les jockeys dans les champs de courses; enceinte publique située autour de cet endroit. ◆ **pèse-bébé** n. m. Balance dont l'un des plateaux est disposé pour recevoir les tout jeunes enfants : *Des pèse-bébés.* ◆ **pesée** n. f. 1° Action de peser : *Faire une pesée précise pour savoir le poids d'une bague en or. Faire une double pesée.* — 2° Morceau qu'on ajoute dans certains cas à un pain pour donner au client le poids exact demandé. ◆ **pèse-lettre(s)** n. m. Appareil pour déterminer le poids d'une lettre. (V. POIDS.)

2. peser [pəze] v. intr. et tr. 1° (sujet nom de chose ou de personne) Avoir un certain poids comparativement à autre chose : *Ce pain pèse trois kilos. Les cinquante kilos qu'elle a pesé.* — 2° (sujet nom de chose) *Peser à quelqu'un,* lui donner le sentiment d'être pénible, l'impression d'être difficile à supporter, etc. : *Le climat lui pèse beaucoup* (= lui donne une impression physique d'oppression). *Les pommes de terre qu'il avait mangées à midi lui pesaient sur l'estomac. Son oisiveté commençait à lui peser* (= à lui être pénible; syn. : TRAVAILLER, OBSÉDER, ACCABLER). — 3° (sujet nom de chose) *Peser sur quelqu'un,* exercer sur lui une pression morale, avoir une importance décisive : *La responsabilité de l'ensemble de l'œuvre pesait sur lui* (syn. : INCOMBER À). *Les impôts qui pèsent sur les contribuables* (syn. : ↑ ACCABLER). *La mort subite de son père va peser sur sa décision* (syn. : INFLUER SUR). ‖ *Soupçon, accusation qui pèse sur quelqu'un,* qui le concerne, le vise. — 4° (sujet nom de personne) *Peser sur quelque chose,* exercer une forte pression sur cette chose : *L'ouvrier se mit à peser de tout son poids sur le levier.* ◆ **pesée** n. f. Effort exercé sur un instrument dans un but déterminé : *Exercer une pesée sur une barre de fer.* ◆ **pesant, e** adj. : *Les valises lui semblèrent bien pesantes* (syn. : LOURD; contr. : LÉGER). *La responsabilité des enfants est une charge pesante pour lui* (syn. : ENCOMBRANT). *Sa présence était devenue pesante aux autres* (syn. : IMPORTUN). *Une architecture grandiose, mais un peu pesante* (syn. : LOURD, MASSIF). *Avoir un sommeil pesant. Marcher d'un pas pesant* (= d'un pas lent et lourd). ◆ **pesant** n. m. *Valoir son pesant d'or,* avoir une grande valeur : *Ce livre vaut aujourd'hui son pesant d'or.* ◆ **pesamment** adv. : *Marcher pesamment* (= lourdement, sans grâce). ◆ **pesanteur** n. f. : *Pesanteur d'esprit* (syn. : LOURDEUR). *Après ce bon repas, il se sentait une certaine pesanteur d'estomac.* (V. POIDS.)

pesanteur [pəzɑ̃tœr] n. f. Résultat des actions exercées sur les diverses parties d'un corps par l'attraction de la masse terrestre : *Etudier l'accélération d'un corps sous l'effet de la pesanteur.* (V. aussi PESER 2.)

peseta [pezeta] n. f. Unité monétaire espagnole.

pessimisme [pesimism] n. m. Attitude d'esprit qui consiste à considérer toute chose par ses aspects les plus mauvais, à prévoir une issue fâcheuse aux événements, à penser que tout va mal : *Je partage votre pessimisme sur la situation. Un philosophe caractérisé par son pessimisme foncier sur la nature humaine* (contr. : OPTIMISME). ◆ **pessimiste** adj. et n. : *Les plus pessimistes n'avaient pas prévu le conflit. Il reste pessimiste sur la suite des négociations* (contr. : OPTIMISTE).

peste [pɛst] n. f. 1° Maladie infectieuse et contagieuse : *Le Moyen Age a connu de terribles épidémies de peste.* — 2° *Fuir quelqu'un comme la peste,* se garder d'une personne importune, méchante, dangereuse. — 3° *Une peste, une vraie peste,* une femme odieuse. ‖ *Une petite peste,* une petite fille insupportable. ◆ **pestiféré, e** adj. et n. 1° Atteint de la peste : *Le peintre Gros a peint « les Pestiférés de Jaffa ».* — 2° *Comme un pestiféré,* comme quelqu'un de nuisible, que tout le monde évite : *On le fuit comme un pestiféré.*

pester [pɛste] v. intr. Protester, manifester son irritation contre l'attitude de quelqu'un, des événements contraires, etc. : *Il pestait contre le mauvais temps qui gâchait ses vacances.*

pestilentiel, elle [pɛstilɑ̃sjɛl] adj. Qui a une odeur infecte : *Une atmosphère pestilentielle* (syn. : INFECT). *Un air pestilentiel* (syn. : NAUSÉABOND).

pet [pɛ] n. m. 1° Gaz intestinal qui sort du fondement avec bruit. — 2° Pop. *Ça ne vaut pas un pet de lapin,* ça n'a aucune valeur. ‖ *Filer comme un pet,* rapidement, sans demander son reste. ◆ **péter** v. intr. 1° *Fam.* Faire un pet. — 2° Pop. *Péter plus haut que son cul,* viser plus haut que ne le permettent ses possibilités matérielles ou intellectuelles. ‖ Pop. *Péter dans la soie,* vivre dans le luxe.

pétale [petal] n. m. Chacune des pièces formant la corolle d'une fleur : *Des pétales de roses.*

pétanque [petɑ̃k] n. f. Jeu de boules tel qu'il est pratiqué dans le midi de la France.

pétarade [petarad] n. f. Suite de détonations : *Les pétarades d'un cyclomoteur. On entendait des pétarades à l'entrée du bois : les chasseurs avaient vu le lièvre.* ◆ **pétarader** v. intr. : *Le moteur commence à pétarader.* ◆ **pétaradant, e** adj. : *Une motocyclette pétaradante réveilla le quartier.*

pétard [petar] n. m. 1° Petite charge explosive que l'on fait exploser surtout pour provoquer un bruit : *En raison de l'accident, les cheminots ont déposé des pétards sur la voie pour faire arrêter le train suivant. Les enfants faisaient claquer des pétards. Lancer un pétard.* — 2° *Fam.* Tapage, bruit : *Les voisins font un de ces pétards!* ‖ Fam. *Faire du pétard,* manifester violemment son mécontentement. ‖ Fam. *Il va y avoir du pétard,* cela ne se passera pas sans protestations véhémentes.

pétaudière [petodjɛr] n. f. Groupement humain, organisme, bureau, etc., où règnent la confusion, le désordre et l'anarchie : *Cette assemblée est une véritable pétaudière.*

pet-de-nonne [pɛdnɔn] n. m. Beignet soufflé très léger : *Des pets-de-nonne avec de la crème fraîche.*

1. péter v. intr. V. PET.

2. péter [pete] v. intr. (sujet nom de chose). 1° *Pop.* Faire un bruit éclatant en explosant : *La grenade lui avait pété dans les mains.* — 2° *Pop.* Casser brusquement : *Les mailles du filet ont pété.* — 3° Pop. *Ça va péter du feu* (ou *le feu*), ça va prendre une tournure violente. ‖ Pop. *Il pète le feu,* il déborde de dynamisme, d'ardeur. ‖ Pop. *Il faut que ça pète,* il faut que ça finisse, coûte que coûte. ‖ Pop. *L'affaire lui a pété dans les mains,* elle a échoué. ◆ v. tr. *Pop.* Casser : *Ne tire pas si fort, tu vas péter la ficelle.*

pète-sec [pɛtsɛk] n. m. et adj. invar. Personne autoritaire qui commande sèchement.

péteux, euse [petø, -øz] n. et adj. *Pop.* Personne très poltronne : *S'enfuir comme un péteux.*

pétiller [petije] v. intr. 1° Eclater en produisant de petits bruits secs et répétés : *Le bois vert pétillait dans la cheminée* (syn. : ↑ CRÉPITER). *Le feu pétille.* — 2° (sujet nom désignant un liquide) Dégager de petites bulles de gaz qui, en éclatant, projettent des gouttelettes : *Le champagne pétille dans les verres.* — 3° Briller d'un vif éclat : *Les diamants de son diadème pétillaient sous la lueur des lustres* (syn. : SCINTILLER). — 4° *Pétiller d'esprit,* manifester un esprit vif, éclatant, plein d'humour. ‖ *Yeux qui pétillent de rage, de joie, de malice,* qui brillent sous l'effet de la colère, de la joie, de la malice. ◆ **pétillant, e** adj. : *Une eau pétillante. Un discours pétillant d'esprit* (= très spirituel). ◆ **pétillement** n. m. : *Le pétillement de l'eau minérale. La bûche, en tombant, provoqua un pétillement d'étincelles.*

petit, e [pəti ou pti, -it] adj. (normalement avant le nom). **1°** Se dit de ce qui a peu de volume, d'étendue, de hauteur (contr. : GRAND, ainsi que dans la plupart des autres emplois) : *Un petit appartement. Une petite voiture. Cette plage est toute petite* (syn. : ↑ MINUSCULE). *Il monta sur une petite éminence* (syn. : FAIBLE, LÉGER). — **2°** Se dit de ce qui est peu important en nombre, en valeur, en intensité, en durée, etc. : *Une petite troupe* (contr. : GROS). *Une petite somme d'argent* (syn. : FAIBLE). *Eprouver quelques petites difficultés* (syn. : MENU). *On entend un petit bruit* (syn. : LÉGER). *C'est un petit esprit* (= il est incapable d'idées élevées). *Il suffit d'un petit moment d'inattention pour tout gâcher* (syn. : COURT ; contr. : LONG). — **3°** (après ou plus souvent avant le nom) Se dit d'un être vivant, et spécialement d'un humain, dont le corps est peu développé : *Un petit chat. Cet enfant est petit. Une femme petite. Quand il était petit, il était très coléreux* (syn. : ↓ JEUNE). ‖ Fam. *Se faire tout petit,* s'efforcer de tenir le moins de place possible ou de passer inaperçu par peur de quelque chose. — **4°** S'emploie à propos des personnes, et souvent précédé d'un possessif, avec diverses valeurs affectives (sympathie, familiarité, mépris, etc.) : *Courage, mon petit gars! Ma petite dame, vous vous êtes trompée. Regardez donc ce petit monsieur, qui se croit tout permis!* ‖ Fam. *Une petite amie,* une femme ou une jeune fille avec laquelle un homme est lié intimement. ‖ Fam. *Etre aux petits soins pour quelqu'un,* avoir des attentions délicates à son égard. — **5°** (avant un nom désignant le rang social, la catégorie professionnelle) Se dit de quelqu'un dont l'importance est mineure : *Un petit fonctionnaire* (contr. : HAUT). *Un petit commerçant* (contr. : GROS). *Un petit cordonnier.* ‖ *Les petites gens,* ou *les petits* n. m. pl., les personnes qui ont des revenus modestes. • LOC. ADV. *En petit,* en raccourci : *Un monde en petit.* ‖ *Petit à petit,* peu à peu : *Petit à petit, l'eau montait sur la berge* (syn. : INSENSIBLEMENT, PROGRESSIVEMENT). ◆ **petit, e** n. **1°** (avec un art.) Petit enfant (du point de vue des parents, des adultes) : *Nous avons mis le petit à l'école* (= notre enfant). *Les tout-petits* (= les bébés). ◆ **petits** n. m. pl. **1°** Dans une collectivité (un lycée, etc.), groupe des enfants les plus jeunes : *La classe des petits.* — **2°** Progéniture des animaux : *La chatte et ses petits.* ◆ **petiot, e** n. *Fam.* Syn. affectueux de PETIT. ◆ **petitement** adv. **1°** De façon étroite, chichement : *Etre petitement logé* (contr. : LARGEMENT). *Vivre petitement.* — **2°** Sans grandeur morale, bassement, mesquinement : *Se venger petitement. Faire petitement les choses.* ◆ **petitesse** n. f. **1°** Caractère de ce qui est petit : *La petitesse de son salaire* (syn. : MODICITÉ). *La petitesse de sa taille. Sa petitesse d'esprit* (syn. : ÉTROITESSE ; contr. : LARGEUR). — **2°** Manque de générosité, attitude d'esprit marquant un esprit bas, sans noblesse : *La petitesse de ses procédés* (syn. : MESQUINERIE). *Toutes ces petitesses répétées chaque jour l'écœuraient.*

petit-beurre [pətibœr] n. m. Biscuit sec rectangulaire, plat et à bords festonnés, comportant dans sa confection de la farine et du beurre : *Les enfants ont eu des petits-beurre pour le goûter.*

petit-bourgeois n. m. V. BOURGEOISIE.

petit-fils [pətifis] n. m., **petite-fille** [pətitfij] n. f. Fils, fille du fils ou de la fille par rapport au grand-père et à la grand-mère : *Il adorait ses petits-fils. Ses petites-filles allaient pour la première fois en classe.* (V. PARENTÉ.)

petit-gris [pətigri] n. m. Variété d'écureuil de Sibérie fournissant une fourrure recherchée : *Des petits-gris.*

1. pétition [petisjɔ̃] n. f. *Pétition de principe,* raisonnement erroné, faute logique qui consiste à considérer comme vrai ou démontré ce qui est l'objet même de la question ou de la démonstration.

2. pétition [petisjɔ̃] n. f. Ecrit adressé à une autorité quelconque (gouvernement, ministre, préfet, maire, etc.) pour formuler une plainte ou une demande : *Recueillir des signatures pour une pétition. Une pétition des locataires au propriétaire pour protester contre le mauvais entretien de l'immeuble.* ◆ **pétitionnaire** n. Personne qui signe une pétition. ◆ **pétitionner** v. intr. Adresser une pétition.

petit-lait n. m. V. LAIT.

petit-nègre [ptinɛgr] n. m. *Parler en petit-nègre,* parler d'une manière incorrecte, sans utiliser convenablement les éléments grammaticaux (préposition, conjonction, désinences, etc.). ‖ *C'est du petit-nègre,* c'est incompréhensible.

petit-neveu [pətinvø ou ptinəvø] n. m., **petite-nièce** [pətitnjɛs ou ptitnjɛs] n. f. Fils, fille du neveu ou de la nièce. (V. PARENTÉ.)

petits-enfants [pətizɑ̃fɑ̃ ou ptizɑ̃fɑ̃] n. m. pl. Enfants du fils ou de la fille. (V. PARENTÉ.)

petit-suisse [pətisɥis ou ptisɥis] n. m. Fromage frais triple crème : *Servir des petits-suisses comme dessert.*

pétoire [petwar] n. m. *Fam.* Mauvais fusil.

peton n. m. V. PIED 1.

1. pétrifier [petrifje] v. tr. *Pétrifier quelque chose,* le recouvrir d'une couche de pierre. ◆ **pétrification** n. f. ◆ **pétrifiant, e** adj. : *Fontaine pétrifiante.*

2. pétrifier [petrifje] v. tr. *Pétrifier quelqu'un,* le frapper de stupeur, l'immobiliser sous le coup d'une violente émotion : *La nouvelle de sa mort les avait pétrifiés* (syn. : GLACER, FIGER).

1. pétrin n. m. V. PÉTRIR.

2. pétrin [petrɛ̃] n. m. *Fam.* Situation pénible à supporter et dont on sort difficilement : *Mettre dans le pétrin. Il est dans le pétrin jusqu'au cou* (= totalement). *Il m'a laissé dans le pétrin.*

pétrir [petrir] v. tr. **1°** *Pétrir la pâte* (servant à faire le pain), dans une boulangerie ou une pâtisserie, remuer en tous sens, avec les mains ou mécaniquement, de la farine détrempée avec de l'eau (syn. : MALAXER). — **2°** *Pétrir de l'argile, de la cire,* etc., les presser afin de leur donner une forme (syn. : FAÇONNER, MODELER). — **3°** *Pétrir un objet,* le palper, le masser fortement avec les mains : *Nerveux et inquiet, il pétrissait sa serviette de table. Pétrir la main, le poignet de quelqu'un* (= les lui serrer très fort). — 4° *Etre pétri d'orgueil, de contradiction,* etc., être rempli, plein d'orgueil, de contradiction. ◆ **pétrissage** n. m. ◆ **pétrin** n. m. Appareil à moteur destiné à pétrir la pâte à pain.

pétrole [petrɔl] n. m. Huile minérale naturelle utilisée surtout comme source d'énergie : *Des gisements de pétrole ont été découverts. Le raffinage du pétrole. Un puits de pétrole.* ◆ adj. *Bleu pétrole,* bleu tirant sur le gris-vert. ◆ **pétrolette** n. f. Syn. fam. de VÉLOMOTEUR. ◆ **pétrolier, ère** adj. : *L'industrie pétrolière. Les pays pétroliers* (= producteurs de pétrole). *Les produits pétroliers* (= extraits du pétrole). ◆ **pétrolier** n. m. 1° Navire-citerne pour le transport du pétrole. — 2° Technicien spécialiste de la prospection ou de l'exploitation du pétrole. ◆ **pétrolifère** adj. Qui contient du pétrole : *Champ, gisement pétrolifère.* ◆ **pétrochimie** n. f. Science et industrie des produits chimiques dérivés du pétrole.

pétulant, e [petylɑ̃, -ɑ̃t] adj. Se dit de quelqu'un qui manifeste un dynamisme exubérant, une impétuosité difficile à contenir.

pétunia [petynja] n. m. Plante ornementale aux fleurs blanches, violettes ou mauves.

peu [pø], **beaucoup** [boku] adv. Indiquent une quantité ou une intensité faible ou forte. (V. tableau ci-dessous.)

peuh ! [pø] interj. Marque en général le dédain, le mépris ou l'indifférence : «*Comment trouvez-vous cet hôtel? — Peuh! vraiment de dernière catégorie.*»

EMPLOIS	peu	beaucoup
1° Après un verbe indiquant une petite ou une grande quantité ou intensité. (*Peu* est susceptible d'être modifié par *très, assez, trop, si,* au contraire de *beaucoup.*)	*Je l'ai peu vu ces temps derniers* (contr. : FRÉQUEMMENT). *Il travaille peu, très peu, trop peu* (syn. : FAIBLEMENT). *Il gagne trop peu, assez peu. La lampe éclaire peu* (contr. : FORTEMENT). *Cela m'a peu coûté* (contr. : CHER). *Reprendre du service? Très peu pour moi!* (fam.).	*Ce film m'a beaucoup déçu* (syn. : FORTEMENT). *Il lit beaucoup* (syn. : ↑ÉNORMÉMENT). *C'est un auteur qui produit beaucoup. Il boit beaucoup.*
2° *Peu de* (quantité faible), *beaucoup de* (quantité considérable), suivis d'un nom pluriel ou singulier. *Peu, beaucoup,* employés seuls (souvent comme sujets), indiquent un nombre de personnes très faible ou considérable.	*Il a peu d'amis. Il y a trop peu de neige pour pouvoir skier. J'ai peu de temps à vous consacrer.* *Peu s'en plaignent.*	*Il s'est produit cette année beaucoup d'accidents de la route. Il a beaucoup de temps à lui. Il dispose de beaucoup de temps.* *Beaucoup sont sensibles à cette augmentation.*
3° *Peu* modifie un adjectif ou un adverbe polysyllabique placé après lui. *Beaucoup* modifie les adverbes *trop, plus, moins, moindre, mieux.* Il peut modifier un adjectif si celui-ci, indiqué précédemment, est repris par le pronom *le.*	*C'est un individu peu, très peu, assez peu, fort peu recommandable* (syn. : PAS TRÈS). *Ils sont peu nombreux.* (Avec un adj. monosyllabique, on emploie *pas très : Pas très fort.*) *Cela arrive trop peu souvent. Il est si peu scrupuleux. Il n'est pas peu satisfait de lui-même* (= il est très satisfait).	*Les enfants ont été beaucoup plus sages aujourd'hui* (syn. : BIEN). *Il se porte beaucoup mieux depuis quelques jours* (syn. : BIEN; contr. : UN PEU). *Sa manière de conduire est imprudente; elle l'est même beaucoup.*
4° *De peu, de beaucoup,* avec un superlatif relatif, un comparatif, après un verbe indiquant une différence faible ou considérable.	*Il est mon aîné de peu. C'est de peu le premier de la classe. Je l'ai manqué de peu* (= j'ai failli le rencontrer).	*Paul est de beaucoup le plus jeune de nous deux.*
5° Locutions.	*Il s'en faut de peu que, peu s'en faut que* (et le subj.), il a manqué peu de chose pour qu'un fait se produise : *Peu s'en faut qu'il n'ait tout perdu dans cette spéculation.* *C'est peu de, que,* c'est d'une faible importance : *C'est peu d'avoir des connaissances, encore faut-il s'en servir.*	*Il s'en faut de beaucoup que* (et le subj.), il y a un trop grand écart pour qu'un fait se produise : *Il s'en faut de beaucoup que le marché soit saturé.* *C'est beaucoup de, que, si,* c'est un grand avantage, d'une grande importance : *C'est déjà beaucoup d'avoir conservé la santé à votre âge.*
	C'est trop peu dire, l'expression est insuffisante : *On a froid; c'est trop peu dire : on grelotte.* *Pour un peu,* il aurait suffi de peu de chose pour que : *Je l'aurais pour un peu confondu avec son frère. Pour un peu, il aurait tout abandonné.* *Etre peu pour quelqu'un,* ne représenter pour lui aucun intérêt, n'être l'objet d'aucun attachement.	*C'est beaucoup dire,* l'expression est exagérée : *Il n'a rien fait, c'est beaucoup dire; disons qu'il ne s'est pas montré actif.* *A beaucoup près,* la différence restant considérable : *Il n'a pas à beaucoup près la personnalité de son père.* *Etre beaucoup pour quelqu'un,* avoir une grande valeur, une grande importance affective à ses yeux.

6° Locutions :
avec **peu** : *Etre un peu là,* v. LÀ. ‖ Fam. *Très peu pour moi,* formule d'un refus poli : *Me baigner dans cette eau glaciale, très peu pour moi.* ‖ *Peu à peu,* d'une manière progressive, par petites étapes, par degrés : *Peu à peu, il se détachait de celle qu'il avait tant aimée.* ‖ *Homme de peu* (littér.), sans importance sociale ou intellectuelle. ‖ *Sous peu, avant peu,* dans un temps à venir relativement court : *Sous peu, nous serons fixés sur ses intentions. J'aurai avant peu terminé le roman que j'ai commencé il y a deux ans.* ‖ *Depuis peu,* depuis un temps très court : *Il a depuis peu déménagé.* ‖ *Peu de chose,* ce qui est insignifiant, sans valeur, sans importance : *Ne vous alarmez pas, c'est peu de chose.*
avec **beaucoup** : Fam. *Un peu beaucoup,* formule pour atténuer la pensée : *Tu plaisantes un peu beaucoup sur sa timidité.* ‖ *Merci beaucoup,* renforcement de *merci* (acceptation polie).

Emplois particuliers de **peu**	
1° Précédé de l'article défini, du démonstratif, du possessif : *le peu, ce peu,* etc. (souvent en tête de phrase comme sujet)	*Le peu que j'en sais ne m'incite pas à poursuivre mon enquête. Son peu d'intelligence est la cause de tous ses malheurs. Le peu de confiance que vous m'accordez me blesse profondément. Ce peu de discrétion que nous lui trouvons est à l'origine de cette mésaventure. Malgré le peu de biens qu'il possède, il est très généreux. Merci du peu* (ironiq. et fam.).
2° Précédé de l'article indéfini *un : un peu* (= dans une faible mesure) : *a*) petite quantité, intensité, durée (avec un verbe, un adj., un adv.)	*Donnez-moi un peu de sel. Ayez un peu de patience* (contr. : BEAUCOUP). *Je vais prendre un peu l'air. On discute un peu après le repas. Il va un peu mieux. Attendez un peu. Un peu plus et l'eau débordait* (= s'il s'était ajouté encore une petite quantité). *Un peu au-dessus de la moyenne* (syn. : LÉGÈREMENT). *On en voit un peu partout.*
b) atténue un ordre, une demande (souvent fam.)	*Ecoute donc un peu ce que l'on dit. Viens donc un peu, si tu l'oses. Va donc voir un peu ce que fait ta sœur.*
c) au sens de *trop, bien, très* (fam.)	*C'est un peu fort* (syn. : TROP). *Il exagère un peu. C'est un peu tiré par les cheveux.*
d) dans les exclamatives (fam.), au sens de « certainement »	« *Tu en es sûr ? — Un peu !* »
3° Précédé de *quelque* (syn. : UN PEU)	*Il est quelque peu étourdi. Prenez quelque peu de repos. Il y a laissé quelque peu de sa fortune.*
Loc. CONJ. (et le subj.)	
Si peu [...] que, indique une concession, une opposition portant sur une quantité (syn. : QUOIQUE, BIEN QUE... PEU).	*Si peu de tête qu'il ait, il doit avoir tout de même entrevu les conséquences de ses actes. Livrez-nous un peu de charbon, si peu que ce soit, cela sera suffisant.*
Pour peu [...] que, indique une hypothèse (syn. : POURVU QUE, DÈS L'INSTANT OÙ).	*Pour peu qu'on ait réfléchi, la situation apparaît sérieusement compromise. Pour peu que le temps le permette, nous irons dimanche en forêt de Fontainebleau.*

1. peuple [pœpl] n. m. **1°** Ensemble d'hommes habitant un même territoire et constituant une communauté sociale unie le plus souvent par des liens linguistiques, religieux ou culturels : *Le peuple français* (syn. : NATION). — **2°** Ensemble d'hommes ayant une même communauté socio-culturelle, mais appartenant à plusieurs nationalités et n'habitant pas le même pays : *Le peuple juif.* — **3°** Ensemble d'hommes unis par des liens socio-culturels, appartenant à plusieurs nationalités, mais groupés sous une même autorité politique : *Les peuples de l'U.R.S.S.* ◆ **peuplade** n. f. *Péjor.* Société humaine incomplètement organisée : *Apporter la civilisation et le progrès aux peuplades lointaines.*

2. peuple [pœpl] n. m. Ensemble des citoyens d'une nation, constituant la majorité de ceux-ci et disposant d'un moindre pouvoir économique, social ou politique : *La Révolution française a donné le pouvoir au peuple. Le peuple cherchait à s'affranchir du joug des grands* (syn. : ROTURIERS ; contr. : NOBLES). *Les gens du peuple.* ◆ **peuple** adj. Péjor. *Faire peuple, avoir l'air peuple,* avoir des manières peu raffinées. ◆ **populace** n. f. Syn. péjor. de PEUPLE. ◆ **populo** n. m. Syn. pop. de PEUPLE. ◆ **populaire** adj. **1°** Se dit d'une chose issue du peuple dans le domaine politique : *Démocratie populaire. Front populaire. Les classes populaires* (contr. : BOURGEOIS). — **2°** Se dit d'une chose qui est répandue dans le peuple : *Les croyances populaires. Les traditions populaires* (syn. : FOLKLORIQUES). *La langue populaire* (contr. : SAVANT). *Le latin populaire* (contr. : LITTÉRAIRE). *Edition populaire d'un texte classique* (contr. : SAVANT, ÉRUDIT). — **3°** Se dit d'une chose qui s'adresse aux classes les moins favorisées d'une nation : *Bal populaire* (syn. : PUBLIC). *Soupe populaire* (= pour les indigents). ◆ **populisme** n. m. Ecole littéraire de romanciers et de poètes qui dépeignent les milieux populaires dans le premier tiers du XXe siècle. ◆ **populiste** adj. et n. : *Un écrivain populiste.*

3. peuple [pœpl] n. m. **1°** Masse indifférenciée de personnes habitant une région ou séjournant en un endroit : *Le peuple de Paris. Au mois d'août, les plages sont envahies par tout un peuple de vacanciers. Un peuple d'araignées* (littér.). — **2°** *Fam.* Abondance de personnes dans un endroit : *Le soir, il y a beaucoup de peuple sur les trottoirs des Grands Boulevards.* ◆ **peupler** v. tr. **1°** *Peupler un lieu,* y établir des habitants, une espèce animale : *Les grands conquérants ont cherché à peupler les régions déshéritées. Il faut peupler l'étang d'alevins* (syn. : GARNIR) ; s'y établir, y vivre en grand nombre : *Les premiers hommes qui ont peuplé la région ont laissé des traces archéologiques.* — **2°** *Peupler l'imagination, les rêves,* etc., les occuper (littér.) : *Les souvenirs passés sont venus peupler l'âme du poète* (syn. : HANTER, REMPLIR). ◆ ***se peupler*** v. pr. *Fam.* Se remplir de monde : *Le hall des gares se peuple aux heures de pointe.* ◆ **peuplement** n. m. : *Le peuplement de la région s'est fait lentement.* ◆ **peuplé, e** adj. Qui a des habitants en plus ou moins grand nombre : *Une région très peuplée, peu peuplée.* ◆ **populeux, euse** adj. Très peuplé : *Quartier populeux.* ◆ **dépeupler** v. tr. *Dépeupler un pays, une région,* etc., en faire disparaître totalement ou partiellement les occupants : *Un exode vers les villes qui dépeuple les campagnes. Une épidémie qui dépeuple les étables.* ◆ **se dépeupler** v. pr. Perdre de ses habitants : *Cette région se dépeuple régulièrement depuis un quart de siècle.* ◆ **dépeuplement** n. m. : *Le dépeuplement d'une région sous-développée.* ◆ **dépopulation** n. f. Diminution de la population d'un pays par excédent des décès sur les naissances. ◆ **repeupler** v. tr. : *Repeupler une région désertée par ses habitants. Repeupler un étang.* ◆ **repopulation** n. f. ◆ **surpeuplé, e** adj. Peuplé à l'excès. ◆ **surpeuplement** n. m. : *Le surpeuplement d'une région, d'un pays.* ◆ **surpopulation** n. f. : *La surpopulation de certains centres urbains.*

peuplier [pøplije] n. m. Arbre des régions tempérées, dont le tronc étroit peut s'élever à une grande hauteur et dont le bois blanc est utilisé, notamment, en ébénisterie, ainsi que pour la confection de pâte à papier : *Une allée de peupliers.*

peur [pœr] n. f. 1° Sentiment d'inquiétude éprouvé en présence ou à la pensée d'un danger : *Etre pris de peur devant le vide. Une belle peur. Une peur bleue* (= une peur très intense; syn. : FRAYEUR). *La peur du danger* (= éprouvée devant le danger). *La peur de mourir. La peur de traverser la rue* (syn. : CRAINTE; ↑ ANGOISSE, TERREUR). *La peur du ridicule* (syn. : APPRÉHENSION). *La peur d'avoir été impoli* (= idée rétrospective qui produit une gêne). — 2° *Avoir peur,* éprouver de la peur (syn. fam. : AVOIR LA FROUSSE). ‖ *Avoir peur de quelque chose, de quelqu'un, d'un animal,* le redouter, le craindre : *Un enfant qui a peur d'une araignée.* ‖ *Avoir peur que... ne* (et le subj.), ou *de* (et l'infin.), redouter : *J'ai peur qu'il ne se mette à pleuvoir. J'ai bien peur qu'il ne fasse un malheur. J'ai peur d'arriver en retard.* ‖ *Faire peur à quelqu'un, à un animal,* provoquer chez lui un sentiment d'inquiétude : *Son chef lui a toujours fait peur. La vue du chien fit peur à l'enfant.* ‖ *Etre laid à faire peur,* être très laid. ‖ *Mourir de peur,* avoir une crainte très vive. ‖ *Prendre peur,* commencer à ressentir une crainte, une inquiétude. ‖ *En être quitte pour la peur,* échapper complètement à un danger. • *De peur de* loc. prép. (et l'infin. ou un nom), *de peur que* loc. conj. (et le subj., souvent avec *ne*), par crainte de (que), pour éviter le risque de (que) : *Il n'est pas venu plus tôt, de peur de vous déranger. Il n'ose pas sortir avec ce chapeau, de peur du ridicule. De peur que vous soyez surpris, je vous préviens à l'avance. Il annonça sa venue, de peur que ses hôtes ne fussent absents.* ◆ **peureux, euse** [pørø, -øz] adj. Qui manifeste un manque de courage devant un danger, un risque : *Un enfant peureux* (syn. : POLTRON, ↑ LÂCHE; fam. : FROUSSARD; contr. : BRAVE, COURAGEUX, HARDI). *Jeter un regard peureux* (syn. : CRAINTIF; contr. : DÉTERMINÉ, ↑ EFFRONTÉ). ◆ **peureusement** adv. : *Elle se blottit peureusement dans ses bras.* ◆ **apeuré, e** adj. Saisi d'une peur très vive et dont la cause est généralement légère : *L'enfant apeuré se mit à pleurer.*

peut-être [pøtɛtr] adv. Indique que l'énoncé (proposition ou terme quelconque) est considéré comme une éventualité, une hypothèse ou probabilité, ou une possibilité (en tête de la phrase avec, le plus souvent, inversion du sujet, ou après le verbe ou son auxiliaire) : *Il viendra peut-être demain. Il n'est peut-être pas aussi surpris que toi. Peut-être a-t-il oublié le rendez-vous* (syn. : IL EST POSSIBLE QUE). *« Quel est le moyen de transport le plus commode? — Peut-être bien le métro. » Je ne sais pas conduire, peut-être?* (expression de défi). *Il n'est peut-être pas très intelligent, mais il est consciencieux* (syn. : SANS DOUTE); suivi parfois de *que* (avec le conditionnel ou l'indicatif) : *Peut-être qu'il fera beau dimanche. Peut-être bien que nous irions au bord de la mer, si les vacances de mon mari tombaient en août.*

1. phalange [falɑ̃ʒ] n. f. Chacun des petits os qui composent les doigts et les orteils : *Faire craquer ses phalanges.*

2. phalange [falɑ̃ʒ] n. f. 1° Troupe nombreuse (langue affectée) : *La phalange des supporters.* — 2° Groupement politique et paramilitaire d'idéologie fasciste. ◆ **phalangiste** adj. et n. Qui appartient à une phalange (sens 2) [en particulier à la Phalange espagnole].

phalène [falɛn] n. f. Papillon très commun, nocturne ou crépusculaire, au vol vacillant.

pharaon [faraɔ̃] n. m. Titre des anciens rois d'Egypte.

phare [far] n. m. 1° Tour élevée portant un puissant foyer lumineux pour guider les navires et les avions pendant la nuit : *Le phare d'Ouessant.* — 2° Dispositif d'éclairage placé à l'avant d'un véhicule : *Allumer ses phares. Faire un appel de phares. Pleins phares.*

pharisien [farizjɛ̃] n. m. Homme orgueilleux et hypocrite (littér., par allus. à une ancienne secte de Juifs). ◆ **pharisaïsme** n. m. Attitude de quelqu'un qui affecte hypocritement d'être irréprochable (littér.). ◆ **pharisaïque** adj. : *Un orgueil pharisaïque.*

pharmacie [farmasi] n. f. 1° Science, profession qui a pour objet la préparation des médicaments : *Faire ses études de pharmacie. La Faculté de pharmacie. Exercer la pharmacie.* — 2° Local, boutique où se fait la vente des médicaments : *Liste des pharmacies ouvertes le dimanche.* — 3° Petit meuble, le plus souvent suspendu à un mur, où l'on range les médicaments usuels : *Prendre un tube d'aspirine dans la pharmacie.* ◆ **pharmacien, enne** n. Personne qui exerce la pharmacie, qui tient une pharmacie. ◆ **pharmaceutique** adj. Qui concerne la pharmacie : *Un produit pharmaceutique. Une spécialité pharmaceutique.* ◆ **pharmacopée** n. f. Recueil de recettes et de formules pour préparer les médicaments.

pharynx [farɛ̃ks] n. m. Région située entre la bouche et l'œsophage, où les voies digestives croisent les voies respiratoires. ◆ **pharyngite** n. f. Inflammation du pharynx.

phase [fɑz] n. f. Chacun des aspects successifs d'un phénomène, d'une chose en évolution, en modification : *Les phases d'une course. Les diverses phases de la fabrication des livres* (syn. : STADE). *Le plan entre dans sa dernière phase d'exécution* (syn. : FORME, PÉRIODE). *Les phases d'une maladie.*

phénol [fenɔl] n. m. Dérivé du benzène utilisé comme désinfectant.

phénomène [fenɔmɛn] n. m. 1° Ce qui se manifeste à la conscience par les sens ou par une modification psychologique, affective : *Les phénomènes économiques. Les météores sont des phénomènes naturels. Aucun phénomène anormal ne s'est produit dans l'évolution de la maladie* (syn. : MANIFESTATION). *Sa réaction est un phénomène tout à fait explicable.* — 2° Chose, événement qui présente un aspect anormal, étonnant, qui sort de l'ordinaire : *Ne pas vouloir posséder une voiture ni la télévision quand on en a les moyens lui paraît un phénomène.* — 3° *Fam.* Personne qui se signale aux autres par une originalité excessive : *C'est un phénomène incapable de faire comme tout le monde.* ◆ **phénoménal, e, aux** adj. *Fam.* Qui sort de l'ordinaire par sa grandeur, son excentricité : *Une bêtise phénoménale* (syn. : ÉNORME). *Il a un toupet phénoménal* (syn. : PRODIGIEUX, EXTRAORDINAIRE). ◆ **phénoménalement** adv.

philanthrope [filɑ̃trɔp] adj. et n. Dont la générosité désintéressée est inspirée par le désir de venir en aide aux hommes en général plutôt qu'à un homme en particulier : *Un philanthrope a fondé cet institut scientifique.* ◆ **philanthropie** n. f. : *Ce n'est pas par philanthropie, mais par intérêt, qu'il les aide dans leurs travaux.* ◆ **philanthropique** adj. : *Une œuvre de caractère philanthropique.*

philatélie [filateli] n. f. Distraction consistant à collectionner les timbres-poste; activité commerciale en relation avec cette distraction. ◆ **philatéliste** n. Collectionneur de timbres-poste.

philharmonie [filarmɔni] n. f. Association de concerts. ◆ **philharmonique** adj. : *Association philharmonique.*

philistin [filistɛ̃] n. m. Personne dont l'esprit grossier est fermé aux impressions esthétiques (littér.) [syn. : BÉOTIEN].

philologie [filɔlɔʒi] n. f. Science qui étudie les documents écrits, et en particulier les œuvres littéraires, du point de vue de l'établissement des textes, de leur authenticité, de leurs rapports avec la civilisation et l'auteur, qui étudie aussi l'origine des mots et leur filiation : *La philologie, science historique, est distinguée de la linguistique, qui étudie les langues et le langage.* ◆ **philologique** adj. : *Etudes philologiques.* ◆ **philologiquement** adv. ◆ **philologue** n.

philosophale [filɔzɔfal] adj. *Pierre philosophale,* substance recherchée par les alchimistes et qui devait transformer tous les métaux en or; chose impossible à trouver.

philosophie [filɔzɔfi] n. f. 1° Ensemble des considérations et des réflexions générales, constituées en doctrine ou en système, sur les principes fondamentaux de la connaissance, de la pensée et de l'action humaines : *La philosophie de Kant, de Hegel. La philosophie grecque. La philosophie générale, ou métaphysique. L'histoire de la philosophie. L'esthétique, la logique, la morale, etc., sont des branches de la philosophie.* — 2° Enseignement donné dans les classes terminales des lycées et portant, d'une part, sur la logique, la morale et la métaphysique, et, d'autre part, sur la psychologie; classe où la philosophie est la matière principale : *Une dissertation de philosophie. Faire sa philosophie.* — 3° Conception que l'on se fait des problèmes de la vie : *Avoir une philosophie optimiste, pessimiste. Tirer la philosophie d'une mésaventure* (syn. : MORALE). — 4° Calme de celui qui fait face aux difficultés, aux imprévus de l'existence : *Supporter les échecs avec philosophie* (syn. : ↑ INDIFFÉRENCE). *Il prend son mal avec philosophie* (syn. : RÉSIGNATION). ◆ **philosophe** n. Personne qui étudie la philosophie, qui élabore une philosophie : *Le philosophe Heidegger. Sartre, un philosophe et un romancier.* ◆ adj. et n. Qui regarde la vie avec philosophie (sens 4) : *Il est resté philosophe devant les critiques les plus violentes* (syn. : CALME). ◆ **philosopher** v. intr. Tenir des considérations morales, philosophiques sur un événement. ◆ **philosophique** adj. : *Réflexion philosophique sur l'univers. Des conceptions philosophiques.* ◆ **philosophiquement** adj. En philosophe (dans tous les sens) : *Accepter philosophiquement son sort* (= avec résignation).

philtre [filtr] n. m. Breuvage magique propre à inspirer l'amour ou quelque autre passion.

phlébite [flebit] n. f. Inflammation d'une veine entraînant des troubles circulatoires.

phlegmon [flɛgmɔ̃] n. m. Inflammation de certains tissus entraînant un abcès : *Avoir un phlegmon à la gorge.*

phobie [fɔbi] n. f. 1° Peur angoissante, éprouvée par certains malades. — 2° Aversion instinctive et irraisonnée : *Il a la phobie des néologismes.* ◆ **phobique** adj. et n. Atteint de phobie.

phonème [fɔnɛm] n. m. Dans le langage humain, élément sonore produit par les organes de la parole et qui a une valeur distinctive : *Les phonèmes, voyelles ou consonnes, sont caractérisés les uns par rapport aux autres par des traits pertinents* (*sonorité, nasalité,* etc.). ◆ **phonétique** adj. Qui concerne les sons du langage : *Une description phonétique du français comporte l'établissement de son système des phonèmes. L'écriture phonétique essaie de transcrire tous les sons du langage par des signes graphiques. L'alphabet phonétique international est un système conventionnel de signes graphiques correspondant aux phonèmes de toutes les langues.* ◆ **phonétique** n. f. Etude scientifique de l'émission et de la réception des sons composant le langage humain : *La phonétique utilise en particulier les données de la physique et de la physiologie.* ◆ **phonéticien, enne** n. Spécialiste de phonétique. ◆ **phonologie** n. f. Etude scientifique du fonctionnement des sons du langage dans une langue déterminée : *La phonologie est une discipline linguistique.* ◆ **phonologue** n. Spécialiste de phonologie.

phono [fono] ou **phonographe** [fɔnɔgraf] n. m. Appareil utilisé pour reproduire par des moyens mécaniques les sons enregistrés sur des disques. (On dit ÉLECTROPHONE lorsque l'appareil est muni de moyens électriques.) ◆ **phonothèque** n. f. Etablissement, local où sont rassemblés les documents sonores, les disques, etc., constituant des archives de la parole : *La phonothèque de l'O.R.T.F. La Phonothèque nationale.*

phoque [fɔk] n. m. Gros mammifère au cou très court et au pelage ras, vivant près des côtes arctiques (*veau marin*), antarctiques (*éléphant de mer*) ou en Méditerranée.

phosphate [fɔsfat] n. m. Produit chimique utilisé comme engrais.

phosphore [fɔsfɔr] n. m. Corps chimique employé en particulier pour la fabrication des allumettes chimiques. ◆ **phosphorer** v. intr. *Arg. scol.* Dépenser une grande activité intellectuelle.

phosphorescence [fɔsfɔrɛsɑ̃s] n. f. Propriété qu'ont certains corps d'émettre de la lumière dans l'obscurité : *La phosphorescence de la mer est due à de petits animaux marins.* ◆ **phosphorescent, e** adj. : *Le ver luisant est phosphorescent.*

photo [foto] ou **photographie** [fɔtɔgrafi] n. f. 1° Action, art, manière de fixer par l'action de la lumière l'image des objets sur une surface sensible : *Faire de la photo. La photographie en couleurs. Le salon de la photo. Un appareil de photo.* — 2° Reproduction de l'image ainsi obtenue : *Prendre une photo* (= photographier). *Rater, manquer une photo. Une photo d'identité* (= photographie du visage utilisée pour les pièces d'identité) *Une photo souvenir. Découper une photo dans un journal. Un album de photos.* ◆ **photographier** v. tr. Obtenir une image par la photographie : *Photographier un paysage, une scène de plage, ses enfants.* ◆

photographique adj. : *Appareil photographique* (ou *appareil photo*). *Pellicule photographique.* ◆ **photographe** n. Personne qui photographie, qui fait métier de photographier. ◆ **photocopie** n. f. Reproduction d'un document par photographie. ◆ **photocopier** v. tr. Reproduire par photocopie. ◆ **photo-finish** n. f. Film donnant l'ordre des concurrents à l'arrivée d'une course. ◆ **photogénique** adj. Se dit d'une personne dont les traits du visage sont rendus plus beaux, plus agréables par la photo ou le cinéma qu'au naturel : *Un visage très photogénique.* ◆ **photogravure** n. f. Procédé photographique permettant d'obtenir des planches gravées utilisables pour l'impression typographique. ◆ **photo-robot** n. m. Portrait reconstitué d'après des témoignages en vue de recherches faites par la police. ◆ **photostoppeur, euse** n. Personne qui photographie les passants et leur propose la vente de leur portrait. ◆ **photothèque** n. f. Local où sont rassemblées les archives photographiques.

phrase [fraz] n. f. 1° Unité élémentaire de l'énoncé comprenant un ensemble de termes représentant le message d'un sujet parlant : *La phrase simple, en français, est généralement composée d'un groupe nominal et d'un verbe* (ex. : *Les enfants jouent*). *La phrase nominale est réduite au seul groupe nominal* (ex. : *Silence!*). *Une phrase interrogative, exclamative. L'ordre des mots dans la phrase. Les longues phrases de Proust.* — 2° *Faire des phrases,* parler de manière prétentieuse, emphatique et vide. ‖ *Phrases toutes faites,* manière de parler conventionnelle, banale (syn. : FORMULES, CLICHÉS). ‖ *Sans phrases,* sans commentaire, sans prendre de détour. ◆ **phraseur, euse** n. Personne qui tient des discours prétentieux et vides de pensée. ◆ **phraséologie** n. f. 1° Ensemble des expressions, des types de construction propres à une langue, à un milieu, à une science. — 2° Emploi de formules qui, sous des apparences profondes, cachent le vide de la pensée : *Il masque son inactivité et sa faiblesse sous une phraséologie révolutionnaire.*

phrygien [friʒjɛ̃] adj. m. *Bonnet phrygien,* bonnet rouge, emblème républicain de l'affranchissement et de la liberté.

phtisie [ftizi] n. f. Syn. anc. de TUBERCULOSE PULMONAIRE. ◆ **phtisiologue** n. Médecin spécialiste de la tuberculose pulmonaire. ◆ **phtisique** n. Syn. de TUBERCULEUX.

phylloxéra [filɔksera] n. m. Insecte voisin du puceron, qui s'attaque à la vigne.

physiologie [fizjɔlɔʒi] n. f. Science qui a pour objet l'étude du fonctionnement des organismes vivants. ◆ **physiologique** adj. Qui concerne la vie de l'organisme : *L'état physiologique est satisfaisant; c'est le moral qui ne va pas.* ◆ **physiologiste** n. Spécialiste de physiologie.

physionomie [fizjɔnɔmi] n. f. 1° Ensemble des traits d'un visage ayant un caractère particulier et exprimant la personnalité, l'humeur, etc. : *Sa physionomie s'anima. Une physionomie joyeuse, ouverte* (syn. : EXPRESSION). *Une physionomie énergique* (syn. : FIGURE). — 2° Aspect particulier qui distingue une chose d'une autre : *Au mois d'août, la physionomie de Paris change complètement* (syn. : ASPECT). *Chaque région a sa physionomie* (syn. : CARACTÈRE). ◆ **physionomiste** adj. et n. Qui est capable de reconnaître immédiatement une personne antérieurement rencontrée.

1. physique [fizik] n. f. Science qui a pour objet l'étude des propriétés générales des corps et des lois qui modifient leur état et leur mouvement. ◆ **physicien, enne** n. Spécialiste de physique.

2. physique [fizik] n. m. 1° Aspect général d'une personne : *Avoir un physique agréable. Un physique de cinéma* (= séduisant, photogénique). *Il a le physique de l'emploi* (= il a un aspect physique qui évoque bien son activité). — 2° Constitution du corps, état de santé : *Le physique influe sur le moral. Au physique et au moral, il était très atteint.*

3. physique [fizik] adj. 1° Qui appartient à la matière, à la nature (par oppos. aux *êtres vivants*) : *Les propriétés physiques d'un corps* (par oppos. à *chimique*). *La géographie physique* (par oppos. à *économique*). — 2° Qui concerne le corps humain : *Les exercices physiques vous feront du bien. La souffrance physique* (contr. : MORAL). *La supériorité physique. Education, culture physique* (contr. : INTELLECTUEL). *L'effort physique. La fatigue physique* (contr. : MENTAL). *Amour, plaisir physique* (= amour charnel, plaisir des sens). ◆ **physiquement** adv. : *Ceci est physiquement impossible* (syn. : MATÉRIELLEMENT). *Il est diminué physiquement. Un jeune homme très bien physiquement.*

piaffer [pjafe] v. intr. 1° (sujet nom désignant un cheval) Avancer, frapper le sol des pieds de devant. — 2° (sujet nom de personne) *Piaffer d'impatience,* s'agiter vivement (syn. : TRÉPIGNER). ◆ **piaffement** n. m. : *Les piaffements d'un cheval.*

piailler [pjaje] v. intr. 1° (sujet nom désignant des oiseaux) Pousser des cris aigus et répétés. — 2° *Fam.* (sujet nom désignant un enfant) Crier sans cesse : *Le marmot piaillait dans son lit.* ◆ **piaillement** n. m. Fam. : *Etre exaspéré par les piaillements des enfants.*

1. piano [pjano] adv. 1° En musique, indique une faible intensité de son. — 2° Fam. *Allez-y piano,* agissez avec douceur. ◆ **pianissimo** adv. Très doucement.

2. piano [pjano] n. m. Instrument de musique à clavier et à cordes : *Le piano a remplacé le clavecin. Un piano à queue. Un piano droit.* ◆ **pianiste** n. Personne, artiste qui joue du piano. ◆ **pianoter** v. intr. 1° *Fam.* Jouer du piano maladroitement, comme un débutant. — 2° Tapoter sur quelque chose avec ses doigts comme si l'on jouait du piano : *Pianoter avec impatience sur la table.* ◆ **pianotage** n. m.

piastre [pjastr] n. f. Unité monétaire de nombreux pays.

piaule [pjol] n. f. *Pop.* Syn. de CHAMBRE, LOGEMENT.

piauler [pjole] v. intr. (sujet nom désignant de petits poulets, des enfants [*fam.*]) Pousser des cris aigus. ◆ **piaulement** n. m.

1. pic [pik] n. m. Instrument de métal, courbé et pointu, muni d'un long manche et dont on se sert pour creuser, défoncer le sol, démolir un mur, etc.

2. pic [pik] n. m. Montagne dont le sommet forme une pointe; le sommet lui-même : *Le pic du Midi. Les pics enneigés.*

3. pic [pik] n. m. Oiseau grimpeur qui frappe du bec l'écorce des arbres pour en faire sortir les larves.

4. pic (à) [apik] loc. adv. 1° D'une manière verticale : *La falaise tombe à pic sur la mer. La route est taillée à pic dans la montagne. La maison donne à pic sur la rivière* (= domine la rivière). *Le bateau a coulé à pic* (= rapidement, en allant droit au fond). — 2° *Fam.* D'une manière opportune : *Vous arrivez à pic* (syn. : À POINT NOMMÉ [langue soignée]). *Cet argent tombe à pic* (syn. : À PROPOS).

picador [pikadɔr] n. m. Cavalier qui, dans une corrida, attaque le taureau avec une pique.

picaillons [pikɑjɔ̃] n. m. pl. Pop. *Avoir des picaillons,* avoir de l'argent.

pichenette [piʃnɛt] n. f. *Fam.* Petit coup brusque appliqué avec le doigt : *D'une pichenette, il fit tomber la cendre de son cigare* (syn. : CHIQUENAUDE).

pichet [piʃɛ] n. m. Petit broc à vin, à cidre.

pickpocket [pikpɔkɛt] n. m. Voleur à la tire : *Se faire voler son sac par un pickpocket.*

pick-up [pikœp] n. m. Syn. de ÉLECTROPHONE. (V. ÉLECTRICITÉ.)

picoler [pikɔle] v. i. *Pop.* Boire plus que de raison.

picorer [pikɔre] v. tr. et intr. Se dit des poules, des oiseaux, etc., qui prennent de la nourriture çà et là : *Les poules picorent les graines. Les moineaux allaient picorer sur le fumier.*

picoter [pikɔte] v. tr. Causer une sensation de piqûre légère, mais répétée : *La fumée picotait les yeux. Les chardons picotaient les jambes* (syn. : ↓ CHATOUILLER). *J'ai un bouton qui me picote* (syn. : DÉMANGER). ◆ **picoté, e** adj. Marqué de trous minuscules, de points : *Visage picoté de rougeurs. Cuir picoté de trous.* ◆ **picotement** n. m. : *J'ai des picotements aux pieds* (syn. : FOURMILLEMENT). *Eprouver des picotements désagréables.*

picotin [pikɔtɛ̃] n. m. Ration d'avoine donnée à un cheval.

pictural, e, aux [piktyral, -ro] adj. Qui concerne la peinture : *La technique picturale* (= de la peinture).

pidgin [pidʒin] n. m. Langue mixte employée dans les relations commerciales maritimes en Extrême-Orient et qui est devenue synonyme de SABIR.

1. pie [pi] n. f. Oiseau à plumage noir et blanc et à longue queue, très commun en France, caractérisé par ses cris continuels : *La pie jacasse. Une femme bavarde comme une pie.*

2. pie [pi] adj. invar. *Cheval, jument, vache pie,* à robe noir et blanc, ou roux et blanc.

3. pie [pi] adj. f. *Faire œuvre pie,* accomplir un acte pieux (langue soutenue).

1. pièce [pjɛs] n. f. 1° Chaque partie séparée d'un tout, en rompant, en déchirant, en arrachant : *Le vase se brisa en mille pièces* (syn. : FRAGMENT, MORCEAU). *Mettre une caisse en pièces* (= en miettes). *La lampe est en pièces.* — 2° Chaque objet, chaque élément faisant partie d'un ensemble (suivi souvent d'un compl. du nom) : *Une pièce de bétail* (= une tête de bétail). *Cela coûte dix francs pièce* (= chaque unité). *Les pièces du mobilier. La pièce de résistance dans un repas* (= le plat principal). *Les pièces d'un jeu d'échecs, de dames. Le pêcheur a pris une belle pièce* (= un poisson). *Un vêtement de deux pièces* (= veston et pantalon). *Un maillot de bain deux pièces* (= en deux pièces). *Une pièce de drap* (= un coupon). *Une pièce de bois* (= une planche, une poutre). *Une pièce de terre* (= espace de terre cultivable). *Ouvrier payé à la pièce, aux pièces* (= en proportion de l'ouvrage effectué). *Une pièce de vin* (= un fût de vin). *Une pièce d'eau* (= un étang, un bassin dans un parc, un jardin). *Une pièce d'artillerie* (= un canon). *Une pièce de soixante-quinze* (= un canon de calibre soixante-quinze). *Une pièce d'artifice* (= un pétard). ‖ *Des pièces détachées, de rechange* (= parties d'un appareil, d'une machine, etc., qui servent à remplacer les pièces défectueuses). ‖ *Pièce montée,* pâtisserie formant une sorte d'architecture. — 3° Document servant à établir un droit, la réalité d'un fait, la preuve : *Les pièces d'identité* (= papiers établissant l'identité de quelqu'un). *Les pièces à conviction* (= les preuves du délit). *Juger avec pièces à l'appui* (= avec des preuves). — 4° Elément, morceau réparant une déchirure, une coupure : *Mettre une pièce à un pantalon* (= le raccommoder). — 5° *Armé de toutes pièces,* entièrement protégé de la tête aux pieds (syn. : DE PIED EN CAP). ‖ *Tailler en pièces une armée,* la mettre en déroute. ‖ *Faire pièce à quelqu'un,* s'opposer à lui et lui faire échec. ‖ *Etre tout d'une pièce,* sans détour, sans finesse ni souplesse (syn. : RIGIDE, INTRANSIGEANT). ‖ *Fait de pièces et de morceaux,* qui manque d'unité, d'homogénéité; fait de parties disparates. ‖ *Inventer, forger de toutes pièces,* inventer sans preuves, par un acte de pure imagination.

2. pièce [pjɛs] n. f. 1° Ouvrage dramatique (comédie, tragédie, drame, etc.) : *Une pièce en cinq actes. Une troupe d'amateurs qui monte une pièce de Molière. Une pièce gaie, triste. Une pièce à trois personnages.* — 2° Ouvrage littéraire ou musical : *Une pièce de vers. Une pièce de Schubert.*

3. pièce [pjɛs] n. f. Chaque partie d'un appartement, d'une maison, d'un logement d'une certaine superficie et ayant une ou plusieurs ouvertures vers l'extérieur (en excluant la cuisine, la salle de bains, l'entrée) : *Un appartement de cinq pièces. La plus grande pièce sert de salon. La pièce où l'on couche* (= chambre), *où l'on mange* (= salle à manger). *Acheter un deux-pièces, un trois-pièces* (= un appartement de deux, de trois pièces).

4. pièce [pjɛs] n. f. 1° Morceau de métal plat servant de monnaie : *Une pièce d'aluminium, d'argent, d'or. Une pièce de 1 franc. Donner la pièce à quelqu'un* (= lui verser un pourboire). — 2° Fam. *Rendre à quelqu'un la monnaie de sa pièce,* lui faire subir la même mésaventure qu'il vous a occasionnée (= lui rendre la pareille). ◆ **piécette** n. f. Petite pièce de monnaie : *Une piécette de dix centimes.*

1. pied [pje] n. m. 1° Chez l'homme, partie de l'extrémité de la jambe qui sert à soutenir et à marcher : *Les ongles des doigts de pied. La plante du pied. Se tordre le pied* (= la cheville du pied). *Aller pieds nus, nu-pieds. Etre couvert d'égratignures de la tête aux pieds* (= sur tout le corps). *Je ne peux plus mettre un pied devant l'autre* (= marcher).

Sauter à pieds joints, d'un pied sur l'autre. Le pied lui a manqué et il est tombé dans l'escalier. Donner un coup de pied. — 2° Semelle des chaussures : *S'essuyer les pieds sur le paillasson avant d'entrer. Des empreintes de pieds dans la neige.* — 3° Chez quelques animaux, syn. de PATTE : *Un pied de porc, de mouton.* — 4° *A pied,* en marchant : *Aller à pied à son bureau. Partir à pied* (par oppos. à un moyen de transport). *Un coureur à pied.* ‖ *Etre sur pied,* debout, réveillé : *Il est sur pied dès six heures;* guéri : *Il est maintenant sur pied après une longue grippe* (syn. : RÉTABLI). ‖ *Portrait, statue en pied,* représentant un personnage debout de la tête aux pieds. ‖ *Avoir pied,* pouvoir se tenir debout la tête hors de l'eau. ‖ *Se jeter aux pieds de quelqu'un,* se prosterner devant lui. ‖ *Perdre pied,* couler; perdre le contrôle de soi-même, reculer; ne plus savoir que dire. ‖ *Prendre pied,* s'établir solidement. ‖ *Avoir bon pied bon œil,* être en excellente santé; être vigilant. ‖ *Sur le même pied que,* sur le même plan. ‖ *Sur un pied d'égalité,* d'une manière parfaitement égale, sans distinction hiérarchique : *Il traitait sur un pied d'égalité tous ses collègues.* ‖ *Pied à pied,* pas à pas, graduellement : *Lutter, avancer, reculer pied à pied.* ‖ *Au petit pied,* en raccourci, en plus petit (ironiq.). ‖ *Au pied levé,* sans préparation. ‖ *Au pied de la lettre,* en s'en tenant à la stricte signification de ce qui est écrit. ‖ *Sur le pied de,* avec les ressources de : *Il vit sur le pied d'un grand homme d'affaires.* ‖ *Vivre sur un grand pied,* dans le luxe. ‖ *De pied ferme,* avec l'intention de résister énergiquement. ‖ *Pieds et poings liés,* réduit à une totale impuissance. ‖ *Avoir le pied marin,* être capable de supporter les mouvements d'un bateau. ‖ Fam. *Se débrouiller comme un pied,* très mal. ‖ *Marcher sur les pieds de quelqu'un,* chercher à l'évincer, à prendre sa place, à empiéter sur son domaine. ‖ *Faire du pied à quelqu'un,* frôler son pied avec le sien pour attirer son attention, exprimer un désir amoureux. ‖ Fam. *Cela lui fait les pieds,* cela lui donne une leçon, cela lui apprend à vivre. ‖ Fam. *Faire des pieds et des mains,* employer tous les moyens (syn. : SE DÉMENER). ‖ *Mettre à pied un ouvrier, un employé,* le réduire au chômage, le licencier. ‖ Fam. *Mettre les pieds dans le plat,* faire une gaffe, parler avec une brutale franchise et avec indiscrétion d'une question délicate. ‖ *Mettre pied à terre,* descendre de cheval. ‖ *Mettre les pieds dehors,* sortir. ‖ *Mettre les pieds quelque part,* y aller. ‖ *Mettre sur pied quelque chose,* l'organiser, le mettre en état. ‖ *Remettre quelqu'un sur ses pieds,* le relever après une chute. ‖ Fam. *Retomber sur ses pieds,* se tirer à son avantage d'une situation fâcheuse ou délicate. ‖ *Lever le pied,* s'enfuir avec la caisse. ‖ Fam. *Se lever du pied gauche,* être de mauvaise humeur. ‖ *Sur le pied de guerre,* prêt à combattre. ‖ *Valet de pied,* domestique de grande maison chargé d'introduire les invités. ◆ **peton** [pətɔ̃] n. m. *Fam.* Petit pied. (V. PIÉTINER, PIÉTON.)

2. pied [pje] n. m. 1° Partie d'un objet servant à le soutenir, par lequel il repose sur le sol : *Un pied de lit. Le pied d'une échelle. Le pied d'un verre. Les pieds de la table. Le pied d'un appareil de photo. Le pied d'un mur* (syn. : BASE). *Le pied de la falaise. Au pied de l'échafaud* (= avant d'être exécuté). — 2° Partie d'un végétal qui touche le sol; toute la plante : *Le pied de l'arbre. Un pied de vigne. Un pied de salade* (= une salade). ‖ *Fruits, céréales vendus sur pied,* avant la récolte. ‖ *Sécher sur pied,* se flétrir sans être récolté; en parlant d'une personne, se consumer d'ennui. — 3° *Etre à pied d'œuvre,* sur le chantier, prêt à travailler.

3. pied [pje] n. m. 1° En métrique grecque et latine, groupe de syllabes d'un type déterminé : *L'hexamètre, ou vers de six pieds.* — 2° En versification française, désigne parfois chaque syllabe prise en compte : *Les douze pieds d'un alexandrin.*

4. pied [pje] n. m. 1° Unité de mesure de longueur anglo-saxonne valant environ 30,47 cm et usitée anciennement en France (32,5 cm). — 2° Fam. *Souhaiter être à cent pieds sous terre,* avoir envie de se cacher par confusion.

pied-de-biche [pjedbiʃ] n. m. Pied incurvé des meubles (fauteuil, secrétaire, etc.) de style Louis XV : *Les pieds-de-biche d'une table.*

pied-de-poule [pjedpul] n. m. invar. Tissu de laine formé de deux couleurs en damier.

piédestal, aux [pjedɛstal, -to] n. m. 1° Support isolé sur lequel on place une statue, un vase, etc. : *Une inscription fut gravée sur le piédestal.* — 2° *Mettre quelqu'un sur un piédestal,* lui témoigner une grande admiration. ‖ *Tomber de son piédestal,* perdre son prestige.

pied-noir [pjenwar] n. m. Habitant de l'Algérie, d'origine européenne, avant l'indépendance : *L'exode des pieds-noirs en 1963.*

pied-plat [pjepla] n. m. Personne servile, aux sentiments bas (littér.) : *Des pieds-plats.*

piège [pjɛʒ] n. m. 1° Dispositif destiné à attraper des animaux, morts ou vifs, à détruire des engins de combat, etc. : *Prendre un oiseau au piège. Des pièges à rats. Les mâchoires du piège se refermèrent sur la patte du loup. Des pièges contre les chars.* — 2° Moyen détourné que l'on emploie contre une personne pour la mettre dans une situation difficile ou dangereuse, pour la tromper : *Tendre un piège à un adversaire* (syn. : EMBÛCHE [littér.]). *Il éventa le piège* (syn. : ↑ MACHINATION). *Tomber dans un piège grossier* (syn. : TRAQUENARD). *Les ennemis furent attirés dans un piège* (syn. : GUET-APENS). *Se laisser prendre au piège. La version allemande est pleine de pièges* (= de difficultés). *Etre pris à son propre piège* (syn. : ↓ RUSE). ◆ **piéger** v. tr. *Piéger un lieu, un objet,* etc., y disposer des pièges pour prendre un animal, détruire des ennemis (souvent au passif) : *Les braconniers ont piégé le bois. Tout le terrain devant le camp avait été piégé. La porte de la maison avait été piégée par les soldats en retraite* (= munie d'un dispositif commandant l'éclatement d'une bombe, d'une mine au moment de l'ouverture). ◆ **piégeage** n. m.

pierre [pjɛr] n. f. 1° Matière minérale, dure et solide, dont on se sert pour la construction : *Une pierre calcaire. Un bloc de pierre* (syn. : ROCHE). *Dur comme de la pierre* (syn. : ROCHER). *De la pierre à bâtir. L'âge de la pierre* (= période préhistorique caractérisée par l'utilisation d'outils en pierre). *Pierre à chaux, à plâtre.* — 2° Morceau de cette matière, façonné ou non, plus ou moins grand : *Un amas de pierres. Jeter une pierre dans l'eau* (syn. : CAILLOU). *Un chemin plein de pierres. Une grêle de pierres assaillit le service d'ordre. Les pierres d'un mur. Démolir une maison pierre à pierre. Tomber comme une pierre* (= lourdement). *Une pierre tombale sur laquelle on a gravé une inscription. Pierre à briquet* (= matière qui sert à faire une étincelle pour allumer un briquet). —

3° *Pierre précieuse* ou *pierre,* minéral de grande valeur à cause de sa rareté, de son éclat, etc. : *Les diamants, les émeraudes, les saphirs, les rubis sont des pierres précieuses. Le feu d'une pierre précieuse* (= son éclat). *Pierre fine* (= fragment de pierre précieuse utilisé en bijouterie). — 4° *Geler à pierre fendre,* geler très fort. ‖ *Un visage de pierre,* froid et immobile. ‖ *Une pierre de touche,* ce qui sert à connaître la valeur de quelqu'un ou de quelque chose. ‖ *Jeter une pierre dans le jardin de quelqu'un,* l'attaquer indirectement, d'une manière désobligeante. ‖ *Jeter la pierre à quelqu'un,* le blâmer, l'accuser : *Que celui qui n'a jamais commis une erreur lui jette la pierre.* ‖ *Marquer un jour d'une pierre blanche, noire,* avoir un succès, un malheur qui marque dans la vie. ‖ *Malheureux comme les pierres,* très malheureux. ‖ *Ne pas laisser pierre sur pierre,* détruire complètement. ‖ *Apporter une pierre à une œuvre,* y contribuer. ◆ **pierraille** n. f. Amas de petites pierres. ◆ **pierreries** n. f. pl. Pierres précieuses utilisées en bijouterie : *Une montre enrichie de pierreries.* ◆ **pierreux, euse** adj. Couvert de pierres, plein de pierres (sens 2) : *Un chemin pierreux* (syn. : ROCAILLEUX). *Un sol pierreux.* ◆ **empierrer** [ɑ̃pjere] v. tr. *Empierrer une route, une cour,* etc., la couvrir d'une couche de pierre. ◆ **empierrement** n. m. : *Les ouvriers employés à l'empierrement de la route.*

pierrot [pjero] n. m. Nom usuel du MOINEAU.

pietà [pjeta] n. f. Nom donné, au Moyen Age, à des peintures ou à des sculptures représentant une Vierge en pleurs au pied de la Croix et tenant sur ses genoux le corps du Christ.

piétaille [pjetaj] n. f. *Fam.* et *péjor.* Les fantassins d'une armée.

piété n. f. V. PIEUX.

piétiner [pjetine] v. intr. 1° S'agiter en frappant vivement des pieds sur le sol : *Il piétinait de colère, d'impatience* (syn. : ↑ TRÉPIGNER, PIAFFER). — 2° Avancer très peu ou même ne pas pouvoir avancer alors qu'on effectue les mouvements de la marche : *La colonne piétinait dans la boue* (syn. : PATAUGER). *Le cortège avançait lentement et par moment piétinait sur place* (syn. : MARQUER LE PAS). — 3° Ne pas marquer de progrès, ne pas avancer : *Les discussions piétinent; on est encore loin d'une solution.* ◆ v. tr. 1° *Piétiner quelque chose, quelqu'un,* le frapper avec les pieds de manière vive et répétée : *Piétiner le sol pour durcir la terre* (syn. : ↓ FOULER). *Le taureau piétinait l'arène. Dans la panique, plusieurs femmes furent piétinées. Les enfants ont piétiné les plates-bandes du jardin.* — 2° *Piétiner quelqu'un, quelque chose,* s'acharner contre lui : *Il l'a piétiné férocement dans le compte rendu qu'il a fait de son ouvrage.* ◆ **piétinement** n. m. 1° Action de piétiner : *Le piétinement de la file d'attente devant le cinéma. Le piétinement de l'économie* (syn. : STAGNATION). — 2° Bruit fait en piétinant : *On entendait le piétinement des chevaux dans la cour pavée de la ferme.*

piéton [pjetɔ̃] n. m. Personne qui circule à pied dans une ville, sur une route : *Un piéton a été renversé sur un passage clouté.*

piètre [pjɛtr] adj. (avant le nom). D'une valeur très médiocre : *Un piètre écrivain* (syn. : ↑ MINABLE). *Avoir une piètre santé* (syn. : ↑ MAUVAIS). *C'est une piètre consolation que de le savoir aussi malheureux que toi* (syn. : MINCE, TRISTE). *Être un piètre convive* (= ne pas faire honneur aux plats). ◆ **piètrement** adv. : *Une symphonie piètrement exécutée* (syn. : MÉDIOCREMENT).

1. pieu [pjø] n. m. Pièce de bois ou de métal pointue à un bout et destinée à être enfoncée en terre : *Les pieux d'une clôture.*

2. pieu [pjø] n. m. *Pop.* Lit : *Se mettre au pieu.*

pieuvre [pjœvr] n. f. Mollusque portant huit bras munis de ventouses et qui vit dans le creux des rochers, près des côtes : *Les pieuvres peuvent avoir plus d'un mètre d'envergure. On dit de quelqu'un que c'est une pieuvre quand il se montre insatiable et ne lâche pas sa proie.*

pieux, pieuse [pjø, -øz] adj. 1° (avant ou, plus souvent, après le nom) Animé par des sentiments de dévotion et de respect pour Dieu, pour les choses de la religion; qui manifeste de tels sentiments : *Des personnes pieuses* (syn. : DÉVOT; péjor. : BIGOT). *De pieuses pensées* (contr. : IMPIE). *Des lectures pieuses. Une image pieuse* (contr. : PROFANE). — 2° (surtout avant le nom) Inspiré par un amour respectueux pour les morts, pour ses parents, pour tout ce qui est digne d'estime : *Garder le pieux souvenir de son père* (syn. : RESPECTUEUX). *Un pieux silence* (contr. : IMPIE). *Un pieux mensonge pour éviter de peiner quelqu'un* (syn. : CHARITABLE). ◆ **pieusement** adv. Avec un sentiment pieux : *L'anniversaire de sa mort fut pieusement célébré. Garder pieusement les objets familiers d'un disparu.* ◆ **impie** adj. et n. Qui méprise la religion. ◆ **piété** n. f. : *Sa piété était grande, véritable, fausse, hypocrite* (syn. : DÉVOTION). *Les pratiques extérieures de la piété. Des images de piété. La piété filiale* (= amour des parents; syn. : RESPECT). *La piété envers les morts* (= le culte des morts). ◆ **impiété** n. f. Mépris pour les choses religieuses : *Son impiété avait jadis fait scandale.*

1. pif ! [pif] interj. Redoublée ou suivie de *paf,* exprime un bruit sec : *Pif! paf! deux gifles sonores.*

2. pif [pif] n. m. *Pop.* Nez.

1. pige [piʒ] n. f. *Travailler, être payé à la pige,* se dit d'un journaliste qui travaille, qui est payé à l'article (au nombre de lignes). ◆ **pigiste** n.

2. pige [piʒ] n. f. Fam. *Faire la pige à quelqu'un,* faire mieux que lui, le surpasser.

pigeon [piʒɔ̃] n. m. 1° Oiseau au bec droit et un peu souple, aux ailes larges, au plumage varié, dont de nombreuses espèces sont domestiquées et comestibles : *Un pigeon ramier. Les pigeons voyageurs furent utilisés pendant le siège de Paris, en 1871, pour porter les messages. Le pigeon roucoule. Manger des pigeons rôtis aux petits pois.* — 2° Homme qui se laisse tromper, naïf, que l'on vole. ◆ **pigeonne** n. f. Femelle du pigeon. ◆ **pigeonneau** n. m. Jeune pigeon. ◆ **pigeonnier** n. m. 1° Petit bâtiment ou local aménagé pour élever des pigeons domestiques (syn. : COLOMBIER). — 2° Logement très haut, dans les combles. ◆ **pigeonner** v. tr. *Fam.* Duper.

piger [piʒe] v. tr. *Pop.* 1° Syn. de COMPRENDRE : *Je ne pige rien aux mathématiques.* — 2° *Piger un rhume,* l'attraper. — 3° *Pige un peu (quelqu'un, quelque chose),* regarde-le attentivement.

pigment [pigmɑ̃] n. m. Substance produite par un organisme vivant et qui lui donne sa coloration.

◆ **pigmentation** n. f. Coloration par les pigments : *La pigmentation de la peau.*

pignocher [piɲɔʃe] v. intr. *Fam.* Manger sans appétit, par petits morceaux.

1. pignon [piɲɔ̃] n. m. 1° Partie supérieure d'un mur, terminée en triangle et supportant un toit à deux pentes : *Installer une antenne au pignon de la maison.* — 2° *Avoir pignon sur rue,* être propriétaire d'une maison importante.

2. pignon [piɲɔ̃] n. m. Roue dentée servant à transmettre un mouvement à une autre roue de même forme : *Le pignon d'une bicyclette.*

pignouf [piɲuf] n. m. *Pop.* Individu grossier, sans délicatesse.

pilastre [pilastr] n. m. Pilier engagé dans un mur.

1. pile [pil] n. f. 1° Côté d'une pièce où est indiquée la valeur de la monnaie. — 2° *Jouer à pile ou face,* s'en remettre au hasard d'une décision à prendre (en lançant une pièce en l'air et en pariant sur le côté qu'elle présentera une fois retombée).

2. pile [pil] n. f. 1° Amas d'objets entassés les uns sur les autres : *Des piles de livres* (syn. : ENTASSEMENT, MONCEAU). *Une pile de briques.* — 2° Massif de maçonnerie formant le pilier d'un pont.

3. pile [pil] n. f. Dispositif produisant un courant électrique par action chimique, thermique, ou par fission nucléaire : *Une pile pour un poste à transistors. Une pile atomique.*

4. pile n. f. V. PILER.

5. pile [pil] adv. Fam. *S'arrêter pile,* brusquement. ‖ *Tomber pile,* survenir au moment opportun. ‖ *A deux heures pile,* à deux heures exactement.

piler [pile] v. tr. 1° *Piler une chose,* la réduire en fragments, la broyer en menus morceaux : *Piler des amandes dans un mortier.* — 2° Pop. *Piler quelqu'un,* lui infliger une défaite : *Se faire piler à la belote* (syn. : BATTRE). ◆ **pile** n. f. *Pop.* Volée de coups, sérieuse défaite : *Flanquer, recevoir une pile.* ◆ **pilon** n. m. 1° Instrument pour broyer dans un mortier, ou pour écraser, fouler, enfoncer : *Pilon de ménage pour faire des purées. Mettre un livre au pilon* (= en détruire les exemplaires invendus). — 2° *Fam.* Jambe de bois. — 3° Partie inférieure de la cuisse d'une volaille. ◆ **pilonner** v. tr. 1° Ecraser avec un pilon : *Pilonner des légumes.* — 2° Ecraser sous les bombes : *L'artillerie pilonnait les positions ennemies.* ◆ **pilonnage** n. m. : *Le pilonnage d'une ville par l'aviation.*

pileux, euse [pilø, -øz] adj. Relatif aux poils, aux cheveux : *Un système pileux très développé.* ◆ **pilosité** n. f. Revêtement de poils.

pilier [pilje] n. m. 1° Colonne de pierre, de bois, support vertical en métal sur lesquels repose une charpente ou un ouvrage de maçonnerie : *Les piliers massifs du temple. Les piliers métalliques du hangar.* — 2° Personne ou chose qui assure la stabilité de quelque chose : *Ces vieux militants sont les piliers du parti.* — 3° Au rugby, un des avants de première ligne qui, dans la mêlée, soutient le talonneur. — 4° *Un pilier de cabaret,* un habitué des cafés, un buveur invétéré.

piller [pije] v. tr. 1° *Piller un lieu,* emporter les biens d'autrui qui s'y trouvent, par la violence et en faisant des dégâts : *Les occupants pillèrent la ville* (syn. : METTRE À SAC). *Les émeutiers pillèrent le magasin* (syn. : SACCAGER). — 2° *Piller quelqu'un, quelque chose,* le voler en faisant des détournements à son profit : *On le pillait, on le grugeait à cause de sa naïveté.* — 3° *Piller un auteur, son œuvre,* prendre dans l'œuvre littéraire ou artistique d'un autre pour faire soi-même un ouvrage : *Piller un livre de littérature pour faire une dissertation* (syn. : PLAGIER). ◆ **pillard, e** n. et adj. Péjor. : *Une bande de pillards. La débâcle laissait sur les routes des soldats pillards et désorganisés.* ◆ **pilleur, euse** n. et adj. : *Un pilleur de bons mots.*

pilon n. m., **pilonner** v. tr. V. PILER.

pilori [pilɔri] n. m. *Mettre, clouer au pilori,* signaler à l'indignation de tous. (Le *pilori* était un poteau où l'on attachait les condamnés, afin de les exposer à la risée du public.)

pilosité n. f. V. PILEUX.

pilote [pilɔt] n. m. 1° Personne à qui est confiée la conduite d'un avion, d'une fusée, etc. : *Un pilote d'avion commercial. Un pilote de guerre. La tour de contrôle est en contact permanent avec le pilote. Un pilote d'essai* (= chargé des vérifications en vol d'un nouvel appareil). — 2° Personne à qui est confiée la manœuvre d'un navire dans un port ou dans des passages difficiles. — 3° *Servir de pilote à quelqu'un,* le guider. ◆ adj. (en composition avec un nom, auquel il est souvent lié par un trait d'union). Qui ouvre la route, qui montre le chemin, sert d'exemple : *Une usine-pilote* (= qui utilise des modes nouveaux de fabrication). *Une classe-pilote* (= où les méthodes nouvelles de pédagogie sont utilisées). ◆ **piloter** v. tr. 1° *Piloter un avion, un navire, une voiture,* les conduire, les diriger : *Piloter un nouvel appareil. Piloter une voiture de course. Il sait piloter* (= conduire un avion). — 2° *Piloter quelqu'un,* le guider à travers une ville, une exposition, etc. ◆ **pilotage** n. m. : *Le pilotage d'un avion. Le pilotage sans visibilité.*

pilotis [pilɔti] n. m. Ensemble de fortes pièces de bois taillées en pointe et constituant des pieux, que l'on enfonce dans le sol pour soutenir une construction, le plus souvent sur l'eau : *Maison élevée sur pilotis. Pont sur pilotis.*

pilou [pilu] n. m. Tissu de coton pelucheux et inflammable.

pilule [pilyl] n. f. 1° Médicament en forme de petite boule, destiné à être avalé : *Prendre, avaler une pilule.* — 2° Fam. *Avaler la pilule,* subir un déplaisir sans protestation. ‖ Fam. *Dorer la pilule à quelqu'un,* lui présenter sous des dehors séduisants une chose désagréable. ‖ Pop. *Prendre une pilule,* subir un échec.

pimbêche [pɛ̃bɛʃ] n. f. et adj. Femme prétentieuse, qui fait des embarras : *Une petite pimbêche, qui affecte de ne pas reconnaître ses anciennes camarades de classe.*

piment [pimɑ̃] n. m. 1° Fruit d'une plante employé comme épice et dont une espèce, le piment rouge, a une saveur très piquante : *Piments doux. Piments qui brûlent la bouche.* — 2° *Mettre, trouver du piment à une chose,* y mettre, y trouver quelque chose qui lui donne un caractère piquant, licencieux : *Ce quiproquo mettait un certain piment dans la situation* (syn. : ↓ SEL). ◆ **pimenté, e** adj. : *Une sauce pimentée* (= assaisonnée avec des piments). *Un récit pimenté* (syn. : SALÉ).

pimpant, e [pɛ̃pɑ̃, -ɑ̃t] adj. D'une coquetterie pleine de fraîcheur et d'élégance (surtout au fém.) : *Une toilette pimpante* (syn. : ↓ ÉLÉGANT, COQUET).

pin [pɛ̃] n. m. Arbre à feuillage persistant et à feuilles en aiguilles : *Le bois de pin est utilisé pour les charpentes. Les pommes de pin. Des aiguilles de pin recouvrent le sol. La résine extraite du pin.* ◆ **pinède** n. f. Plantation de pins.

pinacle [pinakl] n. m. *Mettre, être sur le pinacle,* mettre, être au plus haut degré des honneurs ou du pouvoir. ‖ *Porter quelqu'un au pinacle,* le louer d'une manière exceptionnelle. (Le *pinacle* est, en architecture, le couronnement du contrefort.)

pinailler [pinaje] v. intr. Fam. *Pinailler sur une chose,* la critiquer en s'en prenant à des détails infimes : *A chaque repas, il pinaille sur la nourriture. Quand tu auras fini de pinailler à propos de tout!* ◆ **pinailleur, euse** n. et adj. : *Son travail n'avance pas : il est trop pinailleur.*

pinard [pinar] n. m. *Pop.* Vin.

pinasse [pinas] n. f. Petite embarcation à fond plat, dans le sud-ouest de la France.

pinceau [pɛ̃so] n. m. **1°** Instrument formé par la réunion de poils serrés à l'extrémité d'un manche : *Peindre à l'aide d'un pinceau de soie. Colleur d'affiches qui étend la colle sur le mur avec un pinceau.* — **2°** *Pinceau lumineux,* faisceau lumineux de faible ouverture.

pince-monseigneur [pɛ̃smɔ̃sɛɲœr] n. f. Levier court, aux extrémités aplaties, dont se servent en particulier les cambrioleurs : *Des pinces-monseigneur.*

pincer [pɛ̃se] v. tr. **1°** (sujet nom de personne) *Pincer quelque chose, quelqu'un,* le serrer entre ses doigts : *Son petit frère l'avait pincé jusqu'au sang. Le maître d'école lui pinça la joue amicalement.* ‖ *Pincer les lèvres,* les rapprocher en les serrant. ‖ *Pincer de la guitare,* en jouer. — **2°** (sujet nom de chose) *Pincer quelque chose,* le serrer étroitement : *La porte lui avait pincé le doigt* (syn. : COINCER). *Sa robe pinçait sa taille* (syn. : SERRER). — **3°** (sujet nom de personne) Fam. *Pincer quelqu'un,* le prendre, le surprendre, l'arrêter : *La police l'a pincé en flagrant délit* (syn. pop. : PIQUER, POISSER). *Le voleur s'est fait pincer par deux inspecteurs en civil* (syn. fam. : ÉPINGLER). — **4°** Fam. *En pincer pour quelqu'un,* être amoureux de cette personne. ◆ **pincé, e** adj. Se dit d'une personne (ou de son attitude) qui manifeste du dédain, de la froideur : *Vexée de voir qu'on ne s'occupait plus d'elle, elle s'éloigna d'un air pincé.* ◆ **pincée** n. f. Petite quantité d'une matière poudreuse ou granulée, qu'on peut prendre entre deux ou trois doigts : *Mettre une pincée de sel dans son potage.* ◆ **pincement** n. m. **1°** *Le pincement des cordes du violon.* — **2°** *Pincement au cœur,* impression douloureuse, à l'occasion d'une mauvaise nouvelle, d'un désagrément, etc. ◆ **pince** n. f. **1°** Outil à branches articulées, dont les extrémités, plates ou rondes, servent à saisir un objet : *Pince de menuisier, pince de chirurgien.* — **2°** Extrémité des grosses pattes des écrevisses et des homards. — **3°** *Pince à linge,* petit instrument à ressort, avec lequel on fixe du linge qui sèche sur une corde. ◆ **pincettes** n. f. pl. **1°** Ustensile à deux branches, employé pour arranger le feu : *Avec les pincettes, il prit une braise pour allumer sa pipe.* — **2°** Petit instrument à deux branches, utilisé pour divers travaux minutieux : *Des pincettes d'horloger.* — **3°** Fam. *N'être pas à prendre avec des pincettes,* être d'une humeur massacrante. ◆ **pinçon** [pɛ̃sɔ̃] n. m. Marque qui reste sur la peau quand on l'a pincée.

pince-sans-rire [pɛ̃ssɑ̃rir] n. invar. Personne qui en raille une autre, ou qui fait une chose drôle, en gardant son sérieux.

pinède n. f. V. PIN.

pingouin [pɛ̃gwɛ̃] n. m. Oiseau des mers arctiques, à pieds palmés et à stature verticale.

Ping-Pong [piŋpɔ̃g] n. m. (nom déposé). Tennis de table : *Jouer au Ping-Pong. Championnat de Ping-Pong.* ◆ **pongiste** n. Joueur de Ping-Pong.

pingre [pɛ̃gr] adj. et n. *Fam.* D'une avarice sordide et mesquine (syn. fam. : RADIN). ◆ **pingrerie** n. f. Fam. : *C'est par pingrerie qu'il ne met qu'un demi-morceau de sucre dans son café* (syn. : LADRERIE).

pinson [pɛ̃sɔ̃] n. m. **1°** Oiseau de la famille des passereaux, à plumage bleu et verdâtre coupé de noir, à la gorge rouge, et bon chanteur. — **2°** *Etre gai comme un pinson,* être très gai.

pintade [pɛ̃tad] n. f. Oiseau de basse-cour de la taille de la poule, au plumage sombre, originaire d'Afrique et acclimaté en Europe, élevé pour sa chair. ◆ **pintadeau** n. m. Jeune pintade.

pinte [pɛ̃t] n. f. **1°** Ancienne mesure française de capacité, valant 0,90 litre à Paris, et mesure anglo-saxonne actuelle, valant 0,473 litre aux Etats-Unis et 0,568 litre en Grande-Bretagne. — **2°** Fam. *Se faire une pinte de bon sang,* s'amuser, rire beaucoup.

pinter [pɛ̃te] v. intr. et tr. *Pop.* Boire beaucoup.

pin-up [pinœp] n. f. invar. Jeune starlette au physique agréable.

pioche [pjɔʃ] n. f. **1°** Outil formé d'un fer de forme variable, muni d'un manche et servant à creuser le sol et à défoncer : *Démolir un mur à coups de pioche. Donner un coup de pioche dans le sol.* — **2°** Fam. *Tête de pioche,* personne très têtue. ◆ **piocher** v. tr. **1°** Creuser avec une pioche : *Piocher la terre.* — **2°** *Fam.* Travailler avec ardeur : *Piocher son programme d'histoire.* ◆ v. intr. Fam. *Piocher dans le tas, dans la réserve,* etc., fouiller dans le tas, prendre dans la réserve, etc. ◆ **piochage** n. m. ◆ **piocheur, euse** n. *Fam.* Travailleur assidu.

1. pion [pjɔ̃] n. m. **1°** Chacune des huit plus petites pièces du jeu d'échecs; chacune des pièces du jeu de dames : *Avancer un pion* (syn. : PIÈCE). — **2°** *Damer le pion à quelqu'un,* le tenir en échec en le surpassant. ‖ (sujet nom désignant un pays) *Etre un pion sur l'échiquier international,* dépendre étroitement pour son sort de pays plus puissants.

2. pion, pionne [pjɔ̃, -ɔn] n. *Fam.* et *péjor.* Surveillant dans un établissement d'enseignement. ◆ adj. et n. *Péjor.* Se dit de quelqu'un qui a une attitude pédante et dogmatique.

pioncer [pjɔ̃se] v. intr. *Pop.* Dormir profondément.

pionnier [pjɔnje] n. m. **1°** Défricheur de contrées incultes : *Les pionniers américains du XIXe siècle.* — **2°** Homme qui le premier s'engage dans une voie nouvelle, qui prépare le chemin à d'autres : *Les pionniers de la recherche atomique.*

pipe [pip] n. f. 1° Objet formé d'un fourneau et d'un tuyau et servant à fumer : *Une pipe de bruyère. Fumer la pipe. Tirer sur sa pipe. Bourrer sa pipe. Une pipe bien culottée.* — 2° Fam. *Tête de pipe,* personne, individu. ‖ Fam. *Casser sa pipe,* mourir. ‖ Fam. *Nom d'une pipe!,* interj. marquant la surprise, l'indignation.

pipeau [pipo] n. m. Flûte à bec, en matière plastique ou en bois.

pipelet, ette [piplɛ, -ɛt] n. *Pop.* Concierge : *Demande au pipelet à quel étage loge ton ami.* ◆ adj. et n. *Pop.* Bavard, cancanier.

pipe-line [paiplain ou piplin] n. m. Canalisation pour le transport à distance de liquides, notamment du pétrole, ou de gaz : *Certains pipe-lines transportent les produits à des milliers de kilomètres* (syn. : OLÉODUC).

1. piper [pipe] v. tr. *Ne pas piper mot, ne pas piper,* ne rien dire, garder le silence.

2. piper [pipe] v. tr. *Piper les dés, piper les cartes,* les truquer. ◆ **pipé, e** adj. *Les dés sont pipés,* il faut se méfier.

pipette [pipɛt] n. f. Petit tube pour prélever un liquide.

pipi [pipi] n. m. Urine, surtout dans le langage des enfants : *Faire pipi* (= uriner).

piquage n. m. V. PIQUER 1; **piquant, e** adj. et n. V. PIQUER 1 et 2.

1. pique [pik] n. f. Arme ancienne, faite d'un fer plat et pointu placé au bout d'une hampe de bois.

2. pique [pik] n. m. 1° Au jeu de cartes, une des deux couleurs noires, représentée par une figure qui rappelle un fer de pique : *Se défausser à pique.* — 2° Carte de cette couleur : *Il me restait deux piques.*

3. pique n. f. V. PIQUER 2.

piqué, e [pike] adj. et n. *Pop.* Se dit d'une personne originale et d'un comportement bizarre, ou dont l'esprit est dérangé : *Il faudrait être complètement piqué pour laisser passer cette occasion.* (V. aussi PIQUER 1, 3 et 5.)

pique-assiette [pikasjɛt] n. *Fam.* Personne qui a l'habitude de prendre ses repas aux frais des autres : *Des pique-assiettes* (syn. : PARASITE).

pique-feu [pikfø] n. m. invar. Tisonnier : *Remuer des bûches avec un pique-feu.*

pique-nique [piknik] n. m. Repas pris en plein air, sur l'herbe : *Aller faire des pique-niques avec sa famille dans la forêt de Fontainebleau.* ◆ **pique-niquer** v. intr. Faire un pique-nique. ◆ **pique-niqueur, euse** n.

1. piquer [pike] v. tr. 1° Percer d'un ou de plusieurs petits trous : *Piquer un morceau de viande avec sa fourchette. Elle a piqué son frère avec une épingle.* — 2° *Piquer une personne, un animal,* leur faire une injection de liquide, dans un but médical, au moyen d'une aiguille introduite dans les tissus : *Faire piquer un enfant contre la diphtérie.* ‖ *Faire piquer un chat, un chien,* etc., les faire tuer par le vétérinaire, au moyen d'une piqûre. — 3° *Insecte, serpent,* etc., *qui pique une personne, un animal,* qui leur injecte une liquide corrosif, un venin, qui les mord : *Un enfant qui crie parce qu'une abeille l'a piqué. Les fourmis vont te piquer si tu t'assois par terre. Un mouton qui a été piqué par une vipère.* ‖ Fam. *Quelle mouche le pique?* pourquoi a-t-il ce mouvement soudain de colère, de mauvaise humeur? — 4° *Piquer un objet dans un autre,* en planter l'extrémité dans cet objet : *Piquer sa fourchette dans un bifteck. Piquer une aiguille dans une pelote, des fléchettes dans la cible.* — 5° *Piquer un tissu, un vêtement,* en coudre les parties l'une sur l'autre : *La robe est bâtie : il reste à la piquer à la machine.* ◆ **piquant, e** adj. Surtout au sens 1 du verbe : *La tige piquante d'un rosier.* ◆ **piquant** n. m. Epine d'une plante : *Les piquants de l'aubépine.* ◆ **piqué, e** adj. 1° Se dit d'une matière marquée de petits trous par les vers. — 2° Fam. *Ce n'est pas piqué des vers,* ce n'est pas banal, médiocre. ◆ **piqué** n. m. Etoffe de coton formée de deux tissus appliqués l'un sur l'autre et unis par des points qui forment des dessins. ◆ **piquage** n. m. Action de piquer une étoffe : *Le piquage de la jupe a demandé deux heures.* ◆ **piqûre** [pikyr] n. f. 1° Petit trou fait avec une aiguille, une pointe, etc., ou par certains animaux : *On voit sur la feuille la piqûre de la pointe du compas. Une piqûre d'abeille, de moustique. Du bois plein de piqûres de vers.* — 2° Injection médicamenteuse faite dans les tissus à l'aide d'une aiguille et d'une seringue spéciales : *Une piqûre antitétanique. Une piqûre intraveineuse.* — 3° Points de couture faits sur une étoffe : *Une piqûre à la machine.*

2. piquer [pike] v. tr. 1° (sujet nom de chose) Produire une sensation âpre au goût, aiguë sur la peau, etc. : *Le poivre qui pique la langue. Une fumée qui pique les yeux, la gorge. Ce froid vif qui vous pique les joues. Une boisson qui pique* (= qui a une saveur forte, acide). — 2° (sujet nom d'être animé ou de chose) *Piquer la curiosité, l'intérêt,* etc., *de quelqu'un,* exciter chez lui ces sentiments : *Cette simple remarque a piqué son amour-propre.* ‖ *Piquer quelqu'un au vif,* provoquer chez lui une réaction d'amour-propre. ◆ **piquant, e** adj. : *Une sauce piquante* (syn. : FORT). *J'ai remarqué dans ses propos un détail piquant* (syn. : AMUSANT, CURIEUX, ORIGINAL). ◆ **piquant** n. m. : *Le piquant de l'affaire, c'est qu'il ne se doute de rien* (syn. : COCASSE, DRÔLE). ◆ **pique** n. f. Fam. *Lancer des piques à quelqu'un,* prononcer intentionnellement des paroles qui lui causent de petites blessures d'amour-propre. ◆ **piquette** n. f. 1° Boisson de fabrication domestique, obtenue par la fermentation de marc de fruits sucré. — 2° *Fam.* Mauvais vin.

3. piquer [pike] v. tr. 1° *Piquer une tête,* plonger la tête la première. — 2° *Piquer un galop, un cent mètres,* s'élancer soudain. — 3° *Piquer une crise, une colère,* avoir une crise, une colère subite. ‖ Fam. *Piquer un fard, un soleil,* rougir soudain très vivement sous le coup d'une émotion. ◆ v. intr. *Avion qui pique,* qui effectue brusquement une descente rapide. ◆ **piqué** n. m. *Bombardement en piqué,* ou *piqué,* méthode d'attaque d'un objectif, au terme d'une descente très rapide suivie d'une brusque remontée.

4. piquer [pike] v. tr. 1° Pop. *Piquer quelqu'un,* le prendre, l'arrêter : *La police l'a piqué après l'avoir poursuivi. Il s'est fait bêtement piquer la main dans le sac.* — 2° Pop. *Piquer quelque chose,* le voler : *On lui a piqué son portefeuille* (syn. fam. : CHIPER; pop. : FAUCHER).

5. piquer (se) [səpike] v. pr. 1° *Papier, linge qui se pique,* qui se couvre de petites taches, notamment sous l'effet de l'humidité. — 2° *Boisson qui se pique,* qui aigrit. — 3° Pop. *Se piquer le nez,* s'enivrer. ◆ **piqué, e** adj. : *De vieux livres aux feuilles toutes piquées. Du linge piqué de rouille.*

6. piquer (se) [səpike] v. pr. 1° (sujet nom de personne) *Se piquer de quelque chose, de faire quelque chose,* avoir des prétentions à ce sujet, se flatter de faire cette chose : *Il se pique de connaissances médicales. Il se piquait d'obtenir rapidement une réponse favorable du ministre.* — 2° *Se piquer au jeu,* prendre intérêt à une chose qu'on avait entreprise sans ardeur.

1. piquet [pikɛ] n. m. Petit pieu destiné à être fiché en terre : *Planter un piquet.* ◆ **piquetage** n. m. : *Le piquetage d'une route* (= installation de piquets le long de celle-ci).

2. piquet [pikɛ] n. m. *Piquet de grève,* groupe de grévistes surveillant l'arrêt du travail. ‖ *Piquet d'incendie,* groupe de soldats désignés pour assurer une protection contre les incendies. ‖ *Mettre un enfant au piquet,* le punir en le mettant au coin dans une classe.

3. piquet [pikɛ] n. m. Jeu qui se joue avec trente-deux cartes (auj. vieilli).

piqueter [pikte] v. tr. (conj. 8). Parsemer quelque chose de points, de taches. ◆ **piqueté, e** adj. : *Ciel piqueté d'étoiles.*

1. piquette n. f. V. PIQUER 2.

2. piquette n. f. Pop. *Prendre une piquette,* subir une défaite, un échec.

pirate [pirat] n. m. 1° Bandit qui court les mers pour voler, piller. — 2° Homme d'affaires impitoyable et cupide : *Ce n'est pas un commerçant, c'est un pirate* (syn. : REQUIN). ◆ **piraterie** n. f. 1° Crime commis en mer contre un navire, son équipage, ses passagers ou sa cargaison. — 2° Vol effronté.

pire [pir] adj. 1° Plus méchant, plus mauvais, plus nuisible : *Cet enfant ne pourrait pas être pire à l'égard de ses parents. Un remède pire que le mal.* — 2° Précédé de l'article défini ou d'un possessif, sert de superlatif à *mauvais : La pire chose qui puisse vous arriver. Voici venir votre pire ennemi.* ◆ **pire** n. m. Ce qu'il y a de plus mauvais, de plus regrettable, etc. : *Le pire, c'est que tout cela aurait pu ne pas arriver. Pratiquer la politique du pire* (= celle qui est la plus dangereuse). *Les époux doivent être unis pour le meilleur et pour le pire* (= pour toutes les circonstances de la vie).

pirogue [pirɔg] n. f. Embarcation légère d'Afrique ou d'Océanie, généralement de forme allongée, et marchant à la voile ou à la pagaie. ◆ **piroguier** n. m. Celui qui conduit une pirogue.

pirouette [pirwɛt] n. f. 1° Tour entier qu'on fait sur la pointe ou sur le talon d'un seul pied, sans changer de place : *Faire une pirouette. Les pirouettes des clowns.* — 2° Figure de danse exécutée sur la pointe des pieds. — 3° *Répondre par une pirouette,* éviter une question embarrassante en répondant à côté. ◆ **pirouetter** v. intr. Tourner sur ses talons.

1. pis [pi] n. m. Mamelle de la vache, de la brebis, de la chèvre.

2. pis [pi] adv. et adj. (Seulement dans des expressions ou des loc. adv. de la langue soignée; souvent remplacé par *pire.*) *Faire pis,* faire plus mal. ‖ *C'est bien pis,* c'est plus mauvais. ‖ *Dire pis que pendre de quelqu'un,* dire beaucoup de mal de lui. ‖ *De mal en pis,* de plus en plus mal. ‖ *Qui pis est,* ce qui est plus fâcheux. ‖ *Au pis aller* [opizale], en supposant une situation plus mauvaise, plus préjudiciable, dans l'hypothèse la plus défavorable : *Au pis aller, nous serons arrivés dans une dizaine d'heures.* ◆ **pis-aller** [pizale] n. m. invar. Solution à laquelle on a recours, faute de mieux.

pisciculture [pisikyltyr] n. f. Elevage des poissons. ◆ **pisciculteur, trice** n. ◆ **piscicole** adj. : *Entreprise piscicole. Matériel piscicole.*

piscine [pisin] n. f. Bassin artificiel pour la natation, et ensemble des installations qui l'entourent : *Une piscine couverte, fermée, en plein air. Les enfants vont à la piscine le jeudi. Une piscine olympique* (= conforme aux règlements olympiques).

pisé [pize] n. m. Maçonnerie faite avec de la terre argileuse que l'on façonne sur place : *Un mur en pisé. Une maison en pisé.*

pisse-froid [pisfrwa] n. m. invar. *Pop.* Homme chagrin, froid et ennuyeux.

pissenlit [pisɑ̃li] n. m. 1° Plante vivace à feuilles dentelées, que l'on mange en salade et qui est très commune en France. — 2° Pop. *Manger les pissenlits par la racine,* être mort et enterré.

pisser [pise] v. intr. et tr. 1° Evacuer l'urine : *Enfant qui pisse au lit* (syn. fam. : FAIRE PIPI). *Chien qui pisse contre un arbre* (syn. : URINER). — 2° *Pisser du sang,* l'évacuer avec l'urine. — 3° *Fam.* Couler, laisser s'écouler fort : *Le réservoir d'eau pisse.* — 4° Pop. *Pisser de la copie,* rédiger beaucoup et médiocrement. ◆ **pisse** n. f. *Fam.* Urine. (On dit beaucoup plus rarement PISSAT n. m.) ◆ **pissement** n. m. *Pissement de sang,* écoulement de sang avec l'urine. ◆ **pisseuse** n. f. *Pop.* Fille. ◆ **pissotière** n. f. *Fam.* Urinoir public.

pistache [pistaʃ] n. f. Graine du pistachier, utilisée en confiserie : *Une glace à la pistache.* ◆ **pistachier** n. m. Arbre des régions chaudes.

1. piste [pist] n. f. 1° Trace laissée par un animal : *Les chasseurs avaient trouvé la piste d'un lion.* — 2° Direction prise pour découvrir l'auteur d'un délit ou d'un crime : *La piste se révéla fausse. Suivre une piste. Se lancer sur la piste d'un voleur. Perdre la piste.* — 3° *Etre sur la piste de quelqu'un,* être à sa recherche et près de le trouver. ◆ **pister** v. tr. *Pister quelqu'un,* le suivre à la piste : *Il est pisté par la police.* ◆ **pistage** n. m.

2. piste [pist] n. f. 1° Chemin rudimentaire, dans une forêt, une région peu habitée : *Ils s'étaient égarés, mais ils découvrirent une piste à peine tracée qui les conduisit à la route* (syn. : SENTIER). — 2° *Piste cyclable,* chemin aménagé le long d'une route et destiné aux cyclistes. — 3° Bande de terrain aménagée pour le décollage et l'atterrissage des avions : *Une piste d'envol. L'avion est en piste. Il s'arrête en bout de piste.* — 4° Partie de la bande d'un film ou d'une bande magnétique servant à l'enregistrement et à la reproduction des sons.

3. piste [pist] n. f. 1° Terrain aménagé spécialement pour les courses de chevaux, pour les épreuves d'athlétisme, pour les compétitions cyclistes en vélodrome, etc. : *Au bout de la piste, les coureurs attendaient le signal du départ. Tourner sur la piste du vélodrome. Une piste en terre battue, en cendrée.* — 2° Emplacement, généralement circulaire, servant de scène, dans un cirque, un lieu de spectacle : *Les clowns sur la piste faisaient rire les enfants. Une piste de patinage.* ◆ **pistard** n. m. *Fam.* Coureur cycliste spécialisé dans les épreuves sur piste.

pistil [pistil] n. m. Ensemble des pièces femelles d'une fleur.

1. pistolet [pistɔlɛ] n. m. **1°** Arme à feu individuelle, légère, au canon très court, et qui se tient avec une seule main. — **2°** *Pistolet mitrailleur,* arme automatique individuelle, pouvant effectuer des tirs en rafales, utilisée dans le combat rapproché.

2. pistolet [pistɔlɛ] n. m. Fam. *Un drôle de pistolet,* un individu bizarre, un peu fantasque.

1. piston [pistɔ̃] n. m. Disque se déplaçant dans le corps d'une pompe, ou dans le cylindre d'un moteur à explosion ou d'une machine à vapeur.

2. piston [pistɔ̃] n. m. *Fam.* Appui donné à quelqu'un ou recommandation visant à lui obtenir un avantage, une faveur : *Il est arrivé à cette situation par le piston.* ◆ **pistonner** v. tr. Fam. : *Pistonner un ami près du directeur* (syn. : RECOMMANDER). *Il a eu besoin d'être sérieusement pistonné.*

pitance [pitɑ̃s] n. f. *Fam.* ou *ironiq.* Portion que l'on donne à un repas, nourriture : *Le chien est venu chercher sa pitance. Les prisonniers ne recevaient à midi qu'une maigre pitance.*

pitchpin [pitʃpɛ̃] n. m. Arbre résineux d'Amérique du Nord, dont le bois jaunâtre est utilisé en ébénisterie.

piteux, euse [pitø, -øz] **1°** (avant le nom) Se dit d'une personne ou d'une chose qui excite une pitié où se mêlent raillerie et mépris : *Une piteuse apparence. Un chapeau en piteux état. Faire une piteuse mine* (= avoir une mine rechignée, triste). — **2°** (après le nom) Mauvais, médiocre : *Des résultats piteux* (syn. : LAMENTABLE). ◆ **piteusement** adv. : *Echouer piteusement.*

pitié [pitje] n. f. **1°** Sentiment de compassion pour les souffrances d'autrui : *Avoir pitié d'un infirme. Ce n'est pas la pitié qui l'étouffe* (fam. : = il est impitoyable). — **2°** Fam. *A faire pitié,* d'une manière très mauvaise : *Chanter à faire pitié.* ◆ **impitoyable** adj. Qui n'a, ne manifeste aucune pitié : *Un jugement impitoyable* (= très dur; syn. : IMPLACABLE). ◆ **impitoyablement** adv.

1. piton [pitɔ̃] n. m. Clou dont la tête est en forme d'anneau ou de crochet, et dont la tige est à vis ou à pointe : *L'alpiniste plante des pitons dans la paroi rocheuse pour y accrocher sa corde.* ◆ **pitonner** v. intr. Planter des pitons.

2. piton [pitɔ̃] n. m. Pointe d'une montagne élevée : *Escalader le dernier piton d'un sommet.*

pitoyable [pitwajabl] adj. **1°** (avant ou, plus souvent, après le nom) Se dit d'une personne ou d'une chose qui excite la pitié : *Un spectacle pitoyable* (syn. : LAMENTABLE). *Il est dans une situation pitoyable* (syn. : TRISTE ; ↑ ÉPOUVANTABLE). — **2°** Qui est méprisable : *Il écrit de façon pitoyable. Un pitoyable auteur.* ◆ **pitoyablement** adv. : *Une affaire bien commencée, mais qui s'achève pitoyablement* (syn. : LAMENTABLEMENT, PITEUSEMENT). [V. PITIÉ.]

pitre [pitr] n. m. Celui qui fait des facéties stupides, qui se signale par des bouffonneries : *Faire le pitre* (syn. fam. : FAIRE LE ZOUAVE, LE CLOWN). ◆ **pitrerie** n. f. : *Les pitreries d'un écolier* (syn. : FACÉTIE, FARCE, CLOWNERIE).

pittoresque [pitɔrɛsk] adj. Se dit de ce qui a du relief, qui attire l'attention, d'une personne qui a une originalité sympathique, attirante : *Faire un récit pittoresque de ses aventures. Il est arrivé dans une tenue assez pittoresque* (syn. : COCASSE). ◆ n. m. : *Aimer le pittoresque. Le goût du pittoresque.* ◆ **pittoresquement** adv.

pivert [pivɛr] n. m. Oiseau commun en France, à plumage vert et jaune sur le corps et à tête rouge, de la famille des pics. (On écrit aussi PIC-VERT.)

pivoine [pivwan] n. f. Plante à bulbe qui donne des fleurs rouges, roses ou blanches.

pivot [pivo] n. m. **1°** Pièce cylindrique ou conique, servant de support à une autre pièce en lui permettant de tourner sur elle-même : *Le pivot d'une boussole.* — **2°** Se dit d'une personne qui est au centre d'une entreprise ou d'une chose qui en est l'élément principal : *C'était lui le pivot de la conspiration.* ◆ **pivoter** v. intr. Tourner autour d'un pivot : *La porte pivote sur ses gonds. Le sergent pivota sur ses talons après avoir salué* (syn. : TOURNER). ◆ **pivotant, e** adj. **1°** *Fauteuil pivotant.* — **2°** *Racine pivotante,* racine centrale qui s'enfonce verticalement dans la terre.

pizza [pidza] n. f. Tarte garnie de tomates, d'anchois, d'olives, etc. (spécialité italienne).

placage n. m. V. PLAQUE 1 et PLAQUER 2.

1. placard [plakar] n. m. Armoire ménagée dans un mur : *Placard à vêtements. Placard à balais.*

2. placard [plakar] n. m. **1°** Ecrit qu'on affiche comme avis : *Faire mettre un placard sur le tableau d'affichage.* — **2°** *Placard publicitaire,* dans un journal, annonce d'une certaine importance. ◆ **placarder** v. tr. Afficher sur les murs un texte imprimé : *Placarder des affiches électorales.*

1. place [plas] n. f. **1°** Espace qu'occupe ou que peut occuper une chose ou un être animé : *Ce meuble est encombrant : il tient beaucoup de place. Remettre un livre à sa place dans la bibliothèque. Un pêcheur qui s'installe toujours à la même place* (syn. : ENDROIT). ‖ *Sur place,* à l'endroit même dont il est question : *Le préfet s'était rendu sur place pendant les opérations de sauvetage* (syn. : SUR LES LIEUX). *La voiture accidentée est restée sur place deux jours. Des soldats qui se font tuer sur place sans reculer.* ‖ Fam. *Faire du sur-place,* ne pas avancer, notamment en raison des encombrements. ‖ *Etre en place,* être à l'endroit prévu, être prêt à entrer en action : *D'importantes forces de police étaient déjà en place en prévision de la manifestation.* ‖ *Avoir sa place à tel endroit,* être naturellement désigné par ses qualités pour occuper un poste, pour figurer à un certain endroit : *Un écrivain qui a sa place à l'Académie.* ‖ *Faire place à quelqu'un, à quelque chose,* être remplacé par eux; s'effacer pour laisser passer : *Les vieilles masures du quartier ont fait place à de grands immeubles.* ‖ *Tenir sa place,* remplir un rôle convenable; se faire remarquer, être l'objet d'attentions particulières : *Ce bébé tient sa place dans la maison.* ‖ *Ne pas tenir en place,* être très actif, très agité. — **2°** Emplacement réservé à un voyageur dans un moyen de transport, à un spectateur dans une salle, etc. : *Il y a quatre places dans cette voiture. Un cinéma de cinq cents places. Une tente à deux places. Il y a une place vide dans ce compartiment* (= qui n'est pas occupée). *Une place assise. Une place debout. Céder sa place dans le métro à une personne âgée.* ‖ *Prendre place,* s'installer : *Il a pris place dans l'avion.* — **3°** Rang obtenu dans un classement; rang social : *Les élèves qui ont toujours les premières places en composition. Il est discret, il sait rester à sa place.* — **4°** Charge, fonctions d'une personne : *Avoir une place intéressante, lucrative, une bonne place* (syn. : SITUATION, MÉTIER, EMPLOI). *Il a perdu sa place et cherche du travail.* (V. DÉPLACER, REMPLACER.) ● LOC. PRÉP. ET ADV. *A la place de,* en remplacement de, en échange de, au lieu de : *Le programme a été modifié : à la place du 3e concerto, on donnera la suite en « sol » mineur. Il doit évacuer le pavillon, mais on lui offre à la place un appartement dans les nouveaux immeubles.* ‖ *A votre place* (suivi d'un verbe au conditionnel), si j'étais dans votre cas : *A votre place, je ne répondrais pas à cette lettre.* ‖ *Mettez-vous à ma place,* imaginez que vous soyez dans ma situation. ◆ **demi-place** n. f. Place à demi-tarif dans un moyen de transport, une salle de spectacle, etc. ◆ **placer** v. tr. **1°** *Placer quelque chose, quelqu'un,* les mettre à telle ou telle place : *Placer des pots de confiture sur une étagère* (syn. : POSER). *Placer ses pieds sur un tabouret. Placer des fleurs dans un vase* (syn. : DISPOSER). *Placer un poste d'observation sur la colline* (syn. : ÉTABLIR, INSTALLER). *La maîtresse de maison place ses invités autour de la table. Où placez-vous ce pays sur la carte?* ‖ *Ne pas pouvoir placer un nom sur un visage,* ne plus se rappeler le nom d'une personne qu'on connaît de vue. ‖ *Ne pas pouvoir placer un mot,* ne pas pouvoir parler en raison de l'abondance des paroles de quelqu'un. — **2°** *Placer quelqu'un,* lui assigner un poste, lui procurer un emploi : *Quand il est entré dans la maison, on l'a placé aux écritures. Je me charge de placer votre frère* (syn. fam. : CASER). — **3°** *Placer une marchandise, un article,* les vendre pour le compte d'autrui : *Placer des billets de loterie. Un représentant qui place des aspirateurs.* — **4°** *Placer de l'argent,* le confier à un organisme, à une personne en vue d'opérations financières, l'investir pour le faire fructifier : *Il a placé ses économies à la caisse d'épargne* (syn. : DÉPOSER). *Acheter un terrain pour placer son argent.* ◆ **se placer** v. pr. **1°** Prendre une place, un rang : *Placez-vous autour de moi. Un élève qui s'est placé second à la composition* (syn. : SE CLASSER). — **2°** Entrer en fonction, au service de quelqu'un : *Elle s'est placée comme cuisinière au château.* ◆ **placement** n. m. Sens 2, 3 et 4 du v. tr. : *Bureau de placement* (= organisme qui permet à certaines catégories de salariés de trouver un emploi). *En période de crise financière, le placement des articles de luxe est difficile. Il a fait un excellent placement en achetant ce terrain.* ◆ **placier** n. m. Représentant de commerce qui propose ses marchandises aux particuliers.

2. place [plas] n. f. **1°** Large espace découvert où aboutissent plusieurs rues dans une agglomération : *La place de la Concorde, la place Beauvau, à Paris. Des retraités qui font une partie de boules sur la place du village.* — **2°** *Place forte,* ou simplement *place,* agglomération défendue par des fortifications; ville de garnison : *Le général commandant la place.* — **3°** Ensemble des négociants, des banquiers d'une ville : *Un commerçant très connu sur la place de Paris.*

placide [plasid] adj. Se dit d'une personne douce, calme, ou de ses sentiments : *Rester placide sous les injures* (syn. : IMPERTURBABLE). *Un sourire placide* (syn. : SEREIN). ◆ **placidement** adv. : *Il répond toujours placidement quand on le questionne.* ◆ **placidité** n. f. : *Il a appris cet échec avec sa placidité habituelle* (syn. : CALME, SÉRÉNITÉ).

plafond [plafɔ̃] n. m. **1°** Surface horizontale, le plus souvent enduite de plâtre, qui forme la partie supérieure d'un lieu couvert, d'une pièce, d'un véhicule : *Un lustre pend au plafond. Le plafond est crevassé par endroits.* — **2°** Limite supérieure d'une vitesse, d'une valeur, etc. : *Le plafond des avions était à cette époque de 10 000 mètres* (= l'altitude de vol maximale). *Une voiture qui atteint très vite son plafond consomme généralement beaucoup* (= sa vitesse maximale). ‖ Fam. *Crever le plafond,* dépasser la limite normale. ◆ **plafonner** v. tr. Garnir d'un plafond : *Faire plafonner une chambre aménagée dans un grenier.* ◆ v. intr. Atteindre sa hauteur, sa valeur maximale : *Un employé qui plafonnait à huit cents francs* (= dont la rémunération ne pouvait pas dépasser la valeur de). ◆ **plafonnier** n. m. Appareil d'éclairage fixé au plafond : *Allumer le plafonnier dans sa voiture.*

plage [plaʒ] n. f. **1°** Au bord de la mer, étendue plate couverte de sable ou de galets : *Nous irons à la plage prendre un bain de soleil. Une belle plage de sable fin.* — **2°** Station balnéaire : *Les plages bretonnes, méditerranéennes.*

plagier [plaʒje] v. tr. et intr. Piller les ouvrages des auteurs (écrivains, musiciens) en donnant pour siennes les parties ainsi copiées : *Plagier un roman* (syn. : DÉMARQUER). *Plagier un écrivain* (syn. : ↓ IMITER). ◆ **plagiat** n. m. : *Accuser un auteur de plagiat* (syn. : COPIE, ↓ EMPRUNT). *Le plagiat des œuvres imprimées est un délit.* ◆ **plagiaire** n. : *Etre victime d'un plagiaire* (syn. : CONTREFACTEUR).

plaid [plɛd] n. m. Couverture de voyage, dont on recouvre souvent les sièges d'une voiture.

plaider [plede] v. intr. **1°** Soutenir une cause devant quelqu'un : *Son avocat va plaider dès que le dossier sera complet.* — **2°** *Plaider contre quelqu'un,* soutenir contre lui une action judiciaire. ‖ *Plaider au fond,* faire porter sa plaidoirie sur le fond du problème. ‖ *Plaider pour quelqu'un, en faveur de quelqu'un,* soutenir sa cause, ou (sujet nom de chose) être à son avantage : *L'air désinvolte de ce candidat ne plaide pas en sa faveur.* ◆ v. tr. **1°** *Plaider une cause,* la défendre : *Plaider la cause d'un accusé.* — **2°** *Plaider quelque chose,* l'exposer dans sa plaidoirie, dans son argumentation : *Plaider la légitime défense. Il a décidé de plaider coupable* (= de se défendre en admettant qu'il est coupable). — **3°** *Plaider le faux pour savoir le vrai,* dire à quelqu'un une chose qu'on sait fausse pour l'amener à dire la vérité. ◆ **plaideur, euse** n. : *Essayez donc d'abord de mettre d'accord les plaideurs.* ◆ **plaidoirie** n. f. Exposé visant à défendre un accusé, à soutenir une cause (langue jurid.). ◆ **plaidoyer** n. m. **1°** Discours prononcé devant un tribunal pour défendre une cause. — 2° Défense en faveur d'une opinion, d'une personne : *Votre livre est un véritable plaidoyer contre la peine de mort.*

plaie [plɛ] n. f. 1° Déchirure causée dans les chairs par une blessure, un abcès ou une brûlure : *Une plaie béante. Plaie infectée. Une large plaie. Une plaie profonde à la tête. Laver une plaie.* — 2° Source de douleur (langue soutenue) : *Il avait perdu sa femme, et la plaie ne se cicatrisait que lentement.* — 3° *Mettre le doigt sur la plaie,* trouver la cause de l'affliction, de la douleur d'un autre. ‖ Fam. *Quelle plaie!,* exclamation à propos d'une personne désagréable, d'un événement fâcheux.

plaignant, e n. V. PLAINDRE 2.

1. plaindre [plɛ̃dr] v. tr. (conj. **55**). 1° *Plaindre une personne, un animal,* avoir à leur égard des sentiments de compassion : *Je vous plains très sincèrement. Je la plains d'avoir des enfants aussi difficiles.* — 2° *Ne pas plaindre sa peine, son temps,* etc., se dépenser sans compter. — 3° *Etre à plaindre,* mériter la compassion, la commisération (souvent dans des phrases négatives) : *Avec ce qu'il gagne, il n'est pas à plaindre.*

2. plaindre (se) [səplɛ̃dr] v. pr. (conj. **55**). 1° Exprimer sa souffrance : *Il est mort sans se plaindre* (syn. : GÉMIR, GEINDRE, SE LAMENTER, PLEURER). *Il se plaint de fréquents maux de tête. De quoi vous plaignez-vous? Vous ne manquez de rien.* — 2° Exprimer son mécontentement : *Si vous ne m'échangez pas cet article, je vais me plaindre au chef de rayon* (syn. : PROTESTER). *Il se plaint d'avoir été doublé par un chauffard* (syn. pop. : RÂLER, ROUSPÉTER). *Elle se plaint que la vie est* (ou *soit*) *chère. Vous laissez votre voiture ouverte : ne vous plaignez pas si on vous vole ce qu'il y a dedans!* ◆ **plainte** n. f. 1° Parole, cri, gémissement émis sous l'effet de la douleur physique ou morale : *Le blessé faisait entendre de faibles plaintes* (syn. : GÉMISSEMENT). *Elle commence à lasser tout le monde avec ses plaintes continuelles* (syn. péjor. : JÉRÉMIADE). — 2° Dénonciation en justice d'une infraction par la personne qui en a été la victime : *Déposer une plainte contre quelqu'un.* ‖ *Porter plainte,* rédiger un procès-verbal de dénonciation et le déposer devant le magistrat compétent. ◆ **plaignant, e** n. Personne qui a déposé une plainte contre une autre, qui fait un procès à quelqu'un. ◆ **plaintif, ive** adj. : *Une voix plaintive* (syn. : DOLENT, GÉMISSANT ; péjor. : GEIGNARD). *Un ton plaintif* (syn. péjor. : PLEURARD). *Une note plaintive* (syn. : TRISTE). ◆ **plaintivement** adv.

plaine [plɛn] n. f. Etendue plate, aux vallées peu enfoncées dans le sol : *La plaine du Pô, en Italie. Il est plus facile de rouler en plaine qu'en montagne.*

plain-pied (de) [dəplɛ̃pje] loc. adv. Au même niveau : *Les deux pièces ne sont pas de plain-pied : on passe de l'une à l'autre par des marches. Se sentir de plain-pied avec son interlocuteur* (= sur un pied d'égalité). *Il est entré de plain-pied dans le sujet* (= directement, sans introduction ni circonlocutions).

plainte n. f. V. PLAINDRE 2.

1. plaire [plɛr] v. tr. ind. et intr. (conj. **77**). *Plaire à quelqu'un,* lui être agréable, exercer sur lui un attrait, un charme : *Votre lampe nous plaît, nous l'achetons* (syn. : CONVENIR). *Ce repas leur a beaucoup plu* (syn. : FAIRE PLAISIR). *Cette région me plairait beaucoup à habiter* (= j'aurais plaisir à l'habiter). *Il ne fait que ce qui lui plaît* (= que ce qu'il veut). *Il y a des acteurs qui cherchent à plaire par tous les moyens* (syn. : FLATTER). *Elle a tout pour plaire* (= se faire aimer). ◆ v. impers. : *Il lui plaît de croire que tout ira bien. Il ne me plaît pas qu'on prétende s'occuper de mes affaires malgré moi.* ◆ ***se plaire*** v. pr. 1° (sujet nom de personne) *Se plaire à, dans,* etc. (et un nom), *à* (et l'infin.), y prendre du plaisir : *Ils se plaisent à escalader les rochers le dimanche* (syn. : AIMER). *Elle se plaît aux mathématiques* (syn. : S'INTÉRESSER À). *Il se plaît dans la débauche* (syn. : SE COMPLAIRE). — 2° (sujet nom d'être vivant) Se trouver bien en un lieu, y prospérer : *Alors, vous vous plaisez dans votre maison de campagne? Le muguet se plaît dans les sous-bois.* — 3° Se convenir réciproquement : *Ces deux jeunes gens se plaisent.* ◆ **plaisant, e** adj. : *Un séjour très plaisant* (syn. : AGRÉABLE). ◆ **déplaire** v. tr. ind. et intr. *Déplaire à quelqu'un,* lui être désagréable : *Sa vanité déplaît à tout son entourage. Cette allusion a profondément déplu* (syn. : ↑ IRRITER, OFFENSER). *Les événements prennent une tournure qui me déplaît* (syn. : CONTRARIER, CHAGRINER). ◆ v. impers. 1° *Il me déplairait d'être obligé de vous punir.* — 2° *N'en déplaise à,* même si cela doit contrarier (ironiq.) : *La pièce obtient un beau succès, n'en déplaise aux critiques. Je me permets de ne pas être de votre avis, ne vous en déplaise.* ◆ ***se déplaire*** v. pr. (sujet nom de personne). Ne pas se trouver bien : *Il se déplaît dans sa nouvelle place. Il se sont déplu dans cette région* (syn. : S'ENNUYER). ◆ **déplaisant, e** adj. : *Une remarque déplaisante* (syn. : DÉSOBLIGEANT). *Des voisins déplaisants* (syn. : DÉSAGRÉABLE). ◆ **plaisance (de)** loc. adj. *Maison de plaisance,* habitation secondaire, où l'on passe ses vacances. ‖ *Bateau de plaisance,* bateau qu'on emploie pour se distraire. ‖ *Navigation de plaisance,* navigation que l'on effectue pour son agrément, à l'occasion des vacances (par oppos. à *pêche,* à *transport*). [V. COMPLAIRE, PLAISIR.]

2. plaire [plɛr] v. impers. (conj. **77**) [expressions usuelles]. *S'il te plaît, s'il vous plaît,* formule de politesse employée pour une demande, un conseil, un ordre : *Puis-je sortir, Monsieur, s'il vous plaît? Voulez-vous signer votre carte d'électeur, s'il vous plaît?* ‖ Fam. *S'il vous plaît,* formule pour attirer l'attention sur ce qu'on vient de dire : *Elle a une voiture de luxe, s'il vous plaît!* ‖ *Plaît-il?,* formule pour faire répéter ce qu'on a mal entendu. ‖ *Plût au ciel que, plaise au ciel que* (et le subj.), formules de regret ou de souhait (langue soignée) : *Plût au ciel que rien de tout cela ne fût arrivé! Plaise au ciel qu'il soit encore vivant!*

1. plaisant, e adj. V. PLAIRE 1.

2. plaisant, e [plezɑ̃, -ɑ̃t] adj. (avant ou après le nom). Se dit d'une personne ou d'une chose qui fait rire : *Aimer, écouter une histoire plaisante* (syn. : AMUSANT, DIVERTISSANT, DRÔLE ; fam. : RIGOLO). *Une plaisante aventure lui est récemment arrivée.* ◆ **plaisant** n. m. *Mauvais plaisant,* personne qui joue de mauvais tours, de mauvaises farces : *Un mauvais plaisant a dégonflé les pneus de ma voiture.* ◆ **plaisamment** adv. De façon à faire rire : *On disait plaisamment de lui que son principal mérite était de ne s'être occupé de rien* (contr. : SÉRIEUSEMENT). ◆ **plaisanter** v. intr. 1° Dire des choses drôles, ne pas parler sérieusement : *On ne s'ennuie pas avec lui : il aime à plaisanter dans la conversation. Il est malséant de plaisanter sur certains sujets. Je ne plaisante pas* (= je parle très sérieusement). — **2°** Faire des choses comiques ou qu'on ne prend pas au sérieux : *Il le mit en joue avec sa canne, pour plaisanter.* — **3°** Fam. *Il ne plaisante pas avec la discipline, l'exactitude,* etc., il est très strict sur ce chapitre (syn. : BADINER). ‖ *Il ne faut pas plaisanter avec cela,* c'est sérieux, dangereux, etc. ◆ v. tr. *Plaisanter quelqu'un,* se moquer gentiment de lui : *Il plaisantait parfois son père sur sa Légion d'honneur. On le plaisantait de regretter le temps des fiacres* (syn. : RAILLER, TAQUINER; fam. : BLAGUER; pop. : CHARRIER). ◆ **plaisanterie** n. f. **1°** Propos ou acte de quelqu'un qui plaisante : *On faisait des plaisanteries sur sa vie privée. Une plaisanterie fine, grosse, de mauvais goût.* — **2°** *Mauvaise plaisanterie,* farce qui entraîne un désagrément considérable pour celui qui en est l'objet. ‖ *Comprendre la plaisanterie,* ne pas s'offenser de ce qui est dit en plaisantant. ‖ *C'est une plaisanterie!,* se dit d'une chose à laquelle on ne croit pas, qui est ridicule, ou d'une chose facile à faire : *Vous ne pensiez pas que j'allais accepter? C'est une plaisanterie! Ce problème, c'est une plaisanterie!* ◆ **plaisantin** n. m. Fam. et péjor. *C'est un plaisantin, un petit plaisantin,* on ne peut pas le prendre au sérieux.

plaisir [plezir] n. m. **1°** Sensation ou sentiment qu'excite en nous la possession ou l'image de ce qui nous plaît, nous attire : *Boire avec plaisir un verre de bon vin* (syn. : CONTENTEMENT, ↑ DÉLECTATION). *Ce film m'a donné beaucoup de plaisir* (syn. : AGRÉMENT). *J'ai le plaisir de vous annoncer votre succès* (syn. : JOIE, SATISFACTION). *J'ai eu le plaisir (grand plaisir, beaucoup de plaisir) à m'entretenir avec vous. S'attarder par plaisir dans une région pittoresque. Rougir de plaisir* (syn. : BONHEUR). — **2°** *Le bon plaisir de quelqu'un,* son caprice, sa fantaisie. ‖ *Faire plaisir à quelqu'un,* lui être agréable : *Cette bonne nouvelle lui a fait plaisir. Vous nous feriez plaisir en acceptant de dîner avec nous.* ‖ *Faites-moi le plaisir de...,* s'emploie, selon les cas, pour rendre une prière plus aimable ou un ordre plus pressant : *Faites-moi le plaisir de passer la soirée avec moi. Faites-moi le plaisir* (ou *vous allez me faire le plaisir*) *de recommencer tout de suite ce travail.* ‖ *Se faire un plaisir de faire quelque chose,* le faire très volontiers : *Je me ferai un plaisir de vous raccompagner en voiture.* ‖ *Je vous (leur, etc.) souhaite bien du plaisir!,* se dit par ironie à quelqu'un qui va faire quelque chose de difficile, de désagréable. ‖ *Avoir un malin plaisir à faire quelque chose,* le faire en se réjouissant de l'inconvénient qui en résultera pour autrui. ● LOC. ADV. *A plaisir,* par caprice, sans motif valable, sans fondement : *Se tourmenter à plaisir.* ‖ Fam. *Au plaisir!* (de vous revoir), formule d'adieu. ◆ **plaisirs** n. m. pl. Divertissements, agréments de la vie, notamment dans le domaine des sens : *Aimer les plaisirs de la vie. Vivre dans les plaisirs. Les plaisirs de l'esprit.* (V. DÉPLAISIR, PLAIRE.)

1. plan [plɑ̃] n. m. Surface unie comme celle d'un liquide au repos : *Si on pose une bille sur un plan bien horizontal, elle reste immobile. Si deux plans verticaux se coupent, leur intersection est une droite verticale. Un plan d'eau.* ◆ **plan, e** adj. Plat, uni, sans inégalité de niveau : *Miroir plan. Surface plane.* (V. APLANIR.)

2. plan [plɑ̃] n. m. **1°** Éloignement relatif des objets dans la perception visuelle, dans un dessin, un tableau qui représente des objets sur trois dimensions : *Au premier plan du tableau, la Vierge et l'Enfant; à l'arrière-plan, un paysage conventionnel.* — **2°** Fragment d'un film qui est tourné en une seule fois. ‖ *Gros plan,* fragment d'un film qui représente un objet particulier, un détail, une partie d'un personnage : *Le héros apparut en gros plan sur l'écran.* — **3°** *Au premier plan, au deuxième plan,* etc., indique un classement d'objets, de personnes ou d'idées par ordre décroissant d'importance : *C'est la morale qui est au premier plan des préoccupations de ce philosophe.* ‖ *De premier plan, de tout premier plan,* se dit d'une personne ou d'une chose remarquable : *Avoir une personnalité de tout premier plan.* ◆ **arrière-plan** n. m. **1°** Ce qui, dans la perspective, est le plus éloigné de l'œil du spectateur : *Les montagnes enneigées forment un arrière-plan où se détachent les chalets de bois. Le nettoyage du tableau fit apparaître des arrière-plans d'une finesse incroyable.* — **2°** Ce qui, dans une situation, reste dans l'ombre, ou a une importance secondaire : *Il y a dans leur rivalité professionnelle un arrière-plan de jalousie et d'intérêt. Le projet de traité est passé à l'arrière-plan des préoccupations diplomatiques* (syn. : SECOND PLAN).

3. plan [plɑ̃] n. m. **1°** Aspect sous lequel on considère quelqu'un ou quelque chose : *C'est une opération désastreuse sur tous les plans* (= à tous les égards). — **2°** *Sur le plan de,* dans le domaine de : *Sur le plan de la conduite, il n'y a rien à dire, mais sur le plan intellectuel, cet élève est plutôt déficient.* ‖ *Sur le même plan* (en parlant de choses, de personnes), sur le même niveau, à un même degré, etc. : *Toutes les données du problème sont sur le même plan, aucune n'est plus importante que les autres. Vos connaissances sont sur le même plan que les miennes.*

4. plan [plɑ̃] n. m. **1°** Projet élaboré servant de base à la réalisation matérielle : *Faire le plan d'un voyage. Faire des plans d'avenir.* ‖ *Dresser des plans,* faire des projets. ‖ *Avoir son plan,* avoir des intentions précises. — **2°** Ensemble des mesures gouvernementales ayant pour objet l'orientation économique et sociale d'un pays pour une période donnée, ou ensemble de mesures visant à l'expansion d'une région, d'une entreprise : *Plan quinquennal. Plan de modernisation et d'équipement. Plan financier.* ◆ **planifier** v. tr. Organiser, régler le développement selon un plan : *Planifier la recherche scientifique. L'économie planifiée* (contr. : LIBÉRAL). ◆ **planification** n. f. : *La planification détermine les objectifs économiques à atteindre dans un délai déterminé et les moyens concertés qui sont mis en œuvre. Planification du travail dans une entreprise.* ◆ **planificateur, trice** adj. et n. : *Les mesures planificatrices tendent à assurer le plein-emploi.* ◆ **planning** n. m. Programme de fabrication dans une entreprise; plan de travail, de production.

5. plan [plɑ̃] n. m. **1°** Dessin représentant un ouvrage en projet ou réalisé : *Acheter un appartement sur plan* (contr. : CONSTRUIT, RÉALISÉ). *Plan d'architecte. Plan d'une église.* — **2°** Fam. *En plan,* se dit d'une chose restée inachevée ou d'une personne laissée seule, abandonnée : *Il a commencé son devoir, mais il l'a laissé en plan pour aller jouer. Ne me laissez pas en plan dans cette ville où je ne connais personne.*

1. planche [plɑ̃ʃ] n. f. 1° Pièce de bois sciée, nettement plus large qu'épaisse : *Cabane en planches. Raboter une planche.* — 2° *Planche de salut,* dernière ressource, moyen de salut dans une situation désespérée : *Ce candidat croit que sa planche de salut lui est donnée par les matières à option.* ‖ Fam. *Planche pourrie,* appui incertain et dangereux. ‖ Fam. *Avoir du pain sur la planche,* avoir beaucoup de travail en perspective. ‖ *Faire la planche,* en natation, se maintenir étendu sur le dos sans faire de mouvements. — 3° Pop. *Planche à pain, planche à repasser,* femme aux formes peu saillantes. ◆ **planches** n. f. pl. Le théâtre, la scène : *Monter sur les planches* (= être acteur). ◆ **planchette** n. f. Petite planche.

2. planche [plɑ̃ʃ] n. f. Ensemble de dessins, d'illustrations, dans un livre : *Une planche de papillons dans un dictionnaire.*

3. planche [plɑ̃ʃ] n. f. Portion de jardin affectée à une culture spéciale : *Une planche de salades, de radis, de poireaux.*

1. plancher [plɑ̃ʃe] n. m. 1° Séparation horizontale entre deux étages d'une maison : *Dans l'immeuble en construction, ils n'ont pas encore mis les planchers.* — 2° Face supérieure de cette séparation, constituant le sol d'un appartement : *Plancher en bois. Nettoyer le plancher. Couvrir le plancher d'une moquette* (syn. : PARQUET). — 3° Fam. *Débarrasser le plancher,* partir. ◆ **planchéier** v. tr. *Planchéier une pièce,* revêtir son sol d'un plancher.

2. plancher [plɑ̃ʃe] v. intr. *Arg. scol.* Etre interrogé au tableau; faire un exposé.

planer [plane] v. intr. 1° (sujet nom désignant un oiseau) Se soutenir dans l'air, sans mouvement apparent; (sujet nom de chose) flotter dans l'air : *L'aigle plane un moment au-dessus de sa proie. Une épaisse fumée planait dans la pièce.* — 2° *Son regard plane sur* (*la campagne, la foule,* etc.), il considère de haut, il domine par le regard (littér.). — 3° (sujet nom de personne) *Planer au-dessus de quelque chose,* le dominer par la pensée, perdre le contact avec la réalité : *Il plane au-dessus de ces détails de la vie quotidienne.* — 4° (sujet nom de chose) S'exercer d'une manière plus ou moins menaçante : *Un danger mortel plane sur la ville* (= être suspendu). *Laisser planer des accusations perfides. L'auteur a laissé planer le mystère jusqu'à la fin de la pièce.* ◆ **plané, e** adj. *Vol plané,* vol d'un oiseau qui plane; vol d'un avion qui est en mouvement sans l'aide d'un moteur; *fam.,* chute pardessus un obstacle. ◆ **planeur** n. m. Avion sans moteur, qui vole mû par les courants aériens.

planète [planɛt] n. f. Corps céleste non lumineux par lui-même, gravitant autour du Soleil : *Les planètes du système solaire. Mercure, Mars, Jupiter, Saturne, Uranus, Vénus, la Terre, Neptune, Pluton sont les neuf grandes planètes.* ◆ **planétaire** adj. : *Le mouvement planétaire.* ◆ **planétarium** n. m. Installation représentant les mouvements des corps célestes sur une voûte. ◆ **interplanétaire** adj. : *Les espaces interplanétaires.*

planisphère [planisfɛr] n. m. Carte représentant les deux hémisphères terrestres.

planquer [plɑ̃ke] v. tr. *Pop.* Mettre à l'abri en cachant : *Planquer de l'argent à l'étranger.* ◆ ***se planquer*** v. pr. *Pop.* Se mettre à l'abri d'un danger : *Se planquer derrière un mur pour éviter les projectiles.* ◆ **planqué** n. m. Fam. : *Pendant la guerre, les combattants étaient furieux contre les planqués* (syn. fam. : EMBUSQUÉ). ◆ **planque** n. f. 1° *Pop.* Cachette. — 2° *Pop.* Place où le travail est facile, où l'on est à l'abri des ennuis : *Trouver une planque* (syn. fam. : FILON).

plantain [plɑ̃tɛ̃] n. m. Plante commune dont la semence sert de nourriture aux petits oiseaux.

1. plante [plɑ̃t] n. f. Nom général donné aux végétaux, aux êtres vivants fixés au sol par des racines : *Une plante vivace. Les plantes grasses* (comme le cactus). *Des plantes vertes pour décorer le hall d'entrée* (= des plantes décoratives toujours vertes). *Des plantes textiles* (comme le lin). *Les plantes fourragères* (comme le trèfle). *Un jardin des plantes* (= un jardin où l'on cultive les plantes pour l'étude de la botanique). ◆ **plant** n. m. 1° Jeune végétal au début de sa croissance, qui vient d'être planté ou qui est destiné à être repiqué : *Des plants de vigne. Des plants de salades.* — 2° *Un plant de* (carottes, asperges, etc.), un ensemble de végétaux plantés dans le même endroit.

2. plante [plɑ̃t] n. f. *Plante des pieds* (*du pied*), face inférieure du pied de l'homme et des animaux, qui, dans la marche, porte sur le sol. ◆ **plantaire** adj. : *Une verrue plantaire* (= à la plante du pied). ◆ **plantigrade** adj. et n. m. Se dit des animaux qui marchent sur la plante des pieds, au lieu de marcher seulement sur les doigts : *L'ours est plantigrade.*

planter [plɑ̃te] v. tr. 1° *Planter un arbre, des légumes,* etc., mettre de jeunes végétaux en terre pour qu'ils prennent racine, pour qu'ils poussent : *Planter des salades, des pommes de terre, des rosiers. On a planté des hêtres pour reboiser la montagne.* — 2° *Planter un lieu,* le garnir d'arbres, de végétaux : *Une avenue plantée d'arbres. On a planté le pays de vignes.* — 3° *Planter un clou, un pieu,* etc., les enfoncer dans une matière plus ou moins dure, dans le sol, afin de maintenir, de soutenir, etc. : *Planter un clou dans un mur pour accrocher un tableau. Planter en terre des piquets pour faire une clôture* (syn. : FICHER). *Le lion planta ses griffes dans le bras du dompteur.* — 4° *Planter une tente, un drapeau,* etc., les installer, les placer de manière qu'ils restent droits, fixés au sol, etc. : *Les campeurs plantèrent leur tente près de la rivière* (syn. : DRESSER, MONTER). *Le drapeau fut planté au sommet du fort* (syn. : ARBORER). *Planter des décors* (syn. : INSTALLER). *Planter son chapeau sur sa tête. Le peintre planta son chevalet sur la place de la cathédrale.* — 5° (sujet nom de personne) [*Etre*] *planté,* être droit, comme fixé au sol : *Un garçon bien planté sur ses jambes* (= droit et ferme). *Rester planté devant une vitrine* (= immobile). — 6° *Planter son regard, ses yeux sur quelqu'un,* le fixer avec insistance. ‖ *Planter un baiser sur les lèvres,* l'appliquer directement et brusquement. — 7° Fam. *Planter là quelqu'un,* le quitter brusquement : *Il m'a planté là pour partir en courant vers l'autobus.* ‖ *Planter là quelque chose,* abandonner une entreprise, cesser d'agir : *Je suis décidé à tout planter là si vous continuez vos critiques* (syn. fam. : PLAQUER, LAISSER TOMBER). ◆ ***se planter*** v. pr. 1° Se fixer : *La balle vint se planter au milieu de la cible. Les arbres se plantent à l'automne.* — 2° Se tenir immobile et debout : *Il est venu se planter devant le bureau pour me parler. Il se planta à l'écart pour obser-*

ver la scène. ◆ **plantation** n. f. 1° Action de planter : *La plantation d'arbres. La plantation des décors.* — 2° Ensemble de végétaux plantés en un endroit : *La grêle a détruit les plantations* (syn. : CULTURE). — 3° Exploitation agricole où l'on cultive des plantes industrielles : *Une plantation de tabac, de café. Les plantations de canne à sucre.* ◆ **planteur** n. m. Propriétaire d'une plantation (sens 3). ◆ **déplanter** v. tr. *Déplanter un arbre, un rosier,* etc., l'extraire du sol en vue de le replanter ailleurs (syn. : ARRACHER). ◆ **replanter** v. tr.

planton [plɑ̃tɔ̃] n. m. 1° Soldat assurant des liaisons entre divers services : *Le planton dépêcha les ordres du colonel.* — 2° *Faire le planton,* attendre debout un long moment : *Je suis resté près d'une demi-heure à faire le planton, en l'attendant.*

plantureux, euse [plɑ̃tyrø, -øz] adj. 1° *Repas plantureux,* d'une grande abondance (syn. : ↓ COPIEUX). — 2° *Fam.* Se dit d'une femme bien en chair, aux formes proéminentes : *Une beauté plantureuse. Avoir une poitrine plantureuse.* — 3° *Région, terre plantureuse,* où les récoltes sont abondantes. ◆ **plantureusement** adv.

1. plaque [plak] n. f. 1° Feuille d'une matière rigide formant une surface peu épaisse : *Une plaque de cuivre. Les enfants ont cassé la plaque de marbre de la cheminée.* — 2° Objet ayant la forme, l'aspect d'une plaque : *Plaque d'égout* (= couvercle au-dessus de l'entrée d'un égout). *Plaque de four. Plaque de blindage.* ‖ *Plaque tournante,* plate-forme servant à faire passer d'une voie à une autre des wagons, des locomotives, etc. ; lieu d'où partent diverses voies, où s'ouvrent plusieurs possibilités. — 3° Lamelle de peau, de sang coagulé, surface couverte d'excoriations, de boutons : *Des plaques d'eczéma.* ◆ **plaquer** v. tr. Appliquer une feuille d'une matière rigide sur quelque chose : *Plaquer du métal sur du bois.* ◆ **plaqué, e** adj. Se dit d'un objet que l'on a recouvert d'une feuille de métal précieux : *Un bracelet plaqué. Montre plaquée or* (= plaquée avec de l'or, recouverte d'une feuille d'or). ◆ **plaqué** n. m. Métal commun recouvert d'une feuille de métal précieux : *Bijoux en plaqué.* ◆ **placage** n. m. Revêtement, en bois précieux, de la surface de certains meubles : *Un placage en acajou.* ◆ **plaquette** n. f. : *Une plaquette de chocolat, de marbre.*

2. plaque [plak] n. f. 1° Pièce de métal qui porte diverses indications (identité, numéro signalétique, etc.) : *Plaque d'immatriculation. Plaque d'identité. Plaque de police* (= portant le numéro d'une voiture). *Plaque de garde champêtre.* — 2° Insigne des hauts grades de certains ordres : *La plaque de grand officier de la Légion d'honneur.* ◆ **plaquette** n. f. Petite plaque métallique frappée en l'honneur d'un personnage : *Plaquette commémorative.*

1. plaquer [plake] v. tr. 1° *Plaquer quelqu'un, quelque chose,* l'appliquer fortement contre quelque chose : *Il a réussi à plaquer son agresseur contre un mur* (syn. : APPUYER, ADOSSER). *Pourquoi plaques-tu tes cheveux sur ton crâne?* (syn. : COLLER). — 2° *Plaquer un accord,* frapper vigoureusement plusieurs touches à la fois au piano.

2. plaquer [plake] v. tr. Au rugby, faire tomber un adversaire, pour lui prendre le ballon, en lui saisissant les jambes. ◆ **placage** n. m. : *Faire un placage.*

3. plaquer [plake] v. tr. Pop. *Plaquer quelqu'un, quelque chose,* l'abandonner soudain : *Il a fait un bout de chemin avec moi, puis il m'a plaqué quand il a vu son ami* (syn. fam. : LAISSER TOMBER, LAISSER CHOIR, PLANTER LÀ). *Il a plaqué sa situation pour se lancer dans le cinéma.*

1. plaquette [plakɛt] n. f. Petit livre de peu d'épaisseur : *Il a écrit quelques plaquettes de vers dans sa jeunesse.*

2. plaquette n. f. V. PLAQUE 1 et 2.

plasma [plasma] n. m. Liquide clair du sang et de la lymphe, où sont les globules.

plastic [plastik] n. m. Explosif brisant : *On trouva chez les terroristes plusieurs kilos de plastic et des détonateurs.* ◆ **plastiquer** v. tr. Faire sauter avec du plastic. ◆ **plastiquage** n. m.

plastique [plastik] adj. 1° Se dit de corps qui peuvent être façonnés, modelés, et qui conservent la forme qu'on leur donne : *Argile plastique.* — 2° *Matière plastique,* matière synthétique, que l'on peut transformer à volonté par un procédé de moulage, de formage, etc. : *Un stylo en matière plastique. Un imperméable en matière plastique.* — 3° *Arts plastiques,* ensemble des arts du dessin, y compris la peinture et la sculpture. ◆ n. m. Syn. de MATIÈRE PLASTIQUE : *Des chaussures à semelle en plastique. Des vêtements rangés dans une housse de plastique.* ◆ **plasticité** n. f. : *La plasticité de l'argile. La plasticité du caractère, chez certains êtres* (syn. : SOUPLESSE, ADAPTABILITÉ).

plastron [plastrɔ̃] n. m. 1° *Plastron d'une chemise,* le devant (empesé ou souple) d'une chemise. — 2° Pièce de cuir ou de toile rembourrée que les escrimeurs mettent pour se protéger.

plastronner [plastrɔne] v. intr. Avoir une attitude fière, en bombant le torse ; faire l'avantageux : *Se sentant admiré, il plastronnait devant les invités* (syn. : PARADER).

1. plat, e [pla, plat] adj. (le plus souvent après le nom). 1° Se dit d'une chose dont la surface est unie, qui manque de relief : *Barque à fond plat. Sol plat, terrain plat* (syn. : HORIZONTAL, UNI). *Chapeau plat. Poitrine plate.* ‖ *Cheveux plats,* cheveux ni frisés ni bouclés. ‖ *A plat ventre,* étendu de tout son long sur le sol, le visage tourné vers la terre : *Il se mit à plat ventre pour regarder sous la commode.* ‖ Fam. *Se mettre à plat ventre devant quelqu'un,* se montrer servile à son égard (syn. : S'APLATIR, RAMPER ; fam. : S'ÉCRASER). ‖ *Assiette plate,* dont la concavité est faible (contr. : CREUX). ‖ *Pied plat,* pied dont la voûte plantaire est affaissée, trop large et trop aplatie. — 2° Se dit d'une chose qui manque d'épaisseur : *Os plat. Poisson plat. Lime plate.* — 3° Se dit d'une chose peu élevée : *Chaussures à talon plat* (contr. : HAUT). ● LOC. ADV. ET ADJ. *A plat,* sur la surface large : *Poser, mettre quelque chose à plat* (syn. : HORIZONTALEMENT). ‖ *Tomber à plat,* ne trouver aucun écho : *Sa remarque tomba à plat dans le brouhaha.* ‖ *Pneu à plat,* pneu dégonflé entièrement. ‖ *Rouler à plat,* rouler avec un véhicule dont les pneus sont à plat. ‖ (sujet nom de personne) Fam. *Etre à plat,* n'être pas en bonne forme, par suite de fatigue, de maladie : *A la fin de la semaine, je me sens complètement à plat* (syn. : DÉPRIMÉ). ◆ **plat** n. m. 1° Partie plate de quelque chose : *Le plat d'un sabre. Ce cheval fait une course de plat* (= sur un terrain plat). ‖ *Plat de côtes* (ou *plates côtes*), partie du bœuf qui comprend les côtes prises dans le milieu de leur longueur et les muscles. ‖ *Plat de la main*, paume de la main dont les doigts sont étendus : *Il a frappé violemment la table avec le plat de la main.* — 2° Fam. *Faire du plat à quelqu'un*, le flatter. (V. APLATIR.)

2. plat, e [pla, plat] adj. (peut se placer avant le nom). 1° Se dit d'une personne ou d'une chose qui manque de caractère, de personnalité : *Un plat personnage. Un vin plat. Une comédie plate* (syn. : BANAL, ↑ FADE). *Ce film n'est qu'une plate adaptation d'un roman célèbre* (syn. : ↑ INSIPIDE). — 2° *Faire de plates excuses*, faire des excuses veules, humiliantes. — 3° *Calme plat*, état où rien de notable ne se produit : *Les affaires, la Bourse sont dans un calme plat.* ◆ **platement** adv. : *Un texte platement traduit. S'exprimer platement* (= sans originalité, d'une manière banale). *S'excuser platement.* ◆ **platitude** n. f. 1° Absence d'originalité, d'imprévu : *La platitude de son existence lui pesait* (syn. : MÉDIOCRITÉ). *La platitude d'une œuvre musicale* (syn. : BANALITÉ). — 2° Parole, acte sans originalité : *Dire des platitudes* (syn. : BANALITÉ, FADAISE). — 3° Humilité excessive, manque de dignité : *La platitude de ce courtisan dépassait les bornes* (syn. : AVILISSEMENT, BASSESSE). *La platitude de ses excuses est écœurante.*

3. plat [pla] n. m. 1° Pièce de vaisselle de table plus grande et plus creuse qu'une assiette : *Un plat long. Un plat creux. Apporter les plats sur la table.* — 2° Contenu d'un plat : *Servir un plat de poisson. Manger un plat froid.* — 3° Chacun des éléments d'un menu : *Le premier, le deuxième plat.* — 4° Fam. *En faire tout un plat*, donner une importance exagérée à quelque chose. ‖ Fam. *Mettre les petits plats dans les grands*, servir un repas soigné, cérémonieux, qui impressionne les invités.

platane [platan] n. m. Arbre commun en France, dont l'écorce se détache facilement et qui orne fréquemment les avenues, les routes.

1. plateau [plato] n. m. 1° Support plat, servant à transporter des objets de ménage : *Mettez les couverts sales sur le plateau et remportez-le à la cuisine.* — 2° Disque d'une balance recevant les matières à peser. — 3° Lieu d'un studio où évoluent les acteurs de cinéma : *Monter sur le plateau. Ne pas être dans le champ de vision sur le plateau pendant le tournage.* — 4° Pièce circulaire rotative, en métal recouvert d'une protection, sur laquelle on place le disque dans un tourne-disque.

2. plateau [plato] n. m. Etendue de terrain relativement plane, élevée par rapport aux régions environnantes, qu'elle domine par des falaises ou par des talus en forte pente : *Les plateaux de l'Iran. Les hauts plateaux du Tibet.*

plate-bande [platbɑ̃d] n. f. 1° Espace de terre étroit entourant un carré de jardin, et destiné à recevoir des arbustes, des fleurs, etc. : *Dans le parc de Versailles, les plates-bandes forment des dessins géométriques.* — 2° Fam. *Marcher sur les plates-bandes de quelqu'un*, empiéter sur ses attributions.

1. plate-forme [platfɔrm] n. f. Partie d'une voiture de chemin de fer, d'un autobus où les voyageurs peuvent se tenir debout : *Ne reste pas sur la plate-forme, tu vas prendre froid!*

2. plate-forme [platfɔrm] n. f. Ensemble des idées sur lesquelles on s'appuie pour former un programme politique : *Plate-forme électorale.*

platine [platin] n. m. Métal précieux, blanc-gris : *Une montre en platine.* ◆ **platiné, e** adj. 1° *Cheveux blond platiné*, dont la couleur blonde est comparable à celle du platine. — 2° *Vis platinée*, pièce de l'allumage d'une automobile.

platitude n. f. V. PLAT 2.

platonique [platɔnik] adj. 1° Se dit de sentiments, de désirs qui n'aboutissent pas : *Son désir d'étudier les mathématiques est resté platonique.* ‖ *Amour platonique*, amour qui ignore la jouissance physique : *Il avait pour sa cousine un amour tout platonique* (syn. : CHASTE). — 2° Se dit de manifestations, de réactions, etc., qui restent sans effet : *Protestations platoniques.*

plâtre [plɑtr] n. m. 1° Matériau qui se présente sous la forme d'une poudre blanche : *Le plâtre mélangé à l'eau donne une pâte qui durcit en séchant. Murs couverts de plâtre.* — 2° Fam. *Battre quelqu'un comme plâtre*, le battre violemment. ‖ *Essuyer les plâtres*, pénétrer le premier dans un bâtiment neuf; et *fam.*, subir les inconvénients d'une nouveauté encore insuffisamment au point, dont on est un des premiers utilisateurs. — 3° Objet en plâtre (statue, motif décoratif, etc.) : *Avoir un plâtre sur la cheminée de son salon.* — 4° Appareil destiné à immobiliser les parties d'un membre cassé, et consistant en un moulage de plâtre fait sur ce membre. ‖ *Etre dans le plâtre*, avoir un membre ou une partie du corps immobilisés par cet appareil. ◆ **plâtrer** v. tr. 1° Couvrir de plâtre : *Plâtrer un mur.* — 2° *Plâtrer un membre*, le mettre dans le plâtre, l'immobiliser par un appareil. ◆ **plâtrage** n. m. ◆ **plâtras** n. m. pl. Débris de matériaux de construction. ◆ **plâtrier** n. m. Ouvrier du bâtiment qui procède au plâtrage des murs et des plafonds. ◆ **déplâtrer** v. tr. *Déplâtrer un membre*, ôter le plâtre dans lequel on l'avait immobilisé après une fracture. ‖ *Déplâtrer quelqu'un*, lui ôter son plâtre. ◆ **déplâtrage** n. m. ◆ **replâtrer** v. tr. : *Replâtrer un mur.* (V. aussi REPLÂTRER.)

plausible [plozibl] adj. Se dit d'une chose qui mérite d'être prise en considération, d'être considérée comme vraie : *Vos motifs sont plausibles* (syn. : VALABLE). *Ses excuses sont plausibles* (syn. : ADMISSIBLE). *L'hypothèse est plausible* (syn. : VRAISEMBLABLE).

plèbe [plɛb] n. f. Péjor. *La plèbe*, le bas peuple (littér.). ◆ **plébéien, enne** n. Homme du peuple.

plébiscite [plebisit] n. m. Vote direct du corps électoral, appelé à accorder sa confiance à un homme pour la direction de l'Etat. ◆ **plébisciter** v. tr. Elire, approuver, ratifier à une très grande majorité : *Faire plébisciter sa politique par un vote populaire.*

pléiade [plejad] n. f. Groupe d'écrivains, d'artistes, de célébrités : *Une pléiade de jeunes talents.*

plein, e [plɛ̃, plɛn] adj. 1° (avant ou plus souvent après le nom) Se dit d'une chose qui contient tout ce qu'elle peut contenir : *Donnez-m'en un verre plein* (ou *un plein verre*). *Un bouteille pleine de vin. La valise est pleine, on ne peut rien ajouter* (contr. : VIDE). *Le théâtre est plein* (syn. : ↑ COMBLE). ‖ Fam. *Plein comme un œuf*, très plein. ‖ *A* *plein(s),* suivi d'un nom, indique l'abondance, l'intensité : *Verser de l'eau à pleines bassines. L'argent coulait à pleins bords* (= était dépensé avec largesse). *Ça sent le tabac à plein nez* (= fortement). *Crier à pleine gorge* (= de toutes ses forces). *Travailler à pleins bras* (= très activement). *Prendre quelque chose à pleines mains* (= en le tenant franchement, fermement). — **2°** *Plein de,* se dit de ce qui contient en grande quantité des choses ou des êtres animés : *Un devoir plein de fautes d'orthographe* (syn. : REMPLI, BOURRÉ; fam. : POURRI). *La cour était pleine de monde* (syn. : NOIR). *Une remarque pleine de bon sens.* — **3°** *Plein de,* se dit de quelqu'un qui possède à un degré élevé une qualité, un trait de caractère, etc. : *Il est plein de bonne volonté* (syn. : REMPLI). *Etre plein d'attentions pour quelqu'un. Etre plein d'idées* (syn. : ↑ FOISONNANT). ‖ Péjor. *Plein de soi-même,* orgueilleux, infatué de sa personne. — **4°** Se dit d'une chose dont toute la masse est occupée par la matière : *Une paroi pleine* (contr. : AJOURÉ, CREUX). *Une porte pleine* (par oppos. à *porte vitrée*). ‖ *Joues pleines,* joues bien rebondies. ‖ *Visage plein,* bien en chair. — **5°** Se dit d'une chose qui est complètement ce qu'elle est censée être, qui est portée à son maximum : *Remporter une pleine victoire. Donner pleine satisfaction* (syn. : TOTAL). *Avoir pleine conscience de quelque chose* (syn. : ENTIER). *Un jour plein. Travailler à plein temps* (par oppos. à : *à temps partiel, à mi-temps*). *Moteur qui tourne à plein régime. Un tableau placé en pleine lumière. En plein jour, en pleine nuit* (= quand le jour, la nuit sont bien établis). *Vivre en plein air* (= à l'air libre). ‖ *Pleins pouvoirs,* pouvoirs politiques exceptionnels, conférés à quelqu'un. — **6°** (avec un nom d'être animé) *Pop.* Ivre : *Il était déjà plein avant la fin du banquet.* ‖ *Femelle pleine,* qui porte des petits. ◆ **plein** n. m. **1°** *Faire le plein,* remplir entièrement un réservoir : *L'automobiliste fit le plein avant de partir.* — **2°** *Faire des pleins et des déliés,* en écriture manuscrite, tracer des traits appuyés et des traits plus fins. — **3°** *Le plein de l'eau,* le moment où la marée est à son maximum. — **4°** *Battre son plein,* en parlant d'une fête, d'une manifestation, être au moment où il y a le plus d'animation, de bruit. • LOC. ADV. *A plein,* entièrement, totalement : *L'argument a porté à plein.* ‖ *Voiture, train,* etc., *qui roule à plein,* dont toutes les places sont occupées par des passagers, des marchandises (contr. : À VIDE). ‖ *En plein,* précise une localisation : *Il s'est arrêté en plein au milieu de la place* (syn. : EXACTEMENT). *Marcher en plein dans la boue. L'obus est tombé en plein sur la maison.* ‖ Fam. *Tout plein,* très, extrêmement : *Depuis quelques jours, il est tout plein admirable.* ◆ **plein** prép. et adv. Indique une grande quantité : *Il a des bonbons plein les poches. Avoir du cambouis plein les mains. Il y a des clients plein la boutique. Je vous prêterai des livres sur la question : j'en ai plein* (syn. : BEAUCOUP). ‖ Fam. *En avoir plein la bouche de quelqu'un, de quelque chose,* en parler sans cesse avec solennité, avec déférence. ‖ Fam. *En avoir plein le dos,* être excédé. ‖ Fam. *En mettre plein la vue à quelqu'un,* l'impressionner fortement, l'éblouir. ◆ **pleinement** adv. Sens 5 de l'adj. : *Je suis pleinement satisfait de cette voiture* (syn. : TOTALEMENT, PARFAITEMENT). *Je vous approuve pleinement* (syn. : ENTIÈREMENT, SANS RÉSERVE). ◆ **plénier, ère** adj. *Assemblée, réunion plénière,* où tous les membres prévus sont présents. ◆ **plénitude** n. f. Totalité, intégralité (surtout au sens 5 de l'adj.) : *Un vieillard qui a conservé la plénitude de ses facultés intellectuelles.*

plénipotentiaire [plenipɔtɑ̃sjɛr] n. m. et adj. Agent diplomatique muni des pleins pouvoirs : *Le gouvernement envoya des plénipotentiaires discuter des conditions d'armistice.*

pléonasme [pleɔnasm] n. m. Expression ou mot qui répète, volontairement ou non, une idée déjà émise (ex. : *J'ai vu, de mes propres yeux vu, la scène. Il est descendu en bas dans la boutique. La splendeur et la magnificence du palais*). [Syn. : REDONDANCE.] ◆ **pléonastique** adj. : *Un tour, un emploi pléonastique* (= qui constitue un pléonasme).

pléthore [pletɔr] n. f. Abondance excessive de production, de denrées, de personnes, etc. : *Cette année, la pléthore de vin va entraîner une baisse des prix* (syn. : SURABONDANCE). *Il y a pléthore de candidats à ce concours* (contr. : PÉNURIE). ◆ **pléthorique** adj. : *Des classes pléthoriques* (= où le nombre des élèves est excessif; contr. : CLAIRSEMÉ).

pleurer [plœre] v. intr. **1°** Verser des larmes : *Cet enfant pleure toute la journée* (syn. : PLEURNICHER). *A cette nouvelle, la femme se mit à pleurer* (syn. : SANGLOTER). — **2°** *Pleurer comme une Madeleine,* pleurer avec abondance. ‖ *Triste, bête à pleurer,* se dit d'une chose très triste, très bête : *L'histoire de cette veuve est triste à pleurer.* ‖ *Pleurer sur quelque chose, sur quelqu'un,* déplorer sa disparition, sa mort : *Cette jeune fille pleure sur son mariage compromis. Il pleure sur son propre malheur.* ‖ Fam. *Pleurer après quelque chose,* le demander instamment : *Il va pleurer après une augmentation à chaque retour de vacances.* ◆ v. tr. **1°** *Pleurer quelqu'un, quelque chose,* en déplorer la disparition, la perte : *Il y a dix ans qu'il pleure sa mère. Elle pleure sa jeunesse disparue.* — **2°** *Pleurer ses fautes,* les regretter vivement. ‖ *Pleurer misère,* se lamenter sur son sort. ‖ Fam. *Ne pas pleurer sa peine, son argent,* etc., ne pas les ménager. ◆ **pleurs** n. m. pl. Syn. littér. de LARMES : *Verser des pleurs. Essuyer les pleurs d'une personne affligée.* ◆ **pleurard, e** adj. et n. *Fam.* et *péjor.* Se dit de quelqu'un qui pleure souvent. ◆ **pleurnicher** v. intr. Verser des larmes, pleurer souvent et sans raison, comme un enfant. ◆ **pleurnicheur, euse** n. et adj. : *Un enfant pleurnicheur* (syn. : GROGNON, PLEURARD).

pleurésie [pløresi] n. f. Inflammation de la plèvre. ◆ **pleurite** n. f. Pleurésie sèche.

pleureur [plœrœr] adj. m. Se dit de certains arbres à feuillage retombant : *Un saule pleureur. Un cerisier pleureur.*

pleutre [pløtr] n. m. et adj. Homme sans courage, qui s'effraie même devant de petits dangers (syn. : POLTRON, LÂCHE). ◆ **pleutrerie** n. f.

pleuvasser, pleuviner, pleuvoir, pleuvoter v. impers. V. PLUIE.

plèvre [plɛvr] n. f. Membrane séreuse qui enveloppe les poumons.

Plexiglas [plɛksiglas] n. m. (nom déposé). Matière synthétique employée comme verre de sécurité et à divers usages.

1. pli n. m. V. PLIER 1.

2. pli [pli] n. m. 1° Enveloppe d'une lettre : *Mettre deux lettres sous le même pli.* — 2° Lettre (langue admin.) : *Envoyer un pli.*

3. pli [pli] n. m. Levée qu'on fait à un jeu de cartes.

plie [pli] n. f. Poisson plat de la Manche et de l'Atlantique, à chair très estimée.

1. plier [plije] v. tr. 1° *Plier une chose,* en rabattre une partie sur une autre : *Plier une feuille de papier. Plier un papier en deux, en quatre. Plier une nappe.* — 2° *Plier un objet,* en rapprocher les parties les unes des autres, en rassembler les éléments : *Plier une tente. Plier un éventail. Plier un lit. Plier ses affaires* (= les ranger). — 3° Fam. *Plier bagage,* s'apprêter à partir. ◆ **pli** n. m. 1° Partie repliée d'une étoffe, d'un papier, etc. : *Un papillon qui s'était caché dans un pli du rideau.* — 2° Marque qui reste sur une chose pliée : *Faire un pli à un tissu. Repasser le pli d'un pantalon.* — 3° *Fam.* Habitude de faire le bien, le mal : *Elle avait pris le pli de venir me voir tous les matins. Ce jeune homme a pris un mauvais pli depuis un certain temps : il joue aux courses.* — 4° *Faux pli,* pli à une étoffe là où il ne devrait pas y en avoir. ‖ *Mise en plis,* ondulation faite à froid, sur des cheveux mouillés, et séchés ensuite avec de l'air chaud. ‖ Fam. *Ça ne fait pas un pli,* cela ne présente aucune difficulté, c'est assuré : *S'il continue à boire, il va se ruiner la santé, ça ne fait pas un pli.* ◆ **pliant, e** adj. Se dit d'un objet qui peut être replié sur soi : *Un siège pliant. Un lit pliant.* ◆ **pliant** n. m. Siège portatif, sans bras ni dossier, qu'on peut démonter pour le transport. ◆ **pliage** n. m. : *Le pliage des feuilles imprimées se fait automatiquement.* ◆ **déplier** v. tr. Etendre ce qui était plié : *Déplier une carte routière* (syn. : DÉPLOYER). *Déplier un drap.* ◆ **dépliant** n. m. Carte ou prospectus qui se déplie en plusieurs volets. ◆ **dépliage** n. m. (V. REPLIER.)

2. plier [plije] v. tr. 1° *Plier quelque chose,* lui faire prendre une forme courbe, une position infléchie : *Plier une branche d'arbre* (syn. : COURBER). *Plier les genoux* (syn. : FLÉCHIR). — 2° *Plier quelqu'un,* le faire céder : *Plier quelqu'un à une discipline* (syn. : ASSUJETTIR); *plier quelque chose,* le transformer à son gré : *Plier quelque chose à sa volonté* (syn. : FAÇONNER). ◆ v. intr. 1° (sujet nom de chose) Prendre une forme courbe : *les soldats qui passaient faisaient plier la passerelle* (syn. : S'AFFAISSER, PLOYER). — 2° (sujet nom de personne) Se soumettre, reculer devant un adversaire, une force adverse : *Plier devant l'autorité du maître. L'armée pliait sous les coups redoublés de l'ennemi* (syn. : CÉDER). ◆ **se plier** v. pr. *Se plier à quelqu'un, à quelque chose,* s'y soumettre : *Se plier à la volonté de quelqu'un, aux caprices du hasard* (syn. : CÉDER).

plinthe [plɛ̃t] n. f. Planche posée à la base des murs intérieurs d'un appartement.

plisser [plise] v. tr. *Plisser quelque chose,* le marquer de plis : *Plisser une jupe avec un fer à repasser* (syn. : FRONCER). *Plisser son front* (syn. : RIDER). ◆ **plissé, e** adj. : *Une robe plissée. Un terrain plissé* (= dont les couches sont ondulées). ◆ **plissé** n. m. Travail fait en plissant un tissu : *Le plissé d'une robe.* ◆ **plissage** n. m. : *Une teinturerie qui se charge du plissage.* ◆ **plissement** n. m. : *Les géologues étudient les plissements du terrain* (= ondulations des couches). ◆ **déplisser** v. tr. *Déplisser quelque chose,* en faire disparaître ou en atténuer les plis : *Repasser une feuille de papier pour la déplisser* (syn. : DÉFROISSER). *Déplisser son front* (syn. : DÉRIDER). ◆ **déplissage** n. m.

plomb [plɔ̃] n. m. 1° Métal très dense, très malléable, d'un gris bleuâtre : *Un tuyau de plomb. Soldat de plomb* (= figurine de plomb ou d'un autre métal, représentant un soldat). — 2° Fil métallique fusible intercalé dans un circuit électrique, fondant lorsque la tension est trop forte : *Faire sauter les plombs. Remplacer un plomb.* — 3° Projectile de chasse : *Cartouche à plombs. Le lièvre a reçu la décharge de plombs.* — 4° Poids dont on garnit une ligne de pêche pour l'alourdir : *Mettre trois plombs à sa ligne.* — 5° Fam. *Avoir du plomb dans l'aile,* être en très mauvais état physique ou moral. ‖ Fam. *N'avoir pas de plomb dans la tête,* être fort léger, très étourdi. ‖ *Soleil de plomb,* chaleur écrasante par un temps radieux. ‖ *Sommeil de plomb,* sommeil profond et lourd. ‖ Fam. *Avoir un plomb sur l'estomac,* avoir une digestion difficile. ◆ **plomber** v. tr. 1° *Plomber une dent,* en remplir de ciment ou d'amalgame la partie cariée. — 2° *Plomber un colis, un wagon,* etc., y apposer un sceau de plomb. ◆ **plombé, e** adj. 1° Se dit d'une chose garnie de plomb : *Canne plombée.* — 2° Se dit d'une chose qui a la couleur du plomb : *Avoir un teint plombé.* ◆ **plombage** n. m. : *Aller chez le dentiste se faire faire un plombage.* ◆ **déplomber** v. tr. : *Déplomber un envoi chargé. Une dent déplombée* (= dont le plombage est tombé).

plombier [plɔ̃bje] n. m. Ouvrier qui établit et entretient les installations et les canalisations d'eau et de gaz : *Faire venir le plombier pour réparer la chasse d'eau.* ◆ **plomberie** n. f. Métier du plombier.

plonge [plɔ̃ʒ] n. f. *Faire la plonge,* faire la vaisselle dans un restaurant. ◆ **plongeur, euse** n. Personne qui lave la vaisselle dans un restaurant.

1. plonger [plɔ̃ʒe] v. intr. 1° (sujet nom de personne ou d'animal) Faire un saut dans l'eau, ordinairement avec un certain style : *Plonger du haut du tremplin.* — 2° Au football, en parlant du gardien de but, s'élancer brusquement pour attraper le ballon, et se laisser tomber par terre. ◆ **plongeur, euse** n. : *Un plongeur qui a un excellent style.* ◆ **plongeoir** n. m. Tremplin du haut duquel les nageurs plongent. ◆ **plongeon** n. m. 1° Saut d'un nageur dans l'eau : *Faire un plongeon. Un plongeon avec double saut périlleux.* — 2° Détente horizontale du gardien de but, au football : *Le goal fit un plongeon, mais sans réussir à bloquer le ballon.*

2. plonger [plɔ̃ʒe] v. intr. 1° S'immerger complètement : *Un sous-marin qui plonge.* — 2° Descendre brusquement : *L'avion plongea sur son objectif* (syn. : PIQUER). ◆ **plongeur, euse** n. Personne qui pratique la plongée sous-marine : *Des plongeurs spécialisés qui pêchent les éponges.* ◆ **plongée** n. f. 1° Séjour prolongé au-dessous du niveau de la mer d'un sous-marin, d'un scaphandrier, d'un homme muni d'un appareil respiratoire : *Le sous-marin naviguait en plongée.* — 2° *Plongée sous-marine,* sport consistant à nager au-dessous du niveau de la mer, muni d'appareils divers (inhalateur, scaphandre, etc.), dans le but d'explorer, de chasser, de photographier ou de cinématographier.

3. plonger [plɔ̃ʒe] v. intr. (sujet nom de chose). **1°** S'enfoncer, pénétrer profondément en descendant : *Des racines qui plongent dans le sol. L'origine de cette tradition plonge dans la nuit des temps* (syn. : ÊTRE ENFOUI). — **2°** *Regard qui plonge,* qui est dirigé vers ce qui est situé au-dessous. ◆ v. tr. **1°** *Plonger quelque chose,* le faire entrer brusquement dans un liquide, dans un milieu creux : *L'enfant plongea ses doigts dans la confiture* (syn. : TREMPER, INTRODUIRE). *Il plongea son stylo dans l'encre* (syn. : ENFONCER). — **2°** *Plonger son regard sur quelqu'un* ou *sur quelque chose,* les fixer profondément pour les examiner. — **3°** *Plonger quelqu'un dans un état, une situation,* l'y mettre brusquement : *La panne de courant les avait tous plongés dans l'obscurité. Votre arrivée l'a plongé dans l'embarras* (syn. : JETER). *La catastrophe plongeait tout le pays dans la consternation.* ◆ **se plonger** v. pr., **être plongé** v. passif. S'absorber dans une occupation : *Il se plonge dans un problème de mathématiques. Se plonger dans la lecture d'un roman. Je l'ai trouvé plongé dans une profonde méditation. Un enfant plongé dans le sommeil.* ◆ **plongeant, e** adj. Qui va de haut en bas : *De sa maison, on a une vue plongeante sur le petit jardin contigu. Faire un tir plongeant.*

1. plot [plo] n. m. Pièce métallique destinée à assurer un contact électrique.

2. plot [plo] n. m. Dispositif de signalisation lumineuse situé au ras du sol.

plouf ! [pluf] interj. Onomatopée exprimant le bruit que fait un objet en tombant dans un liquide.

ploutocratie [plutɔkrasi] n. f. Gouvernement où le pouvoir politique appartient aux classes riches. ◆ **ploutocratique** adj. ◆ **ploutocrate** n. m.

ployer [plwaje] v. tr. **1°** *Ployer quelque chose,* lui donner une forme courbe, le faire fléchir (littér.) : *Ployer une tige de fer. Le vent ployait les cimes des arbres.* — **2°** *Ployer les genoux,* les fléchir. — **3°** *Ployer quelqu'un, quelque chose,* en briser la résistance, les faire fléchir (littér.) : *Il ployait tout sous son autorité écrasante.* ◆ v. intr. (plus usuel) : *La branche ployait sous le poids des fruits* (syn. : PLIER, SE COURBER). *Ses jambes ployèrent sous lui* (syn. : FLÉCHIR). *Le peuple ployait sous des impôts écrasants.* ◆ **ploiement** n. m. : *Le ploiement d'une barre de fer.*

pluie [plɥi] n. f. **1°** Chute d'eau sous forme de gouttes qui tombent des nuages sur terre : *Une pluie fine, diluvienne, pénétrante. Une grosse pluie d'orage. Une pluie battante. Un jour de pluie* (= où il pleut). *L'eau de pluie. Des pluies continuelles* (syn. : ONDÉE, AVERSE). — **2°** Chute d'objets, de matières qui tombent à la façon de la pluie : *Une pluie de cendres, de projectiles. Une pluie d'étincelles.* — **3°** Ce qui est répandu en abondance : *Une pluie d'or* (= une grande quantité d'argent). *Une pluie de cadeaux* (syn. : ↑ AVALANCHE). *Une pluie de punitions s'abattit sur la classe.* — **4°** Fam. *Ennuyeux comme la pluie,* très ennuyeux. ‖ *Parler de la pluie et du beau temps,* dire des banalités. ‖ Fam. *Faire la pluie et le beau temps,* avoir une grosse influence. ‖ Fam. *Après la pluie, le beau temps,* toute situation désagréable, pénible a une fin. ◆ **pleuvoir** v. impers. (conj. 47). *Il pleut,* la pluie tombe : *Il pleut sur la ville. Il va pleuvoir* (syn. fam. : FLOTTER). *Il a plu trois jours de suite. Il pleut des cordes* (fam. = beaucoup). ◆ v. intr. Tomber en abondance : *Les projectiles pleuvaient. Les coups pleuvent. Les critiques pleuvaient sur lui.* ◆ **pleuvasser, pleuviner, pleuvoter** v. impers. *Fam.* Pleuvoir légèrement. ◆ **pluvieux, euse** adj. Caractérisé par l'abondance des pluies : *Un temps pluvieux. L'été a été pluvieux.* ◆ **pluviomètre** n. m. Appareil servant à mesurer la quantité de pluie tombée en un lieu pendant un temps déterminé. ◆ **pluviosité** n. f. Valeur moyenne de la quantité d'eau tombée. ◆ **repleuvoir** v. impers.

plumard [plymar] n. m. *Pop.* Lit.

1. plume [plym] n. f. **1°** Chacune des tiges souples portant des barbes qui couvrent le corps des oiseaux et qui servent à leur vol : *Les plumes noires d'une pie. Arracher les plumes d'un poulet. Le perroquet lissait ses plumes. Le gibier à plume* (= les oiseaux ; contr. : À POIL). *Etre léger comme une plume. Ne pas peser plus qu'une plume. Soulever un fardeau comme une plume* (= facilement). — **2°** *Poids plume,* catégorie de boxeurs très légers. ‖ Fam. *Y laisser des plumes,* subir des pertes en une circonstance donnée. ‖ Fam. *Perdre ses plumes,* perdre ses cheveux, devenir chauve. ‖ Pop. *Voler dans les plumes de quelqu'un,* l'attaquer. ◆ **plumage** n. m. Ensemble des plumes recouvrant un oiseau : *Le plumage d'un faisan.* ◆ **plumeau** n. m. Ustensile de ménage fait de plumes assemblées autour d'un manche, et servant à épousseter : *Passer un coup de plumeau sur les meubles.* ◆ **plumer** v. tr. **1°** Dépouiller de ses plumes : *Plumer un poulet pour le faire cuire.* — **2°** Fam. *Se faire plumer,* se faire dépouiller de son argent par escroquerie, tromperie. ◆ **plumet** n. m. Petit bouquet de plumes qui orne une coiffure militaire. ◆ **déplumer (se)** v. pr. Perdre ses plumes, et *fam.,* en parlant d'une personne, perdre ses cheveux. ◆ **déplumé, e** adj. Fam. : *Un crâne déjà bien déplumé* (syn. : CHAUVE).

2. plume [plym] n. f. **1°** Morceau de métal en forme de bec et qui sert à écrire : *Stylo à plume en or. La plume est encrassée, elle crache.* — **2°** *Vivre de sa plume,* faire métier d'écrire, vivre de la vente de ses livres. ‖ *Supprimer, barrer d'un trait de plume,* d'une seule rature, sans discussion ni remords. ‖ *Lire la plume à la main,* en prenant des notes. ‖ *Prendre la plume,* se mettre à écrire. ◆ **plumier** n. m. Boîte longue dans laquelle l'écolier met ses crayons, sa gomme, etc. (généralement remplacé auj. par une trousse). ◆ **plumitif** n. m. *Fam.* et *péjor.* Ecrivain médiocre (syn. fam. : GRATTE-PAPIER). ◆ **porte-plume** n. m. invar. Petit bâtonnet muni d'une plume et servant à écrire.

plupart (la) [laplypar] loc. adv. **1°** (suivi de la prép. *de* et d'un nom plur.) Indique une quantité très grande, formant presque la totalité de l'ensemble considéré : *Dans la plupart des foyers, on trouve un poste de radio* (syn. : ↑ LA GÉNÉRALITÉ). *La plupart des villes connaissent des difficultés de circulation* (syn. : ↓ LA MAJORITÉ). *Dans la plupart des cas, il n'y a pas de motif à la jalousie. Chez la plupart des enfants, on trouve un goût marqué pour les jouets électriques* (syn. : PRESQUE TOUS). *Je n'ai pas connu la plupart des gens auxquels vous faites allusion.* — **2°** (sans compl.) Rappelle un nom qui précède ou en apposition à un nom pluriel : *Les médecins ne considèrent pas seulement la maladie en elle-même ; la plupart sont attentifs à la psychologie de leur patient. Des élèves, la plupart nouveaux venus, cherchaient leur classe.* — **3°** (sans compl.) Le plus grand nombre de personnes : *La plupart pensent que les problèmes techniques, une fois posés, sont résolus immédiatement.* — **4°** *Pour la plupart,* quant au plus grand nombre : *Les employés de ce magasin bénéficient pour la plupart de quatre semaines de congé. Des touristes, pour la plupart anglo-saxons, envahissent cette plage du Midi.* ‖ *La plupart du temps,* d'une manière habituelle, courante : *La plupart du temps, il prenait son journal à un kiosque près du métro.*

pluralité [plyralite] n. f. Fait d'exister à plusieurs : *La pluralité des dieux dans la mythologie grecque* (syn. : MULTIPLICITÉ, DIVERSITÉ). ◆ **plural, e, aux** adj. **1°** Se dit de choses qui contiennent plusieurs unités. — **2°** *Vote plural,* système dans lequel certains votants ont plusieurs voix. ◆ **pluralisme** n. m. Système qui admet la pluralité : *Le pluralisme scolaire laisse subsister différents types d'enseignement.*

pluriel [plyrjɛl] n. m. Caractère particulier de la forme d'un mot correspondant à un nombre supérieur à l'unité, et qui se traduit dans la langue écrite par une marque (le nom au pluriel reçoit le plus souvent la marque *-s*), par opposition au singulier : *Mettre le verbe au pluriel quand il y a plusieurs sujets.* (V. tableau ci-dessous.) ◆ **pluriel, elle** adj. : *Une finale plurielle.* ◆ **pluralité** n. f. : *La marque « -nt » est la marque de la pluralité du verbe à la troisième personne du pluriel.*

1. plus [ply] adv. de négation. **1°** Accompagné de la particule *ne,* indique, avec un verbe, une locution verbale, un adjectif ou un adverbe, la cessation de l'état ou de l'action : *Il ne l'a plus revue depuis cette date. Je ne reviendrai plus dans cet hôtel. Tu n'as plus besoin de ce livre; rends-le-moi. Vous n'avez plus de raison de partir. Il n'est plus très jeune* (= il est déjà âgé). *Je ne l'aime plus. On ne le voit plus nulle part;* avec la prép. *de* suivie d'un nom au singulier ou au pluriel : *Il n'y a plus de place dans le compartiment. Nous n'avons plus de pommes de terre; il faudra en acheter.* — **2°** Sans la négation *ne,* est employé avec le même sens dans les réponses, avec la prép. *sans,* etc., et dans la langue fam. (v. NE) : *Non, plus de sortie le dimanche! Plus une minute à perdre : nous allons être en retard. Et il le congédia sans plus de façon. Je fais tout ce qu'on me dit, sans plus!* (= sans rien ajouter). • Loc. *Non plus ... mais,* indique une opposition entre une cessation et une présence : *Procède non plus par des improvisations, mais par des décisions mûrement réfléchies.* ‖ *Ne plus... que,* indique que la cessation s'arrête à la restriction indiquée : *La décision ne tient plus qu'à vous* (= est désormais entre vos mains). *Il n'a plus que la peau et les os* (syn. : SEULEMENT). *Il ne manque plus que ça!* (= c'est le comble! [fam.]).

2. plus ([ply] dans les loc. et devant une consonne, avec des variations individuelles; [plyz-] devant une voyelle ou un *h* muet; [plys] en fin de syntagme), **moins** ([mwɛ̃]; [mwɛ̃z-] devant une voyelle ou un *h* muet) adv. de quantité. Indiquent soit une quantité supérieure, soit une quantité inférieure. (V. tableau p. 878.)

PLURIEL
Langue parlée

CATÉGORIES	VARIATIONS	EXEMPLES
1° **Substantifs et adjectifs.**	En général sans variation, sauf : — [al]/[o] (à l'exception d'une dizaine de termes) ; — [aj]/[o] (catégorie restreinte à quelques mots); — consonne/zéro (quelques mots).	*ami/amis* [ami]/[ami] *signal/signaux* [siɲal]/[siɲo] *travail/travaux* [travaj]/[travo] *œuf/œufs* [œf]/[ø] *bœuf/bœufs* [bœf]/[bø]
2° **Déterminants** (articles, adjectifs possessifs, démonstratifs, indéfinis, interrogatifs).	Les plus fréquents varient selon l'alternance zéro/[ɛ].	*le/les* [lə]/[lɛ] *mon/mes* [mɔ̃]/[mɛ] *un/des* [œ̃]/[dɛ] *ce/ces* [sə]/[sɛ]
	Les autres sont sans variation.	*leur/leurs* [lœr]/[lœr] *quelque/quelques* [kɛlk]/[kɛlk]
3° **Pronoms personnels.**	Invariables comme sujets atones, ils présentent comme compléments une variation.	*il/ils* [il]/[il] *le/les* [lə]/[lɛ] *lui/leur* [lɥi]/[lœr]
4° **Verbes.**	Les verbes en *-er* ne présentent pas de variation à l'indicatif et au subjonctif présents (3e pers.). L'ensemble des verbes est invariable à l'imparfait (3e pers.). Dans les autres cas, on connaît les alternances :	*il mange/ils mangent* [mɑ̃ʒ]/[mɑ̃ʒ] *il était/ils étaient* [etɛ]/[etɛ]
	a) [a]/[ɔ̃] (au futur en particulier);	*il a/ils ont* [a]/[ɔ̃] *il fera/ils feront* [fəra]/[fərɔ̃]
	b) [ɛ]/[ɔ̃];	*il est/ils sont* [ɛ]/[sɔ̃] *il fait/ils font* [fɛ]/[fɔ̃]
	c) nasale/voyelle + nasale;	*il tient/ils tiennent* [tjɛ̃]/[tjɛn]
	d) double variation.	*il résout/ils résolvent* [rezu]/[rezɔlv]

Langue écrite

CATÉGORIES	VARIATIONS	EXEMPLES
1° **Substantifs et adjectifs :** a) *simples* (un mot)	● Les mots simples prennent un *s* au pluriel, sauf ceux qui sont terminés en *-eau*, *-au* et *-eu*, qui prennent un *x*, et ceux qui se terminent par *-s*, *-x* et *-z*, qui restent invariables.	*ennui/ennuis; grand/grands; nouveau/nouveaux; beau/beaux; étau/étaux; pieu/pieux; hébreu/hébreux; bois/bois; voix/voix; nez/nez*
	● Quelques mots en *-au* et *-eu* ont un *s* au pluriel (*landau, sarrau, bleu, pneu*).	*landau/landaus; bleu/bleus*
	● Les substantifs et les adjectifs en *-al* ont le pluriel en *-aux*, sauf *bal, cal, carnaval, cérémonial, chacal, choral, festival, pal, récital, régal, santal,* et *banal, bancal, final, naval, natal, fatal, glacial, tonal.*	*festival/festivals; fatal/fatals*
	● Les substantifs *bail, corail, émail, soupirail, travail, vantail, vitrail* ont le pluriel en *-aux.*	*corail/coraux; travail/travaux*
	● Les substantifs *bijou, caillou, chou, genou, hibou, joujou* et *pou* prennent un *x.*	*hibou/hiboux*
	● Certains substantifs ont un double pluriel à fonction différente ou un pluriel irrégulier.	*ciel/cieux/ciels; aïeul/aïeux/aïeuls; œil/yeux/œils-de-bœuf*
	● Les substantifs employés comme adjectifs de couleur restent invariables (sauf *rose* et *pourpre*).	*chemises marron; rubans orange soies roses*
b) *composés* (plusieurs mots)	● Les substantifs composés d'un adjectif et d'un nom ou de deux noms en apposition, les adjectifs composés formés de deux adjectifs prennent la marque du pluriel (*s* ou *x* suivant les cas) sur les deux composants. (V. GRAND-MÈRE, GRAND-PÈRE à leur ordre.)	*un coffre-fort/des coffres-forts; un chou-fleur/des choux-fleurs des enfants sourds-muets*
	● Les substantifs composés de deux verbes, d'une phrase, de prépositions ou d'adverbes et les adjectifs de couleur composés restent invariables.	*un laissez-passer/des laissez-passer; un va-et-vient/des va-et-vient; des gants gris perle; des costumes bleu foncé*
	● Les substantifs composés d'un nom et de son complément introduit ou non par *de* ne prennent la marque du pluriel que sur le premier élément.	*un chef-d'œuvre/des chefs-d'œuvre; un timbre-poste/des timbres-poste*
	● Lorsqu'ils sont formés d'une préposition et de son complément, ce dernier prend la marque du pluriel.	*un avant-poste/des avant-postes; un en-tête/des en-têtes*
	● Les substantifs composés d'un verbe et de son complément sont le plus souvent invariables : les exceptions sont nombreuses. La répartition des deux groupes n'obéit à aucune considération logique ; il est utile, en ce cas, de se reporter au mot. (V. en particulier les composés de *garde-*, *essuie-*, etc.)	*un abat-jour/des abat-jour; un cache-col/des cache-col un tire-bouchon/des tire-bouchons; un chauffe-bain/des chauffe-bains*
	● Les adjectifs composés d'une préposition, d'un adverbe ou d'un radical en *-i* ou *-o* et d'un adjectif ne comportent de marque du pluriel que sur le second élément. (V. aussi CI-JOINT, CI-INCLUS, NU, DEMI, FEU, EXCEPTÉ, PASSÉ, SUPPOSÉ, ÔTÉ, ATTENDU, VU, APPROUVÉ, qui ont des accords particuliers.)	*un mot sous-entendu/des mots sous-entendus; un enfant nouveau-né/des enfants nouveau-nés* (mais *des enfants nouveaux-venus*)*; une aventure tragi-comique/des aventures tragi-comiques; un traité franco-allemand/des accords franco-allemands*
2° **Déterminants et pronoms.**	● Ils sont caractérisés par la présence d'un *s* à la forme du pluriel.	*le/les; un/des; mon/mes; ce/ces; quelqu'un/quelques-uns; tout/tous; il/ils; le, la/les*
	● Les pronoms personnels compléments indirects et toniques sont différents au singulier et au pluriel de la 3e personne.	*lui/leur; lui/eux*
	● Les pronoms *qui, que, dont, où* restent invariables.	
3° **Verbes.**	● A la 3e personne, le pluriel se marque par la désinence *-(e)nt.*	*il boit/ils boivent il chante/ils chantent il mentait/ils mentaient*
	● A la 1re et à la 2e personne du pluriel, les désinences sont *-ons* et *-ez*, et, au passé simple, *-mes* et *-tes.*	*nous chantons, vous chantez; nous vîmes, vous vîtes*

plusieurs [plyzjœr] adj. indéf. pl. Indique une pluralité de personnes ou de choses (le plus souvent épithète) : *Y avait-il une ou plusieurs personnes? Voici plusieurs numéros. A plusieurs reprises* (syn. : MAINT). *Il y a plusieurs années* (syn. : QUELQUES). *Je pourrais vous citer plusieurs faits* (syn. : PLUS D'UN). *J'attends des invités : ils sont plusieurs.* ◆ pron. indéf. pl. (ordinairement avec un compl.). Même sens : *J'en ai vu plusieurs qui copiaient sur leur voisin. Plusieurs de leurs camarades sont fautifs. Ils se sont mis à plusieurs pour produire ce livre;* comme sujet, il peut représenter, sans complément, un nom déjà exprimé : *Tous les invités sont venus, mais plusieurs ont dû repartir peu de temps après. Plusieurs m'ont déjà raconté cette histoire.*

EMPLOIS	plus	moins
1° Devant un adjectif ou un adverbe (comparatif de supériorité ou d'infériorité) ; le complément du comparatif est introduit par la conj. *que*. **Pas plus... que, pas** et **non moins... que,** indiquent une égalité (syn. : TOUT AUTANT QUE).	*Rien n'est plus dangereux que de traverser la rue en courant. Revenez plus tard. Allez beaucoup plus vite. Il est plus bête que méchant. Il fait plus froid aujourd'hui qu'hier. Relisez cet ouvrage plus souvent. La pluie tombe plus fort. La voiture n'est pas plus rapide que le train.*	*Rien n'est moins sûr que cette affirmation. L'hiver a été beaucoup moins rude que l'année dernière. Parlez moins vite. La consommation de gaz est moins forte ce mois-ci. Sortez moins souvent. Cette voiture va moins vite que la mienne. La neige est moins poudreuse. La situation n'est pas moins grave aujourd'hui qu'hier. Cette façon de parler est plus rare, mais non moins correcte.*
2° Devant un adjectif ou un adverbe, avec l'article défini (**le plus, le moins,** superlatifs relatifs) ; le complément du superlatif est introduit par la prép. *de* suivie d'un nom, ou par la conj. *que*, ou suivi de *possible*.	*Expliquez le plus clairement que vous pourrez. Il est le plus généreux des hommes. Les jours les plus chauds de l'année. L'Auvergne est la région de France qui possède les plus belles églises romanes. Cours le plus vite que tu pourras. Venez le plus souvent possible.*	*André est le moins ordonné de mes enfants. C'est lui qui a le moins de capacité pour ce travail. Le climat le moins humide du continent. Restez dans cette pièce glaciale le moins longtemps possible.*
3° Devant ou après un verbe qu'ils modifient (**plus, moins,** comparatifs ; **le plus, le moins,** superlatifs) ; suivis des mêmes compléments qu'en 2°. **Le moins** peut être renforcé par *du monde*.	*Il exige toujours plus* (syn. : DAVANTAGE). *Cette étoffe me plaît plus que l'autre. Ce livre m'a plus intéressé que le précédent. On ne peut pas faire plus pour lui. Qui peut le plus peut le moins* (formule d'encouragement).	*Ce lustre éclaire moins que celui du salon. Le réfrigérateur consomme moins que je ne croyais. On ne peut pas faire moins à son égard. Je n'en suis pas le moins du monde choqué. Le moins que l'on puisse dire, c'est qu'il n'a pas raison. Il m'a remercié, c'est bien le moins !* (= c'est le minimum de ce qu'il pouvait faire).
4° Suivis de la préposition *de* et d'un nom (**plus de, moins de**) ; *plus* peut être modifié par *un peu, beaucoup*, etc., *moins* par *un peu, beaucoup*, etc.	*Voici plus de trois jours que j'attends sa réponse. Versez-moi un peu plus de thé. Il n'y avait pas plus de dix personnes à la réunion. J'ai beaucoup plus de motifs que lui d'être satisfait.*	*Il y a moins d'une semaine que je l'ai rencontré sur les Boulevards. Il n'y avait pas moins de dix mille personnes sur la place. Cela vous coûtera moins de cent francs. Je l'ai acheté pour moins de mille francs* (= pour une somme inférieure à).
5° **Plus que, moins que, pas plus que, pas moins que,** suivis d'un participe ou d'un adjectif, indiquent que la quantité en question a été ou non dépassée.	*J'en ai plus qu'assez. Il est plus qu'ennuyeux.*	*Je suis bien moins que préoccupé* (= très peu).
6° Précédés d'un adverbe (*tellement, beaucoup*, etc.), d'un nom de nombre multiplicatif (*trois fois*) ou d'un mot désignant un espace (lieu, temps).	*Il lit beaucoup plus maintenant qu'il est à la retraite. Il y en a deux fois plus qu'il n'en faut. Il est dix ans plus vieux que moi.*	*Trois fois moins. Un peu plus ou un peu moins, finalement cela ne change rien. Il a reçu nettement moins que la dernière fois.*
7° **De plus, de moins,** précédés d'un nom et d'une indication de nombre. **En plus, en moins,** précédés ou suivis d'un nom et d'un numéral, indiquent une quantité qui s'ajoute ou se soustrait.	*Il a deux ans de plus que moi. Quelques heures de plus m'auraient permis d'achever. J'ai reçu treize bouteilles au lieu de douze ; il y en a une en plus* (syn. : EN TROP). *Cent francs, avec le port en plus. Il fait quelques petits travaux en plus de son métier.*	*Je touche cent francs de moins que lui par mois. Il y a un carreau en moins dans la cuisine. C'est une simple réédition, avec les illustrations en moins.*
8° Répétés pour exprimer une comparaison : **plus... plus, moins... moins, plus... moins, moins... plus.**	*Plus il parlait, et plus il s'enferrait dans ses explications. Plus il fait froid, moins le charbon arrive, car les canaux sont gelés.*	*Moins la pièce est éclairée, et plus vous vous faites mal aux yeux. Moins vous venez, et moins on pense à vous.*
9° Indiquent une addition ou une soustraction.	*Le signe plus* (+) *indique une addition. Six plus un égalent sept. J'avais invité les mêmes amis, plus le cousin de Georges. Il fut condamné à une lourde amende, plus les frais du procès.*	*Le signe moins* (—) *indique une soustraction. Sept moins un égalent six. Il est dix heures moins cinq* (au-delà de dix heures, on dit *dix heures cinq*). *Il est sorti à moins le quart* (= à l'heure indiquée, moins un quart d'heure). *Il était moins cinq, moins une, un peu plus il m'écrasait* (loc. fam. = le danger est passé tout près). *Le même modèle, moins quelques accessoires.*
10° **Des plus, des moins** (suivis d'un adj.), indiquent que l'on range ce qui est qualifié parmi ce qui est le plus..., le moins... (littér.).	*Elle est des plus heureuses au jeu.*	*C'est un roman des moins connus.*

LOC. FORMÉES AVEC « PLUS »	LOC. FORMÉES AVEC « MOINS »
Au plus (avec un numéral), indique la quantité supérieure d'une évaluation : *Il est sorti il y a au plus dix minutes. Ce vol leur a rapporté au plus cent francs.*	**Au moins** (avec un numéral), indique la quantité inférieure d'une évaluation : *L'appartement vaut au moins cinquante mille francs. Cela lui a rapporté au moins dix mille francs. Il est sorti il y a au moins une heure. Vous savez la nouvelle, au moins? Ne le gronde pas, au moins, il n'a rien fait.*
Tout au plus, exprime le degré maximal : *Ils étaient tout au plus une vingtaine.*	**Tout au moins,** indique une restriction ou une recommandation : *Il n'a pas besoin de vous, tout au moins il le prétend.*
De plus en plus, indique un accroissement, une augmentation par degrés : *Il a de plus en plus de raisons de se méfier.*	**De moins en moins,** indique une diminution par degrés : *Il a de moins en moins de ressources. On était de moins en moins sûr qu'il puisse rétablir sa santé.*
Rien de plus, aucune chose ne s'ajoutant : *Vous aurez cette indemnité, mais rien de plus.*	**Rien de moins,** aucune chose ne venant en diminution : *J'en veux dix mille francs, rien de moins.*
	Rien moins que, nullement : *Il est rien moins qu'un honnête homme* (= il n'est pas du tout honnête). **Rien de moins que,** assurément, certainement : *Il est rien de moins qu'un honnête homme* (= il l'est tout à fait). [La distinction entre ces deux dernières locutions n'est plus observée en français contemporain.]
En mieux, en plus grand, en plus petit, etc., mieux, plus grand, plus petit par comparaison.	**En moins bien, en moins grand,** moins bien, moins grand par comparaison.
Bien plus, exprime un renchérissement sur l'affirmation précédente : *Cette comédie est médiocre, bien plus, elle n'a même pas le mérite de l'originalité* (syn. : QUI PLUS EST).	**A moins,** pour un motif moins important, pour une quantité plus petite (en fin de phrase) : *On serait surpris à moins. Il ne l'aura pas à moins.*
De plus, en plus, indiquent une nouvelle considération : *Je suis fatigué et, de plus, découragé devant tant de difficultés* (syn. : EN OUTRE). *Il est stupide et, en plus, il a une haute opinion de lui-même.*	**A tout le moins, pour le moins,** indiquent que l'affirmation est volontairement restreinte : *Vous auriez pu, à tout le moins, me prévenir de ce contretemps. Cette attitude est pour le moins désinvolte.*
Raison de plus, c'est un motif nouveau qui s'ajoute aux autres pour renforcer une conviction : *Vous ne connaissez rien du sujet; raison de plus pour vous taire.*	**Du moins,** indique une restriction : *La paix n'est pas menacée, du moins est-ce le sentiment des milieux bien informés* (syn. : CEPENDANT, NÉANMOINS, POURTANT).
Sans plus, sans ajouter quoi que ce soit : *C'est un roman que je lis pour passer le temps, sans plus.*	**Si du moins,** indique une restriction dans une phrase hypothétique : *Donne-le-moi, si du moins tu n'en fais rien.*
	Moins que rien, négligeable : *Ce malaise est moins que rien, votre père sera vite rétabli.*
	En moins de rien, en très peu de temps : *Ne t'inquiète pas, en moins de rien j'aurai changé la roue.*
D'autant plus (... que), indique la proportion, la mesure : *Le regret fut d'autant plus vif que la personne était plus estimée. Je lui en suis d'autant plus reconnaissant, sachez-le bien.*	**D'autant moins (... que),** indique la proportion, la mesure : *On lui pardonne d'autant moins qu'il exerce des responsabilités plus lourdes.*

Ni plus ni moins, d'une manière exacte, juste : *Il est ni plus ni moins le meilleur joueur de tennis actuellement. C'est une escroquerie, ni plus ni moins.*

Plus ou moins, indique l'incertitude, l'hésitation : *« Vous pensez avoir réussi votre examen? — Plus ou moins. » Il est plus ou moins adroit*

LOC. PRÉP. et LOC. CONJ. AVEC « MOINS ». (Indiquant une hypothèse restrictive.)

à moins de (suivi de l'infin. ou d'un nom)	**à moins que** (suivi du subj. et de *ne*)
S'emploie lorsque le sujet de l'infinitif est le même que le sujet du verbe principal : *Venez samedi, à moins de recevoir un contrordre.*	S'emploie lorsque le sujet de la subordonnée conjonctive est différent du sujet du verbe dont elle dépend : *Nous resterons dimanche chez nous, à moins que le temps ne s'améliore.*

plus-que-parfait [plyskəparfɛ] n. m. Temps du verbe exprimant une action passée, antérieure à une autre action passée. (Ex. : *Il est arrivé en retard au rendez-vous : les autres étaient déjà partis.*)

plus-value [plyvaly] n. f. 1° Profit constitué par la différence entre la valeur des biens produits et l'ensemble des salaires et des amortissements (contr. : MOINS-VALUE). — 2° Excédent des recettes sur les dépenses (syn. : BÉNÉFICE).

plutôt [plyto] adv. 1° De préférence à quelque chose (dans un choix entre deux possibilités) : *Ne prenez pas ce fruit qui n'est pas mûr, prenez plutôt celui-ci.* — 2° Pour corriger une affirmation, pour améliorer une expression : *Il est gentil ou plutôt il préfère ignorer la méchanceté d'autrui* (syn. : POUR MIEUX DIRE, EN RÉALITÉ). *Il est indolent plutôt que paresseux.* — 3° (devant un adj.) Passablement, assez : *Il est plutôt bavard.* ● LOC. CONJ. ET PRÉP. *Plutôt que, plutôt que de,* expriment une comparaison, un choix préférentiel : *Il se distrait plutôt qu'il ne travaille* (syn. : PLUS QUE). *Plutôt que de vous obstiner à nier, vous feriez mieux d'admettre votre erreur* (syn. : AU LIEU DE). *Plutôt la mort que la souillure. Plutôt souffrir que mourir* (= mieux vaut).

pluviôse [plyvjoz] n. m. V. CALENDRIER RÉPUBLICAIN.

1. pneu [pnø] n. m. Enveloppe de toile et de caoutchouc recouvrant une chambre à air comprimé et que l'on adapte à la jante des roues de bicyclette, de voiture, etc. : *Vérifier la pression des pneus. Faire réparer un pneu crevé. Le pneu a éclaté.* (On dit aussi PNEUMATIQUE.)

2. pneu [pnø] n. m. Correspondance écrite sur un papier léger, de format déterminé, et expédiée rapidement, dans certaines villes, par le moyen de canalisations à air comprimé : *Envoyer, adresser un pneu.* (On dit aussi PNEUMATIQUE.)

1. pneumatique n. m. V. PNEU 1 et 2.

2. pneumatique [pnømatik] adj. Qui utilise l'air comprimé ou qui fonctionne avec l'air : *Un marteau pneumatique. Canot pneumatique.*

pneumonie [pnømɔni] n. f. Maladie consistant en une inflammation aiguë du poumon (syn. : FLUXION DE POITRINE).

pochade [pɔʃad] n. f. Croquis en couleur exécuté en quelques coups de pinceau, ou œuvre littéraire sans prétention et amusante, écrite rapidement.

pochard, e [pɔʃar, -ard] n. *Pop.* Ivrogne.

1. poche [pɔʃ] n. f. 1° Partie en forme de petit sac ménagée dans un vêtement et où l'on peut mettre de menus objets : *Une poche intérieure où l'on met son portefeuille. La poche-revolver, derrière le pantalon. Faire les poches de quelqu'un* (fam. = fouiller dans ses poches). — 2° *Argent de poche,* somme destinée à de petites dépenses personnelles. ‖ *Couteau de poche,* couteau pliant (par oppos. à *couteau de table, de cuisine,* etc.). ‖ *Avoir de l'argent plein les poches,* être très riche. ‖ *Avoir quelque chose en poche,* en avoir la possession définitive ou assurée; être sûr de l'obtenir : *Il a sa nomination en poche.* ‖ Fam. *Connaître quelque chose, quelqu'un comme sa poche,* le connaître très bien. ‖ Fam. *Mettre quelqu'un dans sa poche,* prendre une autorité absolue sur lui, de façon à s'assurer son concours ou sa neutralité. ‖ *Se remplir les poches,* gagner beaucoup d'argent en usant de procédés peu scrupuleux. ‖ Fam. *En être de sa poche,* faire les frais d'une entreprise, essuyer une perte alors qu'on attendait un bénéfice. ‖ *Livre de poche,* livre de petit format et de prix modique, appartenant à une collection de vulgarisation. — 3° Faux pli disgracieux d'un vêtement : *Son veston fait des poches.* — 4° Grande quantité de gaz, de liquide contenue dans une cavité souterraine : *Une poche de gaz, d'eau.* ◆ **pochette** n. f. 1° Petite poche placée en haut et à gauche d'un veston : *Mettre son stylo dans sa pochette.* — 2° Petit mouchoir de fantaisie que l'on met dans cette poche. — 3° Sachet de papier, d'étoffe dans lequel on met des photographies, des cartes, etc. ◆ **pochette-surprise** n. f. Sachet renfermant, avec des bonbons, un objet inattendu, que l'on achète ou qui est offert comme lot dans une tombola : *Des pochettes-surprises sont vendues à l'entracte.*

2. poche [pɔʃ] n. f. Enflure de la paupière inférieure, rides du visage sous les yeux. ◆ **pocher** v. tr. *Pocher l'œil à quelqu'un,* lui donner un coup qui occasionne une tuméfaction autour de l'œil (surtout au passif) : *Ils sortirent de la bagarre les yeux pochés.*

pocher [pɔʃe] v. tr. *Pocher des œufs,* les faire cuire entiers, sans la coquille, dans un liquide bouillant. (V. aussi POCHE 2.)

pochoir [pɔʃwar] n. m. Feuille de carton ou de métal découpée, permettant de peindre facilement des lettres, des dessins, etc. : *On applique le pochoir sur une surface et on passe le pinceau dessus. Un titre fait au pochoir.*

podium [pɔdjɔm] n. m. Estrade sur laquelle monte le champion vainqueur après une épreuve sportive : *Monter sur le podium.*

1. poêle [pwal] n. m. Appareil de chauffage fonctionnant au bois, au charbon ou au mazout : *Charger, allumer, éteindre un poêle à charbon. Un poêle brûlait au milieu de la salle de classe.*

2. poêle [pwal] n. f. Ustensile de cuisine en métal, rond et de faible profondeur, muni d'une queue : *Faire sauter des pommes de terre, cuire un bifteck à la poêle. Une poêle à frire.* ◆ **poêlon** n. m. Casserole en terre.

3. poêle [pwal] n. m. *Tenir les cordons du poêle,* tenir les cordons du drap mortuaire dont on couvre le cercueil pendant le cortège funèbre.

poésie [pɔezi] n. f. 1° Art d'évoquer et de suggérer les sensations, les impressions, les émotions par un emploi particulier de la langue, utilisant les sonorités, les rythmes, les harmonies des mots et des phrases, les images, etc. : *Etre sensible à la poésie. La poésie d'Alain-Fournier est faite d'évocations et de souvenirs lyriques.* — 2° Texte en vers, généralement court : *Les poésies de Lamartine. Apprendre par cœur une poésie de Verlaine. Une poésie lyrique.* — 3° Caractère d'une chose qui parle à l'âme, qui touche le cœur, la sensibilité : *Clair de lune plein de poésie.* ◆ **poème** [pɔɛm] n. m. Ouvrage en vers ou en prose, ayant les caractères de la poésie : *« L'Enéide » est un poème épique. Les poèmes de Leconte de Lisle, d'Henri de Régnier. Les « Petits Poèmes en prose » de Baudelaire.* ◆ **poète** n. m. 1° Celui qui écrit en vers, qui s'exprime d'une manière poétique : *Victor Hugo, Corneille, Baudelaire sont des poètes très célèbres.* — 2° *Fam.* Celui qui n'a guère le sens des réalités, qui manque d'ordre, de logique, etc. ◆ adj. m. et f. Qui écrit des poésies : *Une femme poète.* ◆ **poétesse** [pɔetɛs] n. f. Femme poète : *Sappho est la plus célèbre poétesse de l'Antiquité.* ◆ **poétique** [pɔetik] adj. 1° Relatif à la poésie : *Les œuvres poétiques de Victor Hugo* (= constituées par sa poésie). *Une tournure poétique* (= réservée à la langue de la poésie). *Licence poétique* (= liberté grammaticale autorisée en poésie). *Un talent poétique* (= dans le domaine de la poésie). — 2° Se dit d'une chose qui porte à rêver, qui élève l'âme, etc. : *Entrer dans un univers poétique. Vision poétique de la vie* (contr. : RÉALISTE). *Votre façon de parler est trop poétique pour moi* (syn. : IMAGÉ). *Un coucher de soleil poétique* (syn. : ROMANTIQUE). *Vous avez une nature poétique* (syn. : RÊVEUR). ◆ **poétiquement** adv. : *S'exprimer poétiquement.* ◆ **poétiser** v. tr. Rendre poétique : *Poétiser de vagues souvenirs d'enfance* (syn. : EMBELLIR). *Poétiser une scène réaliste.* ◆ **dépoétiser** v. tr. Dépouiller de son caractère poétique : *Une explication qui dépoétise la légende.*

pognon [pɔɲɔ̃] n. m. *Pop.* Argent : *Avoir du pognon plein les poches* (= être riche).

pogrom [pogrom] n. m. Massacre de juifs : *Les pogroms inspirés par les autorités tsaristes ont ensanglanté parfois des régions entières dans la Russie d'avant 1917.*

1. poids [pwa] n. m. 1° Pression exercée par un corps sur ce qui le supporte, en raison de l'attraction terrestre; ce qui fait qu'une chose pèse, apparaît pesante : *Mesurer le poids d'un paquet sur une balance. Le poids d'un litre d'eau est supérieur à celui d'un litre d'essence. Une branche qui plie sous le poids des fruits. Un pilier qui supporte la plus grande partie du poids de la voûte* (syn. : CHARGE, MASSE). *Le kilogramme est l'unité de poids.* ‖ *Poids lourd,* gros camion. ‖ *Avoir deux poids, deux mesures,* porter des jugements divers, suivant ses intérêts; faire preuve de particularité. ‖ *Vendre quelque chose au poids,* le vendre d'après son poids, et non selon le nombre d'unités. ‖ *Vendre quelque chose au poids de l'or,* le vendre très cher. ‖ *Faire bon poids,* donner légèrement plus que le poids demandé. ‖ *Poids mort,* ce qui, dans une organisation, absorbe sans profit de l'énergie, des ressources; personne inutile dans un groupe. — 2° Caractère de ce qui est pénible à supporter (langue soignée) : *Les paysans ont été longtemps accablés sous le poids des impôts* (syn. : FARDEAU). *Le poids des années ralentissait sa marche. Tout le poids de l'entreprise repose sur ses épaules* (syn. : RESPONSABILITÉ). ‖ *Avoir un poids sur l'estomac,* éprouver un malaise physique au niveau de l'estomac, souvent en raison d'une inquiétude, d'une gêne. ‖ *Avoir un poids sur la conscience,* se sentir en faute, éprouver des remords. — 3° Influence, autorité : *On ne peut pas méconnaître le poids d'un tel argument* (syn. : IMPORTANCE, VALEUR). *Les inconvénients de ce système sont de peu de poids en regard des avantages. C'est un homme de poids* (= on tient compte de ses avis). *Les découvertes récentes donnent du poids à cette hypothèse* (syn. : CONSISTANCE). ‖ (sujet nom de personne) Fam. *Faire le poids,* être en mesure de remplir un rôle, être compétent : *On ne peut pas songer à lui pour diriger l'affaire : il ne fait pas le poids.* (V. PESER.)

2. poids [pwa] n. m. 1° Masse de métal utilisée pour peser : *Mettre un poids dans la balance. Poids de 500 grammes.* — 2° Masse de métal utilisée dans certains sports : *Le lancement du poids.*

poignant, e [pwaɲɑ̃, -ɑ̃t] adj. Se dit de ce qui cause ou manifeste une vive douleur, une angoisse : *Une douleur poignante* (syn. : AIGU). *Une situation poignante* (syn. : DRAMATIQUE, ↑ ATROCE). *Jeter un regard poignant* (syn. : ÉMOUVANT, DOULOUREUX). *Faire des adieux poignants* (syn. : DÉCHIRANT).

poignard [pwaɲar] n. m. 1° Arme faite d'un manche et d'une lame courte, pointue et tranchante : *Donner un coup de poignard.* — 2° *Coup de poignard,* ce qui cause une violente douleur morale (littér.) : *La nouvelle de la mort de son enfant fut pour lui un coup de poignard.* ◆ **poignarder** v. tr. Frapper avec un poignard : *Le bandit poignarda sauvagement la malheureuse.*

poigne [pwaɲ ou pɔɲ] n. f. 1° Force de la main : *Pour tordre cette barre de fer, il faut une fameuse poigne. Avoir une poigne de fer.* — 2° Energie mise à se faire obéir : *Un gouvernement à poigne.*

1. poignée [pwaɲe] n. f. 1° Quantité de choses qu'on peut saisir avec une main, que peut contenir la main fermée : *Une poignée de riz. Jeter une poignée de sel dans la marmite. Arracher une poignée de cheveux.* — 2° Petit nombre de personnes : *Il n'y avait qu'une poignée de spectateurs.* — 3° *Poignée de main,* action de serrer la main à quelqu'un en guise de salutation, en signe d'accord. ‖ *A poignée, par poignées,* à pleine main, en grande quantité : *Il jeta des dragées aux enfants par poignées.*

2. poignée [pwaɲe] n. f. Partie d'un objet par laquelle on le saisit avec la main : *La poignée d'une valise, d'une épée, d'une porte. J'ai voulu entrer, mais la poignée m'est restée dans la main.*

poignet [pwaɲɛ] n. m. 1° Articulation qui joint la main à l'avant-bras : *Se casser le poignet.* — 2° Extrémité de la manche d'un vêtement, d'une chemise en particulier : *Amidonner les poignets d'une chemise.*

poil [pwal] 1° Production de la peau en forme de fil, apparaissant sur le corps de certains animaux ou sur certaines parties du corps humain : *Les poils d'une fourrure. Avoir quelques poils au menton.* — 2° Fam. *Un poil,* une très petite quantité : *Pousse le tableau un poil plus à droite* (= un tout petit peu). *Il s'en est fallu d'un poil* (= de très peu). ‖ Fam. *A un poil près,* à peu de chose près. — 3° Fam. *Avoir un poil dans la main,* être très paresseux. ‖ Pop. *Tomber sur le poil de quelqu'un,* l'attaquer brusquement, le rabrouer, le tancer. ‖ Fam. *Reprendre du poil de la bête,* se ressaisir. ‖ Fam. *Etre de bon poil, de mauvais poil,* être de bonne, de mauvaise humeur. • LOC. ADJ. Fam. *A poil,* nu : *Etre complètement à poil.* ‖ Pop. *Au poil,* très bon, très satisfaisant : *Ton déjeuner est au poil! Une fille au poil* (= jolie, agréable). *Cette histoire est au poil* (= est très drôle). • LOC. ADV. ET ADJ. Pop. *Au poil,* parfaitement, parfait : *Un travail au poil.* (On dit aussi AU QUART DE POIL.) ◆ **poilu, e** adj. Couvert de poils : *Il a les jambes poilues* (syn. : VELU). *Menton poilu* (syn. : BARBU).

poiler (se) [səpwale] v. pr. *Pop.* Rire. ◆ **poilant, e** adj. *Pop.* Drôle : *Une histoire poilante.*

1. poilu, e adj. V. POIL.

2. poilu [pwaly] n. m. *Fam.* Combattant français de la Première Guerre mondiale.

poinçon [pwɛ̃sɔ̃] n. m. 1° Tige d'acier pointue, servant à graver ou à percer : *Le poinçon d'un graveur, d'un cordonnier.* — 2° Marque de contrôle mise avec un outil d'acier trempé sur certains objets : *Apposer un poinçon sur une montre en or.* ◆ **poinçonner** v. tr. Marquer d'un poinçon.

poinçonner [pwɛ̃sɔne] v. tr. *Poinçonner un ticket,* le perforer pour l'annuler. (V. aussi POINÇON.) ◆ **poinçonneur, euse** n. Personne qui poinçonne les tickets de métro.

poindre [pwɛ̃dr] v. intr. (conj. 82). 1° *Le jour point,* il commence à paraître (littér.) : *Nous partirons quand le jour poindra.* — 2° *Plantes qui commencent à poindre,* à sortir de terre.

poing [pwɛ̃] n. m. 1° Main fermée : *Un gros poing. Frapper du poing.* — 2° *Pieds et poings liés,* se dit de quelqu'un qui est complètement immobilisé, dans une situation de dépendance totale : *N'ayant plus un sou devant lui, il est pieds et poings liés dans les mains de ses créanciers.* ‖ *Coup de poing,* coup porté avec le poing : *Donner des coups de poing.* ‖ *Coup de poing sur la table,* acte de quelqu'un qui impose brutalement sa volonté. ‖ Fam. *Faire le coup de poing,* prendre part à une bataille à coups de poing, de pied, etc. ‖ *Serrer les* *poings,* rassembler toute son énergie. ‖ *Dormir à poings fermés,* dormir très profondément. ‖ *Montrer le poing,* faire à quelqu'un un signe de menace. ‖ *Se ronger les poings,* être en proie à l'inquiétude, au remords ; se reprocher amèrement quelque chose.

1. point [pwɛ̃] n. m. 1° Petite marque en forme de rond, qui fait partie de la graphie de certaines lettres : *Mettre un point sur un « i », un « j ».* ‖ Fam. *Mettre les points sur les « i »*, insister nettement, pour dissiper toute ambiguïté. — 2° Signe de ponctuation indiquant la fin d'un énoncé. (V. PONCTUATION.) — 3° *Mettre un point final à une discussion,* la clore définitivement. ‖ *Point d'orgue,* signe (𝄐) placé sur une note de musique pour en augmenter la durée pendant un temps indéfini.

2. point [pwɛ̃] n. m. 1° En mathématiques, lieu idéal dans l'espace, n'ayant aucune étendue : *Point d'intersection de deux droites.* — 2° Endroit ayant une très petite surface ou dont la surface n'est pas prise en considération : *Il avait des ecchymoses en plusieurs points du corps. Une maison de commerce qui a de nombreuses succursales, dispersées dans différents points d'une région. Point de départ, d'arrivée, d'arrêt.* — 3° *Point d'appui,* ce sur quoi on s'appuie pour se tenir : *Il a trouvé un point d'appui sur le bord de la fenêtre pour placer son échelle.* ‖ *Point d'attache,* endroit où quelqu'un retourne habituellement : *Pendant les vacances, nous avions pour point d'attache un petit village de montagne, d'où nous avons sans cesse rayonné.* ‖ *Point d'eau,* endroit, dans une région aride, où se trouve une source. ‖ *Point de vue,* endroit d'où l'on domine un paysage, et spectacle qui s'offre à l'observateur : *Il ne faut pas manquer le point de vue sur le gouffre ;* conception générale qu'on se fait d'un problème : *Votre point de vue sur la question n'est pas valable* (syn. : FAÇON DE VOIR). *Partager le point de vue d'un adversaire. D'un certain point de vue, vous n'avez pas tort* (= si on se place dans une certaine optique). *Du point de vue de la forme* (ou, fam., *du point de vue forme*), *ce texte est critiquable. Cette hypothèse ne vaut rien au point de vue scientifique* (= scientifiquement parlant). ‖ *Point mort,* dans une voiture, position du levier de changement de vitesse où celui-ci n'est engagé dans aucune vitesse : *Vous voulez démarrer alors que vous êtes au point mort !* ‖ Fam. *Etre au point mort,* se dit d'une affaire qui ne progresse plus, alors qu'elle n'est pas encore arrivée à sa conclusion. ‖ *Faire le point,* chercher à déterminer la position d'un bateau ; chercher à savoir où l'on en est, à dominer la situation dans son ensemble.

3. point [pwɛ̃] n. m. 1° Question particulière d'un sujet, élément d'un ensemble : *Discuter sur un point important. Revenir sur un point particulier* (= un aspect du problème). *Un discours en trois points* (syn. : PARTIE). *Je ne suis pas d'accord avec vous sur tous les points. Sur ce point, deux avis contraires se présentent. Ils sont d'accord en tout point. Débattre une affaire point par point* (= méthodiquement, sans rien omettre). *Discuter un point de doctrine* (= un aspect particulier de la doctrine). — 2° *Point faible,* partie, aspect critiquable, médiocre de quelqu'un ou de quelque chose : *L'orthographe est son point faible.* ‖ *Point de détail,* chose secondaire. — 3° Degré atteint, moment dans le cours des choses : *Je reprends mon exposé au point où je l'ai laissé. La situation en est toujours au même point* (= elle n'a pas évolué).

4. point [pwɛ̃] n. m. 1° Unité de notation d'un travail scolaire, d'une épreuve de concours ou d'examen, etc. : *Il a été convenu que chaque faute d'orthographe retirerait un point.* — 2° Unité dans un jeu, un sport mettant en compétition deux ou plusieurs personnes : *Jouer une partie en vingt points.* — 3° *Vainqueur aux points,* se dit d'un boxeur dont le total des points qui lui ont été attribués au cours du combat est supérieur à celui de l'adversaire. ‖ *Rendre des points à quelqu'un,* lui concéder des avantages parce qu'on est le plus fort, le plus habile. ‖ *Marquer un point,* prendre un avantage sur son adversaire dans un combat, dans une discussion.

5. point [pwɛ̃] n. m. 1° Piqûre faite dans l'étoffe avec une aiguille enfilée de soie, de laine, etc. : *Couture à petits points. Faire des points espacés.* — 2° (avec un compl. du nom) Appellation de certains travaux faits à l'aiguille : *Point de croix, point de tige, point de chaînette.*

6. point [pwɛ̃] n. m. (dans des loc. adv., adj., prép. ou conj.). **A point** loc. adv. et adj. Dans l'état qui convient (degré de cuisson d'un mets, maturité d'un fruit) : *Le rôti est cuit à point* (= ni trop cru ni trop cuit). *Des pêches bien à point.* ‖ **au point** loc. adv. et adj. Bien réglé, qui fonctionne bien : *Votre voiture est maintenant au point. Après plusieurs années d'études, les services compétents ont mis au point un nouveau procédé de fabrication* (= ont établi avec précision). ‖ **à point nommé** loc. adv. A l'instant fixé (langue soignée) : *Vous êtes arrivé à point nommé pour sauver la situation.* ‖ **en tout point** loc. adv. Entièrement, exactement : *Vous serez obéi en tout point.* ‖ **sur le point de** loc. prép. (avec l'infin.). Indique un futur immédiat : *Sur le point de franchir le dernier obstacle, le cheval tomba* (= au moment où il allait le franchir). *Faites attention, votre valise est sur le point de tomber.* ‖ **au point de** loc. prép. (avec l'infin.), **au point que, à tel point que** loc. conj. (avec l'indic. ou parfois le subj.). Marque la conséquence réelle ou éventuelle : *Il ne fait pas froid au point de mettre un chandail* (= si froid qu'il faille le mettre). *Il ne faut pas embellir l'histoire au point que les faits essentiels soient gravement altérés. Il s'est surmené à tel point qu'il est tombé malade.*

7. point [pwɛ̃] adv. de négation. Restreint à la langue littéraire ou de caractère dialectal (dans la langue usuelle, *pas*). [V. NE.]

1. pointe [pwɛ̃t] n. f. 1° Extrémité pointue ou étroite d'un objet qui va en s'amincissant : *La pointe d'une aiguille. La pointe d'un paratonnerre. La pointe d'un clocher* (= la partie extrême et la plus fine). *Camper à la pointe de l'île* (syn. : EXTRÉMITÉ). *L'enfant se dresse sur la pointe des pieds pour voir.* ‖ *Marcher sur la pointe des pieds,* sans faire de bruit. ‖ *Pointe d'asperge,* bourgeon terminal d'une asperge. — 2° Clou de même grosseur sur toute sa longueur. — 3° *Pointe sèche,* outil de graveur. — 4° *Pointes de feu,* traitement médical avec un cautère. ● LOC. ADJ. ET ADV. *En pointe,* se dit d'une chose qui a la forme d'une pointe, dont l'extrémité va en s'amincissant : *Un écusson en pointe. Tailler sa barbe en pointe.* ◆ **pointu, e** adj. (toujours après le nom). 1° Qui a une extrémité amincie ou formant un angle aigu : *Se déchirer la main à un clou pointu* (syn. : ACÉRÉ). *On voyait le clocher pointu de l'église au-delà des champs de* *blé. Le talon pointu d'une chaussure de femme* (contr. : BAS). *Il a le nez pointu* (syn. : MINCE, FIN). — 2° *Voix pointue, ton pointu,* qui a un timbre très élevé et désagréable (syn. non péjor. : AIGU). ‖ *Accent pointu,* se dit, dans le Midi, de l'accent parisien. — 3° Se dit de quelqu'un (ou de son comportement) qui manifeste de la susceptibilité ou de l'aigreur (littér.) : *Quand il parlait, il avait un petit air pointu* (syn. : CONTRACTÉ, PINCÉ). [V. ÉPOINTER.]

2. pointe [pwɛ̃t] n. f. *Faire, pousser une pointe jusqu'à un lieu,* faire un détour pour y aller.

3. pointe [pwɛ̃t] n. f. *Une pointe de quelque chose,* une petite quantité de cette chose : *Mettre une pointe d'ail dans la salade. Il parlait avec une pointe d'accent méridional. Elle mettait dans sa question une pointe de malice* (syn. : UN RIEN DE, UN SOUPÇON DE).

4. pointe [pwɛ̃t] n. f. 1° Moment où une activité, un phénomène atteint son maximum d'intensité : *Cette voiture fait du 180 en pointe. Vitesse de pointe* (par oppos. à *vitesse de croisière*). — 2° *Heure de pointe,* moment où la consommation d'électricité, de gaz, etc., est la plus forte, où le nombre des voyageurs est le plus grand, etc. ‖ (sujet nom de personne) *Etre à la pointe de quelque chose,* être dans un secteur au premier rang par rapport aux autres, être très au courant : *Un linguiste à la pointe du progrès scientifique. Journaliste à la pointe de l'actualité.*

5. pointe [pwɛ̃t] n. f. *La pointe du jour,* la première clarté du jour (syn. : AUBE, AURORE).

6. pointe [pwɛ̃t] n. f. Trait d'esprit recherché (littér.).

pointeau [pwɛ̃to] n. m. Tige conique qui règle l'arrivée d'un fluide à travers un orifice.

1. pointer [pwɛ̃te] v. tr. 1° (sujet nom de personne) Marquer d'un signe des noms, des articles d'une liste, des mots d'un texte, afin de contrôler, de compter, etc. : *Vous pointerez sur cette liste les titres des ouvrages qui vous intéressent* (syn. : COCHER). *Pointer tous les verbes dans une fable de La Fontaine* (syn. : RELEVER, NOTER). — 2° *Pointer des employés, des ouvriers,* contrôler leurs heures d'arrivée et de départ dans l'entreprise. ◆ v. intr. *Employé, ouvrier qui pointe,* qui est soumis au contrôle de ses heures d'arrivée et de départ dans l'entreprise. ◆ ***se pointer*** v. pr. *Fam.* Arriver, se présenter à un endroit : *Il s'est pointé chez moi dès six heures du matin.* ◆ **pointage** n. m. : *Le pointage des électeurs inscrits sur la liste électorale. Le pointage du personnel d'une entreprise se fait souvent au moyen d'un appareil spécial, qui enregistre l'heure d'arrivée et de départ.*

2. pointer [pwɛ̃te] v. tr. (sujet nom de personne). Diriger vers un but, orienter en direction de quelqu'un ou de quelque chose : *Pointer un canon sur l'objectif. Le capitaine pointa sa jumelle vers l'îlot* (syn. : BRAQUER). *Il pointait vers son adversaire un index accusateur.* ◆ **pointage** n. m. : *Le pointage d'un canon.* ◆ **pointeur** n. m. Servant d'une arme à feu chargé du pointage.

3. pointer [pwɛ̃te] v. intr. (sujet nom de chose). Se dresser verticalement, s'élever (langue soignée) : *Les flèches de la cathédrale pointent vers le ciel. Les jeunes pousses de pivoine qui pointent au printemps* (= qui sortent de terre).

pointillé [pwɛ̃tije] n. m. Ligne faite de petits points nombreux et rapprochés : *Indiquer la frontière entre deux pays, sur une carte, par un pointillé gras.* ◆ **pointillisme** n. m. Procédé de l'école impressionniste, en peinture, qui pousse à l'extrême la division des tons en juxtaposant des points multicolores.

pointilleux, euse [pwɛ̃tijø, -øz] adj. et n. Se dit d'une personne (ou de son comportement) qui est exigeante ou susceptible dans ses rapports avec les autres : *Un examinateur pointilleux* (syn. fam. : PINAILLEUR). *La mère se montrait pointilleuse sur le chapitre de la politesse.*

pointu, e adj. V. POINTE 1.

pointure [pwɛ̃tyr] n. f. Dimension des chaussures, des gants, des coiffures : *Quelle pointure chaussez-vous? Quelle est votre pointure?*

point-virgule [pwɛ̃virgyl] n. m. Signe de ponctuation indiquant la fin d'une phrase qui forme l'articulation d'un énoncé complet. (V. PONCTUATION.)

1. poire [pwar] n. f. 1° Fruit à pépins, de forme plus ou moins allongée et s'amincissant vers la queue : *Manger des poires pour le dessert.* — 2° Nom de certains objets en forme de poire : *Poire à lavement* (= poche en caoutchouc pour donner des lavements). *Poire électrique* (= commutateur électrique au bout d'un fil souple). — 3° Fam. *Garder une poire pour la soif,* conserver quelques ressources en cas de besoin. ◆ **poirier** n. m. Arbre fruitier qui fournit la poire.

2. poire [pwar] n. f. *Pop.* Figure : *Il a reçu le jet en pleine poire.*

3. poire [pwar] n. f. et adj. *Pop.* Personne facilement dupe : *Une bonne poire. Il est tellement poire qu'il s'est laissé prendre sa place.*

1. poireau [pwaro] n. m. Plante potagère dont on consomme la base des feuilles : *Une botte de poireaux. Une soupe aux poireaux.*

2. poireau [pwaro] n. m. Fam. *Faire le poireau,* attendre longuement. ◆ **poireauter** v. intr. *Fam.* Faire le poireau : *Poireauter sur le quai de la gare.*

pois [pwɑ] n. m. 1° Plante grimpante, cultivée pour ses graines : *Cultiver des pois.* — 2° (au plur.) Graines du pois, dites plus souvent *petits pois* : *Petits pois frais. Petits pois en conserve.* — 3° *Pois cassés,* pois secs divisés en deux, qui se mangent en purée. ‖ *Pois chiche,* plante voisine du pois, dont la gousse contient deux graines comestibles. • Loc. ADJ. *A pois,* se dit de certains tissus décorés par des petits ronds d'une couleur différente de celle du fond, diversement disposés : *Une cravate à pois.*

poison [pwazɔ̃] n. m. 1° Toute substance qui, introduite dans l'organisme, détruit ou altère les fonctions vitales : *Poison végétal. Certains champignons contiennent un poison violent.* — 2° *Fam.* Personne méchante et de caractère insupportable : *Cette vieille fille, quel poison!* (syn. fam. : PESTE); et adjectiv. : *Elle est très poison quand elle s'y met.* — 3° *Fam.* Se dit de tâches très ennuyeuses : *Ecrire cette lettre, c'est un vrai poison.* ◆ **empoisonner** v. tr. 1° *Empoisonner une personne, un animal,* les faire mourir ou les intoxiquer gravement par le poison : *Néron fit empoisonner Britannicus. Un plat de champignons qui a empoisonné toute une famille.* — 2° *Empoisonner un aliment, une boisson,* etc., y mêler du poison, des éléments nocifs. — 3° *Empoisonner l'eau, l'atmosphère,* y répandre une odeur infecte, des éléments nocifs : *De la viande avariée qui empoisonne* (syn. pop. : PUER). — 4° Fam. *Empoisonner quelqu'un,* lui causer un souci constant, l'importuner : *Il m'empoisonne avec ses réclamations* (syn. : ENNUYER; fam. : ASSOMMER). *Des voisins qui nous empoisonnent l'existence.* — 5° *Empoisonner les mœurs, la jeunesse,* etc., les corrompre, les pervertir. ◆ **empoisonnant, e** adj. Fam. : *Une démarche empoisonnante. Un travail empoisonnant* (syn. : ENNUYEUX; fam. : ASSOMMANT). *Un élève empoisonnant* (syn. : INSUPPORTABLE). ◆ **empoisonnement** n. m. 1° Intoxication pouvant causer la mort : *Un empoisonnement dû aux champignons.* — 2° *Fam.* Ennui, souci, tracas : *Il a eu un tas d'empoisonnements avec sa voiture.* ◆ **empoisonneur, euse** n. : *La Brinvilliers est une empoisonneuse célèbre du XVII*e *siècle. Un écrivain qui a été traité d'empoisonneur public.* ◆ **contrepoison** n. m. Remède qui combat les effets d'un poison (syn. : ANTIDOTE).

poissard, e [pwasar, -ard] adj. et n. f. Se dit d'une personne au langage grossier, au verbe haut : *Cette fille parle comme une poissarde.*

poisse [pwas] n. f. *Pop.* Malchance : *Quelle poisse!* ◆ **poisser** v. tr. Pop. *Poisser quelqu'un,* le prendre quand il a commis un délit, une faute, etc. : *La police l'a poissé à la sortie du magasin avec son sac plein de marchandises volées. Il s'est fait poisser trois fois de suite* (= il s'est fait pincer, il s'est fait prendre).

poisser v. tr. V. POISSE, POIX.

poisson [pwasɔ̃] n. m. 1° Vertébré aquatique, à corps fuselé couvert d'écailles, se déplaçant dans l'eau à l'aide de nageoires : *Le thon est un grand poisson. Manger du poisson le vendredi. Marchand de poisson. Pêcher du poisson.* — 2° *Etre heureux comme un poisson dans l'eau,* être très heureux. ‖ Pop. *Engueuler quelqu'un comme du poisson pourri,* le couvrir d'injures. ‖ *Faire une queue de poisson,* en parlant d'un automobiliste, d'un cycliste, etc., doubler un véhicule et se rabattre brusquement devant lui. ‖ *Poisson d'avril,* attrape qu'on fait le 1er avril. ‖ *Ni chair ni poisson,* se dit d'une personne ou d'une chose de nature indécise, incertaine. ◆ **poissonnerie** n. f. Commerce, magasin dans lequel se vendent les poissons et les produits de la mer : *Acheter des huîtres à la poissonnerie.* ◆ **poissonneux, euse** adj. Se dit d'une eau qui contient de nombreux poissons : *L'étang est très poissonneux.* ◆ **poissonnier, ère** n. Personne qui tient une poissonnerie : *Aller chercher une langouste chez le poissonnier.*

poitrail [pwatraj] n. m. Devant du corps du cheval et de quelques animaux, entre l'encolure et les épaules. ◆ **dépoitraillé, e** adj. *Fam.* Se dit d'une personne dont la tenue négligée laisse apparaître la poitrine.

poitrine [pwatrin] n. f. 1° Partie du tronc, entre le cou et l'abdomen, qui contient les poumons et le cœur : *Avoir une poitrine étroite. Maladie de poitrine* (= pulmonaire). — 2° Seins de femme : *Elle a une belle poitrine. Avoir de la poitrine* (= avoir les seins développés). — 3° *Voix de poitrine,* voix dont le son est plein (par oppos. à *voix de tête*). ‖ *Sentir un poids sur sa poitrine,* se sentir oppressé, soucieux.

poivre [pwavr] n. m. Condiment de saveur piquante, formé par le fruit (*poivre noir*) ou la graine (*poivre blanc*), habituellement pulvérisés, du poivrier : *Mettre du poivre dans une sauce. Steak au poivre* (= recouvert de poivre concassé). *Le poivre et le sel sont sur la table.* ◆ adj. Fam. *Cheveux poivre et sel,* grisonnants. ◆ **poivrer** v. tr. Assaisonner de poivre : *Poivrer la salade. La sauce est trop poivrée.* ◆ **poivré, e** adj. *Une plaisanterie poivrée,* qui a un caractère licencieux (syn. : SALÉ). ◆ **poivrade** n. f. Sauce vinaigrette au poivre. ◆ **poivrier** n. m. Plante produisant le poivre. ◆ **poivrière** n. f. 1° Petite boîte contenant du poivre, que l'on met sur la table. — 2° *Toit en poivrière,* toit conique au-dessus d'une tour ou d'une tourelle.

poivron [pwavrɔ̃] n. m. Fruit du piment doux.

poivrot [pwavro] n. m. *Pop.* Ivrogne (parfois au fém. POIVROTE).

poix [pwa] n. f. Matière tirée du pin et du sapin et qui a des propriétés agglutinantes (utilisée pour l'encollage des papiers). ◆ **poisser** v. tr. Salir, souiller, en laissant des traces gluantes : *La confiture lui a poissé les doigts.* ◆ **poisseux, euse** adj. : *L'enfant avait les mains poisseuses.*

poker [pɔkɛr] n. m. 1° Jeu de cartes d'origine américaine. — 2° *Poker dice* ou *poker d'as,* sorte de jeu de dés.

polariser [pɔlarize] v. tr. 1° Concentrer sur soi : *Un problème urgent, qui polarise toute l'activité de l'entreprise.* — 2° Fam. *Etre polarisé sur une question,* y consacrer toutes ses pensées, toute son action.

polder [pɔldɛr] n. m. Région fertile conquise par l'homme sur la mer ou les marais.

pôle [pol] n. m. 1° Chacun des deux points d'intersection de l'axe de rotation de la Terre avec la surface terrestre : *Le pôle Nord. Le pôle Sud.* — 2° Chacune des deux bornes d'une pile, d'un générateur électrique : *Le pôle positif; le pôle négatif.* — 3° Chose qui est en opposition logique avec une autre : *Les deux pôles de la joie et de la tristesse.* — 4° *Pôle d'attraction,* chose qui retient l'attention, qui attire les regards : *Le pôle d'attraction de la fête foraine était la diseuse de bonne aventure.* ◆ **polaire** adj. : *Calotte de glace polaire.*

polémique [pɔlemik] n. f. Discussion, débat violent sur un sujet politique, scientifique, littéraire : *Engager une polémique avec quelqu'un. Soutenir une polémique acharnée contre quelqu'un* (syn. : ↓ DÉBAT, DISCUSSION, CONTROVERSE). ◆ **polémique** adj. : *Une attitude polémique* (contr. : CONCILIANT). ◆ **polémiquer** v. intr. Faire de la polémique : *Ces philosophes se sont mis à polémiquer.* ◆ **polémiste** n. m. Personne qui fait de la polémique : *Un polémiste de talent écrivait dans le journal* (syn. : PAMPHLÉTAIRE).

1. poli, e [pɔli] adj. Se dit d'une personne (ou de son comportement) dont les manières sont conformes aux règles de la bonne société, ou respectueuses d'autrui : *Un enfant très poli* (syn. : BIEN ÉLEVÉ). *Se montrer peu poli* (syn. : COURTOIS; contr. : ARROGANT). *Etre poli avec les dames* (syn. : AIMABLE, GRACIEUX, GALANT; contr. : ↑ MALAPPRIS, INCONVENANT, MALOTRU). *Avoir des manières naturellement polies* (syn. : ↓ CORRECT, ↑ CÉRÉMONIEUX; contr. : RUSTRE, ↑ GROSSIER). ◆ **poliment** adv. : *Veux-tu parler poliment à ton père! Refuser poli-*

ment une invitation. ◆ **politesse** n. f. 1° *Ce garçon manque de la politesse la plus élémentaire. Terminer sa lettre par une formule de politesse.* — 2° *Brûler la politesse à quelqu'un,* se retirer brusquement, sans prendre congé. ◆ **impoli, e** adj. : *Une demande impolie* (syn. : DISCOURTOIS). *Un visiteur impoli.* ◆ **impoliment** adv. ◆ **impolitesse** n. f. : *Répondre avec impolitesse* (syn. : ↑ GROSSIÈRETÉ). *C'est une impolitesse que de ne pas l'avoir remercié.*

2. poli, e adj. V. POLIR.

1. police [pɔlis] n. f. 1° Administration veillant à l'observation des règlements qui maintiennent la sécurité publique : *Appartenir à la police. Dénoncer quelqu'un à la police. Agent de police.* — 2° *Police secours,* service installé dans les commissariats d'arrondissement et affecté aux cas d'urgence. ◆ **policier** n. m. Personne qui appartient à la police : *Les policiers ont arrêté un suspect.* (*Agent de police* désigne en général un membre de la police en uniforme; *policier* s'applique à n'importe quelle personne de la police, gradée, en uniforme ou non.) ◆ **policier, ère** adj. 1° *Des mesures policières. Employer des méthodes policières* (= comparables à celles qu'emploie la police). — 2° *Roman, film policier,* roman, film dont l'intrigue repose sur une enquête criminelle. ◆ **policeman** [pɔlisman] n. m. Agent de la police anglaise.

2. police [pɔlis] n. f. *Police d'assurance,* contrat d'assurance écrit : *Signer une police d'assurance pour une voiture, un appartement.*

policé, e adj. Qui est parvenu à un certain degré de civilisation (langue soignée) : *On parlait au XVIII*[e] *s. des sociétés policées* (syn. : CIVILISÉ; contr. : BARBARE, SAUVAGE).

polichinelle [pɔliʃinɛl] n. m. 1° (avec une majusc.) Personnage comique des théâtres de marionnettes. — 2° Personnage bouffon et ridicule, en qui on n'a pas confiance, etc. : *C'est un vieux polichinelle* (syn. : PANTIN). *C'est un vrai polichinelle* (syn. : FANTOCHE). *Faire le polichinelle* (syn. pop. : MARIOLE). *Mener une vie de polichinelle* (syn. : MENER UNE VIE DE PATACHON).

poliomyélite [pɔljɔmjelit] n. f. Maladie produite par un virus et provoquant des paralysies, souvent étendues. ◆ **poliomyélitique** adj. et n.

polir [pɔlir] v. tr. 1° Rendre uni, lisse et luisant : *Polir une glace, une dalle de marbre. Polir une casserole.* — 2° Travailler avec soin un texte écrit, le corriger, l'amender (langue soignée) : *Le député avait fait polir son discours par un secrétaire.* ◆ **poli, e** adj. : *Une surface polie* (syn. : ↑ LISSE). *Un caillou bien poli par les marées* (syn. : ARRONDI, BRILLANT). ◆ **polissage** n. m. : *Le polissage du verre.* ◆ **dépolir** v. tr. *Dépolir quelque chose,* lui faire perdre son poli : *Une lente oxydation a dépoli la surface du métal.* ◆ **dépoli, e** adj. : *Une vitre de verre dépoli* (= translucide, mais non transparent). ◆ **repolir** v. tr.

1. polisson, onne [pɔlisɔ̃, -ɔn] n. m. 1° Enfant qui court les rues, négligé (syn. : GALOPIN). — 2° Enfant espiègle, désobéissant : *Petit polisson* (syn. : COQUIN). *Mon polisson de fils a encore fait des siennes* (syn. : VAURIEN). ◆ **polissonner** v. intr. Se conduire en polisson : *Son fils va polissonner dans les rues avec les gamins de son âge.* ◆ **polissonnerie** n. f. : *Faire des polissonneries.*

2. polisson, onne [pɔlisɔ̃, -ɔn] n. m. et adj. Se dit d'une personne (ou de son comportement) qui dit ou fait des choses licencieuses : *Un vieux polisson. Jeter un regard polisson sur une vendeuse* (syn. : ÉGRILLARD, ↑ PAILLARD). ◆ **polissonnerie** n. f. : *Dire, faire des polissonneries* (syn. : ↑ PAILLARDISE; fam. : GAUDRIOLE).

politique [pɔlitik] n. f. 1° Direction d'un Etat et détermination des formes de son activité : *Une politique prévoyante. Une politique de restriction.* — 2° Ensemble des affaires d'un Etat : *La politique extérieure* (= la diplomatie). *La politique intérieure* (= les affaires économiques, sociales, etc.). — 3° Activité de quelqu'un qui s'intéresse aux affaires de l'Etat (souvent péjor.) : *Faire de la politique. Il se mêle déjà de politique à son âge.* ◆ **politique** adj. 1° Qui est relatif à l'organisation et au gouvernement des affaires publiques : *Les institutions politiques.* — 2° *Droits politiques,* droits en vertu desquels un citoyen participe au gouvernement, directement ou par son vote. ‖ *Homme politique,* homme qui s'occupe des affaires publiques. ◆ adj. et n. Se dit d'une personne (ou de son comportement) qui se conduit avec beaucoup d'habileté, d'une manière très avisée : *Un directeur très politique* (syn. : DIPLOMATE). *Une invitation toute politique.* ◆ **politiquement** adv. : *Un scrutin politiquement très significatif.* ◆ **politicien, enne** adj. et n. *Péjor.* Personne qui s'occupe de politique. ◆ **apolitique** adj. Qui se place en dehors de la politique, qui se refuse à prendre une position à l'égard des problèmes politiques : *La grève était apolitique, uniquement revendicative.* ◆ **apolitisme** n. m. : *L'apolitisme du mouvement, officiellement proclamé, est douteux. Il se targue d'apolitisme.* ◆ **politiser** v. tr. Donner un caractère politique à quelque chose : *Politiser un débat.* ◆ **politisation** n. f. : *La politisation d'un syndicat.* ◆ **dépolitiser** v. tr. *Dépolitiser quelque chose,* lui ôter tout caractère politique : *Dépolitiser un débat.* ◆ **dépolitisation** n. f. : *On a observé une dépolitisation des mouvements syndicaux.*

polka [pɔlka] n. f. Danse à deux temps, d'origine tchèque ou polonaise (auj. vieillie); air sur lequel on la danse.

pollen [pɔlɛn] n. m. Ensemble des petits grains produits par les fleurs, et représentant les éléments mâles.

polluer [pɔlɥe] v. tr. *Polluer un lieu, une rivière,* etc., les rendre dangereux en y répandant des matières toxiques : *Les usines polluent les rivières en y jetant des déchets.* ◆ **pollution** n. f. : *La pollution atmosphérique par des fumées et des émanations de toutes sortes.*

1. polo [polo] n. m. Jeu de balle qui se joue à cheval, avec un maillet.

2. polo [polo] n. m. Chemise de sport, à manches longues et à col rabattu.

polochon [pɔlɔʃɔ̃] n. m. *Fam.* Traversin.

poltron, onne [pɔltrɔ̃, -ɔn] adj. et n. Qui a peur devant des dangers insignifiants, qui manque de courage physique : *Il s'est enfui comme un poltron* (syn. : COUARD, ↑ LÂCHE). *Le jeune poltron se cacha derrière un arbre* (syn. : PEUREUX; contr. : VAILLANT). ◆ **poltronnerie** n. f. : *Sa poltronnerie prête à rire* (syn. : COUARDISE; contr. : CRÂNERIE, ↑ BRAVOURE).

polychrome [pɔlikrom] adj. De diverses couleurs : *Un vitrail, une colonne polychrome.*

polycopie [pɔlikɔpi] n. f. Reproduction en plusieurs exemplaires d'un texte écrit, par décalque ou par un procédé de même nature. ◆ **polycopier** v. tr. : *Faire polycopier des cours.* ◆ **polycopié, e** adj. et n. m. : *Distribuer à la classe des textes polycopiés. La vente des polycopiés* (= des cours polycopiés).

polyculture [pɔlikyltyr] n. f. Système d'exploitation du sol consistant à cultiver plusieurs sortes de produits dans une même propriété ou une même région.

polygamie [pɔligami] n. f. Etat de celui qui est marié à plusieurs femmes simultanément : *La polygamie, interdite par la loi dans la plupart des pays, est admise par certaines religions.* ◆ **polygame** n. et adj. Qui vit en état de polygamie.

polyglotte [pɔliglɔt] adj. et n. Se dit d'une personne qui parle plusieurs langues : *Un traducteur polyglotte.* (V. BILINGUE.)

polygone [pɔligon] n. m. 1° Figure géométrique formée d'un plan limité par des segments de droite consécutifs. — 2° *Polygone de tir,* champ de tir pour l'artillerie. ◆ **polygonal, e, aux** adj.

polygraphe [pɔligraf] n. m. Auteur qui écrit sur des sujets très variés, sans être un spécialiste (souvent péjor.).

polymorphe [pɔlimɔrf] adj. Qui prend des formes multiples. ◆ **polymorphisme** n. m.

1. polype [pɔlip] n. m. Animal marin dont le corps est cylindrique et à deux parois. ◆ **polypier** n. m. Squelette calcaire des colonies de polypes.

2. polype [pɔlip] n. m. Tumeur molle qui se développe dans une muqueuse.

polyphonie [pɔlifoni] n. f. Art d'écrire musicalement en deux ou plusieurs parties. ◆ **polyphonique** adj.

polyptyque [pɔliptik] n. m. Tableau d'autel à plusieurs volets.

polysémie [pɔlisemi] n. f. Caractère d'un mot, considéré comme unique, qui présente deux ou plusieurs contenus (sens) différents : *La polysémie de l'adjectif « cher » se manifeste dans les deux phrases « combattre la vie chère » et « j'ai revu un ami très cher ». La polysémie est une notion qui repose sur une considération historique : ces deux sens du mot « cher » remontent à la même étymologie.* ◆ **polysémique** adj. : *Le mot « acte » est polysémique (l'acte de loi, le troisième acte d'une comédie, un acte de courage).*

polysyllabe [pɔlisillab] ou **polysyllabique** adj. et n. m. Qui a plusieurs syllabes : *Mot polysyllabique* (contr. : MONOSYLLABE).

polytechnique [pɔlitɛknik] adj. 1° Qui embrasse plusieurs sciences : *Enseignement polytechnique.* — 2° *Ecole polytechnique,* ou *Polytechnique* n. f., école supérieure formant des ingénieurs : *Préparer Polytechnique. Etre admis à Polytechnique.* ◆ **polytechnicien** n. m. Elève ou ancien élève de Polytechnique.

polythéisme [pɔliteism] n. m. Religion qui admet l'existence de plusieurs dieux. ◆ **polythéiste** adj.

polyvalent, e [pɔlivalɑ̃, -ɑ̃t] adj. Qui a plusieurs fonctions différentes : *Mot polyvalent* (= qui a plusieurs significations). *Un professeur polyvalent* (= qui enseigne plusieurs matières). *Un inspecteur polyvalent* (= qui inspecte des services dépendant de plusieurs administrations).

pommade [pɔmad] n. f. 1° Composition molle, grasse, parfumée ou médicamenteuse, utilisée soit pour les soins de la peau et des cheveux, soit pour un traitement médical externe : *Frotter la peau avec de la pommade. Pommade pour lustrer les cheveux.* — 2° Fam. *Passer de la pommade à quelqu'un,* le flatter exagérément ou avec des intentions hypocrites (syn. : FLAGORNER). ◆ **pommadé, e** adj. Enduit de pommade : *Les cheveux pommadés.*

1. pomme [pɔm] n. f. 1° Fruit comestible à pépins : *Manger une pomme pour le dessert. Jus de pomme. Compote de pommes.* — 2° *Pomme de discorde,* sujet de division (littér.). ‖ Pop. *Etre aux pommes,* être bien, être très réussi (syn. : AUX PETITS OIGNONS). ‖ Fam. *Tomber dans les pommes,* s'évanouir. ◆ **pommier** n. m. Arbre qui produit les pommes : *Verger planté de pommiers.*

2. pomme [pɔm] n. f. 1° *Pop.* Tête : *Se sucer la pomme* (= s'embrasser). — 2° Pop. *Ma pomme, ta pomme,* moi, toi.

3. pomme [pɔm] n. f. *Pomme d'arrosoir,* bout arrondi d'un arrosoir, percé de petits trous qui permettent de verser l'eau en pluie.

4. pomme [pɔm] n. f. *Pomme d'Adam,* saillie qui se trouve à la partie antérieure du cou de l'homme et qui est formée par le cartilage thyroïde.

pommeau [pɔmo] n. m. Petite boule au bout de la poignée d'une épée, d'un sabre, d'une canne, d'un parapluie : *Le pommeau de sa canne était en argent.*

pomme de terre [pɔmdətɛr] n. f. Plante cultivée pour ses tubercules riches en amidon et doués de qualités nutritives; ce tubercule lui-même : *Eplucher des pommes de terre.* (On abrège parfois en POMME : *Un steak aux pommes.*)

pommette [pɔmɛt] n. f. Partie la plus saillante de la joue, au-dessous de l'œil : *Avoir les pommettes rouges.*

1. pompe [pɔ̃p] n. f. Machine qui permet d'élever ou de refouler un liquide : *Pompe à eau, à essence. Amorcer une pompe. Pompe aspirante* (= qui élève verticalement un liquide dans une colonne en créant le vide au-dessus de lui). *Pompe foulante* (= dans laquelle le piston refoule dans un tuyau latéral le liquide du corps de pompe). ◆ **pomper** v. tr. 1° Aspirer un liquide à l'aide d'une pompe : *Il faut pomper longtemps pour vider ce bassin.* — 2° *Arg. scol.* Copier : *Il a pompé toute sa composition sur son livre, qu'il tenait sur les genoux.* ◆ **pompage** n. m. : *Le pompage des eaux d'égout. Station de pompage.* ◆ **pompiste** n. m. Personne chargée de distribuer l'essence dans une station-service.

2. pompe [pɔ̃p] n. f. Pop. *A toute pompe,* à toute vitesse : *Il est arrivé à toute pompe dans sa nouvelle auto. Foncer quelque part à toute pompe* (syn. : À TOUTE VAPEUR, À PLEINS GAZ).

3. pompe [pɔ̃p] n. f. 1° Solennité, éclat d'une cérémonie (langue soutenue). — 2° *En grande pompe,* avec beaucoup d'éclat et de magnificence : *Mariage célébré en grande pompe.* ◆ **pompeux,**

euse adj. Se dit d'une personne (ou de son comportement) qui fait étalage d'une solennité désuète et ridicule : *Faire un discours pompeux* (syn. : AMPOULÉ, EMPHATIQUE). *Réserver à quelqu'un un accueil pompeux* (syn. : SOLENNEL). ◆ **pompeusement** adv. : *Le lauréat déclama pompeusement des vers de sa façon.* ◆ **pompier, ère** adj. *Fam.* Se dit d'un artiste (ou de ses œuvres) qui traite des sujets académiques dans un style prétentieux : *Un écrivain pompier. Un style pompier.*

4. pompe. V. POMPÉ.

5. pompes [pɔ̃p] n. f. pl. *Service des pompes funèbres,* service assurant le transport des corps, ainsi que la décoration de la maison mortuaire.

6. pompes [pɔ̃p] n. f. pl. *Pop.* Chaussures.

pompé, e [pɔ̃pe] adj. *Fam.* Epuisé de fatigue : *Il est rentré complètement pompé de la balade qu'il a faite* (syn. : ÉREINTÉ, FOURBU ; fam. : VANNÉ, CLAQUÉ). ◆ **pompe** n. f. Fam. *Coup de pompe,* fatigue subite.

pompette [pɔ̃pɛt] adj. *Fam.* Un peu ivre : *Après un verre de whisky, elle est généralement pompette.*

pompier [pɔ̃pje] n. m. Homme appartenant à un corps organisé pour combattre les incendies et les sinistres.

pompon [pɔ̃pɔ̃] n. m. **1°** Petite houppe qui sert à décorer un vêtement, une tenture, etc. : *Mettre un pompon à un chapeau de carnaval.* — **2°** Ironiq. *Avoir le pompon, tenir le pompon,* l'emporter sur les autres : *Je croyais que c'était lui le plus bête de la famille; je me trompais, c'est son frère qui tient le pompon.*

pomponner [pɔ̃pɔne] v. tr. Arranger la toilette avec recherche et coquetterie; donner au visage des soins de beauté (presque toujours passif ou pronominal ; nuance plus ou moins péjor.) : *Elle est pomponnée chaque matin comme si elle allait en visite. Elle se regardait sans cesse devant le miroir et se pomponnait* (syn. fam. : SE BICHONNER ; non péjor. : SE PARER).

poncer [pɔ̃se] v. tr. Polir, lisser, décaper avec la pierre ponce ou avec une substance : *Poncer du marbre.* ◆ **ponçage** n. m.

poncif [pɔ̃sif] n. m. Œuvre littéraire, artistique, idée, etc., qui n'a aucune originalité (littér.) : *Ses premiers romans étaient originaux ; maintenant qu'il a trouvé une formule, il n'écrit plus que des poncifs. Sa prose est pleine de poncifs* (syn. : CLICHÉ). *Toutes les idées qu'il croit originales ne sont que des poncifs* (syn. : LIEUX COMMUNS).

ponction [pɔ̃ksjɔ̃] n. f. **1°** Opération chirurgicale qui consiste à prélever un liquide organique à l'aide d'une seringue et d'une aiguille spéciales : *Une ponction lombaire.* — **2°** Fam. Prélèvement d'argent : *Par de fréquentes ponctions, il a réussi à épuiser tout son capital.*

ponctuation [pɔ̃ktɥasjɔ̃] n. f. Utilisation de signes graphiques pour noter les pauses et les variations d'intonation à l'intérieur d'un énoncé, ou pour rendre plus explicites les articulations logiques du message. (V. tableau p. 888.) ◆ **ponctuer** v. tr. Mettre la ponctuation dans un texte.

1. ponctuel, elle [pɔ̃ktɥɛl] adj. **1°** Se dit d'une personne (ou de son comportement) qui arrive à l'heure convenue, qui est habituellement exacte : *Être ponctuel à un rendez-vous.* — **2°** Se dit d'une personne qui exécute avec exactitude les tâches qui lui sont confiées (langue écrite) : *Il est très ponctuel en ce qui touche ses engagements.* ◆ **ponctuellement** adv. : *Répondre ponctuellement aux lettres. Arriver ponctuellement à un rendez-vous.* ◆ **ponctualité** n. f. : *Tous les jours, le petit homme arrivait à son travail avec ponctualité* (syn. : EXACTITUDE, RÉGULARITÉ). *S'acquitter avec ponctualité d'un devoir* (syn. : SCRUPULE).

2. ponctuel, elle [pɔ̃ktɥɛl] adj. Se dit d'une chose qui est constituée par un point (techn. ou scientif.) : *Une image ponctuelle.*

ponctuer [pɔ̃ktɥe] v. tr. Marquer, souligner ses mots ou ses phrases d'un geste, d'une exclamation, etc. : *Le vieux professeur ponctuait ses phrases d'un grand coup de poing sur le bureau.* (V. aussi PONCTUATION.)

pondéré, e [pɔ̃dere] adj. Se dit d'une personne (ou de son comportement) qui manifeste une grande maîtrise de soi et qui ne se livre à aucun excès : *Il s'est montré un homme pondéré dans ces difficiles négociations* (syn. : CALME, RÉFLÉCHI). ◆ **pondération** n. f. : *Agir avec pondération* (syn. : CALME, CIRCONSPECTION). *Faire preuve de pondération* (syn. : MODÉRATION, PRUDENCE ; contr. : NERVOSITÉ, IMPULSIVITÉ).

pondre [pɔ̃dr] v. tr. (conj. **51**). **1°** (sujet désignant un oiseau, un poisson femelle) Produire des œufs : *La poule a pondu un œuf aujourd'hui.* — **2°** (sujet nom de personne) *Fam.* Ecrire, produire une œuvre littéraire : *Cet écrivain réussit à pondre un roman tous les six mois. J'ai pondu un article de quarante lignes.* ◆ **pondeuse** adj. et n. f. : *Une poule pondeuse.* ◆ **ponte** [pɔ̃t] n. f. : *La saison de la ponte.*

poney [pɔnɛ] n. m. Petit cheval.

1. pont [pɔ̃] n. m. **1°** Construction en pierre, en bois ou en métal, pour relier les deux rives d'un cours d'eau, pour franchir une voie ferrée, un estuaire, ou un obstacle quelconque : *Les ponts sur la Seine. Le pont du chemin de fer. Un pont enjambe le Rhône à Tarascon. Un pont de bois franchit la rivière. Un pont suspendu.* ‖ *Traverser un pont* (= passer dessus). — **2°** Fam. *Il passera de l'eau sous le pont avant que ça se fasse,* il s'écoulera beaucoup de temps. ‖ *Tête de pont,* point où des éléments d'une armée s'installent dans une zone contrôlée par l'ennemi, après avoir débarqué, ou franchi un cours d'eau, de façon à permettre au gros de l'armée de les rejoindre. ‖ *Pont aux ânes* (nom donné à la démonstration graphique du théorème sur le carré de l'hypoténuse), difficulté qui ne peut arrêter que des ignorants. ‖ *Faire un pont d'or à quelqu'un,* lui offrir un gros salaire, une somme d'argent importante pour une tâche donnée. ‖ *Couper les ponts,* supprimer les moyens de revenir en arrière. ‖ *Ménager un pont entre deux choses, deux personnes,* maintenir entre elles une communication, des relations. ‖ *Pont aérien,* liaison aérienne au-dessus d'une zone dans laquelle tout autre moyen de communication est impossible ou trop lent : *Etablir un pont aérien pour ravitailler d'urgence des sinistrés.* ‖ *Faire le pont,* ne pas travailler entre deux jours fériés quand la journée chômée est un jour ouvrable : *Le 14-Juillet tombait un mardi; on a fait le pont entre samedi et mercredi.*

PONCTUATION

SIGNES DE PONCTUATION	VALEUR ET EMPLOI	EXEMPLES
point (.)	Indique la fin d'une phrase énonciative (affirmative ou négative).	*Le petit prince fit l'ascension d'une haute montagne. Les seules montagnes qu'il eût jamais connues étaient les trois volcans qui lui arrivaient aux genoux. Et il se servait du volcan éteint comme d'un tabouret.* (Saint-Exupéry.)
point-virgule ou **point et virgule (;)**	Indique une pause entre deux unités distinctes d'un même énoncé.	*Mais je croirais volontiers qu'une des meilleurs garanties de longue vie est d'être insensible et incapable; voilà une cuirasse contre la mort.* (Montherlant.)
point d'interrogation (?)	Indique la fin d'une phrase interrogative.	*Le peuple attribue tous les maux aux personnes plus qu'aux choses. Il personnifie le Mal. Qu'est-ce que le Mal au Moyen Age? C'est une personne, le Diable.* (Michelet.)
point d'exclamation (!)	Indique la fin d'une phrase exclamative; se place aussi après les interjections.	*Oh! non, s'écria vivement la jeune fille. Un homme doit être fort. C'est beau, le courage!* (Zola.)
virgule (,)	Sépare les groupes nominaux ou les groupes verbaux juxtaposés ou apposés, note une pause entre les divers éléments d'une phrase.	*Il y a une fête à Cordoue, je vais la voir, puis je saurai les gens qui s'en vont avec de l'argent, et je te le dirai.* (Mérimée.)
tiret (—)	Indique le début d'un dialogue ou le changement d'interlocuteur, met en valeur une réflexion, un mot.	*« Où est-il! — Je ne sais pas. — Parti, tout à fait? — Non... enfin je ne crois pas... — Bon, dit-il. Il a raison.* » (Ch. Rochefort.)
points de suspension (...)	Indiquent une rupture importante de l'énoncé.	*Tout changerait si l'acceptation me devenait possible. Mais il me faudrait recourir à la métaphysique. Et ça...* (R. Martin du Gard.)
deux points (:)	Indiquent un développement explicatif ou précèdent une citation (entre guillemets).	*Hélène s'assit sur le tabouret de la coiffeuse et souleva, l'un après l'autre, pour les identifier, les objets éparpillés devant elle : la pince à épiler, la pince à ongles, la pince et la spatule pour couper et repousser la peau à la base de l'ongle.* (Vailland.)
guillemets (« »)	Indiquent que l'énoncé contenu entre eux n'appartient pas à celui qui écrit (citation, paroles d'un autre rapportées) : *Ouvrir, fermer les guillemets.*	*Mme Verdurin ne donnait pas de « dîners », mais elle avait des « mercredis ».* (Proust.) *Elle nous parle, et peu à peu nous distinguons le sens des paroles : « Ami, tant d'amour a touché mon cœur! me voici.* » (Claudel.)
parenthèses ( ) **crochets [ ]**	Indiquent une rupture de l'intonation, coïncidant avec une phrase incidente accessoire.	*Je savais aussi que je ne révélerais pas sa cachette, sauf s'ils me torturaient (mais ils n'avaient pas l'air d'y songer).* (Sartre.)

2. pont [pɔ̃] n. m. Plancher fermant par en haut la coque d'un bateau : *Les passagers se promenaient sur le pont arrière. Monter sur le pont.* ◆ **ponté, e** adj. : *Embarcation pontée,* munie d'un ou de plusieurs ponts. (V. APPONTEMENT.)

1. ponte [pɔ̃t] n. m. *Pop.* Personnage important, qui joue un rôle prééminent dans son domaine d'activité (scientifique, universitaire, etc.). [Abrév. de PONTIFE.]

2. ponte n. f. V. PONDRE.

1. pontife [pɔ̃tif] n. m. *Le souverain pontife,* le pape : *Sur la place Saint-Pierre, le souverain pontife a béni la foule assemblée.* ◆ **pontifical, e, aux** adj. Syn. usuel de PAPAL : *Le siège pontifical. Ecouter la messe pontificale.* ◆ **pontificat** n. m. 1° Dignité de pape : *Accéder au pontificat.* — 2° Période pendant laquelle s'exerce le pouvoir d'un pape : *Le pontificat de Jean XXIII a été marqué par la réunion d'un concile.*

2. pontife [pɔ̃tif] n. m. *Fam.* Personnage gonflé de son importance, qui parle d'un ton doctoral : *Les pontifes de l'enseignement traditionnel.* ◆ **pontifier** v. intr. *Fam.* Parler avec emphase et avec une intransigeance abusive : *Cet écrivain cherche à pontifier dans tous les domaines. Pontifier devant des ignorants.*

pont-levis [pɔ̃ləvi] n. m. Pont qui, dans les constructions fortifiées du Moyen Age, pouvait se lever ou s'abaisser : *Un pont-levis protégeait l'accès du château fort.*

ponton [pɔ̃tɔ̃] n. m. 1° Grand chaland ponté. — 2° Cale flottante servant d'appontement pour les bateaux qui transportent des voyageurs.

pool [pul] n. m. 1° Groupement de producteurs, en vue de contingenter la production et de conserver ainsi la maîtrise du marché d'un produit : *Le pool des producteurs de pommes de terre.* — 2° Organisme international chargé de l'organisation d'un marché commun entre les pays adhérents : *Le pool européen du charbon et de l'acier.*

pope [pɔp] n. m. Prêtre de l'Eglise orthodoxe (russe, grecque, etc.).

popeline [pɔplin] n. f. Tissu lisse, uni ou rayé, fait de soie mélangée avec de la laine peignée, de lin ou de coton : *Une chemise en popeline.*

1. popote [pɔpɔt] n. f. 1° *Fam.* Cuisine, préparation des aliments : *Un camp où chacun fait sa popote.* — 2° *Fam.* Dans l'armée, lieu où les officiers, les sous-officiers prennent leurs repas en commun (syn. : MESS).

2. popote [pɔpɔt] adj. *Fam.* Se dit d'une personne, surtout d'une femme, qui est très terre à terre, qui ne s'élève pas au-dessus des préoccupations ménagères (syn. fam. : POT-AU-FEU).

populace n. f. V. PEUPLE 2.

1. populaire adj. V. PEUPLE 2.

2. populaire [pɔpylɛr] adj. 1° Se dit de quelque chose ou de quelqu'un qui plaît en général, qui est aimé, connu du grand nombre : *Certaines vedettes de la chanson sont plus populaires que n'importe quelle personnalité politique. Une concierge très populaire dans son quartier. Les romans de Victor Hugo sont très populaires.* — 2° Se dit de décisions politiques, de lois, etc., destinées à satisfaire la grande masse des citoyens (surtout à la forme négative) : *Une politique financière qui n'est guère populaire.* ◆ **popularité** n. f. 1° *Jouir d'une grande popularité* (syn. littér. : FAVEUR). *Les chansons des jeunes acquièrent avec le disque une grande popularité* (syn. : VOGUE). — 2° *Soigner sa popularité,* chercher à conserver la faveur du public par des moyens faciles. ◆ **populariser** v. tr. Rendre populaire (sens 1) : *Victor Hugo a popularisé le type du gamin de Paris sous le nom de Gavroche.* ◆ **impopulaire** adj. : *Des mesures impopulaires. Un gouvernement impopulaire.* ◆ **impopularité** n. f.

population [pɔpylasjɔ̃] n. f. 1° Ensemble des individus qui habitent un pays, une région, une ville, etc. : *La population du globe est en constante augmentation.* — 2° Ensemble des personnes composant une catégorie particulière : *La population d'origine nord-africaine en France est plus dense dans certaines régions. Faire passer un test d'aptitude à la population scolaire des écoles primaires d'une ville.* ‖ *Population active,* ensemble des personnes qui, dans une collectivité nationale, exercent une activité professionnelle. — 3° Ensemble des personnes d'un lieu : *Un appel à la population.* — 4° *Fam.* Parfois ironiq. : *Vouloir épater les populations.* (V. PEUPLER.)

populeux, euse adj. V. PEUPLE 3 ; **populo** n. m. V. PEUPLE 2.

porc [pɔr] n. m. 1° Mammifère domestique au corps épais, dont le museau est terminé par un groin et qui est élevé pour sa chair : *Les grognements du porc. La femelle du porc est la truie* (syn. : COCHON). *Engraisser un porc. La peau de porc est utilisée pour faire des valises, des serviettes, etc. La consommation de la viande de porc est interdite par la religion musulmane et par le judaïsme. Un rôti de porc. La graisse de porc. Etre gros, sale comme un porc.* — 2° Homme grossier, sale, débauché. ◆ **porcelet** n. m. Jeune porc. ◆ **porcin, e** adj. : *Race porcine* (— celle des porcs). *Des yeux porcins* (= petits et troubles comme ceux d'un porc). ◆ **porcher** n. m. Gardien de porcs. ◆ **porcherie** n. f. Etable à porcs.

porcelaine [pɔrsəlɛn] n. f. 1° Poterie blanche, imperméable, translucide, servant à faire de la vaisselle de table, des vases, etc. : *De la vaisselle en porcelaine de Limoges. Un raccommodeur de porcelaine.* — 2° Objet fait en cette matière : *Casser une porcelaine de Chine.*

porc-épic [pɔrkepik] n. m. Rongeur dont le corps est recouvert de piquants : *Les porcs-épics, qui vivent en Asie, en Europe et en Afrique, se nourrissent de racines et de fruits.*

porche [pɔrʃ] n. m. Lieu couvert en avant de l'entrée d'un édifice : *Attendre sous un porche. Le porche de la cathédrale.*

1. pore [pɔr] n. m. Minuscule orifice de la peau, servant à évacuer les sécrétions glandulaires : *Suer par tous les pores.*

2. pores [pɔr] n. m. pl. Petits trous, interstices dans une roche, dans une pierre. ◆ **poreux, euse** adj. Qui laisse passer le liquide par ses pores : *Un vase poreux. Un sol poreux* (syn. : PERMÉABLE). ◆ **porosité** n. f. : *La porosité de la pierre ponce* (syn. : PERMÉABILITÉ).

porion [pɔrjɔ̃] n. m. Contremaître d'une exploitation de charbon.

pornographie [pɔrnɔgrafi] n. f. Représentation de choses obscènes en matière littéraire ou artistique. ◆ **pornographe** n. Auteur d'écrits obscènes. ◆ **pornographique** adj. : *Photo, revue pornographique.*

porphyre [pɔrphir] n. m. Roche éruptive diversement colorée.

1. port [pɔr] n. m. 1° Abri naturel ou artificiel pour les navires, pourvu des installations nécessaires à l'embarquement et au débarquement de leur chargement : *Port maritime. Port fluvial.* — 2° *Arriver au port,* toucher au but. ‖ *Arriver à bon port,* arriver à destination sans accident. ‖ *Toucher le port,* être en vue du but, du succès (littér.). ◆ **portuaire** adj. *Installations portuaires,* équipement nécessaire à un port : quais, docks, hangars, grues, etc.

2. port n. m. V. PORTER 1.

portail [pɔrtaj] n. m. Entrée monumentale d'un édifice important, d'un parc : *Le portail de la cathédrale. Le portail de l'allée principale qui mène au château.*

portant [pɔrtɑ̃] adj. m. *A bout portant,* le bout du canon touchant la personne sur laquelle on tire, ou étant tout près d'elle : *Il a tiré deux coups de revolver à bout portant sur sa victime.*

porte-, élément issu du verbe *porter* et entrant dans la formation de nombreux composés, qui se trouvent à l'ordre alphabétique du mot de base ou radical.

porte [pɔrt] n. f. 1° Ouverture pour entrer et sortir d'une maison, d'une pièce, d'un jardin, d'un véhicule; panneau mobile qui sert à la fermer : *La porte du jardin donne sur une petite rue. La* *porte d'une voiture. Faire élargir une porte. Condamner une porte* (= la murer). *Ouvrir la porte à un visiteur. Attendre sur le pas de la porte. Prendre le frais devant sa porte. Une porte à deux battants. Frapper à la porte pour se faire ouvrir. Glisser une lettre sous la porte. La porte ferme mal.* — **2°** Endroit d'un boulevard, d'un faubourg, d'une ville correspondant à une ouverture aménagée anciennement dans les murs d'enceinte d'une ville : *Un embouteillage se forme à la porte d'Orléans.* — **3°** *Mettre, flanquer quelqu'un à la porte,* le chasser, le renvoyer brutalement : *Elève mis à la porte du lycée.* ‖ *Prendre, gagner la porte,* sortir. ‖ *Refuser, fermer sa porte à quelqu'un,* refuser de le voir (contr. : OUVRIR SA PORTE). ‖ *Forcer la porte de quelqu'un,* s'introduire chez quelqu'un en se passant de son consentement. ‖ Fam. *Entrer par la petite porte,* accéder à une place en usant de faveurs, par des moyens détournés. ‖ Fam. *Entrer par la grande porte,* accéder à une situation grâce à ses mérites, par voie de concours. ‖ Fam. *Frapper à la bonne, à la mauvaise porte,* s'adresser à qui il convient, à qui il ne convient pas, pour obtenir ce qu'on cherche. ‖ Fam. *Se ménager une porte de sortie,* un moyen de sortir d'embarras. ‖ *Etre aux portes de la mort,* près de mourir (littér.). ‖ *A ma (ta, sa, etc.) porte,* tout près de chez soi : *La station d'autobus est à ma porte.* ‖ Fam. *Entre deux portes,* en passant, rapidement. ‖ Fam. *Enfoncer des portes ouvertes,* dire des banalités. ‖ Fam. *Partir en claquant les portes,* en manifestant son indignation, sa colère. ‖ *Trouver porte close,* ne pas trouver quelqu'un chez lui. ‖ *Mettre la clef sous la porte,* partir furtivement. ‖ *Ouvrir la porte à quelque chose,* lui donner accès, le permettre. ‖ *Laisser la porte ouverte à,* donner la possibilité de : *C'est la porte ouverte à tous les abus* (= cela justifiera...). ◆ **porte-à-porte** n. m. *Faire du porte-à-porte,* faire du démarchage à domicile pour proposer quelque chose. ◆ **portier** n. m. Personne qui garde l'entrée d'un établissement public, d'un immeuble : *Le portier de l'hôtel.* ◆ **portière** n. f. **1°** Porte qui ferme l'ouverture par laquelle on pénètre dans une voiture de chemin de fer, dans une automobile : *Fermer les portières. Faire claquer les portières. Ne vous penchez pas par la portière.* — **2°** Rideau ou double porte capitonnée placés devant une porte. ◆ **portillon** n. m. Petite porte dont le battant est plus ou moins bas : *Le portillon d'accès au quai.*

porté, e [pɔrte] adj. *Porté à quelque chose,* se dit d'une personne qui a une certaine propension à : *Il est porté à boire.*

porte-à-faux [pɔrtafo] n. m. **1°** Partie d'une construction qui n'est pas directement soutenue par un appui. — **2°** *En porte à faux,* se dit de ce qui n'est pas d'aplomb, de ce qui est en équilibre instable : *Le rocher est en porte à faux, il peut tomber d'un moment à l'autre;* dans une situation fausse, dangereuse : *Cette décision aventurée l'avait mis en porte à faux.*

1. portée n. f. V. PORTER 1.

2. portée [pɔrte] n. f. En musique, ensemble des cinq lignes sur lesquelles on porte les notes.

3. portée [pɔrte] n. f. **1°** Distance la plus grande à laquelle un projectile peut être lancé par une arme : *La portée d'un fusil, d'un canon. La portée de ces cartouches est de deux cents mètres.* — **2°** Distance jusqu'où la voix peut se faire entendre, jusqu'où l'on peut voir, jusqu'où l'on peut atteindre avec la main (surtout dans l'expression *à la portée, à portée*) : *La portée d'un cri. Ne laissez pas ces cachets à la portée des enfants, à portée de la main.* — **3°** *Etre à la portée de quelqu'un,* lui être accessible, pouvoir être fait par lui; *hors de portée,* inaccessible, qui n'est pas disponible : *Le spectacle est à la portée de toutes les bourses* (= tout le monde peut se le payer). *Le dernier rayon de la bibliothèque est hors de ma portée.* — **4°** Capacité intellectuelle, force et étendue d'un esprit : *Cela dépasse la portée d'une intelligence ordinaire* (syn. : APTITUDE). *Mettez-vous à la portée de votre auditoire* (syn. : NIVEAU). *Livre à la portée de tous.* — **5°** Importance, valeur de quelque chose : *Un argument sans portée. Une décision d'une grande portée, d'une portée incalculable* (syn. : CONSÉQUENCE). *La portée historique d'une prise de position. Fais attention à la portée de tes mots* (syn. : EFFET).

portefaix [pɔrtəfɛ] n. m. Syn. ancien et littér. de DÉBARDEUR.

portefeuille [pɔrtəfœj] n. m. **1°** Etui ou enveloppe de cuir qui se ferme comme un livre, et où l'on range des billets de banque, ses papiers, etc. : *Portefeuille bourré de billets. Se faire voler son portefeuille. Avoir un portefeuille bien garni* (= avoir de l'argent). — **2°** Grand carton à dessin utilisé par les peintres, les dessinateurs, etc. — **3°** Titre et fonction d'un ministre; département ministériel : *Le portefeuille des Affaires étrangères.* — **4°** *Faire* ou *mettre le lit en portefeuille,* par plaisanterie, replier le drap à mi-hauteur, de manière qu'il soit impossible d'allonger les jambes.

portemanteau [pɔrtəmɑ̃to] n. m. Dispositif (barre fixée au mur ou pied muni de patères) pour suspendre les vêtements de dessus, les chapeaux : *Accrocher son imperméable au portemanteau.*

porte-monnaie n. m. V. MONNAIE.

porte-parole [pɔrtparɔl] n. m. **1°** Personne qui parle au nom de plusieurs autres, d'un groupe : *Se faire le porte-parole de ses camarades auprès d'un professeur. Le porte-parole d'un groupe politique à l'Assemblée nationale.* — **2°** Journal, revue, etc., qui se fait l'interprète de quelqu'un : *Ce journal est le porte-parole de l'opposition* (syn. : ORGANE).

1. porter [pɔrte] v. tr. **1°** Soutenir un poids, une charge : *Une mère qui porte son enfant dans ses bras* (syn. : TENIR). *Cette valise est bien lourde : pourrez-vous la porter? Une passerelle aussi légère n'est pas faite pour porter des camions* (syn. : SUPPORTER). — **2°** Avoir sur soi comme vêtement, comme ornement, etc. : *Elle portait un corsage à fleurs* (syn. : AVOIR). *Porter un chapeau, des gants. Porter une bague, une décoration, des lunettes. Il porte la barbe.* — **3°** Tenir de telle ou telle façon : *Il porte la tête haute, le buste droit, les épaules en arrière.* — **4°** (sujet nom de personne) Laisser paraître sur soi; (sujet nom de chose) présenter : *Il porte sur son visage un air de lassitude. La ville porte encore les traces du bombardement. Le socle de la statue porte une inscription. La lettre ne porte aucune date.* — **5°** Faire aller, apporter d'un lieu à un autre : *Le facteur porte des lettres. Je vous porterai ce livre à mon prochain passage. La camionnette portait des légumes au marché. Porter de l'argent à la banque. Porter la main à son front, à sa poche* (syn. : METTRE). *Porter un verre à ses* lèvres. *Porter un débat sur le plan politique. Ils ont porté le différend devant les tribunaux. Porter la main sur quelqu'un* (= lui faire violence). — **6°** Inscrire : *Porter quelqu'un sur une liste. Porter un nom sur un registre. On a porté cette somme au compte profits et pertes.* — **7°** Produire : *Un arbre qui porte beaucoup de fruits. Un capital qui porte un intérêt de cinq pour cent* (syn. : RAPPORTER). — **8°** Causer, faire, manifester : *Cette décision nous porte un tort considérable. Je lui porte une reconnaissance éternelle. Porter à quelqu'un une haine tenace.* — **9°** Diriger, mouvoir : *Porter son regard sur* (ou *vers*) *quelqu'un. Nous avons porté toute notre attention sur cette question. Portez votre effort sur ce point.* — **10°** *Porter quelqu'un à quelque chose, à faire quelque chose,* l'y pousser, l'y décider : *Cet échec le portera à plus de prudence* (syn. : INCITER). *Tout cela me porte à croire qu'il a menti. Le mauvais exemple de ses camarades le porte au mal.* — **11°** *Porter quelque chose à sa perfection, à son maximum,* etc., l'y amener : *Cette réponse porta sa colère à son paroxysme.* — **12°** *Porter un fait à la connaissance de quelqu'un,* l'en informer. ‖ *Porter un coup à quelqu'un,* le frapper; lui causer une émotion forte : *Cette nouvelle lui a porté un coup* (syn. : DONNER). — **13°** *Porter* forme de nombreuses locutions avec des noms sans article : *Porter amitié à quelqu'un* (= l'estimer). *Porter atteinte à quelque chose* (= le toucher, le modifier dans un sens défavorable). *Porter bonheur, malheur* (= être cause de bonheur ou de malheur à venir). *La nuit porte conseil* (= vous jugerez mieux après une nuit de repos). *Porter envie à quelqu'un* (= l'envier). *Porter plainte contre quelqu'un* (= déposer une plainte contre lui devant les tribunaux). *Porter secours à quelqu'un* (= le secourir). *Porter témoignage* (= témoigner); etc. — **14°** *Porter,* avec le sens de « avoir », forme des loc. verbales : *Porter la responsabilité d'un fait.* ◆ **se porter** v. pr. **1°** (sujet nom désignant un vêtement) Etre porté, en parlant de la mode : *Les cravates à pois se portent moins cette année. Cela ne se porte plus* (= cela n'est plus à la mode). — **2°** *Les soupçons, les regards,* etc., *se portent sur lui,* on le soupçonne, on le regarde... ‖ (sujet nom de personne) Fam. *Porter beau,* avoir une allure jeune, de l'élégance, en dépit de son âge. ◆ **port** n. m. **1°** Prix du transport d'une lettre, d'un colis : *Le port est compris. Un colis expédié franco de port et d'emballage.* — **2°** Fait de porter sur soi quelque chose : *Le port de la casquette. Le port de la barbe est autorisé par le règlement.* ‖ *Port d'armes,* fait de pouvoir porter des armes sur soi : *Le port d'armes est autorisé dans certains cas.* — **3°** Attitude, manière d'être, comportement : *Cette femme a un port majestueux.* ‖ *Port de tête,* manière de tenir sa tête : *Un gracieux port de tête.* ◆ **portable** adj. : *Un paquet difficilement portable. Ce complet n'est pas neuf, mais il est encore très portable* (syn. : CONVENABLE). ◆ **portage** n. m. : *Le portage des marchandises. Le portage du matériel jusqu'à ce sommet a dû être fait à dos d'homme.* ◆ **portatif, ive** adj. Se dit de ce qui est aisé à porter, de ce qui est conçu pour être transporté : *Une table portative.* ◆ **porteur, euse** adj. et n. Qui porte, qui apporte : *Un messager porteur d'une bonne nouvelle. Les frères et sœurs du malade sont porteurs de germes* (= ils peuvent véhiculer des germes infectieux). ◆ **porteur** n. m. **1°** Personne dont le métier est de porter les bagages, les fardeaux : *Sur le quai de la gare, les porteurs attendent près de leurs chariots. Les porteurs et les guides d'une expédition en montagne.* — **2°** Personne chargée de transmettre un message : *Vous direz au porteur qu'il n'y a pas de réponse.* — **3°** Celui qui détient une valeur mobilière, un titre qui n'indique pas le nom du titulaire : *Une action au porteur.*

2. porter [pɔrte] v. intr. **1°** (sujet nom de chose) *Porter juste,* atteindre, toucher le but : *Le coup de canon a porté juste. Sa remarque a porté juste* ou *a porté* (= elle a été pleinement comprise par l'intéressé). ‖ *Porter loin,* se dit d'une pièce d'artillerie dont le tir va loin. (V. PORTÉE 3). — **2°** *Porter sur,* reposer sur : *Tout le poids de l'édifice porte sur quatre piliers situés aux angles* (syn. : REPOSER). *Tout le système économique de Marx porte sur la loi d'airain des salaires* (= est construit sur lui, repose sur lui). *Le différend porte sur un point de détail. Il a fait porter son exposé sur la situation sociale* (= il l'a centré là-dessus); heurter contre : *Il est tombé et sa tête a porté sur une pierre.* — **3°** *Porter à la tête,* étourdir : *Ce vin porte à la tête.* ‖ *Porter sur les nerfs,* ou, fam., *porter sur le système,* mettre dans un état de tension nerveuse, d'agacement : *La dispute lui avait porté sur les nerfs. Toi, avec tes ragots, tu commences à me porter sur le système.* — **4°** *Porter à faux,* ne pas reposer sur des bases solides : *La planche porte à faux, elle va tomber* (syn. : ÊTRE EN PORTE À FAUX).

3. porter [pɔrte] v. tr. et intr. *Femelle qui porte ses petits,* qui est en état de gestation : *La femelle du castor porte jusqu'à quatre petits. La jument porte onze mois.* ◆ **portée** n. f. Ensemble des petits que les femelles des mammifères mettent bas en une fois : *Une portée de jeunes chats, de chiots. Les lapins d'une même portée.*

4. porter (se) [səpɔrte] v. pr. (sujet nom de personne). **1°** Aller bien ou mal, avoir une santé bonne ou mauvaise : *« Comment vous portez-vous? — Je ne me porte pas trop mal, merci. » Il se porte comme un charme, malgré son grand âge.* — **2°** *Se porter* et un attribut, se présenter comme tel ou tel : *Se porter candidat à une élection. Se porter acquéreur. Se porter garant de quelque chose* (= le garantir).

porte-voix [pɔrtəvwa] n. m. invar. Instrument en forme de tronc de cône, destiné à amplifier la voix : *Avec son porte-voix, l'arbitre appela les concurrents sur la ligne de départ.*

portier n. m., **portière** n. f., **portillon** n. m. V. PORTE.

portion [pɔrsjɔ̃] n. f. **1°** Partie d'un tout divisé : *La portion d'une droite comprise entre deux points* (syn. : SEGMENT). *Une certaine portion de la route n'est pas encore macadamisée* (syn. : PARTIE, TRONÇON). *La portion la plus misérable de la population urbaine habite à la périphérie des grandes villes* (syn. : FRACTION). — **2°** Se dit d'une certaine quantité d'aliments : *A la cantine, la portion de viande n'est guère abondante* (syn. : PART). — **3°** Ironiq. *Portion congrue,* maigre quantité de nourriture, d'argent, etc. : *A son âge, il est réduit à la portion congrue.*

1. portique [pɔrtik] n. m. En architecture, galerie couverte, devant une façade ou dans une cour intérieure, dont la voûte est soutenue par des colonnes ou par des arcades.

2. portique [pɔrtik] n. m. Poutre horizontale soutenue par des poteaux, et à laquelle on accroche des agrès de gymnastique.

porto [pɔrto] n. m. Vin du Portugal très renommé : *Boire un verre de porto comme apéritif.*

portrait [pɔrtrɛ] n. m. **1°** Représentation d'une personne par le dessin, la photographie ou la peinture : *Faire faire son portrait à l'huile par un artiste. Ce portrait est plutôt flatté par rapport au modèle.* — **2°** *Portrait de famille,* peinture, photographie qui représente un des aïeux de la famille. ‖ *Portrait en pied,* qui représente la personne tout entière. ‖ *Portrait robot,* représentation graphique d'un suspect, d'après les témoignages oraux, qu'établit et publie la police pour le faire reconnaître. ‖ *Etre le portrait de quelqu'un,* lui ressembler fortement : *Le fils est le portrait du père.* — **3°** Description orale ou écrite de quelqu'un : *Pour que vous puissiez reconnaître l'homme en question, je vous fais son portrait en quelques mots.* ‖ *Jeu des portraits,* jeu où les participants doivent reconnaître une personne d'après une description. ◆ **portraitiste** n. m. Artiste qui fait des portraits. ◆ **portraiturer** v. tr. *Portraiturer quelqu'un,* faire son portrait (littér. ou ironiq.).

Port-Salut [pɔrsaly] n. m. invar. (nom déposé). Fromage cuit de lait de vache, à pâte pressée.

portuaire adj. V. PORT 1.

1. poser [poze] v. tr. **1°** (sujet nom de personne) *Poser un objet, quelqu'un,* les mettre quelque part en leur assurant un appui : *Poser un livre sur une table. Poser une assiette sur le séchoir. Pose délicatement tes pieds sur le plateau de la balance* (syn. : PLACER). *Poser une échelle contre un mur* (syn. : APPUYER). *Poser ses valises à terre* (syn. : DÉPOSER). *Pose ton manteau et viens à table* (syn. : ACCROCHER). *Poser un bébé sur des coussins.* — **2°** *Poser quelque chose,* le placer, l'installer à l'endroit convenable : *Poser des rideaux* (= les accrocher au mur). *Poser une serrure* (= l'adapter à une porte et au montant). *Poser une voie de chemin de fer. Poser une mine* (= l'installer sur le terrain, l'armer). — **3°** (sujet nom de personne) *Poser quelque chose,* l'établir, l'admettre, l'affirmer comme principe, comme hypothèse : *Poser un principe. Posons que* $A + B = C$ (= admettons-le comme hypothèse, sans discussion). — **4°** Forme des loc. verbales : *Poser des jalons,* placer des repères, donner des indications préliminaires sur quelque chose. ‖ *Poser sa candidature,* se présenter comme candidat à une fonction, à un poste (syn. : DÉPOSER). ‖ *Poser une question à quelqu'un,* l'interroger, le questionner : *J'ai voulu lui poser une question sur ce qu'il disait, mais il n'a pas répondu.* ‖ (sujet nom de personne ou de chose) *Poser une question, un problème,* être un objet de préoccupations pour d'autres (personnes, collectivités, Etats, etc.) : *Votre cas pose un problème délicat* (syn. : SOULEVER). *La bizarrerie de certains détails pose la question de la responsabilité de l'accusé.* ◆ ***se poser*** v. pr. : *L'oiseau fatigué s'était posé sur une branche élevée de l'arbre. Une main se posa sur son épaule* (syn. : ↑ S'ABATTIT). *Ses yeux se posèrent un instant sur son interlocuteur* (syn. : SE FIXER, EFFLEURER). ◆ **pose** n. f. Sens 2 du v. tr. : *La pose d'un compteur d'électricité* (syn. : INSTALLATION). ◆ **reposer** v. tr. Poser de nouveau.

2. poser [poze] v. tr. (sujet nom de chose). *Poser quelqu'un,* lui donner de l'importance, accroître la considération dont il jouit : *La Légion d'honneur a beaucoup contribué à le poser dans le monde* (syn. : METTRE EN VALEUR). *Un habit noir, un air grave, voilà ce qui pose un homme* (= lui donne du sérieux). ◆ ***se poser*** v. pr. : *Il se pose en redresseur de torts* (syn. : S'ÉRIGER). ◆ **posé, e** adj. : *Un homme posé* (syn. : PONDÉRÉ, SÉRIEUX). *Avoir un air posé* (syn. : GRAVE, RÉFLÉCHI). ◆ **posément** adv. : *Parler posément* (syn. : CALMEMENT, LENTEMENT). *Il lui donne posément toutes les explications désirées* (contr. : FÉBRILEMENT).

3. poser [poze] v. intr. **1°** (sujet nom de personne). Prendre une position, une attitude telle qu'on puisse faire un portrait, une photo : *Vous allez poser sur ce canapé.* — **2°** Exposer un film à la lumière pendant un temps très court, au moyen d'un appareil photographique, afin de prendre une photographie : *La photo est un peu claire : tu as trop posé.* ◆ **pose** n. f. **1°** Attitude du corps, particulièrement en vue d'un portrait, d'une photographie : *Elle avait une pose légèrement abandonnée* (syn. : POSITION). *Garder la pose. Une pose très étudiée.* — **2°** Temps d'exposition d'une photographie (se dit surtout d'un temps supérieur à un dixième de seconde).

4. poser [poze] v. intr. (sujet nom de personne). **1°** Avoir un comportement affecté et prétentieux : *Il pose à chaque instant quand il est avec des amis. Poser pour la galerie* (syn. : CRÂNER, SE PAVANER). — **2°** Fam. *Poser à quelqu'un,* prendre l'air de cette personne : *Poser au patron, au justicier. Poser à l'homme au courant de tout.* ◆ **poseur, euse** adj. et n. : *Quel poseur!* (syn. : SNOB, PRÉTENTIEUX). *Elle est terriblement poseuse* (syn. : MANIÉRÉ, ARTIFICIEL).

1. positif, ive [pozitif, -iv] adj. **1°** Se dit d'une chose qui a un caractère certain, assuré, qui repose sur les faits : *C'est un fait positif* (syn. : INCONTESTABLE, RÉEL). *Sciences positives* (contr. : SPÉCULATIF). — **2°** Se dit d'une personne (ou de son comportement) qui fait preuve de réalisme, qui a le sens pratique : *C'est un esprit positif* (contr. : CHIMÉRIQUE). ◆ **positivisme** n. m. Attitude d'esprit, philosophie qui se refuse à connaître de l'univers autre chose que ce qu'on en connaît par l'observation des phénomènes, par l'expérience. ◆ **positiviste** adj. et n. : *Un philosophe positiviste.*

2. positif, ive [pozitif, -iv] adj. **1°** Se dit, en technologie, en science, d'un événement, d'un phénomène doué de caractères précis et susceptible d'être privé de ces mêmes caractères ou d'être affecté du caractère inverse (s'oppose à *négatif*) : *Proposition positive* (en grammaire, en logique). *Cuti-réaction positive* (en médecine). *Charge positive* (en électricité). — **2°** *Epreuve positive* (ou *positif* n. m.), épreuve photographique qu'on obtient en exposant à la lumière une feuille de papier sensible appliquée sous un négatif, pellicule ou plaque. ◆ **positivement** adv. : *Un morceau d'ébonite chargé positivement* (= chargé d'électricité positive).

3. positif, ive [pozitif, -iv] adj. Se dit de ce qui apporte des éléments nouveaux, de ce qui contribue au progrès : *Vous avez apporté là une idée positive et pleine d'avenir. Avoir une action positive* (syn. : CONSTRUCTIF ; contr. : NÉGATIF, DESTRUCTEUR). *Le résultat des pourparlers est positif sur plusieurs points.* ◆ **positivement** adv. : *Son* *action s'est développée positivement dans bien des secteurs.*

position [pozisjɔ̃] n. f. 1° Manière dont se tient, dont est placée une personne ou une chose : *Le corps doit être en position inclinée vers l'avant, avec les bras en position horizontale. Se tenir sur un pied, dans une position instable. Dormir dans une position incommode* (syn. : ATTITUDE). *Cet enfant est assis dans une mauvaise position* (syn. : POSTURE). *Ranger un livre dans la position verticale* (= debout). — 2° Attitude du corps déterminée par un règlement militaire : *La position réglementaire. Position du tireur couché. Rectifier la position* (= se mettre dans l'attitude réglementaire à l'approche d'un supérieur hiérarchique). ‖ *Etre dans une position critique,* être dans une situation incertaine, dangereuse, compromise. — 3° Situation d'un objet, d'une personne en fonction d'un ensemble : *Le policier étudia la position des personnes et des objets dans la pièce* (syn. : EMPLACEMENT, LOCALISATION). *La position des pièces sur un échiquier* (syn. : PLACE). *La position des mots dans la phrase* (syn. : PLACE). *La position d'une voyelle inaccentuée. La position d'un navire, d'un avion,* etc. (= ses coordonnées sur la carte à un moment donné). — 4° Situation relative d'un objet, d'une personne dans un ensemble hiérarchisé : *Ce concurrent occupe toujours la première position au classement général* (syn. : PLACE). *Le concurrent est arrivé en première, en seconde,* etc., *position* (= il est arrivé le premier, le second, etc., au but). — 5° Emplacement occupé par une troupe, une armée : *La position des assiégés paraissait imprenable. Occuper une position fortifiée. Avoir une position défensive* (= se tenir sur ses gardes). *Position de combat* (= zone de terrain occupée par une troupe chargée de sa défense). *Position de repli* (= emplacement où une troupe projette de se replier, le cas échéant). *Prendre position près de quelque chose, autour de quelque chose* (= s'établir auprès, autour, pour l'attaquer); et au plur. : *Protéger ses positions* (= les emplacements militaires). *Se replier sur des positions préparées à l'avance. Les positions françaises étaient très mal défendues. Guerre de position* (par oppos. à *guerre de mouvement*). ‖ *Abandonner ses positions,* cesser de soutenir une opinion fortement combattue. ‖ *Rester sur ses positions,* ne pas céder de terrain, ne faire aucune concession dans une discussion, ne pas changer d'avis. — 6° Opinion particulière d'une personne sur un problème : *Avoir une position claire* (syn. : INTENTIONS). *On a demandé au directeur de définir sa position* (syn. : POINT DE VUE, VUES). *La position de Jean-Paul Sartre sur le problème de la liberté* (syn. : LA CONCEPTION). *La position de l'Eglise face au contrôle des naissances* (syn. : ATTITUDE). *Prendre une position avancée, nuancée, nettement défavorable,* etc. (= adopter une opinion avancée, nuancée, etc.). ‖ *Prise de position,* opinion déclarée publiquement : *Quand la crise a éclaté, les prises de position se sont multipliées pour critiquer les responsables.* ‖ *Prendre position,* prendre parti. — 7° Situation sociale d'une personne : *Sa position ne lui permettait pas d'accorder une interview à n'importe qui* (syn. : RANG). *Par sa position, il dispose d'une voiture avec chauffeur* (syn. : STANDING). ‖ *Position d'un fonctionnaire,* sa situation au regard de l'Administration (activité, congé, détachement, disponibilité, etc.).

positivement [pozitivmɑ̃] adv. Vraiment, réellement : *J'ai été positivement effrayé à la pensée des conséquences possibles de cette négligence. Etes-vous positivement certain de l'utilité de ces recherches? Ce n'est pas positivement un ordre, c'est une invitation pressante* (syn. : EXACTEMENT, ABSOLUMENT).

posséder [pɔsede] v. tr. 1° *Posséder une chose,* l'avoir à sa disposition de manière effective, en être maître : *Posséder de l'argent, des propriétés, des valeurs. Il possède des immeubles en grand nombre. Je te laisse deux cents francs, c'est absolument tout ce que je possède* (= je n'ai rien d'autre). *Une nation qui possède une puissante armée.* — 2° *Posséder quelque chose,* en être pourvu, doté (simple syn. de *avoir*) : *Votre ami possède de grandes qualités, mais il manque de savoir-vivre* (syn. : JOUIR DE). *Ce médecin possède une longue expérience. Les propriétés que possèdent les corps simples varient en composition* (= les propriétés des corps simples...). *Ce château possède une belle vue. Une commode qui possède un tiroir secret.* — 3° (sujet nom de personne) *Posséder quelque chose,* en avoir une bonne connaissance : *Un étudiant qui possède son programme* (syn. : ↓ DOMINER). *Il possède à fond sa grammaire française* (= il la sait parfaitement). *Cet acteur possède bien son rôle. Il possède son métier de journaliste* (= il en connaît tous les aspects). — 4° *Posséder une femme,* avoir avec elle des rapports charnels. — 5° Fam. *Posséder quelqu'un,* le duper, le berner. ◆ ***se posséder*** v. pr. : *Quand il se met en colère, il ne se possède plus.* (Syn. : SE CONTENIR, SE DOMINER, SE MAÎTRISER.) ◆ **possesseur** n. m. Celui qui possède (surtout sens 1 du v. tr.) : *Les candidats possesseurs d'une licence complète seront admis par priorité.* ◆ **possession** n. f. 1° *La possession de biens immobiliers entraîne certaines obligations. La possession de titres négociables est fortement imposée. Les avantages que donne la possession d'une langue étrangère* (syn. : CONNAISSANCE). — 2° *Avoir quelque chose en sa possession,* ou *être en possession de quelque chose,* le posséder : *Il avait plusieurs livres rares en sa possession. Je suis en possession du manuscrit.* ‖ *Rentrer en possession de quelque chose,* le recouvrer. ‖ *Prendre possession de quelque chose,* s'en emparer (par la force ou non); le recevoir, en prendre livraison : *Il a été ce matin prendre possession de sa nouvelle voiture.* ‖ (sujet nom de chose) *Etre en la possession de quelqu'un,* lui appartenir. ‖ *Possession de soi,* maîtrise de soi-même : *Après un long moment d'évanouissement, elle reprit lentement possession d'elle-même.* ◆ **déposséder** v. tr. : *Déposséder quelqu'un de quelque chose,* lui en ôter la possession : *La révolution avait dépossédé de leurs domaines beaucoup de gros propriétaires* (syn. : DÉPOUILLER, SPOLIER, EXPROPRIER). ◆ **dépossession** n. f. : *Il protestait violemment contre cette injuste dépossession.*

possessif adj. m. *Adjectifs et pronoms possessifs,* v. CLASSE, *Classes grammaticales,* et MON.

possible [pɔsibl] adj. (après le nom). 1° Se dit d'une chose qui peut se produire, qui peut être faite : *Il y a trois solutions possibles à ce problème. Votre entreprise est possible* (syn. : RÉALISABLE). *Le ministre a rendu possible la sortie des devises* (syn. : LICITE). *Une hypothèse parfaitement possible* (syn. : ADMISSIBLE). ‖ *Matériellement possible,* se dit d'une chose à laquelle les conditions matérielles ne s'opposent pas. || *C'est possible,* marque une incertitude, réserve une réponse : « *Est-il venu pendant votre absence? — C'est possible* » (= je n'en sais rien). || *Est-ce possible!,* ou, fam., *pas possible!,* marquent la surprise, le scepticisme. || *Il est possible que* (suivi du subj.), indique une éventualité envisagée : *Il est possible que les deux parties parviennent à s'entendre avant le procès* (= cet événement a des chances de se produire). — **2°** Se dit d'une chose qui peut éventuellement se produire, dont on pense qu'elle peut exister sous cette forme : *La chute possible du gouvernement* (syn. : ÉVENTUEL). || *Fam.* A propos d'une personne : *Les ministres possibles* (= ceux qui peuvent devenir ministres). — **3°** Exprime une limite (dans certaines loc.) : *Il a tiré tout l'argent possible de son créancier, puis il s'est enfui* (= tout l'argent qu'il a pu tirer). *Il a fait toutes les bêtises possibles et imaginables avant de se marier.* || *Autant que possible,* atténue une affirmation dans une réponse, ou renforce un ordre : « *Vous vous sentez prêt pour l'examen? — Autant que possible.* » *Autant que possible, vous écrirez lisiblement.* || *Le plus... possible, le moins... possible* (avec un adj., un adv.), renforce le superlatif : *Roulez le plus lentement possible. Le bateau a pris le plus grand nombre possible de personnes. Il faut travailler le plus possible à maintenir la paix. Il vient le moins souvent possible* (= aussi peu souvent qu'il peut). || *Aussitôt que possible, dès que possible,* au moment le plus proche possible. ◆ n. m. *Faire* (*tout*) *son possible,* agir, travailler au mieux de ses possibilités : *Cet élève fait pourtant son possible, mais sans succès.* • LOC. ADV. *Au possible,* extrêmement : *Sa fille est gentille au possible.* ◆ **possibilité** n. f. : *Je ne vois pas la possibilité de réaliser ce projet.* || *Avoir, trouver la possibilité,* syn. de POUVOIR (style soutenu, souvent avec négation) : *Je n'ai malheureusement pas la possibilité de vous venir en aide* (syn. : IL N'EST PAS EN MON POUVOIR). *Monsieur le directeur n'a pas trouvé la possibilité de vous recevoir.* ◆ **possibilités** n. f. pl. Moyens dont on dispose : *Cet élève ne manque pas de possibilités, mais il est très paresseux* (syn. : RESSOURCES). ◆ **impossible** adj. Contr. de *possible* : *Entreprise, projet impossible. C'est impossible! Il est impossible que vous m'en ayez déjà parlé.* ◆ **impossibilité** n. f. Contr. de *possibilité.*

postdater [pɔstdate] v. tr. *Postdater un document,* y inscrire une date postérieure à la date à laquelle il est effectivement établi : *Postdater un chèque* (contr. : ANTIDATER).

1. poste [pɔst] n. f. **1°** Administration publique chargée du transport des lettres, des dépêches, d'envois d'argent, etc. : *Les Postes et Télécommunications. Une employée des postes. Envoyer par la poste. La poste aérienne. La distribution, la levée des lettres par la poste. Le mandat a le cachet de la poste.* — **2°** Local, bureau où le public effectue ces opérations : *La poste ouvre à huit heures et demie. Mettre une carte à la poste. Aller à la poste toucher un mandat. Attendre au guichet de la poste.* || *Poste restante,* système qui permet à une personne de retirer son courrier à la poste au lieu de le recevoir à domicile. ◆ **postal, e, aux** adj. *Le service postal. Les colis postaux* (= adressés par la voie postale). *Une carte postale. Les lettres pour la Sécurité sociale jouissent de la franchise postale* (= ne paient pas le port). ◆ **poster** v. tr. *Poster une lettre, le courrier,* les remettre à la poste ou les préparer en y mettant l'adresse : *J'ai posté la lettre à son ancien domicile, car je ne connais pas le nouveau. Le courrier a été posté à midi.* ◆ **postage** n. m. ◆ **postier, ère** n. Employé(e) du service des postes.

2. poste [pɔst] n. m. **1°** Endroit, généralement protégé ou fortifié, où se trouvent des soldats : *Placer des postes le long de la frontière. Occuper un poste abandonné par l'ennemi. Un poste fortifié. Poste de combat. Abandonner son poste* (= déserter). || *Etre à son poste, fidèle à son poste,* demeurer fidèlement là où l'on a été placé. || Fam. *Etre solide au poste,* être vigoureux, résistant. || *Poste de commandement,* emplacement où s'établit un chef pour exercer son commandement. (Abrév. : P. C.) — **2°** *Poste de police* ou *poste,* lieu, local où se trouve un siège de la police, un commissariat de police : *Les agents ont conduit au poste plusieurs manifestants. Passer la nuit au poste.* ◆ **poster** v. tr. *Poster quelqu'un* (et un compl. de lieu), le placer quelque part pour qu'il guette ou qu'il surveille, soit afin d'exécuter un mauvais coup, soit au contraire afin de l'empêcher : *L'agent posté au carrefour vit le malfaiteur s'enfuir. Poster des policiers autour d'une maison* (syn. : DISPOSER). ◆ **avant-poste** n. m. Détachement de troupes disposé devant une unité militaire pour la prémunir contre une attaque subite : *Des avant-postes.*

3. poste [pɔst] n. m. **1°** Emplacement aménagé pour recevoir certaines installations techniques : *Poste d'incendie* (= installation hydraulique pour lutter contre l'incendie). *Poste d'aiguillage* (= cabine de commande pour l'aiguillage des trains). *Poste d'essence* (= distributeur d'essence). — **2°** *Poste de pilotage d'un avion, d'une fusée,* lieu où se tiennent le pilote, le commandant de bord, etc. (syn. : CABINE, HABITACLE).

4. poste [pɔst] n. m. Emploi professionnel correspondant à un degré dans une hiérarchie (généralement en parlant d'un fonctionnaire) : *Occuper un poste élevé. Il a refusé de rejoindre son poste.*

5. poste [pɔst] n. m. *Poste de télévision, de radio,* ou *poste,* appareil de télévision, de radio : *Un poste portatif. Poste à transistors* (= appareil de radio fonctionnant avec des transistors).

1. postérieur, e [pɔsterjœr] adj. **1°** Se dit d'une chose qui vient après une autre dans le temps : *La date de sa naissance est légèrement postérieure au début du siècle* (contr. : ANTÉRIEUR). *Un testament postérieur annulait en partie les dispositions du premier* (syn. : ULTÉRIEUR). — **2°** Se dit d'une chose qui est placée derrière : *La partie postérieure de la tête* (contr. : ANTÉRIEUR). ◆ **postérieurement** adv. : *Un prophète venu postérieurement à Isaïe.* ◆ **postériorité** n. f. : *Etablir la postériorité d'un fait par rapport à un autre* (contr. : ANTÉRIORITÉ).

2. postérieur [pɔsterjœr] n. m. *Fam.* Derrière de l'homme : *Poser son postérieur sur une chaise* (syn. fam. : ARRIÈRE-TRAIN).

postérité [pɔsterite] n. f. Ensemble des générations futures (langue soutenue) : *Ce poète a laissé à la postérité un chef-d'œuvre admirable. La postérité jugera de la valeur réelle de cette peinture.*

postface [pɔstfas] n. f. Avertissement placé à la fin d'un livre : *Mettre une lettre au lecteur à la fin du livre comme postface* (contr. : PRÉFACE).

posthume [pɔstym] adj. 1° Se dit d'un enfant qui est né après la mort de son père : *Un fils posthume.* — 2° Se dit de l'œuvre d'un écrivain, d'un auteur, etc., qui est publiée après sa mort : *L'œuvre posthume de Chateaubriand. Les éditions posthumes de Sully Prudhomme.* — 3° Se dit de tout ce qui concerne quelqu'un après son décès : *Décorer un héros mort en mer à titre posthume. La gloire de Stendhal a été posthume.*

postiche [pɔstiʃ] adj. Se dit de ce qu'on met pour remplacer artificiellement quelque chose qui manque : *Avoir des cheveux postiches* (contr. : NATUREL). *L'espion portait une barbe postiche* (syn. : FAUX).

1. postillon [pɔstijɔ̃] n. m. Autrefois, conducteur de la poste aux chevaux : *Le postillon fit claquer son fouet et la lourde diligence s'ébranla sur le pavé inégal.*

2. postillon [pɔstijɔ̃] n. m. *Fam.* Parcelle de salive projetée en parlant : *Lancer des postillons tout en invectivant ses adversaires.* ◆ **postillonner** v. intr. *Fam.* Lancer des postillons en parlant.

postopératoire adj. V. OPÉRER.

post-scriptum [pɔstskriptɔm] n. m. Ce qui s'ajoute à une lettre après sa signature : *Mettre un post-scriptum. L'essentiel de la lettre se trouve dans le post-scriptum.* (S'abrège ordinairement en P.-S.)

1. postuler [pɔstyle] v. tr. *Postuler un emploi,* le demander. ◆ **postulant, e** n. : *Le postulant est prié d'écrire à la main son curriculum vitae.*

2. postuler [pɔstyle] v. tr. Poser comme principe, comme hypothèse initiale : *J.-J. Rousseau postule la bonté naturelle de l'homme.* ◆ **postulat** n. m. Principe premier, indémontrable ou non démontré, et qu'il faut admettre pour établir une démonstration : *Les postulats d'Euclide.*

posture [pɔstyr] n. f. 1° Attitude particulière du corps (s'emploie surtout pour indiquer que cette attitude n'est pas naturelle, ni habituelle) : *Il était assis dans une posture inconfortable. Je l'ai trouvé dans une posture ridicule, cherchant un objet sous un meuble.* — 2° *Etre en mauvaise, en bonne posture,* etc., être dans une situation favorable, défavorable, difficile : *Après cette défaite, notre équipe est en mauvaise posture. Il est en posture de gagner.*

1. pot [po] n. m. 1° Récipient en terre, en porcelaine, en métal, etc., destiné à divers usages domestiques : *Pot à lait* (= récipient métallique avec couvercle, servant au transport du lait). *Pot à confitures. Pot à eau* (= récipient muni d'une anse, dans lequel on met l'eau nécessaire à la toilette, ou vase pour contenir de l'eau). *Pot de fleurs* (= pot où l'on met des fleurs). *Pot de chambre,* ou *pot* (= vase destiné aux besoins naturels). — 2° *Pot d'échappement,* appareil où les gaz brûlés d'un moteur à explosion se détendent : *La voiture, qui avait perdu son pot d'échappement, faisait un bruit terrible.* — 3° *Pot* entre dans diverses loc. fam. : *Prendre un pot,* aller au café avec quelqu'un et consommer avec lui : *Si tu n'as rien à faire, je t'invite à prendre un pot, nous bavarderons un peu.* ‖ *Payer les pots cassés,* réparer les dommages qui ont été causés. ‖ *Etre sourd comme un pot,* être complètement sourd. ‖ *Tourner autour du pot,* user de circonlocutions, de précautions pour éviter d'aller droit au but. ‖ *A la fortune du pot,* sans cérémonie, sans préparatifs (syn. : À LA BONNE FRANQUETTE). ‖ *Découvrir le pot aux roses* [potoroz], découvrir le secret d'une affaire (syn. : LE FIN MOT DE L'HISTOIRE). ◆ **dépoter** v. tr. *Dépoter une plante,* la retirer d'un pot. ◆ **dépotage** n. m.

2. pot [po] n. m. Pop. *Avoir du pot,* avoir de la chance : *Tu as du pot, le professeur est encore absent aujourd'hui.* ‖ Pop. *Manquer de pot,* ne pas avoir de chance, échouer. ‖ Pop. *Manque de pot!,* par malchance : *Il se dépêchait pour être à l'heure, mais, manque de pot, il n'y avait pas de train à cause de la grève.*

potable [pɔtabl] adj. 1° Se dit d'un liquide qui peut être bu sans danger : *Attention, eau non potable.* — 2° *Fam.* Se dit de ce qu'on peut admettre, de ce qui est passable : *Son livre est potable. Son travail est à peine potable* (syn. : ACCEPTABLE). [V. BOIRE.]

potache [pɔtaʃ] n. m. *Fam.* Lycéen, collégien : *Une blague, un chahut de potaches.*

potage [pɔtaʒ] n. m. Bouillon préparé soit avec des légumes, soit avec de la viande : *Potage aux pâtes. Faire tremper du pain dans le potage. Servir le potage.*

potager, ère [pɔtaʒe, -ɛr] adj. *Plantes potagères,* plantes réservées pour l'usage alimentaire. ‖ *Jardin potager,* ou *potager* n. m., jardin consacré à la culture des plantes potagères.

potard [pɔtar] n. m. *Pop.* Pharmacien.

potasse [pɔtas] n. f. 1° Solide blanc, soluble dans l'eau, utilisé pour le blanchiment du linge et pour la fabrication des savons noirs : *Les mines de potasse d'Alsace.* — 2° Nom donné à un engrais chimique.

potasser [pɔtase] v. tr. et intr. *Fam.* Etudier avec ardeur : *Potasser sa composition de géographie. Il n'a pas cessé de potasser avant son examen* (syn. fam. : BÛCHER).

pot-au-feu [pɔtofø] n. m. invar. Mets composé de viande de bœuf bouillie avec des carottes, des poireaux, des navets, etc. : *Faire cuire le pot-au-feu pendant trois heures.* ◆ adj. invar. *Fam.* et *péjor.* Se dit d'une femme trop exclusivement attachée à son ménage : *Elle est tellement pot-au-feu qu'elle ne sort pratiquement jamais le soir, et laisse son mari aller seul au cinéma* (syn. : POPOTE).

pot-de-vin [podvɛ̃] n. m. *Fam.* Somme qu'on verse en dehors du prix convenu, généralement pour obtenir illégalement un avantage ou pour remercier la personne par l'entremise de qui se conclut l'affaire : *Il a fallu donner des pots-de-vin à plusieurs personnes en vue pour qu'elles ferment les yeux* (syn. : DESSOUS DE TABLE ; fam. : BAKCHICH).

pote [pɔt] n. m. *Arg.* Ami, camarade : *Emile est venu à la réunion avec deux de ses potes. Salut, mon pote!*

poteau [pɔto] n. m. 1° Morceau de bois dressé verticalement pour servir de support, d'indicateur, etc. : *Un poteau télégraphique* (= portant des fils télégraphiques). *Douze concurrents se présentèrent au poteau de départ sur la piste de Vincennes. Un poteau indicateur se trouvait au croisement des chemins* (= indiquant la destination des chemins). — 2° *Poteau d'exécution,* endroit où l'on attache parfois les condamnés avant de les fusiller. ‖ *Envoyer quelqu'un au poteau,* le faire exécuter. ‖ *Au poteau!,* à mort! (cri de menace).

potée [pɔte] n. f. 1° Plat composé de charcuterie et de légumes cuits ensemble : *Une potée lorraine.* — 2° *Fam.* Grande quantité de nourriture : *Tu as versé une telle potée de haricots à cet enfant qu'il ne pourra jamais manger tout cela!*

potelé, e [pɔtle] adj. Se dit d'une personne (de son corps, de ses membres) qui a des formes rondes et pleines : *Un enfant potelé* (syn. : DODU; fam. : GRASSOUILLET; contr. : MAIGRE). *Un bras potelé* (syn. : ↑ GRAS, REBONDI).

1. potence [pɔtɑ̃s] n. f. 1° Instrument de supplice servant à la pendaison : *Etre condamné à la potence* (syn. anc. : GIBET). — 2° *Gibier de potence,* personne peu recommandable (littér.).

2. potence [pɔtɑ̃s] n. f. Assemblage de pièces de bois ou de fer, pour soutenir quelque chose : *Une enseigne pendue à une potence.*

potentat [pɔtɑ̃ta] n. m. *Péjor.* Homme qui dirige de façon tyrannique, qui dispose d'une grande puissance : *Le patron dirige son entreprise en vrai potentat* (syn. : DESPOTE; littér. : ↑ TYRAN, MONARQUE). *Les gros potentats de l'industrie pétrolière* (syn. : MAGNAT).

1. potentiel, elle [pɔtɑ̃sjɛl] adj. et n. m. 1° En grammaire, se dit d'une tournure, d'un mode qui attribue à un événement la possibilité de se produire (ex. : *S'il se mettait à pleuvoir, nous serions obligés de prendre un parapluie*). *Le potentiel s'exprime en latin par le présent du subjonctif.* — 2° Se dit d'une chose qui existe en puissance, virtuellement, mais non réellement. ◆ **potentialité** n. f. (sens 2).

2. potentiel [pɔtɑ̃sjɛl] n. m. Capacité d'action, de production, de travail d'un pays, d'un important groupe humain : *L'Allemagne continuait à renforcer son potentiel militaire. Le potentiel humain.*

3. potentiel [pɔtɑ̃sjɛl] n. m. Etat électrique d'un conducteur par rapport à un autre : *Différence de potentiel.*

poterie [pɔtri] n. f. 1° Fabrication d'ustensiles de terre cuite et de grès : *La poterie est un art artisanal* (syn. plus usuel : CÉRAMIQUE). — 2° Objets de ménage, ustensiles, etc., en terre cuite, en grès (spécialement les objets archéologiques) : *La poterie provençale du XVIII*e *siècle est très recherchée par les amateurs. Des fragments de poteries préhistoriques sont exposés au Louvre.* ◆ **potier** n. m. Fabricant ou marchand de poteries : *Les potiers étaient nombreux dans le Midi.*

poterne [pɔtɛrn] n. f. Passage sous un rempart, donnant sur le fossé.

potiche [pɔtiʃ] n. f. 1° Vase de porcelaine de forme ronde : *L'antiquaire avait deux magnifiques potiches sur sa cheminée.* — 2° *Fam.* Personne qui a du prestige, mais n'a plus aucune efficacité : *Il ironisait sur les vénérables potiches qui fréquentaient ce salon.*

1. potin [pɔtɛ̃] n. m. *Fam.* Commérage, bavardage sur le compte de quelqu'un : *Il est rentré à Paris, où il a appris les derniers potins. Les petits potins. Certains potins désobligeants couraient sur lui* (syn. fam. : CANCAN, RAGOT). ◆ **potiner** v. intr.

2. potin [pɔtɛ̃] n. m. 1° *Fam.* Grand bruit : *Quel potin, dans ce marché!* (syn. : VACARME; fam. : RAFFÛT). — 2° *Faire du potin,* élever de vives protestations, faire un scandale : *Quand on lui a refusé l'accès de la salle, il s'est mis à faire du potin* (syn. fam. : RAMDAM).

potion [posjɔ̃] n. f. Remède à boire : *On lui a fait prendre une potion calmante qui l'a assoupi très vite.*

potiron [pɔtirɔ̃] n. m. Plante voisine de la courge : *Il a une tête toute ronde comme un potiron.*

pot-pourri [popuri] n. m. Composition littéraire ou musicale formée de morceaux divers, assemblés de façon plaisante : *Des pots-pourris.*

pou [pu] n. m. 1° Insecte qui vit en parasite sur l'homme et sur certains animaux : *Un clochard couvert de poux.* — 2° Fam. *Laid comme un pou,* très laid. ‖ Fam. *Chercher des poux dans la tête de quelqu'un, à quelqu'un,* lui chercher une mauvaise querelle (syn. pop. : CHERCHER DES CROSSES).

pouah ! [pwɑ] interj. Exprime le dégoût, la répulsion : *Pouah! quelle horreur, et vous pouvez manger ça?*

poubelle [pubɛl] n. f. Récipient en tôle ou en matière plastique, destiné à recevoir les ordures ménagères : *Les poubelles de l'immeuble sont vidées chaque matin. Jeter une assiette cassée à la poubelle.*

pouce [pus] n. m. 1° Le plus gros et le plus court des doigts, opposable aux autres doigts de la main chez l'homme : *Un enfant qui suce son pouce. Se casser l'ongle du pouce.* — 2° Gros orteil du pied. — 3° Mesure de longueur, douzième partie du pied. — 4° Fam. *Donner un coup de pouce à quelqu'un,* faciliter sa réussite (syn. fam. : PISTONNER). ‖ *Donner le (un) coup de pouce,* intervenir pour modifier, accélérer la marche régulière des événements. ‖ *Demander pouce,* lever le pouce pour indiquer, au cours d'une partie, qu'on se met un instant hors du jeu (langue des enfants); interjectiv. : *Pouce!* ‖ Fam. *Mettre les pouces,* avouer sa défaite. ‖ Fam. *Se tourner les pouces,* rester sans rien faire. ‖ Fam. *Manger sur le pouce,* à la hâte, rapidement. ‖ *Ne pas reculer, avancer, céder d'un pouce,* rester sur ses positions, inébranlable. ‖ *Un pouce de terrain,* une parcelle de terrain.

pouding [pudiɲ] n. m. Gâteau anglais, composé de farine, de moelle de bœuf, de raisins de Corinthe, etc.

1. poudre [pudr] n. f. 1° Substance divisée en particules très fines : *Réduire en poudre* (= écraser en morceaux très fins, ou anéantir; syn. : MOUDRE, PULVÉRISER, BROYER). *Du sucre en poudre* (par oppos. à SUCRE EN MORCEAUX). *Lait en poudre* (syn. : LAIT SOLUBLE). *Prendre une poudre après le repas* (= médicament pulvérulent pour digérer). *Poudre à récurer* (= produit d'entretien en poudre). — 2° *Jeter de la poudre aux yeux,* chercher à faire illusion. ◆ **poudreux, euse** adj. 1° Couvert de poussière (littér.) : *Une route poudreuse.* — 2° Qui a l'aspect d'une poudre : *La neige est poudreuse, aujourd'hui, on a du mal à skier.*

2. poudre [pudr] n. f. Substance pulvérulente dont les femmes se saupoudrent le visage : *Elle ouvrit son sac et, se regardant dans une petite glace, se mit de la poudre sur les joues.* (On dit aussi POUDRE DE RIZ.) ◆ **poudrier** n. m. Petite boîte pour mettre de la poudre. ◆ **poudrer (se)** v. pr. Se mettre de la poudre sur le visage. ◆ **poudré, e** adj. : *Un visage poudré.* ◆ **dépoudrer** v. tr. Faire tomber la poudre.

3. poudre [pudr] n. f. 1° Substance explosive utilisée dans les armes à feu, les pétards, les feux d'artifice, etc. : *La charge de poudre d'une cartouche.* — 2° *Nouvelle qui se répand comme une traînée de poudre,* très rapidement. ‖ *Mettre le feu aux poudres,* déclencher un conflit, des incidents violents, la colère de quelqu'un : *Un incident diplomatique qui risque de mettre le feu aux poudres.* ‖ Fam. *Il n'a pas inventé la poudre,* se dit d'une personne peu intelligente. ◆ **poudrerie** n. f. Fabrique de substances explosives : *La poudrerie a sauté à la suite d'une imprudence.* ◆ **poudrière** n. f. Endroit dangereux, source de conflits : *La poudrière des Balkans au début du XXᵉ siècle.*

1. pouf ! [puf] interj. Exprime un bruit sourd de chute, une explosion : *Pouf! le petit Georges est tombé sur le derrière. Faire pouf* (fam. = tomber).

2. pouf [puf] n. m. Siège bas, en cuir ou en tissu rembourré.

pouffer [pufe] v. intr. Eclater de rire involontairement et comme en se retenant : *Quand le professeur se leva de sa chaise, il avait un cercle de craie dessiné sur son pantalon; les élèves se mirent à pouffer bruyamment.* (On dit aussi POUFFER DE RIRE.)

pouffiasse [pufjas] n. f. *Pop.* Femme grosse et vulgaire; prostituée.

pouilles [puj] n. f. pl. *Chanter pouilles à quelqu'un,* lui adresser des reproches, l'accabler de récriminations (littér.).

pouilleux, euse [pujø, -øz] adj. et n. 1° Se dit d'une personne qui est dans la plus grande misère (souvent terme injurieux) : *Une maison sordide, habitée par quelques pouilleux.* — 2° Se dit d'un individu, d'un lieu qui est d'une saleté repoussante et plein de vermine : *Des mendiants pouilleux à la porte de l'église.* ◆ adj. : *Un bidonville pouilleux et misérable* (syn. : SORDIDE).

1. poulailler n. m. V. POULE 1.

2. poulailler [pulaje] n. m. Galerie supérieure d'un théâtre, où se trouvent les places les moins chères.

1. poulain [pulɛ̃] n. m., **pouliche** [puliʃ] n. f. Jeune cheval, jeune jument (jusqu'à trente mois).

2. poulain [pulɛ̃] n. m. *C'est le poulain de quelqu'un,* se dit d'un sportif, d'un écrivain débutant, d'un candidat qui est appuyé par une personnalité.

1. poule [pul] n. f. 1° Femelle du coq domestique et de quelques autres oiseaux : *La poule est un oiseau de basse-cour. La poule glousse, caquette. Une poule bonne pondeuse, bonne couveuse. La poule picore du blé. Manger une poule au riz. Un bouillon de poule. Une poule faisane* (= femelle du coq faisan). *Une poule d'eau est un oiseau échassier vivant dans les roseaux, près des eaux.* — 2° Fam. *Avoir la chair de poule,* avoir des frissons (dus à la peur ou au froid). ‖ *Tuer la poule aux œufs d'or,* détruire, par un désir immodéré de gains immédiats, les profits à venir, une source de bénéfices. ‖ *Se lever comme les poules,* très tôt. ‖ *Une mère poule,* une mère qui a des attentions excessives à l'égard de ses enfants. — 3° Terme d'affection à l'égard d'une femme. ◆ **poularde** n. f. Jeune poule qu'on a engraissée. ◆ **poulet, ette** n. 1° Petit de la poule; jeune poule : *Des poulets de grain* (= de six à huit mois). — 2° Terme d'affection. ◆ **poulet** n. m. Poule ou coq dans sa destination alimentaire : *Un élevage de poulets* (syn. : VOLAILLE). *Un poulet rôti. Savoir découper un poulet. Commander au restaurant un quart de poulet. Manger du poulet* (= de la chair de poulet). ◆ **poulailler** n. m. Local, construction où l'on élève des poulets.

2. poule [pul] n. f. 1° *Pop.* Femme de mœurs légères. — 2° *Pop.* Maîtresse d'un homme.

3. poule [pul] n. f. En sports, combinaison de matches dans laquelle chaque équipe (ou chaque joueur) rencontre toutes (ou tous) les autres : *Les poules du championnat de France de rugby.*

1. poulet n. m. V. POULE 1.

2. poulet [pulɛ] n. m. *Pop.* Policier, particulièrement en civil.

poulie [puli] n. f. Appareil formé d'une roue qui reçoit une corde afin de lever des fardeaux : *Ils ont hissé l'armoire par la fenêtre avec une poulie.*

poulot, otte [pulo, -ɔt] n. Terme d'affection à l'adresse d'un enfant.

poulpe [pulp] n. m. Syn. de PIEUVRE.

pouls [pu] n. m. 1° Battement des artères, perceptible notamment au poignet : *Le médecin prend le pouls du malade. Un pouls normal de 72 pulsations.* — 2° *Prendre le pouls, tâter le pouls,* s'enquérir d'une situation.

poumon [pumɔ̃] n. m. 1° Viscère situé dans le thorax et qui est l'organe de la respiration : *Les deux poumons sont divisés en lobules. Respirer l'air à pleins poumons. Se remplir les poumons de l'air frais des montagnes.* — 2° *Poumon d'acier,* bloc hermétique où l'on place certains paralysés pour assurer leur respiration.

poupard, e adj. et n. V. POUPON.

poupe [pup] n. f. 1° Arrière d'un navire (par oppos. à *proue*). — 2° (sujet nom de personne) *Avoir le vent en poupe,* être dans une période favorable, être pour le moment appuyé par ses supérieurs : *Son dernier livre est maintenant lancé, on vient de le décorer : décidément, ce garçon a le vent en poupe.*

poupée [pupe] n. f. 1° Petite figure humaine de carton, de Celluloïd, qui sert de jouet aux enfants, de décoration, etc. : *La petite fille berçait sa poupée comme une vraie maman. Il avait dans son salon une grande poupée habillée en Arlésienne.* — 2° *Fam.* Femme habillée joliment, de façon recherchée : *Sa femme est toujours tirée à quatre épingles, c'est une vraie poupée.* — 3° *Pop.* Femme, jeune fille.

poupin, e [pupɛ̃, -in] adj. Se dit d'une personne (ou de son visage) qui a les traits rebondis, le visage rond : *Un garçon poupin. Une figure poupine.*

poupon [pupɔ̃] n. m. Enfant, bébé : *Elle portait dans ses bras un poupon tout rose qui lui ressemblait.* ◆ **pouponnière** n. f. Dans une crèche, salle réservée aux tout petits enfants : *Elle avait mis son enfant à la pouponnière pour pouvoir travailler.* ◆ **pouponner** v. intr. 1° Dorloter maternellement des bébés : *Elle adorait pouponner, tricotant, lavant les layettes et repassant des culottes.* — 2° (sujet nom désignant une femme) *Fam.* Avoir fréquemment des enfants. ◆ **poupard, e** adj. et n. Se dit d'un enfant, d'un adulte gras et joufflu : *Une physionomie pouparde. Elle se promenait en poussant dans sa voiture un magnifique poupard.*

1. pour [pur] prép. Suivi d'un nom ou d'un pronom, indique le but, la cause, l'échange, la réciprocité, etc. (V. tableau ci-dessous.)

2. pour [pur] prép., **pour que** [purkə] loc. conj. Indiquent le but, la conséquence, la cause, la concession. (V. tableau p. suiv.)

pourboire [purbwar] n. m. Somme d'argent donnée à un salarié de certaines entreprises par un client de celles-ci : *Donner un bon pourboire. Verser un pourboire royal.*

pourceau [purso] n. m. 1° Porc (littér.). — 2° Personne malpropre. — 3° *Pourceau d'Epicure*, personne qui se vautre dans les plaisirs sensuels (littér.). ‖ *Donner des perles aux pourceaux*, donner quelque chose de raffiné à quelqu'un qui ne le mérite pas ou ne peut l'apprécier (littér.).

pour + un nom ou un pronom

EMPLOIS ET VALEURS	EXEMPLES
1° Avec un nom de lieu, indique la direction vers.	*Il est parti pour l'Espagne ce mois-ci. Le train pour Lyon va entrer en gare. Pour où part-il? Il s'est embarqué pour New York.*
2° Avec un nom indiquant le temps, marque le terme d'un délai ou la durée. En ce sens, il peut être suivi d'une autre préposition.	*Je vous le promets pour la semaine prochaine, mais, pour l'heure, je ne peux vous le remettre. C'est pour aujourd'hui ou pour demain?* (formule d'impatience). *Il est parti pour toujours. Ce sera fait pour samedi. Je m'en vais à l'étranger pour six semaines. « Quand faut-il vous l'envoyer? — Pour dans huit jours, pour après les fêtes. »*
3° Avec un nom d'être animé, indique la personne qui est intéressée directement.	*Ce n'est pas un film pour les enfants. Le procès est perdu pour lui. Sa haine pour elle est étonnante* (syn. : ENVERS). *Mourir pour la patrie. Elle éprouve pour lui un tendre sentiment* (= à son égard). *Formuler des vœux pour la santé de quelqu'un. Quêter pour les aveugles. Cet alcool est mauvais pour vous. Vous n'êtes pas fait pour cette vie* (= cette existence ne vous convient pas). *Il a une grande amitié pour vous. J'ai pris la parole pour lui* (pour sa défense; contr. : CONTRE).
4° Avec un nom de chose, indique la destination ou le but.	*On l'a fait pour son bien. Il travaille pour la gloire* (syn. : EN VUE DE). *Je ne fais pas cela pour le plaisir* (syn. : PAR). *Cette représentation a été donnée pour la fête du pays, pour l'anniversaire du centenaire* (syn. : EN L'HONNEUR DE). *Des cachets pour la grippe* (syn. : CONTRE). *Il est pour le vote obligatoire.*
5° Avec un pronom ou un nom d'être animé, indique le point de vue.	*Pour moi, la situation est dangereuse* (= à mes yeux). *Ce n'est un secret pour personne qu'il a des ennuis. Elle est tout pour moi. Pour trop de pays, le problème essentiel reste encore celui de la faim.*
6° Après un nom de chose, indique la conséquence de l'action marquée par le verbe principal.	*Pour son malheur, il n'avait pas vu le panneau d'interdiction.* (En ce sens, l'emploi est très limité [v. POUR suivi d'un infinitif].)
7° Avec un nom ou un pronom neutre, indique la cause d'une action.	*Le café est fermé pour réparations. Il a été puni pour sa paresse. Il m'a menti; je ne lui en veux pas pour ça.* Forme la loc. prép. **pour cause de** : *Maison fermée pour cause de décès. Il est furieux et pour cause!* (= et il a des raisons pour cela).
8° Dans quelques locutions figées, indique la concession ou l'opposition.	*Ne t'en fais pas pour si peu (de chose)* [alors que la chose est si peu importante]. *Pour un étranger, il parle très bien le français.* **Pour autant, pour autant que,** V. AUTANT.
9° Avec un nom ou un pronom, indique une réciprocité, un échange, un remplacement, un rapport de comparaison.	*a)* Le nom est précédé de l'article ou d'un numéral : *Il prend les mots les uns pour les autres. Il a payé pour moi. J'étais enrhumé, il a parlé pour moi* (= à ma place). *Le commerçant m'a laissé le coupon de tissu pour trente francs. En avez-vous eu pour votre argent? Je l'ai acheté pour une bouchée de pain* (= pour rien). *Pour un d'intelligent, il y en a dix de sots. Il est assez fort pour son âge* (syn. : PAR RAPPORT À). *Il fait froid pour la saison.* *b)* Le mot est répété avant et après *pour* (sans article) : *Il rend coup pour coup. Le fils est trait pour trait le portrait de son père. C'est mot pour mot la copie de son précédent article. Mourir pour mourir, autant que ce soit le plus tard possible* (= s'il faut mourir). *Dix ans après, jour pour jour, il mourait* (= exactement). *c)* Le mot est employé sans article : *Il a pris pour femme une véritable mégère. Il a pour principe de ne jamais préjuger des résultats. Il a eu pour maître un des meilleurs philosophes de son temps. Se faire passer pour médecin. Il passe pour habile.* *d)* Le mot est employé avec l'article indéfini : *Il passe pour un maître en la matière. Il passe pour un fou* (= on le considère comme un fou).
10° Sert à mettre en évidence un sujet, un attribut, un complément d'objet direct; il est l'équivalent de *quant à*. Il met aussi en évidence un infinitif ou une proposition.	*Pour moi, je le pense* (= en ce qui me concerne). *Pour le ministère, je le crois peu durable. Pour un homme qui se dit incompétent, vous savez beaucoup de choses. Pour coléreux, il l'est vraiment. Pour des connaissances, il en a. Pour être naïf, il l'est. Pour ce qui est de la fortune, il n'est pas à plaindre* (syn. [langue soutenue] : EU ÉGARD À).

VALEURS	pour + infinitif	pour que + subjonctif
1° But ou simplement succession.	Lorsque l'infinitif et le verbe ou le nom dont il dépend ont le même sujet : *Va chercher une tenaille pour arracher ce clou* (syn. fam. : DANS LE BUT DE). *Je t'emprunte ce livre pour le lire* (syn. : AFIN DE; dans la langue soutenue : DANS L'INTENTION DE, DANS LE DESSEIN DE). *Tout le monde s'accorde pour lui reconnaître de grandes qualités. Les skieurs descendent la piste pour remonter ensuite au sommet.* Dans la langue familière, la tournure négative est *pour pas : Il cherche tous les prétextes pour pas travailler.*	Lorsque le verbe de la proposition subordonnée et celui de la proposition dont elle dépend ont des sujets différents : *Je vais porter la radio chez le marchand pour qu'il la répare* (syn. : AFIN QUE). *Il vient de nous avertir par télégramme pour que nous ne nous dérangions pas en vain. Il fait tout ce qu'il peut pour que tout le monde soit content.* Dans la langue familière, la tournure négative est *pour pas que : Il s'est enfermé dans son bureau pour pas qu'on le dérange.*
2° Conséquence.	Lorsque le verbe de la principale est au conditionnel ou lorsqu'il y a un adverbe comme *assez, trop, suffisamment,* ou simplement un article ayant la valeur de *tel :* *Il aime assez cette femme pour tout lui sacrifier. Il y a des gens assez fous pour le croire. L'histoire est trop belle pour être vraie. Pour avoir de beaux légumes, il faudrait un peu de pluie. Qu'avez-vous contre moi pour vous mettre ainsi en colère?*	Dans les mêmes conditions que ci-contre, lorsque la subordonnée a un sujet différent de celui de la proposition dont elle dépend : *Il est trop égoïste pour qu'on lui vienne maintenant en aide. Il suffit d'un peu de bonne volonté pour que tout s'arrange. Ma voiture est assez vaste pour que tout le monde puisse y tenir.*
3° Cause.	Presque uniquement suivi de l'infinitif passé : *Il s'est rendu malade pour avoir trop présumé de ses forces.*	
4° Concession ou opposition.	Il y a souvent dans la principale les adverbes *moins, toujours,* etc. : *Pour être roi, il n'en est pas moins homme. Pour être plus âgés, ils n'en sont pas toujours plus sages.*	*Pour... que* (suivi du subjonctif) : *Pour grands que soient les rois, ils sont ce que nous sommes. Pour peu que vous le vouliez, vous réussirez. Pour peu qu'il eût fait attention, il aurait évité l'accident. Pour si longue que soit l'entreprise, il faut la mener à bonne fin.*

Être pour + infinitif, sert d'auxiliaire de temps pour indiquer la proximité immédiate : *Il était pour partir, quand il se souvint de sa promesse* (syn. : ÊTRE SUR LE POINT DE).

N'être pas pour + infinitif, n'être pas de nature à, propre à : *Voilà une suggestion qui n'est pas pour me déplaire. Ça n'est pas pour dire, mais...* (présentation polie, mais fam., d'une objection).

pourcentage [pursɑ̃taʒ] n. m. Proportion d'une quantité, d'une grandeur par rapport à une autre, évaluée en général sur la centaine : *Calculer le pourcentage d'un capital.*

pourchasser [purʃase] v. tr. Poursuivre, rechercher avec acharnement : *Pourchasser des fuyards. Pourchasser les fautes dans un texte.*

pourfendre [purfɑ̃dr] v. tr. (conj. **50**). *Pourfendre des abus, des adversaires,* les attaquer avec impétuosité (littér.). [Le sens « fendre d'un coup de sabre » est sorti de l'usage.] ◆ **pourfendeur** adj. et n. m. : *Un pourfendeur d'abus* (nuance ironiq.).

pourlécher (se) [səpurleʃe] v. pr. *Fam.* Passer sa langue sur ses lèvres en signe de gourmandise, de satisfaction : *La confiture était fort appréciée des enfants, qui s'en pourléchaient.*

pourparlers [purparle] n. m. pl. Conversations, entretiens préalables à la conclusion d'une entente, ou en vue de régler une affaire : *Des pourparlers ont été engagés en vue d'un règlement pacifique du problème* (syn. : NÉGOCIATIONS, DISCUSSIONS).

pourpre [purpr] n. f. **1°** Matière colorante d'un rouge très foncé. — **2°** Etoffe teinte en pourpre : *Un manteau de pourpre.* — **3°** *Pourpre romaine,* dignité de cardinal. ◆ adj. et n. m. D'un rouge foncé tirant sur le violet : *Un manteau pourpre. Des rubans pourpres. Une robe d'un beau pourpre.* (V. EMPOURPRER.)

pourquoi [purkwa] adv. interr. Interroge sur la cause qui est à l'origine de l'action exprimée dans la phrase ou qui la motive (dans les propositions interrogatives directes ou indirectes). [V. tableau p. 900.]

pourrir [purir] v. intr. et **se pourrir** v. pr. **1°** Se gâter, s'altérer sous l'effet de la décomposition : *Le bois de la barque pourrissait lentement dans l'eau. La charogne abandonnée pourrissait rapidement sous l'effet de la chaleur* (syn. : SE PUTRÉFIER [langue scientif.]). — **2°** (sujet nom désignant une situation) Se détériorer, devenir de plus en plus mauvais : *La situation politique, économique, sociale pourrit.* ◆ v. tr. **1°** *Pourrir quelque chose,* en causer la putréfaction, la corruption : *L'abondance des pluies a pourri toutes les pommes sur les arbres* (syn. : AVARIER). *La gangrène avait pourri sa jambe* (syn. : INFECTER). — **2°** *Pourrir quelqu'un,* altérer sa moralité : *La richesse avait pourri cet homme autrefois actif* (syn. : ↓ GÂTER, CORROMPRE). *La mère pourrissait son enfant* (syn. : GÂTER). ◆ **pourri, e** adj. **1°** *Une planche de bois toute pourrie. Un homme pourri de vices* (= corrompu). *Une société pourrie. Un régime pourri.* — **2°** *Un temps pourri, un climat pourri,* se dit d'un temps, d'un climat continuellement pluvieux. ◆ **pourri** n. m. *Pop.* S'emploie comme injure : *Bande de pourris!* ◆ **pourrissement** n. m. : *Le pourrissement rapide de la situation a entraîné une intervention militaire ouverte* (syn. : DÉTÉRIORATION, DÉGRADATION).

◆ **pourriture** n. f. : *La pourriture de la planche de bois. Quand on entre dans cette cave, on est pris par l'odeur de pourriture qui y règne* (syn. : PUTRÉFACTION). *La pourriture qui règne dans un milieu social* (syn. : ↓ CORRUPTION).

1. poursuivre [pursɥivr] v. tr. (conj. **62**). 1° *Poursuivre un être animé, un objet en mouvement,* le suivre vivement pour l'atteindre : *Il se mit à poursuivre l'homme qui fuyait. Le chien poursuivit le voleur en aboyant. Les chasseurs poursuivaient le cerf à cheval. Les journalistes ont poursuivi la vedette jusqu'au pied de l'escalier de son hôtel* (syn. : ↑ POURCHASSER). *Des gendarmes motocyclistes qui poursuivent une voiture.* — 2° *Poursuivre quelque chose,* chercher à l'obtenir : *Poursuivre un rêve impossible. Poursuivre un but en commun avec d'autres* (syn. : VISER). ◆ **poursuivant** n. m. : *Un malfaiteur qui réussit à distancer ses poursuivants.* ◆ **poursuite** n. f. : *Au terme d'une longue poursuite, le fermier a rattrapé le poulain échappé. Se lancer à la poursuite d'un voleur. La poursuite du bonheur est parfois difficile.*

2. poursuivre [pursɥivr] v. tr. (conj. **62**). *Poursuivre quelqu'un en justice,* entamer contre lui des poursuites judiciaires : *Etre poursuivi pour émission de chèques sans provision.* ◆ **poursuite** n. f. : *Un article de caractère diffamatoire expose son auteur à des poursuites.*

3. poursuivre [pursɥivr] v. tr. (conj. **62**). 1° *Poursuivre un travail, une action,* etc., les continuer sans relâche : *Son ami l'interpella, mais l'autre poursuivit sa marche sans l'entendre. Après cette brève interruption, le professeur poursuivit son exposé. Le commissaire a décidé de poursuivre son enquête jusqu'au bout* (syn. : POUSSER). *L'Assemblée nationale a poursuivi la discussion jusqu'à une heure tardive.* — 2° Dans un récit, sert à indiquer qu'une personne continue à parler : *Après quelques instants de silence, l'orateur poursuivit : « A ce point de mon exposé, Mesdames et Messieurs,... »* ◆ **poursuite** n. f. : *La poursuite des fouilles exige de nouveaux capitaux* (contr. : ARRÊT). *La poursuite de l'enquête.*

pourtant [purtɑ̃] adv. Marque une opposition très forte à ce qui vient d'être dit et joue le rôle d'une conjonction de coordination dont la place est variable dans la phrase (parfois en appui de *et,* de *mais*) : *Sa voiture marchait bien; il était pourtant agacé de se voir sans cesse dépassé par des automobiles plus puissantes* (syn. : NÉANMOINS; en tête de phrase, MAIS). *Il n'est pas là, et pourtant nous sommes à l'heure* (syn. : TOUTEFOIS). *On le comprenait toujours, et pourtant il abordait des sujets très compliqués* (syn. : CEPENDANT). *Il n'est pourtant pas bête!*

pourtour [purtur] n. m. Ligne, partie qui fait le tour d'un lieu : *Sur le pourtour de la place, on trouvait de belles maisons bourgeoises. Le pourtour de la salle de théâtre était orné de fresques. Calculer le pourtour d'un quadrilatère* (= la longueur de la ligne brisée fermée qui le constitue).

pourvoi [purvwa] n. m. Acte par lequel un plaideur exerce un recours contre un jugement rendu en dernier ressort, contre une décision administrative (jurid.) : *Un pourvoi en cassation. Un pourvoi en Conseil d'Etat.* ◆ **pourvoir (se)** v. pr. (conj. **43**) Former un pourvoi : *L'accusé s'est pourvu en cassation.*

pourvoir [purvwar] v. tr. (conj. **43**). 1° *Pourvoir quelqu'un,* le mettre en possession de ce qui lui est nécessaire, utile : *Ses parents l'ont pourvu d'une trousse de voyage avant son départ en colonie. La nature l'avait pourtant pourvu des plus grandes qualités* (syn. : DOTER). — 2° *Pourvoir quelque chose,* l'équiper de ce qui lui est utile (langue soutenue) : *Il avait pourvu sa maison de campagne de toutes les commodités.* ◆ **pourvoir** v. tr. ind. *Pourvoir à quelque chose,* y subvenir (langue soutenue) : *Pourvoir aux besoins de sa famille. Ne vous occupez plus de rien, mes enfants, Dieu y pourvoira.* ◆ **pourvu, e** adj. : *Il a été engagé, pourvu d'une recommandation. Cet écrivain est pourvu d'une solide imagination. Les poissons sont généralement pourvus d'écailles et de nageoires placées symétriquement.* (V. DÉPOURVU.) ◆ **pourvoyeur, euse** adj. et n. Ce qui fournit, ravitaille (littér.) : *La grande pourvoyeuse des cimetières, la guerre, s'annonçait : c'était l'été 1914.* ◆ **pourvoyeur** n. m. Servant d'une arme à feu collective, chargé de ravitailler la pièce en munitions.

pourvu que [purvykə] loc. conj. 1° Introduit une proposition subordonnée au subjonctif, exprimant la condition nécessaire et suffisante pour que l'action de la principale se réalise (souvent, la subordonnée est en tête de phrase) : *Pourvu qu'ils ne fassent pas trop de bruit, les enfants peuvent jouer dans la pièce d'à côté. J'accepte les opinions des autres, pourvu qu'ils me laissent penser ce que*

pourquoi

INTERROGATION DIRECTE	INTERROGATION INDIRECTE
Pourquoi veux-tu que j'aille en vacances en Corse? Pourquoi dis-tu cela? (syn. : DANS QUELLE INTENTION). *Pourquoi se taire? « Êtes-vous heureux? — Moi? pourquoi pas »* (= pour quelle raison ne le serais-je pas?). *Pourquoi ce long discours? Quelques mots auraient suffi.* Avec renforcement par *est-ce que : Pourquoi est-ce que vous n'y êtes pas allé?* ou pop. par *que : Pourquoi que tu as fait ça?*	*Je ne vois pas pourquoi je n'irais pas le trouver. Puisque tu ne sais pas, demande pourquoi. Il vit mon embarras, il m'expliqua pourquoi cela était fait. Voici pourquoi il n'y est pas parvenu. Savez-vous pourquoi? Il faut que ça marche ou que ça dise pourquoi* (fam. = il faut absolument que cela se fasse). *Il agit sans savoir pourquoi.* Avec renforcement par *est-ce que* (tournure lourde) : *Il me demande pourquoi est-ce qu'on ne me voit plus à la maison;* ou pop. par *que : J'ignore pourquoi qu'il pleure.*

C'est pourquoi, loc. conj. de coordination amenant une explication : *Les fumées des usines se rabattent vers la ville, c'est pourquoi celle-ci est sale et noire* (syn. : EN CONSÉQUENCE). *Ce n'est pas intéressant, c'est pourquoi vous devez refuser* (syn. : AUSSI).

Le pourquoi n. m. invar. La raison pour laquelle un événement se produit : *Il m'expliqua longuement le pourquoi de toutes ces opérations compliquées;* la question par laquelle on demande une explication : *Il était fort embarrassé par les pourquoi de son jeune fils.*

je veux (syn. : DU MOMENT QUE, À LA CONDITION QUE). — 2° En tête d'une phrase exclamative, indique un souhait, avec la crainte qu'il n'arrive le contraire : *Pourvu qu'il ne lui arrive aucun accident!* (= Puisse-t-il ne lui arriver [littér.]). *Pourvu qu'il pense à rapporter le pain ce soir! Pourvu que ce froid ne dure pas!*

poussah [pusa] n. m. 1° Homme petit et très gros. — 2° Poupée grotesque, généralement ventrue, portée par une boule équilibrée de telle sorte que le jouet revienne toujours à la verticale.

pousse-café [puskafe] n. m. *Fam.* Petit verre d'alcool que l'on prend à la fin d'un repas, après le café (syn. : DIGESTIF, LIQUEUR).

1. poussée [puse] n. f. 1° Manifestation soudaine, violente d'un état pathologique : *Une poussée de furonculose, d'acné juvénile. Il a fait une brusque poussée de fièvre.* — 2° Augmentation subite : *Les prix ont subi une brusque poussée* (syn. : MONTÉE).

2. poussée [puse] n. f. V. POUSSER 1.

pousse-pousse [puspus] n. m. invar. En Extrême-Orient, voiture légère, tirée par un coureur, pour le transport des personnes.

1. pousser [puse] v. tr. 1° *Pousser quelqu'un, quelque chose,* exercer une pression contre eux pour les déplacer : *Pousser son voisin* (syn. : ↑ BOUSCULER). *Ne poussez pas, il y a de la place pour tout le monde! Pousser une voiture devant soi. Pousser quelqu'un dehors* (= le faire sortir). *Le vent pousse les nuages* (syn. : CHASSER). *Un courant poussait la barque vers le large* (syn. : ENTRAÎNER). *Pousser une chaise contre le mur* (= la déplacer). *Pousser la porte* (= l'ouvrir, la fermer). || *Pousser quelqu'un du genou, du pied, du coude,* l'avertir par une légère pression. — 2° (sujet nom de personne) *Pousser quelqu'un,* le faire aller devant soi d'une manière énergique, le faire avancer : *Pousser les visiteurs vers la sortie.* ◆ ***se pousser*** v. pr. (sujet nom de personne). Se retirer d'un endroit pour laisser la place : *Poussez-vous un peu pour que nous puissions nous asseoir.* ◆ **poussée** n. f. *Résister à la poussée d'une foule. Sous la poussée, la barrière qui contenait les curieux s'effondra* (syn. : PRESSION). *La poussée exercée par la voûte est supportée par des arcs-boutants de part et d'autre de la nef de l'église.* ◆ **poussoir** n. m. Bouton qu'on pousse pour actionner un mécanisme, une sonnerie, etc.

2. pousser [puse] v. tr. 1° *Pousser quelque chose,* le faire fonctionner plus vivement, à un régime meilleur, etc. : *Pousser le feu* (syn. : ACTIVER). *Pousser un moteur* (= le faire tourner fréquemment à son régime maximal). *Pousser une affaire* (= l'activer). *Pousser des recherches* (= les poursuivre en profondeur). — 2° *Pousser sa pointe,* continuer d'attaquer quelqu'un, le presser davantage (littér.). || *Pousser son avantage,* l'exploiter. — 3° *Pousser quelque chose à sa perfection,* le faire de manière parfaite. — 4° *Pousser quelque chose* (nom désignant une qualité morale, un sentiment, et un terme exprimant le degré atteint), faire aller jusqu'à : *Il a poussé la gentillesse jusqu'à nous raccompagner en voiture. Pousser le mépris des convenances au dernier degré. Vous poussez un peu trop loin la plaisanterie.* — 4° (sujet nom d'être animé) *Pousser un cri, un soupir,* etc., les faire entendre : *Elle poussa un hurlement et s'évanouit. Le chien poussa un lamentable glapissement.* || Fam. *Pousser la romance,* chanter de façon risible.

3. pousser [puse] v. tr. 1° *Pousser quelqu'un à faire quelque chose,* l'y engager vivement : *Ses parents le poussent à sortir plus souvent* (syn. : EXHORTER; contr. : FREINER). *Le besoin d'argent le poussait à voler.* — 2° *Pousser à bout quelqu'un,* le mettre dans un état d'exaspération complet. || *Pousser un candidat, un protégé,* etc., l'aider à obtenir un résultat meilleur, à atteindre une place plus élevée. || *Pousser quelqu'un en avant,* le mettre en vue, le faire valoir. || *Pousser quelqu'un sur un sujet,* lui fournir toutes les occasions de le développer à fond. ◆ ***se pousser*** v. pr. *Fam.* S'avancer dans le monde, obtenir une place plus élevée : *Cet arriviste ne rate jamais une occasion de se pousser.*

4. pousser [puse] v. intr. 1° (sujet nom désignant une plante, les cheveux, les dents, etc.) Se développer, grandir : *Le blé pousse au printemps. Les dents de l'enfant ont poussé. Ses cheveux, sa barbe poussent très vite.* — 2° Fam. *Un enfant qui pousse bien,* qui grandit, forcit. ◆ **repousser** v. intr. Pousser de nouveau : *Les feuilles repoussent au printemps. On lui a rasé la tête pour que ses cheveux repoussent.* ◆ **pousse** n. f. 1° Bourgeon qui est à son premier état de développement; jeune plante issue de la graine : *Les arbres laissaient entrevoir de jeunes pousses.* — 2° Jeune branche. — 3° Développement des végétaux, des dents, etc. : *La chaleur active la pousse des plantes* (syn. : CROISSANCE).

poussette [pusɛt] n. f. Petite voiture d'enfant.

poussière [pusjɛr] n. f. 1° Matière réduite en une poudre très fine, en particules ténues : *La voiture, en passant dans le chemin creux, souleva un nuage de poussière. Passer l'aspirateur dans une pièce pour ôter la poussière.* — 2° Particule de cette matière : *Avoir une poussière dans l'œil. Les poussières de charbon. Les poussières volcaniques.* — 3° Fam. *Et des poussières,* se dit d'unités qui s'ajoutent à un chiffre rond : *Trois mille francs et des poussières* (syn. : ET PLUS). || *Une poussière de* (et un nom au plur.), une grande quantité de choses petites et dispersées : *Au XVIIe siècle, le territoire de l'Allemagne actuelle n'était qu'une poussière de petites principautés, autour de quelques Etats à peine plus grands.* || *Réduire en poussière quelque chose,* l'anéantir (syn. : PULVÉRISER). || (sujet nom de chose) *Tomber en poussière,* être extrêmement vétuste. || (sujet nom de personne) *Mordre la poussière,* tomber par terre, être abattu (littér.). ◆ **poussiéreux, euse** adj. : *Une route poussiéreuse, Des souliers poussiéreux.* ◆ **dépoussiérer** v. tr. Oter la poussière déposée sur un objet : *Dépoussiérer les sièges d'une voiture.* ◆ **dépoussiérage** n. m. ◆ **empoussiérer** v. tr. : *Les chemins creux avaient empoussiéré ses chaussures.* ◆ **s'empoussiérer** v. pr. : *Des meubles qui se sont empoussiérés au grenier.* ◆ **poussier** n. m. Débris pulvérulents d'une matière quelconque, principalement de charbon (mot usité surtout dans l'industrie).

poussif, ive [pusif, -iv] adj. 1° Se dit d'un animal qui manque de souffle, d'une personne qui respire difficilement : *Un cheval poussif. Une personne grosse et poussive montait lentement l'escalier.* — 2° Fam. *Un moteur poussif,* à qui on demande un effort excessif, qui a des ratés. ◆ **poussivement** adv.

poussin [pusɛ̃] n. m. **1°** Poulet qui vient d'éclore : *Elever des poussins dans la basse-cour.* — **2°** *Fam.* Petit enfant : *Une mère, assise, tricotait, entourée de ses deux poussins.*

poutre [putr] n. f. Pièce de charpente horizontale, supportant une construction : *Belle salle à manger rustique avec des poutres apparentes* (syn. : SOLIVE). *Une poutre métallique.* ◆ **poutrelle** n. f. Petite poutre.

1. pouvoir [puvwar] v. tr. (conj. 38). **1°** *Pouvoir* et un infinitif (ou, plus rarement un pronom, un adverbe complément), avoir la faculté, la possibilité matérielle de, être en état de : *Pouvez-vous soulever cette caisse? Je n'ai pas pu déchiffrer ce mot. J'ai fait tout ce que j'ai pu pour le convaincre. Vous pouvez beaucoup pour améliorer la situation. Qui peut le plus peut le moins. Une salle qui peut contenir cinq cents personnes. Du linge qui peut encore servir;* et avec ellipse du complément : *Venez me voir dès que vous pourrez.* ‖ *N'en pouvoir plus,* être épuisé : *J'ai longtemps résisté, mais maintenant je n'en peux plus : j'abandonne.* — **2°** (sujet nom de personne) Avoir la permission de : *Un débat où chacun peut s'exprimer librement. Est-ce que je peux emprunter votre voiture?* — **3°** Indique une approximation, une probabilité, une éventualité : *Cet enfant pouvait avoir tout au plus six ans. Cela peut durer encore longtemps* (syn. : RISQUER DE). ‖ Dans une interrogation, souligne la perplexité : *Où peut bien être ce livre?* — **4°** Au subjonctif, avec inversion du sujet, exprime le souhait (langue soignée) : *Puissiez-vous réussir! Puissent tous les autres agir de même!* ◆ ***se pouvoir*** v. pr. impers. *Il (cela, ça) se peut,* il est (c'est) possible : *Il se peut que je me sois trompé. Se peut-il que vous n'ayez pas été averti? J'aurais aimé vous accompagner, mais cela ne se peut pas : j'ai un rendez-vous. « Croyez-vous qu'il va pleuvoir? — Ça se pourrait bien. »*

2. pouvoir [puvwar] n. m. **1°** Crédit, influence, possibilité d'action d'une personne, d'une chose : *Avoir beaucoup de pouvoir. Il n'est pas en mon pouvoir de m'opposer à cela.* ‖ *Pouvoir d'achat,* valeur réelle (en marchandises) d'un revenu, d'un salaire. — **2°** Gouvernement d'un pays : *Exercer, détenir le pouvoir* (= gouverner). *Parvenir au pouvoir par de longues intrigues.* ‖ *Pouvoir exécutif,* pouvoir chargé de veiller à l'exécution des lois, gouvernement. ‖ *Pouvoir législatif,* pouvoir chargé d'élaborer et de voter les lois. ‖ *Pouvoir réglementaire,* pouvoir en vertu duquel une autorité édicte des dispositions réglementaires. ‖ *Pouvoir judiciaire,* ensemble de la magistrature chargée de rendre la justice. ‖ *Pouvoir temporel, spirituel,* possibilité pour une Eglise d'avoir une action matérielle, doctrinale sur les personnes qui se rattachent à elle. — **3°** Procuration, acte donnant mandat de faire quelque chose : *Donner un pouvoir par-devant notaire.* ◆ **pouvoirs** n. m. pl. Droits d'exercer certaines fonctions : *Pouvoirs d'un ambassadeur. Fonctionnaire qui n'excède pas ses pouvoirs.* ‖ *Pouvoirs publics,* ensemble des autorités qui détiennent le pouvoir dans l'Etat : *S'en remettre aux pouvoirs publics.*

pragmatique [pragmatik] adj. Dans la langue savante, se dit d'une chose qui est susceptible d'application pratique; dont la valeur se mesure à l'efficacité pratique : *Vérité pragmatique.* ◆ **pragmatisme** n. m.

prairial n. m. V. CALENDRIER RÉPUBLICAIN.

prairie [prɛri] n. f. Etendue de terrain qui produit de l'herbe (en principe, d'une surface plus grande que le *pré*) : *Du train, on voyait quelques vaches paissant paisiblement dans des prairies.*

praline [pralin] n. f. Confiserie faite d'une amande rissolée dans du sucre. ◆ **praliné, e** adj. Mélangé de pralines : *Chocolat praliné.*

praticable [pratikabl] adj. Se dit d'un chemin, d'une route sur lesquels on peut circuler : *Pour aller chez lui, j'ai dû prendre des chemins à peine praticables, tellement la pluie les avait rendus boueux* (syn. : ACCESSIBLE). *Toutes les routes de ce pays ne sont pas praticables en voiture* (syn. : CARROSSABLE). ◆ **impraticable** adj. **1°** Se dit d'un chemin, d'une voie où l'on ne peut pas passer, où l'on passe très difficilement : *Les routes ont été rendues impraticables par le gel. Sentier impraticable.* — **2°** Qu'on ne peut mettre à exécution : *Projet impraticable* (syn. : IRRÉALISABLE). *La méthode envisagée est impraticable* (syn. : INAPPLICABLE).

praticien [pratisjɛ̃] n. m. Syn. de MÉDECIN (langue soutenue) : *Un éminent praticien. Il a consulté plusieurs praticiens.*

1. pratique [pratik] adj. **1°** Se dit d'une personne ou d'une chose qui est orientée vers l'action, qui s'attache à la réalité : *C'est un garçon très pratique, qui ne s'embarrasse pas de distinctions subtiles* (syn. : CONCRET, POSITIF). *Un esprit fumeux qui manque de sens pratique. Il a acquis une connaissance pratique de l'anglais.* — **2°** *La vie pratique,* la vie quotidienne, banale et matérielle. ‖ *Travaux pratiques,* exercices faits par des étudiants en application de cours théoriques.

2. pratique [pratik] adj. Se dit de ce qui est d'un usage commode, de ce qui est maniable, profitable : *Un appareil ménager très pratique. Cet horaire est très pratique. Passez par ici, ce sera plus pratique.*

3. pratique n. f. V. PRATIQUER 1 et 2.

pratiquement [pratikmɑ̃] adv. **1°** En réalité, dans l'usage courant : *Théoriquement, on peut être reçu au concours la première année, mais pratiquement il faut compter deux ou trois ans de préparation* (syn. : EN FAIT, EN PRATIQUE). — **2°** A très peu de chose près : *La situation est pratiquement inchangée* (syn. : À PEU PRÈS; fam. : QUASIMENT). *Il ne peut pratiquement rien faire sans son adjoint* (syn. : POUR AINSI DIRE, AUTANT DIRE).

1. pratiquer [pratike] v. tr. *Pratiquer un métier, un art, une méthode, un sport,* etc., l'exercer, l'appliquer, s'y livrer : *Son père pratiquait la médecine. Pratiquer la photographie en couleurs, la pêche à la ligne, le football. Pratiquer la vertu.* ◆ ***se pratiquer*** v. pr. (sujet nom de chose). Etre en usage, à la mode : *Il fit venir un rebouteux, comme cela se pratique parfois encore dans les campagnes.* ◆ **pratique** n. f. **1°** Action, manière de pratiquer (souvent opposé à *théorie, principes*) : *Il a une longue pratique de la pédagogie* (syn. : EXPÉRIENCE, HABITUDE). *Il y a loin de la théorie à la pratique. La pratique de l'escrime développe la rapidité des réflexes.* — **2°** *Mettre en pratique une doctrine, un principe,* etc., les appliquer dans son action : *Un chrétien doit s'efforcer de mettre en pratique les préceptes de l'Evangile.* — **3°** Comportement habituel, usage, coutume : *Des peuplades où le troc* *est une pratique générale. Des geôliers qui se livraient à des pratiques inhumaines sur les prisonniers* (syn. : AGISSEMENT). • LOC. ADV. *En pratique,* en réalité (souvent opposé à *en théorie*) : *Vous avez le choix entre deux itinéraires : en pratique, la durée du trajet est la même* (syn. : PRATIQUEMENT, EN FAIT).

2. pratiquer [pratike] v. tr. *Pratiquer une religion,* en observer les prescriptions extérieures (souvent intr.) : *Il a reçu une éducation religieuse, mais il a cessé de pratiquer.* ◆ **pratiquant, e** adj. et n. : *Un catholique, un juif pratiquant. Les pratiquants subviennent à l'entretien du clergé.* ◆ **pratique** n. f. 1° (au plur.) Actes de piété. — 2° Assiduité des fidèles dans l'observance des prescriptions religieuses : *Une région où la pratique religieuse est élevée. Des statistiques sur la pratique religieuse.*

3. pratiquer [pratike] v. tr. *Pratiquer quelque chose,* le faire, l'opérer (langue soutenue) : *Pratiquer une ouverture dans un mur* (syn. : MÉNAGER). *Il a fallu pratiquer une piste dans la forêt* (syn. : ÉTABLIR, TRACER).

pré [pre] n. m. Petite prairie : *Derrière la maison s'étendait un pré, qui se couvrait de pâquerettes chaque année. Un âne broutait dans les prés.*

> **pré-**, préfixe utilisé pour indiquer ce qui a précédé. (Les mots ainsi formés sont en général à l'ordre alphabétique de la racine.)

préalable [prealabl] adj. Se dit d'une chose qui doit normalement en précéder une autre, être faite avant elle : *Il ne pouvait entreprendre cette démarche qu'avec l'accord préalable de ses chefs. Après un examen préalable, les médecins ont conclu que ce traitement était à déconseiller formellement. Sans avis préalable* (= sans préavis). ◆ n. m. Ensemble des conditions que met un parti, un pays, etc., avant de conclure un accord avec un autre parti, un autre pays : *Les propositions de paix contenaient un préalable jugé inacceptable.* • LOC. ADV. *Au préalable,* auparavant : *Les candidats à ce concours doivent au préalable subir un examen médical* (syn. : PRÉALABLEMENT, D'ABORD). ◆ **préalablement** adv.

préambule [preɑ̃byl] n. m. 1° Introduction par laquelle un législateur, un orateur, etc., cherche à exposer ses intentions : *Le préambule de la Constitution de 1791. Après un rapide préambule, le conférencier entra dans le vif du sujet.* — 2° Ce qui prépare, annonce quelque chose : *Cette crise risque d'être le préambule à une crise beaucoup plus grave* (syn. : PRÉLUDE).

préau [preo] n. m. Partie couverte de la cour, dans une école : *Les enfants jouent dans le préau quand il pleut.*

préavis [preavi] n. m. Délai que doit observer chacune des parties pour signifier à l'autre son intention de rompre la convention qui les lie, notamment en matière de contrat de travail, entre employeur et employé : *Recevoir un préavis d'un mois. Il cherche à quitter son usine, mais il n'a pas encore donné son préavis.*

prébende [prebɑ̃d] n. f. *Péjor.* Se dit d'un revenu attaché à une situation lucrative : *Ces conseillers ne font presque rien et touchent des prébendes royales.*

précaire [prekɛr] adj. Se dit d'une chose dont l'existence n'est pas assurée, qui peut être remise en question : *Après ce vote, le gouvernement n'avait plus qu'une existence précaire* (syn. : INCERTAIN). *Votre situation est précaire* (syn. : INSTABLE, CHANCELANT). *Jouir d'un bonheur précaire* (syn. : PASSAGER, ÉPHÉMÈRE). ◆ **précarité** n. f. : *Réfléchir à la précarité des choses d'ici-bas. La précarité de ses ressources ne semble pas l'inquiéter.*

précaution [prekosjɔ̃] n. f. 1° Disposition prise par prévoyance pour éviter un mal (souvent au plur.) : *Le temps n'est pas sûr : ce serait une bonne précaution que de prendre un imperméable. On ne s'entoure jamais de trop de précautions quand on tente une expérience de cette importance. Il marchait avec précaution, de peur d'éveiller les enfants. Soulever le couvercle avec précaution* (syn. : PRUDENCE). — 2° *Précautions oratoires,* moyens plus ou moins adroits de se ménager la bienveillance de l'auditoire (souvent ironiq.). ◆ **précautionner (se)** v. pr. Prendre des précautions : *Des touristes qui s'étaient sagement précautionnés contre les brusques changements de température.* ◆ **précautionneux, euse** adj. (langue soutenue) : *Il se montre très attentif et très précautionneux.* ◆ **précautionneusement** adv. : *Agir précautionneusement.*

1. précédent, e [presedɑ̃, -ɑ̃t] adj. Se dit d'une chose qui a lieu juste avant une autre : *Le jour précédent* (syn, fam. : D'AVANT). *L'année précédente* (= immédiatement antérieure; contr. : SUIVANT). *J'avais déjà montré l'insuffisance de cette théorie dans un article précédent* (= antérieur, paru il y a un certain temps). ◆ **précédemment** adv. : *Nous avions déjà précédemment traité de ce problème* (syn. : NAGUÈRE). ◆ **précéder** v. tr. : *Le jour qui précédait celui qui était prévu pour son départ, il s'était cassé la jambe. Plusieurs symptômes alarmants ont précédé sa maladie. Les trois accords qui précèdent le point d'orgue sont en « ut » mineur;* et absolum. : *Dans tout ce qui précède, nous n'avons encore fait aucune allusion à l'essentiel, dont nous allons maintenant parler* (= dans tout ce qui a été dit, écrit avant le moment actuel).

2. précédent [presedɑ̃] n. m. 1° Fait, exemple qu'on invoque comme autorité, ou qui permet de comprendre un événement ultérieur : *Pour étayer son jugement, le tribunal s'est appuyé sur des précédents. Invoquer un précédent* (= l'alléguer comme excuse, comme prétexte). — 2° *Créer un précédent,* faire une action qui sort de l'ordinaire, des habitudes, et qui servira de justification à d'autres actions analogues (généralement péjor.) : *Si vous laissez vos enfants jouer dans la cour de l'immeuble, cela créera un précédent, et tous les locataires réclameront le droit d'en faire autant.* • LOC. ADV. *Sans précédent,* unique : *Il s'est produit un fait sans précédent dans les annales de l'histoire. Un drame sans précédent est survenu* (= dont on n'avait jamais eu d'exemple, extraordinaire).

précéder [presede] v. tr. 1° Marcher devant quelqu'un, être avant lui : *Les troupes marchaient et les polytechniciens les précédaient. Laissez-moi vous précéder, je vais vous montrer le chemin. Il précédait son frère dans la voie des honneurs.* — 2° L'emporter sur quelqu'un (langue soignée) : *Il le précède en âge et en mérite.*

précepte [presɛpt] n. m. Proposition exprimant une règle à suivre dans un domaine particulier : *Les préceptes esthétiques du classicisme ont été formulés dans « l'Art poétique » de Boileau. « Aimez-vous les uns les autres » : c'est un précepte capital de l'Evangile.*

précepteur, trice [presɛptœr, -tris] n. Personne chargée d'assurer l'éducation et l'instruction d'un enfant au sein d'une famille : *La Bruyère fut précepteur du petit-fils du Grand Condé.* ◆ **préceptorat** n. m. : *Il a exercé son préceptorat avec beaucoup de dévouement.*

1. prêcher [preʃe] v. tr. Annoncer la parole de Dieu (relig.) : *Les Apôtres sont partis prêcher l'Evangile.* ◆ v. intr. Prononcer des sermons en chaire : *Le prêtre monta en chaire pour prêcher.* ◆ **prêche** n. m. *Fam.* Sermon d'un ministre protestant, prédication : *Le prêche du dimanche. Il est arrivé à l'église un peu avant le prêche.* ◆ **prêcheur** adj. m. : *Les Dominicains sont appelés aussi « Frères prêcheurs ».* (V. PRÉDICATEUR.)

2. prêcher [preʃe] v. tr. et intr. 1° Dans la langue courante, conseiller quelque chose par des discours abondants, des exhortations pressantes, réitérées : *Il prêchait la patience à ses subordonnés qui se plaignaient* (syn. : ↓ RECOMMANDER). — 2° Fam. *Prêcher pour son saint,* parler pour soi, dans son propre intérêt, sous des dehors désintéressés. ‖ *Prêcher d'exemple,* remplacer des exhortations inutiles par des actes dont on veut qu'ils soient imités. ‖ *Prêcher dans le désert,* parler pour rien, devant un auditoire inattentif : *J'ai bien essayé de les persuader, mais j'ai vite compris que je prêchais dans le désert.* ◆ **prêcheur, euse** adj. et n. Péjor. : *Quel ennuyeux prêcheur!* (syn. : SERMONNEUR ; fam. : RADOTEUR). ◆ **prêchi-prêcha** n. m. *Fam.* et *péjor.* Conseils interminables et plus ou moins emphatiques.

1. précieux, euse [presjø, -øz] adj. 1° (après le nom) Se dit d'une chose qui a du prix, de la valeur : *On est prié de déposer au contrôle les objets précieux, la direction ne répondant de rien en cas de vol dans les vestiaires. Pierres précieuses* (= émeraude, rubis, saphir, etc.). *Métaux précieux* (= platine, or, argent, palladium, etc.). *Bois précieux.* — 2° (avant ou plus souvent après le nom) Se dit d'une chose à laquelle on attache du prix, moralement ou sentimentalement : *Parmi les biens les plus précieux de l'homme figure la liberté. Ce qui est le plus précieux chez lui est sa gentillesse continuelle à l'égard de tous* (syn. : ↓ APPRÉCIABLE, VALABLE, ↑ INAPPRÉCIABLE). *Il a perdu de précieuses minutes à tergiverser. Elle a apporté une aide précieuse à son mari.* — 3° (avant le nom) Se dit d'une personne dont on fait cas : *Un précieux collaborateur* (= dont on aurait du mal à se passer). *Un précieux ami* (= auquel on peut toujours se fier). ◆ **précieusement** adv. *Garder, conserver précieusement quelque chose,* le conserver avec grand soin, avec précaution (syn. : JALOUSEMENT, PIEUSEMENT).

2. précieux, euse [presjø, -øz] adj. (après le nom) et n. Se dit d'une personne (ou de son comportement) qui est affectée dans son langage : *C'est une femme un peu précieuse. Elle parle de façon précieuse. Elle fait la précieuse.* ◆ **préciosité** n. f. : *La préciosité de ses expressions fait sourire* (syn. : AFFECTATION).

précipice [presipis] n. m. Lieu profond et escarpé : *A la vue du précipice, il fut pris de vertige* (syn. : GOUFFRE, ABÎME). *Le car s'arrêta et s'immobilisa près du précipice* (syn. : RAVIN).

1. précipiter [presipite] v. tr. *Précipiter quelqu'un, quelque chose,* le jeter de haut en bas : *Un fou qui a précipité sa femme et ses trois enfants du haut de son balcon.* ◆ ***se précipiter*** v. pr. : *Il s'est précipité dans le vide, la tête la première.*

2. précipiter [presipite] v. tr. Hâter, accélérer beaucoup : *Sa venue a précipité notre départ.* ◆ ***se précipiter*** v. pr. 1° (sujet nom de personne) S'élancer brusquement : *Quand il vit son père qui l'attendait, il se précipita dans ses bras. Il s'est précipité à la porte pour l'ouvrir.* — 2° (sujet nom de chose) Prendre un cours rapide : *Soudain, les événements se précipitèrent* (syn. : ↓ S'ACCÉLÉRER). ◆ **précipité, e** adj. : *Il entendit le bruit d'une course précipitée dans l'escalier* (syn. : ↓ RAPIDE). *Des pas précipités* (syn. : ↓ RAPIDE, ACCÉLÉRÉ). *Mon retour a été précipité* (syn. : ↓ HÂTÉ). *Avec une ardeur précipitée* (= avec une trop grande ardeur). ◆ **précipitation** n. f. : *Agir avec précipitation et sans discernement* (syn. : ↓ HÂTE, IRRÉFLEXION). ◆ **précipitamment** adv. Brusquement, à la hâte : *Entendant frapper à sa porte, il se leva précipitamment* (= avec fébrilité). *Il a modifié précipitamment tous ses projets* (= sans avoir le temps d'y réfléchir).

précis, e [presi, -iz] adj. 1° Se dit d'une chose qui ne laisse aucune incertitude, qu'on connaît dans le détail : *Faire un règlement précis. Donner des instructions précises* (contr. : VAGUE). *Il n'avait aucune idée précise de la question* (syn. : EXACT). *User d'un langage précis. Calcul précis* (syn. : JUSTE, RIGOUREUX). *Il sentait une douleur dans toute la jambe, sans localisation précise.* — 2° *Geste précis,* exactement adapté à son objet : *L'ouvrier limait le morceau de fer avec des gestes lents et précis.* — 3° Se dit d'une chose rigoureusement déterminée, qui coïncide exactement avec une autre : *Arriver à 15 heures précises* (syn. : SONNANT ; fam. : TAPANT). *Le train est arrivé au moment précis où ils faisaient leurs adieux* (= au moment même). ◆ **précisément** adv. 1° Marque une correspondance précise : *Répondre précisément et non à côté de la question. Il est arrivé précisément comme on parlait de lui* (= au moment précis). *Ce n'est pas précisément ce que j'espérais* (syn. : POSITIVEMENT, EXACTEMENT, AU JUSTE). — 2° Souligne une opposition : *Il parlait devant elle des choses qu'il fallait précisément lui cacher.* — 3° Dans une réponse affirmative, souligne l'affirmation (style soutenu) : *« C'est vous qui avez écrit cela? — Précisément, et je m'en flatte »* (syn. : JUSTEMENT). ◆ **précision** n. f. 1° Caractère de ce qui est précis : *Il était étonné de la précision des réponses de l'enfant. La précision du vocabulaire qu'il emploie montre une grande maîtrise de la langue* (syn. : EXACTITUDE). *La précision de ses gestes était remarquable* (syn. : SÛRETÉ). *La précision d'un calcul* (syn. : RIGUEUR). *Instrument de précision* (= qui mesure avec rigueur). — 2° Détail qui apporte une plus grande information : *J'ai encore une précision à ajouter. Le ministre a bien voulu donner quelques précisions intéressantes sur la réforme électorale.* ◆ **préciser** v. tr. *Préciser quelque chose,* l'indiquer avec précision : *Il faudrait que vous précisiez vos intentions* (syn. : DÉFINIR). *Précisez le lieu et l'heure où s'est produit l'accident.* ◆ **imprécis, e**

adj. : *Une évaluation très imprécise* (syn. : APPROXIMATIF). *Avoir des notions imprécises sur une question* (syn. : VAGUE). ◆ **imprécision** n. f. : *Un projet qui reste d'une grande imprécision. Il y a plusieurs imprécisions dans ce compte rendu* (= plusieurs points imprécis).

précité, e [presite] adj. Cité antérieurement (admin.) : *Dans les articles de loi précités, aucun doute ne subsiste sur l'intention du législateur.*

précoce [prekɔs] adj. **1°** Se dit d'une plante qui se développe ou d'un fruit qui est mûr avant le moment habituel : *Planter des fraisiers précoces* (syn. : HÂTIF; contr. : TARDIF). — **2°** Se dit de toute chose qui se produit avant le moment où on l'attendait : *Cette année, l'automne a été précoce, nous n'avons presque pas eu d'été. On constate une nette augmentation du nombre des mariages précoces* (= à un âge moindre que l'âge habituel, raisonnable). *Un homme atteint d'une calvitie précoce.* — **3°** *Enfant précoce,* dont la maturité, le développement intellectuel correspondent à un âge supérieur au sien. ‖ *Jeune fille précoce,* pubère, nubile avant l'âge normal moyen. ◆ **précocement** adv. : *Etre précocement mûr. Enfant développé précocement.* ◆ **précocité** n. f. : *La précocité de l'automne. La précocité d'un enfant.*

préconçu, e [prekɔ̃sy] adj. *Péjor.* Se dit d'une idée, d'un jugement, etc., qui sont formulés antérieurement à toute expérience : *Partir d'une opinion préconçue. Un jugement préconçu* (syn. : HÂTIF). *Lutter contre les idées préconçues* (= les préjugés, les idées reçues).

préconiser [prekɔnize] v. tr. *Préconiser quelque chose,* le recommander vivement : *Les remèdes que le médecin a préconisés se révèlent sans effet.*

précurseur [prekyrsœr] n. m. Personne qui annonce des idées, des actions, un mouvement qui suivront dans le temps : *Les poètes qui furent les précurseurs du romantisme.* ◆ adj. m. Se dit d'une chose qui en annonce une autre : *Les signes précurseurs de l'orage* (syn. : AVANT-COUREUR).

prédécesseur [predesesœr] n. m. Personne qui en a précédé une autre dans une fonction, un emploi, etc.

prédestiner [predɛstine] v. tr. *Prédestiner quelqu'un, quelque chose,* le vouer d'avance à une action, à une situation particulière : *Ses origines ne le prédestinaient pas à jouer un grand rôle dans l'Etat.* ◆ **prédestiné, e** adj. : *Un enfant qui semblait prédestiné au malheur* (syn. : VOUÉ). ◆ **prédestination** n. f.

prédéterminer [predetɛrmine] v. tr. Déterminer à l'avance : *Sa conduite était prédéterminée par l'éducation qu'il avait reçue.* ◆ **prédétermination** n. f.

prédicat [predika] n. m. Un des deux termes de l'énoncé fondamental, exprimant ce qui est dit de l'autre terme appelé *thème* ou *sujet* : *Dans la phrase « Cette maison est grande », le prédicat est « est grande ».* ◆ **prédicatif, ive** adj.

prédicateur [predikatœr] n. m. Celui qui prêche, qui prononce un sermon : *Bossuet fut un grand prédicateur.* ◆ **prédication** n. f. : *Ce pasteur excelle dans la prédication. Le chanoine a prononcé une belle prédication* (syn. : SERMON).

prédilection [predilɛksjɔ̃] n. f. **1°** Préférence marquée pour une personne, une chose : *Ce père a une prédilection pour le cadet de ses fils. Sa prédilection va aux lectures de romans policiers.* — **2°** *De prédilection,* se dit de choses qu'on préfère à toutes autres du même ordre : *Son livre de prédilection. Un mets de prédilection* (syn. : FAVORI).

prédire [predir] v. tr. (conj. **73**). *Prédire quelque chose,* annoncer ce qui doit arriver, par intuition, par conjecture ou par divination : *Prédire l'avenir* (syn. : DEVINER; littér. : AUGURER). *Prédire une crise économique* (syn. : PRONOSTIQUER). *La gitane avait prédit à la jeune femme qu'elle aurait des jumeaux et qu'ils deviendraient riches. Il lui avait prédit un brillant avenir.* ◆ **prédiction** n. f. : *Faire une prédiction qui n'est guère favorable. Il avait annoncé que le temps se gâterait, mais sa prédiction s'est trouvée démentie.*

prédisposer [predispoze] v. tr. (sujet nom de chose). *Prédisposer quelqu'un à quelque chose,* le mettre par avance dans certaines dispositions (souvent au passif) : *Le milieu familial l'avait prédisposé à une vie austère. Cet enfant a été prédisposé héréditairement à cette maladie.* ◆ **prédisposition** n. f. : *Même avant d'être nommé à ce poste, il a fait preuve d'une prédisposition certaine au commandement.*

prédominer [predɔmine] v. intr. (sujet nom de chose). Avoir une importance prépondérante : *C'est la culture des céréales qui prédomine dans cette région* (syn. : DOMINER). *Son avis a prédominé* (syn. : PRÉVALOIR, L'EMPORTER). ◆ **prédominant, e** adj. : *Sa passion prédominante est la musique classique. Le logement est le souci prédominant des jeunes ménages.* ◆ **prédominance** n. f. : *La prédominance des tons bleus dans un tableau.*

prééminence [preeminɑ̃s] n. f. Supériorité absolue sur les autres : *Plusieurs nations se disputaient la prééminence économique dans ce continent sous-développé* (syn. : SUPRÉMATIE). *Ses qualités lui donnèrent rapidement la prééminence dans le domaine scientifique* (syn. : ↓ AUTORITÉ). ◆ **prééminent, e** adj. : *Un rang prééminent* (syn. : SUPÉRIEUR).

préface [prefas] n. f. **1°** Texte placé en tête d'un livre pour le présenter au lecteur : *L'auteur s'est expliqué sur son intention dans sa préface* (l'*avant-propos* et l'*avertissement* sont moins longs). *Une longue préface du traducteur replace l'ouvrage dans son époque* (syn. : INTRODUCTION). — **2°** Ce qui précède ou annonce un événement : *En préface à la conférence au sommet des chefs d'Etat, les ministres des Affaires étrangères se sont réunis à Bruxelles* (syn. : PRÉLUDE). ◆ **préfacer** v. tr. *Préfacer un livre,* écrire un texte qui lui sert de préface : *Cet écrivain célèbre a préfacé les premières œuvres d'un jeune poète.* ‖ *Préfacer un événement,* l'annoncer. ◆ **préfacier** n. m. Auteur d'une préface.

préférer [prefere] v. tr. *Préférer une personne, une chose à une autre, préférer* et l'infinitif, *préférer que* (et le subj.), considérer cette personne avec plus de faveur qu'une autre, se déterminer en faveur de cette chose plutôt que d'une autre : *Elle préférait son fils aîné à ses autres enfants* (syn. : AVOIR UNE PRÉFÉRENCE POUR). *Je préfère aller cette année en Espagne* (syn. : AIMER MIEUX). *C'est ma chanson préférée. Il préfère que ce soit moi qui fasse cette démarche. Si tu préfères, nous irons au cinéma* (= si cela te convient mieux). *Parmi* (*de, entre*) *toutes ces cravates, je préfère celle-ci. Je préfère de beaucoup le calme de la campagne. Je préfère que tu te taises plutôt que de le heurter* *inutilement.* ◆ **préférable** adj. Qui mérite d'être préféré à cause de ses qualités, de ses avantages : *Il est préférable d'emprunter la route départementale, où la circulation est facile* (syn. : MIEUX). *Je trouve préférable de l'avertir de notre décision* (syn. : MEILLEUR). *Ce projet est préférable à ceux que vous m'aviez présentés.* ◆ **préférence** n. f. : *Je n'ai aucune préférence; vous choisissez vous-même. Il a une préférence marquée pour les discussions* (syn. : PRÉDILECTION). *Donner la préférence à celui qui propose le prix le plus bas* (= se décider pour). *Par ordre de préférence* (= en classant chaque chose selon ses préférences). *Pour la place, le plus jeune a obtenu la préférence.* • LOC. ADV. ET LOC. PRÉP. *De préférence (à)*, introduit une comparaison : *De préférence, descendez à l'hôtel de la Poste. Choisissez ce tissu de préférence aux autres* (syn. : PLUTÔT QUE). ◆ **préférentiel, elle** adj. : *Bénéficier d'un traitement préférentiel* (= de faveur). *Le vote préférentiel permet de placer en tête de liste le candidat de son choix.*

préfet [prefɛ] n. m. 1° Fonctionnaire qui assume l'administration civile d'un département comme représentant du pouvoir central : *Les attributions des préfets ont été élargies. A Paris, le préfet de police partage avec le préfet de la Seine les pouvoirs du préfet et ceux qu'assument les maires dans les autres communes.* — 2° *Préfet des études*, dans les établissements d'enseignement confessionnel, prêtre chargé de la discipline. ◆ **préfectoral, e, aux** adj. : *Un arrêté préfectoral. Par mesure préfectorale, l'usage des avertisseurs est interdit dans Paris.* ◆ **préfecture** n. f. 1° Services et administration du préfet : *Le secrétaire général de la préfecture.* — 2° Edifice où se trouvent ces services : *La préfecture est installée près de l'hôtel de ville.* — 3° Ville où est installée l'administration départementale : *Aller chercher la carte grise de sa nouvelle voiture à la préfecture.* ◆ **sous-préfet** n. m. Fonctionnaire chargé de l'administration d'un arrondissement, subdivision du département. ◆ **sous-préfecture** n. f.

préfigurer [prefigyre] v. tr. Présenter par avance le type, l'image, les caractéristiques de quelque chose qui va venir : *En Russie, les révoltes de 1905 préfiguraient la révolution de 1917* (syn. : ANNONCER). ◆ **préfiguration** n. f.

préfixe [prefiks] n. m. Elément qui se place à l'initiale d'un mot (ou racine) et en modifie le sens (v. SUFFIXE) : *Les préfixes sont des particules qui n'existent pas indépendamment des mots préfixés, comme « re- » dans « relire », « refaire », « reprendre »; ce sont aussi des mots qui peuvent ailleurs jouer le rôle de préposition, comme « contre » dans « contre-terrorisme », « entre » dans « entrevoir », « sous » dans « sous-développé », « sur » dans « surfait »; ce sont enfin des formes savantes empruntées au grec ou au latin et qui n'existent pas en général d'une manière autonome, comme « néo- » dans « néo-positiviste », « super- » dans « supersonique », « multi- » dans « multiforme ».* ◆ **préfixé, e** adj. : *Les mots préfixés gardent le plus souvent un lien avec le mot de base.* ◆ **préfixation** n. f. Moyen morphologique employé pour former avec des préfixes de nouvelles unités lexicales à partir de mots de base (ou racines).

préhension [preɑ̃sjɔ̃] n. f. Acte de prendre matériellement quelque chose : *La trompe est, chez l'éléphant, un organe de préhension.* ◆ **préhensile** adj. Se dit d'un organe qui a la faculté de saisir : *Certains singes ont une queue préhensile.*

préhistoire [preistwar] n. f. 1° Période la plus reculée de l'histoire de l'humanité (celle qui précède l'apparition de l'écriture) : *On distingue, dans la préhistoire, plusieurs périodes selon le développement de la technique de la pierre.* — 2° *Fam.* Ce qui appartient au passé : *Tout ce que tu racontes là, c'est de la préhistoire.* ◆ **préhistorien, enne** n. Spécialiste de la préhistoire. ◆ **préhistorique** adj. : *On a trouvé de nombreux objets préhistoriques à Pincevent, près de Montereau. La période préhistorique. Il traversait la ville dans une voiture préhistorique* (fam. = très ancienne; syn. fam. : ANTÉDILUVIEN).

préjudice [preʒydis] n. m. 1° Atteinte portée aux droits, aux intérêts de quelqu'un : *Subir un préjudice. Porter préjudice à quelqu'un. Il a agi à son propre préjudice* (= contre son intérêt). ‖ *Préjudice moral*, atteinte portée à une personne concernant ses droits moraux (par oppos. à ses biens matériels) : *Cette mauvaise traduction de son roman constitue pour l'auteur un grave préjudice moral.* — 2° Ce qui va contre quelque chose : *Dire quelque chose au préjudice de la vérité.* — 3° *Sans préjudice de quelque chose*, sans y renoncer, en en faisant la réserve : *Il réclamait une participation aux bénéfices, sans préjudice de la rémunération convenue.* ◆ **préjudiciable** adj. Se dit de ce qui porte préjudice : *Une erreur très préjudiciable à vos intérêts.*

préjuger [preʒyʒe] v. tr. et tr. ind. *Préjuger de quelque chose*, s'en faire une opinion avant d'avoir tous les éléments nécessaires : *Je ne peux pas préjuger de sa réaction, alors que je ne lui ai jamais adressé la parole.* ◆ **préjugé** n. m. 1° Opinion préconçue, jugement favorable ou défavorable porté d'avance (souvent péjor.) : *Etre plein de vieux préjugés. Etre imbu de ses préjugés.* — 2° *Avoir un préjugé contre quelque chose, contre quelqu'un*, avoir une certaine hostilité contre eux (syn. : PRÉVENTION).

prélasser (se) [səprelase] v. pr. (sujet nom d'être animé). Se reposer nonchalamment, avec un air satisfait : *A la terrasse de l'hôtel, un jeune homme se prélassait sur une chaise longue. Le chat se prélassait tranquillement au soleil.*

prélat [prela] n. m. Dans l'Eglise catholique, dignitaire ecclésiastique. ◆ **prélature** n. f.

prélever [prelve] v. tr. *Prélever quelque chose*, prendre une certaine portion d'une chose dans un ensemble, une masse : *Il faut que le notaire prélève le montant de ses frais sur la succession* (syn. : RETIRER). *L'Etat prélève sa quote-part dans certaines transactions. Le médecin a prélevé du sang au malade pour en faire l'analyse.* ◆ **prélèvement** n. m. : *Le prélèvement est proportionnel à la somme totale. On met le prélèvement de sang dans des flacons aseptisés* (syn. : EXTRAIT).

préliminaire [preliminɛr] adj. Se dit de ce qui précède et prépare quelque chose : *Avant l'ouverture de la séance, les délégués avaient eu des entretiens préliminaires.* ◆ **préliminaires** n. m. pl. Ensemble des actes, des entretiens préparatoires à quelque chose : *Les préliminaires de la paix de Campo Formio furent signés en 1797 à Leoben. Entre nous, pas de préliminaires : allons au fait.*

1. prélude [prelyd] n. m. Pièce de musique, généralement courte et de forme libre : *Les préludes de Chopin.*

2. prélude [prelyd] n. m. **1°** Suite de notes qu'on chante, qu'on joue pour essayer sa voix ou l'instrument avant un concert. — **2°** Chose qui en précède une autre, qui l'annonce, en constitue le début : *Cet incident n'était qu'un prélude à la suite de malheurs qui allaient s'abattre sur lui.* ◆ **préluder** v. intr. et tr. ind. *Préluder à quelque chose,* l'annoncer, en marquer le début : *Les nuages gris de septembre, qui préludent à l'automne. Un pianiste qui prélude par quelques accords* (= qui les joue avant de commencer le morceau).

prématuré, e [prematyre] adj. **1°** Se dit d'une chose qu'il n'est pas temps d'entreprendre encore, qui doit être différée : *Une démarche de votre part en ce moment serait prématurée. Il serait prématuré d'annoncer la nouvelle maintenant* (= il est trop tôt). — **2°** Se dit d'une chose qui survient avant le temps ordinaire ou normal : *Une vieillesse prématurée.* — **3°** *Un enfant prématuré,* ou *un prématuré* n. m., un enfant né avant terme, mais viable : *Clinique spécialisée dans les prématurés.* ◆ **prématurément** adv. : *Démarche entreprise prématurément. Cheveux prématurément blanchis* (syn. : AVANT L'ÂGE).

préméditer [premedite] v. tr. *Préméditer quelque chose,* y réfléchir longuement avant de l'accomplir, en mûrir le projet (souvent péjor.) : *Il avait prémédité un mauvais coup. Il préméditait de donner la première place à un de ses amis.* ◆ **prémédité, e** adj. : *Une action préméditée* (syn. : MÛRI, PRÉPARÉ). *Un coup prémédité.* ◆ **préméditation** n. f. (surtout dans la langue du droit) : *Crime commis avec préméditation* (= avec l'intention de le commettre avant le moment où il est perpétré).

prémices [premis] n. f. pl. **1°** Les premiers produits de la terre (littér.) : *Les prémices de la récolte.* — **2°** Ensemble qui annonce un résultat important : *Nous avons eu les prémices de son nouveau roman : il nous en a lu quelques pages* (syn. : PRIMEUR).

1. premier, ère [prəmje, -ɛr] adj. (avant le nom). **1°** Se dit d'une personne ou d'une chose qui est la plus ancienne dans l'ordre chronologique : *Elle avait vingt ans quand elle a eu son premier enfant. Faire ses premiers pas. La nourriture du premier âge* (= celle que mange l'enfant aussitôt après la période lactée). *Enfant d'un premier mariage* (par oppos. à *second*). *Le premier Empire* (= période de l'histoire de France qui va de 1804 à 1815, par oppos. au *second Empire*). *La Première Guerre mondiale. La première édition d'un livre.* ‖ *Le premier venu,* n'importe qui (généralement péjor.) : *Elle a profité de l'absence de ses parents pour aller danser avec le premier venu.* — **2°** Se dit d'une personne ou d'une chose placée avant les autres dans un ordre spatial : *Donnez-moi le premier livre du troisième rayon de la bibliothèque. Occuper un fauteuil au premier rang. Habiter au premier étage. Prenez la première rue sur votre droite;* et substantiv. : *Passez donc le premier. Tomber en avant la tête la première.* — **3°** Se dit d'une personne ou d'une chose qui passe avant toutes les autres dans un ordre d'importance, de valeur : *Acheter des livres du premier choix. Un soldat de première classe. Voyager en première classe. Avoir le premier prix de chimie.* ‖ Dans certaines expressions désignant une fonction (noms propres) : *Premier clerc de notaire. Première danseuse. Premier secrétaire.* ◆ **premier** n. m. **1°** Premier étage d'un immeuble : *Habiter au premier.* — **2°** *Jeune premier,* acteur qui joue les rôles d'amoureux. ◆ **première** n. f. **1°** Première représentation d'une pièce nouvelle : *Le public des grandes premières était présent dans la salle.* — **2°** *Fam.* Se dit d'un événement artistique, technique, etc., qui paraît important, ou d'une performance nouvelle dans le domaine de l'alpinisme et dont on signale la première manifestation : *La liaison télévision par « Telstar » a été en 1964 une véritable grande première. C'est une première mondiale.* — **3°** Place de la catégorie la plus chère (en avion, en chemin de fer, en bateau) : *Voyager en première* (abrév. usuelle de PREMIÈRE CLASSE). — **4°** Classe de l'enseignement secondaire, précédant la classe terminale : *On passait autrefois la première partie du baccalauréat à la fin de la première. Première supérieure* (= classe de préparation à l'Ecole normale supérieure). — **5°** Employée principale dans la mode ou dans la couture. ◆ **avant-première** n. f. Représentation d'un film, d'une pièce, réservée aux journalistes, avant la première présentation du spectacle. ◆ **premièrement** adv. En premier lieu, d'abord (dans une énumération). ◆ **premier-né** adj. et n. m. Se dit du premier enfant mâle d'une famille : *La joie du jeune ménage à la naissance du premier-né.* (Au fém. : *Une fille premier-née* ou *première-née.*) [V. PRIMAUTÉ.]

2. premier, ère [prəmje, -ɛr] adj. (avant ou plus souvent après le nom). **1°** Se dit d'une chose qui vient avant les autres et qui leur sert de fondement (langue philosophique) : *La métaphysique s'occupe de déterminer les principes premiers de la connaissance* (syn. : FONDAMENTAL). *Les données premières de la perception.* — **2°** Se dit pour insister sur l'antériorité fondamentale d'une chose (langue soutenue) : *On n'a jamais réussi à remettre « la Cène » de Léonard de Vinci dans son état premier* (syn. : ORIGINAL, PRIMITIF). — **3°** *Matières premières,* productions naturelles qui n'ont pas encore été travaillées par l'homme. ‖ *Nombres premiers,* nombres qui ne sont divisibles que par eux-mêmes et par un (3, 5, 7, 11, 13, 17, etc.).

prémisse [premis] n. f. Chacune des deux propositions d'un syllogisme, dont on déduit la conclusion.

prémonition [premɔnisjɔ̃] n. f. Avertissement inexplicable d'un événement à venir : *Il n'a pas pris l'avion qui s'est écrasé au Japon quelques heures plus tard : on pourrait croire à une véritable prémonition.* ◆ **prémonitoire** adj. : *Un songe prémonitoire* (= que l'on interprète comme un avertissement).

prémunir [premynir] v. tr. *Prémunir quelqu'un,* le protéger contre un danger, notamment par des avertissements prodigués à l'avance (langue soignée) : *Le bon père voulut prémunir une dernière fois le jeune homme contre les tentations du monde.* ◆ **se prémunir** v. pr. Prendre des précautions : *Il faut se prémunir contre le froid.*

1. prendre [prɑ̃dr] v. tr. (conj. **54**). **A. Avec simplement un complément d'objet.** — I. SUJET NOM D'ÊTRE ANIMÉ. **1°** *Prendre un objet, un être animé,* le saisir avec les mains ou avec un instrument, l'emporter avec soi : *Il ouvrit son étui et prit une cigarette. Prendre son stylo pour écrire.*

Prenez vos lunettes, vous verrez mieux (syn. : METTRE). *Prendre des provisions, des vêtements chauds pour le voyage* (syn. : EMPORTER). *Je prends mon pain dans cette boulangerie* (syn. : ACHETER, SE FOURNIR EN, DE). *Prendre un enfant dans ses bras. Prendre quelqu'un par la main.* — **2°** *Prendre quelque chose* (nom désignant un lieu), s'en rendre maître, l'occuper : *Nos troupes ont pris plusieurs villages* (syn. : S'EMPARER DE). *Prendre d'assaut une tranchée ennemie, une crête. Les Parisiens prirent la Bastille le 14 juillet 1789* (v. PRISE). *L'élève prit sa place au troisième rang dans la classe.* — **3°** *Prendre un aliment, une boisson,* l'absorber, l'avaler : *J'ai pris mon petit déjeuner à sept heures. Prendre ses repas au restaurant. Le malade n'a rien pris depuis deux jours. Vous prendrez bien un apéritif? Prendre des comprimés contre la migraine.* — **4°** *Prendre un moyen de transport,* l'utiliser, l'emprunter : *Il prend sa voiture pour se rendre à son travail. Prendre un taxi, le métro, l'autobus, le train, le bateau, l'avion.* — **5°** *Prendre une route, une direction,* etc., s'y engager : *Prenez la première rue à droite. Prendre un raccourci. Quand on lâcha le pigeon, il prit la direction du sud.* — **6°** *Prendre quelqu'un,* l'engager à son service, en faire son collaborateur : *Il a dû prendre un secrétaire pour l'aider. Prendre un associé* (syn. : S'ADJOINDRE); aller le chercher pour l'emmener : *Je passerai te prendre à ton bureau. Il est venu me prendre en voiture.* — **7°** *Prendre un malfaiteur,* l'arrêter. || *Prendre des ennemis,* les faire prisonniers. || *Prendre un animal au piège,* le retenir captif, vivant ou mort. || *Prendre une femme* ou *prendre femme,* se marier. || Fam. *Je vous y prends,* je constate que vous êtes en défaut. || *Se laisser prendre,* se laisser tromper. — **8°** *Prendre* s'emploie dans un très grand nombre de locutions, où il correspond souvent à un verbe simple : *a*) avec un article : *Prendre un bain, une douche,* se baigner, se doucher. || *Prendre un renseignement, des nouvelles,* s'informer. || *Prendre un engagement,* s'engager (syn. : CONTRACTER). || *Prendre la mesure de quelque chose,* le mesurer : *J'ai pris les mesures (les dimensions) de la vitre à remplacer.* || *Prendre la relève de quelqu'un,* lui succéder dans une tâche. || *Prendre une photographie, un calque,* etc., photographier, décalquer : *Les policiers ont pris les empreintes digitales laissées sur la poignée* (syn. : RELEVER). || *Prendre la défense de quelqu'un,* le défendre. || *Prendre la fuite,* s'enfuir. || *Prendre un rendez-vous,* convenir du lieu et du moment où l'on se rencontrera. || *Prendre le large,* s'éloigner. || *Prendre l'air,* se détendre à l'extérieur. || *Prendre le frais,* jouir de la fraîcheur du temps. || *Prendre le temps de faire quelque chose,* laisser ses autres occupations pour le faire, etc.; — *b*) avec un possessif : *Prendre ses aises,* ne pas se gêner. || *Prendre son temps,* ne pas se presser.

II. SUJET NOM D'ÊTRE ANIMÉ OU INANIMÉ. **1°** Marque le début d'une action, la modification progressive de l'état du sujet (par oppos. à *avoir* ou *être,* qui marquent le résultat, l'état atteint, ou à *donner, mettre,* qui expriment une nuance factitive) : *a*) avec un article, un possessif, etc. : *Un bébé qui prend du poids. Vous prendrez vite l'habitude de ce travail. Il a pris de l'expérience* (syn. : ACQUÉRIR). *Prendre de l'âge* (= vieillir). *Il prend de plus en plus d'autorité. Une propriété qui prend de la valeur* (= qui se valorise). *A l'automne, les feuilles prennent une couleur dorée. Prendre un rhume, une grippe* (syn. : ATTRAPER; fam. : CHIPER). *Il prit un air menaçant. Prendre des manières distinguées* (syn. : ADOPTER). *Prendre le deuil* (= se mettre en deuil). *Navire qui prend la mer* (= qui quitte le port); — *b*) sans article : *Prendre courage, espoir, patience, peur,* etc. (= commencer à éprouver ces sentiments). *Prendre feu* (= s'enflammer). *Prendre froid* (= éprouver un refroidissement qui cause une maladie). *Prendre contact avec quelqu'un* (= entrer en relation avec lui). — **2°** *Fam.* Subir, recevoir : *J'ai pris toute l'averse sur le dos. Il a pris quelques coups de poing dans la bagarre. La voiture a pris un bon choc.*

III. SUJET NOM DE CHOSE. **1°** (sujet nom désignant un sentiment, un état, une sensation) *Prendre quelqu'un,* lui faire éprouver soudain ce sentiment (colère, désespoir, etc.) : *La colère l'a pris soudain* (syn. : SAISIR, S'EMPARER DE). *La fièvre l'a pris hier soir* (= il est soudain devenu fiévreux). *Être pris de vertige, de remords.* || Fam. *Qu'est-ce qui te prend?,* pourquoi te conduis-tu ainsi? — **2°** (sujet nom désignant un événement) *Prendre quelqu'un,* survenir dans sa vie : *L'orage nous a pris sur la route* (syn. : SURPRENDRE). *La guerre le prit en pleine moisson.* — **3°** (sujet nom désignant une occupation) *Prendre quelqu'un,* absorber son activité, son temps : *Cette tâche le prend pendant deux ou trois heures chaque jour. Il est pris par ses nombreux travaux,* ou simplem. *il est très pris* (= il est occupé). — **4°** *Prendre l'eau,* ne pas être étanche, se laisser imbiber : *Des chaussures qui prennent l'eau.* || *Tissu qui prend bien la teinture,* qu'on teint facilement.

B. Avec un autre complément, un adverbe, un attribut, etc. (sujet nom d'être animé ou inanimé). **1°** *Prendre quelque chose à quelqu'un,* le lui ôter, le retenir pour soi : *Qui est-ce qui m'a pris mon couteau?* (syn. fam. : CHIPER; contr. : DONNER). *Les cambrioleurs lui ont pris tous ses bijoux* (syn. : VOLER). *Ce travail me prend un temps considérable.* — **2°** *Prendre telle somme,* demander comme rémunération : *Il m'a pris mille francs pour ces réparations;* et avec ellipse du deuxième complément : *Un mécanicien qui prenait vingt francs de l'heure.* — **3°** (avec un second complément introduit par diverses prépositions) *Prendre du plaisir, de l'intérêt,* etc., *à quelque chose,* y éprouver du plaisir, de l'intérêt, etc. || *Prendre quelqu'un par la douceur, par son point faible,* le traiter avec douceur, flatter ses goûts, pour obtenir quelque chose de lui. || *Prendre quelque chose sur soi, sous sa responsabilité* (ou fam., *sous son bonnet*), en assumer la responsabilité. || *Prendre quelqu'un, quelque chose sous sa protection,* s'en faire le protecteur. || *Prendre quelqu'un au mot,* accepter d'emblée sa proposition. || *Prendre quelqu'un, quelque chose en sympathie, en horreur, en grippe, en pitié,* etc., se mettre à éprouver pour cette personne ou cette chose de la sympathie, de l'aversion, etc. — **4°** (avec un compl. de manière, un gérondif, un adverbe) Marque un certain comportement dans une circonstance donnée (souvent fâcheuse) : *Il a pris ce contretemps avec bonne humeur. Prendre une menace au sérieux. Prendre la vie du bon côté. Il prend les choses en riant. Il a très mal pris cette critique* (= il a manifesté de l'irritation). — **5°** *Prendre quelqu'un, quelque chose pour* (et un nom attribut de l'objet), le considérer comme, le croire... : *Je le prends pour un des plus grands écrivains actuels. Vous me prenez pour un imbécile?*

On le prend souvent pour son frère (= on le confond avec son frère). *Il prend les mots les uns pour les autres* (= il confond les mots). ‖ *Prendre quelque chose pour prétexte, pour cible,* etc., l'utiliser comme prétexte, comme cible, etc. ‖ *Prendre quelqu'un à témoin,* lui demander l'appui de son témoignage.

◆ **être pris** v. passif **1°** (sujet nom de personne) Etre occupé par des tâches nombreuses : *Je ne suis pas libre ce matin, je suis trop pris pour vous recevoir. Si vous n'êtes pas prise ce soir, je vous invite à aller au cinéma* (= si vous n'avez pas déjà un rendez-vous). — **2°** (sujet nom désignant un organe) Etre atteint d'une maladie : *Avoir le nez pris, la gorge prise* (= enrhumé, gagné par les microbes [grippe, etc.]). — **3°** *Taille bien prise,* qui a de justes proportions, avec une idée de minceur : *La taille bien prise dans son tailleur.* ◆ ***se prendre*** v. pr. **1°** S'accrocher : *Sa robe s'est prise dans les ronces.* — **2°** *Se prendre d'amitié pour quelqu'un,* éprouver soudain de l'amitié pour lui. — **3°** *Se prendre à* (et un infin.), commencer soudain à... : *Il se prit à accuser ses voisins. Elle s'est prise à espérer.* — **4°** *S'y prendre,* commencer à agir : *Il est trop tard pour greffer cet arbre, il aurait fallu s'y prendre plus tôt* (= le faire). ‖ *S'y prendre bien, mal,* etc., agir avec adresse, avec maladresse, etc. : *Il s'y prend drôlement pour annoncer la chose. Comment vas-tu t'y prendre?* — **5°** *S'en prendre à quelqu'un, à quelque chose,* l'attaquer, le critiquer, le rendre responsable : *Tu n'as voulu écouter aucun conseil : si tu te trompes, tu ne pourras t'en prendre qu'à toi-même.* — **6°** *Se prendre pour* (et un nom, parfois un adjectif), se croire : *Il se prend pour un fin diplomate. Il se prend pour plus malheureux qu'il n'est.* ◆ **prenable** adj. Qu'on peut prendre (s'emploie surtout dans des phrases négatives ou restrictives) : *Une citadelle difficilement prenable.* ◆ **imprenable** adj. : *Un château fort imprenable.* ◆ **prenant, e** adj. **1°** Se dit d'une chose très captivante, qui intéresse profondément : *Il a fait un récit très prenant de son voyage au Mexique. Elle avait une voix chaude et prenante* (syn. : CHARMEUR). — **2°** *Partie prenante,* en droit, personne qui reçoit de l'argent, une fourniture. ◆ **preneur, euse** n. Personne qui accepte d'acheter quelque chose à un certain prix, ou de prendre quelque chose qu'on lui offre : *Il a rapidement trouvé preneur pour son appartement. Si tu ne veux pas de ta part de gâteau, je crois qu'il y a des preneurs. Il y a preneur* (= on peut trouver des gens intéressés par la proposition). ◆ **prise** n. f. I. SEUL, SANS QUALIFICATIF. **1°** Manière de prendre un adversaire au judo, au catch : *Certaines prises ne sont pas autorisées. Il lui a fait une prise à la nuque.* — **2°** Aspérité, creux où un alpiniste, un grimpeur peut se tenir pour avoir un point d'appui : *Prise de doigt, prise d'ongle. Prise rentrante.* — **3°** Personne qui a été faite prisonnière, chose dont on s'est emparé par la force (langue soutenue) : *Comme il ramenait quelques lièvres, son ami lui cria : « C'est une prise importante que vous avez là! » Belle prise* (= personne, chose dont il est glorieux de s'être emparé). — **4°** *Prise d'une ville, d'une place forte,* action de s'en emparer après un siège : *La prise de La Rochelle. La prise de la Bastille.* II. EMPLOYÉ AVEC UN DÉTERMINATIF AVEC LEQUEL IL FORME UNE LOCUTION. **1°** (avec un adj.) *Prise directe,* dispositif d'un changement de vitesse dans lequel le mouvement initial est transmis sans démultiplication : *Mettre la prise directe. Etre en prise directe* (abrév. usuelle : *être en prise*). — **2°** (avec un compl. du nom indiquant la chose prise [sens objectif]) *Prise d'air,* trou par lequel certains locaux sont aérés, par où l'air pénètre dans un moteur, une canalisation. ‖ *Prise de corps* (en droit), action de s'emparer de la personne de quelqu'un : *Décréter la prise de corps.* ‖ *Prise de courant,* dispositif permettant de brancher sur le secteur un appareil électrique. ‖ *Prise de sang,* opération par laquelle on prélève du sang à quelqu'un. ‖ *Prise de son, prise de vues,* enregistrement du son, de l'image sur un film. — **3°** (avec un compl. du nom indiquant une chose abstraite, et correspondant le plus souvent à une locution avec le verbe *prendre*) *Prise de conscience,* fait de devenir conscient de quelque chose (prendre conscience). ‖ *Prise de contact,* premier rendez-vous avec quelqu'un, première rencontre avec quelque chose (prendre contact). ‖ *Prise de possession,* fait de s'emparer de quelque chose, de l'occuper. ‖ *Prise de position,* opinion particulière sur quelque chose : *Une prise de position définitive* (prendre position). — **4°** *Prise d'armes,* cérémonie militaire à laquelle participe la troupe en armes. — **5°** Fam. *Prise de bec,* dispute verbale très dure entre deux personnes. — **6°** (avec un compl. précédé d'une préposition autre que *de* et correspondant à une locution avec le verbe *prendre*) *Prise à partie* (prendre à partie). *Prise en considération* (prendre en considération). ‖ *Prise en charge par un taxi,* paiement forfaitaire qui s'ajoute au prix de la course; *prise en charge par la Sécurité sociale,* acceptation par cet organisme de rembourser les frais de maladie de l'assuré (prendre en charge). ‖ *Prise en chasse,* vive poursuite (prendre en chasse). — III. AVEC UN VERBE. **1°** *Avoir prise sur quelque chose, sur quelqu'un,* avoir un moyen d'agir sur eux : *Il lui échappe sans cesse, elle n'a aucune prise sur lui. Les passions de l'adolescence ont sur lui peu de prise.* — **2°** *Etre aux prises avec quelqu'un, avec quelque chose,* être en lutte avec eux : *Il est aux prises avec son propriétaire. Etre aux prises avec des difficultés insurmontables.* — **3°** *Donner prise à,* exposer à, autoriser : *Son comportement donne prise aux pires suppositions.* — **4°** *Lâcher prise,* ne plus tenir l'objet qu'on tenait.

2. prendre [prɑ̃dr] v. intr. (conj. **54**). [Sujet nom de chose.] **1°** *Liquide, pâte qui prend,* qui s'épaissit, se fige : *La confiture commence à prendre. La crème a pris. Du ciment qui prend en une journée* (syn. : DURCIR). — **2°** *Bouture, greffe, semis, vaccin,* etc., *qui prend,* qui réussit. — **3°** *Plaisanterie, mensonge,* etc., *qui prend,* qui atteint son but, qui trompe, etc. : *Il a voulu me raconter des histoires pour expliquer son retard, mais ça n'a pas pris* (= je n'y ai pas cru; syn. fam. : MARCHER). ‖ *Livre, spectacle qui prend,* qui a du succès. — **4°** *Le feu prend,* il commence à brûler.

prénom [prenɔ̃] n. m. Nom précédant le nom de famille, et qui sert à distinguer les personnes d'un même groupe familial entre elles : *On est prié d'écrire d'abord son nom de famille en lettres capitales, puis ses prénoms, en commençant par le prénom usuel.* ◆ **prénommer** v. tr. : *Ils ont prénommé leur fils Laurent.* ◆ ***se prénommer*** v. pr. : *Comment se prénomme-t-il?* (= quel est son prénom?). [V. NOM, SURNOM.]

prénuptial, e, aux adj. V. NUPTIAL.

préoccuper [preɔkype] v. tr. (sujet nom de chose et moins souvent nom de personne). *Préoccuper quelqu'un,* lui causer du souci : *L'avenir de cet enfant me préoccupe* (syn. : ↑ INQUIÉTER, CAUSER DU SOUCI). *Etre préoccupé* (syn. : ÊTRE SOUCIEUX). ◆ **préoccupant, e** adj. : *La situation militaire commençait à devenir préoccupante, en raison des pertes élevées* (syn. : ↑ GRAVE, CRITIQUE). ◆ **préoccupation** n. f. (souvent au plur.) : *Avoir des préoccupations. Partager les préoccupations de quelqu'un* (syn. : SOUCI, ENNUI).

préparer [prepare] v. tr. 1° (sujet nom de personne) *Préparer quelque chose,* le rendre propre à un usage : *Préparer les chambres avant l'arrivée des hôtes* (= nettoyer, arranger). *Préparer le poisson* (syn. : APPRÊTER). *Préparer le déjeuner à l'avance, pour n'avoir qu'à le réchauffer ensuite. Préparer le terrain pour une affaire.* — 2° (sujet nom de personne) *Préparer quelque chose,* le créer, le constituer, l'organiser alors qu'il n'existait pas : *Préparer son trousseau de pensionnaire* (syn. : MONTER). *Préparer une surprise à quelqu'un* (syn. : RÉSERVER, FAIRE). *Préparer un piège* (syn. : TENDRE). *Préparer un voyage* (= rassembler des renseignements ou accomplir les formalités nécessaires). *Préparer un spectacle pour la rentrée* (syn. : MONTER, RÉPÉTER). *Préparer une réforme* (syn. : TRAVAILLER À). *Préparer ses cours* (contr. : IMPROVISER). *Préparer un complot* (syn. : OURDIR). *Préparer une révolution* (syn. : ORGANISER). *Préparer un examen* (= travailler en vue de). *Préparer l'avenir.* — 3° (sujet nom de chose) *Préparer quelque chose,* le réserver pour l'avenir, l'annoncer : *Ce temps pluvieux nous prépare un retour difficile par la route* (syn. : PRÉSAGER). — 4° *Préparer quelqu'un à une idée,* l'y amener doucement : *Préparer les esprits à l'évolution de l'économie. Préparer son âme à la mort* (= s'accoutumer à l'idée de la mort par des méditations philosophiques ou religieuses). ◆ ***se préparer*** v. pr. 1° (sujet nom de personne) *Se préparer à* (et un nom ou un infin.), se mettre en état de, se disposer à : *Prépare-toi à une mauvaise nouvelle. Préparez-vous à sortir* (syn. : S'APPRÊTER). *Préparez-vous : nous arrivons dans un quart d'heure.* — 2° (sujet nom de chose) Etre proche : *Une grande bataille se prépare au Parlement.* ◆ **préparation** n. f. 1° Action de préparer : *La préparation du déjeuner. La préparation du terrain. La préparation d'un voyage. La préparation de la rentrée parlementaire. La préparation des cours. La préparation d'un travail. La préparation des esprits.* — 2° Devoir fait sur un cahier, à la maison, par un élève : *Faire sa préparation latine.* ◆ **préparatoire** adj. Se dit de ce qui prépare : *Les classes préparatoires aux grandes écoles.* ◆ **préparateur, trice** n. *Préparateur de laboratoire,* collaborateur d'un professeur de sciences. ‖ *Préparateur en pharmacie,* celui qui, sans être pharmacien lui-même, aide le pharmacien dans ses tâches. ◆ **préparatifs** n. m. pl. Arrangements pris en vue d'une opération, d'un événement : *Les préparatifs de départ. Ce travail demande des préparatifs longs et minutieux.* ◆ **impréparation** n. f. Absence ou insuffisance de préparation : *Ces décisions successives et contradictoires attestent une impréparation dans l'élaboration des plans.*

prépondérant, e [prepɔ̃derɑ̃, -ɑ̃t] adj. Se dit d'une personne (et surtout de son rôle, de sa place) qui a une autorité supérieure, un poids moral plus grand, dans une affaire, une action particulière : *Un savant dont les travaux ont joué un rôle prépondérant* (syn. : CAPITAL, PRIMORDIAL). *Dans ce vote, la voix du président de l'assemblée sera prépondérante* (= en cas de partage égal des voix, on choisira la solution pour laquelle aura voté le président). ◆ **prépondérance** n. f. : *La prépondérance française pendant la seconde moitié du XVIIe siècle. Il avait acquis péniblement la prépondérance au sein de son groupe.*

préposer [prepoze] v. tr. *Préposer quelqu'un à une tâche,* lui assigner cette tâche, le placer à la garde, à la surveillance de quelque chose : *Il faudra préposer quelqu'un à la garde de l'immeuble.* ◆ **préposé, e** n. 1° Personne affectée à une fonction particulière, généralement subalterne (terme admin.) : *Les préposés de la douane. La préposée au vestiaire.* — 2° Facteur, dans la terminologie officielle des postes.

préposition [prepozisjɔ̃] n. f. Mot indiquant une relation grammaticale entre deux éléments d'une phrase. (V. CLASSE, *Classes grammaticales,* et À, DANS, DÈS, etc.). ◆ **prépositif, ive** adj. : *« A côté de », « en vue de », « près de » sont des locutions prépositives.*

prérogative [prerɔgativ] n. f. Honneur, dignité attachés à certaines fonctions, à certains titres : *Les prérogatives du président. La Révolution a supprimé de nombreuses prérogatives dont jouissaient le clergé et la noblesse.*

près adv. et prép. V. AUPRÈS.

présage [prezaʒ] n. m. 1° Signe par lequel on croit pouvoir connaître l'avenir : *La cartomancienne se mit à interpréter tous les événements de sa vie antérieure comme autant de présages de son malheur actuel. Croire aux présages.* — 2° Conjecture tirée de ce signe : *Tirer un présage d'un événement.* ◆ **présager** v. tr. *Présager quelque chose, que* (et l'indic.), le prévoir : *Je ne présage rien de bon de ce que vous m'annoncez là* (syn. : PRÉVOIR ; littér. : AUGURER). *Rien ne laissait présager qu'il en viendrait à cette fâcheuse extrémité* (langue soutenue).

pré-salé [presale] n. m. 1° Mouton engraissé dans les prés salés, généralement voisins de la mer. — 2° Viande de ce mouton : *Manger du pré-salé.*

presbyte [prɛzbit] adj. et n. Se dit d'une personne atteinte de presbytie. ◆ **presbytie** [prɛzbisi] n. f. Diminution du pouvoir d'accommodation du cristallin de l'œil, qui empêche de voir les objets rapprochés : *La presbytie atteint souvent les gens âgés.*

presbytère [prɛzbitɛr] n. m. Habitation du curé, du pasteur.

prescience [presjɑ̃s] n. f. Connaissance de l'avenir : *Ce journaliste avait une telle habitude de la vie politique qu'il annonçait avec une prescience étonnante la chute du ministère.*

1. prescription n. f. V. PRESCRIRE 2.

2. prescription [prɛskripsjɔ̃] n. f. Manière d'acquérir un droit par une possession non interrompue, ou de perdre un droit par son non-exercice (jurid.) : *On ne peut plus lui réclamer, le condamner : il y a prescription.* ◆ **prescrire** v. tr. et intr. (conj. 71) : *Prescrire un droit.* ◆ **imprescriptible** adj. : *Les droits imprescriptibles et sacrés* (= dont on ne peut être privé).

1. prescrire v. tr. V. PRESCRIPTION 2.

2. prescrire [prɛskrir] v. tr. (conj. **71**). *Prescrire quelque chose à quelqu'un,* le lui commander, lui donner un ordre précis, à exécuter scrupuleusement (spécialement en médecine) : *Le médecin a prescrit un repos absolu* (syn. : ORDONNER). *Il faut prescrire à ce malade de se reposer.* ◆ **prescription** n. f. : *Suivre les prescriptions d'un médecin.* ◆ **prescrit, e** adj. : *Dans les délais prescrits. Ne pas dépasser la dose prescrite.*

préséance [preseɑ̃s] n. f. Droit d'avoir une place plus honorifique qu'un autre : *Tenir compte des préséances dans le placement des personnalités.*

1. présent, e [prezɑ̃, -ɑ̃t] adj. (après le nom) et n. **1°** Se dit d'une personne qui se trouve ou d'une chose qui existe dans un lieu en même temps que la personne qui parle ou dont on parle : *Les personnes qui étaient présentes au moment de l'accident sont priées de passer au commissariat. Vous répondrez « présent » à l'appel de votre nom. Il y avait quinze présents à la réunion* (contr. : ABSENT). *Son enfance se trouve partout présente dans son œuvre romanesque.* — **2°** *Avoir une chose présente à l'esprit,* s'en souvenir clairement. ◆ **présence** n. f. **1°** Fait de se trouver présent : *Le ministre a honoré la cérémonie de sa présence. J'ai remarqué la présence de hautes personnalités. La présence de quelques milligrammes de cette poudre dans les aliments suffirait à empoisonner une famille. La présence de la Grèce de Périclès* (= son rayonnement intellectuel, spirituel à travers les siècles). — **2°** *Présence d'esprit,* promptitude à dire ou à faire ce qui est le plus à propos dans une circonstance donnée. — **3°** *Acteur qui a de la présence,* qui s'impose au public par sa forte personnalité et la forme de son talent. ● LOC. ADV. *En présence,* face à face : *Les deux armées étaient en présence.* ● LOC. PRÉP. *En présence de quelqu'un, de quelque chose,* alors que cette personne, cette chose sont présentes : *La fête s'est déroulée en présence de Monsieur le maire. En présence de pareils faits, on reste confondu. L'incident s'est produit en ma présence.* ‖ *Hors de la présence de quelqu'un,* alors qu'il n'est pas là.

2. présent, e [prezɑ̃, -ɑ̃t] adj. **1°** (après le nom) Se dit de ce qui a lieu, se situe dans le temps où l'on est, où l'on parle : *Dans les circonstances présentes* (syn. : ACTUEL; par oppos. à *passé, futur*). *L'état présent d'une question. La minute présente* (= vécue en ce moment). *Le temps présent* (= l'époque actuelle). *L'époque présente* (syn. : MODERNE). — **2°** (avant le nom) Se dit d'une chose dont on parle ou que l'on a sous les yeux dans le moment même (langue admin. ou commerciale) : *Dans la présente lettre, je vous rappelle les termes de notre convention. La présente loi fait état des dispositions particulières prises antérieurement.* ◆ **présent** n. m. **1°** Partie du temps située approximativement dans le moment, dans l'instant où l'on se place, par opposition à celles qui sont avant (*passé*) ou après lui (*futur*) : *Le présent contient en germe l'avenir.* — **2°** *Vivre dans le présent,* vivre sans se soucier de ce qui arrivera, sans égard à ses obligations, égoïstement. ● LOC. ADV. *A présent,* au moment où l'on parle : *A présent, causons un peu* (syn. : MAINTENANT). ‖ *Jusqu'à présent,* jusqu'au moment où l'on parle : *Il n'a encore rien produit jusqu'à présent* (syn. : JUSQU'ICI). ‖ *Dès à présent,* à partir de ce moment. ◆ **présente** n. f. Lettre qu'on est en train d'écrire (langue commerciale) : *Nous vous rappelons, par la présente, l'échéance due.* ◆ **présentement** adv. Dans le moment présent : *Monsieur est présentement en voyage* (syn. : ACTUELLEMENT). *Nous n'avons présentement plus rien à faire* (syn. : MAINTENANT).

1. présent n. m. V. PRÉSENT, E 2.

2. présent [prezɑ̃] n. m. En grammaire, forme verbale qui indique que l'action marquée se passe actuellement, ou qu'elle est valable en tout temps. (Le présent peut aussi marquer un futur proche : *Attends-moi, je viens* [= je vais venir tout de suite]; un passé récent : *Il sort à l'instant* [= il vient de sortir]. Le présent est encore employé dans certaines propositions conditionnelles introduites par *si,* indiquant une hypothèse très vraisemblable ou très réalisable : *Si tu viens, tu me feras plaisir en apportant ton livre.* Dans le français littéraire, le présent est utilisé pour les récits [*présent historique*], surtout dans un enchaînement d'actions rapides.)

3. présent [prezɑ̃] n. m. **1°** Cadeau qu'on fait dans une circonstance particulière (littér.) : *Présent de noces.* — **2°** *Faire présent de quelque chose,* en faire cadeau, l'offrir.

présenter [prezɑ̃te] v. tr. **1°** *Présenter quelque chose,* l'exposer aux regards ou à l'attention de quelqu'un pour le lui offrir, le lui faire connaître : *Des serveuses présentaient des rafraîchissements aux invités* (syn. : PROPOSER). *Il présenta le bras à sa cavalière. Un libraire qui présente les nouveaux romans dans sa devanture* (syn. : EXPOSER). *Un grand couturier qui présente sa collection d'été. Le conférencier a brillamment présenté ses idées. Présenter une objection à quelqu'un* (syn. : OPPOSER). ‖ *Présenter ses compliments, ses condoléances, ses excuses, ses félicitations, ses hommages,* etc., témoigner ces marques de politesse. ‖ *Présenter une thèse, une requête, sa candidature,* etc., les soumettre au jugement d'un jury, à la décision de quelqu'un. — **2°** *Présenter une personne à quelqu'un,* la lui faire connaître en donnant son identité, en indiquant ses fonctions, qualités, liens de parenté, etc. : *Pendant le cocktail, il présenta son cousin au directeur.* — **3°** *Présenter un artiste, un spectacle, une œuvre littéraire,* etc., les faire connaître au public par une causerie ou un texte d'introduction : *C'est un critique célèbre qui a présenté le nouveau film.* — **4°** *Présenter un candidat à un examen, à un concours,* l'y faire inscrire. — **5°** *Présenter quelqu'un, quelque chose,* le faire apparaître sous tel ou tel aspect : *Il nous a présenté son ami comme un bel exemple de réussite. Présenter une affaire sous son jour le plus avantageux.* — **6°** (sujet nom d'être animé ou de chose) *Présenter quelque chose,* le laisser apparaître, l'avoir en soi, le comporter : *Un malade qui présente des symptômes de névrose. Cette solution présente un intérêt tout particulier* (syn. : AVOIR, OFFRIR). *L'entreprise présente de grosses difficultés. La maison présentait une façade blanche.* ◆ v. intr. *Personne qui présente bien, mal,* dont l'aspect plaît, déplaît au premier abord. ◆ ***se présenter*** v. pr. **1°** (sujet nom de personne) Décliner son nom, ses titres, etc. : *Permettez-moi de me présenter : je suis votre nouveau collègue.* — **2°** (sujet nom de personne) Paraître devant quelqu'un : *Tu ne peux pas te présenter chez ces gens-là dans cette tenue.* — **3°** (sujet nom de personne) Etre candidat : *Se présenter aux élections municipales. Il s'est présenté trois fois au baccalauréat.* — 4° (sujet nom de chose) Survenir, se produire : *Si une occasion se présente* (ou *s'il se présente une occasion*), *ne la laisse pas échapper;* apparaître sous tel ou tel aspect, prendre telle ou telle tournure : *L'affaire se présente bien.* ◆ **présentable** adj. Se dit de quelqu'un ou de quelque chose qu'on peut décemment présenter, qui n'a pas mauvais aspect : *Va te laver les mains, tu n'es pas présentable. C'est un spectacle très présentable.* ◆ **présentation** n. f. : *La présentation de la mode chez un grand couturier. Un article vendu dans une présentation agréable* (= qui a bel aspect, qui est bien conditionné). *La présentation de la pièce était faite par l'auteur.* ◆ **présentations** n. f. pl. Paroles par lesquelles quelqu'un présente une personne à une autre : *La maîtresse de maison commença par faire les présentations, puis on passa à table.* ◆ **présentateur, trice** n. Personne qui présente au public un programme, une émission artistique.

préserver [prezɛrve] v. tr. *Préserver quelqu'un, quelque chose,* les garantir, les mettre à l'abri : *Vous nous avez préservés d'un grand danger* (syn. : SAUVER). *Son manteau la préservait mal de la pluie* (syn. : PROTÉGER). *Une loi destinée à préserver les intérêts des enfants mineurs* (syn. : SAUVEGARDER). *Préserver une devanture métallique de la rouille.* ◆ **préservation** n. f. : *La préservation des récoltes.* ◆ **préservateur, trice** ou **préservatif, ive** adj. : *Des moyens préservatifs ont été employés.* ◆ **préservatif** n. m. Objet destiné à éviter la fécondation, les maladies vénériennes.

1. présider [prezide] v. tr. et intr. (sujet nom de personne). Diriger les débats, occuper la première place dans une assemblée : *Présider une séance. C'est lui qui préside le comité. En l'absence du président, c'est le premier secrétaire qui a présidé.* ◆ **président** n. m. 1° Celui qui dirige les délibérations d'une assemblée, d'un tribunal : *Président de séance. Président d'audience.* — 2° Celui qui dirige certains organismes : *Président du Conseil* (= chef du gouvernement, en France, sous la IIIe et la IVe République; on dit auj. PREMIER MINISTRE). *Président de la République* (= chef de l'Etat, dans certains pays). ‖ *Président-directeur général,* dans une société par actions, personne qui a la responsabilité de la gestion. ◆ **présidente** n. f. 1° Femme qui exerce une présidence. — 2° Epouse d'un président. ◆ **présidence** n. f. 1° Fonction d'un président : *Briguer la présidence.* — 2° Lieu où résident certains présidents : *L'ambassadeur s'est rendu à la présidence de la République pour remettre le message de son gouvernement.* ◆ **présidentiel, elle** adj. 1° *Elections présidentielles* (on dit aussi LES PRÉSIDENTIELLES n. f. pl.). *Fonctions présidentielles.* — 2° *Régime présidentiel,* régime politique dans lequel le président de la République dispose du pouvoir exécutif.

2. présider [prezide] v. tr. ind. (sujet nom de chose). *Présider à quelque chose,* être présent et influer sur le cours de cette chose : *L'esprit de coopération qui a présidé à tous ces entretiens* (syn. : RÉGNER SUR).

présomptif, ive [prezɔ̃ptif, -iv] adj. *Héritier présomptif,* héritier désigné d'avance par la parenté ou par l'ordre de naissance.

1. présomption [prezɔ̃psjɔ̃] n. f. Supposition qui n'est fondée que sur des signes de vraisemblance : *Je n'ai que des présomptions* (= je n'ai aucune certitude). *Certaines présomptions pèsent contre lui* (syn. : INDICE, CHARGE).

2. présomption [prezɔ̃psjɔ̃] n. f. Opinion trop avantageuse que quelqu'un a de sa valeur, de ses capacités : *Un jeune homme plein de présomption* (syn. : SUFFISANCE, CONFIANCE EN SOI, ↑ ORGUEIL, OUTRECUIDANCE). ◆ **présomptueux, euse** adj. et n. : *Un garçon présomptueux. Un candidat présomptueux* (= qui a une trop haute opinion de lui). *Une entreprise présomptueuse. Un jeune présomptueux.* ◆ **présomptueusement** adv.

presque [prɛsk] adv. (Ne s'élide que dans le mot *presqu'île.*) 1° A peu de chose près, pas tout à fait (devant un adj. ou un adv.) : *Il est devenu presque sourd* (syn. : QUASI; fam. : QUASIMENT). *Il est presque totalement aveugle. Presque toujours. Presque chaque matin. Il n'y avait presque personne;* après un verbe (ou l'auxiliaire, aux formes composées) : *La voiture ralentit et s'arrêta presque. Il avait presque fini son travail.* — 2° *Ou presque* (placé après une affirmation), sert à corriger : *Il n'y avait personne, ou presque. C'est sûr, ou presque.* ‖ *La presque totalité,* l'ensemble presque entier des personnes, des choses : *La presque totalité des ouvriers était en grève* (syn. : LA QUASI TOTALITÉ).

presqu'île [prɛskil] n. f. Portion de terre entourée d'eau, à l'exception d'une seule partie, par laquelle elle communique avec la terre ferme : *La presqu'île de Quiberon.* (V. PÉNINSULE.)

1. presse n. f. V. PRESSER 1.

2. presse [prɛs] n. f. 1° Ensemble des périodiques (journaux, revues, etc.); activité, monde du journalisme : *Agence de presse. Presse quotidienne* (= journaux paraissant chaque jour). *Presse mensuelle. Service de presse* (= exemplaires d'un livre envoyés aux journaux et revues pour sa diffusion). *Attaché de presse* (= personne chargée de dépouiller les journaux et d'assurer les communications avec la presse). *Coupures de presse* (= extraits de journaux). *Revue de presse* (= résumé de l'opinion des journaux). *Presse du cœur* (= journaux sentimentaux). — 2° *Avoir bonne, mauvaise presse,* avoir une bonne, une mauvaise réputation.

1. pressentir [prɛsɑ̃tir] v. tr. (conj. **19**). *Pressentir quelque chose, que* (et l'indic.), le prévoir vaguement, penser qu'il peut arriver : *J'ai pressenti votre arrivée. Je ne savais pas qu'ils allaient se marier, mais j'avais pressenti quelque chose* (syn. : SE DOUTER DE, FLAIRER, DEVINER). *Le ministre n'a rien laissé pressentir de ses intentions.* ◆ **pressentiment** n. m. : *N'avoir qu'un vague pressentiment de quelque chose* (syn. : PRÉMONITION). *Un heureux pressentiment.*

2. pressentir [prɛsɑ̃tir] v. tr. (conj. **19**). *Pressentir quelqu'un,* s'informer de ses dispositions avant de l'appeler à certaines fonctions : *Pressentir quelqu'un comme ministre.* ◆ **pressenti, e** adj. : *Le ministre pressenti.*

1. presser [prɛse] v. tr. et intr. (sujet généralement nom de personne). 1° *Presser quelqu'un, quelque chose,* appuyer sur eux, les serrer avec plus ou moins de force : *Presser la main de quelqu'un. Presser une étoffe* (= la comprimer). *Il pressa son enfant dans ses bras* (syn. : SERRER). *Presser des* *gens les uns contre les autres* (syn. : TASSER, ENTASSER). *Presser un bouton, ou sur un bouton* (= appuyer dessus). *Pour ouvrir la boîte, presser ici.* — 2° *Presser un fruit, une éponge,* les comprimer pour en extraire le liquide. ◆ ***se presser*** v. pr. S'accumuler en une masse compacte : *Une foule nombreuse se pressait entre les barrières* (syn. : SE TASSER, ↑ SE BOUSCULER). ◆ **presse-citron** n. m. invar. Accessoire ménager servant à exprimer le jus d'un citron, d'une orange ou d'un pamplemousse. ◆ **presse-papiers** n. m. invar. Ustensile de bureau qu'on pose sur les papiers pour les empêcher de s'envoler. ◆ **presse-purée** n. m. invar. Appareil ménager servant à comprimer les pommes de terre pour les réduire en purée. ◆ **pression** n. f. 1° Action de presser ou de pousser avec effort : *Faire pression sur le couvercle d'une malle pour la fermer. Faire une légère pression des doigts sur la main de quelqu'un.* — 2° Force exercée par un corps sur une surface : *La pression atmosphérique. Régler la pression dans une machine à vapeur.* — 3° Bouton formé de deux parties, qu'on presse l'une sur l'autre. (On dit aussi BOUTON-PRESSION.) ◆ **presse** n. f. 1° Machine, appareil destinés à exercer une pression : *Une presse hydraulique. Presse à disques.* — 2° Machine servant à imprimer : *Une presse d'imprimerie.* ‖ *Livre sous presse,* sur le point de paraître. ◆ **pressing** [presiɲ] n. m. 1° Repassage à la vapeur. — 2° Magasin où s'exécute ce travail.

2. presser [prɛse] v. tr. 1° (sujet nom de personne) *Presser quelqu'un de faire quelque chose,* l'y inciter vivement : *Il le pressa d'avouer sa faute* (syn. : EXHORTER, ENCOURAGER, EXCITER, POUSSER). — 2° *Presser une affaire,* l'accélérer. ‖ *Presser le pas,* marcher plus vite. ‖ *Presser l'allure, la cadence, le rythme,* accélérer. ◆ v. intr. et tr. (sujet nom de chose). Etre urgent : *L'affaire presse. Le temps presse* (= il faut se dépêcher). *Rien ne presse* (= nous avons le temps). *Qu'est-ce qui vous presse? Allons, pressons!* (= dépêchez-vous). ◆ ***se presser*** v. pr. : *Pressez-vous de partir avant la pluie* (syn. : SE HÂTER; pop. : SE GROUILLER). ◆ **pressant, e** adj. : *Un travail pressant* (syn. : URGENT). ◆ **pressé, e** adj. 1° *Une besogne pressée. Dépêche-toi de finir ce travail, c'est pressé.* — 2° *Etre pressé* (de), avoir hâte de : *Etre pressé de partir. Nous sommes très pressés, dépêchez-vous.* — 3° *N'avoir rien de plus pressé que,* se dépêcher de faire quelque chose (avec une nuance de désapprobation) : *Aussitôt qu'il eut touché son argent, il n'eut rien de plus pressé que de le dépenser.* ◆ **pressé** n. m. *Aller, courir au plus pressé,* faire la chose la plus urgente. ◆ **pression** n. f. Action exercée sur quelqu'un pour l'influencer, le faire changer d'avis : *Céder à la pression du milieu familial. Exercer une pression sur les plus jeunes. Etre soumis à des pressions contradictoires. Faire pression sur quelqu'un pour le décider* (= l'intimider). *Pression occulte, discrète, continue. Se décider sous la pression des événements* (syn. : CONTRAINTE).

1. pressurer [presyre] v. tr. *Pressurer des fruits, des grains,* les presser pour en extraire le jus. ◆ **pressurage** n. m.

2. pressurer [presyre] v. tr. *Pressurer quelqu'un,* tirer de lui tout ce qu'il peut donner : *Pressurer un débiteur. Pressurer les contribuables.*

pressurisé, e [presyrize] adj. Se dit d'un lieu clos dans lequel on maintient une pression égale à la pression atmosphérique au niveau du sol : *Cabine d'avion pressurisée.* ◆ **pressuriser** v. tr. ◆ **pressurisation** n. f.

prestance [prɛstɑ̃s] n. f. Aspect extérieur d'une personne; comportement qui en impose : *Avoir de la prestance. Un ministre qui manque de prestance.*

1. prestation [prɛstasjɔ̃] n. f. Fourniture, somme d'argent versée à quelqu'un en vertu d'une obligation : *Prestations en nature. Prestations sociales* (= sommes versées en vertu d'une législation sociale). *Prestations locatives* (= dépenses que le propriétaire se fait rembourser par le locataire).

2. prestation [prɛstasjɔ̃] n. f. *Prestation de serment,* action de prêter serment.

preste [prɛst] adj. Agile, rapide (langue soutenue) : *Un mouvement preste. Avoir la main preste.* ◆ **prestesse** n. f. : *Agir avec prestesse* (syn. : PROMPTITUDE). *Prestesse d'un mouvement* (syn. : RAPIDITÉ, AGILITÉ).

prestidigitation [prɛstidiʒitasjɔ̃] n. f. Art de produire des illusions, de faire apparaître ou disparaître des objets, etc., par des éclairages habiles, la rapidité des mains : *Des tours de prestidigitation.* ◆ **prestidigitateur, trice** n. Personne qui fait de la prestidigitation.

prestige [prɛstiʒ] n. m. Attrait, ascendant exercé par une personne (ou par son comportement) sur autrui, ou par une chose : *Avoir un grand prestige* (syn. : AUTORITÉ). *Le prestige de cette personnalité politique a été quelque peu atteint par les révélations faites sur sa vie privée. L'horlogerie suisse jouit d'un grand prestige en France* (syn. : RÉPUTATION). *Le prestige de l'uniforme* (= effet impressionnant attribué à la tenue militaire). *La façon dont il s'est défendu ajoute à son prestige* (syn. : ↑ GLOIRE). ◆ **prestigieux, euse** adj. : *Un homme aux qualités prestigieuses. Un soldat prestigieux. Un vin de grande marque, dont la bouteille est revêtue du label prestigieux de la qualité* (dans la langue de la publicité).

presto, prestissimo adv. V. MOUVEMENT, *Mouvements musicaux.*

présumer [prezyme] v. tr. *Présumer quelque chose, que* (et l'indic.), juger, former une conjecture sur quelque chose d'après certains indices, considérer comme probable que : *Présumer l'existence d'une chose. Je présume que vous n'êtes pas fâché d'être en vacances* (syn. : SUPPOSER). ◆ v. tr. ind. *Présumer trop de quelque chose,* avoir une opinion excessivement optimiste, trop favorable de cette chose : *Il a trop présumé de ses forces, et il a dû abandonner avant la fin de la course. Trop présumer de son talent* (= en être trop persuadé). [V. PRÉSOMPTION, PRÉSOMPTUEUX.] ◆ **présumé, e** adj. Que l'on croit être tel : *Son fils présumé. Une tâche présumée facile.*

présupposer [presypoze] v. tr. (sujet nom de chose) *Présupposer quelque chose,* l'admettre préalablement : *L'adhésion à un parti présuppose qu'on ait accepté toutes les conséquences qui en découlent.* ◆ **présupposition** n. f.

1. prêt [prɛ] n. m. Indemnité versée aux soldats et sous-officiers du contingent : *Toucher son prêt et ses cigarettes.*

2. prêt n. m. V. PRÊTER 1.

prêt, e [prɛ, prɛt] adj. 1° Se dit de quelqu'un qui est en état de faire quelque chose, qui y est disposé matériellement, moralement : *Nous devons partir tôt : soyez prêt dès cinq heures. Se tenir prêt.* ‖ Fam. *Etre fin prêt,* être en état, complètement disposé à quelque chose. ‖ *Prêt à quelque chose,* en état de le faire : *Etre prêt au départ. Etre prêt à partir. Prêt à toute éventualité* (syn. : PARÉ). ‖ *Prêt à tout,* disposé à faire n'importe quoi pour réussir : *Il était prêt à tout pour se faire élire* (syn. : DÉCIDÉ). — 2° Se dit d'une chose qui a été préparée, mise en état pour l'usage : *Le dîner est prêt. Le couvert est prêt* (= est disposé sur la table). *Son fusil était prêt à partir* (= était armé).

pretantaine ou **pretentaine** [prətɑ̃tɛn] n. f. Fam. *Courir la pretantaine,* avoir de nombreuses aventures amoureuses.

prêt-à-porter [prɛtapɔrte] n. m. Vêtement coupé suivant des mesures normalisées et que l'on adapte à la taille du client : *Des prêts-à-porter.*

1. prétendant [pretɑ̃dɑ̃] n. m. Prince qui estime avoir des droits à occuper un trône.

2. prétendant [pretɑ̃dɑ̃] n. m. Se dit de celui qui aspire à la main d'une femme (littér. ou ironiq.).

1. prétendre [pretɑ̃dr] v. tr. (conj. **50**). *Prétendre* (et l'infin.), affirmer quelque chose, souvent sans entraîner l'adhésion : *Il prétend être le premier à avoir atteint le sommet. Il prétend être le fils d'un inventeur célèbre.* ◆ **prétendu, e** adj. (avant le nom). Se dit d'une chose, d'une personne qui n'est pas ce qu'elle paraît être : *La prétendue légèreté de sa femme.* ◆ **prétendument** adv. : *Un homme prétendument riche* (= qu'on prétend, faussement, être riche).

2. prétendre [pretɑ̃dr] v. tr. ind. (conj. **50**). *Prétendre à quelque chose,* aspirer à l'obtenir (littér.) : *Prétendre aux honneurs du trône.* ◆ v. tr. Avoir l'intention de (littér.) : *Que prétendez-vous faire?* ◆ **prétention** n. f. 1° (surtout au plur.) Le fait de revendiquer quelque chose : *Avoir des prétentions sur quelque chose. Des prétentions à un héritage. Vos prétentions n'ont aucun fondement. Ne rien rabattre de ses prétentions.* — 2° Visée ambitieuse : *Elle a une certaine prétention à l'élégance* (= elle cherche à se faire, à se montrer élégante). ‖ *J'ai la prétention de,* je peux me flatter de : *J'ai la prétention de connaître cette question. Je n'ai pas la prétention de tout savoir.*

prête-nom [prɛtnɔ̃] n. m. Personne qui prête son nom dans un acte où le véritable contractant ne peut ou ne veut figurer : *Etre le prête-nom de quelqu'un. Des prête-noms.*

prétentieux, euse [pretɑ̃sjø, -øz] adj. et n. Se dit de quelqu'un (ou de son comportement) qui cherche à en imposer, qui affiche un air de contentement de soi-même : *Une femme intelligente, mais trop prétentieuse* (syn. : ORGUEILLEUX, PRÉSOMPTUEUX, VANITEUX). *Un jeune prétentieux qui fait étalage de son savoir* (syn. : FAT, POSEUR; contr. : SIMPLE). *Avoir une allure prétentieuse.* ◆ **prétentieusement** adv. : *Parler prétentieusement* (contr. : SIMPLEMENT, NATURELLEMENT). ◆ **prétention** n. f. 1° *Etre plein de prétention* (syn. : FATUITÉ, VANITÉ, ORGUEIL, ↑ ARROGANCE). *Parler avec prétention.* — 2° *Sans prétention,* se dit d'une personne d'apparence réservée, d'une chose modeste. ‖ *Avoir des prétentions,* viser à une fonction plus importante.

1. prêter [prete] v. tr. *Prêter quelque chose à quelqu'un,* le mettre à sa disposition pour un certain temps : *Prêter de l'argent à un ami. Il m'a prêté sa maison de campagne pour les vacances. Prête-moi ton stylo.* ◆ **prêt** n. m. 1° Action de prêter; somme d'argent prêtée : *Solliciter un prêt pour l'achat d'un appartement neuf. Consentir un prêt à quelqu'un. Prêt à long terme. Prêt usuraire.* — 2° *Prêt d'honneur,* somme allouée à un étudiant, à charge pour lui de la rembourser après avoir terminé ses études. ◆ **prêteur, euse** n. et adj. : *Un tempérament prêteur. Chercher un prêteur de fonds.* ◆ **prêté** n. m. Fam. *C'est un prêté pour un rendu,* se dit pour marquer la réciprocité dans l'échange de services, ou pour souligner une riposte, etc.

2. prêter [prete] v. tr. Entre dans un grand nombre de locutions, où l'on peut généralement le remplacer par des verbes comme *donner, offrir, fournir, présenter* : *Prêter le flanc à la critique,* donner lieu à être critiqué. ‖ *Prêter de l'importance à quelque chose, à quelqu'un,* leur en donner. ‖ *Prêter serment,* jurer officiellement. ‖ *Prêter attention à quelque chose,* y être attentif. ‖ *Prêter sa voix,* en parlant d'un artiste, chanter : *La grande chanteuse a bien voulu prêter sa voix dans cette soirée au profit des anciens combattants.* ◆ v. intr. *Prêter à,* donner matière à : *Une interprétation qui prête à discussion* (syn. : ÊTRE SUJET À). *Cette phrase prête à équivoque.* ‖ *Prêter à rire,* être risible : *Il est d'une naïveté qui prête à rire.* ◆ **se prêter** v. pr. [**à**]. 1° (sujet nom de personne) *Se prêter à quelque chose,* y consentir : *Se prêter à un arrangement. Il se prêta complaisamment à tout ce qu'on voulut de lui. Il se prêta de bonne grâce aux jeux des enfants.* — 2° (sujet nom de chose) *Se prêter à quelque chose,* y être propre, convenable : *Un sujet qui se prête bien à un film.*

3. prêter [prete] v. tr. Attribuer à quelqu'un une parole, un acte, etc., dont il n'est pas l'auteur : *Les propos que certains journaux ont prêtés au ministre sont dénués de tout fondement. Vous me prêtez des intentions que je n'ai pas* (syn. : IMPUTER). *On ne prête qu'aux riches* (= il y a toujours un fondement aux interprétations qu'on donne du comportement de quelqu'un).

prétérit [preterit] n. m. Temps passé de l'anglais et de l'allemand, équivalant au passé simple et à l'imparfait en français.

prétérition [preterisjɔ̃] n. f. Procédé stylistique par lequel on affirme ne pas vouloir parler d'une chose dont on parle néanmoins par ce moyen. (Ex. : *Je n'ai pas à vous rappeler que...*)

prétexte [pretɛkst] n. m. 1° Raison apparente dont on se sert pour cacher le vrai motif de son action : *Prendre le premier prétexte venu pour ne pas se rendre à une invitation. Tout lui semble un bon prétexte* (syn. : COUVERTURE, ÉCHAPPATOIRE). — 2° *Donner prétexte à quelque chose,* servir de prétexte à cette chose. ‖ *Prendre prétexte de quelque chose,* le présenter comme prétexte : *Il a pris prétexte de la pluie pour ne pas venir.* ‖ *Sous prétexte de quelque chose,* en prenant cette chose comme prétexte : *Sous prétexte de prendre des leçons de piano, elle sortait tous les soirs après le dîner. Sous aucun prétexte vous ne devez accepter* (= en aucun cas). *Sous un prétexte quelconque.* ◆ **prétexter** v. tr. *Prétexter quelque chose,* l'alléguer comme prétexte : *Elle prétextait des maux de tête pour se retirer dans sa chambre.*

prétoire [pretwar] n. m. Salle d'audience d'un tribunal (langue soutenue).

prêtre [prɛtr] n. m. 1° Ministre d'un culte, en général : *Un prêtre catholique. Les prêtres préparaient des offrandes dans le temple de Bouddha.* — 2° Ministre de la religion catholique. (Dans la religion protestante, on dit *pasteur;* dans la religion juive, *rabbin.*) ◆ **prêtresse** n. f. Femme attachée au culte d'une divinité. ◆ **prêtrise** n. f. Caractère, dignité de prêtre (sens 2).

preuve n. f. V. PROUVER.

1. prévaloir [prevalwar] v. intr. (conj. 40) [sujet nom de chose]. L'emporter sur quelque chose, lui être supérieur (littér.) : *Faire prévaloir ses droits* (= montrer qu'ils doivent être pris d'abord en considération). *Rien ne prévalut contre ses répugnances* (= ne put les vaincre).

2. prévaloir (se) [səprevalwar] v. pr. (conj. 40) [sujet nom de personne]. *Se prévaloir de quelque chose,* le mettre en avant pour en tirer des avantages : *Il se prévalut de sa carte d'étudiant pour obtenir des places à demi-tarif. Se prévaloir de sa fortune* (= en tirer vanité).

prévariquer [prevarike] v. intr. Manquer, par intérêt ou par mauvaise foi, aux devoirs de sa charge, de son ministère. ◆ **prévaricateur** adj. et n. m. : *Magistrat prévaricateur.* ◆ **prevarication** n. f. : *Accuser quelqu'un de prévarication.*

1. prévenir [prevnir] v. tr. (conj. 22). *Prévenir quelqu'un de quelque chose,* l'en avertir, le lui faire savoir : *Il est venu le prévenir du changement intervenu en son absence* (syn. : AVISER). *Je vous préviens que je serai absent cet après-midi* (syn. : INFORMER). *Je vous préviens que, si vous continuez à chahuter, je vais sévir* (= je vous le dis à titre d'avertissement). *S'il y a un accident au cours de l'opération, qui doit-on prévenir?*

2. prévenir [prevnir] v. tr. (conj. 22). *Prévenir un malheur, un incident,* etc., prendre des dispositions pour l'empêcher de se produire. ◆ **préventif, ive** adj. Se dit d'une chose destinée à empêcher un événement fâcheux de se produire : *Prendre des mesures préventives contre la maladie, les accidents de la circulation routière. Médecine préventive* (= celle qui est destinée à éviter les maladies). *L'arrestation préventive d'un suspect* (= faite par prudence). *Il a fait trois mois de prison préventive* (= avant d'être jugé). ◆ **préventivement** adv. : *Le préfet de police a fait placer préventivement des cordons de police le long de l'autoroute. Il a été incarcéré préventivement.* ◆ **prévention** n. f. 1° *Prévention routière,* ensemble des mesures prises par un organisme spécial pour éviter les accidents de la route. ‖ *Prévention des accidents du travail,* ensemble des mesures prises pour éviter les accidents du travail. — 2° Incarcération précédant un jugement : *Une réforme judiciaire qui tend à abréger la durée de la prévention.* ◆ **prévenu, e** n. Personne qui doit répondre d'une infraction devant la justice pénale : *Le prévenu avait reçu de nombreuses visites de son avocat.*

3. prévenir [prevnir] v. tr. (conj. 22). *Prévenir les désirs, les souhaits, les besoins,* etc., *de quelqu'un,* les satisfaire avant qu'ils ne se manifestent ouvertement, avant qu'ils ne soient exprimés (langue soutenue). ◆ **prévenant, e** adj. Se dit d'une personne (ou de son comportement) pleine de sollicitude, d'attention à l'égard d'une autre : *Un garçon serviable et prévenant. Un jeune homme à l'air prévenant. Des manières prévenantes.* ◆ **prévenances** n. f. pl. Menus services, attentions délicates à l'égard de quelqu'un : *Se montrer plein de prévenances pour sa vieille mère* (syn. : GENTILLESSE). *Entourer sa jeune femme de prévenances* (syn. : PETITS SOINS, DÉLICATESSES).

1. prévenu, e n. V. PRÉVENIR 2.

2. prévenu, e [prevny] adj. *Etre prévenu en faveur de quelqu'un, contre quelqu'un* ou *contre quelque chose,* avoir d'avance une opinion favorable, défavorable de cette personne (langue soutenue) : *Au début, j'étais un peu prévenu contre lui, mais j'ai appris à l'apprécier.* ◆ **prévention** n. f. Opinion, généralement défavorable, formée par quelqu'un sans examen : *Etre plein de prévention contre quelque chose, contre quelqu'un, contre un travail qu'on vous propose* (syn. : ↓ PRÉJUGÉ). *Etre en butte à une prévention aveugle* (syn. : ↓ MÉFIANCE, HOSTILITÉ). *Revenir de ses préventions contre quelqu'un. Avoir des préventions contre un nouveau venu.*

préventorium [prevɑ̃tɔrjɔm] n. m. Etablissement où l'on soigne préventivement les malades atteints de tuberculose non contagieuse.

préverbe [prevɛrb] n. m. Préfixe qui se place devant un verbe.

prévoir [prevwar] v. tr. (conj. 42). 1° Voir, comprendre, deviner à l'avance quelque chose : *Prévoir l'avenir* (syn. : ↑ PRESSENTIR). *Prévoir les conséquences d'un acte* (syn. : PRONOSTIQUER, CALCULER, ENVISAGER). *Il était facile de prévoir que les prix allaient augmenter;* et intransitiv. : *Gouverner, c'est prévoir.* — 2° Organiser à l'avance quelque chose : *La loi a prévu un régime transitoire avant l'application intégrale de la réforme de l'enseignement. Le faussaire croyait avoir tout prévu* (syn. : ENVISAGER). ◆ **prévisible** adj. : *Cette catastrophe était pourtant prévisible.* ◆ **imprévisible** adj. ◆ **prévision** n. f. : *Quelles sont les prévisions météorologiques?* (= l'évolution du temps prévue par la météorologie). *Ses prévisions se sont révélées exactes* (= ce qu'il avait prévu). • LOC. PRÉP. *En prévision de (quelque chose),* en pensant que cette chose pourra se produire : *Prendre un parapluie en prévision de la pluie.* ◆ **prévisionnel, elle** adj. Se dit d'une chose qui fait l'objet d'un calcul antérieur à un événement : *Des mesures prévisionnelles.* ◆ **prévoyance** n. f. 1° Qualité de celui qui sait prévoir : *Faire preuve d'une grande prévoyance.* — 2° *Société de prévoyance,* société de secours mutuel. ◆ **prévoyant, e** adj. : *Se montrer prévoyant* (contr. : INSOUCIANT). ◆ **imprévoyance** n. f. : *Faire preuve d'imprévoyance.* ◆ **imprévoyant, e** adj. : *Un jeune homme imprévoyant.*

1. prier [prije] v. tr. et intr. Adresser une supplication à Dieu, à un dieu, à un saint : *Prier Dieu. Prier son dieu. Prier la Vierge. Priez pour eux* (= en leur faveur). *Aller prier sur la tombe de ses parents* (syn. : SE RECUEILLIR). ◆ **prière** n. f. 1° Acte religieux par lequel on s'adresse à Dieu pour l'adorer ou l'implorer, ou à un saint pour demander son intercession : *Une fervente prière. Etre en prière* (= prier). *La prière des morts. Se rendre à la prière du soir.* — 2° Fam. *Ne m'oubliez* *pas dans vos prières,* pensez à moi au bon moment. ◆ **prie-Dieu** n. m. invar. Meuble muni d'un accoudoir, sur lequel on s'agenouille pour faire ses prières.

2. prier [prije] v. tr. 1° *Prier quelqu'un de faire quelque chose,* l'en supplier instamment, le lui demander : *Il a prié les médecins de faire tout ce qu'ils pouvaient pour sauver son enfant* (syn. : ↑ SUPPLIER, IMPLORER). ‖ *Se faire prier,* ne rien faire sans être longuement sollicité. ‖ *Ne pas se faire prier,* accepter avec empressement. — 2° *Prier quelqu'un à déjeuner, à dîner,* l'inviter. — 3° *Je vous prie, je vous en prie,* formules de politesse : *Voulez-vous me donner le livre qui est sur cette table, je vous prie?* (syn. : S'IL VOUS PLAÎT). *Je vous prie de bien vouloir accepter mes respectueux hommages. Mais faites donc, je vous en prie;* en réponse à des remerciements : « *Merci encore de vos fleurs! — Mais je vous en prie, c'est bien naturel, tout le plaisir est pour moi.* » — 4° *Je vous prie, je vous en prie,* expriment parfois une injonction : *Je vous prie de vous taire! Ah! non, je vous en prie, ça suffit comme ça!* ◆ **prière** n. f. 1° Demande instante : *Malgré vos prières, je ne vous donnerai rien.* — 2° *Prière de* (et l'infin.), vous êtes prié de : *Prière de répondre. Prière de s'essuyer les pieds, de ne rien jeter sur la voie.*

prieur, e [prijœr] n. Supérieur, supérieure ecclésiastique dirigeant certaines communautés. ◆ **prieuré** n. m. 1° Communauté religieuse catholique dirigée par un prieur ou par une prieure. — 2° Eglise ou maison de cette communauté.

prima donna [primadɔna] n. f. Première chanteuse d'opéra.

1. primaire [primɛr] adj. 1° Se dit des personnes ou des choses qui appartiennent à l'enseignement du premier degré (entre les classes enfantines et la sixième) : *Enseignement primaire* (ou *le primaire*). *Inspecteur primaire.* — 2° *Secteur primaire,* v. SECTEUR. — 3° *Ère primaire* (ou *le primaire*), ère géologique, d'une durée d'environ 300 à 350 millions d'années.

2. primaire [primɛr] adj. *Péjor.* Se dit de quelqu'un (ou de son comportement) qui manque de culture, qui n'a que des connaissances superficielles : *Ce brave garçon est un peu primaire. Cette explication est un peu primaire, il faudrait approfondir la question* (syn. : SIMPLISTE).

1. primat [prima] n. m. Priorité, supériorité (emploi restreint) : *Affirmer le primat de l'intelligence* (syn. : PRIMAUTÉ).

2. primat [prima] n. m. Prélat dont la juridiction domine celle des archevêques : *Le primat de Belgique.*

primauté [primote] n. f. Supériorité, premier rang : *Primauté de l'expérience sur la raison théorique. Les découvertes de ce savant ont la primauté sur toutes celles de son temps.*

1. prime [prim] n. f. 1° Objet qu'on donne à un client pour l'encourager à acheter un produit. — 2° Somme donnée par un employeur à un employé en plus de son salaire, soit pour le rembourser de certains frais, soit pour l'intéresser au rendement : *Prime de transport. Prime de fin d'année.* ‖ *Prime d'engagement,* somme versée à certains militaires qui s'engagent. — 3° Somme payée par un assuré à un assureur en vertu d'un contrat d'assurance.

2. prime [prim] n. f. *Faire prime,* en parlant d'une personne ou d'une chose, être très recherché : *L'or fait prime sur le marché des monnaies.*

3. prime [prim] adj. *La prime jeunesse,* le tout jeune âge. • LOC. ADV. *De prime abord,* tout d'abord, au premier abord.

4. prime [prim] adj. Se dit, en algèbre, d'une lettre affectée d'un seul accent : *a'* (se dit « a prime »).

1. primer [prime] v. tr. Donner une récompense à un concurrent (surtout au passif) : *Une vache qui a été primée au concours agricole.*

2. primer [prime] v. tr. et intr. Surpasser quelqu'un, quelque chose : *La sagesse prime la richesse* (syn. : L'EMPORTER SUR). *Chez lui, l'intelligence prime* (= est supérieure au reste).

primesautier, ère [primsotje, -ɛr] adj. Se dit d'une personne qui agit suivant sa première impulsion, qui ne réfléchit pas avant d'agir : *Une jeune fille primesautière* (syn. : SPONTANÉ, ↑ IRRÉFLÉCHI; contr. : PONDÉRÉ, RÉFLÉCHI).

1. primeur [primœr] n. f. 1° Caractère d'une chose qui vient d'apparaître, d'être faite, etc. : *Journaliste qui réserve la primeur de l'information à son directeur de revue.* — 2° *Avoir la primeur d'une chose,* être le premier à la posséder, à en jouir, à la connaître.

2. primeurs [primœr] n. f. pl. 1° Produits horticoles qui paraissent sur le marché avant la saison normale : *Manger des primeurs.* — 2° *Marchand de primeurs,* marchand de légumes.

primevère [primvɛr] n. f. Plante des prés et des bois, dont les fleurs jaunes apparaissent avec le printemps.

1. primitif, ive [primitif, -iv] adj. 1° Se dit d'une chose qui est dans un état proche de celui de son origine : *Le bouddhisme primitif ne comprenait qu'un nombre restreint de rites. L'Eglise primitive,* ou *la primitive Eglise* (= les premiers temps de l'Eglise chrétienne). *L'art primitif* (= celui qui existait à l'origine d'une civilisation). — 2° *Couleurs primitives,* les sept couleurs conventionnelles du spectre solaire (rouge, orangé, jaune, vert, bleu, indigo et violet). — 3° *Temps primitifs d'un verbe,* formes verbales servant de base pour conjuguer ce verbe. — 4° Se dit d'une personne simple, fruste, ou d'une chose rudimentaire : *L'installation électrique est encore assez primitive, mais nous allons bientôt en changer* (syn. : SOMMAIRE). ◆ **primitivement** adv. A l'origine, au début : *Cette voiture était primitivement jaune, mais ils l'ont repeinte en bleu ciel.*

2. primitif, ive [primitif, -iv] adj. et n. Se dit des sociétés humaines (et des hommes qui les composent) qui ignorent l'usage de l'écriture et qui sont restées à l'écart de la civilisation mécanique et industrielle : *Les primitifs d'Australie sont en voie de disparition. Certaines structures des sociétés primitives reposent sur une classification logique rigoureuse.*

primo [primo] adv. Premièrement, d'abord. (Dans une classification, est généralement suivi par *secundo,* et éventuellement par *tertio.*) [V. NUMÉRATION.]

prime infection [primoɛ̃fɛksjɔ̃] n. f. Première atteinte d'un germe infectieux, notamment de la tuberculose. (Souvent abrégé en PRIMO n. f.)

primordial, e, aux [primɔrdjal, -djo] adj. Se dit d'une chose jugée d'une très grande importance : *Il a joué un rôle primordial dans cette affaire. Il est primordial que vous partiez maintenant* (syn. : CAPITAL, ESSENTIEL ; contr. : SECONDAIRE, MINEUR). ◆ **primordialement** adv.

prince [prɛ̃s] n. m. 1° Personne qui possède une souveraineté ou qui appartient à une famille souveraine : *Le prince de Monaco.* ‖ *Princes du sang,* se disait, en France, des fils, des neveux et des frères du roi. — 2° *Fait du prince,* acte gouvernemental arbitraire (langue soutenue). ‖ Fam. *Etre bon prince,* faire preuve de générosité. ‖ Fam. *Le Prince Charmant,* jeune homme séduisant, qui semble sorti d'un conte de fées. ‖ *Prince des poètes,* titre décerné à certains poètes par leurs confrères. ◆ **princesse** n. f. 1° Fille d'un souverain ou femme d'un prince. — 2° *Belle comme une princesse,* très belle. ‖ Fam. *Aux frais de la princesse,* sans sortir un sou de sa poche : *Voyager aux frais de la princesse.* ◆ **princier, ère** adj. Digne d'un prince : *Une réception princière. Luxe princier. Offrir un traitement princier* (syn. : ROYAL). ◆ **princièrement** adv. : *Il nous a reçus princièrement.* ◆ **principauté** n. f. Petit Etat indépendant dont le chef a le titre de prince : *La principauté de Monaco.*

1. principal, e, aux [prɛ̃sipal, -po] adj. (avant ou après le nom). Se dit d'une personne, d'une chose qui est la plus importante : *Le principal personnage de l'affaire était resté dans l'ombre* (syn. : DOMINANT). *La voie principale* (contr. : SECONDAIRE). *L'élément principal* (syn. : ↑ CAPITAL, ESSENTIEL, PRIMORDIAL). *Les principaux composants d'un mélange* (syn. : PRÉDOMINANT ; contr. : COMPLÉMENTAIRE). *La raison principale* (syn. : DÉCISIF ; contr. : ACCESSOIRE). *L'entrée principale du collège.* ◆ **principal** n. m. : *Le principal, c'est d'agir vite* (= la chose principale; syn. : ESSENTIEL). ◆ **principalement** adv. Avant toute chose, par-dessus tout : *Vous remarquerez principalement, dans cette église gothique, les ogives du chœur* (contr. : ACCESSOIREMENT, SECONDAIREMENT).

2. principal, aux [prɛ̃sipal, -po] n. m. Directeur des anciens collèges municipaux.

3. principale [prɛ̃sipal] adj. et n. f. Se dit, en grammaire, d'une proposition qui, dans une phrase, est complétée ou déterminée par une proposition subordonnée qui dépend d'elle, sans qu'elle-même dépende d'aucune autre proposition : *Dans la phrase « Il pleuvait quand nous sommes sortis », la proposition « il pleuvait » est une principale.*

principauté n. f. V. PRINCE.

principe [prɛ̃sip] n. m. 1° Proposition fondamentale dans une discipline, une science particulière : *Le principe d'Archimède. Le deuxième principe de Carnot. Le principe de non-contradiction dans un système logique.* — 2° Loi fondamentale du développement, du fonctionnement d'une chose : *Le principe de l'opération à effectuer est simple. Je vais vous expliquer le principe de cette machine.* — 3° (au plur.) Règles sociales, politiques ou morales de la conduite individuelle, du comportement collectif : *Les immortels principes de 1789* (= le contenu de la Déclaration des droits de l'homme, faite en 1789). *Les principes de sa morale semblent plutôt fluctuants.* ‖ Fam. *Avoir des principes,* refuser d'accomplir certaines actions au nom d'idées morales ou religieuses. — 4° Règle générale théorique, qui doit guider une activité, une action morale (avec l'idée exprimée ou sous-jacente d'une application particulière qui la complète, la réalise, ou s'y oppose) : *Le principe est bien joli, mais la pratique sera difficile.* ‖ *Poser en principe quelque chose,* l'admettre à titre d'hypothèse, éventuellement démentie : *Je pose en principe que tout le monde viendra à la réunion, on verra bien ce qui se passera en fait.* ‖ *Partir du principe que...,* admettre comme point de départ que. • Loc. ADV. *Par principe,* en vertu d'une décision *a priori* : *Il n'est tenu aucun compte, par principe, des lettres de réclamation non signées.* ‖ *En principe,* en théorie, selon les prévisions : *Je viendrai en principe, mais ne m'attendez pas au-delà de huit heures* (syn. : THÉORIQUEMENT, NORMALEMENT).

printemps [prɛ̃tɑ̃] n. m. 1° Saison tempérée de l'année, qui va du 21 mars au 21 juin dans l'hémisphère Nord, du 23 septembre au 22 décembre dans l'hémisphère Sud, et qui succède à l'hiver et précède l'été : *Au printemps, la végétation renaît. Le retour des hirondelles en Europe au printemps. Un printemps précoce, tardif.* — 2° *Au printemps de la vie,* dans la jeunesse (littér.). ◆ **printanier, ère** adj. : *Un temps printanier* (= dont la température douce est celle des jours de printemps). *Une tenue printanière* (= des vêtements légers et clairs, qui conviennent au printemps).

priorité [prijɔrite] n. f. 1° Antériorité d'une chose par rapport à une autre : *Etablir la priorité d'un événement.* — 2° Importance préférentielle accordée à quelque chose : *La priorité d'intérêt reconnue à cette question.* — 3° Droit de certaines personnes de passer avant d'autres : *Priorité aux infirmes. Laisser la priorité aux conducteurs qui viennent de droite dans un carrefour.* • Loc. ADV. *En priorité,* avant tous les autres : *Les femmes et les enfants ont été évacués en priorité.* ◆ **prioritaire** adj. et n. Bénéficiaire d'un droit de priorité : *Les personnes prioritaires doivent s'adresser à ce guichet directement. Les industries prioritaires* (= qui sont estimées plus importantes que les autres et pour lesquelles l'aide de l'Etat doit s'exercer en priorité).

1. prise n. f. V. PRENDRE 1.

2. prise [priz] n. f. Pincée de tabac en poudre qu'on aspire par le nez. ◆ **priser** v. tr. Aspirer du tabac par le nez.

1. priser v. tr. V. PRISE 2.

2. priser [prize] v. tr. Estimer (littér.) : *Il prise fort peu ce genre de plaisanterie* (syn. : APPRÉCIER).

prisme [prism] n. m. 1° Solide ayant deux bases parallèles formées par des polygones égaux. — 2° Solide de verre ayant la forme d'un prisme triangulaire et servant à dévier ou à décomposer les rayons lumineux. ◆ **prismatique** adj. 1° *Corps prismatique.* — 2° *Couleurs prismatiques,* couleurs produites par le prisme.

prison [prizɔ̃] n. f. 1° Lieu où l'on enferme les personnes frappées d'une peine privative de liberté ou en instance de jugement : *Une voiture cellulaire l'a emmené à la prison. Mettre un voleur en prison.* — 2° Peine de prison : *Il a été condamné à la prison à vie. Faire six mois de prison préventive.*

— 3° Demeure sombre et triste : *Cette maison, quelle prison!* ◆ **prisonnier, ère** n. 1° Personne qui est en prison : *Un prisonnier de droit commun.* — 2° *Prisonnier de guerre,* militaire pris au combat. ◆ adj. Se dit de quelqu'un dont la liberté morale est entravée : *Elle était prisonnière de certains préjugés de caste.* ◆ **emprisonner** v. tr. 1° Mettre en prison : *Emprisonner un voleur.* — 2° Tenir à l'étroit, resserrer : *Avoir le cou emprisonné dans un col rigide. Les bâtiments qui emprisonnent ce vieil hôtel.* ◆ **emprisonnement** n. m. : *Un délit passible d'un emprisonnement de deux ans.*

privautés [privote] n. f. pl. Trop grandes familiarités avec une femme : *Il se laissa aller à des privautés qu'elle repoussa vivement.*

privé, e [prive] adj. 1° Se dit d'un endroit où le public n'a généralement pas accès : *Une voie privée. Les appartements privés de la reine d'Angleterre. N'entrez pas, c'est privé.* — 2° Se dit de quelque chose qui n'appartient pas à la collectivité, à l'Etat, mais à des particuliers : *La propriété privée* (contr. : COLLECTIF). *Les intérêts privés. Ecole privée, enseignement privé* (contr. : PUBLIC). *Secteur privé* (par oppos. à *secteur public et nationalisé*). *Une entreprise privée. Le souverain a tenu à faire ici un séjour à titre privé* (contr. : OFFICIEL). — 3° Se dit d'une chose strictement personnelle, qui n'intéresse pas les autres : *La vie privée* (contr. : PROFESSIONNEL, PUBLIC). *Acte sous seing privé.* — 4° *Droit privé,* droit qui règle les rapports entre les particuliers. ◆ **privé** n. m. 1° *Etre différent dans le public et dans le privé. Prendre un emploi dans le privé* (= dans le secteur privé). — 2° *En privé,* à l'écart des autres.

priver [prive] v. tr. *Priver quelqu'un de quelque chose,* lui en ôter, lui en refuser la possession, la jouissance : *Priver un homme de ses droits civils. Priver un enfant de dessert.* ◆ **se priver** v. pr. S'ôter la jouissance de quelque chose : *Il s'est privé de tout durant son adolescence. Il voudrait bien se priver de mes services* (syn. : SE PASSER DE). *Elle ne peut pas se priver de dire du mal des autres* (syn. : S'EMPÊCHER DE); et absolum. : *Elle a dû se priver pour élever ses enfants* (= s'imposer des privations). ◆ **privatif, ive** adj. 1° *Peine privative de liberté,* qui ôte la liberté. — 2° Se dit, en grammaire, des préfixes qui marquent la privation, comme *in-* dans IN*succès,* ou *a* dans A*normal.* ◆ **privation** n. f. 1° Perte de la jouissance d'un bien : *La privation de la vue. La privation de ses biens l'a beaucoup affecté* (syn. : DISPARITION, PERTE). — 2° (au plur.) Action de se priver volontairement de quelque chose : *Vie toute faite de privations et de renoncement. S'imposer de grandes privations* (syn. : SACRIFICES). *A force de privations, il avait économisé un petit capital.*

privilège [privilɛʒ] n. m. Avantage, droit particulier attaché à quelque chose ou possédé par quelqu'un, et que les autres n'ont pas : *La Révolution a aboli les privilèges attachés à la noblesse et au clergé. Les privilèges dus à son rang. Il a désormais le privilège de la voir tous les jours* (syn. : AVANTAGE, CHANCE); et ironiq. : *Il a le triste privilège d'être le dernier de sa classe.* ◆ **privilégié, e** adj. et n. 1° *Un homme privilégié par la fortune. Ils ont été privilégiés par le temps pendant leurs vacances* (syn. : ↓ FAVORISÉ, AVANTAGÉ). — 2° *Les classes privilégiées,* les classes riches ayant des prérogatives sociales, des avantages économiques : *Les privilégiés du sort. Il réserve ces précieux renseignements à quelques privilégiés.*

1. prix [pri] n. m. 1° Valeur d'une chose, exprimable en monnaie, relativement à sa vente, à son achat : *Un prix élevé. Faire monter les prix. Rabattre son prix. Quel est votre prix?* (= quel prix demandez-vous ?). *Prix courant* (= prix normal du marché). *Prix fixe* (= prix qu'il n'y a pas à débattre). — 2° *A prix d'or,* très cher : *Il a acheté cette propriété à prix d'or.* ‖ *A tout prix,* quoi qu'il puisse coûter en fait d'argent, de peine : *Il faut rattraper cet homme à tout prix* (syn. : COÛTE QUE COÛTE, ABSOLUMENT). ‖ *A aucun prix,* en aucun cas : *Il ne faut à aucun prix accepter cette proposition.* ‖ *Hors de prix,* très cher : *Ce livre est hors de prix.* ‖ *De prix,* se dit d'une chose de grande valeur : *Elle avait une robe de prix.* ‖ *N'avoir pas de prix,* être d'une très grande valeur : *Les œuvres de Rembrandt exposées n'ont pas de prix.* ‖ *Mettre quelque chose à prix,* y attacher une valeur monétaire : *Le commissaire-priseur a mis à prix cette commode Louis XVI à trois mille francs. Le shérif avait mis à prix la tête du gangster en fuite* (= avait promis une récompense à celui qui permettrait de l'arrêter). • LOC. PRÉP. *Au prix de,* en échange de, moyennant : *Achever un travail au prix de grands efforts.*

2. prix [pri] n. m. 1° Récompense accordée au plus méritant, dans un concours, à celui qui remporte une compétition, etc. : *Recevoir le prix de Rome d'architecture. Remporter le prix d'excellence* (= prix scolaire donné au meilleur élève). *Aller à Longchamp voir courir le Grand Prix* (= course annuelle de chevaux). *Prix Nobel* (du nom du fondateur). *Le prix Goncourt récompense chaque année un romancier.* — 2° Personne qui a reçu un prix : *Il y avait deux prix Goncourt qui accompagnaient le ministre des Affaires culturelles.*

pro-, préfixe qui, joint à certains noms ou à certains adjectifs, a le sens de « favorable à » : *proaméricain, prosoviétique.*

probable [prɔbabl] adj. Se dit d'un événement qui a beaucoup de chances de se produire, mais dont la réalisation n'est pas certaine : *Se préparer pour l'arrivée probable d'un ami* (syn. : VRAISEMBLABLE, ↓ POSSIBLE). *Il est probable que le temps va se gâter.* ◆ **improbable** adj. : *Un événement improbable.* ◆ **probablement** adv. : *Il ne viendra probablement pas* (syn. : VRAISEMBLABLEMENT, SANS DOUTE). *« Est-ce lui qui est venu? — Probablement »* (= je le crois; réponse affirmative, mais nuancée). *Probablement qu'il n'avait jamais fait de solfège de sa vie.* ◆ **probabilité** n. f. 1° *La probabilité d'une hypothèse* (= les chances qu'elle a d'être vraie). *Rechercher la probabilité d'un événement* (= les chances qu'il a de se produire). — 2° *Calcul des probabilités,* partie des mathématiques qui étudie les règles permettant d'établir le pourcentage des chances de réalisation d'un événement : *La probabilité de cet événement est de trois pour mille.* ◆ **improbabilité** n. f. : *L'improbabilité d'un conflit armé.* ◆ **probabilisme** n. m. Se dit de tout système philosophique ou scientifique qui se présente comme un ensemble d'hypothèses vraisemblables, possibles ou probables, mais sans certitude. ◆ **probabiliste** n.

probant, e [prɔbɑ̃, -ɑ̃t] adj. Se dit d'une chose qui emporte l'approbation, qui apporte une preuve décisive de l'existence ou de la valeur de quelque chose : *Un argument probant. Ses raisons n'ont pas semblé probantes* (syn. : CONVAINCANT, DÉCISIF, CONCLUANT). [V. PROUVER.]

probatoire [probatwar] adj. Se dit d'un examen, d'un test, etc., par lequel on s'assure que le candidat a bien les connaissances nécessaires pour se présenter à un autre examen, accéder à un niveau supérieur, etc. (V. PROUVER.)

probité [prɔbite] n. f. Observation rigoureuse des devoirs de la justice, de la morale : *Faire preuve de probité* (syn. : DROITURE, INTÉGRITÉ, ↓ HONNÊTETÉ). *Un homme de probité. Probité de la pensée* (= honnêteté dans l'appréciation, l'interprétation des faits). ◆ **probe** adj. : *Un homme probe* (emploi restreint; syn. usuels : DROIT, HONNÊTE, INTÈGRE).

1. problématique [prɔblematik] adj. Se dit d'une chose dont la solution, le résultat sont douteux : *Le succès de l'entreprise est très problématique* (syn. : HASARDEUX, INCERTAIN; contr. : SÛR, CERTAIN).

2. problématique n. f. V. PROBLÈME.

problème [prɔblɛm] n. m. 1° Dans le domaine scientifique, question qui appelle une solution d'ordre logique, rationnel : *Un problème mathématique. Les termes du problème. Les données d'un problème. Faire un problème de géométrie* (syn. : DEVOIR). — 2° Tout ce qui est difficile à résoudre, à expliquer : *Le problème moral* (= les questions que se pose l'homme sur la morale). *Les problèmes de la circulation dans Paris. Chacun a ses problèmes* (syn. : DIFFICULTÉ, ↑ ENNUI). ‖ Fam. *Il n'y a pas de problème,* il ne faut pas hésiter, c'est très simple. ◆ **problématique** n. f. Ensemble des questions posées par une branche de la connaissance (notamment en philosophie) : *La problématique de ce philosophe est au fond très simple.*

procédé [prɔsede] n. m. 1° Méthode qui permet d'obtenir un certain résultat : *Un procédé de fabrication. Un procédé mnémotechnique. Rechercher un nouveau procédé pour améliorer une technique.* ‖ *Cela sent le procédé,* c'est factice, peu naturel. — 2° Manière d'une personne de se comporter (souvent péjor.) : *Je n'aime pas son procédé* (= sa façon d'agir). *Un procédé inqualifiable. Il use de mauvais procédés à l'égard de ceux qui le soutiennent.* ◆ **procédure** n. f. Ensemble de procédés; méthode scientifique.

1. procéder [prɔsede] v. tr. ind. *Procéder à une tâche,* l'exécuter dans ses diverses phases (se dit généralement d'un ensemble d'opérations nécessitant du temps) : *Nous allons procéder au réglage des réseaux synchronisés* (à la radio). *Il faut maintenant procéder au démontage du moteur. Procéder à l'établissement d'un dossier.* ◆ v. intr. Agir de telle ou telle façon : *Procédons par ordre* (= agissons avec ordre). *Il faut procéder avec prudence.*

2. procéder [prɔsede] v. tr. ind. *Procéder de,* tirer son origine, découler de (langue soutenue) : *La philosophie de Marx procède de celle de Hegel et des doctrines des socialistes utopiques français.*

procédure [prɔsedyr] n. f. 1° Forme suivant laquelle les affaires sont instruites devant les tribunaux : *Le Code de procédure civile.* — 2° Règles, formalités, etc., nécessaires pour arriver à une solution judiciaire : *Entamer la procédure de divorce.* ◆ **procédurier, ère** n. et adj. *Péjor.* Se dit d'une personne qui aime la chicane judiciaire.

1. procès [prɔsɛ] n. m. 1° Instance devant un juge sur un différend : *Intenter un procès.* — 2° *Gagner son procès,* l'emporter dans un différend en général. ‖ *Faire le procès de quelque chose, de quelqu'un,* le critiquer de façon systématique, en énumérant ses griefs. ‖ *Sans autre forme de procès,* sans plus de formalités (littér.).

2. procès [prɔsɛ] n. m. En linguistique, action ou état exprimés ordinairement par un verbe : *L'opposition du présent et du passé composé correspond habituellement à une opposition entre un aspect non accompli et un aspect accompli du procès.*

procession [prɔsesjɔ̃] n. f. 1° Cortège, défilé religieux empreint de solennité : *La procession s'avançait lentement, bannières en tête. Une procession de la Fête-Dieu.* — 2° *Fam.* Longue suite de personnes : *Une procession de visiteurs attendait à l'entrée de l'exposition.* ◆ **processionnel, elle** adj. : *Une marche processionnelle.* ◆ **processionnellement** adv. : *Marcher processionnellement.*

processus [prɔsesys] n. m. Dans la langue scientifique ou dans le style soutenu, ensemble de phénomènes consécutifs conçus comme formant une chaîne causale progressive : *Le processus biologique de la digestion. Etudier le processus de la croissance des végétaux. L'apprentissage de la lecture, suivant un processus régulier d'acquisition.*

procès-verbal, aux [prɔsɛvɛrbal, -bo] n. m. 1° Pièce établie par un fonctionnaire, un agent assermenté, et constatant un fait, un délit : *L'agent dressa un procès-verbal contre l'automobiliste qui n'avait pas de permis de conduire.* — 2° Ecrit résumant ce qui a été dit, fait dans une circonstance solennelle : *Etablir le procès-verbal d'une séance* (syn. : COMPTE RENDU).

1. prochain [prɔʃɛ̃] n. m. Dans la langue religieuse, tout être humain : *Tu aimeras ton prochain comme toi-même.*

2. prochain, e [prɔʃɛ̃, -ɛn] adj. (avant ou après le nom). 1° Se dit d'une date rapprochée dans le temps, d'un événement périodique qui est près de se produire (syn. : SUIVANT dans le style indirect) : *L'année prochaine. La semaine prochaine. Lundi prochain. Viendrez-vous nous voir le prochain week-end? Le prochain départ de l'avion a lieu dans quarante-huit heures.* — 2° *La prochaine fois,* la première fois que tel ou tel événement se reproduira. — 3° Qui est le plus proche : *Nous nous arrêterons au prochain village* (syn. : VOISIN). ◆ **prochaine** n. f. 1° *Fam.* Station suivante, arrêt suivant, dans le métro, l'autobus, le train, etc. : *Vous descendez à la prochaine?* — 2° Fam. *A la prochaine!,* à bientôt! ◆ **prochainement** adv. Dans un proche avenir, bientôt : *Nous allons nous revoir très prochainement.*

proche [prɔʃ] adj. 1° Se dit de quelque chose ou de quelqu'un qui n'est pas éloigné dans l'espace ou dans le temps : *Sa maison est proche de la nôtre* (syn. : VOISIN). *Leurs lits étaient proches les uns des autres. Les deux adversaires étaient maintenant l'un contre l'autre, leurs deux visages tout proches.*

La nuit est proche (= elle va tomber). *La pauvre bête semblait sentir que sa mort était proche* (syn. : ↑ IMMINENT ; contr. : ÉLOIGNÉ). *Etre proche de la mort, de sa perte, de la victoire.* ‖ *Le proche avenir,* les moments qui vont suivre. ‖ *Un proche parent,* une personne avec laquelle les degrés de parenté sont en nombre peu élevés (syn. : ↓ IMMÉDIAT ; contr. : ÉLOIGNÉ). — 2° Se dit d'une chose peu différente d'une autre : *Le portugais est proche de l'espagnol. Ses prévisions sont proches de la vérité* (syn. : APPROCHANT, VOISIN). ◆ **proches** n. m. pl. Proches parents : *Ses proches ne sont pas avertis de sa disparition.*

proclamer [prɔklame] v. tr. Annoncer à haute voix : *L'accusé a proclamé hautement son innocence* (syn. : CRIER, CLAMER). *Ils font proclamer que la vérité l'emportera* (syn. : ANNONCER). *Proclamer l'état de siège* (= le faire annoncer officiellement). ◆ **proclamation** n. f. : *La proclamation des résultats d'un examen, d'un scrutin. La proclamation de la République eut lieu pour la première fois en France en 1793* (= l'annonce officielle de son existence légale). *Lancer une proclamation* (syn. : APPEL, MANIFESTE).

proclitique [prɔklitik] adj. et n. m. Se dit d'un mot privé d'accent ou d'intonation particulière, et qui fait corps avec le mot suivant : *L'article français est proclitique.*

procréer [prɔkree] v. tr. Engendrer, en parlant de l'homme ou de la femme : *Procréer de beaux enfants.* ◆ **procréation** n. f. ◆ **procréateur, trice** n. et adj.

procuration [prɔkyrasjɔ̃] n. f. 1° Pouvoir qu'une personne donne à une autre pour agir à sa place : *Pour que j'aille toucher le mandat à votre place, vous devez me signer une procuration.* — 2° *Par procuration,* en remettant à un autre le soin d'agir à sa place : *Agir, penser par procuration.*

procurer [prɔkyre] v. tr. *Procurer quelque chose à quelqu'un,* le lui obtenir, le lui donner : *Procurer un avantage à quelqu'un* (syn. : CONFÉRER). *Procurer un appartement à son fils. Il lui a procuré l'occasion de se mettre en colère* (syn. : FOURNIR). *Le plaisir que lui procurait la lecture* (syn. : APPORTER, OFFRIR). ◆ ***se procurer*** v. pr. : *Procurez-vous chacun un exemplaire du « Cid » de Corneille* (syn. : ACQUÉRIR). *Ce marchand a du mal à se procurer des clients* (syn. : TROUVER).

procureur [prɔkyrœr] n. m. *Procureur général,* magistrat qui exerce les fonctions du ministère public près la Cour de cassation, la Cour des comptes ou une cour d'appel. ‖ *Procureur de la République,* ou *procureur,* membre du parquet qui exerce les fonctions du ministère public près certains tribunaux : *Il faut d'abord entendre le réquisitoire du procureur avant les plaidoiries des avocats.*

prodige [prɔdiʒ] n. m. 1° Evénement extraordinaire, qui est ou qui paraît en contradiction avec les lois de la nature : *Une éclipse de soleil apparaissait comme un prodige à ces peuplades* (syn. : MIRACLE). — 2° Action très difficile, dont la réalisation surprend : *L'achèvement de ce travail en si peu de temps est un vrai prodige* (syn. : TOUR DE FORCE). *Il a fait des prodiges pour remettre en état ce vieux moteur. Il a prévu les événements avec une sûreté qui tient du prodige* (= extraordinaire). *Ce mécanisme est un prodige d'ingéniosité* (= est extrêmement ingénieux). — 3° Personne exceptionnellement douée : *Les prodiges comme lui sont très rares. Cet enfant est un petit prodige* (= il est extraordinairement précoce) ; et adjectiv. : *C'est un enfant prodige.* ◆ **prodigieux, euse** adj. Se dit d'une personne ou d'une chose qui surprend, qui paraît extraordinaire par ses qualités, par sa grandeur, sa rareté, etc. : *Un livre prodigieux* (syn. : MERVEILLEUX). *Une quantité prodigieuse* (syn. : ↓ ÉTONNANT, CONSIDÉRABLE, ↑ FANTASTIQUE). *Une taille prodigieuse* (syn. : COLOSSAL). *Obtenir un succès prodigieux* (syn. : INOUÏ, FOU, INCROYABLE). *Artiste d'un prodigieux talent* (syn. fam. : GÉNIAL). *Un homme prodigieux de savoir* (= dont les connaissances sont extraordinaires). ◆ **prodigieusement** adv. : *Prodigieusement grand. Prodigieusement intelligent.*

prodigue [prɔdig] adj. 1° Se dit de quelqu'un qui fait des dépenses excessives, inconsidérées : *Un héritier prodigue* (syn. : ↓ DÉPENSIER). ‖ *Le retour de l'enfant prodigue,* le retour auprès des siens d'un jeune homme qui a longtemps mené une vie de débauche loin de sa famille (allusion à une parabole évangélique). — 2° *Etre prodigue de son temps, de conseils,* etc., ne pas ménager son temps, donner fréquemment des conseils, etc. ◆ **prodigalité** n. f. 1° Caractère, conduite d'une personne prodigue : *Par sa prodigalité, il a dilapidé la plus grande partie de sa fortune.* — 2° (surtout au plur.) Dépense excessive : *Tous ses proches ont largement profité de ses prodigalités.* ◆ **prodiguer** v. tr. 1° *Prodiguer son argent, ses biens,* les dépenser sans compter (syn. : DILAPIDER, GASPILLER). — 2° *Prodiguer des soins, des attentions, des recommandations,* etc., *à quelqu'un,* les lui accorder sans compter.

prodrome [prodrom] n. m. 1° Etat d'indisposition qui précède une maladie : *Les prodromes de la fièvre typhoïde.* — 2° Fait qui laisse présager un événement, qui l'annonce : *Les prodromes d'une crise économique* (syn. : SIGNES AVANT-COUREURS).

producteur, trice adj. et n. V. PRODUIRE 1 et 4 ; **productif, ive** adj., **productivité** n. f. V. PRODUIRE 1 ; **production** n. f. V. PRODUIRE 1, 2, 3 et 4.

1. produire [prɔdɥir] v. tr. (conj. **70**). Donner naissance à une richesse économique : *La France produit en moyenne dix-sept quintaux de blé à l'hectare. Une vigne qui produit un excellent raisin* (syn. : FOURNIR). *Un bassin houiller qui produit deux millions de tonnes par an. Produire des appareils de télévision* (syn. : FABRIQUER) ; et absol. : *Certaines terres produisent moins que d'autres* (syn. : RENDRE, RAPPORTER). ◆ **produit** n. m. 1° Richesse, bien économique issus de la production : *Un produit fini* (= biens, richesse prêts à être vendus ou consommés). ‖ *Produit manufacturé,* marchandise obtenue après élaboration d'une matière première. — 2° Objet manufacturé : *Lancement d'un nouveau produit. Un produit pour la vaisselle* (= poudre, liquide détergent). ‖ *Produit d'entretien,* substance utilisée par les ménagères pour entretenir, nettoyer. ‖ *Produits pharmaceutiques,* médicaments, drogues vendus dans les pharmacies. — 3° (avec en général un compl. du nom) Résultat, bénéfice retiré de quelque chose : *Le produit de la récolte. Le produit des ventes. Produit brut* (par oppos. à *produit net*). ◆ **sous-produit** n. m. Produit dérivé d'un autre produit : *La paraffine est un* *des nombreux sous-produits du pétrole.* ◆ **producteur, trice** adj. et n. : *Les pays producteurs de pétrole. Les grands producteurs de blé. Aller directement du producteur au consommateur* (= celui qui produit, par oppos. à celui qui consomme). ◆ **productif, ive** adj. : *Sol très peu productif* (= qui produit peu). ◆ **productivité** n. f. 1° Quantité produite en considération du travail fourni et des dépenses engagées : *La productivité du travail et du capital. Accroître la productivité d'une entreprise.* — 2° *Productivité de l'impôt,* montant de ce qu'il rapporte réellement à l'Etat, compte tenu des frais engagés pour le percevoir. ◆ **improductif, ive** adj. : *Ces capitaux ne doivent pas rester improductifs. Des terres improductives* (syn. : STÉRILE). ◆ **improductivité** n. f. : *Le faible niveau de vie qui résulte de l'improductivité du sol.* ◆ **production** n. f. 1° Action de produire : *La production moyenne de cette entreprise est peu élevée* (syn. : RENDEMENT). *Restreindre la production. Le secteur de la production au sein de l'économie* (par oppos. à la *consommation*). *Les moyens de production* (= terres cultivables, machines, personnel qualifié, etc.). — 2° Bien produit : *Les productions naturelles* (= les plantes, les fruits, etc., constituant une source de richesse). *Les productions du sol, du sous-sol* (syn. : PRODUIT). ◆ **sous-production** n. f. Production inférieure aux besoins des consommateurs. ◆ **surproduction** n. f. Multiplication d'un produit, ou de l'ensemble des produits, au-delà de la demande ou des besoins des consommateurs.

2. produire [prɔdɥir] v. tr. (conj. **70**). 1° Provoquer un événement; être la source, la cause d'un phénomène : *Produire un effet sur quelqu'un* (= faire impression sur lui). *Cette méthode a produit d'heureux résultats* (syn. : DONNER). *L'eau calcaire produit un dépôt sur les parois* (syn. : FORMER). *La guerre produit toutes sortes de maux* (syn. : CAUSER, ENTRAÎNER). — 2° *Produire une sensation,* la faire naître chez autrui, en soi : *Ce livre produit une sensation de désespoir* (syn. : SUSCITER). *Ce vin produit une sensation d'amertume.* ◆ **production** n. f. : *La production d'une pellicule à la surface d'un liquide* (syn. : FORMATION). ◆ ***se produire*** v. pr. (sujet nom de chose). Arriver, survenir au cours d'une succession d'événements : *Tout à coup, un immense vacarme se produisit* (syn. : INTERVENIR); et impersonnell. : *Il s'est produit un grand changement* (syn. : S'ACCOMPLIR, AVOIR LIEU).

3. produire [prɔdɥir] v. tr. (conj. **70**). *Produire un film,* en assurer la réalisation. ◆ **producteur** n. m. Personne qui a la responsabilité financière d'un film. ◆ **production** n. f. 1° Création d'un film; sa réalisation matérielle : *La production a été assurée par la Société X.* || *Directeur de production,* personne choisie par le producteur pour coordonner les opérations nécessaires à la réalisation d'un film. — 2° Le film lui-même : *Une belle production. Une production franco-italienne.* ◆ **superproduction** n. f. Film à grand spectacle, dont le prix de fabrication est nettement supérieur à la moyenne.

4. produire [prɔdɥir] v. tr. (conj. **70**). Fournir, montrer (jurid. et admin.) : *Produire un document. Produire des témoins.* ◆ **production** n. f. : *La production de ce document devant le tribunal a fait un gros effet sur les membres du jury.* ◆ ***se produire*** v. pr. (sujet nom de personne). Se montrer, paraître en public (littér.) : *Elle a osé se produire dans un théâtre malgré le désaveu formel de sa famille.*

1. produit n. m. V. PRODUIRE 1.

2. produit [prɔdɥi] n. m. Résultat d'une multiplication arithmétique ou logique : *Le produit de deux nombres entiers. Le produit de deux facteurs.*

proéminent, e [prɔeminɑ̃, -ɑ̃t] adj. Se dit d'une chose qui dépasse notablement ce qui l'entoure, qui forme un relief : *Avoir un nez proéminent* (= qui pointe en avant). *Un front proéminent* (syn. : SAILLANT). ◆ **proéminence** n. f. : *Former une proéminence* (= être proéminent). *La proéminence du nez.*

1. profane [prɔfan] n. et adj. Personne qui n'est pas initiée à quelque chose, qui l'ignore : *Un profane en musique* (syn. : ↑ BÉOTIEN, PHILISTIN). *Aux yeux du profane, tout se vaut en peinture. Etre profane en la matière* (syn. : INCOMPÉTENT).

2. profane [prɔfan] adj. et n. Se dit de quelqu'un ou de quelque chose qui n'est pas religieux, qui est étranger à la religion : *L'art profane* (contr. : SACRÉ, RELIGIEUX). *Les cantates profanes de Bach. Littérature profane. Une éloquence profane. Un auteur profane* (= dont les œuvres traitent d'autres sujets que ceux de la religion). *Le profane et le sacré* (= ce qui est profane et ce qui est sacré).

profaner [prɔfane] v. tr. *Profaner quelque chose,* ne pas en respecter le caractère sacré : *Profaner une église. Profaner le nom de sa mère. Profaner une institution* (= l'abaisser, la détourner de son objet par usage vil). *Profaner son talent* (syn. : AVILIR, DÉGRADER). ◆ **profanation** n. f. : *La profanation de l'hostie. Profanation de sépulture. Profanation d'une église* (syn. : VIOLATION). ◆ **profanateur, trice** adj. et n.

proférer [prɔfere] v. tr. *Proférer des paroles,* les articuler, les prononcer avec force et avec violence : *Proférer des menaces à l'égard de quelqu'un. Proférer des injures. Il partit sans proférer un mot.*

professer [prɔfɛse] v. tr. Avoir pour opinion, exprimer, déclarer quelque chose comme étant une opinion personnelle (littér.) : *Ils professaient leur attachement à la patrie. Il professait un mépris profond pour la vie familiale* (syn. : AFFICHER). ◆ **profession** n. f. *Faire profession de,* déclarer ouvertement une opinion personnelle (littér.) : *Il faisait profession d'athéisme.* || *Profession de foi,* v. FOI.

professeur [prɔfɛsœr] n. m. Personne qui enseigne une discipline, un art, une technique (s'emploie pour désigner un homme ou une femme) : *Un professeur de mathématiques, de piano, de mécanique. Sa femme est professeur au lycée technique. Sa femme est un bon professeur.* ◆ **prof** n. m. Abrév. scolaire fam. de PROFESSEUR : *Chahuter les profs.* ◆ **professoral, e, aux** adj. : *Le corps professoral* (= l'ensemble des professeurs). *Prendre un ton professoral* (= digne d'un professeur; syn. : GRAVE, DOCTORAL). ◆ **professorat** n. m. : *Choisir le professorat comme métier.*

profession [prɔfɛsjɔ̃] n. f. 1° Occupation dont on tire ses moyens d'existence (appartient à la langue admin., syn. de MÉTIER) : *Donner son nom, son âge, sa profession. Exercer la profession de médecin.* — 2° Ensemble de ceux qui exercent le même métier : *Défendre les intérêts de la profession.* ◆ **professionnel, elle** adj. 1° Se dit de ce qui concerne une profession : *Stage de formation professionnelle* (= qui forme à une profession). *Certificat d'aptitude professionnelle. Déformation professionnelle* (= propre à une profession particulière). *Faute professionnelle* (= manquement à une obligation de la profession). ‖ *Secret professionnel,* obligation, pour certains corps de métiers, de ne pas révéler ce qu'un client est amené à dire : *Interrogé par la police, le médecin se retrancha derrière le secret professionnel.* — **2°** Se dit d'un sport qu'on pratique comme une profession et de ceux qui s'y adonnent : *Le cyclisme professionnel* (contr. : AMATEUR). ◆ **professionnel** n. m. **1°** Se dit de quelqu'un qui réussit parfaitement quelque chose : *Le cambriolage a été si bien fait que les voisins n'ont rien entendu : c'était un travail de professionnel* (contr. : AMATEUR). — **2°** Sportif de profession : *Une compétition entre professionnels* (contr. : AMATEUR). ◆ **professionnellement** adv. Du point de vue de la profession; au titre de la profession. ◆ **interprofessionnel, elle** adj. Relatif à plusieurs professions à la fois : *Salaire minimum interprofessionnel garanti. Des conversations interprofessionnelles ont eu lieu entre les délégués des syndicats.* (V. aussi PROFESSER.)

profil [prɔfil] n. m. **1°** Ensemble des traits du visage d'une personne vue de côté : *Dessiner un profil. Le profil du marcheur se dessinait sur le mur. Avoir un profil grec* (= où le nez est dans le prolongement direct du front). *Un beau profil. Un profil anguleux.* — **2°** Aspect extérieur d'une chose : *Le profil d'une voiture* (syn. : LIGNE). — **3°** Section théorique de certains objets pour en montrer la disposition : *Profil transversal d'une rivière* (syn. : COUPE). — **4°** *Profil psychologique,* courbe résumant un ensemble de tests destinés à apprécier les aptitudes d'un individu. ◆ **profiler** v. tr. Présenter les contours de quelque chose. ◆ ***se profiler*** v. pr. : *On voyait les arbres se profiler dans le ciel pur* (syn. : SE DÉCOUPER, SE DÉTACHER, SE DESSINER). *Sa main se profila sur le mur.*

profit [prɔfi] n. m. **1°** Avantage matériel retiré de l'exploitation d'un commerce, de la gestion d'un bien : *Une théorie économique qui met au premier plan la recherche du profit. Une source de profits illicites. Cela est à mettre au compte des profits et pertes* (= on ne le récupérera pas). — **2°** Avantage moral : *Sa connaissance de l'anglais lui a été d'un grand profit. Un élève qui a redoublé sa classe sans aucun profit* (= inutilement, en vain). — **3°** *Au profit de* (*quelqu'un*), se dit d'une chose faite pour qu'une personne en retire un avantage : *Donner de l'argent au profit des sinistrés* (syn. : AU BÉNÉFICE DE). *Trahir un ami au profit d'un inconnu.* ‖ *Faire profit, faire son profit, tirer profit de quelque chose,* en retirer un bénéfice : *L'homme ingénieux fait son profit de tout. Tirer profit des malheurs d'autrui* (syn. : EXPLOITER). ‖ *Mettre à profit,* utiliser, tirer parti de : *Vous auriez intérêt à mettre à profit les observations portées sur votre devoir.* ‖ (sujet nom de chose) *Faire du profit,* durer longtemps, être d'un usage économique : *Un gigot qui n'a pas fait beaucoup de profit.* ◆ **profiter** v. tr. ind. **1°** *Profiter de quelque chose,* en tirer un avantage : *Profiter de la première occasion pour s'enfuir. Tu as du temps pour travailler, et tu n'en profites pas. Les enfants ont profité de ce que nous n'étions pas là pour faire des bêtises.* — **2°** *Profiter en quelque chose,* s'améliorer dans un domaine particulier : *Profiter en sagesse et en savoir.* ‖ (sujet nom de chose) *Profiter à quelqu'un,* lui être utile : *Les conseils que vous lui avez donnés lui ont profité* (syn. : SERVIR). ◆ v. intr. **1°** *Enfant qui profite bien,* qui grandit, grossit comme il convient. ‖ *Cette année, les arbres n'ont pas profité* (= n'ont pas donné beaucoup de fruits). — **2°** *Plat, vêtement,* etc., *qui profite,* qui fournit beaucoup, qui fait un long usage. ◆ **profitable** adj. Se dit d'une chose qui procure certains avantages : *Une source de revenus très profitable* (syn. : AVANTAGEUX). *Il te serait plus profitable d'écouter les conseils de tes parents* (= tu ferais mieux). *Son séjour à la campagne lui a été profitable* (syn. : UTILE). ◆ **profiteur, euse** n. *Péjor.* Personne qui tire avantage du travail, du malheur, etc., d'autrui : *Les profiteurs de guerre.*

1. profond, e [prɔfɔ̃, -ɔ̃d] adj. (ordinairement après le nom). **1°** Se dit d'une chose dont le fond est loin de la surface, de l'ouverture : *Un puits très profond. Un sac très profond* (= long et étroit). *Le fleuve est très profond à cet endroit. Un placard très profond. Une grotte profonde. Il s'est fait une blessure profonde* (= qui pénètre fortement dans les chairs; contr. : LÉGER, SUPERFICIEL). — **2°** Se dit d'une chose qui est ou qui descend loin de la surface : *Les couches de terrain les plus profondes* (contr. : SUPERFICIEL). *Des racines profondes.* ◆ **profond** adv. : *Creuser profond.* ◆ **profond** n. m. *Au plus profond de,* dans la partie la plus basse, la plus retirée : *Les animaux qui habitent au plus profond de la mer. Se cacher au plus profond de la forêt* (syn. : AU CŒUR). ◆ **profondément** adv. : *Pénétrer profondément sous la peau.* ◆ **profondeur** n. f. Qualité d'une chose profonde : *Profondeur d'un puits, d'un forage. Profondeur d'un fleuve. Mesurer la hauteur, la largeur, la profondeur d'une armoire. Profondeur d'une forêt. Creuser en profondeur.* ◆ **profondeurs** n. f. pl. Endroits très profonds : *Des spéléologues qui descendent dans les profondeurs de la terre.* ‖ *Les grandes profondeurs,* les grandes fosses marines.

2. profond, e [prɔfɔ̃, -ɔ̃d] adj. (avant ou après le nom). **1°** Se dit d'une chose cachée qui commande le comportement de quelqu'un, le cours des événements : *Une œuvre littéraire qui exprime les tendances profondes d'un écrivain. La nature profonde de l'homme* (= ce qui, en l'homme, est permanent; syn. : ÉTERNEL; contr. : APPARENT, SUPERFICIEL). *Voilà la source profonde de nos maux. Distinguer les causes profondes et les causes immédiates* (syn. : LOINTAIN). *Il était poussé par un profond besoin de liberté* (syn. : OBSCUR). *Ces quelques mots révèlent son être profond* (syn. : INTIME). — **2°** Se dit de quelqu'un qui réfléchit mûrement, qui fait preuve de pénétration, ou d'une phrase, d'une œuvre littéraire riche de substance, exprimant des pensées sérieuses : *C'est un garçon très profond. Un esprit profond* (syn. : PÉNÉTRANT; contr. : SUPERFICIEL). *Une remarque profonde. Un livre où l'on découvre quelques profondes pensées. Tout cela est trop profond pour moi, je n'y comprends rien* (syn. : DIFFICILE). — **3°** Se dit de ce qui est intense, porté à un degré élevé : *Un sommeil profond* (contr. : LÉGER). *Eprouver une profonde tristesse* (syn. : VIF). *J'ai pour lui le plus profond mépris* (syn. : TOTAL, COMPLET). *Une différence profonde* (syn. : EXTRÊME). *Un profond amour* (syn. : ARDENT). *Une ignorance profonde* (syn. : CRASSE). *Une profonde solitude.* — **4°** *Salutations profondes,* qui expriment une extrême déférence. || *Prendre une inspiration profonde,* s'emplir d'air les poumons. || *Voix profonde,* voix grave, bien timbrée, pleine de majesté. ◆ **profondément** adv. Le plus souvent au sens 3 de l'adj. : *Dormir profondément* (syn. : À POINGS FERMÉS). *S'ennuyer profondément* (syn. : PRODIGIEUSEMENT, FORTEMENT). *Profondément dégoûté* (syn. : COMPLÈTEMENT). *Différer profondément* (syn. : ↑ RADICALEMENT). *Profondément malheureux. Idée profondément marquée dans l'esprit* (syn. : FORTEMENT). *Profondément convaincu* (syn. : INTIMEMENT). *Souhaiter profondément quelque chose* (syn. : ARDEMMENT). *Etre profondément attaché aux traditions.* ◆ **profondeur** n. f. : *Rien n'est venu troubler la profondeur de son sommeil* (syn. : INTENSITÉ). *La profondeur de son mépris éclatait sur son visage* (syn. : FORCE). *La profondeur de son amour* (syn. : VIVACITÉ). *Un changement en profondeur* (= radical). *Agir en profondeur* (contr. : EN SURFACE). ◆ **profondeurs** n. f. pl. Parties difficiles à pénétrer dans la psychologie humaine, mobiles profonds : *Les profondeurs de l'être.*

profusion [prɔfyzjɔ̃] n. f. Grande abondance de choses : *Une profusion de bagues à la devanture d'un joaillier. Une profusion de mets délicats* (syn. : SURABONDANCE). *Une profusion de lumière éclairait l'avenue* (syn. fam. : DÉBAUCHE). • LOC. ADV. *A profusion,* en abondance : *Au carnaval, on jette des confettis à profusion* (syn. : À FOISON). *Il y a des fautes à profusion dans ce devoir.*

progéniture [prɔʒenityr] n. f. Enfant, ensemble des enfants engendrés, par rapport aux parents (souvent ironiq. ou plaisant) : *Le père était au balcon avec toute sa progéniture, à prendre le frais.*

1. programme [prɔgram] n. m. Ensemble des matières, des questions sur lesquelles peuvent être interrogés les candidats à un examen ou à un concours, ou qu'on doit apprendre dans une classe déterminée : *Le programme de français de la troisième comprenait Chateaubriand. Les sciences naturelles étaient au programme de la quatrième.*

2. programme [prɔgram] n. m. 1° Œuvres dont l'exécution ou la représentation sont prévues au cours d'un spectacle, d'une fête : *Jouer une sonate hors programme* (= qui n'est pas prévue ou annoncée). || Fam. et ironiq. *Programme des réjouissances,* ensemble des tâches prévues. — 2° Imprimé indiquant ce qui va être joué au théâtre, exécuté au concert, etc. : *Acheter le programme.* ◆ **programmation** n. f. : *La programmation des salles de cinéma de quartier* (= manière dont les programmes sont répartis). ◆ **programmateur, trice** n. Personne qui établit un programme de radio, de cinéma, etc.

3. programme [prɔgram] n. m. 1° Exposé des intentions d'une personne, d'un groupe : *Se proposer un programme de travail très serré. Un programme à long terme.* — 2° *Programme politique,* objectifs politiques d'un candidat, d'un parti dans une circonstance particulière : *Les partis du centre n'ont pas réussi à se mettre d'accord sur un programme commun.* — 3° Ensemble des projets d'une entreprise industrielle ou commerciale : *Programme de fabrication.*

4. programme [prɔgram] n. m. Ensemble des opérations codifiées nécessaires pour réaliser, sur une machine à traiter l'information, la solution d'un problème arithmétique ou logique. ◆ **programmer** v. tr. ◆ **programmation** n. f. ◆ **programmeur, euse** n.

progrès [prɔgrɛ] n. m. 1° Changement d'état graduel d'une chose, allant dans le sens d'un accroissement, d'une extension, d'une amélioration : *Les progrès de l'inondation* (syn. : MONTÉE). *Les progrès de la science, de la médecine* (syn. : PERFECTIONNEMENT, DÉVELOPPEMENT). *Le progrès scientifique, intellectuel. Croire au progrès de l'humanité. La théorie du progrès économique. Vivre une période de progrès.* — 2° Acquisition de connaissances, de capacités par une personne : *Votre fils n'a fait aucun progrès durant ce trimestre. Les progrès d'un apprenti. Un élève en progrès* (= qui s'améliore). ◆ **progresser** v. intr. Faire des progrès, avancer : *Un élève qui progresse lentement.* (V. PROGRESSION.)

progression [prɔgrɛsjɔ̃] n. f. 1° Mouvement en avant, accroissement : *L'ennemi a fait une progression à travers les rizières. La température a suivi une progression régulière. L'économie a connu une période de progression* (contr. : RÉGRESSION). — 2° Suite de nombres dont chacun engendre le suivant d'après une loi constante : *Progression arithmétique* (= où le nombre qui sépare deux termes consécutifs est constant). *Progression géométrique* (= où chaque terme est égal au précédent multiplié ou divisé par un nombre constant). ◆ **progresser** v. intr. : *Les troupes progressent lentement en direction de la frontière. L'inondation progresse* (= s'amplifie, gagne). *Le mal progresse lentement chez le malade* (= envahit l'organisme; syn. : S'AGGRAVER, EMPIRER). ◆ **progressif, ive** adj. : *Les intérêts suivent un taux progressif* (= qui va en croissant; contr. : DÉGRESSIF). *Surtaxe progressive. L'amélioration progressive du rendement* (= qui se fait peu à peu). ◆ **progressivement** adv. : *Réduire progressivement sa vitesse* (syn. : PEU À PEU, PETIT À PETIT). *Les mauvaises herbes ont progressivement envahi le jardin à l'abandon.* ◆ **progressivité** n. f. : *La progressivité de l'impôt.* ◆ **progressisme** n. m. Mouvement politique qui tend à intégrer certaines valeurs marxistes à des systèmes libéraux, individualistes, etc. ◆ **progressiste** adj. et n. : *Une politique progressiste. Un député progressiste.*

prohiber [prɔibe] v. tr. *Prohiber quelque chose,* le défendre, l'interdire légalement : *La loi qui prohibe le commerce des stupéfiants* (contr. : AUTORISER). ◆ **prohibition** n. f. Interdiction d'importer certains produits : *Prendre des mesures de prohibition.* || *Prohibition de l'alcool,* ou *prohibition,* époque pendant laquelle la fabrication et la vente de l'alcool étaient interdites aux Etats-Unis (1919-1933). ◆ **prohibé, e** adj. *Armes prohibées,* armes dont le port ou la détention sont interdits par la loi. || *Temps prohibé,* temps pendant lequel certains actes sont interdits : *Chasser en temps prohibé peut coûter très cher au contrevenant.* ◆ **prohibitif, ive** adj. : *Mesures prohibitives* (= mesures d'interdiction). || *Prix prohibitifs,* se dit de prix si élevés qu'ils empêchent l'achat ou la vente : *Les prix des appartements sont devenus prohibitifs.* ◆ **prohibitionnisme** n. m. Système économique fondé sur la prohibition de certains produits. ◆ **prohibitionniste** adj.

proie [prwa] n. f. 1° Etre vivant dont un animal s'empare pour le dévorer : *Le tigre épiait sa proie.*

|| *Oiseau de proie,* oiseau qui se nourrit d'autres animaux; homme rapace et cruel. — 2° (sujet nom de chose ou de personne) *Etre la proie de quelqu'un, de quelque chose,* être entre les mains, au pouvoir d'une personne, être ruiné, ravagé par quelque chose (langue soutenue) : *Un homme aussi naïf était une proie facile pour des escrocs. La maison était la proie des flammes.* — 3° (sujet nom de personne) *Etre en proie à l'inquiétude, au doute,* etc., être sous l'emprise de ces sentiments, de ces maux : *Candidat qui est en proie au désespoir. Il est en proie à une maladie chronique. En proie à une violente colère.*

1. projecteur [prɔjɛktœr] n. m. Source lumineuse intense, dont les rayons sont groupés en faisceau : *L'actrice reste seule sur la scène, sous les feux croisés des projecteurs. Le projecteur balayait lentement l'entrée du camp.*

2. projecteur n. m. V. PROJETER 2.

projectile [prɔʒɛktil] n. m. Corps lancé avec force, et en particulier corps lancé au moyen d'une arme à feu : *Toutes sortes de projectiles pleuvaient pendant la bagarre : carafes, soucoupes, chaises, etc. Un char atteint par plusieurs projectiles* (syn. : OBUS). *Il a été blessé à la jambe : le projectile a été extrait* (= balle, éclat d'obus, de grenade, etc.).

projection n. f. V. PROJETER 2 et 3.

1. projeter [prɔʒte ou prɔʃte] v. tr. (conj. 8). *Projeter quelque chose,* avoir l'intention de le faire : *Nous projetons un voyage en Israël* (syn. : ↓ ENVISAGER, ↑ DÉCIDER). *Ils projettent de faire une excursion en montagne. Ils projettent de nouveaux travaux.* ◆ **projet** n. m. 1° Ce qu'on a l'intention de faire : *Faire des projets de vacances. Un projet grandiose. Un projet irréalisable* (syn. : IDÉE, PROGRAMME). *Il a formé le projet de constituer un orchestre d'amateurs. Faire des projets d'avenir* (= envisager quelque chose à long terme, en général sans portée pratique). || *Avoir des projets sur quelqu'un,* avoir certaines intentions en ce qui le concerne. || *Avoir des projets sur une place,* envisager de l'occuper. — 2° Première rédaction d'un texte : *Voici un projet de livre* (= première ébauche d'un livre). || *Projet de loi,* texte rédigé par un ministre ou par un parlementaire, déposé sur le bureau d'une assemblée en vue de son adoption comme loi. — 3° Etude en vue d'une réalisation particulière, notamment en architecture. ◆ **avant-projet** n. m. Etude préparatoire d'un projet : *L'avant-projet d'un devis. Divers avant-projets ont précédé la décision finale.* ◆ **contre-projet** n. m. Projet qu'on oppose à un autre.

2. projeter [prɔʒte ou prɔʃte] v. tr. (conj. 8). 1° *Projeter une ombre,* la faire apparaître sur une surface qui forme écran : *Les arbres projetaient leurs ombres sur les prés au soleil couchant. La lampe projette sur le mur la silhouette des deux interlocuteurs.* — 2° *Projeter un film, des photos, des dessins,* les faire apparaître sur l'écran grâce à un dispositif lumineux spécial. — 3° *Projeter un point, une ligne, une surface, un volume* (en mathématiques), les porter, les représenter sur une surface, généralement un plan, selon certaines règles. ◆ **projecteur** n. m. Appareil destiné à projeter des films, des photos, etc. ◆ **projection** n. f. : *La projection d'une ombre sur le sol. La projection de ce film a été interdite par la commission de censure. La projection de photos en couleurs. La projection orthogonale d'un trièdre sur un plan* (= faite en abaissant des perpendiculaires sur ce plan).

3. projeter [prɔʒte ou prɔʃte] v. tr. (conj. 8). Jeter avec force : *Des pneus de voiture qui projettent des gravillons. Le chalumeau du soudeur projetait des gerbes d'étincelles. Volcan qui projette des poussières noires.* ◆ **projection** n. f. : *Une projection de salive. Projection volcanique* (= matière volcanique projetée par un volcan).

prolétaire [prɔletɛr] n. m. Personne qui ne possède pour vivre que son salaire. (On l'oppose souvent à *capitaliste* et à *bourgeois.*) ◆ **prolétariat** n. m. Classe sociale des prolétaires. ◆ **prolétarien, enne** adj. : *Classe prolétarienne. Parti socialiste et prolétarien* (nom du parti socialiste dans certains pays). ◆ **prolétariser** v. tr. Réduire des producteurs indépendants (exploitants agricoles, artisans, etc.) à la nécessité de mettre leur force de travail à la disposition de ceux qui détiennent les moyens de production. ◆ **prolétarisation** n. f. : *La prolétarisation des petits artisans des grandes villes.* ◆ **sous-prolétariat** n. m. Ensemble de ceux qui ne travaillent pas, qui n'ont pas de ressources.

proliférer [prɔlifere] v. intr. 1° Se multiplier, se développer en se reproduisant, par apports successifs : *Dans le cancer, les cellules se mettent à proliférer* (= à se reproduire à une vitesse très grande). *Les poissons, placés dans de bonnes conditions, prolifèrent.* — 2° Augmenter en nombre : *Les petits commerçants avaient proliféré dans ce site touristique.* ◆ **prolifération** n. f. : *La prolifération des cellules d'une tumeur maligne. La prolifération des armes nucléaires* (= l'augmentation de leur nombre).

prolifique [prɔlifik] adj. 1° Se dit d'animaux qui se multiplient rapidement : *Les lapins sont prolifiques.* — 2° *Fam.* Se dit d'un artiste, d'un écrivain particulièrement fécond : *Un romancier prolifique.*

prolixe [prɔliks] adj. Se dit d'une personne (ou de son comportement) qui parle ou qui écrit trop abondamment par rapport à ce qu'elle exprime : *Un écrivain prolixe* (syn. : BAVARD). *Fournir des explications prolixes* (syn. : VERBEUX). *Un style prolixe* (syn. : DIFFUS). ◆ **prolixité** n. f. : *Faire preuve de prolixité* (contr. : BRIÈVETÉ, CONCISION, ↑ LACONISME).

prologue [prɔlɔg] n. m. 1° Partie d'une œuvre littéraire ou musicale, notamment d'une pièce de théâtre, dans laquelle on expose des événements antérieurs à ceux qui font l'objet de l'œuvre elle-même : *Le prologue de l' « Amphitryon » de Molière met en scène le dieu Mercure.* — 2° Introduction en général (style soutenu ou ironiq., ou par allusion littér.) : *Je vous présente, en guise de prologue, mes meilleurs vœux pour le nouvel an.*

prolongements [prɔlɔ̃ʒmɑ̃] n. m. pl. Suites, conséquences d'un événement, d'une affaire : *Ne pas attendre les prolongements d'un échec pour renoncer. Etudier les prolongements de la Révolution française dans l'Europe du XIXe siècle* (= ses conséquences directes et indirectes). [V. aussi PROLONGER 2.]

1. prolonger [prɔlɔ̃ʒe] v. tr. *Prolonger quelque chose,* le faire durer plus longtemps : *Prolonger la soirée chez des amis. Nous avons décidé de prolonger notre séjour. Prolonger le débat à l'As-*

semblée (syn. : POURSUIVRE). *Prolonger le cessez-le-feu* (= reculer le moment où il devrait prendre fin). ◆ ***se prolonger*** v. pr. : *L'effet du narcotique se prolonge* (syn. : PERSISTER). *La séance se prolongeait* (syn. : ↑ S'ÉTERNISER). *Le désir de se prolonger par des enfants* (syn. : SE PERPÉTUER). ◆ **prolongé, e** adj. **1°** *Un coup de sifflet prolongé. Une sécheresse prolongée* (= qui dure très longtemps). — **2°** Fam. *Une jeune fille prolongée,* une fille non mariée à un âge avancé. ◆ **prolongation** n. f. **1°** *Obtenir une prolongation de congé. La prolongation de la soirée, d'un débat, d'un cessez-le-feu.* — **2°** En sports, période accordée à deux équipes à égalité en fin de match, pour leur permettre de se départager : *Jouer les prolongations.*

2. prolonger [prɔlɔ̃ʒe] v. tr. *Prolonger quelque chose,* en étendre la longueur : *Prolonger une rue. Prolonger le mur jusqu'au fond du jardin.* ◆ ***se prolonger*** v. pr. : *La route se prolonge par un chemin mal pavé.* ◆ **prolongement** n. m. : *Le prolongement d'une autoroute.*

promener (se) [səprɔmne] v. pr. (sujet nom de personne). **1°** Aller d'un endroit à un autre pour se distraire, se délasser, etc. : *Se promener à pied. Aller se promener dans les bois. Nous allions nous promener une demi-heure après le déjeuner, puis le surveillant nous ramenait à l'étude.* — **2°** *Allez vous promener, qu'il aille se promener!,* manifestations d'impatience ou d'animosité à l'égard de quelqu'un. ◆ **promener** v. tr. **1°** *Promener un être animé,* le conduire se promener : *La maman est allée promener ses enfants au Luxembourg. Descendre promener les chiens dans la rue. Va chercher mes cigarettes, ça te promènera* (= cela te fera une distraction). — **2°** *Promener une statue dans une procession,* la porter et lui faire faire un certain itinéraire. ‖ *Promener ses doigts sur le piano,* les faire jouer rapidement pour s'exercer, avant d'exécuter un morceau. ‖ *Promener ses yeux sur un objet,* le regarder en tous sens. ◆ v. intr. Fam. *Envoyer promener quelqu'un,* le renvoyer brutalement, se débarrasser de lui. ‖ Fam. *Envoyer promener quelque chose,* le lancer, le rejeter dans un mouvement d'humeur : *Dans sa colère, il a envoyé promener son chapeau.* ‖ Fam. *Envoyer tout promener,* se dégoûter, se lasser de tout : *Il avait commencé un travail, mais, comme personne ne le soutenait, il en a eu assez et il a tout envoyé promener.* ◆ **promenade** n. f. **1°** Action de se promener : *Promenade à la campagne* (syn. : EXCURSION). *Une promenade sur le lac. Partir en promenade* (syn. fam. : BALADE). *Faire une promenade* (syn. fam. : FAIRE UN TOUR). *Une longue promenade à travers bois. Une promenade en voiture, à pied, à vélo.* — **2°** Lieu aménagé dans une ville pour se promener (vieilli dans ce sens) : *Au-dessus des remparts, il y avait une belle promenade plantée d'arbres.* ◆ **promeneur, euse** n. Personne qui se promène : *Un promeneur solitaire. Les promeneurs du dimanche occupaient toute la largeur du trottoir.* ◆ **promenoir** n. m. **1°** Lieu destiné à la promenade, dans un édifice clos (collège, lycée, prison, hôpital). — **2°** Partie d'un théâtre où les spectateurs restent debout.

promettre [prɔmɛtr] v. tr. (conj. **57**). **1°** *Promettre de* (et l'infin.), *promettre que* (et l'indic.), s'engager devant quelqu'un à faire quelque chose : *Je vous promets de venir vous voir. Il promet qu'il travaillera mieux. Il avait promis à son père qu'il reviendrait à la maison. Je n'ose rien vous promettre.* — **2°** *Promettre quelque chose à quelqu'un,* s'engager à le lui donner : *Promettre une sucette à un enfant.* — **3°** *Promettre monts et merveilles,* laisser espérer des choses merveilleuses. ‖ Fam. *Promettre la lune,* laisser espérer des choses impossibles. ‖ *Promettre le secret,* assurer à quelqu'un qu'on gardera le secret. ‖ *Promettre son cœur, sa main, son amour,* etc., s'engager à les accorder. ◆ v. tr. et intr. **1°** (sujet nom de chose) Laisser présager ce qui va suivre, annoncer l'avenir : *La saison promettait d'être belle.* — **2°** *Promettre beaucoup,* laisser naître de grands espoirs, permettre d'espérer une récolte, un profit abondant, etc. : *Les pommiers promettent beaucoup cette année* (= auront beaucoup de pommes). ‖ Fam. *Ça promet!,* exprime la désapprobation, la crainte à l'égard de l'avenir : *Sa fille à douze ans met déjà du rouge à lèvres : ça promet! Il gèle déjà au mois d'octobre! Ça promet pour cet hiver!* ◆ ***se promettre*** v. pr. **1°** Prendre la résolution (de) : *Il se promettait bien de rester maître du terrain* (= il escomptait bien l'être). — **2°** *Se promettre du plaisir, du bon temps,* etc., envisager d'en avoir. — **3°** S'engager à être présent quelque part : *Je compte sur vous dimanche prochain : ne vous promettez pas ailleurs.* ◆ **promis, e** adj. **1°** *Chose promise, chose due* (= on doit donner ce qu'on a promis). — **2°** *Terre promise,* pays très riche (littér. et par allusion à la Bible). ‖ *Promis à quelque chose,* se dit d'une personne qui est destinée à cette chose, à qui cette chose doit sûrement arriver : *Un jeune homme promis à un brillant avenir.* ◆ **promesse** n. f. Assurance qu'on donne de faire, de fournir, de dire quelque chose : *Faire une promesse. Tenir sa promesse* (= la réaliser). *Il ne dira rien : j'ai sa promesse. Il était lié par sa promesse de garder le secret. Promesse d'ivrogne* (= promesse dont on sait trop bien qu'elle ne sera pas tenue). ◆ **prometteur, euse** adj. Se dit de ce qui laisse bien augurer de l'avenir : *Des débuts prometteurs. Un sourire prometteur* (syn. : ENGAGEANT).

promiscuité [prɔmiskɥite] n. f. Proximité choquante de personnes, ou de choses et de personnes : *Il vivait avec toute sa famille dans une seule pièce, dans une promiscuité dont chacun souffrait.*

promontoire [prɔmɔ̃twar] n. m. Cap élevé, s'avançant dans la mer.

promotion [prɔmɔsjɔ̃] n. f. Ensemble des élèves entrés la même année dans une grande école : *Un camarade de promotion. Etre reçu cacique de sa promotion.* (Abrév. fam. : PROMO.) [V. aussi PROMOUVOIR 1 et 2.]

1. promouvoir [prɔmuvwar] v. tr. (conj. **36**). *Promouvoir quelque chose,* le mettre en action, en œuvre : *Promouvoir une politique de progrès social.* ◆ **promoteur, trice** n. : *Le promoteur de cette réforme* (= celui qui en a eu l'idée; syn. : INSTIGATEUR). ◆ **promotion** n. f. : *Promotion des ventes,* service chargé d'accroître le chiffre d'affaires d'une entreprise (publicité, vente personnelle, etc.).

2. promouvoir [prɔmuvwar] v. tr. (conj. **36**). *Promouvoir quelqu'un,* l'élever à une fonction, à un grade supérieurs : *Le ministre l'a promu à un haut poste dans son ministère. Il a été promu général de division.* ◆ **promotion** n. f. **1°** *Sa promotion au poste de directeur fut sa dernière joie.* — **2°** *Promotion ouvrière, sociale,* élévation du niveau de vie des classes défavorisées ou d'un individu à un niveau de vie supérieur : *Une politique de promotion sociale. Des mesures tendant à favoriser la promotion ouvrière.*

prompt, e [prɔ̃, -ɔ̃t] adj. (avant ou après le nom). Se dit d'une chose qui se produit rapidement, ou d'une personne qui agit rapidement (employé dans la langue littér., comme syn. de *rapide,* et dans quelques expressions de la langue soutenue) : *Je vous souhaite un prompt rétablissement. Un prompt départ. Un geste prompt* (syn. : BRUSQUE). *L'esprit est prompt, mais la chair est faible* (allusion biblique = on voit le bien, mais on cède au mal). ◆ **promptement** adv. : *L'affaire a été promptement réglée.* ◆ **promptitude** n. f. : *La promptitude de l'intervention des pompiers a permis d'éviter une catastrophe* (syn. : RAPIDITÉ).

promulguer [prɔmylge] v. tr. *Promulguer une loi,* la publier officiellement et la rendre applicable quand elle a été régulièrement adoptée. ◆ **promulgation** n. f. : *La promulgation de la loi intervient parfois beaucoup plus tard que son adoption par le Parlement.*

prône [pron] n. m. Instruction qu'un prêtre fait le dimanche à la messe paroissiale.

prôner [prone] v. tr. Vanter, louer, recommander quelque chose : *Prôner la modération* (syn. : PRÉCONISER, RECOMMANDER). ◆ **prôneur, euse** n. Péjor. : *Un prôneur du régime végétarien.*

pronom [pronɔ̃] n. m. V. CLASSE, *Classes grammaticales.* ‖ *Pronoms personnels,* V. JE, TU, IL, NOUS. ‖ *Pronoms possessifs,* V. MON. ‖ *Pronoms démonstratifs,* V. CE. ‖ *Pronoms indéfinis,* V. AUCUN, PERSONNE, RIEN, etc. ‖ *Pronoms relatifs* et *interrogatifs,* V. QUI. ◆ **pronominal, e, aux** adj. : *L'emploi pronominal de « tout »* (= en fonction de pronom).

pronominal, e, aux [prɔnɔminal, -no] adj. et n. *Forme* ou *voix pronominale,* forme du verbe précédée d'un pronom personnel réfléchi (*me, te, se, nous, vous*). ‖ *Adjectifs pronominaux,* se dit parfois des adjectifs possessifs, démonstratifs, interrogatifs, relatifs, exclamatifs, indéfinis.

prononcé, e [prɔnɔ̃se] adj. Se dit d'une chose qui apparaît tout de suite, en raison de son importance ou de son caractère marqué : *Avoir un nez d'une courbure prononcée* (syn. : ACCENTUÉ, ACCUSÉ). *Avoir les traits du visage très prononcés* (contr. : EFFACÉ). *Manifester un goût prononcé pour les petits gâteaux.*

1. prononcer [prɔnɔ̃se] v. tr. et intr. 1° Articuler d'une manière particulière les phonèmes : *Comment prononcez-vous « think » en anglais? On écrit « paon » et on prononce* [pɑ̃]. *Son nom est très difficile à prononcer. On le prononce avec un l mouillé. Il prononce très mal.* — 2° Syn. de DIRE (langue soutenue) : *Dans son émotion, il n'a pas pu prononcer un seul mot* (syn. : ARTICULER, ÉMETTRE). ◆ ***se prononcer*** v. pr. : *Comment cela se prononce-t-il?* ◆ **prononcé, e** adj. : *Mots à peine prononcés* (syn. : ARTICULÉ). ◆ **prononciation** n. f. Façon de prononcer : *Cet homme avait, en donnant son nom, une prononciation étrangère* (syn. : ACCENT). *Rechercher la prononciation usuelle des mots. Avoir un défaut de prononciation. Ecrire un traité de prononciation.* ◆ **prononçable** adj. : *Ce mot est à peine prononçable.* ◆ **imprononçable** adj. : *Cette langue est réellement imprononçable, tant qu'on n'a pas séjourné dans le pays. Une phrase comme « un chasseur sachant chasser sous cette chaleur » est-elle imprononçable?*

2. prononcer [prɔnɔ̃se] v. tr. 1° Dans la langue juridique, faire connaître une décision, un jugement, etc. : *Le juge a prononcé le huis clos. Prononcer la dissolution de l'Assemblée. A quelle date la notification de la saisie a-t-elle été prononcée?* — 2° *Prononcer des vœux,* entrer en religion, prendre des engagements religieux. ◆ ***se prononcer*** v. pr. Prendre une décision, prendre un parti dans un choix, une alternative : *Le jury s'est prononcé pour la culpabilité avec circonstances atténuantes. Entre les deux candidats au poste, le directeur s'est prononcé en faveur du plus jeune* (syn. : OPTER, SE DÉCIDER).

pronostic [prɔnɔstik] n. m. 1° Jugement que porte un médecin sur la durée, l'issue d'une maladie : *Le docteur a réservé son pronostic.* — 2° Conjecture sur ce qui doit arriver : *Ce journaliste politique se trompe rarement dans ses pronostics* (syn. : PRÉVISION). *Les pronostics avant la course donnaient gagnant le cheval n° 13.* ◆ **pronostiquer** v. tr. : *Le médecin a pronostiqué une longue maladie. Aucun des journalistes n'avait pronostiqué le résultat des élections.* ◆ **pronostiqueur, euse** n. Péjor. : *Les événements ont donné tort aux pronostiqueurs.*

pronunciamiento [prɔnɔ̃sjamjɛnto] n. m. Action illégale de chefs d'armée s'emparant du pouvoir. (S'emploie surtout en parlant de coups d'Etat dans les pays de langue espagnole.)

propagande [prɔpagɑ̃d] n. f. Action concertée, organisée en vue de répandre une opinion, une religion, une doctrine : *Les élèves accusés de faire de la propagande politique ont été renvoyés. Une propagande en faveur de la libération des peuples opprimés. Propagande électorale.* ◆ **propagandiste** adj. et n. : *Un zélé propagandiste du marché commun européen.*

propager [prɔpaʒe] v. tr. (sujet nom de personne). Répandre quelque chose dans le public : *Propager une nouvelle* (syn. : COLPORTER). *Propager des idées, des connaissances* (syn. : POPULARISER, VULGARISER). *Propager une mode.* ◆ ***se propager*** v. pr. (sujet nom de chose). Se répandre, s'étendre : *Le son ne peut pas se propager dans le vide. L'influx nerveux se propage de la périphérie vers le système nerveux central. L'incendie s'est propagé à travers les demeures en bois. Les idées d'indépendance se propageaient rapidement.* ◆ **propagation** n. f. : *Etudier la vitesse de propagation des électrons dans un tube.* ◆ **propagateur, trice** n. : *Un propagateur d'idées nouvelles.*

propension [prɔpɑ̃sjɔ̃] n. f. Inclination d'une personne vers quelque chose, tendance à faire cette chose : *Avoir une certaine propension à critiquer les autres* (syn. : DISPOSITION, PENCHANT). *Une grande propension à chercher refuge chez ses aînés. Il a une propension naturelle à la paresse.*

prophète [prɔfɛt] n. m. 1° Personne qui prédit l'avenir : *Les prophètes de l'Ancien Testament. Nul n'est prophète en son pays* (= on n'est jamais écouté par ceux qui vous connaissent trop bien). *Je ne suis pas prophète* (= je ne connais pas l'avenir). *Pas besoin d'être prophète pour savoir qu'il va échouer.* (Le fém. PROPHÉTESSE est rare.) —

2° Fam. *Un prophète de malheur,* une personne qui n'annonce que des malheurs. ◆ **prophétie** [prɔfesi] n. f. Prédiction d'un événement futur : *Ses prophéties en matière politique ont été constamment démenties.* ◆ **prophétique** adj. : *Langage prophétique* (= digne d'un prophète). *Paroles prophétiques* (= qui annonçaient un événement qui s'est réalisé). ◆ **prophétiser** v. tr. et intr. : *Il prophétisait la chute de l'Empire et l'avènement des temps nouveaux.*

prophylaxie [prɔfilaksi] n. f. Ensemble des précautions et des mesures propres à garantir des maladies : *Les services de prophylaxie de la Préfecture.* ◆ **prophylactique** adj. : *Des mesures prophylactiques.*

propice [prɔpis] adj. Se dit de ce qui convient bien, se prête bien à quelque chose (langue soutenue) : *Une occasion propice* (= une bonne occasion, un bon moment). *Un temps propice à la pêche. Choisir le moment propice pour présenter une requête* (syn. : OPPORTUN, FAVORABLE ; contr. : DÉFAVORABLE).

proportion [prɔpɔrsjɔ̃] n. f. 1° Egalité de deux rapports mathématiques (par ex. : 1/3 = 2/6). — 2° Rapport établi entre les parties d'un tout, entre des choses comparables, etc. : *Une maison qui a de belles proportions* (= la hauteur, la longueur, la largeur sont dans un rapport qui plaît). *L'incident est hors de proportion avec ce qui l'a causé* (= sans commune mesure avec). *Il n'y a aucune proportion entre le prix que tu demandes et le prix réel* (= aucune commune mesure). — 3° *Toutes proportions gardées,* s'emploie pour limiter une comparaison : *Toutes proportions gardées, le mobilier vaut plus cher que la maison* (= si l'on se réfère à la valeur normale de l'un et de l'autre). • LOC. ADV. *En proportion,* selon des mesures appropriées, en rapport : *Il a une famille nombreuse et un appartement en proportion.* • LOC. PRÉP. *En proportion de,* suivant l'importance de : *Le travail est mal payé en proportion des risques. Bénéfice faible en proportion de la dépense* (syn. : EU ÉGARD À). ◆ **proportions** n. f. pl. Importance matérielle ou morale de quelque chose : *Un pilier de très grandes proportions* (syn. : DIMENSIONS). *L'affaire a pris des proportions considérables.* ◆ **proportionnel, elle** adj. 1° Se dit d'une grandeur, d'une quantité qui est en proportion avec une autre, notamment en mathématiques : *Grandeur directement proportionnelle, grandeur inversement proportionnelle. Chacun doit toucher une rétribution proportionnelle au travail qu'il a effectivement fourni.* — 2° *Représentation proportionnelle,* ou *proportionnelle* n. f., système électoral accordant aux divers partis des représentants en nombre proportionnel aux suffrages recueillis. ◆ **proportionnellement** adv. [à] : *Calculer ses dépenses proportionnellement à ses revenus.* ◆ **proportionnalité** n. f. 1° Caractère des grandeurs proportionnelles entre elles : *Coefficient de proportionnalité.* — 2° *Proportionnalité de l'impôt,* système dans lequel le taux de l'impôt reste fixe, quel que soit le montant de la matière imposable (contr. : PROGRESSIVITÉ). ◆ **proportionner** v. tr. : *Proportionner sa peine au gain qu'on en tire.* ◆ **proportionné, e** adj. *Bien proportionné,* dont les diverses parties sont dans un rapport harmonieux, surtout en parlant d'une personne : *Il a les membres bien proportionnés* (syn. : BIEN FAIT ; fam. : BIEN BÂTI ; pop. : BIEN BALANCÉ ; contr. : MAL FAIT). ◆ **disproportion** n. f. Défaut de proportion : *Il y a une disproportion entre cet incident et vos inquiétudes. La disproportion d'âge ne les empêche pas d'avoir les mêmes goûts* (syn. : INÉGALITÉ, ↓ DIFFÉRENCE). ◆ **disproportionné, e** adj. : *Mettre en œuvre des moyens disproportionnés avec le résultat recherché.*

1. propos [prɔpo] n. m. pl. Paroles dites, mots échangés au cours d'une conversation (langue soutenue) : *Tenir des propos d'une extrême banalité. Ses affirmations ne sont que propos en l'air. Il s'est laissé aller à des propos blessants à l'égard de son ami.*

2. propos n. m. V. PROPOSER 2.

3. propos [prɔpo] n. m. (Entre dans des loc.) • LOC. PRÉP. *A propos de,* au sujet de : *Parler d'une catastrophe à propos d'un événement qui n'est qu'un accident. Il fait des histoires à propos de tout* (= en toute occasion). *A propos de ce que vous disiez* (= relativement à ce que vous disiez). *Elle rit à propos de tout et de rien* (= sans raison, continuellement). • LOC. ADV. *A tout propos,* constamment : *Il parle à tout propos de sa gloire passée* (syn. fam. : À TOUT BOUT DE CHAMP). ‖ *A propos!,* sert à marquer une transition, dans un dialogue, entre deux idées différentes : *A propos! il faut que je vous raconte la dernière bonne histoire de notre cher directeur...*

4. propos (à) [aprɔpo] loc. adv. De façon opportune : *Arriver fort à propos. Ce mandat arriva fort à propos pour le tirer d'embarras* (syn. : À POINT ; fam. : À PIC). *Vous tombez mal à propos* (= à un mauvais moment).

1. proposer [prɔpoze] v. tr. *Proposer quelque chose, une personne à quelqu'un,* les lui faire connaître, les lui présenter pour les soumettre à son choix : *Proposer sa marchandise aux clients* (= l'exposer aux regards pour la vendre). *Proposer sa fille en mariage. Quel prix proposez-vous? Je vous propose un plan d'action* (syn. : SOUMETTRE). *Proposer une interprétation* (syn. : SUGGÉRER, PRÉSENTER). *Je vous propose de venir me voir* (syn. : INVITER). *Proposer une candidate à un poste de secrétaire. Je propose que chacun donne son avis sur la question.* ◆ **se proposer** v. pr. Offrir ses services : *Il s'est proposé pour assurer la permanence.* ◆ **proposition** n. f. Le fait de proposer ; ce qui est proposé : *Votre proposition me convient, je l'accepte. Vos propositions ne sont pas raisonnables* (syn. : OFFRE, OUVERTURE). — 2° *Proposition de paix,* offre qu'un pays fait à un autre de cesser la guerre, d'établir un traité de paix. ‖ *Faire des propositions à une femme,* la courtiser. ◆ **contre-proposition** n. f. Proposition faite en opposition à une autre qu'on n'accepte pas : *Les négociateurs ont échangé une série de propositions et de contre-propositions avant de parvenir à un accord.*

2. proposer (se) [səprɔpoze] v. pr. *Se proposer de faire quelque chose,* se l'assigner comme but : *Dans ce livre, l'auteur s'est proposé de traiter un sujet délicat. Je me propose de vous démontrer qu'il a raison.* ◆ **propos** n. m. 1° Intention, but (langue soutenue) : *Mon propos n'est pas de faire l'éloge d'un incapable* (= je ne cherche pas à le faire). — 2° *Avoir le ferme propos de faire quelque chose,* avoir la ferme intention de le faire. (V. aussi PROPOSER 1.) ◆ **avant-propos** n. m. Toute préface d'un livre où l'auteur présente une idée préliminaire de ce qu'il s'est proposé de faire dans son ouvrage.

proposition [prɔpozisjɔ̃] n. f. En grammaire, unité constitutive d'un énoncé, composée en général d'un groupe nominal et d'un groupe verbal, et formant une partie d'une phrase, sinon la phrase tout entière : *L'énoncé : « Il pleuvait quand nous sommes sortis. Heureusement, nous n'avions pas loin à aller », est composé de deux phrases limitées par un point. La première phrase comporte deux propositions : « Il pleuvait » (proposition principale) et « quand nous sommes sortis » (proposition subordonnée).*

1. propre [prɔpr] adj. (après le nom). 1° Se dit d'une chose nette, sans trace de souillure, de poussière ou d'ordure : *Un mouchoir propre. Va te laver les mains, elles ne sont pas propres. Passer une chemise propre* (contr. : SALE, CRASSEUX). *Des draps propres.* — 2° Se dit d'une personne qui se lave souvent : *Des enfants propres* (contr. : MALPROPRE). — 3° Se dit d'un tout petit qui ne se souille plus : *Cet enfant dort sans couche, car il est propre maintenant.* — 4° Se dit d'une personne, d'une activité, d'un comportement moral honnête, ou de ce qui est fait avec soin : *Il n'a jamais rien fait de propre dans sa vie. Toutes ces spéculations sur les appartements, ce n'est pas très propre* (contr. : IMMORAL). ◆ n. m. *C'est du propre!*, se dit d'une chose qu'on désapprouve fortement. ‖ *Mettre au propre,* recopier un texte écrit au brouillon. ◆ **proprement** adv. : *Manger proprement. Tenir proprement son appartement.* ◆ **propreté** n. f. : *Aimer la propreté* (contr. : SALETÉ). *Propreté des vêtements. Négliger les règles élémentaires de la propreté. Avoir des habitudes de propreté.* ◆ **malpropre** adj. 1° Contr. de *propre : Un torchon malpropre* (syn. : ↑ SALE). *Un enfant malpropre. Une chambre d'hôtel malpropre. Un travail malpropre* (= mal fait). — 2° Qui n'est pas conforme à l'honnêteté, à la décence, à la délicatesse : *Un individu malpropre* (syn. : MALHONNÊTE). *Refuser d'entrer dans des combinaisons malpropres. Raconter des histoires malpropres* (syn. : INCONVENANT). *Un mot malpropre* (syn. : GROSSIER). ◆ **malproprement** adv. : *Manger malproprement.* ◆ **malpropreté** n. f. : *La malpropreté de ses vêtements. En l'évinçant, il a commis une malpropreté* (syn. pop. : ↑ SALOPERIE).

2. propre [prɔpr] adj. 1° (après le nom, sans déterminatif, dans quelques expressions) *En mains propres* (ou *en main propre*), à la personne même : *Remettre une convocation en mains propres.* ‖ *Nom propre,* nom qui ne peut s'appliquer qu'à un seul être, à un seul objet, ou à une catégorie d'êtres ou d'objets (par oppos. à *nom commun*) : « *Hugo* », « *Paris* », *la* « *Loire* », *les* « *Espagnols* » *sont des noms propres.* — 2° (avant le nom, avec un possessif) Renforce l'idée possessive : *Je l'ai vu de mes propres yeux* (= moi-même, de mes yeux). *Je l'ai payé avec mon propre argent. Le miroir lui renvoyait sa propre image. Les enfants des autres l'intéressaient autant que les siens propres. Ce sont là ses propres paroles* (= c'est exactement ce qu'il a dit; syn. : TEXTUEL). — 3° (après le nom, avec un déterminatif précédé de *à*) Renforce l'idée de l'attribution spécifique d'un caractère à quelqu'un, à quelque chose : *Les défauts propres à cet enfant* (= les défauts de cet enfant; syn. : PARTICULIER). *Les distinctions propres à certains milieux* (syn. : SPÉCIFIQUE). *Chaque être a certains goûts qui lui sont propres.* ◆ n. m. *Avoir en propre quelque chose,* être seul à le posséder. ‖ *Le propre de quelque chose, de quelqu'un,* ce qui le différencie des autres : *Le rire est le propre de l'homme* (= n'appartient qu'à l'homme, à l'exclusion des autres êtres vivants).

3. propre [prɔpr] adj. (après le nom). 1° Se dit d'un mot, d'une expression qui convient exactement à son objet : *Employer le mot propre* (syn. : JUSTE, EXACT, APPROPRIÉ; contr. : IMPROPRE). — 2° *Sens propre d'un mot,* son sens premier, usuel, sans valeur stylistique particulière (par oppos. à *sens figuré*). ◆ n. m. : *Le propre et le figuré. Une huître est au propre un mollusque et au figuré une personne stupide.* ◆ **proprement** adv. *Proprement dit,* au sens exact et restreint : *Les banlieusards et les Parisiens proprement dits.* ‖ *A proprement parler,* pour parler en termes exacts : *Les enfants ne peuvent pas, à proprement parler, être tenus pour responsables de tous leurs actes* (syn. : AU PIED DE LA LETTRE). *A proprement parler, je dois dire que je n'en savais rien* (syn. : À VRAI DIRE). ◆ **propriété** n. f. : *Discuter de la propriété des termes d'une phrase* (= de leur convenance par rapport à l'idée qu'on veut exprimer). ◆ **impropre** adj. : *Utiliser un terme impropre pour exprimer une idée* (syn. : INADÉQUAT). ◆ **impropriété** n. f. : *Je lui ai fait observer l'impropriété du terme. Traduction pleine d'impropriétés et d'inexactitudes.*

4. propre [prɔpr] adj. *Propre à* (suivi d'un nom), se dit d'une personne apte à quelque chose (langue soutenue) : *Un tempérament propre à la solitude;* suivi d'un infinitif, se dit d'une chose qui est de nature à produire tel ou tel effet, qui convient à tel ou tel usage (langue soutenue) : *Des exercices propres à développer la mémoire.* ◆ **impropre** adj. : *Un ouvrier impropre à ce travail* (syn. : INAPTE). *Un produit impropre à la consommation.*

1. propriété [prɔprijete] n. f. 1° Droit d'user et de disposer d'un bien d'une façon exclusive et absolue, sous certaines réserves définies par la loi : *La Déclaration des droits de l'homme et du citoyen de 1789 considérait la propriété comme un droit naturel de l'homme.* ‖ *Propriété artistique et littéraire,* droit d'un artiste ou d'un écrivain (et de ses héritiers) de tirer un revenu de l'exploitation de son œuvre. ‖ *Propriété commerciale, propriété industrielle,* droit exclusif d'exploiter un nom commercial, un brevet, une marque de fabrique, etc. — 2° Terre, maison qui appartient à quelqu'un : *Avoir une propriété à la campagne. De belles propriétés s'étendaient le long de l'avenue.* ‖ *La petite propriété, la grande propriété,* régimes économiques caractérisés par des terres de petite, de grande surface : *Au Brésil, c'est le régime de la grande propriété qui domine.* ◆ **propriétaire** n. 1° Personne qui jouit du droit de propriété : *Le propriétaire d'un droit. Propriétaire d'un bien-fonds, d'un lot d'actions, d'un chien.* — 2° *Spécialem.* Personne qui possède une maison, un terrain, etc. : *Payer son terme au propriétaire.* ‖ *Faire le tour du propriétaire,* visiter un endroit, en inspecter toutes les parties. ‖ *Les grands propriétaires,* ceux qui ont de grandes propriétés, des terres nombreuses. ◆ **copropriété** n. f. Propriété (au sens 1) commune avec d'autres personnes : *Un immeuble en copropriété.* ◆ **copropriétaire** n. : *La réunion des copropriétaires a eu lieu à l'instigation du syndic.*

2. propriété [prɔprijete] n. f. Ce qui distingue un corps des autres, au point de vue physique, chimique, etc. : *Les propriétés des acides. Propriétés physiques* (= densité, température, etc., d'un corps). *Propriétés chimiques* (= ensemble des réactions, des combinaisons auxquelles un corps donne lieu en présence d'un autre).

1. propulser [propylse] v. tr. Faire avancer à l'aide d'un propulseur : *Un moteur sert à propulser ce voilier quand le vent est insuffisant.* ◆ **propulseur** n. m. Organe mécanique imprimant un mouvement : *Un propulseur à hélice.* ◆ **propulsion** n. f. : *La propulsion à réaction remplace de plus en plus la propulsion à hélice.* ◆ **autopropulsé, e** adj. Se dit d'un mobile mû par ses propres moyens : *Fusée autopropulsée.*

2. propulser (se) [səpropylse] v. pr. (sujet nom de personne). *Pop.* Se déplacer, se promener : *Si tu veux trinquer avec nous, tu te propulses jusqu'au bar* (syn. pop. : S'AMENER).

prorata [prɔrata] n. m. Part proportionnelle : *Verser le prorata d'une quote-part. Recevoir son prorata.* ● LOC. PRÉP. *Au prorata de,* en proportion de : *Avoir part à un bénéfice au prorata de la mise de fonds* (syn. : PROPORTIONNELLEMENT À).

proroger [prɔrɔʒe] v. tr. 1° Prolonger l'existence légale de quelque chose (jurid.) : *Proroger un traité. Proroger le délai d'un paiement.* — 2° *Proroger une assemblée,* suspendre ses séances et en remettre la continuation à un autre jour. ◆ **prorogation** n. f. : *Le Parlement avait voté une prorogation des pouvoirs spéciaux du président.*

prosaïque [prɔzaik] adj. Se dit d'une chose ou d'une personne qui manque de noblesse, d'idéal, de ce qui lasse par sa monotonie : *Une jeune fille aux goûts prosaïques* (syn. : TERRE À TERRE). *Mener une vie prosaïque* (syn. : PLAT, BANAL). ◆ **prosaïquement** adv. : *Vivre prosaïquement.* ◆ **prosaïsme** n. m. : *Le prosaïsme de la vie des employés de bureau. Le prosaïsme de ses remarques* (syn. : ↓ BANALITÉ, PLATITUDE).

prosateur n. m. V. PROSE.

proscrire [prɔskrir] v. tr. (conj. 71). Interdire formellement : *Une doctrine qui proscrit le recours à la violence. Un mot proscrit par les bienséances.* ◆ **proscrit, e** adj. : *Un usage proscrit.* ◆ **proscrit** n. m. Celui qui est illégalement frappé d'exil (littér.) : *Victor Hugo vécut en proscrit pendant une vingtaine d'années.* ◆ **proscription** n. f. : *La proscription d'un usage* (syn. : INTERDICTION).

prose [proz] n. f. 1° Forme ordinaire du discours parlé ou écrit, qui n'est pas assujettie aux règles de rythme, de musicalité, etc., propres à la poésie : *Ecrire en vers et en prose. Texte en prose. Faire de la prose* (par oppos. à *faire des vers*). *Poème en prose* (= qui ne contient pas de rimes). — 2° Manière d'écrire particulière à quelqu'un, texte écrit par lui (ironiq.) : *Je n'ai pas eu l'occasion de lire de sa prose. La prose administrative* (syn. : STYLE). ◆ **prosateur** n. m. Ecrivain qui s'exprime en prose : *Bossuet est un des plus grands prosateurs du XVII*^e^ *siècle.*

prosélyte [prɔzelit] n. m. Personne qui est gagnée à une opinion politique, à une foi philosophique ou religieuse : *L'ardeur d'un prosélyte.* ◆ **prosélytisme** n. m. Zèle à faire des prosélytes : *Un prosélytisme agressif. Faire du prosélytisme politique, religieux.*

prosodie [prɔzɔdi] n. f. 1° Ensemble des règles relatives à la longueur des syllabes (surtout en grec et en latin) : *La prosodie est la base de la métrique.* — 2° *Prosodie musicale,* ensemble des règles nécessaires pour appliquer une musique à des paroles ou des paroles à une musique. — 3° Ensemble des phénomènes linguistiques mélodiques (intonation, accents, etc.). ◆ **prosodique** adj. : *Les règles prosodiques.*

prospecter [prɔspɛkte] v. tr. 1° Etudier un terrain pour en découvrir les richesses naturelles : *Les premières compagnies ont envoyé du personnel pour prospecter le pétrole en Californie à la fin du XIX*^e^ *siècle.* — 2° Etudier les possibilités d'augmenter une clientèle : *Un assureur qui prospecte une région.* ◆ **prospection** n. f. : *La prospection et l'exploitation sont les éléments moteurs d'une compagnie pétrolière. Faire de la prospection par sondages dans une région* (syn. : ENQUÊTE, RECHERCHE). ◆ **prospecteur, trice** adj. et n. : *Un agent prospecteur.*

prospective [prɔspɛktiv] n. f. Science qui a pour objet l'étude des causes techniques, scientifiques, économiques et sociales qui accélèrent l'évolution du monde moderne, et la prévision des situations qui en découlent.

prospectus [prɔspɛktys] n. m. Feuille imprimée destinée à vanter un produit, une maison de commerce, à faire une annonce publicitaire, etc. : *Distribuer des prospectus à la sortie d'un grand magasin. Envoyer des prospectus pour vanter les agréments d'une station balnéaire.*

prospère [prɔspɛr] adj. 1° Se dit de la situation d'une personne, d'un état des choses qui est dans une période de succès, de réussite : *Etre dans une situation prospère* (= financièrement favorable). *Vivre des années prospères. Mener une vie prospère* (syn. : HEUREUX). — 2° Se dit d'une personne (ou de son comportement) qui est en bonne santé, qui a belle apparence : *Avoir une mine prospère* (syn. : ↑ RESPLENDISSANT). *Avoir une santé prospère* (syn. : FLORISSANT). ◆ **prospérer** v. intr. : *Son commerce prospère* (contr. : PÉRICLITER). *Les animaux qui prospèrent sur ce continent* (= vivent en se reproduisant, en augmentant). ◆ **prospérité** n. f. : *Souhaiter à quelqu'un bonheur et prospérité* (syn. : RICHESSE, SUCCÈS). *L'état de prospérité des finances, des affaires* (contr. : MARASME). *La grande source de prospérité des compagnies de pétrole.*

prostate [prɔstat] n. f. Corps glandulaire propre au sexe masculin, qui est situé au niveau de la partie initiale de l'urètre. ◆ **prostatique** adj. et n. Atteint d'une maladie de la prostate.

prosterner (se) [səprɔstɛrne] v. pr. 1° Se courber profondément, devant quelqu'un ou quelque chose, en signe d'humilité, de respect : *Les pèlerins se prosternaient devant la statue miraculeuse.* — 2° *Se prosterner devant le pouvoir,* faire preuve de servilité à son égard. ◆ **prosternation** n. f. ou **prosternement** n. m. : *Les prosternations des fidèles.*

prostituer [prɔstitɥe] v. tr. 1° *Prostituer quelqu'un,* le livrer à la débauche contre de l'argent. — 2° *Prostituer son talent, un art,* etc., en faire un usage avilissant, dégradant. ◆ ***se prostituer*** v. pr. 1° (sujet nom désignant une femme) Accorder ses faveurs contre de l'argent. — 2° (sujet nom désignant un artiste, un écrivain) Avilir son talent. ◆ **prostituée** n. f. Femme qui vend ses faveurs pour de l'argent. ◆ **prostitution** n. f. 1° Métier de prostituée : *Une législation qui réglemente la prostitution.* — 2° Usage dégradant de ses dons, de son talent : *Ce livre est indigne de lui : c'est de la prostitution.*

prostration [prɔstrasjɔ̃] n. f. Etat d'abattement complet, de faiblesse totale : *Tomber dans la prostration.* ◆ **prostré, e** adj. : *Il demeura prostré à l'annonce de cette catastrophe* (syn. : ACCABLÉ, ABATTU, ANÉANTI ; fam. : EFFONDRÉ).

protagoniste [prɔtagɔnist] n. m. Celui qui joue le rôle principal dans une affaire (langue soutenue).

protectorat [prɔtɛktɔra] n. m. Système juridique qui place un Etat sous la dépendance d'un autre, en ce qui concerne notamment sa politique étrangère et sa défense militaire ; cet Etat lui-même : *La Tunisie et le Maroc ont été sous protectorat français.*

protéger [prɔteʒe] v. tr. 1° *Protéger quelqu'un, quelque chose,* le mettre à l'abri des dangers éventuels, des incidents fâcheux : *Plusieurs policiers sont chargés de protéger le ministre dans ses déplacements* (syn. : VEILLER SUR). *Protéger la veuve et l'orphelin* (= les défendre à cause de leur faiblesse). *Un imperméable protège mieux de la pluie qu'un parapluie. Deux hélicoptères protégeaient les voltigeurs de la colonne militaire contre les attaques surprises* (= leur servaient de couverture). *Piqûres qui protègent contre certaines maladies* (syn. : IMMUNISER). *Protéger ses yeux au moyen de lunettes de soleil* (= les mettre à l'abri, leur éviter de la fatigue, etc.). *L'étui sert à protéger les lunettes* (= à les préserver des chocs, etc.). — 2° *Protéger quelqu'un,* lui assurer son soutien, son patronage : *Le directeur protégeait spécialement son neveu.* ‖ *Protéger les lettres, les arts,* favoriser leur développement en apportant une aide aux écrivains, aux artistes. ◆ **protégé, e** n. (avec un adj. possessif ou un compl. du nom). *Fam.* Personne qui jouit de la faveur, du soutien de quelqu'un : *Je m'occuperai de votre petite protégée. Le protégé du professeur* (syn. fam. : CHOUCHOU). ◆ **protection** n. f. 1° *Assurer la protection de quelqu'un* (syn. : SAUVEGARDE, DÉFENSE). *Se placer sous la protection de quelqu'un* (= lui demander secours et assistance). *Protection contre l'incendie. Protection routière* (= mesures de police pour éviter les accidents). — 2° *Obtenir une place par protection,* grâce à l'appui de personnes bien placées (syn. fam. : PAR PISTON). ◆ **protecteur, trice** adj. et n. 1° *Le protecteur des faibles et des opprimés. Société protectrice des animaux* (= organisation qui a pour but de défendre les animaux contre les sévices, etc.). — 2° Péjor. *Ton, air protecteur,* qui fait sentir sa supériorité vis-à-vis d'un inférieur : *Prendre un ton protecteur en s'adressant à une femme de ménage. Avoir un air protecteur.* ◆ **protectionnisme** n. m. Système économique qui tend à protéger un pays de la concurrence étrangère par des mesures douanières (contr. : LIBRE-ÉCHANGE, LIBRE-ÉCHANGISME).

protestant, e [prɔtɛstɑ̃, -ɑ̃t] adj. et n. Qui appartient à la religion réformée : *La religion, l'Eglise protestante. Les pasteurs sont les ministres protestants. Un colloque entre catholiques et protestants.* ◆ **protestantisme** n. m. Ensemble des Eglises protestantes (anglicanisme, calvinisme, luthéranisme, etc.).

protester [prɔtɛste] v. intr. et tr. ind. 1° Déclarer avec force son opposition, son refus ou son hostilité : *Il a eu beau protester, il n'a pas obtenu satisfaction* (syn. : ↓ RÉCLAMER ; fam. : ↓ ROUSPÉTER). *La presse protesta contre cet abus de pouvoir* (syn. : ↑ S'ÉLEVER, ↑ S'INDIGNER). *Il protesta contre cette injustice.* — 2° *Protester de ses bons sentiments, de son innocence, de sa bonne foi,* etc., en donner l'assurance formelle. ◆ **protestataire** adj. et n. Qui proteste : *Les protestataires se sont réunis devant la mairie pour manifester.* ◆ **protestation** n. f. Action de protester (dans les deux sens) : *Elever une énergique protestation. Sourd à toutes les protestations. Rédiger une protestation écrite contre un acte de violence. Ses protestations d'amitié m'avaient ému* (syn. : ASSURANCE, TÉMOIGNAGE). *D'hypocrites protestations de bonne volonté.*

prothèse [prɔtɛz] n. f. Remplacement partiel ou total d'un organe ou d'un membre par un appareil qui en reproduit la forme et en assume en partie la fonction : *Une prothèse dentaire. Un appareil de prothèse, comme une jambe ou un bras articulés.*

protocole [prɔtɔkɔl] n. m. Ensemble des règles observées en matière d'étiquette, de préséance, etc., dans les cérémonies officielles : *Le chef du protocole au ministère des Affaires étrangères.* ◆ **protocolaire** adj. : *Les questions protocolaires* (= touchant le cérémonial).

proton [prɔtɔ̃] n. m. Noyau de l'atome d'hydrogène.

protubérant, e [prɔtyberɑ̃, -ɑ̃t] adj. Se dit de ce qui forme saillie à la surface d'un os, de la peau, etc. : *Il a la pomme d'Adam protubérante.* ◆ **protubérance** n. f. : *Les protubérances du crâne. Une protubérance gênante derrière l'oreille* (syn. : EXCROISSANCE).

prou [pru] adv. *Peu ou prou,* plus ou moins, quelque peu (littér.).

proue [pru] n. f. Partie avant d'un navire (contr. : POUPE).

prouesse [pruɛs] n. f. Action d'éclat (langue soutenue) : *Le premier vol dans l'espace a été une belle prouesse* (syn. fam. : PERFORMANCE, EXPLOIT) ; souvent ironiq. : *Il aime à raconter ses prouesses au volant* (syn. : EXPLOIT, HAUTS FAITS). *Faire des prouesses pour obtenir quelque chose* (syn. : PRODIGE).

prouver [pruve] v. tr. 1° *Prouver une chose,* démontrer qu'elle est vraie au moyen d'arguments, de faits incontestables, de démonstrations abstraites : *Il cherche à prouver qu'il était parti au moment du crime* (syn. : ÉTABLIR). *Il veut prouver sa bonne foi. Ce qu'il dit ne prouve pas son innocence. Il n'est pas prouvé que vous ayez raison* (= ce n'est pas évident). — 2° *Prouver quelque chose,* en faire apparaître l'existence, la réalité : *Comment vous prouver ma reconnaissance?* (syn. : TÉMOIGNER). *Votre réponse prouve une certaine connaissance du sujet* (syn. : DÉNOTER). *Qu'est-ce que ça prouve?* (réponse pour contredire les allégations d'autrui). ◆ **prouvable** adj. Qu'on peut prouver (sens 1) : *Allégations difficilement prouvables.* ◆ **preuve** n. f. 1° Ce qui établit la vérité, la réalité d'une chose : *Avancer une preuve. Preuve qui ne convainc per-*

ronne. *Sa fuite précipitée semble être une preuve de sa culpabilité. Affirmer quelque chose preuves en main* (= avec une certitude absolue). *La preuve de ce qu'il avance, c'est que...* (= ce qui prouve). — 2° *Faire la preuve de quelque chose,* le démontrer. ‖ *Faire preuve de quelque chose,* témoigner cette chose par son comportement : *Faire preuve d'un grand courage* (syn. : MONTRER). *Faire preuve d'une certaine hostilité* (syn. : LAISSER PARAÎTRE). ‖ *Faire ses preuves,* montrer sa capacité, sa valeur : *Vous pouvez lui confier ce travail, il a déjà fait ses preuves.* • LOC. ADV. Fam. *A preuve, la preuve,* appuient une affirmation : *Tu le savais déjà : la preuve, tes valises étaient faites.* • LOC. CONJ. Fam. *A preuve que,* ce qui prouve que : *Il a réussi à sauver la situation : à preuve qu'il ne faut jamais désespérer.* ◆ **improuvable** adj. : *Voilà une hypothèse qui est improuvable.*

provençal, e, aux [prɔvɑ̃sal, -so] adj. et n. De la Provence. ◆ n. m. Langue romane parlée autrefois dans toute la Provence.

provenir [prɔvnir] v. intr. (conj. 22). Tirer son origine de : *Ces chèques proviennent de votre carnet* (= en sont tirés). *Cette race provient du croisement de deux espèces voisines* (= en est issue; syn. : DESCENDRE). *Son genre de vie provient pour une large part de l'éducation qu'il a reçue* (= s'explique par elle; syn. : DÉRIVER, RÉSULTER, DÉCOULER). *Ce résultat provient d'une erreur faite au départ.* ◆ **provenance** n. f. 1° *Ne pas savoir la provenance d'un colis* (= le lieu d'expédition). *Des armes de toutes provenances* (= de toutes origines). *Marchandises en provenance du Danemark* (= expédiées du Danemark). — 2° *Pays de provenance,* pays d'origine, en parlant d'un paquet, d'un émigré.

proverbe [prɔvɛrb] n. m. 1° Sentence, maxime, exprimée souvent en peu de mots, traduisant une vérité générale et traditionnelle, et qui apparaît le plus souvent dans la langue parlée pour étayer une affirmation, confirmer une décision, etc. : *Il a beaucoup voyagé et — comme dit le proverbe : « Pierre qui roule n'amasse pas mousse » — il est revenu avec très peu d'argent.* (L'emploi des proverbes, fréquent dans les parlers locaux, est aujourd'hui en nette régression dans la langue parlée commune.) — 2° *Passer en proverbe,* devenir un exemple, une chose remarquable pour tous : *L'hospitalité des Arabes est passée en proverbe.* ◆ **proverbial, e, aux** adj. 1° Qui a le caractère d'un proverbe : *Une locution proverbiale.* — 2° Se dit d'une chose exemplaire, remarquable : *L'habileté proverbiale d'un artisan.* ◆ **proverbialement** adv. : *On dit proverbialement que...* (= sous forme de proverbe). ◆ **proverbialiser** v. tr. : *Le temps a proverbialisé de nombreux vers de nos auteurs classiques.*

providence [prɔvidɑ̃s] n. f. 1° Suprême sagesse avec laquelle Dieu gouverne le monde, avec l'idée de protection, de prévoyance des besoins de l'être humain; désigne souvent Dieu lui-même (avec une majusc.) : *La divine providence. Les desseins de la Providence sont impénétrables* (= il ne faut pas s'étonner des circonstances imprévisibles de la vie). — 2° Personne qui veille, qui aide, qui protège : *Vous êtes ma providence. Il est devenu la providence de son quartier* (= personne charitable qui secourt les malheureux, etc.). ◆ **providentiel, elle** adj. Se dit d'un événement parfaitement opportun, de ce qui est un effet de la providence ou est inespéré : *Des secours providentiels* (syn. : INESPÉRÉ). *Une issue providentielle* (syn. : MERVEILLEUX, ↓ INATTENDU). ◆ **providentiellement** adv. : *Il est arrivé providentiellement* (= au bon moment).

province [prɔvɛ̃s] n. f. 1° Division administrative de l'ancienne France, de certains pays : *Les provinces françaises sous l'Ancien Régime pouvaient être des régions juridiquement très différentes. Les provinces de l'Italie.* — 2° L'ensemble de la France, par opposition à la capitale : *Voyage en province. Fonctionnaire qui est nommé en province* (par oppos. à *Paris*). ◆ adj. invar. *Il fait très province,* son comportement dénote son origine provinciale. ◆ **provincial, e, aux** adj. Qui se rapporte à la province; qui a les caractères de la province : *Les divisions provinciales. La vie provinciale.* ◆ n. : *Un jeune provincial frais débarqué à Paris.* ◆ **provincialisme** n. m. Usage d'un mot, d'une expression qui n'appartient pas à la langue commune de Paris.

proviseur [prɔvizœr] n. m. Fonctionnaire de l'enseignement chargé de l'administration d'un lycée de garçons. ◆ **provisorat** n. m. Fonction de proviseur.

provision [prɔvizjɔ̃] n. f. 1° Ensemble de choses nécessaires ou utiles pour l'entretien, la dépense, mises en réserve : *Il avait une importante provision de boîtes de conserve dans sa maison de campagne. Faire provision de bois pour l'hiver, de cahiers pour la rentrée des classes.* ‖ *Une provision de,* une réunion de choses utiles, nécessaires, une forte quantité de : *J'ai apporté toute une provision de livres pour les vacances. Une bonne provision de courage* (syn. : RÉSERVE). — 2° Somme déposée en banque pour couvrir les paiements que l'on est amené à faire : *Chèque sans provision.* — 3° Somme versée à titre d'acompte à un avocat, à un commerçant (syn. : AVANCE). ◆ **provisions** n. f. pl. Produits alimentaires, produits d'entretien, etc., achetés : *Mettre ses provisions dans un placard. Faire des provisions en cas de froid rigoureux* (= se ravitailler). *J'ai suffisamment de provisions pour dix jours. Un panier à provisions* (= où l'on met ses emplettes). *Les ménagères font leurs provisions au marché.*

provisoire [prɔvizwar] adj. Qui a lieu, qui se fait en attendant autre chose, qui doit être remplacé par quelque chose de définitif : *Le problème a reçu des solutions provisoires* (syn. : TRANSITOIRE). *Des baraquements provisoires. Un arrangement provisoire mit fin au conflit. Un gouvernement provisoire* (= mis en place avant la constitution d'un régime stable). ◆ **provisoirement** adv. : *Loger provisoirement à l'hôtel en attendant un appartement* (syn. : MOMENTANÉMENT).

1. provoquer [prɔvɔke] v. tr. *Provoquer quelqu'un,* le pousser à un acte blâmable ou violent, par une sorte d'appel ou de défi (souvent sans compl.) : *Tais-toi; ne le provoque pas en soulignant les conséquences désastreuses de son acte. J'ai été provoqué, et il a reçu une bonne leçon* (syn. : BRAVER). *Il chercha à le provoquer au combat* (syn. : AMENER, POUSSER). *Provoquer des militaires à la désobéissance* (syn. : INCITER). ◆ **provocant, e** adj. : *Une attitude provocante* (syn. : AGRESSIF). *Une femme provocante* (= dont l'attitude incite au désir). ◆ **provocation** n. f. : *Cet article est une véritable* *provocation au meurtre* (syn. : INCITATION, APPEL). *Avoir une attitude de provocation* (syn. : DÉFI). *Ne pas répondre à une provocation.* ◆ **provocateur, trice** adj. et n. Qui cherche à susciter des actes de violence : *Des agents provocateurs se sont glissés dans les rangs des manifestants. Des provocateurs sont à l'origine de l'émeute.*

2. provoquer [prɔvɔke] v. tr. *Provoquer quelque chose,* en être la cause : *Ces paroles provoquèrent sa colère, son indignation* (syn. : EXCITER). *Ce témoignage provoqua les aveux du coupable* (syn. : AMENER). *Les difficultés de ravitaillement provoquèrent des troubles dans les grandes villes* (syn. : PRODUIRE, OCCASIONNER, SUSCITER). *Les bouleversements politiques provoqués par sa démission* (syn. : CRÉER).

proxénète [prɔksenɛt] n. m. Personne qui fait le métier d'entremetteur, qui tire ses ressources des prostituées. ◆ **proxénétisme** n. m. : *Etre condamné pour proxénétisme.*

proximité [prɔksimite] n. f. Situation d'une chose qui est à peu de distance d'une autre, qui est rapprochée dans le temps : *La proximité des commerçants est un des avantages de cette maison* (syn. : VOISINAGE; contr. : ÉLOIGNEMENT). *La proximité des vacances ne les incite pas à travailler* (syn. : APPROCHE). ● LOC. ADV. *A proximité,* aux environs immédiats : *Vous trouverez à proximité un poste d'essence.* ● LOC. PRÉP. *A proximité de,* tout près de : *La maison est à proximité de la poste* (syn. : PROCHE DE).

prude [pryd] adj. et n. f. D'une pudeur affectée, outrée ou hypocrite : *Une femme sottement prude* (syn. : ↑ PUDIBONDE). *Faire la prude. Elle n'est pas prude* (syn. : BÉGUEULE). ◆ **pruderie** n. f. : *La pruderie d'une sainte-nitouche* (syn. : ↑ PUDIBONDERIE).

prudent, e [prydɑ̃, -ɑ̃t] adj. et n. Se dit de quelqu'un qui agit en veillant à éviter les dangers, les dommages, les fautes; se dit aussi d'un acte accompli dans cet esprit : *Un automobiliste prudent. Il garde dans cette affaire difficile une conduite prudente* (syn. : ↑ AVISÉ). *Il n'est pas prudent de se pencher par la portière. Il jugea prudent d'attendre* (syn. : BON). *Les gens prudents évitent de se baigner à marée descendante* (syn. : SAGE, AVERTI, PRÉVOYANT). *C'est un prudent : il ne se compromettra pas.* ◆ **prudemment** [prudamɑ̃] adv. : *Se risquer prudemment vers la sortie* (= avec circonspection). *Garder prudemment le silence* (syn. : SAGEMENT). ◆ **prudence** n. f. : *Il a eu la prudence de se taire* (syn. : SAGESSE). *Manquer de prudence* (syn. : RÉFLEXION). *Donner des conseils de prudence. Mener des négociations avec prudence* (syn. : PRÉCAUTION). *Par mesure de prudence, mets ton chandail; il fait froid.* ◆ **imprudent, e** adj. et n. : *Un homme imprudent, qui ne réfléchit à rien. Il est imprudent de se confier à lui* (syn. : ↑ DANGEREUX). *Le projet est imprudent* (syn. : AVENTUREUX, ↑ FOU). *Un imprudent s'est fait happer par une voiture.* ◆ **imprudemment** adv. : *S'éloigner imprudemment du rivage* (syn. : TÉMÉRAIREMENT). ◆ **imprudence** n. f. 1° Défaut d'une personne qui ne prévoit pas les conséquences dangereuses de ses actes : *Accident dû à l'imprudence du conducteur.* — 2° Action irréfléchie, d'une témérité dangereuse : *Commettre une imprudence. Ne faites pas d'imprudences.*

prud'homme [prydɔm] n. m. *Conseil des prud'hommes,* tribunal qui tranche les différends professionnels individuels, entre patrons et ouvriers.

prune [pryn] n. f. 1° Fruit de forme ronde ou allongée, à chair sucrée et comestible : *Les prunes d'Agen. Une prune reine-claude. De l'eau-de-vie de prune.* — 2° Pop. *Pour des prunes,* pour rien, inutilement : *Il a travaillé pour des prunes.* ‖ Pop. *Des prunes!,* interj. de refus, servant de réponse à une demande considérée comme excessive. ◆ **pruneau** n. m. 1° Prune séchée, de couleur noirâtre : *Les pruneaux ont des propriétés laxatives. Etre noir comme un pruneau.* — 2° *Pop.* Projectile d'une arme à feu : *Recevoir un pruneau.* ◆ **prunier** n. m. Arbre cultivé pour ses fruits (*prunes*). ◆ **prunelle** n. f. Petite prune bleue, dont on fait de l'eau-de-vie; cette eau-de-vie, dite aussi *liqueur de prunelle.*

1. prunelle n. f. V. PRUNE.

2. prunelle [prynɛl] n. f. 1° Nom usuel de la pupille de l'œil. — 2° (*Il y tient*) *comme à la prunelle de ses yeux,* il y est attaché par-dessus tout, il l'entoure d'un grand soin.

prurit [pryrit] n. m. Vive démangeaison, produite généralement par une éruption.

psalmodier [psalmɔdje] v. tr. et intr. Réciter d'une manière monotone, sur un ton uniforme : *Psalmodier une poésie.* (La *psalmodie* est une manière de dire les psaumes.)

psaume [psom] n. m. Chant sacré, cantique, poème religieux de la liturgie chrétienne et juive : *Entonner, chanter, réciter un psaume.* ◆ **psautier** n. m. Recueil de psaumes.

pschut ! [pʃyt] interj. S'emploie, dans le milieu des étudiants, pour manifester sa sympathie à l'égard d'une personne; sert d'ovation.

pseudo- [psødo], élément placé comme préfixe, devant un adjectif ou un substantif, avec la valeur de « faux », « mensonger » : *Un pseudo-savant. Un pseudo-problème.*

pseudonyme [psødɔnim] n. m. Nom sous lequel un auteur publie un ouvrage, en masquant sa véritable identité : *« Voltaire » est un pseudonyme.*

psitt ! [psit] ou **pst !** interj. Sert à appeler, à attirer l'attention (souvent redoublé) : *Psitt! taxi. Psitt! psitt! approchez donc un peu.*

psittacisme [psitasism] n. m. Défaut consistant à répéter machinalement des formules ou des notions que l'on ne comprend pas.

psychanalyse [psikanaliz] n. f. Méthode d'investigation de la vie psychique inconsciente élaborée par Freud, et traitant certains troubles mentaux par une thérapeutique issue de cette méthode. ◆ **psychanalyser** v. tr. Soumettre à une psychanalyse. ◆ **psychanalytique** adj. ◆ **psychanalyste** n. (souvent abrégé en *analyste*).

psychiatre [psikjɑtr] n. m. Médecin spécialiste des maladies mentales. ◆ **psychiatrie** n. f. ◆ **psychiatrique** adj. : *Hôpital psychiatrique.*

psychique [psiʃik] adj. Qui concerne les états de conscience, la vie mentale : *Les phénomènes psychiques. Une maladie psychique* (syn. : MENTAL).

◆ **psychisme** [psiʃism] n. m. Ensemble des caractères psychiques d'un individu.

psychologie [psikɔlɔʒi] n. f. 1° Etude scientifique de la vie mentale (mémoire, raisonnement, intelligence, etc.), des sensations et des perceptions : *Psychologie expérimentale* (= fondée sur l'expérimentation). *Psychologie individuelle, sociale. Psychologie de l'enfant.* — 2° Connaissance empirique des sentiments d'autrui : *Manquer de psychologie.* — 3° Analyse des sentiments, des états de conscience : *La fine psychologie de Racine.* — 4° Ensemble des sentiments, des façons de penser ou d'agir caractérisant un individu, un groupe : *La psychologie des Américains.* ◆ **psychologique** adj. 1° *Le vocabulaire psychologique* (= qui concerne la psychologie). *L'analyse psychologique. Un roman psychologique* (= qui s'attache à l'étude des sentiments). — 2° *Moment, instant psychologique,* moment opportun pour agir, instant où un adversaire est dans des dispositions qui le mettent en état d'infériorité. ‖ *Guerre psychologique,* forme de propagande visant à vaincre l'adversaire en lui inculquant un sentiment de défaite, d'infériorité. ◆ **psychologiquement** adv. ◆ **psychologue** n. Spécialiste de psychologie. ◆ n. et adj. Personne qui a une intuition empirique des sentiments d'autrui. ◆ **psychotechnique** n. f. Ensemble de méthodes élaborées par la psychologie et utilisées pour mesurer les aptitudes des individus, leurs réactions psychiques ou motrices. ◆ **psychotechnicien, enne** n.

psychose [psikoz] n. f. 1° Maladie mentale caractérisée, nécessitant l'internement. — 2° Idée fixe qui provoque des troubles divers chez un individu ou dans un groupe : *La psychose de guerre. Une psychose collective.* ◆ **psychopathe** ou **psychotique** n. Malade mental.

1. puant, e adj. V. PUER.

2. puant, e [pɥɑ̃, -ɑ̃t] adj. *Fam.* Se dit d'une personne que sa vanité rend insupportable : *Il est devenu puant depuis qu'il est entré à l'Ecole normale supérieure. Puant d'orgueil.*

puberté [pybɛrte] n. f. Période de la vie humaine marquée par le début d'activité des glandes reproductrices et la manifestation de certains caractères sexuels secondaires (mue de la voix). ◆ **pubère** adj. et n. Qui a atteint l'âge de la puberté. ◆ **impubère** adj. : *Jeune homme encore impubère.*

1. public, ique [pyblik] adj. 1° Se dit d'une chose qui appartient à une collectivité, qui concerne un groupe pris dans son ensemble, qui en est l'expression, qui lui est accessible, etc. : *L'opinion publique* (= celle qui traduit les sentiments du plus grand nombre de personnes). *Un danger public* (= une personne qui constitue une menace pour tout le monde). *L'ennemi public nº 1* (= celui dont tout le monde doit en priorité se méfier). *Il est de notoriété publique que...* (= tout le monde sait bien que). — 2° Se dit d'un lieu accessible à tous, d'une activité accessible à tous : *Emprunter un passage public* (contr. : PRIVÉ). *Jardin public. Scandale sur la voie publique. Bal public. Organiser une vente publique aux enchères* (= ouverte à tous). *Des manifestants sont venus troubler une réunion publique tenue par divers comités* (= où l'entrée était libre). *Cours public* (= cours pour lequel aucune formalité d'inscription n'est exigée). *Le procès a lieu en séance publique* (contr. : À HUIS CLOS). ◆ **publiquement** adv. En présence de nombreuses personnes : *Confesser publiquement sa faute* (syn. : EN PUBLIC). *Tout se fait ici publiquement* (= nous agissons au grand jour, sans crainte de la critique; syn. : OUVERTEMENT). *Déclarer publiquement quelque chose* (= avec le maximum de publicité; syn. : HAUTEMENT). ◆ **public** n. m. 1° Ensemble des gens qui fréquentent un endroit : *Porte interdite au public.* — 2° Ensemble des personnes qui lisent un livre, assistent à un spectacle, etc. : *L'écrivain a une influence certaine sur son public* (= ses lecteurs). *Le public applaudit à la pièce de théâtre* (= les spectateurs). • LOC. ADV. *En public,* en présence de nombreuses personnes : *Parler en public.* ◆ **publicité** n. f. (langue soutenue) : *La publicité des débats parlementaires* (= le fait qu'ils soient publics).

2. public, ique [pyblik] adj. 1° Dans la langue du droit et de l'économie politique, se dit d'une chose qui relève de l'Etat, de l'administration d'un pays : *Entrer dans la fonction publique* (= devenir fonctionnaire). — 2° *Autorité publique,* ensemble des personnes qui prennent part au gouvernement d'un pays. ‖ *Les affaires publiques,* la vie politique en général, l'intérêt de l'Etat (langue soutenue) : *Préoccupé par les affaires publiques.* ‖ *Charges publiques,* impositions payées par la population d'un pays. ‖ *La chose publique,* l'Etat (langue soutenue) : *Etre tout dévoué à la chose publique.* ‖ *Domaine public,* v. DOMAINE. ‖ *Droit public,* partie du droit qui règle les rapports de l'Etat, du gouvernement et des citoyens. ‖ *Monument public,* monument qui appartient à l'Etat. ‖ *Trésor public,* ensemble des revenus de l'Etat. ‖ *Vie publique,* vie, conduite d'une personne qui exerce de hautes fonctions administratives. ‖ *Secteur public,* v. SECTEUR.

publiciste [pyblisist] n. m. Syn. littér. de JOURNALISTE (avec parfois une nuance péjor.) : *Quelques publicistes ont tenté de salir la grande œuvre de redressement national.*

1. publicité n. f. V. PUBLIC 1.

2. publicité [pyblisite] n. f. Ensemble des moyens employés pour faire connaître une entreprise industrielle, commerciale, pour accroître la vente d'un produit : *Cette entreprise fait beaucoup de publicité* (syn. : RÉCLAME). *Une publicité tapageuse et de mauvais goût. Entreprise qui a mis une publicité dans un journal* (= placard publicitaire). ◆ **publicitaire** adj. : *Annonce publicitaire* (= pour faire de la publicité).

publier [pyblije] v. tr. 1° *Publier un livre, un écrit,* le faire paraître : *Cet écrivain a publié de nombreux romans. Ce professeur a beaucoup publié, peu publié. Un éditeur qui cherche à publier de bons ouvrages* (syn. : ÉDITER). — 2° *Publier une nouvelle,* la répandre, la divulguer. ‖ *Publier les bans d'un mariage,* faire l'annonce légale de ce mariage. ◆ **publication** n. f. 1° Action de publier : *Un incident technique est venu arrêter la publication de la revue. La publication des bans de mariage est obligatoire.* — 2° Œuvre, texte publiés : *Lancer une publication par fascicules* (syn. : OUVRAGE). *On trouvait dans la devanture du libraire des publications de toute sorte* (= livres, journaux, brochures, etc.). ◆ **publiable** adj. ◆ **impubliable** adj. : *Ce manuscrit est impubliable dans son état actuel.*

puce [pys] n. f. 1° Insecte qui se nourrit du sang puisé par piqûre dans le corps des mammifères : *Le chien a des puces. Etre piqué par une puce. Un* *matelas plein de puces.* — 2° *Mettre la puce à l'oreille de quelqu'un,* éveiller ses doutes ou ses soupçons. ‖ *Marché aux puces* (ou *les puces*), marché où l'on vend des objets d'occasion. ‖ Fam. *Secouer les puces à quelqu'un,* le réprimander fortement. ◆ adj. invar. Marron tirant sur le brun-rouge. ◆ **épucer** v. tr. Débarrasser de ses puces : *Epucer un chat.*

puceau [pyso] n. m. et adj., **pucelle** [pysɛl] n. f. et adj. *Fam.* Garçon, fille vierge.

puceron [pysrɔ̃] n. m. Insecte qui vit en parasite sur des plantes, dont il aspire le suc.

pudeur [pydœr] n. f. 1° Discrétion, retenue qui empêche de dire ou de faire ce qui peut blesser la décence, spécialement en ce qui touche aux questions sexuelles : *Des propos qui bravent la pudeur. Un exhibitionniste arrêté pour outrage à la pudeur. La pudeur naturelle des femmes* (syn. : CHASTETÉ, DÉCENCE). — 2° Réserve d'une personne qui évite tout ce qui risque de choquer le goût des autres, de leur causer une gêne morale : *Il cachait sa douleur par pudeur. Une pudeur virile* (syn. : RETENUE, DISCRÉTION). *Vous devriez avoir la pudeur de vous taire* (syn. : DÉLICATESSE). *C'est manquer de pudeur que de montrer un tel luxe devant tant de misère.* ◆ **pudique** adj. 1° Se dit d'une personne (ou de son comportement) qui montre beaucoup de retenue : *Une femme pudique. Une statue, un geste pudique. Elle ramenait sa robe sur ses genoux dans un mouvement pudique et gracieux* (syn. : CHASTE, DÉCENT). — 2° Plein de réserve : *Il fit une allusion pudique à sa situation difficile* (syn. : DISCRET). *Se tenir dans un effacement pudique.* ◆ **pudiquement** adv. : *Une femme qui baisse pudiquement les yeux* (syn. : CHASTEMENT). *Les pauvres, qu'on appelle pudiquement des « économiquement faibles ».* ◆ **pudicité** n. f. Caractère d'une personne pudique (peu usité). ◆ **impudeur** n. f. : *Femme pleine d'impudeur et de sans-gêne* (syn. : INDÉCENCE). ◆ **impudique** adj. : *Un geste impudique* (syn. : INDÉCENT, ↑ OBSCÈNE). ◆ **impudicité** n. f.

pudibond, e [pydibɔ̃, -ɔ̃d] adj. Se dit d'une personne qui a une pudeur affectée : *Après une vie assez libre, elle est devenue très pudibonde vers la quarantaine* (syn. : PRUDE ; contr. : EFFRONTÉ, ÉGRILLARD, GRIVOIS). ◆ **pudibonderie** n. f. : *Faire preuve d'une pudibonderie excessive.*

puer [pye ou pɥe] v. intr. et tr. Exhaler une odeur insupportable (terme souvent jugé bas, auquel on préfère l'expression *sentir mauvais*) : *Un fromage qui pue. Ça pue dans cette chambre. Personne qui pue le vin* (= qui sent le vin qu'elle a bu). *Une cuisine qui pue l'ail* (= qui exhale une odeur d'ail désagréable). ◆ **puant, e** adj. Se dit d'une chose, d'un être vivant qui émet une odeur nauséabonde : *Une mare puante* (syn. : FÉTIDE, ↑ INFECT). *La fumée puante de la locomotive.* ◆ **puanteur** n. f. : *Le cadavre de la bête dégageait une épouvantable puanteur.* ◆ **empuantir** v. tr. Rendre puant : *Une odeur qui empuantit la pièce.* ◆ **empuantissement** n. m.

puéril, e [pɥeril] adj. Se dit d'une chose qui n'est pas à sa place chez un adulte, d'une personne (ou de son comportement) qui agit comme un enfant (souvent péjor.) : *Avoir un langage, des gestes puérils. Vous êtes puéril de croire que je vais changer d'avis* (syn. : NAÏF). *Il fait preuve d'une vanité puérile. Avoir des amusements puérils* (syn. : FRIVOLE, FUTILE). ◆ **puérilement** adv. : *Rester puérilement attaché à de vieilles habitudes.* ◆ **puérilité** n. f. : *La puérilité de ses propos m'agaçait. Dire des puérilités* (syn. : BANALITÉ, FUTILITÉ, ENFANTILLAGE).

puériculture [pɥerikyltyr] n. f. Ensemble des connaissances et des techniques nécessaires aux soins des tout petits : *Suivre des cours de puériculture.* ◆ **puéricultrice** n. f. Spécialiste de puériculture.

pugilat [pyʒila] n. m. Bagarre à coups de poing : *La dispute dégénéra en pugilat* (syn. : ↑ RIXE). *Réunion politique qui se termine en pugilat.* ◆ **pugiliste** n. m. Syn. de BOXEUR.

puîné, e [pɥine] adj. et n. Se dit d'une personne qui est née après une autre (langue soutenue et jurid.) : *Mon frère puîné* (syn. : CADET) [peu usité].

puis [pɥi] adv. 1° Indique une succession dans le temps (toujours en tête de la proposition, souvent avec *et*) : *On entendit un crissement de pneus, puis un bruit de tôles froissées* (syn. : ENSUITE, APRÈS ; contr. : D'ABORD). *Au début du trimestre, il travaille avec ardeur, et puis il se relâche. Une douleur d'abord faible, puis aiguë. Une lampe s'alluma, puis deux, puis trois. On traversait un pays désertique, avec çà et là quelques bouquets d'arbres, puis de grandes falaises nues.* — 2° *Et puis,* introduit une raison supplémentaire dans une série d'arguments : *Je n'ai pas fini ce roman, car j'étais très occupé, et puis il était fort ennuyeux* (syn. : D'AILLEURS). *Il ne voudra pas, et puis à quoi cela servirait-il? Il a tort d'agir ainsi, et puis, après tout, il fait ce qu'il veut, tant pis pour lui!* (syn. : AU RESTE). — 3° *Et puis après?, et puis quoi?,* expriment le peu d'importance que l'on attache à ce qui vient d'être fait et à ses conséquences : *Il n'est pas content, et puis après? Vous avez manqué votre train, et puis quoi? il y en a un autre dans cinq minutes.*

puisard [pɥizar] n. m. Egout vertical fermé, où les eaux usées et les eaux de pluie s'écoulent peu à peu par infiltration.

puisatier n. m. V. PUITS.

puiser [pɥize] v. tr. 1° Prendre un liquide à l'aide d'un récipient : *Puiser de l'eau dans la rivière.* — 2° Prendre quelque chose dans une réserve (langue soutenue) : *L'historien a puisé sa documentation dans les archives départementales* (syn. : PRENDRE, EMPRUNTER). *Puiser des exemples dans les meilleurs auteurs* (syn. : EXTRAIRE, EMPRUNTER). ‖ *Puiser aux sources,* avoir recours aux documents originaux. ◆ **puisement, puisage** n. m. : *Le puisage dans la rivière. Droit de puisage.*

puisque [pɥiskə] conj. de subordination. (Ne s'élide que devant *il, elle, en, on, un, une.*) Indique la cause d'une action exprimée dans la principale, la justification d'une affirmation ou d'une question exprimée par un verbe ou un substantif; ou introduit une subordonnée incidente justifiant le point de vue de celui qui parle (le plus souvent, la proposition introduite par *puisque* précède la principale) : *Puisque vous avez très souvent mal à la tête, faites-vous examiner les yeux* (syn. : ÉTANT DONNÉ QUE, COMME). *Puisque vous êtes satisfait de votre emploi, je ne vois pas pourquoi je vous proposerais une nouvelle situation* (syn. : DÈS L'INSTANT QUE). *Sa bêtise, puisqu'il faut bien l'appeler ainsi, a eu pour lui de* *graves conséquences;* dans une proposition exclamative, sans principale exprimée : *Mais puisque je vous le dis! c'est un incapable! Tant pis! puisqu'il n'en saura rien!*

puissamment adv. V. PUISSANT.

1. puissance n. f. V. PUISSANT.

2. puissance [pɥisɑ̃s] n. f. Etat souverain : *Espionnage au profit d'une puissance ennemie. Les puissances occidentales. Les grandes puissances économiques.*

3. puissance [pɥisɑ̃s] n. f. *Puissance d'un nombre,* en mathématiques, produit de plusieurs facteurs égaux à ce nombre : *Deux puissance cinq* (2^5) [= deux multiplié cinq fois par lui-même]. *La puissance deux d'un nombre est son carré; la puissance trois, son cube.*

puissant, e [pɥisɑ̃, -ɑ̃t] adj. (avant ou après le nom). 1° Se dit d'une personne, d'un groupe de personnes qui a beaucoup d'influence, de pouvoir : *Un puissant monarque. Un syndicat très puissant. Il a une personnalité puissante* (syn. : FORT, MARQUANT, SAILLANT). — 2° Se dit d'un pays qui a un important potentiel économique, industriel, militaire, d'une armée qui a de gros effectifs et dispose d'un matériel important : *Une nation puissante. Une puissante armée. Se constituer une aviation puissante.* — 3° Se dit d'un être animé (ou de son comportement) qui a une grande force physique : *Un homme puissant. Une puissante musculature. D'un puissant coup de queue, le requin se dégagea du harpon. Une voix puissante.* — 4° Se dit de ce qui peut fournir une énergie considérable, de ce qui agit avec force : *Un moteur puissant. Des freins puissants. Un puissant remède* (syn. : ÉNERGIQUE). *Ces paroles nous apportèrent un puissant réconfort.* ◆ **puissamment** adv. 1° *Avion puissamment armé* (syn. : FORTEMENT). *Les troupes aéroportées ont puissamment aidé à dégager la base encerclée* (syn. : FORTEMENT). — 2° *Fam.* et *ironiq. Puissamment raisonné!,* souvent employé pour marquer en fait le désaccord. ◆ **puissance** n. f. 1° Pouvoir d'exercer une action importante, matérielle, morale, etc., sur les autres : *Personne qui donne une impression de puissance* (= de force). *Avoir une grande puissance. La puissance que lui conférait la fortune* (syn. : POUVOIR). *User de sa puissance pour obtenir des avantages à ses amis* (syn. : INFLUENCE, CRÉDIT). — 2° *Puissance maritale,* ensemble des droits reconnus par la loi au mari, par opposition à ceux de la femme (jurid.). ‖ *Etre en puissance de mari,* être mariée (jurid.). ‖ *Puissance paternelle,* droit de garde, de direction, de correction du mineur, droit d'administration de ses biens. ‖ *Volonté de puissance,* exaltation, généralement névrotique, de la personnalité (littér.). — 3° Qualité de ce qui peut fournir de l'énergie, d'une personne ou d'une chose qui agit avec force : *La puissance d'un moteur est exprimée en chevaux-vapeur. La puissance d'un éclairage, d'un haut-parleur* (= l'intensité de la lumière, du son qu'ils émettent). *Un écrivain qui a une grande puissance d'imagination. Sa puissance de travail est considérable* (syn. : CAPACITÉ). *La puissance de son regard nous fascinait. La puissance de son raisonnement a convaincu les plus hésitants.* — 4° *Puissance d'une nation, d'une armée,* etc., son potentiel économique, industriel, militaire. — 5° Au plur., entre dans certaines locutions littéraires anciennes : *Les puissances des ténèbres,* les démons. ‖ *Les puissances occultes,* l'ensemble des forces, des personnes qui agissent secrètement : *Les puissances occultes de l'argent.* ● LOC. ADV. ET LOC. ADJ. *En puissance,* de manière virtuelle : *L'avenir est déjà en puissance dans le présent. Exister en puissance* (contr. : EFFECTIVEMENT, EN ACTE [philos.]). *Un criminel en puissance* (= celui qui est capable de commettre un crime). ◆ **impuissant, e** adj. Se dit d'une personne (ou de son comportement) qui manque de pouvoir, de la force nécessaire pour faire quelque chose : *Un ennemi impuissant. Etre impuissant devant une catastrophe. Un ministre impuissant à réprimer des abus. Un effort impuissant.* ◆ adj. et n. Se dit d'une personne incapable d'accomplir l'acte sexuel. ◆ **impuissance** n. f. : *Réduire quelqu'un à l'impuissance. Son impuissance à résoudre la difficulté était manifeste.*

puits [pɥi] n. m. 1° Trou creusé dans le sol, souvent maçonné, pour tirer de l'eau : *Creuser un puits. Tirer de l'eau au puits.* — 2° *Puits de pétrole,* trou foré pour l'extraction du pétrole. — 3° *Puits de science,* se dit d'un homme au savoir prodigieux. ◆ **puisatier** n. m. Terrassier spécialisé dans le forage des puits de faible diamètre.

pullman [pylman] n. m. Voiture de luxe, dans certains trains.

pull-over [pulɔvœr ou pylɔvɛr] n. m. Tricot, avec ou sans manches, qu'on met et enlève en le faisant passer par-dessus la tête. (Abrév. fam. fréquente : PULL.)

pulluler [pylyle] v. intr. *Péjor.* Croître, se multiplier : *Les vers pullulaient dans le fromage* (syn. : GROUILLER). *Les erreurs matérielles pullulent dans ce livre* (syn. : FOURMILLER). ◆ **pullulement** n. m. : *On voyait sur l'étang un pullulement d'insectes.*

pulmonaire [pylmɔnɛr] adj. Relatif au poumon : *Congestion pulmonaire* (= engorgement sanguin du poumon). *Artère pulmonaire* (= du poumon).

pulpe [pylp] n. f. Tissu mou de certaines parties de l'organisme des animaux ou des végétaux : *Pulpe des dents. La pulpe des pêches, des poires.*

pulsation [pylsasjɔ̃] n. f. Battement du cœur ou des artères (pouls) : *Les pulsations du cœur. Le malade avait cent quarante pulsations à la minute.*

pulvériser [pylverize] v. tr. 1° Réduire en poudre, en fines parcelles, en très petites parties : *Pulvériser de la craie dans un mortier.* — 2° Projeter un liquide en fines gouttelettes : *La vendeuse pulvérisait du parfum sur les vêtements des clients éventuels.* — 3° *Fam.* Détruire complètement : *Pulvériser un adversaire* (= l'anéantir, le foudroyer). *Pulvériser une armée* (= la mettre en pièces). *Pulvériser une objection* (= la réfuter). ‖ *Pulvériser un record,* battre, dépasser très largement le record précédemment établi : *Pulvériser le record du 1 000 mètres.* ◆ **pulvérisation** n. f. : *Des pulvérisations de produits insecticides.* ◆ **pulvérisateur** n. m. Instrument permettant de projeter un liquide en fines gouttelettes.

pulvérulent, e [pylverylɑ̃, -ɑ̃t] adj. Qui est à l'état de poudre très fine, ou qui peut se réduire en parcelles très fines : *La chaux pulvérulente.*

puma [pyma] n. m. Mammifère carnassier d'Amérique.

1. punaise [pynɛz] n. f. 1° Insecte à corps aplati et dégageant une odeur repoussante, parasite de l'homme, des animaux ou des végétaux. — 2° Fam. *Une punaise de sacristie,* une bigote. ‖ Fam. *Punaise!,* interj. marquant le dépit.

2. punaise [pynɛz] n. f. Petit clou à tête large, à pointe courte, très fine : *Fixer avec des punaises une photo sur le mur.*

1. punch [pɔ̃ʃ] n. m. Boisson faite d'un mélange d'une liqueur forte avec du thé, du citron, du sucre, etc.

2. punch [pœnʃ] n. m. *Avoir du punch,* se dit d'un sportif (en particulier d'un boxeur) qui a de l'efficacité dans les attaques qu'il porte. ◆ **punching-ball** [pœnʃiɲbol] n. m. Ballon maintenu verticalement par des liens élastiques et servant à l'entraînement des boxeurs.

punir [pynir] v. tr. 1° *Punir quelqu'un,* lui infliger une peine afin de lui faire expier une faute, de le corriger, etc. : *Le tribunal a sévèrement puni le délinquant* (syn. : CONDAMNER). *Punir le coupable* (syn. : CHÂTIER). *Punir un accusé d'une peine d'emprisonnement* (syn. : FRAPPER). *Punir un enfant pour sa désobéissance.* — 2° *Punir quelqu'un de quelque chose,* lui faire subir un mal à cause de quelque chose (employé souvent au passif) : *Il a été bien puni de son orgueil. Tu as été puni par où tu as péché* (= dans les mêmes conditions que tu as commis une faute). *Il a été puni de sa curiosité.* — 3° *Punir une faute,* la frapper d'un châtiment, d'une sanction : *La loi punit une telle escroquerie!* (syn. : RÉPRIMER). *Punir une infraction* (syn. : SANCTIONNER). *Punir l'injustice.* ◆ **puni, e** adj. et n. : *Les punis resteront samedi soir au lycée.* ◆ **punissable** adj. : *Un crime punissable de la peine de mort* (syn. : PASSIBLE). ◆ **punitif, ive** adj. : *Expédition punitive* (= destinée à punir). ◆ **punition** n. f. 1° Action de punir : *La juste punition du coupable* (syn. : CHÂTIMENT). — 2° Peine subie par un coupable (exclut, en général, l'idée de gravité) : *Recevoir une punition. Infliger, donner une punition* (syn. : SANCTION). *Une punition corporelle* (= peine physique, coups). — 3° Conséquence pénible d'une action : *Son échec est la punition de son étourderie.* ◆ **impuni, e** adj. : *Un crime impuni.* ◆ **impunément** adv. : *Cet enfant ne se moquera pas impunément de son professeur* (= sans être puni). ◆ **impunité** n. f. Absence de punition, de châtiment : *L'impunité encourage au crime.*

1. pupille [pypij ou pypil] n. f. Orifice central de l'iris de l'œil, par où passent les rayons lumineux.

2. pupille [pypij ou pypil] n. 1° Orphelin mineur, placé sous l'autorité d'un tuteur. — 2° *Pupille de l'Etat,* enfant placé sous la tutelle de l'Etat. ‖ *Pupille de la nation,* enfant orphelin de guerre, bénéficiant de l'aide de l'Etat.

pupitre [pypitr] n. m. Petit meuble à plan incliné, sur lequel on peut écrire, dessiner, etc., en posant des cahiers, des feuilles, des livres : *Les pupitres d'une classe* (syn. : TABLE). *Le pupitre d'un dessinateur, d'un chef d'orchestre. Ce chef célèbre sera au pupitre* (= dirigera l'orchestre). *Dans l'amphithéâtre comble, les étudiants ont leurs genoux pour pupitre.*

1. pur, e [pyr] adj. (après le nom). 1° Se dit d'une chose qui est sans mélange avec une autre, qui ne contient rien d'étranger : *Alcool pur* (contr. : ÉTENDU, MÉLANGÉ). *Boire du vin pur* (= sans eau). *Rendre un son pur* (= dont le timbre est net, formé des harmoniques fondamentaux seulement). *Corps à l'état pur* (= sans mélange avec un autre corps). ‖ *Race pure,* race animale qui ne s'est pas croisée avec une autre. ‖ *Corps pur,* en chimie, syn. de CORPS SIMPLE. ‖ *Ciel pur,* ciel sans nuages. ‖ *Voix pure,* voix au son clair, cristallin. — 2° Se dit d'une chose limitée strictement à son objet : *Sciences pures* (= sciences théoriques, par oppos. à *sciences appliquées*). *Musique pure* (= musique qui ne vise qu'à être une composition proportionnée de sons, par oppos. à *musique descriptive,* etc.). — 3° Se dit d'une personne (ou de son comportement) qui n'est pas corrompue, qui ignore le mal ou le péché : *Un cœur pur* (syn. : DROIT). *Il n'avait pas que des intentions pures* (syn. : DÉSINTÉRESSÉ; contr. : TROUBLE). *Une jeune fille pure* (syn. : VIERGE). *Un amour pur* (syn. : CHASTE, PLATONIQUE; contr. : CHARNEL). *Une femme au profil pur* (= dont le dessin se rapproche d'un modèle idéal). *Un regard pur* (syn. : CANDIDE; contr. : PERVERS). ‖ *Etre pur de toute tache, de tout vice,* etc., n'avoir eu aucun contact avec le mal, le vice. ‖ *Demeurer pur de tout soupçon,* au-dessus de tout soupçon. ◆ **pur** n. m. : *Les purs d'un parti* (= ceux qui sont les plus intransigeants sur la conduite, la doctrine du parti). *Tout le monde avait abandonné, sauf une poignée de purs* (syn. péjor. : FANATIQUE). ◆ **pureté** n. f. : *La pureté d'un métal. La pureté d'une eau. La pureté d'un son. Vouloir préserver la pureté de la langue* (= vouloir empêcher l'utilisation de formes, de tournures incorrectes et de termes d'origine étrangère). *La pureté de ses intentions n'apparaissait pas clairement. La pureté de son regard frappait au premier abord* (syn. : DROITURE, LIMPIDITÉ, FRANCHISE). *La pureté de son visage* (syn. : DÉLICATESSE). *Avoir de la pureté de cœur. La pureté de l'enfance* (syn. : INNOCENCE). *Pureté d'une jeune fille* (syn. : VIRGINITÉ). ◆ **purifier** v. tr. : *Purifier l'air* (syn. : ASSAINIR). *Purifier de l'eau* (syn. : FILTRER). *Purifier un métal* (syn. : ÉPURER). *Un sain repentir purifia son cœur* (langue soutenue). ◆ **purification** n. f. ◆ **purificateur, trice** adj. et n. : *Un feu purificateur.* ◆ **purificatoire** adj. (langue religieuse) : *Une cérémonie purificatoire* (= qui lave la souillure du péché). ◆ **impur, e** adj. Contr. de *pur* (surtout au sens 2) : *Eau impure. Air impur. Des sentiments impurs* (syn. : TROUBLE, PERVERTI). ◆ **impureté** n. f. : *L'impureté de l'atmosphère. Il reste encore quelques impuretés dans le métal* (syn. : SCORIE). *Cette eau est pleine d'impuretés qui flottent à la surface* (syn. : SALETÉ). *L'impureté des sentiments de quelqu'un* (= leur caractère trouble). *Le péché d'impureté* (= contre la morale sexuelle).

2. pur, e [pyr] adj. (avant le nom). A une valeur de renforcement : *Ce que vous dites est la pure vérité* (= est absolument vrai). *Un pur hasard* (= une coïncidence véritablement fortuite). *Une politesse de pure forme* (= une politesse tout extérieure). *Démission de pure forme* (= qui n'est pas réelle). ‖ *En pure perte,* sans aucune compensation, pour rien : *Agir en pure perte.* ‖ *Pur et simple* (après un nom), sans condition ni restriction : *Il a donné sa démission pure et simple. C'est une pure et simple formalité* (= ce n'est qu'une formalité). ◆ **purement** adv. Uniquement : *Il a agi purement par intérêt. Purement et simplement* (employé pour renforcer).

1. purée [pyre] n. f. 1° Mets consistant en une bouillie de légumes cuits, écrasés et passés : *Une purée de pommes de terre. Une purée de marrons.* — 2° Fam. *Purée de pois,* brouillard épais, rendant la visibilité presque nulle.

2. purée [pyre] n. f. Fam. *Etre dans la purée,* être dans la misère, dans la gêne. ◆ **purotin** n. m. *Fam.* Homme pauvre.

purgatoire [pyrgatwar] n. m. Dans la religion catholique, lieu où les pécheurs morts en état de grâce achèvent d'expier leurs péchés.

1. purger [pyrʒe] v. tr. *Purger quelqu'un,* lui administrer un médicament qui facilite l'évacuation intestinale : *Purger un enfant malade.* ◆ **purgatif** n. m. : *Prendre un purgatif* (syn. : LAXATIF). ◆ **purge** n. f. Syn. de PURGATIF.

2. purger [pyrʒe] v. tr. *Purger une conduite, une installation,* la vidanger, la débarrasser de l'air qu'elle contient : *Purger un radiateur.* ◆ **purgeur** n. m.

3. purger [pyrʒe] v. tr. *Purger un pays, un groupe social,* en éliminer les individus jugés dangereux : *Purger une région des bandits qui l'infestent.* ◆ **purge** n. f. Elimination des individus jugés politiquement indésirables.

4. purger [pyrʒe] v. tr. *Purger une peine, une condamnation,* subir cette peine : *Voleur qui purge une peine de six mois de prison.*

purin [pyrɛ̃] n. m. Liquide s'écoulant du fumier et servant d'engrais : *Une fosse à purin.*

purisme [pyrism] n. m. Souci excessif de la pureté du langage, caractérisé par le désir de fixer la langue à un stade de son évolution, considéré comme un modèle idéal. ◆ **puriste** adj. et n. : *Grammairien puriste* (contr. : LAXISTE, LIBÉRAL).

puritain, e [pyritɛ̃, -ɛn] adj. et n. Se dit de quelqu'un qui affecte les principes d'une morale rigoureuse : *Des parents puritains l'avaient élevé loin des tentations du monde* (syn. : RIGORISTE). ◆ adj. Qui présente de tels caractères : *Education puritaine* (syn. : AUSTÈRE, contr. : LIBÉRAL). *Des mœurs puritaines* (syn. : ↑ PUDIBOND). ◆ **puritanisme** n. m. : *Un puritanisme étroit* (syn. : RIGORISME).

purotin n. m. V. PURÉE 2.

pur-sang [pyrsɑ̃] n. m. invar. Cheval de course dont les ascendants sont de race : *Une course réservée aux pur-sang de trois ans.*

pus [py] n. m. Liquide jaunâtre et visqueux, qui se forme aux points d'infection de l'organisme : *Un amas de pus* (= un abcès). *Ecoulement du pus. La présence de pus dans les urines.* ◆ **purulent, e** adj. Qui contient ou produit du pus : *Un crachat purulent. Une infection purulente.*

pusillanime [pyzilanim] adj. Qui manque de courage, qui a peur des responsabilités; qui manifeste la lâcheté (littér.) : *Un esprit pusillanime* (syn. : PEUREUX, CRAINTIF; contr. : COURAGEUX). *Avoir une conduite pusillanime* (syn. : ↓ TIMORÉ, FAIBLE; contr. : ÉNERGIQUE, FERME). ◆ **pusillanimité** n. f. : *Faire preuve de pusillanimité* (syn. : COUARDISE, LÂCHETÉ).

pustule [pystyl] n. f. Petite saillie de la peau contenant du pus. ◆ **pustuleux, euse** adj. : *L'éruption pustuleuse de la varicelle.*

putain [pytɛ̃] n. f. 1° *Pop.* Prostituée, femme sans moralité. — 2° *Pop.* Interjection marquant divers sentiments, du mépris à l'étonnement.

putois [pytwa] n. m. Mammifère carnivore, à la fourrure brun foncé, d'odeur nauséabonde.

putréfier [pytrefje] v. tr. (sujet nom de chose). *Putréfier quelque chose,* le faire pourrir, l'amener à un état de décomposition : *La chaleur humide a putréfié la viande et les fruits.* ◆ ***se putréfier*** v. pr. et ***être putréfié*** v. passif : *Les cadavres se putréfiaient* (syn. : POURRIR, SE DÉCOMPOSER). *La chair est putréfiée.* ◆ **putréfaction** n. f. : *Etre, tomber en putréfaction* (syn. : POURRITURE). *Le corps était déjà en état de putréfaction avancée* (syn. : DÉCOMPOSITION). ◆ **putrescible** adj. Susceptible de pourrir : *Une matière putrescible* (syn. : CORRUPTIBLE). ◆ **imputrescible** adj. : *Du bambou imputrescible.*

putride [pytrid] adj. Se dit d'une odeur infecte, produite par la décomposition : *Un gaz putride. Des odeurs putrides s'élèvent du marécage.*

putsch [putʃ] n. m. Coup d'Etat ou soulèvement organisé par un groupe armé en vue de s'emparer du pouvoir : *Un putsch militaire. La république à ses débuts fut secouée par une série de putschs.*

puzzle [pœzl] n. m. Jeu composé de fragments découpés irrégulièrement, qu'il faut rassembler pour reconstituer un dessin, une carte.

pygmée [pigme] n. m. *Péjor.* Homme de très petite taille, ou totalement insignifiant. (Ce mot désigne une race africaine d'hommes très petits.)

pyjama [piʒama] n. m. Vêtement de nuit, composé d'un pantalon et d'une veste, légers et amples.

pylône [pilon] n. m. Poteau en ciment ou support métallique, destiné à porter des câbles électriques aériens, des antennes, etc. : *Des pylônes électriques le long des voies de chemin de fer* (syn. : POTEAU). *Un pylône porte l'antenne de télévision.*

pyramide [piramid] n. f. 1° Figure de géométrie dans l'espace ayant pour base un polygone et pour faces des triangles qui se réunissent en un même point (*sommet de la pyramide*). — 2° Monument ayant cette forme : *Les pyramides d'Egypte, élevées par les Pharaons dans la vallée du Nil.* — 3° Entassement d'objets, de corps, etc., disposés selon cette forme : *Une pyramide de livres, de fruits. Les acrobates réalisèrent sur la piste du cirque une pyramide humaine.* — 4° *Pyramide des âges,* représentation graphique de la population par âge, selon le nombre des hommes et des femmes séparément : *La base de la pyramide des âges est constituée par les enfants qui viennent de naître et le sommet par les vieillards centenaires.* ◆ **pyramidal, e, aux** adj. : *Un clocher pyramidal.* (Le sens fam. de « énorme » est vieilli.)

pyromane [piroman] n. Personne qui, par impulsion morbide, allume des incendies.

pyrotechnie [pirotɛkni] n. f. Fabrication et emploi de pièces servant dans les feux d'artifice.

python [pitɔ̃] n. m. Serpent de grande taille, vivant en Asie et en Afrique, qui étouffe et broie ses proies dans ses anneaux.

pythonisse [pitonis] n. f. *Ironiq.* Femme qui fait métier de prédire l'avenir (syn. usuel : VOYANTE).

q

q n. m. V. Introduction.

quadragénaire adj. et n. Qui a quarante ans. (V. ÂGE.)

quadrangulaire [kwadrɑ̃gylɛr] adj. Qui a quatre angles : *Le donjon quadrangulaire est la curiosité de la petite ville.*

quadrature [kwadratyr] n. f. *C'est la quadrature du cercle,* c'est un problème insoluble : *Faire circuler à Paris plus de voitures tout en ayant le même nombre de rues, c'est la quadrature du cercle.*

quadriennal, e, aux [kwadrijenal, -no] adj. Qui dure quatre ans ou qui revient tous les quatre ans : *Un plan quadriennal de reconstruction a été établi.*

quadrilatère [kwadrilatɛr] n. m. Figure géométrique fermée ayant quatre côtés : *Le carré est un quadrilatère.*

quadrille [kadrij] n. m. Groupe de quatre cavaliers effectuant une figure de carrousel, ou de quatre danseurs faisant une figure de danse; cette danse elle-même : *Le quadrille a été à la mode au XIX*e *siècle.*

quadriller [kadrije] v. tr. 1° *Quadriller une page, du papier,* etc., y tracer des carrés contigus qui y forment des divisions (surtout au part. passé) : *Utiliser du papier quadrillé pour dessiner.* — 2° *Quadriller une ville, une région,* etc., la diviser en zones pour y répartir systématiquement des forces de sécurité, afin d'y maintenir l'ordre par un contrôle rigoureux. ◆ **quadrillage** n. m. : *Procéder au quadrillage d'un quartier à la suite de multiples attaques à main armée.*

quadrupède [kwadrypɛd] adj. et n. m. Animal à quatre pattes : *Le chien est un quadrupède.*

quadruple [kwadrypl] adj. et n. m. V. NUMÉRATION. ◆ **quadrupler** v. tr. Multiplier par quatre : *La publicité a quadruplé le volume des ventes à l'étranger en deux ans.* ◆ v. intr. Etre multiplié par quatre : *La production industrielle a quadruplé en vingt ans.*

quai [ke] n. m. 1° Ouvrage en maçonnerie qui, le long des cours d'eau, retient les berges, empêche les inondations et sert à l'accostage, qui est utilisé dans les ports pour le chargement ou le déchargement des navires, et qui, dans les gares, s'étend le long des voies pour permettre l'embarquement ou le débarquement des voyageurs : *Le navire est, arrivé à quai. Les voyageurs attendent sur le quai l'arrivée du train. Prendre un billet de quai. Les voyageurs se pressent sur le quai du métro.* — 2° Passage qui est aménagé, dans les villes, le long de la berge d'un fleuve : *Les bouquinistes installés sur les quais de Paris. Le quai des Orfèvres, à Paris, est le siège de la police. Le Quai d'Orsay* (= le ministère des Affaires étrangères).

qualifier [kalifje] v. tr. 1° *Qualifier quelqu'un, quelque chose,* les caractériser en leur donnant une qualité, un titre : *Il a qualifié d'escroquerie cette simple négligence. Le fait a été qualifié de crime* (syn. : NOMMER). *L'adjectif qualifie le nom auquel il se rapporte. Voilà une conduite qu'on ne saurait qualifier* (syn. : DÉNOMMER). *Un vol qualifié est un crime en raison des circonstances dans lesquelles il a eu lieu. Il m'a qualifié d'imbécile* (syn. : APPELER). — 2° *Qualifier quelqu'un* (*pour*), lui donner la qualité, la compétence (souvent au passif) : *Ces premiers travaux ne vous qualifient nullement pour vous poser en savant et en maître* (syn. : AUTORISER). *Vous êtes parfaitement qualifié pour occuper cet emploi* (syn. : ÊTRE CAPABLE). *Je ne suis pas qualifié pour lui faire des remontrances* (= je n'ai pas qualité pour). ◆ ***se qualifier*** v. pr. Passer avec succès des épreuves préliminaires : *Cet athlète s'est qualifié pour la finale.* ◆ **qualification** n. f. : *Cette qualification d'intégrité ne lui convient nullement. La qualification professionnelle est la valeur d'un ouvrier.* ◆ **qualifiable** adj. : *Sa conduite n'est pas qualifiable.* ◆ **inqualifiable** adj. : *Avoir une attitude inqualifiable à l'égard de ses supérieurs* (syn. : INNOMMABLE). ◆ **qualificatif** n. m. Terme qui exprime une qualité bonne ou mauvaise, dont on se sert pour caractériser quelqu'un : *Employer à l'égard de l'agent de police des qualificatifs injurieux* (syn. : ÉPITHÈTE). ◆ adj. *Adjectif qualificatif,* V. CLASSE, *Classes grammaticales.*

qualité [kalite] n. f. 1° *Qualité de quelque chose,* manière d'être bonne ou mauvaise; état caractéristique : *Ces fruits sont d'excellente qualité* (syn. : DE PREMIER ORDRE). *Améliorer la qualité des produits. Une marchandise de qualité* (= supérieure). *Voir un spectacle de haute qualité* (= excellent). — 2° *Qualité de quelqu'un,* ce qui fait son mérite : *Il a fait preuve de sérieuses qualités de jugement. La qualité d'un artiste* (syn. : VALEUR). *Il réunit un grand nombre de qualités* (syn. : MÉRITE, VERTU; contr. : DÉFAUT). *Il a des qualités que je n'ai pas* (syn. : APTITUDE, DON; contr. : FAIBLESSE). — 3° Condition sociale et juridique : *Sa qualité de fonctionnaire lui donne droit à une retraite à soixante ans* (syn. : FONCTION). *Sa qualité d'ancien ministre lui facilite l'entrée partout* (syn. : TITRE). ● LOC. PRÉP. *En qualité de,* ayant tel ou tel titre juridique : *En qualité de tuteur, il doit rendre compte de l'administration de la succession. En qualité de recteur, il peut nommer certains adjoints d'enseignement* (syn. : COMME, À TITRE DE). ◆ **qualitatif, ive** adj. : *Les changements qualitatifs intervenus dans la situation sociale* (= qui portent sur la qualité; par opposition à QUANTITATIF. V. QUANTITÉ). ◆ **qualitativement** adv.

quand [kɑ̃] conj. de subordination et adv. interrogatif. Indique une relation de temps et plus rarement d'opposition. (V. tableau p. ci-contre.)

CONJONCTION	quand	ADVERBE INTERROGATIF
Indique une relation de correspondance dans le temps (conj. usuelle en français parlé et écrit); la nuance peut être la simultanéité, la répétition, la cause : *Quand tu auras lu ce roman, tu me le prêteras* (syn. : LORSQUE, en langue écrite surtout). *Quand il écrit, il tire toujours légèrement la langue* (syn. : CHAQUE FOIS QUE). *Pourquoi ne pas avoir la télévision quand tout le monde l'a?* (syn. : DU MOMENT QUE, DÈS LORS QUE). Précédé d'une préposition (*fam.*) : *Cela nous servira pour quand nous partirons en voyage. Cette réparation tiendra bien jusque quand nous reviendrons. Cela date de quand nous étions des enfants.*		Indique à quel moment, à quelle date un événement a lieu (dans l'interrogation directe ou indirecte) : *Quand pourrez-vous venir? J'ignore quand il sera libre. Savez-vous quand il rentrera?* Avec le renforcement *est-ce que :* *Quand est-ce que vous pourrez me le dire? Il ne se souvient plus quand est-ce qu'il l'a aperçu pour la dernière fois* (fam.). Précédé d'une préposition : *De quand date cet événement?*; et *fam.* : *Cet événement date de quand? Depuis quand est-il parti? Pour quand la prochaine réunion? Cet article est pour quand?* (fam.). *Je vous demande jusqu'à quand l'usine restera fermée. A quand le départ?*
Indique une relation d'opposition, avec le conditionnel : *Allumer la lampe quand il fait encore jour* (syn. : ALORS QUE). *Quand vous le plaindriez, il n'en serait pas pour cela sauvé* (syn. : MÊME SI, ENCORE QUE); et surtout sous la forme *quand même, quand bien même : Quand bien même vous insisteriez encore, je n'accepterais pas.* *Quand même* peut être employé en langue familière dans une proposition principale : *Vient-il quand même?*		

quant à [kɑ̃ta] loc. prép. Se place devant un terme de la proposition sur lequel on attire l'attention en l'isolant : *Il ne m'a rien dit quant à ses projets* (syn. : DE). *Cette question est difficile; quant à moi, je ne suis pas capable de vous répondre* (syn. : POUR). *Quant à sa proposition, il faut l'examiner* (syn. : EN CE QUI CONCERNE). *Quant à mon fils, je le crois capable de faire mieux* (syn. : POUR CE QUI EST DE); et avec un infinitif : *Quant à exiger de lui la ponctualité, je pense que c'est impossible. Quant à lui, il est d'accord pour nous rejoindre à huit heures près de la poste* (syn. : DE SON CÔTÉ, POUR SA PART). ◆ **quant à soi** [kɑ̃taswa] n. m. Attitude de réserve à l'égard de tout ce qui ne concerne pas directement la personne en question et de ce qui peut empiéter sur son domaine particulier (seulement dans quelques express.) : *Il restait farouchement sur son quant-à-soi* (syn. usuel : RÉSERVE).

quantième [kɑ̃tjɛm] n. m. Le jour du mois, d'après l'indication du chiffre (limité au langage administratif) : *Indiquez sur le procès-verbal le quantième du mois* (= le premier, le deux, etc.) [syn. fam. : COMBIENTIÈME].

quantité [kɑ̃tite] n. f. **1°** Caractère de tout ce qui est susceptible d'être mesuré, qui peut être augmenté ou diminué : *La quantité de gaz débitée pendant cet hiver a été supérieure à la normale. La quantité d'énergie produite doit être augmentée dans de grandes proportions. Mesurer la quantité de nourriture donnée à chacun.* — **2°** *Quantité d'une syllabe, d'une voyelle,* etc., durée de la prononciation de cette syllabe, de cette voyelle, etc. (syn. : LONGUEUR). ‖ *Adverbe de quantité,* qui modifie la valeur d'un adjectif, d'un verbe par l'adjonction d'une idée de quantité. — **3°** *Une quantité de, quantité de* (et un nom plur.), un grand nombre de : *J'ai reçu une quantité de lettres de vœux au 1er janvier* (syn. : ↑ FLOT, PLUIE, AVALANCHE). *Il se plaît à accumuler une quantité de petits faits, mais il est incapable de jugement* (syn. : TAS; ↑ MONCEAU, MULTITUDE). *Il y a quantité de gens pour qui la durée du transport s'ajoute à la fatigue du travail* (syn. : MASSE, FOULE). ◆ **quantitatif, ive** adj. : *L'accumulation des changements quantitatifs entraîne des modifications qualitatives.* ◆ **quantifier** v. tr. Donner à un phénomène une variation discontinue par quantités discrètes (terme de sciences) : *Il faut quantifier l'évolution générale d'un phénomène.* ◆ **quantification** n. f.

quarante [karɑ̃t] adj. num. cardin. et n. m. V. NUMÉRATION. ◆ n. m. Au tennis, troisième point marqué par le même joueur dans un jeu. ◆ **quarantième** [karɑ̃tjɛm] adj. num. ordin. et n. ◆ **quarantièmement** adv. V. NUMÉRATION. ◆ **quarantaine** n. f. V. NUMÉRATION et ÂGE. ‖ *Mettre en quarantaine un navire, un animal,* etc., l'isoler pendant un certain temps lorsqu'il vient d'une région où règne une épidémie. ‖ *Mettre quelqu'un en quarantaine,* l'exclure d'un groupe, le priver de tout rapport avec les membres de ce groupe : *Les élèves ont mis en quarantaine le dénonciateur. Son attitude hypocrite l'a fait mettre en quarantaine partout où il a travaillé* (syn. : METTRE À L'INDEX, BOYCOTTER).

1. quart [kar] n. m. **1°** Chacune des parties d'une unité divisée en quatre parties égales : *Prends le quart de ce fromage.* — **2°** Quantité correspondant à 250 grammes : *C'est deux francs la livre? Donnez-m'en un quart;* une bouteille, un gobelet d'un quart de litre : *Se faire servir un quart Vichy* (= le quart d'une bouteille d'eau de Vichy). *Un quart de vin, de bière.* — **3°** *Aux trois quarts,* indique une grande partie, une action réalisée presque complètement : *Les berges sont aux trois quarts inondées* (= presque complètement). *Il était aux trois quarts asphyxié.* ‖ *De trois quarts,* se dit de quelqu'un qui se tient de telle manière qu'on voit les trois quarts du visage (par oppos. à *de face, de profil*) : *Photographie prise de trois quarts.* ‖ *Les trois quarts du temps,* presque toujours : *On le trouve les trois quarts du temps en train de discuter au café voisin.*

2. quart [kar] n. m. Chacune des périodes de quatre heures consécutives pendant lesquelles les hommes sont tour à tour de service ou de repos sur un navire : *Etre de quart* (= assurer le service de veille). *Prendre le quart. Officier de quart* (= qui est chargé de contrôler la route suivie par le navire).

quart d'heure [kardœr] n. m. 1° Durée de quinze minutes : *L'entretien a duré un quart d'heure. De quart d'heure en quart d'heure, mon impatience augmentait.* — 2° Bref espace de temps : *J'ai passé un mauvais quart d'heure* (syn. : MOMENT, INSTANT). *Le dernier quart d'heure* (= la dernière phase d'une opération).

1. quartier [kartje] n. m. Division ou partie d'une ville; les gens qui y habitent : *Les quartiers populaires du nord-est de Paris. Se rendre au commissariat du quartier. Les gens de ce quartier ne le connaissent pas. J'habite ce quartier depuis vingt ans. Les cinémas de quartier* (= ceux qui sont fréquentés par les gens qui habitent le quartier). *Les quartiers commerçants du centre. La nouvelle mit tout le quartier en émoi.*

2. quartier [kartje] n. m. 1° Lieu où sont casernées des troupes : *Rentrer au quartier avant minuit.* — 2° *Quartier général,* emplacement de l'état-major, des dirigeants, des chefs, etc. : *C'est dans ce café que se tenait le quartier général de la bande de voleurs.* ‖ *Quartiers d'hiver,* lieu où sont installées les troupes pendant l'hiver.

3. quartier [kartje] n. m. Portion d'un objet divisé en quatre ou plus de quatre parties : *Prendre un quartier de fromage. Un quartier de bœuf. La lune est dans son premier quartier* (= phase pendant laquelle on n'en aperçoit qu'une partie).

4. quartier [kartje] n. m. *Demander, faire quartier,* demander grâce, avoir pitié : *Les assaillants ne firent pas de quartier* (= traitèrent sans pitié).

quartier-maître n. m. V. GRADE; **quarto** adv. V. NUMÉRATION.

quartz [kwarts] n. m. Roche que l'on trouve dans le granite, le grès, le sable, etc.

quasi [kazi] adv. Seulement comme préfixe d'un substantif (avec trait d'union) ou d'un adjectif (sans trait d'union), avec le sens de « presque » : *Il est quasi mort* (syn. : POUR AINSI DIRE). *Etre atteint d'une quasi-cécité.* ◆ **quasiment** [kasimɑ̃] adv. *Fam.* Indique une approximation : *Il est quasiment un père pour moi* (syn. : EN QUELQUE SORTE). *J'ai quasiment fini mon travail* (syn. : À PEU PRÈS).

quatorze [katɔrz] adj. num. cardin. et n. m. V. NUMÉRATION. ◆ n. m. Le neuf d'atout à la belote. ◆ **quatorzième** [katɔrzjɛm] adj. num. ordin. et n. ◆ **quatorzièmement** adv. V. NUMÉRATION.

quatrain [katrɛ̃] n. m. Strophe de quatre vers.

quatre [katr] adj. num. cardin. et n. m. 1° V. NUMÉRATION. — 2° Nombre indéterminé : *Un de ces quatre matins* (= un jour). *Il lui a dit ses quatre vérités.* — 3° *Se mettre en quatre,* employer tout son pouvoir, toute son énergie ou tous ses moyens pour faire quelque chose : *Il se met en quatre pour nous rendre service* (syn. : SE DÉMENER; fam. : SE DÉCARCASSER). ‖ *Quatre à quatre,* en franchissant quatre marches à la fois : *Il descendit l'escalier quatre à quatre* (= très vite). *Monter quatre à quatre.* ‖ *Comme quatre,* d'une manière qui dépasse la normale : *Il mange comme quatre* (syn. : BEAUCOUP). *Il a de l'esprit comme quatre* (syn. : ÉNORMÉMENT). ◆ **quatrième** adj. et n. m. ◆ **quatrièmement** adv. V. NUMÉRATION.

quatre-saisons [katrsɛzɔ̃] n. f. *Marchand, marchande de* (ou *des*) *quatre-saisons,* personne qui vend des fruits et des légumes dans une voiture à bras installée dans la rue.

quatre-vingts [katrəvɛ̃] adj. num. cardin. et n. m. V. NUMÉRATION. ◆ **quatre-vingtième** [katrəvɛ̃tjɛm] adj. num. ordin. et n. V. NUMÉRATION.

quatuor [kwatyɔr] n. m. Composition musicale à quatre parties; groupe de quatre voix ou de quatre instruments. ◆ **quartette** [kwartɛt] n. m. Groupe de quatre musiciens.

1. que [kə] conj. 1° Dépendant d'un verbe, d'une locution verbale, d'un nom d'action ou d'état, introduit une proposition subordonnée (dite *complétive*) complément d'objet, sujet ou attribut (cette proposition peut correspondre à un nom ou un infin. compl. du nom) : *On dit que l'hiver sera très froid* (proposition complément d'objet direct). *L'espoir qu'on le retrouve vivant diminue chaque jour* (= de le retrouver). *Il est vrai que votre réussite est complète* (proposition sujet). *Notre intention est que l'appartement soit refait pour la fin du mois* (proposition attribut). *J'ai peur que le col ne soit fermé à la circulation des voitures.* — 2° Dans les propositions subordonnées coordonnées par *et, ou,* il peut se substituer à toutes les conjonctions ou locutions conjonctives de subordination (lorsqu'il remplace *si,* la proposition est au subj.) : *Bien que le temps fût orageux et que le sommet de la montagne fût enveloppé de brume, l'ascension fut décidée. Je vous donnerai mon avis quand j'aurai lu le rapport et que j'aurai pris connaissance des pièces du dossier. Si vous avez quelques instants de libre et que le problème vous paraisse important, je me ferai un plaisir de vous l'exposer en détail.* — 3° Après *plus, moins, tel, autre, autant, aussi,* il introduit une proposition subordonnée comparative, avec ou sans verbe : *Le stationnement à Paris est devenu plus difficile cette année que l'année dernière. Il semble plus préoccupé que d'habitude. Il n'est pas tel que vous le pensez.* — 4° Introduit une proposition subordonnée de condition (et le subj.), en général en tête de phrase et suivie d'une proposition coordonnée : *Qu'il pleuve ou non, nous sortirons cet après-midi. Vous devez partir, que cela vous soit agréable ou non.* — 5° Introduit une proposition subordonnée de conséquence après les adverbes *si, tant, tellement,* et après *tel* (négation *que... ne* + subj. après une proposition négative) : *Le feu prit si rapidement que tout était brûlé quand les pompiers arrivèrent. La mer n'est pas tellement froide aujourd'hui que tu ne puisses te baigner.* — 6° Introduit une proposition principale ou indépendante indiquant un ordre à la 3ᵉ personne, ou un souhait : *Qu'il se taise! Que la fin du mois arrive vite! Que m'importe, après tout.* • REM. *Que* entre dans la composition de locutions conjonctives ou conjonctions (*à moins que, bien que, lorsque, pourvu que, de telle sorte que,* etc.).

2. que [kə] adv. 1° Indique une grande quantité dans les phrases exclamatives avec un adjectif ou un verbe : *Que tu es stupide, mon pauvre ami!* (= fam. : ce que tu peux être). *Qu'il faut peu de temps pour tout changer!* (syn. : COMBIEN, COMME); suivi de la préposition *de* et d'un substantif : *Que de pièces de théâtre intéressantes cette année! Que* *de difficultés avons-nous rencontrées avant de parvenir au résultat!* (syn. : COMBIEN). *Que de patience représente cet ouvrage!* (syn. plus usuel : QUEL). — 2° Suivi de *ne* dans les phrases interrogatives ou exclamatives, indique un regret ou un étonnement (littér.) : *Que ne m'avez-vous prévenu?* (syn. plus usuel : POURQUOI). *Que n'a-t-il compris plus tôt l'avertissement qui lui était donné!*

3. que [kə] pron. rel. V. QUI.

quel, quelle [kɛl] adj. interr. ou exclamatif. Utilisé dans l'interrogation ou l'exclamation directe ou indirecte, indique qu'une question est posée sur la qualité, la nature ou l'identité d'une personne ou d'une chose. 1° Suivi du verbe *être* et d'un substantif dont il est l'attribut : *Quel est ce fameux secret qu'il ne voulait révéler à personne? Je me demande quelle a pu être sa réaction devant tant d'ingratitude. Quelle a été la cause de cet accident de voiture? Quelle ne fut pas ma surprise en le voyant revenir! Quel est le plus grand des deux? De quel côté allez-vous?* — 2° Suivi immédiatement d'un substantif dont il est l'épithète : *Quel film avez-vous vu cette semaine? Quelle heure est-il? Je ne sais plus quel jour il m'a téléphoné. Quel talent chez cet écrivain! Quel malheur est le sien! Il faut voir avec quelle énergie il a fait front. Dieu sait quelle bêtise il aura encore été faire. Je me demande quel mal il y a à la regarder.* ‖ *N'importe quel*, V. IMPORTER 2.

quelconque [kɛlkɔ̃k] adj. indéf. et adj. qualificatif, **quiconque** [kikɔ̃k] pron. rel. indéf. et pron. indéf. Marquent une indétermination totale sur la qualité ou l'identité. (V. tableau ci-dessous.)

quel que, quelle que [kɛlkə] adj. rel. Indique une concession, une opposition portant sur la qualité de telle ou telle personne ou chose (toujours suivi du subj. et d'un substantif, et sans négation) : *Quelles que soient vos raisons, votre attitude me chagrine. Quelle que soit la politique que l'on suivra, on sera obligé de maintenir ce traité. Quel que soit le mode de chauffage employé, il sera insuffisant dans une maison aussi vaste.*

quelque [kɛlk] adj. indéf. (Ne s'élide pas devant une voyelle.) Indique une indétermination plus grande que *un* (au sing.) et *des* (au plur.). 1° Au singulier, non précédé de l'article : *A quelque distance, on apercevait un banc de pierre* (= à une petite distance). *Peut-être quelque jour le reverrons-nous* (= un jour ou l'autre). *J'ai quelque peine à me souvenir de ces événements lointains* (syn. : ASSEZ DE). *Il m'a répondu avec quelque retard* (= avec un certain retard). *C'est un roman aujourd'hui quelque peu oublié. Il y a quelque peu d'exagération dans ce que vous dites.* — 2° Au pluriel, sans art. : *Dites quelques mots à l'assistance. Quelques jours après, il partit pour l'Afrique. Quelques milliers de mouettes s'étaient abattues tout le long de l'immense plage de sable.* — 3° Au pluriel, précédé de l'article ou d'un déterminatif, indique un petit nombre : *Ce n'est pas avec ces quelques employés que le travail pourra être fait. Les quelques articles qu'il a écrits ne suffisent pas à expliquer sa notoriété. Les quelques milliers de francs que vous avez dépensés ne l'ont pas été en vain.* ◆ adv. 1° Indique une approximation : *Il a quelque quarante ans* (syn. usuel : DANS LES, ENVIRON, QUELQUE CHOSE COMME). — 2° Fam. *Et quelque(s)*, indique une addition peu importante : *Je reviendrai dans un mois et quelque* (= dans un peu plus d'un mois). ‖ *Quelque part*, en un endroit indéterminé. ‖ *Quelque peu*, une certaine quantité, mais peu importante.

quelque... que [kɛlkə... kə] adj. ou adv. rel. (et le subj.). Indique une concession ou une opposition portant sur un substantif ou un adjectif. (*Quelque* ne s'élide pas devant une voyelle.) 1° Avec un nom avec lequel il s'accorde : *De quelque manière qu'on examine la question, la solution est difficile. Nous partirons par quelque temps que ce soit* (syn. usuel : PAR N'IMPORTE QUEL TEMPS). *Quelques objections qu'il mette en avant, il finira par se rallier à notre idée.* — 2° Avec un adjectif (littér.) : *Quelque étrange que fût cette musique, elle m'était cependant agréable* (syn. : QUOIQUE, BIEN QUE; littér. : TANT, POUR, SI... QUE). *Quelque profondes que soient les réformes envisagées, elles ne feront que retarder l'échec final* (syn. : SI ... QUE, POUR ... QUE [langue écrite et soutenue]).

quelquefois [kɛlkəfwa] adv. Indique que le fait se produit dans un nombre de cas relativement peu élevés ou à des moments espacés : *Il avait quelquefois un sourire désabusé* (syn. : PARFOIS [langue soutenue], DES FOIS [fam.]). *C'est un homme énergique, quelquefois violent. Quelquefois, on parlait de l'absent* (syn. : DE TEMPS À AUTRE). *C'est une maladie bénigne, mais dont les complications sont quelquefois dangereuses* (contr. : CONSTAMMENT, TOUJOURS). *Les cerisiers du jardin ne donnent que quelquefois des fruits* (syn. : EXCEPTIONNELLEMENT, RAREMENT). *Il est quelquefois brutal, mais toujours d'une politesse très froide* (contr. : SOUVENT, FRÉQUEMMENT).

quelconque	quiconque
1° Adj. indéfini après un substantif, indique l'indétermination : *Si pour une raison quelconque, vous ne pouvez venir...* (syn. : N'IMPORTE QUEL). *Regardez un point quelconque de l'horizon* (syn. : QUEL QU'IL SOIT.) 2° Adj. indéfini avant un substantif et après *un* ou *l'un* : *Etre meublé d'un quelconque mobilier choisi sans goût. Présenter une quelconque observation sur le sujet. Interrogez l'un quelconque de ces élèves.* 3° Adj. qualificatif (peut être accompagné de *très, aussi, bien,* etc.), se dit de tout ce qui n'a pas de valeur ou de qualité digne d'intérêt : *C'est un film bien quelconque* (syn. : INSIGNIFIANT, MÉDIOCRE; contr. ORIGINAL). *Un homme très quelconque, grossier même* (syn. : ORDINAIRE). *Un comédien très quelconque* (= sans originalité).	1° Pron. relatif indéfini, introduit une proposition relative sans antécédent, dont *quiconque* est le sujet indéterminé (*qui* étant le sujet déterminé). Il commence souvent une phrase sentencieuse et appartient à la langue soignée : *Quiconque a tué périra par l'épée* (syn. : QUI QUE CE SOIT QUI, CELUI QUI, QUI). *Quiconque a beaucoup voyagé sait comme les heures des repas sont variables* (syn. : N'IMPORTE QUI QUI). *Il sera critiqué par quiconque a un peu de connaissances en la matière.* 2° Pron. indéfini à l'intérieur d'une proposition et surtout après un comparatif, indique une personne indéterminée (syn. : N'IMPORTE QUI) : *Je sais mieux que quiconque ce qui me reste à faire* (syn. : PERSONNE).

quelqu'un [kɛlkœ̃] pron. indéf., **quelque chose** [kɛlkəʃoz, ou *fam.* kɛkʃoz] pron. indéf. masc. Indiquent une personne ou une chose d'une manière vague. (V. tableau ci-dessous.)

quelques-uns, quelques-unes [kɛlkəzœ̃, -zyn] pron. indéf. pl. Indique un nombre indéterminé mais limité de personnes : *Quelques-uns d'entre eux* (syn. : UN CERTAIN NOMBRE). *Elle nous a réservé quelques-uns de ces plats du Midi que j'aime tant. Il y en a quelques-uns qui ignorent l'existence de ce problème* (syn. : UN PETIT NOMBRE). *Quelques-unes de ces comédies de Boulevard sont fort drôles* (syn. : CERTAIN).

quémander [kemɑ̃de] v. tr. *Quémander quelque chose,* le demander avec un sentiment d'humilité, en importunant celui à qui on s'adresse : *Cet enfant est toujours à quémander des bonbons. Il est en train de quémander de l'argent à ses collègues* (syn. : ↑ MENDIER). ◆ **quémandeur, euse** n. Syn. de MENDIANT.

qu'en-dira-t-on [kɑ̃diratɔ̃] n. m. invar. *Fam.* Propos médisants qui sont répandus sur quelqu'un : *Il est très sensible aux qu'en-dira-t-on des commerçants du quartier* (syn. : CANCAN, COMMÉRAGE).

quenelle [kənɛl] n. f. Boulette de poisson ou de viande hachés : *Servir des quenelles de brochet.*

quenotte [kənɔt] n. f. *Fam.* Dent d'un tout jeune enfant (langue utilisée avec des enfants) : *Il a mal à ses petites quenottes!*

quenouille [kənuj] n. f. *Tomber en quenouille,* passer entre les mains des femmes : *Il disait en plaisantant que l'enseignement en France tombait en quenouille.* (La *quenouille* est un bâton entouré de fils destinés à être filés.)

querelle [kərɛl] n. f. Opposition vive, discussion passionnée qui aboutit à un échange de paroles hostiles et parfois de coups : *J'ai voulu rester à l'écart de cette querelle d'idées. De fréquentes querelles s'élèvent entre les deux époux* (syn. : DISPUTE). *La querelle qui les oppose s'est aggravée* (syn. : DÉSACCORD). *Il cherche querelle à tous ses voisins* (= il provoque). ◆ **quereller** v. tr. *Quereller quelqu'un,* lui adresser des reproches : *Il a querellé son secrétaire pour n'avoir pas achevé le courrier* (syn. : ↑ BLÂMER). ◆ ***se quereller*** v. pr. : *Tu te querelles avec tout le monde* (syn. : SE DISPUTER; fam. : SE CHAMAILLER). ◆ **querelleur, euse** adj. et n. : *Un enfant querelleur, toujours à taquiner ses frères et sœurs* (syn. : BATAILLEUR, AGRESSIF).

quérir [kerir] v. tr. (seulem. à l'infin.) *Aller, envoyer, faire, venir quérir quelque chose* ou *quelqu'un,* aller (etc.) le chercher (langue soutenue) : *Il a de la fièvre, j'ai envoyé quérir le médecin.*

1. question [kɛstjɔ̃] n. f. Demande adressée à quelqu'un : *Poser une question à un élève* (= interroger). *Il ne répondit pas à ma question. La question est absurde. On le presse de questions* (syn. : INTERROGATION). *Les questions d'un examen. Il se pose la question de savoir s'il ira au rendez-vous.* ◆ **questionner** v. tr. *Questionner quelqu'un,* lui poser une question ou des questions : *Questionner un élève sur sa leçon. La police l'a questionné sur son emploi du temps* (syn. : INTERROGER). ◆ **questionneur, euse** n. : *Un questionneur indiscret* (= qui cherche à vous embarrasser par ses demandes). ◆ **questionnaire** n. m. Liste de questions auxquelles on doit répondre par écrit (ou plus rarement par oral).

2. question [kɛstjɔ̃] n. m. 1° Point sur lequel on a des connaissances imparfaites, qui est à examiner ou à discuter : *La question a été débattue* (syn. : PROBLÈME). *C'est une vaste question à laquelle nous ne pouvons répondre tout de suite* (syn. : SUJET). *La question d'argent fut à l'origine de leur discussion* (syn. : AFFAIRE). *Là est toute la question* (syn. : DIFFICULTÉ). *La question économique, sociale. C'est une question de prudence que de regarder avant de traverser. C'est une autre question. Ce n'est pas la question.* — 2° *Etre question de,* le sujet est : *Il est question, dans cet ouvrage, de l'ascension de l'Himalaya* (syn. : S'AGIR DE). *Il n'est pas question de s'attarder plus longtemps;* on parle de : *Il est question de le nommer à un poste à l'étranger.* ‖ *Cela ne fait pas question,* cela n'est pas discutable. ‖ *En question,* qui pose un problème, ce qui est le sujet : *Ce qui est en question aujourd'hui, ce sont nos libertés essentielles.* ‖ *Mettre, remettre quelque chose en question,* le soumettre à la discussion parce qu'il fait l'objet d'un doute : *Toutes les théories sur l'origine du monde sont aujourd'hui remises en question* (syn. : REMETTRE EN CAUSE); mettre en

---

quelqu'un

1° Employé seul ou suivi d'une relative :
Quelqu'un vous demande (syn. : ON). *On entend quelqu'un marcher dans le jardin. Je connais quelqu'un qui va être content* (= j'en connais un qui). *Si quelqu'un venait, tu lui dirais que j'ai été obligé de sortir. Y a-t-il quelqu'un qui pourrait me renseigner?* (ou, avec une négation : *Il n'y a personne qui pourrait me renseigner*).

2° Suivi de *de* et d'un adjectif masculin :
C'est quelqu'un de sûr, de franc, d'honnête, de stupide (= c'est une personne...).

3° *(Être) quelqu'un,* être un personnage important, avoir de grandes responsabilités : *Il se prend pour quelqu'un.*

4° Pop. et péjor. *C'est quelqu'un,* c'est extraordinaire : *Et il ne s'est même pas excusé, c'est quelqu'un, tout de même!*

quelque chose

1° Employé seul ou suivi d'une relative (accord au masculin de l'adj. attribut) :
Tu attendais quelque chose? (ou, avec une négation : *Tu n'attendais rien?*). *Quelque chose l'inquiète. Il espère quelque chose qui puisse le sortir d'embarras. Croyez-vous qu'il soit encore possible de faire quelque chose? S'il m'arrivait quelque chose* (= un malheur, généralement la mort). *Vous prendrez bien quelque chose* (= invitation à boire). *Il a quelque chose comme soixante ans* (= il a environ). *Ça pèse quelque chose comme dix kilos. Quelque chose me paraît obscur dans son explication. Mange quelque chose avant de partir.*

2° Suivi de *de* et d'un adjectif au masculin :
Il se passe quelque chose d'extraordinaire, d'insolite, d'étonnant.

3° *(Être) quelque chose,* avoir une situation sociale plus ou moins importante : *Il est quelque chose au ministère des Travaux publics. Il se croit quelque chose.*

4° Pop. et péjor. *C'est quelque chose,* c'est extraordinaire, étonnant, important : *Il n'est jamais là quand on a besoin de lui. C'est quelque chose, quand même!* (syn. : C'EST UN PEU FORT). *Une somme pareille, c'est quelque chose.*

danger : *Cela remet en question ma participation à l'œuvre commune* (syn. : COMPROMETTRE). ‖ Fam. *Question* (et un substantif), quand il s'agit de : *Question argent, tout est réglé.*

quête [kɛt] n. f. Action de demander, ou de recueillir des sommes d'argent, des aumônes, en général dans un but charitable, au nom de motifs religieux; somme recueillie : *Une quête sera faite au profit des aveugles. Faire la quête dans l'église. Après avoir fait devant le public ses tours d'adresse, il fit la quête parmi les spectateurs* (syn. : COLLECTE). ‖ *En quête de*, à la recherche de : *Se mettre en quête d'un appartement* (= rechercher). *Il se mit en quête de l'hôtel où il devait descendre.* ◆ **quêter** v. intr. Recueillir des aumônes : *Quêter pour les infirmes. On a quêté à l'église pour les pauvres de la paroisse.* ◆ v. tr. *Quêter quelque chose*, le demander comme une faveur : *Quêter un regard approbateur. Quêter la pitié des passants* (syn. : MENDIER, SOLLICITER). *Les parieurs quêtaient les dernières nouvelles des courses à la porte du journal.* ◆ **quêteur, euse** n. : *La quêteuse passait dans les rangs en tendant sa corbeille.*

quetsche [kwɛtʃ] n. f. Grosse prune ovale et violette : *Une tarte aux quetsches.*

1. queue [kø] n. f. 1° Extrémité postérieure du corps de certains animaux, de forme allongée et flexible, qui est en prolongement de la colonne vertébrale; plumes du croupion d'un oiseau : *La queue d'un singe, d'un chat. La vache frappe ses flancs de sa queue pour chasser les mouches. Couper la queue d'un chien. Chien qui revient la queue basse* (= pendante). *La queue d'un serpent* (= l'extrémité du son corps). *La queue d'un coq.* (L'adj. correspondant est *caudal.*) — 2° Ce qui en a la forme : *La queue d'une poire. Tisane faite avec des queues de cerise. Couper les queues des radis. La queue d'une comète, d'un cerf-volant. La queue d'une signature. La queue de la robe de la mariée* (= partie qui traîne par-derrière). *Un habit à queue* (= dont les basques tombent largement). *La queue de cheval est une coiffure où les cheveux sont ramenés au sommet de la tête, puis attachés pour retomber ensuite sur la nuque.* — 3° Fin d'une chose : *Nous avons reçu la queue de l'orage en revenant. Recompter une addition en commençant par la queue* (= par le bas). ‖ *Finir en queue de poisson*, se terminer d'une manière lamentable, piteuse. ‖ *A la queue leu leu*, l'un derrière l'autre. ◆ **équeuter** v. tr. Enlever la queue d'un fruit : *Equeuter des cerises.*

2. queue [kø] n. f. 1° Dernier rang d'un groupe de personnes : *La queue de la colonne suivait avec difficulté. Il est en queue de classe* (= parmi les derniers). *La queue de la classe* (= les cancres). — 2° File de personnes qui attendent leur tour d'être servies, d'entrer, etc. : *La queue au guichet est très longue. Les clients faisaient la queue* (= attendre). *Mettez-vous à la queue, à votre tour* (= se mettre comme dernier de la file d'attente). ‖ *Sans queue ni tête*, désordonné, incohérent.

1. qui [ki], **que** [kə], **quoi** [kwa] pron. interr. V. tableau ci-dessous.

2. qui [ki], **que** [kə], **quoi** [kwa], **dont** [dɔ̃] pron. rel. Se substituent à un mot ou à une proposition qui précèdent en introduisant une nouvelle proposition. (V. tableau p. 944-946.)

I. FORME SIMPLE désignant :	qui?	que?	quoi?
I. INTERROGATION OU EXCLAMATION DIRECTE			
1° un être animé a) *sujet*	*Qui a téléphoné? Qui l'a dit? Qui va là? Qui donc a pu m'envoyer ce paquet? Qui êtes-vous? « Georges m'a écrit. — Qui ça? » Qui sont-ils? Qui parmi vous l'a vu?*		1° Avec une préposition : *De quoi n'est-il pas capable? De quoi se nourrit-il? En quoi puis-je vous être utile? De quoi se souviennent-ils? Par quoi commençons-nous? Vers quoi nous mène une telle politique? De quoi?* (pop.), expression de menace : *De quoi, de quoi? On se rebiffe?*
b) *complément* (avec ou sans inversion du sujet)	*A qui penses-tu? Qui as-tu rencontré? Qui demandez-vous? A qui voulez-vous parler? Avec qui est-elle sortie? Tu as téléphoné à qui? Tu as rencontré qui?*		2° Après un verbe : *J'ai rapporté quelque chose : devinez quoi?*
2° un nom de chose, une proposition, une phrase.		*Que se passe-t-il? Qu'y a-t-il? Que te faut-il? Qu'as-tu vu? Que gagne-t-il?* (syn. : COMBIEN). *Que faites-vous? Qu'en dit-il? Que faut-il en penser? Que faire!*	3° Avec un infinitif : *Quoi faire?* 4° Suivi de la prép. *de* et d'un adjectif sans verbe : *Quoi de neuf?* (= quelles nouvelles). *Quoi de plus triste que cette histoire?* (syn. : QU'EST-CE QU'IL Y A). 5° Isolé pour demander une explication (phrase mal comprise) ou pour indiquer une surprise, une indignation : *« Tu comprends ça, toi? — Quoi? » Quoi! vous le laissez faire sans protester. Je n'ai pas de repos, le dimanche seulement, quoi! Je vais au bureau à 9 heures, j'en sors à midi, puis de 14 à 18 h, une vie réglée et monotone, insipide quoi!*

II. FORME COMPOSÉE désignant :	**Qui est-ce qui?** (langue soutenue), **qu'est-ce que?** (fam.), **qui c'est qui (que)** [pop.]	**Qu'est-ce que?** (précédé de *à, de, pour,* etc.), **qui est-ce que?** (fam.) [précédé de *à, de, pour,* etc.], **quoi est-ce que?** (pop.)
1° un être animé a) *sujet* b) *attribut du sujet* c) *complément* (sans inversion du sujet).	*Qui est-ce qui a dérangé mes affaires? Qu'est-ce qui se passe? Qui est-ce qui a des allumettes? Qui c'est qui a trouvé mon briquet? Qui c'est qui est là?*	*A qui est-ce que tu penses? Pour qui est-ce qu'il travaille?*
2° un nom de chose, une proposition, une phrase a) *sujet* b) *attribut du sujet* c) *complément.*	*Qu'est-ce qui est arrivé? Qu'est-ce qui vous prend? Qu'est-ce qui est préférable?*	*Qu'est-ce que c'est?* *Qu'est-ce que tu deviens?* *Qu'est-ce que tu fais cet après-midi? Qu'est-ce qu'il dit? Qu'est-ce qu'il a pris! Qu'est-ce que ça vaut?* (syn. : COMBIEN). *A quoi est-ce que je peux être utile? A quoi est-ce que tu penses? De quoi est-ce qu'il vit? Et dans quoi est-ce que vous aviez mis les œufs?*
III. FORME SURCOMPOSÉE		**Qu'est-ce que c'est que...** (pop.) *Qu'est-ce que c'est que vous voulez? Qu'est-ce que c'est que ce livre? Qu'est-ce que c'est que ça?*

REM. Il existe une locution pronominale exclamative *ce que* au sens de *combien* (fam.) : *Ce que tu peux être bête! Ce que nous avons perdu de temps!*

II. INTERROGATION OU EXCLAMATION INDIRECTE

FORMES	nom d'être animé	nom de chose
Qui; ce qui (sujet ou précédé d'une prép.).	*Je me demande qui a téléphoné.* *Il ne sait à qui s'adresser.*	*Il ne sait pas ce qui se passe.* *Je me demande ce qui te faut encore* (fam.) ou *ce qu'il te faut* (langue soutenue).
Ce que (objet direct).		*Je ne sais pas ce que tu veux, ni ce que tu penses.* *Il te demande ce que cela vaut* (syn. : COMBIEN).
Quoi ou **que** (sans prép. avec l'infin.).		*Il ne sait quoi faire* (ou *que faire*).
Quoi (avec une prép.).		*Il insiste pour savoir de quoi il est question, sur quoi porte la discussion et en quoi il est directement intéressé.*
Qui est-ce que, qu'est-ce qui (*fam.*), **qu'est-ce que** (*fam.*), **[de] quoi est-ce que** (*fam.*).	*Je te demande avec qui est-ce que tu sors. Il ignore qui est-ce que tu as rencontré.*	*Il ne sait pas qu'est-ce qui se passe.* *Il ignore qu'est-ce qu'il faut apporter.* *Il ne sait pas de quoi est-ce que vous parlez.*

quia (à) [akɥia] loc. adv. *Réduire à quia,* mettre dans l'impossibilité de répliquer (loc. de valeur plaisante). ‖ *Etre réduit à quia,* ne plus avoir d'argent.

quiche [kiʃ] n. f. Flan mêlé de morceaux de lard, que l'on sert chaud : *Quiche lorraine.*

quiconque [kikɔ̃k] pron. rel. indéf. et pron. indéf. V. QUELCONQUE et tableau p. 941.

quidam [kidam] n. m. Personne dont on ignore le nom (légèrement péjor. ou plaisant) : *Etre abordé dans la rue par un quidam.*

quiétude [kjetyd] n. f. Etat d'une personne ou d'une chose qui jouit de la tranquillité, du repos, de la paix (littér.) : *Prendre quelques jours de vacances dans la quiétude d'un village alpestre* (syn. : TRANQUILLITÉ; contr. : AGITATION). *Attendre en toute quiétude le résultat d'un examen* (syn. : DANS LE CALME).

quignon [kiɲɔ̃] n. m. Fam. *Quignon de pain,* morceau de pain comprenant beaucoup de croûte (souvent l'extrémité arrondie d'un pain) : *Le vagabond demanda un quignon de pain au boulanger.*

1. quille [kij] n. f. 1° Morceau de bois long et rond, posé sur le sol verticalement, et que l'on doit abattre avec une boule : *Le jeu de quilles a été remis en honneur et se joue dans les « bowlings ».* — 2° *Pop.* Jambe : *Il est ivre et ne tient pas sur ses quilles.*

2. quille [kij] n. f. *Arg.* Fin du service militaire : *Attendre la quille avec impatience.*

fonctions	qui	que	dont
I. Renvoient à un substantif ou à un pronom, masculin ou féminin, singulier ou pluriel, animé ou inanimé (appelé *antécédent*), le plus souvent placé immédiatement avant le relatif.			
sujet	*J'ai remonté* LA PENDULE QUI *était arrêtée.* TOI QUI *es si compétent en la matière, tu trouveras fort bien la solution* (accord du verbe de la relative avec la personne de l'antécédent). *L'enfant se faufila entre* LES BADAUDS QUI *faisaient cercle autour de l'étalage. Je* LE *vis* QUI *ramassait un bout de ficelle.* TEL *est pris* QUI *croyait prendre.* J'EN *connais* QUI *ne seront pas surpris. Il y aura* UN SPECTACLE *nouveau et* QUI *vous amusera.*		
attribut du sujet		LA RUSÉE QU'*elle est a deviné l'objet de sa démarche avant qu'il ne parle. O* FOU QUE *vous êtes! Pour* NAÏF QU'*il soit* (antécédent adj.). QUELLE BELLE CHOSE QUE *la télévision.*	
complément d'objet direct		*Il saisit* LA MAIN QUE *je lui tendis.* LES MAISONS QUE *tu aperçois sont celles du village de Cerisy.* LES ENFANTS QUE *tu vois jouer dans la cour sont ceux du voisin. Est-ce* LUI QUE *tu attends? Le* SAC QU'*elle dit avoir perdu.*	
complément qui serait précédé de la prép. *de* s'il était substantif complément (du nom, de l'adj., d'objet indirect, de moyen, de manière, d'agent, d'origine, de cause)	remplaçant seulement des noms d'êtres animés LA PERSONNE DE QUI *je vous ai parlé doit passer cet après-midi.* L'HOMME *sur l'aide* DE QUI *je comptais m'a fait défaut.* LA CONCIERGE *de l'immeuble* DE QUI *l'aigreur m'est connue. J'ai vu* CE FILS DE QUI *il est si fier.* L'AMI *dans la maison* DE QUI *nous devons passer nos vacances.* SA MÈRE DE QUI *il est adoré.* (Cet emploi appartient à la langue littér. ; il est remplacé par *dont* ou *duquel, de laquelle,* dans la langue usuelle.)		remplaçant des noms d'êtres animés ou de choses LE PROJET DONT *je vous ai entretenu.* L'AMI DONT *je vous ai parlé. C'est* UNE AVENTURE DONT *il se souvenait fort bien.* CE CHANTEUR DONT *les disques connaissent un si grand succès. Il se retourna vers* CELUI DONT *il se croyait méprisé.* LA MALADIE DONT *il souffre est purement imaginaire.* LA FAMILLE DONT *je descends est originaire de Lyon. Il se saisit* D'UNE PIERRE DONT *il le frappa. Je possède plusieurs* LIVRES *de cette collection,* DONT *quelques-uns reliés. Il y avait plusieurs* INVITÉS, DONT *le général Untel* (relative sans verbe). *Il n'est* RIEN DONT *il puisse s'étonner.* Mais on remplace *dont* par *duquel* si le substantif dont le relatif est complément du nom est lui-même précédé d'une préposition : *Le maquis dans* L'ÉPAISSEUR DUQUEL *je m'enfonçais s'étendait très loin.* On emploie *d'où* s'il s'agit d'un complément de lieu : *La baie du* RESTAURANT D'OÙ *l'on découvre la vallée.* LA FAMILLE D'OÙ *je descends* (vieilli).
complément qui serait précédé de la prép. *à* ou d'une autre préposition (*sans, pour, par,* etc.), si c'était un substantif	remplaçant seulement des noms d'êtres animés L'AMI SANS QUI *la vie serait plus difficile.* LA PERSONNE AVEC QUI *elle parlait.* LE CLOCHARD À QUI *tu as donné une pièce.* LE PASSANT À QUI *vous avez demandé l'heure.* LE PATRON POUR QUI ils travaillent. (Avec des choses, on emploie *lequel* : L'AIDE SANS LAQUELLE...)		

(ce) qui	(ce) que	(ce) dont	quoi
II. Renvoient à une phrase, à une proposition, à un syntagme entier, et en ce cas généralement précédés de *ce* (mêmes fonctions que ci-dessus) ; *quoi,* avec cette valeur, peut être employé sans *ce* ou sans aucun mot antécédent.			
1° Avec CE : *Elle a quarante ans, ce qui est un âge critique pour les femmes. Ce qui reste de la fortune de ta mère n'est pas suffisant pour que tu vives sans rien faire.*	1° Avec CE : *Ce que tu me dis ne me surprend guère. Il est arrivé en retard, ce que, chez lui, je trouve extraordinaire. Fais ce que bon te semble* (comme sujet au lieu de *qui*). *Il sourit, ce qu'il ne fait presque jamais.*	1° Avec CE : *Il médit beaucoup sur moi, ce dont je ne me soucie guère. Voici ce dont il m'a plu de vous entretenir. C'est ce dont vous aviez parlé jadis. Ce dont tu désires la réalisation n'est pas pour demain.*	1° Avec RIEN, CHOSE, POINT (littér. ; usuellement *dont* ou *lequel*) : *Il n'est rien de quoi il puisse se formaliser. Ce n'est pas une chose à quoi vous pouvez trouver à redire. Il ne voyait rien à quoi il puisse se raccrocher.*
2° Avec CHOSE : *On ne trouve pas les documents, chose qui entraînera de sérieux retards.*	2° Avec VOICI, IL Y A, remplace un complément circonstanciel de temps : *Voici huit jours qu'il est parti. Il y a cinq mois que j'attends son article de revue.*		2° *Ce* + prép. + *quoi :* *Il me dit que sans doute il y aurait du verglas demain,* CE À QUOI *je n'avais pas songé. Il était malade,* CE POUR QUOI *il ne pouvait sortir. Vous ne m'avez pas prévenu,* CE EN QUOI *vous êtes fautif.*
3° Comme sujet de verbe impersonnel (en concurrence avec *ce qu'il*) : *Ce qui te plaît ne me convient pas. Ce qui t'arrive est bien fait. Il faut ce qui faut* (pop.). *Ce qui se passe est grave.*			
Sans antécédent exprimé dans les expressions QUI PLUS EST, QUI MIEUX EST (= et en outre, à plus forte raison) : *Panne d'électricité, quel ennui ! Et qui plus est, nous n'avons pas de bougies.*	Sans antécédent exprimé dans quelques expressions, telle *que je sache* (= à ma connaissance) : *Il n'est pas venu hier que je sache ;* avec les verbes *dire, croire,* etc., pour mettre en doute les paroles d'un autre : *« Je l'admire beaucoup. — Que tu dis ! »*	*Dont acte* (= ce dont je vous donne acte) [expression juridique indiquant que l'on a pris acte de ce qui précède].	Prép. + *quoi :* *Prêtez-moi un peu d'argent,* SANS QUOI *je ne pourrai payer le taxi* (= faute de quoi). *Il prit la parole le premier ;* APRÈS QUOI *il consentit à ce que les autres présentent leurs objections. Ecoutez ses conseils,* MOYENNANT QUOI *vous vous en sortirez.*

qui	quoi
III. Sans antécédent, mais renvoyant à un substantif indéterminé.	
1° Comme équivalent de *quiconque, celui (celle) qui :* *La prenne qui voudra. Rira bien qui rira le dernier. Qui va à la chasse perd sa place. Il en parle à qui veut l'entendre. Cela vient de qui vous savez* (phrases proverbiales, sentencieuses ou figées). 2° *C'est à qui,* expression marquant la compétition, la rivalité : *C'était à qui ne parlerait pas le premier. C'est à qui des deux trompera l'autre.* 3° Avec la valeur d'une proposition conditionnelle : *Qui pourrait connaître sa pensée n'y trouverait sans doute rien de blâmable* (littér.). 4° *Qui..., qui* (répété) signifie « l'un... l'autre » (littér.) : *Tous prenaient comme arme l'objet qui lui tombait sous la main : qui une fourche, qui une bêche, qui un râteau.*	*De quoi* (après *voici, voilà, il y a,* etc.), ce qui suffit ou est nécessaire pour : *Voici de quoi payer le loyer. Il n'y a pas de quoi rire* (= il n'y a pas de raison pour rire). *« Vous m'avez rendu service. Je vous remercie. — Il n'y a pas de quoi »* (formule de politesse = cela n'en vaut pas la peine) ; avec un infinitif : *Ils ont de quoi occuper leur dimanche* (= ils ont suffisamment de travail pour occuper). *Je n'ai pas de quoi m'amuser dans cette ville* (= je n'ai aucune occasion de distraction). *Avoir de quoi,* être aisé, riche : *Ce sont des boulangers retirés des affaires ; ils ont de quoi.* *Avoir de quoi vivre,* avoir les ressources nécessaires pour vivre. *Comme quoi* (fam.), ce qui est bien la preuve que : *Il a retrouvé une place, comme quoi en cherchant bien...*

3. quille [kij] n. f. Partie inférieure de la coque d'un navire, sur laquelle repose toute la charpente : *Le paquebot se renversa la quille en l'air avant de sombrer. La quille est prolongée à l'avant par l'étrave.*

quincaillerie [kɛ̃kajri] n. f. Ensemble d'objets, d'ustensiles en métal ; commerce de ces objets : *Aller acheter une batterie de casseroles à la quincaillerie.* ◆ **quincaillier, ère** n.

quinconce (en) [ɑ̃kɛ̃kɔ̃s] loc. adj. ou adv. Disposé en un groupe de cinq (quatre en carré et un au milieu) : *Dans le parc, les arbres sont plantés en quinconce.*

quinine [kinin] n. f. Substance contenue dans le quinquina et que l'on emploie contre la fièvre (en particulier contre le paludisme).

quinquagénaire [kɥɛ̃kwaʒenɛr] adj. et n. Qui a cinquante ans. (V. ÂGE.)

quinquennal, e, aux [kɛ̃kɛnal, no] adj. Qui dure cinq ans ou qui revient tous les cinq ans : *Les plans quinquennaux ont donné à l'U.R.S.S. l'industrie lourde nécessaire.*

quinquina [kɛ̃kina] n. m. Arbre d'Amérique cultivé aussi en Asie et dont on extrait la quinine; vin préparé avec l'écorce de cet arbre et servi comme apéritif.

quintal, aux n. m. V. MESURE, *Unités de mesure.*

quinte [kɛ̃t] n. f. *Quinte de toux* ou *quinte,* accès de toux violent et prolongé : *La coqueluche est caractérisée par de fréquentes quintes de toux.* ◆ **quinteux, euse** adj. **1°** Sujet à des quintes. — **2°** Se dit d'une personne sujette à des accès de mauvaise humeur (littér.) : *Un vieillard quinteux.*

quintessence [kɛ̃tɛsɑ̃s] n. f. Ce qui résume l'essentiel, le meilleur d'une idée, d'une pensée (littér.) : *Il a tiré de ce livre massif et confus la quintessence du sujet* (syn. littér. : LA SUBSTANTIFIQUE MOELLE). ◆ **quintessencié, e** adj. D'un raffinement excessif : *Un esprit quintessencié qui manque de naturel* (syn. : ALAMBIQUÉ).

quintette [kwɛ̃tɛt ou kɛ̃tɛt] n. f. Composition musicale à cinq parties; ensemble de cinq instruments ou de cinq voix.

quinteux, euse adj. V. QUINTE.

quinto adv. V. NUMÉRATION.

quintuple [kɛ̃typl] adj. et n. m. V. NUMÉRATION. ◆ **quintupler** v. tr. Multiplier par cinq : *Il a gagné aux courses et a quintuplé sa mise.* ◆ v. intr. Etre multiplié par cinq : *Les effectifs des étudiants en sciences ont quintuplé en cinquante ans.* ◆ **quintuplés, es** n. pl. Jumeaux, jumelles nés au nombre de cinq.

quinzaine [kɛ̃zɛn] n. f. **1°** V. NUMÉRATION. — **2°** Ensemble de deux semaines : *Revenez dans une quinzaine* (= dans quinze jours). *Pendant la première quinzaine de février, il a neigé.* — **3°** Salaire payé pour quinze jours de travail : *Les ouvriers touchent une quinzaine.*

quinze [kɛ̃z] adj. num. cardin. et n. m. V. NUMÉRATION. ◆ n. m. **1°** Au tennis, premier point marqué dans un jeu. — **2°** Equipe de rugby. ◆ **quinzième** [kɛ̃zjɛm] adj. num. ordin. et n. ◆ **quinzièmement** adv. V. NUMÉRATION.

quiproquo [kiproko] n. m. Erreur qui consiste à prendre une chose pour une autre ou une personne pour une autre : *Cette comédie repose sur une série de quiproquos entre le mari et l'amant. Je pense qu'il y a quiproquo et que nous ne parlons pas de la même personne* (syn. : MÉPRISE, MALENTENDU).

qui que [kikə] loc. rel. (et le subj.). Indique une concession indéterminée (seulement dans *qui que vous soyez, qui que ce soit;* ailleurs, remplacé par *quel ... que*) : *Qui que vous soyez en réalité, je resterai votre ami. Ne montre ce document à qui que ce soit* (syn. : PERSONNE, N'IMPORTE QUI). *Je n'ai rien contre qui que ce soit* (syn. : PERSONNE, QUICONQUE).

quittance [kitɑ̃s] n. f. Ecrit par lequel un créancier déclare que le débiteur s'est acquitté envers lui : *La quittance de loyer.*

quitte [kit] adj. **1°** Libéré d'une dette, d'une obligation juridique ou financière, d'un devoir moral : *Vous êtes tenu quitte de ce que vous devez encore. Il en sera quitte pour payer dix mille francs* (syn. : S'ACQUITTER DE). *Nous sommes quittes après ce dernier remboursement. On ne peut le tenir quitte de sa promesse* (syn. : LIBRE). *Je ne l'en tiens pas quitte pour cela* (syn. : DISPENSER). *Il n'est pas quitte de cette corvée* (syn. : DÉLIVRÉ). — **2°** *En être quitte pour,* n'avoir à supporter qu'un inconvénient très petit en regard de ce qu'on aurait pu subir : *La voiture s'est retournée dans le fossé; nous en avons été quittes pour la peur.* ‖ *Quitte à,* en courant le risque de (et l'infin.) : *Il vaut mieux vérifier les comptes, quitte même à perdre du temps;* en admettant la possibilité de : *Nous déjeunerons à Moulins, quitte à nous arrêter plus tôt si la route est mauvaise.*

quitter [kite] v. tr. **1°** *Quitter quelque chose, un endroit,* abandonner un lieu, une activité : *Ils ont quitté Paris définitivement* (syn. : PARTIR DE). *Il a quitté l'école très tôt. Il quitte la maison tous les jours vers neuf heures* (syn. : SORTIR DE). *La voiture quitta la route. L'avion quitte la piste* (syn. : DÉCOLLER). *Il vous faudra quitter les lieux* (syn. : S'EN ALLER). *J'ai quitté mon appartement du quai Voltaire. Quitter ses fonctions pour prendre sa retraite. Ne quittez pas l'écoute* (= continuez d'écouter l'émission). — **2°** *Quitter des vêtements* (ce que l'on porte), les enlever de dessus soi, se déshabiller : *Quitter ses gants avant de serrer la main.* — **3°** *Quitter quelqu'un,* s'éloigner de lui provisoirement ou définitivement : *Je vous quitte quelques instants pour répondre à ce visiteur* (syn. : LAISSER). *Sa femme l'a quitté, il y a dix ans* (syn. : ABANDONNER, pop. PLAQUER). *La toux ne le quitte pas. Depuis cet accident, l'appréhension ne le quitte pas* (syn. fam. : LÂCHER).

qui-vive [kiviv] n. m. *Etre, se tenir sur le qui-vive,* être attentif à ce qui se passe autour de soi, en particulier dans l'attente d'un danger possible : *Seule dans cette grande maison, elle était tous les soirs sur le qui-vive* (syn. : SUR SES GARDES).

quoi pron. rel. V. QUI.

quoique [kwakə] conj. (et le subj.). [S'élide devant *il, elle, un, une* et *on.*] Indique la concession ou l'existence d'un fait qui aurait pu empêcher la réalisation de l'action ou de l'état exprimé dans la principale (le syn. BIEN QUE appartient à la langue écrite; MALGRÉ QUE, QUOIQUE, ENCORE QUE sont plutôt de la langue parlée) : *Quoiqu'il se sente soutenu par tous ses amis, il hésite encore à agir* (= malgré le soutien de tous ses amis). *Quoique le film fût bon, la soirée ne lui parut pas agréable;* sans verbe : *Il ressemblait beaucoup à son frère, quoique plus jeune. Quoique atteint d'une grave maladie, il restait très gai.* ‖ Pop. *Quoique ça,* indique une opposition, une objection : *Tu es vraiment maladroit! Quoique ça, l'intention était bonne* (syn. : POURTANT, NÉANMOINS). — **2°** On convient encore d'écrire *quoi que* (en deux mots) dans certaines expressions où l'on croit reconnaître la fonction ancienne de *quoi* relatif : *Quoi que vous disiez, je m'en tiendrai à ma première décision* (= quelle que soit la chose que vous disiez). ‖ *Quoi qu'il en soit,* malgré l'obstacle que représente la situation telle qu'elle se présente : *Il est en retard; quoi qu'il en soit, commençons sans lui, il ne tardera pas* (syn. : EN TOUT ÉTAT DE CAUSE).

quolibet [kɔlibɛ] n. m. Propos plaisant, ironique ou injurieux lancé à quelqu'un : *Le retardataire fut accueilli par des quolibets* (syn. : RAILLERIE). *Il se prépara à essuyer les quolibets de tous ses camarades de travail* (syn. littér. : LAZZI).

quorum [korɔm] n. m. Nombre des membres qu'une assemblée doit réunir pour que les décisions prises soient valables : *Le quorum n'a pas été atteint.*

quota [kɔta] n. m. Pourcentage déterminé au préalable (langue admin.) : *Le gouvernement a fixé des quotas d'importation pour certains produits* (syn. : CONTINGENT).

quote-part [kɔtpar] n. f. Part que chacun doit payer ou recevoir quand on répartit une somme totale (au sing. seulement) : *Au moment de régler les consommations, chacun paie sa quote-part. Verser sa quote-part des frais d'une excursion* (syn. : CONTRIBUTION). *Pour sa quote-part, il a été un des artisans de la victoire* (syn. : PART).

quotidien, enne [kɔtidjɛ̃, -ɛn] adj. Qui se fait ou qui revient tous les jours : *Les difficultés de la vie quotidienne* (= de chaque jour). *Dans nos conversations quotidiennes, son nom revient sans cesse* (syn. : JOURNALIER). *L'effort quotidien qu'on exige de lui le rebute.* ◆ **quotidien** n. m. Journal paraissant chaque jour de la semaine : *Acheter un quotidien chaque matin à la marchande de journaux.* ◆ **quotidiennement** adv. : *On apprend quotidiennement des accidents qui résultent de l'imprudence.*

quotient [kɔsjɑ̃] n. m. Résultat d'une division : *Le quotient de 12 divisé par 4 est 3.*

r

r n. m. V. Introduction.

rabâcher [rabaʃe] v. tr. et intr. 1° *Fam.* Redire, répéter sans cesse, de façon fastidieuse : *Cet individu commence à nous fatiguer, il rabâche toujours les mêmes histoires* (syn. : RESSASSER, SERINER). *Ma voisine ne fait que rabâcher* (syn. : REBATTRE LES OREILLES, RADOTER). — 2° Apprendre en répétant souvent : *Il y a des leçons qu'on ne retient qu'en les rabâchant.* ◆ **rabâchage** n. m. : *Il est assommant avec ses rabâchages* (syn. : RADOTAGE). ◆ **rabâcheur, euse** adj. et n. : *En vieillissant, on devient facilement rabâcheur* (syn. : RADOTEUR).

rabais [rabɛ] n. m. 1° Diminution faite sur le prix d'une marchandise, sur le montant d'une facture : *Accorder, obtenir un rabais. Vendre des livres au rabais* (syn. : RÉDUCTION, REMISE, RISTOURNE). — 2° Fam. *Travailler au rabais,* à bon marché.

rabaisser [rabɛse] v. tr. 1° *Rabaisser quelque chose* (nom abstrait), le ramener à un degré inférieur : *Rabaisser l'orgueil, les prétentions de quelqu'un* (syn. : RABATTRE). — 2° *Rabaisser quelqu'un, quelque chose,* en réduire l'autorité, l'influence : *Rabaisser le pouvoir législatif au profit de l'exécutif* (syn. : AMOINDRIR, DIMINUER, RESTREINDRE). — 3° *Rabaisser quelqu'un, une chose,* les estimer au-dessous de leur valeur : *Certaines doctrines tendent à rabaisser l'homme au niveau de la brute* (syn. : RAVALER; contr. : ÉLEVER). *Il cherche sans cesse à rabaisser les mérites, les talents de ses collègues* (syn. : DÉPRÉCIER, DÉVALUER; contr. : EXALTER, VANTER). *Cet homme est très modeste, il déteste les éloges et se rabaisse toujours* (syn. : ↑ S'HUMILIER; contr. : SE GLORIFIER).

rabat [raba] n. m. Pièce d'étoffe blanche, noire ou bleue qui se rabat sur le haut de la poitrine et que portent les magistrats, les avocats, les ecclésiastiques, les membres de l'Université en tenue officielle.

rabat-joie [rabaʒwa] n. et adj. invar. *Fam.* Personne qui vient troubler la joie, le plaisir des autres : *Les rabat-joie ont souvent une triste mine. Une mère rabat-joie* (syn. : TROUBLE-FÊTE).

1. rabattre [rabatr] v. tr. (conj. 56). 1° *Rabattre quelque chose,* le ramener à un niveau plus bas : *Rabattre les bords de son chapeau, ses cheveux sur son front. Le vent rabattait la fumée. Rabattre sa jupe* (syn. : BAISSER). *Rabattre une balle au tennis.* ‖ *Cheminée qui rabat,* cheminée dont le tirage est insuffisant, de sorte que la fumée se dégage dans la maison. — 2° *Rabattre quelque chose,* l'appliquer en le pliant : *Il a rabattu le col de son pardessus* (contr. : RELEVER). *Rabattre la capote d'une voiture. Rabattre un strapontin. Rabattre une feuille de papier sur une autre* (syn. : REPLIER). [V. RABAT.] — 3° *Rabattre une somme du prix d'une chose,* consentir un rabais : *Il n'a pas voulu rabattre un centime de la somme qu'il me demandait* (syn. : DIMINUER, DÉDUIRE). — 4° *Rabattre quelque chose* (nom abstrait), le ramener à un degré inférieur : *Rabattre l'orgueil, les prétentions de quelqu'un* (syn. : RABAISSER, DIMINUER). — 5° *En rabattre,* abandonner ses prétentions, perdre ses illusions : *Pour le moment, il se croit le plus fort, mais à mon avis il en rabattra* (syn. : DÉCHANTER); modifier l'opinion favorable que l'on avait pour une personne ou pour une chose : *Beaucoup de gens avaient une grande confiance dans cet homme, mais il leur a fallu en rabattre.* ◆ ***se rabattre*** v. pr. 1° S'abaisser : *Il portait une casquette dont les bords se rabattaient.* — 2° Revenir brusquement à un endroit : *Après s'être envolées à notre arrivée, les perdrix se sont rabattues dans un champ voisin.* — 3° Quitter brusquement une direction pour en prendre une autre : *Avant de se rabattre, un automobiliste doit faire fonctionner son clignotant* (syn. : DÉBOÎTER, OBLIQUER). *L'ailier se rabattit vers le centre du terrain pour passer la balle à son avant-centre.* — 4° *Se rabattre sur quelque chose,* y venir, faute de mieux : *Lorsque le bifteck est trop cher, on se rabat sur les bas morceaux.* ‖ *Se rabattre sur quelqu'un,* avoir recours à lui en dernier ressort; lui confier un emploi, un poste, le charger d'une fonction qu'un autre ne peut assumer : *L'avant centre de l'équipe A étant blessé, on s'est rabattu sur celui de l'équipe B.*

2. rabattre [rabatr] v. tr. (conj. 56). *Rabattre le gibier,* le forcer à aller vers l'endroit où sont les chasseurs. ◆ **rabattage** n. m. : *Le rabattage du gibier vers les chasseurs.* ◆ **rabatteur, euse** n. 1° Personne qui, à la chasse, est chargée de rabattre le gibier vers les chasseurs. — 2° *Péjor.* Personne qui tâche, par différents moyens, d'amener des clients chez un commerçant, dans une entreprise financière, ou de recruter des adhérents pour un parti.

rabbin [rabɛ̃] n. m. Chef spirituel d'une communauté israélite : *Le rabbin se consacre à l'enseignement de la religion, préside aux cérémonies religieuses, bénit les mariages, prononce les divorces.* ◆ **rabbinique** adj. : *Les rabbins sont formés dans des écoles rabbiniques.*

rabelaisien, enne [rablɛzjɛ̃, -ɛn] adj. Qui rappelle la verve licencieuse, grivoise de Rabelais.

rabibocher [rabibɔʃe] v. tr. *Fam.* Remettre d'accord des personnes brouillées : *On a eu du mal à rabibocher ces deux anciens camarades* (syn. : RÉCONCILIER, RACCOMMODER). ◆ **rabibochage** n. m. Fam. : *Des amis aidèrent au rabibochage des deux époux.*

rabiot [rabjo] n. m. 1° *Fam.* Ensemble des vivres qui restent après une première distribution : *Aller chercher du rabiot de viande à la cuisine. Les plus gourmands se partagent le rabiot* (syn. : SUPPLÉMENT, SURPLUS). — 2° *Fam.* Temps de service actif supplémentaire qu'effectue un militaire par mesure disciplinaire : *La durée du rabiot est égale au nombre de jours de prison encourus pendant le service militaire.* — 3° *Fam.* Temps supplémentaire de travail : *Pour finir à la date fixée par le patron,* *on a été obligés de faire du rabiot.* (Abrév. pop. : RAB.) ◆ **rabioter** v. tr. *Fam.* Prendre pour soi le rabiot de quelque chose; prélever une part sur ce qui appartient à quelqu'un : *Ils ont rabioté tout le vin. Il y a des couturières qui rabiotent du tissu à leurs clientes.* ◆ v. intr. Faire de petits profits supplémentaires : *Certains commerçants rabiotent sur tout.* ◆ **rabioteur, euse** n. Pop. : *On a surpris le rabioteur à la cuisine.*

râble [rɑbl] n. m. 1° Partie de certains quadrupèdes, surtout du lièvre et du lapin, qui s'étend du bas des côtes à la queue. — 2° *Fam.* Partie du dos d'une personne qui correspond aux reins : *Tomber sur le râble de quelqu'un* (= l'attaquer par-derrière; syn. : TOMBER SUR LE DOS). ◆ **râblé, e** adj. 1° Se dit d'un animal qui a le râble épais et court, les reins vigoureux : *Un cheval bien râblé.* — 2° *Homme bien râblé,* qui a le dos large et assez court (syn. : TRAPU).

rabot [rabo] n. m. Outil de menuisier servant à aplanir le bois : *Passer le rabot sur un parquet. Dresser une planche avec un rabot.* ◆ **raboter** v. tr. 1° *Raboter une planche, du bois,* l'aplanir avec le rabot : *Le bois noueux est difficile à raboter.* — 2° Fam. *Raboter quelque chose,* le frotter rudement : *Raboter le bord du trottoir avec ses pneus en garant sa voiture,* ou *raboter ses pneus contre le trottoir* (syn. : RACLER). ◆ **rabotage** n. m. : *Le rabotage d'une planche.* ◆ **raboteur** n. m. : *Un raboteur de parquet.*

raboteux, euse [rabɔtœ, -øz] adj. Dont la surface est inégale, couverte d'aspérités (langue soutenue) : *Un sentier raboteux menant à la petite maison de campagne* (syn. : ROCAILLEUX).

rabougri, e [rabugri] adj. 1° Se dit d'un végétal qui ne s'est pas développé normalement pour une cause quelconque (mauvaise exposition, vent violent, etc.) : *Sur le plateau dénudé on aperçoit quelques arbustes rabougris et desséchés* (syn. : CHÉTIF). — 2° Se dit d'une personne qui a le corps petit et difforme : *Elle portait dans ses bras un enfant rabougri* (syn. : RACHITIQUE, ↓ CHÉTIF). *Un clochard en haillons et rabougri demandait l'aumône à l'entrée du métro* (syn. : RATATINÉ, RECROQUEVILLÉ). ◆ ***se rabougrir*** v. pr. Se recroqueviller sous l'effet de la sécheresse, de l'âge, etc.

rabouter [rabute] v. tr. *Rabouter deux choses,* les assembler bout à bout : *Rabouter deux planches, deux tuyaux* (syn. : JOINDRE, RATTACHER, RACCORDER). *Elle rabouta deux morceaux de tissu* (syn. : COUDRE). *Rabouter deux bouts de câble* (syn. : ÉPISSER).

rabrouer [rabrue] v. tr. Repousser avec rudesse, avec dédain une personne qui tient des propos ou qui fait des propositions qu'on désapprouve : *Rabrouer le quêteur importun qui est venu sonner à votre porte* (syn. fam. : REMBARRER, ENVOYER PROMENER, ENVOYER AU DIABLE).

racaille [rakɑj] n. f. Ensemble des personnes considérées comme la partie la plus vile de la société : *Des parents qui défendent à leurs enfants de fréquenter la racaille du quartier* (syn. : PÈGRE, ↓ POPULACE, CANAILLE).

1. raccommoder [rakɔmɔde] v. tr. 1° *Raccommoder de petits objets,* les remettre en état : *Raccommoder des assiettes, des jouets.* — 2° *Raccommoder du linge,* le réparer à l'aide d'une aiguille : *Raccommoder des chaussettes* (syn. : RAPIÉCER, REPRISER), *un vêtement déchiré* (syn. : STOPPER), *des filets, des bas* (syn. : REMMAILLER). ◆ **raccommodage** n. m. : *Le raccommodage des chaussettes.* ◆ **raccommodable** adj. ◆ **raccommodeur, euse** n. : *Un raccommodeur de faïence et de porcelaine. Une raccommodeuse de linge* (syn. : LINGÈRE).

2. raccommoder [rakɔmɔde] v. tr. *Raccommoder des personnes,* les réconcilier alors qu'elles sont brouillées : *Un malentendu avait séparé ces deux amis, on les a raccommodés* (syn. fam. : RABIBOCHER). ◆ **raccommodement** n. m. : *Le raccommodement d'un ménage.*

raccompagner v. tr. V. ACCOMPAGNER.

raccorder [rakɔrde] v. tr. 1° Relier entre elles les parties d'un ensemble : *Raccorder deux tuyaux, deux fils électriques* (syn. : RABOUTER), *deux voies ferrées* (syn. : RATTACHER, RELIER). — 2° *Raccorder deux choses,* établir une communication entre elles : *Escalier, passerelle qui raccorde deux bâtiments* (syn. : RÉUNIR, JOINDRE). ◆ ***se raccorder*** v. pr. Etre relié à : *Ce chapitre se raccorde mal avec le précédent* (syn. : SE RELIER). ◆ **raccord** n. m. 1° Liaison que l'on établit entre deux parties disjointes : *Le raccord de maçonnerie a été mal fait. Faire un raccord de peinture. Il y avait eu des coupures dans cet article, il a fallu faire des raccords.* — 2° Fam. *Faire un raccord,* en parlant d'une femme, refaire son maquillage. — 3° Pièce d'acier, de caoutchouc, etc., servant à assembler deux parties d'objets qui doivent communiquer : *Un raccord de tuyau, de pompe.* ◆ **raccordement** n. m. 1° Action d'unir par un raccord : *Le raccordement de deux bâtiments, de deux routes.* — 2° *Voie de raccordement,* voie de chemin de fer qui en relie deux autres.

raccourcir [rakursir] v. tr. 1° *Raccourcir quelque chose,* le rendre plus court : *Raccourcir un pantalon, une jupe, un manteau* (syn. : DIMINUER; contr. : ALLONGER, RALLONGER), *un article, un discours, un exposé* (syn. : ABRÉGER, ÉCOURTER, RÉDUIRE). — 2° Pop. *Raccourcir quelqu'un,* le décapiter, le guillotiner. ‖ *Tomber sur quelqu'un à bras raccourcis,* le frapper de toutes ses forces. ◆ v. intr. Devenir plus court : *Dès la fin du mois de juin, les jours commencent à raccourcir* (contr. : ALLONGER, RALLONGER). ◆ ***se raccourcir*** v. pr. Devenir, être rendu plus court : *Cette robe ne peut se raccourcir.* ◆ **raccourci** n. m. Chemin plus court : *En prenant ce raccourci vous arriverez plus vite* (contr. : DÉTOUR). • LOC. ADV. *En raccourci,* d'une façon plus brève : *Une analyse qui présente une histoire en raccourci* (syn. : EN ABRÉGÉ). ◆ **raccourcissement** n. m. : *Le raccourcissement des jours. Le médecin a procédé au raccourcissement des deux tibias.* (V. COURT.)

raccrocher [rakrɔʃe] v. tr. 1° *Raccrocher quelque chose,* l'accrocher de nouveau, le remettre en place : *Raccrocher un vêtement à un portemanteau. Raccrocher un tableau.* ‖ *Raccrocher une affaire,* renouer des pourparlers en vue de sa conclusion. — 2° Relier une chose à une autre : *Raccrocher un article à un chapitre* (syn. : RATTACHER). — 3° *Raccrocher quelqu'un,* l'arrêter au passage : *Un camelot qui sait raccrocher les badauds en leur faisant l'article. Prostituée qui raccroche des passants* (syn. : RACOLER). ◆ v. intr. Interrompre une communication téléphonique (en remettant l'écouteur à sa place) : *Il a raccroché trop vite; j'avais encore quelque chose à lui dire.* ◆ ***se raccrocher*** v. pr. 1° *Se raccrocher à quelque chose,* s'y retenir pour se sauver d'un danger, d'une situation difficile : *Se raccrocher à une branche pour ne pas tomber dans un ravin* (syn. : SE CRAMPONNER). *Dans son désarroi, il avait pu se raccrocher à un grand espoir, à la religion.* — 2° *Se raccrocher avec quelque chose,* y être relié : *Ce chapitre se raccroche mal avec le précédent* (syn. : SE RACCORDER). — 3° *Se raccrocher à quelqu'un,* s'attacher à lui, compter sur lui pour obtenir du secours dans une situation embarrassante. ◆ **raccrochage** n. m. : *Le raccrochage d'un tableau, d'une affaire.* ◆ **raccroc** [rakro] n. m. *Par raccroc,* grâce à un heureux hasard : *Il a réussi son examen par raccroc.*

race [ras] n. f. 1° Groupe d'individus se distinguant des autres par un ensemble de caractères biologiques, psychologiques ou sociaux qui se transmettent par hérédité : *Actuellement, l'espèce humaine se divise en quatre grands groupes raciaux : groupe blanc, groupe noir, groupe jaune et groupe des races primitives.* — 2° Variété d'une même espèce animale réunissant des caractères communs qui se transmettent par la reproduction : *Les éleveurs s'appliquent à la conservation et à l'amélioration des races bovines, chevalines, canines,* etc. — 3° *De race,* se dit d'animaux domestiques non métissés : *Un chien, un cheval de race.* ‖ *Avoir de la race,* avoir une distinction, une élégance naturelle (syn. : RACÉ). — 4° Catégorie de personnes qui ont le même comportement, les mêmes goûts, les mêmes inclinations : *La race des exploiteurs est une race maudite. Quelle sale race que la race des usuriers!* (syn. : ENGEANCE). ◆ **racé, e** [rase] adj. 1° Se dit d'un animal qui possède les qualités propres à sa race : *Un chien racé* (contr. : BÂTARD, CROISÉ, MÂTINÉ, MÉTISSÉ). — 2° Se dit d'une personne qui a de la distinction, de l'élégance, de la finesse, physiquement et moralement : *On a remarqué peu de jeunes gens racés dans cette réunion.* ◆ **racial, e, aux** adj. Qui se rapporte à la race (sens 1) : *Dans certains pays, les préjugés raciaux sont à l'origine de bien des troubles.* ◆ **racisme** n. m. Théorie qui attribue une supériorité à certains groupes ethniques; comportement qui en résulte : *Le racisme est contraire aux idées d'humanité, de justice, de fraternité, d'égalité et de respect de la personne humaine.* ◆ **raciste** adj. et n. : *L'idéologie raciste a servi à justifier l'antisémitisme des nazis. Lutter contre les racistes dans les Etats du sud des Etats-Unis.*

rachat n. m., **racheter** v. tr. V. ACHETER.

rachitique [raʃitik] adj. et n. 1° Se dit d'une personne atteinte de rachitisme, dont la croissance n'est pas normale : *Un enfant rachitique* (syn. : CHÉTIF, DÉBILE, MALINGRE). — 2° Se dit d'un végétal qui ne s'est pas développé normalement : *Un pommier rachitique* (syn. : RABOUGRI). ◆ **rachitisme** n. m. Maladie propre à l'enfance et caractérisée par des troubles qui entraînent des déformations du squelette : *C'est entre six et douze mois que le rachitisme devient apparent.*

racine [rasin] n. f. 1° Partie des végétaux par laquelle ils sont fixés au sol et y puisent certaines matières nécessaires à leur nutrition : *Les racines de certains arbres s'étendent loin sous terre.* — 2° *Prendre racine,* commencer à se développer, en parlant d'un végétal récemment transplanté; en parlant d'une personne, rester longtemps debout au même endroit; s'installer chez quelqu'un, prolonger trop longtemps une visite : *Quand cet homme vient vous voir, il est difficile de s'en débarrasser, il prend racine chez vous* (syn. : S'ENRACINER, S'INCRUSTER). — 3° Partie par laquelle un organe est implanté dans un tissu : *Les racines des dents, des ongles, des cheveux.* — 4° Principe, origine d'une chose morale : *Les racines de l'orgueil. Attaquer, couper le mal dans sa racine* (syn. : DÉTRUIRE, EXTIRPER). — 5° Lien solide qui donne de la stabilité : *Parti qui a de profondes racines dans un pays* (syn. : ATTACHE). — 5° *Racine carrée, cubique,* etc., *d'un nombre,* nombre qui, élevé au carré, au cube, etc., reproduit le nombre proposé. — 6° Partie d'un mot que l'on détermine en enlevant les désinences et les suffixes ou préfixes : *La racine est l'élément qui sert de support au sens d'un mot : ainsi, la racine de « armer », « armement », « désarmer », « réarmer », « armature »,* etc., *est « *arm- » (ce qui sert à attaquer ou à se défendre).* ◆ **déraciner** v. tr. 1° *Déraciner un végétal,* l'arracher du sol avec ses racines : *Un grand nombre d'arbres ont été déracinés par la tornade qui s'est abattue sur la région* (syn. : ↓ ABATTRE). — 2° *Déraciner quelque chose* (mot abstrait), l'arracher de l'esprit ou du cœur : *Il n'est pas facile de déraciner une erreur, un vice, une mauvaise habitude* (syn. : EXTIRPER). ◆ ***se déraciner*** v. pr. Etre détruit complètement, extirpé : *Les mauvais penchants ne se déracinent pas aisément.* ◆ **déracinement** n. m. : *Le déracinement de certains arbres, comme le noyer, permet d'utiliser le bois de la souche. Le déracinement d'un abus, d'un préjugé.* ◆ **déraciné, e** n. Personne qui a rompu les liens qui l'attachaient à son milieu, à son pays d'origine : *« Les Déracinés », roman de Maurice Barrès.* ◆ **indéracinable** adj. : *Un vice, une erreur indéracinable.* ◆ **enraciner** v. tr. (surtout au passif) 1° Fixer dans le sol par les racines : *Un arbre qui a été mal enraciné ne se développe pas normalement* (syn. : PLANTER, TRANSPLANTER). — 2° Fixer dans l'esprit, le cœur : *Des préjugés qui sont enracinés dans cette société provinciale.* ◆ ***s'enraciner*** v. pr. 1° (sujet nom de végétal) Prendre racine : *Les arbres fruitiers s'enracinent difficilement dans un mauvais terrain.* — 2° (sujet nom de personne) S'installer chez quelqu'un, prolonger trop longtemps une visite : *Il ne faut pas laisser s'enraciner un voisin importun* (syn. : PRENDRE RACINE, S'IMPLANTER). — 3° (sujet nom de chose abstraite) Se fixer dans l'esprit ou dans le cœur : *Les mauvaises habitudes, les abus, comme les plantes nuisibles, s'enracinent facilement* (syn. : S'IMPLANTER, S'ANCRER). ◆ **enracinement** n. m. : *L'enracinement d'un arbuste, d'une erreur, d'un préjugé.*

raclée [rakle] n. f. *Pop.* Volée de coups : *Pour lui faire perdre l'habitude de cafarder, ses camarades lui ont flanqué une bonne raclée* (syn. : CORRECTION [langue soignée]; pop. : DÉCULOTTÉE, ROSSÉE, TOURNÉE, TREMPE).

racler [rakle] v. tr. 1° *Racler quelque chose,* le gratter de manière à nettoyer, à égaliser sa surface : *Racler le fond d'une casserole, d'un plat. Racler la semelle de ses souliers pour enlever la boue* (syn. : FROTTER). *Racler le sable d'une allée* (syn. : RATISSER). ‖ Fam. *Racler les fonds de tiroir,* prendre tout l'argent qui s'y trouve. — 2° Frotter rudement : *Racler ses pneus contre le bord du trottoir ou racler* le bord du trottoir avec ses pneus en garant sa voiture (syn. fam. : RABOTER). — **3°** Fam. *Racler un instrument à cordes,* en jouer maladroitement : *Racler un (du) violon, la (de la) guitare, la (de la) mandoline.* — **4°** (sujet nom de boisson) Produire une sensation d'âpreté : *Ce vin racle le gosier.* ◆ ***se racler*** v. pr. *Se racler la gorge,* respirer en produisant un bruit rauque pour la débarrasser de ses mucosités. ◆ **raclage** ou **raclement** n. m. : *Le raclage du bois. Un raclement de gorge.* ◆ **racle, raclette** n. f., ou **racloir** n. m. Outil servant à racler : *Une racle de boulanger. Une raclette de pâtissier, de grainetier. Une raclette de table* (syn. : RAMASSE-MIETTES). ◆ **racleur** n. m. *Racleur de violon,* ou *racleur,* mauvais joueur de violon. ◆ **raclure** n. f. Parcelle que l'on enlève de la surface d'un corps en le raclant : *Des raclures de bois, de corne.*

racoler [rakɔle] v. tr. Fam. **1°** *Racoler quelqu'un,* l'attirer par des moyens plus ou moins honnêtes : *Certains partis politiques, par leur propagande, essaient de racoler des partisans, des adhérents, des électeurs* (syn. : RECRUTER). — **2°** (sujet nom désignant une prostituée) Solliciter à la débauche : *Dans certains quartiers, les filles publiques racolent les passants* (syn. : RACCROCHER). ◆ **racolage** n. m. : *Le racolage d'adhérents par un parti politique, de clients par un marchand. En France, le Code pénal interdit le racolage sur la voie publique de personnes de l'un ou de l'autre sexe en vue de les provoquer à la débauche* (syn. pop. : RETAPE). ◆ **racoleur, euse** n. *Fam.* Personne qui fait de la propagande pour un parti, de la publicité pour un marchand. ◆ **racoleuse** n. f. Fille publique qui accoste les passants.

raconter [rakɔ̃te] v. tr. **1°** Faire le récit, de vive voix ou par écrit, de choses vraies ou fausses : *Raconter brièvement, fidèlement, simplement ce qu'on a vu ou entendu* (syn. : DIRE, RENDRE COMPTE). *On m'a raconté que vous aviez eu un accident* (syn. : DIRE, RAPPORTER). *Raconter en détail ses aventures, ses malheurs. Vous nous raconterez comment s'est passé votre voyage* (syn. : RELATER, RETRACER). *Les enfants aiment qu'on leur raconte des histoires* (syn. : CONTER, NARRER). — **2°** Dire à la légère des choses blâmables ou pernicieuses, ridicules ou absurdes : *On raconte beaucoup de choses sur le compte de cette femme* (syn. : DIRE, DÉBITER). *Qu'est-ce que vous me racontez là? Ce sont des blagues* (syn. fam. : CHANTER). [V. RACONTAR.] — **3°** *En raconter,* faire des récits plus ou moins dignes de foi : *Quand il est rentré de voyage, il ne finissait pas d'en raconter.* ◆ ***se raconter*** v. pr. **1°** Parler de soi, faire le récit de sa vie : *Cet homme aime à se raconter.* — **2°** Etre raconté : *Une histoire qui ne peut se raconter devant des enfants.* ◆ **racontable** adj. Qui peut être raconté : *Une anecdote qui est racontable devant n'importe quel auditoire.* ◆ **inracontable** adj. : *Une série d'aventures inracontables.* ◆ **racontar** n. m. *Fam.* Nouvelle, récit qui ne repose sur rien de sérieux; le plus souvent, propos médisants : *Ne croyez pas tout ce que vous entendez dire de Madame X; ce sont des racontars qui proviennent de femmes jalouses de cette personne* (syn. : COMMÉRAGE, CANCAN; fam. : RAGOT). [V. CONTER.]

racornir [rakɔrnir] v. tr. *Racornir une chose,* lui donner la consistance de la corne; la rendre dure et coriace : *Le toucher des cordes du violon racornit le bout des doigts* (syn. : ↓ DURCIR). *La chaleur a racorni le cuir de mes souliers qui étaient mouillés* (syn. : DESSÉCHER). ◆ ***se racornir*** v. pr. Devenir dur et coriace : *Vous avez laissé trop longtemps la viande sur le gril, elle s'est racornie.* ◆ **racorni, e** adj. *Fam.* Devenu sec, insensible : *Un homme dont le cœur est racorni.* ◆ **racornissement** n. m. : *Le racornissement des plantes par la sécheresse, le gel.*

radar [radar] n. m. Appareil émetteur-récepteur qui permet de déterminer la position et la distance d'un obstacle par la réflexion contre celui-ci d'ondes ultra-courtes : *Pendant la Seconde Guerre mondiale, les Anglais utilisèrent les premiers le radar pour la détection des avions ennemis.* ◆ **radariste** n. Spécialiste chargé d'assurer le fonctionnement d'un radar.

1. rade [rad] n. f. Grand bassin naturel ou artificiel où les navires peuvent se mettre à l'abri : *Les rades permettent aux bateaux de s'y réfugier en attendant le moment d'entrer dans un port. Certaines rades sont naturelles, telles celles de Brest, de San Francisco; d'autres sont artificielles, comme celle de Cherbourg.*

2. rade [rad] n. f. Fam. *Laisser quelqu'un* ou *quelque chose en rade,* l'abandonner : *Laisser un camarade, un projet en rade* (syn. fam. : LAISSER TOMBER, LAISSER CHOIR; pop. : PLAQUER). ‖ Fam. *Rester en rade, être en rade,* être dans l'impossibilité de continuer; être en panne : *Le gros René n'a pas pu suivre ses camarades dans leur promenade, il est resté en rade* (syn. : RESTER EN PANNE). *La voiture est en rade dans un petit chemin.*

radeau [rado] n. m. Assemblage de pièces de bois liées ensemble et formant une sorte de plateforme qui peut servir à la navigation : *Les radeaux sont utilisés soit pour porter sur l'eau des hommes, des marchandises, soit pour se sauver dans un naufrage. Actuellement, les radeaux de sauvetage sont des radeaux pneumatiques qui se gonflent automatiquement quand ils sont jetés à la mer.*

1. radiateur [radjatœr] n. m. Appareil servant au chauffage des appartements : *Il y a des radiateurs à vapeur, à eau chaude, à gaz, électriques. Les radiateurs à vapeur ou à eau chaude sont formés d'éléments juxtaposés dans lesquels circule de la vapeur d'eau ou de l'eau chaude.*

2. radiateur [radjatœr] n. m. Réservoir dans lequel se refroidit l'eau chaude en provenance du moteur d'une automobile : *Le radiateur comprend un faisceau de tubes verticaux ou entrecroisés qui sont garnis d'ailettes pour augmenter la surface de refroidissement.*

1. radiation [radjasjɔ̃] n. f. Elément constitutif d'une onde lumineuse ou électromagnétique : *La lumière est un mélange de radiations. Les diverses radiations constituent l'intermédiaire entre nous et la matière.*

2. radiation n. f. V. RADIER.

1. radical [radikal] n. m. Partie d'un mot que l'on détermine en enlevant toutes les désinences qui constituent sa flexion, sa conjugaison ou sa déclinaison : *Les formes du verbe « aller » sont faites sur trois radicaux (« all- », « v- », « ir- »), celles de « chanter » sur un seul radical (« chant- »).*

2. radical, e, aux [radikal, -ko] adj. **1°** Qui concerne le fond de la nature d'une personne ou d'une chose : *Quelques mois de pension suffisent parfois pour apporter un changement radical dans le caractère d'un jeune homme* (syn. : COMPLET, TOTAL). — 2° Qui vise à attaquer un mal ou un défaut dans sa racine, dans ses causes profondes : *Le gouvernement a décidé de prendre des mesures radicales pour enrayer le banditisme, la délinquance juvénile* (syn. : ↓ STRICT, DRACONIEN). *Obtenir une guérison radicale de la tuberculose.* — 3° D'une efficacité certaine : *Trouver un remède radical pour cesser de fumer* (syn. : SOUVERAIN). *Un moyen radical pour se débarrasser des importuns* (syn. : INFAILLIBLE). ◆ **radicalement** adv. : *Ce que vous me dites là est radicalement faux* (syn. : ABSOLUMENT, TOTALEMENT). *A la suite de sa cure, il a été guéri radicalement de ses rhumatismes* (syn. : COMPLÈTEMENT, ENTIÈREMENT).

3. radical, e, aux [radikal, -ko] n. et adj. Partisan d'une transformation des institutions d'un pays dans un sens républicain, démocratique et laïque : *Un congrès, un journal radical. Une municipalité radicale. Le parti radical, en France, a joué un rôle considérable dans l'histoire de la IIIe République* (abrév. de RADICAL-SOCIALISTE). *Sous le règne de Louis-Philippe on commence à qualifier de « radicaux » les partisans de la République.* ◆ **radicalisme** n. m. Doctrine politique du parti radical. ◆ **radical-socialiste** adj. *Parti républicain radical et radical-socialiste,* titre officiel du parti radical fondé en 1901. ◆ n. Membre du parti radical-socialiste.

radier [radje] v. tr. *Radier quelqu'un,* rayer son nom sur un registre, sur une liste : *Cet avocat a été radié du barreau par mesure disciplinaire* (syn. : EFFACER; contr. : INSCRIRE, IMMATRICULER). *Se faire radier d'une liste électorale.* ◆ **radiation** n. f. : *Obtenir la radiation des cadres d'un militaire.*

radiesthésie [radjɛstezi] n. f. Faculté que posséderaient certaines personnes de capter les radiations émises par différents corps : *La radiesthésie, naguère utilisée pour déceler les nappes d'eau à l'aide d'un pendule, d'une baguette, est maintenant souvent employée par certains adeptes de cette méthode pour diagnostiquer le siège et la nature des maladies.* ◆ **radiesthésiste** n. m. Syn. de SOURCIER.

radieux, euse [radjø, -øz] adj. 1° Qui émet des rayons lumineux d'un vif éclat (en parlant du soleil) : *A midi, un soleil radieux dardait ses rayons sur la plaine* (syn. : ÉCLATANT; contr. : PÂLE). — 2° Très ensoleillé : *Une journée radieuse* (syn. : SPLENDIDE). *Un temps radieux* (contr. : COUVERT, SOMBRE). — 3° Se dit de quelqu'un qui est rayonnant de joie : *La jeune femme radieuse s'élança au-devant de son mari qui rentrait de captivité* (contr. : ASSOMBRI, TRISTE). — 4° Qui exprime la satisfaction, le bonheur : *Un air radieux. Un sourire radieux illumine son visage.*

radin [radɛ̃] adj. m. et n. *Pop.* Qui lésine sur la dépense : *Cet homme est radin avec tout le monde. La jeune bonne a quitté sa patronne parce qu'elle était vraiment trop radin* (syn. : PINGRE, AVARE; fam. : GRIPPE-SOU; pop. : RAT, RAPIAT). *Un vieux radin.*

radiner [radine] v. intr. et **se radiner** [saradine] v. pr. *Pop.* Arriver, venir : *Quand il y a du rabiot à la cuisine, le gros Léon n'est pas le dernier à radiner* (syn. pop. : S'AMENER, RAPPLIQUER).

radio n. f. V. RADIODIFFUSION, RADIOGRAPHIE.

radio-activité ou **radioactivité** [radjoaktivite] n. f. Propriété que possèdent certains éléments chimiques (radium, uranium, etc.) de se transformer par désintégration en d'autres éléments avec émission de divers rayonnements : *Le phénomène de la radio-activité a été découvert en 1896 par le Français Henri Becquerel.* ◆ **radio-actif, ive** ou **radioactif, ive** adj. Doué de radio-activité : *Le plutonium est un minerai radio-actif. Des pluies, des retombées radio-actives* (après l'explosion d'une bombe atomique).

radiodiffusion [radjodifyzjɔ̃] ou **radio** [radjo] n. f. 1° Transmission par ondes hertziennes de nouvelles, de programmes littéraires, artistiques, scientifiques, etc. : *Les premières émissions de radiodiffusion réalisées en France eurent lieu en 1921 à partir de la tour Eiffel. Ecouter la radio. Préparer un programme de radio.* — 2° Organisation qui assure un service régulier de diffusions radiophoniques : *Depuis 1945, la Radiodiffusion-Télévision française (O. R. T. F.) est un monopole d'Etat. Travailler à la radio.* ◆ **radiodiffuser** v. tr. Transmettre par la radio : *Radiodiffuser un discours.* ◆ **radio** n. m. 1° Abrév. de RADIOGRAMME (message transmis par T. S. F.) : *Envoyer un radio.* — 2° Abrév. de RADIONAVIGANT (celui qui est chargé d'assurer les liaisons par T. S. F.) : *Le radio de bord d'un navire, d'un avion.* ◆ **radio** n. f. Abrév. de RADIO-RÉCEPTEUR (poste récepteur d'ondes) : *Avoir la radio dans sa voiture. Une taxe sur les postes de radio* (ou *postes radio*) *existe depuis 1933.* ◆ **radioguider** v. tr. Diriger à distance au moyen des ondes hertziennes : *Radioguider un avion, un navire* (syn. : TÉLÉCOMMANDER). ◆ **radioguidage** n. m. : *Le radioguidage d'une fusée* (syn. : TÉLÉCOMMANDE). ◆ **radiophonique** adj. Relatif à la radiodiffusion : *Les programmes de radiodiffusion offrent aux auditeurs une gamme variée d'adaptations, de feuilletons, de pièces, de jeux radiophoniques.* ◆ **radioreportage** n. m. Reportage transmis par le moyen de la radiodiffusion : *Un radioreportage en direct.* ◆ **radioreporter** n. Journaliste spécialisé dans les radioreportages.

radiographie [radjɔgrafi] ou **radio** [radjo] n. f. Photographie obtenue par les rayons X : *On utilise la radiographie en médecine, pour l'étude de la structure des métaux, pour l'examen de documents, d'œuvres d'art.* ◆ **radiographier** v. tr. : *Radiographier un blessé. Radiographier les poumons, le cœur, les organes digestifs.* ◆ **radiologie** n. f. Application des rayons X à l'identification des maladies et à leur traitement : *Un cabinet de radiologie.* ◆ **radiologue** ou **radiologiste** n. ◆ **radioscopie** ou **radio** n. f. Examen d'un corps ou d'un organe au moyen des rayons X et à l'aide d'un écran fluorescent : *Faire une radioscopie de l'estomac, des poumons,* etc.

radis [radi] n. m. 1° Plante potagère cultivée pour ses racines comestibles : *Manger des radis avec du beurre comme hors-d'œuvre.* — 2° Pop. *N'avoir pas un radis,* ne pas avoir d'argent.

radium [radjɔm] n. m. Métal qui possède au plus haut degré les propriétés de radio-activité : *Le radium a été découvert par Pierre et Marie Curie en 1898.*

radoter [radɔte] v. intr. 1° Tenir des propos décousus, dénués de sens : *Je l'ai trouvé bien vieilli et incapable de tenir une conversation suivie; il se* *met à radoter* (syn. : DÉRAISONNER, DIVAGUER). — 2° Répéter sans cesse les mêmes choses : *Tu commences à nous fatiguer, tu ne fais que radoter* (syn. : RABÂCHER). ◆ **radotage** n. m. : *Il est pénible d'écouter ses radotages* (syn. : RABÂCHAGE). ◆ **radoteur, euse** n. et adj. Personne qui radote (syn. : RABÂCHEUR).

radoucir v. tr., **radoucissement** n. m. V. ADOUCIR.

rafale [rafal] n. f. 1° Coup de vent violent, mais de courte durée : *Le petit voilier avait du mal à entrer dans le port, car le vent soufflait par rafales* (syn. : BOURRASQUE). — 2° Succession rapide de décharges d'armes automatiques ou de pièces d'artillerie : *Des rafales de mitrailleuses. Des rafales de balles, d'obus.*

raffermir [rafɛrmir] v. tr. 1° Rendre plus ferme : *Les massages raffermissent les muscles* (syn. : DURCIR). — 2° Remettre dans une situation plus stable : *Le succès remporté aux dernières élections a raffermi la popularité de ce parti* (syn. : ↓ AFFERMIR, CONSOLIDER, RENFORCER). ◆ ***se raffermir*** v. pr. Devenir plus ferme, plus solide, plus stable : *Son visage s'est raffermi. Sa santé s'est raffermie à la suite de son séjour à la montagne* (syn. : FORTIFIER). ◆ **raffermissement** n. m. : *Le raffermissement des chairs* (contr. : RAMOLLISSEMENT). *Le raffermissement de l'autorité d'un gouvernement* (contr. : FLÉCHISSEMENT, ↑ ÉBRANLEMENT).

1. raffiner [rafine] v. tr. *Raffiner une substance,* la débarrasser de ses impuretés : *Raffiner du sucre, du pétrole. Du sucre raffiné* (= rendu plus pur). ◆ **raffinage** n. m. : *Le raffinage du sucre.* ◆ **raffinerie** n. f. Usine où l'on effectue le raffinage : *En France, les raffineries de pétrole se sont installées à proximité des grands ports.*

2. raffiner [rafine] v. tr. *Raffiner quelqu'un, son comportement,* le rendre plus délicat, plus subtil : *Ce garçon aurait besoin de raffiner son langage, ses manières.* ◆ v. tr. ind. *Raffiner sur quelque chose,* mettre une recherche excessive en quelque chose : *Le souci de prouver sa délicatesse fait que cet homme raffine sur tout. Raffiner sur sa toilette, sur l'hygiène.* ◆ **raffinement** n. m. 1° Ce qui marque une grande recherche : *Le raffinement dans le langage* (syn. : ↑ PRÉCIOSITÉ), *dans les manières* (syn. : AFFECTATION). — 2° *Péjor.* Recherche poussée à un degré extrême : *Un amateur de raffinements gastronomiques. Des raffinements de volupté, de cruauté.* ◆ **raffiné, e** adj. 1° Se dit de ce qui est d'une grande finesse, d'une grande délicatesse : *Une nourriture raffinée* (contr. : SIMPLE, FRUGAL). *Des manières raffinées* (syn. : ÉLÉGANT). — 2° *Péjor.* Qui offre un excès de recherche : *Des plaisirs raffinés. Une élégance raffinée* (syn. : AFFECTÉ). ◆ adj. et n. Se dit d'une personne qui a une grande finesse de goût en art, en littérature, qui a un esprit, des sentiments très délicats : *Un homme, un peuple raffiné* (contr. : FRUSTE, GROSSIER, LOURD).

raffoler [rafɔle] v. tr. ind. 1° *Raffoler de quelqu'un,* en être follement épris : *Cet acteur a un grand succès auprès des femmes, elles raffolent de lui* (syn. : ADORER, ADULER). — 2° *Raffoler d'une chose,* avoir pour elle un goût très vif : *Nombre de jeunes filles raffolent de la danse. Raffoler de musique* (syn. : ÊTRE PASSIONNÉ DE, ÊTRE FOU DE). *Raffoler de crème au chocolat.*

raffut [rafy] n. m. *Fam.* Grand bruit produit par des personnes qui parlent fort, qui crient, qui se querellent : *Les voisins ont fait un raffut de tous les diables cette nuit* (syn. : VACARME; fam. : CHAHUT, TINTAMARRE, TAPAGE; très fam. : BOUCAN; pop. : BAROUF).

rafiot [rafjo] n. m. *Fam.* Petit bateau, mauvaise embarcation qui ne tient pas la mer : *Ils se sont embarqués sur un rafiot qui ne résistera pas à la première tempête.*

rafistoler [rafistɔle] v. tr. *Fam.* Réparer tant bien que mal un objet dont les parties sont disjointes ou usées : *Rafistoler un vieux meuble, un livre dont le dos est déchiré* (syn. : RETAPER). ◆ **rafistolage** n. m. : *Le rafistolage d'un escalier.*

rafler [rafle] v. tr. Emporter rapidement tout ce qui tombe sous la main : *Des cambrioleurs se sont introduits dans la villa et ont raflé tout ce qu'ils ont pu* (syn. : VOLER). ◆ **rafle** n. f. 1° *Fam.* Action de rafler : *Des voleurs ont fait une rafle importante dans une bijouterie.* — 2° Arrestation en masse, faite par la police, d'individus qui se trouvent dans un quartier, dans une rue, dans un établissement : *Les agents ont effectué une rafle dans un bar et ont emmené tous les clients suspects. Etre pris dans une rafle et relâché après vérification d'identité.*

rafraîchir [rafrɛʃir] v. tr. 1° *Rafraîchir quelque chose,* le rendre frais ou plus frais; lui donner de la fraîcheur : *Mettre une boisson dans un réfrigérateur pour la rafraîchir* (contr. : CHAUFFER). *La pluie a rafraîchi la température* (contr. : RÉCHAUFFER). *Ouvrez les fenêtres pour rafraîchir l'appartement.* — 2° *Rafraîchir quelqu'un, son visage,* etc., lui donner une sensation de fraîcheur : *Rafraîchir le visage d'un malade avec une serviette humide. Donnez-nous à boire quelque chose qui nous rafraîchisse.* — 3° *Rafraîchir un objet,* le remettre en état : *Rafraîchir un chapeau. Rafraîchir un tableau, une peinture* (= les nettoyer et en raviver les couleurs). *Rafraîchir les cheveux* (= les couper légèrement). — 4° *Rafraîchir la mémoire à quelqu'un,* lui rappeler le souvenir d'une chose : *Mon camarade est bien gentil, mais quand il a fait une promesse, il faut souvent lui rafraîchir la mémoire pour qu'il ne l'oublie pas.* ◆ v. intr. Devenir plus frais : *Mettre du vin à rafraîchir.* ◆ ***se rafraîchir*** v. pr. 1° Se donner de la fraîcheur : *Pendant l'arrêt du train, nous nous sommes rafraîchis à la fontaine de la gare.* — 2° Prendre une boisson rafraîchissante : *Nous sommes entrés dans un café pour nous rafraîchir.* — 3° Devenir plus frais : *Après l'orage, la température s'est rafraîchie.* ◆ **rafraîchissant, e** adj. Qui donne de la fraîcheur : *Une brise rafraîchissante. Une boisson rafraîchissante* (= qui désaltère). ◆ **rafraîchissement** n. m. 1° Action de rafraîchir : *Le rafraîchissement de la température, d'un tableau, de la mémoire.* — 2° Boisson fraîche, fruits et autres mets semblables que l'on sert lors d'une réception : *Préparer un buffet et des rafraîchissements pour un bal.*

ragaillardir [ragajardir] v. tr. Fam. *Ragaillardir quelqu'un,* lui redonner des forces, de l'entrain : *Depuis sa cure, il se sent tout ragaillardi.* (V. GAILLARD.)

1. rage [raʒ] n. f. Maladie infectieuse qui peut se communiquer des animaux (chien et quelquefois chat, loup, etc.) à l'homme et qui est caractérisée par des convulsions et par la paralysie : *Le* *vaccin contre la rage a été découvert par Pasteur, qui l'utilisa pour la première fois en 1885.* ◆ **enragé, e** adj. 1° Se dit d'un animal malade de la rage : *Un chien enragé.* — 2° Fam. *Manger de la vache enragée,* vivre dans les privations, faute de ressources.

2. rage [raʒ] n. f. 1° Mouvement violent de dépit, d'irritation, de colère, de haine : *Cette réprimande a excité sa rage. Passer sa rage sur le premier venu. Entrer dans une rage folle, écumer, étouffer de rage* (syn. : RAGER, FUMER ; fam. : PESTER). — 2° *Rage de dents,* mal de dents qui provoque de violentes douleurs. — 3° (sujet nom de chose) *Faire rage,* atteindre une très grande violence : *La tempête a fait rage toute la nuit et des bateaux ne sont pas rentrés. Un incendie a fait rage et on a dû évacuer plusieurs immeubles* (syn. : SE DÉCHAÎNER). ◆ **rager** v. intr. (sujet nom de personne). Etre en proie à une violente irritation, à un vif sentiment de dépit, de mécontentement, quelquefois sans les manifester : *Ce qui le faisait rager, c'était d'avoir été puni injustement* (syn. pop. : RÂLER). *Il rageait de ne pouvoir aller au cinéma avec ses camarades* (syn. : ÊTRE FURIEUX ; pop. : FUMER). ◆ **rageant, e** adj. Se dit de ce qui fait rager : *Echouer à un examen quand on l'a bien préparé, c'est rageant* (syn. : EXASPÉRANT ; fam. : ENRAGEANT). ◆ **rageur, euse** adj. 1° Sujet à des accès de colère : *Un enfant rageur* (syn. : COLÉREUX, ↑ IRRITABLE). — 2° Qui dénote de la mauvaise humeur : *Répondre sur un ton rageur* (contr. : CALME). ◆ **rageusement** adv. : *Il s'est précipité rageusement sur son camarade et a voulu le frapper.* ◆ **enrager** [ɑ̃raʒe] v. intr. 1° (sujet nom de personne) Eprouver un violent dépit : *J'enrageais de ne pas pouvoir fournir la preuve de mon innocence.* — 2° (sujet nom de chose ou de personne) *Faire enrager quelqu'un,* le pousser à l'irritation : *Un élève qui faisait enrager ses professeurs* (syn. : ↓ AGACER, IRRITER). *Pour le faire enrager, il lui disait qu'il avait oublié sa commission* (syn. : TAQUINER). ◆ **enragé, e** adj. et n. Se dit d'une personne qui montre un grand acharnement, une grande ardeur : *C'est un chasseur enragé* (syn. : ACHARNÉ). *Un enragé de romans policiers* (syn. : PASSIONNÉ). *Un enragé de courses automobiles* (syn. fam. : MORDU). ◆ **enrageant, e** adj. Fam. : *Un contretemps enrageant* (syn. : RAGEANT).

raglan [raglɑ̃] n. m. Pardessus dont les manches partent du col par des coutures en biais.

ragot [rago] n. m. *Fam.* Bavardage généralement malveillant (souvent au plur.) : *Ne faites pas attention à tous les ragots que vous pouvez entendre autour de vous* (syn. fam. : COMMÉRAGE, CANCAN, RACONTAR).

ragoût [ragu] n. m. Plat de viande, de légumes ou de poisson, coupés en morceaux et cuits dans une sauce : *Un ragoût de veau, de mouton.*

ragoûtant, e [ragutɑ̃, -ɑ̃t] adj. 1° Qui excite l'appétit : *Vous nous avez servi un plat qui est peu ragoûtant* (syn. : APPÉTISSANT). — 2° Qui est agréable, qui plaît (uniquement avec *pas, guère, peu*) : *Il m'a chargé d'un travail qui n'est guère* (ou *pas*) *ragoûtant* (syn. : PLAISANT, ATTRAYANT).

raid [rɛd] n. m. 1° Incursion rapide en territoire ennemi, exécutée par une troupe ou un groupe peu nombreux, par des blindés, des parachutistes, etc. : *Un raid opéré par un commando pour détruire des objectifs ennemis* (syn. : COUP DE MAIN). — 2° *Raid aérien,* vol de longue distance destiné à mettre en valeur la résistance du matériel et l'endurance des hommes : *Le raid New York-Paris effectué par Lindberg en 1927 ;* en temps de guerre, expédition menée sur un territoire ennemi par une formation de bombardement : *Les raids des bombardiers alliés sur la Ruhr.*

raide [rɛd] adj. 1° Se dit d'une chose, et spécialement d'un membre, qui ne plie pas ou qui est difficile à plier : *Il a eu une attaque de paralysie et depuis il a un bras tout raide* (syn. : ANKYLOSÉ). *J'ai trop marché, j'ai les jambes raides comme des barres de fer* (syn. : ENGOURDI ; contr. : MOU). *Des cheveux raides* (= qui ne frisent pas). — 2° Fortement tendu : *Un câble, une corde raide* (syn. : RIGIDE ; contr. : FLEXIBLE, ÉLASTIQUE). ‖ *Etre, danser sur la corde raide,* être dans une situation difficile, dangereuse. — 3° Difficile à monter ou à descendre : *C'est par un sentier assez raide que l'on arrive à l'alpage* (syn. : ESCARPÉ). *Soyez prudent, la descente est sinueuse et raide* (syn. : ABRUPT). — 4° Se dit de quelqu'un qui manque de souplesse, de grâce ; qui a une gravité affectée : *Avoir une attitude raide. Cet homme se tient raide comme un échalas* (syn. : GOURMÉ, GUINDÉ). — 5° Qui se montre peu accommodant : *Il a une manière de commander raide et qui glace ses subordonnés* (syn. : INFLEXIBLE, AUTORITAIRE). — 6° Pop. *Etre raide* ou *raide comme un passe-lacet,* être sans argent. — 7° Se dit d'une chose qui est difficile à croire, à accepter : *L'histoire que vous me racontez là est peut-être authentique, mais quand même elle est un peu raide* (syn. : SURPRENANT, ÉTONNANT, FORT). — 8° Se dit d'un liquide alcoolique, qui est âpre au goût et fort : *Une eau-de-vie raide.* — 9° Se dit d'un écrit, d'un spectacle, d'une parole qui choque la bienséance : *Il y a dans ce roman, dans ce vaudeville des passages, des scènes un peu raides* (syn. : HARDI, OSÉ ; ↑ LICENCIEUX, GRIVOIS). ◆ adv. 1° D'une manière abrupte : *Un escalier qui grimpe raide.* — 2° Tout d'un coup, brutalement : *Les soldats des premières lignes qui montaient à l'attaque tombaient raides morts.* ◆ **raideur** n. f. 1° Etat d'une chose raide : *La raideur d'un bras* (syn. : ANKYLOSE, ↑ ENGOURDISSEMENT). *La raideur d'une corde. La raideur des membres après la mort* (syn. : RIGIDITÉ). *La raideur d'une pente.* — 2° Manque de souplesse, de grâce, de familiarité, en parlant de quelqu'un : *Marcher, danser avec raideur* (syn. : GRAVITÉ ; contr. : ABANDON). *Il montre beaucoup de raideur dans ses rapports avec ses collègues.* ◆ **raidir** v. tr. 1° *Raidir quelque chose,* le rendre raide, le tendre avec force, énergiquement : *Raidir ses muscles, un membre* (syn. : BANDER, CONTRACTER). *Raidir un fil de fer, un câble* (syn. : ↓ TIRER). — 2° *Raidir quelqu'un,* le rendre obstiné, intransigeant : *Ces objections n'ont fait que le raidir dans une attitude purement négative.* ◆ ***se raidir*** v. pr. 1° (sujet nom de chose) Devenir raide : *Après une longue fatigue, les muscles se raidissent.* — 2° (sujet nom de personne) Montrer de la fermeté, du courage ou de l'intransigeance : *Se raidir contre la douleur, contre l'adversité. Les deux blocs se sont raidis devant des exigences réciproques et contradictoires.* ◆ **raidissement** n. m. 1° Action de raidir : *Le raidissement des membres.* — 2° Tension entre deux pays, entre deux groupes opposés ; attitude d'intransigeance, de refus : *A la suite des propositions gouvernementales, il y a eu un raidissement très net des syndicats.* ◆ **raidillon** n. m. Partie d'un chemin qui est en pente raide : *Gravir* *un raidillon.* ◆ **déraidir** v. tr. Rendre moins raide : *Déraidir un câble. Déraidir ses membres engourdis.*

1. raie [rɛ] n. f. 1° Ligne ou bande qui se trouve sur la peau, le pelage ou le plumage de certains animaux : *Ce cheval a une raie noire sur le dos. Le pelage du zèbre est jaunâtre avec des raies noires ou brunes. Un oiseau dont les ailes sont marquées de raies blanches.* — 2° Ligne en bande d'une couleur différente de celle du fond dans une étoffe, dans du papier : *Un pantalon noir avec de petites raies blanches* (syn. : RAYURE). *Un tissu à raies* (= rayé). — 3° Séparation des cheveux : *Porter la raie au milieu ou sur le côté.* — 4° Ligne tracée sur une surface avec une substance colorante ou avec un instrument : *Faire une raie sur un mur, sur un parquet avec de la craie ou avec un crayon* (syn. plus usuel : TRAIT). ◆ **rayure** [rejyr] n. f. 1° Syn. de RAIE aux sens 1 et 2 : *Certains animaux, tels que le tigre, le zèbre, ont des rayures sur leur pelage* (syn. : ZÉBRURE). *Une étoffe à rayures. Un veston marron avec des rayures rouges.* — 2° Trace laissée sur un objet par un corps rugueux, pointu ou coupant : *Faire des rayures sur un meuble, sur une vitre, sur une peinture.* — 3° Rainure pratiquée à l'intérieur du canon d'une arme à feu, pour imprimer au projectile un mouvement de rotation qui en assure la précision : *Les rayures d'un fusil, d'une carabine.* ◆ **rayer** v. tr. 1° *Rayer une chose,* en détériorer la surface polie par des rayures (sens 2) : *Rayer une planche avec du papier de verre. Rayer la carrosserie d'une voiture avec ses ongles* (syn. : ÉRAFLER). *Rayer de l'argenterie, une glace en les nettoyant. Le diamant raie le verre.* — 2° *Rayer ce qui est écrit,* passer un trait dessus pour l'annuler : *Rayer un mot dans une phrase* (syn. : BARRER, BIFFER). — 3° *Rayer quelqu'un,* supprimer son nom d'un registre : *Rayer un électeur décédé d'une liste électorale* (syn. : RADIER). *Rayer un officier des cadres de l'armée* (syn. : RADIER, EXCLURE, ÉLIMINER). ◆ **rayé, e** adj. 1° Qui porte des raies (sens 1) ou des rayures (sens 1) : *Du papier rayé, un tissu rayé* (contr. : UNI). *Le tigre a une livrée rayée de noir* (syn. : ZÉBRÉ). — 2° Qui porte des rayures (sens 3) : *Le canon rayé d'un fusil.*

2. raie [rɛ] n. f. Poisson de mer plat et cartilagineux : *Manger de la raie au beurre noir.*

rail [rɑj] n. m. 1° Bande d'acier servant à supporter et à guider les roues des trains : *Les rails sont posés et fixés sur des traverses.* — 2° Transport par voie ferrée : *La coordination du rail et de la route a pour objet de faire cesser la concurrence des deux modes de transport.* (V. FERROVIAIRE.)

railler [rɑje] v. tr. *Railler quelqu'un, quelque chose,* les tourner en ridicule d'une manière plus ou moins satirique : *Cet homme ne peut souffrir qu'on le raille. Railler finement, grossièrement* (syn. : ↓ SE MOQUER, PLAISANTER, RIDICULISER; pop. : CHARRIER). *Railler un homme politique, un gouvernement par des caricatures, par des chansons* (syn. : PERSIFLER, SATIRISER; fam. : METTRE EN BOÎTE). ◆ **raillerie** n. f. : *Une raillerie fine, piquante. Peu de gens supportent sans s'offenser les railleries dont ils sont l'objet* (syn. : ↓ MOQUERIE, PERSIFLAGE; ↑ SATIRE, SARCASME). ◆ **railleur, euse** adj. et n. 1° Qui raille, qui aime à railler : *Un esprit railleur. Souvent les railleurs sont raillés.* — 2° Empreint de raillerie : *Parler sur un ton railleur.*

rainure [renyr] n. f. Entaille longue et étroite dans une pièce de bois, de métal, ou à la surface d'un objet : *Faire une rainure dans l'épaisseur d'une planche pour l'assembler à une autre ou pour servir de coulisse.*

raisin [rezɛ̃] n. m. Fruit de la vigne : *Cueillir du raisin, des raisins blancs, noirs. Manger du raisin.*

1. raison [rezɔ̃] n. f. 1° Faculté qui permet à l'homme de distinguer le vrai du faux, le bien du mal et de déterminer sa conduite d'après cette connaissance : *La raison distingue l'homme de l'animal. Je compte sur votre raison. J'en appelle à votre raison* (syn. : BON SENS). *Suivre les conseils, la voix de la raison. Ramener quelqu'un à la raison* (syn. : SAGESSE). — 2° *Age de raison,* âge auquel les enfants commencent à avoir conscience de leurs actes. ‖ *Entendre raison, se rendre à la raison,* acquiescer à ce qui est raisonnable, juste. ‖ *Mariage de raison,* mariage dans lequel les considérations de situation sociale, de fortune l'emportent sur les sentiments. ‖ *Mettre quelqu'un à la raison,* le réduire par la force, par l'autorité. ‖ *Plus que de raison,* plus qu'il n'est convenable, d'une manière excessive : *Manger, boire plus que de raison.* ‖ *Perdre la raison,* perdre la tête; devenir fou : *Pour tenir des propos aussi absurdes, il faut avoir perdu la raison.* ‖ *Recouvrer la raison,* retrouver sa lucidité. ◆ **raisonnable** adj. 1° Se dit d'une personne qui est douée de raison, qui a la faculté de raisonner : *L'homme est un animal raisonnable.* — 2° Qui pense, agit conformément au bon sens, à la sagesse; d'une manière réfléchie : *Ce jeune homme est enfin devenu raisonnable. On voit des enfants se conduire comme des personnes raisonnables. Vous êtes trop raisonnable pour exiger cela de moi* (contr. : EXTRAVAGANT, INSENSÉ). — 3° Se dit de ce qui est conforme à la raison, à la sagesse, à l'équité, au devoir : *Il m'a tenu des propos très raisonnables* (syn. : SENSÉ; contr. : ABERRANT, ABSURDE). *Il vous a donné des conseils raisonnables* (syn. : JUDICIEUX). *Vous avez pris une décision tout à fait raisonnable* (syn. : LÉGITIME). *Il n'est pas raisonnable de se conduire comme vous le faites* (syn. : CONVENABLE, NORMAL). — 4° Qui n'est pas exagéré; conforme à la moyenne : *Vendre, acheter à des prix raisonnables. Prêter de l'argent à un taux raisonnable* (syn. : ACCEPTABLE, MODÉRÉ; contr. : EXCESSIF, EXORBITANT). ◆ **raisonnablement** adv. : *Parler, agir raisonnablement* (syn. : BIEN, CONVENABLEMENT). *Manger, boire raisonnablement* (syn. : MODÉRÉMENT; contr. : EXAGÉRÉMENT). ◆ **raisonner** v. intr. 1° Passer d'un jugement à un autre pour aboutir à une conclusion : *Raisonner juste, raisonner faux. Apprendre à quelqu'un à raisonner. Raisonner selon les règles de la logique* (syn. : ARGUMENTER). — 2° Fam. *Raisonner comme une pantoufle,* raisonner de travers. ◆ **raisonné, e** adj. A quoi l'on applique les règles du raisonnement : *Un problème bien raisonné. Une méthode raisonnée d'arithmétique.* ◆ **raisonnement** n. m. : *Essayer de persuader quelqu'un par le raisonnement. Cet homme a une grande puissance de raisonnement* (syn. : DIALECTIQUE). ◆ **déraison** n. f. Etat d'esprit contraire à la raison, au bon sens : *C'est le comble de la déraison.* ◆ **déraisonnable** adj. Contr. de RAISONNABLE : *Une conduite déraisonnable. Des propos déraisonnables* (syn. : ABSURDE, EXTRAVAGANT, INSENSÉ). ◆ **déraisonner** v. intr. Tenir des propos dénués de bon sens : *Cet homme ne fait que déraisonner* (syn. : DIVAGUER, RADOTER; fam. : DÉRAILLER, BATTRE LA CAMPAGNE).

2. raison [rezɔ̃] n. f. 1° Explication d'un fait, d'un acte : *« Le cœur a ses raisons que la raison ne connaît point », a dit Pascal. Faire connaître les raisons de sa conduite* (syn. : MOTIF, MOBILE). *Une tristesse sans raison apparente* (syn. : SUJET). *Une crise de jalousie dont il est impossible de dire la raison* (syn. : CAUSE). *Un attentat commis pour des raisons politiques* (syn. : MOBILE). *S'absenter pour une raison ou pour une autre* (syn. : MOTIF). *Pour quelle raison vous êtes-vous engagé dans cette affaire?* (syn. : POURQUOI). — 2° Argument destiné à prouver ou à justifier une chose : *Selon La Fontaine : « La raison du plus fort est toujours la meilleure ». Cet élève a toujours de bonnes raisons pour ne pas avoir appris ses leçons* (syn. : EXCUSE, PRÉTEXTE). *Les raisons que vous me donnez ne sont pas valables* (syn. : ALLÉGATION). *Opposer des raisons péremptoires, pertinentes aux attaques de son adversaire* (syn. : RÉFUTATION). — 3° *A plus forte raison,* pour un motif d'autant plus fort. ‖ *Avec raison, avec juste raison,* en ayant un motif légitime, une raison valable : *C'est avec raison que le directeur a renvoyé cet employé* (syn. : À JUSTE TITRE). ‖ *Avoir raison,* être dans le vrai (contr. : SE TROMPER). ‖ *Avoir raison de* (et l'infin.), agir ou parler de manière conforme à la vérité, à la justice, au bon sens : *Vous n'avez pas raison de lui en vouloir, il ne vous a pas nui. Vous avez eu raison de prendre des vêtements chauds, car il fait froid* (contr. : AVOIR TORT). ‖ *Avoir raison de quelqu'un* ou *de quelque chose,* vaincre sa résistance, en venir à bout : *Avoir raison d'un animal, d'une difficulté.* ‖ *Cela n'a ni rime ni raison,* cela est dénué de tout bon sens. ‖ *Comparaison n'est pas raison,* une comparaison n'équivaut pas à une démonstration; l'analogie n'a pas de valeur probante. ‖ *Donner raison à quelqu'un,* décider qu'il est dans le vrai. ‖ *Se faire une raison,* se résigner à admettre ce qu'on ne peut changer (syn. : PRENDRE SON PARTI). ‖ *Raison d'Etat,* motif, prétexte allégué pour justifier une action souvent illégale. ‖ *Raison d'être,* ce qui justifie l'existence d'une personne ou d'une chose : *Son fils est la seule raison d'être de cette veuve.* • LOC. PRÉP. *En raison de,* à cause de : *En raison des circonstances. En raison de son âge, le tribunal a accordé le sursis à l'accusé* (syn. : VU, ÉTANT DONNÉ); en proportion de : *On ne reçoit qu'en raison de ce qu'on donne.* ◆ **raisonner** v. intr. 1° Chercher et employer des arguments pour démontrer, prouver une chose, pour convaincre quelqu'un : *Il est inutile de raisonner avec lui, il ne vous laisse pas parler* (syn. : ↓ DISCUTER). *Avoir la manie de raisonner.* — 2° Alléguer des excuses au lieu de recevoir docilement les ordres ou les réprimandes : *Il ne s'agit pas de raisonner, mais d'obéir* (syn. : RÉPLIQUER, DISCUTER). ◆ v. tr. *Raisonner quelqu'un,* chercher à l'amener à reconnaître ce qui est raisonnable, juste : *J'ai eu beau le raisonner, il n'a rien voulu entendre.* ◆ **raisonnement** n. m. 1° Suite d'arguments, de propositions qui s'enchaînent en vue d'une conclusion : *Un raisonnement clair, subtil, juste, net, obscur, captieux. Suivez bien mon raisonnement, Je ne comprends pas votre raisonnement* (syn. : DÉMONSTRATION, ARGUMENTATION). ‖ *Faire des raisonnements à perte de vue,* faire de longs raisonnements qui ne concluent rien. — 2° (au plur.) Observations à un ordre reçu : *Obéissez et cessez vos raisonnements* (syn. : OBJECTION, RÉPLIQUE). ◆ **raisonneur, euse** n. et adj. 1° Personne qui veut raisonner sur tout, qui fatigue par ses longs raisonnements : *Un insupportable raisonneur qui veut toujours avoir raison* (syn. : DISCUTEUR). — 2° Personne qui allègue des excuses, bonnes ou mauvaises, au lieu d'obéir : *Faire le raisonneur. Une petite fille raisonneuse.*

3. raison [rezɔ̃] n. f. *A raison de* (et un numéral) loc. prép. Au prix de, à proportion de : *Acheter une étoffe à raison de vingt francs le mètre. En raison du froid, on a distribué du charbon aux indigents à raison de cent kilogrammes par foyer.*

rajeunir [raʒønir] v. tr. 1° *Rajeunir quelqu'un,* lui donner la vigueur, l'apparence de la jeunesse : *Cette femme est si décrépite qu'aucun traitement ne pourrait la rajeunir.* — 2° Faire paraître plus jeune : *Cette coiffure vous rajeunit.* — 3° Croire une personne plus jeune qu'elle ne l'est en réalité : *Vous lui donnez quarante ans, vous le rajeunissez, car il en a plus de cinquante.* ‖ Fam. *Cela ne me, nous,* etc., *rajeunit pas,* cela indique que je, nous, etc., ne sommes plus jeunes : *Voilà près de trente ans que nous sommes ensemble dans cette administration, cela ne nous rajeunit pas.* ‖ *Rajeunir les cadres d'une entreprise,* recruter un personnel plus jeune. — 4° *Rajeunir une chose,* lui donner une apparence, une fraîcheur nouvelle : *Rajeunir un vêtement* (syn. : RAFRAÎCHIR). *Rajeunir une installation, un mobilier* (syn. : MODERNISER). *Rajeunir une pensée par l'expression.* ◆ v. intr. Retrouver la vigueur et la fraîcheur de la jeunesse : *Depuis votre cure, vous avez* ou *vous êtes tout rajeuni.* ◆ ***se rajeunir*** v. pr. Se prétendre plus jeune qu'on ne l'est réellement : *Beaucoup de personnes ont la manie de se rajeunir.* ◆ **rajeunissement** n. m. : *Son rajeunissement est extraordinaire. Le rajeunissement d'un texte* (syn. : MODERNISATION). ◆ **rajeunissant, e** adj. : *Une crème rajeunissante.*

rajouter v. tr. V. AJOUTER; **rajuster** v. tr., **réajuster** v. tr., **rajustement** n. m. V. AJUSTER.

ralentir [ralɑ̃tir] v. tr. 1° Rendre plus lent : *Ralentir sa marche, l'allure d'une voiture* (contr. : ACTIVER, ACCÉLÉRER). *Ralentir l'avance des ennemis par une contre-offensive* (syn. : RETARDER). — 2° Rendre moins intense : *L'âge n'a pas ralenti son ardeur au travail. Certaines taxes ralentissent le commerce d'exportation* (syn. : DIMINUER, FREINER). ◆ v. intr. 1° Aller plus lentement : *Automobilistes, ralentissez en arrivant à un carrefour* (contr. : ACCÉLÉRER). — 2° Devenir plus lent : *Le progrès ne ralentit pas.* ◆ **ralentissement** n. m. : *Le ralentissement d'un véhicule* (contr. : ACCÉLÉRATION). *Le ralentissement de l'expansion économique. Le manque de crédits a amené un ralentissement des travaux.* ◆ **ralenti** n. m. 1° Mouvement d'un moteur qui tourne à une vitesse réduite. — 2° *Au ralenti,* en diminuant l'énergie, la vigueur : *Travailler au ralenti.* — 3° Au cinéma, procédé qui, en accélérant le rythme de la prise de vues, permet d'obtenir un rythme de projection ralenti et, par conséquent, de mieux montrer les phases d'un phénomène ou la décomposition d'un mouvement. (V. LENT.)

1. râler [rɑle] v. intr. Faire entendre un bruit rauque en respirant, en particulier au moment de l'agonie : *Le blessé est au plus mal, il commence à râler.* ◆ **râle** n. m. : *Avoir le souffle entrecoupé de* *râles. On perçoit des râles dans certaines affections pulmonaires.*

2. râler [rɑle] v. intr. *Pop.* Etre de mauvaise humeur, en colère : *Cet individu est insupportable, pour le moindre ennui il se met à râler* (syn. : GROGNER, PROTESTER; fam. : MARONNER, ROUSPÉTER). ◆ **râleur, euse** n. et adj. *Pop.* Personne qui proteste, qui a l'habitude de protester à propos de tout : *Il n'est jamais content, c'est un râleur* (syn. fam. : ROUSPÉTEUR).

rallier [ralje] v. tr. 1° Rassembler des personnes dispersées (langue mil.) : *Après la défaite, le général rallia ses soldats* (syn. : REGROUPER, RÉUNIR). — 2° Rejoindre l'unité militaire dont on a été séparé : *La patrouille, après avoir accompli sa mission, rallia le gros de la troupe* (syn. : REGAGNER). — 3° (sujet nom de personne) *Rallier quelqu'un,* l'amener, le faire adhérer à une cause, à une opinion, à un parti : *L'orateur a rallié une partie de l'auditoire à sa proposition* (syn. : GAGNER); [sujet nom de chose] mettre d'accord : *Une proposition qui rallie tous les suffrages. L'intérêt rallie les pires adversaires.* ◆ ***se rallier*** v. pr. *Se rallier à un avis, à une opinion, à une solution, à un point de vue,* les approuver, y croire. ◆ **ralliement** n. m. 1° *Le ralliement des troupes eut lieu à tel endroit* (syn. : RASSEMBLEMENT; contr. : DÉBANDADE, DISPERSION). *Le ralliement à une cause, à une opinion* (syn. : ADHÉSION). — 2° *Point de ralliement,* endroit où des troupes, des groupes de personnes doivent se réunir; opinion sur laquelle s'accordent des personnes divisées sur d'autres points. ‖ *Mot, signe de ralliement,* mot, signe caractéristique qui sert aux membres d'une association à se reconnaître.

rallonge n. f., **rallonger** v. tr. V. ALLONGER; **rallumer** v. tr. V. ALLUMER.

rallye [rali] n. m. Epreuve sportive dans laquelle les concurrents, partant en voiture, doivent rejoindre un endroit déterminé, souvent par des itinéraires différents.

1. ramage [ramaʒ] n. m. Dessin représentant des rameaux, des fleurs sur une étoffe, un papier peint (surtout au plur.) : *Une robe à ramages. Le ramage d'une draperie, d'une tapisserie.*

2. ramage [ramaʒ] n. m. Chant des oiseaux dans les arbres, dans les buissons : *Le ramage des pinsons, des rossignols.*

ramasser [ramase] v. tr. 1° *Ramasser des choses,* réunir des choses éparses en différents endroits : *Le brocanteur ramasse de vieux vêtements, de la ferraille, de vieux meubles pour les revendre. Le professeur ramasse les cahiers, les copies des élèves* (contr. : RENDRE). *Ramasser du lait, des volailles dans les fermes.* — 2° Prendre des choses répandues par terre pour les réunir : *Ramasser du bois mort et en faire des fagots. Ramasser des feuilles, du foin avec un râteau. Ramasser des pommes de terre, des marrons. Ramasser des champignons* (syn. : CUEILLIR). *Ramasser des épis après la moisson* (syn. : GLANER). — 3° *Ramasser quelqu'un, quelque chose,* les relever quand ils sont à terre : *Ramasser un enfant qui est tombé. Ramasser des blessés sur un champ de bataille. Ramasser un gant.* ‖ Pop. *Ramasser une pelle, une bûche,* tomber. — 4° *Ramasser un être vivant,* l'emmener avec soi : *Les agents ont ramassé tous les clochards du quartier* (syn. : ARRÊTER). *Une vieille dame qui ramasse tous les chats des alentours* (syn. : RECUEILLIR). ‖ Fam. *Se faire ramasser,* être emmené au poste de police ou en prison; se faire vivement réprimander ou punir : *Il s'est fait ramasser par son père quand il lui a présenté son carnet de notes.* ◆ ***se ramasser*** v. pr. 1° Se replier sur soi pour se défendre ou attaquer : *Le hérisson se ramasse dès qu'on le touche* (syn. : SE PELOTONNER). — 2° *Fam.* Se relever après une chute : *Cet enfant est encore trop jeune pour se ramasser tout seul.* ◆ **ramassé, e** adj. 1° Court et gros (en parlant du corps de l'homme et des animaux) : *Avoir la taille ramassée. Un homme ramassé* (syn. : TRAPU; contr. : ÉLANCÉ, SVELTE). — 2° Exprimé en peu de mots : *Une expression ramassée. Un style ramassé* (syn. : CONCIS; contr. : DIFFUS, PROLIXE). ◆ **ramassage** n. m. 1° *Le ramassage des foins, des céréales, des vieux journaux.* — 2° *Ramassage scolaire,* transport des enfants de leur maison à l'école, effectué par un service municipal. ◆ **ramasseur, euse** n. : *Un ramasseur de volailles, d'œufs. Un ramasseur de balles de tennis.* ◆ **ramassis** n. m. Ensemble confus de choses de peu de valeur; réunion de personnes peu estimables : *Un ramassis de vieux livres dans un grenier. Ce bar est fréquenté par un ramassis de voyous.*

rambarde [rɑ̃bard] n. f. Rampe légère formant un garde-fou, placée autour des ponts supérieurs et des passerelles sur un navire.

1. rame [ram] n. f. 1° Longue barre de bois aplatie à une extrémité, dont on se sert pour faire avancer et diriger une embarcation : *Savoir manier les rames* (syn. : AVIRON). — 2° Pop. *Ne pas en fiche une rame,* ne rien faire (syn. : FAINÉANTER, PARESSER). ◆ **ramer** v. intr. Manœuvrer les rames pour faire avancer et diriger une embarcation : *Apprendre à ramer en cadence* (syn. [langue de marine] : NAGER). ◆ **rameur, euse** n. : *Un bateau à deux ou à quatre rameurs.*

2. rame [ram] n. f. Ensemble de voitures ou de wagons attelés ensemble : *Une rame de chemin de fer, de métro.*

rameau [ramo] n. m. 1° Petite branche d'arbre : *Ce pommier a donné beaucoup de rameaux cette année.* — 2° *Le dimanche des Rameaux,* le dimanche qui précède la fête de Pâques. ◆ **ramure** n. f. 1° Ensemble des branches d'un arbre : *Un chêne dont la ramure est épaisse.* — 2° Ensemble des bois d'un cerf, d'un daim.

ramener [ramne] v. tr. 1° *Ramener quelqu'un,* l'amener de nouveau dans un endroit : *Ramener un enfant chez le médecin.* — 2° *Ramener un être animé,* le faire revenir avec soi à l'endroit qu'il avait quitté : *Comme j'étais souffrant, on m'a ramené chez moi en voiture* (syn. : RECONDUIRE, RACCOMPAGNER). *A la fin de l'été, on ramène les bêtes des alpages à la ferme.* — 3° *Ramener un être animé, une chose,* l'amener avec soi, l'apporter à l'endroit que l'on avait quitté : *Nos voisins ont ramené une bonne de la campagne. Ils ont acheté des meubles en province et ils les ont ramenés à Paris.* — 4° *Ramener une chose,* la remettre à l'endroit où on l'a prise : *Je veux bien vous prêter ma bicyclette, mais vous me la ramènerez demain.* — 5° (sujet nom de chose) Etre cause du retour : *Quelle affaire vous ramène ici? C'est la faim qui ramène le chien au logis* (syn. : FAIRE REVENIR). — 6° *Ramener une chose sur, dans, en,* vers, etc., un lieu, la mettre dans une certaine position : *Ramener ses cheveux sur le front, sur les tempes. Ramener un voile sur ses yeux* (syn. : RABATTRE). *Ramener les bras en arrière* (syn. : TIRER). *Au football, l'ailier ramène le ballon vers le centre du terrain* (syn. : CENTRER, DIRIGER). — **7°** *Ramener quelqu'un à,* le faire revenir à un certain état, à certaines dispositions : *Ramener un noyé, un électrocuté à la vie* (syn. : RANIMER). *Votre exemple le ramènera à la raison, au devoir* (syn. : RAPPELER). *Ramener quelqu'un à la foi* (syn. : CONVERTIR), *à une meilleure conduite* (syn. : CORRIGER). *Cette question me ramène au sujet dont j'ai parlé.* — **8°** *Ramener quelque chose à,* le porter à un point de simplification, d'unification, de diminution : *Ramener plusieurs problèmes à un seul* (syn. : RÉDUIRE). *L'égoïste ramène tout à lui* (syn. : CONCENTRER). *Prendre des mesures pour ramener les prix à un niveau plus bas* (syn. : DIMINUER). *Ramener un incident à ses justes proportions.* — **9°** *Ramener une chose,* la faire renaître : *La paix ramène la prospérité. Le gouvernement a pris des mesures pour ramener l'ordre et la sécurité* (syn. : RÉTABLIR, RESTAURER). ‖ Pop. *Ramener sa fraise* (ou *la ramener*), faire le malin, l'important : *A tout propos, il ramène sa fraise;* protester : *Dès qu'on lui fait une observation, il faut qu'il la ramène.* ◆ ***se ramener*** v. pr. **1°** Etre réduit à : *Ces deux questions se ramènent à une seule* (syn. : SE RÉDUIRE). — **2°** *Pop.* Revenir : *Hier soir, il s'est ramené très tard à la maison.*

rameuter v. tr. V. AMEUTER.

ramier [ramje] n. m. Pigeon sauvage qui niche dans les bois et même dans les jardins publics.

ramifier (se) [səramifje] v. pr. Se diviser en plusieurs branches : *Les veines, les nerfs se ramifient. Une secte qui s'est ramifiée dans de nombreuses villes.* ◆ **ramification** n. f. **1°** Division d'une branche de végétal, d'un organe, en parties plus petites : *Les ramifications d'une tige, d'une veine, d'un nerf.* — **2°** Subdivision d'une chose qui se partage dans des directions différentes : *Les ramifications d'un souterrain, d'une voie ferrée.* — **3°** Groupement secondaire relié à une organisation centrale : *Cette société a des ramifications dans les principales villes de province. La police a découvert un complot dont les ramifications s'étendent à l'étranger.* (V. RAMEAU.)

ramollir v. tr. V. AMOLLIR.

ramoner v. tr. [ramɔne] v. tr. *Ramoner un conduit, un appareil,* le nettoyer de la suie qui s'y est déposée : *Ramoner une cheminée.* ◆ **ramonage** n. m. : *Dans les villes, le ramonage périodique des cheminées est obligatoire, sous peine de se voir refuser le remboursement d'un sinistre par une compagnie d'assurances.* ◆ **ramoneur** n. m. Personne dont le métier est de ramoner les cheminées.

1. rampe [rɑ̃p] n. f. **1°** Plan incliné par lequel on monte et on descend : *Gravir la rampe d'un garage. On arrive dans le jardin par une rampe très douce.* — **2°** Partie inclinée d'une rue, d'une route, d'une voie ferrée : *Les voitures montent difficilement la rampe qui mène au plateau. A cet endroit le train ralentit, car il y a une rampe assez forte.*

2. rampe [rɑ̃p] n. f. Balustrade de fer, de pierre, de bois, placée le long d'un escalier pour empêcher de tomber, pour servir d'appui à ceux qui montent ou qui descendent : *Tenez vous bien à la rampe, car l'escalier est raide. Ne vous penchez pas sur la rampe.*

3. rampe [rɑ̃p] n. f. **1°** Rebord qui limite le devant de la scène d'un théâtre et où se trouve placée une rangée de lampes, de projecteurs : *Cet acteur joue trop près de la rampe.* ‖ (sujet nom de chose) *Ne pas passer la rampe,* ne pas produire son effet, ne pas toucher le public : *Réplique, dialogue qui ne passe pas la rampe.* — **2°** Dispositif lumineux qui sert à éclairer une façade, la devanture d'un magasin, etc.

rampeau [rɑ̃po] n. m. **1°** A certains jeux, principalement au jeu de dés, coup supplémentaire qui détermine le vainqueur lorsque les adversaires ont obtenu le même nombre de points : *Le rampeau se joue en un seul coup.* — **2°** Fam. *Faire rampeau, être rampeau,* avoir le même nombre de points que l'adversaire.

ramper [rɑ̃pe] v. intr. **1°** (sujet nom désignant des reptiles et d'autres animaux) Avancer en se traînant sur le ventre : *Une vipère rampait dans l'herbe. Un fauve qui rampe vers sa proie.* — **2°** (sujet nom de personne) Avancer lentement, couché sur le sol, en s'aidant des mains et des pieds : *L'entrée de la grotte est si basse qu'on ne peut pénétrer qu'en rampant.* — **3°** (sujet nom de chose) Se développer sur la terre ou s'attacher à un support comme la vigne, le lierre, etc., ou s'étendre sur une surface, comme le brouillard, la fumée, etc. : *Une brume épaisse rampait dans la vallée.* — **4°** (sujet nom de personne) S'abaisser lâchement devant quelqu'un, le flatter bassement : *Cet homme n'a aucune dignité : il rampe toujours devant ses supérieurs.* ◆ **rampant, e** adj. : *Animal rampant* (syn. : REPTILE). *Plante rampante. Un homme vil et rampant* (syn. : ABJECT, PLAT, SERVILE). ◆ **rampant** n. m. *Fam.* Membre du personnel à terre dans l'aviation.

ramponneau ou **ramponeau** [rɑ̃pɔno] n. m. *Pop.* Coup violent : *Il a reçu un tel ramponneau qu'il est tombé par terre* (syn. : HORION; pop. : MARRON, CHÂTAIGNE, GNON).

ramure n. f. V. RAMEAU.

rancart [rɑ̃kar] n. m. **1°** Fam. *Mettre, jeter au rancart,* se débarrasser d'une chose dont on ne se sert plus : *Mettre un meuble, des ustensiles de cuisine au rancart* (syn. : METTRE AU REBUT). — **2°** *Pop.* Rendez-vous : *Donner un rancart à une fille.* ◆ **rancarder** v. tr. **1°** *Pop.* Donner rendez-vous. — **2°** *Pop.* Renseigner.

rance [rɑ̃s] adj. Se dit d'un corps gras qui a pris en vieillissant une odeur forte, une saveur âcre : *Du beurre, de l'huile, du lard rance.* ◆ n. m. Odeur, saveur d'un corps rance : *Cette graisse sent le rance, a un goût de rance.* ◆ **rancir** v. intr. Devenir rance : *Du lard qui commence à rancir.* ◆ **rancissement** n. m. ou **rancissure** n. f. Etat de ce qui est devenu rance.

rancœur [rɑ̃kœr] n. f. Amertume profonde que l'on ressent après une mésaventure, une déception, une injustice : *Oublions nos rancœurs. Avoir de la rancœur pour, contre quelqu'un* (syn. : AIGREUR, RESSENTIMENT).

rançon [rɑ̃sɔ̃] n. f. **1°** Somme d'argent exigée pour la délivrance d'une personne tenue en captivité : *Les ravisseurs de l'enfant ont accepté de le* *rendre à ses parents moyennant une forte rançon.* — 2° Inconvénient au prix duquel on obtient un avantage, un plaisir, un honneur, etc. : *La rançon de la gloire, de la célébrité. La goutte est souvent la rançon des excès de la table* (syn. : CONTREPARTIE). ◆ **rançonner** v. tr. *Rançonner quelqu'un,* exiger de lui par la contrainte une somme d'argent, une chose qui n'est pas due : *Voleurs qui rançonnent les passants.*

rancune [rɑ̃kyn] n. f. Souvenir vivace que l'on garde d'une offense, d'une injustice, et qui peut s'accompagner d'un désir de vengeance : *Avoir de la rancune contre une personne. Garder de la rancune à quelqu'un pour le mal qu'il nous a fait* (syn. : ↓ RANCŒUR, RESSENTIMENT, HOSTILITÉ; ↑ HAINE). *Nourrir, entretenir une rancune féroce* (contr. : AMOUR, AMITIÉ, PARDON). ◆ **rancunier, ère** adj. et n. : *Cet homme est susceptible et rancunier; il n'oublie pas facilement les vexations qu'on lui a faites* (syn. : ↑ VINDICATIF; contr. : INDULGENT).

randonnée [rɑ̃dɔne] n. f. Promenade assez longue et ininterrompue : *Faire une randonnée en voiture, à bicyclette* (syn. fam. : ↓ BALADE, VIRÉE).

1. rang [rɑ̃] n. m. 1° Suite de personnes ou de choses placées sur une même ligne : *Se trouver au premier rang des spectateurs. Les élèves du pensionnat sont sortis en rangs. Il est défendu de quitter son rang, de parler dans les rangs. Les manifestants ont défilé en rangs serrés. Un rang de fauteuils, de colonnes. Un collier à quatre rangs de perles* (syn. : RANGÉE). — 2° Catégorie de personnes ayant les mêmes opinions, les mêmes goûts, les mêmes intérêts : *Nous l'avons admis dans nos rangs* (syn. : SOCIÉTÉ). *S'ils n'obtiennent pas satisfaction, ils iront grossir les rangs des mécontents* (syn. : NOMBRE, PARTI). — 3° *Etre, se mettre sur les rangs,* être, se mettre au nombre des concurrents, des candidats, pour obtenir quelque chose : *Pour cette place vacante, il y a beaucoup de monde sur les rangs* (syn. : PRÉTENDRE À). ‖ *Rentrer dans le rang,* redevenir simple citoyen après avoir exercé de hautes fonctions. ‖ *Serrer les rangs,* se rapprocher les uns des autres pour occuper moins de place; s'unir plus étroitement pour se soutenir mutuellement. ‖ *Sorti du rang,* se dit d'un militaire promu officier sans être passé par une école militaire. ◆ **rangée** n. f. Suite de choses, et quelquefois de personnes, disposées sur une même ligne : *Une rangée de fauteuils, de maisons. Une rangée d'arbres s'étend de chaque côté de l'avenue qui mène au château. Une rangée de soldats formait la haie le long du passage réservé au cortège présidentiel* (syn. : FILE). ◆ **ranger** v. tr. *Ranger des personnes, des choses,* les disposer en rangs ou en files : *Ranger des soldats, des écoliers* (syn. : ALIGNER). ◆ ***se ranger*** v. pr. Se mettre en rangs : *« Rangez-vous par quatre », dit le sergent aux soldats.*

2. rang [rɑ̃] n. m. 1° Place qui appartient, qui convient à chaque personne dans une assemblée, dans une cérémonie : *Dans le cortège, chacun marchait à son rang. Selon le rang d'ancienneté. Parler, se lever à son rang* (syn. : TOUR). — 2° Place occupée par une personne dans la hiérarchie sociale et qui lui est attribuée en raison de sa naissance, de son emploi, de sa dignité : *Un homme du plus haut rang. Cette femme sait tenir son rang. Il ne fréquente que les personnes de son rang* (syn. : CONDITION). *Déchoir de son rang. Traiter quelqu'un avec les honneurs dus à son rang* (syn. : SITUATION). — 3° Position d'une personne physique ou morale, d'une chose, dans un classement, dans l'estime des hommes : *Il est sorti de l'Ecole polytechnique dans un bon rang. Ses travaux l'ont mis au premier rang des savants. Ce pays occupe le premier rang pour les recherches scientifiques. Ce projet de voyage est au premier rang de ses préoccupations en ce moment.* — 4° *Avoir rang de,* avoir le grade de : *Agent diplomatique qui a rang de colonel.* ‖ *Prendre rang,* prendre son tour; prendre ses dispositions pour passer à son tour. ‖ *Rang de taille,* disposition donnée à des personnes ou à des objets d'après leur taille respective : *Classer des livres par rang de taille.*

1. ranger v. tr. V. RANG 1.

2. ranger [rɑ̃ʒe] v. tr. 1° *Ranger des choses,* les placer dans un certain ordre, les mettre à une place convenable : *Ranger des papiers, des dossiers* (syn. : CLASSER). *Ranger des vêtements. Dans un dictionnaire, les mots sont rangés par ordre alphabétique* (syn. : CLASSER, GROUPER). — 2° *Ranger un lieu, un meuble,* y mettre de l'ordre : *Ranger un appartement, un bureau, une armoire, une bibliothèque.* — 3° Mettre de côté pour laisser la voie libre : *Ranger sa voiture, une bicyclette* (syn. : GARER). ◆ ***se ranger*** v. pr. 1° Se placer, se disposer : *Se ranger autour d'une table.* — 2° S'écarter pour laisser le passage : *Se ranger sur le bas-côté de la route pour ne pas se faire renverser par les voitures.* — 3° Se mettre de côté pour laisser la voie libre : *Automobiliste qui se range contre un trottoir. Le navire se rangea à quai* (= se mit le long d'un quai). — 4° (sujet nom de personne) *Fam.* Adopter une manière de vivre plus régulière : *Après une jeunesse bien dissipée, il s'est enfin rangé* (syn. : S'ASSAGIR). — 5° *Se ranger du côté de quelqu'un,* embrasser son parti. ‖ *Se ranger à l'avis, à l'opinion de quelqu'un,* déclarer qu'on est de son avis. ◆ **rangé, e** adj. *Fam.* Qui mène une vie régulière : *Ce garçon a eu une jeunesse orageuse, mais maintenant il est rangé* (syn. : SÉRIEUX; contr. : DÉBAUCHÉ). ◆ **rangement** n. m. (sens 1 et 2 du v. tr.) : *Le rangement du linge dans une armoire, de livres dans une bibliothèque. Le rangement d'une chambre.*

ranimer, réanimer v. tr. V. ANIMER.

1. rapace [rapas] adj. et n. m. Très avide de gain : *Un commerçant rapace* (syn. : ÂPRE AU GAIN). ◆ **rapacité** n. f. : *La rapacité d'un usurier* (syn. : AVIDITÉ, CUPIDITÉ).

2. rapace [rapas] n. m. Animal appartenant à un ordre d'oiseaux dont les types sont l'aigle (*rapaces diurnes*) et le hibou (*rapaces nocturnes*) : *Les rapaces sont des oiseaux carnassiers d'assez grande taille, caractérisés par un bec et des ongles puissants et crochus.* ◆ **rapacité** n. f. Avidité d'un animal à se jeter sur sa proie : *La rapacité du vautour, du tigre.*

rapatrier [rapatrije] v. tr. *Rapatrier quelqu'un,* le faire revenir dans sa patrie : *Après la signature du traité de paix, les prisonniers ont été rapatriés.* ◆ **rapatrié, e** adj. et n. : *Fournir des secours à des rapatriés.* ◆ **rapatriement** n. m. : *Organiser le rapatriement de prisonniers de guerre.*

râpe [rɑp] n. f. 1° Ustensile de cuisine hérissé d'aspérités et perforé de petits trous, servant à réduire une substance en poudre ou en petits morceaux : *Une râpe à fromage.* — 2° Lime à grosses pointes utilisée pour le façonnage du bois et des métaux tendres (plomb, étain) : *Une râpe de menuisier, de plombier.* ◆ **râper** v. tr. 1° Mettre en poudre ou en petits morceaux avec une râpe : *Râper du gruyère, des carottes.* — 2° Gratter avec une râpe : *Râper un morceau de bois avant de le polir.* — 3° Donner une sensation d'âpreté : *Ce vin râpe le gosier* (syn. : RACLER, GRATTER). ◆ **râpé, e** adj. Se dit d'un vêtement usé jusqu'à la corde : *Un pardessus râpé* (syn. : ÉLIMÉ). ◆ **râpé** n. m. Fromage râpé (surtout du gruyère) : *Acheter cent grammes de râpé.* ◆ **râpeux, euse** adj. 1° Rude au toucher comme une râpe : *Des poires à la peau râpeuse. La langue râpeuse du chat* (syn. : RUGUEUX, RÊCHE). — 2° Qui a une saveur âpre : *Du vin râpeux* (contr. : MOELLEUX, VELOUTÉ).

rapetasser [raptase] v. tr. 1° Fam. *Rapetasser un vêtement, des chaussures,* les réparer sommairement : *On ne peut plus rapetasser cette veste, c'est une loque* (syn. : RACCOMMODER, RAPIÉCER; fam. : RETAPER). — 2° Fam. *Rapetasser un texte,* le retoucher : *Rapetasser un manuscrit avant de le faire imprimer* (syn. : REVOIR, REMANIER). ◆ **rapetassage** n. m.

rapetisser [raptise] v. tr. 1° Rendre plus petit : *Rapetisser une planche* (syn. : DIMINUER, RÉDUIRE; contr. : AGRANDIR). *Rapetisser un vêtement* (syn. : DIMINUER, RACCOURCIR; contr. : ALLONGER, ÉLARGIR). — 2° Faire paraître plus petit : *La distance rapetisse les objets* (contr. : GROSSIR). ◆ v. intr. ou ***se rapetisser*** v. pr. Devenir plus petit, plus court : *Cette étoffe a rapetissé* ou *s'est rapetissée au lavage* (syn. : RÉTRÉCIR). *Quand on devient vieux, on a l'impression de rapetisser* (syn. : SE RATATINER; contr. : GRANDIR). *Les jours rapetissent* (contr. : ALLONGER). ◆ **rapetissement** n. m. : *Le rapetissement d'un tissu après lavage.*

raphia [rafja] n. m. Palmier d'Afrique et de Madagascar; fibre textile fournie par cet arbre et qui sert à faire des liens, du tissu d'ameublement (rabane), à ligaturer des greffes, etc.

rapiat, e [rapja, -jat] adj. et n. Qui dépense avec beaucoup de parcimonie : *Un homme très rapiat avec son personnel. Une femme rapiate* ou (plus souvent) *rapiat* (syn. fam. : RAT; pop. : RADIN).

rapide [rapid] adj. 1° Qui parcourt beaucoup d'espace en peu de temps : *Un homme rapide à la course. Un cheval, un chien rapide* (syn. : VITE). *Un avion, un navire, une voiture très rapides.* — 2° Se dit d'un cours d'eau qui coule avec une grande vitesse : *Le Rhône est plus rapide que la Garonne.* ‖ *Une route rapide,* où l'on peut circuler rapidement. — 3° Qui est très incliné : *Une pente, une descente rapide* (syn. : RAIDE). — 4° Se dit de quelqu'un qui agit avec promptitude : *Un homme rapide dans son travail, dans la réalisation de ses projets* (syn. : EXPÉDITIF; contr. : LENT, PARESSEUX, LAMBIN). — 5° Qui comprend très vite : *Un esprit rapide et intuitif. Une intelligence rapide* (syn. : VIF). — 6° Exécuté avec une vitesse élevée : *Un pas rapide. Une allure rapide.* — 7° Se dit de ce qui s'accomplit en peu de temps : *Une course rapide. Une guérison rapide. Jeter un coup d'œil rapide sur un texte. Une lecture rapide suffit quelquefois pour juger de la valeur d'un ouvrage* (syn. : SOMMAIRE). *Une décision trop rapide* (syn. : HÂTIF, EXPÉDITIF). ◆ n. m. et adj. Train à vitesse aussi accélérée que possible : *Un rapide s'arrête seulement à quelques gares importantes et un express à toutes les gares de bifurcation.* ◆ n. m. Partie d'un fleuve où, par suite de dénivellation, le courant est très fort et agité de tourbillons violents : *Les rapides sont des obstacles pour la navigation.* ◆ **rapidement** adv. : *Marcher rapidement* (syn. : BON TRAIN, À BRIDE ABATTUE). *Faire rapidement un travail* (syn. : PROMPTEMENT; contr. : LENTEMENT). *Un ouvrage exécuté trop rapidement* (syn. : HÂTIVEMENT, À TOUTE VITESSE). *Ce commerçant s'est enrichi rapidement* (syn. : EN PEU DE TEMPS). ◆ **rapidité** n. f. : *La rapidité d'un coureur, d'un cheval, d'une voiture* (syn. : VÉLOCITÉ, VITESSE). *Un homme remarquable par sa rapidité dans le travail* (syn. : CÉLÉRITÉ, PROMPTITUDE; contr. : LENTEUR, PARESSE).

rapiécer [rapjese] v. tr. 1° Réparer des objets d'habillement en y mettant des pièces : *Ce manteau est si usé qu'il est inutile de le rapiécer* (syn. : RACCOMMODER; fam. : RAPETASSER). *Porter des chaussures rapiécées.* — 2° *Rapiécer une chambre à air,* la réparer à l'aide de morceaux de caoutchouc collés.

rapière [rapjɛr] n. f. Epée à lame fine et longue dont on se servait dans les duels.

rapin [rapɛ̃] n. m. Peintre d'allure excentrique et souvent sans talent (vieilli) : *Les rapins de Montmartre, de Pigalle.*

rapine [rapin] n. f. Vol commis en abusant de ses fonctions, de l'emploi dont on est chargé : *Cet employé s'est enrichi par ses rapines. Les rapines des soldats en campagne* (syn. : MARAUDE).

1. rappeler [raple] v. tr. (conj. 6). 1° Appeler de nouveau (se dit en particulier d'un appel téléphonique) : *Monsieur est sorti : veuillez le rappeler.* — 2° Appeler pour faire revenir : *Je m'en allais quand il m'a rappelé. Rappeler un médecin auprès d'un malade.* — 3° (sujet nom de personne ou de chose) Faire revenir une personne absente : *Alors qu'il était en voyage, il a été rappelé auprès de sa femme qui a été victime d'un accident. Rappeler des militaires sous les drapeaux* (syn. : MOBILISER). *Ses affaires le rappellent à Paris.* — 4° Faire revenir d'un pays étranger : *La guerre étant à la veille d'être déclarée, les deux puissances ont rappelé leurs ambassadeurs.* — 5° *Rappeler un acteur,* le faire revenir sur la scène par des applaudissements nombreux. ‖ *Rappeler quelqu'un à lui, à la vie,* lui faire reprendre connaissance. ‖ *Rappeler quelqu'un à l'ordre, aux bienséances,* le réprimander pour s'être écarté des bienséances. ‖ *Dieu l'a rappelé à lui,* il est mort. ◆ **rappel** n. m. 1° Action de rappeler (dans tous les sens du v. tr.) : *Le rappel des réservistes, d'un ambassadeur, d'un exilé, d'un acteur sur la scène.* ‖ *Rappel à l'ordre,* réprimande. ‖ *Battre le rappel,* faire appel activement à toutes les personnes, à toutes les choses dont on peut disposer : *Pour avoir du monde à sa conférence, il a été obligé de battre le rappel auprès de ses amis.* — 2° Paiement d'une portion d'appointements demeurée en suspens, ou d'une augmentation rétroactive : *Les salaires ayant été augmentés à compter de janvier, les employés toucheront un rappel de deux mois avec leurs appointements de mars.* — 3° En alpinisme, procédé de descente des passages difficiles : *Pour descendre en rappel, on fixe une corde double à une saillie naturelle ou à un piton, on la passe autour de son épaule et autour d'une de ses jambes et on utilise le frein provoqué par le frottement de la corde contre soi.*

2. rappeler [raple] v. tr. (conj. 6). 1° *Rappeler quelque chose, quelqu'un,* le faire revenir à l'esprit, à la mémoire : *Il m'a rappelé sa promesse. Rappeler le souvenir d'un événement historique* (syn. : COMMÉMORER). *Tout, dans la maison, rappelait aux parents le souvenir de leur enfant disparu* (syn. : ÉVOQUER). — 2° Présenter une certaine ressemblance : *Cet enfant me rappelle son grand-père. Ce paysage provençal rappelle la Grèce* (syn. : FAIRE PENSER À). ◆ ***se rappeler*** v. pr. *Se rappeler quelqu'un, quelque chose,* en garder le souvenir (par analogie avec *se souvenir,* et en particulier quand les compléments sont les pronoms personnels *me, te, nous, vous,* la construction avec *de* est fréquente) : *Je me rappelle fort bien notre premier entretien. Cet enfant ne se rappelle pas de vous. Il est devenu incapable de se rappeler son nom de famille. Il se rappelle vous avoir déjà rencontré quelque part* (syn. : SE SOUVENIR, SE REMÉMORER). *Elle ne se rappelle plus où elle a mis ses gants.* ◆ **rappel** n. m. : *Le rappel d'un nom, d'une date. J'ai été obligé de lui faire un discret rappel pour l'amener à me rembourser.*

rappliquer [raplike] v. intr. (sujet nom d'être animé). *Pop.* Aller rapidement en un lieu déterminé : *Dès que je l'ai averti, il a rappliqué tout de suite chez moi.*

1. rapporter [rapɔrte] v. tr. 1° Apporter de nouveau : *Rapportez-nous du pain et de la viande, car nous sommes affamés.* — 2° *Rapporter une chose,* la remettre à l'endroit où elle était auparavant; la rendre à son propriétaire : *Rapportez-moi les livres que je vous ai prêtés* (syn. fam. : RAMENER, RESTITUER). — 3° Apporter avec soi en revenant : *Il a rapporté des meubles de sa maison de campagne. De son voyage en Afrique il a rapporté de nombreuses photographies et des enregistrements* (syn. fam. : RAMENER). *Allez voir votre père et rapportez-moi une réponse. J'ai rapporté une bonne impression de cette entrevue.* — 4° *Rapporter une chose à une autre,* l'ajouter pour la compléter : *Rapporter une bande de tissu au bas d'une robe pour la rallonger. Rapporter de la terre au pied d'un arbre.* — 5° Annuler : *Rapporter un décret* (syn. : ABROGER).

2. rapporter [rapɔrte] v. tr. *Rapporter ce qu'on a vu, entendu* ou *appris,* en faire le récit, le compte rendu : *Vous ne rapportez pas le fait tel qu'il s'est passé* (syn. : DIRE). *On m'a rapporté qu'il a beaucoup été question de vous à la dernière réunion* (syn. : RACONTER, RÉPÉTER). *Rapporter les décisions d'une commission* (syn. : RELATER). ◆ **rapport** n. m. Exposé dans lequel on rend compte de ce qu'on a vu ou entendu : *Un rapport écrit, oral* (syn. : RÉCIT). *Faire un rapport favorable sur le travail d'un subordonné* (syn. : COMPTE RENDU). *Charger un expert, un médecin légiste de faire un rapport au sujet d'un accident. Examiner les conclusions d'un rapport. Rédiger, dresser, signer un rapport.* ◆ **rapporteur** n. m. Personne chargée de rendre compte d'une affaire, d'une question, de faire connaître l'avis d'un comité.

3. rapporter [rapɔrte] v. tr. *Rapporter quelque chose,* le répéter par étourderie ou par malice : *On n'ose rien dire devant lui, il rapporte tout.* ◆ v. intr. *Fam.* Etre indiscret, médisant sur le compte d'autrui : *Les professeurs n'aiment pas les élèves qui sont toujours en train de rapporter* (syn. : DÉNONCER ; fam. : CAFARDER, MOUCHARDER). ◆ **rapportage** n. m. Fam. : *Ne pas écouter les rapportages d'un écolier* (syn. fam. : CAFARDAGE, MOUCHARDAGE). ◆ **rapporteur, euse** n. et adj. *Fam.* Personne qui a l'habitude de dénoncer : *Un enfant rapporteur et menteur* (syn. fam. : MOUCHARD, CAFARD).

4. rapporter [rapɔrte] v. tr. *Rapporter quelque chose à,* le rattacher à une cause, à une fin : *Rapporter à un seul homme des actions accomplies par plusieurs* (syn. : ATTRIBUER). *L'égoïste rapporte tout à lui* (syn. : RAMENER). ◆ ***se rapporter*** v. pr. 1° *Se rapporter à une chose,* avoir un lien logique avec elle : *La réponse ne se rapporte pas à la question* (syn. : S'APPLIQUER À, CADRER AVEC). *Le développement de votre dissertation ne se rapporte pas au sujet donné* (syn. : CORRESPONDRE). *Le pronom relatif se rapporte à son antécédent* (= se rattache). — 2° *S'en rapporter à quelqu'un,* lui faire confiance pour décider, pour agir : *Je n'ai pas le temps de régler cette affaire, je m'en rapporte à vous pour le faire* (syn. : S'EN REMETTRE À). ‖ *S'en rapporter au jugement, au témoignage de quelqu'un,* s'y fier. ◆ **rapport** n. m. 1° Lien, liaison qui existe entre deux ou plusieurs choses : *Etudier les rapports du physique et du moral* (syn. : RELATION, CORRÉLATION). *Faire le rapport entre deux événements* (syn. : RAPPROCHEMENT). — 2° Elément commun que l'esprit constate entre certaines choses : *Il n'y a pas toujours de rapport entre les larmes et la douleur* (syn. : CORRESPONDANCE). *Il y a beaucoup de rapports entre la langue italienne et le latin* (syn. : ANALOGIE). *Ce que vous me dites n'a aucun rapport avec ce que vous m'avez déjà raconté* (syn. : RESSEMBLANCE). *Etudier les rapports entre la poésie et la musique* (syn. : AFFINITÉ). — 3° En grammaire, relation, lien qui existe entre des mots, des propositions : *Le rapport de l'adjectif et du nom; le rapport entre une principale et une subordonnée.* — 4° (au plur.) Relations entre des personnes, des groupes, des pays : *Entretenir de bons rapports avec ses voisins* (syn. : ↑ FRÉQUENTATION). *Les rapports d'un écrivain avec son public, d'un ouvrier, d'un étudiant avec ses camarades* (syn. : CONTACT). *Les rapports des parents et des enfants deviennent quelquefois plus difficiles à mesure qu'ils grandissent. Les rapports entre ces deux pays sont des rapports de coexistence pacifique.* — 5° *Avoir des rapports avec une personne,* avoir des relations intimes avec elle. ‖ *En rapport avec,* proportionné à : *Avoir une situation en rapport avec ses capacités.* ‖ *Mettre une personne en rapport avec une autre,* la lui faire connaître, les mettre en communication l'une avec l'autre. • LOC. ADV. ET PRÉP. *Par rapport à,* par comparaison avec : *Les étoiles nous paraissent très petites par rapport au Soleil.* ‖ Fam. *Rapport à,* à cause de : *Il a été absent rapport à l'accident qu'il a eu.* ‖ *Sous le rapport de,* du point de vue de : *Cette voiture est excellente sous le rapport du confort.* ‖ *Sous tous les rapports,* à tous égards : *Ce garçon est très bien sous tous les rapports.* ◆ **rapporteur** n. m. Demi-cercle gradué servant à mesurer des angles.

5. rapporter [rapɔrte] v. tr. (sujet nom de chose). Produire, donner un certain revenu, un certain profit : *Il fait un métier qui lui rapporte beaucoup d'argent. Cette maison rapporte peu à son propriétaire. Cette dénonciation ne rapportera rien à son auteur* (= il n'en tirera aucun avantage). ◆ **rapport** n. m. 1° Revenu ou gain produit par un capital ou un travail : *Cette propriété est d'un bon rapport.* — 2° *Maison, immeuble de rapport,* dont la location procure des revenus au propriétaire. ‖ *Etre en plein rapport,* se dit d'une propriété, d'un champ, d'un arbre fruitier, etc., qui produisent autant qu'on peut le désirer.

rapprendre v. tr., **réapprendre** v. tr. V. APPRENDRE.

rapprocher [raprɔʃe] v. tr. (Dans plusieurs emplois, ce verbe a remplacé le verbe *approcher.*) **1°** Mettre plus près (sens 1 du verbe *approcher*) : *Rapproche la chaise de la table* (syn. : AVANCER). *Rapproche les deux bouts du tuyau* (syn. : JOINDRE, RÉUNIR). *Ces échecs rapprochés le désespèrent* (= très proches). *Le car nous rapprochera du terme de notre étape. Chaque heure nous rapprochait du départ.* — **2°** Rendre plus proche dans l'espace ou le temps : *L'avion rapproche les distances. Les progrès techniques rapprochent certaines couches de la population. Chaque instant nous rapproche de la paix.* — **3°** *Rapprocher des personnes,* les mettre en rapport : *Leurs opinions politiques les ont rapprochés* (syn. : LIER; contr. : SÉPARER, DÉSUNIR). *Ils ont été rapprochés par le malheur.* — **4°** *Rapprocher des choses,* les associer; mettre en évidence leurs rapports : *Rapprocher deux passages d'un même roman* (syn. : COMPARER). *Ils professent des opinions rapprochées* (= voisines). ◆ ***se rapprocher*** v. pr. **1°** Venir plus près; devenir plus proche : *Approche-toi, je ne t'entends pas* (contr. : S'ÉLOIGNER). *Le bruit se rapprochait* (= devenait plus distinct). — **2°** Avoir des relations plus affectueuses, plus proches : *Après de longues années de brouille, les deux familles se sont rapprochées* (syn. : SE RÉCONCILIER). — **3°** Avoir certaines ressemblances, certains rapports (et la prép. *de*) : *Il se rapproche par sa manière de penser d'un ami aujourd'hui disparu* (syn. : RESSEMBLER). ◆ **rapprochement** n. m. **1°** Action de rapprocher, de se rapprocher (sens 1) : *Le rapprochement des lèvres d'une plaie.* — **2°** Rétablissement des relations entre des personnes, des peuples : *Travailler au rapprochement de deux familles, de deux nations longtemps ennemies* (syn. : RÉCONCILIATION). — **3°** Action par laquelle l'esprit met en parallèle des idées, des faits : *Faire un rapprochement entre deux événements, deux circonstances* (syn. : RAPPORT), *entre deux textes* (syn. : COMPARAISON).

rapt n. m. V. RAVIR.

1. raquette [rakɛt] n. f. **1°** Instrument formé d'un cadre ovale, garni de boyaux, terminé par un manche et dont on se sert pour jouer au tennis. — **2°** *Raquette de Ping-Pong,* instrument formé d'un disque de contre-plaqué recouvert de caoutchouc ou de liège.

2. raquette [rakɛt] n. f. Large semelle, généralement à claire-voie, qu'on adapte à des chaussures pour marcher dans la neige.

rare [rar] adj. **1°** (après le nom) Qui se rencontre peu souvent : *Des plantes, des animaux rares. Un timbre rare. Un livre devenu très rare* (syn. : ↑ INTROUVABLE). *Employer des mots rares* (contr. : BANAL, ORDINAIRE). — **2°** En petit nombre (avec un plur.) : *Les commerçants sont rares dans ce quartier. Les beaux jours sont rares en hiver. Les paresseux de cette espèce sont heureusement assez rares* (contr. : NOMBREUX). — **3°** Peu fréquent : *Vos visites sont rares en ce moment* (fam. : *vous vous faites rares, vous devenez rares*). *Il est quelquefois en retard, mais c'est assez rare. Il est rare qu'il vienne sans prévenir. Il est rare de réussir dans tout ce qu'on entreprend* (contr. : FRÉQUENT). — **4°** (en général avant le nom) Peu commun : *Une femme d'une rare beauté. Un poète d'un rare talent. Un homme d'un rare mérite* (syn. : EXCEPTIONNEL, REMARQUABLE; contr. : BANAL, COMMUN). — **5°** *Fam.* Qui est surprenant : *C'est bien rare s'il ne vient pas nous voir le dimanche après-midi* (syn. : EXTRAORDINAIRE, ÉTONNANT). — **6°** Peu dense, peu serré : *Il commence à avoir les cheveux rares* (syn. : CLAIR). *Une herbe rare* (syn. : CLAIRSEMÉ; contr. : ÉPAIS, DRU). ◆ **rarissime** adj. Très rare : *Un livre rarissime* (syn. : ↑ INTROUVABLE). ◆ **rarement** adv. Peu souvent : *Il vient rarement nous voir. Il gagne rarement à la loterie* (syn. : GUÈRE; contr. : FRÉQUEMMENT, CONSTAMMENT). ◆ **rareté** n. f. **1°** *Certaines denrées alimentaires coûtent cher à cause de leur rareté* (syn. : ↑ MANQUE, PÉNURIE; contr. : ABONDANCE, PROFUSION). *Vos parents se plaignent de la rareté de vos lettres. C'est une rareté que de vous voir. Vous devenez d'une grande rareté* (fam.). — **2°** Objet rare, précieux : *Cette médaille est une rareté. Cet homme collectionne toutes sortes de raretés.* ◆ **raréfier (se)** v. pr. Devenir rare ou plus rare : *A cause de la grève des transports, les arrivages de charbon se sont raréfiés. Les espèces animales trop chassées se raréfient.* ◆ **raréfaction** n. f. : *La raréfaction des légumes par temps de sécheresse.*

rasade [razad] n. f. Contenu d'un verre plein jusqu'au bord : *Ils étaient gais après avoir bu de nombreuses rasades de vin.*

1. raser [raze] v. tr. Couper avec un rasoir les cheveux, la barbe d'une personne : *Raser la tête d'un condamné. Coiffeur qui rase un client.* ◆ ***se raser*** v. pr. Se couper la barbe : *Il s'écorche le visage en se rasant.* ◆ **rasage** n. m. : *Employer une lotion avant et après le rasage.* ◆ **rasoir** n. m. Instrument servant à raser : *Il existe différents modèles de rasoirs : le rasoir à manche, le rasoir de sûreté, dit « mécanique », le rasoir électrique.* ◆ **ras, e** [rɑ, rɑz] adj. **1°** Coupé tout près de la peau : *Porter les cheveux ras* (contr. : LONG). — **2°** Se dit du poil des animaux naturellement très court : *Il y a des chiens à poil long et des chiens à poil ras.* — **3°** Tondu de près : *Une pelouse dont l'herbe est drue et rase. Du velours, une fourrure à poil ras.*

2. raser [raze] v. tr. Fam. *Raser quelqu'un,* l'ennuyer par des propos oiseux, des visites importunes : *Vous nous rasez avec vos histoires. Un conférencier qui rase son auditoire* (syn. fam. : ASSOMMER, BARBER, EMBÊTER, FATIGUER). ◆ **rasant, e** adj. Fam. : *Une personne rasante. Un livre, un film rasant* (syn. fam. : BARBANT, ENNUYEUX, FASTIDIEUX, RASOIR). ◆ **raseur, euse** n. et adj. Fam. : *Ecouter avec résignation un raseur qui raconte ses aventures. Un individu un peu raseur* (syn. fam. : RASANT, RASOIR). ◆ **rasoir** adj. *Fam.* Qui ennuie : *Une personne, un roman rasoir.*

3. raser [raze] v. tr. *Raser quelque chose,* l'abattre totalement, jusqu'au niveau du sol : *Raser une maison, un mur* (syn. : ↓ ABATTRE, DÉMOLIR). *Raser des fortifications* (syn. : DÉMANTELER). ◆ **rasement** n. m. : *Le rasement d'une forteresse, d'une maison.*

4. raser [raze] v. tr. *Raser quelqu'un, un obstacle, une surface,* passer tout près d'eux : *Automobiliste qui rase les piétons* (syn. : FRÔLER). *Raser les murs en marchant* (syn. : LONGER). *Ce* *joueur de tennis envoie ses balles de telle sorte qu'elles rasent le filet* (syn. : EFFLEURER). ◆ **rase-mottes** n. m. invar. *Vol en rase-mottes,* vol effectué très près du sol : *Le vol en rase-mottes est interdit par les règlements aéronautiques, en raison des dangers qu'il présente. Faire du rase-mottes.* ◆ **rasibus** adv. *Fam.* Tout près : *Il a manqué d'être blessé à la tête, une balle lui est passée rasibus.* ◆ **rasant, e** adj. : *Tir rasant.* ◆ **ras, e** [rɑ, rɑz] adj. *Rase campagne,* campagne qui n'est coupée ni de hauteurs, ni de vallées, ni de bois, ni de rivières : *L'armée a capitulé en rase campagne.* ‖ *Faire table rase,* rejeter les idées, les opinions qui avaient été admises précédemment : *L'esprit révolutionnaire fait table rase du passé.* ◆ **ras** adv. et **à ras** loc. adv. De très près : *Avoir les ongles coupés ras* ou *à ras* (syn. fam. : RASIBUS). ‖ *A ras bord,* au niveau du bord : *Emplir un verre à ras bord.* • LOC. PRÉP. *A ras de,* ou *ras de,* au niveau de : *Abattre un arbre à ras de terre. Quand les hirondelles volent à ras de terre, c'est souvent un signe d'orage.*

rassasier [rasazje] v. tr. 1° *Rassasier quelqu'un,* satisfaire entièrement sa faim : *Cet homme a un si gros appétit qu'on ne peut le rassasier* (syn. : CONTENTER). — 2° *Rassasier quelqu'un,* satisfaire ses désirs, ses passions (souvent au passif) : *Il ne pouvait rassasier ses yeux d'un si beau spectacle. Il aime tellement l'argent qu'il n'en est jamais rassasié* (syn. : ASSOUVIR).

rassembler [rasɑ̃ble] v. tr. 1° *Rassembler des êtres animés,* les faire venir en un même lieu : *Rassembler des élèves dans la cour de récréation. Toute la famille est rassemblée autour de la table* (syn. : RÉUNIR). *Rassembler des troupes en un point stratégique* (syn. : CONCENTRER, MASSER). *Le berger rassemble ses moutons avant de redescendre de l'alpage* (syn. : REGROUPER). — 2° *Rassembler des choses,* mettre ensemble des choses éparses : *Rassembler des documents, des matériaux pour faire un ouvrage* (syn. : ACCUMULER, AMASSER). *L'avocat rassemble des informations, des preuves, pour défendre un accusé. Rassembler des idées, des souvenirs.* ◆ **se rassembler** v. pr. : *Les manifestants se sont rassemblés avant de défiler.* ◆ **rassemblement** n. m. Réunion de personnes, de choses en un même endroit : *La police dispersa les rassemblements d'étudiants* (syn. : ATTROUPEMENT). *Le rassemblement des pièces nécessaires pour l'instruction d'une affaire.* (V. ASSEMBLER.)

rasséréner (se) [səraserene] v. pr. (sujet nom de personne). Retrouver le calme après un moment de trouble (littér.) : *Quand il a appris que son enfant allait mieux, son visage s'est rasséréné* (syn. : S'APAISER, SE RASSURER).

1. rassis [rasi] adj. m. *Pain rassis,* qui n'est plus frais, mais pas encore dur. (Fém. rare : *Une brioche rassise.*) ◆ **rassir** v. intr. (sujet nom désignant le pain). *Fam.* Durcir : *Enveloppez votre pain, autrement il va rassir.*

2. rassis, e [rasi, -iz] adj. Se dit d'une personne calme, pondérée : *Cet homme n'agit jamais à la légère, c'est un esprit rassis* (syn. : POSÉ, RÉFLÉCHI ; contr. : FOUGUEUX).

rassurer [rasyre] v. tr. *Rassurer quelqu'un,* lui rendre la confiance, la tranquillité : *Avant son opération, le malade avait beaucoup d'appréhension, mais le chirurgien l'a rassuré* (syn. : TRANQUILLISER). ◆ **rassurant, e** adj. : *Des nouvelles rassurantes* (contr. : ALARMANT, ANGOISSANT). ◆ **rassuré, e** adj. : *Je ne suis pas très rassuré; allez plus doucement* (syn. : TRANQUILLE).

rastaquouère [rastakwɛr] n. m. *Fam.* Etranger qui mène un grand train de vie et dont l'activité est suspecte : *Les restaurants, les bars de ce quartier sont surtout fréquentés par des rastaquouères.*

rat [ra] n. m., **rate** [rat] n. f. Petit mammifère rongeur à museau pointu, à longue queue, dont il existe des centaines d'espèces dans le monde entier. ◆ **rat** n. m. 1° Terme d'affection qu'on adresse à un enfant, à une femme : *Viens ici, mon petit rat.* — 2° Fam. *Etre dans un endroit comme un rat dans un fromage,* y être tout à fait à son aise, y trouver tout abondamment, sans qu'il en coûte rien. ‖ Fam. *Etre fait comme un rat,* être pris, dupé. ‖ Fam. *Etre gueux comme un rat,* être fort pauvre. ‖ Pop. *Face de rat,* terme d'injure à l'adresse d'une personne qui a un visage très laid. ‖ Fam. *Rat de bibliothèque,* personne qui passe son temps à compulser des livres, à fureter dans les bibliothèques. ‖ *Rat de cave,* bougie longue et mince, enroulée sur elle-même, dont on se sert pour s'éclairer dans une cave, dans un escalier. ‖ *Rat d'hôtel,* personne qui s'introduit dans les hôtels pour dévaliser les voyageurs. ‖ *Rat de l'Opéra,* fillette ou jeune fille élève de la classe de danse et figurant à l'Opéra. ◆ n. et adj. m. Personne très avare : *Cet homme est très rat* (syn. pop. : RADIN, RAPIAT). ◆ **raton** n. m. 1° Petit rat. — 2° *Fam.* Terme d'affection qu'on emploie en parlant à un enfant. ◆ **ratier** n. m. Chien qui chasse les rats. ◆ **ratière** n. f. Piège à rats. ◆ **dératiser** v. tr. Détruire les rats : *Dératiser un navire.* ◆ **dératisation** n. f. Destruction des rats : *La dératisation est obligatoire à Paris à certaines époques.*

1. ratatiner [ratatine] v. tr. *Pop.* Détruire entièrement (surtout au passif) : *La maison de ses parents a été ratatinée par un bombardement* (syn. : ↓ DÉMOLIR).

2. ratatiner (se) [səratatine] v. pr. (sujet nom de personne). *Fam.* Se déformer sous l'effet de l'âge ou de la maladie : *Une petite vieille qui paraît se ratatiner* (syn. : RAPETISSER, SE TASSER). ◆ **ratatiné, e** adj. 1° Fam. : *Un vieillard tout ratatiné* (syn. : RABOUGRI, TASSÉ). — 2° Se dit d'un fruit qui s'est flétri en se desséchant : *Une pomme ratatinée* (syn. : RIDÉ).

ratatouille [ratatuj] n. f. 1° *Fam.* Ragoût peu appétissant : *Comme nous n'avions pas beaucoup d'argent, nous avons mangé une ratatouille dans une gargote.* (Abrév. fam. RATA, dans le vocabulaire milit.) — 2° *Ratatouille niçoise,* mélange d'aubergines, de courgettes et de tomates cuites longuement dans de l'huile d'olive.

rate [rat] n. f. 1° Glande située en arrière de l'estomac, au-dessous du diaphragme et au-dessus du rein gauche. — 2° Fam. *Se dilater la rate,* rire, s'amuser.

râteau [rɑto] n. m. Instrument d'agriculture ou de jardinage formé d'une traverse munie de dents et ajustée en son milieu à un manche : *Ramasser des feuilles, de l'herbe coupée avec un râteau.* ◆ **râteler** v. tr. (conj. 6). Ramasser avec un râteau : *Je râtelle du foin, des feuilles mortes.* ◆ **râtelage** n. m. : *Le râtelage de la paille.* ◆ **ratisser** v. tr.

1° Nettoyer ou égaliser avec un râteau : *Ratisser les allées d'un jardin.* — 2° *Fam.* Dérober une chose à quelqu'un : *On lui a ratissé sa montre* (syn. : VOLER; pop. : RATIBOISER). — 3° Fouiller méthodiquement pour rechercher des malfaiteurs, des soldats ennemis : *La police a ratissé tout le quartier.* ◆ **ratissage** n. m. : *Le ratissage de l'herbe d'une pelouse. Le ratissage d'un secteur par l'armée.*

1. râtelier [rɑtəlje] n. m. 1° Assemblage à claire-voie de barres de bois, placé horizontalement au-dessus de la mangeoire et qui sert à mettre le fourrage qu'on donne aux animaux. — 2° Fam. *Manger à deux, à plusieurs râteliers,* tirer profit sans scrupule de toute situation, même en servant des intérêts opposés. ‖ *Râtelier à pipes,* planchette percée de trous où l'on range les pipes.

2. râtelier [rɑtəlje] n. m. Appareil de fausses dents.

rater [rate] v. intr. 1° (sujet nom désignant une arme) Ne pas faire feu : *Dès qu'il a vu le lièvre, il a tiré, mais le coup a raté.* — 2° *Fam.* (sujet nom de chose ou de personne) Ne pas réussir : *Il voulait monter un commerce, mais son affaire a raté* (syn. : ÉCHOUER, FAIRE FIASCO). ◆ v. tr. 1° Ne pas atteindre ce qu'on vise avec une arme : *Un lapin est parti tout près de lui, mais il l'a raté;* ce qu'on cherche à obtenir, à réussir : *Par sa faute, il a raté une bonne place. Rater une balle au tennis. Rater un examen. Il est parti trop tard et il a raté son train* (syn. : MANQUER; pop. : LOUPER). — 2° Mal exécuter : *Rater un devoir. Rater un plat* (syn. : GÂCHER). — 3° Fam. *Rater quelqu'un,* ne pas le rencontrer : *Il est arrivé trop tard et naturellement il vous a raté.* ‖ Fam. *Ne pas rater quelqu'un,* le réprimander sévèrement, le punir : *S'il recommence à être insolent, je ne le raterai pas* (syn. : ATTRAPER); lui faire une réponse bien envoyée : *Il a voulu me vexer devant tout le monde, mais je ne l'ai pas raté, je lui ai dit ce que je pensais de son attitude.* ‖ *Rater sa vie,* ne pas réaliser ses espoirs, ses ambitions. ◆ **raté, e** n. Personne qui n'a pas réussi dans sa vie, dans une carrière : *Ce garçon était intelligent, mais sa conduite désordonnée en a fait un raté.* ◆ **raté** n. m. Légère détonation qui se produit à l'échappement d'un moteur à explosion lorsque l'allumage est défectueux. ◆ **ratage** n. m. Fam. : *Le ratage d'une vie* (syn. : ÉCHEC, INSUCCÈS). *Le ratage d'un plat.*

ratiboiser [ratibwaze] v. tr. 1° Pop. *Ratiboiser quelque chose à quelqu'un,* le lui voler : *On lui a ratiboisé son portefeuille* (syn. fam. : RAFLER, RATISSER). — 2° Pop. *Ratiboiser quelqu'un* (souvent au passif), le ruiner, le perdre : *Si vous ne me prêtez pas cet argent, je suis ratiboisé.*

ratifier [ratifje] v. tr. 1° *Ratifier quelque chose,* confirmer, approuver dans la forme requise ce qui a été fait ou permis : *Ratifier un contrat, une convention. En France, le président de la République négocie et ratifie les traités* (syn. : ENTÉRINER, SANCTIONNER). — 2° Approuver, reconnaître comme vrai : *Je ratifie tout ce qu'on vous a dit ou promis de ma part.* ◆ **ratification** n. f. : *La ratification d'un traité de paix, d'un projet.*

ratine [ratin] n. f. Etoffe de laine croisée dont le poil est tiré en dehors et frisé de manière à former comme de petits grains : *Un manteau de ratine.*

ratiociner [rasjɔsine] v. intr. Raisonner avec une subtilité excessive (littér.) : *Passer son temps à ratiociner.* ◆ **ratiocination** n. f.

ration [rasjɔ̃] n. f. 1° Quantité de nourriture donnée à un homme, à un animal pendant une journée : *Distribuer les rations de pain, de viande, aux soldats. Une ration de fourrage pour les chevaux.* — 2° *Fam.* Ce qui est donné par le sort à quelqu'un : *Chaque jour lui apporte sa ration d'épreuves.* ◆ **rationner** v. tr. 1° *Rationner quelque chose,* en réduire la consommation en le répartissant d'après des quantités limitées : *Rationner le pain, le charbon.* — 2° *Rationner quelqu'un,* réduire sa consommation d'après la quantité limitée dont on dispose : *Rationner les habitants d'un pays occupé ou sous-développé.* — 3° *Rationner quelqu'un,* lui restreindre la quantité de nourriture : *Rationner des pensionnaires.* ◆ ***se rationner*** v. pr. Réduire sa nourriture soit par nécessité, soit par régime : *Elle se rationne pour ne pas engraisser.* ◆ **rationnement** n. m. Mesure prise par les autorités publiques en vue de réduire la consommation de denrées ou de produits dont un pays ne dispose qu'en quantité limitée : *Décider le rationnement du pain, de la viande, des textiles, de l'essence.*

rationalisme [rasjɔnalism] n. m. 1° Doctrine selon laquelle la raison est innée et égale chez tous les hommes : *Le rationalisme de Descartes.* — 2° Doctrine de ceux qui n'accordent de valeur qu'à la raison et rejettent toute révélation et tout surnaturel : *Les principaux représentants du rationalisme, au XVIIIe siècle, furent Voltaire et Diderot* (contr. : MYSTICISME). ◆ **rationaliste** adj. et n. : *Une école rationaliste. Un philosophe rationaliste.*

rationnel, elle [rasjɔnɛl] adj. 1° Qui provient de la raison; qui est déduit par le raisonnement : *Une certitude rationnelle.* — 2° Fondé sur des calculs scientifiques : *Employer un procédé rationnel. Une méthode, une organisation rationnelle pour augmenter la production d'une industrie* (contr. : EMPIRIQUE). — 3° Conforme à la raison, au bon sens : *Ce que vous dites là est tout à fait rationnel* (syn. : LOGIQUE, JUDICIEUX, SENSÉ). *Un esprit rationnel* (= qui raisonne avec justesse). ◆ **rationnellement** adv. : *Dans cette entreprise, tout est organisé rationnellement et rien n'est laissé au hasard.* ◆ **rationaliser** v. tr. *Rationaliser une fabrication, un travail,* les organiser d'une manière rationnelle, selon des principes d'efficacité. ◆ **rationalisation** n. f. Méthode d'organisation de la production en vue de son meilleur rendement : *La rationalisation a pour but d'abaisser les prix, d'accroître la quantité ou d'améliorer la qualité des produits* (syn. : NORMALISATION).

ratisser v. tr. V. RÂTEAU.

1. rattacher [rataʃe] v. tr. *Rattacher un être animé, une chose,* l'attacher de nouveau : *Allez rattacher le cheval à l'écurie. Rattacher les lacets de ses souliers.*

2. rattacher [rataʃe] v. tr. 1° *Rattacher une chose à une autre,* la joindre à une chose principale dont elle doit dépendre : *Rattacher un service à un ministère. Rattacher une commune à un canton, à une autre commune* (syn. : INCORPORER). — 2° *Rattacher une chose à une autre,* établir un rapport entre deux choses, dont l'une dépend de l'autre ou lui est postérieure : *Rattacher un fait à une loi générale. Rattacher un mot à une racine. Rattacher une* *question à une autre* (syn. : RELIER). — 3° *Rattacher quelqu'un à quelque chose,* établir entre eux un lien affectif : *Rien ne le rattache plus à son pays d'origine.* ◆ **se rattacher** v. pr. Etre lié : *Ces deux questions se rattachent l'une à l'autre.* ◆ **rattachement** n. m. : *C'est en 1860 qu'eut lieu le rattachement de la Savoie à la France.*

1. rattraper [ratrape] v. tr. 1° *Rattraper un être animé,* le saisir, le prendre de nouveau : *Rattraper un prisonnier qui s'était évadé* (syn. : REPRENDRE). *Rattraper un fauve qui s'est échappé d'une ménagerie.* — 2° *Rattraper quelqu'un, quelque chose,* les saisir afin de les empêcher de tomber : *Le petit enfant fit un faux pas et serait tombé si sa mère ne l'avait rattrapé à temps. Rattraper ses lunettes, son stylo de justesse* (syn. : RETENIR). — 3° *Rattraper quelqu'un, quelque chose,* les rejoindre alors qu'ils ont de l'avance : *Partez devant, je vous rattraperai bien. Rattraper une voiture et la doubler* (syn. : ATTEINDRE). *Cet élève fait tous ses efforts pour rattraper ses camarades* (= pour combler son retard). ‖ *Rattraper le temps perdu,* compenser une perte de temps en redoublant d'activité. ◆ ***se rattraper*** v. pr. 1° *Se rattraper à quelque chose,* s'y retenir : *Il glissa le long du talus, mais, heureusement, il put se rattraper à des broussailles* (syn. : SE RACCROCHER). — 2° (sans compl.) Compenser une perte de temps par un redoublement de travail : *Il a pris du retard sur ses camarades, mais il va essayer de se rattraper pendant les vacances.* — 3° (sans compl.) Regagner l'argent qu'on a perdu : *Il avait fait un mauvais placement dans cette affaire, mais il s'est rattrapé par la suite* (syn. : SE DÉDOMMAGER). — 4° Se dédommager d'une privation : *Il n'a pu manger à sa faim pendant plusieurs jours, mais maintenant il se rattrape.* ◆ **rattrapage** n. m. : *Le rattrapage du jeu dans un roulement. Cours de rattrapage* (= cours destiné à des élèves qui, pour des raisons quelconques, n'ont pu suivre régulièrement leurs études).

2. rattraper [ratrape] v. tr. *Rattraper quelque chose,* atténuer, corriger une faute, une erreur, une maladresse : *Rattraper une parole malheureuse qu'on a dite dans une réunion. Rattraper une malfaçon dans un travail* (syn. : RÉPARER). ◆ ***se rattraper*** v. pr. (sans compl.) Atténuer une erreur, une faute qu'on était en train de commettre : *Il allait commettre un impair, mais il s'est rattrapé à temps* (syn. : SE REPRENDRE, SE RESSAISIR).

rature [ratyr] n. f. Trait passé sur ce qu'on a écrit pour le rayer : *Un manuscrit couvert de ratures. Une lettre chargée de ratures.* ◆ **raturer** v. tr. : *Raturer un mot dans une phrase* (syn. : BIFFER, BARRER, RAYER); intransitiv. : *Ecrire sans raturer.*

rauque [rok] adj. Se dit d'une voix rude dont le son est grave et voilé : *Parler d'une voix rauque, comme une personne enrouée* (syn. : ÉRAILLÉ). *Le cri rauque du corbeau.*

ravage [ravaʒ] n. m. 1° Dégât important fait, avec violence et rapidité, par la guerre, le feu, les eaux, les agents atmosphériques, etc. (surtout au plur.) : *Les ravages d'un envahisseur* (syn. : DÉVASTATION, PILLAGE). *Les orages ont fait de tels ravages cet été qu'il y aura peu de fruits cette année* (syn. : DOMMAGE). *La tempête a fait d'affreux ravages sur les côtes* (syn. : DESTRUCTION). — 2° Violents désordres moraux : *L'alcoolisme fait de terribles ravages.* — 3° (sujet nom désignant une maladie, une épidémie) *Faire des ravages,* causer la mort d'un grand nombre de personnes. ‖ (sujet nom de personne) *Faire des ravages dans les cœurs,* avoir un grand pouvoir de séduction (syn. : ÊTRE UN BOURREAU DES CŒURS). ◆ **ravager** v. tr. Endommager gravement par une action violente : *Les bombardements ont ravagé une partie des villes de cette région* (syn. : DÉTRUIRE, ↑ ANÉANTIR). *Les ennemis ont ravagé une partie du pays* (syn. : SACCAGER). *La grêle, les orages ont ravagé les vignobles* (syn. : DÉVASTER). ◆ **ravagé, e** adj. *Visage ravagé,* qui porte des rides profondes, des traces de douleur, de fatigue, d'excès de toutes sortes.

1. ravaler [ravale] v. tr. *Ravaler quelqu'un,* le mettre à un rang inférieur dans la hiérarchie morale ou sociale : *Certains philosophes ont tendance à ravaler l'homme au niveau de la brute* (syn. : RABAISSER, DÉPRÉCIER). ◆ ***se ravaler*** v. pr. (sujet nom de personne). Perdre sa dignité morale ou sociale : *Se ravaler à des actions honteuses* (syn. : S'AVILIR). *Elle estime qu'elle se ravalerait en acceptant de faire ce travail de dactylographie.*

2. ravaler v. tr. V. AVALER.

3. ravaler [ravale] v. tr. Remettre à neuf un ouvrage de maçonnerie en nettoyant la pierre, en grattant, en crépissant, etc. : *Ravaler un mur, une façade* (syn. : RAGRÉER). ◆ **ravalement** n. m. 1° *On vient de terminer le ravalement de notre immeuble.* — 2° Pop. (sujet nom désignant une femme) *Faire un ravalement,* se remettre de la poudre, du fard, etc.

rave [rav] n. f. Plante potagère à racine ronde ou plate, voisine du navet.

ravier [ravje] n. m. Petit plat oblong dans lequel on sert des hors-d'œuvre.

ravigote [ravigɔt] n. f. Sauce piquante très relevée.

ravigoter [ravigɔte] v. tr. *Fam.* Redonner de la vigueur à une personne, à un animal qui semblait faible, exténué : *On lui a fait prendre une boisson qui l'a ravigoté* (syn. : REVIGORER).

ravin [ravɛ̃] n. m. Excavation étroite et profonde produite par des eaux de ruissellement, par un torrent : *Il y a beaucoup de ravins dans cette région. La voiture est tombée dans le ravin.*

raviner [ravine] v. tr. Creuser des sillons profonds, des rides : *Les pluies d'orage ont raviné les chemins. Avoir le visage raviné par le chagrin, les soucis.* ◆ **ravinement** n. m. : *Le ravinement d'un terrain.*

ravioli [ravjɔli] n. m. pl. Petits carrés de pâte farcis de viande hachée, que l'on sert avec une sauce et saupoudrés de fromage râpé.

1. ravir [ravir] v. tr. 1° *Ravir une personne,* l'enlever par force ou par ruse (littér.) : *Ravir un enfant à ses parents* (syn. : ENLEVER, KIDNAPPER). — 2° Arracher une personne à l'affection de ses parents, de ses amis : *La mort leur a ravi leur fille.* — 3° *Ravir l'honneur à une femme,* la séduire. ◆ **rapt** n. m. Enlèvement d'une personne mineure : *Etre accusé du rapt d'une jeune fille* (syn. : KIDNAPPING). ◆ **ravisseur, euse** n. Personne qui a commis un rapt : *Les ravisseurs exigent une forte rançon avant de rendre l'enfant à ses parents.*

2. ravir [ravir] v. tr. 1° *Ravir quelqu'un,* lui faire éprouver un vif sentiment d'admiration, d'enchantement : *Cette musique a ravi tous ceux qui l'ont entendue* (syn. : CHARMER). *Ce que vous me racontez me ravit* (syn. : ENCHANTER). — 2° *Etre ravi de* (avec un nom ou un infin.), *être ravi que* (et le subj.), éprouver un vif plaisir : *Je suis ravi de vous revoir* (syn. : ENCHANTÉ). *Je suis ravi qu'il ait réussi son examen* (syn. : ↓ HEUREUX, CONTENT). ● LOC. ADV. *A ravir,* de façon admirable : *Cette femme chante à ravir. Elle est belle à ravir.* ◆ **ravi, e** adj. Qui exprime une joie intense : *Avoir un air ravi* (syn. : RADIEUX). ◆ **ravissant, e** adj. Se dit d'une personne ou d'une chose qui transporte d'admiration ou procure un plaisir extrême par sa grande beauté : *Elle est ravissante dans cette robe bleue* (syn. : SÉDUISANT). *On entendait une musique ravissante* (syn. : DÉLICIEUX). *Il possède une villa dans un site ravissant* (syn. : ADMIRABLE). ◆ **ravissement** n. m. : *Etre plongé dans le ravissement en écoutant une symphonie* (syn. : ENCHANTEMENT).

raviser (se) [səravize] v. pr. Changer d'avis, revenir sur une résolution : *Elle nous avait promis de venir en voyage avec nous, mais elle s'est ravisée.*

ravitailler [ravitaje] v. tr. 1° *Ravitailler une population, une collectivité,* lui fournir des vivres, des munitions et toutes sortes de marchandises nécessaires pour ses besoins : *Ravitailler une ville, une armée. Il a fait de nombreux achats pour ravitailler sa famille* (syn. : APPROVISIONNER). — 2° *Ravitailler un véhicule,* lui fournir du carburant : *Ravitailler un avion en vol.* ◆ ***se ravitailler*** v. pr. Se procurer ce qui est nécessaire à sa subsistance : *Les habitants de ce petit village de montagne doivent faire plusieurs kilomètres pour se ravitailler* (syn. : S'APPROVISIONNER). ◆ **ravitaillement** n. m. 1° *Le ravitaillement d'une troupe, d'une ville.* — 2° Denrées nécessaires à la consommation : *Nous avons du ravitaillement pour une semaine. Aller au ravitaillement* (fam. = aller acheter des provisions). ◆ **ravitailleur** n. et adj. m. Soldat, navire, avion préposé au ravitaillement (vivres, munitions, carburant).

raviver [ravive] v. tr. 1° Rendre plus vif, plus actif : *Raviver un feu, une flamme.* — 2° Redonner de l'éclat, de la fraîcheur : *Raviver des couleurs* (syn. : RAFRAÎCHIR). — 3° Faire revivre, ranimer : *La vue de ce spectacle a ravivé une douleur ancienne* (syn. : RÉVEILLER).

1. rayon [rejɔ̃] n. m. 1° Trait, ligne qui part d'un centre lumineux : *Les rayons du soleil, de la lune. Le rayon d'un phare.* — 2° Lueur faible ou passagère : *Dans son désarroi, il aperçut un rayon d'espoir.* — 3° Ligne qui relie le centre d'un cercle à un point quelconque de la circonférence : *Le rayon est égal à la moitié du diamètre.* — 4° *Dans un rayon de cinq, dix kilomètres,* dans un espace circulaire qui aurait cinq, dix kilomètres de rayon : *Dans un rayon de dix kilomètres autour de Paris on trouverait difficilement une aussi belle maison* (syn. : À LA RONDE). ‖ *Rayon d'action,* distance maximale que peut parcourir un navire, un avion, sans être ravitaillé en combustible; espace, domaine où s'exerce une activité : *Cette industrie a étendu son rayon d'action.* — 5° Pièce de bois ou de métal qui relie le moyeu à la jante d'une roue : *Les rayons d'une roue de charrette. Il est tombé et a cassé plusieurs rayons à la roue avant de sa bicyclette.* — 6° *Rayons X,* radiations, analogues à la lumière, que produisent les corps sous le choc de rayons cathodiques : *Les rayons X traversent presque tous les corps opaques, impressionnent les plaques photographiques et jouissent de propriétés thérapeutiques.* ◆ **rayonner** v. intr. 1° (sujet nom de personne) Se déplacer à partir d'un point donné dans diverses directions : *Pendant les vacances, nous avons rayonné dans les Alpes, autour de Grenoble.* — 2° Faire sentir au loin son influence : *La civilisation grecque a rayonné sur tout l'Occident* (syn. : SE PROPAGER). ◆ **rayonnement** n. m. 1° Ensemble des radiations émises par un corps : *Le rayonnement solaire est la source de toute l'énergie disponible sur la terre.* — 2° Renommée brillante, éclat qui exerce une grande attraction : *Le rayonnement d'un pays par sa culture* (syn. : PRESTIGE). — 3° Action, influence qui se propage : *Le rayonnement d'une œuvre, d'une doctrine, d'une civilisation.*

2. rayon [rejɔ̃] n. m. 1° Planche placée dans une bibliothèque, dans une armoire, etc., et qui sert à y poser des livres, du linge, etc. : *Prenez ce livre qui est au troisième rayon.* — 2° Ensemble des comptoirs d'un magasin affectés à un même genre de marchandises : *Le rayon de l'alimentation, de la parfumerie. Chef de rayon.* — 3° Fam. *Cela n'est pas mon rayon* ou *de mon rayon,* cela ne me regarde pas, n'est pas mon affaire. — 3° Gâteau de cire fait par les abeilles et constitué d'un grand nombre d'alvéoles disposées sur les deux faces : *Les rayons d'une ruche.* ◆ **rayonnage** n. m. Assemblage de planches constituant une bibliothèque, une vitrine, un meuble de rangement : *Placer un rayonnage dans un vestibule* (syn. : ÉTAGÈRE).

rayonne [rejɔn] n. f. Textile artificiel : *Le terme « rayonne » s'est substitué à la dénomination antérieure de « soie artificielle » pour éviter toute confusion avec la soie naturelle.*

1. rayonner v. intr. V. RAYON 1.

2. rayonner [rejɔne] v. intr. S'éclairer sous l'effet d'une vive satisfaction : *Son visage rayonne de joie.* ◆ **rayonnant, e** adj. : *Etre rayonnant de joie, de bonheur;* ou absolum. : *Etre rayonnant, tout rayonnant,* se dit de quelqu'un dont le visage, les yeux expriment une vive satisfaction (syn. : RADIEUX, RAVI). ◆ **rayonnement** n. m. Eclat qui se manifeste dans les traits sous l'effet d'une vive satisfaction : *Le rayonnement de la joie illuminait son visage.*

raz de marée [radmare] n. m. invar. Soulèvement subit de la mer qui porte les vagues sur la terre à plusieurs mètres de hauteur : *Les raz de marée semblent dus à des éruptions volcaniques ou à des tremblements de terre; ils sont fréquents sur les côtes du Mexique et du Japon.*

razzia [radzja] n. f. Action d'emporter par surprise ou par violence : *Les voleurs ont fait une razzia sur la basse-cour.* (Une *razzia* est une attaque lancée par des nomades d'Afrique du Nord afin d'enlever des troupeaux, des récoltes, etc.) ◆ **razzier** v. tr. Faire une razzia.

ré [re] n. m. Note de musique. (V. GAMME.)

réabonner (se) v. pr. V. ABONNEMENT; **réaborder** v. tr. V. ABORDER 2; **réaction** n. f. V. RÉAGIR; **réadapter** v. tr. V. ADAPTER; **réadmettre**

v. tr. V. ADMETTRE 1; **réaffirmer** v. tr. V. AFFIRMER.

re- ou **ré-** (devant une consonne), **r-** ou plus souvent **ré-** (devant une voyelle), préfixe indiquant :
1° La répétition de l'action exprimée par le verbe ou le nom : *recuire, recréer, redemander, reblanchir, recacheter, recoller, redire, reperdre,* etc.; *réabonner, réhabiliter, réélire, réélection, rapprendre* ou *réapprendre, réinventer, raccorder* ou *réaccorder, ravoir,* etc. La conservation du son [s] de l'initiale des verbes simples est assurée soit par le redoublement du *s* (*ressaisir, ressortir*), soit par le *s* simple (*resaler*). [La plupart de ces verbes ne sont indiqués que lorsqu'ils présentent une fréquence importante ou une difficulté graphique.]
2° Le renforcement de l'action accompagnant la répétition : *réaffirmer* (affirmer hautement une nouvelle fois); *repenser* (reprendre l'examen d'un problème en l'approfondissant); *relire* (reprendre la lecture pour relever quelque chose ou corriger). [V. au mot simple les termes formés avec le préfixe *re-, ré-* ou *r-*.]
3° Les verbes formés avec le préfixe *re-* peuvent remplacer totalement le verbe simple dans ses emplois (*raccourcir, rentrer, remplir*) ou prendre un sens différent du verbe simple (*réunir, ramasser, réajuster, rééduquer, recomposer, reconstituer*). [Ces verbes sont indiqués à leur ordre.]
4° Les verbes formés avec le préfixe *re-* constituent avec le verbe simple et le verbe formé avec *dé-* (*des-*) un groupe de mots de sens complémentaires : *chausser / déchausser / rechausser; charger/décharger/recharger; coudre/découdre/recoudre.*

réagir [reaʒir] v. tr. ind. **1°** (sujet nom de chose) *Réagir à quelque chose,* présenter une modification en réponse à une action extérieure : *Organe qui réagit à une excitation.* — **2°** (sujet nom de personne) *Réagir à quelque chose,* manifester un changement d'attitude, de comportement : *Réagir d'une certaine manière à des compliments, à des reproches, à des menaces* (syn. : SE COMPORTER). *Réagir vivement à l'annonce d'une nouvelle* (syn. : SURSAUTER). *Vous pouvez le traiter comme vous voulez, il ne réagit pas* (= il reste indifférent, impassible, imperturbable). — **3°** (sujet nom de chose ou de personne) *Réagir contre quelqu'un, contre quelque chose,* s'opposer à eux par une action contraire : *Organisme qui réagit contre une maladie infectieuse. Réagir contre des abus, un usage, contre le despotisme d'un gouvernement, contre l'emprise d'une société, d'une personne* (syn. : LUTTER, SE DÉFENDRE, RÉSISTER). *Ne vous laissez pas abattre par le découragement, il faut réagir* (syn. : REPRENDRE LE DESSUS; contr. : SE LAISSER ALLER). — **4°** (sujet nom de chose ou de personne) *Réagir sur quelqu'un, sur quelque chose,* exercer une action réciproque : *Les sentiments manifestés par un auditoire réagissent sur l'orateur* (syn. : SE RÉPERCUTER). *La mode agit sur les hommes et les hommes réagissent sur la mode.* ◆ **réaction** n. f. **1°** Modification d'un organe, d'un organisme résultant de l'action d'une excitation extérieure, d'une cause morbide, d'un remède, etc. : *Réaction au chaud, au froid, à l'altitude. La fièvre marque une réaction de défense de l'organisme contre les microbes.* — **2°** *Moteur à réaction,* mû par un flux rapide de gaz qui fait avancer l'engin dans le sens opposé à la direction du flux. ‖ *Avion à réaction,* propulsé par un moteur à réaction. — **3°** Attitude d'une personne en réponse à une action d'origine sociale : *Je croyais qu'il serait heureux en apprenant cette bonne nouvelle, sa réaction a été presque nulle. Cette femme manque de patience, ses réactions sont souvent violentes. Observer les réactions du public à une propagande, à un discours politique* (syn. : COMPORTEMENT). — **4°** Mouvement d'opinion qui agit dans un sens opposé à celui qui a précédé : *Réaction politique, littéraire, philosophique, religieuse. Le réalisme apparaît en littérature, vers 1850, comme une réaction contre le lyrisme et les excès d'imagination du roman romantique.* ‖ *Parti de réaction* ou *la réaction,* parti politique qui s'oppose au progrès politique ou social : *Combattre les forces, les menées de la réaction.* ◆ **réactionnaire** adj. et n. *Péjor.* Qui s'oppose à toute évolution politique et sociale et cherche à rétablir un régime, un état de choses tenu pour périmé : *Un candidat réactionnaire. Des opinions réactionnaires. Se faire traiter de réactionnaire* (syn. : ↓ CONSERVATEUR, RÉTROGRADE; contr. : PROGRESSISTE).

réajuster v. tr. V. AJUSTER 1.

réaliser [realize] v. tr. **1°** *Réaliser quelque chose,* donner l'existence à ce qui n'était que dans l'esprit, le rendre réel : *Réaliser un dessein, un rêve, un souhait* (syn. : CONCRÉTISER). *Il avait beaucoup de projets, mais il n'a pu en réaliser qu'un petit nombre* (syn. : METTRE À EXÉCUTION). *Réaliser un exploit* (syn. : ACCOMPLIR). *Réaliser ses promesses* (syn. : REMPLIR). *Réaliser des bénéfices* (syn. : EFFECTUER). — **2°** *Réaliser quelque chose, que* (et l'indic.), se représenter un fait dans sa réalité; se rendre compte avec exactitude que : *Il n'arrivait pas à réaliser l'importance et les difficultés de l'entreprise* (syn. : SAISIR). *Elle était tellement heureuse qu'elle n'arrivait pas à réaliser qu'elle avait réussi son examen.* ◆ ***se réaliser*** v. pr. Devenir réel : *Ses prévisions se sont réalisées.* ◆ **réalisable** adj. : *Un projet réalisable* (syn. : FAISABLE, EXÉCUTABLE). ◆ **réalisation** n. f. **1°** Action de réaliser : *La réalisation d'un projet, d'un plan.* — **2°** Ce qui a été mis à exécution : *Les expositions internationales permettent de se rendre compte des réalisations des industries de chaque pays* (syn. : PRODUCTION). — **3°** Ensemble des opérations nécessaires pour faire un film, une émission de radio ou de télévision. ◆ **réalisateur, trice** n. **1°** Personne qui a l'habitude de réaliser, de ne pas laisser à l'état de projet. — **2°** Personne qui est responsable de la réalisation d'un film : *Le réalisateur coordonne et contrôle toutes les opérations de tournage* (syn. : METTEUR EN SCÈNE, CINÉASTE). — **3°** Personne qui dirige l'exécution d'une émission de radio ou de télévision (syn. : METTEUR EN ONDES). ◆ **irréalisable** adj. : *Projet irréalisable* (syn. : UTOPIQUE).

réalisme n. m., **réalité** n. f. V. RÉEL; **réapparaître** v. intr. V. APPARAÎTRE; **réapprovisionner** v. tr. V. APPROVISIONNER; **réassortir** v. tr. V. ASSORTIR 2.

rébarbatif, ive [rebarbatif, -iv] adj. **1°** Qui a un aspect rude et rebutant : *Un visage rébarbatif* (syn. : REVÊCHE; contr. : AFFABLE, ENGAGEANT). — **2°** Qui manque d'attrait : *Un sujet de devoir rébarbatif* (syn. : ENNUYEUX).

1. rebattre [rəbatr] v. tr. (conj. 56). 1° Battre de nouveau : *Rebattre les cartes, un tapis.* — 2° *Rebattre un matelas,* le refaire en cardant de nouveau la laine ou le crin.

2. rebattre [rəbatr] v. tr. (conj. 56). *Rebattre les oreilles à quelqu'un de quelque chose,* lui répéter sans cesse la même chose : *Il me rebat continuellement les oreilles de sa mauvaise santé* (syn. fam. : RABATTRE). ◆ **rebattu, e** adj. Répété à satiété, qui manque d'originalité : *Un sujet rebattu. Une expression rebattue devient un cliché* (syn. : BANAL, COMMUN, CONNU).

rebelle [rəbɛl] adj. et n. 1° Qui refuse de se soumettre à l'autorité d'un gouvernement, d'une personne : *Etre déclaré traître et rebelle à la patrie. Une armée de rebelles* (syn. : DISSIDENT). *Un enfant rebelle à toute discipline* (syn. : DÉSOBÉISSANT, INDOCILE). — 2° Qui n'a pas de dispositions pour une chose : *Une personne rebelle aux mathématiques, à la musique* (syn. : FERMÉ). — 3° Se dit d'une chose qui ne se laisse pas facilement manier : *Une mèche de cheveux rebelle.* ◆ **rébellion** n. f. 1° Refus d'obéissance aux ordres d'une autorité : *La rébellion a éclaté dans le pays* (syn. : RÉVOLTE, SÉDITION). *Etre puni pour rébellion* (syn. : INSOUMISSION). — 2° Ensemble des rebelles : *Engager des pourparlers avec la rébellion. La rébellion a été vaincue.* ◆ ***se rebeller*** v. pr. Se soulever contre l'autorité d'un gouvernement, d'une personne : *Plusieurs peuplades se sont rebellées* (syn. : SE SOULEVER). *Se rebeller contre les ordres de ses parents* (syn. : DÉSOBÉIR, REGIMBER).

rebiffer (se) [sərbife] v. pr. *Fam.* Refuser d'obéir avec brusquerie, en protestant : *Cet enfant se rebiffe toujours quand on lui commande quelque chose* (syn. : REGIMBER, RÉSISTER).

reboiser v. tr. V. BOIS 2; **rebond** n. m., **rebondir** v. intr. V. BOND.

rebondi, e [rəbɔ̃di] adj. Arrondi, gonflé par l'embonpoint : *Avoir des joues rebondies* (syn. : DODU). *Un cheval à la croupe rebondie* (contr. : CREUX, MAIGRE).

rebord [rəbɔr] n. m. 1° Bord en saillie : *Le rebord d'une table, d'une fenêtre.* — 2° Bord replié : *Le rebord d'un manteau.*

rebours (à) [arbur] loc. adv. 1° Dans le sens opposé au sens de la marche, du fil des fibres, etc. : *Brosser à rebours un velours. Tourner les pages à rebours. Raboter à rebours une pièce de bois. Compter à rebours. Prendre l'ennemi à rebours* (= l'attaquer par-derrière). *Marcher à rebours* (syn. : À RECULONS). — 2° *Faire tout à rebours,* agir contre la raison, le bon sens. ‖ *Comprendre à rebours,* à contresens (syn. plus courant : À L'ENVERS).

rebouteux, euse [rəbutø, -øz] n. *Fam.* Personne qui guérit les luxations, les fractures, etc., par des moyens empiriques : *La profession de rebouteux constitue une forme de l'exercice illégal de la médecine.*

rebrousser [rəbruse] v. tr. 1° Relever en sens contraire : *Rebrousser les poils d'une fourrure. Le vent lui rebroussait les cheveux.* — 2° *Rebrousser chemin,* retourner en arrière : *Peu après son départ, il constata qu'il avait oublié son argent; il fut forcé de rebrousser chemin.* ◆ **rebrousse-poil (à)** loc. adv. 1° En relevant le poil dans le sens contraire à sa direction naturelle : *Il ne faut pas brosser la fourrure à rebrousse-poil.* — 2° Fam. *Prendre quelqu'un à rebrousse-poil,* agir avec lui si maladroitement qu'il se vexe, se rebiffe ou se met en colère.

rebuffade [rəbyfad] n. f. Refus accompagné de paroles dures ou méprisantes : *Recevoir, essuyer une rebuffade.*

rébus [rebys] n. m. 1° Ensemble de dessins, de chiffres, de mots qui représentent directement ou par leurs sons les mots ou la phrase que l'on veut exprimer : *Composer, deviner un rébus.* — 2° Ecriture difficile à déchiffrer : *Certains passages de votre lettre sont de vrais rébus.*

rebut [rəby] n. m. 1° *Marchandises de rebut,* celles que l'on vend à bas prix. ‖ *Mettre, jeter au rebut,* se débarrasser d'une chose sans valeur ou inutilisable : *Mettre au rebut de vieux outils* (syn. fam. : METTRE AU RANCART). — 2° Ce qu'il y a de plus vil dans un groupe de personnes : *Le rebut d'une population, d'une société* (syn. : LIE, RACAILLE).

rebuter [rəbyte] v. tr. 1° *Rebuter quelqu'un,* le détourner d'une chose à cause des difficultés, des obstacles : *Il aurait peut-être réussi en mathématiques si les débuts de cette discipline ne l'avaient pas rebuté;* intransitiv. : *Ce travail rebute* (syn. : DÉCOURAGER, DÉGOÛTER). — 2° *Rebuter quelqu'un,* lui inspirer de l'antipathie : *Sa figure, ses manières nous rebutent* (syn. : DÉPLAIRE). ◆ **rebutant, e** adj. 1° Qui répugne, ennuie : *Un travail rebutant* (syn. : DÉCOURAGEANT, DÉSAGRÉABLE, RÉBARBATIF). — 2° Qui inspire de l'antipathie : *Un visage rebutant* (contr. : ATTIRANT, SÉDUISANT, CHARMANT).

récalcitrant, e [rekalsitrɑ̃, -ɑ̃t] adj. et n. Qui résiste avec entêtement : *Un cheval récalcitrant* (syn. : RÉTIF). *Un caractère récalcitrant* (syn. : INDOCILE, INDISCIPLINÉ). *Le patron se montre récalcitrant à toute demande d'augmentation des salaires. Punir les récalcitrants.*

recaler [rəkale] v. tr. *Recaler quelqu'un,* le refuser à un examen (surtout au passif) : *S'il ne travaille pas davantage, il sera recalé au baccalauréat* (syn. fam. : COLLER). ◆ **recalé, e** adj. et n. : *Les recalés du baccalauréat.*

récapituler [rekapityle] v. tr. 1° Répéter en résumant ce qu'on a déjà dit : *Il a récapitulé dans sa péroraison les principaux points de son discours.* — 2° Rappeler en examinant de nouveau : *Récapituler les événements d'une année* (syn. : PASSER EN REVUE). ◆ **récapitulation** n. f. Rappel sommaire de ce qu'on a dit ou écrit, de ce qui s'est passé : *Faire la récapitulation d'une conférence, d'un compte, de sa jeunesse.* ◆ **récapitulatif, ive** adj. Qui sert à récapituler : *Tableau récapitulatif.*

receler [rəsəle] v. tr. (conj. 5). 1° *Receler quelque chose,* garder et cacher une chose volée par une autre personne : *Il recèle des objets provenant d'un cambriolage.* — 2° *Receler quelqu'un,* le cacher pour le soustraire aux recherches de la justice : *Receler un malfaiteur, un déserteur.* — 3° (sujet nom de chose) *Receler une chose,* la contenir en soi : *La mer recèle de grands trésors. Cet ouvrage recèle d'ineffables beautés* (syn. : RENFERMER). ◆ **recel** n. m. Sens 1 et 2 du verbe : *Le recel d'objets qu'on sait avoir été volés constitue une complicité de vol.* ◆ **receleur, euse** n. : *Elle a été condamnée comme receleuse.*

recenser [rəsɑ̃se] v. tr. Faire le dénombrement officiel d'une population, de moyens d'action, etc. : *Recenser les volontaires pour un travail déterminé.*

Recenser les habitants d'une région. ◆ **recensement** n. m. : *En France, le recensement de la population se fait en principe tous les six ans. Le recensement d'une classe pour le service militaire. Faire le recensement des livres d'une bibliothèque.*

récent, e [resɑ̃, -ɑ̃t] adj. Qui existe depuis peu de temps : *Une découverte récente* (syn. : NOUVEAU). *Une construction récente* (syn. : MODERNE). *Une nouvelle toute récente* (syn. : FRAIS). ◆ **récemment** adv. Depuis peu de temps : *Il a été nommé récemment à ce poste* (syn. : DERNIÈREMENT).

récépissé [resepise] n. m. Ecrit par lequel on reconnaît avoir reçu un objet, une somme d'argent, etc. : *Avez-vous gardé les récépissés des mandats que vous avez envoyés?* (syn. : REÇU).

réceptacle [resɛptakl] n. m. Lieu où se rassemblent des personnes ou des choses venues de plusieurs endroits : *Cet hôtel est le réceptacle de la pègre du quartier* (syn. : RENDEZ-VOUS). *Ce lac est le réceptacle de plusieurs rivières.*

réception n. f. V. RECEVOIR 1 et 2.

récession [resesjɔ̃] n. f. Ralentissement de l'activité industrielle et commerciale : *La récession n'est pas la crise, mais elle est quelquefois le début d'une crise.*

1. recette [rəsɛt] n. f. 1° Manière de préparer un mets, un produit domestique : *Recette pour faire des confitures, pour conserver des fruits. Un livre de recettes.* — 2° *Recette de bonne femme,* remède empirique sans grande efficacité. — 3° Procédé pour réussir dans certaines circonstances : *Comment faites-vous pour rester d'accord avec tout le monde? Vous me donnerez la recette* (syn. : SECRET).

2. recette [resɛt] n. f. 1° Total de ce qui est reçu en argent par un établissement commercial ou industriel : *Commerçant qui compte la recette des ventes d'une journée.* ‖ *Faire recette,* avoir beaucoup de succès, en parlant d'un théâtre, d'un spectacle, etc. ‖ *Garçon de recette,* employé chargé d'encaisser les factures, les chèques, etc., dans une maison de commerce ou dans une banque. — 2° Emploi de receveur des deniers publics : *Etre nommé à une recette générale.* — 3° Bureau d'un receveur des impôts directs ou indirects : *Donner son argent à la recette.*

1. recevoir [rəsəvwar] v. tr. (conj. 34). 1° *Recevoir quelque chose,* être en possession de ce qui est donné, envoyé ou transmis : *Il a reçu un cadeau pour sa fête. Recevoir une prime, une indemnité* (syn. : TOUCHER). *Recevoir une lettre, un colis. Recevoir de bonnes nouvelles de sa famille. Recevoir des félicitations, des renseignements, des conseils, des confidences. Recevoir des ordres de quelqu'un.* — 2° *Recevoir un sacrement,* se le voir conférer : *Recevoir l'absolution, la communion, l'extrême-onction.* — 3° (sujet nom de personne) Etre l'objet d'une action que l'on subit : *Recevoir des coups, une correction, une averse* (syn. : ATTRAPER; fam. : PRENDRE). *Il a reçu une sévère leçon, un affront* (syn. : ESSUYER). — 4° (sujet nom de chose) Etre l'objet d'une action : *La Lune reçoit sa lumière du Soleil. Le projet a reçu de nombreuses modifications.* ◆ **récepteur** n. m. *Récepteur de radio* (ou *radiophonique*), appareil permettant d'écouter une émission de radio (syn. : POSTE). ‖ *Récepteur téléphonique,* syn. d'ÉCOUTEUR. ◆ **réception** n. f. : *La réception d'un paquet, d'une émission radiophonique. Accuser réception d'une lettre. La réception des sacrements.* ◆ **réceptionner** v. tr. Vérifier une livraison lors de la réception : *Réceptionner des marchandises.* ◆ **réceptif, ive** adj. Susceptible de contracter certaines maladies et spécialement des maladies contagieuses : *Un organisme réceptif* (contr. : IMMUNISÉ, RÉFRACTAIRE). ◆ **réceptivité** n. f. 1° Etat d'un organisme réceptif : *La débilité, la fatigue accroissent la réceptivité* (contr. : IMMUNITÉ, RÉSISTANCE). — 2° *Etat de réceptivité,* état dans lequel une personne subit plus facilement l'influence d'une autre (suggestion, hypnotisme, etc.). ◆ **recevable** adj. Qui peut être reçu, admis : *Une excuse recevable* (syn. : ADMISSIBLE, VALABLE). ◆ **irrecevable** adj. Non recevable, non acceptable : *Témoignage irrecevable. Conclusions irrecevables.* ◆ **recevabilité** n. f. : *La recevabilité d'une excuse.* ◆ **irrecevabilité** n. f. : *L'irrecevabilité d'une demande.* ◆ **receveur, euse** n. 1° Personne chargée du recouvrement des recettes publiques : *Receveur des finances, des contributions.* — 2° Employé chargé de recevoir le coût du parcours dans les voitures des transports publics : *Une receveuse d'autobus.* ‖ *Receveur des postes,* administrateur d'un bureau de poste. ◆ **reçu** n. m. Ecrit par lequel on reconnaît avoir reçu quelque chose : *L'Administration délivre un reçu pour un paquet recommandé* (syn. : RÉCÉPISSÉ). ◆ **reçu, e** adj. Qui est admis, établi, consacré : *Une opinion communément reçue. Un procédé dont l'usage est reçu.*

2. recevoir [rəsəvwar] v. tr. (conj. 34). 1° *Recevoir quelqu'un,* le laisser entrer chez soi, dans une compagnie : *Il a reçu de nombreux réfugiés chez lui pendant la guerre* (syn. : RECUEILLIR). *Je me suis présenté chez lui, mais il n'a pas voulu me recevoir. C'est un homme que l'on a plaisir à recevoir à sa table. Il est élu à l'Académie, mais il n'a pas encore été reçu.* (V. RÉCIPIENDAIRE.) — 2° *Recevoir quelqu'un* (et un compl. de manière), l'accueillir de telle ou telle façon : *Recevoir le représentant d'un pays étranger avec magnificence. Recevoir un ami à bras ouverts, avec de grandes démonstrations de joie. Recevoir quelqu'un froidement, comme un chien dans un jeu de quilles.* ‖ *Etre reçu chez quelqu'un,* être admis dans sa société : *Son éducation lui permet d'être reçu partout.* — 3° (sans compl. d'objet) Inviter du monde chez soi : *Cet homme sait recevoir. Cette famille reçoit beaucoup;* avoir un jour de réception pour les visiteurs : *Madame la directrice du lycée reçoit trois fois par semaine.* — 4° *Recevoir quelqu'un à,* l'admettre dans une école après avoir passé un concours, un examen, etc. : *Il a été reçu dans les premiers à Polytechnique. Elle a été reçue au baccalauréat avec la mention bien.* — 5° (sujet nom de chose) *Recevoir une chose,* la laisser entrer : *Une gouttière qui reçoit les eaux du toit* (syn. : RECUEILLIR). ◆ ***se recevoir*** v. pr. Toucher terre après un saut : *Il a bien franchi la barre, mais il s'est mal reçu et il s'est cassé la jambe.* ◆ **réception** n. f. 1° Sens 2 du verbe : *Faire une bonne, une mauvaise réception à quelqu'un* (syn. : ACCUEIL). — 2° Sens 3 du verbe : *Donner une réception, une grande réception* (syn. : THÉ, COCKTAIL). ‖ *Jour de réception,* jour fixe où une dame reçoit des visites. — 3° Cérémonie par laquelle quelqu'un est reçu dans une compagnie : *Les réceptions de l'Académie française sont des solennités très courues. Discours de réception.* — 4° Dans un hôtel, dans une maison de commerce, etc., bureau où l'on accueille les voyageurs, les clients.

rechange n. f. V. CHANGER.

rechaper [rəʃape] v. tr. *Rechaper un pneu,* le réparer en rapportant à chaud sur une enveloppe usée une nouvelle couche de caoutchouc. ◆ **rechapage** n. m.

réchapper [reʃape] v. tr. ind. *Réchapper de, à quelque chose,* échapper par chance à un danger menaçant : *Il vient d'avoir une grave maladie, je ne sais pas s'il en réchappera* (syn. : GUÉRIR). *Vous avez eu de la chance de réchapper à cet accident* (syn. fam. : S'EN SORTIR, S'EN TIRER).

réchauffer [reʃofe] v. tr. 1° Chauffer ce qui s'est refroidi : *Réchauffer un potage, un ragoût.* — 2° Rendre de la chaleur au corps d'un être animé : *Réchauffer ses mains devant le feu.* — 3° Exciter de nouveau : *Réchauffer le courage des soldats, le zèle de quelqu'un* (syn. : RANIMER). ◆ ***se réchauffer*** v. pr. 1° Redonner de la chaleur à son corps : *Il avait tellement froid qu'il n'arrivait pas à se réchauffer.* — 2° Devenir plus chaud : *Le temps se réchauffe.* ◆ **réchauffé** n. m. 1° Ce qui est réchauffé : *Ce plat a un goût de réchauffé.* — 2° Ce qui est connu et qu'on donne comme neuf : *Cette plaisanterie, ce n'est que du réchauffé.* ◆ **réchauffage** n. m. : *Le réchauffage d'un plat.* ◆ **réchauffement** n. m. : *Le réchauffement de l'atmosphère* (contr. : REFROIDISSEMENT). ◆ **réchaud** n. m. Ustensile, généralement portatif, servant à faire cuire les aliments ou à les réchauffer : *Un réchaud à gaz, à alcool, électrique.*

rêche [rɛʃ] adj. 1° Apre au goût : *Une prune, une poire rêche* (contr. : DOUX, SUCRÉ). — 2° Rude au toucher : *Une étoffe rêche* (contr. : DOUX, MOELLEUX). *La langue rêche du chat* (syn. : RÂPEUX).

1. rechercher [rəʃɛrʃe] v. tr. Chercher de nouveau : *Je viendrai vous rechercher demain. J'ai cherché et recherché ce livre sans pouvoir le retrouver.*

2. rechercher [rəʃɛrʃe] v. tr. 1° *Rechercher quelqu'un, quelque chose,* chercher avec soin à les connaître, à les découvrir : *La police recherche les auteurs de l'attentat. Rechercher les causes d'un phénomène, un nouveau procédé de fabrication* (syn. : ÉTUDIER). — 2° *Rechercher quelque chose,* tâcher de l'obtenir, de se le procurer : *Rechercher la perfection dans un travail* (syn. : VISER À). *Rechercher l'amitié de quelqu'un. Il recherche plus les honneurs que la considération* (syn. : AMBITIONNER, BRIGUER, COURIR APRÈS). — 3° *Rechercher quelqu'un,* chercher vivement sa société, sa fréquentation : *C'est un homme aimable et intelligent que tout le monde recherche* (contr. : ÉVITER). ◆ **recherché, e** adj. 1° Se dit d'une chose à laquelle on attache du prix : *Un tableau, un livre très recherché* (syn. : RARE). — 2° Que l'on cherche à voir, à entendre, à fréquenter : *Un acteur, un conférencier recherché. Une femme très recherchée* (syn. : ENTOURÉ). — 3° *Péjor.* Qui manque de naturel : *Un style recherché* (syn. : MANIÉRÉ, PRÉCIEUX). ◆ **recherche** n. f. 1° Action de rechercher : *La recherche d'un objet perdu, de documents, d'un coupable. Recherche de renseignements* (syn. : ENQUÊTE). *Mettre au point des méthodes pour la recherche de gisements* (syn. : PROSPECTION). — 2° Raffinement que l'on apporte dans certaines choses : *Mettre de la recherche dans sa toilette;* quelquefois péjor. : *Etre habillé avec une extrême recherche* (syn. : AFFECTATION). *Il y a de la recherche dans l'ameublement de cette maison. Il y a trop de recherche dans ses manières* (syn. : POSE). — 3° (au plur.) Travaux destinés à approfondir une question en matière de science ou d'érudition : *Ce livre est le résultat de ses recherches sur ce point d'histoire.* ● LOC. PRÉP. *A la recherche de,* en recherchant : *Etre à la recherche d'un appartement, d'un nouveau procédé de fabrication* (syn. : EN QUÊTE DE).

rechigner [rəʃiɲe] v. intr. ou tr. ind. Fam. *Rechigner à quelque chose,* montrer, par sa mauvaise humeur, par un air maussade, sa répugnance à faire une chose : *Il obéit, mais c'est toujours en rechignant. Rechigner à une besogne, à une proposition* (syn. fam. : RENÂCLER).

rechute [rəʃyt] n. f. 1° Réapparition d'une maladie infectieuse, survenant au cours de la convalescence : *Il était guéri, mais il vient d'avoir une rechute qui semble due à une imprudence* (syn. : RÉCIDIVE). — 2° Le fait de retomber dans un péché, dans une faute dont on est insuffisamment corrigé : *Les fréquentes rechutes mènent à l'endurcissement.* ◆ **rechuter** v. intr. Faire une rechute : *Il a repris son travail avant d'être complètement guéri, ce qui l'a fait rechuter. Si vous ne prenez pas de précautions, vous rechuterez.*

récidive [residiv] n. f. 1° Le fait de commettre un crime, un délit pour lequel on a déjà été condamné : *La récidive est une cause d'aggravation des peines.* — 2° Le fait de retomber dans la même faute : *A la première récidive, vous serez puni.* — 3° Réapparition d'une maladie, d'un mal après un temps plus ou moins long de guérison : *Une récidive de tumeur.* ◆ **récidiver** v. intr. 1° Commettre de nouveau le même délit, le même crime. — 2° Recommencer la même faute, la même erreur : *Il est incapable de résister à ses mauvais penchants et, de ce fait, il lui arrive de récidiver.* — 3° (sujet nom d'une maladie) Reparaître : *Le rhumatisme est sujet à récidiver.* ◆ **récidiviste** n. et adj. Sens 1 du verbe : *Il a déjà été condamné comme récidiviste. Un criminel récidiviste.*

récif [resif] n. m. Rocher ou chaîne de rochers à fleur d'eau près des côtes : *Les récifs de la côte bretonne.*

récipiendaire [resipjɑ̃dɛr] n. m. 1° Personne que l'on reçoit dans une compagnie, dans une société savante avec un certain cérémonial : *A l'Académie française, le récipiendaire prononce un discours et le directeur lui répond.* — 2° Personne qui reçoit un diplôme universitaire.

récipient [resipjɑ̃] n. m. Objet creux servant à recevoir, à contenir un liquide, un gaz, une substance pulvérulente : *Remplir, vider un récipient* (syn. : VASE, USTENSILE).

réciproque [resiprɔk] adj. 1° Qui a lieu entre deux personnes, deux groupes, deux choses et qui marque une action équivalente à celle qui est reçue : *Les sentiments qu'ils ont l'un pour l'autre sont bien réciproques. Une tolérance réciproque nous est nécessaire pour que nous puissions vivre en paix* (syn. : MUTUEL). *Une amitié, une confiance réciproque* (syn. : PARTAGÉ). — 2° Se dit d'un verbe pronominal qui exprime l'action de plusieurs sujets les uns sur les autres (ex. : *Pierre et Paul se battent*). ◆ n. f. : *Vous avez voulu vous moquer de moi, je vous rendrai la réciproque* (syn. : LA PAREILLE). ◆ **réciprocité** n. f. : *La réciprocité de la* *sympathie, de l'estime. Je suis très sensible à votre amitié et vous pouvez compter sur une entière réciprocité.* ◆ **réciproquement** adv. : *Il se sont rendu réciproquement des services* (syn. : MUTUELLEMENT). *Il faut qu'une femme soit fidèle à son mari et réciproquement* (syn. : EN RETOUR, VICE VERSA).

récit [resi] n. m. Histoire faite de vive voix ou par écrit d'événements réels ou imaginaires : *Il nous a touchés par le récit de ses malheurs* (syn. : NARRATION, RELATION). *Les enfants aiment les récits d'aventures merveilleuses, fantastiques* (syn. : HISTOIRE, ANECDOTE). *Le récit de Théramène dans « Phèdre ».*

récital [resital] n. m. Séance artistique au cours de laquelle un seul musicien, chanteur, etc., se fait entendre, ou au cours de laquelle est présenté un même genre de spectacle : *Récital de piano, de violon. Un récital de danse. Le récital de la chanson.*

réciter [resite] v. tr. *Réciter quelque chose,* dire à haute voix ce que l'on sait par cœur : *Réciter sa leçon. Réciter son chapelet. Réciter des vers, de la prose* (syn. : DÉCLAMER). *Réciter une tirade rapidement, sans reprendre haleine* (syn. : DÉBITER). ◆ **récitant, e** n. Personne qui commente l'action sur scène au théâtre, au cinéma, dans une émission radiophonique. ◆ **récitation** n. f. 1° Action de réciter : *Après la récitation des leçons, le professeur rend les devoirs qu'il a corrigés.* — 2° Texte à savoir par cœur et à réciter en classe : *Apprendre une récitation.*

réclame [reklam] n. f. 1° Petit article inséré dans un journal, dans une publication et qui contient l'éloge d'un objet, d'un produit mis dans le commerce, d'un ouvrage, d'un spectacle, etc. : *Dans certains illustrés, on trouve des réclames pour des produits de toute nature.* — 2° Toute sorte de publicité faite au moyen d'affiches, de prospectus, etc. : *Certaines industries abusent de la réclame* (syn. fam. : BATTAGE, TAM-TAM). ‖ *Mettre un produit en réclame,* le vendre à prix réduit.

1. réclamer [reklame] v. tr. 1° *Réclamer quelqu'un, son aide,* etc., le demander avec insistance : *Un petit enfant pleure et réclame sa mère. Réclamer le secours de quelqu'un* (syn. : SOLLICITER). — 2° (sujet nom de chose) *Réclamer quelque chose,* en avoir besoin : *La culture de la vigne réclame beaucoup de soins* (syn. : NÉCESSITER, EXIGER). ◆ ***se réclamer*** v. pr. *Se réclamer de quelqu'un,* déclarer qu'on est connu de lui ou protégé par lui ; invoquer sa caution : *Pour obtenir cet emploi, il s'est réclamé de son député* (syn. : SE RECOMMANDER DE).

2. réclamer [reklame] v. tr. *Réclamer quelque chose,* demander une chose due ou juste : *Réclamer de l'argent, des meubles qu'on a prêtés. Réclamer une augmentation de salaire* (syn. : REVENDIQUER). ◆ **réclamation** n. f. Action de protester, de revendiquer pour faire reconnaître un droit : *Déposer une réclamation. Examiner le bien-fondé d'une réclamation* (syn. : PLAINTE).

reclus, e [rəkly, -yz] adj. et n. Se dit d'une personne qui vit renfermée, retirée du monde : *Elle vit recluse au fond de sa province. Mener une existence recluse* (syn. : ISOLÉ, SOLITAIRE).

réclusion [reklysjɔ̃] n. f. Peine afflictive et infamante qui consiste dans une privation de liberté avec assujettissement au travail : *Etre condamné à la réclusion perpétuelle.*

recoin [rəkwɛ̃] n. m. 1° Endroit le plus caché : *Connaître les coins et les recoins d'une maison.* — 2° Partie la plus cachée : *Les recoins du cœur, de la conscience* (syn. : REPLI).

récollection [rekɔlɛksjɔ̃] n. f. Retraite spirituelle de courte durée.

récolte [rekɔlt] n. f. 1° Action de recueillir les produits de la terre : *Récolte des blés* (syn. : MOISSON), *des fourrages* (syn. : FENAISON), *des fruits* (syn. : CUEILLETTE), *du raisin* (syn. : VENDANGE), *des pommes de terre* (syn. : ARRACHAGE). — 2° Produits ainsi recueillis : *La récolte de fruits a été abondante, mauvaise.* — 3° Ce qu'on recueille ou rassemble à la suite de recherches : *Une ample récolte de documents, d'observations.* ◆ **récolter** v. tr. : *Récolter du blé* (syn. : MOISSONNER), *du raisin* (syn. : VENDANGER), *des fruits* (syn. : CUEILLIR, RAMASSER). *Dans cette affaire, il n'a récolté que des ennuis* (syn. : RECUEILLIR).

recommander [rəkɔmɑ̃de] v. tr. 1° *Recommander quelque chose* ou *de* (et l'infin.) *à quelqu'un,* le lui demander avec insistance : *Recommander la discrétion, le secret à un ami. On lui a bien recommandé de veiller sur vous* (syn. : PRIER) ; le lui conseiller vivement : *Le médecin lui a recommandé le repos* (syn. : PRÉCONISER). *Recommander la prudence, la modération. Je ne saurais trop vous recommander de vous méfier de cet homme* (syn. : EXHORTER). — 2° *Recommander quelqu'un,* le désigner à l'attention, à la bienveillance, à la protection de quelqu'un : *Recommander chaudement un employé à un directeur* (syn. : APPUYER, PATRONNER ; fam. : PISTONNER). — 3° *Recommander son âme à Dieu,* implorer le secours de Dieu ; se préparer à mourir. ‖ *Recommander quelqu'un aux prières des fidèles,* les exhorter à prier pour lui. — 4° *Recommander une lettre, un paquet,* etc., les faire enregistrer, moyennant une taxe spéciale, pour qu'ils soient remis au destinataire contre un émargement sur un registre spécial. ◆ ***se recommander*** v. pr. 1° *Se recommander à quelqu'un,* demander son assistance. — 2° *Se recommander de quelqu'un,* invoquer son appui, son témoignage : *Il a obtenu cette place en se recommandant de son député* (syn. : SE RÉCLAMER DE). ◆ **recommandation** n. f. 1° Exhortation pressante : *Oublier les recommandations paternelles* (syn. : AVERTISSEMENT, AVIS, CONSEIL). — 2° Action de recommander (sens 1, 2, 4) : *Obtenir un emploi grâce à la recommandation d'un personnage important* (syn. : APPUI, PROTECTION ; fam. : PISTON). *Envoyer une lettre de recommandation.* ◆ **recommandable** adj. Digne d'estime, de considération (surtout avec une négation) : *Ne fréquentez pas cet homme, il n'est pas très recommandable. Les œuvres de cet écrivain sont peu recommandables* (syn. : ESTIMABLE).

recommencer v. tr. V. COMMENCER.

récompense [rekɔ̃pɑ̃s] n. f. 1° Ce qui est donné à quelqu'un en reconnaissance d'un mérite, d'une bonne action, d'un service rendu : *Promettre, donner, accorder une récompense* (syn. : FAVEUR). *Cet élève a bien travaillé et il a eu de nombreuses récompenses* (syn. : PRIX, ACCESSIT). *Si vous me faites une commission, vous aurez une récompense* (syn. : GRATIFICATION). *On lui a donné ce poste en récompense de ses services.* — 2° *Ironiq.* Châtiment d'une mauvaise action : *Il a désobéi et il a eu* *la récompense qu'il méritait.* ◆ **récompenser** v. tr. : *Récompenser un bon élève. Récompenser quelqu'un de ses efforts. Récompenser le travail, la conduite d'une personne.*

réconcilier [rekɔ̃silie] v. tr. **1°** *Réconcilier des personnes,* rétablir les liens d'affection, d'amitié entre des personnes qui s'étaient fâchées : *Réconcilier un père avec son fils, un gendre et sa belle-mère* (syn. : RACCOMMODER, REMETTRE D'ACCORD ; fam. : RABIBOCHER). — **2°** *Réconcilier quelqu'un avec quelque chose,* lui inspirer des opinions plus favorables à propos d'une chose : *Ce film me réconcilie avec le cinéma.* ◆ ***se réconcilier*** v. pr. Se remettre d'accord : *Cette fille s'est réconciliée avec sa mère. Se réconcilier avec Dieu* (= demander pardon à Dieu de ses péchés). ◆ **réconciliation** n. f. : *Travailler à la réconciliation de deux anciens amis* (syn. : RACCOMMODEMENT). ◆ **irréconciliable** adj. : *Des ennemis irréconciliables.*

1. reconduire [rəkɔ̃dɥir] v. tr. (conj. **70**). *Reconduire quelqu'un,* l'accompagner lorsqu'il s'en va, et spécialement celui dont on a reçu la visite : *Reconduire un enfant chez ses parents* (syn. : RAMENER). *Reconduire un ami jusqu'à sa voiture* (syn. : RACCOMPAGNER) ; faire accompagner une personne expulsée d'un territoire : *Le déserteur a été reconduit à la frontière entre deux gendarmes ;* mettre une personne à la porte en la malmenant : *Reconduire un insolent à coups de bâton* (syn. : EXPULSER).

2. reconduire [rəkɔ̃dɥir] v. tr. (conj. **70**). *Reconduire quelque chose,* continuer ce qui a été entrepris : *Reconduire la politique actuelle.* ◆ **reconduction** n. f. : *Reconduction d'une exposition* (syn. : CONTINUATION, PROLONGATION).

réconforter [rekɔ̃fɔrte] v. tr. *Réconforter quelqu'un,* lui redonner des forces : *Réconforter un blessé. Il a pris un peu de nourriture qui l'a réconforté* (syn. : REVIGORER ; fam. : RAVIGOTER) ; lui redonner du courage, de l'espoir ; l'aider à supporter une douleur, une affliction : *Il était très découragé et votre appui l'a réconforté* (contr. : DÉPRIMER, DÉSESPÉRER). *Vous avez su trouver les mots propres à réconforter votre ami qui était vraiment dans la peine* (syn. : CONSOLER). ◆ ***se réconforter*** v. pr. Se redonner des forces : *Se réconforter en prenant un bon repas* (syn. : SE RESTAURER, RÉCUPÉRER ; fam. : SE RETAPER). ◆ **réconfort** n. m. Ce qui donne de la force, ranime le courage, ce qui apporte de la consolation : *Apporter du réconfort à un malheureux* (syn. : APPUI, SOUTIEN, SECOURS). ◆ **réconfortant, e** adj. : *Un aliment réconfortant* (syn. : STIMULANT, TONIQUE). *Des paroles, des nouvelles réconfortantes* (syn. : ENCOURAGEANT ; contr. : ATTRISTANT, DÉSESPÉRANT).

reconnaître [rəkɔnɛtr] v. tr. (conj. **64**). **1°** *Reconnaître quelqu'un, quelque chose,* retrouver dans sa mémoire leur souvenir quand on les voit et qu'on les entend : *Il y avait longtemps que je n'avais vu mon ami ; j'ai eu de la peine à le reconnaître. Reconnaître quelqu'un malgré son déguisement* (syn. : REMETTRE). *Le chien reconnaît la voix de son maître. Je n'ai été qu'une fois chez lui, mais je reconnaîtrais facilement sa maison* (syn. : RETROUVER). *Reconnaître une écriture, un air de musique* (syn. : IDENTIFIER). — **2°** *Reconnaître quelqu'un,* le retrouver avec son véritable caractère : *Je vous reconnais bien là, vous êtes toujours aussi travailleur. Je reconnais sa façon d'agir, il n'a pas changé.* — **3°** *Reconnaître une personne, une chose à,* les distinguer à certains caractères, à certains signes : *On a reconnu le meurtrier à une cicatrice qu'il avait au front. Je l'ai reconnu au portrait que vous m'aviez fait de lui. Reconnaître un écrivain à son style. Reconnaître un arbre à ses feuilles* (syn. : IDENTIFIER). — **4°** *Reconnaître quelque chose,* avouer un acte répréhensible : *Reconnaître ses fautes, ses erreurs, ses torts* (syn. : CONFESSER). *Il a reconnu qu'il s'était trompé.* — **5°** *Reconnaître une chose,* l'admettre comme vraie, réelle : *Reconnaître l'innocence d'un accusé. Reconnaître une qualité, une aptitude à quelqu'un* (syn. : ATTRIBUER, ACCORDER). *Il a reconnu que vous aviez raison* (syn. : CONVENIR). *Il ne reconnaît à personne le droit de le critiquer.* — **6°** Chercher à déterminer la situation d'un lieu, d'une contrée, d'un cours d'eau, etc. : *Reconnaître une île, une côte. Il a reconnu ce fleuve jusqu'à une grande distance de son embouchure* (syn. : EXPLORER). — **7°** *Reconnaître un enfant,* déclarer qu'on est le père ou la mère d'un enfant naturel. ‖ *Reconnaître un gouvernement,* l'admettre parmi les puissances constituées, entrer en rapport avec lui. ‖ *Reconnaître quelqu'un pour,* l'admettre en telle qualité : *Reconnaître quelqu'un pour chef, pour maître.* ◆ ***se reconnaître*** v. pr. **1°** Retrouver son image, sa ressemblance dans un miroir, dans un portrait, dans une photographie : *Après quelques jours de maladie, il se regarda dans une glace et il eut de la peine à se reconnaître.* — **2°** Retrouver ses sentiments, sa manière d'être dans une autre personne : *Il se reconnaît dans son fils, dans tout ce qu'il fait.* — **3°** Savoir où l'on est en se remettant dans l'esprit l'image d'un lieu qu'on revoit : *Il est difficile de se reconnaître dans ces allées forestières* (syn. : S'ORIENTER, SE RETROUVER). — **4°** *Se reconnaître coupable,* avouer son erreur, sa faute, son crime. ◆ **reconnaissance** n. f. **1°** Action de reconnaître comme vrai, comme légitime, comme sien : *La reconnaissance d'un droit, d'un gouvernement, d'un enfant.* — **2°** Souvenir d'un bienfait reçu : *Témoigner, manifester de la reconnaissance. Je me sens pénétré de reconnaissance pour toutes vos bontés* (syn. : GRATITUDE). ‖ Fam. *Avoir la reconnaissance du ventre,* manifester de la gratitude envers la personne qui vous a nourri, entretenu. — **3°** Opération militaire ayant pour objet de recueillir des renseignements sur la situation ou les mouvements de l'ennemi : *Effectuer la reconnaissance d'une position. Aviation de reconnaissance.* ‖ Fam. *Partir en reconnaissance,* partir à la recherche de quelqu'un, de quelque chose. ◆ **reconnaissant, e** adj. Qui témoigne de la gratitude : *Se montrer reconnaissant envers un bienfaiteur* (contr. : INGRAT). ◆ **reconnaissable** adj. (sens 1) : *Il est si changé depuis sa maladie qu'il n'est pas reconnaissable.*

reconstituer [rəkɔ̃stitɥe] v. tr. **1°** Constituer, former de nouveau : *Reconstituer un parti, une armée.* — **2°** *Reconstituer une chose,* la rétablir dans sa forme primitive : *Reconstituer un monument. Reconstituer d'après des fouilles le plan d'une ville disparue.* — **3°** *Reconstituer un crime,* déterminer par les résultats d'une enquête les conditions dans lesquelles il a été commis. ◆ **reconstitution** n. f. : *La reconstitution des actes de l'état civil.* ◆ **reconstituant, e** adj. et n. m. Qui redonne des forces à un organisme fatigué : *Aliment, médicament reconstituant. Le médecin lui a ordonné de prendre un reconstituant* (syn. : FORTIFIANT).

reconstruire v. tr. V. CONSTRUIRE ; **reconvertir** v. tr. V. CONVERTIR.

record [rəkɔr] n. m. 1° Exploit sportif qui surpasse ce qui a déjà été fait dans le même genre : *Améliorer, battre, détenir un record. Record de France, record du monde.* — 2° Résultat remarquable qui surpasse ce qui a été obtenu dans un genre quelconque : *Un record de production. Un record d'affluence;* et ironiq. : *Détenir le record de la bêtise, de la paresse.* ◆ adj. Qui atteint le maximum des possibilités : *Des vitesses records. Un chiffre record. En un temps record* (= en très peu de temps). ◆ **recordman** [rəkɔrdman] n. m., **recordwoman** [rəkɔrdwuman] n. f. Homme, femme qui détient un record.

recourber [rəkurbe] v. tr. Courber en pliant l'extrémité : *Recourber un bâton pour en faire une canne. Recourber une branche.* ◆ **recourbé, e** adj. Courbé à son extrémité : *Le bec recourbé d'un oiseau de proie* (syn. : CROCHU). *Un grand nez recourbé* (syn. : AQUILIN).

recourir [rəkurir] v. tr. ind. (conj. **29**). 1° *Recourir à quelqu'un,* lui demander de l'aide : *Je recours à vous pour que vous me donniez un conseil* (syn. : AVOIR RECOURS, S'ADRESSER). — 2° *Recourir à quelque chose,* se servir de tels moyens dans une circonstance donnée : *Recourir à la force, à la ruse* (syn. : FAIRE APPEL). *Recourir à un emprunt.* ◆ **recours** n. m. 1° Personne ou chose à laquelle on recourt : *Vous êtes mon unique, mon dernier recours. Le recours à la ruse est parfois nécessaire. La fuite est le recours du faible* (syn. : RESSOURCE, SAUVEGARDE). — 2° *Avoir recours à quelqu'un,* lui demander du secours, de l'aide : *Il a eu recours à vous pour que vous l'aidiez à trouver un emploi* (syn. : RECOURIR, FAIRE APPEL). ‖ *Avoir recours à quelque chose,* s'en servir comme d'un moyen : *Le gouvernement a eu recours à la force armée pour maintenir l'ordre.* ‖ *Recours en grâce,* demande adressée au chef de l'Etat en vue d'une remise de peine.

recouvrer [rəkuvre] v. tr. 1° Rentrer en possession de ce qu'on avait perdu : *Recouvrer la vue, la parole, la raison, la liberté* (syn. : RETROUVER). *Recouvrer la santé, ses forces* (= se rétablir, se guérir). — 2° Opérer la perception de sommes dues : *Recouvrer les impôts.* ◆ **recouvrement** n. m. : *Le recouvrement des contributions* (syn. : PERCEPTION).

recouvrir v. tr. V. COUVRIR.

récréation [rekreasjɔ̃] n. f. 1° Ce qui interrompt le travail et délasse : *Quand on a bien travaillé, il faut prendre un peu de récréation* (syn. : DÉLASSEMENT, REPOS). *La promenade est une agréable récréation* (syn. : DÉTENTE). — 2° Temps accordé à des élèves pour qu'ils puissent jouer, se délasser : *Aller en récréation. Surveiller des élèves en récréation.* ◆ **récréatif, ive** adj. Qui divertit : *Lecture, séance récréative* (syn. : AMUSANT, DÉLASSANT). ◆ **récréer (se)** v. pr. Se délasser par le jeu, le repos, etc. : *Quand on a beaucoup travaillé, il est bon de se récréer un peu.*

récrier (se) [sərekrije] v. pr. Pousser une exclamation de surprise, de mécontentement, de protestation, etc. : *On s'est récrié d'admiration à la vue de ce tableau. Ils se sont tous récriés contre cette proposition* (syn. : S'EXCLAMER).

récriminer [rekrimine] v. intr. ou v. tr. ind. *Récriminer contre quelqu'un, quelque chose,* élever des protestations contre eux, les critiquer amèrement : *Il n'est jamais content, il ne fait que récriminer contre tout le monde et à propos de tout* (syn. : PROTESTER, TROUVER À REDIRE). ◆ **récrimination** n. f. : *Il se répand en continuelles récriminations* (syn. : PLAINTE).

récrire v. tr. V. ÉCRIRE.

recroqueviller (se) [sərəkrɔkvije] v. pr. 1° (sujet nom de chose) Se rétracter, se tordre sous l'action de la chaleur, de la sécheresse, etc. : *Les feuilles brûlées par le gel se recroquevillent.* — 2° (sujet nom d'être vivant) Se ramasser sur soi-même : *La douleur le faisait se recroqueviller dans son lit* (syn. : SE PELOTONNER, SE RAMASSER, SE RATATINER). *Il marche tout recroquevillé.*

recru, e [rekry] adj. *Recru de fatigue,* se dit d'une personne que la fatigue a épuisée ou brisée (littér.) : *Après cette longue retraite dans le désert, les soldats, recrus de fatigue, se laissèrent tomber sur le sable* (syn. : HARASSÉ ; fam. : ÉREINTÉ, VANNÉ).

recrudescence [rəkrydɛsɑ̃s] n. f. 1° Retour et accroissement des symptômes d'une maladie, des ravages d'une épidémie, après une rémission temporaire : *Il y a eu ces dernières semaines une recrudescence de la grippe.* — 2° Réapparition et augmentation d'intensité : *Recrudescence de froid, de chaleur. Recrudescence de la pratique religieuse* (syn. : REGAIN). *Recrudescence des combats* (syn. : REPRISE ; contr. : ACCALMIE). *Recrudescence de la criminalité.* ◆ **recrudescent, e** adj. : *Une épidémie recrudescente.*

recrue [rəkry] n. f. 1° Jeune homme appelé sous les drapeaux pour accomplir son service militaire : *Instruire les nouvelles recrues.* — 2° Nouveau membre admis dans un groupe, dans une société : *Le parti vient de faire une excellente recrue.* ◆ **recruter** v. tr. 1° Appeler, lever des hommes pour le service militaire : *Recruter un régiment* (syn. : INCORPORER, ENGAGER). — 2° Engager du personnel pour tenir certains emplois : *Recruter des rédacteurs, des collaborateurs.* — 3° *Recruter quelqu'un,* l'amener à faire partie d'une société, d'une association : *Il ne manque jamais une occasion de recruter des adhérents pour son parti* (syn. : ENRÔLER, EMBRIGADER). *Recruter des clients, des partisans, des adeptes* (syn. fam. : RACOLER). ◆ **se recruter** v. pr. S'accroître de nouvelles recrues : *Le personnel de cette administration se recrute sur titres.* ◆ **recrutement** n. m. : *La valeur d'une organisation, d'une entreprise dépend de son recrutement. Le recrutement du clergé.* ◆ **recruteur** n. m. et adj. : *Chaque parti a ses recruteurs, ses agents recruteurs.*

recta [rekta] adv. *Fam.* Ponctuellement, exactement : *C'est un homme qui paie toujours recta.*

rectangle [rɛktɑ̃gl] n. m. Figure à quatre côtés parallèles et inégaux deux à deux et à quatre angles droits. ◆ **rectangulaire** adj. Qui a la forme d'un rectangle : *Une salle de classe rectangulaire.*

recteur [rɛktœr] n. m. 1° Fonctionnaire de l'Education nationale placé à la tête d'une académie : *En France, chaque académie est administrée par un recteur, qui a sous ses ordres des inspecteurs d'académie.* — 2° Chef d'un établissement libre d'enseignement supérieur : *Le recteur de l'Institut* *catholique de Paris.* ◆ **rectoral, e, aux** adj. : *Une décision rectorale.* ◆ **rectorat** n. m. 1° Charge de recteur. — 2° Temps pendant lequel on exerce cette charge.

rectifier [rɛktifje] v. tr. 1° Rendre droit, rendre plus conforme à l'usage, à la destination : *Rectifier le tracé d'une route. Rectifier un virage.* — 2° Remettre une chose dans l'état, dans l'ordre où elle doit être : *Rectifier la construction d'une phrase, un compte, un calcul* (syn. : CORRIGER). — 3° Modifier en corrigeant : *Rectifier une erreur, une faute.* ◆ **rectification** n. f. 1° *La rectification d'un alignement, d'un compte, d'une adresse. Permettez-moi une rectification.* — 2° Modification apportée ultérieurement à un article de journal, à un passage d'une publication : *Insérer une rectification.* ◆ **rectificatif, ive** adj. Qui sert à rectifier : *Une note rectificative.* ◆ **rectificatif** n. m. Article, document officiel qui rectifie ce qui a été annoncé, promulgué : *Envoyer un rectificatif à la presse.* ◆ **rectifiable** adj. : *Une erreur rectifiable.*

rectiligne [rɛktiliɲ] adj. En ligne droite : *Une allée rectiligne.*

rectitude [rɛktityd] n. f. Conformité à la raison, à la justice : *La rectitude du jugement, d'un raisonnement* (syn. : JUSTESSE, RIGUEUR).

recto [rɛkto] n. m. Première page d'un feuillet, celle qui se trouve à droite quand le livre est ouvert (contr. : VERSO).

recueillir [rəkœjir] v. tr. (conj. 24). 1° Rassembler en cueillant, en collectant, en ramassant : *Les abeilles recueillent le pollen sur les fleurs. Recueillir des dons, des aumônes.* — 2° Réunir ce qui est dispersé : *Recueillir des documents, des matériaux pour un ouvrage* (syn. : RASSEMBLER). — 3° *Recueillir quelque chose,* recevoir ce qui a échappé, se répand : *Recueillir de l'eau de pluie dans une citerne. Recueillir de la résine.* — 4° *Recueillir quelqu'un, un animal,* leur donner l'hospitalité, les accueillir chez soi : *Recueillir un réfugié, des chiens, des chats.* — 5° Tirer profit, avantage : *Recueillir le fruit de ses travaux, de ses lectures.* — 6° Obtenir : *Recueillir des voix, des suffrages.* — 7° Recevoir par voie d'héritage : *Recueillir une succession.* ◆ **se recueillir** v. pr. 1° Se replier sur soi-même, se concentrer sur ses pensées, ses sentiments : *Avoir besoin de se recueillir pour travailler.* — 2° Se livrer à de pieuses méditations : *Entrer dans une église pour se recueillir.* ◆ **recueilli, e** adj. 1° Qui est dans le recueillement : *Une femme recueillie.* — 2° Qui témoigne du recueillement : *Un air recueilli.* ◆ **recueil** n. m. Ouvrage où sont réunis des écrits en prose ou en vers, des documents, etc. : *Un recueil de fables* (syn. : FABLIER). *Un recueil de morceaux choisis* (syn. : ANTHOLOGIE). *Un recueil de chartes, de lois. Un recueil de dessins, d'estampes* (syn. : ALBUM). ◆ **recueillement** n. m. Action, état d'une personne qui se recueille : *Vivre dans un grand recueillement. Etre dans un profond recueillement.*

reculer [rəkyle] v. intr. 1° (sujet nom d'être animé) Aller, se porter en arrière : *Reculer d'un pas. Les agents ont fait reculer la foule* (syn. : RÉTROGRADER). *On a forcé l'ennemi à reculer* (syn. : SE REPLIER, BATTRE EN RETRAITE, DÉCROCHER). — 2° (sujet nom de personne) Renoncer, céder en présence d'une difficulté : *Il recule devant le procès dont son voisin le menace. Reculer devant le danger* (syn. : FAIRE MARCHE ARRIÈRE, SE DÉROBER ; pop. : FLANCHER). *Cet homme ne recule devant rien* (= il est prêt à tout faire, ni les difficultés ni les scrupules ne l'arrêtent). — 3° (sujet nom de personne) Différer, éviter de faire une chose qui est exigée ou désirée : *C'est le moment de rendre des comptes, vous ne pouvez plus reculer* (syn. : TEMPORISER). ‖ *Reculer pour mieux sauter,* hésiter devant une décision désagréable qu'il faudra prendre tôt ou tard. — 4° (sujet nom de chose) Perdre du terrain : *La tuberculose recule devant les progrès de la médecine* (syn. : RÉTROGRADER, RÉGRESSER). ◆ v. tr. 1° Ramener, pousser en arrière : *Reculer un meuble.* — 2° Reporter plus loin : *Reculer un mur. Reculer les frontières d'un Etat* (= l'agrandir). — 3° Remettre à plus tard : *Reculer la date d'un paiement, la livraison d'un manuscrit* (syn. : AJOURNER, DIFFÉRER, RETARDER). — 4° Reporter à une date plus éloignée : *Reculer la datation d'un mot.* ◆ **reculé, e** adj. Eloigné dans le temps : *Les temps les plus reculés* (syn. : ANCIEN, LOINTAIN). ◆ **recul** n. m. 1° Action de reculer : *Le recul d'une armée* (syn. : REPLI, RETRAITE). *Avoir un mouvement de recul en voyant quelqu'un. Le recul d'une arme à feu.* — 2° Espace nécessaire pour reculer : *Ce court de tennis manque de recul. Dans cette galerie, il n'y a pas assez de recul pour voir les tableaux.* — 3° Eloignement dans le temps permettant de juger un événement : *Il faut un certain recul pour apprécier l'importance d'un fait historique.* — 4° Mouvement en sens contraire du progrès : *Un recul de la civilisation.* ◆ **reculade** n. f. Action de celui qui, s'étant trop engagé dans une affaire, est obligé de revenir en arrière, de faire des concessions : *Il n'est arrivé à son but qu'après bien des reculades.* ◆ **reculons (à)** loc. adv. En allant en arrière : *Marcher, s'éloigner à reculons* (= en reculant, le dos tourné dans le sens de la marche).

récupérer [rekypere] v. tr. 1° *Récupérer un objet,* rentrer en possession de biens matériels, d'objets perdus ou confiés pour un temps : *Récupérer l'argent, les livres qu'on a prêtés à un camarade.* — 2° *Récupérer quelque chose,* ramasser pour l'utiliser ce qui pourrait se perdre : *Récupérer de la ferraille, des chiffons.* — 3° *Récupérer une journée, une heure de travail,* travailler une journée, une heure en remplacement de celles qui ont été perdues pour une cause quelconque. — 4° *Récupérer quelqu'un pour un travail déterminé,* l'utiliser de nouveau alors qu'il semblait perdu : *Récupérer des personnes déplacées.* ◆ v. intr. (sujet nom de personne). Retrouver ses forces après un effort : *Certains athlètes récupèrent très vite.* ◆ **récupération** n. f. : *La récupération de la ferraille.* ◆ **récupérable** adj. : *Une journée récupérable.* ◆ **irrécupérable** adj. : *Des outils rouillés, irrécupérables.*

récurer [rekyre] v. tr. *Récurer un ustensile de cuisine,* le nettoyer en frottant : *Récurer des casseroles, des poêles.* ◆ **récurage** n. m. : *Le récurage d'un chaudron.*

récuser [rekyze] v. tr. 1° Refuser de reconnaître la compétence d'un tribunal, d'un juge, d'un expert, d'un témoin (jurid.) : *Récuser un juré.* — 2° *Récuser quelqu'un, quelque chose,* ne pas admettre leur autorité : *Il récuse votre témoignage.* ◆ **se récuser** v. pr. Se déclarer incompétent pour juger une cause, décider d'une question : *Il n'a pas voulu s'occuper de cette affaire, il s'est récusé.* ◆ **récusation** n. f. : *La récusation d'un expert.* ◆ **récusable** adj. En qui ou en quoi l'on peut ne pas avoir confiance : *Témoin,* *témoignage récusable.* ◆ **irrécusable** adj. : *Des preuves irrécusables.* ◆ **irrécusablement** adv.

recyclage [rəsiklaʒ] n. m. Formation complémentaire ou entièrement nouvelle donnée à des cadres, à des fonctionnaires pour leur permettre de s'adapter aux progrès industriels et scientifiques. ◆ **recycler** v. tr. : *Recycler des ingénieurs.*

rédaction n. f. V. RÉDIGER; **reddition** n. f. V. RENDRE.

rédempteur, trice [redɑ̃ptœr, -tris] adj. Qui rachète (relig.) : *Une œuvre, des souffrances rédemptrices.* ◆ **rédempteur** n. m. *Le Rédempteur,* Jésus-Christ, qui, selon la doctrine chrétienne, a racheté le genre humain par sa mort. ◆ **Rédemption** n. f. Rachat du genre humain par Jésus-Christ.

redevable [rədəvabl] adj. 1° Qui n'a pas tout payé, qui reste débiteur : *Je vous suis encore redevable de telle somme.* — 2° Qui a une obligation envers quelqu'un : *Vous m'avez tiré d'un grand danger, je vous suis redevable de la vie. Il vous est redevable de sa fortune.*

redevance [rədəvɑ̃s] n. f. Somme due en contrepartie d'une utilisation, d'un service public : *Une redevance téléphonique, radiophonique* (syn. : TAXE).

rédhibitoire [redibitwar] adj. *Vice rédhibitoire,* défaut qui peut faire annuler la vente d'un objet ou d'un animal; défaut caché, mais profond, d'une personne.

rédiger [rediʒe] v. tr. Ecrire un texte selon une forme et un ordre voulus : *Mon devoir est fait au brouillon, il faut maintenant que je le rédige. Rédiger un article de journal, le compte rendu d'une conférence, les délibérations d'une assemblée.* ◆ **rédacteur, trice** n. 1° Personne qui rédige un texte : *Le rédacteur d'un article de journal, de revue, de dictionnaire.* — 2° Personne dont la fonction est de collaborer à la rédaction d'un journal, d'un livre. ◆ **rédaction** n. f. 1° Action ou manière de rédiger : *Rédaction d'un contrat, d'un projet de loi, d'une thèse.* — 2° Exercice scolaire élémentaire qui a pour but d'apprendre aux élèves à rédiger (syn. : NARRATION). — 3° Ensemble des rédacteurs d'un journal, d'une maison d'édition. — 4° Bureau, salle où travaillent les rédacteurs.

redingote [rədɛ̃gɔt] n. f. Vêtement d'homme long et ample, qui enveloppe une partie des jambes : *D'origine anglaise, la redingote a été portée en France au XVIII*e *et au XIX*e *siècle. Napoléon portait en campagne une redingote grise qui est devenue légendaire.*

1. redire [rədir] v. tr. (conj. **72**). 1° Répéter ce qu'on a déjà dit à plusieurs reprises : *Il redit toujours la même chose* (syn. : RESSASSER, REBATTRE LES OREILLES; fam. : RABÂCHER). — 2° Répéter par indiscrétion : *On ne peut rien dire devant lui, il redit tout* (syn. : RAPPORTER). *Ne pas se le faire redire* (= obéir, se soumettre à l'instant sans attendre une nouvelle injonction). ◆ **redite** n. f. Répétition fréquente et souvent inutile : *Evitez les redites* (syn. fam. : RABÂCHAGE). *Un devoir plein de redites.*

2. redire [rədir] v. intr. ou tr. ind. (conj. **72**). Ne s'emploie que dans les expressions : *Avoir à redire, trouver à redire, voir à redire,* blâmer : *Il n'y a rien à redire dans cet ouvrage* (syn. : CRITIQUER, CENSURER). *Il trouve à redire à tout ce qu'on fait. Je ne vois rien à redire à cette décision.*

redondance [rədɔ̃dɑ̃s] n. f. 1° Abondance superflue de mots dans un texte, dans un discours : *Les redondances sont toujours ennuyeuses* (syn. : SUPERFLUITÉ, VERBIAGE). — 2° Réitération de mots, de marques, etc., qui assure la communication. ◆ **redondant, e** adj. 1° Qui est superflu dans un écrit, dans un discours : *Des épithètes redondantes.* — 2° Qui présente des redondances : *Un style redondant* (contr. : CONCIS, SOBRE).

redoubler [rəduble] v. tr. 1° Rendre double : *Redoubler une syllabe, une consonne* (syn. : RÉPÉTER). — 2° Accroître beaucoup : *Redoubler ses cris, ses efforts. Ce que vous lui avez dit a redoublé sa joie.* — 3° *Redoubler une classe,* ou *redoubler,* rester deux ans de suite dans la même classe. ◆ v. tr. ind. *Redoubler de quelque chose* (indiquant la manière d'agir), apporter, montrer beaucoup plus de : *Redoubler de soins, d'attention, d'amabilité, de courage.* ◆ v. intr. Prendre une intensité plus grande : *Le froid ne cesse pas, on dirait même qu'il redouble* (syn. : S'INTENSIFIER). ◆ **redoublant, e** n. et adj. Elève qui redouble une classe. ◆ **redoublé, e** adj. *Frapper à coups redoublés,* avec violence. ◆ **redoublement** n. m. 1° Action de redoubler : *Redoublement d'ennui, de douleur, de joie, de tristesse* (syn. : AUGMENTATION, ACCROISSEMENT). — 2° Répétition d'une syllabe, de plusieurs syllabes d'un mot ou même d'un mot ayant le plus souvent une valeur expressive (ex. : *bébête, dada, mimi, gnangnan, chouchou, chienchien*).

redouter [rədute] v. tr. *Redouter quelqu'un, quelque chose,* les craindre vivement : *L'homme dont vous me parlez n'est pas à redouter. Redouter l'avenir* (syn. : ↓ APPRÉHENDER). *Redouter de voir quelqu'un* (syn. : TREMBLER, ↓ AVOIR PEUR). *Je redoute qu'il n'apprenne cette mauvaise nouvelle* (syn. : ↑ ÊTRE EFFRAYÉ, ÊTRE ÉPOUVANTÉ). ◆ **redoutable** adj. 1° Qui est à redouter : *Un adversaire, une maladie redoutable* (syn. : DANGEREUX). — 2° Propre à inspirer fortement la crainte : *Un aspect, un air redoutable* (syn. : ↑ EFFRAYANT).

redresser [rədrɛse] v. tr. 1° Remettre droit ce qui est penché, courbé : *Redresser un arbre* (syn. : RELEVER). *Redresser un essieu, une poutre* (syn. : RECTIFIER, DÉGAUCHIR). ‖ *Redresser les roues d'un véhicule,* les remettre en ligne droite au moyen du volant : *Redressez* (= redressez les roues). — 2° Remettre debout : *Redresser une statue.* — 3° *Redresser la situation d'un pays,* la rétablir dans son état primitif. ‖ *Redresser le jugement de quelqu'un,* le remettre dans la bonne voie, le rectifier. ◆ **se redresser** v. pr. 1° Se remettre droit : *Se redresser dans son lit.* — 2° Prendre une attitude fière, décidée : *Maintenant qu'il vient de passer à un grade supérieur, il se redresse.* — 3° Retrouver son énergie, reprendre son essor : *Pays qui se redresse après une guerre, après une catastrophe* (syn. : SE RELEVER). ◆ **redressement** n. m. 1° *Le redressement d'une règle faussée. Le redressement de la situation financière d'un pays.* — 2° *Maison de redressement,* établissement chargé de la rééducation de jeunes délinquants. ◆ **redresseur** n. m. *Redresseur de torts,* celui qui répare les injustices (ironique) : *Il joue les redresseurs de torts* (syn. : JUSTICIER).

réduire [redɥir] v. tr. (conj. **70**). 1° *Réduire quelque chose,* en diminuer les dimensions, l'importance : *Réduire la hauteur d'un mur* (syn. : ABAISSER). *Réduire ses dépenses, son train de vie, une* amende, une peine (syn. : DIMINUER). *Réduire la consommation de certaines denrées* (syn. : RATIONNER). — 2° *Réduire quelque chose,* le reproduire en petit, tout en conservant les mêmes proportions : *Réduire une carte, une photographie.* — 3° *Réduire quelqu'un à,* l'amener dans tel état, dans telle situation par force, par autorité ou par persuasion : *Réduire quelqu'un à l'obéissance, à la raison. Réduire quelqu'un au silence* (= faire taire). *Sa mauvaise conduite l'a réduit à la misère, à la mendicité. Sa maladie l'a réduit à l'inaction* (syn. : CONTRAINDRE, OBLIGER). ‖ *En être réduit à,* n'avoir plus d'autre ressource que de : *En être réduit à manger son pain sec.* — 4° *Réduire quelque chose à,* le ramener à un état, à une forme plus simple : *Réduire une question, un problème, une fraction à sa plus simple expression.* ‖ *Réduire à rien,* anéantir complètement, ruiner : *Cet échec a réduit à rien tous ses projets* (syn. : ANNIHILER). — 5° *Réduire une chose en une autre,* transformer cette chose en une autre : *Réduire le blé en farine, du café en poudre* (syn. : MOUDRE). *Le feu réduit le bois en cendres;* exprimer en : *Réduire des mètres cubes en litres* (syn. : CONVERTIR). — 6° *Réduire en esclavage, en servitude,* amener dans un état de soumission. ‖ *Réduire une fracture, une luxation,* remettre en place un os fracturé ou luxé. ◆ v. intr. Diminuer de volume par évaporation : *Ce bouillon n'a pas assez réduit. Faire réduire une sauce.* ◆ ***se réduire*** v. pr. 1° (sujet nom de personne) Diminuer son train de vie : *Depuis qu'il est à la retraite, il a dû se réduire* (syn. : SE RESTREINDRE). — 2° *Se réduire à quelque chose,* y être ramené : *Tout cela se réduit à une question de chiffres.* — 3° *Se réduire en une chose,* être transformé en elle : *Ce vin s'est réduit en vinaigre.* ◆ **réduit, e** adj. *Prix, tarif réduit,* inférieur au prix, au tarif normal : *Voyager à tarif réduit.* ◆ **réductible** adj. Qu'on peut ramener à une forme plus simple : *Fraction réductible.* ◆ **réduction** n. f. 1° Action de réduire (sens 1) : *Réduction des prix, des heures de travail, des salaires* (syn. : DIMINUTION). *Réduction du personnel dans une entreprise* (syn. : COMPRESSION). — 2° Diminution de prix : *Obtenir une réduction pour des achats de livres* (syn. : RABAIS, REMISE, RISTOURNE). — 3° Reproduction d'un dessin, d'une œuvre d'art, etc., obtenue en diminuant les dimensions : *Réduction d'une carte, d'une statue, d'un tableau.* ◆ **irréductible** adj. 1° Qu'on ne peut ramener à une expression, à une forme plus simple : *Fraction irréductible.* — 2° Qu'on ne peut résoudre, faire cesser : *Antagonismes irréductibles.* — 3° Qui ne transige pas; qu'on ne peut fléchir : *Ennemi irréductible. Opposition irréductible.* ◆ **irréductibilité** n. f. : *L'irréductibilité d'une équation.*

réduit [redɥi] n. m. Pièce de très petites dimensions : *Un réduit qui peut servir de débarras* (syn. : SOUPENTE, RECOIN; fam. : CAGIBI).

rééduquer v. tr. V. ÉDUQUER.

réel, elle [reɛl] adj. Qui existe effectivement : *Un fait réel* (syn. : AUTHENTIQUE, HISTORIQUE). *Une aventure réelle* (syn. : CERTAIN). *On a peint dans ce roman un personnage très réel* (contr. : IMAGINAIRE). *La présence réelle du corps de Jésus-Christ dans l'eucharistie* (syn. : EFFECTIF). *Il éprouve une réelle satisfaction à rendre service à ses amis* (contr. : SIMULÉ). *Le médecin a constaté une réelle amélioration dans l'état du malade* (syn. : ÉVIDENT, VISIBLE). ◆ **réel** n. m. Ce qui existe effectivement : *L'idéal et le réel s'opposent. Vivre dans le réel* (syn. : RÉALITÉ). ◆ **réellement** adv. : *L'événement dont je vous parle a réellement eu lieu* (syn. : EFFECTIVEMENT). *Ce cheval devrait gagner, car il est réellement le meilleur du lot* (syn. : CERTAINEMENT, VÉRITABLEMENT). *Pensez-vous réellement que vous avez raison?* (syn. : OBJECTIVEMENT). *Réellement vous avez tort, vous ne devriez pas agir de cette façon* (syn. : EN FAIT). ◆ **réalité** n. f. 1° Caractère de ce qui est réel : *Douter de la réalité du monde extérieur* (syn. : EXISTENCE). — 2° Ce qui existe en fait, chose réelle : *Tenir compte de la réalité. Prendre ses désirs pour des réalités. Nos espoirs sont devenus des réalités* (contr. : FICTION, CHIMÈRE). ◆ LOC. ADV. *En réalité,* en fait : *Il est heureux en apparence, mais il ne l'est pas en réalité* (syn. : RÉELLEMENT). ◆ **réalisme** n. m. 1° Doctrine d'après laquelle l'écrivain ou l'artiste vise à peindre la nature et la vie telles qu'elles sont, sans les embellir : *Le réalisme d'un récit, d'un personnage. Le réalisme de La Bruyère. Le réalisme en peinture est surtout représenté par Gustave Courbet.* — 2° Ecole littéraire française du milieu du XIXe siècle, qui vise à la reproduction intégrale de la réalité : *Les principaux représentants du réalisme sont Champfleury, les Goncourt et en partie G. Flaubert. Le réalisme apparaît comme une réaction contre le lyrisme et les excès d'imagination du roman romantique.* — 3° Tendance à peindre la réalité sous des aspects vulgaires, grossiers : *Le réalisme de Rabelais.* — 4° Disposition à voir les choses comme elles sont et à agir en conséquence : *Faire preuve de réalisme et de bon sens. Un homme politique qui manque de réalisme.* ◆ **réaliste** adj. 1° Qui appartient au réalisme en art, en littérature : *Un tableau, un roman réaliste. Un peintre réaliste. Un romancier réaliste.* — 2° Qui dépeint les aspects vulgaires du réel : *Une description, une chanson réaliste* (syn. : GROSSIER, CRU). ◆ adj. et n. Qui agit en tenant compte de la réalité : *Un homme d'Etat, un financier réaliste* (contr. : UTOPISTE). ◆ **irréel, elle** adj. et n. m. 1° Qui n'est pas réel : *Paysage irréel.* — 2° Forme verbale ou construction qui présente une action ou un état comme une hypothèse irréalisable. ◆ **irréalisme** n. m. Manque du sens du réel : *Une politique qui se distingue par son irréalisme.* ◆ **irréalité** n. f. ◆ **irréellement** adv.

refaire [rəfɛr] v. tr. (conj. 76). 1° Faire de nouveau : *Refaire un travail, un voyage. Cet homme passe sa vie à faire, défaire et refaire.* — 2° Faire quelque chose en imitant quelqu'un : *Ce qu'ont fait nos ancêtres, nous le refaisons.* — 3° Recommencer en faisant quelque chose de différent, en transformant : *Ce devoir est à refaire. Refaire un dictionnaire, un ouvrage* (syn. : REFONDRE). *Tout ce que fait cet homme est à refaire.* — 4° Remettre en état : *Refaire un mur, des peintures, la toiture d'une maison* (syn. : RÉPARER). *Refaire sa santé par un changement de climat.* — 5° Fam. *Refaire quelqu'un,* le tromper, le duper : *Refaire un naïf. Il croyait me refaire en me proposant ce marché, mais c'est lui qui a été refait* (syn. fam. : ATTRAPER). — 6° *Pop.* Voler : *Refaire un portefeuille, une montre.* ◆ v. intr. Redistribuer les cartes : *Vous avez mal donné, c'est à refaire.* ◆ ***se refaire*** v. pr. 1° Reprendre des forces : *Il est parti se reposer, car il a grand besoin de se refaire* (syn. : SE RÉTABLIR). — 2° Changer de caractère, de manière d'être : *Il ne peut se refaire* (syn. : SE TRANSFORMER). — 3° *Se refaire à quelque chose,* s'y réhabituer : *Après les vacances, il faut plusieurs jours pour se refaire à la* *vie de Paris.* ◆ **réfection** n. f. Action de remettre à neuf : *La réfection d'une route, d'une maison.*

réfectoire [refɛktwar] n. m. Salle où les membres d'une communauté, d'une collectivité (lycéens, soldats, etc.) prennent leurs repas : *Un réfectoire de couvent, de collège.*

référence [referɑ̃s] n. f. **1°** Indication du passage d'un texte (page, paragraphe, ligne, etc.) auquel on renvoie le lecteur : *Veuillez me fournir la référence de cette citation* (syn. : RENVOI). — **2°** *Ouvrage de référence,* ouvrage que l'on consulte : *Les dictionnaires sont des ouvrages de référence.* — **3°** Indication placée en tête d'une lettre et que le correspondant est prié de rappeler. — **4°** (au plur.) Attestations présentées par une personne qui cherche un emploi, qui propose une affaire, et qui sont destinées à servir de recommandation : *Fournir de sérieuses références.*

référendum [referɛ̃dɔm] n. m. **1°** Vote par lequel les électeurs d'un pays se prononcent sur une question d'ordre législatif ou constitutionnel : *Le référendum, qui est de pratique courante en Suisse, n'a été appliqué en France que depuis 1945.* — **2°** Consultation des membres d'un groupe ou d'une collectivité : *Revue qui organise un référendum auprès de ses lecteurs.*

référer [refere] v. tr. ind. *En référer à quelqu'un,* lui soumettre une chose pour qu'il en décide : *En référer à une personne dans un différend pour qu'elle serve d'arbitre.* ◆ ***se référer*** v. pr. *Se référer à quelqu'un, à quelque chose,* s'en rapporter à eux comme à une autorité : *Se référer à un ami, à son avis, à un texte* (syn. : CONSULTER, RECOURIR À).

refiler [rəfile] v. tr. *Pop.* Donner, vendre, remettre à quelqu'un une chose dont on veut se débarrasser : *Refiler une fausse pièce, une vieille paire de chaussures.*

1. réfléchir [refleʃir] v. tr. (sujet nom désignant une surface) Renvoyer dans une autre direction la lumière, le son : *Les miroirs réfléchissent les images des objets.* ◆ ***se réfléchir*** v. pr. Etre renvoyé en retour : *Les arbres de la rive se réfléchissent dans l'eau tranquille.* ◆ **réfléchissant, e** adj. : *Une surface réfléchissante.* ◆ **réflecteur** n. m. Miroir qui renvoie la lumière sur l'espace qu'on veut éclairer. ◆ **réflexion** n. f. *Réflexion de la lumière, du son,* changement de direction des ondes lumineuses, sonores. ◆ **réfléchi** adj. m. *Pronom réfléchi,* pronom personnel qui désigne la même personne ou la même chose que le sujet et sert à former des verbes pronominaux réfléchis. ‖ *Verbe pronominal réfléchi,* indique qu'une action revient sur le sujet de la proposition (ex. : *Je me regarde dans la glace; elle s'est blessée à la main*).

2. réfléchir [refleʃir] v. intr. et tr. ind. *Réfléchir à, sur quelque chose,* y penser longuement pour l'approfondir : *Avant de vous décider, il faut réfléchir* (syn. : SE CONCENTRER). *Cet homme agit sans réfléchir. Laissez-moi le temps de réfléchir à cette question* (syn. : CONSIDÉRER, ÉTUDIER, EXAMINER). *Avant de parler, réfléchissez à ce que vous allez dire* (syn. : PESER). *Je vous demande de réfléchir sur cette affaire* (syn. : MÛRIR). *Réfléchir sur les conséquences de ses actes* (syn. : APPROFONDIR). *Réfléchir sur soi-même* (= analyser les motifs et les mobiles de sa conduite) [syn. : MÉDITER, SE REPLIER]. ◆ v. tr. **1°** *Réfléchir que* (et l'indic.), songer après réflexion : *Ceux qui affirment cette théorie ne réfléchissent pas qu'elle est impossible à soutenir* (syn. : ↓ CONSIDÉRER). *En acceptant votre invitation, je n'ai pas réfléchi que je ne pourrai m'y rendre* (syn. : ↓ ENVISAGER, PENSER). — **2°** *Tout (bien) réfléchi,* après avoir mûrement examiné : *Tout bien réfléchi, je ne suivrai pas votre conseil. Inutile d'insister, c'est tout réfléchi.* ◆ **réfléchi, e** adj. **1°** Dit ou fait avec réflexion : *Une action réfléchie* (syn. : CALCULÉ, RAISONNÉ). — **2°** Qui agit avec réflexion : *Un jeune homme réfléchi* (syn. : PONDÉRÉ, POSÉ, ↓ SÉRIEUX; contr. : ÉTOURDI, ÉVAPORÉ, IMPULSIF). ◆ **irréfléchi, e** adj. **1°** Fait ou dit sans réflexion : *Parole, action irréfléchie.* — **2°** Qui parle ou agit sans réflexion : *Homme irréfléchi.* ◆ **réflexion** n. f. **1°** Action de l'esprit qui examine et approfondit ses pensées : *Un moment de réflexion lui a suffi pour se décider* (syn. : ↑ CONCENTRATION, ↓ ATTENTION). *Ce que vous me dites donne matière à réflexion, mérite réflexion. Il a agi sans réflexion* (syn. : INCONSIDÉRÉMENT, À LA LÉGÈRE). *Toute réflexion faite, je ne partirai pas* (= tout bien examiné). — **2°** Jugement qui résulte de cette action : *Il m'a communiqué ses réflexions sur mon travail* (syn. : OBSERVATION, REMARQUE). *Cet ouvrage est plein de réflexions aussi justes que fines* (syn. : CONSIDÉRATION, PENSÉE). ◆ **irréflexion** n. f. Manque, défaut de réflexion : *Une irréflexion inadmissible pour un adulte.*

reflet [rəfle] n. m. **1°** Rayon lumineux ou coloré, image d'un objet qui apparaissent sur une surface réfléchissante : *Les reflets du soleil sur la neige. Cet éclairage produit sur le papier des reflets qui me gênent pour écrire. Le reflet des arbres dans l'eau de la rivière.* — **2°** Teinte lumineuse qui se joue sur des fonds différents : *Une étoffe verte à reflets dorés. Les cheveux très noirs ont souvent des reflets bleus. Un vase à reflets métalliques.* — **3°** Image des tendances, des caractères, etc., d'un groupe, d'une personne : *La littérature est le reflet d'une société.* ◆ **refléter** v. tr. **1°** Renvoyer la lumière, la couleur, l'image d'une chose, de façon affaiblie : *Les cuivres de la salle à manger reflétaient la flamme du foyer.* — **2°** Reproduire, indiquer : *Son visage reflète la bonté* (syn. : EXPRIMER). ◆ ***se refléter*** v. pr. Etre reflété : *Les arbres de la rive se reflètent dans l'eau du canal* (syn. : SE MIRER). *Une grande joie se reflétait sur son visage* (syn. : TRANSPARAÎTRE).

réflexe [reflɛks] n. m. **1°** Mouvement indépendant de la volonté et causé par une action organique. — **2°** Réaction rapide en présence d'un événement soudain : *Un automobiliste doit avoir de bons réflexes.*

réflexion n. f. V. RÉFLÉCHIR 1 et 2.

reflux [rəfly] n. m. Mouvement de la mer qui s'éloigne du rivage (syn. : MARÉE DESCENDANTE; contr. : FLUX). *En Méditerranée, le flux et le reflux sont à peine sensibles.* ◆ **refluer** v. intr. **1°** (sujet nom de liquide) Couler en sens contraire au cours normal : *Les eaux de la rivière, arrêtées par des digues, ont reflué dans la campagne.* — **2°** (sujet nom désignant des personnes) Reculer ou se porter en un lieu parce qu'elles sont repoussées d'un autre : *Les agents ont empêché les manifestants d'avancer et ceux-ci ont reflué vers les rues adjacentes.*

refondre [rəfɔ̃dr] v. tr. (conj. 51). Refaire un ouvrage (littéraire, scientifique, etc.) : *Refondre un* dictionnaire. Edition refondue d'un annuaire. ◆ **refonte** n. f. : *La refonte d'un texte.*

réforme [refɔrm] n. f. 1° Changement radical opéré en vue d'une amélioration des choses : *Proposer, exiger des réformes sociales, politiques. La réforme de l'enseignement, de l'orthographe.* — 2° Retour à une observation plus stricte de la discipline dans un ordre religieux : *Une réforme monastique.* — 3° Suppression des abus : *Apporter des réformes dans une administration, dans une entreprise.* — 4° Mise hors de service d'un militaire ou du matériel reconnu inapte ou impropre à toute utilisation dans l'armée : *Réforme définitive, temporaire. Passer le conseil de réforme.* — 5° *La Réforme,* mouvement religieux qui, au XVIe siècle, a détaché une grande partie de l'Europe de l'Eglise romaine et a donné naissance aux Eglises protestantes. ◆ **réformer** v. tr. 1° Changer en mieux : *Réformer les institutions, les mœurs, les coutumes, certaines méthodes de travail* (syn. : AMÉLIORER, CORRIGER). — 2° *Réformer un ordre religieux,* le rétablir dans sa forme primitive. — 3° Prononcer la réforme (sens 4) d'un militaire, du matériel de l'armée. ◆ ***se réformer*** v. pr. Renoncer à de mauvaises habitudes, revenir à une vie plus régulière : *Il s'est beaucoup réformé depuis cette aventure.* (syn. : SE CORRIGER, S'AMENDER). ◆ **réformé, e** adj. et n. 1° Sens 4 : *Un cheval réformé. Les réformés définitifs.* — 2° Sens 5 : *Les réformés du XVIe siècle.* ◆ **réformateur, trice** n. et adj. Personne qui fait ou propose des réformes : *Le réformateur d'une institution, d'une société, d'un ordre religieux. S'ériger en réformateur de la langue.* ◆ **réformisme** n. m. Doctrine ou attitude politique de ceux qui préconisent des réformes pour faire évoluer les institutions existantes vers plus de justice sociale. ◆ **réformiste** adj. et n. : *Un socialisme réformiste.*

refouler [rəfule] v. tr. 1° Faire reculer, empêcher de passer : *Refouler un envahisseur, des immigrants à la frontière* (syn. : REPOUSSER, FAIRE REFLUER). — 2° Empêcher de se manifester, de s'extérioriser : *Refouler ses larmes, sa colère, ses mauvais instincts, des désirs immoraux* (syn. : CONTENIR, ÉTOUFFER, RÉPRIMER). ◆ **refoulement** n. m. 1° Action de refouler : *Le refoulement des ennemis.* — 2° Fait d'écarter plus ou moins consciemment des tendances jugées condamnables qui subsistent dans l'esprit à l'état latent (contr : DÉFOULEMENT). ◆ **refoulé, e** adj. et n. Qui souffre d'un refoulement de tendances : *Une vieille fille refoulée.*

1. réfractaire [refraktɛr] adj. 1° *Réfractaire à quelque chose,* qui refuse de s'y soumettre, d'y obéir : *Un employé réfractaire aux ordres de ses chefs* (syn. : DÉSOBÉISSANT). *Une personne réfractaire à toute discipline* (syn. : REBELLE). *Un conscrit réfractaire.* — 2° *Prêtre réfractaire,* prêtre qui, sous la Révolution, avait refusé de prêter serment à la Constitution civile du clergé. ◆ n. m. Citoyen qui refuse d'obéir à la loi ou de se soumettre à des obligations militaires : *La justice militaire poursuit les réfractaires.*

2. réfractaire [refraktɛr] adj. Qui résiste à de très hautes températures : *Un minéral de fer réfractaire. De l'argile réfractaire.*

réfraction [refraksjɔ̃] n. f. Déviation que subit un rayon lumineux en passant d'un milieu dans un autre : *Un bâton, plongé en partie dans l'eau, paraît rompu à cause de la réfraction.*

refrain [rəfrɛ̃] n. m. 1° Répétition d'un ou plusieurs mots, d'un ou plusieurs vers à la fin de chaque couplet d'une chanson, d'un poème lyrique : *Le refrain d'une ballade, d'un rondeau.* — 2° Ce qu'une personne répète sans cesse : *Il ne peut parler d'autre chose que de l'argent : c'est toujours le même refrain* (syn. : RENGAINE).

refréner [refrene] v. tr. Mettre un frein à la violence de quelqu'un, à un sentiment trop vif, etc., empêcher de se manifester avec force : *Refréner une impatience, une envie, un enthousiasme, ses désirs, ses appétits* (syn. : CONTENIR, RETENIR, RÉPRIMER). ◆ **refrènement** n. m. : *Le refrènement des instincts.* ◆ **irréfrénable** adj. Qui ne peut être refréné : *Passion irréfrénable.*

réfrigération [refriʒerasjɔ̃] n. f. Abaissement de la température d'un corps par des moyens artificiels : *La réfrigération des denrées alimentaires.* ◆ **réfrigérer** v. tr. 1° Soumettre à la réfrigération : *Réfrigérer de la viande, du poisson, des fruits* (syn. : CONGELER, FRIGORIFIER). — 2° *Fam.* Refroidir fortement : *Il a été mouillé jusqu'aux os et maintenant il est complètement réfrigéré.* ◆ **réfrigérant, e** adj. 1° Qui produit du froid : *La glace pilée et mêlée au sel marin donne un mélange réfrigérant.* — 2° *Fam.* Qui n'est pas affable, qui glace : *Un accueil réfrigérant. Un chef de service réfrigérant* (syn. : ↓ FROID, GLACIAL). ◆ **réfrigérateur** n. m. Appareil muni d'une source de froid artificielle et destiné à conserver des denrées périssables.

refroidir [rəfrwadir] v. tr. 1° *Refroidir une chose,* la rendre froide ou plus froide : *Refroidir un potage, du café. Refroidir légèrement une infusion* (syn. : RAFRAÎCHIR, TIÉDIR). — 2° *Refroidir quelque chose,* en diminuer la vivacité, l'intensité : *Ce qu'il a dit a refroidi mon amitié pour lui.* — 3° *Refroidir quelqu'un,* diminuer son zèle, le décourager : *Il voulait préparer le concours de l'agrégation, mais les échecs de ses camarades, qui étaient plus forts que lui, l'ont refroidi* (contr. : ENTHOUSIASMER). ◆ v. intr. Devenir froid, ou plus froid : *Faire refroidir de l'eau bouillante. Laisser refroidir un moteur.* ◆ ***se refroidir*** v. pr. 1° Prendre froid : *Il s'est refroidi à attendre l'autobus. Prenez garde que votre malade ne se refroidisse.* — 2° Devenir plus froid : *Le temps se refroidit.* — 3° Devenir moins vif : *Son ardeur au travail s'est refroidie.* ◆ **refroidissement** n. m. 1° Abaissement de la température : *Le refroidissement du temps pourrait nous amener de la neige.* — 2° Indisposition causée par un froid subit : *Prendre un refroidissement en sortant d'un bain.* — 3° Diminution d'attachement, d'affection : *Il y a du refroidissement entre eux.*

refuge [rəfyʒ] n. m. 1° Lieu où l'on se retire pour échapper à un danger, pour se mettre à l'abri : *Chercher, trouver refuge auprès d'un ami. Sa maison est le refuge des malheureux.* — 2° Personne à laquelle on a recours, dont on attend un secours (littér.) : *Dans ma détresse, vous êtes mon seul, mon unique refuge* (syn. : SOUTIEN). — 3° Abri de haute montagne : *Passer la nuit dans un refuge afin de partir de bon matin pour faire une excursion.* — 4° Emplacement aménagé au milieu d'une voie très large et très passante, protégé par des bornes lumineuses, pour permettre aux piétons la traversée de cette voie en deux temps. ◆ **réfugier (se)**

v. pr. Se retirer en un lieu pour se mettre en sûreté, pour être à l'abri : *Se réfugier à l'étranger pour échapper à des persécutions* (syn. : ÉMIGRER, S'EXPATRIER). *Il a été surpris par une averse et il s'est réfugié sous un arbre* (syn. : S'ABRITER). ◆ **réfugié, e** n. et adj. Personne qui a quitté son pays pour fuir une invasion, pour des raisons politiques ou raciales.

refuser [rəfyze] v. tr. **1°** *Refuser quelque chose,* ne pas accepter ce qui est offert ou présenté : *Refuser un cadeau, un pourboire* (syn. : ↓ REPOUSSER). *Refuser une invitation* (syn. : DÉCLINER). *On lui a offert un bon prix de sa maison, mais il a refusé. Refuser une marchandise, un manuscrit;* ne pas accorder ce qui est demandé ou désiré : *Refuser une grâce, une permission. Refuser sa porte à quelqu'un* (= ne pas le laisser rentrer chez soi). *Refuser son consentement* (syn. : DIRE NON). *Refuser le combat;* ne pas accorder sans qu'il y ait eu demande : *La nature lui a refusé le don de l'éloquence;* ne pas reconnaître : *On lui refuse toute compétence en la matière* (syn. : DÉNIER, CONTESTER). — **2°** *Refuser quelqu'un,* ne pas le laisser entrer : *On a refusé du monde à l'entrée du stade;* ne pas recevoir un candidat à un examen : *Il a été refusé à son baccalauréat* (syn. : AJOURNER; fam. : RECALER, COLLER). — **3°** *Refuser de* (et l'infin.), ne pas consentir à : *Il refuse d'admettre qu'il a tort;* ne pas vouloir faire ce qui est ordonné : *Il refuse de travailler, de payer. Il refuse d'obéir* (syn. : REGIMBER, SE REBIFFER). ◆ ***se refuser*** v. pr. **1°** *Se refuser quelque chose,* s'en priver : *L'avare se refuse le nécessaire. Elle est très prodigue et ne se refuse rien.* — **2°** *Se refuser à* (et un infin. ou un nom), ne pas consentir à faire une chose, à l'admettre : *Il se refuse à nous secourir;* ne pas s'y livrer, y résister : *Se refuser à l'évidence.* — **3°** (sujet nom de femme) *Se refuser à un homme,* ne pas se donner à lui. — **4°** (sujet nom de chose) Ne pas être accepté, accordé : *Une telle offre ne se refuse pas.* ◆ **refus** n. m. **1°** *Un refus catégorique, humiliant. Opposer, essuyer un refus, s'attirer un refus* (contr. : ACCEPTATION, APPROBATION, ACQUIESCEMENT). — **2°** Fam. *Ce n'est pas de refus,* j'accepte volontiers.

réfuter [refyte] v. tr. *Réfuter quelque chose,* démontrer la fausseté de ce qu'un autre a affirmé : *Réfuter une théorie, une opinion, une objection par des preuves convaincantes* (contr. : APPROUVER, SOUTENIR). ◆ **réfutation** n. f. : *La réfutation d'un argument, d'une calomnie.* ◆ **réfutable** adj. : *Un raisonnement facilement réfutable.* ◆ **irréfutable** adj. : *Un fait irréfutable.* ◆ **irréfutablement** adv. ◆ **irréfuté, e** adj. : *Une argumentation irréfutée.*

1. regagner [rəgaɲe] v. tr. **1°** *Regagner de l'argent,* le retrouver après l'avoir perdu : *Il a regagné la somme importante qu'il avait perdue dans une mauvaise affaire* (syn. : RÉCUPÉRER, RECOUVRER). — **2°** *Regagner une chose,* l'obtenir de nouveau : *Regagner l'affection, la faveur, l'amitié de quelqu'un. Regagner le temps perdu* (syn. : RATTRAPER). ‖ *Regagner du terrain,* reprendre l'avantage : *L'opposition regagne du terrain.*

2. regagner [rəgaɲe] v. tr. *Regagner un lieu,* y revenir : *Regagner sa maison, son pays natal.*

1. regain [rəgɛ̃] n. m. Herbes qui repoussent dans les prairies après qu'elles ont été fauchées.

2. regain [rəgɛ̃] n. m. Retour d'une chose avantageuse qui paraissait perdue, finie : *Retrouver un regain de jeunesse, de santé. Un regain d'activité se fait sentir dans le commerce* (syn. : RENOUVEAU, ↑ RECRUDESCENCE).

régal [regal] n. m. **1°** Mets préféré de quelqu'un : *Son grand régal est la langouste à la mayonnaise.* — **2°** Vif plaisir que l'on trouve à quelque chose : *Cette symphonie est pour lui un vrai régal.* ◆ **régaler** v. tr. *Régaler quelqu'un,* lui offrir un bon repas : *Régaler ses amis; fam.* (sans compl.), offrir à boire : *C'est lui qui régale aujourd'hui.* ◆ ***se régaler*** v. pr. **1°** *Se régaler d'un plat* (ou sans compl.), faire un bon repas, manger un mets que l'on aime : *Se régaler avec du gigot.* — **2°** *Se régaler de quelque chose,* s'offrir un grand plaisir : *Se régaler de bonne musique* (syn. : SE DÉLECTER, SAVOURER).

régalade [regalad] n. f. *Boire à la régalade,* boire en se versant le liquide dans la bouche sans que le récipient touche les lèvres.

regarder [rəgarde] v. tr. **1°** (sujet nom d'être animé) *Regarder quelqu'un, quelque chose,* porter la vue, diriger les yeux sur eux : *Regarder quelqu'un attentivement, fixement* (syn. : DÉVISAGER, FIXER). *Regarder les gens qui passent. Le chien regarde son maître* (syn. : OBSERVER). *Regarder un livre de près, avec attention* (syn. : EXAMINER). *Regarder un paysage avec admiration* (syn. : CONTEMPLER). *Regarder la neige tomber. Regarder rapidement un texte* (syn. : JETER UN COUP D'ŒIL, PARCOURIR). *Regardez à la pendule quelle heure il est. Regarder de côté, du coin de l'œil* (syn. : GUIGNER, LORGNER). *Regarder de près, de loin, en avant. Regarder en arrière* (syn. : SE RETOURNER). — **2°** Avoir en vue, considérer : *En toutes choses, il ne regarde que son intérêt* (syn. : RECHERCHER, ENVISAGER). — **3°** (sujet nom de chose) Etre tourné dans une direction, en face de : *Cette maison regarde le Midi* ou, intransitiv., *vers le Midi.* — **4°** Intéresser, concerner : *Cela ne vous regarde pas.* — **5°** *Regarder comme* (avec un attribut), considérer comme, tenir pour : *On le regarde comme un homme de bien. Il regarde cette entreprise comme une bonne affaire* (syn. : ESTIMER, JUGER). ‖ *Regarder quelqu'un en dessous,* le regarder sans lever les yeux. ‖ *Regarder une personne en face,* la fixer obstinément. ‖ *Pouvoir regarder quelqu'un en face,* avoir la conscience tranquille à son égard. ‖ *Regarder quelqu'un de haut,* lui témoigner du mépris. ‖ *Regarder quelqu'un d'un bon, d'un mauvais œil,* avoir pour lui des sentiments d'affection, d'antipathie. ‖ *Regarder quelqu'un de travers,* le regarder avec mépris ou colère. ‖ *Regarder quelqu'un entre les deux yeux,* le regarder d'une manière ferme (syn. : BRAVER). ‖ *Regarder quelqu'un sous le nez,* d'une manière provocante ou insolente (syn. : NARGUER). ‖ *Se faire regarder,* attirer, provoquer l'attention. ‖ Fam. *Vous ne m'avez pas regardé,* se dit à quelqu'un par manière de menace, de défi ou de refus. ◆ v. tr. ind. *Regarder à quelque chose,* y donner toute son attention : *Regardez bien à ce que vous allez dire. Quand il achète quelque chose, il regarde avant tout à la qualité de la marchandise.* ‖ *Regarder à la dépense,* être très économe. (V. REGARDANT.) ‖ *Regarder de près à toutes choses,* prendre garde aux moindres choses, se montrer très exigeant. ‖ *Y regarder à deux fois,* réfléchir à ce qu'on va faire. ◆ ***se regarder*** v. pr. **1°** (sujet nom de personne) Examiner ses traits : *Se regarder dans un miroir. Elle est toujours occupée à se regarder.* ‖ Fam. *Il ne s'est pas regardé,* se dit d'un homme qui juge les autres plus sévèrement que lui-même. — 2° (sujet nom de chose) Etre placé l'un en face de l'autre : *Deux maisons qui se regardent.* ◆ **regardant, e** adj. *Fam.* Qui a peur de trop dépenser : *Un patron très regardant* (syn. : PARCIMONIEUX ; pop. : RAT, RADIN, RAPIAT). ◆ **regard** n. m. 1° Action de regarder : *Jeter, lancer un regard sur quelqu'un. Parcourir du regard* (syn. : EXAMINER). *Montrer, désigner du regard. Menacer du regard. Soustraire au regard* (syn. : CACHER). *Arrêter, fixer son regard sur quelqu'un. Se dérober aux regards. Sa beauté attire tous les regards.* — 2° Manière de regarder, expression des yeux : *Un regard doux, tendre, caressant, languissant. Un regard fixe, sombre, terrible, menaçant, méprisant, hautain. Un regard vif, pénétrant, perçant.* — 3° *Droit de regard,* possibilité d'exercer un contrôle : *Avoir (un) droit de regard sur une affaire.* ● LOC. PRÉP. *Au regard de,* par rapport à, aux termes de : *Etre en règle au regard de la loi.* ● LOC. ADV. *En regard,* en face, vis-à-vis : *Un texte latin avec une traduction en regard.*

régate [regat] n. f. Course de bateaux, à la voile ou à l'aviron (surtout au plur.) : *Participer à des régates.*

régénérer [reʒenere] v. tr. 1° Donner une seconde vie spirituelle (relig.) : *Le baptême nous régénère en Jésus-Christ.* — 2° Corriger d'une façon radicale : *Régénérer la société, les mœurs* (syn. : RÉFORMER). ◆ **régénération** n. f. 1° Reconstitution d'un organe détruit ou endommagé : *La régénération de la queue chez les lézards.* — 2° Renouvellement moral : *La régénération d'un peuple* (contr. : DÉCADENCE). ◆ **régénérateur, trice** adj.

régent, e [reʒɑ̃, -ɑ̃t] n. Chef du gouvernement pendant la minorité ou l'absence d'un souverain. ◆ **régence** n. f. Gouvernement d'un pays par un régent.

régenter [reʒɑ̃te] v. tr. Diriger de façon autoritaire et arbitraire : *Cet homme a la manie de vouloir régenter tout le monde. Régenter la langue.*

régicide [reʒisid] n. 1° Assassin d'un roi. — 2° Meurtre d'un roi : *Commettre un régicide.*

régie [reʒi] n. f. 1° Administration chargée de la perception de certaines taxes : *La régie des tabacs.* — 2° Entreprise industrielle et commerciale de caractère public : *Régie autonome des transports parisiens (R.A.T.P.). Régie nationale des usines Renault.* — 3° Métier de régisseur de théâtre, de cinéma, de télévision.

regimber [rəʒɛ̃be] v. intr. 1° (sujet nom d'animal de transport) Ruer au lieu d'avancer : *Un cheval qui regimbe.* — 2° (sujet nom de personne) Se montrer récalcitrant, résister : *Il regimbe toujours quand on lui demande de rendre un service* (syn. : SE REBIFFER, PROTESTER).

1. régime [reʒim] n. m. 1° Forme de gouvernement d'un Etat : *Régime monarchique, républicain, démocratique* (syn. : CONSTITUTION). — 2° Ensemble des dispositions légales concernant l'administration de certains établissements : *Le régime des prisons, des hôpitaux.* — 3° *Régime matrimonial,* statut réglant les intérêts pécuniaires des époux : *Régime dotal. Régime de la communauté.*

2. régime [reʒim] n. m. Ensemble de prescriptions concernant l'alimentation : *Le médecin lui fait suivre un régime sévère. Etre au régime. Régime sec* (= suppression des boissons alcoolisées et diminution de la quantité d'eau). *Régime lacté* (= comportant seulement du lait).

3. régime [reʒim] n. m. 1° Vitesse de rotation d'un moteur : *Régime normal, accéléré, maximal.* — 2° Caractère de l'écoulement des eaux d'un cours d'eau pendant une année.

4. régime [reʒim] n. m. Assemblage de fruits formant une sorte de grappe à l'extrémité d'un rameau : *Un régime de bananes, de dattes.*

régiment [reʒimɑ̃] n. m. 1° Unité militaire composée de plusieurs bataillons, escadrons ou groupes et commandée par un colonel : *Régiment d'infanterie, d'artillerie.* — 2° *Fam.* Grand nombre, multitude : *Tout un régiment de cousins.* ◆ **régimentaire** adj. : *Un insigne régimentaire.* ◆ **enrégimenter** v. tr. *Enrégimenter quelqu'un,* l'affecter à une unité militaire, le faire entrer dans un groupe ayant une discipline ferme.

région [reʒjɔ̃] n. f. 1° Etendue de pays caractérisée soit par une unité administrative ou économique, soit par la similitude du relief, du climat, de la végétation : *Une région industrielle, agricole. Les régions polaires, tempérées.* — 2° Etendue de pays quelconque : *Visiter la région parisienne.* — 3° Partie du corps plus ou moins arbitrairement délimitée : *Région cervicale, pectorale.* — 4° Point où l'on s'élève dans certaines sciences : *C'est un esprit spéculatif qui se plaît dans les plus hautes régions de la philosophie* (syn. : SPHÈRE). ◆ **régional, e, aux** adj. Propre à une région : *Un parler régional. Un concours régional. Une expression, une danse, une coutume régionale.* ◆ **régionalisme** n. m. 1° Doctrine politique et sociale tendant à accorder une certaine autonomie aux régions, aux provinces : *Le régionalisme favorise la décentralisation.* — 2° Tendance littéraire ayant pour but la peinture des paysages, des mœurs d'une région. — 3° Mot, locution propre à une région. ◆ **régionaliste** adj. 1° Qui concerne une région : *Politique régionaliste.* — 2° *Ecrivain régionaliste,* qui se consacre à la description d'une région et des mœurs locales : *George Sand est un de nos plus grands écrivains régionalistes.*

régir [reʒir] v. tr. Déterminer le mouvement, l'action de : *Connaître les lois qui régissent la chute des corps, les mouvements des astres.*

régisseur [reʒisœr] n. m. 1° Personne chargée d'administrer, de gérer : *Le régisseur d'un domaine, d'une propriété.* — 2° Au théâtre, au cinéma, à la télévision, personne chargée d'assister le metteur en scène en faisant exécuter ses ordres (recrutement de figurants, fourniture des accessoires, choix des extérieurs, etc.).

registre [rəgistr] n. m. 1° Tout livre public ou particulier où l'on inscrit des faits, des noms, et spécialement des renseignements administratifs, juridiques : *Registre de l'état civil, des contributions. Registre de comptabilité d'un commerçant.* — 2° Etendue de l'échelle musicale : *Registre grave, médium, aigu.* (V. ENREGISTRER.)

1. règle [rɛgl] n. f. Instrument allongé, à arêtes vives, avec ou sans graduation, qui sert à tracer des lignes droites : *Une règle de bois, de métal, de matière plastique. Une règle de menuisier, de dessinateur.* ◆ **régler** v. tr. *Régler du papier,* y tracer des lignes droites et parallèles : *Régler du papier* *pour noter de la musique.* ◆ **réglé, e** adj. *Papier réglé,* papier sur lequel sont tracées des lignes parallèles (syn. : RAYÉ).

2. règle [rɛgl] n. f. 1° Principe moral qui doit diriger la conduite : *S'assujettir, se plier à une règle* (syn. : DISCIPLINE). *N'avoir d'autre règle que son caprice. Les règles de l'honneur, de la morale chrétienne* (syn. : PRÉCEPTE). *La justice est la règle de toutes ses actions.* — 2° Ensemble des préceptes disciplinaires qui commandent la vie des religieux : *Observer, maintenir la règle. Enfreindre, violer la règle* (syn. : STATUTS). — 3° Prescription qui émane d'un usage, d'une autorité : *Les règles de la politesse, de la bienséance. Procéder, agir selon les règles. Il est de règle que l'on s'excuse quand on arrive en retard* (= il est conforme aux usages, aux convenances). — 4° Principe, formule selon lesquels sont enseignés un art, une science : *Les règles de la grammaire, de l'arithmétique, de la poésie, de l'architecture, de la composition musicale.* — 5° Ensemble des conventions propres à un jeu, à un sport : *Les règles du bridge, du tennis.* — 6° Ce qui se produit dans telle ou telle circonstance : *Phénomène qui n'échappe pas à la règle.* ‖ *En règle générale,* d'une façon habituelle, dans la plupart des cas. ‖ *En règle,* conforme aux prescriptions légales : *Avoir ses papiers d'identité, sa comptabilité en règle. Un avertissement, une protestation, une réclamation en règle.* ‖ *Dans les règles, selon les règles,* même sens : *Une demande faite dans les règles;* ironiq. : *Une sottise, une folie dans toutes les règles.* ‖ *Etre, se mettre en règle,* être, se mettre dans la situation exigée par la loi, les convenances : *Se mettre en règle avec la Sécurité sociale. Je suis en règle avec lui, je lui ai rendu sa visite.* ‖ *Il n'y a pas de règle sans exception,* une loi, une maxime, quelque générale qu'elle soit, n'est pas applicable à tous les cas particuliers. ‖ *L'exception confirme la règle,* il n'y aurait pas d'exception s'il n'y avait pas de règle. ◆ **régler** v. tr. 1° *Régler un mécanisme, une machine,* etc., en mettre au point le fonctionnement : *Régler une montre, une pendule, le ralenti d'un moteur, un tour.* — 2° *Régler quelque chose,* le fixer, le déterminer d'une manière définitive : *Régler l'ordre d'une cérémonie* (syn. : ÉTABLIR). *Régler l'emploi de ses journées, la date et le lieu d'une entrevue* (syn. : ARRÊTER). — 3° *Régler sa vie sur quelqu'un,* ou *se régler sur quelqu'un,* le prendre pour modèle. ◆ **réglé, e** adj. 1° *Une vie réglée,* une vie qui est soumise à une discipline. — 2° Se dit d'une personne qui mène une vie régulière, ordonnée : *Un garçon bien réglé* ou, fam., *réglé comme du papier à musique* (contr. : BOHÈME, DÉVERGONDÉ). ◆ **réglable** adj. Qui peut être réglé : *Un appareil à vitesse réglable.* ◆ **réglage** n. m. : *Le réglage d'une horloge, d'une machine, d'un carburateur.* ◆ **régleur, euse** n. Personne chargée du réglage d'une machine. ◆ **dérégler** v. tr. 1° Troubler le fonctionnement, faire cesser l'exactitude de : *Dérégler une balance en la manipulant trop brutalement* (syn. fam. : DÉTRAQUER). *La panne d'électricité a déréglé les pendules.* — 2° *Vie, imagination déréglée,* qui n'est pas contrôlée par des principes moraux, par la raison, etc. ◆ **dérèglement** n. m. : *Le dérèglement d'un appareil de mesure* (syn. fam. : DÉTRAQUEMENT). *Le dérèglement des mœurs* (syn. : DÉSORDRE).

3. règles [rɛgl] n. f. pl. Ecoulement sanguin qui se produit chaque mois chez la femme. ◆ **réglée** adj. f. *Femme bien réglée,* qui a ses règles exactement.

1. règlement n. m. V. RÉGLER 2.

2. règlement [rɛgləmɑ̃] n. m. 1° Décision qui émane d'une autorité administrative : *Règlement de police municipale* (syn. : ARRÊT, ORDONNANCE). *Règlement d'administration publique.* — 2° Ensemble des mesures prescrites auxquelles sont soumis les membres d'une société, d'un groupe : *Les règlements d'une association* (syn. : STATUTS). *Le règlement d'un lycée, d'une maison d'éducation, d'une faculté. Etre puni pour ne pas avoir observé le règlement.* — 3° Action de s'imposer une règle : *Se faire un règlement de vie.* ◆ **réglementaire** adj. Conforme à un règlement : *La tenue réglementaire d'un soldat.* ◆ **réglementairement** adv. : *Une décision prise réglementairement.* ◆ **réglementer** v. tr. Soumettre à un règlement : *Réglementer une industrie, une production, la circulation, le droit de grève. Un commerce réglementé* (contr. : LIBRE). ◆ **réglementation** n. f. Action de réglementer; ensemble des mesures légales régissant une question : *Réglementation des prix* (syn. : FIXATION, TAXATION), *des loyers. La réglementation de la circulation à Paris.*

1. régler v. tr. V. RÈGLE 1 et 2.

2. régler [regle] v. tr. 1° *Régler une chose,* la terminer, la résoudre : *Régler une affaire, un procès, un conflit* (syn. : ↓ ARRANGER, CONCLURE). *Régler un différend* (syn. : TRANCHER). — 2° *Régler une dette, quelqu'un,* les payer : *Régler une facture, sa note d'hôtel, sa pension* (syn. : ACQUITTER). *Régler le boucher, le boulanger.* ‖ Fam. *Régler son compte à quelqu'un,* le punir sévèrement et même le frapper à mort pour exercer une vengeance. ◆ **règlement** n. m. : *Règlement d'une affaire* (syn. : ARRANGEMENT, CONCLUSION), *d'un conflit* (syn. : ACCORD), *d'un compte, d'une dette* (syn. : ACQUITTEMENT, PAIEMENT). ‖ *Règlement de compte (s),* action de régler un différend par la violence : *Règlement de compte entre gens du milieu.*

réglisse [reglis] n. f. Plante dont la racine est utilisée en pharmacie : *La réglisse a une saveur un peu âcre. Bâton, rouleau, pastille de réglisse.*

règne [rɛɲ] n. m. 1° Gouvernement d'un roi, d'une reine, d'un prince souverain; période pendant laquelle s'exerce ce pouvoir : *Le règne de Louis XIV, de Catherine II. Un long règne, un règne prospère.* — 2° Pouvoir absolu, domination d'une personne ou d'une chose : *Le règne d'une favorite. Le règne de la finance. Travailler à établir le règne de la justice, de la fraternité, de la paix. Le règne d'une mode.* ◆ **régner** v. intr. 1° (sujet nom de personne) Exercer le pouvoir souverain dans un Etat : *Louis XIV régna de 1643 à 1715. Bonaparte régna sous le nom de Napoléon Ier* (syn. : GOUVERNER). — 2° (sujet nom de chose) Durer plus ou moins longtemps, exister : *Faire régner l'ordre et la paix. La confiance et la franchise règnent dans leurs entretiens. Le plus parfait accord règne entre les deux familles. Le calme régnait sur son visage.* ◆ **régnant, e** adj. : *Le prince régnant. La famille régnante.* (V. ROI.)

regorger [rəgɔrʒe] v. intr. *Regorger de quelque chose,* en avoir en très grande abondance : *Cette région regorge de fruits. Il regorge d'argent. Les magasins regorgent de marchandises.*

régresser [regrese] v. intr. (sujet nom de chose). Revenir à un état antérieur : *La tuberculose régresse d'année en année* (syn. : RECULER; contr. : PROGRESSER, SE DÉVELOPPER). ◆ **régression** n. f. : *La régression de la délinquance juvénile. L'alcoolisme est en régression* (syn. : RECUL; contr. : PROGRÈS, PROGRESSION). ◆ **régressif, ive** adj. Qui va en arrière : *Une marche, une série régressive.*

regret [rəgrɛ] n. m. 1° Peine causée par la perte d'une personne, l'absence d'une chose : *La mort de son ami lui a laissé un grand regret* (syn. : CHAGRIN). *Regrets éternels* (inscription gravée sur des tombes). *Le regret du pays natal* (syn. : NOSTALGIE). *Les vains regrets du passé.* — 2° Chagrin, mécontentement d'avoir fait ou de ne pas avoir fait quelque chose : *Le regret d'une faute commise. Le regret d'avoir offensé Dieu* (syn. : REPENTIR), *de ne pas avoir aidé son prochain* (syn. : REMORDS). *Etre rongé de regrets. Le regret de n'avoir pas réussi.* — 3° Contrariété causée par la non-réalisation d'un désir, d'un souhait : *Je suis au regret de ne pas vous avoir rencontré plus tôt. J'ai le regret de vous dire que je ne pourrai vous rendre ce service* (= je suis navré, fâché, désolé). *Nous aurions voulu le garder avec nous, mais, à notre grand regret, il a préféré partir. Exprimer ses regrets* (formule de civilité pour refuser une invitation). ● LOC. ADV. *A regret,* malgré soi, avec peine : *Quand il donne quelque chose, c'est toujours à regret* (syn. : À CONTRECŒUR). ◆ **regretter** v. tr. 1° *Regretter quelqu'un,* avoir du chagrin, s'affliger au souvenir d'une personne qu'on a perdue, dont on est séparé : *Cette femme était très généreuse, on la regrettera longtemps. L'attitude de ce chef de service fait regretter son prédécesseur.* — 2° *Regretter quelque chose,* éprouver de la peine de ne plus l'avoir : *Regretter sa jeunesse, le temps perdu, l'argent mal dépensé* (syn. : ↑ PLEURER). — 3° *Regretter quelque chose, regretter de* (et l'infin.), éprouver du mécontentement, de la contrariété d'avoir fait ou de ne pas avoir fait quelque chose : *Il regrette son imprudence. Il regrette de vous avoir parlé si durement. Je regrette de ne pas être venu. Regretter une faute passée, ses péchés* (syn. : SE REPENTIR). — 4° *Regretter quelque chose, regretter de* (et l'infin.), être fâché de ce qui s'oppose à un désir, à la réalisation d'une action : *Je regrette cette décision à mon égard* (syn. : DÉPLORER). *Il regrette d'être trop vieux pour apprendre la musique. Je regrette de ne pouvoir vous rendre ce service* (syn. : ÊTRE AU REGRET, ÊTRE DÉSOLÉ, NAVRÉ). — 5° S'emploie par politesse : *Je ne suis pas en retard. Je regrette. C'est votre montre qui avance.* ◆ **regrettable** adj. Qui cause du regret : *Un incident, une erreur regrettable* (syn. : FÂCHEUX, ENNUYEUX). *Il est regrettable que vous n'ayez pas mieux travaillé* (= c'est dommage, c'est malheureux).

1. régulier, ère [regylje, -jɛr] adj. 1° Caractérisé par un mouvement, une allure qui ne varie pas : *Une vitesse régulière* (syn. : UNIFORME). *Un pouls régulier. Une respiration régulière. Un effort, un travail régulier* (syn. : CONSTANT; contr. : INTERMITTENT). — 2° Qui a lieu à jour, à date fixe : *Un service de transport régulier. Des visites régulières.* — 3° Qui a des proportions symétriques, harmonieuses : *La façade de cette maison n'est pas régulière. La ville a été reconstruite sur un plan régulier. Un visage régulier.* — 4° Se dit d'une personne qui est exacte, ponctuelle : *Un employé régulier dans son travail.* ◆ **irrégulier, ère** adj. 1° Qui n'est pas régulier, symétrique : *Polygone irrégulier.* — 2° Qui n'est pas ponctuel, qui n'est pas constant dans son travail : *Elève irrégulier.* ◆ **régulièrement** adv. : *Ce moteur tourne régulièrement* (syn. : UNIFORMÉMENT). *Payer régulièrement son loyer* (syn. : PONCTUELLEMENT). *Aller régulièrement en classe* (syn. : ASSIDÛMENT). ◆ **irrégulièrement** adv. ◆ **régularité** n. f. : *La régularité des battements du cœur. Cette pendule marche avec une grande régularité. La régularité des traits du visage* (syn. : HARMONIE). *Faire preuve de régularité dans son travail* (syn. : ASSIDUITÉ, PONCTUALITÉ). ◆ **irrégularité** n. f. Manque de régularité : *L'irrégularité des visites d'un docteur. L'irrégularité d'un édifice, des traits.*

2. régulier, ère adj. 1° Se dit d'une chose conforme aux dispositions légales, constitutionnelles : *Un gouvernement régulier* (contr. : ILLÉGAL). *Etre dans une situation régulière.* — 2° Conforme aux règles de la morale : *Sa conduite a toujours été très régulière.* — 3° Conforme aux règles de la grammaire, de la versification : *Une phrase, une construction régulière* (syn. : CORRECT). *Un sonnet régulier.* ‖ *Verbes réguliers,* ceux qui sont conformes aux règles générales des conjugaisons. — 4° *Fam.* Qui respecte les conventions, les usages d'une société : *Un homme régulier en affaires* (syn. : CORRECT, LOYAL). — 5° *Armée, troupes régulières,* celles qui sont recrutées et organisées par les pouvoirs publics pour constituer la force armée d'un Etat. ‖ *Clergé régulier,* ensemble des ordres religieux soumis à une règle monastique. ◆ **irrégulier, ère** adj. Qui n'est pas conforme aux lois, aux règlements, à l'usage : *Levée d'impôts irrégulière.* ◆ **régulière** n. f. *Pop.* Epouse ou maîtresse en titre. ◆ **régulièrement** adv. : *Régulièrement, c'est celui qui perd qui paie* (syn. : EN RÈGLE GÉNÉRALE, HABITUELLEMENT). *Régulièrement, il devrait être reçu, car il a bien travaillé* (syn. : NORMALEMENT, EN PRINCIPE). ◆ **irrégulièrement** adv. ◆ **régularité** n. f. : *La régularité d'une décision, d'une situation.* ◆ **irrégularité** n. f. Chose, action irrégulière : *Une affaire dont l'instruction comporte des irrégularités.* ◆ **régulariser** v. tr. 1° Rendre conforme aux dispositions légales, aux règlements : *Faire régulariser un passeport.* — 2° *Régulariser sa situation,* épouser la personne avec laquelle on vivait maritalement. ◆ **régularisation** n. f. : *La régularisation d'un acte juridique, d'une situation.* ◆ **régulateur, trice** adj. : *Organe régulateur.* ◆ **régulateur** n. m. Appareil, mécanisme qui établit la régularité du mouvement, du fonctionnement d'une machine.

réhabiliter [reabilite] v. tr. 1° *Réhabiliter quelqu'un,* rendre ses droits, ses prérogatives à celui qui en était déchu par suite d'une condamnation : *Réhabiliter la victime d'une erreur judiciaire.* — 2° Faire recouvrer l'estime, la considération à quelqu'un : *Cette action l'a réhabilité dans l'opinion publique.* ◆ ***se réhabiliter*** v. pr. Recouvrer l'estime d'autrui : *Il s'est réhabilité aux yeux des gens de bien* (syn. : SE RACHETER). ◆ **réhabilitation** n. f. : *Obtenir la réhabilitation d'un condamné après la révision de son procès.*

rehausser [rəose] v. tr. 1° Augmenter la hauteur de quelque chose, placer plus haut : *Rehausser un mur, une terrasse* (syn. : SURÉLEVER). *Rehausser un plafond* (syn. : REMONTER). — 2° Faire paraître davantage, donner plus de valeur, de force, en soulignant, en mettant en évidence : *Les ombres dans un tableau rehaussent l'éclat des couleurs* (syn. :

FAIRE RESSORTIR). *Elle portait une robe qui rehaussait sa beauté. La valeur des autres concurrents rehausse son mérite* (syn. : RELEVER). — 3° Embellir par des ornements : *Rehausser de broderies le fond d'une étoffe.* ◆ **rehaussement** n. m. : *Le rehaussement d'un plafond.*

rein [rɛ̃] n. m. Organe qui sécrète l'urine : *Le rein gauche, le rein droit. Les reins sont deux organes de couleur rouge, placés de chaque côté de la colonne vertébrale.* ◆ **reins** n. m. pl. 1° Partie inférieure du dos : *Avoir les reins cambrés. Avoir les reins souples. Avoir de la force dans les reins* (= être râblé). *Avoir mal aux reins. Se donner un tour de reins* (syn. : LUMBAGO). — 2° *Avoir les reins solides,* être riche, puissant. ‖ *Casser les reins de quelqu'un,* briser sa carrière. ‖ *Mettre l'épée dans les reins de quelqu'un,* le presser, le harceler sans répit. ‖ *Sonder les reins et les cœurs,* chercher à connaître les forces et les sentiments intimes (expression biblique). ◆ **rénal, e, aux** adj. Relatif aux reins (méd.).

reine n. f. V. ROI.

reine-claude [rɛnklod] n. f. Variété de prune : *Les reines-claudes sont des prunes très estimées.*

reinette [rɛnɛt] n. f. Nom donné à un grand nombre de variétés de pommes : *Reinette blanche, grise. Reinette du Canada.*

réintégrer [reɛ̃tegre] v. tr. 1° *Réintégrer quelqu'un,* le rétablir dans son emploi : *Réintégrer un fonctionnaire à la suite d'une mise en congé ou en disponibilité, ou d'une révocation irrégulière.* — 2° (sujet nom désignant une femme) *Réintégrer le domicile conjugal,* revenir spontanément, ou par suite d'une décision de justice, au domicile de son mari. — 3° *Réintégrer un lieu,* y revenir après l'avoir quitté : *Réintégrer la maison paternelle.* ◆ **réintégration** n. f. : *Il a obtenu sa réintégration dans ce poste.*

réitérer [reitere] v. tr. *Réitérer quelque chose,* faire de nouveau ce qu'on a déjà fait : *Réitérer un ordre, une défense, une demande, une question, une promesse* (syn. : RENOUVELER, RÉPÉTER), *une démarche* (syn. : RECOMMENCER). *Des attaques réitérées* (= fréquentes, répétées). ◆ **réitération** n. f. : *La réitération des mêmes actes* (syn. : RÉPÉTITION).

rejaillir [rəʒajir] v. intr. 1° (sujet nom désignant un liquide) Jaillir avec force, à la suite d'un choc, d'une pression : *Il roulait à bicyclette très près du trottoir et il faisait rejaillir l'eau du caniveau sur les passants* (syn. : ÉCLABOUSSER). *L'eau du robinet lui a rejailli à la figure* (syn. : GICLER). — 2° (sujet nom de chose) Atteindre en retour : *La gloire de cette action a rejailli sur toute la famille. Sa honte a rejailli sur vous tous* (syn. : RETOMBER SUR). ◆ **rejaillissement** n. m. : *Le rejaillissement de l'eau, de la boue. Le rejaillissement de la honte d'une personne sur son entourage.*

rejeter [rəʒte] v. tr. (conj. 8). 1° Renvoyer, en lançant, à sa place antérieure, au point de départ : *Rejeter dans l'eau un poisson trop petit. Envoyez-moi la balle, je vous la rejetterai* (syn. : RELANCER). — 2° Faire reculer : *Rejeter l'envahisseur hors des frontières* (syn. : CHASSER, REPOUSSER). — 3° Jeter hors de soi, loin de soi : *Malade qui rejette les aliments* (syn. : RENDRE, VOMIR). *Une épave rejetée par la mer.* — 4° Mettre une chose en un autre endroit : *Rejeter de la terre sur le bord d'un fossé. Rejeter un mot à la fin d'une phrase. Rejeter des notes à la fin d'un volume* (syn. : REPORTER). — 5° *Rejeter quelqu'un, quelque chose,* changer leur position : *Les cahots de la voiture les rejetaient l'un contre l'autre. Rejeter la tête, son chapeau en arrière.* — 6° *Rejeter une chose,* ou plus rarement *une personne,* ne pas vouloir les recevoir, ne pas les admettre : *Il a rejeté les offres qu'on lui faisait* (syn. : DÉCLINER). *L'Assemblée a rejeté le projet de loi* (syn. : REPOUSSER). *Rejeter un recours en grâce. Rejeter une demande, une proposition* (contr. : ACCEPTER, ACCORDER). *A sa sortie de prison, il fut rejeté par sa famille et ses amis* (syn. : CHASSER, TENIR ÉLOIGNÉ). — 7° *Rejeter une faute, un tort, une erreur sur quelqu'un,* l'en rendre responsable. ◆ **se rejeter** v. pr. *Se rejeter sur une chose,* s'y reporter faute de mieux, y chercher une compensation : *Quand la viande manquait, on se rejetait sur le poisson* (syn. : SE RABATTRE SUR). ◆ **rejet** n. m. 1° Action de rejeter (sens 4 et 6) : *Le rejet d'une demande, d'un amendement.* — 2° Renvoi au début du vers suivant d'un ou de plusieurs mots nécessaires au sens. (Ex. : *Même il m'est arrivé quelquefois de manger | Le berger* [La Fontaine].) — 3° Nouvelle pousse d'une plante : *Cet arbre a donné de nombreux rejets cette année.*

rejeton [rəʒtɔ̃] n. m. 1° Nouveau jet que pousse une plante, un arbre, par le pied ou par la souche. — 2° *Fam.* Enfant : *Accompagner ses rejetons à l'école.*

rejoindre [rəʒwɛ̃dr] v. tr. (conj. 55). 1° *Rejoindre des choses,* joindre de nouveau des parties séparées : *Rejoindre les lèvres d'une plaie* (syn. : RÉUNIR). — 2° *Rejoindre quelqu'un,* aller retrouver une personne dont on est séparé : *Pendant les vacances, il va rejoindre sa famille à la campagne. Militaire qui rejoint son régiment* (syn. : RALLIER). — 3° *Rejoindre quelqu'un,* atteindre une personne qui est en avant : *Il a fait une chute et n'a pu rejoindre le peloton* (syn. : RATTRAPER). — 4° *Rejoindre un lieu,* l'atteindre : *Après un petit détour, nous avons rejoint la route nationale* (syn. : GAGNER, REGAGNER). — 5° (sujet nom de chose) Aboutir à un endroit : *Un chemin vicinal qui rejoint la route départementale* (syn. : TOMBER DANS). ◆ ***se rejoindre*** v. pr. 1° (sujet nom de personne) Se retrouver ensemble : *Nous nous rejoindrons à Paris.* — 2° (sujet nom de chose) Aboutir en un même point : *Deux routes qui se rejoignent* (contr. : BIFURQUER).

réjouir [reʒwir] v. tr. 1° Donner de la joie : *Cette nouvelle réjouit tout le monde* (syn. : FAIRE PLAISIR ; contr. : ATTRISTER, DÉSOLER, CHAGRINER). — 2° Produire une sensation agréable : *Le bon vin réjouit l'estomac.* ◆ ***se réjouir*** v. pr. Eprouver de la joie, une vive satisfaction : *Je me réjouis de votre succès. Il se réjouit d'aller vous voir* (syn. : JUBILER [fam.]). *Je me réjouis que vous soyez, de ce que vous êtes en bonne santé* (syn. : SE FÉLICITER). ◆ **réjoui, e** adj. Qui manifeste la joie, la gaieté : *Avoir une figure, une mine réjouie* (syn. : ÉPANOUI, RADIEUX). ◆ **réjouissance** n. f. 1° Manifestation de joie collective : *Les maisons étaient illuminées en signe de réjouissance.* — 2° (au plur.) Fêtes destinées à célébrer un événement heureux : *A la Libération, il y eut des réjouissances publiques dans toute la France.* ◆ **réjouissant, e** adj. Qui réjouit (surtout dans une proposition négative) : *Une nouvelle pas très réjouissante.*

1. relâche n. f. V. RELÂCHER 3.

1. relâche [rəlɑʃ] n. m. 1° Interruption dans un travail, dans un exercice (littér.) : *Prendre un peu de relâche.* — 2° Suspension momentanée des représentations d'un théâtre : *Beaucoup de salles de spectacle font relâche au mois d'août.* • LOC. ADV. *Sans relâche,* sans interruption : *Travailler sans relâche* (syn. : CONSTAMMENT, CONTINUELLEMENT).

1. relâcher [rəlɑʃe] v. tr. *Relâcher quelque chose,* en diminuer la tension : *Le temps humide relâche les cordes d'un violon* (syn. : DÉTENDRE). *Relâcher un ressort. Relâcher une étreinte.* ◆ ***se relâcher*** v. pr. 1° Devenir moins tendu : *Les cordes de cet instrument se sont relâchées.* — 2° Devenir moins rigoureux, moins strict : *La discipline se relâche dans cet établissement.* — 3° (sujet nom de personne) Se montrer moins actif, moins zélé : *Cet élève se relâche.* ◆ **relâché, e** adj. 1° Qui n'est pas assez strict, assez rigoureux : *Conduite, morale relâchée.* — 2° *Style relâché,* qui manque de vigueur, d'énergie. ◆ **relâchement** n. m. 1° Etat de ce qui est détendu : *Le relâchement des cordes d'un instrument de musique* (syn. : DISTENSION). — 2° Diminution d'activité, d'effort, de sévérité : *On constate un certain relâchement dans son travail* (syn. : NÉGLIGENCE). *Le relâchement de la discipline, des mœurs.*

2. relâcher [rəlɑʃe] v. tr. *Relâcher quelqu'un,* le remettre en liberté : *Relâcher un prisonnier* (syn. : LIBÉRER).

3. relâcher [rəlɑʃe] v. intr. (sujet nom de navire). S'arrêter en un endroit pour une cause quelconque. ◆ **relâche** n. f. : *Le bateau fit relâche.*

relais n. m. V. RELAYER.

relancer [rəlɑ̃se] v. tr. 1° Lancer de nouveau ou en sens contraire : *Relancer une balle.* — 2° *Relancer quelque chose,* lui donner un nouvel essor : *Relancer l'industrie, l'agriculture d'un pays.* — 3° Fam. *Relancer quelqu'un,* aller le trouver, l'importuner pour obtenir quelque chose de lui : *Il est venu me relancer pour que je l'accompagne au cinéma* (syn. : ↑ HARCELER, POURSUIVRE). ◆ **relancement** n. m. : *Le relancement d'un ballon.* ◆ **relance** n. f. Fait de donner une nouvelle activité, une nouvelle vigueur à une chose : *La relance de l'activité d'un pays.*

relaps, e [rəlaps] adj. Se dit d'une personne qui est retombée dans l'hérésie (relig.) : *Jeanne d'Arc fut condamnée comme relapse.*

relater [rəlate] v. tr. Raconter d'une manière précise, en détail : *Cet événement est relaté par plusieurs historiens* (syn. : RAPPORTER). ◆ **relation** n. f. : *Une relation fidèle, exacte* (syn. : RÉCIT). *Il a donné une relation de ses voyages en Amérique.*

1. relatif, ive [rəlatif, -iv] adj. 1° *Relatif à,* qui se rapporte à une chose, qui la concerne : *Les études relatives à l'histoire, aux sciences physiques. Des recherches relatives à une question.* — 2° Qui dépend d'une autre chose ou du sujet : *Toute connaissance humaine est relative. Le premier d'un concours a la valeur relative la plus élevée, mais sa valeur absolue peut être faible* (contr. : ABSOLU). *Les goûts, les plaisirs sont relatifs* (syn. : SUBJECTIF ; contr. : OBJECTIF). — 3° Qui est limité, approximatif : *Il vit dans une aisance relative. Un silence, un calme relatif.* ◆ **relativement** adv. 1° *Fam.* Par rapport aux circonstances : *Un problème relativement facile. Elle est relativement sérieuse* (= jusqu'à un certain point ; syn. : PASSABLEMENT). — 2° *Relativement à,* par comparaison, par rapport : *Ce n'est pas cher relativement à ce qu'on a payé précédemment.* ◆ **relativité** n. f. Sens 2 de l'adj. : *La relativité des connaissances humaines.*

2. relatif, ive [rəlatif, -iv] adj. *Adjectifs relatifs,* adjectifs de même forme que les pronoms relatifs composés et qui se joignent à un nom pour indiquer que l'on rattache une proposition subordonnée à ce même nom exprimé comme antécédent (ex. : *On a entendu le témoin,* LEQUEL *témoin a fait une déposition*). [Les adjectifs relatifs ne s'emploient que dans la langue judiciaire, ou parfois dans la langue littéraire pour des besoins de clarté.] ‖ *Pronoms relatifs,* pronoms qui joignent à un nom ou à un pronom qu'ils représentent une proposition subordonnée qui explique ou détermine ce nom ou ce pronom. ‖ *Proposition relative,* subordonnée qui est introduite par un pronom relatif.

1. relation n. f. V. RELATER.

2. relation [rəlasjɔ̃] n. f. 1° Rapport qui existe entre une chose et une autre, entre deux grandeurs, deux phénomènes : *Une relation de cause à effet. Ce que vous dites là n'a aucune relation avec ce dont il s'agit* (syn. : RAPPORT, plus souvent employé en ce sens). — 2° Communication avec d'autres personnes : *Entrer, se mettre en relation(s) avec quelqu'un* (syn. : RAPPORT). *Nouer avec une personne des relations professionnelles, mondaines* (syn. : FRÉQUENTATION). *Entretenir avec quelqu'un des relations épistolaires* (syn. : CORRESPONDANCE), *des relations sentimentales* (syn. : FLIRT), *des relations amoureuses* (syn. : LIAISON). *Avoir des relations avec des milieux politiques, littéraires* (syn. : ACCOINTANCE). — 3° Personne que l'on connaît, que l'on fréquente : *Inviter ses relations. Obtenir un emploi par relations.* — 4° Fam. *Avoir des relations,* connaître, fréquenter des personnes influentes. ◆ **relations** n. f. pl. 1° Rapports sexuels : *Avoir des relations avec une femme.* — 2° Rapports officiels des Etats entre eux : *On observe une tension, une détente dans les relations internationales.*

relaxation [rəlaksasjɔ̃] n. f. Etat de détente musculaire complète et de passivité intellectuelle : *La relaxation permet d'obtenir rapidement une sensation de repos.* ◆ **relaxer (se)** v. pr. (sujet nom de personne). Se détendre.

relaxer [rəlakse] v. tr. *Relaxer quelqu'un,* le remettre en liberté (jurid.) : *Relaxer un prisonnier* (syn. : LIBÉRER, RELÂCHER). ◆ **relaxe** n. f.

relayer [rəlɛje] v. tr. *Relayer quelqu'un,* le remplacer dans un travail, dans une occupation qui ne souffre pas d'interruption : *Relayer un camarade fatigué.* ◆ ***se relayer*** v. pr. Se remplacer mutuellement : *Nous nous relaierons auprès du malade ;* et dans une course de relais : *Des coureurs qui se relaient.* ◆ **relais** n. m. 1° *Course par relais, de relais,* ou *relais,* course dans laquelle les coureurs d'une même équipe se remplacent alternativement : *Le relais quatre fois cent mètres.* — 2° Retransmission, par un émetteur de radio ou de télévision, des émissions reçues d'une autre station. ◆ **relayeur, euse** n. Celui, celle qui participe à une course de relais.

reléguer [rəlege] v. tr. 1° *Reléguer quelqu'un, quelque chose,* l'envoyer, le placer dans un endroit écarté : *Il a relégué sa femme à la campagne. Reléguer un tableau au grenier.* — 2° *Reléguer* *quelqu'un,* le maintenir à l'écart : *Dans l'équipe, il se sent un peu relégué au second plan.*

relent [rəlɑ̃] n. m. Mauvaise odeur qui persiste : *Il y a dans ce réfectoire des relents de gargote.*

1. relever [rəlve] v. tr. **1°** *Relever quelqu'un, quelque chose,* remettre une personne debout, une chose dans sa position naturelle : *Relever un enfant qui a fait une chute. Relever une chaise qui est par terre. Relever une voiture qui s'est renversée, une statue, une colonne tombée* (syn. : REDRESSER). ‖ *Relever un mur en ruine,* le remettre en état (syn. : RECONSTRUIRE). ‖ *Relever un bateau,* le remettre à flot. — **2°** *Relever une chose,* la diriger vers le haut, la remettre plus haut : *Relever la tête* (syn. : REDRESSER). *Relever la vitre d'une portière, un store* (syn. : REMONTER). *Relever son col* (contr. : RABATTRE), *le bas de son pantalon, ses manches* (syn. : RETROUSSER). *Relever un plafond* (syn. : REHAUSSER). — **3°** *Relever quelque chose,* lui rendre la dignité, la prospérité : *Relever un pays. Relever l'économie, les finances d'un pays. Relever une entreprise, une maison de commerce* (contr. : RUINER). ‖ *Relever le courage, le moral de quelqu'un,* lui redonner de l'énergie, de l'espoir (syn. : RÉCONFORTER). — **4°** *Relever quelque chose,* le porter à un degré, à un taux plus élevé : *Relever le niveau de vie des travailleurs* (syn. : HAUSSER). *Relever les salaires* (syn. : AUGMENTER, MAJORER). — **5°** *Relever un mets,* lui donner un goût plus prononcé, plus piquant : *Relever une sauce.* — **6°** *Relever le gant, relever un défi,* accepter un défi. ‖ *Relever la tête,* reprendre de la fierté, de l'audace. ◆ v. tr. ind. *Relever de maladie,* en sortir, s'en remettre : *Femme qui relève de couches.* ◆ ***se relever*** v. pr. **1°** (sujet nom de personne) Se remettre debout : *Enfant qui se relève tout seul* (syn. fam. : SE RAMASSER). — **2°** Sortir de nouveau de son lit : *Il a été malade cette nuit et il a dû se relever plusieurs fois.* — **3°** (sujet nom de chose) Se redresser, remonter : *Les deux coins de sa bouche se relèvent d'une manière saccadée;* intransitiv. : *Votre jupe relève d'un côté.* — **4°** (sujet nom de personne) Se remettre, sortir heureusement d'une situation difficile, pénible : *Se relever d'un malheur, d'un chagrin* (syn. : REPRENDRE LE DESSUS). *Le pays se relèvera vite de ses ruines.* ◆ **relevé, e** adj. **1°** Ramené vers le haut : *Un chapeau à bord relevé. Un bas de pantalon relevé* (= qui se termine par un pli). *Virage relevé* (= dont la partie extérieure est plus haute). — **2°** Qui a de l'élévation : *Une conversation relevée. Discuter d'un sujet relevé* (contr. : VULGAIRE, ↑ IGNOBLE). *Un style relevé* (syn. : NOBLE, ↑ SUBLIME). — **3°** Bien assaisonné, piquant : *Une sauce relevée* (syn. : ÉPICÉ; contr. : FADE, INSIPIDE). ◆ **relèvement** n. m. : *Le relèvement d'une statue, de l'économie d'une nation* (syn. : REDRESSEMENT). *Le relèvement des impôts, du prix des loyers, des salaires* (syn. : MAJORATION).

2. relever [rəlve] v. tr. **1°** *Relever quelque chose,* le faire remarquer : *Relever des fautes, des erreurs dans un devoir, dans un discours* (syn. : SOULIGNER). ‖ *Relever un mot piquant, une parole offensante,* y répliquer vivement : *Une calomnie qui ne mérite pas d'être relevée.* — **2°** *Relever quelque chose,* y prêter attention, l'apercevoir : *Les policiers ont relevé des traces de balles dans la carrosserie d'une voiture abandonnée, des empreintes sur l'arme qui a servi au criminel* (syn. : CONSTATER, DÉCOUVRIR). — **3°** *Relever quelque chose,* le noter par écrit : *Relever une adresse, une date* (syn. : COPIER, INSCRIRE). *Relever l'emploi de certains mots chez un auteur, les archaïsmes, les néologismes d'un texte. Le professeur relève les notes des devoirs de ses élèves.* ‖ *Relever un compteur,* noter le chiffre indiqué : *Relever un compteur de gaz, d'électricité;* et fam. : *Relever le gaz, l'électricité.* ◆ **relevé** n. m. Action de prendre par écrit; liste : *Faire un relevé des erreurs contenues dans un ouvrage. Le relevé d'un compteur d'eau, de gaz.* ◆ **releveur** n. m. *Releveur de compteurs,* employé chargé de noter les chiffres indiquant la consommation (d'eau, de gaz, d'électricité).

3. relever [rəlve] v. tr. **1°** *Relever quelqu'un,* le remplacer dans une occupation, dans un travail qui ne peuvent être interrompus : *Relever une sentinelle, un factionnaire. Equipe qui en relève une autre* (syn. : RELAYER). — **2°** *Relever quelqu'un,* le libérer d'un engagement, d'une obligation : *Relever un religieux de ses vœux. Relever quelqu'un de ses fonctions* (syn. : DESTITUER, LIMOGER, RÉVOQUER). ◆ **relève** n. f. Remplacement d'une troupe, d'une équipe par une autre : *La relève de la garde. La relève de l'équipe de nuit par l'équipe de jour.*

4. relever [rəlve] v. tr. ind. **1°** *Relever de quelqu'un, de quelque chose,* être dans leur dépendance : *Il ne veut relever de personne. Cette administration relève de telle autre.* — **2°** *Relever de quelque chose,* être du ressort, de la compétence, du domaine de : *Cette affaire relève du tribunal correctionnel. Maladie qui relève de la psychiatrie. Etude qui relève de la linguistique et de l'histoire* (syn. : APPARTENIR).

1. relief [rəljɛf] n. m. **1°** Ce qui fait saillie sur une surface : *Le relief d'une médaille. On grave en creux ou en relief sur les métaux et sur les pierres.* — **2°** Ensemble des inégalités de la surface terrestre, de celle d'un pays : *Relief accidenté, faible.*

2. relief [rəljɛf] n. m. **1°** Apparence de saillies et de creux donnée à un tableau, à une photographie, par l'opposition des parties claires et des parties sombres : *Portrait qui a beaucoup de relief.* — **2°** Eclat qui naît de l'opposition, du contraste : *La laideur d'une femme donne du relief à la beauté d'une autre.* ‖ *Mettre en relief,* mettre en évidence : *Cette action a mis en relief ses qualités.* — **3°** *Relief acoustique,* perception auditive de l'espace : *Dans l'enregistrement des sons, le relief acoustique peut être obtenu par l'emploi de plusieurs microphones et, pour la restitution, par l'emploi de plusieurs haut-parleurs.*

3. reliefs [rəljɛf] n. m. pl. Ce qui reste d'un repas : *Les reliefs d'un festin.*

1. relier [rəlje] v. tr. **1°** *Relier deux choses,* établir une communication entre elles : *Une galerie qui relie deux bâtiments. Une route, une voie ferrée qui relie deux villes* (syn. : UNIR). — **2°** *Relier une chose à une autre,* établir un lien entre elles : *Relier des idées, le présent au passé* (syn. : RÉUNIR, ENCHAÎNER).

2. relier [rəlje] v. tr. Assembler et coudre ensemble les feuillets d'un livre, puis les couvrir d'un carton résistant sur lequel on colle une toile ou une peau : *Faire relier un livre en basane, en chagrin.* ◆ **reliure** n. f. **1°** Art de relier des livres; métier du relieur : *Apprendre la reliure.* — **2°** Couverture cartonnée, souvent ornée de cuir ou de toile, dont on habille un livre : *Une reliure en veau, en maroquin.* ◆ **relieur, euse** n. Personne dont le métier est de relier les livres.

religion [rəliʒjɔ̃] n. f. 1° Ensemble de dogmes et de pratiques ayant pour objet les rapports de l'homme avec la puissance divine et propres à un groupe social : *La religion chrétienne, la religion musulmane. La religion catholique, apostolique et romaine. Professer, pratiquer une religion. Abandonner, abjurer une religion. Enseigner, répandre une religion* (syn. : CATÉCHISER). *Embrasser une religion. Fonder une nouvelle religion. Se convertir à la religion chrétienne. Suivre des cours de religion.* ‖ *Religion naturelle,* religion fondée sur les inspirations du cœur et de la raison et indépendante de toute révélation divine. — 2° Observation des croyances, des pratiques instituées pour rendre hommage à la Divinité : *La religion de cet homme est sincère* (syn. : PIÉTÉ, DÉVOTION). *Une religion formaliste. Un homme qui n'a pas de religion* (syn. : ATHÉE, INCROYANT). *Indifférence, tolérance, intolérance en matière de religion.* — 3° Etat des personnes engagées par des vœux à suivre une certaine règle autorisée par l'Eglise : *Un bénédictin qui a vingt ans de religion. Entrer en religion* (= entrer au couvent). — 4° Culte à l'égard de certaines valeurs : *La religion de la science, du progrès, de l'humanité, de la patrie.* — 5° *Eclairer la religion de quelqu'un,* le renseigner. ‖ *Guerres de Religion,* guerres qui éclatèrent au XVIe siècle entre catholiques et protestants. ◆ **religieux, euse** adj. 1° Qui se rapporte à la religion : *Un édifice religieux. Un chant religieux* (syn. : SACRÉ; contr. : PROFANE). *Une propagande religieuse.* — 2° Qui est conforme à une religion : *Une doctrine religieuse. Choquer les opinions religieuses de quelqu'un. Ecole religieuse* (contr. : PUBLIC, LAÏQUE). — 3° Fait selon les rites d'une religion : *Une cérémonie religieuse. Un mariage religieux* (contr. : CIVIL). — 4° Qui appartient à un ordre monastique : *Une congrégation religieuse. L'habit religieux.* — 5° Qui présente un caractère de vénération : *Un respect religieux de la parole donnée* (syn. : SCRUPULEUX). ‖ *Un silence religieux,* qui porte au recueillement. ◆ n. Personne qui s'est engagée par des vœux à suivre une règle autorisée par l'Eglise : *Les religieux de Saint-Benoît, de Saint-Augustin* (syn. : MOINE). *Une communauté de religieux* (= abbaye, couvent, monastère). *Un couvent de religieuses* (syn. : SŒUR, NONNE). ◆ **religieuse** n. f. Gâteau fait soit avec des éclairs au chocolat, au café, à la vanille et placés en faisceau les uns contre les autres, soit avec des choux à la crème montés en pyramide les uns sur les autres. ◆ **religieusement** adv. 1° Avec un grand scrupule : *Tenir religieusement sa parole.* — 2° Avec un recueillement admiratif : *Ecouter religieusement un morceau de musique, une conférence.* ◆ **religiosité** n. f. Attitude religieuse fondée sur la sensibilité, au détriment de la foi véritable. ◆ **antireligieux, euse** adj. : *Tenir des propos antireligieux.* ◆ **coreligionnaire** n. Personne qui est de la même religion : *A la révocation de l'édit de Nantes, de nombreux protestants français se réfugièrent à l'étranger.* ◆ **irréligion** n. f. Manque de conviction religieuse : *Epoque marquée par les progrès de l'irréligion.* ◆ **irréligieux, euse** adj. 1° Qui n'a pas de conviction religieuse : *Homme irréligieux.* — 2° Qui blesse la religion : *Un comportement irréligieux.* ◆ **irréligieusement** adv. ◆ **irréligiosité** n. f.

reliquat [rəlika] n. m. Ce qui reste à payer, à percevoir : *Toucher un reliquat.*

relique [rəlik] n. f. 1° Ce qui reste du corps d'un saint, ou objet ayant été à son usage, ayant servi à son supplice, et que l'on conserve pieusement : *On vénère à Paris les reliques de sainte Geneviève. Porter des reliques en procession.* ‖ *Garder une chose comme une relique,* la garder soigneusement, précieusement. — 2° Objet que l'on garde en souvenir et auquel on attache beaucoup de prix : *Elle conservait dans son armoire des reliques de son passé.* ◆ **reliquaire** n. m. Objet (boîte, coffret, cadre) dans lequel on conserve des reliques.

relire v. tr. V. LIRE.

reluire [rəlɥir] v. intr. (conj. **69**). Briller en produisant des reflets : *Dans cette maison, les meubles sont bien frottés et reluisent. Faire reluire des ferrures, des cuivres. Des souliers bien cirés qui reluisent. Tout ce qui reluit n'est pas or* (= il ne faut pas se fier aux apparences). ◆ **reluisant, e** adj. 1° Qui reluit : *Un mobilier reluisant.* — 2° Qui a de l'éclat (généralement dans une proposition négative) : *Une situation peu* ou *pas très reluisante* (syn. : BRILLANT).

reluquer [rəlyke] v. tr. *Très fam.* Regarder du coin de l'œil, avec curiosité ou convoitise : *Reluquer des passants, les femmes* (syn. : LORGNER).

remâcher v. tr. V. MÂCHER.

remake [rimɛk] n. m. Nouvelle version d'un film ancien.

remanier [rəmanje] v. tr. 1° *Remanier un ouvrage littéraire,* le modifier en y apportant des changements considérables : *Remanier une pièce de théâtre, un roman* (syn. : CORRIGER, RETOUCHER, TRANSFORMER). — 2° *Remanier un ministère,* en changer la composition. ◆ **remaniement** n. m. : *Le remaniement d'un dictionnaire. Un remaniement ministériel.*

remarquer [rəmarke] v. tr. 1° *Remarquer quelque chose, remarquer que* (et l'indic.), y faire attention : *Jean est un enfant qui remarque tout* (syn. : OBSERVER). *Remarquer la présence, l'absence de quelqu'un* (syn. : CONSTATER). *Faire remarquer une faute, une erreur* (syn. : RELEVER). *Je lui ai fait remarquer que ses vêtements n'étaient pas propres* (syn. : AVERTIR, SIGNALER). *Remarquez bien que vous avez peut-être raison d'agir ainsi* (syn. : NOTER). — 2° *Remarquer quelqu'un, quelque chose,* les distinguer parmi d'autres personnes ou d'autres choses : *Remarquer quelqu'un dans une foule. Assister à une réunion sans être remarqué. Dans cette galerie, j'ai remarqué peu de tableaux de valeur.* ‖ *Se faire remarquer,* attirer l'attention, les regards sur soi (péjor.) : *Se faire remarquer par ses excentricités* (syn. : SE SINGULARISER). *Cette femme se fait remarquer* (= manque de tenue). ◆ ***se remarquer*** v. pr. (sujet nom de chose). Etre aperçu, constaté : *Une faute, une erreur qui se remarque difficilement.* ◆ **remarque** n. f. 1° Action de remarquer, d'observer, de noter : *Une chose digne de remarque.* — 2° Ce qu'on dit à quelqu'un pour attirer son attention : *Il n'écoute pas en classe et son professeur lui en a fait souvent la remarque* (syn. : OBSERVATION). *Une remarque utile, judicieuse, importante, pénétrante* (syn. : RÉFLEXION, CRITIQUE). — 3° Observation écrite : *Un texte accompagné de remarques* (syn. : COMMENTAIRE, NOTE). ◆ **remarquable** adj.

1° Qui attire l'attention, digne d'être remarqué : *Un homme remarquable par sa taille. La girafe est remarquable par la longueur de son cou. Un événement remarquable* (syn. : MARQUANT). *Un fait remarquable* (syn. : SAILLANT). *Une réussite, un exploit remarquable* (syn. fam. : ÉPATANT, FORMIDABLE). — 2° Se dit de quelqu'un qui se distingue par ses qualités : *Un orateur remarquable* (syn. : BRILLANT). *Un professeur, un médecin remarquable* (syn. : ÉMÉRITE, ÉMINENT). ◆ **remarquablement** adv. : *Une femme remarquablement douée pour la peinture. Un pianiste qui joue remarquablement.*

remballer [rɑ̃bale] v. tr. *Remballer des marchandises,* les remettre dans des caisses, dans des emballages : *A la fin du marché, les forains remballent ce qu'ils n'ont pas vendu.* ◆ **remballage** n. m. : *Le remballage des légumes.*

rembarquer v. tr. et intr. V. EMBARQUER.

rembarrer [rɑ̃bare] v. tr. Fam. *Rembarrer quelqu'un,* le reprendre vivement sur ce qu'il dit ou ce qu'il fait : *Il disait du mal de vous, je l'ai vite rembarré* (syn. : RABROUER). *Il voulait taquiner cette femme, elle l'a rembarré* (syn. : REMETTRE À SA PLACE; fam. : ENVOYER PROMENER, ENVOYER AU DIABLE).

remblai [rɑ̃blɛ] n. m. Masse de terre rapportée pour surélever un terrain ou pour combler un creux : *Faire un remblai pour poser une voie ferrée.* ◆ **remblayer** v. tr. Faire un remblai sur : *Remblayer une route.*

remboîter [rɑ̃bwate] v. tr. *Remboîter quelque chose,* remettre en place ce qui est déboîté : *Remboîter un os, une pièce de menuiserie.* ◆ **remboîtage** n. m. : *Le remboîtage d'un pied de table.*

rembourrer [rɑ̃bure] v. tr. Garnir de bourre, de crin, de laine : *Rembourrer un matelas. Rembourrer un fauteuil* (syn. : CAPITONNER). ◆ **rembourré, e** adj. 1° Fam. *Un siège rembourré avec des noyaux de pêche,* très dur, qui manque de moelleux. — 2° *Fam.* Se dit de quelqu'un qui a un certain embonpoint, qui est grassouillet. ◆ **rembourrage** n. m. 1° Action de rembourrer : *Le rembourrage d'un divan.* — 2° Matière servant à rembourrer : *Fauteuil dont le rembourrage est à remplacer.*

rembourser [rɑ̃burse] v. tr. *Rembourser quelqu'un, quelque chose,* rendre à une personne l'argent qu'elle a déboursé ou avancé : *Je vous rembourserai la somme que vous m'avez prêtée. Rembourser quelqu'un de ses frais. Rembourser une dette, un emprunt.* ◆ **remboursement** n. m. : *Effectuer le remboursement d'une rente. Envoi contre remboursement* (= opération commerciale qui consiste à expédier un objet que le destinataire doit payer à la livraison). ◆ **remboursable** adj. Qui peut, qui doit être remboursé : *Un emprunt remboursable dans dix ans.* ◆ **irremboursable** adj. : *Une dette irremboursable.*

rembrunir (se) [sərɑ̃brynir] v. pr. Devenir sombre, triste : *A cette nouvelle, son visage s'est rembruni* (contr. : S'ÉPANOUIR, S'ILLUMINER).

remède [rəmɛd] n. m. 1° Toute substance qui sert à prévenir ou à combattre une maladie : *Un remède efficace, souverain. Un remède pour toutes sortes de maux* (syn. : PANACÉE). *Il ne veut pas prendre les remèdes que le médecin lui a ordonnés* (syn. : MÉDICAMENT). — 2° Tout ce qui sert à prévenir ou à combattre un mal quelconque : *Le travail est le meilleur remède contre l'ennui. Chercher un remède contre l'inflation monétaire* (syn. : EXPÉDIENT, PALLIATIF). — 3° *Le remède est pire que le mal,* c'est une chose plus pénible, plus fâcheuse que celle qu'elle était destinée à corriger. ‖ *Porter remède à un mal,* le prévenir ou le combattre. ‖ Fam. *Remède contre l'amour,* femme vieille ou très laide. ‖ *Remède de bonne femme,* remède simple et populaire. ◆ **remédier** v. tr. ind. *Remédier à quelque chose,* y apporter un remède : *Remédier à une situation, à un inconvénient* (syn. : PALLIER, PARER). ◆ **remédiable** adj. A quoi l'on peut remédier : *Le mal est heureusement fort remédiable.* ◆ **irrémédiable** adj. A quoi l'on ne peut porter aucun remède : *Un état de santé irrémédiable. Une perte irrémédiable.* ◆ **irrémédiablement** adv. : *Un malade irrémédiablement perdu.*

remembrement [rəmɑ̃brəmɑ̃] n. m. Réunion de différentes parcelles d'une exploitation agricole en un seul tenant : *Le remembrement consiste dans une série d'échanges de parcelles non contiguës entre différents propriétaires d'une même commune.* ◆ **remembrer** v. tr. : *Remembrer une exploitation agricole.* (V. DÉMEMBRER.)

remémorer (se) [sərəmemɔre] v. pr. Se remettre en mémoire : *Essaie de te remémorer cette histoire* (syn. : SE RAPPELER, SE SOUVENIR DE).

1. remercier [rəmɛrsje] v. tr. 1° *Remercier quelqu'un de quelque chose,* lui exprimer de la gratitude pour une chose qui nous a été utile ou agréable : *Remercier Dieu de ses bienfaits* (syn. : RENDRE GRÂCE[S]). *Remercier un donateur. Je vous remercie de votre amabilité. Elle le remercia de toutes ses bontés à son égard. Je vous remercie de m'avoir si bien accueilli. Vous le remercierez pour son hospitalité, pour son excellent travail. Soyez remercié pour cette bonne nouvelle.* — 2° *Je vous remercie,* expression de refus poli : « *Prendrez-vous l'apéritif? — Non. Je vous remercie.* » *Je vous remercie de vos conseils* (= je ne suis pas décidé à les suivre). ◆ **remerciement** n. m. (surtout au plur.) : *Recevez, agréez mes remerciements. Je vous renouvelle mes remerciements pour toutes les gentillesses que vous m'avez témoignées.*

2. remercier [rəmɛrsje] v. tr. *Remercier quelqu'un,* le priver de son emploi, le renvoyer : *Remercier un employé* (syn. : CONGÉDIER).

remettre [rəmɛtr] v. tr. (conj. 57). 1° *Remettre une personne, une chose dans un lieu,* la mettre là où elle était auparavant : *Remettre un enfant dans son lit, un portefeuille dans sa poche, un livre dans la bibliothèque* (syn. : REPLACER). — 2° *Remettre un vêtement,* le mettre de nouveau sur soi : *Remettre sa veste, un costume usagé* (syn. : REVÊTIR). *Remettre son chapeau* (syn. : SE COUVRIR). — 3° *Remettre une chose,* la replacer dans son état antérieur : *Remettre une machine en marche. Remettre une coutume en usage, en honneur. Remettre de la monnaie en circulation. Remettre un membre* (= remboîter un membre démis, disloqué). — 4° *Remettre quelqu'un,* rétablir sa santé, lui redonner des forces : *Sa cure l'a tout à fait remise.* — 5° *Remettre quelqu'un, quelque chose à quelqu'un,* les mettre entre les mains, en la possession, au pouvoir d'une autre personne : *Remettre un enfant à sa famille* (syn. : RENDRE). *On lui a remis le portefeuille qu'on lui avait volé* (syn. : RESTITUER). *Remettre un paquet, une lettre à son destinataire, un devoir à* *son professeur* (syn. : DONNER). *Remettre une personne, un animal, une somme d'argent à la garde de quelqu'un* (syn. : CONFIER). *Remettre un criminel à la justice* (syn. : LIVRER). *Remettre ses pouvoirs à son successeur* (syn. : PASSER). *Remettre sa démission* (syn. : DONNER). — **6°** *Remettre quelque chose à quelqu'un,* lui en faire grâce : *Remettre à un condamné une partie de sa peine. Remettre sa dette à une personne.* — **7°** *Remettre une chose,* la renvoyer à un autre temps : *Il ne faut pas remettre au lendemain ce qu'on peut faire le jour même* (syn. : AJOURNER, DIFFÉRER). *On a remis la partie à plus tard* (syn. : REPORTER). — **8°** *Remettre à neuf,* réparer, restaurer de façon à faire paraître neuf : *Remettre à neuf une voiture, une maison.* ‖ *Je ne vous remets pas,* je ne vous reconnais pas. ‖ Pop. *Remettre ça,* recommencer. ‖ *Remettre debout, sur pied,* relever, redresser : *Remettre debout un enfant. Remettre une statue sur pied.* ‖ *Remettre en état,* réparer, raccommoder, restaurer : *Remettre un meuble, un vêtement, un tableau en état.* ‖ *Remettre les péchés à quelqu'un,* lui donner l'absolution. ‖ *Remettre les pieds quelque part,* y revenir. ‖ *Remettre quelqu'un à sa place,* le rappeler aux convenances, le réprimander. ‖ *Remettre quelqu'un au pas,* le contraindre à faire son devoir. ‖ Fam. *En remettre,* en rajouter, exagérer : *Quand il raconte une histoire, il faut toujours qu'il en remette.* ‖ *Remettre une partie,* la recommencer lorsqu'elle est restée indécise. ◆ ***se remettre*** v. pr. **1°** Se replacer : *Se remettre à table. Se remettre debout.* — **2°** (sujet nom de personne) Recouvrer la santé : *Après sa convalescence, le voilà remis. Il a eu du mal à se remettre de son accident.* — **3°** (sujet nom de personne) Retrouver le calme après un effort violent, une émotion : *Elle s'est remise avec peine de son chagrin.* — **4°** (sujet nom désignant le temps) Revenir au beau : *Je crois que le temps va se remettre.* — **5°** *Se remettre quelqu'un* ou *quelque chose,* s'en souvenir, les reconnaître : *Je me remets fort bien cette personne. Il ne peut se remettre le nom de son voisin. Se remettre le visage de quelqu'un* (syn. : SE RAPPELER). — **6°** *S'en remettre à quelqu'un, à sa décision, à son avis,* lui faire confiance : *Je m'en remets à vous* (syn. : S'EN RAPPORTER À). ‖ *Se remettre entre les mains de quelqu'un,* se mettre à sa complète disposition. ‖ *Se remettre entre les mains de Dieu,* accepter avec résignation tout ce qui pourra arriver. — **7°** *Se remettre à* (et un nom de chose ou l'infin.), recommencer à faire : *Se remettre au tennis. Se remettre à fumer.* ◆ **remise** n. f. **1°** Action de remettre dans un lieu, dans un état antérieur : *La remise en place d'un meuble. La remise en marche d'une machine.* — **2°** Action de remettre, de livrer, de déposer : *La remise d'un colis.* — **3°** Diminution de prix accordée par un commerçant : *Consentir, faire, obtenir une remise pour l'achat d'un livre* (syn. : RABAIS, RÉDUCTION). — **4°** *Remise de peine,* mesure d'indulgence dispensant un condamné de subir la totalité de sa peine.

réminiscence [reminisɑ̃s] n. f. **1°** Souvenir imprécis : *Il n'a que de vagues réminiscences de son accident.* — **2°** Emprunt fait inconsciemment à ses souvenirs : *On trouve des réminiscences chez la plupart des écrivains, des peintres, des musiciens.*

1. remise n. f. V. REMETTRE.

2. remise [rəmiz] n. f. Local où l'on met à l'abri des voitures, des instruments agricoles : *Mettre une carriole dans la remise.* ◆ **remiser** v. tr. **1°** Placer dans une remise : *Remiser un tracteur* (syn. : GARER). — **2°** Fam. *Remiser quelqu'un,* le remettre à sa place (syn. fam. : REMBARRER).

rémission [remisjɔ̃] n. f. **1°** Action de remettre, de pardonner : *La rémission des péchés.* — **2°** *Sans rémission,* sans indulgence, sans nouveau délai accordé par faveur : *Il vous traitera sans rémission. Le paiement devra être effectué le dernier jour du mois, sans rémission.* — **3°** Atténuation momentanée des symptômes d'un mal : *Les rémissions de la douleur, de la fièvre* (syn. : ACCALMIE, RÉPIT). ◆ **irrémissible** adj. **1°** Qui ne mérite point de rémission, de pardon : *Une faute irrémissible.* — **2°** Implacable, fatal : *Le cours irrémissible des événements.* ◆ **irrémissiblement** adv. ◆ **irrémission** n. f. Manque de pardon : *L'irrémission d'une faute.*

remmailler v. tr. V. MAILLE; **remmener** v. tr. V. EMMENER.

remonter [rəmɔ̃te] v. intr. **1°** (sujet nom de personne) Monter de nouveau, regagner l'endroit d'où l'on est descendu : *Remonter à* ou *(dans) sa chambre. Remonter au sixième étage par l'escalier, par l'ascenseur. Remonter sur son cheval. Remonter dans sa voiture.* — **2°** (sujet nom de chose) Revenir vers le haut : *Votre jupe remonte par-devant* (syn. : RELEVER). *Après une longue descente, la route remonte vers un plateau. Il va faire beau, le baromètre remonte* (= se dirige vers les hautes pressions). ‖ *Le vent remonte,* il souffle du sud vers le nord. — **3°** S'élever, s'accroître de nouveau : *Le niveau de la rivière remonte. La fièvre remonte, le malade est plus mal.* — **4°** Augmenter de nouveau : *Les prix des denrées alimentaires remontent. La rente remonte.* ‖ *Ses actions remontent,* se dit de quelqu'un qui retrouve la faveur, le crédit qu'il avait perdus. — **5°** Suivre une direction contraire à celle du courant : *Remonter le long d'une rivière jusqu'à sa source* (syn. : EN AMONT). — **6°** Aller vers l'origine : *Pour comprendre cette affaire, il faut remonter plus haut. Remonter dans le temps, dans le passé.* — **7°** (sujet nom de chose) *Remonter à, jusqu'à,* se reporter au commencement, à une date antérieure : *Remonter de l'effet à la cause. Remonter à une époque reculée. Remonter au déluge* (= reprendre les choses de trop loin); tirer son origine de : *Sa famille remonte aux croisades.* ◆ v. tr. **1°** Gravir de nouveau : *Remonter un escalier. Remonter une côte.* — **2°** Suivre une direction contraire à celle du courant ou de la pente d'un terrain : *Remonter un fleuve. Remonter le versant d'une colline.* — **3°** Porter de nouveau en haut : *Remonter une valise au grenier.* — **4°** Mettre à un niveau plus élevé : *Remonter un tableau sur un mur* (syn. : HAUSSER). *Remonter un mur* (syn. : RELEVER, EXHAUSSER). *Remonter son col* (syn. : RELEVER). ‖ *Remonter une horloge,* en hausser de nouveau les poids quand ils sont descendus. — **5°** Redonner à une personne de la force, de la vigueur : *Prenez ce médicament, ce cordial, cela va vous remonter* (syn. : RÉCONFORTER; fam. : RETAPER). *Remonter le moral de quelqu'un* (= lui redonner du courage). *Remonter le courant, la pente* (= vaincre des difficultés, redresser une situation compromise). — **6°** Ajuster de nouveau les pièces, les parties d'un objet démonté : *Remonter un moteur, un meuble.* — **7°** Pourvoir de nouveau de ce qui est nécessaire : *Remonter une ferme. Remonter son ménage, sa garde-robe.* ‖ *Remonter un violon, une raquette de tennis,* les garnir de cordes neuves. — **8°** *Remonter une montre, un mécanisme,* en tendre les ressorts pour les mettre en état de fonctionner. ◆ ***se remonter*** v. pr. **1°** Reprendre des forces : *Prendre des fortifiants pour se remonter.* — **2°** Se pourvoir de nouveau des choses nécessaires : *Se remonter en linge, en vêtements.* ◆ **remontage** n. m. Action de remonter (sens 4 et 6 du v. tr.) : *Le remontage d'un mécanisme, d'une montre.* ◆ **remontant, e** adj. et n. m. Qui redonne des forces : *Ce vin est très remontant* (syn. : FORTIFIANT, RÉCONFORTANT). *Prendre un remontant.* ◆ **remontée** n. f. Action de remonter : *La remontée d'une côte. La remontée des eaux d'une rivière. La remontée des mineurs.* ◆ **remontoir** n. m. Dispositif au moyen duquel on remonte un réveil, une montre, une pendule. ◆ **remonte-pente** n. m. Câble actionné par une machine, auquel les skieurs s'accrochent au moyen d'amarres pour remonter les pentes : *Utiliser des remonte-pentes* (syn. : TÉLÉSKI).

remontrance [rəmɔ̃trɑ̃s] n. f. Avertissement donné à quelqu'un pour lui montrer ses torts et l'engager à se corriger : *Faire des remontrances à un écolier paresseux, à un employé négligent* (syn. : OBSERVATION, RÉPRIMANDE).

1. remontrer [rəmɔ̃tre] v. tr. Montrer, présenter de nouveau : *Après un tel scandale, comment ose-t-il se remontrer?*

2. remontrer [rəmɔ̃tre] v. intr. *En remontrer à quelqu'un,* lui prouver qu'on lui est supérieur : *Il se croit très fort et veut en remontrer à tout le monde.*

remords [rəmɔr] n. m. Vive douleur morale causée par la conscience d'avoir mal agi : *Un remords cuisant. Etre bourrelé de remords. Les méchants tâchent d'étouffer les remords de leur conscience* (syn. : ↓ REGRET, ↑ REPENTIR).

remorque [rəmɔrk] n. f. **1°** Entraînement d'un véhicule par un autre véhicule : *Prendre en remorque un bateau, une voiture en panne.* — **2°** *Etre, se mettre à la remorque de quelqu'un,* se laisser mener complètement par lui. (Dans le vocabulaire de la marine, une *remorque* est un câble utilisé pour le remorquage.) — **3°** Véhicule sans moteur tiré par une automobile : *Remorque de camion, de camping.* ◆ **remorquer** v. tr. *Remorquer un véhicule,* le tirer au moyen d'un câble, d'une chaîne : *Avion qui remorque un planeur. Remorquer une voiture en panne.* ◆ **remorquage** n. m. : *Le remorquage d'un bateau, d'un planeur.* ◆ **remorqueur, euse** adj. Qui remorque : *Un avion remorqueur.* ◆ **remorqueur** n. m. Bateau à moteur très puissant, spécialement conçu pour le remorquage.

rémoulade [remulad] n. f. Sauce composée de mayonnaise, de moutarde, etc., qui est servie avec des légumes froids, des viandes froides ou du poisson cuit au court-bouillon.

rémouleur [remulœr] n. m. Ouvrier qui aiguise les outils et les instruments tranchants.

remous [rəmu] n. m. **1°** Tourbillon qui se forme à l'arrière d'un bateau en marche. — **2°** Tourbillon provoqué par le refoulement de l'eau au contact d'un obstacle. — **3°** Mouvement en sens divers : *Etre entraîné par le remous de la foule* (syn. : AGITATION).

rempailler [rɑ̃paje] v. tr. *Rempailler un siège,* le garnir d'une nouvelle paille : *Rempailler une chaise.* ◆ **rempaillage** n. m. : *Le rempaillage d'un fauteuil.* ◆ **rempailleur, euse** n. Personne qui rempaille des sièges.

rempaqueter v. tr. V. EMPAQUETER.

rempart [rɑ̃par] n. m. **1°** Muraille épaisse dont on entourait les villes fortifiées ou les châteaux forts : *Abattre des remparts* (syn. : ENCEINTE). — **2°** Espace compris entre le mur d'enceinte et les habitations les plus proches : *Se promener sur les remparts.* — **3°** *Faire à quelqu'un un rempart de son corps,* lui servir de défense, de protection.

rempiler [rɑ̃pile] v. intr. *Arg. mil.* Contracter un nouvel engagement (syn. : RENGAGER).

remplacer [rɑ̃plase] v. tr. **1°** *Remplacer quelqu'un, quelque chose,* le mettre à la place d'un autre : *Remplacer un employé. Il est difficile de remplacer un collaborateur de cette valeur. Remplacer un arbre mort, un carreau cassé. Remplacer des tuiles par des ardoises. Remplacer son mobilier ancien par du neuf* (syn. : CHANGER). — **2°** *Remplacer quelqu'un, quelque chose,* tenir, prendre sa place d'une manière définitive ou temporaire : *C'est son fils qui le remplace au poste de directeur* (syn. : SUCCÉDER). *Remplacer quelqu'un pendant son absence* (syn. : SUPPLÉER). *Remplacer un acteur malade, empêché* (syn. : DOUBLER). *Remplacer un soldat de garde* (syn. : RELEVER). *Quand vous serez fatigué de conduire, je vous remplacerai* (syn. : RELAYER). *C'est le Premier ministre qui remplaçait le président de la République à cette cérémonie* (syn. : REPRÉSENTER). *Le miel remplace le sucre, le malt remplace le café* (syn. : TENIR LIEU DE, SERVIR DE). ◆ **remplacement** n. m. : *Le remplacement de pneus usés par des neufs. Faire un remplacement. Assurer le remplacement d'un professeur absent* (syn. : INTÉRIM, SUPPLÉANCE). *Produit de remplacement* (syn. : ERSATZ, SUCCÉDANÉ). *Pourvoir au remplacement d'un employé.* ◆ **remplaçant, e** n. Personne qui en remplace une autre : *Désigner un remplaçant pour un poste d'instituteur* (syn. : SUPPLÉANT). *Etre le remplaçant d'un acteur* (syn. : DOUBLURE). ◆ **remplaçable** adj. Qui peut être remplacé : *Une personne facilement remplaçable.* ◆ **irremplaçable** adj. : *Un collaborateur irremplaçable. Personne n'est irremplaçable.*

1. remplir [rɑ̃plir] v. tr. **1°** *Remplir quelque chose,* mettre dans un récipient (ou contenant) un contenu : *La bouteille est vide, allez la remplir* (contr. : VIDER). *Remplir le verre d'un convive.* — **2°** *Remplir quelque chose de,* mettre des choses dans une pièce, un lieu qui les contient : *Remplir sa cave de vin, ses greniers de blé.* ‖ *Rempli de,* plein de : *Un devoir rempli de fautes* (contr. : SANS). ‖ Fam. *Remplir ses poches,* gagner beaucoup d'argent. — **3°** *Remplir un lieu, un temps déterminé,* l'occuper entièrement : *Les fidèles remplissaient l'église. Les citadins remplissent les plages pendant les vacances* (syn. : ENVAHIR). *Les faits divers remplissent certains journaux* (syn. : ABONDER DANS). *Vous avez bien rempli votre journée* (syn. : EMPLOYER). ‖ *Remplir un questionnaire, une fiche, un mandat,* etc., inscrire les indications nécessaires dans les espaces laissés en blanc (syn. : COMPLÉTER). — **4°** *Remplir quelqu'un, son esprit de quelque chose,* occuper entièrement son cœur, ses pensées : *Cette nouvelle l'a rempli de joie* (syn. : RÉJOUIR). *Cet échec l'a rempli de chagrin* (syn. : ATTRISTER). *Etre rempli de douleur* (syn. : AFFLIGER), *d'admiration* (syn. :

ENTHOUSIASMER). *Remplir sa mémoire de toutes sortes de connaissances* (syn. : CHARGER, SURCHARGER). ◆ ***se remplir*** v. pr. Devenir plein : *Le réservoir s'est rempli d'eau.* ◆ **remplissage** n. m. 1° Action de remplir : *Le remplissage d'un tonneau, d'un fossé.* — 2° Développement inutile ou étranger au sujet : *Dans ce roman, il y a beaucoup de remplissage* (syn. : DÉLAYAGE, LONGUEURS).

2. remplir [rɑ̃plir] v. tr. 1° (sujet nom de personne) *Remplir son devoir, ses obligations, ses promesses, une tâche,* les accomplir pleinement, les réaliser (syn. : S'ACQUITTER DE). — 2° *Remplir une fonction, un rôle,* les exercer. ‖ *Remplir une condition, une formalité,* faire en sorte qu'elle soit satisfaite : *Vous ne pouvez prétendre à cette place, vous ne remplissez pas les conditions exigées* (syn. : RÉALISER).

remplumer (se) [sərɑ̃plyme] v. pr. 1° *Fam.* Rétablir sa situation financière : *Il a fait de mauvaises affaires, mais maintenant il commence à se remplumer.* — 2° *Fam.* Reprendre des forces : *Profitez de votre convalescence pour vous remplumer* (syn. : SE REFAIRE ; fam. : SE RETAPER).

remporter [rɑ̃pɔrte] v. tr. 1° Emporter ce qu'on avait apporté : *N'oubliez pas de remporter votre livre* (syn. : REPRENDRE). *Vous pouvez remporter votre marchandise, nous n'en voulons pas.* — 2° Gagner : *Remporter une victoire, un prix, un succès* (syn. : OBTENIR).

rempoter [rɑ̃pɔte] v. tr. *Rempoter une plante,* la changer de pot : *Rempoter des fleurs* (syn. : TRANSPLANTER).

remuer [rəmɥe] v. tr. 1° *Remuer un objet,* le changer de place : *Cette armoire est si difficile à remuer qu'il faut s'y mettre à plusieurs* (syn. : POUSSER, TIRER). *Un sac trop lourd pour le remuer* (syn. : SOULEVER). — 2° *Remuer une partie du corps,* la mouvoir : *Remuer la tête, les bras, les mains en parlant* (syn. : GESTICULER). *Remuer les épaules* (syn. : ROULER), *les hanches en marchant* (syn. : TORTILLER). — 3° Agiter, déplacer une chose formée de plusieurs parties : *Remuer du grain pour l'éventer. Remuer son café pour faire fondre le sucre. Remuer une sauce. Remuer la salade* (syn. : TOURNER, RETOURNER). *Il a tout remué dans l'armoire pour chercher ses gants* (syn. : BOULEVERSER). ‖ *Remuer de la terre,* la transporter d'un lieu dans un autre. ‖ *Remuer la terre,* la creuser, la travailler pour la cultiver. ‖ Fam. *Remuer l'argent à la pelle,* être très riche. ‖ *Remuer ciel et terre,* recourir à tous les moyens pour atteindre le but qu'on se propose. — 4° *Remuer quelqu'un,* faire naître chez lui une émotion profonde : *Cet orateur sait trouver les mots qui remuent un auditoire* (syn. : BOULEVERSER, TOUCHER). *L'avocat prononça une plaidoirie qui remua les jurés* (syn. : ATTENDRIR, ÉMOUVOIR). ◆ v. intr. Faire un ou plusieurs mouvements : *Cet enfant ne peut rester en place, il remue sans cesse* (syn. : BOUGER, GESTICULER). *Une femme enceinte sent son enfant remuer. Avoir une dent qui remue* (syn. : BRANLER). *Il y a du vent, les feuilles des arbres remuent.* ◆ ***se remuer*** v. pr. 1° Changer de position : *Il est si malade qu'il a beaucoup de peine à se remuer* (syn. : SE MOUVOIR). — 2° Faire des efforts, des démarches pour réussir : *Il est si paresseux qu'il ne se remue pour rien* (syn. : S'AGITER, SE DÉMENER). *Il s'est beaucoup remué pour cette affaire* (syn. : SE DÉPENSER). ◆ **remuant, e** adj. Sans cesse en mouvement : *Un enfant remuant* (syn. : AGITÉ, TURBULENT). ◆ **remuement** n. m. : *Le remuement des lèvres.* ◆ **remue-ménage** n. m. invar. Déplacement bruyant de meubles, d'objets divers; agitation confuse : *Avant le départ en vacances, il y a chez nos voisins un grand remue-ménage* (syn. : BRANLE-BAS ; fam. : CHAHUT).

rémunérer [remynere] v. tr. 1° *Rémunérer quelqu'un,* le payer pour un travail, pour un service : *Rémunérer honnêtement ses employés* (syn. : RÉTRIBUER). — 2° *Rémunérer quelque chose,* donner de l'argent pour un travail : *Rémunérer la collaboration de quelqu'un.* ◆ **rémunération** n. f. Prix d'un travail, d'un service rendu : *Demander une juste rémunération de son travail* (syn. : RÉTRIBUTION, SALAIRE). ◆ **rémunérateur, trice** adj. Qui procure un gain, un profit : *Un travail rémunérateur* (syn. : LUCRATIF).

renâcler [rənɑkle] v. intr. (sujet nom d'animal). Renifler bruyamment : *Les taureaux, les porcs, les chevaux renâclent.* ◆ v. intr. ou v. tr. ind. (sujet nom de personne). *Renâcler à une chose,* témoigner de la répugnance pour elle : *Renâcler à la besogne, à une démarche. Il a accepté la corvée sans renâcler* (syn. : RECHIGNER).

renaître v. intr. V. NAÎTRE ; **rénal, e, aux** adj. V. REIN.

renard [rənar] n. m. 1° Mammifère carnivore à museau pointu, à queue longue et touffue, grand destructeur d'oiseaux et de petits mammifères (rats, mulots) : *Les renards vivent dans des terriers d'où ils sortent la nuit pour aller piller les basses-cours. Le renard exhale une odeur fétide.* — 2° Fourrure faite d'une peau de renard. — 3° *Un fin renard, un vrai renard, un vieux renard,* un homme fin et rusé. — 4° Fissure d'une canalisation, d'un barrage par où se produit une fuite : *Boucher un renard.* — 5° Pop. *Piquer un renard,* vomir. ‖ Pop. *Tirer au renard,* refuser d'avancer; chercher à s'esquiver. ◆ **renarde** n. f. Femelle du renard. ◆ **renardeau** n. m. Petit du renard. ◆ **renardière** n. f. Terrier du renard.

rencard, rencart [rɑ̃kar] n. m. 1° *Pop.* Renseignement. — 2° *Pop.* Rendez-vous. ◆ **rencarder** v. tr. *Pop.* Renseigner.

1. renchérir v. intr. V. CHER 2.

2. renchérir [rɑ̃ʃerir] v. intr. Aller plus loin qu'une autre personne en actes ou en paroles : *Il renchérit sur tout ce qu'il entend raconter.* ◆ **renchéri, e** n. Personne difficile, dédaigneuse : *Faire le renchéri.*

rencontrer [rɑ̃kɔ̃tre] v. tr. 1° *Rencontrer quelqu'un,* se trouver en sa présence par hasard ou d'une manière voulue : *Rencontrer fortuitement un ami dans la rue* (syn. fam. : TOMBER SUR). *Je le rencontre tous les jours à la même heure* (syn. : CROISER). *Ils se sont rencontrés chez des amis. Je serai heureux de vous rencontrer le jour qui vous conviendra* (syn. : JOINDRE, CONTACTER). *Les dirigeants du syndicat ont rencontré le ministre du Travail* (syn. : AVOIR UNE ENTREVUE AVEC). — 2° Se trouver opposé en compétition : *L'équipe de France de football a rencontré l'équipe de Belgique* (syn. : MATCHER). — 3° *Rencontrer quelque chose,* le trouver sur son chemin, dans une entreprise, etc. : *Rencontrer plusieurs fois le même mot, la même expression chez un auteur* (syn. : TROUVER). *Ils ont rencontré* *beaucoup de difficultés dans leur entreprise. Rencontrer de l'opposition, de l'incompréhension chez quelqu'un* (syn. : SE HEURTER À). ‖ *Rencontrer les yeux, le regard de quelqu'un,* le regarder au moment où il vous regarde. ◆ ***se rencontrer*** v. pr. (sujet nom de chose). 1° Se rejoindre : *La Seine et la Marne se rencontrent à Charenton.* — 2° Entrer en collision : *Deux voitures se sont rencontrées à un croisement* (syn. : SE HEURTER). — 3° *Les grands esprits se rencontrent,* ont les mêmes idées, les mêmes sentiments. ◆ **rencontre** n. f. 1° Le fait pour des personnes de se trouver en présence : *Rencontre inattendue, heureuse, fâcheuse* (syn. : COÏNCIDENCE). *Une rencontre entre deux chefs d'Etat* (syn. : ENTREVUE). *Il fit la rencontre d'une charmante jeune fille dans un bal* (syn. : FAIRE CONNAISSANCE). *Eviter la rencontre de quelqu'un. Une rencontre internationale d'étudiants* (syn. : CONGRÈS, RÉUNION). ‖ *Faire une mauvaise rencontre,* rencontrer une personne dangereuse. — 2° Le fait pour des choses de se trouver en contact : *La rencontre de deux cours d'eau* (syn. : CONFLUENT). *Rencontre de voyelles* (syn. : HIATUS), *de mots discordants* (syn. : CACOPHONIE). *Rencontre de circonstances* (syn. : OCCURRENCE). *Rencontre de deux voitures* (syn. : CHOC, COLLISION), *de deux trains* (syn. : TÉLESCOPAGE, TAMPONNEMENT). *Rencontre de deux équipes de football* (syn. : MATCH). ‖ *Aller à la rencontre de quelqu'un,* aller au-devant de lui pour le rejoindre. ‖ *De rencontre,* qui arrive par hasard : *Une affection, un amour de rencontre.*

rendez-vous [rɑ̃devu] n. m. 1° Rencontre entre deux ou plusieurs personnes qui décident de se trouver à une même heure dans un même endroit : *Donner, fixer un rendez-vous à quelqu'un. Un rendez-vous d'amoureux* (syn. pop. : RENCARD). — 2° Lieu où l'on doit se rencontrer : *Etre le premier à un rendez-vous.* — 3° Tout lieu qui sert de point de rencontre, de réunion à des personnes : *Un rendez-vous de chasse. Ce café est le rendez-vous des étudiants.*

1. rendre [rɑ̃dr] v. tr. (conj. 50). 1° *Rendre une chose,* la remettre à qui elle appartient : *Rendre des livres prêtés* (syn. : REDONNER), *de l'argent emprunté* (syn. : REMBOURSER). *Rendre une somme volée, de l'argent touché indûment* (syn. : RESTITUER). — 2° S'acquitter de certaines obligations, de certains devoirs : *Rendre un culte à la divinité. Rendre les honneurs à un ambassadeur. Rendre des comptes à quelqu'un. Rendre la justice. Rendre un arrêt, un jugement* (syn. : PRONONCER). — 3° Renvoyer, rapporter à quelqu'un ce qu'on refuse d'accepter de lui : *Elle lui a rendu sa bague de fiançailles. Rendre à un commerçant une marchandise défectueuse.* — 4° Faire rentrer en possession de ce qu'on avait perdu : *Rendre la liberté à un prisonnier. Ce remède lui a rendu la santé. Rendre la vue à un aveugle. Cette nouvelle lui a rendu l'espoir;* avec un compl. nom de personne : *Les ravisseurs ont rendu l'enfant à ses parents. Les ennemis ont rendu les prisonniers, les otages* (syn. : REMETTRE). — 5° Donner en retour, en échange : *Rendre vingt francs sur cent francs. Il n'accepte jamais un repas pour ne pas avoir à le rendre. Rendre le bien pour le mal. Rendre injure pour injure. Il m'a joué un sale tour et je le lui ai rendu. Elle ne l'aime pas, mais il le lui rend bien.* — 6° Rejeter par les voies naturelles (parfois intr.) : *Il tomba et rendit du sang par le nez, par la bouche. Rendre de la bile, son déjeuner* (syn. : VOMIR). *Il ne fait que rendre. L'abcès a rendu du pus.* — 7° Produire : *Ce blé rend beaucoup de farine. Ces citrons ont rendu beaucoup de jus* (syn. : DONNER). — 8° Faire entendre : *Ce violon rend de très beaux sons.* — 9° (avec un attribut du compl. d'objet) Faire devenir, mettre dans tel ou tel état : *Son invention l'a rendu célèbre. Cette nouvelle l'a rendu malade. Rendre un chemin praticable, une rivière navigable. Rendre une terre meilleure* (syn. : AMÉLIORER). *Rendre un domaine plus grand* (syn. : AGRANDIR). — 10° Exprimer (une idée, un sentiment) par le langage, l'écriture; reproduire (un modèle) par le dessin, la peinture, la photographie : *Votre traduction rend bien la pensée de l'auteur* (syn. : TRADUIRE). *Cette copie ne rend pas bien l'original. Ce portrait rend assez bien l'expression de votre visage.* — 11° *Rendre l'âme, le dernier soupir,* mourir, expirer. ‖ *Rendre les armes,* cesser le combat, s'avouer vaincu. ‖ *Rendre compte, des comptes,* v. COMPTER 1. ‖ *Rendre gorge,* restituer par force ce qu'on a acquis par des moyens illicites. ‖ *Rendre grâce(s),* remercier, être reconnaissant. ‖ *Rendre hommage,* reconnaître avec éloges, louer : *Rendre hommage à la bravoure de quelqu'un.* ‖ *Rendre justice à quelqu'un,* reconnaître son mérite, sa valeur. ‖ (sujet nom d'un cheval) *Rendre du poids, de la distance,* porter plus de poids, partir de plus loin qu'un autre cheval. ‖ *Rendre des points à quelqu'un,* consentir qu'il compte d'avance à son avantage un certain nombre de points; être ou se croire plus fort que lui. ‖ Pop. *Rendre tripes et boyaux,* vomir abondamment, avec de violents efforts. ‖ *Rendre la vie à quelqu'un,* le tirer d'une peine, d'une angoisse extrême. ‖ *Rendre visite à quelqu'un,* aller le voir. ‖ *Rendre sa visite à quelqu'un,* aller chez quelqu'un qui est venu vous voir précédemment. ◆ ***se rendre*** v. pr. 1° (sujet nom de personne) Aller dans un lieu : *Elle s'est rendue à l'étranger pendant les vacances. Se rendre à son travail, à son poste.* — 2° (sujet nom de chose) Aboutir à : *Les fleuves se rendent à la mer* (syn. : SE JETER DANS). — 3° Se soumettre en cessant le combat : *La garnison n'a pas voulu se rendre* (syn. : CAPITULER). ‖ *Se rendre à l'évidence,* admettre ce qui est incontestable. ‖ *Se rendre à l'appel de quelqu'un,* y répondre. — 4° (avec un attribut) Se montrer : *Se rendre insupportable, ridicule par ses manières. Il veut se rendre utile, agréable à tout le monde.* — 5° Etre traduit : *Cette expression ne peut se rendre en français.* ◆ **reddition** n. f. 1° Fait de se rendre (sens 3) : *La reddition d'une ville, d'une forteresse* (syn. : CAPITULATION). — 2° *Reddition de comptes,* présentation de comptes pour qu'ils soient examinés, arrêtés. ◆ **rendu, e** adj. 1° Remis, arrivé à destination : *La barrique de vin coûte tant rendue à domicile. Encore quelques kilomètres et nous serons rendus chez nous.* — 2° Extrêmement fatigué : *Quand nous sommes rentrés de promenade, nous étions tous rendus* (syn. : EXTÉNUÉ, HARASSÉ, FOURBU). ◆ **rendu** n. m. Fam. *Un prêté pour un rendu,* revanche d'un mauvais tour dont on a été victime.

2. rendre [rɑ̃dr] v. intr. (conj. 50). 1° Avoir un certain rendement, produire un certain revenu, une certaine quantité : *Les arbres fruitiers ont bien rendu cette année. Cette terre ne rend guère* (syn. : RAPPORTER). ‖ *Ça n'a pas rendu,* le résultat escompté n'a pas été obtenu. — 2° *Cette raquette rend bien,* les cordes en sont bien tendues. ‖ *Les bandes de ce billard rendent mal,* elles renvoient mal les billes. ◆ **rendement** n. m. 1° Production totale d'une terre évaluée par rapport à la surface : *Le rendement d'une exploitation agricole. Le rendement du blé à l'hectare est important dans cette région.* — 2° Quantité de travail, d'objets fabriqués fournie par des travailleurs en un temps déterminé : *Augmenter le rendement d'une entreprise. Le rendement diminue quand les ouvriers sont fatigués.*

rêne [rɛn] n. f. 1° Courroie fixée au mors du cheval et que le cavalier tient en main : *Serrer les doigts sur les rênes pour ralentir l'allure de son cheval.* — 2° *Tenir les rênes de l'Etat, du gouvernement, d'une affaire,* avoir la direction de l'Etat, du gouvernement, d'une affaire.

renégat, e [rənega, -at] n. 1° Personne qui a renié sa religion. — 2° Personne qui abandonne ses opinions, qui trahit sa patrie, son parti.

renfermer [rɑ̃fɛrme] v. tr. 1° Enfermer de nouveau : *On a renfermé les prisonniers qui s'étaient échappés.* — 2° Contenir dans un lieu, avoir en soi : *Ce tiroir renferme des papiers importants. Cette étude renferme de nombreuses erreurs. Une maxime qui renferme un sens profond.* ◆ **se renfermer** v. pr. Fam. *Se renfermer en soi-même, dans sa coquille,* ne rien communiquer de ses sentiments, se replier sur soi. ◆ **renfermé, e** adj. Qui ne communique pas ses sentiments : *Il ne parle pas beaucoup, il est très renfermé* (contr. : COMMUNICATIF, EXPANSIF, OUVERT). ◆ **renfermé** n. m. Odeur désagréable d'une pièce longtemps fermée : *Cette chambre sent le renfermé.*

renflé, e [rɑ̃fle] adj. Qui présente à certains endroits une augmentation de son diamètre : *Un récipient dont le couvercle est renflé* (syn. : BOMBÉ). *Une colonne renflée* (syn. : GALBÉ). ◆ **renflement** n. m. : *Le renflement d'une tige, d'une racine.*

renflouer [rɑ̃flue] v. tr. 1° Remettre en état de flotter : *Renflouer un bateau échoué, coulé.* — 2° *Renflouer quelqu'un, une entreprise,* leur fournir les fonds nécessaires pour rétablir leur situation financière. ◆ **renflouement** n. m. : *Le renflouement d'un navire, d'une maison de commerce.*

renfoncer [rɑ̃fɔ̃se] v. tr. Enfoncer plus avant : *Renfoncer son chapeau. Renfoncer le bouchon d'une bouteille.* ◆ **renfoncé, e** adj. Profondément enfoncé : *Avoir les yeux renfoncés.* ◆ **renfoncement** n. m. Endroit d'un mur, d'un ouvrage de construction qui présente un creux : *Se cacher dans le renfoncement d'une porte* (syn. : ANFRACTUOSITÉ, RETRAIT).

renforcer [rɑ̃fɔrse] v. tr. 1° *Renforcer quelque chose,* le rendre plus fort, plus solide : *Renforcer un mur, une poutre, des bas* (syn. : CONSOLIDER). — 2° *Renforcer un groupe, des personnes,* les rendre plus puissants, plus nombreux : *Renforcer une équipe.* — 3° Donner plus d'intensité, d'énergie : *Renforcer un cliché photographique* (= en augmenter les contrastes). *Mot qui sert à renforcer une expression. Cet argument renforce ce que j'ai dit* (syn. : CORROBORER, APPUYER). ◆ **renforcement** n. m. : *Le renforcement d'un mur, d'une troupe, d'un son.* ◆ **renforcé, e** adj. Rendu plus résistant, plus épais : *Des bas, des chaussettes renforcés.* ◆ **renfort** n. m. 1° Effectif ou matériel supplémentaire destiné à augmenter la force d'une troupe, d'une équipe : *Envoyer des renforts d'artillerie, d'aviation.* — 2° Surcroît d'épaisseur donné en un point d'un objet pour en augmenter la solidité ou la résistance à l'usure.

renfrogner (se) [sərɑ̃frɔɲe] v. pr. (sujet nom de personne). Manifester sa mauvaise humeur en contractant son visage : *Les gens susceptibles se renfrognent à propos de tout.* ◆ **renfrogné, e** adj. : *Un visage renfrogné. Une mine renfrognée* (syn. : BOURRU, MAUSSADE).

rengager [rɑ̃gaʒe] v. intr. ou **se rengager** v. pr. Contracter un nouvel engagement dans l'armée : *Ce sous-officier s'est rengagé* ou *a rengagé pour trois ans* (syn. : REMPILER [arg. mil.]). ◆ **rengagé** adj. et n. m. : *Un adjudant rengagé. Ce caporal-chef est un rengagé.* ◆ **rengagement** n. m. : *Contracter un rengagement.*

rengaine [rɑ̃gɛn] n. f. 1° *Fam.* Paroles répétées à satiété : *C'est toujours la même rengaine* (syn. : REFRAIN, RABÂCHAGE). — 2° *Fam.* Refrain banal : *Chanter une vieille rengaine* (syn. fam. : SCIE).

rengainer [rɑ̃gene] v. tr. 1° Remettre dans la gaine : *Rengainer son épée.* — 2° *Fam.* Supprimer ou ne pas achever ce qu'on allait dire : *Rengainer son compliment, son discours.*

rengorger (se) [sərɑ̃gɔrʒe] v. pr. 1° (sujet nom d'oiseau) Avancer la gorge en ramenant la tête un peu en arrière : *Le paon se rengorge quand on le regarde.* — 2° (sujet nom de personne) Prendre une attitude fière, arrogante; faire l'important : *Depuis qu'il est à cette place, il se rengorge* (syn. : SE PAVANER).

renier [rənje] v. tr. 1° *Renier quelqu'un,* déclarer faussement qu'on ne le connaît pas : *Saint Pierre renia Jésus-Christ.* — 2° *Renier quelqu'un, quelque chose,* ne plus le reconnaître comme sien : *Renier ses parents, sa famille. Renier ses engagements, sa signature* (syn. : DÉSAVOUER, SE DÉROBER À). — 3° *Renier quelque chose,* y renoncer entièrement : *Renier sa foi, sa religion* (syn. : ABJURER). ◆ **reniement** n. m. : *Les gens de son parti ne lui ont pas pardonné ses reniements* (syn. : TRAHISON).

renifler [rənifle] v. intr. Aspirer fortement l'air qui est dans les narines. ◆ v. tr. 1° Aspirer par le nez : *Renifler du tabac, une odeur.* — 2° *Fam.* Flairer : *Renifler une bonne affaire.* ◆ **renifleur, euse** n. Personne qui a l'habitude de renifler.

renne [rɛn] n. m. Mammifère ruminant vivant en Sibérie, en Scandinavie, au Groenland et au Canada : *Les Lapons et les Esquimaux utilisent le renne comme bête de trait.*

renom n. m., **renommée** n. f. V. tableau p. 994.

renommé, e [rənɔme] adj. Qui jouit d'un grand renom : *Un savant, un professeur renommé* (syn. : CÉLÈBRE, RÉPUTÉ). *La cuisine française est renommée. Une région renommée pour ses vins.*

renoncer [rənɔ̃se] v. tr. ind. 1° *Renoncer à quelque chose,* en abandonner la possession; quitter la pratique d'une profession, l'exercice d'une fonction : *Renoncer à un droit, à une succession, à un don* (syn. : SE DÉPARTIR, SE DÉSISTER). *Renoncer au pouvoir* (syn. : ABDIQUER). *Renoncer à une dignité. Renoncer à un métier* (syn. : QUITTER, SE RETIRER). *Renoncer à un portefeuille ministériel* (syn. : SE DÉMETTRE). *Renoncer à l'état ecclésiastique.* — 2° *Renoncer à quelque chose,* n'en avoir plus le désir : *Renoncer à un voyage, à un projet, à un espoir. Renoncer à une compétition. Renoncer au mariage.* — 3° *Renoncer à une chose,* n'avoir plus d'attachement pour elle : *Renoncer à une opinion, à une croyance* (syn. : ABJURER). *Renoncer à une habitude. Il ne veut pas renoncer à son idée* (syn. : DÉMORDRE DE). *Renoncer à l'amitié, à l'amour de quelqu'un. Renoncer à un plaisir. Renoncer à sa liberté, aux honneurs. Renoncer aux biens, aux plaisirs du monde* (relig.; syn. : SE DÉTACHER DE). — 4° Au jeu de cartes, ne pas fournir de la couleur demandée : *Renoncer à trèfle, à pique.* — 5° *Renoncer* et l'infin., cesser involontairement ou par impossibilité de réussir : *Renoncer à lutter, à combattre, à concourir. Il ne veut pas écouter mes observations, je renonce à lui faire entendre raison* (contr. : CONTINUER, PERSÉVÉRER, PERSISTER). *Renoncer à poursuivre ses études.* ◆ **renonce** n. f. Au jeu de cartes, fait de ne pas fournir la couleur demandée. ◆ **renoncement** n. m. Fait de se détacher volontairement, par ascétisme, des biens terrestres : *Le renoncement aux plaisirs du monde. Mener une vie de renoncement.* ◆ **renonciation** n. f. Acte par lequel on abandonne un droit, une charge, une fonction, etc. : *Renonciation à une succession, à la puissance paternelle, à un projet.*

renoncule [rənɔ̃kyl] n. f. Plante dont il existe de nombreuses espèces à fleurs jaunes, croissant dans les prés, les chemins, les endroits humides (syn. usuel : BOUTON-D'OR).

renouer [rənue] v. tr. 1° Nouer ce qui est dénoué : *Renouer sa cravate, un ruban, un fil, les lacets de ses chaussures* (syn. : RATTACHER). — 2° Reprendre après une interruption : *Renouer la conversation, une alliance, une liaison.* ◆ v. tr. ind. 1° *Renouer avec quelqu'un,* avoir de nouveau des relations avec quelqu'un : *Renouer avec un ami.* — 2° *Renouer avec une tradition, avec une mode, avec un usage,* les remettre en honneur, les faire revivre.

renouveau [rənuvo] n. m. 1° Retour du printemps (littér.). — 2° Ce qui donne l'impression d'un renouvellement : *Cette mode connaît un renouveau de succès, de faveur.*

renouveler [rənuvle] v. tr. (conj. 6). 1° Remplacer par d'autres une personne, un animal qui ne conviennent plus : *Renouveler le personnel d'une entreprise, les membres d'un bureau, d'un comité. Renouveler son troupeau, son écurie.* — 2° *Renouveler une chose,* la remplacer quand elle a subi une altération, quand elle est usée : *Renouveler l'air d'une salle, l'eau d'un bassin, d'une piscine. Renouveler l'outillage d'une usine, le matériel d'une ferme* (contr. : GARDER). *Renouveler un pansement* (syn. : CHANGER). *Renouveler sa garde-robe.* — 3° *Renouveler quelque chose,* lui apporter des transformations profondes : *La Révolution a renouvelé la face de l'Europe. Renouveler un usage, une mode* (= les faire revivre, en leur donnant une vie nouvelle; syn. : RÉNOVER). *Renouveler un sujet, une question, une étude* (= les traiter d'une façon nouvelle). — 4° Recommencer une action déjà faite : *Renouveler une demande, une offre, une promesse, une interdiction, des remerciements* (syn. : RÉITÉRER, REFAIRE). *Renouveler un exploit.* — 5° *Renouveler sa première communion,* ou *renouveler,* prononcer de nouveau ses vœux, sa profession de foi un an après sa communion solennelle. — 6° *Renouveler un passeport, un bail, un contrat,* en prolonger la validité (syn. : PROROGER). ◆ ***se renouveler*** v. pr. 1° (sujet nom de personne) Se reformer, être remplacé : *Le genre humain se renouvelle sans cesse. Les membres de cette assemblée se renouvellent en principe chaque année.* — 2° (sujet nom de personne) Changer de manière, de genre, dans une activité littéraire ou artistique : *Cet auteur ne se renouvelle pas assez.* — 3° (sujet nom de chose) Se reproduire : *Espérons que cet incident ne se renouvellera pas* (syn. : RECOMMENCER). ◆ **renouvellement** n. m. : *Le renouvellement d'un stock. Le renouvellement d'une assemblée. Le renouvellement d'un bail* (syn. : PROROGATION). *Le renouvellement des vœux du baptême.* ◆ **renouvelant, e** n. Enfant qui répète, un an après sa communion solennelle, la profession de foi de son baptême (relig. cathol.). ◆ **renouvelable** adj. Qui peut être renouvelé : *Une expérience, un congé renouvelable.*

rénover [renɔve] v. tr. 1° Remettre à neuf : *Rénover une décoration, des tentures, un meuble.* — 2° Transformer en donnant une nouvelle forme, une nouvelle vie : *Rénover un enseignement. Rénover des institutions politiques, des méthodes de travail* (syn. : RENOUVELER). ◆ **rénovation** n. f. 1° Action de rénover : *La rénovation d'une salle de spectacle* (syn. : MODERNISATION). *La rénovation des études linguistiques* (syn. : RAJEUNISSEMENT, RENOUVELLEMENT). — 2° Action de renouveler, de recommencer (relig.) : *La rénovation des vœux du baptême* (syn. : RENOUVELLEMENT). ◆ **rénovateur, trice** n. : *Le rénovateur d'une science.*

renseigner [rɑ̃seɲe] v. tr. *Renseigner quelqu'un,* lui donner des indications, des éclaircissements servant à faire connaître une personne ou une chose : *Renseigner un passant. Vendeur qui renseigne un client sur le prix d'une marchandise.* ◆ **se renseigner** v. pr. Prendre des renseignements : *Se renseigner avant d'acheter quelque chose* (syn. : S'ENQUÉRIR). ◆ **renseigné, e** adj. Qui a des renseignements : *Parlez-lui de cette affaire, il est bien renseigné.* ◆ **renseignement** n. m. : *Un renseignement précis, exact* (syn. : PRÉCISION). *Pourriez-vous nous donner des renseignements sur cet homme, sur cette affaire? Communiquer, fournir des renseignements* (syn. : INFORMER). *Prendre des renseignements avant d'engager un employé. Bureau, service de renseignements*

---

renom [rənɔ̃] n. m.

Opinion, presque toujours favorable, largement répandue dans le public sur quelqu'un ou sur quelque chose (accompagné le plus souvent d'un adj. ou d'un compl. de nom) :
Le renom de l'Ecole normale supérieure. Il a un juste renom de sévérité (syn. : RÉPUTATION). *Cette malfaçon a porté atteinte au bon renom de la maison* (syn. : NOTORIÉTÉ).

Surtout employé dans des expressions figées :
Un vin de grand renom. Une maison en renom (= célèbre). *Une industrie de grand renom à l'étranger. Un café en renom* (syn. : À LA MODE, EN VOGUE).

renommée [rənɔme] n. f.

Considération favorable largement répandue dans le public sur quelqu'un ou sur quelque chose (accompagné d'un adj. plus rarement que *renom*) :
La renommée de ce savant a dépassé les frontières de son pays (syn. : RÉPUTATION). *Il jouit d'une renommée qu'il a complètement méritée* (syn. : GLOIRE, CÉLÉBRITÉ). *Ce magasin a une bonne renommée. Stendhal n'a eu qu'une renommée posthume. La renommée des vins en France. Ternir sa renommée.*

---

touristiques. Chercher un renseignement dans un dictionnaire. Je tiens ce renseignement de personnes bien informées (syn. fam. : TUYAU).

rentable [rɑ̃tabl] adj. Qui procure un revenu, un bénéfice satisfaisant : *Une exploitation, une affaire rentable* (syn. fam. : PAYANT). ◆ **rentabilité** n. f. : *La rentabilité d'une entreprise.*

rente [rɑ̃t] n. f. 1° Revenu fourni par un capital : *Avoir une petite rente. Avoir des rentes. Vivre de ses rentes.* — 2° Somme d'argent versée périodiquement à une personne : *Servir une rente à un vieux domestique.* ‖ *Rente viagère,* pension payée à une personne sa vie durant. — 3° Emprunt de l'Etat, représenté par un titre qui donne droit à un intérêt contre remise de coupons : *Rentes à cinq pour cent. Les rentes s'amortissent par le rachat des titres.* ◆ **rentier, ère** n. 1° Personne qui vit de ses rentes : *Un petit rentier.* — 2° *Faire le rentier,* ne plus travailler.

rentrer [rɑ̃tre] v. intr. 1° (sujet nom de personne) Retourner dans un lieu d'où l'on est sorti : *Il avait à peine quitté l'hôpital qu'il a dû y rentrer. Comme il pleuvait, il est rentré prendre son imperméable. Rentrer tous les jours chez soi pour déjeuner* (syn. : REVENIR). *Il vient de rentrer de promenade.* — 2° Reprendre son travail, ses fonctions, ses occupations : *Le directeur est rentré hier et il a réuni ce matin ses collaborateurs. Les écoles, les facultés, les tribunaux vont rentrer dans quelques jours.* — 3° Syn. usuel de ENTRER (sans idée de retour, de répétition) : *Les ennemis sont rentrés dans la ville. Comme ils ne savaient pas quoi faire, ils sont rentrés dans un cinéma. Après son service militaire, il est rentré dans la police.* — 4° Fam. *Rentrer dans* ou *dedans quelqu'un, quelque chose,* se jeter violemment dessus : *Il l'injuriait et voulait lui rentrer dedans* (syn. pop. : RENTRER DANS LE CHOU). *Il a manqué son virage et il est rentré dans un arbre* (syn. : PERCUTER). ‖ *Rentrer dans sa coquille,* se retirer prudemment d'une entreprise téméraire; se taire sous l'effet d'une menace. ‖ *Rentrer dans la danse,* s'engager de nouveau dans une activité, dans une affaire d'où l'on était sorti. ‖ *Rentrer dans l'ordre, dans le calme,* retrouver l'ordre, le calme : *Après une période troublée, tout est rentré dans l'ordre.* ‖ *Rentrer dans ses droits,* les recouvrer. ‖ *Rentrer dans son argent, dans ses frais,* récupérer l'argent qu'on a dépensé ou son équivalent. ‖ *Rentrer en fonctions,* reprendre ses fonctions. ‖ *Rentrer dans les bonnes grâces de quelqu'un,* retrouver la faveur qu'on avait perdue. — 5° (sujet nom de chose) Pénétrer l'un dans l'autre : *La clef rentre bien dans la serrure* (syn. : S'ENFONCER). *Des tubes qui rentrent les uns dans les autres* (syn. : S'EMBOÎTER). *L'appareil ne rentre pas dans son étui.* ‖ Fam. *Il a les jambes qui lui rentrent dans le corps* (= il est très fatigué). — 6° (sujet nom de chose) Etre contenu, inclus dans : *Ces deux articles de dictionnaire ne rentrent pas dans la même rubrique. Cela ne rentre pas dans mes attributions. Cela rentre dans vos préoccupations.* — 7° (sujet nom désignant une somme d'argent) Etre payé, perçu : *L'argent rentre difficilement en ce moment. Faire rentrer des fonds.* ◆ v. tr. 1° *Rentrer une chose, un être animé,* les porter ou les reporter, les ramener à l'intérieur, à l'abri : *Rentrer des marchandises dans un magasin. En automne, on rentre les chaises du jardin dans la cave. Rentrer les foins, la moisson* (syn. : ENGRANGER). *Rentrer sa voiture au garage. Rentrer des bestiaux à l'étable.* — 2° *Rentrer une chose,* la faire disparaître dans ou sous une autre : *Rentre ta chemise dans ta culotte. Rentrer ses mains sous sa pèlerine. Le chat rentre ses griffes* (= fait patte de velours). *Le pilote a rentré le train d'atterrissage.* — 3° *Rentrer ses larmes, sa colère, sa rage,* les cacher, les refouler. ‖ *Rentrer le ventre,* en contracter les muscles pour le rendre aussi plat que possible. ◆ **rentrant, e** adj. 1° *Angle rentrant,* angle dont la valeur est supérieure à 180°. — 2° Qui peut être rentré : *Train d'atterrissage rentrant* (syn. : ESCAMOTABLE). ◆ **rentré, e** adj. *Colère rentrée,* qui ne se manifeste pas extérieurement. ‖ *Des joues rentrées* (= creuses; syn. : CAVE). ‖ *Des yeux rentrés* (= enfoncés). ◆ **rentrée** n. f. 1° Action de rentrer : *La rentrée des élèves au lycée, des soldats à la caserne. La rentrée des foins, des moissons.* — 2° Reprise des activités, des travaux, des fonctions après les vacances ou après une absence : *La rentrée des classes, des tribunaux, du Parlement. La rentrée d'un artiste.* — 3° Période de retour après les vacances, les congés annuels : *Nous parlerons de cette affaire à la rentrée. Nous avons fait cet achat à la rentrée.* — 4° Recouvrement de fonds : *Il attend des rentrées importantes. La rentrée des impôts.* — 5° Cartes que l'on prend à la place de celles qu'on a écartées : *Il a eu une belle rentrée.*

renverser [rɑ̃vɛrse] v. tr. 1° *Renverser quelque chose,* le mettre à l'envers, sens dessus dessous : *Renverser un récipient* (syn. : RETOURNER). — 2° Disposer en sens inverse : *Renverser l'ordre des mots dans une phrase, des termes dans une fraction, des facteurs dans une équation* (syn. : INTERVERTIR). ‖ *Renverser la vapeur,* la faire agir sur l'autre face du piston pour changer le sens de la marche d'une machine à vapeur; changer totalement sa façon d'agir. — 3° Pencher en arrière : *Renverser la tête, la nuque.* — 4° *Renverser une personne, une chose,* les faire tomber, les jeter par terre : *Renverser quelqu'un d'un coup de poing* (syn. : ÉTENDRE, TERRASSER). *L'automobiliste a renversé une file de piétons* (syn. : FAUCHER). *Le cheval, en se cabrant, a renversé son cavalier* (syn. : DÉSARÇONNER, DÉMONTER). *Renverser des chaises. Le vent a renversé beaucoup d'arbres* (syn. : ABATTRE). *Renverser son verre sur la table. Renverser du vin, du café* (syn. : RÉPANDRE). — 5° *Renverser quelque chose* (mot abstrait), bouleverser, détruire l'ordre des choses morales ou politiques : *Renverser les projets de quelqu'un. Renverser l'ordre établi, une tradition. La Révolution a renversé la royauté* (syn. : CHASSER). *Renverser une république. Renverser un ministère, un cabinet* (= obtenir la démission des ministres composant un gouvernement). — 6° Fam. *Renverser quelqu'un,* le jeter dans une profonde stupéfaction : *Cette nouvelle me renverse.* ◆ **se renverser** v. pr. 1° (sujet nom de personne) *Se renverser sur le dos,* se coucher sur le dos. ‖ *Se renverser sur sa chaise,* se pencher fortement en arrière. — 2° (sujet nom de chose) Se retourner sens dessus dessous : *Après une embardée, la voiture s'est renversée dans le fossé* (syn. : CAPOTER). *Le voilier s'est renversé* (syn. : CHAVIRER). ◆ **renversement** n. m. : *Le renversement des institutions, des valeurs morales* (syn. : BOULEVERSEMENT, | ANÉANTISSEMENT, RUINE). *Le renversement d'une situation* (syn. : RETOURNEMENT). ◆ **renversant, e** adj. *Fam.* Qui étonne profondément : *Une nouvelle renversante* (syn. : ↓ SURPRENANT, STUPÉFIANT). *Cet homme est renversant* (syn. fam. : FORMIDABLE). ◆ **renverse (*à la*)** loc. adv. Sur le dos : *Tomber à la renverse.* ◆ **renversé, e** adj. **1°** Etonné au plus haut point : *Il était absolument renversé quand je lui ai appris votre mariage* (syn. : STUPÉFAIT, DÉCONCERTÉ). — **2°** Fam. *C'est le monde renversé,* tout est contraire à l'ordre naturel, à la raison. ‖ *Ecriture renversée,* écriture penchée vers la gauche. ‖ *Crème renversée,* crème aux œufs cuite dans un moule et que l'on renverse sur un plat après refroidissement.

renvoyer [rɑ̃vwaje] v. tr. **1°** *Renvoyer quelqu'un,* le faire retourner là où il est déjà allé, à son lieu de départ : *Renvoyer un enfant à l'école. Renvoyer des soldats dans leurs foyers* (syn. : DÉMOBILISER, LIBÉRER). — **2°** *Renvoyer quelqu'un,* le faire repartir en le congédiant : *Renvoyer un importun* (syn. : CHASSER, ÉCONDUIRE ; fam. : ENVOYER PROMENER). *Renvoyer un employé, une bonne* (syn. : CONGÉDIER, REMERCIER). *On a renvoyé une grande partie du personnel* (syn. : LICENCIER). *Renvoyer un élève d'un lycée* (syn. : EXCLURE, METTRE À LA PORTE). *Renvoyer sa femme* (syn. : RÉPUDIER). — **3°** *Renvoyer quelque chose à quelqu'un,* lui faire reporter, lui faire remettre une chose qu'il a envoyée, oubliée ou qu'on n'accepte pas : *Je vous renvoie le livre que vous m'avez prêté. Je vous renverrai vos gants que vous avez laissés à la maison. Elle lui a renvoyé sa bague de fiançailles* (syn. : RENDRE). — **4°** *Renvoyer une chose,* la lancer en sens contraire : *Renvoyer une balle, un ballon.* — **5°** (sujet nom désignant une surface) Réfléchir la lumière, le son : *Une glace renvoie la lumière qu'elle reçoit. L'écho renvoie les sons, les paroles* (syn. : RÉPERCUTER). — **6°** *Renvoyer quelqu'un à,* l'adresser à quelqu'un, l'obliger à se reporter à une chose qui puisse le renseigner : *Le chef de bureau m'a renvoyé au secrétaire général. Ces chiffres, ces astérisques renvoient le lecteur à des notes placées en bas de la page.* — **7°** Adresser, transmettre à une juridiction, à une autorité plus compétente : *Renvoyer une affaire en Cour de cassation.* — **8°** *Renvoyer une affaire à un moment ultérieur,* la remettre à plus tard : *Renvoyer un débat, une discussion à une date ultérieure* (syn. : AJOURNER, DIFFÉRER). *Le jugement du procès a été renvoyé à huitaine.* ◆ ***se renvoyer*** v. pr. (sujet nom de personne). *Se renvoyer la balle,* se décharger l'un sur l'autre d'une faute, d'une obligation, d'un travail. ◆ **renvoi** n. m. **1°** Action de renvoyer : *Le renvoi d'un ouvrier, d'un élève, d'une lettre. Le renvoi d'un paquet, d'une balle. Le renvoi d'un procès à huitaine.* — **2°** Marque indiquant à un lecteur l'endroit où il trouvera l'explication du passage qu'il a sous les yeux. — **3°** Rejet par la bouche de gaz provenant de l'estomac (syn. : ÉRUCTATION).

réoccuper v. tr. V. OCCUPER ; **réorganiser** v. tr. V. ORGANISER ; **réouverture** n. f. V. OUVRIR.

repaire [rəpɛr] n. m. **1°** Lieu qui sert de refuge à des bêtes sauvages : *Un repaire de lions, de tigres* (syn. : TANIÈRE, ANTRE). — **2°** Lieu où se réunissent des malfaiteurs : *Un repaire de brigands.*

repaître [rəpɛtr] v. tr. (conj. **80**). *Repaître ses yeux d'un spectacle,* le regarder avec avidité. ◆ ***se repaître*** v. pr. *Se repaître de carnage, de sang,* être cruel, sanguinaire. ‖ *Se repaître de chimères, d'illusions,* entretenir son imagination de vains espoirs. ‖ *Se repaître de lectures malsaines,* y prendre un grand plaisir. ◆ **repu, e** adj. Qui a mangé à satiété : *Certains convives repus se mirent à chanter.*

répandre [repɑ̃dr] v. tr. (conj. **50**). **1°** *Répandre un liquide ou d'autres substances,* les laisser tomber en les dispersant sur une surface : *Répandre de l'eau, du lait sur le carrelage de la cuisine. Répandre de la sauce sur ses vêtements, du sel, du poivre sur une nappe* (syn. : RENVERSER). *Répandre des gravillons sur une route, du sable sur une allée* (syn. : ÉTENDRE, ÉTALER). *Répandre des pleurs, des larmes* (= pleurer). *Répandre le sang* (= blesser ou tuer). — **2°** *Répandre de la clarté, une odeur,* etc., les envoyer hors de soi, en être la source : *Le soleil répand sa lumière* (syn. : DIFFUSER). *Des fleurs qui répandent une odeur délicieuse* (syn. : EXHALER). *Ce bois se consume en répandant beaucoup de fumée* (syn. : DÉGAGER). — **3°** *Répandre une doctrine, une nouvelle,* etc., les faire connaître : *Les Apôtres répandirent l'Evangile* (syn. : PROPAGER). *Répandre des idées* (syn. : DIFFUSER). *Répandre une nouvelle* (syn. : COLPORTER, PUBLIER). *Répandre une mode, un usage* (syn. : LANCER). — **4°** *Répandre des dons,* les distribuer : *Dieu répand ses bienfaits, ses grâces* (syn. : DISPENSER). — **5°** *Répandre une émotion, un sentiment,* les provoquer, les susciter : *L'assassin a répandu la terreur, l'épouvante* (syn. : JETER, SEMER). *Répandre la joie, l'allégresse autour de soi.* ◆ **se répandre** v. pr. **1°** (sujet nom de chose) S'écouler : *Des bouteilles ont été cassées et le vin s'est répandu dans la cave.* — **2°** Se dégager : *La cheminée tire mal, et la fumée se répand dans la pièce. Une odeur infecte s'est répandue dans la salle.* — **3°** Se propager : *L'épidémie s'est répandue dans le pays* (syn. : GAGNER, S'ÉTENDRE). *Un faux bruit se répand rapidement* (syn. : CIRCULER, COURIR). — **4°** (sujet nom de personne) *Se répandre en injures, en invectives, en menaces, en compliments, en louanges,* dire beaucoup d'injures, proférer beaucoup de menaces (syn. : ÉCLATER), faire de longs compliments. ‖ *Se répandre dans le monde,* avoir de nombreuses relations. — **5°** Occuper en grand nombre : *Le dimanche après-midi, la foule des citadins se répand sur les boulevards, dans les bois* (syn. : ENVAHIR, REMPLIR). ◆ **répandu, e** adj. **1°** *Des papiers répandus sur une table* (= épars). *Une mode, une opinion très répandue* (= communément admise). — **2°** *Etre très répandu dans une société,* y avoir beaucoup de relations.

réparer [repare] v. tr. **1°** Remettre en état ce qui est détérioré : *Réparer une pendule, un meuble, un appareil de radio* (syn. : ARRANGER). *Faites réparer cette maison, sinon elle va s'effondrer* (syn. : CONSOLIDER). *Réparer une église, des objets d'art* (syn. : RESTAURER). *Réparer un mur* (syn. : RELEVER, RECRÉPIR). *Réparer un objet de façon sommaire* (syn. fam. : RAFISTOLER, RETAPER). *Réparer une montre* (syn. : RHABILLER). *Réparer une route* (syn. : REFAIRE). ‖ *Réparer ses forces,* se rétablir. — **2°** *Réparer un vêtement,* faire disparaître les dégâts qui lui ont été causés : *Réparer une déchirure* (syn. : RACCOMMODER, RAPIÉCER, REPRISER, STOPPER). — **3°** Se racheter en agissant de manière à faire disparaître les conséquences d'une mauvaise action : *Réparer une faute, une offense, une sottise* (syn. : EFFACER) ; et *absol.,* épouser une jeune fille qu'on a séduite. — **4°** Corriger en supprimant les fâcheuses conséquences : *Réparer une erreur, un oubli, une négligence* (syn. : REMÉDIER À). ‖ *Réparer une perte,* la compenser, s'en dédommager. ◆ **réparation** n. f. **1°** Action de réparer : *La réparation d'une voiture, d'une montre. Demander à quelqu'un réparation d'une offense. Réparation par les armes* (syn. :

RUBE). ‖ *Surface de réparation*, au football, surface rectangulaire devant la ligne de but. — 2° (au plur.) Travaux effectués en vue de l'entretien d'une maison, d'un immeuble : *Cette villa a besoin de grosses réparations.* ◆ **réparable** adj. Qui peut être réparé : *Ce veston est trop usé, il n'est plus réparable. Erreur, perte réparable* (contr. : IRRÉPARABLE, IRRÉMÉDIABLE). ◆ **réparateur, trice** n. Personne qui répare des objets : *Un réparateur de porcelaines, de postes de radio, de bicyclettes.* ◆ adj. *Sommeil réparateur,* qui répare les forces. ◆ **irréparable** adj. : *Dommage, perte irréparable.*

repartie [rəparti] n. f. Réponse vive, spirituelle : *Une repartie adroite, heureuse, plaisante. Avoir de la repartie.*

repartir v. tr. V. PARTIR.

répartir [repartir] v. tr. 1° *Répartir de l'argent, des biens,* les partager, les distribuer d'après certaines conventions, certaines règles : *Répartissez cette somme, ces bénéfices entre les associés.* — 2° *Répartir des personnes, des choses,* les distribuer dans un espace : *Répartir des troupes dans une ville* (syn. : DISPERSER). *Vous avez mal réparti les valises sur le porte-bagages de la voiture.* ◆ **répartition** n. f. : *La répartition des biens d'une succession* (syn. : DISTRIBUTION). *La répartition des impôts. Chacun des actionnaires a touché sa part dans la répartition des bénéfices* (syn. : QUOTE-PART).

repas [rəpɑ] n. m. Nourriture que l'on prend chaque jour et à des heures réglées : *Inviter des amis à un repas. Faire un bon repas, un repas copieux, plantureux* (syn. : BOMBANCE ; pop. : GUEULETON). *Un grand repas, un repas de noces, de cérémonie, de fête* (syn. : BANQUET, FESTIN). *Un repas pris sur l'herbe* (syn. : PIQUE-NIQUE). *Faire trois repas par jour : le matin (petit déjeuner), à midi (déjeuner) et le soir (dîner). Dans la matinée, nous avons pris un léger repas* (syn. fam. : CASSE-CROÛTE).

1. repasser v. tr. V. PASSER.

2. repasser [rəpɑse] v. tr. 1° *Repasser des ciseaux, des couteaux,* les aiguiser sur une meule, sur une pierre. — 2° *Repasser du linge, une étoffe, un tissu,* etc., en faire disparaître les faux plis au moyen d'un fer chaud que l'on passe dessus. ◆ ***se repasser*** v. pr. Etre repassé : *Certains tissus ne se repassent pas.* ◆ **repasseur** n. m. Personne qui repasse les couteaux, les ciseaux (syn. : RÉMOULEUR). ◆ **repasseuse** n. f. Ouvrière, machine qui repasse le linge. ◆ **repassage** n. m. : *Le repassage du linge, d'un pantalon, d'un couteau.*

3. repasser [rəpɑse] v. tr. *Repasser une leçon, une composition, un rôle,* relire, redire pour soi-même ce qu'on a appris par cœur, afin de s'assurer qu'on le sait (syn. : REVOIR, REVISER).

repêcher [rəpeʃe] v. tr. 1° Retirer de l'eau : *Repêcher un noyé.* — 2° Fam. *Repêcher un candidat,* le recevoir à un examen, bien qu'il n'ait pas obtenu le nombre de points requis. — 3° Donner à un athlète, à un club éliminés une chance supplémentaire de se qualifier pour la suite de la compétition. ◆ **repêchage** n. m. : *Le repêchage d'un étudiant. Le repêchage d'un noyé.*

repenser v. tr. V. PENSER.

repentir (se) [sərəpɑ̃tir] v. pr. (conj. 19). 1° *Se repentir de quelque chose, de* (et l'infin.), ressentir le regret d'une faute avec le désir de la réparer ou de n'y plus retomber : *Se repentir d'avoir offensé Dieu. Se repentir de sa mauvaise conduite, de ses égarements, du mal que l'on a fait à son prochain.* — 2° Regretter vivement d'avoir fait ou de n'avoir pas fait une chose : *Il se repent d'avoir pris cette décision. Elle se repent d'avoir été trop bavarde* (syn. : SE REPROCHER, S'EN VOULOIR). *Il s'en repentira, je l'en ferai repentir* (= il en subira de fâcheuses conséquences, il en sera puni). ◆ **repentir** n. m. Vif regret d'une faute avec le désir de n'y plus retomber : *On lui a pardonné parce qu'il a témoigné beaucoup de repentir* (syn. : ↓ REGRET, REMORDS). *Verser des larmes de repentir.* ◆ **repenti, e** adj. Qui s'est repenti : *Un voleur repenti a restitué l'argent qu'il avait dérobé.* ◆ **repentant, e** adj. Qui se repent : *Un pécheur repentant.*

1. répercuter [repɛrkyte] v. tr. Renvoyer et prolonger un son : *Un coup de fusil que l'écho répercute.* ◆ ***se répercuter*** v. pr. Etre répercuté : *Le bruit du tonnerre se répercute dans la montagne.*

2. répercuter (se) [sərepɛrkyte] v. pr. Avoir des conséquences directes : *L'augmentation des tarifs ferroviaires se répercute sur le prix des marchandises.* ◆ **répercussion** n. f. : *Cet événement pourrait avoir de graves répercussions* (syn. : CONSÉQUENCES, CONTRECOUP, RETENTISSEMENT, INCIDENCE).

repère [rəpɛr] n. m. 1° Marque faite à différentes pièces d'un assemblage pour les reconnaître et les ajuster : *Les menuisiers tracent des repères au crayon ou à la craie sur les pièces de bois qu'ils veulent assembler.* — 2° Trait, sur un instrument de mesure, servant d'index pour effectuer une lecture sur une échelle graduée. — 3° Marque faite sur un mur, sur un jalon, sur un terrain, etc., pour indiquer ou retrouver un alignement, une hauteur : *Tracer des repères pour marquer le niveau des eaux.* — 4° *Point de repère,* objet ou endroit déterminé qui permet de s'orienter : *Il s'était égaré dans la forêt et il n'avait aucun point de repère pour se retrouver ;* tout indice, détail qui permet de situer un événement dans le temps : *Ces deux faits sont des points de repère pour l'étude de cette période* (syn. : JALON). ◆ **repérer** v. tr. 1° Indiquer par des repères : *Repérer un alignement.* — 2° *Repérer quelque chose,* en déterminer la position exacte : *Repérer une batterie ennemie, un sous-marin* (syn. : DÉCOUVRIR). — 3° *Repérer quelqu'un* ou *quelque chose,* l'apercevoir, le trouver parmi d'autres : *Repérer quelqu'un dans une foule. Repérer des fautes dans un texte. Les policiers avaient repéré l'endroit où se réunissaient les malfaiteurs* (syn. : DÉCOUVRIR). ‖ *Se faire repérer,* attirer l'attention sur soi, être découvert : *Les mauvais élèves se sont vite fait repérer.* ◆ ***se repérer*** v. pr. (sujet nom de personne). S'orienter : *On a du mal à se repérer dans un endroit qu'on connaît mal* (syn. : SE RETROUVER). ◆ **repérage** n. m. : *Le repérage des forces et des mouvements de l'ennemi se fait par le son, par la photographie aérienne et surtout par le radar.* ◆ **repérable** adj. Qui peut être repéré : *A cause du camouflage, le matériel ennemi était difficilement repérable.*

répertoire [repɛrtwar] n. m. 1° Inventaire ou recueil dont les matières sont classées selon un certain ordre pour faciliter les recherches : *Un dictionnaire est un répertoire alphabétique des mots* (syn. : CATALOGUE, FICHIER). — 2° Cahier ou carnet à l'extrémité des pages duquel ont été ménagés des onglets correspondant aux lettres de l'alphabet, pour faciliter la consultation des renseignements qui y ont été inscrits : *Un répertoire d'adresses* (syn. : AGENDA, CARNET). — **3°** Liste des pièces qui forment le fonds ordinaire d'un théâtre : *Cette pièce fait partie du répertoire, est entrée au répertoire du Théâtre-Français.* — **4°** Ensemble des œuvres qu'a l'habitude de faire entendre un acteur, un musicien, un chanteur. — **5°** *Fam.* Personne qui sait beaucoup de choses, qui a beaucoup de souvenirs et qui est toujours prête à en instruire les autres : *Cette femme est un répertoire vivant de tout ce qui se passe dans son quartier.* — **6°** *Fam.* Ensemble de tours, de malices, etc., que connaît une personne : *Le répertoire d'un acrobate. Elle nous a agonis d'injures, dont elle a un beau répertoire.* ◆ **répertorier** v. tr. Inscrire dans un répertoire : *Répertorier des livres.*

répéter [repete] v. tr. **1°** Redire ce qu'on a déjà dit soi-même : *Répéter une question, une explication. Répéter toujours les mêmes choses* (syn. fam. : RABÂCHER, RESSASSER, SERINER); ce qu'un autre a dit : *Répéter une nouvelle, un secret, une calomnie* (syn. : RACONTER, RAPPORTER). — **2°** Refaire ce qu'on a déjà fait : *Répéter une expérience, un essai, une tentative* (syn. : RECOMMENCER, RENOUVELER). — **3°** Dire ou faire en privé, à plusieurs reprises, ce qu'on doit dire ou exécuter en public : *Répéter une leçon, un sermon, un rôle, un morceau de musique, une danse.* — **4°** Reproduire pour la symétrie : *Répéter un ornement, un motif décoratif.* ◆ ***se répéter*** v. pr. **1°** (sujet nom de personne) Redire les mêmes choses : *C'est un conteur agréable, mais il se répète un peu trop.* — **2°** (sujet nom de chose) Etre redit : *Un secret ne doit pas se répéter.* ◆ **répétition** n. f. **1°** Retour de la même idée, du même mot : *Evitez les répétitions inutiles* (syn. : REDITE). — **2°** Fait de recommencer une action : *Les habitudes s'acquièrent par la répétition des mêmes actes.* — **3°** Leçon particulière donnée par un maître à un ou plusieurs élèves : *Comme ses résultats en classe étaient médiocres, ses parents lui ont fait prendre des répétitions.* — **4°** Séance de travail au cours de laquelle on étudie une œuvre musicale, dramatique, chorégraphique, etc., en vue de son exécution, de sa représentation en public : *La répétition d'une symphonie, d'une pièce de théâtre, d'un ballet.* ‖ *Répétition générale,* dernière répétition d'une pièce qui précède la première représentation et à laquelle on convie la critique. ◆ **répétiteur, trice** n. Personne qui explique à des élèves les leçons du professeur, qui leur donne des leçons supplémentaires (vieilli).

repeupler v. tr. V. PEUPLE 3.

repiquer [rəpike] v. tr. Transplanter de jeunes plants provenant de semis : *Repiquer des salades, des poireaux.* ◆ v. tr. ind. Pop. *Repiquer à un plat,* reprendre d'un mets. ‖ Pop. *Repiquer au truc,* recommencer une chose. ◆ **repiquage** n. m. : *Le repiquage du tabac.* ◆ **repiqueur, euse** n. : *Une repiqueuse de riz.*

répit [repi] n. m. **1°** Arrêt d'une chose qui presse, accable, tourmente : *Il éprouve des douleurs qui ne lui laissent pas un instant de répit.* — **2°** Temps de repos, de détente : *S'accorder un peu de répit.* — **3°** *Sans répit,* sans cesse, sans interruption : *Il travaille sans répit* (syn. : CONTINUELLEMENT).

replacer v. tr. V. PLACER; **replanter** v. tr. V. PLANTER.

replâtrer [rəplɑtre] v. tr. **1°** Enduire de nouveau avec du plâtre : *Replâtrer un mur.* — **2°** *Fam.* Remanier d'une façon sommaire : *Replâtrer un ouvrage scolaire.* ◆ **replâtrage** n. m. **1°** Réparation superficielle faite avec du plâtre : *Le replâtrage d'une cloison.* — **2°** Réconciliation éphémère : *Il y a eu entre les deux époux un replâtrage qui n'a pas duré.* — **3°** *Replâtrage ministériel,* action de reformer un même ministère avec quelques modifications dans la répartition des portefeuilles. (V. aussi PLÂTRE.)

replet, ète [rəplɛ, -ɛt] adj. Qui a de l'embonpoint : *Une petite femme replète* (syn. : DODU, GRASSOUILLET).

1. replier [rəplije] v. tr. **1°** Plier une chose qui avait été dépliée : *Replier une robe. En repliant cette étoffe, tâchez de la remettre dans les mêmes plis.* — **2°** Ramener en pliant, en recourbant : *Replier le bas de son pantalon* (syn. : RETROUSSER). *Replier le coin d'une feuille de papier. Oiseau qui replie ses ailes. Replier une jambe sous l'autre.* ◆ ***se replier*** v. pr. Se courber une ou plusieurs fois : *Le serpent se replie en tous sens* (syn. : SE TORTILLER). *Le chat poursuivi par le chien s'était caché dans un recoin et se repliait sur lui-même* (syn. : SE RAMASSER, SE RECROQUEVILLER, SE PELOTONNER). ◆ **repli** n. m. **1°** Pli double, rabattu : *Faire un repli au bas d'un pantalon* (syn. : REVERS), *à une étoffe.* — **2°** (au plur.) Plis répétés : *Les replis du drapeau que le vent fait flotter. Les replis d'une écharpe.* — **3°** *Les replis de l'âme, du cœur, de la conscience,* ce qu'il y a de plus caché, de plus secret.

2. replier [rəplije] v. tr. Ramener vers une position établie en arrière une troupe en contact avec l'ennemi : *Le général a replié les divisions d'une dizaine de kilomètres.* ◆ ***se replier*** v. pr. **1°** (sujet nom désignant une troupe) Se reporter sur une position établie en arrière : *Comme elles en avaient reçu l'ordre, les premières lignes se sont repliées sur leurs retranchements* (syn. : RECULER, BATTRE EN RETRAITE). — **2°** (sujet nom désignant une personne) *Se replier sur soi-même,* s'isoler du monde extérieur pour réfléchir, méditer (syn. : S'ABSTRAIRE, SE RENFERMER). ◆ **repli** n. m. Retraite volontaire d'un corps de troupes : *L'état-major a envoyé un ordre de repli aux avant-postes.* ◆ **repliement** n. m. : *Le repliement d'une troupe. Le repliement d'un individu sur lui-même.*

1. réplique [replik] n. f. **1°** Réponse vive et brève : *Une réplique habile, ingénieuse. Avoir la réplique facile* (syn. : REPARTIE). ‖ *Argument sans réplique,* argument décisif. — **2°** Réponse faite avec brusquerie, avec impertinence : *Allons, pas de réplique, on vous demande seulement d'obéir* (syn. : ↓ DISCUSSION). — **3°** Ce qu'un acteur de théâtre doit dire au moment où un autre a fini de parler : *Il a oublié sa réplique.* ‖ *Donner la réplique à un acteur,* prendre part à un dialogue où cet acteur a le rôle principal. ◆ **répliquer** v. tr. et intr. **1°** Répondre avec vivacité, avec à-propos : *Votre argument me satisfait, je n'ai rien à répliquer* (syn. : OBJECTER). — **2°** Répondre avec impertinence : *Cet enfant a toujours quelque chose à répliquer. Quand il donne un ordre, il ne souffre pas qu'on réplique.*

2. réplique [replik] n. f. Reproduction d'une œuvre d'art, souvent dans des dimensions différentes, faite par l'auteur lui-même : *Il existe plusieurs répliques de ce tableau.*

répondre [repɔ̃dr] v. tr. ou intr. (conj. 51) 1° *Répondre quelque chose à quelqu'un*, lui faire connaître sa pensée, ses sentiments, oralement ou par écrit, à la suite d'une question, d'une remarque : *Que voulez-vous répondre à une pareille demande? Il ne voyait rien à répondre à un tel argument* (syn. : OBJECTER). *Vous me dites que j'ai tort, je vous réponds que non* (syn. : RÉTORQUER). *Il m'a répondu que vous étiez absent. Répondre vertement à quelqu'un* (syn. : REMBARRER); et intransitiv. : *Quand on vous interroge, il faut répondre. Répondre poliment, sèchement, évasivement. Répondre du tac au tac* (syn. : RIPOSTER, RÉPLIQUER). *Répondre par un sourire, par des injures, en hochant la tête.* — 2° *Répondre la messe,* répondre tout haut aux paroles prononcées par le célébrant. ◆ v. tr. ind. ou intr. 1° *Répondre à quelqu'un, à une demande,* venir, se présenter à son appel : *Personne n'a répondu à mon coup de sonnette, de téléphone. Répondre à une invitation, à une convocation* (syn. : SE RENDRE). — 2° Envoyer une lettre en retour d'une autre : *Il y a longtemps que je lui ai écrit et il ne m'a pas encore répondu. Il répond à toutes les lettres qu'il reçoit. On a beau lui écrire, il ne répond pas. Répondre par retour du courrier.* — 3° (sujet nom de personne) Raisonner au lieu d'obéir : *Cet enfant a la mauvaise habitude de répondre à ses parents* (syn. : RÉPLIQUER). *Le patron n'aime pas un employé qui répond.* — 4° (sujet nom de personne) Manifester à l'égard d'une personne une attitude semblable ou opposée à la sienne : *Répondre à l'affection, à l'amour de quelqu'un* (syn. : PAYER DE RETOUR). *Répondre à un salut, à un sourire* (syn. : RENDRE). *Répondre à la violence par la violence, à la haine par l'amour. Elle ne répondit à ses reproches que par des larmes.* — 5° (sujet nom de chose) Produire l'effet attendu : *Organisme qui répond à une excitation* (syn. : RÉAGIR). *Le car est tombé dans un ravin, ses freins ne répondaient plus.* ‖ Fam. *La douleur lui répond à la tête, dans la main,* elle se fait sentir par contrecoup à la tête, dans la main. — 6° (sujet nom de chose) *Répondre à une chose,* être en accord avec elle, lui être conforme : *La politique du gouvernement répond à la volonté du pays* (syn. : CONCORDER). *Le signalement de cet individu répond à celui qui est donné dans les journaux* (syn. : CORRESPONDRE). *Le succès ne répondit pas à son effort* (syn. : ÊTRE PROPORTIONNÉ). *Cet achat répond à un besoin* (syn. : SATISFAIRE). ◆ v. tr. ind. 1° *Répondre d'une personne* (ou *répondre pour une personne*), accepter la responsabilité des actes qu'elle peut accomplir : *Vous pouvez engager cet employé, je réponds de lui. Répondre pour un débiteur.* — 2° *Répondre d'une chose,* s'en porter garant : *Répondre de l'honnêteté de quelqu'un. Je ne réponds de rien* (= je ne garantis rien). *Répondre des dettes de sa femme* (= s'engager à les payer). — 3° *Fam.* Renforce une affirmation : *Je t'en réponds. Je vous en réponds. Il s'est trouvé tout penaud, je vous en réponds;* avec la conj. *que : Je vous réponds que je ne me mêlerai plus de cette affaire* (= je vous assure que). ◆ ***se répondre*** v. pr. Faire entendre un son alternativement : *Dans un orchestre, les instruments se répondent.* ◆ **réponse** n. f. 1° Ce qu'on dit ou ce qu'on écrit à la personne qui vous a posé une question, une demande, qui s'est adressée à vous : *Une réponse affirmative, négative, laconique, impertinente. Ma demande est restée sans réponse. Nous attendons une réponse dans le plus bref délai. Il y a longtemps que je lui ai écrit, je n'ai pas encore reçu de réponse.* ‖ *Avoir réponse à tout,* n'être embarrassé par aucune objection, avoir de la repartie. ‖ *Une réponse de Normand,* une réponse équivoque. — 2° Réaction d'un organe, d'un organisme à une excitation : *Une réponse glandulaire, musculaire.* ◆ **répondeur, euse** adj. *Fam.* Qui a l'habitude de répondre, de répliquer quand on lui fait une remontrance. ◆ **répondant, e** n. 1° Personne qui se porte garante de quelqu'un : *Je vous servirai volontiers de répondant.* — 2° Fam. *Avoir du répondant,* avoir des capitaux constituant une caution.

reporter [rəpɔrte] v. tr. 1° *Reporter une chose,* la porter à l'endroit où elle était auparavant : *Reporter un livre dans la bibliothèque. Reporter un cadeau à celui qui l'a donné* (syn. : RAPPORTER). — 2° *Reporter une chose,* la placer à un autre endroit : *Reporter un total au bout d'une page. Reporter des notes à la fin d'un volume* (syn. : REJETER). — 3° *Reporter quelqu'un,* le faire revenir par la pensée : *La rêverie nous reporte dans le passé.* — 4° *Reporter quelque chose,* le remettre à un autre moment : *En raison du mauvais état du terrain, le match de football sera peut-être reporté* (syn. : AJOURNER, RENVOYER, DIFFÉRER). — 5° *Reporter une chose sur une personne,* lui accorder ce qui s'applique ou devrait s'appliquer à une autre : *Reporter son affection sur une autre personne. Plusieurs électeurs ont reporté leur voix sur un autre candidat.* ◆ ***se reporter*** v. pr. 1° (sujet nom de personne) Se transporter par la pensée à une époque antérieure : *Se reporter aux jours de son enfance.* — 2° Se référer à : *Se reporter à tel ou tel document. Se reporter au texte d'une loi.* ◆ **report** n. m. Action de reporter le total d'une colonne ou d'une page sur une autre : *Faire le report d'une somme.*

reporter [rəpɔrtœr] n. m. Journaliste chargé de recueillir des informations qui sont diffusées par la presse, la radio, la télévision. ◆ **reportage** n. m. Ensemble d'informations retransmises par la presse, la radio, la télévision : *Reportage filmé. Effectuer un radioreportage.*

1. reposer v. tr., **repose** n. f. V. POSER.

2. reposer [rəpose] v. tr. 1° *Reposer un membre, une partie du corps,* les mettre dans une position pour les délasser : *Reposer sa jambe sur un tabouret* (syn. : APPUYER). — 2° *Reposer quelqu'un, une partie de son corps,* lui procurer un certain délassement : *Reposer ses membres fatigués, ses pieds endoloris. Cette lecture repose l'esprit. La couleur verte repose les yeux.* ◆ v. intr. 1° Etre dans un état de repos (littér.) : *Ne faites pas de bruit, il repose* (syn. : DORMIR). *Il n'a pas reposé de toute la nuit.* — 2° Etre enterré : *Ici repose* (= ci-gît). — 3° *Laisser reposer un liquide,* le laisser immobile afin qu'il se clarifie : *Il faut laisser reposer le vin qui a voyagé.* ‖ *Laisser reposer une terre,* la laisser en jachère. — 4° (sujet nom de chose) *Reposer sur,* être posé sur : *La maison repose sur de solides fondations;* être établi sur : *Cette affirmation ne repose sur rien de sérieux* (syn. : ÊTRE FONDÉ, BASÉ). ◆ ***se reposer*** v. pr. 1° Cesser de travailler, d'agir, d'être en mouvement pour faire disparaître la fatigue : *Les vacances approchent, vous pourrez bientôt vous reposer* (syn. : SE DÉTENDRE, SE DÉLASSER). *Après nous être reposés un peu, nous avons repris notre route.* — 2° *Se reposer sur quelqu'un,* avoir confiance en lui; s'en remettre à lui pour un travail, pour la conduite d'une affaire : *Il a pris l'habitude de se reposer sur les autres au lieu de faire un effort personnel.* — 3° *Se reposer sur ses lauriers,* jouir d'un repos mérité par de brillants succès. ◆ **repos** n. m. 1° Absence, cessation de mouvement (surtout dans les expressions : *demeurer, rester, se tenir en repos*). — 2° Cessation de travail, d'exercice : *Il y a longtemps que vous travaillez, prenez un peu de repos* (syn. : DÉTENTE, DÉLASSEMENT). *Après sa maladie, il a obtenu un mois de repos* (syn. : CONVALESCENCE). *Mettre des troupes au repos.* — 3° Sommeil : *Il dort, ne troublez pas son repos.* ‖ *Lit de repos,* lit sur lequel on se repose pendant le jour. ‖ *Repos éternel,* état où sont les âmes des bienheureux (dans le langage de l'Eglise catholique). — 4° Absence d'inquiétude, de trouble; tranquillité d'esprit (littér.) : *Avoir la conscience en repos. Cette affaire lui ôte tout repos.* — 5° Absence de troubles politiques ou sociaux, d'agitation, de guerre : *Le pays a goûté quelques années de repos. Assurer le repos public.* — 6° Pause que l'on fait en prononçant un discours, en déclamant, en lisant à haute voix : *Un lecteur habile sait se ménager des repos pour respirer sans effort.* ● LOC. ADJ. *De tout repos,* qui procure une complète tranquillité : *Une affaire, une situation de tout repos* (syn. : SINÉCURE). ◆ **reposant, e** adj. Qui procure du repos : *Des vacances reposantes.* ◆ **reposé, e** adj. 1° Qui a pris du repos : *Un cheval frais et bien reposé.* — 2° Qui n'a plus de traces de fatigue : *Un air, un teint, un visage reposé.* ● LOC. ADV. *A tête reposée,* à loisir, avec réflexion : *Nous examinerons cette affaire à tête reposée.* ◆ **reposoir** n. m. Meuble en forme d'autel sur lequel on dépose le saint sacrement au cours d'une procession (relig. catholique).

repousser [rəpuse] v. tr. 1° *Repousser une personne* ou *un groupe de personnes,* les pousser en arrière, les faire reculer, ne pas céder à leur pression : *Il voulut l'embrasser, mais elle le repoussa* (syn. : ÉCARTER, ÉLOIGNER). *Repousser un ennemi, un envahisseur* (syn. : REFOULER, REJETER). *Repousser un assaut, une attaque, une invasion* (syn. : RÉSISTER À). — 2° *Repousser quelqu'un,* refuser de l'accueillir ou lui faire un mauvais accueil : *Il aurait voulu pénétrer dans cette société, mais on l'a repoussé* (syn. : ÉCARTER, ÉVINCER). *Son sans-gêne et son indiscrétion l'ont fait repousser de bien des milieux. Repousser quelqu'un avec brusquerie* (syn. fam. : REMBARRER, ENVOYER PROMENER, ENVOYER AU DIABLE). — 3° *Repousser une chose,* la pousser en arrière, en sens contraire : *Repoussez la table contre le mur* (syn. : RECULER). *Repousser un tiroir, une tablette.* — 4° *Repousser quelque chose,* refuser de l'accepter, de l'agréer : *Repousser une offre, une proposition, une demande en mariage. Repousser une tentation* (= la rejeter de son esprit). ◆ v. intr. 1° Exercer une pression qui tend à écarter, à éloigner : *Ce ressort repousse trop.* — 2° Pop. *Repousser du goulot,* sentir mauvais de la bouche. ◆ **repoussage** n. m. Procédé employé pour obtenir des reliefs sur le métal. ◆ **repoussant, e** adj. Qui inspire du dégoût, de la répulsion : *Une figure repoussante* (syn. : ANTIPATHIQUE; contr. : ATTIRANT, ATTRAYANT, CAPTIVANT, CHARMANT). *Une laideur repoussante* (syn. : HIDEUX). *Une saleté repoussante.* ◆ **repoussé** adj. m. *Cuir, métal repoussé,* cuir, métal travaillé au marteau ou au ciseau pour y faire apparaître des reliefs. ◆ n. m. Objet exécuté de cette façon. ◆ **repoussoir** n. m. 1° Petit ciseau dont se servent les ouvriers qui travaillent au repoussage des métaux. — 2° Tons vigoureux appliqués sur le devant d'un tableau pour faire paraître les autres plus éloignés (terme techn. de peinture). — 3° Fam. *Servir de repoussoir,* se dit d'une personne ou d'une chose qui en fait valoir une autre par opposition : *Une femme laide sert de repoussoir à sa voisine.* ‖ *C'est un vrai repoussoir,* c'est une femme très laide.

répréhensible adj. V. REPRENDRE 2.

1. reprendre [rəprɑ̃dr] v. tr. (conj. **54**). 1° (sujet nom de personne ou de chose) *Reprendre quelqu'un, quelque chose,* les prendre de nouveau : *Reprendre un prisonnier échappé* (syn. : RATTRAPER). *Reprendre un ancien employé. Reprendre les armes, une ville. Je viendrai vous reprendre après déjeuner. Reprendre du pain, de la viande. Son rhumatisme l'a repris.* — 2° *Reprendre une chose,* rentrer en possession de ce qu'on avait donné ou perdu : *Reprenez votre cadeau* (syn. : REMPORTER). *Il commence à reprendre des forces* (syn. : RECOUVRER, SE RÉTABLIR). *Reprendre courage, son souffle, son sang-froid* (syn. : RETROUVER). *Reprendre confiance. Reprendre ses habitudes, sa liberté.* — 3° Racheter à un client un objet usagé : *La maison reprend les vieux postes de radio, les vieux rasoirs. J'ai acheté une voiture neuve et le garagiste m'a repris ma vieille pour un assez bon prix.* ‖ *Reprendre une marchandise,* accepter qu'on la rende et en annuler la vente : *Les articles soldés ne sont pas repris.* — 4° *Reprendre une chose interrompue,* la continuer : *Reprendre son travail, ses études* (syn. : RECOMMENCER, SE REMETTRE À). *Reprenons notre conversation. Reprendre sa route.* ‖ *Reprendre une chose, une histoire de plus haut,* la raconter en remontant à un temps plus éloigné : *Pour bien comprendre cet événement, il faut reprendre l'histoire de plus haut.* — 5° *Reprendre quelque chose,* le redire, le répéter : *Il reprend toujours les mêmes arguments. Reprendre un refrain en chœur.* — 6° (sujet nom de personne; le plus souvent intransitiv.) Prendre la parole pour faire remarquer : *Après avoir longuement réfléchi, il reprit : « Vous avez raison d'agir ainsi »*; en incise : *C'est moi, reprit-il, qui suis responsable de cette situation.* — 7° *Reprendre quelque chose,* lui apporter des modifications, des transformations : *Reprendre un article avant de le faire imprimer* (syn. : RÉCRIRE, RÉVISER). *Reprendre un tableau* (syn. : RETOUCHER). — 8° *On ne m'y reprendra plus,* je me garderai désormais d'une semblable erreur; je ne m'exposerai plus à pareil désagrément; je ne me laisserai plus duper. ‖ *Que je ne vous y reprenne plus!,* ne recommencez pas, sinon gare à vous! ‖ *Reprendre connaissance,* revenir à soi, reprendre conscience après un évanouissement. ‖ *Reprendre haleine,* se reposer pour se mettre en état de recommencer à parler, à marcher, à travailler, etc. ‖ *Reprendre le dessus,* se rétablir physiquement ou moralement après une maladie, une période d'abattement. ‖ *Reprendre une pièce de théâtre,* la jouer de nouveau. ‖ *Reprendre sa parole,* annuler une promesse qu'on avait faite. ◆ v. intr. 1° Retrouver de la vigueur : *Il a bien repris depuis son opération* (syn. : SE RÉTABLIR, SE REFAIRE). — 2° (sujet nom de plante) Reprendre racine : *Depuis qu'on l'a replanté, ce pommier reprend lentement.* — 3° Recommencer : *Les cours de faculté vont reprendre dans quelques semaines. Le froid a repris depuis quelques jours* (syn. : REVENIR). — 4° *Les affaires reprennent en ce moment,* l'industrie, le commerce redeviennent plus actifs. ‖ *Les chairs* reprennent, la plaie se referme. ◆ **se reprendre** v. pr. 1° Corriger, rectifier ce qu'on a dit par erreur ou par imprudence : *Il a laissé échapper un mot un peu vif, mais il s'est repris aussitôt.* — 2° *Se reprendre à, pour* (et l'infin.), recommencer : *Tout le monde se reprend à espérer. S'y reprendre à deux fois pour soulever un fardeau.* ◆ **reprise** n. f. 1° Action de reprendre, de s'emparer de nouveau : *La reprise d'une ville.* — 2° Continuation de ce qui a été interrompu : *La reprise des travaux sur un chantier, des cours dans un établissement scolaire.* ‖ *Reprise d'une pièce de théâtre,* la remise de cette pièce à la scène. ‖ *Reprise des affaires,* renouveau des transactions commerciales (syn. : RELANCE ; contr. : RÉCESSION). — 3° Accélération rapide de la vitesse de rotation d'un moteur en vue d'obtenir un accroissement de puissance en un temps très bref : *Cette voiture a de bonnes reprises.* — 4° Chacune des parties d'un combat de boxe : *Les combats d'amateurs se disputent en trois reprises; ceux de professionnels en quatre, six, huit, dix, douze ou quinze reprises* (syn. : ROUND). — 5° Objets mobiliers, installations qu'un nouveau locataire rachète à celui qui l'a précédé dans un appartement; somme d'argent correspondant ou non à ces meubles et versée pour entrer dans un appartement. • LOC. ADV. *A deux, trois, plusieurs, maintes reprises,* plusieurs fois successivement : *Il m'a écrit à plusieurs reprises. A maintes reprises on lui a renouvelé cet avertissement.*

2. reprendre [rəprɑ̃dr] v. tr. (conj. **54**). *Reprendre quelqu'un,* lui faire une remarque, une critique sur la manière dont il a parlé ou agi : *Reprendre un élève qui a fait une faute de grammaire. On a beau le reprendre, il commet toujours les mêmes erreurs* (syn. : BLÂMER, ↑ RÉPRIMANDER). *Reprendre quelqu'un vertement* (syn. fam. : REMBARRER, REMETTRE À SA PLACE). *C'est un homme honnête, il n'y a rien à reprendre dans sa conduite.* ◆ **répréhensible** adj. Qui mérite d'être blâmé : *Un acte répréhensible. Je ne vois pas ce qu'il y a de répréhensible dans sa conduite* (syn. : CRITIQUABLE, BLÂMABLE). ◆ **irrépréhensible** adj. : *Conduite irrépréhensible.*

représailles [rəprezaj] n. f. pl. 1° Mesures de violence qu'un Etat prend à l'égard d'un autre Etat pour répondre à un acte illicite dont celui-ci s'est rendu coupable : *Les atrocités commises par l'ennemi autorisent-elles ces représailles?* — 2° Action par laquelle on riposte aux mauvais procédés de quelqu'un, on lui rend le mal qu'il nous a fait : *Exercer des représailles, user de représailles à l'égard d'une personne* (syn. : VENGEANCE).

1. représenter [rəprezɑ̃te] v. tr. 1° *Représenter quelque chose,* faire apparaître d'une manière concrète l'image d'une chose abstraite : *Représenter l'évolution de la démographie par un graphique* (syn. : EXPRIMER). *Représenter la justice par une balance* (syn. : SYMBOLISER). *Représenter l'amour sous les traits d'un enfant* (syn. : DÉPEINDRE, ÉVOQUER). *Ces commerçants représentent la moyenne bourgeoisie* (syn. : INCARNER, PERSONNIFIER). — 2° (sujet nom de personne ou de chose) *Représenter une chose, une personne,* les rendre présentes à la vue au moyen du dessin, de la peinture, de la sculpture, de la photographie : *Cet artiste s'applique à représenter avec exactitude la nature, les paysages* (syn. : PEINDRE, REPRODUIRE). *Ce tableau représente la Nativité. Une miniature qui représente une chasse à courre au XVIe siècle. Cette photographie représente une vue générale du château de Versailles.* — 3° (sujet nom de personne) *Représenter une pièce,* la jouer sur une scène : *Représenter une tragédie, une comédie. « L'Avare » a été représenté pour la première fois le 9 septembre 1668 au théâtre du Palais-Royal.* — 4° *Représenter quelqu'un, des personnes,* tenir leur place; agir en leur nom pour l'exercice de leurs droits ou la défense de leurs intérêts : *Les ambassadeurs représentent leur pays auprès du chef de l'Etat. Le ministre s'était fait représenter à la cérémonie par son chef de cabinet. L'Assemblée nationale représente le peuple français.* — 5° *Représenter une maison de commerce,* faire des affaires pour le compte de cette maison. — 6° *Représenter quelque chose à quelqu'un,* le lui faire observer (littér.) : *On eut beau lui représenter les inconvénients de cette démarche, il passa outre* (syn. : AVERTIR, METTRE EN GARDE). — 7° (sujet nom de chose) Correspondre à : *L'achat d'une maison représente une somme importante.* ◆ **se représenter** v. pr. 1° (sujet nom de personne) *Se représenter quelqu'un, quelque chose,* en former l'image dans son esprit : *Représentez-vous cet homme élevé dans l'opulence et maintenant réduit à la plus profonde misère* (syn. : S'IMAGINER). *Qu'on se représente leur surprise et leur joie en apprenant cette bonne nouvelle* (syn. : SE FIGURER, JUGER DE). — 2° (sujet nom de personne) Se présenter de nouveau : *Se représenter à des élections, à un examen.* — 3° (sujet nom de chose) Survenir de nouveau : *Si l'occasion se représente, je crois qu'il en profitera.* ◆ **représentation** n. f. 1° Sens 1 et 2 du v. tr. : *Représentation d'une chose abstraite par une allégorie, un emblème, un symbole. Les statues, les tableaux sont des représentations de la réalité extérieure.* — 2° Sens 3 du v. tr. : *La première représentation d'un opéra. Cette pièce en est à sa centième représentation.* — 3° Fait de représenter des électeurs dans une assemblée : *Le Parlement assure la représentation du peuple.* — 4° *Faire de la représentation,* exercer le métier de représentant de commerce. — 5° (au plur.) Protestations qu'un gouvernement adresse à un autre gouvernement. ◆ **représentant, e** n. 1° Celui, celle qui a reçu le pouvoir d'agir au nom d'une ou de plusieurs personnes : *Désigner, envoyer un représentant à une assemblée. Les représentants d'un syndicat, d'un parti politique. Le ministre des Affaires étrangères est le représentant de la France à l'O.N.U.* — 2° Personne désignée pour représenter un Etat, un gouvernement auprès d'un autre : *Le représentant de la France en Grande-Bretagne* (syn. : AMBASSADEUR). *Le représentant du Saint-Siège* (syn. : NONCE, LÉGAT). — 3° *Représentant de commerce,* employé attaché à une ou plusieurs entreprises commerciales et chargé de visiter pour leur compte, dans un secteur déterminé, les acheteurs éventuels. — 4° Personne ou animal pris comme le type d'une classe, d'une catégorie d'individus : *Ce fonctionnaire est bien le représentant de la petite bourgeoisie. Il y a au zoo quelques représentants de diverses espèces d'animaux.* ◆ **représentatif, ive** adj. 1° Considéré comme le modèle, le type d'une catégorie de personnes : *Un écrivain représentatif des jeunes romanciers.* — 2° *Gouvernement, système représentatif,* forme de gouvernement selon laquelle la nation délègue à un Parlement l'exercice du pouvoir législatif. ◆ **représentativité** n. f. Qualité reconnue à un homme, à un organisme mandaté officiellement par une personne ou un groupe de personnes pour défendre leurs intérêts : *La représentativité d'une assemblée.*

2. représenter [rəprezɑ̃te] v. intr. (sujet nom de personne). *Fam.* Avoir un certain maintien, une certaine prestance : *Comme il représente bien, on le met toujours en tête d'un défilé* (syn. plus usuel : PRÉSENTER). ◆ **représentatif, ive** adj. Fam. *Homme représentatif,* homme qui a une belle prestance.

réprimande [reprimɑ̃d] n. f. Remontrance que l'on fait à quelqu'un sur qui on a autorité pour le rappeler à l'ordre : *Adresser une sévère réprimande à un écolier, à un employé. Cette attitude mérite une réprimande* (syn. : ↓ OBSERVATION, SEMONCE). ◆ **réprimander** v. tr. : *Réprimander un enfant sur sa conduite. Il ne peut souffrir d'être réprimandé* (syn. : ADMONESTER, GRONDER, HOUSPILLER, REPRENDRE, SERMONNER ; fam. : ATTRAPER, DISPUTER, PASSER UN SAVON, SAVONNER LA TÊTE. ◆ **réprimandable** adj. Qui mérite d'être réprimandé.

1. réprimer [reprime] v. tr. *Réprimer un sentiment,* faire en sorte que, par une contrainte pénible, une tendance, une chose condamnable ne se manifeste pas, ne prenne pas un grand développement : *Réprimer ses désirs, ses passions, un mouvement de contrariété, d'impatience* (syn. : CONTENIR, REFOULER). ◆ **irrépressible** adj. Que l'on ne peut arrêter, retenir dans son expansion : *Une colère irrépressible.* ◆ **irréprimable** adj. Impossible à réprimer : *Un mouvement irréprimable.*

2. réprimer [reprime] v. tr. Exercer sur les auteurs d'un désordre quelconque des peines graves, afin que celui-ci ne se développe pas : *Réprimer une révolte, une sédition* (syn. : ÉTOUFFER). *Réprimer des abus, des désordres.* ◆ **répression** n. f. : *La répression des crimes, des délits, des actes séditieux* (syn. : CHÂTIMENT, PUNITION). *La répression du soulèvement fut sévère. Prendre, décider des mesures de répression.*

repris [rəpri] n. m. *Repris de justice,* individu qui a subi une ou plusieurs condamnations (syn. : RÉCIDIVISTE ; fam. : CHEVAL DE RETOUR).

1. reprise n. f. V. REPRENDRE 1.

2. reprise [rəpriz] n. f. Réparation d'une étoffe déchirée : *Faire une reprise à un veston, à une chemise* (syn. : RACCOMMODAGE, STOPPAGE). ◆ **repriser** v. tr. : *Repriser des bas, des chaussettes* (syn. : RACCOMMODER). *Repriser un pantalon* (syn. : STOPPER).

réprobation n. f. V. RÉPROUVER.

reproche [rəprɔʃ] n. m. Blâme que l'on adresse à une personne pour lui exprimer son mécontentement ou pour lui faire honte : *Un reproche grave, léger* (syn. : SEMONCE, ↓ REMONTRANCE, RÉPRIMANDE). *Un reproche juste, injuste, mal fondé* (contr. : COMPLIMENT). *Essuyer, mériter des reproches. Reproche de la conscience* (syn. : REMORDS). *Faire des reproches à quelqu'un* (syn. fam. : ATTRAPER). *Accabler quelqu'un de reproches.* ◆ **reprocher** v. tr. *Reprocher quelque chose à quelqu'un,* lui adresser un blâme pour cela : *Reprocher sa paresse, son étourderie à un écolier* (syn. : BLÂMER). *Reprocher à quelqu'un sa naissance, sa richesse* (syn. : FAIRE GRIEF DE). *Reprocher à un écrivain d'employer trop souvent telle expression, telle tournure* (syn. : CRITIQUER) ; le lui rappeler avec aigreur : *Il ne faut pas reprocher aux gens les services qu'on leur a rendus. Reprocher à quelqu'un son ingratitude.* ◆ ***se reprocher*** v. pr. Se blâmer, se considérer comme responsable d'une chose : *Il n'a rien à se reprocher* (syn. : REGRETTER, SE REPENTIR). *Il se reproche de n'avoir pas été plus courageux* (syn. fam. : S'EN VOULOIR DE). ◆ **irréprochable** adj. Qui ne mérite aucun reproche ; qui n'offre rien à reprendre : *Ecolier irréprochable. Toilette irréprochable.* ◆ **irréprochablement** adv.

1. reproduire [rəprɔdɥir] v. tr. (conj. **70**). *Reproduire un être,* donner la vie à un être de même espèce : *Tous les êtres organisés ont la faculté de reproduire des individus semblables à eux* (syn. : ENGENDRER). ◆ ***se reproduire*** v. pr. Donner naissance à des êtres de son espèce : *Le mulet ne se reproduit pas* (= est stérile). *On a beau détruire certaines plantes, elles se reproduisent toujours* (syn. : REPOUSSER). ◆ **reproduction** n. f. Fonction par laquelle les animaux et les végétaux perpétuent leurs espèces : *Un animal destiné à la reproduction. Reproduction naturelle, par insémination artificielle. La reproduction des végétaux se fait par semis, par greffe, par bouture,* etc. ◆ **reproducteur, trice** adj. Destiné à la reproduction : *Les organes reproducteurs. Un cheval reproducteur* (syn. : ÉTALON). ◆ **reproducteur** n. m. Animal destiné à la reproduction : *On améliore une race par le bon choix des reproducteurs.*

2. reproduire [rəprɔdɥir] v. tr. (conj. **70**). 1° *Reproduire quelque chose,* en donner l'image exacte, l'équivalent : *Reproduire la nature par la peinture, la sculpture, la littérature* (syn. : COPIER, IMITER). *Il reproduit dans sa traduction le mouvement de l'original* (syn. : RENDRE). *La dactylo a reproduit jusqu'aux fautes d'orthographe du manuscrit. Cet électrophone reproduit les sons avec une grande fidélité.* — 2° *Reproduire une œuvre,* faire paraître de nouveau une œuvre (littéraire ou artistique) déjà existante par des procédés mécaniques (imprimerie, polycopie, gravure, etc.) ou manuels (dessin) : *Reproduire dans un journal un article, une conférence avec l'autorisation de l'auteur. Reproduire une œuvre d'art par la gravure, la photographie. Reproduire un tableau par le dessin* (syn. : COPIER). ◆ ***se reproduire*** v. pr. (sujet nom de chose). Arriver, avoir lieu de nouveau : *Les mêmes faits, les mêmes erreurs se reproduisent souvent* (syn. : SE RÉPÉTER). ◆ **reproduction** n. f. 1° Action de reproduire un texte, une illustration : *Autoriser la reproduction d'un article, d'un document dans une revue.* ‖ *Droit de reproduction,* droit que possède l'auteur d'une œuvre littéraire ou artistique d'en autoriser la diffusion. — 2° Copie ou imitation d'une œuvre artistique : *Acheter une reproduction d'un tableau, d'un dessin.*

réprouver [repruve] v. tr. 1° *Réprouver quelque chose,* rejeter et condamner ce qui révolte, ce qui paraît odieux : *Des actes que la morale réprouve. Un honnête homme réprouvera toujours de pareilles actions.* — 2° *Réprouver un comportement,* le blâmer, le critiquer sévèrement : *Réprouver l'attitude de quelqu'un* (syn. : DÉSAVOUER). ◆ **réprouvé, e** adj. et n. 1° Exclu par Dieu du bonheur éternel (relig.) : *Les élus et les réprouvés* (syn. : DAMNÉ, MAUDIT). — 2° Personne rejetée par la société : *Vivre en réprouvé.* ◆ **réprobation** n. f. Blâme très sévère : *Encourir la réprobation des honnêtes gens. Son attitude a soulevé la réprobation générale.* ◆

réprobateur, trice adj. Qui exprime la réprobation : *Un regard réprobateur.*

reptation n. f. V. RAMPER.

reptile [rɛptil] n. m. Animal appartenant à une classe de vertébrés qui comprend les lézards, les serpents, les tortues et les crocodiles.

république [repyblik] n. f. Forme de gouvernement dans lequel le peuple exerce sa souveraineté par l'intermédiaire d'élus qui exercent le pouvoir législatif, et dans lequel le président est élu soit directement par le peuple, soit par ses représentants : *Une république fédérale, populaire, socialiste* (contr. : MONARCHIE). *La devise de la République française est : « Liberté, égalité, fraternité ».* ◆ **républicain, e** adj. : *Un gouvernement républicain. Une constitution républicaine.* ‖ *Calendrier républicain*, v. CALENDRIER. ◆ adj. et n. Partisan de la république, qui lui est favorable : *Avoir des sentiments républicains. Un vrai républicain* (syn. : DÉMOCRATE ; contr. : MONARCHISTE). ◆ **républicanisme** n. m. Attachement à la république et aux opinions démocratiques : *Afficher son républicanisme.*

répudier [repydje] v. tr. 1° *Répudier sa femme*, dans les sociétés anciennes, la renvoyer selon les formes fixées par la coutume, la loi : *Les Romains avaient le droit de répudier leur femme en certains cas.* — 2° *Répudier une chose*, y renoncer : *Répudier une opinion, une doctrine, un engagement* (syn. : REJETER). ◆ **répudiation** n. f. : *La répudiation existait dans l'Antiquité. La répudiation de ses erreurs passées.*

répugnance [repyɲɑ̃s] n. f. 1° Vive sensation d'écœurement que provoque une chose physique : *Avoir de la répugnance pour un aliment. Il a une telle répugnance pour ce médicament qu'il en a la nausée quand il l'avale* (syn. : DÉGOÛT). — 2° Vif sentiment de mépris pour une personne ou pour une chose morale : *Elle n'a pas pu surmonter la répugnance qu'elle avait pour lui* (syn. : ANTIPATHIE, AVERSION). *Avoir de la répugnance pour le mensonge* (syn. : HORREUR). — 3° Manque d'ardeur, d'enthousiasme pour une chose : *Se livrer à une besogne avec répugnance* (syn. : À CONTRECŒUR, DE MAUVAISE GRÂCE). *Eprouver de la répugnance pour certaines disciplines scolaires, pour certains travaux domestiques* (syn. : RECHIGNER, RENÂCLER À). ◆ **répugnant, e** adj. Qui inspire de la répugnance physiquement ou moralement : *Il y a dans cette salle une odeur répugnante* (syn. : INFECT, ↑ FÉTIDE). *Cette maison est d'une saleté répugnante* (syn. : ÉCŒURANT, REPOUSSANT). *Il mange d'une façon répugnante. Etre obligé de faire un travail répugnant* (syn. : DÉGOÛTANT, ↓ REBUTANT). *Cette personne a un visage répugnant* (syn. : AFFREUX, ↓ DÉPLAISANT). *Un individu répugnant* (syn. : ABJECT, ↓ ANTIPATHIQUE). ◆ **répugner** v. tr. ind. ou intr. 1° (sujet nom de personne) *Répugner à quelque chose, à* (et l'infin.), éprouver de la répugnance à : *Il répugne à faire ce travail* (syn. : RECHIGNER, RENÂCLER). — 2° (sujet nom de chose) *Répugner à quelqu'un*, lui inspirer de la répugnance : *Cette nourriture lui répugne* (syn. : DÉGOÛTER, ÉCŒURER). *Cet individu a des manières qui vous répugnent* (syn. : DÉPLAIRE ; contr. : ATTIRER, CHARMER). — 3° Impers. *Répugner de*, gêner vivement, déplaire : *Il me répugne de vous entretenir d'un pareil sujet* (syn. : ↓ DÉPLAIRE).

répulsion [repylsjɔ̃] n. f. Vive répugnance pour une personne ou pour une chose : *Eprouver pour quelqu'un une répulsion insurmontable, irrésistible* (syn. : ANTIPATHIE, AVERSION ; contr. : SYMPATHIE). *Les serpents inspirent une grande répulsion à beaucoup de personnes* (contr. : ATTIRANCE). *La lecture de certains romans vous fait éprouver de la répulsion pour leurs auteurs* (syn. : ↑ HORREUR, HOSTILITÉ, ↓ DÉGOÛT).

réputation [repytasjɔ̃] n. f. 1° (avec une épithète) Opinion favorable ou défavorable que le public a d'une personne ou d'une chose : *Jouir d'une bonne réputation* (syn. : RENOMMÉE, ESTIME). *Il a une mauvaise réputation auprès de ses collègues. Cette maison de commerce a une excellente réputation* (syn. : RENOM). *Un produit de réputation mondiale* (syn. : RENOMMÉE). *Cette maison a une mauvaise réputation* (= est mal famée). — 2° (avec la prép. *de*) Fait d'être considéré comme : *Il a laissé en mourant la réputation d'un homme honnête et travailleur. Il a la réputation d'être avare* (= il passe pour être avare). — 3° (sans épithète) Bonne opinion que le public a d'une personne ou d'une chose : *Acquérir de la réputation; soutenir sa réputation* (syn. : CÉLÉBRITÉ, ↑ NOTORIÉTÉ, RENOMMÉE). *Compromettre, perdre sa réputation* (syn. : POPULARITÉ). *Attaquer, salir la réputation de quelqu'un* (= le déshonorer, le diffamer). *Faire tort, porter atteinte à la réputation d'une entreprise commerciale.* — 4° *Connaître quelqu'un, quelque chose de réputation*, les connaître seulement pour en avoir entendu parler. ◆ **réputé, e** adj. 1° Qui jouit d'une grande réputation : *Un médecin réputé* (syn. : CÉLÈBRE, CONNU). *Un des vins les plus réputés* (syn. : RENOMMÉ). — 2° *Etre réputé pour*, être considéré comme, passer pour : *Cet homme n'est pas réputé pour être un bon payeur.*

requérir [rəkerir] v. tr. (conj. 21). 1° (sujet nom de personne) *Requérir la troupe, la force publique*, en réclamer, au nom de la loi, l'intervention : *Le préfet de police a requis la force armée pour disperser les manifestants.* — 2° *Requérir une peine*, la demander en justice (jurid.) : *Le procureur a requis la peine de mort pour l'accusé.* — 3° (sujet nom de chose) Demander, exiger comme nécessaire : *L'étude de ce dossier requerra toute votre attention* (syn. : RÉCLAMER). *Des travaux qui requièrent une grande application.* ◆ **requis, e** adj. Exigé comme nécessaire : *Avoir l'âge requis, les diplômes requis pour occuper un poste, un emploi* (syn. : PRESCRIT). ◆ n. m. 1° *Requis civil* ou *requis*, civil mobilisé auquel les pouvoirs publics assignent, en temps de guerre, un emploi déterminé. — 2° Citoyen d'un pays envahi contraint par l'occupant d'effectuer certains travaux : *Les requis du Service du travail obligatoire furent envoyés en Allemagne en 1943-1944.* ◆ **requête** n. f. 1° Demande par écrit, présentée suivant certaines formes établies (jurid.) : *Adresser une requête au président d'un tribunal.* — 2° Demande instante, écrite ou verbale (littér.) : *Adresser une requête pour obtenir une grâce, une faveur* (syn. : SOLLICITATION, ↑ SUPPLIQUE). ◆ **réquisitoire** n. m. 1° Discours par lequel le procureur de la République (ou son substitut) demande au juge d'appliquer la loi à un inculpé. — 2° Discours ou écrit qui contient une série d'accusations, de reproches contre quelqu'un : *Un député de l'opposition a prononcé un violent réquisitoire contre la politique financière du gouvernement.*

requin [rəkɛ̃] n. m. 1° Poisson de mer au corps allongé, de grande taille (de 3 à 15 mètres), très vorace (syn. : SQUALE). — 2° Personne cupide, impitoyable en affaires : *Les requins de la finance.*

requinquer [rəkɛ̃ke] v. tr. *Fam.* Redonner des forces, de l'entrain : *Prenez donc un peu de liqueur, ça va vous requinquer* (syn. fam. : RAGAILLARDIR, REMONTER). ◆ ***se requinquer*** v. pr. *Fam.* Retrouver la santé, la bonne humeur : *Depuis sa convalescence, il s'est bien requinqué* (syn. fam. : SE RETAPER).

réquisition [rekizisjɔ̃] n. f. Demande faite par l'Etat ou l'Administration de mettre des personnes, des choses à sa disposition pour un service public : *Les pouvoirs publics ont ordonné la réquisition des locaux vacants pour y loger des réfugiés, des rapatriés.* ◆ **réquisitionner** v. tr. 1° *Réquisitionner quelque chose,* se le procurer par voie de réquisition : *Réquisitionner des voitures, des marchandises.* — 2° *Réquisitionner quelqu'un,* utiliser ses services par voie de réquisition : *Au moment de certaines grèves, on a réquisitionné des ouvriers.*

rescapé, e [rɛskape] n. et adj. Personne sortie vivante, indemne d'un danger, d'un accident, d'une catastrophe : *Les rescapés d'un naufrage, d'une collision.*

rescousse (à la) [alarɛskus] loc. adv. A l'aide, au secours (seulement avec les verbes *accourir, aller, appeler, venir*) : *Aller à la rescousse d'un ami.*

réseau [rezo] n. m. 1° *Réseau aérien,* ensemble des lignes aériennes d'un pays ou d'une compagnie de navigation. ‖ *Réseau ferroviaire (ferré, de chemin de fer), réseau routier,* ensemble des voies ferrées, des routes d'un pays, d'une région. ‖ *Réseau télégraphique, téléphonique,* ensemble des lignes aboutissant à un même central télégraphique, téléphonique. ‖ *Réseau radiophonique, de télévision,* ensemble des stations émettrices et des relais d'un même pays ou d'une même compagnie. — 2° *Réseau de résistance,* groupement clandestin de volontaires chargés de missions de renseignements ou de contre-espionnage. — 3° Ensemble de lignes entrelacées, réunies les unes aux autres : *Un réseau de toiles d'araignées. Un réseau de tranchées.* — 4° Ce qui enveloppe, retient à la manière d'un filet : *Un réseau d'intrigues.*

réséda [reseda] n. m. Plante dont une espèce est cultivée pour ses fleurs odorantes.

1. réserve [rezɛrv] n. f. 1° Chose que l'on a mise de côté, que l'on garde pour l'utiliser dans des occasions prévues ou imprévisibles : *Avoir une bonne réserve d'argent* (syn. : ÉCONOMIES). *Constituer une réserve, des réserves de denrées alimentaires* (syn. : PROVISIONS). *Avoir une grande réserve d'énergie, de vitalité.* — 2° Local où l'on entrepose des marchandises : *Aller à la réserve chercher un article qui n'est pas dans le magasin* (syn. : ARRIÈRE-BOUTIQUE). — 3° *Réserves nutritives,* ou *réserves,* substances accumulées dans les tissus et utilisées quand l'alimentation est devenue insuffisante : *Il peut rester quelques jours sans manger, il a des réserves.* ‖ Gisement non exploité : *Les réserves mondiales de pétrole, de gaz naturel, de métaux précieux sont importantes.* — 4° Ensemble des citoyens soumis aux obligations militaires et qui ne sont pas en service actif : *Etre versé dans la réserve. Officier, sous-officier de réserve.* — 5° Dans certains pays, territoire réservé aux indigènes : *Les réserves indiennes du Canada.* — 6° *Réserve zoologique, botanique,* territoire soumis à une réglementation spéciale pour la protection des animaux, des plantes. ‖ *Réserve de pêche, de chasse,* partie d'un cours d'eau ou d'un territoire réservée à la reproduction du poisson ou du gibier et dans laquelle l'exercice de la pêche ou de la chasse est totalement prohibé. ● LOC. ADJ. *De réserve,* destiné à être utilisé en temps opportun : *Des vivres de réserve. Une machine, du matériel de réserve.* ● LOC. ADV. *En réserve,* de côté : *Avoir, mettre, tenir quelque chose en réserve. Il a toujours une forte somme d'argent en réserve.* ◆ **réserviste** n. m. Celui qui appartient à la réserve (sens 4) des forces armées.

2. réserve [resɛrv] n. f. Attitude d'une personne qui évite tout excès dans ses paroles et dans ses actes, qui agit avec prudence : *Cet homme affecte, montre une grande réserve* (syn. : MODÉRATION). *Cette femme est un modèle de discrétion et de réserve* (syn. : RETENUE). ‖ *Etre, demeurer, se tenir sur la réserve,* ne pas se livrer, s'engager imprudemment : *On lui a posé de nombreuses questions sur ses futurs travaux, mais il est resté sur la réserve.* ‖ *Faire des réserves sur,* ne pas donner son approbation, son adhésion pleine et entière : *Il n'adopte jamais une théorie sans faire des réserves. Faire des réserves sur l'opportunité d'une mesure, d'une décision.* ‖ *Sous toutes réserves,* sans garantie, sans engagement formel : *Nous publions cette nouvelle sous toutes réserves.* ● LOC. ADJ. ET ADV. *Sans réserve,* complet, total : *Une admiration, un enthousiasme sans réserve;* entièrement, sans restriction : *Etre dévoué à quelqu'un sans réserve.* ◆ **réservé, e** adj. Qui fait preuve de réserve : *Il est très réservé dans ses jugements* (syn. : CIRCONSPECT, DISCRET).

réserver [rezɛrve] v. tr. 1° Mettre de côté quelque chose d'un tout : *Nous n'avons pas mangé tout le dessert, nous vous en avons réservé une part* (syn. : GARDER). — 2° Faire mettre à part : *N'oubliez pas de réserver vos places dans le train, dans l'avion. Réserver une chambre dans un hôtel, une place dans un théâtre, une table au restaurant* (syn. : RETENIR). — 3° Garder une chose pour un autre temps : *Je lui réserve une surprise pour son retour. Permettez-moi de réserver ma réponse.* ‖ *Réserver un accueil à quelqu'un,* le recevoir de telle ou telle manière : *On lui a réservé un accueil chaleureux* (syn. : MÉNAGER). — 4° (sujet nom de chose) Destiner une chose à quelqu'un : *Personne ne sait ce que l'avenir lui réserve. Le sort lui réservait une fin glorieuse. Il a reçu le châtiment que la justice réserve aux criminels;* impersonnell. : *C'est à lui qu'il était réservé de terminer cette grande œuvre.* ◆ **se réserver** v. pr. 1° *Se réserver quelque chose,* le garder pour soi : *Il a loué sa maison, mais il s'est réservé deux pièces. L'évêque se réserve le pouvoir d'absoudre certains péchés.* — 2° *Se réserver de faire une chose,* se proposer de la faire en temps opportun : *Je me réserve de lui donner mon opinion, de lui dire ce que je pense de son attitude.* — 3° *Se réserver pour une chose,* ne pas s'engager immédiatement : *Il n'a pas accepté votre invitation, il se réserve pour plus tard, pour une autre occasion;* s'abstenir ou se retenir de manger afin de garder son appétit pour un autre plat : *Se réserver pour le rôti, pour le dessert.* — 4° *Réservé à, pour,* attribué, destiné exclusivement à une personne, à un usage : *Des places réservées aux mutilés. Un wagon réservé pour la poste, pour les bagages.* ‖ *Chasse, pêche* *réservée,* territoire où il est interdit de chasser, de pêcher sans une autorisation spéciale (syn. : GARDÉ, PRIVÉ). ‖ *Quartier réservé,* quartier mal famé d'une ville. ‖ *Cas réservés,* péchés particulièrement graves que seuls le pape ou les évêques peuvent absoudre. ◆ **réservation** n. f. Action de retenir une place dans un moyen de transport, une chambre dans un hôtel, etc. ◆ **réservoir** n. m. 1° Bassin naturel ou artificiel, bâtiment, cavité d'un appareil où sont accumulées et conservées des substances en réserve, en général des liquides, du gaz, etc. : *Un réservoir pour les eaux de pluie* (syn. : CITERNE). *Un réservoir pour la distribution des eaux d'une ville* (syn. : CHÂTEAU D'EAU). *Réservoir d'une usine à gaz* (syn. : GAZOMÈTRE). — 2° Récipient destiné à contenir un liquide : *Réservoir d'essence pour une voiture* (syn. : NOURRICE). — 3° Bassin rempli d'eau dans lequel on conserve vivants des poissons, des crustacés (syn. : VIVIER, AQUARIUM). — 4° Endroit où sont amassées des réserves quelconques : *Ce pays est un grand réservoir d'hommes.*

résider [rezide] v. intr. 1° *Résider à, en, dans un lieu,* avoir son domicile dans tel endroit (langue admin.) : *Il travaille à Paris, mais il réside à Versailles* (syn. : HABITER, DEMEURER). *Il a résidé quelque temps en Allemagne.* — 2° *Résider dans quelque chose,* y trouver sa base, le principe de son existence : *Le principe de la souveraineté réside dans le peuple;* avoir sa cause essentielle, se trouver : *La difficulté réside dans la solution de ce problème* (syn. : CONSISTER EN). ◆ **résidence** n. f. 1° Demeure habituelle en un lieu déterminé (langue admin.) : *Il a établi sa résidence à Paris. Un certificat de résidence* (syn. : DOMICILE). *Changer souvent de résidence* (syn. : LIEU D'HABITATION). *Une résidence secondaire à la campagne. L'Elysée est la résidence du président de la République.* — 2° Groupe d'habitations d'un certain luxe : *Plusieurs résidences ont été construites aux alentours de Paris.* ◆ **résident** n. m. Fonctionnaire habitant dans la ville où se trouve son lieu de travail. ◆ **résidentiel, elle** adj. *Quartiers résidentiels,* réservés aux maisons d'habitation (par oppos. à ceux où dominent les magasins, les bureaux, les usines).

résidu [residy] n. m. Matière qui reste après une opération physique ou chimique : *Les cendres sont le résidu de la combustion du bois.*

1. résigner [reziɲe] v. tr. *Résigner une fonction, un emploi,* y renoncer volontairement en adressant sa démission (syn. : DÉMISSIONNER).

2. résigner (se) [səreziɲe] v. pr. *Se résigner à quelque chose,* supporter sans protester une chose pénible, désagréable, mais qui apparaît inévitable : *Il n'a pu se résigner à quitter sa famille. Se résigner à son sort, à l'inévitable* (syn. : SE SOUMETTRE). *Il est inutile de se révolter contre la fatalité, il faut se résigner* (syn. : SUBIR). ◆ **résigné, e** adj. et n. : *Un malade calme et résigné.* ◆ **résignation** n. f. : *Il a montré dans cette épreuve beaucoup de résignation. Il a subi sa disgrâce avec résignation* (contr. : PROTESTATION, RÉVOLTE).

résilier [rezilje] v. tr. *Résilier une convention, un contrat,* y mettre fin en usant d'une clause qui prévoyait cette rupture (admin.) : *Résilier un bail, un marché, un engagement* (syn. : ANNULER). ◆ **résiliation** n. f. : *La résiliation d'un contrat, d'une vente.* ◆ **résiliable** adj. : *Un bail résiliable au bout de trois ans.*

résille [rezij] n. f. Filet dont on enveloppe les cheveux.

résine [rezin] n. f. Substance visqueuse produite par certains végétaux, principalement les conifères : *La récolte de la résine se fait surtout dans les Landes.* ◆ **résineux, euse** adj. 1° Qui produit de la résine : *Les bois résineux sont le pin, le sapin, l'épicéa, le mélèze, le cèdre,* etc. — 2° Qui rappelle la résine : *Une odeur résineuse. Un goût résineux.* ◆ **résinier, ère** n. Personne qui récolte la résine.

résipiscence [resipisɑ̃s] n. f. Reconnaissance de sa faute, avec amendement (relig. et littér.); s'emploie surtout dans les locutions : *Amener, venir à résipiscence* (syn. : SE REPENTIR).

résister [reziste] v. tr. ind. 1° (sujet nom de personne) *Résister à un assaut,* s'y opposer par le moyen des armes : *Nos troupes ont résisté courageusement aux attaques de l'ennemi* (syn. : SE DÉFENDRE, TENIR BON). — 2° *Résister à quelqu'un,* s'opposer à sa volonté, à ses desseins, à ses désirs : *Ce père n'aime pas que ses enfants lui résistent* (syn. : DÉSOBÉIR). *Cette mère n'ose pas résister à sa fille* (syn. : CONTRARIER). — 3° *Résister à l'effort, aux privations, à la souffrance physique ou morale,* les supporter sans faiblir : *Il a une santé de fer, il résiste à toutes les fatigues* (syn. fam. : TENIR LE COUP). *Il est accablé de travail, il n'y résistera pas. Résister au chagrin, à l'adversité.* — 4° *Résister à quelque chose,* lutter contre ce qui attire, ce qui est jugé mauvais ou dangereux moralement : *Résister à la séduction, à la tentation, au péché, à ses désirs, à ses passions. Résister à une proposition malhonnête* (syn. : REPOUSSER; contr. : CÉDER). — 5° (sujet nom de chose) *Résister à quelque chose,* ne pas céder, ne pas être détruit sous l'effet d'une chose, d'une pression, d'une force quelconque : *La toiture a résisté à la violence du vent* (syn. fam. : TENIR LE COUP). *Le plancher est trop chargé, il ne pourra résister à un aussi grand poids* (syn. : SUPPORTER). *Une plante qui résiste à la gelée. Un tissu qui résiste à l'eau* (= qui ne se laisse pas pénétrer par l'eau). ◆ **résistance** n. f. 1° Action de résister (aux divers sens du mot) : *Une résistance active, acharnée, héroïque, opiniâtre, vigoureuse. Céder sans résistance. Une résistance passive* (syn. : FORCE D'INERTIE). *Vaincre une résistance.* — 2° Action menée contre l'occupation allemande pendant la Seconde Guerre mondiale (avec une majusc. en ce sens) : *La Résistance fut, dans toute l'Europe, une lutte pour la libération de la patrie.* — 3° Capacité de résister à la fatigue, aux privations : *Jeunes gens qui ont de la résistance* (syn. : ENDURANCE). — 4° Action, qualité de ce qui résiste à une force : *Il voulut pousser la porte, mais il sentit une résistance. La résistance des matériaux. La résistance d'une plante.* — 5° *Plat de résistance,* mets principal d'un repas. ‖ *Résistance (électrique),* fil, plaque de métal qui transforme l'énergie électrique en chaleur : *Changer la résistance d'un réchaud, d'un radiateur, d'un fer à repasser.* ◆ **résistant, e** adj. 1° Se dit d'un être animé qui résiste à l'effort, à la maladie, etc. : *Cet homme est très résistant, il n'est jamais fatigué* (syn. : FORT, ROBUSTE; contr. : FAIBLE, DÉBILE). — 2° Se dit d'une chose qui offre de la résistance (sens 4) : *L'acajou est un bois très résistant* (contr. : FRAGILE). *Un tissu résistant. Une plante résistante* (syn. : RUSTIQUE, VIVACE). ◆ n. Patriote engagé dans la Résistance pendant la Seconde Guerre mondiale. ◆ **irrésistible** adj. 1° A quoi l'on ne peut résister : *Une force irrésistible.*

Un charme irrésistible. — **2°** A qui l'on ne peut résister : *C'est un homme irrésistible.* ◆ **irrésistiblement** adv. : *Etre irrésistiblement attiré par quelque chose.*

résolu, e adj., **résolument** adv., **résolution** n. f. V. RÉSOUDRE 2.

résonner [rezɔne] v. intr. **1°** Produire un son : *Cette cloche résonne faiblement. La voix du prédicateur résonne sous la voûte de la cathédrale* (syn. : RETENTIR). *Les pas des promeneurs attardés résonnaient sur les trottoirs.* — **2°** Renvoyer le son en augmentant son intensité ou sa durée : *Cette salle résonne trop, il faudrait l'insonoriser. Les montagnes résonnent du bruit du tonnerre.* ◆ **résonance** n. f. **1°** Propriété d'accroître la durée ou l'intensité du son que possèdent certains objets ou certains milieux : *La résonance d'une cloche. Les résonances produites par la vibration des cordes d'un instrument de musique. Atténuer la résonance d'une salle* (syn. : SONORITÉ). — **2°** Effet, écho produit dans l'esprit ou dans le cœur par une œuvre littéraire : *Ce poème de Victor Hugo éveille en nous des résonances profondes. Un mot a un timbre, une résonance toute personnelle en chacun de nous.* ◆ **résonateur** n. m. Appareil capable de renforcer les sons.

résorber [rezɔrbe] v. tr. **1°** Opérer la résorption d'une tumeur, d'un abcès, etc. : *L'épanchement du pus a été rapidement résorbé.* — **2°** Faire disparaître peu à peu : *Résorber un déficit, le chômage.* ◆ ***se résorber*** v. pr. Disparaître par résorption : *L'épanchement du sang a été long à se résorber.* ◆ **résorption** n. f. Disparition totale ou partielle d'un produit pathologique qui est absorbé par les tissus voisins : *La résorption d'une tumeur, d'un abcès.*

1. résoudre [rezudr] v. tr. (conj. **61**). **1°** Trouver la solution d'une question, d'un cas embarrassants : *Résoudre un problème d'arithmétique. Résoudre un problème politique* (syn. : TRANCHER). *Les théologiens ont résolu ce cas de conscience. Je ne sais s'il résoudra cette énigme* (syn. : DEVINER). — **2°** *Résoudre une équation,* calculer les racines de cette équation. (V. SOLUTION.)

2. résoudre [rezudr] v. tr. ind. *Résoudre de* (et l'infin.), prendre la détermination de : *On a résolu d'agir sans plus tarder* (syn. : DÉCIDER). *Des intrigants ont résolu de le faire échouer dans son entreprise.* ◆ ***se résoudre*** v. pr. *Se résoudre à quelque chose, à* (et l'infin.), prendre la détermination de : *On se demande si elle se résoudra à l'épouser.* ◆ **résolu, e** adj. Décidé et ferme dans ce qu'il se propose ou entreprend : *Il est bien résolu à ne pas se laisser faire, à ne pas abandonner la partie.* ◆ **résolution** n. f. **1°** Décision prise avec la volonté de s'y tenir fermement : *Former la résolution de mieux travailler, de se corriger* (syn. : DÉTERMINATION). — **2°** Caractère d'une personne énergique, opiniâtre (littér.) : *Il faut beaucoup de résolution pour renoncer au monde quand on est jeune* (syn. : COURAGE, FERMETÉ). ◆ **résolument** adv. **1°** Avec une ferme résolution : *Il s'est mis résolument au travail.* — **2°** Avec courage : *Marcher résolument au combat.* ◆ **irrésolu, e** adj. Qui a de la peine à se résoudre, à prendre un parti : *Caractère irrésolu* (syn. : HÉSITANT, INDÉCIS). ◆ **irrésolution** n. f. Etat d'incertitude, d'indécision : *Etre victime de son irrésolution.*

respect [rɛspɛ] n. m. **1°** Sentiment qui porte à traiter quelqu'un avec déférence en raison de son âge, de sa supériorité, de son mérite : *Les enfants doivent le respect à leurs parents. Commander, imposer, inspirer le respect* (syn. : CONSIDÉRATION). *Montrer, témoigner du respect à une personne.* ‖ *Manquer de respect à (envers) une femme,* prendre des libertés avec elle. — **2°** Sentiment de vénération que l'on rend à Dieu, aux saints, à ce qui est sacré : *Se prosterner avec respect devant un autel. Le respect pour les morts.* — **3°** Attitude qui consiste à ne pas porter atteinte à quelque chose : *Le respect de la vérité, des lois, du bien d'autrui.* — **4°** *Respect* [rɛspɛk] *humain,* crainte qu'on a du jugement des autres : *Le respect humain fait commettre beaucoup de fautes.* ‖ *Sauf le respect que je vous dois, avec le respect que je vous dois, sauf votre respect,* formules dont on se sert pour s'excuser d'une parole trop libre, un peu choquante. ◆ **respects** n. m. pl. Témoignages, marques de respect : *Présenter ses respects à quelqu'un. Assurer quelqu'un de ses respects.* ◆ **respecter** v. tr. **1°** *Respecter quelqu'un,* avoir du respect pour lui : *Respecter les vieillards, ses parents, ses supérieurs, ses chefs.* ‖ *Respecter une femme,* s'abstenir de toutes privautés avec elle. — **2°** *Respecter quelque chose,* ne lui porter aucune atteinte : *Respecter la mémoire des grands hommes. Respecter une tradition, les convenances, les bienséances.* ‖ Traiter avec égard, ménager : *Les enfants n'ont rien respecté dans le jardin : ils ont marché sur les pelouses, cassé des branches aux arbres.* ‖ *Respecter le sommeil d'autrui,* ne pas le troubler. ◆ ***se respecter*** v. pr. Garder la décence et les bienséances qui conviennent à sa personne, à son âge, à sa situation sociale : *Cette femme se respecte et se fait respecter. Un vieillard doit se respecter lui-même, s'il veut que les jeunes gens le respectent.* ◆ **respectable** adj. **1°** Se dit d'une personne ou d'une chose qui est digne de respect : *Cette personne est respectable par son âge et ses vertus. Vos scrupules sont tout à fait respectables* (contr. : MÉPRISABLE). — **2°** Se dit d'une chose assez importante : *Une somme respectable* (contr. : INSIGNIFIANT). *Il y avait dans la salle un nombre respectable de spectateurs.* ◆ **respectabilité** n. f. : *La respectabilité d'un chef d'Etat, d'une institution.* ◆ **respectueux, euse** adj. **1°** Qui témoigne du respect : *Un enfant respectueux envers ses parents, ses maîtres* (contr. : IMPERTINENT, IMPOLI, INSOLENT). *Se montrer respectueux du bien d'autrui, des convenances.* — **2°** Qui marque du respect : *Un langage, un silence respectueux;* dans le langage de la politesse : *Présenter ses respectueuses salutations, ses hommages, ses sentiments respectueux.* ◆ **respectueusement** adv. : *Parler, écrire respectueusement à quelqu'un.* ◆ **irrespectueux, euse** adj. Qui manque au respect : *Enfant irrespectueux.* ◆ **irrespect** n. m. Manque de respect : *Irrespect envers l'autorité.* ◆ **irrespectueusement** adv. : *Parler irrespectueusement de quelqu'un.*

respectif, ive [rɛspɛktif, -iv] adj. Qui concerne chaque personne, chaque chose par rapport aux autres : *Les droits respectifs des époux. Déterminer les positions respectives de deux astres.* ◆ **respectivement** adv. Chacun en ce qui le concerne : *Ils ont présenté respectivement leur demande. Ils ont gagné respectivement une, puis deux parties.*

1. respirer [rɛspire] v. intr. **1°** Aspirer et rejeter l'air pour renouveler l'oxygène de l'organisme : *Respirer par le nez, par la bouche. Respirer régu-*

lièrement. Il est asthmatique, il a de la peine à respirer. Les végétaux respirent aussi bien que les animaux. — 2° Reprendre haleine, avoir un moment de répit : *Je rentre de travailler, laissez-moi respirer.* ◆ v. tr. Absorber par les voies respiratoires : *Respirer un air corrompu. Respirer le grand air. On lui a conseillé d'aller respirer l'air de la montagne ou de la mer. Respirer une odeur, un parfum* (syn. : SENTIR). ◆ **respiration** n. f. Fonction commune à tous les êtres vivants, qui consiste à absorber de l'oxygène et à rejeter du gaz carbonique et de l'eau : *Avoir la respiration aisée, normale, courte, bruyante. Perdre la respiration. Arrêter, empêcher la respiration.* ‖ *Respiration artificielle,* ensemble des manœuvres destinées à provoquer manuellement ou avec des appareils la contraction de la cage thoracique et à rétablir ainsi la circulation de l'air dans les poumons. ◆ **respirable** adj. Que l'on peut respirer : *Un air respirable* (contr. : IRRESPIRABLE). ◆ **respiratoire** adj. Qui se rapporte, qui sert à la respiration : *Avoir des troubles respiratoires. Faire des mouvements respiratoires.* ◆ **irrespirable** adj. : *Atmosphère irrespirable.*

2. respirer [rɛspire] v. tr. Faire paraître au-dehors, manifester vivement : *Dans cette maison, tout respire le calme, la paix. Cet homme respire la santé. Toute sa personne respire l'orgueil* (syn. : EXPRIMER).

resplendir [rɛsplɑ̃dir] v. intr. 1° Briller d'un vif éclat (littér.) : *La nuit était belle, la lune resplendissait* (syn. : LUIRE). — 2° Briller sous l'effet d'un sentiment agréable : *A cette nouvelle, son visage resplendit de joie* (syn. : S'ILLUMINER, RAYONNER). ◆ **resplendissant, e** adj. : *Des yeux resplendissants. Une beauté resplendissante. Un visage resplendissant de santé, de bonheur. Une mine resplendissante* (contr. : PÂLE). ◆ **resplendissement** n. m. Eclat de ce qui resplendit (littér.) : *Le resplendissement de sa gloire s'étend à tout l'univers.*

responsable [rɛspɔ̃sabl] adj. Qui doit rendre compte de ses actes ou de ceux d'autrui et en accepter les conséquences : *Un fils n'est pas responsable des fautes de son père. Un père est civilement responsable des dégâts commis par son enfant mineur. Etre responsable de la mauvaise gestion d'une entreprise.* ‖ *Ne pas être responsable de ses actes,* ne pas jouir de toutes ses facultés. ◆ n. 1° Personne qui a la charge d'une fonction, qui prend des décisions dans une organisation : *Le responsable du ravitaillement dans une colonie de vacances.* — 2° Personne qui a la capacité de prendre des décisions dans une organisation, dans un mouvement, mais qui doit en rendre compte à une autorité supérieure ou à ses mandants : *Un responsable syndical.* ◆ **responsabilité** n. f. 1° Obligation de réparer une faute, de remplir une charge, un engagement : *La responsabilité dépend des circonstances. Accepter une responsabilité. Rejeter la responsabilité d'une action sur un camarade. Décliner toute responsabilité en cas d'accident, d'échec. Prendre sur soi la responsabilité d'une entreprise, d'une expérience. Assumer de lourdes responsabilités. Fuir les responsabilités.* — 2° *Responsabilité civile,* obligation de réparer les dommages causés à autrui par soi-même, par une personne qui dépend de soi, par un animal ou une chose que l'on a sous sa garde : *Déterminer les responsabilités en cas d'accident d'automobile. Responsabilité d'un employeur pour les accidents du travail.* — 3° *Responsabilité pénale,* obligation de supporter le châtiment prévu pour l'infraction que l'on a commise : *En droit pénal, on n'est responsable que de sa propre faute; ainsi un père n'est pas, pénalement, responsable d'un délit commis par son enfant mineur.* — 4° *Responsabilité morale,* obligation de répondre de ses intentions et de ses actes devant sa conscience (devant Dieu, d'après la morale religieuse); obligation de s'acquitter de ses devoirs envers ceux dont on a la charge : *Les parents ont la responsabilité morale de l'éducation de leurs enfants.* ◆ **irresponsable** adj. et n. Qui n'est pas capable de répondre de ses actes, de sa conduite : *Enfant irresponsable.* ◆ **irresponsabilité** n. f. : *Plaider l'irresponsabilité d'un accusé.*

resquiller [rɛskije] v. intr. *Fam.* Se faufiler dans une salle de spectacle, dans un moyen de transport, etc., sans attendre son tour ou sans payer sa place. ◆ v. tr. *Resquiller une chose,* se la procurer sans payer, se faire donner un avantage auquel on n'a pas droit : *Resquiller un repas, une place au cinéma.* ◆ **resquille** n. f. Fam. : *Ce garçon est un spécialiste de la resquille.* ◆ **resquilleur, euse** n. et adj. Fam. : *Méfiez-vous de cet individu, c'est un resquilleur.*

1. ressaisir v. tr. V. SAISIR.

2. ressaisir (se) [sərəsɛzir] v. pr. (sujet nom de personne). Reprendre son calme, son sang-froid; redevenir maître de soi : *L'émotion l'empêchait de parler, mais il se ressaisit rapidement. Cette famille a subi bien des épreuves, mais elle s'est toujours ressaisie.*

ressasser [rəsase] v. tr. 1° *Ressasser quelque chose,* le répéter sans cesse : *Ressasser les mêmes critiques, les mêmes griefs, les mêmes plaisanteries* (syn. : RABÂCHER). — 2° Faire repasser dans son esprit : *Ressasser des souvenirs, des remords* (syn. : REMÂCHER).

ressemblance [rəsɑ̃blɑ̃s] n. f. 1° Ensemble de traits, de caractères physiques ou moraux communs à des êtres animés : *Il y a une ressemblance frappante entre cet enfant et son père. Personne qui a une ressemblance parfaite avec une autre* (= qui est son sosie). *Ressemblance entre deux chevaux, deux oiseaux.* — 2° Degré plus ou moins grand de conformité entre des choses, et spécialement entre une œuvre d'art et l'original : *Il y a une grande ressemblance entre le persil et la ciguë. Saisir les ressemblances entre deux ou plusieurs choses* (syn. : ANALOGIE, CORRESPONDANCE, RAPPORT). *Ressemblance d'un tableau avec son modèle. Le portrait est beau, mais la ressemblance n'y est pas. Ce peintre ne se soucie nullement de la ressemblance.* ◆ **ressembler** v. tr. ind. 1° *Ressembler à une personne, à une chose,* avoir de la ressemblance avec elles : *Cette fille ressemble à sa mère comme deux gouttes d'eau. Chercher à ressembler à quelqu'un* (syn. : COPIER, IMITER). *Votre montre ressemble à la mienne. Ce portrait est plein de talent et ressemble tout à fait au modèle.* — 2° *Cela ne vous ressemble pas,* cela n'est pas conforme à votre caractère, à votre manière de penser et d'agir. ‖ Fam. *Cela ne ressemble à rien,* se dit d'une chose informe, d'un goût bizarre et mauvais, d'une chose dépourvue de bon sens : *Une dissertation, un roman, un film qui ne ressemble à rien.* ◆ **se ressembler** v. pr. (sujet nom de personne ou de chose). Ressembler l'un à l'autre : *Ces deux frères se ressemblent comme deux jumeaux* (contr. : DIFFÉRER). *Beaucoup* *de maisons se ressemblent dans cette rue.* ◆ **ressemblant, e** adj. Qui a de la ressemblance avec le modèle (sens 2) : *Un portrait très ressemblant.*

ressemeler v. tr., **ressemelage** n. m. V. SEMELLE.

ressentiment [rəsɑ̃timɑ̃] n. m. Souvenir que l'on garde d'un mal, d'une injustice, d'une injure que l'on a subis, avec le désir de se venger : *Il conserve un vif ressentiment du tort qu'on lui a fait* (syn. : RANCŒUR, RANCUNE). *Eprouver un profond ressentiment à l'égard de quelqu'un* (= en vouloir à quelqu'un).

ressentir [rəsɑ̃tir] v. tr. (conj. **19**). **1°** Eprouver une sensation agréable ou pénible : *Ressentir du bien-être après un bon repos. Ressentir un malaise, de vives souffrances.* — **2°** Eprouver tel ou tel sentiment : *Ressentir de la sympathie, de l'affection, de l'amour pour quelqu'un.* ◆ ***se ressentir*** v. pr. **1°** *Se ressentir d'un mal, d'une douleur,* en sentir les effets : *Il se ressent de son ancienne blessure. Se ressentir d'une chute, d'une opération.* — **2°** *Se ressentir de quelque chose,* en éprouver les suites, les conséquences, l'influence : *Le pays s'est ressenti longtemps de la guerre. Il se ressentira des désordres de sa jeunesse, de ses mauvaises fréquentations.* — **3°** Très fam. *Ne pas s'en ressentir pour quelque chose,* ne pas avoir envie, le courage de faire quelque chose : *Il ne s'en ressentait pas pour faire les trente kilomètres à pied.*

resserre [rəsɛr] n. f. Endroit où l'on met à l'abri, où l'on range certaines choses : *Mettre des fruits, des outils dans une resserre.*

resserrer [rəsɛre] v. tr. **1°** Serrer de nouveau ou davantage : *Resserrer un nœud, un écrou* (contr. : DESSERRER, RELÂCHER). — **2°** Rendre plus étroit : *Resserrer les liens de l'amitié.* ◆ ***se resserrer*** v. pr. Devenir plus étroit : *Un cercle de métal chauffé se resserre en se refroidissant* (contr. : SE DILATER). ◆ **resserré, e** adj. Enfermé dans des limites étroites : *Un petit chemin resserré entre des haies* (syn. : ENCAISSÉ). *Un jardin resserré entre de grands murs.* ◆ **resserrement** n. m. : *Le resserrement d'un lien, d'une amitié.*

1. ressort [rəsɔr] n. m. **1°** Organe élastique, généralement métallique, capable de supporter d'importantes déformations et qui peut revenir à son état premier après avoir été enroulé, plié ou comprimé : *Tendre, détendre un ressort. Le ressort de ma montre est cassé.* — **2°** *Ressort à boudin,* ressort formé par un fil métallique enroulé en hélice. ‖ *Faire ressort,* agir comme un ressort : *Une branche pliée fait ressort.*

2. ressort [rəsɔr] n. m. Force morale, énergie qui permet de réagir, de résister aux événements : *Cet homme manque de ressort, il se laisse facilement abattre* (syn. fam. : CRAN).

3. ressort n. m. V. RESSORTIR 1.

1. ressortir [rəsɔrtir] v. tr. ind. (conj. sur *finir*). **1°** *Ressortir à une juridiction,* être de sa compétence : *Votre affaire ressortissait au tribunal de première instance.* — **2°** *Ressortir à une chose,* être du domaine de cette chose, s'y rapporter : *Ce problème ressortit à la physique et à la chimie* (syn. : DÉPENDRE DE, CONCERNER). ◆ **ressort** n. m. **1°** Compétence d'un tribunal, d'une juridiction : *Cette affaire est du ressort de la cour d'appel, du Conseil d'Etat.* — **2°** *Juger en dernier ressort,* juger sans recourir à une juridiction supérieure; dans la langue courante, juger, décider d'une manière définitive : *Le jury d'un prix littéraire juge en dernier ressort.* ‖ *Etre du ressort de quelqu'un,* être de sa compétence, lui appartenir de s'en occuper : *Il m'est impossible de vous donner le renseignement que vous demandez, ce n'est pas de mon ressort* (syn. : ATTRIBUTION, DOMAINE). ◆ **ressortissant, e** n. Personne qui réside à l'étranger et qui est protégée par les représentants diplomatiques ou consulaires de son pays.

2. ressortir [rəsɔrtir] v. intr. (conj. **28**). **1°** Apparaître nettement, souvent par un effet de contraste : *La figure ne ressort pas assez sur cette médaille* (syn. : SE DÉTACHER). *Les ombres font ressortir les couleurs. Cette broderie rouge ressort bien sur ce fond vert* (syn. : TRANCHER). — **2°** *Faire ressortir,* mettre en relief : *Faire ressortir les difficultés d'une entreprise, les défauts d'une personne, les beautés d'un ouvrage* (syn. : SOULIGNER, METTRE EN ÉVIDENCE). ‖ *Il ressort de quelque chose,* il apparaît comme conséquence : *Il ressort de l'examen de votre travail que vous avez les aptitudes nécessaires pour remplir cette fonction.*

3. ressortir v. tr. et intr. V. SORTIR.

ressource [rəsurs] n. f. Personne ou chose qui peut fournir le moyen de se relever, de se tirer d'embarras : *Dans son malheur, Dieu a été sa seule ressource* (syn. : SECOURS). *Il n'avait d'autre ressource que la fuite pour échapper à la captivité* (syn. : RECOURS). ‖ *Un homme de ressource,* un homme fertile en expédients. ◆ **ressources** n. f. pl. **1°** Moyens pécuniaires dont on dispose pour vivre : *Il n'a que de maigres ressources. Augmenter les ressources d'une personne* (syn. : FORTUNE, ARGENT). — **2°** Réserves d'habileté, d'ingéniosité, etc. : *Il a déployé toutes les ressources de son talent pour remporter ce succès.* — **3°** Moyens matériels dont dispose un pays, une région : *Les ressources agricoles, industrielles de la France sont très variées* (syn. : RICHESSES). ‖ *Ressources d'une langue,* moyens qu'elle met à la disposition de l'écrivain pour l'expression de sa pensée.

ressusciter [resysite] v. tr. **1°** *Ressusciter une personne,* la ramener de la mort à la vie : *Jésus, selon l'Evangile, ressuscita Lazare.* — **2°** Produire un effet énergique : *Ce médicament l'a ressuscité.* — **3°** *Ressusciter une chose,* la faire renaître, la faire réapparaître : *Ressusciter une mode, un art* (syn. : ↓ RENOUVELER). ◆ v. intr. **1°** Revenir de la mort à la vie : *Jésus-Christ est ressuscité le troisième jour après sa mort.* — **2°** Guérir d'une grave maladie : *Nous sommes heureux de vous voir ressuscité.* ◆ **résurrection** n. f. **1°** Retour de la mort à la vie : *La résurrection de Jésus-Christ, de Lazare.* — **2°** *Résurrection des morts au jugement dernier,* dogme de la foi chrétienne selon lequel tous les hommes ressusciteront à la fois et seront jugés par Dieu. — **3°** *C'est une résurrection, une véritable résurrection,* se dit d'une guérison surprenante, inattendue.

restant n. m. V. RESTER 1.

restaurant [rɛstɔrɑ̃] n. m. Etablissement public où l'on sert à manger moyennant paiement : *Il ne fréquente que les restaurants à bon marché* (syn. : GARGOTE). *Quand il invite ses amis à manger, il les emmène dans de grands restaurants* (syn. : RÔTISSERIE, GRILL-ROOM). *Il mange tous les midis au restaurant de l'usine* (syn. : CANTINE). ◆ **restaurateur**

n. m. Personne qui tient un restaurant. ◆ **se restaurer** v. pr. Rétablir ses forces en prenant de la nourriture (syn. : MANGER).

1. restaurer [rɛstɔre] v. tr. 1° *Restaurer un édifice, un monument, un objet d'art,* etc., les remettre en bon état : *Restaurer une église, une cathédrale, un musée, un tableau, une statue, une fresque* (syn. : RÉPARER). — 2° *Restaurer quelque chose* (mot abstrait), le rétablir dans son état ancien, le remettre en vigueur : *Restaurer l'ordre, la discipline, la liberté.* — 3° *Restaurer une dynastie,* la remettre sur le trône. ◆ **restauration** n. f. 1° Action de restaurer : *La restauration d'un monument, d'un tableau* (syn. : RÉFECTION). *La restauration des finances de l'Etat.* — 2° Rétablissement sur le trône d'une dynastie déchue : *La restauration des Bourbons;* avec une majusc., le gouvernement de Louis XVIII et de Charles X : *Le mouvement romantique date de la Restauration.* ◆ **restaurateur, trice** n. : *Un restaurateur de tableaux.*

2. restaurer (se) v. pr. V. RESTAURANT.

1. rester [rɛste] v. tr. ind. (sujet nom de personne ou de chose). *Rester à quelqu'un,* demeurer en sa possession : *Un oncle, c'est le seul parent qui reste à cette fille. Le surnom de « minaudière » est resté à cette femme à cause de ses manières affectées. Dans cette affaire, l'avantage lui est toujours resté;* impersonnell. : *Il lui reste encore assez d'argent pour payer son loyer;* avec la prép. *à* et l'infin. : *Il vous reste à prouver que vous avez raison* (= vous avez l'obligation de...). ◆ v. intr. 1° (sujet nom de personne ou de chose) Demeurer, subsister après disparition ou élimination de personnes ou de choses : *Il est le seul coureur français qui reste qualifié pour la finale du 100 mètres. Il est resté seul de sa famille. Voilà tout ce qui reste de son héritage. Regardez ce qui reste de pain;* impersonnell. : *Il ne reste presque plus de vin dans la bouteille;* avec la prép. *à* et l'infin. : *Personne ne sait le temps qu'il* (ou *qui*) *lui reste à vivre. Dites-moi ce qu'il* (ou *qui*) *reste à faire* (la forme *qu'il* semble plus fréquente). *Il reste à savoir si vous réussirez.* (On dit aussi : *Reste à prouver..., reste à savoir...*) — 2° *Il reste que* (et l'indic.), il est vrai néanmoins que : *Vous avez échoué à votre examen, mais il reste que vous avez travaillé.* ◆ **reste** n. m. 1° Ce qui demeure, subsiste d'un tout dont on a retranché une ou plusieurs parties : *Payez-moi une partie de votre dette, je vous donnerai un délai pour le reste* (syn. : RELIQUAT, RESTANT). *Il a fait son repas d'un peu de pain et d'un reste de fromage. Le reste de ma vie, je vous prouverai ma reconnaissance.* — 2° *Le reste d'une soustraction,* ce qui demeure d'un nombre quand on en a retranché un autre : *18 soustrait de 54 laisse pour reste 36.* ‖ *Le reste d'une division,* ce qui demeure du dividende quand il n'est pas divisé exactement par le diviseur. — 3° Ce qu'il y a en plus, ce qui n'est pas précisé : *Surprendre la moitié d'un secret et deviner le reste.* — 4° Ce qui est encore à faire, à dire : *J'ai fait une partie de mon travail ce matin, je terminerai le reste ce soir. Je n'ai pas le temps de tout vous dire aujourd'hui, je vous écrirai le reste plus tard.* — 5° Petite quantité, faible trace d'une chose : *Il a encore un reste d'espoir. Elle lui a gardé un reste de tendresse.* — 6° *Le reste des hommes, le reste du monde,* les autres hommes : *Il vit séparé du reste du monde.* — 7° *Demeurer, être en reste avec quelqu'un,* lui devoir quelque chose : *Il m'a payé ma place au théâtre; comme je ne voulais pas être en reste avec lui, je l'ai invité au restaurant.* ‖ *Et le reste, et tout le reste,* locutions mises après une énumération pour indiquer qu'on la laisse incomplète : *Il est menteur, paresseux et le reste* (syn. : ET CAETERA). *Elle a emporté des vêtements pour la pluie, pour le beau temps, pour la mer, pour la montagne et tout le reste* (syn. fam. : BAZAR, TREMBLEMENT). ‖ *Ne pas demander son reste,* se retirer promptement et sans rien dire. ◆ **restes** n. m. pl. 1° Ce qu'il y a dans les plats de service après un repas : *Accommoder, utiliser les restes du déjeuner pour le dîner.* — 2° Ce qui subsiste de la beauté d'une femme : *Elle a encore de beaux restes.* — 3° *Restes mortels,* ou simplement *restes,* le cadavre, les ossements d'une personne : *On a transféré les restes de ce grand homme au Panthéon* (syn. : CENDRES). ● LOC. ADV. *Au reste, du reste,* au surplus, d'ailleurs : *Je vous ai raconté ce qui s'est passé comme j'ai cru devoir le faire; au reste, je n'ai pas de comptes à vous rendre. Il est avocat, comme son père du reste.* ‖ *De reste,* plus qu'il n'est nécessaire, plus qu'il n'en faut : *Avoir de l'argent, du temps, de la bonté de reste.* ◆ **restant, e** adj. *Poste restante,* mention indiquant qu'une lettre doit rester au bureau jusqu'à ce que le destinataire vienne la chercher; le guichet où il doit se présenter pour la retirer. ◆ **restant** n. m. Ce qui reste d'une somme, d'une quantité : *Je vous paierai le restant de ma dette avec les intérêts. C'est là tout le restant de sa fortune.* (On dit plus souvent LE RESTE.)

2. rester [rɛste] v. intr. 1° (sujet nom de personne ou de chose et avec un compl. de lieu) Continuer à être dans un endroit : *Il est resté plusieurs années à l'étranger* (syn. : SÉJOURNER). *Restez ici, je vous rejoindrai tout à l'heure* (syn. : ATTENDRE). *Il n'est pas encore rentré à Paris, il est resté à la campagne. Les jours de congé, il aime rester chez lui. Restez à dîner avec nous;* et fam. : *Restez dîner. Il a oublié de mettre la lettre à la poste, elle est restée dans sa poche. Sa voiture est restée dans la rue pendant plusieurs semaines et au même endroit* (syn. : STATIONNER). — 2° *Fam.* Habiter : *Il reste depuis peu dans la région parisienne.* — 3° (avec un compl. de manière ou un attribut) Demeurer dans une position, dans un état : *Cet enfant ne peut rester en place. Rester les bras croisés. Il est resté malade pendant plusieurs mois. Il a voulu rester économe. Il est resté fidèle à ses amis;* (avec *à* et l'infin.) : *Elle restait des heures entières à regarder à la fenêtre ou à bavarder avec sa voisine. Il ne sort pas le soir, il préfère rester à regarder la télévision.* — 4° (sujet nom de chose) Subsister, demeurer dans la mémoire des hommes : *Les paroles s'envolent, les écrits restent. L'œuvre de ce romancier ne restera pas. Les noms de ces deux poètes resteront.* — 5° *En rester à,* s'arrêter dans l'accomplissement d'une chose : *Il n'est pas très avancé dans la préparation de son discours, il en est resté aux préliminaires. Reprenons notre lecture là où nous en étions restés.* — 6° *En rester là,* ne pas aller plus avant, ne pas progresser : *Quand il aura obtenu son avancement, il n'en restera pas là. Restons-en là de notre examen de l'affaire pour aujourd'hui* (syn. : SE BORNER À). — 7° *Rester en route,* ne pas achever ce qu'on avait commencé. ‖ *Rester sur la bonne bouche,* s'arrêter après avoir mangé ou bu quelque chose qui flatte le goût; s'arrêter après quelque chose d'agréable, de peur de ne plus trouver aussi bien dans la suite. ‖ *Rester sur sa faim,* ne pas manger à satiété. ‖ *Rester* *sur le cœur,* garder du ressentiment : *Ce blâme lui est resté sur le cœur.* ‖ *Rester sur une impression,* en conserver un souvenir durable.

restituer [rɛstitɥe] v. tr. 1° *Restituer un objet,* rendre ce qui a été pris ou ce qui est possédé indûment : *Restituer un objet volé. Il a été condamné à restituer cette somme et les intérêts* (syn. : REDONNER, REMETTRE). — 2° *Restituer un texte,* rétablir dans son état premier un texte qui a subi des altérations. — 3° *Restituer un monument, un édifice,* reconstituer par un dessin, par une maquette l'aspect d'un monument, d'un édifice dont il ne reste que des vestiges. ◆ **restitution** n. f. : *La restitution d'une chose volée. La restitution d'un temple antique, d'une maison romaine.*

restreindre [rɛstrɛ̃dr] v. tr. (conj. 55). Ramener à des limites plus étroites : *Restreindre l'autorité, la liberté d'une personne* (syn. : AMOINDRIR, DIMINUER, RÉDUIRE). *Restreindre l'emploi d'un mot.* ◆ ***se restreindre*** v. pr. (sujet nom de personne). Réduire ses dépenses, son train de vie : *Depuis qu'il est à la retraite, il a dû se restreindre.* ◆ **restreint, e** adj. Resserré, limité : *Occuper un espace restreint. Une édition à tirage restreint.* ◆ **restriction** n. f. 1° Condition, modification qui restreint, qui limite : *Apporter des restrictions au pouvoir de quelqu'un.* — 2° Action de limiter, de réduire le nombre des personnes, l'importance des choses : *Restriction des naissances* (syn. : LIMITATION). *Restriction des crédits affectés à un ministère* (syn. : COMPRESSION, DIMINUTION). — 3° Le fait de ne pas exprimer toute sa pensée : *Au cours d'une conversation, même avec des amis, il y a souvent des restrictions* (syn. : RÉTICENCE). ● LOC. ADV. *Sans restriction,* sans condition, entièrement : *Se soumettre sans restriction à l'autorité de quelqu'un.* ◆ **restrictions** n. f. pl. Mesures de rationnement en période de pénurie, et spécialement privations qui en résultent : *Cette personne a beaucoup souffert des restrictions pendant la période 1940-1945.* ◆ **restrictif, ive** adj. *Expression, épithète restrictive,* qui limite la signification, l'emploi d'un mot.

résultat [rezylta] n. m. 1° Ce qui arrive, se produit à la suite d'une action, d'un événement, de l'application d'un principe, d'une opération mathématique : *Le résultat d'une démarche, d'une négociation, d'une entrevue* (syn. : EFFET, CONCLUSION, DÉNOUEMENT). *Leurs tentatives ont abouti à des résultats positifs, satisfaisants, inespérés* (syn. : SUCCÈS, RÉUSSITE). *Tant de peine et de dépenses n'ont donné que des résultats négatifs, dérisoires, lamentables* (syn. : CONSÉQUENCE). *Le résultat d'une expérience de physique, de chimie. Le résultat d'une addition* (syn. : SOMME), *d'une soustraction* (syn. : RESTE), *d'une multiplication* (syn. : PRODUIT), *d'une division* (syn. : QUOTIENT). — 2° Réussite ou échec à un concours, à un examen, à une compétition; liste des candidats qui ont réussi : *Le journal a publié les résultats des admissibles à l'agrégation, à Polytechnique. Proclamer les résultats d'une composition d'histoire, de mathématiques* (= les notes et les places). *Commenter les résultats d'un match, d'une élection.* ◆ **résulter** v. intr. (sujet nom de chose). Etre la conséquence, l'effet d'une cause : *Son état de santé résulte d'un excès de travail* (syn. : PROVENIR). *L'amélioration du bien-être qui résulte des réformes sociales* (syn. : ÊTRE ISSU, PROVENIR); impersonnell. : *Que résultera-t-il de toutes ces démarches?* (syn. : ADVENIR, ARRIVER). *Il est résulté de grandes pertes de sa mauvaise gestion.* ◆ **résultante** n. f. Résultat de l'action conjuguée de plusieurs facteurs : *Cette crise est la résultante des erreurs du gouvernement précédent* (syn. : CONSÉQUENCE).

résumer [rezyme] v. tr. Rendre en moins de mots ce qui a été dit ou écrit : *Résumer un discours, une discussion, les débats d'une assemblée. Résumer une scène d'une pièce de théâtre.* ◆ ***se résumer*** v. pr. 1° (sujet nom de personne) Reprendre en peu de mots ce qu'on a dit. — 2° (sujet nom de chose) Etre résumé : *Un discours qui se résume difficilement.* ◆ **résumé** n. m. 1° Ce qui présente l'essentiel de ce qui a été dit ou écrit : *Le résumé d'une conférence, d'un livre* (syn. : ANALYSE, SOMMAIRE). — 2° Ouvrage succinct : *Un résumé d'histoire, de géographie* (syn. : ABRÉGÉ, AIDE-MÉMOIRE, MÉMENTO, PRÉCIS). ● LOC. ADV. *En résumé,* en récapitulant, en un mot : *En résumé, nous avons plus à nous louer de lui qu'à nous en plaindre* (syn. : EN BREF).

résurrection n. f. V. RESSUSCITER.

retable [retabl] n. m. Panneau contre lequel s'appuie un autel et qui est le plus souvent orné d'un tableau, d'une sculpture.

rétablir [retablir] v. tr. 1° *Rétablir quelque chose,* le remettre en son état premier, en bon état : *Les communications téléphoniques qui avaient été interrompues sont maintenant rétablies. La panne d'électricité est terminée, on a rétabli le courant.* ‖ *Rétablir un fait, la vérité,* les présenter sous un jour véritable et dépouillés de tout artifice. — 2° *Rétablir quelqu'un,* le ramener à un état normal de santé : *Ce médicament l'a vite rétabli* (syn. : GUÉRIR). *Rétablir ses forces.* — 3° *Rétablir quelqu'un,* le remettre dans son rang, dans son emploi : *Rétablir une personne dans ses droits* (syn. : RÉHABILITER), *dans ses fonctions.* — 4° *Rétablir quelque chose,* le faire exister de nouveau : *Certains voudraient rétablir la monarchie en France* (syn. : RESTAURER). *Rétablir l'ordre, la discipline, un équilibre* (syn. : RAMENER). ◆ ***se rétablir*** v. pr. 1° (sujet nom de personne) Recouvrer la santé : *Il a besoin d'aller à la montagne pour se rétablir* (syn. : SE REMETTRE, SE REFAIRE; fam. : SE RETAPER, SE REQUINQUER). — 2° (sujet nom de chose) Renaître : *Petit à petit, le calme s'est rétabli* (syn. : REVENIR). ◆ **rétablissement** n. m. 1° Action de rétablir : *Le rétablissement des relations entre deux familles, deux Etats. Le rétablissement des finances d'une nation.* — 2° Retour à la santé : *Nous faisons des vœux pour votre rétablissement.* — 3° Mouvement de gymnastique qui permet de s'élever en prenant un point d'appui sur chaque poignet, après une traction sur les bras.

rétamé, e [retame] adj. 1° *Pop.* Se dit d'une personne qui est à bout de forces ou qui a trop bu : *Il n'a pourtant guère marché, mais il est déjà rétamé.* — 2° *Pop.* Se dit d'une chose qui est hors d'usage : *La collision a été si violente que la voiture est complètement rétamée* (syn. : DÉMOLI; fam. : ESQUINTÉ).

rétamer [retame] v. tr. Etamer de nouveau un ustensile de ménage : *Rétamer une casserole.*

retape [rətap] n. f. Pop. *Faire la retape,* se livrer à la prostitution (syn. : FAIRE LE TROTTOIR, RACOLER).

retaper [rətape] v. tr. 1° *Fam.* Remettre sommairement en état : *Faire retaper une vieille voiture, une maison délabrée* (syn. : RÉPARER). — 2° Fam. *Retaper un lit,* le faire superficiellement, sans déplacer les draps ni les couvertures. ◆ ***se retaper*** v. pr. (sujet nom de personne). *Fam.* Retrouver la santé : *Sa convalescence lui a permis de se retaper* (syn. : SE REFAIRE, SE RÉTABLIR; fam. : SE REQUINQUER). ◆ **retapage** n. m. : *Le retapage d'un vieux meuble* (syn. : RAFISTOLAGE). *Le retapage d'un tableau* (syn. techn. : RESTAURATION).

retarder [rətarde] v. tr. **1°** (sujet nom de personne ou de chose) *Retarder quelqu'un, quelque chose,* l'empêcher de partir, d'arriver, d'avoir lieu au moment fixé ou prévu : *Excusez-moi de me présenter seulement maintenant, j'ai été retardé par un visiteur importun. L'avion a été retardé par le mauvais temps. Les intempéries ont retardé la moisson, les vendanges* (contr. : AVANCER). *Un fâcheux contretemps a retardé la parution de ce livre.* — **2°** *Retarder quelqu'un,* le faire agir plus lentement qu'il ne faudrait : *Retarder quelqu'un dans son travail. Plusieurs maladies l'ont retardé dans ses études.* — **3°** *Retarder quelque chose,* le remettre à plus tard : *Il a retardé son départ en vacances de quelques jours* (syn. : AJOURNER, DIFFÉRER, REPOUSSER). *Retarder un voyage. On a retardé la date des examens* (syn. : RECULER, REPORTER). — **4°** *Retarder une montre, une pendule,* mettre les aiguilles sur une heure moins avancée. ◆ v. intr. **1°** (sujet nom désignant une montre, une pendule) Aller trop lentement : *L'horloge retarde chaque jour de deux minutes;* marquer une heure moins avancée que l'heure réelle : *Ma montre retarde de cinq minutes* (fam. : *Je retarde de cinq minutes*). — **2°** (sujet nom de chose) Arriver, se produire avec un retard : *La marée retarde chaque jour.* — **3°** Ignorer une nouvelle que tout le monde connaît : *Comment! vous ne savez pas qu'on a augmenté les impôts? Vous retardez.* — **4°** *Retarder sur son temps, sur son siècle,* ne pas avoir les idées, les goûts de son temps. ◆ **retard** n. m. **1°** Le fait d'arriver trop tard, après le moment fixé : *Le retard d'un avion, d'un courrier. Le train Paris-Cherbourg a une heure de retard ce matin. Vous êtes en retard, nous vous attendons depuis une demi-heure. J'ai été mis en retard par un importun.* — **2°** Fait d'agir tard : *Apporter du retard dans l'exécution d'un travail. Etre en retard pour payer son loyer. Ma montre prend du retard. Avertissez-moi sans retard du résultat de votre examen* (= sans attendre). — **3°** Temps ou distance qui sépare un coureur d'un autre coureur, un véhicule d'un autre véhicule, etc. : *Il ne va pas tarder à rattraper, à combler son retard.* — **4°** Etat d'une personne, d'une collectivité dont le développement est moins avancé que celui des autres : *Un enfant qui est en retard pour son âge. Il prend des leçons particulières pour rattraper son retard. Un pays, un peuple en retard du point de vue social, économique* (= sous-développé, arriéré). *Etre en retard sur les idées de son temps.* ◆ **retardé, e** adj. et n. Se dit d'un enfant qui est moins avancé que ceux de son âge au point de vue sensoriel ou intellectuel. ◆ **retardataire** adj. et n. Qui arrive ou agit en retard : *Un élève retardataire. Les retardataires ne trouveront plus de places libres.* ◆ **retardement *(à)*** loc. adj. *Engin à retardement,* engin muni d'un mécanisme spécial qui ne provoque son explosion qu'après un temps déterminé : *Bombe, obus, mine, torpille à retardement.* ◆ loc. adv. *Fam.* Après qu'il est trop tard, longtemps après : *Agir à retardement. Etre inquiet à retardement. Comprendre à retardement* (= être lent à comprendre, avoir l'esprit de l'escalier).

retenir [rətnir] v. tr. (conj. 22). I. SUJET NOM DE PERSONNE. **1°** *Retenir quelqu'un,* l'empêcher de partir, le faire rester avec soi : *Ses amis l'ont retenu plus longtemps qu'il ne l'avait pensé* (syn. : GARDER). *Je vous retiens à dîner* (syn. : INVITER). ‖ *Je ne vous retiens pas,* partez si vous voulez. — **2°** *Retenir un être animé, une chose,* les saisir, les maintenir pour les empêcher de tomber, de faire une mauvaise action, pour modérer leur allure : *Il serait tombé dans le ravin si je ne l'avais retenu* (syn. : ARRÊTER). *Il se serait battu avec son camarade si nous ne l'avions retenu. Retenir un cheval qui va trop vite, qui va s'emballer. Retenir une assiette qui glisse.* — **3°** *Retenir quelque chose,* le maintenir en place : *Retenir un tableau par un clou* (syn. : ACCROCHER, FIXER). *Retenir ses cheveux avec une barrette, un ruban.* — **4°** Empêcher de se manifester : *Retenir un rire, un sourire.* ‖ *Retenir son souffle, son haleine,* cesser momentanément de respirer. ‖ *Retenir ses larmes, sa colère,* les contenir. — **5°** Garder dans sa mémoire : *Il n'a entendu cette chanson qu'une fois et il l'a presque retenue* (syn. : SE SOUVENIR). *Il retient difficilement les dates.* — **6°** *Retenir une suggestion, une proposition, un projet, une solution,* etc., les estimer dignes d'attention, de réflexion, d'étude. — **7°** *Retenir quelqu'un,* l'engager à l'avance : *Retenir une femme de ménage, une bonne.* ‖ Fam. *Je vous retiens,* se dit à quelqu'un qui vous a rendu un mauvais service, dont on lui promet de se souvenir : *Je vous retiens pour faire les commissions!* — **8°** *Retenir une place, une chambre,* etc., les faire réserver, par précaution : *Retenir une place dans un train, au théâtre* (syn. : LOUER). *Retenir une chambre dans un hôtel, une table au restaurant.* — **9°** Garder ce qui appartient à quelqu'un : *Retenir le bien d'autrui* (syn. : DÉTENIR). *Retenir la paie d'un ouvrier.* — **10°** *Retenir une somme d'argent,* la déduire d'un salaire, d'un traitement : *Retenir telle somme pour la Sécurité sociale, pour la retraite* (syn. : PRÉLEVER, RETRANCHER). — **11°** *Retenir un chiffre,* le réserver pour le joindre aux chiffres de la colonne suivante (dans une addition, une soustraction, une multiplication) : *7 et 8 font 15 : je pose 5 et je retiens 1.*

II. SUJET NOM DE PERSONNE OU DE CHOSE. Ne pas laisser passer, empêcher de s'écouler : *On a construit un barrage pour retenir les eaux de la rivière. Cette terre ne retient pas l'eau.*

III. SUJET NOM DE CHOSE. **1°** *Retenir quelqu'un,* le faire rester en un lieu : *La grippe l'a retenu plusieurs jours au lit.* — **2°** Empêcher d'agir, de céder à un mauvais mouvement : *La vue de la police retint les manifestants. La crainte d'une punition l'a retenu de communiquer son devoir à son camarade;* avec de et l'infin. : *Je ne sais ce qui m'a retenu de l'injurier.* ◆ ***se retenir*** v. pr. **1°** (sujet nom de personne) *Se retenir (à quelque chose),* s'y accrocher pour ne pas tomber; faire effort pour ralentir son allure : *Heureusement, il s'est retenu à des broussailles; autrement, il serait tombé dans le précipice* (syn. : SE CRAMPONNER, SE RATTRAPER). *Bien qu'il soit un bon skieur, il avait du mal à se retenir dans la descente.* — **2°** *Se retenir de* (et l'infin.), se contenir pour ne pas céder à un mouvement instinctif : *Cet élève était insupportable et le professeur se retenait de le mettre à la porte. Il est bien difficile de se retenir quand on est accusé injustement.* — **3°** *Intransitiv.* et *fam.* Différer de satisfaire un besoin naturel. — **4°** (sujet nom de chose) Etre gardé dans la mémoire : *La poésie se retient plus facilement que la prose.* ◆

retenue n. f. **1°** Action de retenir, de garder : *Retenue de marchandises à la douane.* — **2°** Somme qu'un employeur retient sur le salaire de ses employés : *Retenue pour la Sécurité sociale.* — **3°** Dans une opération arithmétique, chiffre réservé pour être joint aux chiffres de la colonne suivante : *La retenue est 2. Vous avez oublié la retenue.* — **4°** Privation de récréation ou de sortie, dans les établissements scolaires : *Mettre un enfant en retenue. Avoir quatre heures de retenue* (syn. fam. : CONSIGNE, COLLE). — **5°** Attitude, qualité d'une personne qui sait se maîtriser, contenir ses sentiments, éviter les excès : *Cet homme ne s'emporte jamais, il faut admirer sa retenue* (syn. : MODÉRATION, RÉSERVE, SAGESSE). *Cette femme n'a aucune retenue dans sa conduite, dans ses propos* (syn. : ↓ DISCRÉTION, ↑ PUDEUR).

retentir [rətɑ̃tir] v. intr. **1°** Renvoyer un son éclatant, puissant : *Toute la salle retentissait des applaudissements des spectateurs* (syn. : RÉSONNER). — **2°** Produire un son qui se prolonge : *Un violent coup de tonnerre a retenti dans la vallée* (syn. : ÉCLATER). *Ses paroles ont retenti longtemps à mes oreilles.* ◆ **retentissant, e** adj. **1°** Qui s'entend bien, qui rend un son puissant : *Une voix retentissante* (syn. : SONORE, VIBRANT, ↑ TONITRUANT, DE STENTOR). — **2°** Qui attire l'attention du public : *Un succès, un scandale retentissant* (syn. : ÉCLATANT). ◆ **retentissement** n. m. **1°** Son prolongé avec plus ou moins d'éclat : *Le retentissement d'un coup de tonnerre.* — **2°** Effet qui se propage dans le public : *Ce discours a eu un profond retentissement* (syn. : RÉPERCUSSION). *Les critiques pensent que cette pièce aura un grand retentissement* (syn. : SUCCÈS).

réticence [retisɑ̃s] n. f. **1°** Omission volontaire de ce qu'on pourrait ou devrait dire : *Parler sans réticence. Plusieurs passages de sa lettre renferment des réticences qu'il est facile de discerner* (syn. : SOUS-ENTENDU). — **2°** Attitude d'une personne qui hésite à dire expressément sa pensée, à prendre une décision (sens déconseillé par quelques lexicographes) : *C'est sans aucune réticence qu'il a prêté sa voiture à son ami* (syn. : HÉSITATION). ◆ **réticent, e** adj. **1°** Se dit d'une personne qui n'exprime pas ouvertement ce qu'elle pense : *Même dans l'intimité, on le sent toujours plein de réserve, réticent.* — **2°** *Fam.* Se dit d'une personne (ou de son comportement) qui manifeste de la réticence (sens 2) : *Quand nous avons parlé de notre projet au directeur, il s'est montré réticent* (syn. : HÉSITANT, INDÉCIS). *Une attitude réticente.*

rétif, ive [retif, -iv] adj. **1°** Se dit d'une monture qui s'arrête ou recule au lieu d'avancer : *Un cheval, un mulet rétif.* — **2°** Se dit d'une personne qui est difficile à diriger, à persuader, qui regimbe : *Un enfant rétif* (syn. : INDOCILE, RÉCALCITRANT).

rétine [retin] n. f. Membrane mince et transparente, située au fond de l'œil, et sur laquelle se forment les images des objets : *Souffrir d'un décollement de la rétine.*

retirer [rətire] v. tr. **1°** *Retirer quelqu'un, quelque chose,* le faire sortir de l'endroit où il est : *Retirer un enfant d'une pension* (syn. : ENLEVER). *Retirer un noyé de l'eau* (syn. : REPÊCHER). *Retirer quelqu'un de dessous les décombres. Retirer des provisions d'un sac. Il a retiré de ses poches tout ce qu'il y avait mis* (syn. : VIDER). *Retirer la clef de la serrure. Retirer des plantes de terre* (syn. : DÉRACINER, DÉTERRER). *Retirer de l'argent de la banque* (syn. : PRÉLEVER). — **2°** Ramener en arrière : *Retirer sa main, sa tête pour éviter un coup.* — **3°** Enlever ce qui couvre, protège : *Retirer son chapeau* (= se décoiffer), *son pardessus. Retirer ses vêtements à un enfant* (= le déshabiller). *Retirer l'emballage d'un colis* (= le développer). — **4°** *Retirer quelque chose à quelqu'un,* lui enlever ce qu'on lui avait accordé, donné : *Comme il n'était pas capable de remplir ses fonctions, on lui a retiré son emploi. A la suite de cet accident, on lui a retiré son permis de conduire. Retirer à quelqu'un sa confiance, son amitié, sa protection.* ‖ *Retirer à quelqu'un le pain de la bouche,* lui ôter les moyens de gagner sa vie. — **5°** Renoncer à présenter, à faire, à poursuivre ou à soutenir : *Retirer sa candidature à une élection. Retirer une plainte, une accusation.* ‖ *Retirer sa promesse,* se dégager de la promesse qu'on avait faite. ‖ *Retirer ce qu'on a dit,* changer d'opinion, revenir sur un jugement (syn. : SE RÉTRACTER). — **6°** Obtenir pour soi : *Retirer un bénéfice important d'une affaire* (syn. : PERCEVOIR). *Retirer de grands avantages de sa situation. Retirer un grand profit d'une lecture. De cette intervention, il n'a retiré que des désagréments* (syn. : RECUEILLIR). ◆ ***se retirer*** v. pr. **1°** (sujet nom de personne) S'éloigner d'un lieu ; rentrer chez soi : *La cérémonie terminée, la foule se retira en silence* (syn. : SE DISPERSER). *Comme il était fatigué, il se retira assez tôt.* — **2°** Quitter une profession, un genre de vie et, sans compl., prendre sa retraite : *Se retirer des affaires, du commerce. Se retirer du monde. Il s'est retiré il y a quelques années.* — **3°** Aller dans un lieu pour y trouver un refuge, pour y prendre sa retraite : *Elle s'est retirée dans un couvent* (syn. : SE RÉFUGIER). *Se retirer en province, dans son pays natal.* — **4°** (sujet nom désignant des eaux) *La mer se retire,* elle est dans le reflux. ‖ *La rivière se retire,* elle rentre dans son lit après avoir débordé. ◆ **retiré, e** adj. **1°** Se dit d'une personne qui a cessé toute activité professionnelle : *Un commerçant retiré. Maintenant qu'il est retiré, il voyage beaucoup.* — **2°** *Vivre retiré, mener une vie retirée,* vivre à l'écart de la société. — **3°** Se dit d'un lieu qui est peu fréquenté : *Habiter dans un quartier, dans un village retiré* (syn. : ÉCARTÉ, ISOLÉ). ◆ **retrait** n. m. **1°** Action de se retirer d'un lieu : *Le retrait des troupes d'occupation* (syn. : ÉVACUATION). *Le retrait de la mer.* — **2°** Action de retirer, de prendre : *Le retrait d'une somme d'argent à la banque, d'un compte chèque postal. Retrait du permis de conduire.* — **3°** *Retrait d'emploi,* sanction disciplinaire qui consiste à relever un fonctionnaire de son emploi. — **4°** Diminution de volume subie par un corps qui se contracte, se resserre : *Le retrait du mortier, de l'argile, de l'acier* (contr. : DILATATION). ● LOC. ADJ. ET ADV. *En retrait,* en arrière d'un alignement, d'une ligne déterminée : *Un immeuble en retrait. Se mettre en retrait dans une file d'attente. Il est en retrait par rapport à ses affirmations antérieures.*

retomber v. intr. V. TOMBER ; **retordre** v. tr. V. TORDRE.

rétorquer [retɔrke] v. tr. *Rétorquer quelque chose à quelqu'un,* lui répondre en retournant contre lui les arguments dont il s'est servi : *On lui a rétorqué les preuves qu'il avait alléguées* (syn. : OBJECTER). *Il avait déclaré d'un ton tranchant qu'il disait la vérité ; quelqu'un lui rétorqua qu'il se trompait.*

retors, e [rətɔr, -ɔrs] adj. Qui sait trouver des moyens compliqués pour dissimuler, pour se tirer d'affaire : *Un politicien, un paysan retors* (syn. : ARTIFICIEUX, MALIN, MATOIS, RUSÉ).

rétorsion [retɔrsjɔ̃] n. f. Procédé de coercition qui consiste, pour un Etat, à employer à l'égard d'un autre les mesures dont ce dernier s'est servi contre lui : *La rétorsion diffère des représailles en ce qu'elle ne constitue pas un acte de violence. Elever ses tarifs douaniers par mesure de rétorsion.*

retoucher [rətuʃe] v. tr. 1° *Retoucher un travail, une œuvre littéraire, artistique,* lui apporter des modifications partielles, des corrections : *Retoucher une photographie, un tableau, une sculpture. Retoucher le texte d'un article* (syn. : CORRIGER, REMANIER). — 2° *Retoucher un vêtement,* le rectifier quand il est terminé, spécialement en parlant d'un vêtement de confection : *Retoucher un pantalon.* ◆ **retouche** n. f. 1° Modification apportée en vue d'une amélioration : *Faire une retouche à une peinture, à une photographie.* — 2° Rectification d'un vêtement terminé : *Faire une retouche à un veston.* ◆ **retoucheur, euse** n. : *Un retoucheur-photographe.*

retourner [rəturne] v. tr. 1° *Retourner quelque chose,* le tourner en sens contraire, de manière à mettre dessus ce qui était dessous, en bas ce qui était en haut, etc. : *Retourner un seau pour monter dessus* (syn. : RENVERSER). *Retourner un tableau, une carte de géographie contre le mur. Retourner la viande, l'omelette dans la poêle. Retourner du foin pour le faire sécher.* ‖ *Retourner la terre,* labourer, remuer la terre avec une charrue, une bêche. ‖ *Retourner la tête,* regarder derrière soi. ‖ *Retourner une carte,* la placer de manière qu'on en voie la figure. ‖ *Retourner un mot, une phrase,* changer l'ordre des lettres d'un mot, des éléments d'une phrase. ‖ *Retourner un vêtement,* le refaire en mettant l'envers de l'étoffe à l'extérieur : *Retourner un veston, un pardessus.* ‖ Fam. *Retourner sa veste,* changer d'opinion, de parti. ‖ Fam. *Retourner quelqu'un, retourner quelqu'un comme une crêpe,* le faire changer d'avis sans difficulté. ‖ *Retourner une situation,* améliorer une situation qui était critique, ou inversement : *Il a su retourner la situation à son avantage.* — 2° Fam. *Retourner un appartement, une chambre,* y mettre le désordre, y mettre tout sens dessus dessous. — 3° Fam. *Retourner une personne,* l'émouvoir profondément : *La vue de certains spectacles, de certaines misères nous retourne* (syn. : BOULEVERSER). — 4° *Retourner une chose,* la tourner dans tous les sens : *Tourner et retourner un objet dans ses mains. Retourner la salade* (= la remuer pour l'assaisonner; syn. fam. : FATIGUER). ‖ *Retourner un projet, une idée,* les examiner sous tous les aspects. ‖ *Retourner le poignard dans le cœur, dans la plaie de quelqu'un,* raviver un chagrin. — 5° *Retourner une lettre, un paquet, une marchandise,* les renvoyer à l'expéditeur. ‖ Ironiq. *Retourner à quelqu'un son compliment,* lui adresser la même critique. ◆ v. intr. 1° Aller de nouveau en un lieu où l'on est déjà allé : *Retournez-vous cet été à la mer? Je ne retournerai jamais chez lui. Il faut qu'il retourne chez le médecin.* — 2° Revenir à l'endroit d'où l'on est parti, où l'on habite : *Elle est retournée récemment dans son pays natal* (syn. : REGAGNER). *Il retourne chez lui tous les jours pour déjeuner* (syn. : RENTRER). ‖ *Retourner en arrière, sur ses pas,* revenir en arrière, faire demi-tour, rebrousser chemin. — 3° Revenir à un état antérieur : *Un chat abandonné retourne facilement à l'état sauvage.* ‖ *Retourner à Dieu,* se convertir, revenir à la religion. — 4° Reprendre une activité qu'on avait interrompue : *Retourner à son travail, à ses affaires.* ◆ v. tr. ind. (sujet nom de chose). *Retourner à quelqu'un,* lui être restitué : *La maison est retournée à son ancien propriétaire* (syn. : REVENIR). ◆ v. impers. Fam. *Savoir de quoi il retourne,* savoir quelle est la situation, ce qui se passe. ◆ ***se retourner*** v. pr. 1° (sujet nom de personne ou de chose) Se tourner dans un autre sens, dans un sens contraire : *Se retourner sur le dos, sur le ventre. Il ne fait que se tourner et se retourner dans son lit. La voiture est tombée dans un fossé et s'est complètement retournée* (syn. : CAPOTER, CHAVIRER, FAIRE UN TONNEAU). — 2° (sujet nom de personne) Tourner la tête en arrière : *En classe, elle se retourne sans cesse pour bavarder avec ses camarades.* — 3° *S'en retourner,* se diriger, repartir vers le lieu d'où l'on est venu : *Il ne songe qu'à s'en retourner dans son pays natal.* ‖ *S'en retourner comme on est (était) venu,* repartir sans avoir rien fait, rien obtenu. — 4° *Se retourner vers une personne ou une chose,* avoir recours à eux : *Dans son désarroi, il ne savait vers qui se retourner. Se retourner vers une solution.* ‖ Fam. *Laisser à quelqu'un le temps de se retourner,* lui laisser le temps d'apprécier exactement une situation et de prendre des dispositions appropriées. — 5° (sujet nom de chose ou de personne) *Se retourner contre quelqu'un,* lui devenir contraire, lui être néfaste : *Son ambition démesurée s'est retournée contre lui. Le gouvernement a pris des mesures impopulaires qui se retourneront contre lui.* ◆ **retour** n. m. 1° Action de revenir : *Il est parti sans espoir de retour.* ‖ *Etre sur son retour,* être près de repartir. — 2° Voyage que l'on fait pour revenir à l'endroit d'où l'on est parti : *Il n'a pas assez d'argent pour payer son retour. Prendre un billet d'aller et retour* (ou *un aller et retour*). — 3° Moment où l'on revient à son point de départ : *J'irai vous voir à votre retour. Le retour des hirondelles annonce le printemps.* ‖ *Etre de retour,* être revenu : *Nous vous inviterons quand nous serons de retour;* et par ellipse *de retour : De retour chez moi, j'ai trouvé votre lettre. De retour à Paris, j'ai été informé de votre situation;* ou encore *retour de : J'ai rencontré récemment mon ami retour d'Amérique.* — 4° Fait de revenir à un état ancien : *Le retour d'un homme politique, d'un ancien ministre au pouvoir* (syn. : RENTRÉE). *Le retour des humanistes de la Renaissance à l'Antiquité. Le retour d'une âme à la religion* (syn. : CONVERSION). ‖ Fam. *Cheval de retour,* v. CHEVAL. ‖ *Etre sur le retour,* commencer à décliner, à vieillir. ‖ *Retour d'âge,* âge critique des femmes, celui où les règles cessent. ‖ *Faire un retour sur soi-même,* examiner sa conduite passée. — 5° Action de retourner quelque chose à quelqu'un : *Retour d'une lettre, d'un paquet à l'envoyeur;* en particulier, renvoi à l'éditeur des volumes non vendus; ces volumes eux-mêmes. — 6° Fait de se reproduire, de se manifester de nouveau : *Le retour du printemps, de la saison des pluies. Le retour du froid. Le retour d'un accès de fièvre* (syn. : RECOMMENCEMENT). *Le retour des temps forts et des temps faibles dans un vers* (= rythme). — 7° Changement brusque et total : *Par un juste retour des choses, il n'a pu échapper, cette fois, à la justice. Les retours de la fortune.* —

8° Réciprocité de sentiments, de services (littér.) : *L'amitié demande du retour.* ‖ *Payer quelqu'un de retour,* manifester à son égard les mêmes sentiments qu'il a eus envers vous. — 9° *Retour de bâton,* profit illicite qu'on se procure adroitement. ‖ *Retour de flamme,* phénomène qui se traduit par l'accès de la flamme de l'explosion dans le carburateur d'un moteur; renouveau d'activité, de jeunesse après une période d'accalmie. ‖ *Retour de manivelle,* choc produit, au moment de la mise en marche à la manivelle, par un moteur qui se met à tourner à l'envers. ‖ *Par retour du courrier,* immédiatement après la réception du courrier : *Nous attendons une réponse de votre part par retour du courrier.* • LOC. ADV. *En retour,* en échange, réciproquement : *Il vous a rendu de grands services. Que lui donnerez-vous en retour?* ◆ **retourne** n. f. Carte qui est retournée, après la distribution, pour déterminer l'atout. ◆ **retournage** n. m. Action de retourner un vêtement. ◆ **retournement** n. m. Changement brusque et complet : *Un retournement de la situation* (syn. : RENVERSEMENT).

retracer [rətrase] v. tr. Raconter d'une manière vive, pittoresque les choses passées : *Retracer les exploits d'un héros. Retracer à grands traits les événements d'une période.*

1. rétracter [retrakte] v. tr. *Rétracter un tissu, un organe,* le tirer en arrière par un effet de rétraction : *L'escargot rétracte ses cornes* (syn. : CONTRACTER). ◆ ***se rétracter*** v. pr. Subir une rétraction : *Un muscle qui s'est rétracté.* ◆ **rétraction** n. f. Raccourcissement que présentent certains tissus ou certains organes : *Rétraction musculaire.* ◆ **rétractile** adj. *Ongles, griffes rétractiles,* ongles, griffes qu'un animal peut rentrer en dedans : *Le chat a des ongles rétractiles.*

2. rétracter [retrakte] v. tr. *Rétracter une affirmation,* déclarer que l'on n'a plus l'opinion que l'on avait avancée : *Rétracter ce qu'on a dit* (syn. : RETIRER, DÉMENTIR). *Rétracter une promesse, un engagement* (syn. : ANNULER). ◆ ***se rétracter*** v. pr. Reconnaître formellement la fausseté de ce qu'on a dit : *Obliger l'auteur d'une calomnie, de propos injurieux à se rétracter* (syn. : SE DÉDIRE, SE DÉSAVOUER). ◆ **rétractation** n. f. : *Il a signé une rétractation de ses erreurs* (syn. : DÉSAVEU).

retrait n. m. V. RETIRER.

1. retraite [rətrɛt] n. f. 1° Marche en arrière d'une armée après des combats malheureux : *Protéger, couvrir la retraite d'un bataillon. L'état-major a ordonné la retraite sur tel endroit* (syn. : REPLI). *La retraite d'une armée impuissante à maintenir la poussée de l'ennemi se transforme en déroute* (syn. : DÉBÂCLE). — 2° *Battre en retraite,* reculer devant l'ennemi; cesser de soutenir une opinion, abandonner certaines prétentions. ‖ *Retraite aux flambeaux,* défilé nocturne de musiques, d'orphéons, accompagnés de porteurs de torches, de lampions, et qui a lieu à l'occasion d'une fête publique.

2. retraite [rətrɛt] n. f. 1° Etat d'une personne (employé, fonctionnaire civil ou militaire) qui a cessé son activité professionnelle et reçoit une pension : *Etre à la retraite. Mettre quelqu'un à la retraite. Prendre sa retraite* (= cesser l'exercice de sa profession). — 2° Pension versée à un salarié admis à la retraite : *Percevoir une petite retraite. Toucher la retraite des vieux travailleurs.* — 3° Lieu où l'on se retire pour se réfugier ou pour se cacher (littér.) : *Il a trouvé à la campagne une retraite agréable et tranquille pour sa vieillesse. Les gendarmes ont délogé les malfaiteurs de leur retraite. Des amants à la recherche d'une retraite.* ◆ **retraité, e** n. et adj. Personne qui est à la retraite, qui touche une retraite : *Un officier retraité.*

3. retraite [rətrɛt] n. f. Eloignement momentané du monde pour se recueillir, pour se préparer à un acte religieux : *Faire une retraite de dix jours. Entrer en retraite. Suivre une retraite préparatoire à la première communion.* ◆ **retraitant, e** n. Personne qui fait une retraite pieuse.

retranchement [rətrɑ̃ʃmɑ̃] n. m. 1° Obstacle naturel ou artificiel utilisé pour se défendre : *Attaquer l'ennemi dans ses retranchements.* — 2° *Attaquer, forcer, poursuivre quelqu'un dans ses derniers retranchements,* l'attaquer violemment, essayer de triompher de sa résistance. ◆ **retrancher (se)** v. pr. 1° Se mettre à l'abri, et spécialement se défendre par des retranchements : *L'ennemi s'était retranché derrière le fleuve. Se retrancher derrière un mur.* — 2° *Se retrancher derrière le secret professionnel, derrière l'autorité de quelqu'un,* etc., les invoquer comme moyens de défense contre des accusations, des reproches. ◆ **retranché, e** adj. *Camp retranché,* camp défendu par des retranchements.

1. retrancher (se) v. pr. V. RETRANCHEMENT.

2. retrancher [rətrɑ̃ʃe] v. tr. 1° *Retrancher une partie d'un texte,* la supprimer : *Il faut retrancher certains passages de ce chapitre, car il est trop long* (= l'abréger, le raccourcir). *Retrancher d'un article, d'un discours ce qui est superflu* (syn. : ÉLAGUER). — 2° *Retrancher une partie d'une quantité,* l'ôter, l'enlever : *Retrancher un nombre d'un autre* (syn. : SOUSTRAIRE). *Retrancher d'un salaire une certaine somme pour la Sécurité sociale, pour la retraite* (syn. : DÉDUIRE, DÉCOMPTER, RETENIR). — 3° Ironiq. *Retrancher quelqu'un du nombre des vivants,* le supprimer.

retransmettre [rətrɑ̃smɛtr] v. tr. (conj. **57**). Diffuser directement ou par relais une émission radiophonique ou télévisée : *Retransmettre un concert, un spectacle de variétés.* ◆ **retransmission** n. f. Action de retransmettre; émission diffusée : *Ecouter la retransmission d'un concert. Assister à la retransmission d'un match de football.*

rétrécir [retresir] v. tr. 1° *Rétrécir un objet, un vêtement,* le rendre plus étroit, moins large : *Rétrécir une jupe, un pantalon* (contr. : ÉLARGIR). — 2° *Rétrécir quelque chose* (nom abstrait), en diminuer l'ampleur, la capacité, la portée : *Cette éducation lui a rétréci l'esprit. Ce genre de vie a rétréci ses idées.* ◆ v. intr. ou ***se rétrécir*** v. pr. Devenir plus étroit, diminuer de surface, de volume : *Les vêtements de coton rétrécissent au lavage. La rue va en se rétrécissant. Le cuir se rétrécit à l'humidité.* ◆ **rétréci, e** adj. *Avoir l'esprit rétréci,* être incapable d'avoir des vues générales ou élevées (syn. : BORNÉ, ÉTRIQUÉ). ◆ **rétrécissement** n. m. 1° Fait de se rétrécir : *Le rétrécissement d'un tissu. Le rétrécissement d'une rue à la suite de travaux.* — 2° Diminution pathologique des dimensions d'un conduit organique, de l'orifice d'un organe : *Rétrécissement du pylore, de l'aorte* (contr. : DILATATION).

retremper (se) [sərətrɑ̃pe] v. pr. (sujet nom de personne). Reprendre contact avec : *Se retremper dans le milieu familial.* (V. aussi TREMPER.)

rétribuer [retribɥe] v. tr. 1° *Rétribuer quelqu'un,* le payer pour un travail, pour un service : *Rétribuer convenablement ses employés* (syn. : RÉMUNÉRER). — 2° *Rétribuer quelque chose,* donner de l'argent en échange d'un travail, d'un service : *Rétribuer un travail au mois, à la journée, à l'heure.* ◆ **rétribution** n. f. Somme d'argent donnée en échange d'un travail : *Accepter, demander une rétribution* (syn. : APPOINTEMENTS, RÉMUNÉRATION, SALAIRE, TRAITEMENT).

1. rétro [retro] n. m. Au billard, coup qui consiste à frapper une bille en dessous, pour qu'elle revienne en arrière après avoir frappé la bille visée : *Faire un rétro.*

2. rétro [retro] n. m. Abrév. fam. de RÉTROVISEUR.

rétroactif, ive [retroaktif, -iv] adj. Se dit d'une mesure légale qui a une conséquence, des implications sur des faits antérieurs : *Les lois n'ont pas, en principe, d'effet rétroactif.* ◆ **rétroactivité** n. f. : *La rétroactivité d'une mesure.*

rétrograder [retrograde] v. intr. 1° Revenir en arrière : *L'armée a été contrainte de rétrograder* (syn. : RECULER). *Le coureur qui s'était échappé a dû ensuite rétrograder dans le peloton.* — 2° Perdre ce qu'on a acquis (son rang dans un classement, les améliorations apportées par une évolution politique et sociale, etc.) : *Cet élève avait fait quelques progrès au début de l'année, maintenant il rétrograde. Il faut développer les investissements, sous peine de faire rétrograder l'économie du pays.* — 3° En automobile, passer la vitesse inférieure à celle où l'on est : *Rétrograder de troisième en seconde.* ◆ v. tr. Soumettre quelqu'un à la rétrogradation : *Rétrograder un militaire.* ◆ **rétrogradation** n. f. Mesure disciplinaire par laquelle un fonctionnaire ou un militaire est placé dans une situation hiérarchique inférieure à celle qu'il occupait. ◆ **rétrograde** adj. 1° Qui se fait en arrière : *Mouvement, marche rétrograde.* — 2° Opposé au progrès, qui voudrait rétablir les institutions du passé : *Un parti rétrograde. Une politique économique rétrograde* (syn. : † RÉACTIONNAIRE).

rétrospectif, ive [retrospɛktif, -iv] adj. Qui se rapporte au passé : *Il a fait un examen rétrospectif de ce qu'il aurait pu réaliser.* ◆ **rétrospective** n. f. Exposition où l'on présente les œuvres anciennes d'un artiste, d'une école, d'une époque : *Une rétrospective des toiles de Picasso.* ◆ **rétrospectivement** adv. En regardant vers le passé ; après coup : *Il a eu peur rétrospectivement.*

retrousser [rətruse] v. tr. *Retrousser un vêtement, une partie d'un vêtement,* les ramener, les replier vers le haut : *Retrousser son pantalon, sa jupe, ses manches* (syn. : RELEVER). ◆ ***se retrousser*** v. pr. (sujet nom désignant une femme). Relever sa jupe, sa robe : *Elle s'était retroussée pour traverser un ruisseau.* ◆ **retroussé, e** adj. *Nez retroussé,* nez dont le bout est un peu relevé.

retrouver [rətruve] v. tr. 1° *Retrouver une personne, un animal,* les découvrir, les rattraper quand ils se sont échappés : *Les gendarmes ont retrouvé les malfaiteurs qui s'étaient évadés de la prison. La mère Michel est tout heureuse d'avoir retrouvé son chat.* — 2° *Retrouver quelqu'un,* le reconnaître, soit à sa manière d'agir habituelle, soit à sa ressemblance avec une autre personne : *On ne retrouve plus ce romancier dans ses dernières œuvres. Retrouver chez un enfant l'expression de sa mère.* — 3° *Retrouver quelque chose,* être de nouveau en possession de ce qu'on avait perdu, égaré, oublié : *On a retrouvé chez un receleur les bijoux volés* (syn. : RÉCUPÉRER). *Elle a retrouvé ses gants et son parapluie, qu'elle avait laissés chez une amie. Retrouver une occasion favorable. Il commence à retrouver la santé, des forces* (syn. : RECOUVRER). *Retrouver du travail, une situation. Je n'arrive pas à retrouver son nom. Retrouver un passage qu'on avait remarqué dans un livre.* || *Retrouver son chemin,* savoir s'orienter. — 4° *Retrouver quelqu'un, quelque chose,* être de nouveau en leur présence, après une séparation : *Nous serons bien contents de vous retrouver aux vacances prochaines* (syn. : REVOIR). *Retrouver sa famille que l'on avait quittée. Retrouver avec joie la maison de son enfance.* || *Aller retrouver quelqu'un,* retourner près de lui (syn. : REJOINDRE). || *Je saurai vous retrouver, nous nous retrouverons,* je saurai prendre ma revanche. ◆ ***se retrouver*** v. pr. 1° (sujet nom de chose) Etre trouvé de nouveau : *Un tel avantage ne se retrouve pas facilement.* — 2° (sujet nom de personne) Etre de nouveau ou subitement dans tel état : *Il se retrouve maintenant dans la même situation qu'auparavant. A la mort de ses parents, il s'est retrouvé seul et sans ressources.* — 3° Etre de nouveau réunis : *Nous nous sommes retrouvés l'année dernière à la mer* (syn. : SE RENCONTRER). — 4° Reconnaître son chemin : *C'est un quartier où je ne vais pas souvent et je ne suis pas sûr de me retrouver.* — 5° Eclaircir une situation embrouillée, confuse : *Il n'arrive pas à se retrouver dans ses calculs. Les dossiers n'ont pas été classés et on ne s'y retrouve plus.* — 6° Fam. *S'y retrouver,* compenser ses frais par des recettes, des avantages : *Il a fait de grosses dépenses pour réinstaller son magasin, mais il s'y retrouvera vite.* ◆ **retrouvailles** n. f. pl. Moment où des personnes, qui avaient été séparées, se retrouvent : *Nous allons fêter par un dîner nos retrouvailles* (syn. : RÉUNION ; contr. : SÉPARATION).

rétroviseur [retrovizœr] n. m. Petit miroir qui permet au conducteur d'un véhicule d'apercevoir, par réflexion, ce qui se passe derrière lui. (Abrév. fam. : RÉTRO.)

réunir [reynir] v. tr. 1° *Réunir des choses,* les rapprocher, les mettre en contact : *Réunir les deux bouts d'un cordage* (syn. : RACCORDER, RELIER). *Réunir les lèvres d'une plaie.* — 2° *Réunir une chose à une autre,* les faire communiquer : *Une passerelle réunit les deux bords de la rivière. Le cou réunit la tête au tronc.* — 3° *Réunir des choses,* les mettre ensemble pour former un tout : *Réunir une province à un Etat* (syn. : ANNEXER, INCORPORER). *Réunir deux paragraphes d'un chapitre* (syn. : GROUPER). *Réunir des papiers, des certificats pour constituer un dossier* (syn. : RASSEMBLER). *Réunir des fonds pour offrir un cadeau* (syn. : RECUEILLIR, COLLECTER). *Réunir des preuves pour répondre à une accusation.* — 4° *Réunir des personnes,* les rassembler : *Réunir les membres d'une association, d'un parti. Réunir des amis chez soi* (syn. : INVITER). ◆ ***se réunir*** v. pr. 1° (sujet nom de personne) Se trouver ensemble : *Ils ont l'habitude de se réunir au café* (syn. : SE RENCONTRER). *Se réunir entre amis.* — 2° (sujet nom de chose) Se joindre : *Plusieurs avenues se réunissent en ce rond-point* (syn. : ABOUTIR). *La Seine et l'Yonne se réunissent à Montereau* (syn. : CONFLUER). ◆ **réunion** n. f. **1°** Action de réunir des choses : *La réunion des différentes pièces d'un mécanisme* (syn. : ASSEMBLAGE). *La réunion de ces faits, de ces preuves établit son droit* (syn. : RASSEMBLEMENT). — **2°** Fait de rassembler des personnes : *Organiser une réunion. La réunion des membres de la société a été faite par convocation.* — **3°** Groupe de personnes rassemblées : *Une réunion mondaine. Une réunion de savants, d'étudiants, de médecins, de linguistes* (syn. : CONGRÈS). *Une réunion politique, syndicale* (syn. : MEETING). ‖ *Réunion publique,* réunion où tout le monde peut se rendre et où l'on discute de questions d'ordre politique, moral, économique, etc. — **4°** Temps pendant lequel on se réunit : *La réunion a été très longue. Au cours de la réunion électorale, il y a eu plusieurs incidents.*

réussir [reysir] v. intr. **1°** (sujet nom de chose) Avoir un heureux résultat : *Projet qui réussit* (syn. : ABOUTIR, SE RÉALISER). *Son entreprise n'a pas réussi* (= a échoué). — **2°** (sujet nom désignant une plante) S'acclimater, bien venir : *La vigne ne réussit pas dans toutes les régions.* — **3°** (sujet nom de personne) Obtenir un bon résultat : *Il a réussi dans tout ce qu'il a entrepris* (= il a eu du succès). *Il n'est pas nécessaire de réussir pour persévérer. Il a mieux réussi dans son commerce que dans ses études* (contr. : ÉCHOUER). *Il vient de passer son baccalauréat et il a réussi* (= il a été reçu). ◆ v. tr. ind. **1°** (sujet nom de personne) *Réussir à quelque chose, à faire quelque chose,* y obtenir des succès, parvenir à : *Il a réussi à son examen. Je me demande si vous réussirez à le convaincre. Elle a réussi du premier coup à passer son permis de conduire.* — **2°** (sujet nom de chose) *Réussir à quelqu'un,* lui être bénéfique : *L'air de la mer lui réussit.* — **3°** *Ironiq.* Obtenir un mauvais résultat : *En répondant impoliment à votre mère, vous avez réussi à la mettre en colère* (syn. : ABOUTIR, PARVENIR À). ◆ v. tr. *Réussir quelque chose,* le faire, l'exécuter avec succès : *Réussir un tableau, un portrait, une photographie. Réussir une sauce, un plat. Réussir un but, un essai* (syn. : MARQUER). ◆ **réussi, e** adj. **1°** Exécuté avec succès : *Une robe tout à fait réussie. Une photographie réussie.* — **2°** Parfait en son genre : *Une réception, une soirée réussie* (syn. : BRILLANT). ◆ **réussite** n. f. **1°** Résultat favorable : *Féliciter quelqu'un pour la réussite d'une affaire, d'une entreprise* (syn. : SUCCÈS ; contr. : ÉCHEC). — **2°** *Fam.* Œuvre parfaite en son genre : *Roman, film qui est une réussite.* — **3°** Consultation par les cartes à jouer, fondée sur des combinaisons de pur hasard, destinée à connaître le succès ou l'insuccès d'une entreprise, la réalisation d'un désir, etc.

revaloir [rəvalwar] v. tr. (conj. **40**). Fam. *Revaloir quelque chose à quelqu'un,* lui rendre la pareille, en bien ou en mal (surtout au futur) : *Vous m'avez rendu service, je vous revaudrai cela. Il a voulu m'attirer des ennuis, je le lui revaudrai* (= je me vengerai).

revaloriser [rəvalɔrize] v. tr. **1°** *Revaloriser une monnaie dépréciée,* lui rendre sa valeur : *Revaloriser le franc.* — **2°** *Revaloriser une chose,* lui donner une valeur plus grande : *Revaloriser les indemnités de la Sécurité sociale* (syn. : RELEVER). — **3°** *Revaloriser quelque chose* (mot abstrait), lui donner une valeur nouvelle : *Revaloriser une doctrine.* ◆ **revalorisation** n. f. : *La revalorisation des salaires.*

revanche [rəvɑ̃ʃ] n. f. **1°** Action de rendre la pareille pour un mal que l'on a reçu : *Ses camarades l'avaient malmené, mais il a pris sa revanche* (= s'est vengé). *Une revanche éclatante.* — **2°** Seconde partie que l'on joue pour donner au perdant la possibilité de regagner ce qu'il a perdu : *Nous sommes à égalité : vous avez perdu la première manche, mais vous avez gagné la revanche. Voulez-vous faire la belle?* ● LOC. ADV. *A charge de revanche,* à condition qu'on rendra la pareille : *Je veux bien vous prêter de l'argent aujourd'hui, mais à charge de revanche.* ‖ *En revanche,* en compensation (langue soignée) : *La moisson a été médiocre, en revanche la récolte des fruits a été excellente* (syn. : EN CONTREPARTIE). *Il avait mal déjeuné, mais, en revanche, il a bien dîné* (syn. : PAR CONTRE). ◆ **revanchard, e** adj. et n. Se dit d'une personne, d'un pays qui désire prendre une revanche (surtout en parlant d'une revanche militaire).

revêche [rəvɛʃ] adj. Se dit d'une personne (ou de son comportement) peu accommodante, peu maniable : *On n'ose guère aller le voir, il est toujours revêche* (syn. : BOURRU, GRINCHEUX, HARGNEUX). *Cette femme est souvent d'humeur revêche* (syn. : ACARIÂTRE).

réveiller [revɛje] v. tr. **1°** *Réveiller quelqu'un,* le tirer du sommeil : *Il a le sommeil léger, le moindre bruit le réveille;* lui faire reprendre conscience : *Réveiller une personne évanouie, un somnambule;* le faire sortir d'un état de torpeur : *Ce jeune homme est endormi, paresseux, il a besoin qu'on le réveille.* — **2°** *Réveiller quelque chose,* le faire renaître, le susciter de nouveau, le remettre en mémoire : *Réveiller le courage de quelqu'un* (syn. : EXALTER). *Réveiller l'appétit* (syn. : EXCITER). *Réveiller une douleur, des souvenirs pénibles* (syn. : RANIMER, RAVIVER, RESSUSCITER). ◆ ***se réveiller*** v. pr. **1°** (sujet nom de personne) Sortir du sommeil : *Il se réveille tous les matins de bonne heure.* — **2°** (sujet nom de personne) *Se réveiller de son assoupissement, de sa léthargie, de sa torpeur,* cesser d'être assoupi, sortir de son indolence, de son inaction (syn. : SE SECOUER, SE REMUER). — **3°** (sujet nom de chose) Se ranimer, se raviver : *Il sent ses douleurs se réveiller* (syn. : RENAÎTRE). *De vieilles rancunes qui se réveillent.* ◆ **réveil** n. m. **1°** Action de se réveiller; passage du sommeil à l'état de veille : *Sauter du lit dès son réveil. Après son opération, il a eu un réveil pénible.* — **2°** *Sonner le réveil,* sonner le clairon pour réveiller les soldats. — **3°** Retour à l'activité : *Le réveil de la nature au printemps. Le réveil d'un peuple.* ◆ **réveille-matin** n. m. invar. ou **réveil** n. m. Petite pendule munie d'une sonnerie, qui sonne pour réveiller à l'heure qu'on a marquée au moyen d'une aiguille spéciale.

réveillon [revɛjɔ̃] n. m. Repas qui se fait au cours de la nuit de Noël ou du Jour de l'an. ◆ **réveillonner** v. intr. : *Réveillonner après la messe de minuit.* ◆ **réveillonneur, euse** n.

révéler [revele] v. tr. **1°** (sujet nom de personne) *Révéler quelque chose,* faire connaître ce qui était caché ou inconnu : *Révéler des secrets d'Etat* (syn. : COMMUNIQUER, DIVULGUER). *Il n'a pas voulu révéler ses projets* (syn. : DÉVOILER). *Il n'est pas permis aux prêtres de révéler ce qui leur a été déclaré en confession.* — **2°** (sujet nom de chose) *Révéler quelque chose,* le laisser voir d'une façon manifeste : *Cet ouvrage révèle chez son auteur des qualités qu'on ne lui connaissait pas.* — **3°** *Révéler quelque chose,* la faire connaître par une inspiration surnaturelle : *Les vérités que Dieu a révélées à son Eglise.* ◆ **se révéler** v. pr. (sujet nom de personne ou de chose). Se manifester, se faire connaître comme : *Dans cette compétition, il s'est révélé comme un joueur de grande classe* (syn. : APPARAÎTRE). *Son génie s'est révélé tout à coup.* ◆ **révélé, e** adj. Communiqué par la révélation divine : *Un dogme révélé. Religion révélée* (= celle qui se fonde sur une révélation divine; plus particulièrement le christianisme, par oppos. à la *religion naturelle*). ◆ **révélation** n. f. 1° Action de révéler : *La révélation d'une conspiration, d'un complot, d'un crime.* — 2° Information écrite ou orale qui explique des événements obscurs ou fait connaître des éléments nouveaux : *Ces Mémoires contiennent des révélations importantes. Il a fait d'étranges révélations à la police.* — 3° Fait qui apparaît subitement ou qui, une fois connu, en explique d'autres : *Renan écrit qu'en voyant l'Acropole il a eu la révélation du divin. La déposition de ce témoin a été une révélation pour beaucoup de jurés.* — 4° Personne qui manifeste tout à coup de grandes qualités, un grand talent : *Ce joueur de tennis a été la révélation de l'année.* — 5° Action de Dieu faisant connaître aux hommes ses mystères, sa volonté, que leur raison ne saurait découvrir. ◆ **révélateur, trice** adj. Se dit d'une chose qui en révèle, en indique une autre : *Un bruit révélateur du mauvais fonctionnement d'un moteur.* ◆ **révélateur** n. m. Composition chimique qui permet de transformer l'image latente d'une photographie en image visible.

revendiquer [rəvɑ̃dike] v. tr. 1° (sujet nom de personne) *Revendiquer quelque chose,* réclamer une chose qui nous appartient, qui nous revient légitimement : *Revendiquer sa part d'héritage.* — 2° (sujet nom désignant une collectivité) Réclamer l'exercice d'un droit politique ou social, une amélioration des conditions de vie ou de travail : *Les fonctionnaires revendiquent une augmentation de leurs traitements.* — 3° *Revendiquer la responsabilité de ses actes,* assumer l'entière responsabilité de ce qu'on a fait. ◆ **revendication** n. f. : *La revendication d'une liberté. Le ministre du Travail a reçu une délégation de métallurgistes qui lui ont exposé leurs revendications* (syn. : RÉCLAMATION, DESIDERATA). ◆ **revendicatif, ive** adj. Qui exprime une revendication : *Un programme revendicatif.*

1. revenir [rəvnir] v. intr. (conj. 22). I. SUJET NOM D'ÊTRE ANIMÉ. 1° Venir de nouveau, venir une autre fois : *Le docteur est venu me voir hier, il a dit qu'il reviendrait aujourd'hui. Le propriétaire de la villa nous a demandé si nous reviendrions l'année prochaine pour les vacances. Les hirondelles reviendront au printemps.* — 2° Venir à l'endroit d'où l'on est parti : *Elle revient tous les ans dans son village natal. Il revenait tous les soirs chez lui très fatigué de sa journée* (syn. : RENTRER). *Comme son père était malade, on l'a fait revenir de voyage* (syn. : RAPPELER). *Revenir d'une promenade, de travailler.* — 3° *Revenir à une chose,* reprendre, continuer une chose qu'on a abandonnée : *Revenir à ses études* (syn. : SE REMETTRE À). *Revenir à une vieille habitude, à ses premières amours, à un ancien projet* (syn. : RETOURNER À). *Revenons à notre conversation de l'autre jour.* ‖ *Revenons à nos moutons,* reprenons notre sujet de conversation. ‖ *J'en reviens toujours là,* je persiste à penser, à dire. ‖ *Revenir à la charge,* renouveler ses tentatives, ses attaques, son reproche; insister dans sa démarche. ‖ *N'y revenez pas, il ne faut pas y revenir,* ne recommencez pas la même faute, la même erreur (formule d'avertissement). ‖ *Il n'y a pas à y revenir,* c'est bien décidé, il n'y a rien à changer. — 4° Passer de nouveau à un état (physique ou moral) antérieur : *Revenir à la vie* (= recouvrer la santé, se rétablir). *Revenir à soi* (= reprendre conscience après un évanouissement). *Revenir à de meilleurs sentiments à l'égard de quelqu'un.* ‖ *Revenir à la religion,* se convertir, reprendre des sentiments de piété. — 5° *Revenir d'une chose,* quitter un état physique ou moral : *Revenir d'un évanouissement, d'une syncope* (= reprendre conscience). ‖ *Revenir de loin,* ou *en revenir,* guérir d'une grave maladie, échapper à un grand danger : *Il a été grièvement blessé, on se demande s'il en reviendra.* ‖ *Revenir d'un étonnement, d'une surprise,* en sortir. ‖ *N'en pas revenir,* être profondément surpris : *Quand je lui ai appris cette nouvelle, elle n'en revenait pas. Je n'en reviens pas qu'il ait réussi à son examen.* ‖ *Revenir d'une erreur, d'une illusion, d'une idée fausse, de ses prétentions,* s'en dégager : *Il est revenu de tout* (= tout lui est indifférent; syn. : DÉSABUSÉ, DÉSILLUSIONNÉ). ‖ *Revenir de ses erreurs, de ses égarements de jeunesse,* y renoncer, s'en corriger. ‖ *Revenir d'une mode,* cesser de la suivre. — 6° (sans compl.) *Fam.* Se réconcilier avec quelqu'un, céder : *Quand on l'a contrarié, il ne revient pas facilement* (de son ressentiment). — 7° *Revenir sur une affaire, sur une question, sur un sujet, sur un chapitre,* les examiner, les traiter de nouveau. ‖ *Revenir sur le passé,* reparler de ce qui a été dit ou fait. ‖ *Revenir sur ce qu'on a dit* ou *promis, sur ses engagements,* changer d'opinion, de sentiments, ne pas tenir sa parole (syn. : SE DÉDIRE, SE RÉTRACTER). ‖ *Revenir sur le compte de quelqu'un,* abandonner l'opinion qu'on s'était faite de lui, en adopter une tout opposée : *Je le croyais honnête homme, mais je suis bien revenu sur son compte.* ‖ *Revenir sur ses pas,* faire en sens inverse le chemin qu'on a déjà fait (syn. : REBROUSSER CHEMIN).

II. SUJET NOM DE CHOSE. 1° Paraître, se montrer, se présenter, arriver de nouveau : *Les beaux jours sont près de revenir. Le soleil revient à l'horizon. Ce mot revient souvent dans sa conversation, sous sa plume. Un tel événement ne revient pas tous les ans* (syn. : AVOIR LIEU). — 2° Retourner au point de départ : *Le boomerang revient à proximité de celui qui l'a lancé. La balle a ricoché sur le mur et elle est revenue à mes pieds* (syn. : RETOMBER). *Comme l'adresse était fausse, la lettre est revenue* ou *lui est revenue* (syn. : ÊTRE RENVOYÉ). — 3° *Revenir à quelqu'un,* lui être dit, rapporté : *Certains propos qu'on avait tenus sur sa conduite lui étaient revenus* (syn. : ÊTRE RACONTÉ, ÊTRE REDIT, VENIR AUX OREILLES); et impersonnell. : *Il m'est revenu que vous vous plaignez de moi.* — 4° *Revenir à quelqu'un,* se présenter de nouveau à son esprit : *Après avoir cherché bien longtemps, son nom me revient maintenant. Ce projet lui revient souvent à la mémoire.* — 5° Etre retrouvé, en parlant d'une fonction, d'une faculté, d'un état physique ou moral : *La parole lui revient petit à petit. La vue lui est revenue* (syn. : ÊTRE RECOUVRÉ). *L'appétit ne lui revient pas. Le courage lui reviendra, s'il se sent soutenu.* — 6° Etre dévolu, échoir légitimement à quelqu'un : *Cette place lui revient de droit. Il a touché la part qui lui revenait de l'héritage de ses parents* (syn. : APPARTENIR). *Quel avantage peut-il lui revenir de cette entreprise?* (syn. : OBTENIR); avec un infinitif : *C'est à vous qu'il revient de diriger cette affaire* (syn. : INCOMBER). — 7° *Fam.* Inspirer confiance, plaire : *Il a un air, des manières qui ne me reviennent pas* (surtout négativement). — 8° *Revenir à quelque chose,* se résumer à cette chose, y aboutir en définitive : *Le théorème revient à une proposition assez simple. Cela reviendrait au même* (= ce serait la même chose). *Cela revient à dire que vous acceptez ma proposition* (= équivaut). — 9° *Revenir sur le tapis,* être de nouveau un sujet de conversation : *La question de son mariage est revenue sur le tapis.* ‖ *Faire revenir de la viande, des légumes,* leur faire subir un commencement de cuisson dans du beurre ou de la graisse. ◆ ***s'en revenir*** v. pr. (sujet nom d'être animé). *Fam.* Revenir de quelque lieu : *Je l'ai rencontré au moment où il s'en revenait du marché.* ◆ **revenant** n. m. Esprit, âme d'un mort qu'on suppose revenir de l'autre monde : *Croire aux revenants.*

2. revenir [rəvnir] v. intr. (conj. 22). Se dit des aliments absorbés dont le goût réapparaît désagréablement : *L'aïoli lui est revenu tout l'après-midi.* ◆ **revenez-y** n. m. invar. Fam. *Avoir un goût de revenez-y,* avoir un goût agréable et inciter à recommencer : *Ce fromage a un goût de revenez-y.*

3. revenir [rəvnir] v. intr. (conj. 22). Coûter une certaine somme d'argent : *Ce vêtement lui revient à bon marché. Ces deux étoffes me reviennent au même prix.* ◆ **revient** n. m. *Prix de revient,* coût total d'une marchandise, d'un produit.

revenu [rəvny] n. m. 1° Somme annuelle perçue par une personne ou par une collectivité, soit à titre de rente, soit à titre de rémunération de son activité : *Cet homme a un revenu considérable. Les revenus d'un domaine agricole. Il faut régler sa dépense sur son revenu.* — 2° *Impôt sur le revenu,* impôt calculé d'après le revenu des contribuables. ‖ *Revenu national,* ensemble des revenus tirés de l'activité productrice de la nation au cours de l'année.

rêver [rɛve] v. intr. 1° (sujet nom désignant une personne endormie) Faire des rêves : *Je n'ai fait que rêver toute la nuit.* — 2° (sujet nom désignant une personne éveillée) Laisser aller son imagination sur des choses vagues : *Au lieu d'écouter en classe, cet élève ne fait que rêver* (syn. : ÊTRE DISTRAIT, RÊVASSER). ‖ *On croit rêver, il me semble que je rêve,* se dit pour exprimer une vive surprise. — 3° (sujet nom de personne) Tenir des propos déraisonnables, extravagants : *Il me semble que vous rêvez quand vous parlez de paix universelle.* ◆ v. tr. 1° *Rêver quelque chose, rêver que* (et l'indic.), voir en rêve en dormant : *Nous avons rêvé tous les deux la même chose. J'ai rêvé que nous partions en voyage.* — 2° Désirer vivement (langue soignée) : *Rêver le pouvoir, la gloire, la richesse. Il n'a pas la situation qu'il avait rêvée.* — 3° Imaginer des choses déraisonnables : *Je n'ai jamais dit cela, c'est vous qui l'avez rêvé* (syn. : INVENTER; fam. : SE METTRE DANS LA TÊTE). ◆ v. tr. ind. 1° *Rêver d'une personne, d'une chose,* les voir en rêve : *J'ai rêvé de vous cette nuit. Il y a quelques jours, j'ai rêvé d'un incendie.* — 2° *Rêver d'une chose, rêver de* (et l'infin.), souhaiter ardemment cette chose, souhaiter de : *Tout le monde rêve d'un sort meilleur. Il a toujours rêvé de faire de grands voyages.* — 3° *Rêver à quelque chose,* y penser, y réfléchir : *Il a longtemps rêvé à ce projet, à cette affaire* (syn. : SONGER); s'abandonner à la rêverie : *Vous ne répondez pas à ma question. A quoi rêvez-vous?* ◆ **rêve** n. m. 1° Suite d'images qui se présentent à l'esprit pendant le sommeil : *Faire des rêves agréables, de beaux rêves. Faire des rêves pénibles, angoissants* (syn. : CAUCHEMAR). — 2° Idée plus ou moins chimérique destinée à satisfaire un désir : *Caresser un rêve. Ce projet n'est qu'un rêve. Ses espoirs n'ont été que des rêves. Ne pas confondre le rêve et la réalité. Réaliser son rêve.* ‖ *C'est un rêve,* c'est une chose que l'on a peine à imaginer, qui ne peut se réaliser. — 3° Objet d'un désir : *Il a trouvé la maison de ses rêves.* ◆ **rêverie** n. f. Etat de l'esprit qui s'abandonne à des images vagues, sans chercher à en modifier le cours; objet qui occupe alors l'esprit : *Il est perdu dans de continuelles rêveries. Troubler la rêverie de quelqu'un.* ◆ **rêveur, euse** adj. et n. 1° Qui se laisse aller à la rêverie : *Une jeune fille rêveuse* (syn. : ROMANESQUE). *Ce garçon est un grand rêveur.* — 2° Qui indique la rêverie : *Un air, des yeux rêveurs.* ◆ **rêveusement** adv. ◆ **rêvasser** v. intr. Se laisser aller à la rêverie : *Il perd son temps à rêvasser.*

réverbère [revɛrbɛr] n. m. Appareil destiné à l'éclairage des rues, des places publiques : *Réverbère à gaz* (syn. : BEC DE GAZ). *Réverbère électrique.*

réverbérer [revɛrbere] v. tr. Renvoyer la lumière, la chaleur : *Les murs réverbèrent la chaleur du soleil.* ◆ **réverbération** n. f. Réflexion et diffusion de la lumière, de la chaleur : *Les murailles blanches renvoient des réverbérations intenses.*

reverdir v. intr. V. VERDIR.

1. révérence [reverɑ̃s] n. f. Respect profond : *Avoir de la révérence pour quelqu'un. Traiter les choses saintes avec révérence* (syn. : VÉNÉRATION). ◆ **révérencieux, euse** adj. 1° Qui traite les gens avec révérence : *Une jeune fille assez peu révérencieuse envers ses parents* (syn. : POLI, RESPECTUEUX, ↑ OBSÉQUIEUX; contr. : IRRÉVÉRENCIEUX, IMPOLI). — 2° Qui marque de la révérence : *Des paroles, des manières révérencieuses.* ◆ **révérencieusement** adv. : *Parler à quelqu'un révérencieusement* (contr. : IRRÉVÉRENCIEUSEMENT). ◆ **révérenciel, elle** adj. *Crainte révérencielle,* sentiment d'obéissance craintive à l'égard des parents, qui paralyse les jeunes gens dans le libre choix de leur profession (relig.). ◆ **irrévérence** n. f. 1° Manque de respect : *S'excuser de son irrévérence.* — 2° Parole, action irrespectueuse : *Cet article est rempli d'irrévérences à l'égard du pouvoir.* ◆ **irrévérencieux, euse** adj. Qui manque de respect : *Des propos irrévérencieux.* ◆ **irrévérencieusement** adv. ◆ **révérer** v. tr. Honorer, traiter avec un profond respect : *Révérer Dieu, les saints. Il est des maîtres que l'on révère. Révérer des reliques. Révérer la mémoire de quelqu'un.*

2. révérence [reverɑ̃s] n. f. 1° Mouvement du corps que l'on fait pour saluer, soit en s'inclinant, soit en pliant les genoux : *Apprendre à faire la révérence.* — 2° *Tirer sa révérence,* s'en aller d'une façon en général peu polie.

révérend, e [reverɑ̃, -ɑ̃d] adj. et n. Titre d'honneur donné aux religieux, aux religieuses : *La révérende mère supérieure.* ◆ **révérendissime** adj. Titre honorifique donné aux archevêques, aux évêques, aux généraux d'ordres religieux.

1. revers [rəvɛr] n. m. 1° Côté d'une chose opposé au côté principal ou à celui qui se présente d'abord : *Le revers d'une feuille, d'une feuille imprimée* (syn. : DOS, VERSO). *Le revers d'une tapisserie, d'une étoffe* (syn. : ENVERS). *Revers de la main* (= dos de la main, surface de la main opposée à la paume). ‖ *Revers de main,* geste par lequel on repousse, on frappe, on frotte avec le dos de la main : *Il essuya d'un revers de main les gouttes de sueur qui lui coulaient sur le front.* — **2°** Au tennis, au Ping-Pong, renvoi de la balle effectué du côté opposé au côté habituel (contr. : COUP DROIT). — **3°** Côté d'une médaille, d'une monnaie opposé à celui où est la figure : *Le revers d'une pièce* (syn. : PILE ; contr. : AVERS, FACE). ‖ *Le revers de la médaille,* l'aspect désagréable d'une chose. — **4°** Partie d'un vêtement ou d'une pièce d'habillement qui est repliée sur l'endroit : *Un bonnet à revers;* en particulier, chacune des deux parties symétriques d'un vêtement repliées sur la poitrine, dans le prolongement du col : *Les revers d'un veston. Un smoking à revers de soie.* ◆ **réversible** adj. Se dit d'un tissu, d'un vêtement qui peut être porté sur l'envers comme sur l'endroit : *Manteau réversible.*

2. revers [rəvɛr] n. m. Evénement malheureux qui transforme une situation : *Il s'est laissé abattre par le premier revers de fortune* (syn. : ÉCHEC). *Il a éprouvé, essuyé de cruels revers* (syn. : ÉPREUVE). *Des revers militaires* (syn. : DÉFAITE).

reverser v. tr. V. VERSER.

1. réversible [revɛrsibl] adj. Qui peut revenir en arrière, en sens inverse : *Un mouvement réversible. L'histoire n'est pas réversible.* ◆ **réversibilité** n. f. : *La réversibilité d'un mouvement, de la durée.* ◆ **irréversible** adj. Qui n'agit que dans un sens et ne peut revenir en arrière. ◆ **irréversibilité** n. f.

2. réversible adj. V. REVERS 1.

1. revêtir [rəvetir] v. tr. (conj. **27**). 1° Mettre sur soi un vêtement (spécialement un habit de cérémonie, ou ce qui est la marque d'une dignité, d'une fonction) : *Revêtir ses habits du dimanche, des vêtements de deuil. Revêtir l'uniforme. Le prélat avait revêtu ses habits pontificaux. Le président du tribunal était revêtu de sa robe de magistrat.* — **2°** Couvrir comme d'un vêtement : *Revêtir l'erreur, le mensonge des apparences de la vérité* (syn. : PARER). — **3°** (sujet nom de chose) Prendre telle ou telle apparence : *Le langage est l'une des formes que revêt la pensée pour s'exprimer.* ◆ **revêtu, e** adj. *Etre revêtu d'un pouvoir, d'une dignité, d'une autorité,* en être investi (syn. : DOTÉ, POURVU).

2. revêtir [rəvetir] v. tr. (conj. **27**). Garnir d'un revêtement (sens 1) : *Revêtir un mur de boiseries, de carreaux de faïence.* ◆ **revêtement** n. m. 1° Matériau dont on recouvre une construction pour la consolider, la protéger ou la décorer : *Le revêtement est tantôt un simple enduit de ciment, de plâtre ou de stuc, tantôt une marqueterie de marbre ou de mosaïque. Le bois est un revêtement qui a souvent donné aux demeures du XVIIe et du XVIIIe siècle leur élégance.* — **2°** Partie supérieure d'une chaussée, constituée par une couche de matériaux présentant une surface continue. — **3°** Tout ce qui sert à recouvrir pour protéger, consolider : *Garnir les tuyaux d'un chauffage central d'un revêtement qui empêche la déperdition de la chaleur* (syn. : ENVELOPPE).

3. revêtir [rəvetir] v. tr. (conj. **27**). Pourvoir un acte, un document des formes nécessaires pour qu'il soit valide (surtout au passif) : *Revêtir un écrit de la signature d'une personne. Revêtir un passeport d'un visa.*

revient n. m. V. REVENIR 3.

revigorer [rəvigɔre] v. tr. *Revigorer quelqu'un,* lui redonner des forces : *Prenez ce verre de vin, cela va vous revigorer* (syn. : REMONTER ; fam. : RAVIGOTER, RAGAILLARDIR).

revirement [rəvirmɑ̃] n. m. Changement brusque et complet dans les opinions, dans la manière d'agir d'une personne ou d'une collectivité : *Le revirement de cet homme politique n'a guère surpris* (syn. : RETOURNEMENT, VOLTE-FACE).

reviser (vieilli) ou **réviser** [revize] v. tr. **1°** *Réviser quelque chose,* l'examiner de nouveau pour le corriger, le modifier s'il y a lieu : *Réviser un compte, un procès, le règlement d'une assemblée. Un article de cette Constitution fixe l'époque où elle pourra être révisée.* — **2°** *Réviser une matière* (scientifique, littéraire), l'étudier de nouveau ou la relire en vue d'une composition, d'un examen : *Réviser un programme de français, de mathématiques.* — **3°** *Réviser une épreuve typographique,* vérifier si les corrections indiquées sur l'épreuve précédente ont bien été exécutées. — **4°** *Réviser une machine, une installation,* etc., leur faire subir les vérifications et les réparations nécessaires pour les remettre en état : *Réviser une voiture, un moteur, une montre.* ◆ **revision** (vieilli) ou **révision** n. f. **1°** Action de réviser, d'examiner de nouveau : *La révision d'un procès, des listes électorales. La révision d'une épreuve typographique. La révision d'une machine.* — **2°** Modification d'un texte juridique en vue de l'adapter à une situation nouvelle : *Révision de statuts, d'un contrat, d'un code, d'une Constitution.* — **3°** Action de revoir, de repasser son programme d'études : *Faire une révision en histoire, en géographie.* — **4°** *Conseil de révision,* juridiction administrative qui juge de l'aptitude des jeunes gens au service militaire. ◆ **révisionniste** adj. et n. Qui est partisan de la révision d'une Constitution, d'une doctrine politique. ◆ **révisionnisme** n. m.

revivifier [rəvivifje] v. tr. Donner une nouvelle vie spirituelle (relig.) : *La grâce revivifie le pécheur.*

reviviscence [rəvivisɑ̃s] n. f. Réapparition d'un état de conscience déjà éprouvé (langue soutenue) : *La reviviscence d'une émotion.*

revivre [rəvivr] v. intr. (conj. **63**). **1°** Revenir à la vie : *Jésus-Christ fit revivre Lazare* (syn. : RESSUSCITER). — **2°** *Revivre dans quelqu'un,* se continuer dans une personne : *Les parents revivent dans leurs enfants.* — **3°** Reprendre des forces, de l'énergie : *Il se sent revivre quand il est à la montagne.* — **4°** *Faire revivre quelqu'un,* lui redonner du courage, de l'espérance : *Elle était dans un grand abattement; cette bonne nouvelle l'a fait revivre.* — **5°** *Faire revivre une chose,* la remettre en usage, en vogue, en honneur : *Faire revivre une mode, une institution, un usage* (syn. : RENOUVELER). — **6°** *Faire revivre un personnage, une époque,* leur redonner une sorte de vie par l'imagination, par l'art : *L'épopée fait revivre les héros. Cet historien sait faire revivre les personnages, les événements* *des temps anciens.* ◆ v. tr. Repasser dans son esprit : *Revivre ses jeunes années.*

revoici, revoilà prép. V. VOICI.

revoir [rəvwar] v. tr. (conj. 41). 1° *Revoir une personne, une chose,* les voir de nouveau : *Cela me fait plaisir de vous revoir; il y avait longtemps que nous ne nous étions rencontrés.* — 2° *Revoir un lieu,* y revenir : *Il n'a pas revu son pays natal depuis de nombreuses années.* — 3° Regarder de nouveau : *Aller dans un musée revoir les tableaux que l'on aime.* — 4° *Revoir un spectacle,* y assister de nouveau : *Revoir une pièce de théâtre, un film.* — 5° *Revoir un texte,* l'examiner de nouveau pour le corriger, pour le mettre au point : *Revoir un manuscrit avant de le faire imprimer* (syn. : RÉVISER). — 6° *Revoir une matière intellectuelle,* l'étudier de nouveau ou la relire pour se la rappeler : *Revoir son programme de français et de sciences naturelles pour le baccalauréat* (syn. : REPASSER, RÉVISER). — 7° *Revoir quelqu'un, quelque chose,* se les représenter par la mémoire : *Je vous revois encore, le jour de la distribution des prix, descendre de l'estrade, les bras chargés de livres magnifiques.* ◆ ***se revoir*** v. pr. 1° Se voir soi-même en imagination : *Je me revois, le premier jour de la rentrée, à la pension.* — 2° (sujet nom de personne) Etre de nouveau en présence l'un de l'autre : *Ils ne se sont pas revus depuis longtemps.* ◆ **revoir** n. m. *Au revoir,* formule de politesse pour prendre congé de quelqu'un (syn. pop. : À LA REVOYURE). ◆ **revue** n. f. 1° Fam. *Etre de revue,* avoir l'occasion de se revoir : *Vous me rendrez mon livre un autre jour, nous sommes de revue.* — 2° Action d'examiner avec soin : *Tous les ans, il fait la revue de ses livres. Faire la revue de ses fautes, de sa vie passée.* — 3° *Revue de presse,* compte rendu des articles parus dans les journaux et reflétant des opinions différentes : *Revue de la presse quotidienne, hebdomadaire.*

1. révolter [revɔlte] v. tr. *Révolter quelqu'un,* le remplir d'indignation, le choquer vivement : *Une telle injustice vous révolte* (syn. : ÉCŒURER, ↓ DÉGOÛTER, INDIGNER). *Beaucoup de gens ont été révoltés par les propos de cet homme.* ◆ **révoltant, e** adj. Se dit de ce qui révolte : *Un procédé révoltant* (syn. : ↓ DÉGOÛTANT). *Une injustice révoltante.* ◆ **révolté, e** adj. Rempli d'indignation : *On est révolté quand on apprend que de telles atrocités ont été commises* (syn. : ↓ OUTRÉ).

2. révolter (se) [sərevɔlte] v. pr. 1° *Se révolter contre l'autorité établie,* se soulever contre elle : *Se révolter contre un gouvernement.* — 2° *Se révolter contre quelqu'un,* refuser de lui obéir : *Un enfant qui se révolte contre ses parents, contre ses maîtres* (syn. : REGIMBER, SE CABRER, SE REBELLER). *Se révolter contre ses supérieurs.* ◆ **révolté, e** n. Personne qui prend part à une révolte : *Les révoltés se sont rendus maîtres d'une grande partie de la ville* (syn. : INSURGÉ, REBELLE). ◆ **révolte** n. f. 1° Soulèvement contre l'autorité établie : *Exciter, pousser à la révolte. Fomenter une révolte* (syn. : INSURRECTION, SÉDITION). *Apaiser, calmer, étouffer, réprimer une révolte. Une révolte de paysans* (= une jacquerie), *de soldats* (= une mutinerie). — 2° Refus d'obéissance, opposition violente à une autorité quelconque : *A cette proposition, il eut un mouvement de révolte. Le professeur s'aperçut qu'un vent de révolte soufflait sur la classe* (syn. : RÉBELLION).

révolu, e [revɔly] adj. Se dit d'une période de temps qui est écoulée, terminée : *Après une année révolue. Il a quarante ans révolus* (syn. : ACCOMPLI; fam. : SONNÉ).

1. révolution [revɔlysjɔ̃] n. f. Mouvement circulaire par lequel une planète, un astre revient à son point de départ (terme d'astronomie) : *La révolution de la Terre autour du Soleil.*

2. révolution [revɔlysjɔ̃] n. f. 1° Renversement d'un régime politique qui amène de profondes transformations dans les institutions d'une nation : *Rechercher les causes d'une révolution. Ecrire l'histoire des révolutions d'un pays. La révolution de 1830, de 1848. La Révolution* (= celle de 1789). — 2° Changement important dans l'ordre économique, social, moral d'une société : *Une profonde révolution industrielle s'est opérée au cours du XVIIIe siècle. Une révolution dans les idées, dans les mœurs, dans les arts.* — 3° *Fam.* Agitation vive, mais passagère : *On vient de cambrioler une boutique, tout le quartier est en révolution* (syn. : EFFERVESCENCE). ◆ **révolutionnaire** adj. 1° Relatif à une révolution politique : *Une période révolutionnaire.* — 2° Issu d'une révolution politique : *Un gouvernement, un tribunal révolutionnaire.* — 3° Qui favorise ou provoque une transformation radicale dans un domaine quelconque : *Avoir des opinions révolutionnaires. Le marxisme est une théorie révolutionnaire. Appliquer des méthodes révolutionnaires dans la fabrication d'un produit.* ◆ n. Partisan d'une révolution : *Un révolutionnaire ardent, fougueux.* ◆ **révolutionner** v. tr. 1° Fam. *Révolutionner quelqu'un,* le troubler, l'agiter violemment : *Cette mauvaise nouvelle l'a révolutionné* (syn. : BOULEVERSER, ↓ ÉMOUVOIR). — 2° *Révolutionner une technique, une industrie,* etc., la modifier profondément : *La machine à vapeur, le moteur à explosion ont révolutionné les moyens de locomotion.*

revolver [revɔlvɛr] n. m. Arme à feu portative, de petite taille, dont l'approvisionnement est automatique : *Se brûler la cervelle d'un coup de revolver* (syn. pop. : PÉTARD, RIGOLO).

1. révoquer [revɔke] v. tr. *Révoquer un fonctionnaire,* lui ôter pour des raisons de mécontentement les fonctions, les pouvoirs qu'on lui avait confiés : *Révoquer un magistrat, un préfet* (syn. : CASSER, DESTITUER). ◆ **révocation** n. f. : *La révocation d'un professeur, d'un instituteur.* ◆ **révocable** adj. Qui peut être révoqué.

2. révoquer [revɔke] v. tr. *Révoquer un arrêt, un contrat, une donation,* etc., les annuler. ◆ **révocation** n. f. : *La révocation d'un testament. La révocation de l'édit de Nantes en 1685* (syn. : ANNULATION). ◆ **révocable** adj. : *Un choix révocable.* ◆ **irrévocable** adj. Sur quoi il est impossible de revenir : *Un arrêt irrévocable. Une décision irrévocable* (syn. : DÉFINITIF). ◆ **irrévocablement** adv. : *Date irrévocablement fixée.*

1. revue n. f. V. REVOIR.

2. revue [rəvy] n. f. 1° Cérémonie militaire au cours de laquelle les troupes en grande tenue sont présentées à des personnalités civiles ou militaires et défilent : *La revue du 14-Juillet.* ‖ *Passer des troupes en revue,* inspecter des militaires rassemblés en un endroit : *A sa descente d'avion, le président de la République a passé en revue un détachement de l'armée de l'air.* — 2° Fam. *Etre de la revue,* être déçu dans ses espérances : *Il croyait obtenir cette place, mais il est de la revue.*

3. revue [rəvy] n. f. Publication périodique où sont traitées des questions variées (politiques, littéraires, scientifiques, etc.) : *Fonder, diriger une revue. Revue hebdomadaire, mensuelle, trimestrielle.*

4. revue [rəvy] n. f. 1° Pièce comique ou satirique qui met en scène des personnages connus, des événements de l'actualité : *Une revue de chansonniers.* — 2° Spectacle de music-hall à grand déploiement de mise en scène : *La revue des Folies-Bergère.* ◆ **revuiste** n. Auteur qui écrit des revues.

révulsé, e [revylse] adj. *Yeux révulsés,* yeux à moitié retournés par l'effet d'une émotion violente, d'un spasme : *Elle était dans une colère noire, écumante de rage, les yeux révulsés* (syn. : CHAVIRÉ).

révulsif [revylsif] n. m. Remède destiné à produire un afflux de sang dans une partie de l'organisme pour faire cesser une congestion ou une inflammation : *Les sinapismes, les ventouses sont des révulsifs.*

rez-de-chaussée [redʃose] n. m. invar. Partie d'une habitation située au niveau du sol : *Habiter au rez-de-chaussée.*

1. rhabiller v. tr. V. HABILLER.

2. rhabiller [rabije] v. tr. *Rhabiller une montre, une pendule,* les remettre en état (techn.; syn. : RÉPARER).

rhapsodie [rapsɔdi] n. f. Composition musicale qui utilise des thèmes d'inspiration nationale ou régionale : *Les rhapsodies hongroises de Liszt. La « Rhapsodie d'Auvergne » de Saint-Saëns.*

rhéostat [reɔsta] n. m. Appareil qui, placé dans un circuit électrique, permet de modifier l'intensité du courant.

rhétorique [retɔrik] n. f. 1° Ensemble de procédés constituant l'art de bien parler : *Apprendre, enseigner la rhétorique.* ‖ *Figure de rhétorique,* tournure de style qui rend plus vive l'expression de la pensée : *L'allégorie, la métaphore, l'inversion, l'hyperbole sont des figures de rhétorique.* — 2° *Péjor.* Affectation d'éloquence, discours pompeux, mais vide d'idées, de faits : *Le sermon que nous avons entendu n'est que de la rhétorique.* ◆ **rhéteur** n. m. *Péjor.* Homme dont l'éloquence est emphatique et déclamatoire.

rhinocéros [rinɔserɔs] n. m. Mammifère des régions tropicales de l'Asie et de l'Afrique : *Le rhinocéros est un puissant animal sauvage, à peau très épaisse; il atteint 4 mètres de long et 2 mètres de haut. Le rhinocéros d'Asie n'a généralement qu'une corne sur le nez; celui d'Afrique en a deux.*

rhododendron [rɔdɔdɛ̃drɔ̃] n. m. Arbrisseau cultivé pour ses fleurs ornementales.

rhubarbe [rybarb] n. f. Plante vivace à tiges charnues qui servent à faire des confitures, des compotes.

rhum [rɔm] n. m. Eau-de-vie obtenue par la fermentation et la distillation du jus de la canne à sucre et des mélasses des sucres de canne. ◆ **rhumerie** [rɔmri] n. f. Usine où l'on fabrique le rhum.

rhumatisme [rymatism] n. m. Maladie aiguë ou chronique caractérisée par des douleurs dans les muscles ou dans les articulations : *Etre sujet aux rhumatismes. Une femme percluse de rhumatismes.* ◆ **rhumatisant, e** adj. et n. Atteint de rhumatisme : *Un vieillard rhumatisant.* ◆ **rhumatismal, e, aux** adj. Qui est causé par le rhumatisme : *Une douleur rhumatismale.*

rhume [rym] n. m. 1° Affection caractérisée par une inflammation de la muqueuse du nez, de la gorge et des bronches : *Avoir un gros rhume. Le rhume s'accompagne de toux, d'éternuement, d'enrouement et quelquefois de fièvre. Soigner un rhume à l'aide de tisanes, de fumigations.* ‖ *Rhume de cerveau,* inflammation de la muqueuse du nez. — 2° Pop. *Prendre quelque chose pour son rhume,* recevoir une sévère correction, subir de violents reproches. ◆ **enrhumer** v. tr. *Enrhumer quelqu'un,* lui causer un rhume : *Ce temps froid et humide l'avait enrhumé.* ◆ ***s'enrhumer*** v. pr. (sujet nom de personne). Prendre un rhume.

ribambelle [ribɑ̃bɛl] n. f. *Fam.* Longue suite de personnes ou d'animaux : *Une ribambelle d'enfants. Une ribambelle de chats* (syn. pop. : TAPÉE).

ribote [ribɔt] n. f. *Pop.* Excès de table ou de boisson. ‖ Pop. *Etre en ribote,* en état d'ivresse.

ribouis [ribwi] n. m. *Arg.* Soulier.

ribouldingue [ribuldɛ̃g] n. f. Pop. *Faire la ribouldingue,* faire la fête, la noce (syn. : ↓ S'AMUSER).

ricaner [rikane] v. intr. Rire sottement, avec une intention moqueuse, méprisante : *Au lieu de répondre à son père, il s'est mis à ricaner. Une femme qui ricane à tout propos.* ◆ **ricanement** n. m. : *Cet homme est insupportable avec ses ricanements.* ◆ **ricaneur, euse** adj. et n. Se dit de quelqu'un (ou de son comportement) qui se plaît à ricaner : *Une jeune fille prétentieuse et ricaneuse. Un air ricaneur.*

riche [riʃ] adj. (avant ou après le nom). 1° Se dit d'une personne qui possède une grande fortune, de grands biens : *Il appartient à une famille très riche* (syn. : FORTUNÉ; fam. : COSSU; pop. : RUPIN). *Un homme extrêmement riche, puissamment riche* (= riche à millions, riche comme Crésus, cousu d'or). *Il est très riche, il possède plusieurs usines.* ‖ *Faire un riche mariage,* épouser une personne riche. ‖ *Un riche parti,* une jeune fille riche qui est à marier. ‖ Fam. *Une riche nature,* une personne très belle et très bonne. — 2° Se dit de ce qui a des ressources abondantes et variées : *Un pays riche* (syn. : FERTILE). *Une belle et riche contrée.* ‖ *Riche en,* qui possède quelque chose en abondance : *Un sous-sol riche en minerai de fer. Une bibliothèque riche en ouvrages de toutes sortes. Un musée riche en peintures, en sculptures.* ‖ *Une langue riche,* abondante en mots, en expressions. ‖ *Sujet, matière riche,* qui peut donner lieu à d'abondants développements, en parlant d'ouvrages littéraires. — 3° Qui est d'un grand prix : *Un riche mobilier* (syn. : LUXUEUX). *De riches étoffes* (syn. : MAGNIFIQUE). ‖ *Un vin riche,* généreux et fort. ‖ Fam. *Ça fait riche,* cela donne une impression de richesse : *Ces tapis d'Orient, ces tentures, ça fait riche.* ◆ n. m. Personne qui possède de grands biens (souvent au plur.) : *Il fréquente les pauvres aussi bien que les riches.* ‖ *Nouveau riche,* personne récemment enrichie et qui n'a pas eu le temps de s'adapter à sa nouvelle situation de fortune (syn. : PARVENU). ◆ **richard, e** n. *Fam.* et *péjor.* Personne qui a une grande fortune : *Ce vieux richard possède plusieurs fermes dans la commune.* ◆ **richissime** adj. *Fam.* Extrêmement riche : *Sa* *fille a épousé un richissime américain* (syn. : MILLIARDAIRE). ◆ **richement** adv. De manière riche (sens 3) : *Etre meublé richement* (syn. : MAGNIFIQUEMENT, LUXUEUSEMENT). *Elle était richement parée. Marier quelqu'un richement* (= lui faire épouser une personne riche). ◆ **richesse** n. f. 1° Abondance de biens : *Faire étalage de sa richesse* (syn. : FORTUNE; contr. : PAUVRETÉ, DÉNUEMENT, MISÈRE). *La richesse fait des envieux, mais ne fait pas le bonheur. C'est le commerce qui fait la richesse de ce pays* (syn. : PROSPÉRITÉ). *Le tourisme est une source de richesse pour ce pays.* — 2° Abondance de productions naturelles : *La richesse du sol, du sous-sol.* — 3° Qualité d'une matière fournissant un rendement abondant : *La richesse d'un minerai, d'un carburant.* — 4° Qualité de ce qui est précieux : *La richesse d'un bijou, d'une parure, d'une décoration.* — 5° *La richesse du coloris d'un tableau, de la palette d'un peintre,* l'éclat et la variété des couleurs d'un tableau, le talent de coloriste d'un peintre (techn.). ◆ **richesses** n. f. pl. 1° Grands biens, et spécialement en argent, en valeurs : *Amasser, entasser des richesses* (syn. : THÉSAURISER). — 2° Objets d'un grand prix : *Il y a des richesses inestimables dans cette bibliothèque.* — 3° Ressources d'un pays : *Les richesses de cette région sont abondantes et variées.* — 4° Produits de l'activité économique d'une collectivité nationale : *Production, distribution, circulation des richesses.* ◆ **enrichir** v. tr. 1° *Enrichir quelqu'un, une société,* augmenter sa richesse, sa fortune : *Ce commerce l'a rapidement enrichi* (contr. : APPAUVRIR). — 2° *Enrichir quelque chose,* l'embellir, le rendre plus abondant, plus varié : *Un livre enrichi de gravures magnifiques. Enrichir son récit de termes pittoresques. La lecture enrichit l'esprit. Des écrivains qui ont enrichi la langue* (= qui y ont fait entrer des mots ou des sens nouveaux; contr. : APPAUVRIR). ◆ ***s'enrichir*** v. pr. Devenir riche. ◆ **enrichi, e** adj. et n. Dont la fortune est de date récente : *Les enrichis qui ont acheté tous ces immeubles* (syn. : NOUVEAU RICHE). ◆ **enrichissement** n. m. : *Son enrichissement a suscité bien des jalousies. L'enrichissement d'un pays par le développement de son économie. La culture est un enrichissement de l'esprit* (contr. : APPAUVRISSEMENT).

ricin [risɛ̃] n. m. Plante dont les graines fournissent une huile employée comme purgatif ou comme lubrifiant.

ricochet [rikɔʃɛ] n. m. 1° Rebond que fait une pierre jetée obliquement sur la surface de l'eau ou un projectile rencontrant un obstacle : *Faire quatre ricochets du même coup. La balle a fait un ricochet sur le mur.* — 2° *Par ricochet,* d'une manière indirecte, par contrecoup : *Il a critiqué sévèrement ses collègues et, par ricochet, il s'est adressé des éloges.* ◆ **ricocher** v. intr. Faire ricochet : *Le projectile a ricoché sur le mur* (syn. : REBONDIR).

rictus [riktys] n. m. Contraction de la bouche qui donne au visage l'expression d'un rire forcé, grimaçant : *Un rictus hideux, moqueur, sarcastique.*

ride [rid] n. f. 1° Pli de la peau sur le visage, le cou, les mains et qui est ordinairement l'effet de l'âge : *Il a des rides sous les yeux* (syn. fam. : PATTE-D'OIE) *et de chaque côté de la bouche. Se faire des rides en plissant son front. Elle a quarante ans et pas encore une seule ride.* — 2° Légère ondulation ou sillon sur une surface quelconque : *Le vent forme des rides sur l'eau, sur le sable, sur la neige.* ◆ **rider** v. tr. Produire des rides sur : *Les années lui ont ridé le visage. Le vent ride la surface de l'eau.* ◆ ***se rider*** v. pr. Se couvrir de rides : *Son front se ride à la moindre contrariété.* ◆ **ridé, e** adj. Couvert de rides : *Un visage tout ridé.* ◆ **dérider** v. tr. Oter les rides de, faire perdre le caractère soucieux : *Cette parole apaisante a déridé son front.* (V. aussi DÉRIDER.)

rideau [rido] n. m. 1° Pièce d'étoffe, voile qu'on étend devant une ouverture pour intercepter la vue ou le jour, pour cacher ou préserver quelque chose : *Rideau de toile, de tulle, de cretonne. Mettre des rideaux à une fenêtre, à une bibliothèque. Fermer, tirer, écarter les rideaux.* — 2° Grande draperie placée devant la scène d'une salle de spectacle : *Lever, baisser le rideau. Un lever de rideau* (= petite pièce jouée avant la pièce principale). — 3° Ensemble, suite de choses susceptibles de former un obstacle à la vue, de mettre à couvert : *Un rideau de peupliers, de verdure. Un rideau de nuages s'étendait à l'horizon.* — 4° *Tirer le rideau sur une chose,* la cacher, la laisser volontairement dans l'ombre : *Tirer le rideau sur sa paresse, ses négligences, ses faiblesses.* || *Rideau de fer,* assemblage de feuilles de tôle, de lames de fer qui sert à fermer ou à protéger la devanture d'un magasin; rideau métallique pouvant séparer la scène et la salle d'un théâtre en cas d'incendie; expression servant à désigner la frontière qui sépare les républiques populaires d'Europe orientale des pays de l'Europe occidentale. ◆ **rideau**! interj. *Fam.* Assez!

ridicule [ridikyl] adj. 1° *Péjor.* Se dit d'une personne ou d'une chose qui est propre à exciter le rire, la moquerie : *Vous êtes ridicule de vous habiller de cette façon* (syn. : GROTESQUE). *Elle s'est rendue ridicule par ses manières affectées. Elle porte souvent des manteaux, des chapeaux ridicules* (syn. : IMPAYABLE). *Il est d'une prétention, d'une vanité ridicule. Il est ridicule de toujours parler de soi, de ses succès.* — 2° *Fam.* Se dit d'une personne ou d'une chose qui est déraisonnable : *Tout le monde trouve que vous êtes ridicule d'accuser ce pauvre garçon de vous avoir volé* (syn. : INSENSÉ). *C'est ridicule de s'entasser à cinq dans cette petite voiture* (syn. : ABSURDE, SAUGRENU). — 3° *Une somme, une quantité ridicule,* une somme, une quantité insignifiante, minime : *Il a donné au porteur un pourboire ridicule* (syn. : DÉRISOIRE). ◆ n. m. Ce qui excite le rire, la moquerie dans quelqu'un ou dans quelque chose : *Molière a peint les ridicules de son temps* (syn. : TRAVERS). *Braver le ridicule. Tomber dans le ridicule. Il n'a aucun sens du ridicule.* || *Tourner une personne ou une chose en ridicule,* se moquer d'une personne ou d'une chose (syn. : TOURNER EN DÉRISION). ◆ **ridiculement** adv. 1° *Marcher, chanter ridiculement.* — 2° Dans des proportions insignifiantes : *Un traitement, un salaire ridiculement bas* (syn. : DÉRISOIREMENT). ◆ **ridiculiser** v. tr. *Ridiculiser quelqu'un, quelque chose,* faire rire d'eux, à leurs dépens : *Les chansonniers ont l'habitude de ridiculiser les hommes politiques, les artistes* (syn. : PERSIFLER, RAILLER; fam. : BLAGUER). ◆ ***se ridiculiser*** v. pr. Se couvrir de ridicule : *Une vieille personne qui cherche à se rajeunir ne fait que se ridiculiser.*

rien [rjɛ̃], **personne** [pɛrsɔn] pron. indéf. Expriment en général la négation ou l'absence, le premier, d'une chose ou d'un animal, le second, d'un être humain.

EMPLOI	**rien**	**personne**
1° Accompagnés de *ne*, ils expriment la négation ou l'absence d'une chose ou d'un animal (*rien*), d'un être humain (*personne*).	*Je ne vois rien dans ce brouillard. Rien n'a pu le décider à venir. Il n'y a rien qui puisse être blâmé dans sa conduite. N'avait-il donc rien à dire? Qui ne risque rien n'a rien* (contr. : QUELQUE CHOSE). *Ça ne vaut rien* (= cela n'a aucune valeur). *Rien n'est joué* (= la partie n'est pas finie). *On ne peut plus rien pour lui* (= son cas est désespéré). *Il n'y a rien que je ne fasse pour vous.*	*Personne ne l'a retrouvé. Je ne connais personne de plus heureux que lui ou qu'elle* (*personne* est masculin). *Il n'y a personne dans la rue. Personne ne sera assez sot pour le faire. Il n'y a personne parmi nous pour le critiquer* (syn. : AUCUN). *Ça n'est la faute de personne* (contr. : QUELQU'UN). *Personne d'autre que lui ne pourra vous renseigner. Il n'y a personne qui connaisse l'allemand parmi vous? Qu'on ne me dérange pas, je n'y suis pour personne* (= répondez que je ne suis pas chez moi ou dans mon bureau). *Il discute toujours, mais quand il y a un travail à faire, il n'y a plus personne! Il n'y avait personne de blessé parmi eux.*
Personne et *rien* sont suivis de *de* lorsqu'ils sont accompagnés d'un adjectif ou d'un participe passé.	*Il n'y avait par bonheur rien de cassé dans le coffret. Il n'y a rien de perdu : il ne faut pas désespérer. Je n'ai rien d'autre à vous dire pour l'instant.*	
2° *Rien* et *personne* peuvent être renforcés.	*Je ne voudrais pour rien au monde être à sa place. Je n'ai plus rien du tout à faire* (= absolument rien). *Je n'ai rien à répondre, mais alors rien de rien* (fam.).	*Personne au monde ne sait combien je lui suis attaché.*
3° Non accompagnés de *ne*, ils expriment la négation dans les réponses et les phrases sans verbes.	*« Avez-vous trouvé quelque chose? — Rien.» Rien que son sourire me déplaisait. Rien vu sur la route.*	*« Quelqu'un m'a-t-il demandé? — Personne. » « Personne de blessé ? — Non. »*
4° Non accompagnés de *ne*, *rien* a le sens de *quelque chose*, et *personne* le sens de *quelqu'un* dans les subordonnées dépendant d'une principale négative, dans une comparative et après *avant que, sans que, sans, trop pour.*	*Il s'en est tiré sans rien de grave. Y a-t-il rien de plus stupide que cet accident-là* (syn. : QUELQUE CHOSE)? *Il vit presque sans rien* (= sans fortune). *Il est trop naïf pour rien soupçonner. Il est mort subitement, sans que rien le laisse prévoir.*	*Ne pensez pas que vous blesserez personne* (syn. : QUELQU'UN). *Il ne veut pas que personne paie à sa place. Je suis parti sans que personne s'en aperçoive. Il le sait mieux que personne* (syn. : QUICONQUE). *Il est trop bon pour soupçonner personne.*

Rien s'emploie dans un grand nombre de locutions :

1° Avec ÊTRE : *N'être rien,* n'avoir aucune valeur, aucune situation : *Il n'est rien comparativement à son père.* ‖ *N'être rien à quelqu'un,* ne pas lui être attaché; n'être ni son parent ni son allié : *Il prétend me connaître, mais il ne m'est rien.* ‖ *Comme si de rien n'était,* comme si l'événement n'avait pas eu lieu : *Ils renouèrent après cette violente querelle comme si de rien n'était.* ‖ Fam. *Ça n'est pas rien,* c'est important : *Il faut repeindre tout l'appartement, et ça n'est pas rien.* ‖ *Il n'en est rien,* c'est absolument faux.

2° Avec FAIRE : *Ça (cela) ne fait rien,* cela n'a aucune importance : *Vous avez oublié de le prévenir, ça ne fait rien, je vais lui téléphoner.* ‖ (sujet nom de chose) *Ne faire rien à quelqu'un,* lui importer peu, ne pas le toucher : *Il semble que tout ceci ne lui fasse rien, il est insensible.* ‖ (sujet nom de personne) *Ne faire rien,* ne pas travailler : *Il passe ses journées au café à ne rien faire.* ‖ *Ne plus rien faire,* n'avoir plus de travail : *Il ne fait plus rien en ce moment; pouvez-vous lui donner du travail?* ‖ (sujet nom de personne) *Ne rien faire à quelqu'un,* ne lui faire aucun mal : *Je ne lui ai rien fait, je ne sais pas pourquoi elle pleure.* ‖ *Ne faire semblant de rien,* se conduire comme si l'on ne s'intéressait pas à ce qui se passe : *J'entendis tout ce qui se disait, mais je ne fis semblant de rien, pour pouvoir ensuite les surprendre.*

3° Avec AVOIR : *N'avoir rien,* ne posséder aucune fortune. ‖ *N'avoir rien contre quelqu'un,* n'avoir aucun grief, aucune raison de ressentiment contre lui : *Il a tort de se méfier, je n'ai rien contre lui.*

4° *Compter pour rien,* ne faire aucun cas de : *Il compte pour rien tous les services que je lui ai rendus.* ‖ *Ne dire rien* (littéralement : *rien qui vaille*), ne provoquer aucun désir, aucune attirance : *Ça ne me dit vraiment rien de sortir aujourd'hui.* ‖ *En moins de rien,* en très peu de temps : *Je vais vous réparer ce frein en moins de rien.* ‖ (sujet nom de chose) *Se réduire à rien,* disparaître : *Ils se sont expliqués et leurs différends se réduisirent à rien.* ‖ *Ne servir à rien,* n'avoir aucune efficacité, aucun résultat : *Ça ne sert à rien de protester sans cesse.* ‖ *Sortir de rien,* être d'humble origine. ‖ *Ne ressembler à rien,* n'avoir aucune forme, aucun sens : *Votre théorie ne ressemble à rien, il faut la revoir.* ‖ (sujet nom de chose) *Ne tenir à rien,* dépendre de peu de chose : *Il ne tient à rien que vous soyez nommé à ce poste.* ‖ (sujet nom de personne) *Ne tenir à rien,* n'avoir aucun désir, aucun attachement : *Il ne tient à rien dans la vie.*

5° *De rien, de rien du tout,* sans importance : *C'est un tout petit accident de rien du tout.* ‖ *Pour rien,* gratuitement : *Il me l'a donné pour rien;* pour une somme modique : *J'ai eu cette voiture d'occasion pour rien.* ‖ *Rien que,* seulement : *Arrêtez-vous rien que cinq minutes. Rien qu'à la première lecture j'ai vu de nombreuses fautes;* et, par opposition, *rien que ça!,* marque souvent l'étonnement devant quelque chose de considérable (alors que l'on attendait une petite chose) : *Vous avez deux mois de congé? Rien que ça, et vous vous plaignez!* ‖ Fam. *Rien de rien,* absolument rien.

rififi [rififi] n. m. *Arg.* Bagarre : *Si ça continue, [il] va y avoir du rififi.*

riflard [riflar] n. m. *Pop.* Parapluie.

rifle [rifl] n. m. *Carabine 22 long rifle,* carabine à long canon, ainsi appelée en raison de son diamètre (22/100 de pouce, soit 5,58 mm).

rigide [riʒid] adj. 1° Se dit d'une chose qui ne fléchit pas ou qui ne plie que difficilement : *Une barre de fer rigide. Une tige rigide* (contr. : FLEXIBLE, SOUPLE). — **2°** Se dit d'une personne (ou de son comportement) qui applique à la lettre les lois morales : *Un homme rigide qui ne pardonne rien aux autres ni à lui-même* (syn. : RIGOUREUX; contr. : INDULGENT). *Une éducation rigide. Des mœurs rigides* (contr. : DISSOLU). ◆ **rigidité** n. f. *La rigidité cadavérique. La rigidité des muscles* (syn. : RAIDEUR). *La rigidité d'un carton, d'un papier. La rigidité du puritain, d'un moraliste, d'un magistrat* (syn. : RIGUEUR, RIGORISME).

rigole [rigɔl] n. f. Petit fossé creusé dans le sol pour l'écoulement des eaux : *Faire des rigoles dans un pré pour l'arroser ou pour l'assécher.*

rigoler [rigɔle] v. intr. *Fam.* **1°** S'amuser, rire : *Son collègue est un bonhomme avec qui il est difficile de rigoler.* — **2°** Ne pas parler sérieusement : *Non, mais! Vous voulez rigoler* (syn. : PLAISANTER). ◆ **rigolade** n. f. *Fam.* **1°** Plaisanterie, amusement : *Aimer la rigolade.* — **2°** Propos peu sérieux, fantaisiste : *Ce que tu nous dis là, c'est de la rigolade.* — **3°** Chose faite sans effort, comme par jeu : *Pour lui, c'est une rigolade de soulever une caisse de cent kilos.* ◆ **rigolo, ote** adj. *Fam.* Amusant, plaisant : *Il nous a raconté des histoires rigolotes* (syn. : COMIQUE, DRÔLE; pop. : MARRANT, TORDANT). ◆ n. Personne qui aime plaisanter, s'amuser : *Un petit rigolo.*

rigorisme [rigɔrism] n. m. Sévérité extrême dans l'interprétation et l'application des règles de la morale ou de la religion : *Son rigorisme écarte de lui beaucoup de gens* (syn. : AUSTÉRITÉ, PURITANISME, ↓ RIGUEUR). ◆ **rigoriste** adj. et n. : *Je ne juge pas cette action aussi sévèrement que vous; vous êtes bien rigoriste* (syn. : AUSTÈRE, INTRANSIGEANT, SÉVÈRE, ↓ DUR, RIGOUREUX).

rigueur [rigœr] n. f. **1°** Sévérité, austérité extrême : *La rigueur d'une peine, d'une condamnation. Elle n'a pu supporter la rigueur de la règle du couvent. Traiter quelqu'un avec la dernière rigueur.* ‖ *Tenir rigueur à quelqu'un d'une chose,* ne pas la lui pardonner. — **2°** Dureté, âpreté de la température extérieure : *La rigueur de l'hiver.* — **3°** Exactitude, précision dans l'ordre intellectuel : *La rigueur d'un raisonnement, d'une analyse. La rigueur du jugement, de l'esprit* (syn. : RECTITUDE). — **4°** (sujet nom de chose) *Etre de rigueur,* être exigible, être imposé par les usages : *Pour cette cérémonie, l'habit, la tenue de soirée sont de rigueur.* ‖ *Terme, délai de rigueur,* terme, délai au-delà duquel aucune prolongation ne sera accordée. • Loc. ADV. *A la rigueur,* en cas de nécessité absolue : *A la rigueur, on pourrait lui confier ce travail* (syn. : AU PIS ALLER, EN CAS DE BESOIN). *A la rigueur, on pourrait lui accorder la permission qu'il a demandée.* ◆ **rigoureux, euse** adj. **1°** Se dit d'une personne qui est d'une sévérité inflexible dans sa conduite, dans ses jugements à l'égard des autres : *C'est un homme rigoureux qui n'excuse rien* (contr. : INDULGENT, TENDRE). — **2°** Se dit d'une chose qui est dure, difficile à supporter : *Un châtiment rigoureux* (syn. : DRACONIEN). *Une punition rigoureuse. Un climat, un hiver rigoureux* (syn. : RUDE). — **3°** Se dit d'une chose qui est d'une exactitude inflexible : *Une observation rigoureuse des règles de la politesse, des bienséances* (syn. : STRICT). *Une démonstration, des preuves rigoureuses* (syn. : INCONTESTABLE, ↓ PRÉCIS). *Interpréter un mot dans son sens le plus rigoureux* (syn. : JUSTE). ◆ **rigoureusement** adv. **1°** Avec exactitude, minutie : *Accomplir rigoureusement son devoir* (syn. : SCRUPULEUSEMENT). — **2°** Absolument, totalement : *Ce que je vous dis là est rigoureusement authentique. Un fait rigoureusement exact.*

rikiki adj. V. RIQUIQUI.

rillettes [rijɛt] n. f. pl. Viande de porc ou d'oie hachée menu et cuite dans de la graisse.

rime [rim] n. f. **1°** Retour du même son à la fin de deux ou plusieurs vers. (Au point de vue du son, on distingue les *rimes masculines,* qui se terminent par une syllabe tonique [« enfant », « fleur », « aimer »] et les *rimes féminines,* qui se terminent par une syllabe muette [« tête, fête », « appellent, renouvellent »]. Au point de vue de la valeur, on les partage en *rimes riches* [« éternel, solennel »], *rimes suffisantes* [« été, bonté »], *rimes pauvres* [« ami, défi »].) — **2°** *N'avoir ni rime ni raison,* être dépourvu de tout bon sens : *Tout ce qu'il dit n'a ni rime ni raison.* ◆ **rimer** v. intr. **1°** (sujet nom désignant des mots) Finir par les mêmes sons : *« Etude » et « solitude » riment ensemble.* — **2°** *Ne rimer à rien,* être dépourvu de sens, de raison : *Cette démarche ne rime à rien.* ◆ **rimeur, euse** n. *Péjor.* Personne qui fait des vers, mais qui manque d'inspiration. ◆ **rimailler** v. intr. *Fam.* Faire de mauvais vers. ◆ **rimailleur, euse** n. Poète sans talent.

rincer [rɛ̃se] v. tr. **1°** *Rincer un récipient,* le nettoyer en lavant et frottant : *Rincer des verres, des bouteilles.* — **2°** Passer dans une eau nouvelle ce qui a déjà été lavé pour retirer toute trace des produits de lavage : *Après la lessive, on rince le linge dans plusieurs eaux.* — **3°** Fam. *Etre rincé,* être mouillé très fort : *Ils ont été bien rincés au cours de leur promenade.* ◆ **se rincer** v. pr. **1°** *Se rincer la bouche,* se laver la bouche avec un liquide que l'on recrache. — **2°** Pop. *Se rincer l'œil,* regarder avec plaisir une personne attrayante, séduisante, un spectacle affriolant : *Se rincer l'œil en regardant passer une belle femme.* ◆ **rinçage** n. m. : *Le rinçage de la vaisselle.* ◆ **rincée** n. f. **1°** *Pop.* Volée. — **2°** *Fam.* Averse. ◆ **rincette** n. f. *Fam.* Petite quantité d'eau-de-vie que l'on verse dans sa tasse à café après l'avoir vidée. ◆ **rinçure** n. f. **1°** *Fam.* Eau qui a servi à rincer quelque chose : *Rinçure de verres, de bouteilles.* — **2°** Fam. *Rinçure de tonneau,* vin additionné de beaucoup d'eau. ◆ **rince-bouteilles** n. m. invar. V. BOUTEILLE. ◆ **rince-doigts** n. m. invar. Bol contenant de l'eau tiède parfumée de citron, et que l'on passe aux convives pour se rincer les doigts après un service de coquillages et de crustacés ou à la fin du repas.

ring [riŋ] n. m. Estrade entourée de cordes où se disputent les combats de boxe ou de lutte.

ripaille [ripaj] n. f. Fam. *Faire ripaille,* faire bonne chère (syn. fam. : FAIRE LA BOMBE).

riper [ripe] v. tr. *Riper quelque chose,* le faire glisser sur le côté (techn.) : *Riper une voiture sur le trottoir.*

riposter [ripɔste] v. tr. ind. ou v. intr. *Riposter à une attaque, à un coup, à une raillerie, à quelqu'un,* lui répondre avec vivacité, avec agressivité : *Riposter à une agression* (syn. : CONTRE-ATTAQUER, REPOUSSER). *Riposter à une épigramme par une satire, à une injure par un coup* (= répondre du tac au tac). *Il faut savoir riposter à propos.* ◆ **riposte** n. f. : *Avoir la riposte rapide* (syn. : REPARTIE). *Etre prompt à la riposte. Gare à la riposte* (syn. : REPRÉSAILLES). *Quand on l'attaque, la riposte ne se fait pas attendre.*

riquiqui ou **rikiki** [rikiki] adj. *Fam.* Qui est sans beauté, mesquin, étriqué : *Un mobilier riquiqui.*

rire [rir] v. intr. (conj. **67**). **1°** Manifester un sentiment de gaieté par une contraction du visage accompagnée d'expirations plus ou moins saccadées et bruyantes : *Rire aux éclats, à gorge déployée* (= très fort). *Rire de bon cœur, aux larmes. Rire sans sujet, hors de propos, pour un rien, à tout bout de champ.*

Rire comme un bossu, comme une baleine, comme un fou (= énormément). ‖ *Rire du bout des dents, du bout des lèvres,* ne pas rire franchement. ‖ *Rire jaune,* avoir un rire forcé qui dissimule la gêne. ‖ *Rire dans sa barbe, sous cape,* éprouver une satisfaction malicieuse qu'on cherche à dissimuler. ‖ *Rire aux anges,* se dit d'un petit enfant qui rit en dormant. ‖ *Avoir toujours le mot pour rire,* faire à tout propos des remarques comiques, plaisantes; se montrer spirituel. — 2° S'amuser, prendre du bon temps : *C'est un garçon qui aime bien rire* (syn. : SE DIVERTIR; pop. : SE MARRER). *Au lieu d'écouter en classe, il passe son temps à rire avec ses camarades. Ils ont fait bonne chère et bien ri.* ‖ *Rire aux dépens de quelqu'un,* relever les ridicules de quelqu'un. ‖ *Rire au nez, à la barbe de quelqu'un,* se moquer de lui en face. ‖ *Prêter à rire,* donner sujet de rire, de se moquer. ‖ *Vous me faites rire, laissez-moi rire,* ce que vous dites est ridicule, absurde. — 3° Ne pas parler, ne pas agir sérieusement : *Il a dit cela pour rire, vous auriez dû vous en douter* (syn. : BADINER, PLAISANTER). *Prendre les choses en riant. Est-ce pour rire* (pop. *pour de rire*) *que vous avez dit cela?* ‖ *Vous voulez rire,* se dit à quelqu'un qui tient des propos ridicules, peu croyables. ◆ v. tr. ind. *Rire de quelqu'un, de quelque chose,* se moquer de quelqu'un, de quelque chose : *Rire des snobs, des gens prétentieux. Rire de la naïveté d'une personne. Il rit de toutes les remontrances qu'on lui fait* (contr. : SE SOUCIER). ‖ *Se rire de quelque chose,* ne pas en tenir compte : *Il se rit de vos menaces.* ◆ **rire** n. m. Action de rire : *Eclater, étouffer, pouffer de rire. Exciter le rire* (syn. : HILARITÉ). *Un rire agréable, charmant. Un rire amer, moqueur, ironique. Un rire forcé, convulsif. Un rire bête, sot, niais.* ‖ *Fou rire,* rire qu'on ne peut retenir. ‖ *Rire homérique,* rire bruyant, pareil à celui qu'Homère prête aux dieux de l'Olympe. ◆ **riant, e** adj. Qui exprime la gaieté : *Un visage riant. Des yeux riants.* ◆ **rieur, euse** n. Personne qui rit : *Faites taire tous ces rieurs.* ‖ *Avoir, mettre les rieurs de son côté,* faire rire aux dépens de son adversaire. ◆ adj. 1° Qui aime à rire, à plaisanter : *Cette jeune fille est très rieuse* (syn. : GAI, ENJOUÉ; contr. : TRISTE). — 2° Qui indique la gaieté : *Avoir des yeux rieurs.* ◆ **risée** n. f. Moquerie collective : *S'exposer à la risée du public.* ‖ *Etre, devenir la risée de,* être, devenir un objet de moquerie : *Il est devenu la risée de son entourage.* ◆ **risette** n. f. Petit rire, et spécialement sourire d'un enfant : *Le bébé faisait des risettes à sa maman.* ◆ **risible** adj. Se dit d'une chose qui est propre à faire rire : *Un quiproquo risible* (syn. : AMUSANT, COMIQUE). *Une attitude risible. Ce que vous nous racontez n'a rien de risible. Il lui est arrivé une aventure risible* (syn. : DRÔLE, ↑ COCASSE).

risquer [riske] v. tr. 1° *Risquer quelque chose,* l'exposer à un danger, à un inconvénient possible : *En essayant de sauver un noyé, il risquait sa vie. Risquer sa réputation. Risquer une grosse somme dans une affaire* (syn. : ↓ ENGAGER, HASARDER). ‖ *Risquer le coup, la partie,* tenter une chose douteuse : *Il n'était pas très bien préparé pour passer son examen, mais il a risqué le coup et il a réussi.* ‖ Fam. *Risquer le paquet,* tenter une chose hasardeuse. ‖ *Risquer le tout pour le tout,* s'exposer à beaucoup perdre en cherchant à gagner beaucoup. ‖ *Risquer une allusion, une comparaison, une question,* s'enhardir à les faire, à les poser, au risque d'être mal accueilli ou incompris. ‖ *Risquer un regard,* regarder avec précaution en s'exposant à être découvert. — 2° *Risquer quelque chose, que* (et le subj.), s'exposer à quelque danger : *Risquer la mort, la prison à perpétuité, les pires ennuis. N'emportez pas trop d'argent, vous risquez qu'on vous le prenne.* ◆ v. tr. ind. (sujet nom de personne ou de chose). *Risquer de,* être exposé à (certains lexicographes limitent l'emploi du mot au sens défavorable) : *Ne vous penchez pas par la fenêtre, vous risquez de tomber. Puisqu'il fait beau aujourd'hui, faisons cette excursion, le temps risque de changer. Des ennuis risquent de vous arriver, si vous ne prenez pas de précautions. Ce cheval risque de gagner la course.* ◆ **se risquer** v. pr. S'exposer à un risque : *N'allez pas vous risquer dans cette affaire* (syn. : S'AVENTURER). ‖ *Se risquer à,* se hasarder à dire ou à faire : *Je ne me risquerais pas à lui faire d'observations sur sa conduite.* ◆ **risque** n. m. 1° Danger, inconvénient plus ou moins prévisible : *Il n'y a pas grand risque à agir ainsi. Courir un risque. S'exposer à un risque. Avoir le goût, l'horreur du risque. Une entreprise pleine de risques. Les risques du métier.* ‖ *Prendre un risque, des risques,* agir dangereusement pour soi : *Cet alpiniste prend beaucoup de risques.* — 2° Préjudice, sinistre éventuel que les compagnies d'assurances garantissent moyennant le paiement d'une prime : *S'assurer contre le risque d'incendie. Prendre une assurance tous risques pour sa voiture.* ‖ *A ses risques et périls,* en assumant sur soi la responsabilité d'une chose. ● LOC. PRÉP. *Au risque de,* en s'exposant au danger de, au hasard de : *Il descendait souvent la côte à bicyclette à toute vitesse, au risque de se tuer. Je vous fais cette remarque, au risque de vous déplaire.* ◆ **risqué, e** adj. Qui comporte des risques : *Une entreprise risquée* (syn. : HASARDEUX). *Ne vous mettez pas aux premiers rangs des manifestants, c'est trop risqué* (syn. : DANGEREUX, SCABREUX). ◆ **risque-tout** n. invar. *Fam.* Personne qui affronte tous les risques, audacieuse jusqu'à l'imprudence : *Pour les coups de main, on choisit toujours les risque-tout* (syn. : CASSE-COU, TÉMÉRAIRE).

rissoler [risɔle] v. tr. *Rissoler de la viande, des légumes,* les faire cuire de manière à ce qu'ils prennent une couleur dorée : *Un bifteck bien rissolé. Des pommes de terre rissolées.*

ristourne [risturn] n. f. Réduction accordée par un commerçant à un client (syn. : REMISE).

rite [rit] n. m. 1° Ensemble des cérémonies en usage dans une religion : *On distingue les rites occidentaux (rite romain, lyonnais, milanais, etc.) et les rites orientaux (rite byzantin, syrien, arménien, etc.).* — 2° Cérémonial quelconque : *Les rites maçonniques.* — 3° Ce qui se fait, s'accomplit selon une coutume traditionnelle : *Le rite des cartes de visite au nouvel an.* ◆ **rituel, elle** adj. 1° Qui se rapporte à des rites : *Les pratiques rituelles d'une liturgie.* — 2° Exécuté d'une manière précise et habituelle : *A table, elle se tient très droite et prend sa nourriture avec des gestes rituels.* ◆ **rituellement** adv. Sens 2 de l'adj. : *Chaque fois qu'il vous aborde, il prononce rituellement la même phrase « Alors, comment va? »* (syn. : TRADITIONNELLEMENT, INVARIABLEMENT).

ritournelle [riturnɛl] n. m. 1° Courte phrase musicale qui précède ou suit un chant. — 2° *Fam.* Ce que l'on répète souvent : *C'est toujours la même ritournelle* (syn. : REFRAIN, RABÂCHAGE).

rivage [rivaʒ] n. m. Bande de terre qui borde la mer : *La tempête a rejeté de nombreuses épaves sur le rivage* (syn. : CÔTE, PLAGE).

rival, e, aux [rival, -vo] adj. et n. **1°** Qui dispute quelque chose à un autre, qui désire l'égaler ou le surpasser : *Deux nations rivales* (contr. : ALLIÉ). *Deux équipes rivales. Il voudrait bien obtenir cette place, mais il a beaucoup de rivaux* (syn. : ADVERSAIRE, CONCURRENT). *Un rival redoutable* (contr. : ASSOCIÉ, PARTENAIRE). ‖ *Sans rival,* inégalable : *Un auteur dramatique sans rival.* — **2°** Qui dispute à d'autres l'amour d'une personne : *Elle a une dangereuse rivale.* ◆ **rivalité** n. f. Etat de deux ou plusieurs personnes, de deux ou plusieurs nations qui prétendent aux mêmes avantages, aux mêmes succès : *Cette femme a suscité une rivalité amoureuse entre les deux frères. Il n'y a pas de rivalité entre ces deux pays* (syn. : ANTAGONISME). *La rivalité de ces deux maisons de commerce a fait baisser les prix* (syn. : CONCURRENCE). ◆ **rivaliser** v. intr. *Rivaliser avec quelqu'un,* chercher à l'égaler ou à le surpasser : *Il n'est pas capable de rivaliser avec vous* (syn. : LUTTER). *Rivaliser d'effort, de talent, d'adresse, d'esprit, d'ingéniosité avec quelqu'un.*

rive [riv] n. f. **1°** Bande de terre qui borde un cours d'eau, un lac, un étang : *Les rives de la Loire.* ‖ *Rive droite, rive gauche,* bord d'un cours d'eau qu'on a à sa droite, à sa gauche quand on regarde le sens du courant. — **2°** Quartier d'une ville qui borde un fleuve : *Habiter la rive gauche de la Seine;* et adjectiv. : *La mode rive gauche.*

riverain [rivrɛ̃] n. et adj. Personne qui habite, qui possède un terrain le long d'un cours d'eau, d'une voie de communication : *Les riverains de la Loire. Les propriétaires riverains d'une route.*

river [rive] v. tr. **1°** *River un clou, un rivet, une goupille,* rabattre et aplatir à coups de marteau leur pointe sur l'autre côté de l'objet qu'ils traversent : *On ne peut arracher ce clou, il est rivé.* — **2°** *River des plaques de métal,* les assujettir, les fixer au moyen de rivets, de clous, de chevilles que l'on rive. — **3°** Fam. *River son clou à quelqu'un,* le réduire au silence par une réplique sans réponse. ◆ **rivé, e** adj. Fixé, attaché étroitement : *Avoir les yeux rivés sur un objet. Etre rivé à son travail.* ◆ **rivet** n. m. Clou en métal qui sert à l'assemblage de deux pièces, et qui est constitué par une tige cylindrique munie d'une tête à une extrémité et dont l'autre extrémité est aplatie après sa mise en place.

rivière [rivjɛr] n. f. **1°** Cours d'eau naturel, de faible ou moyenne importance, qui se jette dans un autre cours d'eau : *Une rivière étroite, large, profonde, navigable. Abreuver des chevaux à la rivière. Se baigner dans une rivière. Détourner une rivière.* — **2°** *Rivière de diamants,* collier aux chaînons duquel sont enchâssés des diamants.

rixe [riks] n. f. Querelle violente entre deux ou plusieurs personnes, accompagnée de menaces et de coups : *Une rixe a éclaté dans un café et s'est terminée par un meurtre* (syn. : BAGARRE).

riz [ri] n. m. **1°** Céréale cultivée dans les pays humides et chauds. — **2°** Grain de cette plante préparé pour la consommation : *Du riz cuit à l'eau. Du riz au gras, au lait. Le riz est la base de l'alimentation des peuples de l'Extrême-Orient.* — **3°** *Poudre de riz,* fécule de riz qui est réduite en poudre impalpable et que l'on parfume pour l'employer à la toilette. ◆ **rizerie** n. f. Usine où l'on traite le riz pour le rendre propre à la consommation. ◆ **riziculture** n. f. Culture du riz. ◆ **rizière** n. f. Terrain où l'on cultive le riz.

robe [rɔb] n. f. **1°** Vêtement féminin, d'un seul tenant, recouvrant la majeure partie du corps, de longueur variable suivant l'époque, les pays : *Une robe d'été, d'hiver. Une robe courte, longue, décolletée. Une robe de velours, de satin, de soie, de laine.* — **2°** Vêtement long et ample que portent les juges, les avocats dans l'exercice de leurs fonctions, les professeurs dans certaines cérémonies officielles : *Une robe de magistrat. Les gens de robe.* — **3°** Vêtement des ecclésiastiques : *Un cardinal en robe rouge. Une robe de moine, de rabbin.* — **4°** *Robe de chambre,* vêtement d'intérieur tombant jusqu'aux pieds. ‖ *Pommes de terre en robe de chambre,* cuites dans leur peau. — **5°** Ensemble des poils d'un animal au point de vue de la couleur : *La robe d'un cheval, d'un bœuf, d'un chien, d'une panthère, d'un chat* (syn. : PELAGE).

robinet [rɔbinɛ] n. m. **1°** Appareil placé sur le tuyau d'une canalisation et qui permet d'établir ou de suspendre l'écoulement d'un liquide ou d'un gaz : *Le robinet d'un tonneau, d'une fontaine, d'un réservoir. Ouvrir, fermer un robinet. Robinet d'eau chaude, d'eau froide. Le robinet du gaz. Tourner le robinet* (= tourner la clef du robinet). — **2°** Fam. *Robinet d'eau tiède,* personne bavarde, qui ne dit que des choses communes, sans intérêt. ◆ **robinetterie** n. f. Ensemble des robinets d'une installation d'eau.

robot [rɔbo] n. m. **1°** Appareil automatique pouvant se substituer à l'homme pour exécuter diverses actions. — **2°** Homme agissant comme un automate. (V. PHOTO-ROBOT.)

robuste [rɔbyst] adj. **1°** Se dit d'un être animé solidement constitué : *La femme est moins robuste que l'homme* (syn. : FORT, RÉSISTANT, VIGOUREUX; contr. : CHÉTIF, DÉLICAT, FRÊLE). — **2°** Se dit d'une plante, d'une chose matérielle résistante, solide : *Un arbre robuste. Une voiture, un moteur robuste.* ◆ **robustesse** n. f. : *La robustesse de son tempérament lui a permis de guérir de cette maladie* (syn. : RÉSISTANCE, VIGUEUR). *La robustesse d'une machine* (syn. : SOLIDITÉ; contr. : FRAGILITÉ).

roc [rɔk] n. m. **1°** Masse de pierre très dure qui est profondément enfoncée dans la terre (dans quelques loc.) : *Des fossés taillés dans le roc. Cette forteresse est élevée sur un roc.* — **2°** *Dur, ferme comme un roc,* se dit de ce qui est très résistant, d'une personne opiniâtre. ‖ *Bâtir sur le roc,* faire une œuvre solide, durable (contr. : BÂTIR SUR LE SABLE).

rocaille [rɔkaj] n. f. **1°** Terrain rempli de cailloux : *Il nous a fallu traverser un passage de rocaille avant d'arriver au pied du rocher* (syn. : PIERRAILLE). — **2°** Ouvrage fait avec des coquillages et des pierres irrégulières et brutes ou des cailloux : *Une voûte de rocaille.* — **3°** *Style rocaille,* style en vogue sous Louis XV, et caractérisé par la fantaisie des lignes contournées et des ornements représentant des grottes, des rochers, des coquillages (syn. : ROCOCO). ◆ **rocailleux, euse** adj. **1°** Couvert, rempli de rocaille : *Un chemin rocailleux* (syn. : CAILLOUTEUX, ↓ RABOTEUX). — **2°** *Un style rocailleux,* désagréable à l'oreille (syn. : DUR, HEURTÉ, RUDE, RABOTEUX). ‖ *Voix rocailleuse,* rauque.

rocambolesque [rɔkɑ̃bɔlɛsk] adj. Rempli de péripéties extraordinaires, invraisemblables : *Une aventure rocambolesque* (syn. : FANTASTIQUE). [*Rocambole* est un personnage des romans-feuilletons de Ponson du Terrail.]

roche [rɔʃ] n. f. 1° Masse de pierre dure paraissant à la surface du sol : *La route était obstruée par un éboulis de roches. Un pays couvert de roches. Le gel fait éclater les roches.* — 2° Masse minérale présentant la même composition, la même structure et la même origine (terme de géologie) : *Il y a des roches calcaires, granitiques, volcaniques,* etc. — 3° *Clair comme de l'eau de roche,* très clair, évident : *Ce raisonnement est clair comme de l'eau de roche.* ‖ *Il y a anguille sous roche,* v. ANGUILLE. ◆ **rocher** [rɔʃe] n. m. 1° Grande masse de pierre dure, escarpée : *Un rocher lisse, abrupt, à pic. Les aspérités d'un rocher. Une caverne creusée dans un rocher. Le passage est dangereux, il y a des rochers sous l'eau* (syn. : ÉCUEIL). — 2° *Faire du rocher,* escalader des rochers (syn. : FAIRE DE LA VARAPPE). ◆ **rocheux, euse** adj. Couvert, formé de roches, de rochers : *Une île rocheuse. Une côte rocheuse.* ◆ **dérocher** v. intr. Tomber au cours d'une ascension en montagne (syn. : DÉVISSER).

rock [rɔk] ou **rock and roll** [rɔkɛnrɔl] n. m. Danse d'origine américaine.

rocking-chair [rɔkiɲtʃɛr] n. m. Fauteuil à bascule que l'on peut faire osciller par un simple mouvement du corps : *Des rocking-chairs.*

rococo [rɔkoko] adj. invar. 1° Se dit d'un genre d'ornementation qui fut en vogue dans la première partie du règne de Louis XV et qui n'est que le style rocaille alourdi et surchargé : *Des meubles rococo.* — 2° *Fam.* Passé de mode et légèrement ridicule : *Cette femme porte toujours des chapeaux rococo* (syn. : DÉMODÉ). ◆ n. m. *Aimer le rococo.*

rodeo [rɔdeo] n. m. 1° Fête donnée à l'occasion du marquage des jeunes animaux, dans certaines régions d'Amérique. — 2° Jeu américain qui consiste, pour un cavalier, à maîtriser un cheval sauvage.

roder [rɔde] v. tr. 1° *Roder un moteur, une voiture,* faire fonctionner un moteur neuf, utiliser une voiture neuve à vitesse réduite, de telle manière que les pièces puissent s'user régulièrement et ainsi s'ajuster les unes aux autres. — 2° (sujet nom de personne ou de chose) *Etre rodé,* avoir acquis de l'expérience, être au point : *Il est nouveau dans la place, il n'est pas encore rodé. Cet organisme ne fonctionne pas bien, il n'est pas rodé.* ◆ **rodage** n. m. *Rodage d'un moteur, d'une voiture,* opération qui consiste à les roder; temps pendant lequel on les rode : *Il est prudent de ne pas faire chauffer le moteur d'une voiture en rodage.*

rôder [rode] v. intr. 1° (sujet nom d'être animé) Errer çà et là à l'aventure : *En ce moment, il ne travaille pas, il rôde un peu partout dans la ville* (syn. : VAGABONDER). — 2° (sujet nom de personne) Tourner autour d'un endroit ou d'une personne en épiant, le plus souvent avec de mauvaises intentions : *Les gendarmes ont appréhendé un individu qui rôdait depuis plusieurs jours autour du village* (syn. fam. : TRAÎNAILLER). *Rôder autour d'une femme pour la séduire.* ◆ **rôdeur, euse** n. Personne qui rôde, qui aime à rôder dans les rues (syn. : VAGABOND), dans les campagnes (syn. : CHEMINEAU) : *Rôdeur de nuit* (= malfaiteur qui cherche des gens à dévaliser). ◆ **rôdailler** v. intr. Errer en tous sens, au hasard.

rodomontade [rɔdɔmɔ̃tad] n. f. Attitude, langage extravagant d'un fanfaron, d'un vantard : *Il se trompe, s'il croit nous en imposer par ses rodomontades* (syn. : ↓ VANTARDISE).

rogatons [rɔgatɔ̃] n. m. pl. *Fam.* Restes de plats : *Le repas était chiche, il ne nous a donné à manger que des rogatons.*

rogne [rɔɲ] n. f. *Fam.* Mauvaise humeur, colère : *Il n'a pas bon caractère; dès qu'il est contrarié, il se met en rogne.* ◆ **rogner** v. intr. *Fam.* Etre de mauvaise humeur, en colère (syn. : BOUGONNER, GROGNER, RONCHONNER).

rogner [rɔɲe] v. tr. 1° *Rogner une chose,* la couper à ses extrémités, sur ses bords : *Rogner un bâton, une baguette* (syn. : ÉCOURTER, RACCOURCIR). *Rogner la marge d'un livre broché* (syn. : ÉMARGER). — 2° *Rogner une chose à quelqu'un* ou *sur une chose de quelqu'un,* lui retrancher une partie de ce qui lui revient : *Rogner (sur) les appointements d'un employé.* — 3° *Rogner les ailes à quelqu'un,* lui enlever les moyens d'agir. ◆ **rognure** n. f. Ce qui tombe, se détache d'une chose que l'on rogne : *Des rognures de papier, de carton. Acheter des rognures de viande pour son chien* (syn. : DÉCHETS).

rognon [rɔɲɔ̃] n. m. Rein d'un animal (terme de boucherie et de cuisine) : *Manger des rognons de mouton, de porc à la sauce madère.* ‖ *Rognons de coq,* testicules de coq.

rogue [rɔg] adj. Se dit d'une personne (ou de son attitude) qui est d'une raideur hautaine et déplaisante : *On n'ose guère aborder cet homme, il vous répond toujours d'un ton rogue* (syn. : ARROGANT). *C'est peut-être pour cacher sa timidité qu'il se montre fier et rogue* (syn. : DÉDAIGNEUX).

roi [rwa] n. m. 1° Chef souverain d'un Etat : *Couronner, sacrer un roi. Heureux comme un roi. Plus heureux qu'un roi* (= très heureux). ‖ *Les Rois mages,* les trois personnages qui vinrent de l'Orient à Bethléem pour adorer l'Enfant Jésus. ‖ *Le jour des Rois, la fête des Rois,* le jour de l'Epiphanie, qui commémore l'adoration des Rois mages. ‖ *Gâteau, galette des Rois,* gâteau plat de pâte feuilletée dans lequel a été mise une fève. ‖ *Tirer les rois,* partager ce gâteau. — 2° Le plus important producteur dans un secteur industriel ou commercial : *Le roi du pétrole, de l'acier, du caoutchouc, de la finance.* — 3° Personne ou chose supérieure à toutes les autres dans un domaine quelconque : *Le roi des malins, des égoïstes, des imbéciles. Le roi des fromages.* — 4° Chacune des quatres figures principales d'un jeu de cartes qui représente un roi : *Roi de carreau, de cœur, de pique, de trèfle.* — 5° Aux échecs, pièce principale, dont la prise décide du gain de la partie. — 6° *Le roi des animaux,* le lion (littér.). ‖ *Le roi des oiseaux,* l'aigle (littér.). ‖ *Le roi de la forêt,* le chêne (littér.). ‖ *Morceau de roi,* mets exquis et délicieux; *fam.,* se dit d'une belle femme. ‖ *Souhait de roi,* fils et fille (se dit d'une personne à qui il est né deux enfants de sexe différent). ‖ *Travailler pour le roi de Prusse,* travailler pour rien, se laisser ravir par d'autres le profit de ses efforts. ◆ **royal, e, aux** adj. 1° Qui appartient, qui a rapport à un roi : *L'autorité, la puissance royale.* — 2° Digne d'un roi : *Un festin royal* (syn. : GRANDIOSE, MAJESTUEUX). *Une magnificence royale. Un cadeau royal* (syn. : MAGNIFIQUE).

Une demeure royale (syn. : SOMPTUEUX). — 3° Fam. *Une paix, une indifférence royale,* parfaite. ‖ Fam. *Un mépris royal,* extrême. ◆ **royalement** adv. 1° Avec magnificence : *Il nous a invités dans sa maison de campagne et il nous a traités royalement* (syn. : MAGNIFIQUEMENT, SPLENDIDEMENT). — 2° Fam. *Se moquer d'une chose royalement,* parfaitement, éperdument. ◆ **royalisme** n. m. Attachement à la monarchie. ◆ **royaliste** adj. Qui concerne le régime monarchique, qui lui est favorable : *Avoir des opinions royalistes. Etre plus royaliste que le roi* (= défendre les intérêts de quelqu'un, d'un parti plus qu'il ne le fait lui-même). ◆ n. Partisan de la royauté : *Dans cette famille de vieux hobereaux, ils sont tous royalistes* (syn. : MONARCHISTE). ◆ **royaume** n. m. Etat, pays gouverné par un roi : *Un royaume héréditaire. Etendre les frontières d'un royaume.* ‖ *Le royaume des cieux,* le paradis. ◆ **royauté** n. f. 1° Dignité de roi : *Aspirer à la royauté. Renoncer à la royauté.* — 2° Régime monarchique : *Les luttes de la royauté et de la papauté* (syn. : MONARCHIE). ◆ **reine** [rɛn] n. f. 1° Femme d'un roi : *La reine Marie-Antoinette.* — 2° Souveraine d'un royaume : *La reine Elisabeth. La reine Victoria.* — 3° Femme qui l'emporte en beauté, en esprit, en valeur sur les autres : *La reine du bal, de la fête.* — 4° *Avoir un port de reine,* avoir une attitude majestueuse. — 5° Femelle féconde chez les insectes sociaux : *La reine des abeilles.*

roitelet [rwatlɛ] n. m. Petit oiseau à plumage verdâtre taché de brun sur les ailes et reconnaissable à sa huppe orange ou jaune : *Le roitelet est le plus petit oiseau de la faune européenne.*

rôle [rol] n. m. 1° Ce que doit dire et faire un acteur (au théâtre et au cinéma) : *Apprendre, repasser, savoir son rôle. Distribuer les rôles.* — 2° Le personnage lui-même représenté par l'acteur : *Interpréter un rôle tragique, comique, un rôle de confident, de marquis. Il joue toujours les premiers rôles* (= les personnages les plus importants). — 3° Manière dont une personne agit dans la vie ordinaire, dans certaines occasions : *C'est un hypocrite qui sait bien jouer son rôle. Jouer un vilain rôle.* ‖ *Avoir le beau rôle,* se montrer à son avantage dans telle situation; avoir la tâche facile. — 4° Fonction, influence que l'on exerce : *Il a assumé, rempli un rôle important dans cette affaire. Pourquoi s'occupe-t-il de cela? Ce n'est pas son rôle* (syn. : ATTRIBUTION). *Un rôle de premier plan.* — 5° Fonction assurée par un organisme, une force, un élément quelconque : *Le rôle de l'électricité, de l'énergie nucléaire dans le monde moderne. Le rôle de la presse dans la formation de l'opinion publique. Etudier le rôle de l'article dans une phrase.* • LOC. ADV. *A tour de rôle,* chacun à son tour : *Vous parlerez à tour de rôle.*

romain, e [rɔmɛ̃, -ɛn] adj. et n. 1° Qui appartient à la Rome ancienne : *Etudier l'histoire romaine. Le calendrier romain. L'armée romaine.* — 2° *Chiffres romains,* lettres numérales I, V, X, L, C, D, M, qui valent respectivement 1, 5, 10, 50, 100, 500, 1 000 et qui, diversement combinées, servaient aux Romains à former tous les nombres. ‖ *Un travail de Romain,* un travail long et difficile. — 3° Qui appartient à la Rome moderne : *La campagne romaine.* — 4° *Caractère romain,* ou *romain* n. m., caractère d'origine italienne dont les traits sont perpendiculaires à la ligne : *Dans ce dictionnaire, les définitions sont imprimées en romain, les exemples en italique.* — 5° Qui se rapporte à l'Eglise catholique, dont Rome est le siège principal : *L'Eglise catholique, apostolique et romaine. Le rite romain. Un missel romain.*

romaine [rɔmɛn] n. f. 1° Variété de laitue à feuilles allongées. — 2° Fam. *Etre bon comme la romaine,* être dans une situation qui risque d'être fatale.

1. roman, e [rɔmɑ̃, -an] adj. *Langues romanes,* langues dérivées du latin : *Les principales langues romanes sont le français, l'italien, l'espagnol, le portugais, le roumain.* ‖ *Art roman,* ou *roman* n. m., art qui s'est épanoui dans les pays latins au XIe et au XIIe siècle : *Le roman est surtout représenté par des édifices religieux.* ◆ **romaniste** n. Spécialiste des langues romanes.

2. roman [rɔmɑ̃] n. m. 1° Œuvre d'imagination en prose dont l'intérêt est dans la narration d'aventures, l'étude de mœurs ou de caractères, l'analyse de sentiments ou de passions : *Composer, écrire un roman. Cette maison d'édition publie surtout des romans.* ‖ *Roman d'anticipation,* récit d'aventures fantastiques placées dans un avenir imaginé d'après les découvertes ou les hypothèses scientifiques les plus récentes : *La plupart des romans de J. Verne sont des romans d'anticipation* (syn. : ROMAN DE SCIENCE-FICTION). ‖ *Roman de cape et d'épée,* récit qui met en scène des personnages d'un caractère batailleur et chevaleresque, comme les aventuriers d'autrefois portant la cape et l'épée : *« Les Trois Mousquetaires », d'Alexandre Dumas, sont un roman de cape et d'épée.* ‖ *Roman de mœurs,* qui dépeint les habitudes, la manière de vivre, les passions caractéristiques de certains milieux : *H. de Balzac a donné sa forme moderne au roman de mœurs.* ‖ *Roman noir,* dont l'action est jalonnée de crimes terrifiants et dont les personnages sont dominés par le vice et la démence : *L'imagination romantique a donné naissance au roman noir.* ‖ *Roman policier,* dans lequel l'auteur expose les efforts d'un détective pour éclaircir une affaire mystérieuse. ‖ *Roman-feuilleton,* roman d'aventures dont le récit est publié par fragments dans un journal : *Des romans-feuilletons.* ‖ *Roman-fleuve,* vaste roman dont l'action se déroule sur un long espace de temps et donne souvent une large vue de la société d'une époque : *« Jean-Christophe », de Romain Rolland, « les Hommes de bonne volonté », de J. Romains, « les Thibault », de R. Martin du Gard, sont des romans-fleuves.* — 2° Série d'aventures extraordinaires; récit dénué de vraisemblance : *La vie de cet homme est un vrai roman. Ce que vous nous racontez a tout l'air d'un roman.* ◆ **romancer** v. tr. Présenter sous la forme d'un roman; agrémenter de détails inventés : *A. Dumas a romancé l'histoire. Une biographie romancée.* ◆ **romancier, ère** n. Auteur de romans. ◆ **romanesque** adj. 1° Se dit d'une chose qui tient du roman : *Des aventures romanesques* (syn. : ÉPIQUE, EXTRAORDINAIRE, FANTASTIQUE). *Une histoire romanesque* (syn. : FABULEUX, INCROYABLE, INIMAGINABLE, INVRAISEMBLABLE). — 2° Se dit d'une personne qui voit la vie comme les aventures d'un roman, dont l'esprit est chimérique : *Une jeune fille romanesque* (syn. : RÊVEUR, SENTIMENTAL). *Avoir un tempérament, une imagination, des goûts romanesques.* ◆ n. m. : *Les femmes aiment le romanesque.*

romance [rɔmɑ̃s] n. f. Chanson sentimentale.

romanichel, elle [rɔmaniʃɛl] n. 1° Bohémien, nomade : *Une roulotte de romanichels* (syn. : GITAN, TSIGANE). — 2° Individu sans domicile fixe.

romantisme [rɔmɑ̃tism] n. m. Mouvement littéraire et artistique du début du XIXe siècle qui fit prévaloir le sentiment sur la raison : *La préface de « Cromwell » a été le manifeste du romantisme.* ◆ **romantique** adj. 1° Qui se rapporte au romantisme : *Un poète, un écrivain romantique. Le drame romantique.* — 2° Qui évoque les attitudes, le caractère d'une personne chez qui prédominent la sensibilité, la rêverie : *Un air romantique. Un tempérament romantique* (syn. : ROMANESQUE). *La mélancolie romantique.* (V. CLASSIQUE.)

romarin [rɔmarɛ̃] n. m. Arbuste aromatique à feuilles persistantes : *Le romarin à fleurs bleues abonde sur le littoral méditerranéen; on emploie ses jeunes pousses comme condiment.*

rombière [rɔ̃bjɛr] n. f. *Pop.* Femme âgée, quelque peu ridicule et prétentieuse (le plus souvent péjor.).

rompre [rɔ̃pr] v. tr. (conj. **53**). **1°** *Rompre quelque chose,* le mettre en morceaux par effort ou pression, le faire céder (se dit surtout d'objets étendus en longueur; langue soignée) : *Le vent a rompu plusieurs branches. Rompre sa canne sur le dos de quelqu'un. On pouvait craindre que le chien ne rompît sa chaîne* (syn. usuel : CASSER). *Le bon usage veut que l'on rompe son pain à table. Dans la tempête, plusieurs bateaux ont rompu leurs amarres* (= ont cassé les câbles ou les chaînes qui les retenaient). *Le fleuve a rompu ses digues* (= a fait sauter, a crevé). — **2°** *Rompre une chose,* en empêcher la continuation ou la réalisation; y mettre fin : *Rompre le silence* (syn. : TROUBLER). *Rompre le jeûne, la monotonie, un entretien, des fiançailles. Rompre l'équilibre. Ces deux pays ont rompu les relations diplomatiques.* — **3°** *Applaudir à tout rompre,* très fort. ‖ *Rompre la glace,* mettre fin à la froideur, à la gêne d'un premier contact. ‖ *Rompre une lance, des lances contre quelqu'un,* soutenir contre lui une discussion, une joute oratoire. ‖ *Rompre des lances pour,* prendre la défense. ‖ *Rompez les rangs!,* ou *rompez!,* ordre donné à une troupe en rangs de se disperser; ordre donné de partir. ◆ v. intr. Cesser d'être en relation d'amitié : *Depuis cette altercation, ils ont rompu* (syn. : SE BROUILLER). ‖ *Rompre avec,* se séparer de, faire cesser les relations avec : *Il a rompu avec son meilleur ami;* renoncer soudain et définitivement à : *Il leur est difficile de rompre avec de vieilles habitudes. Nous n'hésitons pas à rompre avec la tradition.* ◆ ***se rompre*** v. pr. Se briser (sens 1 du v. tr.) : *La branche, la chaîne s'est rompue* (syn. usuel : CÉDER, CRAQUER, CASSER, SE CASSER; pop. : PÉTER). ◆ **rupture** [ryptyr] n. f. **1°** Action de rompre, de se rompre : *La rupture d'un câble, d'une poutre, d'une digue. Rupture d'une veine, d'une artère, d'un tendon* (syn. : DÉCHIRURE). — **2°** Annulation d'un acte public ou particulier : *Rupture d'un contrat, d'un mariage, d'un engagement.* — **3°** Séparation, désunion entre des personnes liées par l'amitié, entre des Etats liés par des traités : *Rupture entre un homme et une femme. Lequel des deux est l'auteur de la rupture? Rupture des relations diplomatiques, économiques entre deux pays.* — **4°** Absence de continuité, opposition entre des choses : *Rupture de rythme. Rupture entre le passé et le présent.*

rompu, e [rɔ̃py] adj. 1° *Etre rompu de fatigue, avoir les jambes rompues,* être extrêmement fatigué (syn. : ÉREINTÉ, EXTÉNUÉ, FOURBU, HARASSÉ, RECRU). — **2°** *Etre rompu à une chose,* être très exercé à une chose : *Etre rompu aux affaires, aux mathématiques* (syn. : EXPÉRIMENTÉ, EXPERT EN). — **3°** *A bâtons rompus,* V. BÂTON.

romsteck [rɔmstɛk] n. m. Partie du bœuf de boucherie correspondant à la croupe : *Le romsteck fournit d'excellents rôtis.*

ronce [rɔ̃s] n. f. **1°** Arbuste épineux dont les fruits (mûres sauvages) servent à faire des confitures, des sirops : *Déchirer ses vêtements aux ronces.* — **2°** *Ronce artificielle,* petit câble formé de fils de fer tordus et retenant de place en place des pointes métalliques qui le font ressembler à une ronce. ◆ **ronceraie** n. f. Terrain encombré de ronces.

ronchonner [rɔ̃ʃɔne] v. intr. *Fam.* Manifester sa mauvaise humeur, son mécontentement, en murmurant entre ses dents : *Cet homme n'est jamais satisfait, il est toujours en train de ronchonner* (syn. : BOUGONNER, GROGNER, MAUGRÉER; pop. : ROGNER). ◆ **ronchonnement** n. m. Fam. : *Il nous casse les oreilles avec ses ronchonnements continuels.* ◆ **ronchonneur, euse; ronchon, ronchonot** adj. et n. *Fam.* Qui a l'habitude de ronchonner.

rond, e [rɔ̃, rɔ̃d] adj. **1°** Se dit d'une chose qui a la forme d'un cercle, d'une sphère ou d'un cylindre : *Une table ronde. Une pomme ronde. Un bâton bien rond. Un bras rond et potelé. Un mollet bien rond.* — **2°** Se dit d'un être animé gros et court : *Une petite femme bien ronde* (syn. fam. : BOULOT, RONDOUILLARD). — **3°** *Fam.* Qui a trop bu : *Il est rentré chez lui hier complètement rond* (syn. : IVRE). ‖ *Un homme rond en affaires,* qui agit franchement, sans détour. ‖ *Un compte, un chiffre rond,* qui ne comporte pas de fraction; dont on supprime les décimales, ou même les unités, les dizaines, les centaines s'il s'agit de grands nombres. ◆ adv. (sujet nom désignant un moteur) *Tourner rond,* tourner régulièrement. ‖ (sujet nom de personne) Fam. *Ne pas tourner rond,* être un peu fou, déséquilibré. ◆ n. m. **1°** Ligne circulaire : *Tracer un rond avec un compas* (syn. : CERCLE, CIRCONFÉRENCE). *Les enfants s'amusent à jeter des pierres dans l'eau pour faire des ronds. Faire des ronds de fumée avec une cigarette.* — **2°** Objet de forme circulaire : *Un rond de fourneau. Rond de serviette* (= anneau en métal, en os, en matière plastique, etc., qui sert pour marquer les serviettes des divers convives). — **3°** *Rond de jambe,* mouvement de danse au cours duquel la jambe exécute un demi-cercle. ‖ *Faire des ronds de jambe,* avoir une attitude obséquieuse, faire des politesses exagérées. ● Loc. ADV. *En rond,* en cercle, sur une ligne circulaire : *S'asseoir en rond. Danser en rond.* ◆ **rondement** adv. **1°** Avec entrain, avec décision : *Mener une affaire rondement* (syn. : PROMPTEMENT). — **2°** D'une manière franche, sans façon : *Il ne s'embarrasse pas de circonlocutions pour dire la vérité, il y va rondement* (syn. : CARRÉMENT, LOYALEMENT). ◆ **rondeur** n. f. **1°** Etat de ce qui est rond (seulement en parlant des parties du corps) : *La rondeur d'un bras, d'une jambe.* — **2°** *Fam.* Partie du corps qui est ronde et charnue : *Cette femme a toujours des robes qui accusent ses rondeurs.* — **3°** *Avec rondeur,* d'une manière aimable et sans façon. ◆ **rondelet, ette** adj. **1°** *Fam.* Qui a un peu d'embonpoint : *Un ventre rondelet* (syn. : REBONDI). *Une femme rondelette* (syn. : DODU, GRASSOUILLET). — 2° *Une somme rondelette,* une somme assez importante. ‖ *Une bourse rondelette,* une bourse bien garnie. ◆ **rondelle** n. f. 1° Petit disque percé que l'on place entre un écrou et la pièce à serrer. — 2° Tranche ronde de viande, de légumes : *Des rondelles de saucisson, de carotte, de betterave, de citron.* ◆ **rondin** n. m. Morceau de bois de chauffage qui est cylindrique. ◆ **rondouillard, e** adj. *Fam.* Qui a de l'embonpoint : *Un homme rondouillard* (syn. : ↓ RONDELET, GRASSOUILLET). ◆ **rond-de-cuir** n. m. *Fam.* Employé de bureau : *Des ronds-de-cuir.* ◆ **rond-point** n. m. Place circulaire ou carrefour où aboutissent plusieurs rues, avenues ou routes : *Le rond-point des Champs-Elysées, à Paris. Aménager des ronds-points pour faciliter la circulation.*

ronde [rɔ̃d] n. f. 1° Inspection faite par un gradé ou un officier pour s'assurer que tout est dans l'ordre (milit.) : *Faire une ronde de nuit.* — 2° Visite faite autour d'une maison, dans un appartement, etc., pour voir si tout est en ordre, en sûreté : *Il fait tous les soirs sa ronde, par crainte des voleurs.* — 3° Chanson accompagnée d'une danse en rond, dans laquelle les danseurs se tiennent par la main : *Une ronde enfantine. Une ronde villageoise.* — 4° Ecriture en caractères ronds et verticaux. — 5° Note qui a la plus grande valeur dans le système de la musique moderne : *La ronde vaut deux blanches, quatre noires.* • LOC. ADV. *A la ronde,* aux environs : *Etre connu à vingt lieues à la ronde* (= dans une étendue ayant vingt lieues de rayon); chacun à son tour, les uns après les autres : *Boire à la ronde. Servir à la ronde.*

rondeau [rɔ̃do] n. m. Poème à forme fixe, en vogue au XVIe siècle : *Le rondeau de treize vers est la forme préférée de Charles d'Orléans.*

ronfler [rɔ̃fle] v. intr. 1° (sujet nom de personne) Faire un certain bruit de la gorge et des narines en respirant pendant le sommeil. — 2° (sujet nom de chose) Produire un bruit sourd et prolongé : *Une toupie, un poêle, un moteur qui ronfle.* ◆ **ronflement** n. m. 1° Respiration bruyante que fait entendre une personne pendant son sommeil. — 2° Sonorité sourde et prolongée : *Le ronflement d'un orgue.* ◆ **ronflant, e** adj. 1° Plein d'emphase et creux : *Ses discours renferment toujours des phrases ronflantes* (syn. : DÉCLAMATOIRE, GRANDILOQUENT, POMPEUX). — 2° *Des promesses ronflantes,* magnifiques, mais mensongères. ◆ **ronfleur, euse** n. Personne qui a l'habitude de ronfler.

ronger [rɔ̃ʒe] v. tr. 1° (sujet nom d'être animé) *Ronger quelque chose,* le manger, le déchiqueter à petits coups de dents, de bec : *Les rats ont rongé plusieurs livres de la bibliothèque. Ronger ses ongles.* — 2° (sujet nom d'animaux qui n'ont pas de dents) Attaquer, détruire : *Les chenilles rongent les feuilles des arbres. Les vers rongent le bois.* — 3° (sujet nom désignant un cheval) Serrer, mordiller avec les dents : *Ronger son mors, son frein* (syn. : MÂCHER). — 4° (sujet nom de chose) User lentement, entamer : *La rouille ronge le fer* (syn. : CORRODER, ATTAQUER). *La mer ronge les falaises* (syn. : MINER, SAPER). — 5° *Ronger quelqu'un,* le tourmenter, le consumer à force de soucis, d'inquiétudes, de regrets : *Le chagrin ronge cet homme* (syn. : MINER). *Les remords rongent le cœur. La jalousie ronge cette femme.* — 6° *Donner un os à ronger à quelqu'un,* lui donner une occupation qui l'aide à vivre; lui faire quelque grâce, lui abandonner un profit pour être délivré de ses importunités et apaiser ses exigences. ‖ *Ronger son frein,* V. FREIN. ◆ ***se ronger*** v. pr. : *Se ronger les ongles.* ‖ *Se ronger d'inquiétude, de souci,* etc., être tourmenté, dévoré par les inquiétudes, les soucis, etc. ◆ **rongeur, euse** adj. Qui ronge, qui a l'habitude de ronger : *Un mammifère rongeur. Un ulcère rongeur.* ◆ **rongeurs** n. m. pl. Mammifères dépourvus de canines, mais munis d'incisives à croissance permanente : *Le lapin, le rat, l'écureuil, le porc-épic,* etc., *sont des rongeurs.*

ronron [rɔ̃rɔ̃] ou **ronronnement** [rɔ̃rɔnmɑ̃] n. m. 1° Ronflement sourd et continu par lequel le chat manifeste son contentement. — 2° Bruit sourd et continu : *Le ronronnement d'un moteur.* ◆ **ronronner** v. intr. 1° (sujet nom désignant un chat) Faire entendre des ronrons. — 2° (sujet nom de personne) Manifester un sentiment de satisfaction par un bruit imitant le ronron du chat : *Ronronner de satisfaction.* — 3° (sujet nom de chose) Faire entendre un bruit sourd et régulier : *Un moteur qui ronronne.*

roquefort [rɔkfɔr] n. m. Fromage à moisissures internes, fabriqué avec du lait de brebis.

roquer [rɔke] v. intr. Au jeu d'échecs, placer l'une de ses tours auprès de son roi et faire passer le roi de l'autre côté de la tour en un seul mouvement.

roquet [rokɛ] n. m. 1° Petit chien hargneux. — 2° Individu hargneux, mais peu redoutable : *Ne pas répondre aux insultes d'un roquet.*

roquette [rɔkɛt] n. f. Projectile autopropulsé employé par les armes antichars et les avions de combat.

rosace [rozas] n. f. 1° Ornement d'architecture en forme de rose épanouie inscrite dans un cercle : *Les rosaces sont surtout employées dans la décoration des plafonds.* — 2° Grand vitrail d'église de forme circulaire (syn. : ROSE).

rosaire [rozɛr] n. m. 1° Grand chapelet composé de quinze dizaines de petits grains, que séparent des grains un peu plus gros. — 2° Prières que l'on récite en égrenant le rosaire : *Dire son rosaire.*

rosbif [rɔsbif] n. m. Morceau de viande de bœuf destiné à être rôti : *Mettre un rosbif au four.*

1. rose [roz] n. f. 1° Fleur du rosier : *Offrir un bouquet de roses blanches à une mariée. Porter une rose rouge à sa boutonnière.* — 2° *Etre frais comme une rose,* avoir un teint frais et vermeil. ‖ *Découvrir le pot aux roses,* découvrir une intrigue cachée, un secret. ‖ *Eau de rose,* eau de toilette obtenue par la distillation des pétales de rose. ‖ *Un roman, un film à l'eau de rose,* sentimental et mièvre, dont les épisodes et le dénouement sont toujours heureux. ‖ *Il n'y a pas de roses sans épines,* il n'y a pas de joie sans peine. ◆ **rosier** n. m. Arbuste épineux cultivé pour ses fleurs odorantes et dont on connaît de très nombreuses variétés. ◆ **roseraie** n. f. Terrain planté de rosiers.

2. rose [roz] n. f. 1° Dans les églises gothiques, grande fenêtre circulaire très compartimentée, fermée de vitraux : *Les roses latérales de Notre-Dame de Paris ont environ 13 mètres de diamètre.* — 2° *Rose des sables,* agglomération de cristaux de gypse, jaune ou rose, qu'on trouve dans certains déserts. ‖ *Rose des vents,* étoile à trente-deux divisions correspondant aux trente-deux aires du vent sur le cadran de la boussole. ◆ **rosette** n. f. Nœud de ruban, en forme de petite rose, porté à la boutonnière par les officiers et les dignitaires de certains ordres civils ou militaires : *La rosette de la Légion d'honneur.*

3. rose [roz] adj. Qui a une couleur rouge pâle, semblable à celle de la rose commune : *Avoir le teint rose, des joues roses. Porter des robes rose clair.* ◆ n. m. La couleur rose : *Aimer le rose.* ‖ *Voir tout en rose,* voir tout en beau, d'une façon optimiste. ‖ *Bois de rose,* bois jaune veiné de rose, fourni par un arbre de Guyane et utilisé en ébénisterie. ◆ **rosé, e** adj. Légèrement teinté de rose : *Une étoffe rosée.* ◆ **rosé** n. m. Vin rouge clair : *Du rosé d'Anjou.* ◆ **rosir** v. intr. Prendre une teinte rose : *Son visage rosissait de satisfaction.*

roseau [rozo] n. m. Plante aquatique dont la tige, lisse et droite, est ordinairement creuse : *Un marais rempli de roseaux. Une personne frêle comme un roseau.*

rosée [roze] n. f. 1° Ensemble de fines gouttelettes d'eau qui se déposent, le matin et le soir, sur les plantes et les objets exposés à l'air libre : *La rosée est produite par la condensation de la vapeur d'eau atmosphérique.* — 2° *Tendre comme la rosée,* très tendre, en parlant de viande, de salade.

rosière [rozjɛr] n. f. Jeune fille vertueuse à laquelle, dans certaines localités, on décerne solennellement une couronne de roses accompagnée d'une récompense en argent.

1. rosse [rɔs] n. f. Mauvais cheval : *Dans ce manège, il y a plusieurs rosses* (syn. : ROSSINANTE).

2. rosse [rɔs] n. f. *Fam.* Personne méchante, qui aime à tourmenter, à harceler : *Cette femme est une sale rosse* (syn. : CHAMEAU, HARPIE, MÉGÈRE). ◆ adj. 1° Qui est d'une ironie mordante ; sévère : *Un critique rosse* (syn. : MÉCHANT). *Une chanson rosse* (syn. : SATIRIQUE). *Les chansonniers se montrent toujours rosses à l'égard de cet artiste.* ‖ Fam. *Un professeur rosse,* qui note sévèrement, qui est très exigeant (syn. pop. : VACHE). ◆ **rosserie** n. f. Fam. : *Il a oublié toutes vos rosseries à son égard* (syn. : ↓ MÉCHANCETÉ ; pop. : VACHERIE). ◆ **rossard, e** adj. et n. *Fam.* Prêt à faire de mauvais tours, qui refuse de se plier à la discipline ; malveillant : *Ne vous fiez pas à ses airs de sainte nitouche, c'est un petit rossard* (syn. : ↓ COQUIN).

rosser [rɔse] v. tr. Fam. *Rosser quelqu'un,* le battre violemment : *Comme il avait joué plusieurs mauvais tours à des camarades, ils l'ont rossé* (syn. : ↓ FRAPPER, ↑ ROUER DE COUPS). ◆ **rossée** n. f. *Fam.* Volée de coups : *Recevoir une rossée.*

1. rossignol [rɔsiɲɔl] n. m. Petit oiseau à plumage brun clair, séjournant l'été dans les bois et les parcs, dont le mâle est un chanteur remarquable.

2. rossignol [rɔsiɲɔl] n. m. Crochet dont on se sert pour ouvrir toutes sortes de serrures : *Les voleurs se sont introduits dans la chambre de l'hôtel à l'aide d'un rossignol.*

3. rossignol [rɔsiɲɔl] n. m. *Fam.* Livre sans valeur, marchandise défraîchie, démodée, difficile à vendre.

rossinante [rɔsinɑ̃t] n. f. Mauvais cheval efflanqué (par allusion au cheval de Don Quichotte).

rot [ro] n. m. Émission bruyante de gaz stomacaux par la bouche. ◆ **roter** [rɔte] v. intr. 1° *Pop.* Faire des rots : *Roter à table* (syn. : ÉRUCTER). — 2° Pop. *En roter,* peiner sur un travail, supporter de mauvais traitements (syn. pop. : EN BAVER).

rôt n. m. V. RÔTIR.

rotation [rɔtasjɔ̃] n. f. Mouvement d'un corps autour d'un axe fixe, matériel ou non : *La rotation d'une roue, d'un volant. La rotation de la Terre.* ◆ **rotatif, ive** adj. Qui agit en tournant : *Une pompe rotative.* ◆ **rotative** n. f. Presse à imprimer, à mouvement continu, dont les formes sont cylindriques. ◆ **rotatoire** adj. *Mouvement rotatoire,* mouvement circulaire autour d'un axe.

rotin [rɔtɛ̃] n. m. Partie de la tige des branches du rotang (palmier d'Inde et de Malaisie) dont on se sert pour faire des cannes, des chaises ou des fauteuils.

rôtir [rotir] v. tr. *Rôtir de la viande, du pain,* les faire cuire au four, à la broche, sur le gril : *Rôtir un gigot, un rosbif. Rôtir des tartines.* ◆ v. intr. 1° Cuire à feu vif : *Mettre un poulet à rôtir. Faire rôtir du pain* (syn. : GRILLER). — 2° *Fam.* Recevoir une chaleur très vive : *Rôtir au soleil.* ◆ ***se rôtir*** v. pr. (sujet nom de personne). S'exposer à un feu vif, à un soleil ardent : *Se rôtir sur la plage pour avoir la peau bronzée.* ◆ **rôtissage** n. m. : *Le rôtissage de la viande.* ◆ **rôtisseur, euse** n. Personne qui fait rôtir des viandes pour les vendre. ◆ **rôtisserie** n. f. 1° Boutique de rôtisseur. — 2° Appellation donnée à certains restaurants. ◆ **rôtissoire** n. f. Ustensile de cuisine qui sert à faire rôtir de la viande. ◆ **rôt** n. m. Terme vieilli et littéraire désignant un rôti. ◆ **rôti** n. m. 1° Viande cuite à la broche ou au four. — 2° Partie du repas où l'on sert les viandes rôties. ◆ **rôtie** n. f. Tranche de pain qu'on a fait rôtir : *Manger des rôties beurrées.*

rotonde [rɔtɔ̃d] n. f. Édifice de forme circulaire : *Une église, une chapelle en rotonde.*

rotondité [rɔtɔ̃dite] n. f. 1° État de ce qui est rond : *La rotondité de la Terre.* — 2° *Fam.* Grosseur excessive d'une personne : *Il remplit le fauteuil de sa rotondité.*

rotule [rɔtyl] n. f. 1° Os plat et mobile situé à la partie antérieure du genou. — 2° Pop. *Être sur les rotules,* être très fatigué (syn. fam. : ÉREINTÉ, FLAPI).

roture [rɔtyr] n. f. Sous l'Ancien Régime, état d'une personne qui n'était pas noble. ◆ **roturier, ère** adj. et n. Qui manque de distinction : *Avoir des manières roturières* (syn. : VULGAIRE).

rouage [ruaʒ] n. m. 1° Chacune des pièces d'un mécanisme : *Lubrifier les rouages d'une montre, d'une horloge.* — 2° Chacun des éléments, des services d'une administration, d'une entreprise : *Les rouages de l'État.*

rouan, anne [rwɑ̃, -an] adj. Se dit d'un cheval dont la robe est formée de poils blancs et rougeâtres mélangés et de poils noirs aux extrémités.

roublard, e [rublar, -ard] adj. *Fam.* Se dit d'une personne capable d'user de moyens peu délicats : *Méfiez-vous de lui, c'est un roublard* (syn. : MALIN, RUSÉ). ◆ **roublardise** n. f. *Fam.* Caractère d'une personne roublarde.

rouble [rubl] n. m. Unité monétaire de l'U.R.S.S.

roucouler [rukule] v. intr. 1° (sujet nom désignant le pigeon, la tourterelle) Faire entendre un cri. — 2° (sujet nom de personne) *Fam.* Tenir des propos tendres, langoureux : *Roucouler auprès d'une femme.* — 3° Chanter langoureusement : *Un chanteur de charme qui roucoule.* ◆ v. tr. *Roucouler une chanson,* la chanter langoureusement : *Roucouler une romance.* ◆ **roucoulade** n. f. Action de tenir des propos tendres. ◆ **roucoulement** n. m. Murmure tendre et monotone qui est le cri du pigeon, de la tourterelle.

roue [ru] n. f. 1° Organe de forme circulaire qui, tournant autour d'un axe, permet à un véhicule de rouler, ou qui, entrant dans la constitution d'une machine, en transmet le mouvement grâce aux dents dont son pourtour est garni : *Les roues d'une voiture, d'une locomotive. Les roues d'une horloge, d'une pendule, d'un engrenage* (syn. : ROUAGE). ‖ *Roue libre,* dispositif d'une bicyclette permettant à un cycliste de rouler sans pédaler. ‖ *Roue de secours,* roue d'automobile supplémentaire destinée à remplacer une roue dont le pneu est crevé. — 2° *Cinquième roue d'un carrosse,* personne inutile. ‖ *Faire la roue,* en parlant d'un oiseau, déployer les plumes de sa queue en éventail : *Les paons font la roue;* en parlant d'une personne, tourner latéralement sur soi-même en s'appuyant successivement sur les mains et sur les pieds; faire l'avantageux, se pavaner. ‖ *Mettre des bâtons dans les roues,* susciter des obstacles à la réussite de quelque chose. ‖ *Pousser à la roue,* aider à la réussite.

roué, e [rwe] adj. et n. *Péjor.* Se dit d'une personne très rusée, hypocrite et sans scrupule sur le choix des moyens : *Ne vous fiez pas à cette fille, c'est une petite rouée* (syn. : ↓ FUTÉ, MALICIEUX; fam. : ROUBLARD). ◆ **rouerie** n. f. : *On vous a mis en garde contre les roueries de cet individu.*

rouelle [rwɛl] n. f. *Rouelle de veau,* partie de la cuisse de veau coupée en rondelles.

rouer [rwe] v. tr. *Rouer de coups,* battre avec violence (syn. fam. : ROSSER) : *Dans une ruelle obscure, des voleurs l'ont attaqué et roué de coups.*

rouet [rwɛ] n. m. Petite machine à roue, mise en mouvement au moyen d'une pédale et qui servait à filer le chanvre et le lin.

rouflaquette [ruflakɛt] n. f. *Pop.* Mèche de cheveux roulés sur la tempe en forme d'accroche-cœur.

1. rouge [ruʒ] adj. et n. m. Se dit de l'une des couleurs fondamentales du spectre de la lumière, de ce qui a la couleur du sang, du feu, etc. : *Une fleur rouge. Du vin rouge. Avoir les joues rouges. Teindre une étoffe en rouge. Du fer chauffé au rouge.* ◆ adj. 1° Qui a la figure fortement colorée par quelque émotion : *Etre rouge de honte, de colère. Etre rouge comme une écrevisse, comme un coq, comme une tomate.* — 2° Qui a pris, par l'élévation de la température, la couleur du feu : *Un fer rouge, un tison rouge.* ◆ adv. *Se fâcher tout rouge, voir rouge,* avoir un violent accès de colère. ◆ **rougeâtre** adj. Qui est légèrement rouge : *Les lueurs rougeâtres du soleil couchant.* ◆ **rougeaud, e** adj. et n. *Fam.* Qui a le visage rouge, haut en couleur : *Un jeune garçon joufflu et rougeaud* (syn. : RUBICOND). *Un gros rougeaud.* ◆ **rougeur** n. f. 1° Couleur rouge : *La rougeur des lèvres, des joues. La rougeur du ciel quand le soleil se lève ou se couche.* — 2° Teinte rouge passagère qui apparaît sur le visage et qui révèle une émotion : *Sa rougeur trahit son mensonge.* ◆ **rougeurs** n. f. pl. Taches rouges sur la peau : *Avoir des rougeurs sur la figure, sur les jambes.* ◆ **rougir** v. tr. *Rougir quelque chose,* lui donner la couleur rouge : *L'automne rougit les feuilles des arbres. Rougir la tranche d'un livre.* ◆ v. intr. 1° Devenir rouge : *Les fraises seront bientôt mûres, elles commencent à rougir. Les écrevisses rougissent à la cuisson.* — 2° Devenir rouge par l'effet d'une émotion, d'un sentiment : *Rougir de honte, de colère, de confusion, de plaisir. Cette jeune fille rougit aussitôt qu'on lui parle.* — 3° Eprouver de la honte, de la confusion : *Il devrait rougir de sa mauvaise conduite.* ◆ **rougissant, e** adj. : *Une jeune fille rougissante.* ◆ **rougeoyer** v. intr. Prendre une teinte rougeâtre : *Un feu qui rougeoie.* ◆ **rougeoiement** n. m. : *Le rougeoiement d'un incendie.*

2. rouge [ruʒ] adj. et n. Se dit des progressistes, des communistes, des partisans de l'action révolutionnaire. ‖ *Drapeau rouge,* emblème révolutionnaire, devenu drapeau de l'Union soviétique.

3. rouge [ruʒ] n. m. 1° Couleur rouge caractéristique des signaux d'arrêt ou de danger : *Le feu est au rouge. Automobiliste qui a une contravention pour être passé au rouge.* — 2° *Pop.* Vin rouge : *Un litre de rouge.* — 3° Fard rouge : *Les acteurs se mettent du rouge pour paraître en scène. Un bâton de rouge à lèvres.* ‖ *Le rouge lui monte au visage,* se dit d'une personne dont le visage devient rouge de pudeur, de honte, de colère.

rouge-gorge [ruʒgɔrʒ] n. m. Oiseau de petite taille, à plumage brunâtre avec la gorge et la poitrine roux-orangé : *Des rouges-gorges.*

rougeole [ruʒɔl] n. f. Maladie contagieuse caractérisée par une éruption de taches rouges sur la peau : *La rougeole atteint surtout les enfants.* ◆ **rougeoleux, euse** adj. et n. Atteint de la rougeole.

rouget [ruʒɛ] n. m. Poisson marin de couleur rouge.

rouille [ruj] n. f. Matière de couleur rougeâtre dont se couvrent les objets en fer quand ils sont exposés à l'humidité : *La rouille ronge le fer.* ◆ **rouiller** v. tr. 1° *Rouiller quelque chose,* produire de la rouille à sa surface : *L'humidité rouille les métaux.* — 2° *Rouiller quelqu'un, quelque chose,* l'affaiblir, l'engourdir, l'émousser faute d'exercice : *La paresse finit par rouiller l'esprit.* ◆ v. intr. ou ***se rouiller*** v. pr. 1° Se couvrir de rouille : *Il a laissé rouiller son fusil. Mettre du minium ou un produit antirouille sur un métal pour l'empêcher de rouiller.* — 2° (sujet nom de personne) *Fam.* Perdre ses forces, ses facultés, sa valeur propre, par manque d'activité : *Sportif qui se rouille, faute d'entraînement* (syn. : ↑ SE SCLÉROSER). ◆ **rouillé, e** adj. 1° Attaqué par la rouille : *Une voiture dont les pare-chocs sont tout rouillés.* — 2° *Fam.* Devenu moins habile à faire quelque chose, par manque d'exercice : *Il était un peu rouillé en anglais, il a dû se remettre à l'étudier.* ◆ **dérouiller** v. tr. Débarrasser de sa rouille : *Dérouiller une clef à la toile émeri.* (V. aussi à son ordre alphab.)

rouir [rwir] v. tr. *Rouir du lin, du chanvre,* les immerger dans l'eau pour isoler les fibres textiles. ◆ v. intr. Subir l'opération du rouissage : *Chanvre qui a roui.* ◆ **rouissage** n. m.

roulade [rulad] n. f. Vocalise consistant en une succession rapide et légère de notes sur une même syllabe : *Faire des roulades.*

1. rouler [rule] v. tr. 1° *Rouler quelque chose,* le faire avancer en le faisant tourner sur lui-même : *Rouler une boule, un tonneau, des troncs d'arbres.* — 2° *Rouler un véhicule, un meuble muni de roulettes, une personne* (dans un véhicule), les déplacer, en les poussant : *Rouler un chariot, une brouette, un fauteuil. Rouler un bébé dans son landau, sur sa poussette. Rouler un infirme dans sa voiture.* — 3° *Rouler une chose,* la faire tourner autour d'une tige cylindrique ou sur elle-même : *Rouler du fil sur une bobine. Rouler du tissu, du papier, une carte de géographie, un tapis, une toile cirée.* || *Rouler une cigarette,* faire tourner une feuille de papier spécial autour du tabac pressé qu'elle contient pour l'enrouler. — 4° Imprimer à son corps ou à une partie de son corps un certain balancement : *Rouler les épaules* (syn. : ONDULER). *Rouler les hanches en marchant* (syn. fam. : TORTILLER). || *Rouler les yeux,* les porter rapidement de côté et d'autre. || *Se rouler les pouces,* ou fam. *se les rouler,* demeurer inactif. — 5° *Rouler une surface,* l'aplanir avec un rouleau : *Rouler de la pâte, une pelouse, un court de tennis.* — 6° *Rouler quelqu'un, quelque chose dans,* tourner et retourner sur toute la surface : *Rouler un camarade dans la poussière. Rouler une pêche dans du sucre.* — 7° *Rouler sa bosse,* voyager beaucoup, faire toutes sortes de métiers. || *Rouler les « r »,* les prononcer en les faisant vibrer fortement. || *Rouler des idées dans sa tête,* tourner et retourner sans cesse des idées. ◆ v. intr. 1° (sujet nom d'être animé) Tomber et tourner sur soi-même : *Il a roulé de haut en bas de l'escalier* (syn. : DÉGRINGOLER, DÉVALER). — 2° (sujet nom de chose) Avancer en tournant sur soi-même : *Une bille qui roule. Une boule de neige grossit en roulant.* — 3° (sujet nom de véhicule à roues) Fonctionner de telle manière, avancer à telle vitesse : *Cette voiture est déjà vieille, mais elle roule encore bien* (syn. : MARCHER). *Le train roulait à 140 km à l'heure.* — 4° (sujet nom de personne) Se déplacer, voyager dans un véhicule à roues : *Nous avons roulé presque toute la journée. Cet automobiliste roule souvent à gauche.* || *Rouler sur l'or,* être très riche. — 5° (sujet nom de personne) Avoir une existence aventureuse : *Cet homme a beaucoup roulé* (syn. fam. : BOURLINGUER). — 6° (sujet nom désignant un navire) S'incliner d'un bord sur l'autre : *La mer était démontée et le bateau ne faisait que tanguer et rouler.* — 7° (sujet nom de chose) Produire un bruit sourd et prolongé : *Le tonnerre roule sur nos têtes avec un vacarme étourdissant.* — 8° (sujet nom désignant une conversation, un discours) *Rouler sur une question,* avoir pour objet : *Tout l'entretien a roulé sur ses projets, sur sa santé. Avec lui, les discussions roulent souvent sur l'argent et les femmes.* — 9° Pop. *Ça roule,* ça va bien. ◆ **se rouler** v. pr. 1° *Se rouler dans, sur une chose,* se tourner de côté et d'autre, se retourner dans, sur elle : *Il souffrait de violentes coliques et se roulait sur son lit. Se rouler sur le gazon, dans la boue. Ils riaient à se rouler par terre* (syn. pop. : SE TORDRE). — 2° *Se rouler dans quelque chose,* s'en envelopper : *Se rouler dans une couverture* (syn. : S'ENROULER). ◆ **roulé, e** adj. Fam. *Personne bien roulée,* personne bien faite, bien proportionnée : *Une femme bien roulée.* ◆ **roulant, e** adj. 1° Se dit d'un objet muni de roulettes : *Fauteuil roulant, panier roulant, table roulante.* — 2° *Matériel roulant,* ensemble des locomotives, des voitures, des wagons employés à l'exploitation d'une voie ferrée. — 3° *Escalier roulant, tapis roulant,* escalier, tapis animés d'un mouvement continu de translation autour de rouleaux actionnés mécaniquement, et qui servent à faire gravir un étage ou à le descendre. || *Trottoir roulant,* plate-forme mobile sur des galets, servant à transporter des piétons ou des marchandises. — 4° Se dit d'une voie de communication bien tracée, bien entretenue et favorisant la vitesse : *Une autoroute bien roulante.* — 5° *Feu roulant,* fusillade soutenue, continue; succession vive et ininterrompue : *Un feu roulant d'épigrammes, de bons mots.* — 6° *Pop.* Qui fait rire à se tordre : *Une histoire roulante. C'est un garçon roulant* (syn. : DRÔLE, COMIQUE; pop. : MARRANT, TORDANT). — 7° *Cuisine roulante,* ou *roulante* n. f., fourneau monté sur des roues ou voiture ambulante employée pour préparer la nourriture aux troupes en campagne. ◆ **rouleau** n. m. 1° Cylindre de bois, de métal, etc., servant à différents usages : *Rouleau à pâtisserie* (= bâton cylindrique employé pour étendre la pâte). *Rouleau de peintre en bâtiment* (= instrument servant à appliquer la peinture). — 2° Instrument employé pour briser les mottes de terre, pour aplanir un terrain : *Rouleau pour terrain de tennis. Rouleau compresseur* (= engin automoteur composé d'un ou de plusieurs cylindres métalliques formant des roues et utilisé à la construction et à l'entretien des routes). — 3° Pièce de bois cylindrique que l'on glisse sous des objets très lourds pour les déplacer : *Transporter des blocs de marbre à l'aide de rouleaux.* — 4° Bande de papier, d'étoffe, de métal, etc., enroulée sur elle-même ou sur une tige cylindrique : *Un rouleau de papier peint. Un rouleau de tissu. Un rouleau de pellicules photographiques.* — 5° Ensemble d'objets roulés en forme de cylindre : *Un rouleau de pièces de vingt centimes.* — 6° Saut en hauteur au cours duquel le corps roule au-dessus de la barre. — 7° Fam. *Être au bout de son rouleau,* n'avoir plus rien à dire; être à bout de ressources; être près de mourir. ◆ **roulement** n. m. 1° Action de rouler : *Le roulement d'une bille de billard.* || *Roulement d'yeux,* mouvement des yeux qui se portent rapidement de côté et d'autre. || *Roulement à billes,* mécanisme constitué d'un anneau de billes d'acier et destiné à diminuer le frottement de pièces les unes sur les autres. — 2° Bruit causé par ce qui roule : *Le roulement des voitures dans la rue m'empêche de dormir.* — 3° Bruit semblable à celui d'un objet qui roule : *Le roulement du tonnerre.* — 4° Action de se remplacer alternativement dans certaines fonctions : *Le roulement des membres d'un tribunal. Dans cette usine, les équipes travaillent par roulement.* ◆ **roulage** n. m. Opération qui consiste à faire passer un rouleau sur un champ pour briser les mottes. ◆ **roulette** n. f. 1° Petite roue tournant en tous sens, fixée sous le pied d'un meuble : *Une table, un fauteuil à roulettes.* || (sujet nom désignant une affaire, un travail) Fam. *Aller, marcher comme sur des roulettes,* ne rencontrer aucun obstacle. — 2° Instrument formé d'un petit disque et d'un manche à l'usage des graveurs, des cordonniers, des pâtissiers. || Fam. *Roulette de dentiste,* syn. de FRAISE. — 3° Jeu de hasard dans lequel le gagnant est désigné par l'arrêt d'une bille d'ivoire sur l'un des numéros d'un plateau tournant divisé en 37 cases rouges ou noires : *Il a gagné une grosse somme à la roulette.* ◆ **rouleur** n. m. Cycliste capable d'effectuer une longue course et à un train rapide. ◆ **roulis** n. m. Balancement d'un véhicule (navire, voiture de chemin de fer) d'un côté sur l'autre.

2. rouler [rule] v. tr. Fam. *Rouler quelqu'un,* le retourner à sa guise, le tromper : *Il a été bien roulé dans cette affaire* (syn. fam. : AVOIR, POSSÉDER).

roulotte [rulɔt] n. f. 1° Grande voiture où logent ceux qui mènent une vie errante : *Une roulotte de bohémiens, de forains.* — 2° Voiture automobile ou remorque aménagée en logement (syn. : CARAVANE).

roulure [rulyr] n. f. *Pop.* Femme de mauvaise vie (syn. : PROSTITUÉE).

round [rund] n. m. Reprise dans un combat de boxe : *Un match en 10 rounds.*

1. roupie [rupi] n. f. Fam. *Ce n'est pas de la roupie de singe, de sansonnet,* c'est une chose importante, qui a de la valeur.

2. roupie [rupi] n. f. Unité monétaire dans divers pays asiatiques (Inde, Pakistan) ou océaniens.

roupiller [rupije] v. intr. *Pop.* Dormir : *Avoir besoin de roupiller.* ◆ **roupillon** n. m. *Pop.* Petit somme : *Piquer un roupillon.*

rouquin, e [rukɛ̃, -in] adj. et n. *Fam.* Qui a les cheveux roux : *Une petite rouquine.*

rouscailler [ruskaje] v. intr. *Pop.* Réclamer, protester : *Il n'est jamais content, il est toujours en train de rouscailler* (syn. fam. : ROUSPÉTER). ◆ **rouscailleur, euse** n. et adj. (pop.).

rouspéter [ruspete] v. intr. (conj. 7). *Fam.* Opposer de la résistance, surtout en paroles : *Il n'est jamais satisfait; quoi qu'on dise, quoi qu'on fasse, il rouspète toujours* (syn. : GROGNER, MAUGRÉER, PROTESTER). ◆ **rouspétance** n. f. Fam. : *Prenez ce qu'on vous donne, et pas de rouspétance.* ◆ **rouspéteur, euse** n. et adj. *Fam.* (syn. : GRINCHEUX).

roussâtre adj., **rousseur** n. f., **roussi** n. m., **roussir** v. tr. et intr. V. ROUX.

rousse [rus] n. f. *Arg.* Police. ◆ **roussin** n. m. *Arg.* Policier.

roussette [rusɛt] n. f. Squale de petite taille (de 0,80 m à 1 mètre), abondant sur les côtes de France (syn. : CHIEN OU CHAT DE MER).

route [rut] n. f. 1° (avec un adj.) Voie de communication terrestre construite pour le passage des véhicules (le *chemin* mène d'un point à un autre sur le plan local et à la campagne; la *rue* est une voie urbaine) : *Une route pavée, bitumée. La route est étroite, sinueuse, droite, défoncée, poussiéreuse. La route nationale* (ou *la nationale,* ou *la RN*) *est une voie à grande circulation entretenue aux frais de l'Etat. La route départementale* (ou *la départementale*) *dépend du budget des départements;* (avec un verbe ou comme compl. d'un nom) : *On a refait la route. On a mal entretenu la route. On construit ou on aménage une route. La route est meurtrière. Baliser une route, c'est disposer des bornes et des panneaux de signalisation. Le samedi, la circulation sur les routes est intense. A un croisement de routes, le panneau nous indiquait une distance de six kilomètres. A la jonction de deux routes départementales s'élevait un calvaire. Un carrefour de routes;* (avec un compl. de lieu) *La route d'Orléans* (= qui mène à Orléans). *La route du Sud.* — 2° Ligne de communication maritime et aérienne : *Les routes aériennes. Les routes maritimes. Un navire suit sa route. La route des Indes;* en parlant des astres : *La route de Mars autour du Soleil.* — 3° Espace à parcourir, direction d'un lieu à un autre, sans référence à un type particulier de voie de communication (les expressions sont parfois les mêmes qu'avec *chemin*) : *La route est longue* (syn. : TRAJET, PARCOURS). *Souhaiter une bonne route* (syn. : VOYAGE). *Un avion, un bateau perd sa route. Il retrouva sa route* (syn. : CHEMIN). *Changer de route. S'écarter de sa route* (ou *de son chemin*) [= modifier sa direction]. *Barrer la route à quelqu'un* (= l'empêcher de continuer à avancer). *Continuer sa route* (ou *son chemin*). *Demander, montrer, indiquer la route* (ou *son chemin*). *Faire toute la route à pied* (ou *le chemin*). *Reprendre la route de Paris* (syn. : REVENIR À). *Il y a dix heures de route* (= en voiture). ‖ *En route, en cours de route,* pendant le trajet, pendant le temps du voyage, du transport : *En route, il ne disait pas un mot. On l'a semé en route. Il est resté en route;* en marche : *Allons! en route!* (= partons). *Se mettre en route* (syn. : PARTIR). *Se remettre en route. Mettre en route* (= faire fonctionner). ‖ *Carnet, journal de route,* où l'on note les indications jugées nécessaires ou utiles au cours d'un voyage. ‖ *Chanson de route,* celle que l'on peut chanter au cours d'un voyage en groupe. ‖ *Feuille de route,* titre délivré par les autorités militaires à un militaire qui se déplace isolément. ‖ *Faire route* (*vers*), se déplacer (vers). — 4° Ligne de conduite suivie par quelqu'un, manière de se comporter; direction vers l'avenir, accès (vers quelqu'un); vie considérée sous la notion d'espace parcouru : *Barrer la route à quelqu'un* (= l'empêcher de continuer d'agir). *Placer sur la route de quelqu'un des obstacles. Voici quelle est la route à suivre* (syn. : MARCHE). *Il est sur la bonne route* (syn. : EN BONNE VOIE). *Il sait trouver la route de son cœur* (syn. plus usuel : CHEMIN). *S'arrêter en route* (= ne pas continuer à faire ce que l'on faisait). *Il n'est pas hypocrite, je suis sûr que tu fais fausse route en le pensant* (= tu te trompes, tu fais erreur). *La route s'ouvre largement devant vous* (syn. : AVENIR). *Nos deux routes se sont croisées* (= nos vies). *Remettre sur la bonne route* (= sur le droit chemin, dans la bonne direction). *Il a enfin trouvé sa route* (= ce qui convient à son caractère, à ses aptitudes). *Il a ouvert la route* (= montré la voie). *Au bout de la route* (= à la fin de la vie, à la fin de l'entreprise). ◆ **routier, ère** adj. Relatif aux routes : *Un bon réseau routier. Circulation routière.* ‖ *Carte routière,* carte où les routes sont indiquées. ‖ *Transport routier,* transport effectué par la route. ‖ *Gare routière,* gare spécialement aménagée pour les services d'autocars. ◆ **routier** n. m. 1° Chauffeur spécialisé dans la conduite des camions sur de longues distances. — 2° Cycliste dont la spécialité est de disputer des épreuves sur routes (contr. : PISTARD). ◆ **routière** n. f. Voiture permettant de réaliser de longues étapes dans d'excellentes conditions de confort et de vitesse.

router [rute] v. tr. Grouper, selon sa destination, un envoi postal : *Router des journaux, des colis.* ◆ **routage** n. m. : *Le routage d'imprimés.*

1. routier [rutje] n. m. Nom donné, dans les associations de scoutisme, aux jeunes gens âgés de plus de seize ans.

2. routier [rutje] n. m. *Un vieux routier,* un homme qui a beaucoup d'expérience et, assez souvent, qui est rusé, retors.

routine [rutin] n. f. Habitude d'agir toujours de la même manière : *Etre esclave de la routine.* ◆ **routinier, ère** adj. et n. Qui se conforme à la routine, qui agit par routine : *Un esprit routinier. Un directeur routinier* (syn. fam. : ENCROÛTÉ). ◆ adj. Qui a le caractère de la routine : *Un procédé routinier.*

rouvrir v. tr. V. OUVRIR.

roux, rousse [ru, rus] adj. et n. Qui est d'une couleur entre le jaune et le rouge : *Avoir la barbe rousse. Avoir des taches rousses sur la peau. Des cheveux d'un roux ardent.* ‖ *Lune rousse,* lune d'avril. ◆ adj. et n. Qui a les cheveux roux : *Un homme roux. Une jolie rousse.* ◆ **roux** n. m. Sauce faite avec de la farine roussie dans du beurre. ◆ **roussâtre** adj. Qui tire sur le roux : *Une chevelure roussâtre.* ◆ **rousseur** n. f. 1° Qualité de ce qui est roux : *La rousseur de la barbe.* — 2° *Tache de rousseur,* tache rousse qui apparaît sur la peau, surtout au visage et aux mains. ◆ **roussir** v. tr. *Roussir quelque chose,* le faire devenir roux, et spécialement en brûlant légèrement, superficiellement : *La gelée a roussi l'herbe. Roussir du linge en le repassant.* ◆ v. intr. Devenir roux : *Les feuilles des arbres commencent à roussir et à tomber.* ◆ **roussi** n. m. 1° Odeur d'une chose brûlée superficiellement : *Un plat qui sent le roussi.* — 2° (sujet nom désignant une affaire, une situation) Fam. *Sentir le roussi,* prendre une mauvaise tournure.

rowing [rowiŋ] n. m. Sport de l'aviron.

royal adj., **royaume** n. m., **royauté** n. f. V. ROI.

royalties [rwajaltiz] n. f. pl. 1° Somme versée par l'utilisateur d'un brevet étranger à son inventeur. — 2° Redevance payée à un pays sur le territoire duquel se trouvent des gisements pétrolifères ou pour le passage d'un pipe-line.

ruade n. f. V. RUER.

ruban [rybɑ̃] n. m. 1° Bande de tissu mince et généralement étroite, servant d'ornement : *Un ruban de laine, de velours, de soie. Retenir ses cheveux avec un ruban. Le ruban d'un chapeau.* — 2° Marque d'une décoration qui se porte à la boutonnière : *Le ruban de la croix de guerre.* ‖ *Le ruban rouge,* la Légion d'honneur. ‖ *Le ruban violet,* les palmes académiques. ‖ *Ruban bleu,* v. BLEU. — 3° Bande mince et étroite d'une matière flexible : *Un ruban de machine à écrire. Un ruban d'acier.* ◆ **rubanerie** n. f. Industrie, commerce des rubans. ◆ **enrubanner** v. tr. Garnir de rubans (surtout au part. adj.) : *Des jeunes filles aux cheveux enrubannés.*

rubéole [rybeɔl] n. f. Maladie éruptive, contagieuse et épidémique, analogue à la rougeole.

rubicond, e [rybikɔ̃, -ɔ̃d] adj. Se dit d'un visage qui est très rouge : *Une face rubiconde* (syn. : ENLUMINÉ, VERMEIL; fam. : ROUGEAUD).

rubis [rybi] n. m. 1° Pierre précieuse, transparente et d'un rouge vif : *Les rubis les plus estimés sont ceux du Tibet et de l'Inde.* — 2° Pierre dure qui sert de support à un pivot de rouage d'horlogerie. — 3° *Payer rubis sur l'ongle,* payer immédiatement et complètement ce qu'on doit.

rubrique [rybrik] n. f. Dans un journal, catégorie d'articles dans laquelle est classée une information : *Rubrique littéraire, cinématographique. Rubrique des faits divers. Tenir la rubrique sportive* (= écrire des articles relatifs au sport).

ruche [ryʃ] n. f. 1° Abri d'un essaim d'abeilles : *Ruche d'osier, de paille, de bois.* — 2° Essaim habitant une ruche : *Dans une ruche, il n'y a qu'une reine.* — 3° Grande agglomération, endroit où règne une grande activité : *Cette usine est une vraie ruche.* ◆ **rucher** n. m. 1° Endroit où sont placées des ruches. — 2° Ensemble de ruches.

rude [ryd] adj. (avant ou après le nom). 1° Se dit d'une chose qui est dure au toucher : *Avoir la barbe rude* (contr. : DOUCE). *Une brosse rude. La toile neuve est rude.* — 2° Qui cause de la fatigue : *Le métier de mineur est très rude* (syn. : PÉNIBLE, ÉREINTANT). *Il a entrepris une rude tâche.* — 3° Qui est pénible à supporter : *Etre soumis à une rude épreuve. Soutenir un rude combat* (syn. : VIOLENT, TERRIBLE). *Un hiver, un climat rude* (syn. : DUR, FROID, RIGOUREUX). — 4° Désagréable à voir, à entendre : *Cet homme a des manières rudes et gauches* (contr. : DISTINGUÉ, RAFFINÉ). *Une voix gutturale et rude.* — 5° *Fam.* Remarquable en son genre : *Un rude appétit, un rude estomac* (syn. : FAMEUX; fam. : SACRÉ). — 6° Se dit d'une personne qui mène une vie simple, qui est habituée aux durs travaux, qui est dépourvue de raffinement : *Un rude montagnard, un rude paysan.* — 7° Qui est difficile à vaincre : *Avoir affaire à un rude adversaire, à un rude jouteur* (syn. : REDOUTABLE). — 8° *Un rude gaillard,* un homme hardi, courageux. ◆ **rudement** adv. 1° D'une manière rude, brutale : *Elle est tombée rudement et s'est cassé la jambe* (contr. : DOUCEMENT, MOLLEMENT). *Frapper quelqu'un rudement* (syn. : DUREMENT). — 2° Avec dureté, sans ménagement : *Traiter quelqu'un rudement* (syn. : ↓ SÈCHEMENT). *Reprocher rudement sa paresse à quelqu'un.* ‖ *Etre rudement éprouvé* (syn. : CRUELLEMENT). — 3° *Fam.* Tout à fait, très : *Il a terminé ses examens, il est rudement content* (syn. : DIABLEMENT; fam. : DRÔLEMENT). *Il joue rudement bien au tennis* (syn. pop. : VACHEMENT). ◆ **rudesse** n. f. : *La rudesse de la peau, des traits, de la voix, des manières. La rudesse du climat* (syn. : RIGUEUR). *Traiter quelqu'un avec une certaine rudesse* (syn. : BRUSQUERIE; contr. : DOUCEUR, GENTILLESSE). ◆ **rudoyer** v. tr. Traiter avec rudesse, sans ménagement : *Si vous rudoyez cet élève, vous le découragerez* (syn. : ↑ BRUTALISER, HOUSPILLER, MALMENER; fam. : TARABUSTER). ◆ **rudoiement** n. m. : *Le rudoiement est un mauvais système d'éducation.*

rudiments [rydimɑ̃] n. m. pl. Premières notions d'une science, d'un art : *Les rudiments de la physique, de la musique* (syn. : ÉLÉMENTS). ◆ **rudimentaire** adj. Qui n'est pas très développé : *Un organe rudimentaire. Une civilisation, un art rudimentaire. Avoir des connaissances rudimentaires en géométrie, en littérature* (syn. : ÉLÉMENTAIRE, IMPARFAIT).

rue [ry] n. f. 1° Voie bordée de maisons dans une ville, dans un bourg : *Une petite rue, une rue déserte. Une rue passante. Une rue à sens unique. Une affiche placardée à tous les coins de rue. Manifester, descendre dans la rue.* ‖ *La grande rue* (ou *grand-rue*), la rue principale d'une localité. — 2° Les habitants des maisons qui bordent une rue : *Toute la rue commentait la nouvelle du débarquement des Alliés.* — 3° *Courir les rues,* être connu de tout le monde, être très répandu : *Un air qui court les rues.* ‖ *Etre à la rue,* ne pas avoir de domicile; être dans un dénuement complet. ‖ *L'homme de la rue,* le citoyen moyen, le premier venu. ‖ *Un enfant, un gamin des rues,* qui vagabonde dans les rues. ◆

ruelle n. f. Petite rue étroite : *Prendre une ruelle pour éviter de faire un détour trop long* (syn. : VENELLE).

1. ruelle n. f. V. RUE.

2. ruelle [rɥɛl] n. f. Espace laissé libre entre un lit et le mur ou entre deux lits : *Mettre un fauteuil dans la ruelle.*

1. ruer [rɥe] v. intr. 1° (sujet nom désignant un cheval, un âne, un mulet) Lancer vivement en arrière les membres postérieurs : *Prenez garde en passant derrière ce cheval, car il a l'habitude de ruer.* — 2° (sujet nom de personne) Fam. *Ruer dans les brancards,* opposer une vive résistance (syn. : PROTESTER, REGIMBER). ◆ **ruade** n. f. : *Lancer une ruade. Ce cheval lui cassa la jambe d'une ruade.*

2. ruer (se) [səʀɥe] v. pr. (sujet nom d'être animé). Se lancer impétueusement, se précipiter sur quelqu'un ou sur quelque chose : *Après l'avoir injurié, il se rua sur lui et le frappa* (syn. : ↓ SE JETER SUR). *La foule des invités au cocktail se ruait sur le buffet. Se ruer à l'attaque, sur l'ennemi.* ◆ **ruée** n. f. Mouvement rapide d'un grand nombre de personnes dans une même direction : *A la descente des trains, c'est la ruée des banlieusards vers le métro.*

rugby [rygbi] n. m. Sport qui oppose deux équipes de quinze joueurs et qui consiste à porter un ballon ovale, joué au pied ou à la main, au-delà du but adverse (marquer un essai) ou à le faire passer au-dessus de la barre transversale entre les poteaux du but (transformation, drop-goal) : *Le rugby à quinze diffère du jeu à treize (joueurs) par un certain nombre de règles.* ◆ **rugbyman** [rygbiman], pl. **rugbymen** [-mɛn] n. m. : *Les rugbymen sont plus souvent appelés « joueurs de rugby ».*

rugir [ryʒir] v. intr. 1° Se dit du lion, du tigre, de la panthère qui poussent le cri propre à leur espèce. — 2° (sujet nom de personne) Pousser des cris rauques et violents : *Rugir de fureur, de rage* (syn. : HURLER, ↓ VOCIFÉRER). — 3° (sujet nom de chose) Produire des bruits rauques et terribles : *Toute la nuit on a entendu le vent rugir.* ◆ v. tr. *Rugir des menaces,* les proférer en rugissant. ◆ **rugissement** n. m. : *Pousser des rugissements de colère. Le rugissement de la tempête.*

rugueux, euse [rygø, -øz] adj. Qui a de petites aspérités sur sa surface : *Une peau rugueuse* (syn. : RÂPEUX, RÊCHE, RUDE). ◆ **rugosité** n. f. : *La rugosité d'une écorce. Les rugosités d'une planche qui n'est pas rabotée.*

ruine [rɥin] n. f. 1° Chute, naturelle ou non, d'une construction : *Une maison qui s'en va en ruine, qui tombe en ruine, qui menace ruine, qui est en ruine* (syn. : DÉLABREMENT, ÉCROULEMENT, EFFONDREMENT, ↓ DÉTÉRIORATION). ‖ *Une ruine,* une maison délabrée : *Nos amis ont acheté une ruine en Provence; ils l'ont fait réparer et c'est maintenant une charmante maison de campagne.* ‖ *Ce n'est plus qu'une ruine,* se dit d'une personne qui a beaucoup perdu de ses formes, de ses qualités physiques ou intellectuelles. — 2° Perte, fin : *En prenant des mesures impopulaires, le gouvernement va à sa ruine. Cette aventure a causé la ruine de sa réputation. La ruine de ses espérances, d'une théorie.* — 3° Perte des biens, de la fortune : *Cette affaire a été la cause de la ruine de son entreprise. Une maison de commerce qui court à sa ruine, qui est menacée d'une ruine totale.* — 4° Ce qui entraîne une grande dépense : *L'entretien de cette voiture est une ruine.* ◆ **ruines** n. f. pl. Débris, restes d'un édifice abattu, écroulé : *Lors des bombardements, beaucoup de personnes ont été ensevelies sous les ruines. On a bâti ce village avec les ruines d'un autre. La guerre a semé des ruines sur tout le territoire.* ◆ **ruiner** v. tr. 1° *Ruiner quelqu'un,* détériorer gravement sa santé : *La débauche, les excès de toute sorte ont ruiné ses forces.* — 2° *Ruiner une personne, une collectivité,* causer la perte des biens, de la fortune : *De mauvaises affaires et plusieurs procès ont achevé de le ruiner. Les guerres ont ruiné ce pays;* et ironiq. : *Ce n'est pas ce voyage qui vous ruinera.* ◆ ***se ruiner*** v. pr. 1° Perdre son argent : *Il s'est ruiné au jeu, en folles dépenses.* — 2° Faire des dépenses excessives : *Se ruiner chez les joailliers.* ◆ **ruiné, e** adj. Qui a perdu sa fortune : *Une famille ruinée.* ◆ **ruineux, euse** adj. Qui provoque des dépenses excessives : *Un luxe ruineux. Avoir des goûts ruineux.*

ruisseau [rɥiso] n. m. 1° Petit cours d'eau : *Un ruisseau clair, limpide. Un ruisseau bourbeux.* — 2° Tout ce qui coule en abondance : *Des ruisseaux de sang, de larmes* (syn. : ↑ TORRENT). — 3° Petit canal, caniveau ménagé dans une rue pour recevoir les eaux de pluie et les eaux ménagères. — 4° Situation dégradante : *Il a tiré cette femme du ruisseau.* ◆ **ruisseler** v. intr. (conj. **6**). 1° Couler, se répandre sans arrêt : *La pluie tombe si fort que l'eau ruisselle sur les trottoirs et la chaussée.* — 2° Etre inondé d'un liquide qui coule : *Son visage ruisselait de sueur.* — 3° *Ruisseler de lumière,* répandre à profusion de vives lumières : *La salle à manger ruisselait de lumière.* ◆ **ruissellement** n. m. : *Le ruissellement des eaux de pluie. Un ruissellement de pierreries.*

rumeur [rymœr] n. f. 1° Bruit confus de voix : *A son arrivée, le professeur perçut une légère rumeur au fond de la classe* (syn. : BOURDONNEMENT, MURMURE). *Une violente rumeur et des cris menaçants s'élevèrent au milieu de l'assistance, et l'orateur ne put continuer son discours.* — 2° Nouvelle qui se répand dans le public : *Selon certaines rumeurs, les impôts ne seraient pas augmentés. Selon la rumeur publique, on procéderait à des élections anticipées.*

ruminant, e [ryminɑ̃, -ɑ̃t] n. et adj. Mammifère qui possède un estomac lui permettant de ruminer : *Le bœuf, le mouton, le chameau sont des ruminants.* ◆ **ruminer** v. intr. 1° (sujet nom désignant certains herbivores) Mâcher de nouveau les aliments ramenés de l'estomac dans la bouche. — 2° (sujet nom d'être animé) Tourner et retourner dans son esprit : *Ruminer un projet. Ruminer son chagrin, sa vengeance.* ◆ **rumination** n. f. Mode de digestion particulier aux ruminants.

rupestre [rypɛstr] adj. 1° Qui croît dans les rochers : *Une plante rupestre.* — 2° Exécuté dans les grottes, sur la paroi des roches : *Dessin, peinture rupestre. Art rupestre.*

rupin, e [rypɛ̃, -in] adj. *Pop.* Riche : *Il est drôlement rupin.*

rupiner [rypine] v. intr. *Arg. scol.* Briller, réussir dans un examen : *Beaucoup de candidats au bachot ont trouvé les épreuves faciles et ont dit qu'ils avaient rupiné.*

rural, e, aux [ryral, -ro] adj. Qui se rapporte à la campagne : *Une commune rurale* (contr. : URBAIN). *La vie rurale. Le droit rural. L'exode rural.* ◆ **ruraux** n. m. pl. Habitants de la campagne.

ruse [ryz] n. f. Moyen habile que l'on emploie pour tromper; habileté de celui qui agit ainsi : *Recourir à la ruse pour triompher d'un ennemi* (syn. : STRATAGÈME, SUBTERFUGE). *Déjouer les ruses de quelqu'un. Obtenir quelque chose par ruse* (syn. : ARTIFICE, ROUERIE). ◆ **ruser** v. intr. Agir avec ruse; employer des moyens détournés : *Savoir ruser pour arriver à ses fins.* ◆ **rusé, e** adj. et n. Qui a de la ruse : *Cet homme est rusé comme un vieux renard* (syn. : MADRÉ, MATOIS; fam. : ROUBLARD, ROUÉ). *Méfiez-vous de cette femme, c'est une rusée.* ◆ adj. Qui annonce la ruse : *Un air rusé.*

rush [rœʃ] n. m. **1°** Effort final pour tenter de s'assurer la victoire dans une course. — **2°** Afflux d'une foule de personnes : *Pendant les vacances, c'est le rush des citadins vers la mer et la montagne* (syn. : RUÉE).

russe [rys] adj. Relatif à la Russie ou à ses habitants : *La langue, la littérature, la musique russe. L'Eglise orthodoxe russe.* ◆ n. m. Langue slave parlée en Russie. (Le *russe* forme avec l'*ukrainien* et le *biélorusse,* ou *blanc-russe,* le groupe des langues slaves de l'Est, par opposition aux langues slaves de l'Ouest [*polonais, tchèque, slovaque, serbe*] et aux langues slaves du Sud [*bulgare, serbo-croate, slovène*].)

rustaud, e [rysto, -od] adj. et n. *Fam.* Gauche dans ses manières : *Un garçon un peu rustaud. Un gros rustaud.*

1. rusticité [rystisite] n. f. Simplicité, absence d'élégance, de raffinement : *Il y a une certaine rusticité dans son langage, dans ses manières.*

2. rusticité n. f. V. RUSTIQUE 2.

1. rustique [rystik] adj. *Mobilier rustique,* taillé, façonné à la campagne avec une sorte de simplicité primitive : *Armoire, table, chaise rustique.*

2. rustique adj. Se dit d'une plante ou d'un animal robuste, résistant, peu sensible aux intempéries : *Le chou est une plante rustique.* ◆ **rusticité** n. f. : *La rusticité du chêne.*

rustre [rystr] n. m. Homme qui manque d'éducation : *Dans cette société de gens bien élevés, il s'est conduit comme un rustre* (syn. : BUTOR, GOUJAT, MALOTRU).

rut [ryt] n. m. Etat physiologique des animaux, spécialement des mammifères, qui les pousse à rechercher l'accouplement : *Un cerf en rut* (= en chaleur).

rutabaga [rytabaga] n. m. Variété de navet à chair jaunâtre.

rutilant, e [rytilɑ̃, -ɑ̃t] adj. Qui brille d'un vif éclat : *Il y avait à la devanture de la boutique de l'antiquaire des cuivres rutilants* (syn. : ÉTINCELANT, FLAMBOYANT). *Une carrosserie rutilante.* ◆ **rutiler** v. intr. Briller d'un vif éclat : *Les toits rutilent sous l'ardeur du soleil.* ◆ **rutilement** n. m. : *Un rutilement de pierreries.*

rythme [ritm] n. m. **1°** Retour à intervalles réguliers d'un son plus fort (ou temps fort) qui alterne avec des temps faibles dans un vers, dans une phrase musicale : *Dans la poésie française, le rythme repose sur la longueur du vers, la disposition des rimes, la place des césures. Danser sur un rythme endiablé.* — **2°** En prose, retour périodique des syllabes accentuées, disposition symétrique des divers membres de la phrase : *Le rythme de la période de Bossuet, de la prose de Rousseau, de Chateaubriand* (syn. : CADENCE, HARMONIE). — **3°** Succession plus ou moins régulière de mouvements, de gestes, d'événements; allure à laquelle s'exécute une action : *Le rythme des battements du cœur. Le rythme respiratoire. Le rythme des saisons. Ne pas être adapté au rythme de la vie moderne. Accroître le rythme de la production dans une usine* (syn. : CADENCE). ◆ **rythmer** v. tr. Soumettre à un rythme : *Rythmer sa marche au son du tambour.* ◆ **rythmé, e** adj. Qui a du rythme : *Une période bien rythmée* (syn. : CADENCÉ, HARMONIEUX). ◆ **rythmique** adj. **1°** *Versification rythmique,* versification fondée non pas sur le nombre et la quantité des syllabes, mais sur l'accent tonique : *Le vers allemand et le vers anglais sont des vers rythmiques.* — **2°** *Danse rythmique,* ou *rythmique* n. f., danse intermédiaire entre la danse classique et la gymnastique : *La danse rythmique est enseignée dans certains lycées de jeunes filles.*

S

s n. m. 1° V. Introduction. — 2° *Un S,* ensemble de plusieurs virages successifs en sens inverse et dont la forme est identique à S : *Les S sont indiqués par les panneaux de la signalisation routière.*

sa adj. poss. V. MON.

1. sabbat [saba] n. m. Repos que les juifs doivent observer le septième jour de la semaine : *Le samedi est le jour du sabbat.* ◆ **sabbatique** adj. 1° Qui se rapporte au sabbat : *Le repos sabbatique.* — 2° *Année sabbatique,* terme désignant, chez les juifs, chaque septième année pendant laquelle on devait laisser reposer la terre et ne pas exiger les créances; dans certains pays, année accordée aux professeurs d'université pour se livrer à leurs seuls travaux de recherche.

2. sabbat [saba] n. m. *Fam.* Grand bruit : *Nos voisins ont fait un terrible sabbat cette nuit* (syn. : TAPAGE, VACARME).

sabir [sabir] n. m. 1° Jargon mêlé d'arabe, de français, d'italien, qui était en usage dans les ports méditerranéens. — 2° Toute langue formée d'éléments disparates (syn. : PIDGIN).

sable [sabl] n. m. 1° Substance pulvérulente résultant de la désagrégation de certaines roches : *Du sable de mer, de rivière. Une plage de sable fin. Une carrière de sable.* ‖ *Bâtir à chaux et à sable,* bâtir solidement. — 2° (au plur.) *Sables mouvants,* sable humide, peu consistant, où l'on risque de s'enfoncer jusqu'à l'enlisement : *Les sables mouvants du Mont-Saint-Michel;* sable sec que les vents déplacent : *Les sables mouvants du Sahara.* — 3° *Bâtir sur le sable,* fonder une entreprise sur quelque chose de peu solide. ‖ Fam. *Avoir du sable dans les yeux,* se frotter les yeux lorsqu'on a sommeil. ‖ *Le marchand de sable passe, est passé,* se dit aux enfants lorsqu'on les voit, le soir, sur le point de s'endormir. ‖ Pop. *Etre sur le sable,* être sans argent, sans travail. ◆ **sabler** v. tr. *Sabler quelque chose,* le couvrir de sable : *Sabler les allées d'un jardin.* ◆ **sablage** n. m. : *Le sablage d'une chaussée verglacée.* ◆ **sableux, euse** adj. Qui contient du sable : *Une eau sableuse.* ◆ **sablier** n. m. Petit appareil constitué de deux récipients de verre communiquant par un étroit conduit où s'écoule du sable et qui sert à mesurer la durée : *On utilise un sablier pour évaluer le temps nécessaire à la cuisson d'un œuf à la coque.* ◆ **sablière** ou **sablonnière** n. f. Carrière d'où l'on extrait du sable. ◆ **sablonneux, euse** adj. Où il y a beaucoup de sable : *Une terre sablonneuse.* ◆ **ensabler** v. tr. 1° *Ensabler quelque chose,* le couvrir, l'engorger de sable : *La marée a partiellement ensablé l'épave. Une canalisation ensablée.* — 2° *Ensabler un bateau, une embarcation,* les échouer sur le sable. ◆ ***s'ensabler*** v. pr. S'enfoncer dans le sable : *Des poissons qui s'ensablent. Un port qui s'ensable. La barque s'est ensablée.* ◆ **ensablement** n. m. : *L'ensablement d'une crique. L'ensablement d'un bateau.* ◆ **désensabler** v. tr.

1. sabler v. tr. V. SABLE.

2. sabler [sable] v. tr. *Sabler le champagne,* boire du champagne à l'occasion d'une réjouissance.

sabord [sabɔr] n. m. Ouverture quadrangulaire pratiquée dans la muraille d'un navire. ◆ **saborder** v. tr. *Saborder un navire,* le couler volontairement. ◆ ***se saborder*** v. pr. Couler volontairement son navire. ◆ **sabordage** n. m. : *Le sabordage de la flotte française à Toulon en 1942.*

1. saborder v. tr. V. SABORD.

2. saborder [sabɔrde] v. tr. Mettre fin volontairement à l'activité d'une entreprise commerciale, financière (surtout à la forme pronominale) : *Plusieurs journaux se sont sabordés pendant l'occupation allemande.* ◆ **sabordage** n. m. : *Le sabordage d'une entreprise.*

1. sabot [sabo] n. m. Chaussure faite d'une seule pièce de bois, ou d'une semelle de bois et d'un dessus de cuir : *Des sabots de hêtre, de noyer.* ‖ Fam. *Avoir du foin dans ses sabots,* se dit d'un riche paysan. ‖ *Je vous vois venir avec vos gros sabots,* se dit à une personne dont on devine les intentions.

2. sabot [sabo] n. m. Corne du pied de certains mammifères (cheval, bœuf, porc, etc.).

3. sabot [sabo] n. m. 1° Petite toupie que les enfants font tourner en la frappant avec une lanière de fouet. — 2° *Dormir comme un sabot,* dormir profondément.

4. sabot [sabo] n. m. 1° Partie d'un frein qui presse sur la circonférence extérieure du bandage d'une roue. — 2° Mauvais instrument, mauvais outil, mauvais travailleur : *Comment pouvez-vous jouer avec ce violon? C'est un sabot. Travailler comme un sabot* (= d'une façon maladroite).

saboter [sabɔte] v. tr. 1° Fam. *Saboter quelque chose,* l'exécuter vite et mal : *Saboter un travail* (syn. fam. : BÂCLER). — 2° Détériorer ou détruire volontairement un outillage, du matériel commercial ou industriel; désorganiser une entreprise ou un service; gâcher une situation : *Saboter un avion, des installations militaires. Saboter une négociation.* ◆ **sabotage** n. m. : *Le sabotage d'une machine, d'une voie ferrée. Le sabotage d'une politique.* ◆ **saboteur, euse** n. : *Les saboteurs de la paix.*

sabre [sabr] n. m. 1° Arme blanche, droite ou recourbée, qui ne tranche que d'un côté : *Sabre de cavalerie, d'infanterie.* — 2° *Traîneur de sabre,* militaire qui affecte des airs de bravache. ‖ *Faire du sabre,* pratiquer l'escrime au sabre. ◆ **sabrer** v. tr. et v. intr. *Fam.* Faire des coupures importantes dans un texte : *Votre article est trop long, il faut le sabrer* (syn. : DIMINUER, RÉDUIRE). *Sabrer dans un discours.*

1. sac [sak] n. m. 1° Objet ouvert seulement par le haut, fait de matières diverses (toile, papier, cuir, etc.) et servant à mettre, à transporter, à ranger différentes choses : *Remplir, vider son sac. Un sac de blé, de charbon, de ciment* (= contenant du blé, du charbon, du ciment). *Un sac à pommes de terre, à outils, à provisions* (= servant à mettre des pommes de terre, des outils, des provisions). *Un sac d'alpiniste. Un sac d'écolier* (syn. : CARTABLE, SERVIETTE). — 2° *Sac à main,* ou *sac,* sac, généralement de cuir, où les femmes mettent les menus objets dont elles peuvent avoir besoin. ‖ *Sac à malice,* grande poche que les escamoteurs attachent devant eux et d'où ils tirent subitement les objets dont ils ont besoin pour exécuter leurs tours; individu dont l'esprit est fécond en expédients ingénieux. ‖ *Sac de couchage,* grand sac de toile, de Nylon, de coton, garni de duvet, dans lequel le campeur se glisse pour dormir (syn. : DUVET). — 3° *L'affaire est dans le sac,* on peut en tenir le succès pour assuré. ‖ *Avoir plus d'un tour dans son sac,* être plein d'habileté, de ruse. ‖ *Homme de sac et de corde,* homme digne des plus grands châtiments (syn. : CANAILLE, SCÉLÉRAT). ‖ *Mettre dans le même sac,* confondre dans le même mépris, réunir dans la même réprobation : *Ces deux individus, je les mets dans le même sac.* ‖ *Prendre quelqu'un la main dans le sac,* le prendre sur le fait, en flagrant délit de malhonnêteté. ‖ Fam. *Vider son sac,* dire tout ce qu'on pense sur un sujet; avouer une chose que l'on tenait cachée. ◆ **sachet** n. m. 1° Petit sac : *Un sachet de bonbons.* — 2° Petit sac ou coussin contenant des parfums, des plantes parfumées : *Mettre des sachets de lavande dans une armoire.* ◆ **sacoche** n. f. 1° Sac de cuir retenu par une courroie et qui se porte au côté ou en bandoulière : *Une sacoche de livreur, d'encaisseur, de receveur.* — 2° Sac de formes diverses : *Sacoche de bicyclette, de motocyclette.* ◆ **ensacher** v. tr. Mettre en sac : *Ensacher des bonbons.* ◆ **ensachage** n. m. : *L'ensachage du blé.*

2. sac n. m. V. SACCAGER.

saccade [sakad] n. f. Mouvement brusque et irrégulier : *Le moteur fonctionnait mal et la voiture avançait par saccades* (syn. : À-COUP, SECOUSSE). ◆ **saccadé, e** adj. Qui se fait par saccades : *Une démarche saccadée. Des gestes saccadés. Une voix saccadée. Style saccadé* (= dont les phrases sont courtes, hachées; syn. : HEURTÉ).

saccager [sakaʒe] v. tr. 1° *Saccager un pays, une région,* les livrer au pillage, les mettre à sac : *Les ennemis ont saccagé la ville* (syn. : PILLER, RAVAGER). — 2° *Saccager un lieu, une chose,* les mettre en désordre : *Les enfants ont tout saccagé dans le jardin* (syn. : DÉVASTER, ↓ BOULEVERSER). ◆ **sac** n. m. *Mettre à sac,* mettre au pillage : *Mettre à sac une ville, une région* (syn. : PILLER, RAVAGER). ◆ **saccage** n. m. : *Les cambrioleurs ont fait un vrai saccage dans l'appartement* (syn. : ↓ BOULEVERSEMENT, CHAMBARDEMENT). ◆ **saccageur, euse** n. : *Les saccageurs d'une ville.*

saccharine [sakarin] n. f. Substance chimique blanche donnant une saveur sucrée et utilisée dans le régime des diabétiques.

sacerdoce [sasɛrdɔs] n. m. Dignité et fonction du prêtre, dans toutes les religions : *La vocation du sacerdoce* (syn. : PRÊTRISE). ◆ **sacerdotal, e, aux** adj. : *Les fonctions sacerdotales. Les ornements sacerdotaux.*

sacramentel, elle adj. V. SACREMENT; **sacre** n. m. V. SACRER 1.

sacquer ou **saquer** [sake] v. tr. 1° Pop. *Sacquer quelqu'un,* lui donner son congé avec brutalité : *Sacquer un employé* (syn. : RENVOYER). — 2° *Pop.* Réprimander vertement : *Sacquer un élève.*

1. sacré, e [sakre] adj. (après le nom). 1° Qui appartient à la religion, qui concerne le culte : *Les lieux sacrés. Un vase sacré. L'éloquence sacrée* (contr. : PROFANE). *L'art sacré, la musique sacrée* (syn. : RELIGIEUX). *Livres sacrés* (= l'Ancien et le Nouveau Testament, pour les chrétiens). — 2° Digne d'un respect absolu; qui ne doit pas être enfreint, violé : *Le caractère sacré de la personne humaine. Un secret est une chose sacrée* (syn. : INVIOLABLE). *Un droit sacré.* ‖ *Feu sacré,* v. FEU. ◆ **sacraliser** v. tr. *Sacraliser quelqu'un, quelque chose,* lui attribuer un caractère sacré. ◆ **sacralisation** n. f. : *La sacralisation d'une race.* ◆ **désacraliser** v. tr. ◆ **désacralisation** n. f. ◆ **sacro-saint, e** adj. *Ironiq.* Qui est l'objet d'un respect quasi religieux, excessif : *Avoir de sacro-saintes habitudes.*

2. sacré, e [sakre] adj. (avant le nom). *Fam.* Sert à renforcer un terme injurieux : *Sacré menteur. Sacré farceur* (syn. : MAUDIT); à manifester son admiration ou sa colère : *Elle a une sacrée chance, un sacré talent* (syn. : EXTRAORDINAIRE). *Cette sacrée pluie nous a empêchés d'aller nous promener.*

sacrebleu! [sakrəblø] interj. Juron familier : *Laissez-moi tranquille, sacrebleu!*

sacrement [sakrəmɑ̃] n. m. 1° Signe sacré institué par Jésus-Christ pour donner ou augmenter la grâce : *Dans la religion catholique, il y a sept sacrements : le baptême, la confirmation, l'eucharistie, la pénitence, l'extrême-onction, l'ordre et le mariage.* ‖ *Les derniers sacrements,* la pénitence, l'eucharistie, l'extrême-onction, que les catholiques reçoivent quand ils sont en danger de mort. ‖ *Fréquenter les sacrements,* se confesser et communier souvent. ‖ *Le saint sacrement,* l'eucharistie, l'hostie consacrée : *Exposer le saint sacrement.* — 2° Fam. *Le sacrement,* le mariage : *Se lier par le sacrement.* ◆ **sacramentel, elle** adj. : *Les paroles, les formules sacramentelles.*

1. sacrer [sakre] v. tr. 1° *Sacrer quelqu'un,* lui conférer un caractère sacré, inviolable : *Sacrer un évêque. Napoléon se fit sacrer par le pape.* — 2° *Sacrer quelqu'un* (et un attribut), le déclarer solennellement tel ou tel : *Il a été sacré le plus grand peintre de son époque.* ◆ **sacre** n. m. Cérémonie religieuse au cours de laquelle on consacre un évêque, un souverain : *Le sacre des rois de France se faisait dans la cathédrale de Reims.*

2. sacrer [sakre] v. intr. Proférer des imprécations : *Sacrer comme un charretier* (syn. : BLASPHÉMER, JURER).

1. sacrifice [sakrifis] n. m. 1° Offrande faite à la divinité, avec certaines cérémonies : *Les païens faisaient des sacrifices aux dieux.* — 2° *Sacrifice de la croix,* mort du Christ sur la croix pour la rédemption du genre humain. ‖ *Le saint sacrifice,* la messe. ◆ **sacrifier** v. tr. *Sacrifier quelqu'un,* l'offrir comme victime d'un sacrifice : *Abraham consentit à sacrifier son fils à Dieu.*

2. sacrifice [sakrifis] n. m. 1° Renoncement volontaire ou forcé à quelque chose : *Faire le sacrifice de sa vie à la patrie. Sacrifice d'argent, de temps. Avoir l'esprit de sacrifice* (syn. : ABNÉGATION, DÉSINTÉRESSEMENT, RÉSIGNATION). — 2° (au plur.) Privations, dépenses que l'on s'impose : *Faire de grands sacrifices pour l'instruction de ses enfants.* ◆ **sacrifier** v. tr. 1° *Sacrifier une personne, une chose,* l'abandonner, la négliger volontairement au profit d'une autre : *Sacrifier ses amis à ses intérêts. Il a* *tout sacrifié pour sa famille. Sacrifier sa vie à la patrie. Sacrifier sa fortune, sa carrière à l'intérêt public. Cet architecte sacrifie l'élégance à la solidité. Sacrifier ses loisirs à l'entretien de sa maison.* — 2° *Sacrifier quelqu'un,* l'abandonner, le perdre pour la réalisation d'un dessein, d'un intérêt : *Sacrifier des troupes pour sauver une situation.* — 3° *Sacrifier quelque chose,* le négliger complètement : *Sacrifier la forme en faveur du fond. Sacrifier un rôle, un personnage dans une pièce de théâtre.* ◆ v. tr. ind. *Sacrifier à la mode, aux préjugés, aux goûts du jour,* s'y conformer par faiblesse ou par complaisance excessives. ◆ ***se sacrifier*** v. pr. 1° Faire le sacrifice de sa vie : *Il s'est sacrifié pour sauver un enfant qui se noyait. Se sacrifier pour la patrie.* — 2° Se dévouer sans réserve pour quelqu'un ou pour quelque chose : *Il s'est sacrifié pour vous. Se sacrifier à une noble cause.* ◆ **sacrifié, e** adj. *Marchandises sacrifiées,* marchandises vendues à très bas prix. ◆ adj. et n. *Personne sacrifiée,* personne qui se sacrifie ou que l'on sacrifie au bonheur, à la richesse, etc., d'une autre personne. ‖ *L'éternelle sacrifiée,* expression ironique servant à désigner la femme.

sacrilège [sakrilɛʒ] n. m. 1° Profanation d'une chose sacrée : *L'usage indigne des sacrements est un sacrilège.* — 2° Action qui porte atteinte à quelque chose de respectable, de vénérable : *Ce serait un sacrilège de retoucher ce tableau. C'est un sacrilège d'avoir démoli cette abbaye et d'en avoir revendu les pierres.* ◆ adj. Qui a le caractère d'un sacrilège : *Une action, une parole sacrilège.*

sacripant [sakripɑ̃] n. m. Mauvais garnement capable de toutes sortes de violences : *Se faire attaquer dans la rue par une bande de sacripants* (syn. : CHENAPAN, FRIPOUILLE, VAURIEN).

sacristi! [sakristi] ou **sapristi!** [sapristi] interj. *Fam.* Juron exprimant la colère, l'indignation, l'impatience : *Allons, sapristi, dépêchez-vous de terminer votre travail!*

sacristie [sakristi] n. f. 1° Partie annexe d'une église où sont déposés les objets du culte et où le clergé s'habille pour les cérémonies. — 2° Fam. *Punaise de sacristie,* personne bigote. ◆ **sacristain** n. m. Celui qui est préposé à la garde d'une sacristie, à l'entretien d'une église. ◆ **sacristine** n. f. Religieuse qui, dans un couvent, a soin de la sacristie.

sadisme [sadism] n. m. Goût pervers de faire souffrir : *Le sadisme est une perversion de l'instinct sexuel.* ◆ **sadique** adj. et n. Qui prend plaisir à faire souffrir. ◆ **sado-masochisme** n. m. Goût pervers de faire souffrir les autres et de tirer jouissance de sa propre souffrance.

safran [safrɑ̃] n. m. Plante cultivée pour ses fleurs, qui fournissent une teinture jaune et servent à l'assaisonnement.

sagacité [sagasite] n. f. Pénétration d'esprit qui fait découvrir et comprendre les choses les plus difficiles : *Il a fallu beaucoup de sagacité pour deviner cette énigme* (syn. : FINESSE, INTUITION, PERSPICACITÉ). ◆ **sagace** adj. : *Un homme fort sagace* (syn. : FIN, PERSPICACE, SUBTIL).

sage [saʒ] adj. et n. Se dit d'une personne réfléchie et modérée dans sa conduite : *Agir en homme sage* (syn. : AVISÉ; contr. : ÉTOURDI, INSENSÉ). *Vous avez été sage de ne pas vous aventurer dans cette affaire* (syn. : CIRCONSPECT; contr. : IMPRUDENT). *Il est devenu sage à ses dépens* (syn. : RAISONNABLE). *Le sage sait se dominer et rester maître de lui-même.* ◆ adj. 1° Doux et obéissant : *Une petite fille sage* (syn. : DOCILE; contr. : DÉSOBÉISSANT, INSUPPORTABLE). ‖ Fam. *Sage comme une image,* extrêmement calme, silencieux. — 2° Chaste en amour : *Un jeune homme sage* (contr. : DÉBAUCHÉ, DÉVERGONDÉ). — 3° Se dit de ce qui est conforme aux règles de la raison et de la morale : *Un sage conseil* (syn. : JUDICIEUX, SENSÉ). *Une sage réponse. Une conduite sage* (contr. : DÉRÉGLÉ). ◆ **sagesse** n. f. : *Il a trop de sagesse pour accepter des fonctions qui sont au-dessus de ses capacités* (syn. : CIRCONSPECTION, DISCERNEMENT, PRUDENCE). *La sagesse est d'attendre le moment favorable* (syn. : BON SENS). *Un enfant d'une sagesse exemplaire* (syn. : DOCILITÉ, OBÉISSANCE). *Obtenir un prix de sagesse. La sagesse d'une réponse, d'un conseil.* ‖ *La sagesse des nations,* morale courante; conseils de bon sens exprimés en proverbes. ◆ **sagement** adv. : *Agir, parler, vivre sagement* (syn. : RAISONNABLEMENT).

sage-femme [saʒfam] n. f. Femme dont la profession est de faire des accouchements : *Des sages-femmes.*

sagouin [sagwɛ̃] n. m. *Fam.* Homme, enfant malpropre, peu soigneux, grossier : *Il se tient à table comme un sagouin.*

saigner [seɲe] v. intr. 1° (sujet nom d'être animé) Perdre du sang : *Saigner du nez. Saigner comme un bœuf* (fam. = perdre du sang en abondance). — 2° *Le cœur me saigne, lui saigne, cela fait saigner le cœur,* j'éprouve, il éprouve une vive souffrance morale. ◆ v. tr. 1° *Saigner quelqu'un,* lui tirer du sang en lui ouvrant une veine : *Saigner une personne au bras.* — 2° *Saigner un animal,* le tuer en le vidant de son sang : *Saigner un porc, un mouton, un poulet.* — 3° *Saigner quelqu'un,* exiger de lui une somme considérable : *Saigner les contribuables.* ◆ ***se saigner*** v. pr. *Se saigner aux quatre veines,* s'imposer de lourdes dépenses. ◆ **saignant, e** adj. 1° Qui dégoutte de sang : *Une blessure saignante.* — 2° *Viande saignante,* viande peu cuite : *Un bifteck saignant* (syn. : ↑ BLEU). — 3° *Plaie encore saignante,* douleur toute récente. ◆ **saignée** n. f. 1° Évacuation de sang provoquée à des fins médicales : *Ordonner, pratiquer une saignée.* — 2° Sang tiré en ouvrant une veine : *Une saignée abondante.* — 3° Pli formé par le bras et l'avant-bras : *Recevoir un coup sur la saignée.* — 4° Somme d'argent, dépenses exagérées qui épuisent les ressources d'une personne : *Le paiement de ses impôts a été pour lui une saignée. Le tribunal l'a frappé d'une amende qui sera pour lui une saignée.* ◆ **saignement** n. m. *Saignement de nez,* écoulement de sang par le nez. ‖ *Temps de saignement,* temps pendant lequel saigne une petite plaie faite au lobule de l'oreille et qui renseigne sur la défense de l'organisme contre les hémorragies.

1. saillir [sajir] v. intr. (conj. **33**; seulement à l'infin. et aux 3es pers.). S'avancer en dehors, dépasser l'alignement; être en relief : *Une façade dont le balcon saillait* (syn. : DÉBORDER). *Le boxeur faisait saillir ses muscles.* ◆ **saillant, e** adj. 1° Qui avance, qui sort en dehors : *Les parties saillantes d'une construction, d'un meuble. Avoir des pommettes saillantes.* ‖ *Angle saillant,* angle dont le sommet est en dehors (contr. : RENTRANT). — 2° Qui ressort sur le reste, qui attire l'attention : *Raconter les faits les plus saillants d'une journée* (syn. : MAR-

QUANT). *Cet ouvrage est bien écrit, mais on n'y trouve rien de saillant* (syn. : FRAPPANT, REMARQUABLE). ◆ **saillie** n. f. Partie qui est en relief sur une surface, qui avance : *Un auvent forme saillie, est en saillie.*

2. saillir [sajir] v. tr. (conj. sur *finir*) [sujet nom désignant un cheval, un bovin]. S'accoupler avec une femelle : *Etalon qui saillit une jument* (syn. : COUVRIR). ◆ **saillie** n. f. : *La saillie d'une vache par un taureau* (syn. : ACCOUPLEMENT).

1. sain, e [sɛ̃, sɛn] adj. 1° Se dit d'un être animé dont l'organisme est bien constitué : *Un enfant sain* (contr. : MALADE). *Une race de chiens robuste et saine.* ‖ *Sain et sauf,* se dit d'une personne qui est en bon état physique après un danger : *Ils sont sortis sains et saufs de leur accident de voiture* (syn. : INDEMNE). — 2° Se dit d'une partie du corps, d'un fruit, d'une chose qui est en bon état, qui n'est pas gâté : *Des dents saines. Des pommes saines* (contr. : POURRI). — 3° Qui contribue à la santé : *Un air sain, un climat sain* (syn. : SALUBRE). *Une nourriture saine.* ◆ **sainement** adv. : *Ils ne sont pas logés sainement, le soleil ne donne jamais dans leur appartement.* ◆ **malsain, e** adj. Qui nuit à la santé physique : *Un climat malsain. Habiter un logement malsain* (syn. : INSALUBRE). *Faire un métier malsain* (= dangereux pour la santé). *Les eaux malsaines du fleuve en aval de Paris* (syn. : IMPUR).

2. sain, e [sɛ̃, sɛn] adj. Conforme à la raison, à l'équilibre intellectuel, à la morale : *Un esprit, un jugement sain* (contr. : DÉSÉQUILIBRÉ, DÉTRAQUÉ). *Un homme sain de corps et d'esprit. De saines lectures, de saines occupations.* ◆ **sainement** adv. *Penser, juger sainement,* selon la raison (syn. : JUDICIEUSEMENT, RAISONNABLEMENT). ◆ **malsain, e** adj. Qui nuit à la santé morale : *Des doctrines malsaines* (syn. : ↑ IMMORAL). *Exercer une influence malsaine sur de jeunes esprits* (syn. : FUNESTE). *Une curiosité malsaine pour la vie privée des autres* (syn. : ↑ MORBIDE). *Imagination malsaine qui se complaît dans des rêveries érotiques.*

saindoux [sɛ̃du] n. m. Graisse de porc fondue.

sainfoin [sɛ̃fwɛ̃] n. m. Plante vivace fournissant un excellent fourrage.

saint, e [sɛ̃, sɛ̃t] adj. et n. 1° Se dit d'une personne qui, par ses mérites et ses vertus, est reconnue, après sa mort, par l'Eglise catholique comme digne d'un culte public : *La Sainte Vierge. Les litanies des saints. Le plus grand pécheur peut devenir (un) saint.* — 2° Personne d'une piété, d'une bonté, d'une vie exemplaire : *Une sainte femme. Cet homme est un saint.* — 3° Représentation, statue d'un saint : *Un saint de bois, de pierre.* — 4° *La communion des saints,* l'union spirituelle qui existe entre tous les membres de l'Eglise, vivants et morts. ‖ *Ne savoir à quel saint se vouer,* ne pas savoir à qui recourir. ‖ Ironiq. *Petit(e) saint(e),* personne qui veut se faire passer pour vertueuse. ‖ *Prêcher pour son saint,* conseiller, louer quelque chose en vue de son intérêt. ‖ *Les saints de glace,* nom donné à saint Mamert, saint Pancrace et saint Servais, dont les fêtes, au mois de mai, sont souvent accompagnées de froid. ‖ *Le saint des saints,* partie du temple de Jérusalem où se trouvait l'arche d'alliance. ● adj. 1° Qui est dédié, consacré à Dieu; qui appartient à la religion; qui sert à un usage sacré : *Le saint sacrifice de la messe. Les saints mystères. Un lieu saint. Les livres saints. L'Ecriture sainte. Les saintes huiles. Le saint chrême. La sainte Croix.* ‖ *Les Lieux saints, la Terre sainte,* la Palestine. ‖ *Ville sainte,* ville sacrée pour les croyants : *Jérusalem, La Mecque, Bénarès sont des villes saintes.* — 2° Fam. *Toute la sainte journée,* la journée tout entière, du matin au soir. ● REM. L'adjectif *saint* prend une majuscule quand il désigne une localité, une rue, une fête, etc. : *La ville de Saint-Etienne. La rue Saint-Denis. La Saint-Jean* (dans tous ces cas, il se joint au mot suivant par un trait d'union). ◆ **saintement** adv. : *Vivre, mourir saintement.* ◆ **sainteté** n. f. : *Cet homme a donné des preuves de sa sainteté. Mourir en odeur de sainteté* (= en état de perfection chrétienne). *La sainteté d'un lieu, d'un mariage.* ‖ *Sa Sainteté,* titre d'honneur et de respect donné au pape. (V. SANCTIFIER.)

saint-bernard [sɛ̃bɛrnar] n. m. invar. Chien de montagne de forte taille, à poil long et doux, renommé pour ses qualités de sauveteur.

saint-cyrien [sɛ̃sirjɛ̃] n. m. Elève officier de l'Ecole spéciale militaire de Saint-Cyr : *Des saint-cyriens.*

sainte nitouche [sɛ̃tnituʃ] n. f. Personne qui cache ses défauts, ses fautes sous une apparence de sagesse, de dévotion : *Prendre des airs de sainte nitouche* (syn. : HYPOCRITE). *Des saintes nitouches.*

Saint-Esprit [sɛ̃tɛspri] n. m. Troisième personne de la Trinité.

saint-frusquin [sɛ̃fryskɛ̃] n. m. *Pop.* Tous les vêtements qu'un homme possède.

saint-glinglin (à la) [alasɛ̃glɛ̃glɛ̃] loc. adv. *Fam.* et *ironiq.* En un temps ou jusqu'à un moment très éloigné et imprécis : *Il te paiera à la saint-glinglin* (= il ne te paiera jamais; syn. fam. : LA SEMAINE DES QUATRE JEUDIS, QUAND LES POULES AURONT DES DENTS).

saint-honoré [sɛ̃tɔnɔre] n. m. invar. Gâteau garni de crème et de petits choux glacés au sucre.

saint-office [sɛ̃tɔfis] n. m. Congrégation romaine chargée de veiller à la pureté de la foi, d'examiner les livres et de les mettre éventuellement à l'index.

Saint-Père [sɛ̃pɛr] n. m. Nom par lequel les catholiques désignent le pape.

saint-siège [sɛ̃sjɛʒ] n. m. 1° Siège du chef de l'Eglise catholique. — 2° Gouvernement du pape (avec des majusc. en ce sens) : *Une décision du Saint-Siège.*

1. saisir [sezir] v. tr. 1° (sujet nom de personne) *Saisir un être animé, une chose,* mettre la main sur eux rapidement et avec vigueur : *Un malfaiteur se jeta sur lui et le saisit aux épaules. Pour se débarrasser de son agresseur, il l'avait saisi à la gorge* (syn. : EMPOIGNER). *Saisir par la bride un cheval qui essaie de s'échapper* (syn. : ATTRAPER). *Il fit un faux pas dans l'escalier et saisit la rampe pour ne pas tomber* (syn. : S'AGRIPPER À, S'ACCROCHER À). *Saisir une balle au bond.* — 2° *Saisir une chose,* la prendre de manière à pouvoir la tenir, la porter : *Le manche de ce marteau est trop gros, on ne peut le saisir facilement. Saisir une tasse par l'anse.* — 3° *Saisir quelque chose* (mot abstrait), le mettre à profit : *Saisir une occasion, le moment favorable. Saisir une excuse, un prétexte pour ne* *pas exécuter un travail* (syn. : ALLÉGUER, METTRE EN AVANT). — 4° *Saisir quelque chose,* percevoir par les sens, par l'esprit, par l'intuition ou par le raisonnement : *Il avait saisi d'un seul coup d'œil tout ce que représentait le tableau* (syn. : EMBRASSER). *Il n'entendait pas bien et ne saisissait qu'une partie de la conversation. Vous n'avez pas bien saisi le sens de ses paroles, les explications qu'il a données* (syn. : COMPRENDRE ; fam. : PIGER). *Avez-vous bien saisi son intention?* (syn. : DISCERNER, PÉNÉTRER). *Saisissez-vous bien ce qu'on vous demande de faire?* (syn. : CONCEVOIR, RÉALISER). — 5° (sujet nom de chose) *Saisir quelqu'un,* faire une impression vive et forte sur ses sens, sur son esprit (souvent au passif) : *Le froid l'a saisi au sortir de l'eau. Etre saisi de joie, de ravissement* (syn. : ÊTRE TRANSPORTÉ). — 6° (sujet nom de personne) *Etre, rester saisi,* être ému, frappé subitement d'étonnement, de douleur : *Quand on lui apprit la nouvelle de la mort de son fils, elle fut tellement saisie qu'elle en perdit connaissance.* || Exposer à une forte chaleur (terme de cuisine) : *Saisir une côtelette.* ◆ ***se saisir*** v. pr. *Se saisir d'une personne,* s'en rendre maître : *Les agents se sont saisis des voleurs.* ◆ **saisissant, e** adj. 1° *Un froid saisissant,* qui surprend tout d'un coup. — 2° Qui émeut vivement : *Un spectacle, un récit saisissant.* ◆ **saisissement** n. m. 1° Impression subite et violente causée par le froid : *En prenant son bain, il a éprouvé un saisissement qui l'a rendu malade.* — 2° Emotion vive et soudaine : *Un saisissement de surprise, de frayeur. Etre muet de saisissement.* ◆ **dessaisir (se)** v. pr. *Se dessaisir de quelque chose,* renoncer à sa possession, l'abandonner : *Je n'ai pas voulu me dessaisir de ces papiers* (syn. : SE DÉFAIRE). ◆ **dessaisissement** n. m. ◆ **ressaisir** v. tr. : *La peur l'avait ressaisi* (syn. : REPRENDRE).

2. saisir [sezir] v. tr. 1° Opérer une saisie : *Saisir les meubles d'une personne.* — 2° *Saisir quelqu'un,* faire la saisie de ses biens. — 3° *Saisir un tribunal d'une affaire,* soumettre à un juge la solution d'un différend. ◆ **saisie** n. f. Mesure par laquelle la justice ou une autorité administrative (douanes, contributions indirectes) retire à une personne l'usage ou la possibilité de disposer d'un bien dont elle est propriétaire ou détentrice : *Procéder à une saisie de marchandises de contrebande. La saisie d'un journal* (= l'interdiction de sa diffusion et de sa vente). ◆ **dessaisir** v. tr. *Dessaisir un tribunal d'une affaire,* etc., lui en retirer la charge.

saison [sezɔ̃] n. f. 1° Chacune des quatre divisions de l'année : *Les saisons sont le printemps, l'été, l'automne et l'hiver. L'ordre, le retour des saisons.* — 2° Moment de l'année où dominent certains états de l'atmosphère : *La saison des pluies.* || *La belle saison,* la fin du printemps et l'été. || *La mauvaise saison,* la fin de l'automne et l'hiver. — 3° Epoque de l'année où paraissent certains produits de la terre, où l'on a coutume de faire certains travaux agricoles : *La saison des cerises, la saison des semailles.* — 4° Epoque de l'année caractérisée par telle ou telle activité : *La saison des vacances. La saison théâtrale. La saison des prix littéraires. La saison des courses.* || *La saison des amours,* époque de l'année où les animaux s'accouplent. — 5° Durée d'un séjour dans une station thermale : *Faire une saison à Vittel, à Vichy.* || *La saison,* pour certaines localités, époque où elles reçoivent les touristes, les vacanciers : *La saison a été bonne pour les hôteliers.* || *Faire la saison,* tenir un commerce, travailler dans une localité touristique ou balnéaire au moment de l'affluence des vacanciers, des touristes. — 6° *Etre de saison,* être opportun. || *Etre hors de saison,* être inopportun : *Vos conseils ne sont pas de saison. Ce que vous me dites est hors de saison.* ◆ **saisonnier, ère** adj. 1° Propre à une saison : *Des produits saisonniers. Des maladies saisonnières.* — 2° Qui ne dure qu'une saison : *Un travail saisonnier.* ◆ **saisonnier** n. m. Ouvrier qui loue ses services pour des travaux saisonniers (moisson, vendanges, récolte de fruits, etc.). ◆ **demi-saison** n. f. *Vêtement de demi-saison,* vêtement destiné à être porté plus spécialement au printemps et en automne.

salade [salad] n. f. 1° Mets composé de certaines herbes potagères crues ou de certains légumes, viandes ou poissons bouillis, assaisonnés avec du sel, du poivre, de l'huile, du vinaigre, divers condiments : *Une salade de laitue. Salade de pommes de terre, de tomates, de concombres.* || *Salade russe,* légumes coupés en petits morceaux et assaisonnés de mayonnaise. — 2° Plante potagère avec laquelle on fait la salade (laitue, scarole, etc.) : *Cueillir une salade.* || *Panier à salade,* V. PANIER. || *Retourner la salade,* V. RETOURNER. || *Salade de fruits,* mélange de divers fruits accommodés avec du sucre, un sirop : *Salade d'oranges.* — 3° *Fam.* Mélange confus d'idées, de notions : *Il s'est embrouillé dans les dates et sa composition d'histoire est une vraie salade.* — 4° (au plur.) *Fam.* Explications confuses ou mensongères : *Cessez de nous débiter vos salades.* ◆ **saladier** n. m. Récipient dans lequel on assaisonne et on présente la salade; son contenu : *Un saladier de faïence, de verre. Accommoder un saladier de chicorée.*

salage n. m. V. SEL.

salaire [salɛr] n. m. Somme d'argent versée régulièrement par un employeur à un ouvrier, en contrepartie d'un travail : *Obtenir une augmentation de salaire. Relever le niveau des salaires. Un salaire de famine, de misère.* || *Eventail des salaires,* état comparatif des salaires versés aux travailleurs d'un établissement, d'une entreprise ou d'une branche industrielle et allant du plus bas au plus élevé. || *Salaire de base,* rémunération mensuelle utilisée pour le calcul des prestations de l'assurance contre les accidents du travail, de l'assurance en cas de chômage, des assurances sociales. || *Salaire minimum interprofessionnel garanti* (*S.M.I.G.*), salaire minimal au-dessous duquel la loi interdit de rémunérer un travailleur. ● REM. On emploie généralement les termes d'*appointements* pour les employés, de *traitement* pour les fonctionnaires, de *solde* pour les militaires, mais le terme *salaire* s'étend de plus en plus à toute rémunération. ◆ **salarial, e, aux** adj. *Masse salariale,* somme des rémunérations, directes et indirectes, perçues par l'ensemble des travailleurs salariés d'un pays. ◆ **salariat** n. m. 1° Etat, condition de salarié. — 2° Mode de rémunération du travail par le salaire. — 3° Ensemble des salariés (contr. : PATRONAT). ◆ **salarié, e** adj. et n. Qui reçoit un salaire : *Un travailleur salarié. Un simple salarié* (syn. : EMPLOYÉ, OUVRIER). ◆ **présalaire** n. m. Appointements perçus par des jeunes gens qui poursuivent leurs études : *Le présalaire est une revendication des étudiants.*

salaison n. f. V. SEL.

salamalecs [salamalɛk] n. m. pl. *Fam.* Politesses exagérées : *Faire de grands salamalecs.*

salamandre [salamɑ̃dr] n. f. Petit animal ayant la forme et la taille d'un lézard, et dont la peau noire à belles taches jaunes sécrète un mucus très toxique.

salami [salami] n. m. Gros saucisson sec italien fait de viande de porc et parfois de bœuf.

salangane [salɑ̃gan] n. f. Oiseau de Chine et de l'ouest du Pacifique, caractérisé par ses longues ailes et sa courte queue carrée : *Le nid des salanganes, fait de salive et d'algues, est comestible.*

salaud [salo] n. m. *Pop.* Personne déloyale : *Méfiez-vous de cet individu, c'est un salaud* (syn. : GOUJAT, MALPROPRE ; pop. : SALOPARD).

sale [sal] adj. 1° (après le nom) Se dit d'une personne ou d'une chose couverte de crasse, de poussière, de taches : *Avoir la figure sale* (syn. : MALPROPRE), *les mains sales* (syn. : CRASSEUX, POISSEUX). *Il est rentré de promenade avec des chaussures sales* (syn. : POUSSIÉREUX, BOUEUX, CROTTÉ). *Ce jeune homme a l'air sale, fait sale* (= est insuffisamment soigneux de sa toilette). *Sale comme un peigne, comme un porc, comme un goret* (= très sale ; syn. : RÉPUGNANT). *De la vaisselle, du linge sale. Dans ce quartier, les rues sont toujours sales* (syn. : DÉGOÛTANT). — 2° Se dit d'une couleur qui manque de fraîcheur, de netteté : *Des murs d'un blanc sale.* — 3° Qui blesse la pudeur : *Raconter des histoires sales* (syn. : ↑ OBSCÈNE, ORDURIER). — 4° (avant le nom) *Fam.* Se dit d'une personne qui est méprisable : *Avoir affaire à un sale individu* (syn. pop. : SALAUD, SALIGAUD). *Cette femme, c'est une sale bête.* ‖ Pop. *Faire une sale gueule,* avoir l'air ennuyé. — 5° *Fam.* Se dit d'une chose qui cause des désagréments : *Il fait un sale temps* (syn. : VILAIN). *Il s'est laissé embarquer dans une sale affaire. Jouer un sale tour à quelqu'un.* ‖ Pop. *Un sale coup pour la fanfare,* une affaire ennuyeuse. ◆ **salement** adv. 1° *Manger salement* (syn. : MALPROPREMENT). *Se conduire salement.* — 2° *Pop.* Beaucoup, très : *Il est salement embêté d'avoir raté son examen* (syn. pop. : VACHEMENT). ◆ **saleté** n. f. 1° Etat d'une personne ou d'une chose sale : *Cet homme est d'une saleté repoussante. La saleté d'une maison* (syn. : MALPROPRETÉ). — 2° Ce qui est sale ; chose malpropre : *Il se plaît à vivre dans la saleté* (syn. : CRASSE). *Le chat a fait des saletés dans le salon* (syn. : EXCRÉMENTS, ORDURES). — 3° Parole indécente, image obscène : *Dire des saletés* (syn. : OBSCÉNITÉ). *Ce livre est rempli de saletés.* — 4° *Fam.* Action vile, indélicate : *Faire une saleté à quelqu'un.* — 5° *Fam.* Chose sans aucune valeur : *Ce marchand ne vend que des saletés.* — 6° *Fam.* Personne vile, méprisable : *Cet homme n'est pas à fréquenter, c'est une saleté.* ◆ **salir** v. tr. 1° *Salir quelque chose,* le rendre sale, en altérer la netteté : *Prenez garde de salir le parquet* (syn. : TACHER ; fam. : ABÎMER). *Salir ses vêtements* (syn. : MACULER). *Se salir les mains en maniant des livres couverts de poussière.* — 2° *Salir l'imagination,* présenter à l'imagination des images obscènes : *Salir l'imagination d'un enfant.* — 3° *Salir quelqu'un, la réputation de quelqu'un,* le déshonorer par des propos malveillants (syn. : CALOMNIER, DIFFAMER). ◆ ***se salir*** v. pr. 1° (sujet nom de personne ou de chose) Devenir sale : *Il s'est sali en tombant. Les étoffes blanches se salissent facilement.* — 2° (sujet nom de personne) Faire une chose nuisible à sa réputation : *Il s'est sali en trempant dans cette affaire.* ◆ **salissant, e** adj. 1° Qui salit : *Un travail salissant.* — 2° Se dit d'une chose qui se salit facilement : *Une étoffe, une couleur salissante.* ◆ **salissure** n. f. Ce qui rend une chose sale : *Un meuble couvert de salissures.*

saler v. tr., **saleron** n. m., **salière** n. f. V. SEL.

saligaud [saligo] n. m. *Pop.* Personne répugnante physiquement et surtout moralement : *Dans cette affaire, il s'est conduit comme un saligaud* (syn. pop. : SALAUD, SALOPARD). [V. SALOPERIE.]

salive [saliv] n. f. 1° Liquide un peu visqueux produit par les glandes de la bouche et qui facilite la déglutition. — 2° *Avaler, ravaler sa salive,* ne pas achever ce qu'on avait commencé à dire. ‖ *Dépenser sa salive pour rien, perdre sa salive,* perdre son temps à s'efforcer de persuader quelqu'un. ◆ **salivaire** adj. : *Sécrétion salivaire. Glandes salivaires* (= qui sécrètent la salive). ◆ **saliver** v. intr. Sécréter de la salive : *Bien saliver en mangeant facilite la digestion.* ◆ **salivation** n. f. : *Une salivation abondante.*

salle [sal] n. f. 1° Dans une maison, dans un appartement, pièce destinée à un usage particulier (indiqué par un compl. du nom) : *Salle à manger* (= pièce dans laquelle on prend les repas). *Salle de séjour* ou *salle commune* (= pièce servant à la fois de salle à manger et de salon). *Salle de bains* (= local aménagé pour la toilette et comprenant une baignoire ou une cabine de douche, un lavabo, etc.). *Salle d'eau* (= local spécialement aménagé pour les soins corporels et le lavage du linge). — 2° Dans un établissement public ou ouvert au public, local aménagé suivant sa destination : *Salle de bal, de danse. Salle de spectacle* (= théâtre, cinéma, music-hall). *Salle des ventes* (= lieu où se font les ventes judiciaires). *Salle d'attente d'une gare. Salle des pas perdus* (= hall qui précède l'ensemble des chambres d'un tribunal, l'accès aux quais d'une gare). *Salle de police* (= local disciplinaire d'une caserne où les militaires punis pour des fautes légères sont consignés le soir). — 3° Public qui remplit une salle de spectacle : *Une salle enthousiaste, houleuse.* ‖ *Faire salle comble,* se dit d'un théâtre dont toutes les places ont été vendues ; se dit aussi de la pièce qui permet au théâtre d'être rempli.

salmigondis [salmigɔ̃di] n. m. Ecrit, discours composé de parties disparates : *Ce roman est un salmigondis où de bons passages sont mêlés à d'autres absolument dépourvus d'intérêt.*

salmis [salmi] n. m. Ragoût fait de pièces de gibier ou de volaille déjà rôties : *Un salmis de perdrix, de pintade.*

saloir n. m. V. SEL.

1. salon [salɔ̃] n. m. 1° Dans un appartement, dans une maison, pièce destinée à recevoir les visiteurs : *Un salon richement meublé.* — 2° Ensemble du mobilier de cette pièce : *Un salon Louis XVI.* — 3° (au plur.) Société mondaine : *Fréquenter les salons. Le snobisme des salons.* ◆ **salonnard, e** adj. et n. *Fam.* et *péjor.* Habitué des salons, de leurs manières, de leurs intrigues.

2. salon [salɔ̃] n. m. *Salon de coiffure,* établissement commercial où l'on coiffe les clients. ‖ *Salon de thé,* pâtisserie où l'on sert du thé, des gâteaux, des jus de fruits, etc.

3. Salon [salɔ̃] n. m. 1° Exposition annuelle d'œuvres d'artistes vivants : *Le Salon d'automne. Le Salon des indépendants.* — 2° Exposition annuelle de diverses industries où sont présentés des objets de toutes sortes : *Le Salon de l'automobile, des arts ménagers, de la machine agricole.*

saloperie [salɔpri] n. f. 1° *Pop.* Grande malpropreté : *Une maison d'une saloperie repoussante* (syn. : SALETÉ). — 2° *Pop.* Chose de très mauvaise qualité : *Un marchand qui ne vend que de la saloperie.* — 3° *Pop.* Propos orduriers : *Dire des saloperies.* — 4° *Pop.* Action infamante : *Faire une saloperie à quelqu'un* (syn. pop. : VACHERIE). ◆ **salopard** [salɔpar] n. m. *Pop.* Individu qui se conduit de façon malhonnête à l'égard des autres : *Etre victime d'un salopard* (syn. pop. : ↑ SALAUD). ◆ **salope** [salɔp] n. f. 1° *Pop.* Femme, fille très sale. — 2° Femme de mauvaise vie. ◆ **saloper** v. tr. *Pop.* Faire très mal un travail : *Ce n'est pas sérieux, vous avez salopé ce vêtement* (syn. : GÂCHER ; fam. : ABÎMER). [V. SALAUD, SALIGAUD.]

salopette [salɔpɛt] n. f. Vêtement de travail que l'on met par-dessus les autres pour éviter de les salir : *Une salopette de mécanicien* (syn. : BLEU, COMBINAISON, COTTE).

salpêtre [salpɛtr] n. m. Matière pulvérulente qui se forme sur les vieux murs, les plâtres.

salsifis [salsifi] n. m. Plante potagère cultivée pour sa racine charnue légèrement sucrée.

saltimbanque [saltɛ̃bɑ̃k] n. m. Personne qui fait des tours d'adresse, des acrobaties sur les places publiques, dans les foires : *Une parade de saltimbanques.*

salubre [salybr] adj. Favorable à la santé : *Un climat, un appartement salubre* (syn. : SAIN). ◆ **salubrité** n. f. : *La salubrité de l'air marin. Mesures de salubrité* (= édictées par l'Administration en matière d'hygiène). ◆ **insalubre** adj. : *Climat insalubre.* ◆ **insalubrité** n. f. : *L'insalubrité d'une région marécageuse.*

saluer [salye] v. tr. 1° (sujet nom de personne) *Saluer quelqu'un,* lui donner une marque extérieure de politesse, d'honneur, de respect : *Saluer un ami de la main. Saluer une personne à son arrivée. Saluer en ôtant son chapeau et en s'inclinant. Saluer une femme* (= lui présenter ses hommages). — 2° *Saluer quelque chose,* lui donner des marques de respect : *Saluer l'autel d'une génuflexion. Saluer le drapeau.* — 3° *Saluer une personne,* l'accueillir par des marques d'approbation ou d'hostilité : *Son arrivée fut saluée par un tonnerre d'applaudissements. Au sortir du stade, l'équipe de football fut saluée par des sifflets.* — 4° (sujet nom de personne ou de chose) *Saluer quelqu'un, quelque chose,* lui manifester de l'estime, de l'admiration : *Il a été salué comme le précurseur de l'impressionnisme, des recherches atomiques* (syn. : HONORER, PROCLAMER). *Saluer l'avènement de la liberté.* ◆ ***se saluer*** v. pr. Se donner mutuellement un salut : *Ils ne se saluent plus depuis longtemps.* ◆ **salut** n. m. : *Répondre au salut de quelqu'un. Un salut profond. Un salut gracieux. Salut militaire* (= acte réglementaire par lequel un militaire exprime son respect au drapeau, à un supérieur, etc.). ◆ interj. 1° *Fam.* Formule dont on se sert en abordant une personne, un groupe, ou en les quittant : *Salut les copains!* — 2° *Fam.* et *ironiq.* Au revoir, à d'autres : *Si vous avez encore du travail comme ça à me donner, salut! adressez-vous ailleurs.* ◆ **salutation** n. f. Manière de saluer exagérée, obséquieuse : *Je l'ai rencontré dans la rue et il m'a fait de grandes salutations* (syn. : SALAMALECS). ◆ **salutations** n. f. pl. Formule de politesse dont on se sert pour terminer une lettre : *Recevez mes salutations distinguées, dévouées, respectueuses.*

salure n. f. V. SEL.

1. salut n. m. V. SALUER.

2. salut [saly] n. m. *Salut du saint sacrement,* ou *salut,* office de la religion catholique, de courte durée, qui se termine par une bénédiction faite par le prêtre avec l'ostensoir : *Assister au salut.*

3. salut [saly] n. m. 1° Fait d'échapper à un danger, à un malheur : *Ne devoir son salut qu'à la fuite. Il y va de votre salut. Le salut d'un Etat, d'un peuple.* — 2° Bonheur éternel qui résulte du fait d'être sauvé de l'état de péché (relig.) : *Le salut des âmes. Jésus-Christ a opéré notre salut.* — 3° *Armée du Salut,* association protestante destinée à la propagande religieuse et à l'action philanthropique. ◆ **salutiste** n. Membre de l'Armée du Salut.

salutaire [salytɛr] adj. Se dit de ce qui est propre à conserver ou à rétablir la santé physique ou morale, qui profite à quelqu'un : *Un remède salutaire. Un avis, un conseil salutaire* (syn. : UTILE). *Une lecture salutaire* (syn. : BIENFAISANT, PROFITABLE).

salvatrice adj. f. V. SAUVER 1.

salve [salv] n. f. 1° Décharge simultanée d'armes à feu au combat ou en l'honneur de quelqu'un, en signe de réjouissance : *En approchant de nos lignes, l'ennemi fut accueilli par une salve bien nourrie. Une salve de vingt coups de canon.* — 2° *Salve d'applaudissements,* applaudissements éclatants et unanimes.

samba [samba] n. f. Danse populaire brésilienne, un peu analogue à la rumba, mais de rythme plus rapide.

samedi [samdi] n. m. V. SEMAINE.

sanatorium [sanatɔrjɔm], ou fam. **sana** n. m. Etablissement de cure où l'on soigne les malades atteints de tuberculose.

sanctifier [sɑ̃ktifje] v. tr. 1° *Sanctifier quelqu'un,* le rendre saint, favoriser son salut : *La grâce nous sanctifie.* — 2° *Sanctifier quelque chose,* le rendre conforme à la loi divine : *Sanctifier sa vie.* — 3° *Sanctifier une journée, une cérémonie,* la célébrer selon les rites religieux : *Sanctifier le dimanche, le sabbat.* — 4° *Que votre nom soit sanctifié,* que votre nom soit loué, honoré, comme sa sainteté l'exige (paroles de l'oraison dominicale). ◆ **sanctifiant, e** adj. Sens 1 du verbe : *La grâce sanctifiante.* ◆ **sanctification** n. f. Sens 2 et 3 du verbe : *Travailler à la sanctification des âmes, des fidèles. La sanctification d'une fête religieuse* (syn. : CÉLÉBRATION).

sanction [sɑ̃ksjɔ̃] n. f. 1° Approbation considérée comme nécessaire : *Projet qui obtient les sanctions du Parlement. Mot qui a reçu la sanction de l'Académie, des savants, de l'usage* (syn. : CONFIRMATION, RATIFICATION). — 2° Conséquence naturelle d'un acte : *L'échec est la sanction de la paresse.* — 3° Mesure répressive infligée par une autorité pour l'inexécution d'un ordre, l'inobservation d'un règlement : *Faute qui exige une sévère sanction* (syn. : CHATIMENT). *Des sanctions pénales. Prendre des sanctions contre des grévistes. Décider des sanctions économiques à l'encontre d'un pays* (syn. : RÉTORSION), *des sanctions scolaires à l'égard d'un élève* (syn. : PUNITION). ◆ **sanctionner** v. tr. 1° Confirmer par une sanction (sens 1) : *Sanctionner une loi, un décret* (syn. : ENTÉRINER). *Un usage sanctionné par le temps* (syn. : APPROUVER, RATIFIER). — 2° Infliger un châtiment (sens déconseillé par quelques lexicographes) : *Sanctionner une faute, un délit* (syn. : PUNIR, RÉPRIMER).

sanctuaire [sɑ̃ktyɛr] n. m. 1° Edifice consacré aux cérémonies d'une religion; lieu saint en général : *Lourdes est un sanctuaire très fréquenté.* — 2° Partie d'une église située autour de l'autel et où s'accomplissent les cérémonies liturgiques.

sandale [sɑ̃dal] n. f. 1° Chaussure formée d'une simple semelle qui s'attache au pied par des cordons ou des lanières. — 2° *Secouer la poussière de ses sandales,* s'éloigner d'un lieu ou d'un pays avec indignation. ◆ **sandalette** n. f. Sandale à empeigne basse, maintenue par des lanières.

sandwich [sɑ̃dwiʃ] n. m. Mets composé de deux tranches de pain entre lesquelles on a mis de la viande, du fromage, etc. : *Des sandwichs* ou *des sandwiches sont en vente au buffet.*

sang [sɑ̃] n. m. 1° Liquide rouge qui circule, par les artères et les veines, dans les diverses parties du corps et qui entretient la vie : *Avoir un sang riche, un sang pauvre. Faire une prise de sang. Un donneur de sang. Faire une transfusion de sang à la suite d'une opération.* — 2° Race, famille : *Un prince de sang royal. Etre du même sang.* ‖ *Cheval (de) pur sang,* v. PUR-SANG. — 3° *Avoir le sang chaud,* être ardent, fougueux, irascible. ‖ Fam. *Avoir une chose dans le sang,* y être porté par une tendance profonde, innée, par un caractère héréditaire : *Il a la passion du jeu dans le sang.* ‖ *Avoir du sang bleu,* être d'origine noble. ‖ Fam. *Avoir du sang dans les veines,* avoir un tempérament énergique. ‖ Fam. *Avoir du sang de poulet, de navet,* être sans énergie. ‖ *Avoir du sang sur les mains,* avoir commis un meurtre. ‖ *Avoir le sang qui monte à la tête,* être près de se mettre en colère. ‖ *Bon sang!, bon sang de bon sang!,* jurons marquant l'indignation. ‖ Fam. *Coup de sang,* hémorragie cérébrale. ‖ *Donner son sang pour la patrie,* lui donner sa vie (littér.). ‖ *Etre tout en sang,* être couvert de sang. ‖ *Jusqu'au sang,* jusqu'à ce que le sang coule : *Fouetter, mordre, pincer jusqu'au sang.* ‖ *Le sang a coulé, a été répandu,* il y a eu des personnes tuées ou blessées. ‖ *Le sang de cet homme crie vengeance,* il faut que le meurtre de cet homme soit vengé. ‖ *Liens du sang, voix du sang,* sentiment d'affection instinctive qui règne entre les membres d'une même famille. ‖ *Mettre un pays, une ville à feu et à sang,* les ravager, y commettre toutes sortes de cruautés. ‖ *Sang mêlé,* mélange de deux ou plusieurs races : *Un homme de sang mêlé.* ‖ Fam. *Se faire du mauvais sang,* s'inquiéter. ‖ Fam. *Se payer une pinte de bon sang,* s'amuser, rire de bon cœur. ‖ *Sucer le sang du peuple, s'engraisser du sang du peuple,* l'appauvrir, le piller par des charges illicites, des impôts excessifs. ‖ Fam. *Suer sang et eau,* faire de grands efforts, se donner beaucoup de peine. ‖ *Verser, répandre le sang, tremper ses mains dans le sang,* faire couler le sang, faire périr beaucoup de monde par cruauté. ‖ Fam. *Tout mon sang n'a fait qu'un tour,* j'ai été fortement et subitement bouleversé. ◆ **sangs** n. m. pl. Fam. *Se ronger les sangs,* être très inquiet. ‖ Fam. *Tourner les sangs à quelqu'un,* lui causer une grande peur. ◆ **sanglant, e** adj. 1° Taché, couvert de sang : *Avoir le visage sanglant, les mains sanglantes* (syn. : ENSANGLANTÉ). *Un poignard sanglant.* — 2° Qui occasionne une grande effusion de sang : *Un combat sanglant, une défaite sanglante* (syn. : CRUEL, MEURTRIER). ‖ *Mort sanglante,* mort violente, avec effusion de sang. ‖ *Sacrifice sanglant,* sacrifice de Jésus-Christ sur la croix. — 3° Qui blesse, qui outrage profondément : *Un reproche, un affront sanglant* (syn. : OFFENSANT). ◆ **sanguin, e** adj. 1° Relatif au sang, à la circulation du sang : *Les canaux, les vaisseaux sanguins.* — 2° *Tempérament sanguin,* tempérament caractérisé par la richesse du sang et par la dilatation habituelle des capillaires qui colorent la peau et le visage en rouge. ‖ *Groupe sanguin,* v. GROUPE. ◆ **sanguin** n. m. Personne qui a un tempérament sanguin. ◆ **sanguinaire** adj. 1° Qui se plaît à répandre le sang : *Un homme sanguinaire* (syn. : CRUEL, FÉROCE). — 2° *Lutte sanguinaire,* où il y a beaucoup de sang versé (syn. : SANGLANT). ◆ **sanguinolent, e** adj. Se dit d'humeurs, de matières mêlées de sang : *Des crachats sanguinolents. Des selles sanguinolentes.* ◆ **sang-mêlé** n. invar. Personne issue du croisement de races différentes. ◆ **ensanglanter** v. tr. 1° *Ensanglanter quelque chose,* le tacher, le couvrir de sang : *Le blessé avait ensanglanté ses vêtements.* — 2° Déshonorer, souiller par des actes sanglants (littér.) : *Les guerres qui ont ensanglanté cette période de l'histoire.*

sang-froid [sɑ̃frwa] n. m. 1° Etat de calme, de maîtrise de soi : *Garder, perdre tout son sang-froid dans le danger* (syn. : IMPASSIBILITÉ). *Reprendre son sang-froid. Il lui a répondu avec son sang-froid ordinaire* (syn. : ASSURANCE, FLEGME). — 2° *Faire quelque chose de sang-froid,* commettre un acte généralement violent de façon délibérée, avec pleine conscience de ce qu'on fait.

sangle [sɑ̃gl] n. f. 1° Bande de cuir, de tissu, de jute, etc., large et plate, qui sert à serrer, à lier, à soutenir, à porter quelque chose : *La sangle d'une selle. Les sangles d'un fauteuil.* — 2° *Lit de sangle,* lit composé de deux châssis croisés en X, sur lesquels sont tendues des sangles ou une toile. ◆ **sangler** v. tr. 1° *Sangler un animal de trait,* le serrer avec une sangle pour maintenir une selle, un bât : *Sangler un cheval, un mulet.* — 2° *Sangler quelqu'un,* le serrer fortement à la taille : *Gaine qui sangle le corps. Etre sanglé dans un uniforme.*

sanglier [sɑ̃glije] n. m. Porc sauvage, puissant et vigoureux, qui cause de grands ravages dans les champs : *La femelle du sanglier s'appelle la « laie » et ses petits sont les « marcassins ».*

sanglot [sɑ̃glo] n. m. Contraction convulsive du diaphragme sous l'effet de la douleur, suivie de l'émission brusque et bruyante de l'air contenu dans la poitrine et le plus souvent accompagnée de pleurs : *Pousser des sanglots. Contenir ses sanglots. Eclater en sanglots. Une voix entrecoupée de sanglots.* ◆ **sangloter** v. intr. Pousser des sanglots : *Son père le gronda et il se mit à sangloter* (syn. : ↓ PLEURER).

sangsue [sɑ̃sy] n. f. Ver qui vit dans l'eau douce et dont le corps est terminé à chaque extrémité par une ventouse : *On a longtemps utilisé les sangsues pour les saignées.*

1. sanguine [sɑ̃gin] n. f. 1° Crayon fait avec de l'ocre rouge : *Portrait à la sanguine.* — 2° Dessin exécuté avec ce crayon : *Une sanguine de Watteau, de Boucher.*

2. sanguine [sɑ̃gin] n. f. Variété d'orange dont la pulpe est plus ou moins rouge.

sanitaire adj. V. SANTÉ; **sans** prép. V. AVEC.

sans-abri [sɑ̃zabri] n. invar. Personne qui n'a pas de logement : *A la suite des bombardements, il y a eu de nombreux sans-abri* (syn. : SANS-LOGIS).

sans-cœur [sɑ̃kœr] adj. et n. invar. Personne qui manque de sensibilité, de reconnaissance : *Cette petite fille est une sans-cœur* (syn. : DUR, INSENSIBLE).

sans-culotte [sɑ̃kylɔt] n. m. Nom des révolutionnaires sous la Convention : *Des sans-culottes.*

sans-gêne n. V. GÊNE.

sans-logis [sɑ̃lɔʒi] n. Personne qui n'a pas d'habitation pour se loger : *A la suite des inondations, on a installé les sans-logis dans des baraquements* (syn. : SANS-ABRI).

sansonnet [sɑ̃sɔnɛ] n. m. Syn. de ÉTOURNEAU.

sans-parti [sɑ̃parti] n. invar. Personne qui n'est inscrite à aucun parti politique.

sans-soin [sɑ̃swɛ̃] n. invar. *Fam.* Personne qui n'est pas soigneuse : *Ce garçon est un vrai sans-soin, il laisse traîner toutes ses affaires* (syn. : NÉGLIGENT).

sans-souci [sɑ̃susi] adj. et n. invar. Qui ne s'inquiète de rien.

santé [sɑ̃te] n. f. 1° Etat d'une personne dont l'organisme fonctionne régulièrement : *Un visage resplendissant de santé. Avoir soin de sa santé. Conserver, ménager sa santé. Respirer la santé. Il ne faut pas abuser de sa santé. Compromettre, miner sa santé. Recouvrer la santé.* — 2° Etat de l'organisme, bon ou mauvais : *Etre en parfaite santé. Avoir une santé de fer. Avoir une santé délicate, fragile, précaire. Son état de santé ne lui permet pas de vivre à Paris. S'informer de la santé de quelqu'un.* ‖ *Boire à la santé de quelqu'un,* en faisant un vœu pour la santé d'une personne. (On dit aussi : *A votre santé! A la santé de telle personne.*) — 3° Etat sanitaire d'une collectivité : *La santé d'une ville, d'un pays. Organisation mondiale de la santé.* ‖ *Santé publique,* ensemble des services administratifs chargés de maintenir et d'améliorer l'état sanitaire d'un pays. ‖ *Maison de santé,* établissement où l'on soigne les personnes atteintes de maladies nerveuses ou mentales. ◆ **sanitaire** [sanitɛr] adj. 1° Relatif à la santé, à l'hygiène publique : *Des mesures, des règlements sanitaires. L'état sanitaire d'une ville, d'un pays. Les services sanitaires ont secouru les sinistrés.* — 2° *Installation, appareil sanitaire,* installation, appareil destinés à la distribution, à l'évacuation de l'eau dans une habitation (lavabos, éviers, etc.).

santon [sɑ̃tɔ̃] n. m. Nom donné, en Provence, à de petites figurines en plâtre colorié, qui servent à la décoration des crèches de Noël.

1. saper [sape] v. tr. 1° *Saper une construction,* en détruire les fondements, avec le pic, la pioche ou par tout autre moyen mécanique, pour la faire tomber : *Saper une muraille.* — 2° (sujet nom désignant des eaux) Creuser, user à la base en causant des détériorations : *La mer sape les falaises.* — 3° *Saper quelque chose* (mot abstrait), détruire par une action progressive et secrète : *Saper les fondements de la religion, de la morale, d'une autorité* (syn. : ABATTRE, ÉBRANLER, MINER). ◆ **sapeur** n. m. 1° Soldat de l'armée du génie : *Sapeur aéroporté, pontonnier.* — 2° *Fumer comme un sapeur,* fumer beaucoup.

2. saper (se) [səsape] v. pr., **être sapé** v. passif. *Pop.* S'habiller, être habillé de telle ou telle façon : *Il est toujours bien (mal) sapé.*

saperlipopette ! [sapɛrlipɔpɛt] interj. Syn. atténué et souvent ironique de SAPRISTI.

saphir [safir] n. m. 1° Pierre précieuse bleue et transparente. — 2° Petite pointe qui tient lieu d'aiguille, dans les tourne-disques et dans les électrophones.

sapin [sapɛ̃] n. m. 1° Grand arbre résineux à feuillage persistant : *Le bois de sapin est utilisé en menuiserie et pour la fabrication de la pâte à papier.* — 2° Fam. *Sentir le sapin,* n'avoir plus longtemps à vivre. ◆ **sapineau** n. m. Jeune sapin. ◆ **sapinière** n. f. Lieu planté de sapins : *Les sapinières des Vosges.*

sapristi! [sapristi] ou **sacristi!** [sakristi] interj. *Fam.* Jurons exprimant le désappointement, la perplexité, la déception, la colère : *Sapristi! on a encore dérangé tous mes papiers sur mon bureau. Mais, sapristi! il fallait faire attention.*

saquer v. tr. V. SACQUER.

sarabande [sarabɑ̃d] n. f. *Danser, faire une* (ou *la*) *sarabande,* faire du tapage, du vacarme.

sarbacane [sarbakan] n. f. Tuyau à l'aide duquel on lance, en soufflant, de petits projectiles : *Lancer des boulettes de papier avec une sarbacane.*

sarcasme [sarkasm] n. m. Raillerie acerbe, mordante : *Accabler quelqu'un de ses sarcasmes* (syn. : MOQUERIE). ◆ **sarcastique** adj. 1° Qui tient du sarcasme : *Des propos sarcastiques. Un ton, un rire sarcastique* (syn. : SARDONIQUE). — 2° Qui emploie le sarcasme : *Un écrivain sarcastique* (contr. : BIENVEILLANT, ÉLOGIEUX). ◆ **sarcastiquement** adv. : *Se moquer sarcastiquement de quelqu'un.*

sarcler [sarkle] v. tr. 1° *Sarcler un terrain,* en enlever les mauvaises herbes : *Sarcler un jardin.* — 2° *Sarcler des pommes de terre, des haricots,* etc., les débarrasser des herbes nuisibles. ◆ **sarclage** n. m. : *Le sarclage d'une vigne.*

sarcophage [sarkɔfaʒ] n. m. Tombeau dans lequel les Anciens mettaient les corps qu'ils ne voulaient pas brûler : *Des sarcophages grecs, étrusques, romains, égyptiens.*

sardane [sardan] n. f. Danse populaire de Catalogne.

sardine [sardin] n. f. Petit poisson voisin du hareng, abondant dans la Méditerranée et dans l'Atlantique : *Des sardines fraîches. Des sardines à l'huile.* ◆ **sardinerie** n. f. Usine où l'on prépare des conserves de sardines.

sardoine [sardwan] n. f. Variété d'agate brune ou rouge.

sardonique [sardɔnik] adj. *Rire sardonique,* d'une ironie méchante.

sarigue [sarig] n. f. Petit mammifère d'Amérique, dont la femelle possède une longue queue préhensile à laquelle s'accrochent les petits montes sur son dos.

sarment [sarmɑ̃] n. m. Jeune branche de vigne ou de toute autre plante ligneuse grimpante : *Faire un feu de sarments.*

sarrasin [sarazɛ̃] n. m. Céréale cultivée pour ses graines alimentaires : *Faire des crêpes à la farine de sarrasin* (syn. : BLÉ NOIR).

satané, e [satane] adj. (avant le nom). *Fam.* Sert à former un superlatif péjoratif : *Un satané farceur* (syn. fam. : MAUDIT, SACRÉ). *Quel satané temps!* (syn. : ABOMINABLE).

satanique [satanik] adj. Qui évoque le diable, qui est digne de Satan : *Une méchanceté satanique* (syn. : DIABOLIQUE). *Une ruse satanique* (syn. : DÉMONIAQUE). *Un rire satanique* (syn. : MÉPHISTOPHÉLIQUE).

1. satellite [satɛllit] n. m. 1° Planète secondaire, qui tourne autour d'une planète principale et l'accompagne dans sa révolution : *La Lune est le satellite de la Terre.* — 2° *Satellite artificiel,* engin lancé de la Terre et destiné à évoluer autour de celle-ci : *Le premier satellite artificiel, le « Spoutnik », a été lancé par l'U. R. S. S. en 1957.*

2. satellite [satɛllit] adj. et n. m. *Pays satellite,* ou *satellite* n. m., pays qui dépend d'un autre sur le plan politique ou économique.

satiété [sasjete] n. f. 1° Etat d'une personne complètement rassasiée (s'emploie surtout dans les expressions *à satiété, jusqu'à satiété*) : *Manger, boire à satiété.* ‖ *Avoir d'une chose à satiété,* en avoir en surabondance, à l'excès (syn. : ÊTRE SATURÉ). — 2° Dégoût produit par l'usage immodéré d'une chose : *L'abus des plaisirs finit par provoquer la satiété.* ‖ *Rabâcher, répéter une chose à satiété,* jusqu'à fatiguer. (V. INSATIABLE.)

satin [satɛ̃] n. m. 1° Etoffe de soie, de laine ou de coton, fine, moelleuse et brillante : *Une robe de satin. Une doublure de satin.* — 2° *Peau de satin,* peau douce et unie. ◆ **satiné, e** adj. 1° Qui a l'apparence, le brillant du satin : *Un tissu satiné* (syn. : LUSTRÉ). *Du papier satiné.* — 2° *Peau satinée,* peau douce comme du satin. ◆ **satinette** n. f. Etoffe de coton et de soie, ou de coton seul, présentant l'aspect du satin : *Un tablier en satinette. Un vêtement doublé de satinette.*

satire [satir] n. f. 1° Pièce de vers dans laquelle l'auteur attaque les vices et les ridicules de son temps : *Les satires de Boileau.* — 2° Ecrit ou discours dans lequel on tourne une personne ou une chose en ridicule : *Une satire virulente* (syn. : LIBELLE, PAMPHLET). ◆ **satirique** adj. 1° Se dit d'un écrit, de paroles qui appartiennent à la satire, qui tiennent de la satire : *Une chanson satirique. Des propos satiriques* (syn. : MORDANT, PIQUANT, À L'EMPORTE-PIÈCE). — 2° Porté à la satire, à la raillerie : *Un écrivain, un esprit satirique* (syn. : CAUSTIQUE). ◆ adj. et n. m. Qui écrit des satires : *Un poète satirique.* ◆ **satiriser** v. tr. Exercer son esprit satirique sur quelqu'un ou sur quelque chose : *Satiriser un ministre* (syn. : RAILLER).

satisfaire [satisfɛr] v. tr. (conj. 76). 1° (sujet nom de personne ou de chose) *Satisfaire quelqu'un,* accomplir ce qu'il attend, lui accorder ce qu'il désire, ce qu'il souhaite : *Un enfant qui satisfait ses parents par son travail, sa conduite* (syn. : COMBLER, CONTENTER). *Un ne peut satisfaire tout le monde* (syn. : PLAIRE). *Cette nouvelle vous satisfait-elle? Votre réponse ne les a pas satisfaits.* ‖ *Satisfaire l'esprit, le cœur, les sens de quelqu'un,* être agréable à l'esprit, au cœur, aux sens de quelqu'un. — 2° *Satisfaire un désir,* le contenter, l'assouvir : *Satisfaire sa faim, sa soif* (syn. : APAISER, CALMER). *Satisfaire un besoin pressant* (syn. : SE SOULAGER). ‖ *Satisfaire l'envie, les caprices de quelqu'un,* lui donner ce dont il a envie. ‖ *Satisfaire sa passion, sa colère, son ambition, sa vanité, sa curiosité,* se laisser aller aux mouvements de sa passion, de sa colère, de son ambition, de sa vanité, de sa curiosité. ◆ v. tr. ind. *Satisfaire à une chose,* faire ce qui est exigé par cette chose : *Satisfaire à ses obligations, à son désir, à un engagement, à une promesse* (syn. : ACCOMPLIR, EXÉCUTER). *Satisfaire à une demande. Satisfaire à une épreuve, à des examens. Satisfaire aux revendications d'ouvriers en grève. Satisfaire à un paiement. Satisfaire au goût du public.* ◆ **se satisfaire** v. pr. *Fam.* Contenter un besoin naturel (syn. : SE SOULAGER). ◆ **satisfaisant, e** adj. Qui satisfait, qui est propre à satisfaire : *Une réponse satisfaisante* (syn. : ↓ CORRECT). *Un travail satisfaisant* (syn. : ↓ CONVENABLE). *Un résultat satisfaisant* (syn. : ↓ HONORABLE). ◆ **satisfait, e** adj. 1° Se dit de quelqu'un qui a ce qui lui suffit, qui est content de ce qu'il possède ou de ce qui est : *Votre professeur est satisfait de votre travail* (syn. : CONTENT). *Des parents tout à fait satisfaits des résultats de leurs enfants* (syn. : HEUREUX). *Il est très satisfait de lui* (= orgueilleux, vaniteux). — 2° Se dit d'une chose qui a été assouvie, contentée : *Un désir satisfait. Une curiosité satisfaite.* ◆ **satisfaction** n. f. 1° Action de satisfaire (sens 2 du v. tr.) : *La satisfaction d'un besoin, d'un désir, d'un caprice, d'une envie* (syn. : ASSOUVISSEMENT). — 2° Etat qui résulte de l'accomplissement de ce qu'on demandait ou désirait : *Eprouver de la satisfaction* (syn. : CONTENTEMENT). *La satisfaction du devoir accompli. Une vive, une profonde satisfaction* (syn. : JOIE). *Une petite satisfaction. Un employé qui donne satisfaction à son patron. Nous avons appris avec satisfaction votre succès* (syn. : PLAISIR). *Les choses se sont passées à la satisfaction générale.*

saturé, e (être) [ɛtrəsatyre] v. passif. 1° (sujet nom de personne) Etre pleinement rassasié : *Le public est saturé de romans, de films médiocres.* — 2° (sujet nom de chose) Avoir en surabondance, à l'excès : *Le marché est saturé de produits* (syn. : ÊTRE REMPLI, ENCOMBRÉ, REGORGER). *L'atmosphère est saturée d'eau.* ◆ **saturation** n. f. : *Avoir d'une chose jusqu'à saturation* (syn. : SATIÉTÉ). ◆ **saturateur** n. m. Petit appareil placé entre les éléments d'un radiateur de chauffage central et dans lequel on met de l'eau dont l'évaporation humidifie l'air de l'atmosphère. ◆ **sursaturé, e** adj. Saturé à l'extrême d'une chose fournie en trop grande abondance : *Nous sommes sursaturés de récits de crimes.*

saturnisme [satyrnism] n. m. Intoxication par le plomb.

satyre [satir] n. m. *Fam.* Individu qui se livre à des manifestations lubriques, à des attentats contre la pudeur : *Un satyre attaquait les femmes le soir. Une jeune fille victime d'un satyre.*

sauce [sos] n. f. 1° Assaisonnement liquide préparé de très nombreuses façons, où il peut entrer du beurre, de l'huile, du sel, des épices, etc., et que l'on sert avec certains mets : *Une sauce blanche. De la sauce vinaigrette, mayonnaise. De la sauce tomate, aux câpres.* — 2° *Employer, mettre quelqu'un à toutes les sauces,* lui faire exécuter toutes sortes de travaux. — 3° Pop. *Recevoir la sauce,* une averse (syn. pop. : SAUCÉE). ◆ **saucière** n. f. Récipient dans lequel on sert la sauce à table. ◆ **saucer** v. tr. 1° Tremper dans la sauce : *Saucer son pain dans de la vinaigrette.* — 2° Débarrasser de la sauce : *Saucer son assiette.* — 3° (sujet nom de personne) Fam. *Etre saucé, se faire saucer,* être mouillé par une pluie abondante : *En revenant de promenade, nous avons été bien saucés.* ◆ **saucée** n. f. *Pop.* Averse : *Recevoir une saucée.*

saucisse [sosis] n. f. 1° Boyau de porc ou d'autre animal rempli de viande crue, hachée et assaisonnée : *Manger des saucisses grillées. Des saucisses de Strasbourg, de Francfort, de Toulouse.* — 2° Fam. *Ne pas attacher ses chiens avec des saucisses,* être très avare. ◆ **saucisson** n. m. 1° Grosse saucisse crue ou cuite, plus ou moins assaisonnée. — 2° Fam. *Etre ficelé comme un saucisson,* être mal habillé. ◆ **saucissonné, e** adj. *Fam.* Serré dans ses vêtements. ◆ **saucissonner** v. intr. *Fam.* Prendre un repas froid, sur le pouce (syn. : PIQUE-NIQUER). ◆ **saucissonneur, euse** n. Fam. : *Les saucissonneurs du dimanche* (syn. : PIQUE-NIQUEUR).

1. sauf, sauve [sof, sov] adj. 1° Qui a échappé à un grave danger ; s'emploie surtout dans les expressions : *avoir la vie sauve, être sain* (v. ce mot) *et sauf.* — 2° Qui n'a reçu aucune atteinte : *L'honneur est sauf* (syn. : INTACT).

2. sauf [sof] prép. 1° Sans porter atteinte à : *Sauf le respect que je vous dois.* ‖ *Sauf votre respect,* loc. fam. employée pour s'excuser d'une formule que l'on juge un peu choquante, irrévérencieuse : *Cet homme est, sauf votre respect, un parfait imbécile.* — 2° A l'exclusion de : *Avoir tous les exemplaires d'une revue, sauf deux numéros* (syn. : EXCEPTÉ, À L'EXCEPTION DE, HORMIS). — 3° Excepté le cas de : *Venez demain, sauf avis contraire. Sauf erreur. Sauf omission* (syn. : À MOINS DE). • LOC. CONJ. *Sauf que,* excepté que, si ce n'est que : *Le voyage s'est bien passé, sauf que, à un moment, nous nous sommes trompés de route.*

sauf-conduit [sofkɔ̃dɥi] n. m. Permission donnée par une autorité (surtout l'autorité militaire) d'aller en un endroit, d'y séjourner pendant quelque temps et d'en revenir librement, sans crainte d'être arrêté : *Le général donne très peu de sauf-conduits.*

sauge [soʒ] n. f. Plante dont on cultive une espèce à fleurs rouges, ornementales.

saugrenu, e [sogrəny] adj. Se dit d'une chose qui est d'une bizarrerie ridicule : *Une question, une réponse saugrenue* (syn. : ABSURDE, INATTENDU).

saule [sol] n. m. Arbre qui croît ordinairement dans les lieux humides. ◆ **saulaie** ou **saussaie** n. f. Endroit planté de saules.

saumâtre [somɑtr] adj. 1° Qui a une saveur amère et salée comme celle de l'eau de mer : *Eau saumâtre. Goût saumâtre.* — 2° Fam. *La trouver saumâtre,* se dit d'une plaisanterie que l'on trouve mauvaise, difficile à accepter.

saumon [somɔ̃] n. m. Poisson qui vit dans la mer, mais qui remonte les fleuves pour pondre près des sources : *La chair du saumon est fine et délicate.* ◆ adj. invar. D'une couleur rosée comme celle de la chair du saumon : *Des rubans saumon.* ◆ **saumoné, e** adj. Qui a une chair rose comme celle du saumon : *Une truite saumonée.* ◆ **saumoneau** n. m. Jeune saumon.

saumure [somyr] n. f. Préparation liquide salée, dans laquelle on conserve des viandes, des poissons, des légumes : *Saumure de harengs, d'anchois.*

sauna [sona] n. m. Bain de vapeur en usage dans les pays froids, spécialement en Finlande.

saupiquet [sopikɛ] n. m. Sauce piquante.

saupoudrer [sopudre] v. tr. *Saupoudrer une chose de quelque chose,* répandre sur elle une substance pulvérisée : *Saupoudrer un mets de sel, de farine. Saupoudrer un gâteau de sucre.* ◆ **saupoudreuse** n. f. Flacon dont le couvercle est percé de trous et qui sert à saupoudrer.

saur [sɔr] adj. m. *Hareng saur,* hareng salé et séché à la fumée.

sauter [sote] v. intr. 1° (sujet nom d'être animé) S'élever de terre ou s'élancer d'un lieu à un autre par un ensemble de mouvements : *Sauter de bas en haut, de haut en bas* (syn. : BONDIR). *Sauter à pieds joints, à cloche-pied. Sauter dans l'eau du haut d'un plongeoir. Sauter en parachute. Faire sauter un chien par-dessus un bâton. Un oiseau qui saute de branche en branche.* ‖ *Sauter à bas de son lit,* descendre vivement de son lit. ‖ *Sauter à la corde,* sauter par-dessus une corde que l'on fait tourner. — 2° S'élancer vivement pour saisir une personne ou une chose : *Sauter à la gorge, au collet de quelqu'un* (syn. : ASSAILLIR, ATTAQUER). *Sauter sur ses armes pour se défendre.* ‖ *Sauter au cou de quelqu'un,* l'embrasser avec empressement. ‖ *Sauter en selle,* s'élancer sur un cheval sellé, sans mettre le pied à l'étrier. — 3° Eprouver un sentiment qui se traduit par des mouvements brusques : *Sauter de joie. Sauter de colère.* ‖ *Sauter aux nues, au plafond,* bondir sous le coup d'une surprise, d'une colère soudaine. — 4° Parvenir d'une classe inférieure à une plus élevée sans passer par la classe intermédiaire : *Un élève qui saute de quatrième en seconde.* — 5° Passer brusquement d'une chose à une autre, sans liaison : *Sauter d'un sujet à un autre sans transition* (= passer du coq à l'âne). *Sauter par-dessus un paragraphe.* — 6° *Faire sauter,* en termes de cuisine, faire cuire à feu vif un aliment en le remuant de temps en temps : *Faire sauter un poulet, un lapin, des pommes de terre.* ‖ *Faire sauter la coupe,* tricher en rétablissant avec dextérité un paquet de cartes tel qu'il était avant d'être coupé. ‖ *Faire sauter quelqu'un,* lui faire perdre son emploi, ses fonctions. ‖ Fam. *Faire sauter un plomb,* faire fondre le fusible d'un coupe-circuit. ‖ *Faire sauter une serrure,* la forcer. ‖ *Se faire sauter la cervelle* (fam.), *le caisson* (pop.), se tuer d'un coup de feu dans la tête. — 7° (sujet nom de chose) Etre détruit par une explosion : *Bateau qui saute sur une mine. Faire sauter son navire pour ne pas le livrer à l'ennemi* (syn. : SABORDER). *Faire sauter un pont. Dépôt de munitions qui saute.* ‖ *Banque qui saute,* banque qui fait faillite. — 8° Etre projeté soudainement : *Le bouchon de la bouteille a sauté. Faire sauter un bouton* (= l'arracher en se boutonnant ou en se déboutonnant). ‖ Fam. *Allez, et que ça saute,* dépêchez-vous, faites rapidement ce qui est commandé. ‖ *Sauter aux yeux,* être aperçu sans peine, être évident, manifeste : *Il y a dans la construction de cette maison des défauts qui sautent aux yeux.*

Cela saute aux yeux qu'il veut vous tromper! ◆ v. tr. 1° *Sauter un obstacle,* le franchir en faisant un saut : *Sauter un fossé, une haie, une grille, un mur. Cheval qui saute bien les obstacles.* — 2° *Sauter quelque chose,* le passer, l'omettre, soit en lisant, soit en écrivant : *Sauter un mot, une phrase, un paragraphe* (syn. : OUBLIER; fam. : AVALER). — 3° *Sauter une classe,* passer d'une classe à une classe supérieure sans avoir suivi les cours de la classe intermédiaire. — 4° *Sauter le fossé, le pas,* prendre une décision hasardeuse. ‖ Pop. *La sauter,* avoir grand-faim. ◆ **saut** n. m. 1° Mouvement brusque, avec détente musculaire, par lequel le corps s'enlève du sol pour franchir un certain espace ou retomber à la même place : *Saut en longueur, en hauteur. Saut à la perche.* ‖ *Saut en parachute,* action de s'élancer en parachute à partir d'un avion. — 2° Mouvement subit de l'esprit, de l'imagination : *Faire un saut dans l'inconnu, dans l'avenir.* — 3° *Au saut du lit,* au sortir du lit. ‖ *Faire un saut chez quelqu'un, dans un endroit,* y aller rapidement, sans y rester. ‖ *Ne faire qu'un saut d'un endroit à un autre,* y aller et en revenir en très peu de temps. ‖ *Saut de carpe,* v. CARPE. ‖ *Saut périlleux,* saut dans lequel le corps fait un ou plusieurs tours sur lui-même avant que les pieds ne retouchent le sol. ◆ **saut-de-loup** n. m. Fossé profond pour défendre l'entrée d'une propriété. ◆ **saut-de-mouton** n. m. Passage d'une voie ferrée, d'une route au-dessus d'une autre pour éviter les traversées à niveau dans un croisement. ◆ **saute** n. f. Changement brusque : *Saute de vent. Saute de température. Avoir des sautes d'humeur* (= être capricieux). ◆ **sauté** n. m. Viande que l'on fait cuire à feu vif dans un corps gras : *Un sauté de lapin.* ◆ **saute-mouton** n. m. Jeu dans lequel les joueurs sautent alternativement les uns par-dessus les autres. ◆ **sauterelle** n. f. Insecte de couleur verte, qui avance en sautant. ◆ **sauterie** n. f. *Fam.* Petite réunion où l'on danse entre amis (syn. : SURPRISE-PARTIE). ◆ **sauteur, euse** n. 1° Athlète spécialisé dans les épreuves de saut : *Sauteur en hauteur, en longueur, à la perche.* — 2° *Fam.* Personne qui change souvent d'opinion, sur qui l'on ne peut compter. ◆ **sauteur** n. m. Cheval dressé pour le saut d'obstacles. ◆ **sauteuse** n. f. *Fam.* Femme qui n'est pas sérieuse. ◆ **sautiller** v. intr. 1° Avancer par petits sauts : *Un merle sautillait sur le gazon de la pelouse.* — 2° Faire de petits pas en dansant. ◆ **sautillant, e** adj. *Style sautillant,* style formé de phrases courtes, hachées. ◆ **sautillement** n. m. Action de sautiller : *Le sautillement des enfants, des oiseaux.* ◆ **sautoir** n. m. Emplacement spécialement aménagé pour exécuter des sauts en athlétisme, en gymnastique.

1. sautoir n. m. V. SAUTER.

2. sautoir (en) [ɑ̃sotwar] loc. adv. De manière à former un X ou une croix de Saint-André : *Deux épées étaient placées en sautoir sur le cercueil.* ‖ *Porter un ordre, une décoration en sautoir,* en porter le ruban ou le cordon en forme de collier tombant en pointe sur la poitrine : *Le grand cordon de la Légion d'honneur se porte en sautoir.* ‖ *Porter un objet en sautoir,* le porter sur le dos au moyen de deux bretelles se croisant sur la poitrine, ou bien en employant une seule courroie, que l'on fait passer de droite à gauche ou de gauche à droite.

1. sauvage [sovaʒ] adj. et n. [En parlant de l'homme et des groupes humains.] 1° Qui vit en dehors des sociétés civilisées : *Une peuplade sauvage* (syn. : PRIMITIF). *Retourner à l'état sauvage. Un missionnaire qui a vécu longtemps parmi les sauvages.* — 2° Qui fuit la société des hommes; qui aime à vivre seul : *Avoir un caractère sauvage* (syn. : INSOCIABLE). *On ne le voit jamais fréquenter personne, c'est un vrai sauvage* (syn. : SOLITAIRE, OURS). — 3° Qui est d'une nature rude, grossière, inhumaine : *Il a quelque chose de sauvage dans ses manières* (syn. : FRUSTE). *Traiter quelqu'un de sauvage. Des mœurs de sauvage. Les ennemis se sont conduits comme des sauvages avec leurs prisonniers* (syn. : BARBARE, CRUEL). ◆ **sauvagement** adv. : *Dévaster sauvagement un pays. Faire souffrir sauvagement une personne* (syn. : CRUELLEMENT). ◆ **sauvagerie** n. f. Sens 2 et 3 de l'adj. : *Ce garçon est d'une sauvagerie peu commune* (syn. : INSOCIABILITÉ, MISANTHROPIE). *Les occupants se sont montrés d'une grande sauvagerie avec les habitants du pays* (syn. : BARBARIE, CRUAUTÉ, FÉROCITÉ). ◆ **sauvageon, onne** n. Enfant qui a grandi sans famille, sans instruction ni éducation : *Une petite fille élevée comme une sauvageonne.*

2. sauvage [sovaʒ] adj. [En parlant d'un animal.] 1° Qui vit en liberté dans la nature, qui n'est pas apprivoisé : *Les tigres, les lions sont des animaux sauvages* (syn. : FAUVE). *Dresser un cheval sauvage. Un chien, un chat sauvage* (contr. : DOMESTIQUE). — 2° Qui s'effarouche facilement : *Le merle est très sauvage.* ◆ **sauvagine** n. f. 1° Nom collectif des oiseaux de mer, de marais, de rivière : *Dans ce pays de lacs et d'étangs, on peut pratiquer la chasse à la sauvagine.* — 2° Nom donné aux peaux des bêtes vivant en France à l'état sauvage (renards, fouines, blaireaux) et servant à faire des fourrures communes.

3. sauvage [sovaʒ] adj. [En parlant d'une plante.] Qui pousse naturellement, sans culture : *Un pommier, un poirier, un rosier sauvage.* ◆ **sauvageon** n. m. Jeune arbre qui a poussé sans être cultivé : *Greffer un sauvageon. Les sauvageons donnent des fruits âcres.*

4. sauvage [sovaʒ] adj. [En parlant d'un lieu.] Qui est inculte, peu accessible; qui a le caractère de la nature vierge : *Une région, une vallée, une côte sauvage. Un site sauvage* (syn. : DÉSERT, INHABITÉ).

sauvegarde [sovgard] n. f. 1° Garantie, protection accordée par une autorité : *Se mettre sous la sauvegarde de la justice.* — 2° Personne ou chose servant de défense, de protection : *Les lois sont la sauvegarde de la liberté.* ◆ **sauvegarder** v. tr. *Sauvegarder une chose,* en assurer la protection, la mettre hors de danger : *Sauvegarder son honneur, sa réputation, sa liberté, ses droits, ses intérêts* (syn. : DÉFENDRE, PRÉSERVER, PROTÉGER). *Sauvegarder l'ordre* (syn. : MAINTENIR).

1. sauver [sove] v. tr. 1° *Sauver quelqu'un,* le tirer d'un danger, de la mort, d'un malheur : *Se jeter à l'eau pour sauver quelqu'un qui se noie. Il était bien malade, son médecin l'a sauvé* (syn. : GUÉRIR). *Le bateau a fait naufrage, mais on a pu sauver presque tous les passagers. Sauver quelqu'un de la misère* (syn. : ARRACHER). — 2° Procurer le salut éternel (relig.) : *Dieu a envoyé son Fils pour sauver le genre humain* (syn. : RACHETER). *Sauver son âme.* — 3° *Sauver quelque chose,* le préserver de la perte, de la destruction : *Sauver un navire en* *perdition. Sauver la vie à quelqu'un. Sauver une maison de commerce* (syn. : RENFLOUER). ‖ Fam. *Sauver les meubles,* réussir à tirer d'un désastre ou d'une déconfiture ce qui permet de survivre. — 4° Pallier, masquer ce qui est défectueux : *Dans ce roman, la forme sauve le fond.* ‖ *Sauver les apparences,* ne rien laisser paraître qui puisse nuire à la réputation ou blesser les bienséances. ◆ **sauvetage** n. m. 1° Action de tirer quelqu'un ou quelque chose d'un danger, d'une situation critique : *Organiser le sauvetage de mineurs victimes d'un coup de grisou, d'un navire en détresse. Le sauvetage d'un alpiniste.* — 2° *Ceinture de sauvetage,* sorte de corset fait de plaques de liège, qui permet de flotter sur l'eau. ‖ *Bateau, canot de sauvetage,* embarcation insubmersible destinée à porter secours à des naufragés. ◆ **sauveur** n. m. 1° Personne qui sauve quelqu'un ou une collectivité : *Ce médecin a été le sauveur de bien des gens. Le sauveur de la patrie.* — 2° *Le Sauveur* (avec une majusc.), nom donné à Jésus-Christ, venu ici-bas pour sauver les hommes (syn. : LE MESSIE, LE RÉDEMPTEUR). ◆ **salvatrice** adj. f. Qui sauve : *Des mesures salvatrices.*

2. sauver (se) [səsove] v. pr. 1° S'enfuir précipitamment : *Se sauver à toutes jambes. C'était la débandade, les soldats se sauvaient pour échapper à l'ennemi.* — 2° *Fam.* S'en aller vivement : *Il se fait tard, je me sauve.* — 3° *Sauve qui peut!,* se tire du danger qui pourra ! ◆ **sauve-qui-peut** n. m. invar. Fuite où chacun se sauve comme il peut; panique : *Le navire commençait à prendre feu, ce fut un sauve-qui-peut général.*

sauvette (à la) [alasovɛt] loc. adv. et adj. 1° Avec une hâte excessive, pour échapper à l'attention : *C'est une décision prise à la sauvette* (syn. : À LA VA-VITE, sans intention péjor.). — 2° Fam. (*Vente*) *à la sauvette,* vente sur la voie publique, sans autorisation.

savane [savan] n. f. Dans la zone tropicale, prairie de hautes herbes, parsemée d'arbres : *La savane couvre de vastes espaces en Afrique et en Amérique.*

savarin [savarɛ̃] n. m. Gâteau ayant la forme d'une couronne, et dont on imbibe la pâte avec un sirop de sucre et de rhum ou de kirsch.

savate [savat] n. f. 1° Vieille chaussure ou vieille pantoufle : *Traîner ses savates.* — 2° Fam. *Traîner la savate,* être dans la misère. — 3° *Fam.* Personne maladroite.

saveur [savœr] n. f. 1° Sensation produite par certains corps sur l'organe du goût : *Une saveur douce, amère, piquante, acide, salée* (syn. : BOUQUET, FUMET, SUCCULENCE). — 2° Sorte de charme, de piquant : *La saveur d'un bon mot, d'une plaisanterie. Une ironie pleine de saveur* (syn. : ↑ PIMENT). ◆ **savourer** v. tr. 1° *Savourer un mets, une boisson,* etc., le manger, la boire lentement en goûtant : *Savourer un vin, une tasse de café* (syn. : DÉGUSTER). — 2° *Savourer quelque chose,* en jouir avec délices : *Savourer un parfum. Savourer son bonheur. Il savourait les compliments qu'on lui faisait* (syn. : SE DÉLECTER, SE GARGARISER). ◆ **savoureux, euse** adj. 1° Se dit de ce qui a une saveur agréable : *Un morceau de viande savoureux* (syn. : SUCCULENT). *Des fruits, un gâteau savoureux* (syn. : DÉLICIEUX). — 2° Se dit de ce que l'on goûte avec plaisir, de ce qui a du piquant : *Une histoire, une anecdote savoureuse.* ◆ **savoureusement** adv. Avec beaucoup de charme.

savoir [savwar] v. tr. (conj. 39). 1° *Savoir quelque chose,* le connaître complètement : *Savoir une nouvelle* (syn. : ÊTRE INFORMÉ DE). *Il sait tout ce qui se passe autour de lui* (syn. : ÊTRE AU COURANT DE). *On savait d'avance, par avance qu'il réussirait dans son entreprise. Il sait cela de bonne source. Il ne sait pas qui lui a raconté cette histoire. Savez-vous à quelle date aura lieu la rentrée des classes? Il ne sait pas quand il partira, ni à quel endroit il ira pendant ses vacances. Sachez que je ne suis pas content de vous. Reste à savoir si vous ferez des progrès en classe. C'est un garçon très gentil, vous savez. Il est ennuyé de savoir son père malade. Je ne le savais pas si méchant. Vous n'êtes pas sans savoir que nos voisins vont déménager.* — 2° Avoir une chose dans sa mémoire, de manière à pouvoir la réciter, la répéter : *Savoir sa leçon, son rôle. Il savait son discours par cœur.* — 3° *Savoir une science, un art, savoir* (et l'infin.), posséder une science, un art, être capable d'une activité dont on a acquis la pratique par l'exercice, l'habitude : *Savoir le grec, le latin, la grammaire. Cet homme croit tout savoir, en réalité il sait peu de chose. Savoir lire, écrire, compter. Savoir nager, jouer au tennis.* ‖ *Ne savoir ni A ni B, ne savoir rien de rien,* être tout à fait ignorant. — 4° *Savoir* (et l'infin.), avoir le talent, la force, le pouvoir, l'adresse, l'habileté de faire une chose : *C'est un homme qui sait parler aux foules, qui sait plaire. Je crois que je ne saurai pas faire ce que vous me demandez. Je saurai le faire obéir. Il saura se défendre. C'est un malin qui sait se tirer d'affaire. Il ne sait pas refuser un service. Il faut savoir attendre, se contenter de peu.* — 5° Fam. *Tout ce qu'il sait, tout ce qu'il savait,* s'emploie pour marquer l'intensité de l'action : *Il pleurait tout ce qu'il savait.* — 6° *A savoir, savoir,* expressions en usage dans les inventaires, dans les énumérations : *Il y a différents meubles, à savoir une armoire, un bureau, une bibliothèque,* etc. ‖ Fam. *Savoir si* (et le futur), s'emploie pour marquer qu'on doute de quelque chose : *Les réformateurs voudraient détruire les abus, savoir s'ils réussiront.* ‖ Fam. *Dieu sait, Dieu le sait, Dieu sait comme, Dieu sait quand,* etc., expriment notre ignorance sur un point quelconque : *Dieu sait s'il réussira. Il reviendra Dieu sait quand.* ‖ *En savoir long,* être bien renseigné sur une affaire obscure. ‖ *Faire savoir,* informer par lettre ou par message : *Il m'a fait savoir qu'il était bien arrivé* (syn. : ANNONCER, APPRENDRE, COMMUNIQUER). *Faites-nous savoir le jour et l'heure de votre départ* (syn. : AVISER, PRÉVENIR). ‖ Fam. *Je ne veux pas le savoir,* je ne veux pas connaître vos raisons. ‖ *Je sais ce que je sais,* je ne veux pas donner davantage d'explications. ‖ *Ne pas savoir ce qu'on veut,* être indécis ou inconstant dans ses résolutions. ‖ *Ne pas savoir ce qu'on fait, ce qu'on dit,* être ignorant ou troublé au point de ne pas avoir la conscience exacte de ses actes, de ses paroles. ‖ *Ne pas savoir où se mettre,* éprouver un embarras, une confusion extrême. ‖ *Ne savoir que faire, quoi faire, où donner de la tête, à quel saint se vouer,* être dans une situation embarrassante. ‖ *Ne rien vouloir savoir,* refuser énergiquement de faire une chose, de tenir compte d'une observation, d'une objection : *L'élève a expliqué qu'il n'était pas coupable, mais le surveillant n'a rien voulu savoir.* ‖ *Qui vous savez, que vous savez,* s'emploie quand on ne veut pas désigner une personne ou une chose à quelqu'un qui la connaît bien : *N'en dites rien à qui vous savez. L'affaire que vous* *savez prend mauvaise tournure.* ‖ *Sans le savoir,* sans en être conscient : *Il a été souvent en danger sans le savoir.* ‖ *Savoir vivre,* avoir pour les autres les égards, les attentions que l'on se doit réciproquement. ‖ *Un je-ne-sais-quoi,* quelque chose d'indéfinissable : *Il y a dans ces vers un je-ne-sais-quoi qui vous charme.* ● LOC. CONJ. *A savoir que,* introduit une explication. ◆ v. intr. 1° Avoir de l'expérience : *Si jeunesse savait, si vieillesse pouvait.* — 2° Etre sûr : *Si je savais, je partirais.* ◆ ***se savoir*** v. pr. 1° (sujet nom de personne) Avoir la connaissance de son état : *Depuis qu'il se sait incurable, il est désespéré.* — 2° (sujet nom de chose) Etre connu : *Tout se sait. Tout finit par se savoir.* ● REM. 1° Le subjonctif *sache* (seulement à la 1re pers. sing.) exprime, dans la langue littéraire, une affirmation atténuée dans les expressions négatives : *je ne sache pas, je ne sache rien, je ne sache personne,* suivie éventuellement d'une subordonnée au subjonctif : *Je ne sache personne qui puisse lui être comparé. Je ne sache rien de plus beau.* — Les expressions *que je sache, qu'on sache* indiquent que l'on ignore si le fait avancé est vrai ou faux : *Il n'est venu personne, que je sache.* — 2° Le conditionnel de *savoir* employé à la forme négative est l'équivalent atténué de *pouvoir : Je ne saurais vous dire. On ne saurait avoir plus d'esprit. On ne saurait mieux dire. Tout cela ne saurait faire notre bonheur.* ◆ **su** n. m. *Au vu et au su de tout le monde,* de manière que personne ne l'ignore. ◆ **savoir** n. m. Ensemble des connaissances acquises par l'étude : *Un homme de grand savoir, de peu de savoir* (syn. : CULTURE, ÉRUDITION, INSTRUCTION). ◆ **savant, e** adj. et n. 1° Se dit d'une personne qui possède des connaissances étendues dans les sciences physiques et humaines : *Un homme savant* (syn. : INSTRUIT). *Les vrais savants savent douter* (syn. : ÉRUDIT ; fam. : PUITS DE SCIENCE). *Un congrès de savants. Les savants sont la gloire d'un pays.* — 2° Se dit d'une personne qui connaît très bien telle ou telle discipline : *Etre savant en histoire, en mathématiques, en langues anciennes* (syn. : VERSÉ DANS ; fam. : CALÉ, FORT). ◆ adj. 1° Se dit d'une chose, d'un ouvrage où il y a de la science, de l'érudition : *De savants travaux de philologie, d'histoire. Une édition savante. Une revue savante. Société savante* (= société dont les membres rendent compte de leurs travaux, de leurs recherches et en discutent). — 2° Se dit de ce qui dénote du talent, de l'habileté : *Faire une savante démonstration. Une combinaison savante.* — 3° Se dit de ce qui est difficile à comprendre : *Ce problème de géométrie est trop savant pour moi* (syn. : ARDU). *Votre devinette est très savante* (syn. : COMPLIQUÉ). — 4° *Animal savant,* animal dressé à faire des tours, des exercices. ◆ **savamment** [savamɑ̃] adv. 1° De manière savante : *Discuter savamment d'une question.* — 2° Avec habileté : *Une intrigue savamment concertée.* — 3° *Parler savamment d'une chose,* en parler en connaissance de cause, pour l'avoir expérimentée (syn. : SCIEMMENT). ◆ **demi-savant** n. m. Homme qui n'a qu'une science superficielle. ◆ **savoir-faire** n. m. invar. Habileté acquise par l'expérience dans l'exercice d'une profession : *Avoir beaucoup de savoir-faire* (syn. : ADRESSE ; fam. : CHIC). ◆ **savoir-vivre** n. m. invar. Connaissance et pratique des règles de la politesse, des usages du monde : *Manquer de savoir-vivre* (syn. : ÉDUCATION).

1. savon [savɔ̃] n. m. 1° Produit obtenu par l'action d'un alcali sur un corps gras, et servant au nettoyage, au blanchissage : *Un morceau de savon. Du savon en poudre, en paillettes, du savon liquide. Du savon pour la toilette* (syn. : SAVONNETTE). *De l'eau de savon, de la mousse de savon.* — 2° Morceau de savon dur : *Acheter un savon.* — 3° *Bulle de savon,* bulle légère, transparente, irisée, faite d'une pellicule d'eau chargée de savon, gonflée à l'aide d'un tuyau dans lequel on souffle. ◆ **savonnette** n. f. Savon parfumé pour la toilette. ◆ **savonner** v. tr. Nettoyer avec du savon : *Savonner du linge.* ◆ ***se savonner*** v. pr. Se laver avec du savon : *Se savonner les mains.* ◆ **savonnage** n. m. : *Le savonnage du linge.* ◆ **savonnerie** n. f. Etablissement industriel où l'on fabrique du savon. ◆ **savonneux, euse** adj. Qui contient du savon : *De l'eau savonneuse.*

2. savon [savɔ̃] n. m. *Fam.* Verte réprimande : *Passer un savon à quelqu'un. Recevoir un savon.*

savoureux, euse adj. V. SAVEUR.

saxophone [saksɔfɔn] n. m. Instrument de musique à vent, en cuivre, à anche simple, assez proche de la clarinette par la sonorité.

saynète [sɛnɛt] n. f. Petite pièce comique, très courte (généralement une scène), à deux ou trois personnages (syn. : SKETCH).

sbire [sbir] n. m. *Péjor.* Homme de police ; homme de main capable d'exécuter de basses besognes.

scabreux, euse [skabrø, -øz] adj. 1° Qui présente des inconvénients, de grosses difficultés, des risques : *Une affaire, une entreprise scabreuse. Une question scabreuse.* — 2° Qui risque de choquer la décence : *Une histoire scabreuse. Dans ce roman, il y a des détails scabreux* (syn. : INDÉCENT, LICENCIEUX).

scaferlati [skafɛrlati] n. m. Tabac ordinaire, coupé en fines lanières.

scalp [skalp] n. m. Chevelure détachée du crâne avec la peau, que les Indiens d'Amérique conservaient comme trophée. ‖ *Danse du scalp,* danse que pratiquaient les Amérindiens en agitant des scalps. ◆ **scalper** v. tr. 1° Détacher la peau du crâne avec un instrument tranchant : *Les Indiens d'Amérique scalpaient leurs ennemis vaincus.* — 2° Arracher par accident la peau du crâne : *Dans la collision, il a été scalpé par des débris de verre.*

scandale [skɑ̃dal] n. m. 1° Eclat fâcheux d'une action, de paroles qui provoquent l'indignation, le blâme : *Son attitude a causé un grand scandale, a fait scandale. Réparer un scandale. Etre, devenir une occasion de scandale. Il a tenu des propos honteux, au grand scandale de ceux qui l'écoutaient.* ‖ *C'est un scandale,* se dit d'une chose qui indigne, qui révolte : *C'est un scandale de voir des bourreaux d'enfants rester impunis.* — 2° Querelle bruyante, tapage : *Faire un scandale dans un lieu public, dans la rue* (syn. : DÉSORDRE, ESCLANDRE). — 3° Affaire malhonnête, immorale, qui émeut l'opinion publique : *Un scandale financier, mondain, judiciaire.* — 4° Occasion de péché où l'on met son prochain, par l'exemple ou par les paroles (relig.) : *Malheur à celui par qui le scandale arrive!* ◆ **scandaleux, euse** adj. Se dit de ce qui cause ou est capable de causer du scandale : *Une vie, une conduite scandaleuse* (syn. : ↓ DÉPLORABLE). *Le scandaleux acquittement d'un criminel* (syn. : HONTEUX, RÉVOLTANT). *Une fortune scandaleuse. Tenir des* *propos scandaleux* (syn. : CHOQUANT). ◆ **scandaleusement** adv. : *Vivre scandaleusement.* ◆ **scandaliser** v. tr. (sujet nom de personne ou de chose). *Scandaliser quelqu'un,* susciter son indignation, causer du scandale : *Sa conduite scandalise tout le monde* (syn. : CHOQUER). *Scandaliser une femme par ses propos* (syn. : BLESSER). *On a été scandalisé d'apprendre que ce haut fonctionnaire était impliqué dans une affaire malhonnête* (syn. : HORRIFIÉ, OUTRÉ). ◆ ***se scandaliser*** v. pr. (sujet nom de personne). *Se scandaliser de quelque chose,* en ressentir de l'indignation : *Les gens honnêtes se sont scandalisés à la projection de ce film* (syn. : SE CHOQUER, S'INDIGNER).

scander [skɑ̃de] v. tr. *Scander un texte* (vers ou prose), le prononcer en séparant les syllabes : *Il parlait lentement, en scandant les mots* (syn. : SOULIGNER). ◆ **scansion** n. f.

scaphandre [skafɑ̃dr] n. m. **1°** Appareil hermétiquement clos, dans lequel est assurée une circulation d'air au moyen d'une pompe et dont se revêtent les plongeurs pour travailler sous l'eau. — **2°** *Scaphandre autonome,* équipement composé essentiellement d'un appareil respiratoire, de bouteilles d'air comprimé, d'un masque, et qui permet au plongeur d'évoluer sous l'eau jusqu'à une certaine profondeur. ◆ **scaphandrier** n. m. Plongeur muni d'un scaphandre.

scapulaire [skapylɛr] n. m. Pièce d'étoffe que certains religieux portent sur leurs habits.

scarabée [skarabe] n. m. Nom donné à divers insectes coléoptères voisins du hanneton.

scarifier [skarifje] v. tr. *Scarifier la peau,* y faire des incisions. ◆ **scarifié, e** adj. : *Ventouse scarifiée,* ventouse posée sur des scarifications. ◆ **scarification** n. f. Incision superficielle faite sur la peau, pour provoquer l'écoulement d'un peu de sang ou de sérosité.

scarlatine [skarlatin] n. f. Maladie contagieuse et épidémique, caractérisée par l'existence, sur la peau et les muqueuses, de plaques écarlates : *La scarlatine est surtout une maladie des enfants.*

scarole [skarɔl] n. f. Variété de salade.

scatologie [skatɔlɔʒi] n. f. Genre de plaisanterie, de littérature où il est question d'excréments. ◆ **scatologique** adj. : *Des propos scatologiques* (syn. : GROSSIER, ORDURIER).

sceau [so] n. m. **1°** Cachet officiel sur lequel sont gravées les armes, l'effigie ou la devise d'un Etat, d'un souverain, d'une communauté, et dont on applique l'empreinte sur des actes ou des objets pour les authentifier, pour les clore d'une manière inviolable : *Le sceau de l'Etat. Le sceau de l'Université, de l'Académie française.* — **2°** Empreinte de ce cachet sur de la cire : *Mettre, apposer son sceau.* — **3°** Ce qui donne une marque particulière, éminente; signe manifeste : *Ouvrage qui porte le sceau du génie.* — **4°** *Confier une chose sous le sceau du secret,* à condition que le secret en sera bien gardé. ◆ **sceller** v. tr. **1°** *Sceller un acte officiel,* le marquer d'un sceau. — **2°** *Sceller une lettre,* la cacheter. — **3°** *Sceller un pacte, un engagement, une amitié,* les confirmer solennellement. ◆ **scellés** n. m. pl. Bandes de papier ou d'étoffe que fixe, aux deux bouts, un cachet de cire revêtu d'un sceau officiel : *Les scellés sont apposés par autorité de justice sur les portes d'appartement, de meuble pour empêcher qu'on ne les ouvre. Mettre, lever des scellés.*

scélérat, e [selera, -at] adj. et n. **1°** Qui a commis ou est capable de commettre un crime (littér.) : *Mettre des scélérats dans l'impossibilité de nuire* (syn. : BANDIT, CRIMINEL). — **2°** *Petit scélérat !,* apostrophe à l'adresse d'un enfant auquel on reproche une peccadille (syn. : COQUIN). ◆ **scélératesse** n. f. : *La scélératesse de ce misérable est évidente à tous* (syn. : MÉCHANCETÉ, PERFIDIE).

1. sceller v. tr. V. SCEAU.

2. sceller [sele] v. tr. Fixer l'extrémité d'une pièce de bois ou de métal dans un mur, dans la pierre ou le marbre, avec du plâtre, du ciment, du mortier, etc. : *Sceller des gonds, des crampons, des crochets dans une muraille.* ◆ **scellement** n. m. : *Faire un scellement au plâtre.* ◆ **desceller** [desele] v. tr. Défaire ce qui est scellé : *Desceller une pierre d'un mur, les gonds d'un portail.* ◆ ***se desceller*** v. pr. : *Une balustrade qui s'est descellée.* ◆ **descellement** n. m. : *Les maçons ont commencé par le descellement du poteau. Le choc a provoqué le descellement de la grille.*

scénario [senarjo] n. m. **1°** Rédaction des divers épisodes d'un film, sans aucune indication technique. — **2°** Déroulement programmé d'une action : *Les gangsters ont attaqué un fourgon postal selon le scénario classique.* ◆ **scénariste** n. Auteur d'un scénario (sens 1).

scène [sɛn] n. f. **1°** Partie d'un théâtre où jouent les acteurs : *Une scène vaste et bien éclairée. C'est la première fois que cet acteur paraît en scène.* — **2°** Ensemble des décors : *La scène représente un palais.* — **3°** Lieu où se passe l'action qu'on représente : *La scène est à Rome.* — **4°** Chacune des parties d'un acte : *Une pièce de théâtre se divise en actes, les actes en scènes.* — **5°** Art dramatique : *Cet auteur a une parfaite connaissance de la scène. Les chefs-d'œuvre de la scène française. Une vedette de la scène et de l'écran.* ‖ *Mettre sur la scène, porter à la scène une action, un personnage,* en faire le sujet d'une œuvre dramatique. ‖ *Mise en scène,* organisation matérielle de la représentation d'une pièce : *Régler la mise en scène;* attitude, présentation destinée à produire de l'effet : *Cet orateur aime la mise en scène.* — **6°** Evénement auquel on assiste en simple spectateur : *Etre témoin d'une scène attendrissante, bouleversante, pénible* (syn. : SPECTACLE). — **7°** Emportement auquel on se livre : *Faire une scène à quelqu'un pour une bagatelle. Scène de ménage* (= querelle entre époux). ◆ **scénique** adj. Relatif à la scène, au théâtre : *Un effet scénique.* ◆ **avant-scène** [avɑ̃sɛn] n. f. **1°** Partie de la scène qui est en avant du rideau : *Les acteurs vinrent sur l'avant-scène saluer le public.* — **2°** Chacune des loges établies au balcon, de chaque côté de cette partie de la scène (ou *loges d'avant-scène*) : *Les avant-scènes sont souvent réservées aux personnalités officielles ou à leurs invités.*

sceptique [sɛptik] adj. et n. **1°** Qui doute ou affecte de douter de ce qui n'est pas prouvé d'une manière évidente, incontestable : *Un esprit sceptique.* — **2°** Qui se montre incrédule à l'égard d'un fait particulier, d'un résultat, etc. : *Cette nouvelle l'a laissé sceptique. Il est très sceptique sur l'issue de votre entreprise.* ◆ **scepticisme** n. m. : *Faire preuve de scepticisme. Accueillir une information avec scepticisme.*

schéma [ʃema] n. m. Dessin donnant une représentation simplifiée d'un objet, d'un phénomène : *Faire un schéma de la racine d'un arbre, du système nerveux, de la circulation du sang.* ◆ **schématique** adj. 1° Qui est relatif à un schéma; qui est de la nature du schéma : *Une coupe schématique de l'oreille.* — 2° Qui est réduit aux caractères essentiels : *Un plan schématique* (syn. : SIMPLIFIÉ; contr. : DÉTAILLÉ). *L'exposé schématique d'une doctrine.* ◆ **schématiquement** adv. : *Il nous a indiqué schématiquement son affaire* (= en gros, dans les grandes lignes). ◆ **schématiser** v. tr. Représenter, exposer d'une manière schématique : *Schématiser la structure d'un organe, d'une science* (syn. : SIMPLIFIER). *Il a trop schématisé son exposé.*

scherzando [skɛrzãdo], **scherzo** [skɛrzo] adv. et n. V. MOUVEMENT, *Mouvements musicaux.*

schisme [ʃism] n. m. 1° Séparation de la communion d'une Eglise : *Le Grand Schisme d'Occident (1378-1417) contribua à déconsidérer l'Eglise romaine et à préparer la Réforme.* — 2° Division dans un groupement, dans un parti : *Un schisme littéraire, philosophique, politique* (syn. : DISSIDENCE, SCISSION). ◆ **schismatique** adj. et n. Qui se sépare de la communion d'une Eglise.

schiste [ʃist] n. m. Roche qui peut se diviser en feuillets, comme l'ardoise. ◆ **schisteux, euse** adj. De la nature du schiste : *Un terrain schisteux. Une roche schisteuse.*

schizophrénie [skizofreni] n. f. Maladie mentale survenant surtout chez les sujets jeunes et caractérisée par une perturbation fondamentale des fonctions psychiques. ◆ **schizophrène** adj. et n. Atteint de schizophrénie.

sciatique [sjatik] n. f. Douleur qui se fait sentir principalement aux hanches et le long des jambes.

scie [si] n. f. 1° Outil, machine composés d'une lame, d'un ruban ou d'un disque d'acier portant une série de dents tranchantes et servant à débiter le bois, la pierre, les métaux, etc. : *Une scie de menuisier, de charpentier, de chirurgien. Affûter une scie.* ‖ *Scie circulaire,* scie constituée par un disque d'acier à bord denté. ‖ *Scie à ruban,* scie dont la lame est une sorte de courroie dentée tendue sur deux poulies. — 2° *Scie musicale,* instrument constitué par une lame d'un acier spécial, vibrant sous l'attaque d'un archet ou d'un marteau feutré. — 3° *Fam.* Répétition fastidieuse : *Toujours le même refrain, ça commence à devenir une scie* (syn. : RENGAINE). — 4° *Fam.* Personne ou chose très ennuyeuse : *Encore lui! Quelle scie!* ◆ **scier** v. tr. 1° Couper avec une scie : *Scier du bois, du marbre. Scier une planche.* — 2° Fam. *Scier le dos à quelqu'un,* l'ennuyer, le fatiguer. ◆ **sciage** n. m. : *Il a dû payer une forte somme pour le sciage de ce tas de bois.* ◆ **scierie** n. f. Usine où l'on débite le bois en planches à l'aide de scies mécaniques (scie circulaire, scie à ruban). ◆ **scieur** n. m. Ouvrier dont le métier est de scier : *Un scieur de bois.* ◆ **sciure** n. f. Déchet en poussière qui tombe d'une matière que l'on scie : *De la sciure de marbre. De la sciure de bois,* ou simplem. *de la sciure.*

sciemment [sjamã] adv. Avec pleine connaissance de ce qu'on fait : *Il n'a pas commis cette faute sciemment, mais par mégarde* (syn. : EXPRÈS, VOLONTAIREMENT).

science [sjãs] n. f. 1° Connaissance exacte et raisonnée de certaines choses déterminées (littér.) : *L'arbre de la science du bien et du mal.* ‖ Fam. *Il croit qu'il a la science infuse,* il se croit savant sans avoir étudié. ‖ *Un puits de science,* un homme qui a des connaissances en toutes matières. — 2° (avec un art. indéf.) Système de connaissances ayant un objet déterminé et une méthode propre : *Posséder une science à fond. Les éléments, les rudiments d'une science. La linguistique est devenue une science.* — 3° (avec un art. défini) Ensemble des connaissances humaines sur la nature, l'homme, la société, la pensée, etc., acquises par la découverte des lois objectives des phénomènes : *La science est universelle, elle n'a pas de patrie. Les découvertes, les réussites de la science. Les progrès, les applications de la science.* ◆ **sciences** n. f. pl. 1° Ensemble de disciplines ayant trait à un même ordre de connaissances : *Les sciences physiques, mathématiques, naturelles, historiques.* — 2° Par opposition aux *lettres,* disciplines où le calcul et l'observation ont une grande part (mathématiques, physique, chimie, sciences naturelles, astronomie) : *Un élève doué pour les sciences. Préparer une licence de sciences.* — 3° *Sciences appliquées,* recherches visant à utiliser les résultats scientifiques en vue d'applications techniques. ‖ *Sciences exactes,* les mathématiques et les sciences qui reposent sur le calcul. ‖ *Sciences expérimentales,* sciences dont la méthode comporte le recours à l'expérience; en particulier, une des options de la classe de philosophie. ‖ *Sciences humaines,* sciences qui ont pour objet de connaissance les différents aspects de l'homme et de la société (psychologie, sociologie, ethnologie, histoire, etc.). ‖ *Sciences naturelles,* sciences qui se sont formées à partir de l'étude de la nature (physique, chimie, géologie, botanique, zoologie, etc.). ◆ **scientifique** adj. 1° Relatif à une science ou à la science : *Un ouvrage scientifique. La nomenclature scientifique. La recherche scientifique.* — 2° Qui a l'objectivité, la précision de la science : *La vérité scientifique. Un travail scientifique. Une méthode scientifique.* ◆ adj. et n. Qui étudie les sciences physiques ou naturelles : *Un travailleur scientifique. Une discussion entre des littéraires et des scientifiques.* ◆ **scientifiquement** adv. : *Aborder scientifiquement l'étude d'une question.* ◆ **scientisme** n. m. Doctrine positiviste selon laquelle la science fait connaître la nature intime des choses et permet de résoudre les problèmes philosophiques. ◆ **scientiste** adj. Relatif au scientisme : *Une explication scientiste.* ◆ n. Partisan du scientisme. ◆ **science-fiction** [sjãsfiksjɔ̃] n. f. Genre romanesque où l'imagination de l'auteur fait appel aux thèmes du voyage dans le temps et dans l'espace extra-terrestre.

scinder [sɛ̃de] v. tr. *Scinder une chose* (nom désignant une collectivité, une chose abstraite), la diviser, la fractionner : *Scinder un groupement. Scinder une question, une motion.* ◆ ***se scinder*** v. pr. (sujet nom de collectivité, nom abstrait). Se diviser : *Parti qui se scinde en deux groupes* (syn. : SE SÉPARER). ◆ **scission** n. f. Division, séparation survenue entre des personnes qui formaient une association, un parti, un syndicat. ◆ **scissionniste** adj. et n. : *Un groupe scissionniste.*

scintiller [sɛ̃tije] v. intr. Briller en jetant des éclats par intervalles : *Les étoiles, les diamants scintillent* (syn. : ÉTINCELER). ◆ **scintillation** [sɛ̃tilasjɔ̃] n. f. Tremblement qu'on observe dans la lumière des étoiles. ◆ **scintillement** n. m. Eclat de ce qui scintille : *Le scintillement des pierres précieuses.*

scion [sjɔ̃] n. m. 1° Pousse de l'année, petit rejeton tendre et flexible d'un arbre. — 2° Partie terminale, la plus fine, d'une canne à pêche.

sclérose [skleroz] n. f. 1° Durcissement pathologique d'un tissu organique : *Sclérose pulmonaire. Sclérose artérielle* (syn. : ARTÉRIOSCLÉROSE). — 2° Incapacité d'évoluer, de s'adapter à une situation nouvelle, par suite d'inactivité, d'immobilisme : *Sclérose d'un parti, d'une association.* ◆ **scléroser** v. tr. Provoquer la sclérose dans un but thérapeutique : *Scléroser des varices.* ◆ ***se scléroser*** v. pr. 1° Se durcir : *Organe qui se sclérose.* — 2° (sujet nom de personne, de collectivité) Perdre toute souplesse, se laisser aller à l'inertie, à l'immobilisme : *Administration qui se sclérose. Se scléroser dans ses habitudes, dans sa routine* (syn. : S'ENCROÛTER, SE FIGER, SE PARALYSER). ◆ **sclérosé, e** adj. Atteint de sclérose : *Tissu sclérosé. Institution sclérosée.*

scolaire [skɔlɛr] adj. Relatif à l'école, à la vie des écoles, à l'enseignement qu'on y donne : *Bâtiments scolaires. Année scolaire. Age scolaire. Programmes scolaires. Manuels scolaires. Succès scolaires.* ◆ **scolairement** adv. A la manière d'un écolier : *Traduire un texte un peu trop scolairement.* ◆ **scolarité** n. f. 1° Fait de suivre régulièrement les cours dans un établissement d'enseignement : *La scolarité est obligatoire en France pour les enfants de six à seize ans. Certificat de scolarité* (= attestation donnée par le chef d'un établissement à un élève qui en suit régulièrement les cours). — 2° Durée des études : *Le gouvernement a décidé de prolonger la scolarité.* ◆ **scolariser** v. tr. Pourvoir d'établissements scolaires : *Scolariser un pays, une région.* ◆ **scolarisation** n. f. 1° Action de scolariser : *La scolarisation des pays en voie de développement.* — 2° Fréquentation des écoles : *Taux de scolarisation* (= pourcentage d'enfants qui suivent les cours d'un établissement scolaire par rapport à la population totale de même âge).

scoliose [skɔljoz] n. f. Déviation latérale de la colonne vertébrale.

sconse ou **skuns** [skɔ̃s] n. m. Fourrure d'un petit mammifère d'Amérique. (On écrit aussi SCONS, SCONCE, SKUNKS.)

scooter [skutɛr] n. m. Petite motocyclette à cadre ouvert. ◆ **scootériste** n.

scorbut [skɔrbyt] n. m. Maladie résultant d'un manque de vitamines et qui se caractérise par des hémorragies, par la chute des dents et par l'altération des articulations.

score [skɔr] n. m. Nombre de points obtenus par chaque équipe ou chaque adversaire dans un match.

scorie [skɔri] n. f. Résidu provenant de la fusion des minerais métalliques, des métaux (syn. : MÂCHEFER).

scorpion [skɔrpjɔ̃] n. m. Animal qui porte en avant une paire de pinces et dont l'abdomen se termine par un aiguillon venimeux : *Le scorpion vit dans les régions chaudes et arides; sa taille varie entre trois et vingt centimètres; sa piqûre est douloureuse et parfois mortelle pour l'homme.*

scout, e [skut] n. Enfant, adolescent — garçon ou fille — qui fait partie de groupes (troupes) où les exercices d'exploration et de découverte en pleine campagne constituent la base de l'activité physique, tout en étant destinés à la formation morale (on a d'abord dit BOY-SCOUT) : *Les troupes de scouts partent le samedi pour aller camper en forêt.* ◆ adj. : *L'esprit scout est à base de camaraderie et d'entraide. Le mouvement scout.* ◆ **scoutisme** [skutism] n. m. : *Le scoutisme a connu un développement important en Grande-Bretagne et en France.*

scribouillard [skribujar] n. m. *Fam.* et *péjor.* Employé aux écritures.

script [skript] adj. *Ecriture script,* écriture simplifiée, composée de lettres réduites à des traits et des cercles.

script-girl [skriptgœrl] n. f. Auxiliaire du metteur en scène de cinéma, chargée de noter tous les détails techniques et artistiques de chaque prise de vues.

scrupule [skrypyl] n. m. 1° Grande délicatesse de conscience, soit dans la vie morale, soit dans la vie professionnelle : *Un homme dénué de tout scrupule. Un employé d'une exactitude poussée jusqu'au scrupule.* — 2° Doute, hésitation qui empêche d'agir par crainte de commettre une faute : *Etre arrêté par un scrupule. Avoir un scrupule, des scrupules. Vaincre ses scrupules. Ce scrupule lui fait honneur.* — 3° *Se faire un scrupule d'une chose,* hésiter à la faire par délicatesse de conscience : *Cette action n'est pas répréhensible en soi, mais il se ferait un scrupule de l'accomplir.* ◆ **scrupuleux, euse** adj. 1° Se dit d'une personne qui a des scrupules, qui respecte strictement les règles morales : *Un juge scrupuleux. On ne saurait être trop scrupuleux dès qu'il s'agit de la justice* (syn. : ↓ CONSCIENCIEUX, HONNÊTE). — 2° Se dit d'une chose qui manifeste, prouve du scrupule : *Des soins scrupuleux* (syn. : MÉTICULEUX). *Une honnêteté scrupuleuse. Une attention scrupuleuse* (syn. : MINUTIEUX). ◆ **scrupuleusement** adv. : *Vérifier scrupuleusement un compte* (syn. : ↓ MINUTIEUSEMENT).

scrutateur n. m. V. SCRUTER et SCRUTIN.

scruter [skryte] v. tr. 1° *Scruter un comportement* (mot abstrait), chercher à le pénétrer, à le comprendre dans les détails : *Scruter les intentions de quelqu'un* (syn. : SONDER). — 2° *Scruter une chose* (mot concret), l'examiner attentivement en parcourant du regard : *Scruter l'horizon* (syn. : EXPLORER, INSPECTER, OBSERVER). ◆ **scrutateur, trice** adj. : *Un regard, un œil scrutateur.*

scrutin [skrytɛ̃] n. m. 1° Vote émis au moyen de bulletins déposés dans une urne et comptés ensuite : *Ouvrir, fermer un scrutin. Faire connaître le résultat d'un scrutin.* — 2° Ensemble des opérations qui constituent un vote ou une élection : *Un scrutin à deux tours.* — 3° Mode de votation : *Scrutin de liste* (= celui où l'on vote pour plusieurs candidats choisis sur une liste). *Scrutin majoritaire* (= celui dans lequel est élu le candidat ayant obtenu le plus grand nombre de voix). *Scrutin uninominal* (= celui où l'électeur ne vote que pour un candidat). ◆ **scrutateur** n. m. Personne qui participe au dépouillement ou à la vérification d'un scrutin.

sculpter [skylte] v. tr. *Sculpter une œuvre d'art,* la façonner en la taillant avec le ciseau dans le marbre, la pierre, le bois, le métal, etc. : *Sculpter une statue, un bas-relief.* ◆ **sculpté, e** adj. Orné de sculptures : *Une armoire sculptée.* ◆ **sculpteur** n. m. Artiste qui sculpte. (On dit UNE FEMME SCULPTEUR.) ◆ **sculpture** n. f. 1° Art de sculpter : *Un chef-d'œuvre de la sculpture. Pratiquer la sculpture sur pierre, sur métal. La sculpture monumentale.* — 2° Œuvre du sculpteur : *Ebaucher, tailler, terminer une sculpture.* ◆ **sculptural, e, aux** adj. 1° Relatif à la sculpture : *Une décoration sculpturale.* — 2° Digne d'être sculpté : *Une forme, une beauté sculpturale.*

se [sə] pron. pers. V. IL.

séance [seɑ̃s] n. f. 1° Réunion des membres d'une assemblée qui délibèrent ou travaillent ensemble : *Une séance de l'Académie. Présider une séance. Commencer, ouvrir, suspendre une séance. Une séance animée, houleuse. La séance est ouverte, est levée* (= formules par lesquelles le président annonce que la séance est commencée, finie). — 2° Durée de cette réunion : *Cette affaire a occupé le Sénat pendant deux séances.* — 3° Temps que l'on passe à une occupation non interrompue, à un travail, avec d'autres personnes : *Peintre qui fait un portrait en trois séances. Une séance de culture physique, de massage. Faire de longues séances à table.* — 4° Réunion où l'on assiste à un concert, à un divertissement, à un spectacle : *Séance musicale. Séance de cinéma. Séance récréative donnée par une troupe de scouts* (syn. : REPRÉSENTATION). • LOC. ADV. *Séance tenante,* immédiatement, sans délai : *Régler une affaire séance tenante.* (V. SIÉGER.)

séant [seɑ̃] n. m. Posture d'une personne assise (ne s'emploie qu'avec l'adj. possessif et la prép. *sur*) : *Etre, se mettre sur son séant* (syn. fam. : DERRIÈRE).

seau [so] n. m. 1° Récipient cylindrique qui sert à recueillir et à transporter des liquides ou toutes sortes de matières : *Un seau en métal, en bois, en toile. Un seau à glace, à charbon.* — 2° Contenu d'un seau : *Vider un seau d'eau.* — 3° Fam. *Il pleut à seaux,* il pleut très fort.

sébile [sebil] n. f. Petite coupe de bois, ronde, peu profonde : *Un mendiant qui tend sa sébile pour demander l'aumône.*

1. sec, sèche [sɛk, sɛʃ] adj. [Appliqué aux choses.] 1° Dépourvu d'eau : *Un sol, un terrain sec* (syn. : ARIDE). *Un endroit sec.* — 2° Qui n'a pas ou qui a peu d'humidité : *Un temps sec. Un climat sec. Un vent sec. Un froid sec.* ‖ *Saison sèche,* période de l'année où il ne pleut pas ou pendant laquelle les pluies sont rares. — 3° Qui a perdu son humidité, sa fraîcheur, qui a atteint une certaine consistance : *Du bois sec, des haricots secs* (contr. : VERT). *Des herbes, des feuilles, des noix sèches. De la peinture qui n'est pas sèche. Plier du linge quand il est sec. Du pain qui est devenu sec* (syn. : RASSIS ; contr. : FRAIS). — 4° Se dit d'un organe, d'une partie du corps dépourvus de sécrétions : *Avoir la peau sèche, les mains sèches* (contr. : MOITE, HUMIDE), *la gorge sèche* (contr. : FRAIS). — 5° Se dit d'une substance alimentaire qui a été débarrassée de son humidité pour être conservée : *Des raisins secs. Du poisson sec. Gâteaux secs* (= fabriqués industriellement, sans crème). — 6° Où l'on ne met pas d'eau : *Un apéritif sec.* — 7° Qui manque de grâce, d'agrément, d'ornements : *Une narration bien sèche. Un style sec. Une lettre toute sèche. Un livre sec et ennuyeux.* — 8° Qui manque de douceur, de moelleux : *Un tissu, un lainage sec. Un dessin, un coloris sec.* — 9° *A pied sec,* sans se mouiller les pieds : *Passer un ruisseau à pied sec.* ‖ *A sec,* sans eau : *Un puits à sec.* ‖ Fam. *Avoir le gosier sec,* avoir soif. ‖ *Bruit sec,* qui n'a pas de résonance, de prolongement. ‖ *Carte sèche,* carte qui n'est pas accompagnée d'une autre de la même couleur : *Avoir un atout sec.* ‖ *Coup sec,* coup frappé vivement, en retirant aussitôt la main ou l'instrument. ‖ Fam. *En cinq sec,* v. CINQ. ‖ Fam. *N'avoir pas un fil de sec,* être tout mouillé. ‖ *Orage sec,* orage qui n'est pas accompagné de pluie. ‖ *Au pain sec,* avec du pain pour tout aliment : *Mettre quelqu'un au pain sec.* ‖ *Partie sèche,* au jeu, partie unique, qui ne comporte pas de seconde manche. ‖ *Mur de pierres sèches,* fait de pierres placées les unes sur les autres, sans mortier, sans ciment. ‖ *Perte sèche,* perte sans compensation. ‖ *Régime sec,* v. RÉGIME. ‖ *Toux sèche,* toux sans expectoration. ‖ *Vin sec,* vin blanc dont la fermentation a transformé tout le sucre en alcool. ◆ **sec** adv. 1° D'une manière rude ou rapide : *Frapper sec. Démarrer sec.* — 2° Pop. *Aussi sec,* immédiatement, sans hésiter : *Comme son patron l'attrapait pour son travail, aussi sec il est parti de l'atelier.* ◆ n. m. 1° Endroit sec : *Tenir des fruits au sec.* — 2° Nourriture que l'on donne aux bestiaux après l'avoir fait dessécher (fourrage, paille) : *Mettre des chevaux au sec.* ◆ **sèche** n. f. *Pop.* Cigarette : *Griller une sèche* (= fumer une cigarette). ◆ **sécher** v. tr. 1° Rendre sec (sens 1, 3, 5) : *Le vent sèche les chemins. Sécher ses vêtements. Le soleil a séché le ruisseau* (syn. : ASSÉCHER, METTRE À SEC). *Sécher des viandes, des raisins.* — 2° *Sécher les larmes, les pleurs de quelqu'un,* le consoler. ◆ v. intr. 1° Devenir sec, être privé d'eau, d'humidité : *Des fleurs qui sèchent par manque d'arrosage. L'étang a séché par suite des grandes chaleurs. Faire sécher des fruits, du poisson.* — 2° *Sécher sur pied,* dépérir par manque d'humidité : *Arbre qui sèche sur pied.* (V. aussi SEC 2.) ◆ **séchage** n. m. Action de sécher ou de faire sécher : *Le séchage du linge, du bois, du fourrage.* ◆ **sécheresse** n. f. 1° Etat de ce qui est sec : *La sécheresse de la terre nuit à la végétation. La sécheresse de la langue est un signe de fièvre.* — 2° Absence de pluie : *Une période de grande sécheresse.* ◆ **séchoir** n. m. Appareil servant à faire sécher le linge. ◆ **sèche-cheveux** n. m. invar. Appareil électrique servant à faire sécher les cheveux. ◆ **dessécher** v. tr. Rendre sec en faisant disparaître l'humidité naturelle : *Le soleil a desséché la terre. Des feuilles desséchées qui adhèrent encore à une branche morte. Cette chaleur nous desséchait la gorge.* ◆ **se dessécher** v. pr. Devenir sec : *Une plante qui se dessèche, faute d'être arrosée.* ◆ **desséchant, e** adj. : *Un climat desséchant.* ◆ **dessèchement** n. m. : *Le dessèchement de l'herbe.* ◆ **dessiccation** n. f. Traitement par lequel on ôte des corps leur humidité naturelle : *Conserver des fruits par dessiccation.* (V. ASSÉCHER.)

2. sec, sèche [sɛk, sɛʃ] adj. [Appliqué aux personnes.] 1° Qui est comme desséché, sans graisse, décharné : *Avoir des jambes minces et sèches* (syn. : MAIGRE). *Une femme petite et sèche* (contr. : DODU, GRASSOUILLET). *Un homme grand et sec ;* et substantiv. : *Un grand sec.* — 2° Qui manque de sensibilité, qui ne se laisse pas attendrir : *Un cœur sec* (syn. : DUR, FROID, INDIFFÉRENT). *Un homme sec et égoïste. Parler à quelqu'un sur un ton sec* (syn. : AUTORITAIRE, CASSANT ; contr. : AIMABLE). *Un refus tout sec* (syn. : DÉSOBLIGEANT). *Des manières sèches* (syn. : BRUSQUE ; contr. : ONCTUEUX). *Une voix sèche* (syn. : AIGRE). — 3° *Fruit sec,* v. FRUIT. ◆ **sec** n. m. Fam.

Etre à sec, se trouver à sec, n'avoir plus d'argent. ◆ adv. Fam. *Boire sec,* boire abondamment des boissons alcoolisées. ‖ Arg. scol. *Rester sec,* ne rien trouver à répondre aux questions du professeur. ◆ **sèchement** adv. D'une façon brève et dure : *Répondre, refuser, répliquer sèchement* (syn. : SEC). ◆ **sécher** v. tr. Arg. scol. *Sécher un cours,* ne pas y assister. ◆ v. intr. 1° *Arg. scol.* Etre incapable de répondre à une question du professeur, de faire un devoir. — 2° *Sécher sur pied,* se consumer d'ennui, de tristesse (se dit surtout à propos d'une jeune fille qui ne trouve pas à se marier) [syn. : LANGUIR]. ◆ **sécheresse** n. f. Brusquerie, froideur : *Répondre avec sécheresse. La sécheresse du cœur* (syn. : INSENSIBILITÉ). ◆ **sécot, e** adj. et n. *Fam.* Se dit d'une personne sèche, maigre, décharnée. ◆ **dessécher** v. tr. Rendre insensible : *Une longue habitude de la misère avait fini par lui dessécher le cœur.* ◆ **se dessécher** v. pr. : *Un vieillard qui se dessèche* (= qui maigrit beaucoup). ◆ **desséchant, e** adj. : *Il jugeait les recherches techniques trop desséchantes.* ◆ **dessèchement** n. m. : *Il n'a pas conscience du dessèchement de son esprit.*

sécateur [sekatœr] n. m. Instrument de jardinier composé de deux lames croisées, épaisses et courbes, et servant à tailler les arbustes.

sécession [sesesjɔ̃] n. f. Action de se séparer d'une collectivité à laquelle on appartenait (syn. : DISSIDENCE, SÉPARATION). [Se dit surtout d'une population qui se sépare d'une collectivité nationale.] ◆ **sécessionniste** adj. et n.

second, e [səgɔ̃, -gɔ̃d] adj. (avant le nom, excepté avec *livre, tome*). 1° Se dit d'une chose qui vient immédiatement après la première dans l'ordre de l'espace, du temps : *Prendre la seconde rue à droite. Faire une chose pour la seconde fois. Un second mariage. Epouser une femme en secondes noces. La seconde année de son professorat.* — 2° Se dit d'une personne ou d'une chose qui vient après la première dans l'ordre du rang, de la hiérarchie, de la valeur : *Un second vendeur dans un magasin* (contr. : PREMIER). *Enseigne de seconde classe, second maître* (grades de la marine). *Un homme de second plan. Obtenir le second prix, la seconde place. Billet de seconde classe. Ouvrage de second ordre* (syn. : MINEUR). *Objet de second choix* (= défraîchi). — 3° Se dit d'une chose qui s'ajoute à une autre : *Une seconde jeunesse* (syn. : NOUVEAU). *L'habitude est une seconde nature* (loc. prov.). ‖ *Seconde vue,* faculté dont certaines personnes seraient douées et qui leur permettrait de connaître des faits, des événements dont elles ne sont pas les témoins. ‖ *Etat second,* état pathologique transitoire, caractérisé par la substitution à l'activité mentale normale d'une activité automatique et suivie d'amnésie. — 4° En musique, se dit de la personne qui, dans l'exécution d'une composition vocale ou instrumentale, chante ou joue la partie la plus basse : *Un second ténor, un second violon.* • LOC. ADJ. OU ADV. *De seconde main,* qui vient d'un intermédiaire, indirectement : *Acheter une chose de seconde main* (syn. : D'OCCASION). *Savoir une nouvelle de seconde main.* ◆ n. Personne ou chose qui est au second rang : *Le second d'une liste. Etre la seconde de sa classe.* ◆ **second** n. m. 1° Deuxième étage d'une maison : *Habiter au second.* — 2° *Mon second,* seconde syllabe d'un mot dans une charade. • LOC. ADV. OU ADJ. *En second,* sous les ordres d'un autre : *Commander en second.* ‖ *Capitaine en second* (ou, par abrév., *second*), officier venant immédiatement après le commandant sur un navire de commerce. ◆ **seconde** n. f. 1° Classe qui précède la première dans l'enseignement du second degré : *Un élève de seconde.* — 2° Abrév. de SECONDE CLASSE dans les véhicules de transport public : *Voyager en seconde. Prendre un billet de seconde.* ◆ **secondement** adv. En second lieu, dans une énumération : *Il faut premièrement faire un brouillon et secondement le recopier* (syn. : DEUXIÈMEMENT). ◆ **secondaire** adj. 1° Qui vient au second rang pour l'importance, l'intérêt, etc. : *Un personnage secondaire. Un événement secondaire. Un rôle secondaire. Ce que vous me dites là, c'est secondaire* (= cela a peu d'importance). — 2° *Enseignement secondaire,* enseignement destiné aux enfants sortant de l'enseignement primaire. (On dit aussi ENSEIGNEMENT DU SECOND DEGRÉ.) ◆ **secondairement** adv. De façon secondaire, accessoire.

2. second [səgɔ̃] n. m. Personne qui en aide une autre dans un travail, une affaire : *Vous pourrez réussir dans cette entreprise, vous avez un brillant second* (syn. : AUXILIAIRE, COLLABORATEUR). ◆ **seconder** v. tr. *Seconder quelqu'un,* l'aider dans un travail, dans une affaire : *Un directeur qui est bien secondé par ses collaborateurs* (syn. : ASSISTER, COLLABORER [avec]).

1. seconde n. f. V. SECOND.

2. seconde [səgɔ̃d] n. f. 1° Soixantième partie d'une minute : *Une montre qui indique les heures, les minutes et les secondes.* — 2° Temps très court : *Une seconde, et je suis à vous.*

secouer [səkwe] v. tr. 1° *Secouer quelque chose, quelqu'un,* le remuer fortement et à plusieurs reprises : *Secouer un pommier pour en faire tomber les fruits. Secouer un tapis pour en ôter la poussière. Secouer la salade avant de l'assaisonner. Etre secoué sur un bateau* (syn. : BALLOTTER), *dans une voiture* (syn. : CAHOTER). *Secouer la tête* (= la remuer en signe de doute, de refus; syn. : HOCHER). ‖ *Secouer le cocotier,* s'emparer de la place occupée par un homme âgé (par allusion à la coutume de certaines peuplades qui, pour mettre à l'épreuve les forces d'un vieillard, l'obligeaient à monter en haut d'un cocotier, qu'on secouait pour essayer de l'en faire tomber). — 2° *Secouer quelque chose,* s'en débarrasser par des mouvements brusques et répétés : *Secouer la poussière de ses chaussures.* ‖ *Secouer la poussière de ses sandales,* V. SANDALE. ‖ *Secouer sa torpeur, sa paresse,* s'animer, s'activer, travailler. ‖ *Secouer le joug,* s'affranchir d'une domination. — 3° *Secouer quelqu'un,* lui donner une commotion physique ou morale : *La maladie, les mauvaises nouvelles qu'il a reçues l'ont bien secoué* (syn. : ÉBRANLER, ↑ TRAUMATISER). — 4° Fam. *Secouer quelqu'un,* le réprimander, l'inciter au travail, à l'effort : *Il faut toujours le secouer, autrement il ne ferait rien* (syn. : BOUSCULER, ↑ HARCELER). [On dit aussi fam. *secouer les puces à quelqu'un.*] ◆ ***se secouer*** v. pr. 1° (sujet nom d'être animé) S'agiter fortement pour se débarrasser de quelque chose qui incommode : *Les chiens se secouent quand ils sont mouillés* (syn. : S'ÉBROUER). *Les chevaux se secouent pour se défaire des mouches.* — 2° (sujet nom de personne) *Fam.* Ne pas se laisser aller à l'inertie, au découragement : *Allons, secouez-vous pour terminer votre ouvrage à temps.* ◆ **secouage** n. m. Action de secouer : *Le secouage des tapis, de la salade.* ◆ **secouement**

n. m. Fait de secouer : *Un secouement de tête.* ◆ **secousse** n. f. 1° Mouvement brusque qui agite un corps : *Une rude, une violente secousse* (syn. : CHOC, ÉBRANLEMENT). *Les secousses que donne un cheval qui trotte sont fatigantes* (syn. : SACCADE). *Une voiture qui s'arrête sans secousse.* — 2° Chacune des oscillations du sol dans un tremblement de terre : *Au cours de ce séisme, on a ressenti plusieurs secousses.* (On dit aussi SECOUSSE SISMIQUE.) — 3° Brusque et vive émotion qui ébranle les nerfs : *Ce deuil lui a causé une grande secousse.* — 4° Pop. *Ne pas en fiche une secousse,* ne rien faire.

secourir [səkurir] v. tr. (conj. **29**). *Secourir quelqu'un,* aider une personne en danger ou dans le besoin : *Secourir un blessé* (syn. : ASSISTER, PORTER SECOURS À). *Secourir les pauvres, les malheureux, les indigents.* ◆ **secours** n. m. 1° Action de secourir une personne en danger, dans le besoin : *Aller, accourir, courir, se porter, venir au secours de quelqu'un. Demander du secours. Appeler quelqu'un à son secours. Le blessé a péri faute de secours.* — 2° Aide financière, matérielle, fournie à une personne dans le besoin : *Distribuer des secours aux sinistrés.* — 3° Moyens, méthodes à employer pour porter aide et assistance à une victime ou à une personne en danger : *Secours à donner en cas d'urgence. Secours aux blessés, aux noyés.* — 4° Ce qui est utile dans une circonstance : *Sa mémoire lui a été d'un grand secours en cette occasion.* ● Loc. ADJ. *De secours,* qui est destiné à servir en cas de nécessité : *Eclairage de secours* (= éclairage utilisé en cas de défaillance de l'éclairage normal). *Sortie de secours* (= issue supplémentaire prévue pour l'évacuation rapide d'une salle de spectacle, d'un véhicule de transport public, en cas d'incendie ou d'accident). ‖ *Roue de secours,* V. ROUE. ◆ **secourable** adj. Qui aime à secourir les autres : *Un homme secourable* (syn. : BON, HUMAIN, OBLIGEANT). ◆ **secourisme** n. m. Ensemble des moyens qui peuvent être mis en œuvre pour porter secours aux personnes en danger et leur donner les premiers soins. ◆ **secouriste** n. Membre d'une organisation de secours pour les victimes d'un accident, d'une catastrophe.

1. secret, ète [səkrɛ, -ɛt] adj. 1° (généralement après le nom) Se dit d'une chose que l'on tient cachée, qui n'est connue que d'un petit nombre de personnes : *Un ordre secret. Des instructions secrètes. Des documents, des renseignements secrets* (syn. : CONFIDENTIEL). *Des menées, des intrigues secrètes* (syn. : CLANDESTIN). *Une négociation, une entrevue secrète. Une maladie secrète* (= une maladie vénérienne). *Une association, une société secrète. Un agent secret* (= un espion). *La police secrète,* ou, substantiv., *la secrète* (= la Sûreté nationale). ‖ *Comité secret,* assemblée aux délibérations de laquelle le public n'assiste pas. — 2° (après ou quelquefois avant le nom) Qui ne se manifeste pas, n'est pas apparent : *Un charme secret* (syn. : INVISIBLE). *Une haine secrète. Notre vie secrète* (syn. : INTÉRIEUR, INTIME). *Un secret pressentiment. Une secrète envie. Nos plus secrètes pensées.* — 3° Placé de façon à ne pas être vu : *Une porte secrète. Un escalier secret* (syn. : DÉROBÉ). *Un tiroir secret.* ◆ **secrètement** adv. : *Avertir quelqu'un secrètement* (syn. : CONFIDENTIELLEMENT). *Voyager secrètement dans un pays* (syn. : INCOGNITO). *Agir secrètement* (syn. : CLANDESTINEMENT). *Quitter secrètement un pays* (syn. : FURTIVEMENT, À LA DÉROBÉE).

2. secret, ète [səkrɛ, -ɛt] adj. Se dit d'une personne qui ne fait pas de confidences : *Cet homme ne parle à personne, il est très secret* (syn. : RENFERMÉ).

3. secret [səkrɛ] n. m. 1° Ce qui doit être tenu caché, ce qu'il ne faut dire à personne : *Un homme incapable de garder un secret. Confier un secret à quelqu'un. Deviner un secret. Dévoiler, divulguer, ébruiter, livrer, trahir un secret.* ‖ Fam. *C'est mon secret,* se dit à une personne pour refuser de lui donner connaissance d'une chose. ‖ *Ne pas avoir de secret pour quelqu'un,* ne rien lui cacher. ‖ *Le secret de Polichinelle,* ce qui est connu de tous et dont on veut faire un secret. ‖ *Secret d'Etat,* chose dont la divulgation nuirait aux intérêts de la nation; *fam.,* chose dont on fait grand mystère. — 2° Discrétion, silence sur une chose confiée : *Les négociations ont été menées dans le plus grand secret. Vous pouvez compter sur son secret. Il nous a demandé de garder le secret. Le secret de la confession.* ‖ *Annoncer, confier, dire une chose sous le sceau du secret,* la confier en recommandant de ne la divulguer à personne. ‖ *Etre dans le secret, être dans le secret des dieux* (fam.), être dans la confidence d'une affaire. ‖ *Secret professionnel,* interdiction légale de divulguer un secret dont on a eu connaissance dans l'exercice de ses fonctions : *Les médecins sont liés par le secret professionnel, même devant les tribunaux.* — 3° Ce qu'il y a de plus caché, de plus intime : *Pénétrer dans le secret des cœurs, des consciences* (syn. : REPLIS, TRÉFONDS). — 4° Moyen caché, ou connu d'un petit nombre de personnes, pour réussir quelque chose, pour atteindre un but : *Le secret de l'art d'écrire. Le secret pour plaire, pour parvenir. Le secret du bonheur. Le secret pour guérir une maladie* (syn. : RECETTE; fam. : TRUC). *Donner, communiquer un secret de fabrication* (syn. : PROCÉDÉ). — 5° Mécanisme caché qu'il faut manœuvrer d'une certaine manière, ou combinaison qu'il faut connaître : *Une serrure à secret. Connaître le secret d'un coffre-fort.* — 6° Lieu isolé dans une prison : *Mettre un prisonnier au secret.* ● Loc. ADV. *En secret,* sans témoin : *Recevoir quelqu'un en secret* (syn. : EN CACHETTE, EN CATIMINI).

1. secrétaire [səkretɛr] n. 1° Personne capable d'écrire sous la dictée de quelqu'un ou de rédiger, de classer sa correspondance, de répondre au téléphone : *Une secrétaire sténodactylo. Une secrétaire-comptable. Le directeur nous a fait prévenir par sa secrétaire. Il m'a fait écrire par son secrétaire.* — 2° Personne qui assiste le président d'une assemblée et qui éventuellement rédige les procès-verbaux des séances : *Secrétaire de l'Assemblée nationale, du Sénat. Secrétaire perpétuel* (= élu à vie) *de l'Académie française. Secrétaire d'un syndicat, d'un parti politique.* — 3° Personne qui assiste un directeur, un chef de service, etc., et qui, en particulier, est chargée de la correspondance. — 4° *Secrétaire d'Etat,* homme politique ou haut fonctionnaire pourvu d'un département ministériel; titre donné au ministre des Affaires étrangères des Etats-Unis, au cardinal chargé des rapports extérieurs au Vatican. — 5° *Secrétaire général,* fonctionnaire ou employé chargé de la direction, de l'organisation des services de certaines assemblées, d'organismes publics ou privés, de sociétés : *Secrétaire général de l'Organisation des Nations unies. Secrétaire général de l'Assemblée nationale, du Sénat, de la présidence de la République. Secrétaire général de préfecture.*

— **6°** *Secrétaire de mairie,* personne chargée, sous la responsabilité du maire, des tâches administratives de la commune. (Dans les villes, il est le chef de l'administration municipale.) — **7°** *Secrétaire de rédaction* (d'un journal, d'une revue), auxiliaire du rédacteur en chef, qui revoit les articles, assure la mise en pages. ◆ **secrétariat** n. m. **1°** Profession, emploi de secrétaire : *Ecole de secrétariat.* — **2°** Bureau où travaillent des secrétaires : *S'adresser au secrétariat.* ◆ **secrétairerie** n. f. *Secrétairerie d'Etat,* organisme administratif que dirige le cardinal secrétaire d'Etat, au Vatican. ◆ **sous-secrétaire** n. *Sous-secrétaire d'Etat,* membre d'un gouvernement, adjoint à un secrétaire d'Etat.

2. secrétaire [səkretɛr] n. m. Meuble à tiroirs où l'on range des papiers, et ordinairement pourvu d'un panneau qui, rabattu, sert de table à écrire.

sécréter [sekrete] v. tr. **1°** (sujet nom désignant un organe) Produire une sécrétion : *Le foie sécrète la bile.* — **2°** (sujet nom de personne) Répandre autour de soi : *Cet individu sécrète l'ennui* (s'emploie surtout dans cette expression; syn. : DISTILLER). ◆ **sécrétion** n. f. **1°** Opération par laquelle les cellules d'un organisme animal ou végétal élaborent des substances qui sont évacuées : *La sécrétion salivaire. La sécrétion des glandes de la peau. Le latex, les matières résineuses, les essences sont des produits de la sécrétion végétale.* — **2°** Substance ainsi produite : *Une sécrétion abondante.* ◆ **sécréteur, trice** adj. Qui produit une sécrétion; qui sert à une sécrétion : *Glande sécrétrice. Canal sécréteur.*

sectaire [sɛktɛr] n. et adj. Personne qui fait preuve d'intolérance et d'étroitesse d'esprit à l'égard des opinions religieuses ou politiques des autres : *Il est impossible de discuter avec lui de problèmes philosophiques ou religieux : c'est un sectaire. Un esprit sectaire* (syn. : INTOLÉRANT). ◆ **sectarisme** n. m. Syn. : INTOLÉRANCE.

secte [sɛkt] n. f. **1°** Ensemble de personnes qui se sont détachées d'une communion religieuse : *La secte des mormons.* — **2°** Petit groupe animé par une idéologie doctrinaire.

1. secteur [sɛktœr] n. m. *Secteur de cercle,* ou *secteur circulaire,* en géométrie, surface comprise entre un arc et les rayons qui aboutissent à ses deux extrémités.

2. secteur [sɛktœr] n. m. **1°** Zone d'action d'une unité militaire (en général une division) : *Un secteur calme.* ‖ *Secteur postal,* adresse postale conventionnelle, donnée par le service de la poste aux armées pour conserver secret le stationnement des troupes. — **2°** *Fam.* Endroit quelconque : *Qu'est-ce que tu viens faire dans ce secteur?* — **3°** Subdivision administrative d'une ville (circonscription électorale, services municipaux, etc.) : *Se présenter aux élections dans le sixième secteur de Paris.* — **4°** Subdivision d'un réseau de distribution d'électricité : *Dans ce secteur, il y a souvent des coupures de courant. Une panne de secteur.* — **5°** *Secteurs primaire, secondaire, tertiaire,* divisions de l'activité économique d'un pays : *Le secteur primaire comprend les mines, la pêche et l'agriculture, le secteur secondaire concerne l'industrie, et le secteur tertiaire recouvre le commerce, les transports et l'Administration.* ‖ *Secteur privé,* ensemble des entreprises appartenant à des propriétaires, à des sociétés. ‖ *Secteur public,* ensemble des entreprises dépendant de l'Etat.

section [sɛksjɔ̃] n. f. **1°** Action de couper; endroit où une chose est coupée : *La section d'un os, d'un tendon, d'une tige.* — **2°** Division ou subdivision d'une œuvre écrite : *Un chapitre divisé en deux sections.* — **3°** Division du parcours d'une ligne de transports en commun (autobus, trolleybus) : *Un trajet de quatre sections.* — **4°** Division administrative d'une ville, d'un tribunal, d'une académie, d'un établissement d'enseignement, etc. : *Une section du Conseil d'Etat. Sections littéraire et scientifique. Section électorale* (= subdivision d'une circonscription électorale). *Section de vote* (= ensemble des électeurs qui votent dans un même bureau; local où est organisé ce bureau). — **5°** Dans l'armée, subdivision d'une compagnie, d'une batterie qui comprend de trente à quarante hommes : *Commander une section.* ◆ **sectionner** v. tr. **1°** *Sectionner quelque chose,* le diviser par sections : *Sectionner une ville, un département en circonscriptions électorales* (syn. : FRACTIONNER). — **2°** *Sectionner un membre,* le couper, surtout accidentellement : *Il a eu deux doigts sectionnés par une scie.* ◆ **sectionnement** n. m. : *Le sectionnement d'une artère.*

séculaire adj. V. SIÈCLE.

séculier, ère [sekylje, -ɛr] adj. *Prêtre, clergé séculier,* prêtre, clergé qui vit dans le monde (contr. : RÉGULIER). ◆ **séculariser** v. tr. **1°** *Séculariser des personnes,* rendre à la vie laïque des personnes qui appartiennent à la vie ecclésiastique : *Séculariser un monastère. Une religieuse sécularisée.* — **2°** *Séculariser des biens,* transférer les biens d'une communauté religieuse au domaine de l'Etat : *Les biens du clergé ont été sécularisés en 1789.* ◆ **sécularisation** n. f. : *La sécularisation d'un couvent.*

secundo adv. V. NUMÉRATION.

sécurité [sekyrite] n. f. **1°** Situation où l'on n'a aucun danger à craindre : *Croyez-vous que nous soyons en sécurité dans cet abri? Assurer la sécurité matérielle de quelqu'un.* — **2°** Tranquillité d'esprit qui résulte du sentiment que l'on n'a rien à craindre : *Dans cette voiture, on a une impression de sécurité. Dormir en toute sécurité.* — **3°** *Sécurité routière,* ensemble des services visant à la sécurité des usagers de la route. ‖ *Sécurité sociale,* ensemble des mesures collectives qui ont pour objet de garantir les individus et leur famille contre certains risques sociaux; ensemble des organismes chargés d'appliquer ces mesures. ● LOC. ADJ. *De sécurité,* se dit d'un objet, d'un appareil destiné à empêcher un accident ou à en atténuer les conséquences : *Dispositif, système de sécurité. Ceinture de sécurité.* ◆ **insécurité** n. f. : *Sa situation financière est mauvaise et il vit dans l'insécurité la plus complète. L'insécurité des zones montagneuses.*

sédentaire [sedɑ̃tɛr] adj. et n. **1°** Qui demeure ordinairement assis : *Vous ne prenez pas assez d'exercice, vous êtes trop sédentaire. Un bureaucrate sédentaire.* — **2°** Qui se tient presque toujours chez soi, qui sort ou voyage peu : *En vieillissant, on devient sédentaire* (syn. : CASANIER; fam. : PANTOUFLARD). — **3°** Se dit d'une population dont l'habitat est fixe (par oppos. à *nomade*). ◆ adj. Qui ne comporte ou n'exige pas de déplacements : *Une vie sédentaire. Profession, emploi sédentaire.* ◆ **sédentariser** v. tr. Rendre sédentaire (sens 3).

sédition [sedisjɔ̃] n. f. Révolte contre l'autorité établie : *Allumer, fomenter une sédition* (syn. : INSURRECTION, SOULÈVEMENT). ◆ **séditieux, euse** n.

et adj. Personne qui prend part à une sédition : *Un attroupement de séditieux* (syn. : FACTIEUX). ◆ adj. 1° En révolte contre l'autorité : *Un journaliste séditieux.* — 2° Qui tend à provoquer la sédition : *Des discours, des écrits séditieux. Pousser des cris séditieux.*

séduire [sedɥir] v. tr. (conj. **70**). 1° *Séduire une femme, une fille,* lui faire perdre sa vertu, son innocence : *Il a épousé la jeune fille qu'il avait séduite* (syn. : ABUSER DE, DÉSHONORER). — 2° (sujet nom de personne ou de chose) *Séduire quelqu'un,* l'attirer, le gagner d'une façon irrésistible : *Il ne s'est pas laissé prendre au manège d'une coquette qui voulait le séduire* (syn. fam. : EMBOBINER, ENJÔLER). *Ses manières, le charme de sa parole ont séduit le public* (syn. : CHARMER, FASCINER). *Cette vie de bureaucrate ne le séduisait guère* (syn. : TENTER, PLAIRE). ◆ **séduction** n. f. : *Il employa l'argent, les cadeaux, les promesses pour arriver à la séduction de cette femme. La séduction des richesses, du pouvoir.* ◆ **séducteur, trice** adj. Qui séduit, attire d'une façon irrésistible : *Un pouvoir séducteur. Une grâce séductrice.* ◆ **séducteur** n. m. Homme qui séduit des femmes ou des jeunes filles (sens 1) : *Tomber dans les filets, les pièges d'un séducteur* (syn. : DON JUAN, HOMME À FEMME; pop. : TOMBEUR). *Avoir un talent de séducteur.* ◆ **séduisant, e** adj. 1° Se dit d'une personne qui plaît, qui attire par sa beauté, son charme : *Un homme séduisant, une femme séduisante* (syn. : BEAU, CHARMANT). — 2° Se dit d'une chose qui est propre à attirer : *Une offre, une promesse, une proposition séduisante* (syn. : ATTRAYANT, AFFRIOLANT, CAPTIVANT). *Un air séduisant.*

segment [sɛgmɑ̃] n. m. *Segment de droite,* portion de droite limitée par deux points. ◆ **segmenter** v. tr. Partager en segments : *Segmenter une barre de fer* (syn. : COUPER, DIVISER). ◆ **segmentation** n. f. (syn. : FRACTIONNEMENT).

ségrégation [segregasjɔ̃] n. f. *Ségrégation raciale,* fait de séparer les personnes d'origines, de races différentes, à l'intérieur d'un même pays : *La ségrégation raciale a pris une forme particulièrement vive aux Etats-Unis et en Afrique du Sud* (syn. : DISCRIMINATION RACIALE). ◆ **ségrégationnisme** n. m. Politique de ségrégation raciale. ◆ **ségrégationniste** adj. Relatif à la ségrégation : *Des mesures ségrégationnistes.* ◆ **déségrégation** n. f.

seiche [sɛʃ] n. f. Mollusque vivant près des côtes, dont la tête porte des tentacules à ventouses et qui projette un liquide noir lorsqu'il est attaqué : *L'os de seiche, que l'on donne aux oiseaux pour s'aiguiser le bec, est la coquille interne de la seiche.*

séide [seid] n. m. Homme aveuglément dévoué à un chef (syn. : FANATIQUE, PARTISAN).

seigle [sɛgl] n. m. 1° Céréale cultivée dans les régions nordiques, dans les montagnes et sur les terrains pauvres. — 2° Grain de cette plante et farine qu'on en tire : *Manger du pain de seigle avec des huîtres.*

seigneur [seɲœr] n. m. 1° Au Moyen Age et sous l'Ancien Régime, propriétaire féodal, personne noble de haut rang. — 2° (avec une majusc.) Nom donné à Dieu. ‖ *Notre-Seigneur,* Jésus Christ. — 3° *Faire le grand seigneur, se donner des airs de grand seigneur, vivre en grand seigneur,* se montrer très généreux, dépenser sans compter. ‖ Fam. et ironiq. *Son seigneur et maître,* le mari d'une femme.

sein [sɛ̃] n. m. 1° Partie du corps qui s'étend depuis le bas du cou jusqu'au creux de l'estomac (littér.) : *Presser quelqu'un sur son sein* (syn. : POITRINE). *Un petit enfant dormait sur le sein de sa mère.* — 2° Chacune des mamelles de la femme : *Ressentir une douleur au sein gauche. Donner le sein à un enfant* (= lui donner à téter; syn. : ALLAITER). *Un enfant qui prend le sein* (= qui tète). — 3° Espace entre la poitrine et les vêtements qui la couvrent : *Cacher une lettre dans son sein.* — 4° Siège de la conception (littér.) : *Porter un enfant dans son sein* (syn. : ENTRAILLES). — 5° Partie interne : *Le sein de la terre, de l'océan.* • LOC. PRÉP. *Au sein de,* au milieu de : *Vivre au sein de sa famille.*

séisme [seism] n. m. Secousse qui ébranle le sol sur une étendue plus ou moins grande (syn. : TREMBLEMENT DE TERRE). ◆ **sismique** adj. : *Mouvement, phénomène sismique.* ◆ **sismographe** n. m. Appareil destiné à enregistrer l'heure, la durée et l'amplitude des secousses du sol.

seize [sɛz] adj. num. cardin. et n. m. V. NUMÉRATION. ◆ **seizième** adj. num. ordin. et n. ◆ **seizièmement** adv.

séjourner [seʒurne] v. intr. (sujet nom de personne ou de chose). Rester pendant un certain temps dans un endroit, dans un espace : *Notre ami a séjourné quelques années en Angleterre* (syn. : HABITER). *A la suite des inondations, l'eau a séjourné plusieurs jours dans les caves.* ◆ **séjour** n. m. Fait, pour une personne, de séjourner dans un endroit; temps qu'elle y séjourne : *Faire un long, un bref séjour à la campagne.*

sel [sɛl] n. m. 1° Substance incolore, cristallisée, soluble dans l'eau, d'un goût piquant, qui sert à l'assaisonnement et à la conservation des aliments : *Du gros sel, du sel fin. Ce potage est fade, il manque de sel. Du sel gemme, du sel marin.* — 2° Ce qu'il y a de piquant, de spirituel dans un écrit, dans une conversation : *Une plaisanterie pleine de sel.* — 3° Fam. *Mettre, mêler son grain de sel,* intervenir mal à propos dans une conversation, se mêler de ce qui ne vous regarde pas. ◆ **saler** v. tr. 1° *Saler un mets,* l'assaisonner avec du sel : *Saler une sauce, un potage.* — 2° *Saler une denrée* (viande, poisson, etc.), l'imprégner de sel pour la conserver : *Saler du porc, des harengs, des sardines.* ◆ **salant** adj. m. *Marais salant,* V. MARAIS. ◆ **salé, e** adj. 1° Imprégné de sel : *Du beurre salé.* — 2° Qui a ou qui évoque le goût du sel : *Avoir les lèvres salées.* — 3° Qui est très libre, licencieux : *Des plaisanteries salées* (syn. : GRIVOIS, POIVRÉ, GROSSIER). — 4° *Fam.* Dont le prix, le montant est excessif : *Une note de restaurant assez salée.* ◆ **salé** adv. : *Manger salé.* ◆ **salé** n. m. 1° Mets salé : *Aimer le salé.* — 2° Chair du porc salée : *Un morceau de salé.* ‖ *Petit salé,* viande de porc nouvellement salée. ◆ **salage** n. m. : *Le salage d'un jambon.* ◆ **salaison** n. f. Action de saler des denrées alimentaires pour les conserver : *La salaison du beurre, du porc frais.* ◆ **salaisons** n. f. pl. Denrées alimentaires qui ont été salées pour être conservées : *Manger des salaisons.* ◆ **salière** n. f. 1° Pièce de vaisselle qui sert à mettre le sel sur la table. — 2° *Fam.* Creux en arrière des clavicules, chez les personnes maigres. ◆ **saleron** n. m. 1° Partie creuse d'une salière, où l'on met le sel. — 2° Petite salière individuelle. ◆ **salin, e** adj. Qui contient du sel; propre au sel : *De l'eau saline. Un goût salin.* ◆ **saline** n. f. Syn. de MARAIS SALANT. ◆

salinité n. f. : *La salinité de l'eau de mer.* ◆ **dessaler** v. tr. 1° *Dessaler une denrée,* la débarrasser de son sel, ordinairement par immersion dans l'eau : *Dessaler un jambon, du poisson;* et intransitiv. : *Mettre de la morue à dessaler pendant une nuit.* — 2° Fam. *Dessaler quelqu'un,* lui faire perdre ses scrupules, sa réserve : *La vie militaire se chargera de le dessaler* (syn. : DÉGOURDIR, DÉNIAISER). ‖ *Etre dessalé,* avoir des manières hardies, désinvoltes; avoir le goût de la gauloiserie. ◆ **dessalage** ou **dessalement** n. m. Sens 1 du verbe : *Le dessalement du poisson en conserve.*

select [selɛkt] adj. (une seule forme pour les deux genres). Se dit des personnes, des milieux qui n'admettent que des gens choisis, distingués : *Un monde select. Des réunions très selects* (syn. : CHIC, ÉLÉGANT).

sélection [selɛksjɔ̃] n. f. 1° Action de choisir les personnes les plus aptes à une fonction, les choses qui conviennent le mieux à un usage : *Faire une sélection parmi des candidats à un emploi* (syn. : CHOIX). *Une sélection des œuvres d'un écrivain* (syn. : ANTHOLOGIE). — 2° Ensemble des personnes, des choses ainsi choisies : *Une sélection d'athlètes pour les jeux Olympiques. Ce peintre a envoyé pour le Salon une sélection de ses meilleures toiles.* — 3° *Sélection artificielle,* choix d'animaux reproducteurs en vue de l'amélioration d'une race. ‖ *Sélection naturelle,* survivance des espèces animales ou végétales les mieux adaptées, aux dépens des moins aptes : *La théorie de la sélection naturelle est due à Malthus et à Darwin.* ◆ **sélectionner** v. tr. : *Sélectionner des élèves pour un concours* (syn. : CHOISIR). *Sélectionner des joueurs de football pour un match international. Sélectionner des graines pour la semence.* ◆ **sélectionneur** n. m. Dirigeant sportif chargé de désigner des joueurs pour former une équipe. ◆ **sélectif, ive** adj. 1° Fondé sur un choix : *Un classement, un recrutement sélectif. Une méthode sélective.* — 2° Se dit d'un appareil de radio qui opère une bonne séparation des ondes de fréquences voisines. ◆ **sélectivité** n. f. : *Un poste de radio qui manque de sélectivité.* ◆ **présélection** n. f. Sélection préalable, par un premier examen, avant le choix définitif.

self-service [sɛlfsɛrvis] n. m. Syn. de LIBRE-SERVICE.

1. selle [sɛl] n. f. 1° Siège que l'on met sur le dos d'un cheval, d'un mulet, d'un âne, pour la commodité du cavalier : *Sauter en selle.* ‖ *Cheval de selle,* cheval propre à être monté par un cavalier. ‖ *Etre bien en selle,* être bien placé sur son cheval; *fam.,* être bien affermi dans son emploi, dans sa place. — 2° Petit siège de cuir en forme de triangle, muni de ressorts et adapté à une bicyclette, à une motocyclette. — 3° Escabeau surmonté d'un plateau tournant, sur lequel le sculpteur pose le bloc qu'il modèle. ◆ **seller** v. tr. *Seller une monture,* mettre une selle sur le dos d'un cheval, d'un mulet, etc. ◆ **sellier** n. m. Fabricant ou marchand de selles et de tout ce qui concerne l'équipement des chevaux. ◆ **desseller** v. tr. *Desseller un cheval, un mulet,* lui ôter sa selle.

2. selle [sɛl] n. f. *Aller à la selle,* aller aux cabinets. ◆ **selles** n. f. pl. Excréments humains : *Des selles abondantes.*

sellette [selɛt] n. f. 1° Petit siège de bois sur lequel on faisait asseoir un accusé pour un dernier interrogatoire avant l'application de la peine. — 2° *Etre sur la sellette,* être la personne dont on parle, dont on juge les paroles ou les actions. ‖ *Mettre, tenir quelqu'un sur la sellette,* le presser de questions pour lui faire dire ce qu'il veut tenir secret. — 3° Petit siège suspendu à une corde, à l'usage de certains ouvriers du bâtiment.

selon [səlɔ̃] prép. 1° Conformément à : *Il a agi selon vos désirs* (syn. : SUIVANT). — 2° En proportion de, eu égard à : *Traiter les gens selon leur mérite* (syn. : D'APRÈS). *Dépenser selon ses moyens.* — 3° Suivant l'opinion de, au jugement de : *Selon tel auteur. Selon les journaux, le mauvais temps ne devrait pas durer. Selon moi* (= d'après ce que je pense). — 4° Du point de vue de : *Selon toute apparence, selon toute vraisemblance.* — 5° En fonction de : *Selon les cas. Selon les circonstances* (syn. : SUIVANT). ‖ Fam. *C'est selon,* cela dépend des circonstances, des dispositions des personnes : « *Pensez-vous qu'il gagne son procès? — C'est selon.* » • LOC. CONJ. *Selon que,* suivant que : *Selon que vous travaillerez ou non, vous gagnerez plus ou moins.*

semailles n. f. pl. V. SEMER 1.

semaine [səmɛn] n. f. 1° Ensemble de sept jours dans l'ordre du calendrier (v. tableau ci-après) : *Partir à la campagne en fin de semaine* (= samedi et dimanche). *Il est revenu au début de la semaine dernière* (= lundi). *Le mardi de la semaine prochaine. Billet de fin de semaine dans les chemins de fer* (= billet de week-end, pour le samedi et le dimanche). — 2° Ensemble des jours ouvrables pendant cette période : *La semaine légale est de quarante heures. Avoir une semaine chargée* (= avoir beaucoup de travail pendant cette durée). — 3° Période de sept jours : *Il a quatre semaines de congé.* — 4° *En semaine,* pendant la période des six premiers jours de la semaine, par opposition au dimanche. ‖ *Prêter à la petite semaine,* prêter à taux élevé une somme remboursable à court terme. ‖ *Semaine anglaise,* semaine de travail, qui fut d'abord appliquée en Angleterre, où au congé du dimanche s'ajoute le samedi après-midi qui précède : *Faire la semaine anglaise* (= ne pas travailler le samedi après-midi ni le dimanche). ‖ *Semaine sainte,* semaine qui précède Pâques, comprenant notamment le *jeudi saint,* le *vendredi saint* (jour anniversaire de la mort du Christ), le *samedi saint* (veille de Pâques). • LOC. ADJ. *De semaine,* se dit de militaires chargés de certaines fonctions pendant la semaine : *L'adjudant de semaine.*

lundi	n. m.	: *Le premier lundi du mois.*
mardi	—	: *Il est venu mardi dernier.*
mercredi	—	: *Recevoir tous les mercredis.*
jeudi	—	: *Avoir congé le jeudi.*
vendredi	—	: *Le vendredi 18 juillet.*
samedi	—	: *Venez samedi prochain.*
dimanche	—	: *Sortir chaque dimanche.*

Les jours se définissent les uns par rapport aux autres, le dimanche étant considéré soit comme le premier, soit comme le dernier jour de la semaine et jour de repos (consacré au Seigneur, dans la religion chrétienne en particulier).

sémantique [semɑ̃tik] n. f. Etude du sens (ou contenu) des mots et des énoncés, par opposition à l'étude des formes (*morphologie*) et à celle des rapports entre les termes dans la phrase (*syntaxe*) : *Un* *traité de sémantique étudie ainsi les rapports entre les divers sens des mots et les conditions internes ou externes qui expliquent leur évolution.* ◆ adj. : *L'analyse sémantique.* ◆ **sémanticien, enne** [semɑ̃tisjɛ̃, -ɛn] n. : *Le sémanticien est un linguiste spécialisé dans l'étude du sens.*

sémaphore [semafɔr] n. m. Dans les chemins de fer, dans le balisage des côtes, etc., appareil servant à faire les signaux nécessaires à la sécurité de la circulation.

semblable [sɑ̃blabl] adj. **1°** (après le nom) Se dit d'êtres animés ou de choses qui se ressemblent par la nature, la qualité, l'apparence : *Il est difficile de rencontrer deux individus aussi semblables* (syn. : COMPARABLE). *Ces deux chevaux sont semblables à tel point qu'on peut les confondre. Une maison semblable à celle qui lui est contiguë. Que faire dans un cas semblable?* (syn. : ANALOGUE). *Rester semblable à soi-même* (= ne pas changer). *Il s'est déjà trouvé dans des circonstances tout à fait semblables* (syn. : IDENTIQUE). *On n'a jamais rien vu de semblable* (syn. : PAREIL). — **2°** (avant le nom) De cette nature : *Pourquoi tenir de semblables propos?* (= de tels). ◆ n. m. (avec un adj. possessif). Etre animé, considéré par rapport aux autres : *Aimer, aider ses semblables. Avoir pitié de ses semblables.* ◆ **semblablement** adv. : *Des êtres semblablement organisés* (syn. : PAREILLEMENT). ◆ **dissemblable** adj. Qui n'est pas semblable : *Deux frères aussi dissemblables que possible* (syn. : DIFFÉRENT). ◆ **dissemblance** n. f. : *Je note de légères dissemblances entre les deux récits* (syn. : DIFFÉRENCE, DISSIMILITUDE).

sembler [sɑ̃ble] v. intr. **1°** (sujet nom de personne ou de chose) Avoir une certaine apparence, une certaine manière d'être : *Vous me semblez fatigué, vous devriez vous reposer* (syn. : AVOIR L'AIR). *Cette couleur semble un peu vive.* — **2°** *Sembler* (et l'infin.), donner l'impression de : *Quand le train roule, le paysage semble se déplacer. Chaque minute lui semblait durer une heure* (syn. : PARAÎTRE). ◆ v. impers. **1°** *Il semble* et un attribut : *Il me semble inutile de vous en dire davantage.* ‖ *Sembler bon*, être agréable, plaire : *Il leur a semblé bon d'aller à l'étranger pendant les vacances. Il travaille si (comme, quand) bon lui semble* (= si cela lui plaît, ou fam., lui chante). — **2°** *Il semble* et un infin. : *Il me semble voir son père quand je vois ce garçon* (= je crois voir...). — **3°** *Ce me semble, me semble-t-il, à ce qu'il me semble*, à mon avis, selon moi : *J'ai bien le droit, me semble-t-il, de vous dire que je n'approuve pas votre conduite.* ‖ *Que vous en semble, que vous semble-t-il de*, que pensez-vous (de) [littér.] : *Que vous semble-t-il de cette affaire?* — **4°** *Il me (te, nous, vous, lui, leur) semble que*, je crois, j'ai l'impression que : *Il me semble que vous vous trompez.* ● REM. Après *il (me, te, etc.) semble que*, le verbe qui suit se met à l'indicatif (rarement au subjonctif) ou au conditionnel quand la proposition principale est affirmative et qu'elle exprime une idée de certitude; dans le cas contraire, et quand la proposition principale est négative ou interrogative, on emploie le subjonctif : *Il semble qu'il fait plus chaud aujourd'hui qu'hier. Il semble qu'il vaudrait mieux changer de méthode. Il semble que la chose soit facile. Il ne me semble pas qu'on puisse agir autrement.* ◆ **semblant** n. m. **1°** *Un semblant de*, une apparence de : *Il y a un semblant de vérité dans la déposition de l'accusé.* — **2°** *Faire semblant (de)*, donner l'apparence (de) : *Il faisait semblant d'écouter* (syn. : FEINDRE). *Il ne dormait pas, il faisait seulement semblant* (syn. : SIMULER). ‖ Fam. *Ne faire semblant de rien*, feindre l'indifférence ou l'inattention pour dissimuler ses projets.

semelle [səmɛl] n. f. **1°** Ensemble des pièces (cuir, caoutchouc, corde, feutre, etc.) qui forment le dessous d'une chaussure : *Des souliers à semelle simple, à double, triple semelle. Remettre des semelles à des chaussures* (= ressemeler). — **2°** Pièce de feutre, de liège, etc., que l'on place à l'intérieur d'une chaussure : *Mettre des semelles dans des souliers un peu trop grands.* — **3°** *Battre la semelle*, frapper les pieds en cadence contre ceux d'une autre personne ou contre le sol, pour les réchauffer. ‖ *Ne pas quitter quelqu'un d'une semelle*, le suivre partout. ‖ *Ne pas avancer d'une semelle*, rester sur place, ne faire aucun progrès. ‖ *Ne pas reculer d'une semelle*, demeurer ferme. ◆ **ressemeler** v. tr. (conj. **6**). *Ressemeler les chaussures*, y mettre des semelles neuves.

1. semer [səme] v. tr. *Semer des graines*, les mettre en terre afin de les faire germer : *Semer du blé, de l'orge, des légumes.* ◆ **semailles** n. f. pl. **1°** Action de semer : *Les semailles se font au printemps ou en automne pour le blé, l'orge, l'avoine.* — **2°** Epoque où l'on sème : *Au moment des semailles et de la moisson, il y a beaucoup de travail à la campagne.* ◆ **semence** n. f. Graine, fruit ou partie de fruit que l'on sème : *Acheter des semences sélectionnées. Du blé de semence* (= réservé à la semence). ◆ **semis** n. m. **1°** Action ou manière de semer : *Les plantes annuelles ne se multiplient guère que par semis.* — **2°** Terrain ensemencé : *Marcher dans un semis.* — **3°** Plants de fleurs, d'arbrisseaux qui proviennent de graines : *Un semis d'œillets, de betteraves.* ◆ **semeur, euse** n. Personne qui sème. ◆ **semoir** n. m. **1°** Sac où le semeur met son grain dans les semis à la main. — **2°** Machine agricole qui distribue le grain sur le sol. ◆ **ensemencer** v. tr. *Ensemencer un champ, une terre*, etc., y mettre de la semence. ◆ **ensemencement** n. m. : *Acheter la graine nécessaire à l'ensemencement d'une pelouse.*

2. semer [səme] v. tr. **1°** *Semer quelque chose* (nom concret), jeter çà et là : *Semer des fleurs sur le passage de quelqu'un. Des gens malveillants avaient semé des clous sur la chaussée. Une route semée de pièges.* ‖ *Semer son argent*, le dépenser sans compter, à tort et à travers (syn. : ÊTRE PRODIGUE; fam. : ÊTRE UN PANIER PERCÉ). — **2°** *Semer quelque chose* (nom abstrait), répandre çà et là : *Semer de faux bruits* (syn. : PROPAGER). *Semer la discorde, la terreur, l'effroi.* ◆ **semeur, euse** n. : *Un semeur de faux bruits, de fausses nouvelles.*

3. semer [səme] v. tr. Fam. *Semer quelqu'un*, se débarrasser de lui, lui fausser compagnie, spécialement en le devançant : *Elle avait réussi à semer l'importun qui la suivait. Il avait piqué un sprint et semé tout le peloton* (syn. : DISTANCER, LÂCHER).

semestre [səmɛstr] n. m. Période de six mois consécutifs, et en particulier chacune des deux périodes de six mois qui composent l'année : *Une rente payée par semestre.* ◆ **semestriel, elle** adj. Qui a lieu, qui paraît chaque semestre : *Une assemblée semestrielle. Un bulletin semestriel.* ◆ **semestriellement** adv. Tous les six mois.

semi-, préfixe qui exprime que le composant principal est pris à moitié (*semi-voyelle*); il indique ce qui est très proche, ce qui ressemble beaucoup et il a la valeur de « presque » (*semi-aride*); il définit ce qui, appartenant à la même espèce, en diverge sur un point (*semi-coke*). Il entre en concurrence avec *demi-*, qui signifie plus précisément « la moitié », et *hémi-*, qui entre en composition avec des éléments savants d'origine grecque. Lorsque les sens du composé et du composant principal correspondent, le mot usuel formé avec *semi-* est à l'ordre alphabétique du terme de base.

sémillant, e [semijɑ̃, -ɑ̃t] adj. Se dit d'une personne (de son esprit, de son allure) dont le désir de plaire et la gaieté se manifestent surtout par une grande vivacité (littér.) : *Elle avait une allure sémillante. Une jeune femme sémillante.*

1. séminaire [seminɛr] n. m. 1° Etablissement religieux où l'on instruit les jeunes gens qui se destinent à l'état ecclésiastique : *Entrer au séminaire.* ‖ *Petit séminaire,* établissement religieux d'enseignement secondaire dont les élèves se destinent principalement au sacerdoce. — 2° Temps passé au séminaire pour y recevoir son instruction ecclésiastique : *Il va finir son séminaire à la fin de l'année.* ◆ **séminariste** n. m. Celui qui se prépare, dans un séminaire, à la réception des ordres sacrés.

2. séminaire [seminɛr] n. m. Série de conférences, de travaux consacrés à une branche spéciale de connaissances : *Un séminaire de sociologie.*

sémiologie [semjolɔʒi] n. f. Science des systèmes symboliques. ◆ **sémiologique** adj.

sémitique [semitik] adj. *Langues sémitiques,* groupe de langues parlées dans un vaste domaine de l'Asie sud-occidentale et de l'Afrique du Nord : *L'hébreu, l'arabe, l'égyptien sont des langues sémitiques.*

semonce [səmɔ̃s] n. f. 1° Avertissement mêlé de reproches, donné par un supérieur : *Adresser une semonce à un élève* (syn. : RÉPRIMANDE). — 2° *Coup de semonce,* coup de canon à blanc, accompagnant l'ordre donné par un navire armé à un autre navire de montrer ses couleurs et, au besoin, de stopper.

semoule [səmul] n. f. Produit alimentaire plus ou moins granuleux, tiré du blé dur, de la pomme de terre, du maïs, du riz.

sempiternel, elle [sɛ̃pitɛrnɛl] adj. Se dit d'une chose qui ne cesse pas, qui se répète continuellement : *Des plaintes, des remontrances sempiternelles* (syn. : CONTINUEL, PERPÉTUEL). ◆ **sempiternellement** adv. Sans cesse : *Répéter sempiternellement les mêmes recommandations* (syn. : CONTINUELLEMENT, INVARIABLEMENT).

sénat [sena] n. m. 1° Nom donné, dans un certain nombre de pays, à une assemblée politique composée de personnalités désignées ou élues en fonction de leur âge et de leur notabilité (s'écrit avec une majusc.) : *Convoquer le Sénat. Le président du Sénat. Le Sénat des Etats-Unis d'Amérique. En France, le Sénat siège au palais du Luxembourg.* — 2° Lieu de réunion de cette assemblée : *Aller au Sénat. La bibliothèque, les couloirs du Sénat.* ◆ **sénateur** n. m. 1° Membre d'un Sénat : *En France, les sénateurs sont élus pour neuf ans au suffrage indirect et renouvelables par tiers tous les trois ans.* — 2° Fam. *Train de sénateur,* démarche lente, grave. ◆ **sénatorial, e, aux** adj. Relatif à un Sénat, aux sénateurs : *Une commission, une élection sénatoriale. La dignité sénatoriale.*

sénevé [senve] n. m. Plante dont on extrait la moutarde.

sénile [senil] adj. 1° Dû à la vieillesse, qui s'y rapporte : *Un tremblement sénile. Débilité, démence sénile.* — 2° Se dit d'une personne qui donne des marques de sénilité : *Il n'est pas très âgé et cependant il semble tout à fait sénile.* ◆ **sénilité** n. f. Affaiblissement du corps et de l'esprit dû à l'âge ou à une altération prématurée des tissus : *Donner des marques de sénilité. Etre atteint de sénilité précoce.*

senior [seɲɔr] adj. et n. Se dit d'un sportif âgé de vingt ans ou plus (les limites d'âge varient avec les sports). [V. JUNIOR.]

1. sens [sɑ̃s] n. m. Fonction par laquelle l'homme et les animaux reçoivent les impressions des objets extérieurs : *La vue, l'ouïe, l'odorat, le toucher, le goût sont les cinq sens. Avoir des sens émoussés. Le chien a le sens de l'odorat très fin. Les organes des sens.* ‖ (sujet nom de chose) *Tomber sous le sens,* être clair, évident, tangible. ◆ n. m. pl. Ensemble des fonctions de la vie organique qui procurent de la jouissance, et spécialement les désirs de l'amour : *Eveiller, exciter, allumer, troubler les sens* (syn. : CONCUPISCENCE, SENSUALITÉ). *La mortification des sens.* ◆ **sensation** n. f. 1° Impression perçue par l'intermédiaire des sens : *Une sensation visuelle, auditive, olfactive, tactile, gustative. Une sensation agréable, désagréable. Une sensation de chaud, de froid, de faim, de fatigue. Une sensation de malaise, de bien-être, d'euphorie.* — 2° (sujet nom de personne ou de chose) *Faire sensation,* se faire remarquer; produire une impression marquée d'intérêt, de surprise, d'admiration : *Son arrivée imprévue a fait sensation. Une œuvre qui fait sensation.* ● LOC. ADJ. *A sensation,* de nature à causer de l'émotion, à attirer l'attention : *Un événement, une nouvelle à sensation.* ◆ **sensationnel, elle** adj. 1° Qui produit un grand effet, de la surprise, de l'admiration dans le public : *Une nouvelle sensationnelle. Un événement sensationnel.* — 2° *Fam.* Excellent en son genre : *Un acteur sensationnel. Une voiture sensationnelle. Un film qui n'a rien de sensationnel* (syn. : EXTRAORDINAIRE; fam. : FORMIDABLE). ◆ **sensationnel** n. m. : *Rechercher le sensationnel* (= ce qui fait impression). ◆ **sensitif, ive** adj. Qui transmet les sensations : *Les nerfs sensitifs.* ◆ n. Personne qui est d'une sensibilité excessive : *Cette jeune fille est une sensitive, elle s'émeut pour des riens* (syn. : HYPERSENSIBLE). ◆ **sensoriel, elle** adj. Qui concerne les sens, les organes des sens, et spécialement l'œil et l'oreille : *L'éducation sensorielle.* ◆ **sensuel, elle** adj. 1° Qui se rapporte aux sens considérés comme moyens de jouissance : *Les désirs sensuels. Les appétits sensuels.* — 2° Qui dénote de la sensualité : *Un regard sensuel* (syn. : LASCIF). ◆ adj. et n. Qui recherche les plaisirs des sens et spécialement ceux de l'amour : *Une femme gourmande et sensuelle* (syn. : VOLUPTUEUX, ↑ LASCIF, LUBRIQUE). ◆ **sensuellement** adv. : *Aimer sensuellement.* ◆ **sensualité** n. f. 1° Recherche des plaisirs des sens : *Etre plongé dans la sensualité.* —

2° Tempérament d'une personne sensuelle : *Un homme d'une sensualité effrénée* (syn. : ↑ LASCIVITÉ, LUBRICITÉ).

2. sens [sɑ̃s] n. m. 1° Connaissance immédiate, intuitive d'un certain ordre de choses : *Avoir le sens de la réalité, des nuances, de la mesure, du ridicule, de l'humour* (syn. : DISCERNEMENT). *Avoir le sens des affaires. Le sens de la grandeur, de la beauté. Le sens artistique, esthétique. Avoir le sens pratique* (= savoir discerner ce qui est utile). ‖ *Bon sens,* sentiment de ce qui est juste, permis, convenable; capacité de juger sainement : *Un homme de bon sens. Un peu de bon sens* (syn. : RAISON; fam. : JUGEOTE). *Agir en dépit du bon sens.* ‖ *Gros bon sens,* jugement simple et naturel, bon sens élémentaire. ‖ *Sens commun,* capacité de juger, d'agir raisonnablement commune à tous les hommes : *Choquer, heurter le sens commun. Pour raisonner de la sorte, il faut avoir perdu le sens commun.* — 2° Manière de comprendre, de juger : *Abonder dans le sens de quelqu'un* (syn. : OPINION, SENTIMENT). *A mon sens, vous ne devriez pas agir ainsi* (syn. : AVIS). *En un sens, en un certain sens, vous avez peut-être raison* (syn. : POINT DE VUE). — 3° Manière dont une chose est comprise, interprétée : *Le sens d'un geste, d'une parole, d'un texte* (syn. : SIGNIFICATION). *Des mots dépourvus de sens. Chercher le sens d'un mot dans un dictionnaire. Des paroles, des mots à double sens.* ‖ *Sens figuré,* ce qu'un mot signifie par métaphore. ‖ *Sens propre,* sens premier d'un mot. — 4° Raison d'être, signification : *Donner un sens à son action, à son existence.* ◆ **sensé, e** adj. 1° Qui a du bon sens : *Un homme sensé.* — 2° Conforme au bon sens, à la raison : *Une conduite sensée. Dire des choses sensées* (syn. : JUDICIEUX, RAISONNABLE; contr. : ABSURDE, EXTRAVAGANT, INSENSÉ). ◆ **contresens** n. m. V. ce mot. ◆ **faux-sens** n. m. Erreur consistant à interpréter d'une manière erronée le sens précis d'un mot dans un texte. ◆ **non-sens** n. m. Ce qui, dans une attitude, un raisonnement, une phrase, un texte est dépourvu de sens ou de signification, ou ce qui va à l'encontre de ce qui est rationnel : *Accumuler des documents sans savoir comment on les utilisera est un non-sens. C'est un non-sens que de fabriquer des automobiles sans construire de routes* (syn. : ABSURDITÉ). *Il s'étonnait toujours de trouver des non-sens dans les versions latines des ses élèves.*

3. sens [sɑ̃s] n. m. 1° Direction dans laquelle se fait un mouvement, une action : *Tourner dans le sens des aiguilles d'une montre, en sens contraire. Courir dans tous les sens. Parcourir un pays en tous sens. Des voitures qui roulent en sens inverse les unes des autres. Un tissu qui n'est pas coupé dans le bon sens. Deux personnes qui travaillent en sens contraire.* ‖ *Voie à sens unique,* voie sur laquelle la circulation ne s'effectue que dans une seule direction. — 2° Chacun des côtés d'une chose : *Scier une planche dans le sens de la longueur, de la largeur, de l'épaisseur. Retourner un objet dans tous les sens* (syn. : POSITION). *Une photographie placée dans le mauvais sens.* ● LOC. ADV. *Sens* [sɑ̃] *dessus dessous,* de façon que ce qui devrait être dessus ou en haut se trouve dessous ou en bas : *Renverser un objet sens dessus dessous; fam.,* dans un grand désordre, dans un bouleversement complet : *Sa bibliothèque est sens dessus dessous; fam.,* dans un grand trouble : *Cet accident l'a mis sens dessus dessous.* ‖ *Sens devant derrière,* de façon que ce qui devrait être devant se trouve derrière : *Mettre son chapeau sens devant derrière.*

1. sensible [sɑ̃sibl] adj. 1° (sans compl.) Se dit d'une personne qui est facilement émue, touchée par la tendresse, la pitié : *Un homme, une femme sensible* (syn. : ÉMOTIF, IMPRESSIONNABLE). *Un cœur sensible* (syn. : COMPATISSANT). — 2° *Sensible à quelque chose,* se dit d'une personne qui est accessible à certains sentiments, aux plaisirs esthétiques : *Etre sensible à l'amitié* (syn. : AIMANT). *Un homme sensible aux misères, aux malheurs d'autrui* (syn. : COMPATISSANT, HUMAIN). *Se montrer sensible à la louange, à la flatterie, à la honte, à la raillerie. Etre sensible à la beauté d'un paysage, à la musique, à la poésie.* ◆ **sensibilité** n. f. Caractère d'une personne qui s'émeut facilement, qui éprouve des sentiments d'humanité, de pitié pour autrui : *Un enfant d'une grande sensibilité* (syn. : ÉMOTIVITÉ, PITIÉ, TENDRESSE). *Un homme dépourvu de sensibilité* (syn. : HUMANITÉ, SYMPATHIE). ◆ **sensibiliser** v. tr. Rendre capable de réactions de sensibilité : *Sensibiliser l'opinion publique à la lutte contre la faim dans le monde. Etre sensibilisé à certains événements.* ◆ **sensibilisation** n. f. : *La sensibilisation de l'opinion.* ◆ **désensibiliser** v. tr. Enlever toute réaction émotive. ◆ **insensible** adj. : *Un homme insensible* (syn. : ↑ DUR). ◆ **insensibiliser** v. tr. : *Les malheurs l'avaient insensibilisé.*

2. sensible [sɑ̃sibl] adj. 1° Se dit des êtres animés qui ressentent facilement la douleur : *Un homme très sensible* (syn. : DOUILLET). *Etre sensible de la gorge* (syn. : DÉLICAT, FRAGILE). *Un cheval sensible de la bouche;* se dit aussi des parties du corps : *Avoir les pieds sensibles* (syn. : TENDRE). *Un point sensible* (= légèrement douloureux). ‖ *C'est son endroit, son côté, sa partie sensible,* se dit de ce qui touche le plus une personne. — 2° *Sensible à,* se dit des êtres animés, des organes des sens capables de ressentir, de percevoir une impression physique : *Etre sensible au chaud, au froid, à la douleur. Un cheval sensible à l'éperon. L'œil n'est pas sensible à certaines radiations;* sans complément : *Avoir l'oreille très sensible* (syn. : FIN). — 3° Se dit des choses qui sont facilement perçues, remarquées par les sens ou par l'esprit : *La lumière rend les objets sensibles à la vue* (syn. : PERCEPTIBLE). *Une différence à peine sensible* (syn. : TANGIBLE). *Cet élève a fait des progrès sensibles* (syn. : NOTABLE). *La hausse des salaires n'est pas très sensible* (syn. : APPRÉCIABLE). — 4° Se dit d'un instrument de mesure, d'un appareil de radio, d'une pellicule photographique, etc., qui réagit aux plus légères variations : *Une balance, un baromètre, un thermomètre très sensible.* ◆ **sensiblement** adv. 1° D'une manière appréciable, notable : *La température a sensiblement baissé. L'état du malade s'est sensiblement amélioré. Cet enfant est sensiblement plus grand que son frère.* — 2° *Fam.* A peu de chose près : *Ces deux garçons ont sensiblement la même taille.* ◆ **sensibilité** n. f. 1° Aptitude d'un organisme ou d'un organe à éprouver des sensations : *La sensibilité au froid, à la chaleur. La sensibilité de l'œil, de l'oreille.* — 2° Propriété d'un instrument de mesure, d'un objet sensible (sens 4) : *La sensibilité d'un baromètre, d'une pellicule photographique.* ◆ **sensibiliser** v. tr. Provoquer la sensibilisation chez un être vivant, dans un organisme. ◆ **sensibilisation** n. f. Etat d'un organisme qui, après avoir été au contact de certaines substances chimiques ou biologiques, acquiert à leur égard des propriétés de réaction produites même par de faibles doses (syn. : ALLERGIE). ◆ **désensibiliser** v. tr. Rendre moins sensible. ◆ **insensible** adj. : *Progrès insensibles* (syn. : ↑ LÉGERS). ◆ **insensiblement** adv. : *Il va insensiblement à sa perte.* ◆ **insensibiliser** v. tr. Rendre insensible. ◆ **insensibilisation** n. f.

1. sentence [sɑ̃tɑ̃s] n. f. Opinion, précepte de morale exprimés d'une manière dogmatique : *Un homme qui ne parle que par sentences. Une devise en forme de sentence* (syn. : MAXIME). *Un discours rempli de sentences* (syn. : ADAGE). ◆ **sentencieux, euse** adj. 1° Qui parle ordinairement par sentences : *Un homme sentencieux.* — 2° Qui contient des sentences : *Un discours sentencieux.* — 3° Qui a la forme d'une sentence : *Une phrase sentencieuse.* — 4° Qui affecte la gravité : *Un air sentencieux* (syn. : POMPEUX, SOLENNEL). *Un ton sentencieux* (syn. : EMPHATIQUE, DOGMATIQUE). ◆ **sentencieusement** adv. : *S'exprimer sentencieusement.*

2. sentence [sɑ̃tɑ̃s] n. f. Décision d'un juge, d'un arbitre : *Prononcer une sentence* (syn. : JUGEMENT, VERDICT). *Faire casser, faire annuler une sentence. Exécuter une sentence.*

sentier [sɑ̃tje] n. m. 1° Chemin étroit à travers la campagne, les bois : *S'engager dans un sentier de montagne. Un sentier bourbeux.* — 2° Voie morale souvent difficile (littér.) : *Suivre les sentiers de la vertu, de l'honneur.*

1. sentiment [sɑ̃timɑ̃] n. m. 1° Connaissance plus ou moins claire, obtenue d'une manière immédiate : *Avoir le sentiment de sa force, de sa faiblesse* (syn. : CONSCIENCE). *J'ai le sentiment que je me trompe* (syn. : IMPRESSION, INTUITION). — 2° Manière de penser, d'apprécier, point de vue (littér.) : *Nous voudrions connaître votre sentiment au sujet de cette affaire* (syn. : AVIS, OPINION, JUGEMENT).

2. sentiment [sɑ̃timɑ̃] n. m. 1° Etat affectif qui est la manifestation d'une tendance, d'un penchant : *Avoir des sentiments élevés, généreux. Un sentiment de tendresse, de pitié, de reconnaissance. Faire preuve de sentiments bas, égoïstes. Un sentiment d'aversion, de haine, de vengeance. Exprimer, faire connaître, manifester ses sentiments.* — 2° Disposition à être ému, touché : *Etre capable, incapable de sentiment* (syn. : SENSIBILITÉ, TENDRESSE). *Certaines personnes agissent plus par sentiment que par réflexion. Faire du sentiment* (fam.). *Déclarer à une personne les sentiments qu'elle vous inspire* (syn. : TENDRESSE, ↑ AMOUR). ‖ Fam. *La faire au sentiment,* essayer d'apitoyer, d'attendrir une personne, d'obtenir son indulgence : *Avec lui, n'essayez pas de la faire au sentiment, c'est un cœur de pierre.* — 3° (au plur.) Entre dans des formules de politesse employées à la fin des lettres : *Recevez mes meilleurs sentiments, mes sentiments distingués, dévoués, respectueux.* ◆ **sentimental, e, aux** adj. 1° Qui se rapporte aux sentiments tendres, à l'amour : *La vie sentimentale d'une personne. Une aventure sentimentale* (syn. : AMOUREUX, GALANT). *Une chanson, une romance sentimentale.* — 2° Qui dénote une sensibilité un peu mièvre : *Un air, un ton sentimental.* ◆ adj. et n. Qui a ou qui affecte une sensibilité un peu romanesque, exagérée : *Un jeune homme sentimental. Cette femme est une sentimentale.* ◆ **sentimentalement** adv. : *Etre sentimentalement attaché à la maison de son enfance.* ◆ **sentimentalité** n. f. : *Une sentimentalité excessive.*

sentinelle [sɑ̃tinɛl] n. f. 1° Soldat placé en faction pour alerter la garde, rendre les honneurs, contrôler les entrées d'un établissement militaire, protéger un lieu public : *Placer des sentinelles à l'entrée d'un camp. Relever une sentinelle.* — 2° Personne qui fait le guet pour surveiller, pour épier : *Mettre un observateur en sentinelle.*

1. sentir [sɑ̃tir] v. tr. (conj. **19**). 1° *Sentir quelque chose* (nom concret), recevoir une impression physique par l'intermédiaire des sens (sauf par la vue ou par l'ouïe) : *Couché sur la plage, il sentait la douce chaleur du sable. La porte ferme mal et l'on sent un courant d'air. Il est si résistant qu'il ne sent jamais la fatigue. Il a tellement marché qu'il ne sent plus ses jambes* (= il est éreinté, fourbu). *Sentir le goût de l'ail dans une sauce. Il est incapable de sentir la différence entre un bon vin et un vin médiocre* (syn. : PERCEVOIR). *Il avait tellement peur qu'il sentait son cœur battre et sa gorge se serrer. Il sentit qu'on lui tapait sur l'épaule.* — 2° *Sentir une chose* (mot abstrait), en avoir conscience, la connaître par intuition : *Il ne sent pas sa force; au tennis, il frappe comme un sourd pour renvoyer la balle. Il sentit la colère le gagner. Sentir son impuissance à réprimer ses mauvais penchants. Sentir le vide causé par la disparition d'un être cher. Il a senti par avance les difficultés de l'entreprise* (syn. : PRESSENTIR). *Il sentait bien que ses amis allaient l'abandonner* (syn. : DEVINER, DISCERNER). — 3° *Sentir quelque chose* (mot indiquant un sentiment esthétique), éprouver ce sentiment : *Il est incapable de sentir la beauté d'un paysage, d'une œuvre musicale* (syn. : APPRÉCIER, GOÛTER). — 4° *Faire sentir une chose à quelqu'un,* la lui faire éprouver, comprendre : *Il a l'intention de lui faire sentir son autorité. On lui a fait sentir qu'il n'était pas capable de remplir ses fonctions.* ‖ (sujet nom de chose) *Se faire sentir,* devenir sensible, se manifester : *La pénurie des denrées alimentaires se faisait sentir. Une douleur qui se fait sentir. Le froid commence à se faire sentir.* ◆ ***se sentir*** v. pr. 1° (sujet nom de personne) *Se sentir* (et un attribut ou infinitif), connaître dans quelles dispositions physiques ou morales on se trouve : *Se sentir fatigué, malade. Ne pas se sentir bien* (= éprouver un malaise). *Se sentir heureux, joyeux. Se sentir capable de faire un travail* (syn. : S'ESTIMER, SE JUGER). *Se sentir revivre, rajeunir.* — 2° (sujet nom de chose) Etre perceptible, appréciable : *Une petite augmentation de salaire, ça se sent à la fin du mois.* — 3° (sujet nom de personne) Reconnaître en soi : *Il ne se sent pas assez de courage pour entreprendre ce travail. Il ne se sent pas la force de le punir.* ◆ **senti, e** adj. *Bien senti,* exprimé avec force et sincérité : *Un discours bien senti.*

2. sentir [sɑ̃tir] v. tr. (conj. **19**). 1° (sujet nom de personne) *Sentir quelque chose* (mot concret), le percevoir par l'odorat : *On sent ici une odeur bizarre, on dirait une odeur de roussi. Il est enrhumé en ce moment, il ne sent plus rien. Sentir une rose.* — 2° (sujet nom de chose) Répandre une odeur : *Cette cave sent le moisi. Votre pardessus sent le chien mouillé. Ces roses sentent très bon. Un fromage qui sent un peu fort;* intransitiv., exhaler une mauvaise odeur : *Ce poisson commence à sentir.* — 3° Avoir le goût, la saveur de : *Cette carpe sent la vase. Un vin qui sent la framboise, qui sent le terroir. Du cidre qui sent le moisi.* — 4° Indiquer, révéler sa qualité : *Il sent son paresseux d'une* *lieue. Une réflexion qui sent le pédantisme et la cuistrerie. Une plaisanterie qui sent la caserne* (= vulgaire, grossière). — **5°** Fam. *Ne pas pouvoir sentir quelqu'un,* avoir pour lui une grande antipathie (syn. : DÉTESTER, HAÏR). ‖ Fam. *Sentir le sapin,* n'avoir plus longtemps à vivre. ‖ Fam. *Ça sent le roussi, ça ne sent pas bon,* la situation prend une fâcheuse tournure, il y a quelque chose de suspect. ◆ **senteur** n. f. Odeur agréable (littér.) : *Des roses qui exhalent une fraîche senteur* (syn. : PARFUM).

seoir [swar] v. intr. (conj. **46**). [sujet nom de chose] Aller bien, convenir à une personne (spécialement en parlant de l'habillement) : *La toilette de cette femme lui seyait à merveille. Cette coiffure ne vous sied pas très bien.* ◆ v. impers. : *Il sied à quelqu'un de* (et l'infin.) : *Il ne sied pas à un enfant de contredire ses parents;* et ironiq. : *Il vous sied bien de donner des conseils aux autres!* (syn. : APPARTENIR). ◆ **seyant, e** adj. Qui s'accorde bien à l'extérieur d'une personne : *Une coiffure seyante* (syn. : AVANTAGEUX).

séparer [separe] v. tr. **1°** (sujet nom de personne) *Séparer des êtres, des choses,* les mettre à part, les éloigner les uns des autres : *Séparer les bons d'avec les méchants* (syn. : ISOLER). *Séparer deux animaux qui forment un couple* (syn. : DÉPARIER, DÉSACCOUPLER). *Séparer les mâles d'avec les femelles. Séparer le bon grain d'avec le mauvais* (syn. : TRIER). ‖ *Séparer deux hommes, deux animaux qui se battent,* interrompre leur combat en les éloignant l'un de l'autre. — **2°** *Séparer quelque chose,* désunir les parties d'un tout : *A la mort, l'âme est séparée du corps. Séparer une substance d'un composé* (syn. : EXTRAIRE). *Séparer l'écorce du bois d'un arbre* (syn. : DÉCOLLER, DÉTACHER). *Séparer ses cheveux par une raie* (syn. : PARTAGER). — **3°** *Séparer un espace,* le diviser : *Séparer une chambre en deux par une cloison* (syn. : PARTAGER). — **4°** *Séparer quelque chose* (mot abstrait), le considérer à part : *Séparer des problèmes, des questions pour mieux les résoudre* (syn. : DISSOCIER, SCINDER). — **5°** (sujet nom de chose) *Séparer des personnes,* faire cesser les rapports affectifs, moraux qui existent entre elles : *La mort seule pourra les séparer. La mésintelligence a séparé ces deux amis* (syn. : BROUILLER, DÉSUNIR). *Opinions qui séparent deux personnes.* — **6°** (sujet nom désignant une chose, un espace, une durée) Etre placé entre des personnes, entre des choses : *Un mur sépare les deux jardins* (syn. : DIVISER). *Les Pyrénées séparent l'Espagne de la France. Une longue distance nous sépare de notre destination. Des milliers de kilomètres nous séparent de l'Amérique. Plusieurs siècles nous séparent des origines de notre pays.* ◆ ***se séparer*** v. pr. **1°** (sujet nom de personne) Se quitter mutuellement : *Ils se sont séparés bons amis. Il est tard, il faut nous séparer.* — **2°** Cesser de vivre ensemble : *Epoux qui se séparent* (syn. : DIVORCER). — **3°** (sujet nom de chose) Se diviser en plusieurs éléments : *Une route, une rivière qui se sépare en deux. Une tige qui se sépare du tronc. Une œuvre ne peut se séparer de son époque.* ◆ **séparation** n. f. **1°** *La séparation des éléments d'un mélange. La séparation du bon grain du mauvais. Une querelle allait provoquer une séparation entre les deux amis* (syn. : BROUILLE). *La séparation de deux amants* (syn. : RUPTURE). *Une séparation cruelle, difficile à supporter* (syn. : ÉLOIGNEMENT). — **2°** Objet qui sépare un espace d'un autre (mur, cloison, etc.) : *Etablir une séparation entre deux terrains.* — **3°** *Séparation de biens,* régime matrimonial dans lequel chacun des époux conserve la propriété et la gestion de ses biens, à condition de contribuer aux dépenses du ménage. ‖ *Séparation de corps,* situation légale des époux qui ont obtenu une décision judiciaire les déliant de l'obligation de vivre en commun. ◆ **séparé, e** adj. Isolé d'un tout, d'un groupe : *Ils n'habitent pas ensemble, ils ont des appartements séparés. Vivre séparé du reste des hommes.* ◆ **séparément** adv. : *Interroger des témoins séparément* (syn. : À PART). *Agir séparément* (syn. : ISOLÉMENT; contr. : CONJOINTEMENT, ENSEMBLE). *Traiter deux questions séparément* (contr. : SIMULTANÉMENT). ◆ **séparable** adj. Qui peut être séparé : *Deux affaires facilement séparables* (contr. : INSÉPARABLE). ◆ **inséparable** adj. : *Deux amis inséparables.* ◆ **inséparablement** adv. ◆ **séparatisme** n. m. Tendance des habitants d'un territoire à séparer celui-ci de l'Etat dont il fait partie. ◆ **séparatiste** adj. et n. Qui cherche à se séparer d'un Etat; qui soutient de telles aspirations : *Mouvement séparatiste* (syn. : AUTONOMISTE).

sept [sɛt] adj. num. cardin. et n. m. V. NUMÉRATION. ◆ **septième** [sɛtjɛm] adj. num. ordin. et n. **1°** V. NUMÉRATION. — **2°** *Etre* (ou *être ravi*) *au septième ciel,* être dans un état de bonheur parfait : *Il a été enfin reçu à son examen et il est au septième ciel.* ◆ **septièmement** adv. ◆ **septante** [sɛptɑ̃t] adj. num. cardin. Soixante-dix (en Belgique, en Suisse et dans quelques parlers régionaux). ◆ **septimo** adv. V. NUMÉRATION.

septante adj. num. V. SEPT.

septembre n. m. V. MOIS.

septennat [sɛptena] n. m. Durée du mandat du président de la République française. ◆ **septennal, e, aux** adj. Qui dure sept ans; qui arrive tous les sept ans : *Des pouvoirs septennaux. Un festival septennal.*

septentrion [sɛptɑ̃trijɔ̃] n. m. Syn. vieilli et littéraire de NORD. ◆ **septentrional, e, aux** adj. Qui est du côté du nord : *La partie septentrionale de la France* (syn. : NORDIQUE; contr. : MÉRIDIONAL). [Le mot *septentrion* est tombé en désuétude, mais l'adjectif *septentrional* est très utilisé.]

septicémie [sɛptisemi] n. f. Maladie causée par l'introduction et la pullulation de microbes infectieux dans le sang.

septique [sɛptik] adj. *Fosse septique,* fosse d'aisances où les matières fécales subissent une fermentation qui les liquéfie.

septuagénaire [sɛptɥaʒenɛr] adj. et n. Qui a atteint soixante-dix ans. (V. ÂGE.)

septuagésime [sɛptɥaʒezim] n. f. *Dimanche de la septuagésime,* dimanche qui est célébré environ soixante-dix jours avant Pâques (relig. catholique).

sépulture [sepyltyr] n. f. **1°** Action de déposer un mort en terre : *Donner la sépulture à des naufragés. Les frais de sépulture* (syn. : INHUMATION). ‖ *Etre privé de sépulture, rester sans sépulture,* ne pas être inhumé. ‖ *Etre privé des honneurs de la sépulture, ou simplement être privé de la sépulture,* ne pas être inhumé avec les cérémonies habituelles. ‖ *Etre privé de la sépulture ecclésiastique,* ne pas être inhumé en terre sainte. — **2°** Lieu où un mort est enterré : *La basilique de Saint-Denis est la sépulture* *des rois de France.* ◆ **sépulcre** n. m. *Le Saint-Sépulcre,* le tombeau du Christ à Jérusalem. ◆ **sépulcral, e, aux** adj. *Voix sépulcrale,* voix sourde, qui semble sortir d'un tombeau (syn. : CAVERNEUX).

séquelle [sekɛl] n. f. (le mot est le plus souvent employé au plur.). **1°** Troubles qui persistent après une maladie ou une intervention chirurgicale : *Les séquelles sont plus ou moins tardives et durables.* — **2°** Suite de choses fâcheuses, qui résultent d'un événement, d'une situation : *On a longtemps souffert des séquelles de l'Occupation.*

séquence [sekɑ̃s] n. f. **1°** A certains jeux, suite de trois cartes au moins de la même couleur et dans l'ordre que le jeu leur donne : *Une séquence au roi de carreau comprend le roi, la dame et le valet de carreau.* — **2°** Au cinéma, suite d'images qui forment un ensemble, même si elles ne se présentent pas dans le même décor.

1. séquestrer [sekɛstre] v. tr. Tenir arbitrairement, illégalement une personne enfermée : *Après avoir enlevé l'enfant, les ravisseurs l'avaient séquestré. Des parents indignes avaient séquestré leur enfant anormal* (syn. : CLAUSTRER). ◆ ***se séquestrer*** v. pr. Se retirer dans la solitude : *Se séquestrer au fond de la campagne.* ◆ **séquestration** n. f. Action de séquestrer; crime ou délit commis par ceux qui privent une personne de la liberté : *Etre accusé de séquestration d'enfant. La loi punit des travaux forcés l'individu reconnu coupable de séquestration.*

2. séquestrer [sekɛstre] v. tr. Mettre sous séquestre (jurid.) : *Séquestrer les biens d'un aliéné.* ◆ **séquestre** n. m. Dépôt provisoire, entre les mains d'un tiers, d'une chose dont la possession est discutée (jurid.).

sérac [serak] n. m. Bloc de glace provenant de la fragmentation d'un glacier.

sérail [seraj] n. m. Nom donné, dans les pays de civilisation turque, à la partie du palais où les femmes étaient enfermées.

séraphin [serafɛ̃] n. m. Dans la Bible et la théologie chrétienne, esprit céleste de la première hiérarchie des anges. ◆ **séraphique** adj. Digne d'un séraphin : *Un air séraphique* (syn. : ANGÉLIQUE).

1. serein, e [sərɛ̃, -ɛn] adj. **1°** Se dit de l'atmosphère, du temps qui est clair, pur et calme (littér.) : *Un ciel serein. Une nuit sereine.* — **2°** *Des jours sereins,* des jours paisibles, heureux (poétiq.).

2. serein, e [sərɛ̃, -ɛn] adj. Se dit de l'attitude d'une personne calme, exempte de trouble, d'agitation (littér.) : *Un visage, un regard serein* (syn. : PLACIDE). ◆ **sereinement** adv. : *Attendre sereinement les résultats d'un examen, d'un concours* (syn. : PLACIDEMENT, TRANQUILLEMENT). ◆ **sérénité** n. f. : *Envisager l'issue d'une affaire avec beaucoup de sérénité* (syn. : PLACIDITÉ, CALME, TRANQUILLITÉ).

sérénade [serenad] n. f. **1°** Pièce de musique vocale ou instrumentale : *Une sérénade de Mozart, de Beethoven.* (La *sérénade* était autrefois un concert donné sous les fenêtres de quelqu'un et spécialement d'une femme.) — **2°** *Fam.* Tapage, accompagné de chants, de cris, pendant la nuit : *Nos voisins nous ont gratifiés d'une sérénade jusqu'à deux heures du matin.*

serge [sɛrʒ] n. f. Tissu léger, ordinairement de laine, qui présente de fines côtes obliques : *Un costume de serge.*

sergent [sɛrʒɑ̃] n. m. Premier grade de la hiérarchie des sous-officiers, dans l'armée de terre et de l'air : *Une patrouille commandée par un sergent.* ‖ *Sergent-chef,* grade immédiatement supérieur à celui de sergent.

sériciculture [serisikyltyr] n. f. Elevage du ver à soie et production de la soie.

série [seri] n. f. **1°** Suite, succession de choses de même nature : *Emission d'une série de timbres. Acheter des billets de la Loterie nationale de la première, de la deuxième série. Il a été victime d'une série d'accidents* (syn. : CASCADE). *Poser une série de questions. Une série d'ennuis, de succès.* — **2°** Ensemble d'objets de même sorte, rangés dans un certain ordre : *Acheter une série de clefs* (syn. : JEU). *Une série de casseroles. Ranger des outils par séries.* — **3°** *Fabrication en série,* fabrication d'un grand nombre d'objets identiques, selon des méthodes qui permettent d'abaisser le prix de revient : *Fabrication de meubles en série.* ‖ *Voiture de série,* d'un type répété à un grand nombre d'exemplaires et dont le montage est fait à la chaîne. ‖ (sujet nom de personne) *Travailler en série,* donner des productions abondantes, mais de qualité moyenne : *Un romancier qui travaille en série.* ‖ *Hors série,* qui n'est pas commun : *Un homme, une carrière hors série.* — **4°** Au billard, suite ininterrompue de carambolages : *Réussir une série.* — **5°** En sports, catégorie de classement : *Un joueur de tennis de première, de deuxième série.* ◆ **sérier** v. tr. *Sérier des questions, des difficultés, des problèmes,* les classer, les ranger d'après leur nature ou leur importance. ◆ **sériel, elle** adj. *Musique sérielle,* emploi systématique, dans la musique atonale, de la série des douze tons de la gamme chromatique, à l'exclusion de tout autre son.

sérieux, euse [serjø, -øz] adj. (après le nom). Se dit d'une personne qui agit avec réflexion, en attachant de l'importance à ce qu'elle fait : *Un employé sérieux dans son travail* (contr. : FANTAISISTE). *Un écolier sérieux* (syn. : APPLIQUÉ; contr. : DISTRAIT, ÉTOURDI). *C'est un homme sérieux, qui ne fait pas de promesses à la légère* (syn. : POSÉ, RÉFLÉCHI). — **2°** En qui l'on peut avoir confiance : *Nos amis ont trouvé une personne sérieuse pour s'occuper de leurs enfants* (syn. : SÛR). *Une maison de commerce sérieuse. Un client sérieux* (= qui a l'intention d'acheter ou qui achète beaucoup). — **3°** Se dit d'une personne (ou de son attitude) qui ne plaisante pas : *Le directeur du service est un homme sérieux qui ne badine pas* (syn. : FROID). *Un air, un visage sérieux* (syn. : GRAVE, SÉVÈRE). *Sérieux comme un pape* (fam. et ironiq. = sérieux à l'excès). — **4°** Qui ne fait pas d'écarts de conduite : *Un jeune homme sérieux* (syn. fam. : RANGÉ). *Une femme sérieuse* (syn. : FIDÈLE). — **5°** Se dit d'une chose qui est faite avec soin, avec application : *Un travail sérieux. Des études sérieuses.* — **6°** Qui mérite réflexion, considération : *Parler de choses sérieuses* (syn. : IMPORTANT). *L'affaire dont il s'agit est sérieuse* (syn. : GRAVE). *Ce que vous me dites là n'est pas sérieux, c'est une plaisanterie* (syn. : RÉEL, VRAI). *Les protestations d'amitié qu'il vous a faites sont sérieuses* (syn. : SINCÈRE, VRAI). — **7°** Qui peut avoir des suites fâcheuses : *Une maladie, une rechute sérieuse* (syn. : GRAVE). *La situation internationale est sérieuse* (syn. : CRITIQUE). — **8°** Qui n'a pas pour objet la distraction, l'amusement : *Avec cet homme, il est difficile d'avoir une conversation sérieuse.*

Cette jeune fille ne lit que des ouvrages sérieux. — 9° (avant le nom) Qui est important par la quantité ou la qualité : *Cette affaire lui a rapporté de sérieux bénéfices* (syn. : GROS). *Il a une sérieuse avance sur vous dans son travail* (syn. : RÉEL). *Nous avons de sérieuses raisons de croire que vous avez dit du mal de nous à vos amis* (syn. : BON, FONDÉ, VALABLE). ◆ **sérieux** n. m. **1°** Attitude d'une personne grave, qui ne plaisante pas : *Garder, tenir son sérieux. Perdre son sérieux.* — **2°** Qualité d'une personne réfléchie, appliquée dans son travail : *Un élève qui se fait remarquer par son sérieux. Un employé qui manque de sérieux.* — **3°** *Prendre une chose au sérieux,* y attacher de l'importance : *Ne prenez pas au sérieux la remarque que je vous ai faite, c'était pour plaisanter* (= ne vous formalisez pas). ‖ *Prendre quelqu'un au sérieux,* lui accorder sa confiance; considérer les actes ou les propos de quelqu'un comme dignes d'être crus, comme importants : *Il faut prendre les enfants au sérieux.* ‖ *Se prendre au sérieux,* attribuer une importance exagérée à ses actions et à ses paroles. ◆ **sérieusement** adv. **1°** D'une manière sérieuse, sans rire : *Je vous ai fait cette remarque pour plaisanter et vous la prenez sérieusement. Il ne parle jamais sérieusement, il veut toujours ironiser.* — **2°** Réellement, véritablement : *Il songe sérieusement à quitter la France* (syn. : POUR DE BON). *Sérieusement, êtes-vous disposé à l'accompagner?* — **3°** Dangereusement : *Il est sérieusement malade* (syn. : GRAVEMENT). *Il a été sérieusement blessé à la guerre* (syn. : GRIÈVEMENT). — **4°** Avec application, avec ardeur : *Il travaille sérieusement à la préparation de son examen. S'occuper sérieusement d'une affaire* (syn. : ACTIVEMENT).

serin, e [srɛ̃, srin] n. Petit oiseau des îles Canaries, à plumage verdâtre ou jaune, que l'on élève en cage et qui est remarquable par son chant. ◆ **serin** n. m. et adj. *Fam.* Homme niais, qui croit tout ce qu'on lui dit. ◆ **seriner** v. tr. **1°** *Seriner un air à un oiseau,* le lui apprendre avec une serinette. — **2°** Fam. *Seriner une chose à quelqu'un,* la lui répéter souvent. ◆ **serinette** n. f. Boîte à musique avec laquelle on apprend un air à un serin ou à un oiseau chanteur.

seringue [sərɛ̃g] n. f. **1°** Petite pompe au moyen de laquelle on peut injecter ou prélever des liquides dans les tissus ou dans les cavités naturelles du corps. — **2°** *Seringue à arrosage,* petite pompe servant à répandre sur les plantes de l'eau ou un liquide préservateur.

serment [sɛrmɑ̃] n. m. **1°** Affirmation par laquelle une personne atteste la vérité d'un fait, la sincérité d'une promesse, prend l'engagement de bien remplir les devoirs de son état ou de sa fonction : *Prêter serment devant un tribunal* (= jurer). *Se lier par un serment. Faire le serment de se venger. On exigea d'eux le serment qu'ils ne divulgueraient pas le secret.* — **2°** *Serment d'Hippocrate,* texte qui définit les devoirs et les obligations des médecins envers leurs maîtres, leurs confrères, leurs malades et envers la société. ‖ Fam. *Serment de joueur, d'ivrogne,* serment sur lequel il ne faut pas compter, que l'on n'a pas l'intention de tenir.

1. sermon [sɛrmɔ̃] n. m. Discours religieux, prononcé dans une église pour instruire et exhorter les fidèles : *Composer, prononcer un sermon. Un sermon en trois points. Les sermons de Bossuet, de Bourdaloue, de Massillon.*

2. sermon [sɛrmɔ̃] n. m. *Fam.* Remontrance longue et ennuyeuse : *Il a la manie de faire des sermons à tout le monde.* ◆ **sermonner** v. tr. Fam. *Sermonner quelqu'un,* lui faire des remontrances : *Sermonner un enfant paresseux* (syn. : CATÉCHISER, ADMONESTER). ◆ **sermonneur, euse** n. (fam.).

serpe [sɛrp] n. f. **1°** Outil tranchant, à lame recourbée, servant à couper du bois, à tailler des arbres. — **2°** *Fait, taillé à la serpe,* se dit d'une personne malbâtie. ‖ *Visage taillé à la serpe* ou *à coups de serpe,* visage anguleux, dont les traits sont grossiers. ◆ **serpette** n. f. Petite serpe.

serpent [sɛrpɑ̃] n. m. **1°** Reptile au corps très allongé, dépourvu de membres, qui se déplace en rampant, et dont la bouche est articulée de façon à permettre l'ingestion de grosses proies : *On connaît plus de deux mille espèces de serpents. La morsure de certains serpents est venimeuse.* — **2°** *Réchauffer un serpent dans son sein,* accorder ses bienfaits à un ingrat qui se retourne contre son bienfaiteur (littér.).

serpenter [sɛrpɑ̃te] v. intr. (sujet nom de chose). Suivre une direction sinueuse : *Le ruisseau serpentait dans la vallée. Un sentier serpente dans la montagne* (= fait des tours et des détours).

serpentin [sɛrpɑ̃tɛ̃] n. m. Petit ruban de papier coloré, enroulé sur lui-même et qui se déroule brusquement quand on le lance : *On lance des serpentins dans les réjouissances publiques.*

serpillière [sɛrpijɛr] n. f. Grosse toile servant à laver par terre : *Passer la serpillière sur le carrelage de la cuisine.*

1. serrer [sere] v. tr. **1°** (sujet nom de personne) *Serrer quelque chose, quelqu'un,* le maintenir fermement, vigoureusement : *Serrer sa pipe entre ses dents. Serrer un morceau de fer dans un étau* (syn. : COINCER). *Ne serrez pas si fort votre stylo quand vous écrivez* (syn. : PRESSER). *Serrer quelqu'un à la gorge* (syn. : ÉTRANGLER). ‖ *Serrer quelqu'un dans ses bras, contre son cœur,* le tenir entre ses bras, contre soi (syn. : EMBRASSER, ÉTREINDRE). ‖ *Serrer la main à quelqu'un,* lui prendre la main en l'abordant, en le quittant. — **2°** (sujet nom de chose) *Serrer la gorge, le cœur, etc.,* causer de l'angoisse, une vive émotion (souvent au passif) : *Chagrin, douleur qui serre la gorge. L'annonce de ce malheur lui serra le cœur. Avoir le cœur, la gorge serrée* (= éprouver du chagrin, de l'anxiété). — **3°** (sujet nom de personne) *Serrer des personnes* ou *des choses,* les rapprocher les unes des autres : *Reculez-vous un peu, nous serons moins serrés. Serrer les rangs. Vous êtes trop serrés à cette table. Serrez les mots en écrivant. Serrer les dents, les mâchoires, les lèvres, la bouche* (syn. : CONTRACTER). *Serrer les poings* (syn. : CRISPER). — **4°** *Serrer une chose,* tirer sur ses extrémités, en réduire le volume : *Serrer une corde, un câble* (syn. : TENDRE). *Serrer les lacets de ses chaussures. Serrer sa ceinture d'un cran. Serrer le nœud de sa cravate. Serrer une gerbe, un fagot.* — **5°** (sujet nom désignant un vêtement) Epouser étroitement la forme du corps : *Veston qui serre la taille* (syn. : MOULER). *Avoir des chaussures qui serrent le pied* (syn. : COMPRIMER, GÊNER). — **6°** (sujet nom de personne) *Serrer un organe de fixation,* exercer sur lui une pression, de manière à rapprocher deux pièces l'une de l'autre, à fermer un mécanisme : *Serrer un frein* (syn. : BLOQUER). *Serrer un joint. Serrer un écrou avec une clef. Serrer une vis. Serrer un robinet.* ‖ *Serrer la vis à quelqu'un,* le traiter sévèrement.

— 7° *Serrer quelqu'un,* le pousser contre un obstacle, de manière à gêner ses mouvements : *Serrer quelqu'un dans un coin* (syn. : COINCER). *Automobiliste qui serre un cycliste contre le trottoir.* || *Serrer quelqu'un de près,* le poursuivre à très peu de distance. || *Serrer une femme de près,* lui faire une cour assidue. || *Serrer de près une question, un problème,* l'analyser, l'examiner avec attention. || *Serrer une traduction, un texte,* traduire avec précision. || *Serrer son style,* écrire d'une manière concise. — 8° *Serrer un objet,* passer tout à fait contre lui : *Serrer le trottoir en garant sa voiture* (syn. : RASER). || *Serrer sa droite, sa gauche,* ou, intransitiv., *serrer sur sa droite, sur sa gauche,* conduire un véhicule en suivant tout près le côté droit ou gauche de la route. ◆ ***se serrer*** v. pr. 1° Comprimer sa taille : *Une jeune fille qui se serre pour avoir une silhouette élégante, une taille de guêpe.* — 2° *Se serrer contre quelqu'un,* se placer tout près de lui : *Un enfant apeuré qui se serre contre sa mère* (syn. : SE BLOTTIR). *Serrez-vous davantage sur le banc pour que tout le monde soit assis* (syn. : SE RAPPROCHER; fam. : SE TASSER). || *Se serrer les coudes,* se soutenir mutuellement (syn. : S'ENTRAIDER). — 3° Fam. *Se serrer la ceinture,* s'imposer des privations, réduire son train de vie. ◆ **serré, e** adj. 1° Se dit d'une chose dont les éléments constitutifs sont très rapprochés : *Un tissu serré* (syn. : ÉPAIS). *Une écriture serrée.* — 2° *Jeu serré,* jeu mené avec application, avec prudence. || *Une lutte serrée, une partie serrée, un match serré,* où les adversaires sont de force à peu près égale et jouent avec acharnement. || *Une discussion serrée,* où les interlocuteurs se défendent vigoureusement. ◆ **serré** adv. *Jouer serré,* jouer avec application, en faisant attention à ne pas commettre de fautes; agir avec prudence, avec circonspection. || *Ecrire serré,* en rapprochant les lettres. ◆ **serrage** n. m. : *Le serrage d'un frein, d'une vis.* ◆ **serrement** n. m. *Serrement de main,* action de serrer (sens 1) la main de quelqu'un. || *Serrement de cœur,* oppression causée par une vive émotion. ◆ **serres** n. f. pl. Griffes des oiseaux de proie : *Les serres de l'aigle, du vautour, de l'épervier.* ◆ **serre-tête** n. m. invar. Coiffure enveloppante, qui maintient les cheveux serrés : *Un serre-tête de skieur.* ◆ **desserrer** v. tr. 1° Relâcher ce qui est serré : *Desserrer les poings. Desserrer sa ceinture, un écrou.* — 2° *Ne pas desserrer les dents,* ne pas prononcer une parole. ◆ ***se desserrer*** v. pr. : *Le nœud s'est desserré.* ◆ **desserrage** n. m. ◆ **resserrer** v. tr. Serrer à nouveau ce qui s'est desserré.

2. serrer [sere] v. tr. *Serrer des choses, des objets,* les mettre en place, en lieu sûr, à l'abri (littér. ou régional) : *Serrer des livres dans une bibliothèque, du linge, des bijoux dans une armoire* (syn. : RANGER). *Serrer des légumes, du vin dans une cave.* ◆ **serre** n. f. Local clos et vitré, destiné à abriter du froid certaines plantes et à leur fournir, au besoin, de la chaleur : *Mettre des fleurs dans une serre.*

serrure [sɛryr] n. f. Appareil fixé à une porte, à un tiroir, etc., qui sert à les fermer ou à les ouvrir, et qu'on manœuvre à l'aide d'une clef : *Serrure d'une portière de voiture, d'un coffre-fort, d'une valise. Serrure de sûreté. Laisser la clef dans* (ou *sur*) *la serrure. Regarder par le trou de la serrure. Brouiller une serrure.* ◆ **serrurerie** n. f. Métier, ouvrage du serrurier. ◆ **serrurier** n. m. Celui qui fait ou qui répare des serrures, des clefs, des ouvrages de fer forgé.

sertir [sɛrtir] v. tr. *Sertir une pierre précieuse,* l'enchâsser dans la monture d'un bijou, dans le chaton d'une bague : *Sertir un diamant* (syn. : ENCASTRER, FIXER). ◆ **sertissage** n. m. : *Le sertissage d'une pierre.* ◆ **sertissure** n. f. Manière dont une pierre est sertie. ◆ **sertisseur, euse** n.

sérum [serɔm] n. m. 1° Partie liquide qui se sépare du sang après coagulation. — 2° Préparation à base de sérum extrait du sang d'un animal, habituellement le cheval, vacciné contre une maladie microbienne ou contre une substance toxique : *On utilise surtout le sérum antidiphtérique* (= contre la diphtérie), *le sérum antitétanique* (= contre le tétanos), *les sérums antivenimeux* (= contre les morsures de serpents), *etc.* || *Sérum physiologique,* ou *sérum,* solution saline de composition déterminée et de même concentration moléculaire que le plasma sanguin.

1. serviette [sɛrvjɛt] n. f. Pièce de linge dont on se sert à table ou pour la toilette : *Plier, déplier sa serviette.* ◆ **serviette-éponge** n. f. Serviette de toilette en tissu bouclé : *Des serviettes-éponges.*

2. serviette [sɛrvjɛt] n. f. Sac de cuir souple, utilisé pour le transport de livres, de documents, etc. : *Une serviette d'écolier* (syn. : CARTABLE), *de professeur.*

servile [sɛrvil] adj. 1° Se dit d'une personne (ou de son attitude) qui a un caractère de soumission excessive : *Un homme, un esprit servile* (syn. : PLAT, RAMPANT). *Une obéissance, une complaisance, une flatterie servile* (syn. : OBSÉQUIEUX, VIL). — 2° Se dit d'un ouvrage qui imite de trop près un modèle : *Une traduction servile.* ◆ **servilement** adv. : *Flatter servilement un supérieur* (syn. : BASSEMENT). *Obéir servilement. Imiter servilement les travaux d'un maître.* ◆ **servilité** n. f. : *La servilité de cet employé le rend insupportable à ses camarades. Il ne faut pas confondre l'obéissance et la servilité. Exécuter les ordres d'un supérieur avec servilité* (syn. : BASSESSE).

1. servir [sɛrvir] v. tr. (conj. **20**). 1° *Servir quelqu'un, une collectivité,* s'acquitter envers eux de certaines obligations, de certains devoirs : *Servir son pays, sa patrie, l'Etat.* — 2° *Servir Dieu,* lui rendre le culte qui lui est dû et s'acquitter de ses devoirs de religion. || *Servir le prêtre pendant la messe* (ou *servir la messe*), être auprès du prêtre qui célèbre la messe, pour dire les réponses, présenter le vin, l'eau, etc. ◆ **service** n. m. 1° Ensemble des obligations, des devoirs d'une personne envers quelqu'un ou envers une collectivité : *Se consacrer au service de Dieu* (= être prêtre, religieux). — 2° *Service funèbre,* célébration de la messe, prières qui se disent pour un mort. — 3° Organisation chargée d'une fonction administrative; ensemble des bureaux assurant cette fonction : *Le service des transports, de la poste. Le service des hôpitaux, de l'Intendance. Les services d'un ministère, d'une préfecture.* || *Service public,* entreprise gérée par l'Administration et destinée à remplir une fonction d'intérêt collectif (transport des correspondances, fourniture de l'électricité, du gaz, etc.). — 4° Organisation chargée d'une branche d'activités dans un établissement public ou privé : *Le service du contentieux dans un ministère. Le service de la Sûreté au ministère de l'Intérieur. Le service des contagieux dans un hôpital. Le service de la vente, de la publicité dans une maison de commerce.* — 5° Emploi, activité professionnelle d'une personne dans une administration : *Obtenir sa retraite après trente ans de service.* || *Etre à che-*

val sur le service, ou, fam., être service service, être très strict sur la façon dont un subordonné doit s'acquitter de sa tâche. — **6°** *Service militaire,* ou *service,* obligation légale imposée aux citoyens pour contribuer à la défense du pays; temps pendant lequel on remplit ses obligations militaires : *Faire son service militaire dans la marine.* ‖ *Prendre son service, être de service,* prendre son tour dans l'exercice de ses fonctions militaires ou civiles; y être occupé. — **7°** Fonctionnement d'une machine, d'un appareil, d'un transport pour un usage public : *Mettre en service une nouvelle locomotive, une cabine téléphonique. Service d'été, service d'hiver* (= ensemble des relations ferroviaires assurées pendant ces saisons). — **8°** Travail déterminé effectué pour le compte de l'Etat ou d'une autorité : *Etre chargé d'un service de surveillance, de contrôle.* — **9°** Distribution qui est faite gratuitement ou non : *On nous a fait le service gratuit de ce journal pendant un mois.* ‖ *Service de presse* (abrév. : *S. P.*), mention imprimée sur les exemplaires des ouvrages destinés aux critiques; ces exemplaires : *Se débarrasser de vieux services de presse.* — **10°** *Service d'ordre,* personnes chargées du maintien de l'ordre au cours d'une cérémonie, d'une manifestation. ‖ *Service social,* organisme public ou privé, chargé de l'hygiène, de la santé, de l'aide sociale, etc. : *Service social d'une entreprise.* ◆ **serviteur** n. m. **1°** Personne au service d'une collectivité : *Un fidèle serviteur de l'Etat.* ‖ *Serviteur de Dieu,* prêtre, religieux ou homme voué à la pratique des œuvres religieuses. — **2°** Syn. de DOMESTIQUE (langue soutenue). ◆ **servant** n. m. Clerc ou laïque qui assiste le prêtre pendant une messe basse.

2. servir [sɛrvir] v. tr. (conj. **20**). **1°** (sujet nom de personne) *Servir quelqu'un,* s'acquitter de certaines tâches envers une personne dont on dépend, dont on est le subordonné : *Servir une personne comme valet de chambre, comme chauffeur. Cette femme aime beaucoup se faire servir.* — **2°** (sujet nom désignant un commerçant) *Servir quelqu'un, servir quelque chose (à quelqu'un),* lui fournir des marchandises contre de l'argent : *Epicier qui sert une nombreuse clientèle. Servir un client. Le boucher nous a bien servis. Servir un rôti, un kilo de pommes. Servir quelqu'un à table,* lui présenter les plats, lui garnir son assiette, lui verser à boire : *Passez-moi votre assiette, je vais vous servir. Reprenez de la viande, vous n'avez pas été bien servi. Servir à quelqu'un d'un plat, d'un mets.* ‖ *Madame est servie,* formule par laquelle un domestique annonce à la maîtresse de maison que l'on peut passer à table. — **3°** Placer les plats sur la table : *Servir un repas à quelqu'un. Servir à déjeuner, à dîner à quelqu'un* (= lui donner de quoi déjeuner, dîner). — **4°** *Fam.* Débiter, offrir : *Il nous sert toujours les mêmes histoires, les mêmes arguments.* — **5°** *Servir des cartes,* en donner à ceux avec qui l'on joue. — **6°** *Servir la balle* (ou, intransitiv., *servir*), la mettre en jeu, au tennis. — **7°** *Servir une rente, une pension, des intérêts,* les payer à terme fixe. ◆ ***se servir*** v. pr. **1°** *Se servir de quelque chose,* prendre de ce qui est sur la table : *Se servir de viande, de vin.* — **2°** *Se servir chez quelqu'un,* s'approvisionner chez lui : *Se servir chez les meilleurs fournisseurs.* ◆ **service** n. m. **1°** Action ou manière de servir un maître, un client dans une maison de commerce, dans un hôtel, etc. : *Etre au service de quelqu'un depuis longtemps. Le service de la table dans un restaurant. Un service rapide, bien fait. Restaurant, magasin libre service* (= où les clients se servent eux-mêmes). *Premier, second service* (= première, seconde série de repas servis dans un wagon-restaurant). — **2°** Pourcentage d'une note d'hôtel, de restaurant spécialement affecté au personnel : *Un repas à dix francs, service compris.* — **3°** Assortiment de vaisselle ou de linge pour la table : *Un service à café, à liqueurs. Un service de table damassé.* — **4°** Au tennis, action ou manière de mettre la balle en jeu : *Un changement de service. Une faute de service. Manquer son service. Avoir un bon service, un service coupé.* — **5°** *Porte, escalier de service,* endroit par où passent les domestiques, les fournisseurs. ◆ **services** n. m. pl. **1°** Travail rémunéré, effectué pour un employeur : *Le directeur de l'entreprise lui a fait savoir que dorénavant il se passerait de ses services.* — **2°** Produit destiné à la satisfaction des besoins de l'homme et qui n'est pas fait d'un bien matériel (transport, recherche, etc.) [terme techn.]. ◆ **serveur, euse** n. Personne qui sert des repas, des consommations dans un restaurant, dans un bar (syn. : BARMAN, GARÇON). ◆ **servant** ou **serveur** n. m. Au tennis, celui qui met la balle en jeu. ◆ **servante** n. f. Syn. vieilli de BONNE. ◆ **desservir** v. tr. Oter ce qui est servi : *Après le repas, on se hâta de desservir.* ◆ **resservir** v. tr. Servir de nouveau (sens 3).

3. servir [sɛrvir] v. tr. (conj. **20**). **1°** (sujet nom de personne) *Servir quelqu'un, quelque chose* (nom abstrait), leur apporter son aide, son appui : *Cette femme se dévoue à servir les pauvres* (syn. : SECOURIR). *Il est toujours prêt à servir ses amis* (syn. : AIDER, RENDRE SERVICE À). *Servir les passions, les intérêts de quelqu'un* (= lui fournir les moyens de les satisfaire). *Servir une cause* (= s'y dévouer, s'y consacrer). — **2°** (sujet nom de chose) *Servir quelqu'un,* lui être utile : *Sa mémoire l'a bien servi dans ses examens. Il a été bien servi par les circonstances* (syn. : FAVORISER). ◆ **service** n. m. **1°** Ce que l'on fait pour être utile à quelqu'un : *Demander un service à un ami* (syn. : AIDE, APPUI). *Ils se sont rendu de mutuels services* (syn. : BIENFAIT). *Rendez-nous ce service.* — **2°** *Rendre un mauvais service à quelqu'un,* lui nuire, lui susciter des difficultés. ‖ *Je suis à votre service,* je suis prêt à faire ce qui pourra vous être utile ou agréable. ‖ *Qu'y a-t-il pour votre service?,* que puis-je faire pour vous?, que voulez-vous? ◆ **desservir** v. tr. *Desservir quelqu'un,* lui rendre un mauvais service, lui nuire : *Sa brusquerie le dessert souvent. Il m'a desservi auprès de mes clients.*

4. servir [sɛrvir] v. tr. ind. et intr. (conj. **20**). **1°** (sujet nom de chose) *Servir à quelqu'un,* lui être utile : *La connaissance des langues étrangères lui a servi. A quoi lui ont servi tous ses diplômes? Ces livres m'ont servi à préparer mon examen;* et impersonnell. : *A quoi cela vous servirait-il de mentir?* — **2°** (sujet nom de chose) *Servir à quelque chose,* être bon, propre à quelque chose : *Un meuble qui ne sert pas à grand-chose. Ce bateau sert à passer la rivière. A quoi sert cette machine? Cela ne sert à rien* (ou, plus rarement, *de rien*) *de préparer des examens si l'on ne s'y présente pas;* et impersonnell. : *A quoi cela sert-il de se mettre en colère? A quoi sert* (littér. : *que sert*) *d'amasser tant de richesses?* ◆ **resservir** v. tr. ind. et intr. : *Gardez ce vieux sac il peut resservir.*

5. servir [sɛrvir] v. tr. ind. (conj. **20**) [sujet nom de personne ou de chose] *Servir à quelqu'un* de, être utilisé par lui à titre de, en guise de : *Elle lui a servi de secrétaire, d'interprète* (syn. : FAIRE FONCTION DE, TENIR LA PLACE DE). *Il lui a servi de modèle. Mon manteau me servira de couverture* (syn. : TENIR LIEU DE). *Cela vous servira de leçon* (= cela vous sera un enseignement).

6. servir (se) [səsɛrvir] v. pr. (conj. **20**). *Se servir d'une personne, d'une chose,* l'employer en vue d'un résultat : *Se servir de ses relations, de ses amis pour obtenir une place. Se servir de quelqu'un comme conseiller. Cet écrivain se sert trop souvent des mêmes mots* (syn. : USER DE). *Se servir de sa voiture pour aller à son travail* (syn. : UTILISER).

servitude [sɛrvitud] n. f. **1°** Etat d'une personne, d'une nation privée de son indépendance : *Un mari qui tient sa femme dans la servitude* (syn. : SOUMISSION, SUJÉTION). *Délivrer un peuple tombé dans la servitude* (syn. : ASSERVISSEMENT, ESCLAVAGE, JOUG). — **2°** Contrainte, assujettissement à des occupations habituelles, à des obligations : *Il n'est pas de métier qui n'ait ses servitudes. Les servitudes de la mode* (syn. : TYRANNIE).

session [sɛsjɔ̃] n. f. **1°** Période pendant laquelle une assemblée, un tribunal exercent leurs fonctions : *Les sessions du Sénat. Les sessions de la cour d'assises.* — **2°** Période pendant laquelle a lieu un examen : *Refusé à l'oral de la première session de la licence, il a été reçu à la seconde.*

set [sɛt] n. m. Ensemble des jeux qui constituent l'une des phases d'une partie de tennis : *Jouer une partie en cinq sets* (syn. : MANCHE).

seuil [sœj] n. m. **1°** Dalle de pierre ou pièce de bois recouvrant la partie inférieure de l'ouverture d'une porte. — **2°** Entrée d'une maison : *Etre assis sur le seuil de la maison.* — **3°** Début (littér.) : *Le seuil de la vie, de l'hiver, de la vieillesse* (syn. : COMMENCEMENT, ENTRÉE).

seul, e [sœl] adj. et n. V. tableau ci-dessous.

seulement [sœlmɑ̃] adv. **1°** Pas davantage ; sans une personne ou une chose de plus : *Nous étions trois seulement. Il est resté quelques jours seulement à la maison* (syn. : RIEN QUE). *Dites-lui seulement un mot* (syn. : UNIQUEMENT). — **2°** Exclusivement : *Il travaille seulement pour faire fortune.* — **3°** Pas plus tôt que : *Il est arrivé seulement ce soir d'Amérique. Le courrier vient seulement d'être distribué* (syn. : JUSTE). — **4°** *Pas seulement,* pas même : *Il n'a pas seulement de quoi payer sa pension.* ‖ *Sans seulement,* sans même : *Il est parti sans seulement dire au revoir.* ‖ *Si seulement,* si au (du) moins : *Si seulement il profitait des leçons de l'expérience.* — **5°** En tête de proposition, marque l'opposition ou la restriction : *Vous pouvez aller le voir, seulement ne restez pas trop longtemps, parce qu'il est fatigué* (syn. : MAIS). *Vous me dites que c'est vrai, seulement je ne le crois pas* (syn. : TOUTEFOIS). ● LOC. ADV. *Non seulement* (ordinairement suivie de *mais* ou *de mais encore*), introduit le premier de deux groupes, dont le second marque une insistance, une addition : *Non seulement on respecte cet homme, mais encore on l'aime.*

sève [sɛv] n. f. **1°** Liquide nourricier qui se répand dans les diverses parties des végétaux. — **2°** Energie physique ou morale : *La sève de la jeunesse* (syn. : FORCE, VIGUEUR).

sévère [sevɛr] adj. **1°** Se dit d'une personne sans indulgence : *Un magistrat sévère* (syn. : IMPITOYABLE, IMPLACABLE). *Un père sévère envers ses enfants* (syn. : AUTORITAIRE, DUR). *Un professeur sévère* (syn. : STRICT ; fam. : VACHE). *On est porté à être sévère pour les autres et indulgent pour soi-même* (syn. : INTRANSIGEANT, RIGOUREUX). — **2°** Se dit d'une personne dont l'attitude exprime la rigueur : *Un regard, un ton, un visage sévère.* — **3°** Qui juge, blâme durement, qui condamne sans indulgence : *Un verdict sévère* (syn. fam. : SALÉ). *La critique de ce film est un peu sévère.* — **4°** Se dit d'une chose dépourvue d'ornements, de recherche, d'élégance : *Une architecture sévère* (syn. : AUSTÈRE, DÉPOUILLÉ). *Un style sévère* (syn. : SEC). *Une beauté sévère. Un costume d'une coupe sévère. Une tenue sévère.* — **5°** Qui est grave par son importance : *L'ennemi a subi des pertes sévères.* ◆ **sévèrement**

seul

ÉPITHÈTE	ATTRIBUT	VALEUR ADVERBIALE
Un seul..., le seul..., entre l'article, un déterminatif ou un possessif et le nom.		En tête de proposition, ou après un nom ou un pronom accentué.
Se dit d'une personne ou d'une chose qui est unique (« à l'exclusion de tout autre ») : *Adorer un seul Dieu. Elle n'a pas une seule amie. Nous ne l'avons vu qu'une seule fois. C'est le seul exemplaire qui restait chez le libraire. C'est le seul homme qui puisse vous renseigner. Cette seule raison aurait pu le décider. Dans le seul but de lui plaire. La seule pensée de cette action est criminelle* (syn. : SIMPLE). Sans article : *Vous êtes seul juge. A seule fin de vous rencontrer.*	Se dit d'une personne ou d'une chose qui n'est pas avec d'autres : *Il vit seul dans une grande maison* (syn. : SOLITAIRE). *Une vieille femme était seule dans sa chambre, en train de coudre. Après le mariage de leur fils, ils se sont trouvés bien seuls. Ce mot employé seul* (ou *tout seul*) *a telle acception.* ‖ *Etre seul* (*tout seul*) *dans le monde, dans la vie,* ne pas avoir de famille, d'amis, vivre dans l'isolement.	Se dit d'une personne ou d'une chose qui réalise l'action à l'exclusion des autres : *Seul un alpiniste aussi fort que lui peut faire cette ascension* (syn. : UNIQUEMENT). *Un homme seul (tout seul) ne peut mener à bien une telle entreprise. Seul le hasard peut lui permettre de réussir* (= il n'y a que). *Le hasard seul peut le favoriser* (syn. : SEULEMENT). *Vous seul êtes capable de le faire obéir* (syn. : EXCLUSIVEMENT). *A elle seule, elle a fait autant de travail que ses trois camarades réunies.*
NOM **Un seul, une seule, le seul, la seule,** une seule, la seule personne : *On ne peut se fier à l'opinion d'un seul. Elle croit qu'elle est la seule à pouvoir faire ce travail.*	**Seul à seul,** en tête à tête : *Elle était heureuse de pouvoir lui parler seule à seul. Ils se sont trouvés seuls à seuls.* (Accord facultatif.)	**Tout seul,** sans aide, sans secours : *Il a retrouvé tout seul son chemin ou il a retrouvé son chemin tout seul* (= de lui-même). ‖ Fam. *Cela va tout seul,* il n'y a pas de difficulté.

adv. : *Élever ses enfants sévèrement* (syn. : DUREMENT ; fam. : À LA BAGUETTE). *Punir sévèrement.* ◆ **sévérité** n. f. : *Des parents qui élèvent leurs enfants avec sévérité. La sévérité d'un juge* (contr. : CLÉMENCE), *d'un professeur* (contr. : INDULGENCE). *La sévérité d'une peine, d'une sentence* (syn. : GRAVITÉ). *La sévérité d'une éducation* (syn. : RIGORISME). *La sévérité d'une architecture, d'un style* (syn. : AUSTÉRITÉ, FROIDEUR).

sévices [sevis] n. m. pl. Mauvais traitements exercés sur une personne : *Les sévices sont une cause de divorce. Ce père a été condamné pour avoir exercé des sévices sur son fils* (syn. : BRUTALITÉ, VIOLENCE).

sévir [sevir] v. intr. ou tr. ind. 1° (sujet nom de personne) *Sévir contre quelqu'un* ou *contre quelque chose* (mot abstrait), agir contre eux avec rigueur : *Sévir contre des coupables* (syn. : CHÂTIER, PUNIR). *Il faut sévir contre certains abus* (syn. : RÉPRIMER). — 2° (sujet nom de chose et sans compl.) Exercer des ravages : *Une grave épidémie de grippe a sévi cet hiver.*

sevrer [səvre] v. tr. 1° *Sevrer un enfant, un animal,* cesser de l'allaiter pour lui donner une alimentation plus solide : *Sevrer un bébé. Sevrer un agneau, un poulain.* — 2° *Sevrer quelqu'un de quelque chose,* l'en priver : *Sevrer un enfant de caresses.* ◆ **sevrage** n. m. Sens 1 : *Le sevrage doit s'effectuer progressivement.*

sexagénaire adj. et n. Qui a atteint soixante ans. (V. ÂGE.)

sexagésime [sɛksaʒezim] n. f. Dimanche qui précède Pâques d'environ soixante jours.

sex-appeal [sɛksapil] n. m. Attraits, charme physique particulier qui rendent une femme désirable (syn. littér. : APPAS).

sexe [sɛks] n. m. 1° Ensemble des caractères organiques de l'individu (animal ou végétal) qui permettent de distinguer l'homme de la femme, le mâle de la femelle : *Un enfant du sexe masculin* (= un garçon), *du sexe féminin* (= une fille). — 2° Ensemble des personnes du même sexe : *A la prise de la ville, on massacra une partie de la population, sans distinction d'âge ni de sexe. Le beau sexe, le sexe faible* (fam. = les femmes). *Le sexe fort* (= les hommes). — 3° Organes de la génération : *Beaucoup de mollusques ont les deux sexes* (= sont hermaphrodites). ◆ **sexuel, elle** adj. Relatif au sexe, au rapprochement des sexes : *Les organes sexuels. L'instinct, le plaisir sexuel. Des relations sexuelles.* ◆ **sexualité** n. f. Ensemble des phénomènes relatifs à l'instinct sexuel : *Les troubles de la sexualité.* ◆ **sexué, e** adj. Pourvu d'organes sexuels différenciés : *Les végétaux et les animaux supérieurs sont sexués* (contr. : ASEXUÉ). ◆ **sexologie** n. f. Etude scientifique des problèmes de la sexualité. ◆ **sexologue** n.

sexto adv. V. NUMÉRATION; **seyant, e** adj. V. SEOIR.

shaker [ʃekœr] n. m. Appareil formé de deux gobelets s'emboîtant l'un dans l'autre, dans lequel on agite, avec de la glace, les éléments d'un cocktail.

shako [ʃako] n. m. Coiffure militaire rigide et tronconique : *Les saint-cyriens et les fantassins de la garde républicaine de Paris portent le shako.*

shampooing [ʃɑ̃pwɛ̃] n. m. 1° Lotion servant au lavage des cheveux. — 2° Lavage des cheveux au moyen de cette lotion : *Se faire faire un shampooing chez le coiffeur.*

shocking [ʃokiɲ] interj. et adj. Terme anglais employé parfois en français pour indiquer qu'une parole ou une action est inconvenante, déplacée.

shoot [ʃut] n. m. Au football, coup de pied vif et sec pour lancer le ballon (syn. : TIR). ◆ **shooter** v. intr. Exécuter un shoot : *Shooter directement au but* (syn. : TIRER).

short [ʃɔrt] n. m. Culotte courte portée pour faire du sport, pendant les vacances, etc.

1. si adv. d'interrogation. V. EST-CE QUE; adv. d'affirmation. V. OUI.

2. si [si] adv. de quantité. 1° Marque l'intensité : *Il est d'un dévouement si admirable* (syn. : TELLEMENT). *C'est une femme si bonne!* — 2° En corrélation avec *que, si* annonce une subordonnée consécutive (indic. ou cond.) : *Le vent a soufflé si fort qu'il y a eu des toitures arrachées, des arbres renversés. Il marchait si vite qu'il était difficile de le suivre.* — 3° *Si... que,* encadrant un adjectif et un adverbe et suivi du subjonctif, introduit une subordonnée concessive : *Si intelligent qu'il soit, il ne doit pas laisser de travailler* (= quelque... que). *Si mal qu'il ait agi, il faut lui pardonner.* (REM. Au lieu de *si... qu'il soit* [*qu'elle soit*], etc., on peut employer *si... soit-il* [*soit-elle*] : *Si intelligent soit-il.*) — 4° *Si* peut s'employer au lieu de *aussi* pour marquer une comparaison d'égalité dans une proposition négative ou interrogative : *Il n'est pas si intelligent qu'il le paraît. Il n'est pas si riche que vous. Avez-vous jamais rien vu de si beau!* • Loc. conj. *Si bien que, tant et si bien que,* de sorte que : *La chance tourna, si bien qu'il perdit tout ce qu'il avait gagné.*

3. si [si] conj. V. tableau p. 1072.

siamois, e [sjamwa, -waz] adj. *Frères siamois, sœurs siamoises,* jumeaux réunis par une membrane située à la hauteur de la poitrine.

sibyllin, e [sibilɛ̃, -in] adj. Se dit d'une chose difficile à comprendre : *Un langage sibyllin* (syn. : ÉNIGMATIQUE, OBSCUR). *Des paroles sibyllines.* (Dans l'Antiquité, les *oracles sibyllins* étaient les prédictions faites par des femmes [les *sibylles*] auxquelles les Anciens attribuaient la connaissance de l'avenir.)

sic [sik]. Mot latin que l'on met entre parenthèses après un mot, une expression, pour indiquer que l'on cite textuellement.

siccatif, ive [sikatif, -iv] adj. Se dit d'une substance qui a la propriété d'activer le séchage des peintures : *Une huile siccative.* ◆ **siccatif** n. m. : *Ajouter du siccatif à de la peinture.*

side-car [sidkar] n. m. Véhicule formé par la réunion d'une motocyclette et d'une caisse carrossée, montée sur une roue et pourvue d'un siège : *Des side-cars.*

sidérer [sidere] v. tr. (Surtout au part. passé et aux temps composés) [sujet nom de chose]. *Fam. Sidérer quelqu'un,* le frapper de stupeur (surtout au passif) : *L'annonce de la catastrophe a sidéré tout le monde* (syn. : ABASOURDIR, STUPÉFIER). *Il est resté sidéré quand il a appris cette mauvaise nouvelle* (syn. : ANÉANTIR).

SI conj.

SUBORDONNÉES CONDITIONNELLES	PROPOSITIONS NON CONDITIONNELLES	PROPOSITIONS CONCESSIVES
1° Avec l'indicatif présent ou passé, *si* marque le caractère certain du lien établi entre la condition et la conséquence : *Si vous admettez cette opinion, vous avez raison* (syn. : AU CAS OÙ). *Si vous continuez à bien travailler, vous avez des chances de réussir* (syn. : À CONDITION QUE). *Si vous allez voir mon ami, vous serez bien reçu. S'il est parti, revenez plus tard. S'il vient et que je sois absent, dites-lui de m'attendre.*	1° Avec l'indicatif imparfait ou plus-que-parfait dans la subordonnée et l'indicatif imparfait dans la principale, *si* a le sens de « toutes les fois que » : *S'il se trompait, s'il s'était trompé, on corrigeait ses erreurs.*	**Si ce n'est** (expression figée), **si ce n'étai(en)t, si ce n'eût été, si ce n'eussent été** loc. prép. (devant un nom ou un pronom). Indiquent la concession : *Qui a pu commettre cette erreur, si ce n'est celui que vous savez!* (syn. : SINON). *Si ce n'est eux, quels hommes auraient osé entreprendre cette démarche? Si ce n'était la crainte de vous déplaire, je vous parlerais librement.* Au lieu de *si ce n'étai(en)t, si ce n'eût été, si ce n'eussent été,* on peut dire *n'étai(en)t, n'eût été,* etc. : *N'était la crainte de vous déplaire...*
	2° Avec l'indicatif présent ou passé, *si* marque l'opposition, la concession : *Si mes dépenses restent les mêmes, mes ressources diminuent.*	
2° Avec l'indicatif imparfait (et le conditionnel dans la principale), *si* marque une hypothèse irréalisable dans le présent ou réalisable dans l'avenir : *Si nous avions cette maison en ce moment, nous serions contents.* On trouve quelquefois l'imparfait dans les deux propositions : *Il m'a dit que s'il réussissait dans son affaire il prenait un commerce plus important.*	3° Avec une proposition principale introduite par *c'est que* et suivie d'une complétive commençant par *que, si* indique l'action dont *c'est que* marque la cause : *Si je ne vous ai pas salué, c'est que je ne vous ai pas vu* (= je ne vous ai pas salué parce que je ne vous ai pas vu).	**Si ce n'est que, si ce n'était que, si ce n'eût été que** loc. conj. Indiquent une réserve : *Il vous ressemble, si ce n'est qu'il est plus petit que vous* (syn. : EXCEPTÉ QUE). *Si ce n'était qu'il est plus grand, on le prendrait pour vous.* On peut dire aussi *n'était qu'il est...*
3° Avec l'indicatif plus-que-parfait ou le subjonctif plus-que-parfait (et le conditionnel ou le subjonctif plus-que-parfait dans la principale), *si* marque une hypothèse qui n'a pu se réaliser dans le passé : *Si je vous avais vu* (ou *si je vous eusse vu*), *je vous aurais prévenu* (ou *je vous eusse prévenu*). On trouve quelquefois l'imparfait au lieu du conditionnel : *Si nous étions partis plus tard, nous manquions le train.*	4° *Si* introduit la proposition sujet ou complément d'objet de certains verbes ou de quelques locutions verbales : *C'est un miracle si nous sommes réchappés de cette catastrophe. Pardonnez-moi si je ne vous ai pas encore répondu.*	**Si tant est que** loc. conj. S'il est vrai que, en admettant que : *Il a l'intention de préparer le concours de l'agrégation, si tant est qu'il soit capable de le faire.* **Si... ne,** dans des expressions plus ou moins figées, indique une réserve : *Si je ne me trompe. Si je ne m'abuse* (syn. : À MOINS QUE).
	5° Dans une proposition exclamative, *si* exprime le souhait : *Si j'osais! Si je pouvais parler!*; le regret : *Si seulement vous étiez venu plus tôt!*; une suggestion : *Si nous allions nous promener?*	

sidérurgie [sideryrʒi] n. f. Ensemble des techniques qui permettent de produire et de travailler le fer, l'acier et la fonte. ◆ **sidérurgique** adj. : *Une usine sidérurgique.*

siècle [sjɛkl] n. m. 1° Période de cent ans : *Certains arbres vivent plusieurs siècles. Un quart de siècle, un demi-siècle.* — 2° Période de cent ans comptés à partir d'une ère donnée, spécialement de l'ère chrétienne : *Le troisième siècle avant Jésus-Christ. Le vingtième siècle a commencé le premier jour de l'année 1901 et finira le dernier jour de l'année 2000. Le siècle précédent. Les écrivains du dix-septième siècle* (dans ce cas, on sous-entend très souvent le mot *siècle*). — 3° Temps où l'on vit : *Un homme qui fait honneur à son siècle. Il faut être de son siècle. Partager les idées de son siècle. Le mal du siècle* (= attitude d'esprit pessimiste qui appartient à une époque déterminée). — 4° *Le siècle de,* époque rendue célèbre par les actions, les œuvres d'un grand homme, par une grande découverte : *Le siècle de Périclès, d'Auguste, de Louis XIV. Le siècle de l'atome.* — 5° *Fam.* Temps que l'on trouve très long : *Il y a un siècle que nous ne vous avons vu.* ◆ **siècles** n. m. pl. Grand espace de temps indéterminé : *Une coutume qui date depuis des siècles. Son nom subsistera jusqu'aux siècles les plus reculés. La fin, la consommation des siècles* (= la fin du monde). ◆ **séculaire** adj. 1° Qui a lieu tous les cent ans : *Une fête, une cérémonie séculaire. Un jubilé séculaire.* — 2° Qui date, qui existe depuis un ou plusieurs siècles : *Un arbre séculaire* (syn. : CENTENAIRE). *Une coutume, un préjugé séculaire.*

1. siège [sjɛʒ] n. m. Meuble ou autre objet disposé pour qu'on puisse s'y asseoir : *Apporter, avancer un siège. Un siège pliant. Un siège capitonné, rembourré. Les sièges d'une voiture.*

2. siège [sjɛʒ] n. m. 1° Endroit où réside une autorité, où se réunit un Parlement, où fonctionne une société commerciale ou industrielle : *Le Palais-Bourbon est le siège de l'Assemblée nationale.* ‖ *Siège d'une cour de justice, d'un tribunal,* endroit où ils résident et se réunissent pour rendre la justice. ‖ *Siège épiscopal,* évêché et sa juridiction. ‖ *Siège pontifical,* v. SAINT-SIÈGE. ‖ *Siège social,* endroit où une société commerciale a son principal établissement. — 2° Place occupée par un membre d'une assemblée délibérante : *Ce parti a gagné un grand nombre de sièges aux dernières élections.* — 3° Endroit où naît et se développe un phénomène : *Le siège d'une douleur, d'une maladie. Le cerveau est le siège de la parole* (syn. : CENTRE). ◆ **siéger** v. intr. 1° (sujet nom de personne) Faire partie d'une assemblée, d'un tribunal : *Siéger au Sénat. Un député qui siège à droite, à gauche.* — 2° (sujet nom désignant une assemblée, un tribunal, etc.) Tenir ses séances : *La Cour de cassation siège à Paris.*

3. siège [sjɛʒ] n. m. 1° Ensemble des opérations militaires exécutées pour s'emparer d'une place forte, d'une ville : *Le siège de Paris en 1870. Le* *siège de Varsovie, de Stalingrad pendant la Seconde Guerre mondiale.* — 2° *Lever le siège,* ramener en arrière l'armée assiégeante; *fam.,* s'en aller, se retirer. || *Etat de siège,* mesure prise par les pouvoirs publics en cas de troubles, et qui place les pouvoirs civils sous les ordres du commandement militaire.

sien, sienne adj. et pron. poss. V. MON.

sieste [sjɛst] n. f. Repos pris après le repas de midi : *Faire une courte sieste tous les après-midi.*

sieur [sjœr] n. m. 1° Qualification dont on fait précéder un nom propre en style judiciaire : *Sieur X s'est fait représenter au tribunal par son avocat.* — 2° *Le sieur Un tel,* s'emploie à propos de quelqu'un pour qui l'on a une certaine antipathie.

siffler [sifle] v. intr. 1° (sujet nom d'être animé) Produire un son aigu en chassant l'air entre ses lèvres, entre ses dents ou à l'aide d'un instrument (sifflet, clef forée, etc.) : *Siffler pour appeler quelqu'un. Siffler comme un merle.* — 2° Produire certains sons qui ressemblent à un sifflement : *Les asthmatiques sifflent en respirant. Siffler en parlant, en dormant.* — 3° (sujet désignant certains oiseaux) Produire le cri propre à l'espèce : *Le merle, le loriot, la grive sifflent.* (Se dit aussi des serpents, des oies, des cygnes quand ils sont en colère.) — 4° (sujet désignant des choses, certains phénomènes, des projectiles) Produire des bruits aigus et prolongés : *Le train siffle pour annoncer son arrivée en gare. Un jet de vapeur qui siffle* (syn. : CHUINTER). *La bise siffle dans les arbres. Le vent siffle dans les cordages. Les balles sifflaient aux oreilles des combattants.* ◆ v. tr. 1° *Siffler un air,* le moduler en sifflant : *Siffler une chanson.* — 2° *Siffler un animal, une personne,* l'appeler en sifflant : *Siffler son chien.* — 3° *Siffler quelqu'un, un ouvrage,* l'accueillir par des sifflets, en signe de désapprobation ou de mécontentement (et quelquefois en signe d'admiration, comme aux Etats-Unis) : *Siffler une pièce. Siffler un acteur, un orateur* (syn. : CONSPUER, HUER). — 4° *Siffler quelque chose* (au cours d'un jeu, d'une épreuve), le signaler en sifflant : *L'arbitre a sifflé la fin de la partie 15 secondes avant la fin du temps réglementaire.* — 5° *Pop.* Boire d'un trait, boire avidement : *Siffler un verre, siffler une bouteille de vin.* ◆ **sifflement** n. m. Son ou bruit aigu fait en sifflant : *Il nous étourdit avec ses sifflements continuels. Attirer l'attention par un sifflement. Les sifflements d'un merle. Le sifflement d'une locomotive, des obus.* ◆ **sifflet** n. m. 1° Petit instrument de bois ou de métal, etc., formé d'un tuyau étroit et terminé par une embouchure taillée en biseau : *Les enfants aiment beaucoup s'amuser avec des sifflets. Sifflet à roulette* (= celui dans lequel est placée une petite bille qui modifie le son). || *Coup de sifflet,* son bref produit par un sifflet : *L'agent de police réglait la circulation à coups de sifflet. Un coup de sifflet strident retentit à nos oreilles.* — 2° *En sifflet,* se dit d'une coupe, d'une section en biseau : *Une branche taillée en sifflet.* ◆ **sifflets** n. m. pl. Désapprobation manifestée par un bruit de sifflets : *La pièce a été accueillie par des sifflets.* ◆ **sifflant, e** adj. Qui produit un sifflement : *Une prononciation sifflante.* ◆ **sifflante** adj. et n. f. Se dit d'une consonne caractérisée par un bruit de sifflement : *Les consonnes « s » et « z » sont des sifflantes.* ◆ **siffleur, euse** n. Personne qui siffle, qui a l'habitude de siffler. ◆ **siffloter** v. intr. et tr. Siffler légèrement, négligemment : *Siffloter en marchant, en travaillant. Siffloter un air de musique militaire.* ◆ **sifflotement** n. m.

sigle [sigl] n. m. Groupe de lettres initiales constituant l'abréviation de termes fréquemment employés (ex. : *O. N. U., U. N. E. S. C. O., Benelux*).

signal [siɲal] n. m. 1° Signe convenu pour avertir, annoncer, donner un ordre : *Donner le signal du départ. On emploie différentes sortes de signaux dans la marine, l'aviation, les chemins de fer. Un signal sonore* (= sirène, avertisseur, Klaxon, etc.). *Un signal de changement de direction à bord d'une voiture* (syn. : CLIGNOTANT). *Un signal de ralliement, de détresse, d'alarme. Tirer le signal d'alarme à bord d'un train pour le faire stopper.* — 2° Ce qui annonce et provoque une action : *La prise de la Bastille a été le signal de la Révolution.* — 3° Appareil disposé sur le bord d'une voie de communication pour régler la marche des véhicules : *Un signal d'arrêt* (syn. : STOP). *Des signaux lumineux indiquent aux automobilistes s'ils doivent s'arrêter, ralentir, ou que la voie est libre* (= rouge, orangé, vert) [syn. : FEUX]. *Respecter un signal. La catastrophe ferroviaire est due au fait que les signaux n'ont pas fonctionné.* ◆ **signaler** v. tr. (sujet nom de personne ou de chose). 1° *Signaler quelque chose,* l'indiquer, l'annoncer par un signal : *Il a oublié de signaler son changement de direction. Le train est signalé* (= il va entrer en gare). *Un sémaphore qui signale un navire. En aéronautique, les balises servent à signaler l'emplacement d'une piste.* — 2° *Signaler quelqu'un, quelque chose,* les faire connaître en attirant l'attention sur eux : *Signaler un espion à la police* (syn. : DÉNONCER). *Signaler à quelqu'un les qualités d'un objet, d'une œuvre* (syn. : MONTRER, SOULIGNER). *Les services météorologiques ont signalé qu'il ferait beau pendant les vacances* (syn. : ANNONCER, MENTIONNER). *Je vous signale que, si vous ne travaillez pas mieux, vous ne réussirez pas à votre examen* (syn. : FAIRE REMARQUER, FAIRE OBSERVER). ◆ **signalement** n. m. Description de l'extérieur d'une personne, d'un animal, destinée à les faire reconnaître : *La police a transmis le signalement du bandit. Le signalement d'une personne est porté sur des pièces administratives* (carte d'identité, passeport). ◆ **signalétique** adj. Qui donne le signalement propre à faire reconnaître un individu : *Une fiche, un détail signalétique.* ◆ **signalisation** n. f. 1° Installation, disposition de signaux sur une voie de communication, à l'entrée d'un port, sur un aérodrome, etc. : *Sur les routes, la circulation automobile est réglée et facilitée par des panneaux de signalisation de divers types : signaux de danger, d'interdiction, d'obligation,* etc. — 2° Emploi de divers signaux pour donner à distance des renseignements d'un ordre particulier : *Les appareils de signalisation comprennent des phares, des fusées, des drapeaux, des sirènes,* etc. *On pense que l'accident de chemin de fer est dû à une erreur de signalisation.*

signaler (se) [səsiɲale] v. pr. (sujet nom de personne). 1° Acquérir une certaine réputation (en bien ou en mal) : *Se signaler par sa bravoure* (syn. : SE FAIRE REMARQUER, S'ILLUSTRER). *Un tyran qui se signale par ses cruautés* (syn. : SE DISTINGUER). — 2° *Se signaler à l'attention de quelqu'un,* se faire remarquer de lui. ◆ **signalé, e** adj. (avant ou plus rarement après le nom). Se dit d'une chose qui attire l'attention, l'estime : *Un signalé service* (syn. : IMPORTANT, REMARQUABLE).

signe [siɲ] n. m. 1° Ce qui permet de connaître ou de reconnaître, de deviner ou de prévoir quelque chose : *Un signe distinctif, caractéristique. Des signes particuliers mentionnés sur une carte d'identité* (syn. : MARQUE). *Signes extérieurs de richesse. Quand les hirondelles volent bas, c'est signe de pluie, c'est signe qu'il pleuvra* (syn. : INDICATION). *Il n'y a dans l'état de ce malade aucun signe d'amélioration* (syn. : SYMPTÔME). ‖ *Etre un bon, un mauvais signe,* être de bon, de mauvais augure (syn. : PRÉSAGE). ‖ *Signe des temps,* se dit d'un événement qui, par son caractère ou son importance, peut servir à juger l'époque où il se produit (généralement péjor.) : *L'augmentation de la délinquance juvénile est un signe des temps.* — 2° Elément du langage, geste ou mimique qui permet de faire connaître une pensée ou de manifester un ordre, un désir : *Signes verbaux. Les sourds-muets se parlent par signes. Faire un signe de la tête, de la main. Signe cabalistique. Faire signe de venir. Ils se faisaient des signes d'intelligence. Il lui tendit la main en signe de réconciliation.* ‖ *Signe de croix,* v. CROIX 1. ‖ *Ne pas donner signe de vie,* sembler mort, ne pas donner de ses nouvelles. — 3° Représentation matérielle d'une chose, dessin, figure ou son ayant un caractère conventionnel : *Les signes orthographiques, typographiques, algébriques, musicaux. Les signes de ponctuation.* ‖ *Signe du zodiaque,* chacune des douze divisions du zodiaque : *Etre né sous le signe du Bélier, du Taureau* (= pendant la période où le Soleil traverse cette partie de la sphère céleste). [V. ZODIAQUE.] ‖ *Sous le signe de,* sous l'influence de : *Tout lui réussit, il est né sous le signe de la chance.*

1. signer [siɲe] v. tr. 1° *Signer un écrit,* le revêtir de sa signature : *Signer une lettre, un contrat, un engagement, une pétition. Signer son nom* (= écrire son nom, apposer sa signature). ‖ *Signer de son sang,* verser son sang pour affirmer : *Les martyrs ont signé leur confession de leur sang.* — 2° *Signer une alliance, un contrat,* etc., les conclure et les confirmer par un acte signé : *Signer un armistice, la paix. Signer un pacte.* — 3° *Signer une œuvre,* attester par sa marque ou sa signature qu'on en est l'auteur : *Signer un tableau, un article. Une œuvre non signée* (= anonyme). ‖ *C'est signé,* se dit d'une action dont on devine facilement l'auteur. ◆ **signature** n. f. 1° Nom ou marque que l'on met au bas d'un écrit pour attester qu'on en est l'auteur ou qu'on en approuve le contenu : *Apposer sa signature* (syn. : GRIFFE, PARAPHE). *Reconnaître sa signature. Faire légaliser sa signature. Renier sa signature. Une signature illisible.* — 2° Action de signer : *Le décret est à la signature.* ◆ **signataire** n. Personne qui a signé : *Les signataires d'un contrat, d'une pétition.* ◆ **contresigner** v. tr. Signer après quelqu'un un acte, un texte, en témoignage d'accord.

2. signer (se) [səsiɲe] v. pr. Faire le signe de croix (relig. chrétienne).

1. signifier [siɲifje] v. tr. 1° (sujet nom de chose) *Signifier quelque chose,* l'indiquer, le manifester par des signes, avoir comme sens : *Il ne comprenait pas ce que signifiaient ce geste, ce regard* (syn. : DÉNOTER). *Que signifie ce discours? Ces brouillards signifient que l'automne est proche* (syn. : ANNONCER). ‖ *Ne rien signifier, ne pas signifier grand-chose,* n'avoir pas, avoir peu de sens : *Tout ce qu'il dit là ne signifie rien.* ‖ *Que signifie ...?, qu'est-ce que cela signifie?,* se disent pour exprimer tout ensemble l'étonnement et le mécontentement. — 2° *Signifier quelque chose,* avoir un sens déterminé : *Le mot « work » en anglais signifie « travail »* (syn. : VOULOIR DIRE). ◆ **signifié** n. m. Concept d'un mot. ◆ **signifiant** n. m. Image acoustique, forme du mot. ◆ **signification** n. f. 1° Ce que signifie, représente un signe, un système de signes, un geste : *La signification d'un symbole, d'une allégorie.* — 2° Sens, valeur d'un mot : *Les dictionnaires donnent les différentes significations des mots* (syn. : ACCEPTION). ◆ **significatif, ive** adj. Se dit d'une chose qui exprime nettement la pensée, l'intention de quelqu'un : *Un mot, un geste, un sourire significatif* (syn. : EXPRESSIF, ÉLOQUENT). *Son attitude est tout à fait significative de son changement d'opinion à notre égard.*

2. signifier [siɲifje] v. tr. *Signifier quelque chose à quelqu'un,* le lui faire connaître d'une manière expresse ou par voie de justice : *Signifier ses intentions à quelqu'un. Signifier son congé à un employé* (syn. : NOTIFIER). ◆ **signification** n. f. : *La signification d'un jugement.*

silence [silɑ̃s] n. m. 1° Etat d'une personne qui s'abstient de parler ou d'écrire, d'exprimer son opinion, de manifester ses sentiments : *Garder, observer le silence* (syn. : SE TAIRE). *Un silence approbateur, éloquent, significatif* (syn. : MUTISME). *Rompre le silence. Imposer le silence à quelqu'un* (= l'obliger à se taire). *Il y a longtemps que nous n'avons reçu de vos nouvelles; que signifie ce silence? On vous demande le silence le plus absolu sur cette affaire* (syn. : SECRET). *Passer quelque chose sous silence* (= éviter d'en parler). *Obéir, souffrir en silence* (= sans se révolter, sans se plaindre). — 2° Absence de mention d'un événement : *Les journaux ont gardé le silence sur cette affaire qui aurait causé du scandale. Réduire l'opposition au silence* (syn. : BÂILLONNER, MUSELER). *Une révolte préparée dans le silence* (= dans le secret). — 3° Absence de bruit, d'agitation : *Le silence de la nuit, des bois, des cloîtres. Vivre dans la retraite et dans le silence. Rien ne trouble le silence qui règne en ce lieu.* — 4° En musique, interruption plus ou moins longue du bruit; signe qui indique cette interruption. ◆ **silence!** Interj. utilisée pour inviter à se taire, à ne pas faire de bruit. ◆ **silencieux, euse** adj. 1° Se dit d'une personne qui s'abstient de parler, qui est peu communicative : *On lui a posé plusieurs questions, il est resté silencieux* (syn. : MUET). *Un garçon calme et silencieux* (syn. : ↑ TACITURNE; contr. : CRIARD, TAPAGEUR). — 2° Se dit d'une chose qui se fait sans bruit, d'un appareil, d'un véhicule qui fonctionne avec un faible bruit : *Cette pendule a un mouvement silencieux. A pas silencieux* (syn. : FEUTRÉ). *Un moteur silencieux* (contr. : BRUYANT). *Une voiture silencieuse.* ◆ **silencieux** n. m. Dispositif qui, dans un moteur à explosion, amortit le bruit consécutif à l'expulsion des gaz brûlés. ◆ **silencieusement** adv. : *L'assistance écoutait silencieusement.*

silex [silɛks] n. m. Roche très dure, de couleur variable : *La cassure du silex, à arêtes tranchantes, l'a fait utiliser par les hommes préhistoriques comme arme et comme outil.*

silhouette [silwɛt] n. f. 1° Aspect, ligne générale d'un corps humain : *Cette femme a une silhouette élégante.* — 2° Forme d'un objet dont les contours se profilent sur un fond : *La silhouette du clocher se dessinait sur le ciel bleu.*

silice [silis] n. f. Corps solide de grande dureté.

sillage [sijaʒ] n. m. 1° Trace d'eau écumante qu'un bateau laisse derrière lui : *La mer était si houleuse que l'on ne remarquait pas le sillage du navire.* — 2° *Marcher dans le sillage de quelqu'un,* suivre sa trace, son exemple.

sillon [sijɔ̃] n. m. 1° Longue fente faite dans le sol par le soc de la charrue : *Des sillons profonds et bien droits.* — 2° *Faire, creuser son sillon,* poursuivre lentement, avec persévérance, l'œuvre qu'on s'est proposée. — 3° Rainure que présente la surface d'un disque.

sillonner [sijɔne] v. tr. (sujet nom de chose). 1° Parcourir dans tous les sens : *Des avions ont sillonné le ciel toute la matinée.* — 2° Traverser dans toutes les directions : *Des routes nombreuses sillonnent la France.*

silo [silo] n. m. Cavité creusée dans le sol ou réservoir de grande taille que l'on emplit par le haut et qui sont destinés à la conservation des produits végétaux : *Un silo à céréales, à fourrage, à betteraves.* ◆ **ensiler** v. tr. Mettre en silo : *Ensiler du blé.* ◆ **ensilage** n. m. : *L'ensilage des grains.*

simagrées [simagre] n. f. pl. *Fam.* Manières affectées, destinées à tromper : *Des simagrées ridicules* (syn. fam. : CHICHIS, SINGERIES). *Acceptez cette invitation et ne faites pas tant de simagrées* (syn. : FAÇONS, MINAUDERIES).

simiesque [simiɛsk] adj. Se dit de ce qui rappelle le singe : *Un visage, une face simiesque.*

similaire [similɛr] adj. Se dit d'une chose qui peut, à certains points de vue, être assimilée à une autre : *Les savons, les détersifs et les produits similaires* (syn. : ANALOGUE, SEMBLABLE).

simili [simili] n. m. *Fam.* Toute chose qui imite une matière précieuse : *Une chaîne de montre en simili.* ◆ **similicuir** n. m. Toile enduite d'une matière à base de caoutchouc qui imite le cuir. ◆ **similor** n. m. Composition métallique formée d'un alliage de cuivre jaune et de zinc.

similitude [similityd] n. f. Ressemblance parfaite entre deux ou plusieurs choses : *Il n'y a aucune similitude entre ces deux objets. On peut déceler une certaine similitude de caractère entre ces deux personnes* (syn. : ANALOGIE, ↑ IDENTITÉ, AFFINITÉ). ◆ **dissimilitude** n. f. : *Relever des dissimilitudes entre le tableau original et une copie.*

simonie [simɔni] n. f. Trafic des choses saintes; vente des biens spirituels (terme religieux).

simoun [simun] n. m. Vent chaud et sec particulier aux régions désertiques du Sahara, de l'Arabie, de l'Egypte.

simple [sɛ̃pl] adj. A. (en parlant des choses). 1° (après le nom) Se dit de ce qui n'est pas composé de plusieurs éléments : *L'or, l'oxygène, l'hydrogène sont des corps simples. Un mot simple* (contr. : COMPOSÉ). *Réduire une chose à sa plus simple expression;* substantiv. : *Passer du simple au composé.* — 2° (avant ou après le nom) Qui n'est pas double ou multiple : *Faire un nœud simple à sa cravate. Une chemise à poignets simples. Des chaussures à simple semelle;* substantiv. : *Une somme qui varie du simple au double.* — 3° (après le nom) Qui n'est pas compliqué; qui est facile à employer, à comprendre : *L'intrigue de cette pièce est fort simple. Un mécanisme très simple. Un procédé, un moyen bien simple* (syn. : ÉLÉMENTAIRE; contr. : COMPLIQUÉ). *Vous trouverez facilement la solution de ce problème, c'est simple,* fam. *simple comme bonjour* (= extrêmement simple; contr. : DIFFICILE). ‖ *C'est bien simple,* en conclusion, en conséquence : *Si vous ne travaillez pas mieux, c'est bien simple, vous serez privé de sortie.* — 4° (après le nom) Qui est sans recherche, sans apprêt, sans ornement : *Une robe toute simple. Une nourriture, un repas simple. Un mobilier simple et de bon goût* (contr. : FASTUEUX, LUXUEUX). *Un discours simple et touchant. Un auteur qui écrit dans un style simple* (syn. : DÉPOUILLÉ; contr. : AMPOULÉ, EMPHATIQUE). — 5° (avant le nom) Qui suffit à lui seul, sans rien de plus : *Il fit un simple geste et il obtint le silence. Je ne ferai qu'une simple objection, une simple remarque. Ce n'est qu'une simple formalité. Une simple mesure de précaution.* ‖ *Pur et simple,* sans restriction ni modification : *Un refus pur et simple.* B. (en parlant des personnes). 1° (après le nom) Se dit d'une personne (ou de son attitude) qui évite le luxe, l'affectation, la vanité, l'ostentation : *Malgré sa brillante situation, il a su rester simple* (syn. : SANS FAÇON; contr. : FIER, ORGUEILLEUX). *Avoir des goûts simples* (syn. : MODESTE). — 2° (après le nom) *Péjor.* Qui a peu de finesse, d'intelligence, qui se laisse facilement tromper : *Une fille simple et crédule* (syn. : ↑ NIAIS). *Il faudrait être bien simple pour croire à ses protestations d'innocence* (syn. : CRÉDULE, NAÏF). ‖ *Simple d'esprit,* personne dépourvue d'intelligence, atteinte de débilité mentale (syn. : INNOCENT, SIMPLET). — 3° (avant le nom) Qui est seulement ce que le nom indique : *Un simple salarié. Un simple employé. Un simple soldat* (= militaire qui n'a pas de grade). *Un simple particulier* (= personne qui n'a pas de fonctions officielles, publiques). ◆ n. m. Partie de tennis entre deux joueurs seulement : *Jouer en simple* (contr. : DOUBLE). ◆ **simplement** adv. : *Un homme vêtu simplement* (= sans recherche). *Recevoir simplement* (syn. : À LA BONNE FRANQUETTE). *S'exprimer simplement. Voir les choses simplement* (syn. : SCHÉMATIQUEMENT). *Racontez-nous simplement comment les choses se sont passées* (= sans détour, sans ambages). *Il a simplement voulu vous faire peur* (syn. : SEULEMENT). ‖ *Purement et simplement,* uniquement : *Ce que je vous dis là, c'est purement et simplement la vérité.* ◆ **simplet, ette** adj. 1° Se dit d'une personne un peu simple d'esprit : *Une jeune fille simplette* (syn. : NIAIS, NAÏF). — 2° Se dit d'une chose abstraite d'une simplicité excessive : *Un raisonnement un peu simplet.* ◆ **simplicité** n. f. Caractère d'une personne ou d'une chose simple : *La simplicité de cet homme est une des causes de sa popularité. Ecrire, parler avec simplicité. La simplicité du style* (contr. : EMPHASE). *Recevoir des invités avec beaucoup de simplicité* (= sans cérémonie). *Elle a eu la simplicité de croire à ses promesses* (péjor.; syn. : NAÏVETÉ). *La simplicité d'une méthode, d'un raisonnement, d'une question. La simplicité d'une architecture.* ◆ **simplifier** v. tr. *Simplifier quelque chose,* le rendre plus simple, moins compliqué, moins complexe : *Simplifier un problème, une question, une méthode, un mécanisme. Un homme qui a l'habitude de tout simplifier* (contr. : COMPLIQUER). *Simplifier une fraction* (= en réduire également les deux termes). ◆ **simplification** n. f. : *La simplification de l'orthographe.* ◆ **simplificateur, trice** adj. et n. Qui simplifie, qui est porté à simplifier : *Un esprit simplificateur.* ◆ **simplifiable** adj. Qui peut être simplifié : *Une méthode de travail simplifiable.*

◆ **simpliste** adj. Se dit d'une personne (ou de son attitude) qui simplifie d'une façon exagérée, qui ne considère qu'un aspect des choses : *Un esprit simpliste. Un argument simpliste. Pour excuser son absence, il a eu l'idée un peu simpliste de feindre une maladie.* ◆ **simplisme** n. m. Tendance à simplifier d'une manière excessive.

simulacre [simylakr] n. m. **1°** Action par laquelle on fait semblant d'exécuter une chose : *Un simulacre de combat, de défense.* — **2°** Fausse apparence, illusion : *Un simulacre de gouvernement* (syn. : FANTÔME, SEMBLANT).

simuler [simyle] v. tr. Faire paraître comme réelle une chose qui ne l'est pas : *Simuler une attaque, une maladie, la douleur* (syn. : CONTREFAIRE, FEINDRE). *Simuler la fatigue pour ne pas travailler* (= faire semblant d'être fatigué). ◆ **simulé, e** adj. Qui n'est pas réel : *Une amabilité simulée* (syn. : FAUX). *Une attaque simulée* (syn. : FEINT). ◆ **simulation** n. f. : *La simulation d'une maladie. La simulation d'un sentiment, d'une émotion* (syn. fam. : COMÉDIE, FRIME). ◆ **simulateur, trice** n. et adj. Personne qui simule, et spécialement personne qui simule une maladie, une infirmité : *Un habile simulateur. Confondre un simulateur.*

simultané, e [simyltane] adj. Se dit d'une chose qui se produit, qui a lieu en même temps qu'une autre : *Des événements simultanés* (syn. : CONCOMITANT). *Des mouvements simultanés.* ◆ **simultanément** adv. En même temps : *Deux coups de fusil sont partis simultanément* (syn. : ENSEMBLE ; contr. : SUCCESSIVEMENT). ◆ **simultanéité** n. f. : *La simultanéité de deux actions* (syn. : COÏNCIDENCE).

sinapisme [sinapism] n. m. Médicament externe à base de farine de moutarde.

sincère [sɛ̃sɛr] adj. **1°** Se dit d'une personne qui fait connaître sa pensée, ses sentiments sans les déguiser : *Un homme sincère et loyal dans ses paroles, dans ses actions* (syn. : FRANC). *Un partisan sincère de la liberté religieuse* (syn. : LOYAL ; contr. : HYPOCRITE). — **2°** Se dit de ce qui est pensé ou senti réellement : *Une opinion sincère* (syn. : AUTHENTIQUE). *Un repentir sincère* (syn. : VRAI). *Une amitié sincère* (syn. : FIDÈLE). — **3°** Avec un sens affaibli dans les formules de politesse de la correspondance : *Agréez mes sincères salutations.* ◆ **sincèrement** adv. : *Il regrette sincèrement de n'avoir pas pu vous aider;* en tête de proposition : *Sincèrement, vous ne voulez pas venir avec nous?* ◆ **sincérité** n. f. : *Personne ne doute de la sincérité de ses paroles* (syn. : FRANCHISE, LOYAUTÉ). *Croyez à la sincérité de ses promesses.*

sinécure [sinekyr] n. f. **1°** Emploi, fonction où l'on est payé sans avoir rien ou presque rien à faire : *Comme il est l'ami de l'un des directeurs de l'usine, celui-ci lui a trouvé un poste qui est une vraie sinécure.* — **2°** Fam. *Ce n'est pas une sinécure,* c'est un travail pénible et absorbant : *Ce n'est pas une sinécure que d'avoir un personnel à surveiller.*

sine die [sinedije] loc. adv. Expression employée dans la langue parlementaire ou diplomatique et signifiant « sans fixer de jour » : *Renvoyer une affaire, un débat sine die.*

sine qua non [sinekwanɔn] loc. adv. Se dit d'une condition absolue, qui entraîne la réalisation de quelque chose.

singe [sɛ̃ʒ] n. m. **1°** Mammifère, proche de l'homme, à face nue, à mains et pieds terminés par des doigts : *Les singes vivent dans les pays chauds, où ils se nourrissent de fruits et de grains. Les grands singes (chimpanzé, gorille, orang-outan) sont les animaux actuels les plus proches de l'homme.* — **2°** Celui qui contrefait les actions, les gestes d'un autre. — **3°** *Fam.* Personne laide et grimacière. — **4°** *Arg. mil.* Bœuf de conserve : *Une boîte de singe.* — **5°** *Adroit, agile, malin comme un singe,* très adroit, très agile, très malin. ‖ *Faire le singe,* faire des grimaces ou des pitreries. ‖ *Payer en monnaie de singe,* adresser de belles paroles, faire de vaines promesses à celui à qui l'on doit de l'argent, au lieu de le rembourser. ◆ **singerie** n. f. Cage, endroit où sont groupés les singes dans une ménagerie, dans un jardin zoologique. (V. SIMIESQUE.)

singer [sɛ̃ʒe] v. tr. Fam. *Singer quelqu'un,* l'imiter maladroitement ou pour se moquer de lui : *Singer un camarade.* ◆ **singerie** n. f. **1°** Grimace, geste comique : *Dès que le professeur a le dos tourné, il fait mille singeries pour amuser ses camarades* (syn. : PITRERIE). — **2°** (au plur.) Manières affectées et ridicules : *Personne n'a été dupe de ses singeries* (syn. : SIMAGRÉES).

1. singulier, ère [sɛ̃gylje, -ɛr] adj. (après ou avant le nom). Se dit d'une chose ou quelquefois d'une personne qui se fait remarquer par quelque trait peu commun, extraordinaire : *Il a eu une destinée singulière* (syn. : ÉTONNANT, UNIQUE). *Une aventure singulière* (syn. : ÉTRANGE). *Elle était vêtue d'une robe assez singulière* (syn. : BIZARRE). *Vous avez une singulière façon de raconter les choses* (syn. : ÉTRANGE). *Ce qu'il y a de singulier, c'est qu'il ne nous ait pas averti plus tôt de son départ* (syn. : SURPRENANT ; fam. : DRÔLE). *Elle était accompagnée d'un singulier personnage* (syn. : CURIEUX). ◆ **singulièrement** adv. : *Cette femme s'habille singulièrement* (syn. : BIZARREMENT, ÉTRANGEMENT). *Un vin singulièrement corsé* (syn. : FORTEMENT). *Ce livre lui a singulièrement déplu* (syn. : BEAUCOUP). *Tout le monde a souffert de la crise économique et singulièrement les salariés* (syn. : PARTICULIÈREMENT, PRINCIPALEMENT). ◆ **singularité** n. f. : *La singularité d'un fait* (syn. : ÉTRANGETÉ). *La singularité d'une toilette, d'une mode* (syn. : BIZARRERIE). *Cette femme a le goût de la singularité* (syn. : ↑ EXCENTRICITÉ, ORIGINALITÉ). ◆ **singulariser (se)** v. pr. (sujet nom de personne). *Péjor.* Se faire remarquer par quelque chose d'étrange, d'extravagant : *Se singulariser par sa toilette, ses manières, son style.*

2. singulier [sɛ̃gylje] n. m. et adj. Caractère particulier d'une forme de la langue qui exprime en général une unité ou un ensemble, par opposition au pluriel, qui représente deux ou plusieurs unités : *Le singulier s'oppose au pluriel par son absence de marque distinctive.*

1. sinistre [sinistr] adj. **1°** (avant ou plus souvent après le nom) Se dit d'une chose de mauvais augure, qui laisse prévoir un malheur : *Un présage sinistre* (syn. : FUNESTE). *Un bruit sinistre* (syn. : ↑ EFFRAYANT). — **2°** Qui, par son aspect, semble triste, lugubre : *Ces pauvres gens habitent dans un appartement mal orienté, sombre, sinistre.* — **3°** (après le nom) Se dit d'une personne qui a une apparence sombre, inquiétante : *Un air, une physionomie, un regard sinistre.* — **4°** (avant le nom)

Prend une valeur de superlatif : *Un sinistre imbécile. Un sinistre crétin* (syn. : SOMBRE, LAMENTABLE).

2. sinistre [sinistr] n. m. 1° Evénement catastrophique (inondation, tremblement de terre, etc.) qui entraîne de grandes pertes matérielles : *Les pompiers ont réussi à maîtriser le sinistre* (syn. : INCENDIE). — 2° Pertes et dommages subis par des objets assurés (en termes d'assurances) : *On n'a pas encore pu évaluer l'importance du sinistre.* ◆ **sinistré, e** adj. et n. Qui a été l'objet d'un sinistre : *Une maison, une région sinistrée. On a recueilli des dons pour les sinistrés. Reloger des sinistrés.*

sinologue [sinɔlɔg] ou **sinisant, e** [sinizɑ̃, -ɑ̃t] n. Spécialiste de la langue, de l'histoire, de la civilisation de la Chine.

sinon [sinɔ̃] conj. 1° Introduit une idée de condition négative : *Mettez-vous au travail tout de suite, sinon vous n'aurez pas terminé à temps* (syn. : FAUTE DE QUOI, SANS QUOI). *Si vous êtes sage, vous serez récompensé, sinon vous serez puni* (syn. : AUTREMENT, DANS LE CAS CONTRAIRE). — 2° Marque une restriction : *Il ne se préoccupe de rien, sinon de boire et de manger* (syn. : EXCEPTÉ, SAUF). — 3° Introduit une concession : *Il a travaillé sinon parfaitement, du moins de son mieux. Que faire, sinon attendre?* ● LOC. CONJ. *Sinon que,* si ce n'est que : *Le directeur pourra-t-il vous recevoir? Je ne sais rien, sinon qu'il est fort occupé en ce moment.*

sinueux, euse [sinɥø, -øz] adj. 1° Se dit de ce qui se développe en courbes et en replis : *Le cours sinueux de la Seine* (syn. : FLEXUEUX). *Une côte sinueuse* (contr. : DROIT). — 2° Se dit de l'attitude d'une personne qui ne va pas droit à l'objet, qui se dérobe : *Une pensée sinueuse* (syn. : TORTUEUX). ◆ **sinuosité** n. f. 1° Ligne sinueuse : *Les sinuosités d'une route de montagne* (syn. : COURBE, LACET). *Les sinuosités d'une rivière* (syn. : MÉANDRE). — 2° Démarches qui ne vont pas droit au but : *Les sinuosités d'un esprit biscornu.*

sinusite [sinyzit] n. f. Inflammation des sinus de la face. (Les *sinus* sont des cavités situées dans l'épaisseur de certains os de la face.)

siphon [sifɔ̃] n. m. 1° Tube recourbé à deux branches inégales, dont on se sert pour transvaser un liquide d'un récipient dans un autre. — 2° Dispositif en forme de S placé sur les canalisations des eaux ménagères pour empêcher le dégagement des mauvaises odeurs.

siphonné, e [sifɔne] adj. *Pop.* Fou.

sire [sir] n. m. *Pauvre sire,* homme sans capacités, sans moyens pécuniaires. ‖ *Triste sire,* individu peu recommandable. (Le mot *sire* s'employait, au Moyen Age, pour désigner le titre de certains seigneurs : *Le sire de Joinville;* c'était aussi le titre que l'on donnait à un souverain quand on s'adressait à lui.)

1. sirène [sirɛn] n. f. Femme qui séduit par sa grâce, par le charme de ses manières. (Dans la mythologie grecque, les *sirènes* étaient des génies féminins ayant une tête et une poitrine de femme et une queue de poisson; les sirènes attiraient les navigateurs par la douceur de leur chant et les faisaient périr.)

2. sirène [sirɛn] n. f. Appareil avertisseur de grande puissance destiné à émettre différents signaux : *Les mugissements de la sirène d'un bateau. Une sirène d'alerte. La sirène d'une usine.*

sirocco [sirɔko] n. m. Vent très chaud et très sec qui souffle du désert vers le littoral sur tout le sud du Bassin méditerranéen.

sirop [siro] n. m. Liquide formé d'une forte proportion de sucre et de substances aromatiques ou médicamenteuses : *Du sirop de groseille, de framboise, de cassis. Un sirop contre la toux.* ◆ **sirupeux, euse** adj. Qui a la consistance du sirop : *Un liquide sirupeux* (syn. : ÉPAIS, VISQUEUX).

siroter [sirɔte] v. tr. *Fam.* Boire à petits coups, en savourant : *Siroter son café.*

sis, e [si, siz] adj. Situé en tel endroit (langue admin. et jurid.) : *Vente d'une maison sise à Versailles.*

sismique adj. V. SÉISME.

site [sit] n. m. Paysage considéré du point de vue de son aspect pittoresque : *Un site agréable, grandiose, enchanteur.*

sitôt adv. et prép. V. AUSSITÔT.

1. situation [sitɥasjɔ̃] n. f. Position géographique d'une localité, emplacement d'un édifice, d'un terrain, etc. : *La situation de Paris au carrefour de grands axes de communication a été favorable à son développement. La situation d'un immeuble exposé au midi, à l'ouest* (syn. : ORIENTATION). ◆ **situer** v. tr. *Situer une ville, un personnage, un événement,* déterminer leur place dans l'espace ou dans le temps : *Situer par erreur Angers sur la Loire* (syn. : LOCALISER). *On situe la naissance de Pythagore vers 570 av. J.-C.* ◆ **situé, e** adj. Se dit d'une localité, d'un édifice, d'un terrain placés en un endroit par rapport aux environs, à l'exposition : *Un pavillon situé dans une banlieue agréable. Cette maison bâtie dans un îlot de verdure est très bien située. Un terrain de sport mal situé* (syn. : EXPOSÉ, ORIENTÉ).

2. situation [sitɥasjɔ̃] n. f. 1° Etat d'une personne par rapport à son milieu social, à son rang, à sa fortune, à ses intérêts : *Connaissez-vous la situation de famille de cette personne? Se trouver dans une situation brillante, avantageuse, prospère, délicate, dangereuse* (syn. : POSITION, CIRCONSTANCES). *Améliorer sa situation matérielle* (syn. : CONDITION). *Songer à la situation de ses enfants* (syn. : AVENIR). ‖ Fam. *Etre dans une situation intéressante,* se dit d'une femme qui est enceinte. — 2° Emploi rémunéré : *Avoir une belle situation dans l'industrie. Chercher une situation. Perdre sa situation* (syn. : PLACE). — 3° Etat des affaires politiques, diplomatiques, financières d'une nation : *Les dirigeants de ce pays sont restés maîtres de la situation. Le gouvernement s'est trouvé dans une situation critique* (syn. : POSITION). *La situation internationale s'est améliorée* (syn. : CONJONCTURE). — 4° Moment d'un drame, passage d'un récit caractérisé par l'importance de l'action : *Dans cette tragédie, il y a plusieurs situations pathétiques. Une situation comique.* — 5° Tableau des éléments qui composent le bilan d'une entreprise à une date donnée : *Vérifier la situation d'une caisse, d'un magasin. La Banque de France publie une situation hebdomadaire.*

six ([si] devant une consonne; [siz] devant une voyelle ou un *h* muet; [sis] en fin de phrase) adj. num. cardin. et n. V. NUMÉRATION. ◆ **sixième** [sizjɛm] adj. num. ordin. et n. ◆ **sixièmement** adv.

six-quatre-deux (à la) [alasiskatdœ] loc. adv. *Fam.* Avec précipitation, sans soin : *Un devoir fait à la six-quatre-deux* (syn. : À LA HÂTE, NÉGLIGEMMENT).

sketch [skɛtʃ] n. m. Œuvre très courte et généralement gaie, jouée dans une réunion privée, dans une revue de music-hall, à la radio, etc.

ski [ski] n. m. 1° Long patin de bois, de métal, etc., employé pour glisser sur la neige : *Un ski est long d'environ deux mètres, large de sept à neuf centimètres et recourbé à l'avant. Aller à skis, en skis.* — 2° Sport pratiqué à l'aide de ces patins sur la neige : *Faire du ski.* — 3° *Ski nautique,* sport dans lequel l'exécutant, tiré rapidement par un canot automobile, glisse sur l'eau en se maintenant sur un ou deux skis. ◆ **skier** v. intr. Pratiquer le ski. ◆ **skieur, euse** n. Personne qui pratique le ski. ◆ **skiable** adj. Où l'on peut skier : *Une piste skiable.*

slalom [slalɔm] n. m. 1° Descente à skis consistant en une succession de virages. — 2° Course de ski disputée sur un parcours en pente jalonné d'obstacles artificiels qui le rendent très sinueux.

slave [slav] adj. et n. Qui appartient au groupe ethnique habitant le domaine des langues parlées dans l'Europe orientale et centrale : *On distingue traditionnellement les Slaves du Nord* (*Polonais, Tchèques, Slovaques, Ukrainiens et Russes*) *et les Slaves du Sud* (*Serbes, Croates, Slovènes, Bulgares*), *séparés par les Magyars de Hongrie et les Latins de Roumanie.* ◆ **slavisant, e** ou **slaviste** n. Spécialiste des langues slaves.

slip [slip] n. m. Culotte ou caleçon très court servant de sous-vêtement ou de culotte de bain.

slogan [slɔgɑ̃] n. m. Brève formule destinée à retenir l'attention par son caractère imagé, par son originalité, etc., et utilisée par la publicité, la propagande politique : *Lancer un slogan.*

smala [smala] n. f. *Fam.* Famille ou suite nombreuse qui accompagne quelqu'un : *Il est parti en vacances avec toute sa smala, les grands-parents, les enfants et les amis des enfants.*

smash [smatʃ] n. m. Au tennis, au tennis de table, au volley-ball, coup qui rabat violemment une balle haute.

smoking [smɔkiɲ] n. m. Costume de soirée dont la veste est à revers de soie et le pantalon orné sur le côté d'une bande de soie.

snack-bar [snakbar] ou **snack** n. m. Restaurant où l'on sert rapidement des repas à toute heure : *Des snack-bars.*

snob [snɔb] n. et adj. Personne qui admire et adopte les manières, les opinions qui sont en vogue dans les milieux qui passent pour distingués. ◆ **snobisme** n. m. : *Suivre la mode par snobisme* (syn. : AFFECTATION). *Le snobisme littéraire, artistique. Lire les ouvrages d'un auteur à la mode par snobisme.* ◆ **snobinard, e** adj. et n. *Fam.* Un peu snob. ◆ **snober** v. tr. Fam. *Snober quelqu'un,* le traiter de haut, le tenir à l'écart par mépris.

snow-boot [snobut] n. m. Chaussure caoutchoutée et fourrée que l'on met pour marcher dans la neige : *Des snow-boots.*

sobre [sɔbr] adj. 1° Se dit d'une personne qui mange et, spécialement, qui boit modérément (contr. : GOINFRE, IVROGNE). — 2° Se dit aussi d'un animal qui a besoin de peu d'eau : *Le chameau, l'âne sont sobres.* — 3° Se dit d'une personne qui garde la mesure, la modération en quelque chose : *Un homme sobre en paroles* (syn. : CONCIS ; contr. : BAVARD). *Il est sobre de compliments, d'éloges.* — 4° Se dit de ce qui est simple, sans surcharge d'ornements : *Un vêtement d'une élégance sobre* (syn. : DISCRET ; contr. : TAPAGEUR, CHAMARRÉ). *Un style sobre* (syn. : DÉPOUILLÉ ; contr. : BRILLANTÉ, EMPHATIQUE). *Une architecture sobre.* ◆ **sobrement** adv. : *Boire, vivre sobrement.* ◆ **sobriété** n. f. 1° Comportement d'une personne, d'un animal sobre : *La sobriété est une condition de bonne santé* (syn. : FRUGALITÉ). — 2° Caractère de ce qui est sobre (en termes de littérature, de beaux-arts) : *La sobriété du style* (contr. : PROLIXITÉ). *Une architecture d'une heureuse sobriété.*

sobriquet [sɔbrikɛ] n. m. Surnom donné par dérision à une personne à cause d'une singularité physique, morale ou pour tout autre motif : *« Le Petit Caporal » est un sobriquet donné à Napoléon Ier.*

soc [sɔk] n. m. Fer large et pointu de la charrue, servant à labourer la terre.

sociable [sɔsiabl] adj. 1° Se dit d'une personne qui recherche la compagnie de ses semblables : *On a dit de l'homme qu'il est un animal sociable* (syn. : LIANT ; contr. : SOLITAIRE, MISANTHROPE). — 2° Se dit d'une personne (ou de son comportement) avec qui il est facile et agréable de vivre : *En vieillissant, on devient quelquefois moins sociable* (syn. : ACCOMMODANT, AIMABLE ; contr. : ACARIÂTRE, BOURRU). *Un caractère, une humeur sociable.* ◆ **sociabilité** n. f. : *Il s'est rendu sympathique à tout son entourage par sa sociabilité* (syn. : AMABILITÉ). ◆ **insociable** adj. : *Un caractère insociable.* ◆ **insociabilité** n. f.

social, e, aux [sɔsjal, -sjo] adj. 1° Qui concerne une collectivité humaine considérée comme un tout dont les diverses parties ne sont pas distinguées (en ce sens, s'oppose à *politique*) : *Le corps social est le synonyme de « société » et s'oppose à corps politique. Les classes, les couches sociales. La science sociale* (*distincte de la science politique*) *étudie l'organisation et le développement des sociétés. On a appelé « contrat social » l'ensemble des conventions qui intéressent les rapports des citoyens entre eux. Les groupes sociaux.* — 2° Qui concerne les rapports des classes ou qui vise à les modifier (en ce sens, se distingue d'*économique*) : *Le climat social caractérise à un moment donné les rapports entre les salariés et les employeurs, entre l'Etat et ses fonctionnaires. La question sociale, les problèmes sociaux. Les réformes sociales. Le catholicisme social.* — 3° Qui concerne l'amélioration du niveau de vie et qui vise à créer une solidarité entre tous les membres d'une société (se distingue en ce sens de *technique*) : *Parmi les avantages sociaux, on compte les allocations familiales. La Sécurité sociale assure le remboursement des frais entraînés par la maladie. Les assistantes sociales sont chargées d'apporter une aide morale et matérielle à ceux qui viennent les consulter. L'aide sociale comporte l'ensemble des services qui assurent la solidarité vis-à-vis des plus défavorisés. L'entraide sociale.* — 4° Qui concerne une société commerciale ou industrielle : *Le siège social d'une banque. Le capital social d'une entreprise industrielle. La raison sociale est le mode de dénomination d'une société par actions.* ◆ **social (le)** n. m. Ensemble des problèmes intéressant les rapports entre les classes sociales et les besoins des individus dans une collectivité nationale : *Le gouvernement déclare avoir placé le social en tête de ses préoccupations.* ◆ **antisocial, e, aux** adj. : *Prendre des mesures antisociales* (= hostiles au bien-être du peuple). ◆ **asocial, e, aux** adj. Se dit de quelqu'un qui par son comportement se met en marge de la société.

socialisme [sɔsjalism] n. m. Toute doctrine sociale qui vise à une réforme radicale de l'organisation des sociétés humaines par la suppression des classes sociales grâce à la collectivisation des moyens de production et d'échange. ◆ **socialiser** v. tr. Déposséder au profit de l'Etat par rachat, expropriation ou réquisition les propriétaires de certains moyens de production. ◆ **socialisation** n. f. Mise en commun des moyens de production. ◆ **socialisant, e** adj. Qui a des tendances socialistes : *Un parti socialisant.* ◆ **socialiste** adj. Relatif au socialisme : *Parti socialiste français, anglais.* ◆ adj. et n. Partisan du socialisme; membre d'un parti qui se réclame du socialisme : *Un théoricien socialiste. Les socialistes et les communistes.* ◆ **social-démocrate** adj. et n. Se dit d'un socialiste partisan de la voie réformiste. ◆ **social-démocratie** n. f.

1. société [sɔsjete] n. f. **1°** Ensemble d'individus unis par la nature ou vivant sous des lois communes : *Etudier les mœurs des sociétés primitives, des sociétés modernes* (syn. : COLLECTIVITÉ). *La société féodale, contemporaine. Chaque famille forme une société dont le père est le chef* (syn. : COMMUNAUTÉ). — **2°** Ensemble d'animaux vivant en groupes : *Les abeilles, les fourmis, les guêpes vivent en société.* — **3°** *La société,* le milieu humain dans lequel une personne est intégrée : *Travailler pour le bonheur de la société. Chaque individu a des devoirs envers la société.* — **4°** Association de personnes soumises à un règlement commun et réunies pour une activité commune ou pour la défense de leurs intérêts : *Une société littéraire, sportive. Une société savante* (= dont le but est de cultiver les sciences). *La Société des comédiens-français. Une société de bienfaisance. Une société mutualiste.* ‖ *Société secrète,* association qui poursuit des menées subversives. — **5°** Nom donné à des associations religieuses : *La Société de Jésus, de Marie.* — **6°** Réunion de personnes qui se rassemblent pour converser, pour jouer, etc., qui ont une vie mondaine : *Une société choisie. Une brillante société. Connaître les usages de la bonne société.* ‖ *La haute société,* l'ensemble des personnes les plus marquantes par leur éducation, leur rang, leur fortune. ‖ *Jeux, talents de société,* jeux, talents qui apportent de la distraction dans des réunions amicales, familiales ou mondaines. — **7°** Personnes actuellement réunies : *Saluer la société;* et quelquefois ironiq. : *Prendre congé de l'aimable société.* — **8°** Relations habituelles avec certaines personnes : *Rechercher la société des gens cultivés, des femmes* (syn. : COMPAGNIE, FRÉQUENTATION).

2. société [sɔsjete] n. f. Groupement de personnes ayant mis des biens en commun en vue de partager les bénéfices qui pourront résulter de leur mise en valeur : *Constituer, fonder une société. La direction, le conseil d'administration d'une société.* ‖ *Société anonyme,* société commerciale qui n'est désignée par le nom d'aucun des associés. ‖ *Société à responsabilité limitée* (*S.A.R.L.*), société commerciale dans laquelle la responsabilité des associés est limitée au montant de leur apport. ◆ **sociétaire** n. **1°** Personne qui fait partie d'une société d'acteurs, d'une société littéraire, artistique. — **2°** *Sociétaire de la Comédie-Française,* acteur qui possède un certain nombre de parts dans la distribution des bénéfices de ce théâtre. (Les *pensionnaires* touchent un traitement fixe.) ◆ **sociétariat** n. m. Qualité de sociétaire de la Comédie-Française.

sociologie [sɔsjɔlɔʒi] n. f. Science qui étudie les sociétés humaines, les groupes humains. ◆ **sociologique** adj. ◆ **sociologue** n. Spécialiste de sociologie.

socle [sɔkl] n. m. Soubassement sur lequel s'élève une colonne, un motif d'architecture, une pendule, etc.

Socquette [sɔkɛt] n. f. Nom déposé d'une chaussette basse s'arrêtant à la cheville.

soda [sɔda] n. m. Boisson à base d'eau gazeuse, additionnée de sirop de fruits.

sœur [sœr] n. f. **1°** Fille née du même père et de la même mère qu'une autre personne, ou de l'un des deux seulement : *Une sœur aînée. Une sœur cadette.* ‖ *Sœur de lait,* celle qui a eu la même nourrice qu'une autre personne. — **2°** Se dit de deux choses qui ont beaucoup de rapport ou qui sont liées entre elles : *La poésie et la peinture sont sœurs.* — **3°** Nom donné, en général, à une femme qui a fait des vœux religieux : *Une sœur de la Charité, de Saint-Vincent-de-Paul. Les petites sœurs des pauvres.* (On dit fam. BONNE SŒUR.) ◆ **sœurette** n. f. Petite sœur (terme d'affection). ◆ **demi-sœur** n. f. Sœur née du même père ou de la même mère seulement.

sofa [sɔfa] n. m. Lit de repos, à trois dossiers, sans bois apparent.

soi [swa] pron. pers. V. IL.

soi-disant [swadizɑ̃] adj. invar. Qui se dit, qui prétend être tel ou telle : *Des soi-disant philosophes. Une soi-disant cartomancienne.* (Certains lexicographes veulent restreindre l'emploi de *soi-disant* aux personnes et déconseillent de l'employer pour les choses : *Des travaux soi-disant difficiles, un soi-disant défaut;* ils recommandent dans ce cas l'emploi de *prétendu.*) ● LOC. ADV. A ce qu'on prétend : *Il voyage de nuit soi-disant pour gagner du temps* (syn. : PRÉTENDUMENT). ● LOC. CONJ. Fam. *Soi-disant que,* il paraît que : *On l'a arrêté; soi-disant qu'il a volé.*

1. soie [swa] n. f. Substance filamenteuse et textile sécrétée par certaines chenilles, et spécialement par le bombyx du mûrier, appelé communément *ver à soie;* étoffe fabriquée avec cette matière : *Des bas de soie. Une robe de soie. Des cheveux fins comme de la soie.* ◆ **soierie** n. f. **1°** Etoffe de soie : *Les soieries de Lyon.* — **2°** Industrie, commerce de la soie : *Etre dans la soierie.* ◆ **soyeux, euse** adj. **1°** Qui est de la nature de la soie; qui contient de la soie : *Une étoffe soyeuse.* — **2°** Qui a l'apparence de la soie; qui est fin et doux au toucher comme de la soie : *Des reflets soyeux. Des cheveux fins et soyeux.* ◆ **soyeux** n. m. *Fam.* Fabricant ou négociant en soierie : *Les soyeux de Lyon.*

2. soie [swa] n. f. Poil long et rude du porc, du sanglier : *Une brosse en soies de sanglier.*

soif [swaf] n. f. **1°** Besoin de boire et sensation produite par ce besoin : *Une soif brûlante, pressante. Souffrir de la soif. Apaiser, étancher sa soif.* ‖ *Boire à sa soif,* autant qu'on veut. ‖ *Boire jusqu'à* *plus soif,* boire d'une façon excessive. — 2° Désir ardent, passionné : *La soif de l'argent, des honneurs, de la gloire, du pouvoir.* — 3° *Garder une poire pour la soif,* garder quelque chose pour les besoins à venir. ◆ **soiffard, e** n. *Fam.* Personne qui aime à boire, qui boit trop. (V. ASSOIFFER.)

1. soin [swɛ̃] n. m. 1° Application à faire quelque chose : *Les devoirs de cet élève sont faits avec soin* (syn. : ATTENTION, SÉRIEUX). *Un travail exécuté avec soin* (= fignolé, léché [fam.]). *Un enfant sans soin.* — 2° Charge, devoir de veiller à une chose : *Confier à quelqu'un le soin de ses affaires* (syn. : RESPONSABILITÉ). ‖ *Avoir soin, prendre soin d'un être animé, d'une chose,* veiller à leur bien-être, à leur bon état : *Avoir soin de sa personne, de ses animaux. Prendre soin de sa santé, de ses affaires.* ‖ *Avoir soin, prendre soin* (et l'infin.), faire en sorte de, penser à : *Avant de quitter la maison, ayez soin de vérifier si tout est en ordre, prenez soin de bien fermer la porte* (syn. : VEILLER À). ◆ **soins** n. m. pl. 1° Actions par lesquelles on veille au bien-être d'un être animé, au bon état d'une chose : *Confier un enfant aux soins d'un ami.* — 2° *Aux bons soins de,* formule inscrite sur une correspondance pour demander à un premier destinataire de le faire parvenir à un second. ‖ Fam. *Etre aux petits soins pour quelqu'un,* l'entourer d'attentions délicates, veiller à ce que rien ne lui manque. ◆ **soigner** v. tr. 1° *Soigner un être animé, une chose,* s'en occuper avec sollicitude : *Soigner un enfant. Soigner des invités, un client. Soigner un animal domestique. Soigner son jardin, ses fleurs. Soigner sa tenue.* — 2° *Soigner quelque chose,* y apporter de l'application : *Soigner la présentation d'un texte, une traduction. Soigner son style, sa prononciation.* ◆ **soigné, e** adj. 1° Qui prend soin de sa personne, de sa mise : *Un garçon très soigné* (syn. : ÉLÉGANT ; contr. : NÉGLIGÉ, SALE). *Avoir des mains soignées.* — 2° Qui est exécuté avec soin : *Un travail soigné* (syn. : CONSCIENCIEUX, MINUTIEUX ; contr. : BÂCLÉ). — 3° *Fam.* Réussi en son genre : *Un rhume soigné* (syn. fam. : CARABINÉ). ◆ **soigneux, euse** adj. 1° Se dit d'une personne qui apporte du soin (sens 1) à ce qu'elle fait : *Un ouvrier soigneux dans son travail* (syn. : APPLIQUÉ, MINUTIEUX). ‖ *Soigneux de,* qui prend soin de : *Une femme soigneuse de sa personne, de ses vêtements.* — 2° Se dit de ce qui est fait avec soin : *De soigneuses recherches* (syn. : MINUTIEUX) [emploi limité à quelques express.]. ◆ **soigneusement** adv. : *Un texte soigneusement préparé. Examiner soigneusement une affaire.*

2. soins [swɛ̃] n. m. pl. Ensemble des moyens hygiéniques, diététiques et thérapeutiques mis en œuvre pour conserver ou rétablir la santé : *Des soins de beauté, de toilette. Ce médecin donne gratuitement ses soins aux indigents de son quartier.* ◆ **soigner** v. tr. *Soigner un malade,* s'occuper de rétablir sa santé. ‖ *Soigner une maladie, un organe,* travailler à leur guérison : *Soigner ses rhumatismes, son foie.* ◆ ***se soigner*** v. pr. 1° (sujet nom de personne) S'occuper de son bien-être, de rétablir sa santé quand on est malade : *Cet homme vivra vieux, car il se soigne bien.* — 2° (sujet nom de maladie) Pouvoir être soigné : *Certains cancers se soignent difficilement.* ◆ **soigneur** n. m. Celui qui s'occupe des soins à donner à un sportif.

soir [swar] n. m., **soirée** [sware] n. f. Temps compris entre le coucher du soleil et minuit. (V. tableau ci-dessous.)

soit ([swa] devant une consonne ; [swat] devant une voyelle ou quand le mot est employé adverbialement) conj. 1° *soit..., soit...,* marque une alternative : *Soit lui, soit un autre* (syn. : OU BIEN). [Quelquefois, le second *soit* est remplacé par *ou : Soit faiblesse ou bonté.*] — 2° *Soit* (non répété), marque une supposition : *Soit 4 à multiplier par 2 ;* une explication : *Il a perdu une forte somme, soit un million* (syn. : C'EST-À-DIRE). ● LOC. CONJ. *Soit que..., soit que* (suivi du subj.), marque une alternative : *Soit que vous partiez, soit que vous restiez, pour moi je partirai.* (Quelquefois, le second *soit* est remplacé par *ou : Soit qu'il ne comprenne pas, ou qu'il ne veuille pas comprendre.*) ◆ adv. Marque un acquiescement (a la valeur d'un « oui » affaibli) : *Vous le voulez? Soit, j'irai avec vous* (= admettons, je le veux bien).

soixante [swasɑ̃t] adj. num. cardin. et n. V. NUMÉRATION. ◆ **soixantaine** n. f. ◆ **soixantième** adj. num. ordin. et n. ◆ **soixante-dix** adj. num. cardin. et n. ◆ **soixante-dixième** adj. num. ordin. et n.

soja [sɔʒa] ou **soya** [sɔja] n. m. Plante alimentaire cultivée, en Chine et aux Etats-Unis, pour ses graines, dont on extrait de l'huile et de la farine.

1. sol [sɔl] n. m. Note de musique, cinquième degré de la gamme de *do.*

soir	soirée
1. Employé avec l'article, un indéfini, un démonstratif, indique cet espace de temps considéré comme une date, un moment de la journée ; il peut être employé sans article après un mot désignant un jour de la semaine (le plus souvent, *soir* est compl. circonstanciel de temps ou compl. du nom) : *Nous nous reverrons ce soir. A ce soir ! Dimanche soir, nous irons au théâtre. Tous les soirs, il lit son journal sans jamais dire plus que quelques phrases. A onze heures du soir. Chaque soir il allait promener son chien. Du matin au soir, il ne cesse de récriminer. Il était si fatigué qu'il a dormi jusqu'au soir. Je ne travaille jamais le soir. Les longs soirs d'hiver. Demain soir. La veille au soir.*	1. Employé avec l'article, le possessif, le démonstratif, un indéfini ou un numéral, indique cet espace de temps comme une durée (*soirée* a toutes les fonctions du nom) : *Les soirées paraissent très longues. Il occupe ses soirées à lire. Au début de la soirée, il écoute la radio. Au milieu de la soirée, on quitta la table. Je vais passer cette soirée chez des amis* (contr. : MATINÉE). 2. Spectacle, fête, réunion qui a lieu en général après dîner (vers 21 heures) : *La Comédie-Française donne « le Misanthrope » en soirée. Donner une soirée chez soi. Une soirée dansante* (= un bal qui a lieu après dîner). *Le cinéma présente un film d'aventures en soirée. Nous allons arriver en retard à la soirée qu'il donne chez lui* (contr. : MATINÉE).
2. LOC. **Le grand soir,** expression qui a désigné la révolution dans les milieux anarchistes, puis communistes. **Au soir de la vie,** expression littér. désignant la vieillesse (contr. : AU MATIN DE LA VIE).	

2. sol [sɔl] n. m. 1° Surface de la terre où l'on se tient, où l'on marche, sur laquelle on construit : *Un sol ferme. Voler à ras du sol. Creuser le sol pour faire des fondations. Le sol natal* (= le pays où l'on est né). — 2° Terrain considéré par rapport à sa nature ou à ses qualités productives : *Un sol argileux, granitique, sablonneux. Un sol fertile, aride.*

soldat [sɔlda] n. m. 1° Homme équipé et instruit par l'Etat pour la défense du pays : *Maintenir la discipline parmi les soldats.* ‖ *Simple soldat* ou *soldat,* militaire non gradé : *Les officiers, sous-officiers, caporaux et soldats.* ‖ *Un vrai, un grand soldat,* se dit d'un chef qui incarne les vertus militaires. — 2° *Soldat de plomb,* jouet d'enfant, en plomb, représentant un soldat. ◆ **soldatesque** adj. Qui est propre aux soldats : *Des manières soldatesques.* ◆ n. f. Troupe de soldats indisciplinés : *La ville a été en proie à la violence de la soldatesque.*

1. solde [sɔld] n. f. 1° Traitement des militaires : *Toucher sa solde.* — 2° *Etre à la solde de quelqu'un, d'un parti,* être payé pour défendre ses intérêts, sa cause. ‖ *Avoir quelqu'un à sa solde,* le payer pour qu'il vous serve.

2. solde [sɔld] n. m. Marchandise vendue au rabais : *Un article mis en solde. Des soldes intéressants* (le plus souvent au plur.). ◆ **solder** v. tr. : *Solder des marchandises* (spécialement des tissus, des vêtements), les vendre au rabais. ◆ **soldeur, euse** n. Personne qui achète des soldes pour les revendre.

sole [sɔl] n. f. Poisson de mer plat et ovale : *La sole a une chair très délicate.*

solécisme [sɔlesism] n. m. Faute contre la syntaxe (ex. : *Je veux qu'il vient*). [V. BARBARISME.]

1. soleil [sɔlɛj] n. m. 1° Astre situé au centre du monde que nous habitons et autour duquel gravitent les planètes : *Le lever du Soleil* (= le moment où il paraît au-dessus de l'horizon). *Le coucher du Soleil* (= le moment où il disparaît pour nous). — 2° Lumière, chaleur du soleil ; endroit éclairé, chauffé par le soleil : *Le soleil commence à chauffer. Il fait soleil, du soleil* (= le soleil brille). *Se mettre au soleil. Il a eu une insolation, le soleil lui donnait en plein sur la tête. Prendre un bain de soleil* (= exposer son corps pendant un certain temps aux rayons du soleil). *Se faire bronzer au soleil.* — 3° *Avoir un bien au soleil,* être propriétaire de terres, de maisons. ‖ *Coup de soleil,* brûlure de la peau causée par les rayons solaires. ‖ Fam. *Piquer un soleil,* rougir subitement (syn. : PIQUER UN FARD). ◆ **solaire** adj. Relatif au soleil : *La chaleur solaire. Les rayons solaires. L'énergie solaire.* ‖ *Cadran solaire,* surface plane portant des lignes sur lesquelles l'ombre d'une tige convenablement inclinée indique l'heure solaire. ◆ **solarium** n. m. 1° Etablissement aménagé pour soigner certaines maladies par la lumière solaire. — 2° Emplacement où l'on prend des bains de soleil. ◆ **ensoleiller** v. tr. 1° Eclairer de la lumière solaire (surtout au passif) : *Une grande baie ensoleille la pièce. Se promener gaiement dans la campagne ensoleillée.* — 2° *Ensoleiller le visage, le cœur, la vie,* etc., y faire paraître, y mettre de la douceur, de la joie (littér.) : *Un sourire ensoleillait son visage* (syn. : ÉCLAIRER, ILLUMINER). *Cette pensée ensoleilla sa journée.* ◆ **ensoleillement** n. m.

2. soleil [sɔlɛj] n. m. 1° Figure de gymnastique qui consiste à faire un ou plusieurs tours complets autour d'une barre fixe. — 2° Pièce d'artifice qui jette des feux en forme de rayons.

solennel, elle [sɔlanɛl] adj. 1° Qui est célébré par des cérémonies religieuses et avec une certaine pompe : *Une fête solennelle. Des obsèques solennelles. La communion solennelle.* — 2° Qui est fait avec apparat : *Une séance solennelle de l'Académie. L'entrée solennelle d'un chef d'Etat.* — 3° Se dit d'une personne (ou de son attitude) qui a un air d'importance : *Cet homme est toujours solennel et guindé* (syn. : CÉRÉMONIEUX, PONTIFIANT). *Un air solennel* (syn. : MAJESTUEUX, POMPEUX). *Un tour, un langage solennel* (syn. : EMPHATIQUE). ◆ **solennellement** adv. : *Un mariage célébré solennellement.* ◆ **solennité** n. f. 1° Cérémonie célébrée avec apparat : *La solennité d'une fête. Les solennités du culte catholique.* — 2° Caractère d'une chose ou d'une personne solennelle : *La solennité d'une réception, d'une audience* (syn. : EMPHASE). ◆ **solenniser** v. tr. Célébrer publiquement et avec apparat (emploi peu fréquent) : *Solenniser une fête, un anniversaire* (syn. : FÊTER).

solfier [sɔlfje] v. tr. *Solfier un morceau de musique,* le chanter en nommant les notes. ◆ **solfège** n. m. 1° Action de solfier : *Etudier le solfège.* — 2° Recueil gradué de leçons de musique vocale.

solidaire [sɔlidɛr] adj. 1° Se dit d'une personne liée à une ou plusieurs autres par une responsabilité, des intérêts communs : *Les membres d'une famille sont tous moralement solidaires. Nous sommes solidaires, les torts de l'un retombent sur tous les autres.* — 2° Se dit de choses qui dépendent l'une de l'autre dans leur fonctionnement : *La bielle est solidaire du vilebrequin.* ◆ **solidarité** n. f. Dépendance réciproque ; sentiment qui pousse les hommes à s'accorder une aide mutuelle : *Par solidarité, nous devons secourir ceux de nos semblables qui sont dans l'infortune* (syn. : FRATERNITÉ). *La solidarité professionnelle.* ◆ **solidairement** adv. : *Ils se sentent solidairement tenus de réparer cette injustice.* ◆ **solidariser (se)** v. pr. Se déclarer solidaire : *Plusieurs ouvriers de l'usine n'ont pas voulu se solidariser avec les grévistes* (syn. : S'UNIR). ◆ **désolidariser** v. tr. Séparer ce qui était solidaire : *En débrayant, on désolidarise le moteur de la transmission.* ◆ ***se désolidariser*** v. pr. *Se désolidariser de quelqu'un, de quelque chose,* cesser d'en être solidaire : *Je n'approuve pas l'attitude de mon camarade : je me désolidarise de lui sur ce point.*

1. solide [sɔlid] adj. 1° Se dit d'une chose capable, par sa consistance, de durer, de résister à l'usure : *Un mur solide. Une maison solide. Des meubles solides* (contr. : FRAGILE). *Une étoffe solide* (syn. : ↑ IMMUABLE). — 2° Qui a un fondement réel, qui est effectif : *Des arguments solides* (syn. : SÉRIEUX). *Une amitié solide* (syn. : DURABLE, ↑ INDÉFECTIBLE). *Avoir des connaissances solides.* — 3° Se dit d'une personne fortement constituée, qui a de la vigueur, de l'endurance : *Un solide paysan* (syn. : ROBUSTE ; fam. : INCREVABLE). *Avoir le cœur solide.* — 4° Se dit d'une personne ferme dans ses opinions, ses sentiments, qui est stable, sérieuse : *Un solide partisan* (syn. : FIDÈLE). *Un esprit plus brillant que solide.* ◆ **solidement** adv. : *Construire solidement une maison. Un raisonnement solidement argumenté.* ◆ **solidité** n. f. : *La solidité d'une voiture. La solidité d'un vêtement. La solidité d'un raisonnement, d'un exposé.*

2. solide [sɔlid] adj. *Corps solide* ou substantiv. *un solide*, corps qui a une forme propre, de la consistance : *A part le mercure, les métaux sont des corps solides à la température ordinaire* (contr. : FLUIDE, LIQUIDE, GAZEUX). ◆ **solidifier** v. tr. Faire passer à l'état solide : *Solidifier de l'eau en la congelant.* ◆ ***se solidifier*** v. pr. Passer à l'état solide, prendre de la fermeté, de la dureté : *Le ciment se solidifie en séchant* (syn. : DURCIR; contr. : SE LIQUÉFIER). ◆ **solidification** n. f. : *La solidification d'une substance par le froid.*

soliloque [sɔlilɔk] n. m. Entretien d'une personne avec elle-même (syn. : MONOLOGUE). ◆ **soliloquer** v. intr. Se parler à soi-même.

1. solitaire [sɔlitɛr] adj. **1°** Se dit d'une personne qui est seule, qui aime à être seule : *Depuis la mort de sa femme, cet homme est très solitaire. Avoir des goûts solitaires.* — **2°** Se dit d'un endroit situé à l'écart : *Un hameau solitaire* (syn. : RETIRÉ, ABANDONNÉ, SAUVAGE). ◆ n. Personne qui vit retirée du monde : *Un solitaire dont la demeure est située à l'orée d'une forêt.* ◆ **solitairement** adv. : *Se promener solitairement.* ◆ **solitude** n. f. Etat d'une personne qui est seule habituellement ou momentanément : *Aimer la solitude. Troubler la solitude de quelqu'un. Charmer sa solitude par la lecture* (syn. : ISOLEMENT).

2. solitaire [sɔlitɛr] n. m. **1°** Sanglier qui a plus de cinq ans et qui vit seul. — **2°** Diamant monté seul sur une bague.

solive [sɔliv] n. f. Pièce de charpente reposant par ses extrémités sur les murs et soutenant le plancher.

soliveau [sɔlivo] n. m. *Fam.* Homme faible, sans autorité.

solliciter [sɔllisite] v. tr. **1°** *Solliciter une chose*, la demander avec déférence (le plus souvent à une autorité ou à une personne influente) : *Solliciter une audience auprès d'un directeur d'entreprise. Solliciter son admission dans un cercle. Solliciter un emploi* (syn. : POSTULER). *Solliciter une faveur, une aumône.* — **2°** *Etre sollicité par quelque chose*, être poussé ou attiré par lui : *Etre sollicité par la faim, par un besoin quelconque.* ◆ **sollicitation** n. f. Demande instante : *Ne pas répondre aux sollicitations d'un quémandeur* (syn. : INSTANCE, PRIÈRE, REQUÊTE). ◆ **solliciteur, euse** n. : *Les antichambres de certains ministères sont encombrées de solliciteurs* (syn. : QUÉMANDEUR).

sollicitude [sɔllisityd] n. f. Attention affectueuse à l'égard d'une personne : *La sollicitude maternelle, fraternelle. Soigner quelqu'un avec beaucoup de sollicitude.*

solo [sɔlo] n. m. Morceau de musique joué ou chanté par un seul exécutant, avec ou sans accompagnement : *Un solo de violon, de piano.* ◆ adj. Qui joue seul : *Violon solo.* ◆ **soliste** n. Musicien ou chanteur qui exécute un solo.

solstice [sɔlstis] n. m. Chacune des deux époques de l'année où le Soleil atteint son plus grand éloignement de l'équateur : *Solstice d'été* (21 juin, le jour le plus long de l'année). *Solstice d'hiver* (21 décembre, le jour le plus court de l'année).

1. solution [sɔlysjɔ̃] n. f. Liquide dans lequel on a fait dissoudre un solide ou un gaz : *Se rincer la bouche avec une solution salée.* ◆ **soluble** adj. Qui peut être dissous : *Le sucre est soluble dans l'eau.* ◆ **solubilisé, e** adj. Rendu soluble : *Du café solubilisé.*

2. solution [sɔlysjɔ̃] n. f. Réponse à un problème théorique ou pratique; dénouement d'une difficulté : *Trouver facilement la solution d'une équation. Affaire qui exige une prompte solution* (syn. : CONCLUSION). *Une situation inextricable pour laquelle on ne voit pas de solution* (syn. : ISSUE). ◆ **solutionner** v. tr. *Solutionner un problème, une difficulté*, leur donner une solution (syn. : RÉSOUDRE). [Ce verbe est critiqué par certains lexicographes.]

solvable [sɔlvabl] adj. Qui est en état de payer ce qu'il doit : *Un locataire, un débiteur solvable* (contr. : INSOLVABLE). ◆ **solvabilité** n. f. Etat d'une personne solvable : *S'assurer de la solvabilité d'un acheteur, d'un emprunteur.* ◆ **insolvable** adj. : *Débiteur insolvable.* ◆ **insolvabilité** n. f.

solvant [sɔlvɑ̃] n. m. Substance qui a le pouvoir de dissoudre certains corps.

sombre [sɔ̃br] adj. **1°** (après le nom) Se dit d'un lieu peu éclairé : *Un appartement, une maison sombre* (syn. : OBSCUR). ‖ *Il fait sombre, le temps est sombre*, le ciel est obscurci, il y a peu de lumière. — **2°** (après le nom) Se dit d'une couleur qui tire sur le noir : *Des murs, des vêtements sombres* (syn. : FONCÉ; contr. : CLAIR). — **3°** Se dit d'une personne dont l'attitude exprime la tristesse, la mélancolie, l'inquiétude : *Vous me semblez bien sombre aujourd'hui* (syn. : MOROSE). *Un air, un regard, une humeur sombre* (syn. : CHAGRIN; contr. : GAI, JOYEUX). — **4°** (avant ou après le nom) Se dit de ce qui est inquiétant, menaçant : *Un avenir sombre* (syn. : SINISTRE). *Les heures sombres de la guerre* (syn. : TRAGIQUE). ‖ Fam. *Une sombre histoire*, une histoire lamentable, déplorable. — **5°** Avec une valeur de superlatif : *Une sombre brute* (= une vraie brute). *Un sombre imbécile* (= un homme complètement imbécile).

sombrer [sɔ̃bre] v. intr. **1°** (sujet nom désignant un bateau) Etre englouti dans l'eau : *Il y a eu une forte tempête et plusieurs barques de pêcheurs ont sombré* (syn. : COULER, S'ABÎMER, FAIRE NAUFRAGE). — **2°** (sujet nom de personne ou de chose) S'enfoncer profondément jusqu'à disparaître : *Sombrer dans le vice, dans la misère, dans le désespoir. Il a vu sombrer sa fortune* (syn. : S'ANÉANTIR).

sommaire [sɔmmɛr] adj. **1°** Se dit de ce qui est exposé en peu de mots : *Une explication sommaire* (syn. : SUCCINCT). *Une réponse sommaire* (syn. : BREF, CONCIS). — **2°** Réduit à sa forme la plus simple : *Une tenue sommaire* (= état d'une personne peu vêtue). *Un repas sommaire. Un examen sommaire* (syn. : SUPERFICIEL). ‖ *Exécution sommaire*, celle qui est faite sans jugement préalable. ◆ n. m. Abrégé, résumé contenant seulement les notions principales : *Le sommaire d'un livre. Mettre des sommaires en tête des chapitres d'un ouvrage.* ◆ **sommairement** adv. : *Examiner sommairement une question* (syn. : BRIÈVEMENT). *Etre sommairement vêtu* (syn. : PEU).

1. somme [sɔm] n. f. **1°** Résultat d'une addition : *Faire la somme de deux nombres.* — **2°** Certaine quantité d'argent : *L'entrepreneur demande une somme importante pour réparer la maison.* — **3°** Total de choses mises ou considérées ensemble : *La somme de nos besoins est considérable. Cet* *homme fournit une somme énorme de travail* (syn. : QUANTITÉ). ● LOC. ADV. *En somme, somme toute,* en définitive, tout compte fait : *En somme, vous devez être satisfait, tout s'est bien passé* (syn. : AU FOND, EN CONCLUSION). *Somme toute, vous ne devriez pas vous fier à cet homme-là* (syn. : EN RÉSUMÉ).

2. somme [sɔm] n. m. V. SOMMEIL.

3. somme [sɔm] n. f. *Bête de somme,* animal propre à porter des fardeaux.

sommeil [sɔmɛj] n. m. 1° Etat d'un être animé qui dort; interruption de certaines fonctions de l'activité vitale, qui se produit surtout la nuit et procure le repos : *Un sommeil léger, profond. Un sommeil de plomb* (= un sommeil très profond). *Réveiller quelqu'un en plein sommeil. S'abandonner, céder au sommeil. S'arracher du sommeil.* — 2° Besoin, grande envie de dormir : *Avoir sommeil. Il sentait le sommeil le gagner. Tomber de sommeil. Vaincre le sommeil. S'endormir du sommeil du juste.* — 3° Etat d'inactivité, d'inertie temporaire où se trouvent certaines choses : *Le sommeil de la nature. Une entreprise en sommeil.* ◆ **sommeiller** v. intr. Dormir d'un sommeil léger : *Il ne dormait pas tout à fait, il ne faisait que sommeiller* (syn. : SOMNOLER). ◆ **somnifère** adj. et n. Qui provoque le sommeil : *Elle ne pouvait dormir sans prendre un somnifère* (syn. : NARCOTIQUE). ◆ **somme** n. m. Fam. *Faire un somme, un petit somme,* dormir un petit moment. ‖ *Ne faire qu'un somme,* dormir toute la nuit sans s'éveiller. ◆ **demi-sommeil** n. m. Etat intermédiaire entre la veille et le sommeil : *Il écoutait la causerie dans un demi-sommeil.* ◆ **ensommeillé, e** adj. 1° Se dit d'un être animé (généralement une personne) gagné par le sommeil; se dit aussi de son visage, de son air : *La salle d'attente était pleine de voyageurs ensommeillés* (syn. : ASSOUPI). *Des enfants aux yeux ensommeillés.* — 2° Se dit de ce dont l'activité est ralentie (littér.) : *Traverser à l'aube une ville ensommeillée. La campagne ensommeillée en hiver.*

sommelier [sɔməlje] n. m. Personne chargée du service des vins et des liqueurs dans un restaurant.

sommer [sɔmme] v. tr. *Sommer quelqu'un de* (et l'infin.), lui demander de façon impérative de : *Sommer des rebelles de se rendre, des manifestants de se disperser* (syn. : SIGNIFIER À, METTRE EN DEMEURE DE). *Je vous somme de dire la vérité* (syn. : ORDONNER, ENJOINDRE). ◆ **sommation** n. f. Action de sommer, et spécialement appel lancé par une sentinelle ou par un représentant de la force publique enjoignant à une ou plusieurs personnes de s'arrêter, à une foule de se disperser : *Trois sommations doivent précéder l'emploi de la force armée contre des attroupements.*

sommet [sɔmɛ] n. m. 1° Partie la plus élevée de certaines choses : *Le sommet d'une montagne, d'un rocher, d'un pic, d'un arbre* (syn. : CIME). — 2° Degré le plus élevé : *Le sommet de la gloire, des grandeurs, de la perfection, de la hiérarchie.* — 3° *Conférence au sommet,* à laquelle participent les chefs d'Etat ou de gouvernement.

sommier [sɔmje] n. m. Partie d'un lit constituée d'un cadre en bois ou en métal muni de ressorts ou de lamelles et destiné à soutenir le matelas.

sommité [sommite] n. f. Personne éminente dans une science, dans un art, etc. : *Les sommités de la médecine, de la finance, de la littérature.*

somnambule [sɔmnɑ̃byl] n. et adj. Personne qui marche, agit, parle pendant son sommeil. ◆ **somnambulisme** n. m. Activité motrice qui se produit pendant le sommeil et dont le sujet ne conserve aucun souvenir à son réveil : *Le somnambulisme s'observe surtout chez les enfants et les adolescents.*

somnolence [sɔmnɔlɑ̃s] n. f. Etat de demi-sommeil. ◆ **somnolent, e** adj. Qui est dans un état de somnolence. ◆ **somnoler** v. intr. Dormir à demi : *Après les repas, il s'assied dans son fauteuil et somnole un peu* (syn. : S'ASSOUPIR).

somptuaire [sɔ̃ptɥɛr] adj. *Lois, réformes somptuaires,* celles qui ont pour objet de restreindre et de réglementer les dépenses. ‖ *Dépense somptuaire,* dépense excessive, purement destinée au luxe. (Cette expression est condamnée par certains grammairiens.)

somptueux, euse [sɔ̃ptɥø, -øz] adj. Se dit de ce qui est d'une beauté luxueuse : *Une maison somptueuse* (syn. : SPLENDIDE). *Un festin somptueux* (syn. : MAGNIFIQUE). *Des vêtements somptueux* (syn. : LUXUEUX). ◆ **somptuosité** n. f. Caractère de ce qui est somptueux : *La somptuosité d'un palais* (syn. : MAGNIFICENCE, SPLENDEUR). ◆ **somptueusement** adv. : *Etre habillé somptueusement* (syn. : RICHEMENT, SPLENDIDEMENT, LUXUEUSEMENT).

son, sa, ses adj. poss. V. MON.

1. son [sɔ̃] n. m. 1° Sensation auditive produite par les vibrations des corps propagées dans l'air : *Un son aigu, grave, perçant. Un son doux, harmonieux, discordant. Le son de la voix, d'un violon, d'une cloche. On distingue trois qualités dans le son : la hauteur, l'intensité et le timbre. L'acoustique est l'étude des sons.* — 2° Toute émission de voix, simple ou articulée : *Un son ouvert, fermé, nasal, guttural.* ◆ **sonner** v. intr. 1° Mettre une cloche en branle, faire retentir une sonnerie : *Le sacristain va sonner. Quelqu'un sonne à la porte, allez lui ouvrir. Avez-vous entendu le réveil sonner?* ‖ Pop. *Se faire sonner les cloches,* se faire réprimander vertement. — 2° Etre annoncé par une sonnerie : *L'angélus vient de sonner. La messe sonne. Quatre heures vont bientôt sonner. Il est midi sonné.* — 3° Jouer d'un instrument à vent : *Sonner du clairon, de la trompette, du cor, de la trompe.* — 4° Arriver, en parlant d'un moment, d'une époque : *Il a échappé à un grave accident, sa dernière heure n'avait pas encore sonné.* — 5° *Faire sonner une lettre,* la prononcer d'une manière très marquée, en appuyant : *Faire sonner l' « s » de « plus » en fin de phrase.* ‖ *Mot qui sonne bien* (ou *mal*) *à l'oreille,* mot qui est agréable (ou désagréable) à entendre. ‖ *Sonner faux,* rendre un son qui est faux : *Un violon qui sonne faux;* donner une impression de fausseté, de manque de sincérité : *Un rire qui sonne faux.* ◆ v. tr. 1° *Sonner une cloche,* la mettre en branle, en tirer des sons. — 2° *Sonner quelqu'un,* l'appeler, l'avertir au moyen d'une sonnette ou d'une sonnerie : *Sonner une femme de chambre, un domestique.* — 3° *Sonner quelque chose,* l'annoncer par une sonnerie de cloches, par un timbre ou par des instruments à vent : *Sonner la messe. Sonner le tocsin. La pendule vient de sonner sept heures. Il est midi sonné. Il est trois heures sonnées. Le clairon de la compagnie vient de sonner le réveil. Sonner l'extinction des feux.* — 4° Pop. *Sonner quelqu'un,* le frapper violemment à la tête : *Un boxeur qui a été sonné et* *a roulé au tapis* (syn. : ASSOMMER, ÉTOURDIR). ◆ **sonné, e** adj. 1° *Fam.* Révolu, accompli : *Il a cinquante ans bien sonnés* (= il a atteint l'âge de cinquante ans). — 2° *Fam.* Qui a perdu la raison : *Un garçon un peu sonné* (syn. : FOU; fam. : CINGLÉ). ◆ **sonnant, e** adj. Juste, précis, en parlant de l'heure : *A huit heures sonnantes* (syn. fam. : TAPANT). ◆ **sonnerie** n. f. 1° Son de plusieurs cloches; ensemble des cloches d'une église : *La grosse, la petite sonnerie.* — 2° Mécanisme qui sert à faire sonner une horloge, une pendule, etc. : *Remonter la sonnerie d'un réveil.* ‖ *Sonnerie électrique,* mécanisme d'appel, d'alarme ou de contrôle actionné par un courant électrique. — 3° Air joué par un clairon, une trompette, etc. ◆ **sonnette** n. f. 1° Clochette dont on se sert pour appeler ou pour avertir : *Agiter une sonnette. La sonnette du président d'une assemblée.* — 2° Appareil avertisseur actionné par le courant électrique : *Appuyer sur le bouton de la sonnette.* ◆ **sonneur** n. m. Personne qui sonne les cloches d'une église. ◆ **sonique** adj. *Vitesse sonique,* vitesse du son. ◆ **supersonique** adj. Au-delà de la vitesse du son : *Avion supersonique.*

2. son [sɔ̃] n. m. Enveloppe des grains de céréales lorsqu'elle a été séparée par la mouture : *Le son contient la plupart des vitamines.*

sonate [sɔnat] n. f. Composition de musique instrumentale en trois ou quatre mouvements, pour un ou deux instruments : *Une sonate pour violon, pour piano. Interpréter une sonate de Mozart, de Beethoven.*

sonder [sɔ̃de] v. tr. 1° Reconnaître au moyen d'une sonde la profondeur de l'eau, la nature d'un terrain, etc. : *Sonder un port, le lit d'un fleuve, un gué.* — 2° *Sonder une personne, un groupe de personnes,* chercher à connaître leurs opinions, leurs intentions : *Il faudrait sonder le directeur au sujet de ses projets* (syn. : INTERROGER, PRESSENTIR). *Sonder les esprits* (syn. : SCRUTER). ‖ *Sonder le terrain,* s'assurer par avance de l'état des choses, des esprits. ◆ **sondage** n. m. 1° Action de sonder : *Le sondage d'un terrain.* — 2° *Sondage d'opinion,* procédé d'enquête ayant pour objet de déterminer l'opinion d'une population concernant un fait social en interrogeant un petit nombre de personnes considérées comme représentatives de cette population. ◆ **sondeur** n. m. Celui qui pratique des forages au moyen de machines perforatrices. ◆ **sondeuse** n. f. Machine destinée au forage des puits de faible profondeur. ◆ **insondable** adj. Dont on ne peut connaître la profondeur : *Abîmes insondables. Bêtise insondable* (= très grande).

songe [sɔ̃ʒ] n. m. Syn. littér. et vieilli de RÊVE.

songer [sɔ̃ʒe] v. tr. ind. 1° *Songer à une chose,* l'avoir dans l'esprit, dans la mémoire, dans l'imagination : *Quand on songe au gaspillage des produits alimentaires, alors que tant de gens souffrent de la faim, on est affolé* (syn. : PENSER). *Le sauveteur qui s'est jeté à l'eau pour secourir l'enfant qui se noyait n'a pas songé aux risques qu'il courait* (syn. : RÉFLÉCHIR). *Il songe aux beaux jours de sa jeunesse* (syn. : RÊVER). *Avez-vous songé à la joie de vos parents si vous réussissez votre concours?* (syn. : IMAGINER). — 2° *Songer à quelqu'un, à quelque chose,* penser à une personne, à une chose qui mérite attention : *Avant de songer à soi, il faut songer aux autres* (syn. : S'OCCUPER DE). *Il ne songe nullement au mariage* (syn. : ENVISAGER). *Songez à ce que vous faites, à ce que vous dites* (syn. : FAIRE ATTENTION, PRENDRE GARDE). *Il songe surtout à ses affaires et assez peu à l'avenir de ses enfants* (syn. : S'INTÉRESSER À, PRENDRE SOIN DE). *Il songe à acheter une maison de campagne, mais il n'est pas encore décidé* (syn. : PROJETER DE). ‖ *Songer à mal* (surtout négativement), avoir quelque mauvaise intention. ‖ *Vous n'y songez pas, à quoi songez-vous?,* se dit d'une personne qui dit ou fait quelque chose de peu raisonnable. ◆ v. tr. *Songer que,* avoir présent à l'esprit : *Songez que vous n'aurez pas terminé votre travail à temps si vous ne faites pas un effort* (syn. : RÉFLÉCHIR). *Songez qu'il y va de votre intérêt. Quand on songe que vous vous êtes engagé dans cette affaire sans prendre davantage de renseignements, on est un peu surpris.* ◆ **songeur, euse** adj. Absorbé dans une rêverie mêlée de préoccupations : *Depuis quelque temps, nous la trouvons bien songeuse* (syn. : PENSIF). *Il a souvent un air songeur.* ◆ **songe-creux** n. m. Homme qui nourrit sans cesse son esprit de chimères (littér.).

sonnet [sɔnɛ] n. m. Pièce de poésie composée de quatorze alexandrins distribués en deux quatrains et deux tercets, et soumise à des règles fixes pour la disposition des rimes.

sonore [sɔnɔr] adj. 1° Qui produit des sons : *Un métal sonore.* — 2° Qui a un son éclatant : *Une voix sonore* (syn. : RETENTISSANT). — 3° Qui renvoie bien le son : *Une salle sonore.* — 4° *Film sonore,* film dans lequel l'image est accompagnée de sons (paroles, musique, bruits, etc.). — 5° *Consonne sonore,* celle pour l'articulation de laquelle les cordes vocales entrent en action (contr. : SOURDE). ◆ **sonorité** n. f. 1° Caractère de ce qui est sonore : *La sonorité d'un amphithéâtre, d'une voix.* — 2° Qualité de ce qui rend un son agréable : *La sonorité d'un violon, d'un piano.* ◆ **sonoriser** v. tr. 1° *Sonoriser un film,* ajouter des éléments sonores à l'image. — 2° *Sonoriser une salle, un édifice,* les équiper d'une installation de diffusion du son : *Sonoriser une église.* ◆ **sonorisation** n. f. : *La sonorisation d'un documentaire, d'une salle de cinéma.* ◆ **insonore** adj. : *Matériaux insonores.* ◆ **insonoriser** v. tr. Rendre insonore : *Salle insonorisée.* ◆ **insonorisation** n. f.

sophisme [sɔfism] n. m. Raisonnement juste en apparence, mais faux en réalité, conçu avec l'intention d'induire en erreur : *Réfuter un sophisme.* ◆ **sophiste** n. Personne qui use de sophismes. ◆ **sophistique** adj. Qui est de la nature du sophisme : *Un argument sophistique.*

sophistiqué, e [sɔfistike] adj. Qui manque de naturel par excès de recherche : *Une femme sophistiquée.*

soporifique [sɔpɔrifik] adj. 1° Qui provoque le sommeil : *Un médicament soporifique* (syn. : DORMITIF). — 2° Ennuyeux au point d'endormir : *Un roman, un discours soporifique.* ◆ n. m. : *Un soporifique.*

soprano [sɔprano] n. m. 1° Catégorie de voix la plus élevée chez les femmes et les jeunes garçons. — 2° Personne qui a cette voix : *Des sopranos* (ou *des soprani*).

sorbet [sɔrbɛ] n. m. Glace légère, sans crème, à base de jus de fruits et parfois parfumée d'une liqueur : *Un sorbet au café, au kirsch.* ◆ **sorbetière** n. f. Récipient de métal servant à préparer les sorbets.

sorbonnard, e [sɔrbɔnar, ard] n. Fam. Étudiant, professeur en Sorbonne. (La *Sorbonne* est un établissement public d'enseignement supérieur, à Paris.)

sorcellerie n. f., **sorcier, ère** n. V. SORT.

sordide [sɔrdid] adj. 1° Qui est d'une saleté repoussante : *Des vêtements sordides* (syn. : DÉGOÛTANT). *Un logement sordide.* — 2° En parlant de l'argent, se dit de ce qui atteint un degré honteux : *Une avarice sordide* (syn. : RÉPUGNANT). *Des gains sordides.* ◆ **sordidement** adv. : *Vivre sordidement* (= dans la plus grande avarice).

sorgho [sɔrgo] n. m. Plante cultivée pour ses grains comestibles : *Le sorgho est principalement consommé en Afrique.*

sornettes [sɔrnɛt] n. f. pl. Propos frivoles, extravagants : *Conter, débiter des sornettes* (syn. : BALIVERNES, FADAISES).

1. sort [sɔr] n. m. 1° Puissance imaginaire qui est supposée fixer le cours des événements dont la cause ne peut être déterminée (littér.) : *Etre favorisé par le sort* (syn. : FORTUNE). *Braver, affronter, supporter les coups du sort* (syn. : DESTIN). *Le sort est aveugle* (syn. : HASARD). *Les caprices du sort. Conjurer le mauvais sort.* ‖ Fam. Dans quelques exclamations marquant le dépit, la colère : *Coquin de sort! Bon sang de sort!* — 2° Condition d'une personne, fortune d'une chose résultant des événements heureux ou malheureux, et spécialement situation matérielle : *Peu de gens sont satisfaits de leur sort. Abandonner quelqu'un à son sort. Améliorer le sort des travailleurs. Envier le sort de son voisin. Cette découverte eut le sort de beaucoup d'autres. Tel fut le sort de son livre : il fut vendu seulement à quelques centaines d'exemplaires.* ‖ Fam. *Faire un sort à une chose,* l'utiliser à son profit : *Faire un sort à un pâté* (= le manger), *à une bouteille* (= la boire). — 3° Hasard auquel on s'en rapporte pour décider d'un choix, d'une affaire : *On a tiré au sort pour savoir qui commencerait la partie; le sort est tombé sur lui. Tirer au sort les épreuves d'un concours, un numéro, un objet.* ‖ *Le sort en est jeté,* c'est une chose décidée, advienne que pourra.

2. sort [sɔr] n. m. Effet malfaisant qui atteint un être animé, une chose et qui, selon une croyance superstitieuse, résulte de pratiques de sorcellerie : *Le fermier prétendait que ses animaux étaient malades parce qu'on avait jeté un sort sur eux.* ‖ Fam. *Il y a un sort sur tout ce qu'il entreprend,* rien de ce qu'il fait ne réussit. ◆ **sortilège** n. m. Action de jeter un sort; action qui semble magique : *On disait qu'un berger avait fait mourir plusieurs têtes de bétail par des sortilèges. Dans certaines campagnes, on croit encore aux sortilèges.* ◆ **sorcier, ère** n. 1° Personne que l'on croyait autrefois en relation avec le diable pour connaître l'avenir, pour agir sur les personnes (ou les animaux) au moyen de maléfices, de sortilèges (syn. : DEVIN, MAGICIEN). — 2° *Apprenti sorcier,* v. APPRENTI. ‖ *Il ne faut pas être sorcier pour deviner, pour faire telle chose,* il n'est pas nécessaire d'avoir beaucoup d'esprit, d'habileté pour la deviner, pour la faire. ‖ *Cet homme n'est pas sorcier,* il n'est pas très astucieux, pas très malin. ‖ *Vieille sorcière,* vieille femme laide et méchante. ◆ **sorcier** adj. m. Fam. *Ce n'est pas sorcier,* ce n'est pas difficile à comprendre, à résoudre, à faire : *Ce n'est pas sorcier de trouver la solution de ce problème, de charger cet appareil photographique.* ◆ **sorcellerie** n. f. 1° Opération magique de sorcier : *La sorcellerie était considérée au Moyen Age comme un crime.* — 2° Se dit de tours d'adresse, de choses qui paraissent au-dessus des forces humaines : *Cela tient de la sorcellerie. Cela ne peut se faire sans sorcellerie.*

sorte [sɔrt] n. f. 1° Espèce, catégorie d'êtres animés ou de choses : *Dans les collectivités, on rencontre toutes sortes de gens. Il élève toutes sortes d'oiseaux et cultive toutes sortes de plantes* (syn. : VARIÉTÉ). *Faire un choix parmi les différentes sortes de caractères employés dans l'imprimerie. Il nous a fait toutes sortes de recommandations avant son départ.* — 2° *Une sorte de,* se dit d'une chose et quelquefois d'une personne qu'on ne peut désigner exactement, qui ressemble à une autre par quelque détail : *Elle portait sur la tête une sorte de coiffe nouée sous le menton* (syn. : GENRE). *Il s'est adressé à une sorte d'avocat qui n'a pas l'air très sérieux* (syn. : ESPÈCE). ● LOC. ADV. *De la sorte,* de cette façon : *Qui vous a autorisé à parler, à agir de la sorte?* (syn. : AINSI). ‖ *En quelque sorte,* pour ainsi dire : *Se taire quand on est accusé, c'est en quelque sorte se reconnaître coupable* (syn. : PRESQUE). ● LOC. CONJ. *De sorte que, de telle sorte que, en sorte que,* si bien que, de telle façon que (avec l'indic., pour marquer la conséquence, un fait acquis, ou le subj. pour marquer le but à atteindre) : *Il a agi de telle sorte que tout le monde l'a félicité. Faites en sorte que tout soit prêt à l'heure.* ● LOC. PRÉP. *En sorte de,* de manière à : *Faites en sorte d'arriver à l'heure.*

sortir [sɔrtir] v. intr. (conj. 28). 1° (sujet nom d'être animé) Aller hors d'un lieu : *Sortir d'un pays, de sa maison* (syn. : QUITTER). *La faim fait sortir le loup du bois. Au cours du match, l'arbitre a fait sortir un joueur du terrain* (syn. : EXPULSER). — 2° Quitter le lieu d'une réunion, d'une occupation, l'endroit où l'on a séjourné quelque temps : *Sortir de la messe. Sortir du spectacle, de table. Sortir de l'école, de l'atelier. Sortir de l'hôpital, de prison. Ce jeune homme vient de sortir du collège.* — 3° Aller hors de chez soi pour se promener, aller au spectacle, faire des visites : *Il va mieux et le médecin l'a autorisé à sortir un peu* (syn. : ALLER DEHORS). *Il n'est pas possible de sortir par un temps pareil. Une jeune fille qui sort seule. Un ménage qui sort beaucoup.* — 4° Passer d'un temps, d'une époque, d'une condition dans une autre : *Sortir de l'automne. Sortir de l'enfance. Sortir d'apprentissage.* — 5° Cesser d'être dans tel état physique ou moral : *Sortir de maladie* (syn. : GUÉRIR). *Sortir sain et sauf d'un accident* (syn. : EN RÉCHAPPER). *Sortir d'un mauvais pas, sortir d'affaire, d'embarras* (syn. : SE TIRER). *Sortir de son calme, de sa modération habituelle* (syn. : SE DÉPARTIR). *Sortir des limites de la modestie, de la bienséance* (syn. : S'ÉCARTER, S'ÉLOIGNER). ‖ *Sortir de ses gonds,* se mettre en colère. — 6° Ne pas se tenir exactement à ce qui est fixé : *Dans une discussion, il sort toujours du sujet, de la question* (= il fait des digressions). *Sortir de la légalité* (syn. : TRANSGRESSER). ‖ *Ne pas sortir de là,* s'en tenir exactement au point qui est essentiel dans une discussion : *En agissant ainsi, vous faites votre devoir, il n'y a pas à sortir de là.* — 7° Etre issu de : *Sortir d'une famille honorable* (syn. : ÊTRE NÉ DE). *Un grand homme sorti du peuple.* ‖ *Se croire sorti de la cuisse de Jupiter,* se croire issu d'une famille illustre;

être très orgueilleux. ‖ *D'où sortez-vous?, d'où sort-il?, d'où sortent-ils?,* etc., se dit de personnes qui manquent d'éducation ou dont l'ignorance surprend profondément. ‖ *Sortir d'une école,* y avoir fait ses études : *Ce garçon sort de Polytechnique et son frère de l'Ecole des arts et manufactures.* ‖ *Officier sorti du rang,* v. RANG. — **8°** (sujet nom de chose) Franchir une limite : *Le ballon est sorti du terrain. La rivière est sortie de son lit* (syn. : DÉBORDER). *La porte sort de ses gonds. La locomotive est sortie des rails* (= a déraillé). — **9°** Se répandre au-dehors : *Un doux parfum sort de ces roses* (syn. : S'EXHALER). *Une épaisse fumée sortait de la cheminée* (syn. : S'ÉCHAPPER). *Le sang lui sortait de la bouche.* — **10°** Dépasser à l'extérieur : *Une pierre qui sort du mur* (syn. : FAIRE SAILLIE). ‖ Fam. *Les yeux lui sortent de la tête,* se dit d'une personne animée d'une grande fureur. — **11°** Commencer à paraître, à pousser : *Les blés sortent de terre* (syn. : LEVER). *Les bourgeons viennent de sortir* (syn. : POINDRE). *Chez les bébés, les canines sortent vers le dixième mois* (syn. : PERCER). — **12°** Etre présenté au public, être publié, être mis en vente : *Les tissus qui sortent de cette fabrique sont excellents. Un nouveau film de X vient de sortir en exclusivité. Un dictionnaire qui sort par fascicules* (syn. : PARAÎTRE). ‖ *Numéro qui sort à la loterie,* numéro qui est gagnant. — **13°** Avoir tel résultat (emploi impers.) : *Que sortira-t-il de toutes ces recherches?* — **14°** Fam. *En sortir,* v. plus loin S'EN SORTIR. ‖ *Ne pas vouloir sortir de là,* soutenir avec obstination ce qu'on a avancé : *Malgré tout ce qu'on peut lui objecter, il persiste dans son opinion, il ne veut pas sortir de là* (syn. : DÉMORDRE). ‖ Fam. *Sortir de* (et l'infin.), indique un passé récent : *Il sort d'être malade* (syn. : VENIR DE). *Elle sort de faire ses courses. Il sort de travailler.* ‖ Fam. *Sortir d'en prendre,* en avoir assez d'une chose désagréable, n'être pas près de recommencer : *Jean nous a dit l'autre jour : « Pour moi, la vitesse, c'est fini, je sors d'en prendre. » Il faisait allusion à l'accident de voiture qui a failli lui coûter la vie.* ‖ Fam. *Sortir de la mémoire, de l'esprit,* être oublié : *Il n'a pas pensé à vous dire qu'il n'y avait pas de cours aujourd'hui; cela lui est sorti de l'esprit.* ◆ v. tr. **1°** *Sortir une personne,* l'accompagner à la promenade, au spectacle, en visite : *Sortez cet enfant, autrement il va s'anémier* (syn. : PROMENER). *Un mari qui ne sort jamais sa femme* (fam.). ‖ Fam. *Sortir quelqu'un d'un lieu, d'une réunion,* etc., le mettre violemment à la porte : *Comme un énergumène interrompait constamment l'orateur, on l'a sorti de la salle* (syn. : EXPULSER*;* pop. : VIDER). ‖ *Sortir un animal,* le mener dehors : *Sortir un cheval de l'écurie.* — **2°** *Sortir une chose,* la mettre, la tirer dehors : *Sortir sa voiture du garage. Sortir des plantes d'une serre. Sortir les mains de ses poches* (syn. : ENLEVER, ÔTER). *Sortir son mouchoir, son portefeuille* (contr. : RENTRER). *Sortir le contenu d'une valise* (= la vider). — **3°** Mettre en vente : *Cette maison d'édition sort beaucoup d'ouvrages dans l'année* (syn. : PUBLIER). *Un constructeur d'automobiles qui sort une nouvelle voiture.* — **4°** *Fam.* Dire : *Il vous sort de ces boniments, c'est à se demander s'il parle sérieusement* (syn. : DÉBITER). *Il nous en a sorti une bien bonne* (syn. : RACONTER). ◆ ***s'en sortir*** v. pr. ou **en sortir** v. intr. *Fam.* Venir à bout d'une situation pénible, embarrassante : *Il s'est lancé dans une affaire qui semble au-dessus de ses forces; on se demande comment il s'en sortira* (syn. : S'EN TIRER). *Vous avez entrepris un travail bien difficile; nous espérons pourtant que vous vous en sortirez.* • LOC. PRÉP. *Au sortir de,* au moment où l'on sort de : *Au sortir du cinéma, nous sommes allés au café* (syn. : À LA SORTIE DE). *Au sortir du printemps, on songe aux vacances* (syn. : À LA FIN DE). ◆ **ressortir** [rəsɔrtir] v. intr. Sortir de nouveau; sortir tout de suite après être entré : *Il ne fait que sortir et ressortir. Tu viens d'entrer dans le magasin et tu veux déjà en ressortir?* ◆ **sortie** n. f. **1°** (en parlant d'un être animé) Action de sortir, d'aller se promener; moment où l'on sort : *Tous les soirs, avant d'aller se coucher, il fait une petite sortie* (syn. : PROMENADE, TOUR; fam. : BALADE). *Depuis sa maladie, c'est sa première sortie. Attendre un enfant à la sortie de l'école.* — **2°** Endroit par où l'on sort : *Cette maison a deux sorties, une sur la rue et une autre sur le jardin* (syn. : ISSUE). *Sortie de secours,* v. SECOURS. *Attendre quelqu'un près de la sortie de la gare.* ‖ *Se ménager une porte de sortie* ou *une sortie,* s'assurer un moyen de se tirer d'embarras (syn. : ÉCHAPPATOIRE). — **3°** Au théâtre, action de quitter la scène : *Le metteur en scène règle les entrées et les sorties des acteurs.* — **4°** Brusque emportement contre quelqu'un ou quelque chose : *Le professeur qui a surpris un élève en train de copier sa composition lui a fait une violente sortie* (syn. : ALGARADE). *Le doyen de la Faculté a fait une sortie contre la jeunesse d'aujourd'hui et les mœurs actuelles* (syn. : INVECTIVE). — **5°** Mission de combat accomplie par un avion militaire : *Le 6 juin 1944, l'aviation alliée effectua plus de douze mille sorties.* — **6°** (en parlant d'une chose) Action de s'échapper, de s'écouler : *La sortie des gaz d'un moteur à explosion. La sortie des eaux d'une source.* — **7°** Mise en vente d'un objet commercial : *La sortie d'une nouvelle voiture. La sortie d'un roman* (syn. : PARUTION, PUBLICATION). — **8°** Transport des marchandises hors du lieu où elles étaient : *Payer des droits pour la sortie de certains produits.* ‖ *Sortie de bain,* peignoir, grande serviette dont on s'enveloppe à la sortie du bain. • LOC. PRÉP. *A la sortie de,* au moment où l'on sort de, à l'endroit où quelque chose s'écoule, etc. : *Nous nous verrons à la sortie du théâtre.* ◆ **sortable** adj. *Fam.* Se dit d'une personne que l'on peut présenter en société (surtout négativement) : *Un jeune homme qui n'est guère sortable* (syn. : CORRECT). ◆ **insortable** adj. *Fam.* Contr. de SORTABLE : *Une femme insortable à cause de ses indiscrétions.* ◆ **sortant, e** adj. **1°** *Numéro sortant,* numéro gagnant (à une loterie, à une tombola). — **2°** Se dit de quelqu'un qui cesse de faire partie d'une association, d'une assemblée : *Président, député sortant.* ◆ **sortant** n. m. Personne qui sort d'un lieu (presque toujours au plur.) : *Les entrants et les sortants.*

S. O. S. [ɛsoɛs] n. m. Signal de détresse émis par un navire ou par un avion en danger et transmis par radio ou par des signaux lumineux.

sosie [sɔzi] n. m. Personne qui ressemble parfaitement à une autre : *Avoir un sosie.*

sot [so], **sotte** [sɔt] adj. et n. Qui manque d'esprit, de jugement : *Il n'est pas si sot qu'il en a l'air* (syn. : BÊTE, IDIOT). *Je ne suis pas assez sot pour croire ce que vous me racontez-là* (syn. : IMBÉCILE, STUPIDE). *Taisez-vous et ne riez pas comme une sotte* (syn. : PÉCORE, PÉRONNELLE). *Ce garçon n'est qu'un sot en trois lettres* (syn. : ÂNE, BENÊT, CRÉTIN, BÊTA). ◆ adj. (avant ou après le nom) **1°** Qui est embarrassé, confus : *Il est resté tout sot quand on* *lui a prouvé qu'il avait fait un mensonge* (syn. : PENAUD). — 2° (avant ou après le nom) Qui dénote un manque d'esprit, de jugement : *Une sotte réponse* (syn. : ABSURDE, INEPTE). *C'est vraiment sot de se moquer des pauvres gens.* ◆ **sottement** adv. : *Parler, agir sottement.* ◆ **sottise** n. f. 1° Manque d'intelligence, de jugement : *Un homme d'une sottise incroyable* (syn. : BÊTISE, IMBÉCILLITÉ, IDIOTIE, STUPIDITÉ). — 2° Action ou parole d'une personne sotte : *Faire, commettre une sottise* (syn. : BÊTISE, BOURDE). ◆ **sottises** n. f. pl. Paroles injurieuses : *Accabler quelqu'un de sottises* (syn. : INJURES, INVECTIVES). ◆ **sottisier** n. m. Recueil de phrases ridicules relevées dans les écrits ou les propos d'un écrivain, d'un homme célèbre.

sou [su] n. m. 1° Argent en général (ne s'emploie plus que dans quelques express.) : *Compter ses sous* (= compter son argent). *Etre près de ses sous* (= dépenser avec parcimonie). *Etre sans le sou, n'avoir pas le sou* (= être totalement dépourvu d'argent). ‖ *Sou à sou, sou par sou,* par toutes petites sommes : *Amasser une fortune sou à sou.* — 2° *N'avoir pas un sou de, pas pour un sou de,* être complètement dépourvu de : *Il n'a pas pour un sou de bon sens.* ‖ Fam. *S'ennuyer, s'embêter à cent sous de l'heure,* au plus haut degré. (Le *sou* était une pièce de monnaie valant la vingtième partie du franc, ou cinq centimes.)

soubassement [subɑsmɑ̃] n. m. Partie inférieure d'une construction, qui repose elle-même sur la fondation.

soubresaut [subrəso] n. m. 1° Saut brusque, inopiné : *Le cheval a fait un soubresaut qui a failli désarçonner le cavalier.* — 2° Mouvement brusque et involontaire du corps : *Il est très nerveux, au moindre bruit il fait des soubresauts* (syn. : SURSAUT).

soubrette [subrɛt] n. f. 1° Servante de comédie : *Les soubrettes jouent un grand rôle dans les comédies de Marivaux.* — 2° *Fam.* Femme de chambre.

souche [suʃ] n. f. 1° Partie inférieure du tronc d'un arbre, qui reste dans la terre quand l'arbre a été coupé; cette même partie arrachée avec des racines : *Arracher une souche. Faire un feu de souches.* ‖ *Etre, rester comme une souche, ne pas se remuer plus qu'une souche,* demeurer dans une immobilité complète. — 2° Personne qui est à l'origine d'une suite de descendants : *La souche d'une dynastie.* — 3° Origine, source : *De la souche indoeuropéenne sont sorties un grand nombre de langues.* — 4° Partie qui reste des feuilles d'un registre, d'un carnet et qui sert à vérifier l'authenticité de la partie détachée : *Un carnet à souche(s). La souche d'un chéquier.*

1. souci [susi] n. m. Plante cultivée pour ses fleurs jaunes ornementales.

2. souci [susi] n. m. 1° Préoccupation relative à une personne ou à une chose à laquelle on porte intérêt : *Vivre sans souci. Cette affaire lui donne bien du souci* (syn. : TRACAS; fam. : CASSEMENT [DE TÊTE], TINTOUIN). *Etre accablé, dévoré, rongé de soucis* (syn. : ANGOISSE, TOURMENT). *Avoir le souci de plaire* (= avoir cure). ‖ *Se faire du souci, s'inquiéter* (syn. pop. : SE FAIRE DE LA BILE). — 2° Personne ou chose qui occupe l'esprit au point de l'inquiéter : *Son fils est son unique souci. Avoir des soucis familiaux, financiers* (syn. fam. : ARIA, ENNUI; fam. : EMBÊTEMENT, EMPOISONNEMENT). ‖ Fam. *C'est le moindre, le cadet de ses soucis,* il ne s'en inquiète pas du tout. ◆ **soucier (se)** v. pr. *Se soucier de quelqu'un, de quelque chose,* s'en inquiéter, se mettre en peine à leur sujet : *Il ne se soucie de personne ni de rien* (syn. : SE PRÉOCCUPER). *Il se soucie fort peu de conserver ses amis.* ‖ Fam. *Se soucier d'une chose comme de l'an quarante, comme de sa première chemise,* ne s'en soucier nullement. ◆ **soucieux, euse** adj. Se dit d'une personne (ou de son attitude) qui a du souci : *Votre ami nous a paru bien soucieux, il doit avoir des ennuis* (syn. : INQUIET, PRÉOCCUPÉ). *Un air soucieux* (syn. : PENSIF, SONGEUR). ‖ *Soucieux de quelque chose,* qui se préoccupe de quelque chose, de faire quelque chose : *Un homme soucieux de sa liberté, de sa dignité* (syn. : ATTENTIF). *Une femme soucieuse de rendre service.* ◆ **insouciant, e** adj. et n. Qui ne s'inquiète de rien : *Un enfant insouciant.*

soucoupe [sukup] n. f. 1° Petite assiette légèrement creuse qui se place sous une tasse. — 2° *Soucoupe volante,* engin de forme généralement circulaire auquel on attribue souvent une origine extraterrestre.

soudain, e [sudɛ̃, -ɛn] adj. Se dit de ce qui se produit, arrive tout à coup : *Une douleur soudaine* (syn. : BRUSQUE). *Une mort soudaine* (syn. : SUBIT). ◆ **soudain** adv. Dans le même instant, tout à coup : *Il reçut un ordre et soudain il partit* (syn. : AUSSITÔT). *Soudain, la sonnerie du téléphone retentit.* ◆ **soudainement** adv. : *Un mal qui apparaît soudainement* (syn. : BRUSQUEMENT, SUBITEMENT). *Se trouver soudainement seul* (syn. : TOUT À COUP). ◆ **soudaineté** n. f. Caractère de ce qui est soudain : *La soudaineté de cet événement a surpris tout le monde* (syn. : RAPIDITÉ). *La soudaineté d'une catastrophe.*

souder [sude] v. tr. Joindre à l'aide d'une soudure : *Souder deux tuyaux, deux tiges de fer.* ◆ **se souder** v. pr. (sujet nom désignant des parties organiques) : *Deux os qui se soudent* (= qui se réunissent pour n'en former qu'un seul). ◆ **soudure** n. f. 1° Opération qui consiste à unir, au moyen d'un alliage, deux pièces métalliques ou certains produits synthétiques sous l'action de la chaleur : *Faire une soudure à l'étain.* — 2° Partie soudée : *Le tuyau est crevé à la soudure.* — 3° *Assurer, faire la soudure,* satisfaire aux besoins des consommateurs ou d'une entreprise à la fin d'une période comprise entre deux récoltes, entre deux rentrées financières, etc. ◆ **soudeur** n. m. Ouvrier qui soude. ◆ **dessouder** v. tr. Séparer ce qui était soudé : *Le choc a dessoudé la pièce. La panne a été causée par un fil qui s'est dessoudé.* ◆ **ressouder** v. tr.

soudoyer [sudwaje] v. tr. *Péjor.* S'assurer à prix d'argent le concours d'individus sans scrupule : *Soudoyer des espions, de faux témoins, des assassins.*

souffler [sufle] v. intr. 1° (sujet nom désignant le vent) Agiter, déplacer l'air : *Le mistral souffle avec violence, en rafales. Le vent souffle du nord, du midi.* ‖ *Observer, regarder de quel côté souffle le vent,* observer quelle direction vont prendre les événements. ‖ *L'esprit souffle où il veut,* l'inspiration vient sans qu'on sache comment. — 2° (sujet nom d'être animé) Envoyer de l'air par la bouche : *Souffler dans ses doigts pour les réchauffer. Souffler sur un potage pour le refroidir. Souffler sur une bougie pour l'éteindre.* — 3° Respirer avec peine : *Il ne peut monter quelques marches sans souffler* (syn. : HALETER). *Dès qu'il court un peu, il se met à souffler.*

Souffler comme un bœuf, comme un cachalot, comme un phoque (= très fort, en faisant du bruit). — **4°** *Laissez souffler une personne, un animal,* les laisser reprendre haleine : *Laissez-nous le temps de souffler. Laissez souffler votre cheval. Donnez-nous un instant pour souffler.* ◆ v. tr. **1°** *Souffler quelque chose,* diriger, envoyer de l'air dessus pour activer sa combustion : *Souffler le feu;* pour l'éteindre : *Souffler une bougie.* — **2°** Envoyer, chasser au moyen du souffle : *Le vent leur soufflait la poussière au visage. Souffler de la fumée au nez.* — **3°** Fam. *Souffler une personne, une chose à quelqu'un,* la lui enlever : *Elle lui avait soufflé son amant. Souffler un emploi à quelqu'un* (= l'obtenir à son détriment). *Souffler un pion, une dame à un adversaire* (= les lui enlever quand il ne s'en est pas servi pour prendre); et intransitiv. : *Souffler n'est pas jouer* (= le fait de souffler ne compte pas pour un coup). — **4°** Détruire par l'effet du souffle : *La maison de nos voisins a été soufflée par une bombe pendant la Seconde Guerre mondiale.* — **5°** Etonner profondément : *Tous ses amis ont été soufflés en apprenant son divorce.* — **6°** *Souffler une leçon, un rôle à quelqu'un,* lui dire tout bas les mots qui échappent à sa mémoire. ‖ *Souffler quelque chose à (l'oreille de) quelqu'un,* le lui dire en secret (syn. : CHUCHOTER, GLISSER À L'OREILLE). ‖ *Ne pas souffler mot,* ne rien dire. ◆ **soufflant, e** adj. *Fam.* Qui étonne profondément : *Un record soufflant.* ◆ **souffle** n. m. **1°** Agitation de l'air dans l'atmosphère : *Il n'y a pas un souffle de vent. Le souffle léger de la brise.* — **2°** Air chassé du poumon et passant par la bouche; le fait de rejeter cet air : *Eteindre une bougie avec son souffle. Retenir son souffle* (syn. : RESPIRATION). ‖ *Avoir du souffle,* avoir une respiration régulière qui permet de courir ou de parler longtemps; être doué d'une inspiration soutenue. ‖ *Etre à bout de souffle,* ne pas pouvoir poursuivre un effort; être exténué, incapable d'achever un ouvrage. ‖ *Manquer de souffle, avoir le souffle court,* être vite essoufflé; manquer de l'inspiration suffisante : *Un poète qui manque de souffle.* ‖ *N'avoir qu'un souffle de vie,* être extrêmement faible. ‖ *Dernier souffle,* dernier soupir : *Rendre le dernier souffle* (= expirer). ‖ Fam. *Couper le souffle, en avoir le souffle coupé,* étonner vivement, être étonné au point d'en perdre la respiration. ‖ *Souffle créateur,* force par laquelle Dieu a animé les êtres vivants; inspiration de l'écrivain, de l'artiste, du savant. — **3°** Déplacement d'air extrêmement brutal, produit par une explosion : *Le souffle d'une bombe.* — **4°** Bruit anormal produit par un organe malade et perceptible à l'auscultation (en termes de médecine) : *Un souffle cardiaque.* ◆ **soufflé, e** adj. **1°** *Avoir la figure soufflée* (= bouffie). — **2°** *Omelette soufflée,* omelette légère obtenue en battant séparément les blancs d'œufs en neige. — **3°** Fam. *Rester soufflé,* se dit d'une personne qui est étonnée au point d'en perdre le souffle. ◆ **soufflé** n. m. Mets ou entremets obtenu avec des blancs d'œufs battus en neige, auxquels on ajoute du fromage, de la fécule de pomme de terre, etc. ◆ **soufflet** n. m. **1°** Instrument servant à souffler (sens 1 du v. tr.) : *Un soufflet de forge.* — **2°** Couloir flexible de communication entre deux voitures de chemin de fer. ◆ **souffleur** n. m. Au théâtre, celui qui est chargé de souffler leur rôle aux acteurs.

1. soufflet n. m. V. SOUFFLER.

2. soufflet [suflɛ] n. m. Coup du plat ou du revers de la main appliqué sur la joue (littér.) : *Donner, recevoir un soufflet* (syn. : CLAQUE, GIFLE). ◆ **souffleter** v. tr. (conj. **8**). Donner un soufflet à quelqu'un : *Souffleter un malappris* (syn. : GIFLER).

souffrir [sufrir] v. tr. (conj. **16**). **1°** (sujet nom de personne) Supporter quelque chose de pénible : *Souffrir la faim, la soif, la torture sans se plaindre* (syn. : ENDURER, SUBIR). ‖ *Souffrir le martyre* (littér.), éprouver de grandes douleurs. — **2°** *Ne pas pouvoir souffrir une personne, une chose,* avoir pour elle de l'antipathie, de l'aversion, de la répulsion : *Il ne peut pas souffrir ses voisins. Elle est d'une insolence telle que personne ne peut la souffrir* (syn. : SENTIR). *Il ne peut souffrir le mensonge. Elle ne peut souffrir l'odeur du poisson, les aliments salés* (fam.). — **3°** *Souffrir que* (et le subj.) [littér.], permettre, consentir : *Souffrez que je vous fasse une remarque. Il ne peut pas souffrir qu'on le contredise* (syn. : TOLÉRER). — **4°** (sujet nom de chose) Admettre, être susceptible de : *Cette affaire ne peut souffrir de retard. Une règle qui souffre de nombreuses exceptions.* ◆ v. intr. **1°** (sujet nom de personne) Eprouver une douleur physique ou morale : *Il est malade depuis quelque temps et souffre beaucoup. Souffrir comme un martyr, comme un damné. Ses rhumatismes le font beaucoup souffrir. Souffrir pour la vérité, pour sa patrie, pour sa religion.* — **2°** (sujet nom de chose) Eprouver un dommage : *Il a fait froid cet hiver et les arbres fruitiers ont beaucoup souffert* (syn. : SE DÉTÉRIORER; fam. : S'ABÎMER). — **3°** (sujet nom de personne ou de chose) *Souffrir de* (et un compl. indiquant l'origine ou la cause) : *Souffrir des dents, de la gorge* (= avoir mal aux dents, à la gorge). *Souffrir de la faim, du froid* (= être tourmenté par le froid, la faim). *Le pays a souffert d'une crise économique* (syn. : ÊTRE VICTIME, PÂTIR DE). *Cette ville a souffert des bombardements* (= a été endommagée); et un infinitif : *Il souffre d'être incompris et de voir que tout le monde le fuit* (= il éprouve du chagrin). ◆ ***se souffrir*** v. pr. Se supporter mutuellement : *Ces deux collègues ne peuvent se souffrir.* ◆ **souffrance** n. f. Douleur physique ou morale : *Etre dur à la souffrance. Endurer une extrême souffrance. Cet homme a eu sa part de souffrances* (syn. : PEINE). ◆ **souffrant, e** adj. **1°** Qui est plus ou moins gravement malade : *Notre professeur de français n'a pas pu faire son cours hier, il était souffrant.* — **2°** Qui marque la souffrance : *Un air souffrant.* ◆ **souffreteux, euse** adj. Se dit d'une personne qui est habituellement souffrante, de santé délicate : *Un enfant souffreteux* (syn. : CHÉTIF, MALINGRE). ◆ **souffre-douleur** n. m. invar. Personne en butte aux mauvais traitements, aux tracasseries des autres.

1. souffrance n. f. V. SOUFFRIR.

2. souffrance [sufrɑ̃s] n. f. *Laisser une affaire en souffrance,* la laisser en suspens. ‖ *Colis en souffrance,* colis qui n'a pas été retiré ou réclamé par le destinataire.

soufre [sufr] n. m. Corps simple, friable, de couleur jaune clair, qui brûle en dégageant une odeur forte : *Etre suffoqué par des vapeurs de soufre.* ◆ **soufrer** v. tr. *Soufrer une vigne,* répandre dessus du soufre en poudre.

souhaiter [swɛte] v. tr. **1°** Désirer pour autrui ou pour soi la possession, l'accomplissement d'une chose : *Souhaiter la santé, toutes sortes de prospérités à quelqu'un. Je souhaiterais pouvoir vous rendre service. Il ne souhaite rien tant que de vous* aider (syn. : RÊVER DE). *Nous souhaitons que vous réussissiez à votre concours. Il est à souhaiter que vous arriviez à temps.* — 2° S'emploie dans des formules de politesse lorsqu'on fait des vœux pour quelqu'un : *Souhaiter le bonjour, le bonsoir, la bonne année. Souhaiter bon voyage, bonne route.* ‖ Fam. *Je vous en souhaite,* vœu ironique adressé à quelqu'un pour lui faire prévoir des désagréments : *Vous voulez partir en voyage avec cette voiture? Je vous en souhaite!* ◆ **souhait** n. m. Désir que quelque chose s'accomplisse : *Former, formuler des souhaits de bonheur. Accomplir, réaliser un souhait.* ‖ *Souhaits de bonne année,* vœux de bonheur exprimés à l'occasion de la nouvelle année. ‖ Fam. *A vos souhaits!,* se dit à une personne qui éternue. ● Loc. ADV. *A souhait,* comme on le souhaite, autant qu'on le désire : *Tout lui réussit à souhait. Avoir tout à souhait.* ◆ **souhaitable** adj. Qui peut être souhaité : *Il a toutes les qualités souhaitables* (syn. : DÉSIRABLE).

souiller [suje] v. tr. 1° *Souiller quelque chose,* le couvrir de boue, d'ordure, de saleté (littér.) : *Souiller ses mains, ses vêtements* (syn. plus usuel : SALIR). *Malade qui souille son lit. Souiller ses mains de sang* (= être un meurtrier). — 2° Flétrir par quelque chose de déshonnête : *Souiller la réputation, la mémoire de quelqu'un* (syn. : ENTACHER, DÉSHONORER). ◆ **souillure** n. f. Tache morale : *Se garder pur de toute souillure* (syn. : CORRUPTION). *La souillure du péché* (syn. : FLÉTRISSURE).

souillon [sujɔ̃] n. *Fam.* Femme, fille malpropre, sale : *Une petite souillon. Elle est habillée comme un souillon.*

souk [suk] n. m. Marché, dans les pays arabes; endroit où se tient ce marché.

soûl, e [su, sul] adj. 1° Se dit d'une personne qui est ivre : *Un homme soûl qui invective les passants.* ‖ Fam. *Soûl comme une grive, comme une bourrique, comme un cochon,* complètement ivre. — 2° *Etre soûl de quelque chose,* en être repu ou grisé : *Etre soûl de paroles, de musique, de poésie.* ◆ **soûl** n. m. (avec un adj. possessif). *Tout mon, ton, son, leur soûl,* autant qu'on veut : *Boire, manger, dormir tout son soûl* (syn. : TOUT MON [TON...] CONTENT). ◆ **soûler** v. tr. 1° Pop. *Soûler quelqu'un,* le faire trop boire. — 2° Pop. *Soûler quelqu'un,* l'importuner par du bavardage, du bruit, de l'agitation. ◆ ***se soûler*** v. pr. *Fam.* S'enivrer : *Un oisif qui passe son temps dans les cafés et se soûle.* ◆ **soûlard, e** ou **soûlaud, e** n. et adj. Ivrogne, ivrognesse. ◆ **soûlerie** n. f. *Pop.* Partie de débauche où l'on s'enivre. ◆ **soûlographie** n. f. *Pop.* Ivrognerie. ◆ **dessoûler** v. tr. Fam. *Dessoûler quelqu'un,* faire cesser son ivresse : *Le grand air l'a dessoûlé.* ◆ v. intr. *Fam.* Cesser d'être ivre (surtout à la forme négative) : *Depuis trois jours, il n'a pas dessoûlé.*

soulager [sulaʒe] v. tr. 1° *Soulager un être animé,* le débarrasser d'un fardeau : *Soulager un porteur trop chargé.* ‖ Ironiq. *Soulager quelqu'un de son portefeuille,* le lui voler. — 2° *Soulager une poutre, une planche,* diminuer la charge qui pèse dessus. — 3° Diminuer une souffrance physique ou morale : *Soulager une douleur* (syn. : APAISER, CALMER). *Le médecin lui a prescrit un remède qui l'a bien soulagé. Il était soulagé d'avoir avoué sa faute. Soulager un malheureux* (syn. : AIDER, SECOURIR). *Cela soulage de pleurer quand on a de la peine* (syn. : APAISER). ◆ ***se soulager*** v. pr. *Fam.* Satisfaire un besoin naturel. ◆ **soulagement** n. m. : *Donner, apporter, procurer du soulagement* (syn. : ADOUCISSEMENT). *Eprouver du soulagement* (syn. : APAISEMENT; contr. : EXCITATION).

soulever [sulve] v. tr. 1° *Soulever un être animé, une chose,* les lever à une faible hauteur : *Soulever un malade dans son lit, lui soulever la tête. Soulever quelqu'un de terre. Ce bureau est si lourd qu'on ne peut le soulever.* — 2° *Pop.* Dérober, voler : *On lui a soulevé son portefeuille.* — 3° Ecarter une chose qui en cache une autre : *Soulever le couvercle d'une boîte. Soulever les rideaux de la fenêtre pour regarder dans la rue* (syn. : RELEVER). — 4° Mettre en mouvement, faire lever : *La tempête soulève les vagues* (syn. : AGITER). *Le vent soulevait la poussière.* ‖ *Soulever le cœur,* donner envie de vomir; causer un profond dégoût. — 5° Provoquer la colère, l'indignation de : *Sa déloyauté a soulevé tout le monde contre lui.* — 6° Pousser à la révolte, à la rébellion : *Soulever le peuple, une province.* — 7° Exciter fortement : *Soulever l'enthousiasme, l'indignation* (syn. : PROVOQUER). *Soulever des applaudissements, des protestations* (syn. : DÉCLENCHER). *Soulever des difficultés* (= les susciter). — 8° *Soulever une question, un problème, un débat,* les faire naître, en provoquer la discussion. ◆ ***se soulever*** v. pr. 1° Se lever, se déplacer légèrement : *Il est si faible qu'il ne peut se soulever de sa chaise.* — 2° Se révolter : *Une province qui se soulève.* — 3° (sens passif) S'agiter : *Les vagues se soulèvent.* ‖ *Le cœur se soulève,* on a la nausée. ◆ **soulèvement** n. m. 1° Mouvement de ce qui se soulève : *Le soulèvement des flots.* — 2° *Soulèvement de cœur,* mal au cœur causé par le dégoût (syn. : NAUSÉE). — 3° Mouvement de révolte collective : *Apaiser, réprimer un soulèvement* (syn. : INSURRECTION).

soulier [sulje] n. m. 1° Chaussure à semelle rigide, qui couvre le pied en tout ou en partie : *Des souliers de cuir, de daim, de toile. Des souliers de sport, de chasse. Des souliers fins.* — 2° Fam. *Etre dans ses petits souliers,* être dans une situation embarrassante. (Le plus souvent remplacé auj. par *chaussure.*)

souligner [suliɲe] v. tr. 1° *Souligner un mot, une phrase,* tirer un trait, une ligne en dessous : *Souligner un titre de chapitre au crayon bleu. Souligner dans un texte ce qui doit être imprimé en italique.* — 2° *Souligner quelque chose,* le faire ressortir, le mettre en valeur : *Souligner la sveltesse de sa taille par des vêtements collants* (syn. : ACCENTUER). — 3° *Souligner quelque chose,* attirer l'attention dessus en insistant : *Souligner l'importance d'une découverte. Nous avons compris ce que vous voulez dire, il est inutile de le souligner* (syn. : FAIRE REMARQUER). ◆ **soulignage** ou **soulignement** n. m. (sens 1 du verbe) : *Le soulignage d'un texte au crayon rouge.*

soumettre [sumɛtr] v. tr. (conj. 57). 1° Mettre dans un état de dépendance, ramener à l'obéissance : *Soumettre un pays à ses lois* (syn. : ASSUJETTIR, CONQUÉRIR). *Soumettre des rebelles* (syn. : DOMPTER). — 2° Astreindre à une loi, à un règlement (surtout au passif) : *Soumettre un commerce à une réglementation, à des formalités. Un revenu soumis à l'impôt.* — 3° *Soumettre quelque chose à une personne, à un groupe de personnes,* le présenter à son examen, à sa critique : *Soumettre un projet, une question, un problème à un spécialiste* (syn. : PROPOSER). *Soumettre un article, un manuscrit à un* *comité de rédaction.* — 4° *Soumettre un produit à une analyse,* le faire analyser pour en connaître les éléments. — 5° *Soumettre quelqu'un à un traitement, à une épreuve,* lui faire subir un traitement, une épreuve. ◆ ***se soumettre*** v. pr. 1° Abandonner la lutte : *Après une courte résistance, les insurgés se sont soumis.* — 2° Se conduire conformément à : *Se soumettre à la loi, aux ordres de quelqu'un* (syn. : OBÉIR, OBTEMPÉRER). *Se soumettre à un arbitrage, à des formalités* (= y consentir, s'y plier). ◆ **soumis, e** adj. 1° Se dit de quelqu'un (ou de son attitude) qui est obéissant : *Un fils respectueux et soumis* (syn. : DOCILE; contr. : INDISCIPLINÉ, RÉCALCITRANT). *Un air soumis* (contr. : DOMINATEUR). — 2° *Fille soumise,* syn. de PROSTITUÉE. ◆ **soumission** n. f. 1° Action de se soumettre : *Les tribus rebelles ont fait leur soumission.* — 2° Disposition à obéir : *Il est toujours d'une parfaite soumission à l'égard de ses parents* (syn. : DOCILITÉ, OBÉISSANCE). *Une soumission aveugle à un parti.* ◆ **insoumis, e** adj. et n. : *Un soldat insoumis* (= qui refuse de satisfaire à ses obligations militaires). ◆ **insoumission** n. f.

soupape [supap] n. f. Obturateur servant à intercepter ou à établir le passage d'un fluide dans un sens et à l'empêcher de refluer dans le sens opposé : *Dans un moteur d'automobile, les soupapes assurent l'admission et l'échappement des gaz.*

soupçonner [supsɔne] v. tr. 1° *Soupçonner quelqu'un de* (et un nom ou l'infin.), lui attribuer, d'après certaines apparences, des actes ou des pensées plus ou moins condamnables : *Soupçonner quelqu'un de mensonge, de trahison* (syn. : SUSPECTER). *Je le soupçonne de m'avoir desservi auprès de vous. Ce voyou est soupçonné d'avoir participé à plusieurs vols.* — 2° *Soupçonner quelque chose, soupçonner que* (et l'indic. ou le subj.), conjecturer l'existence, la présence de quelque chose : *Soupçonner un piège, une vengeance. On soupçonne qu'il est l'auteur des lettres anonymes. Il ne soupçonnait pas qu'on voulût le tromper.* ‖ Fam. *Vous ne soupçonnez pas ce que c'est que cette affaire,* vous n'imaginez pas ce qu'est cette affaire, vous n'en avez pas la moindre idée. ◆ **soupçon** n. m. 1° Opinion désavantageuse formée sur une personne, mais sans certitude : *Un soupçon injuste, mal fondé. Les soupçons se sont portés sur lui* (= il est suspect). *Dissiper, détourner les soupçons. Une conduite exempte de tout soupçon* (syn. : SUSPICION). — 2° Simple conjecture, simple opinion : *J'ai quelque soupçon que c'est votre ami qui a téléphoné.* — 3° Très petite quantité d'une chose : *Une tasse de thé avec un soupçon de lait* (= un nuage). *Se mettre un soupçon de fard.* ◆ **soupçonnable** adj. Qui peut être soupçonné : *Sa conduite n'est pas soupçonnable* (contr. : INSOUPÇONNABLE). ◆ **soupçonneux, euse** adj. Se dit d'une personne (ou de son comportement) qui soupçonne facilement : *Un mari soupçonneux* (syn. : DÉFIANT, MÉFIANT). *Regarder quelqu'un d'un air soupçonneux.* ◆ **soupçonneusement** adv. : *Observer une personne soupçonneusement.* ◆ **insoupçonnable** adj. Qui ne peut être soupçonné : *Une femme insoupçonnable.* ◆ **insoupçonné, e** adj. Qui n'est pas soupçonné : *Un trésor d'une valeur insoupçonnée.*

soupe [sup] n. f. 1° Mets composé de bouillon et de tranches de pain (s'emploie souvent comme syn. de POTAGE) : *Une soupe aux choux, à l'oignon. Servir la soupe.* — 2° Fam. *A la soupe,* à table. ‖ Fam. *La soupe fait le soldat,* une nourriture substantielle rend résistant. ‖ Fam. *S'emporter comme une soupe au lait,* être sujet à de brusques colères. ‖ Fam. *Trempé comme une soupe,* très mouillé. ◆ **soupière** n. f. Récipient creux et large, dans lequel on sert la soupe, le potage.

soupente [supɑ̃t] n. f. Réduit aménagé dans la partie haute d'une pièce, sous un escalier.

souper [supe] n. m. Repas que l'on prend dans la nuit, à la sortie d'un spectacle, d'une soirée. ◆ **souper** v. intr. 1° Prendre un souper : *Aller souper au sortir du théâtre.* — 2° Fam. *Avoir soupé d'une chose,* en avoir assez, en être excédé : *On en a soupé de vos rengaines.* ◆ **soupeur, euse** n. Personne qui soupe, qui a l'habitude de souper. (V. DÎNER.)

soupeser [supəze] v. tr. *Soupeser un être animé, une chose,* les soulever avec la main pour juger de leur poids : *Soupeser une volaille, un colis.*

soupirail, aux [supiraj, -ro] n. m. Ouverture pratiquée à la partie inférieure d'un bâtiment pour donner de l'air et de la lumière aux caves et aux sous-sols.

1. soupirer [supire] v. intr. Pousser des soupirs : *Soupirer de regret, de douleur.* ◆ **soupir** n. m. 1° Respiration forte et prolongée, occasionnée par un état généralement pénible : *Pousser de profonds soupirs. Etouffer ses soupirs. Un soupir de résignation, de soulagement.* — 2° *Rendre le dernier soupir,* mourir (syn. : EXPIRER).

2. soupirer [supire] v. tr. ind. 1° *Soupirer pour une femme,* en être amoureux (littér.) : *Soupirer pour une ingrate.* — 2° *Soupirer après quelque chose,* le rechercher ouvertement : *Soupirer après les honneurs.* ◆ **soupirant** n. m. Celui qui est amoureux d'une femme, qui lui fait la cour : *Décourager les soupirants.*

souple [supl] adj. 1° Se dit d'une chose qui se plie aisément : *Une branche, une tige souple* (syn. : FLEXIBLE). *Un cuir souple.* — 2° Se dit d'une personne dont les membres ont une grande facilité à se mouvoir, à se plier : *Malgré son âge, il est encore souple* (syn. : AGILE). *Souple comme un chat. Avoir la taille, les reins souples.* — 3° Se dit d'une personne accommodante, qui s'adapte aisément aux volontés d'autrui, aux circonstances : *Pour réussir dans le monde, il faut être souple* (syn. : ADROIT, COMPRÉHENSIF). *Avoir l'esprit souple, un caractère souple.* ‖ *Etre souple comme un gant, avoir l'échine, les reins souples,* être docile, maniable, soumis (souvent péjor.). ◆ **souplesse** n. f. 1° : *La souplesse de l'osier, du jonc* (syn. : FLEXIBILITÉ). *La souplesse d'un acrobate* (syn. : AGILITÉ). *La souplesse d'un diplomate* (syn. : HABILETÉ). *Manœuvrer avec souplesse* (syn. : ADRESSE, DIPLOMATIE). — 2° Fam. *En souplesse,* avec aisance : *Sauter en souplesse.*

source [surs] n. f. 1° Eau qui sort de terre; endroit d'où elle sort : *Capter, exploiter une source d'eau minérale. Eau de source* (= qui vient d'une source). — 2° Principe, origine d'une chose : *La vanité est une source de ridicule. Ce fatal événement est la source de tous nos maux* (syn. : CAUSE, POINT DE DÉPART). *Une source inépuisable de profits.* — 3° Origine d'une information, d'un renseignement : *Tenir une nouvelle de bonne source* (= de personnes bien informées). — 4° (au plur.) Documents, textes originaux auxquels on se réfère (en littérature, en histoire, etc.) : *Faire la critique des sources. Cet historien a utilisé toutes les sources.* — 5° *Couler de source,* se produire d'une manière aisée, naturelle : *Cet auteur écrit facilement, cela coule de source.* ‖ *Remonter à la source, aux sources,* suivre une enquête, diriger des recherches de manière à retrouver l'origine d'une affaire. ‖ *Source d'énergie, de chaleur, de lumière,* système naturel ou artificiel qui fournit de l'énergie, de la chaleur, de la lumière. ◆ **sourcier, ère** n. Personne qui possède ou prétend posséder le talent de découvrir les sources à l'aide d'une baguette ou d'un pendule.

sourcil [sursi] n. m. 1° Saillie arquée au-dessus de l'orbite; ensemble des poils qui garnissent cette région de l'œil : *Lever, baisser, remuer les sourcils. S'épiler les sourcils.* — 2° *Froncer les sourcils,* témoigner du mécontentement. ◆ **sourcilière** adj. f. *Arcade sourcilière,* saillie arquée que présente l'os frontal au-dessus des orbites. ◆ **sourciller** v. intr. (s'emploie négativement). *Ne pas sourciller, sans sourciller,* demeurer impassible, ne pas laisser paraître sur son visage la plus légère émotion : *Il n'a pas sourcillé quand son professeur l'a mis à la porte. Ecouter des reproches sans sourciller.*

1. sourd, e [sur, surd] adj. et n. 1° Se dit d'une personne qui ne perçoit pas ou perçoit difficilement les sons : *Etre sourd de naissance. Devenir sourd. Cette maladie l'a rendu sourd d'une oreille. Les sourds parlent d'une voix forte. Etre sourd comme un pot* (fam. = être extrêmement sourd). — 2° *Crier, frapper comme un sourd,* de toutes ses forces. ‖ *Etre sourd à quelque chose,* ne pas vouloir l'entendre : *Etre sourd aux avis, aux sollicitations, aux prières de quelqu'un.* ‖ *Faire la sourde oreille,* faire semblant de ne pas entendre. ◆ **surdité** n. f. : *Etre atteint d'une surdité totale.* ◆ **sourd-muet** adj. et n. m., **sourde-muette** adj. et n. f. Personne privée de l'ouïe et de la parole : *Le langage des sourds-muets.* ◆ **surdi-mutité** n. f. Etat d'une personne sourde-muette.

2. sourd, e [sur, surd] adj. Se dit d'une chose peu sonore, dont le son est étouffé : *Un bruit sourd. Une voix sourde* (contr. : ÉCLATANT, RETENTISSANT). *Un gémissement sourd.* ◆ adj. et n. f. En phonétique, se dit d'une consonne dont le son ne comporte pas de vibrations des cordes vocales : *Les consonnes* [k], [t], [p] *sont des sourdes.* ◆ **sourdement** adv. : *Le tonnerre grondait sourdement.*

3. sourd, e [sur, surd] adj. 1° Qui ne se manifeste pas nettement : *Une douleur sourde* (contr. : AIGU). *Une inquiétude sourde.* — 2° Qui se fait secrètement : *De sourdes menées, de sourdes machinations* (syn. : CACHÉ, CLANDESTIN, SECRET). *Une guerre sourde.* — 3° *Lanterne sourde,* lanterne dont on cache la lumière à volonté. ◆ **sourdement** adv. : *Intriguer sourdement* (syn. : SECRÈTEMENT).

sourdine [surdin] n. f. 1° Petit appareil qui s'adapte à certains instruments de musique afin d'en assourdir la sonorité. — 2° Fam. *Mettre une sourdine à quelque chose,* le modérer, l'atténuer : *Mettre une sourdine à son enthousiasme, à ses prétentions* (syn. : BAISSER LE TON). • LOC. ADV. *En sourdine,* sans bruit : *Protester en sourdine;* secrètement : *Négocier une affaire en sourdine.*

sourdre [surdr] v. intr. (conj. 84). 1° (sujet nom désignant l'eau) Sortir de terre : *Dans cette région marécageuse, l'eau sourd de tous côtés* (syn. : JAILLIR). — 2° (sujet nom abstrait) Se manifester, s'élever (littér.) : *Le mécontentement sourd lentement* (syn. : SURGIR).

sourire [surir] v. intr. (conj. 67). Rire sans éclat, et seulement par un léger mouvement de la bouche et des yeux : *Sourire malicieusement, dédaigneusement. Elle vint au-devant de lui en souriant.* ◆ v. tr. ind. 1° (sujet nom de personne) *Sourire à quelqu'un,* lui témoigner par un sourire de l'affection, de la sympathie : *Elle s'était assise en face de lui et elle lui souriait.* — 2° (sujet nom de chose) *Sourire à quelqu'un,* lui être agréable, favorable : *Ce projet ne lui sourit guère* (syn. : PLAIRE, ↑ ENCHANTER). *La fortune lui sourit assez souvent* (syn. : FAVORISER). ◆ **souriant, e** adj. Se dit de quelqu'un (ou de son attitude) qui sourit : *Un homme aimable et toujours souriant. Un visage souriant* (syn. : GAI). ◆ **sourire** n. m. 1° Action de sourire; rire léger : *Un sourire aimable, gracieux, spirituel, moqueur. Avoir toujours le sourire sur les lèvres.* — 2° Fam. *Avoir le sourire,* laisser paraître sa satisfaction, être content de ce qui est arrivé.

1. souris [suri] n. f. 1° Petit rongeur qui cause des dégâts dans les maisons, dans les granges, en dévorant des aliments, des vêtements, des papiers, des grains, etc. — 2° *Pop.* Jeune femme ou jeune fille. — 3° *Jouer au chat et à la souris,* se dit de deux personnes dont l'une cherche vainement à joindre l'autre. ‖ *On le (la) ferait rentrer dans un trou de souris,* se dit d'une personne peureuse. ◆ **souriceau** n. m. Petit d'une souris. ◆ **souricière** n. f. 1° Piège pour prendre des souris. — 2° Piège tendu par la police qui poste des policiers à l'endroit où elle sait que des malfaiteurs doivent se rendre.

2. souris [suri] n. f. Muscle charnu qui tient à l'os du gigot, près de la jointure.

sournois, e [surnwɑ, -nwaz] adj. et n. Se dit d'une personne (ou de son attitude) qui agit en dessous : *Un enfant sournois* (syn. : DISSIMULÉ). *Une petite sournoise. Un air sournois* (contr. : FRANC). *Une méchanceté sournoise.* ◆ **sournoisement** adv. : *Attaquer quelqu'un sournoisement* (syn. : INSIDIEUSEMENT). ◆ **sournoiserie** n. f. : *Un enfant d'une sournoiserie inquiétante* (syn. : DISSIMULATION).

sous-, préfixe (contr. de *sur*) indiquant :
1° Celui qui est placé hiérarchiquement après un autre, qui occupe un poste inférieur à un autre (ce dernier est indiqué par le mot de base) : *sous-bibliothécaire, sous-brigadier, sous-diacre, sous-directeur, sous-économe, sous-intendant, sous-lieutenant, sous-préfet,* etc. Cet emploi est très développé dans le vocabulaire des métiers, avec des noms;
2° Ce qui est inférieur à la moyenne ou à la norme (insuffisant) : *sous-alimenter, sous-consommation, sous-développé, sous-exposer, sous-emploi, sous-production, sous-tension.* Cet emploi est développé surtout dans le vocabulaire économique et technique, avec des noms, des verbes, des participes;
3° Ce qui est placé en dessous d'une autre chose : *sous-maxillaire, sous-verre, sous-vêtement,* etc.;
4° Ce qui est à un deuxième degré par rapport à une autre personne ou une autre chose : *sous-entrepreneur, sous-genre, sous-louer,* etc.
(Les composés avec *sous* sont classés au mot de base; ils sont variables en nombre [les adjectifs, en genre et en nombre].)

sous	sur
1° Indique la position par rapport à ce qui est plus haut ou à ce qui enveloppe, qu'il y ait contact ou non : *Mettre un oreiller sous sa tête. Porter un paquet sous son bras, sous son manteau. S'asseoir sous un arbre. Se cacher sous les couvertures. Passer sous la fenêtre de quelqu'un. Mettre une lettre sous enveloppe. A cent mètres sous terre. Avoir quelque chose sous la main* (= à sa portée). *Être sous clef* (= dans un endroit fermé à clef). *Vivre sous la tente. S'abriter sous un parapluie.*	1° Indique la position par rapport à ce qui est plus bas, par rapport à un objet considéré comme une surface, qu'il y ait contact ou non : *Mettre sa tête sur un oreiller. Porter un fardeau sur son dos, sur ses épaules. Monter sur un bateau, sur une bicyclette. Un oiseau perché sur un arbre. S'appuyer sur un bâton. S'asseoir sur une chaise. Appuyer, presser sur un bouton. Graver son nom sur l'écorce d'un arbre. Avoir de l'argent sur soi* (= dans sa poche). *La clef est sur la porte. L'oiseau plane sur la vallée. Les avions qui passent sur nos têtes. Un appartement qui donne sur la rue.*
	2° Indique la direction par rapport à un point : *Tourner sur la droite. Se précipiter sur quelqu'un. Diriger, fixer, tourner son regard sur une personne. Tirer sur du gibier. Revenir sur ses pas. Fermer la porte sur soi* (syn. : DERRIÈRE). *Loucher sur quelque chose.*
2° Indique le temps (« dans le temps de ») : *Cela se passait sous Louis XIV, sous la Révolution, sous la IVe République. Il reviendra sous peu, sous peu de temps. Sous huitaine, sous quinzaine. Sous le pontificat de Jean XXIII.*	3° Indique le temps (proximité, approximation temporelle) : *Être sur son départ. Il est parti sur le tard, sur les onze heures du soir* (syn. : VERS). *Aller sur la cinquantaine* (fam.). LOC. **Sur ce,** cela étant dit ou fait : *Sur ce, nous vous quittons.* ‖ **Sur-le-champ,** v. à son ordre alphab. ‖ **Sur l'heure,** à l'instant même : *La décision fut prise sur l'heure* (syn. : SUR-LE-CHAMP, AUSSITÔT, IMMÉDIATEMENT).
3° Indique la cause (« sous l'action de », « sous l'influence de ») : *Une branche qui plie sous le poids des fruits. Être sous le coup d'une émotion. Être né sous une mauvaise étoile. Agir sous l'empire de la colère.*	4° Indique la cause (« en se fondant sur quelqu'un » [ou sur son comportement] ou « sur quelque chose ») : *Juger les gens sur la mine, sur les apparences* (syn. : D'APRÈS). *Il est venu sur votre invitation. Sur la recommandation de quelqu'un. Croire quelqu'un sur parole. Prêter sur gages.*
4° Indique le moyen : *Écrire sous un faux nom. Passer une chose sous silence* (= ne pas en parler). *Défense d'afficher, sous peine d'amende. Confier quelque chose sous le sceau du secret. Sous telle condition.*	5° Indique le moyen : *Jurer sur l'Évangile. Affirmer sur son honneur.*
5° Indique la manière : *Sous ce rapport, il vous est inférieur. Regarder un objet sous toutes ses faces.*	6° Indique la manière, l'état : *Il n'aime pas qu'on le prenne sur ce ton. Prendre exemple, modèle sur quelqu'un. Un vêtement sur mesure. Rester sur la défensive. Être sur ses gardes.*
	7° Indique la matière, le sujet : *Réfléchir sur un problème. Questionner quelqu'un sur ses projets. S'expliquer sur quelque chose. Apprendre quelque chose sur quelqu'un. Discuter sur des pointes d'aiguille. Un cours sur la tragédie au XVIIe siècle.*
	8° Indique le nombre (rapport de proportion), la répétition : *Sur deux cents candidats, cent vingt ont été reçus. Il a quatre-vingt-dix chances sur cent de réussir. Un terrain de cent mètres de long sur cinquante de large. Faire bêtise sur bêtise.*
6° Indique la subordination, la dépendance d'une personne : *Avoir des hommes sous ses ordres. Se mettre sous la protection d'une personne. Être sous la férule de quelqu'un.*	9° Indique la supériorité, l'influence d'une personne ou d'une chose : *L'emporter sur quelqu'un. Avoir de l'ascendant sur son entourage. Elle ne peut rien sur lui. Avoir des droits sur quelqu'un. Le climat influe sur la santé.*

2. sous [su], **sur** [syr] prép. Indiquent une situation inférieure ou supérieure à une autre. (V. tableau ci-dessus.)

sous-bois [subwa] n. m. Végétation qui pousse sous les arbres d'une forêt.

sous-chef [suʃɛf] n. m. Celui qui vient immédiatement après le chef : *Des sous-chefs de bureau.*

souscrire [suskrir] v. tr. ind. (conj. 71). 1° *Souscrire à une entreprise, à un emprunt,* etc., s'engager à fournir une certaine somme pour la mener à bien, pour le couvrir : *Souscrire à la construction d'un monument, d'une église. Souscrire à une publication* (= prendre l'engagement d'acheter, moyennant un prix convenu, un ouvrage qui doit être publié). — 2° *Souscrire à quelque chose,* y donner son adhésion : *Je souscris à votre proposition* (syn. : ACQUIESCER, APPROUVER). *Souscrire à un arrangement* (syn. : CONSENTIR). ◆ **souscription** n. f. 1° Engagement pris de fournir une somme pour contribuer à une dépense, à une entreprise : *Ouvrir une souscription.* — 2° Somme fournie par les souscripteurs : *Les souscriptions sont reçues jusqu'au 31 décembre.* ◆ **souscripteur** n. m. : *Publier la liste des souscripteurs.*

sous-cutané, e [sukytane] adj. 1° Situé sous la peau : *Tissu sous-cutané.* — 2° Qui se fait sous la peau : *Une piqûre sous-cutanée.*

sous-diacre [sudjakr] n. m. Celui qui, chez les catholiques, est promu au sous-diaconat : *Des sous-diacres.* ◆ **sous-diaconat** n. m. Le premier des ordres sacrés, chez les catholiques.

sous-emploi n. m. V. EMPLOYER.

sous-entendre [suzɑ̃tɑ̃dr] v. tr. (conj. **50**). *Sous-entendre quelque chose,* le faire comprendre sans le dire, ne pas exprimer franchement sa pensée : *Quand nous vous avons invités à venir avec nous en voyage, nous avons sous-entendu que vous participeriez aux frais. Cette clause est sous-entendue dans le contrat* (= n'est pas exprimée explicitement). ◆ **sous-entendu, e** adj. Se dit, en grammaire, d'un mot qui n'est pas exprimé : *Un verbe, un complément sous-entendu.* ◆ **sous-entendu** n. m. Ce qu'on fait comprendre sans le dire : *Une lettre pleine de sous-entendus.*

sous-fifre [sufifr] n. m. *Fam.* Individu qui occupe, dans une organisation ou une administration, un emploi tout à fait secondaire : *Des sous-fifres.*

sous-jacent, e [suʒasɑ̃, -ɑ̃t] adj. 1° Se dit d'une chose placée au-dessous d'une autre : *Des roches sous-jacentes.* — 2° Qui ne se manifeste pas clairement : *Des sentiments sous-jacents. Une idée sous-jacente.*

sous-lieutenant n. m. V. GRADE.

1. sous-main [sumɛ̃] n. m. invar. Accessoire de bureau sur lequel on place son papier pour écrire.

2. sous-main (en) [ɑ̃sumɛ̃] loc. adv. En cachette : *Il cherchait à lui nuire en sous-main* (syn. : CLANDESTINEMENT, SECRÈTEMENT).

1. sous-marin, e [sumarɛ̃, -in] adj. 1° Qui vit, qui est sous la mer : *Des plantes sous-marines. Un volcan sous-marin.* — 2° Qui s'effectue sous la mer, qui opère sous la mer : *La navigation sous-marine. La chasse sous-marine. Des grenades sous-marines.*

2. sous-marin [sumarɛ̃] n. m. Bâtiment de guerre capable de naviguer en plongée et en surface : *Des sous-marins atomiques.* ◆ **sous-marinier** n. m. Membre de l'équipage d'un sous-marin.

sous-officier [suzɔfisje] n. m. Militaire des armées de terre et de l'air pourvu d'un grade qui en fait l'auxiliaire d'un officier dans l'exercice du commandement (abrév. fam. : SOUS-OFF). [V. GRADE.]

sous-ordre [suzɔrdr] n. m. Personne qui est sous les ordres d'une autre (syn. : SUBALTERNE).

soussigné, e [susiɲe] adj. et n. Se dit d'une personne qui a mis sa signature au bas d'un acte. (Ne s'emploie que dans des formules comme : *Les témoins soussignés, je soussigné, je soussignée déclare... Le soussigné, la soussignée.*)

1. sous-sol [susɔl] n. m. Couche du sol qui se trouve au-dessous de la couche arable : *Des sous-sols sablonneux.*

2. sous-sol [susɔl] n. m. Partie d'une construction située au-dessous du rez-de-chaussée.

soustraire [sustrɛr] v. tr. (conj. **79**). 1° *Soustraire quelque chose,* l'enlever par ruse, par tromperie : *Soustraire les pièces d'un dossier* (syn. : DÉROBER, DÉTOURNER). *Soustraire de l'argent à quelqu'un* (syn. : ESCROQUER, VOLER). — 2° *Soustraire quelqu'un à,* le faire échapper à : *Rien ne peut vous soustraire à sa vengeance. Soustraire quelqu'un au danger* (syn. : PROTÉGER [DE]). — 3° Faire une soustraction : *Soustraire 20 de 80* (syn. : RETRANCHER). ◆ ***se soustraire*** v. pr. S'affranchir de : *Se soustraire à la puissance paternelle* (syn. : ÉCHAPPER). *Se soustraire à une obligation, à un devoir* (syn. : ESQUIVER). ◆ **soustraction** n. f. 1° Action de soustraire : *Etre accusé de soustraction de documents.* — 2° Opération par laquelle on retranche un nombre d'un autre de même espèce (contr. : ADDITION).

sous-verre [suvɛr] n. m. Encadrement formé d'une plaque de verre et d'un carton, entre lesquels on place une gravure ou une photographie : *Des sous-verres.*

soutane [sutan] n. f. 1° Robe boutonnée par-devant, que portent les ecclésiastiques et les clercs. — 2° État ecclésiastique : *Prendre la soutane.*

soute [sut] n. f. Partie d'un bateau servant à contenir le matériel, les munitions, les vivres : *Soute à charbon.*

souteneur [sutnœr] n. m. Individu qui vit aux dépens d'une prostituée, qu'il prétend protéger.

1. soutenir [sutnir] v. tr. (conj. **22**). 1° (sujet nom de personne ou de chose) *Soutenir une chose,* la tenir par-dessous en portant une partie de son poids : *Aidez-nous à soutenir ce tableau pour l'accrocher au mur* (syn. : MAINTENIR). *Des colonnes qui soutiennent une voûte* (syn. : SUPPORTER). *Mettre un pilier pour soutenir une poutre qui commence à fléchir* (syn. : ÉTAYER). — 2° *Soutenir une chose,* la maintenir en place en recevant sur le côté une partie de la poussée : *Construire un mur pour soutenir des terres, un remblai. Des contreforts qui soutiennent une muraille* (syn. : CONSOLIDER). *Un arbre soutenu par un tuteur.* — 3° *Soutenir une personne,* l'empêcher de tomber : *Soutenir un malade, un blessé.* — 4° *Soutenir une personne,* l'empêcher de défaillir, lui redonner des forces : *Prenez un peu de nourriture, cela vous soutiendra* (syn. : RÉCONFORTER, REMONTER). *Faire une piqûre pour soutenir le cœur.* — 5° *Soutenir quelqu'un,* lui apporter de l'aide, du secours, du réconfort : *Vos amis vous ont bien soutenu dans votre épreuve* (syn. : ASSISTER). *Vos encouragements nous ont soutenus dans cette entreprise. Soutenir un gouvernement, la cause d'un parti* (syn. : APPUYER). *Soutenir un candidat aux élections* (syn. : FAVORISER). ‖ *Soutenir une famille, une entreprise, une affaire,* lui fournir de l'argent, des capitaux. ‖ *Soutenir une personne contre une autre,* prendre son parti, la défendre : *Un père qui soutient ses enfants contre leur mère.* — 6° (sujet nom de personne) Résister sans fléchir à une attaque : *Soutenir l'assaut des ennemis. Soutenir le combat, le choc d'une armée.* — 7° *Soutenir l'attention, l'intérêt de quelqu'un,* ne pas les laisser languir. ‖ *Soutenir la comparaison avec quelqu'un, avec quelque chose,* s'en montrer l'égal. ‖ *Soutenir la conversation,* l'animer, l'entretenir. ‖ *Soutenir le regard de quelqu'un,* le regarder sans baisser les yeux. ‖ *Soutenir son rang, sa réputation,* vivre, agir d'une manière conforme à son rang, à sa réputation. ◆ ***se soutenir*** v. pr. 1° (sujet nom d'être vivant) Se tenir debout, se tenir droit : *Il est si faible qu'il se soutient difficilement sur ses jambes. La tige de cette plante n'a pas besoin de tuteur, elle se soutient d'elle-même.* — 2° Se maintenir en position d'équilibre : *Les oiseaux se soutiennent en l'air au moyen de leurs ailes. Les nageurs se soutiennent dans l'eau par les mouvements de leurs bras et de leurs jambes.* — 3° Se prêter une mutuelle assistance : *Les membres de cette famille sont très unis, ils se soutiennent les uns les autres.* — 4° (sujet nom de chose) Etre défendu : *Un pareil point de vue ne peut se soutenir.* — 5° Se maintenir, ne pas diminuer : *L'intérêt d'un bon roman se soutient jusqu'à la fin.* ◆ **soutenu, e** adj. Qui ne se relâche pas : *Une attention soutenue* (syn. : CONSTANT). *Un travail soutenu* (syn. : ASSIDU). *Des efforts soutenus.* ‖ *Style soutenu,* constamment élevé et noble (contr. : FAMILIER). ‖ *Couleur soutenue,* couleur d'un ton assez intense. ◆ **soutien** n. m. 1° Ce qui sert à soutenir (sens 1) : *Ce pilier est le soutient de toute la salle* (syn. : SUPPORT). — 2° Personne ou chose qui aide, défend, protège : *Cette mère n'a d'autre soutien que son fils. Ce parti est le principal soutien du gouvernement. Se faire le soutien d'une cause* (syn. : CHAMPION, DÉFENSEUR). *La foi est un soutien moral. Accorder son soutien à une juste revendication* (syn. : APPUI, AIDE). ‖ *Soutien de famille,* personne qui assure, grâce à son activité, la subsistance de sa famille. ◆ **soutènement** n. m. *Mur de soutènement,* mur destiné à contenir la poussée des terres ou des eaux. ◆ **soutenable** adj. Qui peut être défendu, appuyé par des raisons valables : *Une opinion, une cause soutenable.* ◆ **insoutenable** adj. : *Une opinion insoutenable.* ◆ **soutien-gorge** n. m. Sous-vêtement féminin servant à maintenir la poitrine : *Des soutiens-gorge.*

2. soutenir [sutnir] v. tr. (conj. 22). Affirmer avec force qu'une chose est vraie : *Il soutient toujours le contraire de ce que vous dites. Il soutient qu'il ne fait jamais de fautes d'orthographe* (syn. : ASSURER, PRÉTENDRE). ‖ *Soutenir une controverse, une opinion, une doctrine, un point de vue,* les défendre par des arguments contre des contradicteurs, des adversaires.

3. soutenir [sutnir] v. tr. (conj. 22). *Soutenir une thèse de doctorat,* l'exposer et répondre aux questions d'un jury de professeurs. ◆ **soutenance** n. f. : *Assister à une brillante soutenance.*

souterrain, e [suterɛ̃, -ɛn] adj. 1° Qui est sous terre : *Un passage, un abri souterrain* (contr. : AÉRIEN). *Une galerie souterraine.* — 2° Qui se fait sous terre : *Des transports souterrains. Une explosion souterraine.* ◆ **souterrain** n. m. Passage creusé sous la terre : *Visiter les souterrains d'un château.*

1. soutirer [sutire] v. tr. *Soutirer du vin, du cidre,* etc., les transvaser d'un récipient dans un autre, de manière que la lie reste dans le premier. ◆ **soutirage** n. m. : *Le soutirage clarifie le vin.*

2. soutirer [sutire] v. tr. *Soutirer quelque chose à quelqu'un,* l'obtenir de lui par une adroite insistance, par ruse, par chantage : *Soutirer de l'argent* (syn. : ESCROQUER, ↑ EXTORQUER).

souvenir (se) [səsuvnir] v. pr. (conj. 22). *Se souvenir d'une personne, d'une chose, que* (et l'indic.), *de* (et l'infin.), avoir dans l'esprit l'image d'une personne, une image présente rattachée au passé : *Après sa mort, on se souviendra longtemps de lui* (= on pensera à lui). *Il n'arrivait pas à se souvenir de vous* (syn. : RECONNAÎTRE, REMETTRE). *Souvenez-vous de vos promesses* (syn. : SE RAPPELER). *Il m'a rendu un grand service, je m'en souviendrai toute ma vie. Je ne me souviens pas qui m'a raconté cette histoire* (syn. : SE REMÉMORER). *Il ne se souvient pas de vous avoir dit cela* (ou *qu'il vous ait dit cela*). ‖ *Fam.* (et avec ressentiment) *Je m'en souviendrai,* je me vengerai; *il s'en souviendra,* il s'en repentira. ‖ Impersonnellem. (littér.) : *Il ne me souvient pas de vous avoir rencontré. Vous souvient-il d'avoir lu ce roman?* ◆ **souvenir** n. m. 1° Retour à l'esprit d'un fait rapporté à un moment déterminé du passé : *Un souvenir vague, confus* (syn. : RÉMINISCENCE). *Raconter des souvenirs d'enfance, de jeunesse, de guerre, de captivité. Evoquer le souvenir d'une personne* (= l'image que l'on garde d'elle). ‖ *Ce n'est plus qu'un mauvais souvenir,* se dit d'une chose désagréable qu'on a cessé de subir. ‖ *Veuillez me rappeler au bon souvenir de,* formule de politesse par laquelle on prie un intermédiaire de transmettre à quelqu'un le témoignage de sa sympathie, de son respect. (On dit aussi : *Croyez à mon fidèle, à mon respectueux souvenir. Affectueux souvenir.*) — 2° Ce qui rappelle la mémoire d'une personne, d'un événement : *Acceptez ce bijou comme souvenir de votre amie. Ses blessures sont des souvenirs de sa chute en montagne.* — 3° Objet vendu aux touristes : *Une boutique de souvenirs. Nos amis nous ont rapporté des souvenirs de leur voyage en Grèce.*

souvent [suvɑ̃] adv. Plusieurs fois en peu de temps; d'une manière répétée : *Ils sortent souvent ensemble* (syn. : FRÉQUEMMENT). *On se trompe souvent en jugeant sur les apparences. Il n'est pas souvent à la maison.* ‖ *Le plus souvent,* la plupart du temps.

souverain, e [suvrɛ̃, -ɛn] adj. 1° Se dit de ce qui atteint le plus haut degré : *Le souverain bien* (syn. : SUPRÊME). *La souveraine félicité. Une habileté souveraine* (syn. : MAGISTRAL). *Un souverain mépris* (péjor.; syn. : EXTRÊME). *Un remède souverain* (syn. : EFFICACE). — 2° Qui exerce un pouvoir suprême, sans contrôle : *Une puissance souveraine. Dans les démocraties, le peuple est souverain.* — 3° *Etat souverain,* Etat dont le gouvernement n'est pas soumis au contrôle ou à la tutelle d'un autre gouvernement. ◆ n. Personne qui, dans un Etat, exerce le pouvoir suprême : *Le souverain d'une nation* (syn. : MONARQUE, ROI). *L'ambassadeur a reçu des ordres de sa souveraine.* ◆ **souverainement** adv. 1° Au plus haut point : *Un garçon souverainement intelligent* (syn. : EXTRÊMEMENT). *Une décision souverainement injuste.* — 2° Avec un pouvoir souverain : *Commander, décider souverainement.* ◆ **souveraineté** n. f. 1° Autorité suprême : *La souveraineté absolue, héréditaire. La souveraineté populaire.* — 2° *Principe de la souveraineté nationale,* principe du droit public français, selon lequel la souveraineté est exercée par le peuple, personnifié dans la nation.

soviet [sɔvjɛt] n. m. 1° En U. R. S. S., conseil, assemblée politique. — 2° *Soviet suprême,* organe principal de l'Etat soviétique, composé de deux assemblées élues (Soviet de l'Union et Soviet des nationalités). ◆ **soviétique** adj. Qui se rapporte à l'U.R.S.S. : *Le socialisme soviétique. Le gouvernement soviétique.*

soyeux, euse adj. V. SOIE.

spacieux, euse [spasjø, -øz] adj. Qui a une grande étendue : *Un appartement spacieux* (syn. : GRAND, VASTE). ◆ **spacieusement** adv. : *Etre logé spacieusement* (contr. : À L'ÉTROIT).

spaghetti [spageti] n. m. Pâtes alimentaires de semoule de blé dur, présentées sous forme de longs bâtonnets pleins.

spartiates [sparsjat] n. f. pl. Sandales faites de lanières croisées.

spasme [spasm] n. m. Contraction brusque et involontaire des muscles : *Avoir des spasmes de l'estomac.* ◆ **spasmodique** adj. Provoqué par le spasme : *Rire spasmodique* (syn. : CONVULSIF). ◆ **spasmodiquement** adv.

spatial, e, aux [spasjal, -sjo] adj. 1° Relatif à l'espace interplanétaire : *Un engin spatial. Des recherches spatiales.* — 2° Relatif à l'espace (au sens philosophique, psychologique). ◆ **spatialement** adv.

spatule [spatyl] n. f. Instrument de métal, de bois, etc., en forme de petite pelle aplatie : *Une spatule sert à manipuler ou à étaler les corps gras ou pâteux, en cuisine, en peinture.*

speaker, ine [spikœr, spikrin] n. Personne qui annonce les programmes, les nouvelles, à la radio et à la télévision. (Certains lexicographes déconseillent ce mot et préconisent le terme ANNONCEUR, EUSE.)

spécial, e, aux [spesjal, -sjo] adj. 1° Se dit de ce qui est affecté à une personne, approprié à un objet, à un but : *Le chef de l'Etat est parti par un train spécial. Un papier spécial pour écrire à la machine. Il faut une autorisation spéciale pour visiter cette usine. Pour occuper cet emploi, il a fait des études spéciales* (syn. : PARTICULIER). — 2° Qui constitue une exception : *Un cas spécial* (= un cas d'espèce). *Une faveur spéciale* (syn. : ↑ EXTRAORDINAIRE). *Le gouvernement a demandé des pouvoirs spéciaux. Avoir des goûts spéciaux* (= peu communs; syn. : ↑ SINGULIER), *des mœurs spéciales* (= contre nature). *C'est un peu spécial* (syn. : BIZARRE). ◆ **spécialement** adv. : *Il est venu spécialement pour vous voir* (syn. : EXPRÈS). *Il s'intéresse spécialement à la géologie* (syn. : PARTICULIÈREMENT). *« Aimez-vous les gâteaux? — Pas spécialement »* (= pas tellement, moyennement). ◆ **spécialiser** v. tr. *Spécialiser quelqu'un,* le rendre apte à une science, à une technique particulière, à un travail déterminé : *Spécialiser des chercheurs, des travailleurs.* ◆ ***se spécialiser*** v. pr. Se consacrer à une branche de connaissance, à une production, à un travail déterminés : *Beaucoup de médecins se spécialisent dans telle ou telle partie de la médecine.* ◆ **spécialisé, e** adj. Qui est limité à une spécialité, qui est affecté à un travail déterminé : *Un juriste spécialisé dans le droit international. Une industrie spécialisée dans la fabrication des instruments d'optique. Ouvrier spécialisé* (= qui effectue un travail nécessitant une pratique suffisante du métier, sans cependant exiger un véritable apprentissage). ◆ **spécialisation** n. f. : *La recherche scientifique moderne exige la spécialisation.* ◆ **spécialité** n. f. 1° Activité à laquelle on se consacre particulièrement; ensemble de connaissances approfondies dans un domaine déterminé : *Il avait des aptitudes pour la géographie, mais il n'a pas voulu en faire sa spécialité. Un savant qui se cantonne dans sa spécialité. L'histoire est sa spécialité.* — 2° Produit qu'on ne trouve que sous telle marque, dans telle maison; mets originaire d'une région ou qu'on y consomme particulièrement : *Le cassoulet est une spécialité toulousaine.* ‖ *Spécialité pharmaceutique,* médicament préparé selon une formule personnelle à l'inventeur ou portant une marque de fabrique enregistrée au ministère de la Santé publique. — 3° *Fam.* Manie particulière à une personne et qui est agaçante : *Il ne peut vous laisser parler, il a la spécialité de vous interrompre à tout instant.* ◆ **spécialiste** n. 1° Personne qui a des connaissances théoriques ou pratiques dans un domaine précis : *Un spécialiste de la physique nucléaire, de l'histoire contemporaine. Faire venir un spécialiste pour réparer un poste de télévision.* — 2° Médecin qui ne soigne qu'une catégorie déterminée de maladies.

spécieux, euse [spesjø, -øz] adj. Se dit de ce qui n'a que l'apparence de la vérité, et qui est en réalité sans valeur : *Un argument spécieux.*

spécifier [spesifje] v. tr. *Spécifier quelque chose,* le déterminer, l'exprimer d'une manière précise : *Veuillez spécifier le numéro du département sur votre enveloppe* (syn. : ↓ MENTIONNER, INDIQUER). *Je lui ai spécifié les raisons de mon absence* (syn. : PRÉCISER). ◆ **spécifiquement** adv. ◆ **spécification** n. f. : *Sans spécification d'heure ou de lieu* (syn. : PRÉCISION).

spécifique [spesifik] adj. Se dit de ce qui est propre à une espèce, à une chose, à l'exclusion de toute autre : *Les qualités spécifiques du bœuf, du mouton. Le poids spécifique d'un corps. Odeur spécifique* (syn. : CARACTÉRISTIQUE). ◆ **spécificité** n. f. : *Spécificité d'un symptôme.*

spécimen [spesimɛn] n. m. 1° Etre ou objet qui donne une idée de l'espèce, de la catégorie dont il fait partie : *Ce cheval est un spécimen de la race normande. Cette maison est un spécimen de l'architecture de la Renaissance* (syn. : MODÈLE). — 2° Partie d'un ouvrage, exemplaire d'un livre, d'une revue offerts gratuitement : *Un spécimen destiné à la publicité.* ◆ adj. : *Des numéros spécimens.*

spectacle [spɛktakl] n. m. 1° Ce qui se présente au regard et qui est capable d'éveiller un sentiment : *Un spectacle ravissant, magnifique. Un spectacle affreux, horrible* (syn. : TABLEAU). *Le quartier bombardé offrait un spectacle de désolation.* — 2° Représentation théâtrale, cinématographique, lyrique, etc. : *Un spectacle donné en matinée, en soirée. Aller souvent au spectacle. Courir les spectacles.* ‖ *Revue à grand spectacle,* à grande mise en scène. — 3° *Se donner, s'offrir en spectacle,* se montrer en public avec ostentation (syn. : ↓ S'AFFICHER). ‖ *Au spectacle de quelque chose,* à sa vue. ◆ **spectateur, trice** n. 1° Personne qui est témoin d'un événement, d'une action quelconque : *Etre le spectateur d'un drame de la rue.* — 2° Personne qui assiste à un spectacle artistique : *Obtenir les applaudissements des spectateurs* (syn. : ASSISTANT). *Un film qui a plu aux spectateurs.* ◆ **spectaculaire** adj. Se dit d'une réunion sportive, de jeux, d'un événement qui provoquent une impression d'intérêt, de surprise, qui frappent l'imagination : *Un match, un défilé spectaculaire. Un accident spectaculaire* (syn. : IMPRESSIONNANT). *Des résultats spectaculaires* (syn. : SENSATIONNEL).

1. spectre [spɛktr] n. m. 1° Apparition présentant les formes d'une personne morte : *Il dit avoir vu un spectre* (syn. : FANTÔME, REVENANT). — 2° Personne maigre et hâve : *Une mine de spectre. Cet homme a l'air d'un spectre.* — 3° Ce qui épouvante : *Le spectre de la famine, de la guerre.* ◆ **spectral, e, aux** adj. : *Une pâleur spectrale.*

2. spectre [spɛktr] n. m. *Spectre solaire,* ensemble des rayons colorés résultant de la décomposition de la lumière par un prisme : *Le spectre solaire comprend les couleurs de l'arc-en-ciel.*

1. spéculation [spekylasjɔ̃] n. f. Etude, recherche n'ayant pour objet que la connaissance pure, désintéressée : *Les spéculations des métaphysiciens.* ◆ **spéculatif, ive** adj. Se dit d'une personne (ou de ses idées) qui s'attache à la théorie sans se préoccuper de la pratique : *Un esprit spéculatif.*

2. spéculation [spekylasjɔ̃] n. f. Opération financière ou commerciale dont on espère tirer un bénéfice par le seul fait de la variation des cours et des prix : *Se livrer à des spéculations hasardeuses.* ◆ **spéculer** v. intr. Effectuer des spéculations financières ou commerciales : *Spéculer à la Bourse* (syn. fam. : ↓ BOURSICOTER). ◆ v. tr. ind. *Spéculer sur quelque chose,* se livrer à des spéculations relatives à une chose : *Spéculer sur les blés, sur les appartements, sur les terrains à construire;* compter sur quelque chose pour en tirer un avantage : *Spéculer sur la bêtise humaine, sur la faiblesse, la naïveté d'un concurrent* (syn. : TABLER SUR). ◆ **spéculatif, ive** adj. : *Des manœuvres spéculatives.* ◆ **spéculateur, trice** n. : *Des spéculateurs en Bourse* (syn. fam. : BOURSICOTEUR).

speech [spitʃ] n. m. *Fam.* Discours de circonstance : *Prononcer un speech à la fin d'un banquet* (syn. : ALLOCUTION).

spéléologie [speleɔlɔʒi] n. f. Science qui a pour objet l'exploration et l'étude des cavités naturelles du sol (gouffres, grottes, cavernes). ◆ **spéléologue** n.

sperme [spɛrm] n. m. Liquide émis par les glandes reproductrices mâles.

1. sphère [sfɛr] n. f. Corps solide limité par une surface courbe dont tous les points sont à une égale distance d'un point intérieur appelé *centre : La Terre a la forme d'une sphère aplatie aux deux pôles.* ◆ **sphérique** adj. Qui a la forme d'une sphère : *Un ballon sphérique.*

2. sphère [sfɛr] n. f. Domaine dans lequel s'exerce l'action de quelqu'un : *Etendre, agrandir sa sphère d'activité. Chacun peut, dans sa sphère, contribuer au bien public* (syn. : MILIEU). *La sphère d'influence d'un pays. Les hautes sphères de la politique, de la finance. La sphère des connaissances humaines* (= l'ensemble des connaissances que les hommes possèdent).

sphinx [sfɛ̃ks] n. m. Personne énigmatique, qui ne laisse pas deviner sa pensée. (En mythologie, le *sphinx* est un monstre fabuleux à corps de lion et à tête humaine.)

spiral [spiral] n. m. Petit ressort d'un mouvement d'horlogerie, qui actionne le balancier : *Le spiral d'une montre.*

spirale [spiral] n. f. Courbe qui tourne autour d'un axe, d'un point : *Les spirales d'un tire-bouchon.* • LOC. ADJ. OU ADV. *En spirale,* se dit d'un objet, d'une chose qui fait une suite de circonvolutions : *Un escalier en spirale* (syn. : EN HÉLICE). *La fumée monte en spirale* (syn. : EN VOLUTES). ◆ **spire** n. f. Tour d'une spirale : *Les spires d'une colonne.*

spiritisme [spiritism] n. m. Science occulte qui a pour objet de provoquer la manifestation d'êtres immatériels ou esprits (sens 6), en particulier celle des âmes des personnes défuntes, et de faire entrer en communication avec eux. ◆ **spirite** n. Personne qui prétend communiquer avec les esprits par l'intermédiaire d'un médium.

spiritualisme [spiritɥalism] n. m. Doctrine philosophique qui admet l'existence de l'esprit comme une réalité indépendante (contr. : MATÉRIALISME). ◆ **spiritualiste** adj. et n. : *Une philosophie spiritualiste. Un spiritualiste.*

1. spirituel, elle [spiritɥɛl] adj. 1° Qui se rapporte à l'âme : *La vie spirituelle* (= la vie religieuse). *Des exercices spirituels* (= des pratiques de dévotion). *Les biens spirituels* (contr. : MATÉRIELS). — 2° Qui se rapporte à la religion, à l'Eglise : *Le pouvoir spirituel du pape* (contr. : TEMPOREL). *Concert spirituel* (= concert de musique religieuse). ◆ **spirituel** n. m. Pouvoir spirituel : *Le spirituel et le temporel.* ◆ **spiritualité** n. f. 1° Caractère de ce qui est spirituel : *La spiritualité de l'âme.* — 2° Tout ce qui a pour objet la vie spirituelle, le mysticisme religieux : *Un livre de spiritualité.*

2. spirituel, elle [spiritɥɛl] adj. Qui se rapporte au domaine de l'esprit, de l'intelligence : *Un plaisir spirituel* (syn. : INTELLECTUEL; contr. : CHARNEL). *Les valeurs spirituelles d'une civilisation* (contr. : MATÉRIEL). *Une parenté spirituelle.* ◆ **spiritualiser** v. tr. *Spiritualiser une chose,* lui donner un caractère noble, élevé : *Spiritualiser ses actions, ses sentiments.*

3. spirituel, elle [spiritɥɛl] adj. Se dit d'une personne (ou de son attitude) qui manifeste de la vivacité d'esprit, une grande ingéniosité dans le maniement des idées et des mots : *Une femme très spirituelle. Une repartie spirituelle. Une physionomie spirituelle.* ◆ **spirituellement** adv. : *Répondre spirituellement.*

spiritueux [spiritɥø] n. m. Boisson qui contient de l'alcool (surtout commercial et admin.) : *Commerce de vins et de spiritueux.*

spleen [splin] n. m. Mélancolie passagère d'une personne blasée de tout (littér.).

splendeur [splɑ̃dœr] n. f. 1° Grand éclat de lumière (littér.) : *La splendeur du soleil.* — 2° Grand éclat d'honneur, de gloire (littér.) : *Ce pays a retrouvé son ancienne splendeur. Du temps de sa splendeur, cette actrice était entourée d'une cour d'adorateurs* (syn. : MAGNIFICENCE). — 3° Chose magnifique : *On ne se lasse pas d'admirer les splendeurs de l'art grec.* ◆ **splendide** adj. 1° D'un grand éclat lumineux : *Un soleil splendide. Une journée, un temps splendide* (syn. : MAGNIFIQUE). — 2° Qui est d'une grande beauté : *Un paysage splendide* (syn. : MERVEILLEUX, SUPERBE; contr. : AFFREUX). ◆ **splendidement** adv. : *Une maison splendidement décorée* (syn. : MAGNIFIQUEMENT).

spolier [spɔlje] v. tr. *Spolier quelqu'un,* le déposséder par la force ou par la ruse : *Spolier un orphelin d'un héritage* (syn. : FRUSTRER). ◆ **spoliation** n. f. ◆ **spoliateur, trice** n.

spongieux, euse [spɔ̃ʒjø, -øz] adj. Se dit de ce qui est poreux ou de ce qui s'imbibe de liquide comme une éponge : *Le poumon est une masse spongieuse. Le sol spongieux d'un marécage.*

spontané, e [spɔ̃tane] adj. 1° Se dit de ce que l'on fait de soi-même, sans y être poussé ni forcé : *Un mouvement, un geste spontané* (syn. : VOLONTAIRE; contr. : DICTÉ, IMPOSÉ). — 2° Se dit d'une personne qui agit sans calcul, sans arrière-pensée : *Un garçon spontané* (syn. : FRANC, SINCÈRE). *Un caractère spontané* (syn. : PRIMESAUTIER; contr. : CALCULATEUR). ◆ **spontanément** adv. : *Porter secours spontanément à un blessé. Agir spontanément* (syn. : LIBREMENT, VOLONTAIREMENT). ◆ **spontanéité** n. f. : *La spontanéité d'un cœur généreux. La spontanéité d'une réponse* (syn. : NATUREL; contr. : CALCUL).

sporadique [spɔradik] adj. 1° Se dit de ce qui existe çà et là, de temps en temps : *Des mouvements sporadiques de grève* (syn. : ISOLÉ; contr. : CONCERTÉ, CONSTANT). — 2° *Maladie sporadique,* celle qui atteint des individus isolément. ◆ **sporadiquement** adv. : *Une maladie qui sévit sporadiquement.*

sport [spɔr] n. m. 1° Activité physique pratiquée sous forme de jeux individuels ou collectifs, en observant certaines règles : *Faire du sport. Pratiquer plusieurs sports. Sports d'équipe. Sports individuels. Le sport a pour but de développer non seulement la force musculaire, l'agilité, mais encore des qualités telles que l'énergie, la persévérance. Sports d'hiver* (= ceux qui sont pratiqués dans des stations d'altitude [ski, patinage, etc.]). *Sports nautiques* (= la natation, l'aviron, etc.). — 2° Pop. *Il va y avoir du sport,* l'affaire sera rude, une bagarre risque d'éclater. • LOC. ADJ. *De sport,* ou *sport,* se dit d'un habillement pratique, adapté au sport, à la promenade, etc. : *Un manteau de sport. Un costume de sport. Un costume sport;* se dit de ce qui convient à une activité sportive : *Voiture de sport* (= dont la conception est proche de celle des voitures de course). ◆ adj. invar. Se dit d'une personne loyale : *Il a été très sport dans cette affaire* (syn. : FAIR PLAY). ◆ **sportif, ive** adj. : *Un journal sportif. Une association sportive. L'esprit sportif. Une attitude sportive* (= conforme à l'esprit du sport). ◆ n. Personne qui pratique un sport, des sports. ◆ **sportivement** adv. : *Reconnaître sportivement sa défaite.* ◆ **sportivité** n. f. Caractère loyal; sens de l'impartialité dans le jeu.

sprinter [sprinte] v. intr. Accélérer l'allure à la fin d'une course. ◆ **sprint** n. m. : *Piquer un sprint* (fam.). *Se faire battre au sprint.* ◆ **sprinter** [sprintœr ou -tɛr] n. m.

square [skwar] n. m. Petit jardin public entouré d'une grille : *Les enfants vont jouer dans ce square dont une partie leur est réservée.*

squatter [skwatœr] n. m. Personne sans abri qui, de sa propre autorité, s'installe avec sa famille dans un logement inoccupé.

squelette [skəlɛt] n. m. 1° Ensemble des os, des vertèbres : *Le squelette humain se compose de 208 os.* — 2° Ensemble formé par les os dépouillés des parties molles de l'organisme, après la mort (syn. : OSSEMENTS). — 3° *Fam.* Personne d'une extrême maigreur : *Cette femme est devenue un vrai squelette.* ◆ **squelettique** adj. 1° Qui a l'aspect d'un squelette : *Une figure squelettique. Des arbres squelettiques.* — 2° Qui est réduit à sa plus simple expression : *Un exposé squelettique.*

stable [stabl] adj. 1° Se dit de ce qui a une base solide, qui ne risque pas de tomber : *Etre dans une position stable* (syn. : FERME). *Une chaise stable* (contr. : BRANLANT). *Un échafaudage qui n'est pas stable.* — 2° Qui se maintient, qui reste dans le même état de façon durable : *Un gouvernement stable* (= qui ne change pas). *Une paix stable* (syn. : DURABLE). *Une monnaie stable* (= qui ne se déprécie pas). ◆ **instable** adj. : *Un équilibre instable. Un temps instable* (= sujet à changer; syn. : VARIABLE). *Une personne, un caractère instable* (= qui n'est pas constant dans sa conduite, dans ses idées, dans ses sentiments). ◆ **stabilité** n. f. : *La stabilité d'un meuble, d'un véhicule. La stabilité ministérielle* (syn. : PERMANENCE). *La stabilité des sentiments.* ◆ **instabilité** n. f. : *L'instabilité d'un échafaudage, des prix.* ◆ **stabiliser** v. tr. Rendre stable : *Stabiliser un échafaudage. Stabiliser la monnaie.* ◆ ***se stabiliser*** v. pr. Devenir stable. ◆ **stabilisation** n. f.

1. stade [stad] n. m. Terrain pourvu des installations nécessaires à la pratique des sports : *Un stade comprend le plus souvent une piste d'athlétisme tracée autour d'un terrain de football, de rugby, des terrains aménagés pour le tennis, le basket-ball, etc.*

2. stade [stad] n. m. Période, degré qui, dans une évolution, forme une partie distincte : *Etudier les principaux stades d'une civilisation, d'un développement* (syn. : PHASE). *Dépasser un certain stade* (syn. : NIVEAU).

stage [staʒ] n. m. 1° Période d'études pratiques exigée des candidats à l'exercice de certaines professions libérales ou publiques : *Le stage des avocats dure trois ans. Le stage pédagogique d'un candidat à l'agrégation.* — 2° Période pendant laquelle une personne exerce une activité temporaire en vue de sa formation ou de son perfectionnement professionnels : *Les futurs ingénieurs font des stages dans les usines. Organiser un stage pour des professeurs de langues vivantes.* ◆ **stagiaire** adj. et n. : *Un avocat, un professeur stagiaire.*

stagner [stagne] v. intr. 1° (sujet nom désignant un liquide ou un fluide) Ne pas s'écouler, rester immobile : *A la suite des inondations, l'eau stagnait dans les caves. Des nuages stagnaient dans la vallée.* — 2° (sujet nom de personne ou de chose) Rester inerte, ne marquer aucune activité : *Stagner dans l'ignorance* (syn. : ↑ CROUPIR). *Les affaires ont stagné pendant quelque temps, maintenant c'est la relance.* ◆ **stagnant, e** adj. : *Des eaux stagnantes* (= qui ne coulent pas). *L'état stagnant des affaires* (= qui ne progresse pas). ◆ **stagnation** n. f. 1° Etat de ce qui stagne : *La stagnation de la fumée dans une pièce mal aérée.* — 2° Absence d'activité : *La stagnation du commerce, de l'industrie* (syn. : ARRÊT, ↑ MARASME; contr. : ESSOR).

stalactite [stalaktit] n. f. Colonne qui descend de la voûte d'une grotte et qui est formée de concrétions calcaires (contr. : STALAGMITE).

stalagmite [stalagmit] n. f. Colonne formée par des concrétions calcaires à partir du sol des grottes (contr. : STALACTITE).

stalle [stal] n. f. 1° Siège de bois à dossier élevé, occupant les deux côtés du chœur d'une église. — 2° Dans une écurie, emplacement réservé à chaque cheval (syn. : BOX).

stance [stɑ̃s] n. f. Groupe de vers offrant un sens complet et suivi d'un repos : *Le mot « stance » s'est restreint au domaine de la poésie religieuse ou élégiaque* (syn. : STROPHE). ◆ **stances** n. f. pl. Poème lyrique composé d'un certain nombre de strophes : *Les stances du « Cid ».*

stand [stɑ̃d] n. m. **1°** Espace réservé à chacun des participants ou à chaque catégorie de produits, dans une exposition. — **2°** *Stand de ravitaillement,* dans une course automobile, emplacement, en bordure de la piste, affecté à un concurrent et où celui-ci peut s'approvisionner en carburant, faire réparer sa voiture, etc. — **3°** *Stand de tir,* ou *stand,* endroit clos, aménagé pour permettre le tir de précision à la cible avec des armes à feu.

1. standard [stɑ̃dar] adj. (sans forme du fém.). **1°** Se dit de ce qui est conforme à une norme de fabrication, à un modèle, à un type : *Un pneu standard. Du lait standard.* — **2°** *Echange standard,* échange d'une pièce usée contre une autre du même modèle, rénovée. ◆ n. m. *Standard de vie,* niveau de vie. ◆ **standardiser** v. tr. Unifier des types d'objets fabriqués pour en faciliter et en simplifier le montage et l'entretien. ◆ **standardisation** n. f. : *La standardisation a abouti à la fabrication en série.*

2. standard [stɑ̃dar] n. m. Dispositif employé dans une administration, dans une entreprise pour établir les communications téléphoniques entre le réseau urbain et les divers postes intérieurs. ◆ **standardiste** n. Personne affectée au service d'un standard téléphonique.

standing [stɑ̃diŋ] n. m. **1°** Situation sociale et économique d'une personne, d'un groupe : *Augmenter son standing.* — **2°** *Immeuble de grand standing,* de grand confort.

star [star] n. f. Vedette féminine de cinéma ou de music-hall. ◆ **starlette** n. f. Jeune débutante, au cinéma.

starter [startɛr] n. m. **1°** Celui qui, dans les courses, donne le signal du départ. — **2°** Dispositif auxiliaire d'un carburateur, qui facilite le départ à froid d'un moteur à explosion.

1. station [stasjɔ̃] n. f. **1°** Arrêt, de durée variable, au cours d'une promenade, d'un voyage : *Ces joyeux lurons ont fait de nombreuses stations dans les cafés* (syn. : HALTE, PAUSE). — **2°** Endroit où s'arrêtent les voitures de transport urbain : *Une station de métro, de taxis.* — **3°** *Station (d'émission),* ensemble des installations d'un émetteur de radiodiffusion ou de télévision. — **4°** *Station (de la croix),* dans la religion catholique, chacun des arrêts de Jésus-Christ pendant sa montée au Calvaire; chacun des tableaux, sculptures, croix qui représentent ces arrêts et dont l'ensemble porte le nom de « chemin de croix ». ◆ **stationner** v. intr. (sujet nom de personne ou de véhicule). S'arrêter momentanément en un lieu : *Il est interdit de stationner devant les arrêts d'autobus. Voitures qui stationnent dans la rue.* ◆ **être stationné** v. passif. Fam. : *Je suis stationné en bas de l'immeuble* (= ma voiture est en stationnement). ◆ **stationnement** n. m. Fait de stationner : *Stationnement bilatéral, unilatéral. Stationnement autorisé, interdit. Un parc de stationnement* (syn. : PARKING).

2. station [stasjɔ̃] n. f. Lieu de séjour pour faire une cure, pour se reposer, pour pratiquer certains sports : *Une station thermale* (syn. : VILLE D'EAUX). *Une station balnéaire. Une station de sports d'hiver.*

stationnaire [stasjɔnɛr] adj. Se dit de ce qui demeure au même point, sans avancer ni reculer : *La science ne saurait rester stationnaire. Malade (maladie) dans un état stationnaire* (= dont l'évolution est insensible).

station-service [stasjɔ̃sɛrvis] n. f. Poste aménagé pour permettre le ravitaillement en essence, en huile, en eau, etc., des véhicules automobiles : *Des stations-service.*

statique [statik] adj. Se dit d'une personne ou d'une chose qui n'évolue pas, ne progresse pas : *Un élève statique* (contr. : DYNAMIQUE). *Une religion, un parti statique.* ◆ **statisme** n. m.

statistique [statistik] n. f. **1°** Science qui a pour objet le groupement méthodique, ainsi que l'étude des phénomènes qui se prêtent à une évaluation numérique : *La statistique s'étend de nos jours à de très nombreux domaines.* — **2°** Ensemble de données numériques relatives à une catégorie de faits : *Une statistique sociologique, économique, linguistique.* ◆ adj. : *Des rapports statistiques.* ◆ **statistiquement** adv. : *Une étude établie statistiquement* (= par le moyen de la statistique). ◆ **statisticien, enne** n. Spécialiste de la statistique.

statue [staty] n. f. Ouvrage de sculpture représentant un être humain, un animal, etc. : *Une statue de marbre, de bronze, de bois, de pierre. Dresser, élever, ériger une statue à quelqu'un.* ◆ **statuaire** n. m. Artiste qui fait des statues (syn. : SCULPTEUR). ◆ **statuaire** n. f. Art de faire des statues. ◆ **statuette** n. f. Petite statue. ◆ **statufier** v. tr. Fam. *Statufier quelqu'un,* lui élever une statue : *Statufier un héros national.*

statuer [statɥe] v. tr. ind. et intr. *Statuer sur quelque chose,* le régler avec l'autorité que confère la loi : *Statuer sur un litige. Le tribunal statue en dernier ressort.*

statu quo [statykwo ou -ko] n. m. Etat actuel des choses : *Maintenir le statu quo.*

stature [statyr] n. f. Hauteur du corps d'une personne : *Un homme d'une stature moyenne* (syn. : TAILLE). *Un chef d'Etat d'une stature exceptionnelle* (= d'une personnalité au-dessus des autres).

statut [staty] n. m. Ensemble des dispositions législatives ou réglementaires qui fixent les garanties fondamentales accordées à une collectivité : *Le statut des fonctionnaires.* ◆ **statuts** n. m. pl. Suite d'articles qui définissent les règles du fonctionnement d'une société, d'une association : *Les statuts de l'Académie française. Rédiger les statuts d'une société commerciale.* ◆ **statutaire** adj. Conforme aux statuts : *La répartition statutaire d'un dividende.*

steeple-chase [stipəlʃɛz] ou **steeple** [stipl] n. m. Course à pied ou à cheval, comportant des obstacles naturels ou artificiels : *Des steeple-chases.*

stèle [stɛl] n. f. Pierre, plaque de pierre ou colonne brisée placée debout et destinée à porter une inscription, le plus souvent funéraire.

stellaire [stelɛr] adj. Relatif aux étoiles.

sténodactylo [stenodaktilo] ou **sténo** n. f. Dactylo capable d'assurer, au moyen de signes écrits, l'enregistrement d'une dictée, d'une conversation, d'un discours.

sténographie [stenografi] n. f. Procédé d'écriture formé de signes abréviatifs et conventionnels, qui sert à transcrire la parole aussi rapidement qu'elle est prononcée. ◆ **sténographique** adj. : *Des signes sténographiques.* ◆ **sténographe** n. Personne qui connaît ou pratique la sténographie. ◆ **sténographier** v. tr. Ecrire au moyen de la sténographie : *Sténographier un discours.* ◆ **sténotypie** n. f. Sténographie mécanique. ◆ **sténotypiste** n.

stentor [stɑ̃tɔr] n. m. *Voix de stentor,* voix forte et retentissante.

steppe [stɛp] n. f. Grande plaine semi-aride, couverte d'une végétation assez pauvre.

stéréophonie [stereofɔni] n. f. Reproduction des sons destinée à donner la sensation du relief acoustique. ◆ **stéréophonique** adj. : *Une audition, un disque stéréophonique.*

stéréoscope [stereoskɔp] n. m. Instrument d'optique dans lequel deux images planes donnent l'impression d'une seule image en relief. ◆ **stéréoscopique** adj. : *Une vue stéréoscopique* (= qui donne l'impression du relief).

stéréotypé, e [stereotipe] adj. Se dit de ce qui se présente toujours sous une même forme et qui ne comporte que peu ou pas de sens : *Une formule, une phrase stéréotypée* (= toute faite). *Un sourire stéréotypé.*

stérile [steril] adj. 1° Se dit d'un végétal qui ne porte pas de fruits, d'un sol qui ne produit pas : *Un arbre stérile. Une terre stérile* (syn. : IMPRODUCTIF ; contr. : FERTILE). ‖ *Année stérile,* où les récoltes sont nulles. — 2° Se dit d'un être animé, d'un végétal inapte à la génération : *Un homme, une femme stérile* (contr. : PROLIFIQUE). *Une fleur stérile* (= impropre à la fécondation). — 3° *Un esprit, un auteur stérile,* qui manque d'invention, d'imagination. — 4° Se dit de ce qui ne produit rien d'efficace, de fructueux : *Un effort stérile* (syn. : VAIN). *Une discussion stérile* (syn. : INUTILE, OISEUX). ◆ **stérilité** n. f. *Stérilité d'une femme, d'une femelle* (contr. : FÉCONDITÉ). *Des campagnes frappées de stérilité* (contr. : FERTILITÉ). *La stérilité d'un romancier.* ◆ **stériliser** v. tr. 1° *Stériliser quelque chose,* le rendre stérile : *Une grande sécheresse stérilise les terres.* — 2° *Stériliser un être vivant,* le rendre inapte à la génération.

1. stériliser v. tr. V. STÉRILE.

2. stériliser [sterilize] v. tr. *Stériliser une plaie, un instrument, une substance,* les débarrasser des ferments ou des microbes qu'ils contiennent : *Stériliser une blessure, un bistouri* (syn. : ASEPTISER, DÉSINFECTER). *Stériliser de l'eau.* ◆ **stérilisé, e** adj. Se dit d'un produit, d'une substance débarrassés des microbes, des ferments qu'ils contiennent, en vue de leur conservation : *Du lait stérilisé* (syn. : PASTEURISÉ). ◆ **stérilisation** n. f. : *La stérilisation des instruments de chirurgie, des pansements, des boissons.*

stéthoscope [stetɔskɔp] n. m. Instrument dont se sert le médecin pour ausculter les malades.

stigmatiser [stigmatize] v. tr. *Stigmatiser quelqu'un, stigmatiser quelque chose,* les critiquer, les blâmer publiquement : *Stigmatiser la conduite, les activités de quelqu'un* (syn. : CONDAMNER, FLÉTRIR). ◆ **stigmate** n. m. Marque permanente, qui est un signe apparent de quelque chose de mauvais, de morbide (littér.) : *Les stigmates du vice.*

stimuler [stimyle] v. tr. 1° (sujet nom de personne ou de chose) *Stimuler quelqu'un,* l'inciter, le pousser à agir : *Cet enfant est apathique, il faut continuellement le stimuler* (syn. : AIGUILLONNER). *Ses succès l'ont stimulé* (syn. : ENCOURAGER). — 2° (sujet nom de chose) Augmenter l'activité des fonctions organiques (médical) : *Un estomac qui a besoin d'être stimulé* (syn. : ACTIVER). *Une boisson qui stimule l'appétit* (syn. : AIGUISER). ◆ **stimulant, e** adj. Se dit de ce qui est propre à accroître l'ardeur de quelqu'un, de ce qui augmente l'activité des fonctions organiques : *La réussite est stimulante* (syn. : ENCOURAGEANT). *Une potion stimulante* (syn. : EXCITANT). ◆ **stimulant** n. m. : *L'émulation est un stimulant. Employer des stimulants* (syn. : EXCITANT, FORTIFIANT ; contr. : CALMANT, TRANQUILLISANT). ◆ **stimulation** n. f. : *Avoir besoin de stimulation pour achever un travail.*

stipendier [stipɑ̃dje] v. tr. Péjor. *Stipendier des bandits, des assassins,* les payer pour exécuter de basses besognes (littér. ; syn. : ACHETER, SOUDOYER).

stipuler [stipyle] v. tr. *Stipuler quelque chose, que* (et l'indic.), énoncer une condition dans un contrat, dans une convention ; faire savoir expressément : *Stipuler une garantie. Il est bien stipulé que le prix de cet article est sujet à variations.* ◆ **stipulation** n. f. : *Les livres sont prêtés avec la stipulation qu'ils doivent être rendus sous huitaine.*

stock [stɔk] n. m. 1° Ensemble de marchandises disponibles sur un marché, dans un magasin : *Ecouler un stock. Renouveler son stock* (syn. : ASSORTIMENT, APPROVISIONNEMENT). — 2° *Fam.* Ensemble de choses, concrètes ou non, gardées en réserve : *Avoir un stock de chemises, de pantalons dans sa garde-robe. Il a toujours un stock d'histoires à raconter.* — 3° Fonds existant en numéraire : *Le stock d'or de la Banque de France* (syn. : RÉSERVE). ◆ **stocker** v. tr. Mettre en stock : *Stocker des produits alimentaires* (syn. : EMMAGASINER). ◆ **stockage** n. m. : *Le stockage des marchandises en magasin.* ◆ **stockiste** n. m. Commerçant ou industriel qui détient en magasin le stock d'un fabricant, les pièces détachées d'un constructeur.

stoïque [stɔik] adj. Se dit d'une personne (ou de son comportement) qui supporte la douleur, le malheur avec courage : *Se montrer stoïque devant l'adversité* (syn. : IMPASSIBLE, IMPERTURBABLE). *Prendre une résolution stoïque* (syn. : ↑ HÉROÏQUE). ◆ **stoïquement** adv. : *Supporter stoïquement l'adversité* (syn. : COURAGEUSEMENT, ↑ HÉROÏQUEMENT). ◆ **stoïcisme** n. m. : *Il a fait preuve d'un stoïcisme admirable dans son malheur.* (Le *stoïcisme* est une doctrine philosophique grecque du IVe s. av. J.-C., selon laquelle le bonheur est dans la vertu et qui témoigne une indifférence souveraine à l'égard de la sensibilité.)

stomacal, e, aux adj. V. ESTOMAC.

stomatologie [stɔmatɔlɔʒi] n. f. Partie de la médecine consacrée à l'étude et aux soins des maladies de la bouche et des dents. ◆ **stomatologiste** n. Spécialiste de stomatologie.

stop! [stɔp] interj. 1° Terme employé pour commander de s'arrêter. — 2° Mot utilisé dans les messages télégraphiques et téléphoniques pour séparer nettement les phrases. ◆ n. m. 1° Panneau de signalisation routière qui exige impérativement un arrêt. — 2° Signal lumineux placé à l'arrière d'une voiture, d'une motocyclette et qui s'allume quand on freine. — 3° *Fam.* Syn. de AUTO-STOP : *Voyager en faisant du stop.* ◆ **stopper** v. tr. 1° *Stopper un véhicule,* en arrêter la marche : *Stopper un navire, une voiture.* — 2° *Stopper quelqu'un, un groupe, une chose* (en mouvement), les empêcher d'avancer, de continuer : *Stopper une colonne ennemie. Stopper une attaque.* ◆ v. intr. S'arrêter net : *Voiture qui stoppe au feu rouge.*

1. stopper v. tr. V. STOP !

2. stopper [stɔpe] v. tr. *Stopper un vêtement,* réparer une déchirure en refaisant la trame et la chaîne du tissu. ◆ **stoppage** n. m. : *Faire un stoppage à un pantalon déchiré.*

store [stɔr] n. m. Rideau de tissu ou panneau de lattes, de lamelles de bois orientables, fixé sur un rouleau horizontal et qui se lève et s'abaisse devant une fenêtre, une porte-fenêtre, etc. : *Baisser un store pour se protéger du soleil.*

strabisme [strabism] n. m. Anomalie de la vision qui consiste dans l'impossibilité de fixer un même point avec les deux yeux : *Etre atteint de strabisme* (= loucher).

strangulation [strɑ̃gylasjɔ̃] n. f. Action d'étrangler : *Périr par strangulation* (syn. : ÉTRANGLEMENT).

strapontin [strapɔ̃tɛ̃] n. m. Siège repliable, utilisé dans les voitures, dans les cars, dans les salles publiques, etc.

stratagème [strataʒɛm] n. m. Ruse mise en œuvre pour obtenir un avantage, pour triompher d'un adversaire : *Un stratagème plaisant, perfide. Recourir à un stratagème pour remporter une victoire* (syn. : RUSE DE GUERRE).

stratégie [strateʒi] n. f. 1° Art de coordonner l'action des forces militaires, politiques et morales impliquées dans la conduite d'une guerre ou dans la préparation de la défense d'une nation : *La stratégie est de la compétence du gouvernement et de celle du haut commandement des forces armées.* — 2° Art de coordonner des actions et de manœuvrer pour atteindre un but : *La stratégie électorale, politique.* ◆ **stratégique** adj. Se dit de tout ce qui intéresse directement la guerre, qui présente un intérêt du point de vue militaire : *Une route, une position stratégique. Un bombardement stratégique. Matières premières stratégiques.* ◆ **stratège** n. m. 1° Spécialiste ou praticien de la stratégie. — 2° Personne qui dirige avec compétence un certain nombre d'opérations, qui se tire avec habileté des embûches de la politique.

stratification [stratifikasjɔ̃] n. f. Disposition des roches par couches superposées. ◆ **stratifié, e** adj. Qui se présente en couches superposées. ◆ **strate** n. f. Chacune des couches géologiques d'un terrain stratifié.

stratosphère [stratɔsfɛr] n. f. Région de l'atmosphère située entre douze et quarante kilomètres d'altitude, en moyenne : *Dans la stratosphère, les courants sont essentiellement horizontaux.* ◆ **stratosphérique** adj. *Avion stratosphérique,* avion conçu pour voler dans la stratosphère.

strict, e [strikt] adj. 1° Se dit d'une chose qui ne laisse aucune latitude, qui est rigoureusement conforme à une règle : *Une obligation stricte* (syn. : PRÉCIS, RIGOUREUX). *La stricte exécution d'un règlement, d'une consigne. Ce que je vous dis là, c'est la stricte vérité* (syn. : EXACT ; contr. : APPROXIMATIF). — 2° *Son droit strict, le plus strict,* ce qu'il peut exiger en vertu d'une loi. ‖ *Le strict nécessaire, le strict minimum,* celui au-dessous duquel on ne peut descendre. ‖ *Dans la plus stricte intimité,* les intimes seuls étant présents. ‖ *Au sens strict du mot,* au sens le plus exact, le plus précis (syn. : LITTÉRAL ; contr. : LARGE). — 3° Se dit d'une personne qui exige l'application rigoureuse d'une règle, d'un règlement, qui ne tolère aucune négligence : *Un professeur strict* (syn. : SÉVÈRE, DUR). *Un homme strict en affaires. Une mère très stricte à l'égard de ses enfants* (syn. : RIGIDE). ◆ **strictement** adv. : *Remplir strictement ses obligations* (syn. : RIGOUREUSEMENT). *Une affaire strictement personnelle. Strictement parlant* (= à proprement parler).

strident, e [stridɑ̃, -ɑ̃t] adj. Se dit d'un son perçant et vibrant : *Le sifflet strident d'une locomotive, d'une sirène. Le cri strident des cigales.* ◆ **stridence** n. f. (littér.) : *La stridence d'une voix.*

strie [stri] n. f. Chacun des petits sillons, chacune des petites lignes parallèles que présente une surface : *Les stries d'une coquille, de la tige d'une plante.* ◆ **strié, e** adj. Se dit d'une chose dont la surface présente des stries, des raies : *Roche striée.*

strip-tease [striptiz] n. m. Spectacle de cabaret ou de music-hall au cours duquel une jeune actrice se déshabille lentement et d'une façon suggestive, avec accompagnement de musique.

strophe [strɔf] n. f. Division d'un poème, d'une pièce lyrique, formée d'un nombre déterminé de vers : *Les strophes du « Lac » de Lamartine. Les strophes d'une chanson* (syn. : COUPLET).

structure [stryktyr] n. f. 1° Manière dont les différentes parties d'un ensemble, concret ou abstrait, sont disposées entre elles ; ensemble dont les parties sont solidaires : *La structure du corps humain, d'une plante, d'un terrain* (syn. : CONSTITUTION, CONTEXTURE). *La structure d'une œuvre littéraire. La structure d'une société, d'un gouvernement* (syn. : FORME, ORGANISATION). *La structure d'une langue.* — 2° *Réforme de structure,* réforme législative qui modifie profondément l'organisation administrative, économique ou sociale d'une collectivité. ◆ **structural, e, aux** adj. Relatif à une structure : *Faire des recherches structurales en ethnologie. La linguistique structurale* (= qui considère la langue comme un système autonome de dépendances internes). ◆ **structuralisme** n. m. Théorie linguistique qui définit les éléments de la langue par les rapports qu'ils entretiennent entre eux à divers niveaux. ◆ **structurer** v. tr. Donner une structure à : *Structurer une administration.* ◆ **structuré, e** adj. Se dit de ce qui a telle ou telle structure : *Un ensemble fortement structuré.* ◆ **structuration** n. f. : *La structuration d'un vocabulaire.* ◆ **infrastructure** n. f. 1° Base économique d'une société. — 2° *Infrastructure aérienne,* ensemble des installations au sol servant de base aux avions (aérodrome). — 3° *Infrastructure des routes, des voies ferrées,* etc., ensemble des travaux et des ouvrages constituant les fondations d'une route, la plate-forme (remblai) d'une voie de chemin de fer. ◆ **superstructure** n. f. 1° Partie d'une construction située au-dessus du sol. — 2° Système d'idées, ensemble d'institutions politiques dépendant de l'infrastructure économique.

strychnine [striknin] n. f. Poison extrait de la noix vomique, employé à très petite dose comme médicament.

stuc [styk] n. m. Enduit imitant le marbre et composé ordinairement de poussière de marbre, de chaux éteinte et de craie.

studieux, euse [stydjø, -øz] adj. 1° Se dit d'une personne qui aime l'étude : *Un élève studieux* (syn. : APPLIQUÉ; contr. : PARESSEUX). — 2° Se dit de ce qui est consacré à l'étude : *Des vacances studieuses* (contr. : OISIF). ◆ **studieusement** adv. : *Occuper studieusement ses loisirs* (= en étudiant).

studio [stydjo] n. m. 1° Petit logement composé d'une pièce principale et de pièces accessoires (salle de bains, cuisine, etc.). — 2° Atelier d'artiste, de photographe. — 3° Local aménagé pour des prises de vues cinématographiques ou pour des émissions radiodiffusées ou télévisées.

stupéfaction [stypefaksjɔ̃] n. f. Etonnement profond, qui empêche toute réaction : *Vous devinez sa stupéfaction quand il a appris qu'il était ruiné* (syn. : STUPEUR). ◆ **stupéfait, e** adj. Frappé de stupéfaction : *Il est resté stupéfait devant une telle audace* (syn. : ABASOURDI; fam. : RENVERSÉ). *Il a été stupéfait d'apprendre qu'il était refusé à son examen, alors qu'il était dans les premiers de sa classe* (syn. : CONSTERNÉ, INTERDIT). *Il a été stupéfait par l'histoire que vous lui avez racontée* (syn. : STUPÉFIÉ). ● REM. L'adjectif *stupéfait* est souvent employé à la place du part. passé *stupéfié : Cet événement nous a stupéfaits,* et comme équivalent de *stupéfie* (3e pers. du sing. de l'indic. prés.) : *Ce que vous me dites là me stupéfait* (emplois généralement condamnés). ◆ **stupéfier** v. tr. *Stupéfier quelqu'un,* lui causer un grand étonnement : *Ce que vous me dites au sujet de notre ami me stupéfie* (syn. : ATTERRER, CONSTERNER). *Ce discours a stupéfié toute l'assistance.* ◆ **stupéfiant, e** adj. Qui étonne au plus haut point : *Une nouvelle stupéfiante.* ◆ **stupéfiant** n. m. Substance toxique dont l'action sur le système nerveux se manifeste par un engourdissement du corps et de l'esprit : *Les stupéfiants* (*cocaïne, morphine, etc.*) *sont utilisés à faible dose pour le traitement des douleurs violentes.*

stupeur [stypœr] n. f. Etonnement profond causé par une vive émotion : *Rester muet de stupeur à l'annonce d'une mauvaise nouvelle* (syn. : ↓ STUPÉFACTION, ↑ ANÉANTISSEMENT).

stupide [stypid] adj. Se dit d'une personne (ou de son comportement) qui manque totalement d'intelligence, de sensibilité : *Il est si stupide qu'on ne peut rien faire de lui* (syn. : BÊTE, CRÉTIN, IDIOT). *Il n'est pas assez stupide pour croire de telles balivernes* (syn. : IMBÉCILE, SOT). *Il faut être stupide pour faire souffrir les animaux* (syn. : BRUTE). *Une réponse, un raisonnement, une objection stupide* (syn. : ABSURDE, INSENSÉ; contr. : JUDICIEUX). ◆ **stupidement** adv. : *Répondre stupidement.* ◆ **stupidité** n. f. 1° Caractère d'une personne, d'une chose stupide : *Ce garçon est d'une stupidité incroyable* (syn. : BÊTISE, IDIOTIE). — 2° Action, parole d'une personne stupide : *Faire, dire des stupidités* (syn. : ÂNERIE, SOTTISE).

1. style [stil] n. m. 1° Façon particulière dont chaque individu exprime sa pensée, ses sentiments : *Un style naturel, simple, élégant. Un style affecté, prétentieux, obscur. Imiter le style d'un écrivain* (syn. : ECRITURE). *Soigner, travailler son style.* ‖ *Ne pas avoir de style,* écrire d'une manière commune, banale. — 2° Forme de langage usitée dans certains cas particuliers, dans une activité, dans une collectivité : *Style du palais* (= formules d'après lesquelles on dresse les actes judiciaires). *Style de notaire. Style administratif, commercial, publicitaire.* ◆ **stylisme** n. m. Recherche du style, soin extrême que l'on donne à son style. ◆ **styliste** n. Ecrivain remarquable par son style. ◆ **stylistique** adj. 1° Qui se rapporte au style : *Une analyse stylistique.* — 2° Relatif à l'aspect affectif de l'expression : *Emploi stylistique d'un mot.* ◆ **stylistique** n. f. Etude de l'utilisation, à des fins expressives ou esthétiques, des ressources particulières d'une langue : *La stylistique a pour objet d'étudier la manière spécifique dont un écrivain use des constructions syntaxiques ou des relations de sens ou de forme existant entre les mots* (*stylistique littéraire*); *elle considère aussi la manière dont les membres d'une communauté linguistique usent de certaines constructions pour traduire l'affectivité, comme les phrases exclamatives, les phrases sans verbe, etc.* (*stylistique générale*). ◆ **stylisticien, enne** n. Spécialiste de stylistique.

2. style [stil] n. m. 1° Manière d'exécuter une œuvre propre à un artiste, à un genre, à une époque, à un pays : *Le style d'un peintre, d'un sculpteur, d'un musicien. Le style byzantin, roman, gothique. Le style Louis XIII, Empire. Des meubles de style anglais, suédois.* — 2° Caractère d'une œuvre présentant des qualités artistiques qui la rend originale : *Maison, meuble qui a du style.* ● LOC. ADJ. *De style,* se dit d'un objet appartenant à un style bien caractérisé : *Un meuble, une robe de style.* ◆ **styliser** v. tr. *Styliser un objet,* le représenter en le simplifiant, en vue de lui donner un aspect décoratif, ornemental : *Styliser une fleur.* ◆ **stylisation** n. f.

3. style [stil] n. m. 1° Façon personnelle de se comporter : *Avoir un certain style de vie.* — 2° En sports, manière d'exécuter un mouvement, un geste avec une certaine efficacité ou une certaine aisance : *Le style d'un sauteur, d'un joueur de tennis. Un coureur à pied qui a du style.* ● LOC. ADJ. *De grand style,* qui est entrepris avec des moyens puissants : *Opération, offensive de grand style.* ◆ **styler** v. tr. *Styler quelqu'un,* l'habituer à exécuter dans les règles certains gestes, à prendre certaines attitudes (surtout au part. passé) : *Un maître d'hôtel stylé. Une petite fille bien stylée.*

stylet [stilɛ] n. m. Petit poignard à lame très effilée.

stylographe [stilograf] ou, par abrév., **stylo** [stilo] n. m. Porte-plume à réservoir d'encre. ‖ *Stylo à bille* ou *stylo bille,* stylo dont la plume est remplacée par une bille d'acier en contact avec une encre spéciale. (On dit aussi CRAYON À BILLE.)

suaire [sɥɛr] n. m. Syn. de LINCEUL.

suave [sɥav] adj. Se dit de ce qui est d'une douceur agréable à l'odorat, à l'ouïe, à la vue : *Un parfum, une odeur suave* (syn. : DÉLICIEUX, EXQUIS). *Une voix suave* (syn. : HARMONIEUX). *Un coloris suave* (syn. : DÉLICAT). ◆ **suavité** n. f. : *La suavité d'une odeur, d'une mélodie. La suavité du regard.*

subalterne [sybaltɛrn] adj. et n. Se dit d'une personne qui dépend d'une autre : *Un employé, un officier subalterne* (syn. : INFÉRIEUR). *Il vaut souvent* *mieux avoir affaire à un chef qu'à un subalterne* (syn. : SECOND, SUBORDONNÉ). ◆ adj. Se dit de ce qui est hiérarchiquement inférieur : *Un emploi subalterne* (syn. : INFÉRIEUR, SECONDAIRE).

subconscient n. m. V. CONSCIENT.

subdiviser [sybdivize] v. tr. Diviser en de nouvelles parties ce qui a déjà été divisé : *Subdiviser un chapitre en paragraphes.* ◆ **subdivision** n. f. 1° Action de subdiviser : *Procéder par divisions et subdivisions successives. Trop de subdivisions embrouillent un exposé.* — 2° Partie de ce qui a été divisé : *Les cantons sont des subdivisions des arrondissements.*

subir [sybir] v. tr. 1° (sujet nom d'être animé) *Subir quelque chose,* supporter malgré soi ou volontairement ce qui est imposé, ordonné, prescrit : *Subir la loi du vainqueur, la tyrannie* (syn. : ENDURER). *Subir des violences, des tortures* (syn. : SOUFFRIR). *L'ennemi a subi des pertes considérables* (syn. : ESSUYER, ÉPROUVER). *Subir les conséquences d'une imprudence, de sa témérité* (syn. : PAYER). *Subir l'influence, le charme de quelqu'un. Subir une intervention chirurgicale.* — 2° Fam. *Subir quelqu'un,* supporter la présence d'une personne qui déplaît : *Voilà ce vieux raseur qui arrive, il va encore falloir le subir.* — 3° (sujet nom de chose) *Subir quelque chose,* en être l'objet : *Un projet de loi qui a subi des modifications.*

subit, e [sybi, -it] adj. Se dit de ce qui se produit, se présente tout à coup : *Une mort subite* (syn. : INSTANTANÉ). *Un froid subit* (syn. : BRUSQUE ; contr. : PROGRESSIF). *Une subite inspiration* (syn. : SOUDAIN). ◆ **subitement** adv. : *Partir, disparaître subitement* (syn. : BRUSQUEMENT). ◆ **subito** adv. Syn. fam. de SUBITEMENT.

subjectif, ive [sybʒɛktif, -iv] adj. Qui varie avec les jugements, les goûts, les habitudes, les désirs de chacun : *Un jugement subjectif* (contr. : OBJECTIF). *Une critique subjective* (syn. : INDIVIDUEL, PERSONNEL). *La poésie, la musique sont purement subjectives.* (En philosophie, le terme indique ce qui est relatif au sujet pensant.) ◆ **subjectivement** adv. : *Raisonner subjectivement.* ◆ **subjectivisme** n. m. ou **subjectivité** n. f. Attitude d'une personne qui juge et raisonne uniquement d'après ses opinions, ses sentiments : *La subjectivité d'un correcteur dans un examen* (contr. : OBJECTIVITÉ).

subjonctif [sybʒɔ̃ktif] n. m. Mode du verbe utilisé obligatoirement dans certaines relations de dépendance grammaticale (subordonnées), et parfois en opposition avec l'indicatif pour traduire la participation du locuteur à l'action du verbe.

subjuguer [sybʒyge] v. tr. *Subjuguer quelqu'un,* opérer sur lui une vive séduction (littér.) : *Un orateur qui subjugue ses auditeurs* (syn. : ENVOÛTER, ↓ CHARMER).

sublime [syblim] adj. 1° Se dit de ce qui est le plus élevé dans l'ordre moral, intellectuel, esthétique : *Une sublime abnégation* (syn. : NOBLE). *Une sublime éloquence* (syn. : ↑ DIVIN). *Un paysage sublime* (syn. : ↓ MERVEILLEUX, EXTRAORDINAIRE). — 2° Se dit d'une personne dont les sentiments et la conduite atteignent une grande valeur morale : *Elle a été sublime dans cette circonstance. Un homme sublime de dévouement, d'abnégation.* ◆ n. m. Caractère de ce qui est sublime : *Une éloquence qui atteint au sublime.* ◆ **sublimer** v. tr. *Sublimer une tendance, une passion,* les orienter vers un intérêt moral, une valeur sociale positive.

submerger [sybmɛrʒe] v. tr. 1° (sujet nom désignant des eaux) Recouvrir complètement : *Une rivière qui submerge toute une vallée* (syn. : INONDER, NOYER). *Raz de marée qui submerge une digue. Une lame qui submerge une barque.* — 2° (sujet nom de personne ou de chose) Déborder, envahir complètement par une action violente, par la puissance du nombre (surtout au passif) : *Le service d'ordre fut submergé par les manifestants. Les vendeurs étaient submergés par la foule. Etre submergé de travail, d'occupations* (= être accablé, surchargé de travail ; syn. : ÊTRE DÉBORDÉ). ◆ **submersion** n. f. (seulement techn.) : *La submersion d'un bateau par les vagues. Une mort par submersion* (syn. : NOYADE). ◆ **submersible** n. m. Syn. de SOUS-MARIN. ◆ **insubmersible** adj. Qui ne peut couler.

subodorer [sybɔdɔre] v. tr. Fam. *Subodorer quelque chose,* le pressentir, le deviner : *Subodorer une intrigue, des secrets* (syn. : FLAIRER, SE DOUTER DE, SOUPÇONNER).

subordonner [sybɔrdɔne] v. tr. 1° *Subordonner une personne à une autre,* établir un ordre de dépendance entre elles : *L'organisation militaire subordonne le capitaine au commandant.* — 2° *Subordonner une chose à une autre,* l'en faire dépendre (surtout au passif) : *Son départ est subordonné aux conditions météorologiques.* ◆ **subordination** n. f. 1° Ordre établi entre des personnes et qui les rend dépendantes les unes des autres : *Maintenir la subordination dans une armée, dans une administration* (syn. : HIÉRARCHIE). — 2° Dépendance d'une chose par rapport à une autre : *La subordination des intérêts privés à l'intérêt public.* — 3° En grammaire, mode de groupement des propositions consistant à rattacher une proposition à une autre dont elle dépend. ◆ **subordonné, e** n. Personne placée sous l'autorité d'une autre : *Etre bon à l'égard de ses subordonnés* (syn. : SOUS-ORDRE, SUBALTERNE). ◆ **subordonnée** adj. et n. f. Se dit, en grammaire, d'une proposition qui, dans une phrase, dépend d'une autre proposition qu'elle complète ou détermine : *Les propositions subordonnées peuvent être introduites par un pronom relatif (subordonnées relatives), un mot interrogatif (subordonnées interrogatives indirectes), une conjonction de subordination (subordonnées conjonctives), ou, sans être liées par un de ces termes, être à l'infinitif (subordonnées infinitives) ou au participe (subordonnées participiales). Les subordonnées dépendent le plus souvent d'une proposition principale, comme dans la phrase : « Il pleuvait quand nous sommes sortis », où « quand nous sommes sortis » est une subordonnée conjonctive.* ◆ **insubordonné, e** adj. Indiscipliné. ◆ **insubordination** n. f. Indiscipline.

suborner [sybɔrne] v. tr. *Suborner un témoin,* le payer pour qu'il porte un faux témoignage (littér.). ◆ **suborneur, euse** n.

subreptice [sybrɛptis] adj. Se dit de ce qui se fait furtivement et d'une façon déloyale : *Un moyen, une manœuvre subreptice.* ◆ **subrepticement** adv. : *Agir subrepticement* (= à la dérobée, par surprise). *Partir subrepticement* (= clandestinement).

subséquemment [sypsekamɑ̃] adv. En conséquence (pour pasticher les rapports de gendarmerie) : *Nous avons rencontré le sieur X en train de* *marauder et subséquemment nous avons verbalisé.*

subside [sypsid] n. m. Somme d'argent versée à titre de secours : *Accorder des subsides à une œuvre de charité* (syn. : DON). *Vivre des subsides de quelqu'un.*

subsidiaire [sypsidjɛr] adj. *Question subsidiaire,* question supplémentaire destinée à départager des concurrents classés ex aequo.

1. subsister [sybziste] v. intr. (sujet nom de chose). Exister encore : *Des monuments qui subsistent depuis des millénaires* (syn. : DEMEURER). *Une erreur qui subsiste* (syn. : SE MAINTENIR, SURVIVRE, PERSISTER) ; et impers. : *Il subsiste seulement quelques ruines de ce vieux château.*

2. subsister [sybziste] v. intr. (sujet nom de personne). Pourvoir à ses besoins, à son entretien : *Il travaillait pour subsister* (syn. : VIVRE). ◆ **subsistance** n. f. Nourriture et entretien : *Contribuer à la subsistance de sa famille.*

substance [sypstɑ̃s] n. f. 1° Matière dont une chose est formée : *Une substance solide, liquide, gazeuse. Une substance alimentaire.* — 2° Ce qu'il y a de permanent dans les choses qui changent (philos.) : *Chez les catholiques, dans le sacrement de l'Eucharistie, la substance du pain et du vin se change au corps et au sang de Jésus-Christ.* — 3° Ce qu'il y a d'essentiel, de principal, dans un discours, dans un écrit, etc. : *La substance d'un livre, d'une lettre, d'un article. Voici brièvement la substance de notre entretien* (syn. : SUJET). ● LOC. ADV. *En substance,* en abrégé, en résumé : *Voici en substance ce qu'il a dit* (syn. : EN GROS, SOMMAIREMENT). ◆ **substantiel, elle** adj. 1° Se dit de ce qui est rempli de substance nutritive : *Un aliment, un repas substantiel* (syn. : NOURRISSANT, RICHE). — 2° Essentiel, capital : *Extraire d'un livre ce qu'il contient de plus substantiel.* — 3° *Fam.* Important, considérable : *Obtenir des avantages substantiels, une augmentation substantielle de traitement.*

substantif [sypstɑ̃tif] n. m. Mot appartenant à une catégorie grammaticale qui peut porter les marques du genre et du nombre, et qui constitue avec le verbe un des deux éléments de base de la phrase (syn. : NOM). [V. CLASSE.] ◆ **substantivé, e** adj. : *Dans la phrase « Le vrai peut quelquefois n'être pas vraisemblable », « vrai » est substantivé.*

substituer [sypstitɥe] v. tr. *Substituer un être animé à un autre, une chose à une autre* : mettre l'un ou l'une à la place de l'autre : *Substituer un enfant, un mot à un autre* (syn. : REMPLACER). ◆ **se substituer** v. pr. Prendre la place de : *Le sous-directeur s'est substitué au directeur pour prendre certaines décisions.* ◆ **substitution** n. f. 1° Action, intentionnelle ou non, de substituer : *Substitution de vêtements. La substitution d'une biche à Iphigénie au moment du sacrifice.* — 2° Remplacement d'un mot par un autre, qui en a pris le sens (ainsi *entendre* avait le sens de *comprendre;* il a pris le sens d'*ouïr,* verbe qu'il a éliminé).

substitut [sypstity] n. m. Magistrat chargé de remplacer, au parquet, le procureur général ou le procureur de la République.

substrat [sypstra] n. m. Survivance, dans une langue, d'un parler antérieur, qui est à l'origine de certaines modifications intervenues dans la langue elle-même : *La palatalisation de « u » en « y » est due, semble-t-il, au substrat gaulois.*

subterfuge [syptɛrfyʒ] n. m. Moyen détourné, ruse pour se tirer d'embarras : *User de subterfuges pour sortir d'une situation difficile* (syn. : ÉCHAPPATOIRE, FAUX-FUYANT).

subtil, e [syptil] adj. 1° Se dit d'une personne qui a beaucoup de finesse, capable de percevoir des distinctions, des nuances délicates : *Un esprit subtil* (syn. : FIN, DÉLIÉ). *Un critique subtil* (syn. : PÉNÉTRANT, SAGACE). *Un subtil diplomate* (syn. : PERSPICACE). — 2° Se dit d'une chose qui manifeste de la finesse, de l'ingéniosité poussée quelquefois jusqu'au raffinement : *Une réponse subtile* (syn. : INGÉNIEUX). *Un raisonnement subtil. Une interprétation subtile. Une nuance subtile* (syn. : TÉNU). *Une question subtile* (= qui exige beaucoup de finesse, de sagacité). ◆ **subtilement** adv. : *Discuter, raisonner subtilement* (syn. : FINEMENT). *Se tirer subtilement d'une affaire difficile* (syn. : HABILEMENT). ◆ **subtilité** n. f. 1° Caractère d'une personne, d'une chose subtile : *La subtilité d'un penseur. La subtilité d'une réponse, d'une manœuvre.* — 2° Pensée, parole d'une finesse excessive : *Discuter sur des subtilités* (syn. : ARGUTIE). ◆ **subtiliser** v. intr. Penser, raisonner avec une finesse excessive (littér.) : *Ne subtilisez pas, le sujet est suffisamment ardu.*

1. subtiliser v. intr. V. SUBTIL.

2. subtiliser [syptilize] v. tr. *Fam. Subtiliser quelque chose,* le dérober adroitement : *Subtiliser une montre.* ◆ **subtilisation** n. f. : *La subtilisation d'un portefeuille* (syn. : VOL).

suburbain, e [sybyrbɛ̃, -ɛn] adj. 1° Qui est tout près d'une grande ville : *Les communes suburbaines de Paris.* — 2° *Transports suburbains, réseau d'autobus suburbain, chemin de fer suburbain,* qui desservent les environs d'une ville, sa banlieue.

subvenir [sybvənir] v. tr. ind. (conj. **22**; auxil. *avoir*). *Subvenir aux besoins de quelqu'un,* lui procurer ce qui lui est nécessaire (syn. : POURVOIR, SUFFIRE).

subvention [sybvɑ̃sjɔ̃] n. f. Somme d'argent versée par l'Etat, par une collectivité locale, par une société, par un mécène, etc., à une entreprise, à une association, à une personne : *Les théâtres nationaux reçoivent une subvention de l'Etat. Accorder une subvention à une école* (syn. : SUBSIDE). ◆ **subventionner** v. tr. *Subventionner une collectivité, une personne,* etc., leur fournir une subvention : *Subventionner un journal, une commune sinistrée.* ‖ *Théâtres subventionnés,* théâtres nationaux qui reçoivent de l'Etat une partie de leurs ressources et ont un statut particulier.

subversion [sybvɛrsjɔ̃] n. f. Action de troubler, de renverser l'ordre établi, les lois, les principes : *Déjouer une tentative de subversion.* ◆ **subversif, ive** adj. Se dit de ce qui est propre à bouleverser, à renverser l'ordre établi : *Des propos, des procédés subversifs. Des opinions subversives. Des menées subversives. Guerre subversive* (= action concertée, dirigée contre les autorités d'un pays par des organisations clandestines, disposant ou non de l'appui d'une partie de la population).

suc [syk] n. m. 1° Liquide organique imprégnant un tissu animal ou végétal : *Extraire le suc d'une viande, d'une plante, d'un fruit* (syn. : JUS). — 2° Le meilleur d'une chose (littér.) : *Il a bien profité de la lecture de ce livre, il en a tiré tout le suc* (syn. : QUINTESSENCE).

succédané [syksedane] n. m. **1°** Produit qui peut en remplacer un autre : *Un succédané de café, de caoutchouc* (syn. : ERSATZ). — **2°** Ce qui peut remplacer une chose : *Certains conçoivent le cinéma comme un succédané du théâtre.*

succéder [syksede] v. tr. ind. **1°** (sujet nom de personne) *Succéder à quelqu'un,* parvenir après lui à une dignité, à une charge, à un emploi : *Louis XIII a succédé à Henri IV. Il succédera à son père à la direction de l'entreprise* (syn. : REMPLACER). — **2°** (sujet nom de chose) Venir après, à la suite de (dans le temps ou dans l'espace) : *La nuit succède au jour* (syn. : SUIVRE). *La pluie succède à l'orage. Dans le bocage, les prairies succèdent aux champs cultivés* (syn. : ALTERNER [AVEC]). ◆ ***se succéder*** v. pr. Venir, arriver, se produire l'un après l'autre, former une série : *Ils se succéderont de père en fils dans ce commerce. Les beaux jours se sont succédé sans interruption pendant un mois* (syn. : SE SUIVRE). ◆ **succession** n. f. Série de personnes ou de choses qui se suivent sans interruption ou à peu d'intervalle : *Une succession d'hommes illustres* (syn. : SUITE). *La succession des jours et des nuits, des saisons* (syn. : ALTERNANCE). *Une succession d'événements, d'incidents* (syn. : CASCADE, SÉRIE), *de formalités* (syn. fam. : KYRIELLE). *La vie est une succession de biens et de maux* (syn. : ALTERNATIVE). ◆ **successeur** n. m. Personne qui prend la suite d'une autre dans certaines fonctions, dans une profession, dans un art, dans une science, etc. : *Nommer, désigner son successeur* (syn. : REMPLAÇANT). *Le successeur de Molière dans le théâtre comique* (syn. : CONTINUATEUR). ◆ **successif, ive** adj. Se dit de choses qui se succèdent : *Des découvertes successives. Les générations successives.* ◆ **successivement** adv. : *Ces événements se produisirent successivement* (= l'un après l'autre). *Passer successivement de la joie à la tristesse* (syn. : TOUR À TOUR).

succès [syksɛ] n. m. **1°** Résultat heureux obtenu dans une entreprise, dans une affaire, dans un travail : *Son succès est dû à son mérite et à sa persévérance* (syn. : RÉUSSITE; contr. : ÉCHEC). *Un succès militaire, sportif* (syn. : VICTOIRE, ↑ EXPLOIT). — **2°** Approbation du public : *Avoir du succès au théâtre, au cinéma. Roman qui obtient un vif, un brillant succès* (syn. : ↑ TRIOMPHE). *Un succès fou* (fam. = très grand). *Une pièce, un film à succès* (= qui plaît au public). *Le succès d'une mode* (syn. : VOGUE). — **3°** *Avoir du succès auprès des hommes, des femmes,* leur plaire. ‖ *Un homme à succès,* qui a de nombreuses aventures féminines. ◆ **insuccès** n. m. Contr. de *succès* (sens 1) : *Son insuccès est dû à sa paresse* (syn. : ÉCHEC).

1. succession n. f. V. SUCCÉDER.

2. succession [syksesjɔ̃] n. f. Transmission légale, à une ou plusieurs personnes vivantes, des biens d'une personne décédée; ensemble des biens transmis : *Partager une succession* (syn. : HÉRITAGE).

succinct, e [syksɛ̃, -ɛ̃t] adj. **1°** Se dit de ce qui est énoncé en peu de mots : *Un discours, un récit succinct* (syn. : COURT, SOMMAIRE). — **2°** Se dit d'une personne qui s'exprime en peu de mots : *Un auteur succinct* (syn. : BREF, CONCIS). — **3°** Fam. *Un repas succinct,* peu abondant. ◆ **succinctement** adv. : *Dites-nous succinctement ce qui s'est passé* (syn. : BRIÈVEMENT, SOMMAIREMENT).

succomber [sykɔ̃be] v. intr. **1°** Mourir, périr : *Plusieurs blessés de la catastrophe ont succombé à leur arrivée à l'hôpital. Succomber à la suite d'une fracture du crâne.* — **2°** Etre accablé sous un fardeau (littér.) : *Succomber sous le poids d'une charge.* — **3°** (sujet nom de personne) Céder à la séduction. ◆ v. tr. ind. *Succomber à quelque chose,* ne pas y résister : *Succomber au sommeil, à la fatigue, à la tentation* (syn. : CÉDER À; contr. : RÉSISTER À).

succulent, e [sykylɑ̃, -ɑ̃t] adj. Qui a une saveur délicieuse : *Des mets succulents. Un repas succulent* (syn. : EXCELLENT, SAVOUREUX). ◆ **succulence** n. f. : *La succulence d'un aliment.*

succursale [sykyrsal] n. f. Etablissement commercial ou financier qui dépend d'un autre, tout en jouissant d'une certaine autonomie : *Les succursales d'une banque, d'un grand magasin.*

sucer [syse] v. tr. **1°** *Sucer quelque chose,* l'attirer dans sa bouche par aspiration : *Sucer la moelle d'un os, le jus d'un fruit.* — **2°** Exercer une pression avec la langue, les lèvres sur une chose qu'on a dans la bouche : *Sucer un bonbon, son pouce, le tuyau de sa pipe.* — **3°** *Sucer avec le lait,* acquérir, recevoir dès l'enfance certains idées, certains sentiments (littér.) : *Sucer avec le lait une saine doctrine.* ◆ ***se sucer*** v. pr. Pop. *Se sucer la pomme,* s'embrasser. ◆ **succion** [syksjɔ̃] n. f. : *La succion d'une plaie. Un bruit de succion.* ◆ **sucement** n. m. : *Le sucement du pouce.* ◆ **sucette** n. f. Bonbon de forme allongée, fixé à l'extrémité d'un bâtonnet. ◆ **suçon** n. m. *Fam.* Marque que l'on fait sur la peau en la suçant fortement. ◆ **suçoter** v. tr. *Fam.* Sucer en léchant du bout des lèvres : *Suçoter un bonbon.*

sucre [sykr] n. m. **1°** Aliment de saveur douce et agréable, extrait de divers végétaux, surtout du jus de la canne à sucre et de la betterave. — **2°** *Fam.* Morceau de sucre : *Mettre plusieurs sucres dans son café.* — **3°** Fam. *Casser du sucre sur le dos de quelqu'un,* dire du mal de lui. ‖ *Etre en sucre,* avoir peu de résistance. ‖ *Etre tout sucre et tout miel,* être fort doucereux. ‖ *Pain de sucre,* masse de sucre blanc coulée dans des moules coniques. ‖ *En pain de sucre,* de forme conique : *Un sommet en pain de sucre.* ‖ *Sucre d'orge, sucre de pomme,* bonbons préparés avec du sucre et de l'eau d'orge ou du jus de pomme et vendus sous forme de bâtons cylindriques. ◆ **sucrer** v. tr. et intr. **1°** Ajouter du sucre à un aliment ou à une boisson : *Sucrer un entremets, des petits pois. Sucrer son café, un médicament.* — **2°** Donner la saveur du sucre au moyen d'un produit à saveur sucrée : *Sucrer avec du miel, de la saccharine.* — **3°** Pop. *Sucrer les fraises,* avoir les mains qui tremblent. ◆ ***se sucrer*** v. pr. **1°** *Fam.* Prendre du sucre, en mettre dans une boisson : *Sucrez-vous.* — **2°** *Pop.* S'octroyer la plus grande part dans un partage. ◆ **sucré, e** adj. **1°** Se dit d'une chose qui a la saveur du sucre : *Des raisins bien sucrés.* — **2°** Additionné de sucre : *Des biscuits sucrés.* — **3°** Se dit de quelqu'un (ou de son attitude) qui affecte une douceur extrême : *Prendre un air sucré.* ◆ n. *Faire le sucré, la sucrée,* se montrer aimable avec affectation; jouer l'innocence, la modestie. ◆ **sucrerie** n. f. Usine où l'on fabrique le sucre. ◆ **sucreries** n. f. pl. Friandises préparées avec le sucre : *Aimer les sucreries.* ◆ **sucrier, ère** adj. Relatif à la fabrication du sucre : *L'industrie sucrière. Départements sucriers* (= ceux où l'on produit des betteraves à sucre). ◆ **sucrier** n. m. **1°** Fabricant de sucre : *Un grand sucrier du Nord.* — **2°** Récipient dans lequel on met du sucre.

sud [syd] n. m. 1° Un des quatre points cardinaux, celui qui est opposé au nord : *Un immeuble exposé au sud* (syn. : MIDI). — 2° Ensemble des régions d'un pays qui se trouvent le plus au sud relativement aux autres parties : *Le sud de l'Angleterre. La France du Sud.* — 3° *Au sud de,* dans une région située plus près du sud, relativement à une autre : *On annonce des orages au sud de la Loire.* ◆ adj. invar. : *La côte sud de l'Italie. Le pôle Sud.* ◆ **sud-est** n. m. Point de l'horizon situé entre le sud et l'est; partie d'un pays située dans cette direction : *Un vent du sud-est. Le sud-est de l'Espagne.* ◆ adj. : *La côte sud-est de l'Italie.* ◆ **sud-ouest** n. m. Point de l'horizon situé entre le sud et l'ouest; partie d'un pays située dans cette direction. ◆ adj. : *La région sud-ouest de l'Allemagne.* ◆ **sud-africain, e** adj. et n. D'Afrique du Sud. ◆ **sud-américain, e** adj. et n. D'Amérique du Sud.

suer [sɥe] v. intr. 1° (sujet nom de personne) Eliminer par les pores de la peau un liquide appelé « sueur » : *Suer de fatigue. Suer à grosses gouttes. Il faut éviter d'absorber des boissons glacées quand on sue* (syn. : TRANSPIRER). — 2° Se donner beaucoup de peine, de fatigue : *Il a sué pour rédiger cet article. Il a bien sué sur ce travail.* — 3° (sujet nom de chose) Dégager de l'humidité : *Les murs suent pendant le dégel* (syn. : SUINTER). — 4° Fam. *Faire suer quelqu'un,* lui faire éprouver de l'impatience, de l'exaspération, l'importuner (syn. fam. : EMBÊTER). ◆ v. tr. 1° Rendre par les pores de la peau : *Suer du sang.* — 2° Révéler, exprimer par son seul aspect : *Un intérieur qui sue la misère. Un livre qui sue le plagiat. Une personne qui sue l'ennui, l'orgueil* (syn. : EXHALER). — 3° *Suer sang et eau,* se donner beaucoup de peine. ‖ Pop. *En suer une,* danser. ◆ **sueur** n. f. 1° Liquide incolore, salé, d'une odeur particulière, qui suinte par les pores de la peau : *La sueur inondait son visage, lui dégouttait du front. Il était trempé, ruisselant de sueur* (syn. : TRANSPIRATION). *Un cheval couvert de sueur* (syn. : ÉCUME). — 2° *Gagner son pain à la sueur de son front,* se donner beaucoup de peine pour vivre. ‖ *Vivre de la sueur du peuple,* de son dur labeur. ‖ *Sueur froide,* vif sentiment de peur, d'inquiétude : *Avoir des sueurs froides. Cette explosion nous a donné des sueurs froides.* ◆ **sudation** n. f. Production de sueur (techn.; syn. : TRANSPIRATION). ◆ **sudorifique** adj. Qui provoque la sudation : *Une tisane sudorifique.* ◆ **sudoripare** adj. *Glandes sudoripares,* qui sécrètent la sueur. ◆ **suée** n. f. *Fam.* Transpiration abondante, à la suite d'un effort, d'un travail pénible, d'une émotion : *Nous avons attrapé une bonne suée à transporter cette malle.*

suffire [syfir] v. intr. et tr. ind. (conj. 72). 1° (sujet nom de chose) Etre en quantité assez grande, avoir la quantité nécessaire pour : *Cette somme suffira à payer vos dettes. Une goutte d'eau suffit pour faire déborder le vase. Un rien suffit pour le contrarier. Heureux celui à qui suffit ce qu'il possède. A chaque jour suffit sa peine* (= il ne faut pas se tourmenter inutilement sur l'avenir). ‖ *Cela* ou *ça suffit* (ou simplem. *suffit*), *ça suffit comme ça* (fam.), en voilà assez, n'en parlons plus. ‖ *Il suffit de* (suivi d'un nom ou d'un infin.), *il suffit que* (et le subj.), il est besoin de, que : *Il suffit d'un rien pour le mettre en colère* (= il n'est besoin que d'un rien). *Il ne suffit pas d'avoir de l'argent pour être heureux. Il suffit qu'on lui interdise une chose pour qu'il la fasse aussitôt.* — 2° (sujet nom de personne) Etre capable de fournir ce qui est nécessaire : *L'homme seul ne peut suffire à tous ses besoins. Il lui est difficile de suffire à de pareilles tâches, à toutes ses obligations. Sa famille lui suffit, il n'a pas d'amis* (= il n'a pas besoin d'autres personnes). ◆ ***se suffire*** v. pr. Ne pas avoir besoin de l'aide des autres : *Il n'est pas possible de se suffire à soi-même. Un pays qui se suffit à lui-même.* ◆ **suffisant, e** adj. Se dit d'une chose qui suffit (sens 1) : *Avoir des ressources suffisantes pour vivre. Vous ne devez pas vous absenter sans une raison suffisante. Obtenir des résultats suffisants* (syn. : HONORABLE, SATISFAISANT). ◆ **insuffisant, e** adj. : *Un nombre insuffisant. Des ressources insuffisantes.* ◆ **suffisamment** adv. : *Avoir suffisamment travaillé. Etre suffisamment vêtu* (syn. : ASSEZ). ◆ **insuffisamment** adv. : *Travailler insuffisamment.* ◆ **suffisance** n. f. Quantité assez grande : *Il ne souhaite pas plus d'argent, il en a sa suffisance* (= son content). • LOC. ADV. *En suffisance,* suffisamment : *Il y a cette année du blé et du vin en suffisance.* ◆ **insuffisance** n. f. : *L'insuffisance de la récolte, de la production industrielle.*

1. suffisant, e adj. V. SUFFIRE.

2. suffisant, e [syfizɑ̃, -ɑ̃t] adj. *Péjor.* Se dit d'une personne qui manifeste dans son attitude une excessive satisfaction de soi : *Ne trouvez-vous pas que cet écrivain est vraiment suffisant quand il parle de son œuvre?* (syn. : PRÉTENTIEUX, VANITEUX; fam. : PUANT). *Avoir un air suffisant. Faire le suffisant* (syn. : FAT). ◆ **suffisance** n. f. : *Un homme d'une suffisance insupportable* (syn. : PRÉTENTION, VANITÉ; contr. : MODESTIE).

suffixe [syfiks] n. m. Elément qui se place à la fin d'un mot ou d'un radical et en modifie la forme et le sens : *Les suffixes sont des particules qui n'existent pas indépendamment des mots suffixés, ainsi « -age » dans « arrosage », « -ment » dans « assagissement »; ce sont aussi des formes savantes empruntées au grec ou au latin et qui n'existent pas en général d'une manière autonome, comme « -logie » dans « géologie », « -graphie » dans « cartographie », « -fuge » dans « vermifuge », « -fère » dans « mammifère ».* ◆ **suffixé, e** adj. : *Les mots suffixes perdent parfois leur lien sémantique avec le mot simple (« soupirail », de « soupirer »; « apanage », de « pain »).* ◆ **suffixation** n. f. Moyen morphologique employé pour former, avec des suffixes, de nouvelles unités lexicales à partir de mots de base (ou racines). [V. PRÉFIXE et INTRODUCTION.]

suffoquer [syfɔke] v. tr. (sujet nom de chose). 1° *Suffoquer quelqu'un,* lui rendre la respiration difficile : *Il fait une chaleur qui vous suffoque* (syn. : ÉTOUFFER). *Les larmes, les sanglots la suffoquaient* (syn. : OPPRESSER). — 2° Causer une violente émotion : *Cette nouvelle nous a tous suffoqués.* ◆ v. intr. (sujet nom de personne). 1° Respirer avec peine, perdre le souffle : *Il était tellement commotionné qu'il suffoquait.* — 2° Ressentir une vive émotion au point de perdre la respiration : *Suffoquer de colère, d'étonnement, d'indignation.* ◆ **suffocant, e** adj. 1° Qui gêne ou fait perdre la respiration : *Une chaleur suffocante* (syn. : ÉTOUFFANT). *Une fumée suffocante* (syn. : ASPHYXIANT). — 2° Qui saisit et stupéfie : *Des révélations suffocantes* (syn. : ↓ ÉTONNANT). ◆ **suffocation** n. f. Sensation d'oppression produite par la suspension ou la gêne de la respiration : *L'air raréfié des hautes altitudes provoque la suffocation.*

suffrage [syfraʒ] n. m. 1° Vote par lequel quelqu'un exprime son choix, dans une délibération, une élection, etc. : *Le président sortant a obtenu la majorité des suffrages* (syn. : VOIX). — 2° Mode de votation : *Suffrage direct* (= système dans lequel l'électeur vote lui-même pour la personne à élire [conseiller, député, président]). *Suffrage universel* (= système dans lequel le corps électoral est constitué par tous les citoyens, à l'exclusion de ceux qui ont été privés de leurs droits politiques). — 3° Opinion favorable : *Cette pièce a remporté tous les suffrages.*

suggérer [sygʒere] v. tr. 1° (sujet nom de personne) *Suggérer quelque chose à quelqu'un*, le lui inspirer pour qu'il l'adopte : *Suggérer une idée, un projet, une solution* (syn. : CONSEILLER, SOUFFLER, ↑ PERSUADER). — 2° (sujet nom de chose) Faire naître une idée, une image : *Un poème qui suggère des sentiments nobles. Le bruit de la source suggère la fraîcheur* (syn. : ÉVOQUER, FAIRE PENSER À). ◆ **suggestion** [sygʒestjɔ̃] n. f. : *Recourir à la suggestion plutôt qu'à l'explication. Une heureuse suggestion. Ce que je vous ai dit est une simple suggestion* (syn. : CONSEIL). ◆ **suggestif, ive** adj. 1° Qui suggère des idées, des sentiments, des images : *Une poésie, une musique suggestive* (syn. : ÉVOCATEUR). — 2° Qui inspire des idées érotiques : *Des photographies suggestives. Des déshabillés suggestifs.*

1. suggestion n. f. V. SUGGÉRER.

2. suggestion [sygʒestjɔ̃] n. f. Etat d'une personne qui a une idée, qui éprouve un sentiment, qui fait un acte qui lui sont inspirés de l'extérieur. ◆ **suggestionner** v. tr. *Suggestionner quelqu'un*, le faire penser ou agir par suggestion : *Cet homme est très facile à suggestionner.* ◆ **autosuggestion** n. f. Influence persistante d'une idée sur sa propre conduite. ◆ **s'autosuggestionner** v. pr. Se persuader soi-même sous l'influence d'une idée, d'un préjugé.

suicide [sɥisid] n. m. 1° Fait de se donner la mort : *Une tentative de suicide.* — 2° Action de compromettre gravement son autorité, son crédit, etc. : *Un suicide moral.* ◆ **suicider (se)** v. pr. Se donner volontairement la mort. ◆ **suicidé, e** n. Personne qui s'est donné la mort.

suie [sɥi] n. f. Matière noire, que la fumée dépose à la surface d'un corps mis en contact avec elle.

suif [sɥif] n. m. Nom donné, en boucherie, à une partie de la graisse des ruminants : *Du suif de bœuf.*

sui generis [sɥiʒeneris] loc. S'emploie parfois ironiquement en parlant de ce qui caractérise une chose : *Une odeur sui generis* (= particulière, spéciale).

suinter [sɥɛ̃te] v. intr. 1° (sujet nom désignant un liquide) S'écouler d'une manière presque imperceptible : *L'eau suinte à travers les rochers.* — 2° (sujet nom de chose) Laisser s'écouler un liquide : *Un mur qui suinte.* ◆ **suintement** n. m. : *Le suintement d'une muraille.*

1. suisse [sɥis] n. m. Employé d'église en uniforme, dont le rôle est de précéder le clergé dans les cortèges et de veiller au bon ordre durant les offices.

2. suisse [sɥis] n. m. *Petit suisse*, ou *suisse*, petit fromage frais, cylindrique, préparé au lait de vache.

3. suisse [sɥis] n. m. *Boire, manger en suisse*, tout seul, sans inviter ses amis.

1. suivant, e adj. et n. V. SUIVRE.

2. suivant [sɥivɑ̃] prép. 1° Conformément à : *Suivant son habitude, il arrivera à temps.* — 2° En proportion de : *Traiter les gens suivant leurs mérites. Travailler suivant ses forces.* — 3° En fonction de : *Suivant les cas. Suivant le temps et le lieu.* ● LOC. CONJ. *Suivant que*, dans la mesure où : *On obtient un résultat différent suivant qu'on ajoute ou qu'on retranche cet élément.*

suivre [sɥivr] v. tr. (conj. **62**). I. SUJET NOM D'ÊTRE ANIMÉ. 1° Aller derrière un être animé ou une chose en mouvement : *Il marchait le premier, ses camarades le suivaient. Suivre quelqu'un de près* (= le talonner, lui emboîter le pas). *Un policier l'a suivi plusieurs jours* (syn. : PISTER). *Suivre une bête à la trace. Suivre un cheval au galop* (= aller aussi vite que lui). *Les jeunes animaux suivent leur mère. Suivre une voiture dans une file. Faire suivre quelqu'un* (= le faire surveiller; syn. fam. : FILER). — 2° Aller avec quelqu'un qui se déplace : *Sa femme le suit dans tous ses voyages* (syn. : ACCOMPAGNER). *Suivre un ami dans son exil.* — 3° *Suivre quelqu'un dans la tombe*, mourir peu de temps après lui. ‖ *Suivre une personne* ou *une chose (des yeux)*, regarder une personne ou une chose qui s'éloigne : *Nous suivions l'avion dans le ciel.* ‖ *Suivre quelqu'un par la pensée, en pensée*, ne pas cesser de penser à lui, se représenter ce que fait celui qui est absent. ‖ (avec un sujet nom de chose) Venir en même temps, accompagner : *Son image me suit partout* (= est toujours présente à mes yeux). *Le remords le suivait toujours* (= le poursuivait; syn. : OBSÉDER). — 4° Aller dans une direction déterminée (sujet nom de personne) : *Suivre un chemin, un sentier. Suivre les traces de quelqu'un. Suivre le droit chemin* (= rester honnête). *Suivre une ligne d'action, de conduite. Suivre le fil de sa pensée, suivre son idée* (= s'y tenir); sujet nom de chose : *La route suit le canal* (= le longe). — 5° *Suivre quelque chose*, se laisser conduire par lui : *Suivre son imagination, sa fantaisie, ses penchants* (syn. : S'ABANDONNER À). — 6° Penser, agir comme quelqu'un : *Suivre l'exemple d'un homme de bien* (syn. : IMITER). *Personne ne vous suivra dans cette décision.* — 7° Fam. *Suivre le mouvement*, faire comme les autres. ‖ *Suivre sa classe*, avoir les aptitudes nécessaires pour être au niveau de sa classe. — 8° Se conformer à : *Suivre la mode, les usages d'un pays. Suivre les conseils, les avis de quelqu'un* (syn. : ÉCOUTER). *Suivre un ordre de grève, une consigne* (syn. : OBÉIR). *Suivre les préceptes de l'Evangile* (syn. : OBSERVER). *Suivre un plan, une méthode. Suivre un traitement* (= prendre les remèdes prescrits par un médecin). — 9° Etre attentif, s'intéresser au comportement de quelqu'un, à l'évolution de quelque chose : *Suivre la carrière d'une personne. Suivre un élève* (= surveiller son travail pour le diriger). *Un médecin qui suit un malade. Suivre un match à la télévision. Suivre un cours, une classe* (= y être régulièrement). *Suivre une affaire commerciale, une entreprise* (= s'en occuper sérieusement pour la faire réussir). *Suivre une affaire, l'actualité* (= en observer le déroulement; syn. : S'INTÉRESSER À). *Suivre un article* (= en continuer la fabrication, la vente; terme de commerce). — 10° *Suivre un raisonnement*, le comprendre. (On dit aussi, en ce sens, *suivre quelqu'un*, l'écouter attentivement, le comprendre : *Suivez-moi bien, je vais tout vous expliquer. Vous parlez trop vite, il est difficile de vous suivre.*)

II. SUJET NOM DE CHOSE. Venir après, par rapport au temps, au rang, au lieu, à la situation : *La nuit suit le jour. L'été suit le printemps. Vos bagages vous suivront. Sa maison suit la nôtre. Lisez les notes qui suivent le texte.* ◆ v. intr. 1° (sujet nom de personne) Ecouter attentivement : *Un élève qui ne suit pas en classe.* — 2° (sujet nom de chose) Venir après : *Vous n'avez lu que le commencement de la lettre, voyez ce qui suit.* ‖ *Faire suivre,* formule que l'on écrit sur l'enveloppe d'un envoi postal pour indiquer que, si le destinataire est absent, l'objet doit lui être renvoyé à sa nouvelle adresse. ◆ v. impers. Venir comme conséquence : *Il suit de ce que vous dites que je n'ai pas tort* (syn. : RÉSULTER). ◆ ***se suivre*** v. pr. 1° (sujet nom d'être animé ou de chose) Aller les uns derrière les autres : *Des personnes, des voitures qui se suivent à la file.* — 2° (sujet nom de chose) Etre placé les uns derrière les autres, dans un ordre donné : *Des cartes, des numéros qui se suivent. Les jours se suivent et ne se ressemblent pas* (syn. : SUCCÉDER). — 3° Présenter de la logique, de la cohérence : *Un roman où tout se suit.* ◆ **suite** n. f. 1° Ensemble des personnes qui accompagnent un haut personnage : *Le chef de l'Etat et sa suite* (syn. : ESCORTE). — 2° Ce qui vient après ce qui est connu, énoncé, arrivé : *La suite d'une énumération, d'une liste, d'un ouvrage. Pour comprendre ce passage, il faut lire la suite. La suite au prochain numéro* (du journal, de la revue) [syn. : CONTINUATION]. *Attendons la suite des événements* (= ce qui arrivera plus tard). — 3° Ensemble de personnes ou de choses qui se suivent dans l'espace ou dans le temps : *On laissa passer les premiers et on ferma la porte à toute la suite. Une longue suite d'aïeux, de descendants* (syn. : POSTÉRITÉ). *Une suite de maisons, de rues. La vie de cet homme n'est qu'une suite de succès* (syn. : SÉRIE). ‖ *Prendre la suite de quelqu'un,* lui succéder : *Il a pris la suite de son père dans la boulangerie.* — 4° Ce qui résulte d'une chose : *Ce qui lui arrive est la suite naturelle de sa mauvaise conduite* (syn. : CONSÉQUENCE, RÉSULTAT). *Les suites d'une maladie* (syn. : SÉQUELLES). *Cette querelle peut avoir des suites fâcheuses. Il est mort des suites d'une chute en montagne. Donner suite à une commande* (= la satisfaire). *Projet qui n'a pas eu de suite* (= qui n'a pas eu d'exécution). — 5° Ordre, liaison logique : *Il nous a tenu des propos sans suite* (= incohérents). *Il y a beaucoup de suite dans ses raisonnements, dans ses réponses.* ‖ *Avoir de la suite dans les idées,* être capable d'une attention continue, de persévérance dans le même ordre d'idées. • LOC. ADV. *De suite,* à la file, sans interruption : *Manger douze huîtres de suite* (syn. : D'AFFILÉE). *Il était incapable de dire deux mots de suite.* ‖ *Dans la suite, par la suite,* plus tard. ‖ *Et ainsi de suite,* et de même en continuant : *Pour apprendre ce texte par cœur, vous le lisez une fois, deux fois, trois fois, et ainsi de suite jusqu'à ce que vous soyez capable de le réciter.* ‖ *Par suite,* par une conséquence naturelle. ‖ *Tout de suite,* immédiatement, sans délai : *Répondez-moi tout de suite* (syn. : SUR-LE-CHAMP). *Revenez tout de suite* (fam. : DE SUITE). • LOC. PRÉP. *A la suite de,* après : *A la suite de cet accident, il a dû cesser toute activité.* ‖ *Par suite de,* en conséquence : *Par suite des pluies, la rivière a débordé.* ◆ **suivant, e** adj. Se dit d'une chose qui vient après une autre dans une série : *Vous trouverez les renseignements à la page suivante. La vente des soldes aura lieu demain et les jours suivants.* ◆ adj. et n. Se dit de quelqu'un qui vient immédiatement après un autre : *Faites entrer la personne suivante. Au suivant de ces messieurs, dit le coiffeur.* ◆ **suivi, e** adj. 1° Qui a lieu d'une manière continue : *Une correspondance suivie* (syn. : RÉGULIER). *Des relations suivies. Un article suivi* (= dont la fabrication et la vente sont continues). — 2° Fréquenté : *Un cours très suivi.* — 3° Dont les parties s'enchaînent d'une façon logique : *Un discours, un raisonnement suivi* (syn. : COHÉRENT). ◆ **suiveur** n. m. 1° Personne qui escorte une course cycliste : *Les suiveurs du Tour de France.* — 2° *Fam.* Homme qui suit les femmes dans la rue.

1. sujet, ette [syʒɛ, -ɛt] adj. 1° *Sujet à,* se dit d'un être animé exposé à éprouver certaines maladies, certains inconvénients : *Une femme sujette à la migraine, au mal de mer, au vertige. Un homme sujet à de violentes colères.* — 2° *Sujet à caution,* se dit d'une personne ou d'une chose à laquelle on ne peut se fier. — 3° *Etre sujet à* (et l'infin.), être porté à se laisser entraîner à de mauvaises actions, à certains inconvénients : *Il est assez sujet à s'enivrer. L'homme est sujet à se tromper.*

2. sujet [syʒɛ] n. m. 1° Matière sur laquelle on parle, on écrit, on compose une œuvre littéraire, artistique, un travail scientifique : *Quel était le sujet de votre conversation? Passer d'un sujet à un autre. Réfléchir sur un sujet de dissertation. Un sujet difficile à traiter. Trouver un sujet de comédie. Un sujet de tableau tiré de la mythologie, de l'histoire. Un sujet de thèse, de doctorat.* — 2° Ce qui est l'occasion, la cause d'une action, d'un sentiment : *Dites-moi quel est le sujet de votre dispute?* (syn. : MOTIF). *Un sujet de mécontentement, de discorde.* — 3° *Avoir sujet de,* avoir un motif légitime de : *Vous n'avez pas sujet de vous plaindre* (syn. : AVOIR LIEU DE). *Protester, réclamer sans sujet* (= sans raison). • LOC. PRÉP. *Au sujet de,* relativement à, à cause de : *Il a reçu des reproches au sujet de sa conduite.*

3. sujet [syʒɛ] n. m. 1° Etre vivant sur lequel on fait des observations : *Ce neurologue a trouvé de nombreux sujets pour ses recherches.* — 2° *Un brillant sujet, un sujet d'élite,* un brillant élève. ‖ *Mauvais sujet,* enfant, jeune homme dont la conduite est répréhensible.

4. sujet [syʒɛ] n. m. Fonction grammaticale du groupe nominal qui donne ses marques de nombre, de personne et, éventuellement, de genre au verbe. (V. FONCTION.)

sujétion [syʒesjɔ̃] n. f. 1° Etat d'une personne astreinte à quelque nécessité : *Certaines habitudes deviennent des sujétions* (syn. : CONTRAINTE). — 2° Assiduité requise par une charge, par un emploi : *Ce poste comporte une grande sujétion* (syn. : ASSUJETTISSEMENT).

sultan [syltɑ̃] n. m. Titre donné à certains princes musulmans. ◆ **sultanat** n. m.

summum [sɔmmɔm] n. m. *Etre au summum de,* être au plus haut degré de (langue soutenue) : *Etre au summum de la célébrité.*

sunlight [sœnlajt] n. m. Projecteur de grande puissance, utilisé pour les prises de vues au cinéma.

1. super-, préfixe qui indique : 1° Une intensité très grande, une supériorité, une importance considérable (il entre dans la composition de substantifs et d'adjectifs) : *supercarburant, superforteresse, superproduction, superfin,* etc. (le préfixe connaît en français contemporain une grande extension, en particulier dans le vocabulaire technique);
2° Une position au-dessus d'une autre (il entre dans la composition de substantifs et de verbes) : *superstructure, superviser,* etc. (V. ARCHI-, ULTRA-.) [Les mots composés avec *super* sont à leur ordre alphabétique quand ils ont un sens spécifique. Dans le cas contraire, ils sont au composant principal.]

2. super [sypɛr] n. m. Abrév. fam. de SUPERCARBURANT.

superbe [sypɛrb] adj. (après ou avant le nom). Se dit d'un être animé ou d'une chose qui est d'une beauté éclatante : *Une femme superbe. Un superbe cavalier. Un cheval superbe. Un arbre superbe* (syn. : MAGNIFIQUE). *Il fait un temps superbe* (syn. : SPLENDIDE). ◆ **superbement** adv. : *Un appartement superbement meublé* (syn. : SOMPTUEUSEMENT, MAGNIFIQUEMENT).

supercarburant [sypɛrkarbyrɑ̃] n. m. Essence de rendement supérieur. (Abrév. fam. : SUPER.)

supercherie [sypɛrʃəri] n. f. Tromperie faite avec une certaine finesse, surtout en matière de commerce, d'art, etc. : *User de supercherie. Une supercherie littéraire* (= ouvrage publié sous un nom imaginaire).

superfétatoire [sypɛrfetatwar] adj. Se dit d'une chose qui s'ajoute inutilement à une autre : *Une explication superfétatoire* (syn. : SUPERFLU).

1. superficie [sypɛrfisi] n. f. Mesure de la surface d'un terrain, d'une région, d'un appartement, etc. : *La superficie de la Terre. Calculer la superficie d'un champ.*

2. superficie [sypɛrfisi] n. f. Apparence, aspect extérieur : *S'arrêter, s'en tenir à la superficie des choses* (syn. : SURFACE). ◆ **superficiel, elle** adj. 1° Se dit de ce qui n'existe qu'en surface : *Une plaie, une brûlure superficielle.* — 2° Se dit d'une personne qui se contente d'effleurer une matière, d'une chose qui n'est pas approfondie : *Un critique superficiel. Un examen superficiel d'une question* (contr. : EXHAUSTIF). *Un travail superficiel. Des connaissances superficielles* (syn. : SOMMAIRE). ◆ **superficiellement** adv. : *Traiter une question superficiellement.*

superflu, e [sypɛrfly] adj. Se dit d'une chose qui est en plus de ce qui est nécessaire : *Donner des détails superflus dans un rapport* (= qui sont de trop). *Faire une dépense superflue* (syn. : INUTILE; contr. : INDISPENSABLE). *Tenir des propos superflus* (syn. : OISEUX; contr. : ESSENTIEL). *Exprimer des regrets superflus* (syn. : VAIN). ◆ **superflu** n. m. Ce qui est au-delà du nécessaire : *Donner un peu de son superflu.* ◆ **superfluités** n. f. pl. Choses superflues.

1. supérieur, e [syperjœr] adj. 1° Se dit d'une chose située au-dessus d'une autre dans l'espace : *La mâchoire supérieure* (contr. : INFÉRIEUR). *Les étages supérieurs d'un immeuble* (syn. : ÉLEVÉ). — 2° Se dit d'une chose qui atteint un degré, un niveau plus élevé qu'une autre : *Une température supérieure à la normale. Son travail est supérieur au vôtre* (syn. : MEILLEUR). — 3° Se dit d'une personne (ou de son comportement) qui surpasse les autres par ses connaissances, sa valeur, son mérite, sa force, etc. : *Un homme qui se croit supérieur aux autres. Etre doué d'une intelligence supérieure* (syn. : TRANSCENDANT). *Prendre un air, un ton supérieur* (= qui indique un sentiment de supériorité; syn. : FIER). ‖ *Etre supérieur aux événements,* ne pas se laisser dominer par eux. — 4° Se dit d'une chose qui l'emporte sur une autre par son importance, sa valeur, etc. : *Agir au nom d'un intérêt supérieur. Un produit de qualité supérieure* (syn. : EXCELLENT, EXTRA; contr. : MÉDIOCRE). — 5° Se dit d'une personne ou d'une chose qui occupe un rang, un ordre plus élevé dans une hiérarchie administrative, sociale, etc. : *Les classes supérieures de la société. Les cadres supérieurs d'une entreprise. Les officiers supérieurs* (V. GRADE). ‖ *Enseignement supérieur,* celui qui est donné dans les facultés et les grandes écoles. ‖ *Ecoles normales supérieures,* celles où sont formés les professeurs de l'enseignement secondaire. ◆ **supérieurement** adv. : *Etre supérieurement doué* (syn. : ÉMINEMMENT). *Chanter supérieurement* (syn. : PARFAITEMENT). ◆ **supériorité** n. f. Caractère d'une personne ou d'une chose supérieure : *La supériorité du rang, du talent. Avoir conscience de sa supériorité. L'ennemi avait la supériorité du nombre.*

2. supérieur, e [syperjœr] n. 1° Personne qui a le droit de commander à d'autres en vertu de la hiérarchie : *Obéir à ses supérieurs.* — 2° Celui ou celle qui est à la tête d'une communauté religieuse.

superlatif, ive [sypɛrlatif, -iv] adj. Se dit d'un élément grammatical, d'un mot qui exprime la qualité (bonne ou mauvaise) portée au plus haut degré : *Un adverbe superlatif.* ◆ **superlatif** n. m. 1° Degré le plus élevé ou le moins élevé d'une qualité qu'un être ou une chose possède. — 2° Adjectif ou adverbe au superlatif : *Abuser des superlatifs.* ‖ *Superlatif absolu,* celui qui exprime la qualité portée à un haut degré, sans comparaison avec d'autres personnes ou d'autres choses de même nature (ex. : *Il est très aimable*). ‖ *Superlatif relatif,* celui qui exprime une qualité portée au degré le plus élevé (*superlatif relatif de supériorité*) ou le moins élevé (*superlatif relatif d'infériorité*), par comparaison avec d'autres personnes ou d'autres choses de même nature (ex. : *C'est le plus aimable des hommes*).

supermarché [sypɛrmarʃe] n. m. Magasin de grande surface vendant tous les produits alimentaires en libre-service.

superposer [sypɛrpoze] v. tr. *Superposer des choses,* les poser, les placer l'une sur l'autre : *Superposer des assiettes, des livres* (syn. : ENTASSER). ◆ ***se superposer*** v. pr. S'ajouter : *Des images qui se superposent.* ◆ **superposition** n. f.

superstition [sypɛrstisjɔ̃] n. f. 1° Déviation du sentiment religieux, fondée sur la crainte ou sur l'ignorance et qui prête un caractère sacré à certaines pratiques, à certaines obligations : *Chez certaines personnes, la religion se change souvent en superstition.* — 2° Croyance à divers présages tirés d'événements purement fortuits (salière renversée, nombre treize, etc.). — 3° Attachement exagéré ou non justifié à quelque chose : *Avoir la superstition du passé, des diplômes.* ◆ **superstitieux, euse** adj. et n. Se dit d'une personne qui a de la superstition : *Une femme superstitieuse.* ◆ adj. Se dit de ce qui est entaché de superstition : *Pratiques superstitieuses.*

superviser [sypɛrvize] v. tr. Contrôler un travail sans entrer dans les détails : *Superviser la rédaction d'un ouvrage collectif.*

supplanter [syplɑ̃te] v. tr. 1° (sujet nom de personne) *Supplanter quelqu'un,* prendre sa place auprès d'une personne : *Supplanter un rival* (syn. : ÉVINCER). — 2° (sujet nom de chose) *Supplanter quelque chose,* l'éliminer : *Un mot qui en supplante un autre.*

suppléer [syplee] v. tr. (sujet nom de personne). 1° *Suppléer quelque chose,* l'ajouter pour fournir ce qui manque (littér.) : *Si vous ne pouvez réunir toute la somme, nous suppléerons le reste. Suppléer un mot sous-entendu dans une phrase.* — 2° *Suppléer quelqu'un,* le remplacer dans ses fonctions (admin.) : *Suppléer un professeur, un juge.* ◆ v. tr. ind. *Suppléer à quelque chose,* y apporter ce qui manque, pour compenser une insuffisance, une déficience : *La valeur supplée au nombre. Sa bonne volonté suppléera à son manque d'initiative.* ◆ **suppléance** n. f. Remplacement temporaire d'un fonctionnaire, d'un membre d'une assemblée, d'un bureau, etc., par une personne désignée à cet effet : *Une institutrice chargée d'une suppléance.* ◆ **suppléant, e** adj. et n. : *Un juge suppléant. Elle n'est pas titulaire, elle est suppléante.*

1. supplément [syplemɑ̃] n. m. 1° Ce qui s'ajoute à une chose déjà complète : *Recevoir un supplément de traitement. Demander un supplément au restaurant* (syn. pop. : RABIOT). *Attendre un supplément d'information.* — 2° Ce qui s'ajoute à un livre, à une publication pour les compléter : *Faire paraître le supplément d'un dictionnaire. Supplément littéraire, artistique à un journal* (= pages ajoutées pour y traiter une question spécialement). ◆ **supplémentaire** adj. 1° Se dit de ce qui constitue un supplément, sert de supplément : *Demander des crédits supplémentaires, un délai supplémentaire. Heure supplémentaire* (= heure de travail accomplie au-delà de la durée légale du travail et payée à un tarif plus élevé). — 2° *Train, autocar, autobus,* etc., *supplémentaire,* mis en service en cas d'affluence.

2. supplément [syplemɑ̃] n. m. Dans un service de transports, au théâtre, somme payée en plus pour obtenir une place dans une classe, dans une catégorie supérieure; billet remis en échange de cette somme supplémentaire. ◆ **supplémenter** v. tr. *Supplémenter un billet,* délivrer, moyennant le paiement d'une somme supplémentaire, un billet annexe permettant à une personne de prendre place dans une classe supérieure.

supplice [syplis] n. m. 1° Peine corporelle entraînant ou non la mort : *Le supplice de la roue, du fouet, du carcan, du gibet. Condamner un criminel au supplice* (littér. = à la mort). *Mener quelqu'un au supplice* (= au lieu de l'exécution). — 2° Violente douleur physique : *Le mal de dents est un supplice.* — 3° Souffrance morale qui met à la torture : *Éprouver le supplice de la jalousie, de l'avarice. La lecture d'un livre insipide est un supplice.* — 4° *Être au supplice,* éprouver de l'inquiétude, de l'impatience, de l'agacement, etc. : *On est au supplice quand il faut écouter les bavardages fastidieux de cet homme-là.* — 5° *Supplice de Tantale,* situation très pénible d'une personne qui ne peut atteindre ce qu'elle désire. ◆ **supplicié, e** adj. et n. Se dit de quelqu'un à qui on a infligé un supplice, que l'on a torturé avant de le mettre à mort.

supplier [syplije] v. tr. 1° *Supplier quelqu'un de* (et l'infin.), lui demander quelque chose avec humilité et insistance : *Le pêcheur supplie Dieu de lui accorder sa grâce* (syn. : IMPLORER). *Je vous supplie de me croire et de me pardonner.* — 2° Demander quelque chose d'une manière pressante : *Je vous supplie de changer de conduite. Il vous a suppliés de ne pas trahir le secret* (syn. : ADJURER). *Laissez-moi partir, je vous en supplie* (syn. : CONJURER). ◆ **suppliant, e** adj. et n. Se dit d'une personne (ou de son attitude) qui supplie : *Une mère suppliante. Une voix suppliante* (syn. : IMPLORANT). *Des regards, des gestes suppliants.* ◆ **supplication** n. f. Prière faite avec instance et soumission : *Le juge est resté insensible aux supplications de la mère de l'accusé* (syn. : ADJURATION).

1. supporter [sypɔrte] v. tr. 1° (sujet nom de personne) *Supporter quelque chose,* endurer avec courage, avec patience ce qui est pénible : *Supporter une épreuve, un malheur* (syn. : ACCEPTER). *Supporter les conséquences d'une mauvaise action* (syn. : SUBIR). *Supporter les défauts de son prochain. On ne saurait supporter une telle insolence* (syn. : ADMETTRE, TOLÉRER). *Supporter un affront, des injures, des taquineries* (syn. fam. : DIGÉRER, ENCAISSER); *supporter que* (et le subj.), *de* (et l'infin.) : *Elle ne supporte pas qu'on la taquine* (= elle ne tolère pas). *Il ne supporte pas d'être réprimandé.* — 2° *Supporter quelqu'un,* tolérer sa présence, sa compagnie, son attitude : *Il est tellement mal élevé que personne ne peut le supporter.* — 3° (sujet nom de personne ou de chose) Résister à une action physique, à une épreuve : *Une chaleur difficile à supporter. Elle supporte difficilement le froid. Cet homme ne supporte pas le vin* (syn. : TENIR). *Il ne fait pas chaud, on supporte facilement un manteau. Un livre qui ne supporte pas l'examen. Une plante qui supporte des variations de température.* ◆ **supportable** adj. 1° Qui peut être supporté, enduré : *Une douleur supportable* (syn. : TOLÉRABLE). *Une température supportable.* — 2° Qui peut être admis, excusé (surtout dans des phrases négatives) : *Un tel procédé, une telle conduite n'est pas supportable.* ◆ **insupportable** adj. 1° Se dit d'une chose qu'on ne peut supporter : *Une douleur insupportable* (syn. : ATROCE, CRUELLE, INTOLÉRABLE). — 2° Se dit d'une personne de caractère difficile : *Un enfant insupportable* (syn. : DIABLE, TURBULENT; fam. : INTENABLE).

2. supporter [sypɔrte] v. tr. (sujet nom de chose). *Supporter quelque chose,* en soutenir la charge de manière à l'empêcher de tomber : *Un pilier qui supporte une voûte. Des colonnes qui supportent un édifice.* ◆ **support** n. m. Objet placé sous un autre pour le soutenir ou le consolider : *Le support d'une statue, d'un meuble.*

supporter [sypɔrtœr ou -tɛr] n. m. Partisan d'un athlète ou d'une équipe, qu'il encourage exclusivement.

supposer [sypoze] v. tr. 1° (sujet nom de personne) *Supposer quelque chose, supposer que* (et l'indic. ou le subj.), l'admettre comme vrai, ou simplement comme vraisemblable, sans en être certain : *Vous commencez par supposer ce qui est en question* (syn. : IMAGINER). *Vous supposez une chose impossible* (syn. : CONJECTURER). *Je suppose qu'il aura bientôt fini son travail* (syn. : PRÉSUMER). *Votre attitude laisse supposer que vous êtes fatigué* (syn. : INDIQUER). *A supposer que vous soyez refusé à votre examen, que ferez-vous?* — 2° *Supposer une chose à quelqu'un,* la lui attribuer : *Vous lui supposez des défauts qu'il n'a pas* (syn. : PRÊTER); avec un attribut de l'objet : *Vous le supposez bien intelligent.* — 3° (sujet nom de chose) *Supposer une chose,* exiger nécessairement, logiquement son existence : *Les droits supposent les devoirs. Le crédit suppose la confiance* (syn. : IMPLIQUER). *Si vous acceptez ce travail, cela suppose que vous pensez pouvoir le faire.* ◆ **supposable** adj. : *Une excuse supposable.* ◆ **supposé, e** adj. : *Un nom supposé* (= donné comme vrai, bien que faux). • LOC. CONJ. *Supposé que,* dans la supposition que : *Supposé qu'il fasse beau, viendrez-vous avec nous en promenade?* ◆ **supposition** n. f. 1° Fait d'admettre provisoirement, sans preuves positives : *Ce que vous dites est une pure supposition* (syn. : HYPOTHÈSE). *Une supposition gratuite. Vous faites des suppositions singulières, étranges.* — 2° Fam. *Une supposition (que),* admettons par exemple ceci : *Une supposition : quelqu'un veut vous obliger à mentir; que ferez-vous? Une supposition que vous soyez empêché de venir, prévenez-nous à temps.*

suppositoire [sypozitwar] n. m. Préparation pharmaceutique de forme conique, de consistance solide, mais fusible à la température du corps, que l'on introduit dans la dernière partie du gros intestin (rectum).

suppôt [sypo] n. m. 1° Complice des mauvais desseins de quelqu'un (littér.) : *Les suppôts d'un tyran* (syn. : AGENT, PARTISAN). — 2° *Suppôt de Satan,* personne très méchante.

supprimer [syprime] v. tr. (sujet nom de personne ou de chose). 1° *Supprimer quelque chose,* le faire disparaître : *Supprimer des quartiers insalubres* (syn. : DÉTRUIRE). *Supprimer un document d'un dossier* (syn. : DÉROBER). *Ce remède supprime la douleur* (= fait cesser). — 2° *Supprimer une chose,* y mettre un terme : *Supprimer des emplois inutiles dans une administration, des impôts. Supprimer une loi, un décret* (syn. : ABROGER, ANNULER). *Supprimer la liberté de la presse* (syn. : ABOLIR). — 3° *Supprimer une publication,* l'empêcher de paraître ou la faire cesser de paraître : *Cet article a été supprimé par la censure. Supprimer un journal.* — 4° *Supprimer quelque chose,* le retrancher : *Ce texte est trop long, il faut en supprimer une partie* (syn. : COUPER, ÔTER). *Supprimer une lettre dans un mot* (syn. : BARRER, BIFFER). *Supprimer des détails inutiles dans un article* (syn. : ÉLAGUER). — 5° *Supprimer quelque chose à quelqu'un,* lui en enlever l'usage : *On lui a supprimé son permis de conduire* (syn. : RETIRER). — 6° *Supprimer quelqu'un,* se débarrasser de lui en le tuant : *Supprimer un traître. Ce témoin était gênant, on l'a supprimé.* ◆ ***se supprimer*** v. pr. Se donner la mort (syn. : SE SUICIDER). ◆ **supprimable** adj. : *Un détail facilement supprimable.* ◆ **suppression** n. f. : *Suppression d'un emploi, d'un mot dans une phrase.*

suppurer [sypyre] v. intr. Produire du pus : *Abcès qui suppure.* ◆ **suppuration** n. f.

supputer [sypyte] v. tr. *Supputer quelque chose,* l'évaluer à l'aide de certaines données (littér.) : *Supputer une dépense* (syn. : CALCULER). ◆ **supputation** n. f. : *La supputation d'une date.*

supra-, préfixe indiquant une position au-dessus de ou une supériorité et utilisé dans les vocabulaires techniques.

supranational, e, aux [sypranasjɔnal, -no] adj. Placé au-dessus des gouvernements, des institutions de plusieurs nations : *Un organisme supranational.*

suprématie [sypremasi] n. f. Situation qui permet de dominer dans quelque domaine : *Viser à la suprématie politique, militaire* (syn. : HÉGÉMONIE).

suprême [syprɛm] adj. (après ou avant le nom). 1° Se dit d'une personne ou d'une chose qui est au-dessus de tous et de tout : *Le chef suprême de l'Etat. L'autorité, le pouvoir suprême* (syn. : SOUVERAIN). — 2° Se dit de ce qui ne saurait être dépassé : *Un bonheur suprême. Une suprême habileté* (syn. : EXTRÊME). — 3° Qui vient après tout, qui est le dernier : *Un suprême espoir. Un suprême effort* (syn. : DÉSESPÉRÉ). *Heure suprême* (= heure de la mort). — 4° *Au suprême degré,* au plus haut point : *Il est ennuyeux au suprême degré* (syn. : EXTRÊMEMENT). ‖ *Honneurs suprêmes,* funérailles. ◆ **suprêmement** adv. : *Un garçon suprêmement intelligent* (syn. : ÉMINEMMENT, EXTRÊMEMENT).

1. sur-, préfixe qui indique : 1° Une intensité jugée excessive, un développement exagéré (il entre dans la composition de substantifs, d'adjectifs et de verbes) : *surarmer, surproduction, surfin, surpression;*
2° Une situation hiérarchiquement supérieure ou un état qui s'ajoute à un autre (il entre dans la composition de substantifs et de verbes) : *surintendant, surinfection, surhausser, surimpression.*
(Les composés avec *sur* sont à leur ordre alphabétique quand leur sens est spécifique. Dans le cas contraire, ils sont au composant principal.)

2. sur prép. V. SOUS.

1. sûr, e [syr] adj. 1° Se dit d'une personne qui sait quelque chose d'une manière certaine : *Etes-vous sûr d'arriver à temps?* (syn. : ASSURÉ). *J'en suis sûr et certain* (fam.). *Vous pouvez être sûr qu'il va gagner la course* (syn. : CERTAIN). ‖ *Etre sûr de son fait, de son coup,* être certain du succès de ce qu'on a entrepris. — 2° Se dit d'une personne ou d'une chose en laquelle on peut avoir confiance : *Un ami sûr* (syn. : FIDÈLE). *Cette jeune fille est sûre, vous pouvez lui laisser la garde de vos enfants. Remettre une chose en mains sûres* (= à une personne digne de confiance). — 3° *Etre sûr de quelqu'un,* avoir la certitude qu'on peut compter sur lui. ‖ *Etre sûr de soi,* être certain de ce qu'on fera dans telle circonstance. ‖ *Avoir la mémoire sûre,* bien retenir ce qu'on a appris (syn. : FIDÈLE). ‖ *Avoir la main sûre,* avoir une main ferme, qui ne tremble pas. ‖ *Avoir le coup d'œil sûr,* évaluer avec exactitude, d'un simple coup d'œil, une distance, le poids d'un objet, etc. ‖ *Avoir le goût sûr,* savoir discerner les qualités et les défauts d'une œuvre littéraire ou artistique. — 4° Se dit d'une chose qui est considérée comme vraie, dont on ne peut douter : *Le renseignement qu'on vous a donné n'est peut-être pas absolument sûr* (syn. : AUTHENTIQUE, EXACT). *Une chose est sûre, c'est que nous partirons avec vous. Il devait gagner, rien n'était plus sûr* (syn. : ÉVIDENT, INDUBITABLE). *Il réussira, c'est sûr et certain* (fam.). ‖ *Le temps n'est pas sûr,* il est à craindre qu'il ne devienne mauvais. ● LOC. ADV. *A coup sûr,* avec la certitude de gagner : *Jouer à coup sûr;* sans aucun doute : *Il réussira à coup sûr* (syn. : ASSURÉMENT, INFAILLIBLEMENT). ‖ *Bien sûr, bien sûr que,* c'est évident : « *Viendrez-vous avec nous? — Bien sûr, bien sûr que oui* ». ‖ Fam. *Pour sûr,* certainement : *Pour sûr, nous vous donnerons un coup de main.* ◆ **sûreté** n. f. : *La sûreté de la main, du goût.*

2. sûr, e [syr] adj. 1° Se dit d'un endroit qui n'offre aucun risque, d'une chose dont on peut se servir sans danger : *Ce quartier n'est pas sûr la nuit, il faut se méfier des rôdeurs. Cette voiture n'est pas sûre, il faudrait la faire vérifier.* — 2° *En lieu sûr,* en un lieu où il n'y a rien à craindre : *Mettre de l'argent en lieu sûr;* en prison, en un lieu dont on ne peut s'échapper : *Mettre un malfaiteur en lieu sûr.* — 3° *C'est plus sûr,* c'est plus prudent : *Il risque de pleuvoir; prenez votre parapluie, c'est plus sûr.* ‖ *Le plus sûr,* le parti le plus sage, le meilleur : *Le plus sûr est de ne compter que sur soi.* ◆ **sûreté** n. f. 1° Etat d'une personne ou d'une chose qui est à l'abri du danger : *Etre en sûreté quelque part* (syn. : SÉCURITÉ). *Voyager, dormir en sûreté.* (Le mot *sécurité* tend à remplacer en ce sens *sûreté,* qui ne s'emploie qu'en loc. adv. ou adj.) ‖ *De sûreté,* se dit d'un objet muni d'un dispositif tel qu'il assure une protection : *Epingle, serrure, soupape, verrou de sûreté.* — 2° *Attentat, complot, crime contre la sûreté de l'Etat,* attentat, complot, etc., et autres infractions contre l'autorité de l'Etat, l'intégrité du territoire, la sécurité des personnes et des biens. — 3° *Sûreté nationale,* ou *la Sûreté,* direction générale du ministère de l'Intérieur chargée de la police.

suranné, e [syrane] adj. Se dit de ce qui n'est plus en usage : *Une mode surannée* (syn. : ANCIEN, DÉSUET). *Une façon de parler surannée* (syn. : ARCHAÏQUE, DÉMODÉ). *Des conceptions surannées* (syn. : ARRIÉRÉ).

surbaissé, e [syrbɛse] adj. *Carrosserie, voiture surbaissée,* très basse.

surboum [syrbum] n. f. *Fam.* Syn. de SURPRISE-PARTIE.

surcharge n.f., **surcharger** v.tr. V. CHARGER 1.

surchauffer [syrʃofe] v. tr. Chauffer de manière excessive (surtout au passif) : *Un local surchauffé.*

surchoix [syrʃwɑ] n. m. Première qualité d'une marchandise.

surclasser [syrklase] v. tr. *Surclasser un adversaire, un concurrent,* triompher de lui avec une incontestable supériorité.

surcomposé, e [syrkɔ̃poze] adj. *Temps surcomposés,* temps des verbes conjugués avec un double auxiliaire *avoir* : *Après qu'il a eu compris, j'aurais eu fini.*

surcouper [syrkupe] v. tr. Aux cartes, couper avec un atout supérieur à celui qui vient d'être joué. ◆ **surcoupe** n. f.

surcroît [syrkrwa] n. m. Ce qui s'ajoute à quelque chose que l'on a déjà : *Un surcroît de travail* (syn. : SURPLUS). *Un surcroît d'inquiétude, de peine* (syn. : SUPPLÉMENT). ● LOC. ADV. *Par surcroît, de surcroît,* en plus : *Un livre utile et intéressant par surcroît* (syn. : EN OUTRE, EN PLUS). ● LOC. PRÉP. *Pour surcroît de,* pour augmenter : *Pour surcroît de bonheur, il vient de gagner à la loterie nationale.*

surdité n. f. V. SOURD.

surélever [syrelve] v. tr. *Surélever un mur, une maison,* en accroître la hauteur : *Surélever un immeuble d'un étage* (syn. : EXHAUSSER, SURHAUSSER). *Surélever un rez-de-chaussée.*

surenchère [syrɑ̃ʃɛr] n. f. 1° Enchère plus élevée que la précédente : *Il a fait une surenchère sur vous.* — 2° Action de rivaliser de promesses : *La surenchère électorale est une des formes de la démagogie.* ◆ **surenchérir** v. intr. 1° Faire une surenchère. — 2° Promettre plus qu'un autre.

surentraînement [syrɑ̃trɛnmɑ̃] n. m. Entraînement excessif d'un sportif. ◆ **surentraîné, e** adj.

sûreté n. f. V. SÛR; **surexciter** v. tr. V. EXCITER.

surface [syrfas] n. f. 1° Partie extérieure d'un corps : *La surface de la Terre. Une surface plane, convexe.* — 2° Etendue, mesure de la surface : *Calculer la surface d'un appartement* (syn. : AIRE, SUPERFICIE). — 3° Apparence, aspect extérieur : *Ne considérer que la surface des choses* (syn. : DEHORS).

surfaire [syrfɛr] v. tr. (conj. 76). 1° *Surfaire une marchandise,* en demander un prix trop élevé. — 2° *Surfaire quelqu'un, un ouvrage,* les estimer, les vanter d'une manière exagérée (surtout au passif) : *Un artiste, un livre surfait.*

surfin, e [syrfɛ̃, -in] adj. Se dit d'un produit alimentaire, d'une marchandise, d'un mets très fins.

surgeler [syrʒəle] v. tr. (conj. 5) *Surgeler des denrées alimentaires,* les congeler rapidement à très basse température.

surgir [syrʒir] v. intr. (sujet nom de chose ou d'être animé). Apparaître brusquement en s'élevant, en s'élançant, en sortant : *De nouvelles constructions surgissent partout. Une voiture surgit sur la gauche. On vit surgir un cerf d'un taillis.* ◆ **surgissement** n. m. : *Le surgissement d'un bateau à l'horizon.*

surhausser [syrose] v. tr. Syn. moins usité de SURÉLEVER.

surhomme n. m., **surhumain, e** adj. V. HOMME.

surimpression [syrɛ̃prɛsjɔ̃] n. f. Impression de deux ou plusieurs images sur le même support photographique ou cinématographique.

sur-le-champ [syrləʃɑ̃] loc. adv. Aussitôt, immédiatement (langue soignée) : *Je ne vous demande pas de vous décider sur-le-champ, vous pouvez prendre un temps de réflexion.*

surlendemain [syrlɑ̃dmɛ̃] n. m. (toujours avec l'article). Le jour qui suit le lendemain, par rapport à un moment passé ou futur (par rapport à un moment présent, on emploie *après-demain*) : *Le vendredi 8 février, il avait commencé à tousser, le surlendemain, le dimanche 10, il s'était couché avec une bronchite* (= deux jours après). (V. TEMPS [*expressions du*].)

surmener [syrməne] v. tr. *Surmener une personne,* lui imposer un travail excessif : *Surmener des ouvriers, des écoliers.* ◆ ***se surmener*** v. pr. Se fatiguer d'une façon excessive : *Vous vous surmenez, prenez garde à votre santé* (syn. fam. : S'ÉREINTER). ◆ **surmenage** n. m. Etat de l'organisme qui résulte d'une fatigue excessive.

surmonter [syrmɔ̃te] v. tr. **1°** (sujet nom de chose) *Surmonter une chose,* être placé au-dessus d'elle : *Un dôme qui surmonte un édifice.* — **2°** (sujet nom de personne) *Surmonter quelque chose,* avoir le dessus, vaincre par un effort volontaire : *Surmonter des difficultés* (syn. : DOMINER). *Surmonter son chagrin, sa colère.* ◆ **surmontable** adj. Qu'on peut surmonter : *Un obstacle surmontable.* ◆ **insurmontable** adj. : *Une difficulté insurmontable.*

surnager [syrnaʒe] v. intr. (sujet nom de chose). Rester à la surface d'un liquide : *Quand on verse de l'huile dans de l'eau, l'huile surnage.*

surnaturel, elle [syrnatyrɛl] adj. 1° Se dit de ce qui dépasse les lois, les forces de la nature : *Une puissance, une vertu surnaturelle. Un effet surnaturel.* — 2° *Vérités surnaturelles,* qui ne sont connues que par la foi. ◆ **surnaturel** n. m. : *Croire au surnaturel.*

surnom [syrnɔ̃] n. m. Nom ajouté ou substitué au nom de quelqu'un et souvent tiré d'un trait caractéristique de sa personne ou de sa vie : *« Le Bien-Aimé » est le surnom de Louis XV.* ◆ **surnommer** v. tr. *Surnommer quelqu'un,* lui donner un surnom : *Louis XIV a été surnommé « le Grand ».*

surnombre [syrnɔ̃br] n. m. *En surnombre,* en excédent, en trop : *Il n'y a que quatre places à cette table, vous êtes en surnombre.*

surnommer v. tr. V. SURNOM.

suroît [syrwa] n. m. 1° Dans le langage des marins, vent soufflant du sud-ouest. — 2° Chapeau de toile imperméable que portent les marins par mauvais temps.

surpasser [syrpɑse] v. tr. 1° (sujet nom de personne) *Surpasser quelqu'un,* faire mieux que lui : *Un élève qui surpasse ses camarades dans toutes les disciplines* (syn. : DOMINER). *Il a surpassé ses concurrents au cent mètres* (syn. : BATTRE, SURCLASSER; fam. : ENFONCER). — 2° (sujet nom de chose) Aller au-delà de : *Le résultat a surpassé les espérances* (syn. : DÉPASSER). ◆ ***se surpasser*** v. pr. Faire mieux qu'à l'ordinaire : *Cet acteur s'est surpassé dans cette pièce.* ◆ **surpassement** n. m. : *Le surpassement de soi-même.*

surpeuplement n. m. V. PEUPLE.

surplace [syrplas] n. m. *Faire du surplace,* rester immobile, en équilibre, sur sa bicyclette; ne pas avancer, en voiture, quand la circulation est ralentie.

surplomb [syrplɔ̃] n. m. Etat d'une paroi, d'un mur, d'un rocher, etc., dont la partie supérieure est en saillie par rapport à la base : *Cette ascension est assez dure parce qu'il y a plusieurs surplombs difficiles à passer.* ● LOC. ADV. *En surplomb,* en dehors de l'aplomb : *Ce mur est en surplomb, il penche* (contr. : D'APLOMB). *Des balcons en surplomb.* ◆ **surplomber** v. intr. Etre hors de l'aplomb, être en surplomb : *Une muraille, une falaise qui surplombe* (syn. : AVANCER, DÉPASSER). ◆ v. tr. Faire saillie, avancer au-dessus de : *Des rochers surplombent la route.* ◆ **surplombement** n. m. : *Le surplombement d'un mur.*

surplus [syrply] n. m. Ce qui est en plus : *Vendre le surplus de sa récolte* (syn. : EXCÉDENT). ◆ n. m. pl. Produits, articles, matériel qui restent invendus ou inutilisés : *Liquider des surplus. Les surplus américains après la Seconde Guerre mondiale.* ● LOC. ADV. *Au surplus,* au reste : *Nous n'avons rien à nous reprocher; au surplus, nous avons fait notre devoir* (syn. : D'AILLEURS).

surprendre [syrprɑ̃dr] v. tr. (conj. **54**). **1°** (sujet nom de personne) *Surprendre quelqu'un,* le prendre sur le fait, dans une situation où il ne croyait pas être vu : *Surprendre un voleur dans une maison. Surprendre des maraudeurs en train de voler des fruits dans un verger. Je l'ai surpris à lire mon courrier personnel.* ‖ *Surprendre un secret,* le découvrir. — **2°** (sujet nom de personne ou de chose) Arriver auprès de quelqu'un à l'improviste, le prendre au dépourvu : *Nous irons vous surprendre un jour prochain. La pluie nous a surpris au retour de la promenade.* ‖ *Surprendre l'ennemi,* l'attaquer par surprise. — **3°** Frapper l'esprit par quelque chose d'inattendu : *Voilà une nouvelle qui va surprendre bien des gens* (syn. : ÉTONNER). *Ce que vous nous dites là ne nous surprend guère, c'était à prévoir. Tout le monde sera surpris de vous voir déjà rentré, on ne vous attendait que dans quelques jours.* ◆ **surprenant, e** adj. Se dit de ce qui surprend (sens 3) : *Une nouvelle surprenante* (syn. : ÉTONNANT). *Un résultat surprenant* (syn. : INATTENDU). *Faire des progrès surprenants* (syn. : INCROYABLE, PRODIGIEUX). *Un effet surprenant* (syn. : ÉTRANGE, MERVEILLEUX). ◆ **surpris, e** adj. : *Il a été tout surpris d'apprendre que tout le monde connaissait la nouvelle* (syn. : ÉTONNÉ, ÉBAHI; fam. : ÉPATÉ). *Etre agréablement surpris. Il est resté surpris de son échec* (syn. : DÉCONCERTÉ, DÉSORIENTÉ, ↑ STUPÉFAIT; fam. : BABA). ◆ **surprise** n. f. **1°** Etat d'une personne frappée de quelque chose d'inattendu; chose imprévue : *Ce mariage a causé une grande surprise* (syn. : ÉTONNEMENT). *Rester muet de surprise* (syn. : ↑ STUPÉFACTION). *Ménager à quelqu'un une surprise agréable. Aller de surprise en surprise* (syn. : ÉBAHISSEMENT). *Les policiers ont mis la main sur l'assassin en l'attirant par surprise dans une souricière.* — **2°** Cadeau que l'on fait à quelqu'un : *Préparer une surprise à un enfant pour le jour de sa fête.* (V. POCHETTE-SURPRISE.)

surprise-partie ou **surprise-party** [syrprizparti] n. f. Réunion privée où l'on danse : *Etre invité à des surprises-parties* (syn. fam. : SURBOUM).

surproduction n. f. V. PRODUIRE.

surréalisme [syrrealism] n. m. Mouvement littéraire et artistique du début du XXe siècle, dont le but est d'exprimer la pensée pure en excluant toute logique et toute préoccupation morale et esthétique : *Les principaux animateurs du surréalisme furent André Breton, Louis Aragon et Paul Eluard.* ◆ **surréaliste** adj. : *Un poème surréaliste.* ◆ n. Partisan, adepte du surréalisme.

sursaturé, e adj. V. SATURER.

sursaut [syrso] n. m. **1°** Mouvement brusque, occasionné par une sensation subite et violente : *La sonnerie du téléphone lui fit faire un sursaut.* — **2°** Action de se ressaisir, de reprendre courage soudainement : *Un sursaut d'énergie.* ● LOC. ADV. *En* *sursaut,* d'une manière brusque : *Se réveiller en sursaut.* ◆ **sursauter** v. intr. Avoir un sursaut : *Sursauter en apprenant une mauvaise nouvelle.*

surseoir [syrswar] v. tr. ind. (conj. **45**). *Surseoir à une chose,* la remettre à plus tard : *Surseoir à une délibération* (syn. : DIFFÉRER). ◆ **sursis** n. m. Remise, suspension de l'exécution d'une peine : *Le coupable a bénéficié d'un sursis.*

1. sursis n. m. V. SURSEOIR.

2. sursis [syrsi] n. m. *Sursis d'incorporation,* possibilité accordée à certains jeunes gens de reculer la date de leur incorporation dans l'armée, pour leur permettre de terminer leur apprentissage ou leurs études. ◆ **sursitaire** n. m. Personne qui bénéficie d'un sursis d'incorporation.

surtaxe n. f. V. TAXE ; **surtension** n. f. V. TENSION.

surtout [syrtu] adv. Principalement, par-dessus tout : *Il est égoïste et songe surtout à ses intérêts. Surtout, n'oubliez pas de nous prévenir de votre arrivée.* • Loc. CONJ. Fam. *Surtout que* (et l'indic. ou le conditionnel), d'autant plus que : *Il a des inquiétudes pour sa santé : surtout que l'hiver s'annonce rude.*

surveiller [syrveje] v. tr. 1° *Surveiller une personne, une chose,* veiller avec attention et autorité sur elle : *Surveiller des enfants qui jouent dans un square* (syn. : GARDER). *Surveiller un malade. Surveiller des élèves dans une cour de récréation. Surveiller l'éducation, les études de ses enfants.* — 2° *Surveiller une personne,* observer attentivement ses faits et gestes : *Surveiller un prisonnier, un suspect* (syn. : ÉPIER, ESPIONNER). — 3° *Surveiller une chose,* la contrôler de manière que tout se passe bien : *Surveiller les travaux, les réparations d'une maison. Surveiller la cuisson d'un gâteau. Surveiller son langage, ses expressions* (= observer la correction, la décence dans ses propos). ◆ ***se surveiller*** v. pr. Etre attentif à ses actions, à ses paroles : *Cette femme ne se surveille pas assez, elle se fait souvent remarquer par ses extravagances.* ◆ **surveillance** n. f. 1° Action de surveiller : *Exercer une surveillance active, continuelle sur quelqu'un. Tromper la surveillance d'un gardien. Etre placé sous la surveillance de la police.* — 2° Fait d'être surveillé : *Un malade en surveillance à l'hôpital* (= en observation). ◆ **surveillant, e** n. Personne qui surveille : *Les surveillants d'une prison* (syn. : GARDIEN). — 2° Personne chargée de la discipline dans un établissement scolaire : *Surveillant d'internat* (syn. : PION [arg. scol.]). ‖ *Surveillant général, surveillante générale,* fonctionnaires adjoints au censeur pour l'organisation du service de la discipline dans un établissement d'enseignement.

survenir [syrvənir] v. intr. (conj. **22**) [sujet nom de personne ou de chose]. Arriver à l'improviste : *Un visiteur importun survint au moment de notre départ. Nous serions arrivés à temps si un incident n'était survenu* (syn. : ADVENIR, SE PRODUIRE). *Survenir au bon moment* (= arriver à temps, à l'instant souhaitable).

survêtement n. m. V. VÊTEMENT.

survivre [syrvivr] v. tr. ind. (conj. **63**). 1° (sujet nom de personne) *Survivre à quelqu'un,* demeurer en vie, subsister après lui : *Il survécut à ses enfants. C'est une tristesse que de survivre à ceux que l'on a aimés.* — 2° *Survivre à un accident, à une catastrophe,* en réchapper. — 3° (sujet nom de chose) *Survivre à quelque chose,* demeurer après sa disparition : *Un régime politique qui a survécu aux attaques de ses adversaires.* ◆ v. intr. (sujet nom de personne ou de chose). Continuer à vivre, à exister : *Après un tel malheur, aura-t-il la force de survivre? Un usage, une mode qui survivent encore de nos jours.* ◆ ***se survivre*** v. pr. *Se survivre dans ses enfants, dans ses ouvrages,* laisser après soi des enfants, des ouvrages qui perpétuent votre souvenir. ◆ **survie** n. f. 1° Prolongement de l'existence au-delà d'un certain terme : *Accorder à un malade quelques mois de survie.* — 2° Prolongement de l'existence au-delà de la mort : *Croire à la survie de l'homme* (syn. : VIE FUTURE). ◆ **survivance** n. f. Ce qui subsiste d'un ancien état, d'une chose disparue : *Des survivances de l'Ancien Régime.* ◆ **survivant, e** n. Personne qui vit après une autre personne, après un accident, une catastrophe : *Les survivants d'un naufrage.*

survoler [syrvɔle] v. tr. 1° *Survoler un lieu,* voler, passer en avion au-dessus : *Survoler l'Atlantique.* — 2° *Survoler un livre, un écrit,* les lire, les examiner rapidement : *Survoler un article de revue.* ◆ **survol** n. m. : *Le survol d'une ville.*

sus [sys] adv. *Courir sus à quelqu'un,* le poursuivre (littér.).

1. susceptible [sysɛptibl] adj. 1° *Susceptible de* (et un nom ou un infin.), se dit d'une chose capable de recevoir certaines qualités, de subir certaines modifications : *Un texte susceptible de plusieurs interprétations. Un projet susceptible d'être amélioré.* — 2° Se dit d'un être animé ou d'une chose capable éventuellement d'accomplir un acte, de produire un effet : *S'il le veut, cet élève est susceptible de faire encore des progrès. Bien qu'il ne soit pas favori, ce cheval est susceptible de gagner. Une opposition susceptible de contrecarrer l'action du gouvernement. Un spectacle susceptible de plaire au public.* (Cet emploi est critiqué par certains grammairiens.)

2. susceptible [sysɛptibl] adj. Se dit d'une personne qui se froisse, s'offense facilement : *Ce garçon est très susceptible, il ne supporte pas la moindre plaisanterie* (syn. : CHATOUILLEUX, OMBRAGEUX). ◆ **susceptibilité** n. f. : *Une femme d'une extrême susceptibilité. Ménager la susceptibilité d'un camarade.*

susciter [sysite] v. tr. (sujet nom de personne ou de chose). 1° *Susciter quelque chose à quelqu'un,* faire naître quelque chose de fâcheux pour lui : *Susciter des obstacles, des ennuis, des querelles* (syn. : ATTIRER, OCCASIONNER). — 2° Faire naître un sentiment : *Susciter l'admiration, l'enthousiasme, l'intérêt* (syn. : ÉVEILLER, EXCITER, SOULEVER).

suspect [syspɛ ou syspɛkt], **e** adj. Se dit d'une personne ou d'une chose qui prête au soupçon, qui inspire de la méfiance : *Arrêter un individu suspect* (syn. : LOUCHE). *Une conduite, une attitude suspecte* (= sujette à caution). *Le témoignage de cet homme est suspect* (syn. : DOUTEUX). *Etre suspect de partialité* (= être soupçonné de). ◆ **suspecter** v. tr. *Suspecter quelqu'un, quelque chose,* les tenir pour suspects : *On a reconnu qu'on l'avait suspecté à tort* (syn. : SOUPÇONNER). *Suspecter l'honnêteté de quelqu'un.* ◆ **suspicion** n. f. Fait de tenir pour suspect : *Avoir de la suspicion à l'endroit de quelqu'un* (syn. : DÉFIANCE, MÉFIANCE).

1. suspendre [syspɑ̃dr] v. tr. (conj. **50**). **1°** *Suspendre une chose,* l'attacher de manière qu'elle ne porte sur rien : *Suspendre un lustre à un plafond* (syn. : FIXER). *Suspendre des vêtements à un portemanteau* (syn. : ACCROCHER). — **2°** *Etre suspendu aux lèvres de quelqu'un,* l'écouter avec une extrême attention. ◆ ***se suspendre*** v. pr. (sujet nom de personne). *Se suspendre à quelque chose,* se maintenir en l'air en s'y tenant : *Se suspendre à une branche* (syn. : S'ACCROCHER). ◆ **suspendu, e** adj. **1°** Se dit d'une chose attachée de manière à pendre : *Une croix suspendue à une chaîne.* — **2°** Se dit de ce qui surplombe ou domine d'une certaine hauteur : *Des chalets de montagne suspendus au-dessus d'un torrent. Les jardins suspendus de Babylone.* — **3°** *Pont suspendu,* pont dont le tablier est soutenu par des câbles ou par des chaînes. ‖ *Voiture bien (mal) suspendue,* voiture dont la suspension est bonne (mauvaise). ◆ **suspension** n. f. **1°** Etat de ce qui est suspendu : *Vérifier la solidité d'une suspension.* — **2°** Dans un véhicule, ensemble des pièces qui servent à amortir les chocs : *La suspension de cette voiture est excellente.* — **3°** Appareil d'éclairage accroché au plafond (syn. : LUSTRE).

2. suspendre [syspɑ̃dr] v. tr. (conj. **50**). **1°** *Suspendre quelque chose,* l'interrompre pour quelque temps : *Suspendre une séance pendant un quart d'heure. Suspendre des hostilités. Suspendre une activité, un travail, une lecture* (syn. : ARRÊTER). ‖ *Suspendre un journal, une revue,* les empêcher de paraître pendant un certain temps. ‖ *Suspendre ses paiements,* cesser de payer ses créanciers. — **2°** *Suspendre quelqu'un* (un prêtre, un fonctionnaire, un magistrat), lui interdire momentanément d'exercer ses fonctions : *Suspendre un juge, un professeur* (syn. : METTRE À PIED). *Le préfet peut suspendre un maire, un conseiller municipal.* ◆ **suspension** n. f. **1°** Fait d'interrompre ou d'interdire temporairement : *Suspension d'armes* (= cessation locale et momentanée des hostilités; syn. : TRÊVE). *Suspension de paiements. Suspension d'une activité professionnelle, industrielle. Suspension de fonctions. La suspension de cet avoué a été prononcée pour trois mois.* — **2°** *Points de suspension,* signe de ponctuation indiquant que la phrase est incomplète, que la pensée est interrompue pour des raisons diverses : convenances, émotion, réticence, embarras, etc. (V. PONCTUATION.) ◆ **suspense** n. f. Censure par laquelle un clerc est privé de son titre, de ses fonctions. ◆ **suspens *(en)*** loc. adv. Sans solution, sans décision, sans achèvement : *Laisser une affaire en suspens* (= non résolue). *Laisser un travail en suspens* (= inachevé). *Le projet est en suspens* (= est remis à plus tard).

1. suspense n. f. V. SUSPENDRE 2.

2. suspense [syspɛns ou syspɑ̃s] n. m. Moment d'un film, passage d'une œuvre radiophonique ou littéraire où l'action tient le spectateur, l'auditeur ou le lecteur dans l'attente angoissée de ce qui va se produire.

suspension n. f. V. SUSPENDRE 1 et 2; **suspicion** n. f. V. SUSPECT.

sustenter (se) [səsystɑ̃te] v. pr. (sujet nom de personne). *Fam.* Se nourrir : *Un malade qui commence à se sustenter.*

susurrer [sysyre] v. tr. et intr. Murmurer doucement : *Susurrer une confidence à quelqu'un* (syn. : CHUCHOTER). ◆ **susurrement** n. m.

suture [sytyr] n. f. Couture faite pour réunir, à l'aide de fil, les lèvres d'une plaie.

suzerain, e [syzrɛ̃, -ɛn] n. et adj. Seigneur qui possédait un fief dont dépendaient d'autres fiefs confiés à des vassaux. ◆ **suzeraineté** n. f. **1°** Qualité de suzerain. — **2°** Droit d'un Etat sur un autre.

svelte [svɛlt] adj. (après le nom). Se dit d'une personne (ou de sa taille) mince, légère et élégante tout à la fois (syn. : ÉLANCÉ, avec idée de hauteur; contr. : ÉPAIS) : *Une jeune femme svelte, bien prise dans son tailleur.* ◆ **sveltesse** n. f. : *La sveltesse de sa taille. La sveltesse d'un jeune homme* (syn. : MINCEUR).

sweepstake [swipstɛk] n. m. Forme de loterie consistant à tirer au sort les chevaux engagés dans une course dont le résultat fixe le gain.

sybarite [sibarit] n. Personne molle, efféminée : *Vivre en sybarite.*

syllabe [sillab] n. f. Voyelle ou groupe de lettres qui se prononcent d'une seule émission de voix : *Le mot « Paris » a deux syllabes.* ◆ **syllabique** adj. *Ecriture syllabique,* écriture dans laquelle chaque syllabe est représentée par un caractère. ◆ **syllabisme** n. m. Système d'écriture syllabique. ◆ **syllabation** n. f. Division des mots en syllabes. ◆ **dissyllabe** n. m. Mot qui se compose de deux syllabes : *« Renard » est un dissyllabe.* ◆ **dissyllabique** adj. Qui a deux syllabes. (V. MONOSYLLABE.)

syllogisme [sillɔʒism] n. m. Raisonnement qui contient trois propositions (la majeure, la mineure et la conclusion) et tel que la conclusion est déduite de la majeure par l'intermédiaire de la mineure. (Ex. : *Tous les hommes sont mortels* [majeure]; *or Pierre est un homme* [mineure]; *donc Pierre est mortel* [conclusion].)

sylphide [silfid] n. f. Femme gracieuse, légère.

sylvestre [silvɛstr] adj. Qui croît dans les forêts : *Le pin sylvestre.* ◆ **sylviculture** n. f. Science de la culture et de l'entretien des forêts. ◆ **sylvicole** adj. Relatif à la sylviculture : *L'industrie sylvicole.* ◆ **sylviculteur** n. m. Celui qui s'occupe de sylviculture.

symbiose [sɛ̃bjoz] n. f. Association de deux ou plusieurs êtres vivants qui leur permet de vivre avec des avantages pour chacun. (Terme de biologie, employé quelquefois par métaphore.)

1. symbole [sɛ̃bɔl] n. m. **1°** Ce qui représente une réalité abstraite : *Le symbole peut être un être animé, une plante, un objet. La colombe est le symbole de la paix. La blancheur est le symbole de l'innocence. La balance est le symbole de la justice.* — **2°** Lettre ou signe qui, en vertu d'une convention, sert, dans de nombreuses sciences, à désigner une unité, une grandeur, une opération, un corps simple, etc. : *Un symbole algébrique. Un symbole chimique.* ◆ **symbolique** adj. **1°** Se dit de ce qui sert de symbole, repose sur un symbole : *Un objet symbolique. Un langage symbolique.* — **2°** Se dit de ce qui n'a pas de valeur, d'efficacité en soi : *Un geste purement symbolique. Une offrande si minime qu'elle n'est que symbolique.* ◆ n. f. Ensemble de symboles particuliers à un peuple, à une époque, à une religion, etc. ◆ **symboliser** v. tr. **1°** Exprimer par un symbole : *On symbolise la victoire par la palme et le laurier.* — **2°** Etre le symbole de : *L'oli-*

rier symbolise la paix. ◆ **symbolisme** n. m. 1° Système de symboles destiné à interpréter des faits ou à exprimer des croyances : *Le symbolisme scientifique. Le symbolisme religieux.* — 2° Mouvement littéraire de la fin du XIXe siècle, dont les auteurs cherchent à suggérer, par la valeur musicale et symbolique des mots, les nuances les plus subtiles de la vie intérieure : *Les principaux représentants du symbolisme sont Rimbaud, Verlaine et Mallarmé.* ◆ **symboliste** adj. Relatif au symbolisme (au sens 2) : *Un poète symboliste.* ◆ n. : *Les symbolistes se rallièrent autour de Mallarmé.*

2. symbole [sɛ̃bɔl] n. m. Ensemble de formules qui constituent les dogmes fondamentaux du christianisme : *Trois symboles sont entrés dans la doctrine catholique : le Symbole des Apôtres, le Symbole de Nicée et de Constantinople, et le Symbole de saint Athanase.*

symétrie [simetri] n. f. 1° Correspondance exacte de grandeur, de forme et de position entre les éléments d'un ensemble, entre deux ou plusieurs ensembles : *La symétrie des fenêtres sur une façade. La symétrie des deux ailes d'un bâtiment, des parties d'un vêtement. La symétrie des termes dans une phrase.* — 2° Harmonie et régularité résultant de certaines combinaisons, de certaines proportions : *Des vases, des meubles rangés avec symétrie. Pour la symétrie, il faut mettre un tableau en pendant de celui-ci.* ◆ **symétrique** adj. 1° Se dit de ce qui a de la symétrie : *Une façade symétrique. Des phrases symétriques. Un arrangement symétrique.* — 2° Se dit de deux parties d'une chose ou de deux choses semblables et opposées : *Les deux parties du visage sont symétriques. Deux constructions symétriques.* ◆ **symétriquement** adv. : *Des fenêtres disposées symétriquement.* ◆ **asymétrie** n. f. Absence totale de symétrie : *L'asymétrie des allées de son jardin le choquait.* ◆ **asymétrique** adj. : *Visage asymétrique.* ◆ **dissymétrie** n. f. Défaut de symétrie : *La dissymétrie d'une construction.* ◆ **dissymétrique** adj. : *Une maison dissymétrique.*

sympathie [sɛ̃pati] n. f. 1° Penchant naturel, instinctif qui attire deux personnes l'une vers l'autre : *Avoir, ressentir de la sympathie pour quelqu'un* (syn. : ATTIRANCE, INCLINATION). *Montrer, témoigner de la sympathie à une personne* (syn. : AMITIÉ, BIENVEILLANCE). — 2° Participation à la joie ou à la peine d'autrui : *Recevoir des témoignages de sympathie à l'occasion d'une naissance, d'un deuil.* ◆ **sympathique** adj. 1° Se dit d'une personne (ou de son attitude) qui inspire un sentiment de sympathie : *Un garçon sympathique* (syn. : AGRÉABLE, AIMABLE). *Une figure sympathique. Un geste sympathique. Une sympathique poignée de main.* — 2° Se dit de ce qui est agréable, plaisant : *Un livre, un déjeuner, une réunion sympathique.* ◆ **sympathiquement** adv. : *Etre accueilli sympathiquement dans une société.* ◆ **sympathiser** v. intr. *Sympathiser avec quelqu'un,* avoir de la sympathie pour lui, s'entendre avec lui : *Il est difficile de trouver deux personnes qui sympathisent davantage.* ◆ **sympathisant, e** n. et adj. Personne qui adopte les idées d'un parti, sans y adhérer.

1. sympathique adj. V. SYMPATHIE.

2. sympathique [sɛ̃patik] adj. *Encre sympathique,* liquide incolore pour écrire un texte secret, qui n'apparaît que sous l'action de la chaleur ou d'un réactif.

symphonie [sɛ̃fɔni] n. f. 1° Grande composition musicale pour orchestre : *Une symphonie de Beethoven, de Mozart.* — 2° Ensemble de choses qui produisent un effet harmonieux : *Une symphonie de couleurs, d'odeurs.* ◆ **symphonique** adj. : *Orchestre symphonique.*

symptôme [sɛ̃ptom] n. m. 1° Phénomène qui révèle un trouble organique ou une lésion : *C'est sur la connaissance des symptômes qu'est fondé le diagnostic.* — 2° Ce qui révèle ou permet de prévoir autre chose : *Observer des symptômes de crise économique* (syn. : INDICE, PRÉSAGE, SIGNE). ◆ **symptomatique** adj. 1° Se dit d'un état qui est le signe de quelque maladie : *Une anémie symptomatique.* — 2° Qui est le signe d'un état de choses ou d'un état d'esprit : *Cet incident est tout à fait symptomatique.*

synagogue [sinagɔg] n. f. Edifice où s'assemblent les juifs pour l'exercice de leur culte.

synchronie [sɛ̃krɔni] n. f. Caractère des phénomènes linguistiques observés à un stade donné, indépendamment de leur évolution dans le temps (contr. : DIACHRONIE). ◆ **synchronique** adj. *Linguistique synchronique,* celle qui étudie le fonctionnement d'un système linguistique à un stade donné de son évolution dans le temps.

synchroniser [sɛ̃krɔnise] v. tr. 1° *Synchroniser un film,* rendre simultanées la projection de l'image et l'émission du son. — 2° Faire se produire en même temps : *Synchroniser des mouvements, des démarches* (syn. : COORDONNER). ◆ **synchronisation** n. f. : *La synchronisation d'un film, de différentes opérations.*

synchronisme [sɛ̃krɔnism] n. m. Coïncidence de dates, identité d'époques : *Le synchronisme de deux événements.* ◆ **synchronique** adj. *Tableau synchronique,* tableau qui présente sur plusieurs colonnes les événements arrivés en même temps dans plusieurs pays.

syncope [sɛ̃kɔp] n. f. Perte momentanée de la sensibilité et du mouvement : *Avoir une syncope. Tomber en syncope. La syncope est due à un arrêt ou à un ralentissement des battements du cœur.*

syncopé, e [sɛ̃kɔpe] adj. *Rythme syncopé,* rythme musical caractérisé par un temps faible prolongé sur le temps fort suivant.

syndic [sɛ̃dik] n. m. 1° Celui qui a été désigné pour prendre soin des intérêts communs d'un groupe de personnes. — 2° A Paris, titre d'un des membres du bureau du Conseil municipal, chargé de fonctions spéciales.

syndicat [sɛ̃dika] n. m. 1° Association de personnes exerçant ou ayant exercé la même profession, en vue de la défense de leurs intérêts communs : *Un syndicat ouvrier, un syndicat patronal.* — 2° *Syndicat d'initiative,* organisme dont l'objet est de favoriser le tourisme dans une localité ou une région. ◆ **syndical, e, aux** adj. Relatif à un syndicat : *Action, organisation syndicale. Des délégués syndicaux.* ◆ **syndicalisme** n. m. 1° Mouvement qui a pour objet de grouper les personnes exerçant une même profession, en vue de la défense de leurs intérêts. — 2° Activité exercée dans un syndicat : *Faire du syndicalisme.* ◆ **syndicaliste** adj. Relatif au syndicalisme : *Le mouvement syndicaliste au XIXe siècle.* ◆ n. Militant, militante d'un syndicat. ◆ **syndiquer** v. tr. Organiser en syndicat : *Syndiquer des ouvriers.* ◆ ***se syndiquer*** v. pr. S'affilier à un syndicat; s'organiser en syndicat. ◆ **intersyndical, e, aux** adj. : *Réunion intersyndicale pour décider une grève* (= entre divers syndicats).

synode [sinɔd] n. m. **1°** Ensemble d'ecclésiastiques convoqués pour les affaires d'un diocèse. — **2°** *Synode protestant,* assemblée régionale ou nationale composée des délégués, pasteurs et laïques, des Eglises locales. — **3°** *Synode israélite,* conseil composé de rabbins et de laïques, réunis pour délibérer sur des points de doctrine ou de pratique relatifs au judaïsme.

synonyme [sinɔnim] adj. et n. m. Se dit de deux ou plusieurs mots de la même catégorie (substantifs, adjectifs ou verbes) qui se présentent dans la langue avec des sens très proches et qui se différencient entre eux par une nuance (trait particulier) : *Les verbes « briser », « casser » et « rompre », les substantifs « bru » et « belle-fille » sont synonymes.* ◆ **synonymie** n. f. : *La synonymie établit une équivalence superficielle, car les synonymes se distinguent suivant le niveau de langue, les emplois syntaxiques et les expressions figées, où seul un des synonymes peut entrer.*

synopsis [sinɔpsis] n. f. ou m. Exposé très bref, qui constitue l'ébauche du scénario d'un film.

synoptique [sinɔptik] adj. *Tableau synoptique,* tableau qui permet de saisir d'un même coup d'œil les diverses parties d'un ensemble : *Un tableau synoptique d'histoire, de géographie.*

synovie [sinɔvi] n. f. Liquide d'aspect filant, qui lubrifie les articulations.

syntagme [sɛ̃tagm] n. m. Elément constitutif de la phrase, comportant un ou plusieurs termes, et caractérisé par un système particulier de marques morphologiques : *Dans la phrase « Les feuilles jaunies des arbres tombent », on distingue un syntagme nominal, « les feuilles », et un syntagme verbal, « tombent »; le premier est caractérisé dans l'écriture par la marque « s » du pluriel, le second est caractérisé par la marque « -nt » du verbe.* ◆ **syntagmatique** adj. *Classe syntagmatique,* ensemble des termes qui ont, dans la phrase, le même comportement grammatical. ‖ *Axe syntagmatique,* chaîne parlée où les termes sont déterminés par les choix qui précèdent ou qui suivent.

syntaxe [sɛ̃taks] n. f. Partie de la grammaire qui étudie les rapports entre les groupes de termes constituant la phrase (*syntagmes*), les membres de ces groupes (*mots*) ou les relations entre les phrases dans le discours : *La disposition des groupes de mots dans la phrase constitue un premier système de rapports (ou fonctions). On parle de la syntaxe d'un écrivain lorsqu'on étudie les constructions qui lui sont particulières, compte tenu des nécessités de la langue elle-même.* ◆ **syntaxique** adj. : *La fonction du mot « Pierre » dans « le livre de Pierre » définit sa valeur syntaxique.* ◆ **syntacticien, enne** [sɛ̃taktisjɛ̃, -ɛn] n. : *Le syntacticien est un grammairien spécialiste de la syntaxe.*

synthèse [sɛ̃tɛz] n. f. **1°** Exposé qui réunit les divers éléments d'un ensemble : *Un essai de synthèse historique.* — **2°** En chimie, formation artificielle d'un corps à partir de ses constituants : *Faire la synthèse de l'eau* (contr. : ANALYSE). ◆ **synthétique** adj. **1°** Relatif à la synthèse; qui se fait par synthèse : *Une méthode synthétique* (contr. : ANALYTIQUE). — **2°** En chimie, qui est produit par synthèse : *Du caoutchouc synthétique.* ◆ **synthétiser** v. tr. Réunir par synthèse : *Synthétiser des faits.*

syphilis [sifilis] n. f. Maladie infectieuse et contagieuse, le plus souvent d'origine vénérienne. ◆ **syphilitique** adj. et n. Se dit d'une personne atteinte de syphilis.

système [sistɛm] n. m. **1°** Ensemble d'idées, de principes coordonnés de façon à former un tout scientifique ou une doctrine : *Le système astronomique de Copernic. Le système philosophique de Descartes.* — **2°** Combinaison d'éléments de même espèce réunis de manière à former un ensemble autour d'un centre : *Le système solaire* (= constitué par le Soleil, les planètes, leurs satellites, etc.). *Le système planétaire.* — **3°** Ensemble d'organes ou de tissus de même nature et destinés à des fonctions analogues : *Le système nerveux.* — **4°** Ensemble de termes définis par les relations qu'ils entretiennent entre eux : *Un système linguistique.* — **5°** Ensemble de méthodes, de procédés destinés à produire un résultat : *Un système d'éducation. Un système politique, économique, social. Un système de signalisation.* — **6°** *Fam.* Moyen employé pour réussir en quelque chose : *Un bon système pour faire fortune.* ‖ Fam. *Système D,* habileté à se tirer d'affaire, à sortir d'embarras, sans être toujours scrupuleux sur le choix des moyens. — **7°** Appareil ou dispositif formé par des éléments agencés d'une manière plus ou moins compliquée : *Un système d'éclairage, de fermeture automatique.* — **8°** *Esprit de système,* penchant à tout réduire en système, à penser, à agir en partant d'idées préconçues, d'après lesquelles on juge et classe les faits. ‖ *Par système,* de parti pris : *Contredire par système.* ‖ Fam. *Courir, taper sur le système,* exaspérer, énerver (= taper sur les nerfs). ◆ **systématique** adj. **1°** Qui appartient à un système, qui est combiné d'après un système, un ordre déterminé : *Un classement systématique.* — **2°** *Péjor.* Se dit d'une personne (ou de son attitude) qui agit de façon rigide, sans tenir compte des circonstances, des éléments individuels : *Il est impossible de discuter avec lui, il est trop systématique* (syn. : DOGMATIQUE, PÉREMPTOIRE). *Une opposition systématique* (syn. : OBSTINÉ). ◆ **systématiquement** adv. : *Il s'abstient systématiquement de voter* (= de parti pris). ◆ **systématiser** v. tr. Réunir en un système : *Systématiser des recherches relatives à une science.* ◆ v. intr. *Péjor.* Juger à partir d'idées préconçues, agir de parti pris. ◆ **systématisation** n. f. : *Une systématisation excessive.*

t

t n. m. V. Introduction.

ta adj. poss. V. MON.

tabac [taba] n. m. **1°** Plante originaire d'Amérique, cultivée pour ses feuilles, qui sont fumées, prisées ou mâchées après une préparation appropriée. — **2°** Produit manufacturé fait de feuilles de tabac séchées et préparées : *Du tabac grossier, du tabac fin. Un paquet de tabac pour la pipe.* — **3°** *Fam.* Débit de tabac : *Acheter un tabac.* — **4°** Fam. *C'est toujours le même tabac,* c'est toujours la même chose. ‖ Fam. *Passer à tabac,* frapper, rouer de coups. ◆ adj. invar. D'une couleur brun roux, rappelant celle du tabac : *Un imperméable tabac.* ◆ **Tabacs** n. m. pl. En France, administration qui a le monopole de la préparation et de la vente du tabac (avec une majusc.). ◆ **tabagie** n. f. Endroit rempli de la fumée et de l'odeur du tabac. ◆ **tabatière** n. f. Petite boîte destinée à contenir du tabac à priser.

tabasser [tabase] v. tr. *Pop.* Battre violemment (surtout pron. réciproque) : *Ils se sont tabassés à la sortie du bal* (syn. : ROUER DE COUPS).

1. tabatière n. f. V. TABAC.

2. tabatière [tabatjɛr] n. f. *Fenêtre à tabatière,* fenêtre qui a la même inclinaison que le toit sur lequel elle est adaptée.

tabernacle [tabɛrnakl] n. m. Petite armoire placée sur l'autel, et dans laquelle on conserve les hosties.

1. table [tabl] n. f. **1°** Meuble composé d'un plateau horizontal, posé sur un ou plusieurs pieds : *Une table de chêne, de noyer, d'acajou. Une table ronde, carrée, ovale. Une table de travail, de jeu. Une table de salle à manger, de cuisine.* — **2°** Meuble sur lequel on place les mets et les ustensiles nécessaires aux repas; ensemble de ces mets ou de ces objets : *Le haut bout de la table* (= partie de la table où sont les places d'honneur). *Une table de douze couverts. Dresser, mettre la table* (= placer sur la table ce qui est nécessaire pour les repas). *Se mettre à table* (= s'asseoir à une table pour manger). *Etre à table* (= en train de manger). *Quitter la table* (= interrompre son repas). *Se lever, sortir de table* (= avoir fini de manger). *Tenir table ouverte* (= recevoir à sa table tous les amis qui se présentent). *Des propos de table* (= tenus pendant les repas). *Aimer la bonne table* (= aimer la bonne chère). *Dépenser beaucoup pour sa table* (= pour sa nourriture). ‖ *A table!,* se dit familièrement pour inviter à se mettre à table. — **3°** Ensemble des personnes qui prennent un repas à la même table : *Une plaisanterie qui fait rire toute la table* (syn. : TABLÉE). *Présider la table.* — **4°** *Sainte table* ou *table de communion,* clôture du chœur, devant laquelle les fidèles reçoivent la communion. ‖ *Table d'orientation,* table circulaire placée sur un endroit élevé, et indiquant par des flèches les détails d'un point de vue. ‖ *Table ronde,* réunion tenue par plusieurs personnes pour régler, sur un pied d'égalité, des questions qui touchent à leurs intérêts respectifs. ‖ *Table tournante,* table autour de laquelle prennent place plusieurs personnes qui y posent leurs mains, et dont les mouvements sont censés répondre aux questions posées aux esprits.

2. table [tabl] n. f. Liste d'un ensemble d'informations, de données numériques, présentées méthodiquement : *Table des matières* (= liste des chapitres, des questions traités dans un ouvrage). *Table de multiplication* (= tableau donnant les produits, l'un par l'autre, des dix premiers nombres).

tableau [tablo] n. m. **1°** Ouvrage de peinture exécuté sur un panneau de bois, sur une toile tendue sur un châssis, etc. : *Le premier plan, le second plan, le fond d'un tableau. Le dessin, l'ordonnance d'un tableau. Accrocher, pendre, encadrer un tableau. Collectionner des tableaux.* ‖ *C'est (il y a) une ombre au tableau,* se dit d'un défaut qui altère parfois les beautés d'un ouvrage, les qualités d'une personne, d'un élément d'inquiétude dans une situation favorable dans son ensemble. ‖ *Tableau vivant,* reproduction de certains tableaux connus ou de certaines scènes de l'histoire à l'aide de personnages vivants, qui prennent les attitudes indiquées par le sujet. ‖ Pop. *Vieux tableau,* femme âgée, fardée d'une façon exagérée. — **2°** Spectacle dont la vue produit certaines impressions : *Avoir devant soi un tableau idyllique, douloureux. Une mère et sa fille se battaient dans la rue, vous voyez d'ici le tableau* (fam.; syn. : SCÈNE). *Pour achever le tableau* (= pour mettre le comble). — **3°** Evocation, description imagée d'une chose, soit de vive voix, soit par écrit : *Vous nous faites un tableau bien triste de la situation actuelle. Cet historien a brossé un tableau très intéressant des guerres de Napoléon* (syn. : PEINTURE, RÉCIT). — **4°** Châssis de planches peintes en noir, pour écrire à la craie, en usage dans les écoles : *Tracer des figures de géométrie au tableau. Aller au tableau, passer au tableau.* — **5°** Support sur lequel sont groupés des objets, des appareils : *Accrocher une clef à un tableau. Tableau d'une sonnerie, d'une installation électrique.* ‖ *Tableau de bord d'un avion, d'une voiture,* ensemble d'appareils placés bien en vue du pilote ou du conducteur, et destinés à lui permettre de surveiller la marche de son véhicule. — **6°** Composition typographique qui comporte un certain nombre de colonnes divisées par des filets, des accolades. — **7°** Liste contenant des informations, des renseignements, disposés méthodiquement pour en faciliter la consultation : *Un tableau chronologique, synoptique, statistique.* — **8°** Liste, dans l'ordre de leur réception, des membres d'un ordre professionnel : *Le tableau des avocats, des experts-comptables.* ‖ *Tableau d'avancement,* liste du personnel d'une administration jugé digne d'avancement. ‖ *Tableau d'honneur,* liste des élèves les plus méritants d'une classe : *Etre inscrit au tableau d'honneur;* récompense donnée aux meilleurs élèves de chaque classe, à l'issue d'une période scolaire variable suivant les établissements d'enseignement. — **9°** *Tableau de chasse,* exposition sur le sol de toutes les pièces de gibier abattues, groupées par espèces. — **10°** *Jouer, miser sur les deux tableaux,* donner des gages à deux partis opposés, pour être sûr d'obtenir des avantages quel que soit le vainqueur. — **11°** Au théâtre, subdivision d'un acte marquée par un changement de décor : *Un drame en trois actes et quinze tableaux.* ◆ **tableautin** n. m. Petit tableau (sens 1).

tabler [table] v. tr. ind. *Tabler sur une chose,* compter sur elle : *Il vaut mieux tabler sur son travail que sur la chance* (syn. : SE FIER À).

1. tablette [tablɛt] n. f. **1°** Planche posée horizontalement et destinée à recevoir divers objets : *Les tablettes d'une bibliothèque, d'une armoire.* — **2°** Pièce de bois, de marbre, de pierre, de métal, etc., placée sur les montants d'une cheminée, sur l'appui d'une fenêtre, sur un radiateur. — **3°** Produit alimentaire de forme rectangulaire et aplatie : *Une tablette de chocolat.*

2. tablettes [tablɛt] n. f. pl. *Inscrire, mettre quelque chose sur ses tablettes,* en prendre bonne note, le graver dans sa mémoire (littér.). ‖ *Rayer une chose de ses tablettes,* ne plus compter sur elle. (Au XVIIe siècle, les tablettes étaient des feuilles d'ivoire, de parchemin, de papier, attachées ensemble et qui servaient d'agenda.)

1. tablier [tablije] n. m. **1°** Pièce d'étoffe, de cuir, de matière plastique, que l'on met devant soi pour préserver ses vêtements. — **2°** Fam. *Rendre son tablier,* se démettre de ses fonctions.

2. tablier [tablije] n. m. Dans un pont, plateforme horizontale supportant la chaussée ou la voie ferrée.

tabou [tabu] n. m. Interdit de caractère religieux, qui frappe un être, un objet, un acte qui sont considérés comme sacrés ou impurs. ◆ **tabou** adj. **1°** Se dit d'une personne ou d'une chose interdite et marquée d'un caractère sacré et interdit : *Un homme, un lieu tabou.* — **2°** *Fam.* Se dit d'une personne qu'on ne peut critiquer, d'une chose qu'on ne peut modifier : *Un employé tabou. Un règlement tabou.*

tabouret [taburɛ] n. m. **1°** Petit siège, généralement à quatre pieds, sans dossier et sans bras : *Un tabouret de cuisine, de bar.* — **2°** *Tabouret de piano,* petit siège circulaire, que l'on peut hausser ou baisser à volonté.

tac [tak] n. m. **1°** Bruit sec : *Quand on ferme le boîtier d'une montre, on entend un tac.* — **2°** *Répondre, riposter du tac au tac,* répondre vivement, rendre coup pour coup.

1. tache [taʃ] n. f. **1°** Marque qui salit : *Une tache de graisse, d'huile, d'encre. Enlever, ôter une tache. Cette tache peut s'enlever avec de l'essence.* ‖ *Faire tache d'huile,* s'étendre largement de proche en proche : *Une idée, une invention qui fait tache d'huile.* ‖ *Faire tache,* faire un contraste choquant, produire une impression fâcheuse : *Une femme aux manières vulgaires fait tache dans une société élégante.* — **2°** Tout ce qui atteint l'honneur, la réputation : *Une vie sans tache.* ‖ *La tache originelle,* celle que, selon le christianisme, tout homme porte en naissant par suite de la désobéissance d'Eve et d'Adam. ◆ **tacher** v. tr. (sujet nom de personne). *Tacher une chose,* la salir en faisant des taches dessus : *Tacher un vêtement avec de l'encre.* ◆ v. intr. (sujet nom de chose). Faire des taches : *Les fruits tachent.* ◆ **se tacher** v. pr. **1°** (sujet nom de personne) Faire des taches sur ses vêtements : *Prenez garde, vous allez vous tacher.* — **2°** (sujet nom de chose) Se salir : *Un tissu qui se tache facilement.* ◆ **tachant, e** adj. Se dit d'une chose qui se tache facilement : *Les tissus blancs ou roses sont très tachants* (syn. : SALISSANT). ◆ **détacher** v. tr. *Détacher une chose* (surtout un vêtement), en faire disparaître les taches : *Détacher un costume avec de la benzine. Porter une robe à détacher chez le teinturier.* ◆ **détachage** n. m. : *Toutes les traces de peinture sont parties au détachage.* ◆ **détachant, e** adj. et n. m. : *Une poudre détachante. La mise en vente d'un nouveau détachant.* ◆ **entacher** v. tr. **1°** *Entacher la gloire, la réputation, la mémoire,* etc., *de quelqu'un,* y porter atteinte, les souiller. — **2°** *Un acte entaché de nullité,* rendu nul par une irrégularité (jurid.). ‖ *Calcul entaché d'erreur,* qui comporte des erreurs (langue soutenue; syn. : ERRONÉ, FAUX).

2. tache [taʃ] n. f. Marque naturelle sur la peau de l'homme, le pelage des animaux ou certaines parties des végétaux : *Avoir des taches de rousseur sur le visage. Un chien qui a des taches noires.* ◆ **tacheter** v. tr. (conj. 7). Marquer de petites taches : *Le soleil lui a tacheté le visage;* surtout au passif et au participe adjectif *tacheté, e : Une couleuvre tachetée. Un chien blanc tacheté de noir. Des dahlias rouges tachetés de blanc.*

tâche [tɑʃ] n. f. **1°** Travail à faire dans un temps déterminé et dans certaines conditions : *Assigner une tâche à chacun. S'imposer une tâche. Faciliter la tâche à quelqu'un. Remplir sa tâche. Travailler à la tâche* (= selon un prix convenu pour un travail fixé d'avance; contr. : À L'HEURE). — **2°** Ce qui doit être fait; obligation morale : *La tâche de l'éducateur est de former l'intelligence et le caractère.* — **3°** *Mourir à la tâche,* succomber à une entreprise. ‖ *Prendre à tâche de,* se proposer comme but, s'attacher à : *Prendre à tâche de faire réussir une affaire.* ◆ **tâcheron** n. m. Petit entrepreneur qui travaille le plus souvent à la tâche, soit seul, soit avec le concours d'un ou de deux ouvriers seulement.

tâcher [tɑʃe] v. tr. ind. *Tâcher de* (et l'infin.), faire des efforts pour : *Nous tâcherons de vous donner satisfaction* (syn. : S'EFFORCER DE). ◆ v. tr. *Tâcher que* (et le subj.), faire en sorte que : *Tâchez que cela ne se reproduise pas.*

tacheter v. tr. V. TACHE 2.

tacite [tasit] adj. Se dit de ce qui n'est pas exprimé formellement, qui peut être sous-entendu : *Approbation, consentement, aveu tacite.* ◆ **tacitement** adv. : *Approuver tacitement.*

taciturne [tasityrn] adj. et n. Se dit d'une personne qui parle peu : *Vous êtes bien sombre et taciturne aujourd'hui* (syn. : MOROSE, SILENCIEUX).

tact [takt] n. m. Sentiment délicat de la mesure, des nuances, des convenances : *Avoir beaucoup de tact* (syn. : DÉLICATESSE, DISCRÉTION, DOIGTÉ). *Agir avec tact* (contr. : GROSSIÈRETÉ).

tactique [taktik] n. f. **1°** Art de diriger une bataille en combinant, par la manœuvre, l'action des différents moyens de combat en vue d'obtenir le maximum d'efficacité : *Rechercher une tactique capable de s'adapter aux armes nucléaires.* — **2°** Ensemble des moyens utilisés pour obtenir le résultat voulu : *Je vois votre tactique. Changer de tactique. La tactique parlementaire.* ◆ **tactique** adj. Relatif à la tactique : *Des dispositions tactiques.*

taïaut! ou **tayaut!** [tajo] interj. Cri du veneur à la vue du gibier, pour lancer les chiens à sa poursuite.

1. taie [tɛ] n. f. *Taie d'oreiller, de traversin,* enveloppe de linge dans laquelle on place un oreiller, un traversin.

2. taie [tɛ] n. f. Tache blanche, opaque, sur la cornée.

taillade [tajad] n. f. **1°** Coupure faite dans les chairs : *Se faire une taillade en se rasant* (syn. : BALAFRE, ENTAILLE, ESTAFILADE). — **2°** Coupure en long, en général : *Faire des taillades dans un arbre.* ◆ **taillader** v. tr. Faire des taillades dans (surtout à la forme pron.) : *Se taillader le visage* (syn. : COUPER, ENTAILLER).

1. taille [taj] n. f. **1°** Hauteur du corps humain : *Un homme de grande taille, de taille moyenne, de petite taille* (syn. : STATURE). — **2°** Hauteur et grosseur des animaux : *Un cheval de petite taille.* — **3°** Dimension d'une chose : *Un plat de grande taille.* • Loc. ADJ. Fam. *De taille,* d'importance : *Une sottise de taille.* ‖ *Etre de taille à faire quelque chose,* être capable de le faire : *Elle est de taille à se défendre.* ◆ **taillé, e** adj. **1°** Se dit d'une personne qui a une certaine taille : *Etre bien taillé* (= être bien fait, bien proportionné). *Etre taillé en hercule, en force* (= être fortement musclé). — **2°** *Taillé pour,* propre à faire quelque chose, par ses aptitudes, sa constitution : *Un cheval taillé pour la course.*

2. taille [taj] n. f. **1°** Partie du corps comprise entre les épaules et les hanches : *Avoir la taille fine. Avoir la taille courte, épaisse. Prendre quelqu'un par la taille.* ‖ *Avoir la taille bien prise,* avoir la taille bien faite. ‖ *Ne pas avoir de taille,* avoir la poitrine courte et la ceinture épaisse. — **2°** Partie rétrécie du corps humain située à la jonction du thorax et de l'abdomen : *Un vêtement serré à la taille. Le tour de taille* (= la ceinture). — **3°** Partie rétrécie du vêtement, qui dessine la taille d'une personne : *Une taille haute, basse.*

3. taille n. f. V. TAILLER 1.

1. tailler [taje] v. tr. **1°** *Tailler quelque chose* (un arbre, etc.), en couper, en retrancher ce qu'il a de superflu, pour lui donner une certaine forme, pour le rendre propre à tel usage : *Tailler une pierre précieuse, un diamant. Tailler un bloc de marbre pour en faire une statue. Tailler des arbres fruitiers pour leur faire porter plus de fruits* (syn. : ÉLAGUER, ÉMONDER). — **2°** Couper dans une étoffe ce qui est nécessaire pour confectionner une pièce de vêtement : *Tailler une robe, un manteau, un veston.* ◆ ***se tailler*** v. pr. **1°** *Se tailler la part du lion,* se réserver la meilleure et la plus grosse part. — **2°** *Se tailler un succès,* se faire brillamment remarquer. ◆ **taille** n. f. **1°** Action ou manière de tailler : *La taille d'un arbre, d'un diamant.* — **2°** Tranchant, partie coupante d'une arme : *Frapper d'estoc et de taille* (v. ESTOC). — **3°** *Pierre de taille,* pierre que l'on emploie dans la construction après l'avoir taillée. ◆ **tailleur** n. m. **1°** Artisan qui fait des vêtements sur mesure. — **2°** Costume féminin comprenant une jupe et une jaquette de même tissu. ◆ **taillis** n. m. Bois que l'on coupe à intervalles rapprochés. ◆ **taille-crayon** n. m. Petit outil généralement conique, garni à l'intérieur d'une lame tranchante, dont on se sert pour tailler les crayons.

2. tailler (se) [sətaje] v. pr. *Pop.* Se sauver, partir : *Il s'est taillé en vitesse.*

tain [tɛ̃] n. m. Amalgame d'étain, que l'on applique derrière une glace pour la rendre réfléchissante.

taire [tɛr] v. tr. (conj. **78**). *Taire quelque chose,* ne pas le dire : *Taire le nom de quelqu'un, les motifs d'une absence* (syn. : CACHER, DISSIMULER, GARDER POUR SOI). ◆ ***se taire*** v. pr. **1°** (sujet nom de personne) S'abstenir ou cesser de parler : *On se repent plus souvent d'avoir parlé que de s'être tu.* — **2°** (sujet nom d'animal ou de chose) Cesser de se faire entendre, de faire du bruit : *A l'approche de la nuit, les oiseaux se taisent. Les vents et la mer se sont tus* (syn. : SE CALMER). — **3°** Fam. *Il a perdu une bonne occasion de se taire,* il s'est fait du tort en parlant. ‖ *Faire taire un être animé, une chose,* le réduire au silence, l'empêcher de se manifester : *Faites taire cet enfant. Faire taire sa colère.*

talc [talk] n. m. Poudre blanche onctueuse, d'origine minérale, utilisée pour absorber les sécrétions de la peau. ◆ **talquer** v. tr. *Talquer quelque chose,* l'enduire de talc : *Talquer des gants.*

talent [talɑ̃] n. m. **1°** Aptitude, habileté naturelle ou acquise à faire une chose : *Avoir du talent pour la musique, pour la peinture. Il a des talents, mais il ne sait pas les faire valoir. Peintre de talent* (= qui a du talent). *Il a le talent d'ennuyer tout le monde* (ironiq.; syn. fam. : CHIC). — **2°** Personne qui a un talent : *Encourager les jeunes talents.* ◆ **talentueux, euse** adj. *Fam.* Se dit d'une personne qui a du talent.

talion [taljɔ̃] n. m. *Loi du talion,* loi selon laquelle une offense doit être réparée par une peine équivalente. (Dans la législation hébraïque qu'elle a inspirée, la loi du talion s'exprime par la formule célèbre : *Œil pour œil, dent pour dent.*)

talisman [talismɑ̃] n. m. **1°** Objet marqué de signes cabalistiques, auquel on attribue la vertu de protéger celui qui en est porteur ou de lui donner un pouvoir magique. — **2°** Ce qui a un pouvoir irrésistible, des effets merveilleux : *L'or est un puissant talisman.*

taloche [talɔʃ] n. f. *Fam.* Coup donné sur la figure avec le plat de la main (syn. : GIFLE, TAPE).

1. talon [talɔ̃] n. m. **1°** Partie postérieure du pied de l'homme : *S'asseoir sur les talons* (= s'accroupir). — **2°** Partie d'un bas, d'une chaussure qui enveloppe le talon. — **3°** Partie saillante ajoutée à la semelle d'une chaussure, à l'endroit où repose le talon : *Des souliers à talons hauts, à talons plats.* — **4°** *Etre, marcher sur les talons de quelqu'un,* le suivre de très près. ‖ *Tourner les talons,* partir. ‖ *Avoir l'estomac dans les talons,* avoir grand-faim. ◆ **talonner** v. tr. **1°** (sujet nom de personne) *Talonner quelqu'un,* le poursuivre de très près : *Talonner l'ennemi.* — **2°** (sujet nom de personne) *Talonner un cheval,* le presser du talon ou de l'éperon. — **3°** (sujet nom de personne ou de chose) Presser vivement : *Ses créanciers le talonnent* (syn. : HARCELER). *La faim le talonnait* (syn. : TOURMENTER). ◆ v. intr. Au rugby, faire sortir le ballon de la mêlée. (On dit aussi TALONNER LE BALLON.) ◆ **talonnage** n. m. Au rugby, action de talonner. ◆ **talonneur** n. m. Au rugby, joueur qui talonne le ballon. ◆ **talonnette** n. f. **1°** Lame de liège ou de toute autre matière, taillée en biseau et placée sous le talon, à l'intérieur d'une chaussure. — 2° Etroite bande de peau ou de tresse, cousue au bas d'un pantalon pour en éviter l'usure.

2. talon [talɔ̃] n. m. 1° Ce qui reste des cartes ou des dominos après la distribution à chaque joueur. — 2° Dernier morceau, reste d'une chose entamée : *Un talon de pain, de jambon.* — 3° Partie non détachable d'un carnet à souches : *Inscrire le montant d'un chèque sur le talon.*

talquer v. tr. V. TALC.

talus [taly] n. m. Terrain en pente, situé au bord d'une route, le long d'un fossé.

tamaris [tamaris] n. m. Arbrisseau à très petites feuilles et à grappes de fleurs roses, souvent planté dans le Midi et sur nos côtes.

tambouille [tɑ̃buj] n. f. 1° *Pop.* Ragoût de qualité médiocre. — 2° *Faire la tambouille,* faire la cuisine.

tambour [tɑ̃bur] n. m. 1° Caisse cylindrique dont chaque fond est formé d'une peau tendue, sur laquelle on frappe avec des baguettes pour en tirer des sons : *Battre le* (ou *du*) *tambour. Un roulement de tambour.* — 2° Homme qui bat du tambour. — 3° *Mener quelqu'un tambour battant,* sévèrement. ‖ *Partir sans tambour ni trompette,* sans bruit, en secret. ◆ **tambourin** n. m. Tambour plus long et plus étroit que le tambour ordinaire, et que l'on bat avec une seule baguette. ◆ **tambourinaire** n. m. En Provence, joueur de tambourin. ◆ **tambouriner** v. intr. (sujet nom de personne ou de chose). Imiter le bruit du tambour : *Il tambourinait nerveusement sur la table. Tambouriner à la porte de quelqu'un. La pluie tambourine sur les vitres.* ◆ v. tr. Battre sur un tambour : *Tambouriner une marche.* ◆ **tambourinage** ou **tambourinement** n. m. : *Son tambourinage sur la table est agaçant.*

tamis [tami] n. m. 1° Instrument qui sert à passer des matières pulvérulentes ou des liquides épais. — 2° *Passer au tamis,* examiner avec attention, sévèrement : *Passer au tamis la conduite de quelqu'un.* ◆ **tamiser** v. tr. 1° *Tamiser quelque chose,* le passer au tamis : *Tamiser de la farine, du sable.* — 2° *Tamiser la lumière,* la laisser passer en l'adoucissant : *Des rideaux, des vitraux qui tamisent la lumière. Une lumière tamisée* (= douce, filtrée). ◆ **tamisage** n. m. : *Le tamisage du plâtre.*

1. tampon [tɑ̃pɔ̃] n. m. 1° Gros bouchon de matière quelconque, servant à obturer une ouverture : *Un tampon de linge, de liège. Arrêter une fuite d'eau avec un tampon.* — 2° Paquet d'ouate, de gaze, servant à arrêter une hémorragie. — 3° Etoffe ou autre matière roulée ou pressée, servant à frotter ou à imprégner. ◆ **tamponner** v. tr. Essuyer, étancher avec un tampon : *Tamponner une plaie.* ◆ ***se tamponner*** v. pr. : *Se tamponner les yeux.*

2. tampon [tɑ̃pɔ̃] n. m. Cheville de bois ou de métal enfoncée dans un mur, afin d'y placer une vis ou un clou. ◆ **tamponner** v. tr. : *Tamponner un mur.* ◆ **tamponnoir** n. m. Outil servant à percer un mur pour y placer des tampons.

3. tampon [tɑ̃pɔ̃] n. m. Plaque de métal ou de caoutchouc gravée, et qui, enduite d'encre, permet d'imprimer sur une lettre, sur un document le timbre d'une administration ou d'une société : *Apposer le tampon officiel sur un passeport. Tampon encreur* (= coussin imprégné d'encre, sur lequel on applique le tampon avant l'impression). ◆ **tamponner** v. tr. : *Tamponner une lettre, un document* (= y apposer un cachet).

4. tampon [tɑ̃pɔ̃] n. m. 1° Disque de métal placé à l'extrémité des voitures de chemin de fer ou des wagons, pour amortir les chocs. — 2° Pop. *Coup de tampon,* violent coup de poing; rixe. ‖ *Etat tampon,* Etat qui, par sa situation géographique, se trouve entre deux Etats puissants et hostiles. ‖ *Servir de tampon,* amortir les coups, chercher à apaiser : *Il a servi de tampon entre les deux adversaires.* ◆ **tamponner** v. tr. Heurter violemment : *Un train qui en tamponne un autre* (syn. fam. : EMBOUTIR, TÉLESCOPER). ◆ **tamponnement** n. m. Collision brutale entre deux trains ou deux véhicules. ◆ **tamponneur, euse** adj. *Autos tamponneuses,* petits véhicules électriques qui s'entrechoquent sur une piste et qui constituent une attraction foraine.

tam-tam [tamtam] n. m. 1° Instrument de musique d'origine chinoise, composé d'une plaque circulaire de métal suspendue verticalement et qu'on frappe avec un maillet. — 2° En Afrique centrale, tambour qu'on frappe avec la main. — 3° Roulement prolongé de cet instrument, servant à annoncer certains événements : *Un tam-tam de guerre.* — 4° *Fam.* Publicité tapageuse : *Faire du tam-tam pour vendre un produit.*

tan n. m. V. TANNER 1.

tancer [tɑ̃se] v. tr. *Tancer quelqu'un,* le réprimander (littér.) : *Tancer un élève* (syn. : ADMONESTER, GRONDER).

tanche [tɑ̃ʃ] n. f. Poisson d'eau douce.

tandem [tɑ̃dɛm] n. m. 1° Bicyclette pour deux personnes placées l'une derrière l'autre. — 2° *Fam.* Association de deux personnes, de deux groupes qui travaillent à une même œuvre.

tandis que [tɑ̃di- ou tɑ̃diskə] loc. conj. 1° Marque la simultanéité de deux actions : *Nous sommes arrivés tandis qu'il déjeunait* (syn. : COMME, PENDANT QUE). — 2° Marque la substitution d'une action à une autre, le contraste, l'opposition : *Vous reculez, tandis qu'il faudrait avancer* (syn. : ALORS QUE, AU LIEU QUE).

tangage n. m. V. TANGUER.

1. tangent, e [tɑ̃ʒɑ̃, -ɑ̃t] adj. et n. f. Se dit de ce qui est en contact par un seul point : *Une droite tangente à un cercle. La tangente en un point d'une courbe.*

2. tangent, e [tɑ̃ʒɑ̃, -ɑ̃t] adj. *Fam.* Se dit de ce qui approche de justesse d'un résultat : *S'il réussit à son examen, ce sera tangent.* ◆ **tangente** n. f. 1° *Arg. scol.* Appariteur d'une faculté. — 2° *Arg. scol.* Surveillant d'une salle d'examen. — 3° *Arg. scol.* A l'Ecole polytechnique, épée d'uniforme. — 4° Fam. *Prendre la tangente,* se sauver rapidement; se tirer d'affaire habilement (syn. : S'ESQUIVER).

tangible [tɑ̃ʒibl] adj. 1° Se dit d'une chose perceptible par le toucher : *Une réalité tangible.* — 2° Se dit de ce qui est manifeste, réel, évident : *Une preuve tangible.*

tanguer [tɑ̃ge] v. intr. (sujet nom désignant un bateau, une voiture de chemin de fer, un avion).

Être soumis à un balancement dans le sens de la longueur. ◆ **tangage** n. m. Balancement d'un véhicule dans le sens de la longueur (contr. : ROULIS).

tanière [tanjɛr] n. f. Abri plus ou moins couvert ou souterrain d'un animal sauvage.

tanin n. m. V. TANNER 1.

tank [tɑ̃k] n. m. Syn. vieilli de CHAR.

1. tanner [tane] v. tr. *Tanner une peau d'animal,* lui faire subir une préparation pour la rendre imputrescible. ◆ **tanné, e** adj. Qui est de couleur brun-roux : *Avoir le visage tanné* (syn. : BASANÉ). ◆ **tan** [tɑ̃] n. m. Ecorce de chêne, d'un brun roux, réduite en poudre et qui servait anciennement à tanner les peaux. ◆ **tanin** ou **tannin** n. m. Substance existant dans plusieurs produits végétaux (écorce de chêne, de châtaignier, etc.), qui rend les peaux imputrescibles. ◆ **tannage** n. m. : *Le tannage est précédé d'une préparation des peaux.* ◆ **tannerie** n. f. Etablissement où l'on tanne les cuirs; industrie du tannage. ◆ **tanneur** n. m. Personne qui tanne les cuirs, qui vend les cuirs tannés.

2. tanner [tane] v. tr. 1° Fam. *Tanner quelqu'un,* l'importuner, le harceler : *Elle est toujours en train de tanner sa mère pour avoir de l'argent* (syn. : ENNUYER, TOURMENTER). — 2° Pop. *Tanner le cuir à quelqu'un,* le battre, le rosser. ◆ **tannant, e** adj. *Fam.* Se dit d'une personne qui fatigue, importune : *Il est tannant avec ses réflexions stupides* (syn. : ENNUYEUX, LASSANT).

tant adv. V. AUTANT.

tante [tɑ̃t] n. f. 1° Sœur du père, de la mère, ou femme de l'oncle. — 2° *Tante à la mode de Bretagne,* cousine germaine du père ou de la mère.

tantinet (un) [œ̃tɑ̃tinɛ] loc. adv. *Fam.* Un peu : *Il est un tantinet malin.*

1. tantôt [tɑ̃to] adv. *Fam.* Cet après-midi (avec le futur ou le passé) : *Je l'ai vu ce matin et je le reverrai tantôt. Je finirai ce travail tantôt.*

2. tantôt [tɑ̃to] adv. *Tantôt..., tantôt...,* indique une opposition entre deux propositions; à tel moment, à un autre moment : *Tantôt gai, tantôt triste.*

taon [tɑ̃] n. m. Grosse mouche qui pique les bœufs, les chevaux.

1. tapage [tapaʒ] n. m. Bruit accompagné généralement de cris : *Nos voisins sont rentrés tard hier soir et ont fait un beau tapage* (syn. : VACARME; fam. : RAFFUT, SÉRÉNADE, TINTAMARRE). ◆ **tapageur, euse** adj. 1° Se dit d'une personne qui aime faire du tapage : *Un enfant tapageur* (syn. : BRUYANT). — 2° Se dit de ce qui cherche à attirer l'attention : *Une publicité tapageuse. Une toilette tapageuse* (= d'un éclat criard). ◆ **tapageusement** adv.

2. tapage n. m. V. TAPER.

1. taper [tape] v. tr. 1° Fam. *Taper quelqu'un,* lui donner une tape (syn. : BATTRE). — 2° *Taper quelque chose,* donner des coups dessus : *Taper la table à coups de poing.* — 3° *Taper un texte,* l'écrire à la machine. ◆ v. intr. 1° Donner des coups, frapper : *Taper sur un clou pour l'enfoncer* (syn. : ↑ COGNER). *Qu'est-ce qui tape à la porte? Joueur qui tape dans un ballon.* — 2° Ecrire au moyen de la machine à écrire : *Elle tape bien et très vite.* — 3° Fam. *Taper sur quelqu'un,* dire du mal de lui : *Il tape sur tout le monde* (syn. : CRITIQUER, MÉDIRE DE). — 4° Fam. *Taper dans quelque chose,* en consommer une grande partie : *Ils ont tapé dans les réserves de provisions.* — 5° *Le soleil tape dur,* il fait très chaud. ‖ Fam. *Taper à côté,* se tromper, échouer. ‖ *Taper dans l'œil de quelqu'un,* lui plaire. ‖ Fam. *Taper sur le ventre à quelqu'un,* le traiter avec une familiarité excessive. ‖ Fam. *Taper sur les nerfs, sur le système,* agacer vivement. ◆ **se taper** v. pr. 1° Fam. *Se taper quelque chose,* se l'offrir, s'en donner le plaisir : *Se taper un bon repas* (syn. fam. : S'ENVOYER). ‖ Pop. *Se taper la cloche,* bien manger et bien boire. — 2° *Se taper quelque chose de pénible,* le faire : *Il s'est tapé la corvée.* — 3° Pop. *A se taper le derrière par terre,* se dit à propos d'une chose extraordinaire, renversante : *Ton histoire, c'est à se taper le derrière par terre.* ‖ Pop. *Il peut toujours se taper,* il peut toujours attendre. ◆ **tapant, e** adj. *A une, deux,* etc., *heures tapante(s),* au moment où sonnent une heure, deux heures. ◆ **tapé, e** adj. 1° *Une réponse bien tapée,* faite à propos. — 2° *Fam.* Se dit d'une personne qui a l'esprit dérangé (syn. : FOU; pop. : CINGLÉ). ◆ **tape** n. f. Coup donné avec le plat de la main : *Il lui a donné une bonne tape* (syn. : GIFLE, CLAQUE). ◆ **tapée** n. f. *Fam.* Grande quantité : *Il a une tapée de camarades.* ◆ **tapement** n. m. 1° Action de taper : *Des tapements de pieds.* — 2° Bruit produit par un coup quelconque : *On a entendu un tapement sourd contre la porte.* ◆ **tapette** n. f. 1° Petite tape : *Le premier de vous deux qui rira aura une tapette.* — 2° Fam. *Avoir une tapette, une bonne tapette, une de ces tapettes,* être extrêmement bavard. ◆ **tape-à-l'œil** n. m. invar. *Fam.* Ce qui est destiné à attirer l'attention, à éblouir. ◆ **tapoter** v. tr. Donner à plusieurs reprises de petites tapes : *Tapoter la joue d'un enfant.* ◆ v. intr. 1° Frapper légèrement : *Tapoter de la main pour accompagner un air de musique.* — 2° Fam. *Tapoter du piano,* en jouer mal ou négligemment. ◆ **tapotage** ou **tapotement** n. m.

2. taper [tape] v. tr. Fam. *Taper quelqu'un,* lui emprunter de l'argent : *A chaque fin de mois, il tape ses camarades.* ◆ **tapeur, euse** n. *Fam.* Personne qui emprunte souvent de l'argent.

tapin [tapɛ̃] n. m. Pop. *Faire le tapin,* faire le racolage sur la voie publique (syn. : RACOLER).

tapinois (en) [ɑ̃tapinwa] loc. adv. En cachette, sournoisement : *Agir en tapinois* (syn. : EN CATIMINI, SECRÈTEMENT).

tapioca [tapjɔka] n. m. Fécule extraite de la racine du manioc.

1. tapir [tapir] n. m. Mammifère d'Asie tropicale et d'Amérique, dont le museau est allongé et forme une courte trompe.

2. tapir [tapir] n. m. *Arg. scol.* Elève à qui l'on donne des leçons particulières. ◆ **tapiriser** v. intr. *Arg. scol.* Donner des leçons particulières.

3. tapir (se) [sətapir] v. pr. ou **être tapi** [ɛtrətapi] v. passif. 1° (sujet nom d'animal) Se cacher en se blottissant : *Le chat s'était tapi dans le grenier.* — 2° (sujet nom de personne) Se retirer, s'enfermer : *Se tapir dans sa maison.*

tapis [tapi] n. m. 1° Pièce d'étoffe dont on couvre un parquet, un meuble : *Un tapis de laine, de soie.* — 2° Ce qui forme comme un tapis : *Un tapis de verdure, de gazon.* — 3° *Aller au tapis,* dans un combat de boxe, aller au sol. ‖ *Amuser le tapis,* distraire la société en racontant des choses plaisantes. ‖

Envoyer un adversaire au tapis, l'abattre. || *Etre sur le tapis,* faire le sujet de la conversation ou de l'examen. || *Revenir sur le tapis,* être de nouveau un sujet de conversation. — 4° *Tapis roulant,* appareil pour transporter les personnes ou les marchandises. || *Tapis de sol,* partie d'une tente isolant l'intérieur de l'humidité du sol. ◆ **tapis-brosse** n. m. Paillasson : *Des tapis-brosses.*

tapisser [tapise] v. tr. 1° *Tapisser un mur, une chambre,* les couvrir d'une tapisserie ou d'un papier peint. — 2° *Tapisser une surface,* la couvrir, la revêtir de choses destinées à l'orner : *Tapisser des murs de photos, de dessins.* ◆ **tapisserie** n. f. 1° Ouvrage de décoration murale ou d'ameublement, fabriqué au métier ou à l'aiguille en entrecroisant deux séries parallèles de fils de couleur. — 2° *Faire tapisserie,* assister à une réunion sans y prendre part; en parlant d'une femme, d'une jeune fille, ne pas être invitée à danser dans un bal. ◆ **tapissier, ère** n. Personne qui fabrique, vend ou pose des tapis, des tentures.

tapon [tapɔ̃] n. m. *Fam.* Linge ou papier chiffonné, roulé en boule.

tapoter v. tr. V. TAPER.

taquet [takɛ] n. m. Petit coin de bois qui sert à caler un meuble, à maintenir provisoirement un objet en place.

taquin, e [takɛ̃, -in] adj. et n. Se dit d'une personne qui prend plaisir à contrarier pour agacer : *Un enfant qui se montre taquin avec ses camarades.* ◆ **taquiner** v. tr. 1° (sujet nom de personne) Contrarier malicieusement : *Un frère qui taquine sa sœur* (syn. : FAIRE ENRAGER). — 2° (sujet nom de chose) Inquiéter légèrement : *Il tousse, cela me taquine* (syn. : ↑ TOURMENTER). ◆ **taquinerie** n. f. 1° Habitude de taquiner : *La taquinerie est un trait de son caractère.* — 2° Action, parole d'une personne taquine : *Cessez vos taquineries* (syn. : AGACERIE).

tarabiscoté, e [tarabiskɔte] adj. Se dit de ce qui est chargé d'ornements excessifs, compliqués : *Des moulures, des sculptures tarabiscotées. Un style tarabiscoté* (syn. : MANIÉRÉ, PRÉTENTIEUX).

tarabuster [tarabyste] v. tr. (sujet nom de personne ou de chose). 1° *Fam.* Malmener, traiter rudement : *Une mère qui tarabuste ses enfants* (syn. : HARCELER). — 2° *Fam.* Préoccuper vivement : *Cette idée m'a tarabusté toute la journée* (syn. : TRACASSER).

taratata! [taratata] interj. *Fam.* Exprime le dédain, le doute, l'incrédulité : *Taratata! je ne crois rien de ce que vous me racontez.*

tard [tar] adv. 1° A un moment avancé de la journée, de la nuit, d'une période quelconque; après le moment habituel : *Se lever, se coucher tard. Nous avons dîné tard hier soir. Les vendanges se font tard cette année.* || *Il est tard, il se fait tard,* l'heure est avancée : *Le soleil se couche, il est tard pour partir en promenade.* — 2° Après le temps fixé ou le moment convenable : *Vous avez attendu un peu tard pour nous donner votre réponse. On l'a soigné trop tard, ce sera difficile de le guérir. Il n'est jamais trop tard pour bien faire.* — 3° *Plus tard,* à un moment de l'avenir par rapport au moment où l'on est : *Nous irons vous voir plus tard* (syn. : ULTÉRIEUREMENT). || *Au plus tard,* dans l'hypothèse (de temps) la plus éloignée : *Il sera là dans deux heures au plus tard.* — 4° *Tôt ou tard,* un jour ou l'autre : *Tôt ou tard, vous vous apercevrez de votre erreur* (syn. : INÉVITABLEMENT). ◆ **tard** n. m. *Sur le tard,* à une heure avancée de la journée : *Il est arrivé sur le tard;* vers la fin de sa vie : *Il s'est aperçu sur le tard qu'il aurait dû ménager sa santé.* ◆ **tarder** v. tr. ind. et intr. 1° (sujet nom de personne) *Tarder à faire une chose,* attendre longtemps avant de la faire : *Ne tardez pas à donner votre réponse. Pourquoi avez-vous tant tardé?* (syn. : DIFFÉRER). — 2° (sujet nom de chose) Etre lent à venir : *Le printemps tarde à apparaître.* ◆ v. impers. 1° *Il me* (*te, lui,* etc.) *tarde de* (et l'infin.) ou *que* (et le subj.), j'attends (tu, il, etc.) avec impatience : *Il me tarde de vous voir revenir. Il me tarde que ce travail soit terminé.* — 2° *Sans tarder,* immédiatement : *Partez sans tarder* (syn. : TOUT DE SUITE). ◆ v. intr. (sujet nom de chose). Se faire attendre (surtout négativement) : *Taisez-vous, autrement vous allez être puni, ça ne va pas tarder.* ◆ **tardif, ive** adj. 1° Qui vient tard : *Des regrets tardifs.* || *Fruits tardifs,* qui mûrissent après les autres de la même espèce (contr. : HÂTIF, PRÉCOCE). — 2° Qui a lieu tard dans la journée : *Un repas tardif. Heure tardive.* ◆ **tardivement** adv. : *S'apercevoir tardivement d'une erreur.* (V. ATTARDER, RETARDER.)

1. tare [tar] n. f. 1° Poids de l'emballage d'une marchandise. — 2° *Faire la tare,* placer un poids dans un plateau d'une balance pour équilibrer un corps pesant placé dans l'autre plateau.

2. tare [tar] n. f. 1° Défaut congénital d'une personne, d'un animal, vice invétéré d'une société : *Une tare héréditaire* (syn. : IMPERFECTION). — 2° *Les tares d'une société, d'un régime,* etc., les vices inhérents à son origine, à sa formation. ◆ **taré, e** adj. 1° Qui est atteint d'une tare physique : *Un cheval taré.* — 2° Vicié, corrompu : *Un homme taré. Un régime taré.*

tarentule [tarɑ̃tyl] n. f. 1° Grosse araignée de l'Europe du Sud. — 2° *Etre piqué de la tarentule,* être en proie à une vive excitation.

targuer (se) [sətarge] v. pr. *Se targuer de quelque chose,* s'en vanter avec arrogance (littér.) : *Se targuer de sa fortune, de ses relations* (syn. : SE PRÉVALOIR).

tarif [tarif] n. m. Prix fixé à l'avance et figurant sur une liste, sur un tableau : *Afficher le tarif des consommations dans un café. Etre payé au tarif syndical* (= fixé par un syndicat). *Augmenter les tarifs postaux.* ◆ **tarifaire** adj. : *Des dispositions tarifaires.* ◆ **tarifer** v. tr. *Tarifer quelque chose,* en fixer le prix : *Tarifer des marchandises* (syn. : TAXER). ◆ **tarification** n. f.

tarir [tarir] v. tr. Mettre à sec : *Les grandes chaleurs ont tari les puits.* ◆ v. intr. (sujet nom désignant des eaux). Cesser de couler, être mis à sec : *Une source qui ne tarit jamais.* ◆ v. tr. ind. (sujet nom de personne et dans des phrases négatives). *Ne pas tarir de, sur,* ne pas cesser de dire : *Il ne tarit pas d'éloges sur vous.* || *Ne pas tarir sur un sujet,* ne pas cesser d'en parler. ◆ **tarissable** adj. Qui peut être tari : *Une source tarissable.* ◆ **intarissable** adj. : *Une fontaine intarissable. Une imagination intarissable.*

tarot [taro] n. m. ou **tarots** n. m. pl. 1° Jeu de soixante-dix-huit cartes, plus longues que les cartes ordinaires et marquées d'autres figures. — 2° Jeu qui se joue avec ces cartes.

tartare [tartar] adj. *Sauce tartare,* mayonnaise fortement épicée.

1. tarte [tart] n. f. 1° Pâtisserie formée d'un fond plat de pâte entouré d'un rebord et garni de fruits, de confitures, etc. : *Une tarte aux abricots.* — 2° *Pop.* Gifle. ◆ **tartelette** n. f. Petite tarte.

2. tarte [tart] adj. *Fam.* Se dit d'une personne sotte et ridicule, peu avantagée physiquement, d'une chose sans intérêt, sans valeur : *Un film tarte.*

tartine [tartin] n. f. 1° Tranche de pain recouverte d'une substance alimentaire que l'on peut facilement étendre : *Une tartine de beurre, de miel.* — 2° *Fam.* Long développement, long article de journal. ◆ **tartiner** v. tr. *Tartiner une tranche de pain,* étendre dessus du beurre, de la confiture, etc.

tartre [tartr] n. m. 1° Dépôt que laisse le vin dans un récipient. — 2° Croûte dure qui se dépose sur les parois des chaudières, des canalisations d'eau, etc. — 3° Croûte jaunâtre qui se forme sur les dents. ◆ **détartrer** v. tr. : *Détartrer un radiateur de voiture.* ◆ **détartrage** n. m. ◆ **entartrer** v. tr. Couvrir, encrasser de tartre : *Cette eau entartre les chaudières.* ◆ **entartrage** n. m.

tartufe [tartyf] n. m. Faux dévot, hypocrite. ◆ **tartuferie** n. f. Caractère, manière d'agir d'un tartufe.

tas [tɑ] n. m. 1° Accumulation de choses mises ensemble et les unes sur les autres : *Un tas de foin* (syn. : MEULE). *Mettre en tas. Un tas de livres et de papiers* (syn. : MONCEAU). — 2° Fam. *Un tas de,* beaucoup de : *Connaître un tas de gens.* — 3° Pop. *Taper dans le tas,* se servir abondamment. (V. ENTASSER.)

tasse [tas] n. f. 1° Vase à boire muni d'une anse : *Une tasse de faïence, de porcelaine.* — 2° Contenu d'une tasse : *Boire une tasse de thé.*

tasseau [taso] n. m. Petit morceau de bois supportant une tablette.

tasser [tɑse] v. tr. 1° *Tasser quelque chose,* en réduire le volume par pression, par des secousses : *Tasser du foin, de la laine. Tasser de la farine dans une boîte.* — 2° (sujet nom de personne) *Etre tassé,* être serré : *Les voyageurs étaient tassés dans le métro.* — 3° Serrer irrégulièrement un adversaire contre le bord de la piste (en sport). ◆ ***se tasser*** v. pr. 1° (sujet nom désignant un mur, un terrain, etc.) S'affaisser : *Ces terrains se sont tassés.* — 2° (sujet nom de personne) *Fam.* Se voûter, se ramasser sur soi-même. — 3° Se serrer : *Tassez-vous à six sur cette banquette.* — 4° (sujet nom de chose) *Fam.* Perdre son caractère de gravité : *Dans peu de temps, toutes ces dissensions, tous ces désaccords se seront tassés* (syn. : S'ARRANGER). — 5° Pop. *Se tasser quelque chose,* en manger, en boire abondamment : *Se tasser des gâteaux, plusieurs apéritifs* (syn. fam. : S'ENVOYER, SE TAPER). ◆ **tassé, e** adj. Pop. *Un verre bien tassé,* une consommation servie copieusement. ‖ Pop. *Etre tassé,* être affaibli intellectuellement, physiquement par l'âge. ◆ **tassage** n. m. Action de tasser (sens 3). ◆ **tassement** n. m. Affaissement du sol ou d'une maçonnerie sous l'effet de la pression ou de la poussée des matériaux.

tâter [tɑte] v. tr. 1° *Tâter quelque chose,* le toucher avec la main pour l'examiner : *Tâter une étoffe* (syn. : MANIER, PALPER). *Marcher en tâtant les murs dans l'obscurité. Tâter le pouls d'un malade.* — 2° Fam. *Tâter quelqu'un,* l'interroger pour connaître ses intentions. — 3° *Tâter le terrain,* s'informer par avance de l'état des esprits, de la situation. ◆ v. tr. ind. 1° Fam. *Tâter de quelque chose,* en faire l'expérience : *Cet homme a tâté de tous les métiers.* — 2° Fam. *Y tâter,* être connaisseur, s'y entendre. ◆ ***se tâter*** v. pr. S'examiner, s'interroger avant de prendre une décision.

tatillon, onne [tɑtijɔ̃, -ɔn] adj. et n. *Fam.* Se dit d'une personne trop minutieuse, qui s'attache aux moindres détails : *Un insupportable tatillon.* ◆ **tatillonner** v. intr. S'occuper avec minutie des moindres détails. ◆ **tatillonnage** n. m. : *Perdre son temps en tatillonnages.*

tâtons (à) [atɑtɔ̃] loc. adv. 1° En tâtonnant pour chercher les obstacles : *Marcher à tâtons dans une pièce obscure.* — 2° Avec hésitation, sans méthode : *Procéder à tâtons dans ses recherches* (syn. : À L'AVEUGLETTE). ◆ **tâtonner** v. intr. 1° Chercher en tâtant : *S'avancer dans l'obscurité en tâtonnant.* — 2° Faire différents essais pour arriver à un résultat : *Tâtonner dans une recherche.* ◆ **tâtonnement** n. m. : *Les tâtonnements d'un aveugle. Parvenir à une solution après de nombreux tâtonnements.*

tatouer [tatwe] v. tr. Imprimer sur le corps des dessins indélébiles. ◆ **tatouage** n. m. : *Un bras marqué de nombreux tatouages.*

taudis [todi] n. m. Logement misérable ou mal tenu : *Un taudis insalubre.*

taule [tol] n. f. *Pop.* Prison.

1. taupe [top] n. f. 1° Mammifère à pattes antérieures larges et robustes, lui permettant de creuser des galeries dans le sol où il chasse des vers et des insectes. — 2° Pop. *Vieille taupe,* injure adressée à une femme âgée et désagréable. ◆ **taupinière** n. f. Monticule de terre fait par une taupe.

2. taupe [top] n. f. *Arg. scol.* Classe de mathématiques spéciales. ◆ **taupin** n. m. Elève d'une classe de mathématiques spéciales.

taureau [toro] n. m. 1° Mâle de la vache, apte à la reproduction. — 2° *Prendre le taureau par les cornes,* affronter résolument une difficulté. ● Loc. ADJ. *De taureau,* superlatif indiquant la force, la grosseur : *Un cou de taureau* (= très gros). *Avoir une force de taureau* (= être très fort). ◆ **taurillon** n. m. Jeune taureau. ◆ **tauromachie** n. f. 1° Art de combattre les taureaux en s'efforçant de triompher de leur force brutale par l'adresse. — 2° Course de taureaux.

tautologie [totolɔʒi] n. f. Répétition de la même idée sous une autre forme.

taux [to] n. m. 1° Montant de l'intérêt annuel produit par une somme de cent francs : *Prêter de l'argent au taux de cinq pour cent* (5 %). — 2° Montant d'un prix fixé par l'Etat ou par une convention : *Le taux de l'impôt. Le taux des salaires.* — 3° Proportion dans laquelle intervient un facteur variable, un élément : *Le taux de la mortalité infantile diminue.* — 4° *Taux de change,* valeur d'une monnaie étrangère par rapport à la monnaie nationale.

taverne [tavɛrn] n. f. Café-restaurant plus ou moins luxueux.

1. taxer [takse] v. tr. *Taxer un produit,* en fixer le prix officiel : *Le gouvernement a taxé certains* *produits alimentaires;* le frapper d'un impôt : *Taxer des marchandises d'importation, des objets de luxe.* ◆ **taxe** n. f. **1°** Prix officiellement fixé d'une denrée : *Vendre des marchandises à la taxe.* — **2°** Somme que doit payer l'usager d'un service public en contrepartie des avantages qu'il retire de ce service : *Taxe postale* (syn. : REDEVANCE). — **3°** Dénomination de certains impôts : *Taxe de luxe. Taxe sur le chiffre d'affaires. Taxes municipales. Taxe sur les appareils de radio, de télévision.* ◆ **détaxer** v. tr. *Détaxer quelque chose, quelqu'un,* alléger ou supprimer la taxe qui le frappe. ◆ **détaxation** n. f. : *Catégorie de produits qui bénéficie d'une détaxation.* ◆ **détaxe** n. f. Procédé d'aménagement des tarifs d'impôts indirects. ◆ **surtaxe** n. f. **1°** Majoration d'une taxe : *Surtaxe postale* (= taxe supplémentaire que doit payer le destinataire d'un envoi insuffisamment affranchi). — **2°** *Surtaxe progressive,* impôt sur le revenu net global, de caractère personnel. ◆ **surtaxer** v. tr. *Surtaxer quelque chose,* le frapper d'une surtaxe.

2. taxer [takse] v. tr. *Taxer quelqu'un de quelque chose* (nom abstrait), l'en accuser : *Taxer quelqu'un de partialité.*

taxidermie [taksidɛrmi] n. f. Art d'empailler les animaux vertébrés.

taximètre [taksimɛtr] n. m. Compteur équipant certaines voitures de louage et indiquant la somme à payer. ◆ **taxi** n. m. Automobile de location munie d'un taximètre.

taxiphone [taksifɔn] n. m. Cabine téléphonique d'où l'on peut obtenir une communication en introduisant un jeton dans l'appareil.

te pron. pers. V. TU.

té [te] n. m. Instrument de dessinateur, utilisé pour tracer des lignes droites parallèles.

technique [tɛknik] adj. **1°** Qui appartient à un art, à un métier, à une science : *Un terme, une expression technique* (contr. : COURANT). — **2°** Qui concerne l'application d'une science : *Le développement, l'équipement technique d'un pays. Des progrès techniques* (contr. : SCIENTIFIQUE). — **3°** *Enseignement technique,* branche de l'enseignement qui donne une formation professionnelle destinée aux métiers et aux professions de l'industrie et du commerce. ◆ n. m. Enseignement technique. ◆ n. f. **1°** Ensemble des procédés d'un art, d'un métier employés pour produire une œuvre ou pour obtenir un résultat déterminé : *La technique d'un peintre, d'un romancier. La technique du cinéma.* — **2°** *Fam.* Manière d'agir; méthode; moyen : *Ce n'est pas difficile; il suffit de trouver la bonne technique.* — **3°** Application pratique des connaissances scientifiques dans le domaine de la production : *Observer les progrès d'une technique.* ◆ **technicien, enne** n. Personne qui connaît une technique déterminée, versée dans la connaissance pratique d'une science : *Un technicien de la radio* (syn. : SPÉCIALISTE). ◆ **technicité** n. f. Caractère technique : *La technicité d'un terme.* ◆ **techniquement** adv. : *Un pays techniquement en avance sur les autres* (= sous le rapport de la technique). *Expliquer techniquement le fonctionnement d'une machine* (= en termes techniques). ◆ **technocrate** n. m. Homme politique ou haut fonctionnaire qui exerce son autorité dans le domaine de l'économie, de l'industrie et du commerce, en fonction de sa formation technique. ◆ **technocratie** [tɛknɔkrasi] n. f. Système politique qui accorde la plus grande influence aux techniciens de l'Administration et de l'économie. ◆ **technologie** n. f. **1°** Etude des procédés et des méthodes employés dans les diverses branches de l'industrie. — **2°** Ensemble des termes techniques propres aux arts, aux sciences, aux métiers. ◆ **technologique** adj. : *Un dictionnaire technologique.*

teigne [tɛɲ] n. f. **1°** Maladie du cuir chevelu. — **2°** *Fam.* Personne désagréable, méchante : *Cette petite fille est une vraie teigne. Mauvais comme une teigne.* ◆ **teigneux, euse** adj. et n. Qui est atteint de la teigne : *Un enfant teigneux.*

teindre [tɛ̃dr] v. tr. (conj. **55**). **1°** (sujet nom de personne) *Teindre quelque chose,* l'imprégner d'une substance colorante : *Teindre des étoffes, ses cheveux.* — **2°** (sujet nom de chose) *Teindre une chose,* lui donner, lui communiquer une couleur : *Les mûres teignent les mains.* ◆ ***se teindre*** v. pr. **1°** (sujet nom de personne) *Se teindre les cheveux, la barbe,* ou *se teindre,* donner à ses cheveux, à sa barbe une couleur artificielle. — **2°** (sujet nom de chose) Prendre telle ou telle couleur : *Au coucher du soleil, la montagne se teint de pourpre.* ◆ **teint** n. m. **1°** Couleur du visage : *Un teint clair, délicat, frais. Un teint hâlé, bronzé. Un teint pâle, blafard, livide* (syn. : CARNATION). — **2°** Couleur donnée à une étoffe par la teinture (ne s'emploie que dans les expressions *bon teint, grand teint,* teint solide à l'usage). — **3°** *Bon teint,* se dit d'une personne sincère, ferme dans ses opinions : *Un républicain, un catholique bon teint.* ◆ **teinture** n. f. **1°** Action de teindre : *La teinture de certains tissus est difficile.* — **2°** Liquide préparé pour teindre : *Plonger une étoffe dans de la teinture.* — **3°** Médicament liquide obtenu en faisant dissoudre une substance de nature végétale, animale ou minérale dans de l'alcool : *De la teinture d'iode.* — **4°** Connaissance superficielle : *Avoir une teinture d'histoire littéraire, de philosophie* (syn. : VERNIS). ◆ **teinturier, ère** n. Personne qui se charge de la teinture ou du nettoyage des vêtements. ◆ **teinturerie** n. f. Atelier ou boutique du teinturier. ◆ **déteindre** v. tr. Faire perdre sa couleur à : *Le soleil a déteint ce tissu* (rare). ◆ v. intr. **1°** Perdre sa couleur : *Tissu qui déteint au lavage.* — **2°** *Déteindre sur quelque chose,* lui communiquer de sa couleur : *Un lainage qui a déteint sur une chemise.* — **3°** (sujet nom de personne) *Déteindre sur quelqu'un,* l'influencer au point de lui faire adopter ses manières, ses idées : *Un mari bohème qui a déteint sur sa femme.*

teinte [tɛ̃t] n. f. **1°** Nuance résultant du mélange de plusieurs couleurs : *Une teinte blanchâtre, violacée. Une teinte faible, claire.* — **2°** Couleur en général, plus ou moins intense : *Les feuilles des arbres, à l'automne, prennent des teintes roussâtres.* — **3°** *Une teinte de,* une nuance légère de : *Dans ce texte, il y a une teinte d'ironie, de malice.* ◆ **teinter** v. tr. **1°** *Teinter quelque chose, un objet,* les couvrir d'une teinte légère : *Teinter un meuble avec du brou de noix.* — **2°** Colorer légèrement : *Teinter de l'eau avec du vin. Des lunettes aux verres teintés.* ◆ ***se teinter*** v. pr. Se colorer légèrement : *Une remarque qui se teinte d'ironie.* ◆ **demi-teinte** n. f. Teinte intermédiaire entre le clair et le foncé.

1. tel, telle [tɛl] adj. **1°** Marque la ressemblance, la similitude entre deux personnes ou deux choses : *Tel père, tel fils. De telles raisons ne peuvent suffire à nous convaincre* (syn. : PAREIL).

Une telle conduite vous fait honneur. On n'a jamais rien vu de tel (syn. : SEMBLABLE). — 2° En tête de proposition, résume le contenu de ce qui précède ou indique une comparaison : *Instruire en intéressant, tel doit être le but de tout professeur. Telle est mon opinion. Il disparut rapidement, tel un éclair.* — 3° Avec une valeur d'indéfini, indique que l'on ne désigne la personne ou la chose que d'une façon vague : *Nous arriverons tel jour, à telle heure. Il m'a dit telle et telle chose. Utiliser telle ou telle méthode.* — 4° *Tel que* (suivi d'un nom ou d'un pronom, d'un verbe à l'indicatif), marque la comparaison : *Il est tel que son père* (= comme son père). *Dans une affaire telle que celle-ci, il faut de l'habileté. Un homme tel que lui méritait cette distinction. Les faits sont tels que je vous les ai racontés. Tel que vous le voyez, il est capable de vivre encore longtemps* (= dans l'état où il est [fam.]). — 5° *Tel quel,* dans l'état où se trouve une chose : *Je vous rends vos livres tels quels.* (L'expression *tel que* est, dans ce cas, jugée incorrecte par certains grammairiens.) ◆ pron. indéf. 1° (en corrélation avec un pronom relatif) Cette personne : *Tel qui rit vendredi dimanche pleurera. Tel est pris qui croyait prendre.* — 2° *Un tel, une telle,* remplace avec une valeur vague, un nom propre : *Nous l'avons vu chez Un tel. Monsieur Un tel.*

2. tel, telle [tɛl] adj. 1° Marque l'intensité : *On n'a jamais vu une telle impudence* (= si grande). *Ne répétez pas un secret d'une telle importance.* — 2° *Tel ... que,* introduit une proposition indiquant la conséquence : *Il a fait un tel bruit qu'il a réveillé toute la maison.* — 3° *Tel* sert à former des loc. conj. : *de telle façon, de telle manière, de telle sorte que,* indiquant la conséquence ou le but. ◆ **tellement** adv. 1° Marque l'intensité d'un adjectif, d'un adverbe, d'un verbe, d'une quantité, correspondant à une subordonnée de conséquence introduite par *que* : *Cette maison est tellement grande qu'il est difficile de la chauffer* (syn. : SI). *Il a dépensé tellement d'argent qu'il s'est ruiné* (syn. : TANT). — 2° Sans *que,* il marque l'intensité affective ou la cause : *Vous ne reconnaîtrez pas votre ami, il a tellement changé. Il exaspère tout le monde, tellement il est bavard. Ce serait tellement plus agréable, s'il faisait toujours beau pendant les vacances;* dans une proposition négative : « *Aimez-vous le champagne? — Pas tellement* » (fam. = pas beaucoup).

télécabine [telekabin] n. f. Téléphérique à un seul câble, pour le transport de personnes par petites cabines fixées au câble à intervalles réguliers. (On dit aussi TÉLÉBENNE.)

télécommande [telekɔmɑ̃d] n. f. Système permettant de commander à distance une manœuvre mécanique. ◆ **télécommander** v. tr. Commander à distance : *Télécommander un engin.*

télécommunication [telekɔmynikasjɔ̃] n. f. Toute émission, transmission ou réception de signaux, d'images, de sons par des procédés optiques ou radio-électriques.

télégraphe [telegraf] n. m. Appareil permettant de transmettre des messages à longue distance par l'intermédiaire de moyens électromécaniques. ◆ **télégraphier** v. tr. Faire parvenir au moyen du télégraphe : *Télégraphier une nouvelle.* ◆ **télégraphie** n. f. Système de télécommunication assurant la transmission de messages par l'utilisation d'un code de signaux ou par d'autres moyens appropriés. ◆ **télégraphique** adj. 1° Relatif à la télégraphie : *Des signes télégraphiques.* — 2° Expédié par télégraphe : *Un message télégraphique.* — 3° *Langage, style télégraphique* (= réduit à des mots sans liaison, à l'imitation des correspondances télégraphiques). ◆ **télégraphiste** n. Employé chargé de la transmission, de la réception ou de la distribution des télégrammes. ◆ **télégramme** n. m. Message transmis au moyen du télégraphe.

téléguider [telegide] v. tr. Diriger à distance l'évolution d'un mobile (avion, char, engin, etc.). ◆ **téléguidage** n. m. : *Le téléguidage d'une fusée.*

télémètre [telemɛtr] n. m. Instrument servant à mesurer la distance qui sépare un observateur d'un point éloigné.

télépathie [telepati] n. f. Phénomène de communication directe entre deux esprits dont l'éloignement réciproque interdit toute communication par le moyen des sensations usuelles.

téléphérique [teleferik] n. m. Moyen de transport de personnes ou de marchandises, constitué par un ou plusieurs câbles qui supportent une cabine de voyageurs ou une benne de matériaux.

téléphone [telefɔn] n. m. 1° Ensemble de mécanismes électriques qui transmettent et reproduisent la parole à distance : *Le téléphone automatique, interurbain. Les abonnés du téléphone.* ‖ Fam. *Coup de téléphone,* communication téléphonique. — 2° L'appareil lui-même qui permet une conversation entre deux personnes éloignées. ◆ **téléphoner** v. tr. et intr. Communiquer, transmettre par téléphone : *Téléphoner une nouvelle. Je vous téléphonerai pour vous donner de mes nouvelles.* ◆ **téléphonique** adj. Qui a lieu par téléphone : *Une communication téléphonique.* ◆ **téléphoniste** n. Personne chargée d'un service de téléphone public ou privé (syn. : STANDARDISTE).

télescope [teleskɔp] n. m. Instrument d'optique destiné à l'observation des astres.

télescoper [teleskɔpe] v. tr. *Télescoper un véhicule,* le heurter violemment : *Un train qui en télescope un autre.* ◆ **se télescoper** v. pr. (sujet nom désignant des véhicules). Entrer en collision : *Plusieurs voitures se sont télescopées* (syn. : S'EMBOUTIR). ◆ **télescopage** n. m. : *Le télescopage de deux véhicules.*

téléscripteur [teleskriptœr] n. m. Appareil télégraphique assurant l'inscription directe des caractères reçus.

télésiège [telesiɛʒ] n. m. Téléphérique constitué par une série de sièges suspendus à un câble aérien.

téléski n. m. Syn. de REMONTE-PENTE.

télévision [televizjɔ̃] n. f. 1° Transmission, par ondes électriques, des images d'objets fixes ou mobiles, de scènes animées (syn. fam. : PETIT ÉCRAN). — 2° Ensemble des services assurant la transmission d'émissions, de reportages par télévision : *Un opérateur, un présentateur de télévision* (abrév. fam. : TÉLÉ). ◆ **téléviser** v. tr. Transmettre par télévision. ◆ **téléviseur** n. m. Appareil récepteur de télévision. ◆ **téléspectateur, trice** n. Personne qui assiste à un spectacle de télévision.

téméraire [temerɛr] adj. et n. 1° Se dit d'une personne qui est d'une hardiesse excessive, inconsidérée : *Un garçon téméraire* (syn. : AUDACIEUX,

IMPRUDENT, PRÉSOMPTUEUX). *Un jeune téméraire* (syn. : CASSE-COU). — 2° Se dit de ce qui est inspiré par une telle hardiesse : *Un projet, une entreprise téméraire* (syn. : AVENTUREUX, HASARDEUX). — 3° *Jugement téméraire,* porté à la légère et sans preuves suffisantes. ◆ **témérairement** adv. : *Se lancer témérairement dans une entreprise.* ◆ **témérité** n. f. Hardiesse inconsidérée : *Affronter un danger avec témérité* (syn. : PRÉSOMPTION).

témoin [temwɛ̃] n. m. 1° Personne qui a vu ou entendu quelque chose et qui peut le certifier : *Confronter les déclarations des témoins. Les témoins prêtent serment de dire la vérité.* ‖ *Prendre des personnes à témoin* (invar. dans cet emploi), invoquer leur témoignage. ‖ *Faux témoin,* celui qui témoigne contre la vérité. — 2° Personne qui atteste l'exactitude d'une déclaration (à propos d'un mariage, d'une signature) : *La loi requiert deux témoins pour la célébration d'un mariage.* — 3° Personne qui voit ou entend quelque chose sans qu'elle soit amenée à le certifier : *Elle a été témoin d'une scène touchante. L'entrevue des deux chefs d'Etat a eu lieu sans témoins.* — 4° Preuve matérielle : *Cette cathédrale est un témoin de la piété de nos aïeux.* (*Témoin* s'emploie au commencement d'une proposition pour indiquer la chose qui sert à prouver ce qu'on vient de dire et, dans ce cas, il reste en général invariable : *Ce mot n'existait pas au XVIIe siècle, témoin les dictionnaires de l'époque.*) — 5° Bâtonnet que se transmettent les coureurs dans une course de relais. ◆ adj. Qui indique quelque chose : *Une lampe témoin.* ◆ **témoigner** v. intr. Révéler, rapporter ce qu'on sait; faire une déposition en justice : *Témoigner en faveur d'un camarade.* ◆ v. tr. 1° (sujet nom de personne) *Témoigner quelque chose,* le montrer manifestement par ses paroles ou ses actions : *Témoigner de la sympathie à quelqu'un* (syn. : MARQUER). — 2° (sujet nom de chose) *Témoigner quelque chose,* en être le signe, la preuve : *Son attitude témoignait une vive surprise.* ◆ v. tr. ind. *Témoigner d'une chose,* servir de preuve à cette chose : *Ce fait témoigne de l'importance qu'il attache à cette affaire.* ◆ **témoignage** n. m. 1° Action de témoigner; relation faite par une personne pour éclairer la justice : *Etre appelé en témoignage. L'avocat a invoqué plusieurs témoignages.* — 2° Marque extérieure : *Il a donné de nombreux témoignages de sa fidélité, de son affection* (syn. : PREUVE). — 3° *Rendre témoignage à quelque chose,* le reconnaître, lui rendre hommage : *Rendre témoignage au courage de quelqu'un.* ‖ *Rendre témoignage à quelqu'un,* témoigner publiquement en sa faveur.

tempe [tɑ̃p] n. f. Partie latérale de la tête, comprise entre l'œil, le front, l'oreille et la joue.

1. tempérament [tɑ̃peramɑ̃] n. m. 1° Constitution physiologique du corps humain : *Avoir un tempérament robuste, faible, délicat* (syn. : COMPLEXION). — 2° Ensemble des tendances d'une personne qui conditionnent ses réactions, ses comportements : *Avoir un tempérament violent, fougueux, nerveux* (syn. : CARACTÈRE, NATURE). — 3° *Avoir du tempérament,* être porté aux plaisirs de l'amour physique (syn. : SENSUALITÉ). ‖ Fam. *S'user, se fatiguer le tempérament,* se fatiguer beaucoup.

2. tempérament [tɑ̃peramɑ̃] n. m. *Vente à tempérament,* système de vente dans lequel le client dispose immédiatement de l'objet acheté, contre le paiement ultérieur du prix par des versements échelonnés et moyennant un intérêt.

tempérance [tɑ̃perɑ̃s] n. f. 1° Vertu qui modère les désirs, les passions : *La tempérance est une des quatre vertus cardinales* (syn. : MODÉRATION, RETENUE). — 2° Sobriété dans l'usage des aliments, des boissons : *La tempérance est une condition de la santé.* ◆ **tempérant, e** adj. et n. Se dit d'une personne douée de tempérance (syn. : FRUGAL, SOBRE). ◆ **intempérant, e** adj. Contr. de TEMPÉRANT. ◆ **intempérance** n. f. : *Une intempérance de langage* (= une liberté excessive de langage).

température [tɑ̃peratyr] n. f. 1° Degré de chaleur ou de froid qui se manifeste dans un lieu : *La température de cette pièce est trop basse. Vérifier avec un thermomètre la température d'un bain.* — 2° Degré de chaleur du corps humain (en général considéré dans son aspect anormal) : *Prendre la température d'un malade.* ‖ Fam. *Avoir, faire de la température,* avoir de la fièvre. ‖ Fam. *Prendre la température d'une collectivité, d'une assemblée, de l'opinion publique,* prendre connaissance de son état d'esprit, de ses dispositions. — 3° Degré de chaleur ou de froid de l'atmosphère : *Une température basse, élevée. Etre sensible aux variations de la température. Constater un adoucissement, un réchauffement de la température.*

tempérer [tɑ̃pere] v. tr. Adoucir, atténuer : *Tempérer l'agressivité de quelqu'un* (syn. : CALMER, MODÉRER). ◆ ***se tempérer*** v. pr. (sujet nom de personne). Se modérer, se calmer : *Il faut savoir se tempérer.* ◆ **tempéré, e** adj. *Climat tempéré,* celui où la température n'est jamais ni très basse ni très élevée.

tempête [tɑ̃pɛt] n. f. 1° Violente perturbation atmosphérique sur terre ou sur mer : *La tempête a fait de terribles ravages dans cette région. Plusieurs bateaux ont été brisés sur les rochers par la tempête.* — 2° Action impétueuse, explosion subite et violente : *Une tempête d'injures, d'acclamations. Demeurer calme dans la tempête.* ◆ **tempétueux, euse** adj. (peu usuel) : *Une mer tempétueuse* (= agitée par la tempête).

tempêter [tɑ̃pɛte] v. intr. (sujet nom de personne). *Fam.* Manifester à grand bruit sa colère, son mécontentement : *Dès qu'il est furieux, il se met à tempêter* (syn. : FULMINER, TONITRUER).

temple [tɑ̃pl] n. m. 1° Edifice consacré à une divinité : *Le temple d'Apollon à Delphes.* — 2° Edifice dans lequel les protestants célèbrent leur culte.

temporaire adj. V. TEMPS 1.

1. temporel, elle [tɑ̃pɔrɛl] adj. 1° Qui concerne les choses matérielles : *Les biens temporels* (contr. : SPIRITUEL). — 2° *Pouvoir temporel,* pouvoir des papes en tant que souverains de leur territoire. ◆ **temporel** n. m. Pouvoir temporel : *La séparation du temporel et du spirituel.*

2. temporel, elle adj. V. TEMPS 1.

temporiser [tɑ̃pɔrize] v. intr. Différer une action, généralement dans l'attente d'un moment plus propice : *Il est quelquefois bon de temporiser.* ◆ **temporisateur, trice** adj. et n. Qui temporise : *Une politique temporisatrice.* ◆ **temporisation** n. f.

1. temps [tɑ̃] n. m. 1° Durée marquée par la succession des jours, des nuits, des saisons, des événements de la vie : *Il y a peu de temps* (= récemment). *En un rien de temps* (= rapidement). *Le temps presse* (= il faut agir rapidement). *Le temps passe bien vite. Le temps adoucit les peines. La marche du temps.* ‖ *En temps ordinaire,* dans les circonstances habituelles de la vie, dans l'état habituel des choses. ‖ *N'avoir qu'un temps,* avoir une courte durée : *La jeunesse n'a qu'un temps.* — **2°** Durée limitée, considérée par rapport à l'usage qu'on en fait : *Bien employer son temps. Ce travail m'a pris beaucoup de temps.* ‖ *Perdre son temps,* ne rien faire, ou employer son temps à des choses inutiles. ‖ *Avoir le temps de,* avoir le temps nécessaire pour : *Je n'ai pas le temps de vous parler en ce moment.* ‖ *Avoir du temps de libre,* avoir des loisirs. ‖ *Passer son temps à* (et l'infin.), l'employer à telle occupation : *Il passe son temps à jouer, à s'amuser.* ‖ *Passer le temps,* se distraire en attendant l'heure marquée pour quelque chose : *Il s'ennuyait à attendre, il a pris un livre pour passer le temps.* ‖ *Se donner du bon temps,* s'amuser, mener joyeuse vie. ‖ *Faire son temps,* accomplir son service militaire. ‖ *Prendre son temps,* faire une chose sans se presser. ‖ *Prendre le temps de quelqu'un,* l'empêcher de se livrer à ses occupations habituelles. ‖ *Tuer le temps,* se livrer à certaines actions uniquement pour échapper à l'ennui. ‖ *Avoir fait son temps,* avoir terminé sa carrière, n'être plus en état d'occuper la situation qu'on avait (sujet nom de personne); être usé, hors de service (sujet nom de chose) : *Un vêtement qui a fait son temps.* — **3°** Période considérée dans sa durée déterminée, époque précise, moment fixé : *Remettre un travail en temps voulu. Il vous demande encore un peu de temps pour vous payer ses dettes* (syn. : DÉLAI). *Chercher à gagner du temps. Remettre à un autre temps* (= différer, ajourner). ‖ *Il est temps de,* c'est le moment de : *Il est temps de partir.* ‖ *Il est temps que,* il est maintenant nécessaire que : *Il est temps que vous pensiez à votre avenir.* ‖ *Il n'est que temps,* il faut se dépêcher. ‖ *Il était temps,* il s'en est fallu de peu : *Il était temps, vous seriez tombé si je ne vous avais retenu.* — **4°** Epoque considérée en fonction de la place qu'elle occupe dans le cours des événements (souvent au plur.) : *En temps de paix, en temps de guerre. Cela n'est pas surprenant par le temps qui court* (= dans la conjoncture actuelle). *Les temps sont bien changés. Les temps sont durs.* ‖ *Un signe des temps,* un trait caractéristique des mœurs de l'époque. ‖ *Le bon vieux temps,* époque où vivaient nos ancêtres et qui passe pour se distinguer par la simplicité des mœurs. ‖ *La nuit des temps,* les temps les plus éloignés. — **5°** Période de la vie d'un peuple, d'un individu : *Du temps de Napoléon. Du temps de ma jeunesse, dans mon jeune temps* (= quand j'étais jeune). *Les hommes de notre temps* (= de l'époque actuelle). ‖ *Etre de son temps,* penser, agir selon les idées de son époque. — **6°** Moment favorable, occasion propice : *Laisser passer le temps de faire quelque chose. Chaque chose en son temps. Il y a temps pour tout. Bien, mal choisir son temps.* — **7°** Saison propre à telle ou telle chose : *Le temps des moissons, des vendanges, de la chasse, des vacances.* ● LOC. ADV. *A temps,* assez tôt : *Arriver à temps.* ‖ *De temps en temps, de temps à autre,* quelquefois : *Il vient nous voir de temps en temps* (syn. : PARFOIS). ‖ *De tout temps,* toujours : *De tout temps, il y a eu des riches et des pauvres.* ‖ *En même temps,* dans le même instant : *Nous sommes arrivés en même temps* (syn. : SIMULTANÉMENT). ‖ *En temps et lieu,* au moment et dans le lieu propices, convenables : *Nous vous avertirons en temps et lieu.* ‖ *La plupart du temps,* presque toujours. ‖ *Quelque temps,* pendant une certaine durée. ‖ *Tout le temps,* toujours, continuellement. ● LOC. CONJ. *En même temps que,* au même moment que. ◆ **temporaire** adj. Qui ne dure, qui n'a lieu que pendant un certain temps : *Un emploi temporaire* (syn. : MOMENTANÉ, PROVISOIRE). ◆ **temporairement** adv. : *Habiter Paris temporairement* (syn. : MOMENTANÉMENT, PROVISOIREMENT). ◆ **temporel, elle** adj. **1°** Qui passe avec le temps (langue relig.) : *L'existence temporelle de l'homme* (contr. : ÉTERNEL). *Les joies temporelles.* — **2°** *Proposition subordonnée temporelle,* ou *temporelle* n. f., proposition commençant par une conjonction ou une locution conjonctive et indiquant le temps. (V. tabl. p. suiv.)

2. temps [tɑ̃] n. m. **1°** Mesure de la durée des phénomènes : *On a calculé le temps que met la lumière du Soleil pour parvenir jusqu'à la Terre.* — **2°** En musique, chacune des divisions de la mesure : *Une mesure à deux, à trois, à quatre temps.* — **3°** Chacune des phases dont l'ensemble constitue le cycle de fonctionnement d'un moteur : *Un moteur à deux, à quatre temps.* — **4°** En sport, durée d'une course : *Chronométrer le temps du vainqueur. Réaliser le meilleur temps. Améliorer son temps* (= battre son record). — **5°** *Temps mort,* en sport, temps pendant lequel un match est interrompu; dans le langage courant, temps d'inactivité dans une profession, dans une industrie.

3. temps [tɑ̃] n. m. **1°** Etat de l'atmosphère en un lieu donné, à un moment donné : *Un temps chaud, sec. Un temps humide, pluvieux, orageux. Le temps s'éclaircit, se met au beau. Sortir par tous les temps.* — **2°** *Couleur du temps,* couleur bleu d'azur (poét.). ‖ *Prendre le temps comme il vient,* s'accommoder aux circonstances. ‖ (sujet nom de personne) *Faire la pluie et le beau temps,* être très puissant, très influent.

tenable adj. V. TENIR.

tenace [tənas] adj. **1°** Se dit d'une chose qui adhère fortement : *La glu, la poix sont tenaces. Une colle tenace.* — **2°** Se dit d'une chose qui est difficile à extirper, à détruire, dont on ne peut se débarrasser : *Les préjugés sont tenaces. Une haine tenace* (syn. : ↓ DURABLE). *Une erreur tenace. Un rhume tenace* (contr. : FUGACE). — **3°** Se dit d'une personne très attachée à ses idées, à ses projets, à ses décisions : *Un homme tenace, qui ne renonce pas facilement à ce qu'il veut* (syn. : OPINIÂTRE). ◆ **ténacité** n. f. : *La ténacité de la rouille. Il a fait preuve de ténacité pour réaliser son projet* (syn. : ACHARNEMENT, FERMETÉ, OPINIÂTRETÉ, PERSÉVÉRANCE).

tenaille [tənɑj] n. f. ou **tenailles** n. f. pl. Pince à mâchoires plates, coupantes ou dentelées, servant à saisir, à sectionner ou à maintenir certains objets.

tenailler [tənaje] v. tr. (sujet nom de chose). *Tenailler quelqu'un,* le faire souffrir cruellement, le tourmenter : *La faim le tenaillait. Etre tenaillé par le remords* (syn. : TORTURER).

tenancier, ère [tənɑ̃sje, -ɛr] n. m. Personne qui dirige un établissement soumis à la réglementation ou à la surveillance des pouvoirs publics : *Tenancier d'un hôtel, d'une maison de jeu.*

tenant, e adj. V. TENIR.

EXPRESSIONS DU TEMPS

Les expressions du temps (adverbes, substantifs, locutions) sont différentes selon qu'il s'agit de situer un événement par rapport au moment présent (**A**) ou de le situer dans le passé ou le futur par rapport à une date (**B**).

	A	B
passé	**lundi dernier, le mois dernier, l'année dernière, etc.** *Les classes ont repris lundi dernier.*	**le lundi d'avant, le mois d'avant, l'année d'avant, le lundi précédent, l'année précédente, etc.** *Le jeudi d'avant, il était allé au théâtre. La récolte du maïs avait été mauvaise l'année précédente.*
	il y a trois, quatre jours ; il y a une semaine, un mois, un an *Il y a dix ans encore, on pouvait garer sa voiture facilement à Paris. Il y a eu lundi huit jours* (= huit jours avant lundi dernier).	**trois jours, quatre jours avant, une semaine, un mois, un an avant** *Un an avant, il était entré à l'hôpital.*
	avant-hier, il y a deux jours, il y a quarante-huit heures *Je suis allé acheter ce livre avant-hier. Il y a deux jours, il n'y avait encore aucun bourgeon sur les arbres.*	**l'avant-veille, deux jours avant, quarante-huit heures avant** *L'avant-veille, il avait fait venir le médecin. Deux jours avant, il avait pris son billet à la gare.*
	hier *Hier, j'ai repeint le bureau* (adv.). *Il a eu tout hier pour réfléchir* (substantif). *Depuis hier, je ne l'ai pas vu.*	**la veille** *La veille de son arrivée, je préparai sa chambre.*
présent	**aujourd'hui** (le jour où l'on est) *Aujourd'hui, le ciel est gris, il commence à pleuvoir.*	**le...** (la date où s'est produit l'événement) *Le 3 juillet 1962, il y eut un terrible accident.*
futur	**demain, dans vingt-quatre heures** *Demain, nous irons lui rendre visite* (adv.). *Il aura tout demain pour se décider* (substantif). *A demain donc, puisque nous nous revoyons tous les jours.*	**le lendemain, vingt-quatre heures après** *Le lendemain, après une nuit de repos, il se crut guéri. Il différa sa décision jusqu'au lendemain.*
	après-demain, dans deux jours, dans quarante-huit heures *Après-demain dimanche, nous nous reposerons. Dans deux jours nous aurons congé.*	**le surlendemain, deux jours après, quarante-huit heures après** *Le surlendemain de cette querelle, il disparut. Deux jours après, il avait tout oublié.*
	dans trois, quatre jours, une semaine, un mois, un an, etc. *Dans une semaine, les travaux seront finis. Dans dix ans, l'électrification sera complète. Dans les quinze jours ou dans la quinzaine, vous me rendrez réponse* (= à l'intérieur des quinze jours qui viennent).	**trois jours, quatre jours, etc., après ; une semaine, un mois, un an, deux ans après** *Dix ans après, il revint en France.*
	lundi prochain, la semaine prochaine, l'année prochaine, etc. *La semaine prochaine, nous partirons en vacances.*	**le lundi d'après, le mercredi suivant, le mois suivant** *Il partit le mercredi, et le lundi d'après il arriva à destination. Il avait promis mercredi de revenir le vendredi suivant.*
	lundi en huit, mercredi en quinze *Lundi en huit, le devoir devra m'être remis.*	**le lundi en huit, le mercredi en quinze** *Il déposa son livre le samedi 20 mars, et le lundi en huit (29 mars) il lui fut rendu.*

Remarque. Dans la langue familière, on dit *après après-demain*, pour *dans trois jours ; avant avant-hier*, pour *il y a trois jours.*

tendance [tɑ̃dɑ̃s] n. f. 1° Force qui oriente l'activité de l'homme vers certaines fins : *Avoir une tendance naturelle à faire le bien* (syn. : INCLINATION, PENCHANT, PROPENSION). — 2° Idées politiques, philosophiques, artistiques orientées dans telle ou telle direction : *Observer les tendances modernes du cinéma, de la peinture.* ‖ *Procès de tendance,* accusation portée contre quelqu'un non en raison de ce qu'il a dit ou fait, mais uniquement en raison des intentions qu'on lui suppose. — 3° Fraction d'un parti politique, d'un syndicat. — 4° Orientation indiquée par une série de faits : *Noter une tendance à la hausse (à la baisse) de certains produits agricoles.* — 5° (sujet nom de personne ou de chose) *Avoir tendance à,* être porté à : *Cet homme a tendance à exagérer. Une voiture qui a tendance à déraper dans les virages.* ◆ **tendancieux, euse** adj. Se dit de ce qui manifeste une orientation, un parti pris : *Un livre tendancieux. Un récit tendancieux* (contr. : OBJECTIF). *Une interprétation tendancieuse.* ◆ **tendancieusement** adv. : *Exposer tendancieusement les idées de quelqu'un.*

tender [tɑ̃dɛr] n. m. Véhicule attelé à une locomotive à vapeur et contenant l'eau et le combustible.

tendon [tɑ̃dɔ̃] n. m. 1° Extrémité amincie d'un muscle et servant à le relier aux os ou à d'autres parties du corps. — 2° *Tendon d'Achille,* gros tendon du talon. ◆ **tendineux, euse** adj. *Viande tendineuse,* qui contient des fibres coriaces.

1. tendre [tɑ̃dr] adj. (après le nom, sauf au sens 3). 1° Se dit d'une chose qui se laisse facilement entamer, couper : *Avoir la peau tendre* (syn. : DÉLICAT). *Le sapin, le peuplier sont des bois tendres.* ‖ *Avoir la bouche tendre,* être sensible au mors, en parlant d'un cheval. — 2° Qui ne résiste pas sous la dent, facile à mâcher : *Du pain tendre* (contr. : RASSIS). *De la viande très tendre. De la salade tendre comme une rosée.* — 3° *La tendre enfance, l'âge tendre,* la petite enfance, la première jeunesse. ◆ **tendreté** n. f. : *La tendreté d'une viande.*

2. tendre [tɑ̃dr] adj. et n. (avant ou après le nom). 1° Se dit d'une personne accessible à l'amitié, à la compassion, à l'amour : *Une tendre mère* (syn. : ↓ AFFECTUEUX). *Avoir le cœur tendre. Cet homme n'est pas un tendre.* — 2° *Ne pas être tendre pour quelqu'un,* être sévère : *Les critiques n'ont pas été tendres pour l'auteur de cette pièce.* ◆ adj. Qui manifeste de l'affection, de l'attachement : *Des paroles tendres. Regarder quelqu'un avec un air tendre* (syn. : CARESSANT, DOUX). *Un tendre aveu.* ◆ **tendrement** adv. : *Aimer tendrement ses enfants. Regarder quelqu'un tendrement.* ◆ **tendresse** n. f. : *La tendresse d'un père, d'une mère pour leurs enfants* (syn. : AFFECTION, AMOUR). *Donner des marques de tendresse* (syn. : ATTACHEMENT). ◆ **tendresses** n. f. pl. Témoignages d'affection : *Défiez-vous de ses tendresses.*

1. tendre [tɑ̃dr] v. tr. (conj. 50). 1° *Tendre quelque chose,* le tirer et le tenir dans un état d'allongement : *Tendre une corde, une chaîne. Tendre un arc. Tendre le jarret* (syn. : RAIDIR). — 2° Etendre, déployer : *Tendre une peau. Tendre une voile.* — 3° Disposer en étendant : *Tendre une tapisserie, une tenture sur un mur.* ‖ *Tendre une pièce, un mur,* les couvrir d'une tapisserie, d'une étoffe. — 4° *Tendre un piège, des collets, des filets,* etc., les disposer pour prendre du gibier. ‖ *Tendre un piège à quelqu'un,* chercher à le surprendre, à le tromper. — 5° Porter en avant : *Tendre la main en signe d'amitié* (syn. : ALLONGER, AVANCER). *Tendre la joue.* ‖ *Tendre la main, les bras à quelqu'un,* lui offrir son secours, l'aider. ‖ *Tendre la main,* demander l'aumône. ‖ *Tendre l'oreille,* s'efforcer d'écouter. ‖ *Tendre son esprit,* faire effort pour comprendre. — 6° (sujet nom de personne) *Etre tendu,* être irritable. ◆ **tendu, e** adj. 1° *Avoir l'esprit tendu,* fortement appliqué à quelque chose. — 2° *Rapports tendus,* rendus difficiles par suite d'un état de tension. ‖ *Situation tendue,* situation arrivée à un point critique, qui peut amener un conflit, une rupture. ‖ *Style tendu,* qui laisse voir l'effort, qui manque d'aisance. ‖ *Politique de la main tendue,* de réconciliation. ‖ *A bras tendus,* à bout de bras. ‖ *Poings tendus,* levés en signe d'hostilité. ◆ **tension** n. f. 1° Etat de ce qui est tendu : *La tension d'un muscle* (syn. : CONTRACTION, RAIDEUR). *La tension d'un ressort.* — 2° Différence de potentiel électrique entre deux points d'un circuit : *Une tension de cent dix volts.* — 3° *Tension (artérielle),* réaction des artères à la pression du sang et de même valeur que celle-ci. — 4° Désaccord dans les rapports entre Etats, entre classes sociales, entre partis politiques, entre personnes. — 5° *Tension d'esprit,* forte concentration de la pensée sur un sujet donné. ◆ **tendeur, euse** n. : *Un tendeur de pièges.* ◆ **tendeur** n. m. Appareil qui sert à tendre une courroie, un fil métallique, etc. ◆ **distendre** v. tr. Tendre exagérément, au point de provoquer un relâchement du tissu organique, de la matière : *Muscle distendu. Distendre une attache en caoutchouc.* ◆ **distension** n. f. ◆ **sous-tendre** v. tr. Soutenir en contenant entre ses côtés. ◆ **sous-tension** n. f. En électricité, tension inférieure à la normale. (V. DÉTENDRE, HYPERTENSION.)

2. tendre [tɑ̃dr] v. tr. ind. (conj. 50) [sujet nom de personne ou de chose]. *Tendre à une chose, à* (et l'infin.), avoir cette chose pour but : *Tendre à la perfection. Cette intervention tend à apaiser les esprits.*

tendresse n. f. V. TENDRE 2 adj., **tendreté** n. f. V. TENDRE 1 adj.

1. tendron [tɑ̃drɔ̃] n. m. 1° Petite pousse d'un arbre, d'une plante : *Les chèvres broutent les tendrons des ronces.* — 2° Morceau du bœuf ou du veau, situé à l'extrémité de la poitrine et cartilagineux.

2. tendron [tɑ̃drɔ̃] n. m. *Fam.* Très jeune fille.

ténèbres [tenɛbr] n. f. pl. 1° Obscurité profonde : *Marcher à tâtons dans les ténèbres.* — 2° Ce qui est obscur, difficile à connaître, à comprendre (littér.) : *Percer les ténèbres des temps anciens.* ◆ **ténébreux, euse** adj. 1° Plongé dans les ténèbres : *Une prison ténébreuse.* — 2° Malaisé à connaître ou à comprendre (littér.) : *Les temps ténébreux de l'histoire* (syn. : OBSCUR). *Ce procès est une ténébreuse affaire* (syn. : MYSTÉRIEUX). ◆ adj. et n. Se dit d'une personne d'humeur sombre et mélancolique (littér.). ◆ **enténébré, e** adj. Se dit d'un lieu plongé dans les ténèbres (littér.) : *Un long couloir enténébré.* (Le verbe *enténébrer* est d'un emploi rare : *De gros nuages enténébraient le ciel;* et pronominalem. : *Le ciel s'était enténébré.*)

teneur [tənœr] n. f. 1° Contenu exact d'un écrit : *La teneur d'un traité, d'une lettre.* — 2° Ce qu'un corps contient d'une certaine substance : *La teneur d'un vin en alcool.*

ténia [tenja] n. m. Ver parasite de l'intestin des mammifères.

tenir [tənir] v. tr. (conj. 22). I. SUJET NOM DE PERSONNE. 1° *Tenir quelqu'un, quelque chose,* l'avoir, le garder à la main, entre ses bras, d'une certaine manière : *Tenir un enfant par le bras. Tenir une femme par la taille. Tenir un chat sur ses genoux. Tenir un cheval par la bride. Tenir le gouvernail d'un navire. Tenir son chapeau à la main.* ‖ *Tenir quelqu'un,* le faire rester près de soi : *Ce vieux bavard m'a tenu pendant plus d'une heure* (syn. fam. : TENIR LA JAMBE); être maître de sa personne : *La police tient maintenant les voleurs.* — 2° *Tenir un être animé, une chose,* les garder, les maintenir dans une certaine position, dans un certain état : *La mère tenait son enfant serré contre elle. Tenir les yeux fermés, les bras levés. Tenir une porte ouverte. Tenir sa maison propre. Tenir un plat au chaud* (syn. : CONSERVER). *Tenir l'ennemi en échec.* — 3° Avoir en sa possession, sous sa domination, sous son autorité : *Tenir une ferme à bail. Tenir les cordons de la bourse. Tenir le mot de l'énigme. On tient la preuve qu'il est coupable* (syn. : POSSÉDER). *Tenir entre ses mains le sort, la destinée de quelqu'un* (syn. : DÉTENIR). *Tenir quelqu'un sous son charme. Tenir une personne, un pays en tutelle. Un professeur qui sait tenir sa classe* (= la diriger avec maîtrise). ‖ *Tenir quelque chose de quelqu'un,* l'avoir reçu, obtenu, appris de lui : *Tenir la vie de ses parents. Tout ce qu'il possède, tout ce qu'il sait, c'est de vous qu'il le tient* (= il vous en est redevable). *Tenir un renseignement d'un ami bien informé, de bonne source. Tenir une chose de race, de naissance* (= l'avoir reçue de ses ancêtres, en naissant). *Tenir quelque chose de ses parents* (= leur ressembler en cette chose, par ce côté). [V. aussi TENIR tr. ind.] ‖ Fam. *En tenir pour une personne,* être épris d'elle : *Il en tient pour cette fille.* — 4° Occuper, remplir de l'espace : *Serrez-vous un peu, vous tiendrez moins de place.* ‖ *Tenir sa droite,* circuler en suivant régulièrement le côté de la route qu'on a à sa droite. — 5° Exercer un emploi, une profession, certaines fonctions : *Tenir la caisse, la comptabilité dans un magasin. Tenir un rôle dans une pièce de théâtre, dans un film. Tenir un hôtel, un restaurant* (syn. : GÉRER). *Tenir l'orgue à l'église* (= être organiste). — 6° Observer fidèlement : *Tenir ses promesses, ses engagements* (syn. : REMPLIR). *Tenir sa parole, un pari.* — 7° *Tenir une personne, une chose pour* (avec un attribut), les considérer comme : *Je le tiens pour un honnête homme* (syn. : REGARDER COMME). *Je tiens cela pour vrai.* ‖ *Tenir quelqu'un en estime,* l'estimer. ‖ *Tiens, tenez,* impératifs employés comme interj. et signifiant « prends », « prenez » : *Tiens, voilà de l'argent pour acheter du pain;* servent aussi à attirer l'attention, pour exprimer la surprise : *Tiens, le voilà qui passe! Tiens! c'est vous qui êtes ici. Tenez, je vais vous proposer une affaire!; tiens* s'emploie souvent répété en langage familier : *Tiens! tiens! c'est vous qui dites cela.* — 8° Fam. *Tenir une grippe, un rhume,* être grippé, enrhumé.

II. SUJET NOM DE CHOSE. 1° *Tenir une chose,* l'empêcher de s'en aller, de tomber, la retenir : *L'amarre qui tenait le bateau s'est rompue. Ce tableau est tenu par un crochet. Un tonneau qui tient le vin, un seau qui tient l'eau* (= qui ne fuit pas). *Un piano qui tient l'accord* (= qui reste accordé). — 2° *Tenir une personne,* la maintenir dans tel ou tel état : *Cette nouvelle nous a tenus en alerte, en éveil. Un vêtement qui tient chaud. Sa maladie le tient au lit. Il y a longtemps que ce mal le tient* (= qu'il est atteint de ce mal). — 3° *Tenir quelqu'un,* l'occuper un certain temps : *Ce travail l'a tenu beaucoup plus longtemps qu'il ne l'avait pensé.* — 4° Avoir une certaine étendue, une certaine capacité : *Une banderole tenait toute la largeur de la rue* (syn. : OCCUPER). *Ces livres tiennent trop de place. Une salle qui peut tenir mille personnes* (syn. : CONTENIR).

III. LOCUTIONS DIVERSES. De très nombreuses locutions verbales sont constituées par *tenir* et un complément avec ou sans article : *Tenir compagnie, tenir compte (de), tenir lieu (de), tenir rigueur, tenir tête,* etc. (locutions définies au nom complément). ‖ Fam. *Tenir le bon bout,* être près de voir l'achèvement, la réalisation d'une chose; être dans la situation la plus avantageuse. ‖ *Tenir sa langue,* se taire. ‖ *Tenir un discours, des propos, un raisonnement,* parler, raisonner d'une certaine façon. ‖ *Tenir la route,* en parlant d'une voiture, rouler sans se déporter aux grandes vitesses ou dans les virages. ◆ v. tr. ind. 1° (sujet nom de personne) *Tenir à une personne, à une chose,* y être attaché par des sentiments d'affection, de reconnaissance, par l'intérêt, etc. : *Tenir à une femme. Cet homme ne tient à personne, ni à rien. Tenir à un employé, à un collaborateur. Tenir à la vie, à sa réputation, à l'argent.* — 2° *Tenir à* (et l'infin.), *à ce que* (et le subj.), avoir un extrême désir de, que : *Il tient à vous convaincre de son innocence, à ce que tout le monde sache qu'il n'est pas coupable.* — 3° (sujet nom de chose) *Tenir à une chose,* y être fixé, attaché : *Un placard qui tient au mur. Un fruit qui ne tient plus à la branche.* — 4° (sujet nom de chose) Avoir pour cause : *Sa mauvaise humeur tient à son état de santé* (syn. : PROVENIR, RÉSULTER DE). *La majoration des impôts tient à la situation budgétaire.* — 5° (sujet nom de personne) *Tenir d'une personne,* lui ressembler d'une certaine manière : *Cet enfant tient de son père.* ‖ *Avoir de qui tenir,* avoir les qualités, les défauts de ses parents : *Il est très doué pour la musique : il a de qui tenir, son père est un excellent violoniste.* — 6° (sujet nom d'être animé) *Tenir d'un être animé, d'une chose,* participer de leur nature, avoir quelque chose de commun avec eux : *Le mulet tient du cheval et de l'âne. Cet événement tient du prodige. Ce que vous me dites tient du tragique et du burlesque.* ◆ v. impers. *Il ne tient qu'à vous de, que,* cela dépend uniquement de vous : *il ne tient qu'à vous que cela se fasse. Il ne tient pas qu'à moi qu'il réussisse. A quoi tient-il que nous ne soyons pas d'accord?* ‖ *Qu'à cela ne tienne,* que ce ne soit pas un empêchement : *Vous n'avez pas d'argent pour acheter vos livres, qu'à cela ne tienne, je vais vous en prêter.* ◆ v. intr. 1° (sujet nom de chose ou de personne) Etre fixé solidement, être difficile à ôter, à déplacer : *On ne peut pas arracher ce clou, il tient trop. Son chapeau ne tient pas sur sa tête. Le vent soufflait fort, mais la tente tenait. Il a du mal à marcher, il ne tient plus sur ses jambes* (= il chancelle). — 2° (sujet nom de personne ou de chose) Ne pas céder, résister : *Le bataillon a tenu plusieurs jours malgré les bombardements. Tenir bon, tenir ferme. La température est étouffante, on ne peut pas tenir dans cette pièce.* ‖ *Ne plus pouvoir tenir,* n'être plus maître de soi, de ses sentiments, ne pouvoir se contenir. ‖ *Ne pas pouvoir tenir en place,* ne pas pouvoir rester sans remuer. — 3° (sujet nom de chose ou de personne) *Tenir dans* ou *à,* être compris, être contenu dans un certain espace : *Tous vos meubles ne pourront pas tenir dans cette pièce. On peut tenir à douze à cette table.* — **4°** (sujet nom de chose) Etre limité à : *Une grammaire devrait tenir en quelques pages. Ce qu'il a dit tient en peu de mots* (syn. : SE RÉSUMER). — **5°** (sujet nom de chose) Demeurer, subsister sans aucun changement, sans aucune altération : *Il faut espérer que notre marché tiendra. Leur union n'a pas tenu* (syn. : DURER). *Sa permanente ne tient pas. Le beau temps tiendra* (= le temps restera au beau). *Une couleur qui ne tient pas* (= qui s'altère). ◆ ***se tenir*** v. pr. (sujet nom de personne). **1°** Etre uni l'un à l'autre : *Les enfants se tenaient par la main.* — **2°** Se maintenir à l'aide d'un point d'appui : *Il se tint à une branche pour ne pas tomber* (syn. : S'ACCROCHER, SE CRAMPONNER, SE RETENIR). *Se tenir à la rampe pour descendre un escalier.* — **3°** Etre, demeurer dans une certaine attitude, dans un certain état : *Se tenir debout, couché, à genoux. Se tenir droit, penché. Se tenir caché, se tenir prêt. Se tenir à la disposition de quelqu'un.* ‖ *Se tenir bien, se tenir mal,* avoir une bonne, une mauvaise attitude; se conduire en personne bien, mal élevée : *Un enfant qui se tient bien à table.* — **4°** *Se tenir pour* (avec un attribut), se considérer comme : *Il ne se tient pas pour battu* (syn. : S'ESTIMER). — **5°** Etre, demeurer dans un certain lieu : *Se tenir à sa fenêtre pour regarder les passants.* — **6°** (sujet nom de chose) Avoir lieu : *Un marché se tient plusieurs fois par semaine sur cette place.* — **7°** Etre lié, cohérent : *Dans ce roman, tout se tient.* — **8°** *Vous n'avez qu'à bien vous tenir,* se dit pour menacer ou pour avertir de faire attention. ‖ *Se tenir à quatre,* faire un grand effort pour ne pas parler, pour se maîtriser. ‖ *Ne pouvoir se tenir de,* ne pas pouvoir s'empêcher de : *Ne pouvoir se tenir de critiquer.* ‖ *Se le tenir pour dit,* ne pas insister, ne pas répliquer. ‖ *S'en tenir à quelque chose,* ne faire, ne vouloir rien de plus : *Je m'en tiens aux propositions que vous m'avez faites. Tenons-nous-en là pour aujourd'hui à ce sujet, sur ce sujet* (= n'en parlons pas davantage). ‖ *Savoir à quoi s'en tenir,* être tout à fait fixé sur la conduite à suivre, être renseigné sur le compte de quelqu'un. ◆ **tenue** n. f. **1°** Action, manière de tenir, d'entretenir, de diriger : *La tenue d'une maison, d'une école.* — **2°** Manière de se conduire dans le monde, au point de vue des convenances : *Avoir une bonne, une mauvaise tenue. Manquer de tenue* (syn. : CORRECTION). — **3°** Qualité d'une œuvre, d'un écrivain qui respecte la moralité, la décence : *Un roman d'une haute tenue.* — **4°** Manière dont une personne est habillée; ensemble des vêtements portés dans certaines circonstances : *Une tenue correcte, soignée, impeccable. Etre en tenue de sport, de ville, de soirée. Etre en tenue* (= pour un militaire, être en uniforme). *Grande tenue* (= habit de parade). — **5°** Attitude du corps : *Un enfant qui a une mauvaise tenue* (syn. : MAINTIEN). — **6°** *Tenue de route,* qualité d'une voiture qui se tient dans la ligne commandée par le conducteur. ◆ **tenant, e** adj. **1°** *Chemise à col tenant,* dont le col n'est pas séparé. — **2°** *Séance tenante,* v. SÉANCE. ◆ **tenant** n. m. **1°** Celui qui se fait le défenseur d'une opinion, d'une doctrine, d'un parti : *Les tenants de l'existentialisme* (syn. : PARTISAN). — **2°** *Le tenant du titre, de la coupe,* en sport, celui qui les détient (contr. : CHALLENGER). — **3°** *Les tenants et les aboutissants d'une affaire, d'une question,* leur origine et leurs conséquences, tout ce qui s'y rattache. ● Loc. ADV. *D'un seul tenant,* sans solution de continuité : *Une propriété de cent hectares d'un seul tenant.* ◆ **tenu, e** adj. **1°** Maintenu dans un certain état : *Des enfants bien tenus* (syn. : SOIGNÉ). *Un jardin mal tenu* (syn. : ENTRETENU). — **2°** (sujet nom de personne) *Etre tenu de* (et l'infin.), *à* (et un nom), être dans l'obligation morale ou légale de : *On est tenu de porter secours à un blessé. Le médecin est tenu au secret professionnel. A l'impossible nul n'est tenu.* ◆ **tenable** adj. Où l'on peut tenir, résister (s'emploie le plus souvent négativement) : *La situation n'est plus tenable* (syn. : SUPPORTABLE). ◆ **intenable** adj. : *Une position intenable* (syn. : INTOLÉRABLE). *Un enfant intenable* (= turbulent, insupportable).

tennis [tenis] n. m. **1°** Sport dans lequel deux ou quatre joueurs, munis de raquettes, se renvoient une balle par-dessus un filet, dans les limites d'un terrain appelé *court : Jouer au tennis. Un tournoi de tennis.* — **2°** Emplacement aménagé pour ce jeu : *Un tennis bien entretenu.* — **3°** *Tennis de table,* syn. de PING-PONG. ◆ **tennis** n. m. pl. Chaussons de toile à semelles de caoutchouc.

tenon [tənɔ̃] n. m. Extrémité d'une pièce de bois ou de métal destinée à entrer dans une cavité appelée *mortaise,* avec laquelle elle doit être assemblée.

ténor [tenɔr] n. m. **1°** Voix d'homme la plus élevée. — **2°** Chanteur qui possède ce genre de voix. — **3°** *Fam.* Celui qui tient un rôle de premier plan, qui est l'animateur d'un parti, d'une doctrine : *Un grand ténor du radicalisme.*

tension n. f. V. TENDRE 1 v. tr.

tentacule [tɑ̃takyl] n. m. Appendice mobile muni de ventouses, dont beaucoup d'animaux (mollusques) sont pourvus, et qui leur sert d'organe tactile ou pour capturer leurs proies : *Les tentacules de la pieuvre.* ◆ **tentaculaire** adj. *Ville tentaculaire,* ville qui s'étend dans toutes les directions, à la manière des tentacules.

tente [tɑ̃t] n. f. **1°** Abri portatif fait de toile serrée et dressé en plein air : *Coucher sous la tente.* — **2°** *Se retirer sous sa tente,* se tenir à l'écart, abandonner par dépit un parti, une cause (allusion à la colère d'Achille, abandonnant la cause des Grecs, dans *l'Iliade*).

1. tenter [tɑ̃te] v. tr. **1°** *Tenter une chose,* chercher à la faire réussir : *Tenter une expérience, une démarche. Tenter l'impossible.* — **2°** *Tenter la fortune, la chance,* essayer quelque chose sans être certain de réussir. ◆ v. tr. ind. *Tenter de* (et l'infin.), faire des efforts pour obtenir un résultat : *Tenter de battre un record, de convaincre* (syn. : ESSAYER). ◆ **tentative** n. f. **1°** Action par laquelle on essaie de faire réussir une chose : *Ses tentatives pour battre le record du monde ont échoué. Faire une tentative auprès de quelqu'un* (= essayer d'obtenir quelque chose de lui). — **2°** Commencement d'exécution d'une infraction, qui est frappé des mêmes peines que l'infraction consommée : *Une tentative de meurtre, d'assassinat.*

2. tenter [tɑ̃te] v. tr. **1°** (sujet nom d'être animé) *Tenter quelqu'un,* chercher à le séduire, à le solliciter au mal : *Le serpent tenta Eve. Tenter quelqu'un par de l'argent.* — **2°** (sujet nom de chose) *Tenter quelqu'un,* attirer, exciter le désir, l'envie de quelqu'un : *L'occasion l'a tenté* (syn. : ALLÉCHER). *Comment de si jolies robes ne vous tentent-elles pas?* — **3°** Fam. *Etre bien tenté de faire quelque chose,* en avoir une grande envie : *Par ce beau temps, je suis bien tenté d'aller me promener.* ◆ **tentation** n. f. 1° Attrait vers une chose défendue : *Eviter la tentation de dire du mal de son prochain. Succomber à la tentation. Repousser une tentation.* — 2° Tout ce qui incite à faire une chose : *Résister à la tentation de voyager.* ◆ **tentant, e** adj. Se dit de ce qui fait naître un désir : *Une occasion tentante.* ◆ **tentateur, trice** adj. et n. Qui sollicite au mal : *Des propos tentateurs. Esprit tentateur* (= le démon).

tenture [tɑ̃tyr] n. f. Pièce d'étoffe, de papier, etc., qui sert à couvrir les murs d'un appartement ou que l'on met derrière une porte : *Une tenture de velours.*

tenu, e adj., **tenue** n. f. V. TENIR.

ténu, e [teny] adj. Se dit de ce qui est très fin, très mince : *Les fils ténus du ver à soie.* ◆ **ténuité** n. f. (langue soutenue) : *La ténuité des vaisseaux capillaires.*

tératologie [teratɔlɔʒi] n. f. Etude biologique et médicale des déformations monstrueuses chez les êtres vivants. ◆ **tératologique** adj.

tercet [tɛrsɛ] n. m. Groupe de trois vers : *Les tercets d'un sonnet.*

térébenthine [terebɑ̃tin] n. f. *Essence de térébenthine,* ou *térébenthine,* essence utilisée pour la fabrication des vernis, de la peinture à l'huile.

Tergal [tɛrgal] n. m. Nom déposé d'un tissu synthétique sec et léger : *Un costume d'été en Tergal. Un pantalon laine et Tergal.*

tergiverser [tɛrʒivɛrse] v. intr. (sujet nom de personne). Retarder une décision, par faiblesse ou par mauvaise volonté : *Allons, cessez de tergiverser. Tergiverser inutilement* (syn. : ERGOTER, TEMPORISER). ◆ **tergiversation** n. f. (le plus souvent au plur.) : *Il n'a pas su se décider à temps et a perdu une bonne occasion par ses tergiversations* (syn. : HÉSITATION, ATERMOIEMENT, FAUX-FUYANT).

1. terme [tɛrm] n. m. 1° Limite fixée dans le temps : *Passé ce terme, les billets ne sont plus valables* (syn. : DATE). *Les vacances touchent à leur terme* (syn. : FIN). *Je vous donne jusqu'au 31 janvier comme terme de rigueur* (syn. : DÉLAI). *Avancer, reculer le terme de quelque chose. Le terme d'une évolution. Il a trouvé un terme à ses souffrances* (syn. : ISSUE). *Au terme de ses tribulations. Ce livre arrive à son terme* (syn. : DÉNOUEMENT). *Un délai qui arrive à terme* (= qui expire). ‖ *Mener (quelque chose) à terme,* le faire jusqu'au bout : *J'ai pu mener cette affaire à terme malgré de nombreuses difficultés* (syn. : ACCOMPLIR). ‖ *Mettre un terme à,* faire cesser (souvent en parlant de choses mauvaises) : *Nous avons mis un terme à de tels agissements* (syn. : COUPER COURT). ‖ *Marché, transactions à terme,* portant sur des valeurs boursières à date de liquidation imposée : *Marché à terme calme, mais bien orienté. Reprise du marché à terme.* ‖ *A court terme, à long terme,* portant sur une période brève, longue : *Des prévisions à court terme. Un programme à long terme. Faire des projets à long terme. Un emprunt à long terme.* — 2° Date, époque où l'on paie la location d'un lieu d'habitation : *Payer à terme échu. Le jour du terme* (syn. : ÉCHÉANCE). — 3° Prix de la location trimestrielle : *Payer le terme. Avoir un terme de retard. Il doit déjà plusieurs termes* — 4° (sujet nom désignant une femme) *Etre à terme, à son terme,* être sur le point d'accoucher. ‖ *Accoucher à terme,* à la date normale. ‖ *Naître avant terme,* prématurément.

2. terme [tɛrm] n. m. 1° Mot, en tant que désignation de quelque chose : *Ce terme désigne une chose que vous connaissez bien* (syn. : VOCABLE). *Pouvez-vous définir ce terme? Rechercher le terme propre, juste, exact, précis. Le terme de « réalisme » recouvre des conceptions très diverses.* — 2° (avec un qualificatif désignant une technique intellectuelle précise) Mot qui a un sens strictement délimité à l'intérieur d'un système de notions donné : *Terme technique, philosophique, scientifique. C'est un terme de botanique, de palais, de rhétorique.* ◆ **termes** n. m. pl. Manière de dire quelque chose : *Il s'exprima en ces termes. Je dirais en d'autres termes. En termes clairs, respectueux, courtois, voilés. Parler de quelqu'un en bons termes.* ● LOC. PRÉP. *Aux termes de,* selon les termes de : *Aux termes du contrat, je ne dois plus rien.*

3. terme [tɛrm] n. m. 1° *Terme d'une proposition, d'une phrase,* élément simple d'une proposition ou d'une phrase : *Faire l'analyse logique des termes de la proposition.* — 2° En mathématiques, élément en relation avec d'autres : *Les deux termes d'une multiplication.* — 3° *Moyen terme,* étape intermédiaire du raisonnement dans un syllogisme; attitude intermédiaire entre deux extrêmes : *Il a voulu prendre un moyen terme et n'a satisfait personne. Il n'y a pas de moyen terme* (syn. : MILIEU, ACCOMMODEMENT, CONCILIATION, DEMI-MESURE).

4. termes [tɛrm] n. m. pl. *Etre en bons termes, en mauvais termes, dans les meilleurs termes avec quelqu'un,* entretenir des relations bonnes, mauvaises ou excellentes avec quelqu'un : *Nous avons toujours été en excellents termes avec eux* (syn. : RAPPORTS). *En quels termes êtes-vous avec lui?*

terminer [tɛrmine] v. tr. 1° (sujet nom de personne) *Terminer quelque chose,* le faire jusqu'à la fin, alors qu'on est déjà près de la fin : *Je termine mon chapitre et je viens. Il termine son temps de prison. Terminer son travail, ses études. Nous terminions notre repas quand vous avez sonné* (syn. : ACHEVER, FINIR). *C'est terminé. Terminer une œuvre* (syn. : METTRE LA DERNIÈRE MAIN À); et intransitiv. : *Avez-vous terminé? J'aurai terminé dans une heure. Il faut terminer* (syn. : EN FINIR). *Pour terminer, laissez-moi vous raconter notre retour.* — 2° (avec un compl. d'objet exprimant une durée) Passer la fin de : *Nous avons terminé la journée avec des amis. Terminer la soirée au théâtre ou en écoutant des disques. Terminer ses jours à l'hôpital* (syn. : MOURIR). — 3° *Terminer une chose par une autre,* faire cette dernière pour finir, la placer à la fin : *Terminer un repas par des fruits. Terminer une phrase par un complément de lieu.* — 4° *En avoir terminé avec quelque chose,* l'avoir achevé, accompli : *J'en ai terminé avec le lavage.* ‖ *En avoir terminé avec quelqu'un,* cesser les relations avec lui : *Depuis cette histoire, j'en ai terminé avec eux.* — 5° (sujet nom de chose) *Terminer quelque chose,* en constituer la fin : *Le dessert termine les repas. Un complément de lieu vient terminer la phrase.* ◆ **se terminer** v. pr. 1° (sujet nom de chose) Arriver à sa fin : *La route se termine ici et il faut continuer par un sentier. Son travail se termine tard. Leur dispute s'est bien terminée.* — 2° (sujet nom de chose) *Se terminer par,* comporter à la fin : *Le livre se termine par un index. La séance se termine par* une discussion. *Les adjectifs qui se terminent par le suffixe « âtre ».* ◆ **terminaison** n. f. **1°** Elément final d'un mot (du point de vue phonétique ou morphologique) : *Des adjectifs qui ont une terminaison identique* (syn. : DÉSINENCE, FINALE, SUFFIXE). — **2°** *Terminaisons nerveuses,* extrémités des nerfs. ◆ **terminal, e, aux** adj. Qui marque la fin de quelque chose : *La phase terminale d'une évolution. Les classes terminales des lycées.*

terminologie [tɛrminɔlɔʒi] n. f. **1°** Ensemble des termes propres à une technique, à une science : *La terminologie grammaticale est confuse. La terminologie de la psychanalyse. La terminologie mathématique* (syn. : NOMENCLATURE, VOCABULAIRE). — **2°** Ensemble des termes qui ont un sens particulier dans un domaine donné (philosophie, écrits de quelqu'un, etc.) : *La terminologie marxiste. La terminologie de 93.*

terminus [tɛrminys] n. m. Dernière station d'une ligne de transports en commun : *Le terminus d'une ligne de métro, d'autobus. Terminus, tout le monde descend! Aller jusqu'au terminus.*

termite [tɛrmit] n. m. **1°** Insecte social qui ronge le bois : *Des dégâts commis par les termites.* — **2°** *Travail de termite,* travail de destruction lent et obscur. ◆ **termitière** n. f. **1°** Nid de termites : *Une termitière haute de deux mètres.* — **2°** Agglomération, lieu de la civilisation industrielle où l'homme perd sa qualité de personne : *Vivre, travailler dans une termitière* (syn. : FOURMILIÈRE).

terne [tɛrn] adj. **1°** Se dit de ce qui manque d'éclat, de lumière et produit une impression désagréable : *Une couleur terne. Un bleu terne* (syn. : DÉLAVÉ, PASSÉ, SALE, MAT). *Un teint blanc et terne* (syn. : BLAFARD, BLÊME). *Un œil, un regard terne* (syn. : INEXPRESSIF). *Un paysage terne.* — **2°** Se dit de ce qui est monotone, sans intérêt, par manque de caractère, ou de quelqu'un qui manque de personnalité : *Mener une vie terne. Une journée grise et terne* (syn. : MORNE, SOMBRE). *Un spectacle ennuyeux et terne. Une conversation, un style terne* (syn. : INCOLORE, INSIPIDE, FROID). *Un personnage terne* (syn. : INSIGNIFIANT). ◆ **ternir** v. tr. **1°** *Ternir quelque chose* (nom concret), lui enlever de l'éclat, de la fraîcheur, de la couleur : *Ces couverts d'argent sont ternis* (syn. : ALTÉRER). *Des meubles ternis par la poussière. Son teint est terni* (syn. : FLÉTRIR). *Le temps a terni cette robe* (syn. : FANER). *La buée ternit les fenêtres. L'humidité a terni cette glace* (syn. : OBSCURCIR, EMBUER). — **2°** *Ternir quelque chose* (nom abstrait), y apporter un élément de dépréciation : *Ternir la mémoire, l'honneur, la réputation de quelqu'un* (syn. : ENTACHER, TACHER, FLÉTRIR, SALIR). *Ternir la pureté d'un enfant* (syn. : SOUILLER). ◆ ***se ternir*** v. pr. **1°** (sujet nom concret) Perdre sa fraîcheur, sa transparence ou son éclat : *Son teint se ternit. La vitre, la glace se ternit.* — **2°** (sujet nom abstrait) Perdre sa valeur : *Sa réputation s'est ternie.* ◆ **ternissure** n. f. Etat de ce qui est terni; endroit terni : *Cette glace a de nombreuses ternissures.*

terrain [terɛ̃] n. m. **1°** Etendue de terre, le plus souvent considérée comme un bien : *Acheter, vendre un terrain. Aménager, cultiver son terrain. Spéculer sur les terrains* (syn. : FONDS, PARCELLE, PROPRIÉTÉ). — **2°** Modelé de la surface terrestre : *Un pli, un repli, un accident de terrain* (syn. : RELIEF, SOL). *Un glissement de terrain. Une élévation de terrain.* ‖ *Tous terrains* (ou *tout terrain*), se dit d'une voiture capable de rouler même sur un sol accidenté ou en mauvais état : *La jeep est un véhicule tout terrain.* — **3°** (avec un verbe et précédé seulement de l'art. défini ou partitif) Lieu d'opérations militaires ou de toute activité, impliquant ou non une idée de concurrence. ‖ *Aller sur le terrain,* se battre en duel (syn. : SUR LE PRÉ). ‖ *Avoir l'avantage du terrain,* avoir un meilleur emplacement que son adversaire sur le champ de bataille : *Cette fois-ci, Napoléon n'avait pas l'avantage du terrain;* avoir l'avantage sur un concurrent par sa familiarité avec un sujet : *Parlons histoire : à votre tour d'avoir l'avantage du terrain.* ‖ *Céder du terrain,* se replier sur ses positions, abandonner un espace conquis : *L'ennemi a cédé du terrain* (syn. : BATTRE EN RETRAITE); faire des concessions : *Devant nos arguments, il a dû céder du terrain. Je ne céderai pas un pouce de terrain.* ‖ *Connaître le terrain,* la disposition du champ de bataille : *Les maquisards connaissaient le terrain;* connaître ceux à qui on a affaire : *Avec lui, je suis tranquille, je connais le terrain.* ‖ *Déblayer le terrain,* faire disparaître les obstacles qui empêchent une réalisation : *Déblayer le terrain pour une confrontation sincère des points de vue.* ‖ *Disputer le terrain,* opposer une résistance énergique : *L'ennemi nous dispute le terrain pied à pied.* ‖ *Gagner du terrain,* arracher à l'ennemi l'espace qu'il tenait : *Nos armées gagnent du terrain sur l'adversaire* (contr. : PERDRE DU TERRAIN). *Les blindés ont gagné du terrain* (syn. : AVANCER); distancer des concurrents : *Une marque de réfrigérateurs qui gagne du terrain. Un coureur cycliste qui gagne du terrain.* ‖ *Etre, rester maître (avoir la maîtrise) du terrain,* être vainqueur sur le champ de bataille : *Rester maître du terrain au prix de lourdes pertes.* ‖ *Ménager le terrain,* être prudent dans ses démarches auprès de quelqu'un : *Soyez diplomate, ménagez le terrain.* ‖ *Préparer le terrain,* préparer les esprits à quelque chose : *Nous avons un excellent représentant qui a préparé le terrain.* ‖ *Ratisser le terrain,* éliminer l'ennemi par une fouille méthodique des lieux : *Nos troupes ont ratissé le terrain* (syn. : NETTOYER). ‖ *Reconnaître le terrain,* vérifier l'absence ou la présence de l'ennemi dans une zone donnée : *Envoyer une patrouille reconnaître le terrain.* ‖ *Reconnaître, sonder, tâter le terrain,* se renseigner sur la possibilité de faire quelque chose : *J'ai tâté le terrain, mais j'ai vite compris qu'il n'y avait rien à tirer de lui.* ‖ *Regagner le terrain perdu,* reprendre le dessus, reprendre l'avantage : *Il a eu vite fait de regagner le terrain perdu.* ‖ *Se rencontrer sur le terrain,* disputer un match sportif. ‖ *Se rendre, aller voir sur le terrain,* au lieu même où quelque chose s'est passé, sur place : *Faire une étude sociologique sur le terrain. Aller faire une étude sur le terrain.* — **4°** (avec un démonstratif ou un possessif) *Etre sur son terrain,* se dit de quelqu'un qui parle de ce qu'il connaît bien. ‖ *Se faire battre sur son terrain,* dans sa propre spécialité. ‖ *Je ne vous suivrai pas sur ce terrain,* se dit pour refuser d'aller au-delà de certaines limites, de se compromettre. — **5°** (avec un adjectif ou un groupe prépositionnel déterminatif) Espace de terre d'une certaine nature : *Un terrain argileux, calcaire, marécageux, perméable, imperméable. Un terrain volcanique. Un terrain détrempé, défoncé, sec, pierreux. Un bon terrain;* espace de terre d'une certaine apparence : *Un terrain nu, boisé, couvert, découvert, plat, accidenté, vallonné;* espace de terre utilisé d'une certaine façon : *Un* *terrain militaire. Un terrain à bâtir, à lotir. Un terrain de jeu, de sport, de chasse, d'exercice, de camping, d'aviation, d'atterrissage.* ‖ *Terrain vague,* étendue sans cultures ni constructions, à proximité d'une agglomération : *Des enfants jouent parmi les détritus qui traînent sur les terrains vagues.* — **6°** (avec un adjectif ou un groupe prépositionnel de sens moral) Conditions, circonstances définies de telle ou telle façon : *Un terrain d'entente, de conciliation. Trouver un terrain favorable à la discussion.* ‖ *Terrain glissant,* lieu, situation qui risque d'entraîner à des fautes : *Cette atmosphère de plaisir est un terrain glissant.* ‖ *Terrain brûlant,* sujet d'actualité à éviter : *C'est un terrain brûlant où je ne me risquerais pas. Le terrain est brûlant.* ‖ *Se conduire comme en terrain conquis,* considérer que tout est à soi, se conduire brutalement. — **7°** Conditions de développement d'une maladie ou de quelque chose : *La maladie a trouvé en lui un terrain tout prêt. Offrir un terrain résistant. Un terrain de moindre résistance.*

terrasse [teras] n. f. **1°** Levée de terre horizontale, maintenue par un mur : *Un jardin en terrasses. Les terrasses d'un parc. Des cultures en terrasses.* — **2°** Prolongement d'un café ou d'un restaurant sur une partie du trottoir : *Terrasse ouverte, fermée, chauffée, climatisée. S'installer, s'asseoir à la terrasse. Attendre quelqu'un à la terrasse. Boire, prendre un café à la terrasse.* — **3°** Plate-forme ne faisant pas saillie, à un étage ou sur le toit d'une maison : *Un toit en terrasse. La maison a une terrasse où l'on peut disposer des parasols. Monter sur la terrasse. La porte donne sur la terrasse.* ◆ **terrassement** n. m. **1°** Action de creuser un terrain et de déplacer la terre remuée : *Travaux, outils, matériel de terrassement.* — **2°** (généralement au plur.) Masses de terre remuées pour des travaux : *Les terrassements d'une voie ferrée* (syn. : REMBLAI). ◆ **terrassier** n. m. Ouvrier employé aux travaux de terrassement : *Les terrassiers remblayaient la voie.* ◆ **terrasser** v. intr. Faire des travaux de terrassement.

terrasser [terase] v. tr. **1°** *Terrasser quelqu'un,* le jeter à terre au cours d'une lutte : *Etant plus gros et plus fort, il eut vite fait de terrasser son adversaire. Il fut terrassé et ligoté en un rien de temps.* ‖ *Terrasser un ennemi* (en parlant d'un conflit armé entre Etats ou factions), le vaincre complètement : *Les gardes blancs ont été terrassés* (syn. : BATTRE À PLATE COUTURE). *La révolte est terrassée* (syn. : MATER). ‖ *Terrasser quelqu'un* (par des paroles, un regard), le réduire au silence : *Ce seul argument suffit à le terrasser.* — **2°** *Maladie, nouvelle,* etc., *qui terrasse quelqu'un,* qui lui ôte toute résistance, l'abat physiquement ou moralement : *Un mal inconnu le terrassa en quelques jours. Il a été terrassé par une attaque* (syn. : FOUDROYER). *L'annonce de cette mort l'a terrassé* (syn. : ACCABLER, ATTERRER, CONSTERNER).

1. terre [tɛr] n. f. Planète appartenant au système solaire et habitée par l'homme (s'écrit généralement avec une majusc.) : *La Terre tourne autour du Soleil. Une fusée partie de la Terre a atteint la Lune. L'âge de la Terre. La planète Terre. Un voyageur qui a fait plusieurs fois le tour de la Terre* (syn. : MONDE). ‖ *La terre entière,* tout le monde, tous les peuples (nuance d'emphase) : *Prendre à témoin la terre entière. Sa gloire s'étend à la terre entière.* ‖ Fam. *Aux quatre coins de la terre,* partout, dans tous les pays. ◆ **terrestre** adj. Qui se rapporte à la planète Terre : *Le globe terrestre. Le rayon, l'atmosphère, le magnétisme terrestre.* ◆ **terrien** n. m. Habitant de la Terre, par opposition aux habitants éventuels des autres mondes.

2. terre [tɛr] n. f. Par opposition à *ciel* (paradis), séjour des vivants (surtout dans des expressions) : *Sur terre, sur la terre,* dans le monde des vivants, par opposition à *au-delà : Ils n'espéraient pas le bonheur sur la terre* (syn. : ICI-BAS). ‖ *Revenir sur terre,* sortir d'une rêverie, revenir aux réalités. ‖ Fam. *Avoir les deux pieds sur terre,* avoir le sens des réalités. ◆ **terrestre** adj. Qui concerne la vie matérielle sur terre (par oppos. à *spirituel*) : *Les joies terrestres. Des avantages terrestres.*

3. terre [tɛr] n. f. **1°** Continent, sol sur lequel on marche, par opposition à la *mer,* ou parfois à l'*air* (souvent dans des loc. sans art.) : *Une langue de terre qui s'avance dans l'Océan. Le navire s'éloignait du port, et bientôt on cessa de voir la terre. Un bateau qui touche terre* (= qui accoste). *Un avion qui touche terre* (= qui se pose, qui atterrit). *L'armée de terre* (par oppos. à la marine ou à l'armée de l'air). *Un vent de terre* (= qui souffle de la côte vers la mer). *Un oiseau qui rase la terre* (syn. : SOL). *Tomber la face contre terre.* ‖ *Transports par terre, par voie de terre,* effectués sur le sol, par opposition à *par eau, par air.* — **2°** Pays, région, contrée (généralement littér.) : *Des explorateurs partis à la découverte de terres lointaines. Revoir sa terre natale.* — **3°** Etendue de sol qui est la propriété de quelqu'un : *Un lopin de terre. Un petit coin de terre* (= une propriété). *Il vit retiré sur* (ou *dans*) *ses terres* (syn. : DOMAINE). ◆ **terrestre** adj. Qui est habitué à vivre sur la terre : *Animaux, plantes terrestres* (= qui vivent sur la surface émergée du globe, par oppos. à *aquatique, marin*).

4. terre [tɛr] n. f. **1°** Couche superficielle du globe où poussent les végétaux : *De la terre meuble. La terre détrempée par la pluie* (syn. : SOL). *Une terre fertile. De la terre de bruyère. Creuser un trou dans la terre. Amender, cultiver, labourer, retourner la terre. Mettre en terre des boutures. Aimer la terre* (syn. : LA CAMPAGNE, LES CHAMPS). *Le retour à la terre* (= à la campagne, pour y avoir une activité rurale). — **2°** *Terre cuite,* ou simplem. *terre,* argile durcie au four; produits ainsi fabriqués : *Une cruche en terre cuite* (syn. : CÉRAMIQUE). *Une jatte en terre. Des terres cuites anciennes.* — **3°** *A terre,* sur le sol : *Poser un paquet à terre. Les débris du vase gisaient à terre* (syn. usuel : PAR TERRE); s'emploie par opposition à *en mer, en l'air : Les marins vont à terre à chaque escale.* ‖ *Par terre,* sur le sol (notamment, mais non exclusivement, avec l'idée d'étendue) : *La tempête a couché par terre de nombreux arbres. Etre assis par terre. Toutes les pièces se sont répandues par terre;* se dit fam. de ce qui est anéanti, ruiné : *Voilà tous nos projets par terre. Ça fiche par terre toutes les prévisions* (fam.). ‖ *Sous terre,* au-dessous du niveau du sol : *Une galerie qui s'enfonce à une vingtaine de mètres sous terre. Etre à six pieds sous terre* (= être enterré). *Vouloir rentrer sous terre* (= éprouver une grande honte). ‖ *Entre ciel et terre,* à une certaine hauteur en l'air : *Tombé du balcon, il est resté par miracle accroché entre ciel et terre.* ‖ *Terre à terre,* se dit d'une personne qui a des préoccupations peu élevées, d'une chose très prosaïque, peu noble : *C'est un esprit très terre à terre, qui ne s'intéresse à aucun art. Vous m'excuserez de passer de ces questions philosophiques à des considérations plus terre à* terre (syn. : MATÉRIEL). ‖ Fam. *Ventre à terre,* en courant très vite : *Cheval qui part ventre à terre. Va ventre à terre annoncer cette nouvelle.* ‖ *Mettre quelqu'un plus bas que terre,* le traiter avec mépris, le dénigrer complètement. ◆ **terreau** n. m. Terre végétale mêlée de produits de décomposition : *Du terreau noir. Amender le sol avec du terreau.* ◆ **terre-plein** n. m. Plate-forme faite de terres rapportées : *Les terre-pleins d'une terrasse.* ◆ **terreux, euse** adj. 1° Souillé de terre : *Avoir des chaussures terreuses.* — 2° Qui est d'une couleur de terre, brun grisâtre : *Un ciel terreux. Une couleur terreuse. Avoir le teint, le visage terreux* (syn. : BLAFARD, BLÊME). — 3° Qui est propre à la terre, qui est de la nature de la terre : *Une odeur terreuse.* ◆ **terrien, enne** adj. et n. 1° Qui possède de la terre : *Seigneur, propriétaire terrien* (syn. : FONCIER). — 2° Qui tient à la terre, à la campagne : *Les vertus terriennes. Avoir une vieille ascendance terrienne. C'est un vrai terrien* (syn. : PAYSAN). ◆ **déterrer** v. tr. 1° Retirer de la terre : *Déterrer une plante, un trésor enfoui. Déterrer un cadavre* (syn. : EXHUMER). — 2° *Fam.* Découvrir ce qui était profondément caché, inconnu de tous : *Il est allé déterrer un vieux texte de loi pour appuyer ses prétentions.* ◆ **déterré, e** n. Fam. *Avoir une tête de déterré,* être pâle et défait, avoir très mauvaise mine. (V. ENTERRER.)

terre-neuvas [tɛrnœvɑ] n. m. invar., **terre-neuvien** [tɛrnœvjɛ̃] n. m. 1° Marin professionnel de la pêche à la morue sur les bancs de Terre-Neuve. — 2° Bateau qui sert à cette pêche.

terre-neuve [tɛrnœv] n. m. invar. Gros chien à poil long, originaire de Terre-Neuve.

terrer (se) [sətere] v. pr., ou **être terré** v. passif (sujet nom d'être animé). 1° Se cacher complètement : *Des soldats terrés dans les tranchées. Pendant tout ce temps, on est resté terrés dans la cave.* — 2° S'isoler pour ne plus voir personne : *Se terrer dans un recoin. Il se terre chez lui.*

terreur [terœr] n. f. 1° Très grande peur : *Etre muet, glacé de terreur. Un frisson de terreur. Etre au comble de la terreur. Vivre dans la terreur. Répandre, semer la terreur. Une terreur religieuse. Une terreur panique. De vaines, de fausses terreurs. Des terreurs irraisonnées.* — 2° Politique d'exception et de violence policière : *Gouverner par la terreur. Un régime de terreur.* — 3° (avec un compl. du nom ou un déterminatif) Personne ou chose qui donne une très grande peur : *Tout ce qui touche aux insectes est sa terreur. Il est la terreur du quartier.* — 4° *Pop.* Individu dangereux : *C'est une terreur. Jouer les terreurs.* ◆ **terrifier** v. tr. *Terrifier un être vivant,* le frapper momentanément de terreur : *Elle est terrifiée à l'idée de sortir seule la nuit.* ◆ **terrifiant, e** adj. : *Un cri terrifiant* (syn. : EFFRAYANT, ÉPOUVANTABLE, TERRIBLE). *Un film terrifiant* (syn. : DE TERREUR). ◆ **terroriser** v. tr. *Terroriser quelqu'un, un groupe de personnes, un pays,* etc., les tenir durablement et méthodiquement dans la terreur : *La population terrorisée n'osait pas bouger. Terroriser une région.* ◆ **terrorisme** n. m. Ensemble d'attentats et de sabotages commis par une organisation pour créer un climat d'insécurité et impressionner ou renverser le pouvoir établi : *Se livrer à des actes de terrorisme. On constate une recrudescence du terrorisme. Lutter contre le terrorisme. Alexandre II mourut victime du terrorisme.* ◆ **terroriste** adj. et n. Qui participe à des actes de terrorisme : *Un groupe terroriste. Un terroriste.* ◆ **contre-terrorisme** n. m. Ensemble d'actions terroristes répondant à d'autres actions terroristes. ◆ **contre-terroriste** adj. et n. : *Des attentats contre-terroristes. Il semble que ces explosions soient le fait des contre-terroristes.*

terrible [teribl] adj. (avant ou après le nom). 1° Se dit de ce qui cause une grande peur : *Un danger, un mal, un visage, un air, une menace, une punition, un châtiment, une leçon terrible* (syn. : AFFREUX, EFFRAYANT, EFFROYABLE, TERRIFIANT). — 2° Se dit de ce qui a une intensité très grande : *Un vent, un froid, un bruit, un coup, un effort terrible* (syn. : VIOLENT). *Une humeur terrible* (syn. : MASSACRANT). ‖ *C'est* (*il est*) *terrible de* (et l'infin.), il est grave ou pénible de : *C'est terrible d'en arriver là.* — 3° (surtout avant le nom) *Fam.* Qui est tel à un très haut degré : *Un terrible appétit* (syn. : REMARQUABLE). *Un terrible travailleur. Un terrible bavard* (syn. : EXTRAORDINAIRE). ‖ Fam. *C'est terrible,* c'est exagéré, c'est trop : *C'est terrible ce qu'il travaille!* (syn. fam. : FOU). — 4° *Fam.* Qui sort de l'ordinaire, qui est irrésistible : *Un type terrible. Une fille terrible. Un film, une chanson terrible* (syn. : SENSATIONNEL ; fam. : FORMIDABLE, DU TONNERRE). — 5° *Péjor.* Se dit de quelqu'un qui est particulièrement désagréable : *Tu es terrible, à la fin, avec ta manie de m'interrompre! Vous êtes terrible, il n'y a pas moyen de s'entendre dans ces conditions.* ‖ *Enfant terrible,* turbulent (syn. : IMPOSSIBLE, INTENABLE); en parlant d'un adulte, personne qui ne ménage pas la vérité aux autres ou qui ne s'en tient pas à la discipline commune : *Chaque parti a ses enfants terribles.* ◆ n. m. *Le terrible de,* ce qui est terrible (au sens 1, 2) dans : *Le terrible de l'histoire, c'est qu'il n'a rien compris.* ◆ **terriblement** adv. *Fam.* Très, beaucoup : *Il me fait terriblement penser à son frère. Il est terriblement autoritaire* (syn. : ÉNORMÉMENT, EXCESSIVEMENT, EXTRÊMEMENT).

1. terrier [terje] n. m. Trou, galerie que certains animaux creusent dans la terre pour s'y abriter : *Le terrier d'une taupe. Un terrier de renard. Faire sortir un lapin de son terrier.*

2. terrier [terje] n. m. Chien de petite taille, propre à chasser les animaux qui vivent dans des terriers : *Un terrier à poil ras. Un terrier d'Ecosse. Un terrier à longs poils* (syn. : GRIFFON).

terrine [terin] n. f. Récipient en terre vernissée, servant à cuire et à conserver; son contenu : *Le pâté est dans la terrine. Une terrine de pâté de campagne. La terrine du chef* (= un pâté de sa composition).

territoire [teritwar] n. m. 1° Etendue de terre appartenant à un Etat : *Le territoire national. Il a été pris en territoire français. Etre en territoire ennemi. La défense et la sécurité du territoire. La politique d'aménagement du territoire.* — 2° (avec un compl. du nom) Etendue de terre sur laquelle s'exerce la juridiction de : *Le territoire du canton, de la commune. Le territoire d'un évêque, d'un juge.* — 3° (au plur.) Pays qui dépendent d'un autre : *Les territoires d'outre-mer.* ◆ **territorial, e, aux** adj. 1° Qui concerne le territoire : *Garantir l'intégrité territoriale.* — 2° *Eaux territoriales, mer territoriale,* zone entre la côte et le large, dans laquelle s'exerce la souveraineté d'un Etat riverain. ◆ adj. et n. f. *Armée territoriale,* ou *la territoriale* n. f., portion de l'armée formée, avant 1914, par les réservistes des classes anciennes. ◆ **territorial, aux** n. m. Soldat de l'armée territoriale. ◆ **territorialité** n. f. Zone de souveraineté d'un Etat.

terroir [terwar] n. m. 1° Province, campagne considérées comme le refuge d'habitudes, de goûts typiquement ruraux ou régionaux : *Un écrivain du terroir* (= régionaliste). *Employer des mots du terroir. Subir l'influence du terroir. Ses livres sentent le terroir de l'Ile-de-France. Un mot qui sent son terroir.* — 2° *Vin qui a un goût de terroir, qui sent son (le) terroir,* qui a un goût particulier attribué à la nature du sol.

1. tertiaire [tɛrsjɛr] adj. *Secteur tertiaire,* V. SECTEUR.

2. tertiaire [tɛrsjɛr] adj. et n. m. 1° *Ere tertiaire,* ou *le tertiaire* n. m., ère géologique située avant l'ère quaternaire actuelle et marquée en particulier par le plissement alpin. — 2° *Faune, flore, terrain tertiaire,* qui appartient à l'ère tertiaire.

tertio adv. V. NUMÉRATION.

tertre [tɛrtr] n. m. Petite élévation de terre, isolée : *Monter sur un tertre* (syn. : BUTTE, HAUTEUR, MONTICULE). *Elever un tertre sur une tombe.*

tes adj. poss. V. MON.

tesson [tesɔ̃] n. m. Débris de verre ou de poterie : *Des tessons de bouteille.*

test [tɛst] n. m. 1° Epreuve servant à reconnaître et à mesurer les aptitudes, naturelles ou acquises, d'une personne, d'un groupe, etc. : *Un test psychologique, pédagogique, individuel, collectif. Soumettre un enfant à une série de tests.* — 2° *Test biologique,* examen par prélèvement sur un tissu vivant (syn. : BIOPSIE). — 3° Epreuve qui permet de décider de quelque chose : *C'est un test de sa bonne volonté.* ◆ **tester** v. tr. *Tester quelqu'un,* le soumettre à un ou plusieurs tests : *Tester des écoliers.*

1. testament [tɛstamɑ̃] n. m. 1° Acte par lequel on dispose des biens qu'on laissera après sa mort : *Faire un testament. Léguer sa fortune par testament. Mettre quelqu'un sur son testament* (syn. fam. : COUCHER). *Ajouter une clause, un codicille à son testament. Ceci est mon testament* (syn. : DERNIÈRE VOLONTÉ). *Testament olographe* (= écrit, daté et signé par le testateur). *Testament authentique* (= dicté à un notaire, par le testateur, devant témoins). — 2° Dernière œuvre d'un écrivain, d'un artiste, expression la plus achevée de son art : *Un testament littéraire. Cette œuvre prend figure de testament.* ‖ *Testament politique,* exposé posthume des principes d'un homme d'Etat : *Le testament politique est souvent une justification.* ◆ **testamentaire** adj. *Dispositions testamentaires,* qui sont prises par testament. ‖ *Exécuteur testamentaire,* personne chargée de l'exécution d'un testament. ◆ **testateur, trice** n. Auteur d'un testament. ◆ **tester** v. intr. Faire un testament : *Le droit de tester. Tester en faveur de quelqu'un.*

2. Testament [tɛstamɑ̃] n. m. (avec une majusc.). *Ancien Testament,* la Bible juive, comprenant le Pentateuque, les Prophètes et les Hagiographes. ‖ *Nouveau Testament,* l'ensemble des Evangiles, des Actes des Apôtres, des Epîtres et de l'Apocalypse.

testicule [tɛstikyl] n. m. Glande génitale mâle.

tétanos [tetanos] n. m. Maladie infectieuse, caractérisée par des contractures se généralisant à tout le corps : *Etre vacciné contre le tétanos.* ◆ **tétanique** adj. : *Des convulsions tétaniques. Une rigidité tétanique.* ◆ **tétaniser** v. tr. *Tétaniser un muscle, un membre,* y provoquer une contracture comparable à celle que produit le tétanos : *Un effort trop prolongé peut tétaniser un muscle.* ◆ **antitétanique** adj. : *Vaccin, piqûre antitétanique,* contre le tétanos.

têtard [tɛtar] n. m. 1° Larve de batracien, à grosse tête fusionnée au tronc, à respiration branchiale : *Des têtards de grenouille.* — 2° *Arg.* Enfant (syn. : MOUTARD).

tête [tɛt] n. f. 1° Extrémité supérieure du corps de l'homme, qui contient le cerveau et la plupart des organes des sens; partie antérieure du corps de l'animal : *Se blesser à la tête* (syn. : CRÂNE). *Une tête de poisson.* ‖ *Tête de mort,* squelette d'une tête humaine : *Une pancarte portant une tête de mort et l'indication « Danger »* (syn. : CRÂNE). — 2° *Tête de bétail,* animal compté dans un troupeau : *Une centaine de têtes de bétail. Un troupeau de cent têtes* (syn. : BÊTE). — 3° Partie supérieure d'une chose : *La tête d'un arbre* (syn. : CIME, SOMMET). ‖ *La tête du lit,* la partie du lit située à l'endroit où l'on pose la tête (syn. : CHEVET). — 4° Partie terminale arrondie ou plus grosse que le reste : *La tête du fémur. Une tête d'ail, de chou, d'artichaut. La tête d'un marteau. Une tête d'épingle. La tête de lecture d'un électrophone* (= la partie située au bout du bras et qui porte le saphir ou le diamant). — 5° Partie antérieure d'une chose orientée, celle qui se présente la première : *La tête d'une colonne de soldats. La tête du train. La tête d'une fusée. La tête de chapitre* (syn. : DÉBUT). *Etre en tête de liste. L'article de tête du journal* (= l'éditorial). ‖ *Tête de ligne,* station, gare où commence une ligne de transports. — 6° (suivi d'un compl. du nom abstrait) Personne qui tient un poste de commandement ou dont dépend l'organisation, la conception de quelque chose : *Il est la tête du mouvement, les autres ne sont que des exécutants. La tête du gouvernement, de l'opposition, d'une entreprise* (syn. : CHEF, CERVEAU). *La tête de la classe* (= les meilleurs élèves). — 7° L'esprit, les facultés mentales : *Avoir la tête à ce qu'on fait. Avoir la tête ailleurs. N'avoir plus sa tête à soi. Avoir la tête à l'envers.* ‖ *Se mettre dans la tête, en tête que..., de..., dans l'esprit que..., de...* (syn. : S'IMAGINER). — 8° (comme compl. du nom) *Un homme, une femme de tête,* qui a du caractère et de la décision. ‖ *Voix de tête,* très aiguë (syn. : VOIX DE FAUSSET). — 9° (avec un adj. en construction libre) Partie de la tête où sont les cheveux : *Une tête blonde, grise, chauve. Avoir la tête sale, propre.* — 10° (avec un adj. de sens moral) Expression du visage : *Une tête comique, romantique, sinistre.* — 11° (avec un adj. ou un tour prépositionnel, un compl. du nom à valeur d'adj., dans des expressions toutes faites désignant le caractère, les facultés mentales ou l'expression) *Avoir une bonne tête,* inspirer confiance, être intelligent. ‖ *C'est une mauvaise tête,* un individu querelleur, au mauvais caractère. ‖ *C'est une forte tête,* quelqu'un qui ne se plie pas à la discipline commune. ‖ Fam. *Avoir, faire une drôle de tête,* avoir une expression comique ou dépitée. ‖ *Avoir une petite tête,* être peu intelligent. ‖ Fam. *Avoir une grosse tête,* être surmené. ‖ Fam.

C'est une grosse tête, quelqu'un de très intelligent. || Pop. *Faire une grosse tête à quelqu'un,* lui donner des coups. || *Avoir la tête chaude,* se mettre facilement en colère. || *Avoir la tête froide,* rester calme en toute circonstance. || *Une tête couronnée,* un roi (littér.). || *Avoir la tête dure,* comprendre très difficilement. || *Avoir la tête lourde,* ressentir une lourdeur dans le crâne. || *Avoir la tête vide,* être incapable de penser à quelque chose. || *Avoir une tête sympathique,* être sympathique. || *Avoir la tête près du bonnet,* être toujours prêt à se fâcher. || *Avoir, être une tête à claques, à gifles,* être déplaisant et irritant. || *C'est une tête en l'air, il est tête en l'air,* il est étourdi (syn. : ÉCERVELÉ). || *C'est, il a une tête d'oiseau, de linotte,* il ne réfléchit pas (syn. : TÊTE EN L'AIR). || *C'est, il a une tête de cochon, de mule, de bois, de lard* (pop.), il est têtu. — **12°** (avec un verbe, sans art. et suivi d'un compl.) *Tenir tête à quelqu'un,* s'opposer à sa volonté, lui résister : *Tu oses me tenir tête? La garnison tint tête à l'ennemi.* — **13°** (avec un verbe, précédé d'un art. ou d'un possessif, dans une construction fermée) *Il en a une tête!* (ou *Quelle tête il a!*), se dit de quelqu'un qui a l'air fatigué (syn. : MINE). || *Avoir toute sa tête,* être tout à fait lucide. || *Courber la tête,* s'avouer vaincu. || *Casser, rompre la tête à quelqu'un,* le fatiguer, le pousser à bout nerveusement; l'assourdir (syn. : CASSER LES OREILLES). || Fam. *Se casser, se creuser la tête,* réfléchir profondément. || Fam. *Faire la tête,* être de mauvaise humeur (syn. : BOUDER). || *Faire une tête,* au football, donner un coup dans le ballon avec la tête. || *En faire une tête,* avoir une expression maussade ou triste. || *Jouer, y laisser, risquer, sauver sa tête,* sa vie (syn. fam. : PEAU). || *Se monter la tête,* s'échauffer l'imagination, s'énerver à propos de quelque chose. || *Perdre la tête,* s'affoler (syn. : PERDRE SON SANG-FROID). || *Prendre la tête,* le premier rang. — **14°** (après un verbe construit avec une prép., dans une construction fermée) *En avoir par-dessus la tête,* en avoir assez, être excédé. || *Chercher dans sa tête,* parmi ses souvenirs (syn. : MÉMOIRE). || *N'en faire qu'à sa tête,* n'écouter personne et persévérer dans la voie qu'on a choisie (syn. : CAPRICE). || *Vin, succès qui monte à la tête,* qui fait perdre le sens du réel (syn. : GRISER). || *Idée qui passe par la tête,* qui traverse l'esprit. || *Ne plus savoir où donner de la tête,* être surmené, avoir trop de choses à faire (syn. : ÊTRE SUBMERGÉ). || Fam. *Etre tombé sur la tête,* ne pas avoir son bon sens. — **15°** (après un verbe construit avec un nom et une prép., dans une construction fermée) *Avoir une idée dans la tête, en tête, derrière la tête,* dans l'esprit. || *N'avoir qu'une idée, qu'un souci en tête,* avoir une préoccupation unique. || *Avoir mal à la tête,* ressentir des douleurs dans la tête. || *Avoir quelque chose dans la tête,* conçu et non encore réalisé. || *N'avoir rien dans la tête,* n'avoir aucune idée. || *Se mettre martel en tête,* se faire des soucis (littér.). — **16°** (avec un verbe et suivi d'un compl.) *Tourner la tête à quelqu'un,* lui faire perdre le sens des réalités; le rendre amoureux. || *Mettre la tête de quelqu'un à prix,* promettre une récompense pour sa capture. || Fam. *Se payer la tête de quelqu'un,* se moquer de lui. — **17°** (avec une prép.) *Par tête,* par personne : *C'est tant par tête* (syn. fam. : PAR TÊTE DE PIPE). || *D'une tête,* en dépassant de la hauteur (ou en devançant de la longueur) d'une tête : *Ce cheval a gagné d'une tête. Il est plus grand d'une tête, de toute une tête.* || *De tête,* dans son esprit, sans parler ni écrire : *Calculer de tête. Faire une opération de tête* (syn. : MENTALEMENT). — **18°** *En tête* (*de*), *à la tête de,* au premier rang (en position ou en mérite) : *Il a passé en tête aux élections. Défiler musique en tête. Il est en tête du convoi. On l'a mis à la tête du gouvernement. Il est à la tête de sa classe. Etre tué à la tête de ses troupes.* || *Se trouver à la tête d'un héritage, d'une fortune,* en être possesseur. — **19°** (dans un groupe de deux termes opposés) *Des pieds à la tête,* de bas en haut : *Regarder, inspecter quelqu'un des pieds à la tête.* || *Sans queue ni tête,* se dit de ce qui est extravagant et obscur : *Une histoire sans queue ni tête.* — **20°** (dans une loc. composée, avec ou sans prép.) *Casque en tête,* en portant le casque sur la tête (syn. : CASQUÉ). || *Tête baissée,* sans regarder, aveuglément : *Aller, donner, courir, foncer* (fam.) *tête baissée dans un obstacle. Il a donné tête baissée dans le panneau.* || *A tête reposée,* dans un moment de répit (syn. : À LOISIR).

tête-à-queue [tɛtakø] n. m. invar. Changement complet de direction d'un cheval, d'une voiture : *Faire un tête-à-queue sur une route verglacée.*

tête à tête [tɛtatɛt] loc. adv. **1°** Seul avec une autre personne : *Rester tête à tête avec quelqu'un. On les a laissés tête à tête* (syn. : SEUL À SEUL). — **2°** *En tête à tête,* dans une solitude à deux : *Des amoureux en tête à tête. Je les ai trouvés en tête à tête. Etre en tête à tête avec quelqu'un.* ◆ **tête-à-tête** n. m. invar. Situation de deux personnes isolées ensemble : *Nous avons réussi à avoir un tête-à-tête* (syn. : ENTREVUE).

tête-bêche [tɛtbɛʃ] loc. adv. Dans la position de deux personnes ou de deux objets placés parallèlement, mais en sens inverse.

tête-de-nègre [tɛtdənɛgr] adj. invar. Marron très foncé : *Une jupe tête-de-nègre.*

téter [tete] v. tr. et intr. **1°** (sujet nom désignant un enfant ou un jeune animal) Sucer le lait au sein, au biberon ou à la mamelle : *Il tète encore sa mère. Téter son biberon. L'enfant n'a pas assez de force pour téter. Elle lui donne à téter.* — **2°** (sujet nom de personne) *Fam.* Sucer : *Il n'arrête pas de téter sa pipe. Cet enfant tète son pouce.* ◆ **tétée** n. f. **1°** Repas de l'enfant qui tète : *Il a six tétées par jour.* — **2°** Quantité de lait absorbée en une fois par un enfant qui tète : *Une tétée suffisante.* ◆ **tétin** n. m. *Fam.* Bout de la mamelle (syn. : MAMELON). ◆ **tétine** n. f. **1°** Mamelle de mammifère, surtout de la vache et de la truie (syn. : PIS). — **2°** Embouchure en caoutchouc percée de trous, que l'on adapte au biberon : *Percer, stériliser les tétines.* ◆ **téton** n. m. *Fam.* Sein (syn. : GORGE, POITRINE).

tétralogie [tetralɔʒi] n. f. Ensemble de quatre œuvres, littéraires ou musicales, liées par une même inspiration : *La « Tétralogie » de Richard Wagner.*

tétramètre [tetramɛtr] n. m. Alexandrin classique comportant quatre groupes rythmiques égaux, avec une césure après la sixième syllabe.

têtu, e [tɛty] adj. Se dit de quelqu'un (ou de son attitude) qui demeure très attaché à son opinion ou à sa décision, en dépit de tout : *Il a toujours été têtu, ce n'est pas maintenant qu'il changera. Etre têtu comme une mule. Avoir un air têtu, un front têtu* (syn. : ENTÊTÉ, BUTÉ, ENTIER, OBSTINÉ).

teuf-teuf [tœftœf] n. m. invar. *Fam.* Ancien modèle d'automobile (syn. fam. : TACOT).

teuton, onne [tøtɔ̃, -ɔn] adj. et n. *Péjor.* Allemand (littér.; syn. pop. : BOCHE). ◆ **teutonique** adj. Allemand, germanique (littér.). ‖ *Ordre teutonique, les Chevaliers teutoniques,* ordre de chevalerie allemand du Moyen Age.

texte [tɛkst] n. m. 1° Ensemble des termes mêmes qui constituent un écrit significatif (par oppos. aux commentaires ou aux traductions) : *Reportez-vous au texte. Le texte d'une œuvre. Etablir, annoter, restituer un texte. Le texte est interpolé. Solliciter les textes. Lire Shakespeare dans le texte* (syn. : ORIGINAL). *Lire la Bible dans le texte hébreu. Le texte d'une loi, d'un contrat* (syn. : LIBELLÉ, TENEUR). — 2° Les paroles d'une œuvre lyrique (par oppos. à la musique) : *Le texte d'un opéra* (syn. : LIVRET). — 3° La page imprimée, écrite, dactylographiée (par oppos. aux marges, aux illustrations) : *Il y a des illustrations dans le texte. Un texte serré, dense, compact, aéré. Un texte tapé à la machine, ronéotypé.* — 4° (surtout avec certains adj. déterminatifs) Œuvre ou document authentique qui constitue la source d'une discipline, d'une culture : *Les textes grecs et latins. Les textes classiques. Les anciens textes. Les textes modernes. Les textes législatifs, juridiques, sacrés. Les textes des gnostiques d'Egypte. On en revient toujours aux grands textes. Il connaît ses textes* (syn. : CLASSIQUE). — 5° Ouvrage original : *Soumettre un texte à un éditeur. Corriger son texte.* — 6° Fragment d'une œuvre détaché pour des besoins didactiques : *Un recueil de textes choisis* (syn. : MORCEAU). *Giraudoux a dit que les choix de textes sont la mort de la littérature. Une explication de texte. Citer un texte peu connu.* — 7° *Le texte d'un devoir, d'une leçon,* ce qui en fait la matière (syn. : ÉNONCÉ, SUJET). ‖ *Cahier de textes,* registre des sujets de devoirs et de leçons d'une classe, d'un élève. ◆ **textuel, elle** adj. Conforme au texte : *Copie, reproduction, traduction, citation textuelle* (syn. : LITTÉRAL, MOT À MOT). ‖ Fam. *Textuel!,* c'est exactement ainsi. ◆ **textuellement** adv. : *Répéter textuellement les paroles de quelqu'un* (= exactement comme il les a prononcées). [V. CONTEXTE.]

textile [tɛkstil] adj. 1° Qui peut être tissé, dont on peut faire un tissu : *Les matières textiles.* — 2° *Industrie, fabrication, machine, usine textile,* qui se rapporte à la fabrication des tissus. ◆ n. m. 1° Matière textile : *Les textiles naturels. Les textiles artificiels, synthétiques.* — 2° *Le textile,* l'industrie textile : *Travailler dans le textile.*

texture [tɛkstyr] n. f. Disposition des parties de quelque chose : *La texture de la peau. La texture du sol. La texture grenue d'une roche. La texture d'un roman, d'une pièce de théâtre* (syn. : AGENCEMENT, STRUCTURE).

thaumaturge [tomatyrʒ] n. m. Faiseur de miracles (littér.) [syn. : CHARLATAN, MAGICIEN].

thé [te] n. m. 1° Feuilles séchées du *théier,* arbrisseau cultivé en Orient et en Extrême-Orient : *Un sachet, un paquet de thé. Du thé de Chine, de Ceylan. La culture, la cueillette du thé.* — 2° Infusion de feuilles de thé : *Faire, boire, préparer du thé. Prendre, servir du thé. Une tasse de thé léger, fort, au citron, au lait, nature. Un service à thé.* — 3° Repas léger où l'on sert du thé et des pâtisseries, dans l'après-midi : *Prendre le thé. Un salon de thé.* — 4° Réunion d'après-midi où l'on sert ce repas léger : *Donner un thé. Etre invité à un thé.* ◆ **théière** n. f. Récipient pour faire infuser et servir le thé : *Une théière en porcelaine.*

théâtre [teɑtr] n. m. 1° Art de représenter une action dramatique devant un public : *Aimer le théâtre. Préférer le cinéma au théâtre. Faire du théâtre. Se destiner, se consacrer au théâtre. Un acteur, un homme, une femme de théâtre. Une pièce de théâtre.* — 2° Jeu forcé, attitude artificielle (par oppos. au naturel de la vie) : *Une voix, des gestes de théâtre. C'est du théâtre. Il fait encore du* (*son*) *théâtre* (syn. : SIMAGRÉES). — 3° Entreprise qui donne des spectacles dramatiques : *Le théâtre de l'Atelier, de l'Opéra. Le théâtre de la Huchette donne, monte, joue une pièce d'Ionesco. Une pièce qui fait partie du répertoire du Théâtre-Français. Le théâtre fait relâche. Un directeur de théâtre.* — 4° Edifice où un spectacle est joué par des acteurs, pour un public : *Assister à une représentation d'« Electre » au théâtre de Delphes. Le théâtre d'Epidaure. On vient de restaurer le théâtre de notre ville. Un grand théâtre. Un habitué du théâtre. Aller au théâtre* (syn. : SPECTACLE). — 5° Ensemble des œuvres dramatiques d'un auteur, d'une époque, d'un genre, d'un pays : *Le théâtre de Shakespeare, de Corneille, de Racine, de Plaute, de Tchekhov. Le théâtre antique, élisabéthain, symboliste, religieux. Le théâtre de mœurs. Le théâtre du Boulevard* (= genre de pièces au comique facile). *Le théâtre espagnol, français, russe.* — 6° Lieu où se passe un événement, le plus souvent dramatique : *Notre petite ville a été le théâtre d'événements peu habituels. Cet appartement a été le théâtre d'un crime. Des lieux, maintenant paisibles, qui ont été le théâtre de farouches combats.* ‖ *Le théâtre des opérations,* la zone où se déroulent des opérations militaires. ◆ **théâtral, e, aux** adj. 1° Qui concerne le théâtre : *Une œuvre théâtrale. L'abondante production théâtrale d'un auteur. Une représentation théâtrale. Tenir une chronique théâtrale* (syn. : DRAMATIQUE). ‖ *Saison théâtrale,* période d'ouverture des théâtres d'une ville. — 2° Qui est artificiel et forcé : *Prendre un air théâtral. Une attitude théâtrale. Il a des sautes d'humeur, il est tantôt taciturne, tantôt théâtral.* ◆ **théâtralement** adv. Avec affectation : *Gesticuler théâtralement.*

thébaïde [tebaid] n. f. Solitude profonde, lien très paisible (littér.) : *Vivre dans une thébaïde.*

thème [tɛm] n. m. 1° Tout ce qui constitue le sujet d'un développement : *Le thème d'un sermon. Un thème de méditation. Un thème musical* (syn. : MOTIF). *Traiter un thème avec brio. Ces deux romans sont construits sur le même thème.* — 2° Exercice scolaire de traduction de la langue maternelle dans la langue apprise : *Faire un thème latin. Un thème oral, écrit. Le thème et la version.* ‖ Fam. *Un fort en thème,* un élève appliqué, mais peu doué. — 3° Partie du mot qui reste invariable et en forme la base, à laquelle s'ajoutent les désinences : *Un thème nominal, verbal.* ◆ **thématique** adj. 1° *Critique thématique,* qui étudie la configuration du monde imaginaire d'un écrivain. — 2° *Voyelle thématique,* qui s'ajoute à la racine pour constituer le thème.

théocratie [teokrasi] n. f. Gouvernement, société où l'autorité politique, regardée comme émanant de la Divinité, est exercée par ses ministres. ◆ **théocratique** adj. : *Un pouvoir théocratique.*

théologal, e, aux [teɔlɔgal, -go] adj. *Les vertus théologales,* la foi, l'espérance, la charité.

théologie [teɔlɔʒi] n. f. 1° Etude des questions relatives à la religion : *La théologie catholique. Faire sa théologie. Un traité de théologie.* — 2° (avec un compl. du nom) Doctrine particulière sur des problèmes de religion : *La théologie de saint Thomas.* ◆ **théologique** adj. : *Une discussion théologique. Les preuves théologiques de l'existence de Dieu.* ◆ **théologiquement** adv. ◆ **théologien** n. m. : *Un théologien catholique.*

théorème [teɔrɛm] n. m. Proposition que l'on peut démontrer logiquement à partir d'autres propositions : *Démontrer un théorème de géométrie. Le théorème de Pythagore.*

1. théorie [teɔri] n. f. 1° Ensemble d'opinions portant sur un domaine de l'action : *Une théorie sociale, politique. Chacun a sa théorie. Bâtir une théorie* (syn. : CONCEPTION, DOCTRINE, SYSTÈME). — 2° Système de concepts qui donne une explication d'ensemble à un domaine de la connaissance : *La théorie atomique. La théorie des ensembles.* ‖ *La théorie de la littérature,* étude scientifique de la littérature dans sa spécificité. — 3° Domaine des abstractions (par oppos. à la pratique) : *C'est de la théorie, il faut voir ce que cela donnera en pratique* (syn. : SPÉCULATION). *Mettre une théorie en pratique, appliquer une théorie* (syn. : IDÉE). ‖ *En théorie,* en spéculant de manière abstraite : *Cela n'est vrai qu'en théorie, dans la réalité il en va autrement* (syn. : THÉORIQUEMENT). ◆ **théorique** adj. 1° Se dit de ce qui n'a qu'une existence abstraite, sans rapport avec la réalité ou la pratique : *Une puissance, une production, une décision, une égalité théorique* (syn. : HYPOTHÉTIQUE). — 2° Se dit de ce qui consiste en raisonnements abstraits : *Des écrits théoriques. La pensée théorique* (syn. : SPÉCULATIF). *La physique théorique* (contr. : EXPÉRIMENTAL). ◆ **théoriquement** adv. En raisonnant sans tenir compte de la réalité : *Théoriquement, cela n'aurait pas dû arriver.* ◆ **théoricien, enne** n. 1° Personne spécialisée dans la recherche fondamentale, abstraite : *La recherche a besoin de théoriciens autant que d'ingénieurs et de techniciens* (contr. : EXPÉRIMENTATEUR). — 2° (avec un compl. du nom abstrait) Personne qui défend une théorie (sens 1) : *Un théoricien du capitalisme, de la révolution.* — 3° (avec un nom de science ou d'art) Personne qui connaît la théorie (sens 2) de quelque chose : *Un théoricien de la littérature, de la guerre* (contr. : PRATICIEN).

2. théorie [teɔri] n. f. Longue suite d'êtres animés qui marchent l'un derrière l'autre (littér.) : *Les gens venaient en longues théories. Une théorie de fourmis avance en travers du chemin.*

thérapeutique [terapøtik] adj. Qui se rapporte au traitement et à la guérison des maladies : *Un agent, une vertu thérapeutique. Substance qui a des indications thérapeutiques.* ◆ n. f. Partie de la médecine qui se rapporte au traitement des maladies : *L'emploi des antibiotiques a transformé la thérapeutique moderne.*

thermes [tɛrm] n. m. pl. Etablissement de bains public des Anciens : *Les thermes de Lutèce.* ◆ **thermal, e, aux** adj. *Etablissement thermal, station thermale,* où l'on fait une cure, où l'on vient prendre des eaux ayant des vertus médicinales, que ces eaux soient chaudes ou non. ‖ *Eaux thermales,* eaux minérales chaudes ayant des vertus thérapeutiques. ‖ *Source thermale,* source d'eau thermale. ‖ *Cure thermale,* cure d'eaux thermales.

thermidor n. m. V. CALENDRIER RÉPUBLICAIN.

thermique [tɛrmik] adj. Relatif à la chaleur : *Des effets thermiques. Des unités thermiques.*

thermomètre [tɛrmomɛtr] n. m. 1° Instrument qui sert à mesurer les températures : *Un thermomètre mural, médical, de bain. Le thermomètre monte, descend. Le thermomètre donne, indique, marque une température de 37 °C.* — 2° (avec un compl. du nom abstrait) Ce qui permet d'évaluer quelque chose (littér.) : *Les cours de la Bourse sont le thermomètre de l'atmosphère politique* (syn. : BAROMÈTRE, INDICE).

thermonucléaire [tɛrmonykleɛr] adj. *Réaction, énergie thermonucléaire,* provoquée par la fusion de noyaux atomiques à des températures de plusieurs millions de degrés. ‖ *Bombe thermonucléaire* ou *bombe à hydrogène,* bombe atomique très puissante.

Thermos [tɛrmos] n. m. ou f. Nom déposé d'un récipient isolant, permettant de garder un liquide à sa température pendant plusieurs heures : *Emporter un Thermos avec du thé. Mettre du café dans une bouteille Thermos pour un voyage.*

thermostat [tɛrmosta] n. m. Appareil servant à maintenir une température constante : *Un four à thermostat. Un chauffage central à thermostat.*

thésauriser [tezorize] v. intr. et tr. 1° Amasser de l'argent sans le faire fructifier : *L'avare thésaurise.* — 2° Amasser et mettre de côté : *Il thésaurise les nouvelles pièces de cinq francs* (syn. : ACCUMULER, ENTASSER). ◆ **thésaurisation** n. f. : *La thésaurisation retire un certain revenu au circuit de distribution.* ◆ **thésauriseur, euse** n. : *Le thésauriseur ne profite pas de son argent* (syn. : AVARE).

thèse [tɛz] n. f. 1° Opinion dont on s'attache à démontrer la véracité : *Avancer une thèse. Une thèse indéfendable. La thèse de la fatalité de la guerre. Contredire, réfuter une thèse. Prendre le contrepied d'une thèse. Je citerai à l'appui de cette thèse...* — 2° *Pièce, roman à thèse,* illustration d'une thèse morale, philosophique, politique, sous forme de pièce ou de roman : *Les personnages d'une pièce à thèse ressemblent souvent à des marionnettes dont on voit les fils.* — 3° Ouvrage présenté pour l'obtention du grade de docteur : *Une thèse d'Etat, d'université, de troisième cycle. Préparer, soutenir une thèse. Aller, assister à une soutenance de thèse. Faire le compte rendu d'une thèse.*

thon [tɔ̃] n. m. Grand poisson marin migrateur de l'Atlantique et de la Méditerranée : *Aller à la pêche du thon. Manger du thon frais, mariné. Une escalope de thon. Ouvrir une boîte de thon.* ◆ **thonier** n. m. Bateau pour la pêche du thon : *Un petit thonier.*

thorax [tɔraks] n. m. 1° Cavité limitée par les côtes et le diaphragme chez l'homme, contenant le cœur et les poumons, par opposition à l'abdomen : *Une malformation du thorax* (syn. : POITRINE, CAGE THORACIQUE). — 2° Chez l'insecte, partie du corps qui porte les pattes et les ailes. ◆ **thoracique** adj. : *Cage, cavité thoracique* (= formée par le thorax). *Capacité thoracique* (= volume d'air maximal renfermé par les poumons).

thuriféraire [tyriferɛr] n. m. Personne qui prodigue des flatteries exagérées à un personnage important (littér.) : *Un académicien entouré de* *ses thuriféraires. Les thuriféraires du pouvoir* (syn. : FLATTEUR, FLAGORNEUR).

thym [tɛ̃] n. m. Plante aromatique répandue dans la région méditerranéenne : *Cueillir du thym. Mettre un bouquet de thym et de laurier dans un plat.*

thyroïde [tirɔid] adj. *Glande thyroïde,* ou *la thyroïde* n. f., glande endocrine située devant la trachée-artère : *Des troubles de la thyroïde. Le rôle de la thyroïde dans l'équilibre du système nerveux.*

tiare [tjar] n. f. Mitre à trois couronnes, portée par le pape : *Le pape coiffé de la tiare. Ceindre, coiffer, recevoir la tiare* (= devenir pape). *Porter la tiare* (= être pape).

tibia [tibja] n. m. 1° Le plus gros des os de la jambe : *Une fracture du tibia. La crête du tibia. Le tibia et le péroné.* — 2° Fam. *Donner un coup de pied dans les tibias à quelqu'un,* lui donner un coup sur la partie antérieure de la jambe.

tic [tik] n. m. 1° Contraction convulsive involontaire de certains muscles : *Il a un tic nerveux. Avoir un visage plein de tics. Il est bourré de tics.* — 2° Attitude, parole, tournure défectueuse ou ridicule à force d'être fréquente : *Savoir reconnaître les tics de quelqu'un* (syn. : MANIE). *Il a le tic de finir ses phrases par « n'est-ce pas ».*

ticket [tikɛ] n. m. 1° Billet attestant le paiement des droits d'entrée dans un établissement, un moyen de transport : *Un ticket de métro, d'autobus. Un ticket de quai. Acheter un carnet de tickets. Le contrôleur poinçonne les tickets.* — 2° *Ticket modérateur,* quote-part des frais que la Sécurité sociale laisse à la charge de l'assuré : *Ne payer que le ticket modérateur.* — 3° *Arg.* Billet de banque de dix francs : *Il se fait ses trois cents tickets par mois.*

tic-tac ou **tictac** [tiktak] n. m. Bruit sec et régulier d'un mouvement d'horlogerie : *On n'entend que le tic-tac de la pendule.*

1. tiède [tjɛd] adj. Se dit de ce qui est d'une chaleur très atténuée : *De l'eau tiède. Prendre un bain tiède. Le café est déjà tout tiède. Les cendres sont encore tièdes. L'atmosphère est tiède.* ‖ *Il fait tiède,* l'air, la température est tiède. ◆ adv. *Boire tiède,* prendre une boisson tiède. ◆ **tiédasse** adj. *Péjor.* Légèrement tiède. ◆ **tiédeur** n. f. 1° Température tiède : *La tiédeur de l'eau, d'un soir d'été.* — 2° Douceur agréable : *La tiédeur d'un climat favorable est indispensable à l'épanouissement de l'enfant.* ◆ **tiédir** v. intr. Devenir tiède : *Faire tiédir une compresse. L'eau tiédit.* ◆ v. tr. Rendre tiède : *Un mur tiédi par le soleil.* ◆ **tiédissement** n. m. : *Attendre le tiédissement de l'eau du bain.*

2. tiède [tjɛd] adj. et n. Se dit de quelqu'un (ou de son comportement) qui manque d'ardeur, de passion : *Des chrétiens, des communistes tièdes. Des sentiments tièdes. Ce sont les tièdes qui forment la masse* (syn. : MOU). ◆ **tièdement** adv. Avec indifférence, sans ardeur, sans zèle : *Approuver tièdement. Etre tièdement accueilli* (syn. : MOLLEMENT). ◆ **tiédeur** n. f. Manque d'ardeur, de zèle : *La tiédeur dans les sentiments est une forme de lâcheté. La tiédeur de son amitié.*

tien, tienne adj. et pron. poss. V. MON.

1. tiers [tjɛr] n. m. 1° Partie d'un tout divisé en trois parties égales : *Le premier tiers du siècle. Il a fait les deux tiers du travail.* — 2° *Tiers provisionnel,* acompte sur les impôts à verser, fixé forfaitairement au tiers des impôts de l'année précédente.

2. tiers [tjɛr] n. m. 1° Personne étrangère à une affaire ou à un groupe : *L'assurance ne couvre pas les tiers. Apprendre quelque chose par un tiers. Déclarer devant un tiers.* — 2° *Etre en tiers,* être le troisième dans un groupe de trois (peu usuel) : *Il est en tiers dans cette affaire.*

3. tiers, tierce [tjɛr, tjɛrs] adj. 1° *Le tiers état,* ou *le tiers,* n. m., le troisième ordre de la nation sous l'Ancien Régime, après la noblesse et le clergé, composé essentiellement par la bourgeoisie : *La Révolution abolit les distinctions de noblesse, de clergé et de tiers état.* — 2° *Le tiers monde,* l'ensemble des pays qui ne sont ni dans le camp « occidental » ni dans le camp communiste : *Une conférence réunissant les principaux pays du tiers monde* (syn. : PAYS NON ALIGNÉS). — 3° *Une tierce personne,* une personne étrangère à une affaire ou à un groupe : *Avoir affaire à une tierce personne* (syn. : ÉTRANGER, INCONNU).

tierce [tjɛrs] n. f. 1° A certains jeux de cartes, série de trois cartes consécutives de même couleur : *Une tierce à cœur, à carreau, au roi.* — 2° Intervalle entre deux notes de musique séparées par une troisième : *La tierce majeure. Une tierce augmentée.*

tiercé [tjɛrse] n. m. Pari mutuel où l'on parie sur les trois premiers chevaux dans une course : *Jouer au tiercé. Gagner au tiercé.*

tige [tiʒ] n. f. 1° Partie d'une plante qui en forme l'axe et porte les feuilles : *Une tige grimpante, rampante, cassante, épineuse. Faire un bouquet de fleurs avec de longues tiges. La tige des céréales* (syn. : CHAUME, PAILLE). — 2° Partie d'une chaussure, d'une botte qui enveloppe la jambe : *Des chaussures à tige haute, basse. La tige souple d'une botte.* — 3° Partie allongée et fine de quelque chose : *La tige d'une colonne* (syn. : FÛT). *Une tige de métal* (syn. : BARRE, TRINGLE).

tignasse [tiɲas] n. f. *Fam.* Chevelure mal peignée : *Un enfant qui a une grosse tignasse rousse.*

tigre [tigr] n. m., **tigresse** [tigrɛs] n. f. 1° Félin carnassier, au pelage rayé : *Le tigre s'attaque à l'homme. Le tigre feule, rauque, râle. Aller à la chasse au tigre.* — 2° *Jaloux comme un tigre,* très jaloux. ‖ *C'est une tigresse,* c'est une femme très jalouse, très cruelle. ◆ **tigré, e** adj. Tacheté ou marqué de raies : *Un cheval, un chat tigré.*

tilleul [tijœl] n. m. 1° Grand arbre à fleurs jaunâtres, odorantes : *Une allée de tilleuls. Un parc planté de tilleuls. Respirer le parfum des tilleuls.* — 2° Fleurs séchées du tilleul : *Acheter un paquet de tilleul. Le tilleul est un calmant.* — 3° Infusion de fleurs de tilleul séchées : *Boire un tilleul bien chaud. Boire du tilleul, une tasse de tilleul.*

1. timbale [tɛ̃bal] n. f. 1° Gobelet cylindrique en métal : *Une timbale en argent. Boire dans une timbale.* — 2° Fam. *Décrocher la timbale,* obtenir un résultat important et difficile; avoir un ennui qu'on a tout fait pour s'attirer. — 3° Moule de cuisine rond et haut; préparation cuite dans ce moule : *Une timbale de macaroni, de viande.*

2. timbale [tɛ̃bal] n. f. Tambour formé d'un bassin hémisphérique en cuivre, recouvert d'une peau tendue : *Des timbales d'orchestre.* ◆ **timbalier** n. m. Musicien qui bat des timbales.

1. timbre [tɛ̃br] ou **timbre-poste** n. m. Vignette gommée que l'on colle sur un objet, lettre ou paquet, confié à la poste et qui en marque l'affranchissement : *Acheter un carnet de timbres. Le timbre a été mal oblitéré par la poste. Un timbre rare. Faire collection de timbres-poste. Une pochette de timbres anglais.* ◆ **timbrer** v. tr. *Timbrer une lettre,* y coller le ou les timbres qui en représentent l'affranchissement : *Prière de joindre une enveloppe timbrée pour la réponse* (syn. : AFFRANCHIR).

2. timbre [tɛ̃br] n. m. 1° Marque ou vignette portée sur certains documents officiels et pour laquelle on paie un droit : *Les passeports sont soumis à l'obligation du timbre fiscal.* ‖ *Timbre de quittance* ou *timbre-quittance,* vignette apposée sur une quittance, un reçu. ‖ *Apposer, imprimer son timbre,* en parlant d'une administration, d'une entreprise, mettre sa marque sur un document pour en garantir l'authenticité. ‖ *Timbre humide,* qui est imprimé à l'encre (syn. : CACHET, TAMPON). ‖ *Timbre sec,* qui est marqué sans encre : *La photo d'une carte d'identité est frappée d'un timbre sec.* — 2° *Timbre de caoutchouc, timbre dateur,* instrument qui sert à imprimer une marque. ◆ **timbré, e** adj. *Papier timbré,* marqué d'un timbre officiel et obligatoire pour la rédaction de certains actes : *Faire une déclaration sur papier timbré.*

3. timbre [tɛ̃br] n. m. 1° Qualité spécifique d'un son, indépendante de sa hauteur, de son intensité ou de sa durée : *Le timbre d'une voyelle, d'une voix, d'un instrument de musique. Le timbre argentin, enfantin, voilé d'une voix. Une voix sans timbre* (= sans résonance; syn. : BLANC). — 2° Disque bombé qui émet un son quand il est frappé par un marteau : *Le timbre d'une pendule. Le timbre de la porte d'entrée. Le timbre d'une bicyclette* (syn. : SONNETTE). ◆ **timbré, e** adj. *Une voix bien timbrée,* qui résonne bien, qui a une sonorité pleine (syn. : ↑ CLAIRONNANT).

1. timbré, e adj. V. TIMBRE 2 et 3.

2. timbré, e [tɛ̃bre] adj. et n. *Fam.* Un peu fou : *On ne peut pas se fier à ce qu'il raconte : il est timbré. C'est un vieux timbré* (syn. pop. : DINGUE, DINGO).

timide [timid] adj. et n. (avant ou après le nom). 1° Se dit d'une personne (ou de son comportement) qui manque d'assurance en société : *Etre timide avec quelqu'un. Un enfant, un jeune homme timide. Un air, un ton timide. Des manières timides* (syn. : CONFUS, EMBARRASSÉ, GAUCHE). *C'est un timide. Les timides sont malheureux.* — 2° Se dit d'une personne (ou de ses actes) qui manque de hardiesse dans la conception ou dans la réalisation : *Un écrivain, un style timide. Une réponse timide. Un projet timide. Une traduction timide. Une satire timide* (syn. : TIMORÉ, PRUDENT, ↓ HÉSITANT). ◆ **timidement** adv. : *Répondre timidement.* ◆ **timidité** n. f. 1° Manque d'assurance en société : *Comment vaincre, surmonter sa timidité* (syn. : CONFUSION, EMBARRAS, GAUCHERIE, GÊNE, HONTE ; contr. : AUDACE, APLOMB, ASSURANCE, SANS-GÊNE, OUTRECUIDANCE). — 2° Manque de hardiesse d'un comportement, d'un écrit, etc. : *J'ai été surpris par la timidité de sa traduction.*

timon [timɔ̃] n. m. Longue pièce de bois à l'avant-train d'une voiture, d'une machine agricole, de chaque côté de laquelle on attelle les chevaux ou les bœufs : *Un cheval attelé au timon d'un carrosse.*

1. timonerie [timɔnri] n. f. Ensemble des tringles, des barres qui commandent la direction, les freins, etc., dans un véhicule.

2. timonerie n. f. V. TIMONIER.

timonier [timɔnje] n. m. Matelot ou gradé chargé de la barre, de la veille et des signaux. ◆ **timonerie** n. f. 1° Partie du navire où sont les appareils de navigation. — 2° Service des timoniers : *Le quartier-maître de timonerie.*

timoré, e [timɔre] adj. Se dit d'une personne (ou de son comportement) qui n'ose rien entreprendre, par crainte du risque, de la nouveauté, de la responsabilité : *Etre timoré, avoir un caractère timoré* (syn. : CRAINTIF, PUSILLANIME).

tintamarre [tɛ̃tamar] n. m. *Fam.* Vacarme fait de toutes sortes de bruits discordants : *Le tintamarre des avertisseurs. Faire du tintamarre* (syn. : TAPAGE).

tinter [tɛ̃te] v. intr. 1° (sujet nom désignant une cloche, une horloge, etc.) Résonner lentement, par coups espacés, le battant ne frappant que d'un côté : *L'heure tinte au clocher de l'église.* — 2° Produire des sons aigus : *Les bidons de lait tintent sur le trottoir. Les clés tintent. Les verres qui s'entrechoquent tintent.* — 3° *Les oreilles me tintent,* j'éprouve un bourdonnement d'oreilles. ‖ Fam. *Les oreilles ont dû vous tinter,* vous avez dû sentir qu'on parlait de vous en votre absence (syn. : CORNER). ◆ v. tr. *Tinter une cloche,* la faire tinter. ◆ **tintement** n. m. 1° Son de ce qui tinte : *Le tintement des cloches, des clarines, d'un grelot.* — 2° *Un tintement d'oreilles,* un bourdonnement d'oreilles donnant la sensation d'un son aigu.

tintin [tɛ̃tɛ̃] n. m. Pop. *Faire tintin,* être privé de quelque chose : *On va encore faire tintin* (syn. : SE METTRE LA CEINTURE). ◆ **tintin!** interj. *Pop.* Exclamation de dépit : *Mais nous, tintin, on n'a rien eu!*

tintouin [tɛ̃twɛ̃] n. m. 1° *Fam.* Difficultés, soucis : *Cette affaire lui a donné du tintouin* (syn. : DU FIL À RETORDRE). *Se donner du tintouin* (syn. : DU MAL). — 2° *Pop.* Vacarme : *Il y en a un tintouin là-dedans.*

tiquer [tike] v. intr. *Fam.* Manifester involontairement sa surprise, son mécontentement : *Il a tiqué quand on lui a dit le prix. Ça l'a fait tiquer.*

tiqueté, e [tikte] adj. Marqué de petites taches : *Un chien, un oiseau tiqueté.*

tir n. m. V. TIRER 3.

tirade [tirad] n. f. 1° Au théâtre, long monologue ininterrompu : *Un acteur qui débite une tirade d'une voix monotone.* — 2° *Péjor.* Long développement, plus ou moins emphatique ou véhément : *Il a commencé à me faire toute une tirade sur son travail.*

1. tirage n. m. V. TIRER 1, 4, 7, 9.

2. tirage [tiraʒ] n. m. Fam. *Il y a du tirage,* des difficultés : *Il y a du tirage entre eux en ce moment* (syn. : FRICTIONS).

tirailler v. tr., **tiraillerie** n. f. V. TIRER 1; **tirailler** v. intr., **tirailleur** n. m. V. TIRER 3; **tirant** n. m. V. TIRER 1 et 8; **tiré, e** adj. V. TIRER 1 et 5; **tiré** n. m. V. TIRER 3 et 4; **tireur** n. m. V. TIRER 3 et 5; **tireuse** n. f. V. TIRER 6.

tire [tir] n. f. Arg. *Vol à la tire,* vol qui consiste à tirer un objet de la poche ou du sac de quelqu'un; *voleur à la tire,* voleur qui pratique ce genre de larcin (syn. : PICKPOCKET).

tire-au-flanc [tiroflɑ̃] n. m. invar. *Fam.* Soldat qui cherche à échapper aux corvées; celui qui se soustrait au travail (syn. : PARESSEUX, SIMULATEUR).

tire-bouchon n. m., **tire-bouchonner** v. intr. V. BOUCHON.

tire-d'aile (à) [atirdɛl] loc. adv. Avec de vigoureux battements d'ailes, rapidement : *Des oiseaux s'enfuient à tire-d'aile.*

tire-larigot (à) [atirlarigo] loc. adv. Fam. *Boire à tire-larigot,* boire beaucoup.

tire-ligne [tirliɲ] n. m. Instrument servant à tracer des lignes : *Un compas à tire-ligne. Des tire-lignes. Utiliser un tire-ligne.*

tirelire [tirlir] n. f. Récipient muni d'une fente où l'on introduit des pièces de monnaie pour les mettre de côté : *Mettre de l'argent dans une tirelire.*

1. tirer [tire] v. tr. **1°** *Tirer quelqu'un, quelque chose,* les amener vers soi, les entraîner derrière soi : *Tirer la poignée du frein à main. Tirer la sonnette d'alarme. Tirer un tiroir* (= l'ouvrir). *Tirer un verrou* (= le fermer ou l'ouvrir). *Cheval qui tire une charrette. Le tracteur tire une remorque. Tirer quelqu'un à l'écart.* — **2°** *Tirer une ligne, un trait,* les tracer. ‖ *Tirer un plan,* l'élaborer, le tracer. ‖ Fam. *Tirer les ficelles,* être l'organisateur, l'inspirateur caché de quelque chose. ‖ Fam. *Tirer les oreilles à quelqu'un,* le réprimander. ‖ *Se faire tirer l'oreille,* se faire prier, n'accéder qu'à contrecœur aux désirs de quelqu'un. ‖ (sujet nom de chose) *Tirer l'œil,* attirer l'attention, se faire remarquer. ‖ *Tirer quelqu'un par la manche,* attirer son attention en saisissant la manche de son vêtement. ‖ *Tirer un texte à soi,* l'interpréter d'une façon avantageuse pour soi, le solliciter. ‖ *Tirer quelque chose en longueur,* le faire durer plus qu'il ne serait nécessaire, pour gagner du temps. ‖ Pop. *Tirer deux ans de prison, de service militaire,* etc., être en prison, au service militaire, etc., pendant cette durée. ◆ v. intr. **1°** *Tirer sur quelque chose,* exercer une traction sur cette chose : *Tirer sur les rênes pour arrêter un cheval. Ne tire pas trop sur le tissu, tu vas le déchirer.* ‖ Fam. *Tirer sur la ficelle,* exagérer, chercher à obtenir trop d'avantages : *A force de tirer sur la ficelle, il a fini par lasser tout le monde.* — **2°** *Couleur qui tire sur* (ou *vers*) *une autre,* qui s'en rapproche : *Un vert qui tire sur le bleu. Un jupe qui tire vers le marron.* — **3°** *Tirer à conséquence,* avoir des suites importantes, graves : *C'est une erreur de détail, qui ne tire pas à conséquence.* ‖ *Tirer à la ligne,* allonger exagérément un texte qu'on rédige, pour gagner davantage. ‖ Fam. *Tirer au flanc* (ou, pop., *au cul*), se dérober au travail. ‖ (sujet nom de chose) *Tirer à sa fin,* approcher de sa fin. ◆ **tiré, e** adj. **1°** *Avoir les traits tirés, le visage tiré,* amaigris et tendus par la fatigue. — **2°** Fam. *Etre tiré à quatre épingles,* être habillé avec une élégance recherchée. ◆ **tirant** n. m. **1°** Lanière fixée à la tige d'une botte ou d'un brodequin pour aider à les mettre. — **2°** Partie qui porte les attaches d'une chaussure et où passent les lacets. ◆ **tirage** n. m. *Cordon de tirage,* qui sert à tirer des rideaux, etc. ◆ **tirailler** v. tr. **1°** Tirer fréquemment, par petits coups et en plusieurs directions : *Tirailler sa moustache, les poils de sa barbe. L'enfant tiraille le tablier de sa mère. Tirailler quelqu'un par la manche.* — **2°** *Tirailler quelqu'un,* le solliciter de plusieurs côtés de manière contradictoire : *On le tiraille à droite, à gauche : il ne sait pour qui se décider. Etre tiraillé entre plusieurs possibilités* (syn. : BALLOTTER). *Le plaisir et le devoir le tiraillent. Etre tiraillé par des aspirations contradictoires* (syn. : ↑ DÉCHIRER, ÉCARTELER). ◆ **tiraillement** n. m. **1°** *Tiraillement d'estomac,* douleur spasmodique : *Avoir faim au point d'en ressentir des tiraillements d'estomac* (syn. : CRAMPE). — **2°** Déchirement moral : *Ressentir un tiraillement entre des aspirations contradictoires* (syn. : ÉCARTÈLEMENT). — **3°** (au plur.) Conflits provenant d'un désaccord entre personnes ou d'une opposition d'idéologies : *On note des tiraillements à l'intérieur de ce parti.* ◆ **tiraillerie** n. f. Conflit continuel ou répété : *Ils s'épuisent en tirailleries mesquines.*

2. tirer [tire] v. tr. **1°** *Tirer une chose d'une autre chose,* l'en faire sortir, l'en extraire, l'obtenir : *Tirer un mouchoir de sa poche. Tirer une épée du fourreau. Tirer des marchandises d'un pays. Tirer de l'argent de quelqu'un, d'une affaire. Tirer des sons d'une guitare. Une chambre qui tire sa lumière d'une lucarne. Les matières plastiques qu'on tire du pétrole. Tirer des conséquences, une leçon, une morale de quelque chose. Tirer sa force, son importance, son nom, son origine de quelque chose* (syn. : EMPRUNTER, PRENDRE). *Tirer avantage de sa position. Tirer argument d'une méprise. Tirer parti d'une situation* (syn. : PROFITER DE, UTILISER). *Tirer vanité de ses succès* (syn. : SE VANTER). *Tirer vengeance de quelqu'un* (syn. : SE VENGER DE). ‖ *Tirer une carte, un numéro,* etc., les choisir au hasard. — **2°** *Tirer la langue à quelqu'un,* la sortir de la bouche en signe de dérision. ‖ Fam. *Tirer les vers du nez à quelqu'un,* le questionner habilement. ‖ *Tirer des larmes à quelqu'un,* le faire pleurer. ‖ *On ne peut rien en tirer,* on ne peut pas obtenir de lui les explications ou le comportement souhaités. — **3°** *Tirer quelqu'un d'embarras, d'affaire, de difficulté,* etc., le faire sortir d'une situation difficile. ‖ *Tirer quelqu'un du doute, du sommeil,* etc., faire cesser chez lui le doute, le sommeil, etc. ◆ ***se tirer*** v. pr. **1°** *Pop.* Se sauver : *Il y en a un qui s'est fait prendre, les autres ont réussi à se tirer* (syn. : S'ENFUIR; littér. : S'ESQUIVER). — **2°** (sujet nom désignant une durée qui semble longue, un travail pénible) *Fam.* Se passer peu à peu : *Ça se tire!* — **3°** *Se tirer de,* réussir à sortir d'une situation fâcheuse : *Se tirer des mains* (fam., *des pattes*) *de quelqu'un. Se tirer d'un mauvais pas, du pétrin* (fam.) [syn. : SE SORTIR DE]; réussir à faire une chose difficile : *Il s'est tiré de cette tâche à merveille* (syn. : S'ACQUITTER DE). ‖ Fam. *S'en tirer,* en réchapper : *Il s'en est tout juste tiré. Il s'en est tiré à bon compte;* réussir une chose difficile : *Il s'en est bien tiré;* se débrouiller avec ce que l'on a, vivre tant bien que mal : *Ils ne sont pas riches, ils ont tout juste de quoi s'en tirer.* ‖ Fam. *S'en tirer avec quelque chose,* en être quitte pour, n'avoir que : *Il s'en est tiré avec trois mois de prison.*

3. tirer [tire] v. intr. et tr. **1°** Lancer un projectile au moyen d'une arme, faire partir un coup (sujet nom de personne); envoyer des projectiles (sujet nom désignant une arme) : *Le chasseur guette le gibier, prêt à tirer. La police avait tiré sur le fuyard. Tirer à l'arc dans son jardin. Elle a tiré cinq balles de revolver sur son mari. Le canon tirait sans arrêt depuis une heure. Une mitrailleuse qui tire cinq cents coups à la minute.* — **2°** *Tirer un gibier,* faire feu sur lui. — **3°** *Tirer un feu d'artifice,* en faire partir les fusées, les pièces. ◆ **tiré** n. m. Taillis maintenu à hauteur d'homme pour faciliter la chasse au fusil : *Les tirés de la forêt de Rambouillet.* ◆ **tir** n. m. **1°** Action de lancer un projectile au moyen d'une arme : *Le tir à l'arc, à la carabine, au fusil, au pistolet. Un tir de barrage, de harcèlement, par rafales. Aller au tir* (= à l'endroit où l'on s'exerce à tirer avec une arme). *Concentrer, diriger, régler le tir* (= la direction, la visée des projectiles). — **2°** (comme compl. du nom) *Un concours, un champ, un exercice, un stand de tir,* où l'on tire avec une arme. ‖ *La ligne de tir,* la direction de l'axe d'une arme. ‖ *Le plan de tir,* le plan vertical passant par la ligne de tir. ‖ *La puissance de tir,* la quantité de projectiles lancés en un temps donné. ◆ **tireur, euse** n. Personne qui tire avec une arme : *C'est un excellent tireur. Un tireur d'élite. Un tireur à l'arc.* ◆ **tirailler** v. intr. Tirer avec une arme à feu, souvent et sans ordre; tirer à volonté : *On entend des chasseurs tirailler dans les guérets. La troupe tiraille en ordre dispersé.* ◆ **tirailleur** n. m. **1°** Soldat détaché qui tire à volonté : *Envoyer quelques tirailleurs en avant* (syn. : ÉCLAIREUR, FRANC-TIREUR). ‖ *En tirailleurs,* dans la disposition de combat dite « ordre dispersé » : *La troupe se déploie en tirailleurs.* — **2°** Soldat indigène des anciens régiments d'infanterie coloniale : *Les tirailleurs algériens, marocains, sénégalais.*

4. tirer [tire] v. tr. *Tirer un livre,* en exécuter l'impression : *Tirer un roman à dix mille exemplaires.* ‖ *Tirer une épreuve, une estampe, une photo,* en faire un tirage. ◆ **tirage** n. m. **1°** *Le tirage d'un livre, d'un journal,* son impression : *Les corrections sont achevées, l'ouvrage est en cours de tirage;* l'ensemble, le nombre d'exemplaires, de numéros imprimés en une fois : *Un premier tirage de mille exemplaires. Un tirage de luxe* (syn. : ÉDITION). *Des journaux à fort* (*à grand, à gros*) *tirage. Le tirage est limité.* — **2°** *Un tirage* (ou *un tiré*) *à part,* une reproduction séparée d'un article de revue. — **3°** Série ou exemplaire appartenant à une série imprimée : *C'est un tirage sur vélin pur fil* (syn. : IMPRESSION). *C'est un beau tirage.* — **4°** *Le tirage d'une photographie,* la reproduction sur positif d'un cliché photographique : *Demander le développement et le tirage d'une pellicule. Faire soi-même le tirage et l'agrandissement de ses clichés. Un tirage sur papier chamois.* — **5°** *Le tirage d'une gravure,* sa reproduction définitive : *Avoir un premier tirage d'une gravure de Rembrandt.* ◆ **tiré** n. m. *Tiré à part,* reproduction séparée d'un article de revue : *La revue donne aux auteurs cinquante tirés à part de leur article* (syn. : TIRAGE).

5. tirer [tire] v. tr. *Tirer un chèque,* l'émettre. ‖ *Tirer une lettre de change sur quelqu'un,* désigner quelqu'un comme devant la solder. ◆ **tireur** n. m. Celui qui émet un chèque, une lettre de change. ◆ **tiré** n. m. Celui qui doit payer ce chèque, cette lettre de change.

6. tirer [tire] v. tr. *Tirer les cartes,* prédire l'avenir au moyen de cartes à jouer. ◆ **tireuse** n. f. *Tireuse de cartes,* syn. de CARTOMANCIENNE.

7. tirer [tire] v. tr. **1°** *Tirer une loterie,* procéder aux opérations qui font apparaître les numéros gagnants. — **2°** *Tirer un bon, un mauvais numéro, prendre un billet gagnant, perdant; être bien, mal loti.* ◆ v. intr. *Tirer au sort,* s'en remettre au sort, selon un procédé convenu, pour tel ou tel choix. ◆ **tirage** n. m. : *C'est ce soir le tirage de la loterie, hâtez-vous de prendre un billet. Le tirage au sort.*

8. tirer [tire] v. tr. (sujet nom désignant un navire). Déplacer une quantité d'eau donnée : *Un paquebot qui tire six mètres* (= dont la quille pénètre dans l'eau à une profondeur de six mètres). ◆ **tirant** n. m. *Tirant d'eau,* distance verticale dont un navire s'enfonce dans l'eau : *Un paquebot chargé et d'un fort tirant d'eau.* ‖ *Tirant d'air,* hauteur libre du pont d'un navire au-dessus de l'eau.

9. tirer [tire] v. intr. *Cheminée, poêle qui tire,* qui a une bonne circulation d'air, facilitant la combustion : *Depuis que cette cheminée a été surélevée, elle tire beaucoup mieux.* ◆ **tirage** n. m. : *Régler le tirage d'un poêle. Le tirage se fait mal à cause de la pluie.*

tire-sou [tirsu] n. et adj. *Fam.* Personne avide de gains mesquins : *Ils ont toujours été tire-sous.*

tiret n. m. V. PONCTUATION.

tirette [tirɛt] n. f. Planchette mobile, à glissière, pouvant sortir d'un meuble et y rentrer : *Poser des livres sur la tirette du bureau.*

tiroir [tirwar] n. m. **1°** Petite caisse emboîtée dans une armoire, une table, et qu'on peut faire coulisser : *Ouvrir, fermer, tirer, pousser un tiroir. Mettre des papiers dans un tiroir. Fouiller un tiroir.* — **2°** *Pièce, roman à tiroirs,* comportant des passages étrangers à l'action principale. ‖ Fam. *Nom à tiroirs,* nom très long, composé de plusieurs éléments reliés par des prépositions (syn. : À RALLONGES).

tisane [tizan] n. f. Boisson obtenue par macération, infusion ou décoction de plantes médicinales dans l'eau : *Une tisane de queues de cerise. Boire, se faire une tisane.*

tison [tizɔ̃] n. m. **1°** Reste d'un morceau de bois brûlé, encore rouge : *Souffler sur les tisons. Rapprocher des tisons dans la cheminée pour essayer de rallumer un feu. Eteindre un tison* (syn. : BRAISE, BRANDON). — **2°** *Allumette tison,* allumette dont la flamme résiste au vent. ◆ **tisonner** v. tr. et intr. *Tisonner le feu,* remuer les tisons d'un feu pour le raviver, l'attiser. ◆ **tisonnier** n. m. Tige de fer droite ou recourbée pour attiser le feu : *Arranger les bûches avec un tisonnier.*

tisser [tise] v. tr. **1°** *Tisser de la laine, du coton,* etc., entrelacer des fils de laine, de coton, etc., en longueur et en largeur pour fabriquer un tissu : *Un métier à tisser.* — **2°** *Araignée qui tisse sa toile,* qui la confectionne. — **3°** (en parlant de liens abstraits, de récits, d'intrigues, avec le part. passé *tissu,* littéraire, ou *tissé*) Constituer d'un réseau, d'un lacis de : *Un récit tissé de mensonges* (syn. : MÊLER). *Une existence tissue d'intrigues* (syn. : FORMER). ◆ **tissage** n. m. **1°** Ensemble d'opérations constituant la fabrication des tissus : *Le tissage d'une tapisserie.* — **2°** Etablissement industriel où l'on fabrique les tissus : *Un tissage mécanique.* ◆ **tisserand** n. m. Artisan qui fabrique des tissus sur un métier à bras. ◆ **tisseur, euse** n. Ouvrier sur métier à tisser.

1. tissu [tisy] n. m. **1°** Etoffe de fils entrelacés : *Un tissu de coton. L'endroit et l'envers d'un tissu. Choisir un tissu pour un costume. Un marchand de tissus.* — **2°** (avec un compl. du nom abstrait) *Péjor.* Suite enchevêtrée de choses : *Un tissu de mensonges, d'horreurs, d'inepties, de contradictions.* ◆ **tissu-éponge** n. m. Etoffe bouclée et spongieuse : *Une serviette en tissu-éponge. Des tissus-éponges.*

2. tissu [tisy] n. m. Ensemble de cellules biologiques de même structure et de même fonction : *Le tissu osseux, nerveux, conjonctif, musculaire. Un tissu sain, altéré.* ◆ **tissulaire** adj. Relatif aux tissus biologiques.

titan [titɑ̃] n. m. Personne d'une puissance extraordinaire (littér.) : *Un travail de titan* (= colossal, gigantesque). ◆ **titanesque** adj. Surhumain, qui dépasse la mesure de l'homme : *Un effort, une entreprise titanesque.*

titi [titi] n. m. *Pop.* Gamin (de Paris) : *C'est tout à fait le titi parisien* (syn. : GAVROCHE).

titiller [titije] v. tr. Chatouiller légèrement et agréablement (littér.) : *Titiller la luette.* ◆ **titillation** [titilasjɔ̃] n. f. Chatouillement léger, agréable et irritant à la fois.

1. titre [titr] n. m. 1° Nom, désignation d'une distinction, d'une dignité particulière à une personne, ou d'une charge, d'une fonction généralement élevée : *Le titre de comte, de duc, de pair de France, de maréchal, d'amiral. Un titre nobiliaire, universitaire. Le titre de directeur général, de président, de docteur, de professeur.* — 2° *Le titre de* (suivi d'un nom désignant une qualité sociale, une qualification), le nom, la qualité de : *Le titre de père, d'époux, d'allié, de citoyen, de champion du monde. Donner à quelqu'un le titre de bienfaiteur.* — 3° (souvent au plur.) Qualité qui donne un droit moral à : *Des titres de reconnaissance. Avoir des titres à la reconnaissance, à la considération de quelqu'un* (syn. : DROIT). — 4° Qualité attestée par un diplôme, un grade, un poste particuliers : *Etre admis sur titres. De tous les candidats, c'est lui qui a le plus de titres.* — 5° Qualité de champion dans une compétition sportive : *Disputer, remporter un titre. Défendre son titre. Détenir le titre. Mettre son titre en jeu.* — 6° (en parlant d'une personne) *En titre,* qui a le titre (par oppos. à *auxiliaire, suppléant*) : *Professeur en titre* (syn. : TITULAIRE); reconnu comme tel (par oppos. à *occasionnel, temporaire*) : *C'est sa maîtresse en titre* (syn. : ATTITRÉ). ‖ *A ce titre, à quel titre?, au même titre (que),* pour cette raison, pour quelle raison?, pour la même raison : *« A quel titre demandez-vous cette réduction? — Au même titre que vous ».* ‖ *A titre* (avec un adj.), forme une locution complément de manière : *A aucun titre. A des titres divers. A double titre. On lui a donné cela à titre exceptionnel, personnel, officiel. Je vous le dis à titre amical.* ● LOC. PRÉP. *A titre de,* en qualité de (avec un nom désignant une personne) : *A titre d'ami* (syn. : EN TANT QUE); pour servir de, comme (avec un nom désignant une chose) : *A titre d'indemnité, d'essai, d'exemple.* ◆ **titré, e** adj. Se dit de quelqu'un qui possède un titre nobiliaire : *Les gens titrés.* ◆ **titulaire** adj. et n. 1° Se dit de celui qui possède un emploi en vertu d'un titre qui lui a été personnellement donné : *Un professeur titulaire. Etre titulaire d'une chaire. Le titulaire d'un poste.* — 2° Se dit de celui qui a le droit de posséder : *Les titulaires de la carte de famille nombreuse, du permis de conduire.* (V. TITRE 1 et 3.) ◆ **titulariser** v. tr. *Titulariser quelqu'un,* le rendre titulaire de son emploi : *Titulariser un instituteur. Etre titularisé dans le poste qu'on occupait.* ◆ **titularisation** n. f. : *Faire une demande de titularisation.*

2. titre [titr] n. m. 1° Nom, désignation d'un livre, d'un chapitre : *Cet auteur a le génie des titres. Choisir un titre. Un bon, un mauvais titre. Le livre a pour titre... Cela a paru sous un autre titre que celui de l'original. La page de titre.* (V. INTITULER.) ‖ *Faux titre,* titre imprimé en petits caractères sur la page précédant la page de titre d'un livre. ‖ *Titre courant,* le titre imprimé en haut de chaque page d'un livre. — 2° Dans les journaux, expression ou phrase présentant un article en gros caractères : *Les gros titres de la une* (syn. : MANCHETTE). — 3° (souvent suivi d'un numéro en chiffres romains) Subdivision d'un code, d'une section d'un recueil de règlements, d'une série de clauses d'un contrat : *Le titre IV du Code général des impôts.* ◆ **titrer** v. tr. (sujet nom désignant un journal). Mettre pour titre : *Ce matin, le journal titre sur cinq colonnes « Catastrophe aérienne ».* ◆ **sous-titre** n. m. 1° Titre placé après le titre principal d'un livre et destiné à le compléter. — 2° Traduction résumée des paroles d'un film en version originale, placée au bas de l'image. ◆ **sous-titrer** v. tr. (souvent au passif) : *Sous-titrer un article de presse. Sous-titrer un film. Un film en version originale sous-titrée.*

3. titre [titr] n. m. 1° Ecrit, document établissant un droit social : *Un titre de propriété* (syn. : CERTIFICAT). *Un titre de transport* (syn. : BILLET, TICKET). — 2° Certificat représentant une valeur mobilière : *Un titre de rente. Vendre des titres.*

4. titre [titr] n. m. 1° Richesse d'un alliage en métal pur : *Le titre d'un alliage est le rapport de la masse de métal fin à la masse totale. Le titre d'une monnaie. Le titre de l'or.* — 2° *Le titre d'une solution,* le rapport de la masse de corps dissous à la masse de la solution : *Le titre d'un alcool* (syn. : DEGRÉ, TITRAGE). ◆ **titrer** v. tr. 1° Déterminer le titre d'une solution, d'un alliage : *Titrer un alcool.* — 2° (sujet nom désignant une solution, généralement alcoolique) Avoir tant de degrés pour titre : *Une liqueur qui titre 35°.* ◆ **titrage** n. m. : *Le titrage d'un alcool.*

tituber [titybe] v. intr. Marcher d'un pas hésitant, en étant presque sur le point de tomber : *Un ivrogne qui avance en titubant sur la chaussée* (syn. : CHANCELER, VACILLER). ◆ **titubant, e** adj. : *Un pas titubant. Une démarche titubante. Un ivrogne titubant.* ◆ **titubation** n. f. : *Il se releva tout étourdi et s'avança avec une légère titubation.*

titulaire adj. et n. V. TITRE 1.

1. toast [tost] n. m. Brève allocution invitant à boire à la santé de quelqu'un, au succès d'une entreprise : *Porter un toast* (= lever son verre en l'honneur de quelqu'un ou de quelque chose).

2. toast [tost] n. m. Tranche de pain de mie grillée : *Se faire servir du thé et des toasts beurrés* (syn. : RÔTIE). ◆ **toasteur** n. m. Syn. de GRILLE-PAIN.

toboggan [tɔbɔgɑ̃] n. m. 1° Glissière en pente, qui est une attraction de fête foraine ou un accessoire de jardin d'enfants : *Les enfants jouent sur le toboggan.* — 2° Dispositif pour acheminer les marchandises d'un étage à l'autre. — 3° Traîneau bas, sur patins : *Piste de toboggan. Faire du toboggan.*

1. toc! [tɔk] interj. 1° *Toc toc,* onomatopée exprimant plusieurs bruits secs : *Faire toc toc à la porte de la chambre.* — 2° Fam. *Et toc!,* se dit après une repartie prompte et bien formulée (syn. : BIEN ENVOYÉ).

2. toc [tɔk] n. et adj. 1° Fam. *C'est du toc,* se dit d'un faux, d'une imitation d'un objet de valeur, particulièrement de bijoux : *Un bijou en toc.* — 2° Fam. *Ça fait toc, c'est toc,* se dit de ce qui paraît d'un goût prétentieux et ridicule. ◆ **tocard, e** adj. *Pop.* Se dit de ce qui est laid, sans goût, sans valeur : *Des habits tocards. Ça fait tocard.* ◆ **tocard** n. m. *Pop.* 1° Mauvais cheval, en termes de turf. — 2° Personne incapable : *C'est un tocard!*

tocante ou **toquante** [tɔkɑ̃t] n. f. *Pop.* Montre.

toccata [tɔkata] n. f. Composition musicale pour clavier : *La toccata et fugue en « ré » de J.-S. Bach.*

tocsin [tɔksɛ̃] n. m. Sonnerie de cloche répétée et prolongée, en signe d'alarme : *Sonner le tocsin. Le bruit du tocsin.*

toge [tɔʒ] n. f. Robe de cérémonie de certaines professions : *Une toge d'avocat, de magistrat, de professeur. Des professeurs en toge.* (La *toge* était un vêtement ample et long porté par les anciens Romains.)

tohu-bohu [tɔybɔy] n. m. Grand désordre, avec une idée de mouvements et de bruits confus : *Le tohu-bohu des enfants. Dans le tohu-bohu du départ. Tout ce remue-ménage fait un tohu-bohu!*

toi pron. pers. V. TU.

toile [twal] n. f. 1° Tissu de lin, de chanvre ou de coton : *De la toile à sac. De la toile blanchie. Un complet d'été en toile. Des draps de toile. De la toile imprimée. De la toile d'Armentières. De la toile fine. Une toile de tente.* — 2° Pièce de toile montée sur un châssis et préparée pour servir de support à une peinture; peinture exécutée sur ce support : *Peinture sur toile. Acheter des toiles. Exposer une toile. Peindre une toile. Une toile de maître. Gâcher de la toile, barbouiller de la toile* (= faire de la mauvaise peinture, être un mauvais peintre). — 3° *Toile de fond,* toile sur laquelle sont représentés les derniers plans d'un décor de théâtre; contexte social, politique, etc., sur lequel se détache quelque chose. ◆ **toilerie** n. f. Fabrication, commerce de la toile; fabrique de toile. ◆ **entoiler** v. tr. Recouvrir de toile : *Entoiler la carcasse d'un cerf-volant.* ◆ **entoilage** n. m.

1. toilette [twalɛt] n. f. 1° Ensemble des soins de propreté du corps : *Faire sa toilette* (syn. : ABLUTIONS). *Etre à sa toilette. Faire un brin de toilette, une grande toilette. Une serviette, un gant, une trousse de toilette. Un meuble, une table de toilette.* ‖ *Cabinet de toilette,* pièce aménagée pour se laver. — 2° L'habillement et la parure, en parlant d'une femme : *Aimer la toilette. Etre en grande toilette. En toilette de bal, de mariée. Parler toilette.* — 3° Costume féminin : *Elle a toujours de nouvelles toilettes. On voit beaucoup de toilettes d'été. Une toilette de mariée. Une toilette élégante, voyante. Sa toilette était en désordre.*

2. toilettes [twalɛt] n. f. pl. Cabinets d'aisances : *Aller aux toilettes. Demander où sont les toilettes* (syn. : LAVABOS).

toise [twaz] n. f. Tige verticale graduée, pour mesurer la taille humaine : *Les conscrits passent à la toise.* ◆ **toiser** v. tr. *Toiser quelqu'un,* le mesurer à la toise.

1. toiser v. tr. V. TOISE.

2. toiser [twaze] v. tr. *Toiser quelqu'un,* le regarder de haut en bas avec mépris, ou avec défi.

toison [twazɔ̃] n. f. 1° Laine d'un mouton ou d'autres animaux au pelage épais : *La toison imprégnée de suint des brebis.* — 2° Chevelure très abondante d'une personne : *Elle a une belle toison.*

toit [twa] n. m. 1° Couverture d'une maison : *Un toit en terrasse. Un toit de tuile, d'ardoise, de chaume, de tôle ondulée. Réparer le toit. Grimper sur le toit. Du haut de la cathédrale, on a une belle vue sur les toits de la ville.* ‖ *Habiter sous les toits,* dans une mansarde. ‖ Fam. *Crier quelque chose sur les toits,* le dire à tout le monde, le divulguer. — 2° Paroi supérieure d'un véhicule : *Le toit de la voiture.* — 3° Maison, habitation : *Avoir un toit. Etre sans toit.* ‖ *Sous le toit de,* dans la maison de : *Vivre sous le toit de ses parents, sous le toit paternel. Vivre sous le même toit avec quelqu'un.* ◆ **toiture** n. f. Ensemble des pièces qui constituent la couverture d'un édifice : *Une toiture vitrée. L'orage a endommagé la toiture.*

1. tôle [tol] n. f. Feuille de fer ou d'acier : *De la tôle galvanisée. Un toit recouvert de tôle ondulée. Une grosse tôle. Les tôles d'un bateau.* ◆ **tôlée** adj. f. *Neige tôlée,* neige fondue et reglacée, dangereuse pour les skieurs. ◆ **tôlerie** n. f. 1° Fabrication de la tôle; atelier où l'on travaille la tôle. — 2° Ensemble des tôles de quelque chose : *Un accident de voiture où il n'y a que la tôlerie d'abîmée.* ◆ **tôlier** n. et adj. m. Ouvrier qui travaille la tôle : *Un ouvrier tôlier.*

2. tôle ou **taule** [tol] n. f. *Pop.* 1° Prison : *Il est en tôle. Faire de la tôle. Il a eu trois mois de tôle.* — 2° *Pop.* Chambre meublée. ◆ **tôlier** n. m. *Pop.* Propriétaire d'une chambre meublée mise en location. (Le fém. *tôlière* est parfois usité.)

tolérer [tɔlere] v. tr. 1° *Tolérer quelqu'un,* admettre sa présence à contrecœur, le supporter : *Ils se tolèrent l'un l'autre.* — 2° *Tolérer quelque chose,* le laisser subsister, le supporter : *Tolérer les abus. Elle tolère tous vos défauts. Tolérer l'exercice d'un culte.* ‖ *Tolérer que,* permettre (suivi du subj.) : *Vous tolérez qu'on vous dise cela?* — 3° *Tolérer un médicament, un traitement,* le supporter sans réaction pathologique. ◆ **tolérant, e** adj. Qui fait preuve de tolérance : *Un pays tolérant. Un mari tolérant* (syn. : INDULGENT). *Etre tolérant pour les autres religions. Une doctrine tolérante. Un caractère tolérant* (syn. : COMPRÉHENSIF). ◆ **tolérance** n. f. 1° Respect de la liberté d'autrui, de ses manières de penser et de vivre, et particulièrement de ses opinions religieuses : *Faire preuve de tolérance à l'égard de quelqu'un* (syn. : COMPRÉHENSION, LARGEUR D'ESPRIT). *Ce qui lui manque le plus, c'est la vertu de tolérance. La tolérance religieuse.* — 2° Liberté limitée accordée sur un point particulier : *Ce n'est pas un droit, c'est une tolérance. Une tolérance grammaticale, orthographique* (syn. : LICENCE). — 3° Ecart admis entre les caractéristiques théoriques et les caractéristiques réelles d'un objet manufacturé : *Une tolérance de calibre pour une pièce mécanique, de poids, de titre pour une monnaie.* — 4° Capacité de l'organisme de supporter sans mal certains agents physiques ou chimiques : *La tolérance aux barbituriques.* — 5° *Maison de tolérance,* maison de prostitution anciennement tolérée par la loi (syn. : MAISON CLOSE). ◆ **tolérable** adj. Se dit de ce que l'on peut tolérer : *Cette existence n'est plus tolérable* (syn. : SUPPORTABLE). *Une négligence qui n'est guère tolérable* (syn. : ADMISSIBLE, EXCUSABLE). ◆ **intolérable** adj. : *Un bruit intolérable. Des abus intolérables.* ◆ **intolérant, e** adj. 1° *Intolérant à quelque chose,* qui ne le supporte pas : *Son organisme est intolérant à de tels médicaments.* — 2° (sans compl.) Se dit d'une personne qui ne respecte pas la liberté de pensée (syn. : FANATIQUE). ◆ **intolérance** n. f. : *Intolérance religieuse, politique.*

tollé [tɔle] n. m. Clameur générale de protestation, de réprobation : *Il y eut un tollé général. Soulever un tollé* (contr. : ACCLAMATION).

tomaison n. f. V. TOME.

tomate [tɔmat] n. f. Fruit rouge, charnu et comestible d'une plante potagère, dite aussi *tomate : Une salade de tomate. Des tomates à la provençale. Sauce tomate* (= sauce faite de tomates fraîches ou en concentré).

tombe [tɔ̃b] n. f. 1° Fosse, recouverte ou non d'une dalle, où l'on enterre un mort : *Descendre le cercueil dans la tombe. Une tombe toute fraîche. Creuser une tombe* (syn. : FOSSE, SÉPULTURE). *Fleurir une tombe. Aller se recueillir sur la tombe de quelqu'un* (= auprès de sa tombe). — 2° Pierre tombale : *Un nom et deux dates gravés sur une tombe.* — 3° *Etre muet, triste comme une tombe,* observer un mutisme absolu, être très triste. ‖ *Se retourner dans sa tombe,* se dit d'un mort qu'on imagine bouleversé par ce qui vient d'être dit. ‖ *Etre au bord de la tombe, avoir un pied dans la tombe,* être près de la mort. ‖ *Suivre quelqu'un dans la tombe,* mourir peu de temps après lui. ◆ **tombale** adj. f. *Pierre tombale,* qui recouvre une tombe. ‖ *Inscription tombale,* écrite sur une tombe.

tombeau [tɔ̃bo] n. m. 1° Monument funéraire élevé sur la tombe d'un ou de plusieurs morts : *Les tombeaux des rois à Saint-Denis. Un tombeau entouré de grilles* (syn. : SÉPULCRE). — 2° Lieu où des hommes sont morts : *Stalingrad a été le tombeau de milliers d'hommes.* — 3° (avec un nom abstrait comme compl.) Fin, disparition : *C'est le tombeau de ses espérances* (syn. : RUINE). — 4° *Fidèle jusqu'au tombeau,* jusqu'à la mort. ‖ *Mettre quelqu'un au tombeau,* causer sa mort. ‖ *Tirer du tombeau,* tirer de l'oubli, sauver de justesse. — 5° *Rouler à tombeau ouvert,* à une vitesse propre à causer un accident mortel. — 6° (avec une majusc.) Composition littéraire ou musicale en l'honneur d'un grand homme disparu : *Le « Tombeau de Charles Baudelaire » par Mallarmé.*

tomber [tɔ̃be] v. intr. (auxiliaire *être*). 1° (sujet nom de personne ou de chose) Perdre l'équilibre, être entraîné au sol par son poids : *Il a voulu courir et il est tombé* (syn. fam. : DÉGRINGOLER). *Faire tomber quelqu'un. Il est tombé malencontreusement et s'est cassé une jambe. Tomber à la renverse, sur le dos, les quatre fers en l'air, de toute sa hauteur. La chaise est tombée. Le poteau est tombé* (syn. : S'ABATTRE). *Ramasse le livre qui vient de tomber. La pluie, la neige, la grêle tombe* (= il pleut, il neige, il grêle); et impers. : *Il tombe de la pluie, de la neige, de la grêle. Il tombe des pierres du haut de cette falaise.* — 2° *Le brouillard, la brume tombe,* ils descendent vers le sol. ‖ *Le jour, le soir, la nuit tombe,* il va faire nuit. — 3° (sujet nom de personne) Périr, être tué : *Des millions d'hommes sont tombés pendant la dernière guerre. Il est tombé glorieusement. Tombé à Verdun. Tomber sur le champ de bataille, au champ d'honneur. Ils sont tombés en vain.* — 4° (sujet nom de personne) Perdre le pouvoir, être renversé : *Le ministre, le ministère est tombé. Faire tomber le gouvernement.* — 5° *Ville, garnison qui tombe,* qui succombe devant l'adversaire : *La ville est tombée après une résistance héroïque.* — 6° (sujet nom de chose) Etre, rester pendant : *Une draperie qui tombe majestueusement. Cette robe tombe très bien* (= d'un mouvement souple, sans faux plis). *Il a des épaules qui tombent. Avoir un nez qui tombe* (= un nez crochu). ‖ *Les bras m'en tombent,* se dit pour marquer la stupéfaction ou le découragement. — 7° (sujet nom désignant un phénomène, un état, un sentiment) Perdre de son intensité, passer à un niveau inférieur, cesser : *Le vent est tombé* (syn. : CESSER, DÉCLINER). *Sa fièvre est tombée. Son exaltation est tombée* (syn. : SE CALMER, S'APAISER). *La conversation tombe. Les cours de la Bourse sont tombés. Faire tomber les prix* (syn. : BAISSER). *Toutes ses préventions sont tombées* (syn. : SE DISSIPER, S'ÉVANOUIR). — 8° *Spectacle qui tombe,* ou *qui tombe à plat,* qui ne rencontre aucun succès : *La pièce est tombée au bout de quelques représentations.* — 9° Fam. *Laisser tomber quelqu'un, quelque chose,* l'abandonner, cesser de s'y intéresser : *Elle l'a laissé tomber pour un autre* (syn. : QUITTER). *On ne laisse pas tomber ses amis* (syn. : NÉGLIGER). *J'ai laissé tomber le sport* (syn. : DÉLAISSER). — 10° (sujet nom de personne) *Tomber* suivi d'un attribut, devenir subitement, surtout dans les expressions *tomber malade, tomber paralysé, tomber amoureux.* ‖ *Tomber mort, raide mort,* mourir tout d'un coup. ‖ *Tomber d'accord,* s'accorder. — 11° (sujet nom désignant une date, un événement) *Tomber* suivi d'un complément circonstanciel de temps sans préposition, coïncider avec, arriver, survenir : *Son anniversaire tombe un dimanche. Ça tombe un samedi. Deux rendez-vous qui tombent le même jour.* — 12° (sujet nom de personne) *Tomber bien, tomber mal,* être bien ou mal servi par le hasard, arriver à propos ou non : *Vous tombez mal, il vient de partir* (syn. : NE PAS AVOIR DE CHANCE, JOUER DE MALHEUR). *Ils sont bien, mal tombés.* ‖ *Tomber bas, bien bas,* être dans un état de déchéance physique ou morale avancé : *Le pauvre vieux, il est tombé bien bas.* — 13° (sujet nom de chose) *Tomber mal,* survenir mal à propos. ‖ *Tomber bien, à point, à pic* (fam.), survenir à un moment opportun : *Il avait un besoin urgent d'argent, cet héritage tombe bien.* ‖ *Opération, calcul qui tombe juste,* qui ne comporte pas de reste, qui donne un résultat précis. — 14° *Tomber sur quelqu'un, sur quelque chose,* le rencontrer, le trouver par hasard : *Je suis tombé sur lui en sortant du café. Je suis tombé sur un livre que je cherchais depuis longtemps. La conversation tomba sur ce film.* — 15° *Tomber sur quelqu'un,* l'attaquer soudainement : *Tomber sur l'ennemi à la faveur d'une embuscade. Ils nous sont tombés dessus à bras raccourcis;* le critiquer violemment : *Ils sont tombés sur lui sans ménagement* (syn. : ACCABLER; fam. : ÉREINTER). — 16° *Tomber dans un piège, une embuscade,* etc., en être victime. ‖ *Tomber dans le malheur, dans l'oubli, dans le discrédit,* etc., devenir malheureux, oublié, discrédité, etc. ‖ *Tomber dans l'excès, dans l'erreur,* etc., s'en rendre coupable. ‖ *Rue qui tombe dans une autre,* qui y aboutit, y débouche. — 17° (sujet nom de personne) *Tomber en* (et un nom), être saisi par un mal : *Tomber en défaillance, en syncope* (= s'évanouir, se trouver mal). Tomber en langueur. Tomber en *enfance.* || *Tomber en disgrâce,* être disgracié. || *Chien qui tombe en arrêt,* qui s'immobilise devant le gibier. || *Personne qui tombe en arrêt,* qui s'arrête, surprise, devant quelque chose. — **18°** (sujet nom de chose) *Tomber en,* se réduire à l'état de : *Tomber en lambeaux, en morceaux, en poussière, en ruine. Tomber en friche.* || *Tomber en décadence,* devenir décadent. || *Tomber en désuétude,* sortir de l'usage. || *Tomber en panne,* avoir un arrêt accidentel. — **19°** *Tomber de son haut,* être extrêmement surpris, revenir d'une idée fausse. || *Tomber des nues,* manifester une surprise naïve. || *Tomber de fatigue, de sommeil,* etc., être épuisé de fatigue, pressé de sommeil, etc. || (sujet nom de chose) *Tomber du ciel,* survenir de façon inattendue et favorable : *Cet argent tombe du ciel.* — **20°** (sujet nom de personne) *Tomber sous,* être obligé de subir : *Tomber sous le joug, sous la coupe, sous la domination de l'ennemi.* || *Tomber sous le coup de la loi,* être passible d'une peine. — **21°** (sujet nom de chose) *Tomber sous,* se trouver par hasard à portée de : *Il mange tout ce qui lui tombe sous la dent. Cet article m'est tombé sous les yeux. Cette photo m'est tombée sous la main alors que j'avais renoncé à la chercher;* et impersonnellem. : *Il m'est tombé sous la main un livre curieux.* || *Tomber sous le sens,* être évident : *Cela tombe sous le sens* (syn. : CREVER LES YEUX). ◆ v. tr. **1°** *Tomber quelqu'un,* en termes de sport, vaincre l'adversaire en lui faisant toucher la terre des épaules. — **2°** Pop. *Tomber une femme,* la séduire facilement. — **3°** Fam. *Tomber la veste,* enlever sa veste à cause de la chaleur ou pour se battre. ◆ **tombant, e** adj. **1°** Qui tombe : *Des épaules tombantes. Des moustaches tombantes.* — **2°** *A la nuit tombante,* à l'approche de la nuit. ◆ **tombée** n. f. *Tombée du jour, de la nuit,* moment où la nuit arrive : *La visibilité est mauvaise en voiture à la tombée de la nuit* (syn. : CRÉPUSCULE). ◆ **tombeur** n. m. Fam. *C'est un tombeur, un tombeur de femmes,* un séducteur, un homme à bonnes fortunes. ◆ **retomber** v. intr. (auxiliaire *être*). **1°** (sujet nom d'être animé) Tomber de nouveau, après s'être relevé. — **2°** Tomber après s'être élevé : *Un sauteur à la perche doit savoir retomber* (syn. : SE RECEVOIR). *En franchissant l'obstacle, le cheval a touché la barre et il est mal retombé.* — **3°** (sujet nom de personne) Commettre de nouveau : *Retomber toujours dans les mêmes fautes, les mêmes erreurs.* — **4°** Se trouver de nouveau dans une situation fâcheuse : *Retomber dans la misère, dans le désespoir, dans le découragement. Le pays est retombé dans le chaos, dans l'anarchie.* || *Retomber malade,* être atteint de nouveau d'une maladie (syn. : RECHUTER). — **5°** (sujet nom de chose) Tomber après avoir été relevé ou s'être élevé : *Ramasser un objet et le laisser retomber. Le ballon est monté en chandelle et il est retombé aux pieds du joueur. Les nuages retombent en pluie. Le jet d'eau retombe dans le bassin.* — **6°** Prendre d'une certaine hauteur : *Les franges des rideaux retombent jusqu'à terre. Ses longs cheveux lui retombaient sur les épaules* (syn. : TOMBER). — **7°** Descendre, s'incliner : *Retenir une poutre pour qu'elle retombe doucement. Levez les bras, puis laissez-les retomber le long du corps.* — **8°** (sujet nom de chose) *Retomber sur quelqu'un,* lui être imputé, rejaillir sur lui : *Faire retomber sur une personne la responsabilité d'une décision, d'une action* (= la lui attribuer, la rejeter sur lui). *Les frais du procès retomberont sur lui* (syn. : INCOMBER À). || Fam. *Retomber sur le nez de quelqu'un,* lui attirer un châtiment mérité. — **9°** Revenir, après un détour : *Entre hommes, la conversation retombe souvent sur les femmes.* — **10°** Fam. *Retomber sur ses pieds,* se tirer heureusement d'une situation difficile, dangereuse : *Il avait fait de mauvaises affaires, mais maintenant il est retombé sur ses pieds.* ◆ **retombée** n. f. Chose qui retombe : *Des retombées radio-actives.*

tombereau [tɔ̃bro] n. m. Camion ou charrette à caisse basculante; son contenu : *Un tombereau de sable.*

tombola [tɔ̃bɔla] n. f. Loterie de société : *Organiser une tombola. Gagner un lot à une tombola.*

tome [tɔm] n. m. Division d'un livre, correspondant généralement à la division en volumes : *Un ouvrage en trois tomes.* ◆ **tomaison** n. f. Indication du numéro du tome sur une page de titre, sur le dos d'un livre, ou sur une feuille imprimée d'un volume : *Ce livre ne porte pas de tomaison.*

tomme [tɔm] n. f. Fromage de Savoie : *De la tomme aux raisins.*

1. ton adj. poss. V. MON.

2. ton [tɔ̃] n. m. **1°** Hauteur, qualité sonore de la voix, du son : *Un ton aigu, grave, criard, nasillard, rauque. Un ton égal, descendant, montant, uniforme.* — **2°** En musique et en chant, gamme dans laquelle un morceau est composé : *Passer d'un ton à un autre. Le ton est trop haut.* — **3°** Degré de l'échelle des sons : *Il y a deux tons d'écart entre « do » et « mi ». Monter d'un quart de ton.* — **4°** En linguistique, changement de hauteur du son de la voix, utilisé à des fins morphologiques et sémantiques : *Le chinois a plusieurs tons.* ◆ **tonal, e, als** adj. Qui concerne le ton : *La musique tonale. Le système tonal.* ◆ **atonal, e, als** adj. : *Musique atonale* (= qui n'obéit pas aux règles tonales de l'harmonie). ◆ **tonalité** n. f. **1°** Caractère d'un air, d'un chant qui est écrit dans un ton déterminé : *La tonalité principale du morceau est en « ré » majeur.* — **2°** Organisation des sons musicaux selon une gamme fixe : *La musique atonale a rejeté la tonalité.* — **3°** Fidélité de reproduction d'un poste de radio s'étendant des aigus aux graves : *Un transistor qui a une bonne, une mauvaise tonalité.* ◆ **demi-ton** n. m. Le plus petit intervalle de la gamme musicale occidentale.

3. ton [tɔ̃] n. m. **1°** En peinture, couleur considérée dans son intensité : *Peindre par tons purs. Un tableau, un peintre qui a des tons chauds, froids, fondus, liés. Des tons dégradés.* — **2°** (sujet nom désignant une couleur) *Etre dans le ton,* être en harmonie avec les couleurs voisines : *Cette couleur n'est pas dans le ton.* ◆ **tonalité** n. f. Impression qui se dégage de l'ensemble des couleurs d'un tableau, de leurs rapports : *La tonalité vive, éteinte, terne d'un tableau.*

4. ton [tɔ̃] n. m. **1°** Qualité de la voix en tant que reflet d'une humeur, d'une personnalité : *Un ton arrogant, brusque, détaché, doctoral, ferme, moqueur, pédant, plaintif. Forcer le ton de sa voix. Elever, hausser le ton. Changer de ton. Modérez votre ton.* — **2°** Relation de quelque chose avec les convenances : *Le ton d'une plaisanterie.* || *De bon ton,* qui est en accord avec les bonnes manières, avec le goût de la bonne société : *Des habits, une élégance de bon ton. Il est de bon ton de ne pas* *trop se faire attendre.* — 3° Manière dont un écrivain s'exprime : *Chaque genre implique un certain ton. Un ton noble, soutenu, précieux.* — 4° *Donner le ton,* donner le repère de la hauteur du son : *Commencer par donner le ton;* régler la mode, les manières d'un groupe social : *Dans leur salon, c'est elle qui donne le ton.* ‖ (sujet nom de personne) *Etre dans le ton, avoir le ton,* se comporter comme il faut selon le milieu où l'on est, être de connivence avec son entourage : *Il s'est vite mis dans le ton* (syn. : S'ADAPTER). *Tu n'es pas dans le ton.* (V. DÉTONNER.) ◆ **tonalité** n. f. Impression d'ensemble causée par un récit du point de vue affectif : *Il se dégage du texte une tonalité romantique.*

tondre [tɔ̃dr] v. tr. (conj. **51**). **1°** *Tondre un animal,* lui couper le poil à ras : *Tondre un mouton, un caniche.* — 2° *Tondre la laine, les poils, les cheveux,* les couper à ras : *Tondre la toison d'une brebis.* ‖ Fam. *Tondre la laine sur le dos de quelqu'un,* l'exploiter abusivement, le dépouiller de ses biens. — 3° *Tondre le gazon,* le couper à ras. ‖ *Tondre une haie,* la tailler en l'égalisant. — 4° *Tondre quelqu'un,* lui couper les cheveux très ou trop courts : *Je me suis fait tondre;* le dépouiller en le frappant d'impôts excessifs : *Tondre le contribuable. Le fisc l'a tondu.* — 5° Fam. *Il tondrait un œuf,* se dit de quelqu'un de très avare. ◆ **tondeur, euse** n. Personne qui tond les moutons, les chiens : *Un tondeur de moutons.* ◆ **tondeuse** n. f. 1° Machine pour tondre les cheveux ou les poils. — 2° Machine pour tondre le gazon. ◆ **tondu, e** adj. et n. m. *Etre tondu,* avoir les cheveux coupés ras, ou rasés : *Il est tondu à neuf, de frais. Poils, cheveux tondus,* coupés ras. ◆ **tonte** n. f. **1°** Action de tondre la laine des bêtes, de tondre les gazons, les haies, etc. : *La tonte des moutons. La tonte des arbustes* (syn. : TAILLE). — 2° La laine tondue : *Ramasser en tas toute la tonte des moutons.* — 3° L'époque où l'on tond : *Pendant la tonte.*

1. tonique [tɔnik] adj. **1°** Qui fortifie ou stimule l'activité de l'organisme : *Un remède tonique. Une boisson tonique.* ‖ *Un froid tonique,* qui rend alerte. — 2° Qui a un effet stimulant sur le moral : *Une littérature tonique. Une idée tonique* ◆ n. m. 1° Médicament tonique : *Le quinquina est un tonique.* — 2° Ce qui stimule l'énergie, le moral : *La marche est un tonique. L'air de la mer est un tonique. Le rire est un tonique.* ◆ **tonicité** n. f. : *La tonicité de l'air marin.* ◆ **tonifier** v. tr. *Tonifier quelqu'un,* avoir sur lui un effet tonique : *Une bonne douche va vous tonifier. Tonifier l'esprit.* ◆ **tonifiant, e** adj. : *Un massage tonifiant. Une lecture tonifiante.*

2. tonique [tɔnik] adj. *Accent tonique,* accent d'intensité. ‖ *Syllabe tonique,* syllabe accentuée.

3. tonique [tɔnik] n. f. Première note de la gamme du ton dans lequel est composé un morceau de musique.

tonitruant, e [tɔnitryɑ̃, -ɑ̃t] adj. Qui fait un bruit énorme : *Une voix tonitruante* (syn. : TONNANT, DE STENTOR). *Un homme tonitruant.* ◆ **tonitruer** v. intr. *Fam.* Parler d'une voix forte et sonore.

tonnage [tɔnaʒ] n. m. 1° Capacité de transport d'un navire de commerce, évaluée en tonneaux : *Un bâtiment d'un fort tonnage. Des bateaux de tout tonnage.* — 2° Capacité statistique totale des navires marchands d'un port ou d'un pays : *Le tonnage du port de Marseille.*

1. tonne [tɔn] n. f. **1°** Unité de mesure de masse équivalant à mille kilogrammes (symb. : t) : *Quinze tonnes de béton. Evaluer la production de charbon en millions de tonnes.* ‖ Fam. *Des tonnes de,* d'énormes quantités de : *Eplucher des tonnes de pommes de terre.* — 2° Unité de poids équivalant à mille kilogrammes, pour évaluer le déplacement d'un navire : *Un paquebot de dix mille tonnes;* le poids d'un véhicule lourd : *Un camion de trois tonnes;* et substantiv. : *Un trois tonnes.*

2. tonne n. f. V. TONNEAU 1.

1. tonneau [tɔno] n. m. **1°** Grand récipient en bois, formé de douves assemblées et cerclées, à fonds plats; son contenu : *Mettre du vin en tonneau. Mettre un tonneau en perce. Charger des tonneaux sur un camion. Un tonneau de bière. Il ne reste plus qu'un fond de tonneau.* — 2° Fam. et péjor. *Du même tonneau,* de la même valeur (syn. : ACABIT). ◆ **tonne** n. f. Tonneau de très grandes dimensions. ◆ **tonnelet** n. m. Petit tonneau : *Un tonnelet d'huile* (syn. : BARIL, FÛT). ◆ **tonnelier** n. m. Fabricant ou réparateur de tonneaux. ◆ **tonnellerie** n. f. 1° Métier du tonnelier; atelier du tonnelier. — 2° *Bois de tonnellerie,* utilisé pour la fabrication des tonneaux, baquets, etc.

2. tonneau [tɔno] n. m. **1°** Mouvement d'acrobatie aérienne, tour complet d'un avion sur lui-même dans l'axe longitudinal : *Faire (le) un tonneau, un demi-tonneau.* — 2° Culbute accidentelle, tour complet d'une voiture dans l'axe longitudinal : *Il a manqué son virage et a fait deux tonneaux avant d'aller se jeter contre un arbre.*

3. tonneau [tɔno] n. m. Unité de capacité de transport d'un navire, valant 2,83 mètres cubes : *Un bateau de mille quatre cents tonneaux. Le port a un tonnage de cinquante mille tonneaux. Un bâtiment qui jauge 150 tonneaux.*

tonnelle [tɔnɛl] n. f. Petit pavillon de verdure sur une armature légère : *S'asseoir sous une tonnelle de jardin, sous la tonnelle d'un restaurant à la campagne.*

tonnerre [tɔnɛr] n. m. **1°** Bruit éclatant qui accompagne l'éclair de la foudre : *Le tonnerre gronde. Un grondement de tonnerre. Le fracas, le roulement du tonnerre.* ‖ Fam. *Le tonnerre tombe,* la foudre tombe : *Le tonnerre est tombé tout près d'ici.* ‖ *Coup de tonnerre,* bruit de la foudre; catastrophe imprévue : *La déclaration de guerre fut un coup de tonnerre dans un ciel bleu.* — 2° (avec un compl. du nom) Bruit assourdissant de quelque chose : *Un tonnerre d'applaudissements* (syn. : TEMPÊTE). *Le tonnerre de la bataille.* — 3° *De tonnerre,* se dit d'un bruit semblable au tonnerre : *Un bruit de tonnerre. Une voix de tonnerre* (syn. : TONNANT, TONITRUANT). ‖ Fam. *Du tonnerre, du tonnerre de Dieu,* expriment un superlatif de l'admiration : *C'est une fille du tonnerre. C'est du tonnerre!* ‖ *Tonnerre!, Tonnerre de Dieu!,* interj. exprimant la fureur, la menace. ◆ **tonner** v. impers. *Il tonne,* le tonnerre gronde. ◆ v. intr. 1° *Le canon tonne,* on entend des coups de canon. — 2° (sujet nom de personne) Crier de colère : *Tonner contre les abus* (syn. littér. : FULMINER). ◆ **tonnant, e** adj. : *Une voix tonnante* (syn. : RETENTISSANT, TONITRUANT).

tonsure [tɔ̃syr] n. f. 1° Calvitie circulaire au sommet de la tête : *Masser le cuir chevelu à l'endroit* *de la tonsure.* — 2° Petit cercle rasé au sommet de la tête des ecclésiastiques : *Porter la tonsure.* ◆ **tonsurer** v. tr. *Tonsurer quelqu'un,* lui faire une tonsure. ◆ **tonsuré, e** adj. Qui porte la tonsure : *Un clerc tonsuré.*

tonte n. f. V. TONDRE.

tonton [tɔ̃tɔ̃] n. m. *Fam.* Oncle (surtout comme appellatif).

tonus [tɔnys] n. m. **1°** Energie, dynamisme : *Manquer de tonus.* — **2°** *Tonus musculaire,* contraction partielle et permanente des muscles vivants : *Le tonus règle les attitudes du corps.* (V. TONIQUE.)

top [tɔp] n. m. Signal sonore très bref, donné pour marquer l'instant précis d'un phénomène, en général l'heure exacte : *Au quatrième top, il sera exactement dix heures quinze minutes trente secondes.*

topaze [tɔpaz] n. f. Pierre semi-précieuse, jaune, transparente : *Une topaze. Un collier de topazes.* ◆ adj. invar. : *Couleur topaze. Une liqueur topaze.*

toper [tɔpe] v. intr. (sujet nom de personne). Se taper mutuellement dans la main en signe d'accord : *Tope* (ou *topez*) *là* (= d'accord). ◆ **tope!** interj. Se dit en topant.

topinambour [tɔpinɑ̃bur] n. m. Tubercule alimentaire, utilisé surtout pour la nourriture du bétail.

topo [topo] n. m. *Fam.* Exposé, développement sur un sujet donné (syn. fam. : LAÏUS).

topographie [topografi] n. f. **1°** Etablissement scientifique des plans et des cartes. — **2°** Représentation graphique d'un terrain avec son relief. — **3°** Relief et configuration d'un terrain : *Etudier la topographie d'une région.* ◆ **topographique** adj. : *Signes topographiques. Carte topographique.* ◆ **topographiquement** adv. ◆ **topographe** n.

toponymie [tɔponimi] n. f. Etude linguistique et historique des noms de lieux. ◆ **toponymique** adj.

toquade n. f. V. TOQUER (SE).

toque [tɔk] n. f. Coiffure en étoffe, en fourrure, sans bords ou à très petits bords : *Une toque de magistrat, de cuisinier. Une toque de vison* (syn. : BONNET).

toqué, e [tɔke] adj. et n. *Fam.* Un peu fou : *Il est toqué* (syn. fam. : CINGLÉ, TIMBRÉ, MABOUL). *Un vieux toqué, une vieille toquée.*

toquer (se) [sətɔke] v. pr. Fam. *Se toquer de, être toqué de,* avoir un engouement, un caprice pour : *Il s'est toqué d'une petite danseuse* (syn. : S'AMOURACHER, S'ÉPRENDRE, S'ENGOUER). ◆ **toquade** n. f. *Fam.* Goût vif, passager et inexplicable pour quelqu'un ou pour quelque chose : *Avoir une toquade pour une femme, pour les meubles Louis XVI. Les estampes japonaises, c'est sa toquade* (syn. : LUBIE, ↑ PASSION).

torche [tɔrʃ] n. f. **1°** *Torche électrique,* lampe de poche cylindrique, de forte puissance. — **2°** Flambeau fait d'un bâton de sapin entouré de cire ou de suif, ou botte de paille serrée enflammée : *Porter une torche. Jeter des torches pour mettre le feu* (syn. : BRANDON). ◆ **torchère** n. f. Candélabre monumental, applique portant plusieurs sources de lumière.

torcher [tɔrʃe] v. tr. **1°** Essuyer pour nettoyer (mot jugé peu distingué, employé surtout comme pronominal) : *Torcher un mioche. Torcher un plat, torcher son assiette.* — **2°** Pop. *Torcher un travail,* le faire vite et mal : *Un élève qui a torché son devoir* (syn. : BÂCLER, EXPÉDIER). ‖ Fam. *Bien torché,* ou *torché,* réussi, bien enlevé : *Ça, c'est bien torché!*

torchis [tɔrʃi] n. m. Mélange de terre argileuse et de paille hachée, servant à la maçonnerie : *Des murs, des cabanes en torchis.*

torchon [tɔrʃɔ̃] n. m. **1°** Serviette de grosse toile pour essuyer la vaisselle, les meubles : *Donner un coup de torchon aux assiettes.* — **2°** Fam. *Ne pas mélanger les torchons et les serviettes,* traiter différemment les gens selon leur niveau social. ‖ Fam. *Donner un coup de torchon,* faire une épuration (syn. : NETTOYER). **3°** *Fam.* Texte, devoir mal présenté. — **4°** Journal de très basse catégorie : *Vous lisez ce torchon?* ◆ **torchonner** v. tr. **1°** *Fam.* Essuyer avec un torchon : *Torchonner la vaisselle.* — **2°** *Pop.* Syn. de TORCHER 2°.

tord-boyaux [tɔrbwajo] n. m. invar. *Pop.* Eau-de-vie très forte et de basse qualité.

tordre [tɔrdr] v. tr. (conj. **52**). **1°** *Tordre quelque chose,* le soumettre à une torsion : *Tordre du linge. Tordre le bras à quelqu'un.* ‖ Fam. *Tordre le cou à quelqu'un,* le tuer. — **2°** Déformer en pliant : *Tordre une barre de fer* (syn. : COURBER, FAUSSER, GAUCHIR). *Le vent tord les branches des arbres. La peur lui tord le visage* (syn. : DÉFORMER). — **3°** (sujet nom désignant une douleur) Torturer, donner une sensation de torsion : *Des brûlures lui tordaient l'estomac.* ◆ ***se tordre*** v. pr. **1°** (sujet nom de personne) Se plier sous l'effet d'une émotion, d'une sensation (indiquée par un compl. ou par le contexte) : *Se tordre de douleur. Il a des crises où il se tord.* — **2°** *Se tordre de rire,* ou *se tordre* (sans compl.), rire très fort : *Il y a de quoi se tordre. C'est à se tordre.* — **3°** (sujet nom de chose) Etre sinueux, contourné : *Les vrilles de la vigne se tordent. Des racines qui se tordent.* — **4°** *Se tordre un membre,* le soumettre à une torsion : *Se tordre les bras de douleur;* se faire une entorse : *Se tordre le pied.* ◆ **tordant, e** adj. *Fam.* Se dit de ce qui fait que l'on se tord de rire, de ce qui est très drôle : *Il a raconté une histoire tordante.* ◆ **tordu, e** adj. **1°** Qui est de travers : *Un tronc d'arbre tordu* (syn. : TORS). — **2°** Fam. *Avoir l'esprit tordu,* avoir des idées bizarres, penser faussement. ◆ n. **1°** Fam. *Un tordu,* un individu difforme; un fou. — **2°** S'emploie comme injure : *Va donc, eh! tordu!* ◆ **torsion** n. f. Déformation produite en exerçant sur un solide deux mouvements de rotation en sens contraire l'un de l'autre : *La torsion d'un fil de métal. Une entorse résultant de la torsion de la cheville.* ◆ **détordre** v. tr. *Détordre une corde, un écheveau, du linge,* etc., en faire disparaître la torsion. ◆ **retordre** v. tr. **1°** Tordre de nouveau : *Tordre et retordre du linge mouillé.* — **2°** *Retordre des fils de coton, de laine,* etc., les tordre ensemble. — **3°** Fam. *Donner du fil à retordre à quelqu'un,* lui créer des difficultés, lui donner du mal. ◆ **tortiller** v. tr. *Tortiller une chose,* la tordre plusieurs fois sur elle-même : *Tortiller une corde. Tortiller son mouchoir, ses moustaches. Tortiller son chapeau entre ses doigts.* ◆ v. intr. **1°** *Fam.* Chercher des détours, des subterfuges : *Il n'y a pas à tortiller* (syn. : HÉSITER, TERGIVERSER; fam. : TOURNER AUTOUR DU POT). — **2°** *Tortiller des hanches,* balancer les hanches en marchant. ◆ ***se tortiller*** v. pr. **1°** Se tourner sur soi-même de différentes façons : *Se tortiller comme* *un ver.* — 2° Fam. *Se tortiller pour faire quelque chose,* faire des efforts embarrassés pour se décider à faire quelque chose. ◆ **tortillement** n. m. Mouvement de ce qui se tortille; aspect de ce qui est tortillé. ◆ **tortillon** n. m. 1° Chose tortillée : *Un tortillon de papier. Un tortillon de cheveux.* — 2° Bourrelet de linge enroulé sur la tête pour porter un fardeau. ◆ **détortiller** v. t. : *Détortiller un fil de fer. Détortiller un bonbon* (= le retirer du papier qui l'entoure). [V. ENTORTILLER.]

toréador [tɔreadɔr] n. m. Nom donné en France à celui qui combat le taureau dans l'arène. (Les Espagnols disent TORERO.)

torgnole [tɔrɲɔl] n. f. *Pop.* Forte gifle : *Recevoir, donner, flanquer une torgnole.*

tornade [tɔrnad] n. f. 1° Coup de vent très violent et tourbillonnant : *Une tornade a dévasté les bungalows* (syn. : BOURRASQUE, CYCLONE, OURAGAN). — 2° *Entrer, faire irruption comme une tornade,* précipitamment.

torpeur [tɔrpœr] n. f. 1° Etat du corps où l'activité et la sensibilité sont réduites : *Etre plongé dans la torpeur, sous l'effet d'un narcotique* (syn. : ENGOURDISSEMENT, LÉTHARGIE). *Etre dans la torpeur qui précède le sommeil* (syn. : ASSOUPISSEMENT, SOMNOLENCE). — 2° Etat dans lequel l'activité intellectuelle est ralentie : *Cette nouvelle l'a tiré de sa torpeur. Il est dans une torpeur morne* (syn. : ABATTEMENT, ABRUTISSEMENT, DÉPRESSION, PROSTRATION). — 3° Climat, attitude de passivité : *La torpeur résignée de la foule. La torpeur d'une ville. La torpeur publique.* ◆ **torpide** adj. Qui est dans la torpeur (littér.) : *Un engourdissement torpide.*

torpille [tɔrpij] n. f. Engin automoteur chargé d'explosif, utilisé comme arme sous-marine : *Un sous-marin qui lance une torpille. Un navire coulé par une torpille.* ◆ **torpiller** v. tr. 1° *Torpiller un navire,* l'attaquer, le faire sauter avec une torpille. — 2° *Torpiller un projet,* le faire échouer par des manœuvres secrètes : *Torpiller des négociations de paix.* ◆ **torpillage** n. m. ◆ **torpilleur** n. m. Bateau de guerre très rapide, destiné à lancer des torpilles : *Les torpilleurs d'une escadre.* ◆ **contre-torpilleur** n. m. Petit bâtiment de guerre rapide et puissamment armé.

torréfier [tɔrefje] v. tr. *Torréfier des graines,* les griller, les rôtir : *Torréfier du café, de la chicorée.* ◆ **torréfaction** n. f. : *La torréfaction du café.* ◆ **torréfacteur** n. m. Appareil à torréfier.

torrent [tɔrɑ̃] n. m. 1° Cours d'eau de montagne, à forte pente, au régime irrégulier et à grande puissance d'érosion : *Un torrent impétueux, rapide. Le torrent est presque à sec en été. Le fracas d'un torrent. Les torrents des Pyrénées* (syn. : GAVE). — 2° *Il pleut à torrents,* la pluie tombe très fort. — 3° Ecoulement, débordement irrésistibles par leur force et leur abondance : *Verser des torrents de larmes* (syn. : DÉLUGE, FLOT). *Des torrents de pluie, de sang, de lave, de fumée. Un torrent de paroles, d'injures. Un torrent de musique.* ◆ **torrentiel, elle** adj. 1° Qui appartient aux torrents : *Des eaux torrentielles. Le régime torrentiel des eaux.* — 2° Qui se déverse comme un torrent : *Une pluie torrentielle. C'est un terrible parleur, il a un débit torrentiel.* ◆ **torrentiellement** adv. ◆ **torrentueux, euse** adj. Qui a l'impétuosité d'un torrent : *Un cours d'eau torrentueux.*

torride [tɔrid] adj. Où la chaleur est extrême, qui donne une chaleur très forte : *Un climat torride. Une journée torride. Un soleil, une chaleur torride.*

tors, e [tɔr, tɔrs] adj. 1° Contourné, difforme : *Des jambes torses.* — 2° Tordu en spirale : *Une colonne torse. Un verre à pied tors.*

torsade [tɔrsad] n. f. 1° Frange tordue en spirale, qui orne les rideaux, les tentures : *Un rideau à torsades.* — 2° *Une torsade de cheveux,* cheveux longs réunis et tordus ensemble. ◆ **torsadé, e** adj. Qui forme une torsade : *Une colonne torsadée.*

torse [tɔrs] n. m. 1° Partie du corps comprenant les épaules et la poitrine jusqu'à la taille : *Etre torse nu. Bomber le torse. Avoir un torse musclé* (syn. : BUSTE, POITRINE). — 2° Sculpture représentant un tronc humain, sans tête ni membres : *Un torse grec.*

torsion n. f. V. TORDRE.

tort [tɔr] n. m. 1° Situation de quelqu'un qui a commis une action blâmable, culpabilité; action blâmable (souvent au plur.) : *C'est un tort d'avoir agi aussi vite. Je reconnais mes torts.* — 2° *Etre en tort, être dans son tort,* dans l'état de celui qui a commis une infraction à la loi ou une faute envers quelqu'un : *C'est le chauffeur du camion qui est en* (ou *dans son*) *tort, puisqu'il est passé au rouge. Il s'arrange pour mettre les autres dans leur tort. Se sentir dans son tort* (contr. : ÊTRE DANS SON DROIT). ‖ *Avoir tort,* soutenir un point de vue contraire à la vérité ou à la raison; ne pas agir conformément au droit : *Il n'a pas tout à fait tort quand il prétend que ce travail ne sert à rien. Les absents ont toujours tort* (= on les rend toujours responsables de ce qui ne va pas). *Vous avez tort de vous fâcher. J'aurais tort de ne pas me servir. Il a grand tort de ne pas écouter mes conseils* (contr. : AVOIR RAISON). ‖ *Donner tort à quelqu'un,* l'accuser d'avoir tort : *Si vous me donnez tort, c'est à lui que vous donnez raison.* ‖ *A tort,* par erreur, faussement : *Accuser, soupçonner quelqu'un à tort* (syn. : INDÛMENT, INJUSTEMENT). ‖ *A tort ou à raison,* avec ou sans motif valable : *Il se plaint toujours, à tort ou à raison.* ‖ *A tort et à travers,* à la légère, inconsidérément. — 3° Dommage (dans les expressions suivantes) : *Un redresseur de torts. Redresser les torts* (syn. : INJUSTICE). *Demander réparation d'un tort* (syn. : PRÉJUDICE). ‖ *Faire* (*du*) *tort à,* causer un dommage à : *Je ne voudrais pas vous faire du tort* (syn. : LÉSER). *Il s'est fait du tort en arrivant toujours en retard à son travail. Le soleil risque de faire tort à votre peau* (syn. : NUIRE).

torticolis [tɔrtikɔli] n. m. Douleur du cou, souvent de caractère rhumatismal : *Avoir, attraper le torticolis. Avoir le torticolis à force de regarder en l'air.*

tortillard [tɔrtijar] n. m. *Fam.* Chemin de fer secondaire, qui va très lentement et fait de nombreux détours.

tortiller v. tr., **tortillon** n. m. V. TORDRE.

tortionnaire [tɔrsjɔnɛr] adj. et n. Personne qui torture quelqu'un, pour lui arracher des aveux ou par sadisme : *Les tortionnaires nazis* (syn. : BOURREAU). *Des geôliers tortionnaires.*

tortu, e [tɔrty] adj. 1° Se dit littérairement d'un objet tordu : *Un arbre tortu* (syn. : ARQUÉ). *Un nez tortu. Des jambes tortues.* — 2° *Un esprit tortu,* qui raisonne mal (syn. : FAUX).

tortue [tɔrty] n. f. 1° Reptile à pattes courtes amphibie ou terrestre, au corps enfermé dans une carapace de corne : *Une tortue d'eau douce. Du bouillon, des œufs de tortue.* — 2° *Marcher d'un pas de tortue, à pas de tortue,* très lentement. ‖ *Quelle tortue!, C'est une vraie tortue,* se dit de quelqu'un de très lent.

tortueux, euse [tɔrtyø ou tɔrtɥø, -øz] adj. 1° Se dit de ce qui fait plusieurs tours et retours : *Les rues tortueuses de la vieille ville. Un sentier tortueux. Une rivière tortueuse* (syn. : SINUEUX). *Un escalier tortueux.* — 2° Se dit de quelqu'un (ou de son comportement) qui manque de franchise : *Une conduite tortueuse. Un langage tortueux* (syn. : HYPOCRITE, OBLIQUE, RETORS). ◆ **tortueusement** adv.

torture [tɔrtyr] n. f. 1° Utilisation de supplices en vue d'obtenir des aveux : *L'usage de la torture. La torture est illégale. Recourir à la torture. Faire subir la torture à quelqu'un.* — 2° (au plur.) Souffrances physiques que l'on fait subir à quelqu'un : *Subir, supporter des tortures. Mourir des suites de tortures. Employer, infliger des tortures. Du raffinement dans les tortures* (syn. : SUPPLICE). — 3° Souffrance physique ou morale extrême : *La jalousie est une torture. Les tortures du corps, de l'âme. Souffrir toutes les tortures de l'enfer. Les tortures de l'absence, du remords* (syn. : ↓ TOURMENT). — 4° *Se mettre l'esprit à la torture,* faire de grands efforts pour trouver ou se rappeler quelque chose (syn. fam. : SE CREUSER LA TÊTE). ‖ *Mettre quelqu'un à la torture,* le mettre dans une situation très embarrassante; le faire souffrir d'une grande impatience. ◆ **torturer** v. tr. 1° *Torturer quelqu'un,* le soumettre à des tortures : *Torturer un accusé, un prisonnier. Avant de les tuer, on les a torturés.* — 2° *Torturer quelqu'un,* le faire beaucoup souffrir, physiquement ou moralement : *Cet enfant vous torture de questions, avec ses questions, par ses questions incessantes. Une toux qui le torture. La faim le torture* (syn. : TENAILLER). *Une pensée, une question qui vous torture. Etre torturé par la jalousie* (syn. : TOURMENTER). — 3° *Torturer quelque chose,* le déformer, le défigurer : *Un visage torturé. Un style torturé.* ◆ ***se torturer*** v. pr. 1° *Se torturer l'esprit,* se creuser l'esprit, momentanément. — 2° Avoir un penchant à être le bourreau de soi-même. ◆ **torturant, e** adj. : *Une pensée torturante. Un remords torturant.*

torve [tɔrv] adj. *Œil, regard torve,* oblique et menaçant.

tôt [to] adv. 1° Avant un moment qui sert de point de repère actuel ou habituel : *Se coucher tôt* (contr. : TARD). *Se lever tôt* (syn. : DE BONNE HEURE, À LA PREMIÈRE HEURE, DE BON MATIN). *Il est venu très tôt aujourd'hui. C'est un peu tôt, il est trop tôt pour savoir les résultats. Un peu plus tôt, un peu plus tard, de toute façon il faut y passer.* — 2° *Ce n'est pas trop tôt,* se dit en signe d'impatience (syn. : ENFIN!) ‖ *Ne... pas plus tôt... que,* immédiatement après que : *Il n'eut pas plus tôt dit cela que la porte s'ouvrit* (syn. : À PEINE, AUSSITÔT, DÈS QUE). ‖ *Le plus tôt sera le mieux,* se dit pour presser quelqu'un. ‖ *Tôt ou tard,* un jour ou l'autre : *Tôt ou tard on découvrira la fraude et le voleur sera arrêté.* ‖ *Au plus tôt,* pas avant : *Il a dit qu'il serait là au plus tôt à quatre heures. Au plus tôt en 1908.* (V. AUSSITÔT.)

total, e, aux [tɔtal, -to] adj. 1° A quoi il ne manque rien : *Une ruine totale* (syn. : COMPLET). *La guerre totale* (= faite par tous les moyens, sans aucun ménagement). *Un pardon total. Un silence total. Une confiance totale* (syn. : ABSOLU, ENTIER, INTÉGRAL, PARFAIT, PLEIN). — 2° (avec un nom de mesure) Se dit de ce qui est considéré dans son entier : *La hauteur, la largeur, la longueur totale de la pièce. Le prix total* (syn. : GLOBAL). ◆ **total** n. m. Somme de tous les éléments de quelque chose : *Faire le total, son total* (syn. : ADDITION). *Un total de mille francs.* ● LOC. ADV. *Au total,* tout compté, tout considéré : *Au total, c'est une bonne affaire* (syn. : EN SOMME, DANS L'ENSEMBLE). ◆ adv. (au commencement d'une phrase). *Fam.* Pour finir : *Total, on n'a rien gagné* (syn. fam. : RÉSULTAT, BREF). ◆ **totalement** adv. D'une manière totale; tout à fait : *Totalement guéri* (syn. : COMPLÈTEMENT). *Il a totalement changé* (syn. : RADICALEMENT, ENTIÈREMENT). *Il en est totalement incapable* (syn. : ABSOLUMENT). ◆ **totaliser** v. tr. (sujet nom de personne). Arriver à un total de : *Totaliser tant de points.* ◆ **totalisateur** ou **totaliseur** n. m. Appareil qui donne le total de certains résultats. ◆ **totalisation** n. f. ◆ **totalité** n. f. 1° Réunion de tous les éléments de quelque chose : *La totalité des citoyens. Dépenser la presque totalité de son salaire.* — 2° *En totalité,* totalement (syn. : EN BLOC, AU COMPLET, INTÉGRALEMENT).

totalitaire [tɔtalitɛr] adj. 1° *Régime, Etat totalitaire,* où tous les pouvoirs sont aux mains d'un parti unique et où l'opposition est interdite. — 2° Se dit d'un système de pensée qui englobe, qui annexe tous les éléments de l'objet auquel il s'applique : *Une vision totalitaire du monde. Une religion totalitaire.* ◆ **totalitarisme** n. m. 1° Système politique des régimes totalitaires. — 2° Caractère autoritaire et absolu d'une personne : *Il est d'un totalitarisme qui fait le malheur de sa famille* (syn. : AUTORITARISME).

totem [tɔtɛm] n. m. 1° Animal considéré comme l'ancêtre et le protecteur d'une tribu : *Avoir tel animal pour totem. Leur totem était un serpent.* — 2° Représentation de cet animal : *Le totem est au milieu du village.* ◆ **totémique** adj. : *Croyance totémique* (= qui concerne les totems). *Clan, tribu totémique* (= fondés sur la croyance au totem). *Mât totémique* (= qui porte le totem). ◆ **totémisme** n. m. Croyance aux totems : *Le totémisme des primitifs.*

toton [tɔtɔ̃] n. m. Petite toupie que l'on fait tourner avec le pouce et l'index. ‖ *Faire tourner quelqu'un comme un toton,* le faire aller et venir, agir à sa volonté.

toubib [tubib] n. m. *Pop.* Médecin : *Aller chez le toubib. Que t'a dit le toubib?* (syn. : DOCTEUR).

1. touchant [tuʃɑ̃] prép. Concernant (littér.) : *Je n'ai rien appris touchant cette affaire, touchant vos intérêts* (syn. : AU SUJET DE, QUANT À, SUR).

2. touchant, e adj. V. TOUCHER 2.

1. touche [tuʃ] n. f. Chacune des pièces d'un clavier où se posent les doigts : *Les touches blanches et les touches noires d'un piano. Les touches d'une machine à écrire. Ses doigts courent sur les touches.*

2. touche [tuʃ] n. f. 1° En peinture, manière de poser la couleur avec le pinceau : *Une touche légère. Peindre à petites touches, à touches larges.*

La délicatesse, la sûreté de touche d'un maître. Je reconnais sa touche (syn. fam. : PATTE). — 2° Contraste que fait une couleur avec d'autres couleurs, d'autres plans : *Une robe qui met une touche de gaieté parmi les complets noirs. Une touche criarde.* — 3° Manière dont un écrivain dit les choses : *La finesse de touche* (syn. : STYLE, TON).

3. touche [tuʃ] n. f. 1° A la pêche, action du poisson qui mord : *Sentir une touche. Avoir une touche, plusieurs touches. Je n'ai pas fait une touche de toute la matinée.* — 2° Fam. *Avoir la touche, avoir une touche,* plaire à quelqu'un. ‖ *Faire une touche,* faire une conquête galante.

4. touche [tuʃ] n. f. 1° *Ligne de touche,* ou simplem. *touche,* au football, au rugby, limite latérale du terrain : *Rester sur la touche. Le ballon est sorti en touche.* ‖ *Il y a touche,* sortie du ballon en touche. — 2° Fam. *Rester, être mis sur la touche,* être écarté d'une activité, d'une affaire (syn. fam. : NE PLUS ÊTRE DANS LA COURSE, DANS LE COUP).

5. touche [tuʃ] n. f. *Pierre de touche,* ce qui permet de reconnaître quelque chose : *Ce sera la pierre de touche de son honnêteté* (syn. : ÉPREUVE, TEST).

6. touche [tuʃ] n. f. Pop. *Avoir une drôle de touche,* une drôle d'allure (syn. fam. : DÉGAINE).

touche-à-tout [tuʃatu] n. invar. *Fam.* Se dit d'un enfant qui touche à tout ce qu'il voit, ou d'un adulte qui se disperse en toutes sortes d'activités.

1. toucher [tuʃe] v. tr. 1° *Toucher une chose,* entrer en contact avec elle : *Toucher délicatement des fruits pour juger de leur maturité* (syn. : TÂTER, PALPER). *Toucher l'épaule de quelqu'un pour attirer son attention. Toucher une couleuvre du bout de son bâton. L'avion touche le sol au bout de la piste d'atterrissage. Navire qui touche le port, la côte* (= qui accoste, qui fait escale). ‖ *Ne pas toucher terre,* aller très vite. — 2° *Toucher une cible* (personne, animal, chose), l'atteindre au moyen d'un projectile : *Plusieurs bateaux ennemis avaient été touchés par le tir des batteries côtières. Le sanglier a été touché, mais il s'est sauvé* (syn. : BLESSER). — 3° *Toucher quelqu'un,* entrer en relation, communiquer avec lui : *A quelle adresse pourra-t-on vous toucher?* (syn. : ATTEINDRE). *Je l'ai touché par téléphone;* être relié à lui par des liens de parenté : *Il nous touche de près* (= il est notre proche parent). — 4° *Toucher un mot de quelque chose à quelqu'un,* lui en parler brièvement : *Il m'a touché un mot de ses projets.* — 5° *Toucher quelque chose, quelqu'un,* être contigu à cette chose, être au contact de cette personne : *Sa maison touche la mienne. Nous étions si rapprochés que chacun touchait son voisin.* ◆ v. tr. ind. 1° *Toucher à quelqu'un,* lui faire du mal : *Ne touche pas à mon frère.* — 2° *Toucher à quelque chose,* porter la main sur cette chose (sens peu différent de *toucher* tr. direct) : *Cet enfant touche à tout ce qu'il voit;* porter atteinte à cette chose, y apporter des changements : *On lui reprochait de vouloir toucher à l'ordre établi. Ils n'aiment pas qu'on touche à leurs vieilles voitures.* ‖ *Ne pas toucher à un aliment,* ne pas en prendre : *Il n'avait pas faim : il n'a pas touché à son déjeuner.* — 3° *Toucher au but, au port, à sa fin,* etc., être sur le point d'y arriver. ‖ *Toucher à une question, à un problème délicat,* etc., aborder cette question, ce problème, etc. — 4° (sujet nom de chose) *Toucher à,* être contigu à (même sens que *toucher* v. tr.) : *Sa maison touche à la mienne.* — 5° Fam. *N'avoir pas l'air d'y toucher,* cacher son jeu, agir sournoisement. — 6° *Toucher d'un instrument,* en jouer en amateur (littér.) : *Il touchait agréablement de la guitare.* ◆ **se toucher** v. pr. Etre contigu : *Leurs propriétés se touchent.* ◆ **intouchable** adj. Qu'on ne peut toucher, atteindre : *Un personnage intouchable.*

2. toucher [tuʃe] v. tr. *Toucher quelqu'un,* éveiller son intérêt, causer chez lui un mouvement affectif (intérêt, sympathie, pitié, mauvaise humeur, etc.) : *Son sort me touche* (syn. : ÉMOUVOIR). *Cela ne me touche en rien* (syn. : CONCERNER). *Vos compliments me touchent. Laissez-vous toucher par la grandeur du spectacle. Il a été touché au vif par ce reproche* (syn. : PIQUER). ◆ **touchant, e** adj. Qui touche le cœur : *Des paroles touchantes* (syn. : ↑ ÉMOUVANT). *Un adieu touchant* (syn. : ↑ DÉCHIRANT, BOULEVERSANT).

3. toucher [tuʃe] v. intr. *Toucher de l'argent, une ration,* etc., percevoir cet argent, cette ration, etc. : *Il touchait moins de mille francs par mois* (syn. : GAGNER). *Toucher sa pension, une indemnité, ses honoraires. Toucher un chèque* (= se le faire payer). *Les nouvelles recrues ont touché la tenue d'exercice* (syn. : RECEVOIR).

4. toucher [tuʃe] n. m. Celui des cinq sens à l'aide duquel se reconnaît, par contact direct, la forme extérieure des corps : *Les illusions du toucher. Un endroit douloureux, sensible au toucher.*

touffe [tuf] n. f. Groupement de plantes ou de poils rapprochés en bouquet : *Une touffe d'herbe, de cheveux. Des plantes qui croissent par touffes, en touffes. Perdre ses cheveux par touffes.* ◆ **touffu, e** adj. 1° Qui est en touffes épaisses : *Un bois touffu. Un maquis touffu. Des arbres touffus* (syn. : FOURNI). *Une végétation touffue* (syn. : LUXURIANT). *Une barbe touffue* (syn. : ↑ HIRSUTE). — 2° Se dit d'une création de l'esprit obscure par suite de l'enchevêtrement d'éléments complexes : *Un livre touffu. Un discours touffu* (syn. : EMBROUILLÉ).

touiller [tuje] v. tr. *Pop.* et *vieilli.* Remuer, agiter, mélanger : *Touiller la lessive. Touiller la salade* (= la tourner).

toujours [tuʒur] adv. V. JAMAIS.

1. toupet [tupɛ] n. m. Fam. *Avoir du toupet,* de l'audace, une hardiesse irrespectueuse : *Il a eu le toupet de me dire ça. Quel toupet!* (syn. : APLOMB, EFFRONTERIE ; pop. : CULOT).

2. toupet [tupɛ] n. m. *Un toupet de cheveux,* une petite touffe de cheveux.

toupie [tupi] n. f. 1° Jouet d'enfant, masse ronde munie d'une pointe, sur laquelle elle repose en pivotant : *Faire tourner une toupie. Une toupie qui ronfle en tournant. Une toupie à musique.* — 2° Fam. *Faire tourner quelqu'un comme une toupie,* faire de lui ce qu'on veut.

touque [tuk] n. f. Récipient métallique pour le transport de certains produits : *Une touque de pétrole.*

1. tour [tur] n. f. 1° Bâtiment très élevé, de forme généralement ronde ou carrée : *La grande tour d'un château* (syn. : DONJON). *Une tour de guet* (syn. : BEFFROI). *Les tours de Notre-Dame* (syn. : CLOCHER). *Les tours des grands ensembles modernes. La tour Eiffel.* ‖ *Tour de contrôle,* bâtiment qui domine un aérodrome et d'où se fait le contrôle des envols et des atterrissages. — 2° Aux échecs, pièce en forme de tour à créneaux : *Perdre une tour.* — 3° *La tour de Babel, c'est une tour de Babel,* endroit où l'on parle toutes sortes de langues. ‖ *Tour d'ivoire,* isolement et refus de s'engager : *S'enfermer dans sa tour d'ivoire.* ◆ **tourelle** n. f. 1° Petite tour en haut d'un mur ou d'une tour de château : *Une tourelle en poivrière.* — 2° Abri blindé d'une pièce d'artillerie : *Les tourelles d'un cuirassé. La tourelle d'un char de combat.*

2. tour n. m. V. TOURNER 1, 2, 3 et 4.

3. tour [tur] n. m. Circonférence d'un objet ou d'un lieu plus ou moins circulaire : *Avoir quatre-vingts centimètres de tour de taille. Le tour des yeux. Une piste de quatre cents mètres de tour.*

4. tour [tur] n. m. 1° Exercice difficile, demandant de l'habileté : *Un tour de prestidigitateur. Les tours d'un saltimbanque, d'un clown. Un tour d'adresse, de passe-passe. Un tour de cartes.* — 2° *Tour de force,* action difficile, remarquablement réussie : *Accomplir, faire des tours de force. La maîtresse de maison fit un tour de force en préparant le dîner si rapidement.* ‖ *Tour de main,* pratique et habileté d'une personne experte dans son travail : *Avoir, acquérir un tour de main.* ‖ *En un tour de main,* rapidement et avec aisance. — 3° *Jouer un tour, des tours à quelqu'un,* user de malice, user d'un stratagème aux dépens de quelqu'un : *Je vais lui jouer un tour de ma façon. Il lui a joué un tour de cochon* (fam.); faire une plaisanterie à quelqu'un : *Il lui a joué un petit tour, un bon tour* (syn. : FARCE, NICHE ; fam. : [*faire une*] BLAGUE). ‖ *Cela vous jouera des tours,* cela vous fera du tort. ‖ *Le tour est joué,* la chose est faite.

5. tour [tur] n. m. 1° Moment où une personne fait quelque chose à son rang, dans une série d'actions du même ordre : *C'est votre tour maintenant. Vous m'excuserez, c'est mon tour. Chacun son tour.* — 2° *C'est à son tour,* c'est à lui, c'est son tour : *C'est au tour de la jeune génération.* ‖ *Avoir un tour de faveur,* passer en priorité. ‖ *Tour de chant,* interprétation d'une série de chansons. • LOC. ADV. *Tour à tour,* en alternant une chose, puis une autre : *Rire et pleurer tour à tour. Ils lisaient à deux voix, chacun tour à tour* (syn. : L'UN APRÈS L'AUTRE, ALTERNATIVEMENT).

6. tour [tur] n. m. *Tour de reins,* foulure, entorse dans la région lombaire.

7. tour [tur] n. m. LOC. ADV. *A tour de bras,* de toute la force du bras : *Taper à tour de bras sur quelqu'un.*

1. tourbe [turb] n. f. Partie la plus vile d'un groupe humain (littér.) : *La tourbe des intrigants.*

2. tourbe [turb] n. f. Combustible noirâtre, spongieux, léger, fourni par des matières végétales plus ou moins carbonisées : *Brûler de la tourbe.* ◆ **tourbeux, euse** adj. Qui contient de la tourbe : *Un sol tourbeux, un marais tourbeux.* ◆ **tourbière** n. f. 1° Marécage où se forme la tourbe. — 2° Gisement de tourbe : *Exploiter une tourbière.*

tourbillon [turbijɔ̃] n. m. 1° Masse d'air, de gaz, etc., qui se déplace en tournoyant rapidement : *Un tourbillon de vent* (syn. : CYCLONE). *Des tourbillons de fumée, de poussière.* — 2° Remous violent : *Les tourbillons d'un fleuve.* — 3° Groupe d'êtres animés qui tourne rapidement : *Un tourbillon de danseurs passa près de nous.* — 4° Ce qui entraîne dans un mouvement irrésistible : *Le tourbillon des affaires. Le tourbillon de la vie moderne, des plaisirs. Le tourbillon de ses pensées.* ◆ **tourbillonner** v. intr. Tournoyer rapidement, former des tourbillons : *Le fleuve tourbillonne à certains endroits. Les danseurs tourbillonnent. La danse tourbillonne. Les pensées tourbillonnent.* ◆ **tourbillonnant, e** adj. : *Des valses tourbillonnantes.* ◆ **tourbillonnement** n. m. Mouvement en tourbillon.

tourière [turjɛr] adj. f. *Sœur tourière,* religieuse non cloîtrée, chargée des relations avec l'extérieur.

tourisme [turism] n. m. 1° Action de voyager pour le plaisir ou pour se cultiver : *Un voyage de tourisme. Faire du tourisme. Faire du tourisme à bicyclette.* ‖ *Avion, voiture de tourisme,* à usage privé et non collectif. — 2° Ensemble des problèmes financiers, culturels, techniques posés par les déplacements massifs de touristes : *Un bureau, un office de tourisme. Une agence de tourisme. Le tourisme italien. Le tourisme de sports d'hiver.* ◆ **touriste** n. 1° Personne qui voyage pour son agrément ou pour se cultiver : *Un groupe de touristes visite le musée. L'invasion des touristes* (syn. : ESTIVANT, VACANCIER). *Voyager en touriste.* — 2° *Classe touriste,* en avion, en bateau, classe intermédiaire entre la classe de luxe et les classes à tarif réduit. ◆ **touristique** adj. 1° Relatif au tourisme : *Guide touristique. Renseignements touristiques. Billet, menu, prix touristique* (= destiné à attirer les touristes par son caractère avantageux). — 2° Se dit d'un lieu qui attire les touristes : *Un monument, une ville touristique. Ce n'est pas touristique par ici* (syn. : PITTORESQUE).

tourment [turmɑ̃] n. m. Très grande douleur physique ou morale (littér.) : *Il est mort dans d'affreux tourments* (syn. : TORTURES). *Il a connu des tourments religieux. Cette affaire lui a donné beaucoup de tourments, bien du tourment* (syn. : PRÉOCCUPATION, TRACAS). *Le tourment de la jalousie.* ◆ **tourmenter** v. tr. 1° (sujet nom de chose ou de personne) *Tourmenter quelqu'un,* lui faire souffrir des tourments physiques ou moraux : *Il est tourmenté par ses rhumatismes* (syn. : MARTYRISER). *Ce remords le tourmente* (syn. : RONGER, TENAILLER, TORTURER, OBSÉDER). — 2° (sujet nom de chose) *Tourmenter quelqu'un,* le préoccuper vivement : *L'idée d'avoir sa petite maison le tourmente. Il est tourmenté par l'ambition d'arriver.* ◆ ***se tourmenter*** v. pr. Se faire des soucis : *Ne vous tourmentez pas pour si peu* (syn. : S'INQUIÉTER, SE CHAGRINER). ◆ **tourmentant, e** adj. Qui tourmente continuellement : *Une idée tourmentante.* ◆ **tourmenté, e** adj. 1° Se dit d'une personne (ou de son attitude) en proie à des tourments : *C'est une âme, une conscience tourmentée. Avoir un visage tourmenté.* — 2° *Une époque tourmentée,* agitée par des troubles politiques (syn. : ↓ TROUBLÉ). — 3° Se dit d'une œuvre d'art dont l'aspect, le style est exagérément compliqué : *Des statues aux poses tourmentées* (syn. fam. : ↓ TARABISCOTÉ). — 4° Se dit d'un relief du sol qui a des irrégularités nombreuses et brusques : *Un sol, un paysage tourmenté* (syn. : ↓ ACCIDENTÉ, MONTUEUX, VALLONNÉ).

tourmente [turmɑ̃t] n. f. Troubles politiques ou sociaux : *La tourmente révolutionnaire. Toutes leurs richesses se sont perdues dans cette grande tourmente.* (Le sens de « tempête, bourrasque violente », est rare et littéraire.)

tournage n. m. V. TOURNER 7; **tournailler** v. intr. V. TOURNER 2; **tournant, e** adj. V. TOURNER 1 et 2; **tournant** n. m. V. TOURNER 6; **tourné, e** adj. V. TOURNER 4 et 8.

tournebouler [turnəbule] v. tr. Fam. *Tournebouler quelqu'un,* le troubler, le bouleverser : *Ça l'a tourneboulé* (syn. : RETOURNER).

tourne-disque [turnədisk] n. m. Appareil fonctionnant sur le courant électrique ou avec des piles, qui sert à écouter des disques : *Faire marcher le tourne-disque toute la journée. Vendre des tourne-disques* (syn. : ÉLECTROPHONE, PICK-UP).

tournedos [turnədo] n. m. Tranche épaisse de filet de bœuf : *Manger un tournedos.*

tournée [turne] n. f. **1°** Voyage, à itinéraire déterminé, que fait un fonctionnaire, un commerçant, un représentant, une troupe de théâtre : *Une tournée d'inspection. Une tournée électorale. Le facteur fait sa tournée. Faire une tournée de conférences en province. Une tournée théâtrale. Il est parti en tournée.* — **2°** *Faire la tournée de,* visiter tour à tour : *Faire la tournée des grands magasins. Faire la tournée des cafés, des bistrots* (syn. fam. : [*faire une*] VIRÉE). *Faire la tournée des capitales.* || Fam. *Faire la tournée des grands-ducs,* aller dans les grands restaurants et les boîtes de nuit. — **3°** Pop. *Offrir, payer une tournée,* un ensemble de consommations dans un café : *C'est ma tournée. Payer une seconde tournée. C'est la tournée du patron.* — **4°** Pop. *Recevoir, donner une tournée,* une volée de coups (syn. fam. : RACLÉE).

tournemain (en un) [ɑ̃nœturnəmɛ̃] loc. adv. D'une façon rapide et experte (littér.) : *Il l'a fait disparaître dans sa poche en un tournemain. Il a résolu cette difficulté en un tournemain* (syn. usuel : EN UN TOUR DE MAIN).

1. tourner [turne] v. tr. (sujet nom de personne ou de chose). *Tourner une chose,* lui imprimer un mouvement circulaire : *Tourner une roue, une manivelle. Tourner une sauce, une salade* (syn. : REMUER). ◆ v. intr. **1°** (sujet nom de chose) Etre animé d'un mouvement de rotation : *La roue tourne. Le manège tourne. Le moteur tourne à plein régime.* — **2°** *Fam.* Fonctionner, être en activité : *L'usine tourne toute l'année sans interruption. Il sait faire tourner son affaire.* — **3°** Fam. *Tourner rond,* fonctionner, aller convenablement : *Un moteur qui tourne rond. Tu as l'air soucieux : qu'est-ce qui ne tourne pas rond?* (= qu'est-ce qui ne va pas ?). *Il accumule les erreurs, il ne tourne pas très rond.* ◆ **tournant, e** adj. **1°** *Un fauteuil tournant* (= qui pivote). *Un pont tournant.* — **2°** *Grève tournante,* qui concerne successivement divers secteurs. ◆ **tour** n. m. Mouvement d'un corps qui tourne sur lui-même : *La Terre fait un tour sur elle-même en vingt-quatre heures. Un tour de roue, de manivelle. Donner un tour de clef à sa porte. Fermer sa porte à double tour* (= en tournant deux fois la clef dans la serrure). ◆ **demi-tour** n. m. Mouvement de rotation sur soi-même ou autour d'un axe qui oriente dans le sens opposé : *Resserrer un écrou d'un demi-tour de clef. Donner un demi-tour de manivelle. Un rang de soldats à l'exercice exécutant un demi-tour impeccable.* || *Faire demi-tour,* revenir sur ses pas. ◆ **tournoyer** v. intr. (sujet nom d'être animé ou de chose). Tourner sur soi, décrire des cercles : *Des oiseaux tournoyaient dans le ciel. Les feuilles mortes tournoient au souffle de l'automne* (syn. : TOURBILLONNER).

2. tourner [turne] v. tr. *Tourner un lieu, un obstacle,* etc., passer autour, l'éviter : *Tourner le coin de la rue. Le navire a tourné le cap* (syn. : DOUBLER). *Tourner une montagne* (syn. : CONTOURNER). *Tourner les positions de l'ennemi* (= l'encercler, exécuter un mouvement enveloppant). || *Tourner une difficulté, une loi,* etc., l'éluder, s'y soustraire habilement. ◆ v. intr. **1°** *Tourner autour de quelque chose, de quelqu'un,* se mouvoir ou être disposé plus ou moins circulairement autour : *La Terre tourne autour du Soleil. Un avion qui tourne plusieurs fois autour de la piste avant d'atterrir. Les mouches tournent autour de nous* (syn. : TOURBILLONNER). *Cet enfant tourne sans arrêt autour de moi* (syn. fam. : TOURNAILLER, TOURNIQUER, TOURNICOTER). *Une allée qui tourne autour du parc* (= qui en suit le pourtour). — **2°** Fam. *Tourner autour du pot,* hésiter, tergiverser. || *Tourner autour de quelqu'un,* avoir des intentions malveillantes à son égard : *Il tourne autour de moi depuis un certain temps;* chercher à capter sa bienveillance : *Il tourne sans cesse autour du ministre.* || Fam. *Tourner autour d'une femme,* la courtiser. — **3°** (sujet nom de chose) Avoir pour centre d'intérêt : *Toute l'affaire tourne autour de cette question. L'enquête tourne autour de deux suspects. Sa vie tourne autour de ce souvenir.* ◆ **tournant, e** adj. *Mouvement tournant,* opération pour contourner l'ennemi; manière habile pour tromper quelqu'un sur ses intentions. ◆ **tour** n. m. **1°** Mouvement plus ou moins circulaire autour de quelque chose ou de quelqu'un : *Un tour de piste* (= le circuit bouclé par les coureurs sur une piste). *Faire un tour de jardin pour se dégourdir les jambes. Un reporter qui fait le tour du monde. Faire le Tour de France. L'aiguille fait le tour du cadran. La nouvelle a fait le tour de la ville* (= s'est répandue dans toute la ville). *L'allée fait le tour du bosquet.* — **2°** *Faire le tour d'une question,* en examiner tous les principaux points. || *Faire le tour des invités, des assistants,* etc., passer auprès de chacun et s'entretenir avec lui. || *Faire le tour du propriétaire,* faire une inspection des lieux qu'on possède. || Fam. *Faire un tour,* faire une promenade et revenir au point de départ : *Faire un petit tour pour se dégourdir les jambes. Faire un tour en ville.* ◆ **tournailler, tournicoter, tourniquer** v. intr. **1°** *Fam.* Aller et venir sans but, tourner sur place : *Tournailler dans sa chambre. Il ne faisait que tournicoter dans la pièce.* — **2°** Fam. *Tournailler* (*tournicoter, tourniquer*) *autour de,* tourner autour de quelqu'un ou de quelque chose de manière insistante, gênante.

3. tourner [turne] v. tr. *Tourner un objet,* le travailler avec la machine appelée *tour : Tourner un pied de table.* ◆ **tour** n. m. Machine-outil servant à façonner une pièce montée sur un arbre animé d'un mouvement de rotation : *Un objet travaillé au tour.* ◆ **tourneur, euse** n. Ouvrier, ouvrière qui travaille sur un tour : *Tourneur sur bois, sur métaux.*

4. tourner [turne] v. tr. **1°** Exprimer, présenter d'une certaine manière sa pensée, ses idées, par l'écriture ou par la parole : *Il tourne bien ses lettres. Tourner des vers, une épigramme, un compliment.* — **2°** *Tourner quelque chose en bien, en mal,* l'interpréter dans un sens favorable, bienveillant ou non : *On ne peut pas se fier à lui, il tourne tout en mal.* || *Tourner quelque chose en plaisanterie,* en faire une plaisanterie. || *Tourner quelqu'un ou quelque chose en ridicule, en dérision,* le ridiculiser.

5. tourner [turne] v. intr. (sujet nom de chose). Evoluer de telle ou telle façon : *La discussion tourne à son avantage. Leurs relations tournent à l'aigre. L'affaire tourne bien* (= elle s'achemine vers une issue heureuse). *Une jeune fille qui a mal tourné* (= dont la conduite est devenue répréhensible). ‖ *Tourner court,* être brusquement arrêté dans son développement : *Ses projets ont tourné court* (= ont avorté). ◆ **tour** n. m., **tournure** n. f. Aspect, allure que prend quelque chose : *Je n'aime pas le tour* (*la tournure*) *que prennent les événements. La discussion prend un tour* (*une tournure*) *déplaisant* (*e*). *Le scandale prend un tour* (*une tournure*) *politique.* ◆ **tourné, e** adj. *Bien tourné,* qui est bien fait, de juste proportion : *Avoir la taille bien tournée, les jambes bien tournées;* bien rédigé, bien écrit, bien dit : *Son compliment était bien tourné. Une déclaration d'amour bien tournée. Discours bien tourné.* ‖ *Esprit mal tourné,* disposé à interpréter les choses de manière désagréable ou scabreuse. ◆ **tour** n. m., **tournure** n. f. *Tour* (*tournure*) *de phrase,* manière de tourner la pensée : *Il a un tour de phrase qui lui est propre* (syn. : STYLE). *C'est un tour* (*une tournure*) *qu'il affectionne. Un tour vieilli, vicieux, fautif* (syn. : FORME). ‖ *Tour* (*tournure*) *d'esprit,* manière de voir les choses, de les présenter : *Un tour d'esprit enjoué* (syn. : DISPOSITION, FORME). *Cette interprétation dénote une tournure d'esprit malveillante.*

6. tourner [turne] v. tr. 1° *Tourner quelque chose,* le diriger, l'orienter : *Tourner les yeux vers* (*sur*) *quelqu'un, vers l'horizon. Tourner ses pas d'un autre côté. Tourner ses pieds en dedans, en dehors. Tourner un tableau de l'autre côté. Tourner ses efforts, ses pensées vers quelqu'un, vers quelque chose. Tourner ses regards contre le mur. Tourner la tête à droite, à gauche. La rue Soufflot? Vous lui tournez le dos.* — 2° *Tourner le dos à quelqu'un,* refuser de le voir, par mépris : *Quand je le vois, je lui tourne le dos.* ‖ *Tourner la tête à quelqu'un,* l'enivrer (sujet nom de chose) : *Le vin lui tourne la tête. Cette odeur me tourne la tête* (= est entêtante); lui inspirer des sentiments qui lui font perdre toute objectivité (sujet nom de personne) : *Elle lui a tourné la tête.* ‖ *Tourner l'estomac, le cœur à quelqu'un,* lui donner la nausée : *Le spectacle de cet accident m'a tourné le cœur.* ◆ v. intr. 1° Prendre une autre direction : *Au premier carrefour, vous tournerez à droite. Le vent tourne au nord. A cet endroit, la rue tourne à gauche.* — 2° *Tourner du côté de quelqu'un,* prendre son parti. ‖ Fam. *Tourner de l'œil,* s'évanouir. ‖ *La tête lui tourne,* il a le vertige, ou il ne raisonne plus sainement. ◆ ***se tourner*** v. pr. (sujet nom d'être animé). *Se tourner du côté de, vers* (avec un nom de lieu, de chose), se placer face à, regarder en direction de : *Se tourner vers la porte. Se tourner du côté de la fenêtre pour mieux voir. De quelque côté qu'on se tourne, on ne voit pas de chemin* (syn. : S'ORIENTER, SE DIRIGER). ‖ *Se tourner vers une question,* s'intéresser à un problème. ‖ *Se tourner vers une profession, vers des études,* etc., s'y préparer, s'y engager. ‖ *Se tourner vers quelqu'un,* s'adresser à lui, recourir à ses services. ‖ *Se tourner contre quelqu'un,* lui devenir hostile. ◆ **tournant** n. m. 1° Endroit où un chemin, une rivière fait un coude : *Il a disparu derrière le tournant. Une route pleine de tournants. Un tournant en épingle à cheveux* (syn. : VIRAGE). ‖ Fam. *Avoir, rattraper quelqu'un au tournant,* se venger dès que l'occasion se présente : *C'est à cause de lui que nous avons raté cette affaire, mais nous le rattraperons au tournant.* — 2° Moment capital où les événements changent de direction : *Etre à un tournant de sa vie, de son destin. Cette bataille a marqué un tournant dans l'histoire, elle a été le tournant décisif.*

7. tourner [turne] v. tr. *Tourner un film,* le faire, en réaliser les images; jouer un rôle dans ce film. ‖ *Tourner une scène, des extérieurs,* etc., les filmer. ◆ **tournage** n. m. : *Le tournage de ce film n'a pris que trois semaines.*

8. tourner [turne] v. intr. *Lait, vin qui tourne,* qui devient aigre. ◆ **tourné, e** adj. : *Du lait tourné* (syn. : AIGRE, CAILLÉ).

tournesol [turnəsɔl] n. m. Plante dont la fleur jaune se tourne vers le soleil : *Des champs de tournesols. Des graines de tournesol. De l'huile de tournesol.*

tourneur n. m. V. TOURNER 3.

tournevis [turnəvis] n. m. Outil pour serrer, desserrer les vis : *Un tournevis en acier.*

tournicoter v. intr., **tourniquer** v. intr. V. TOURNER 2.

tourniquet [turnikɛ] n. m. Croix mobile posée horizontalement sur un pivot, placée à une entrée pour ne laisser passer qu'une personne à la fois.

tournoi [turnwa] n. m. Compétition comprenant plusieurs séries de manches, mais ne donnant pas lieu à l'attribution d'un titre : *Un tournoi de tennis, d'échecs.* (Au Moyen Age, un *tournoi* était une fête guerrière où les chevaliers combattaient à cheval, soit un contre un, soit par couples.)

tournoyer v. intr. V. TOURNER 1; **tournure** n. f. V. TOURNER 4 et 5.

1. tourteau [turto] n. m. Résidu des graines et des fruits oléagineux, que l'on donne comme aliment aux bestiaux.

2. tourteau [turto] n. m. Gros crabe commun sur les côtes de l'Océan, à large carapace elliptique et dont les pinces ont l'extrémité noire.

tourterelle [turtərɛl] n. f. Oiseau voisin du pigeon, mais plus petit : *La tourterelle roucoule.* ◆ **tourtereau** n. m. Jeune tourterelle. ◆ **tourtereaux** n. m. pl. *Fam.* Jeunes gens qui s'aiment tendrement.

Toussaint [tusɛ̃] n. f. Fête catholique, qui se célèbre le 1er novembre, en l'honneur de tous les saints.

tousser v. intr., **toussoter** v. intr. V. TOUX.

1. tout, e, pl. **tous, toutes** adj. indéf. et adj. qualificatif. (*Tout* se prononce [tu] devant une consonne, [tut] devant une voyelle ou un *h* muet : *tout soldat* [tusɔlda], *tout homme* [tutɔm]; *tous* se prononce [tu], sauf devant une voyelle, où il se prononce [tuz] : *tous les jours* [tuleʒur], *à tous égards* [atuzegar]. Pour les constructions comme *ils sont tous là,* v. TOUT pron.) *Tout* peut se substituer à l'article (*tout homme*) ou se placer avant l'article (*tout le jour*); il n'est qu'exceptionnellement enclavé entre l'article et le nom, dans des mots composés (*la toute-puissance, le Tout-Paris*); il ne se place pas immédiatement après le nom auquel il se rapporte. La valeur de *tout* peut varier selon qu'il est employé au singulier ou au pluriel, avec ou sans un autre déterminant. (V. p. 1156.)

	SANS DÉTERMINANT		AVEC DÉTERMINANT	
singulier	= n'importe quel, chaque (considération de l'unité)	*Tout homme est sujet à l'erreur. Toute peine mérite salaire. Toute vérité n'est pas bonne à dire. Casse-croûte à toute heure. A tout point de vue. De toute manière. Des objets de toute espèce. A tout propos. A tout instant. En tout cas.*	= la totalité de, entier	*Il a neigé toute la (cette, une) nuit. Il a dépensé tout son argent. Cela ne méritait pas toute la peine que nous y avons prise. Tout un peuple l'acclame.*
singulier	= total, complet, sans réserve (valeur intensive; devant un nom abstrait)	*En toute simplicité, humilité, franchise,* etc. (= très simplement, humblement, franchement, etc.). *En tout bien, tout honneur* (= en restant parfaitement honnête, correct). *Un tableau de toute beauté* (= très beau). *De toute éternité* (= depuis toujours). *A toute vitesse.*	= seul, unique	*C'est tout l'effet que cela vous fait? Toute la difficulté consiste à... Tout le secret est de... Tout son art consiste à choisir le bon moment.*
singulier	= seul, unique (précédé de *pour*)	*Pour tout bagage, il n'emportait qu'un parapluie. Pour toute réponse, il se mit à rire.*	= complet, tout à fait, etc. (valeur intensive; peut être aussi considéré comme adverbe)	*C'est tout le portrait de son père* (= le portrait exact). *C'est tout le contraire* (= tout à fait). *Moi tout le premier. Il en a fait toute une histoire.*
pluriel	= n'importe quel (en considérant l'ensemble)	*En tous lieux. De tous côtés. A tous égards. Toutes réparations. Toutes directions* (sur un panneau indicateur). *En tous cas.*	= l'ensemble des..., n'importe quels (totalité collective)	*Tous les hommes sont sujets à l'erreur. Toutes les personnes qui... De tous les côtés. Dans toutes les directions. Nous faisons toutes les réparations. Dans tous les cas.*
pluriel	soulignant une apposition récapitulative	*Le courage, la lucidité, l'autorité, toutes qualités nécessaires à un chef.*	marquant la périodicité, l'intervalle	*Tous les deux jours* (= un jour sur deux). *Tous les dix mètres. Tous les combien est-ce qu'il y a un train?* (fam.).
pluriel	soulignant l'association, devant un numéral	*Tous deux ont tort. Tous trois paraissent décidés. Vous êtes tous quatre mes amis* (rare). [La série ne va pas au-delà.]	soulignant l'association devant un numéral	*Tous les deux, tous les trois, tous les quatre, tous les cinq, tous les dix, tous les quinze,* etc. (Série illimitée.)

REMARQUES. 1. *Tout le monde* est une locution pronominale équivalant à *tous* [tus], *l'ensemble des gens* (contr. : PERSONNE).
2. *Somme toute* est une locution adverbiale équivalant à *en somme, au total.*
3. Dans plusieurs cas, il n'y a guère de différence de sens entre l'emploi sans déterminant et l'emploi avec déterminant. Les constructions sans déterminant ont généralement un caractère plus locutionnel, plus sentencieux, plus littéraire.

2. tout, pl. **tous, toutes** pron. indéf. (*Tout* se prononce [tu] devant une consonne, [tut] devant une voyelle ou un *h* muet, sauf s'il est suivi d'une pause : *tout passe* [tupas], *tout arrive* [tutariv]; *tous* se prononce [tus] : *tous ont compris* [tuskɔ̃pri].)

singulier	Désigne l'ensemble des inanimés, s'opposant à *rien*, comme dans le domaine des animés *tout le monde* s'oppose à *personne*.	*Dieu a tout créé. On ne peut pas tout savoir. Tout est en ordre dans la pièce. Il veut s'occuper de tout. C'est tout ou rien, il n'y a pas de milieu.*
singulier	Désigne des animés avec valeur récapitulative.	*Femmes, moine, vieillards, tout était descendu.*
singulier	Entre dans de nombreuses locutions.	*Après tout, tout bien considéré* (= il n'y a pas d'inconvénient majeur, en fin de compte). *Tout compris* (= en comptant la totalité; sans autres frais). *En tout* (= au total). *En tout et pour tout* (= uniquement). *C'est tout* (= il n'y a rien d'autre, il n'y a rien à ajouter). *Ce n'est pas tout* (= il faut encore considérer ceci...). *A tout prendre* (indique un choix finalement préférable). **Comme tout,** renforce un adjectif ou un adverbe (fam.) : *Il est gentil comme tout* (= très gentil). *Il fait froid comme tout, ici* (= très froid). **Avoir tout de,** ressembler entièrement à : *Avec ces cheveux hirsutes, il a tout d'un sauvage. Il a tout du clown.*
pluriel	Comme représentant, il désigne la totalité des animés ou des inanimés.	*J'ai invité plusieurs amis : tous sont venus. Laisse ces outils à leur place : je me sers de tous.*
pluriel	Comme non-représentant, il désigne la totalité des humains. (Il ne s'emploie pas comme complément d'objet direct : on dit alors *tout le monde.*)	*Tous ont approuvé cette décision. On ne peut pas dire cela à tous* (syn. plus usuel : TOUT LE MONDE). *Chacun pour soi et Dieu pour tous.*

REMARQUE. On peut considérer *tous* soit comme un adjectif, soit comme un pronom de reprise dans des constructions telles que : *nous tous, eux tous, les experts se trompent tous, je les aime tous,* etc. Il se prononce alors [tus], et on peut parfois lui substituer *chacun : Nous avons tous* (*chacun*) *nos défauts. Elles sont toutes* (*chacune*) *chez elles.*

3. tout adv. (*Tout* se prononce [tu] devant une consonne, [tut] devant une voyelle ou un *h* muet : *tout près* [tuprɛ], *tout autour* [tutotur].) *Tout* marque ordinairement l'intensité ou le degré absolu.

tout + adjectif (Invariable, sauf devant un adj. fém. commençant par une consonne ou par un *h* aspiré, auquel cas *tout* prend les marques de genre et de nombre de l'adj. : *toute, toutes.*)	= très, fort, entièrement, tout à fait	*Il est tout content. Ils sont tout contents. Elle est tout étonnée, toute contente. Elles sont tout étonnées, toutes contentes. Mes voisines étaient tout heureuses, toutes honteuses.*
	indique un état tel quel, sans modification	*Manger de la viande toute crue. Elle s'est couchée tout habillée. Des bébés tout nus.*
tout + adjectif + que (Varie dans les mêmes conditions.)	exprime la concession, avec l'indicatif ou le subjonctif	*Tout malin qu'il est, il s'est trompé* (= quoiqu'il soit très malin). *Tout timide qu'il soit, il a osé protester* (syn. : SI... QUE; plus littér. : QUELQUE... QUE).
tout + adverbe (avec une série limitée d'adverbes)	= très, fort, tout à fait	*Tout près. Tout au loin. Tout au bout. Tout là-bas. Tout aussitôt. Tout simplement. Tout autrement. Tout contre.* (Mais non *tout ici, tout difficilement,* etc.)
tout + préposition	= très, fort, tout à fait	*Tout contre moi. Tout en haut de la colline. Tout près de la ville. Tout dans le fond. Tout au sommet.*
tout + nom (Peut aussi être considéré comme adjectif.)	= entièrement, tout entier	*Elle est tout yeux, tout oreilles* (= très attentive). *Il était tout miel* (fam. = très doux, bienveillant). *Un tissu tout laine.*
tout + gérondif	marque la concomitance	*Tout en marchant, il me racontait son histoire* (= pendant qu'il marchait).
	marque la concession	*Tout en étant très riche, il vit très simplement* (= quoiqu'il soit très riche).
tout entrant dans des locutions adverbiales		**Tout à fait**, entièrement, très, extrêmement : *Il est tout à fait guéri. Vous êtes tout à fait aimable. Il ressemble tout à fait à son frère.* **Tout de même**, cependant, néanmoins : *J'ai failli me perdre, mais j'ai tout de même trouvé la bonne route;* souligne une expression exclamative : *C'est tout de même malheureux! Vous pourriez tout de même faire attention!*

4. tout [tu] n. m. (ne s'emploie guère qu'au sing.). **1°** La totalité, l'ensemble : *Le tout est plus grand que la partie. Les différents chapitres de ce livre forment un tout* (= chacun est solidaire des autres). *Des couleurs qui se fondent en un tout homogène. On ne détaille pas : il faut prendre le tout.* — **2°** Ce qui a une importance essentielle : *Peu importe comment il s'y prendra : le tout est qu'il réussisse. La musique est son tout* (littér.). — **3°** *Risquer le tout pour le tout,* risquer de tout perdre ou de tout gagner; s'engager à fond. ‖ *Changer (être différent,* etc.) *du tout au tout,* complètement : *Depuis sa maladie, il a changé du tout au tout.* ‖ *Ce n'est pas le tout,* cela ne suffit pas, il faut faire autre chose : *Ce n'est pas le tout de pleurer, il faut réparer les dégâts. Je m'attarde auprès de vous, mais ce n'est pas le tout : j'ai encore beaucoup de travail à faire.* • LOC. ADV. *Pas (plus) du tout,* nullement : *Je ne suis pas du tout sûr que ce soit vrai. Ce climat ne lui convient pas du tout. Nous ne sommes pas inquiets du tout. Il n'y a plus du tout d'essence dans le réservoir.* ‖ *Rien du tout,* absolument rien : *Il n'a rien dit du tout. Je ne vois rien du tout.*

tout-à-l'égout [tutalegu] n. m. Système de vidange envoyant directement à l'égout les eaux usées.

toutefois [tutfwa] adv. Marque une opposition très forte à ce qui vient d'être dit et joue le rôle d'une conjonction de coordination dont la place est variable dans la phrase (vient souvent en appui de *si* et de *et*) : *Je sais que vous n'êtes pas libre ce jour-là; si toutefois vous pouvez venir, nous en serons très heureux* (syn. usuels : MAIS, POURTANT, CEPENDANT). *Cette grippe est bénigne, toutefois demandez au docteur de passer vous voir* (syn. : NÉANMOINS). *Il est vrai toutefois que vous ne l'avez pas su.*

toutou [tutu] n. m. **1°** Chien, dans le langage enfantin ou familier. — **2°** Fam. *Filer comme un toutou,* se montrer très docile.

tout-puissant [tupɥisɑ̃], **toute-puissante** [tutpɥisɑ̃t] adj. et n. **1°** Se dit d'une personne qui a un très grand pouvoir (syn. : OMNIPOTENT). — **2°** *Le Tout-Puissant,* Dieu. ◆ **toute-puissance** n. f. Puissance absolue.

tout-venant [tuvnɑ̃] n. m. **1°** Charbon non trié et comportant de gros blocs avec de la poussière. — **2°** Marchandises ou personnes qui n'ont pas fait l'objet d'un choix.

toux [tu] n. f. Expiration brusque et sonore de l'air contenu dans les poumons, provoquée par l'irritation des voies respiratoires : *Une toux violente, continuelle. Une petite toux. Une quinte de toux.* ◆ **tousser** v. intr. **1°** Avoir un accès de toux : *Un malade qui tousse beaucoup.* — **2°** Imiter le bruit de la toux pour attirer l'attention : *Tousser pour avertir quelqu'un.* — **3°** Fam. : *Moteur qui tousse*

(= qui a des ratés). ◆ **tousseur, euse** n. *Fam.* Personne qui tousse souvent. ◆ **toussoter** v. intr. Tousser souvent, mais faiblement. ◆ **toussotement** n. m.

toxique [tɔksik] adj. Se dit de ce qui contient du poison : *Une substance toxique.* ◆ n. m. Poison ou virus : *Il y a des toxiques animaux, végétaux, minéraux.* ◆ **toxicité** n. f. : *La toxicité de l'arsenic.* ◆ **toxicomanie** n. f. Habitude morbide qu'ont certaines personnes d'absorber des substances qui procurent des sensations agréables ou qui calment la douleur (cocaïne, éther, opium, etc.). ◆ **toxicomane** n. ◆ **toxicologie** n. f. Science relative aux poisons, à leurs effets sur l'organisme. ◆ **toxicologue** n. Spécialiste de toxicologie. ◆ **toxine** n. f. Poison produit par certains parasites (microbes, vers), par certains champignons. ◆ **intoxiquer** v. tr. 1° (sujet nom désignant une substance toxique) *Intoxiquer un être vivant,* lui causer des troubles plus ou moins graves : *Etre intoxiqué par des émanations de gaz. Etre intoxiqué par le tabac. Toute la famille a été intoxiquée par des champignons vénéneux* (syn. : EMPOISONNER). — 2° (sujet nom de chose) *Intoxiquer quelqu'un,* imprégner son esprit au point de le rendre incapable d'une autre activité, de supprimer chez lui tout jugement : *Etre intoxiqué de politique. La propagande cherche à intoxiquer l'opinion publique.* ◆ ***s'intoxiquer*** v. pr. : *S'intoxiquer en buvant trop de café. S'intoxiquer en restant enfermé toute la journée.* ◆ **intoxiqué, e** adj. et n. Qui a l'habitude d'absorber certaines substances toxiques (cocaïne, éther, morphine) : *Fournir de la drogue à des intoxiqués.* ◆ **intoxication** n. f. : *L'intoxication de plusieurs personnes par le mauvais fonctionnement d'un appareil de chauffage* (syn. : EMPOISONNEMENT). *L'intoxication des esprits par une propagande continuelle.* ◆ **désintoxiquer** v. tr. *Désintoxiquer quelqu'un,* le guérir d'un empoisonnement, d'une intoxication : *On désintoxique les alcooliques par un traitement approprié.* ◆ **désintoxication** n. f. : *Suivre une cure de désintoxication.*

trac [trak] n. m. *Fam.* Peur que l'on éprouve au moment de paraître en public, de subir une épreuve : *Le trac d'un acteur, d'un candidat.*

tracasser [trakase] v. tr. (sujet nom de chose). *Tracasser quelqu'un,* lui causer du souci : *La santé de son fils le tracasse* (syn. : INQUIÉTER, TOURMENTER). ◆ ***se tracasser*** v. pr. Se tourmenter : *Elle se tracasse de ne pas avoir reçu de nouvelles de ses parents.* ◆ **tracas** n. m. Souci causé surtout par des choses d'ordre matériel : *Le tracas du ménage, des affaires.* ◆ **tracasserie** n. f. (surtout au plur.). Ennui causé à quelqu'un à propos de choses peu importantes : *Les tracasseries administratives* (syn. : CHICANE). ◆ **tracassier, ère** adj. Qui se plaît à ennuyer : *Un patron tracassier.*

trace [tras] n. f. 1° Empreinte laissée par le passage d'une personne, d'un animal, d'un véhicule : *Après le cambriolage de la villa, les policiers ont trouvé des traces de pas dans le jardin et des traces de roues de voiture près de la porte d'entrée. Suivre un animal à la trace* (= en se guidant sur les traces qu'il a laissées). ‖ *Suivre les traces, marcher sur les traces de quelqu'un,* imiter son exemple. — 2° Marque laissée par une maladie, un coup, un phénomène, sur quelqu'un ou sur quelque chose : *Avoir sur le visage des traces de variole, de brûlure* (syn. : CICATRICE). *La foudre est tombée sur cet arbre, on en voit les traces.* — 3° Quantité très faible d'une substance que l'on découvre dans une autre substance : *Déceler des traces de glucose dans le sang.* — 4° Ce qui reste, ce qui témoigne d'une action passée : *On ne trouve aucune trace de cette bataille à l'endroit où elle a eu lieu* (syn. : VESTIGE).

tracer [trase] v. tr. 1° *Tracer un dessin, une figure géométrique,* etc., les représenter au moyen de lignes et de points : *Tracer une circonférence, une ligne droite* (syn. : DESSINER). — 2° *Tracer une route,* en marquer l'emplacement sur le terrain par des lignes, des jalons. — 3° *Tracer le chemin à quelqu'un,* lui donner des conseils sur la conduite qu'il doit adopter; lui donner l'exemple. ◆ **tracé** n. m. 1° Ensemble des lignes par lesquelles on représente un dessin, un plan : *Faire le tracé d'une voie ferrée.* — 2° Parcours suivi par une voie de communication, un cours d'eau, etc. : *Le tracé d'une rivière.*

trachée [traʃe] ou **trachée-artère** [traʃeartɛr] n. f. Canal qui fait communiquer le larynx avec les bronches. ◆ **trachéite** [trakeit] n. f. Inflammation de la trachée-artère.

tract [trakt] n. m. Petite feuille de papier imprimée que l'on distribue, ou petite affiche que l'on colle aux murs, à des fins de propagande.

tractations [traktasjɔ̃] n. f. pl. Manière de traiter une affaire, une négociation (péjor.; syn. : MARCHANDAGES).

traction [traksjɔ̃] n. f. 1° Action de tirer : *Traction rythmée* ou *rythmique de la langue* (= mouvement rythmé de la langue pratiqué sur un asphyxié). — 2° Action de tirer un véhicule : *La traction animale est remplacée par la traction mécanique. Traction à vapeur. Traction électrique.* — 3° *Traction avant,* ou *traction,* automobile dont les roues avant sont motrices. — 4° Mouvement de gymnastique qui consiste à soulever le corps à l'aide des bras. ◆ **tracteur** n. m. Véhicule automobile servant à remorquer d'autres véhicules ou à tirer des instruments agricoles. ◆ **tracté, e** adj. Se dit de ce qui est tiré par un tracteur.

trade-union ou **trade union** [trɛdynjɔ̃] n. f. Syndicat ouvrier, en Grande-Bretagne.

tradition [tradisjɔ̃] n. f. 1° Transmission de doctrines religieuses ou morales, de légendes, de coutumes, par la parole ou par l'exemple : *La tradition est le lien du passé avec le présent.* — 2° Manière d'agir ou de penser transmise de génération à génération : *Maintenir une tradition à l'intérieur d'une province, d'une famille* (syn. : COUTUME). *Les traditions des grandes écoles.* ‖ *Etre de tradition* ou *une tradition,* être habituel, voulu par l'usage en telle ou telle circonstance : *Cette réception à Noël est une tradition dans la famille.* ◆ **traditionnel, elle** adj. Fondé sur une tradition, sur un long usage : *Des opinions traditionnelles* (syn. : CONFORMISTE). *Le traditionnel défilé du 14-Juillet* (syn. : HABITUEL). ◆ **traditionnellement** adv. : *Une fête qui se célèbre traditionnellement à telle date.* ◆ **traditionalisme** n. m. Attachement aux idées, aux coutumes transmises par la tradition. ◆ **traditionaliste** adj. : *Un professeur traditionaliste.*

1. traduire [tradɥir] v. tr. (conj. 70). 1° (sujet nom de personne) *Traduire un texte, un discours,* etc., les faire passer d'une langue dans une autre : *Traduire de l'anglais en français. L'interprète traduisait fidèlement ses paroles. Traduire un* *auteur, traduire ses ouvrages.* — 2° (sujet nom de personne ou de chose) *Traduire une chose* (abstraite), l'exprimer d'une certaine façon : *Traduisez plus clairement votre pensée. La musique est capable de traduire certains sentiments. Son attitude traduisait son impatience* (syn. : TRAHIR). ◆ ***se traduire*** v. pr. (sujet nom de chose). Se manifester : *La joie se traduisait sur son visage.* ◆ **traduction** n. f. 1° Action, manière de traduire : *La traduction est un travail difficile. Une traduction littérale, fidèle, exacte.* ‖ *Traduction automatique,* traduction d'un texte effectuée au moyen de machines électroniques. — 2° Ouvrage traduit : *Acheter une traduction de Shakespeare.* ◆ **traducteur, trice** n. Personne qui traduit. ◆ **traduisible** adj. (souvent dans des phrases négatives) : *Un texte difficilement traduisible.* ◆ **intraduisible** adj. : *Une expression intraduisible dans une autre langue.*

2. traduire [tradɥir] v. tr. (conj. 70). *Traduire quelqu'un en justice,* l'appeler devant un tribunal.

1. trafic [trafik] n. m. 1° Commerce clandestin, illégal : *Faire le trafic des stupéfiants. Se livrer à un trafic d'armes.* — 2° Commerce de choses qui ne sont pas vénales : *Faire trafic de son honneur.* ‖ *Trafic d'influence,* infraction pénale commise par celui qui se fait rémunérer pour obtenir ou tenter de faire obtenir un avantage de l'autorité publique. ◆ **trafiquer** v. intr. Se livrer à des opérations commerciales clandestines et illégales : *Il s'est enrichi en trafiquant pendant la guerre.* ◆ v. tr. ind. *Trafiquer de quelque chose,* tirer un profit d'une chose qui n'est pas vénale : *Trafiquer de son influence, de son crédit. Trafiquer de ses charmes* (fam.; syn. : SE PROSTITUER). ◆ v. tr. Fam. : *Trafiquer un produit,* le falsifier : *Trafiquer un vin* (syn. : FRELATER). ◆ **trafiquant, e** n. Personne qui se livre à un commerce malhonnête.

2. trafic [trafik] n. m. 1° Mouvement, circulation des trains sur une voie ferrée, des voitures sur une route, des avions sur une ligne aérienne : *Une autoroute sur laquelle se fait un trafic important.* — 2° Circulation des marchandises : *Dans ce port, le trafic est en augmentation.*

tragédie [traʒedi] n. f. 1° Œuvre dramatique dont le sujet est le plus souvent emprunté à la légende ou à l'histoire et qui, mettant en scène des personnages illustres, représente une action destinée à provoquer la pitié ou la terreur par le spectacle des passions humaines et des catastrophes qui en sont la fatale conséquence : *Les tragédies de Corneille, de Racine, de Voltaire.* — 2° Evénement funeste, terrible : *Il est à craindre que cette situation ne finisse par une tragédie.* ◆ **tragédien, enne** n. Acteur, actrice qui interprète surtout des tragédies. ◆ **tragique** adj. (après ou avant le nom). 1° Relatif à la tragédie : *Un auteur, une pièce tragique.* — 2° Se dit de ce qui éveille la terreur ou la pitié par son caractère effrayant ou funeste : *Une situation tragique* (syn. : DRAMATIQUE, ANGOISSANT). *Une mort tragique. Un tragique accident* (syn. : EFFROYABLE, TERRIBLE). *Une voix, un ton tragique* (= qui exprime l'angoisse, la terreur). ◆ n. m. 1° Auteur de tragédies : *Corneille, Racine sont nos plus grands tragiques.* — 2° Caractère de ce qui est terrible, funeste : *Considérer avec sang-froid le tragique de la situation.* — 3° *Prendre une chose au tragique,* la considérer d'une façon trop sérieuse, trop alarmante. ‖ (sujet nom de chose) *Tourner au tragique,* risquer d'avoir une issue funeste. ◆ **tragiquement** adv. : *Mourir tragiquement* (= dans des circonstances dramatiques). ◆ **tragi-comédie** n. f. 1° Œuvre dramatique où le tragique se mêle au comique. — 2° Mélange d'événements graves et d'événements comiques. ◆ **tragi-comique** adj. Qui contient du tragique et du comique : *Une situation tragi-comique.*

trahir [trair] v. tr. 1° (sujet nom de personne) *Trahir une personne, une chose* (abstraite), l'abandonner en manquant à la fidélité qu'on lui doit : *Trahir un ami. Trahir sa patrie* (= passer à l'ennemi, lui fournir des renseignements de nature à nuire à son propre pays). *Trahir la confiance de quelqu'un* (= ne pas y répondre). *Trahir les intérêts de quelqu'un* (= le desservir). *Trahir un parti, une cause.* — 2° (sujet nom de personne) *Trahir un secret,* le révéler (syn. : DIVULGUER). — 3° (sujet nom de personne ou de chose) *Trahir la pensée de quelqu'un,* ne pas la traduire fidèlement (syn. : DÉNATURER). — 4° (sujet nom de chose) *Trahir quelque chose,* révéler ce qu'on voulait tenir caché : *Il ne voulait pas être reconnu, mais sa voix l'a trahi. Ses pleurs l'ont trahie. Son attitude trahissait son impatience* (syn. : DÉCELER, MANIFESTER). — 5° (sujet nom de chose) *Trahir quelqu'un,* l'abandonner : *Ses forces l'ont trahi* (syn. : LÂCHER). — 6° (sujet nom de chose) *Trahir quelqu'un,* le décevoir : *Les événements ont trahi ses espérances* (syn. : NE PAS RÉPONDRE À). ◆ ***se trahir*** v. pr. 1° (sujet nom de personne) Laisser paraître des idées, des sentiments, un état que l'on voulait cacher : *Il s'est trahi par le ton de sa voix.* — 2° (sujet nom de chose) Apparaître, se manifester : *Son émotion se trahissait par le tremblement de ses mains.* ◆ **trahison** n. f. 1° Action de trahir : *Commettre une trahison.* — 2° *Haute trahison,* crime consistant à entretenir des relations coupables avec un pays étranger. ◆ **traître, esse** adj. 1° Se dit d'une personne qui trahit, qui est capable de trahir : *Un homme traître à sa patrie.* — 2° Se dit d'un animal capable de faire du mal lorsqu'on ne s'y attend pas : *Prenez garde à ce cheval, il est traître* (= il mord ou il rue). *Les chats sont ordinairement traîtres* (= ils griffent parfois quand on les caresse). — 3° Se dit d'une chose qui trompe, qui est plus dangereuse qu'elle ne paraît : *Un petit vin traître* (= qui enivre facilement). — 4° *Ne pas dire un traître mot,* ne pas dire un seul mot, garder un silence absolu. ◆ **traître** n. m. 1° Personne qui trahit : *Juger un traître* (syn. : DÉLATEUR, FÉLON, JUDAS). *Méfiez-vous de cet homme, c'est un traître* (syn. : PERFIDE). — 2° *En traître,* d'une manière perfide : *Attaquer quelqu'un en traître* (syn. : TRAÎTREUSEMENT). ◆ **traîtrise** n. f. 1° Acte perfide, déloyal : *On pardonne difficilement une traîtrise.* — 2° Caractère, manière d'agir du traître : *Nous avons plusieurs preuves de sa traîtrise* (syn. : DÉLOYAUTÉ, FOURBERIE). ◆ **traîtreusement** adv. : *Attaquer quelqu'un traîtreusement.*

1. train [trɛ̃] n. m. 1° Ensemble de voitures ou de wagons traînés par une locomotive : *Monter dans un train. Manquer le train. Train de voyageurs, de marchandises. Voyager par le train.* ‖ *Train rapide* (ou *rapide* n. m.), train circulant à grande vitesse et dont les arrêts sont très rares. ‖ *Train express,* qui ne s'arrête qu'aux gares principales. ‖ *Train omnibus,* qui s'arrête à toutes les stations. ‖ Pop. *Le train onze,* les jambes. — 2° Suite de véhicules, d'objets traînés ou avançant ensemble : *Train de péniches, de bateaux* (= file de péniches, de bateaux amarrés et traînés par un remorqueur) *Train de bois* (= pièces de bois attachées ensemble et flottant sur un cours d'eau). — **3°** Ensemble d'organes mécaniques, d'objets qui fonctionnent ensemble : *Un train d'engrenages* (= engrenages qui concourent au même travail). ‖ *Train de pneus,* ensemble des pneus qui équipent une voiture. — **4°** *Train de devant, de derrière,* partie de devant, de derrière d'un cheval, d'un quadrupède : *Un chien assis sur son train de derrière* (= sur son derrière). [On dit aussi AVANT-TRAIN, ARRIÈRE-TRAIN.] ‖ Pop. *Se manier* (ou *magner*) *le train,* se dépêcher. — **5°** *Train d'atterrissage,* partie d'un avion comprenant les roues et les dispositifs amortisseurs qui lui permettent d'atterrir et de rouler au sol.

2. train [trɛ̃] n. m. **1°** Allure d'une monture, d'une bête de trait : *Ce cheval va bon train.* — **2°** Allure d'une personne, vitesse de la marche, d'une course : *Une personne qui marche bon train. Un train rapide. Ralentir son train.* — **3°** *A fond de train,* à toute vitesse. ‖ *Mener le train,* dans une course, imposer une certaine cadence. ‖ *Suivre le train,* aller à la même allure que celui qui est en tête. ‖ *Aller son petit train,* marcher ou agir posément, sans se presser. ‖ *Un train de sénateur,* démarche lente et grave. ‖ *Au train où il va, il aura bientôt fini,* il travaille si vite qu'il aura bientôt fini. — **4°** *Etre en train,* être en bonne disposition physique (sujet nom de personne; s'emploie surtout négativement) : *Elle n'est pas en train en ce moment;* être en voie d'exécution (sujet nom de chose). ‖ *Mettre une chose en train,* commencer à la faire : *Mettre un travail en train.* ‖ *Mise en train,* début d'exécution. — **5°** *Etre en train de,* exprime le déroulement actuel d'une action, l'évolution d'un état ou simplement la durée dans l'état présent : *Un homme en train de lire* (= occupé à lire). *Du linge en train de sécher.* — **6°** *Train de vie,* manière de vivre d'une personne par rapport aux revenus, aux ressources dont elle dispose. ◆ **train-train** ou **traintrain** n. m. *Fam.* Répétition routinière des occupations, des habitudes : *Continuer, suivre le train-train de la vie quotidienne.*

traîner [trene] v. tr. **1°** *Traîner quelque chose,* le tirer derrière soi : *Un cheval qui traîne une charrette. Des wagons traînés par une locomotive.* — **2°** *Traîner une chose, une personne,* la déplacer en la tirant par terre : *Traîner un fardeau qu'on ne peut porter. Traîner un meuble dans une pièce. Traîner quelqu'un par les pieds.* ‖ *Traîner quelqu'un dans la boue,* salir sa réputation en disant du mal de lui. — **3°** *Traîner les pieds,* marcher sans soulever les pieds. ‖ *Traîner la jambe,* marcher difficilement, du fait d'une infirmité, de la fatigue, etc. — **4°** *Traîner une personne, une chose,* l'emmener, l'emporter partout avec soi : *Il traîne sa femme à toutes ses conférences. Il traîne toujours toutes sortes de livres dans sa serviette* (syn. pop. : TRIMBALER). — **5°** Supporter une chose pénible qui dure : *Il a traîné une existence misérable. Traîner une maladie.* — **6°** *Traîner les choses en longueur,* les faire durer. ‖ *Traîner ses mots* (ou *traîner sur les mots*), *sa voix,* parler lentement. ◆ v. intr. **1°** (sujet nom de personne) Rester en arrière, aller trop lentement : *Des coureurs qui traînent à la suite du peloton. Traîner en chemin* (syn. : FLÂNER). — **2°** (sujet nom de personne) Etre atteint de langueur, ne pas pouvoir se rétablir : *Depuis qu'il a été opéré, il traîne.* — **3°** (sujet nom de chose) Demeurer quelque temps avant de disparaître : *Quelques lambeaux de nuages traînaient dans le ciel.* — **4°** (sujet nom de chose) Durer trop longtemps : *Un procès, une affaire qui traîne* (syn. : SE PROLONGER). *Une discussion, un débat qui traîne* (syn. : S'ÉTERNISER). ‖ Fam. *Ça ne va pas traîner,* ce sera vite terminé. — **5°** (sujet nom de chose) Pendre jusqu'à terre : *Une robe, un manteau qui traîne.* — **6°** Pendre en désordre : *Des cheveux qui traînent dans le dos.* — **7°** (sujet nom de chose) Etre éparpillé, en désordre : *Il y a toujours des papiers qui traînent sur son bureau. Ne laissez pas traîner d'argent sur votre table. Cet écolier laisse traîner ses affaires* (= ne les range pas). — **8°** (sujet nom de chose) Se trouver partout, être rebattu : *Une anecdote qui traîne dans tous les livres d'histoire.* — **9°** (sujet nom de personne) Errer à l'aventure : *Traîner dans les rues, dans les cafés* (syn. fam. : TRAÎNAILLER, TRAÎNASSER). ◆ ***se traîner*** v. pr. **1°** Avancer en rampant sur le sol : *Les petits enfants aiment beaucoup se traîner par terre.* — **2°** Aller à contrecœur, marcher difficilement : *Il a dit qu'il se traînerait à cette réunion. A la fin de la promenade, il était tellement fatigué qu'il se traînait.* ◆ **traînant, e** adj. *Voix traînante,* voix lente et monotone. ◆ **traînement** n. m. Action de traîner : *Traînement de la voix sur certains mots. Des traînements de pieds.* ◆ **traîne** n. f. **1°** Partie d'un vêtement qui traîne jusqu'à terre : *Une robe à traîne.* — **2°** Fam. *A la traîne,* à l'abandon, en désordre : *Laisser des objets à la traîne;* en arrière d'un groupe de personnes, en retard : *Etre, demeurer à la traîne. Un coureur qui est à la traîne.* ◆ **traîneau** n. m. Véhicule muni de patins, que l'on fait glisser sur la glace ou la neige : *Un traîneau tiré par des chevaux, par des chiens.* ◆ **traînard, e** n. **1°** Personne qui reste en arrière, dans un groupe, dans une course. — **2°** Personne qui travaille lentement (syn. : LAMBIN). ◆ **traînée** n. f. **1°** Trace laissée sur le sol par une substance répandue : *Une traînée de plâtre, de sang.* — **2°** *Se répandre, se propager comme une traînée de poudre,* très rapidement : *Une nouvelle qui se répand comme une traînée de poudre.* — **3°** Longue trace laissée dans l'espace ou sur une surface par une chose en mouvement : *La traînée lumineuse d'une comète.* — **4°** *Pop.* Fille des rues. ◆ **traîneur, euse** n. **1°** *Péjor.* Personne qui s'attarde en un lieu, qui vagabonde : *Un traîneur de cafés. Une traîneuse de rues.* — **2°** *Traîneur de sabre,* militaire qui affecte des airs fanfarons (ironiq.). ◆ **traînasser** ou **traînailler** v. intr. **1°** *Fam.* Agir avec trop de lenteur (syn. : LAMBINER). — **2°** *Fam.* Errer à l'aventure : *Traînailler dans les rues* (syn. : BAGUENAUDER, MUSARDER, VAGABONDER).

train-train ou **traintrain** n. m. V. TRAIN 2.

traire [trɛr] v. tr. (conj. **79**). *Traire une vache, une chèvre, une brebis,* tirer le lait de leurs mamelles en pressant sur les pis. ◆ **traite** n. f. **1°** Action de traire. — **2°** *Traite mécanique,* celle qui est effectuée à l'aide d'une machine appelée *trayeuse.*

1. trait [trɛ] n. m. **1°** Courroie, corde servant à tirer une voiture : *Une paire de traits. Allonger des traits.* — **2°** *Animal, bête de trait,* propre à tirer une voiture, un chariot : *Cheval de trait* (contr. : DE SELLE).

2. trait [trɛ] n. m. *Boire d'un trait, d'un seul trait,* en une seule fois, d'une seule gorgée : *Il a* *vidé son verre d'un trait.* ‖ *Boire à longs traits,* avidement, à grandes gorgées.

3. trait [trɛ] n. m. 1° Tout projectile lancé avec un arc, une arbalète : *Décocher un trait. Une grêle de traits.* — 2° *Filer, partir comme un trait,* très vite, comme une flèche (littér.). — 3° *Trait de lumière,* pensée, parole qui éclaire subitement l'esprit : *Il ne dit que quelques mots d'explication, ce fut pour moi un trait de lumière* (syn. : LUEUR). — 4° Attaque malveillante (littér.) : *Etre sensible aux traits de la raillerie, de la calomnie. Un trait satirique, mordant, piquant* (syn. : SARCASME).

4. trait [trɛ] n. m. 1° Ligne tracée sur le papier, sur une surface quelconque : *Biffer un mot d'un trait de plume. Supprimer quelque chose d'un trait de plume* (= rapidement, brutalement). *Marquer un emplacement d'un trait. Un trait de repère.* — 2° *Trait d'union,* petite ligne horizontale que l'on met entre les divers éléments de certains mots (ex. : *avant-coureur, lui-même, dit-il,* etc.); ce qui sert à joindre, à unir : *Servir de trait d'union entre deux partis opposés.* — 3° Ligne légère traçant les contours de ce qu'on veut représenter : *Les traits d'un dessin, d'un portrait. Copier, reproduire trait pour trait* (= avec une parfaite ressemblance). ‖ *Peindre à grands traits,* avec des traits larges, sans se préoccuper des détails. — 4° Manière d'exprimer, de décrire : *Montaigne a peint l'amitié en traits vifs et touchants.* ‖ *A grands traits,* rapidement, sommairement : *Faire à grands traits le récit d'une bataille.* — 5° Elément caractéristique d'une personne ou d'une chose : *Cet enfant a de nombreux traits de ressemblance avec son grand-père. Les traits significatifs d'une époque.* — 6° *Avoir trait à,* avoir un rapport avec : *Relever avec soin tout ce qui a trait à un événement* (syn. : CONCERNER, INTÉRESSER). — 7° Action révélatrice d'un caractère, d'un sentiment : *Un trait de générosité, d'audace, de courage. Un trait de perfidie, de cruauté. Un trait d'esprit, de génie.* ◆ **traits** n. m. pl. Lignes caractéristiques du visage : *Avoir des traits fins, réguliers, délicats, des traits irréguliers, grossiers. Avoir les traits creusés, tirés.*

1. traite n. f. V. TRAIRE et TRAITER 3.

2. traite [trɛt] n. f. *D'une seule traite, tout d'une traite* (littér.), sans s'arrêter : *Faire le trajet de Paris à Dijon d'une seule traite.* (Le mot *traite* désignait anciennement le parcours qu'un voyageur faisait sans s'arrêter.)

3. traite [trɛt] n. f. Ecrit par lequel un créancier invite son débiteur à payer une somme déterminée, à une certaine date, à une troisième personne ou à celui qui sera désigné par cette personne : *Payer, accepter une traite.*

1. traitement n. m. V. TRAITER 1 et 4.

2. traitement [trɛtmɑ̃] n. m. Rémunération d'un fonctionnaire (syn. : ÉMOLUMENTS). [Se dit quelquefois du salaire d'un employé.]

traiter [trete] v. tr. 1° *Traiter quelqu'un bien* ou *mal,* agir envers lui de telle ou telle manière : *Traiter humainement un prisonnier. Traiter durement ses enfants* (syn. : ↑ MALTRAITER, MALMENER). *Traiter quelqu'un en frère, en camarade.* — 2° *Traiter une personne de* (avec un attribut), lui donner un qualificatif péjoratif : *Traiter quelqu'un de fou, de paresseux, de menteur.* — 3° Recevoir à sa table : *Il traite toujours ses invités magnifiquement.* — 4° *Traiter une maladie, un malade,* les soigner par une médication appropriée. ◆ **traitant, e** adj. *Médecin traitant,* médecin qui soigne habituellement un malade. ◆ **traitement** n. m. 1° Manière d'agir avec quelqu'un : *Jouir d'un traitement de faveur. Faire subir un mauvais traitement* (pop. : *un drôle de traitement*) *à quelqu'un.* — 2° Ensemble des moyens employés pour prévenir ou pour guérir une maladie : *Ordonner, prescrire un traitement. Suivre un traitement.* ◆ **traitements** n. m. pl. *Mauvais traitements,* coups : *Infliger de mauvais traitements à un enfant* (syn. : SÉVICES, VIOLENCES). ◆ **intraitable** adj. Se dit d'une personne qui ne se plie à aucun accommodement, qui n'accepte aucun compromis : *Il est intraitable sur tout ce qui touche à l'honneur. Un créancier intraitable* (= qui exige impérieusement son dû).

2. traiter [trete] v. tr. *Traiter une chose* (nom abstrait), l'exposer, la développer oralement ou par écrit : *Traiter une question, un sujet à fond ou superficiellement.* ◆ v. tr. ind. 1° (sujet nom de personne) *Traiter d'une chose,* la prendre pour objet d'étude : *Le conférencier a traité de l'évolution démographique.* — 2° (sujet nom de chose) Avoir pour objet : *Un ouvrage qui traite des origines du socialisme.* ◆ **traitable** adj. Que l'on peut traiter : *Un sujet facilement traitable.* ◆ **traité** n. m. Ouvrage relatif à une matière particulière : *Un traité de physique, d'économie politique.*

3. traiter [trete] v. tr. *Traiter une affaire, un marché,* en régler les conditions (syn. : NÉGOCIER). ◆ v. intr. Entrer en pourparlers, en relations pour une négociation commerciale ou diplomatique. ◆ **traité** n. m. Convention écrite entre des Etats, qui fixe leurs droits et leurs devoirs les uns envers les autres : *Négocier, conclure, signer, ratifier un traité. Un traité de paix, un traité de commerce.* ◆ **traite** n. f. *Traite des Noirs,* trafic des esclaves sur les côtes d'Afrique, pratiqué par le Portugal, l'Espagne et l'Angleterre, du XVe au XIXe siècle. ‖ *Traite des blanches,* délit consistant à entraîner une femme en vue de la prostitution.

4. traiter [trete] v. tr. *Traiter une substance,* la soumettre à diverses opérations, de manière à la transformer : *Traiter un minerai.* ◆ **traitement** n. m. Ensemble d'opérations que l'on fait subir à des matières brutes, en vue d'un résultat industriel ou scientifique.

traître adj. et n., **traîtreusement** adv., **traîtrise** n. f. V. TRAHIR.

trajectoire [traʒɛktwar] n. f. Ligne décrite par un point matériel en mouvement, par un projectile, de son point de départ à son point d'arrivée.

trajet [traʒɛ] n. m. 1° Distance à parcourir pour aller d'un lieu à un autre : *Faire un long trajet.* — 2° Action de parcourir cette distance; temps nécessaire pour accomplir ce parcours : *Le trajet de Paris à Lyon lui a semblé très court* (syn. : PARCOURS).

1. tralala! [tralala] interj. Onomatopée exprimant l'incrédulité, la joie, etc. : *Tralala! vous me racontez des histoires. Tralala! j'ai trouvé ce que je cherchais!*

2. tralala [tralala] n. m. *Fam.* Affectation, manières recherchées : *Pas besoin de faire tant de tralalas : on est entre amis* (syn. : FAÇONS, CHICHIS).

trame [tram] n. f. 1° Ensemble des fils passés dans le sens de la largeur entre les fils de la chaîne pour constituer un tissu. — 2° Ensemble de détails qui constituent comme un fond, un tout continu sur lequel se détachent des événements marquants : *La trame d'un récit.*

tramer [trame] v. tr. *Tramer un complot, une conspiration, la perte de quelqu'un,* les préparer plus ou moins secrètement (syn. : COMPLOTER, MACHINER, MANIGANCER, OURDIR). ◆ ***se tramer*** v. pr. *Il se trame quelque chose,* on prépare secrètement quelque machination.

tramontane [tramɔ̃tan] n. f. Vent venant des régions situées au nord des Alpes, et qui souffle en direction du sud sur la Méditerranée; vent du nord-ouest, dans le bas Languedoc.

tramway [tramwɛ] n. m. 1° Chemin de fer urbain à traction électrique. — 2° Véhicule qui circule sur des rails : *Les tramways ont été remplacés par des trolleybus.*

tranchant, e adj. et n. m. V. TRANCHER 1 et 2.

tranchée [trɑ̃ʃe] n. f. 1° Excavation en longueur, faite pour poser les fondations d'un mur, planter des arbres, placer des canalisations, etc. — 2° Fossé permettant de se retrancher contre les attaques de l'ennemi, d'organiser le tir des fusils et des armes automatiques : *Guerre de tranchées.*

1. trancher [trɑ̃ʃe] v. tr. Couper en séparant d'un seul coup : *Trancher la tête à quelqu'un* (syn. : DÉCAPITER, GUILLOTINER). *Trancher la gorge* (= égorger). ◆ **tranchant, e** adj. Se dit d'un instrument qui coupe net : *Un couteau tranchant.* ◆ **tranchant** n. m. 1° Côté affilé d'un instrument coupant : *Le tranchant d'un couteau, d'une paire de ciseaux.* — 2° *Argument à double tranchant, à deux tranchants,* qui peut avoir deux effets opposés. ◆ **tranche** n. f. 1° Morceau coupé assez mince : *Une tranche de pain, de jambon.* — 2° Surface unie que présente l'épaisseur des feuillets d'un livre broché ou relié : *Une tranche dorée, marbrée.* — 3° Série de chiffres consécutifs dans un nombre. — 4° Chacun des tirages successifs d'une émission financière, des lots d'une loterie. — 5° *Tranche de vie,* expression adoptée par les écrivains naturalistes pour définir leur idéal esthétique : la reproduction réaliste de la vie de tous les jours. — 6° Pop. *S'en payer une tranche,* s'amuser, rire beaucoup.

2. trancher [trɑ̃ʃe] v. tr. *Trancher une question, une difficulté,* les résoudre en prenant rapidement une décision. ◆ v. intr. ou tr. ind. 1° (sujet nom de personne) *Trancher de, sur quelque chose,* en décider d'une manière catégorique : *Vous avez assez tergiversé, il faut maintenant trancher. Il fait l'important et tranche sur tout.* — 2° *Trancher dans le vif,* prendre des moyens énergiques, agir sans ménagements. ◆ **tranchant, e** adj. Se dit d'une personne (ou de son comportement) qui décide d'une manière absolue, péremptoire : *Les jeunes gens sont souvent tranchants dans leurs jugements. Un ton tranchant* (syn. : CASSANT, INCISIF, IMPÉRIEUX).

3. trancher [trɑ̃ʃe] v. tr. ind. et intr. (sujet nom de chose). *Trancher sur, avec,* etc., *quelque chose,* former un contraste, une vive opposition : *Une couleur foncée qui tranche sur un fond clair* (syn. : RESSORTIR). *Un rouge vif qui tranche auprès d'un vert foncé. Dans cette réunion, le calme de la maîtresse de maison tranchait avec l'agitation des invités.* ◆ **tranché, e** adj. Se dit de ce qui est bien marqué : *Des couleurs bien tranchées* (syn. : NET).

tranquille [trɑ̃kil] adj. 1° Se dit d'une personne (ou de son comportement) qui ne manifeste pas d'agitation, de trouble, d'inquiétude : *Un homme tranquille et posé* (syn. : PLACIDE). *Jusqu'à maintenant, cet enfant était tranquille, mais il devient turbulent* (syn. : SAGE). *Des voisins tranquilles* (contr. : BRUYANT). *Se tenir tranquille* (syn. : COI, SILENCIEUX). *Mener une vie tranquille* (syn. : PAISIBLE). *Avoir l'esprit, la conscience tranquille* (syn. : CALME, SEREIN; contr. : INQUIET, TOURMENTÉ, TROUBLÉ). *Depuis qu'il est à la retraite, il vit bien tranquille* (syn. pop. : PEINARD). *Marcher d'un pas tranquille.* — 2° Se dit d'un lieu où il n'y a pas de bruit, pas d'agitation, d'une chose sans mouvement et d'apparence paisible : *Passer ses vacances dans un village bien tranquille* (syn. : PAISIBLE). *Habiter dans un quartier tranquille* (syn. : CALME). *Un lac, une eau tranquille.* — 3° *Laisser quelqu'un tranquille,* s'abstenir de le taquiner, de le tourmenter. ‖ Fam. *Laisser quelque chose tranquille,* ne pas y toucher. ◆ **tranquillement** adv. : *Dormir tranquillement* (syn. : CALMEMENT). *Il a toujours vécu tranquillement* (syn. : PAISIBLEMENT). *Répondre tranquillement à un insolent.* ◆ **tranquillité** [trɑ̃kilite] n. f. Etat d'une personne ou d'une chose tranquille : *Vivre dans une grande tranquillité* (syn. : QUIÉTUDE). *Retrouver sa tranquillité après une émotion* (syn. : CALME). *Une vie honnête entretient la tranquillité de l'esprit* (syn. : SÉRÉNITÉ). *Troubler la tranquillité publique* (syn. : PAIX). *La tranquillité de l'air, de la mer* (syn. : CALME). ◆ **tranquilliser** v. tr. *Tranquilliser quelqu'un,* le délivrer d'un souci : *Nous étions inquiets, ce que vous nous dites nous tranquillise* (syn. : RASSURER, RASSÉRÉNER). ◆ ***se tranquilliser*** v. pr. Cesser d'être inquiet : *Tranquillisez-vous au sujet de votre examen, vous serez certainement reçu* (contr. : S'AFFOLER, S'ALARMER, S'EFFRAYER). ◆ **tranquillisant, e** adj. : *Une nouvelle tranquillisante* (syn. : RASSURANT). ◆ **tranquillisant** n. m. Médicament propre à combattre l'angoisse, l'anxiété et à rétablir le calme nerveux.

1. transaction n. f. V. TRANSIGER.

2. transaction [trɑ̃zaksjɔ̃] n. f. Opération commerciale ou boursière.

1. transatlantique [trɑ̃zatlɑ̃tik] n. m. Paquebot qui fait le service régulier des voyageurs entre l'Europe et l'Amérique.

2. transatlantique [trɑ̃zatlɑ̃tik] ou fam. **transat** [trɑ̃zat] n. m. Chaise longue pliante en toile.

transborder [trɑ̃sbɔrde] v. tr. *Transborder des voyageurs, des marchandises,* les faire passer d'un bateau, d'un train dans un autre. ◆ **transbordeur** adj. m. *Pont transbordeur,* pont à tablier très élevé, auquel est suspendue une plate-forme mobile, destinée à faire passer des voyageurs, des marchandises d'un bord à l'autre d'un fleuve, d'une baie.

transcendant, e [trɑ̃sɑ̃dɑ̃, -ɑ̃t] adj. Se dit d'une personne qui, dans l'ordre de l'intelligence, est très supérieure à la moyenne, d'une chose qui dépasse tout ce qui est du même ordre : *Un esprit transcendant. Un mérite transcendant* (syn. : ↑ SUBLIME). ◆ **transcendance** n. f. : *La transcendance d'un talent.* ◆ **transcender (se)** v. pr. Se dépasser soi-même.

transcrire [trɑ̃skrir] v. tr. (conj. **71**). 1° *Transcrire un texte,* le reproduire exactement en le recopiant sur un registre, sur un autre papier ou avec des caractères différents : *Transcrire un manuscrit. Transcrire un texte grec avec des caractères latins.* — 2° Reproduire un texte ou des paroles suivant un mode d'expression différent : *Transcrire en clair un message secret. Transcrire un message téléphoné.*

transe [trɑ̃s] n. f. Fam. *Etre, entrer en transe,* être très excité. ◆ **transes** n. f. pl. *Etre dans les transes, dans des transes mortelles,* être vivement inquiet, angoissé (syn. : AFFRES, ANXIÉTÉ).

transférer [trɑ̃sfere] v. tr. *Transférer quelqu'un, quelque chose,* les transporter d'un lieu dans un autre : *Transférer un détenu d'une prison dans une autre. Transférer le corps d'un mort, les reliques d'un saint. La préfecture a été transférée dans une autre ville du département.* ◆ **transfèrement** n. m. (jurid.) : *Le transfèrement d'un prisonnier se fait dans une voiture cellulaire.* ◆ **transfert** n. m. : *Le transfert des reliques d'un saint* (syn. : TRANSLATION). [On emploie assez souvent *transfert* à la place de *transfèrement.*]

transfigurer [trɑ̃sfigyre] v. tr. (sujet nom de chose). *Transfigurer quelqu'un,* donner à son visage un éclat inaccoutumé : *La joie l'avait transfiguré.* ◆ **transfiguration** n. f. **1°** Changement complet de l'expression du visage : *Cette bonne nouvelle a provoqué en lui une véritable transfiguration.* — 2° *Transfiguration de Jésus-Christ,* état glorieux dans lequel le Christ se montra à trois de ses disciples sur le mont Thabor.

transformer [trɑ̃sfɔrme] v. tr. **1°** (sujet nom de personne) *Transformer une chose,* lui donner un aspect différent : *Transformer un magasin* (syn. : MODERNISER, RÉNOVER). *Transformer un vêtement* (= lui donner une autre forme). — **2°** (sujet nom de chose) *Transformer quelqu'un,* changer en mieux son caractère : *L'éducation peut transformer un enfant.* — **3°** Améliorer la santé : *Ce séjour en montagne l'a transformé.* — **4°** (sujet nom d'être animé) Modifier l'aspect d'un être vivant, la nature d'une chose : *Selon Homère, Circé transforma les compagnons d'Ulysse en pourceaux* (syn. : MÉTAMORPHOSER). *Transformer du plomb en or* (syn. : CONVERTIR). — **5°** Au rugby, réussir la conversion d'un essai en but. ◆ ***se transformer*** v. pr. **1°** (sujet nom d'être animé) Se métamorphoser : *La chenille se transforme en papillon.* — **2°** Changer son caractère, sa manière d'être : *Cet enfant s'est bien transformé.* — **3°** (sujet nom de chose) Prendre un autre aspect : *Ce vieux quartier s'est bien transformé.* ◆ **transformable** adj. Qui peut être transformé : *Un siège transformable.* ◆ **transformation** n. f. : *La transformation des matières premières. Faire des transformations dans une maison* (syn. : AMÉLIORATION, AMÉNAGEMENT). *La transformation d'une industrie en une autre* (syn. : RECONVERSION). *Cet enfant qui était si chétif est devenu très robuste : c'est une véritable transformation.* ◆ **transformateur** n. m. Appareil permettant de modifier la tension, l'intensité d'un courant électrique. ◆ **transformisme** n. m. Théorie biologique selon laquelle les êtres vivants se sont transformés au cours des temps géologiques. ◆ **transformiste** adj. Relatif au transformisme : *Une théorie transformiste.* ◆ n. Partisan du transformisme. ◆ **retransformer** v. tr.

transfuge [trɑ̃sfyʒ] n. m. **1°** Militaire qui passe à l'ennemi en temps de guerre. — **2°** Personne qui abandonne son parti pour passer dans le parti adverse.

transfusion [trɑ̃sfyzjɔ̃] n. f. Opération par laquelle on fait passer du sang des veines d'une personne dans celles d'une autre personne. ◆ **transfuser** v. tr. : *Transfuser du sang à un blessé.*

transgresser [trɑ̃sgrese] v. tr. *Transgresser une loi, un règlement, un commandement,* etc., ne pas les respecter, ne pas y obéir : *Transgresser un ordre* (syn. : CONTREVENIR À, ENFREINDRE, VIOLER). ◆ **transgression** n. f. : *La transgression d'un règlement* (syn. : VIOLATION).

transhumance [trɑ̃zymɑ̃s] n. f. Mouvement des troupeaux de moutons méditerranéens qui, l'été, se déplacent vers les montagnes voisines et redescendent à l'automne. ◆ **transhumer** v. intr. (sujet nom désignant des moutons). Aller paître l'été dans les montagnes.

transiger [trɑ̃ziʒe] v. intr. Conclure un arrangement par des concessions réciproques : *Il vaut mieux transiger que plaider* (syn. : S'ARRANGER, S'ENTENDRE). ◆ v. tr. ind. *Transiger sur une chose,* abandonner une partie de sa rigueur, de ses exigences relativement à cette chose (surtout dans des propositions négatives) : *Ne pas transiger sur l'exactitude, sur l'honneur.* ◆ **transaction** n. f. Accord conclu sur la base de concessions réciproques. ◆ **intransigeant, e** adj. et n. Qui ne fait aucune concession, qui n'admet aucun compromis, aucun adoucissement : *Une vertu intransigeante* (syn. : FAROUCHE, INFLEXIBLE). *Etre intransigeant sur les principes* (syn. : INTRAITABLE ; contr. : ACCOMMODANT). *Un révolutionnaire intransigeant* (syn. péjor. : SECTAIRE ; contr. : TIÈDE). *Le médecin est intransigeant; il ne veut pas que je me lève avant huit jours* (syn. : IRRÉDUCTIBLE). ◆ **intransigeance** n. f. : *L'intransigeance de la jeunesse* (syn. péjor. : INTOLÉRANCE). *Garder une intransigeance absolue* (syn. péjor. : SECTARISME ; contr. : SOUPLESSE).

transir [trɑ̃sir ou trɑ̃zir] v. tr. (sujet nom désignant le froid). *Transir quelqu'un,* le pénétrer et l'engourdir (emploi peu fréquent) : *Une bise glaciale qui vous transit. Etre transi de froid.* ◆ **transi, e** adj. **1°** *Etre transi,* être engourdi par le froid. — **2°** *Amoureux transi,* celui que son amour rend timide.

transistor [trɑ̃zistɔr] n. m. **1°** Dispositif électronique qui remplace les anciennes lampes de radio. — **2°** Poste récepteur de radio équipé de transistors et fonctionnant à l'aide de piles. ◆ **transistorisé, e** adj. Equipé de transistors.

transit [trɑ̃zit] n. m. *Marchandises en transit,* celles qui traversent un pays sans payer de droits de douane. ◆ **transiter** v. tr. et intr. Passer en transit : *Transiter des marchandises. Marchandises qui transitent.*

transitif, ive [trɑ̃zitif, -iv] adj. et n. m. Se dit des verbes qui admettent un complément d'objet direct (*transitifs directs*) ou un complément d'objet indirect (*transitifs indirects*). ◆ **transitivement** adv. *Employé transitivement,* se dit d'un verbe intransitif qui est employé avec un complément d'objet direct. ◆ **transitivité** n. f. : *La transitivité d'un verbe.* ◆ **intransitif, ive** adj. et n. m. Se dit des verbes qui n'admettent pas de complément d'objet direct. ◆ **intransitivement** adv. ◆ **intransitivité** n. f. : *L'intransitivité d'un verbe.*

transition [trɑ̃zisjɔ̃] n. f. **1°** Degré, stade intermédiaire : *Passer sans transition de l'état féodal à* *la démocratie.* — 2° Manière de passer d'un raisonnement à un autre, de lier les idées : *Une transition habile, ingénieuse. Connaître l'art des transitions.* — 3° Passage d'un état à un autre : *Une brusque transition du chaud au froid.* ● LOC. ADJ. *De transition,* qui constitue un état intermédiaire : *Un gouvernement, un régime de transition.* ◆ **transitoire** adj. Se dit de ce qui ne dure pas : *Les choses de ce monde sont transitoires* (syn. : FUGITIF, PASSAGER).

translation [trɑ̃slasjɔ̃] n. f. Action de transporter le corps, les restes d'une personne d'un lieu dans un autre : *La translation des cendres de Napoléon Ier. La translation des reliques d'un saint* (syn. : TRANSFERT).

translucide [trɑ̃slysid] adj. Se dit d'une substance qui laisse passer la lumière, mais au travers de laquelle on ne distingue pas nettement les objets : *Une porcelaine translucide. Un diamant brut n'est pas transparent, il est à peine translucide.* ◆ **translucidité** n. f. Qualité de ce qui est translucide.

transmettre [trɑ̃smɛtr] v. tr. (conj. **57**). 1° (sujet nom d'être animé) *Transmettre quelque chose à quelqu'un, à quelque chose,* leur faire passer ce qu'on a reçu : *Transmettre un message scrupuleusement. Transmettez-lui de ma part mes sincères salutations. Transmettre une information* (syn. : COMMUNIQUER). *Transmettre en direct un discours à la radio* (syn. : PASSER). *Transmettre une propriété en héritage* (syn. : LÉGUER). *Transmettre un héritage. Un insecte qui transmet une maladie contagieuse* (syn. : VÉHICULER, PROPAGER). — 2° (sujet nom de chose) *Transmettre quelque chose,* en permettre le passage, agir comme intermédiaire : *Les métaux transmettent le courant électrique. Le mouvement est transmis aux roues par un arbre moteur. Les nerfs transmettent l'excitation aux centres nerveux.* ◆ ***se transmettre*** v. pr. : *Certaines maladies se transmettent héréditairement* (syn. : SE PASSER). *Le courant se transmet par un fil de laiton* (syn. : SE PROPAGER, CIRCULER). *Le son ne se transmet pas dans le vide* (syn. : SE PROPAGER). ◆ **transmetteur** n. m. Appareil servant à émettre des signaux télégraphiques. ◆ **transmissible** adj. : *Des biens immobiliers qui ne sont pas transmissibles. Caractères biologiques non transmissibles d'une génération à l'autre. Une pensée difficilement transmissible par écrit. Maladie transmissible* (syn. : CONTAGIEUX). ◆ **transmissibilité** n. f. : *La transmissibilité d'un privilège. La transmissibilité d'un caractère biologique acquis.* ◆ **transmission** [trɑ̃smisjɔ̃] n. f. 1° *Transmission orale d'un message, d'un ordre. Transmission des pouvoirs* (= acte par lequel un responsable transmet ses pouvoirs à son successeur). *La transmission de certains privilèges n'est pas légale* (= le droit d'en laisser la jouissance à un héritier). *La transmission des caractères biologiques d'une espèce animale. La transmission en direct d'un discours* (syn. plus fréquent : RETRANSMISSION). *La transmission du courant est assurée par des lignes à haute tension* (syn. : TRANSPORT). *La transmission des vibrations en milieu liquide* (syn. : PROPAGATION). — 2° *Transmission de pensée,* syn. de TÉLÉPATHIE. ◆ **transmissions** n. f. pl. Arme ou service chargés de la mise en œuvre des moyens de liaison à l'intérieur des forces armées : *Faire son service dans les transmissions.* (V. RETRANSMETTRE.)

transmigration [trɑ̃smigrasjɔ̃] n. f. *Transmigration des âmes,* croyance religieuse ou philosophique selon laquelle les âmes des hommes s'incarnent successivement dans des corps différents (syn. : MÉTEMPSYCOSE).

transparaître [trɑ̃sparɛtr] v. intr. (conj. **64**). Se montrer, apparaître à travers quelque chose (langue soutenue) : *La lune transparaît à travers les nuages légers. Dans l'accueil qu'il fit à son adversaire, sa haine et son mépris transparaissaient sous le masque de la politesse. Laisser transparaître un sentiment caché, une intention secrète.* ◆ **transparent, e** adj. 1° Se dit d'un corps à travers lequel les objets sont nettement distingués : *Une paroi de verre transparente. Un tissu transparent. Des grappes de raisins que le soleil rend transparentes* (syn. : ↓ DIAPHANE). *Une peau transparente* (= sous laquelle on devine le dessin des veines). — 2° Se dit de choses qui se laissent aisément comprendre ou deviner : *Une allusion transparente* (syn. : ↓ CLAIR, ÉVIDENT). *Des sentiments transparents* (= qui apparaissent nettement, bien qu'on ait envie de les cacher). ◆ **transparence** n. f. : *La transparence d'un tissu. La transparence de ses intentions frappait tout le monde.*

transpercer [trɑ̃spɛrse] v. tr. 1° *Transpercer quelque chose, quelqu'un,* les percer de part en part : *Une balle lui a transpercé l'intestin* (syn. : PERFORER). — 2° Passer au travers de : *La pluie transperce son vieil imperméable* (syn. : TRAVERSER). — 3° *Transpercer le cœur,* affecter douloureusement (littér.) : *La mort de sa fille lui a transpercé le cœur* (syn. : ↓ FENDRE, PERCER).

transpirer [trɑ̃spire] v. intr. 1° (sujet nom d'être vivant) Laisser passer de la sueur par les pores de la peau, sous l'effet d'une forte chaleur, d'un effort, etc. : *Prendre des bains de vapeur pour se faire transpirer.* — 2° *Nouvelle, secret,* etc., *qui transpire,* qui se répand peu à peu malgré les précautions prises : *La nouvelle de sa mort, qu'on avait tenue secrète, avait transpiré au-dehors.* ◆ **transpiration** n. f. Sortie de la sueur par les pores de la peau : *L'élimination des déchets organiques par la transpiration. Etre en transpiration* (= suer ; syn. : EN NAGE, EN SUEUR).

transplanter [trɑ̃splɑ̃te] v. tr. 1° Planter en un autre endroit : *Transplanter des arbres.* — 2° Installer ailleurs : *Transplanter des populations d'un pays dans un autre.* ◆ **transplanté, e** adj. : *Certaines fleurs transplantées ont du mal à reprendre.* ◆ **transplantation** n. f. : *La transplantation des arbres. La transplantation des ruraux dans des zones urbaines* (syn. : ÉMIGRATION).

1. transport n. m. V. TRANSPORTER 1 et 2.

2. transport [trɑ̃spɔr] n. m. *Transport au cerveau,* congestion cérébrale.

1. transporter [trɑ̃spɔrte] v. tr. 1° *Transporter quelque chose, quelqu'un,* le porter d'un lieu dans un autre : *Transporter des marchandises. Transporter des voyageurs. Transporter des enfants dans sa voiture* (syn. : VÉHICULER). *Transporter en camion* (syn. : CAMIONNER). — 2° *Transporter quelque chose,* le déplacer : *Transporter la guerre, le malheur dans un pays* (syn. : APPORTER, INTRODUIRE, AMENER). *Transporter un fait divers sur la scène, à l'écran* (= le représenter sur la scène, à l'écran ; syn. : TRANSPOSER). *Transporter une somme d'un compte courant à un autre compte* (syn. : VIRER, TRANSFÉRER). ◆ ***se transporter*** v. pr.

1° (sujet nom de personne) Se déplacer : *Il faut se transporter sur les lieux pour la constatation.* — 2° (sujet nom de personne) Se porter par l'imagination, par l'esprit dans une autre époque, un lieu lointain : *Transportons-nous à l'époque des Croisades. Il faut se transporter dans ce pays fabuleux.* ◆ **transport** n. m. 1° *Transport des voyageurs. Le transport des bagages en avion. Matériel de transport. Frais de transport.* — 2° *Transport de troupes,* bateau réquisitionné par l'armée pour le transport des soldats. ◆ **transports** n. m. pl. Ensemble des moyens d'acheminement des marchandises ou des personnes : *Les transports en commun.* ◆ **transportable** adj. : *Un blessé transportable* (contr. : INTRANSPORTABLE). *Marchandises qui ne sont pas transportables.* ◆ **intransportable** adj. : *Un malade intransportable.* ◆ **transporteur, euse** adj. et n. Se dit de ce qui transporte : *La compagnie transporteuse... Un transporteur mécanique. Un corps transporteur d'oxygène.* ◆ **transporteur** n. m. Personne qui effectue des transports par profession : *Le transporteur terrestre de marchandises garantit de la perte des objets transportés. Un transporteur routier.*

2. transporter [trɑ̃sporte] v. tr. *Transporter quelqu'un de joie, d'enthousiasme, de colère,* etc., susciter en lui de la joie, de l'enthousiasme, etc. (littér.; surtout au passif) : *La nouvelle de ce prochain voyage le transporta de joie. Etre, se sentir transporté de joie* (syn. : ÊTRE SOULEVÉ, IVRE DE). ◆ **transport** n. m. Sentiment vif, violent (littér.) : *La foule accueillit la nouvelle avec des transports d'enthousiasme.*

transposer [trɑ̃spoze] v. tr. 1° *Transposer des choses,* les changer de place en les intervertissant : *Transposer les termes d'une proposition. Transposer les mots d'une phrase.* — 2° *Transposer une chose,* la placer dans un contexte, un cadre différent : *Transposer l'intrigue d'une pièce dans une autre époque.* — 3° Mettre un morceau de musique dans un autre ton : *Transposer une cantate pour chœur d'hommes.* ◆ **transposable** adj. : *Termes transposables. Une histoire facilement transposable dans un autre cadre.* ◆ **transposition** n. f. : *Transposition des compléments dans une proposition grammaticale* (syn. : INTERVERSION, INVERSION). *Transposition de lettres dans un mot. Transposition des termes d'une équation* (syn. : PERMUTATION). *La transposition d'une anecdote moyenâgeuse à l'époque contemporaine.*

transvaser [trɑ̃svɑze] v. tr. *Transvaser un liquide,* le verser d'un récipient dans un autre : *Transvaser de l'huile.* ◆ **transvasement** n. m. : *Le transvasement d'un liquide.*

transversal, e, aux [trɑ̃svɛrsal, -so] adj. 1° Se dit d'une chose disposée en travers : *Il quitta la route et s'engagea dans un chemin transversal. Une vallée transversale* (= qui coupe plusieurs vallées parallèles). — 2° Se dit d'une chose qui en traverse une autre perpendiculairement au sens de sa plus grande longueur : *Coupe transversale* (contr. : LONGITUDINAL). ◆ **transversalement** adv. : *Planches disposées transversalement dans un échafaudage.* ◆ **transverse** adj. Se dit de certains organes disposés transversalement par rapport à l'axe du corps : *Artère transverse.*

1. trapèze [trapɛz] n. m. Quadrilatère convexe, dont deux côtés sont parallèles, mais de longueur inégale : *Construire un trapèze. Un trapèze isocèle.* ◆ **trapézoïdal, e, aux** adj. Se dit d'une figure en forme de trapèze.

2. trapèze [trapɛz] n. m. Appareil de gymnastique formé de deux cordes verticales, réunies en bas par une barre de forme cylindrique : *Monter au trapèze. Un exercice de trapèze.* ◆ **trapéziste** n. Equilibriste, acrobate qui fait du trapèze.

trappe [trap] n. f. 1° Porte qui ferme une ouverture horizontale au niveau du plancher : *Ouvrir une trappe et descendre dans la cave.* — 2° Piège de chasse disposé au-dessus d'une fosse : *Tomber dans une trappe.* ◆ **trappeur** n. m. Chasseur de bêtes à fourrure, en Amérique du Nord.

trappiste [trapist] n. m., **trappistine** [trapistin] n. f. Religieux, religieuse de l'ordre de Cîteaux, vivant au monastère de la Trappe ou dans un monastère qui en dépend.

trapu, e [trapy] adj. 1° Se dit d'un être vivant court et ramassé, ou d'un objet bas et massif : *Un homme trapu. La silhouette trapue de l'édifice.* — 2° *Fam.* Se dit de quelqu'un qui est très fort dans une matière, ou d'une question ardue : *Un élève trapu en mathématiques. C'est un problème trapu* (argot *traps*).

traquenard [traknar] n. m. 1° Piège tendu à une personne, afin de l'arrêter, de la faire échouer, etc. : *La police a mis en place un traquenard. La question de l'examinateur recelait un traquenard.* — 2° Difficulté cachée : *Version pleine de traquenards.*

traquer [trake] v. tr. 1° *Traquer un animal,* le poursuivre jusqu'à épuisement : *Les chasseurs avaient traqué la bête.* — 2° *Traquer quelqu'un,* le serrer de près, le harceler : *On l'a traqué par des questions jusque dans ses derniers retranchements.*

traumatisme [tromatism] n. m. Ensemble de troubles occasionnés par un coup, une blessure, ou par un choc affectif : *Un traumatisme crânien. La mort de sa mère lui a causé un traumatisme.* ◆ **traumatiser** v. tr. 1° Provoquer un traumatisme : *Il a fait une chute qui l'a traumatisé.* — 2° Provoquer un choc affectif violent : *Il a été traumatisé par la perte de son fils.*

1. travail, pl. **travaux** [travaj, travo] n. m. 1° Activité d'un homme ou d'un groupe d'hommes déployée en vue d'un résultat utile : *Aimer le travail* (contr. : LOISIR, REPOS). *Travail collectif* (= coopération d'individus dans une activité ordonnée). *Travail continu. Travail intellectuel. Travail musculaire* (= celui qui exige un effort physique). *Excès de travail. Pour faire ce mur, il faut un mois de travail. Avoir du travail* (= devoir accomplir une tâche). *Se mettre au travail* (= commencer à travailler). — 2° *Travail d'une machine, d'un moteur,* effet utile qu'ils produisent. — 3° Œuvre réalisée ou à réaliser : *Montrez-moi votre travail. Interrompre un travail en cours. Achever un travail* (syn. : TÂCHE). — 4° Publication scientifique, recherche érudite (souvent au plur.) : *Travail historique* (= livre ou ensemble d'études sur un point d'histoire). *Travaux scientifiques* (= ouvrage, étude dont le sujet est scientifique). — 5° Manière dont un ouvrage est exécuté : *Une dentelle d'un travail très délicat. Un tableau qui vaut plus par le travail du peintre que par l'originalité du sujet.* ◆ **travaux** n. m. pl. 1° Ensemble des opérations propres à un domaine déterminé : *Les travaux agricoles* ou *les travaux* *des champs. Des travaux d'assainissement.* — 2° *Travaux d'approche,* ensemble de manœuvres, faites par un individu ou un groupe de personnes, pour circonvenir quelqu'un ou un groupe de personnes. ‖ *Travaux forcés,* peine criminelle de droit commun, qui était subie au bagne de la Guyane : *Les travaux forcés ont été supprimés et remplacés par la réclusion à vie;* tâche écrasante, à laquelle on ne peut se soustraire. ‖ *Travaux pratiques,* ensemble des expérimentations, des exercices, etc., faits par les étudiants, en application d'un cours ou sur un programme déterminé. ‖ *Travaux publics,* construction, réparation, entretien de bâtiments, de routes, etc., effectués pour le compte de l'Administration. ◆ **travailler** v. intr. 1° Fournir un travail, exercer son activité : *Il travaille dans son jardin. Les élèves vont aller travailler en étude. Un enfant qui travaille très bien en classe* (= qui étudie très bien). — 2° *Travailler à quelque chose,* y consacrer son activité : *Un écrivain qui travaille à un nouveau roman. Travailler à l'entretien de sa maison. Il travaille depuis longtemps à me nuire* (syn. : S'EFFORCER DE). ◆ v. tr. 1° *Travailler quelque chose,* le soumettre à une action afin de lui donner une forme, une consistance particulière : *Travailler un métal à froid. Travailler la pâte* (= la pétrir longuement). *Travailler son style* (= chercher à l'améliorer). — 2° *Travailler une matière scolaire, un morceau de musique,* etc., l'étudier, s'y exercer : *Il a échoué parce qu'il n'avait pas assez travaillé ses mathématiques. Elle travaille depuis un mois la même sonate de Beethoven. Travailler son piano.* ◆ **travailleur, euse** adj. et n. Se dit d'une personne qui aime le travail : *Etre très travailleur, peu travailleur* (syn. : ACTIF ; contr. : PARESSEUX, OISIF). *Un gros travailleur. Un grand travailleur. C'est une travailleuse acharnée.*

2. travail, pl. **travaux** [travaj, travo] n. m. 1° Activité professionnelle rémunérée : *Travail à la chaîne. Avoir un travail lucratif* (syn. : MÉTIER). *Un lieu de travail. Etre sans travail* (= être au chômage). *Cesser le travail* (= se mettre en grève). — 2° *Travail noir,* activité qui est soustraite aux législations sociale et fiscale (contr. : TRAVAIL LÉGAL). ‖ *Accident du travail,* accident survenu à une personne par le fait ou à l'occasion de son activité professionnelle : *Les accidents survenant pendant le trajet du domicile au lieu de travail sont assimilés à des accidents du travail.* ‖ *Certificat de travail,* document que tout employeur doit légalement donner à un salarié lors de l'expiration ou de la résiliation du contrat de travail. ‖ *Contrat de travail,* convention par laquelle un employé ou un ouvrier s'engage à mettre temporairement son activité professionnelle à la disposition d'un employeur, et à se subordonner à lui pour l'exécution de cette activité, et par laquelle, d'autre part, l'employeur s'engage à lui verser en contrepartie un salaire. ‖ *Conflit du travail,* litige qui survient entre un salarié et son employeur, et met en cause directement ou non l'activité professionnelle du salarié. ‖ *Inspecteur du travail,* fonctionnaire chargé de vérifier l'application de la législation du travail. ◆ **travailler** v. intr. Exercer une activité professionnelle, un métier : *Sa femme travaille, et il n'y a personne chez eux dans la journée. Il a commencé à travailler à dix-huit ans chez Renault. Travailler en atelier, en usine, à domicile. Travailler aux pièces.* ◆ **travailleur, euse** n. 1° Personne salariée, spécialement dans l'industrie : *Les travailleurs manuels. Un travailleur agricole.* — 2° *Travailleuse familiale,* personne diplômée de l'Etat, qui assure à domicile une aide aux mères de famille. ‖ *Travailleur à domicile,* ouvrier qui exécute chez lui, moyennant une somme forfaitaire, un travail qui lui est confié par un établissement industriel, commercial ou artisanal. ◆ **travailliste** adj. *Parti travailliste,* parti socialiste britannique, constitué par les trade-unions, les coopératives, des sections locales, et qui est l'un des deux grands partis politiques britanniques. ◆ n. Membre du parti travailliste. ◆ **travaillisme** n. m. Doctrine des travaillistes. ◆ **retravailler** v. intr. Reprendre le travail, après une période d'inactivité.

3. travail [travaj] n. m. sing. 1° Déformation subie progressivement par un matériau : *Le travail d'une poutre* (syn. : AFFAISSEMENT, GAUCHISSEMENT). — 2° Modification qui se produit dans une substance et en change la nature : *Le travail du cidre dans les tonneaux* (syn. : FERMENTATION). ◆ **travailler** v. intr. 1° (sujet nom désignant un matériau) Se déformer sous l'action de forces et d'influences diverses : *Les fissures qui se produisent dans un mur qui travaille. Le bois de ce montant de porte travaille* (= se gauchit). — 2° (sujet nom désignant un liquide) Fermenter : *Le vin travaille.*

4. travail [travaj] n. m. sing. Ensemble des phénomènes qui préparent et produisent l'accouchement : *Femme en travail. Entrer en travail* (= ressentir les contractions musculaires de l'utérus).

1. travailler v. tr. et intr. V. TRAVAIL 1, 2 et 3.

2. travailler [travaje] v. tr. (sujet nom de chose). *Travailler quelqu'un,* lui causer du souci, de la gêne : *Le désir de trouver une solution le travaillait jour et nuit* (syn. : TRACASSER, RONGER, TOURMENTER). *La fièvre travaille le malade depuis une semaine* (syn. : FATIGUER, AGITER).

travée [trave] n. f. 1° Rangée de bancs : *Etre assis dans la deuxième travée d'une église.* — 2° Ensemble de personnes qui sont assises : *Un murmure de protestation s'élève depuis les travées du fond.* — 3° En architecture, partie comprise entre deux points d'appui principaux : *Une travée d'église est constituée par la voûte comprise entre deux piliers.*

traveller's cheque [travlœrsʃɛk] n. m. Chèque de voyage, qu'on peut se faire payer en espèces dans tout établissement bancaire du pays où l'on se rend.

travelling [travliɲ] n. m. Au cinéma, artifice consistant à filmer un plan avec un appareil qui se déplace sur un chariot, sur des rails, etc.

1. travers (à) [atravɛr] loc. prép. et adv. 1° En traversant quelque chose de part en part, par le milieu : *Passer à travers les mailles d'un filet. Voir à travers les carreaux de la fenêtre. Sentir le froid à travers deux épaisseurs de tricot. Juger les gens à travers les préjugés de sa classe* (= par le truchement de). *Même si vous multipliez les contrôles, il passera toujours à travers.* — 2° *A travers champs, à travers bois,* en traversant les champs, les bois. ◆ **au travers [de]** loc. prép. et adv. 1° En passant d'un bout à l'autre de (peut le plus souvent se substituer à *à travers*) *: Au travers de son masque, on voyait ses yeux briller de plaisir. Il courait de grands dangers, mais il est passé au travers* (= il y a échappé). — 2° Par l'intermédiaire de : *Au travers de cette comparaison, l'idée apparaît mieux.*

2. travers (de) [dətravɛr] loc. adv. 1° De manière oblique, irrégulièrement : *Il marche de travers* (contr. : DROIT). *Il a mis son chapeau de travers* (syn. : DE CÔTÉ; contr. : DROIT). *Le constat montre que la voiture accidentée se présente de travers par rapport à l'obstacle* (syn. : OBLIQUEMENT; contr. : PARALLÈLEMENT OU PERPENDICULAIREMENT). ‖ Fam. *Avaler de travers,* laisser pénétrer, à la suite d'un faux mouvement, un peu de nourriture ou de boisson dans la trachée. — 2° De manière fausse, inexacte ou malhonnête : *Répondre de travers* (= à côté de la question). *Comprendre de travers* (= autre chose que ce qu'il faut comprendre; syn. : MAL). *Toutes ses affaires vont de travers* (= échouent, périclitent). *Raisonner de travers* (syn. : MAL, DE FAÇON FAUSSE). *Avoir l'esprit de travers* (= déraisonner; syn. fam. : AVOIR L'ESPRIT TORDU). — 3° *Regarder quelqu'un de travers,* le regarder avec antipathie ou animosité. ‖ *Prendre quelque chose de travers,* se montrer très susceptible : *Ne lui dites rien, sinon elle va se vexer : elle prend tout de travers en ce moment.* ◆ **en travers [de]** loc. adv. et prép. Dans une position transversale par rapport à l'axe de l'objet considéré ou à une direction : *Scier une planche en travers* (syn. : TRANSVERSALEMENT). *Tomber en travers du chemin* (= perpendiculairement à la direction du chemin). *Il s'est jeté en travers de ma route* (= de manière à couper ma route, à me faire obstacle).

3. travers [travɛr] n. m. Petit défaut un peu ridicule : *Il est très attaché à ses petites habitudes, mais on lui pardonne volontiers ce travers.*

traverse [travɛrs] n. f. Sur une voie de chemin de fer, pièce d'appui posée sur le ballast, perpendiculairement aux rails, qu'elle supporte et dont elle maintient l'écartement. (V. aussi TRAVERSER.)

traverser [travɛrse] v. tr. 1° Passer d'un côté, d'un bord à l'autre : *Traverser la rue. Traverser une ville sans s'arrêter. Traverser la Manche à la nage entre Calais et Douvres. Un paquebot qui traversait l'Atlantique en six jours. La Seine traverse Paris.* — 2° (sujet nom de chose) Pénétrer de part en part : *Ces pointes sont trop longues : elles traversent la planche. La pluie a traversé son manteau* (syn. : TRANSPERCER). — 3° *Traverser une période, une crise,* etc., se trouver dans cette période : *Il traverse une crise de désespoir. Cette entreprise traversait une période de marasme.* — 4° *Idée qui traverse l'esprit,* qui se présente brusquement à quelqu'un. ◆ **traversable** adj. : *Une rivière traversable à pied. La circulation est telle que la route n'est pas traversable à cette heure.* ◆ **traversée** n. f. 1° Action de traverser la mer, un cours d'eau : *En allant en Angleterre, il a été malade pendant toute la traversée. La traversée se fait par un bac.* — 2° Action de traverser un espace quelconque, un pays : *Pendant la traversée de la ville en voiture, il a eu une panne. La traversée du Sahara.* ◆ **traverse** n. f. *Chemin de traverse,* chemin qui est plus court que la voie normale : *En prenant le chemin de traverse, on gagne dix minutes.*

traversin [travɛrsɛ̃] n. m. Sorte d'oreiller long et de section cylindrique, qui occupe toute la largeur du lit : *Mettre son portefeuille sous son traversin.*

travestir [travɛstir] v. tr. *Travestir quelque chose,* le transformer, le rendre méconnaissable en cachant son aspect normal : *Travestir la pensée de quelqu'un* (syn. : DÉFORMER). *Travestir la vérité* (= mentir; syn. : FALSIFIER). ◆ *se travestir* v. pr. (sujet nom de personne). Prendre des vêtements qui ne sont pas les siens, pour une fête, un carnaval, une pièce de théâtre. ◆ **travesti** n. m. Déguisement pour un bal : *Mettre un travesti.* ◆ **travestissement** n. m. : *Rôle de théâtre qui exige un travestissement. Le travestissement de faits historiques.*

traviole (de) [dətraviɔl] loc. adv. *Pop.* De travers : *Son chapeau est mis tout de traviole* (syn. littér. : DE GUINGOIS).

trébucher [trebyʃe] v. intr. Perdre l'équilibre en marchant : *Trébucher sur une pierre. Trébucher contre une marche.*

tréfiler [trefile] v. tr. *Tréfiler un métal,* le convertir en fil, par étirage à froid. ◆ **tréfilage** n. m. ◆ **tréfilerie** n. f. Usine de tréfilage.

1. trèfle [trɛfl] n. m. 1° Plante herbacée, bisannuelle ou vivace, dont la feuille est divisée en trois folioles, et dont plusieurs espèces constituent des fourrages. — 2° *Croisement en trèfle,* croisement de routes à des niveaux différents, et qui a la forme d'un trèfle à quatre feuilles.

2. trèfle [trɛfl] n. m. Une des quatre couleurs du jeu de cartes : *Valet de trèfle. Jouer trèfle. Couper à trèfle.*

tréfonds [trefɔ̃] n. m. Ce qui est au plus profond de quelque chose ou de quelqu'un : *Etre ému jusqu'au tréfonds de l'âme* (syn. : FIN FOND). *Connaître le fond et le tréfonds d'une affaire* (syn. : LES DESSOUS, LE DESSOUS DES CARTES, LE FIN MOT).

treillage n. m. V. TREILLIS 1.

treille [trɛj] n. f. 1° Ceps de vigne qui s'élèvent contre un mur, un arbre, un treillage, etc. : *Une treille de muscat. Une treille couvrait la façade de la maison.* — 2° Fam. *Le jus de la treille,* le vin.

1. treillis [trɛji] n. m. Ouvrage de métal ou de bois qui imite les mailles d'un filet : *Un garde-manger en treillis. Une clôture en treillis.* ◆ **treillage** n. m. Assemblage de lattes ou d'échalas posés parallèlement ou croisés : *Un treillage clôturait le jardin.*

2. treillis [trɛji] n. m. Vêtement de travail ou d'exercice : *Des soldats qui manœuvrent en treillis.*

treize [trɛz] adj. num. cardin. et n. m. 1° V. NUMÉRATION. — 2° *Treize à la douzaine,* se dit, dans la vente de certains objets, de la livraison de treize unités pour douze commandées et payées. ◆ **treizième** [trɛzjɛm] adj. num. ordin. et n. V. NUMÉRATION. ◆ **treizièmement** adv.

tréma [trema] n. m. Signe formé de deux points (¨) et qu'on place sur les voyelles *e, i, u* pour indiquer que la voyelle qui précède immédiatement est prononcée de manière distincte, par ex. dans *naïf* [naif], *Noël* [nɔɛl]. (Le tréma est notamment placé sur le *e* du féminin des adjectifs qui se terminent par *-gu* au masculin, ou de certains noms qui se terminent par *-gue,* pour indiquer que le *u* doit se prononcer : *aigu* [egy], *aiguë* [egy], *ciguë* [sigy].)

tremble [trɑ̃bl] n. m. Espèce de peuplier, dont les feuilles sont extrêmement mobiles. ◆ **tremblaie** n. f. Lieu planté de trembles.

trembler [trɑ̃ble] v. intr. 1° (sujet nom d'être animé) Etre agité de petits mouvements musculaires vifs, pressés, convulsifs : *Trembler de froid* (syn. : FRISSONNER). *Trembler de fièvre, de peur. Trembler de colère. Ses lèvres tremblaient. Sa voix tremble légèrement* (syn. : CHEVROTER). — 2° Eprouver une violente crainte : *Je tremble à la pensée du malheur qui vous menace. Il tremblait pour les siens* (= il redoutait le mal qui pouvait leur arriver). — 3° (sujet nom de chose) Etre agité de petits mouvements rapides et répétés : *Les feuilles de l'arbre tremblaient* (syn. : FRÉMIR, REMUER). *Une lueur tremblait dans la nuit* (syn. : VACILLER). — 4° Etre ébranlé : *La terre a tremblé récemment en Iran. Une explosion qui fit trembler les vitres* (syn. : VIBRER). ◆ **tremblant, e** adj. : *Une main tremblante. Elle se sentait encore tremblante de peur.* ◆ **tremblé, e** adj. 1° Se dit d'une chose qui est ou qui semble exécutée par une main qui tremble : *Ecriture tremblée. Le tracé tremblé d'une ligne.* — 2° Se dit de sons dont l'intensité varie rapidement et faiblement : *Un coup d'archet tremblé. Une note filée et tremblée.* ◆ **tremblement** n. m. 1° Agitation continue du corps d'un être vivant : *Un tremblement de la main. Un tremblement convulsif* (syn. : ↑ CONVULSION). *Tremblement de froid* (= sous l'effet du froid; syn. : ↓ FRISSON). *Avoir des tremblements dans la voix* (= la voix qui tremble sous l'effet d'une émotion, d'une maladie, etc.). — 2° Oscillations, mouvements rapides d'un objet : *Le tremblement du plancher d'un camion* (syn. : TRÉPIDATION). ‖ *Tremblement de terre,* secousse qui ébranle le sol sur une plus ou moins grande étendue (syn. : SÉISME). — 3° Fam. *Tout le tremblement,* ensemble important de personnes ou de choses. ◆ **trembleur, euse** n. et adj. : *Il n'ose pas se lancer dans cette entreprise, c'est un trembleur* (syn. : POLTRON, LÂCHE, CAPON; contr. : COURAGEUX, INTRÉPIDE). ◆ **tremblote** n. f. Pop. *Avoir la tremblote,* trembler de froid ou de peur. ◆ **trembloter** v. intr. Trembler légèrement : *Une plume tremblote à son chapeau.* ◆ **tremblotant, e** adj. : *Un vieillard tout tremblotant. Une voix tremblotante.* ◆ **tremblotement** n. m.

trémolo [tremɔlo] n. m. 1° Effet musical consistant dans l'émission alternative et très rapprochée dans le temps d'une note musicale dominante, et d'une ou deux notes voisines : *Les trémolos pathétiques d'un violon.* — 2° *Avoir des trémolos dans la voix,* avoir des tremblements dans la voix, généralement sous l'effet d'une émotion (souvent ironiq.).

trémousser (se) [sətremuse] v. pr. (sujet nom d'être animé). S'agiter avec des mouvements rapides et désordonnés : *Un enfant se trémoussait sur sa chaise* (syn. fam. : GIGOTER, REMUER). *Ce jeune homme ne danse pas, il se trémousse* (syn. : SAUTILLER). ◆ **trémoussement** n. m. : *Les trémoussements d'un danseur.*

trempe n. f. V. TREMPER 2.

1. tremper [trɑ̃pe] v. tr. 1° *Tremper un objet, un corps,* le plonger dans un liquide, l'imbiber de ce liquide : *Tremper du linge dans l'eau. Tremper un mouchoir* (syn. : ↓ HUMECTER, MOUILLER). *Tremper son stylo dans un encrier. Tremper une tartine dans son bol de café au lait.* ‖ *Tremper ses lèvres dans,* boire à peine d'un liquide. — 2° *Tremper la soupe,* verser le bouillon sur du pain. ◆ v. intr. 1° (sujet nom de chose) Rester plongé dans un liquide : *Le linge trempe dans la bassine. Faire tremper des harengs saurs dans l'huile* (syn. : MARINER). — 2° (sujet nom de personne) Participer à une action condamnable : *Il voulait découvrir tous ceux qui avaient trempé dans ce crime* (syn. : ÊTRE COMPLICE DE). ◆ **trempé, e** adj. 1° *Pain trempé. Ses vêtements sont tout trempés. Un visage trempé de pleurs* (syn. : BAIGNÉ). — 2° *Trempé, trempé jusqu'aux os,* se dit d'une personne qui vient de séjourner longtemps sous la pluie, dont les vêtements sont transpercés par la pluie. ◆ **trempette** n. f. Fam. *Faire trempette,* prendre un bain très court, ou un bain partiel.

2. tremper [trɑ̃pe] v. tr. *Tremper un métal,* le refroidir brusquement après l'avoir porté à une température élevée, afin de lui donner plus de dureté : *Tremper un morceau de fer* (= le plonger dans un bain d'huile ou d'eau). *Tremper une lame.* ◆ **trempé, e** adj. : *Acier trempé. Un caractère bien trempé* (syn. : AGUERRI, DURCI; contr. : MALLÉABLE, MOU). ◆ **trempe** n. f. 1° Opération par laquelle on trempe un métal. — 2° Caractère, force d'âme (dans certaines loc.) : *Un homme de sa trempe ne se laisse pas abattre facilement* (= étant donné sa force d'âme). *Ils sont tous deux de la même trempe* (= ils ont la même force de caractère, la même fermeté).

tremplin [trɑ̃plɛ̃] n. m. 1° Planche élastique sur laquelle un sauteur prend son élan pour sauter, ou un plongeur pour plonger. — 2° Moyen qui permet de parvenir à un but, à une situation : *Cette aventure lui a servi de tremplin pour arriver à la gloire.*

trente [trɑ̃t] adj. num. cardin. et n. m. V. NUMÉRATION. ◆ n. m. Au tennis, deuxième point marqué par le même joueur dans un jeu. ◆ **trentième** adj. num. ordin. et n. ◆ **trentièmement** adv. V. NUMÉRATION.

trente-et-un [trɑ̃teœ̃] n. m. Fam. *Etre sur son trente-et-un,* être habillé de ses plus beaux vêtements.

1. trépan [trepɑ̃] n. m. Outil de forage utilisé pour percer les roches dures.

2. trépan [trepɑ̃] n. m. Instrument de chirurgie avec lequel on perce les os, spécialement ceux du crâne. ◆ **trépaner** v. tr. *Trépaner quelqu'un,* lui ouvrir la boîte crânienne à l'aide du trépan : *Trépaner un blessé.* ◆ **trépané, e** adj. et n. ◆ **trépanation** n. f.

trépasser [trepɑse] v. intr. Mourir (littér.). ◆ **trépassé, e** n. Personne décédée : *La fête des Trépassés.* ◆ **trépas** n. m. Mort (littér.). ‖ *Passer de vie à trépas,* mourir (style soutenu ou ironiq.).

trépider [trepide] v. intr. (sujet nom de chose). Etre agité de petites secousses rapides : *Le moteur fait trépider le plancher de la voiture.* ◆ **trépidant, e** adj. *Mener une vie trépidante,* mener une vie pleine d'agitation, d'occupations (syn. : FÉBRILE, BOUSCULÉ, AGITÉ). ◆ **trépidation** n. f. : *Sentir les trépidations d'une voiture.*

trépied [trepje] n. m. Meuble ou support à trois pieds : *Un trépied en rotin ornait le salon. Des campeurs faisaient leur cuisine sur un trépied en plein air.*

trépigner [trepiɲe] v. intr. Frapper des pieds par terre à plusieurs reprises, nerveusement : *Dans sa colère, l'enfant se mit à hurler et à trépigner. Trépigner d'impatience.* ◆ **trépignement** n. m. : *Le trépignement des enfants s'entendait de la rue.*

très ([trɛ] devant une consonne, [trɛz] devant une voyelle ou un *h* muet) adv. S'emploie devant des adjectifs, des adverbes ou des locutions adverbiales, parfois devant des locutions prépositives ou des noms, pour former des superlatifs absolus : *Il est très riche* (syn. : FORT [langue soignée], ↑ EXTRÊMEMENT, EXCESSIVEMENT). *Je suis très content* (syn. : BIEN, TOUT). *C'est un désir très légitime* (syn. : TOUT À FAIT, ENTIÈREMENT, ABSOLUMENT, PARFAITEMENT, PLEINEMENT). *Cette question est très embarrassante* (syn. : ↑ TERRIBLEMENT ; pop. : VACHEMENT ; contr. : PAS DU TOUT, NULLEMENT). *Il est très travailleur* (= il travaille beaucoup). *Il se couche très tard. Cela se comprend très facilement. Vous êtes très en avance. Etre très au courant d'une question. Une intelligence très au-dessus de la moyenne. Un homme très à cheval sur les principes. J'ai très faim, très peur, très envie de cela* (fam. = grande envie [littér.]). *Elle est très femme* (= elle a les traits de caractère typiques de la femme).

1. trésor [trezɔr] n. m. 1° Amas d'objets précieux, de grandes richesses : *Trouver un trésor dans un vieux mur.* ‖ *Un trésor de quelque chose,* une précieuse abondance de cette chose : *Un trésor de renseignements* (syn. : MINE, SOURCE, FILON). *Un trésor de patience, de tendresse* (= une patience sans fin). — 2° Personne ou chose extrêmement utile, précieuse : *Cet ami est pour lui un véritable trésor. Un tel manuscrit est un trésor.* — 3° S'emploie pour exprimer à quelqu'un son affection : *Viens ici, mon doux trésor!* — 4° (au plur.) Grandes richesses, monétaires, artistiques, morales : *On a mis au Louvre les trésors de la peinture mondiale* (= les tableaux les plus beaux).

2. trésor [trezɔr] n. m. Ensemble des caisses financières de l'Etat, et service d'exécution du budget (on dit aussi *Trésor public;* s'écrit généralement avec une majusc.) . *Direction générale du Trésor. Agent judiciaire du Trésor.* ◆ **trésorerie** n. f. 1° Administration du Trésor public. — 2° Ensemble des capitaux liquides d'une entreprise : *Demander une avance de trésorerie.* ◆ **trésorier, ère** n. 1° Personne chargée de détenir, de comptabiliser les finances d'une collectivité : *Le trésorier de la paroisse, du club.* — 2° *Trésorier-payeur général,* comptable supérieur, chargé d'assurer, dans le ressort d'un département, le service public du Trésor.

tressage n. m. V. TRESSE.

tressaillir [tresajir] v. intr. (conj. 23). Eprouver une sorte de secousse musculaire dans tout le corps, sous l'effet d'une émotion : *Tressaillir de joie. Tressaillir d'aise* (syn. : ↑ TRESSAUTER, FRÉMIR). ◆ **tressaillement** n. m. : *Eprouver un tressaillement d'aise* (syn. : ↑ SOUBRESAUT, HAUT-LE-CORPS).

tressauter [tresote] v. intr. 1° Sursauter sous l'effet d'une émotion vive, d'une surprise : *L'entrée brusque de sa mère fit tressauter l'enfant* (syn. : TRESSAILLIR). — 2° Etre violemment secoué : *Les cahots du chemin faisaient tressauter les voyageurs de la carriole.* ◆ **tressautement** n. m.

tresse [trɛs] n. f. 1° Entrelacement de brins, de fils, servant de lien ou d'élément décoratif : *Faire une tresse avec trois ficelles.* — 2° Cheveux entrelacés en forme de natte : *Fillette qui a deux tresses dans le dos.* ◆ **tresser** v. tr. 1° Faire une tresse de quelque chose : *Tresser des rubans.* — 2° *Tresser des couronnes à quelqu'un,* le glorifier, le louer (littér.). ◆ **tressage** n. m. : *Le tressage des rubans.*

1. tréteau [treto] n. m. Pièce généralement de bois, longue et étroite, portée sur quatre pieds, et servant à soutenir des tables, un plancher, etc.

2. tréteaux [treto] n. m. pl. Théâtre ambulant (nuance péjor.) : *Monter sur les tréteaux* (syn. : PLANCHES).

treuil [trœj] n. m. Cylindre horizontal et mobile autour de son axe, actionné par une manivelle ou par un moteur, et autour duquel s'enroule une corde ou un câble qui sert à élever des fardeaux.

trêve [trɛv] n. f. 1° Cessation temporaire des hostilités entre belligérants, entre personnes qui sont en conflit : *Demander une trêve. Etablir une trêve. Violer une trêve. Une trêve fut conclue entre les deux partis politiques.* — 2° Fam. *Trêve des confiseurs,* suspension traditionnelle des luttes politiques pendant les fêtes du jour de l'an. ‖ *Faire trêve à quelque chose,* l'interrompre momentanément. ‖ *Ne pas avoir, ne pas laisser de trêve,* ne pas avoir de fin, ne pas laisser de répit : *Sa maladie ne lui laisse pas de trêve.* ‖ *Trêve de...,* assez de... : *Trêve de plaisanteries! Trêve de badinage, il faut passer aux choses sérieuses.* ● LOC. ADV. *Sans trêve,* sans jamais s'arrêter : *Attaquer quelqu'un sans trêve* (syn. : SANS RÉPIT, SANS ARRÊT, CONTINUELLEMENT, SANS CESSE ; fam. : À JET CONTINU).

tri n. m. V. TRIER.

triage n. m. V. TRIER.

1. triangle [trijɑ̃gl] n. m. Figure géométrique formée par les segments de droite joignant trois points non alignés : *Dessiner un triangle sur un tableau. Triangle isocèle. Triangle rectangle.* ◆ **triangulaire** adj. 1° Se dit d'un objet qui a la forme d'un triangle : *Voile triangulaire.* — 2° *Election triangulaire,* élection à laquelle trois candidats se présentent.

2. triangle [trijɑ̃gl] n. m. Instrument de musique formé d'une tige d'acier en forme de triangle : *Jouer du triangle dans un orchestre.*

tribord n. m. V. BÂBORD.

tribu [triby] n. f. 1° Groupement de familles vivant dans une même région, dont l'unité repose sur une structure sociale commune et sur des mythes communs (syn. : ETHNIE). — 2° *Fam.* Famille nombreuse : *Il est parti en vacances avec toute sa tribu.* ◆ **tribal, e, aux** adj. Qui appartient à la tribu : *La vie tribale. Mœurs tribales.*

tribulations [tribylasjɔ̃] n. f. pl. Mésaventures de quelqu'un (ironiq.) : *Vous n'êtes pas au bout de vos tribulations. Il est passé par toutes sortes de tribulations* (syn. : AVENTURES).

tribun [tribœ̃] n. m. Orateur qui sait parler aux foules : *Une éloquence de tribun.*

tribunal [tribynal] n. m. 1° Juridiction d'un magistrat ou de plusieurs qui jugent ensemble : *Comparaître devant le tribunal. Tribunal administratif. Tribunal pour enfants.* — 2° Ensemble des magistrats qui composent cette juridiction : *Le tribunal se déclare suffisamment informé.* — 3° Lieu où ils siègent : *Il se rend au tribunal.*

1. tribune [tribyn] n. f. 1° Emplacement généralement élevé, réservé à quelqu'un qui parle en public : *L'orateur s'est adressé de la tribune à toutes les gloires passées du pays. Monter à la* *tribune* (= pour faire un discours). *A la descente de la tribune, l'orateur s'est expliqué avec ses amis politiques. Eloquence de la tribune* (= éloquence propre aux assemblées politiques). — 2° *Tribune libre,* rubrique de journal, émission régulière de radio ou de télévision où des représentants de diverses tendances sont admis à exposer leurs opinions sous leur propre responsabilité.

2. tribune [tribyn] n. f. 1° Galerie réservée au public dans une église, une grande salle d'assemblée, etc. : *Le public s'entassait dans les tribunes pour le grand débat parlementaire. Une voix s'éleva des tribunes pour protester, mais les huissiers firent sortir le gêneur. Les tribunes d'un champ de courses, d'un stade.* ‖ Fam. *Les tribunes,* le public assis dans les tribunes : *Les tribunes étaient surtout composées par les invités de la majorité parlementaire. Applaudissement des tribunes.* — 2° Dans une église, estrade où se trouve l'orgue ou l'harmonium et où peut se tenir une chorale.

tribut [triby] n. m. 1° Contribution imposée à quelqu'un, impôt forcé (littér.). — 2° *Payer le tribut du sang,* participer à une guerre. ‖ *Payer le tribut à la nature,* mourir.

tributaire [tribytɛr] adj. 1° Se dit d'une personne ou d'une chose qui dépend d'une autre : *Les paysans sont plus particulièrement tributaires du climat. L'économie française est tributaire de l'étranger pour certaines matières premières.* — 2° Se dit d'un cours d'eau qui se jette dans un autre ou dans la mer : *L'Oise est tributaire de la Seine.*

tricentenaire [trisɑ̃tnɛr] n. m. Troisième centenaire : *On a fêté en 1922 le tricentenaire de la naissance de Molière.*

tricher [triʃe] v. intr. 1° Ne pas respecter les règles d'un jeu, pour gagner : *Il cherche toujours à tricher quand il joue. Il triche aux cartes.* — 2° Ne pas respecter certaines règles, certaines conventions : *Tricher aux examens.* — 3° Dissimuler un défaut de symétrie, un défaut matériel dans un ouvrage : *L'architecte a triché en mettant une fausse fenêtre pour rétablir la symétrie. Il a fallu tricher un peu pour faire cent pages dans ce chapitre.* ◆ v. tr. ind. *Tricher sur une chose,* tromper sur sa valeur, sa quantité, etc. : *Ce marchand triche sur les prix* (= ne respecte pas le prix imposé). *Il cherchait à tricher sur le poids des denrées* (= indiquer un poids supérieur au poids réel). *Elle triche sur son âge* (= elle s'attribue un âge qui n'est pas le sien). ◆ **tricherie,** et fam. **triche** n. f. : *Faire une tricherie avec des cartes truquées. Quand il perd, il prétend qu'il y a de la triche.* ◆ **tricheur, euse** n. et adj. : *Il est déjà menteur et tricheur à son âge.*

tricolore [trikɔlɔr] adj. 1° Se dit d'un objet qui a trois couleurs, principalement les couleurs nationales françaises (bleu, blanc, rouge) : *Il portait le drapeau tricolore. Un ruban tricolore. Cocarde tricolore.* ‖ *Echarpe tricolore,* écharpe aux couleurs nationales, insigne de certaines fonctions publiques, comme celle de maire. — 2° *Feu tricolore,* feu de signalisation routière qui est tantôt vert (voie libre), tantôt rouge (stop), tantôt orange (prudence). ◆ adj. et n. m. *Fam.* Dans la langue du sport, français : *L'équipe tricolore a remporté la victoire. Les tricolores ont gagné par cinq à zéro.*

tricorne [trikɔrn] n. m. Chapeau à trois cornes : *Des gendarmes à tricorne gardaient la frontière espagnole.*

tricot [triko] n. m. 1° Manière de tisser qui consiste à disposer en mailles la matière textile : *Faire du tricot.* — 2° Tissu ainsi réalisé; ouvrage qu'on tricote : *Des chaussettes en tricot. Elle avait emporté son tricot pour s'occuper pendant les heures d'attente.* — 3° Vêtement généralement de laine, avec manches, et couvrant le haut du corps : *Mettre un tricot* (syn. : CHANDAIL). ◆ **tricoter** v. tr. et intr. Faire un tissu de laine en mailles entrelacées, avec des aiguilles spéciales ou une machine à main : *Tricoter des bas, un chandail. Elle a tricoté tout l'après-midi.* ◆ v. intr. *Pop.* Marcher très vite. ◆ **tricotage** n. m. : *Le tricotage de cette manche lui a demandé beaucoup de travail.* ◆ **tricoteuse** n. f. 1° Femme qui tricote. — 2° Machine avec laquelle on fait des tricots.

tricycle [trisikl] n. m. Petit véhicule très léger, muni de trois roues.

trident [tridɑ̃] n. m. Sorte de fourche à trois pointes ou dents.

triennal, e, aux [triɛnal, -no] adj. Qui dure trois ans : *Un plan d'équipement triennal.*

trier [trije] v. tr. 1° Choisir parmi des personnes, des choses, en éliminant celles qui ne conviennent pas : *Trier des volontaires pour une tâche délicate. Trier des lentilles* (= éliminer les impuretés qui y sont mêlées). ‖ *Trier sur le volet,* choisir après un examen attentif. — 2° Répartir des objets suivant certains critères : *Trier des lettres* (= les répartir suivant leur destination). *Trier des fiches mécaniquement.* ◆ **tri, triage** n. m. 1° Action de trier : *Les enquêteurs ont fait un tri parmi les informations qu'ils ont obtenues. Le tri des lettres. Le tri des cartes perforées à l'aide d'une trieuse-classeuse. Le triage des matériaux. Le triage des semences.* — 2° *Bureau de tri,* lieu où se fait le tri du courrier postal. ‖ *Gare de triage,* ensemble de voies de garage situées à proximité d'une bifurcation importante et où s'effectue le triage des wagons de marchandises. ◆ **trieur, euse** n. Ouvrier, ouvrière qui fait un triage. ◆ **trieur** n. m. Appareil qui fait un triage. ◆ **trieuse** n. f. Machine qui fait un triage, par exemple en mécanographie.

trifouillée [trifuje] n. f. *Pop.* Grande quantité, grand nombre : *Il a toute une trifouillée de cousins* (syn. pop. : TRIPOTÉE).

trifouiller [trifuje] v. intr. *Pop.* Fouiller en remuant, en mettant du désordre : *Trifouiller dans les affaires de quelqu'un* (syn. fam. : FARFOUILLER).

trilingue [trilɛ̃g] adj. 1° Se dit de ce qui est rédigé en trois langues : *Inscription trilingue.* — 2° Se dit d'une personne qui parle trois langues.

trille [trij] n. m. Ornement musical qui consiste dans un battement très rapide, plus ou moins prolongé, d'une note avec la note qui lui est immédiatement supérieure : *Faire des trilles à la flûte.*

trilogie [trilɔʒi] n. f. Ensemble de trois œuvres sur un même sujet ou sur un même thème : *La trilogie d'Eschyle au théâtre. La trilogie de Marcel Pagnol : « Marius », « Fanny », « César ».*

trimarder [trimarde] v. intr. *Arg.* Vagabonder, se promener de ville en ville sans but apparent. ◆ **trimardeur** n. m. *Pop.* Vagabond. ◆ **trimard** n. m. *Arg.* Route (vieilli).

trimbaler [trɛ̃bale] v. tr. *Fam.* Traîner, porter partout avec soi : *Un représentant de commerce qui* *trimbale ses échantillons.* ◆ **se trimbaler** v. pr. *Pop.* Se déplacer, aller et venir : *Pourquoi est-ce que tu te trimbales avec tout ton barda? Il se trimbale dans une belle bagnole.* ◆ **trimbalage** ou **trimbalement** n. m. : *Le trimbalage des marchandises.*

trimer [trime] v. intr. *Fam.* Travailler dur : *Il trimait toute la journée* (syn. : PEINER).

trimestre [trimɛstr] n. m. Période de trois mois : *La période d'essai avant l'engagement définitif dure un trimestre. Les compositions scolaires ont lieu tous les trimestres.* ◆ **trimestriel, elle** adj. Se dit d'une chose qui se produit, revient tous les trois mois : *Une revue trimestrielle* (= revue qui paraît tous les trois mois). *Bulletin trimestriel* (= bulletin scolaire établi tous les trois mois). ◆ **trimestriellement** adv. : *Après ses difficultés, cette revue ne paraît plus que trimestriellement.*

trimoteur [trimɔtœr] adj. et n. m. Se dit d'un avion qui a trois moteurs.

tringle [trɛ̃gl] n. f. Tige métallique ronde ou plate, destinée à soutenir une draperie, un rideau, etc.

trinité [trinite] n. f. 1° Dans la religion chrétienne, union de trois personnes distinctes (Père, Fils et Saint-Esprit) ne formant qu'un seul Dieu (avec une majusc.). — 2° Fête chrétienne en l'honneur de ce mystère. — 3° Fam. *A Pâques ou à la Trinité,* jamais.

1. trinquer [trɛ̃ke] v. intr. Choquer son verre contre celui d'un autre avant de boire à sa santé : *Allons-y, trinquons gaiement!*

2. trinquer [trɛ̃ke] v. intr. *Pop.* Subir un désagrément, un préjudice : *Dans l'accident, c'est ma voiture surtout qui a trinqué* (= qui a subi le plus grand dommage). *Quand les parents boivent, les enfants trinquent* (= subissent les conséquences des excès de leurs parents).

trio [trijo] n. m. 1° Groupe de trois personnes : *Ces trois jeunes gens forment un joyeux trio.* — 2° Groupe de trois musiciens. — 3° Morceau de musique pour trois voix.

triomphe [trijɔ̃f] n. m. 1° Victoire éclatante, succès qui déchaîne l'admiration du public : *Remporter un triomphe sur son adversaire. Son élection a été un véritable triomphe* (contr. : DÉCONFITURE, DÉROUTE). *Pousser un cri de triomphe* (= de joie pour avoir réussi). — 2° *Le triomphe d'un artiste,* le morceau dans lequel il excelle. ‖ *Faire un triomphe à quelqu'un,* lui prodiguer des acclamations, des approbations, des louanges, etc. (syn. : OVATIONNER). ‖ *Porter quelqu'un en triomphe,* le porter à plusieurs, généralement sur les épaules, en l'acclamant. ◆ **triomphal, e, aux** adj. : *Faire une entrée triomphale* (= entrer comme un vainqueur après une grande victoire). *L'accueil fut triomphal* (syn. : ENTHOUSIASTE, ↓ CHALEUREUX; contr. : GLACIAL). ◆ **triomphalement** adv. : *Etre accueilli triomphalement. Il annonça triomphalement qu'il était reçu.* ◆ **triompher** v. intr. Manifester sa joie, sa fierté d'avoir obtenu un succès, une satisfaction : *Après la lecture de l'acquittement du prévenu, ses partisans applaudirent ; ils triomphaient de manière éclatante.* ◆ v. tr. ind. *Triompher de quelqu'un, de quelque chose,* remporter sur eux un succès définitif : *Triompher de ses adversaires* (syn. : ↓ VAINCRE, L'EMPORTER SUR, ↑ ÉCRASER). *Triompher des obstacles. Triompher de ses passions* (syn. : DOMINER). *Triompher de toutes les oppositions* (syn. : VENIR À BOUT DE). ◆ **triomphant, e** adj. : *Avoir un air triomphant* (= victorieux). ◆ **triomphateur, trice** adj. et n. Qui a obtenu la victoire, un succès complet : *La nation triomphatrice.*

triparti, e ou **tripartite** [triparti, tripartit] adj. Se dit d'une chose constituée de trois éléments, ou qui intervient entre trois parties : *Une conférence tripartite* (= entre trois puissances).

tripatouiller [tripatuje] v. tr. 1° *Fam.* Manier avec maladresse : *Si tu tripatouilles l'interrupteur, tu vas finir par le casser* (syn. fam. : TRIPOTER). — 2° Fam. *Tripatouiller le texte d'un auteur,* le corriger maladroitement, le retoucher sans scrupule. ◆ **tripatouillage** n. m. Fam. : *On accusait la municipalité sortante de tripatouillages électoraux.*

1. tripe [trip] n. f. 1° Boyau d'un animal de boucherie. — 2° (au plur.) Mets constitué par l'estomac des ruminants diversement accommodé. ◆ **triperie** n. f. 1° Lieu où l'on vend des tripes. — 2° Commerce du tripier. ◆ **tripier, ère** n. Commerçant qui vend des abats.

2. tripe [trip] n. f. 1° (au plur.) *Pop.* Entrailles de l'homme : *Ça vous prend aux tripes* (= cela vous émeut profondément). — 2° Fam. *Avoir la tripe républicaine,* être foncièrement républicain.

triperie n. f. V. TRIPE 1.

tripette [tripɛt] n. f. Pop. *Ça ne vaut pas tripette,* cela ne vaut rien.

triple [tripl] adj. 1° Se dit d'une chose constituée de trois éléments : *Une triple semelle. Un triple menton. Triple croche* (= groupe de trois croches constituant un seul temps, une seule fraction de la mesure). — 2° *Fam.* Sert à marquer un degré élevé : *Au triple galop* (= à toute vitesse). *Un triple idiot* (= une personne complètement stupide). — 3° Se dit d'une chose qui est trois fois plus grande qu'une autre : *Sa maison est triple de la mienne.* ◆ n. m. *Le triple,* une quantité trois fois plus grande qu'une autre : *En raison de la spéculation, certains terrains se vendaient le triple de leur valeur. Il travaille beaucoup plus vite que son collègue : il fait le triple de besogne dans le même temps.* ◆ **triplement** adv. Trois fois autant. ◆ **tripler** v. tr. *Tripler un nombre,* le multiplier par trois. ◆ v. intr. Devenir triple.

triporteur [triportœr] n. m. Tricycle muni d'une caisse pour porter des marchandises.

tripot [tripo] n. m. *Péjor.* Maison de jeu.

tripotée [tripɔte] n. f. 1° *Pop.* Volée de coups donnée à quelqu'un : *Flanquer une tripotée à un mauvais garnement.* — 2° *Pop.* Grand nombre : *Elle a toute une tripotée d'enfants.*

tripoter [tripɔte] v. tr. *Fam.* Manier avec plus ou moins de soin, de précaution, toucher sans cesse : *Ne tripote donc pas la poignée de la portière!* ◆ v. intr. *Fam.* Se livrer à des opérations financières plus ou moins malhonnêtes. ◆ **tripotage** n. m. ◆ **tripoteur, euse** n.

triptyque [triptik] n. m. Tableau sur trois panneaux : *Le triptyque du « Buisson ardent » est conservé dans la cathédrale Saint-Sauveur, à Aix-en-Provence.*

trique [trik] n. f. *Fam.* Gros bâton : *Menacer quelqu'un de sa trique. Tuer un serpent d'un coup de trique.*

1. triste [trist] adj. (après le nom). 1° Se dit d'un être animé (ou de son comportement) qui est abattu par un chagrin, qui éprouve une douleur particulière : *Il est bien triste depuis la mort de son ami* (syn. : AFFLIGÉ, MALHEUREUX, ↑ DÉSESPÉRÉ). *Il est triste à l'idée de partir. Elle a l'air toute triste : qu'est-ce qui lui est arrivé? Les lions en cage regardaient les visiteurs d'un air triste* (syn. : MORNE). — 2° Se dit d'une personne (ou de son comportement) qui, par nature, ne rit pas, dont l'aspect est morose ou sévère : *Il a une figure triste et morne* (contr. : GAI, JOYEUX, ENJOUÉ). *Avoir un regard triste* (syn. : DOULOUREUX). — 3° Se dit d'une chose qui évoque le chagrin, la douleur : *Les rues tristes d'une ville. Une couleur triste* (contr. : GAI, VIF). *Un temps pluvieux et triste* (syn. : MAUSSADE). *Une histoire triste* (= affligeante, qui fait pleurer). *Un film triste.* — 4° Fam. *Avoir le vin triste,* être triste quand on a trop bu. ◆ **tristement** adv. : *Il se promenait tristement le long de la berge. Secouer la tête tristement.* ◆ **tristesse** n. f. 1° Etat naturel ou accidentel d'une personne qui éprouve du chagrin, de la mélancolie : *Se sentir envahi par une tristesse invincible* (contr. : JOIE, GAIETÉ). *Etre enclin à la tristesse* (syn. : ↑ NEURASTHÉNIE ; fam. : CAFARD). *La tristesse de vivre sans espoir de changement* (syn. : AMERTUME, ↑ DÉGOÛT). *Une profonde tristesse l'envahit à l'idée de quitter ses amis* (syn. : DOULEUR, MÉLANCOLIE, ↑ ABATTEMENT). — 2° Moment pendant lequel on est triste; raison pour laquelle on est triste (langue soutenue) : *Les tristesses de la vie quotidienne.* — 3° Caractère d'une chose triste : *La tristesse qui régnait dans la maison vide.*

2. triste [trist] adj. (avant le nom). 1° Se dit d'une personne ou d'une chose dont le caractère médiocre, la mauvaise qualité ont quelque chose d'affligeant, de méprisable : *C'est un triste personnage* (= c'est une personne corrompue, de réputation équivoque). *Il est rentré à la maison dans un triste état* (syn. : LAMENTABLE, PITOYABLE). *Avoir une triste réputation. Une triste époque* (syn. : AFFLIGEANT, LAMENTABLE). *Les tristes résultats qu'il a obtenus* (syn. : MAIGRE, MÉDIOCRE). — 2° *Avoir triste mine, triste figure,* avoir mauvaise mine, avoir un air de mauvaise santé. ‖ *Faire triste mine, triste figure,* avoir l'air maussade, mécontent. ‖ *Faire triste mine à quelqu'un,* l'accueillir fraîchement. ◆ **tristement** adv. : *Il est devenu tristement célèbre* (= il est connu pour ses méfaits).

triturer [trityre] v. tr. 1° Réduire en poudre par écrasement : *Triturer du sel, un médicament* (syn. : BROYER, PULVÉRISER). — 2° Manier en tordant dans tous les sens : *Un masseur malhabile qui triture les chairs.* — 3° Fam. *Se triturer la cervelle, le ciboulot,* faire des efforts pour n'aboutir qu'à des résultats médiocres, nuls. ◆ **trituration** n. f.

trivial, e, aux [trivjal, -vjo] adj. Se dit de choses contraires à la bienséance, à l'usage habituel des gens : *Un mot trivial* (syn. : GROSSIER, ↑ ORDURIER). *Faire une plaisanterie triviale* (syn. : ↑ OBSCÈNE, SCATOLOGIQUE). ◆ **trivialement** adv. ◆ **trivialité** n. f. : *Faire des plaisanteries d'une trivialité choquante.*

troc n. m. V. TROQUER.

troglodyte [trɔglɔdit] n. m. Habitant d'une grotte, d'une caverne, d'une demeure aménagée dans la terre. ◆ **troglodytique** adj. : *Les villages troglodytiques du Cher.*

trogne [trɔɲ] n. f. *Fam.* Visage enluminé, révélant l'habitude de la bonne chère.

trognon [trɔɲɔ̃] n. m. Cœur d'un fruit ou d'un légume dépouillé de sa partie comestible : *Jeter un trognon de pomme. Un trognon de chou.*

trois [trwɑ] adj. num. cardin. et n. m. 1° V. NUMÉRATION. — 2° *Règle de trois,* règle arithmétique ayant pour objet la solution de tous les problèmes dans lesquels on cherche le quatrième terme d'une proportion dont les trois autres sont connus. ◆ **troisième** adj. num. ordin. et n. ◆ **troisièmement** adv. V. NUMÉRATION.

trolleybus [trɔlɛbys] n. m. Véhicule de transport en commun, utilisé en ville et fonctionnant à l'aide du courant électrique qui est capté par deux perches sur une ligne aérienne.

trombe [trɔ̃b] n. f. 1° Masse nuageuse ou liquide, soulevée en colonne et animée d'un mouvement rapide de rotation. ‖ *Trombe d'eau,* averse particulièrement brutale. — 2° Fam. *Arriver en trombe,* arriver soudainement, avec beaucoup d'animation, beaucoup de bruit.

1. trombone [trɔ̃bɔn] n. m. *Trombone à coulisse,* instrument à vent à embouchure, de la catégorie des cuivres, dont on allonge le corps grâce à une coulisse pour modifier la hauteur des sons. ‖ *Trombone à pistons,* trombone dans lequel des pistons remplacent le jeu de la coulisse. ◆ **tromboniste** ou **trombone** n. m. Joueur de trombone.

2. trombone [trɔ̃bɔn] n. m. Petite agrafe qui sert à réunir des papiers.

1. trompe [trɔ̃p] n. f. Instrument à vent, ordinairement en cuivre et recourbé, dont se servent les chasseurs, les bergers : *Souffler dans sa trompe. Trompe de chasse* (syn. : COR DE CHASSE).

2. trompe [trɔ̃p] n. f. *Trompe d'Eustache,* canal de communication pour l'air extérieur, entre la bouche et le tympan.

tromper [trɔ̃pe] v. tr. 1° (sujet nom de personne) *Tromper quelqu'un,* l'induire en erreur : *Il nous trompe quand il nous dit qu'il n'était pas là!* (syn. : BERNER, LEURRER, SE MOQUER DE ; langue soutenue : ABUSER). *Tromper quelqu'un sur une chose* (= ne pas lui dire la vérité au sujet de cette chose). — 2° Etre infidèle en amour : *Tromper sa femme.* — 3° (sujet nom de chose ou nom de personne) Echapper à l'attention de quelqu'un, à sa vigilance; décevoir son attente : *La manœuvre du fuyard a trompé les poursuivants* (syn. : ↓ DÉJOUER). *Sa vue le trompe souvent* (= l'induit en erreur). *Les symptômes de rougeur sur le visage ont trompé le médecin et lui ont fait croire à la rougeole* (syn. : ABUSER). — 4° (sujet nom de personne) *Tromper sa faim, son ennui* (littér.), y faire une diversion. ◆ ***se tromper*** v. pr. 1° Commettre une erreur : *Méfiez-vous, il se trompe souvent! Il s'est trompé dans ses calculs. On peut s'y tromper* (= on peut se laisser prendre à ces apparences, à ces faux-semblants). — 2° *Se tromper de quelque chose,* faire une confusion à propos de cette chose, la prendre pour une autre : *Il s'est trompé de route. Vous vous trompez d'adresse.* ◆ **trompeur, euse** adj. et n. : *Un discours trompeur* (syn. : MENSONGER, ↑ PERFIDE ; littér. : FALLACIEUX). *Les apparences sont trompeuses* (= se dit pour excuser une erreur de jugement). *Un calme trompeur. Se méfier des trompeurs.* ◆ **trompeuse-**

ment adv. ◆ **tromperie** n. f. : *Tout ce qu'il raconte, ce n'est que mensonges et tromperies!* ◆ **détromper** v. tr. *Détromper quelqu'un,* le tirer d'erreur : *Il a cru que le compliment s'adressait à lui; personne n'a osé le détromper. Si vous pensiez que j'allais m'incliner, détrompez-vous.*

trompette [trɔ̃pɛt] n. f. 1° Instrument à vent, de la famille des cuivres, muni de pistons, comportant une embouchure, un tube cylindrique replié sur lui-même et terminé par un pavillon : *Jouer de la trompette.* — 2° Fam. *Nez en trompette,* nez relevé. ◆ **trompettiste** ou **trompette** n. m. Personne qui joue de la trompette.

tronc [trɔ̃] n. m. 1° Partie d'un arbre, depuis la naissance des racines jusqu'à la naissance des branches. — 2° Le corps de l'homme considéré sans la tête ni les membres. — 3° *Tronc de cône, tronc de pyramide,* portion du volume d'un cône, d'une pyramide comprise entre la base et un plan parallèle à la base.

tronche [trɔ̃ʃ] n. f. *Pop.* Tête.

tronçon [trɔ̃sɔ̃] n. m. Partie d'un objet qui a été coupée ou qui semble séparée de l'ensemble : *Un tronçon de bois. L'autoroute n'est pas terminée, il n'en existe encore que trois tronçons.* ◆ **tronçonner** v. tr. Couper en tronçons : *Tronçonner un arbre.*

trône [tron] n. m. 1° Siège de cérémonie des rois, des empereurs : *La reine d'Angleterre siégeait sur son trône. S'asseoir, monter sur le trône* (= devenir roi). — 2° *Le trône et l'autel,* désigne, en histoire de France, le pouvoir du roi et celui de l'Eglise. ◆ **trôner** v. intr. 1° Etre assis à une place d'honneur, avec un air important. — 2° (sujet nom de chose) Etre bien en évidence, attirer les regards : *Une pièce montée trônait au milieu du buffet.* ◆ **détrôner** v. tr. 1° *Détrôner un souverain,* le chasser du trône : *Un roi détrôné par la révolution* (syn. : DÉCHOIR). — 2° Fam. *Détrôner quelqu'un, quelque chose,* le supplanter, lui faire perdre la prééminence : *Les plastiques ont détrôné le caoutchouc dans bien des emplois.*

tronquer [trɔ̃ke] v. tr. *Tronquer quelque chose* (en général un texte), en retrancher une partie : *Il a délibérément tronqué le discours, le récit* (syn. : AMPUTER, MUTILER). ◆ **tronqué, e** adj. : *Colonne tronquée* (= fût de colonne dont on a retiré le chapiteau). *Faits tronqués. Citations tronquées* (= séparées de leur contexte et prises dans un sens différent).

trop adv. V. ASSEZ.

trophée [trɔfe] n. m. Souvenir d'un succès, objet offert après une victoire : *Les drapeaux pris à l'ennemi constituent un beau trophée. Les trophées d'un coureur cycliste* (= coupes qu'il a remportées, médailles, etc.). [Le terme désignait, dans l'Antiquité, les dépouilles d'un ennemi vaincu et exposées en public.]

tropique [trɔpik] n. m. Chacun des deux petits cercles de la Terre, de latitude $\pm 23°$ environ, parallèles à l'équateur, et entre lesquels s'effectue le mouvement annuel apparent du Soleil autour de celle-ci. ‖ *Tropique du Cancer,* tropique de l'hémisphère Nord. ‖ *Tropique du Capricorne,* tropique de l'hémisphère Sud. ◆ **tropiques** n. m. pl. Régions situées entre les tropiques, caractérisées par un climat torride. ◆ **tropical, e, aux** adj. 1° *Région tropicale.* — 2° *Climat tropical,* climat chaud, à faible variation de température et à forte variation du régime des pluies. ‖ *Chaleur tropicale,* chaleur très élevée, comparable à celle des tropiques.

trop-plein [troplɛ̃] n. m. 1° Ce qui excède la capacité d'un récipient, d'une chose : *Le trop-plein du réservoir s'écoule par ce tuyau.* — 2° Dispositif d'évacuation de l'excédent : *L'eau s'écoule par le trop-plein.*

troquer [trɔke] v. tr. *Troquer une chose contre une autre,* l'échanger pour une autre chose : *Troquer son blé contre du maïs. Troquer sa vieille casquette contre un chapeau.* ◆ **troc** n. m. Echange direct d'un objet contre un autre : *Une économie de troc* (= où le signe monétaire n'existe pas).

trotter [trɔte] v. intr. 1° Marcher rapidement, à petits pas; marcher beaucoup : *La vieille femme trottait toute la journée dans l'appartement.* — 2° *Cheval qui trotte,* qui va à unc allure intermédiaire entre le pas et le galop. — 3° Fam. *Idée, air,* etc., *qui trotte dans la tête,* qu'on a sans cesse à l'esprit. ◆ **trot** n. m. 1° Allure du cheval et de certains quadrupèdes, intermédiaire entre le pas et le galop : *Un cheval au trot. Aller au trot.* — 2° Fam. *Au trot,* vivement, rapidement : *Partir au trot* (= se dépêcher, partir à la hâte). *Allez, au trot, plus vite que ça!* ◆ **trottc** n. f. *Fam.* Distance à parcourir : *Aller d'ici chez vous, ça fait une jolie trotte!* ◆ **trotteur** n. m. Cheval dressé pour le trot. ◆ **trottiner** v. intr. *Fam.* Faire des petits pas : *La fillette trottinait gentiment à côté de sa maman.*

trotteuse [trɔtøz] n. f. Petite aiguille marquant les secondes, dans une montre.

trottinette [trɔtinɛt] n. f. 1° Jouet d'enfant, consistant en une planchette montée sur deux roues et munie d'une tige de direction articulée (syn. : PATINETTE). — 2° *Fam.* Petite voiture automobile.

trottoir [trɔtwar] n. m. 1° Espace plus élevé que la chaussée, généralement bitumé ou dallé, et ménagé sur les côtés d'une rue pour la circulation des piétons : *Les automobiles ne doivent pas être garées sur les trottoirs.* — 2° Pop. *Faire le trottoir,* se dit d'une prostituée qui attire les clients sur la voie publique.

trou [tru] n. m. 1° Ouverture, cavité naturelle ou artificielle dans un corps, dans un objet : *Un trou dans un mur. Le fond d'un trou. Creuser un trou. Boucher des trous. Un trou de souris. Un trou d'aération. Elargir un trou. Trou d'une aiguille* (syn. : CHAS). *Regarder par le trou d'une serrure.* — 2° Fam. *Faire son trou,* se faire une situation quelque part. ‖ *Vivre tranquille dans son trou,* vivre discrètement à l'écart (syn. : COIN). ‖ *Boucher un trou,* faire un remplacement dans un emploi occupé habituellement par un autre. ‖ *Avoir des trous de mémoire,* avoir des absences, des oublis. ‖ *Il y a un trou dans son emploi du temps,* il y a un moment où il n'a rien à faire, où l'on ne sait pas ce qu'il a fait. ‖ *Le trou normand,* eau-de-vie qu'on boit au milieu d'un repas. ‖ *Trou d'air,* courant d'air descendant, qui fait perdre de l'altitude à l'avion. — 3° *Fam.* et *péjor.* Localité retirée, éloignée d'une ville : *Habiter un trou où il n'y a pas de cinéma. Il n'est jamais sorti de son trou* (= il n'a jamais voyagé, il ne connaît rien). *Trouver pour ses vacances un petit trou pas cher.* ◆ **trouer** v. tr. 1° *Trouer quelque chose,* y faire un trou : *Trouer un ticket. Ce garçon a encore troué son pantalon* (syn. : PERCER). — 2° Pop. *Se faire trouer la peau,* être blessé par des projectiles. ◆ **trouée** n. f. 1° Large ouverture qui permet le passage : *Une trouée dans une forêt.* — 2° Rupture dans les rangs d'une armée : *Les troupes ennemies ont essayé de faire une trouée en direction de l'est* (syn. : PERCÉE). — 3° Grand passage dans une chaîne de montagnes : *La trouée de Belfort.*

troubadour [trubadur] n. m. Poète provençal du Moyen Age. (V. TROUVÈRE.)

troubler [truble] v. tr. 1° *Troubler quelque chose,* le modifier de façon à altérer sa limpidité, sa transparence : *Troubler de l'eau. Troubler du vin. La fumée troublait l'atmosphère de la pièce.* — 2° Altérer la finesse, l'acuité de quelque chose : *Un bruit secondaire troublait le son du piano. Troubler la vue de quelqu'un* (syn. : BROUILLER). — 3° Interrompre le cours de quelque chose, arrêter son fonctionnement normal, son déroulement, etc. : *Troubler le sommeil, le repos de quelqu'un. Troubler la tranquillité des locataires. Troubler l'ordre public* (syn. : DÉRANGER). *Troubler un entretien.* — 4° *Troubler quelqu'un,* le priver de lucidité, de présence d'esprit, de sang-froid : *Une ambition disproportionnée avait troublé l'esprit de cet honnête homme* (syn. : ↓ DÉSORIENTER, ÉGARER). *Le professeur ne réussissait qu'à troubler davantage le candidat* (syn. : DÉMONTER, DÉCONCERTER, ↑ AFFOLER, EFFARER). *Un détail me trouble* (= me rend perplexe; syn : EMBARRASSER, ↑ INQUIÉTER). *Un soupçon le troublait continuellement. Ce spectacle terrible la troublait profondément* (syn. : ↑ BOULEVERSER). *Troubler les sens de quelqu'un* (= les exciter). ◆ ***se troubler*** v. pr. 1° (sujet nom de chose) Devenir trouble : *L'eau de la rivière se troublait au passage des chevaux.* — 2° (sujet nom de personne) Perdre contenance : *L'élève se troublait, changeait de visage. L'orateur se troubla devant les fréquentes interruptions de la salle.* ◆ **troublant, e** adj. Se dit d'une chose qui attire l'attention, qui incite à réfléchir : *Un détail troublant* (syn. : SIGNIFICATIF). *Un mystère troublant.* ◆ **trouble** adj. 1° Se dit d'une chose qui n'est pas limpide, dont la transparence n'est pas complète : *Une eau trouble* (= dans laquelle certaines impuretés sont en suspension). — 2° *Pêcher en eau trouble,* agir en profitant de circonstances favorables, de désordres sociaux ou politiques, au détriment de la justice. ‖ *Un désir trouble,* qui témoigne d'intentions confuses et inavouables. ‖ *Un regard trouble,* hypocrite, dévoilant des intentions mauvaises. ‖ *Une affaire trouble,* louche. ◆ n. m. 1° Etat d'une personne troublée : *Le trouble de son âme était grand* (syn. : DÉSARROI, DÉTRESSE, AFFOLEMENT). *Dominer le trouble qui s'empare de soi* (syn. : EMBARRAS, PERPLEXITÉ). *Il fut trahi par son trouble* (= les marques extérieures de son émotion). — 2° Mauvais fonctionnement d'un organe, d'une fonction psychologique : *Des troubles intestinaux. Avoir des troubles de la vision. Des troubles de la personnalité. Un trouble passager* (= malaise, syncope). — 3° Agitation confuse, tumultueuse : *Son arrivée soudaine a produit un certain trouble dans l'assemblée.* ◆ **troubles** n. m. pl. Soulèvement populaire : *Des troubles sanglants ont endeuillé la ville* (syn. : DÉSORDRE, RÉVOLTE). *Des troubles politiques. Un fauteur de troubles.* ◆ **trouble-fête** n. invar. Personne importune, indiscrète, qui empêche de se réjouir par sa présence.

trouée n. f. V. TROU.

troufion [trufjɔ̃] n. m. *Pop.* Simple soldat.

trouille [truj] n. f. *Pop.* Peur : *Avoir la trouille.* ◆ **trouillard, e** adj. et n. *Pop.* Se dit d'une personne habituellement peureuse (syn. : POLTRON).

1. troupe [trup] n. f. 1° Rassemblement de personnes, d'animaux non domestiques : *Une troupe d'enfants se tenait devant les portes du lycée. Une troupe de touristes se précipita chez le marchand de cartes postales.* ‖ *En troupe,* se dit de personnes ou d'animaux en groupe, qui se déplacent ensemble : *Les pigeons s'abattirent en troupe sur le centre de la place.* — 2° Groupe de comédiens, d'artistes qui se produisent ensemble : *La troupe du Théâtre-Français. Un directeur de troupe.*

2. troupe [trup] n. f. (surtout au plur.). Groupement de militaires : *Un village qui s'apprête à recevoir de la troupe* (= des soldats). *Rejoindre le gros de la troupe. Lever des troupes* (= recruter des soldats). *Troupes de choc* (= militaires d'élite). *Un grand déploiement de troupe. Homme de troupe* (= simple soldat). *Enfant de troupe* (= fils de militaire, élevé aux frais de l'Etat et figurant sur les contrôles de l'armée). ◆ **troupier** n. m. Syn. vieilli de SOLDAT.

troupeau [trupo] n. m. 1° Réunion d'animaux domestiques qu'on élève ensemble : *Un troupeau de moutons. Mener paître les troupeaux.* — 2° *Péjor.* Grand nombre de personnes rassemblées sans ordre : *Le troupeau des candidats se précipita vers l'huissier porteur des résultats.*

1. trousse [trus] n. f. Portefeuille à compartiments, dans lequel on réunit les instruments, les outils dont on se sert : *Trousse d'écolier. Trousse de chirurgien. Trousse de toilette* (= petit nécessaire pour la toilette). *Trousse à ongles.* ◆ **trousseau** n. m. *Trousseau de clefs,* clefs attachées ensemble par un anneau.

2. trousses [trus] n. f. pl. Fam. *Aux trousses de quelqu'un,* en le suivant, en le poursuivant : *Les créanciers sont aux trousses du malheureux. Avoir la police à ses trousses* (= être poursuivi, recherché). *Il courait avec trois chiens à ses trousses.*

1. trousseau n. m. V. TROUSSE 1.

2. trousseau [truso] n. m. Linge, vêtements donnés à une jeune fille qui se marie ou qui se fait religieuse, à un enfant qui entre en pension, etc.

1. trousser [truse] v. tr. 1° *Trousser un vêtement,* le relever pour l'empêcher de traîner, de pendre : *Elle troussa sa robe et avança dans l'eau* (syn. : RETROUSSER). — 2° Fam. *Trousser une femme,* relever sa jupe.

2. trousser [truse] v. tr. *Trousser un article, un compliment, un discours,* les composer rapidement, avec aisance (littér.).

trouver [truve] v. tr. 1° *Trouver quelque chose, quelqu'un,* le rencontrer alors qu'on le cherchait : *Je ne trouve plus mes lunettes : où les as-tu mises? Trouver les mots qui traduisent le mieux une pensée. Il a dû vivre à l'hôtel en attendant de trouver un appartement* (syn. fam. : DÉNICHER). *Elle a trouvé une femme de ménage. Il scrutait la foule dans l'espoir d'y trouver un visage connu* (syn. : DÉCOUVRIR). ‖ *Aller trouver quelqu'un,* se rendre auprès de lui. ‖ *Trouver* s'emploie dans diverses locutions sans article : *Trouver refuge dans une cabane. Trouver assistance auprès de quelqu'un* (= être aide, secouru par lui). *Trouver place dans un wagon.* — 2° Rencontrer par hasard : *Il a trouvé un portefeuille dans un fossé. Trouver un obstacle sur son chemin. Il était tout heureux de trouver un compatriote à l'étranger* (syn. : TOMBER SUR). ‖ Fam. *Trouver à qui parler, trouver son maître,* se trouver en présence de quelqu'un qui vous résiste, qui vous domine. — 3° Découvrir par un effort de l'esprit : *Trouver la solution d'un problème, l'explication d'un phénomène, la cause d'une maladie. Il a trouvé un moyen ingénieux pour échapper aux gêneurs.* — 4° *Trouver du plaisir, du bonheur, de la difficulté,* etc., en éprouver : *J'ai trouvé beaucoup de plaisir à lire ce livre. Il trouve son bonheur dans la vie à la campagne.* — 5° *Trouver à* (et l'infin.), avoir l'occasion de : *On ne trouve pas facilement à se distraire ici. Il trouve à redire à tout* (= il critique tout). — 6° (avec un attribut du compl. d'objet) Rencontrer dans tel ou tel état : *J'ai trouvé la maison vide* (= elle était vide à mon arrivée); juger, estimer : *Les candidats ont trouvé la question difficile. Trouver un plat trop salé. J'ai trouvé ce film excellent. Je vous trouve fatigué* (= vous me paraissez fatigué). *Trouver le temps long* (= s'ennuyer). ‖ Pop. *La trouver mauvaise, saumâtre,* être mécontent d'un mauvais tour, s'irriter d'un événement fâcheux. ◆ ***se trouver*** v. pr. 1° (sujet nom de personne) Etre soudain par hasard dans tel lieu, dans telle position : *Le professeur se trouva nez à nez avec l'inspecteur. Il franchit la grille et se trouva dans le jardin.* — 2° (sujet nom de chose) Etre en tel endroit, être situé : *Le point A se trouve sur le segment MM'. Le pont se trouve sur la carte* (syn. : FIGURER). *Son nom ne se trouve pas sur la liste. C'est là que se trouve le nœud du problème* (syn. : RÉSIDER). — 3° (avec un attribut, un adv.) Se présenter, être dans tel ou tel état : *L'espace qui se trouve compris entre les deux segments de droite. La jeune citadine s'est trouvée dépaysée au milieu de ces paysans frustes.* ‖ *Se trouver bien quelque part,* s'y sentir à l'aise. ‖ *Se trouver mal,* s'évanouir. — 4° *Il se trouve que* (et l'indic.), le hasard fait que : *Il se trouve que la porte était fermée. Il se trouve que, malgré la justesse du raisonnement, la solution est fausse.* ‖ Pop. *Si ça se trouve,* il est bien possible que : *Je veux bien aller le voir, mais, si ça se trouve, il est déjà parti.* ◆ **trouvé, e** adj. *Enfant trouvé,* enfant abandonné de ses parents. ‖ *Bien trouvé,* bien imaginé, bien dit : *Tout ce qu'elle dit est bien trouvé!* (syn. : TOURNÉ). ◆ **trouvaille** n. f. Découverte heureuse : *Faire une bonne trouvaille. Tout ce qu'elle dit est émaillé de trouvailles* (= formules heureuses).

trouvère [truvɛr] n. m. Poète du Moyen Age qui composait dans la langue d'oïl (parlée dans le nord de la France). [V. TROUBADOUR.]

truand [tryɑ̃] n. m. *Pop.* Mauvais garçon (souvent employé par ironie). ◆ **truander** v. tr. *Pop.* Voler; tromper : *Il nous a truandés avec ses boniments.*

trublion [tryblijɔ̃] n. m. *Péjor.* Individu qui sème le désordre; agent provocateur : *Des trublions s'étaient infiltrés parmi l'assistance et tentaient de prendre d'assaut l'estrade.*

truc [tryk] n. m. 1° *Fam.* Moyen habile d'agir, procédé, combinaison qui réussit : *Connaître les trucs d'un métier* (syn. : ASTUCE, FICELLE, SECRET). *J'ai trouvé un truc pour mettre la machine en marche* (syn. fam. : SYSTÈME). — 2° *Fam.* S'emploie pour désigner un objet dont on ignore le nom ou qu'on ne veut pas nommer, etc. : *Comment ça s'appelle, ce truc-là?* (syn. fam. : MACHIN, CHOSE; pop. : BIDULE). *C'est un drôle de truc, ce que tu apportes là.*

truchement [tryʃmɑ̃] n. m. 1° Personne qui sert d'interprète, d'intermédiaire entre deux autres (littér.). — 2° *Par le truchement de,* par l'entremise de : *Avoir un renseignement confidentiel par le truchement d'un ami.*

trucider [tryside] v. tr. *Fam.* Tuer (ironiq.).

truculent, e [trykylɑ̃, -ɑ̃t] adj. Se dit d'une personne (ou de son comportement) qui exprime les choses avec crudité et réalisme : *Un personnage truculent* (syn. : HAUT EN COULEUR). *Un langage truculent* (= dont l'énergie, la verdeur plaît). ◆ **truculence** n. f. : *La truculence d'un récit.*

truelle [tryɛl] n. f. Outil de maçon pour étendre le mortier sur les joints, pour faire des enduits de plâtre.

1. truffe [tryf] n. f. Champignon souterrain comestible, très recherché. ◆ **truffer** v. tr. 1° Garnir de truffes : *Truffer une volaille.* — 2° *Fam.* Remplir, bourrer : *Il avait truffé son discours de citations.* ◆ **truffier, ère** adj. *Région truffière,* où il y a des truffes.

2. truffe [tryf] n. f. Nez d'un chien.

truie [trɥi] n. f. Femelle du porc.

truisme [tryism] n. m. *Péjor.* Vérité d'évidence, banale : *C'est un truisme de dire que la science peut apporter le bonheur ou le malheur.*

truite [trɥit] n. f. Poisson voisin du saumon, carnivore, à chair très estimée.

trumeau [trymo] n. m. Panneau de glace occupant le dessus d'une cheminée ou l'espace entre deux fenêtres.

truquer [tryke] v. tr. Changer, modifier par fraude quelque chose : *Truquer une serrure* (= en modifier le mécanisme). *Truquer un dossier* (= en modifier, en substituer certaines pièces). *Truquer une expérience* (= la fausser). ◆ **truqué, e** adj. : *Verrou truqué.* ‖ *Elections truquées,* élections dans lesquelles le résultat est faussé, ou dans lesquelles l'électeur n'est pas libre de son choix. ◆ **truquage** ou **trucage** n. m. 1° Moyen par lequel on falsifie quelque chose. — 2° Procédé employé au cinéma pour créer l'impression de la réalité. ◆ **truqueur, euse** adj. et n. Se dit d'une personne qui truque quelque chose.

trust [trœst] n. m. Entreprise importante, résultant de la fusion de plusieurs petites entreprises, qui vise à obtenir sur le marché le monopole d'un produit ou d'un secteur. ◆ **truster** [trœste] v. tr. Fam. *Truster quelque chose,* le monopoliser.

tsar ou **tzar** [tzar] n. m. Titre des empereurs de Russie, de Bulgarie. (La forme CZAR est polonaise.) ◆ **tsarine** n. f. Femme du tsar. ◆ **tsarisme** n. m. Régime politique des tsars. ◆ **tsariste** adj. : *Le régime tsariste.*

T. S. F. [teɛsɛf] n. f. Abrév. de TÉLÉGRAPHIE (ou TÉLÉPHONIE) SANS FIL, qui désigne le poste récepteur, le principe de la télégraphie sans fil, etc. : *Ma T. S. F. est en panne.* (Cette appellation est remplacée auj. par les termes RADIO, POSTE.)

tu [ty], **te** [tə], **toi** [twa] pron. pers. 2e pers. sing. (V. tableau ci-dessous.)

tub [tœb] n. m. 1° Large cuvette dans laquelle on peut faire des ablutions à grande eau : *Mettre un enfant dans un tub.* — 2° Bain qu'on prend dans cette cuvette.

tube [tyb] n. m. 1° Tuyau cylindrique : *Acheter un tube d'aspirine. Tube au néon* (= lampe en forme de tube). *Tube lance-torpilles.* — 2° Conduit naturel : *Tube digestif.* — 3° Récipient allongé, de forme approximativement cylindrique, fait de métal malléable ou de matière plastique, et contenant une substance molle : *Un tube de pâte dentifrice. Un tube de colle. Un tube de peinture.* ◆ **tubulaire** adj. *Chaudière tubulaire,* chaudière où la chaleur du foyer est diffusée par un grand nombre de tubes. ‖ *Pont tubulaire,* pont formé de tubes métalliques joints bout à bout. ◆ **tubulure** n. f. 1° Petite ouverture pour recevoir un tube. — 2° Ensemble des tubes d'une installation.

tubercule [tybɛrkyl] n. m. Excroissance qui survient à une partie quelconque d'un végétal, notamment à la racine et à la tige souterraine : *La pomme de terre, la patate sont des tubercules.*

tuberculose [tybɛrkyloz] n. f. Maladie infectieuse due au bacille de Koch, qui atteint des organes divers (poumons, vertèbres, reins, peau, méninges, intestins). ◆ **tuberculeux, euse** adj. : *Méningite tuberculeuse* (= méningite due à la tuberculose). ◆ adj. et n. : *Enfant tuberculeux* (= atteint de tuberculose). *Envoyer un tuberculeux dans un sanatorium.* ◆ **antituberculeux, euse** adj. : *Un sérum antituberculeux. Timbre antituberculeux* (= dont le produit de la vente aide à combattre la tuberculose).

tubulaire adj., **tubulure** n. f. V. TUBE.

tuer [tɥe] v. tr. 1° *Tuer un être animé,* lui ôter la vie de manière violente : *Tuer un lapin d'un coup de fusil. La voiture, en quittant la chaussée, a tué deux passants.* ‖ Fam. *Il n'a jamais tué personne,* il n'est pas méchant. — 2° Accabler physiquement ou moralement : *Ce bruit, ces allées et venues vous tuent* (syn. : ÉREINTER, EXTÉNUER, ↓ FATIGUER). 3° *Tuer quelque chose,* le faire cesser, causer sa disparition : *L'habitude de ces spectacles violents tue la sensibilité. La crise des affaires a tué certains petits commerces.* ‖ *Tuer le temps,* V. TEMPS. ◆ ***se tuer*** v. pr. 1° Se donner la mort : *Il s'est tué en se tirant une balle dans la tête* (syn. : SE SUICIDER). *Il s'est tué en voiture* (= il a eu un accident mortel). — 2° Fam. *Se tuer à,* faire de grands efforts pour, ne pas cesser de : *Je me tue à vous répéter que je n'ai jamais vu cet homme.* — 3° Compromettre sa santé : *Se tuer au* (ou *de*) *travail.* ◆ **tué, e** adj. et n. : *Il y a trois tués dans l'accident.* ◆ **tuant, e** adj. *Fam.* Se dit d'une personne (ou de son comportement) pénible à supporter : *Elle est tuante avec ses discours interminables* (syn. : EXTÉNUANT; fam. : ASSOMMANT). ◆ **tueur, euse** n. Personne qui a tué d'autres personnes, ou pour qui le meurtre est chose naturelle : *La police a divulgué le portrait de l'homme en fuite, en recommandant la prudence, car c'est un tueur. Tueur à gages* (= personne payée pour commettre un meurtre). ◆ **tueur** n. m. Celui qui tue les animaux dans un abattoir. ◆ **tuerie** n. f. Carnage, scène de violence meurtrière : *Une véritable tuerie.*

tue-tête (à) [atytɛt] loc. adv. *Crier à tue-tête,* de toute la force de sa voix (syn. : HURLER).

tuf [tyf] n. m. Pierre tendre, poreuse, légère : *Mur en tuf.*

1. tuile [tɥil] n. f. Carreau en terre cuite, de forme variable, qui sert à couvrir les toits : *Tuile plate. Tuile ronde* (= creusée en forme de gouttière). *Les toits de tuile.* ◆ **tuilerie** n. f. 1° Industrie de la fabrication des tuiles. — 2° Etablissement où se fait cette fabrication.

2. tuile [tɥil] n. f. *Fam.* Evénement fâcheux : *Une tuile va certainement lui arriver. Cette maladie, quelle tuile!* (= quelle catastrophe!).

tulipe [tylip] n. f. Fleur très décorative, à bulbe : *La culture des tulipes est particulièrement développée aux Pays-Bas.*

tulle [tyl] n. m. Tissu de coton ou de soie, très léger et transparent, à mailles rondes ou polygonales : *Un voile de tulle.*

tuméfier [tymefje] v. tr. Causer une enflure sur une partie du corps d'un être vivant, par exemple par des coups (surtout employé au part. passé *tuméfié*) : *Après la bagarre, il avait le visage tout tuméfié.* ◆ **tuméfaction** n. f.

tumeur [tymœr] n. f. Augmentation pathologique du volume d'un tissu vivant ou d'un organe, due à une multiplication de cellules : *Avoir une tumeur au cerveau. Une tumeur maligne.*

tumulte [tymylt] n. m. 1° Mouvement de foule, accompagné de bruit, de désordre : *La réunion s'est*

PRONOMS PERSONNELS (2e PERS.)

FONCTION	pronoms atones		pronom tonique	
	Joints au verbe et toujours dans le groupe verbal.		Disjoint, placé hors du groupe verbal, avant ou après le verbe.	
sujet	tu	*TU m'amuses. Dors-TU? Qui as-TU rencontré?*	toi	*TOI, tu mens. Ton frère et TOI serez punis. Il a plus de soucis que TOI.*
complément d'objet direct ou indirect, réfléchi ou non réfléchi	te t'	*Je TE remercie. Nous T'aiderons. TE cherchait-il? Cette région TE plaira. Cet homme T'a nui. Ne TE sers pas.*	toi	*Tes amis et TOI, nous vous inviterons. On pense à TOI. On parle de TOI. Regarde-TOI dans la glace. Sers-TOI.*
complément circonstanciel, après préposition			toi	*Je reste avec TOI. As-tu tes papiers sur TOI? C'est en TOI que tu trouveras le bonheur.*

REM. Ordre des pronoms personnels, V. IL.

terminés dans le tumulte. Un tumulte d'élans (syn. : BROUHAHA, VACARME; fam. : CHAHUT). — 2° Agitation bouillonnante et désordonnée : *Le tumulte des affaires.* ◆ **tumultueux, euse** adj. : *Une assemblée tumultueuse.* ◆ **tumultueusement** adv. : *Les élèves entrèrent tumultueusement dans la classe.*

tunique [tynik] n. f. 1° Vêtement de dessous, en usage chez plusieurs peuples de l'Antiquité ou chez certains peuples modernes. — 2° Robe de femme en étoffe légère. — 3° Vêtement militaire ajusté et caractérisé par le col droit et l'absence de poches.

tunnel [tynɛl] n. m. Galerie souterraine pratiquée pour donner passage à une voie de communication : *Creuser un tunnel. Le tunnel du Mont-Blanc.*

turban [tyrbɑ̃] n. m. Coiffure de certains Orientaux, formée d'une longue pièce d'étoffe enroulée autour de la tête. ◆ **enturbanné, e** adj. Coiffé d'un turban : *Des Indiens enturbannés.*

turbin [tyrbɛ̃] n. m. *Pop.* Travail. ◆ **turbiner** v. intr. *Pop.* Travailler.

turbine [tyrbin] n. f. Roue motrice munie d'aubes, d'ailettes, etc., sur lesquelles on fait agir la pression ou la vitesse d'un fluide (eau, vapeur ou gaz).

turboréacteur [tyrboreaktœr] n. m. Moteur à réaction, constitué par une turbine à gaz dont la détente à travers des tuyères engendre un effet de réaction propulsive : *Avion muni de deux turboréacteurs.*

turbot [tyrbo] n. m. Poisson plat, qu'on trouve en Méditerranée et dans l'Atlantique, et dont la chair est très estimée.

turbulent, e [tyrbylɑ̃, -ɑ̃t] adj. Se dit d'une personne (ou de son comportement) qui aime à s'agiter, qui est dans un état d'excitation continuelle : *Des élèves turbulents* (syn. : ↓ REMUANT; fam. : CHAHUTEUR; contr. : CALME, PAISIBLE, SILENCIEUX). ◆ **turbulence** n. f.

turc, turque [tyrk] adj. et n. m. 1° De Turquie. — 2° Fam. *Fort comme un Turc,* se dit d'un homme très vigoureux. ‖ *Tête de Turc,* personne à qui tout le monde s'en prend à la moindre occasion, qui est la cible de toutes les plaisanteries.

turf [tyrf] n. m. Milieu des courses de chevaux; activités qui s'y rattachent : *La langue du turf est empruntée à l'anglais.* ◆ **turfiste** n. Personne qui aime les courses de chevaux, qui y assiste souvent.

turlupiner [tyrlypine] v. tr. *Fam.* Tracasser, tourmenter : *L'idée qu'il avait pu laisser le gaz ouvert le turlupina pendant le voyage.*

turne [tyrn] n. f. *Fam.* Chambre, pièce d'habitation.

turpitude [tyrpityd] n. f. 1° Conduite ignominieuse d'une personne (langue soutenue) : *Se vautrer dans la turpitude.* — 2° Action honteuse : *Vie pleine de turpitudes. Commettre des turpitudes.*

tutélaire adj. V. TUTELLE.

1. tutelle [tytɛl] n. f. 1° Protection, sauvegarde exercée à l'égard de quelqu'un (langue soignée) : *Etre sous la tutelle des lois.* — 2° *Tenir quelqu'un sous sa tutelle,* exercer sur lui une surveillance gênante. ◆ **tutélaire** adj. Se dit d'une personne qui peut vous protéger contre l'adversité (littér.) : *Une puissance tutélaire. Dieu tutélaire.*

2. tutelle [tytɛl] n. f. Charge imposée à une personne, conformément à la loi, de prendre soin de la personne et des biens d'un mineur ou d'un interdit (jurid.) : *Conseil de tutelle.* ◆ **tutélaire** adj. Qui concerne la tutelle : *Une gestion tutélaire.* ◆ **tuteur, trice** n. Personne chargée de surveiller les intérêts d'un mineur non émancipé ou d'un interdit. ‖ *Subrogé tuteur,* personne désignée par le conseil de famille, en vue de surveiller la gestion du tuteur.

1. tuteur, trice n. V. TUTELLE 2.

2. tuteur [tytœr] n. m. Tige, armature permettant de soutenir certaines plantes.

tutoyer [tytwaje] v. tr. Employer la deuxième personne du singulier en s'adressant à quelqu'un : *La plupart des enfants très jeunes tutoient tout le monde* (contr. : VOUVOYER). ◆ **tutoiement** n. m. Action de tutoyer : *Le tutoiement est de rigueur dans certains groupes* (contr. : VOUVOIEMENT).

tutti [tuti ou tyti] n. m. 1° Ensemble des instruments d'un orchestre, par opposition au *soliste.* — 2° Passage d'une partition dans laquelle l'orchestre joue tout entier : *Reprendre au tutti.*

tutti quanti [tutikwɑ̃ti] loc. adv. *Fam.* Tous ces gens, tous autant qu'ils sont (s'emploie ironiq., à la place de *etc.,* dans une énumération de personnes).

tutu [tyty] n. m. Jupe en gaze portée par les danseuses.

1. tuyau [tɥijo] n. m. 1° Canal, conduit rigide ou souple, le plus souvent cylindrique, servant au passage d'un fluide : *Un tuyau d'égout. Un tuyau d'arrosage en matière plastique. Débrancher le tuyau à gaz.* — 2° Fam. *Le tuyau de l'oreille,* le conduit auditif. ◆ **tuyauterie** n. f. Ensemble des tuyaux d'une installation : *Vidanger la tuyauterie du chauffage central.*

2. tuyau [tɥijo] n. m. Pli cylindrique fait à du linge empesé. ◆ **tuyauter** v. tr. *Tuyauter du linge,* le plisser en tuyaux. ◆ **tuyauté** n. m. Manière dont le linge est tuyauté. ◆ **tuyautage** n. m. : *Le tuyautage d'une guimpe.*

3. tuyau [tɥijo] n. m. *Fam.* Renseignement confidentiel : *Je connais le secrétaire du directeur, qui m'a donné quelques tuyaux sur ses projets. Il prétendait avoir un bon tuyau pour le tiercé.* ◆ **tuyauter** v. tr. Fam. *Tuyauter quelqu'un,* lui donner des renseignements confidentiels, des conseils utiles. ◆ **tuyautage** n. m.

tuyauter v. tr. V. TUYAU 1, 2 et 3.

tuyère [tɥijɛr ou tyjɛr] n. f. Partie postérieure d'un moteur à réaction, servant à la détente des gaz de combustion.

tweed [twid] n. m. Etoffe de laine pour la confection des vêtements : *Une veste en tweed.*

twist [twist] n. m. Danse moderne, d'origine américaine.

1. tympan [tɛ̃pɑ̃] n. m. 1° Membrane tendue qui sépare l'oreille moyenne du conduit auditif externe et qui transmet les vibrations de l'air à la chaîne des osselets. — 2° *Bruit à crever le tympan,* bruit assourdissant.

2. tympan [tɛ̃pɑ̃] n. m. Dans un édifice, espace uni ou sculpté, circonscrit entre plusieurs arcs ou plusieurs lignes droites : *Les tympans des portes de la cathédrale de Chartres.*

1. type [tip] n. m. 1° Modèle abstrait constitué par l'ensemble des traits, des caractères, etc., communs à des individus, des êtres, des choses de même nature : *Des types humains. Avoir le type oriental* (= avoir les traits caractéristiques des Orientaux, par oppos. au reste des êtres humains). *Avoir le type anglais.* ‖ Fam. *Il n'est pas mon type,* il n'est pas physiquement le genre de personne que je peux aimer. — 2° Modèle : *Un type de voiture.* ‖ S'emploie en apposition : *Une phrase type. C'est l'erreur type* (= parfaitement caractéristique du genre; syn. : CLASSIQUE). — 3° Personne ou chose réunissant à la perfection les traits essentiels des êtres, des objets de même nature : *Harpagon est le type de l'avare. C'est le type de l'intellectuel raté.* ◆ **typé, e** adj. Se dit d'une personne, d'une chose qui présente à un haut degré les caractères du type dans lequel on la range : *Un Indien très typé* (syn. : ACCUSÉ). *Tartuffe est un personnage fortement typé.* ◆ **typique** adj. Se dit d'une personne ou d'une chose très caractérisée : *Un personnage typique. Un cas typique.* ◆ **typiquement** adv. ◆ **typologie** n. f. 1° Etude systématique des relations entre les traits de caractère et les catégories des êtres humains. — 2° Etablissement des types de langues. ◆ **typiser** v. tr. Caractériser par les traits essentiels.

2. type [tip] n. m. *Fam.* Individu du sexe masculin : *Il est venu un type qui a demandé si tu étais là* (syn. fam. : GARS; pop. : ZÈBRE, MEC). [Au fém., on emploie parfois TYPESSE.]

typhoïde [tifɔid] adj. et n. f. *Fièvre typhoïde,* ou *typhoïde* n. f., maladie infectieuse déterminée par un bacille, caractérisée par une fièvre cyclique, un état de prostration, l'apparition sur l'abdomen de petites taches roses, etc. ◆ **typhoïdique** adj.

typhon [tifɔ̃] n. m. Dans les mers de Chine et du Japon, violente tempête, cyclone tropical.

typhus [tifys] n. m. Maladie transmise par le pou, caractérisée par des taches rouges sur la peau et un abattement complet pendant la fièvre. ◆ **typhique** adj. et n. : *Bacille typhique. Soigner des typhiques* (= des malades atteints du typhus). ◆ **antityphique** adj. : *Vaccin antityphique.*

typique adj., **typiquement** adv. V. TYPE 1.

typographie [tipɔgrafi] n. f. Procédé d'impression à partir d'éléments en relief, tous de même hauteur (souvent abrégé en TYPO). ◆ **typographique** adj. : *Des signes typographiques. Une correction typographique.* ◆ **typographe** n. Ouvrier, ouvrière qui compose, à l'aide de caractères mobiles pris à la main, les textes à imprimer (souvent abrégé en TYPO).

typologie n. f. V. TYPE 1.

tyran [tirɑ̃] n. m. 1° Souverain despotique, cruel : *Certains empereurs romains, comme Néron, étaient devenus des tyrans* (syn. : DESPOTE). — 2° Personne qui fait de son autorité, de son pouvoir, de son prestige un usage excessif, par égoïsme, caprice, etc. : *Son père est un véritable tyran pour sa famille. Si on lui passe tous ses caprices, cet enfant va devenir un tyran.* ◆ **tyrannie** n. f. : *Lutter contre la tyrannie et le despotisme* (= le pouvoir politique absolu exercé par une minorité). *La tyrannie d'un père* (= son autoritarisme). ◆ **tyrannique** adj. : *Le pouvoir tyrannique d'un souverain. Une loi tyrannique* (= qui limite abusivement la liberté individuelle). *Une passion tyrannique* (= qui domine l'individu tout entier). ◆ **tyranniser** v. tr. : *Tyranniser sa famille.*

tzigane ou **tsigane** [tsigan] n. et adj. 1° Nom donné aux bohémiens. — 2° Musicien vêtu du costume bohémien et jouant dans les cafés, les music-halls. ‖ *Musique tzigane,* genre de musique particulier à ces musiciens.

u

u n. m. V. Introduction.

ubiquité [ybikɥite] n. f. *Avoir le don d'ubiquité, être doué d'ubiquité,* être partout à la fois. ‖ *Je n'ai pas le don d'ubiquité,* je n'ai pas le pouvoir d'être partout en même temps.

ukase n. m. V. OUKASE.

ulcère [ylsɛr] n. m. Plaie à évolution lente, causée localement par une lésion de la peau ou de la muqueuse. ◆ **ulcérer** v. tr. *Ulcérer quelqu'un,* lui causer un profond ressentiment, une blessure morale durable (souvent au passif) : *Il est ulcéré par l'indifférence qui a accueilli son livre* (syn. : BLESSER, ↓ VEXER). *Ce reproche injuste m'a ulcéré. Avoir le cœur ulcéré par l'injustice du sort.*

ultérieur, e [ylterjœr] adj. Se dit d'une chose qui succède dans le temps à une autre, qui vient après : *Les renseignements ultérieurs obtenus sur les causes du sinistre laissent penser qu'il s'agit d'un acte de malveillance* (syn. : POSTÉRIEUR; contr. : ANTÉRIEUR). ◆ **ultérieurement** adv. : *Ultérieurement, nous modifierons le projet initial selon les circonstances* (syn. : PAR LA SUITE). *J'examinerai ultérieurement le dossier* (syn. : PLUS TARD).

ultimatum [yltimatɔm] n. m. Ensemble de conditions définitives imposées par un Etat à un autre, par un parti, un groupement, un gouvernement, etc., à un autre pouvoir, et dont la non-acceptation entraîne un conflit : *L'ultimatum expire à minuit. Adresser un ultimatum à une autre puissance. Le gouvernement repoussa l'ultimatum des syndicats.*

ultime [yltim] adj. (avant ou après le nom). Se dit d'une chose qui vient en dernier lieu : *Ce sont là mes ultimes propositions* (syn. : DERNIER). *Les paroles ultimes du mourant.*

ultra-, préfixe qui indique :
1° Un degré excessif, une intensité jugée trop grande (en ce sens, il entre seulement en composition avec des adjectifs ou des participes) : *ultracolonialiste, ultra-révolutionnaire,* etc. Le préfixe connaît une expansion importante en français contemporain, dans le vocabulaire politique et technique;
2° Une situation ou un état qui se situe au-delà d'un autre; il entre dans la composition de substantifs de la langue scientifique : *ultrason, ultramicroscope, ultraviolet.* (V. ARCHI-, SUPER-.) Les mots composés avec *ultra-* sont traités avec le composant principal.

un, une art. indéf. V. LE.

unanime [ynanim] adj. 1° Se dit d'une chose qui exprime un accord complet : *Un vote unanime. Le consentement unanime de l'assemblée.* — 2° (au plur., comme attribut) Se dit de personnes qui sont toutes du même avis : *Ils ont été unanimes à louer votre persévérance.* ◆ **unanimement** adv. : *Nous avons unanimement pensé que votre candidature à ce poste était justifiée* (= nous sommes tous d'accord pour penser). ◆ **unanimité** n. f. : *Vote acquis à l'unanimité. L'unanimité des présents est favorable à sa candidature* (syn. : TOTALITÉ).

1. uni-, élément entrant dans des mots composés, avec le sens de « un », « unique » : *uninominal,* qui ne contient qu'un nom (*vote uninominal*).

2. uni, e [yni] adj. Sans ornements : *Du papier uni tapissait la chambre* (= d'une seule couleur et sans dessins). *Un tissu uni* (contr. : RAYÉ, CHINÉ). ◆ **uniment** adv. *Tout uniment,* sans circonlocutions, en toute simplicité (littér.) : *Il dit tout uniment ce qui était arrivé.*

unicité n. f. V. UNIQUE.

unième adj. num. Employé uniquement en composition (*vingt et unième, trente et unième,* etc.). ◆ **unièmement** adv. V. NUMÉRATION.

unifier [ynifje] v. tr. Amener à l'unité : *Unifier les diverses lois sur les baux commerciaux. Le parti socialiste unifié* (= où diverses tendances se sont fondues). ◆ **unification** n. f. : *L'unification de la France, but de la monarchie.* ◆ **unificateur, trice** adj. et n. (V. UNIQUE.)

1. uniforme [ynifɔrm] n. m. 1° Costume que revêtent les militaires en service : *L'uniforme d'officier. Quitter l'uniforme* (= rentrer dans la vie civile). *Endosser l'uniforme* (= devenir militaire). *Etre sous l'uniforme* (= être soldat). — 2° Costume particulier à une certaine catégorie de gens assurant les mêmes fonctions, tels que les huissiers, les portiers, et autrefois les encaisseurs, etc.

2. uniforme [ynifɔrm] adj. 1° Qui a la même forme, le même aspect : *Les maisons uniformes des banlieues des villes du Nord.* — 2° Qui présente toujours le même aspect dans son déroulement, qui est semblable dans ses parties : *Un mouvement uniforme* (= dont la vitesse est constante). *Le style uniforme de ses romans* (syn. : MONOTONE). *Les pièces étaient peintes d'une couleur uniforme.* ◆ **uniformément** adv. : *Appliquer uniformément les règlements à tous les employés* (= sans distinction). ◆ **uniformiser** v. tr. Rendre de même forme, de même nature : *Uniformiser les diverses lois sur la construction* (contr. : DIVERSIFIER). *Uniformiser les droits de douane entre deux pays.* ◆ **uniformité** n. f. : *Leur mariage est fondé sur l'uniformité de leurs sentiments* (syn. : IDENTITÉ).

unijambiste [yniʒɑ̃bist] adj. et n. Se dit d'une personne qui n'a plus qu'une jambe.

unilatéral, e, aux [ynilateral, -ro] adj. 1° Situé d'un seul côté : *Stationnement unilatéral dans une voie étroite* (contr. : BILATÉRAL). — 2° Pris par une seule des parties en cause : *Un engagement unilatéral. Une décision unilatérale.* ◆ **unilatéralement** adv. : *Rompre unilatéralement un traité* (= sans l'accord des autres signataires). (V. BILATÉRAL à LATÉRAL.)

union n. f. V. UNIR.

unique [ynik] adj. 1° (avant ou après le nom) Se dit d'une personne ou d'une chose qui est seule dans son genre (sert de superlatif à *un*) : *Ils ont perdu leur fille unique dans un accident. Son unique souci est de se mettre en avant* (= il n'a qu'un souci; syn. : SEUL). — 2° (après le nom) Se dit d'une personne ou d'une chose très différente des autres par son originalité, par ses qualités ou par sa bizarrerie : *Il a un talent unique pour réparer les pendules* (syn. : INCOMPARABLE; contr. : BANAL, COMMUN, RÉPANDU). *Vous êtes vraiment unique!* (= vous êtes vraiment le seul à agir ainsi; syn. fam. : IMPAYABLE). ◆ **uniquement** adv. : *Il pense uniquement à l'argent* (syn. : EXCLUSIVEMENT). ◆ **unicité** n. f. Caractère de ce qui est unique (techn.) : *L'unicité d'un cas.* (V. UNIFIER.)

unir [ynir] v. tr. 1° *Unir une chose à une autre, unir deux choses,* les joindre de manière qu'elles forment un tout : *Il unissait à une grande bonté un esprit de justice intransigeant* (syn. : ASSOCIER). *Unir des partis politiques.* — 2° *Unir deux ou plusieurs personnes,* faire qu'elles soient en accord de sentiments, d'intérêts : *Unis dans une lutte commune* (syn. : RÉUNIR). — 3° *Unir deux personnes, deux familles,* les associer par les liens du mariage : *Le maire unit les deux jeunes gens. Les familles étaient unies par un double mariage.* ◆ **s'unir** v. pr. 1° S'associer : *S'unir contre un ennemi commun* (syn. : S'ALLIER). — 2° Se lier par les liens de l'amour, du mariage. ◆ **uni, e** adj. : *Restez unis pour triompher.* ◆ **union** n. f. 1° Association de deux ou plusieurs choses, de plusieurs groupes ou de plusieurs personnes, pour former un tout : *L'union des forces du centre* (syn. : ENTENTE). *Une union douanière* (= un groupement d'Etats qui ont supprimé les barrières douanières). *Notre union force l'ennemi à reculer* (syn. : ACCORD, ALLIANCE). *Le trait d'union réunit les divers éléments d'un mot composé.* — 2° Mariage : *Le prêtre bénit leur union. Une union illégitime. L'union conjugale. Une union libre* (= non légalisée). ◆ **unité** n. f. 1° Caractère de ce qui est un, de ce qui forme un tout homogène, dont les parties sont en harmonie, en accord : *L'unité d'une doctrine* (contr. : DIVERSITÉ, HÉTÉROGÉNÉITÉ). *Un parti politique qui conserve son unité. Briser, refaire l'unité d'un pays. Unité de points de vue* (syn. : ACCORD). *Cet ouvrage manque d'unité* (syn. : ÉQUILIBRE). — 2° Grandeur (quantité ou dimension) adoptée comme étalon de mesure : *Ramener à l'unité* (= au nombre un). *Le mètre est l'unité de longueur. Le gramme est l'unité de poids.* — 3° Formation militaire permanente : *Constitution d'une unité blindée. Une grande unité* (= plus grande qu'une division). *Le commandant d'une unité.* ◆ **unitaire** adj. Qui vise à l'unité, qui recherche l'unité sur le plan politique : *Mener une politique unitaire.* ◆ **désunir** v. tr. Séparer ce qui était uni : *Le choc a désuni les pièces de l'assemblage. Des oppositions d'intérêt qui désunissent une famille. Désunir deux questions* (syn. : DISJOINDRE). ◆ **désunion** n. f. : *La désunion qui est apparue au sein du comité* (syn. : DIVISION, MÉSENTENTE). *Vivre dans la désunion* (= en mésintelligence).

unisson [ynisɔ̃] n. m. *A l'unisson,* en accord parfait : *Etre à l'unisson des circonstances. Se mettre à l'unisson des critiques.*

univers [ynivɛr] n. m. 1° Ensemble des divers systèmes de planètes et d'étoiles : *La théorie de l'expansion de l'univers, selon laquelle l'univers sphérique aurait un rayon actuellement croissant.* — 2° Le monde habité; l'ensemble des hommes : *Etre connu dans l'univers entier* (syn. : MONDE). — 3° Milieu dans lequel on vit : *Son village a été jusqu'à sa mort son seul univers.* — 4° Champ d'activité, domaine auquel on limite ses ambitions, ses préoccupations : *Faire de ses études tout son univers.*

universel, elle [ynivɛrsɛl] adj. 1° Qui s'étend à tous : *Un remède universel* (= qui convient à tous les maux). *Le consentement universel* (= qui est celui de tous les hommes). *Le suffrage universel* (= qui ne comporte aucune discrimination de fortune, de race ou de religion). *Une loi universelle.* — 2° *Un homme, un esprit universel,* dont les connaissances s'étendent à tous les domaines de la science (syn. : ENCYCLOPÉDIQUE). ◆ **universellement** adv. : *Sa haute valeur est universellement reconnue* (syn. : MONDIALEMENT). ◆ **universalité** n. f. Caractère de ce qui embrasse tous les points de vue, de ce qui forme un ensemble complet : *L'universalité de ses connaissances.*

université [ynivɛrsite] n. f. 1° Ensemble d'établissements scolaires relevant de l'enseignement supérieur : *L'université de Paris, de Rennes, de Lille,* etc. *Les facultés des lettres et sciences humaines, de droit, de médecine, de pharmacie, des sciences de l'université de Montpellier.* — 2° Bâtiment où se trouvent les facultés; ces facultés elles-mêmes : *La bibliothèque de l'université. Le secrétariat de l'université. Faire ses études à l'université.* — 3° (avec une majusc.) Ensemble des membres de l'enseignement public des divers degrés. ◆ **universitaire** adj. Relatif à l'université : *Les diplômes universitaires. Les examens universitaires.* ◆ adj. et n. Qui appartient au corps enseignant : *Une commission réunissait des universitaires des diverses disciplines.*

uppercut [ypɛrkyt] n. m. Coup de poing porté de bas en haut, sous le menton.

uranium [yranjɔm] n. m. Métal radio-actif.

urbain, e [yrbɛ̃, -ɛn] adj. Qui est relatif à la ville (par oppos. à *rural,* qui est de la campagne) : *Les populations urbaines. Les grands centres urbains.* ◆ **urbanisé, e** adj. Où des habitations urbaines ont été construites, où s'est construite une ville : *Les zones urbanisées de l'Ile-de-France.* ◆ **urbanisation** n. f. Concentration de plus en plus intense de la population dans des centres urbains. ◆ **urbanisme** n. m. Ensemble de mesures techniques et économiques qui permettent un développement rationnel et harmonieux des agglomérations. ◆ **urbaniste** n. m. Architecte spécialiste de l'aménagement des zones urbaines. ◆ **interurbain, e** adj. Etabli entre des villes différentes : *Le téléphone interurbain* (ou, substantiv., *l'interurbain, l'inter*).

urbanité [yrbanite] n. f. Politesse raffinée (littér.) : *Recevoir un hôte avec urbanité* (syn. : ↓ AFFABILITÉ, COURTOISIE).

urée [yre] n. f. Substance organique présente dans l'urine.

urgent, e [yrʒɑ̃, -ɑ̃t] adj. Qui ne peut être remis à plus tard, qu'il est nécessaire de faire tout de suite : *Une convocation urgente. Des secours urgents sont nécessaires* (syn. : RAPIDE). *Il est urgent d'obtenir son accord. Les besoins urgents en logements neufs* (syn. : PRESSANT). ◆ **urgence** n. f. 1° *L'urgence d'une décision.* — 2° *Etat d'urgence,* régime exceptionnel, qui renforce les pouvoirs de l'autorité administrative en cas de troubles, de sinistre grave, etc. ● LOC. ADV. *D'urgence,* immédiatement, sans retard : *Il faut d'urgence le prévenir* (syn. : SUR-LE-CHAMP, SANS DÉLAI).

urine [yrin] n. f. Liquide sécrété par les reins, et collecté dans la vessie avant d'être évacué : *Faire une analyse des urines.* ◆ **uriner** v. intr. Evacuer l'urine (syn. pop. : PISSER). ◆ **urinoir** n. m. Lieu ou édicule aménagé pour permettre aux hommes d'uriner.

urne [yrn] n. f. 1° *Urne (électorale),* boîte servant à recueillir les bulletins de vote : *Mettre son bulletin dans l'urne. Se rendre aux urnes* (= aller voter). — 2° *Urne funéraire,* vase servant à conserver les cendres des morts.

urticaire [yrtikɛr] n. f. Eruption de petits boutons, entraînant de vives démangeaisons.

us [ys] n. m. pl. *Les us et coutumes,* les usages d'un pays, d'une région.

usagé, e [yzaʒe] adj. Se dit de ce qui a fait beaucoup d'usage et qui est, de ce fait, défraîchi, usé : *Des vêtements usagés* (syn. : ↓ DÉFRAÎCHI). *Mettre un pneu usagé sur une roue de secours* (syn. : ↑ USÉ).

1. user [yze] v. tr. ind. *User de quelque chose,* s'en servir, l'employer (langue soutenue) : *J'userai de la permission que vous me donnez. Il a usé envers moi de procédés déloyaux. Il en a usé bien, mal avec vous* (littér. = il s'est bien, mal comporté à votre égard). *Je n'use jamais de café le soir* (= je n'en bois jamais). ◆ **usage** n. m. 1° Emploi que l'on fait de quelque chose : *L'usage du tabac remonte au début du XVIIe siècle. Il a fait mauvais usage de l'argent que vous lui avez donné* (= il a mal employé). *Quel est l'usage de cet appareil?* (= à quoi sert-il?). *L'usage des stupéfiants est prohibé. Ce mot n'appartient pas au bon usage de la langue* (= à la langue soutenue). *Vêtement hors d'usage* (= dont on ne peut plus se servir). *Ces chaussures lui ont fait de l'usage* (= ont duré longtemps). *Un tissu solide, qui fera de l'usage. Emission de télévision à l'usage de la jeunesse* (= destinée aux jeunes). — 2° Coutume, habitude commune à un grand nombre : *C'est l'usage ici de se montrer très hospitalier à l'égard des étrangers. Il ignore les usages* (= les règles de la politesse). *Il n'a pas l'usage du monde* (= il ne sait pas comment s'y conduire). ◆ **usager** n. m. Personne qui utilise habituellement un service public : *Les usagers du téléphone. Les usagers de la route, du rail. Faire savoir aux usagers que l'établissement sera fermé en août.*

2. user [yze] v. tr. 1° *User quelque chose,* le détériorer par l'emploi constant que l'on en fait : *Il a usé son veston aux coudes. Le rail est usé par le frottement.* — 2° *User quelqu'un,* diminuer sensiblement sa capacité de résistance, ses forces physiques : *Il est usé par l'âge, par les abus de toute sorte. Les soucis l'ont usé. Il a usé sa santé à travailler tard le soir* (syn. : ABÎMER). ◆ ***s'user*** v. pr. Se détériorer par l'emploi, par le temps : *Les semelles en cuir s'usent vite.* ◆ **usé, e** adj. : *Le col usé d'une chemise. Porter des vêtements usés. Un homme usé* (syn. : AFFAIBLI, VIEILLI). *Un sujet usé* (= rendu banal par l'usage trop fréquent qu'on en a fait). ◆ **usure** n. f. 1° Détérioration produite par l'usage, par le temps : *L'usure de ses chaussures témoignait de ses difficultés d'argent.* — 2° *Guerre d'usure,* celle où chaque adversaire cherche à épuiser l'autre à la longue.

usine [yzin] n. f. Etablissement industriel où l'on transforme, à l'aide de machines, des matières premières en produits finis : *Une usine sidérurgique transforme le minerai de fer en fonte ou en acier. Une usine d'automobiles. Une usine atomique. La fermeture, l'ouverture des usines. Les ouvriers d'usine.* ◆ **usiner** v. tr. Soumettre à l'action d'une machine-outil un produit brut. ◆ **usinage** n. m.

usité, e [yzite] adj. Se dit d'un mot, d'une expression, etc., dont on se sert habituellement : *Ce mot est usité par les meilleurs écrivains d'aujourd'hui.* ◆ **inusité, e** adj. Dont on ne se sert plus : *Le terme est pratiquement inusité* (syn. : RARE).

ustensile [ystɑ̃sil] n. m. Désigne divers objets de forme et de destination variées : *Des ustensiles de ménage, de cuisine. Un drôle d'ustensile, dont on ne savait à quoi il pouvait servir.*

usuel, elle [yzɥɛl] adj. Dont on se sert ordinairement, que l'on emploie communément : *Le vocabulaire usuel du Français cultivé* (syn. : HABITUEL). *La dénomination usuelle d'une plante* (par oppos. au *nom savant*). ◆ **usuel** n. m. Ouvrage d'un usage fréquent, qui, dans les bibliothèques, est à la portée des lecteurs. ◆ **usuellement** adv.

usufruit [yzyfrɥi] n. m. Jouissance d'un bien dont la propriété appartient à un autre (jurid.) : *Il cédait sa ferme tout en en gardant l'usufruit.*

1. usure n. f. V. USER 2.

2. usure [yzyr] n. f. 1° Action de prêter de l'argent à un taux très supérieur à celui qui est habituellement pratiqué. — 2° *Avec usure,* au-delà de ce qu'on a subi, de ce qu'on a reçu : *Je lui ferai payer avec usure cette méchanceté à mon égard.* ◆ **usuraire** adj. : *Un taux usuraire. Tirer d'une affaire des bénéfices usuraires.* ◆ **usurier, ère** n. Personne qui prête de l'argent en prenant un bénéfice illégitime.

usurper [yzyrpe] v. tr. Occuper une place à laquelle on n'a pas légitimement droit; s'emparer par force, par ruse, par intrigue de ce qui appartient à autrui : *Usurper le titre d'ingénieur. Usurper l'autorité, le trône.* ◆ **usurpation** n. f. : *L'usurpation d'une décoration, d'un titre nobiliaire. Protester contre les usurpations de l'Etat dans le domaine privé* (syn. : EMPIÉTEMENT). ◆ **usurpateur, trice** adj. et n. : *Un pouvoir usurpateur.*

utérus [yterys] n. m. Organe de gestation chez la femme et chez la femelle des animaux supérieurs.

utile [ytil] adj. Se dit d'une personne ou d'une chose qui rend service (éventuellement suivi de la préposition *à* et d'un substantif) : *Si je peux vous être utile en quelque chose, dites-le-moi. A quoi cela peut-il lui être utile?* (= servir). *Il serait utile de consulter les horaires des trains* (contr. : SUPERFLU). *Des notes utiles à la compréhension de l'œuvre* (contr. : INUTILE). *Avertissez-le en temps utile* (= à un moment où cela peut lui rendre service; syn. : OPPORTUN). ◆ n. m. : *Joindre l'utile à l'agréable.* ◆ **utilement** adv. : *Vous pouvez utilement lire cet ouvrage.* ◆ **utilitaire** adj. Qui se propose un but intéressé, qui place l'efficacité immédiate au-dessus de toute autre considération : *Des préoccupations utilitaires.* ◆ **utilité** n. f. **1°** Service rendu par une chose : *De quelle utilité peut vous être une voiture dans Paris?* (syn. : USAGE). *De nouveaux règlements ne seraient pas d'une grande utilité* (syn. : NÉCESSITÉ; contr. : INUTILITÉ). *Votre aide n'est d'aucune utilité.* — **2°** Emploi subalterne (au théâtre, au cinéma, etc.) : *Jouer les utilités.* ◆ **inutile** adj. : *Inutile d'insister. Un long développement inutile interrompt la narration.* ◆ n. : *C'est un inutile qui vit aux dépens des autres* (syn. : PARASITE). ◆ **inutilement** adv. : *J'ai essayé inutilement de lui téléphoner* (= sans succès). ◆ **inutilité** n. f. : *Les démarches faites auprès du ministère se sont révélées d'une parfaite inutilité* (syn. : INEFFICACITÉ).

utilisable adj., **utilisation** n. f. V. UTILISER.

utiliser [ytilize] v. tr. (sujet nom de personne). *Utiliser quelque chose* ou *quelqu'un,* en tirer parti, s'en servir pour son usage, pour son profit : *Utiliser un réchaud électrique pour faire chauffer son petit déjeuner* (syn. : SE SERVIR DE, EMPLOYER). *Il a mal utilisé les dons exceptionnels qu'il avait* (syn. : USER DE). *Utiliser un incident diplomatique pour aggraver la tension internationale* (syn. : EXPLOITER). *Utiliser quelqu'un comme collaborateur.* ◆ **utilisation** n. f. : *Limiter la durée d'utilisation du téléphone aux heures de pointe* (syn. : EMPLOI). ◆ **utilisable** adj. (surtout dans des phrases négatives) : *Ces notes manuscrites ne sont pas utilisables.* ◆ **inutilisable** adj. : *Une voiture accidentée inutilisable.* ◆ **inutilisé, e** adj. : *Les ressources inutilisées des pays sous-développés.*

utilité n. f. V. UTILE.

utopie [ytɔpi] n. f. Projet ou système irréalisable, fruit d'une imagination qui ne tient pas compte de la réalité : *Dans l'état actuel des choses, vouloir normaliser la circulation à Paris est une utopie* (syn. : RÊVE). *Une utopie politique.* ◆ **utopique** adj. : *Il est utopique de prétendre lui faire changer d'opinion sans présenter de nouveaux arguments* (syn. : ↑ INSENSÉ). ◆ **utopiste** n. Personne qui forme des projets irréalisables : *C'est un utopiste, qui ne se préoccupe pas de savoir si ce qu'il propose est possible* (syn. : RÊVEUR).

uval, e [yval] adj. *Cure uvale,* où le régime comporte une alimentation de raisins.

V

v n. m. V. Introduction.

va [va] interj. 1° Accompagne un encouragement, une menace : *Je te pardonne, va!* (syn. fam. : NE T'EN FAIS PAS). *Tu seras bientôt attrapé, va!* (= méfie-toi). — 2° Fam. *Va pour,* c'est bon pour : *Va pour deux mille francs, et n'en parlons plus* (syn. : ADMETTONS, SOIT). [V. ALLER.]

1. vacance [vakɑ̃s] n. f. 1° Etat d'une place, d'une charge, d'un siège non occupés : *Signaler les vacances parmi les chaires de faculté* (= les chaires inoccupées). *Il y a une vacance au Sénat depuis la mort de X* (= un siège à pourvoir). — 2° Temps pendant lequel un pouvoir ou une activité ne s'exerce plus : *Assurer l'intérim pendant la vacance du pouvoir* (= le temps pendant lequel l'autorité de l'Etat ne s'exerce plus). ◆ **vaquer** v. intr. Etre suspendu, cesser momentanément, en parlant des activités de certains organismes : *Les tribunaux vaquent* (= sont en vacances). *Les cours vaqueront le vendredi 1er mai* (syn. : ÊTRE INTERROMPU). ◆ **vacant, e** adj. Se dit d'un poste, d'une chaire ou d'un lieu inoccupés, libres : *Publier la liste des postes vacants dans la magistrature. Une chaire vacante* (= sans titulaire). *Un appartement vacant* (syn. : LIBRE; contr. : OCCUPÉ).

2. vacances [vakɑ̃s] n. f. pl. 1° Période de fermeture des écoles et des facultés : *Les vacances de Noël, de Pâques* (syn. : CONGÉ). *Les grandes vacances. Envoyer ses enfants en colonie de vacances. Faire ses devoirs de vacances. Le premier, le dernier jour de vacances.* — 2° Période de congé pour les travailleurs de toute catégorie : *Avoir quatre semaines, trois mois de vacances. Ne penser qu'aux vacances* (contr. : TRAVAIL). *Prendre ses vacances en juin. Avoir besoin de vacances* (syn. : REPOS). *Ne jamais prendre de vacances* (= travailler même les jours fériés). *Lecture de vacances* (= peu fatigante). *Partir en vacances.* ◆ **vacancier, ère** n. Personne qui se trouve en congé et séjourne hors de sa résidence habituelle : *Un million de vacanciers ont déjà quitté Paris* (syn. : ESTIVANT). *La Corse reçoit chaque année un nombre croissant de vacanciers* (syn. : TOURISTE, VILLÉGIATEUR).

vacarme [vakarm] n. m. Bruit tumultueux : *Il y a eu dans la rue un vacarme épouvantable* (syn. : TUMULTE, TAPAGE, CHARIVARI; fam. : CHAMBARD). *Faire du vacarme* (syn. fam. : CHAHUT, PÉTARD).

1. vacation [vakasjɔ̃] n. f. 1° Temps consacré à l'examen d'une affaire, ou à l'accomplissement d'une fonction déterminée, par la personne qui en a été chargée : *Vacation d'un expert, d'un notaire.* — 2° Rémunération de ce temps.

2. vacations [vakasjɔ̃] n. f. pl. Vacances judiciaires.

vaccin [vaksɛ̃] n. m. 1° Substance qui, inoculée à un individu, lui confère l'immunité contre une maladie microbienne ou parasitaire : *Vaccin antivariolique, antipoliomyélitique, antidiphtérique, contre la coqueluche,* etc. *Inoculer un vaccin à un enfant. Le vaccin a, n'a pas pris. Faire un rappel de vaccin au bout d'un an.* — 2° Inoculation de substance immunisante : *Faire un vaccin à un enfant.* — 3° *Fam.* Tout ce qui préserve ou immunise : *Il n'y a pas de vaccin contre la paresse.* ◆ **vaccinal, e, aux** adj. Qui a rapport à un vaccin : *Eruption, fièvre vaccinale.* ◆ **vacciner** v. tr. 1° *Vacciner quelqu'un,* lui inoculer une substance qui l'immunise contre une maladie microbienne : *Vacciner un enfant contre la variole. Etre vacciné contre le tétanos.* — 2° *Fam.* Guérir quelqu'un d'une habitude, le mettre définitivement à l'abri d'une tentation : *Je suis vacciné contre la peur* (syn. : GUÉRIR DE). *Cet accident de voiture l'a vacciné contre l'envie de doubler imprudemment.* ◆ **vaccination** n. f. : *La vaccination contre la variole est obligatoire. Le principe de la vaccination a été découvert par Jenner. Certificat de vaccination.*

1. vache [vaʃ] n. f. 1° Mammifère ruminant à cornes, femelle du taureau, élevé surtout pour la production laitière : *Un troupeau de vaches. Vaches laitières. Traire les vaches. Lait de vache.* — 2° Cuir de la vache, du bœuf : *Un sac, des chaussures en vache.* — 3° Fam. *Donner des coups de pied en vache,* agir avec hypocrisie envers quelqu'un. ‖ Fam. *Manger de la vache enragée,* vivre de privations (syn. pop. : CREVER DE FAIM). ‖ Fam. *Parler français comme une vache espagnole,* très mal. ‖ *Vaches grasses, vaches maigres,* périodes d'abondance, de disette. ‖ Fam. *Vache à lait,* personne que tout le monde exploite. ‖ *Montagne à vaches,* où l'on se promène très facilement (contr. : HAUTE MONTAGNE). ‖ Fam. *Le plancher des vaches,* la terre ferme, par opposition à la mer. — 4° *Vache* ou *vache à eau,* récipient de toile, utilisé par les campeurs pour mettre de l'eau. ◆ **vacher, ère** n. Personne qui s'occupe des vaches. ◆ **vacherie** n. f. Etable à vaches. ◆ **vachette** n. f. 1° Jeune vache. — 2° Cuir de jeune vache : *Un sac en vachette.*

2. vache [vaʃ] n. f. *Pop.* Personne très méchante : *Une vieille vache* (syn. fam. : CHAMEAU, ROSSE). ◆ **vache** adj. 1° *Pop.* Très méchant : *Etre vache envers quelqu'un.* — 2° Pop. *Un (une) vache de* (et un nom), qui est sensationnel : *Une vache de petite maison* (syn. fam. : FORMIDABLE). ◆ **vachement** adv. *Pop.* Très : *Un film vachement bien* (syn. fam. : RUDEMENT). ◆ **vacherie** n. f. *Pop.* Méchanceté : *Faire une vacherie à quelqu'un* (syn. : CRASSE). *Dire des vacheries.*

vaciller [vasije] v. intr. 1° (sujet nom de personne ou de chose) Pencher d'un côté et de l'autre, être instable : *Vaciller sur ses jambes* (syn. : CHANCELER, TREMBLER). *Il a la fièvre et il vacille* (syn. : TITUBER). *Voir les murs vaciller autour de soi* (syn. : TOURNER, CHAVIRER). — 2° (sujet nom désignant une flamme, une lueur) Trembler : *La flamme des bougies commence à vaciller* (syn. : TREMBLOTER). *Une lumière qui vacille* (syn. : CLIGNOTER). — 3° *Esprit, intelligence,* etc., *qui vacille,* qui hésite, qui manque d'assurance : *Sa raison, son jugement commence à vaciller* (contr. : S'AFFERMIR). *Sa* *mémoire vacille* (syn. : S'AFFAIBLIR). *Vaciller dans ses réponses, ses résolutions* (syn. : OSCILLER, BALANCER). ◆ **vacillant, e** adj. : *Des jambes vacillantes* (syn. : CHANCELANT). *Démarche vacillante* (syn. : TITUBANT). *Flamme vacillante* (syn. : CLIGNOTANT, TREMBLOTANT, INCERTAIN). *Mémoire vacillante* (syn. : DÉFAILLANT). *Foi vacillante* (= qui s'éteint; contr. : FERME, CONSTANT, SOLIDE). ◆ **vacillation** n. f. : *La vacillation de la lampe lui fatigue les yeux. Vacillation dans les opinions* (syn. : FLOTTEMENT).

va-comme-je-te-pousse (à la) [alavakɔmʃtəpus] loc. adv. *Fam.* Au hasard, sans plan établi d'avance : *Ses enfants sont élevés à la va-comme-je-te-pousse* (= sont livrés à eux-mêmes; syn. : À LA DIABLE).

vade-mecum [vademekɔm] n. m. invar. Objet que l'on porte ordinairement sur soi, dont on a fréquemment besoin (littér.) : *Ce carnet est mon vade-mecum.*

vadrouille [vadruj] n. f. *Pop.* Promenade sans but défini : *Partir en vadrouille* (syn. : BALADE). *Etre en vadrouille* (= être sorti). ◆ **vadrouiller** v. intr. *Pop.* Aller en promenade, traînasser : *Vadrouiller toute la journée dans les rues* (syn. : BAGUENAUDER, TRAÎNAILLER). ◆ **vadrouilleur, euse** adj. et n. Pop. : *Une bande de garçons vadrouilleurs.*

va-et-vient [vaevjɛ̃] n. m. invar. 1° Mouvement alternatif d'un point à un autre : *Le va-et-vient d'un pendule* (syn. : OSCILLATION). — 2° Circulation de personnes se faisant dans deux sens opposés : *Il y a un va-et-vient incessant dans le couloir* (syn. : PASSAGE, DES ALLÉES ET VENUES). — 3° Dispositif servant à établir une communication entre deux points et dans les deux sens : *Etablir un va-et-vient avec un navire échoué par un système de cordages.* — 4° Dispositif électrique permettant d'allumer ou d'éteindre une lampe de plusieurs endroits à la fois : *Installer un va-et-vient dans un corridor.*

vagabond, e [vagabɔ̃, -ɔ̃d] adj. 1° Se dit d'un être animé (ou de son comportement) qui voyage ou erre çà et là : *Peuples vagabonds* (syn. : NOMADE). *Chien vagabond* (syn. : ERRANT). *Mener une vie vagabonde* (syn. : ITINÉRANT; contr. : SÉDENTAIRE). — 2° Qui obéit à la fantaisie : *Avoir l'humeur, l'âme vagabonde* (syn. : DÉRÉGLÉ, DÉBRIDÉ). *Des pensées vagabondes* (syn. : DÉSORDONNÉ). ◆ **vagabond** n. m. 1° Personne qui erre à l'aventure et qui n'a ni domicile fixe ni ressources avouables : *Un vagabond dormait sur le bord de la route* (syn. : RÔDEUR; fam. : CLOCHARD). — 2° Personne qui se déplace, voyage sans cesse : *C'est un grand vagabond. Mener une vie de vagabond* (syn. : AVENTURIER, VOYAGEUR). ◆ **vagabondage** n. m. 1° Habitude d'errer à l'aventure : *Avoir le goût du vagabondage.* — 2° Etat d'une personne qui n'a ni domicile fixe ni profession avouée : *Le vagabondage est considéré comme un délit et puni par la loi.* ◆ **vagabonder** v. intr. 1° Errer sans but, à l'aventure : *Vagabonder à travers la France* (= courir les routes). — 2° Etre mobile, instable : *Ma pensée vagabonde sans cesse des heures durant* (syn. : ERRER).

vagin [vaʒɛ̃] n. m. Partie anatomique de la femme, qui a la forme d'un conduit et va de l'utérus à la vulve. ◆ **vaginal, e, aux** adj. Relatif au vagin : *Muqueuse vaginale.*

vagir [vaʒir] v. intr. 1° (sujet nom désignant un nouveau-né) Pousser des cris : *Un bébé vagissait dans une chambre voisine* (syn. : CRIER, PLEURER). — 2° (sujet nom désignant certains animaux) *Le crocodile, le lièvre vagissent.* ◆ **vagissant, e** adj. 1° Se dit d'un nouveau-né en train de pleurer : *Un bébé vagissant.* — 2° Se dit d'un cri ou d'une voix faibles et plaintifs : *Une voix vagissante.* ◆ **vagissement** n. m. Cri d'un nouveau-né ou de certains animaux : *Pousser des vagissements.*

1. vague [vag] n. f. 1° Mouvement ondulatoire, généralement dû à l'action du vent, qui apparaît à la surface d'une étendue liquide : *De grosses vagues. Etre soulevé, renversé par une vague. Ecouter le bruit des vagues. Vague de fond* (syn. : LAME). — 2° Propagation intermittente du son : *Une musique arrivait par vagues jusqu'à nous* (syn. : À-COUP, MOMENT). — 3° Ondulation à la surface d'un champ, etc. : *Le blé se couche par vagues sous le vent* (= en formant comme des ondes). ◆ **vaguelette** n. f. Petite vague : *Il y avait juste quelques vaguelettes à la surface* (syn. : ↓ RIDE).

2. vague [vag] n. f. 1° Se dit de phénomènes qui se produisent avec un crescendo et un decrescendo, une ou plusieurs fois : *Une vague d'enthousiasme* (syn. : MOUVEMENT). *Soulever des vagues d'applaudissements dans une salle* (= des applaudissements en chaîne; syn. : SALVES). *Une vague de protestations.* — 2° Se dit de phénomènes qui apparaissent brusquement : *Une vague de froid, de chaleur* (syn. : OFFENSIVE). *La vague de hausse des prix* (syn. : ASSAUT). — 3° Se dit des mouvements de personnes, de foules, d'ensemble : *Une vague d'assaut* (= unité d'attaque ou formation militaire destinée à une attaque). *Une vague d'immigrants* (syn. : AFFLUX, ↑ MARÉE). *Une première vague de départs* (syn. : SÉRIE). — 4° *La nouvelle vague,* la nouvelle génération. ◆ **nouvelle vague** loc. adj. invar. Se dit des films, des romans, des modes vestimentaires, etc., qui sont le fait d'une génération plus jeune : *Aimer les films nouvelle vague. Une robe très nouvelle vague.*

3. vague [vag] adj. 1° Se dit de tout ce qui est imprécis, indéterminé : *Mentionner un projet de façon assez vague* (syn. : FLOU, NÉBULEUX, VOILÉ; contr. : PRÉCIS). *En termes vagues* (= sans préciser). *Les contours vagues d'un dessin* (contr. : NET). — 2° (avant ou après le nom) Se dit de ce qui est obscur, peu net : *J'ai une vague idée de ce que je vais faire* (syn. : CONFUS). *Posséder de vagues notions de chimie* (syn. : LOINTAIN, IMPRÉCIS). *Etre en proie à une tristesse vague* (syn. : INDÉFINISSABLE). *Poussé par un vague besoin de se confier à autrui* (syn. : OBSCUR). *Regarder d'un air vague* (syn. : DISTRAIT). *Un vague souvenir* (syn. : FAIBLE). — 3° (avant le nom) Quelconque, insignifiant : *Je me suis trouvé un vague petit travail* (= de remplacement). *J'ai rencontré une vague parente à moi* (= dont le degré de parenté est éloigné et difficile à préciser). ◆ n. m. 1° Domaine de l'imprécision : *Rester dans le vague* (= ne pas donner de précisions). *Etre dans le vague* (= ne pas savoir à quoi s'en tenir). *Regarder dans le vague* (= sans rien fixer). — 2° Caractère des choses imprécises, indéterminées : *Le caractère le plus original de cette peinture réside dans le vague et le flou des formes.* — 3° *Vague à l'âme,* état de langueur, de tristesse sans cause apparente : *Avoir du vague à l'âme* (syn. : MÉLANCOLIE; fam. : CAFARD). ◆ **vaguement** adv. 1° De manière imprécise : *Il m'a vaguement parlé de ses projets. Je l'ai vaguement aperçu dans la foule. Un tissu vaguement bleu* (= qui a un reflet bleu). — 2° A peine, faiblement : *L'enflure diminue vaguement* (= imperceptiblement). *Le temps s'améliore vaguement* (contr. : NETTEMENT). ◆ **vaguer** v. intr. Errer çà et là, au hasard (littér.) : *Laisser vaguer ses pensées, son imagination* (syn. : ALLER, FLOTTER).

4. vague [vag] adj. m. *Terrain vague,* terrain situé près d'une agglomération et qui n'a aucun usage précis, n'est pas entretenu.

5. vague [vag] adj. Se dit d'un vêtement large, qui n'est pas ajusté : *Un manteau vague* (contr. : SERRÉ).

vaguemestre [vagmɛstr] n. m. Sous-officier chargé du service postal dans un détachement.

vahiné [vaine] n. f. Femme de Tahiti.

1. vaillant, e [vajɑ̃, -ɑ̃t] adj. 1° (avant le nom) Se dit de quelqu'un qui a du courage devant le danger : *Un vaillant soldat* (syn. : COURAGEUX; contr. : LÂCHE, POLTRON, PEUREUX). — 2° (après le nom) Qui manifeste de l'ardeur au travail, du courage dans l'adversité : *C'est une pauvre veuve, sans argent, mais vaillante.* — 3° (après le nom) En bonne santé : *Un vieillard encore vaillant* (syn. : VERT, VALIDE). *Se sentir vaillant sur ses jambes* (syn. : D'APLOMB). ◆ **vaillamment** adv. : *Résister vaillamment à l'ennemi* (syn. : ↑ HÉROÏQUEMENT). *Se lever vaillamment à quatre heures du matin* (syn. : AVEC COURAGE). *Travailler vaillamment jusqu'à minuit* (syn. : COURAGEUSEMENT). ◆ **vaillance** n. f. : *Un héros célèbre pour sa vaillance* (syn. littér. : BRAVOURE). *Faire preuve de vaillance dans le malheur* (syn. : COURAGE).

2. vaillant [vajɑ̃] adj. m. *N'avoir plus* ou *pas un sou vaillant,* n'avoir plus d'argent (littér.).

vaille que vaille [vajkəvaj] loc. adv. A peu près, tant bien que mal : *Le tricot de son frère lui ira vaille que vaille; il s'en contentera. Il faudra bien l'aider, vaille que vaille.*

1. vain, e [vɛ̃, vɛn] adj. 1° (généralement avant le nom) Se dit d'une chose dépourvue de valeur ou de sens : *La gloire, un vain mot* (syn. : VIDE, CREUX). *Repaître quelqu'un de vaines paroles* (contr. : SÉRIEUX, CONCRET). *Nourrir de vains espoirs* (= sans fondement; syn. : ILLUSOIRE, CHIMÉRIQUE, FAUX; contr. : FONDÉ). *Des plaisirs vains* (contr. : RÉEL). — 2° (généralement avant le nom) Se dit d'une chose qui est sans efficacité, sans effet : *Faire de vains efforts* (syn. : INUTILE). *Une discussion vaine* (= sans conclusion ou sans objet; syn. : STÉRILE, OISEUX). *De vains regrets* (syn. : SUPERFLU). • Loc. adv. *En vain,* sans résultat : *Chercher en vain quelque chose. Tenter en vain de persuader quelqu'un* (syn. : INUTILEMENT, SANS SUCCÈS). *Je suis allé chez vous en vain* (syn. : POUR RIEN). ◆ **vainement** adv. En vain : *Je vous ai vainement appelé au téléphone* (syn. : SANS SUCCÈS). ◆ **vanité** n. f. 1° Caractère de ce qui est sans utilité, sans valeur (littér. et religieux) : *Etre convaincu de la vanité des choses terrestres* (syn. : FUTILITÉ, INSIGNIFIANCE, NÉANT). — 2° Caractère de ce qui est inefficace : *Se moquer de la vanité d'une tentative* (syn. : INEFFICACITÉ).

2. vain, e [vɛ̃, vɛn] adj. (après le nom). Se dit d'une personne fière d'elle-même sans motif valable (littér.) : *C'est l'esprit le plus vain que j'aie jamais connu* (syn. : VANITEUX, CONTENT DE SOI, PLEIN DE SOI, SATISFAIT, FAT). ◆ **vanité** n. f. 1° Caractère d'une personne vaine, vaniteuse : *Etre d'une vanité extraordinaire* (syn. : FATUITÉ). *Je l'ai blessé dans sa vanité* (syn. : AMOUR-PROPRE). *Flatter, satisfaire la vanité des gens. Tirer vanité de ses ancêtres* (= s'enorgueillir, se glorifier de). *Sans vanité, je connais cette question mieux que vous* (= sans vouloir me flatter). — 2° Manifestation du désir de briller, de plaire : *J'ai exposé ces souvenirs d'Orient : c'est une petite vanité* (syn. : COQUETTERIE). ◆ **vaniteux, euse** adj. et n. Se dit d'une personne (ou de son comportement) qui a, sans motifs valables, bonne opinion d'elle-même (syn. usuel de VAIN) : *Une jeune fille vaniteuse. Le portrait d'un vaniteux* (syn. : FAT). *Une attitude vaniteuse.* ◆ **vaniteusement** adv. : *Se conduire vaniteusement.*

vaincre [vɛ̃kr] v. tr. et intr. (conj. 85). 1° *Vaincre quelqu'un, un groupe,* remporter sur eux un succès militaire : *Ils ont vaincu l'armée adverse* (syn. : BATTRE, TRIOMPHER DE, ÉCRASER). *Les plus tenaces ont vaincu* (syn. : GAGNER). — 2° Remporter une victoire dans une compétition : *Il m'a vaincu au Ping-Pong* (syn. : BATTRE). *Vaincre quelqu'un aux échecs* (= être plus fort que lui). — 3° *Vaincre un obstacle, une difficulté,* etc., les dominer, les surmonter : *Vaincre sa paresse naturelle, sa timidité, sa peur, sa répugnance.* — 4° *Vaincre la maladie, une résistance,* etc., en venir à bout : *Vaincre la souffrance* (syn. : TRIOMPHER DE). *Vaincre l'isolement, la misère d'un peuple* (syn. : GUÉRIR). ◆ ***se vaincre*** v. pr. Se maîtriser : *Apprendre à se vaincre dans les moments difficiles.* ◆ **vaincu, e** adj. et n. 1° Se dit de quelqu'un qui a subi une défaite à la guerre, dans une compétition, etc. : *Etre tantôt vaincu, tantôt vainqueur* (syn. : PERDANT; contr. : GAGNANT). *Etre vaincu d'avance* (syn. : BATTU). *Les vaincus songent à la revanche. Honneur aux vaincus.* — 2° Se dit de quelqu'un dont l'état d'esprit est celui d'une personne qui a été battue : *C'est un vaincu* (syn. : LÂCHE, DÉFAITISTE). ◆ **vainqueur** n. m. et adj. m. 1° Personne qui remporte ou a remporté un succès dans un combat, dans une compétition : *Sortir vainqueur d'une épreuve* (syn. : VICTORIEUX). *Le camp des vainqueurs. Subir la loi du vainqueur. Le vainqueur de la course* (syn. : GAGNANT). *Le vainqueur de l'Everest* (= celui qui, le premier, en a atteint le sommet). [Avec un nom fém., on emploie la forme VICTORIEUSE : *Féliciter l'équipe victorieuse.*] — 2° Se dit d'une attitude qui marque le succès : *Prendre un air vainqueur* (syn. : TRIOMPHANT).

vainement adv. V. VAIN 1.

vair [vɛr] n. m. Fourrure de couleur bigarrée, blanc et gris : *Des pantoufles de vair* (syn. : PETIT-GRIS).

vairon [vɛrɔ̃] adj. m. *Yeux vairons,* yeux qui sont de couleur différente.

1. vaisseau [veso] n. m. 1° Navire d'une certaine importance : *Dix vaisseaux de guerre* (syn. : NAVIRE, BÂTIMENT). *Enseigne, capitaine de vaisseau* (= grades de la marine). — 2° *Brûler ses vaisseaux,* se couper la retraite, accomplir un acte qui ne permet plus de reculer. — 3° *Vaisseau spatial,* engin interplanétaire.

2. vaisseau [veso] n. m. Grand espace couvert d'un édifice : *Hauteur du vaisseau d'une cathédrale.*

3. vaisseau [veso] n. m. Organe tubulaire permettant la circulation des liquides organiques, et en particulier du sang : *Vaisseaux lymphatiques. Vaisseaux sanguins* (= artères et veines). [V. VASCULAIRE.]

vaisselle [vɛsɛl] n. f. 1° Ensemble des récipients qui servent à manger et à présenter la nourriture sur la table : *Service de vaisselle* (= assortiment de pièces de vaisselle). *Vaisselle de porcelaine. Faire, essuyer la vaisselle. Vaisselle plate* (= de métal précieux). — 2° Fait de laver les assiettes, les plats, etc., après les repas : *Lire le journal après la vaisselle.* ◆ **vaisselier** n. m. Meuble servant à ranger la vaisselle : *Un vaisselier rustique.*

val n. m. V. VALLÉE.

valable adj., **valablement** adv. V. VALOIR.

valériane [valerjan] n. f. Plante à fleurs roses, blanches ou jaunâtres, dont une espèce a des vertus officinales : *Sentir l'odeur de la valériane.*

1. valet [valɛ] n. m. 1° *Valet de chambre,* domestique masculin, servant dans une maison ou dans un hôtel (syn. : GARÇON, GARÇON D'ÉTAGE). || *Valet de ferme,* ouvrier agricole employé à des travaux plus ou moins spécialisés (syn. : GARÇON DE FERME). || *Valet d'écurie,* garçon de ferme chargé du soin des chevaux. — 2° Domestique qui accompagne une personne, fait partie de sa suite : *Valet de pied de la reine.* — 3° Au théâtre, personnage de laquais : *Jouer les valets. Un valet de comédie.* — 4° (le plus souvent au plur.) *Péjor.* Personne qui sert quelqu'un ou une cause avec une soumission extrême. — 5° Dans un jeu de cartes, figure représentant un écuyer : *Le valet de cœur.* ◆ **valetaille** n. f. *Péjor.* Ensemble des domestiques (littér.) : *Tous ces gens-là, c'est de la valetaille* (= des larbins [pop.]).

2. valet [valɛ] n. m. Cintre monté sur pieds, muni d'accessoires et servant à poser des vêtements d'homme : *Placer un valet dans sa salle de bains.*

valétudinaire [valetydinɛr] adj. et n. Personne maladive (littér.) : *Climat recommandé aux valétudinaires* (contr. : BIEN-PORTANT).

valeur n. f., **valeureux, euse** adj., **valoriser** v. tr. V. VALOIR.

1. valide [valid] adj. Qui est en bonne santé : *La population valide* (contr. : INVALIDE, IMPOTENT, INFIRME). *Je ne suis pas assez valide pour faire ces trente kilomètres* (syn. : EN BONNE FORME; fam. : COSTAUD). *Je ne me sens pas encore bien valide, je ne suis pas rétabli de cette bronchite* (syn. : REMIS; fam. : D'ATTAQUE).

2. valide [valid] adj. Se dit d'une chose qui satisfait aux conditions légales requises : *Votre billet n'est valide que jusqu'au 29* (syn. : BON, VALABLE; contr. : PÉRIMÉ). *Ce papier n'est valide qu'avec un timbre fiscal et un tampon officiel* (syn. : RÉGULIER, RÉGLEMENTAIRE; contr. : NUL). ◆ **validité** n. f. 1° Qualité de ce qui est valide : *Vérifier la validité d'un document* (contr. : NULLITÉ). — 2° Durée pendant laquelle un document est considéré comme valable : *Validité de trois mois.* ◆ **valider** v. tr. Rendre ou déclarer valide : *Passer au commissariat pour faire valider un papier* (syn. : CERTIFIER, LÉGALISER). *Valider une décision* (syn. : HOMOLOGUER, ENTÉRINER, RATIFIER; contr. : INVALIDER, ANNULER). ◆ **validation** n. f. : *Procéder à la validation d'un acte.* ◆ **invalider** v. tr. Rendre ou déclarer non valable : *Invalider une élection* (syn. : ANNULER). ◆ **invalidation** n. f.

valise [valiz] n. f. 1° Bagage à main de forme rectangulaire : *Valise de cuir. Bourrer une valise. Boucler ses valises* (= être prêt au départ). || Fam. *Faire ses valises,* s'apprêter à partir. — 2° *Valise diplomatique,* ensemble des colis transportés par un courrier diplomatique et dispensés de toute visite douanière : *Des médicaments expédiés par la valise diplomatique.*

vallée [vale] n. f. 1° Dépression allongée, plus ou moins évasée, façonnée par un cours d'eau ou par un glacier : *La vallée du Rhône. Une vallée étroite. Habiter au fond de la vallée.* — 2° Dans une région montagneuse, désigne les parties moins élevées par rapport aux sommets et aux flancs de la montagne : *Les gens de la vallée.* ◆ **val** n. m. (plur. VALS; le plur. VAUX n'est plus guère employé que dans la loc. *par monts et par vaux*). 1° Vallée très large : *Le Val de Loire.* — 2° *Par monts et par vaux,* de tous côtés : *La nouvelle s'est rapidement répandue par monts et par vaux.* ◆ **vallon** n. m. Petite vallée : *Un vallon ombragé. Une région de coteaux et de vallons.* ◆ **vallonné, e** adj. Qui présente de nombreux vallons : *Une région vallonnée.* ◆ **vallonnement** n. m. Relief d'un terrain où il y a des vallons et des collines : *Le vallonnement de la Normandie.*

valoir [valwar] v. intr. (conj. 40). 1° (sujet nom de chose) Etre estimé un certain prix : *Article qui vaut quinze francs* (syn. : COÛTER). *Valoir cher, pas cher.* || *Valoir son pesant d'or,* coûter extrêmement cher, être très précieux. — 2° (sujet nom de chose) Avoir une certaine utilité, de l'intérêt : *Tissu, matériau qui ne vaut rien* (= qui est de mauvaise qualité). *Raisonnement, argument qui ne vaut rien* (= sans valeur probante). *Nous verrons ce que vaut ce médicament* (= son efficacité). — 3° *Ne rien valoir pour quelqu'un, pour quelque chose,* lui être contraire, néfaste : *Ce climat ne me vaut rien. Ce pays ne vaut rien pour les rhumatismes.* || *Valoir pour quelqu'un,* le concerner : *Cette réflexion vaut pour les uns et pour les autres* (syn. : INTÉRESSER). || *Valoir mieux* (et l'infin.), être préférable de : *Il vaut mieux se taire que de dire des sottises. Il vaudrait mieux ne pas se presser : le travail serait meilleur.* — 4° Légitimer, justifier : *Ce spectacle vaut bien un détour* (syn. : MÉRITER). || *Valoir la peine,* être assez intéressant, assez important pour justifier la peine qu'on se donne à l'obtenir : *Allez donc à Florence, ça en vaut la peine. Ça vaut toujours la peine de poser la question. Ce travail vaut la peine qu'on le fasse.* — 5° Equivaloir à, égaler : *En musique, une blanche vaut deux noires. Une carte qui vaut trois points* (syn. : COMPTER POUR). *La mer vaut bien la montagne. Ce livre n'est pas mal, il en vaut bien un autre.* || *L'un vaut l'autre,* l'un n'est pas mieux que l'autre. — 6° (sujet nom de personne) Avoir certaines qualités physiques, intellectuelles, morales : *Savoir ce que l'on vaut* (= quel est son mérite). *Que vaut ce jeune compositeur? Acteur qui ne vaut rien* (= qui n'est pas bon). *Ce garçon ne vaut pas cher* (= est malhonnête, peu recommandable). — 7° *Faire valoir un bien, un capital,* le mettre en valeur, le faire fructifier : *Faire valoir une exploitation agricole.* || *Faire valoir un droit,* l'exercer. || *Faire valoir un argument,* l'employer, le mettre en avant. || *Faire valoir quelqu'un,* souligner ses mérites, le présenter sous un jour avantageux. — 8° *A valoir,* se dit d'une somme d'argent dont on tiendra compte ulté-

paiement : Verser un acompte à valoir sur l'achat *de quelque chose.* ◆ v. tr. Rapporter, faire avoir quelque chose (le part. passé s'accorde avec le compl. d'objet) : *Cette escapade lui a valu bien des reproches. Cette œuvre lui a valu d'être connu du public du jour au lendemain. Ce travail lui a valu bien des fatigues et des soucis* (syn. : COÛTER). *Les soucis que nous a valus cette entreprise.* ◆ **se valoir** v. pr. (sujet nom désignant des personnes ou des choses). Avoir la même valeur : *Ces deux individus se valent. Deux voitures qui se valent.* ◆ **valable** adj. **1°** Se dit d'une monnaie, d'un argument, etc., qui a cours, qui peut être accepté, dont la valeur n'est pas contestée : *Passé cette date, les anciennes pièces ne seront plus valables. Cet argument, cet alibi n'est pas valable* (syn. : PLAUSIBLE). *Défense d'utiliser le frein de secours sans motif valable.* — **2°** Se dit d'une personne qui a les qualités requises pour accomplir quelque chose : *Rechercher un interlocuteur valable. Produire des témoins valables.* — **3°** Se dit d'une personne ou d'une chose à qui on reconnaît un certain mérite ou qui a une certaine importance : *Faire une œuvre valable* (= digne d'intérêt ; contr. : CONTESTABLE). *Un écrivain valable* (syn. : NOTABLE). ◆ **valablement** adv. : *Ce timbre est périmé, il ne peut pas être valablement utilisé. Pour traiter valablement ce sujet, il faut dépouiller plus de deux mille documents* (syn. : CORRECTEMENT, HONNÊTEMENT, CONVENABLEMENT). ◆ **valeur** n. f. **1°** Caractère mesurable d'un objet susceptible d'être échangé, désiré, vendu : *Ce terrain prend de la valeur. Doubler de valeur* (syn. : PRIX). *Estimer la valeur d'un bijou, d'une œuvre d'art* (= ce que vaut cet objet). *Estimer quelque chose au-dessus, au-dessous de sa valeur.* ‖ *Mettre en valeur un capital, un bien,* le faire fructifier, rapporter. — **2°** Aspect économique d'une chose lié à son utilité, au travail qu'elle nécessite, au rapport de l'offre et de la demande, etc. : *Opposer la valeur intrinsèque de la monnaie à sa valeur d'échange. Valeur-or du franc, d'une monnaie étrangère* (syn. : ÉQUIVALENT). *Valeur d'une action en Bourse* (syn. : COTE, COURS). *Ces pièces de monnaie n'ont plus de valeur* (= n'ont plus cours). — **3°** (le plus souvent au plur.) Titre de rente, action, effet de commerce, etc. : *Un portefeuille de valeurs* (syn. : TITRES). *Placer sa fortune en valeurs mobilières et en immeubles. Négocier, réaliser des valeurs pour avoir de l'argent liquide. Valeur en hausse, en baisse. Valeur sûre.* — **4°** Qualité physique, intellectuelle, morale d'un homme : *Un homme de grande valeur* (syn. : MÉRITE, CLASSE). *Choisir quelqu'un pour sa valeur personnelle* (syn. : MÉRITE, QUALITÉS). *Candidat, recrue, sujet de grande valeur. Un maître de valeur* (= de grande compétence). *Acteur de valeur.* — **5°** Qualité d'une chose digne d'estime, d'intérêt : *Ce livre a de la valeur* (= c'est une œuvre intéressante). *Toile de valeur* (syn. : QUALITÉ). *Mettre en cause la valeur de la médecine, de la justice. La valeur de cette étude n'est pas prouvée* (= la justesse des méthodes, des conclusions, etc.). *Valeur d'un exploit, d'un succès* (syn. : IMPORTANCE). *Estimer quelque chose à sa juste valeur* (syn. : PRIX). *La philosophie émet des jugements de réalité et des jugements de valeur* (= par lesquels on affirme qu'une chose est plus ou moins digne d'estime). — **6°** Importance accordée subjectivement à quelque chose : *Attacher de la valeur à des souvenirs de famille* (syn. : PRIX, IMPORTANCE). *N'accorder aucune valeur à certaines manifestations artistiques* (= ne pas apprécier, ne pas estimer). *Accorder de la valeur à l'opinion de quelqu'un* (syn. : POIDS). — **7°** Importance accordée objectivement à quelque chose : *Texte sans valeur* (= non appliqué, qui n'a pas force de loi, qui est resté lettre morte). *Les témoignages d'enfants sont sans valeur* (= ne font pas autorité). — **8°** Importance des choses du point de vue moral, social ou esthétique : *Valeur d'une civilisation* (= son rôle formateur, créateur). *Juger la valeur de ses actes, de sa conduite* (= le contenu moral). *Valeur de l'engagement, de la réflexion* (= sa nécessité, son utilité). — **9°** (au plur.) *Valeurs morales, valeurs,* ensemble des règles de conduite, des lois jugées conformes à un idéal, par une personne ou par une collectivité : *Changement des valeurs d'une société* (= loi morale, représentation du bien). *Avoir d'autres valeurs que son entourage* (syn. : BUT, IDÉAL). *L'effondrement des valeurs* (= de la morale). *Hiérarchie des valeurs. Système de valeurs.* — **10°** Mesure d'une grandeur, d'un nombre : *Valeur arithmétique, algébrique. Valeur absolue d'un nombre.* ‖ *La valeur de,* la quantité approximative de : *Donner la valeur d'une cuillerée à dessert de sirop* (= environ une cuillerée). — **11°** Mesure conventionnelle d'un signe dans une série : *Valeur d'une carte, d'un pion à un jeu.* ‖ *Valeur d'une note,* en musique, durée relative d'une note, modifiée ou non par certains signes : *Le point prolonge une note de la moitié de sa valeur* (syn. : DURÉE). ‖ *Valeur d'une couleur,* en peinture, degré de saturation d'une couleur : *Des verts de même nuance, mais de valeur différente* (= plus ou moins intenses). — **12°** En stylistique, sens d'un terme ou d'un élément de ponctuation à l'intérieur d'un contexte, effet littéraire produit : *Noter la valeur d'une apposition* (= sa portée, sa force, sa signification). *Choisir un mot pour sa valeur affective et non pour sa signification.* ◆ **valeureux, euse** adj. Qui a de la vaillance, du courage (littér.) : *Se battre en soldat valeureux* (syn. : VAILLANT [avant le nom], COURAGEUX, HÉROÏQUE). ◆ **valeureusement** adv. (littér.) : *Lutter valeureusement pour l'indépendance* (syn. : COURAGEUSEMENT, HÉROÏQUEMENT). ◆ **valoriser** v. tr. *Valoriser quelque chose,* lui donner une plus grande valeur, une plus grande rentabilité : *Le passage de la ligne de chemin de fer a beaucoup valorisé cette région.* ◆ **valorisation** n. f. : *La valorisation d'une région économiquement sous-équipée* (syn. : MISE EN VALEUR).

1. valse [vals] n. f. **1°** Danse à trois temps, où les couples tournent sur eux-mêmes en se déplaçant : *Valse lente, valse viennoise.* — **2°** Morceau de musique à trois temps, destiné à être dansé : *Les valses de Strauss. L'orchestre entama une valse.* — **3°** Morceau de musique à trois temps, écrit pour un instrument ou un groupe d'instruments : *Jouer des valses de Chopin.* ◆ **valser** v. intr. **1°** Danser une valse. — **2°** Tourner, se balancer : *Quand elle marchait, elle faisait valser sa robe. Voir les murs valser autour de soi* (syn. : DANSER).

2. valse [vals] n. f. *Fam.* Changement fréquent parmi les membres d'un bureau, d'un service : *La valse perpétuelle des chefs de bureau.* ◆ **valser** v. intr. Fam. *Faire valser quelqu'un,* le déplacer sans égard : *Faire valser le personnel d'une administration.* ‖ *Faire valser l'argent, les millions,* dépenser largement. ‖ *Faire valser les chiffres,* citer rapidement des chiffres, de manière contestable (syn. : JONGLER AVEC). ‖ Fam. *Envoyer valser quelqu'un* ou *quelque chose*, le renvoyer sans égards, le lancer loin de soi (syn. fam. : ENVOYER BOULER, ENVOYER PROMENER).

1. valve [valv] n. f. Chacune des deux parties de la coquille de certains mollusques et crustacés.

2. valve [valv] n. f. Système de régulation d'un courant de liquide ou de gaz dans une conduite; clapet de fermeture : *Dévisser la valve pour gonfler un pneu.*

valvule [valvyl] n. f. Repli élastique fixé sur la paroi interne du cœur ou d'un vaisseau, ayant un bord libre qui empêche le sang ou la lymphe de revenir en arrière.

vamp [vɑ̃p] n. f. Femme fatale : *Jouer les rôles de vamp au cinéma.*

vampire [vɑ̃pir] n. m. **1°** Fantôme qui, selon certaines superstitions, sort des tombeaux pour sucer le sang des vivants. — **2°** Personne qui s'enrichit aux dépens d'autrui : *Il lui soutire son argent comme un vampire.* ◆ **vampirisme** n. m. Avidité, désir de s'enrichir aux dépens d'autrui : *Faire preuve d'un vampirisme insatiable.*

vandale [vɑ̃dal] n. m. Personne qui détruit ou détériore des œuvres d'art ou des choses de valeur : *Une armée de vandales* (syn. : DESTRUCTEUR, DÉVASTATEUR, BARBARE). ◆ **vandalisme** n. m. : *Certaines démolitions sont du véritable vandalisme* (syn. : RAVAGE). *Faire acte de vandalisme.*

vanille [vanij] n. f. **1°** Fruit des régions tropicales qui se présente sous forme de gousse. — **2°** Substance aromatique contenue dans ce fruit : *Vanille en poudre, en bâton. Crème, glace à la vanille.* ◆ **vanillé, e** adj. A la vanille : *Chocolat vanillé.* ◆ **vanillier** n. m. Plante des régions tropicales dont le fruit est la vanille : *Plantation de vanilliers.* ◆ **vanilline** n. f. Principe odorant de la vanille, que l'on peut préparer par synthèse : *On utilise la vanilline en pâtisserie.*

vanité n. f. V. VAIN 1 et 2; **vaniteusement** adv., **vaniteux, euse** adj. V. VAIN 2.

1. vanne [van] n. f. **1°** Porte mobile, disposée dans une canalisation, un canal, etc., pour régler le débit : *Ouvrir, fermer les vannes d'une écluse.* — **2°** Fam. *Ouvrir les vannes,* ne pas lésiner.

2. vanne [van] n. f. Pop. *Envoyer une vanne à quelqu'un,* dire une méchanceté à son adresse.

vanné, e adj. V. VANNER 2.

vanneau [vano] n. m. Oiseau échassier, commun en Europe.

1. vanner [vane] v. tr. Trier, nettoyer les grains en les secouant : *Vanner le blé.* ◆ **van** n. m. Sorte de panier d'osier à fond plat, large, muni de deux anses, qui sert pour le nettoyage des grains. ◆ **vannage** n. m. : *Le vannage du blé.* ◆ **vanneur, euse** n. Personne qui trie les grains. ◆ **vanneuse** n. f. Machine servant à vanner.

2. vanner [vane] v. tr. *Fam.* Fatiguer extrêmement : *Cette escalade m'a vanné* (syn. pop. : CREVER). *Etre vanné par son travail* (syn. : HARASSER). ◆ **vanné, e** adj. Pop. : *Il est rentré chez lui complètement vanné* (syn. fam. : ÉREINTÉ, FOURBU).

vannerie [vanri] n. f. **1°** Fabrication des objets en osier, rotin, etc. : *Faire de la vannerie. Un panier en vannerie.* — **2°** Objet fabriqué par le tressage à la main de tiges flexibles : *Vannerie grossière, fine. Décoration de vannerie.* ◆ **vannier** n. m. Ouvrier qui travaille l'osier et le rotin pour fabriquer divers objets : *La boutique d'un vannier.*

vantail, aux [vɑ̃taj, -to] n. m. Châssis ouvrant d'une porte ou d'une croisée : *Une porte à double vantail.*

vanter [vɑ̃te] v. tr. *Vanter quelqu'un, quelque chose,* le présenter en termes élogieux : *On nous avait beaucoup vanté ce médecin* (= on nous avait chanté ses louanges). *Ils ont beaucoup vanté cette station d'hiver* (syn. littér. : LOUER). *Vanter les mérites de quelqu'un* (syn. : CÉLÉBRER, EXALTER). *Vanter un procédé de construction, un médicament* (syn. : PRÉCONISER, PRÔNER). *Vanter sa marchandise* (= faire l'article). ◆ ***se vanter*** v. pr. **1°** S'attribuer des qualités, des mérites que l'on n'a pas : *Elle se vante tout le temps. Sans me vanter* (= je le dis sans exagérer mes mérites; syn. : SE FLATTER). *Il n'y a pas de quoi se vanter* (syn. : ÊTRE FIER). — **2°** *Se vanter de* (avec un nom ou un infin.), se glorifier de quelque chose, en exagérant ses mérites : *Se vanter de sa naissance* (syn. : SE TARGUER). *Se vanter d'avoir fait une première en montagne* (syn. : TIRER VANITÉ DE). ‖ *Ne pas s'en vanter, ne pas se vanter de quelque chose,* passer sous silence une faute, une maladresse qu'on a commise. — **3°** *Se vanter de* (et un infin.), se faire fort de : *Il s'était vanté de gagner cette course, et il est arrivé cinquième.* ◆ **vantard, e** adj. et n. Qui aime à se glorifier, à se faire valoir : *Ce garçon est un vantard* (syn. : HÂBLEUR, FANFARON, BLUFFEUR). *C'est un vantard.* ◆ **vantardise** n. f. **1°** Caractère de celui qui se fait valoir sans retenue : *Etre d'une insupportable vantardise* (syn. : HÂBLERIE; littér. : FORFANTERIE). — **2°** Acte, parole par lesquels on cherche à se faire valoir : *Une vantardise de plus* (syn. : FANFARONNADE, EXAGÉRATION). [V. aussi FAT, ORGUEIL.]

va-nu-pieds [vanypje] n. m. invar. *Péjor.* Gueux, misérable : *Faire l'aumône à un va-nu-pieds.*

1. vapeur [vapœr] n. f. **1°** Amas visible, en masses ou en traînées blanchâtres, de très fines et très légères gouttelettes d'eau en suspension dans l'air : *Après la pluie, les champs exhalaient une sorte de vapeur* (syn. : BROUILLARD). *La cuisine est pleine de vapeur* (syn. : BUÉE). — **2°** Eau à l'état gazeux : *La condensation de la vapeur atmosphérique donne la pluie. Machine à vapeur, bateau, locomotive à vapeur* (= utilisant la force d'expansion de l'eau à l'état gazeux). — **3°** Fam. *A toute vapeur,* très vite : *Je file à toute vapeur.* ‖ *Faire un travail à la vapeur,* à toute allure. ‖ Fam. *Renverser la vapeur,* V. RENVERSER. — **4°** Substance à l'état gazeux, qui s'exhale dans l'atmosphère : *Des vapeurs de pétrole, d'essence.* ◆ **vapeur** n. m. Bateau à vapeur. ◆ **vaporiser** v. tr. **1°** Amener une substance à l'état gazeux : *Vaporiser un liquide à la température normale* (syn. : GAZÉIFIER). — **2°** Disperser un liquide et le projeter en gouttelettes : *Vaporiser un parfum, un produit insecticide* (syn. : PULVÉRISER). ◆ **vaporisation** n. f. **1°** Passage d'une substance de l'état liquide à l'état gazeux. — **2°** Pulvérisation : *Faire une ou deux vaporisations dans le nez.* ◆ **vaporisateur** n. m. Petit pulvérisateur.

2. vapeurs [vapœr] n. f. pl. 1° Troubles et malaises divers : *Elle a des vapeurs* (syn. : BOUFFÉES DE CHALEUR). *Ça me donne des vapeurs* (syn. : MALAISE). — 2° Se dit de tout ce qui peut monter à la tête et étourdir (littér.) : *Les vapeurs du vin, de la gloire.*

vaporeux, euse [vapɔrø, -øz] adj. 1° Se dit de ce qui est léger et flou : *Des cheveux vaporeux. Une robe vaporeuse en mousseline. Un tissu vaporeux* (syn. : GONFLANT). — 2° Dont l'éclat est voilé comme par de la vapeur : *Une lumière vaporeuse.* ◆ **vaporeusement** adv. : *Un tissu drapé vaporeusement autour des épaules.*

1. vaquer [vake] v. tr. ind. *Vaquer à quelque chose,* s'en occuper, s'y appliquer : *Vaquer à son travail, à ses occupations habituelles.*

2. vaquer v. intr. V. VACANCE 1.

varappe [varap] n. f. Escalade de rochers : *Faire de la varappe à Fontainebleau.* ◆ **varappeur** n. m. : *Un excellent varappeur* (syn. : ROCHASSIER).

varech [varɛk] n. m. Algues brunes que l'on recueille sur les côtes pour divers usages : *Amender les terres avec du varech* (syn. : GOÉMON). *Un matelas de varech.*

vareuse [varøz] n. f. 1° Veste assez ample, servant de vêtement d'intérieur. — 2° Blouson de grosse toile, que revêtent les marins pendant le service du bord. — 3° Veste ajustée d'uniforme : *Une vareuse kaki.*

varice [varis] n. f. Dilatation permanente d'une veine : *Souffrir de varices aux jambes. Porter des bas à varices.* ◆ **variqueux, euse** adj. Qui a rapport ou qui est dû aux varices : *Ulcère variqueux.*

varicelle [varisɛl] n. f. Maladie infectieuse, contagieuse, généralement bénigne, atteignant surtout les enfants et caractérisée par une éruption de boutons.

varier [varje] v. intr. 1° (sujet nom de chose) Changer d'aspect : *Sa physionomie varie d'un moment à l'autre* (syn. : CHANGER, SE MODIFIER). *Le temps varie très vite en cette saison* (syn. : CHANGER). — 2° Présenter des différences qualitatives ou quantitatives : *Les prix varient du simple au double* (syn. : ALLER, S'ÉCHELONNER). *La couleur des images varie du blanc au gris le plus sombre* (syn. : ALLER, PASSER). *Les rites du baptême, du mariage varient selon les religions, les pays* (syn. : DIFFÉRER). *Les goûts varient selon l'âge, la culture des gens.* — 3° (sujet nom de personne) Changer d'attitude, d'opinion : *Je n'ai jamais varié à ce sujet.* — 4° (sujet nom désignant des personnes) Différer d'opinion : *Les médecins varient dans le choix du traitement* (syn. : DIVERGER; contr. : CONCORDER). ◆ v. tr. 1° *Varier une chose,* lui donner différents aspects : *Varier la décoration d'une maison, le programme d'un spectacle* (syn. : DIVERSIFIER). *Varier son style* (= y introduire de la diversité). *Varier un thème musical* (= le transformer, le développer). — 2° *Varier des choses,* les changer contre d'autres de même espèce : *Varier les menus* (= faire différentes sortes de menus). *Varier ses toilettes* (= en changer fréquemment). *Varier les plaisirs.* ◆ **variant, e** adj. (rare) : *Humeur variante. Intensité variante* (syn. plus usuels : CHANGEANT, VARIABLE). ◆ **variante** n. f. 1° Texte d'un auteur qui diffère de celui qui est communément admis : *Edition complète d'une œuvre, avec variantes* (= les différentes leçons). — 2° Chose qui diffère légèrement d'une autre de la même espèce : *Ce modèle de voiture est une variante du modèle précédent* (= une nouvelle version). ◆ **varié, e** adj. 1° Se dit d'une chose qui présente une diversité naturelle ou résultant d'une volonté de changement : *Paysage varié* (syn. : DIVERS, ACCIDENTÉ; contr. : MONOTONE). *Travail très varié* (contr. : ROUTINIER). *Un répertoire varié* (= contenant divers numéros, morceaux, etc.; syn. : ÉTENDU, VASTE). *Un choix varié de meubles, de tissus,* etc. (syn. : GRAND). *Menu, programme varié* (= composé de choses très différentes). — 2° Se dit de choses très différentes entre elles : *Après leur départ, on a retrouvé des objets variés* (syn. : DIFFÉRENT, DIVERS). *Hors-d'œuvre variés.* ◆ **variable** adj. 1° Qui est sujet au changement, qui varie facilement, fréquemment : *Le temps est variable* (syn. : CHANGEANT). *Le plaisir que j'éprouve à la lecture de ce livre est variable. Avoir une humeur variable* (contr. : CONSTANT). *La récolte est très variable selon les années* (syn. : INÉGAL). ‖ *Mot variable,* dont la forme varie selon la fonction, le genre, le nombre. — 2° (avec un nom au plur.) Divers : *Les résultats de l'enquête sont très variables d'une région à l'autre* (syn. : DIFFÉRENT; contr. : IDENTIQUE, CONSTANT, INVARIABLE). ◆ n. f. En mathématiques, grandeur susceptible de prendre des valeurs numériques, algébriques, etc., différentes, comprises ou non entre certaines limites : *Le volume d'une masse de gaz est fonction de deux variables : pression et température* (contr. : CONSTANTE). ◆ **variabilité** n. f. : *La variabilité d'un adjectif.* ◆ **variation** n. f. 1° Changement de degré ou d'aspect d'une chose : *Variations brusques de température* (syn. : CHANGEMENT). *Variations d'humeur* (syn. : SAUTE). *Variation de prix* (syn. : ÉCART). — 2° (au plur.) Transformations : *Variations de l'orthographe. Doctrine qui a subi de nombreuses variations au cours des siècles* (syn. : CHANGEMENT). — 3° Procédé de composition musicale qui consiste à employer un même thème en le transformant, en l'ornant, tout en le laissant reconnaissable : *Les variations de Brahms.* ◆ **variété** n. f. 1° Diversité : *Une grande variété d'ouvrages. La variété de ses occupations ne lui permet pas de s'ennuyer. Aimer la variété* (syn. : CHANGEMENT; contr. : MONOTONIE, UNIFORMITÉ). — 2° En sciences naturelles, subdivision de l'espèce, dont les représentants possèdent un caractère commun qui les différencie des autres individus de la même espèce. ◆ **variétés** n. f. pl. 1° Spectacle composé de divers numéros (chansons, exercices d'adresse, musique de danse, etc.) qui n'ont pas de lien entre eux : *Programme, séance de variétés. Théâtre de variétés.* — 2° Musique légère : *Disque de variétés.* — 3° Titre de certains recueils littéraires composés de nombreux morceaux variés : *Variétés littéraires. Recueil de variétés.*

variole [varjɔl] n. f. Maladie infectieuse, épidémique et contagieuse, caractérisée en particulier par une éruption boutonneuse (syn. : PETITE VÉROLE). ◆ **varioleux, euse** adj. Qui a rapport à la variole : *Eruption apparemment varioleuse.* ◆ **varioleux** n. m. Sujet atteint de la variole. ◆ **variolique** adj. De la variole : *Pustule variolique.* ◆ **antivariolique** adj. : *Vaccin antivariolique.*

varlope [varlɔp] n. f. Grand rabot à poignée, pour unir et planer le bois.

vasculaire [vaskylɛr] adj. Relatif aux vaisseaux organiques : *Tissu vasculaire.* ◆ **vascularisation** n. f. Développement ou disposition des vaisseaux dans un organe. ◆ **vascularisé, e** adj. Qui contient des vaisseaux : *Tissu vascularisé.*

1. vase [vɑz] n. m. 1° Récipient de forme et de matière variées, ayant d'ordinaire une valeur décorative et souvent utilisé pour mettre des fleurs : *Un vase en cristal. Mettre un bouquet de roses dans un vase.* — 2° *Vase de nuit,* pot de chambre. ‖ *Vases communicants,* récipients qu'un tuyau fait communiquer entre eux par la base, et dans lesquels un liquide s'élève au même niveau, quelle que soit leur forme. ‖ *Vases sacrés,* récipients réservés au culte (calice, ciboire, patène).

2. vase [vɑz] n. f. Boue qui se dépose au fond des eaux : *Cet étang est plein de vase* (syn. : LIMON). *Enfoncer dans la vase. Ce poisson a un goût de vase.* ◆ **vaseux, euse** adj. : *Un fond vaseux.* ◆ **envaser (s')** v. pr. 1° (sujet nom de chose) Se remplir de vase : *Un canal qui s'envase.* — 2° (sujet nom de chose) S'enfoncer dans la vase : *Une barque échouée qui s'envase.* ◆ **envasement** n. m. : *L'envasement du port gêne le trafic.*

vaseline [vazlin] n. f. Graisse minérale, translucide, extraite du résidu de la distillation des pétroles, utilisée en pharmacie et en parfumerie : *Vaseline pure. Huile de vaseline.* ◆ **vaseliner** v. tr. Enduire de vaseline.

1. vaseux, euse adj. V. VASE 2.

2. vaseux, euse [vazø, -øz] adj. 1° *Pop.* Se dit d'une personne en mauvais état de santé, fatiguée : *Se sentir vaseux* (syn. : MAL EN POINT; fam. : MAL FICHU). — 2° *Pop.* Se dit d'une chose abstraite qui manque de clarté, de précision : *Un exposé vaseux. Des idées vaseuses* (contr. : NET). ◆ **vasouiller** v. intr. *Pop.* Etre médiocre, être incertain : *Elève qui vasouille* (syn. : S'EMBROUILLER; fam. : NAGER, PATAUGER). ◆ **vasouillard, e** adj. *Pop.* Très vaseux, très incertain : *Une leçon vasouillarde. Se sentir vasouillard.*

vasistas [vazistas] n. m. Ouverture, munie d'un petit vantail mobile, dans une porte ou une fenêtre : *Fermer un vasistas.*

vasque [vask] n. f. 1° Bassin ornemental peu profond, souvent aménagé en fontaine : *Une vasque lumineuse dans un jardin.* — 2° Nom donné parfois à une coupe large et peu profonde, servant à la décoration d'une table : *Une vasque pleine de fleurs.*

vassal, e, aux [vasal, -so] adj. et n. Se dit d'une personne, d'une communauté, d'une entreprise qui est sous la dépendance totale d'une autre : *Un pays qui dicte sa loi aux peuples vassaux.* (Au temps de la féodalité, les *vassaux* étaient des gens liés à leur seigneur [ou suzerain] par une obligation d'assistance et qui bénéficiaient de sa protection.) ◆ **vassaliser** v. tr. : *Le tiers de l'activité industrielle de ce pays a été vassalisé par un seul groupe financier* (syn. : MONOPOLISER).

vaste [vast] adj. (généralement avant le nom). 1° Se dit de ce qui a une très grande étendue : *Une vaste plaine. La vaste mer. De vastes forêts* (syn. : IMMENSE). *De vastes entrepôts. Un vaste jardin.* — 2° Spacieux, large : *Une pièce assez vaste* (syn. : GRAND). *De vastes placards.* — 3° Important, de grande envergure (avec un nom abstrait) : *Faire preuve de vastes connaissances* (syn. : ÉTENDU, AMPLE). *Une vaste érudition. Le sujet de cet ouvrage est très vaste* (contr. : LIMITÉ). *De vastes ambitions. Une vaste blague* (fam.; syn. : GROSSE). *Une vaste rigolade* (fam.).

vaticiner [vatisine] v. intr. *Péjor.* S'exprimer par une sorte de délire verbal, déraisonner (littér.) : *Un poète visionnaire qui vaticine sans cesse.* ◆ **vaticinations** n. f. pl. : *Les vaticinations d'un orateur prétentieux et vain* (syn. : ÉLUCUBRATIONS).

va-tout [vatu] n. m. invar. *Jouer son va-tout,* jouer le tout pour le tout : *Jouer son va-tout dans une affaire, un procès* (syn. pop. : RISQUER LE PAQUET).

vaudeville [vodvil] n. m. Comédie légère, fondée sur un comique d'intrigue et des quiproquos : *Jouer un vaudeville de Labiche. Une histoire de vaudeville* (= amusante et sans conséquence). ◆ **vaudevillesque** adj. Digne du vaudeville : *Une intrigue vaudevillesque* (= burlesque et légère). ◆ **vaudevilliste** n. m. Auteur de vaudevilles.

vau-l'eau (à) [avolo] loc. adv. *Aller à vau-l'eau,* aller à la dérive, à sa perte : *Sa fortune s'en va à vau-l'eau* (syn. : PÉRICLITER). *Une entreprise qui va à vau-l'eau.*

vaurien, enne [vorjɛ̃, -ɛn] n. 1° Personne dénuée de scrupules et de principes moraux : *Une vie de vaurien* (syn. : BRIGAND, BANDIT). — 2° Enfant mal élevé, qui fait des sottises : *Une bande de petits vauriens* (syn. : FRIPON, CHENAPAN, VOYOU).

vautour [votur] n. m. Oiseau rapace diurne, vivant dans les montagnes et se nourrissant de charognes.

vautrer (se) [səvotre] v. pr. 1° (sujet nom d'être animé) S'étendre sans retenue, se rouler dans ou sur quelque chose : *Se vautrer sur son lit. Se vautrer dans un fauteuil* (= se laisser aller). *Des porcs qui se vautrent dans la boue. Cet enfant a pris une colère et se vautre par terre* (syn. : SE TRAÎNER). — 2° *Se vautrer dans le vice,* s'y complaire (littér.).

vaux, plur. de **val.** V. VALLÉE.

va-vite (à la) [alavavit] loc. adv. *Fam.* Avec une grande hâte, sommairement : *C'est une question résolue à la va-vite* (syn. : HÂTIVEMENT).

veau [vo] n. m. 1° Petit de la vache, jusqu'à un an : *Vaches et veaux paissaient dans le pré.* — 2° Chair du veau, vendue en boucherie et utilisée pour l'alimentation : *Rôti de veau.* — 3° Peau du veau ou de la génisse, corroyée : *Livre relié en veau.* — 4° Fam. *Pleurer comme un veau,* énormément. ‖ *Tuer le veau gras,* faire un repas de fête en l'honneur de quelqu'un, à l'occasion d'une réunion familiale. ‖ *Veau d'or,* personnification de l'argent. ‖ Pop. *Cette voiture est un vrai veau,* elle est lourde et lente. ◆ **vêler** v. intr. *Vache qui vêle,* qui met bas. ◆ **vêlage** ou **vêlement** n. m. : *Le moment du vêlage.*

vecteur [vɛktœr] n. m. Segment de droite défini en grandeur, direction et sens. ◆ adj. m. : *Rayon vecteur.* ◆ **vectoriel, elle** adj.

1. vedette [vədɛt] n. f. 1° Artiste en renom : *Faire un film de vedettes. Cet acteur est une grande vedette.* — 2° Tout personnage de premier plan : *Etre la vedette du moment, du jour* (syn. : HÉROS). *La principale vedette d'une affaire* (syn. : PERSONNAGE). — 3° *En vedette,* au premier plan, au-devant de l'actualité : *Etre en vedette au cours d'une réunion. Mettre un objet en vedette* (syn. : EN ÉVIDENCE, EN VUE). *Mettre quelqu'un en vedette* (= attirer l'attention sur lui). — 4° Fait, pour un artiste, d'avoir son nom à l'affiche en gros caractères : *Avoir, garder, perdre la vedette.*

2. vedette [vədɛt] n. f. Petite embarcation à moteur.

végétal, e, aux [veʒetal, -to] adj. 1° Qui est relatif aux arbres, aux plantes : *Règne végétal. Biologie végétale.* — 2° Qui est fait à partir de plantes : *Graisse végétale. Crin végétal* (contr. : ANIMAL). ◆ **végétal** n. m. Plante, arbre, en général : *La botanique est la science des végétaux. Une algue est un végétal.* ◆ **végétation** n. f. Ensemble des végétaux qui poussent dans un lieu : *Maigre végétation* (syn. : VERDURE). *Végétation luxuriante. Végétation équatoriale, tropicale, arctique* (syn. : FLORE). ◆ **végétatif, ive** adj. Relatif à la vie des plantes : *La reproduction végétative.* ◆ **végétarisme** n. m. Doctrine diététique qui exclut de l'alimentation la chair des animaux (contr. : RÉGIME CARNÉ). ◆ **végétarien, enne** adj. et n. : *Etre végétarien. Menu pour végétariens.* ◆ adj. : *Régime végétarien. Restaurant végétarien.*

végétatif, ive adj. V. VÉGÉTER.

1. végétation n. f. V. VÉGÉTAL.

2. végétations [veʒetasjɔ̃] n. f. pl. Excroissances qui apparaissent sur les muqueuses, et spécialement qui obstruent les fosses nasales : *Enlever les végétations à un enfant. On l'a opéré des végétations.*

végéter [veʒete] v. intr. 1° (sujet nom désignant une plante) Mal pousser, croître difficilement : *Cet arbre végète dans l'ombre* (syn. : S'ÉTIOLER). — 2° (sujet nom désignant une personne ou une activité humaine) Vivre médiocrement, se développer difficilement : *Il végète dans un emploi subalterne* (syn. fam. : VIVOTER). *Son affaire végète* (syn. : STAGNER ; contr. fam. : MARCHER). ◆ **végétatif, ive** adj. 1° *Vie végétative,* vie organique, par opposition à la vie de relation. — 2° *Mener une vie végétative,* avoir une activité ralentie, mener une vie réduite à la satisfaction des besoins élémentaires.

véhément, e [veemɑ̃, -ɑ̃t] adj. Se dit d'une personne ou d'une chose qui manifeste une ardeur impétueuse : *Un homme très véhément* (syn. : EMPORTÉ, VIOLENT). *Des reproches véhéments* (syn. : ↑ SANGLANT). *Un discours véhément* (syn. : ENFLAMMÉ, PASSIONNÉ). ◆ **véhémence** n. f. : *Discuter avec véhémence* (syn. : FOUGUE, EMPORTEMENT, PASSION). *Véhémence de la passion* (syn. : IMPÉTUOSITÉ, FORCE).

véhicule [veikyl] n. m. 1° Moyen de transport par terre, par air ou par mer : *Avoir un véhicule à sa disposition. Véhicules à moteur, à cheval, à quatre roues* (syn. : VOITURE). *Véhicules utilitaires et de tourisme.* — 2° Se dit de tout ce qui sert à transporter, à transmettre quelque chose : *Le langage est le véhicule de la pensée* (syn. : SUPPORT). *Le sang est le véhicule de l'oxygène.* ◆ **véhiculer** v. tr. *Véhiculer une chose,* la transporter, la faire passer d'un endroit dans un autre, d'une personne à une autre : *Véhiculer des marchandises, du matériel* (syn. : VOITURER). *Le langage véhicule les idées entre les hommes* (syn. : TRANSMETTRE).

1. veille [vɛj] n. f. 1° (avec l'art. défini) Indique le jour qui précède celui dont on parle, par rapport au passé ou au futur (par rapport au jour présent, on dit HIER) : *Nous irons dimanche au théâtre; la veille, il faudra louer les places. La veille du jour de l'an, nous réveillonnerons dans une petite auberge. Ils ont mangé les restes de la veille.* — 2° *A la veille de* (suivi d'un nom ou d'un infin.), indique ce qui est attendu dans un futur très proche : *Nous sommes à la veille de grands événements* (syn. : PRÈS DE, PROCHE DE). *Il est à la veille de commettre une grande imprudence* (syn. : SUR LE POINT DE). [V. TEMPS (*Expressions du*).] — 3° Fam. *Ce n'est pas demain la veille,* cela ne se produira pas de sitôt. ◆ **avant-veille** n. f. (toujours avec l'art.). Indique le jour qui précède la veille, par rapport au passé ou au futur (par rapport au jour présent, on dit AVANT-HIER) : *Dimanche dernier, il mourait subitement; l'avant-veille, vendredi, il nous avait paru en parfaite santé.* (V. TEMPS [*Expressions du*].)

2. veille [vɛj] n. f. Etat d'un homme qui ne dort pas : *Etre en état de veille* (contr. : SOMMEIL). *Rêverie intermédiaire entre la veille et le sommeil.* ◆ **veilles** n. f. pl. Fait de passer les nuits sans sommeil, pour se consacrer à une occupation, à un travail (souvent littér.) : *Fatigué par de longues veilles. Des veilles studieuses. Publier le fruit de ses veilles.* ◆ **veillée** n. f. 1° Temps qui s'écoule entre le repas du soir et le moment de se coucher : *L'heure de la veillée. Passer la veillée en famille.* — 2° Réunion familiale ou amicale qui se situe après le dîner : *La veillée s'est prolongée jusqu'à deux heures du matin.* — 3° *Veillée d'un mort, veillée mortuaire,* fait de passer la nuit éveillé à côté d'un mort. — 4° *Veillée d'armes,* soirée qui précède un jour important : *C'est notre veillée d'armes avant le concours.*

1. veiller [veje] v. intr. Rester éveillé pendant la nuit : *Veiller tard, jusqu'à deux heures du matin.* ◆ v. tr. *Veiller un mort, un malade,* rester à son chevet pendant la nuit. ◆ **veilleur** n. m. *Veilleur de nuit,* ou *veilleur,* personne chargée de garder, de surveiller un établissement public, un magasin, etc., pendant la nuit. ◆ **veilleuse** n. f. 1° Petite lampe qui éclaire faiblement et reste allumée en permanence la nuit ou dans un lieu sombre : *Allumer la veilleuse dans un compartiment de chemin de fer.* — 2° Petite flamme d'un chauffe-eau ou d'un réchaud à gaz, qui brûle en permanence et permet d'allumer instantanément les appareils : *Laisser la veilleuse allumée.* — 3° *En veilleuse,* au ralenti : *Mettre un problème en veilleuse* (= ne plus s'en occuper activement; syn. : EN ATTENTE). *L'affaire restera en veilleuse jusqu'à la conclusion du contrat* (= marchera au ralenti).

2. veiller [veje] v. tr. ind. 1° *Veiller à* (et un nom ou l'infin.), *à ce que* (et le subj.), prendre soin de : *Veiller à l'approvisionnement* (syn. : S'OCCUPER DE). *Veiller au bon ordre des opérations* (syn. : FAIRE ATTENTION). *Veiller à être à l'heure* (= s'arranger pour). *Veiller à sa réputation* (= s'en soucier). *Veiller à ce que personne ne manque de rien* (= faire en sorte que). — 2° *Veiller sur quelqu'un, sur quelque chose,* exercer une surveillance vigilante sur cette personne ou sur cette chose, la protéger : *Veiller sur des enfants* (syn. : GARDER, SURVEILLER, ↑ COUVER). *Veiller sur la santé de quelqu'un* (syn. : PRENDRE SOIN DE).

1. veine [vɛn] n. f. 1° Vaisseau à ramifications convergentes, qui ramène le sang des capillaires au cœur : *Veines pulmonaires.* — 2° Fam. *Se saigner aux quatre veines,* donner, dépenser pour d'autres tout l'argent que l'on a, en se privant soi-même. ‖ *Avoir du sang dans les veines,* avoir du courage. ‖ *Sentir le sang se glacer dans ses veines,* être pétrifié d'horreur, d'effroi (littér.). ◆ **veinule** n. f. Petit vaisseau qui, convergeant avec d'autres, forme les veines. ◆ **veiné, e** adj. : *Montrer une main à la peau veinée* (= où les veines sont apparentes). ◆ **veineux, euse** adj. Qui a rapport aux veines : *Système veineux. Circulation veineuse.* ◆ **intraveineux, euse** adj. Qui est ou qui se fait à l'intérieur d'une veine : *Piqûre intraveineuse.*

2. veine [vɛn] n. f. Dessin coloré, mince et sinueux, dans le bois, les pierres dures (syn. : NERVURE). ◆ **veiner** v. tr. Orner de dessins sinueux imitant les veines du bois ou du marbre : *Veiner du contre-plaqué.* ◆ **veiné, e** adj. Qui présente des veines : *Bois veiné. Marbre rouge veiné de blanc.* ◆ **veineux, euse** adj. Rempli de veines : *Un bois veineux.* ◆ **veinure** n. f. Dessin formé par les veines du bois.

3. veine [vɛn] n. f. *Fam.* Chance : *Avoir de la veine. Une veine de pendu* (= une chance extraordinaire). *C'est une veine de vous rencontrer. Avoir de la veine aux examens. Ce n'est pas de veine.* ◆ **veinard, e** adj. et n. *Fam.* Qui a de la chance : *Il est veinard* (syn. fam. : VERNI). ◆ **déveine** n. f. *Fam.* Malchance : *Il a eu la déveine de se casser la jambe le premier jour de ses vacances.*

4. veine [vɛn] n. f. 1° Filon d'un minéral qui peut être exploité : *Une veine de quartz, de houille.* — 2° Inspiration d'un artiste : *Veine poétique abondante. Sa veine est tarie. Roman de la même veine* (= de la même source d'inspiration). — 3° *Etre en veine,* être inspiré. ‖ *Etre en veine de* (et un nom), être disposé à : *Je suis en veine de patience aujourd'hui.*

vêlage n. m., **vêler** v. intr. V. VEAU.

vélin [velɛ̃] n. m. 1° Parchemin très fin, préparé avec des peaux de veaux mort-nés : *Manuscrit sur vélin.* — 2° Papier de qualité supérieure, qui imite le parchemin : *Exemplaires numérotés tirés sur vélin supérieur.* ◆ adj. m. : *Papier vélin.*

velléité [veleite] n. f. Volonté faible, hésitante et inefficace : *Etre sujet à des velléités* (= des désirs fugaces). *Avoir des velléités de travail* (= des intentions qui ne sont pas réalisées). ◆ **velléitaire** adj. et n. Se dit d'une personne (ou de son comportement) qui n'a que des intentions fugitives, non suivies d'actes : *Personne, caractère velléitaire. C'est un velléitaire.*

vélo [velo] n. m. *Fam.* Bicyclette : *Prendre son vélo pour aller à son travail. Laisser son vélo le long du trottoir* (syn. fam. : BÉCANE, usuel surtout chez les enfants et les adolescents). *Aller en vélo jusqu'à la poste.* (*Vélo* est une abrév. de *vélocipède,* sorti de l'usage.) ◆ **vélodrome** n. m. Piste, le plus souvent couverte, aménagée pour les courses cyclistes. ◆ **vélomoteur** n. m. Petite motocyclette dont le moteur a une cylindrée comprise entre 50 et 125 cm^3.

velours [velur] n. m. 1° Etoffe rase d'un côté et couverte de l'autre de poils dressés, très serrés, maintenus par les fils du tissu : *Velours de coton, de laine, côtelé. Doux comme du velours.* — 2° Se dit de ce qui est doux au toucher, au regard, au goût : *Une peau de velours. Le velours de la pêche. Des yeux de velours.* — 3° *Une main de fer dans un gant de velours,* une personne ferme et autoritaire sous des apparences de douceur. ‖ Fam. *Jouer sur du velours,* faire quelque chose sans risque, sans difficulté, en toute sécurité. ‖ Fam. *Ça ira comme sur du velours,* tout seul. ‖ *Chat qui fait patte de velours,* qui rentre ses griffes. ‖ *Faire patte de velours,* prendre des airs doucereux pour cacher de méchants desseins. ‖ *Marcher à pas de velours,* tout doucement, sans bruit. — 4° Faute de liaison qui consiste à remplacer le son *t* par le son *z* : *Parler avec des cuirs et des velours.* ◆ **velouté, e** adj. Qui est doux au toucher, au regard, au goût : *Peau veloutée* (syn. : LISSE, SATINÉ; contr. : RUGUEUX). *Pelage velouté* (syn. : SOYEUX). *Lumière veloutée* (syn. : TAMISÉ; contr. : DUR). *Crème, potage, sauce veloutés* (syn. : ONCTUEUX, LIÉ). *Vin velouté* (syn. : MOELLEUX). ◆ **velouté** n. m. 1° Douceur d'une chose agréable au toucher, au goût, à la vue : *Le velouté de la pêche* (syn. : DOUCEUR). *Le velouté d'une crème* (syn. : ONCTUOSITÉ). — 2° Potage très onctueux : *Velouté d'asperges, de tomates.*

velu, e [vəly] adj. Couvert de poils : *Des jambes velues* (syn. : POILU). *Fruit à la peau velue.*

venaison [vənɛzɔ̃] n. f. Chair de grand gibier (cerf, sanglier, etc.) : *Un pâté de venaison.*

vénal, e, aux [venal, -no] adj. *Péjor.* Se dit d'une personne qui se laisse acheter à prix d'argent : *Un homme vénal* (contr. : INCORRUPTIBLE, INTÈGRE). *Une femme vénale* (= une prostituée). ◆ **vénalité** n. f. Caractère d'une personne vénale.

vendange [vɑ̃dɑ̃ʒ] n. f. Cueillette, récolte du raisin pour la fabrication du vin : *Faire la vendange. Le temps des vendanges.* ◆ **vendanger** v. intr. et tr. Récolter les raisins. ◆ **vendangeur, euse** n. Personne qui fait les vendanges.

vendémiaire n. m. V. CALENDRIER RÉPUBLICAIN.

vendetta [vɑ̃dɛta] n. f. Coutume corse, selon laquelle la poursuite de la vengeance d'une offense ou d'un meurtre se transmet à tous les parents de la victime et s'étend à tous les membres de la famille ennemie : *Une histoire de vendetta.*

vendre [vɑ̃dr] v. tr. (conj. **50**). 1° *Vendre quelque chose,* le céder contre de l'argent : *Nous avons vendu notre vieille maison* (syn. fam. : LIQUIDER, BAZARDER; contr. : ACHETER, ACQUÉRIR). *Vendre une collection de livres, de tableaux. Vendre son ancienne voiture à des amis* (syn. : SE DÉFAIRE DE). *Maison à vendre. Œuvre de collection particulière qui n'est pas à vendre.* — 2° Faire le commerce d'une marchandise : *Vendre des livres, de la papeterie, des articles de bazar. Ce magasin vend bien* (= fait bien ses affaires). *Vendre à crédit, en solde. Vendre cher, pas cher. Tout a été vendu.* — 3° Accorder ou céder contre de l'argent ou contre un avantage quelque chose qui, d'ordinaire, ne se cède pas ou se donne sans contrepartie : *Vendre son âme, sa conscience* (= renoncer à être honnête). *Vendre son silence. Vendre ses faveurs* (= en faire commerce). *Vendre des décorations* (= trafiquer avec, sur). ‖ *Vendre ses père et mère,* n'avoir aucun scrupule. ‖ *Vendre la peau de l'ours,* disposer d'une chose que l'on ne possède pas encore.

— 4° *Vendre quelqu'un,* le trahir : *Vendre un complice* (syn. : LIVRER, DONNER). ‖ Fam. *Vendre la mèche,* dévoiler un secret. — 5° *Vendre chèrement sa vie, sa peau* (fam.), se défendre jusqu'au bout. ◆ ***se vendre*** v. pr. 1° (sujet nom de chose) Etre l'objet d'un commerce : *Cet article se vend à la pièce, par paire, à la douzaine.* ‖ Fam. *Ça se vend comme des petits pains,* très facilement. — 2° (avec ou sans adv.) Trouver des acquéreurs : *Un ouvrage qui se vend difficilement. Un auteur qui se vend bien* (= qui a un gros succès de librairie). — 3° (sujet nom de personne) *Se vendre à quelqu'un,* lui donner tout pouvoir physique et moral sur soi; aliéner sa liberté : *Les « collaborateurs » s'étaient vendus à l'occupant.* ◆ **vendu, e** adj. Se dit d'une personne qui se laisse acheter, qui se livre pour de l'argent : *Juge vendu* (syn. : VÉNAL ; contr. : INTÈGRE). ◆ **vendu** n. m. Personne sans honneur, corrompue (surtout comme injure) : *Espèce de vendu! Un parti de vendus* (= lâches, traîtres). ◆ **vendable** adj. Facile à écouler : *Un produit peu, très vendable* (contr. : INVENDABLE). ◆ **vendeur, euse** n. Personne dont la profession est de vendre, en particulier dans un magasin : *Vendeuse de grands magasins* (syn. : EMPLOYÉ). *Vendeur-démonstrateur. Demander un vendeur.* ◆ **vendeur** n. m. et adj. Personne qui cède ou a cédé quelque chose contre de l'argent : *Vendeur de bonne foi* (contr. : ACQUÉREUR, ACHETEUR). *Pays vendeur d'appareils électriques* (syn. : EXPORTATEUR). *Il voulait acheter mon terrain, mais je ne suis pas vendeur* (= disposé à vendre). [Le fém. VENDERESSE appartient à la langue jurid.] ◆ **vente** n. f. 1° Cession d'une chose moyennant un prix convenu : *Vente à tempérament, au comptant. Acte de vente. Vente par adjudication* (contr. : ACHAT). — 2° Écoulement des marchandises : *Magasin qui a de la vente* (syn. : DÉBIT). *Prix de vente. Chiffre des ventes. Avoir un pourcentage sur les ventes* (= sur les articles vendus). *S'occuper de la vente dans une affaire. Vente en série, en gros, au détail. Pousser à la vente.* — 3° Fait d'échanger une marchandise contre de l'argent : *Mettre en vente. Objet fabriqué pour la vente* (par oppos. à un usage interne, domestique, etc.). *La vente des livres est stationnaire* (syn. : COMMERCE). *Usine qui a plusieurs points de vente. Comptoirs de vente.* — 4° Réunion, occasionnelle ou non, où se rencontrent vendeurs et acheteurs : *Hôtel des ventes. Vente publique, vente aux enchères. Courir les ventes à la recherche de meubles anciens. Travailler pour une vente de charité, pour une vente paroissiale.* ◆ **invendu, e** adj. et n. m. Se dit d'un objet qui n'a pas trouvé d'acquéreur. ◆ **invendable** adj. Qui ne peut être vendu. ◆ **revendre** v. tr. Vendre ce qu'on a acheté : *Il achète des maisons pour les revendre. Acheter en gros pour revendre au détail.* ◆ **revente** n. f. : *La revente d'une propriété.* ◆ **revendeur, euse** n. Personne qui achète pour revendre : *Un revendeur de livres d'occasion* (= un bouquiniste), *de voitures. Un revendeur d'habits* (= un fripier), *de meubles* (= un brocanteur).

vendredi [vɑ̃drədi] n. m. V. SEMAINE.

venelle [vənɛl] n. f. Petite rue étroite : *Habiter dans une venelle* (syn. : RUELLE).

vénéneux, euse [venenø, -øz] adj. Se dit d'une plante, d'un aliment qui renferme un poison, qui peut intoxiquer : *Des champignons vénéneux.* (V. *venimeux* à VENIN.)

vénérable [venerabl] adj. Se dit d'une personne ou d'une chose que l'on doit respecter : *Un personnage vénérable* (syn. : RESPECTABLE). *Un âge vénérable* (syn. : GRAND, AVANCÉ). *Un lieu vénérable* (syn. : SACRÉ). ◆ **vénérer** v. tr. 1° *Vénérer quelqu'un,* lui marquer du respect et de l'affection : *Il vous vénère comme son bienfaiteur. Maître vénéré* (syn. : ESTIMÉ). — 2° *Vénérer quelque chose,* le considérer avec un grand respect : *Vénérer les convictions de ses ancêtres. Vénérer la religion* (syn. : RESPECTER). ◆ **vénération** n. f. 1° Respect religieux : *Image, statue qui est l'objet d'une grande vénération* (syn. : CULTE). — 2° Admiration mêlée d'affection : *Avoir de la vénération pour un écrivain, un compositeur. Traiter quelqu'un avec vénération* (syn. : CONSIDÉRATION, RÉVÉRENCE).

vénerie [venri] n. f. Art de chasser avec des chiens courants : *Traité de vénerie.* ◆ **veneur** n. m. Personne qui, à la chasse, dirige les chiens courants.

vénérien, enne [venerjɛ̃, -ɛn] adj. *Maladies vénériennes,* qui se communiquent par les rapports sexuels (blennorragie, syphilis, etc.).

venger [vɑ̃ʒe] v. tr. 1° *Venger quelque chose,* en tirer réparation : *Venger un affront, une injure* (syn. : SE LAVER DE). — 2° *Venger quelqu'un,* châtier celui qui l'a offensé : *Venger son père.* ‖ *Venger son honneur, son nom, sa famille,* réparer l'injure subie. ◆ ***se venger*** v. pr. 1° *Se venger de quelqu'un,* se faire justice en le châtiant : *Se venger d'un calomniateur.* — 2° *Se venger sur quelqu'un,* exercer sa vengeance sur lui. — 3° *Se venger de quelque chose,* se dédommager d'un affront, d'un préjudice : *Se venger d'un plagiat.* — 4° Prendre une compensation, une revanche : *Se venger d'un refus par une bassesse.* ◆ **vengeance** n. f. 1° Action de se dédommager d'un affront, d'un préjudice : *Tirer vengeance d'un affront. Agir par esprit de vengeance.* — 2° Mal que l'on fait à quelqu'un pour le châtier en retour : *Méditer une vengeance. C'est une petite vengeance.* ◆ **vengeur, eresse** n. Personne qui punit l'auteur d'un affront dont elle, ou quelqu'un d'autre, a été victime. ◆ adj. Qui sert ou concourt à la revanche, au dédommagement : *Un bras vengeur. Une lettre vengeresse.*

véniel, elle [venjɛl] adj. 1° *Péché véniel,* dans la théologie catholique, péché qui, en raison de sa moindre gravité, ne met pas fin à l'état de grâce (contr. : MORTEL). — 2° Se dit d'une faute qui n'est pas grave : *Ce petit oubli n'est qu'une faute vénielle* (syn. : PARDONNABLE, LÉGER ; contr. : GRAVE).

venin [vənɛ̃] n. m. 1° Substance toxique sécrétée par certains animaux, et qui peut être injectée par piqûre ou par morsure, à l'homme ou à d'autres animaux : *Le venin de la vipère. Injecter un sérum pour lutter contre un venin.* — 2° Méchanceté d'une personne, attitude malveillante : *Conduite, paroles pleines de venin* (syn. : FIEL). *Répandre son venin contre quelqu'un* (syn. : PERFIDIE). ◆ **venimeux, euse** adj. 1° Qui a ou qui contient du venin : *Serpent venimeux. Piqûre venimeuse.* — 2° Méchant, haineux : *Langue venimeuse* (syn. : EMPOISONNÉ, DE VIPÈRE). *Jeter un regard venimeux à quelqu'un* (syn. : PERFIDE).

venir [vənir] v. intr. (conj. 22). 1° (sujet nom d'être animé ou de véhicule) Se rendre, aller jusqu'à un certain point où se trouve le locuteur ou l'interlocuteur : *Quand vous passerez dans la région, ne manquez pas de venir me voir. J'irai d'abord chez* *lui, ensuite je viendrai chez vous. Il ne vient jamais à nos réunions. Es-tu venu par la route ou par le train? Il a de la fièvre : il faut faire venir le médecin. Les camions ne peuvent pas venir jusqu'ici;* et impers. : *Il vient beaucoup de touristes dans cette région.* ‖ Fam. *Voir venir quelqu'un,* deviner ses intentions. — **2°** (sujet nom de chose) Atteindre un certain niveau, une certaine limite : *L'eau nous venait au genou* (syn. : MONTER). *La propriété du voisin vient jusqu'à cette borne* (syn. : S'ÉTENDRE). — **3°** (sujet nom de plante) Pousser, croître : *Dans ces régions, le seigle vient mieux que le blé.* — **4°** (sujet nom de chose, désignant généralement un événement) Se produire, avoir lieu : *Une maladie qui vient bien mal à propos* (syn. : SURVENIR). *La nuit vient très vite dans ces montagnes* (syn. : ARRIVER). *Le moment est venu de s'occuper sérieusement de l'affaire.* ‖ *Venir à quelqu'un,* apparaître, se manifester en lui : *Des rougeurs lui sont venues sur tout le corps. Une idée m'est venue soudain;* et impers. : *Il lui vient des boutons. Il me vient l'envie de tout abandonner.* ‖ *Voir venir les choses, voir venir,* laisser aux événements, aux choses le temps de se produire, rester dans l'expectative. ‖ *Laisser venir,* attendre les événements, ne rien faire. — **5°** (sujet nom d'être animé ou nom de chose) *Venir de* (et un nom), indique le lieu de provenance : *Des touristes qui viennent d'Angleterre. Le train qui entre en gare vient de Bordeaux. Du coton qui vient d'Egypte;* indique l'origine, la cause : *Un mot qui vient du latin. Une rumeur qui vient d'une source autorisée* (syn. : PROVENIR). *Cette erreur vient de la précipitation avec laquelle vous avez agi. D'où vient qu'on ne s'en soit pas aperçu?* (= comment se fait-il?). — **6°** *Venir de* (au présent ou à l'imparfait, suivi d'un infin.), exprime le passé récent : *Je viens de recevoir de ses nouvelles. Quand je suis arrivé, il venait de partir. Un livre qui vient de paraître.* — **7°** *Venir à* (et l'infin.), souligne une éventualité : *Si je venais à disparaître, voici mon remplaçant* (= s'il arrivait que je meure). *S'il vient à pleuvoir, vous fermerez la fenêtre.* — **8°** *En venir à* (et un nom ou l'infin.), indique le point extrême, le degré le plus grave d'une évolution : *Venez-en à votre conclusion. Après bien des hésitations, j'en suis venu à la conviction que le meilleur parti était de se taire. J'en viens à croire qu'il nous a délibérément menti. Dans ses accès de colère, il en vient à insulter ses meilleurs amis. Où voulez-vous en venir?* (= à quoi tendent finalement vos propos, vos actes?). ‖ *En venir aux mains,* finir par se battre. • LOC. ADJ. *A venir,* futur, qui apparaîtra plus tard : *C'est une perspective assez sombre pour les années à venir. Se préoccuper du sort des générations à venir.* ◆ **venant** n. m. **1°** *A tout venant,* à n'importe qui, à tout le monde : *Il raconte son histoire à tout venant.* — **2°** *Tout-venant* n. m., v. à son ordre alphab. ◆ **venu, e** adj. *Bien venu, mal venu,* se dit de ce qui est réussi ou manqué, de ce qui arrive bien ou mal à propos. ‖ *Etre mal venu à faire, à dire quelque chose,* être peu qualifié pour cela : *Vous êtes mal venu à protester : c'est vous qui avez tout décidé.* ◆ n. *Le premier venu,* n'importe qui. ‖ *Un nouveau venu, une nouvelle venue,* une personne nouvellement arrivée; et adjectiv. : *Les locataires nouveau venus dans l'appartement d'à côté.* ◆ **venue** n. f. **1°** Arrivée, manifestation : *Attendre la venue d'un invité. La venue du printemps était proche. La venue au monde d'un enfant* (= sa naissance). — **2°** *D'une belle, d'une bonne, d'une seule venue,* indique la manière dont une plante pousse, dont une action s'opère : *Des arbres d'une belle venue. Ecrire dix pages d'une seule venue* (syn. : D'UN SEUL JET). — **3°** *Allées et venues,* V. ALLÉES 2.

vénitien, enne [venisjɛ̃, -ɛn] adj. *Blond vénitien,* blond tirant sur le roux. ‖ *Lanterne vénitienne,* lampion de papier. ‖ *Store vénitien,* store à lamelles mobiles.

vent [vɑ̃] n. m. **1°** Mouvement de l'air, dû à des différences de pression, qui a une certaine force et une direction donnée : *Vent du nord. Le vent souffle depuis dix jours. Volets arrachés par le vent. Etre battu, secoué par le vent.* ‖ *La rose des vents,* étoile dont les divisions correspondent aux aires des différents vents sur le cadran de la boussole. ‖ *Naviguer sous le vent,* dans la direction contraire à celle du vent. ‖ *Avoir le vent debout,* naviguer contre le vent. ‖ *Avoir le vent arrière, en poupe,* être dans le sens du vent. — **2°** Souffle de différentes origines : *Agiter un carton pour faire du vent* (syn. : AIR). *Faire du vent sur le feu avec un soufflet. Lâcher un vent* (= un gaz intestinal; syn. : FLATULENCE; pop. : PET). ‖ *Instruments à vent,* instruments de musique dont le son est produit par le souffle, à l'aide soit d'une anche, soit d'une embouchure. — **3°** Tendance, mouvement : *Le vent est à l'optimisme* (syn. : COURANT). *Un vent de révolte* (syn. : SOUFFLE). ‖ Fam. *Etre dans le vent,* suivre la mode, être dans la tendance générale de son époque. ‖ *Prendre le vent, observer d'où vient le vent,* voir la tournure que prennent les événements. ‖ *Avoir le vent en poupe,* être favorisé par des influences diverses, par les circonstances, etc. ‖ *Le vent tourne,* la situation change de face. — **4°** *C'est du vent,* ce sont de vaines paroles, de vains projets. ‖ *Avoir vent d'une nouvelle,* en être plus ou moins informé. ‖ *Quel bon vent vous amène?,* qu'est-ce qui nous vaut le plaisir de vous voir? ‖ *Contre vents et marées,* en dépit de tous les obstacles. ‖ *Coiffé en coup de vent,* n'importe comment. ‖ *Passer en coup de vent,* très rapidement. ‖ *Autant en emporte le vent,* il n'en restera rien. ‖ *Marcher le nez au vent,* faire le badaud. ‖ *Tourner à tous les vents,* être instable. ‖ *Rapide comme le vent,* très rapide. ‖ Fam. *Avoir du vent dans les voiles,* être un peu ivre, ne pas marcher droit. ◆ **venter** v. impers. *Il vente,* il fait du vent. ◆ **venté, e** adj. Battu par le vent : *Un endroit venté.* ◆ **venteux, euse** adj. Où il y a du vent : *Un pays très venteux.*

vente n. f. V. VENDRE.

1. ventiler [vɑ̃tile] v. tr. *Ventiler une pièce, un couloir,* etc., en renouveler l'air : *Ouvrir une fenêtre pour ventiler la chambre* (syn. : AÉRER). *Ventiler un tunnel.* ◆ **ventilation** n. f. Opération par laquelle l'air est brassé et renouvelé, notamment dans un local clos : *Assurer une bonne ventilation de l'atmosphère* (= renouvellement de l'air). ◆ **ventilateur** n. m. **1°** Appareil propre à brasser et à renouveler l'air dans un lieu clos : *Installer un ventilateur dans un magasin.* — **2°** Appareil ou machine produisant un courant d'air plus ou moins puissant : *Ventilateur à turbine.*

2. ventiler [vɑ̃tile] v. tr. *Ventiler une somme,* en répartir les éléments entre différents comptes ou différentes personnes : *Ventiler un budget.* ◆ **ventilation** n. f. *Ventilation des frais généraux d'une affaire.*

ventôse n. m. V. CALENDRIER RÉPUBLICAIN.

ventouse [vɑ̃tuz] n. f. 1° Ampoule de verre où l'on raréfie l'air et qu'on applique sur la peau d'un malade pour y produire une révulsion locale : *Poser des ventouses à un malade atteint de congestion.* — 2° Petite calotte de caoutchouc, qui peut s'appliquer sur une surface plane par la pression de l'air : *Un crochet à ventouse. Fléchettes à ventouse.* — 3° Organe de fixation de la sangsue et de quelques animaux aquatiques : *Le poulpe adhère à la peau par ses ventouses.* — 4° *Faire ventouse,* adhérer à une surface.

ventre [vɑ̃tr] n. m. 1° Partie antérieure et inférieure du tronc : *Rentrer le ventre. Avoir le ventre plat. Avoir, prendre du ventre. Se coucher à plat ventre* (= sur l'abdomen; contr. : SUR LE DOS). ‖ *Courir ventre à terre,* à toute vitesse. ‖ *Rire à ventre déboutonné,* à gorge déployée, sans se gêner. ‖ *Passer sur le ventre de quelqu'un,* le renverser; l'écarter, l'éliminer sans aucun scrupule. — 2° Estomac : *Avoir le ventre creux* (= n'avoir rien mangé). ‖ Fam. *Ne pas avoir la reconnaissance du ventre,* n'être pas reconnaissant à quelqu'un de la nourriture qu'on a reçue de lui. — 3° Intestin : *Avoir mal au ventre. Avoir le ventre paresseux.* — 4° Sein de la femme : *Au sortir du ventre de la mère.* — 5° *Fam.* Ce que l'homme a de plus profond, de plus secret : *Avoir quelque chose dans le ventre* (= avoir de l'énergie, de la volonté). *Chercher à savoir ce que quelqu'un a dans le ventre* (= ses intentions). *Donner, mettre du cœur au ventre à quelqu'un* (fam. = lui donner du courage). — 6° Partie creuse et renflée d'une chose, ou partie inférieure d'un objet : *Ventre d'une amphore, d'un bateau* (syn. : CAVITÉ). *Démonter un jouet pour voir ce qu'il a dans le ventre* (fam. = à l'intérieur). ◆ **ventral, e, aux** adj. Du ventre, de l'abdomen : *Face ventrale. Parachute ventral* (= que l'on porte sur le ventre; contr. : DORSAL). ◆ **ventru, e** adj. 1° Qui a un gros ventre : *Un poussah ventru.* — 2° Qui présente un renflement : *Une commode ventrue* (syn. : PANSU). ◆ **ventrée** n. f. *Pop.* Quantité abondante de nourriture : *Prendre une bonne ventrée de nouilles* (syn. : PLATÉE). ◆ **ventriloque** n. et adj. Personne qui parle sans remuer les lèvres et de telle sorte que les sons émis semblent provenir de son ventre. ◆ **ventriloquie** n. f. Art du ventriloque. ◆ **ventripotent, e** adj. *Fam.* Qui a un gros ventre : *Devenir ventripotent* (syn. : BEDONNANT, PANSU, OBÈSE). [V. ÉVENTRER.]

ventricule [vɑ̃trikyl] n. m. 1° Chacun des deux compartiments inférieurs du cœur : *Ventricule droit, gauche.* — 2° Chacune des quatre cavités de l'encéphale. ◆ **ventriculaire** adj. Relatif aux ventricules du cœur : *Parois ventriculaires.*

vénusté [venyste] n. f. Grâce, élégance (littér.) : *Vénusté d'une femme, d'une statue.*

vêpres [vɛpr] n. f. pl. Partie de l'office catholique célébrée dans l'après-midi : *Aller aux vêpres, à vêpres.*

ver [vɛr] n. m. 1° Nom donné à des animaux qui ont un corps mou et allongé, et sont dépourvus de pattes : *Cet enfant a des vers* (= des parasites intestinaux). *Ver solitaire* (= ténia). *Ver de terre.* — 2° Nom donné à certains insectes ou larves d'insectes au corps mou et allongé : *Ver luisant* (= luciole). *Ver à soie. Fruits pleins de vers. Meuble mangé aux vers.* — 3° Fam. *Avoir le ver solitaire,* avoir toujours faim. ‖ Fam. *Etre nu comme un ver,* sans aucun vêtement. ‖ Fam. *Tirer les vers du nez à quelqu'un,* le faire parler. ‖ *Se tordre, se tortiller comme un ver,* vivement et en tous sens. ◆ **véreux, euse** adj. Qui contient des vers : *Fruit véreux.* ◆ **vermiforme** adj. En forme de ver : *Animal vermiforme.* ◆ **vermifuge** adj. et n. m. Propre à provoquer l'expulsion des vers intestinaux : *Médicament vermifuge. Prendre un vermifuge.* ◆ **vermisseau** n. m. Petit ver, petite larve.

véracité [verasite] n. f. Conformité des propos avec la réalité : *Vérifier la véracité des déclarations du témoin. La véracité de ses dires.* (V. VÉRIDIQUE, VRAI.)

véranda [verɑ̃da] n. f. Galerie ou balcon couverts ou vitrés, en saillie d'une maison.

1. verbal, e, aux [vɛrbal, -bo] adj. 1° Qui est fait de vive voix, et non par écrit : *Accord verbal, convention verbale* (syn. : ORAL; contr. : ÉCRIT). *Arrangement verbal, promesse verbale.* — 2° Qui a rapport aux mots, qui concerne surtout les paroles : *Abondance verbale. Délire verbal.* — 3° *Location verbale,* location écrite, mais sans contrat. ‖ *Note verbale,* note écrite, mais non signée, remise par un agent diplomatique à un gouvernement étranger. ‖ *Rapport verbal,* communication dans une société savante, non suivie de discussion. ◆ **verbalement** adv. De vive voix : *Donner son accord verbalement à quelqu'un* (contr. : PAR ÉCRIT). ◆ **verbalisme** n. m. Tendance intellectuelle consistant à donner plus d'importance aux mots qu'aux idées : *Tomber dans le verbalisme.*

2. verbal, e, aux adj. V. VERBE 1.

verbaliser [vɛrbalize] v. intr. Dresser un procès-verbal : *Verbaliser contre un chasseur sans permis, contre un automobiliste.* ◆ **verbalisation** n. f. Action de dresser un procès verbal.

1. verbe [vɛrb] n. m. Mot appartenant à une catégorie grammaticale caractérisée par des désinences qui, par opposition les unes avec les autres, prennent une valeur de temps ou de mode : *Le verbe est avec le nom (ou le pronom) un des deux éléments essentiels de la phrase.* (V. tableau p. suiv., CLASSES GRAMMATICALES, PARTICIPE; pour les conjugaisons, v. Introduction.) ◆ **verbal, e, aux** adj. *Locution verbale,* groupe de mots formé d'un verbe et d'un nom, et qui se comporte comme un verbe : *Ainsi « faire grâce » est une locution verbale (« gracier » est un verbe).* ‖ *Adjectif verbal,* v. PARTICIPE. ◆ **déverbal, e, aux** adj. et n. m. Se dit d'une forme dérivée du verbe (ex. : *bond,* de *bondir*).

2. verbe [vɛrb] n. m. 1° Ton de voix : *Avoir le verbe haut* (= parler fort). — 2° Parole, expression de la pensée par les mots (littér.) : *La magie du verbe dans la poésie* (= des mots, de la phrase).

3. Verbe [vɛrb] n. m. (avec une majusc.). Dans la théologie catholique, la deuxième personne de la Trinité : *Le Verbe s'est fait chair.*

verbeux, euse [vɛrbø, -øz] adj. 1° Se dit d'une personne qui expose les choses en trop de paroles, trop de mots : *Un orateur verbeux* (syn. : BAVARD, PROLIXE; contr. : CONCIS). — 2° Se dit de ce qui contient trop de mots : *Un commentaire verbeux* (syn. : REDONDANT; contr. : DENSE). *Un style verbeux.* ◆ **verbosité** n. f. Abus de mots, de paroles : *La verbosité d'un article, d'un conférencier* (contr. : DENSITÉ).

VERBE

FORME OU VOIX	SENS OU FONCTION		EXEMPLES
actif Se dit d'un verbe qui présente un système de formes simples au présent, à l'imparfait, au passé simple et au futur de l'indicatif, au présent du conditionnel, au présent et à l'imparfait du subjonctif, à l'impératif, au participe et à l'infinitif présents, et un système de formes composées, avec *avoir* ou *être,* au passé composé, au passé antérieur, au plus-que-parfait, au futur antérieur de l'indicatif, aux passés du conditionnel, au subjonctif parfait et plus-que-parfait, à l'infinitif et au participe passés. (Les verbes *transitifs* sont toujours conjugués avec *avoir,* les verbes *intransitifs* avec *avoir* ou *être.*)	**transitif** (admet un complément d'objet)	**direct** (objet direct)	*Écouter la radio. Allumer le gaz. Lire un livre. Fermer la porte. Prendre l'autobus. Pousser un cri.*
		indirect (objet indirect)	*Obéir à la loi. Pardonner à un adversaire. Nuire à un ennemi. Hériter de son oncle.*
	transitif employé **intransitivement** ou **absolument** (admet en général un complément d'objet, mais peut être employé sans celui-ci)		*« Que fait-il en ce moment? — Il lit. » Vous devriez cesser de fumer, de boire.*
	intransitif (n'admet pas de complément d'objet)		*Il marche. Il est venu. J'arrive à Paris* (compl. de lieu). *Il devient habile* (attribut).
	intransitif employé **transitivement** (n'admet généralement pas de complément d'objet, mais peut être employé avec celui-ci)		*Descendre un avion. Courir un risque. Monte la valise jusqu'ici. Tomber la veste* (fam.).
passif Se dit d'un verbe transitif qui présente les systèmes de formes composées avec *être* au présent, à l'imparfait, au passé simple, au futur de l'indicatif, au conditionnel, au présent et à l'imparfait du subjonctif, au présent de l'infinitif, du participe et de l'impératif. (Les formes composées comportent un double auxiliaire : *avoir* + *être.*)	Se caractérise, par rapport au transitif actif, par une permutation entre l'objet (devenant *sujet*) et le sujet (devenant *complément d'agent*).		*Il est blessé par votre reproche* (= votre reproche le blesse). *La branche est cassée par le vent* (= le vent casse la branche). *Il a été effrayé par les cris* (= les cris l'ont effrayé).
pronominal Se dit d'un verbe qui présente un système de formes où un pronom, dit *réfléchi,* placé avant la forme verbale et après le sujet, répète la personne de ce sujet. (Les formes composées comportent l'auxiliaire *être.*)	**réfléchi** (où le pronom dit *réfléchi* remplit la même fonction que l'objet direct du verbe actif transitif ou que la détermination de cet objet direct [*pronominaux transitifs directs* ou *indirects*])		*Il se lave. Je me blesse à la main. Tu te prends la tête à deux mains* (= tu prends ta tête).
	réciproque (où le pronom complément, de la même personne que le pronom sujet, peut, aux trois personnes du pluriel, être complété par *les uns les autres* ou *l'un l'autre* [*pronominaux transitifs directs* ou *indirects*])		*Ils se regardaient sans rire (l'un l'autre). Vous vous êtes battus encore entre vous. Nous nous sommes écrit de longues lettres.*
	spécifique (où le pronom complément ne remplit pas d'autre fonction que de créer une forme qui s'oppose à la forme active, ou existe même en l'absence de forme active; la valeur de cette forme peut être passive, intransitive ou même transitive). [On appelle aussi ces verbes *pronominaux proprement dits* ou *essentiellement pronominaux.*]		*Je ne me suis aperçu de rien* (valeur transitive). *Il s'est trouvé sans appui* (valeur intransitive). *Il se contente de t'approuver. L'avion s'abîme dans les flots* (valeur intransitive). *Les légumes se vendent cher* (valeur passive). *Cela se voit parfois* (valeur passive).

verbiage [vɛrbjaʒ] n. m. Abondance de paroles, de mots, aux dépens du sens : *Il n'y a que du verbiage dans ce discours* (syn. : BAVARDAGE, REMPLISSAGE).

verdâtre adj. V. VERT 1; **verdeur** n. f. V. VERT 2 et 3.

verdict [vɛrdikt] n. m. **1°** Déclaration par laquelle le jury répond, après délibération, aux questions posées par la cour : *Prononcer un verdict d'acquittement.* — **2°** Jugement rendu sur un sujet quelconque : *Quel est votre verdict?* (syn. : AVIS, JUGEMENT, OPINION). *Attendre le verdict du médecin* (syn. : DIAGNOSTIC, DÉCISION).

verdissage n. m., **verdissement** n. m., **verdoiement** n. m., **verdoyant, e** adj., **verdoyer** v. intr. V. VERT 1.

verduniser [vɛrdynize] v. tr. *Verduniser de l'eau,* la rendre potable par addition d'eau de Javel en faible quantité. ◆ **verdunisation** n. f. : *La verdunisation de l'eau de consommation.*

verdure n. f. V. VERT 1.

1. véreux, euse adj. V. VER.

2. véreux, euse [verø, -øz] adj. **1°** Se dit d'une chose louche, suspecte : *Une affaire véreuse* (syn. : DOUTEUX). *Spéculation véreuse.* — **2°** Se dit d'une personne malhonnête : *Un banquier, un homme d'affaires véreux.*

1. verge [vɛrʒ] n. f. Baguette de bois : *Une verge de coudrier.*

2. verge [vɛrʒ] n. f. Membre viril.

vergé, e [vɛrʒe] adj. *Papier vergé,* papier dont le filigrane garde des raies, dues aux procédés de la fabrication à la main.

verger [vɛrʒe] n. m. Lieu planté d'arbres fruitiers : *Des fruits de notre verger* (syn. : JARDIN). *Le Val de Loire est un immense verger, le verger de la France* (= réserve de fruits).

vergeté, e [vɛrʒəte] adj. Se dit d'une peau marquée de taches, de raies : *Un visage vergeté.* ◆ **vergetures** n. f. pl. Raies semblables à des cicatrices, situées sur le ventre ou les seins et provenant de la distension de la peau pendant la grossesse ou l'allaitement.

verglas [vɛrglɑ] n. m. Couche de glace mince sur le sol, due à la congélation de l'eau, du brouillard : *Rouler prudemment à cause du verglas.* ◆ **verglacé, e** adj. Couvert de verglas : *Route verglacée.* ◆ **verglacer** v. impers. : *Il verglace aujourd'hui* (= il fait du verglas).

vergogne [vɛrgɔɲ] n. f. *Sans vergogne,* sans honte, sans pudeur, sans scrupule : *Mentir sans vergogne* (= effrontément).

vergue [vɛrg] n. f. Longue pièce de bois placée en travers d'un mât, et destinée à soutenir la voile.

véridique [veridik] adj. Se dit d'une personne qui exprime la vérité, ou d'une chose conforme à la vérité : *Témoin véridique. Récit véridique* (syn. : VRAI, FIDÈLE; contr. : MENSONGER). ◆ **véridiquement** adv. : *Des propos véridiquement rapportés.* (V. VRAI.)

vérifier [verifje] v. tr. 1° (sujet nom de personne) *Vérifier quelque chose,* chercher à en contrôler l'exactitude : *Vérifier une adresse sur son agenda. Vérifier des comptes.* — 2° Admettre, reconnaître une chose pour vraie : *J'ai vérifié les renseignements donnés dans son livre.* — 3° (sujet nom de chose) Prouver, corroborer : *L'événement a vérifié vos craintes* (syn. : CONFIRMER; contr. : INFIRMER). ◆ ***se vérifier*** v. pr. Se réaliser, se révéler juste : *Vos pronostics se vérifient.* ◆ **vérifiable** adj. Qui peut être contrôlé ou prouvé : *Dans l'état actuel de nos connaissances, cette hypothèse n'est pas vérifiable.* ◆ **vérification** n. f. 1° Action de vérifier : *Une vérification s'impose* (syn. : CONTRÔLE, EXAMEN). *Vérification de comptes* (syn. : EXPERTISE). *Travail de vérification.* — 2° Expérience ou observation qui, dans les sciences, confirme une loi énoncée par induction : *Vérification d'une hypothèse.* ◆ **vérificateur, trice** adj. et n. Qui contrôle l'exactitude d'une chose : *Comptable vérificateur.* ◆ **vérificatif, ive** adj. Qui sert de vérification : *Contrôle vérificatif.* ◆ **invérifiable** adj. : *Une hypothèse invérifiable.*

vérin [verɛ̃] n. m. Appareil de levage pour soulever ou abaisser progressivement de lourds fardeaux : *Vérin à vis. Vérin hydraulique.*

véritable [veritabl] adj. 1° (avant ou après le nom) Se dit d'une personne, d'une chose qui existe vraiment, qui est réelle : *Il circulait sous le nom de Dupont, mais son véritable nom était Ducroc* (syn. : VRAI; contr. : D'EMPRUNT, FAUX). *La véritable identité du malfaiteur était inconnue. Il s'est montré sous son jour véritable* (= l'aspect qui correspond à sa nature profonde). — 2° (souvent avant le nom) Se dit d'une personne, d'une chose qui est réellement ce qu'elle paraît être, dont le nom est bien celui qui convient : *C'est un véritable ami. Il fumait une pipe en véritable bruyère. Il avait trouvé dans la philosophie sa véritable vocation. Il avait trouvé avec elle le véritable bonheur* (syn. : VRAI). — 3° (le plus souvent avant le nom) S'emploie pour introduire une précision dont on veut montrer la parfaite exactitude, la vérité : *Il allait à l'école, mais son professeur véritable était son frère* (= en réalité). *Vous allez faire une véritable folie* (syn. : VRAI). *Ecrire ce livre a représenté pour lui une véritable gageure.* ◆ **véritablement** adv. : *Les acteurs mangeaient véritablement sur la scène* (syn. : VRAIMENT). *Ce qu'il dit est véritablement extraordinaire* (syn. : RÉELLEMENT, ABSOLUMENT).

vérité [verite] n. f. 1° Caractère d'une chose vraie : *La vérité de ses paroles m'apparut tout à coup* (syn. : EXACTITUDE, SINCÉRITÉ, AUTHENTICITÉ; contr. : FAUSSETÉ). *J'ai constaté la vérité d'un vieux proverbe. La vérité des faits historiques* (= leur caractère authentique, indubitable). ‖ *Vérité historique,* certitude qu'un fait s'est bien passé comme l'historien le décrit. ‖ *Vérité matérielle d'un fait,* la conformité de son existence, de son déroulement, etc., avec la réalité, avec les autres faits réels. — 2° Caractère d'une connaissance, d'une information, etc., qui est conforme à la réalité : *Chercher la vérité. Jurez de dire toute la vérité* (= tout ce que vous savez être vrai). *Déguiser la vérité* (littér.). *Etre en dehors de la vérité* (= parler, agir de façon contraire à ce qui existe, à ce qui s'est produit réellement). — 3° (surtout au plur.) Idée ou proposition à laquelle tout le monde est invité à croire : *Les vérités premières* (= fondamentales). *Il y a dans tout ceci une vérité cachée* (= une leçon profonde de sagesse, de philosophie, etc.). ‖ *Dire des vérités premières,* dire des banalités (ironiq.). ‖ Fam. *Dire à quelqu'un ses quatre vérités,* lui parler avec une franchise brutale, lui dire ouvertement ce qu'on lui reproche. — 4° Caractère profond de quelqu'un : *Un acteur qui s'interroge sur la vérité de son personnage.* ● Loc. ADV. *En vérité,* sert à renforcer une affirmation (littér.) : *En vérité, je vous le dis.* ‖ *En vérité, à la vérité,* sert à introduire une restriction : *Ce n'est pas un mauvais garçon, mais, à la vérité, il manque un peu de courage.* ◆ **contre-vérité** n. f. Affirmation contraire à la vérité : *Les avocats de la défense ont relevé plusieurs contre-vérités dans la déclaration du témoin* (syn. : MENSONGE, ERREUR). [V. VÉRITABLE, VRAI.]

verjus [vɛrʒy] n. m. Suc acide extrait du raisin cueilli vert. ◆ **verjuté, e** adj. : *Sauce verjutée* (= préparée au verjus). *Vin blanc verjuté* (= acide comme du verjus).

1. vermeil, eille [vɛrmɛj] adj. D'un rouge vif : *Teint vermeil. Lèvres vermeilles. Fruit vermeil.*

2. vermeil [vɛrmɛj] n. m. Argent recouvert d'or : *Cuiller en vermeil.*

vermicelle [vɛrmisɛl] n. m. Pâte à potage en fils très fins. ◆ **vermicelier** n. m. Fabricant de vermicelle. ◆ **vermicellerie** n. f. Fabrique de vermicelle.

vermiculaire [vɛrmikylɛr] adj. m. *Appendice vermiculaire,* appendice de l'intestin, qui a la forme d'un petit ver.

vermiforme adj., **vermifuge** adj. et n. m. V. VER.

vermillon [vɛrmijɔ̃] n. m. Rouge vif tirant sur l'orangé : *Le vermillon des lèvres, des joues.* ◆ adj. m. invar. : *Des rubans vermillon.*

vermine [vɛrmin] n. f. **1°** Insectes parasites de l'homme et des animaux (puces, poux, punaises, etc.) : *Un clochard couvert de vermine. Secouer sa vermine.* — **2°** *Péjor.* Individus vils, inutiles ou néfastes : *Toute une vermine humaine* (syn. : PÈGRE, RACAILLE).

vermisseau n. m. V. VER.

vermoulu, e [vɛrmuly] adj. Se dit du bois mangé par les larves d'insectes : *Un meuble vermoulu* (syn. : PIQUÉ). ◆ **vermouler (se)** v. pr. : *Cette armoire commence à se vermouler.* ◆ **vermoulure** n. f. Etat d'un bois vermoulu.

vermouth [vɛrmut] n. m. Apéritif à base de vin aromatisé avec des plantes amères et toniques.

vernaculaire [vɛrnakylɛr] adj. *Langue vernaculaire,* langue indigène, propre au pays.

vernal, e, aux [vɛrnal, -no] adj. Du printemps (littér.) : *La floraison vernale.*

vernis [vɛrni] n. m. **1°** Enduit composé d'une matière résineuse, que l'on applique sur certains objets pour les protéger. ‖ *Vernis à ongles,* préparation employée pour donner du brillant aux ongles. — **2°** Apparence séduisante, brillant superficiel : *Avoir, acquérir un vernis de culture, d'éducation* (syn. : TEINTURE). *Ne rien trouver chez quelqu'un, quand on a gratté le vernis. N'avoir que du vernis* (syn. : APPARENCE, BRILLANT, DEHORS; contr. : FOND). ◆ **vernir** v. tr. Enduire de vernis : *Vernir un tableau.* ◆ **verni, e** adj. **1°** Enduit de vernis : *Meubles en bois verni.* — **2°** *Fam.* Se dit de quelqu'un qui a de la chance : *Il a gagné à une loterie, il est verni* (syn. fam. : VEINARD). ◆ **vernisser** v. tr. Enduire de vernis une poterie, une faïence : *Vernisser un bol.* ◆ **vernissé, e** adj. **1°** Enduit de vernis : *Poterie vernissée.* — **2°** Se dit d'une surface semblable à une surface enduite de vernis : *Feuille vernissée* (syn. : BRILLANT). ◆ **vernissage** n. m. **1°** Action de vernir ou de vernisser : *Le vernissage d'un tableau, d'une faïence.* — **2°** Inauguration privée d'une exposition de peintures, où ne sont admis que les invités, avant le jour de l'ouverture au public. ◆ **dévernir** v. tr. : *Les intempéries ont déverni la table.*

vérole [verɔl] n. f. **1°** *Vérole* ou *petite vérole,* syn. de VARIOLE : *Avoir la figure marquée par la petite vérole.* — **2°** *Pop.* Syphilis.

véronique [verɔnik] n. f. Plante herbacée, commune dans les bois et les prés : *Un bouquet de petites véroniques bleues.*

verrat [vɛra] n. m. Porc mâle, apte à la reproduction.

verre [vɛr] n. m. **1°** Corps solide, transparent et fragile, résultant de la fusion d'un sable siliceux et de carbonate de sodium ou de potassium : *Pâte de verre. Verre moulé, dépoli. Verre Pyrex. Verre à vitre. Papier de verre. Cela se casse comme du verre* (= c'est très fragile). ‖ *Maison de verre,* où tout se sait, où rien ne reste secret. — **2°** Récipient en verre, pour boire : *Une douzaine de verres. Verre à pied, à liqueur.* — **3°** Contenu de ce récipient : *Vous prendrez bien un verre de porto? Boire un verre.* — **4°** Lentille de verre taillée spécialement pour corriger les défauts de la vue : *Verres de myope, de presbyte. Verres de lunettes. Verres fumés. Porter des verres* (syn. : LUNETTES). *Verres de contact* (= appliqués directement contre le globe oculaire). ◆ **verrerie** n. f. **1°** Fabrique de verre; usine où l'on travaille le verre. — **2°** Fabrication d'objets en verre : *Un travail délicat de verrerie.* — **3°** Objets en verre : *Rayon de verrerie.* ◆ **verrier** n. m. Celui qui fabrique le verre, ou des objets en verre. ◆ **verrière** n. f. **1°** Grande ouverture ornée de vitraux : *La verrière du transept d'une église.* — **2°** Toit ou parois vitrés (syn. : MARQUISE). ◆ **verroterie** n. f. Petits ouvrages de verre coloré : *Un collier de verroterie* (syn. : BIMBELOTERIE).

verrou [vɛru] n. m. **1°** Appareil de fermeture, composé principalement d'une pièce de métal allongée, qui coulisse horizontalement ou verticalement dans une gâche : *Pousser un verrou. Verrou de sûreté. S'enfermer au verrou. Mettre, être sous les verrous* (= en prison). — **2°** Dispositif de fermeture d'une culasse d'arme à feu. ◆ **verrouiller** v. tr. **1°** Fermer avec un verrou : *Verrouiller une porte* (syn. : BARRICADER, CADENASSER). — **2°** Bloquer, rendre impraticable : *L'armée a verrouillé une brèche* (= a fermé le passage). ◆ **se verrouiller** v. pr. S'enfermer : *Se verrouiller chez soi* (syn. : SE BARRICADER). ◆ **verrouillage** n. m. **1°** Action de fermer un verrou, ou de fermer une porte au verrou. — **2°** *Verrouillage d'une arme,* opération qui, avant le départ du coup, rend la culasse solidaire de l'arrière du canon. — **3°** Opération militaire qui consiste à interdire le passage sur un point (syn. : BOUCLAGE). ◆ **déverrouiller** v. tr. : *Déverrouiller une porte, un fusil.* ◆ **déverrouillage** n. m.

verrue [very] n. f. **1°** Petite excroissance de la peau. — **2°** Ce qui enlaidit : *Les îlots insalubres sont des verrues à faire disparaître.*

1. vers [vɛr] n. m. **1°** Unité formée par un ou plusieurs mots, obéissant à des règles de rythme, de longueur, de rime, à l'intérieur d'un ensemble : *Ecrire des vers. Vers classiques. Conte en vers. Vers blancs* (= vers non rimés). *Vers libres* (= vers de différentes mesures). — **2°** (le plus souvent au plur.) Poésie : *Aimer les vers. Vers de jeunesse. Vers et prose.* ◆ **versifier** v. intr. et tr. Ecrire en vers : *Etre habile à versifier* (syn. : RIMER). *La Fontaine a versifié des contes.* ◆ **versification** n. f. Technique des vers : *Etudier la versification* (syn. : PROSODIE). ◆ **versificateur** n. m. **1°** Ecrivain qui fait une œuvre en vers. — **2°** *Péjor.* Personne qui fait des vers en s'intéressant presque exclusivement à la technique : *Un habile versificateur* (syn. péjor. : RIMAILLEUR). ◆ **vers-librisme** n. m. Ecole des poètes partisans du vers libre : *Les symbolistes ont fondé le vers-librisme.* ◆ **vers-libriste** adj. et n. : *Un poète vers-libriste. L'école vers-libriste. Les vers-libristes.*

2. vers [vɛr] prép. **1°** Suivi d'un substantif désignant un lieu, indique la direction prise : *Descendez vers la Seine et vous trouverez cette rue à votre droite. Aller vers Paris. Les voitures se dirigent vers Dijon.* — **2°** Suivi d'un substantif exprimant un moment du temps ou un endroit de l'espace parcouru, indique une approximation : *Je rentrerai vers les deux heures de l'après-midi* (= sur les deux heures, à deux heures environ). *Vers minuit, on entendit du bruit à la porte du jardin. On s'aperçut vers Orléans qu'on avait oublié d'emporter les couvertures* (fam.; syn. : DU CÔTÉ DE).

versant [vɛrsɑ̃] n. m. Chacune des deux pentes qui limitent une vallée : *Versant abrupt. Versant en pente douce.*

versatile [vɛrsatil] adj. Se dit d'une personne sujette à changer brusquement de parti : *Caractère versatile* (syn. : CHANGEANT, CAPRICIEUX, INCONSTANT; contr. : CONSTANT, PERSÉVÉRANT). ◆ **versatilité** n. f. : *Versatilité d'un enfant, de la foule* (syn. : MOBILITÉ, INCONSTANCE; contr. : OPINIÂTRETÉ, OBSTINATION, ENTÊTEMENT).

verse (à) [avɛrs] loc. adv. *Pleuvoir à verse, il pleut à verse, il pleuvait à verse,* etc., pleuvoir, il pleut, il pleuvait abondamment.

versé, e [vɛrse] adj. *Versé dans,* se dit de quelqu'un qui est expérimenté dans une matière, qui a une longue pratique de quelque chose : *Etre très versé dans l'histoire ancienne* (syn. : FORT, SAVANT; fam. : CALÉ).

1. verser [vɛrse] v. tr. Faire basculer; coucher sur le sol : *Le chauffeur nous a versés dans le fossé* (syn. : RENVERSER, BASCULER, CHAVIRER, CULBUTER). *L'orage a versé les blés.* ◆ v. intr. Se renverser, basculer : *Nous avons déjà versé une fois en voiture* (syn. : CAPOTER). ◆ **versoir** n. m. Partie de la charrue qui jette la terre de côté : *Charrue à deux versoirs* (syn. : OREILLE).

2. verser [vɛrse] v. tr. **1°** Faire couler un liquide, des grains, etc. : *Verser de l'eau dans une casserole. Verser le café dans les tasses. Verser à boire* (syn. : SERVIR). *Verser du vin* (syn. : OFFRIR). *Verser des lentilles dans un bocal* (syn. : METTRE, TRANSVASER). — **2°** *Verser des larmes,* pleurer (littér.). ‖ *Verser son sang,* se faire blesser ou tuer (littér.). ‖ *Verser le sang de quelqu'un,* le tuer (littér.; syn. : RÉPANDRE). ◆ **verseur, euse** adj. et n. m. Qui sert à faire couler un liquide : *Carafe à bec verseur.* ◆ **verseuse** n. f. Récipient à bec ou à goulot, muni d'une anse ou d'une poignée, et utilisé pour servir des boissons chaudes.

3. verser [vɛrse] v. intr. *Verser dans une opinion, dans une pratique,* etc., adopter plus ou moins cette opinion, s'adonner à cette pratique, etc. : *Je verse tout à fait dans vos idées* (syn. : DONNER). *Il a tendance à verser dans la paraphrase* (syn. : TOMBER).

4. verser [vɛrse] v. tr. **1°** Remettre de l'argent à un organisme ou à une personne : *Verser une somme au trésorier, par chèque. Verser un dépôt.* — **2°** S'acquitter d'une somme que l'on doit : *Les traitements sont versés le 28 du mois environ* (syn. : PAYER). *Verser des arrhes* (syn. : DONNER). *Verser une indemnité* (contr. : PERCEVOIR). *Verser des intérêts pour une somme empruntée.* — **3°** Faire une opération financière : *Verser une somme à un compte.* ◆ **versement** n. m. : *Payer par versements échelonnés sur dix-huit mois* (syn. : PAIEMENT, REMBOURSEMENT). *Tout versement d'un compte postal à un autre est effectué sans frais.*

verset [vɛrsɛ] n. m. **1°** Phrase ou petit paragraphe numérotés, dans la Bible et les textes sacrés : *Un verset de la Genèse.* — **2°** Phrase ou suite de phrases rythmées d'une seule respiration, considérée comme l'unité d'un ensemble, le poème.

versicolore [vɛrsikɔlɔr] adj. Se dit de ce qui a une couleur changeante ou plusieurs couleurs : *Fleur versicolore.*

versificateur n. m., **versification** n. f., **versifier** v. intr. V. VERS 1.

version [vɛrsjɔ̃] n. f. **1°** Traduction d'un texte ancien ou étranger dans la langue du sujet qui traduit : *Lire la Bible dans la version des Septante. Exercice de version* (contr. : THÈME). *Version latine, anglaise* (= texte latin, anglais à traduire). *Etre fort en version.* — **2°** Etat d'un texte, d'une œuvre qui subit des modifications : *Etudier les versions successives d'une œuvre de Flaubert* (syn. : LEÇON, VARIANTE). — **3°** Manière de faire un récit, de rapporter un fait : *J'ai eu trois versions de l'accident : celle du chauffeur, celle du passager et celle d'un passant* (syn. : RÉCIT, NARRATION). — **4°** *Film en version originale,* présentation d'un film étranger où le dialogue n'est pas traduit et où les acteurs ne sont pas doublés.

verso [vɛrso] n. m. Revers d'un feuillet : *Ne rien écrire sur le verso* (contr. : RECTO).

versoir n. m. V. VERSER 1.

1. vert, e [vɛr, vɛrt] adj. **1°** Se dit d'une couleur située entre le bleu et le jaune dans le spectre, et que l'on peut reproduire par la combinaison du bleu et du jaune : *Les feuilles vertes des arbres. Porter une robe verte. L'eau verte d'un étang. Avoir les yeux verts. Etre vert de peur* (= avoir très peur). — **2°** *Feu vert,* signal qui indique que la voie est libre, et, de façon générale, possibilité d'agir. ◆ **vert** n. m. Couleur verte : *Aimer le vert. Vert pomme. Vert bouteille.* ◆ **verdâtre** adj. Qui tire sur le vert, qui est d'un vert trouble : *Teint verdâtre* (syn. : OLIVÂTRE). ◆ **verdir** v. intr. Devenir vert, tourner au vert : *Couleur bleue qui verdit.* ◆ v. tr. Rendre vert : *La lumière verdit les feuilles.* ◆ **verdissage** n. m. Action de donner la teinte verte. ◆ **verdissement** n. m. Etat de ce qui verdit. ◆ **verdoyer** v. intr. Devenir vert : *La campagne verdoie.* ◆ **verdoyant, e** adj. : *Arbres verdoyants.* ◆ **verdoiement** n. m. : *Le verdoiement des prés.* ◆ **verdure** n. f. **1°** Couleur verte des arbres et des plantes : *La verdure repose les yeux. De leurs fenêtres, ils ne voient pas de verdure.* — **2°** Arbres, plantes : *Une maison cachée derrière un écran de verdure. Des chèvres qui broutent la verdure.* ◆ **reverdir** v. intr. Redevenir vert : *Les feuilles des arbres reverdissent au printemps.*

2. vert, e [vɛr, vɛrt] adj. **1°** Se dit des végétaux qui ont encore de la sève, qui ne sont pas secs : *Bois vert. Légumes verts* (contr. : SEC). *Salade verte. Haricots verts. Café vert* (= non torréfié). *Thé vert* (= non séché). — **2°** Se dit de ce qui n'est pas mûr, de ce qui n'est pas arrivé à maturité : *Pomme verte. Fruits verts* (syn. : ACIDE, ÂPRE). *Vin vert* (= qui n'est pas fait, qui garde de l'acidité). ◆ **verdelet** adj. m. *Vin verdelet,* vin un peu acide. ◆ **verdeur** n. f. Défaut de maturité des fruits, du vin.

3. vert, e [vɛr, vɛrt] adj. **1°** Se dit d'une personne vigoureuse, malgré un âge avancé : *Vieillard encore vert* (syn. : GAILLARD, VAILLANT). ‖ *Une verte vieillesse,* pleine de santé, d'allant. — **2°** Se dit d'une chose apre, rude : *Une verte semonce* (syn. : VIOLENT, RUDE). — **3°** *La langue verte,* l'argot. ◆ **vertes** n. f. pl. Fam. *En raconter des vertes et des pas mûres,* dire des choses scandaleuses, choquantes.

◆ **verdeur** n. f. 1° Vigueur, jeunesse : *La verdeur d'un vieillard.* — 2° Crudité, âpreté des propos : *Un langage d'une verdeur extraordinaire.* ◆ **vertement** adv. Vivement, sans ménagement : *Réprimander vertement un enfant insupportable* (syn. : RUDEMENT).

vert-de-gris [vɛrdəgri] n. m. Couche verdâtre dont le cuivre se couvre au contact de l'air : *Le vert-de-gris est un poison.* ◆ adj. invar. Qui a cette couleur : *Des uniformes vert-de-gris.* ◆ **vert-de-grisé, e** adj. : *Du bronze vert-de-grisé* (= couvert de vert-de-gris).

vertèbre [vɛrtɛbr] n. f. Chacun des os courts constituant la colonne vertébrale : *Vertèbres dorsales, lombaires.* ◆ **vertébral, e, aux** adj. 1° *Colonne vertébrale,* v. COLONNE. — 2° Relatif aux vertèbres : *Douleurs vertébrales.* ◆ **vertébré, e** adj. Qui a des vertèbres : *Animal vertébré.* ◆ **vertébrés** n. m. pl. Animaux pourvus d'une colonne vertébrale et formant un embranchement du règne animal. ◆ **invertébrés** n. m. pl. Animaux dépourvus de colonne vertébrale, comme les insectes, les crustacés, etc.

vertement adv. V. VERT 3.

vertical, e, aux [vɛrtikal, -ko] adj. Qui suit la direction du fil à plomb : *Un poteau vertical. Plan vertical* (contr. : HORIZONTAL ou OBLIQUE). *Un homme en station verticale* (= debout). ◆ **verticale** n. f. Ligne perpendiculaire au plan de l'horizon : *Les corps tombent suivant la verticale.* • LOC. ADV. *A la verticale,* dans la direction de la verticale : *L'hélicoptère s'élève du sol à la verticale.* ◆ **verticalement** adv. En suivant une ligne verticale : *La pluie cessa de tomber verticalement pour frapper la terre obliquement.* ◆ **verticalité** n. f. : *Vérifier la verticalité d'un mur* (syn. : APLOMB).

vertige [vɛrtiʒ] n. m. 1° Sensation d'un défaut d'équilibre, étourdissement : *Avoir le vertige en haut d'un arbre, d'une tour. Avoir souvent des vertiges* (syn. : ÉBLOUISSEMENT, ÉTOURDISSEMENT). *Ces richesses fabuleuses me donnent le vertige* (= m'impressionnent beaucoup). — 2° Folie, égarement de l'esprit : *Tant d'argent, la liberté conquise d'un seul coup lui ont donné le vertige* (= fait perdre la tête). ◆ **vertigineux, euse** adj. 1° Très haut, d'où l'on a le vertige : *Se trouver à une altitude vertigineuse* (syn. : ↓ ÉLEVÉ). — 2° Très grand : *Une hausse vertigineuse des prix. Une vitesse vertigineuse* (syn. : TERRIBLE, FANTASTIQUE ; fam. : FORMIDABLE). ◆ **vertigineusement** adv. Terriblement : *Les prix ont vertigineusement monté* (syn. fam. : FORMIDABLEMENT).

1. vertu [vɛrty] n. f. 1° Disposition à faire le bien (langue soutenue) : *Personne de grande vertu. Pratiquer la vertu. Une société où la vertu est bafouée* (contr. : VICE). ‖ *Faire de nécessité vertu,* faire de bonne grâce ce qu'on trouve déplaisant, mais qu'on ne peut éviter. — 2° Qualité morale particulière : *La générosité est une des belles vertus de la jeunesse* (syn. : QUALITÉ). *L'économie, vertu bourgeoise. Considérer l'amour de la vérité comme la plus grande des vertus. Il a de la vertu, de vous supporter* (ironiq. = il a bien du mérite). — 3° Chasteté d'une femme : *Etre d'une vertu farouche* (syn. : CHASTETÉ, PURETÉ). *Vertu qui succombe* (syn. : HONNEUR). *Femme de petite vertu* (= de mœurs faciles). *C'est un prix de vertu* (= une femme irréprochable). ◆ **vertueux, euse** adj. (après le nom). 1° Qui fait le bien par volonté : *Personne vertueuse. Un jeune homme vertueux* (syn. : SAGE ; contr. : DÉSORDONNÉ, LIBERTIN, DISSIPÉ). — 2° Chaste : *Une femme vertueuse* (syn. : HONNÊTE [avant le nom]). *Une jeune fille vertueuse* (syn. : PUR ; contr. : LÉGER). — 3° Qui correspond au bien : *Une action vertueuse, méritoire. Une conduite vertueuse.* — 4° (avant le nom) A une valeur légèrement ironique ou humoristique : *Une vertueuse indignation.* ◆ **vertueusement** adv.

2. vertu [vɛrty] n. f. Qualité qui rend une chose propre à avoir tels ou tels effets (langue soignée) : *Médicament qui a une vertu préventive ou curative* (syn. : POUVOIR, EFFET). • LOC. PRÉP. *En vertu de,* conformément à, en application de : *En vertu d'une vieille habitude, il lui avait adressé une carte de vœux au nouvel an. Un objet qui flotte sur l'eau en vertu du principe d'Archimède* (syn. : PAR SUITE DE, EN RAISON DE).

verve [vɛrv] n. f. Qualité d'une personne qui parle avec enthousiasme et brio : *Un orateur plein de verve. Exercer sa verve contre quelqu'un* (syn. : ESPRIT, HUMOUR, ÉLOQUENCE). *La verve gouailleuse des titis parisiens* (syn. fam. et péjor. : BAGOU). *Parler avec verve. Avoir une verve endiablée. Etre en verve* (= être inspiré, parler d'abondance).

verveine [vɛrvɛn] n. f. 1° Plante dont une espèce est assez commune en France et se caractérise par son parfum. — 2° Infusion obtenue avec la verveine officinale : *Prendre une tasse de verveine chaude.*

vésicule [vezikyl] n. f. Sac membraneux dans le corps d'un être animé : *Vésicule biliaire.*

vespasienne [vɛspazjɛn] n. f. Urinoir public à l'usage des hommes.

vespéral, e, aux [vɛsperal, -ro] adj. Du soir (littér.) : *Clarté vespérale.*

vesse [vɛs] n. f. *Pop.* Emission de gaz fétides, faite sans bruit par l'anus : *Lâcher une vesse.*

vesse-de-loup [vɛsdəlu] n. f. Champignon sphérique, dont l'intérieur devient poussiéreux quand il est vieux.

vessie [vesi] n. f. 1° Poche abdominale dans laquelle s'accumule l'urine sécrétée par les reins. — 2° *Vessie natatoire,* sac membraneux de certains poissons, qui peut se remplir de gaz et sert à leur équilibre dans l'eau, selon les profondeurs. — 3° Fam. *Prendre des vessies pour des lanternes,* se tromper lourdement.

vestale [vɛstal] n. f. Jeune fille très chaste (littér. ou ironiq.).

1. veste [vɛst] n. f. 1° Vêtement de dessus, couvrant les bras et le buste, et ouvert devant : *Veste croisée, droite. Oter sa veste.* — 2° Fam. *Retourner sa veste,* changer d'opinion, de parti. ◆ **veston** n. m. Veste d'homme : *Mettre son veston.*

2. veste [vɛst] n. f. *Fam.* Echec, insuccès : *Ramasser une veste à une élection.*

vestiaire n. m. V. VÊTEMENT.

vestibule [vɛstibyl] n. m. Pièce d'entrée d'un édifice, d'une maison, d'un appartement : *Le vestibule d'un hôtel* (syn. : HALL). *Portemanteau placé dans le vestibule d'un appartement* (syn. : COULOIR, ENTRÉE).

vestige [vɛstiʒ] n. m. (généralement au plur.). Restes d'une chose détruite, disparue : *Vestiges du* passé (syn. : SOUVENIRS). *Les derniers vestiges de la guerre* (syn. : RESTES, TRACES). *Vestiges d'une ancienne abbaye* (syn. : RUINES).

vêtement [vɛtmɑ̃] n. m. Tout ce qui sert à couvrir le corps : *Ranger ses vêtements* (syn. : AFFAIRES, HABITS). *Porter un vêtement neuf* (= robe, manteau, veston, etc.). *Armoire à vêtements. Vêtements habillés* (syn. : TENUE). ◆ **vestimentaire** adj. Qui a rapport aux vêtements : *Des dépenses vestimentaires.* ◆ **vestiaire** n. m. 1° Lieu où l'on dépose les vêtements, divers objets, avant de pénétrer dans certains établissements publics : *Le vestiaire de l'école. Vestiaire de musée, de théâtre. Tenir le vestiaire.* — 2° *Fam.* Ensemble des vêtements et des affaires déposés au vestiaire par une personne (manteau, parapluie, sac, etc.) : *Demander son vestiaire.* — 3° Fam. *Au vestiaire!,* apostrophe à l'adresse d'acteurs, de joueurs que l'on trouve médiocres (syn. fam. : ALLEZ VOUS RHABILLER !). ◆ **sous-vêtement** n. m. Vêtement masculin de dessous : *Des sous-vêtements en coton, en Nylon* (= linge de corps). ◆ **survêtement** n. m. Tenue de sport chaude, composée d'un pantalon et d'un blouson.

vétéran [veterɑ̃] n. m. 1° Vieux soldat : *Un vétéran de la guerre de 14.* — 2° Personne qui a une longue pratique dans une activité, dans un domaine : *Vétéran de l'enseignement secondaire* (syn. : ANCIEN).

vétérinaire [veterinɛr] adj. Relatif à l'art de guérir les animaux : *La science vétérinaire. Etudiant vétérinaire.* ◆ n. m. Spécialiste de cet art : *Consulter le vétérinaire pour un cheval malade.*

vétille [vetij] n. f. Chose sans importance : *Perdre son temps à des vétilles* (syn. : BAGATELLE, DÉTAIL, RIENS). *Ergoter, discuter sur des vétilles* (= des points de détail). ◆ **vétilleux, euse** adj. Se dit d'une personne qui s'attache à des choses sans importance : *Esprit vétilleux* (syn. : POINTILLEUX).

vêtir [vɛtir] v. tr. (conj. 27). *Vêtir quelqu'un,* le couvrir de vêtements, l'habiller (langue soutenue) : *Vêtir un enfant.* ◆ ***se vêtir*** v. pr. S'habiller : *Se vêtir des pieds à la tête.* ◆ **vêtu, e** adj. : *Etre bien, mal vêtu* (syn. : MIS). *Vêtu à l'ancienne mode* (syn. : HABILLÉ). ◆ **dévêtir** v. tr. *Dévêtir quelqu'un,* le dépouiller de la totalité ou d'une partie de ses vêtements : *On avait dévêtu l'enfant pour le coucher.* ◆ ***se dévêtir*** v. pr. (langue soutenue) : *Par cette chaleur, on aime à se dévêtir.* (V. REVÊTIR.)

veto [veto] n. m. invar. 1° Institution par laquelle une autorité peut s'opposer à l'entrée en vigueur d'une loi votée par l'organe compétent : *Avoir un droit de veto.* — 2° Opposition, refus : *Mettre, opposer un veto à un projet de mariage.*

vétuste [vetyst] adj. Se dit d'une chose vieille, détériorée par le temps (langue soutenue) : *Une maison vétuste* (syn. : ↑ DÉLABRÉ). ◆ **vétusté** n. f. Etat de ce qui est vétuste : *La vétusté d'un immeuble* (syn. : ANCIENNETÉ, ↑ DÉLABREMENT).

veuf, veuve [vœf, vœv] adj. et n. Qui a perdu son conjoint et n'a pas contracté un nouveau mariage : *Etre veuf, rester veuf. Quand elle a été veuve de Pierre, elle a épousé le frère de celui-ci.* ‖ *Veuve de guerre,* femme qui a perdu son mari à la guerre. ◆ **veuvage** n. m. Etat d'une personne qui a perdu son conjoint : *Depuis son veuvage, il vit très retiré.* (V. VIDUITÉ.)

veule [vøl] adj. Qui manque totalement d'énergie, de volonté (littér.) : *Un être veule* (syn. : LÂCHE, MOU, AVACHI; contr. : ÉNERGIQUE, FERME). *Une conduite veule* (syn. : INDIGNE, ↑ IGNOBLE). ◆ **veulerie** n. f. Caractère d'une personne lâche, ou de sa conduite : *Faire preuve de veulerie* (syn. : LÂCHETÉ; contr. : ÉNERGIE, COURAGE; fam. : CRAN). [V. AVEULIR.]

vexer [vɛkse] v. tr. *Vexer quelqu'un,* lui faire de la peine, le blesser dans son amour-propre : *Vexer un ami par une remarque trop vive* (syn. : BLESSER, PEINER, FROISSER, ↑ OFFENSER). *Il est vexé d'avoir raté son examen* (syn. : HUMILIER). ◆ ***se vexer*** v. pr. Se froisser, être blessé : *Il se vexe d'un rien. Ne vous vexez pas* (syn. : SE FÂCHER, SE FORMALISER). ◆ **vexant, e** adj. Contrariant : *Avoir une parole vexante pour quelqu'un* (syn. : BLESSANT, DÉSAGRÉABLE). *C'est vexant de ne pouvoir profiter de cette occasion* (syn. : RAGEANT, IRRITANT). ◆ **vexation** n. f. 1° Action de vexer : *Etre en butte à des vexations continuelles* (syn. : BRIMADE). — 2° Fait d'être vexé, blessé : *Ne pas pouvoir supporter la moindre vexation* (syn. : HUMILIATION). ◆ **vexatoire** adj. Qui a le caractère d'une vexation : *Mesure vexatoire.*

via [vja] prép. En passant par (techn.) : *Aller de Paris à Ajaccio via Nice.*

viable [vjabl] adj. 1° Se dit d'un être qui peut vivre : *L'enfant est né viable.* — 2° Se dit de tout ce qui est organisé de façon à pouvoir durer, subsister : *Entreprise viable. Les projets de réforme sont viables.* ◆ **viabilité** n. f. Aptitude d'un organisme à vivre : *Douter de la viabilité d'un nouveau-né. Viabilité d'une affaire.*

1. viabilité n. f. V. VIABLE.

2. viabilité [vjabilite] n. f. 1° Bon état d'une route, permettant d'y circuler : *Surveiller la viabilité des chemins l'hiver* (syn. : PRATICABILITÉ). — 2° Ensemble des travaux d'intérêt général à exécuter sur un terrain avant une construction.

viaduc [vjadyk] n. m. Grand pont métallique ou en maçonnerie, établi au-dessus d'une vallée, pour le passage d'une voie de communication.

viager, ère [vjaʒe, -ɛr] adj. *Rente viagère,* rente dont on possède la jouissance durant toute sa vie. ◆ **viager** n. m. Rente à vie : *Avoir un viager.* ‖ *En viager,* en échange d'une rente : *Mettre sa maison en viager.*

viande [vjɑ̃d] n. f. Chair des animaux considérée comme nourriture (souvent par oppos. à *poisson*) : *Manger de la viande à tous les repas. Viande rouge* (= celle du bœuf, du mouton, de l'agneau). *Viande blanche* (= celle du veau, du lapin, de la volaille). *Viande noire* (= celle du gibier).

1. viatique [vjatik] n. m. 1° Argent, provisions que l'on emporte pour voyager. — 2° Moyen de parvenir : *Partir dans la vie avec ses études comme seul viatique* (syn. : ATOUT).

2. viatique [vjatik] n. m. Dans la religion catholique, sacrement de l'eucharistie donné à un mourant : *Recevoir le viatique* (syn. : COMMUNION).

vibrant, e adj. V. VIBRER 1 et 2; **vibration** n. f., **vibratoire** adj. V. VIBRER 2.

vibraphone [vibrafɔn] n. m. Instrument de musique formé de plaques métalliques vibrantes, que l'on frappe à l'aide de marteaux.

1. vibrer [vibre] v. intr. 1° (sujet nom de personne ou désignant un groupe de personnes) Être touché, ému : *Auditoire qui vibre aux paroles de l'orateur. Vibrer en écoutant de la musique. Vibrer d'enthousiasme. Faire vibrer les foules* (= émouvoir). *Faire vibrer la fibre paternelle* (syn. : TOUCHER). — 2° Traduire une certaine intensité d'émotion : *Sa voix vibrait de colère.* ◆ **vibrant, e** adj. *Parole vibrante* (syn. : TOUCHANT, ÉMOUVANT, PATHÉTIQUE, ARDENT).

2. vibrer [vibre] v. intr. 1° Se mouvoir périodiquement autour de sa position d'équilibre : *Corde qui vibre.* — 2° Résonner, avoir une sorte de tremblement, de battement sonore : *Sa voix vibrait entre ces gros murs.* ◆ **vibrant, e** adj. : *Plaque vibrante d'un écouteur.* ◆ **vibrante** n. f. Consonne que l'on articule en faisant vibrer la langue ou le gosier : [r] *est une vibrante.* ◆ **vibration** n. f. 1° Mouvement d'oscillation rapide : *Les vibrations des vitres lors du passage d'un avion* (syn. : ÉBRANLEMENT, TREMBLEMENT). — 2° Mouvement périodique d'un système physique quelconque autour de sa position d'équilibre : *Etudier l'amplitude d'une vibration. Vibrations sonores, lumineuses.* — 3° Impression de tremblement que donne l'air chaud : *Vibration de la lumière.* ◆ **vibratoire** adj. Composé de vibrations : *Mouvement vibratoire.* ◆ **vibrato** n. m. En musique, tremblement, répétition serrée d'une même note : *Faire un vibrato.* ◆ **vibreur** n. m. Appareil animé d'un mouvement vibratoire. ◆ **vibro-masseur** n. m. Appareil électrique qui produit des massages vibratoires.

vicaire [vikɛr] n. m. Dans la religion catholique, prêtre adjoint à un curé. ‖ *Le vicaire de Jésus-Christ,* le pape. ◆ **vicariat** n. m. Fonction, dignité de vicaire.

1. vice [vis] n. m. 1° Disposition habituelle au mal : *Grandir dans le vice. Le règne du vice* (syn. : DÉBAUCHE, LUXURE; contr. : VERTU, INNOCENCE, PURETÉ). — 2° Mauvais penchant : *Avoir tous les vices* (syn. : ↓ DÉFAUT). *Cacher ses vices* (syn. : TARE). — 3° Défaut sans gravité, mauvaise habitude : *L'usage du tabac est devenu chez lui un véritable vice.* — 4° *Fam.* Altération du goût, choix paradoxal : *Elle met sa plus vilaine robe pour sortir, c'est du vice.* ◆ **vicieux, euse** adj. et n. Qui est adonné au mal : *Homme, enfant vicieux. C'est un vicieux.* ◆ adj. Qui a rapport au vice : *Un penchant vicieux pour l'alcool* (syn. : COUPABLE). *Siècle vicieux* (syn. : CORROMPU, DÉPRAVÉ, DÉBAUCHÉ).

2. vice n. m. V. VICIER.

3. vice- [vis], particule invariable, qui entre dans la composition de plusieurs mots pour indiquer des fonctions de suppléant ou d'adjoint du titulaire : *Vice-consul, vice-président, vice-présidence.*

vicennal, e, aux [visɛnal, -no] adj. Qui dure vingt ans.

vice versa [viseversa ou visvɛrsa] loc. adv. Réciproquement, inversement : *Il a un caractère si généreux qu'il est bon avec tout le monde, et vice versa.*

1. vichy [viʃi] n. m. Toile de coton à carreaux de couleur : *Une robe en vichy.*

2. vichy [viʃi] n. m. Eau minérale de Vichy : *Boire du vichy après un bon repas. Un vichy* (= un verre de vichy).

vicier [visje] v. tr. 1° *Vicier quelque chose,* en gâter la pureté : *Vicier le goût du vin.* — 2° *Vicier un acte juridique,* le rendre nul (langue du droit) : *Une erreur matérielle a vicié ce testament.* ◆ **vicié, e** adj. *Air vicié, atmosphère viciée,* peu propres à la respiration. ◆ **vice** n. m. *Vice de forme,* défaut de forme qui rend nul un acte juridique.

vicieux, euse adj. V. VICE 1.

vicinal, e, aux [visinal, -no] adj. *Chemin vicinal,* chemin qui relie des villages, des hameaux.

vicissitudes [visisityd] n. f. pl. Evénements heureux ou malheureux qui affectent l'existence humaine : *Il a gardé une grande sérénité dans les vicissitudes de son existence mouvementée. Subir les vicissitudes de la fortune.*

vicomte [vikɔ̃t] n. m., **vicomtesse** [vikɔ̃tɛs] n. f. Titre de noblesse immédiatement inférieur à celui de comte, de comtesse.

victime [viktim] n. f. 1° Personne, communauté qui souffre, pâtit des agissements de quelqu'un, ou par le fait des événements : *Enfant qui est victime des moqueries de ses camarades* (= en butte aux). *Etre une victime née* (= un martyr). *Les vieillards, les malades, les enfants sont les premières victimes du froid* (= les premiers à souffrir). *Personne autoritaire, qui a besoin d'une victime* (syn. : SOUFFRE-DOULEUR). *Cet automobiliste expérimenté s'est jeté contre un mur : il a été victime d'un malaise* (= il a été pris de). *Alpiniste victime de son imprudence. Cette ville a été victime de la dernière guerre* (= a beaucoup souffert pendant). *Les petites industries sont victimes de la concentration des capitaux* (= pâtissent de). — 2° Personne tuée ou blessée : *Il y a eu une centaine de victimes sur les routes au cours du week-end* (= morts, blessés, accidentés). *Eriger un monument en l'honneur des victimes de la guerre* (syn. : MORT). *Les victimes des bombardements. Dégager les corps des victimes d'une catastrophe. Accident de montagne qui a fait trois victimes.* — 3° Dans certaines religions, créature vivante offerte en sacrifice à un dieu : *Victime expiatoire.*

victoire [viktwar] n. f. 1° Avantage remporté dans une guerre, dans une bataille : *La victoire fut longtemps indécise* (syn. : SUCCÈS). *Chanter, crier victoire* (= se glorifier d'un succès). *Avoir la victoire. Fêter la victoire. Victoire nationale.* — 2° Succès, avantage dans une compétition, dans une épreuve : *Notre équipe de football a remporté une brillante victoire* (syn. : ↑ TRIOMPHE). *Une victoire certaine, facile, douteuse.* ◆ **victorieux, euse** adj. 1° Se dit de quelqu'un qui est vainqueur dans une épreuve ou dans une lutte : *L'armée victorieuse. Le héros victorieux* (syn. : GAGNANT). — 2° Se dit de ce qui exprime ou évoque un succès : *Arborer un air victorieux. Chant victorieux* (syn. : TRIOMPHANT). ◆ **victorieusement** adv. Avec succès : *Marcher victorieusement au but.*

victuailles [viktɥaj] n. f. pl. Provisions alimentaires : *Emporter des victuailles* (syn. : VIVRES).

vidage n. m., **vidange** n. f. V. VIDER.

vide [vid] adj. 1° Se dit d'une chose qui ne contient ni objet ni matière solide ou liquide : *Boîte, valise vide, à moitié vide* (contr. : PLEIN).

Piolo, appartement vide (contr. : MEUBLÉ). Une bouteille vide. Espace vide (= sans construction). — 2° Se dit de ce qui ne contient pas son contenu normal ou habituel : *Mon porte-monnaie est vide* (syn. fam. : À SEC). *Arriver chez un ami les mains vides* (= sans cadeau, sans rien offrir). *Avoir le ventre vide* (= être affamé). *Remplir les verres dès qu'ils sont vides.* — 3° Se dit d'un lieu inoccupé : *Appartement vide* (syn. : INHABITÉ). *Chercher un compartiment vide. Depuis la mort de M. X, la place de président est vide* (syn. : VACANT; contr. : OCCUPÉ). *Il y avait beaucoup de fauteuils vides à l'orchestre* (syn. : DISPONIBLE). — 4° Se dit de tout ce qui manque de vie, d'intérêt, d'occupation : *Passer une journée vide* (= à ne rien faire, à s'ennuyer). *Avoir l'esprit vide* (= ne penser à rien, ne s'intéresser à rien). *Discussion, paroles, propos vides* (syn. : CREUX, STÉRILE). *Sujet vide* (= sans intérêt). — 5° *Vide de*, dépourvu de : *Remarque vide de sens* (contr. : PLEIN, RICHE). *Se sentir vide de tout sentiment, de toute passion.* ◆ **vide** n. m. 1° En philosophie, espace supposé inoccupé par la matière : *On pensait autrefois que la nature avait horreur du vide.* — 2° Espace où l'air est plus ou moins supprimé par différents moyens physiques : *Expérience sur le vide. Faire le vide dans un tube. Emballage sous vide.* — 3° Espace de temps inoccupé : *Avoir un vide dans son emploi du temps* (syn. : TROU, CREUX). — 4° Solution de continuité : *Il y a un vide dans cette série* (syn. : MANQUE). *Il y a un vide dans mon album de photos. Répartition, alternance des vides et des pleins en architecture.* ‖ *Vide sanitaire*, espace vide continu sous le plancher du rez-de-chaussée, réglementaire dans les maisons sans cave. — 5° Sentiment de privation, d'échec : *Le vide de l'existence* (syn. : NÉANT). *La mort du père a fait un grand vide* (syn. : ABSENCE). *Réaliser brusquement le vide de ses occupations* (syn. : FUTILITÉ). — 6° Désert, solitude : *Faire le vide autour de soi* (= faire fuir les gens). *Faire le vide autour de quelqu'un* (= le laisser seul). ‖ *Faire le vide dans son esprit*, ne plus penser à rien. ● LOC. ADV. *A vide*, sans rien contenir : *La voiture repart à vide* (contr. : CHARGÉ); sans effet : *Le moteur tourne à vide* (= sans rien entraîner).

vider [vide] v. tr. 1° *Vider un lieu, un récipient*, le débarrasser de son contenu, le rendre vide : *Vider un tiroir* (syn. : NETTOYER; contr. : REMPLIR). *Vider une chambre* (syn. : DÉBARRASSER). *Vider un appartement* (= en enlever les meubles). — 2° *Vider quelque chose*, en sortir le contenu : *Vider son porte-monnaie* (syn. : DÉGARNIR). *Vider une citerne* (= la mettre à sec). *Vider une bouteille.* ‖ Fam. *Vider son sac*, dire tout ce que l'on a sur le cœur. — 3° Faire évacuer un lieu : *Vider une salle de cinéma à la fin du spectacle. La pluie a vidé les terrasses des cafés.* — 4° Evacuer un lieu, le quitter : *Vider un appartement. Recevoir l'ordre de vider les lieux.* — 5° Boire le contenu d'un récipient : *Vider son verre. Vider sa tasse d'un trait* (= boire d'un seul coup). — 6° *Vider une volaille, un poisson*, en enlever les entrailles. — 7° *Vider une querelle, un différend*, etc., les régler une fois pour toutes (syn. : LIQUIDER). — 8° Fam. *Vider quelqu'un*, le fatiguer, l'épuiser : *Cet examen l'a vidé.* — 9° Fam. *Vider quelqu'un*, le mettre à la porte : *Vider quelqu'un d'une réunion* (syn. : CHASSER, EXPULSER, RENVOYER). ◆ ***se vider*** v. pr. Perdre son contenu : *Un seau percé qui se vide.* ◆ **vidage** n. m. Action de faire sortir le contenu d'un récipient : *Le vidage d'un réservoir* (contr. : REMPLISSAGE). ◆ **vidange** n. f. 1° Action de vidanger : *Vidange d'un tonneau, d'un réservoir.* — 2° Nettoyage périodique d'un réservoir, d'un carter d'automobile : *Faire la vidange.* — 3° Opération par laquelle on vide les fosses d'aisances : *Entreprise de vidange.* — 4° (au plur.) Matières qui ont été enlevées des fosses d'aisances : *Traitement chimique des vidanges.* — 5° Dispositif de plomberie servant à évacuer l'eau d'un récipient : *La vidange d'un lavabo, d'une baignoire.* — 6° Etat d'un récipient que l'on est en train de vider : *Tonneau en vidange.* ◆ **vidanger** v. tr. 1° *Vidanger un récipient*, évacuer son contenu : *Vidanger une citerne* (syn. : NETTOYER, ASSÉCHER). — 2° Vider pour nettoyer : *Vidanger un réservoir, un carter d'automobile. Vidanger des fosses d'aisances.* ◆ **vidangeur** n. m. Personne qui fait le nettoyage des fosses d'aisances. ◆ **vide-ordures** n. m. invar. Installation constituée par une colonne verticale de large section, et qui, dans un immeuble, permet de verser directement les ordures d'un étage dans une poubelle située au niveau du sol. ◆ **vide-poches** n. m. invar. Corbeille, coupe, etc., où l'on dépose les menus objets que l'on porte habituellement dans ses poches. ◆ **vidure** n. f. Tout ce qui est enlevé en vidant (sens 6) : *Des vidures de poisson, de volaille.*

viduité [vidɥite] n. f. Etat d'une femme veuve (jurid.).

1. vie [vi] n. f. 1° Activité spontanée propre aux êtres organisés, qui évoluent de la naissance à la mort : *Etre en vie. Donner un signe de vie* (syn. : EXISTENCE). *Si Dieu nous prête vie. La lutte pour la vie. Exposer, risquer sa vie. Prendre une assurance sur la vie. Donner la vie à un enfant* (syn. : JOUR). *Sauver la vie à quelqu'un. Perdre la vie* (= mourir). *Rester quelques secondes sans vie* (= inanimé). *Une question de vie ou de mort. Passer de vie à trépas. Attenter à sa vie* (= à ses jours). — 2° Ensemble de phénomènes biologiques que présentent tous les organismes : *Vie cellulaire. Vie végétale, animale, organique. Etudier l'origine de la vie. Chercher à recréer la vie.* — 3° Apparence animée : *Enfant plein de vie, débordant de vie* (syn. : SANTÉ, VITALITÉ). *Mettre de la vie dans une réunion* (syn. : GAIETÉ, AMBIANCE, ENTRAIN). *Ce tableau a de la vie* (= donne une impression de vie réelle). *Rue, quartier où il y a de la vie* (syn. : ANIMATION, MOUVEMENT).

2. vie [vi] n. f. 1° Existence humaine envisagée dans sa durée totale, de la naissance à la mort : *Une courte vie* (syn. : EXISTENCE). *Au début de la vie. Une vie de souffrance, de misère. L'événement capital de la vie d'un homme. Une vie bien remplie.* — 2° Existence humaine considérée à partir d'un moment déterminé jusqu'à la mort : *Se lier pour la vie avec quelqu'un* (= pour toujours). *Une décision qui engage toute la vie* (syn. : AVENIR). *Etre nommé à un poste à vie* (= pour une durée illimitée). — 3° Existence humaine considérée dans ce qui est déjà vécu, accompli : *Il a raté sa vie. Le meilleur temps de ma vie. Il a travaillé toute sa vie. Se remémorer les principaux événements de sa vie* (syn. : PASSÉ). *Raconter sa vie* (syn. : HISTOIRE). — 4° Condition humaine en général : *La vie terrestre. La vie future. Que voulez-vous, c'est la vie. Aimer la vie. Ne rien connaître de la vie* (= n'avoir pas l'expérience de la société des hommes). *La vie moderne.* — 5° Manière de passer, de mener son existence; caractère, style d'un mode d'existence : *Mener joyeuse vie, la bonne vie, la grande vie. Avoir une vie rangée, tranquille. Genre, train de vie. Vie de cocagne, vie de chien. Avoir la vie facile.* ‖ *Femme de mauvaise vie,* de mœurs faciles, vénale. ‖ *Faire sa vie,* construire, organiser son existence à son idée. ‖ *Faire la vie,* se livrer au plaisir, ou être insupportable. ‖ *Faire une vie impossible à quelqu'un, lui rendre la vie impossible, intenable,* être désagréable, insupportable avec lui. ‖ *Ce n'est pas une vie,* c'est une situation, une existence intenable. ‖ *Vivre sa vie,* être libre, vivre à sa guise. — **6°** Activité particulière d'une personne, aspect de l'existence d'un homme ou d'une société : *Séparer la vie professionnelle de la vie privée. Ne jamais parler de sa vie familiale. Dans la vie civile, la vie politique. Etre très doué pour la vie pratique. La vie scolaire lui pèse : il souhaite avoir rapidement une vie active. Avoir une vie sentimentale compliquée. La vie intérieure. Etudier la vie économique d'un pays. Connaître la vie quotidienne d'un peuple étranger* (syn. : MŒURS). — **7°** Biographie d'une personne : *La Vie de Beethoven, par Romain Rolland. Vie et œuvre de J.-J. Rousseau. S'intéresser à la vie des grands hommes.* — **8°** Existence des choses dans le temps, sujette au changement : *La vie des mots, des institutions. Vie et mort d'une civilisation.*

3. vie [vi] n. f. Moyens de subsistance : *Chercher sa vie* (syn. fam. : PITANCE). *La vie est chère dans cette région* (syn. : NOURRITURE, ALIMENTATION). *Gagner largement, chichement sa vie.*

vieil, vieille adj., **vieillard** n. m., **vieillerie** n. f., **vieillesse** n. f., **vieillir** v. intr. V. VIEUX.

vielle [viɛl] n. f. Instrument de musique ancien et populaire.

vierge [vjɛrʒ] adj. **1°** Se dit d'une personne qui a toujours vécu dans une continence parfaite : *Rester vierge* (syn. : PUR, INTACT). *Garçon vierge.* — **2°** Se dit d'une chose qui n'a jamais servi, d'une contrée où l'on n'a jamais pénétré : *Feuille de papier vierge* (syn. : BLANC, IMMACULÉ). *Pellicule, film vierge* (contr. : IMPRESSIONNÉ). *Terre vierge* (= qui n'est pas exploitée ou habitée par l'homme). *Casier judiciaire vierge* (syn. : VIDE, INTACT; contr. : CHARGÉ). *Neige vierge* (contr. : FOULÉ). *Forêt vierge.* — **3°** *Vierge de,* qui n'a reçu aucune atteinte de : *Réputation vierge de toute critique.* ◆ n. f. Jeune fille pure. ◆ **virginité** n. f. **1°** Etat d'une personne qui n'a pas eu de rapports sexuels : *Garder, perdre sa virginité.* — **2°** Etat de tout ce qui est intact : *La virginité des neiges des sommets. Virginité de sentiments* (syn. : PURETÉ, INNOCENCE, CANDEUR). ◆ **virginal, e, aux** adj. **1°** Relatif à une personne vierge : *Une fraîcheur virginale. Une timidité virginale* (syn. : CHASTE, INNOCENT). — **2°** Immaculé : *Un blanc virginal.*

vieux [vjø] ou **vieil** [vjɛj] (devant un nom masc. commençant par une voyelle ou un *h* muet), **vieille** [vjɛj] adj. et n. **1°** (généralement avant le nom) Se dit d'une personne qui est d'un âge avancé : *Un homme vieux et fatigué* (syn. : ÂGÉ). *Ma vieille mère. Les vieilles gens se couchent tôt. Se faire vieux* (= prendre de l'âge et n'être plus très valide). *Vieux comme Hérode, comme Mathusalem* (= très vieux). — **2°** Se dit de tout ce qui a un certain âge, une certaine ancienneté, de ce qui date d'autrefois : *Vieille ville, vieille maison. De vieux vêtements* (syn. : USÉ; contr. : NEUF). *Du vieux thé* (contr. : FRAIS). *Un vieux rhume* (= qui traîne). *Cruchon de vieux Sèvres* (contr. : RÉCENT). *Du vin vieux* (contr. : NOUVEAU). *De vieux meubles. Remuer de vieilles choses. De vieux souvenirs. Une vieille histoire* (= qui date de longtemps). — **3°** (au comparatif) Indique l'âge de quelqu'un par rapport à celui d'une autre personne, plus rarement l'ancienneté d'une chose par rapport à celle d'une autre : *Mon frère a trente ans, il est plus vieux que moi de trois ans* (syn. : ÂGÉ). *Nous avons le même livre, mais mon édition est plus vieille que la vôtre* (syn. : ANCIEN). — **4°** (avant le nom) Qui est depuis longtemps dans une situation : *Etre de vieux mariés, de vieux habitués. De vieux amis.* — **5°** (avant un nom de métal, de couleur) Indique un manque d'éclat, un aspect patiné : *Du vieil or. Un vieil ivoire. Un vieux rouge* (contr. : VIF, ÉCLATANT). — **6°** *Pop.* Renforce une injure : *Espèce de vieil imbécile.* ◆ **vieux, vieille** n. **1°** *Fam.* Personne âgée : *La retraite des vieux. Une maison de vieux. Un petit vieux, une petite vieille.* ‖ Fam. *Un vieux de la vieille,* un vétéran, une personne âgée qui connaît à fond un métier, une tâche, etc. — **2°** Fam. *Mon vieux, ma vieille,* termes familiers d'amitié : *Tiens, mon vieux, prends ce verre, ça te remontera. Comment ça va, ma vieille?* ◆ **vieux** n. m. **1°** Fam. *Prendre un coup de vieux, un sérieux coup de vieux,* en parlant d'une personne, vieillir brusquement. — **2°** *Le vieux,* ce qui est ancien : *En mobilier, il aime mieux le vieux que le neuf. Faire du neuf avec du vieux.* ◆ **vieillard** n. m. **1°** Homme âgé : *C'est un vieillard maintenant. Un beau vieillard.* — **2°** (au plur.) Les vieilles gens (hommes ou femmes) : *Evacuer les vieillards, les femmes et les enfants. Asile de vieillards.* ◆ **vieillot, otte** adj. **1°** Qui est assez vieux, qui paraît vieux : *Un air vieillot. Une fillette vieillotte.* — **2°** Démodé, suranné : *Des idées vieillottes.* ◆ **vieillerie** n. f. **1°** Objet ancien, usé ou démodé : *Avoir un tas de vieilleries dans ses armoires* (contr. : NOUVEAUTÉ). — **2°** Idée, conception démodée : *Cette théorie est une vieillerie.* — **3°** Œuvre qui n'a plus d'intérêt : *Ce théâtre ne joue que des vieilleries.* ◆ **vieillir** v. intr. **1°** (sujet nom d'être animé) Prendre de l'âge : *Vieillir rapidement. Cette femme est désespérée de vieillir. L'art de vieillir.* — **2°** Perdre la jeunesse, la force, la santé, etc., en prenant de l'âge : *Son visage vieillit* (syn. : SE FANER, SE FLÉTRIR, SE RIDER). *Je ne l'ai pas reconnu, tant il a vieilli* (syn. : CHANGER, BAISSER). *Il a vieilli de dix ans en un rien de temps.* — **3°** (sujet nom de personne) Demeurer longuement dans un état : *Vieillir dans un emploi subalterne* (syn. : MOISIR). — **4°** *Doctrine, auteur qui a vieilli,* qui n'est plus à l'ordre du jour, qui n'est plus actuel : *Cette thèse a bien vieilli* (= est dépassée). — **5°** *Laisser vieillir le vin,* le laisser s'améliorer avec le temps. ◆ v. tr. **1°** *Vieillir quelqu'un,* le faire paraître plus âgé : *Cette coiffure vous vieillit.* — **2°** Rendre plus âgé, plus fatigué : *Ces soucis le vieillissent. La maladie l'a bien vieilli.* — **3°** Attribuer à quelqu'un un âge supérieur à celui qu'il a réellement : *Vous me vieillissez de deux ans.* ◆ **se vieillir** v. pr. Se faire paraître ou se dire plus vieux que l'on est : *Il se vieillit à plaisir* (contr. : SE RAJEUNIR). ◆ **vieilli, e** adj. **1°** Qui a pris de l'âge ou de l'ancienneté : *Rentrer vieilli d'un séjour outre-mer. Vin vieilli dans la cave familiale ou artificiellement. Vieilli à l'ombre des bibliothèques.* — **2°** Qui a perdu sa force, sa jeunesse, sa fraîcheur, etc. : *Avoir un visage vieilli.*

Une silhouette, une démarche vieillie. Vieilli avant l'âge. Vieilli par la guerre. — **3°** Qui n'est presque plus en usage : *Mot vieilli.* ◆ **vieillissant, e** adj. Qui prend insensiblement de l'âge. ◆ **vieillesse** n. f. **1°** Dernier âge de la vie (par oppos. à la *jeunesse* et à l'*âge mûr*) : *Redouter la vieillesse. Les maladies de la vieillesse. Mourir de vieillesse.* ‖ *Bâton de vieillesse,* personne qui aide et soutient quelqu'un dans ses vieux jours (littér.). — **2°** Ensemble des vieillards : *Une politique de la vieillesse* (= favorable aux vieillards). *Respecter la vieillesse.* — **3°** Ancienneté, état d'une chose âgée : *La vieillesse d'une voiture.* ◆ **vieillissement** n. m. **1°** Fait de prendre de l'âge : *Vieillissement des facultés intellectuelles. Vieillissement d'un système, d'une doctrine. Vieillissement de la population* (= accroissement de la proportion des personnes âgées). — **2°** Fait de vieillir : *Etre atteint d'un vieillissement prématuré* (syn. : SÉNESCENCE).

1. vif, vive [vif, viv] adj. **1°** Se dit d'une personne dont l'attitude traduit de la vivacité et de la vitalité : *Enfant très vif* (syn. : PÉTULANT, REMUANT, ↑ DÉLURÉ). *Des yeux vifs. Marcher d'un pas vif* (syn. : ALERTE, LÉGER, RAPIDE, ALLÈGRE). *Il écrivait dans un style vif* (syn. : ÉNERGIQUE, ↑ INCISIF). — **2°** Se dit de ce qui saisit les sens, de ce qui a un relief accusé, etc. : *L'air est vif* (syn. : PIQUANT, ↓ FRAIS). *Une arête vive* (contr. : ARRONDI, AIGU, ÉMOUSSÉ). — **3°** Se dit d'un esprit prompt, rapide : *Intelligence vive* (syn. : AIGU, PÉNÉTRANT; contr. : LENT, ÉMOUSSÉ). *Avoir une imagination vive* (= prompte à concevoir les choses). — **4°** Se dit d'une personne (ou de son caractère) prompte à s'emporter : *Un tempérament un peu vif* (syn. : COLÉREUX, IRASCIBLE). *Se montrer trop vif dans une discussion* (syn. : ↑ EMPORTÉ, VIOLENT, IMPÉTUEUX; contr. : SOUPLE, DOUX, PATIENT). *Faire une remarque vive à quelqu'un* (syn. : MORDANT, BLESSANT). *Essuyer de vifs reproches* (syn. : VIOLENT). *Parler d'un ton assez vif dans une simple conversation* (syn. : ↑ COLÉREUX, EMPORTÉ). *Le dialogue prit un tour assez vif* (syn. : ANIMÉ). — **5°** Se dit d'un sentiment, d'une inclination intense : *Eprouver un intérêt, un goût très vif pour la peinture ou l'architecture* (syn. : FORT, ↓ SOUTENU, MARQUÉ). *Un penchant très vif pour la boisson* (syn. : NET). — **6°** Se dit d'une couleur, d'une lumière intense : *Couleur vive* (syn. : ÉCLATANT; contr. : PASSÉ, FONDU, ESTOMPÉ). *Etre ébloui par une lumière trop vive* (syn. : CRU; contr. : DOUX, TAMISÉ). — **7°** En musique, se dit d'un mouvement rapide : *Rythme, air vif. Allègre et vif* (= « allegro vivace »). ◆ **vivacité** n. f. **1°** Qualité d'une personne ou d'une chose qui a de la vie, de l'entrain : *La vivacité du tempérament méridional* (syn. : PÉTULANCE; contr. : LENTEUR, CALME). *Avoir de la vivacité* (syn. : ARDEUR, GAIETÉ, EXUBÉRANCE). — **2°** Promptitude : *Vivacité d'esprit* (syn. : AGILITÉ). *Vivacité de mouvements* (syn. : RAPIDITÉ). — **3°** Comportement coléreux : *Répondre avec vivacité. Manifester de la vivacité* (syn. : HUMEUR). — **4°** Qualité de ce qui est intense : *Vivacité d'un sentiment* (syn. : FORCE, FRAÎCHEUR). *Aimer une toile pour la vivacité des couleurs* (syn. : FRAÎCHEUR, INTENSITÉ). ◆ **vivement** adv. : *Réagir vivement* (syn. : RAPIDEMENT). *Répondre un peu vivement* (= avec un peu d'insolence). [V. AVIVER, RAVIVER.]

2. vif, vive [vif, viv] adj. S'emploie dans quelques expressions au sens de « vivant » (littér.) : *Etre brûlé, enterré, écorché vif* (contr. : MORT). *Etre plus mort que vif.* ‖ *Haie vive,* faite d'arbustes en pleine végétation. ‖ *Eau vive,* qui coule rapidement. ◆ **vif** n. m. **1°** Personne vivante (langue du droit) : *Faire une donation entre vifs.* — **2°** Chair vivante : *Tailler, couper, trancher dans le vif.* — **3°** Poisson vivant servant d'appât. — **4°** *Etudes sur le vif,* sur la réalité vivante (par oppos. à celles qui se font en laboratoire). ‖ *Prendre sur le vif,* au moment même où un fait se produit. ‖ *Entrer dans le vif du sujet,* aborder le point essentiel.

vif-argent [vifarʒɑ̃] n. m. *Avoir du vif-argent dans les veines,* avoir des mouvements vifs. (*Vif-argent* est l'ancien nom du mercure.)

vigie [viʒi] n. f. **1°** Surveillance exercée par un matelot de veille sur un navire; le matelot lui-même : *Prendre son tour de vigie* (syn. : GARDE, OBSERVATION). *Etre en vigie* (syn. : SENTINELLE). — **2°** Poste d'observation sur un navire.

vigilant, e [viʒilɑ̃, -ɑ̃t] adj. Se dit d'une personne (ou de ses actes) qui fait preuve d'une attention dévouée : *Etre vigilant. Un surveillant vigilant* (syn. : ATTENTIF). *Etre l'objet de soins vigilants* (syn. : DÉVOUÉ). *Un œil vigilant.* ◆ **vigilance** n. f. Attention, surveillance soutenue : *Donner toute sa vigilance à un malade* (syn. : SOINS). *Redoubler de vigilance* (syn. : ATTENTION). *Relâcher sa vigilance.*

vigile [viʒil] n. f. Dans la religion catholique, jour qui précède une fête religieuse importante : *La vigile de Pâques.*

vigne [viɲ] n. f. **1°** Arbrisseau sarmenteux, grimpant, cultivé pour son fruit, le raisin, dont le jus fermenté fournit le vin : *Pied de vigne. Cep de vigne. Avoir plusieurs hectares plantés de vignes. Maladies de la vigne.* — **2°** Plantation de vigne : *Etre dans ses vignes. Faire la vendange dans sa vigne. Posséder des vignes* (syn. : VIGNOBLE). **3°** *Vigne vierge,* plante grimpante qui orne les murs, les tonnelles. ◆ **vigneron, onne** n. Personne qui cultive la vigne, comme propriétaire ou comme ouvrier : *Une famille de vignerons. Fête des vignerons.* ◆ **vignoble** n. m. **1°** Plantation de vignes : *Pays de vignobles.* — **2°** Ensemble des vignes d'une région, d'un pays : *Le vignoble méditerranéen, bourguignon* (syn. : VIGNES). *Un vignoble de qualité* (syn. : CRU). [V. VITICOLE.]

vignette [viɲɛt] n. f. **1°** Motif ornemental placé de diverses façons dans un livre, sur une feuille de papier, un tissu, etc. : *Vignette de la première page d'un livre* (syn. : FRONTISPICE). *Vignette en fin de chapitre* (syn. : CUL-DE-LAMPE). *Papier à lettres à vignette* (syn. : FIGURINE). — **2°** Petit dessin, motif représentant une marque de fabrique : *Laisser la vignette à un tricot* (syn. : MARQUE). *La vignette d'une boîte de chocolats* (= petite image insérée dans la boîte). — **3°** Petite étiquette portant une inscription ou un dessin et ayant une valeur légale : *Retirer les vignettes des boîtes de médicaments.* — **4°** Petite étiquette portant l'estampille de l'Etat, et attestant le paiement de certains droits : *Les automobilistes doivent acheter la vignette chaque année.* ◆ **vignettiste** n. Personne qui dessine ou grave des vignettes.

vignoble n. m. V. VIGNE.

1. vigueur [vigœr] n. f. **1°** Force, énergie physique : *La vigueur de la jeunesse* (syn. : ARDEUR). *Se débattre avec vigueur* (contr. : MOLLESSE). *Manquer de vigueur dans les bras. La vigueur d'un* *animal, d'une plante.* — 2° Energie physique et morale dans l'action ou la pensée : *Exprimer ses idées avec vigueur* (syn. : FORCE, ↑ VÉHÉMENCE). *Montrer la vigueur de son caractère* (syn. : FERMETÉ). — 3° Fermeté, netteté du dessin ou du style : *Vigueur du coloris, de la touche* (contr. : LÉGÈRETÉ). *Vigueur de l'expression* (syn. : ↑ CRUDITÉ; contr. : DÉLICATESSE, DOUCEUR). ◆ **vigoureux, euse** adj. 1° Qui a, qui manifeste de la force, de la fermeté physique ou morale : *Des bras vigoureux* (syn. : ROBUSTE, PUISSANT). *Une personne vigoureuse* (syn. : FORT; fam. : COSTAUD). *Une santé vigoureuse. Une plante vigoureuse* (= qui pousse bien). — 2° Qui a de la netteté, de la fermeté : *Un talent vigoureux* (syn. : PUISSANT). *Un esprit vigoureux* (syn. : HARDI, SANS FAIBLESSE). *Vouer une haine vigoureuse à quelqu'un, à quelque chose* (syn. : IMPLACABLE). *Dessiner avec un tracé vigoureux* (contr. : HÉSITANT, INCERTAIN). *Un coloris vigoureux* (syn. : ÉNERGIQUE, TRANCHÉ). *Prononcer de vigoureuses paroles* (syn. : MÂLE, ÉNERGIQUE). ◆ **vigoureusement** adv. : *J'ai frotté vigoureusement cette tache* (= avec force). *Protester vigoureusement contre une décision* (syn. : ÉNERGIQUEMENT). *Tracer vigoureusement les contours d'un dessin* (= avec netteté).

2. vigueur [vigœr] n. f. *En vigueur,* en application, en usage : *Cette loi est, n'est plus en vigueur* (= appliquée). *Les termes en vigueur* (= usuels).

1. vil, e [vil] adj. Se dit d'une personne (ou de son comportement) qui est méprisable : *Un homme vil. Une âme vile* (syn. : BAS; contr. : NOBLE). *De vils intérêts* (syn. : SORDIDE). ◆ **vilement** adv. Bassement, lâchement : *Attaquer vilement un adversaire.* (V. AVILIR.)

2. vil, e [vil] adj. Se dit d'une chose sans valeur : *Des marchandises viles. Acheter à vil prix* (= très bon marché). [V. AVILIR.]

vilain, e [vilɛ̃, -ɛn] adj. 1° Se dit d'une personne ou d'une chose désagréable à voir : *Avoir de vilaines dents* (contr. : JOLI). *Une vilaine bouche* (syn. : ↑ AFFREUX). *Cette fille n'est pas si vilaine* (syn. : LAID). *Une vilaine couleur* (syn. : ↑ HORRIBLE). *Porter une vilaine robe* (contr. : BEAU, JOLI). — 2° Se dit d'un enfant désobéissant, désagréable, ou de sa conduite : *Il a été vilain toute la matinée* (syn. : INSUPPORTABLE; contr. : SAGE, GENTIL). *C'est très vilain de se mettre les doigts dans le nez;* et substantiv. : *C'est un vilain, une vilaine.* — 3° Se dit de ce qui est désagréable, déplaisant, répréhensible : *Un vilain temps* (syn. : SALE). *Etre entraîné dans une vilaine histoire* (syn. : FÂCHEUX; fam. : SALE). *Jouer un vilain tour à quelqu'un* (syn. : MAUVAIS; fam. : SALE). *De vilaines pensées* (syn. : COUPABLE). ◆ **vilain** adv. Fam. : *Il fait vilain* (= mauvais temps). ◆ **vilain** n. m. *Fam.* Chose déplaisante, fâcheuse; scandale : *Ça va faire du vilain, ça va tourner au vilain* (= tourner mal, mal finir). ◆ **vilainement** adv. D'une manière moralement laide, honteuse : *Il l'a vilainement dénoncé* (= de façon ignoble). *Laisser tomber quelqu'un vilainement.*

vilebrequin [vilbrəkɛ̃] n. m. 1° Outil servant à faire tourner une mèche, pour percer des trous. — 2° Arbre d'un moteur à explosion, permettant de transformer le mouvement rectiligne des pistons en mouvement de rotation, par l'intermédiaire des bielles.

vilenie [vileni ou vilni] n. f. 1° Action basse, méprisable : *Il est capable de toutes les vilenies* (syn. : MÉCHANCETÉ, INFAMIE). — 2° Parole injurieuse (littér.) : *Echanger des vilenies* (syn. : INJURE).

vilipender [vilipɑ̃de] v. tr. Traiter quelqu'un avec mépris (littér.) : *Vilipender une personnalité politique dans la presse* (syn. : ATTAQUER, CALOMNIER, PRENDRE À PARTIE).

villa [villa] n. f. Maison individuelle, en banlieue ou dans un lieu de villégiature : *Se faire construire une villa au bord de la mer* (syn. : PAVILLON).

village [vilaʒ] n. m. 1° Agglomération rurale : *Un village de cinq cents habitants* (syn. : COMMUNE; pop. : BLED, PATELIN). *Village de montagne* (syn. : BOURG, HAMEAU). *Village abandonné.* — 2° *Village de toile,* agglomération de tentes, pourvue des services collectifs organisés et destinée à des séjours de vacances : *Passer l'été dans un village de toile au bord de la mer.* ◆ **villageois, e** adj. De la campagne : *Un air villageois* (syn. : CAMPAGNARD). *Danses villageoises* (syn. : PAYSAN, FOLKLORIQUE). ◆ n. Habitant de la campagne (contr. : CITADIN).

ville [vil] n. f. 1° Agglomération d'une certaine importance, à l'intérieur de laquelle la plupart des habitants ont leur travail : *Habiter la ville* (contr. : CAMPAGNE). *Chercher du travail à la ville. Ville fondée au Moyen Age* (syn. : CITÉ). *Ville satellite, ville parallèle. Ville universitaire* (= où se trouve une université). *La Ville éternelle* (= Rome). *La Ville sainte* (= Jérusalem). — 2° Quartier d'une agglomération urbaine : *Ville basse, ville haute, vieille ville.* — 3° Se dit de tout ce qui concerne la vie dans une agglomération urbaine : *Costume de ville* (= de tous les jours, par oppos. à la tenue de soirée, à une tenue de fantaisie, ou à une tenue de sport) : *Les lumières de la ville* (= la vie de la ville le soir). *Aimer la ville* (contr. : CAMPAGNE). *Un monsieur de la ville* (syn. : CITADIN). *Les gens de la ville* (contr. : LES RURAUX). *Les plaisirs de la ville.* ‖ *En ville,* à l'intérieur de la ville où l'on est : *Faire des courses en ville.* ‖ *Dîner en ville,* hors de chez soi. — 4° Population, habitants de la ville : *La ville est en émoi. Un bruit qui court dans la ville.*

villégiature [vileʒjatyr] n. f. 1° Séjour de repos à la campagne, à la mer, à la montagne ou dans un lieu de tourisme : *Partir en villégiature* (syn. : VACANCES). — 2° Lieu de vacances : *Chercher une villégiature.* ◆ **villégiateur** n. m. Celui qui va en villégiature : *L'afflux des villégiateurs au bord de la Méditerranée* (syn. : ESTIVANT, VACANCIER). ◆ **villégiaturer** v. intr. Prendre des vacances dans un lieu touristique.

vin [vɛ̃] n. m. 1° Boisson produite par la fermentation du raisin : *Vin blanc, rouge. Un tonneau de vin. Gros vin. Boire du vin à table* (syn. pop. : PINARD). *Du vin de derrière les fagots* (= fameux). *Baptiser, couper le vin* (= y ajouter de l'eau). *Vin mousseux. Le vin lui fait tourner la tête. Aimer le vin. Cuver son vin. Tenir le vin* (= être capable de boire beaucoup sans être ivre). *Avoir le vin gai, triste* (= être gai, triste quand on a trop bu). *Sac à vin* (terme injurieux = ivrogne). ‖ Fam. *Mettre de l'eau dans son vin,* V. EAU. ‖ *Vin d'honneur,* vin offert en l'honneur de quelqu'un, de quelque chose. — 2° Liqueur alcoolisée, obtenue par fermentation d'un produit végétal : *Vin de palme, de canne.* ◆ **vinasse** n. f. 1° *Fam.* Vin médiocre, fade : *Impossible de boire cette vinasse.* — 2° Résidu liquide de la distillation des liqueurs alcooliques et de la fabrication des sucres : *Utilisations industrielles des vinasses.* ◆ **vineux, euse** adj. 1° Qui exhale une odeur de vin : *Une haleine vineuse.* — 2° Qui a la couleur du vin rouge : *Une couleur vineuse* (syn. : LIE-DE-VIN). *Un fruit vineux.* — 3° Se dit du vin qui a beaucoup de force. ◆ **vinicole** adj. Relatif à la production du vin : *Région vinicole* (= de vignoble; syn. : VITICOLE). ◆ **vinification** n. f. Ensemble des procédés mis en œuvre pour transformer le raisin en vin (V. AVINÉ.)

vinaigre [vinɛgr] n. m. 1° Produit résultant de la fermentation du vin ou de solutions alcoolisées, et employé comme condiment : *Vinaigre de vin, d'alcool. Cornichons confits dans du vinaigre.* — 2° Vin aigri : *Le vin tourne au vinaigre au contact de l'air.* — 3° Fam. *Tourner au vinaigre,* prendre une fâcheuse tournure : *La discussion a tourné au vinaigre.* ◆ **vinaigrer** v. tr. Assaisonner avec du vinaigre. ◆ **vinaigrette** n. f. Condiment dont on accompagne les salades, fait avec de l'huile, du vinaigre, du sel, du poivre, etc. : *Artichauts à la vinaigrette.* ◆ **vinaigrier** n. m. Burette pour mettre le vinaigre.

vindicatif, ive [vɛ̃dikatif, -iv] adj. et n. Qui aime à se venger : *Un caractère vindicatif.*

vindicte [vɛ̃dikt] n. f. *Vindicte publique,* poursuite et punition d'un crime au nom de la société (littér.) : *Désigner quelqu'un à la vindicte publique.*

vingt ([vɛ̃] devant une consonne, [vɛ̃t] devant une voyelle ou un *h* muet et devant *deux, trois, quatre,* etc.) adj. num. cardin. et n. 1° V. NUMÉRATION. — 2° *Vingt-quatre heures,* un jour entier : *Je serai absent vingt-quatre heures seulement.* ‖ *Vingt-deux!,* interj. pop. indiquant un danger imminent. ◆ **vingtaine** n. f. ◆ **vingtième** adj. num. ordin. et n. ◆ **vingtièmement** adv. V. NUMÉRATION.

viol n. m. V. VIOLER; **violacé, e** adj. V. VIOLET; **viole** n. f. V. VIOLON.

violent, e [vjɔlɑ̃, -ɑ̃t] adj. 1° Se dit d'un être animé (ou de son comportement) qui agit par la force, qui cède à des instincts brutaux : *Caractère violent* (syn. : BRUTAL, IMPULSIF). *Nature violente. C'est un être violent, qui ne réfléchit pas avant d'agir. Se livrer à des exercices violents.* — 2° Se dit de choses qui ont une grande intensité : *Un mistral violent souffle depuis trois jours* (syn. : FORT). *Avoir de violents accès de fièvre* (= brusques et terribles). *Un bruit très violent* (syn. : TERRIBLE). *L'expression violente de son caractère* (syn. : IMPÉTUEUX). *Un langage violent* (syn. : VIRULENT). *Eprouver une passion violente* (syn. : ARDENT, FRÉNÉTIQUE). *Un besoin violent de s'affirmer* (syn. : FAROUCHE). *Ces deux êtres forment entre eux un contraste violent* (= très grand). ◆ **violemment** adv. 1° Brutalement : *Frapper violemment quelqu'un. Malade qui se débat violemment dans un accès de folie* (syn. : FURIEUSEMENT). — 2° Energiquement : *Il refusa violemment de participer à la manifestation.* ◆ **violence** n. f. 1° Fait de contraindre quelqu'un par la force ou l'intimidation : *Faire violence à quelqu'un* (= le forcer, le brutaliser). *Se faire violence* (= se contraindre). *Obtenir un résultat par la violence. Avoir recours à la violence. Céder à la violence* (syn. : FORCE). — 2° Force brutale des êtres animés ou des choses : *Acte de violence* (syn. : BRUTALITÉ). *Répondre à la violence par la violence* (contr. : DOUCEUR). *Scènes de violence dans un film* (syn. : BRUTALITÉ). *Violence de l'orage* (syn. : FUREUR, DÉCHAÎNEMENT). *Violence de caractère* (syn. : IMPÉTUOSITÉ). *Maladie qui se déclare avec violence* (syn. : VIRULENCE). *Violence de la passion, de l'imagination* (syn. : FUREUR, FRÉNÉSIE). — 3° (surtout au plur.) Acte violent : *Commettre des violences contre quelqu'un, contre la population.* ◆ **non-violence** n. f. Action et doctrine politique qui refusent le recours à la violence en quelque circonstance que ce soit. ◆ **non-violent, e** adj. et n. : *Les non-violents ont remplacé les pacifistes du début du XXe siècle.* (V. *violenter* à VIOLER.)

violer [vjɔle] v. tr. 1° *Violer une femme, une jeune fille,* abuser d'elle par la force ou par la ruse. — 2° *Violer un lieu,* y pénétrer malgré une interdiction : *Violer une tombe* (syn. : PROFANER). *Violer un domicile.* — 3° *Violer un règlement, un secret,* etc., le transgresser, y manquer : *Violer un traité. Violer les convenances, la loi, son serment* (syn. : ENFREINDRE). ◆ **viol** n. m. 1° Crime commis par l'homme qui abuse par la violence d'une femme ou d'une jeune fille : *Délit de viol. Commettre un viol.* — 2° Action de pénétrer dans un lieu interdit : *Viol de domicile.* — 3° Action de transgresser une loi : *Le viol du secret professionnel.* ◆ **violation** n. f. Action de profaner une chose sacrée, de transgresser une loi : *Violation de domicile, du secret professionnel.* ◆ **violateur, trice** adj. et n. 1° Qui commet un délit de viol sur une femme. — 2° Qui se rend coupable du viol d'un domicile ou d'un règlement. ◆ **violenter** v. tr. *Violenter une femme,* la violer.

violet, ette [vjɔlɛ, -ɛt] adj. et n. m. D'une couleur que l'on peut obtenir en mélangeant le bleu et le rouge : *Etoffe violette. Aimer le violet.* ◆ **violacé, e** adj. D'une couleur tirant sur le violet : *Un visage violacé.* ◆ **violine** adj. D'une couleur violet pourpre : *Une soie violine.*

violette [vjɔlɛt] n. f. Fleur très odorante, de couleur violette : *Les violettes de Parme. Offrir un bouquet de violettes.*

1. violon [vjɔlɔ̃] n. m. 1° Instrument de musique à quatre cordes, que l'on frotte avec un archet : *Jouer du violon. Concerto pour violon et orchestre.* — 2° Personne qui joue du violon dans un orchestre : *Premier et seconds violons.* — 3° Fam. *Accorder ses violons,* se mettre d'accord. ‖ Fam. *Aller plus vite que les violons,* aller trop vite. ◆ **violoniste** n. Personne qui joue du violon. ◆ **violoneux** n. m. 1° Violoniste de village. — 2° *Fam.* Mauvais violoniste. ◆ **viole** n. f. Instrument de musique à cordes et à archet, utilisé en Europe à partir du XVe siècle : *Viole d'amour, viole de gambe.* ◆ **violoncelle** n. m. Instrument de musique à quatre cordes et à archet, plus gros et plus grave que le violon. ◆ **violoncelliste** n. Musicien qui joue du violoncelle.

2. violon [vjɔlɔ̃] n. m. *Violon d'Ingres,* activité secondaire, souvent artistique, exercée en dehors d'une profession : *Avoir, cultiver un violon d'Ingres* (syn. : PASSION; fam. : DADA). *La gravure est son violon d'Ingres.*

3. violon [vjɔlɔ̃] n. m. *Fam.* Prison de police, contiguë à un poste ou à un corps de garde : *Passer la nuit au violon.*

vipère [vipɛr] n. f. 1° Serpent venimeux, à tête triangulaire : *Etre mordu par une vipère.* — 2° Personne méchante et malfaisante. ‖ *Nid de vipères,* rencontre de différentes personnes cruelles et méchantes. ‖ *C'est une langue de vipère,* une personne très médisante (syn. : MAUVAISE LANGUE). ◆ **vipereau** ou **vipéreau** n. m. Petite vipère. ◆ **vipérin, e** adj. *Couleuvre vipérine,* ou *vipérine* n. f., couleuvre ressemblant à une vipère.

virage n. m. V. VIRER 1 et 2.

virago [virago] n. f. *Fam.* Femme d'allure masculine, grossière et autoritaire : *Une redoutable virago* (syn. : MÉGÈRE, DRAGON).

viral, e, aux adj. V. VIRUS 1.

vire [vir] n. f. Palier très étroit, qui rompt une pente raide en montagne.

virée [vire] n. f. *Fam.* Promenade rapide : *Faire une virée en voiture* (syn. : PETIT TOUR).

1. virer [vire] v. intr. 1° (sujet nom de bateau ou de véhicule) Changer de direction : *Virer de bord* (= faire demi-tour). *Virer sur ses amarres. Virer à droite* (syn. : TOURNER). — 2° Tourner sur soi : *Virer en dansant.* ◆ **virage** n. m. 1° Mouvement d'un véhicule qui tourne, change de direction : *Manquer un virage. Accélérer dans les virages. Navire, avion qui exécute un virage.* — 2° Courbure plus ou moins accentuée d'une route, d'une piste : *Virage dangereux. Virages sur plusieurs kilomètres* (syn. : TOURNANT, SINUOSITÉS). — 3° Changement d'orientation d'un parti, d'un mouvement de pensée : *Faire un virage à droite. Un virage délicat* (syn. : PASSAGE, TOURNANT).

2. virer [vire] v. tr. 1° *Virer une épreuve photographique,* en transformer la teinte. — 2° Fam. *Virer sa cuti,* avoir une cuti-réaction positive, qui traduit la réaction de l'organisme à une infection. ◆ v. intr. ou tr. ind. (sujet nom de chose). Changer de couleur : *Bleu qui vire au violet* (syn. : TOURNER). ◆ **virage** n. m. 1° En photographie, opération qui consiste à modifier le ton des épreuves par le passage dans divers bains. — 2° *Virage de cuti,* fait de virer sa cuti.

3. virer [vire] v. tr. *Virer une somme d'argent,* la faire passer d'un compte à un autre : *Virer de l'argent au trésorier d'une société. L'argent n'a pas encore été viré à mon compte* (syn. : VERSER). ◆ **virement** n. m. 1° Opération consistant à faire passer des fonds d'un compte à un autre : *Virement bancaire, postal. Avis de virement.* — 2° *Virement budgétaire,* opération qui consiste à transporter à un chapitre du budget des crédits votés pour un autre chapitre.

4. virer [vire] v. tr. Pop. *Virer quelqu'un,* le renvoyer, le mettre à la porte : *Virer quelqu'un d'une réunion, d'un lieu* (syn. : EXPULSER; pop. : VIDER). *Se faire virer de son emploi.*

virevolte [virvɔlt] n. f. Tour rapide que fait une personne sur elle-même. ◆ **virevolter** v. intr. Tourner rapidement sur soi.

virginal, e, aux adj., **virginité** n. f. V. VIERGE; **virgule** n. f. V. PONCTUATION.

viril, e [viril] adj. 1° Propre à l'homme : *Courage viril. Force virile.* — 2° Energique, digne d'un homme : *Attitude virile* (contr. : VEULE). *Des traits virils* (contr. : EFFÉMINÉ). *Un caractère viril* (syn. : BIEN TREMPÉ; contr. : LÂCHE, MOU). *Un langage viril* (syn. : COURAGEUX, RÉSOLU). ◆ **viriliser** v. tr. Donner un air masculin : *Les cheveux courts virilisent cette femme* (contr. : FÉMINISER). ◆ **virilité** n. f. 1° Ensemble des attributs et caractères physiques de l'homme adulte : *Avoir beaucoup de virilité* (syn. : MASCULINITÉ). — 2° Vigueur de caractère : *Attitude dépourvue de virilité* (syn. : FERMETÉ, ÉNERGIE).

virole [virɔl] n. f. Petit cercle de métal, assez large, servant en particulier à fixer deux objets l'un au bout de l'autre : *La virole d'un couteau assujettit la lame au manche. Tampon à virole.*

virtuel, elle [virtɥɛl] adj. Qui n'est pas réalisé, n'a pas d'effet actuel : *Possibilité virtuelle* (syn. : THÉORIQUE; contr. : RÉEL). *Un revenu virtuel* (syn. : FICTIF). ◆ **virtuellement** adv. En puissance : *Etre virtuellement libre. Etre virtuellement le plus fort* (= sans se mesurer effectivement à l'adversaire). ◆ **virtualité** n. f. : *Faire passer une chose de la virtualité à l'actualité, à la réalité* (syn. : POTENTIALITÉ, ÉVENTUALITÉ).

virtuose [virtɥoz] n. 1° Personne qui a de grands talents dans l'exécution musicale : *Virtuose du piano, du violon.* — 2° Personne très habile, très douée dans une activité, un art : *Virtuose de l'équitation* (syn. : MAÎTRE; fam. : AS). ◆ **virtuosité** n. f. : *Pianiste qui a beaucoup de virtuosité* (syn. : BRIO, VÉLOCITÉ, AGILITÉ). *Exercices de virtuosité. Faire preuve de virtuosité dans un travail de décoration* (syn. : HABILETÉ, INGÉNIOSITÉ).

virulent, e [virylɑ̃, -ɑ̃t] adj. Plein de violence, d'âpreté : *Tenir des propos virulents. Une critique virulente* (syn. : MORDANT, VENIMEUX). ◆ **virulence** n. f. Caractère de ce qui est virulent : *La virulence d'un discours* (syn. : ÂPRETÉ, VIOLENCE). *Protester avec virulence.*

1. virus [virys] n. m. Nom donné à divers germes pathogènes : *Virus de la poliomyélite. Virus filtrant.* ◆ **viral, e, aux** adj. Provoqué par un virus : *Infection virale.*

2. virus [virys] n. m. Principe de contagion morale : *Le virus de la danse, de la musique.*

vis [vis] n. f. 1° Tige cylindrique de métal, présentant une saillie en hélice destinée à s'enfoncer dans une matière dure : *Vis filetée sur deux centimètres. Vis à tête plate, ronde. Donner un tour de vis. Pas de vis.* — 2° Cylindre fileté en hélice : *Une vis de pressoir en bois. Vis sans fin* (= dont le filet engrène avec une roue dentée, lui imprimant un mouvement de rotation perpendiculaire au sien). — 3° Fam. *Serrer la vis à quelqu'un,* prendre des mesures de sévérité à son égard. ◆ **visser** v. tr. 1° *Visser quelque chose,* le fixer avec des vis : *Visser une plaque.* — 2° Serrer en tournant : *Bien visser un bouchon.* — 3° Fam. *Visser quelqu'un,* le surveiller étroitement, le traiter sévèrement : *Visser un enfant insupportable* (syn. fam. : TENIR SERRÉ). ◆ **vissé, e** adj. *Fam.* Se dit de quelqu'un qui ne peut pas ou ne veut pas bouger : *Etre vissé sur sa chaise* (syn. : CLOUÉ, RIVÉ À). *Etre vissé chez ses parents* (syn. : BOUCLÉ). ◆ **vissage** n. m. Opération par laquelle on visse. ◆ **dévisser** v. tr. 1° *Dévisser un écrou, une serrure.* — 2° Fam. *Se dévisser la tête, le cou,* faire des efforts pour regarder derrière soi. ◆ v. intr. Faire une chute au cours d'une escalade en montagne. ◆ **dévissage** n. m. : *Le dévissage d'une charnière.*

visa [viza] n. m. 1° Sceau, signature ou paraphe apposés sur un document pour le valider ou pour attester le paiement d'un droit : *Faire apposer un visa sur un passeport.* — 2° Validation d'un passeport pour un pays étranger : *Demander un visa pour la Bulgarie.*

visage [vizaʒ] n. m. 1° Partie antérieure de la tête, face humaine : *Montrer son visage* (syn. : FIGURE). *Visage régulier, symétrique. Avoir un visage plein, reposé, détendu, défait. Avoir meilleur visage qu'à l'ordinaire* (syn. : AIR, MINE). *Soins du visage* (syn. : FACE). *Coller son visage contre une vitre* (syn. : TÊTE). *Ça se voit comme le nez au milieu du visage* (= c'est évident). *Agir, parler à visage découvert* (= sans se cacher). — 2° Personnage, personne : *Apercevoir un visage nouveau* (= quelqu'un qu'on ne connaît pas). *Etre incapable de mettre un nom sur un visage.* ‖ *Trouver visage de bois,* ne pas trouver la personne que l'on venait voir. — 3° Aspect d'une chose : *Son destin a changé de visage* (syn. : FACE). *Le vrai visage de la société industrielle.* ◆ **visagiste** n. (nom déposé). Esthéticien spécialisé dans les soins de beauté du visage. (V. DÉVISAGER.)

vis-à-vis [vizavi] loc. adv. En face, face à face : *Leurs maisons sont situées vis-à-vis.* ● LOC. PRÉP. *Vis-à-vis de,* en face de : *S'asseoir vis-à-vis de quelqu'un;* à l'égard de : *Etre réservé vis-à-vis de quelqu'un, vis-à-vis d'un problème* (emploi avec un nom de chose déconseillé par quelques lexicographes). ◆ **vis-à-vis** n. m. 1° Fait, pour des personnes ou des choses, d'être situées en face l'une de l'autre : *S'asseoir en vis-à-vis.* — 2° Personne qui se trouve en face d'une autre : *Avoir quelqu'un de connu comme vis-à-vis à un banquet.* — 3° Chose située en face d'une autre : *Cette maison fait un agréable vis-à-vis. Immeuble sans vis-à-vis.*

viscère [visɛr] n. m. Chacun des organes que renferment les cavités du corps, comme le cerveau, les poumons, le cœur, etc. : *Enlever les viscères des animaux.* ◆ **viscéral, e, aux** adj. 1° Relatif aux viscères : *Cavité viscérale.* — 2° Se dit d'un sentiment inconscient et profond . *Une émotion viscérale.*

viscosité n. f. V. VISQUEUX.

1. viser [vize] v. tr. et intr. Pointer une arme ou un appareil optique en direction d'un but, d'un objectif : *Viser un arbre, un oiseau. Viser bien, juste, trop haut.* ◆ **visée** n. f. Action de diriger une arme ou un instrument d'optique vers un but, un objectif : *Point, ligne de visée. Faire une bonne visée.* ◆ **viseur** n. m. Instrument, dispositif optique servant à régler un tir, à orienter un appareil dans la bonne direction : *Viseur de tir aérien. Viseur d'une caméra.*

2. viser [vize] v. tr. 1° (sujet nom de personne) Avoir en vue, se fixer comme objectif : *Viser la magistrature* (syn. : AMBITIONNER). *Viser une carrière précise* (syn. : POURSUIVRE). — 2° (sujet nom de chose) *Viser quelqu'un, quelque chose,* le concerner : *Mesure qui vise tous les Français résidant à l'étranger* (syn. : INTÉRESSER, TOUCHER). *Ceux que vise cette remarque* (= à qui elle s'applique). *Se sentir visé* (= choisi comme cible). ◆ v. tr. ind. *Viser à* (et un nom ou un infin.), chercher à, tendre à : *A quoi vise cette nouvelle mesure?* (syn. : TENDRE; fam. : RIMER). *Viser à plaire* (syn. : CHERCHER À). ◆ **visées** n. f. pl. 1° Objectif, but : *Avoir de hautes visées* (syn. : AMBITION). *A quoi tendent vos visées?* (littér.; syn. : DESSEIN). — 2° *Avoir des visées sur quelqu'un, sur quelque chose,* avoir des intentions, des prétentions à son sujet, vouloir mettre la main dessus.

3. viser [vize] v. tr. Contrôler administrativement, marquer d'un visa : *Faire viser un passeport.*

4. viser [vize] v. tr. *Pop.* Regarder, voir : *Vise un peu cette bagnole!*

visibilité n. f., **visible** adj. V. VOIR.

visière [vizjɛr] n. f. Partie d'une casquette, d'un képi, etc., qui protège le front et les yeux du soleil : *Baisser sa visière. Mettre sa main en visière* (= audessus des yeux pour les protéger). *Visière en matière plastique* (= pièce rigide qui protège les yeux et s'attache autour de la tête).

1. vision [vizjɔ̃] n. f. 1° Perception par l'organe de la vue : *Porter des lunettes pour la vision de loin. Avoir des troubles de la vision.* — 2° Fait de voir quelque chose, en particulier un film : *La vision de ce film m'a donné mal à la tête.*

2. vision [vizjɔ̃] n. f. 1° Perception imaginaire d'objets irréels, fantastiques : *Avoir des visions* (= croire à des choses extravagantes; syn. : HALLUCINATION). — 2° Dans la théologie catholique, chose que Dieu fait voir en esprit ou par les yeux du corps : *Un saint qui a une vision pendant son sommeil.* ◆ **visionnaire** adj. et n. 1° Qui a des visions (au sens 1°) : *Un enfant exalté et visionnaire. Les fantasmes d'un visionnaire.* — 2° Extravagant, bizarre : *Imagination visionnaire.*

visionner [vizjɔne] v. tr. 1° *Visionner un film,* l'examiner pour en faire le montage. — 2° Voir des photos, un film à la visionneuse. ◆ **visionneuse** n. f. 1° Appareil servant à regarder les films pour en faire le montage. — 2° Appareil d'optique permettant d'agrandir et d'examiner des clichés photographiques de petit format : *Regarder des diapositives avec une visionneuse.*

visite [vizit] n. f. 1° Fait d'aller voir quelqu'un à son domicile : *Je vous fais une petite visite en passant. Etre en visite* (= de passage chez quelqu'un). *Jour de visite. Carte de visite* (= que l'on laisse si l'on ne trouve pas la personne que l'on vient voir). *Rendre visite à quelqu'un. Nous avons eu la visite d'une grand-tante.* — 2° Fait d'aller voir quelque chose : *Faire une visite rapide de la ville* (syn. : TOUR). *La visite des principaux monuments. Visite complète d'un musée.* — 3° Examen approfondi ou inspection méthodique de quelque chose : *Visite d'un navire* (syn. : INSPECTION). *Visite des bagages à la douane* (syn. : FOUILLE). *Visite domiciliaire* (= dans l'instruction d'une affaire, recherches faites au domicile du prévenu). — 4° *Visite médicale,* ou *visite,* examen d'un patient par un médecin : *Passer la visite en arrivant à la caserne;* tournée des médecins et des élèves dans les salles d'un hôpital : *L'heure de la visite.* — 5° Fait, pour un médecin, d'aller chez un malade : *Visite à domicile. Faire les visites après les consultations.* — 6° Fait de voir quelqu'un dans un lieu public, tel que prison, hôpital, etc., pour des motifs divers, en particulier professionnels : *Un professeur qui redoute la visite d'un inspecteur. Les visites des malades en salle commune sont soumises à des horaires stricts. Heures de visite. Facilité de visite aux prisonniers de droit commun.* — 7° Personne que l'on reçoit chez soi ou qui va voir quelqu'un : *Avoir une visite, beaucoup de visites.* ◆

contre-visite n. f. Visite (sens 3 et 4) ayant pour but de contrôler les résultats d'une autre visite : *Le malade a dû passer devant une commission médicale pour subir une contre-visite.* ◆ **visiter** v. tr. 1° *Visiter quelqu'un,* aller le voir par charité : *Visiter les pauvres, les malades, les prisonniers.* — 2° *Visiter un pays, une ville, un monument,* etc., aller les voir en touriste, par curiosité. ◆ **visiteur, euse** n. Personne qui fait une visite, qui visite un lieu, un monument : *Avoir beaucoup de visiteurs le dimanche. Ce coin de campagne n'attire pas trop encore les visiteurs* (syn. : TOURISTE). *Les visiteurs d'un musée.*

vison [vizɔ̃] n. m. Mammifère carnivore de la taille d'un putois, dont la variété d'Amérique du Nord est chassée et élevée pour sa fourrure : *Un manteau de vison.*

visqueux, euse [viskø, -øz] adj. 1° Se dit d'une chose de consistance pâteuse, qui n'est ni liquide ni solide : *Gelée, pâte visqueuse. Substance à l'état visqueux.* — 2° Se dit d'une chose molle et poisseuse : *Un chiffon visqueux* (syn. : GRAS, ↑ GLUANT). *Animal à la peau visqueuse.* — 3° Se dit de choses ou de gens qui suscitent la répulsion : *Une main visqueuse* (= moite et molle). *Un personnage visqueux* (= répugnant). ◆ **viscosité** n. f. : *Mesurer la viscosité d'une huile* (syn. : FLUIDITÉ).

visuel, elle [vizɥɛl] adj. Qui a rapport à la vue : *Centre, organes visuels. Champ visuel* (= de la vision). *Représentations visuelles de l'espace, des volumes. Mémoire visuelle* (= des sensations visuelles, par oppos. à *mémoire auditive*). ◆ **visuel, elle** n. Personne qui a surtout de la mémoire visuelle. ◆ **visuellement** adv. Par la vue : *Faire comprendre visuellement une chose.* ◆ **visualiser** v. tr. Rendre visible : *Visualiser des courants dans l'eau grâce à des colorants.* ◆ **visualisation** n. f. : *La visualisation facilite la mémorisation chez certains* (par oppos. à l'*audition*).

vital, e, aux [vital, -to] adj. 1° Qui concerne la vie : *Fonctions vitales. Force vitale.* — 2° Essentiel à la subsistance, à la vie : *Minimum vital* (= ressources indispensables pour subsister). *Espace vital.* — 3° Fondamental : *Les transports sont une question vitale pour les citadins* (syn. : ↓ ESSENTIEL). ◆ **vitalité** n. f. Intensité de la vie, de l'énergie d'une personne ou d'une chose : *Avoir beaucoup de vitalité. Déborder de vitalité, manquer de vitalité* (syn. : DYNAMISME, ↓ ENTRAIN). *La vitalité d'une entreprise.* ◆ **dévitaliser** v. tr. *Dévitaliser une dent,* en faire mourir le nerf. ◆ **dévitalisation** n. f.

vitamine [vitamin] n. f. Substance organique sans valeur énergétique, indispensable à l'organisme : *Alimentation riche en vitamines.* ◆ **vitaminé, e** adj. A quoi on a incorporé des vitamines : *Médicament vitaminé.* ◆ **avitaminose** n. f. Carence de vitamines : *Combattre l'avitaminose.*

vite [vit] adv. 1° Rapidement : *Courir vite, plus vite que ses camarades. Il faut vite se préparer. Va et fais vite* (= dépêche-toi). *La jeunesse passe vite* (contr. : LENTEMENT). — 2° En peu de temps, sous peu : *Il sera vite arrivé. Avoir vite fait de découvrir une supercherie. Je serai de retour le plus vite possible* (syn. : TÔT). — 3° Sans délai, tout de suite : *Lève-toi vite.* ◆ adj. Dans la langue du sport, rapide : *Ce coureur, ce cheval est le plus vite du monde.* ◆ **vitesse** n. f. 1° Fait de parcourir un espace en peu de temps : *Vitesse d'un coureur cycliste, d'une bête que l'on chasse. Course de vitesse* (par oppos. à *course de fond*). *Faire de la vitesse. Aimer la vitesse* (contr. : LENTEUR). *Excès de vitesse. Aller, courir à toute vitesse* (syn. fam. : VAPEUR). — 2° Rapidité à agir : *Faites ceci en vitesse* (= dépêchez-vous). *Partir en vitesse* (= immédiatement, en hâte). *Boucler ses valises en vitesse. Gagner quelqu'un de vitesse* (= le devancer). — 3° Distance parcourue, ou travail fourni, dans l'unité de temps choisie : *Vitesse d'un véhicule, d'une auto, d'un avion. Vitesse acquise, moyenne, maximale. Vitesse d'un moteur.* ‖ *Etre en perte de vitesse,* aller moins vite du fait de la fatigue, de l'usure, etc. ; perdre du prestige, de la popularité, perdre la confiance des autres : *Un parti politique en perte de vitesse.* — 4° Rapport entre la vitesse de rotation de l'arbre moteur d'une automobile et la vitesse de rotation des roues : *Changer de vitesse* (syn. : RÉGIME). *Boîte de vitesses, levier de changement de vitesse. Première, deuxième vitesse. Passer les vitesses.*

viticole [vitikɔl] adj. Relatif à la culture de la vigne : *Région viticole. Industrie viticole.* ◆ **viticulture** n. f. Culture de la vigne : *Le développement de la viticulture.* ◆ **viticulteur** n. m. Personne qui cultive de la vigne pour la production du vin : *Une loi qui concerne les viticulteurs.*

vitre [vitr] n. f. 1° Panneau de verre qui garnit une baie ou un châssis : *Verre à vitres. Faire, laver les vitres* (syn. : CARREAU). *Le nez collé à la vitre* (syn. : FENÊTRE). ‖ Fam. *Casser les vitres,* faire du scandale. — 2° Glace d'une voiture : *Regarder par la vitre arrière. Baisser les vitres.* ◆ **vitrer** v. tr. Garnir de vitres : *Vitrer une terrasse.* ◆ **vitré, e** adj. : *Une baie vitrée.* ◆ **vitrage** n. m. 1° Ensemble des vitres d'un édifice ou d'une fenêtre : *Le vitrage d'une devanture.* — 2° Rideau transparent appliqué contre des vitres : *Poser un vitrage léger.* ◆ **vitrail, aux** n. m. Panneau constitué par un assemblage de morceaux de verre coloré, maintenus à l'aide d'une armature : *Vitrail moderne. Eglise célèbre par ses vitraux.* ◆ **vitrier** n. m. Personne qui fait le commerce des vitres et les pose. ◆ **vitrerie** n. f. Fabrication et pose des vitres : *Travailler dans la vitrerie.*

vitreux, euse [vitrø, -øz] adj. 1° Qui a la nature du verre : *Particules vitreuses.* — 2° Dont l'éclat est terni : *Un regard, des yeux vitreux* (syn. : NOYÉ, EMBRUMÉ).

vitrifier [vitrifje] v. tr. 1° *Vitrifier une matière,* la fondre de manière à la transformer en verre : *Vitrifier du sable.* — 2° *Vitrifier un parquet, une surface,* les revêtir d'un enduit spécial, dur et transparent, pour les protéger. ◆ **vitrification** n. f. Action de vitrifier. ◆ **vitrifiable** adj. Susceptible d'être changé en verre : *Sable vitrifiable.*

vitrine [vitrin] n. f. 1° Devanture vitrée d'un local commercial : *Regarder les vitrines. Regarder dans le magasin à travers la vitrine* (= la vitre). *Mettre un article en vitrine* (syn. : À L'ÉTALAGE). — 2° Petit meuble servant à exposer chez soi des objets d'art : *Une jolie petite vitrine à rayons.*

vitriol [vitrijɔl] n. m. 1° Nom donné à l'acide sulfurique. — 2° *Ecriture, style au vitriol, paroles pleines de vitriol,* extrêmement acerbes. ◆ **vitrioler** v. tr. *Vitrioler quelqu'un,* lancer sur lui du vitriol pour le défigurer.

vitupérer [vitypere] v. tr. ou tr. ind. *Vitupérer quelqu'un* ou, plus souvent, *contre quelqu'un,* s'emporter, s'indigner contre lui, le blâmer avec force.

◆ vitupération n. f. : Passer outre aux vitupérations de ses adversaires (syn. : BLÂME).

vivable [vivabl] adj. (seulement dans des propositions négatives). **1°** *Fam.* Se dit d'une personne facile à vivre, qui a bon caractère : *Un homme qui n'est guère vivable.* — **2°** Que l'on ne peut supporter : *Un milieu qui n'est pas vivable* (= où la vie n'est pas facile). ◆ **invivable** adj. : *Un homme invivable* (= d'un caractère exécrable). *Une existence invivable* (syn. : INSUPPORTABLE).

vivace [vivas] adj. **1°** Qui peut vivre longtemps : *Arbre vivace. Plantes vivaces* (= qui fructifient plusieurs fois dans leur existence). — **2°** Tenace, indestructible : *Entretenir une haine vivace contre quelqu'un.*

vivace [vivatʃe] adv. V. MOUVEMENT, *Mouvements musicaux.*

vivacité n. f. V. VIF.

vivat [viva] interj. Exprime l'enthousiasme. ◆ **vivats** n. m. pl. : *Acclamer quelqu'un par des vivats.*

vive [viv] interj. Exprime l'acclamation : *Vive le Président! Vive* (ou *vivent*) *les vacances!*

viveur [vivœr] n. m. Celui qui aime la vie facile, les plaisirs (syn. : NOCEUR, FÊTARD).

vivier [vivje] n. m. Bassin d'eau aménagé pour conserver des poissons vivants.

vivifier [vivifje] v. tr. **1°** *Vivifier quelqu'un, un être vivant,* lui donner de la vie, de la santé, de la vitalité : *Ce climat vivifie les enfants et les convalescents* (syn. : TONIFIER ; contr. : DÉBILITER, DÉPRIMER). *Vivifier le sang* (syn. : FOUETTER). *Plantes vivifiées par l'air, la pluie.* — **2°** *Vivifier quelque chose,* ranimer, reconstituer ce qui est mort ou mourant : *Vivifier les souvenirs, les sentiments* (syn. : RAFRAÎCHIR, RAJEUNIR). ◆ **vivifiant, e** adj. : *Ce climat est très vivifiant* (syn. : TONIQUE).

vivipare [vivipar] adj. Se dit d'un animal dont les petits viennent au monde déjà vivants (par oppos. à *ovipare*) : *Les mammifères sont vivipares.*

vivisection [viviseksjɔ̃] n. f. Opération pratiquée à titre d'expérience sur des animaux vivants : *Etudier le développement d'une tumeur par vivisection.*

1. vivre [vivr] v. intr. (conj. **63**). **1°** Etre en vie (par oppos. à *être mort*) : *L'enfant a vécu à peine quelques heures. On se penche sur le blessé pour écouter son cœur : il vit encore. Pour le peu de temps qu'il lui reste à vivre, il ne veut se priver d'aucune joie* (syn. : EXISTER). *Vivre dans un poumon d'acier. Cet enfant respire la joie de vivre.* — **2°** Avoir la vie, considérée surtout sous l'angle de la durée : *Vivre vieux. Il vivra centenaire.* — **3°** *Vivre* et un complément de temps, avoir une vie qui se situe à une certaine époque : *Il a vécu sous la Révolution. Nos grands-parents vivaient sous la IIIe République.* — **4°** (sujet nom de chose) Avoir une existence dans le temps, avec un début et une fin : *Son souvenir vit en nous* (syn. : SUBSISTER, EXISTER, DEMEURER). *Un nom qui vivra éternellement dans la mémoire des gens* (= dont on se souviendra toujours avec honneur). *Tant que vivra le scientisme* (syn. : DURER). — **5°** *Avoir vécu,* être mort, avoir cessé (littér.) : *Cette mode a vécu* (= est terminée, finie, passée). *Le colonialisme a vécu* (= a disparu). — **6°** *Ne plus vivre,* être dans [illegible] : *Il a fait tellement de* [illegible] *pour son examen qu'il n'en vit plus.* ‖ *Se laisser vivre,* ne pas faire d'effort, ne pas se faire de souci. ‖ *Qui vive?,* qui va là ?; et substantiv. : *Etre sur le qui-vive,* être sur ses gardes. ◆ **vivant, e** adj. **1°** Qui est en vie : *A moitié vivant, encore vivant. Etre enterré vivant. Enfant né vivant ou mort-né.* — **2°** Doué de vie : *Matière vivante* (contr. : INERTE). *Organisme vivant. Etre vivant* (syn. : ANIMÉ). — **3°** Qui a de l'entrain, de l'animation : *Cet enfant est intéressant, il est très vivant* (syn. : ACTIF, VIF). *Un récit, un drame, un film vivant* (= riche en péripéties). *Un quartier vivant* (syn. : ANIMÉ ; contr. : MORT). *Un visage très vivant* (syn. : EXPRESSIF ; contr. : MORNE). *Un regard très vivant* (syn. : VIF). — **4°** Qui est constitué par des êtres vivants : *Tableaux vivants* (= mimés par des êtres humains). — **5°** Animé d'une sorte de vie, qui ressemble à la vie : *Exemple vivant. Témoignage vivant, preuve vivante. Image vivante d'un disparu.* — **6°** *Langue vivante,* actuellement parlée (contr. : MORT). ‖ *Religion vivante,* qui a encore des adeptes (contr. : DISPARU). ◆ **vivant** n. m. **1°** Personne en vie (surtout au plur.) : *Les vivants et les morts.* — **2°** *Bon vivant,* personne qui aime la bonne chère et qui est toujours de bonne humeur. — **3°** *Du vivant de quelqu'un,* pendant sa vie : *Du vivant de ma mère, mon père aimait beaucoup la compagnie.* ◆ **vivoter** v. intr. Vivre petitement; marcher au ralenti : *Retraité qui vivote péniblement* (syn. : SUBSISTER, VÉGÉTER). *Le petit commerce vivote.* (V. VIE, VIVIFIER.)

2. vivre [vivr] v. intr. (conj. **63**). **1°** *Vivre* (et un complément de manière ou de but), avoir tel genre de vie, tel but dans la vie : *Vivre d'espoir* (= n'avoir aucune satisfaction immédiate et attendre tout de l'avenir). *Vivre selon les mœurs de son temps. Vivre en bon ménage avec quelqu'un. Vivre seul, en famille, dans une communauté religieuse. Vivre en artiste. Vivre à sa guise. Vivre dans la crainte de la mort. Vivre pour soi, pour les autres, pour un parti, pour une idée.* — **2°** *Vivre* et un complément de lieu, habiter : *Il vit en Amérique* (syn. : RÉSIDER, ÊTRE FIXÉ). *Vivre à la campagne. Vivre à trois dans un appartement de deux pièces* (syn. : LOGER). *Vivre chez des amis. Vivre avec quelqu'un.* — **3°** Se conduire, se comporter en société : *Il est facile à vivre* (= il est d'humeur accommodante, facile). *Il ne sait pas vivre* (= il n'observe pas les bienséances). *Apprendre à vivre à quelqu'un* (= lui donner une bonne leçon). ◆ v. tr. **1°** *Vivre quelque chose,* l'éprouver, le faire intensément : *Vivre la conquête de l'espace* (= se passionner pour). *Vivre les angoisses d'une mère auprès d'un enfant malade* (syn. : ÉPROUVER, SENTIR). *Vivre une aventure merveilleuse. Vivre son métier* (= le faire à fond, de tout son être). *Vivre sa vie* (= faire ce que l'on veut, être libre). — **2°** *Vivre une époque, des événements,* etc., y être associé, mêlé : *Vivre la guerre* (= être mêlé à, plongé dans). *Vivre une période de crise, un grand moment de l'histoire.*

3. vivre [vivr] v. intr. (conj. **63**). **1°** Avoir, se procurer les moyens de se nourrir ou de subsister : *Il a de quoi vivre. Beaucoup d'étudiants sont obligés de travailler pour vivre. Faire vivre ses parents* (= pourvoir à leur subsistance). *Il n'aime guère ce travail, mais il faut bien vivre* (= gagner sa vie). *Vivre aux dépens, aux crochets de quelqu'un.* — **2°** *Vivre de quelque chose,* en tirer sa subsistance : *Vivre de ses rentes, d'expédients, du revenu de son* *travail. Vivre d'illusions* (syn. : SE REPAÎTRE DE). — 3° (suivi d'un adv.) Avoir tel ou tel train de vie : *Vivre largement, chichement. Vivre tant bien que mal* (= vivoter, végéter). *Vivre bien* (= ne se priver de rien, avoir un train de vie large). ◆ **vivre** n. m. Nourriture, alimentation (littér.) : *Offrir à quelqu'un le vivre et le couvert* (= le repas servi à table). *Le vivre et le logement.* ◆ **vivres** n. m. pl. Aliments, tout ce qui sert à se nourrir : *Rationner les vivres* (syn. : ALIMENTS). *Préparer des caisses de vivres pour un voyage en mer* (syn. : PROVISIONS, NOURRITURE). *Couper les vivres à quelqu'un* (= ne plus lui verser les subsides qui lui servaient à vivre). ◆ **vivrière** adj. f. *Cultures vivrières,* dont le produit est destiné à l'alimentation.

vlan! [vlɑ̃] interj. Exprime un bruit violent, en particulier celui d'un coup : *Et vlan! il referma la porte avec rage. Et vlan! il reçut le coup de poing en pleine poitrine.*

vocable [vɔkabl] n. m. Mot, terme désignant un objet, une notion, etc. : *Vocables étrangers. Créer un vocable nouveau pour exprimer une idée nouvelle* (syn. : DÉNOMINATION).

vocabulaire [vɔkabylɛr] n. m. 1° Ensemble des mots ayant la valeur d'une dénomination et formant la langue d'une communauté, d'une activité humaine : *Etude du vocabulaire et des procédés stylistiques de Huysmans. Le vocabulaire de l'automobile. Etudier le vocabulaire politique de la Révolution.* — 2° Nom donné à un dictionnaire abrégé où le choix des termes et les définitions se limitent à ce qui est jugé l'essentiel : *Un vocabulaire français-grec. Un vocabulaire de la photographie.* (V. LEXIQUE.)

vocal, e, aux adj. V. VOIX 1.

vocalise [vɔkaliz] n. f. Exercice de voix parcourant une échelle de sons, exécuté sur une ou plusieurs voyelles et sans nommer les notes : *Faire des vocalises.* ◆ **vocaliser** v. intr. et tr. Faire des vocalises.

vocatif n. m. V. CAS.

vodka [vɔdka] n. f. Eau-de-vie de maïs ou de blé, aromatisée, consommée surtout en Russie.

vœu [vø] n. m. 1° Promesse faite à Dieu, engagement religieux : *Faire vœu de se consacrer aux pauvres* (= promettre de, jurer de). *Prononcer des vœux. Vœux perpétuels* (syn. : ENGAGEMENT, SERMENT). — 2° Engagement pris vis-à-vis de soi-même : *Je fais vœu de ne pas bouger avant la fin de ce travail.* — 3° Souhait de voir se réaliser quelque chose : *Mes vœux sont comblés* (syn. : DÉSIR). *Faire des vœux pour le succès d'une entreprise.* — 4° (souvent au plur.) Souhaits adressés à quelqu'un : *Présenter à quelqu'un des vœux de bonheur, ses meilleurs vœux. Vœux de bonne année.* — 5° Intention, par opposition à *décision : Assemblée qui émet des vœux* (syn. : RÉSOLUTION, AVIS). ◆ **votif, ive** adj. Qui est accompli en vertu d'un vœu : *Inscription votive.*

vogue [vɔg] n. f. Faveur, popularité dont jouit une personne ou une chose : *La vogue de cet artiste a beaucoup baissé.*

voguer [vɔge] v. intr. 1° Avancer sur l'eau (littér.) : *Une barque voguait au fil de l'eau* (syn. : NAVIGUER). — 2° Fam. *Vogue la galère!,* advienne que pourra.

voici [vwasi], **voilà** [vwala] adv. Servent à présenter un être animé ou une chose. (Dans la mesure où ils s'opposent, *voici* exprime la proximité ou le futur, *voilà* l'éloignement ou le passé, mais *voilà* est d'un emploi beaucoup plus courant que *voici,* qui appartient surtout à la langue écrite, et il peut toujours lui être substitué.) 1° Placés avant un nom, un adverbe, une conjonction, un infinitif : *Voici mon frère. Voilà mes amis. Voici ma maison, et voilà le jardin. Voilà les faits, voici quelle sera ma conclusion... Enfin, voilà les invités!* (= ils arrivent). *Voici comment il faut faire : remplissez d'abord ce questionnaire. Voici venir le printemps.* — 2° Avec un pronom personnel, avec le relatif *que, voici* et *voilà* se placent après le pronom : *Vous voici déjà? Les voilà. Vous voulez des chiffres? En voici. Nous y voici* (= nous sommes arrivés à destination, ou à la question envisagée). *Vous voilà arrivés. Les beaux fruits que voilà!* — 3° Employés seuls, *voici* et *voilà* peuvent annoncer un développement explicatif, ou introduire une objection : *Vous me demandez des précisions? Voici : j'ai d'abord pris ce chemin,* etc. *Il a voulu se sauver, oui, mais voilà, il était trop tard.* ‖ *Voilà* seul, ou *et voilà, et voilà tout,* a parfois une valeur conclusive : *Je me suis sauvé par la fenêtre, et voilà!* (= il n'y a pas d'autre mystère). — 4° *Voici que, voilà que* introduisent l'énoncé d'une circonstance particulière produisant un changement dans une situation : *Tout était calme; soudain, voilà qu'on entend une explosion. Tiens, voilà qu'il se met à pleuvoir.* — 5° Suivis d'une indication de temps, *voici* et *voilà* précisent la durée écoulée : *Il a quitté la France voici bientôt dix ans* (syn. : IL Y A). *Voilà trois jours qu'il n'a rien mangé* (= depuis trois jours). ◆ **revoici, revoilà** adv. *Fam.* Voici, voilà à nouveau : *Me revoici! Nous revoilà en Italie* (= nous y sommes à nouveau). *Revoilà le soleil.*

voie [vwɑ] n. f. 1° Route construite ou aménagée pour aller d'un lieu à un autre (en ce sens, n'est employé que dans un petit nombre d'expressions officielles); espace tracé ou aménagé pour la communication : *Les voies de communication* (= l'ensemble des routes, des chemins de fer, des canaux; syn. : LIGNES DE COMMUNICATION). *Voie publique* (terme admin. = toute route ou tout chemin ouvert à la circulation et dépendant du domaine de l'Etat ou des collectivités locales). *Voie privée* (= aménagée par des particuliers). *Voie ferrée* (= ligne de chemin de fer). *La voie ferrée de Paris à Orléans. Voie vicinale* (terme admin. = petit chemin de village). — 2° La double ligne de rails servant à la circulation des trains (c'est le sens le plus fréquent du mot pris isolément; souvent au plur.) : *Ne traversez pas les voies. Il y a eu un accident sur la voie. Des ouvriers réparent la voie. Une ligne de chemin de fer à voie unique, à double voie. Un ouvrier de la voie.* — 3° Moyen de communication, de transport : *La voie maritime est la plus sûre* (= le bateau). *Il est venu par la voie aérienne* (= l'avion). — 4° Direction de la vie, ligne de conduite, manière de se comporter (en ce sens, ne s'emploie qu'avec un adjectif, un complément ou dans des expressions figées) : *Suivre la bonne, la mauvaise voie. La voie du bien, du mal, de l'honneur, du courage* (syn. : CHEMIN). *La voie des aveux. Ouvrir, montrer, tracer la voie* (= être l'initiateur, montrer la direction à suivre, créer un précédent; syn. : OUVRIR LA ROUTE). *Préparer la voie, les voies à quelqu'un* (= aplanir les difficultés devant lui) ou *à quelque* chose (= faciliter son aboutissement). *Ces négociations préliminaires ont préparé la voie à un pacte de non-agression. Il lui a préparé les voies en fournissant toute la documentation. Il a obtenu ce résultat par des voies détournées* (= par des moyens cachés; syn. : CHEMIN). *Il m'a mis généreusement sur la voie* (= il m'a indiqué le moyen de trouver la solution). *Continuez dans cette voie, dans la même voie* (syn. : DIRECTION, LIGNE). *Suivez une autre voie. Poursuivre dans la voie tracée. Prendre une voie nouvelle* (= changer de cours). *L'affaire est en bonne voie* (= elle a pris un bon départ et promet de réussir). — **5°** *En voie de* (suivi d'un nom ou d'un infin.), se dit de quelqu'un ou de quelque chose dont le début permet d'envisager avec certitude l'avenir : *Le travail est en voie d'achèvement* (= dans de bonnes conditions pour être achevé). *Il est en voie de dépenser tout l'argent qu'il possédait* (syn. : EN PASSE DE). ‖ *Par la voie,* selon un certain ordre, une certaine structure : *Faire parvenir une demande par la voie hiérarchique;* avec un certain mode de transport : *Aller à Rome par la voie aérienne, par la voie terrestre, maritime.* ‖ *Par voie de conséquence,* syn. de EN CONSÉQUENCE (langue soutenue) : *Ses exigences étaient trop grandes; par voie de conséquence, les négociations furent rompues.* ‖ *La voie est libre,* le passage est ouvert, la route est dégagée : *La voie était libre, nous roulions à grande allure;* on peut agir librement : *La voie est libre; aucun concurrent ne semble capable maintenant de vous battre.* ‖ *Voie d'eau,* trou fait accidentellement dans la coque d'un navire : *Après la collision, on s'efforça d'aveugler la voie d'eau.* ‖ *Voie de fait,* acte de violence commis à l'égard de quelqu'un (terme admin.) : *Il s'est livré à des voies de fait sur un infirme.* ‖ *Voie de garage,* partie de la voie ferrée où l'on gare les rames de wagons. ‖ Fam. *Ranger, mettre, laisser sur une voie de garage,* laisser de côté une affaire ou une personne dont on ne veut plus s'occuper : *Le projet l'ennuyait; il le laissa sur une voie de garage. Il n'avait aucun espoir dans ce nouveau poste, il se sentait mis sur une voie de garage.* ‖ *Voie de passage,* route, chemin, etc., qui sert de grande communication entre deux points : *Ce col est une voie de passage fréquentée entre les deux pays.* ‖ *Voies de Dieu,* ses desseins : *Les voies de Dieu sont impénétrables.* ‖ *Voies et moyens,* établissement des recettes de l'Etat en fonction des dépenses (terme admin.).

voilà adv. V. VOICI.

1. voile [vwal] n. m. **1°** Morceau d'étoffe plus ou moins transparent, servant à couvrir le visage ou la tête dans diverses circonstances : *Voile de tulle, de mousseline. Voile de communiante, de mariée. Voile d'infirmière. Voile de deuil. Voile de religieuse.* ‖ *Prendre le voile,* se faire religieuse. — **2°** Tissu léger et fin : *Un voile de coton, de soie. Voile de Tergal pour faire des rideaux.* — **3°** Ce qui cache, empêche de voir quelque chose : *Mettre, jeter un voile sur une question. Oter, arracher le voile. Sous le voile de l'amitié* (= sous le couvert de, l'apparence de). *Un voile de brume* (= une légère brume). *Sa frange fait une sorte de voile devant ses yeux.* ◆ **voilage** n. m. Grand rideau d'étoffe légère (syn. : VITRAGE). ◆ **voilette** n. f. Petite pièce de tissu très fine et légère, que les femmes portent parfois devant le visage : *Avoir une voilette mouchetée à son chapeau.* ◆ **voiler** v. tr. **1°** *Voiler quelqu'un, quelque chose,* le couvrir d'un voile : *Chez certains peuples, les femmes se voilent encore pour sortir* (= portent un voile devant le visage). *Voiler les glaces dans une maison mortuaire.* — **2°** Cacher, dissimuler quelque chose : *Des nuages voilent la lune. Voiler sa désapprobation par un excès de gentillesse. Des larmes qui voilent le regard* (syn. : EMBRUMER, NOYER). ◆ **se voiler** v. pr. : *La lune se voile peu à peu* (= se cache, se couvre). *Se voiler la face* (= se cacher la figure par honte, ou pour ne pas entendre des choses épouvantables). ◆ **voilé, e** adj. **1°** Obscur, dissimulé : *Parler en termes voilés* (= à mots couverts; syn. : ↑ OBSCUR). *Faire une allusion voilée à quelque chose* (syn. : DISCRET; contr. : DIRECT). — **2°** Qui manque de netteté, de pureté : *Regard voilé* (syn. : TERNE, TROUBLE; contr. : LIMPIDE, CLAIR, FRANC). *Voix voilée* (syn. : ENROUÉ; contr. : CLAIR). ◆ **dévoiler** v. tr. *Dévoiler une chose,* retirer le voile qui la couvre : *Dévoiler une statue le jour de l'inauguration.*

2. voile [vwal] ou **voilement** [vwalmɑ̃] n. m. Déformation d'une pièce de grande surface et de faible épaisseur sous l'action d'un effort supérieur à la charge admissible : *Roue inutilisable à cause de son voilement.* ◆ **voiler** v. tr. Fausser, gauchir : *Voiler la roue de sa bicyclette.* ◆ **se voiler** v. pr. : *Les disques se voilent quand ils sont mal rangés* (syn. : SE GAUCHIR, SE GONDOLER). ◆ **voilé, e** adj. Faussé, gauchi : *Avoir une roue voilée.* ◆ **dévoiler** v. tr. : *Dévoiler une roue.*

3. voile [vwal] n. m. **1°** Obscurcissement accidentel d'un cliché photographique, dû à un excès de lumière : *La pellicule a été mal bobinée, et toutes les photos ont un voile.* — **2°** *Voile au poumon,* diminution homogène de la transparence d'une partie du poumon, visible à la radioscopie. ◆ **voiler** v. tr. : *Si vous n'ouvrez pas votre appareil dans une obscurité complète, vous allez voiler votre film.* ◆ **voilé, e** adj. : *Une photo voilée. Il a un poumon voilé.*

4. voile [vwal] n. m. *Voile du palais,* cloison musculaire et membraneuse qui sépare la bouche du larynx.

5. voile [vwal] n. f. **1°** Pièce de toile forte attachée aux vergues d'un mât et destinée à recevoir l'effort du vent pour faire avancer un bateau : *Bateau à voiles. Toutes voiles déployées. Carguer, larguer les voiles. Les voiles claquent au vent. Mettre à la voile* (= appareiller). *Faire voile dans une direction* (syn. : NAVIGUER, CINGLER). ‖ *Avoir le vent dans les voiles,* être poussé par les événements, réussir. ‖ Fam. *Avoir du vent dans les voiles,* être ivre. ‖ *Mettre toutes voiles dehors,* déployer tous les moyens pour un but recherché. ‖ Pop. *Mettre les voiles,* s'en aller. — **2°** Bateau à voiles : *On aperçoit quelques voiles à l'horizon.* — **3°** Navigation à voile : *Faire de la voile.* — **4°** *Vol à voile,* vol en planeur. ◆ **voilier** n. m. **1°** Navire, bateau de plaisance à voiles : *Un voilier du Nord. Une course de voiliers.* — **2°** Oiseau dont le vol est très étendu. ◆ **voilure** n. f. **1°** Ensemble des voiles d'un bâtiment. — **2°** Ensemble des surfaces portantes d'un avion.

voir [vwar] v. tr. et intr. (conj. 41). **1°** *Voir une personne, une chose,* les percevoir par les yeux : *Voir bien, mal* (= avoir bonne, mauvaise vue). *Lunettes pour voir de près. Ne rien voir dans l'obscurité* (syn. : DISTINGUER). *Voir quelque chose* *à l'œil nu* (syn. : APERCEVOIR). *Voir le blé pousser. Je regarde si je les vois arriver, mais je ne vois rien du tout. Faire voir le chemin à quelqu'un* (= le lui indiquer, le lui montrer). *Laisser voir son chagrin* (= ne pas le cacher). *Rideau transparent qui laisse voir ce qui se passe à l'extérieur. Je l'ai vu de mes propres yeux* (= je suis sûr de ce que j'avance). *De la hauteur, on voit jusqu'à des dizaines de kilomètres.* — **2°** Etre spectateur d'une chose, assister à un événement : *Voir un film. La plus belle chose que j'aie jamais vue. Voir un match à la télévision* (= regarder). *La génération qui a vu la guerre de 14* (syn. : FAIRE ou VIVRE). *Voir du pays* (= le visiter, le parcourir). *Un pays qui a vu plusieurs révolutions* (syn. : CONNAÎTRE, SUBIR). *Je n'ai jamais vu ça* (marque la surprise, avec une nuance de désapprobation). *Quelqu'un qui a beaucoup vu* (= qui a beaucoup d'expérience). — **3°** Imaginer, concevoir : *Je ne le vois pas du tout en médecin. Voir l'avenir* (= prévoir). *Voir loin* (= imaginer). *Voir les choses en noir* (= être pessimiste). *Je ne vois pas où cela peut vous mener. Je ne vois pas d'issue, de solution* (syn. : TROUVER). *Je ne vois pas de mal à cela. Je ne vois pas ce qu'il y a de drôle* (syn. : COMPRENDRE). *Vous pensez aux mois à venir, mais il faut voir plus loin. Voir grand. Il ne voyait pas quel parti prendre.* — **4°** *Voir une chose,* l'examiner, l'étudier de près, y réfléchir : *Voir un dossier. Voir une affaire. Voir les choses de près. Je verrai ça. Voir un chapitre de géographie, un morceau de musique. Voir une bonne partie du programme. Je verrai ce que j'ai à faire. C'est à voir* (= il faut y réfléchir). *C'est une question à voir* (syn. : ÉTUDIER). *Nous verrons ça entre nous* (= nous en reparlerons). — **5°** Juger, décider, aviser : *Voir une chose à loisir. Voir quelqu'un à l'œuvre* (= juger). *Je connais votre façon de voir à ce sujet* (= votre opinion). — **6°** *Voir quelqu'un,* lui rendre visite, avoir des rapports avec lui : *Voir son directeur* (= le rencontrer, avoir un entretien avec lui). *Voir régulièrement ses amis* (= entretenir avec eux des relations d'amitié). *Ne plus pouvoir voir quelqu'un* (syn. : SOUFFRIR). *Allez voir ses parents* (= rendez-leur visite). *Aller voir le médecin. Voir un avocat* (syn. : CONSULTER). — **7°** Fam. *En faire voir à quelqu'un,* le tourmenter, lui causer du souci. ◆ ***se voir*** v. pr. (sujet nom de personne). **1°** Se regarder : *Se voir dans une glace.* — **2°** Se représenter par la pensée : *Elle se voit déjà toute vieille dans quelques années* (syn. : S'IMAGINER). — **3°** Se trouver dans telle situation : *Il s'est vu dans la misère après avoir été dans l'opulence. Elle était fière de se voir admirée de tant de monde.* — **4°** Se fréquenter : *Des amis qui se voient souvent.* — **5°** (sujet nom de chose) Etre apparent, visible : *Est-ce que cette tache va se voir?* — **6°** Arriver, se produire : *Un fait qui ne se voit pas souvent* (syn. : SE PRÉSENTER). ◆ **visible** [vizibl] adj. **1°** Qui peut être vu, distingué, observé : *Etoile visible à l'œil nu. Signes visibles.* — **2°** Qui est concret, perceptible : *Le monde, les réalités visibles* (contr. : INVISIBLE, CACHÉ). — **3°** Que l'on voit très facilement ou qui est manifeste, évident : *La reprise sur ce rideau est très visible* (syn. : APPARENT). *Une gêne visible* (syn. : ÉVIDENT, MANIFESTE; contr. : SECRET, CACHÉ). *Il se prépare un grand changement, c'est visible* (syn. : NET, CLAIR, SÛR). ◆ **visiblement** adv. De manière très facile à voir, à constater : *Il grandit et grossit visiblement. Il a été visiblement fâché de cette affaire* (syn. : MANIFESTEMENT). ◆ **visibilité** n. f. **1°** Qualité de ce qui peut être vu facilement : *La faible visibilité d'un objet à une telle distance.* — **2°** Possibilité de voir bien et assez loin : *Manquer de visibilité dans un virage.* ◆ **invisible** adj. **1°** Qui ne peut être vu : *« L'Homme invisible » a été un roman à succès.* — **2°** Trop petit pour être aperçu : *D'invisibles insectes le piquaient au visage.* ◆ **invisibilité** n. f. (V. REVOIR, VOYANT, VUE.)

voire [vwɑ̃r] adv. Sert à renchérir : et de même, et aussi (littér.) : *Un stage de quelques mois, voire de quelques années.*

voirie [vwari] n. f. **1°** Ensemble des diverses voies de communication : *La voirie départementale.* — **2°** Partie de l'administration publique qui s'occupe des voies de communication : *Service de voirie* (= nettoyage des rues et des places). — **3°** Lieu où sont déposées ordures et immondices : *Jeter des ordures à la voirie.*

voisin, e [vwazɛ̃, -in] adj. **1°** Se dit de ce qui est situé à faible distance de quelqu'un ou de quelque chose : *Habiter la maison voisine* (= d'à côté). *Le hameau voisin est à trois kilomètres* (= le plus proche). *Un champ voisin de la route* (syn. : PROCHE). — **2°** Se dit d'êtres ou de choses qui ont des traits de ressemblance : *Des idées voisines* (= presque semblables). *Programmes voisins* (syn. : APPARENTÉ). *Style voisin* (syn. : PROCHE). *Prendre une qualité voisine pour réassortir des objets* (syn. : APPROCHANT). ◆ n. **1°** Personne qui habite à côté d'une autre ou se trouve à proximité : *Rencontrer un voisin. Voisin de palier. Voisin de table. Voisin de lit. Les enfants veulent toujours la même chose que leurs voisins* (syn. : CAMARADE). — **2°** Habitant d'un pays contigu : *Peuple plus ou moins dense que ses voisins.* ◆ **voisinage** n. m. **1°** Lieux qui se trouvent à proximité de quelque chose : *Les enfants du voisinage* (syn. : QUARTIER, ENVIRONS). — **2°** Proximité dans le temps ou l'espace : *Jouir du voisinage de la ville. Au voisinage du marché* (= aux alentours de). — **3°** Ensemble des voisins : *Ameuter tout le voisinage* (syn. : QUARTIER). *Etre aimé, détesté, connu dans son voisinage* (syn. : ENTOURAGE). — **4°** *Rapports de bon voisinage,* bonnes relations entre voisins. ◆ **voisiner** v. intr. **1°** (sujet nom de chose) Etre placé à une faible distance de : *Faire voisiner des affaires dans un rangement.* — **2°** (sujet nom de personne) *Fam.* Avoir des relations de voisinage : *Se refuser à voisiner.* (V. AVOISINER.)

voiture [vwatyr] n. f. **1°** Véhicule servant à transporter les personnes ou les marchandises : *Voiture à cheval. Voiture automobile. Voiture à bras. Partir en voiture* (syn. : AUTO). *Faire de la voiture* (= circuler en auto). *Voiture d'enfant* (= landau, poussette). *Voiture d'infirme* (= sorte de fauteuil roulant). — **2°** Véhicule de chemin de fer : *Voiture de tête, de queue.* ‖ *En voiture!,* cri par lequel le chef de gare invite les voyageurs à monter dans un train. ◆ **voiturette** n. f. Petite voiture. ◆ **voiturer** v. tr. Fam. *Voiturer quelqu'un, quelque chose,* le transporter en voiture : *Voiturer un ami jusque chez lui. Voiturer des tonnes de marchandises.* ◆ **voiturée** n. f. : *Une pleine voiturée de foin* (syn. : CHARRETÉE).

1. voix [vwa] n. f. **1°** Ensemble des sons qui sortent de la bouche de l'homme : *Avoir la voix grave, aiguë, rauque. Une voix nasillarde. Avoir* *une voix chaude. Baisser la voix. Parler à voix basse, à mi-voix. Faire la grosse voix* (= parler avec sévérité). *Dire quelque chose à haute et intelligible voix. Parler d'une voix entrecoupée, avec des larmes dans la voix. Ne pas reconnaître la voix de quelqu'un au téléphone.* || *Rester sans voix,* être muet d'étonnement. — 2° Son émis en chantant : *Une voix de basse, de ténor. Une belle voix. Avoir la voix fausse, juste* (= chanter faux, juste). *Etre, n'être pas en voix* (= en forme pour chanter). *S'éclaircir la voix. Travailler sa voix.* — 3° Partie vocale ou instrumentale d'une œuvre musicale : *Chœur à plusieurs voix* (syn. : PARTIE). *Chanter à deux voix.* — 4° Cri de certains animaux, ou son de certains instruments de musique (littér.) : *Voix d'un chien isolé* (syn. : CRI). *Enregistrer la voix des oiseaux* (syn. : CHANT, CRI). *La voix vibrante et chaude du violoncelle* (syn. : SON). ◆ **vocal, e, aux** adj. 1° Relatif à la voix : *Cordes vocales. Exercices vocaux.* — 2° Qui s'exprime par la voix : *Prière vocale* (contr. : MUET, SILENCIEUX). *Musique vocale* (= pour le chant, par oppos. à *musique instrumentale*). ◆ **vocalement** adv. Au moyen de la voix : *Déchiffrer vocalement une partition.*

2. voix [vwa] n. f. Conseil, avertissement venant d'une autre personne ou appel émanant de ce qu'il y a de plus intime en l'homme : *Se fier à la voix d'un ami. Répondre à la voix de quelqu'un. La voix de la conscience. La voix du sang* (= impulsion qui rapproche des personnes de même parenté). *Ecouter la voix de la raison* (= ce que dicte la raison).

3. voix [vwa] n. f. 1° Possibilité d'exprimer son opinion dans une délibération : *Avoir voix au chapitre dans une affaire* (= pouvoir donner son avis). *Avoir seulement voix consultative. La voix du peuple.* — 2° Expression de l'opinion d'un électeur dans un vote : *Donner sa voix à tel candidat* (syn. : SUFFRAGE). *Perdre, gagner des voix. Compter les voix.*

4. voix [vwa] n. f. Forme que prend le verbe selon que le sujet fait, subit l'action ou y participe : *Voix active, pronominale, passive* (syn. : FORME). [V. VERBE.]

1. vol [vɔl] n. m. 1° Déplacement de certains animaux, particulièrement des oiseaux, dans l'air : *Le vol des hirondelles au ras du sol est considéré comme un présage de pluie. Le vol plané d'un épervier.* || *A vol d'oiseau,* en ligne droite. || *Attraper un objet au vol,* en l'air, avant qu'il touche terre. || *Saisir un nom, une remarque au vol,* au passage, dans la conversation. || *Personne de haut vol,* de grande envergure : *Un escroc de haut vol.* — 2° Distance que parcourt un oiseau sans se reposer : *Franchir une région d'un seul vol.* — 3° Groupe d'oiseaux qui volent ensemble : *Un vol de cigognes.* — 4° Déplacement d'un engin d'aviation dans l'atmosphère, ou d'un engin spatial dans le cosmos : *Il y a huit heures de vol entre ces deux pays* (syn. : TRAVERSÉE). *Vol de nuit. Le vol orbital des cosmonautes.* ◆ **volée** n. f. 1° Envol, essor : *Prendre sa volée.* — 2° Distance qu'un oiseau parcourt sans s'arrêter : *D'une seule volée.* — 3° Groupe d'oiseaux qui volent ensemble : *Une volée d'hirondelles.* ◆ **voler** v. intr. 1° Se mouvoir ou se maintenir en l'air au moyen d'ailes : *Oiseau qui vole bas.* — 2° Se déplacer en avion : *Voler de Paris à Athènes.* — 3° Aller très vite : *Voler chez un ami annoncer une nouvelle* (syn. : COURIR, ACCOURIR ; fam. : FONCER). — 4° Etre projeté dans l'air : *Papiers qui volent au vent.* — 5° *Voler de ses propres ailes,* agir par soi-même, être indépendant. ◆ **volant, e** adj. 1° Capable de s'élever, de se déplacer en l'air : *Poisson volant.* — 2° *Personnel, matériel volant,* dans l'aviation, personnel ou matériel qui vole, par opposition au personnel ou au matériel *à terre* (ou fam. *rampant*). ◆ **voleter** v. intr. (conj. 8). Voler à petits coups d'aile, en se posant souvent : *Oisillons qui volettent au ras du sol.* ◆ **volettement** n. m.

2. vol [vɔl] n. m. 1° Fait de s'emparer du bien d'autrui : *Commettre une série de vols* (syn. : LARCIN, DÉTOURNEMENT, RAPINE, PILLAGE). *Assurance contre le vol. Vol de voiture. C'est du vol organisé* (syn. : ESCROQUERIE). — 2° Produit du vol : *Sa fortune est la somme de tous ses vols.* ◆ **voler** v. tr. 1° *Voler une chose, un bien,* prendre par ruse ou par force le bien d'autrui : *Voler par nécessité, par entraînement* (syn. : PILLER, CAMBRIOLER). *Voler de l'argent à quelqu'un* (syn. : DÉROBER, DÉTOURNER, EXTORQUER). *Voler des bonbons* (syn. fam. : CHAPARDER). *Il m'a volé cette idée* (syn. : PRENDRE ; fam. : CHIPER). || *Ne l'avoir pas volé,* bien mériter ce qui vous arrive. — 2° *Voler quelqu'un,* lui prendre ses affaires, son bien : *Il s'est fait voler pendant son voyage* (syn. : DÉTROUSSER, DÉVALISER). *Il a été volé lors du partage des biens* (syn. : LÉSER). [Le verbe s'emploie souvent intransitivement.] ◆ **voleur, euse** adj. et n. Qui a volé ou qui vole habituellement : *Enfant voleur* (syn. fam. : CHAPARDEUR). *Commerçant voleur* (syn. : MALHONNÊTE). *Prendre une voleuse la main dans le sac* (= en flagrant délit de vol). ◆ **antivol** n. m. et adj. : *Faire poser un antivol sur sa voiture* (= un dispositif destiné à empêcher le vol).

volage [vɔlaʒ] adj. Se dit d'une personne (ou de son comportement) dont les sentiments changent souvent d'objet, qui est peu fidèle en amour : *Une femme volage* (syn. : LÉGER, FRIVOLE, INCONSTANT). *Un cœur volage* (contr. : FIDÈLE).

volaille [vɔlaj] n. f. 1° Nom collectif des oiseaux que l'on nourrit dans une basse-cour : *Elevage de la volaille.* — 2° Oiseau de basse-cour : *Découper une volaille. Volaille cuite au four. Pâté de volaille.* ◆ **volailler** n. m. Marchand de volaille.

1. volant, e adj. V. VOL 1.

2. volant, e [vɔlɑ̃, -ɑ̃t] adj. 1° Qui se déplace ou est déplacé facilement : *Brigade volante* (syn. : MOBILE). *Personnel volant* (= de remplacement, qui va d'un service à un autre). *Camp volant* (contr. : FIXE). *Pont volant* (= que l'on peut relever). *Table volante* (= table légère que l'on déplace facilement ; contr. : FIXE). — 2° *Feuille volante,* feuille écrite ou imprimée qui n'est attachée à aucune autre : *Prendre des notes sur des feuilles volantes* (= séparées, indépendantes).

3. volant [vɔlɑ̃] n. m. Appareil de direction dans une automobile : *Tourner le volant. Prendre, tenir le volant* (= conduire). *As du volant* (= excellent conducteur).

4. volant [vɔlɑ̃] n. m. 1° Roue très pesante, dont l'inertie régularise la vitesse de rotation de l'arbre sur lequel elle est calée. — 2° Organe de commande d'un mécanisme. — 3° *Volant magnétique,* volant qui, dans certains moteurs à explosion légers, sert à produire le courant d'allumage.

5. volant [vɔlɑ̃] n. m. Garniture froncée, cousue au bas d'une jupe : *Un volant de dentelles. Un jupon à volants.*

6. volant [vɔlɑ̃] n. m. Portion libre et détachable de chaque feuille d'un carnet à souches : *Renvoyer le volant dûment rempli* (contr. : SOUCHE).

7. volant [vɔlɑ̃] n. m. *Volant de sécurité,* réserve assurant la bonne marche d'une opération commerciale (syn. : MARGE DE SÉCURITÉ).

8. volant [vɔlɑ̃] n. m. 1° Sorte de bouchon de liège, garni de plumes, qu'on lance avec une raquette. — 2° Jeu qui se joue avec un volant : *Une partie de volant.*

volatil, e [vɔlatil] adj. Qui se transforme aisément en vapeur : *Produit volatil et inflammable, à reboucher soigneusement.* ◆ **volatilité** n. f. : *La volatilité de l'éther.* ◆ **volatiliser** v. tr. *Volatiliser un liquide, un corps,* le transformer en vapeur : *Volatiliser du soufre.* ◆ **se volatiliser** v. pr. Se transformer en vapeur : *L'éther se volatilise.* ◆ **volatilisable** adj. Susceptible d'être transformé en vapeur. ◆ **volatilisation** n. f.

volatile [vɔlatil] n. m. Oiseau, et en particulier oiseau de basse-cour : *Rattraper un volatile échappé du poulailler.*

1. volatiliser v. tr. V. VOLATIL.

2. volatiliser [vɔlatilize] v. tr. Fam. *Volatiliser un objet,* le subtiliser, le faire disparaître : *Qui est-ce qui m'a volatilisé mon briquet?* ◆ **se volatiliser** v. pr. *Fam.* Disparaître : *Mon argent s'est volatilisé* (syn. : S'ENVOLER, S'ÉVAPORER).

vol-au-vent [vɔlovɑ̃] n. m. invar. Préparation culinaire consistant en une croûte de pâte feuilletée, garnie de dés de viande en sauce.

1. volcan [vɔlkɑ̃] n. m. Relief de forme conique, édifié par les laves et les projections issues de l'intérieur du globe, et qui a émis ou peut émettre des matières en fusion, par une cheminée et un cratère : *Volcan en activité, éteint. Cheminée, pentes d'un volcan.* ◆ **volcanique** adj. Qui se rapporte aux volcans : *Eruption volcanique, roches volcaniques.* ◆ **volcanisme** n. m. Ensemble des phénomènes volcaniques.

2. volcan [vɔlkɑ̃] n. m. 1° Personne de nature ardente, impétueuse ou violente : *Femme toujours agitée, semblable à un volcan.* — 2° Danger imminent et caché : *Nous sommes sur un volcan.* ◆ **volcanique** adj. Ardent, violent : *Tempérament volcanique* (syn. : BOUILLANT, IMPÉTUEUX). *Les ravages d'une passion volcanique* (syn. : ARDENT).

1. volée [vɔle] n. f. 1° Tir simultané de plusieurs pièces d'artillerie : *Une volée d'obus.* — 2° Ensemble de coups nombreux et consécutifs : *Recevoir une volée.* — 3° Son d'une cloche mise en branle.

2. volée [vɔle] n. f. Au tennis, reprise d'une balle avant qu'elle ait touché terre : *Rattraper une balle à la volée.* ‖ *Demi-volée,* reprise de la balle aussitôt après qu'elle a touché terre.

3. volée (à la) [alavɔle] loc. adv. 1° En l'air : *Attraper un objet à la volée.* — 2° Très rapidement : *Saisir une allusion à la volée.* — 3° *Semer à la volée,* en lançant les graines en l'air pour les éparpiller.

4. volée n. f. V. VOL 1.

voler v. tr. et intr. V. VOL 1 et 2.

volet [vɔlɛ] n. m. 1° Panneau de bois ou de tôle pour clore une baie de fenêtre ou de porte : *Fermer les volets* (syn. : PERSIENNE). *Volets de bois, de métal.* — 2° Partie plane d'un objet, pouvant se rabattre sur celle à laquelle elle tient : *Volets d'un triptyque. Volets d'une aile d'avion. Volet d'un feuillet, d'une carte de permis de conduire.*

voleter v. intr., **volettement** n. m. V. VOL 1; **voleur, euse** n. et adj. V. VOL 2.

volière [vɔljɛr] n. f. Sorte de grande cage dans laquelle on élève des oiseaux : *Un bruit de volière.*

volitif, ive adj., **volition** n. f. V. VOLONTÉ.

volley-ball [vɔlɛbol] ou simplem. **volley** [vɔlɛ] n. m. Sport qui se dispute entre deux équipes de six joueurs se renvoyant, par-dessus un filet, un ballon léger, sans qu'il touche le sol. ◆ **volleyeur, euse** n. Joueur, joueuse de volley-ball.

1. volontaire [vɔlɔ̃tɛr] n. Personne qui se propose pour une tâche, généralement désagréable ou périlleuse : *On demande des volontaires pour la corvée d'épluchage. Des volontaires aidaient les pompiers à combattre l'incendie.* ◆ n. m. Celui qui sert dans une armée sans y être obligé : *Un bataillon de volontaires. Les volontaires de 1791.* ◆ **volontariat** n. m. Engagement, service des volontaires dans une armée : *Accomplir deux ans de volontariat.*

2. volontaire adj. V. VOLONTÉ.

volonté [vɔlɔ̃te] n. f. 1° Faculté de vouloir, de décider quelque chose : *Naissance, développement de la volonté. Manifestation de la volonté. Volonté faible, hésitante, ferme. Faire un effort de volonté pour se décider.* — 2° Vif désir de quelque chose : *Avoir la volonté de guérir, de réussir. Etre sans volonté* (= ne rien désirer particulièrement). — 3° Energie, fermeté à réaliser ce que l'on souhaite : *Il a échoué par manque de volonté. Force de volonté. Faire acte de volonté* (syn. : ÉNERGIE, AUTORITÉ, DÉCISION). *Avoir une volonté de fer, une volonté inflexible.* — 4° Manifestation particulière de la faculté de vouloir (parfois au plur.) : *Sa volonté est d'être incinéré* (syn. : ↓ DÉSIR). *Suivre, respecter, enfreindre la volonté de quelqu'un. Les dernières volontés du défunt. Faire les quatre volontés de quelqu'un* (= obéir à tous ses caprices). — 5° *Bonne, mauvaise volonté,* disposition à vouloir faire, ou à refuser de faire quelque chose : *Mettre de la mauvaise volonté à exécuter un ordre. Cet élève a beaucoup de bonne volonté. Sa bonne volonté est mise à rude épreuve.* • LOC. ADV. *A volonté,* sans limitation de quantité : *Pain et beurre à volonté* (syn. : À DISCRÉTION); au moment que l'on veut, comme on veut : *Vous pouvez le conserver ou l'échanger à volonté* (= à votre gré). *Billet payable à volonté.* ◆ **volontaire** adj. 1° Se dit d'une personne qui agit selon sa volonté, et non par contrainte : *Prisonnier volontaire.* — 2° Se dit de ce qui manifeste une volonté ferme, de ce qui traduit la volonté : *Une main volontaire. Tempérament volontaire. Regard volontaire. Avoir un front volontaire.* — 3° Se dit d'un acte qui résulte d'un choix délibéré, sans contrainte : *Une omission volontaire* (syn. : INTENTIONNEL, VOULU). *Aveu volontaire d'une faute* (syn. : SPONTANÉ; contr. : FORCÉ). ◆ **volontairement** adv. 1° De sa propre volonté : *Il s'est dénoncé volontairement* (syn. : ↓ SPONTANÉMENT). — 2° Avec intention, exprès : *Laisser volontairement un sujet dans l'ombre* (syn. : INTENTIONNELLEMENT). ◆ **volitif, ive** adj. Qui a rapport à l'acte de volonté. ◆ **volition** n. f. Acte de la volonté (langue philosophique).

volontiers [vɔlɔ̃tje] adv. De bon gré, avec plaisir : « *Vous viendrez bien nous voir? — Volontiers.* » *C'est un film que je reverrais volontiers* (= que j'aimerais bien revoir).

volt [vɔlt] n. m. Unité de force électromotrice et de différence de potentiel, ou tension, en électricité : *Un courant de 110 volts, de 220 volts* (ou, par abrév. : *du 110, du 220*). ◆ **voltage** n. m. Différence de potentiel, ou tension, en électricité : *Il faudrait vérifier le voltage de l'appareil avant de le brancher.* ◆ **survolté, e** adj. 1° Se dit d'une lampe, d'un appareil soumis à un voltage excessif. — 2° *Fam.* Se dit d'une personne dont la tension nerveuse est excessive. ◆ **survoltage** n. m. Syn. de SURTENSION. ◆ **sous-voltage** n. m. Syn. de SOUS-TENSION.

voltairien, enne [vɔltɛrjɛ̃, -ɛn] adj. et n. Se dit d'une personne (ou de son comportement) qui rappelle Voltaire : *Esprit voltairien* (= sarcastique).

volte-face [vɔltəfas] n. f. invar. 1° Action de se retourner du côté opposé à celui qu'on regardait : *Faire volte-face* (= pivoter sur soi-même). — 2° Changement brusque d'opinion, de manière d'agir : *Faire une volte-face* (= tourner casaque [fam.]).

voltige [vɔltiʒ] n. f. 1° Ensemble d'exercices au trapèze volant : *Voir au cirque un numéro de haute voltige.* — 2° Exercice d'équitation qui consiste à sauter, de diverses manières, sur un cheval en marche ou arrêté : *Faire de la voltige.* — 3° Ensemble des figures de l'acrobatie aérienne. — 4° Acrobatie de toute sorte : *Un exercice de voltige intellectuelle.* ◆ **voltigeur** n. m. Personne qui fait de la voltige.

voltiger [vɔltiʒe] v. intr. 1° Voler çà et là : *Feuilles qui voltigent en automne.* — 2° Flotter au gré du vent : *Le vent fait voltiger ses cheveux.*

1. voltigeur n. m. V. VOLTIGE.

2. voltigeur [vɔltiʒœr] n. m. Fantassin chargé de mener le combat principalement par le mouvement et le choc : *Une formation de voltigeurs.*

volubile [vɔlybil] adj. Se dit d'une personne qui parle avec abondance et rapidité : *Jeune fille volubile* (syn. : LOQUACE, BAVARD; contr. : TACITURNE). ◆ **volubilité** n. f. : *Une volubilité qui étourdit* (syn. : FACONDE, ABONDANCE).

volubilis [vɔlybilis] n. m. Autre nom du LISERON, appliqué surtout aux espèces ornementales à fleurs colorées.

1. volume [vɔlym] n. m. 1° Espace occupé par un corps matériel et susceptible d'une mesure précise : *Calculer le volume d'un corps. Unité de volume. L'eau chauffée augmente de volume* (= se dilate). ‖ *Faire du volume,* être encombrant, occuper beaucoup de place : *Un emballage qui fait beaucoup de volume.* — 2° Quantité globale : *Le volume des importations est supérieur au volume des exportations* (syn. : IMPORTANCE, QUANTITÉ). *Volume d'une affaire.* — 3° Puissance de la voix, des sons : *Régler le volume sonore d'une musique radiodiffusée* (syn. : INTENSITÉ). *Sa voix a beaucoup de volume.* — 4° Figure géométrique à trois dimensions : *Le cône, la pyramide, la sphère sont des volumes réguliers.* ◆ **volumineux, euse** adj. Qui est très encombrant, tient beaucoup de place : *Une caisse volumineuse* (syn. : ÉNORME). *Des meubles volumineux. Recevoir un courrier volumineux* (syn. : ABONDANT).

2. volume [vɔlym] n. m. 1° Livre broché ou relié : *Un dictionnaire en dix volumes* (syn. : TOME). *Rassembler en un volume les inédits, les lettres d'un écrivain.* — 2° Ecrit d'une certaine longueur : *Ecrire des volumes sur des sujets futiles* (syn. fam. : TARTINE).

volupté [vɔlypte] n. f. 1° Vif plaisir des sens : *Rechercher la volupté. Se baigner avec volupté* (= un très grand plaisir). — 2° Plaisir, satisfaction intense : *Eprouver un sentiment de volupté à bien faire son travail* (syn. : JOIE, DÉLECTATION). ◆ **voluptueux, euse** adj. et n. 1° Se dit d'une personne qui aime, qui recherche la volupté et les plaisirs : *Peuple, tempérament voluptueux.* — 2° Se dit de ce qui fait éprouver du plaisir : *Une sensation voluptueuse. Une grâce voluptueuse.* ◆ **voluptueusement** adv. : *S'étirer voluptueusement.* ◆ **voluptuaire** adj. *Dépenses voluptuaires,* consacrées aux choses de luxe ou de fantaisie.

volute [vɔlyt] n. f. 1° Ornement d'architecture en forme de spirale : *Volutes d'une colonne ionique.* — 2° Ce qui est plus ou moins en forme de spirale : *Des volutes de fumée.*

vomir [vɔmir] v. tr. 1° (sujet nom de personne) Rejeter avec effort par la bouche le contenu de l'estomac : *Vomir son déjeuner* (syn. : RENDRE). *Un spectacle affreux à faire vomir.* — 2° Cracher : *Vomir du sang.* — 3° Proférer (des paroles) : *Vomir des injures, un torrent d'injures.* — 4° (sujet nom de chose) Projeter violemment au-dehors : *Les volcans vomissent des flammes, de la lave.* ◆ **vomi** n. m., **vomissure** n. f. Matière vomie : *Sentir le vomi.* ◆ **vomissement** n. m. Fait de vomir : *Etre sujet aux vomissements.* ◆ **vomique** adj. *Noix vomique,* fruit utilisé comme stimulant du système nerveux, mais qui est toxique à fortes doses. ◆ **vomitif, ive** adj. et n. m. Qui fait vomir : *Produit vomitif. Prescrire un vomitif.*

vorace [vɔras] adj. Se dit d'une personne, d'un animal (ou de leur comportement) qui mange avec avidité : *Un enfant vorace. Un chien vorace* (syn. : GLOUTON, INSATIABLE). *Appétit vorace.* ◆ **voracement** adv. : *Se jeter voracement sur sa proie.* ◆ **voracité** n. f. : *Satisfaire la voracité d'une meute.*

vos adj. poss. V. MON.

vote [vɔt] n. m. 1° Opinion exprimée par chacune des personnes qui participent à une délibération, à une élection : *Compter les votes* (syn. : SUFFRAGE, VOIX). *Abaisser le droit de vote à l'âge de dix-neuf ans.* — 2° Acte par lequel les citoyens d'un pays, les membres d'une assemblée expriment leur opinion; mode selon lequel est effectuée cette opération : *Procéder au vote* (syn. : ÉLECTION). *Se rendre au bureau de vote. Prendre part à un vote. Bulletin de vote. Vote à main levée, secret, par correspondance* (syn. : SCRUTIN). — 3° Adoption d'un projet mis aux voix : *Le vote d'une loi.* ◆ **voter** v. intr. Exprimer son opinion dans une consultation : *Dès midi, la plupart des électeurs avaient voté* (contr. : S'ABSTENIR). *Avoir le droit de voter. Voter pour une liste locale. Voter indépendant, à droite, à gauche.* ◆ v. tr. *Voter une loi, une décision,* etc., l'adopter, la faire passer par le moyen d'une consultation : *L'Assemblée a voté un projet de loi modifiant le régime matrimonial* (syn. : RATIFIER). *La loi sur les crédits agricoles a été votée* (= est passée). ◆ **votant** n. m. 1° Personne qui a le droit de participer à un suffrage, à une élection (syn. : ÉLECTEUR). —

2° Personne qui participe effectivement au vote : *Il y a eu 80 pour 100 de votants* (contr. : ABSTENTIONNISTE). ◆ **votation** n. f. *Mode de votation*, manière de voter.

votre, le vôtre adj. et pron. poss. V. MON.

vouer [vwe] v. tr. 1° Promettre d'une manière irrévocable : *Vouer une amitié éternelle, une haine implacable à quelqu'un* (syn. : JURER). — 2° *Vouer sa personne, sa conduite*, etc., *à quelqu'un, à quelque chose*, les lui consacrer entièrement : *Vouer sa vie, son activité à un parti* (syn. : OFFRIR, DONNER). *Etre voué à un travail de lecture.* — 3° Destiner (surtout au passif) : *Entreprise vouée à l'échec* (syn. : CONDAMNER). ◆ ***se vouer*** v. pr. 1° Se consacrer : *Se vouer à l'étude.* — 2° Fam. *Ne pas savoir à quel saint se vouer*, être désemparé.

1. vouloir [vulwar] v. tr. (conj. 37). 1° (sujet nom d'être animé) *Vouloir* et l'infinitif, *vouloir que* et le subjonctif, être décidé à (à ce que), avoir l'intention plus ou moins arrêtée, le désir de : *Je veux savoir ce qui s'est passé* (syn. : ↓ DÉSIRER, SOUHAITER). *Je veux que vous me rendiez compte de vos dépenses* (syn. : ↑ EXIGER). *Il veut se faire remarquer* (syn. : AVOIR ENVIE DE, CHERCHER À). *Un cheval qui ne veut pas sauter* (= qui refuse). ‖ Fam. *Je voudrais vous y voir!*, vous ne feriez pas mieux. ‖ Fam. *Je veux être pendu si...*, exprime une forte dénégation : *Je veux être pendu s'il y arrive* (= il n'y arrivera certainement pas). ‖ *Vouloir bien*, exprime le consentement : *Je veux bien vous prêter ma voiture, mais pour aujourd'hui seulement. Le vendeur veut bien qu'on le paie par mensualités* (syn. : ACCEPTER, CONSENTIR). ‖ *Veuillez faire, dire*, etc., exprime un ordre, une invitation : *Veuillez me passer ce document.* ‖ *Veuillez agréer..., veuillez croire...*, formules de politesse à la fin des lettres. ‖ *Veux-tu (bien) te taire*, etc., exprime un ordre énergique. — 2° (sujet nom de chose) Se prêter à une action : *Du bois qui ne veut pas brûler. Nous allons partir, si toutefois le moteur veut bien démarrer.* ‖ *Vouloir dire*, signifier : *« Bimensuel » veut dire « qui paraît deux fois par mois ». Cette citation latine est fautive : la phrase ne veut rien dire. Que veut dire cet attroupement?* (= de quoi est-il le signe?). ‖ *La tradition, l'usage*, etc., *veut que...*, il est conforme à la tradition, à l'usage, etc., de... — 3° (sujet nom de personne) *Vouloir quelque chose* (nom concret), en réclamer la possession, la jouissance : *Un enfant qui veut un jouet* (syn. : ↓ DEMANDER). *Il veut une chambre pour lui tout seul. Voulez-vous encore du potage?* (syn. : DÉSIRER); s'emploie souvent au conditionnel, par atténuation : *Je voudrais un kilo de cerises.* — 4° (sujet nom de personne) *Vouloir quelque chose* (nom abstrait), en souhaiter ou en demander vivement l'établissement, la réalisation : *Je veux des preuves. Les manifestants voulaient l'abolition du décret. Nous ne voulons pas sa ruine.* ‖ *Vouloir un certain prix d'une chose*, la vendre à ce prix. ‖ *Vouloir du bien, du mal à quelqu'un*, lui être favorable, hostile. — 5° *Vouloir quelque chose de quelqu'un*, compter qu'il le fera, le lui demander : *Je veux de lui une discrétion absolue. Que voulez-vous de moi?* (syn. : ATTENDRE). — 6° (sujet nom de chose) Avoir besoin de : *C'est une plante qui veut beaucoup d'eau* (syn. : DEMANDER, EXIGER, RÉCLAMER). *La conjonction « quoique » veut le subjonctif* (syn. : APPELER). — 7° (avec un pronom compl.) *Que me (lui, etc.) voulez-vous?*, que voulez-vous que je (qu'il, etc.) fasse?, qu'attendez-vous de moi (de lui, etc.)? ‖ *Que veux-tu (voulez-vous)*, exprime la résignation, le parti qu'on prend de quelque chose : *Ce n'est pas très bien payé, mais, que voulez-vous, il faut bien vivre!* ‖ *Sans le vouloir*, involontairement, par mégarde : *Il avait, sans le vouloir, légèrement bousculé son voisin* (contr. : EXPRÈS, INTENTIONNELLEMENT). — 8° (sans compl.) *Si tu veux, si vous voulez, comme tu veux, comme vous voulez*, cela ne dépend que de toi (de vous), à ta (votre) guise. ◆ v. tr. ind. 1° *Vouloir de quelqu'un, de quelque chose*, accepter de les prendre, de les recevoir : *Personne ne veut de lui comme camarade. Il ne veut pas de vos excuses.* — 2° *En vouloir à quelqu'un*, avoir de la rancune, du ressentiment contre lui : *J'espère que tu ne m'en voudras pas si je m'occupe de toi en dernier. Il vous en veut de ne pas l'avoir prévenu.* — 3° *En vouloir à quelque chose*, avoir des visées sur cette chose : *Il vous flatte, parce qu'il en veut à votre argent.* (REM. Les formes de l'impératif, en proposition négative, sont *ne m'en veuille pas, ne m'en veuillez pas* dans la langue soignée, et *ne m'en veux pas, ne m'en voulez pas*, dans la langue courante : *Ne m'en veuillez pas si je suis en retard. Ne m'en veux pas de ne pas t'avoir invité à venir avec nous.*) — 4° Fam. *En veux-tu, en voilà*, exprime la grande abondance : *L'affaire marche très bien : les commandes arrivent en veux-tu, en voilà* (syn. : À PROFUSION).

2. vouloir [vulwar] n. m. *Bon vouloir, mauvais vouloir*, dispositions favorables, défavorables; bonne, mauvaise volonté : *Il a fait preuve d'un mauvais vouloir évident dans toute cette affaire.* ‖ *Bon vouloir*, acceptation qui dépend plus ou moins du caprice de quelqu'un, de ses dispositions imprévisibles : *On n'attend plus que le bon vouloir du propriétaire pour entreprendre les fouilles* (syn. : BON PLAISIR).

vous pron. pers. V. NOUS.

voûte [vut] n. f. 1° Ouvrage de maçonnerie, cintré, formé d'un assemblage de pierres qui s'appuient les unes sur les autres : *Voûte en plein cintre, en berceau. Voûte en ogive. Voûte d'un pont.* — 2° Paroi supérieure d'un édifice, d'une cavité ou d'une formation naturelle qui présente une courbure : *Voûte de ciment d'une cave. Le chemin s'engageait sous une voûte de feuillage* (syn. : DAIS, BERCEAU). *Voûte céleste* (littér. = le ciel). *Voûte du palais* (= paroi supérieure de la bouche). *Voûte d'un four.* ◆ **voûter** v. tr. Couvrir d'une voûte : *Voûter un souterrain.* ◆ **voûté, e** adj. En forme de voûte : *Une cave voûtée.*

1. voûter v. tr. V. VOÛTE.

2. voûter (se) [səvute] v. pr. Se courber : *Ce vieillard commence à se voûter* (= à devenir bossu). *Dos qui se voûte.* ◆ **voûté, e** adj. Courbé : *Un vieillard tout voûté. Avoir le dos voûté.*

vouvoyer [vuvwaje] v. tr. *Vouvoyer quelqu'un*, employer le *vous* de politesse en s'adressant à lui : *Vouvoyer ses camarades de travail* (contr. : TUTOYER). ◆ **vouvoiement** n. m. Emploi du *vous* de politesse : *Préférer le vouvoiement au tutoiement.*

voyage [vwajaʒ] n. m. 1° Fait de se déplacer hors de sa région ou de son pays : *Voyage d'affaires. Etre en voyage* (syn. : DÉPLACEMENT). *Partir en voyage* (= s'absenter). *Faire un voyage en pays étranger pendant les vacances* (= visiter, parcourir un pays). *Voyage à travers l'Europe* (syn. : CIRCUIT, TRAVERSÉE DE). *Les gens du voyage* (= les artistes du cirque). *Le grand voyage* (littér. = la mort). — **2°** Trajet, allée et venue d'un lieu à un autre : *Train qui fait le voyage Paris-Le Havre* (= trajet dans les deux sens). *Nous avons trois jours de voyage devant nous.* ◆ **voyager** v. intr. **1°** (sujet nom de personne) Se déplacer hors de sa région ou de son pays : *Voyager en voiture* (syn. : CIRCULER). *Voyager à travers l'Europe* (= la parcourir). *Avoir beaucoup voyagé dans sa jeunesse.* — **2°** Faire un trajet, ou (avec un sujet nom de chose) être transporté : *Voyager en 1re classe* (syn. : SE DÉPLACER). *Nous avons voyagé très confortablement. Les denrées périssables voyagent dans des voitures frigorifiques. Ce colis a bien voyagé* (= supporté le transport). ◆ **voyageur, euse** n. **1°** Personne qui fait un trajet : *Tous les voyageurs changent de train.* — **2°** Personne qui se déplace fréquemment hors de son pays : *C'est un grand voyageur. Avoir l'âme d'un voyageur. Un groupe de voyageurs* (syn. : TOURISTE). ◆ adj. : *Avoir l'âme voyageuse. Pigeon voyageur. Commis voyageur* (= employé qui voyage pour le compte d'une maison de commerce).

1. voyant, e [vwajɑ̃, -ɑ̃t] adj. Se dit de ce qui se voit, se remarque beaucoup : *Couleur voyante* (syn. : ↓ VIF, ↑ CRIARD; contr. : DISCRET). *Une robe voyante* (syn. : ↑ TAPAGEUR). *Avoir des goûts voyants* (contr. : SOBRE).

2. voyant [vwajɑ̃] n. m. **1°** Signal lumineux : *Le voyant est allumé.* — **2°** Disque et ampoule électrique d'avertissement de divers appareils de contrôle, de tableaux, de sonnerie, etc.

voyante [vwajɑ̃t] n. f. Personne qui prédit l'avenir : *Consulter une voyante* (syn. : CARTOMANCIENNE, DISEUSE DE BONNE AVENTURE). *Voyante extra-lucide.* ◆ **voyance** n. f. Don de prédire l'avenir.

voyelle [vwajɛl] n. f. Son musical que les organes de la parole produisent en donnant une libre résonance à la voix et que l'on transcrit par un graphème ou une suite de graphèmes : *On distingue, en français, les voyelles orales, qui mettent en jeu comme résonateur la cavité buccale* [a, ɑ, ə, œ, ɛ, e, i, ø, ɔ, o, u, ɥ], *et les voyelles nasales, qui y ajoutent une résonance nasale* [ɑ̃, ɛ̃, œ̃, ɔ̃]. ◆ **semi-voyelle** n. f. Syn. de SEMI-CONSONNE (v. CONSONNE). ◆ **vocalique** adj. Relatif aux voyelles : *Le système vocalique du français comporte seize voyelles* (v. Introduction). ◆ **vocalisme** n. m. Système des voyelles d'une langue.

voyeur [vwajœr] n. m. Personne qui assiste, pour sa satisfaction, aux manifestations de la sexualité d'autrui.

voyou [vwaju] n. m. **1°** Enfant mal élevé : *C'est un petit voyou, qui traîne dans les rues* (syn. : ↓ GALOPIN, GARNEMENT). — **2°** Individu de mœurs crapuleuses : *Vivre comme un voyou.* ◆ adj. m. Canaille : *Arborer un air voyou.*

vrac (en) [ɑ̃vrak] loc. adv. **1°** Pêle-mêle, en désordre : *Sortir ses affaires en vrac. Déballer ce qu'on a à dire en vrac* (fam.). — **2°** Sans emballage (en parlant de marchandises) : *Fruits vendus en vrac.*

vrai, e [vrɛ] adj. **1°** (après le nom) Se dit d'une chose conforme à la réalité à laquelle elle se réfère : *Ses paroles sont vraies de bout en bout* (syn. : EXACT, FIDÈLE; contr. : FAUX, ERRONÉ, INEXACT, MENSONGER). *Récit, histoire vrais* (= qui rapporte des faits qui se sont réellement produits; contr. : FANTAISISTE, IMAGINAIRE, INVENTÉ). *Le proverbe serait-il vrai qui dit qu'un malheur ne vient jamais seul?* — **2°** (avant ou après le nom) Se dit de ce qui existe ou a existé réellement, qui n'est pas une simple vue de l'esprit : *Théorie qui s'appuie sur des faits vrais* (syn. : HISTORIQUE, RÉEL, POSITIF). *Les vraies causes de ce phénomène ont été découvertes beaucoup plus tard* (syn. : RÉEL, EFFECTIF). — **3°** Qui est réellement ce qu'il paraît être : *Tout le monde a cru à une plaisanterie; or, c'était un vrai policier qui mettait la main sur un vrai bandit. De l'or vrai* (contr. : FAUX). *Avoir de vrais cheveux* (contr. : POSTICHE). *C'est une vraie blonde* (= elle l'est naturellement; contr. : ARTIFICIEL). *De son vrai nom, il s'appelle Robert* (syn. : VÉRITABLE; contr. : D'EMPRUNT). *Je vais vous dire la vraie raison de mon départ* (syn. : VÉRITABLE, PROFONDE; contr. : APPARENT). *La joie de retrouver la campagne, la vraie nature* (syn. : SAUVAGE, À L'ÉTAT BRUT; contr. : CIVILISÉ). — **4°** (avant le nom) Qui est conforme à ce qu'il doit être : *Un vrai héros. Un vrai paysan attaché à la terre* (= digne de ce nom). *Un vrai comédien* (syn. : GRAND, EXCELLENT). *Un vrai sportif.* — **5°** (avant le nom) Qui est efficace : *C'est le seul vrai moyen de soulager son mal de tête* (= le meilleur). *Ce n'est pas la vraie méthode pour apprendre ce sport* (syn. : BON). ◆ **vrai** n. m. Vérité en général : *Distinguer le vrai du faux.* ‖ *Etre dans le vrai,* avoir raison. • Loc. ADV. *A dire vrai, à vrai dire,* s'emploient pour introduire une restriction, une mise au point : *Il m'a dit qu'il ne pourrait pas venir : à vrai dire, je m'y attendais* (syn. : EN FAIT). ‖ Fam. *Pour de vrai,* véritablement, réellement : *A force de se pencher et de dire qu'il allait tomber, il a fini par le faire pour de vrai* (syn. : POUR DE BON; contr. : POUR RIRE). ‖ Fam. *Pas vrai?,* n'est-ce pas? : *Vous étiez bien à la réunion, pas vrai?* ◆ adv. **1°** Conformément à la vérité : *Parler vrai.* — **2°** *Fam.* Exclamativement, marque la surprise, l'émotion : *J'en ai assez, vrai, de tout ce vacarme. Ben vrai, ça alors!* ◆ **vraiment** adv. **1°** De manière conforme à la réalité : *Ils s'aimaient vraiment* (syn. : PROFONDÉMENT). *Ce tissu est vraiment rouge* (syn. : EXTRÊMEMENT, UN PEU TROP). *C'est vraiment une révolution populaire* (syn. : VÉRITABLEMENT). *Vous le croyez vraiment?* — **2°** S'emploie pour souligner une affirmation : *Vraiment, il exagère! Ce n'est vraiment pas malin.* (V. VÉRACITÉ, VÉRIDIQUE, VÉRITABLE, VÉRITÉ.)

vraisemblable [vrɛsɑ̃blabl] adj. Se dit d'une chose qu'on peut à bon droit estimer vraie : *Une hypothèse vraisemblable* (syn. : PLAUSIBLE). *Il est vraisemblable que la crise gouvernementale va se prolonger* (syn. : PROBABLE). ◆ **vraisemblablement** adv. Selon les apparences : *Cette poterie est vraisemblablement d'origine étrusque* (syn. : SANS DOUTE). ◆ **vraisemblance** n. f. **1°** : *La vraisemblance d'une hypothèse. Heurter la vraisemblance* (= s'y opposer, être en contradiction avec ce qui paraît le plus plausible). — **2°** *Selon toute vraisemblance,* certainement, sans doute : *Il va arriver, selon toute vraisemblance, à obtenir ce qu'il veut.* ◆ **invraisemblable** adj. : *Une histoire invraisemblable.* ◆ **invraisemblance** n. f. : *L'invraisemblance d'un témoignage.*

1. vrille [vrij] n. f. **1°** Organe de fixation de certaines plantes grimpantes : *Les vrilles de la vigne.*

— 2° Outil pour percer le bois, formé d'une tige que termine une vis : *Percer un trou dans une planche avec une vrille. Un regard perçant comme une vrille.* — 3° Défaut d'un fil qui se tortille sur lui-même. ◆ **vrillé, e** adj. Enroulé, tordu comme une vrille : *Fil vrillé.* ◆ **vriller** v. tr. *Vriller une planche,* la percer avec une vrille.

2. vrille [vrij] n. f. Figure de voltige aérienne dans laquelle le nez de l'avion suit une verticale descendante, tandis que l'extrémité des ailes décrit une hélice : *Descendre en vrille.* ◆ **vriller** v. intr. (sujet nom désignant un avion). S'élever ou descendre en décrivant une hélice.

vrombir [vrɔ̃bir] v. intr. 1° (sujet nom d'un objet) Produire un son vibré, dû à un mouvement périodique rapide : *Avion, moteur qui vrombit* (syn. : RONFLER). — 2° (sujet nom d'un insecte) Faire un bruit de vibration : *Frelon qui vrombit* (syn. : BOURDONNER). ◆ **vrombissement** n. m.

1. vu [vy] prép., **vu que** [vykə] conj. Expriment la cause : *Vu l'heure tardive, il a fallu ajourner la discussion* (syn. : EN RAISON DE, ÉTANT DONNÉ). *On lui pardonne cette étourderie, vu sa jeunesse* (syn. : EU ÉGARD À). *Il faut renoncer à cette dépense, vu que les crédits sont épuisés* (syn. : ATTENDU QUE, ÉTANT DONNÉ QUE, DU FAIT QUE).

2. vu, e [vy] adj. *Bien vu, mal vu,* se dit de quelqu'un ou de quelque chose dont on a bonne, mauvaise opinion : *Dans ce pays, les étrangers sont généralement assez mal vus.*

3. vu [vy] n. m. *Au vu et au su de tout le monde,* en public, sans se cacher.

1. vue [vy] n. f. 1° Sens par lequel on perçoit la forme et la couleur des objets, et qui participe à la représentation de l'espace : *Organes de la vue. Perdre la vue* (= devenir aveugle). — 2° Faculté de voir : *Sa vue baisse. S'user la vue. Avoir une bonne vue. A perte de vue* (= aussi loin que l'on peut voir). *L'avion est hors de vue* (= ne peut plus être vu). ‖ Fam. *En mettre plein la vue à quelqu'un,* l'impressionner. — 3° Acte de regarder, de voir : *Jeter la vue sur quelque chose* (syn. : LES YEUX). *Perdre de vue la côte* (= cesser de la voir). *Perdre quelqu'un de vue* (= ne plus le fréquenter ou le rencontrer). *S'offrir à la vue de quelqu'un* (syn. : REGARDS). *A première vue* (= au premier coup d'œil). *Avoir une vue plongeante sur le village* (= regarder d'une éminence). *Je le connais de vue* (= je l'ai simplement aperçu). *Garder quelqu'un à vue* (= sous surveillance étroite). *Changement de décor à vue* (= sans baisser le rideau). *Remboursement à vue* (= sur simple présentation). *A vue d'œil* (= de façon visible). *Il grandit à vue d'œil* (= très rapidement). ‖ Fam. *A vue de nez,* apparemment, superficiellement. ‖ *En vue,* visible : *La côte est en vue.* ‖ Fam. *Très en vue, assez en vue,* se dit d'une personne importante. — 4° (avec un compl. du nom ou un déterminatif) Fait de voir quelque chose, quelqu'un : *La vue du sang lui fait un choc* (syn. : SPECTACLE). *J'ai rencontré le surveillant général, et sa vue me rappelle de mauvais souvenirs.*

2. vue [vy] n. f. 1° Ce que l'on peut voir dans certain lieu : *Il y a une très belle vue sur la mer. Maison d'où l'on a de la vue. De Montmartre, la vue de Paris s'étend jusqu'aux collines de Saint-Cloud* (syn. : PANORAMA). — 2° Image, photo ou tableau représentant un paysage : *Une vue du port d'Ajaccio.*

3. vue [vy] n. f. 1° Image mentale ou faculté de former des images mentales (dans quelques expressions) : *Don de seconde vue* (= possibilité de sentir, de deviner ce qui se passe au loin). *Du point de vue historique, artistique* (= sous l'angle...). *Qu'avez-vous en vue quand vous me parlez?* (= à quoi pensez-vous ?). — 2° Idée, conception : *Vues infaillibles, hardies, larges. Procéder à un échange de vues* (= un entretien préliminaire, où sont exposées les conceptions des deux parties). *C'est une vue de l'esprit* (= c'est purement théorique). *Donner une vue d'ensemble de la question* (syn. : APERÇU, IDÉE). *Donner son point de vue sur une question* (syn. : CONCEPTION). *Un esprit à courtes vues* (= qui ne voit pas loin). — 3° Intention de faire quelque chose : *J'ai un poste en vue* (= j'envisage de façon précise). *Avoir quelqu'un en vue pour une place, un emploi* (= penser à lui). *Borner ses vues à acquérir une maison à la campagne* (syn. : AMBITION). *Avoir des vues sur quelqu'un* (= avoir jeté son dévolu sur lui pour un poste, ou pour l'épouser). ● LOC. PRÉP. *En vue de,* de manière à préparer quelque chose, à réaliser un objectif, à atteindre un but, etc. : *Travailler en vue de réussir à un concours. S'entraîner en vue d'un championnat.*

vulcaniser [vylkanize] v. tr. *Vulcaniser du caoutchouc,* y ajouter du soufre pour accroître sa résistance à divers agents, en lui conservant son élasticité. ◆ **vulcanisé, e** adj. : *Caoutchouc vulcanisé.* ◆ **vulcanisation** n. f. Addition de soufre au caoutchouc.

1. vulgaire [vylgɛr] adj. 1° Se dit d'une chose qui ne suppose pas de connaissance particulière, qui est comprise par tout le monde : *Le nom vulgaire d'une plante* (syn. : COURANT, USUEL ; contr. : SCIENTIFIQUE, SAVANT). *Langue vulgaire* (syn. : COMMUN). — 2° (avant le nom) Se dit d'une chose ou d'une personne qui n'est rigoureusement que ce qu'elle est : *Une robe de vulgaire coton* (syn. : SIMPLE). *C'est de la vulgaire matière plastique* (= ce n'est que de...). *Je ne suis qu'un vulgaire lecteur, néanmoins je formulerai quelques critiques de fond.* ‖ *L'opinion vulgaire,* l'opinion courante. ◆ n. m. *Le vulgaire,* le commun des hommes, la foule (littér.) : *Ignorer ce que le vulgaire pense* (contr. : LES INITIÉS, L'ÉLITE). ◆ **vulgairement** adv. Communément, de manière non savante : *Le bar, vulgairement appelé « loup de mer ».* ◆ **vulgarisme** n. m. Expression, tour employé communément et qui n'est pas littéraire. ◆ **vulgariser** v. tr. Faire connaître, rendre accessible au grand public : *Vulgariser des connaissances d'histoire de l'art* (= les mettre à la portée de tous). *Vulgariser un certain vocabulaire médical de base* (syn. : PROPAGER). ◆ **vulgarisation** n. f. Fait de répandre dans le grand public des connaissances scientifiques : *Ouvrage de vulgarisation. Faire de la vulgarisation.* ◆ **vulgarisateur, trice** adj. et n. Qui fait connaître des idées au grand public : *Ouvrage vulgarisateur. Un écrivain qui est un grand vulgarisateur.*

2. vulgaire [vylgɛr] adj. 1° Se dit d'une personne (ou de ses paroles, de sa conduite, etc.) ordinaire ou grossière : *Des manières vulgaires* (syn. : COMMUN ; contr. : RAFFINÉ, DISTINGUÉ). *Homme, femme vulgaire. Expression, mot vulgaire* (syn. : ↑ TRIVIAL, POPULAIRE ; contr. : DÉLICAT, ÉLÉGANT,

RECHERCHÉ). *Des goûts vulgaires.* — 2° Sans élévation, bas : *Les réalités vulgaires de la vie* (syn. : PROSAÏQUE, GROSSIER, MATÉRIEL, TERRE À TERRE). ◆ **vulgairement** adv. Avec vulgarité, de manière commune : *S'exprimer vulgairement* (syn. : ↑ GROSSIÈREMENT). ◆ **vulgarité** n. f. Qualité de ce qui est ordinaire ou grossier : *La vulgarité de ces propos est choquante* (syn. : ↑ GROSSIÈRETÉ). *Logement meublé avec une certaine vulgarité de goût* (= mauvais goût, goût pour les choses voyantes, tapageuses).

vulnérable [vylnerabl] adj. Se dit de qui ou de ce qui peut être facilement atteint, blessé : *Etre vulnérable à la critique* (syn. : FRAGILE, ↑ SENSIBLE ; contr. : BLINDÉ, CUIRASSÉ CONTRE, INSENSIBLE À). *Se sentir très vulnérable* (= mal armé pour lutter contre quelque chose). *Une position vulnérable* (syn. : DANGEREUX, INCERTAIN). ◆ **vulnérabilité** n. f. : *Tenir compte de la vulnérabilité d'un organisme convalescent* (syn. : FRAGILITÉ). ◆ **invulnérable** adj. Qu'on ne peut atteindre, blesser : *Position invulnérable. Il est invulnérable aux critiques.* ◆ **invulnérabilité** n. f.

vulve [vylv] n. f. Ensemble des parties génitales externes, chez la femme et chez les femelles des animaux supérieurs.

W - X - Y

w n. m. V. Introduction.

wagon [vagɔ̃] n. m. Véhicule roulant sur une voie ferrée et destiné au transport des marchandises et des animaux (il est souvent employé pour désigner les *voitures* destinées au transport des voyageurs) : *Les wagons de marchandises étaient aiguillés vers les différents convois. Monter, descendre de wagon. Se pencher à la portière du wagon.* ◆ **wagonnet** [vagɔnɛ] n. m. Petit wagon basculant, servant au transport du charbon, de la terre, etc. : *Un train de wagonnets ramène le charbon de la taille.* ◆ **wagon-citerne** n. m. : *Les wagons-citernes sont destinés au transport des liquides* (pétrole, vin, etc.). ◆ **wagon-lit** n. m. Voiture de chemin de fer aménagée pour permettre aux voyageurs de dormir dans un lit. ◆ **wagon-restaurant** n. m. Voiture de chemin de fer aménagée pour servir des repas : *Des wagons-restaurants.*

water-polo [watɛrpolo] n. m. Jeu de ballon qui se joue dans l'eau, dans un espace délimité, entre deux équipes de sept joueurs.

waters [watɛr] ou **w.-c.** [vese] n. m. pl. Petite pièce ou appareil sanitaire destinés aux besoins naturels : *Les waters sont occupés* (syn. : CABINETS). *Les waters sont au fond du couloir* (syn. : TOILETTES). *Les waters sont bouchés.*

watt [wat] n. m. V. MESURE, *Unités de mesure.*

week-end [wikɛnd] n. m. Congé de fin de semaine, du samedi matin au lundi matin : *Nous passons le week-end dans notre maison de campagne* (syn. : FIN DE SEMAINE). *Nombreux accidents sur la route pendant le week-end. On prévoit un week-end peu ensoleillé. Les week-ends du printemps.*

western [wɛstɛrn] n. m. Film d'aventures dont l'action mouvementée se déroule dans l'ouest des Etats-Unis, au moment de la marche vers l'Ouest : *Les chevauchées des westerns attirent le public enfantin.*

whisky [wiski] n. m. Eau-de-vie de grain, fabriquée dans les pays anglo-saxons : *Prendre un verre de whisky.*

x

x n. m. 1° V. Introduction. — 2° En algèbre, *x* représente l'inconnue. — 3° *X* ou *Monsieur X*, désigne une personne que l'on ne veut ou que l'on ne peut nommer (syn. : UN TEL) : *X m'a dit de le rejoindre après le travail.* — 4° *Rayons X*, radiations qui ont la propriété de traverser plus ou moins facilement les corps matériels.

xénophobe [ksenofɔb] adj. et n. Qui manifeste de l'hostilité à l'égard des étrangers : *Le nationalisme a pu s'accompagner parfois d'un mouvement xénophobe.* ◆ **xénophobie** n. f. : *La xénophobie latente de certaines populations.*

xylophone [ksilofɔn] n. m. Instrument de musique composé de plaques de bois ou de métal d'inégale longueur, sur lesquelles on frappe avec deux baguettes.

y

1. y n. m. V. Introduction.

2. y [i] adv. et pron. pers. V. EN.

yacht [jak] n. m. Navire de plaisance, à voiles ou à moteur : *Les yachts amarrés dans le port de Cannes.* ◆ **yachting** [jaktiɲ ou jotiɲ] n. m. Sport de la navigation à voile.

yaourt [jaurt] n. m. Lait caillé par le ferment lactique : *Prendre au dessert un yaourt.*

yiddish [jidiʃ] n. m. Langue mixte composée d'hébreu et d'allemand.

Z

z n. m. V. Introduction.

zèbre [zɛbr] n. m. 1° Mammifère d'Afrique, proche du cheval et dont le pelage jaune est rayé de noir ou de brun. ‖ Fam. *Courir comme un zèbre,* courir très vite. — 2° *Pop.* Individu, type : *C'est un drôle de zèbre* (syn. pop. : ZIG, ZOUAVE). *Il faut faire attention à ce zèbre-là.* ◆ **zébrer** [zebre] v. tr. (souvent au passif) : *Le ciel noir est zébré d'éclairs.* ◆ **zébrure** n. f. Marque faite sur la peau : *Les coups de lanière avaient laissé de minces zébrures sur les jambes.*

zébu [zeby] n. m. Bœuf à longues cornes, d'Asie et de Madagascar, qui possède une bosse sur le garrot.

zèle [zɛl] n. m. Ardeur à entreprendre quelque chose ou mise au service de quelqu'un et qu'inspire le dévouement, la foi, etc. : *Il faut modérer son zèle pour le jeu* (syn. : ENTHOUSIASME). *Un zèle intempestif. Mettre tout son zèle à satisfaire ses parents* (syn. : APPLICATION). *Il veut faire du zèle et se montre importun* (= il montre un empressement excessif). ◆ **zélé, e** adj. Plein de zèle : *Un employé zélé* (syn. : ACTIF).

zénith [zenit] n. m. Degré le plus élevé (littér.) : *Il est au zénith de sa gloire* (syn. : SOMMET, APOGÉE). [Le *zénith* est le point de la sphère céleste situé verticalement au-dessus de la tête d'un observateur.]

zéro [zero] n. m. 1° Signe numérique indiquant l'absence de valeur : *Oublier un zéro dans une division. Nombre formé par un deux suivi de deux zéros. Le zéro vient de sortir deux fois à la loterie.* — 2° Absence de valeur, de quantité : *L'équipe a gagné par deux buts à zéro. Sa fortune est réduite à zéro* (syn. : RIEN). *Réduire à zéro les espérances de quelqu'un* (= les anéantir). *C'est zéro* (fam. = ça ne vaut rien). — 3° Degré de température correspondant à celle de la glace fondante : *La température est tombée ce matin au-dessous de zéro.* — 4° Celui dont les capacités sont nulles : *C'est un zéro en géographie, en politique* (syn. : NULLITÉ). ◆ adj. : *A zéro heure* (= minuit, dans la langue admin.). *Le degré zéro.*

zeste [zɛst] n. m. Ecorce de l'orange et du citron : *Mettre un zeste de citron dans un verre d'apéritif.*

zézayer [zezeje] ou, fam., **zozoter** [zɔzɔte] v. intr. Prononcer [z] le phonème [ʒ], [s] le phonème [ʃ]. ◆ **zézaiement** [zezemɑ̃] n. m. : *Certaines personnes atteintes de maladies nerveuses sont affectées d'une sorte de zézaiement.*

zig ou **zigue** [zig] n. m. *Pop.* Individu (le mot vieillit) : *C'est un bon zig* (syn. pop. : TYPE, ZOUAVE). ◆ **zigoto** [zigɔto] n. m. *Pop.* Individu.

zigouiller [ziguje] v. tr. *Pop.* Tuer, assassiner.

zigzag [zigzag] n. m. Ce qui a la forme d'une ligne brisée : *Les zigzags des éclairs dans un ciel d'orage. Marcher, courir, aller en zigzag* (contr. : EN LIGNE DROITE). ◆ **zigzaguer** v. intr. Aller en zigzag : *La voiture zigzagua sur la route mouillée et se jeta contre un platane. L'ivrogne zigzaguait sur le trottoir* (syn. : TITUBER).

zinc [zɛ̃g] n. m. Métal blanc, utilisé en plaques pour recouvrir les toitures, pour faire les gouttières, etc.

zizanie [zizani] n. f. *Mettre, semer la zizanie entre plusieurs personnes,* créer entre elles la désunion, faire naître la dispute.

zodiaque [zɔdjak] n. m. Zone circulaire qui contient les douze constellations que le Soleil semble traverser dans l'espace d'un an : *Les signes du zodiaque sont le Bélier (23 mars - 23 avril), le Taureau, les Gémeaux, le Cancer, le Lion, la Vierge, la Balance, le Scorpion, le Sagittaire, le Capricorne, le Verseau, les Poissons.*

zone [zon] n. f. 1° Espace limité d'une surface, d'une étendue plus importante : *Le globe terrestre est divisé en cinq zones climatiques : la zone torride, deux zones tempérées et deux zones glaciaires. Zone frontière. Les zones de l'intérieur. La zone d'habitation s'étend à plus de vingt kilomètres du centre urbain. La zone d'occupation, en France, pendant la guerre de 1939-1945. L'équipe de basket pratique une défense de zone* (par oppos. à celle qui se fait en marquant chaque joueur). *Les zones de salaire* (= celles qui correspondent à des salaires différenciés géographiquement). *Les effets de l'explosion se firent sentir sur une zone de cinq kilomètres. La basse Normandie est une zone d'élevage* (syn. : RÉGION, PAYS). *La zone bleue dans une ville* (= quartier où la durée du stationnement des véhicules automobiles est limitée). ‖ *La zone,* espace, à la limite d'une ville, caractérisé par la misère d'un habitat provisoire (syn. : BIDONVILLE). — 2° Ce qui est du ressort de l'activité ou de l'influence de quelqu'un, d'une collectivité : *Les pays d'Amérique latine qui sont dans la zone d'influence des Etats-Unis. C'est dans cette zone qu'il poursuit des recherches* (syn. : DOMAINE). *Zone d'activité, zone d'action.*

zoologie [zɔɔlɔʒi] n. f. Partie des sciences naturelles qui traite des animaux. ◆ **zoologique** adj. *Parc, jardin zoologique,* parc où se trouvent rassemblés des animaux sauvages pour que des visiteurs puissent les voir. ◆ **zoologiste** n. ◆ **zoo** [zɔɔ] n. m. Jardin zoologique.

zouave [zwɑv] n. m. *Pop.* Individu original ou malin (dans quelques expressions) : *C'est un drôle de zouave. Faire le zouave* (= faire le malin, essayer de se rendre intéressant; syn. : ZIGOTO). [Désignait un soldat d'un corps d'infanterie de l'armée française d'Afrique.]

zozoter v. intr. V. ZÉZAYER.

zut ! [zyt] interj. *Fam.* S'emploie dans la conversation pour marquer l'impatience ou le dépit par une interruption brusque de l'énoncé : *Zut! j'ai perdu mon portefeuille* (syn. fam. : FLÛTE !).

LISTE DES PRINCIPAUX PROVERBES

A bon chat, bon rat, se dit quand celui qui attaque trouve un antagoniste capable de lui résister.

Abondance de biens ne nuit pas, on accepte encore, par mesure de prévoyance, une chose dont on a déjà une quantité suffisante.

A bon vin point d'enseigne, ce qui est bon se recommande de soi-même.

A chaque jour suffit sa peine, supportons les maux d'aujourd'hui sans penser par avance à ceux que peut nous réserver l'avenir.

A cœur vaillant rien d'impossible, avec du courage, on vient à bout de tout.

A la Sainte-Luce, les jours croissent du saut d'une puce, les jours commencent à croître un peu à la Sainte-Luce (autref. 13 décembre, auj. 23 décembre).

A l'impossible nul n'est tenu, on ne peut exiger de quelqu'un ce qu'il lui est impossible de faire.

A l'œuvre on connaît l'ouvrier (ou **l'artisan**), c'est par la valeur de l'ouvrage qu'on juge celui qui l'a fait.

A père avare, enfant prodigue; à femme avare, galant escroc, un défaut, un vice fait naître autour de soi, par réaction, le défaut, le vice contraire.

L'appétit vient en mangeant, plus on a, plus on veut avoir.

Après la pluie, le beau temps, la joie succède souvent à la tristesse, le bonheur au malheur.

A quelque chose malheur est bon, les événements fâcheux peuvent procurer quelque avantage, ne fût-ce qu'en donnant de l'expérience.

L'argent n'a pas d'odeur, certains ne se soucient guère de la manière dont ils gagnent de l'argent, pourvu qu'ils en gagnent.

A tout seigneur, tout honneur, il faut rendre honneur à chacun suivant son rang.

Au royaume des aveugles, les borgnes sont rois, avec un mérite, un savoir médiocre, on brille au milieu des sots et des ignorants.

Autant en emporte le vent, se dit en parlant de promesses auxquelles on n'ajoute pas foi, ou qui ne se sont pas réalisées.

Autres temps, autres mœurs, les mœurs changent d'une époque à l'autre.

Aux grands maux les grands remèdes, il faut prendre des décisions énergiques contre les maux graves et dangereux.

Avec un (ou **des**) **si on mettrait Paris en bouteille,** avec des hypothèses, tout devient possible.

Bien faire, et laisser dire (ou **laisser braire**), il faut faire son devoir sans se préoccuper des critiques.

Bien mal acquis ne profite jamais, on ne peut jouir en paix du bien obtenu par des voies illégitimes.

Bon chien chasse de race, on hérite généralement les qualités de sa famille.

Bonne renommée vaut mieux que ceinture dorée, mieux vaut jouir de l'estime publique que d'être riche.

Les bons comptes font les bons amis, pour rester amis, il faut s'acquitter exactement de ce que l'on se doit l'un à l'autre.

Ce que femme veut, Dieu le veut, les femmes en viennent toujours à leurs fins.

C'est en forgeant qu'on devient forgeron, à force de s'exercer à une chose, on y devient habile.

C'est le ton qui fait la chanson, c'est la manière dont on dit les choses qui marque l'intention véritable.

C'est l'hôpital qui se moque de la charité, se dit de celui qui raille la misère d'autrui, bien qu'il soit lui-même aussi misérable.

Chacun pour soi et Dieu pour tous, laissons à Dieu le soin de s'occuper des autres.

Charbonnier est maître chez soi, le maître de maison est libre d'agir comme il l'entend dans sa propre demeure.

Charité bien ordonnée commence par soi-même, avant de songer aux autres, il faut songer à soi.

Chat échaudé craint l'eau froide, on redoute même l'apparence de ce qui vous a déjà nui.

Le chat parti, les souris dansent, quand maîtres ou chefs sont absents, écoliers ou subordonnés mettent à profit leur liberté.

Les chiens aboient, la caravane passe (prov. arabe), qui est sûr de sa voie ne se laisse pas détourner par la désapprobation la plus bruyante.

Chose promise, chose due, on est obligé de faire ce qu'on a promis.

Cœur qui soupire n'a pas ce qu'il désire, les soupirs que l'on pousse prouvent qu'on n'est pas satisfait.

Comme on connaît les saints, on les honore, on traite chacun selon son caractère.

Comme on fait son lit, on se couche, il faut s'attendre, en bien ou en mal, à ce qu'on s'est préparé à soi-même par sa conduite.

Comparaison n'est pas raison, une comparaison ne prouve rien.

Les conseilleurs ne sont pas les payeurs, défions-nous parfois des conseilleurs; ni leur personne ni leur bourse ne courent le risque qu'ils conseillent.

Les cordonniers sont les plus mal chaussés, on néglige souvent les avantages qu'on a, de par sa condition, à sa portée.

Dans le doute, abstiens-toi, maxime qui s'applique au doute pratique comme au doute purement spéculatif.

De deux maux il faut choisir le moindre, adage que l'on prête à Socrate, qui aurait ainsi expliqué pourquoi il avait pris une femme de très petite taille.

Déshabiller saint Pierre pour habiller saint Paul, faire une dette pour en acquitter une autre; se tirer d'une difficulté en s'en créant une nouvelle.

Dis-moi qui tu hantes, je te dirai qui tu es, on juge une personne d'après la société qu'elle fréquente.

L'eau va à la rivière, l'argent va aux riches.

En avril, n'ôte pas un fil; en mai, fais ce qu'il te plaît, on ne doit pas mettre des vêtements légers en avril; on le peut en mai.

L'enfer est pavé de bonnes intentions, les bonnes intentions ne suffisent pas si elles ne sont pas réalisées ou n'aboutissent qu'à des résultats fâcheux.

Entre l'arbre et l'écorce il ne faut pas mettre le doigt, il ne faut point intervenir dans une dispute entre proches.

Erreur n'est pas compte, tant que subsiste une erreur, un compte n'est pas définitif.

L'exception confirme la règle, cela même qui est reconnu comme exception constate une règle, puisque, sans la règle, point d'exception.

La faim chasse le loup du bois, la nécessité contraint les hommes à faire des choses qui ne sont pas de leur goût.

Fais ce que dois, advienne que pourra, fais ton devoir, sans t'inquiéter de ce qui pourra en résulter.

Faute de grives, on mange des merles, à défaut de mieux, il faut se contenter de ce que l'on a.

La fête passée, adieu le saint, une fois une satisfaction obtenue, on oublie qui l'a procurée.

La fin justifie les moyens, principe d'après lequel le but excuserait les actions coupables commises pour l'atteindre.

La fortune vient en dormant, le plus sûr moyen de s'enrichir est d'attendre passivement un heureux coup du sort.

Des goûts et des couleurs on ne discute pas, chacun est libre d'avoir ses préférences.

L'habit ne fait pas le moine, ce n'est pas sur l'extérieur qu'il faut juger les gens.

L'habitude est une seconde nature, l'habitude nous fait agir aussi spontanément qu'un instinct naturel.

Il faut battre le fer pendant qu'il est chaud, il faut pousser activement une affaire qui est en bonne voie.

Il faut que jeunesse se passe, on doit excuser les fautes que la légèreté et l'inexpérience font commettre à la jeunesse.

Il faut qu'une porte soit ouverte ou fermée, il faut prendre un parti dans un sens ou dans un autre.

Il faut rendre à César ce qui appartient à César, et à Dieu ce qui est à Dieu, il faut rendre à chacun ce qui lui est dû.

Il faut tourner sa langue sept fois dans sa bouche avant de parler, avant de parler, de se prononcer, il faut mûrement réfléchir.

Il ne faut jurer de rien, il ne faut jamais affirmer qu'on ne fera pas telle chose ou qu'elle n'arrivera jamais.

Il ne faut pas dire : Fontaine, je ne boirai pas de ton eau, nul ne peut assurer qu'il ne recourra jamais à une personne ou à une chose.

Il n'est pire aveugle que celui qui ne veut pas voir ou **Il n'est pire sourd que celui qui ne veut pas entendre,** le parti pris ferme l'esprit à tout éclaircissement.

Il n'est pire eau que l'eau qui dort, ce sont souvent les personnes d'apparence inoffensive dont il faut le plus se méfier.

Il n'y a pas de fumée sans feu, derrière les apparences, les on dit, il y a toujours quelque réalité.

Il n'y a pas de sot métier, toutes les professions sont bonnes.

Il n'y a que la vérité qui blesse, les reproches vraiment pénibles sont ceux que l'on a mérités.

Il n'y a que le premier pas qui coûte, le plus difficile en toute chose est de commencer.

Il vaut mieux aller au boulanger (ou au moulin) qu'au médecin, maladie coûte plus cher encore que dépense pour la nourriture.
Il vaut mieux avoir affaire à Dieu qu'à ses saints, il vaut mieux s'adresser directement au patron qu'aux subalternes.
Il vaut mieux tenir que courir, la possession vaut mieux que l'espérance.
Il y a loin de la coupe aux lèvres, il peut arriver bien des événements entre un désir et sa réalisation.
Le jeu ne vaut pas la chandelle, la chose ne vaut pas la peine qu'on se donne pour l'obtenir.
Les jours se suivent et ne se ressemblent pas, les circonstances varient avec le temps.
Loin des yeux, loin du cœur, l'absence détruit ou affaiblit les affections.
Les loups ne se mangent pas entre eux, les méchants ne cherchent pas à se nuire.
Mauvaise herbe pousse toujours, se dit pour expliquer la croissance rapide d'un enfant de mauvais caractère.
Le mieux est l'ennemi du bien, on court le risque de gâter ce qui est bien en voulant obtenir mieux.
Mieux vaut tard que jamais, il vaut mieux, en certains cas, agir tard que ne pas agir du tout.
Les murs ont des oreilles, dans un entretien confidentiel, il faut se défier de ce qui vous entoure.
Nécessité fait loi, dans un besoin ou un péril extrême, on peut se soustraire à toutes les obligations conventionnelles.
Ne fais pas à autrui ce que tu ne voudrais pas qu'on te fît, règle de conduite qui est le fondement d'une morale élémentaire.
N'éveillez pas le chat qui dort, il ne faut pas réveiller une fâcheuse affaire, une menace assoupie.
Noël au balcon, Pâques au tison, si le temps est beau à Noël, il fera froid à Pâques.
La nuit porte conseil, la nuit est propre à nous inspirer de sages réflexions.
La nuit, tous les chats sont gris, on ne peut pas bien, de nuit, distinguer les personnes et les choses.
Nul n'est prophète en son pays, personne n'est apprécié à sa vraie valeur là où il vit habituellement.
L'occasion fait le larron, l'occasion fait faire des choses répréhensibles auxquelles on n'aurait pas songé.
Œil pour œil, dent pour dent, loi du talion.
L'oisiveté est mère (ou la mère) de tous les vices, n'avoir rien à faire, c'est s'exposer aux tentations.
On ne fait pas d'omelette sans casser d'œufs, on n'arrive pas à un résultat sans peine ni sacrifices.
On ne prête qu'aux riches, on ne rend des services qu'à ceux qui sont en état de les récompenser ; on attribue volontiers certains actes à ceux qui sont habitués à les faire.
On reconnaît l'arbre à ses fruits, c'est à ses actes qu'on connaît la valeur d'un homme.
Paris ne s'est pas fait en un jour, rien ne peut se faire sans le temps voulu.
Pas de nouvelles, bonnes nouvelles, sans nouvelles de quelqu'un, on peut conjecturer qu'il ne lui est rien arrivé de fâcheux.
Pauvreté n'est pas vice, il n'y a pas de honte à être pauvre.
Péché avoué est à demi pardonné, celui qui avoue son péché obtient plus aisément l'indulgence.
Petit à petit, l'oiseau fait son nid, à force de persévérance, on vient à bout d'une entreprise.
Petite pluie abat grand vent, souvent, peu de chose suffit pour calmer une grande colère.
Les petits ruisseaux font les grandes rivières, les petits profits accumulés finissent par faire de gros bénéfices.
Pierre qui roule n'amasse pas mousse, on ne s'enrichit pas en changeant souvent d'état, de pays.
Plaie d'argent n'est pas mortelle, les pertes d'argent peuvent toujours se réparer.
La pluie du matin réjouit ou **n'arrête pas le pèlerin,** la pluie du matin est souvent la promesse d'une belle journée.
La plus belle fille du monde ne peut donner que ce qu'elle a, nul ne peut donner ce qu'il n'a pas.
Plus on est de fous, plus on rit, la gaieté devient plus vive avec le nombre des joyeux compagnons.
Prudence est mère de sûreté, c'est en étant prudent qu'on évite tout danger.
Quand on veut noyer son chien, on dit qu'il a la rage (ou **la gale**), quand on en veut à quelqu'un, on l'accuse faussement.
Qui a bu boira, on ne se corrige jamais d'un défaut devenu une habitude.
Qui aime bien châtie bien, un amour véritable est celui qui ne craint pas d'user d'une sage sévérité.
Qui donne aux pauvres prête à Dieu, celui qui fait la charité en sera récompensé dans la vie future.
Qui dort dîne, le sommeil tient lieu de dîner.
Qui ne dit mot consent, ne pas élever d'objection, c'est donner son adhésion.
Qui ne risque rien n'a rien, un succès ne peut s'obtenir sans quelque risque.
Qui paie ses dettes s'enrichit, en payant ses dettes, on assure ou augmente son crédit.
Qui peut le plus peut le moins, celui qui est capable de faire une chose difficile, coûteuse, etc., peut à plus forte raison faire une chose plus facile, moins coûteuse, etc.
Qui sème le vent récolte la tempête, celui qui produit des causes de désordre ne peut s'étonner de ce qui en découle.
Qui se ressemble s'assemble, ceux qui ont les mêmes penchants se recherchent mutuellement.
Qui s'y frotte s'y pique, celui qui s'y risque s'en repent.
Qui trop embrasse mal étreint, qui entreprend trop de choses à la fois n'en réussit aucune.
Qui va à la chasse perd sa place, qui quitte sa place doit s'attendre à la trouver occupée à son retour.
Qui veut aller loin ménage sa monture, il faut ménager ses forces, ses ressources, etc., si l'on veut tenir, durer longtemps.
Qui veut la fin veut les moyens, qui veut une chose ne doit pas reculer devant les moyens qu'elle réclame.
Qui vole un œuf vole un bœuf, qui commet un vol minime se montre par là capable d'en commettre un plus considérable.
Rira bien qui rira le dernier, qui se moque d'autrui risque d'être raillé à son tour si les circonstances changent.
Si jeunesse savait, si vieillesse pouvait, les jeunes manquent d'expérience, les vieillards de force.
Le soleil luit pour tout le monde, chacun a droit aux choses que la nature a départies à tous.
Tant va la cruche à l'eau qu'à la fin elle se casse (ou **qu'enfin elle se brise**), tout finit par s'user ; à force de braver un danger, on finit par y succomber ; à force de faire la même faute, on finit par en pâtir.
Tel est pris qui croyait prendre, on subit souvent le mal qu'on a voulu faire à autrui.
Tel père, tel fils, le plus souvent, le fils tient de son père.
Le temps, c'est de l'argent, traduction de l'adage anglais *Time is money*, le temps bien employé est un profit.
Tous les chemins mènent à Rome, il y a bien des moyens d'arriver au but.
Tous les goûts sont dans la nature, se dit à propos d'une personne qui a des goûts singuliers.
Toute peine mérite salaire, chacun doit être récompensé de sa peine, quelque petite qu'elle ait été.
Tout est bien qui finit bien, se dit d'une entreprise qui réussit après qu'on a craint le contraire.
Toute vérité n'est pas bonne à dire, il n'est pas toujours bon de dire ce que l'on sait, même si cela est vrai.
Tout nouveau tout beau, la nouveauté a toujours un attrait particulier.
Tout vient à point à qui sait attendre, avec du temps et de la patience, on réussit, on obtient ce que l'on désire.
Un clou chasse l'autre, se dit en parlant de personnes ou de choses qui succèdent à d'autres et les font oublier.
Un de perdu, dix de retrouvés, la personne, la chose perdue est très facile à remplacer.
Une fois n'est pas coutume, un acte isolé n'entraîne à rien ; on peut fermer les yeux sur un acte isolé.
Une hirondelle ne fait pas le printemps, on ne peut rien conclure d'un seul cas, d'un seul fait.
Un homme averti en vaut deux, quand on a été prévenu de ce que l'on doit craindre, on se tient doublement sur ses gardes.
Un tiens vaut mieux que deux tu l'auras, posséder peu, mais sûrement, vaut mieux qu'espérer beaucoup, sans certitude.
Ventre affamé n'a point d'oreilles, l'homme pressé par la faim est sourd à toute parole.
Le vin est tiré, il faut le boire, l'affaire étant engagée, il faut en accepter les suites, même fâcheuses.
Vouloir, c'est pouvoir, on réussit lorsqu'on a la ferme volonté de réussir.

Imprimerie LAROUSSE, 1 à 9, rue d'Arcueil, Montrouge (Hauts-de-Seine).
Janvier 1967. — Dépôt légal 1967-1er. — No 3859. — No série Editeur 3994.
IMPRIMÉ EN FRANCE (*Printed in France*). — 20.190 A-5-67.

Ajouter page 803 :

où [u] adv. **1°** Utilisé dans les propositions interrogatives et relatives pour indiquer le lieu (avec ou sans adjonction d'une préposition) : *Où va-t-il? D'où vient-il? Par où passera-t-il? Je me demande où il est allé. Le document n'est plus dans le dossier où il avait été mis* (= dans lequel). *Il n'habite plus la ville où il était il y a cinq ans.* — **2°** Employé dans des propositions relatives et des locutions conjonctives pour indiquer la date, le temps : *A l'époque où j'étais au lycée. Le soir où il y eut la représentation. Au moment où il viendra* (≠ quand). • Loc. adv. *D'où,* indique la conséquence dans une suite de phrases : *Il a refusé, d'où il résulte mainte-nant que nous sommes dans l'impasse.* (V- qui.) ‖ *Là où,* v. là.

OUVRAGES LAROUSSE
pour l'étude de la langue française

GRAMMAIRE LAROUSSE DU FRANÇAIS CONTEMPORAIN

par J.-Cl. Chevalier, Cl. Blanche-Benveniste, M. Arrivé et J. Peytard.

Cette grammaire est à la fois normative et descriptive. Normative, elle reproduit les règles fixées depuis des décennies par les grammairiens, en explique brièvement l'origine, en discute la validité lorsqu'elles semblent inadéquates à la langue contemporaine. Descriptive, elle s'appuie sur un important corpus assemblé aux étages différents de la langue (usages littéraire et familier, écrit et parlé...) et l'organise selon deux plans différents d'exposition : d'abord une étude détaillée de la phrase, qui est fondée sur les principes du structuralisme et, particulièrement, en certains points, de la grammaire générative ; puis un examen des parties du discours, qui fait la part plus large à l'analyse des sens et des valeurs en se référant à des développements traditionnels depuis la publication de la "Grammaire de Port-Royal".

La "Grammaire Larousse" est un ouvrage complet : outre les parties déjà citées, on trouvera un important chapitre consacré aux signes et aux sons (phonétique fonctionnelle), un autre au vocabulaire, un autre à la versification (vers classique et vers libre), un index et une bibliographie.

Un volume cartonné 14,5 x 20,5 cm, 496 pages, bibliographie, index.

pour le premier cycle du second degré :

GRAMMAIRE FRANÇAISE

par J. Dubois, R. Lagane et G. Jouannon

Complète, conforme aux programmes et à la nomenclature officiels, d'une consultation commode grâce à un index très détaillé, cette grammaire répond aux exigences des programmes qui prévoient ; les élèves auront entre les mains et conserveront pendant toute la durée de leurs études une grammaire française. **(Complétée par 3 volumes d'EXERCICES DE FRANÇAIS** 6ᵉ - 5ᵉ - 4/3ᵉ.)

Un volume cartonné (14,5 x 20 cm), 176 pages.

GRAMMAIRE ET EXERCICES DE FRANÇAIS de la 6ᵉ à la 3ᵉ

par J. Dubois et G. Jouannon

57 leçons à la fois simples et complètes, avec de nombreux exemples choisis pour illustrer chaque règle. Chaque leçon est suivie d'exercices appropriés et distincts selon qu'ils s'adressent aux classes de 6ᵉ et 5ᵉ, ou aux classes de 4ᵉ et 3ᵉ.

Un volume cartonné (14,5 x 20 cm), 304 pages.

pour le premier degré :

GRAMMAIRE DU FRANÇAIS VIVANT

par J. Lafitte-Houssat, F. Annarumma et P. Durand

3 volumes : Cours élémentaire, cl. de 10ᵉ et 9ᵉ (à paraître) - Cours moyen 1ʳᵉ année, cl. de 8ᵉ - Cours moyen 2ᵉ année, cl. de 7ᵉ.

Ce nouveau cours de grammaire tient compte du souci général d'alléger l'enseignement de la grammaire. Le texte, point de départ de chaque leçon, présente un épisode d'une histoire suivie. La leçon retient les éléments essentiels du programme, avec modèle d'analyse, exercices oraux et écrits, des révisions du programme du cours et de celui de la classe précédente.

Chaque volume cartonné (17,5 x 23 cm), 144 pages illustrées en couleurs.

Cours MA GRAMMAIRE

par J. Ferry et Ch. Pierre

3 volumes : Cours élémentaire, cl. de 10ᵉ et 9ᵉ - Cours moyen 1ʳᵉ année, cl. de 8ᵉ - Cours moyen, cl. de 8ᵉ et 7ᵉ et classes de transition.

Ce cours couvre l'ensemble des classes du premier degré. A partir de textes d'auteurs, choisis pour leurs qualités, s'élaborent les leçons complétées par de nombreux exercices.

Chaque volume cartonné (15,5 x 21,5 cm), illustré en couleurs.